# FRANCE

2003

■ *Sélection d'hôtels et de restaurants*

*Selection of hotels and restaurants* ■

■ *Selezione di alberghi e ristoranti*

*Auswahl an Hotels und Restaurants* ■

■ *Selección de hoteles y restaurantes*

MICHELIN

# FRANCE

*Lors de vos déplacements,*
*vous recherchez*
*un hôtel pratique et accueillant*
*offrant une prestation de qualité*
*à prix raisonnable ?*

*Dans la lignée du " Bib Gourmand " ☺,*
*cette 94^e édition du Guide Rouge France*
*vous propose désormais de découvrir*
*le " Bib Hôtel " ☺, pour passer*
*« de bonnes nuits à petits prix ».*

*Les adresses " Bib Hôtel " vous sont signalées*
*dans le guide par ce picto : ☺ et par* « ch ».
*Elles disposent de chambres doubles*
*dont le prix - petit déjeuner non compris - est :*

*inférieur à 60 € en province,*
*inférieur à 75 € dans les grandes villes*
*et stations touristiques.*

*Vous retrouverez également le " Bib Hôtel "*
*dans les Guides Rouges : Deutschland,*
*España & Portugal et Suisse 2003.*

*Consultez toute la sélection du Guide Rouge*
*France sur* ***www.ViaMichelin.fr***
*et faites-nous part de vos commentaires*
*en écrivant à*
***leguiderouge-france@fr.michelin.com***
*car le Guide Rouge vit et progresse grâce à vous !*

# *Sommaire*

RESTAURANT
hotel

# *Le choix d'un hôtel, d'un restaurant*

*Ce guide vous propose une sélection d'hôtels et restaurants établie à l'usage de l'automobiliste de passage. Les établissements, classés selon leur confort, sont cités par ordre de préférence dans chaque catégorie*

## Catégories

| | | |
|---|---|---|
| | XXXXX | *Grand luxe et tradition* |
| | XXXX | *Grand confort* |
| | XXX | *Très confortable* |
| | XX | *De bon confort* |
| | X | *Assez confortable* |
| | | *Simple mais convenable* |
| [M] | | *Dans sa catégorie, hôtel d'équipement moderne* |
| sans rest. | | *L'hôtel n'a pas de restaurant* |
| | avec ch. | *Le restaurant possède des chambres* |

## Agrément et tranquillité

*Certains établissements se distinguent dans le g*
*par les symboles rouges indiqués ci-après.*
*Le séjour dans ces hôtels se révèle particulière*
*agréable ou reposant.*
*Cela peut tenir d'une part au caractère de l' ce,*
*au décor original, au site, à l'accueil*
*et aux services qui sont proposés,*
*d'autre part à la tranquillité des lieux.*

| | |
|---|---|
| à | *Hôtels agréables* |
| XXXXX à X | *Restaurants agréables* |
| | *Hôtel très tranquille ou isolé et tranquille* |
| | *Hôtel tranquille* |
| ≼ mer | *Vue exceptionnelle* |
| ≼ | *Vue intéressante ou étendue.* |

*Les localités possédant des établissem ts agréables ou tranquilles sont repérées sur les cart pages 92 à 114. Consultez-les pour la préparation d vos voyages et donnez-nous vos appréciations votre retour, vous faciliterez ainsi nos enquête.*

# *L'installation*

*Les chambres des hôtels que nous recommandons possèdent, en général, des installations sanitaires complètes. Il est toutefois possible que dans les catégories et certaines chambres en soient dépourvues.*

| | |
|---|---|
| 30 ch | *Nombre de chambres* |
| | *Ascenseur* |
| | *Air conditionné (dans tout ou partie de l'établissement)* |
| | *Télévision dans la chambre* |
| | *Chambres réservées aux non-fumeurs* |
| | *Prise Modem-Minitel dans la chambre* |
| | *Chambres accessibles aux handicapés physiques* |
| | *Repas servis au jardin ou en terrasse* |
| | *Salle de remise en forme* |
| | *Piscine : de plein air ou couverte* |
| | *Plage aménagée – Jardin de repos* |
| | *Parc* |
| | *Tennis à l'hôtel* |
| 25 à 150 | *Salles de conférences : capacité des salles* |
| | *Garage dans l'hôtel (généralement payant)* |
| | *Parking réservé à la clientèle* |
| | *Parking clos réservé à la clientèle* |
| | *Accès interdit aux chiens (dans tout ou partie de l'établissement)* |
| mai-oct. | *Période d'ouverture, communiquée par l'hôtelier* |
| onnier | *Ouverture probable en saison mais dates non précisées. En l'absence de mention, l'établissement est ouvert toute l'année.* |

# *La table*

## Les étoiles

*Certains établissements méritent d'être signalés à votre attention pour la qualité de leur cuisine. Nous les distinguons par les étoiles de bonne table.*

*Nous indiquons, pour ces établissements, trois spécialités culinaires et des vins locaux qui pourront orienter votre choix.*

✿✿✿ **Une des meilleures tables, vaut le voyage**

25 *On y mange toujours très bien, parfois merveilleusement. Grands vins, service impeccable, cadre élégant... Prix en conséquence.*

✿✿ **Table excellente, mérite un détour**

72 *Spécialités et vins de choix... Attendez-vous à une dépense en rapport.*

✿ **Une très bonne table dans sa catégorie**

407 *L'étoile marque une bonne étape sur votre itinéraire. Mais ne comparez pas l'étoile d'un établissement de luxe à prix élevés avec celle d'une petite maison où, à prix raisonnables, on sert également une cuisine de qualité.*

## Le "Bib Gourmand"

432 **Repas soignés à prix modérés**

*Vous souhaitez parfois trouver des tables plus simples, à prix modérés ; c'est pourquoi nous avons sélectionné des restaurants proposant, pour un rapport qualité-prix particulièrement favorable, un repas soigné, souvent de type régional en province.*

*Ces restaurants sont signalés par le* **"Bib Gourmand"** *et* Repas.

*Ex.* Repas 17/23 *en province.*

*Ex.* Repas 19/30 *à Paris et sa région.*

*Consultez les listes et les cartes des étoiles de bonne table ✿✿✿, ✿✿, ✿ et des* **"Bib Gourmand"***, pages 78 à 114.*

*Voir aussi page 10.*

**Les vins et les mets : voir p. 73 à 77**

# *L'hébergement*

## Le Bib Hôtel

176 **Bonnes nuits à petits prix**

*Vous cherchez un hôtel pratique et accueillant offrant une prestation de qualité à prix raisonnable ?*
*Ces adresses possèdent une majorité de chambres pour deux personnes, petit déjeuner non compris, à moins de 60 € en province et moins de 75 € en ville et stations touristiques importantes.*

*Elles vous sont signalées par le* **"Bib Hôtel"** *et* ch.
*Ex.* 25 ch 38/70 *en province.*
*Ex.* 25 ch 42/80 *en ville et stations touristiques importantes.*

*Consultez la liste des* **"Bib Hôtel"** *pages 89 à 91 et repérez-les sur les cartes pages 92 à 114.*

# Les prix

*Les prix indiqués dans ce guide ont été établis en automne 2002, et s'appliquent à la* ***haute saison****.*
*Ils sont susceptibles de modifications, notamment en cas de variations des prix des biens et des services. Ils s'entendent taxes et service compris. Aucune majoration ne doit figurer sur votre note, sauf éventuellement la taxe de séjour.*

*Les hôtels et restaurants figurent en gros caractères lorsque les hôteliers nous ont donné tous leurs prix et se sont engagés, sous leur propre responsabilité, à les appliquer aux touristes de passage porteurs de notre guide.*

*Hors saison, certains établissements proposent des conditions avantageuses, renseignez-vous lors de votre réservation.*

*Entrez à l'hôtel le guide à la main, vous montrerez ainsi qu'il vous conduit là en confiance.*

## Repas

| | |
|---|---|
| enf. 9 | *Prix du menu pour enfants* |
| | *Établissement proposant un menu simple à moins de* 15 € |

### Repas à prix fixe :

| | |
|---|---|
| Repas *(8,50)* | *Prix d'un repas composé d'un plat principal, accompagné d'une entrée ou d'un dessert, généralement servi au déjeuner en semaine* |
| 13,80 (déj.) | *Menu servi au déjeuner uniquement* |
| 16/23 | *Prix du menu : minimum* 16, *maximum* 23 |
| 15,50/23 | *Menu à prix fixe minimum* 15,50 *non servi les fins de semaine et jours fériés* |
| bc | *Boisson comprise* |
| | *Vin servi au verre* |
| | *Vin de table en carafe* |

### Repas à la carte :

| | |
|---|---|
| Repas carte 22 à 48 | *Le premier prix correspond à un repas normal comprenant : entrée, plat principal et dessert. Le 2e prix concerne un repas plus complet (avec spécialité) comprenant : deux plats, fromage et dessert (boisson non comprise).* |

## Chambres

ch 29/66 — *Prix minimum* 29 *pour une chambre d'une personne et prix maximum* 66 *pour une chambre de deux personnes*

29 ch ☕ 34/71 — *Prix des chambres petit déjeuner compris*

☕ 6,80 — *Prix du petit déjeuner (généralement servi dans la chambre)*

appart. — *Se renseigner auprès de l'hôtelier*

## Demi-pension

1/2 P 35,50/55 — *Prix minimum et maximum de la demi-pension (chambre, petit déjeuner et un repas) par personne et par jour, en saison ; ces prix s'entendent pour une chambre double occupée par deux personnes, pour un séjour de trois jours minimum.*
*Une personne seule occupant une chambre double se voit parfois appliquer une majoration.*
*La plupart des hôtels saisonniers pratiquent également, sur demande, la pension complète.*
*Dans tous les cas, il est indispensable de s'entendre par avance avec l'hôtelier pour conclure un arrangement définitif.*

## Les arrhes

*Certains hôteliers demandent le versement d'arrhes. Il s'agit d'un dépôt-garantie qui engage l'hôtelier comme le client.*
*Bien faire préciser les dispositions de cette garantie. Demandez à l'hôtelier de vous fournir dans sa lettre d'accord toutes précisions utiles sur la réservation et les conditions de séjour.*

## Cartes de paiement

AE (D) CB JCB — *Cartes de paiement acceptées par l'établissement : American Express - Diners Club - Carte Bancaire (Visa, Eurocard, MasterCard) - Japan Credit Bureau*

# Les villes

| | |
|---|---|
| 63300 | *Numéro de code postal de la localité (les deux premiers chiffres correspondent au numéro du département)* |
| ✉ 57130 Ars | *Numéro de code postal et nom de la commune de destination* |
| P SP | *Préfecture – Sous-préfecture* |
| 337 E5 | *Numéro de la Carte "LOCAL" Michelin et coordonnées de carroyage* |
| G. Jura | *Voir Le Guide Vert Michelin Jura* |
| 1 057 h. | *Population* |
| alt. 75 | *Altitude de la localité* |
| Stat. therm. | *Station thermale* |
| 1 200/1 900 | *Altitude de la station et altitude maximum atteinte par les remontées mécaniques* |
| 2 | *Nombre de téléphériques ou télécabines* |
| 14 | *Nombre de remonte-pentes et télésièges* |
| | *Ski de fond* |
| BY B | *Lettres repérant un emplacement sur le plan* |
| | *Panorama, point de vue* |
| | *Aéroport* |
| | *Localité desservie par train-auto. Renseignements au numéro de téléphone indiqué* |
| | *Transports maritimes* |
| | *Transports maritimes pour passagers seulement* |
| | *Information touristique* |

# Les curiosités

## Intérêt

| | |
|---|---|
| ★★★ | *Vaut le voyage* |
| ★★ | *Mérite un détour* |
| ★ | *Intéressant* |

*Les musées sont généralement fermés le mardi*

## Situation

| | |
|---|---|
| Voir | *Dans la ville* |
| Env. | *Aux environs de la ville* |
| *N, S, E, O* | *La curiosité est située : au Nord, au Sud, à l'Est, à l'Ouest* |
| ② ④ | *On s'y rend par la sortie ② ou ④ repérée par le même signe sur le plan du Guide et sur la carte* |
| *2 km* | *Distance en kilomètres* |

# *Les cartes de voisinage*

## Avez-vous pensé à les consulter ?

*Vous souhaitez trouver une bonne adresse, par exemple, aux environs de Clermont-Ferrand ? Consultez la carte qui accompagne le plan de la ville.*

*La « carte de voisinage » (ci-contre) attire votre attention sur toutes les localités citées au Guide autour de la ville choisie, et particulièrement celles qui sont accessibles en automobile en moins de 30 minutes (limite de couleur).*

*Les « cartes de voisinage » vous permettent ainsi le repérage rapide de toutes les ressources proposées par le Guide autour des métropoles régionales.*

**Nota :**

*Lorsqu'une localité est présente sur une « carte de voisinage », sa métropole de rattachement est imprimée en BLEU sur la ligne des distances de ville à ville.*

*Vous trouverez Châtelguyon sur la carte de voisinage de Clermont-Ferrand.*

**Exemple :**

**CHÂTELGUYON** *63140 P.-de-D.* 326 F7 *G. Auvergne*
*fin sept.) – Casino* **B**.
*Office du Tourisme, 1 av. de l'Europe*
*ot.chatelguyon@wanadoo.fr*
*Paris 414 ① – Clermont-Ferrand 21 ① – Gannat*

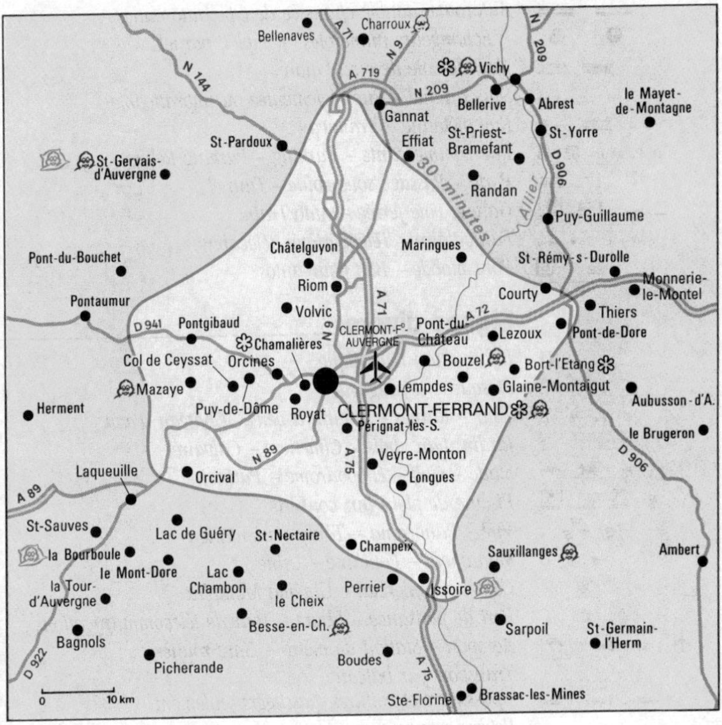

Bellenaves
Charroux
A 71
N 9
N 144
A 719
N 209
N 209
Vichy
Bellerive
Abrest
le Mayet-de-Montagne
Gannat
St-Yorre
Effiat
St-Priest-Bramefant
St-Pardoux
St-Gervais-d'Auvergne
D 906
30 minutes
Randan
Allier
Puy-Guillaume
Châtelguyon
Maringues
Pont-du-Bouchet
St-Rémy-s-Durolle
Riom
Courty
Monnerie-le-Montel
A 71
Pontaumur
Thiers
Volvic
A 72
D 941
Pontgibaud
N 9
CLERMONT-Fᴰ-AUVERGNE
Pont-du-Château
Lezoux
Pont-de-Dore
Chamalières
Col de Ceyssat
Orcines
Bouzel
Bort-l'Etang
Mazaye
Lempdes
Glaine-Montaigut
Aubusson-d'A.
Herment
Puy-de-Dôme
Royat
CLERMONT-FERRAND
Pérignat-lès-S.
le Brugeron
N 89
A 75
Veyre-Monton
D 906
Laqueuille
Orcival
Longues
A 89
St-Sauves
Lac de Guéry
St-Nectaire
Champeix
Sauxillanges
Ambert
la Bourboule
le Mont-Dore
Lac Chambon
Perrier
Issoire
la Tour-d'Auvergne
le Cheix
Besse-en-Ch.
Sarpoil
St-Germain-l'Herm
Bagnols
D 922
Picherande
Boudes
A 75
0
10 km
Ste-Florine
Brassac-les-Mines


*Toutes les « cartes de voisinage » sont localisées sur la carte thématique pages 92 à 114.*

# *Les plans*

*Hôtels*
*Restaurants*

## Curiosités

*Bâtiment intéressant*
*Édifice religieux intéressant :*
*- Catholique – Protestant*

## Voirie

*Autoroute, double chaussée de type autoroutier*
*Échangeurs numérotés : complet, partiels*
*Grande voie de circulation*
*Sens unique – Rue réglementée ou impraticable*
*Rue piétonne – Tramway*
R. Pasteur *Rue commerçante – Parking – Parking Relais*
*Porte – Passage sous voûte – Tunnel*
*Gare et voie ferrée – Auto/Train*
*Funiculaire – Téléphérique, télécabine*
B *Pont mobile – Bac pour autos*

## Signes divers

*Information touristique*
*Mosquée – Synagogue*
*Tour – Ruines – Moulin à vent – Château d'eau*
*Jardin, parc, bois – Cimetière – Calvaire*
*Stade – Golf – Hippodrome – Patinoire*
*Piscine de plein air, couverte*
*Vue – Panorama – Table d'orientation*
*Monument – Fontaine – Usine*
*Centre commercial – Cinéma Multiplex*
*Port de plaisance – Phare – Tour de télécommunications*
S.N.C.F. *Aéroport – Station de métro – Gare routière*
*Transport par bateau :*
*- passagers et voitures, passagers seulement*
③ *Repère commun aux plans et aux cartes Michelin détaillées*
*Bureau principal de poste restante et Téléphone*
*Hôpital – Marché couvert – Caserne*
*Bâtiment public repéré par une lettre :*
A C *- Chambre d'agriculture – Chambre de commerce*
G H J *- Gendarmerie – Hôtel de ville – Palais de justice*
M P T *- Musée – Préfecture, sous-préfecture – Théâtre*
U *- Université, grande école*
POL. *- Police (commissariat central)*
4m4 18T ⑱ *Passage bas (inf. à 4 m 50) – Charge limitée (inf. à 19 t)*

*Looking for a welcoming
and comfortable hotel
at a reasonable price?*

*In the same spirit as the "Bib Gourmand",
this 94th edition of Le Guide Rouge France now
introduces the "Bib Hôtel", allowing you to
enjoy "good accomodation at moderates prices".*

*The "Bib Hôtel" addresses are identified
in this guide by the symbol : and by* « ch ».
*They offer double rooms
- breakfast not included - for :*

*less than 60 € in the provinces,*
*less than 75 € in major cities
and tourist destinations*

*You will also find the "Bib Hôtel"
in the 2003 Red Guides to Deutschland,
España & Portugal and Switzerland.*

*Consult Le Guide Rouge France at*
***www.ViaMichelin.fr***
*and write to us at*
***leguiderouge-france@fr.michelin.com***
*and help make the guide better.*

# *Contents*

RESTAURANT
hotel

# *Choosing a hotel or restaurant*

*This guide offers a selection of hotels and restaurants to help motorists on their travels. In each category establishments are listed in order of preference according to the degree of comfort they offer.*

## Categories

| | | |
|---|---|---|
| ⌂⌂⌂⌂⌂ | XXXXX | *Luxury in the traditional style* |
| ⌂⌂⌂⌂ | XXXX | *Top class comfort* |
| ⌂⌂⌂ | XXX | *Very comfortable* |
| ⌂⌂ | XX | *Comfortable* |
| ⌂ | X | *Quite comfortable* |
| ⌂ | | *Simple comfort* |
| M | | *In its category, hotel with modern amenities* |
| sans rest. | | *The hotel has no restaurant* |
| | avec ch. | *The restaurant also offers accommodation* |

## Peaceful atmosphere and setting

*Certain establishments are distinguished in the guide by the red symbols shown below.*

*Your stay in such hotels will be particularly pleasant or restful, owing to the character of the building, its decor, the setting, the welcome and services offered, or simply the peace and quiet to be enjoyed there.*

| | |
|---|---|
| ⌂⌂⌂⌂⌂ to ⌂ | *Pleasant hotels* |
| XXXXX to X | *Pleasant restaurants* |
| (red rocking chair symbol) | *Very quiet or quiet, secluded hotel* |
| (rocking chair symbol) | *Quiet hotel* |
| < mer | *Exceptional view* |
| < | *Interesting or extensive view* |

*The maps on pages 92 to 114 indicate places with such very peaceful, pleasant hotels and restaurants. By consulting them before setting out and sending us your comments on your return you can help us with our enquiries.*

# Hotel facilities

*In general the hotels we recommend have full bathroom and toilet facilities in each room. This may not be the case, however, for certain rooms in categories and .*

| | |
|---|---|
| 30 ch | *Number of rooms* |
| | *Lift (elevator)* |
| | *Air conditioning (in all or part of the hotel)* |
| TV | *Television in room* |
| | *Rooms reserved for non-smokers* |
| | *Minitel-modem point in the bedrooms* |
| | *Rooms accessible to disabled people* |
| | *Meals served in garden or on terrace* |
| | *Exercise room* |
| | *Outdoor or indoor swimming pool* |
| | *Beach with bathing facilities – Garden* |
| | *Park* |
| | *Hotel tennis court* |
| 25 à 150 | *Equipped conference hall (minimum and maximum capacities)* |
| | *Hotel garage (additional charge in most cases)* |
| P | *Car park for customers only* |
| P | *Enclosed car park for customers only* |
| | *Dogs are excluded from all or part of the hotel* |
| mai-oct. | *Dates when open, as indicated by the hotelier* |
| saisonnier | *Probably open for the season – precise dates not available. Where no date or season is shown, establishments are open all year round.* |

# *Cuisine*

## Stars

*Certain establishments deserve to be brought to your attention for the particularly fine quality of their cooking. Michelin stars are awarded for the standard of meals served. For such restaurants we list three culinary specialities and a number of local wines to assist you in your choice.*

### ✪✪✪ Exceptional cuisine, worth a special journey

25 *One always eats here extremely well, sometimes superbly. Fine wines, faultless service, elegant surroundings. One will pay accordingly!*

### ✪✪ Excellent cooking, worth a detour

72 *Specialities and wines of first class quality. This will be reflected in the price.*

### ✪ A very good restaurant in its category

407 *The star indicates a good place to stop on your journey. But beware of comparing the star given to an expensive de luxe establishment to that of a simple restaurant where you can appreciate fine cuisine at a reasonable price.*

## 🍽 The "Bib Gourmand"

432 **Good food at moderate prices**

*You may also like to know of other restaurants with less elaborate, moderately priced menus that offer good value for money and serve carefully prepared meals. Outside the Paris region, such establishments generally specialise in regional cooking.*

*In the guide such establishments are marked* 🍽 *the* **"Bib Gourmand"** *and* **Repas** *just before the price of the menu :*

*For example* **Repas** 17/23 *outside the Paris region*
**Repas** 19/30 *in the Paris region*

*Please refer to the lists and the map of star-rated restaurants* ✿✿✿, ✿✿, ✿ *and the* **"Bib Gourmand"** 🍽, *pp 78 to 114.*

*See also* ∞ *on page 24*
**Food and wine : see pp 73 to 77**

# *Accommodation*

## The "Bib Hôtel"

176 **Good accomodation at moderates prices**

*For those looking for a friendly hotel which offers a good level of comfort and service at a reasonable price.*

*These establishments have mostly double rooms costing up to 60 € in the provinces and 75 € in towns and popular tourist ressorts. Breakfast is not included.*

*Look for the* **"Bib Hôtel"** *and* ch.

*Ex.* 25 ch 38/70 *in the en provinces.*

*Ex.* 25 ch 42/80 *in towns and popular tourist resorts.*

*All the* **"Bib Hôtel"** *are listed on pages 89 to 91 are marked on the maps on pages 92 to 114.*

# Prices

*Prices quoted are valid for autumn 2002 and apply to high season. They are subject to alteration if goods and service costs are revised. The rates include tax and service and no extra charge should appear on your bill, with the possible exception of visitors' tax.*

*Hotels and restaurants in bold type have supplied details of all their rates and have assumed responsibility for maintaining them for all travellers in possession of this guide.*

*Out of season, certain establishments offer special rates. Ask when booking.*

*Your recommendation is self evident if you always walk into a hotel Guide in hand.*

## Meals

| | |
|---|---|
| enf. 9 | *Price of children's menu* |
| 🪙 | *Establishment serving a simple menu* for less than 15 € |

### Set meals :

| | |
|---|---|
| **Repas** *(8,50)* | *Price for a 2 course meal, generally served weekday lunchtimes* |
| 13,80 (déj.) | *Set meal served only at lunch time* |
| 16/23 | *Lowest* 16 *and highest* 23 *prices for set meals* |
| 15,50/23 | *The cheapest set meal* 15,50 *is not served on Saturdays, Sundays or public holidays* |
| bc | *House wine included* |
| 🍷 | *Wine served by the glass* |
| 🍶 | *Table wine available by the carafe* |

### A la carte meals :

| | |
|---|---|
| **Repas** carte 22 à 48 | *The first figure is for a plain meal and includes first course, main dish of the day with vegetables and dessert* <br> *The second figure is for a fuller meal (with spécialité) and includes 2 main courses, cheese, and dessert (drinks not included).* |

## Rooms

| | |
|---|---|
| ch 29/66 | *Lowest price* 29 *for a single room and highest price* 66 *for a double* |
| 29 ch ☕ 34/71 | *Price includes breakfast* |
| ☕ 6,80 | *Price of continental breakfast (generally served in the bedroom)* |
| appart. | *Check with the hotelier for prices* |

## Half board

| | |
|---|---|
| 1/2 P 35,50/55 | *Lowest and highest prices of half board (room, breakfast and a meal) per person, per day in season. These prices are valid for a double room occupied by two people for a minimum stay of three days. When a single person occupies a double room he may have to pay a supplement. Most of the hotels also offer full board terms on request. It is essential to agree on terms with the hotelier before making a firm reservation.* |

## Deposits

*Some hotels will require a deposit, which confirms the commitment of customer and hotelier alike. Make sure the terms of the agreement are clear. Ask the hotelier to provide you, in his letter of confirmation, with all terms and conditions applicable to your reservation.*

## Credit cards

| | |
|---|---|
| AE ⓓ CB JCB | *American Express – Diners Club – Carte Bancaire (includes Eurocard, MasterCard and Visa) – Japan Credit Bureau* |

# Towns

| | |
|---|---|
| *63300* | *Local postal number (the first two numbers represent the department number)* |
| ✉ *57130 Ars* | *Postal number and name of the postal area* |
| P SP | *Prefecture – Sub-prefecture* |
| 337 E5 | *Number of the appropriate sheet and grid square references of the Michelin road map "LOCAL"* |
| *G. Jura* | *See The Michelin Green Guide Jura* |
| *1 057 h.* | *Population* |
| *alt. 75* | *Altitude (in metres)* |
| *Stat. therm.* | *Spa* |
| *Sports d'hiver* | *Winter sports* |
| *1 200/1 900* | *Altitude (in metres) of resort and highest point reached by lifts* |
| 2 | *Number of cable-cars* |
| 14 | *Number of ski and chair-lifts* |
| | *Cross country skiing* |
| **BY B** | *Letters giving the location of a place on the town plan* |
| ✳ < | *Panoramic view, Viewpoint* |
| | *Airport* |
| | *Places with motorail pick-up point. Further information from phone no. listed* |
| | *Shipping line* |
| | *Passenger transport only* |
| | *Tourist Information Centre* |

# Sights

## Star-rating

| | |
|---|---|
| ★★★ | *Worth a journey* |
| ★★ | *Worth a detour* |
| ★ | *Interesting* |

*Museums and art galleries are generally closed on Tuesdays*

## Location

| | |
|---|---|
| Voir | *Sights in town* |
| Env. | *On the outskirts* |
| *N, S, E, O* | *The sight lies north, south, east or west of the town* |
| ② ④ | *Sign on town plan and on the Michelin road map indicating the road leading to a place of interest* |
| *2 km* | *Distance in kilometres* |

# Local maps

## May we suggest that you consult them

*Should you be looking for a hotel or restaurant not too far from Clermont-Ferrand, for example, you can consult the map along with the town plan.*

*The local map (opposite) draws your attention to all places around the town or city selected, provided they are mentioned in the Guide. Places located within a thirty minute drive are clearly identified by the use of a different coloured background.*

*The various facilities recommended near the different regional capitals can be located quickly and easily.*

**Note :**

*Entries in the Guide provide information on distances to nearby towns. Whenever a place appears on one of the local maps, the name of the town or city to which it is attached is printed in BLUE.*

**Example :**

*Châtelguyon is to be found on the local map Clermont-Ferrand.*

**CHÂTELGUYON** *63140 P.-de-D.* 326 F7 *G. Auvergne*
*fin sept.) – Casino* B.
*Office du Tourisme, 1 av. de l'Europe*
*ot.chatelguyon@wanadoo.fr*
*Paris 414 ① – Clermont-Ferrand 21 ① – Gannat*

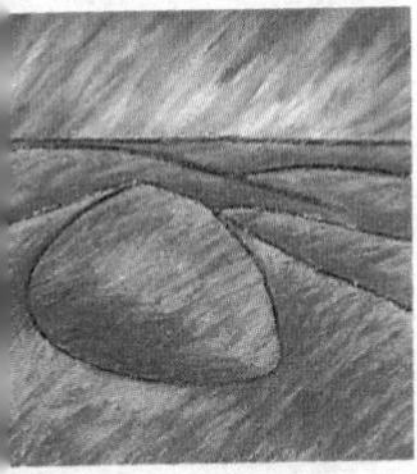

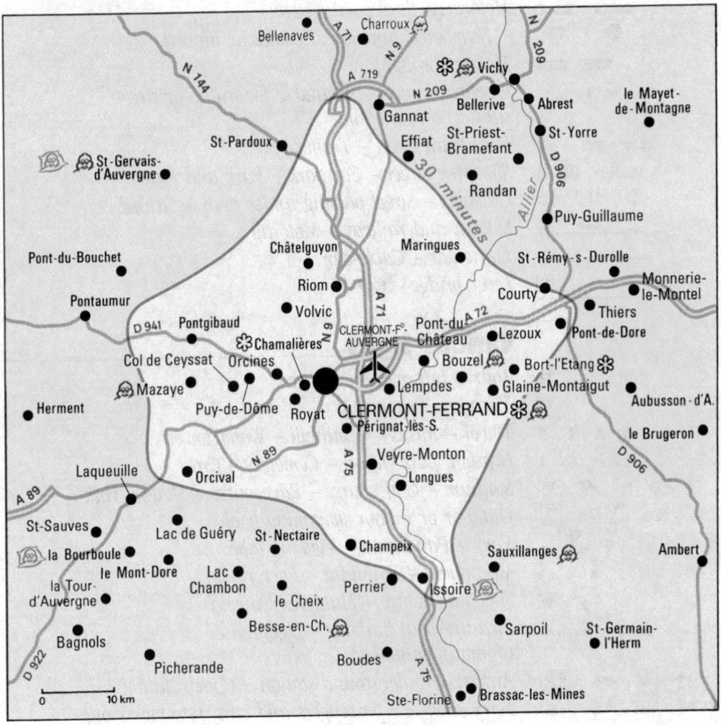

Bellenaves
A 71
Charroux
N 9
N 209
N 144
A 719
Vichy
N 209
Gannat
Bellerive
Abrest
le Mayet-de-Montagne
St-Pardoux
Effiat
St-Priest-Bramefant
St-Yorre
St-Gervais-d'Auvergne
30 minutes
Randan
D 906
Allier
Puy-Guillaume
Pont-du-Bouchet
Châtelguyon
Maringues
St-Rémy-s-Durolle
Riom
Courty
Monnerie-le-Montel
Pontaumur
A 71
Thiers
Volvic
A 72
D 941
Pontgibaud
CLERMONT-Fᴰ-AUVERGNE
N 9
Pont-du-Château
Lezoux
Pont-de-Dore
Chamalières
Col de Ceyssat
Orcines
Bouzel
Bort-l'Etang
Mazaye
Lempdes
Glaine-Montaigut
Aubusson-d'A.
Herment
Puy-de-Dôme
Royat
CLERMONT-FERRAND
Pérignat-lès-S.
le Brugeron
N 89
A 75
Veyre-Monton
D 906
Laqueuille
Orcival
Longues
A 89
St-Sauves
Lac de Guéry
St-Nectaire
Champeix
Sauxillanges
Ambert
la Bourboule
le Mont-Dore
Lac Chambon
Perrier
Issoire
la Tour-d'Auvergne
le Cheix
Besse-en-Ch.
Sarpoil
St-Germain-l'Herm
Bagnols
Boudes
A 75
Picherande
D 922
0
10 km
Ste-Florine
Brassac-les-Mines


*All the local maps are indicated on the thematic map on pp 92 to 114.*

# *Town plans*

*Hotels*
*Restaurants*

## Sights

*Place of interest*
*Interesting place of worship:*
*- Catholic – Protestant*

## Roads

*Motorway, dual carriageway*
*Numbered junctions : complete, limited*
*Major thoroughfare*
*One-way street – Unsuitable for traffic or street subject to restrictions*
*Pedestrian street – Tramway*
R. Pasteur — *Shopping street – Car park – Park and Ride*
*Gateway – Street passing under arch – Tunnel*
*Station and railway – Motorail*
*Funicular – Cable-car*
B — *Lever bridge – Car ferry*

## Various signs

*Tourist Information Centre*
*Mosque – Synagogue*
*Tower – Ruins – Windmill – Water tower*
*Garden, park, wood – Cemetery – Cross*
*Stadium – Golf course – Racecourse – Skating rink*
*Outdoor or indoor swimming pool*
*View – Panorama – Viewing table*
*Monument – Fountain – Factory*
*Shopping centre – Multiplex Cinema*
*Pleasure boat harbour – Lighthouse*
*Communications tower*
S.N.C.F. — *Airport – Underground station – Coach station*
*Ferry services : passengers and cars, passengers only*
③ — *Reference number common to town plans and Michelin maps*
*Main post office with poste restante and telephone*
*Hospital – Covered market – Barracks*
*Public buildings located by letter :*
A C — *- Chamber of Agriculture – Chamber of Commerce*
G H J — *- Gendarmerie – Town Hall – Law Courts*
M P T — *- Museum – Prefecture or sub-prefecture – Theatre*
U — *- University, College*
POL. — *- Police (in large towns police headquarters)*
4'4 18T ⑱ — *Low headroom (15 ft. max.) – Load limit (under 19 t)*

*In viaggio ricercate*
*un albergo funzionale ed accogliente*
*in grado di offire un buon soggiorno*
*a prezzi contenuti?*

*Sullo stesso piano del " Bib Gourmand "* ☺*,*
*la 94° edizione del Guide Rouge France*
*vi propone di scoprire il*
*" Bib Hôtel "* ☺*, per una*
*« buona sistemazione a prezzi contenuti ».*

*Gli esercizi " Bib Hôtel " sono segnalati*
*nella guida con questi simboli:* ☺ *e « ch ».*
*Dispongono di camere doppie il cui*
*prezzo - prima colazione non compresa - è:*
*inferiore a 60 € in provincia,*
*inferiore a 75 € nelle grandi città*
*e stazioni turistiche importanti.*

*Ritroverete anche il " Bib Hôtel "*
*nelle Guide Rosse Deutschland,*
*España & Portugal, Svizzera 2003.*

*Non esitate a consultare l'intera selezione del*
*Guide Rouge France su* ***www.ViaMichelin.fr***
*o a scriverci, anche via internet,*
*presso l'indirizzo*
***leguiderouge-france@fr.michelin.com***
*perché Le Guide Rouge vive*
*e si evolve grazie a voi.*

# *Sommario*

RESTAURANT

# La scelta di un albergo, di un ristorante

*Questa guida vi propone una selezione di alberghi e ristoranti per orientare la scelta dell'automobilista. Gli esercizi, classificati in base al confort che offrono, vengono citati in ordine di preferenza per ogni categoria.*

## Categorie

| | | |
|---|---|---|
| | | *Gran lusso e tradizione* |
| | | *Gran confort* |
| | | *Molto confortevole* |
| | | *Di buon confort* |
| | | *Abbastanza confortevole* |
| | | *Semplice, ma conveniente* |
| M | | *Nella sua categoria, albergo con installazioni moderne* |
| sans rest. | | *L'albergo non ha ristorante* |
| | avec ch. | *Il ristorante dispone di camere* |

## Amenità e tranquillità

*Alcuni esercizi sono evidenziati nella guida dai simboli rossi indicati qui di seguito. Il soggiorno in questi alberghi dovrebbe rivelarsi particolarmente ameno o riposante.*

*Ciò può dipendere sia dalle caratteristiche dell'edificio, dalle decorazioni non comuni, dalla sua posizione e dal servizio offerto, sia dalla tranquillità dei luoghi.*

| | |
|---|---|
| a | *Alberghi ameni* |
| a | *Ristoranti ameni* |
| | *Albergo molto tranquillo o isolato e tranquillo* |
| | *Albergo tranquillo* |
| mer | *Vista eccezionale* |
| | *Vista interessante o estesa* |

*Le località che possiedono degli esercizi ameni o molto tranquilli sono riportate sulle carte da pagina 92 a 114.*

*Consultatele per la preparazione dei vostri viaggi e, al ritorno, inviateci i vostri pareri; in tal modo agevolerete le nostre inchieste.*

# Installazioni

*Le camere degli alberghi che raccomandiamo possiedono, generalmente, delle installazioni sanitarie complete. È possibile tuttavia che nelle categorie e alcune camere ne siano sprovviste.*

| | |
|---|---|
| 30 ch | *Numero di camere* |
| | *Ascensore* |
| | *Aria condizionata (in tutto o in parte dell'esercizio)* |
| | *Televisione in camera* |
| | *Camere riservate ai non fumatori* |
| | *Presa Modem-Minitel in camera* |
| | *Camere di agevole accesso per i portatori di handicap* |
| | *Pasti serviti in giardino o in terrazza* |
| | *Palestra* |
| | *Piscina: all'aperto, coperta* |
| | *Spiaggia attrezzata – Giardino* |
| | *Parco* |
| | *Tennis appartenente all'albergo* |
| 25 à 150 | *Sale per conferenze: capienza minima e massima delle sale* |
| | *Garage nell'albergo (generalmente a pagamento)* |
| | *Parcheggio riservato alla clientela* |
| | *Parcheggio chiuso riservato alla clientela* |
| | *Accesso vietato ai cani (in tutto o in parte dell'esercizio)* |
| mai-oct. | *Periodo di apertura, comunicato dall'albergatore* |
| saisonnier | *Probabile apertura in stagione, ma periodo non precisato. Gli esercizi senza tali menzioni sono aperti tutto l'anno.* |

# *La tavola*

## Le stelle

*Alcuni esercizi meritano di essere segnalati alla vostra attenzione per la qualità particolare della loro cucina; li abbiamo evidenziati con le « stelle di ottima tavola ».*
*Per ognuno di questi ristoranti indichiamo tre specialità culinarie e alcuni vini locali che potranno aiutarvi nella scelta.*

✿✿✿ **Una delle migliori tavole, vale il viaggio**

25 *Vi si mangia sempre molto bene, a volte meravigliosamente, grandi vini, servizio impeccabile, ambientazione accurata... Prezzi conformi.*

✿✿ **Tavola eccellente, merita una deviazione**

72 *Specialità e vini scelti... Aspettatevi una spesa in proporzione.*

✿ **Un'ottima tavola nella sua categoria**

407 *La stella indica una tappa gastronomica sul vostro itinerario.*
*Non mettete però a confronto la stella di un esercizio di lusso, dai prezzi elevati, con quella di un piccolo esercizio dove, a prezzi ragionevoli, viene offerta una cucina di qualità.*

## Il "Bib Gourmand"

432 **Pasti accurati a prezzi contenuti**

*Talvolta desiderate trovare delle tavole più semplici a prezzi contenuti. Per questo motivo abbiamo selezionato dei ristoranti che, per un rapporto qualità-prezzo particolarmente favorevole, offrono un pasto accurato, in provincia spesso a carattere tipicamente regionale.*

*Questi ristoranti sono evidenziati nel testo con il* **"Bib Gourmand"** *e* Repas,
*es.* Repas 17/23, *in provincia.*
*es.* Repas 19/30, *a Parigi e nella sua regione.*

*Consultate le liste e le carte con stelle ✿✿✿, ✿✿, ✿ e con* **"Bib Gourmand"** *(pagine 78 a 114).*
*Vedere anche a pagina 38.*

**I vini e le vivande: vedere p. 73 a 77**

# *Dove alloggiare*

## Il " Bib Hôtel "

176 **Buona sistemazione a prezzi contenuti.**

*Cercate un albergo funzionale ed accogliente in grado di offrire una prestazione di qualità a prezzi contenuti?*
*Questi esercizi dispongono di camere per due persone, prima colazione esclusa, a meno di 60 € in provincia e 75 € in città ed in località turistiche importanti.*

*Sono segnalati dal* **" Bib Hôtel "** *e* ch.
*Es.* **26** ch 38/70 *in provincia.*
*Es.* **26** ch 42/80 *in città ed in località turistiche importanti.*

*Consultate la lista dei* **" Bib Hôtel "** *da pagina 89 a pagina 91 e localizzateli sulle carte da pagina 92 a pagina 114.*

# *I prezzi*

*I prezzi indicati in questa guida, sono stati stabiliti nell'autunno 2002 e si riferiscono ai periodi di alta stagione. E' possibile che vengano modificati in funzione del periodo o di variazioni dei costi di beni e servizi.*
*Essi s'intendono comprensivi di tasse e servizio. Nessuna maggiorazione deve figurare sul vostro conto, salvo eventualmente la tassa di soggiorno.*

*Gli alberghi e i ristoranti vengono menzionati in carattere grassetto quando gli albergatori ci hanno comunicato tutti i loro prezzi e si sono impegnati, sotto la propria responsabilità, ad applicarli ai turisti di passaggio, in possesso della nostra guida.*

*In bassa stagione, certi esercizi applicano condizioni più vantaggiose, informatevi al momento della prenotazione.*

*Entrate nell'albergo con la Guida alla mano, dimostrando in tal modo la fiducia in chi vi ha indirizzato.*

## Pasti

| | |
|---|---|
| enf. 9 | *Prezzo del menu riservato ai bambini* |
| | *Esercizio che presenta un menu semplice per* meno di 15 € |

### Pasti a prezzo fisso:

| | |
|---|---|
| **Repas** *(8,50)* | *Prezzo di un pasto composto dal piatto principale accompagnato da antipasto o dessert, generalmente servito a mezzogiorno in settimana* |
| 13,80 (déj.) | *Menu servito a mezzogiorno soltanto* |
| 16/23 | *Prezzo del menu: minimo* 16, *massimo* 23 |
| 15,50/23 | *Menu a prezzo fisso minimo* 15,50, *non applicato durante il fine settimana e nei giorni festivi* |
| bc | *Bevanda compresa* |
| | *Vino servito a bicchiere* |
| | *Vino da tavola in caraffa a prezzo modico* |

### Pasto alla carta:

| | |
|---|---|
| **Repas** carte 22 à 48 | *Il primo prezzo corrisponde ad un pasto semplice comprendente: antipasto, piatto con contorno e dessert. Il secondo prezzo corrisponde ad un pasto più completo (con specialità) comprendente: due piatti, formaggio e dessert (bevande escluse).* |

## Camere

| | |
|---|---|
| ch 29/66 | *Prezzo minimo* 29 *per una camera singola e prezzo massimo* 66 *per una camera per due persone* |
| 29 ch ☕ 34/71 | *Prezzo della camera compresa la prima colazione* |
| ☕ 6,80 | *Prezzo della prima colazione (generalmente servita in camera)* |
| appart. | *Informarsi presso l'albergatore* |

## Mezza pensione

| | |
|---|---|
| 1/2 P 35,50/55 | *Prezzo minimo e massimo della mezza pensione (camera, prima colazione e un pasto) per persona e al giorno, in alta stagione. Questi prezzi sono validi per la camera doppia occupata da due persone, per un soggiorno minimo di tre giorni; la persona singola che occupi una camera doppia, potrà talvolta vedersi applicata una maggiorazione. La maggior parte degli alberghi pratica anche, su richiesta, la pensione completa. È comunque consigliabile prendere accordi preventivi con l'albergatore per stabilire le condizioni definitive.* |

## La caparra

*Alcuni albergatori chiedono il versamento di una caparra. Si tratta di un deposito-garanzia che impegna tanto l'albergatore che il cliente. Vi consigliamo di farvi precisare le norme riguardanti la reciproca garanzia di tale caparra. Chiedete all'albergatore di fornirvi nella sua lettera di conferma, ogni dettaglio sulla prenotazione e sulle condizioni di soggiorno.*

## Carte di credito

| | |
|---|---|
| AE (D) CB JCB | *American Express – Diners Club – Carte Bancaire (comprende Eurocard, MasterCard e Visa) – Japan Credit Bureau* |

# *Le città*

| | |
|---|---|
| 63300 | *Codice di avviamento postale (le prime due cifre corrispondono al numero del dipartimento)* |
| ✉ 57130 Ars | *Numero di codice e sede dell'ufficio postale di destinazione* |
| P SP | *Prefettura – Sottoprefettura* |
| 337 E5 | *Numero della carta Michelin "LOCAL" e coordinate riferite alla quadrettadura.* |
| G. Jura | *Vedere La Guida Verde Michelin Jura* |
| 1 057 h. | *Popolazione* |
| alt. 75 | *Altitudine della località* |
| Stat. therm. | *Stazione termale* |
| Sports d'hiver | *Sport invernali* |
| 1 200/1 900 | *Altitudine della località e altitudine massima raggiungibile con gli impianti di risalita* |
| (cable car symbol) 2 | *Numero di funivie o cabinovie* |
| (ski lift symbol) 14 | *Numero di sciovie e seggiovie* |
| (cross-country skier symbol) | *Sci di fondo* |
| BY B | *Lettere indicanti l'ubicazione sulla pianta* |
| (panorama symbol) (view symbol) | *Panorama, vista* |
| (airplane symbol) | *Aeroporto* |
| (car-on-train symbol) | *Località con servizio auto su treno. Informarsi al numero di telefono indicato* |
| (ferry symbol) | *Trasporti marittimi* |
| (passenger boat symbol) | *Trasporti marittimi (solo passeggeri)* |
| (i symbol) | *Ufficio informazioni turistiche* |

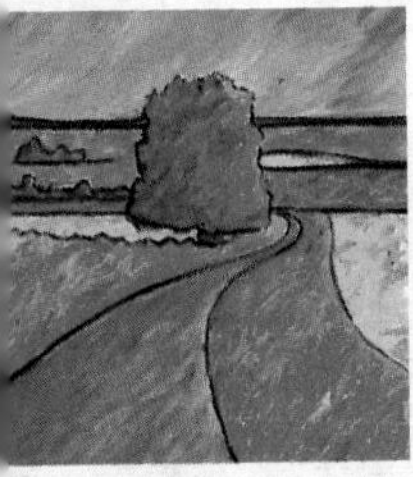

# Luoghi d'interesse

## Grado di interesse

| | |
|---|---|
| ★★★ | *Vale il viaggio* |
| ★★ | *Merita una deviazione* |
| ★ | *Interessante* |

*I musei sono generalmente chiusi il martedì*

## Ubicazione

| | |
|---|---|
| Voir | *Nella città* |
| Env. | *Nei dintorni della città* |
| *N, S, E, O* | *Il luogo si trova: a Nord, a Sud, a Est, a Ovest* |
| ② ④ | *Ci si va dall'uscita ② o ④ indicata con lo stesso segno sulla pianta della guida e sulla carta stradale* |
| *2 km* | *Distanza chilometrica* |

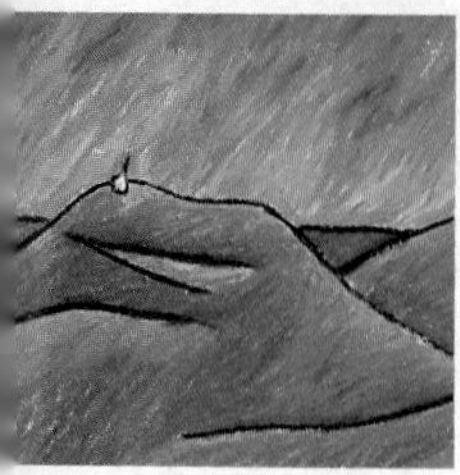

# *Le carte dei dintorni*

## Sapete come usarle?

*Se desiderate, per esempio, trovare un buon indirizzo nei dintorni di Clermont-Ferrand, la « carta dei dintorni » (qui accanto) richiama la vostra attenzione su tutte le località citate nella Guida che si trovino nei dintorni della città prescelta, e in particolare su quelle raggiungibili in automobile in meno di 30 minuti (limite di colore).*

*In tal modo, le « carte dei dintorni » permettono la localizzazione rapida di tutte le risorse proposte dalla Guida nei dintorni delle metropoli regionali.*

**Nota:**

*Quando una località è presente su una « carta dei dintorni », la città a cui ci si riferisce è scritta in BLU nella linea delle distanze da città a città.*

**Esempio:**

*Troverete Châtelguyon sulla carta dei dintorni di Clermont-Ferrand.*

**CHÂTELGUYON** *63140 P.-de-D.* 326 F7 *G. Auvergne*
*fin sept.) – Casino* **B**.
*Office du Tourisme, 1 av. de l'Europe*
*ot.chatelguyon@wanadoo.fr*
*Paris 414 ① – Clermont-Ferrand 21 ① – Gannat*

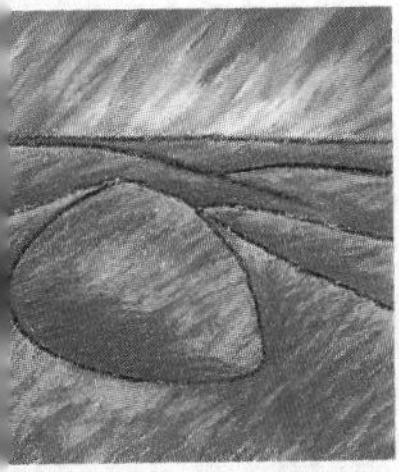

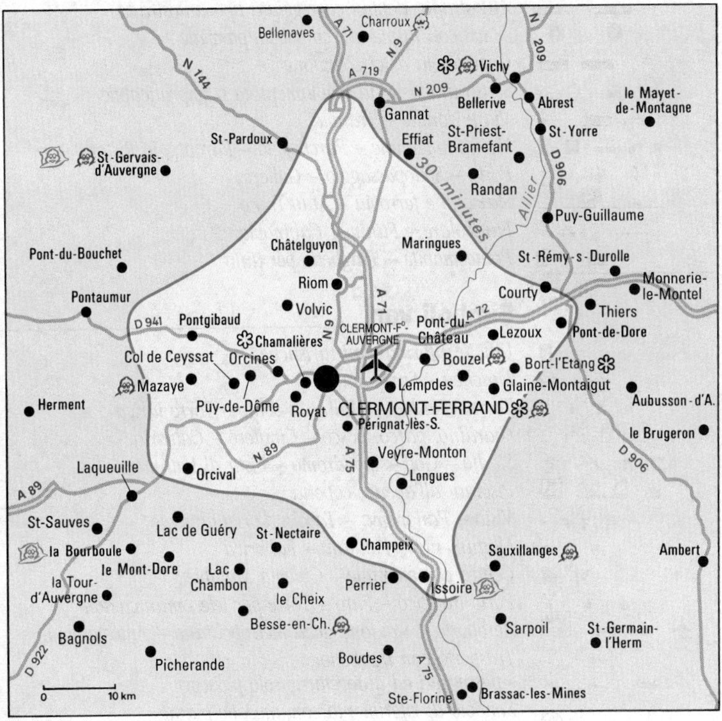

Bellenaves
Charroux
A 71
N 9
N 144
A 719
Vichy
N 209
Bellerive
Abrest
le Mayet-de-Montagne
Gannat
St-Pardoux
Effiat
St-Priest-Bramefant
St-Yorre
St-Gervais-d'Auvergne
30 minutes
Randan
D 906
Allier
Puy-Guillaume
Pont-du-Bouchet
Châtelguyon
Maringues
St-Rémy-s-Durolle
Riom
Courty
Monnerie-le-Montel
Pontaumur
Volvic
Thiers
D 941
Pontgibaud
CLERMONT-F°-AUVERGNE
Pont-du-Château
A 72
Pont-de-Dore
Chamalières
Lezoux
Col de Ceyssat
Orcines
Bouzel
Bort-l'Etang
Mazaye
Lempdes
Glaine-Montaigut
Aubusson-d'A.
Herment
Puy-de-Dôme
Royat
CLERMONT-FERRAND
Pérignat-lès-S.
le Brugeron
N 89
Veyre-Monton
A 75
Laqueuille
Orcival
Longues
A 89
St-Sauves
Lac de Guéry
St-Nectaire
Champeix
Sauxillanges
Ambert
la Bourboule
le Mont-Dore
Lac Chambon
Perrier
Issoire
la Tour-d'Auvergne
le Cheix
Besse-en-Ch.
Sarpoil
St-Germain-l'Herm
Bagnols
D 922
Picherande
Boudes
0
10 km
Ste-Florine
Brassac-les-Mines


*Tutte le « carte dei dintorni » sono localizzate sulla carta tematica p. 92 a 114.*

# *Le piante*

*Alberghi*
*Ristoranti*

## Curiosità

*Edificio interessante*
*Costruzione religiosa interessante:*
*- Cattolica – Protestante*

## Viabilità

*Autostrada, doppia carreggiata tipo autostrada*
*Svincoli numerati: completo, parziale*
*Grande via di circolazione*
*Senso unico – Via regolamentata o impraticabile*
*Via pedonale – Tranvia*
R. Pasteur *Via commerciale – Parcheggio – Parcheggio Ristoro*
*Porta – Sottopassaggio – Galleria*
*Stazione e ferrovia – Auto/Treno*
*Funicolare – Funivia, Cabinovia*
B *Ponte mobile – Traghetto per auto*

## Simboli vari

*Ufficio informazioni turistiche*
*Moschea – Sinagoga*
*Torre – Ruderi – Mulino a vento – Torre idrica*
*Giardino, parco, bosco – Cimitero – Calvario*
*Stadio – Golf – Ippodromo – Pista di pattinaggio*
*Piscina: all'aperto, coperta*
*Vista – Panorama – Tavola d'orientamento*
*Monumento – Fontana – Fabbrica*
*Centro commerciale – Cinema Multiplex*
*Porto turistico – Faro – Torre per telecomunicazioni*
S.N.C.F. *Aeroporto – Stazione della Metropolitana – Autostazione*
*Trasporto con traghetto:*
*- passeggeri ed autovetture, solo passeggeri*
3 *Simbolo di riferimento comune alle piante ed alle carte Michelin particolareggiate*
*Ufficio centrale di fermo posta e telefono*
*Ospedale – Mercato coperto – Caserma*
*Edificio pubblico indicato con lettera:*
A C *- Camera di Agricoltura – Camera di Commercio*
G H J *- Gendarmeria – Municipio – Palazzo di Giustizia*
M P T *- Museo – Prefettura, Sottoprefettura – Teatro*
U *- Università, grande scuola*
POL. *- Polizia (Questura, nelle grandi città)*
4m4 18T 18 *Sottopassaggio (altezza inferiore a m 4,50) – Portata limitata (inf. a 19 t)*

*Auf Ihren Reisen suchen Sie ein praktisches und gastfeundliches Haus, das ein gutes Preis-Leistungs-Verhältnis bietet.*

*In Anlehnung an den " Bib Gourmand "* ☺, *gibt Ihnen die 94. Ausgabe des Guide Rouge France die Möglichkeit, den " Bib Hôtel "* ☺, *zu entdecken. Er steht für Hotels, die Ihnen eine gute Übernachtungsmöglichkeit zu einem günstigen Preis bieten.*

*Die Adressen, die mit einem " Bib Hôtel " versehen sind, sind im Guide Rouge France mit dem Piktogramm* ☺ *und mit «* ch *».*
*Sie erhalten ein Doppelzimmer*
*- ohne Frühstück - für weniger als:*
*60 € auf dem Land,*
*75 € in Urlaubsorten und größeren Städten.*

*Den " Bib Hôtel " finden Sie ebenfalls in den Roten Michelin-Führern Deutschland, España & Portugal sowie Suisse 2003.*

*Die Auswahl des Guide Rouge France finden Sie auch im Internet unter:*
***www.ViaMichelin.fr***
*Ihre Kommentare sind uns stets willkommen.*
*Sie erreichen den Roten Michelin-Führer auch unter seiner E-Mail-Adresse:*
***leguiderouge-france@fr.michelin.com***
*Der Guide Rouge lebt und entwickelt sich mit Ihrer Hilfe weiter.*

# *Inhaltsverzeichnis*

RESTAURANT

# *Wahl eines Hotels, eines Restaurants*

*Die Auswahl der in diesem Führer aufgeführten Hotels und Restaurants ist für Durchreisende gedacht. In jeder Kategorie drückt die Reihenfolge der Betriebe (sie sind nach ihrem Komfort klassifiziert) eine weitere Rangordnung aus.*

## Kategorien

| | | |
|---|---|---|
| | XXXXX | *Großer Luxus und Tradition* |
| | XXXX | *Großer Komfort* |
| | XXX | *Sehr komfortabel* |
| | XX | *Mit gutem Komfort* |
| | X | *Mit Standard-Komfort* |
| | | *Bürgerlich* |
| M | | *Moderne Einrichtung* |
| sans rest. | | *Hotel ohne Restaurant* |
| | avec ch. | *Restaurant vermietet auch Zimmer* |

## Annehmlichkeiten

*Manche Häuser sind im Führer durch rote Symbole gekennzeichnet (s. unten). Der Aufenthalt in diesen ist wegen der schönen, ruhigen Lage, der nicht alltäglichen Einrichtung und Atmosphäre sowie dem gebotenen Service besonders angenehm und erholsam.*

| | |
|---|---|
| bis | *Angenehme Hotels* |
| XXXXX bis X | *Angenehme Restaurants* |
| | *Sehr ruhiges oder abgelegenes und ruhiges Hotel* |
| | *Ruhiges Hotel* |
| < mer | *Reizvolle Aussicht* |
| < | *Interessante oder weite Sicht* |

*Die Übersichtskarten S. 92 – S. 114, auf denen die Orte mit besonders angenehmen oder sehr ruhigen Häusern eingezeichnet sind, helfen Ihnen bei der Reisevorbereitung. Teilen Sie uns bitte nach der Reise Ihre Erfahrungen und Meinungen mit. Sie helfen uns damit, den Führer weiter zu verbessern.*

# Einrichtung

*Die meisten der empfohlenen Hotels verfügen über Zimmer, die alle oder doch zum größten Teil mit Bad oder Dusche ausgestattet sind.*
*In den Häusern der Kategorien 🏠 und 🏖 können diese jedoch in einigen Zimmern fehlen.*

| | |
|---|---|
| 30 ch | *Anzahl der Zimmer* |
| | *Fahrstuhl* |
| | *Klimaanlage (im ganzen Haus bzw. in den Zimmern oder im Restaurant)* |
| TV | *Fernsehen im Zimmer* |
| | *Nichtraucherzimmer* |
| | *Minitel- Anschluß im Zimmer* |
| | *Für Körperbehinderte leicht zugängliche Zimmer* |
| | *Garten-, Terrassenrestaurant* |
| | *Fitneßraum* |
| | *Freibad, Hallenbad* |
| | *Strandbad – Liegewiese, Garten* |
| | *Park* |
| | *Hoteleigener Tennisplatz* |
| 25 à 150 | *Konferenzräume (Mindest- und Höchstkapazität)* |
| | *Hotelgarage (wird gewöhnlich berechnet)* |
| P | *Parkplatz reserviert für Gäste* |
| P | *Gesicherter Parkplatz für Gäste* |
| | *Hunde sind unerwünscht (im ganzen Haus bzw. in den Zimmern oder im Restaurant)* |
| mai-oct. | *Öffnungszeit, vom Hotelier mitgeteilt* |
| saisonnier | *Unbestimmte Öffnungszeit eines Saisonhotels. Häuser ohne Angabe von Schließungszeiten sind ganzjährig geöffnet.* |

# *Küche*

## Die Sterne

*Einige Häuser verdienen wegen ihrer überdurchschnittlich guten Küche Ihre besondere Beachtung. Auf diese Häuser weisen die Sterne hin. Bei den mit «Stern» ausgezeichneten Betrieben nennen wir drei kulinarische Spezialitäten und regionale Weine, die Sie probieren sollten.*

✿✿✿ 25 **Eine der besten Küchen: eine Reise wert**

*Man ißt hier immer sehr gut, öfters auch exzellent, edle Weine, tadelloser Service, gepflegte Atmosphäre... entsprechende Preise.*

✿✿ 72 **Eine hervorragende Küche: verdient einen Umweg**

*Ausgesuchte Menus und Weine... angemessene Preise.*

✿ 407 **Eine sehr gute Küche: verdient Ihre besondere Beachtung**

*Der Stern bedeutet eine angenehme Unterbrechung Ihrer Reise.*

*Vergleichen Sie aber bitte nicht den Stern eines sehr teuren Luxusrestaurants mit dem Stern eines kleineren oder mittleren Hauses, wo man Ihnen zu einem annehmbaren Preis eine ebenfalls vorzügliche Mahlzeit reicht.*

## ☺ Der "Bib Gourmand"

432 **Sorgfältig zubereitete, preiswerte Mahlzeiten**

*Für Sie wird es interessant sein, auch solche Häuser kennenzulernen, die einfachere, vorzugsweise typische Küche der Region zu einem besonders günstigen Preis/Leistungs-Verhältnis bieten.*

*Im Text sind die betreffenden Restaurants durch das rote Symbol* ☺ **"Bib Gourmand"** *und* Repas *kenntlich gemacht,*
*z. B.* Repas 17/23 *in der Provinz.*
*z. B.* Repas 19/30 *in Paris und der Region Paris.*

*Die Listen und die Karten mit «Stern» ✿✿✿, ✿✿, ✿ und* **"Bib Gourmand"** ☺ *sind auf S. 78 bis 114 zu finden.*
*Siehe auch* ⚭ *Seite 52.*

**Gute Weine: siehe S. 73 bis 77**

# Übernachtung

## Der "Bib Hôtel"

176 **Hier übernachten Sie gut und preiswert**

*Suchen Sie ein praktisches und gastfreundliches Hotel, das Ihnen Zimmer zu einem guten Preis-Leistungsverhältnis bietet?*
*In diesen Hotels kostet die Mehrzahl der Zimmer für zwei Personen ohne Frühstück*
*weniger als 60 € in ländlichen Gegenden und*
*weniger als 75 € in Urlaubsorten und in den Städten.*
*Diese Häuser werden durch den* **"Bib Hôtel"**
*und* ch *gekennzeichnet.*
*Beispiel:* 25 ch 38/70 *auf dem Land*
25 ch 42/80 *in Urlaubsorten und Städten*

*Alle* **"Bib Hôtel"** *finden Sie auf der Liste Seite 89 bis 91 auf den Übersichtskarten Seite 92 bis 114.*

# *Preise*

*Die in diesem Führer genannten Preise wurden uns im Herbst 2002 angegeben und beziehen sich auf die Hochsaison. Sie können sich mit den Preisen von Waren und Dienstleistungen ändern. Sie enthalten Bedienung und MWSt. Es sind Inklusivpreise, die sich nur noch durch die evtl. zu zahlende Kurtaxe erhöhen können.*

*Die Namen der Hotels und Restaurants, die ihre Preise genannt haben, sind fett gedruckt. Gleichzeitig haben sich diese Häuser verpflichtet, die von den Hoteliers selbst angegebenen Preise den Benutzern des Michelin-Führers zu berechnen.*

*Außerhalb der Saison bieten einige Betriebe günstigere Preise an. Erkundigen Sie sich bei Ihrer Reservierung danach.*

*Halten Sie beim Betreten des Hotels den Führer in der Hand. Sie zeigen damit, daß Sie aufgrund dieser Empfehlung gekommen sind.*

## Mahlzeiten

| | |
|---|---|
| enf. 9 | *Preis des Kindermenus* |
| | *Restaurant, das ein einfaches* Menu unter 15 € *anbietet* |

### Feste Menupreise:

| | |
|---|---|
| Repas *(8,50)* | *Preis für ein Menu, bestehend aus einem Hauptgericht und einer Vorspeise oder einem Dessert, das während der Woche mittags serviert wird.* |
| 13,80 (déj.) | *Nur mittags angeboten* |
| 16/23 | *Mindestpreis* 16, *Höchstpreis* 23 |
| 15,50/23 | *Mindestpreis* 15,50 *für ein Menu, das am Wochenende und an Feiertagen nicht angeboten wird* |
| bc | *Getränke inbegriffen* |
| | *Wein glasweise ausgeschenkt* |
| | *Preiswerter Tischwein in Karaffen* |

### Mahlzeiten «à la carte»:

| | |
|---|---|
| Repas carte 22 à 48 | *Der erste Preis entspricht einer einfachen Mahlzeit und umfaßt Vorspeise, Tagesgericht mit Beilage, Dessert. Der zweite Preis entspricht einer reichlicheren Mahlzeit (mit Spezialgericht) bestehend aus zwei Hauptgängen, Käse, Dessert (Getränke nicht inbegriffen).* |

## Zimmer

| | |
|---|---|
| ch 29/66 | *Mindestpreis* 29 *für ein Einzelzimmer, Höchstpreis* 66 *für ein Doppelzimmer* |
| 29 ch ☕ 34/71 | *Zimmerpreis inkl. Frühstück* |
| ☕ 6,80 | *Preis des Frühstücks (meist im Zimmer serviert)* |
| appart. | *Preise auf Anfrage* |

## Halbpension

1/2 P 35,50/55

*Mindestpreis und Höchstpreis für Halbpension (Zimmerpreis inkl. Frühstück und eine Mahlzeit) pro Person und Tag während der Hauptsaison, bei einem von zwei Personen belegten Doppelzimmer für einen Aufenthalt von mindestens drei Tagen. Falls eine Einzelperson ein Doppelzimmer belegt, kann ein Preisaufschlag verlangt werden. In den meisten Hotels können Sie auf Anfrage auch Vollpension erhalten. Auf jeden Fall sollten Sie den Endpreis vorher mit dem Hotelier vereinbaren.*

## Anzahlung

*Einige Hoteliers verlangen eine Anzahlung. Diese ist als Garantie sowohl für den Hotelier als auch für den Gast anzusehen. Bitten Sie den Hotelier, daß er Ihnen in seinem Bestätigungsschreiben alle seine Bedingungen mitteilt.*

## Kreditkarten

AE ⓓ GB JCB

*American Express – Diners Club – Eurocard, MasterCard, Visa – Japan Credit Bureau*

# Städte

| | |
|---|---|
| 63300 | Postleitzahl (die zwei ersten Ziffern sind gleichzeitig Departements-Nummer) |
| ✉ 57130 Ars | Postleitzahl und Name des Verteilerpostamtes |
| P SP | Präfektur – Unterpräfektur |
| 337 E5 | Nummer der Michelin-Karte "LOCAL" und Koordinatenangabe |
| G. Jura | Siehe Den Grünen Michelin-Reiseführer « Jura » |
| 1 057 h. | Einwohnerzahl |
| alt. 75 | Höhe |
| Stat. therm. | Thermalbad |
| Sports d'hiver | Wintersport |
| 1 200/1 900 | Höhe des Wintersportortes und Maximal-Höhe, die mit Kabinenbahn oder Lift erreicht werden kann |
| 2 | Anzahl der Kabinenbahnen |
| 14 | Anzahl der Schlepp- oder Sessellifts |
| | Langlaufloipen |
| BY B | Markierung auf dem Stadtplan |
| | Rundblick – Aussichtspunkt |
| | Flughafen |
| | Ladestelle für Autoreisezüge – Nähere Auskunft unter der angegebenen Telefonnummer |
| | Autofähre |
| | Personenfähre |
| | Informationsstelle |

# *Sehenswürdigkeiten*

## Bewertung

| | |
|---|---|
| ★★★ | *Eine Reise wert* |
| ★★ | *Verdient einen Umweg* |
| ★ | *Sehenswert* |

*Museen sind im allgemeinen dienstags geschlossen*

## Lage

| | |
|---|---|
| Voir | *In der Stadt* |
| Env. | *In der Umgebung der Stadt* |
| *N, S, E, O* | *Im Norden (N), Süden (S), Osten (E), Westen (O) der Stadt* |
| ② ④ | *Zu erreichen über die Ausfallstraße ② bzw. ④, die auf dem Stadtplan und auf der Michelin-Karte identisch gekennzeichnet sind* |
| *2 km* | *Entfernung in Kilometern* |

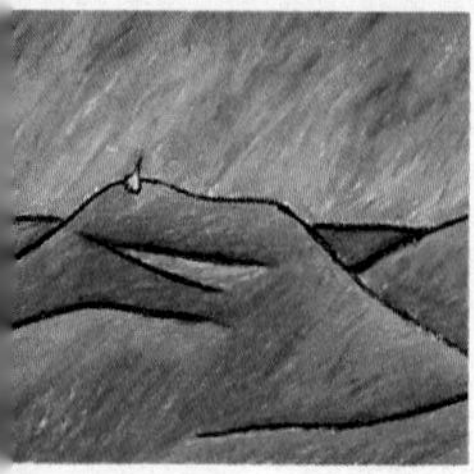

# *Umgebungskarten*

## Denken Sie daran sie zu benutzen

*Die Umgebungskarten sollen Ihnen die Suche eines Hotels oder Restaurants in der Nähe der größeren Städte erleichtern.*

*Wenn Sie beispielsweise eine gute Adresse in der Nähe von Clermont-Ferrand brauchen, gibt Ihnen die Karte schnell einen Überblick über alle Orte, die in diesem Michelin-Führer erwähnt sind. Innerhalb der in Kontrastfarbe gedruckten Grenze liegen Gemeinden, die man in weniger als 30 Autominuten erreichen kann.*

**Anmerkung:**

*Auf der Linie der Entfernungen zu anderen Orten erscheint im Ortstext die jeweils nächste Stadt mit Umgebungskarte in BLAU.*

**Beispiel:**

*Sie finden Châtelguyon auf der Umgebungskarte von Clermont-Ferrand.*

**CHÂTELGUYON** 63140 P.-de-D. 326 F7 G. Auvergne
fin sept.) – Casino B.
Office du Tourisme, 1 av. de l'Europe
ot.chatelguyon@wanadoo.fr
Paris 414 ① – Clermont-Ferrand 21 ① – Gannat

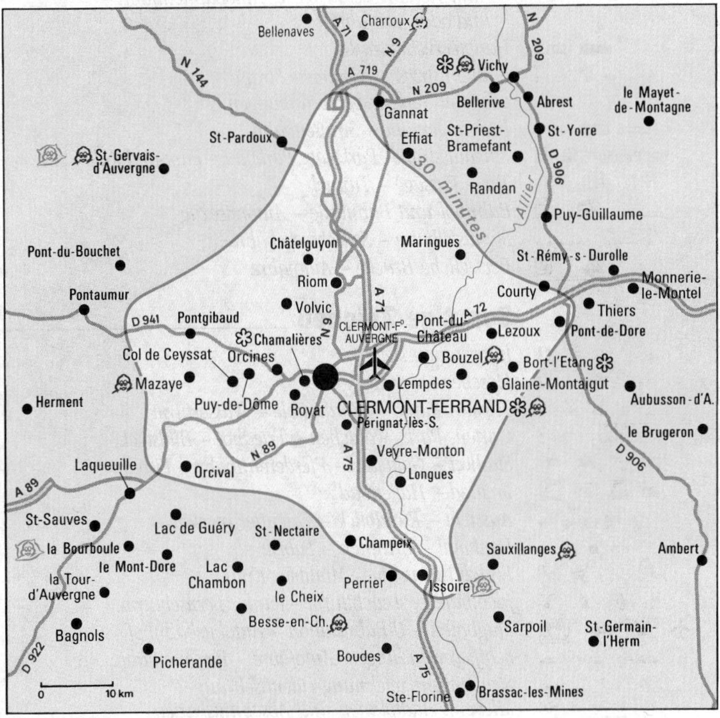

Bellenaves
Charroux
A 71
N 9
A 719
Vichy
N 209
N 209
N 144
Gannat
Bellerive
Abrest
le Mayet-de-Montagne
St-Pardoux
Effiat
St-Priest-Bramefant
St-Yorre
St-Gervais-d'Auvergne
30 minutes
Randan
D 906
Allier
Puy-Guillaume
Pont-du-Bouchet
Châtelguyon
Maringues
St-Rémy-s-Durolle
Riom
Monnerie-le-Montel
Pontaumur
A 71
Courty
Thiers
Volvic
A 72
D 941
Pontgibaud
N 9
CLERMONT-F°-AUVERGNE
Pont-du-Château
Lezoux
Pont-de-Dore
Chamalières
Col de Ceyssat
Orcines
Bouzel
Bort-l'Etang
Mazaye
Lempdes
Glaine-Montaigut
Aubusson-d'A.
Herment
Puy-de-Dôme
Royat
CLERMONT-FERRAND
Pérignat-lès-S.
le Brugeron
N 89
A 75
Veyre-Monton
D 906
Laqueuille
Orcival
Longues
A 89
St-Sauves
Lac de Guéry
St-Nectaire
Champeix
Sauxillanges
Ambert
la Bourboule
le Mont-Dore
Lac Chambon
Perrier
Issoire
la Tour-d'Auvergne
le Cheix
Besse-en-Ch.
Sarpoil
St-Germain-l'Herm
Bagnols
Boudes
A 75
D 922
Picherande
0
10 km
Ste-Florine
Brassac-les-Mines


*Die Umgebungskarten finden Sie auf der Themenkarte S. 92 bis 114.*

# *Stadtpläne*

*Hotels*

*Restaurants*

## Sehenswürdigkeiten

*Sehenswertes Gebäude*

*Sehenswerte katholische bzw. evangelische Kirche*

## Straßen

*Autobahn, Schnellstraße*

*Numerierte Anschlußstelle: Autobahneinfahrt – und/oder -ausfahrt*

*Hauptverkehrsstraße*

*Einbahnstraße – Gesperrte Straße oder mit Verkehrsbeschränkungen*

*Fußgängerzone – Straßenbahn*

R. Pasteur — *Einkaufsstraße – Parkplatz, Parkhaus – Park-and-Ride-Plätze*

*Tor – Passage – Tunnel*

*Bahnhof und Bahnlinie – Autoreisezug*

*Standseilbahn – Seilschwebebahn*

*Bewegliche Brücke – Autofähre*

## Sonstige Zeichen

*Informationsstelle*

*Moschee – Synagoge*

*Turm – Ruine – Windmühle – Wasserturm*

*Garten, Park, Wäldchen – Friedhof – Bildstock*

*Stadion – Golfplatz – Pferderennbahn – Eisbahn*

*Freibad – Hallenbad*

*Aussicht – Rundblick – Orientierungstafel*

*Denkmal – Brunnen – Fabrik*

*Einkaufszentrum – Multiplex-Kino*

*Jachthafen – Leuchtturm – Funk-, Fernsehturm*

S.N.C.F. — *Flughafen – U-Bahnstation – Autobusbahnhof*

*Schiffsverbindungen: Autofähre – Personenfähre*

*Straßenkennzeichnung (identisch auf Michelin-Stadtplänen und Abschnittskarten)*

*Hauptpostamt (postlagernde Sendungen) u. Telefon*

*Krankenhaus – Markthalle – Kaserne*

*Öffentliches Gebäude, durch einen Buchstaben gekennzeichnet:*

A C — *- Landwirtschaftskammer – Handelskammer*

G H J — *- Gendarmerie – Rathaus – Gerichtsgebäude*

M P T — *- Museum – Präfektur, Unterpräfektur – Theater*

U — *- Universität, Hochschule*

POL. — *- Polizei (in größeren Städten Polizeipräsidium)*

*Unterführung (Höhe bis 4,50 m) – Höchstbelastung (unter 19 t)*

*¿Desea encontrar un hotel*
*práctico y acogedor,*
*con un cierto nivel de calidad*
*y a un precio razonable?*

*La 94ª edición del Guide Rouge France ha creado el " Bib Hôtel " , siguiendo la misma línea del " Bib Gourmand " , para ayudarle a descubrir aquellos establecimientos en los que podrá disfutar de un « grato descanso a precios moderados ».*

*Los establecimientos " Bib Hôtel " están indicados en la guía con este símbolo : y « ch ».*
*Poseen habitaciones dobles*
*- sin incluir el desayuno - a :*
*menos de 60 € en provincia,*
*menos de 75 € en grandes ciudades y zonas turísticas.*

*También encontrará el " Bib Hôtel " en las Guías Rojas Deutschland, España & Portugal, Suisse 2003.*

*Consulte la selección completa del Guide Rouge France en*
***www.ViaMichelin.fr***
*y envíenos sus comentarios a*
***leguiderouge-france@fr.michelin.com***
*la evolución del Guide Rouge depende en gran parte de sus apreciaciones y sugerencias.*

# *Sumario*

# La elección de un hotel, de un restaurante

*Esta guía propone una selección de hoteles y restaurantes para uso de los automovilistas de paso. Los establecimientos, clasificados según su confort, se citan por orden de preferencia dentro de cada categoría.*

## Categorías

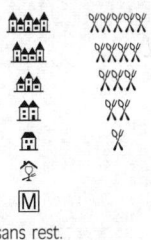

| | | |
|---|---|---|
| | XXXXX | *Gran lujo y tradición* |
| | XXXX | *Gran confort* |
| | XXX | *Muy confortable* |
| | XX | *Confortable* |
| | X | *Sencillo pero confortable* |
| | | *Sencillo pero correcto* |
| M | | *Dentro de su categoría, hotel con instalaciones modernas* |
| sans rest. | | *El hotel no dispone de restaurante* |
| | avec ch. | *El restaurante tiene habitaciones* |

## Atractivo y tranquilidad

*Ciertos establecimientos se distinguen en la guía por los símbolos en rojo que indicamos a continuación. La estancia en estos hoteles es especialmente agradable o tranquila.*

*Esto puede deberse a las características del edificio, a la decoración original, al emplazamiento, a la recepción y a los servicios que ofrece, o también a la tranquilidad del lugar.*

| | |
|---|---|
| a | *Hoteles agradables* |
| XXXXX a X | *Restaurantes agradables* |
| | *Hotel muy tranquilo, o aislado y tranquilo* |
| | *Hotel tranquilo* |
| < mer | *Vista excepcional* |
| < | *Vista interesante o extensa* |

*Las localidades que poseen establecimientos agradables o muy tranquilos están señaladas en los mapas de las páginas 92 a 114.*

*Consúltelos para la preparación de sus viajes y envíenos su apreciación a su regreso, así nos ayudará en nuestra selección.*

# La instalación

*Las habitaciones de los hoteles que recomendamos poseen, en general, cuarto de baño completo. No obstante puede suceder que en las categorías* 🏠 *y* ⛱ *algunas habitaciones carezcan de él.*

| | |
|---|---|
| 30 ch | *Número de habitaciones* |
| | *Ascensor* |
| | *Aire acondicionado (en todo o en parte del establecimiento)* |
| TV | *Televisión en la habitación* |
| | *Habitaciones para no fumadores* |
| | *Toma de Modem-Minitel en la habitación* |
| | *Habitaciones de fácil acceso para minusválidos* |
| | *Comidas servidas en el jardín o en la terraza* |
| | *Fitness club (gimnasio, sauna...)* |
| | *Piscina : al aire libre o cubierta* |
| | *Playa equipada – Jardín* |
| | *Parque* |
| | *Tenis en el hotel* |
| 25 à 150 | *Salones de reuniones : capacidad* |
| | *Garaje en el hotel (generalmente de pago)* |
| P | *Aparcamiento reservado a los clientes* |
| P | *Aparcamiento cerrado reservado a los clientes* |
| | *Prohibidos los perros (en todo o en parte del establecimiento)* |
| *mai-oct.* | *Período de apertura comunicado por el hotel* |
| *saisonnier* | *Apertura probable en temporada sin precisar fechas. Sin mención, el establecimiento está abierto todo el año* |

# La mesa

## Las estrellas

*Algunos establecimientos merecen ser destacados por la calidad de su cocina.*
*Los distinguimos con las estrellas de buena mesa.*
*Para estos restaurantes indicamos tres especialidades culinarias y vinos locales que pueden orientarles en su elección.*

✿✿✿ **Una de las mejores mesas, justifica el viaje**

25 *Cocina del más alto nivel, generalmente excepcional, grandes vinos, servicio impecable, marco elegante... Precio en consecuencia.*

✿✿ **Mesa excelente, vale la pena desviarse**

72 *Especialidades y vinos selectos... Cuente con un gasto en proporción.*

✿ **Muy buena mesa en su categoría**

407 *La estrella indica una buena etapa en su itinerario. Pero no compare la estrella de un establecimiento de lujo, de precios altos, con la de un establecimiento más sencillo en el que, a precios razonables, se sirve también una cocina de calidad.*

## El "Bib Gourmand"

432 **Buenas comidas a precios moderados**

*A veces Vd. desearía encontrar establecimientos más sencillos, a precios moderados. Por ello hemos seleccionado unos restaurantes que ofrecen, con una buena relación calidad-precio, una buena comida, generalmente de tipo regional en provincias.*

*Estos restaurantes están señalados en el texto con el* **"Bib Gourmand"** *y* Repas.

*Ej.* Repas 17/23 *en provincias.*

*Ej.* Repas 19/30 *en París y su región.*

*Consulte las listas y los mapas con estrellas* ✿✿✿, ✿✿, ✿ *y con* **"Bib Gourmand"** *(páginas 78 a 114).*

*Ver también página 66.*

**Los vinos y los platos : Ver páginas 73 a 77**

# *El alojamiento*

## El "Bib Hôtel"

176 **Grato descanso a precio moderado**

*¿Desea encontrar un hotel práctico y acogedor,*
*con un cierto nivel de calidad*
*y a un precio razonable?*
*Los establecimientos seleccionados poseen*
*habitaciones dobles a menos de 75 €*
*en grandes ciudades y zonas turísticas,*
*y a menos de 60 € en el resto de localidades,*
*sin incluir el desayuno.*

*Están indicados con el* **" Bib Hôtel "** *y* ch.
*Ej.* 25 ch 42/80 *en grandes ciudades y zonas turísticas.*
*Ej.* 25 ch 38/70 *en el resto de localidades.*

*Consulte la lista de los* **" Bib Hôtel "** *páginas 89 a 91*
*y localícelos en los mapas, páginas 92 a 114.*

# *Los precios*

*Los precios de la guía nos fueron facilitados en el otoño de 2002 y correponden a la* ***temporada alta.*** *Pueden ser modificados debido a variaciones de los precios de bienes y servicios. Los precios incluyen los impuestos y el servicio. En su nota no debe figurar ningún recargo excepto, eventualmente, el impuesto de estancia.*

*Los hoteles y restaurantes figuran en caracteres gruesos cuando los hoteleros nos han señalado todos sus precios, comprometiéndose bajo su responsabilidad a respetarlos ante los turistas de paso portadores de nuestra guía.*

*En temporada baja, algunos establecimientos ofrecen condiciones ventajosas, infórmese al reservar.*

*Entre en el hotel con su guía en la mano, demostrando así que ésta le conduce allí con confianza.*

## Comidas

| | |
|---|---|
| enf. 9 | *Precio de menú infantil* |
| | *El establecimiento sirve una comida simple* a menos de 15 € |

### Comidas a precio fijo :

| | |
|---|---|
| **Repas** *(8,50)* | *Precio de una comida compuesta sólo del plato fuerte del día con entrada o postre, servida generalmente al almuerzo los días de semana.* |
| 13,80 (déj.) | *Menú : precio del almuerzo* |
| 16/23 | *Precio del menú : mínimo* 16/*máximo* 23 |
| 15,50/23 | *El menú a precio fijo mínimo* 15,50 *no se sirve los fines de semana y festivos* |
| bc | *Bebida incluída* |
| | *Vaso de vino a precio moderado* |
| | *Jarra de vino de la casa a precio moderado* |

### Comida a la carta :

| | |
|---|---|
| **Repas** carte 22 à 48 | *El primer precio corresponde a una comida normal comprendiendo : entrada, plato fuerte del día y postre. El 2 precio se refiere a una comida más completa (con especialidad) comprendiendo : dos platos, queso y postre (bebida no incluída).* |

## Habitaciones

ch 29/66 — *Precio mínimo* 29 *de una habitación individual y precio máximo* 66 *de una habitación doble*

29 ch ☕ 34/71 — *Precio de la habitación con desayuno incluído*

☕ 6,80 — *Precio del desayuno (generalmente servido en la habitación)*

appart. — *Pida los precios al hotelero*

## Media pensión

1/2 P 35,50/55 — *Precio mínimo y máximo de la media pensión (habitación, desayuno y una comida) por persona y por día en habitación doble, en temporada alta, para una estancia mínima de tres días.*
*Una habitación doble ocupada por una única persona puede tener un suplemento.*
*En la mayoría de los hoteles, previa solicitud, es posible alojarse en régimen de pensión completa.*
*Conviene concretar de antemano los precios con el hotelero.*

## Las arras

*Algunos hoteleros piden una señal al hacer la reserva. Se trata de un depósito-garantía que compromete tanto al hotelero como al cliente. Conviene precisar con detalle las cláusulas de esta garantía.*
*Pida al hotelero confirmación escrita de las condiciones de estancia así como todos los detalles útiles.*

## Tarjetas de crédito

AE ⓓ CB JCB — *American Express – Diners Club – Eurocard, MasterCard, Visa – Japan Credit Bureau*

# *Las poblaciones*

| | |
|---|---|
| 63300 | *Código postal de la localidad (los dos primeros dígitos corresponden al número del Departamento o Provincia)* |
| ✉ 57130 Ars | *Código postal y lugar de destino* |
| P SP | *Prefectura – Subprefectura* |
| 337 E5 | *Mapa Michelin "LOCAL" y coordenadas en los mapas* |
| G. Jura | *Ver La Guía Verde Michelin Jura* |
| 1 057 h. | *Población* |
| alt. 75 | *Altitud de la localidad* |
| Stat. therm. | *Balneario* |
| Sports d'hiver | *Deportes de invierno* |
| 1 200/1 900 | *Altitud de la estación y altitud máxima alcanzada por los remontes mecánicos* |
| 2 | *Número de teleféricos o telecabinas* |
| 14 | *Número de telesquís o telesillas* |
| | *Esquí de fondo* |
| BY B | *Letras para localizar un emplazamiento en el plano* |
| ❄ ≤ | *Panorama, vista* |
| | *Aeropuerto* |
| | *Localidad con servicio Auto-Expreso. Información en el número de teléfono indicado* |
| | *Transportes marítimos* |
| | *Transportes marítimos para pasajeros solamente* |
| 🛈 | *Información turística* |

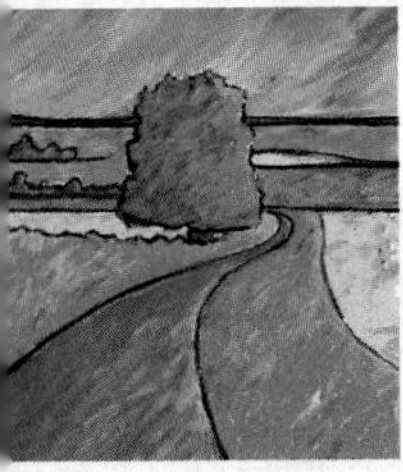

# *Las curiosidades*

## Grado de interés

| | |
|---|---|
| ★★★ | *Justifica el viaje* |
| ★★ | *Vale la pena desviarse* |
| ★ | *De particular interés* |

*Los museos cierran generalmente los martes*

## Situación de las curiosidades

| | |
|---|---|
| Voir | *En la población* |
| Env. | *En los alrededores de la población* |
| *N, S, E, O* | *La curiosidad está situada : al Norte, al Sur, al Este, al Oeste* |
| ② ④ | *Salir por la salida ② ó ④ localizada por el mismo signo en el plano de la Guía y en el mapa* |
| *2 km* | *Distancia en kilómetros* |

# Los mapas de alrededores

## No se olvide de consultarlos

*¿Quiere usted encontrar un determinado establecimiento, en los alrededores de, por ejemplo, Clermont-Ferrand?*

*Consulte el mapa que acompaña al plano de la ciudad.*

*En el « mapa de alrededores » (reproducido más abajo) figuran todas las localidades citadas en la Guía que se encuentran en las cercanías de la ciudad escogida, principalmente las situadas a menos de media hora de coche (límite de color).*

*Los « mapas de alrededores » permiten localizar rápidamente todas las posibilidades propuestas por la Guía en torno a las metrópolis regionales.*

**Nota :**

*cuando una localidad figura en un « mapa de alrededores », la metrópoli a la que pertenece está impresa en color AZUL en la línea de distancias entre ciudades.*

**Ejemplo :**

*Châtelguyon figurará en el « mapa de alrededores » de Clermont-Ferrand.*

**CHÂTELGUYON** *63140 P.-de-D.* 326 F7 *G. Auvergne*
*fin sept.) – Casino* **B**.
ℹ *Office du Tourisme, 1 av. de l'Europe*
*ot.chatelguyon@wanadoo.fr*
*Paris 414 ① – Clermont-Ferrand 21 ① – Gannat*

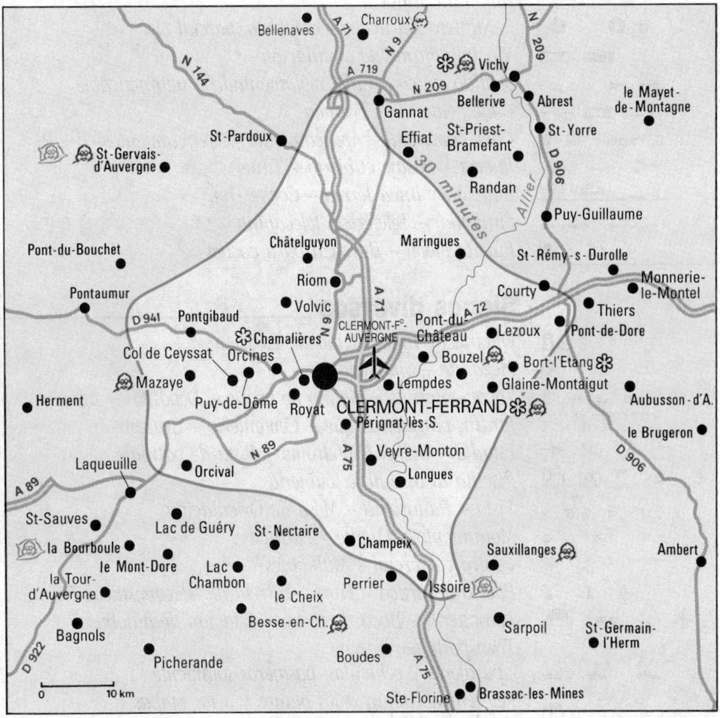
Bellenaves
Charroux
A 71
N 9
Vichy
N 209
209
A 719
N 144
Gannat
Bellerive
Abrest
le Mayet-de-Montagne
St-Pardoux
Effiat
St-Priest-Bramefant
St-Yorre
St-Gervais-d'Auvergne
30 minutes
Randan
D 906
Allier
Puy-Guillaume
Pont-du-Bouchet
Châtelguyon
Maringues
St-Rémy-s-Durolle
Riom
Courty
Monnerie-le-Montel
Pontaumur
A 71
Volvic
A 72
Thiers
D 941
Pontgibaud
N 9
CLERMONT-Fd-AUVERGNE
Pont-du-Château
Lezoux
Pont-de-Dore
Chamalières
Col de Ceyssat
Orcines
Bouzel
Bort-l'Etang
Mazaye
Lempdes
Glaine-Montaigut
Herment
Puy-de-Dôme
Royat
CLERMONT-FERRAND
Aubusson-d'A.
Pérignat-lès-S.
le Brugeron
N 89
Veyre-Monton
D 906
Laqueuille
Orcival
A 75
Longues
A 89
St-Sauves
Lac de Guéry
St-Nectaire
Champeix
la Bourboule
le Mont-Dore
Sauxillanges
Ambert
la Tour-d'Auvergne
Lac Chambon
Perrier
Issoire
le Cheix
Besse-en-Ch.
Sarpoil
St-Germain-l'Herm
Bagnols
D 922
Picherande
Boudes
A 75
0
10 km
Ste-Florine
Brassac-les-Mines

*Todos los «mapas de alrededores» se pueden localizar en el mapa temático páginas 92 a 114.*

# *Los planos*

*Hoteles*
*Restaurantes*

## Curiosidades

*Edificio interesante*
*Edificio religioso interesante:*
*- Católico – Protestante*

## Vías de circulación

*Autopista, autovía*
*Número del acceso: completo, parcial*
*Vía importante de circulación*
*Sentido único – Calle reglamentada o impracticable*
*Calle peatonal – Tranvía*
R. Pasteur *Calle comercial – Aparcamiento – Aparcamientos «P + R»*
*Puerta – Pasaje cubierto – Túnel*
*Estación y línea férrea – Coche/Tren*
*Funicular – Teleférico, telecabina*
*Puente móvil – Barcaza para coches*

## Signos diversos

*Oficina de Información de Turismo*
*Mezquita – Sinagoga*
*Torre – Ruinas – Molino de viento – Depósito de agua*
*Jardín, parque, bosque – Cementerio – Crucero*
*Estadio – Golf – Hipódromo – Pista de patinaje*
*Piscina al aire libre, cubierta*
*Vista – Panorama – Mesa de Orientación*
*Monumento – Fuente – Fábrica*
*Centro comercial – Multicines*
*Puerto deportivo – Faro – Torreta de telecomunicación*
S.N.C.F. *Aeropuerto – Boca de metro – Estación de autobuses*
*Transporte por barco:*
*- pasajeros y vehículos, pasajeros solamente*
3 *Referencia común a los planos y a los mapas detallados Michelin*
*Oficina central de correos y teléfonos*
*Hospital – Mercado cubierto – Cuartel*
*Edificio público localizado con letra:*
A C *- Cámara de Agricultura – Cámara de Comercio*
G H J *- Guardia civil – Ayuntamiento – Palacio de Justicia*
M P T *- Museo – Gobierno civil – Teatro*
U *- Universidad, Escuela Superior*
POL. *- Policía (en las grandes ciudades: Jefatura)*
18T 18 *Pasaje bajo (inf. a 4 m 50) – Carga limitada (inf. a 19 t)*

# Les Vins
# *Wines*
# I Vini
# *Los Vinos*
# Die Weine

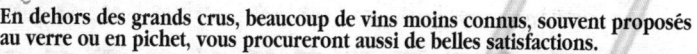

**En dehors des grands crus, beaucoup de vins moins connus, souvent proposés au verre ou en pichet, vous procureront aussi de belles satisfactions.**

*As well as the great vintages, many less famous wines, often served by the glass or carafe, will also give much enjoyment.*

Al di fuori dei grandi vini, ne esistono di meno conosciuti, spesso proposti al bicchiere, che vi procureranno comunque ottime soddisfazioni.

*Además de los grandes caldos, muchos vinos menos conocidos, que frecuentemente se proponen por copa o en jarra, le pueden sorprender agradablemente.*

Wählen Sie nicht nur Grand Crus aus, auch weniger bekannte Weine, welche oft im Glas oder in der Karaffe angeboten werden, können viel Vergnügen bereiten.

**Un mets préparé avec une sauce au vin s'accommode si possible du même cru.**

*A dish with a wine-based sauce should ideally be accompanied by the same wine.*

Un piatto preparato con una salsa al vino si accompagna, di preferenza, con il medesimo vino.

*Un plato elaborado con una salsa de vino debe acompañarse, si es posible, con ese mismo vino.*

Ein Gericht welches mit einem bestimmten Wein zubereitet ist, sollte mit dem gleichen Wein getrunken werden.

**Vins et fromages d'une même région s'associent souvent avec succès. Osez parfois les mariages vins blancs/fromages, ils vous réserveront d'étonnantes surprises.**

*Cheese and wine from the same region usually go together well. White wine with cheese can be a surprisingly good combination.*

Vini e formaggi di una stessa regione si sposano generalmente con successo; provate l'accostamento formaggio/vino bianco : vi riserverà piacevoli sorprese.

*Muchas veces los vinos y quesos de una misma región se combinan con gran éxito. Pruebe el vino blanco con queso, se llevará una grata sorpresa.*

Wein und Käse der gleichen Region bilden häufig eine gute Verbindung. Versuchen Sie auch Weißwein mit Käse, diese Verbindung wird Ihnen angenehme Überraschungen bieten.

**Il est conseillé de ne pas boire les vins blancs trop froids et les vins rouges trop chambrés.**

*White wines should not be served too chilled, nor red wines too warm.*

Si consiglia di non bere i vini bianchi troppo freddi o i vini rossi troppo caldi.

*Se recomienda no beber los vinos blancos demasiado fríos, ni los tintos demasiado templados.*

Weißweine sollten nicht zu kalt, Rotweine nicht zu warm getrunken werden.

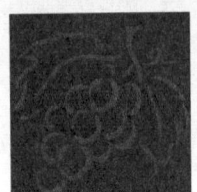

# Les Millésimes
*Vintages*
Le Annate
*Añadas*
Die Jahrgänge

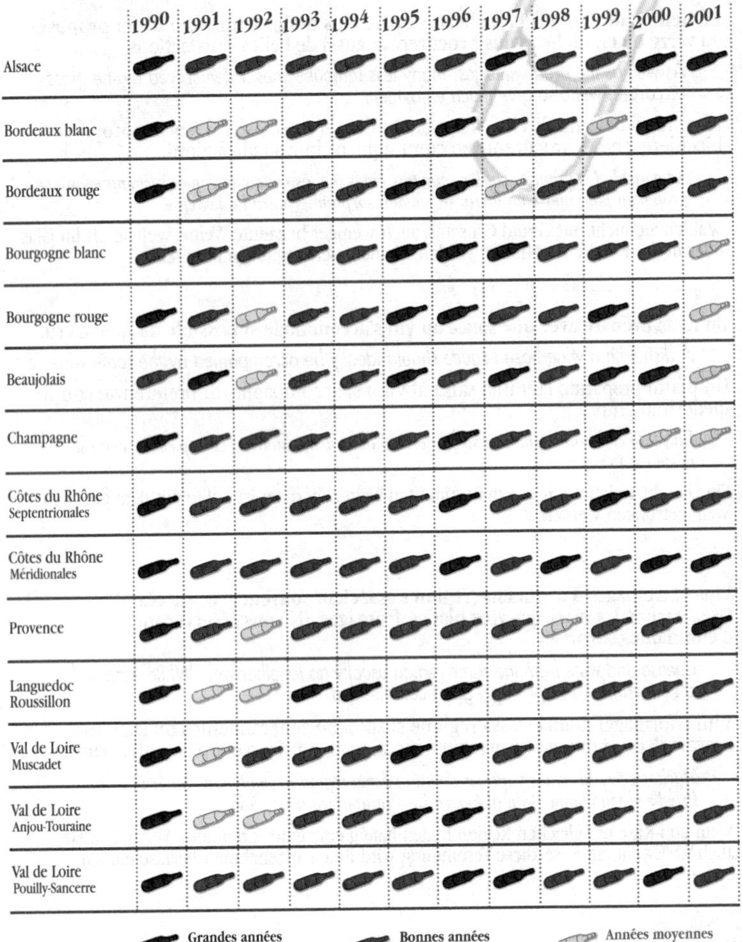

1990
1991
1992
1993
1994
1995
1996
1997
1998
1999
2000
2001
Alsace
Bordeaux blanc
Bordeaux rouge
Bourgogne blanc
Bourgogne rouge
Beaujolais
Champagne
Côtes du Rhône Septentrionales
Côtes du Rhône Méridionales
Provence
Languedoc Roussillon
Val de Loire Muscadet
Val de Loire Anjou-Touraine
Val de Loire Pouilly-Sancerre


**Grandes années**
*Great years*
Grandi annate
*Añadas excelentes*
Großen Jahrgänge

**Bonnes années**
*Good years*
Buone annate
*Buenas añadas*
Gute Jahrgänge

**Années moyennes**
*Average years*
Annate corrette
*Añadas correctas*
Mittlere Jahrgänge

**Les Grandes Années depuis 1970 :**
*The greatest vintages since 1970 :*
Le grandi annate dal 1970 :
*Las grandes añadas desde 1970 :*
Die größten Jahrgänge seit 1970 :

1970 / 1975 / 1979 / 1982 / 1985 / 1989 / 1990 / 1996

# Quelques suggestions d'associations Mets & Vins

*A few suggestions for complementary Dishes and Wines*

Qualche suggerimento per l'abbinamento tra Cibo e Vini

*Algunas sugerencias para combinar Platos y Vinos*

Einige Empfehlungen welcher Wein zum welchem Gericht

| **Que boire avec ?**<br>*What to drink with ?*<br>Cosa bere con?<br>*¿Qué vino tomar?*<br>Was trinkt man dazu? | **Type de vin**<br>*Type of wine*<br>Tipo di vino<br>*Tipo de vino*<br>Art des Weins | **Région vinicole**<br>*Region of production*<br>Regione vinicola<br>*Región vinícola*<br>Weingegend | **Appellation**<br>*Appellation*<br>Denominazione<br>*Denominación*<br>Appellation |
|---|---|---|---|
|  | **Blancs secs**<br>*Dry whites*<br>Bianchi secchi<br>*Blancos secos*<br>Trockene Weiße | Alsace<br>Bordeaux<br>Bourgogne<br>Côtes du Rhône<br>Provence<br>Languedoc-Roussillon<br>Val de Loire | Sylvaner/Riesling<br>Entre-deux-Mers<br>Chablis/Mâcon Villages<br>St Joseph<br>Cassis/Palette<br>Picpoul de Pinet<br>Muscadet/Montlouis |
|  | **Blancs secs**<br>*Dry whites*<br>Bianchi secchi<br>*Blancos secos*<br>Trockene Weiße | Alsace<br>Bordeaux<br>Bourgogne<br>Côtes du Rhône<br>Provence<br>Corse<br>Languedoc-Roussillon<br>Val de Loire | Riesling<br>Pessac-Léognan/Graves<br>Meursault/Chassagne Montrachet<br>Hermitage/Condrieu<br>Bellet/Bandol<br>Patrimonio<br>Coteaux du Languedoc<br>Sancerre/Menetou-Salon |
|  | **Blancs et rouges légers**<br>*Whites and light reds*<br>Bianchi e rossi leggeri<br>*Blancos y tintos suaves*<br>Weiße und leichte Rote | Alsace<br>Champagne<br>Bordeaux<br>Bourgogne<br>Beaujolais<br>Côtes du Rhône<br>Provence<br>Corse<br>Languedoc-Roussillon<br>Val de Loire | Tokay-Pinot gris/Pinot noir<br>Coteaux Champenois blanc et rouge<br>Côtes de Bourg/Blaye/Castillon<br>Mâcon/St Romain<br>Beaujolais Villages<br>Tavel (rosé)/Côtes du Ventoux<br>Coteaux d'Aix en Provence<br>Coteaux d'Ajaccio/Porto Vecchio<br>Faugères<br>Anjou/Vouvray |
|  | **Rouges**<br>*Reds*<br>Rossi<br>*Tintos*<br>Rote | Bordeaux/Sud-Ouest<br>Bourgogne<br>Beaujolais<br>Côtes du Rhône<br>Provence<br>Languedoc-Roussillon<br>Val de Loire | Médoc/St Emilion/Buzet<br>Volnay/Hautes Côtes de Beaune<br>Moulin à Vent/Morgon<br>Vacqueyras/Gigondas<br>Bandol/Côtes de Provence<br>Fitou/Minervois<br>Bourgueil/Saumur |
|  | **Rouges corsés**<br>*Hearty reds*<br>Rossi di corpo<br>*Tintos con cuerpo*<br>Kräftige Rote | Bordeaux/Sud-Ouest<br>Bourgogne<br>Côtes du Rhône<br>Languedoc-Roussillon<br>Val de Loire | Pauillac/St Estèphe/Madiran<br>Pommard/Gevrey-Chambertin<br>Côte-Rôtie/Cornas<br>Corbières/Collioure<br>Chinon |
|  | **Blancs et rouges**<br>*Whites and reds*<br>Bianchi e rossi<br>*Blancos y tintos*<br>Weiße und Rote | Alsace<br>Bordeaux<br>Bourgogne<br>Beaujolais<br>Côtes du Rhône<br>Languedoc-Roussillon<br>Jura/Savoie<br>Val de Loire | Gewürztraminer<br>St Julien/Pomerol/Margaux<br>Pouilly-Fuissé/Santenay<br>St Amour/Fleurie<br>Hermitage/Châteauneuf-du-Pape<br>St Chinian<br>Vin Jaune/Chignin<br>Pouilly-Fumé/Valençay |
|  | **Vins de desserts**<br>*Dessert wines*<br>Vini da dessert<br>*Vinos dulces*<br>Dessert-Weine | Alsace<br>Champagne<br>Bordeaux/Sud-Ouest<br>Bourgogne<br>Jura/Bugey<br>Côtes du Rhône<br>Languedoc-Roussillon<br>Val de Loire | Muscat d'Alsace/Crémant d'Alsace<br>Champagne blanc et rosé<br>Sauternes/Monbazillac/Jurançon<br>Crémant de Bourgogne<br>Vin de Paille/Cerdon<br>Muscat de Beaumes-de-Venise<br>Banyuls/Maury/Muscats/Limoux<br>Coteaux du Layon/Bonnezeaux |

## Normandie
Andouille de Vire
Demoiselles de Cherbourg à la nage
Sole dieppoise
Tripes à la mode de Caen
Canard à la rouennaise
Poulet Vallée d'Auge
Agneau de pré-salé
Camembert, Livarot, Pont-l'Evêque, Neufchâtel
Tarte aux pommes au calvados
Crêpes à la normande
Douillons

## Nord-Picardie
Moules
Poissons : sole, turbot, etc.
Potjevlesch
Ficelle picarde
Flamiche aux poireaux
Gibier d'eau
Waterzoï
Lapin à la bière
Hochepot
Maroilles, Boulette d'Avesnes
Gaufres

## Bretagne
Fruits de mer, crustacés
Huîtres de Belon
Galettes au sarrazin/blé noir
Charcuteries, andouille de Guéméné
St-Jacques à la bretonne
Homard à l'armoricaine
Poissons : bar, turbot, lieu jaune, maquereau, etc.
Cotriade
Kig Ha Farz
Légumes : artichauts, choux-fleurs, etc.
Crêpes, gâteau breton, far, kouing-aman

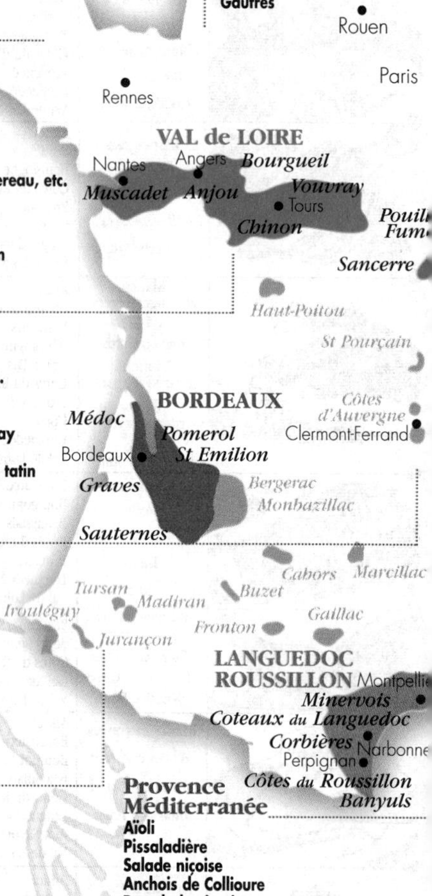
Rouen
Paris
Rennes
VAL de LOIRE
Nantes
Angers
Bourgueil
Muscadet
Anjou
Vouvray
Tours
Chinon
Pouil
Fum
Sancerre
Haut-Poitou
St Pourçain
BORDEAUX
Côtes d'Auvergne
Médoc
Pomerol
Clermont-Ferrand
Bordeaux
St Emilion
Graves
Bergerac
Monbazillac
Sauternes
Cahors
Marcillac
Tursan
Madiran
Buzet
Irouléguy
Gaillac
Fronton
Jurançon
LANGUEDOC
ROUSSILLON
Montpellie
Minervois
Coteaux du Languedoc
Corbières
Narbonne
Perpignan
Côtes du Roussillon
Banyuls

## Val de Loire
Rillettes de Tours
Andouillette au vouvray
Poissons de rivière : brochet, sandre, etc.
Saumon beurre blanc
Gibier de Sologne
Fromages de chèvre : Ste-Maure, Valençay
Crémet d'Angers
Macarons, nougat glacé, pithiviers, tarte tatin

## Centre-Auvergne
Cochonnailles
Tripous
Champignons, cèpes, girolles, etc.
Pâté bourbonnais
Aligot
Potée auvergnate
Chou farci
Pounti
Lentilles du Puy
Cantal, St-Nectaire, fourme d'Ambert
Flognarde, Gâteau à la broche

## Sud-Ouest
Garbure
Ttoro
Jambon de Bayonne
Foie gras
Omelette aux truffes
Pipérade
Lamproie à la bordelaise
Poulet basquaise
Cassoulet
Confit de canard ou d'oie
Cèpes à la bordelaise
Tomme de brebis
Roquefort
Gâteau basque
Pruneaux à l'armagnac

## Provence Méditerranée
Aïoli
Pissaladière
Salade niçoise
Anchois de Collioure
Brandade nîmoise
Bourride sétoise
Bouillabaisse
Loup grillé au fenouil
Petits farcis niçois
Daube provençale
Agneau de Sisteron
Pieds paquets à la marseillaise
Picodon
Crème catalane, calissons, fruits confits

# *Regional Specialities* / Vini e Specialità regionali
Weinberge und regionale Spezialitäten

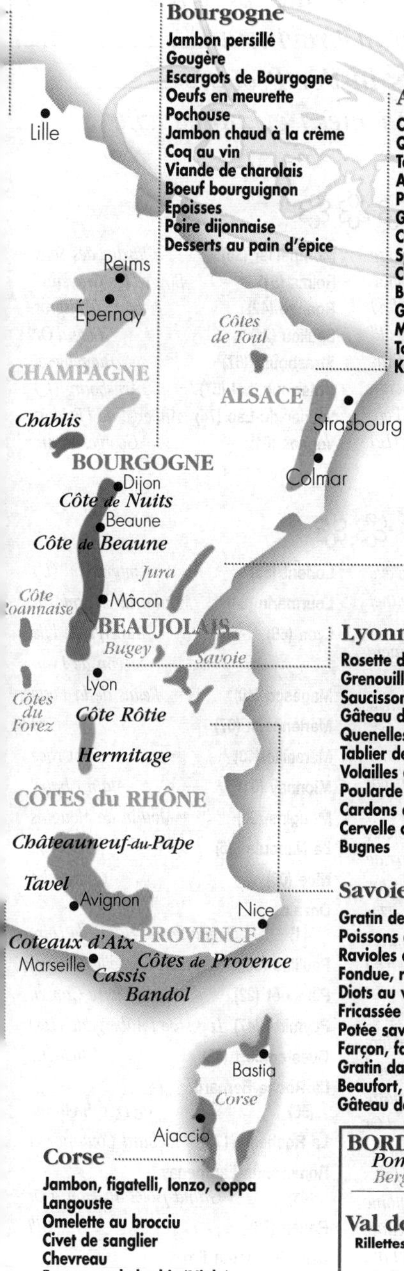
Lille
Reims
Épernay
CHAMPAGNE
Chablis
BOURGOGNE
Dijon
Côte de Nuits
Beaune
Côte de Beaune
Jura
Côte Roannaise
Mâcon
BEAUJOLAIS
Bugey
Savoie
Lyon
Côtes du Forez
Côte Rôtie
Hermitage
CÔTES du RHÔNE
Châteauneuf-du-Pape
Tavel
Avignon
Nice
PROVENCE
Coteaux d'Aix
Marseille
Côtes de Provence
Cassis
Bandol
Côtes de Toul
ALSACE
Strasbourg
Colmar
Bastia
Corse
Ajaccio

## Bourgogne

**Jambon persillé**
**Gougère**
**Escargots de Bourgogne**
**Oeufs en meurette**
**Pochouse**
**Jambon chaud à la crème**
**Coq au vin**
**Viande de charolais**
**Boeuf bourguignon**
**Epoisses**
**Poire dijonnaise**
**Desserts au pain d'épice**

## Alsace-Lorraine

**Charcuterie, presskopf**
**Quiche lorraine**
**Tarte à l'oignon**
**Asperges**
**Poissons : sandre, carpe, anguille**
**Grenouilles**
**Coq au riesling**
**Spaetzle**
**Choucroute**
**Baeckeoffe**
**Gibiers : biche, chevreuil, sanglier**
**Munster**
**Tarte aux mirabelles ou quetsches**
**Kougelhopf, vacherin glacé**

## Franche-Comté/Jura

**Jésus de Morteau**
**Saucisse de Montbéliard**
**Croûte aux morilles**
**Soufflé au fromage**
**Poissons de lac et rivières : brochet, truite**
**Grenouilles**
**Coq au vin jaune**
**Comté, vacherin, morbier, cancoillotte**
**Gaudes au maïs**

## Lyonnais-Pays Bressan

**Rosette de Lyon**
**Grenouilles de la Dombes**
**Saucisson truffé pistaché**
**Gâteau de foies blonds**
**Quenelles de brochet**
**Tablier de sapeur**
**Volailles de Bresse à la crème**
**Poularde demi-deuil**
**Cardons à la mœlle**
**Cervelle de canut**
**Bugnes**

## Savoie-Dauphiné

**Gratin de queues d'écrevisses**
**Poissons de lac : omble chevalier, perche, féra**
**Ravioles du Royans**
**Fondue, raclette, tartiflette**
**Diots au vin blanc**
**Fricassée de caïon**
**Potée savoyarde**
**Farçon, farcement**
**Gratin dauphinois**
**Beaufort, reblochon, tomme de Savoie, St-Marcellin**
**Gâteau de Savoie, tarte aux myrtilles, gâteau aux noix**

## Corse

**Jambon, figatelli, lonzo, coppa**
**Langouste**
**Omelette au brocciu**
**Civet de sanglier**
**Chevreau**
**Fromages de brebis (Niolu)**
**Flan de châtaignes, fiadone**

| | |
|---|---|
| **BORDEAUX** *Pomerol* *Bergerac* | **Vignobles** - *Vineyards* - Vini *Viñedos* - Weinberge |
| **Val de Loire** **Rillettes de Tours** | **Spécialités régionales** *Regional specialities* Vini e Specialità regionali *Viñedos y Especialidades regionales* Weinberge und regionale Spezialitäten |

# *Les bonnes tables à étoiles en province*
# *Starred establishments outside the Paris region*
# *Gli esercizi con stelle in provincia*
# *Die Stern-Restaurants in der Provinz*
# *Las estrellas de buena mesa en provencias*

## ✿✿✿

**Chagny (71)** *Lameloise*
**Eugénie-les-Bains (40)** *Prés d'Eugénie (Les)*
**Illhaeusern (68)** *Auberge de l'Ill*
**Laguiole (12)** *Michel Bras*
**Lyon (69)** *Paul Bocuse*
**Megève (74)** *Ferme de mon Père*
**Monte-Carlo (MC)** *Louis XV (Le)*
**Montpellier (34)** *Jardin des Sens*
**Reims (51)** *Boyer "Les Crayères"*
**Roanne (42)** *Troisgros*
**Saulieu (21)** *Côte d'Or*
**Strasbourg (67)** *Buerehiesel*
**Untermuhlthal (57)** *Arnsbourg (L')*
**Veyrier-du-Lac (74)** *Auberge de l'Éridan*
**Vonnas (01)** *Georges Blanc*

## ✿✿

**Aix-en-Provence (13)** *Clos de la Violette*
**Arbois (39)** *Jean-Paul Jeunet*
**Les Baux-de-Provence (13)** *Oustaù de Baumanière*
**Beaulieu-sur-Mer (06)** *Réserve de Beaulieu*
**Béthune (62)** *Meurin et Résidence Kitchener*
**Le Bourget-du-Lac (73)** *Bateau Ivre*
**Bracieux (41)** *Bernard Robin - Relais de Bracieux*
**Caen (14)** *Bourride*
**Cancale (35)** *Maisons de Bricourt*
**Cannes (06)** *Palme d'Or*
**Carantec (29)** *Hôtel de Carantec-Patrick Jeffroy (L')*
**Chamonix-Mont-Blanc (74)** *Hameau Albert 1er*
**Courchevel 1850 (73)** *Bateau Ivre*
– *Chabichou*
**Les Eyzies-de-Tayac (24)** *Centenaire*
**Èze (06)** *Château de la Chèvre d'Or*
**Fontjoncouse (11)** *Auberge du Vieux Puits*
**Grasse (06)** *Bastide St-Antoine*
**Joigny (89)** *Côte St-Jacques*
**Juan-les-Pins (06)** *Juana*
**Lembach (67)** *Auberge du Cheval Blanc*
**Lorient (56)** *Amphitryon (L')*
**Lourmarin (84)** *Moulin de Lourmarin*
**Lyon (69)** *Auberge de l'Ile*
– *Léon de Lyon*
**Magescq (40)** *Relais de la Poste*
**Marlenheim (67)** *Cerf*
**Marseille (13)** *Petit Nice*
**Mionnay (01)** *Alain Chapel*
**Mougins (06)** *Moulin de Mougins*
**La Napoule (06)** *Oasis (L')*
**Nice (06)** *Chantecler*
**Onzain (41)** *Domaine des Hauts de Loire*
**Pauillac (33)** *Château Cordeillan Bages*
**Plancoët (22)** *Jean-Pierre Crouzil*
**Puymirol (47)** *Loges de l'Aubergade (Les)*
**Questembert (56)** *Bretagne*
**La Roche-Bernard (56)** *Auberge Bretonne*
**La Rochelle (17)** *Richard Coutanceau*
**Romorantin-Lanthenay (41)** *Grand Hôtel du Lion d'Or*
**Rouen (76)** *Gill*
**Saint-Bonnet-le-Froid (43)** *Auberge et Clos des Cimes*

**Saint-Martin-du-Var (06)** *Jean-François Issautier*
**Saint-Père (89)** *Espérance (L')*
**Saint-Tropez (83)** *Leï Mouscardins*
**Sens (89)** *Madeleine*
**Strasbourg (67)** *Crocodile (Au)*
**Toulouse (31)** *Michel Sarran*
**La Tour-de-Salvagny (69)** *Rotonde*
**Tournus (71)** *Rest. Greuze*
**Tours (37)** *Jean Bardet*
**La Turbie (06)** *Hostellerie Jérôme*
**Uriage-les-Bains (38)** *Grand Hôtel*
**Valence (26)** *Pic*
**Vence (06)** *Jacques Maximin*
**Vienne (38)** *Pyramide*

✿

**L'Abergement-Clémenciat (01)** *St-Lazare*
**Agen (47)** *Mariottat*
**Aiguebelle (83)** *Sud (Le)*
**Aillant-sur-Tholon (89)** *Domaine du Roncemay*
**Ainhoa (64)** *Ithurria*
**Ajaccio (2A)** *Dolce Vita*
**Alleyras (43)** *Haut-Allier*
**Amboise (37)** *Choiseul*
**Ammerschwihr (68)** *Armes de France (Aux)*
**Amondans (25)** *Château d'Amondans*
**Ampus (83)** *Fontaine d'Ampus*
**Les Andelys (27)** *Chaîne d'Or*
**Annecy (74)** *Atelier Gourmand (L')*
**–** *Clos des Sens*
**Astaffort (47)** *Square "Michel Latrille"*
**Aumont-Aubrac (48)** *Grand Hôtel Prouhèze*
**Auxerre (89)** *Barnabet*
**Avignon (84)** *Christian Étienne*
**–** *Europe*
**–** *Isle Sonnante (L')*
**–** *Mirande*
**Bagnoles-de-l'Orne (61)** *Manoir du Lys*
**Bagnols (69)** *Château de Bagnols*
**Baldenheim (67)** *Couronne*
**Balleroy (14)** *Manoir de la Drôme*
**Bas-Rupts (88)** *Hostellerie des Bas-Rupts*
**La Baule-Escoublac (44)** *Castel Marie-Louise*
**Les Baux-de-Provence (13)** *Cabro d'Or*
**Bayeux (14)** *Château de Sully*
**Bayonne (64)** *Auberge du Cheval Blanc*
**Beaumesnil (27)** *Étape Louis XIII (L')*
**Beaune (21)** *Jardin des Remparts*
**Beaurecueil (13)** *Relais Ste-Victoire*
**Belcastel (12)** *Vieux Pont*
**Belle-Église (60)** *Grange de Belle-Eglise*
**Belleville (54)** *Bistroquet*
**Besançon (25)** *Mungo Park*
**–** *Valentin*
**Beuvron-en-Auge (14)** *Pavé d'Auge*
**Les Bézards (45)** *Auberge des Templiers*
**Biarritz (64)** *Campagne et Gourmandise*
**–** *Palais*
**–** *Platanes (Les)*
**Bidart (64)** *Table et Hostellerie des Frères Ibarbour*
**Billiers (56)** *Domaine de Rochevilaine*
**Biot (06)** *Terraillers (Les)*
**Biriatou (64)** *Bakéa*
**Bléré (37)** *Cheval Blanc*
**Blois (41)** *Orangerie du Château (L')*
**–** *Rendez-vous des Pêcheurs (Au)*
**Bonnatrait (74)** *Hôtellerie Château de Coudrée*
**Bonneville (74)** *Eau Sauvage et Hôtel Sapeur (L')*
**Bonsecours (76)** *Butte*
**Bordeaux (33)** *Chapon Fin*
**–** *Jean Ramet*
**–** *Pavillon des Boulevards*
**Bort-l'Étang (63)** *Château de Codignat*
**Bossey (74)** *Ferme de l'Hospital*
**Bouilland (21)** *Hostellerie du Vieux Moulin*
**Bouliac (33)** *Hauterive et rest. St-James*
**Bouligneux (01)** *Auberge des Chasseurs*
**Boulogne-sur-Mer (62)** *Matelote*
**Bourg-Charente (16)** *Ribaudière*
**Le Bourg-Dun (76)** *Auberge du Dun*
**Bourges (18)** *Abbaye St-Ambroix*
**Le Bourget-du-Lac (73)** *Auberge Lamartine*
**–** *Grange à Sel*
**Bourgoin-Jallieu (38)** *Laurent Thomas - les Séquoias*

**Brantôme (24)** *Moulin de l'Abbaye*
**Le Breuil-en-Auge (14)** *Auberge du Dauphin*
**Briollay (49)** *Château de Noirieux*
**Le Buisson-de-Cadouin (24)** *Manoir de Bellerive*
**Caen (14)** *Pressoir*
**Cagnes-sur-Mer (06)** *Cagnard*
**–** *Josy-Jo*
**Cala Rossa (2A)** *Grand Hôtel de Cala Rossa*
**Callas (83)** *Hostellerie Les Gorges de Pennafort*
**Calvi (2B)** *Villa*
**Calvinet (15)** *Beauséjour*
**Cannes (06)** *Villa des Lys*
**Cap d'Antibes (06)** *Bacon*
**Capestang (34)** *Relais de Pigasse*
**Carcassonne (11)** *Cité*
**–** *Domaine d'Auriac*
**Carry-le-Rouet (13)** *Escale (L')*
**Carteret (50)** *Marine*
**Castillon-du-Gard (30)** *Vieux Castillon*
**Chablis (89)** *Hostellerie des Clos*
**Châlons-en-Champagne (51)** *Angleterre*
**Chamalières (63)** *Radio*
**Chambéry (73)** *Essentiel (L')*
**Champagnac-de-Belair (24)** *Moulin du Roc*
**Champillon (51)** *Royal Champagne*
**Champtoceaux (49)** *Jardins de la Forge (Les)*
**Chancelade (24)** *Château des Reynats*
**Chasselay (69)** *Guy Lassausaie*
**Château-Arnoux-Saint-Auban (04)** *Bonne Étape*
**Châteaumeillant (18)** *Piet à Terre*
**Châteauneuf-en-Thymerais (28)** *Écritoire (L')*
**Chauny (02)** *Toque Blanche*
**Chenonceaux (37)** *Bon Laboureur*
**Chinon (37)** *Plaisir Gourmand (Au)*
**Chonas-l'Amballan (38)** *Domaine de Clairefontaine*
**Clermont-Ferrand (63)** *Bernard Andrieux*
**–** *Emmanuel Hodencq*
**Clisson (44)** *Bonne Auberge*
**Collioure (66)** *Neptune*
**Colmar (68)** *Fer Rouge (Au)*
**–** *Rendez-vous de Chasse*
**Colombey-les-Deux-Églises (52)** *Auberge de la Montagne*
**Colomiers (31)** *Amphitryon (L')*
**Colroy-la-Roche (67)** *Hostellerie La Cheneaudière*
**Commentry (03)** *Michel Rubod*
**Condrieu (69)** *Hôtellerie Beau Rivage*
**Conteville (27)** *Auberge du Vieux Logis*
**Cordes-sur-Ciel (81)** *Grand Écuyer*
**La Côte-Saint-André (38)** *France*
**Le Coteau (42)** *Auberge Costelloise*
**Couilly-Pont-aux-Dames (77)** *Auberge de la Brie*
**Courcelles-sur-Vesle (02)** *Château de Courcelles*
**Courlans (39)** *Auberge de Chavannes*
**Courtenay (45)** *Auberge La Clé des Champs*
**Cros-de-Cagnes (06)** *Réserve "Loulou"*
**Cucuron (84)** *Petite Maison*
**Curzay-sur-Vonne (86)** *Château de Curzay*
**Danjoutin (90)** *Pot d'Étain*
**Les Deux-Alpes (38)** *Chalet Mounier*
**Dijon (21)** *Hostellerie du Chapeau Rouge*
**–** *Stéphane Derbord*
**Divonne-les-Bains (01)** *Château de Divonne*
**–** *Terrasse*
**Épernay (51)** *Berceaux (Les)*
**Épinal (88)** *Ducs de Lorraine*
**L'Épine (51)** *Armes de Champagne (Aux)*
**Ervauville (45)** *Gamin (Le)*
**Étouy (60)** *Orée de la Forêt (L')*
**Évian-les-Bains (74)** *Café Royal*
**Eygalières (13)** *Bistrot d'Eygalières "Chez Bru"*
**Fayence (83)** *Castellaras*
**Flavigny-sur-Moselle (54)** *Prieuré*
**Fleurie (69)** *Cep*
**La Flotte (17)** *Richelieu*
**Fontevraud-l'Abbaye (49)** *Licorne*
**Fontvieille (13)** *Regalido*
**Froideterre (70)** *Hostellerie des Sources*
**La Fuste (04)** *Hostellerie de la Fuste*
**Garons (30)** *Alexandre*

Golfe-Juan (06) *Tétou*
Gordes (84) *Bories (Les)*
La Gouesnière (35) *Maison Tirel-Guérin*
Granges-les-Beaumont (26) *Cèdres (Les)*
Grenade-sur-l'Adour (40) *Pain Adour et Fantaisie*
Grimaud (83) *Santons (Les)*
Gundershoffen (67) *Cygne (Au)*
Hagenthal-le-Haut (68) *Ancienne Forge*
Haute-Goulaine (44) *Manoir de la Boulaie*
Hennebont (56) *Château de Locguénolé*
Honfleur (14) *Terrasse et l'Assiette (La)*
Ile de Porquerolles (83) *Mas du Langoustier*
L'Isle-sur-la-Sorgue (84) *Prévôté*
Issoudun (36) *Rest. La Cognette*
Joucas (84) *Hostellerie Le Phébus*
Jurançon (64) *Ruffet (Chez)*
Lacave (46) *Château de la Treyne*
– *Pont de l'Ouysse*
Laguiole (12) *Grand Hôtel Auguy*
Lamagdelaine (46) *Claude Marco*
Lamastre (07) *Midi*
Landser (68) *Hostellerie Paulus*
Langon (33) *Claude Darroze*
Laval (53) *Bistro de Paris*
Les Lavaults (89) *Auberge de l'Âtre*
Laventie (62) *Cerisier*
Levernois (21) *Hostellerie de Levernois*
Ligny-en-Cambrésis (59) *Château de Ligny*
Lille (59) *Huîtrière (A L')*
– *Sébastopol*
Limoges (87) *Philippe Redon*
Lorgues (83) *Bruno*
Lourmarin (84) *Auberge La Fenière*
Lunéville (54) *Château d'Adoménil*
Luynes (37) *Domaine de Beauvois*
Lyon (69) *Alexandrin (L')*
– *Auberge de Fond Rose (L')*
– *Christian Têtedoie*
– *Cour des Loges*
– *Gourmet de Sèze*
– *Pierre Orsi*
– *Villa Florentine*
Mâcon (71) *Pierre*
Malbuisson (25) *Bon Accueil*
Le Mans (72) *Beaulieu*
Marsannay-la-Côte (21) *Gourmets*
Marseille (13) *Épuisette (L')*
– *Michel-Brasserie des Catalans*
– *Miramar*
Martillac (33) *Sources de Caudalie*
Megève (74) *Flocons de Sel*
Mercuès (46) *Château de Mercuès*
Mercurey (71) *Hôtellerie du Val d'Or*
Metz (57) *Pampre d'Or (Au)*
La Mézière (35) *Agapes (Les)*
Mimizan (40) *Bon Coin du Lac (Au)*
Montargis (45) *Gloire*
Montbazon (37) *Chancelière "Jeu de Cartes"*
Montchenot (51) *Grand Cerf*
Monte-Carlo (MC) *Bar et Boeuf*
– *Coupole (La)*
– *Grill de l'Hôtel de Paris*
– *Vistamar*
Montignac (24) *Château de Puy Robert*
Montpellier (34) *Olivier (L')*
Montreuil (62) *Château de Montreuil*
Montrevel-en-Bresse (01) *Léa*
Montrond-les-Bains (42) *Hostellerie La Poularde*
Morteau (25) *Auberge de la Roche*
Moustiers-Sainte-Marie (04) *Bastide de Moustiers*
Mulhouse (68) *Poste*
Mur-de-Bretagne (22) *Auberge Grand'Maison*
Nantes (44) *Atlantide (L')*
Narbonne (11) *Table St-Crescent*
Nevers (58) *Jean-Michel Couron*
Nice (06) *Ane Rouge (L')*
– *Univers-Christian Plumail (L')*
Noves (13) *Auberge de Noves*
Obernai (67) *Fourchette des Ducs*
Orléans (45) *Antiquaires (Les)*
Paradou (13) *Petite France*
Pernes-les-Fontaines (84) *Fil du Temps (Au)*
Perpignan (66) *Park Hôtel*
Le Petit-Pressigny (37) *Promenade*
Phalsbourg (57) *Soldat de l'An II (Au)*
La Plaine-sur-Mer (44) *Anne de Bretagne*

**Poitiers (86)** *3 Piliers (des)*
**La Pomarède (11)** *Hostellerie du Château de la Pomarède*
**Pont-Aven (29)** *Moulin de Rosmadec*
– *Taupinière*
**Pont-de-l'Isère (26)** *Michel Chabran*
**Le Pontet (84)** *Auberge de Cassagne*
**Port-Camargue (30)** *Spinaker*
**Port-Lesney (39)** *Château de Germigney*
**Porto-Vecchio (2A)** *Belvédère*
**Prenois (21)** *Auberge de la Charme*
**Pujaudran (32)** *Puits St-Jacques*
**Pujols (47)** *Toque Blanche*
**Quimper (29)** *Roseraie de Bel Air*
**Reims (51)** *Assiette Champenoise*
– *Foch*
**Rennes (35)** *Fontaine aux Perles*
**Rethondes (60)** *Alain Blot*
**Reuilly-Sauvigny (02)** *Auberge Le Relais*
**Rhinau (67)** *Vieux Couvent (Au)*
**Ribeauvillé (68)** *Haut Ribeaupierre*
– *Valet de Coeur et Hostel de la Pépinière (Au)*
**Rillieux-la-Pape (69)** *Larivoire*
**Riquewihr (68)** *Auberge du Schoenenbourg*
– *Table du Gourmet*
**Rixheim (68)** *Manoir*
**La Roche-l'Abeille (87)** *Moulin de la Gorce*
**La Roche-sur-Foron (74)** *Marie-Jean*
**Rochecorbon (37)** *Hautes Roches (Les)*
**La Rochelle (17)** *Serge (Chez)*
**Rodez (12)** *Goûts et Couleurs*
**Romorantin-Lanthenay (41)** *Lanthenay*
**Roquebrune-Cap-Martin (06)** *Roquebrune*
**Roscoff (29)** *Temps de Vivre*
**Rouen (76)** *Écaille (L')*
– *Nymphéas (Les)*
**Rouffach (68)** *Philippe Bohrer*
**Roye (80)** *Flamiche*
**Les Sables-d'Olonne (85)** *Beau Rivage*
**Sables-d'Or-les-Pins (22)** *Voile d'Or - La Lagune*
**Saché (37)** *Auberge du XII$^e$ Siècle*
**Saint-Agrève (07)** *Domaine de Rilhac*
**Saint-Avé (56)** *Pressoir*
**Saint-Céré (46)** *Trois Soleils de Montal*
**Saint-Cyprien (66)** *Ile de la Lagune (L')*
**Saint-Émilion (33)** *Hostellerie de Plaisance*
**Saint-Étienne (42)** *Nouvelle*
**Saint-Félix-Lauragais (31)** *Auberge du Poids Public*
**Saint-Florentin (89)** *Grande Chaumière*
**Saint-Hilaire-du-Rosier (38)** *Bouvarel*
**Saint-Jean-Pied-de-Port (64)** *Pyrénées (Les)*
**Saint-Joachim (44)** *Auberge du Parc*
**Saint-Léonard-de-Noblat (87)** *Grand St-Léonard*
**Saint-Lyphard (44)** *Auberge de Kerbourg*
**Saint-Malo (35)** *Chalut*
**Saint-Martin-de-Belleville (73)** *Bouitte*
**Saint-Martin-du-Fault (87)** *Chapelle St-Martin*
**Saint-Médard (46)** *Gindreau*
**Saint-Paul (06)** *Saint-Paul*
**Saint-Quentin-la-Poterie (30)** *Table de l'Horloge*
**Saint-Rémy (71)** *Moulin de Martorey*
**Saint-Sébastien-sur-Loire (44)** *Manoir de la Comète*
**Saint-Tropez (83)** *Résidence de la Pinède*
– *Villa Belrose*
**Sainte-Anne-la-Palud (29)** *Plage*
**Sainte-Marine (29)** *Agape (L')*
**Salon-de-Provence (13)** *Abbaye de Sainte-Croix*
**Sarrebourg (57)** *Mathis*
**Sarreguemines (57)** *Auberge du Vieux Moulin*
– *Auberge St-Walfrid*
**Sars-Poteries (59)** *Auberge Fleurie*
**Saubusse (40)** *Villa Stings*
**La Saussaye (27)** *Manoir des Saules*
**Sauveterre-de-Rouergue (12)** *Sénéchal*
**Sélestat (67)** *Hostellerie de l'Abbaye la Pommeraie*
– *Jean-Frédéric Edel*
**Sérignan-du-Comtat (84)** *Pré du Moulin*
**Sierentz (68)** *Auberge St-Laurent*
**Sous-la-Tour (22)** *Vieille Tour*

## "Bib Gourmand"

*Repas soignés à prix modérés en province*

*Good food at moderate prices outside the Paris region*

*Pasti accurati a prezzi contenuti in provincia*

*Sorgfältig zubereitete, preiswerte Mahlzeiten in der Provinz*

*Buesnas comidas a precios moderados en provincias*

**Abbeville (80)** *Escale en Picardie (L')*
**Abreschviller (57)** *Auberge de la Forêt*
**Aincille (64)** *Pecoïtz*
**Ajaccio (2A)** *U Licettu*
**Alise-Sainte-Reine (21)** *Cheval Blanc*
**Ambierle (42)** *Prieuré*
**Ammerschwihr (68)** *Arbre Vert (A l')*
**Ancenis (44)** *Toile à Beurre*
**Andorra la Vella (AN)** *Can Manel*
**Angoulême (16)** *Terminus (Le)*
**Annot (04)** *Avenue*
**Anse (69)** *St-Romain*
**Antibes (06)** *Oscar's*
**Antraigues-sur-Volane (07)** *Remise*
**Arcins (33)** *Lion d'Or*
**Argoules (80)** *Auberge du Coq-en-Pâte*
**Astaffort (47)** *Une Auberge en Gascogne*
**Aubenas (07)** *Fournil*
**Auch (32)** *Table d'Hôtes*
**Audressein (09)** *Auberge (L')*
**Aumale (76)** *Villa des Houx*
**Aumont-Aubrac (48)** *Camillou (Chez)*
**–** *Compostelle*
**Aurillac (15)** *Quatre Saisons*
**–** *Reine Margot*
**Autun (71)** *Chalet Bleu*
**Avranches (50)** *Croix d'Or*
**Baden (56)** *Gavrinis*
**Bâgé-le-Châtel (01)** *Table Bâgesienne*
**Bains-les-Bains (88)** *Poste*
**Ban-de-Laveline (88)** *Auberge Lorraine*
**Bandol (83)** *Clocher*
**Banyuls-sur-Mer (66)** *Al Fanal et H. El Llagut*
**Barfleur (50)** *Moderne*
**Bar-sur-Aube (10)** *Toque Baralbine*
**Bas-Rupts (88)** *la Belle Marée (A )*
**Bayeux (14)** *Bistrot de Paris*
**Bayonne (64)** *Bayonnais*
**–** *François Miura*
**Beaugency (45)** *P'tit Bateau*
**Beaulieu-sur-Dordogne (19)** *Central Hôtel Fournié*
**Beaune (21)** *Ciboulette*
**–** *Verger*
**Beauzac (43)** *Air du Temps (L')*
**Bergerac (24)** *Tour des Vents*
**Le Bessat (42)** *Fondue "Chez l'Père Charles" (La)*
**Besse-en-Chandesse (63)** *Hostellerie du Beffroy*
**Biarritz (64)** *Clos Basque*
**Birkenwald (67)** *Chasseur (Au)*
**Le Blanc (36)** *Cygne*
**Bonneuil-Matours (86)** *Pavillon Bleu*
**Bonneval-sur-Arc (73)** *Auberge Le Pré Catin*
**Bonny-sur-Loire (45)** *Voyageurs*

**Bons-en-Chablais (74)** *Progrès*
**Bordeaux (33)** *Gravelier*
**Bosdarros (64)** *Auberge Labarthe*
**Boucé (03)** *Auberge de Boucé*
**Boulay-les-Barres (45)** *Auberge du Relais de la Beauce*
**Bourg-en-Bresse (01)** *Chalet de Brou*
– *Fred et Martine*
**Bourth (27)** *Auberge Chantecler*
**Bouzel (63)** *Auberge du Ver Luisant*
**Bozouls (12)** *la Route d'Argent (A )*
**Bréauté (76)** *Relais de Maupassant*
**La Bresse (88)** *Clos des Hortensias*
**Brest (29)** *Ma Petite Folie*
**Briançon (05)** *Péché Gourmand*
**Brioude (43)** *Poste et Champanne*
**Brive-la-Gaillarde (19)** *Francis (Chez)*
**Brou (28)** *Ascalier (L')*
**Bruère-Allichamps (18)** *Tilleuls (Les)*
**Buzançais (36)** *Hermitage*
**Cahuzac-sur-Vère (81)** *Falaise*
**Calais (62)** *Côte d'Argent (Au)*
**Campagne (24)** *Château (du)*
**Cancale (35)** *St-Cast*
– *Surcouf*
**Cap-Coz (29)** *Pointe du Cap Coz*
**Carantec (29)** *Cabestan*
**Carcassonne (11)** *Écurie (L')*
**Castéra-Verduzan (32)** *Florida*
**Le Cateau-Cambrésis (59)** *Hostellerie du Marché*
**Cesson (22)** *Croix Blanche*
**Chalon-sur-Saône (71)** *Auberge des Alouettes*
**Châlons-en-Champagne (51)** *Pré St-Alpin*
**Chambéry (73)** *Tonneau*
**Chamonix-Mont-Blanc (74)** *Atmosphère*
– *Panier des Quatre Saisons*
**Champagnole (39)** *Auberge des Gourmets*
**Chaparon (74)** *Châtaigneraie*
**La Chapelle-d'Abondance (74)** *Ensoleillé (L')*
**Charroux (03)** *Ferme St-Sébastien*
**Chassagne-Montrachet (21)** *Chassagne*
**Chassey-le-Camp (71)** *Auberge du Camp Romain*
**Châteauneuf (71)** *Fontaine*
**Châtelaillon-Plage (17)** *Flots (Les)*
**Chaussin (39)** *Bach (Chez)*
**Chauvigny (86)** *Lion d'Or*
**Chavignol (18)** *Côte des Monts Damnés*
**Chenôve (21)** *Clos du Roy*
**Chépy (80)** *Auberge Picarde*
**Cheval-Blanc (84)** *Auberge de Cheval Blanc*
**Le Cheylard (07)** *Provençal*
**Clermont-Ferrand (63)** *Amphitryon Capucine*
**Col de Curebourse (15)** *Hostellerie St-Clément*
**Col de la Schlucht (88)** *Collet*
**Coligny (01)** *Petit Relais*
**Colmar (68)** *Hansi (Chez)*
**Compiègne (60)** *Bistrot des Arts*
**Concarneau (29)** *Armande (Chez)*
**Conches-en-Ouche (27)** *Grand'Mare*
**Contamine-sur-Arve (74)** *Tourne Bride*
**Cordon (74)** *Cordonant*
**Coudekerque-Branche (59)** *Soubise*
**Coulon (79)** *Central*
**Coursan (11)** *Os à Moelle (L')*
**Crozant (23)** *Auberge de la Vallée*
**Crozon (29)** *Mutin Gourmand*
**Cucugnan (11)** *Auberge de Cucugnan*
**Dax (40)** *Amphitryon (L')*
**Deauville (14)** *Yearling*
**Doucier (39)** *Comtois*
**Doué-la-Fontaine (49)** *Auberge Bienvenue*
**Ducey (50)** *Auberge de la Sélune*
**Dunes (82)** *Templiers (Les)*
**Dunières (43)** *Tour*
**Embrun (05)** *Mairie*
**Ernée (53)** *Grand Cerf*
**Espalion (12)** *Méjane*
**Estaing (12)** *St-Fleuret*
**Évreux (27)** *Gazette*
**Les Eyzies-de-Tayac (24)** *Métairie*

**Saint-Gervais-d'Auvergne (63)** *Comptoir à Moustaches*
**Saint-Jean-de-Moirans (38)** *Beauséjour*
**Saint-Jean-du-Bruel (12)** *Midi-Papillon*
**Saint-Julien-Chapteuil (43)** *Vidal*
**Saint-Justin (40)** *France*
**Saint-Loup-de-Varennes (71)** *Saint Loup*
**Saint-Macaire (33)** *Abricotier*
**Saint-Malo (35)** *Gilles*
**–** *Grassinais (La)*
**Saint-Martin-de-Londres (34)** *Auberge de Saugras*
**Saint-Martin-en-Bresse (71)** *Puits Enchanté (Au)*
**Saint-Mathurin-sur-Loire (49)** *Promenade*
**Saint-Quirin (57)** *Hostellerie du Prieuré*
**Saint-Thégonnec (29)** *Auberge St-Thégonnec*
**Saint-Vaast-la-Hougue (50)** *France et Fuchsias*
**Saint-Vallier (26)** *Bistrot d'Albert et Hôtel Terminus*
**Sainte-Euphémie (01)** *Petit Moulin (Au)*
**Sainte-Fortunade (19)** *Moulin de Lachaud*
**Saintes (17)** *Table du Bois*
**Saintes-Maries-de-la-Mer (13)** *Hostellerie du Pont de Gau*
**Salignac-Eyvigues (24)** *Meynardie*
**Salt-en-Donzy (42)** *Assiette Saltoise*
**Sancerre (18)** *Pomme d'Or*
**Santenay (21)** *Terroir*
**Le Sappey-en-Chartreuse (38)** *Skieurs (Les)*
**Sare (64)** *Lastiry*
**Sarzeau (56)** *Tournepierre*
**Sauxillanges (63)** *Mairie*
**Sauzon (56)** *Roz Avel*
**Savigneux (42)** *Yves Thollot*
**Seloncourt (25)** *Monarque*
**Semblançay (37)** *Mère Hamard*
**Senones (88)** *Bon Gîte*
**Sens (89)** *Au Crieur de Vin*
**Servon (50)** *Auberge du Terroir*
**Sillé-le-Guillaume (72)** *Bretagne*
**Sochaux (25)** *Fil des Saisons (Au)*
**Solenzara (2A)** *Mandria (A )*
**Sorges (24)** *Auberge de la Truffe*
**Sospel (06)** *Étrangers (des)*
**Sousceyrac (46)** *Déjeuner de Sousceyrac (Au)*
**Tamniès (24)** *Laborderie*
**Tardets-Sorholus (64)** *Pont d'Abense*
**Tarnac (19)** *Voyageurs*
**Le Teil (07)** *Gafferot*
**Tende (06)** *Auberge Tendasque*
**Toulon (83)** *L'Eau à la Bouche*
**Tourcoing (59)** *Baratte*
**Tournon-sur-Rhône (07)** *Chaudron*
**Tours (37)** *Arche de Meslay (L')*
**–** *Atelier Gourmand (L')*
**–** *Cap Sud*
**–** *Petit Patrimoine*
**Trémolat (24)** *Bistrot d'en Face*
**Tulle (19)** *Toque Blanche*
**Ty-Sanquer (29)** *Auberge Ti-Coz*
**Uchaux (84)** *Côté Sud*
**Ussac (19)** *Petit Clos*
**Uzerche (19)** *Teyssier*
**La Vachette (05)** *Nano*
**Vailly-sur-Aisne (02)** *Belle Porte*
**Vailly-sur-Sauldre (18)** *Lièvre Gourmand*
**Le Val-André (22)** *Biniou (Au)*
**Valence (26)** *Épicerie (L')*
**Vallauris (06)** *Gousse d'Ail*
**Vallières (37)** *Auberge de Porc Vallières*
**Valloux (89)** *Auberge des Chenêts*
**Le Valtin (88)** *Auberge du Val Joli*
**Vaux-sous-Aubigny (52)** *Auberge des Trois Provinces*
**Vernon (27)** *Fleurs (Les)*
**Vescous (06)** *Capeline*
**Vézac (24)** *Relais des Cinq Châteaux*
**Vichy (03)** *Table d'Antoine*
**Vienne (38)** *Bec Fin*
**–** *Estancot (L')*
**Villedieu-les-Poêles (50)** *Manoir de l'Acherie*
**Villemagne-l'Argentière (34)** *Auberge de l'Abbaye*
**Villers-Bocage (14)** *Trois Rois*
**Vincelottes (89)** *Auberge Les Tilleuls*
**Vitry-le-François (51)** *Cloche*
**Voiron (38)** *Chaumière*
**Yerville (76)** *Voyageurs*
**Yvoire (74)** *Pré de la Cure*

# "Bib Hôtel"

## *Bonnes nuits à petits prix en province*
*Good accomodation at moderate prices outside the Paris region*
*Buona sistemazione a prezzi contenuti in provincia*
*Hier übernachten gut Sie und preiswert in der Provinz*
*Grato descanso a precios moderados en provincias*

| | |
|---|---|
| **Aix-les-Bains (73)** | *Auberge St-Simond* |
| **Albi (81)** | *Cantepau* |
| **Algajola (2B)** | *Stellamare* |
| **Ambonnay (51)** | *Auberge St-Vincent* |
| **Anet (28)** | *Dousseine* |
| **Angers (49)** | *Mail* |
| **–** | *Progrès* |
| **Annot (04)** | *Avenue* |
| **Aoste (38)** | *Coq en Velours (Au)* |
| **Arbois (39)** | *Cépages* |
| **Argentan (61)** | *France* |
| **Argenton-sur-Creuse (36)** | *Manoir de Boisvillers* |
| **Arreau (65)** | *Angleterre* |
| **Aubrac (12)** | *Dômerie* |
| **Audincourt (25)** | *Tilleuls (Les)* |
| **Aulnay (17)** | *Donjon* |
| **Aulus-les-Bains (09)** | *Oussaillès (Les)* |
| **Aumale (76)** | *Villa des Houx* |
| **Autrans (38)** | *Tilleuls (Les)* |
| **Auxerre (89)** | *Cygne* |
| **–** | *Normandie* |
| **Avallon (89)** | *Avallon Vauban* |
| **Avignon (84)** | *Ferme* |
| **Avranches (50)** | *Croix d'Or* |
| **Baerenthal (57)** | *Kirchberg* |
| **Bagnoles-de-l'Orne (61)** | *Ermitage* |
| **Balot (21)** | *Auberge de la Baume* |
| **Baratier (05)** | *Peupliers (Les)* |
| **Barbotan-les-Thermes (32)** | *Paix* |
| **Beaune (21)** | *Grillon* |
| **–** | *Villa Fleurie* |
| **Bénouville (14)** | *Glycine* |
| **Berck-Plage (62)** | *Impératrice* |
| **Besançon (25)** | *Nord* |
| **Beuzeville (27)** | *Petit Castel* |
| **Biarritz (64)** | *Maïtagaria* |
| **Blienschwiller (67)** | *Winzenberg* |
| **Bonneval-sur-Arc (73)** | *la Pastourelle (A )* |
| **Bourbon-l'Archambault (03)** | *Grand Hôtel Montespan-Talleyrand* |
| **La Bourboule (63)** | *Charlet* |
| **Bourg-Saint-Maurice (73)** | *Autantic (L')* |
| **Bourges (18)** | *Christina* |
| **Bozouls (12)** | *la Route d'Argent (A )* |
| **Bracieux (41)** | *Bonnheure* |
| **Bransac (43)** | *Table du Barret* |
| **Caen (14)** | *Bristol* |
| **–** | *Quatrans* |
| **Campagne (24)** | *Château (du)* |
| **Cancale (35)** | *Chatellier* |
| **Cannes (06)** | *Albert 1er* |
| **–** | *Florian* |
| **Carhaix-Plouguer (29)** | *Noz-Vad* |
| **Castagnède (64)** | *Belle Auberge* |
| **Castelnaudary (11)** | *Canal* |
| **Castres (81)** | *Renaissance* |

| | |
|---|---|
| **Céret (66)** | *Arcades (Les)* |
| **Chagny (71)** | *Poste* |
| **Chalezeule (25)** | *Trois Iles* |
| **Challans (85)** | *Antiquité* |
| **Chambéry (73)** | *Princes* |
| **Chamonix-Mont-Blanc (74)** | *Arveyron* |
| **Chandolas (07)** | *Auberge Les Murets* |
| **Charleville-Mézières (08)** | *Paris* |
| **Charlieu (42)** | *Relais de l'Abbaye* |
| **Chauvigny (86)** | *Lion d'Or* |
| **Cherbourg (50)** | *Ambassadeur* |
| **Chevigny (21)** | *Relais de la Sans Fond* |
| **Chinon (37)** | *Diderot* |
| **Clam (17)** | *Vieux Logis* |
| **Col de la Machine (26)** | *Col de la Machine* |
| **Col du Pavillon (69)** | *Pavillon* |
| **Condom (32)** | *Logis des Cordeliers* |
| **Cordon (74)** | *Cordonant* |
| **Corps (38)** | *Napoléon* |
| **Coulon (79)** | *Marais (Au)* |
| **Dambach-la-Ville (67)** | *Vignoble* |
| **Dreux (28)** | *Beffroi* |
| **Espalion (12)** | *France* |
| **Espaly-Saint-Marcel (43)** | *Ermitage (L')* |
| **Estaing (12)** | *St-Fleuret* |
| **Étain (55)** | *Sirène* |
| **Forbach (57)** | *Poste* |
| **Forges-les-Eaux (76)** | *Paix* |
| **Gaillac (81)** | *Verrerie* |
| **Gennes (49)** | *Naulets d'Anjou (Aux)* |
| **Gérardmer (88)** | *Gérard d'Alsace* |
| **La Giettaz (73)** | *Flor'Alpes* |
| **Gordes (84)** | *Auberge de Carcarille* |
| **Granville (50)** | *Michelet* |
| **Graufthal (67)** | *Vieux Moulin (Au)* |
| **Gresse-en-Vercors (38)** | *Chalet* |
| **Guilliers (56)** | *Relais du Porhoët* |
| **Houlgate (14)** | *1900* |
| **Ile-de-Sein (29)** | *Ar Men* |
| **Issoire (63)** | *Pariou* |
| **Itxassou (64)** | *Chêne* |
| **Joigny (89)** | *Rive Gauche* |
| **Juvigny-sous-Andaine (61)** | *Bon Accueil (Au)* |
| **Lanslebourg-Mont-Cenis (73)** | *Vieille Poste* |
| **Laon (02)** | *Bannière de France* |
| **Larrau (64)** | *Etchemaïté* |
| **Lestelle-Bétharram (64)** | *Vieux Logis* |
| **Levernois (21)** | *Colvert Golf Hôtel* |
| **–** | *Parc* |
| **Limoges (87)** | *Boni* |
| **Lons-le-Saunier (39)** | *Nouvel Hôtel* |
| **Mauriac (15)** | *Voyageurs* |
| **Metz (57)** | *Cécil* |
| **Mittelhausen (67)** | *Étoile (A l')* |
| **Monestier-de-Clermont (38)** | *Sans Souci (Au)* |
| **Monflanquin (47)** | *Monform* |
| **Montagny-lès-Beaune (21)** | *Clos* |
| **Montfort-en-Chalosse (40)** | *Tauzins (Aux)* |
| **Montpellier (34)** | *Parc* |
| **Montrond-les-Bains (42)** | *Motel du Forez* |
| **Natzwiller (67)** | *Auberge Metzger* |
| **Nevers (58)** | *Molière* |
| **Niederbronn-les-Bains (67)** | *Cully* |
| **Nogent-le-Rotrou (28)** | *Sully* |
| **Nogent-sur-Seine (10)** | *Beau Rivage* |
| **Pau (64)** | *Central* |
| **Pégomas (06)** | *Bosquet* |
| **Pont-de-l'Arche (27)** | *Tour* |
| **Pontarlier (25)** | *Villages Hôtel* |
| **Pontlevoy (41)** | *École (de l')* |
| **Puybrun (46)** | *Arts* |
| **Quarré-les-Tombes (89)** | *Morvan* |
| **Quelven (56)** | *Auberge de Quelven* |
| **Rânes (61)** | *St-Pierre* |
| **Reims (51)** | *Cathédrale* |
| **–** | *Crystal* |
| **Reipertswiller (67)** | *Couronne* |
| **Rennes (35)** | *Sévigné* |
| **La Roche-Bernard (56)** | *Colibri* |
| **Rouen (76)** | *Notre Dame* |
| **Saint-Benoît (86)** | *Chalet de Venise* |
| **Saint-Bertrand-de-Comminges (31)** | *Comminges* |
| **Saint-Bonnet-le-Château (42)** | *Béfranc* |
| **Saint-Disdier (05)** | *Auberge La Neyrette* |
| **Saint-Florentin (89)** | *Tilleuls* |
| **Saint-Flour (15)** | *Auberge de La Providence* |
| **Saint-Gervais-d'Auvergne (63)** | *Castel Hôtel 1904* |
| **Saint-Jacques-des-Blats (15)** | *Griou* |

**Saint-Jean (06)** *Chasseurs*
**Saint-Lary (09)** *Auberge de L'Isard*
**Saint-Lary-Soulan (65)** *Pergola*
**Saint-Laurent-de-Mure (69)** *Hostellerie St-Laurent*
**Saint-Malo (35)** *Quic en Groigne*
**Saint-Père (89)** *Renommée*
**Saint-Rémy-de-Provence (13)** *Amandière (L')*
**Saint-Sernin-sur-Rance (12)** *Carayon*
**Saint-Sorlin-d'Arves (73)** *Beausoleil*
**Salers (15)** *Bailliage*
**Sallanches (74)** *Auberge de l'Orangerie*
**Santa Coloma (AN)** *Cerqueda*
**Sarlat-la-Canéda (24)** *Mas de Castel*
**Sarrebourg (57)** *Cèdres (Les)*
**Sarreguemines (57)** *Amadeus*
**Sars-Poteries (59)** *Marquais*
**Saugues (43)** *Terrasse*
**Semur-en-Auxois (21)** *Cymaises*
**Sondernach (68)** *Orée du Bois (A l')*
**Stenay (55)** *Commerce*
**Talant (21)** *Bonbonnière*
**Thann (68)** *Moschenross*
**Thionville (57)** *Parc*
**Thizy (69)** *Terrasse*
**Tournon-sur-Rhône (07)** *Amandiers (Les)*
**Le Tréport (76)** *Calais*
**Uriage-les-Bains (38)** *Mésanges (Les)*
**Viaduc de Garabit (15)** *Beau Site*
**Villé (67)** *Bonne Franquette*
**Villersexel (70)** *Terrasse*
**Voiron (38)** *Chaumière*
**Wissembourg (67)** *Moulin de la Walk*
**Yvetot (76)** *Havre*

✿✿✿ *Les étoiles*
✿✿ *The stars*
✿ *Le stelle*
*Die Sterne*
*Las estrellas*

**Repas 17/23** **"Bib Gourmand"**
*Repas soignés à prix modérés*
*Good food at moderate prices*
*Pasti accurati a prezzi contenuti*
*Sorgfältig zubereitete preiswerte Mahlzeiten*
*Buenas comidas a precios moderados*

ch **38/75** **"Bib Hôtel"**
*Bonnes nuits à petits prix*
*Good accomodation at moderate prices*
*Buona sistemazione a prezzi contenuti*
*Hier übernachten Sie und preiswert*
*Grato descanso a precios moderados*

*L'agrément*
*Peaceful atmosphere and setting*
*Amenità e tranquillità*
*Annehmlichkeit*
*Atractivo y tranquilidad*

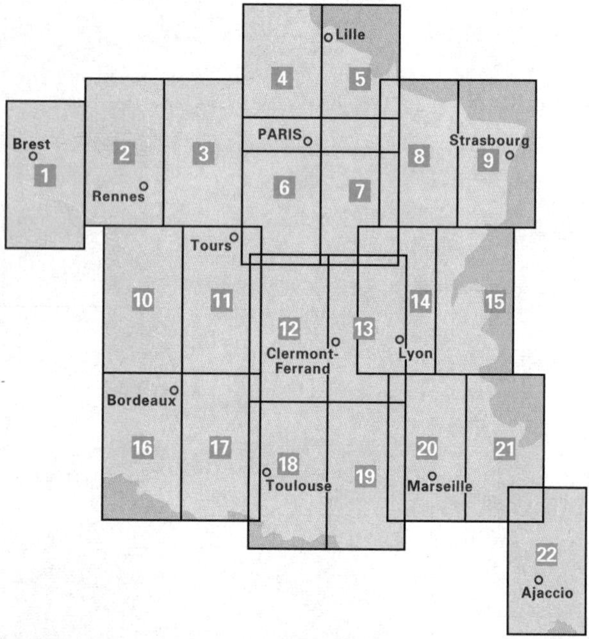

Lille
4
5
PARIS
Brest
1
2
3
Rennes
6
7
8
Strasbourg
9
Tours
10
11
12
13
14
15
Clermont-Ferrand
Lyon
Bordeaux
16
17
18
Toulouse
19
20
Marseille
21
22
Ajaccio

*Carte de voisinage : voir à la ville choisie*
*Town with a local map*
*Città con carta dei dintorni*
*Stadt mit Umgebungskarte*
*Población con mapa de alrededores*

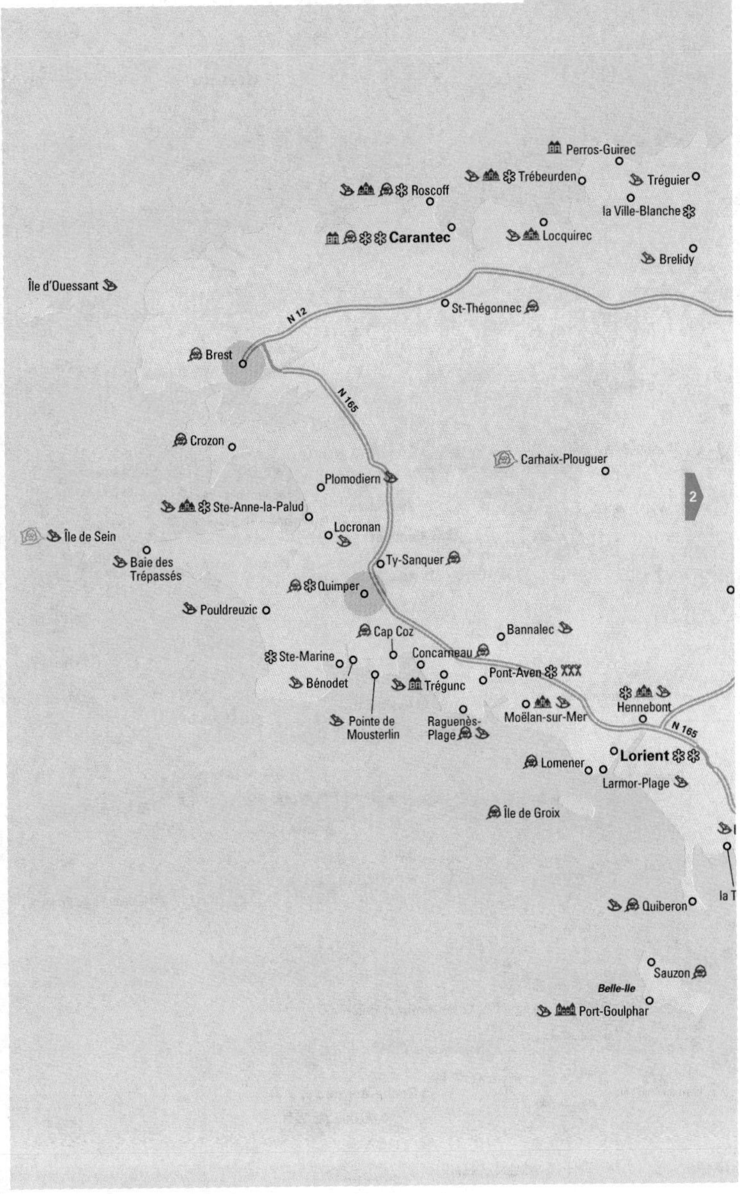

1
Perros-Guirec
Trébeurden
Tréguier
Roscoff
la Ville-Blanche
Carantec
Locquirec
Brelidy
Île d'Ouessant
N 12
St-Thégonnec
Brest
N 165
Crozon
Carhaix-Plouguer
Plomodiern
2
Ste-Anne-la-Palud
Locronan
Île de Sein
Baie des Trépassés
Ty-Sanquer
Quimper
Pouldreuzic
Cap Coz
Bannalec
Concarneau
Ste-Marine
Bénodet
Trégunc
Pont-Aven
XXX
Hennebont
Moëlan-sur-Mer
Pointe de Mousterlin
Raguenès-Plage
N 165
Lorient
Lomener
Larmor-Plage
Île de Groix
Quiberon
Sauzon
Belle-Ile
Port-Goulphar

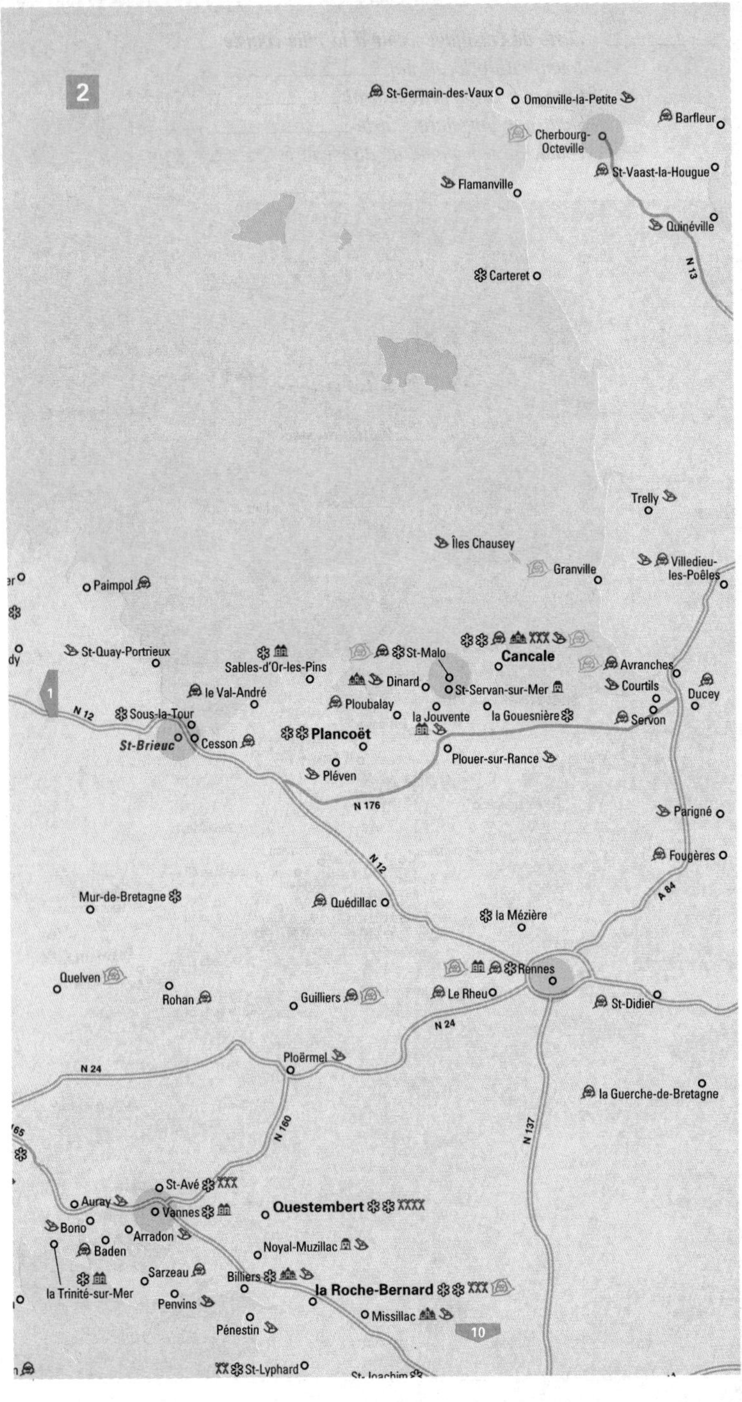
2
St-Germain-des-Vaux
Omonville-la-Petite
Barfleur
Cherbourg-Octeville
St-Vaast-la-Hougue
Flamanville
Quinéville
N 13
Carteret
Trelly
Îles Chausey
Granville
Villedieu-les-Poêles
Paimpol
St-Quay-Portrieux
Sables-d'Or-les-Pins
St-Malo
Cancale
Avranches
Dinard
St-Servan-sur-Mer
Courtils
Ducey
le Val-André
Ploubalay
la Jouvente
la Gouesnière
Servon
1
N 12
Sous-la-Tour
St-Brieuc
Cesson
Plancoët
Plouer-sur-Rance
Pléven
N 176
Parigné
Fougères
N 12
A 84
Mur-de-Bretagne
Quédillac
la Mézière
Rennes
Quelven
Rohan
Guilliers
Le Rheu
St-Didier
N 24
Ploërmel
N 24
la Guerche-de-Bretagne
N 160
N 137
165
St-Avé
Auray
Vannes
Questembert
Bono
Arradon
Baden
Noyal-Muzillac
la Trinité-sur-Mer
Sarzeau
Billiers
la Roche-Bernard
Penvins
Missillac
Pénestin
10
St-Lyphard

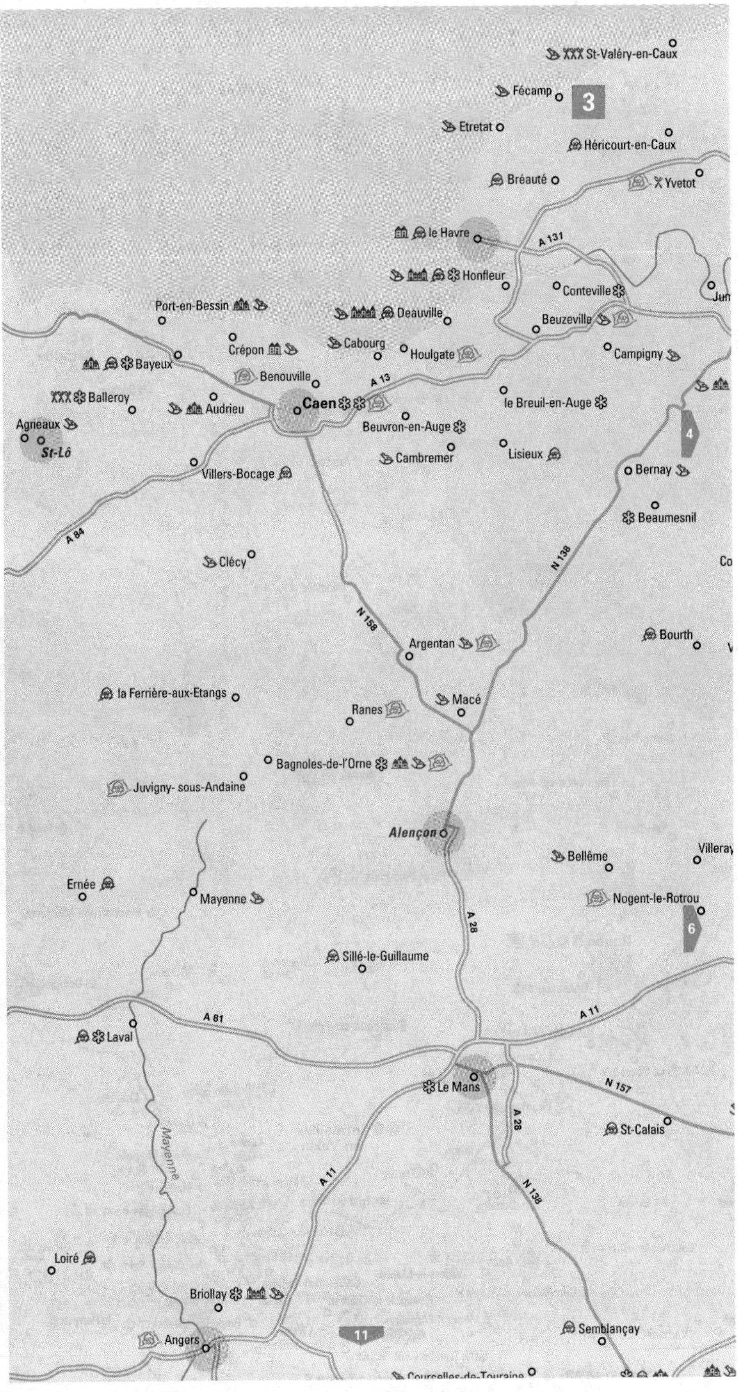
St-Valéry-en-Caux
Fécamp
3
Etretat
Héricourt-en-Caux
Bréauté
Yvetot
le Havre
A 131
Honfleur
Conteville
Jun
Port-en-Bessin
Deauville
Beuzeville
Crépon
Cabourg
Houlgate
Campigny
Bayeux
Benouville
A 13
Balleroy
Audrieu
Caen
le Breuil-en-Auge
Agneaux
Beuvron-en-Auge
4
St-Lô
Cambremer
Lisieux
Villers-Bocage
Bernay
Beaumesnil
A 84
Clécy
N 138
Co
N 158
Bourth
Argentan
la Ferrière-aux-Etangs
Macé
Ranes
Bagnoles-de-l'Orne
Juvigny- sous-Andaine
Alençon
Bellême
Villeray
Ernée
Mayenne
Nogent-le-Rotrou
A 28
6
Sillé-le-Guillaume
A 81
A 11
Laval
Le Mans
N 157
St-Calais
Mayenne
A 11
A 28
N 138
Loiré
Briollay
Semblançay
Angers
11
Courcelles-de-Touraine

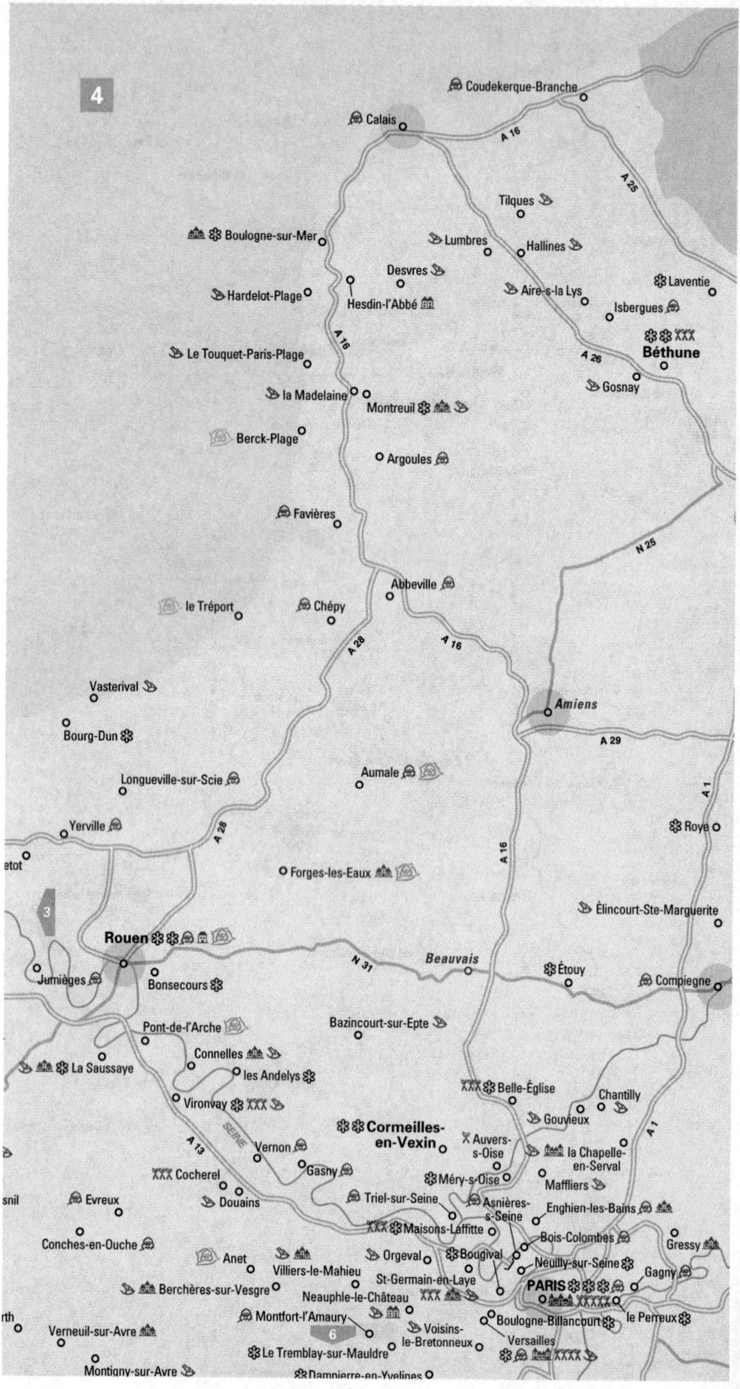
4
Coudekerque-Branche
Calais
A 16
A 25
Tilques
Boulogne-sur-Mer
Lumbres
Hallines
Desvres
Laventie
Hardelot-Plage
Hesdin-l'Abbé
Aire-s-la Lys
Isbergues
A 16
Le Touquet-Paris-Plage
A 26
Béthune
Gosnay
la Madelaine
Montreuil
Berck-Plage
Argoules
Favières
N 25
Abbeville
le Tréport
Chépy
A 28
A 16
Vasterival
Amiens
A 29
Bourg-Dun
Aumale
Longueville-sur-Scie
A 1
Yerville
Roye
A 28
etot
A 16
Forges-les-Eaux
3
Élincourt-Ste-Marguerite
Rouen
Beauvais
N 31
Étouy
Jumièges
Compiegne
Bonsecours
Pont-de-l'Arche
Bazincourt-sur-Epte
Connelles
La Saussaye
les Andelys
Belle-Église
Chantilly
Vironvay
Gouvieux
SEINE
A 1
Cormeilles-en-Vexin
Auvers-s-Oise
A 13
Vernon
la Chapelle-en-Serval
Gasny
Cocherel
Méry-s-Oise
Maffliers
snil
Evreux
Douains
Triel-sur-Seine
Asnières-s-Seine
Enghien-les-Bains
Maisons-Laffitte
Conches-en-Ouche
Bois-Colombes
Gressy
Anet
Orgeval
Bougival
Neuilly-sur-Seine
Villiers-le-Mahieu
Gagny
St-Germain-en-Laye
Berchères-sur-Vesgre
PARIS
Neauphle-le-Château
Montfort-l'Amaury
Voisins-le-Bretonneux
Boulogne-Billancourt
le Perreux
rth
Verneuil-sur-Avre
6
Versailles
Le Tremblay-sur-Mauldre
Montigny-sur-Avre
Dampierre-en-Yvelines

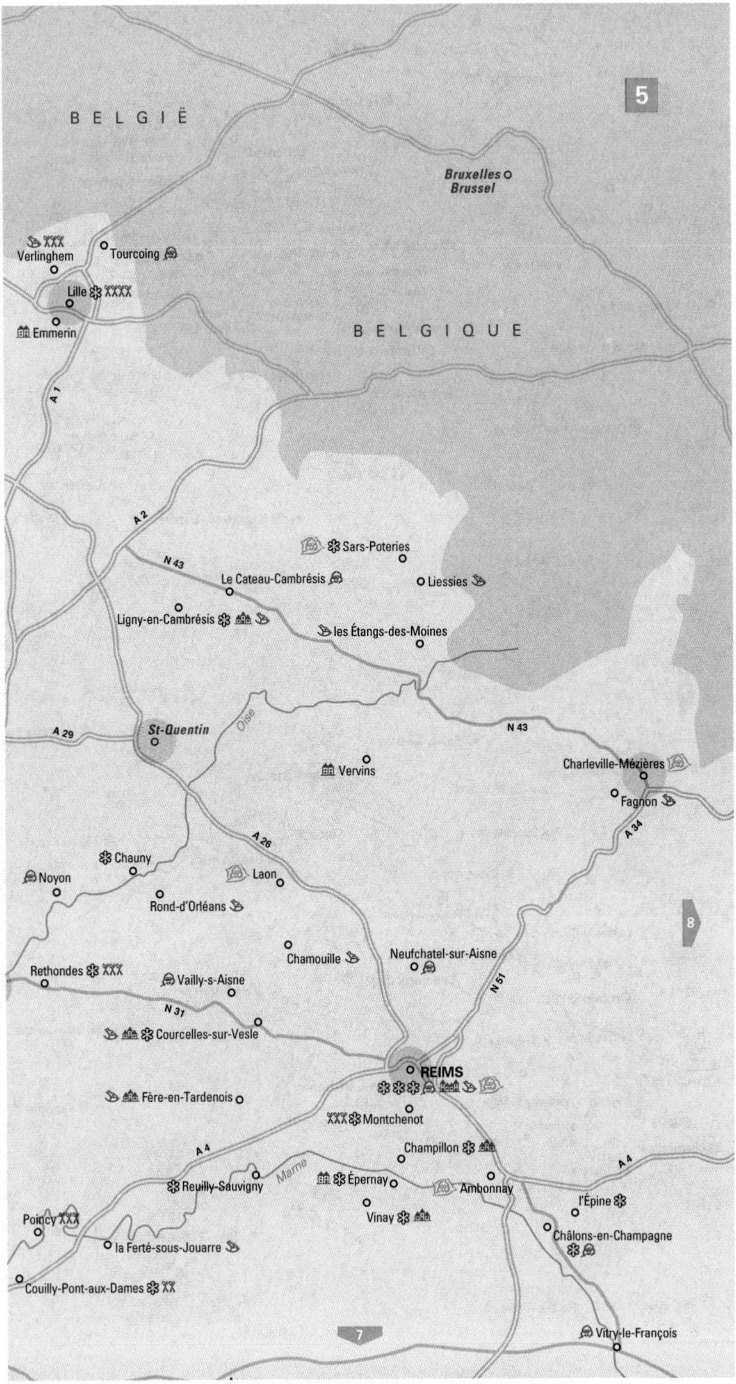

5
BELGIË
Bruxelles
Brussel
BELGIQUE
Verlinghem
Tourcoing
Lille
Emmerin
A 1
A 2
N 43
Sars-Poteries
Le Cateau-Cambrésis
Liessies
Ligny-en-Cambrésis
les Étangs-des-Moines
Oise
A 29
St-Quentin
N 43
Vervins
Charleville-Mézières
Fagnon
A 34
A 26
Chauny
Noyon
Laon
Rond-d'Orléans
8
Chamouille
Neufchatel-sur-Aisne
Rethondes
Vailly-s-Aisne
N 51
N 31
Courcelles-sur-Vesle
REIMS
Fère-en-Tardenois
Montchenot
A 4
Champillon
A 4
Marne
Reuilly-Sauvigny
Épernay
Ambonnay
l'Épine
Poincy
Vinay
Châlons-en-Champagne
la Ferté-sous-Jouarre
Couilly-Pont-aux-Dames
7
Vitry-le-François

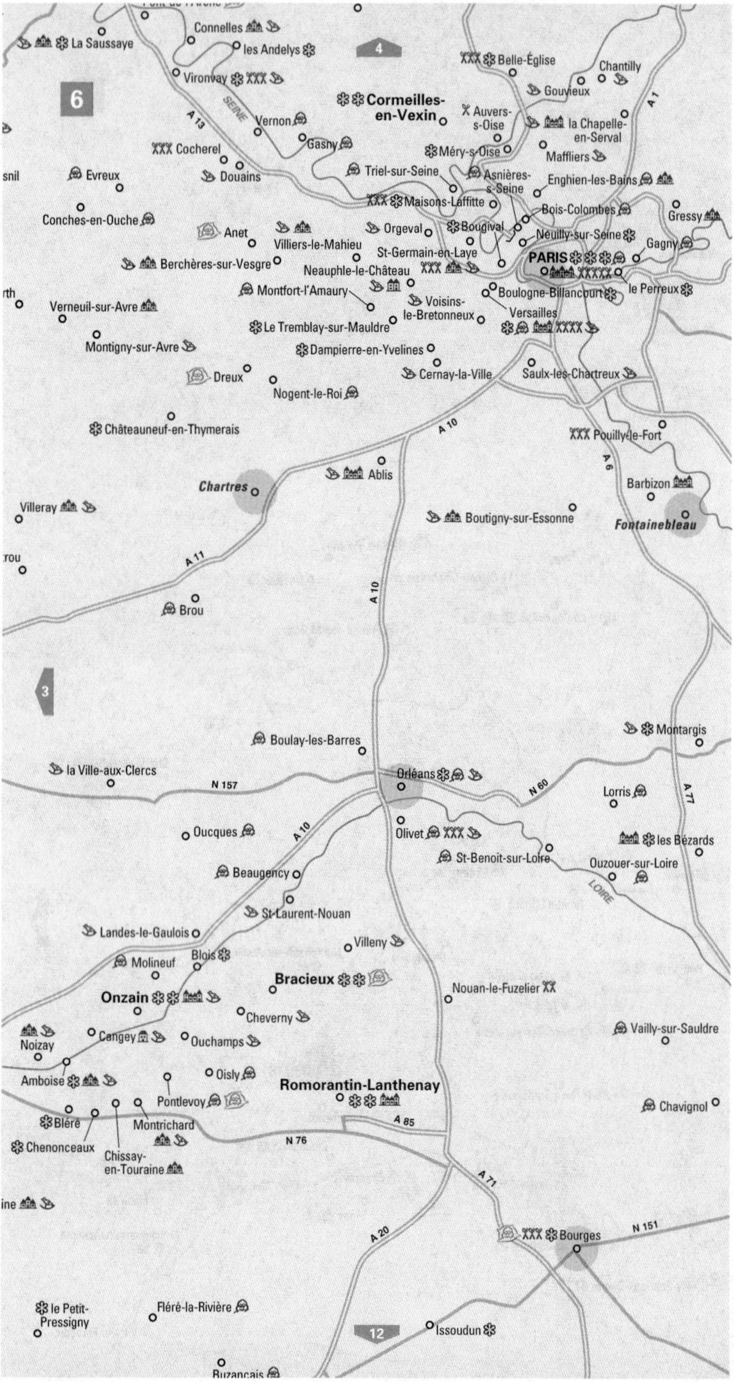

6
4
3
12
Connelles
La Saussaye
les Andelys
Vironvay
SEINE
A 13
Vernon
Gasny
Cormeilles-
en-Vexin
Belle-Église
Chantilly
Gouvieux
A 1
Auvers-
s-Oise
la Chapelle-
en-Serval
Méry-s-Oise
Maffliers
Cocherel
Douains
Evreux
Triel-sur-Seine
Asnières-
s-Seine
Enghien-les-Bains
Maisons-Laffitte
Bois-Colombes
Gressy
Conches-en-Ouche
Anet
Villiers-le-Mahieu
Orgeval
Bougival
Neuilly-sur-Seine
Gagny
Berchères-sur-Vesgre
St-Germain-en-Laye
Neauphle-le-Château
PARIS
le Perreux
Montfort-l'Amaury
Voisins-
le-Bretonneux
Boulogne-Billancourt
Versailles
Verneuil-sur-Avre
Le Tremblay-sur-Mauldre
Montigny-sur-Avre
Dampierre-en-Yvelines
Cernay-la-Ville
Saulx-les-Chartreux
Dreux
Nogent-le-Roi
A 10
Châteauneuf-en-Thymerais
Pouilly-le-Fort
A 6
Ablis
Barbizon
Chartres
Villeray
Boutigny-sur-Essonne
Fontainebleau
A 11
Brou
Montargis
Boulay-les-Barres
la Ville-aux-Clercs
Orléans
N 157
N 60
Lorris
A 77
Oucques
Olivet
les Bézards
St-Benoit-sur-Loire
Ouzouer-sur-Loire
Beaugency
LOIRE
St-Laurent-Nouan
Landes-le-Gaulois
Villeny
Blois
Molineuf
Bracieux
Nouan-le-Fuzelier
Onzain
Cheverny
Vailly-sur-Sauldre
Noizay
Cangey
Ouchamps
Amboise
Oisly
Romorantin-Lanthenay
Pontlevoy
Chavignol
Bléré
Montrichard
A 85
N 76
Chenonceaux
Chissay-
en-Touraine
A 71
A 20
Bourges
N 151
le Petit-
Pressigny
Fléré-la-Rivière
Issoudun
Buzançais

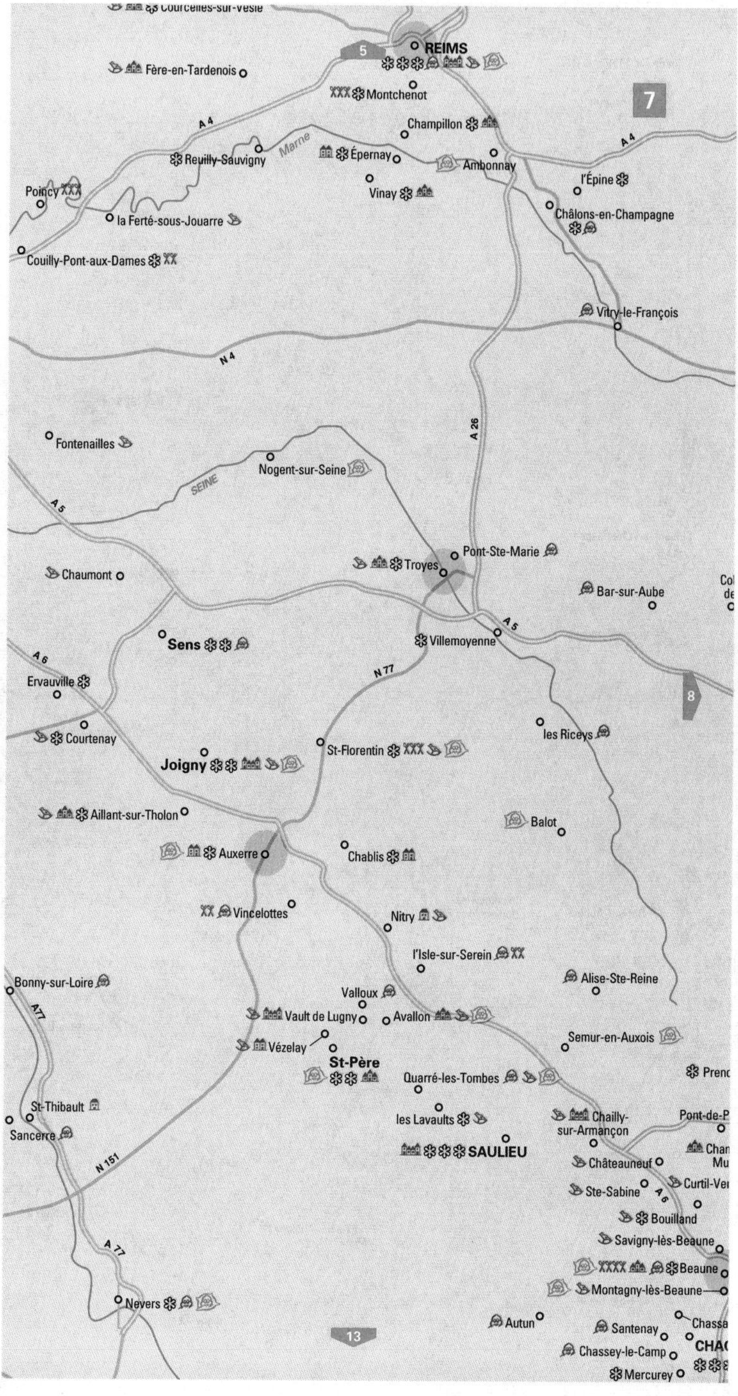
Courcelles-sur-Vesle
REIMS
5
7
Fère-en-Tardenois
Montchenot
A 4
Champillon
Marne
Reuilly-Sauvigny
Épernay
Ambonnay
A 4
l'Épine
Poincy
Vinay
la Ferté-sous-Jouarre
Châlons-en-Champagne
Couilly-Pont-aux-Dames
Vitry-le-François
N 4
A 26
Fontenailles
Nogent-sur-Seine
SEINE
A 5
Pont-Ste-Marie
Troyes
Chaumont
Bar-sur-Aube
A 5
Sens
Villemoyenne
A 6
N 77
Ervauville
8
Courtenay
les Riceys
Joigny
St-Florentin
Aillant-sur-Tholon
Balot
Auxerre
Chablis
Vincelottes
Nitry
l'Isle-sur-Serein
Bonny-sur-Loire
Alise-Ste-Reine
A77
Valloux
Vault de Lugny
Avallon
Vézelay
Semur-en-Auxois
St-Père
Quarré-les-Tombes
St-Thibault
les Lavaults
Chailly-sur-Armançon
Sancerre
SAULIEU
N 151
Châteauneuf
Ste-Sabine
A 6
Bouilland
Savigny-lès-Beaune
A 77
Beaune
Montagny-lès-Beaune
Nevers
Autun
Santenay
Chassey-le-Camp
13
Mercurey

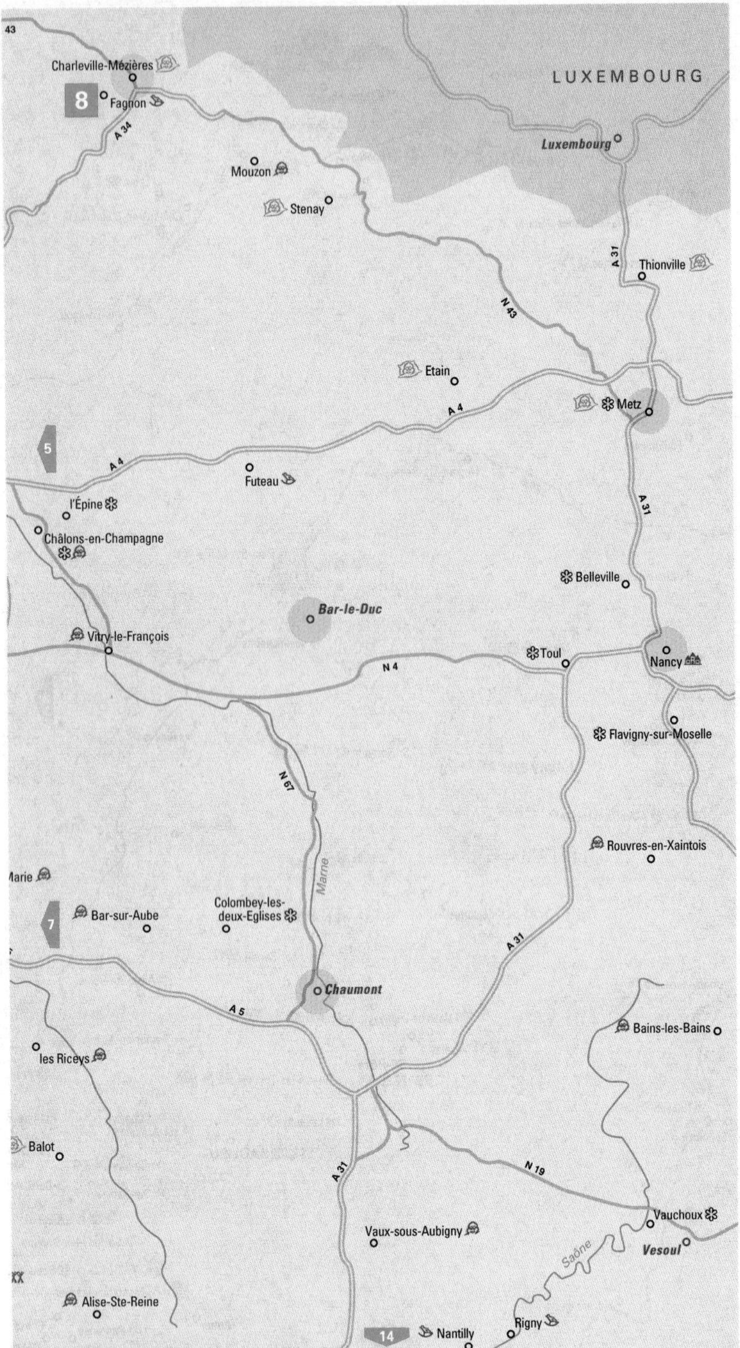
43
Charleville-Mézières
8
Fagnon
A 34
LUXEMBOURG
Luxembourg
Mouzon
Stenay
A 31
Thionville
N 43
Etain
A 4
Metz
5
A 4
Futeau
l'Épine
Châlons-en-Champagne
A 31
Belleville
Bar-le-Duc
Vitry-le-François
Toul
N 4
Nancy
Flavigny-sur-Moselle
N 67
Rouvres-en-Xaintois
Marne
Marie
7
Bar-sur-Aube
Colombey-les-deux-Eglises
A 31
Chaumont
A 5
Bains-les-Bains
les Riceys
Balot
N 19
A 31
Vauchoux
Vaux-sous-Aubigny
Vesoul
Saône
Alise-Ste-Reine
14
Nantilly
Rigny
Semur-en-Auxois

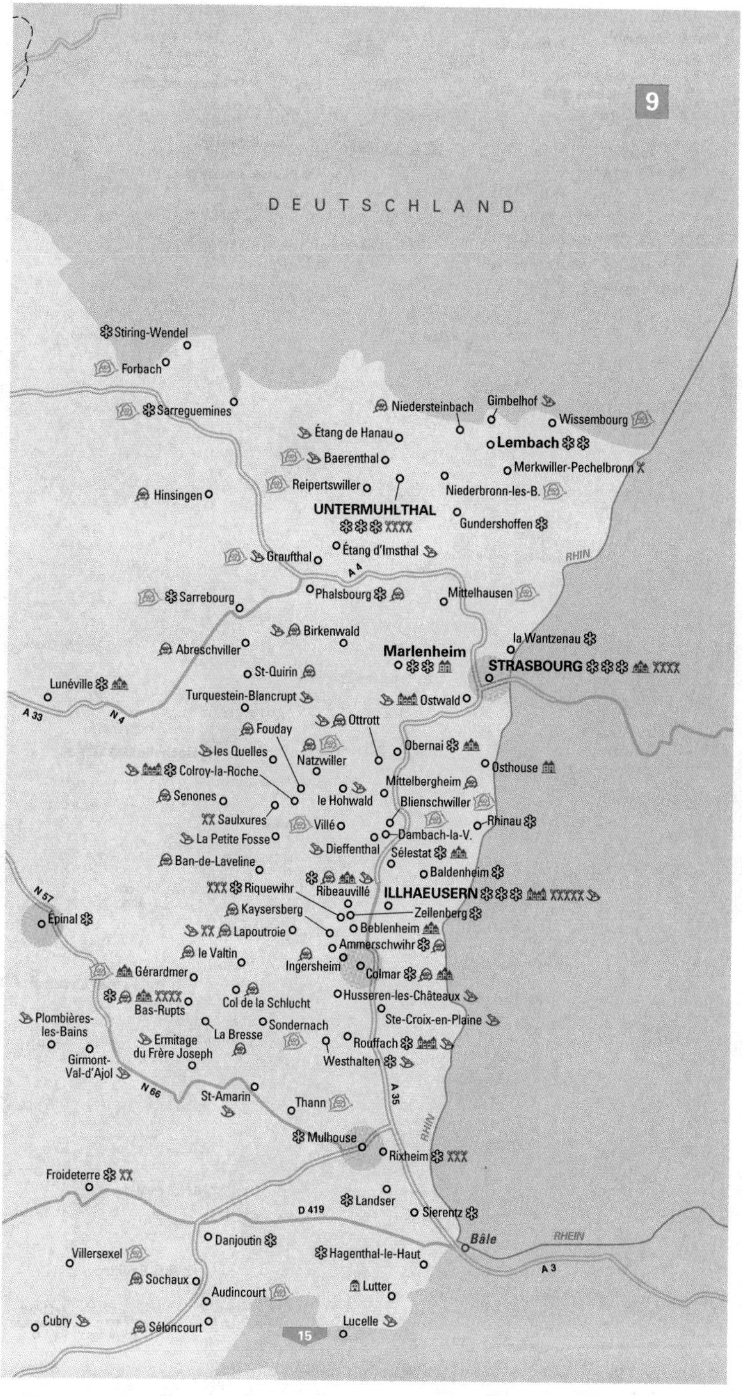
9
DEUTSCHLAND
Stiring-Wendel
Forbach
Sarreguemines
Niedersteinbach
Gimbelhof
Wissembourg
Étang de Hanau
Lembach
Baerenthal
Merkwiller-Pechelbronn
Reipertswiller
Niederbronn-les-B.
Hinsingen
UNTERMUHLTHAL
Gundershoffen
Étang d'Imsthal
Graufthal
RHIN
A 4
Phalsbourg
Mittelhausen
Sarrebourg
Birkenwald
Abreschviller
Marlenheim
la Wantzenau
STRASBOURG
St-Quirin
Lunéville
Turquestein-Blancrupt
Ostwald
A 33
N 4
Ottrott
Fouday
Obernai
les Quelles
Natzwiller
Osthouse
Colroy-la-Roche
Mittelbergheim
Senones
le Hohwald
Blienschwiller
Saulxures
Rhinau
Villé
Dambach-la-V.
La Petite Fosse
Dieffenthal
Sélestat
Ban-de-Laveline
Baldenheim
N 57
Riquewihr
Ribeauvillé
ILLHAEUSERN
Kaysersberg
Zellenberg
Épinal
Lapoutroie
Beblenheim
Ammerschwihr
le Valtin
Ingersheim
Gérardmer
Colmar
Bas-Rupts
Col de la Schlucht
Husseren-les-Châteaux
Ste-Croix-en-Plaine
Plombières-les-Bains
Sondernach
La Bresse
Ermitage du Frère Joseph
Rouffach
Girmont-Val-d'Ajol
Westhalten
N 66
St-Amarin
Thann
A 35
RHIN
Mulhouse
Rixheim
Froideterre
Landser
D 419
Sierentz
Danjoutin
Bâle
RHEIN
Villersexel
Hagenthal-le-Haut
A 3
Sochaux
Audincourt
Lutter
Cubry
Séloncourt
Lucelle
15

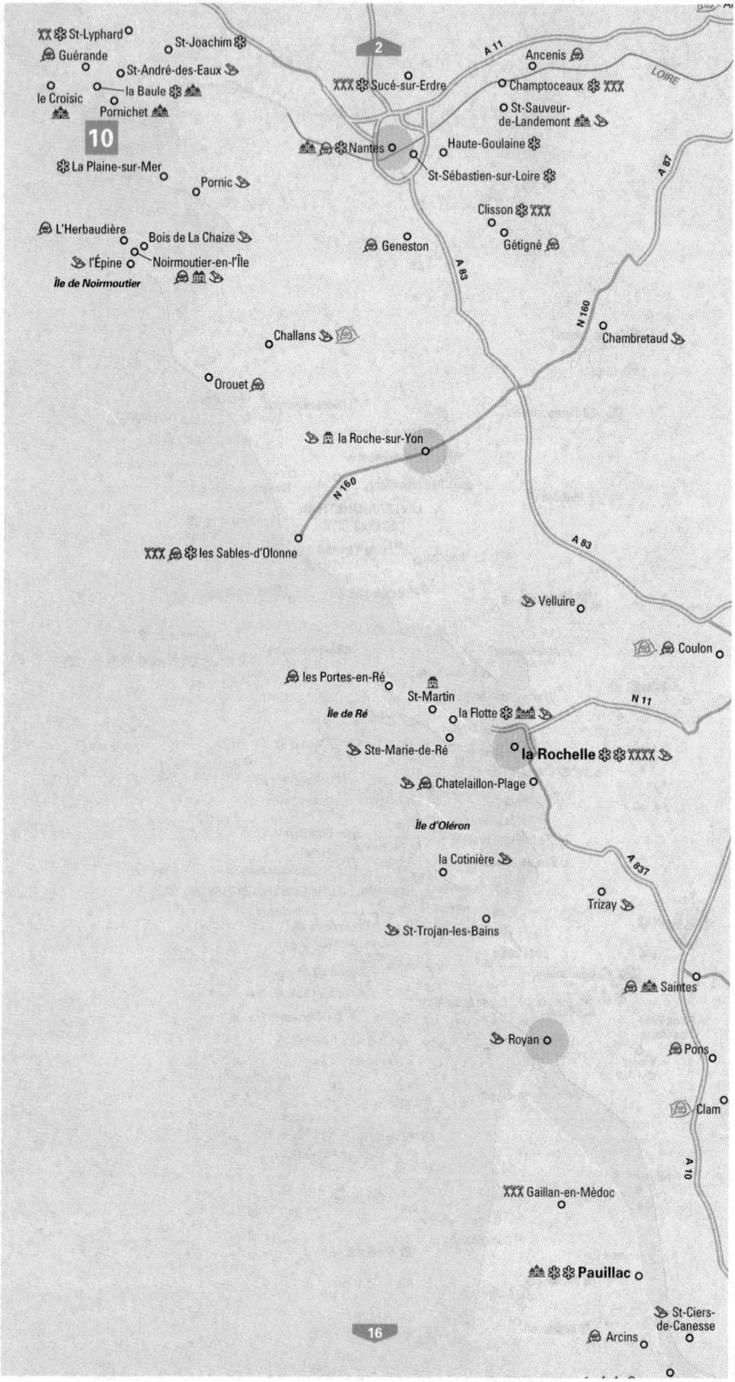
St-Lyphard
Guérande
St-Joachim
St-André-des-Eaux
le Croisic
la Baule
Pornichet
10
2
A 11
Ancenis
LOIRE
Sucé-sur-Erdre
Champtoceaux
St-Sauveur-
de-Landemont
Nantes
Haute-Goulaine
St-Sébastien-sur-Loire
A 87
La Plaine-sur-Mer
Pornic
Clisson
L'Herbaudière
Bois de La Chaize
Geneston
Gétigné
l'Épine
Noirmoutier-en-l'Île
Île de Noirmoutier
A 83
N 160
Chambretaud
Challans
Orouet
la Roche-sur-Yon
N 160
les Sables-d'Olonne
A 83
Velluire
Coulon
les Portes-en-Ré
St-Martin
N 11
Île de Ré
la Flotte
Ste-Marie-de-Ré
la Rochelle
Chatelaillon-Plage
Île d'Oléron
la Cotinière
A 837
Trizay
St-Trojan-les-Bains
Saintes
Royan
Pons
Clam
A 10
Gaillan-en-Mèdoc
Pauillac
St-Ciers-
de-Canesse
16
Arcins

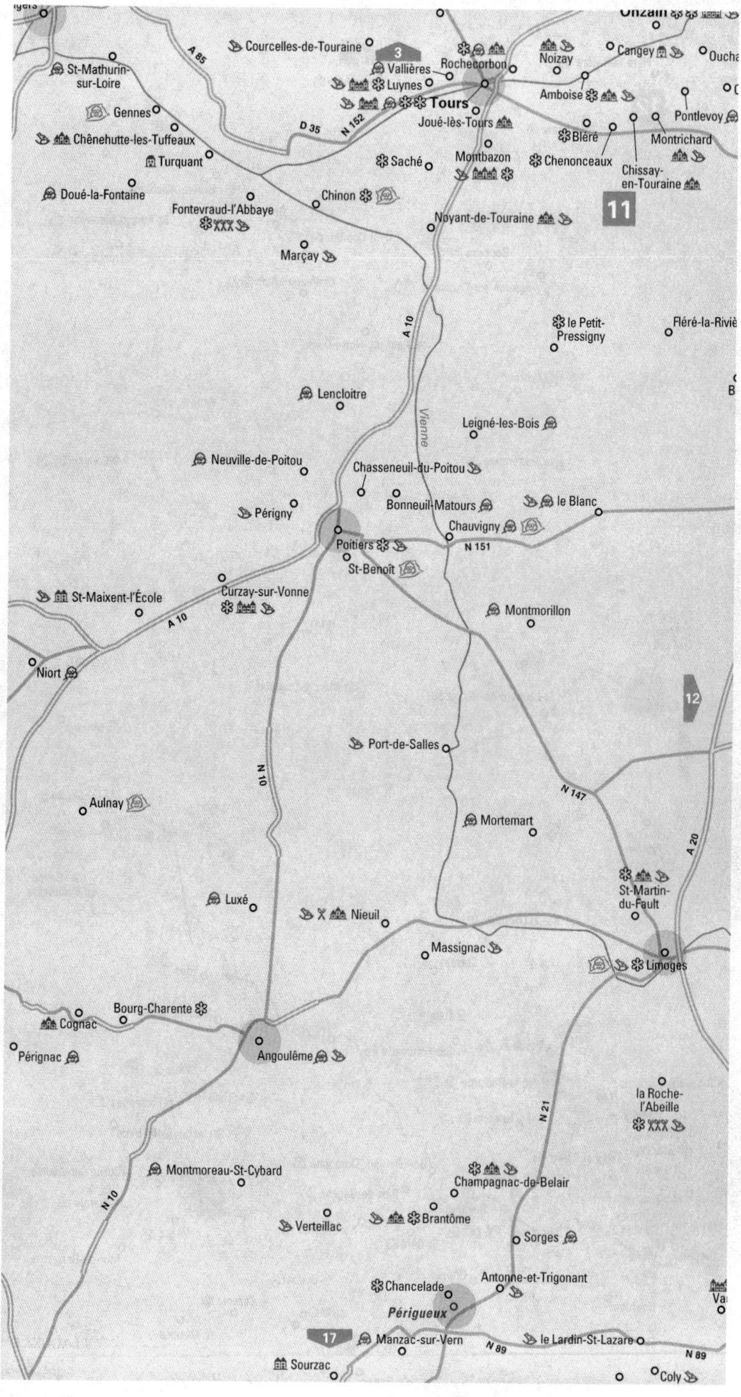

Onzain
Courcelles-de-Touraine
3
Rochecorbon
Noizay
Cangey
Ouch
A 85
St-Mathurin-sur-Loire
Vallières
Luynes
Amboise
Tours
Gennes
Joué-lès-Tours
Pontlevoy
D 35
N 152
Bléré
Montrichard
Chênehutte-les-Tuffeaux
Turquant
Saché
Montbazon
Chenonceaux
Chissay-en-Touraine
Doué-la-Fontaine
Chinon
Fontevraud-l'Abbaye
11
Noyant-de-Touraine
Marçay
le Petit-Pressigny
Fléré-la-Rivi
A 10
Lencloitre
Vienne
Leigné-les-Bois
Neuville-de-Poitou
Chasseneuil-du-Poitou
Bonneuil-Matours
le Blanc
Périgny
Chauvigny
Poitiers
N 151
St-Benoît
St-Maixent-l'École
Curzay-sur-Vonne
A 10
Montmorillon
Niort
12
Port-de-Salles
N 10
N 147
Aulnay
Mortemart
A 20
St-Martin-du-Fault
Luxé
Nieuil
Massignac
Limoges
Bourg-Charente
Cognac
Pérignac
Angoulême
la Roche-l'Abeille
N 21
Montmoreau-St-Cybard
Champagnac-de-Belair
N 10
Verteillac
Brantôme
Sorges
Antonne-et-Trigonant
Chancelade
Périgueux
17
Manzac-sur-Vern
N 89
le Lardin-St-Lazare
N 89
Sourzac
Coly

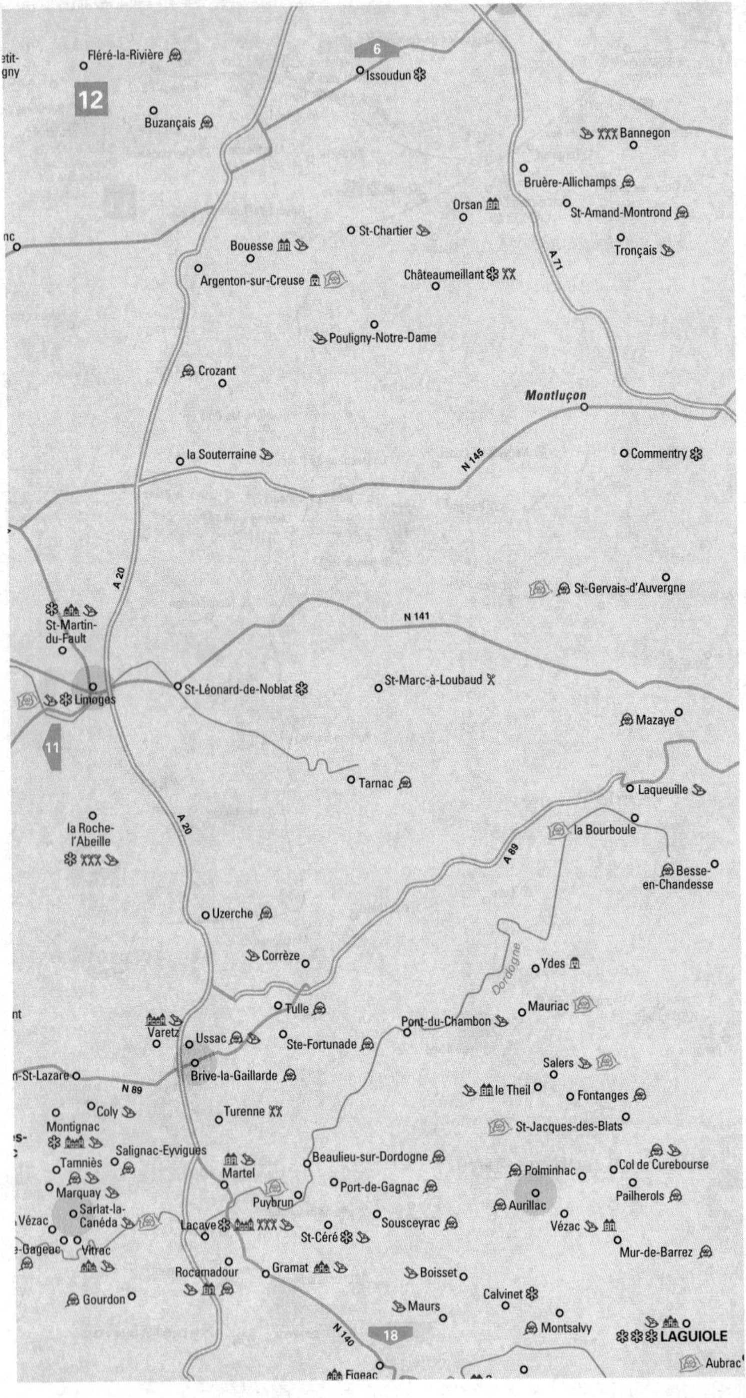

12
6
Fléré-la-Rivière
Issoudun
Buzançais
Bannegon
Bruère-Allichamps
Orsan
St-Amand-Montrond
St-Chartier
Bouesse
Tronçais
Argenton-sur-Creuse
Châteaumeillant
A 71
Pouligny-Notre-Dame
Crozant
Montluçon
la Souterraine
N 145
Commentry
A 20
St-Gervais-d'Auvergne
N 141
St-Martin-du-Fault
Limoges
St-Léonard-de-Noblat
St-Marc-à-Loubaud
Mazaye
11
Tarnac
Laqueuille
la Bourboule
la Roche-l'Abeille
A 20
A 89
Besse-en-Chandesse
Uzerche
Corrèze
Dordogne
Ydes
Tulle
Mauriac
Pont-du-Chambon
Varetz
Ussac
Ste-Fortunade
Salers
Brive-la-Gaillarde
N 89
le Theil
Fontanges
Coly
Turenne
St-Jacques-des-Blats
Montignac
Salignac-Eyvigues
Martel
Beaulieu-sur-Dordogne
Tamniès
Polminhac
Col de Curebourse
Marquay
Port-de-Gagnac
Pailherols
Puybrun
Aurillac
Sarlat-la-Canéda
Lacave
St-Céré
Sousceyrac
Vézac
Vitrac
Mur-de-Barrez
Rocamadour
Gramat
Boisset
Gourdon
Calvinet
Maurs
Montsalvy
N 140
18
LAGUIOLE
Aubrac
Figeac

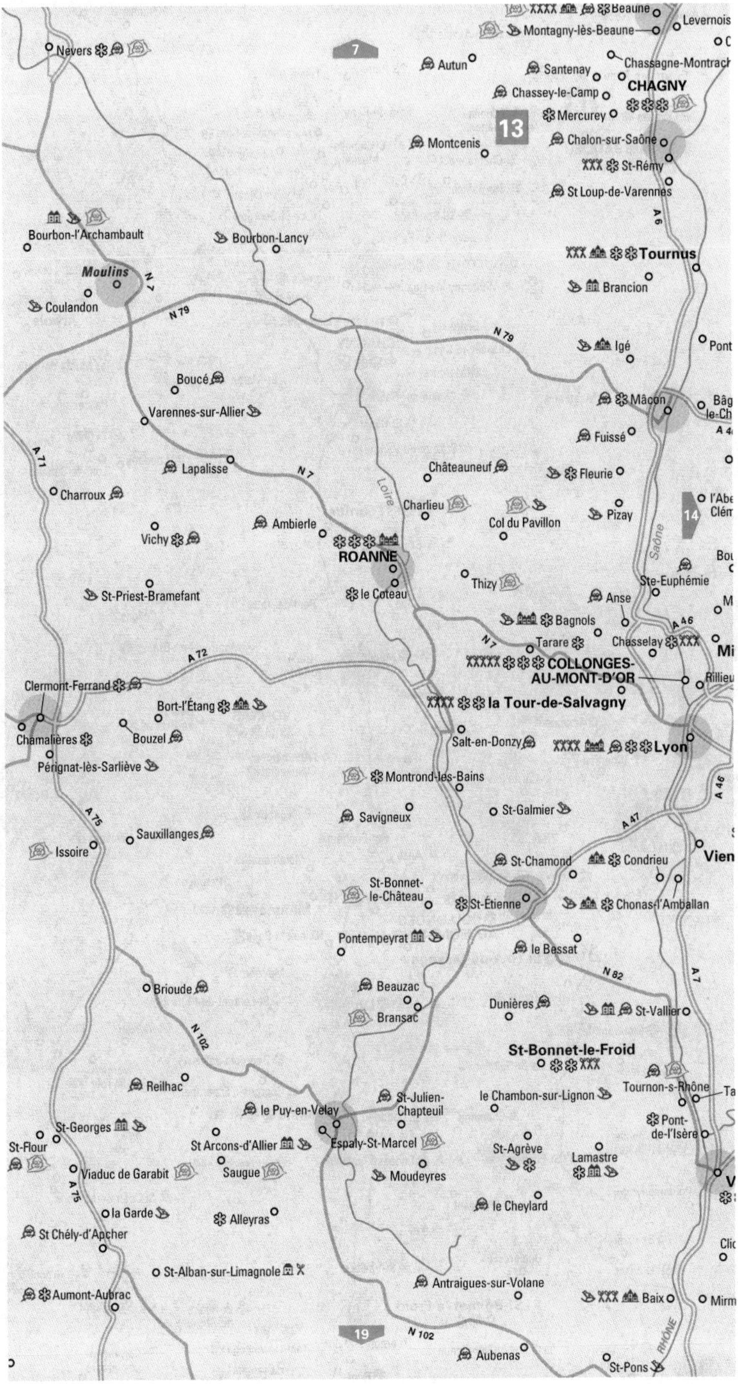
Beaune
Levernois
Montagny-lès-Beaune
Nevers
7
Autun
Santenay
Chassagne-Montrach
CHAGNY
Chassey-le-Camp
Mercurey
13
Chalon-sur-Saône
Montcenis
St-Rémy
St Loup-de-Varennes
A 6
Bourbon-l'Archambault
Bourbon-Lancy
Tournus
Moulins
N 7
Brancion
Coulandon
N 79
N 79
Igé
Pont
Boucé
Mâcon
Varennes-sur-Allier
Fuissé
A 71
Lapalisse
N 7
Châteauneuf
Fleurie
Loire
Charroux
Charlieu
l'Abe
Clém
14
Pizay
Col du Pavillon
Vichy
Ambierle
Saône
ROANNE
Thizy
Ste-Euphémie
St-Priest-Bramefant
le Coteau
Anse
Bagnols
A 46
N 7
Tarare
Chasselay
A 72
COLLONGES-AU-MONT-D'OR
Clermont-Ferrand
Rillieu
Bort-l'Étang
la Tour-de-Salvagny
Chamalières
Bouzel
Salt-en-Donzy
Lyon
Pérignat-lès-Sarliève
Montrond-les-Bains
A 46
Savigneux
St-Galmier
A 75
Sauxillanges
A 47
Issoire
St-Chamond
Condrieu
Vien
St-Bonnet-le-Château
St-Étienne
Chonas-l'Amballan
Pontempeyrat
le Bessat
N 82
A 7
Brioude
Beauzac
Dunières
St-Vallier
Bransac
N 102
St-Bonnet-le-Froid
Reilhac
Tournon-s-Rhône
le Chambon-sur-Lignon
St-Julien-Chapteuil
le Puy-en-Velay
Pont-de-l'Isère
St-Georges
St-Flour
St Arcons-d'Allier
Espaly-St-Marcel
St-Agrève
Lamastre
Viaduc de Garabit
Saugue
Moudeyres
A 75
la Garde
Alleyras
le Cheylard
St Chély-d'Apcher
St-Alban-sur-Limagnole
Antraigues-sur-Volane
Aumont-Aubrac
Baix
Mirm
19
N 102
RHÔNE
Aubenas
St-Pons

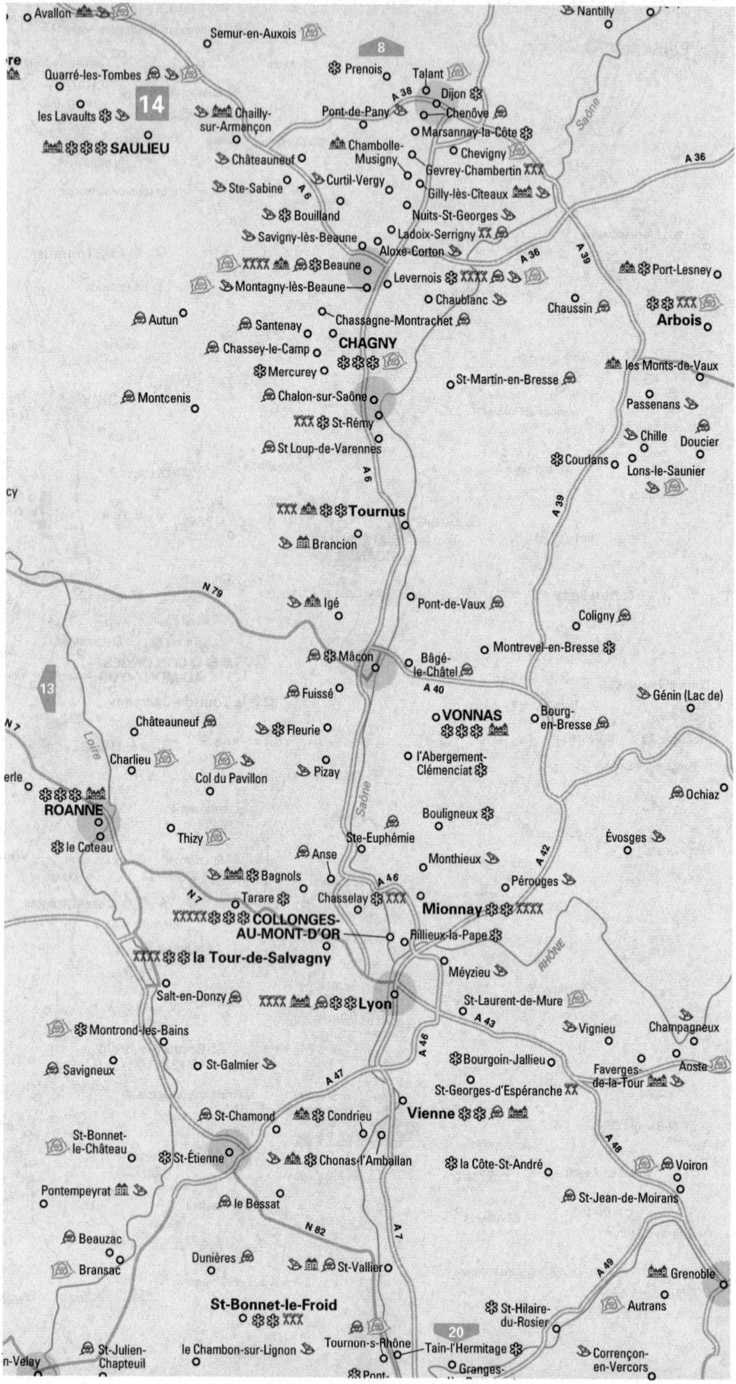
Avallon
Semur-en-Auxois
Nantilly
Quarré-les-Tombes
8
Prenois
Talant
Dijon
14
les Lavaults
Chailly-sur-Armançon
Pont-de-Pany
Chenôve
Marsannay-la-Côte
SAULIEU
Chambolle-Musigny
Chevigny
Châteauneuf
Gevrey-Chambertin
Curtil-Vergy
Ste-Sabine
Gilly-lès-Cîteaux
Bouilland
Nuits-St-Georges
Savigny-lès-Beaune
Ladoix-Serrigny
Aloxe-Corton
Beaune
Montagny-lès-Beaune
Levernois
Port-Lesney
Chaublanc
Chaussin
Arbois
Autun
Santenay
Chassagne-Montrachet
Chassey-le-Camp
CHAGNY
Mercurey
St-Martin-en-Bresse
les Monts-de-Vaux
Montcenis
Chalon-sur-Saône
Passenans
St-Rémy
Chille
Doucier
St Loup-de-Varennes
Courlans
Lons-le-Saunier
Tournus
Brancion
Igé
Pont-de-Vaux
Coligny
Mâcon
Bâgé-le-Châtel
Montrevel-en-Bresse
13
Fuissé
Génin (Lac de)
Châteauneuf
Fleurie
VONNAS
Bourg-en-Bresse
Charlieu
Pizay
l'Abergement-Clémenciat
Col du Pavillon
ROANNE
Ochiaz
le Coteau
Thizy
Bouligneux
Ste-Euphémie
Évosges
Anse
Monthieux
Bagnols
Pérouges
Tarare
Chasselay
Mionnay
COLLONGES-AU-MONT-D'OR
Rillieux-la-Pape
la Tour-de-Salvagny
Méyzieu
Salt-en-Donzy
Lyon
St-Laurent-de-Mure
Montrond-les-Bains
Vignieu
Champagneux
Savigneux
St-Galmier
Bourgoin-Jallieu
Faverges-de-la-Tour
Aoste
St-Georges-d'Espéranche
St-Chamond
Condrieu
Vienne
St-Bonnet-le-Château
St-Étienne
Chonas-l'Amballan
la Côte-St-André
Voiron
Pontempeyrat
St-Jean-de-Moirans
le Bessat
Beauzac
Bransac
Dunières
St-Vallier
Grenoble
St-Bonnet-le-Froid
St-Hilaire-du-Rosier
Autrans
20
St-Julien-Chapteuil
le Chambon-sur-Lignon
Tournon-s-Rhône
Tain-l'Hermitage
Corrençon-en-Vercors
Granges-
Pont-
Saône
Loire
Rhône
A 38
A 36
A 6
A 39
N 79
A 40
A 42
A 46
N 7
A 43
A 47
A 48
N 82
A 7
A 49

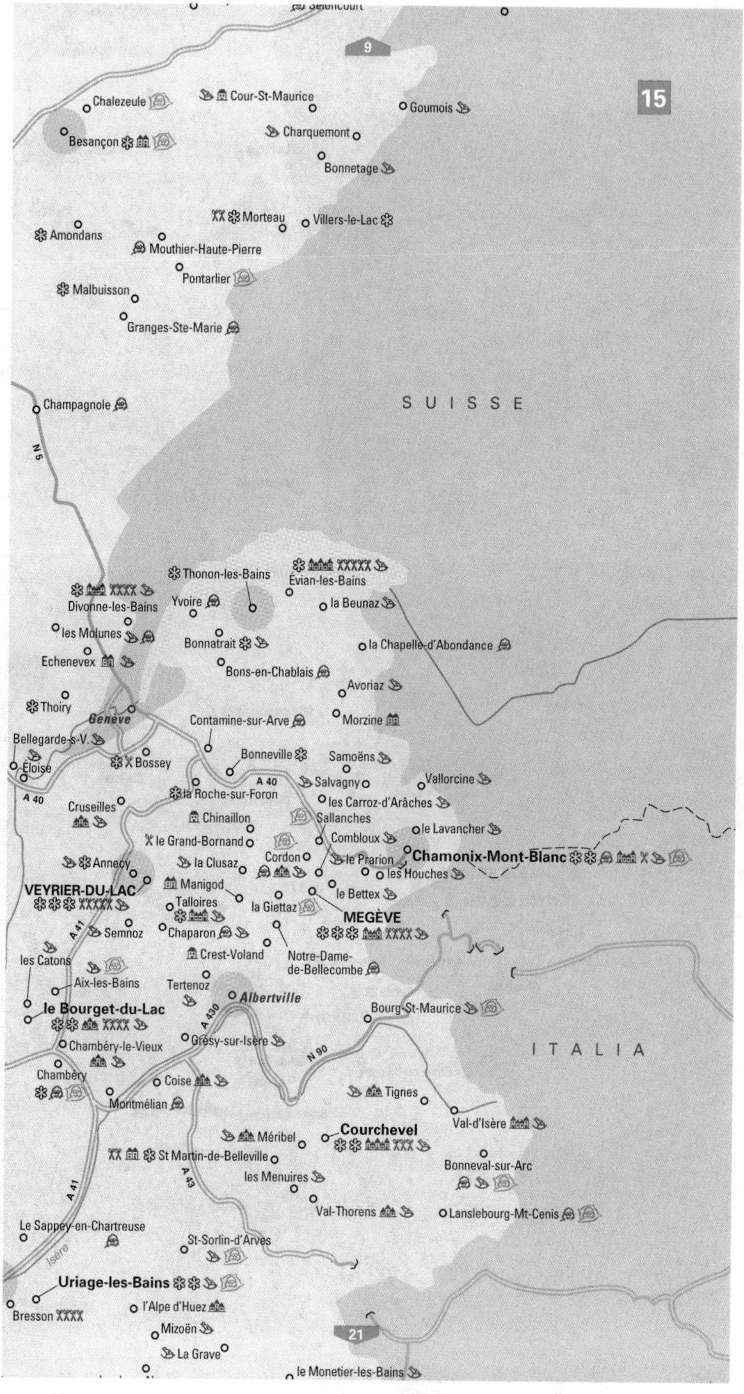
15
9
Chalezeule
Cour-St-Maurice
Goumois
Besançon
Charquemont
Bonnetage
Morteau
Villers-le-Lac
Amondans
Mouthier-Haute-Pierre
Pontarlier
Malbuisson
Granges-Ste-Marie
Champagnole
N 5
SUISSE
Thonon-les-Bains
Évian-les-Bains
Divonne-les-Bains
Yvoire
la Beunaz
les Molunes
Bonnatrait
la Chapelle-d'Abondance
Echenevex
Bons-en-Chablais
Avoriaz
Thoiry
Genève
Contamine-sur-Arve
Morzine
Bellegarde-s-V.
Bonneville
Samoëns
Éloise
Bossey
A 40
Salvagny
Vallorcine
la Roche-sur-Foron
Cruseilles
les Carroz-d'Arâches
Chinaillon
Sallanches
le Lavancher
le Grand-Bornand
Combloux
Cordon
Chamonix-Mont-Blanc
Annecy
la Clusaz
le Prarion
les Houches
VEYRIER-DU-LAC
Manigod
le Bettex
Talloires
la Giettaz
MEGÈVE
Semnoz
Chaparon
A 41
les Catons
Crest-Voland
Notre-Dame-de-Bellecombe
Aix-les-Bains
Tertenoz
Albertville
le Bourget-du-Lac
A 430
Bourg-St-Maurice
Chambéry-le-Vieux
Grésy-sur-Isère
N 90
ITALIA
Chambéry
Coise
Tignes
Montmélian
Val-d'Isère
Méribel
Courchevel
St Martin-de-Belleville
A 43
Bonneval-sur-Arc
les Menuires
Val-Thorens
Lanslebourg-Mt-Cenis
Le Sappey-en-Chartreuse
St-Sorlin-d'Arves
Isère
Uriage-les-Bains
Bresson
l'Alpe d'Huez
21
Mizoën
La Grave
le Monetier-les-Bains

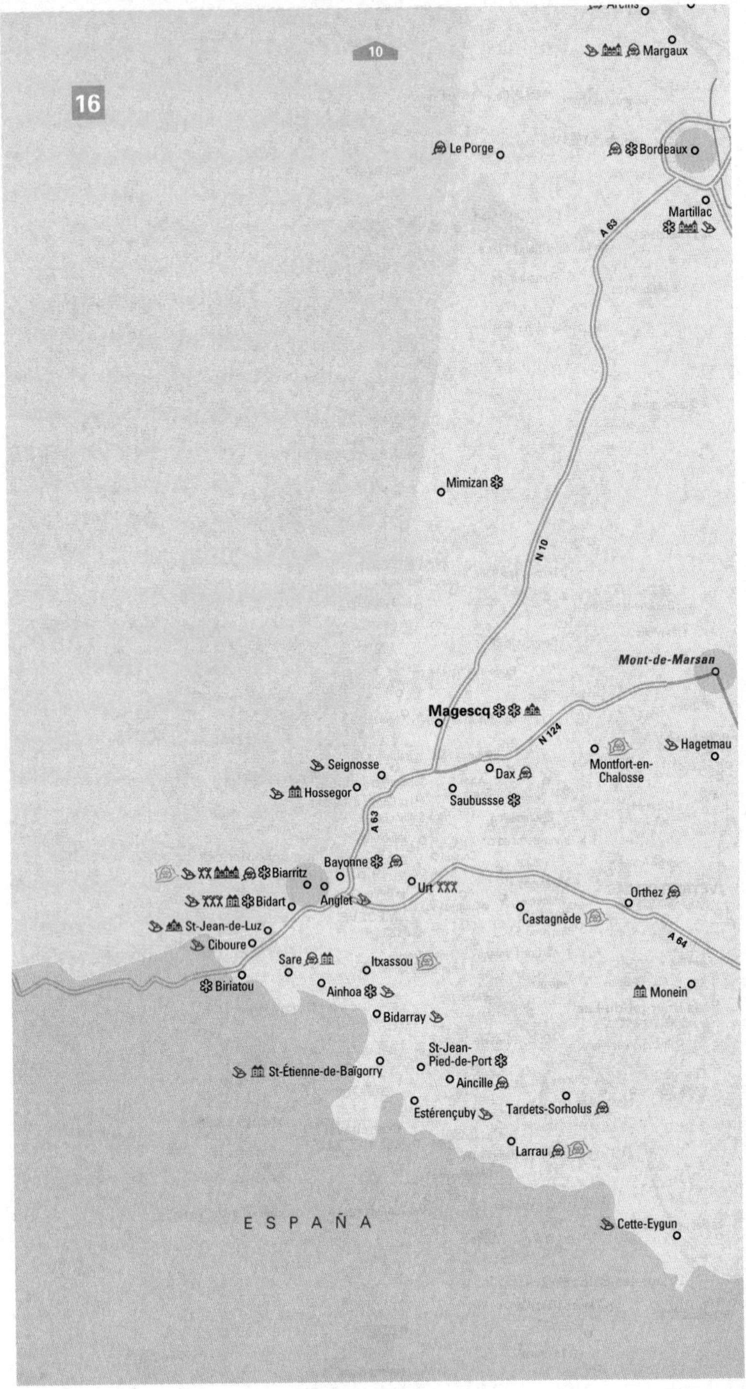

10
16
Margaux
Le Porge
Bordeaux
Martillac
A 63
Mimizan
N 10
Mont-de-Marsan
Magescq
N 124
Hagetmau
Seignosse
Montfort-en-Chalosse
Dax
Hossegor
Saubussse
A 63
Bayonne
Biarritz
Urt
Orthez
Bidart
Anglet
Castagnède
St-Jean-de-Luz
A 64
Ciboure
Sare
Itxassou
Biriatou
Ainhoa
Monein
Bidarray
St-Jean-Pied-de-Port
St-Étienne-de-Baïgorry
Aincille
Estérençuby
Tardets-Sorholus
Larrau
E S P A Ñ A
Cette-Eygun

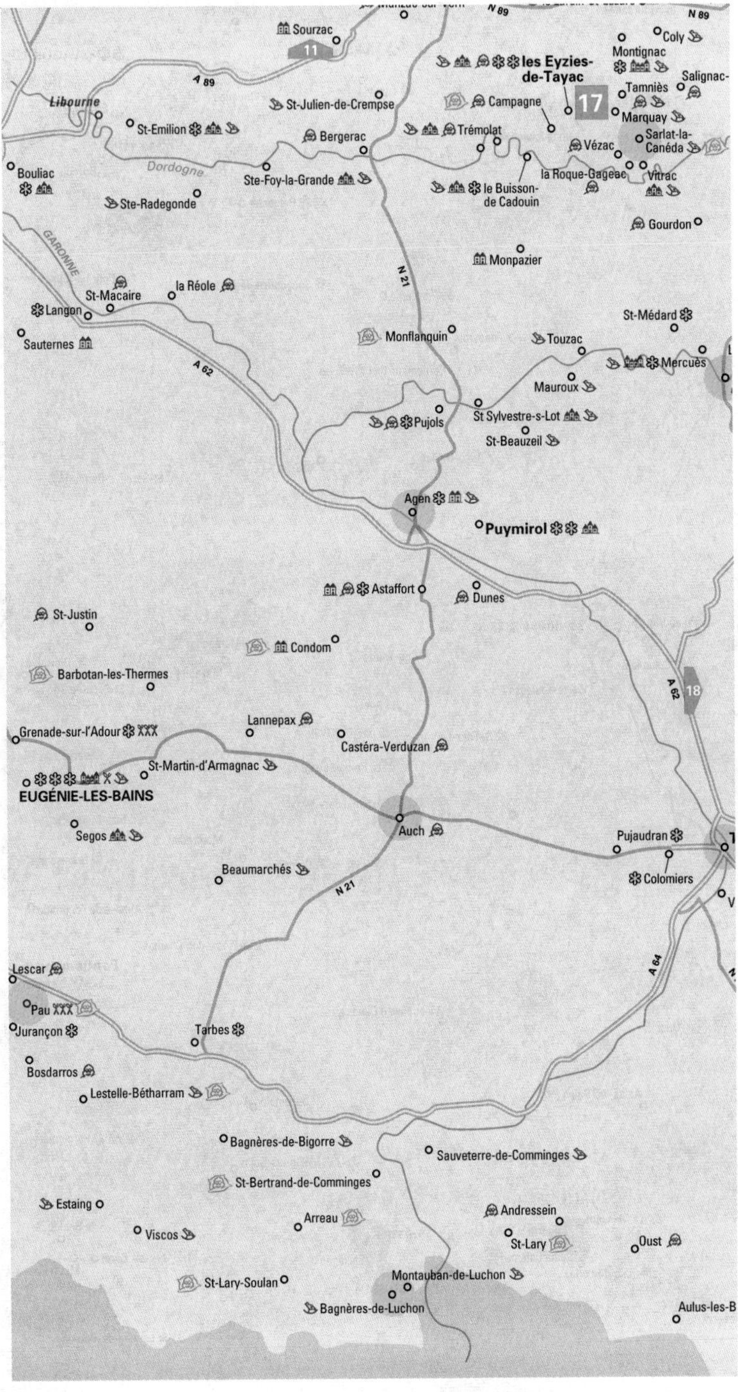

N 89
Sourzac
11
A 89
Libourne
St-Julien-de-Crempse
St-Emilion
Bergerac
Dordogne
Bouliac
Ste-Foy-la-Grande
Ste-Radegonde
les Eyzies-de-Tayac
Campagne
Trémolat
17
Coly
Montignac
Salignac-
Tamniès
Marquay
Sarlat-la-Canéda
Vézac
la Roque-Gageac
Vitrac
le Buisson-de Cadouin
Gourdon
Monpazier
GARONNE
N 21
St-Macaire
la Réole
Langon
Sauternes
A 62
Monflanquin
St-Médard
Touzac
Mercuès
Mauroux
Pujols
St Sylvestre-s-Lot
St-Beauzeil
Agen
Puymirol
Astaffort
Dunes
St-Justin
Condom
Barbotan-les-Thermes
A 62
18
Lannepax
Castéra-Verduzan
Grenade-sur-l'Adour
St-Martin-d'Armagnac
EUGÉNIE-LES-BAINS
Auch
Segos
Pujaudran
Colomiers
Beaumarchés
N 21
A 64
Lescar
Pau
Jurançon
Tarbes
Bosdarros
Lestelle-Bétharram
Bagnères-de-Bigorre
Sauveterre-de-Comminges
St-Bertrand-de-Comminges
Estaing
Andressein
Arreau
Viscos
St-Lary
Oust
St-Lary-Soulan
Montauban-de-Luchon
Bagnères-de-Luchon
Aulus-les-B

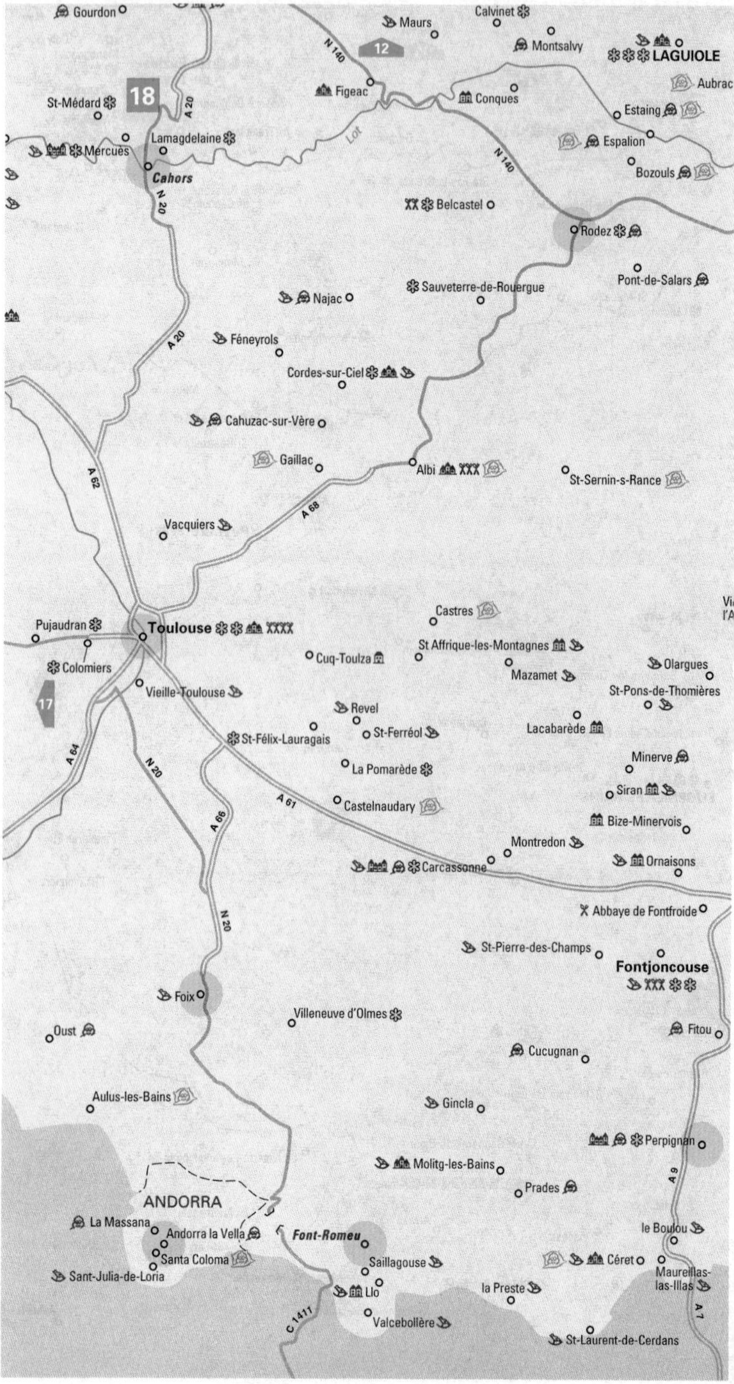

Gourdon
Maurs
Calvinet
Montsalvy
12
LAGUIOLE
Aubrac
N 140
Figeac
Conques
18
St-Médard
A 20
Estaing
Lamagdelaine
Mercuès
Lot
Espalion
Cahors
N 140
Bozouls
N 20
Belcastel
Rodez
Pont-de-Salars
Sauveterre-de-Rouergue
Najac
A 20
Féneyrols
Cordes-sur-Ciel
Cahuzac-sur-Vère
Gaillac
Albi
St-Sernin-s-Rance
A 62
A 68
Vacquiers
Castres
Pujaudran
Toulouse
St Affrique-les-Montagnes
Colomiers
Cuq-Toulza
Mazamet
Olargues
Vieille-Toulouse
St-Pons-de-Thomières
17
Revel
St-Ferréol
Lacabarède
St-Félix-Lauragais
A 64
Minerve
La Pomarède
N 20
Siran
A 61
Castelnaudary
Bize-Minervois
A 66
Montredon
Carcassonne
Ornaisons
Abbaye de Fontfroide
N 20
St-Pierre-des-Champs
Fontjoncouse
Foix
Villeneuve d'Olmes
Oust
Fitou
Cucugnan
Aulus-les-Bains
Gincla
Perpignan
Molitg-les-Bains
Prades
A 9
ANDORRA
La Massana
Andorra la Vella
Font-Romeu
le Boulou
Santa Coloma
Saillagouse
Céret
Maureillas-las-Illas
Sant-Julia-de-Loria
Llo
la Preste
C 1411
Valcebollère
A 7
St-Laurent-de-Cerdans

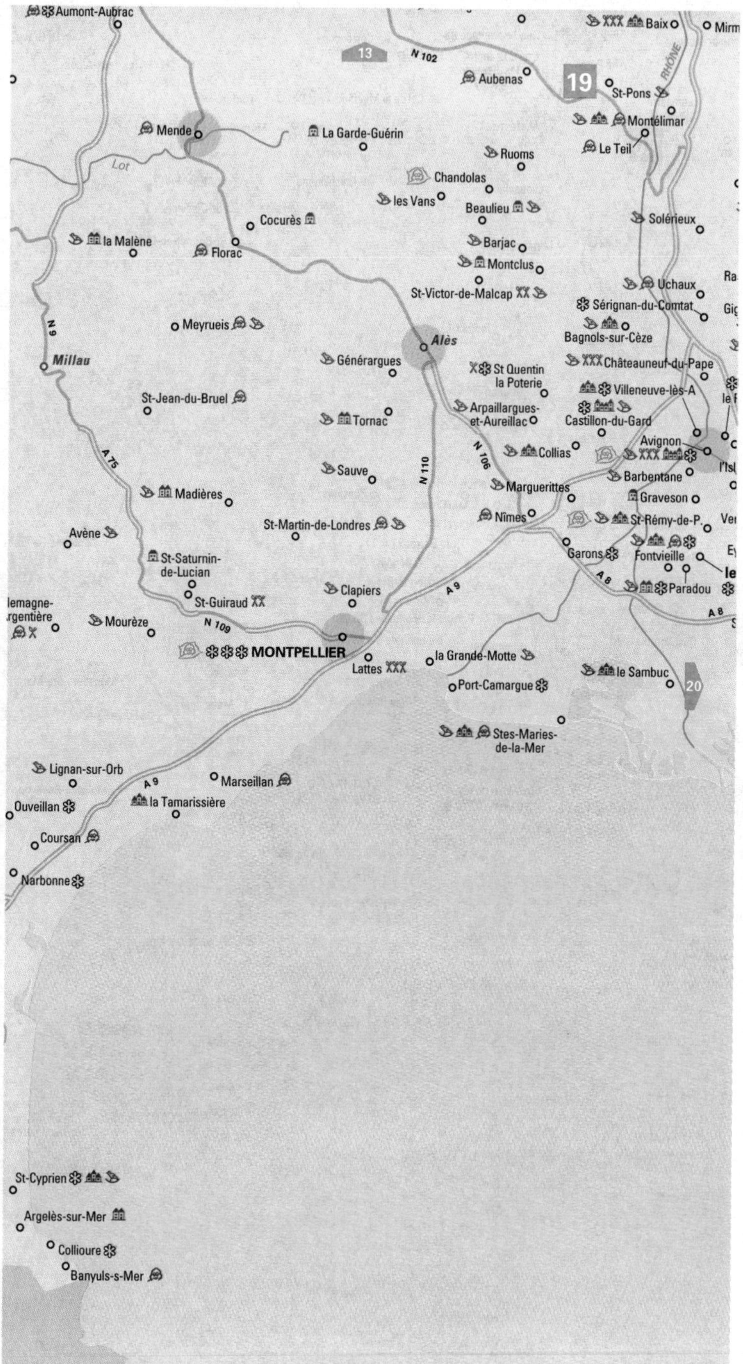

Aumont-Aubrac
13
N 102
Aubenas
19
St-Pons
Baix
Mirm
RHÔNE
Montélimar
Le Teil
Mende
La Garde-Guérin
Ruoms
Lot
Chandolas
les Vans
Beaulieu
Solérieux
Cocurès
la Malène
Florac
Barjac
Montclus
Uchaux
St-Victor-de-Malcap
Sérignan-du-Comtat
N 9
Meyrueis
Alès
Bagnols-sur-Cèze
Millau
Générargues
St Quentin la Poterie
Châteauneuf-du-Pape
Villeneuve-lès-A
St-Jean-du-Bruel
Arpaillargues-et-Aureillac
Castillon-du-Gard
Tornac
N 106
Collias
Avignon
A 75
N 110
Barbentane
Sauve
Marguerittes
Graveson
Madières
Nîmes
St-Rémy-de-P.
St-Martin-de-Londres
Avène
Garons
Fontvieille
St-Saturnin-de-Lucian
A 8
Paradou
Clapiers
A 9
St-Guiraud
Mourèze
N 109
MONTPELLIER
la Grande-Motte
Lattes
le Sambuc
Port-Camargue
20
Stes-Maries-de-la-Mer
Lignan-sur-Orb
Marseillan
A 9
la Tamarissière
Ouveillan
Coursan
Narbonne
St-Cyprien
Argelès-sur-Mer
Collioure
Banyuls-s-Mer

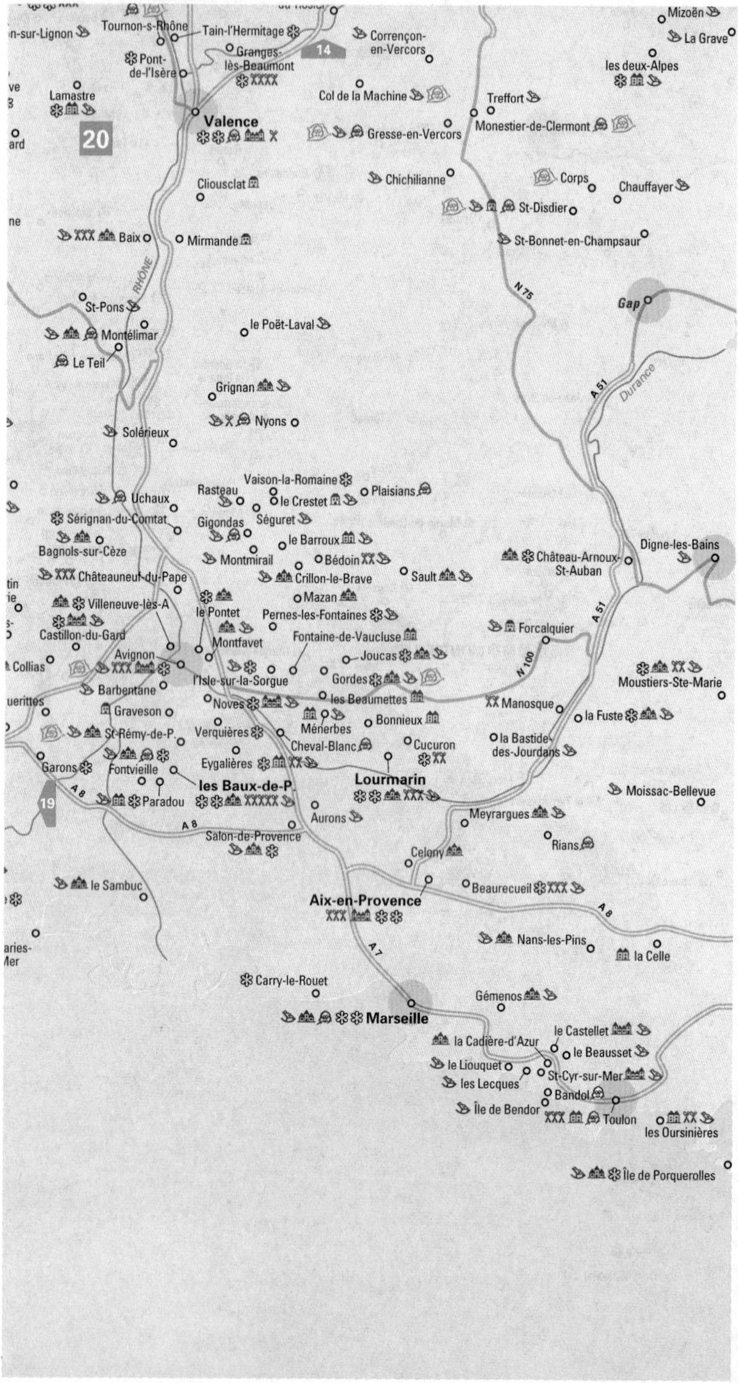

Tournon-s-Rhône
Tain-l'Hermitage
Granges-lès-Beaumont
Pont-de-l'Isère
Corrençon-en-Vercors
14
Mizoën
La Grave
les deux-Alpes
Lamastre
20
Valence
Col de la Machine
Treffort
Gresse-en-Vercors
Monestier-de-Clermont
Cliousclat
Chichilianne
Corps
Chauffayer
St-Disdier
Baix
Mirmande
St-Bonnet-en-Champsaur
RHÔNE
N 75
St-Pons
Gap
le Poët-Laval
Montélimar
Le Teil
A 51
Durance
Grignan
Nyons
Solérieux
Vaison-la-Romaine
Rasteau
le Crestet
Plaisians
Uchaux
Sérignan-du-Comtat
Gigondas
Séguret
Bagnols-sur-Cèze
le Barroux
Montmirail
Bédoin
Crillon-le-Brave
Sault
Châteauneuf-du-Pape
Château-Arnoux-St-Auban
Digne-les-Bains
Villeneuve-lès-A
le Pontet
Mazan
Pernes-les-Fontaines
Castillon-du-Gard
Fontaine-de-Vaucluse
Forcalquier
Montfavet
Avignon
Joucas
N 100
Collias
l'Isle-sur-la-Sorgue
Gordes
Moustiers-Ste-Marie
Barbentane
les Beaumettes
Manosque
Noves
Graveson
Ménerbes
Bonnieux
la Fuste
St-Rémy-de-P.
Verquières
Cheval-Blanc
Cucuron
la Bastide-des-Jourdans
Garons
Fontvieille
Eygalières
Lourmarin
A 8
les Baux-de-P.
Moissac-Bellevue
19
Paradou
Aurons
Meyrargues
Salon-de-Provence
Rians
Celony
le Sambuc
Beaurecueil
Aix-en-Provence
A 7
Nans-les-Pins
la Celle
Carry-le-Rouet
Gémenos
Marseille
le Castellet
la Cadière-d'Azur
le Beausset
le Liouquet
St-Cyr-sur-Mer
les Lecques
Bandol
Île de Bendor
Toulon
les Oursinières
Île de Porquerolles

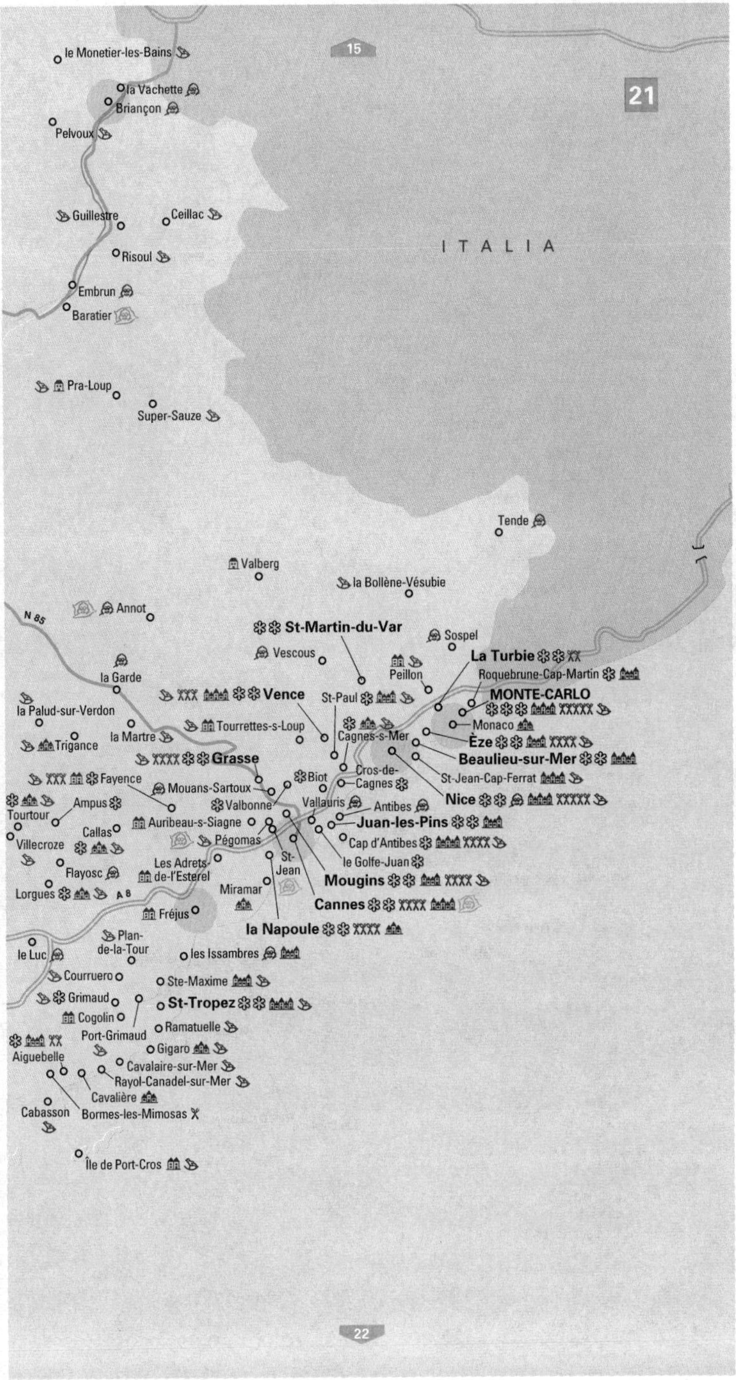
15
21
ITALIA
le Monetier-les-Bains
la Vachette
Briançon
Pelvoux
Guillestre
Ceillac
Risoul
Embrun
Baratier
Pra-Loup
Super-Sauze
Tende
Valberg
la Bollène-Vésubie
Annot
N 85
St-Martin-du-Var
Sospel
Vescous
La Turbie
la Garde
Peillon
Roquebrune-Cap-Martin
MONTE-CARLO
Vence
St-Paul
la Palud-sur-Verdon
Monaco
Tourrettes-s-Loup
la Martre
Cagnes-s-Mer
Trigance
Èze
Grasse
Beaulieu-sur-Mer
Biot
Cros-de-Cagnes
Fayence
St-Jean-Cap-Ferrat
Mouans-Sartoux
Ampus
Valbonne
Vallauris
Antibes
Nice
Tourtour
Auribeau-s-Siagne
Juan-les-Pins
Callas
Villecroze
Pégomas
Cap d'Antibes
Les Adrets-de-l'Esterel
St-Jean
le Golfe-Juan
Flayosc
Mougins
Lorgues
A 8
Miramar
Cannes
Fréjus
la Napoule
Plan-de-la-Tour
le Luc
les Issambres
Courruero
Ste-Maxime
Grimaud
St-Tropez
Cogolin
Ramatuelle
Port-Grimaud
Aiguebelle
Gigaro
Cavalaire-sur-Mer
Rayol-Canadel-sur-Mer
Cavalière
Cabasson
Bormes-les-Mimosas
Île de Port-Cros
22

22

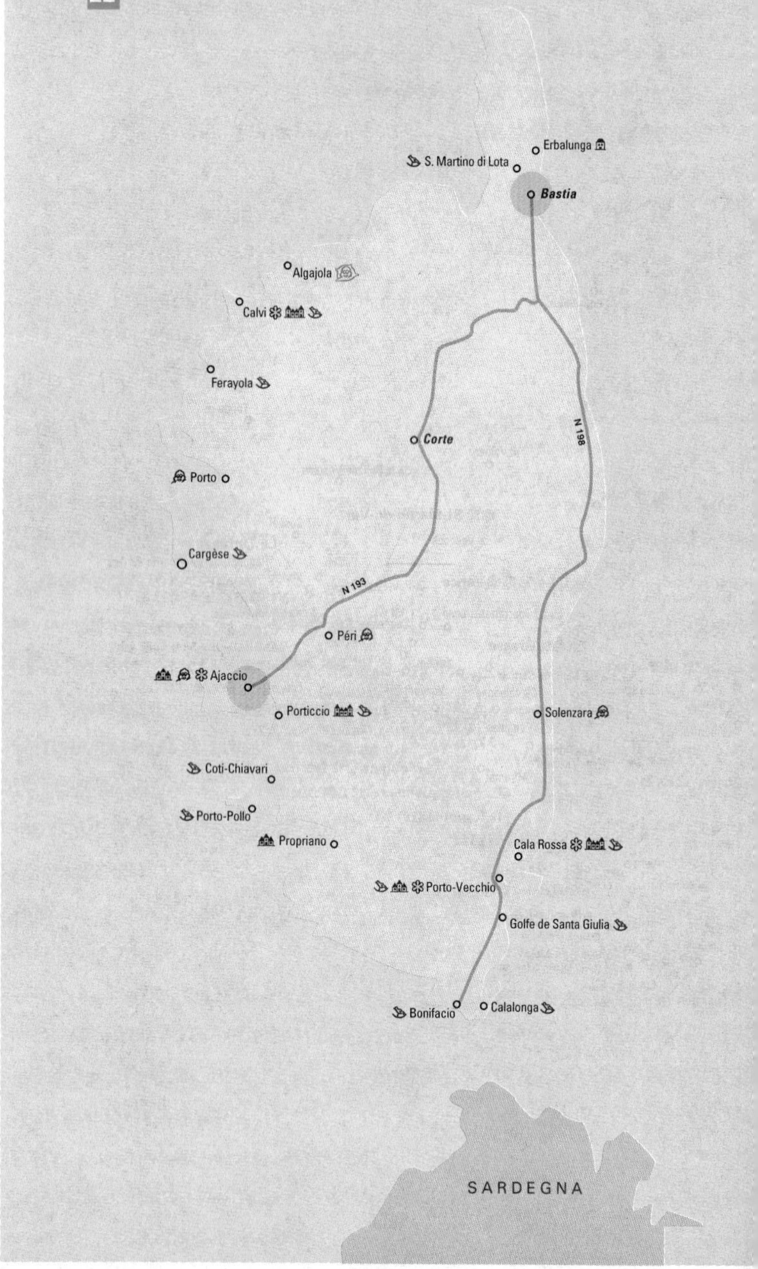
Erbalunga
S. Martino di Lota
Bastia
Algajola
Calvi
Ferayola
Corte
N 198
Porto
Cargèse
N 193
Péri
Ajaccio
Porticcio
Solenzara
Coti-Chiavari
Porto-Pollo
Propriano
Cala Rossa
Porto-Vecchio
Golfe de Santa Giulia
Bonifacio
Calalonga
SARDEGNA

# *Localités*
**par ordre alphabétique**

# *Places*
**in alphabetical order**

# *Località*
**in ordine alfabetico**

**Alphabetisches**
# *Ortsverzeichnis*

# *Localidades*
**por orden alfabético**

**ABBAYE DE FONTFROIDE** *11 Aude* 344 *I4 – rattaché à Narbonne.*

**ABBEVILLE** *80100 Somme* 301 *E7 G. Picardie Flandres Artois – 23 787 h alt. 8.*

Voir *Vitraux contemporains★★ de l'église du St-Sépulcre – Façade★ de la collégiale St-Vulfran – Musée Boucher de Perthes★* **BY M.**

Env. *Vallée de la Somme★ SE – Château de Bagatelle★ S.*

*Office du Tourisme, 1 place de l'Amiral Courbet ☎ 03 22 24 27 92, Fax 03 22 31 08 26, office.tourisme.abbeville@wanadoo.fr.*

*Paris 187 ③ – Amiens 51 ② – Boulogne-sur-Mer 82 ① – Rouen 106 ④.*

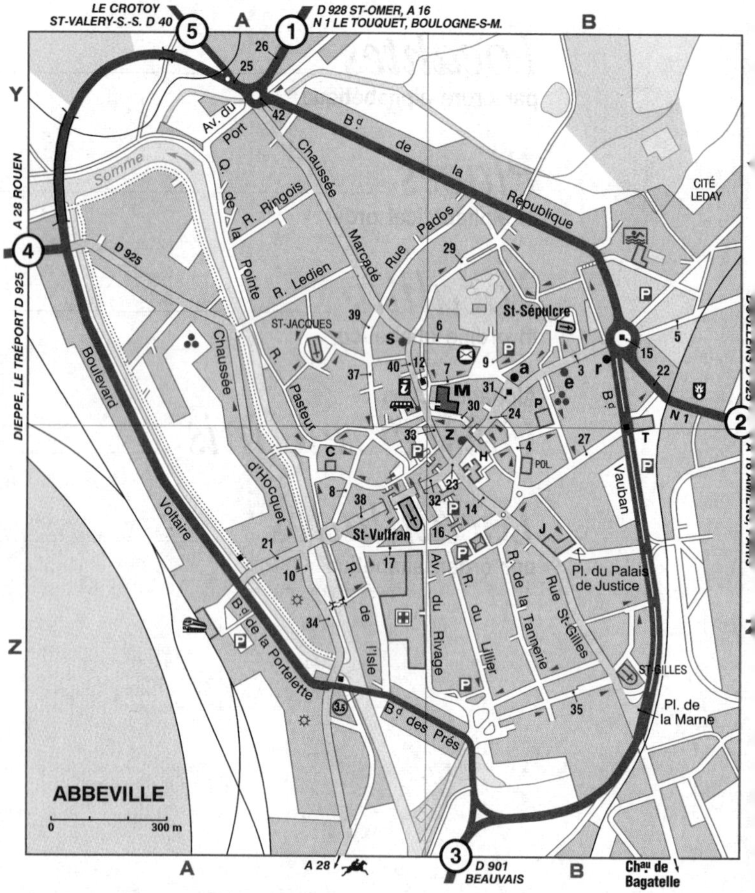

LE CROTOY
ST-VALERY-S.-S. D 40
D 928 ST-OMER, A 16
N 1 LE TOUQUET, BOULOGNE-S-M.
A
B
Y
Z
A 28 ROUEN
DIEPPE, LE TRÉPORT D 925
Av. du Port
Q. de la Pointe
R. Ringois
Chaussée Marcadé
Rue Pados
Bd de la République
CITÉ LEDAY
Somme
D 925
R. Ledien
ST-JACQUES
St-Sépulcre
R. Pasteur
Chaussée d'Hocquet
Boulevard Voltaire
St-Vulfran
Bd de la Portelette
R. de l'Isle
Av. du Rivage
R. du Lillier
R. de la Tannerie
Rue St-Gilles
Vauban
Pl. du Palais de Justice
ST-GILLES
Pl. de la Marne
Bd des Prés
N 1
POL.
ABBEVILLE
0
300 m
A 28
D 901 BEAUVAIS
Chau de Bagatelle




*Pour visiter une ville ou une région : utilisez les Guides Verts **Michelin**.*

**France,** 19 pl. Pilori ✆ 03 22 24 00 42, *hoteldefrance.abbeville@libertysurf.fr, Fax 03 22 24 26 15* – rest, – 35 à 70. AE GB BY a
**Repas** 12 (déj.)/17,10 – 10,70 – **69 ch** 56/113.
◆ Ce grand établissement du centre-ville à façade en briques abrite des chambres fraîches, bien équipées et insonorisées. Jolie salle à manger-véranda. Bar feutré.

**Relais Vauban** sans rest, 4 bd Vauban ✆ 03 22 25 38 00, *Fax 03 22 31 75 97* – GB BY r
*fermé 19 déc. au 5 janv.* – 5 – **22 ch** 43/58.
◆ Étape familiale dans ce petit hôtel situé sur la rocade dont les chambres, fonctionnelles et claires, bénéficient toutes du double vitrage.

**Ibis,** par ② *et rte d'Amiens : 2 km* ✆ 03 22 24 80 80, *Fax 03 22 31 75 96,* – – 30. AE GB
**Repas** 14/22, enf. 6 – 6 – **65 ch** 50/58.
◆ En retrait d'une zone commerciale proche de l'autoroute. Chambres rénovées selon les dernières normes de la chaîne. Terrasse d'été avec espace vert pour les enfants.

**L'Escale en Picardie,** 15 r. Teinturiers ✆ 03 22 24 21 51, *Fax 03 22 24 21 51* – AE GB. AY s
*fermé 17 août au 4 sept., vacances de fév., dim. soir, jeudi soir, lundi et soirs fériés* – **Repas** 19,60/29.
◆ Goûteuse cuisine de la mer à déguster sous les poutres d'une salle rustique où trône une cheminée en pierre : une escale picarde gourmande et un accueil charmant.

**Au Châteaubriant,** 1 pl. Max Lejeune ✆ 03 22 24 08 23, *Fax 03 22 24 22 64* – AE GB BYZ z
*fermé 22 juil. au 5 août, dim. soir, merc. soir et lundi* – **Repas** 14/31, enf. 7,50.
◆ Près du musée Boucher de Perthes, à l'étage d'un immeuble qui enjambe la rue, cette grande et sobre salle à manger est meublée dans le style Louis XIII. Plats traditionnels.

**Corne,** 32 chaussée du Bois ✆ 03 22 24 06 34, *m.lematelot@aol.com, Fax 03 22 24 03 65* – AE GB BY e
*fermé 20 déc. au 4 janv. sam. midi et dim.* – **Repas** *(13,20 bc)* - carte 21 à 41.
◆ Riante façade peinte en bleu pour cette vieille maison abbevilloise hébergeant un bistrot convivial. Chaleureux intérieur lambrissé. Ardoise de suggestions du jour.

**à St-Riquier** *par ②, D 925 : 9 km – 1 166 h. alt. 29 – ✉ 80135 :*

*Syndicat d'Initiative, Le Beffroi ✆ 03 22 28 91 72, Fax 03 22 28 02 73.*

**Jean de Bruges** sans rest, ✆ 03 22 28 30 30, *jeandebruges@wanadoo.fr, Fax 03 22 28 00 69* – . AE GB.
*fermé janv.* – 12 – **10 ch** 90/130.
◆ Sur le parvis de l'abbatiale, élégante demeure du 17e s. en pierres blanches. Chambres de caractère, dotées d'un mobilier ancien. Salle des petits-déjeuners sous verrière.

**à Mareuil-Caubert** *au Sud par D 928 (rte de Rouen): 4 km – 900 h. alt. 12 – ✉ 80132 :*

**Auberge du Colvert,** 4 rte Rouen ✆ 03 22 31 32 32, *Fax 03 22 31 32 32* – . AE GB
*fermé 24 juil. au 14 août, 20 fév. au 3 mars,* – **Repas** 12 (déj.), 17/25.
◆ Des boiseries habillent la salle à manger de cette auberge champêtre réchauffée par une étonnante cheminée suspendue. Carte traditionnelle variant avec les saisons.

---

## L'ABERGEMENT-CLÉMENCIAT *01 Ain* 328 C4 – *rattaché à Châtillon-sur-Chalaronne.*

---

## L'ABER-WRAC'H *29 Finistère* 308 D3 *G. Bretagne* – ✉ *29870 Landéda.*

**Env.** *Les Abers★★.*

*Office de tourisme, 15 quai Kléber ✆ 02 98 27 93 60, Fax 02 98 27 87 22.*

*Paris 605 – Brest 28 – Landerneau 36 – Morlaix 69 – Quimper 94.*

**Baie des Anges** sans rest, ✆ 02 98 04 90 04, *contact@baie-des-anges.com, Fax 02 98 04 92 27,* ← – . AE GB
*fermé 3 janv. au 15 fév.* – 14 – **20 ch** 84/134.
◆ Idéalement implanté face au site sauvage de l'Aber Wrac'h, cet hôtel offre la sérénité de ses chambres lumineuses et actuelles ; choisir celles donnant sur la mer.

**Brennig,** ✆ 02 98 04 81 12, *Fax 02 98 04 81 12,* ← – . GB
*mars-oct. et fermé mardi* – **Repas** 15 (déj.), 22,50/35.
◆ Agrippé au rocher, petit restaurant aux couleurs de l'océan, où l'on profite du spectacle de l'aber tout en dégustant une cuisine pénétrée de saveurs marines.

**ABLIS** *78660 Yvelines* **311** *G4 – 2 033 h alt. 151.*

*Syndicat d'Initiative, Hôtel de Ville ☎ 01 30 46 06 06, Fax 01 30 46 06 07.*

*Paris 64 – Chartres 31 – Mantes 64 – Orléans 77 – Rambouillet 14 – Versailles 48.*

**à l'Ouest** *: 6 km par D 168 – ✉ 28700 St-Symphorien-le-Château :*

**Château d'Esclimont**, ☎ 02 37 31 15 15, *esclimont@grandesetapes.fr, Fax 02 37 31 57 91*, – 20 à 120. AE GB JCB. rest
**Repas** 30,50 (déj.), 60/89, enf. 21 – – **48 ch** 170/412, 5 appart – ½ P 167/313.
◆ Goûtez à la vie de château en cette demeure des 15e et 16e s., ancienne résidence des La Rochefoucauld. Magnifique parc avec étang, rivière et jardin à la française.

**ABONDANCE** *74360 H.-Savoie* **328** *N3 G. Alpes du Nord – 1 251 h alt. 930 – Sports d'hiver : 930/1 650 m 1 8.*

**Voir** *Abbaye★ : Fresques★★ du cloître.*

*Office du Tourisme, Chef Lieu ☎ 04 50 73 02 90, Fax 04 50 73 04 76, abondance@france.mail.com.*

*Paris 594 – Thonon-les-Bains 28 – Annecy 102 – Évian-les-Bains 26 – Morzine 26.*

**Les Touristes,** ☎ 04 50 73 02 15, *lestouristes@aol.com, Fax 04 50 73 04 20*, – GB. ch
*mi-juin-mi-sept. et vacances de Noël-début avril* – **Repas** *(juin-sept.et vacances de Noël-début avril et fermé merc. hors saison)* (12) - 17/32, enf. 8,50 – 6,50 – **20 ch** 25/55 – ½ P 36/52.
◆ Chalet (1936) au centre de ce village réputé pour ses laitières et son fromage. Chambres de confort varié. Cuisine régionale servie dans un cadre rustique égayé de fresques.

**ABRESCHVILLER** *57560 Moselle* **307** *N7 G. Alsace Lorraine – 1 233 h alt. 340.*

*Office du Tourisme, 78 rue Jordy ☎ 03 87 03 77 26, Fax 03 87 03 77 26.*

*Paris 403 – Strasbourg 79 – Baccarat 47 – Lunéville 62 – Phalsbourg 23 – Sarrebourg 16.*

**Auberge de la Forêt,** à Lettenbach : 0,5 km ☎ 03 87 03 71 78, *Fax 03 87 03 79 96*, – GB
*fermé 23 déc. au 14 janv., mardi soir et lundi* – **Repas** 21/35.
◆ Pimpante auberge de village abritant de coquettes salles à manger ; la plus récente présente un radieux cadre contemporain. Cuisine traditionnelle et spécialités régionales.

**ABREST** *03 Allier* **326** *H6 – rattaché à Vichy.*

**ACCOLAY** *89460 Yonne* **319** *F6 G. Bourgogne – 377 h alt. 125.*

*Paris 190 – Auxerre 23 – Avallon 32 – Tonnerre 40.*

**Hostellerie de la Fontaine** avec ch, ☎ 03 86 81 54 02, *hostellerie.fontaine@wanadoo.fr, Fax 03 86 81 52 78*, – GB
*mars-nov. et fermé dim. soir et lundi soir d' oct. à mars* – **Repas** *(fermé le midi du lundi au jeudi)* 20,15/42,70, enf. 10,20 – 7 – **11 ch** 48,75.
◆ Maison bourguignonne au coeur d'un paisible village de la vallée de la Cure. On sert les repas dans une cave voûtée ou, si le temps le permet, dans l'agréable jardin fleuri.

**Les ADRETS-DE-L'ESTÉREL** *83600 Var* **340** *P4 – 1 474 h alt. 295.*

**Env.** *Massif de l'Estérel★★★*, **G. Côte d'Azur.**

*Office du Tourisme, place de la Mairie ☎ 04 94 40 93 57, Fax 04 94 19 36 69, lesadrets.esterel.tourisme@wanadoo.fr.*

*Paris 887 – Fréjus 17 – Cannes 26 – Draguignan 44 – Grasse 31 – Mandelieu-la-Napoule 15.*

**Verrerie** sans rest, ☎ 04 94 40 93 51, –
*1er avril-30 sept.* – 9 – **7 ch** 51/62.
◆ Bâtisse azuréenne située aux confins du village, appréciable pour la douceur de son environnement. Vous serez hébergé dans des chambres fraîches et spacieuses.

**au Sud-Est** *: 3 km par D 237 et N 7 – ✉ 83600 Les Adrets-de-l'Esterel :*

**Auberge des Adrets,** ☎ 04 94 82 11 82, *auberge@compuserve.com, Fax 04 94 82 11 80*, – ch, AE GB
*fermé du 3 nov. au 11 déc.* – **Repas** *(fermé dim. soir et lundi sauf juil.-août)* 36 – 12 – **10 ch** 136/214 – ½ P 132/139,50.
◆ Demeure de caractère où chaque chambre est personnalisée par un mobilier raffiné, ancien ou moderne. La magie des vieilles pierres ranimée pour un séjour loin du quotidien.

**AFA** *2A Corse-du-Sud* **345** *B8 – voir à Corse (Ajaccio).*

**AGAY** *83530 Var* 340 Q5 *G. Côte d'Azur.*

Env. *Massif de L'Estérel***.*

*Syndicat d'Initiative, place Charles Giannetti ✆ 04 94 82 01 85, Fax 04 94 82 74 20, agay.tourisme@wanadoo.fr.*

*Paris 886 – Fréjus 12 – Cannes 34 – Draguignan 43 – Nice 66 – St-Raphaël 9.*

**France-Soleil** sans rest, ✆ 04 94 82 01 93, *Fax 04 94 82 73 95,* ← – P. AE GB JCB.
*Pâques-oct.* – ☕ 7,90 – **18 ch** 68/105.

◆ En léger retrait du rivage, hôtel modeste, familial. Les chambres, simples, réparties dans trois petits bâtiments, donnent majoritairement sur la mer.

---

**AGDE** *34300 Hérault* 339 F9 *G. Languedoc Roussillon – 17 583 h alt. 5 – Casino.*

Voir *Ancienne cathédrale St-Étienne*.*

*Office du Tourisme, 1 place Molière ✆ 04 67 94 29 68, Fax 04 67 94 03 50.*

*Paris 757 – Montpellier 57 – Béziers 24 – Lodève 58 – Millau 118 – Sète 25.*

Plan pages suivantes

**Athéna** M sans rest, av. F. Mitterrand, rte Cap d'Agde, D 3[E10] ✆ 04 67 94 21 90, *Fax 04 67 94 80 80,* – TV P – 25. GB
☕ 15,30 – **32 ch** 55/68.

◆ Hôtel récent aux portes de la ville. Chambres bien équipées et décorées dans un style provençal sobre ; certaines, avec balcon, ont vue plongeante sur la piscine.

**à La Tamarissière** *Sud-Ouest : 4 km par D 32[E12] – ✉ 34300 Agde :*

**Tamarissière,** ✆ 04 67 94 20 87, *hotel-la-tama@wanadoo.fr, Fax 04 67 21 38 40,* , – TV – 25. AE GB
*2 mars-2 nov.* – **Repas** *(fermé dim. soir et lundi du 16 sept. au 14 juin, lundi midi et mardi midi)* 27,50/39,50 ♀ – ☕ 11,50 – **26 ch** 97/115.

◆ Une situation de choix pour cette belle maison méridionale bâtie à l'embouchure même de l'Hérault. Chambres douillettes et personnalisées. Salles à manger ensoleillées.

**Calamar,** 33 quai Th. Cornu ✆ 04 67 94 05 06, *therestocalamar@wanadoo.fr,*
*fermé mi-nov. à mi-fév., mardi et merc. hors saison, lundi midi et sam. midi* – **Repas** 20 (déj.), 22/30,50 ♀.

◆ Dans un environnement préservé, une ancienne guinguette joliment rénovée et sa terrasse au bord de l'Hérault. Suggestions du jour en fonction du marché et de la pêche locale.

**au Grau d'Agde** *Sud-Ouest : 4 km par D 32[E] – ✉ 34300 :*

**L'Adagio,** 3 quai Cdt Méric ✆ 04 67 21 13 00, *Fax 04 67 21 13 00,* ←, – . AE GB JCB
*fermé 5 au 25 janv. et merc. du 1er oct au 31 mars* – **Repas** 22/45 ♀, enf. 12.

◆ Cuisine au goût du jour dans une salle claire reprenant le thème des colonnades antiques. En terrasse, le va-et-vient des bateaux animera votre repas.

**au Cap d'Agde** *Sud-Est : 5 km par D 32[E10] – ✉ 34300 Agde :*

Voir *Ephèbe d'Agde** au musée de l'Ephèbe.*

*Office du Tourisme, ✆ 04 67 01 04 04, Fax 04 67 26 22 99.*

**Golf** M, Ile des Loisirs ✆ 04 67 26 87 03, *hotel.golf@tahoe.fr, Fax 04 67 26 26 89,* , , , – TV P – 80. GB BY m
*fermé janv. et fév.* - voir rest. ***Caladoc*** ci-après – ☕ 13 – **50 ch** 142 – ½ P 100.

◆ La façade ocre de cet hôtel situé sur la fameuse île vouée aux loisirs dissimule d'élégantes chambres contemporaines (côté station ou piscine) et un beau fitness.

**Capaô,** av. Corsaires ✆ 04 67 26 99 44, *contact@capao.com, Fax 04 67 26 55 41,* , , , , – ch, TV – 20 à 45. AE GB AY b
*29 mars-12 oct.* – **Repas** 25, enf. 9 – ☕ 9,50 – **55 ch** 90,50/121 – ½ P 77/90,50.

◆ Complexe hôtelier niché dans son écrin de verdure, au bord de la plage Richelieu. Les chambres, avec balcon, sont claires et spacieuses. Ambiance sport et détente.

**Grande Conque** sans rest, La Grande Conque ✆ 04 67 26 11 42, *Fax 04 67 26 24 15,* ← – TV P. GB CY a
*avril-oct.* – ☕ 8 – **20 ch** 85/130.

◆ Belle situation face à la mer et à une plage de sable noir pour cet hôtel juché sur une falaise de basalte. Les chambres, de bonnes dimensions, ont toutes une loggia.

**Azur** sans rest, 18 av. Iles d'Amérique ✆ 04 67 26 98 22, *Fax 04 67 26 48 14,* – TV P – 20. AE GB AX f
☕ 6 – **22 ch** 75, 12 duplex.

◆ Un emplacement privilégié au centre de la station, des chambres bien équipées - certaines avec mezzanine - et une agréable piscine : tels sont les atouts de cet hôtel.

# LE CAP D'AGDE

Acadiens (Allée des) ....... **CX** 3
Alizés (Av. des) ......... **AXY**
Alfonse (Av. du Chevalier d') **AX** 4
Antilles (Rd-Pt des)......... **AY** 6
Beaupré (Quai du) ......... **CX** 7
Belle Isle (Av. de) ........ **ABX**
Bon Accueil (Rd-Pt du) ..... **BX** 9
Bouteillou (Rd-Pt du) ....... **CX** 10
Cantinières (Av. des) ......... **CX**
Capelet (Quai du)........... **AX** 12
Challiès (Av. du Passeur) .. **ABY**
Chandelles (R. des) ........ **BX** 15
Contrebandiers (Av. des) .. **BCX**
Corsaires (R. des)........... **AY**
Courette (R. de la).......... **CX** 17
Dominico (Quai Di) ........ **BX** 18
Estacade (R. de l') .......... **BY** 19
Falaise (R. de la)............ **CY** 21
Flânerie (Allée de la) ....... **CX** 23
Fouquet (Rd-Pt Nicolas) .... **BX** 24
Gabelle (R. de la) .......... **BX** 26
Gallo-Romains (R. des) ..... **AX**
Galères (Av. des) ........... **CX**
Garnison (R. de la) ....... **CXY**
Gentilshommes
(Cours des)............. **CXY**
Gouverneur (R. du) ........ **CX**
Grenadiers (R. des) ........ **CX** 31
Hallebardes (Av. des)........ **CX** 32
Hune (R. de la) ............ **BX** 34
Ile (Av. de l') ............ **BCY**
Iles d'Amérique (Av. des) ... **AY** 36
Jetée (Av. de la) ........... **CY**
Joutes (Quai des)........... **BX** 39
Labech (R. du) ............ **BX**
Louisiane (Allée de la ) ..... **CX** 40
Miquel (Quai Jean) ....... **BCX**
Outre-Mer (Av. d')........... **AY**
Pacifique (R. du) ........... **AY**
Phéniciens (Quai des) ....... **CY** 42
Radoub (Rd-Pt du) ......... **CY** 43
Sergents (Av. des)........ **BCX**
Soldats (Av. des) .......... **CX**
St-Martin (Quai) ........... **BX** 48
St-Martin-des-Vignes (Rue) . **AX**
Sarret-de-Coussergue (R.). **ABX**
Surintendant (Av. du)....... **BX**
Tambour (R. du) ........... **BX** 51
Tours-de-St-Martin
(Rd-Pt des) ............ **AX** 53
Trinquette (Quai de la) ..... **CX** 54
Trirème (Quai de la) ...... **CXY** 56
Vaisseaux (R. des) ......... **CX**
Vent-des-Dames (R. du) .... **BX**
Vieux-Cap (Quai du) ........ **BY**
Volvire-de-Brassac (Rue).... **AX**
2-Frères (R. des)........... **CY**
4-Cantons (Allée des) ...... **CX** 60

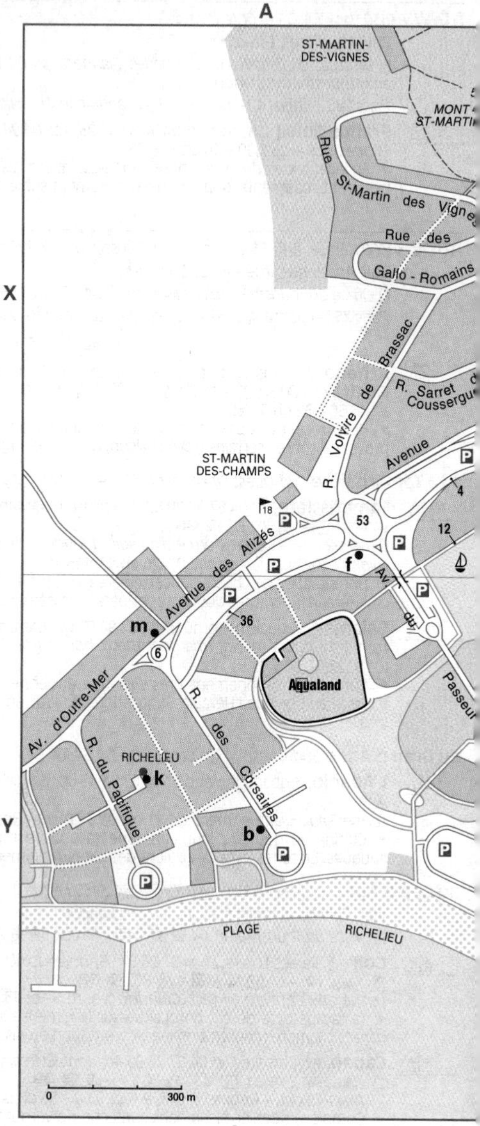
A
X
Y
ST-MARTIN-DES-VIGNES
MONT
ST-MARTI
Rue St-Martin des Vignes
Rue des Gallo - Romains
R. Volvire de Brassac
R. Sarret de Coussergue
Avenue
ST-MARTIN DES-CHAMPS
18
53
4
12
f
Av. du Passeur
Avenue des Alizés
36
m
6
Aqualand
Av. d'Outre-Mer
R. des Corsaires
R. du Pacifique
RICHELIEU
k
b
PLAGE
RICHELIEU
0
300 m
A

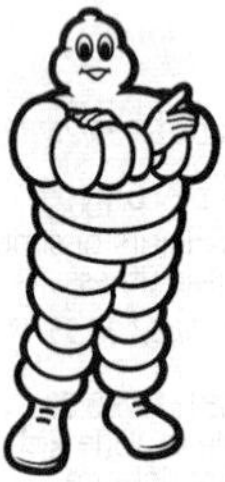

*Dans ce guide*
*un même symbole, un même mot,*
*imprimé en* **rouge** *ou en* **noir**, *en maigre ou en* **gras**,
*n'ont pas tout à fait la même signification.*
*Lisez attentivement les pages explicatives.*

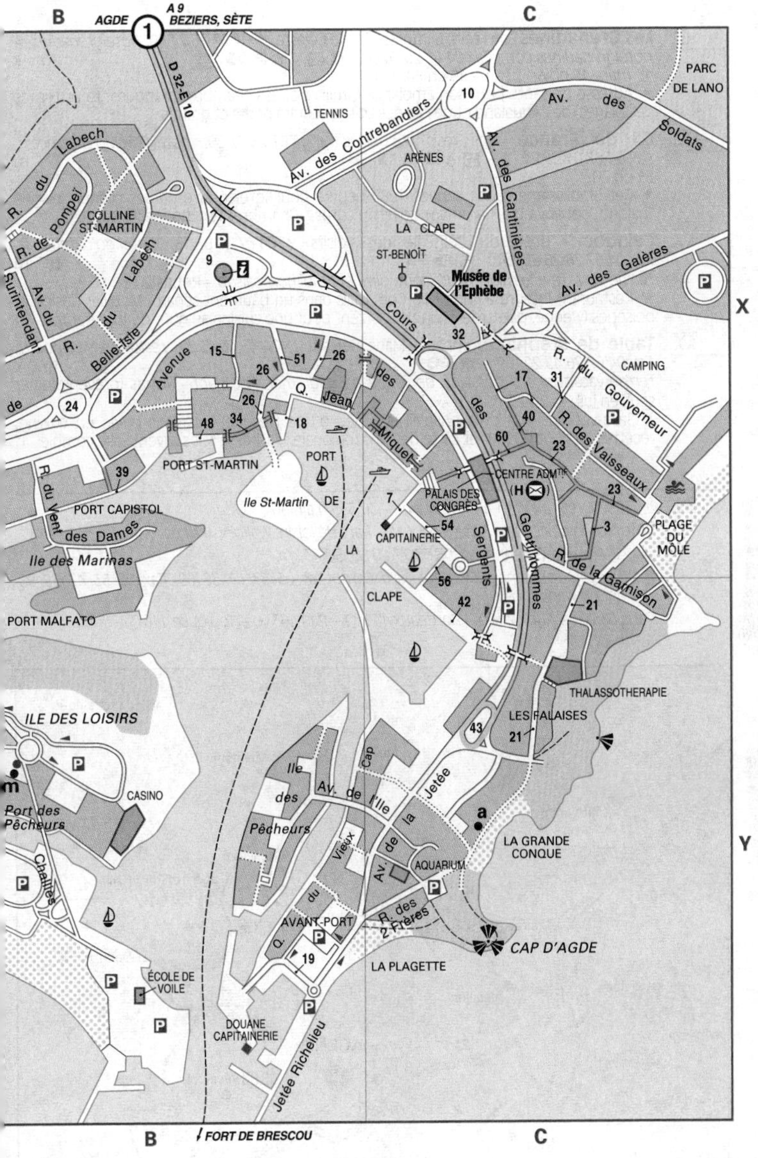

B
AGDE
A 9
BEZIERS, SÈTE
C
D 32-E 10
PARC DE LANO
Av. des Soldats
Av. des Contrebandiers
TENNIS
ARÈNES
Av. des Cantinières
LA CLAPE
ST-BENOÎT
Musée de l'Ephèbe
Av. des Galères
R. du Labech
R. de Pompéi
COLLINE ST-MARTIN
R. du Labech
Av. du Belle-Isle
Surintendant
Cours des Gentilshommes
R. du Gouverneur
CAMPING
R. des Vaisseaux
Avenue de
Q. Jean Miquel
PORT ST-MARTIN
PORT DE LA CLAPE
Ile St-Martin
CENTRE ADMF
PALAIS DES CONGRÈS
CAPITAINERIE
R. des Sergents
PLAGE DU MÔLE
R. de la Garnison
R. du Vent des Dames
PORT CAPISTOL
Ile des Marinas
PORT MALFATO
X
THALASSOTHERAPIE
LES FALAISES
ILE DES LOISIRS
CASINO
Port des Pêcheurs
Ile des Pêcheurs
Av. de l'Ile
Cap
Jetée
Av. de la Vieux
LA GRANDE CONQUE
Y
AQUARIUM
Challies
AVANT-PORT
Q. du
R. des 2 Frères
CAP D'AGDE
LA PLAGETTE
ÉCOLE DE VOILE
DOUANE CAPITAINERIE
Jetée Richelieu
B
FORT DE BRESCOU
C


*Ecrivez-nous...*
*Vos louanges comme vos critiques seront examinées avec le plus grand soin.*
*Nous reverrons sur place les informations que vous nous signalez.*
*Par avance merci !*

**Les Grenadines** sans rest, 6 impasse Marie Céleste ☎ 04 67 26 27 40, *hotelgrenadines@hotelgrenadines.com, Fax 04 67 26 10 80* – ▤ TV ☏ ♿ P. ⓓ GB — **AY k**
*1er mars-15 nov.* – ☕ 11 – **19 ch** 84/111.
◆ Adresse plaisante pour son ambiance familiale et ses chambres pratiques. La proximité des plages, de l'Aqualand et de l'Île des Loisirs séduira petits et grands.

**Gil de France** sans rest, av. Alizés ☎ 04 67 26 77 80, *hotelali@club-internet.fr, Fax 04 67 01 26 21,* 🏊 – TV ♿ P. AE ⓓ GB — **AY m**
**31 ch** 70.
◆ Cet établissement des années 1980 oeuvre pour le bien-être de ses clients : piscine "balnéo" découvrable, hammam, soins du corps... Chambres fonctionnelles sobres.

**Caladoc** - Hôtel du Golf, île des Loisirs ☎ 04 67 26 87 18, *hotel.golf@tahoe.fr, Fax 04 67 26 26 89,* 🌳 – P. ⓓ GB — **BY m**
*fermé janv., fév., le midi en juil.-août, dim. et lundi hors saison* – **Repas** 20 🍷.
◆ Restaurant intégré à l'Hôtel du Golf, mais dans un bâtiment séparé. Mobilier design et boiseries (wengé, palétuvier) : un décor "zen" pour une cuisine au goût du jour épurée.

**Table de Stéphane,** impasse Marie Celeste ☎ 04 67 26 45 22, *resteph@wanadoo.fr, Fax 04 67 26 45 22,* 🌳 – ▤. GB — **AY k**
*fermé vacances de Toussaint, de fév., sam. midi, merc. et jeudi* – **Repas** (prévenir)(dîner seul. en juil.-août) 25/49 🍷.
◆ Salle-véranda aux tons ensoleillés ornée d'une fresque évoquant la vie en cuisine, recettes au goût du jour et carte des vins régionale : l'adresse fait souvent salle comble.

**AGEN** P *47000 L.-et-G.* 336 F4 *G. Aquitaine – 30 553 h alt. 50.*
**Voir** *Musée des Beaux-Arts★★* **AXY M** – *Parc de loisirs Walibi★ 4km par ⑤.*
✈ *d'Agen-la-Garenne : ☎ 05 53 77 00 88, SO : 3 km.*
ℹ *Office du Tourisme, 107 boulevard Carnot ☎ 05 53 47 36 09, Fax 05 53 47 29 98, otsi.agen@wanadoo.fr.*
*Paris 663 ① – Auch 74 ④ – Bordeaux 141 ⑤ – Pau 163 ⑤ – Toulouse 116 ⑤.*

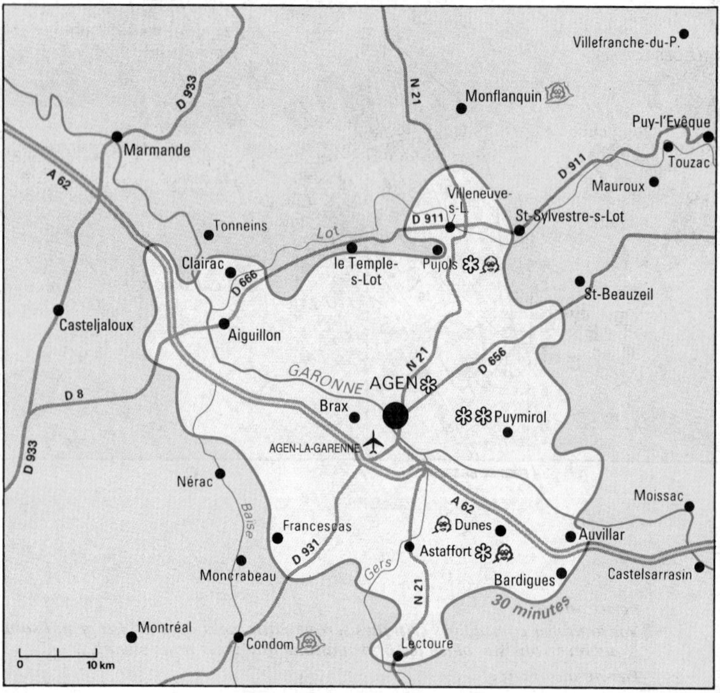
Villefranche-du-P.
N 21
D 933
Monflanquin
Puy-l'Évêque
Marmande
Touzac
A 62
D 911
Mauroux
Villeneuve-s-L.
D 911
St-Sylvestre-s-Lot
Tonneins
Lot
Clairac
le Temple-s-Lot
Pujols
D 666
St-Beauzeil
Casteljaloux
Aiguillon
N 21
D 656
GARONNE
AGEN
D 8
Brax
Puymirol
AGEN-LA-GARENNE
D 933
Nérac
Moissac
Baïse
A 62
Francescas
Dunes
Auvillar
D 931
Astaffort
Gers
Moncrabeau
Bardigues
Castelsarrasin
N 21
30 minutes
Montréal
Condom
Lectoure
0
10 km

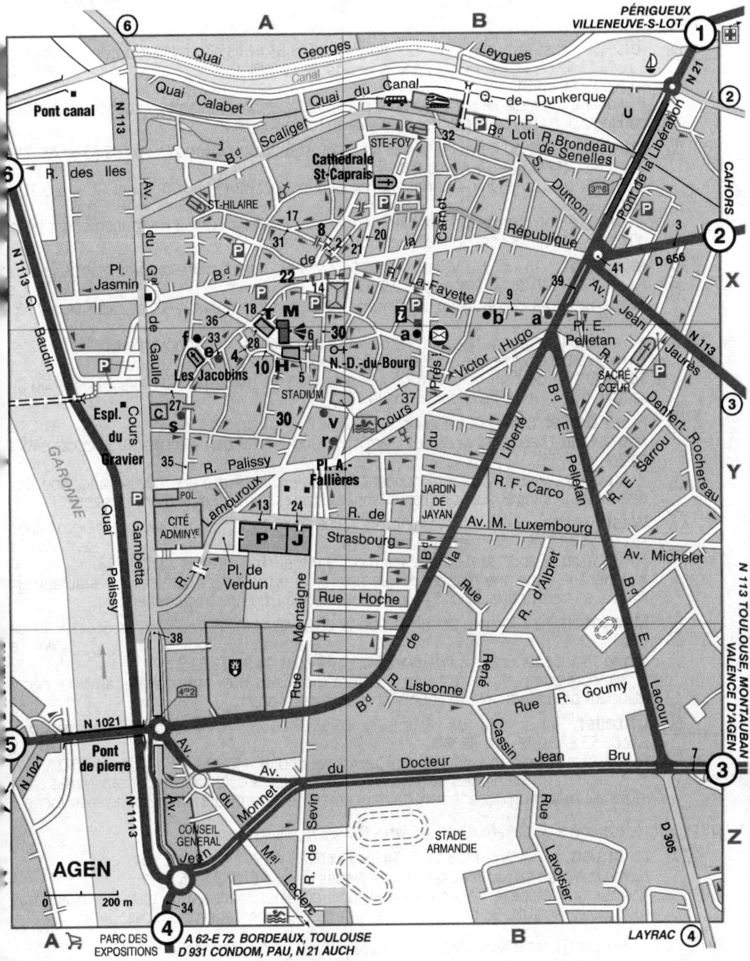

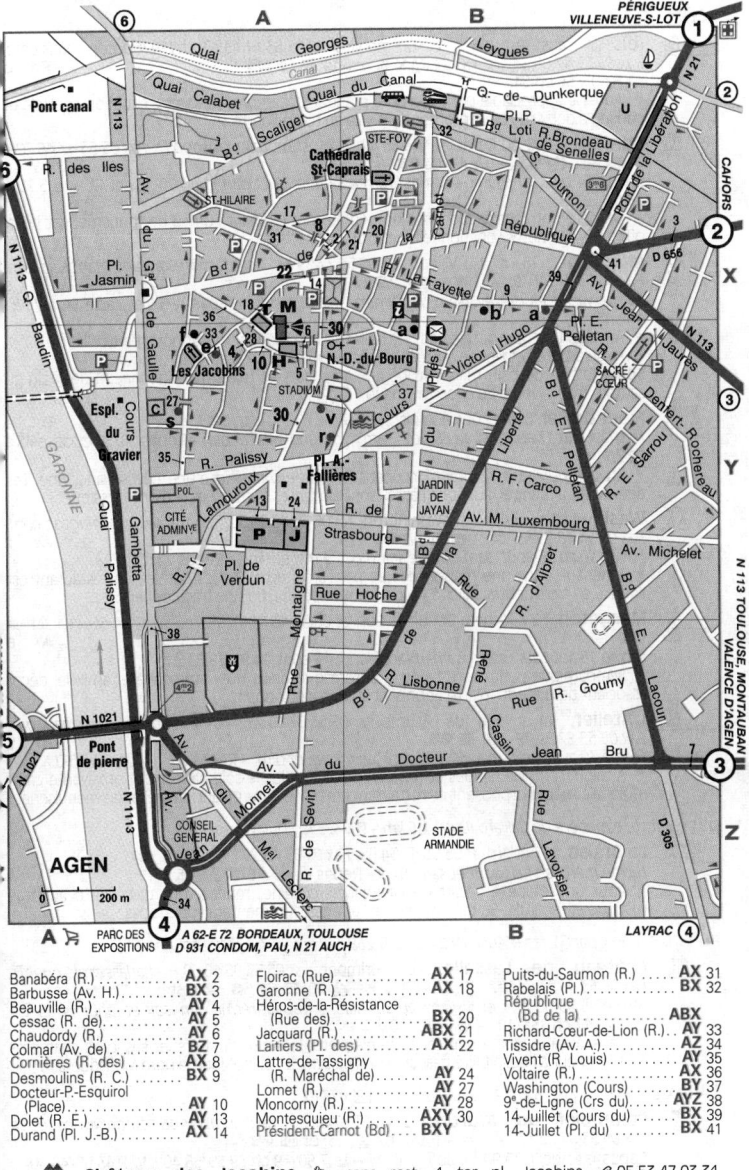

AGEN
200 m
A
B
X
Y
Z
PÉRIGUEUX
VILLENEUVE-S-LOT
CAHORS
N 113 TOULOUSE, MONTAUBAN
VALENCE D'AGEN
LAYRAC
PARC DES EXPOSITIONS
A 62-E 72 BORDEAUX, TOULOUSE
D 931 CONDOM, PAU, N 21 AUCH
Pont canal
Quai Georges Leygues
Canal
Quai Calabet
Quai du Canal
Q. de Dunkerque
Pl. P. Loti
R. Brondeau de Senelles
Bd Scaliger
STE-FOY
Cathédrale St-Caprais
ST-HILAIRE
R. des Iles
Av. du Gal de Gaulle
N 113
N 1113
Q. Baudin
Pl. Jasmin
Bd de la République
Bd R. La-Fayette
S. Dumon
Pont de la Libération
N 21
D 656
N 113
Av. Jean Jaurès
Pl. E. Pelletan
SACRÉ CŒUR
R. Denfert-Rochereau
Les Jacobins
N.-D.-du-Bourg
STADIUM
Av. Victor Hugo
Cours Washington
Bd du Prés. Carnot
Esplanade du Gravier
Cours du Gravier
R. Palissy
Pl. A.-Fallières
GARONNE
Quai Gambetta
Quai Palissy
POL.
CITÉ ADMINve
Lamouroux
R. de Strasbourg
JARDIN DE JAYAN
Av. M. Luxembourg
Bd de la Liberté
Bd E. Pelletan
R. F. Carco
R. E. Sarrou
Av. Michelet
R. d'Albret
Pl. de Verdun
Rue Montaigne
Rue Hoche
Bd de la Rue
R. René Cassin
R. Lisbonne
Rue R. Goumy
Bd E. Lacour
N 1021
Pont de pierre
Av. du Docteur Jean Bru
Av. Jean Monnet
CONSEIL GENERAL
Mal Leclerc
R. de Sevin
STADE ARMANDIE
Rue Lavoisier
D 305




**Château des Jacobins** sans rest, 1 ter pl. Jacobins 05 53 47 03 31, *Fax 05 53 47 02 80* – P. AE GB AY f
12 – **15 ch** 65/105.
◆ Dans la vieille ville, hôtel particulier du 19e s. précédé d'une cour arborée. La noble façade abrite des chambres de caractère, personnalisées par des meubles de style.

**Atlantic Hôtel** sans rest, 133 av. J. Jaurès par ③ - **BY** 05 53 96 16 56, *atlantic.hotel@wanadoo.fr, Fax 05 53 98 34 80,* – P. AE GB
*fermé 23 déc. au 3 janv.* – 5,50 – **44 ch** 40/52.
◆ Construction des années 1970 implantée en léger retrait d'une route passante. Les chambres sont confortablement équipées et offrent une bonne isolation phonique.

**Ibis** sans rest, 16 r. C. Desmoulins 05 53 47 43 43, *h1192@accor-hotels.com, Fax 05 53 47 68 54* – P. GB BX b
5,50 – **56 ch** 51.
◆ Adresse appréciable pour son côté pratique : chambres rénovées, situation centrale et parking à deux pas pour profiter de la ville en toute liberté.

**Stim'Otel,** 105 bd Carnot 05 53 47 31 23, *stimotel@wanadoo.fr, Fax 05 53 47 48 70* – rest, – 40. GB JCB BY a
*fermé 24 déc. au 3 janv.* – **Repas** *(fermé sam. midi et dim.)* (10) - 20, enf. 7 – 5,90 – **58 ch** 49/52.
◆ Derrière une façade moderne un peu austère jouxtant l'Office de tourisme, cet hôtel offre des chambres fonctionnelles et bien insonorisées.

**Mariottat,** 25 r. L. Vivent 05 53 77 99 77, *contact@restaurant-mariottat.com, Fax 05 53 77 99 79,* , – P. GB AY s
*fermé vacances de fév., sam. midi, dim. soir et lundi* – **Repas** 19/53 et carte 54 à 70, enf. 11.
◆ Atmosphère bourgeoise dans les belles salles à manger de cet hôtel particulier du 19e s. Terrasse arborée et fleurie. Accueil aux petits soins. Cuisine au goût du jour.
**Spéc.** Tartine de pain maison rôtie aux artichauts et foie gras. Pigeonneau de grain au sautoir. Trois saveurs de chocolat chaud.

**Fleur de Sel,** 66 r. C. Desmoulins 05 53 66 63 70 – . GB BX a
*fermé 11 au 17 août, 24 au 30 nov., sam midi, lundi midi et dim* – **Repas** 20/36 et carte 45 à 59.
◆ En centre-ville, restaurant occupant le rez-de-chaussée d'une bâtisse ancienne. Les deux salles à manger, aux tons pastel, sont élégantes et feutrées ; cuisine classique.

**Washington,** 7 cours Washington 05 53 48 25 50, *contact@le-washington.com, Fax 05 53 48 25 55,* – . GB JCB AY r
*fermé 10 au 25 août, sam. sauf le soir d'oct. à mai et dim.* – **Repas** 22 (déj.)/28.
◆ Aménagé dans une maison édifiée par l'architecte Charles Garnier, ce restaurant est agencé en trois petites salles à l'esprit contemporain. Cuisine traditionnelle.

**Margoton,** 52 r. Richard Coeur de Lion 05 53 48 11 55, *Fax 05 53 48 11 55* – . GB AY e
*fermé 18 août au 2 sept., sam. midi et lundi* – **Repas** 14,50/29,80.
◆ Sympathique petite adresse de la pittoresque vieille ville : atmosphère familiale, décor associant tissu tendu, pierre et bois, et cuisine à prix doux.

**L'Atelier,** 14 r. Jeu de Paume 05 53 87 89 22, *restaurant.latelier@wanadoo.fr, Fax 05 53 87 89 22* – . GB AY v
*fermé 30 avril au 20 mai, 30 déc. au 6 janv., sam. et dim.* – **Repas** (11) - 16 (déj.), 22/30.
◆ À midi, formules rapides et mise en place simple ; le soir, nappage et attrayante carte régionale métamorphosent ce restaurant aménagé dans un ancien atelier de menuiserie.

**par** ① *et rte cimetière de Gaillard (D 4) : 2,5 km – 47510 Foulayronnes :*

**La Braise,** av. Gaillard 05 53 47 34 65, *Fax 05 53 48 25 71,* – P. GB
*fermé merc. en juil.-août et sam. midi* – **Repas** (12,50) - 16/27, enf. 10.
◆ Pour une étape à l'écart de l'animation citadine, rendez-vous dans cette auberge rustique et familiale. En terrasse, la vue sur Agen agrémentera votre repas.

**au Sud-Ouest** *par ④, rte d'Auch (N 21) puis D 268 : 12 km – 47310 Laplume :*

**Château de Lassalle** , Brimont 05 53 95 10 58, *chatlass@micronet.fr, Fax 05 53 95 13 01,* , , – P – 40. GB. rest
*fermé 15 au 30 nov. et 15 janv. au 30 mars.* – **Repas** *(fermé dim. soir et lundi)* 29/45 – 13 – **17 ch** 131/191 – ½ P 80/130.
◆ Dans la campagne agenaise, cette élégante demeure du 18e s. et ses jolies chambres font honneur à l'hospitalité gasconne. En cuisine, le "piano" joue la note Mousquetaire.

**à Brax** *par ⑤ et D 119 : 6 km – 1 370 h. alt. 49 – 47310 :*

**Colombier du Touron,** 05 53 87 87 91, *le.colombier.du.touron@wanadoo.fr, Fax 05 53 87 82 37,* , – P – 15. GB
**Repas** 15,90 (déj.), 20,90/54 bc, enf. 11 – 7,80 – **9 ch** 39,50/55,40 – ½ P 43,60/49,50.
◆ Chambres peu à peu personnalisées et rénovées, aux couleurs chatoyantes. Vaste et lumineuse salle à manger ; terrasse ombragée donnant sur un colombier du 18e s.

*Dans ce guide*
*un même symbole, un même mot,*
*imprimé en* ***rouge*** *ou en* ***noir****, en maigre ou en* ***gras****,*
*n'ont pas tout à fait la même signification.*
*Lisez attentivement les pages explicatives.*

**AGNEAUX** *50180 Manche* 303 *F5 – 4 173 h alt. 60.*

*Paris 307 – Saint-Lô 3 – Bayeux 40 – Caen 75 – Coutances 27.*

**Château d'Agneaux**, ☏ 02 33 57 65 88, *chateau.agneaux@wanadoo.fr, Fax 02 33 56 59 21,* – TV P. AE GB. rest

**Repas** *(fermé le midi de nov. à mars)* (nombre de couverts limité, prévenir) 25/58 – ☐ 10,50 – **12 ch** 78/131.

◆ Beau château du 13e s. dominant la Vire. Chambres principalement meublées d'ancien (nombreux lits à baldaquin) ; la plus grande se trouve dans la tour de guet. Joli parc.

**AGON-COUTAINVILLE** *50230 Manche* 303 *C5 G. Normandie Cotentin – 2 510 h alt. 36 – Casino.*

*Office du Tourisme, place du 28 Juillet ☏ 02 33 76 67 30, Fax 02 33 76 67 31, office.tourisme.agon@wanadoo.fr.*

*Paris 349 – St-Lô 42 – Barneville-Carteret 52 – Carentan 43 – Cherbourg 81 – Coutances 13.*

**Neptune** sans rest, à Coutainville-centre ☏ 02 33 47 07 66, *Fax 02 33 46 16 91,* < – TV. GB

*fermé janv., mardi et merc. hors saison* – ☐ 8,50 – **11 ch** 46/75.

◆ Sur le front de mer, joli petit immeuble des années 1930 dont la moitié des chambres, simples et fonctionnelles, regarde vers le large. Bar et salon panoramiques.

**AGUESSAC** *12520 Aveyron* 338 *K6 – 811 h alt. 375.*

*Paris 631 – Mende 87 – Rodez 60 – Florac 70 – Millau 9 – Sévérac-le-Château 27.*

**Rascalat,** Nord-Ouest : 2 km sur N 9 ☏ 05 65 59 80 43, *Fax 05 65 59 73 90,* – TV P. GB.

*fermé 6 fév. au 6 mars et merc. d'oct. à mars* – **Repas** 18/29, enf. 10 – ☐ 6 – **16 ch** 50/59 – 1/2 P 48/53.

◆ Entre Causses et gorges du Tarn, hôtel d'étape disposant de chambres correctement équipées, plus calmes sur l'arrière. Salle à manger avec grande cheminée.

*Si le coût de la vie subit des variations importantes, les prix que nous indiquons peuvent être majorés. Lors de votre réservation à l'hôtel, faites-vous préciser le prix définitif.*

**L'AIGLE** *61300 Orne* 310 *M2 G. Normandie Vallée de la Seine – 9 466 h alt. 220.*

*Office du Tourisme, place Fulbert de Beina ☏ 02 33 24 12 40, Fax 02 33 34 23 77, otlaigle@wanadoo.fr.*

*Paris 138 – Alençon 69 – Chartres 81 – Dreux 61 – Évreux 56 – Lisieux 59.*

**Dauphin,** pl. Halle ☏ 02 33 84 18 00, *regis-ligot@free.fr, Fax 02 33 34 09 28* – TV – 100. AE GB

**Repas** *(fermé dim. soir)* 16 (déj.), 24/29 ♀ - ***Renaissance*** (brasserie) **Repas** 10 ♀, enf. 7 – ☐ 10 – **30 ch** 58/83 – 1/2 P 65,55.

◆ Le plus ancien des deux bâtiments hébergeait déjà une hôtellerie en 1618. Chambres dotées de meubles de style ou fonctionnels. Plaisante salle à manger rénovée et brasserie.

**Toque et Vins,** 35 r. L. Pasteur (rte d'Argentan) ☏ 02 33 24 05 27, *Fax 02 33 24 05 27* – GB

*fermé lundi soir, mardi soir et dim.* – **Repas** *(10,30 bc)* - 15,50/26,50 ♀, enf. 7,80.

◆ L'enseigne dit l'essentiel : une belle sélection de vins, en bouteille et au verre, escorte la cuisine, traditionnelle. Cadre bistrot tout simple. Soirées dégustations.

**rte de Dreux** *Est : 3,5 km sur N 26 – ✉ 61300 St-Michel-Thuboeuf :*

**Auberge St-Michel,** ☏ 02 33 24 20 12, *Fax 02 33 34 96 62* – P. GB

*fermé 5 au 26 sept., 3 au 16 janv., mardi soir, merc. soir et jeudi* – **Repas** 14,50 bc/30,50.

◆ Cette jolie façade normande où grimpe la vigne vierge abrite une enfilade de petites salles rustiques et chaleureuses, garnies d'un mobilier de style bistrot.

**AIGUEBELETTE-LE-LAC** *73 Savoie* 333 *H4 G. Alpes du Nord – 170 h alt. 410.*

**Voir** *Lac★ – Panorama★★ sur la route du col de l'Épine N.*

*Paris 553 – Grenoble 76 – Belley 33 – Chambéry 21 – Voiron 35.*

**à la Combe** *(rive Est) : 4 km par D 41 – ✉ 73610 Aiguebelette :*

**La Combe "chez Michelon"** avec ch, ☏ 04 79 36 05 02, *Fax 04 79 44 11 93,* < lac, – TV P. GB.

*fermé 1er nov. au 6 déc., lundi soir et mardi* – **Repas** 23,50/40 ♀, enf. 11,50 – ☐ 7,50 – **5 ch** 62,50 – 1/2 P 61/68.

◆ Étape pour amoureux de la nature : maison nichée entre lac, montagne et forêt. Salle à manger actuelle et terrasse sous les marronniers. Belle sélection de vins savoyards.

**à Novalaise-Lac** *(rive Ouest) : 7 km par D 921 – 1 234 h. alt. 427 – ✉ 73470 :*

**Novalaise-Plage** ⛉, ✆ 04 79 36 02 19, *Fax 04 79 36 04 22*, ≤ lac, ⛱, ⛵, ⛱ – ⛉ TV 🅿. GB. ⛉ rest
*4 avril-30 sept.* – **Repas** *(fermé lundi soir et mardi sauf du 15 juin au 10 sept.)* (12,50) - 19,50/49,50 – ☕ 6,50 – **14 ch** 45/65 – ½ P 46/59.
◆ Chalet dont la silhouette blanche se mire dans l'eau. Chambres toutes refaites dans le style contemporain. Recettes simples où s'illustrent les poissons du lac.

**à Attignat-Oncin** *Sud : 7 km par D 921 – 398 h. alt. 570 – ✉ 73610 :*

**Mont-Grêle** ⛉ avec ch, ✆ 04 79 36 07 06, *le-mont-grele@wanadoo.fr, Fax 04 79 36 09 54*, ≤, ⛱, ⛉, ⛱ – TV ✆ 🅿. GB. ⛉ ch
*fermé 1er janv. au 13 fév., dim. soir, mardi soir et merc. sauf juil.-août* – **Repas** 24/29 ⛉ – ☕ 7 – **10 ch** 37/47 – ½ P 47/51.
◆ En pleine campagne, ce restaurant gentiment désuet jouit d'une belle vue sur la vallée verdoyante. Chambres au confort modeste. Cuisine régionale.

---

**AIGUEBELLE** *83 Var* 340 *N7 – rattaché au Lavandou.*

---

**AIGUES-MORTES** *30220 Gard* 339 *K7 G. Provence – 4 999 h alt. 3.*

*Voir Remparts★★ et tour de Constance★★ : ✻★★ – Eglise Notre-Dame des Sablons★.*
*Office du Tourisme, Porte de la Gardette ✆ 04 66 53 73 00, Fax 04 66 53 65 94, OT.aiguesmortes@wanadoo.fr.*
*Paris 749 – Montpellier 38 – Arles 49 – Nîmes 42 – Sète 56.*

**Templiers** ⛉, 23 r. République ✆ 04 66 53 66 56, *Fax 04 66 53 69 61*, ⛱ – ▤ ch, TV ♿ ⛉. AE GB
**Repas** *(Pâques-oct. et fermé mardi et merc. sauf juil.-août et lundi)* (dîner seul.) carte environ 38 ⛉ – ☕ 10 – **11 ch** 110/125.
◆ Meubles peints, tissus provençaux, tableaux anciens et modernes, patio-terrasse méridional : cette demeure du 17e s. est pétrie de charme. Une grange abrite le joli bistrot.

**St-Louis,** 10 r. Amiral Courbet ✆ 04 66 53 72 68, *hotel.saint-louis@wanadoo.fr, Fax 04 66 53 75 92*, ⛱ – TV ⛉. AE GB
*1er avril-31 oct.* – **Repas** *(fermé sam. midi, mardi et merc.)* 19 (déj.), 26/32 ⛉, enf. 10 – ☕ 10 – **22 ch** 57/97 – ½ P 61/73.
◆ Près de la tour de Constance, belle bâtisse du 18e s. dont les chambres, confortables et colorées, sont plus spacieuses au 2e étage. Agréable patio pour les repas d'été.

**Arcades** avec ch, 23 bd Gambetta ✆ 04 66 53 97 12, *info@les-arcades.fr, Fax 04 66 53 75 46*, ⛱, ⛉ – ▤ TV ✆. AE ⓓ GB JCB
*fermé 5 au 20 mars, 8 au 22 oct., dim. soir de nov. à mars et vend. midi en saison* – **Repas** (22) - 32/45 ⛉ – **9 ch** ☕ 95/110.
◆ Belle maison du 16e s. au cadre provençal raffiné. Cuisine du terroir dans la salle à manger aux pierres apparentes ou en terrasse, sous les arcades. Chambres plaisantes.

**Salicorne,** 9 r. Alsace-Lorraine ✆ 04 66 53 62 67, ⛱ – GB
*fermé 2/01 au 15/02, dim. midi du 15 juin au 15 oct., mardi du 15 oct. au 15 juin et le midi sauf dim. et fêtes* – **Repas** 30/48.
◆ Pierres et poutres apparentes, cheminée, fer forgé, jolie terrasse d'été et cuisine aux accents du Sud : un concentré de Provence à découvrir derrière l'église des Sablons.

**rte de Nîmes** *Nord-Est : 1,5 km – ✉ 30220 Aigues-Mortes :*

**Royal Hôtel,** ✆ 04 66 53 66 40, *Fax 04 66 53 72 29*, ⛱, ⛉ – ▤ ch, TV ♿ 🅿 – ⛉ 15. GB
*fermé 2 au 31 janv.* – **Repas** 11,40/29,50 ⛉, enf. 7 – ☕ 5,50 – **44 ch** 46,60/50,20 – ½ P 39,10.
◆ Construction récente inspirée de l'architecture camarguaise. Chambres fonctionnelles tournées vers la piscine ; certaines sont en rez-de-jardin, ou possèdent un balcon.

---

**AIGUILLON** *47190 L.-et-G.* 336 *E4 – 4 169 h alt. 35.*

*Office du Tourisme, place du 14 juillet ✆ 05 53 79 62 58, Fax 05 53 84 41 17, tourisme.aiguillon@wanadoo.fr.*
*Paris 689 – Agen 31 – Houeillès 31 – Marmande 29 – Nérac 26 – Villeneuve-sur-Lot 35.*

**Terrasse de l'Étoile,** cours A.-Lorraine ✆ 05 53 79 64 64, *Fax 05 53 79 46 48*, ⛱, ⛉ – ▤ rest, TV – ⛉ 20. AE GB
**Repas** 12/24 ⛉ – ☕ 5 – **17 ch** 54 – ½ P 39.
◆ Au coeur du bourg, maison gasconne à la jolie façade en pierre. Optez pour les chambres rénovées et garnies d'un mobilier chiné dans les brocantes. Cuisine simple.

*Une réservation confirmée par écrit ou par fax est toujours plus sûre.*

**L'AIGUILLON-SUR-MER** *85460 Vendée* 316 I10 *G. Poitou Vendée Charentes – 2 175 h alt. 4.*

*Office du Tourisme, avenue de l'Amiral-Courbet ☎ 02 51 56 43 87, Fax 02 51 56 43 91, otsi.aiguillon@worldonline.fr.*

*Paris 462 – La Rochelle 51 – La Roche-sur-Yon 49 – Luçon 20.*

**Port** avec ch, ☎ 02 51 56 40 08, *Fax 02 51 56 42 78,* – GB

*fermé janv., sam. midi, dim. soir et lundi* – **Repas** 15,10/23,85 – 5,50 – **21 ch** 44/53 – ½ P 51.

◆ Halte pratique au pays de la moule de bouchot que ce petit établissement situé sur la rive gauche de l'estuaire du Lay. Lumineuse salle de restaurant et cuisine de la mer.

**AILEFROIDE** *05 H.-Alpes* 334 G3 – *rattaché à Pelvoux (Commune de).*

**AILLANT-SUR-THOLON** *89110 Yonne* 319 D4 – *1 487 h alt. 112.*

*Office du Tourisme, 15 rue des Ponts ☎ 03 86 63 54 17, Fax 03 86 63 54 17, ot.aillant@wanadoo.fr.*

*Paris 145 – Auxerre 20 – Briare 71 – Clamecy 61 – Gien 81 – Montargis 60.*

**au Sud-Ouest** : *7 km par D 955, D 57 et rte secondaire – ✉ 89110 Chassy :*

**Domaine du Roncemay** Ⓜ, ☎ 03 86 73 50 50, *roncemay@aol.com, Fax 03 86 73 69 46,* – ch, – 30. AE GB JCB

*fermé 19 janv. au 8 fév.* – **Repas** *(fermé dim. soir, mardi midi et lundi d'oct. à fin fév.)* 30 (déj.), 66 bc/92 et carte 70 à 88, enf. 14 – 17 – **15 ch** 195, 3 appart – ½ P 122/145.

◆ Atmosphère raffinée et plaisirs gourmands en ce bel hôtel construit dans la pure tradition régionale. Séduisantes chambres rustiques. Vaste golf, fitness et superbe hammam.

**Spéc.** Cassolettes gourmandes. Dos de Saint-Pierre rôti au thym-citron (15 avril à fin sept.). Assiette "tout chocolat". **Vins** Chablis, Irancy.

*Michelin n'accroche pas de panonceau aux hôtels et restaurants qu'il signale.*

**AIME** *73210 Savoie* 333 M4 *G. Alpes du Nord – 2 963 h alt. 690.*

**Voir** *Ancienne basilique St-Martin★★.*

**Excurs.** *Vallée de la Tarentaise★★.*

*Syndicat d'Initiative, avenue de Tarentaise ☎ 04 79 55 67 00, Fax 04 79 55 60 01, si@aimesavoie.com.*

*Paris 652 – Albertville 42 – Bourg-St-Maurice 15 – Chambéry 91 – Moutiers 14.*

**Cormet** sans rest, av. de Tarentaise ☎ 04 79 09 71 14, *Fax 04 79 09 96 72* – GB.

*fermé 15 au 30 mai* – 6 – **14 ch** 40/54.

◆ Petit hôtel à l'ambiance familiale dont le nom savoyard signifie "col". Chambres simples et bien tenues. Bar attenant, tranquille et convivial, fréquenté par des habitués.

**Palanbo** sans rest, av. de Tarentaise ☎ 04 79 55 67 55, *Fax 04 79 09 70 74* – AE GB

6 – **20 ch** 44/55.

◆ Construction des années 1980, de type chalet savoyard. Chambres sobrement décorées, mais assez grandes et pratiques ; toutes disposent d'un balcon.

**L'Atre**, av. de Tarentaise ☎ 04 79 09 75 93, – GB

*fermé 22 juin au 9 juil. et mardi* – **Repas** 13,50/25,50.

◆ Une étape bienvenue sur la route de l'Italie : petite salle voûtée aux murs rosés, mobilier rustique, chaleur de l'âtre et plats du terroir. Terrasse un peu bruyante.

**AINCILLE** *64 Pyr.-Atl.* 342 E6 – *rattaché à St-Jean-Pied-de-Port.*

**AINHOA** *64250 Pyr.-Atl.* 342 C5 *G. Aquitaine – 539 h alt. 130.*

**Voir** *Village basque caractéristique★.*

*Paris 794 – Biarritz 28 – Bayonne 27 – Cambo-les-Bains 11 – Pau 126 – St-Jean-de-Luz 26.*

**Ithurria** (Isabal), ☎ 05 59 29 92 11, *hotel@ithurria.com, Fax 05 59 29 81 28,* – 20. AE GB

*17 avril-2 nov.* – **Repas** *(fermé jeudi midi sauf juil-août et merc.)* (dim. prévenir) 29/44 et carte 46 à 65 – 9 – **27 ch** 125 – ½ P 90/95.

◆ Belle maison basque où vous séjournerez dans des chambres confortables. Cuisine traditionnelle et plats régionaux servis dans une agréable salle à manger rustique.

**Spéc.** Foie gras des Landes au naturel. Salade tiède de queues de langoustines. Pigeon rôti à l'ail doux. **Vins** Jurançon sec, Irouléguy.

**Argi Eder**, rte Chapelle ✆ 05 59 93 72 00, *argi.eder@wanadoo.fr, Fax 05 59 93 72 13*, – TV P. AE GB JCB
*fermé 15 nov. au 31 mars, dim. soir et merc. sauf juil.-août* – **Repas** *(fermé dim. soir et merc. sauf le soir en été et lundi midi)* 20/40 ♀, enf. 11 – ☕ 9 – **28 ch** 76/106, 4 appart – ½ P 76/95.
◆ À flanc de colline, grande bâtisse typiquement régionale et son jardin tourné vers la campagne. Vastes chambres rafraîchies et joli salon-bar (belle collection d'armagnacs).

**Oppoca** avec ch, ✆ 05 59 29 90 72, *oppoca@wanadoo.fr, Fax 05 59 29 81 03*, – P. GB.
*fermé 15 nov. au 15 déc.* – **Repas** *(fermé dim. soir et lundi sauf août)* 15/29, enf. 10 – ☕ 5,50 – **12 ch** 44/49 – ½ P 40/44.
◆ Sur la place du fronton, auberge du 17e s. abritant une salle de restaurant de style basque, un peu sombre, mais plaisante. Terrasse dressée dans une coquette cour fleurie.

## AIRAINES *80270 Somme* 301 E8 *G. Picardie Flandres Artois – 2 175 h alt. 30.*

*Syndicat d'Initiative, place de l'Hôtel de Ville ✆ 03 22 29 34 07, Fax 03 22 29 47 50, o.t.s.i.airaines@free.fr.*
*Paris 173 – Amiens 30 – Abbeville 22 – Beauvais 68 – Le Tréport 50.*

**Relais Forestier du Pont d'Hure,** rte d'Oisemont par D 936 : 5 km ✆ 03 22 29 42 10, *Fax 03 22 29 89 73* – P. GB
*fermé 4 au 23 août, 2 au 17 janv. et mardi* – **Repas** 14/19.
◆ Se restaurer après une promenade en forêt : rôtisserie et grillades au feu de bois préparées dans la cheminée de l'agreste salle à manger décorée de trophées de chasse.

## AIRE-SUR-L'ADOUR *40800 Landes* 335 J12 *G. Aquitaine – 6 205 h alt. 80.*

Voir *Sarcophage de Ste-Quitterie★ dans l'église St-Pierre-du-Mas.*
*Office du Tourisme, place Gal. de Gaulle ✆ 05 58 71 64 70, Fax 05 58 71 64 70.*
*Paris 725 – Mont-de-Marsan 32 – Auch 84 – Condom 68 – Dax 87 – Orthez 59 – Pau 54.*

### AIRE-SUR-L'ADOUR

| | |
|---|---|
| Adour (Allée de l') | 2 |
| Arènes (R. des) | 3 |
| Carnot (R.) | 5 |
| Commerce (Pl. du) | 6 |
| Despagnet (R. F.) | 7 |
| Duprat (R. P.) | 9 |
| Duthil (R. P.) | 12 |
| Gambetta (R.) | 13 |
| Gaulle (Pl. Gén.-de) | 15 |
| Labeyrie (R. H.) | 16 |
| Verdun (Av. de) | 18 |

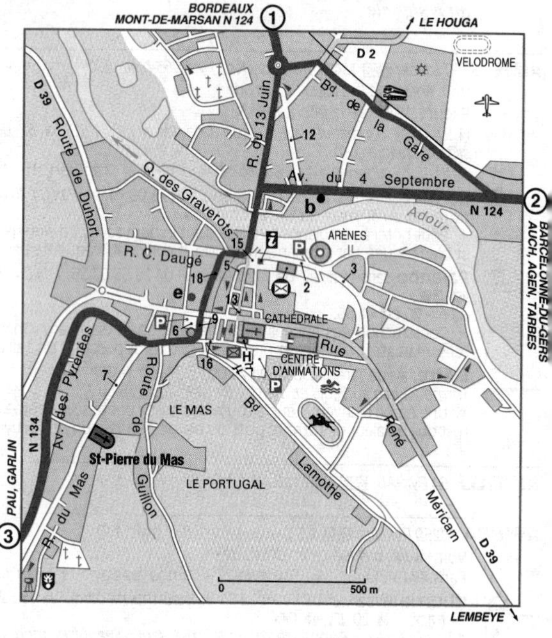
BORDEAUX
MONT-DE-MARSAN N 124
LE HOUGA
D 2
VELODROME
R. du 13 Juin
Bd. de la Gare
Av. du 4 Septembre
N 124
D 39
Route de Duhort
Q. des Graverots
Adour
ARÈNES
R. C. Daugé
CATHÉDRALE
Rue
CENTRE D'ANIMATIONS
Av. des Pyrénées
Route de Guillon
LE MAS
St-Pierre du Mas
LE PORTUGAL
Bd René Lamothe
Méricam
N 134
R. du Mas
PAU, GARLIN
BARCELONNE-DU-GERS AUCH, AGEN, TARBES
D 39
0
500 m
LEMBEYE

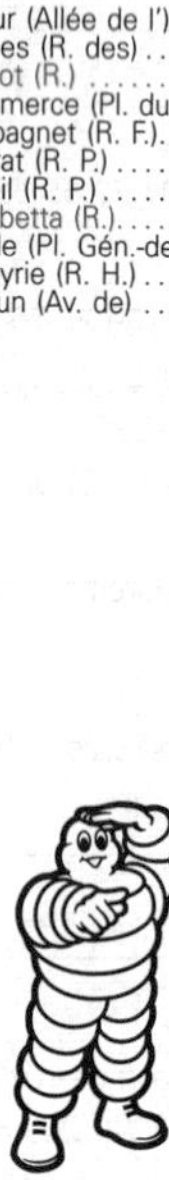

**Adour Hôtel** sans rest, 28 av. 4 Septembre **(b)** ✆ 05 58 71 66 17, *adour.hotel@wanadoo.fr, Fax 05 58 71 87 66*, – TV P. – 20. GB
*fermé nov.* – ☕ 6,10 – **31 ch** 34/42.
◆ Cet ensemble hôtelier des années 1980 longe agréablement le cours reposant de l'Adour. Chambres sobres, avant tout pratiques ; choisir celles côté fleuve.

**Les Bruyères,** par ① : *1 km* ☎ 05 58 71 80 90, *Fax 05 58 71 87 21*, – TV ♿ P. GB
*fermé 1er au 15 nov. et dim.* – **Repas** 11 (déj.), 15/26 – ☕ 6,50 – **8 ch** 31/38 – ½ P 35,50.
◆ Dans une maison ancienne, hôtellerie à l'ambiance familiale. Les chambres, ouvrant sur l'arrière, sont accueillantes et protégées des bruits de la route.

**Chez l'Ahumat** avec ch, 2 r. Mendès-France **(e)** ☎ 05 58 71 82 61 – TV. GB. ch
*fermé 17 au 30 mars et 1er au 14 sept.* – **Repas** *(fermé merc.)* 10,20/25 ♀, enf. 7,20 – ☕ 4,80 – **12 ch** 22,50/41 – ½ P 29/33.
◆ Restaurant tenu par la même famille depuis trois générations. Deux salles de style rustique, agrémentées d'une collection d'assiettes anciennes. Cuisine régionale.

**rte de Bordeaux** *par ① et N 124 – ✉ 40270 Cazères-sur-l'Adour :*

**Aliotel** sans rest, à 4,5 km ☎ 05 58 71 72 72, *Fax 05 58 71 81 94*, – TV P – 20. GB
☕ 6 – **34 ch** 34/40.
◆ Établissement fonctionnel offrant de petites chambres standardisées, pratiques et bien insonorisées. Équipements sportifs bien conçus, ouverts sur la nature.

**à Ségos** *(32 Gers) par ③, N 134 et D 260 : 9 km – 248 h. alt. 111 – ✉ 32400 :*

**Domaine de Bassibé** , ☎ 05 62 09 46 71, *bassibe@relaischateaux.fr, Fax 05 62 08 40 15*, – TV P. AE GB
*11 avril-22 déc.et 27 déc.-2 janv. et fermé mardi et merc. sauf juil.-août* – **Repas** *(fermé le midi sauf week-end, fériés et juil.-août, mardi et merc.)* 43 ♀ – ☕ 12 – **10 ch** 130/155, 7 appart – ½ P 120/150.
◆ Cette propriété isolée dans la campagne était autrefois un domaine agricole. Chambres douillettes et lumineuses. Élégant restaurant aménagé dans l'ancien pressoir.

---

## AIRE-SUR-LA-LYS *62120 P.-de-C.* 301 H4 *G. Picardie Flandres Artois – 9 529 h alt. 30.*

**Voir** *Bailliage★ – Tour★ de la Collégiale St-Pierre★.*
*Office du Tourisme, Grand place ☎ 03 21 39 65 66, Fax 03 21 39 65 66.*
*Paris 236 – Calais 60 – Arras 56 – Boulogne-sur-Mer 68 – Lille 58.*

**Hostellerie des 3 Mousquetaires** , rte de Béthune (N 43) ☎ 03 21 39 01 11, *phvenet@wanadoo.fr, Fax 03 21 39 50 10*, – TV P – 35. AE GB.
*fermé 20 déc. au 20 janv.* – **Repas** 21/44 ♀, enf. 11 – ☕ 12 – **33 ch** 90/120 – ½ P 94/107.
◆ Charme bucolique d'une demeure du 19e s. dans un parc avec pièce d'eau, chambres personnalisées (quelques lits à baldaquin) et restaurant ouvert sur la vallée de la Lys.

**à la gare d'Isbergues** *Sud-Est : 6 km par D 187 – 5 145 h. alt. 25 – ✉ 62330 Isbergues :*

**Buffet** M avec ch, ☎ 03 21 25 82 40, *Fax 03 21 27 86 42*, – TV. GB
*fermé 28 juil. au 25 août, vacances de fév., lundi ( sauf midis fériés) et dim. soir* – **Repas** 19/50 ♀ – ☕ 7 – **5 ch** 40/50 – ½ P 48.
◆ L'ancien buffet de la gare a aujourd'hui fière allure : jolie salle agrémentée de boiseries, mise en place soignée et goûteuse cuisine régionale concoctée selon le marché.

---

## AISEY-SUR-SEINE *21400 Côte-d'Or* 320 H3 – *172 h alt. 255.*

*Paris 249 – Chaumont 75 – Châtillon-sur-Seine 15 – Dijon 69 – Montbard 27.*

**Roy** , ☎ 03 80 93 21 63, *Fax 03 80 93 25 74*, – TV P. AE GB
*fermé 31 déc. au 20 janv., dim. soir, lundi soir sauf juil.-août et mardi* – **Repas** 20/38,80 ♀, enf. 8,50 – ☕ 5,50 – **9 ch** 30/47 – ½ P 47.
◆ Aménagées dans deux maisons bourguignonnes accolées, chambres assez petites mais plaisantes. Salle à manger rustique égayée d'une cheminée.

---

## AIX-EN-PROVENCE SP *13100 B.-du-R.* 340 H4 *G. Provence – 123 842 h alt. 206 – Stat. therm. – Casino* **AV.**

**Voir** *Le Vieil Aix★★ - Cours Mirabeau★★ - Cathédrale St-Sauveur★ : triptyque du Buisson Ardent★★ - Cloître★* **BX B**8 *– Place Albertas★* **BY 3** *- Place★ de l'hôtel de ville* **BY 37** *- Cour★ de l'hôtel de ville* **BY H** *– Quartier Mazarin★ : fontaine des Quatre-Dauphins★* **BY D** *– Musée Granet★* **CY M**6 *– Musée des Tapisseries★* **BX M**2 *– Fondation Vasarely★* **AV M**5.
*Office du Tourisme, 2 place du Général De Gaulle ☎ 04 42 16 11 61, Fax 04 42 16 11 62, infos@aixenprovencetourism.com.*
*Paris 757 ③ – Marseille 31 ③ – Avignon 82 ④ – Nice 178 ② – Sisteron 101 ① – Toulon 84 ②.*

Plans pages suivantes

**Villa Gallici** M , 18 bis av. Violette ☎ 04 42 23 29 23, *gallici@relaischateaux.fr, Fax 04 42 96 30 45*, ←, – TV ♿ P. AE GB JCB **BV k**
**Repas** *(fermé 18 nov. au 15 déc., 6 janv. au 3 fév., le midi et lundi soir de nov. à mars)* (résidents seul.) carte 60 à 75 – ☕ 26 – **18 ch** 270/540, 4 appart.
◆ Platanes, cyprès, fontaine, cigales, tissus choisis et fer forgé : cette délicieuse bastide est un mémorable concentré de Provence. Chambres raffinées. Terrasse panoramique.

## AIX-EN-PROVENCE

Berger (Av. G.) . . . **BV** 7
Brossolette (Av.) . . **AV** 13
Club Hippique (Av.) . . . . . . . . . . **AV** 18
Dalmas (Av. J.) . . . **AV** 23
Ferrini (Av. F.) . . . . **AV** 30
Fourane (Av. de la) . . . . . **AV** 32
Galice (Rte de) . . . **AV** 33
Isaac (Av. J.) . . . . . **BV** 41
Malacrida (Av. H.) **BV** 48
Minimes (Crs des) **AV** 52
Moulin (Av. J.) . . . **BV** 56
Pigonnet (Av. du) . **AV** 62
Poilus (Bd des) . . . **BV** 67
Prados (Av. E.) . . . **AV** 68
Solari (Av. Ph.) . . . **AV** 76

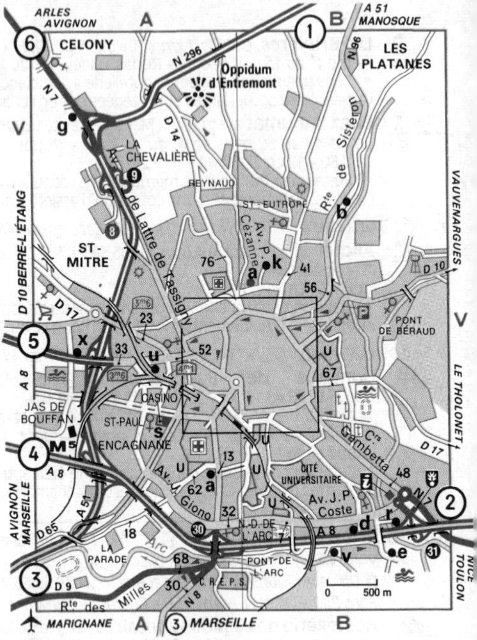
ARLES
AVIGNON
A
B
A 51
MANOSQUE
CELONY
LES PLATANES
N 296
Oppidum d'Entremont
N 96
N 7
D 14
Rte de Sisteron
V
LA CHEVALIÈRE
REYNAUD
ST-EUTROPE
VAUVENARGUES
Av. de Lattre de Tassigny
Av. P. Cézanne
D 10 BERRE-L'ÉTANG
ST-MITRE
D 10
D 17
PONT DE BÉRAUD
A 8
CASINO
JAS DE BOUFFAN
ST-PAUL
ENCAGNANE
LE THOLONET
Crs Gambetta
D 17
CITÉ UNIVERSITAIRE
Av. J. Giono
Av. J.P. Coste
AVIGNON MARSEILLE
A 51
D 65
LA PARADE
Arc
N.D. DE L'ARC
PONT-DE-L'ARC
C.R.E.P.S.
NICE TOULON
D 9
Rte des Milles
N 8
0
500 m
MARIGNANE
MARSEILLE

**Pigonnet** 🄼, 5 av. Pigonnet ✉ 13090 ✆ 04 42 59 02 90, *reservation@hotelpigonnet.com*, *Fax 04 42 59 47 77*, ≤, – 60. AE GB JCB **AV a**
**Repas** *(fermé sam. sauf le soir d'avril à oct. et dim. midi sauf en juil.)* 46/60 – ☕ 25 – **48 ch** 180/350 – ½ P 185/235.
◆ Dans cette gracieuse demeure au parc ombragé fleuri, Cézanne s'imprégna naguère des parfums et couleurs de la Provence. Mobilier régional ancien et vue sur la Sainte-Victoire.

**Grand Hôtel Roi René** 🄼, 24 bd Roi René ✆ 04 42 37 61 00, *h1169@accor-hotels.com*, *Fax 04 42 37 61 11*, – 150. AE GB JCB. rest **BZ b**
***La Table du Roi* :** Repas 32/52 ♀ – ☕ 16,50 – **134 ch** 165/205.
◆ Hôtel récent sobrement inspiré de l'architecture provençale des 17e et 18e s., avec chambres accueillantes, restaurant coloré et agréable patio où s'inscrit la piscine.

**Aquabella** 🄼, 2 r. Étuves ✆ 04 42 99 15 00, *aquabella.aixenprovence@wanadoo.fr*, *Fax 04 42 99 15 01*, – 60. AE GB JCB **AX a**
***L'Orangerie* :** **Repas** *(16)* et carte 28 à 38 ♀ – ☕ 10 – **110 ch** 124/145 – ½ P 99/101,50.
◆ Confort moderne et tonalités provençales dans des chambres offrant, aux derniers étages, terrasses et belle vue sur la vieille ville. Décor design à l'Orangerie.

**Augustins** sans rest, 3 r. Masse ✆ 04 42 27 28 59, *Fax 04 42 26 74 87* – GB. **BY x**
☕ 10 – **29 ch** 107/229.
◆ Couvent du 15e s. qui accueillit, dans le cours de son histoire agitée, le réformateur Luther. Chambres de bon confort. Réception installée dans une chapelle du 12e s.

**Holiday Inn Garden Court** 🄼, 5 rte Galice ✉ 13090 ✆ 04 42 52 75 27, *hotelinfoholidayinn-aix.com*, *Fax 04 42 52 75 28*, – 100. AE GB
**Repas** *(fermé sam. midi et dim. midi)* 20 (déj.), 30/35 ♀ – ☕ 10 – **90 ch** 140. **AV u**
◆ Construction moderne offrant des chambres bien insonorisées et spacieuses, à réserver de préférence côté piscine. Le restaurant met l'Italie à l'honneur ; agréable terrasse.

**Novotel Beaumanoir** 🄼, Résidence Beaumanoir (sortie autoroute 3 Sautets) ✆ 04 42 91 15 15, *H0393-@accor-hotels.com*, *Fax 04 42 38 46 41*, – 150. AE GB JCB **BV r**
**Repas** carte 20 à 30 ♀, enf. 8 – ☕ 12 – **102 ch** 92/95.
◆ Cet établissement aux chambres confortables, pour la plupart rénovées, bénéficie d'un environnement assez calme malgré la proximité de l'autoroute. Petit circuit botanique.

# AIX-EN-PROVENCE

Agard (Passage) . . . . . . . . . . CY 2
Albertas (Pl. d') . . . . . . . . . . BY 3
Aude (R.) . . . . . . . . . . . . . . . BY 4
Bagniers (R. des) . . . . . . . . . BY 5
Bellegarde (Pl.) . . . . . . . . . . CX 7
Bon-Pasteur (R.) . . . . . . . . . BX 9
Boulégon (R.) . . . . . . . . . . . BX 12
Brossolette (Av.) . . . . . . . . . AZ 13
Cardeurs (Pl. des) . . . . . . . . BY 16
Clemenceau (R.) . . . . . . . . . BY 18
Cordeliers (R. des) . . . . . . . BY 20
Curie (R. Pierre et Marie) . . BX 22
De-la-Roque (R. J.) . . . . . . . BX 25
Espariat (R.) . . . . . . . . . . . . BY 26
Fabrot (R.) . . . . . . . . . . . . . BY 28
Foch (R. du Maréchal) . . . . . BY 30
Hôtel-de-Ville (Pl. de l') . . . . BY 37
Italie (R. d') . . . . . . . . . . . . CY 42
Lattre-de-T. (Av. de) . . . . . . AY 46
Matheron (R.) . . . . . . . . . . . BY 49
Méjanes (R.) . . . . . . . . . . . . BY 51
Minimes (Crs. des) . . . . . . . . AY 52
Mirabeau (Cours) . . . . . . . . . BY
Montigny (R. de) . . . . . . . . . BY 55
Napoléon Bonaparte (Av.) . . AY 57
Nazareth (R.) . . . . . . . . . . . . BY 58
Opéra (R. de l') . . . . . . . . . . CY 62
Pasteur (Av.) . . . . . . . . . . . . BX 64
Paul-Bert (R.) . . . . . . . . . . . BX 66
Prêcheurs (Pl. des) . . . . . . . CY 70
Richelme (Pl.) . . . . . . . . . . . BY 72
Saporta (R. G.-de) . . . . . . . . BX 75
Thiers (R.) . . . . . . . . . . . . . . CY 80
Verdun (Pl. de) . . . . . . . . . . . CY 85
4-Septembre (R.) . . . . . . . . . BZ 87

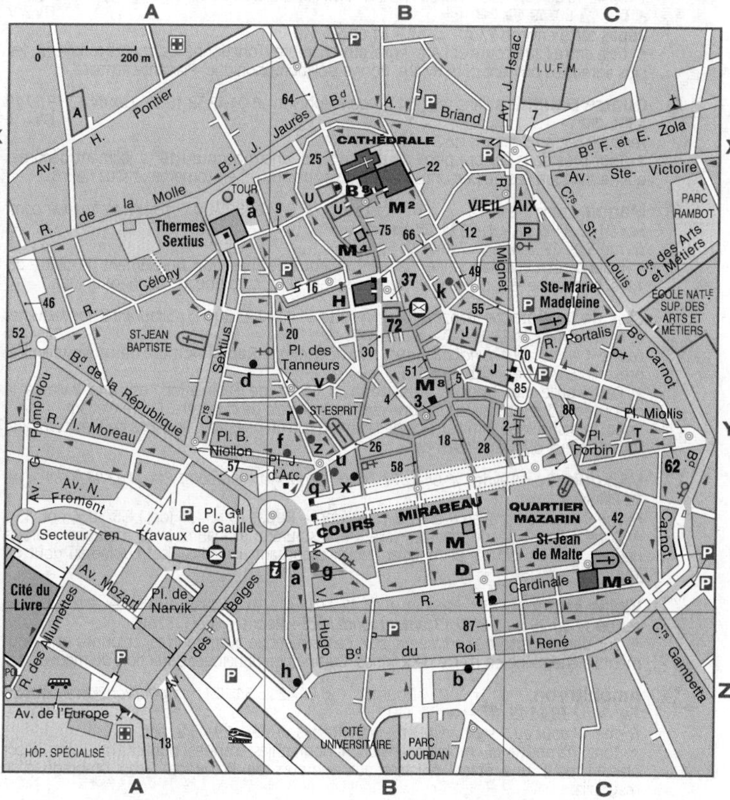
A
B
C
X
Y
Z
0
200 m
CATHÉDRALE
VIEIL AIX
Thermes Sextius
TOUR
ST-JEAN BAPTISTE
Pl. des Tanneurs
ST-ESPRIT
Pl. B. Niollon
Pl. J. d'Arc
COURS MIRABEAU
QUARTIER MAZARIN
St-Jean de Malte
Ste-Marie-Madeleine
Pl. Miollis
Pl. Forbin
Pl. Gal de Gaulle
Secteur en Travaux
Cité du Livre
Pl. de Narvik
HÔP. SPÉCIALISÉ
CITÉ UNIVERSITAIRE
PARC JOURDAN
PARC RAMBOT
ÉCOLE NATLE SUP. DES ARTS ET MÉTIERS
I. U. F. M.
Bd F. et E. Zola
Av. Ste-Victoire
Crs des Arts et Métiers
Bd Carnot
Crs St-Louis
Bd du Roi René
Crs Gambetta
R. Cardinale
Av. de l'Europe
R. des Allumettes
Av. Mozart
Av. des Belges
Av. V. Hugo
Av. N. Froment
Bd de la République
Av. G. Pompidou
R. I. Moreau
Crs Sextius
R. Célony
R. de la Molle
Av. H. Pontier
Bd J. Jaurès
Bd A. Briand
Av. J. Isaac
R. Mignet
R. Portalis
Av. de l'Europe

**Bleu Marine** Ⓜ, 42 rte Galice © 04 42 95 04 41, *sales@hotel-bleumarine-aix.com, Fax 04 42 59 47 29*, – 50. AV x
**Repas** 24 – 9,50 – **84 ch** 99.
◆ Conception moderne pour cet hôtel en arc de cercle épousant les rondeurs de son insolite piscine. Les chambres sont vastes, conviviales et bien insonorisées. Formules buffets.

**Mascotte** Ⓜ, av. Cible © 04 42 37 58 58, *mascotte-aix@hotel-sofibra.com, Fax 04 42 37 58 59*, – 150. BV d
**Repas** *(15)* - 18,50/25,50, enf. 8,50 – 9 – **93 ch** 81/105.
◆ Cette construction récente représente une étape avant tout pratique au bord de l'autoroute : chambres refaites, colorées et dotées d'une bonne isolation phonique.

**Mercure Paul Cézanne** sans rest, 40 av. V. Hugo © 04 42 91 11 11, *mercure.paulcezanne@free.fr, Fax 04 42 91 11 10* – BZ h
11 – **55 ch** 115.
◆ Dans le quartier de la gare, hôtel à l'atmosphère chaleureuse dont le mobilier ancien personnalise agréablement chaque chambre. Les rénovations sont presque terminées.

**St-Christophe,** 2 av. V. Hugo ✆ 04 42 26 01 24, *saintchristophe@francemarket.com, Fax 04 42 38 53 17* – 25. AE GB JCB. rest BY a
***Brasserie Léopold*** *(fermé 5 au 25 août et lundi)* **Repas** (16)-23 ♀, enf. 8,50 – 8,50 – **52 ch** 67/109, 6 duplex – ½ P 64/82.
◆ Nostalgiques des années 1930 ou "accros" du charme provençal, choisissez une chambre à votre convenance, avec ou sans terrasse. Cadre Art déco animé à la Brasserie Léopold.

**Novotel Pont de l'Arc** M, av. Arc de Meyran (sortie autoroute 3 Sautets) ✆ 04 42 16 09 09, *H0394-@accor-hotels.com, Fax 04 42 26 00 09,* – P – 80. AE GB JCB BV v
**Repas** carte environ 27 ♀ – 12 – **81 ch** 95/110.
◆ Calé entre l'autoroute et l'Arc, hôtel aux chambres fonctionnelles, toutes rénovées ; les plus agréables ouvrent côté rivière. Bonne isolation phonique. Plaisante terrasse.

**Quatre Dauphins** sans rest, 54 r. Roux Alpheran ✆ 04 42 38 16 39, *Fax 04 42 38 60 19* – TV. GB BY t
*fermé 9 fév. au 3 mars* – 7 – **12 ch** 49/70.
◆ Tout près de la célèbre place du même nom, une maison du 19e s. joliment décorée, qui ne manque pas de personnalité : meubles peints, sol en tomettes, tissus fleuris...

**Manoir** sans rest, 8 r. Entrecasteaux ✆ 04 42 26 27 20, *msg@hotelmanoir.com, Fax 04 42 27 17 97* – TV P. AE GB JCB AY d
*fermé 5 au 29 janv.* – 7 – **40 ch** 53/80.
◆ Belle construction ancienne, naguère fabrique de chapeaux. Un élément de cloître du 14e s. y est annexé ; aménagé en terrasse d'été, il procure une atmosphère unique.

XXX ✿✿ **Clos de la Violette** (Banzo), 10 av. Violette ✆ 04 42 23 30 71, *restaurant@closdelaviolette.fr, Fax 04 42 21 93 03,* – . AE GB. BV a
*fermé 4 au 18 août, lundi midi, merc. midi et dim.* – **Repas** (nombre de couverts limité, prévenir) 54/117 et carte 85 à 115.
◆ Cette belle villa blanche avec jardin, à l'écart de l'animation, est une invite à la découverte des mille saveurs d'une cuisine régionale de caractère. Cadre élégant.
**Spéc.** La truffe (déc. à mars). Dos de lapereau rôti en peibrade. Poissons de Méditerranée.
**Vins** Coteaux d'Aix en Provence.

XX **L'Aixquis,** 22 r. Leydet ✆ 04 42 27 76 16, *aixquis@aixquis.com, Fax 04 42 93 10 61* – . AE GB JCB BY f
*fermé 3 au 25 août, 2 au 6 janv., dim. et lundi* – **Repas** (17 bc) - 25 (déj.), 35/50 ♀, enf. 15.
◆ Dans une ruelle du centre, salle de restaurant avenante avec fresques murales fleuries, lumière diffuse et mobilier choisi, proposant une "aixquise" cuisine au goût du jour.

XX **Vieille Auberge,** 63 r. Espariat ✆ 04 42 27 17 41, *Fax 04 42 26 38 35* – . GB BY q
*fermé 17 au 23 nov., 5 au 19 janv. et lundi midi* – **Repas** 17 (déj.), 32/45.
◆ Sur une placette très animée le soir, cadre rustique avec poutres, colonnes et monumentale cheminée en pierre de Rognes. Cuisine personnalisée, bon choix de menus.

XX **Amphitryon,** 2 r. P. Doumer ✆ 04 42 26 54 10, *amphitryon2@wanadoo.fr, Fax 04 42 38 36 15,* – . AE GB BY u
*fermé 17 août au 2 sept., dim. et lundi* – **Repas** 18 (déj.), 29/45 ♀, enf. 13.
◆ Tons flamboyants, mobilier ancien, lithographies, carafes publicitaires... un décor plaisant pour une étape culinaire aux senteurs de Provence. Patio ombragé d'un magnolia.

XX **Les Bacchanales,** 10 r. Couronne ✆ 04 42 27 21 06, *Fax 04 42 27 21 06* – . AE GB BY z
*fermé vacances de fév., merc. midi, sam. midi et mardi* – **Repas** 16 (déj.), 24/54 ♀, enf. 13.
◆ Restaurant aménagé sous les belles poutres anciennes d'une salle à manger tout en longueur, que fréquentent les amateurs de cuisine ensoleillée.

XX **Chez Féraud,** 8 r. Puits Juif ✆ 04 42 63 07 27, *marcferaud@net-up.com* – . GB BY k
*fermé août, dim. et lundi* – **Repas** 20 (déj.)/26.
◆ Dissimulée dans une ruelle du vieil Aix, sympathique adresse familiale recelant un puits du 12e s. Cuisine aux accents du Midi, daubes et grillades préparées en salle.

XX **Pasino,** 21 av. Europe (au casino) ✆ 04 42 59 69 00, *Fax 04 42 59 69 02* – . GB AV s
***L'Italien*** (dîner seul.) **Repas** carte 27 à 51 ♀ – ***L'Oriental*** (dîner seul.) **Repas** carte 25 à 30 ♀ – ***Le Japonais*** (dîner seul.) **Repas** carte 20 à 38 ♀ – ***L'Americano*** (dîner seul.) **Repas** carte environ 23 ♀.
◆ Le Pasino (casino municipal) abrite quatre restaurants à thème - L'Italien, Le Japonais, L'Oriental, L'Americano - où décor et cuisine invitent au voyage... de votre choix.

**Yôji,** 7 av. V. Hugo ☎ 04 42 38 48 76, *Fax 04 42 38 47 01,* – . AE GB JCB. BY g
*fermé lundi midi et dim.* – **Repas** 9,50 (déj.), 20/32,50 ♀.
♦ On peut se trouver au coeur de "l'empire du soleil" et vouloir s'évader au pays du Soleil Levant : cuisine japonaise, barbecue coréen et bar à sushis dans un décor "zen".

**Bistro Latin,** 18 r. Couronne ☎ 04 42 38 22 88, *bistrolatin@voila.fr, Fax 04 42 38 22 88* – . GB BY r
*fermé 19 août au 2 sept., 29 janv. au 4 fév., lundi midi et dim.* – **Repas** (nombre de couverts limité, prévenir) 21/26 ♀.
♦ Dans une rue accaparée par les restaurants, deux petites salles au cadre actuel et une troisième voûtée, plus intime, au sous-sol. Cuisine du pays mise au goût du jour.

**Saïgon,** 2 bis r. Aumône Vieille ☎ 04 42 26 05 48, *Fax 04 42 26 05 48* – . GB. BY v
**Repas** 9 (déj.), 15/24,50 ♀.
♦ Plaisant décor asiatique : boiseries acajou, sièges en rotin clair, panneaux laqués représentant les quatre saisons, bel aquarium (poissons exotiques). Cuisine vietnamienne.

**rte de Sisteron** *vers ① : 3 km :*

**Prieuré** sans rest, ☎ 04 42 21 05 23, *Fax 04 42 21 60 56,* ← – P. GB. BV b
6,10 – **22 ch** 54/71.
♦ Prieuré du 17e s. bénéficiant d'un environnement calme. Les chambres, au décor romantique, ont vue sur un élégant parc dessiné par Le Nôtre.

**rte de St-Canadet** *par ①, N 96 et D 13 : 9 km – ✉ 13100 Aix-en-Provence :*

**Puyfond,** ☎ 04 42 92 13 77, *Fax 04 42 92 03 29,* , – P. GB
*fermé 18 août au 15 sept., 1er au 15 janv., 15 fév. au 15 mars, mardi midi, dim. soir et lundi* – **Repas** 33/38, enf. 15.
♦ Installée en pleine garrigue, ferme bâtie au temps de Louis XIV et remodelée il y a 20 ans. À l'intérieur, plaisante collection de tableaux. Agréable terrasse ombragée.

**à Le Canet** *par ② : 8 km sur N 7 – ✉ 13590 Meyreuil :*

**Auberge Provençale,** ☎ 04 42 58 68 54, *aubergiste@aol, Fax 04 42 58 68 05* – P. AE GB JCB
*fermé 23 au 26 déc., mardi sauf le midi de sept. à juin et merc.* – **Repas** 21,50/44, enf. 12,50.
♦ Jolie auberge de bord de route aux volets verts. Cadre provençal frais, belles poutres apparentes, tenue impeccable et généreuse cuisine traditionnelle.

**à Beaurecueil** *par ②, N 7 et D 58 : 10 km – 510 h. alt. 254 – ✉ 13100 Aix-en-Provence :*

*Office de tourisme,* ☎ *04 42 66 92 90.*

**Relais Ste-Victoire** (Jugy-Berges) avec ch, D 46 ☎ 04 42 66 94 98, *relais-ste-victoire@wanadoo.fr, Fax 04 42 66 85 96,* ←, , – P – 20. AE GB
*fermé vacances de Toussaint, 1er au 10 janv., vacances de fév., vend. sauf soir de mars à oct., dim. soir et lundi* – **Repas** (week-ends prévenir) 50/80 ♀, enf. 22 – 13 – **8 ch** 77/92, 4 appart – ½ P 100/140.
♦ Ce mas au pied de la Ste-Victoire propose une cuisine raffinée inspirée des saveurs authentiques de la Provence. Depuis la véranda, jolie vue sur la campagne aixoise.
**Spéc.** Marbré de canard. Fricassée de homard aux épices douces (avril à sept.). Mignon de petit porc aux pommes de Provence (oct. à mars). **Vins** Côtes de Provence, Coteaux d'Aix en-Provence.

**par** *③, D 9 ou A 51, sortie Les Milles : 5 km – ✉ 13546 Aix-en-Provence :*

**Château de la Pioline,** zone commerciale de la Pioline ☎ 04 42 52 27 27, *info@chateau-la-pioline.fr, Fax 04 42 52 27 28,* , , – , ch, P – 50. AE GB JCB. rest
**Repas** *(fermé sam. et dim. de nov. à déc.)* 33 (déj.), 45/70 – 20 – **30 ch** 200/300, 3 appart – ½ P 160/210.
♦ Belle demeure, classée monument historique, dans un jardin à la française. Vastes chambres conjuguant confort et charme d'antan. Suite de salons richement décorés.

**Bastide** , par D 7 et rte secondaire ☎ 04 42 24 48 50, *Fax 04 42 60 01 34,* , , – P – 50
**Repas** *(fermé 26 déc. au 2 janv., dim. soir et sam.)* 25/42 ♀ – 6 – **17 ch** 55/70 – ½ P 56.
♦ Cette accueillante bastide du 18e s. tapissée de lierre profite du calme de la campagne environnante. Amples chambres d'inspiration rustique. Salle à manger-véranda.

**par** ③ *et D 9 - sortie nº 4 : 10 km – ✉ 13591 Aix-en-Provence :*

**Royal Mirabeau** M, av. G. de la Lauzière Pichaury II ✉ 13591 ☎ 04 42 97 76 00, *royal-mirabeau@fr.inter.net, Fax 04 42 97 76 01,* – 150. AE GB

**Repas** 24/29 – 10 – **95 ch** 77/111.

◆ Entre golf et pinède, hôtel récent et confortable, au cachet provençal. Les chambres sont fonctionnelles et fraîches. Certaines ont vue sur le golf : calme garanti !

**à Celony** *: 3 km sur N 7 – ✉ 13090 Aix-en-Provence :*

**Mas d'Entremont**, ☎ 04 42 17 42 42, *entremont@wanadoo.fr, Fax 04 42 21 15 83,* – 30. GB JCB AV g

*15 mars-1er nov.* – **Repas** *(fermé dim. soir et lundi midi sauf fériés)* 35/41 – 15 – **19 ch** 122/170 – ½ P 111/135.

◆ Sur les hauts d'Aix, belle bastide ocre nichée au coeur d'un parc généreusement ouvert sur la nature. Chambres spacieuses et personnalisées. Superbe terrasse ombragée.

**à Lignane** *par ⑥ : 12 km sur N 7 – ✉ 13090 Aix-en-Provence :*

**Mas Gourmand,** ☎ 04 42 28 04 05, *mas-gourmand@club-internet.fr, Fax 04 42 28 04 14,* – P. GB

*fermé 23 au 29 fév.* – **Repas** 15 (déj.), 25/40 ♀, enf. 9.

◆ L'Alsace au pays des cigales ! Mobilier et produits proviennent du "berceau de l'Europe", mais les tomettes sont typiquement provençales. Plats alsaciens et traditionnels.

---

## AIX-LES-BAINS *73100 Savoie* 333 I3 *G. Alpes du Nord – 24 683 h alt. 200 – Stat. therm. (mi janv.-mi déc.) – Casinos Grand Cercle* **CZ**, *Nouveau Casino* **BZ.**

**Voir** *Esplanade du Lac★ – Escalier★ de l'Hôtel de Ville* **CZ H** *– Musée Faure★ – Vestiges Romains★ – Casino Grand Cercle★.*

**Env.** *Lac du Bourget★★ – Abbaye de Hautecombe★★ – Les Bauges★.*

✈ *de Chambéry-Aix-les-Bains : ☎ 04 79 54 49 54, à Viviers-du-Lac par ④ : 8 km.*

*Office du Tourisme, place Maurice Mollard ☎ 04 79 88 68 00, Fax 04 79 88 68 01, accueil@aixlesbains.com.*

*Paris 540 ④ – Annecy 34 ① – Bourg-en-Bresse 111 ④ – Chambéry 18 ④ – Lyon 107 ④.*

Plans page ci-contre

**Park Hôtel du Casino** M, av. Ch. de Gaulle ☎ 04 79 34 19 19, *parkhotel@aixlesbains.com, Fax 04 79 88 11 49,* – P – 15 à 400. AE GB JCB CZ x

**Repas** *(18)* - 23/35 ♀, enf. 9,20 – 15,50 – **92 ch** 107/148, 10 appart – P 107/115.

◆ Au coeur du parc du casino nanti d'un plaisant jardin japonais, imposant hôtel dont les chambres, d'une sobre élégance, bénéficient d'équipements modernes et complets.

**Mercure Ariana** M, av. de Marlioz à Marlioz : 1,5 km ☎ 04 79 61 79 79, *h2945@accor-hotels.com, Fax 04 79 61 79 00,* – P – 150. AE GB AX a

**Repas** *(19,50)* - 24,50 ♀ – 13,50 – **60 ch** 111/139 – P 102,50/116,50.

◆ Dans un vaste parc ombragé, accueillant établissement intégré dans le complexe thermal de Marlioz. Chambres spacieuses, parfois dotées de balcons. Centre de balnéothérapie.

**Astoria,** pl. Thermes ☎ 04 79 35 12 28, *hotel.astoria-savoie@wanadoo.fr, Fax 04 79 35 11 05,* – 20. AE GB JCB. CZ z

*fermé 28 nov. au 5 janv.* – **Repas** 18/22 – 9 – **135 ch** 59/85 – P 63/68.

◆ Séduisant décor Belle Époque, mais confort d'aujourd'hui pour cet ancien palace rénové. Chambres agréables. Style Art nouveau habilement restauré dans la salle à manger.

**Manoir**, 37 r. Georges-1er ☎ 04 79 61 44 00, *Hotel-le-Manoir@wanadoo.fr, Fax 04 79 35 67 67,* – P – 15 à 130. AE GB JCB. rest CZ r

*fermé 15 au 26 déc.* – **Repas** 26/52 ♀ – 10,50 – **73 ch** 68/148 – ½ P 62/98.

◆ Hôtel aménagé dans les dépendances des anciens palaces Splendide et Royal. Chambres douillettes et personnalisées. Salle à manger et terrasse ouvrent sur le jardin fleuri.

**Mercure Acquaviva,** av. Marlioz à Marlioz : 1,5 km ☎ 04 79 61 77 77, *h2944@accor-hotels.com, Fax 04 79 61 77 00,* – cuisinette P – 250. AE GB AX s

*fermé 14 déc. au 19 janv.* – **Repas** 20,60 ♀, enf. 11,50 – 11,50 – **100 ch** 78/98 – P 84/87.

◆ Hôtel récent abritant des chambres fonctionnelles ; celles tournées vers le parc ombragé du domaine d'Aix-Marlioz sont plus calmes. Nombreux équipements pour les séminaires.

# AIX-LES-BAINS

Bains (R. des) . . . **CZ** 2
Berthollet (Bd) . . **CZ** 3
Boucher (Sq. A.) **CY** 5
Carnot (Pl.) . . . . . **CZ** 6
Casino (R. du) . . . **CZ** 8
Chambéry (R. de) **CZ** 9
Charcot (Bd J.) . . **AX** 10
Clemenceau (Pl.) . . . . . . . . . . **BY** 12
Dacquin (R.) . . . . **CZ** 13
Davat (R.) . . . . . . **CZ** 15
Fleurs (Av. des) . **CZ** 16
Garibaldi (Bd) . . . **AX** 17
Garrod (R. Sir-A.) **CZ** 18
Gaulle (Av. de) . . **CZ** 19
Georges-I[er] (R.) . . **CZ** 21
Lamartine (R.) . . . **CZ** 22
Lattre-de-Tassigny (Av. Mar.-de) **AX, BY** 23
Liège (R. de) . . . . **CZ** 24
Marlioz (Av. de) . . **AX** 25
Mollard (Pl. M.) . . . **CZ** 26
Monard (R.S.) . . . . **CZ** 27
Petit-Port (Av. du). **AX** 28
Pierpont-Morgan (Bd) . . . . . . . . . . **BY** 29
Prés-Riants (R.) . . . **BY** 30
République (R.) . . . **CY** 32
Revard (Pl. du) . . . **CZ** 33
Roche-du-Roi (Bd de la) . . . . . . **CZ** 34
Roosevelt (Av. F.) . **AX** 35
Rops (Av. D.) . . . . **AX** 37
Russie (Bd de) . . . **AX** 39
Seyssel (R. C.-de) . **CZ** 40
Temple (R. du) . . . **CZ** 43
Temple-de-Diane (Sq.) . . . . . . . . . **CZ** 45
Verdun (Av. de) . . . **BZ** 46
Victoria (Av.) . . . . . . **CZ** 47

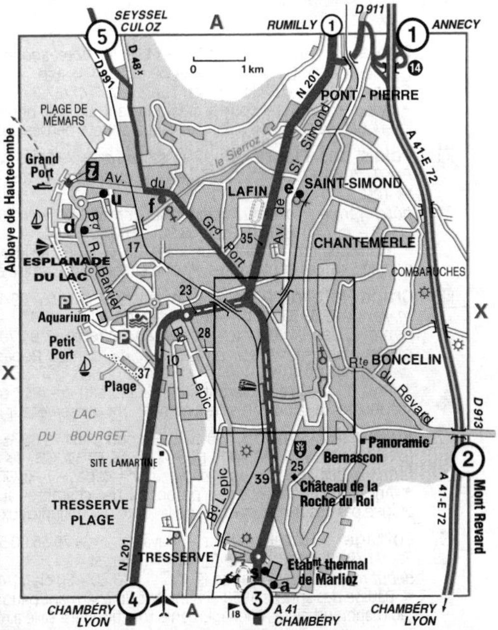

SEYSSEL
CULOZ
A
RUMILLY
D 911
ANNECY
D 48
D 991
0 1 km
N 201
PONT - PIERRE
PLAGE DE MÉMARS
le Sierroz
A 41-E 72
Grand Port
Av. du Grd Port
LAFIN
SAINT-SIMOND
Av. de St Simond
Abbaye de Hautecombe
CHANTEMERLE
ESPLANADE DU LAC
Bd R. Barrier
COMBARUCHES
Aquarium
X
Petit Port
Bd Lepic
BONCELIN
Rte du Revard
Plage
LAC DU BOURGET
D 913
Panoramic
SITE LAMARTINE
Bernascon
Château de la Roche du Roi
TRESSERVE PLAGE
Mont Revard
TRESSERVE
Etabmt thermal de Marlioz
CHAMBÉRY LYON
A 41 CHAMBÉRY


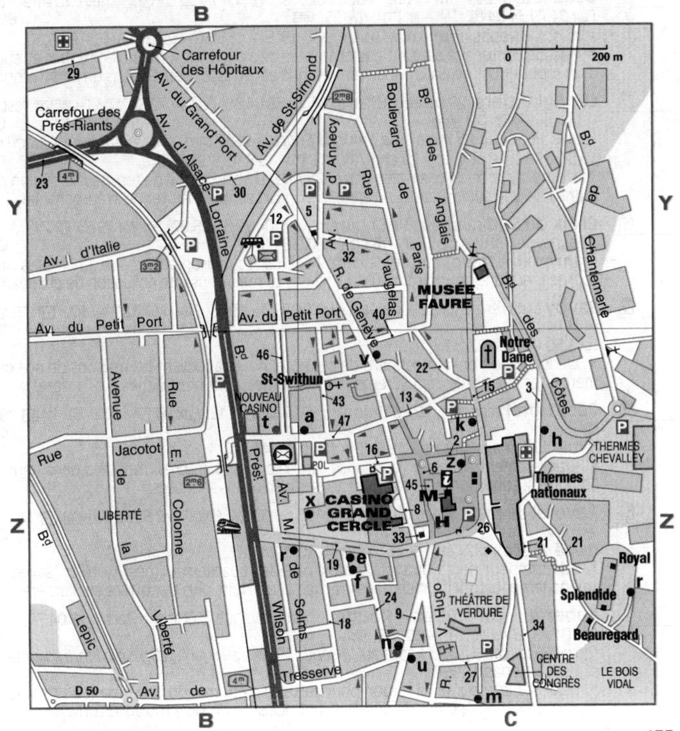

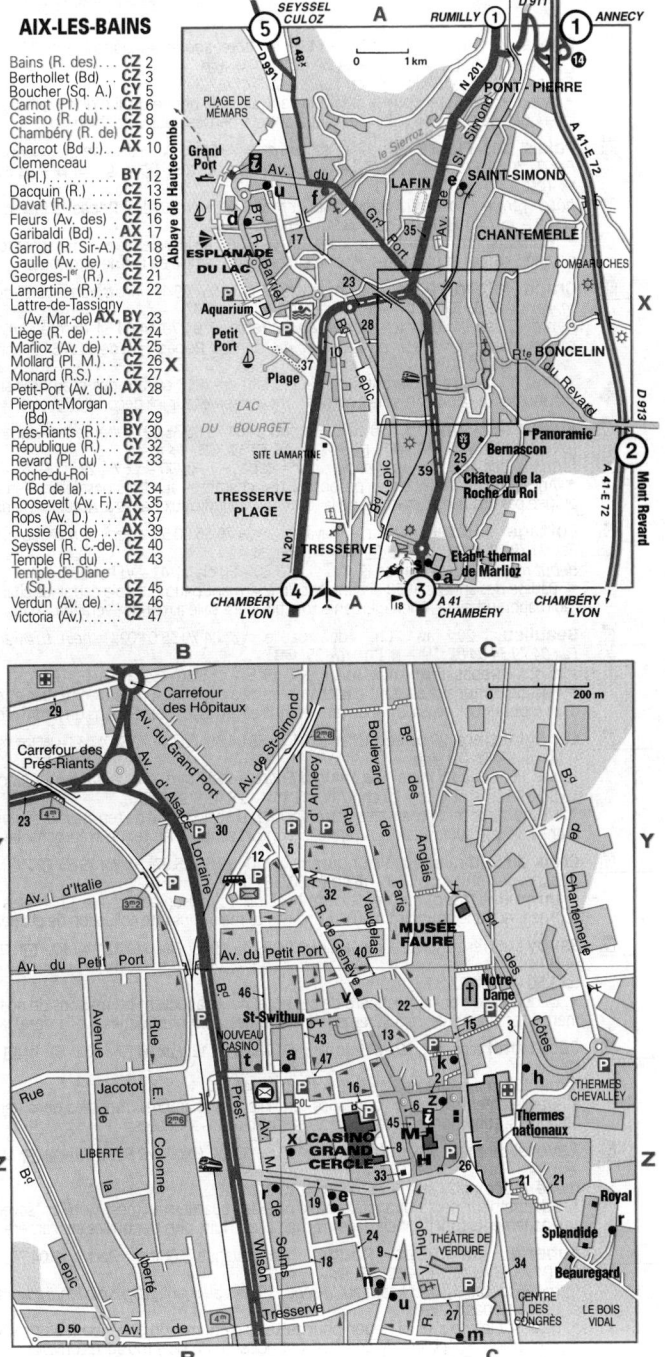

B
C
Carrefour des Hôpitaux
0 200 m
Av. de St-Simond
Carrefour des Prés-Riants
Av. du Grand Port
Av. d'Alsace-Lorraine
Av. d'Annecy
Boulevard de Paris
Bd des Anglais
Rue Vaugelas
Bd de Chantemerle
Y
Av. d'Italie
R. de Genève
MUSÉE FAURE
Av. du Petit Port
Bd des Côtes
Notre-Dame
St-Swithun
NOUVEAU CASINO
Avenue Jacotot
Rue E. Colonne
THERMES CHEVALLEY
Thermes nationaux
CASINO GRAND CERCLE
Bd Prés. Wilson
Av. M. de Solms
Z
LIBERTÉ
Rue de la Liberté
Royal
Splendide
Beauregard
Bd Lepic
V. Hugo
THÉATRE DE VERDURE
CENTRE DES CONGRÈS
LE BOIS VIDAL
D 50
Av. de Tresserve

**Agora** M, 1 av. Marlioz ✆ 04 79 34 20 20, *hotel-agora@wanadoo.fr, Fax 04 79 34 20 30,* – , rest, – 50. AE GB JCB CZ u
Repas 16/26 – 8,50 – **60 ch** 53/83 – ½ P 47/67.
◆ Adoptez cet hôtel pour sa situation centrale et la bonne qualité de ses aménagements intérieurs. Au sous-sol, piscine et sauna ont été pensés pour votre bien-être.

**Palais des Fleurs**, 17 r. Isaline ✆ 04 79 88 35 08, *palais.des.fleurs@wanadoo.fr, Fax 04 79 35 42 79,* – cuisinette, rest, P – 30. AE GB. rest CZ m
*hôtel : fermé 1er déc. au 31 janv.; rest. : fermé 30 nov. au 28 fév.* – **Repas** 15 (dîner), 20/29, enf. 9 – 7,40 – **40 ch** 52,20/68,90 – P 60,60/65,60.
◆ Établissement familial situé dans un quartier résidentiel calme. Les chambres sont grandes, sobres et plaisantes. Piscine et centre de remise en forme attrayants.

**Grand Hôtel du Parc,** 28 r. Chambéry ✆ 04 79 61 29 11, *info@grand-hotel-du-parc.com, Fax 04 79 88 33 49,* – , rest, . GB CZ n
*fermé 15 déc. au 31 janv.* – ***Bonne Fourchette*** ✆ 04 79 34 00 31 *(fermé dim. soir hors saison, mardi sauf le soir en saison et merc. midi)* **Repas** 18,50(déj.),27/54, enf. 10,50 – 6,50 – **40 ch** 40/54.
◆ Près du théâtre de verdure, immeuble bâti en 1817 offrant des chambres simples et spacieuses. Le salon et la salle à manger ont conservé leur joli décor d'origine.

**Auberge St-Simond,** 130 av. St-Simond ✆ 04 79 88 35 02, *auberge@saintsimond.com, Fax 04 79 88 38 45,* – P – 25. AE GB. rest AX e
*fermé 26 oct. au 3 nov., janv. et dim. soir* – **Repas** (14) - 18/30 – 7 – **28 ch** 43/60 – P 56/61.
◆ Ancien relais de diligences proposant des chambres aux tons ensoleillés. Terrasse ombragée par des tilleuls et isolée de la route par un judicieux claustra. Accueil aimable.

**Cottage Hôtel,** 9 r. Davat ✆ 04 79 35 00 55, *collet_m@club-internet.fr, Fax 04 79 88 22 85,* – . GB. rest CZ k
*début mars-10 nov.* – **Repas** 15/18 – 5,50 – **50 ch** 44/47 – ½ P 44/54.
◆ Bâtisse des années 1950 dissimulant un charmant patio qui isole certaines chambres de l'animation urbaine. Aménagements fonctionnels. Salle à manger-véranda.

**Beaulieu,** 29 av. Ch. de Gaulle ✆ 04 79 35 01 02, *heim.th@wanadoo.fr, Fax 04 79 34 04 82,* – – 25. GB BCZ r
*avril-oct.* – **Repas** *(fermé dim. soir)* (11,50) - 15 – 5,50 – **31 ch** 38/43 – P 55,50.
◆ Façade centenaire abritant des chambres déjà anciennes, mais bien tenues et équipées d'un mobilier coloré. Salle à manger-véranda et terrasse dressée dans un jardin arboré.

**Les Églantiers,** 20 bd Berthollet ✆ 04 79 88 04 38, *Fax 04 79 34 17 33* – , rest, P – 25. AE GB JCB CZ h
*fermé 15 fév. au 25 mars* – ***Le Salon d'Elvire*** *(fermé dim. soir, merc. soir et lundi)* **Repas** 19,50/39,50 – 6,10 – **29 ch** 37,80/43,95 – ½ P 43,50/45,50.
◆ L'hôtel dispose de chambres parfois dotées de balcons ou de terrasses d'où l'on profite d'une jolie vue sur la station. À l'annexe, confort simple mais tenue irréprochable.

**Croix du Sud** sans rest, 3 r. Dr Duvernay ✆ 04 79 35 05 87, *Fax 04 79 35 72 71*
*début avril-5 nov.* – 5,20 – **16 ch** 23,60/36,60. CZ f
◆ Un charme "rétro" émane de cette hospitalière maison centenaire. Chambres simples, tournées sur une cour-jardin ou sur une rue calme. Amusante collection de chapeaux.

**Savoy** sans rest, 21 av. Ch. de Gaulle ✆ 04 79 35 13 33, *Fax 04 79 88 40 10* – . AE GB JCB CZ e
5,50 – **22 ch** 22/39.
◆ La décoration et l'atmosphère de cet hôtel nous rappellent les maisons de nos grands-mères. Les chambres, régulièrement entretenues, sont plus calmes sur l'arrière.

**Cécil Hôtel** sans rest, 20 av. Victoria ✆ 04 79 35 04 12, *Fax 04 79 61 32 08* – . GB. CZ a
*fermé 15 fév. au 15 mars* – 5,40 – **18 ch** 32/43.
◆ Établissement simple à l'ambiance familiale. Les chambres, réparties dans deux petits bâtiments, sont modestes mais spacieuses et bien insonorisées.

**Revotel** sans rest, 198 r. Genève ✆ 04 79 35 03 37, *Fax 04 79 88 82 99* – . AE GB JCB. CZ v
*fermé 1er déc. au 21 janv.* – 5 – **18 ch** 30/37.
◆ Adresse pour petits budgets à proximité des quartiers animés. Mobilier "seventies" et aménagements fonctionnels dans les chambres. Nuits plus tranquilles sur l'arrière.

**Auberge du Pont Rouge,** 151 avenue Grand Port ✆ 04 79 63 43 90, *Fax 04 79 63 43 90,* – AE GB. AX f
*fermé 25 juin au 3 juil., 31 août au 11 sept., 19 déc. au 9 janv., dim. soir, lundi soir, mardi soir et jeudi* – **Repas** 16/29.
◆ Délaissez le coeur de la station pour cette discrète maison bénéficiant d'une véranda et d'une terrasse. Spécialités du Sud-Ouest et poissons du lac. Ambiance conviviale.

**Brasserie de la Poste,** 32 av. Victoria ☎ 04 79 35 00 65 – AE GB BZ t
*fermé dim. soir et lundi* – **Repas** 13/28 ♀.
♦ Pour un repas traditionnel "à la bonne franquette", faites escale dans cette brasserie égayée par des maquettes de bateau. Ambiance très animée, surtout côté bar.

**au Grand Port** : *3 km* – ✉ *73100 Aix-les-Bains* :

**Adelphia** M, 215 bd Barrier ☎ 04 79 88 72 72, *info@adelphia-hotel.com, Fax 04 79 88 27 77,* – 15 à 100. AE GB AX d
Repas 18,50/28 ♀ – 9,15 – **70 ch** 90/150 – P 94/116.
♦ Près du site remarquable du lac du Bourget, vaste complexe idéalement équipé pour la détente et la remise en forme. La modernité dernier cri au service de votre bien-être.

**Pastorale,** 221 av. Grand Port ☎ 04 79 63 40 60, *pastoral@club-internet.fr, Fax 04 79 63 44 26,* – 20. AE GB AX u
*1er avril-2 nov.* – **Repas** *(fermé dim. soir et lundi hors saison)* (16) - 19/40 ♀ – 7 – **30 ch** 55/70 – ½ P 60.
♦ Singulière "pyramide" des années 1970 émergeant des frondaisons de son jardin. Des tableaux d'artistes locaux habillent les espaces intérieurs. Chambres lumineuses et vastes.

---

## AIZENAY *85190 Vendée* 316 *G7 – 5 344 h alt. 62.*

*Office du Tourisme, Rond-Point de la Gare ☎ 02 51 94 62 72, Fax 02 51 94 62 72.*
*Paris 439 – La Roche-sur-Yon 18 – Challans 25 – Nantes 60 – Les Sables-d'Olonne 36.*

**Sittelle,** 33 r. Mar. Leclerc ☎ 02 51 34 79 90, *Fax 02 51 94 81 77* – P. GB
*fermé août, 1er au 15 janv., sam. midi, dim. soir et lundi* – **Repas** 19 (déj.), 32/34, enf. 10.
♦ Discrète maison bourgeoise du début du 20e s. bordant l'axe principal du village. Tables plaisamment dressées dans une salle à manger sobrement contemporaine.

---

## AJACCIO *2A Corse-du-Sud* 345 *B8 – voir à Corse.*

---

## ALBERT *80300 Somme* 301 *I8 G. Picardie Flandres Artois – 10 010 h alt. 65.*

*Office du Tourisme, 9 rue Gambetta ☎ 03 22 75 16 42, Fax 03 22 75 11 72, office.tourisme.albert@altavista.fr.*
*Paris 156 – Amiens 31 – Arras 43 – St-Quentin 54.*

**Royal Picardie** M, rte Amiens ☎ 03 22 75 37 00, *royalpicardie@wanadoo.fr, Fax 03 22 75 60 19,* – , rest, P – 40. AE GB JCB
*fermé 1er au 16 août et 2 au 18 janv.* – **Repas** 25/39 – 10 – **24 ch** 78/97.
♦ Insolite architecture de pierre s'inspirant des châteaux forts d'autrefois. Chambres tout confort aux tons pastel. Grande salle à manger lumineuse et soignée.

**Paix,** r. V. Hugo (rte Péronne) ☎ 03 22 75 01 64, *Fax 03 22 75 44 17* – . GB. rest
*fermé 10 fév. au 2 mars* – **Repas** *(fermé dim. soir)* 14/28 ♀, enf. 8 – 6 – **12 ch** 38/57 – ½ P 35/39.
♦ Construction des années 1920 (la cité fut détruite lors de la Première Guerre mondiale) abritant des chambres simples, mais récemment refaites. Boiseries au restaurant.

**Basilique,** 3 rue Gambetta ☎ 03 22 75 04 71, *hotel-de-la-basilique@wanadoo.fr, Fax 03 22 75 10 47* – . GB
*fermé 11 août au 2 sept., 21 déc. au 6 janv., dim. soir et lundi* – **Repas** (11) - 13/25 ♀, enf. 7,70 – 5,20 – **10 ch** 40/50 – ½ P 42/44.
♦ Situation centrale, face à la basilique en briques rouges. Hôtellerie familiale dont les chambres, fraîches et pratiques, bénéficient d'une bonne isolation phonique.

***Dans ce guide***
*un même symbole, un même mot,*
*imprimé en* ***rouge*** *ou en* ***noir****, en maigre ou en* ***gras****,*
*n'ont pas tout à fait la même signification.*
*Lisez attentivement les pages explicatives.*

**ALBERTVILLE** *73200 Savoie* 333 L3 *G. Alpes du Nord – 17 411 h alt. 344.*

**Voir** *Bourg de Conflans★, porte de Savoie <★ B, Grande Place★ – Route du fort du Mont★★ E.*

*Office du Tourisme, 17 place de l'Europe ☎ 04 79 32 04 22, Fax 04 79 32 87 09.*

*Paris 580 ① – Annecy 45 ① – Chambéry 52 ③ – Chamonix-Mont-Blanc 64 ①.*

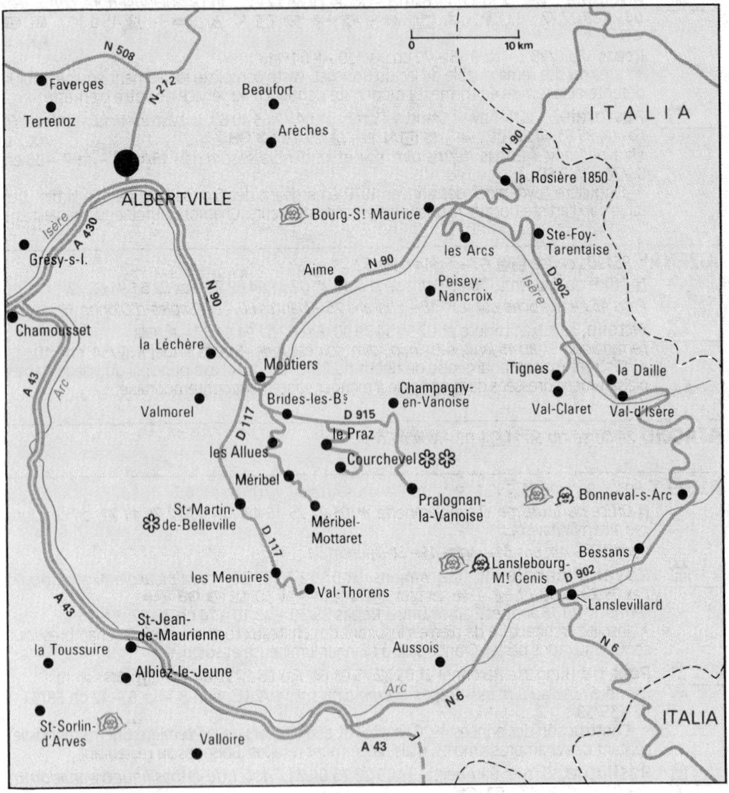

0
10 km
N 508
Faverges
Tertenoz
N 212
Beaufort
Arèches
ITALIA
N 90
la Rosière 1850
ALBERTVILLE
Bourg-St Maurice
Isère
A 430
Grésy-s-I.
les Arcs
Ste-Foy-Tarentaise
Aime
N 90
Peisey-Nancroix
N 90
D 902
Chamousset
la Léchère
Moûtiers
Tignes
la Daille
A 43
Arc
Champagny-en-Vanoise
Valmorel
Brides-les-Bs
D 915
Val-Claret
Val-d'Isère
D 117
le Praz
les Allues
Courchevel
Méribel
Pralognan-la-Vanoise
Bonneval-s-Arc
St-Martin-de-Belleville
Méribel-Mottaret
D 117
Bessans
Lanslebourg-Mt Cenis
D 902
les Menuires
Val-Thorens
Lanslevillard
A 43
St-Jean-de-Maurienne
N 6
la Toussuire
Aussois
Albiez-le-Jeune
Arc
N 6
St-Sorlin-d'Arves
ITALIA
Valloire
A 43


**Million,** 8 pl. Liberté ☎ 04 79 32 25 15, *hotel.million@wanadoo.fr, Fax 04 79 32 25 36,* – |‡|, ▤ rest, TV ☎ ⇔ P – 25. AE ⊙ GB Y a

**Repas** *(fermé 28 avril au 12 mai, 27 oct. au 3 nov., sam. midi, dim. soir et lundi)* 26/84 – ☕ 11 – **26 ch** 110/207 – ½ P 107,50/133,50.

◆ Heureux mariage de meubles anciens et contemporains dans cette demeure du 18e s. voisine de la Maison des J.O. Élégant restaurant (non-fumeurs) et verdoyant jardinet-terrasse.

**Roma,** rte Chambéry par ③ : *4 km, sortie 28* ☎ 04 79 37 15 56, *hotelleroma@aol.com, Fax 04 79 37 01 31,* ⚡, ⛱, ✂ – |‡|, ▤ rest, TV ♿ P – 150. AE ⊙ GB JCB

**Repas** *(fermé sam. midi)* (15) - 21,50/32 ♨ – ☕ 9,50 – **134 ch** 50/95, 10 appart – ½ P 60/100.

◆ Vaste complexe hôtelier conçu comme un petit village, résolument voué à la détente et aux loisirs de montagne. Préférez les chambres rénovées, spacieuses et calmes. Auditorium.

**Albert 1er,** 38 av. V. Hugo ☎ 04 79 37 77 33, *contact@albert1er.fr, Fax 04 79 37 89 01* – TV ☎ ⇔. AE GB Y n

**Repas** (11) - 14,70/27,50 ♀, enf. 6,90 – ☕ 5,35 – **11 ch** 58/61.

◆ À côté de la gare, petit immeuble du 19e s. offrant des chambres simples, correctement équipées, plus spacieuses sur l'avenue ou les voies. Brasserie ouverte sur la place.

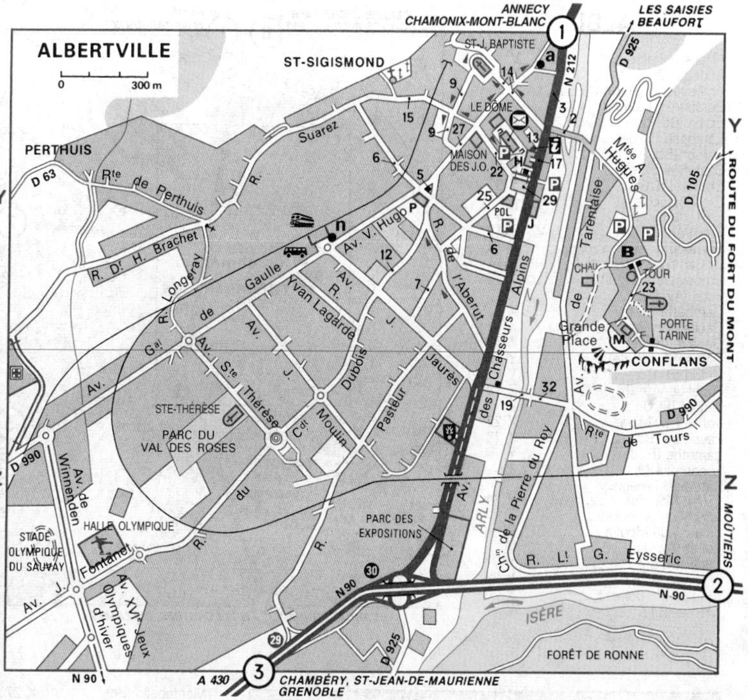
ALBERTVILLE
0
300 m
ANNECY
CHAMONIX-MONT-BLANC
LES SAISIES
BEAUFORT
ST-SIGISMOND
ST-J. BAPTISTE
LE DÔME
MAISON DES J.O.
PERTHUIS
D 63
Rte de Perthuis
R. Suarez
R. Dr H. Brachet
R. Longeray
Av. Gal de Gaulle
Av. V. Hugo
Av. Yvan Lagarde
R. Dubois
R. J. Jaurès
Av. Pasteur
R. de l'Aberut
Cdt Moulin
Av. Ste Thérèse
Av. du
STE-THÉRÈSE
PARC DU VAL DES ROSES
D 990
Av. de Winnenden
HALLE OLYMPIQUE
STADE OLYMPIQUE DU SAUVAY
R. Fontanet
Av. J.
Av. XVIe Jeux Olympiques d'hiver
PARC DES EXPOSITIONS
N 90
A 430
CHAMBÉRY, ST-JEAN-DE-MAURIENNE
GRENOBLE
D 925
N 212
POL.
Av. des Chasseurs Alpins
ARLY
Chin de la Pierre du Roy
R. Lt G. Eysseric
ISÈRE
FORÊT DE RONNE
Tarentaise
Mtée A. Hugues
D 105
ROUTE DU FORT DU MONT
CHAU
TOUR
PORTE TARINE
Grande Place
CONFLANS
Rte de Tours
D 990
MOÛTIERS
N 90

Adoubes (Pont des) . . . . . . . . Y 2
Allobroges (Quai des). . . . . . . Y 3
Bulle (Pl. Cdt). . . . . . . . . . . . . . Y 5
Chautemps (R. F.) . . . . . . . . . . Y 6
Clemenceau (R.) . . . . . . . . . . . Y 7
Coty (R. Président) . . . . . . . . . Y 9
Docteur Mathias (R. J.-B.) . . Y 12
Europe (Pl. de l') . . . . . . . . . . . Y 13
Gambetta (R.) . . . . . . . . . . . . . Y 14
Genoux (R. Cl.) . . . . . . . . . . . . Y 15
Hôtel-de-Ville (Crs. de l') . . . . Y 17
Mirantin (Pont du) . . . . . . . . . . Z 19
Pargoud (R.) . . . . . . . . . . . . . . . Y 22
Pérouse (R. G.) . . . . . . . . . . . . Y 23
Porraz (R. J.) . . . . . . . . . . . . . . Y 25
République (R. de la) . . . . . . . Y 27
Soutiras (Square) . . . . . . . . . . . Y 29
8 Mai 1945 (Av.) . . . . . . . . . . . Z 32

*Nos guides hôteliers, nos guides touristiques et nos cartes routières sont complémentaires. Utilisez-les ensemble.*

**ALBI** P *81000 Tarn* 338 E7 *G. Midi-Pyrénées – 46 579 h alt. 174.*

**Voir** *Cathédrale Ste-Cécile★★★ : Jubé★★★ – Palais de la Berbie★ : musée Toulouse-Lautrec★★ – Le vieil Albi★★ : hôtel de Reynès★* **Z C** *– Pont Vieux★ – Pharmacie des Pénitents★ - ≤★ depuis les moulins albigeois.*

**Autodrome** *2 km par ⑤.*

*Office du Tourisme, place Sainte Cécile ✆ 05 63 49 48 80, Fax 05 63 49 48 98, accueil@albitourisme.com.*

*Paris 685 ⑤ – Toulouse 75 ⑤ – Béziers 149 ④ – Clermont-Ferrand 319 ①.*

Plans page suivante

**Réserve** M, rte Cordes par ⑥ : *3 km* ✆ 05 63 60 80 80, *lareservealbi@wanadoo.fr, Fax 05 63 47 63 60*, ≤, –, ch, TV P – 25. AE GB JCB
*1er mai-31 oct.* – **Repas** *(fermé mardi)* 32/60 et carte 45 à 60 – 15 – **23 ch** 130/280 – ½ P 125/200.
◆ Dans un parc au bord du Tarn, grande villa accueillante dont les chambres ont vue sur la piscine et le cours reposant de la rivière. Belle salle à manger de style colonial.

**Hostellerie St-Antoine**, 17 r. St Antoine ✆ 05 63 54 04 04, *hotel@saint-antoine-albi.com, Fax 05 63 47 10 47*, – , ch, TV P – 25. AE GB JCB Z d
**Repas** *(fermé sam. midi et dim.)* 23/48 et carte 26,50 à 60 – 12 – **44 ch** 90/160.
◆ Au calme, hôtel fondé en 1734 et transformé dans les années 1970. Jardin et meubles anciens recréent l'atmosphère douillette des maisons d'antan, le confort moderne en plus.

# ALBI

Alsace-Lorraine (Bd) .......... V
Andrieu (Bd Ed.) .......... X 2
Archevêché (Pl. de l') .......... Y 3
Berchère (R. de la) .......... Z
Bodin (Bd P.) .......... X 5
Cantepau (R. de) .......... V
Carnot (Bd) .......... X
Castelviel (R. du) .......... Y 7
Choiseul (Quai) .......... Y 8
Croix-Blanche (R. de la) .......... Z 9
Croix-Verte (R.) .......... V, YZ 12
Dembourg (Av.) .......... V 13
Dr-Camboulives (R. du) .......... Z 14
Empeyralots (R. d') .......... Z 15
Foch (Av. Mar.) .......... X
Gambetta (Av.) .......... X
Gaulle (Av. Gén. de) .......... X
Genève (R. de) .......... Z 17
Gorsse (Pl. H. de) .......... Y 18
Grand (R. E.) .......... Y
Hôtel-de-Ville (R. de l') .......... Z 19
Jaurès (Pl. J.) .......... Z
Joffre (Av. Mar.) .......... X 22
Lacombe (Bd) .......... X 23
Lamothe (R. de) .......... V, Y
Lapérouse (Pl.) .......... Z
Lattre-de-Tassigny (Av. Mal. de) .......... V 24
Lices G.-Pompidou .......... YZ
Lices Jean-Moulin .......... Z
Loirat (Av. du) .......... V
Lude (Bd du) .......... X
Malroux (R. A.) .......... Y 25
Maquis (Pl. du) .......... X 26
Mariès (R.) .......... Y

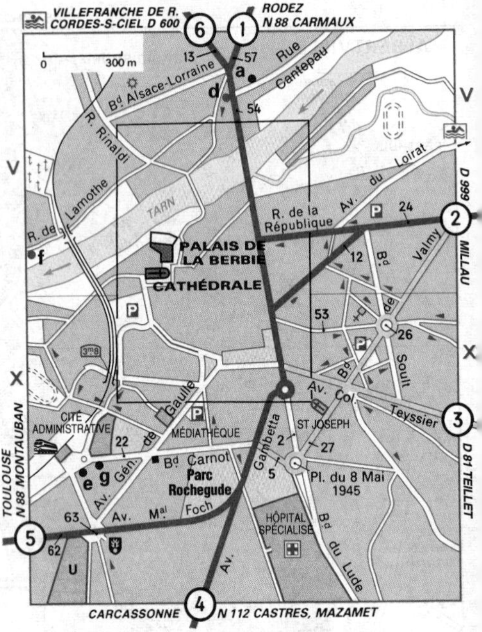

VILLEFRANCHE DE R.
CORDES-S-CIEL D 600
RODEZ
N 88 CARMAUX
300 m
Rue Cantepau
Bd Alsace-Lorraine
R. Rinaldi
R. de Lamothe
TARN
Av. du Loirat
R. de la République
PALAIS DE LA BERBIE
CATHÉDRALE
D 999 MILLAU
Bd de Valmy
Bd Soult
Av. Col. Teyssier
D 81 TEILLET
CITÉ ADMINISTRATIVE
MÉDIATHÈQUE
Av. Gén. de Gaulle
Bd Carnot
Parc Rochegude
Av. Gambetta
ST JOSEPH
Pl. du 8 Mai 1945
Av. Mal Foch
HÔPITAL SPÉCIALISÉ
Bd du Lude
TOULOUSE N 88 MONTAUBAN
CARCASSONNE
N 112 CASTRES, MAZAMET


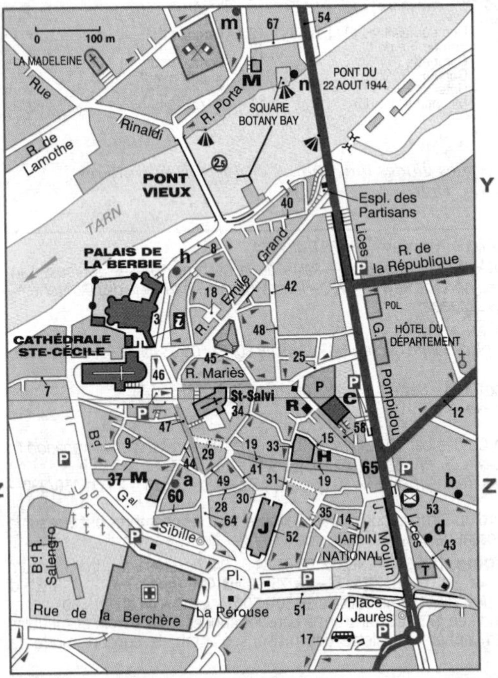

100 m
LA MADELEINE
Rue Rinaldi
R. de Lamothe
R. Porta
SQUARE BOTANY BAY
PONT DU 22 AOUT 1944
PONT VIEUX
TARN
Espl. des Partisans
Lices G. Pompidou
R. de la République
PALAIS DE LA BERBIE
CATHÉDRALE STE-CÉCILE
R. Emile Grand
POL
HÔTEL DU DÉPARTEMENT
R. Mariès
St-Salvi
Bd Gal Sibille
JARDIN NATIONAL
Lices J. Moulin
Bd R. Salengro
Rue de la Berchère
Pl. La Pérouse
Place J. Jaurès


Montebello (Bd) .......... X 27
Nobles (R. des) .......... Z 28
Oulmet (R. de l') .......... Z 29
Palais (Pl. du) .......... Z 30
Palais (R. du) .......... Z 31
Partisans (Espl. des) .......... Y
Pénitents (R. des) .......... Z 33
Peyrolière (R.) .......... YZ 34
Porta (R.) .......... Y
Porte Neuve (R. de la) .......... Z 35
Puech-Bérenguier (R.) .......... Z 37
République (R. de la) .......... V, Y
Rinaldi (R.) .......... Y
Rivière (R. de la) .......... Y 40
Roquelaure (R.) .......... Z 41
St-Afric (R.) .......... Y 42
St-Antoine (R.) .......... Z 43
St-Clair (R.) .......... Z 44
St-Julien (R.) .......... Y 45
Ste-Cécile (Pl.) .......... Y 46
Ste-Cécile (R.) .......... Z 47
Ste-Claire (R.) .......... Y 48
Saunal (R. de) .......... Z 49
Savary (R. H.) .......... Z 51
Sel (R. du) .......... Z 52
Séré-de-Rivières (R.) .......... Z 53
Sibille (Bd Gén.) .......... Z
Soult (Bd) .......... VX
Strasbourg (Bd de) .......... V, Y 54
Teyssier (Av. Col.) .......... X
Thomas (Av. A.) .......... V 57
Timbal (R.) .......... Z 58
Toulouse-Lautrec (R. H. de) .......... Z 60
Valmy (Bd.) .......... VX
Verdier (Av. F.) .......... X 62
Verdun (Pl. de) .......... X 63
Verdusse (R. de) .......... Z 64
Vigan (Pl. du) .......... Z 65
Visitation (R. de la) .......... Y 67
8-Mai-1945 (Pl. du) .......... X

**Chiffre,** 50 r. Séré-de-Rivières ✆ 05 63 48 58 48, *gilles@hotelchiffre.com, Fax 05 63 47 20 61,* – |‡|, rest, – 150. AE GB JCB Z b
*fermé 25 déc. au 1er janv.* – **Repas** *(fermé sam. midi et dim.)* 17,30/50,80 ♀ – 10 – **36 ch** 62/182.
◆ Ancien relais de poste s'ordonnant autour d'un patio. Les chambres, souvent garnies de meubles de style, sont refaites progressivement. À table, cuisine traditionnelle.

**Mercure** M, 41 bis r. Porta ✆ 05 63 47 66 66, *h1211-gm@accor-hotels.com, Fax 05 63 46 18 40,* ≤ le Tarn et la cathédrale, – |‡| P. AE GB JCB. rest Y n
**Repas** *(fermé 20 déc. au 3 janv., vend. soir, sam. et dim. midi de déc. à fév.)* (13,50) - 16,50/35 bc ♀, enf. 9 – 8,50 – **56 ch** 70/88.
◆ Ce moulin à farine du 18e s. est aujourd'hui classé. Dominant le Tarn, il abrite, derrière sa typique façade en briques roses, un hôtel au cadre sobre et au confort moderne.

**Grand Hôtel d'Orléans,** pl. Stalingrad ✆ 05 63 54 16 56, *hotelorleans.@wanadoo.fr, Fax 05 63 54 43 41,* – |‡| – 20 à 80. AE GB JCB X e
*fermé 2 au 12 janv.* – **Repas** *(fermé 2 au 19 janv., sam. sauf le soir d'avril à oct. et dim.)* 15/39 ♀ – 8 – **56 ch** 58/85 – 1/2 P 63/68.
◆ Depuis 1902, de père en fils, on installe le voyageur dans des chambres fonctionnelles rénovées peu à peu dans un esprit contemporain, pour un quiet séjour au pays de Lautrec.

**Cantepau** sans rest, 9 r. Cantepau ✆ 05 63 60 75 80, *Fax 05 63 60 01 61* – |‡| P. AE GB V a
9 – **33 ch** 51/61.
◆ Meubles en osier et rotin, tons crème et tabac, ventilateurs, etc. : la récente et complète rénovation de ce petit hôtel familial s'inspire du style colonial. Accueil aimable.

**George V** sans rest, 29 av. Mar. Joffre ✆ 05 63 54 24 16, *info@hotelgeorgev.com, Fax 05 63 49 90 78* – . GB JCB X g
6 – **10 ch** 32/42.
◆ Débusquez dans le quartier de la gare cette maison douillette au cachet authentique. Chambres de bonne ampleur, parfois dotées d'une cheminée. Agréable courette ombragée.

XXX **Moulin de La Mothe,** r. de Lamothe ✆ 05 63 60 38 15, *Fax 05 63 47 55 42,* ≤, , – P. AE GB V f
*fermé vacances de Toussaint, de fév., mardi soir du 15 sept. au 30 avril, dim. soir et merc.* – **Repas** 25/61 bc et carte 43 à 57 ♀, enf. 12.
◆ Cette maison régionale entourée d'un parc offre une étape rafraîchissante sur son agréable terrasse au bord du Tarn. Cuisine classique et belle sélection de crus locaux.

XXX **L'Esprit du Vin,** 11 quai Choiseul ✆ 05 63 54 60 44, *restoespritduvin@aol.com, Fax 05 63 54 54 79,* – . GB JCB. Y h
*fermé 10 au 28 fév., dim. et lundi* – **Repas** 36/55 ♀.
◆ De l'ancienne dépendance du palais de la Berbie ont été préservées la façade bien albigeoise et la cave voûtée conviviale, où l'on sait manifestement accorder mets et vins.

XX **Jardin des Quatre Saisons,** 19 bd Strasbourg ✆ 05 63 60 77 76, *Fax 05 63 60 77 76* – . AE GB V d
*fermé dim. soir et lundi* – **Repas** (24) - 16/31.
◆ Deux plaisantes salles à manger, dont une, verdoyante et colorée, aménagée à la façon d'un jardin d'hiver. Cuisine classique, belle carte de vins, alcools et cigares.

XX **Viguière d'Alby,** 7 r. Toulouse-Lautrec ✆ 05 63 54 76 44, *restaurant-la-viguiere.dalby@wanadoo.fr, Fax 05 63 54 72 14,* – AE GB Z a
*fermé 19 au 27 nov., 15 fév. au 1er mars, jeudi midi et merc. sauf juil.-août* – **Repas** 16/68 ♀, enf. 7,50.
◆ Atouts principaux de ce restaurant du centre historique : l'accueil charmant et la plaisante petite cour intérieure où l'on sert les repas en saison. Cuisine au goût du jour.

X **Table du Sommelier,** 20 r. Porta ✆ 05 63 46 20 10, *Fax 05 63 46 20 10,* – . GB Y m
*fermé dim. et lundi* – **Repas** (12,50) - 15/30 bc ♀.
◆ Les caisses de vins empilées dans l'entrée annoncent la couleur : ici, on célèbre la divine boisson. Nombreuses références décoratives à Bacchus, cuisine de bistrot.

**à Castelnau-de-Lévis** *par ⑥, D 600 et D 1 : 7 km – 1 308 h. alt. 221 – ✉ 81150 :*

XX **Taverne,** ✆ 05 63 60 90 16, *Fax 05 63 60 96 73,* – . AE GB JCB
*fermé vacances de Toussaint, de fév., lundi et mardi* – **Repas** 22/57.
◆ Ancienne coopérative boulangère du début du 20e s., dont les fours en briques agrémentent une des deux confortables salles à manger. Cuisine classique.

**ALBIEZ-LE-JEUNE** *73300 Savoie* 333 L6 – *61 h alt. 1350.*

*Paris 645 – Albertville 71 – Chambéry 84 – St-Jean-de-Maurienne 13.*

**L'Escale**, 04 79 59 85 08, *escale-albiez@wanadoo.fr, Fax 04 79 64 32 40*, ← – GB
*fermé 12 nov. au 15 déc., dim. soir et lundi hors saison* – **Repas** 14,50/38,50 – 6 – **12 ch** 37,40 – 1/2 P 38,90.

◆ Sympathique petite adresse familiale aux chambres plaisantes bien que sobres. Les amoureux de la nature, venus se ressourcer, apprécieront l'absence de télévision !

**ALBIGNY-SUR-SAONE** *69 Rhône* 327 H4 – *rattaché à Neuville-sur-Saône.*

**ALBOUSSIÈRE** *07440 Ardèche* 331 K4 – *727 h alt. 552.*

*Office du Tourisme, place du belvedere 04 75 58 20 08, Fax 04 75 58 26 12.*

*Paris 583 – Valence 21 – Privas 57 – Tournon-sur-Rhône 32.*

**Auberge de Duzon** avec ch, 04 75 58 29 40, *reception@auberge-duzon.fr, Fax 04 75 58 29 41* – – 30. AE GB
**Repas** *(fermé dim. soir, lundi et mardi)* 23/29 – 6,10 – **5 ch** 47,50/57,50, 3 appart – 1/2 P 56,50.

◆ Ancien relais de poste joliment rénové. Restaurant mi-rustique, mi-actuel, bistrot (soirées à thème) et cave à vins. Chambres d'esprit provençal, portant des noms de fleurs.

*Une réservation confirmée par écrit ou par fax est toujours plus sûre.*

**ALBY-SUR-CHÉRAN** *74540 H.-Savoie* 328 J6 – *1 224 h alt. 397.*

*Paris 540 – Annecy 18 – Aix-les-Bains 21 – Chambéry 37 – Genève 58.*

**Auberge Ripaille,** 382 rte des chavonnets 04 50 68 22 98, *Fax 04 50 68 43 74*, – P. AE GB
*fermé 20 juil. au 9 août, 21 déc. au 7 janv., dim. soir, merc. soir et lundi* – **Repas** (nombre de couverts limité, prévenir) 15,30 (déj.), 21,40/31,40 ꝗ, enf. 7,70.

◆ Chaleureuse salle habillée de bois ou jolie terrasse ombragée : faites ripaille dans cette ancienne ferme du pays des cordonniers. Cuisine traditionnelle saisonnière.

**ALENÇON** P *61000 Orne* 310 J4 *G. Normandie Cotentin* – *29 988 h alt. 135.*

**Voir** *Église Notre-Dame★ – Musée des Beaux-Arts et de la Dentelle★ : collection de dentelles★★* **BZ M²** *– Musée de la Dentelle et musée Leclerc : collection de dentelles★* **CZ M¹**.

*Office du Tourisme, place de la Magdeleine 02 33 80 66 33, Fax 02 33 80 66 32, alencon.tourisme@wanadoo.fr.*

*Paris 191 ② – Chartres 120 ③ – Évreux 119 ② – Laval 90 ⑤ – Le Mans 54 ④ – Rouen 149 ①.*

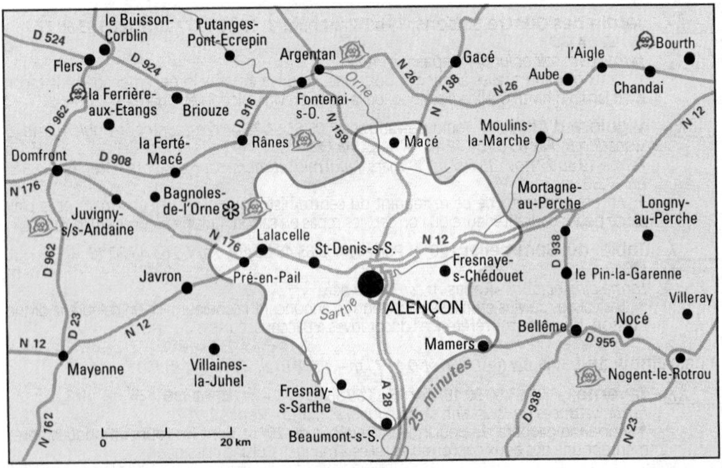

le Buisson-Corblin
Putanges-Pont-Ecrepin
Argentan
Gacé
l'Aigle
Bourth
D 524
Flers
D 924
N 26
138
Aube
Chandai
la Ferrière-aux-Etangs
Briouze
D 916
Fontenai-s-O.
Orne
N 158
N 26
N 12
D 962
Rânes
Macé
Moulins-la-Marche
la Ferté-Macé
Domfront
D 908
N 176
Bagnoles-de-l'Orne
Mortagne-au-Perche
Longny-au-Perche
Juvigny-s/s-Andaine
N 176
Lalacelle
N 12
D 938
D 962
St-Denis-s-S.
Fresnaye-s-Chédouet
le Pin-la-Garenne
Javron
Pré-en-Pail
Villeray
Sarthe
ALENÇON
D 23
N 12
Noce
Bellême
D 955
N 12
Mamers
Mayenne
Villaines-la-Juhel
25 minutes
Nogent-le-Rotrou
Fresnay-s-Sarthe
A 28
D 938
N 162
0
20 km
Beaumont-s-S.
N 23

## ALENÇON

Argentan (R. d') .. AY 2
Basingstoke (Av. de) AY 3
Bercail (R. du) .... BZ 4
Capucins (R. des) ... CZ 6
Clemenceau (Cours) ........ BCZ
Duchamp (Bd) ..... AY 8
Écusson (R. de l') . AY 9
Fresnay (R. de) ... BZ 13
Grandes-Poteries (R. des) ........ BZ 14
Grande-Rue ....... BZ 15
Halle-au-Blé (Pl. de la) ........ BZ 17
La Magdeleine (Pl.) CZ 18
Lattre-de-Tassigny (R. du Mar. de) .. BCZ 19
Leclerc (Av. du Gén.) AY 20
Mans (R. du) ..... AY 24
Marguerite-de-Lorraine (Pl.) ... BZ 25
Porte-de-la-Barre (R.) ........... BZ 30
Poterne (R. de la) . CZ 33
Quakenbruck (Av. de) ......... AY 34
Rhin et Danube (Av.) .......... AY 35
Sieurs (R. aux) ... BZ
Tisons (R. des) ... AY 39
Ier-Chasseurs (Bd) .. AY 40
14e-Hussards (R. du) AY 42

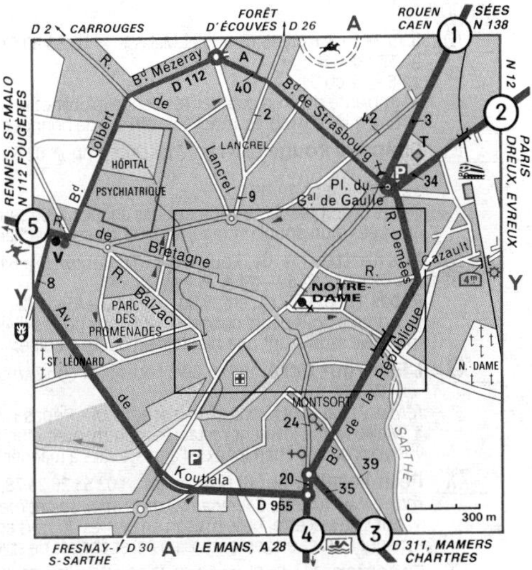

D 2 CARROUGES
FORÊT D'ÉCOUVES D 26
A
ROUEN CAEN
SÉES N 138
N 12
PARIS DREUX, EVREUX
RENNES, ST-MALO N 112 FOUGÈRES
Bd Mézeray
D 112
Bd de Strasbourg
R. Colbert
HÔPITAL PSYCHIATRIQUE
LANCREL
R. Lancrel
Pl. du Gal de Gaulle
R. Demées
R. de Bretagne
R. Balzac
PARC DES PROMENADES
NOTRE-DAME
ST-LÉONARD
Cazault
Bd de la République
MONTSORT
SARTHE
Av. de Koutiala
D 955
Y
N.-DAME
FRESNAY-S-SARTHE D 30
LE MANS, A 28
D 311, MAMERS CHARTRES
300 m


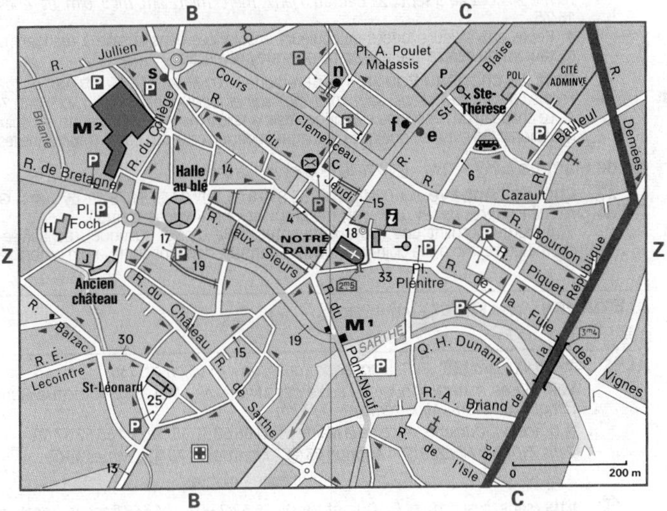

B
C
Z
R. Jullien
Briante
M2
R. de Bretagne
R. du Collège
Halle au blé
Pl. Foch
Ancien château
Cours Clemenceau
R. du Jaudi
Pl. A. Poulet Malassis
R. St-Blaise
Ste-Thérèse
CITÉ ADMINve
POL.
R. Balleul
R. Cazault
R. Demées
R. Bourdon
R. Piquet
R. de la Fuie des Vignes
R. aux Sieurs
NOTRE-DAME
Pl. Plénitre
R. du Château
R. du Pont-Neuf
M1
SARTHE
Q. H. Dunant
R. A. Briand
Bd de la République
R. de Sarthe
R. Balzac
R. É. Lecointre
St-Léonard
R. de l'Isle
200 m


**Grand Cerf,** 21 r. St-Blaise ☎ 02 33 26 00 51, *legrandcerf-alencon@wanadoo.fr, Fax 02 33 26 63 07,* – TV. AE GB CZ f
*fermé 22 déc. au 4 janv.* – **Repas** *(fermé sam. midi, dim. et fériés)* (13) - 15,50 bc/27 – 6 – **22 ch** 46/57 – 1/2 P 46,50.
◆ Dans un immeuble du 19e s. au cachet préservé, chambres majoritairement spacieuses, fraîches et sobrement meublées. Jolie cour où l'on sert les repas en été.

**Mercure** M sans rest, 187 av. Gén. Leclerc par ④ : *2 km* ☎ 02 33 28 64 64, *h1359@accor-hotels.com, Fax 02 33 28 64 72* – TV P – 50. AE GB
7 – **55 ch** 56.
◆ Construction assez récente située dans une petite zone commerciale. Chambres avant tout pratiques, bien insonorisées. Formule buffet au petit-déjeuner.

**Ibis** M sans rest, 13 pl. Poulet Malassis ✆ 02 33 80 67 67, *Fax 02 33 26 02 88* – AE GB JCB CZ n
6 – **52 ch** 51.
◆ Implanté dans un quartier résidentiel plutôt calme, cet hôtel de chaîne a bénéficié d'un "lifting" : les chambres, rénovées, offrent de bonnes conditions de séjour.

**Chapeau Rouge** sans rest, 3 bd Duchamp ✆ 02 33 26 20 23, *Fax 02 33 26 54 05* – AE GB AY v
5,70 – **14 ch** 29/45,80.
◆ Les chambres de ce bâtiment des années 1960 serré de près par des axes routiers sont équipées d'un double vitrage. Mobilier de style et charmante ambiance désuète.

**Marmotte,** rte de Rouen par ① : *2 km* ✉ 61250 Valframbert ✆ 02 33 27 42 64, *Fax 02 33 27 52 62* – 25. GB
**Repas** 11,50/14,50, enf. 5,80 – 4,50 – **45 ch** 32.
◆ Adresse pour petits budgets établie aux portes d'Alençon. Confort simple et décoration minimale satisferont une clientèle en quête d'étape.

**L'Escargot Doré,** 183 av. Gén. Leclerc par ④ : *2 km* ✆ 02 33 28 67 67, *Fax 02 33 27 77 39* – AE GB
*fermé 21 juil. au 11 août, dim. soir et lundi* – **Repas** 17/44,50, enf. 9,50.
◆ Vieille ferme joliment restaurée, agrémentée d'un petit jardin. Grillades préparées sous vos yeux dans la cheminée de l'agreste salle à manger. Véranda pour l'été.

**Petit Vatel,** 72 pl. Cdt Desmeulles ✆ 02 33 26 23 78, *Fax 02 33 82 64 57* – AE GB BZ s
*fermé 4 au 10 août, 24 fév. au 12 mars, dim. soir et merc.* – **Repas** 19,10/38,20, enf. 9,20.
◆ Sur une placette, belle maison en pierres du pays égayée de balcons fleuris. Dans la salle à manger, assez élégante, tons pastel et chaises de style rustique.

**Cabestan,** 22 r. St-Blaise ✆ 02 33 32 16 84, *Fax 02 33 32 16 84* – GB CZ e
*fermé 24 août au 3 sept., 21 déc. au 4 janv., merc. midi, sam. midi, dim. et fériés* – **Repas** 16/35.
◆ Repas aux saveurs iodées et couleurs ensoleillées dans la salle à manger font de ce restaurant du centre-ville une étape presque provençale.

**Rest. Le Chapeau Rouge,** 117 r. Bretagne ✆ 02 33 26 57 53 – GB. AY v
*fermé 18 août au 1er sept., sam. midi, dim. soir et lundi* – **Repas** (12) - 15/25, enf. 7,50.
◆ Le chapeau de l'enseigne est rouge, mais la salle à manger, toute jaune, s'inspire du style méridional. En cuisine : quelques mariages audacieux sur des bases traditionnelles.

**rte de Mamers** *par ③ : 5 km – ✉ 72610 Le Chevain (Sarthe) :*

**Chai de l'Abbaye,** sur D 311 ✆ 02 33 81 78 05, *Fax 02 33 81 78 09*, – GB
*fermé vacances de fév., dim. soir, mardi soir et lundi* – **Repas** 13,50/36.
◆ Auberge bordant une route fréquentée. Salle d'hiver rustique, réchauffée par une cheminée et salle d'été claire et moderne. Terrasse donnant sur le jardin ombragé.

## ALÉRIA *2B H.-Corse* 345 G7 – *voir à Corse.*

## ALÈS

*30100 Gard* 339 J4 *G. Languedoc Roussillon – 41 037 h alt. 136.*

**Voir** *Musée minéralogique de l'Ecole des Mines★ N – Musée-bibliothèque Pierre-André-Benoit★ O : 2 km – Mine-témoin★ O : 3 km.*

*Office du Tourisme, place de la Mairie ✆ 04 66 52 32 15, Fax 04 66 52 57 09.*

*Paris 710 ② – Albi 228 ③ – Avignon 73 ③ – Montpellier 70 ③ – Nîmes 46 ③.*

Plan page suivante

**Ibis** sans rest, 18 r. E. Quinet ✆ 04 66 52 27 07, *h0338@accor-hotels.com, Fax 04 66 52 36 33* – 25. AE GB B e
6 – **75 ch** 54.
◆ Bâtiment des années 1970 situé au coeur d'Alès. Les chambres, spacieuses et bien insonorisées, sont toutes rénovées. Coin bar-salon avec billard. Local à vélos.

**Orly** sans rest, 10 r. Avéjan ✆ 04 66 91 30 00, *hotelorly@t2u.com, Fax 04 66 91 30 30* – AE GB. B t
6,10 – **31 ch** 36/53.
◆ Ce vieil hôtel proche de la cathédrale affiche peu à peu un tout nouveau visage : chambres décorées avec un goût sûr et accueil des plus agréables.

**Riche** avec ch, 42 pl. Sémard ✆ 04 66 86 00 33, *riche.reception@leriche.fr, Fax 04 66 30 02 63* – rest, – 25. AE GB B n
*fermé 1er au 25 août* – **Repas** 15,50/45 – 6,30 – **19 ch** 32/44 – ½ P 41.
◆ Bel immeuble datant du début du 20e s. Sous un haut plafond, salle à manger Art nouveau aux lambris restaurés dans des couleurs vives. Cuisine classique. Chambres rénovées.

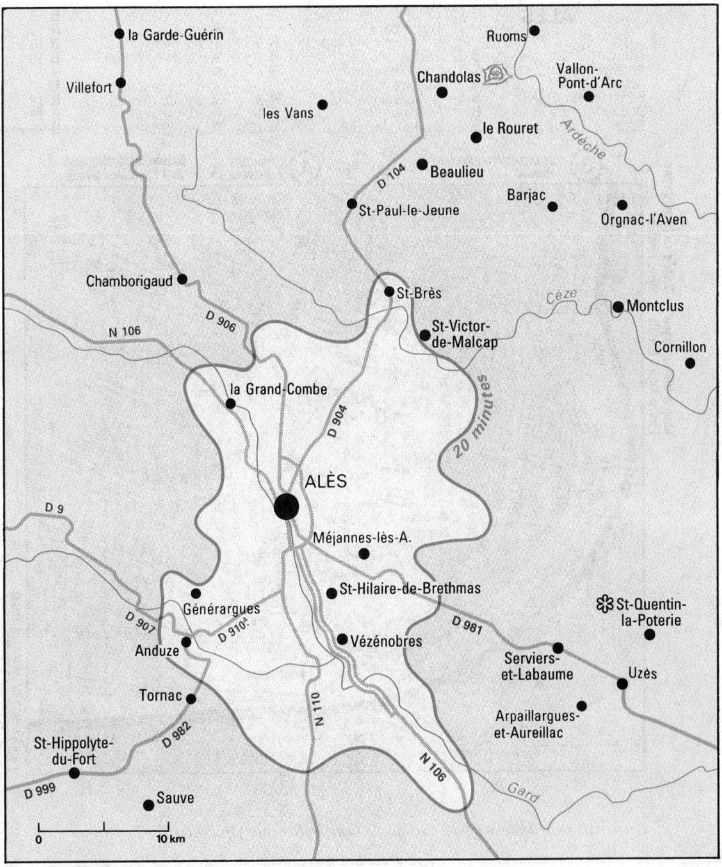
la Garde-Guérin
Ruoms
Villefort
Chandolas
Vallon-Pont-d'Arc
les Vans
le Rouret
Ardèche
D 104
Beaulieu
Barjac
St-Paul-le-Jeune
Orgnac-l'Aven
Chamborigaud
St-Brès
Cèze
Montclus
D 906
N 106
St-Victor-de-Malcap
Cornillon
la Grand-Combe
D 904
20 minutes
ALÈS
D 9
Méjannes-lès-A.
St-Hilaire-de-Brethmas
St-Quentin-la-Poterie
Générargues
D 907
D 910A
D 981
Anduze
Vézénobres
Serviers-et-Labaume
Uzès
Tornac
N 110
Arpaillargues-et-Aureillac
D 982
St-Hippolyte-du-Fort
N 106
D 999
Gard
Sauve
0
10 km

XX **Vertige des Senteurs,** 15 av. Carnot ✆ 04 66 91 08 84, *Fax 04 66 91 08 84,* terrasse – ▤ B f
*fermé dim. soir et lundi* – **Repas** 24/55 ♀.
◆ Murs en pierre, plafond en bois et tons provençaux composent le décor de ce restaurant qui, à la belle saison, s'agrandit d'une terrasse face au Gardon. Plats au goût du jour.

X **Guévent,** 12 bd Gambetta ✆ 04 66 30 31 98, *Fax 04 66 30 31 98* – GB B a
*fermé 28 juil. au 20 août, dim. soir et lundi* – **Repas** 13,50 (déj.), 15,50/27,50, enf. 7,50.
◆ Situé un peu à l'écart du centre, ce petit restaurant de quartier vous accueille dans un cadre gai et coloré à dominante jaune. Cuisine traditionnelle.

**à St-Hilaire-de-Brethmas** *par ② et N 2006 : 3 km – 3 470 h. alt. 125 – ✉ 30560 :*

XXX **Auberge de St-Hilaire,** ✆ 04 66 30 11 42, *aubergedesainthilaire@hotmail.com, Fax 04 66 86 72 79,* terrasse – ▤ P. GB
*fermé dim. soir et lundi* – **Repas** 33/65 et carte 54 à 65 ♀, enf. 13.
◆ Élégant pavillon aux tons pastel abritant une lumineuse salle à manger à l'atmosphère méridionale. En été, profitez de la fraîcheur de la terrasse. Cuisine classique.

**à Méjannes-lès-Alès** *par ② et D 981 : 7,5 km – 810 h. alt. 141 – ✉ 30340 Salindres :*

XX **Auberge des Voutins,** ✆ 04 66 61 38 03, *Fax 04 66 61 04 19,* terrasse – ▤ P. AE O GB
*fermé 1er au 8 sept., dim. soir et lundi sauf feriés* – **Repas** 23/54 ♀.
◆ Maison de pays bien protégée de la route par un rideau d'arbres. Cuisine traditionnelle, à goûter auprès de la cheminée ou sur la terrasse ombragée.

## ALÈS

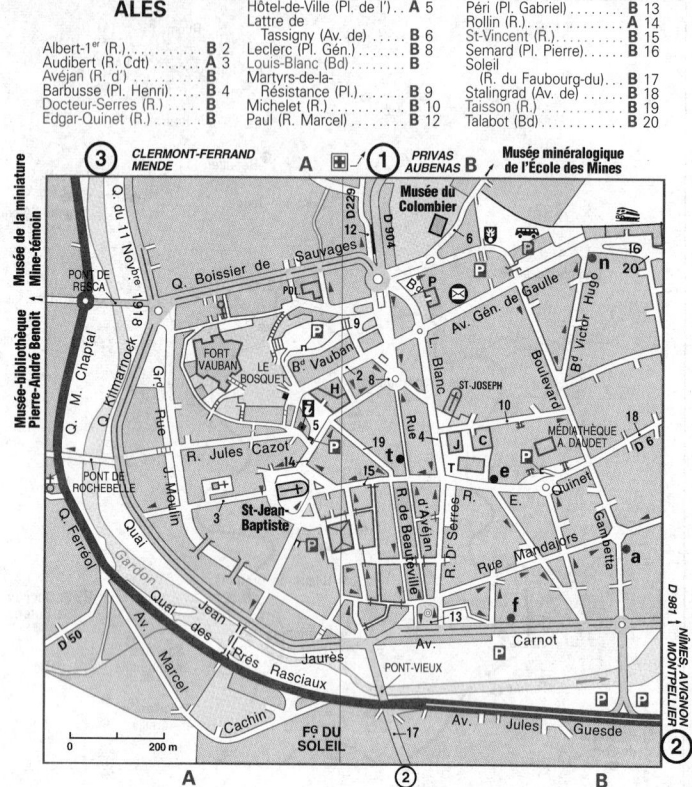

Albert-1er (R.) . . . . . . . . . . . B 2
Audibert (R. Cdt) . . . . . . . A 3
Avéjan (R. d') . . . . . . . . . . B
Barbusse (Pl. Henri). . . . . B 4
Docteur-Serres (R.) . . . . . B
Edgar-Quinet (R.) . . . . . . . B
Hôtel-de-Ville (Pl. de l') . . A 5
Lattre de Tassigny (Av. de) . . . . . B 6
Leclerc (Pl. Gén.) . . . . . . . B 8
Louis-Blanc (Bd) . . . . . . . . B
Martyrs-de-la-Résistance (Pl.). . . . . . . B 9
Michelet (R.) . . . . . . . . . . . B 10
Paul (R. Marcel) . . . . . . . . B 12
Péri (Pl. Gabriel) . . . . . . . . B 13
Rollin (R.). . . . . . . . . . . . . . A 14
St-Vincent (R.). . . . . . . . . . B 15
Semard (Pl. Pierre). . . . . . B 16
Soleil (R. du Faubourg-du) . . . B 17
Stalingrad (Av. de) . . . . . . B 18
Taisson (R.) . . . . . . . . . . . . B 19
Talabot (Bd) . . . . . . . . . . . . B 20

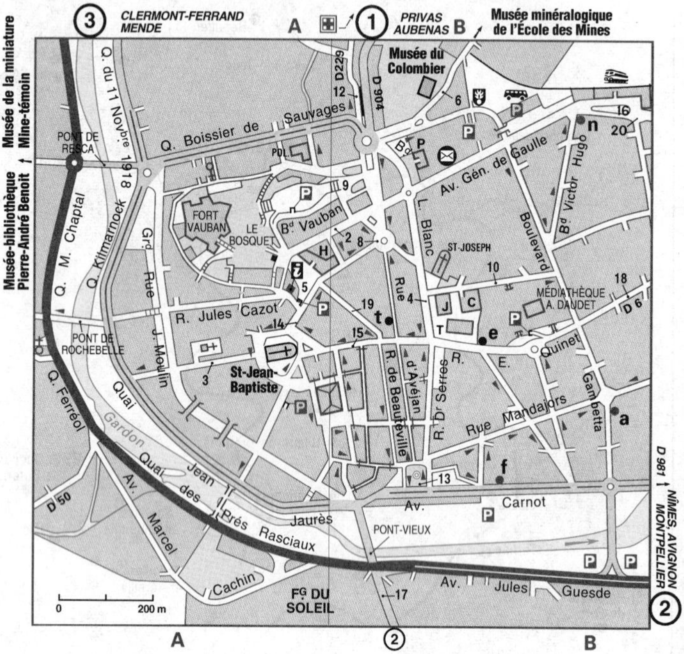

CLERMONT-FERRAND
MENDE
PRIVAS
AUBENAS
Musée minéralogique de l'École des Mines
Musée du Colombier
Musée de la miniature
Mine-témoin
Musée-bibliothèque Pierre-André Benoit
Q. Boissier de Sauvages
Q. du 11 Novbre 1918
PONT DE RESCA
FORT VAUBAN
LE BOSQUET
Bd Vauban
Av. Gén. de Gaulle
Bd Victor Hugo
Boulevard
L. Blanc
ST-JOSEPH
MÉDIATHÈQUE A. DAUDET
R. Jules Cazot
St-Jean-Baptiste
Q. M. Chaptal
Q. Kilmarnock
Grd Rue J. Moulin
PONT DE ROCHEBELLE
Q. Ferréol
Quai Gardon
Quai Jean Jaurès
Quai des Prés Rasciaux
Av. Marcel Cachin
R. de Beauteville
R. d'Avéjan
R. Dr Serres
R. E. Quinet
Rue Mandajors
Gambetta
Av. Carnot
PONT-VIEUX
Av. Jules Guesde
Fg DU SOLEIL
D 50
D 229
D 904
D 6
D 981
NÎMES, AVIGNON
MONTPELLIER
0
200 m
A
B


*Un automobiliste averti utilise le* ***Guide Rouge Michelin*** *de l'année.*

---

**ALFORTVILLE** *94 Val-de-Marne* 312 *D3* 101 *㉗ – voir à Paris, Environs.*

---

**ALGAJOLA** *2B H.-Corse* 345 *C4 – voir à Corse.*

---

**ALISE-STE-REINE** *21 Côte-d'Or* 320 *G4 – rattaché à Venarey-les-Laumes.*

---

**ALIX** *69380 Rhône* 327 *G4 – 665 h alt. 287.*
*Paris 443 – Lyon 31 – L'Arbresle 10 – Villefranche-sur-Saône 12.*

XX **Vieux Moulin,** ☎ 04 78 43 91 66, *lemoulindalix@wanadoo.fr, Fax 04 78 47 98 46,* – P. GB
*fermé 11 août au 16 sept., lundi et mardi* – **Repas** 22/47.
◆ Moulin rhodanien en pierre converti en auberge villageoise. Deux salles à manger gentiment champêtres, ouvertes sur une terrasse délicieusement ombragée et tranquille.

---

**ALLAIN** *54170 M.-et-M.* 307 *G7 – 353 h alt. 306.*
*Paris 303 – Nancy 34 – Neufchâteau 28 – Toul 16 – Vittel 50.*

**Haie des Vignes** sans rest, à l'échangeur A 31, rte Neufchâteau : 0,5 km ☎ 03 83 52 81 82, *Fax 03 83 52 04 27* – TV ☎ ♿ P. GB
☕ 5 – **35 ch** 38/53.
◆ Construction récente de style motel située à proximité de l'autoroute, mais au calme de la campagne lorraine. Chambres fonctionnelles, sobres et bien tenues.

**ALLAS-LES-MINES** *24 Dordogne* 329 H6 – *rattaché à St-Cyprien.*

**ALLÈGRE** *43270 H.-Loire* 331 E2 – *1 176 h alt. 1057.*

*Office du tourisme, rue du Mont Bar ✆ 04 71 00 72 52, Fax 04 71 00 21 25.*
*Paris 526 – Le Puy-en-Velay 28 – Ambert 45 – Brioude 45 – Langeac 28.*

**Voyageurs,** D 13 ✆ 04 71 00 70 12, *hotel.leydier43@wanadoo.fr, Fax 04 71 00 20 67,* – P. GB
*6 avril-30 nov. et fermé dim. soir et lundi sauf juil.-août* – **Repas** (8,50) - 11/24,50, enf. 7 – 5,50 – **20 ch** 27,50/40,50 – ½ P 32/35,40.
◆ Un peu en dehors du vieux village, bâtisse assez récente où vous séjournerez dans des chambres fraîches et de bon confort, souvent lambrissées à la mode montagnarde.

**ALLEMONT** *38114 Isère* 333 J7 – *600 h alt. 830.*

*Office du Tourisme, La Fonderie ✆ 04 76 80 71 60, Fax 04 76 80 79 48.*
*Paris 613 – Grenoble 49 – Le Bourg-d'Oisans 11 – St-Jean-de-Maurienne 60 – Vizille 29.*

**Giniès** ✆ 04 76 80 70 03, *hotel-ginies@wanadoo.fr, Fax 04 76 80 73 13,* –  P. GB
*fermé avril et 1er nov. au 15 déc.* – **Repas** *(dim. soir et lundi)* (13) - 18/25 – 6,50 – **15 ch** 41/49.
◆ Cette accueillante auberge vous invite à une halte reposante au coeur de la vallée de l'Eau d'Olle. Chambres bien tenues. Ambiance campagnarde dans les salles à manger.

**ALLEVARD** *38580 Isère* 333 J5 *G. Alpes du Nord* – *2 558 h alt. 470* – *Stat. therm. (mai-oct.)* – *Sports d'hiver au Collet d'Allevard : 1 450/2 100 m 13 – Casino.*
**Voir** *Route du Collet★★ par D 525A – Route de Brame-Farine★ NO.*
*Office du Tourisme, place de la Résistance ✆ 04 76 45 10 11, Fax 04 76 97 59 32, office@allevard-les-bains.com.*
*Paris 595 ① – Grenoble 41 ② – Albertville 50 ① – Chambéry 34 ①.*

**ALLEVARD**

Rues piétonnes en saison thermale

Baroz (R. Emma) ........ 2
Bir-Hakeim (R. de) ........ 3
Charamil (R.) ........ 5
Chataing (R. Laurent) ........ 6
Chenal (R.) ........ 7
Davallet (Av.) ........ 8
Docteur-Mansord (R.) ........ 9
Gerin (Av. Louis) ........ 15
Grand-Pont (R. du) ........ 19
Libération (R. de la) ........ 21
Louaraz (Av.) ........ 22
Niepce (R. Bernard) ........ 23
Ponsard (R.) ........ 24
Rambaud (Pl. P.) ........ 25
Résistance (Pl. de la) ........ 27
Savoie (Av. de) ........ 28
Thermes (R. des) ........ 29
Verdun (Pl. de) ........ 32
8-Mai-1945 (R. du) ........ 34

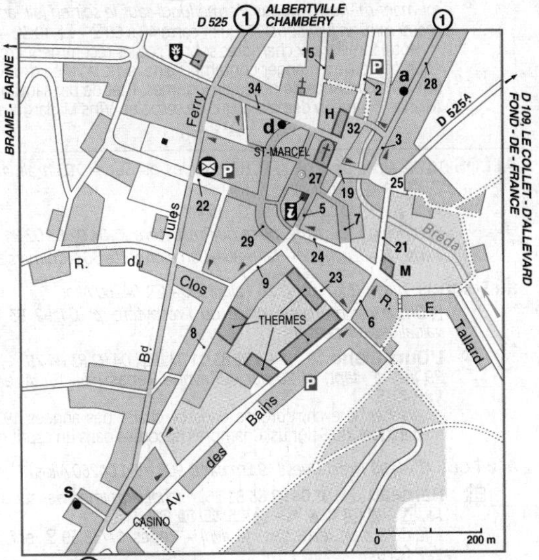
D 525 ① ALBERTVILLE CHAMBÉRY
BRAME - FARINE
D 109, LE COLLET - D'ALLEVARD FOND - DE - FRANCE
D 525A
Jules Ferry
ST-MARCEL
R. du Clos
Bréda
R. E. Tallard
THERMES
Bd.
Av. des Bains
CASINO
② D 525 GRENOBLE
0 200 m

**Les Pervenches** (s) ✆ 04 76 97 50 73, *hotelpervenches@aol.com, Fax 04 76 45 09 52,* – P. GB JCB. rest
*début mai-mi-oct., début fév.-mi-avril et fermé dim. en hiver* – **Repas** *(fermé dim. soir en été)* 15/34 – 7,50 – **26 ch** 50/74 – ½ P 53,50/58.
◆ Étape reposante face à la nature. Chambres nettes, logées dans trois maisons alpestres disséminées dans un parc. La salle à manger offre une jolie vue sur les environs.

**Les Alpes,** (d) ✆ 04 76 45 94 10, *hotel@lesalpesallevard.com, Fax 04 76 45 80 81* – TV ✆. AE ⓓ GB. ✗ rest
*fermé 20 avril au 3 mai, merc. (sauf hôtel) et dim. soir hors saison* – **Repas** (11) - 14 (déj.), 22/34 ♀ – ☕ 7,50 – **20 ch** 45/56 – ½ P 48/51.
◆ Hôtel familial aménagé dans deux petits immeubles. Chambres simples et bien insonorisées. Le restaurant, décoré d'oeuvres du patron-artiste, fait aussi traiteur.

**Les Terrasses,** 29 av. Savoie (a) ✆ 04 76 45 84 42, *responsable@hotellesterrasses.com, Fax 04 76 13 57 65*, – ✆. GB
*fermé 19 avril au 4 mai* – **Repas** *(fermé dim.soir, lundi soir et merc. d'oct. à avril)* 12/27 – ☕ 5,50 – **16 ch** 36/39 – ½ P 33/39.
◆ Tout près du Bréda, haute maison de style 1930 rénovée. Plaisantes chambres tout en bleu et blanc. Salle à manger simple et actuelle, et en sus un accueil sympathique.

**à Pinsot** *Sud : 7 km par D 525 A – 145 h. alt. 730 – ✉ 38580 :*

**Pic de la Belle Étoile** ⊗, ✆ 04 76 45 89 45, *hotel@pbetoile.com, Fax 04 76 45 89 46*, ←, , , , , ✗ – |‡| TV ✆ P – 60. AE GB
*12/05-17/10 et 22/12-15/4 et fermé vend. soir, sam. et dim. sauf du 11/7 au 17/8, 26/12 au 4/1 et 6/2 au 7/3* – **Repas** 20/40 ♀, enf. 11 – ☕ 8,80 – **36 ch** 67/94, 4 duplex – ½ P 71/80.
◆ Entourée de verdure, imposante maison régionale récemment agrandie dont le jardin dégringole jusqu'à un ruisseau. Optez pour les duplex récents, plus spacieux.

*Si le coût de la vie subit des variations importantes,*
*les prix que nous indiquons peuvent être majorés.*
*Lors de votre réservation à l'hôtel, faites-vous préciser le prix définitif.*

---

## ALLEYRAS *43580 H.-Loire* 331 E4 *– 232 h alt. 779.*

*Paris 551 – Le Puy-en-Velay 32 – Brioude 70 – Langogne 43 – St-Chély-d'Apcher 59.*

**Haut-Allier** (Brun) ⊗, au Pont d'Alleyras, Nord : 2 km par D 40 ✆ 04 71 57 57 63, *Fax 04 71 57 57 99*, ← – |‡|, rest, TV ✆. AE GB. ✗
*mi-mars-mi-nov.* – **Repas** *(fermé lundi sauf le soir en juil.-août, dim. soir de sept. à juin et mardi midi en juil.-août)* 23/80 et carte 48 à 68 ♀ – ☕ 10,50 – **17 ch** 48/100 – ½ P 60/75.
◆ Hôtel familial aux chambres sobres ; celles récemment créées sont plus actuelles et bien équipées. Salle à manger contemporaine, avec la vallée de l'Allier en toile de fond.
**Spéc.** Renaissance de potée de légumes. Filet de bar sauvage frotté au sel de jambon cru. Alliance d'agneau de pays au jus de serpolet. **Vins** Madargues, Saint-Joseph.

---

## ALLOS *04260 Alpes-de-H.-P.* 334 H7 *G. Alpes du Sud – 705 h alt. 1425 – Sports d'hiver : 1 400/ 2 000 m 4 29 .*

**Env.** ✻★★ *du col d'Allos NO : 15 km.*

*Office du Tourisme, place du Presbytère ✆ 04 92 83 02 81, Fax 04 92 83 06 66.*

*Paris 770 – Digne-les-Bains 80 – Barcelonnette 36 – Colmars 8.*

**au Seignus** *Ouest : 2 km par D 26 - alt. 1500 – ✉ 04260 Allos.*

*Office du tourisme, place du Presbytère ✆ 04 92 83 02 81, Fax 04 92 83 06 66, valdallos@telepost.fr.*

**L'Ours Blanc** ⊗, ✆ 04 92 83 01 07, *Fax 04 92 83 04 78*, ←, – TV P. GB. ✗ ch
*29 juin-1er sept. et 20 déc.-15 avril* – **Repas** (13) - 16/24, enf. 8 – ☕ 6 – **15 ch** 42/55 – ½ P 42/52.
◆ Atmosphère chaleureuse dans ce chalet des années 1950 situé près des remontées mécaniques du Seignus. Chambres décorées dans un esprit montagnard tout simple.

**à la Foux d'Allos** *Nord-Ouest : 9 km par D 908 – ✉ 04260 Allos*

**Hameau** ⊗, ✆ 04 92 83 82 26, *michel.lantelme@wanadoo.fr, Fax 04 92 83 87 50*, ←, , , – |‡| TV ✆ ♿ P – 25. AE ⓓ GB
*7 juin-13 sept. et 6 déc.-13 avril* – **Repas** 17/38,50 ♀, enf. 8 – ☕ 7,35 – **36 ch** 59/95 – ½ P 60/67.
◆ Un vaste hôtel de type chalet, où les chambres sont fraîches et de bon confort ; celles avec mezzanine accueillent la famille au complet ! Bons équipements de détente.

---

## Les ALLUES *73 Savoie* 333 M5 *– rattaché à Méribel-les-Allues.*

---

## ALOXE-CORTON *21 Côte-d'Or* 320 J7 *– rattaché à Beaune.*

**ALPE D'HUEZ** *38750 Isère* 333 *J7 G. Alpes du Nord – Sports d'hiver : 1 250/3 330 m 15 69.*
*Voir Pic du Lac Blanc ✱★★ par téléphérique – Route de Villars-Reculas★ 4 km par D 211B.*
**Altiport** *04 76 80 41 15, SE.*
*Office du Tourisme, place Paganon 04 76 11 44 44, Fax 04 76 80 69 54, info@alpedhue.com.*
*Paris 627 ① – Grenoble 63 ① – Le Bourg-d'Oisans 12 ① – Briançon 71 ①.*

## ALPE D'HUEZ

Bergers (Chemin des) ...... **B** 2
Cognet (Pl. du) ............ **B** 4
Fontbelle (R. de) .......... **B** 5
Meije (R. de la) ........... **B** 6
Paganon (Pl. Joseph) ....... **A** 7
Pic-Bayle (R. du) .......... **B** 8
Poste (Route de la) ........ **A** 9
Poutat (R. du) ............. **B** 10
Siou-Coulet (Route du) ..... **A** 12

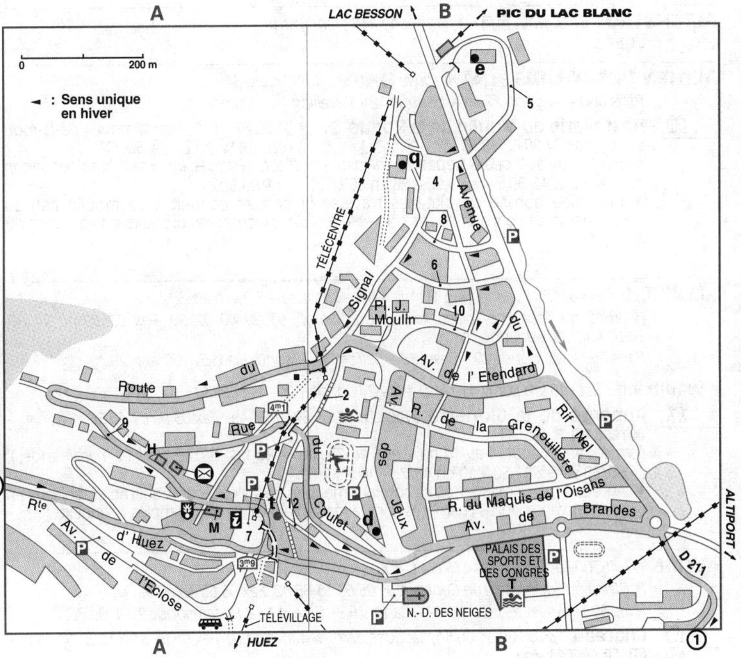

A
B
LAC BESSON
PIC DU LAC BLANC
0
200 m
: Sens unique en hiver
TÉLÉCENTRE
Avenue
Signal
Pl. J. Moulin
Av. de l' Etendard
Route du
Rue
du Coulet
Av. R. des Jeux
R. de la Grenouillère
Rif - Nel
R. du Maquis de l'Oisans
Av. de Brandes
PALAIS DES SPORTS ET DES CONGRES
N.-D. DES NEIGES
TÉLÉVILLAGE
HUEZ
Rte d' Huez
Av. de l'Eclose
ALTIPORT
D 211
D 211, HUEZ, LE BOURG D'OISANS


**Au Chamois d'Or** M, 04 76 80 31 32, *chamoisdor@alpedhuez.com*, *Fax 04 76 80 34 90*, ≤ pistes et montagnes, – 20. GB **B e**
*20 déc.-20 avril* – **Repas** 28,50 (déj.), 44/53 – 14,50 – **43 ch** 220/286, 4 appart – 1/2 P 187/225.
◆ Imposant chalet au pied des pistes et sa terrasse exposée plein Sud. Chambres avec vue sur le massif de l'Oisans. Coquet restaurant où l'on propose une cuisine classique.

**Royal Ours Blanc** M, av. Jeux 04 76 80 35 50, *resa@eurogroup-vacances.com*, *Fax 04 76 80 34 50*, ≤ pistes et montagnes, – 20. AE GB. rest **B d**
*15 déc.-26 avril* – **Repas** (dîner seul.) 29,50/99 – **47 ch** (1/2 pens. seul.) – 1/2 P 214/244.
◆ Chambres rénovées et salles de bains flambant neuves, recettes classiques, piscine, etc. : laissez-donc les lacets de l'Alpe-d'Huez aux "forçats" du Tour de France !

**Dôme,** 04 76 80 32 11, *hotel.le.dome@alpedhuez.com*, *Fax 04 76 80 66 48*, ≤ massif de l'Oisans – AE GB. rest **B q**
*hôtel : juil.-août et 15 déc.-20 avril ; rest. : 15 déc.-20 avril* – **Repas** (17) - 24, enf. 10 – 10,40 – **22 ch** 124/138 – 1/2 P 96/114.
◆ L'hôtel occupe deux étages d'un immeuble résidentiel jouxtant le stade de slalom. Chambres fonctionnelles, salle à manger habillée de lambris et de lauzes. Galerie marchande.

**Au P'tit Creux,** ✆ 04 76 80 62 80, *Fax 04 76 80 39 37,* – GB A t
*26 juin-1er sept., 30 nov.-1er mai et fermé le soir sauf vend. et sam. du 25 sept. au 11 nov.* – **Repas** (prévenir) 25,50/40 ♀.
◆ Coquette salle rustique où les collections de boîtes en ferblanterie et de fioles anciennes créent un cadre original et distrayant. Cuisine traditionnelle.

**Cabane du Poutat** *secteur des Bergers,* accès piétons (40 mn) depuis gare départ télécabine des Marmottes ✆ 04 76 80 42 88, *Fax 04 76 80 42 88,* ≤ massif de l'Oisans, – GB
*déc.- avril* – **Repas** (dîner sur réservation) 45/50 (dîner)et carte 28 à 46.
◆ Posé au milieu des pistes, chaleureux restaurant d'altitude que l'on rejoint uniquement à skis ou à pied. La superbe vue et les plats régionaux récompenseront vos efforts.

---

**ALTENSTADT** *67 B.-Rhin* 315 L2 – *rattaché à Wissembourg.*

---

**ALTHEN-DES-PALUDS** *84240 Vaucluse* 332 C9 – *1 600 h alt. 34.*
*Paris 680 – Avignon 17 – Carpentras 12 – Cavaillon 24 – Orange 22.*

**Hostellerie du Moulin de la Roque** , ✆ 04 90 62 14 62, *hotel@moulin-de-la-roque.com, Fax 04 90 62 18 50,* , , , – , rest, – 30. GB.
*fermé 15 nov. au 7 déc.* – **Repas** *(fermé dim. soir d'oct. à Pâques, lundi sauf le soir en saison et sam. midi)* 22/50 ♀ – 9,90 – **28 ch** 105/135 – ½ P 95,50.
◆ Une allée bordée de platanes traverse le parc et conduit à ce moulin bâti au 17e s. Chambres confortables et colorées. À table, savourez les produits du verger et du potager.

---

**ALTKIRCH** *68130 H.-Rhin* 315 H11 *G. Alsace Lorraine* – *5 090 h alt. 312.*
*Office du Tourisme, place Xavier Jourdain ✆ 03 89 40 02 90, Fax 03 89 40 21 80, Edith.Knittel@wanadoo.fr.*
*Paris 459 – Mulhouse 20 – Basel 33 – Belfort 34 – Montbéliard 52 – Thann 29.*

**à Wahlbach** : *Est : 10 km par D 419 et D 19B – 242 h. alt. 320 – ✉ 68130 :*

**Auberge de la Gloriette** avec ch, ✆ 03 89 07 81 49, *Fax 03 89 07 40 56,* , – rest, . AE GB
*fermé 4 au 14 août, 3 au 14 nov., et 6 au 23 janv.* – **Repas** *(fermé lundi et mardi)* 15 (déj.), 24,50/58 ♀ – 11,50 – **10 ch** 46/75 – ½ P 54/69.
◆ Agréable salle à manger où se côtoient meubles de style, décor moderne et tableaux en exposition-vente. Jolies chambres dans la maison principale, plus simples à l'annexe.

---

**ALVIGNAC** *46500 Lot* 337 G3 – *473 h alt. 400.*
*Office du Tourisme, rue Centrale ✆ 05 65 33 66 42, Fax 05 65 33 60 62.*
*Paris 529 – Brive-la-Gaillarde 52 – Cahors 66 – Figeac 44 – Rocamadour 9 – Tulle 66.*

**Château,** ✆ 05 65 33 60 14, *jacques.darnis@wanadoo.fr, Fax 05 65 33 69 28,* , – . AE GB JCB
*1er avril-1er nov.* – **Repas** 9/32 ♀, enf. 6,30 – 6 – **36 ch** 35/43 – ½ P 45.
◆ Adossée à l'église, bâtisse séculaire dont la façade en pierre est peu à peu restaurée. Chambres fonctionnelles et bien tenues. Salle à manger d'esprit rustique.

**Nouvel Hôtel,** ✆ 05 65 33 60 30, *Fax 05 65 33 68 25,* – . GB
*fermé 15 déc au 1er mars, vend. soir, dim. soir et sam. du 15 oct. à Pâques* – **Repas** 11,50/27 ♀, enf. 7 – 6,50 – **13 ch** 33/35 – ½ P 34/36.
◆ Une adresse à petits prix, propice à la découverte du Quercy. Chambres simples et bien tenues. Salle à manger au cadre "sixties" et terrasse ombragée. Cuisine régionale.

---

**AMBAZAC** *87240 H.-Vienne* 325 F5 *G. Berry Limousin* – *4 889 h alt. 387.*
**Voir** *Trésors★★ de l'église – ≤★ du parc du château de Montméry.*
*Office du Tourisme, 3 avenue du Général de Gaulle ✆ 05 55 56 70 70, Fax 05 55 56 87 76, office.ambazac@free.fr.*
*Paris 376 – Limoges 22 – Bellac 41 – Bourganeuf 39 – La Souterraine 41.*

**Les Voyageurs** avec ch, 27 av. Gén. de Gaulle ✆ 05 55 56 60 31, *Fax 05 55 56 60 31* – . GB
*fermé vacances de Toussaint, de fév., dim soir et lundi sauf juil.-août* – **Repas** *(8,50)* - 13/39,50 ♀ – 6,50 – **7 ch** 30 – ½ P 35.
◆ Auberge de village au décor simple mais accueillant. Lumineuse salle à manger donnant sur un jardin. Les petites chambres, refaites, peuvent dépanner.

**AMBÉRIEUX-EN-DOMBES** *01330 Ain 328 C5 – 1 156 h alt. 296.*

*Syndicat d'Initiative, ☏ 04 74 00 84 15, Fax 04 74 00 84 04.*

*Paris 438 – Lyon 36 – Bourg-en-Bresse 40 – Mâcon 44 – Villefranche-sur-Saône 18.*

**Auberge des Bichonnières,** rte Ars-sur-Formans ☏ 04 74 00 82 07, *bichonnier@aol.com, Fax 04 74 00 89 61,* – TV P. AE GB

*fermé 15 déc. au 15 janv., dim. soir sauf en juil.-août, lundi sauf le soir en juil.-août et mardi midi* – **Repas** (nombre de couverts limité, prévenir) 22/30,50, enf. 13 – 7 – **9 ch** 42/55 – 1/2 P 50/60.

◆ Ancienne ferme typique de la Dombes où les clients sont "bichonnés". Chambres simples, restaurant rustique et terrasse fleurie. Attrayante cuisine classique.

**AMBERT** *63600 P.-de-D. 326 J9 G. Auvergne – 7 420 h alt. 535.*

Voir *Église St-Jean★ – Vallée de la Dore★ N et S – Moulin Richard-de-Bas★ 5,5 km par ② – Musée de la Fourme et du fromage – Train panoramique★ (juil.-août).*

*Office du Tourisme, 4 place de Hôtel de Ville ☏ 04 73 82 61 90, Fax 04 73 82 48 36, ambert.Tourisme@wanadoo.fr.*

*Paris 442 ① – Clermont-Ferrand 78 ① – Brioude 63 ③ – Thiers 54 ①.*

**AMBERT**

Chabrier (Av. E.) .......... Z
Château (R. du) .......... Z 3
Cheix (Rue du Petit) ...... Z
Clemenceau (Av. G.) ...... Y 4
Courtial (Pl. G.) .......... Y 6
Croves du Mas (Av. des) . Y
Europe (Bd de l') ........ YZ
Filéterie (R. de la) ........ Z 7
Foch (Av. du Mar.) ........ Y 8
Gaulle (Pl. Ch.-de) ........ Z
Goye (R. de) .............. Y 12
Henri IV (Bd) .............. Z
Livradois (Pl. du) .......... Z
Lyon (Av. de) .............. Z 13
Pontel (Pl. du) ............ Z 16
Portette (Bd de la) ........ Y 17
République (R. de la) ..... Z 19
St-Jean (Pl.) .............. Y 20
St-Joseph (R.) ............ Z
Sully (Bd) ................ Z 21
11-Novembre (Av. du) .... Z 23

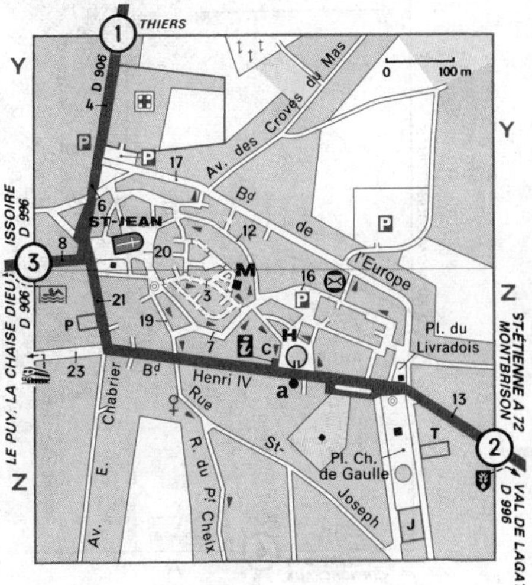
THIERS
D 906
ST-JEAN
Av. des Croves du Mas
Bd de l'Europe
ISSOIRE D 996
LE PUY, LA CHAISE DIEU D 906
Bd Henri IV
Av. E. Chabrier
R. du Pt Cheix
Rue St-Joseph
Pl. du Livradois
Pl. Ch. de Gaulle
ST-ÉTIENNE A 72 MONTBRISON
VAL DE LAGAT D 996
0 100 m

**Les Copains** avec ch, 42 bd Henri IV ☏ 04 73 82 01 02, *hotel.rest.les.copains@wanadoo.fr, Fax 04 73 82 67 34* – rest, TV. GB. ch Z a

*fermé 12 sept. au 12 oct., vacances de fév., dim. soir et sam.* – **Repas** 12 (déj.), 20/42 ♀, enf. 11 – 6 – **11 ch** 46/56 – 1/2 P 44.

◆ Face à la pittoresque rotonde (mairie) célébrée par Jules Romains dans Les Copains. Plats régionaux et fameuse fourme à déguster dans une salle aux couleurs ensoleillées.

**AMBIALET** *81340 Tarn 338 G7 G. Midi-Pyrénées – 386 h alt. 220.*

Voir *Site★ – Commune de la "Méridienne Verte".*

*Syndicat d'Initiative, Le bourg ☏ 05 63 79 58 29, Fax 05 63 79 58 09.*

*Paris 707 – Albi 23 – Castres 55 – Lacaune 52 – Rodez 71 – St-Affrique 62.*

**Pont,** ☏ 05 63 55 32 07, *Fax 05 63 55 37 21,* ←, – rest, TV P – 25. AE GB

*fermé 6 janv. au 28 fév., dim. soir et lundi hors saison* – **Repas** 18/48 ♀ – 6,10 – **20 ch** 48/54 – 1/2 P 53.

◆ Au bord du Tarn, maison régionale agrandie, ayant vue sur Ambialet et son prieuré. Chambres fraîches et confortables, ouvertes sur la campagne ou sur la rivière.

**AMBIERLE** *42820 Loire 327 C3 G. Vallée du Rhône – 1 763 h alt. 467.*

Voir *Église★.*

*Syndicat d'initiative, Musée ☏ 04 77 65 60 99, Fax 04 77 65 60 99.*

*Paris 382 – Roanne 18 – Lapalisse 34 – Thiers 69 – Vichy 58.*

XX **Prieuré,** ☏ 04 77 65 63 24, *leprieure@wanadoo.fr, Fax 04 77 65 69 90* – ▤. GB
*fermé 15 au 30 sept. et merc.* – **Repas** 20/47 ♀.
◆ Face à un ancien prieuré de Cluny, café et salle de restaurant, contemporaine et lumineuse, où l'on propose une appétissante cuisine au goût du jour.

---

**AMBOISE** *37400 I.-et-L.* 317 O4 *G. Châteaux de la Loire* – *10 982 h alt. 60.*

Voir *Château*★★ : ≤★★ *de la terrasse,* ≤★★ *de la tour des Minimes* – *Clos-Lucé*★ – *Pagode de Chanteloup*★ *3 km par* ④.

Env. *Lussault-sur-Loire : aquarium de Touraine*★ *O : 8 km par* ⑤.

*Office du Tourisme, quai Gal de Gaulle* ☏ *02 47 57 09 28, Fax 02 47 57 14 35, tourisme.amboise@wanadoo.fr.*

*Paris 224* ① – *Tours 26* ⑤ – *Blois 37* ① – *Loches 37* ④ – *Vierzon 90* ③.

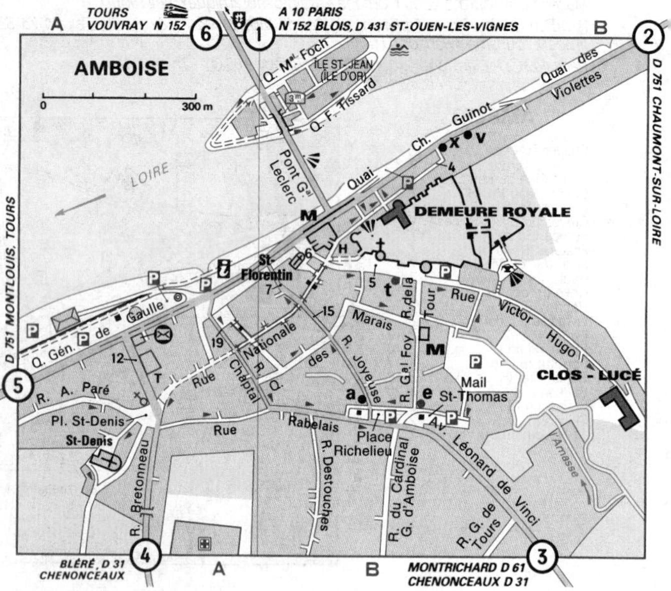

TOURS VOUVRAY N 152
A 10 PARIS N 152 BLOIS, D 431 ST-OUEN-LES-VIGNES
D 751 CHAUMONT-SUR-LOIRE
D 751 MONTLOUIS, TOURS
BLÉRÉ, D 31 CHENONCEAUX
MONTRICHARD D 61 CHENONCEAUX D 31
AMBOISE
0
300 m
LOIRE
ÎLE ST-JEAN (ÎLE D'OR)
Q. Mal Foch
Q. F. Tissard
Pont Gal Leclerc
Quai Ch. Guinot
Quai des Violettes
DEMEURE ROYALE
CLOS - LUCÉ
St-Florentin
Q. Gén. de Gaulle
R. A. Paré
Pl. St-Denis
St-Denis
R. Bretonneau
Rue Chaptal
Rue Nationale
Rue Rabelais
Place Richelieu
R. Destouches
R. du Cardinal G. d'Amboise
Av. Léonard de Vinci
R. G. de Tours
Rue Victor Hugo
R. de la Tour
Marais
R. Joyeuse
R. Gal Foy
Mail St-Thomas
l'Amasse

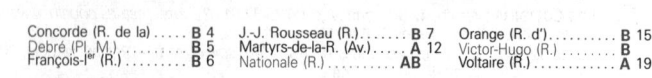

| | | |
|---|---|---|
| Concorde (R. de la) ..... B 4 | J.-J. Rousseau (R.) ....... B 7 | Orange (R. d') .......... B 15 |
| Debré (Pl. M.) .......... B 5 | Martyrs-de-la-R. (Av.) ..... A 12 | Victor-Hugo (R.) ........ B |
| François-Ier (R.) ......... B 6 | Nationale (R.) .......... AB | Voltaire (R.) ............ A 19 |

**Choiseul,** 36 quai Ch. Guinot ☏ 02 47 30 45 45, *choiseul@grandesetapes.fr, Fax 02 47 30 46 10*, ≤, 🌳, 🏊, 🪑 – ▤ TV 📞 🚗 P – 🎤 60. AE ⓓ GB JCB B v
*fermé 20 déc. au 5 fév.* – **Repas** 46/80 et carte 66 à 89, enf. 22 – ☕ 23 – **28 ch** 122/267, 4 appart – ½ P 142/210.
◆ Élégante propriété du 18e s. dans un ravissant jardin fleuri. Spacieuses chambres bourgeoises. Salles à manger tournées sur la Loire ou la verdure ; cuisine inventive.
**Spéc.** Cassolette d'écrevisses et girolles (juin à nov.). Sandre sauvage rôti au jus de homard. Nage de géline tourangelle aux petits légumes. **Vins** Gamay de Touraine, Touraine-Amboise.

**Manoir Les Minimes** M sans rest, 34 quai Ch. Guinot ☏ 02 47 30 40 40, *manoir-les-minimes@wanadoo.fr, Fax 02 47 30 40 77*, ≤, 🪑 – ⛔ ▤ TV 📞 ♿ P. GB. ✂ B x
*fermé 1er au 19 fév. et dim. du 15 nov. au 15 mars* – ☕ 11 – **14 ch** 120/160.
◆ Belle demeure du 18e s. surplombant la Loire. Les chambres, raffinées et garnies de superbes meubles de divers styles, accueillent les non-fumeurs. Élégants salons.

**Novotel** 🐴, Sud : 2 km par ③ *rte de Chenonceaux* ☏ 02 47 57 42 07, *novotel.amboise@wanadoo.fr, Fax 02 47 30 40 76*, ≤, 🌳, 🏊, 🪑, 🎾 – 🛗 ⛔ ▤ TV 📞 ♿ P – 🎤 20 à 150. AE ⓓ GB
**Repas** carte environ 31 ♀, enf. 8,40 – ☕ 10 – **121 ch** 83/109.
◆ Ce bâtiment domine Amboise et la vallée de la Loire. Les chambres sont spacieuses et fonctionnelles ; certaines, à l'instar du restaurant, ont vue sur le château.

**Château de Pray**, rte de Chargé par ② *et D 751 : 3 km* ☎ 02 47 57 23 67, *chateau.de pray@wanadoo.fr, Fax 02 47 57 32 50,* <, – TV P – 40. AE GB JCB.
*fermé 2 janv. au 10 fév.* – **Repas** *(fermé merc.sauf le soir en saison)* 41/50 – 11 – **19 ch** 101/165 – ½ P 101/133.
◆ Dans un vaste parc, ex-forteresse bâtie sous les croisades et agrandie au 17e s. Jolie terrasse dominant piscine et potager. Mobilier issu ou inspiré des siècles passés.

**L'Arbrelle**, rte des Ormeaux par ③ *et D 81 : 3 km* ☎ 02 47 57 57 17, *arbrelle@wanado o.fr, Fax 02 47 57 64 89,* <, – TV P – 25. AE GB.
*fermé 1er déc. au 15 janv.* – **Repas** *(fermé dim. soir, mardi midi et lundi hors saison)* 17,50/33, enf. 9 – 7 – **21 ch** 69/98 – ½ P 60/74.
◆ Au coeur d'un parc situé en lisière de forêt, établissement récent aménagé autour d'une ancienne ferme. Agréables chambres décorées dans un esprit design. Complexe de loisirs.

**Blason,** 11 pl. Richelieu ☎ 02 47 23 22 41, *leblason@wanadoo.fr, Fax 02 47 57 56 18,* – rest, TV. AE GB B a
*fermé 15 janv. au 1er fév.* – **Repas** *(fermé 15 janv. au 15 fév, merc. midi, sam. midi et mardi)* *(11,50)* - 14,50/23,70 – 5,80 – **28 ch** 44/49 – ½ P 39.
◆ Le respect de la façade et du pittoresque agencement intérieur de cette maison du 15e s. fait tout le charme de l'hôtel. Mobilier fonctionnel mais plafonds à solives.

**Ibis,** Est : Z.I. La Boitardière par ② *et D 31 : 3 km* ☎ 02 47 23 10 23, *Fax 02 47 57 31 41,* – TV P – 80. AE GB
**Repas** *(12)* - 15, enf. 6 – 5,50 – **70 ch** 58.
◆ Malgré sa position au bord d'une route passante, ce vaste hôtel bénéficie d'un environnement relativement calme. Chambres sobres, avant tout pratiques.

**Manoir St-Thomas,** 1 Mail St-Thomas ☎ 02 47 57 22 52, *manoir-saint-thomas@wanado o.fr, Fax 02 47 30 44 71,* – P. AE GB B e
*fermé 13 au 27 janv., 17 au 24 fév., 4 au 11 août, 13 au 21 oct., dim. soir, mardi midi et lundi* – **Repas** 29/48,10 et carte 40,60 à 60.
◆ Élégant pavillon Renaissance et jardin de caractère vous donnent rendez-vous pour un repas aux accents régionaux. L'époque de Léonard de Vinci en quelque sorte restituée.

**L'Épicerie,** 46 pl. M. Debré ☎ 02 47 57 08 94, B t
*fermé lundi et mardi sauf de juil. à sept.* – **Repas** 10,50 (déj.), 18/35.
◆ Ce restaurant et sa sympathique terrasse profitent d'une situation privilégiée face au château. Intérieur rustique où l'on mange au coude à coude. Cuisine traditionnelle.

**à St-Ouen-les-Vignes** *par ① et D 431 : 6,5 km – 747 h. alt. 80 – ✉ 37530 :*

**L'Aubinière** M avec ch, ☎ 02 47 30 15 29, *j.arrayet@libertysurf.fr, Fax 02 47 30 02 44,* – rest, TV P – 15. AE GB. ch
*fermé 10 fév. au 5 mars, lundi soir en hiver, dim. soir, mardi soir et merc.* – **Repas** 25,20 (déj.), 38/65,50 et carte 52 à 70 – 10 – **6 ch** 99/110 – ½ P 98,50/110.
◆ Belle salle à manger, terrasse dressée dans un joli jardin, cuisine au goût du jour et chambres raffinées : cette auberge constituera une agréable halte bucolique.

**par** ⑥ *et N 152 : 2,5 km – ✉ 37530 Nazelles-Négron :*

**Petit Lussault** sans rest, ☎ 02 47 57 30 30, *Fax 02 47 57 77 80,* – P. GB
*1er mars-15 nov. et fermé dim. hors saison* – 5,50 – **22 ch** 40/52.
◆ Une belle allée de tuyas conduit à cette ancienne ferme située en contrebas de la levée de la Loire. Les chambres, simples, sont diversement meublées. Joli parc arboré.

## AMBONNAY *51150 Marne* 306 H8 – *917 h alt. 95.*

*Paris 162 – Reims 28 – Châlons-en-Champagne 25 – Épernay 19 – Vouziers 66.*

**Auberge St-Vincent** avec ch, 1 r. St-Vincent ☎ 03 26 57 01 98, *asv51150@aol.com, Fax 03 26 57 81 48* – rest, TV. AE GB. ch
*fermé 18 août au 1er sept., vacances de fév., dim. soir et lundi* – **Repas** 24/58, enf. 11 – 9,50 – **10 ch** 47/61 – ½ P 74/79.
◆ La carte fait la part belle au terroir dans cette pimpante auberge champenoise. De vieux ustensiles de cuisine ornent la cheminée de la salle à manger. Chambres rénovées.

## AMÉLIE-LES-BAINS-PALALDA *66110 Pyr.-Or.* 344 H8 *G. Languedoc Roussillon – 3 239 h alt. 230 – Stat. therm. (mi janv.-fin déc.) – Casino.*

*Voir Bourg médiéval de Palalda★.*

*Office du Tourisme, 22 avenue du Vallespir ☎ 04 68 39 01 98, Fax 04 68 39 20 20, omtt.amelie@little-france.com.*

*Paris 888 ② – Perpignan 40 ② – Céret 9 ② – Prats-de-Mollo-la-Preste 24 ③.*

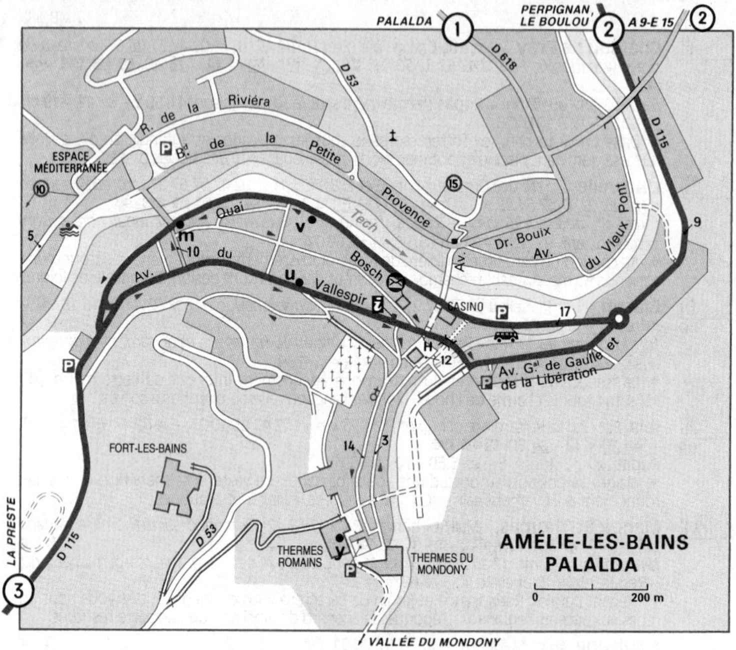
PALALDA
PERPIGNAN, LE BOULOU
A 9-E 15
D 618
D 53
D 115
R. de la Riviéra
Bd de la Petite Provence
ESPACE MÉDITERRANÉE
Quai du 10
Av. du Vallespir
Bosch
Tech
Dr. Bouix
Av. du Vieux Pont
CASINO
Av. Gal de Gaulle et de la Libération
FORT-LES-BAINS
THERMES ROMAINS
THERMES DU MONDONY
LA PRESTE
VALLÉE DU MONDONY
AMÉLIE-LES-BAINS PALALDA
0
200 m

Castellane (R.) ........ 3
Corniche (Rte de la) ........ 5
Leclerc (Av. Gén.) ........ 9
Palmiers (Av. des) ........ 10
République (Pl. de la) ........ 12
Thermes (R. des) ........ 14
Vallespir (Av. du) 8-Mai-1945 (Av.) ........ 17

**Palmarium Hôtel,** av. Vallespir **(u)** ✆ 04 68 39 19 38, *hppalmarium@aol.com, Fax 04 68 39 04 23* – GB. rest
*fermé 8 déc au 18 janv.* – **Repas** 18/27, enf. 9 – 6 – **65 ch** 48 – P 54,10.
◆ Hôtel contemporain et fonctionnel où règne une ambiance "pension de famille" appréciée par les curistes. Chambres d'ampleur satisfaisante, claires et de bon confort.

**Roussillon,** av. Beau Soleil par ② ✆ 04 68 39 34 39, *Fax 04 68 39 81 21*, – P. GB. rest
*9 mars-6 déc.* – **Repas** 16,50/23,50 – 6,50 – **30 ch** 48/53 – P 54,50.
◆ Aux portes d'Amélie, construction récente aux chambres bien rénovées, spacieuses et claires. Un beau bâtiment du 19e s., situé à côté, abrite les salons (billard).

**Palm-Tech Hôtel,** quai G. Bosch **(v)** ✆ 04 68 83 98 00, *Fax 04 68 39 84 27* – P. GB
*15 avril-30 oct.* – **Repas** (11,50) - 16/21,50, enf. 8,50 – 5,50 – **56 ch** 24,50/41 – P 44,25/46,85.
◆ Au bord du Tech, grand hôtel disposant de chambres simplement meublées, mais confortables. Les curistes y reviennent pour son atmosphère familiale et tranquille.

**Bains et Gorges,** pl. Arago **(y)** ✆ 04 68 39 29 02, *Fax 04 68 39 82 52* – . AE GB
*fermé 1er déc. au 31 janv.* – **Repas** (12) - 17, enf. 9 – 5,50 – **44 ch** 33/38 – P 38,50/41.
◆ Situation pratique : cet aimable hôtel jouxte les thermes. Chambres sobres au cadre un rien désuet, compensé par une ambiance pleine de chaleur.

**Ensoleillade La Rive** sans rest, r. J. Coste **(m)** ✆ 04 68 39 06 20 – cuisinette P. AE GB
5 – **14 ch** 30/40.
◆ Adresse familiale toute simple en bordure du Tech. Les chambres, fraîches, sont garnies de meubles rustiques ; quelques-unes sont équipées d'une cuisinette.

**L'AMÉLIE-SUR-MER** *33 Gironde* 335 E2 – *rattaché à Soulac-sur-Mer.*

*Le Guide change, changez de guide tous les ans.*

**AMIENS** P *80000 Somme* 301 G8 *G. Picardie Flandres Artois – 131 872 h Agglo. 160 815 h alt. 34.*

Voir *Cathédrale Notre-Dame*** (stalles***) – Hortillonnages* – Hôtel de Berny** **CY M**[3] – *Quartier St-Leu* - Musée de Picardie** – Théâtre de marionnettes "ché cabotans d'Amiens"* **CY T**[2] *– Commune de la "Méridienne Verte".*

*Office du Tourisme, 6 bis rue Dusevel ✆ 03 22 71 60 50, Fax 03 22 71 60 51, ot@amiens.com.*

*Paris 144 ③ – Lille 123 ② – Reims 172 ③ – Rouen 121 ⑤ – St-Quentin 80 ③.*

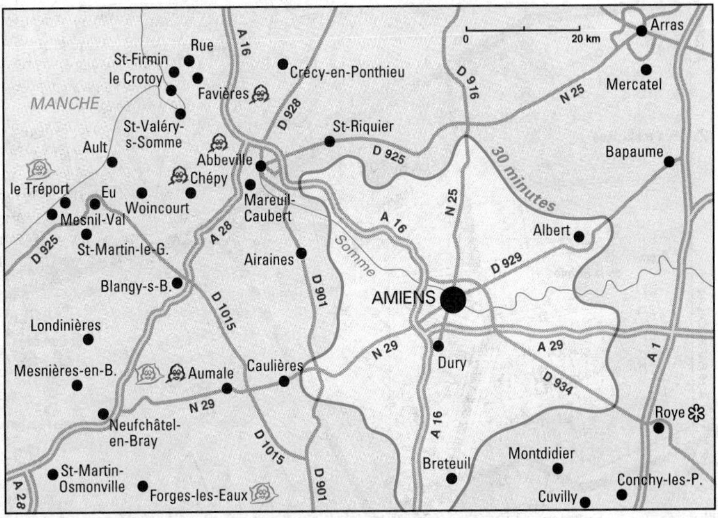

0
20 km
MANCHE
Rue
St-Firmin
le Crotoy
Favières
Crécy-en-Ponthieu
St-Valéry-s-Somme
Ault
Abbeville
Chépy
le Tréport
Eu
Woincourt
Mesnil-Val
Mareuil-Caubert
St-Riquier
St-Martin-le-G.
Airaines
Blangy-s-B.
Londinières
Mesnières-en-B.
Aumale
Caulières
Neufchâtel-en-Bray
St-Martin-Osmonville
Forges-les-Eaux
AMIENS
Dury
Breteuil
Montdidier
Cuvilly
Conchy-les-P.
Roye
Albert
Bapaume
Mercatel
Arras
30 minutes
Somme
A 16
A 28
A 29
A 1
N 25
N 29
D 925
D 928
D 916
D 929
D 901
D 1015
D 934


**Carlton**, 42 r. Noyon ✆ 03 22 97 72 22, *lecarlton@free.fr, Fax 03 22 97 72 00* – |♦|, ▤ rest, TV ✆ – 🏛 15 à 50. AE ⓓ GB JCB CZ s

***Le Bistrot*** (grill) **Repas** *(11)*-14bc/20 ♀, enf. 6,50 – ☕ 10 – **23 ch** 71/100 – ½ P 58/83.

◆ Immeuble du 19e s. proche de la gare. Fresque murale et mobilier en bois sombre donnent du caractère aux chambres, feutrées et bien insonorisées. Grillades au Bistrot.

**Mercure Cathédrale** M sans rest, 17 pl. au Feurre ✆ 03 22 22 00 20, *mercure.amiens@escalotel.com, Fax 03 22 91 86 57* – |♦| ⇔ ▤ TV ✆ ♿ – 🏛 20. AE ⓓ GB JCB BY r

☕ 9 – **47 ch** 78/88.

◆ Belle façade du 18e s., ancien relais de poste, abritant un hôtel restauré. Ses plaisantes chambres insonorisées sont dotées de meubles en bois blond.

**Grand Hôtel de l'Univers** sans rest, 2 r. Noyon ✆ 03 22 91 52 51, *Fax 03 22 92 81 66* – |♦| TV ✆ – 🏛 30. AE ⓓ GB JCB CZ a

☕ 10,50 – **41 ch** 61/99.

◆ Au bord d'un axe passant, maison ancienne à la façade ravalée. Hall bourgeois et belle cage d'escalier coiffée d'une verrière desservant des chambres confortables.

**Express by Holiday Inn** M, 10 bd Alsace-Lorraine ✆ 03 22 22 38 50, *expressamiens@alliance-hospitality.com, Fax 03 22 22 38 55* – |♦| ⇔ TV ✆ ♿ – 🏛 25. AE GB CZ n

**Repas** *(fermé août, sam. et dim.) (11)* - 14 ♀, enf. 6 – **69 ch** 85.

◆ Bâtiment moderne accolé à un centre commercial. Le mobilier contemporain aux lignes épurées apporte une note élégante aux chambres, fonctionnelles et assez spacieuses.

**Ibis**, 4 r. Mar. de-Lattre-de-Tassigny ✆ 03 22 92 57 33, *Fax 03 22 91 67 50* – |♦| ⇔ TV ✆ ♿ 🚗 – 🏛 15 à 35. AE ⓓ GB BY e

**Repas** 15 🍷, enf. 6 – ☕ 5,50 – **94 ch** 65.

◆ Établissement des années 1980 entièrement rénové et bien situé au coeur du quartier culturel amiénois. Chambres pratiques mises aux dernières normes de la chaîne.

**Victor Hugo** sans rest, 2 r. Oratoire ✆ 03 22 91 57 91, *Fax 03 22 92 74 02* – TV. GB

☕ 5 – **10 ch** 36/41. CY v

◆ Petit hôtel familial à deux pas de la cathédrale gothique et de son célèbre Ange pleureur. Un vénérable escalier en bois mène à des chambres simples et bien tenues.

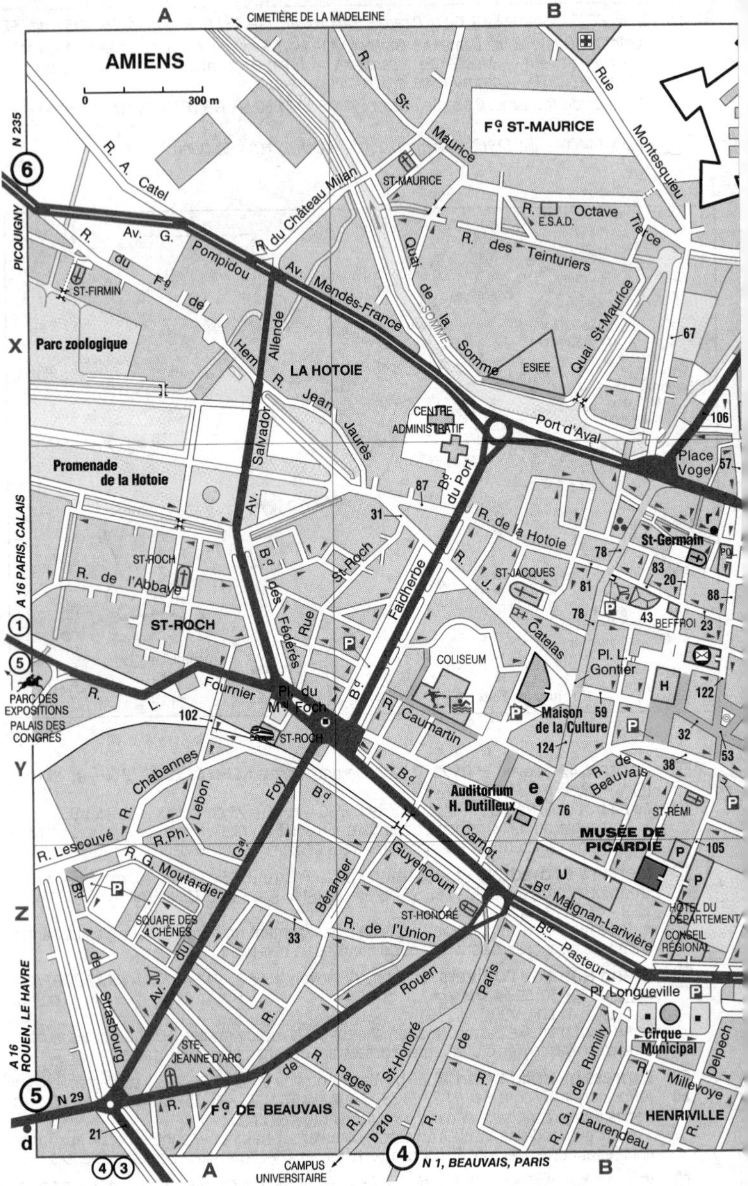

AMIENS
0
300 m
A
B
X
Y
Z
CIMETIÈRE DE LA MADELEINE
N 235
PICQUIGNY
A 16 PARIS, CALAIS
PARC DES EXPOSITIONS
PALAIS DES CONGRÈS
A 16 ROUEN, LE HAVRE
N 29
CAMPUS UNIVERSITAIRE
N 1, BEAUVAIS, PARIS
D 210
Fg ST-MAURICE
ST-MAURICE
R. Octave Tierce
E.S.A.D.
R. des Teinturiers
Quai de la Somme
SOMME
Quai St-Maurice
ESIEE
Rue Montesquieu
R. A. Catel
Av. G. Pompidou
R. du Château Milan
Av. Mendès-France
R. du Fg de Hem
ST-FIRMIN
Parc zoologique
LA HOTOIE
R. Jean Jaurès
Av. Salvador Allende
CENTRE ADMINISTRATIF
Port d'Aval
Place Vogel
Promenade de la Hotoie
Bd du Port
R. de la Hotoie
St-Germain
ST-JACQUES
ST-ROCH
R. de l'Abbaye
R. St-Roch
Bd des Fédérés
Rue Faidherbe
R. J. Catelas
BEFFROI
COLISEUM
Pl. L. Gontier
Maison de la Culture
R. Fournier
R. L.
Pl. du Mal Foch
R. Caumartin
R. de Beauvais
ST-RÉMI
Auditorium H. Dutilleux
MUSÉE DE PICARDIE
R. Chabannes
R. Lebon
Bd Foy
R. Lescouvé
R. Ph.
R. G. Moutardier
Av. du Gal
SQUARE DES 4 CHÊNES
Bd Carnot
Bd Guyencourt
Bd Béranger
ST-HONORÉ
R. de l'Union
Bd Maignan-Larivière
Bd Pasteur
HÔTEL DU DÉPARTEMENT
CONSEIL RÉGIONAL
Pl. Longueville
Cirque Municipal
R. de Rouen
R. de Paris
R. St-Honoré
R. de Rumilly
R. Delpech
R. Millevoye
R. G. Laurendeau
HENRIVILLE
Bd de Strasbourg
STE-JEANNE D'ARC
R. Pagès
Fg DE BEAUVAIS


Aguesseau (Pl.) .......... CY 3
Alsace-Lorraine (Bd d') .... CY 5
Beauvais (R. de) .......... BY
Briand (Pl. A.) .......... CXY 10
Cange (Pt. du) .......... CY 15
Catelas (R. Jean) .......... BY
Cauvin (R. E.) .......... CY 17
Célestins (Bd des) .......... CX 19
Chapeau-des-Violettes (R.) . BY 20
Châteaudun (Bd de) .......... AZ 21
Chaudronniers (R. des) .... BY 23
Cormont (R.) .......... CY 27
Courbet (R. de l'Amiral) .......... CY 29
Défontaine (R. du Cdt) .... BY 31
Delambre (R.) .......... BY 32
Denfert-Rochereau (R.) .... AZ 33
Déportés (R. des) .......... CX 34
Dodane (R. de la) .......... CY 35
Dodane (Pont de la) .......... CY 36
Don (Pl. du) .......... CY 37
Duméril (R.) .......... BY 38
Engoulvent (R. d') .......... CY 40
Fil (Pl. au) .......... BY 43
Fiquet (Pl. Alphonse) .......... CZ 44
Flatters (R.) .......... CY 45
Francs-Mûriers (R. des) .......... CY 51
Fusillés (Bd des) .......... CX 52
Gambetta (Pl.) .......... BY 53
Gloriette (R.) .......... CY 54
Goblet (Pl. René) .......... CY 55
Gde Rue de la Veillère .... BY 57

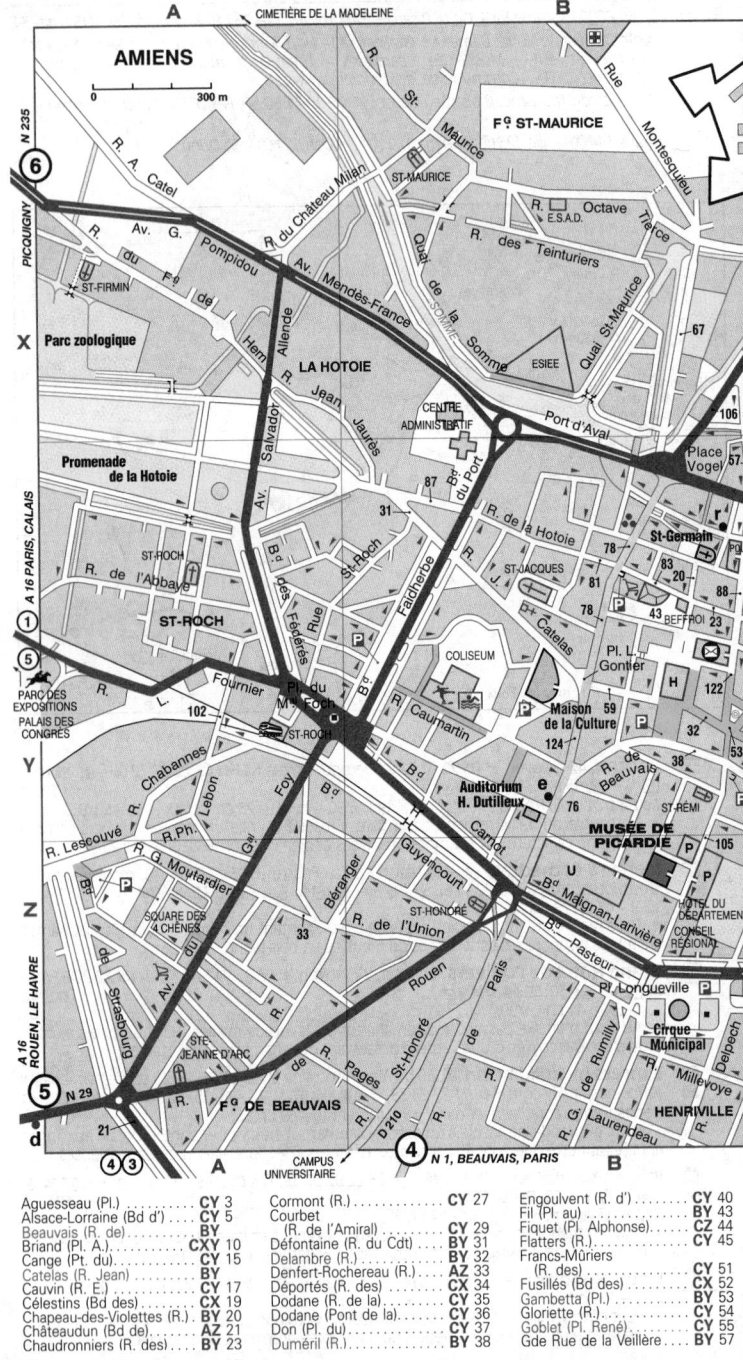

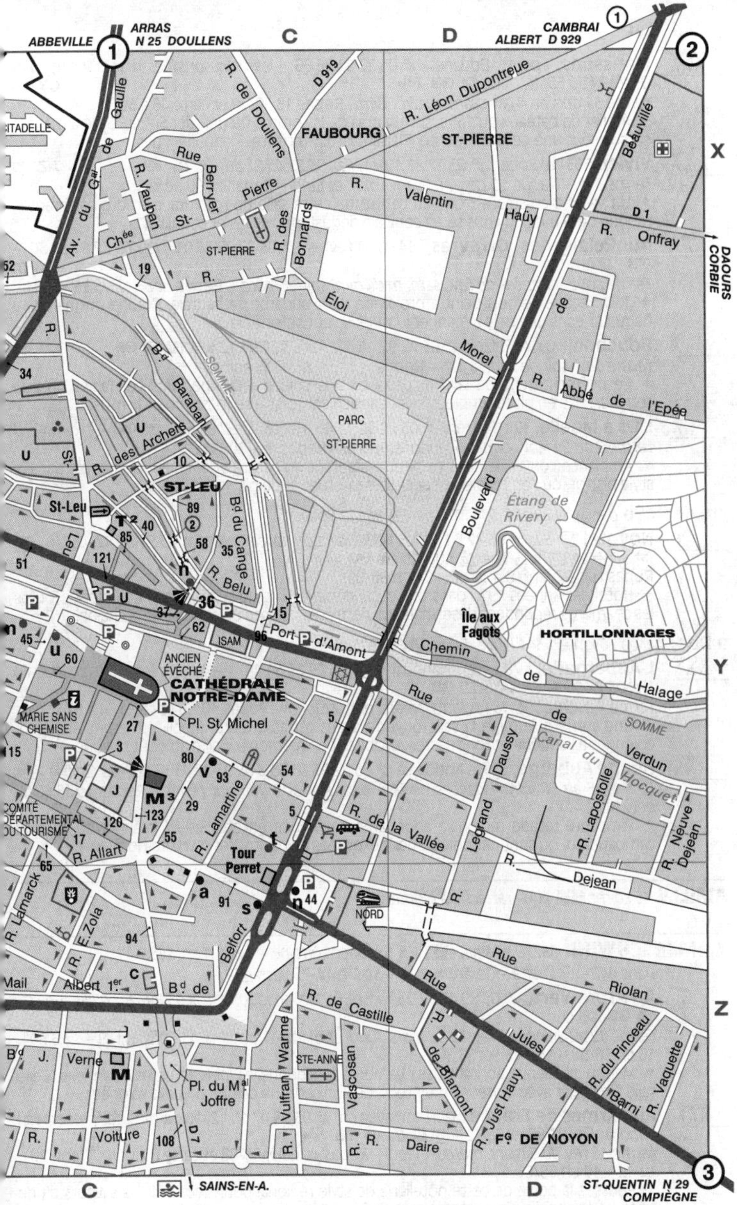
ABBEVILLE
ARRAS
N 25 DOULLENS
C
D
CAMBRAI
ALBERT D 929
1
2
3
X
Y
Z
CITADELLE
Av. du Gal de Gaulle
R. de Doullens
D 919
R. Léon Dupontreue
FAUBOURG
ST-PIERRE
Rue Berryer
R. Vauban
Chée St-Pierre
ST-PIERRE
R. des Bonnards
R. Valentin
R. Éloi Morel
Haüy
Beauvillé
D 1
R. Onfray
DAOURS
CORBIE
Bd Baraban
SOMME
PARC
ST-PIERRE
R. Abbé de l'Epée
R. des Archers
ST-LEU
St-Leu
Bd du Cange
R. Belu
Boulevard
Étang de Rivery
Île aux Fagots
HORTILLONNAGES
Port d'Amont
ISAM
Chemin de Halage
ANCIEN ÉVÊCHÉ
CATHÉDRALE NOTRE-DAME
Pl. St. Michel
MARIE SANS CHEMISE
Rue de Verdun
Canal du Hocquet
Daussy
R. Lapostolle
R. Neuve Dejean
COMITÉ DÉPARTEMENTAL DU TOURISME
R. Allart
R. Lamartine
R. de la Vallée
Legrand
Tour Perret
R. Dejean
NORD
R. Lamarck
R. E. Zola
Belfort
Rue Riolan
Mail
Albert 1er
Bd de
R. de Castille
Rue Jules Barni
R. de Blamont
R. du Pinceau
R. Vaquette
Bd J. Verne
Pl. du Mal Joffre
Vulfran Warmé
STE-ANNE
Vascosan
R. Just Hauy
Fg DE NOYON
R. Voiture
108
D 7
R. Daire
SAINS-EN-A.
ST-QUENTIN N 29
COMPIÈGNE

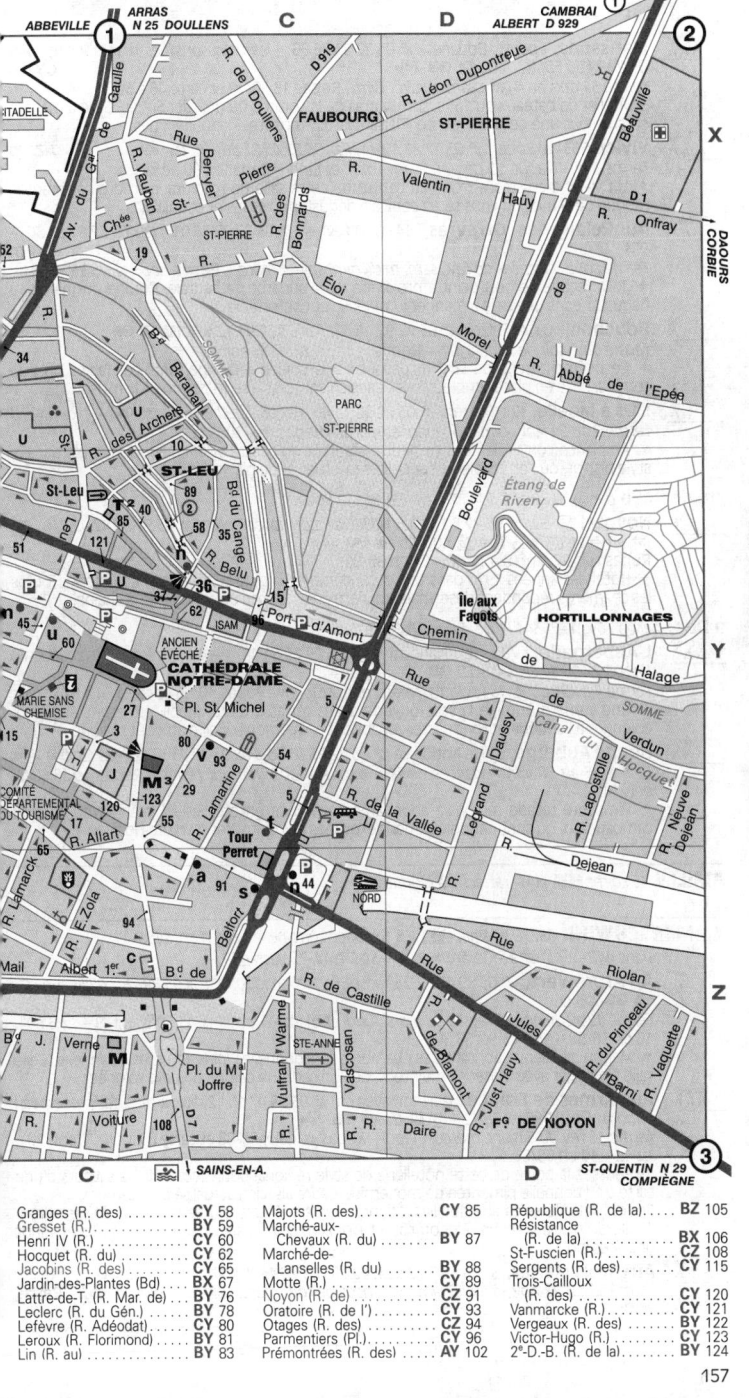

XXX **Marissons,** pont Dodane ✆ 03 22 92 96 66, *les-marissons@les-marissons.fr, Fax 03 22 91 50 50,* – AE ⓘ GB JCB CY n
*fermé 31 déc. au 4 janv.,sam. midi et dim* – **Repas** 18,50/49 et carte 46 à 59 ♀.
◆ Atelier de bateaux du 15e s. sur un bras de la Somme du quartier St-Leu. Salle à manger cossue sous une belle charpente. Plaisant jardin-terrasse. Plats classiques.

XX **Vivier,** 593 rte Rouen ✆ 03 22 89 12 21, *Fax 03 22 45 27 36* – P. AE GB AZ d
*fermé 3 au 18 août, 25 déc. au 2 janv., dim. et lundi* – **Repas** 22/60 bc ♀.
◆ Un vivier à crustacés trône au centre de cette salle de restaurant ; cadre célébrant le monde de la mer, où vous serez convié à déguster poissons et coquillages.

XX **Au Relais des Orfèvres,** 14 r. Orfèvres ✆ 03 22 92 36 01, *Fax 03 22 91 83 30* – GB CY m
*fermé août, vacances de fév., sam. midi, dim. soir et merc.* – **Repas** *(20 bc)* - 23/36 ♀.
◆ Jolie façade de bois peint à proximité de la superbe cathédrale. Cuisine du marché à déguster dans une salle à manger lumineuse et confortable.

X **Bouchon,** 10 r. A. Fatton ✆ 03 22 92 14 32, *Fax 03 22 91 12 58* – AE ⓘ GB CY t
*fermé dim. soir de sept. à juin* – **Repas** 15 (déj.), 22/42 ♀, enf. 13.
◆ Ce bistrot proche de la gare propose une copieuse cuisine familiale. Tables un peu serrées, mise en place simple, service sans chichi : on s'y sent "comme à la maison".

X **L'Os à Moelle,** 12 r. Flatters ✆ 03 22 92 75 46, *Fax 03 22 92 83 68* – ▤. GB CY u
*fermé 2 au 21 janv., dim. soir, lundi et mardi* – **Repas** *(13)* - 20/35 ♀.
◆ Ambiance conviviale dans ce petit restaurant du centre-ville amiénois, meublé dans le style bistrot, où l'on régale de spécialités picardes et de plats traditionnels.

**rte de Roye** *par ③, N 29 et D 934 : 7 km* – ✉ *80440 Boves :*

**Novotel** M, ✆ 03 22 50 42 42, *H0396@accor-hotels.com, Fax 03 22 50 42 49,* – ▤ TV ☎ ♿ P – 🏛 100. AE ⓘ GB JCB
**Repas** *(18)* - 22, enf. 8 – ☕ 10 – **94 ch** 85/96.
◆ Hôtel des années 1970 dans une zone commerciale de la périphérie amiénoise. Toutes les chambres répondent désormais aux dernières normes de confort de la chaîne.

**à Dury** *par ④ : 6 km – 1 341 h. alt. 115* – ✉ *80480 :*

XXX **L'Aubergade,** 78 rte Nationale ✆ 03 22 89 51 41, *aubergade.dury@wanadoo.fr, Fax 03 22 95 44 05,* – AE GB
*fermé 4 au 25 août, 16 fév. au 1er mars, dim. et lundi* – **Repas** 30/55 et carte 54 à 67 ♀.
◆ Une verrière illumine la salle ouverte sur la terrasse d'été. Mobilier d'esprit Art déco, colonnes à l'antique et tons pastel cohabitent en harmonie. Carte au goût du jour.

XX **Bonne Auberge,** 63 rte Nationale ✆ 03 22 95 03 33, *Fax 03 22 45 37 38* – AE ⓘ GB JCB
*fermé 15 au 30 juin, vacances de fév., dim. soir et lundi sauf fériés* – **Repas** 16/36,60 ♀, enf. 14.
◆ Pimpante façade régionale abondamment fleurie en été. Salle à manger au charme campagnard, où sont périodiquement exposées des peintures d'artistes locaux.

---

**AMILLY** *45 Loiret* 318 N4 – *rattaché à Montargis.*

---

**AMMERSCHWIHR** *68770 H.-Rhin* 315 H8 *G. Alsace Lorraine – 1 869 h alt. 215.*
*Paris 440 – Colmar 9 – Gérardmer 50 – St-Dié 44 – Sélestat 29.*

**A l'Arbre Vert,** ✆ 03 89 47 12 23, *arbre.vert@wanadoo.fr, Fax 03 89 78 27 21* – TV. AE ⓘ GB. ch
*fermé 12 au 24 nov., 9 fév. au 19 mars, lundi et mardi* – **Repas** 13/43,50 ♀, enf. 8 – ☕ 6,80 – **16 ch** 36/58 – ½ P 45,50/58,50.
◆ Maison alsacienne abritant des chambres fonctionnelles, plus actuelles à l'annexe. Belle salle à manger avec boiseries sculptées, où l'on sert une cuisine du pays soignée.

XXX **Aux Armes de France** (Gaertner) avec ch, ✆ 03 89 47 10 12, *aux.armes.de.france@wanadoo.fr, Fax 03 89 47 38 12* – TV P. AE ⓘ GB JCB
✿ *fermé 16 fév. au 5 mars, merc. et jeudi* – **Repas** 45 (déj.), 66/88 et carte 80 à 110, enf. 20 – ☕ 12 – **10 ch** 65/80.
◆ Poussez la porte de cette hôtellerie de style régional pour découvrir les saveurs d'une carte traditionnelle pimentée de modernité. Cadre alsacien actualisé et cossu.
**Spéc.** Filets de soles aux nouilles. Mignon de Saint-Pierre, purée de pommes de terre à l'huile de truffe blanche. Pigeon rôti et raviole d'épinards au foie gras. **Vins** Tokay-Pinot gris, Riesling.

X **Aux Trois Merles,** ✆ 03 89 78 24 35, *Fax 03 89 78 13 06,* – P. AE GB
*fermé 12 au 22 nov., 3 au 12 janv., vacances de fév., merc. soir, dim. soir et lundi* – **Repas** 20/38 ♀.
◆ Plaisante adresse située dans l'un des villages de la célèbre route des Vins. Intérieur sagement rustique, terrasse ombragée tournée vers le jardin et cuisine traditionnelle.

**AMNÉVILLE** *57360 Moselle* **307** H3 *G. Alsace Lorraine – 8 926 h alt. 162 – Stat. therm. (fin fév.-début déc.) – Casino.*

**Voir** *Parc zoologique du bois de Coulange★.*

**Env.** *Parc d'attraction Walibi-Schtroumpf★ 3 km S.*

*Office du tourisme, rue de la Source ✆ 03 87 70 10 40, Fax 03 87 71 90 94, otamn@ville amneville.fr.*

*Paris 327 – Metz 23 – Briey 17 – Thionville 15 – Verdun 68.*

**au Parc de Loisirs** *bois de Coulange, Sud : 2,5 km – ✉ 57360 Amnéville :*

**Diane Hôtel** sans rest, ✆ 03 87 70 16 33, *accueilhotel@wanadoo.fr, Fax 03 87 72 36 72* – – 15 à 50. AE GB

*fermé 19 déc. au 4 janv., vend., sam. et dim. de nov. à avril* – 8 – **43 ch** 54/62, 3 appart.

◆ En lisière de forêt, hôtel disposant de chambres spacieuses, parfois avec balcon, dotées d'un mobilier en rotin coloré. Salle des petits-déjeuners ouverte sur la nature.

**Orion** , ✆ 03 87 70 20 20, *accueilhotel@wanadoo.fr, Fax 03 87 72 36 21,* – – 20 à 50. AE GB

*fermé 24 déc. au 2 janv., et dim. soir de nov. à avril* – **Repas** *(fermé dim. soir de nov. à avril, sam. midi et vend.)* 16/25 – 7 – **44 ch** 44/52.

◆ Adresse pour petits budgets, estimée pour ses chambres bien tenues, équipées d'un mobilier pratique en rotin. Certaines sont en rez-de-jardin. À table, formules buffets.

**Forêt,** ✆ 03 87 70 34 34, *Fax 03 87 70 34 25,* – . AE GB

*fermé 21 déc. au 6 janv., sam. midi en juil.-août, dim. soir et lundi* – **Repas** 18,50/30 ♀.

◆ Grande et lumineuse salle de restaurant abondamment fleurie. En été, la terrasse dressée face à la forêt est très prisée. Cuisine traditionnelle.

***Les prix***

***Pour toutes précisions sur les prix indiqués dans ce guide, reportez-vous aux pages explicatives.***

**AMONDANS** *25330 Doubs* **321** *G4 – 77 h alt. 720.*

*Paris 424 – Besançon 30 – Pontarlier 40 – Salins-les-Bains 27.*

**Château d'Amondans** (Médigue) avec ch, ✆ 03 81 86 53 14, *chef@chateau-amondans.com, Fax 03 81 86 53 76,* , , – – 60. AE GB. ch

*fermé 22 déc. au 18 mars, 11 au 21 août, lundi soir de début oct. à fin avril, dim. soir et merc.* – **Repas** (nombre de couverts limité, prévenir) 31/62 et carte 55 à 70 ♀ – 10 – **13 ch** 58/90 – ½ P 65/90.

◆ Naguère propriété des Pommery, jolie demeure bourgeoise au cachet préservé : poutres, boiseries, dallage ancien et cheminée en pierre de style Renaissance. Cuisine créative.

**Spéc.** Foie gras de canard confit, gelée de Vin Jaune. Feuilleté de truite et chips de comté (été-automne). Cochon de lait caramélisé aux fines épices (printemps-été). **Vins** Côtes du Jura, L'Etoile.

**AMOU** *40330 Landes* **335** *G13 – 1 481 h alt. 44.*

*Office du Tourisme, 90 place de la Técouère ✆ 05 58 89 02 25, Fax 05 58 89 02 25.*

*Paris 764 – Mont-de-Marsan 48 – Aire-sur-l'Adour 51 – Dax 31 – Orthez 14 – Pau 50.*

**Commerce,** près Église ✆ 05 58 89 02 28, *hotel-darracq-le-commerce-amou@wanadoo.fr, Fax 05 58 89 24 45,* – – 20. AE GB

*fermé vacances de fév., 4 au 24 nov., dim. soir et lundi d'oct. à juin* – **Repas** 14/40 ♀ – 7 – **17 ch** 40/50 – ½ P 43.

◆ Grande maison de village abritant un bar au rez-de-chaussée. Les chambres, mansardées au 2e étage, sont accueillantes. Salle à manger au plaisant décor rustique.

**AMPHION-LES-BAINS** *74 H.-Savoie* **328** M2 *G. Alpes du Nord – ✉ 74500 Publier.*

*Office de tourisme, rue des Tilleuls ✆ 04 50 70 00 63, Fax 04 50 70 03 03.*

*Paris 573 – Thonon-les-Bains 6 – Annecy 80 – Évian-les-Bains 4 – Genève 40.*

**Princes,** ✆ 04 50 75 02 94, *hotel.des.princes@wanadoo.fr, Fax 04 50 75 59 93,* <, , , , – . AE GB

*4 mai-fin sept. et fermé mardi sauf juil.-août* – **Repas** 16/40, enf. 10 – 7 – **21 ch** 84/120 – ½ P 57/70.

◆ Bâtisse du 18e s. postée sur une rive du Léman. Demander une chambre rénovée, avec vue sur le lac. Deux restaurants panoramiques dont un au ras de l'eau. Ponton privé.

**Tilleul,** ✆ 04 50 70 00 39, *letilleul@aol.com, Fax 04 50 70 05 57,* – 🛗 TV ✆ 🚗 P. AE ⓓ GB
*fermé 20 déc. au 15 janv.* – **Repas** *(fermé dim. soir et lundi sauf juil.-août)* 16/40 ♀ – ☕ 9 – **19 ch** 49/80 – ½ P 61.
◆ Maison du début du 20e s. aux chambres spacieuses sur l'avant, plus anciennes mais plus calmes sur l'arrière. Cuisine traditionnelle où s'illustrent perches et féras du Léman.

---

**AMPUIS** *69420 Rhône* 327 H7 – *2 051 h alt. 150.*
*Paris 497 – Lyon 37 – Condrieu 5 – Givors 17 – Rive-de-Gier 21 – Vienne 7.*

**Bistrot à Vins de Serine,** pl. Église ✆ 04 74 56 15 19,
*fermé 18 août au 8 sept., 31 déc. au 6 janv., dim. soir, lundi et le soir du mardi au jeudi* – **Repas** 14 (déj.)/16, enf. 9.
◆ À l'étage d'une maison régionale, charmant bistrot proposant une cuisine du marché. Au rez-de-chaussée, boutique de vins richement pourvue en côtes-du-rhône.

---

**AMPUS** *83111 Var* 340 N4 *G. Côte d'Azur – 622 h alt. 600.*
*Paris 876 – Castellane 58 – Draguignan 15 – Toulon 93.*

**Roche Aiguille,** ✆ 04 94 70 97 24, *Fax 04 94 70 97 24,* – GB
*fermé 2 janv. au 10 fév., dim. soir, merc. soir hors saison, mardi midi en juil.-août et lundi* – **Repas** 23/38.
◆ Deux salles à manger rustiques. En hiver, attablez-vous auprès de la cheminée ; aux beaux jours, savourez la douceur d'un repas en terrasse. Cuisine traditionnelle.

**Fontaine d'Ampus** (Haye), ✆ 04 94 70 98 08, *Fax 04 94 70 98 08,* – GB
*fermé oct., fév., lundi et mardi* – **Repas** (nombre de couverts limité, prévenir) (menu unique) 32.
◆ Sur la place centrale, petite maison ancienne au cadre intime et régional, qui s'attache à faire découvrir la Provence à travers ses produits et ses recettes.
**Spéc.** Carpaccio de fenouil, pourpier et parmesan au pistou de roquette (juil.-août). Jarret de veau confit au lait de chèvre et tomates séchées (printemps). Menu aux truffes fraîches du Haut-Var (janvier) **Vins** Côtes de Provence.

*Si le coût de la vie subit des variations importantes,*
*les prix que nous indiquons peuvent être majorés.*
*Lors de votre réservation à l'hôtel, faites-vous préciser le prix définitif.*

---

**ANCENIS** SP *44150 Loire-Atl.* 316 I3 *G. Châteaux de la Loire – 6 896 h alt. 13.*
*Office du Tourisme, 27 rue du Château ✆ 02 40 83 07 44, Fax 02 40 83 07 44.*
*Paris 348 – Nantes 41 – Angers 55 – Châteaubriant 49 – Cholet 49 – Laval 100.*

**Akwaba,** bd Dr Moutel ✆ 02 40 83 30 30, *Fax 02 40 83 25 10* – 🛗, ▤ rest, TV ✆ ♿ P – 🏛 50. AE GB
**Repas** *(fermé 26 juil. au 17 août, 22 déc. au 5 janv. sam. et dim.)* 12,10 (déj.), 18/19,10 ♀ – ☕ 7 – **56 ch** 36/59 – ½ P 45,40/48,30.
◆ "Bienvenue" ivoirien dans cet hôtel situé au coeur d'un petit centre commercial. Chambres fonctionnelles et claires. De beaux objets d'art africain égayent le salon.

**Charbonnière,** au bord de la Loire par bd Joubert ✆ 02 40 83 25 17, *pierrecuasante1@wanadoo.fr, Fax 02 40 98 85 00,* ≤ la Loire, – ▤ P. GB
*fermé 5 au 24 août, sam. midi, dim. soir et merc. soir de nov. à mars* – **Repas** 15 (déj.), 18/40 ♀, enf. 13,50.
◆ Spacieuse salle à manger prolongée d'une véranda offrant une jolie vue sur la Loire et le pont suspendu. Plaisante terrasse aménagée dans un jardin au bord du fleuve.

**Les Terrasses de Bel Air,** Est : 1 km rte Angers ✆ 02 40 83 02 87, *Fax 02 40 83 33 46,* – P. GB
*fermé 23 juil. au 5 août, sam. midi, dim. soir et lundi* – **Repas** 13 (déj.), 25/45 ♀, enf. 7.
◆ En bordure de route passante, mais face à la Loire, deux salles à manger aménagées dans l'esprit d'une maison particulière avec cheminée, parquet et mobilier de style.

**Toile à Beurre,** 82 r. St-Pierre (près église) ✆ 02 40 98 89 64, *Fax 02 40 96 01 49,* – AE GB
*fermé 16 sept. au 6 oct., 17 au 23 fév., dim. soir, merc. soir et lundi* – **Repas** *(10,70)* - 15/31 ♀.
◆ Pierres et poutres apparentes, tomettes au sol et belle cheminée en pierre composent l'authentique cadre rustique de cette maison bâtie en 1753. Cuisine traditionnelle.

**ANCY-LE-FRANC** *89160 Yonne* 319 H5 *G. Bourgogne – 1 174 h alt. 180.*

Voir Château★★.

*Office du Tourisme, 57-59 Grande Rue ☎ 03 86 75 03 15, Fax 03 86 75 03 15.*

*Paris 216 – Auxerre 54 – Châtillon-sur-Seine 38 – Montbard 29 – Tonnerre 18.*

**Hostellerie du Centre,** 34 Grande Rue ☎ 03 86 75 15 11, *hostellerieducentre@diaphor a.com, Fax 03 86 75 14 13,* – ch, – 25. AE GB

*15 mars-15 nov.* – **Repas** 14/36 ♀ – 7 – **22 ch** 35/54 – ½ P 42/46.

◆ Petit immeuble ancien disposant de chambres pratiques et fraîches, plus amples à l'annexe. Cadre actuel au restaurant. La piscine couverte permet de se détendre toute l'année.

---

**Les ANDELYS** *27700 Eure* 304 I6 *G. Normandie Vallée de la Seine – 8 455 h alt. 28.*

Voir *Ruines du Château Gaillard★★ ←★★ – Église Notre-Dame★.*

*Office du Tourisme, rue Philippe Auguste ☎ 02 32 54 41 93, Fax 02 32 54 41 93.*

*Paris 93 ② – Rouen 39 ① – Évreux 38 ③ – Gisors 30 ② – Mantes-la-Jolie 54 ③.*

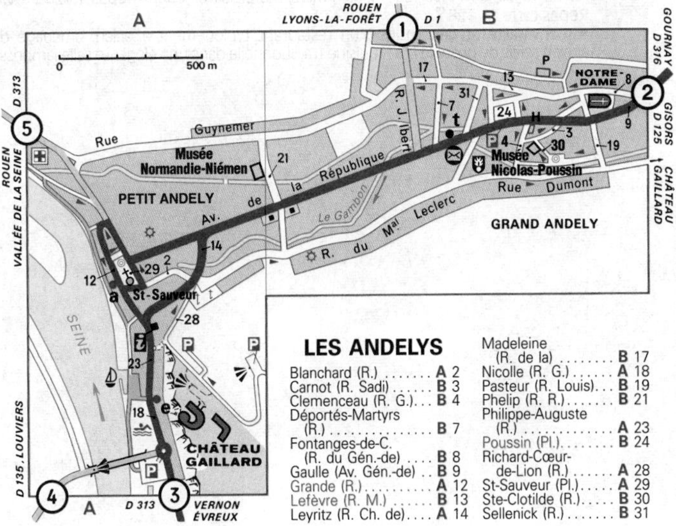

ROUEN
LYONS-LA-FORÊT
D 1
A
B
GOURNAY D 316
0
500 m
NOTRE-DAME
GISORS D 125
D 313
Guynemer
Rue
ROUEN VALLÉE DE LA SEINE
Musée Normandie-Niémen
R. J. Ibert
la République
de
Av.
Musée Nicolas-Poussin
Rue Dumont
CHÂTEAU GAILLARD
PETIT ANDELY
Le Gambon
R. du Mal Leclerc
GRAND ANDELY
St-Sauveur
SEINE
D 135, LOUVIERS
CHÂTEAU GAILLARD
D 313
VERNON ÉVREUX


## LES ANDELYS



**Paris,** 10 av. République ☎ 02 32 54 00 33, *thierry.augustin@libertysurf.fr, Fax 02 32 54 65 92,* – AE GB — B t

**Repas** *(fermé dim. soir et merc.)* 19,50/39 bc ♀ – 7 – **8 ch** 40/54 – ½ P 42.

◆ Avenante maison de maître du début du 20e s. hébergeant des chambres rajeunies et sobrement décorées. Petite salle de restaurant mi-bourgeoise, mi-rustique.

**Chaîne d'Or** avec ch, 27 r. Grande ☎ 02 32 54 00 31, *chaineor@wanadoo.fr, Fax 02 32 54 05 68,* ← – AE GB. rest — A a

*fermé 21 déc. au 31 janv., dim. soir, mardi midi et lundi* – **Repas** 26/55,50 et carte 60 à 87 ♀ – 11,50 – **10 ch** 70,50/121.

◆ Ce relais de poste du 18e s. faisait aussi office d'octroi : une chaîne barrait alors la Seine. Élégante salle à manger tournée vers le fleuve. Cuisine mi-classique, mi-terroir.

**Spéc.** Velouté crémeux de Saint-Jacques et huîtres au camembert (15 oct. au 15 avril). Langoustines rôties au citron vert confit. Carré d'agneau aux saveurs pimentées.

**Villa du Vieux Château,** 78 r. G. Nicolle ☎ 02 32 54 30 10, *Fax 02 32 54 30 06* – GB

*fermé 16 août au 3 sept., dim. soir, lundi et mardi* – **Repas** 17/31. — A e

◆ Dominée par les ruines de Château-Gaillard, maison en briques tournée sur sa cour intérieure. Deux salles à manger intimes au confort bourgeois. Cuisine du marché, poissons.

*Donnez-nous votre avis sur les tables que nous recommandons, sur leurs spécialités et leurs vins de pays.*

**ANDLAU** *67140 B.-Rhin* 315 I6 *G. Alsace Lorraine – 1 632 h alt. 215.*

Voir *Église St-Pierre-et-St-Paul★ : portail★★, crypte★.*

*Office du Tourisme, 5 rue du Gal de Gaulle ☎ 03 88 08 22 57, Fax 03 88 08 42 22, otandlau@netcourrier.com.*

*Paris 452 – Strasbourg 45 – Erstein 25 – Le Hohwald 8 – Molsheim 25 – Sélestat 18.*

**Zinckhotel** M sans rest, 13 r. Marne ☎ 03 88 08 27 30, *zinck.hotel@wanadoo.fr, Fax 03 88 08 42 50,* – P – 20. GB.
10 – **18 ch** 55/95.
◆ Ancien moulin originalement décoré à tous les étages : chambres ultra personnalisées (du rustique au design), couloirs semblables à des ponts de bateau, roue à aube, etc.

**Kastelberg**, 10 r. Gén. Koenig ☎ 03 88 08 97 83, *kastelberg@wanadoo.fr, Fax 03 88 08 48 34,* – TV P – 20. AE GB
*fermé fév.* – **Repas** *(avril-déc.)* (dîner seul.) 16/43 – 9,50 – **29 ch** 52/60 – ½ P 52/57.
◆ Pimpante façade d'allure alsacienne bordant les vignes. Chambres plaisantes, mansardées ou avec balcon, garnies d'un mobilier campagnard régional souvent peint.

**Boeuf Rouge,** ☎ 03 88 08 96 26, *auboeufrouge@wanadoo.fr, Fax 03 88 08 99 29,* –
AE GB
*fermé 18 juin au 11 juil., 23 fév. au 4 mars, merc. soir et jeudi* – **Repas** 15/28 ***-Winstub :*** **Repas** carte 15 à 28.
◆ Convivialité et générosité d'un restaurant typiquement alsacien, aménagé dans un ancien relais de poste (17e s.). Cuisine traditionnelle dans une élégante salle lambrissée.

# ANDORRE (Principauté d')

343 H9 *G. Midi-Pyrénées - 62 400 h. - alt. 1029*

*r. Dr-Vilanova, Andorre-la-Vieille ✆ (00-376) 82 02 14, Fax (00-376) 82 58 23, sindicatdiniciativa@andorra.ad*

## RENSEIGNEMENTS PRATIQUES

*La Principauté d'Andorre, d'une superficie de 464 km², est située au coeur des Pyrénées, entre la France et l'Espagne. Depuis 1993, la Principauté est un État souverain membre de l'O.N.U.*

*Pour se rendre en Andorre, les citoyens de l'Union Européenne ont besoin d'un passeport ou d'une carte d'identité en cours de validité.*

*Accès depuis la France : RN 22 passant par le Pas de la Casa.*

*Liaison par autocars : depuis l'aéroport de Toulouse-Blagnac par la Cie Novatel, renseignements (00-376) 803 789.*

*Depuis les gares SNCF de l'Hospitalet et Latour-de-Carol par la Cie Hispano-Andorranne, renseignements (00-376) 821 372*

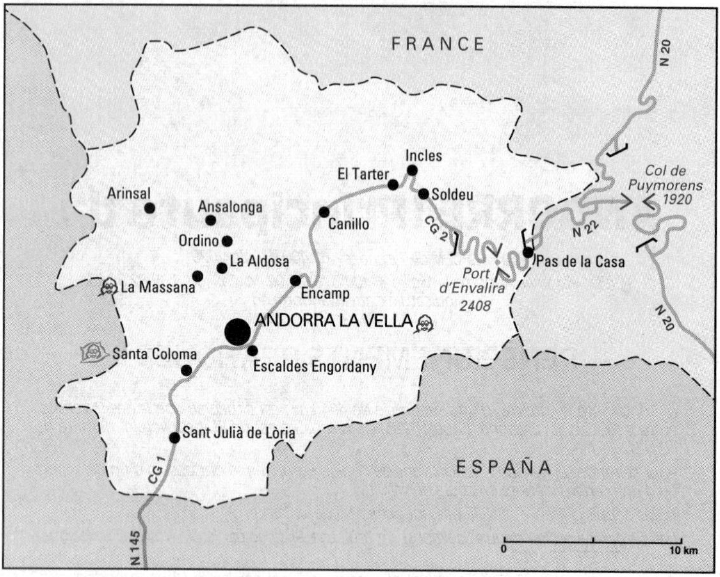
FRANCE
ESPAÑA
N 20
Incles
El Tarter
Soldeu
Col de Puymorens 1920
Arinsal
Ansalonga
Canillo
N 22
Ordino
CG 2
La Aldosa
Pas de la Casa
Port d'Envalira 2408
La Massana
Encamp
ANDORRA LA VELLA
Santa Coloma
Escaldes Engordany
Sant Julià de Lòria
CG 1
N 145
0
10 km

**Andorra-la-Vella** Capitale de la Principauté 343 H9 – *alt. 1029.*
Voir *Vallée du Valira d'Orient★ NE – Vallée du Valira del Nord★ N.*
*Office de Tourisme, r. du Dr.-Vilanova ✆ (00-376)82 02 14, Fax (00-376) 82 58 23, sindicatd iniciativa@andorra.ad.*
*Paris 873 ① – Carcassonne 164 ① – Foix 102 ① – Perpignan 169 ①.*

**Crowne Plaza Andorra,** r. Prat de la Creu 88 ✆ (00-376) 87 44 44, *crowneplaza@andor ra.ad, Fax (00-376) 87 44 45,* – 25 à 700. AE GB. rest
**Repas** carte 25 à 32,50 – 12,60 – **133 ch** 156,30/195,60. B b
◆ Établissement récent où toutes les chambres sont des suites "dernier cri" ; celles pour les enfants sont décorées sur le thème Disney. Restaurant et "cafeterõa".

**Plaza,** r. Maria Pla 19 ✆ (00-376) 87 94 44, *hotel.plaza@andorra.ad, Fax (00-376) 82 17 21,* – 25 à 300. AE GB C a
**- *La Cúpula* : Repas** carte 32,90 à 52,90 – 11 – **92 ch** 122,70/153,30, 8 appart.
◆ Deux ascenseurs panoramiques desservent les six étages de ce luxueux hôtel agencé autour d'un patio verdoyant. Superbes chambres avec vue sur les sommets andorrans.

**Andorra Park Hôtel**, r. les Canals 24 ✆ (00-376) 87 77 77, *aph@andorraparkhotel.co m, Fax (00-376) 82 09 83,* – 25 à 80. AE GB B d
**Repas** carte 32,90 à 52,90 – **38 ch** 138/184.
◆ De jolis jardins entourent cette typique construction de montagne élégamment décorée. Chambres confortables, certaines avec terrasse. Piscine creusée dans le roc.

**Mercure,** r. de la Roda ✆ (00-376) 87 36 02, *mercureandorra@riberpuig.ad, Fax (00-376) 87 36 52,* – 25 à 175. AE GB JCB. rest C f
**Repas** (buffet seul.) 19 – 9 – **164 ch** 157,50/180, 9 appart.
◆ Les skieurs amateurs de cuisine italienne apprécient cet hôtel central qui, en hiver, offre des forfaits de ski gratuits à ses demi-pensionnaires. Chambres réactualisées.

**Cèntric H.,** av. Meritxell 87-89 ✆ (00-376) 87 75 00, *husacentric@andornet.ad, Fax (00-376) 87 75 01* – 25 à 200. AE GB. C h
**Repas** 18,70 – **74 ch** 123,40/163,40, 6 appart.
◆ L'imposante façade moderne de cet hôtel situé en pleine zone commerçante se voit de loin. Chambres spacieuses et claires, parfois avec terrasse. Restaurant panoramique.

**President,** av. Santa Coloma 44 ✆ (00-376) 82 29 22, *janhotels@andorra.ad, Fax (00-376) 86 14 14,* – 25 à 110. GB. rest A m
**Repas** 16 – **109 ch** 119/170.
◆ Ce vaste complexe hôtelier vient de bénéficier d'un "lifting" total : chambres redécorées dans des tons actuels, moderne restaurant panoramique... et nouvelle discothèque.

**Diplomàtic,** av. de Tarragona ✆ (00-376) 80 27 80, *hoteldiplomatic@andorra.ad, Fax (00-376) 80 27 90,* – 25 à 200. GB. rest C w
**Repas** 15 – 8 – **85 ch** 73,80/100,80.
♦ Légèrement excentrées, chambres fonctionnelles séduisant aussi bien la clientèle d'affaires que les touristes. Formules buffets et quelques plats préparés devant le client.

**Flora** sans rest, antic carrer Major 25 ✆ (00-376) 82 15 08, *flora@andornet.ad, Fax (00-376) 86 20 85,* – . GB A p
**45 ch** 54/90.
♦ Immeuble d'allure passe-partout situé tout près de la Maison des Vallées. Beau mobilier castillan dans les chambres. Jolie vue sur les montagnes depuis la piscine.

**Andorra Center,** r. Dr Nequi 12 ✆ (00-376) 82 48 00, *andorra@besthotels.es, Fax (00-376) 82 86 06,* – , rest, – 25 à 50. AE GB. rest B e
**Repas** 13,20 – 5,40 – **148 ch** 77,90/114,30.
♦ En plein quartier commerçant, adresse moderne et fonctionnelle dont les chambres viennent toutes d'être rénovées. Cuisine internationale et snack près de la piscine.

**Eden Roc,** av. Dr Mitjavila 1 ✆ (00-376) 82 10 00, *edenroc@andonet.ad, Fax (00-376) 86 03 19* – . AE GB. C n
**Repas** *(fermé juin)* carte 18 à 27 – **56 ch** 85,60/132,40.
♦ Sur la route longeant le Gran Valira, façade colorée abritant de grandes chambres confortables qui conservent un mobilier des années 1970. Certaines possèdent un balcon.

**Novotel Andorra,** r. Prat de la Creu ✆ (00-376) 87 36 03, *novotelandorra@riberpuig.ad, Fax (00-376) 87 36 53,* , – – 25 à 40. AE GB JCB. rest C k
**Repas** (buffet seul.) 19 – 9 – **97 ch** 135/150, 5 appart.
♦ Au centre de la petite métropole du négoce, Novotel classique abritant des chambres modernes, pratiques et de bon confort. Spécialités de viandes grillées sur la braise.

**Tivoli,** r. Sant Salvador 3 ✆ (00-376) 80 42 65, *tivotel@andorra.ad, Fax (00-376) 82 06 89* – . GB. C c
**Repas** *(fermé dim. soir et lundi)* carte environ 21,10 – **29 ch** 56/70.
♦ Adresse accueillante à deux pas des très chic galeries Plaza. Les chambres, pas très spacieuses mais fort bien aménagées, sont équipées de salles de bains modernes.

**Xalet Sasplugas** , r. la Creu Grossa 15 ✆ (00-376) 82 03 11, *hotelsasplugas@andorra.ad, Fax (00-376) 82 86 98,* , – . GB. rest C q
**Repas** 20 - ***Metropol*** *(fermé 1er au 15 juil., lundi midi et dim.)* **Repas** carte 30 à 38 – **26 ch** 40/62.
♦ Emplacement privilégié sur les hauteurs, loin de l'effervescence du centre-ville. Chambres personnalisées, appréciables pour leur calme. Cadre moderne au Métropol.

**Pyrénées,** av. Princep Benlloch 20 ✆ (00-376) 87 98 79, *pyreneeshotel@andorra.ad, Fax (00-376) 82 02 65,* – , rest, . GB. rest B s
**Repas** 16 – **74 ch** 41/65.
♦ Point de départ idéal pour découvrir la vieille ville à pied. Chambres fonctionnelles ; certaines donnent sur un patio. Espace-loisirs dans un bâtiment indépendant.

**Cérvol,** av. Santa Coloma 46 ✆ (00-376) 80 31 11, *hc@hotelcervol.com, Fax (00-376) 80 31 22,* – , rest, . GB. rest A u
**Repas** 15 – **99 ch** 62/86.
♦ Entre deux emplettes, venez vous requinquer dans cette hostellerie ancienne possédant deux salles à manger : formules buffets à l'étage ou "cafeteröa" (restaurant-snack).

**Font del Marge,** Baixada del Moli 49 ✆ (00-376) 82 34 43, *font-del-marge@andorra.ad, Fax (00-376) 82 31 82,* – , rest, . GB. rest A t
*fermé nov.* – **Repas** *(fermé lundi)* 15,10 – **42 ch** 61/86.
♦ Dans une rue calme et pentue, construction régionale à l'ambiance familiale. La plupart des chambres ont vue sur la montagne. Restaurant de fruits de mer ou rôtisserie.

**De l'Isard,** av. Meritxell 36 ✆ (00-376) 82 00 92, *hotelisard@andorra.ad, Fax (00-376) 86 66 95* – , rest, . GB B v
**Repas** 14,20 – **61 ch** 60,10/78,20.
♦ Derrière la typique façade de pays, intérieur totalement rénové, décor plutôt design et chambres bien équipées donnant sur la vallée. Quelques spécialités catalanes.

**Cassany** sans rest, av. Meritxell 28 ✆ (00-376) 82 06 36, *hotelcassany@andorra.ad, Fax (00-376) 86 36 09* – . GB B x
8 – **53 ch** 58/85.
♦ Au coeur de la cité commerçante et de ses boutiques détaxées, hôtel disposant de chambres au confort moderne ; certaines d'entre elles sont parquetées.

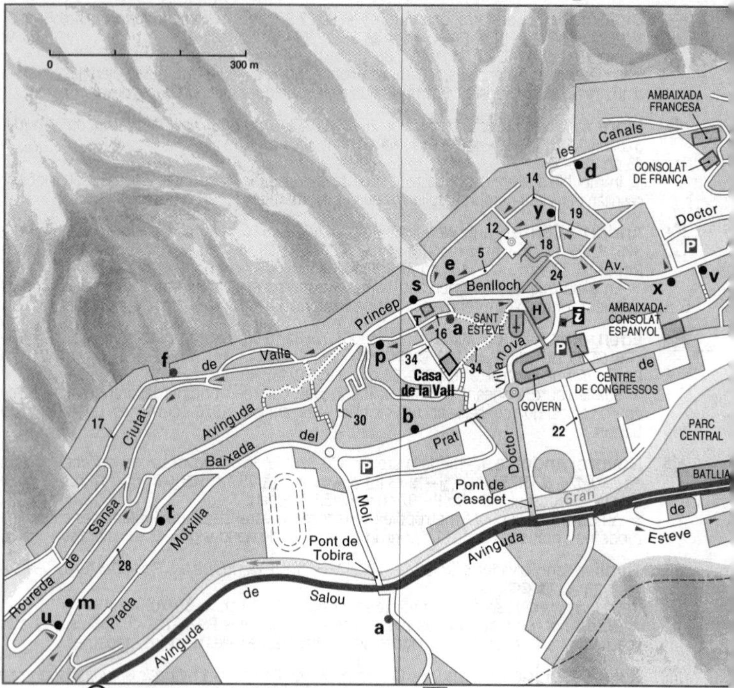
A
B
0
300 m
AMBAIXADA FRANCESA
les Canals
CONSOLAT DE FRANÇA
Doctor
Av.
Benlloch
Princep
Vilanova
SANT ESTEVE
AMBAIXADA-CONSOLAT ESPANYOL
CENTRE DE CONGRESSOS
GOVERN
PARC CENTRAL
BATLLIA
Casa de la Vall
de Valls
Avinguda
Ciutat de Sansa
Baixada del Molí
Prat
Doctor
Pont de Casadet
Gran
de
Esteve
Avinguda
Motxilla
Roureda de Sansa
Prada
Pont de Tobira
de Salou
Avinguda

(2) CG 1 SANT JULIÀ DE LÓRIA LLEIDA / LÉRIDA A B

**Florida** sans rest, r. Llacuna 15 ☎ (00-376) 82 19 25, *hotelflorida@andorra.ad, Fax (00-376) 86 19 25*, – . AE GB B y
**48 ch** 54/77.
◆ Dans une rue calme du centre-ville, cette façade où grimpe la vigne vierge abrite des petites chambres simples. Buffet pour le petit-déjeuner. Salle de jeux.

**Borda Estevet,** rte de La Comella 2 ☎ (00-376) 86 40 26, *bordaestevet@andorra.ad, Fax (00-376) 86 40 26* – P. AE GB A a
**Repas** carte environ 28,20.
◆ Dans les beaux murs de pierre d'une ancienne grange, plusieurs salles à manger au décor rustique, avec mobilier andorran et cheminée. Cuisine de montagne et catalane.

**Can Benet,** antic carrer Major 9 ☎ (00-376) 82 89 22, *mbenet@andorra.ad, Fax (00-376) 82 89 22* – . GB B a
*fermé 1er au 15 juil. et lundi* – **Repas** carte 26,50 à 31,50.
◆ Au rez-de-chaussée, un bar garni de quelques tables où règne une ambiance familiale. À l'étage, la salle à manger au décor typiquement catalan. Cuisine internationale.

**Celler d'En Toni** avec ch, r. Verge del Pilar 4 ☎ (00-376) 82 12 52, *Fax (00-376) 82 18 72* – . GB. C z
**Repas** *(fermé dim. soir)* carte 39,20 à 45,60 – **17 ch** 32,50/56,30.
◆ Décoration régionale typique, cuisines visibles de tous et "bodega" pour les repas privés personnalisent ce restaurant excentré. Quelques chambres rénovées.

**Taberna Angel Belmonte,** r. Ciutat de Consuegra 3 ☎ (00-376) 82 24 60, *Fax (00-376) 82 35 15* – . AE GB JCB. C b
**Repas** carte 27 à 35,50.
◆ Un lieu agréable que ce restaurant aux airs de taverne. Beau décor où domine le bois et mise en place impeccable. À la carte, produits du terroir, poissons et fruits de mer.

**Can Manel,** r. Mestre Xavier Plana 6 ☎ (00-376) 82 23 97, *Fax (00-376) 82 45 91* – P. GB JCB A f
*fermé 1er au 15 juil.et merc.* – **Repas** carte 21 à 30.
◆ Cette adresse simple et charmante, meublée dans le style du pays, vous convie à goûter sa savoureuse cuisine du terroir. Préférez les tables avec vue sur les fourneaux.

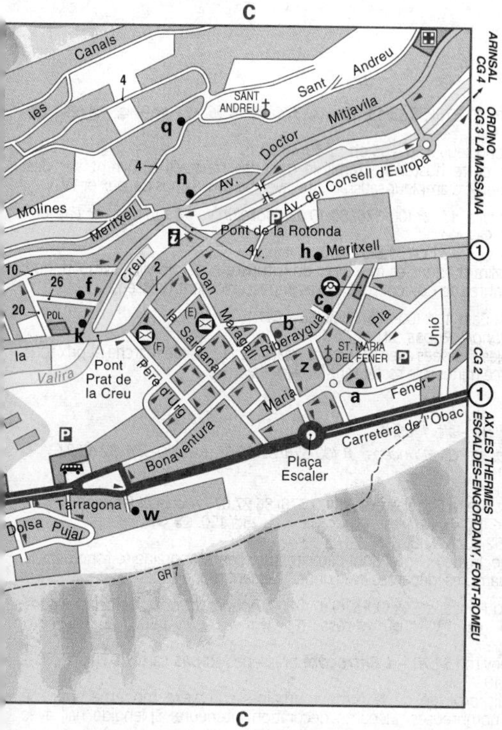

C
Canals
les
Sant Andreu
SANT ANDREU
Doctor Mitjavila
Av. del Consell d'Europa
Av. Meritxell
Molines
Pont de la Rotonda
Creu
Joan Maragall
Riberaygua
la Sardana
Pere d'Urg
Maria
Bonaventura
Fener
Unió
Pla
ST. MARIA DEL FENER
Carretera de l'Obac
Plaça Escaler
Tarragona
Dolsa Pujal
Pont Prat de la Creu
Valira
POL.
GR 7
ARINSAL CG 4
ORDINO CG 3 LA MASSANA
CG 2
AX LES THERMES ESCALDES-ENGORDANY, FONT-ROMEU


## ANDORRA LA VELLA

Baixada del MolÍ (Carrer) . . . **A**
Bonaventura Armengol (Carrer) . . . **C** 2
Bonaventura Riberaygua (Carrer) . . . **C**
Canals (Carrer les) . . . **BC**
Ciutat de Valls (Carrer) . . . **A**
Consell d'Europa (Avinguda del) . . . **C**
Creu Grossa (Carrer de la) . . **C** 4
Doctor Mitjavila (Avinguda) . . **C**
Doctor Molines (Carrer) . . . **BC**
Doctor Néqui (Carrer) . . . **B** 5
Doctor Vilanova (Carrer) . . . **B**
Escaler (Plaça) . . . **C**
Esteve Dolça Pujal (Carrer) **BC**
Fener (Carrer El) . . . **C**
Fiter i Rossell (Carrer) . . . **C** 10
Guillemó (Plaça) . . . **B** 12
Joan Maragall (Carrer) . . . **C**
Llacuna (Carrer de la) . . . **B** 14
Major (Antic carrer) . . . **B** 16
Maria Pla (Carrer) . . . **C**
Meritxell (Avinguda) . . . **C**
Mestre Xavier Plana (Carrer) . . . **A** 17
Mossèn Cinto Verdaguer (Carrer) . . . **B** 18
Mossèn Tremosa (Carrer) . . . **B** 19
Obac (Carretera de l') . . . **C**
Pere d'Urg (Carrer) . . . **C**
Pompeu Fabra (Carrer) . . . **C** 20
Prada Casadet (Carrer) . . . **B** 22
Prada Motxilla (Carrer) . . . **A**
Prat de la Creu (Carrer) . . . **BC**
Prat de la Creu (Pont) . . . **C**
Príncep Benlloch (Avinguda de) . . . **AB**
Rebés (Plaça) . . . **B** 24
Roda (Carrer de la) . . . **C** 26
Rotonda (Pont de la) . . . **C**
Roureda de Sansa (Carrer) . . **A**
Salou (Avinguda) . . . **A**
Sant Andreu (Carrer) . . . **C**
Santa Coloma (Avinguda de) **A** 28
Sardana (Carrer de la) . . . **C**
Tarragona (Avinguda de) . . . **BC**
Tobira (Carrer de) . . . **A** 30
Unió (Carrer de la) . . . **C**
Vall (Carrer de la) . . . **B** 34

**Arinsal** 343 G9 – *alt. 1145 – Sports d'hiver : 1 550/2 560 m 2 28.*
*Andorra-la-Vella 10.*

**Xalet Verdù,** ✆ (00-376) 73 71 40, *xaletverdu@andornet.ad, Fax (00-376) 73 71 41,* – ♿ P. GB. 🚫 rest
*fermé mai et nov.* – **Repas** (dîner seul.) 15 – **52 ch** 84,40/119,40.
◆ Grand bâtiment récent de conception régionale, apprécié des skieurs car non loin de la nouvelle télécabine. Nombreuses chambres avec vue sur les montagnes.

**Canillo** 343 H9 – *alt. 1531.*
Voir *Crucifixion★ dans l'église de Sant Joan de Caselles NE : 1 km.*
*Andorra-la-Vella 13.*

**Ski Plaza,** carretera General ✆ (00-376) 73 94 44, *skiplaza@hotels.andorra.com, Fax (00-376) 73 94 45,* – rest, ♿ AE GB. 🚫 rest
**Repas** 20 – 13,30 – **115 ch** 116,50/145,60.
◆ À 1600 m d'altitude, établissement particulièrement bien équipé. Chambres de style montagnard et de grand confort, parfois avec jacuzzi ; certaines sont réservées aux enfants.

**Bonavida,** pl. Major ✆ (00-376) 85 13 00, *hotel.bonavida@andorra.ad, Fax (00-376) 85 17 22,* – ♿ AE GB. 🚫
*fermé oct. et nov.* – **Repas** (dîner seul. en mai-juin) 19,80 – **48 ch** 77,40/101,10.
◆ Au centre d'un pittoresque village, architecture de style andorran modernisée. Les chambres, bien équipées, donnent sur la nature verdoyante. Idéal pour se reposer.

**Roc del Castell** sans rest, rte General ✆ (00-376) 85 18 25, *Fax (00-376) 85 17 07* – GB. 🚫
6,50 – **44 ch** 56/69.
◆ En bordure de route, belle façade en pierre abritant des chambres confortables et bien insonorisées. Décor épuré dans le salon et la salle des petits-déjeuners.

## Encamp 343 H9 – *alt. 1313.*

Voir *Les Bons : site★ N : 1 km.*

*Andorra-la-Vella 8.*

**Coray,** Caballers 38 ☎ (00-376) 83 15 13, *Fax (00-376) 83 18 06,* ≤, – |‡|, ▤ rest, TV, ⟹. ⓓ GB. ✻
*fermé nov.* – **Repas** (menu seul) 9,50 – **85 ch** ☕ 39/48,50.
♦ Belle situation pour cette hostellerie familiale dont les fenêtres s'ouvrent sur des champs de tabac. Chambres d'ampleur satisfaisante, avec balcon. Salons de jeux et TV.

**Univers,** r. René Baulard 13 ☎ (00-376) 83 10 05, *hotelunivers@andorra.ad, Fax (00-376) 83 19 70* – |‡| TV P. GB. ✻
*fermé nov.* – **Repas** 9 – ☕ 5 – **31 ch** 31,80/50,50.
♦ Sur les berges du Valira d'Orient et tout près du futuriste hôtel de ville, sympathique établissement aux chambres de bon confort. Tables impeccablement dressées.

**El Cresper,** r. Pas de la Casa 4 ☎ (00-376) 83 36 36 – GB
*fermé 15 au 30 mai et lundi* – **Repas** carte 27 à 33.
♦ Accueil souriant, tables dressées avec soin, petits plats inspirés par le marché et prix tout doux font le succès de ce minuscule restaurant familial.

## Escaldes-Engordany 343 H9 – *alt. 1105.*

*Office de Tourisme, pl. dels Co-Princeps,* ☎ *(00-376) 82 09 63, Fax (00-376) 82 66 97.*

*Andorra-la-Vella 2.*

**Roc de Caldes** ⛰, rte d'Engolasters ☎ (00-376) 86 27 67, *rocdecaldes@andorra.ad, Fax (00-376) 86 33 25,* ≤, – |‡|, ▤ rest, TV ⟹ P – 🏛 25 à 150. ⓓ GB. ✻ rest
**Repas** 15 – **45 ch** ☕ 152,50/169,40.
♦ À flanc de montagne, luxueux hôtel dont l'architecture contemporaine se fond dans le paysage naturel. Les chambres, décorées avec goût, jouissent d'une superbe vue.

**Roc Blanc,** pl. dels Co-Princeps 5 ☎ (00-376) 87 14 00, *hotelrocblanc@grupocblanc.com, Fax (00-376) 87 14 44,* Fб, – |‡|, ▤ rest, TV ⟹ – 🏛 25 à 600. AE ⓓ GB. ✻ rest D a
*- El Pí :* **Repas** carte environ 34,70 – ***L'Entrecôte*** brasserie : **Repas** carte 22,70 à 26,80 – **180 ch** ☕ 183,50/261,10.
♦ En centre-ville, mais protégé de la rumeur urbaine, complexe moderne apprécié pour ses prestations nombreuses. Élégante décoration intérieure. Splendide hall avec cascade.

**Carlemany,** av. Carlemany 4 ☎ (00-376) 87 00 50, *carlemany@hotelcarlemany.ad, Fax (00-376) 87 00 90,* Fб – |‡| ▤ TV ♿ P. AE GB. ✻ E h
*fermé mai* – **Repas** carte 35 à 45 – **33 ch** ☕ 145/181.
♦ Cet hôtel moderne est directement relié aux thermes. Ses chambres, claires et de grand confort, ont des salles de bains alimentées en eau thermale ; certaines sont en duplex.

**Delfos,** av. del Fener 17 ☎ (00-376) 87 70 00, *hotel.delfos@andorra.ad, Fax (00-376) 86 16 42* – |‡| ▤ TV ⟹ – 🏛 25 à 250. ⓓ GB JCB. ✻ D b
**Repas** 20,10 – **180 ch** ☕ 81,20/112.
♦ Située en plein coeur commerçant, imposante bâtisse en pierre peu à peu rénovée. Chambres très confortables et bien équipées. Grands salons et salle TV avec écran géant.

**Prisma,** av. del Ferrer 14 ☎ (00-376) 86 79 29, *prisma@ahotels.ad, Fax (00-376) 86 79 30* – |‡|, ▤ rest, TV ♿ ⟹. ⓓ GB JCB. ✻ D e
**Repas** (déj. seul.) 8 – **55 ch** ☕ 95/140.
♦ Non loin du centre "thermoludique" de Caldea, immeuble de verre et d'acier possédant des chambres de type suite, dotées d'un équipement très complet. Cuisine italienne.

**Casa Canut,** av. Carlemany 107 ☎ (00-376) 73 99 00, *hotelcanut@andorra.ad, Fax (00-376) 82 19 37* – |‡|, ▤ ch, TV ⟹. AE ⓓ GB JCB D s
voir rest. ***Casa Canut*** – ☕ 9 – **33 ch** 198/220.
♦ La façade ne paye pas de mine mais sitôt franchi le seuil vous serez séduit par le raffinement de cet hôtel. Chambres de différents niveaux de confort, équipées "dernier cri".

**Panorama,** rte de l'Obac ☎ (00-376) 87 34 00, *hotelpanorama@grupoblanc.com, Fax (00-376) 87 34 44,* ≤ vallée et montagnes, Fб, – |‡|, ▤ rest, TV ⟹ – 🏛 25 à 300. AE ⓓ GB. ✻ rest E d
**Repas** 19,80 – ☕ 11,80 – **177 ch** 115/138,10.
♦ Comme son nom l'indique, cet établissement de standing offre un superbe panorama depuis l'agréable restaurant sis au dernier étage et les chambres, spacieuses et sobres.

**Eureka,** av. Carlemany 36 ✆ (00-376) 86 66 00, *hoteleureka@andorra.ad, Fax (00-376) 86 68 00* – ⧫ ▤ TV. ⓓ GB. ✂ rest E f
**Repas** 9 – **75 ch** ☐ 48/78.
◆ Conception résolument moderne pour ce confortable hôtel au cadre élégant et soigné. Restaurant décoré de jolies peintures sur céramique ; snack.

**Valira,** av. Carlemany 37 ✆ (00-376) 82 05 65, *hotelvalira@andorra.ad, Fax (00-376) 86 67 80* – ⧫ TV P. AE GB. ✂ E k
**Repas** 14,50 – **55 ch** 74,10/100,20.
◆ Intérieurs rénovés, chambres accueillantes, eau thermale dans toutes les salles de bains, salon avec cheminée et billard caractérisent cette belle construction de pays.

**Metropolis** sans rest , cafeteria, av. de les Escoles 25 ✆ (00-376) 80 83 63, *info@hotel-metropolis.com, Fax (00-376) 86 37 10* – ⧫ TV 🚗. AE GB. ✂ E q
**68 ch** ☐ 94/110.
◆ Cet établissement à la décoration sobre et très "classe" jouit d'une situation privilégiée à mi-chemin de Caldea et des boutiques à détaxe. Chambres fonctionnelles.

**Cosmos,** av. de les Escoles 10 ✆ (00-376) 87 07 50, *cosmos@hotelcosmos.ad, Fax (00-376) 86 30 15* – ⧫, ▤ rest, TV 🚗. AE GB. ✂ E n
voir rest. ***Il Basilico*** ci-après 11,50 – **75 ch** ☐ 68/98, 76 appart.
◆ Sympathique adresse où vous aurez le choix entre une chambre standard au décor actuel et un grand appartement (de 2 à 8 personnes). "Cafeteröa" design.

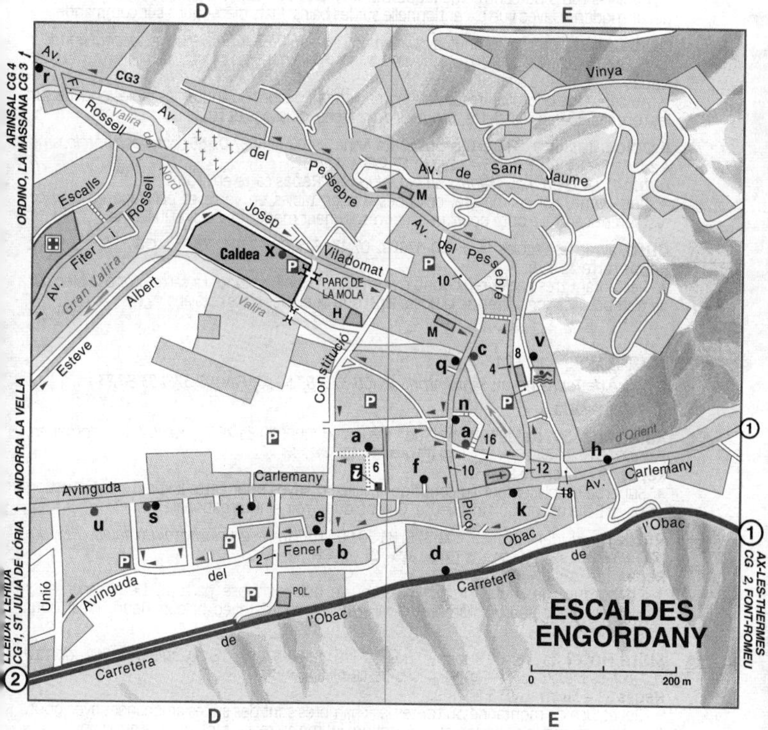
D
E
ARINSAL CG 4
ORDINO, LA MASSANA CG 3
ANDORRA LA VELLA
LLEIDA / LERIDA CG 1, ST JULIA DE LORIA
AX-LES-THERMES CG 2, FONT-ROMEU
Av. F. i Rossell
CG3
Valira del Nord
Av. del Pessebre
Escalls
Rossell
Fiter
Av.
Gran Valira
Albert
Esteve
Josep Viladomat
Caldea
PARC DE LA MOLA
Valira
Constitució
Av. de Sant Jaume
Vinya
Avinguda Carlemany
d'Orient
Av. Carlemany
Picó
Obac
de l'Obac
Fener
Avinguda del
Unió
l'Obac
Carretera de l'Obac
Carretera
de
POL.
ESCALDES ENGORDANY
0
200 m

**Eurotel,** av. Fiter i Rosell 51 ☎ (00-376) 86 30 31, *hoteles-silken@eurotel.ad, Fax (00-376) 86 30 24* – TV. AE GB. D r
**Repas** (dîner seul.) 12 – **70 ch** 52/75,50.
◆ Adresse prisée des familles, sur la route menant aux stations de Pal et Ordino-Arcalis. Chambres avant tout pratiques ; certaines sont rénovées depuis peu.

**Les Closes,** av. Carlemany 93 ☎ (00-376) 82 83 11, *Fax (00-376) 82 29 68* – TV. GB. rest D t
**Repas** 9 – **78 ch** 45/72.
◆ Une courette devance la façade vitrée de cet hôtel central donnant sur l'avenue principale. Chambres bien meublées ; certaines possèdent une salle de bains flambant neuf.

**Espel,** pl. Creu Blanca 1 ☎ (00-376) 82 08 55, *Fax (00-376) 82 80 56* – TV. GB. E v
*fermé mai* – **Repas** (menu seul) 13 – **102 ch** 39/54.
◆ L'eau thermale puisée dans les lacs souterrains d'Andorre alimente toutes les salles de bains de cet établissement peu à peu rénové. Sympathique ambiance de quartier.

**San Marco,** av. Carlemany 115-5e étage (C.C. Jùlia) ☎ (00-376) 86 09 99, *sari@andorra.ad, Fax (00-376) 80 41 75,* ← – . AE GB. D u
*fermé dim. soir* – **Repas** carte 28 à 40,10.
◆ Au dernier étage du centre Julia, salle à manger panoramique accessible par un ascenseur-bulle. Cadre très soigné et jolie vue sur la ville et les montagnes.

**Aquarius,** Parc de La Mola 10 (Caldea) ☎ (00-376) 80 09 80, *Fax (00-376) 82 92 22* – . GB D x
*fermé 12 au 30 mai et 3 au 7 nov.* – **Repas** carte 40 à 60,30.
◆ Dans les murs du centre aquatique thermal, très agréable restaurant panoramique au décor moderne, avec vue exceptionnelle sur les bains. Plats diététiques sur commande.

**Casa Canut** Hôtel Casa Canut, av. Carlemany 107 ☎ (00-376) 73 99 00, *casacanut@andorra.ad, Fax (00-376) 82 19 37* – . AE GB JCB. D x
**Repas** carte 39,80 à 54,60.
◆ Au centre de la localité, restaurant agréablement décoré où toutes les tables ont vue sur les fourneaux. Dans l'assiette, produits du marché, poissons et fruits de mer.

**Il Dolce Basilico,** -Hôtel Cosmos,Santa Anna ☎ (00-376) 87 07 55, *cosmos@hotelcosmos.ad, Fax (00-376) 86 30 15* – . AE GB. E a
*fermé 15 jours en mai, 15 jours en oct. et lundi* – **Repas** carte environ 31.
◆ Bois blond, sol en marbre, colonnes d'acier, tables en verre et éclairage étudié : ce restaurant central a opté pour un décor résolument moderne. Cuisine italienne.

**Gufo,** av. de les Escoles 16 ☎ (00-376) 82 07 13, *Fax (00-376) 82 73 53* – GB E c
**Repas** carte 22 à 29.
◆ Restaurant très chaleureux dont le nom italien signifie hibou. La carte propose bien sûr de nombreuses spécialités de la Botte ainsi que quelques plats catalans.

## La Massana 343 H9 – *alt. 1241.*

*Office de Tourisme, av. Sant Antoni, ☎ (00-376) 83 56 93, Fax (00-376) 83 86 93.*
*Andorra-la-Vella 6.*

**Xalet Ritz** , rte de Sispony, Sud : 1,8 km ☎ (00-376) 83 78 77, *xaletritz@andornet.ad, Fax (00-376) 83 77 20,* ←, – TV P. GB.
**Repas** 19 – **47 ch** 94/132.
◆ Superbe emplacement au coeur de la vallée d'Anyos pour cette luxueuse construction de pays. Belle décoration intérieure. Cuisine du terroir et internationale.

**Rutllan,** av. del Ravell ☎ (00-376) 83 50 00, *rutllan-reserves@hotelrutllan.ad, Fax (00-376) 83 51 80,* ←, , – TV. AE GB. rest
**Repas** 24 – 10 – **96 ch** 69/99.
◆ En bordure de route, grand chalet où le bois s'impose partout. Deux ascenseurs modernes mènent aux chambres confortables, toutes avec balcon fleuri. Idéal pour s'oxygéner.

**Suite Hôtel** , rte de Sispony, Sud : 1,7 km ☎ (00-376) 73 73 00, *suite.hotel@andorra.ad, Fax (00-376) 73 73 01* – TV P. AE GB JCB.
**Repas** 21 – **36 ch** 135,20/169.
◆ Bel édifice de montagne où toutes les chambres sont des suites aménagées avec goût. Tons chauds, meubles design et atmosphère intime au restaurant comme au salon.

**Marco Polo,** av. de Sant Antoni ☎ (00-376) 83 63 63, *hmp@hotelmarcopolo.com, Fax (00-376) 83 65 00* – TV P. GB. rest
*fermé 2 au 24 nov. et 4 au 26 mai* – **Repas** (dîner seul. en hiver)(buffet seul.) 15 – **119 ch** 49/68.
◆ Proche des stations de ski, hôtel refait et doté d'un mobilier original, en osier dans les chambres, asiatique dans les suites et en bois sculpté dans le salon.

XXX **El Rusc,** rte d'Arinsal : 1,5 km ☎ (00-376) 83 82 00, *Fax (00-376) 83 51 80* – ▤ P. ⓓ GB. ✗
*fermé dim. soir et lundi* – **Repas** carte environ 39,10.
◆ En pleine nature, deux accueillantes salles rustiques dans un élégant décor de pierre et de bois. La carte propose plats de saison et spécialités basques. Cave fournie.

XX **La Borda de l'Avi,** rte d'Arinsal : 0,7 km ☎ (00-376) 83 51 54, *husa-and@myp.ad, Fax (00-376) 83 53 90* – P. AE ⓓ GB. ✗
**Repas** carte 27,30 à 41,60.
◆ Ancienne ferme comprenant trois coquettes salles à manger régionales dont une dotée d'une grande cheminée centrale où sont préparées les viandes ; cuisine de montagne.

X **Borda Raubert,** rte d'Arinsal : 2 km ☎ (00-376) 83 54 20, *calserni@yahoo.es, Fax (00-376) 86 61 65* – P. ⓓ GB. ✗
*fermé 15 juin au 15 juil., lundi soir et mardi* – **Repas** carte 20,20 à 26,20.
◆ Le temple de la cuisine andorrane, dans une maison typique du pays (borda en catalan) dont l'authentique décor rustique mérite le coup d'oeil. Incontournable !

**à La Aldosa** *Nord-Est : 2,7 km :*

**Del Bisset** ⛰, rte de la Creu Blanca ☎ (00-376) 83 75 55, *hoteldelbisset@andorra.ad, Fax (00-376) 83 79 89,* ← – |‡| TV ♿ 🚗 P. GB. ✗ rest
*fermé 24 juin au 15 juil.* – **Repas** (menu seul) 9 – **30 ch** ☕ 37,30/48,10.
◆ Ce grand bâtiment en pierre offre un joli panorama sur la vallée de la Massana. Chambres claires et fonctionnelles, certaines avec balcon. Salon avec cheminée et billard.

## Ordino 343 H9 – *alt. 1304 – Sports d'hiver : 1940/2 600 m* ⛷ *13.*

*Andorra la Vella 8.*

**Coma** ⛰, ☎ (00-376) 73 61 00, *hotelcoma@hotelcoma.com, Fax (00-376) 73 61 01,* ←, 🏖, 🏊, ✂ – |‡|, ▤ rest, TV 🚗 P. GB. ✗
*fermé nov.* – **Repas** 15,50 – **48 ch** ☕ 75/120.
◆ Depuis 1932, la même famille accueille le voyageur dans cet hôtel bien équipé. Meubles design et baignoire hydromassante dans des chambres disposant souvent d'une terrasse.

**à Ansalonga**

**Sant Miquel,** rte del Serrat, Nord-Ouest : 1,8 km ☎ (00-376) 80 06 25, *hotel@santmiquel.com, Fax (00-376) 85 05 71,* ← – |‡| TV P. GB. ✗ rest
*fermé 1er au 20 mai* – **Repas** 11 – **20 ch** ☕ 42/61.
◆ Petit établissement familial abritant des chambres actuelles, meublées en pin et dotées d'un balcon avec vue sur la rivière et les pittoresques maisons villageoises.

**par rte de Canillo** *Ouest : 2,3 km*

**Babot** ⛰, ☎ (00-376) 83 50 01, *hotelbabot@andorra.ad, Fax (00-376) 83 55 48,* ← vallée et montagnes, 🏊, ✂ – |‡| TV 🚗 P. ⓓ GB. ✗ rest
*fermé 4 nov. au 4 déc.* – **Repas** 12 – **55 ch** ☕ 62/93.
◆ Cet hôtel d'altitude, bâti à flanc de montagne et entouré d'un immense parc, jouit d'une splendide vue sur la vallée et les sommets. Chambres fraîches et confortables.

## Pas-de-la-Casa 343 I9 – *alt. 2085 – Sports d'hiver : 2050/2600 m* ⛷ *30* 🚡 *1.*

*Andorra-la-Vella 32.*

**Reial Pirineus,** De la Solana ☎ (00-376) 85 58 55, *reialpirineus@hotels.com, Fax (00-376) 85 58 45* – |‡| TV ♿ 🚗. AE GB. ✗ ch
*fermé oct. et nov.* – **Repas** (dîner seul.) (résidents seul.) 6,50 – **39 ch** ☕ 120/195.
◆ Cette construction récente, bâtie à flanc de montagne, se trouve en haut du Pas de la Case et donc tout près des pistes. Ses chambres affichent un décor "zen". Piano-bar.

**Himàlaia Pas,** r.Solana 51 ☎ (00-376) 73 55 00, *hotelhimalaiapas@andorra.ad, Fax (00-376) 376 73 55 25,* 🏋, 🏊 – |‡| TV 🚗. AE GB
*déc.-mai* – **Repas** (dîner seul.) (buffet seul.) 14,50 – **98 ch** 104,50/161.
◆ L'atout de cet hôtel fonctionnel est sa situation à deux pas des pistes de ski. Chambres modernes bien équipées. Plaisant salon où crépitent, l'hiver, de belles flambées.

**rte de Soldeu** *Sud-Est : 10 km :*

**Grau Roig** ⛰, r. Grau Roig ☎ (00-376) 75 55 56, *hotelgrauroig@andorra.ad, Fax (00-376) 75 55 57,* ←, 🏋, 🏊 – |‡| TV ♿ P. AE GB. ✗ rest
*fermé 2 mai au 14 juin et 16 sept. à nov.* – **Repas** 30 – **44 ch** ☕ 165/220 – P 57.
◆ Avec le cirque de Pessons en toile de fond, typique construction montagnarde rénovée, idéale pour se ressourcer. Coquettes chambres bien équipées. Cuisine internationale.

**Santa-Coloma** 343 G10 – *alt. 970.*

*Andorra-la-Vella 3.*

**Cerqueda**, r. Mossen Lluis Pujol (00-376) 82 02 35, *Fax (00-376) 86 19 09*, – rest
*fermé 7 janv. au 7 fév.* – **Repas** 14,50 – 4 – **65** ch 30/55.
◆ Le cadre verdoyant de cette hostellerie familiale convient à ceux qui appréhendent l'agitation de la petite capitale du négoce. Quelques chambres avec vue sur la vallée.

**Don Pernil**, av. d'Enclar 94 (00-376) 86 52 55, *Fax (00-376) 86 36 24*, –
*fermé 7 au 31 janv.* – **Repas** grillades carte 19 à 26,50.
◆ Cuisine traditionnelle avec spécialités de viandes grillées sur la braise servie, selon la saison, dans deux salles au décor rustique ou sur la terrasse.

**Parador**, av. d'Enclar 100 (00-376)82 18 04, *restaurantparador@andorra.ad, Fax (00-376)82 18 04* –
*fermé juil., dim. soir et lundi* – **Repas** carte 21 à 23.
◆ Outre les viandes grillées au feu de bois, ce restaurant propose des petits plats andorrans qui s'adressent à tous les budgets. Excellent accueil.

**Sant-Julià-de-Lòria** 343 G10 – *alt. 909.*

*Andorra-la-Vella 7.*

**Imperial** sans rest, av. Rocafort 27 (00-376) 84 34 78, *imperial@andornet.ad, Fax (00-376) 84 34 79* –
*fermé 15 jours en mai et 15 jours en nov.* – **45 ch** 64,40/91,40.
◆ Sur la rive gauche du Gran Valira, édifice moderne aux intérieurs très apprêtés. Chambres accueillantes dont une avec douche hydromassante. Accueil aimable.

**Pol** sans rest, r. Verge de Canolich 52 (00-376) 84 11 22, *hotelpolandorra@andorra.ad, Fax (00-376) 84 18 52* –
**80 ch** 65/70.
◆ Sur l'avenue principale, grand bâtiment aux chambres confortables et bien équipées. Le salon invite à s'installer près de la cheminée en pierre.

**au Sud-Est** : *7 km* :

**Coma Bella**, forêt de la Rabassa, alt. 1 300 (00-376) 84 12 20, *comabella@myp.ad, Fax (00-376) 84 14 60*, – rest
*fermé 12 au 26 nov.* – **Repas** (menu seul) 10,50 – **30 ch** 48/78.
◆ Belle situation dans la forêt de la Rabassa pour cet hôtel peu à peu rénové. Les baies vitrées du restaurant offrent une jolie vue sur les montagnes. Idéal pour le repos.

**Soldeu** 343 H9 – *alt. 1826 – Sports d'hiver : 1700/2560 m. 26 2.*

**Env.** *Port d'Envalira ** SE : 7,5 km.*

*Andorra-la-Vella 20.*

**Piolets**, rte General (00-376) 87 17 87, *piolets@ahotels.ad, Fax (00-376) 87 17 88*, – – 25 à 80.
**Repas** 10,50 – **118 ch** 117,50/184.
◆ Les sportifs apprécient cet établissement moderne situé au pied des pistes de ski. Chambres spacieuses, élégamment décorées. Cuisine italienne ou formules buffets.

**Xalet Montana**, rte General (00-376) 85 10 18, *hotelnaudi@andornet.ad, Fax (00-376) 85 20 22*, – ch
**Repas** (résidents seul.) 15 – **40 ch** 116.
◆ Hôtel récent à la décoration soignée où toutes les chambres profitent de la vue sur les pistes de ski. Plaisant décor nordique au salon. Agréable espace de détente.

**à Incles** *Ouest : 1,8 km* :

**Parador Canaro**, (00-376) 85 10 46, *hotelparadorcanaro@andorra.ad, Fax (00-376) 85 17 20*, –
*fermé 10 mai au 4 juil.* – **Repas** 36 – **18 ch** 36/65.
◆ Maison de montagne typique, entourée de prés servant de terrain de camping l'été et de pistes de ski l'hiver. Grandes chambres au mobilier standard. Bar ouvert à tous.

**à El Tarter** *Ouest : 3 km* :

**Del Tarter**, (00-376) 80 20 80, *heltarter@andornet.ad, Fax (00-376) 80 20 81*, –
*fermé 15 oct. à fin nov.* – **Repas** 20 – 9,30 – **37 ch** 90/96,60.
◆ Au pied du village, cette grande bâtisse en pierre égayée de balcons fleuris vous invite à séjourner dans ses chambres rénovées. Bel intérieur où domine le bois. Sauna.

**Llop Gris**, (00-376) 75 15 15, *info@hotelllogris.com, Fax (00-376) 85 12 29*, 30 à 80. GB. rest
*fermé mai et oct.* – **Repas** 26 – **68 ch** 115,20/144.
◆ Établissement apprécié pour ses nombreuses activités sportives et de détente. Au restaurant, quelques tables ont vue sur les fourneaux. Cuisine à l'accent français.

**Del Clos,** (00-376) 85 15 00, *hoteldelclos@andorra.ad, Fax (00-376) 85 15 54*, GB.
*fermé nov.* – **Repas** (dîner seul.)(buffet en hiver) 20 – **54 ch** 92/132.
◆ Cette belle demeure andorrane dressée face aux montagnes possède sa propre source. Chambres spacieuses, meublées dans le style régional ; certaines ont un balcon.

## ANDRÉZIEUX-BOUTHÉON *42160 Loire* 327 *E6 – 9 407 h alt. 395.*

Voir *Lac de retenue de Grangent*★★ *S : 9 km*, G. Vallée du Rhône.
*Office du Tourisme, 11 rue Charles de Gaulle* 04 77 55 37 03, *Fax 04 77 55 88 46.*
*Paris 464 – St-Étienne 19 – Lyon 77 – Montbrison 19 – Roanne 71.*

**Novotel** M, 1 r. 18-Juin-1827 04 77 36 10 50, *H0435@accor-hotels.com, Fax 04 77 36 10 57*, ch, 15 à 60. AE GB JCB
**Repas** 18,30 ♀, enf. 8 – 11 – **98 ch** 81/91.
◆ L'hôtel, construit en 1974, vient de subir une cure de jouvence. Hall, salon et restaurant refaits ; la moitié des chambres a été relookée suivant le nouveau concept Novotel.

**Les Iris**, 32 av. J. Martouret (dir. gare) 04 77 36 09 09, *Fax 04 77 36 09 00*, 20. GB
*fermé 2 au 24 janv.* – **Repas** *(fermé dim. soir, sam. midi et lundi)* 19,70/54 ♀ – 7,70 – **10 ch** 69/76 – ½ P 50,30.
◆ Le joli pavillon 1900 à façade rose abrite les élégantes salles à manger et un espace séminaire. Chambres colorées et de bon confort, réparties autour de la piscine.

*Ecrivez-nous...*
*Vos louanges comme vos critiques seront examinées avec le plus grand soin. Nous reverrons sur place les informations que vous nous signalez. Par avance merci !*

## ANDUZE *30140 Gard* 339 *I4 G. Languedoc Rousillon – 2 913 h alt. 135.*

Voir *Bambouseraie de Prafrance*★ *N : 3 km par D 129.*
Env. *Grottes de Trabuc*★★ *NO : 11 km – Le Mas soubeyran : musée du Désert*★ *(souvenirs protestants 17e-18e s.) NO : 7 km.*
*Office du Tourisme, Plan de Brie* 04 66 61 98 17, *Fax 04 66 61 79 77, andue@ot andue.fr.*
*Paris 721 – Alès 14 – Montpellier 60 – Florac 68 – Lodève 85 – Nîmes 46 – Le Vigan 52.*

**Tourelle,** 9 r. Basse 04 66 60 52 47 – GB
*fermé 15 au 30 juin, 22 au 5 janv., dim. soir et lundi* – **Repas** (prévenir) 14/27,50 ♀.
◆ Sobre cadre rustique pour ce restaurant de la "Genève des Cévennes", fortifiée en 1622 par le duc de Rohan. Cuisine régionale et spécialités alsaciennes.

**au Nord-Ouest** *par rte de St-Jean-du-Gard – 30140 Anduze :*

**Porte des Cévennes,** à 3 km 04 66 61 99 44, *reception@porte-cevennes.com, Fax 04 66 61 73 65*, 25. AE GB.
*4 avril-19 oct.* – **Repas** (dîner seul.) 16,80/29 ♀ – 7,50 – **38 ch** 58/66 – ½ P 52/55.
◆ Construction moderne proche de la bambouseraie où fut tourné Le Salaire de la peur. Chambres spacieuses, dotées de loggias. Agréable terrasse dominant la vallée du Gardon.

**Moulin de Corbès** avec ch, à 4 km 04 66 61 61 83, *Fax 04 66 61 68 06*, GB
*fermé 2 janv. au 10 fév., lundi et mardi sauf juil.-août* – **Repas** 30/40 ♀ – **3 ch** 70 – ½ P 70.
◆ En contrebas de la route et bordant le Gardon, ancienne papeterie restaurée dans un style sobrement contemporain, où l'on déguste une cuisine au goût du jour.

**à Générargues** *Nord-Ouest : 5,5 km par D 129 et D 50 – 546 h. alt. 160 – 30140 :*

**Auberge des Trois Barbus**, rte Mialet 04 66 61 72 12, *Fax 04 66 61 72 74*, vallée des Camisards, 25. AE GB
*fermé 2 janv. au 31 mars, dim. soir et lundi d'oct. à déc.* – **Repas** *(fermé dim. soir et lundi en avril et d'oct. à déc., mardi en nov. et déc., lundi midi et mardi midi de mai à sept.)* 20 (déj.), 26/43 ♀ – 10 – **32 ch** 60/115 – ½ P 62/90.
◆ Bâti à flanc de coteau aux confins du "Désert" cévenol (haut lieu du protestantisme, musée), cet hôtel dispose de chambres spacieuses et d'un restaurant panoramique.

**à Tornac** *Sud-Est : 6 km par D 982 – 650 h. alt. 140 – ✉ 30140 :*

**Les Demeures du Ranquet** Ⓜ, rte St-Hippolyte-du-Fort : 2 km ☎ 04 66 77 51 63, *ranquet@tiscali.fr, Fax 04 66 77 55 62*, – TV P – 30. GB JCB
*9 mars-27 oct.* – **Repas** *(fermé mardi et merc. sauf le soir de juin au 15 sept.)* 32/58 – 14 – **10 ch** 130/182 – ½ P 124/130.
◆ Parc agrémenté d'animaux, jardin aromatique, pavillons (jolies chambres) immergés dans la végétation et élégant mas cévenol où l'on régale d'une cuisine régionale personnalisée.

---

**ANET** *28260 E.-et-L.* 311 E2 – *2 696 h alt. 73.*

Voir *Château*★, G. Normandie Vallée de la Seine.

*Syndicat d'Initiative, 8 rue Delacroix ☎ 02 37 41 49 09.*

*Paris 76 – Chartres 49 – Dreux 15 – Évreux 37 – Mantes-la-Jolie 28 – Versailles 59.*

**Dousseine** sans rest, rte Sorel-Moussel ☎ 02 37 41 49 93, *Fax 02 37 41 90 54*, – TV P. GB
7 – **20** ch 50.
◆ Établissement de type motel dont les chambres, meublées en rotin et bien équipées, sont presque toutes de plain-pied avec le jardin arboré et fleuri. Tennis sur gazon.

**Auberge de la Rose** avec ch, 6 r. Ch. Lechevrel ☎ 02 37 41 90 64, *Fax 02 37 41 47 88* – 20. GB
*fermé dim. soir et lundi* – **Repas** 23,70/37 – 6 – **7 ch** 29/37.
◆ Restaurant pérenne : il était déjà recommandé par le Guide Michelin 1900 ! Confortable salle à manger agrémentée de solives et d'un mobilier de style Louis XIII.

**Manoir d'Anet,** 3 pl. Château ☎ 02 37 41 91 05, *Fax 02 37 41 91 04* – AE GB
*fermé 16 sept. au 1er oct., 6 au 21 janv., mardi soir, jeudi soir et merc.* – **Repas** 23/39.
◆ Restaurant idéalement situé face au château de Diane de Poitiers. Une imposante cheminée en pierre trône au milieu de la salle à manger rustique. Bar-salon de thé.

---

**ANGERS** P *49000 M.-et-L.* 317 F4 *G. Châteaux de la Loire – 141 404 h Agglo. 226 843 h alt. 41.*

Voir *Château*★★★ *: tenture de l'Apocalypse*★★★*, tenture de la Passion et Tapisseries mille-fleurs*★★*, ≤*★ *de la tour du Moulin – Vieille ville*★ *: cathédrale*★★*, galerie romane*★★ *de la préfecture*★ **BZ P***, galerie David d'Angers*★ **BZ B**, *– Maison d'Adam*★ **BYZ K** *- Hôtel Pincé*★ *– Choeur*★★ *de l'église St-Serge*★ *– Musée Jean Lurçat et de la Tapisserie contemporaine*★★ *dans l'ancien hôpital St-Jean*★ *– La Doutre*★ **AY** *– Musée régional de l'Air*★.

Env. *Château de Pignerolle*★ *: musée européen de la Communication*★★ *E : 8 km par D 61.*

*Aéroport d'Angers-Marcé, ☎ 02 41 33 50 00, Fax 02 41 33 50 05, par ① 24 km.*

*Office du Tourisme, 7 place Kennedy ☎ 02 41 23 50 00, Fax 02 41 23 50 09, accueil@angers-tourisme.com.*

*Paris 295 ① – Laval 80 ⑤ – Le Mans 97 ① – Nantes 88 ⑤ – Rennes 128 ⑤ – Tours 108 ①.*

Plans pages suivantes

**Anjou,** 1 bd Mar. Foch ✉ 49100 ☎ 02 41 88 24 82, *info@hoteldanjou.fr, Fax 02 41 87 22 21* – TV – 30. AE GB JCB. rest — **CZ h**
***Salamandre*** *(fermé dim.)* **Repas** 24(déj), 31/41 – 11 – **53 ch** 66/148.
◆ La belle décoration intérieure de cet immeuble ancien traverse les siècles avec élégance : chambres de styles 17e et 18e s. et salons ornés de mosaïques Art déco.

**Mercure Centre** Ⓜ, pl. Mendès-France (Centre des Congrès) ✉ 49100 ☎ 02 41 60 34 81, *h0540@accor-hotels.com, Fax 02 41 60 57 84* – TV – 30. AE GB JCB — **CY a**
***Les Saisons*** *(fermé 20 déc. au 4 janv.)* **Repas** 21, enf. 7,50 – 11 – **84 ch** 106/116.
◆ Adossé à un centre de congrès, hôtel moderne dont le restaurant et deux tiers des chambres, fonctionnelles et fraîches, profitent de la vue reposante sur le Jardin des Plantes.

**France,** 8 pl. Gare ✉ 49100 ☎ 02 41 88 49 42, *hdf.angers@wanadoo.fr, Fax 02 41 86 76 70* – , ch, – 30. AE GB JCB — **AZ t**
**Repas** *(fermé août, 23 au 26 déc., sam. midi, dim. soir et mardi soir)* 20 (déj.), 26/55, enf. 12,50 – 11 – **55 ch** 85/115 – ½ P 75/83.
◆ Noble architecture de la fin du 19e s. dont les chambres, d'ampleur variée, sont garnies de meubles contemporains ou de style. Cuisine traditionnelle.

**Bleu Marine,** 18 bd Mar. Foch ✉ 49100 ☎ 02 41 87 37 20, *bleu-marine-angers@goforne t.com, Fax 02 41 87 49 54*, – , rest, TV – 120. AE GB — **CZ u**
**Repas** 11,50/16,50 – 9,50 – **70 ch** 76/86.
◆ Aménagées dans les premiers étages d'une résidence, les chambres de cet établissement répondent aux exigences du confort moderne. Grillades.

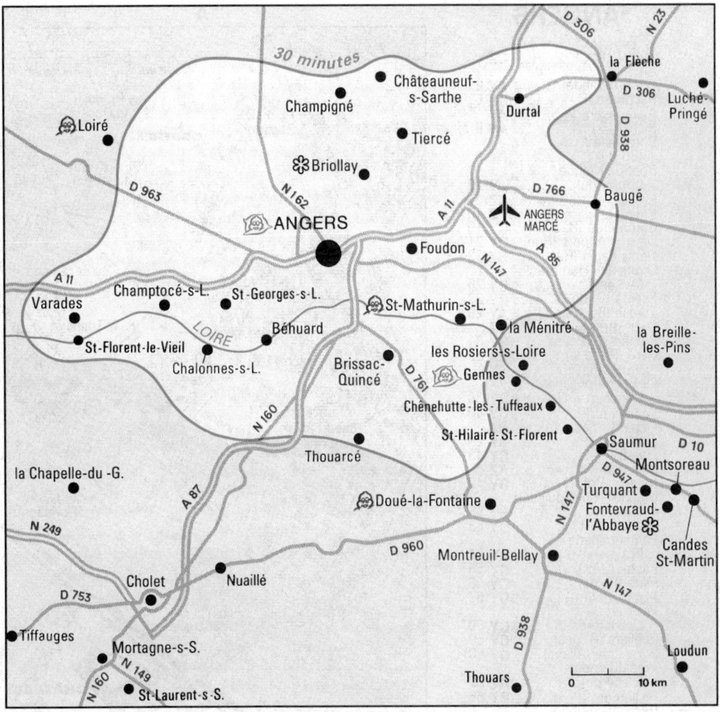
30 minutes
Châteauneuf-s-Sarthe
Champigné
Durtal
la Flèche
Luché-Pringé
Loiré
Tiercé
Briollay
D 963
N 162
ANGERS
A 11
ANGERS MARCÉ
D 766
Baugé
D 306
D 938
N 23
Foudon
N 147
A 85
A 11
Varades
Champtocé-s-L.
St-Georges-s-L.
St-Mathurin-s-L.
la Ménitré
la Breille-les-Pins
LOIRE
Béhuard
St-Florent-le-Vieil
Chalonnes-s-L.
Brissac-Quincé
D 761
les Rosiers-s-Loire
Gennes
Chênehutte-les-Tuffeaux
N 160
St-Hilaire-St-Florent
Saumur
D 10
Thouarcé
D 947
Montsoreau
la Chapelle-du-G.
A 87
Turquant
Doué-la-Fontaine
N 147
Fontevraud-l'Abbaye
N 249
Candes St-Martin
D 960
Montreuil-Bellay
Cholet
Nuaillé
N 147
D 753
Tiffauges
Mortagne-s-S.
D 938
N 149
Loudun
N 160
St-Laurent-s-S.
Thouars
0
10 km

**Mail** sans rest, 8 r. Ursules ✉ 49100 ☎ 02 41 25 05 25, *hoteldumailangers@yahoo.fr*, *Fax 02 41 86 91 20* – TV ☎ P. AE ⓓ GB CY b
☐ 7,20 – **26** ch 40/59.
◆ Hôtel de caractère établi dans une discrète demeure du 17e s. (ancien couvent). Les chambres, personnalisées et décorées avec goût, possèdent le charme d'un nid douillet.

**Progrès** sans rest, 26 av. D. Papin ✉ 49100 ☎ 02 41 88 10 14, *hotelprogres@aol.com*, *Fax 02 41 87 82 93* – ⧗ TV ☎. AE ⓓ GB AZ f
*fermé 11 au 17 août* – ☐ 6,10 – **41** ch 36/55.
◆ Face à la gare, adresse accueillante mettant à votre disposition ses chambres actuelles, claires et pratiques. Salle des petits-déjeuners meublée dans le style provençal.

**St-Julien** sans rest, 9 pl. Ralliement ✉ 49100 ☎ 02 41 88 41 62, *hotelstjulien@wanadoo.fr*, *Fax 02 41 20 95 19* – ⧗ TV ☎. AE ⓓ GB CY e
☐ 6,50 – **34 ch** 40/58.
◆ Établissement familial aux chambres sans lustre, mais de bonne fonctionnalité ; côté théâtre, elles offrent le spectacle d'une place animée et joliment illuminée.

**Express by Holiday Inn** M, 23 bis r. P. Bert ☎ 02 41 25 48 48, *expressangers@alliance-hospitality.com*, *Fax 02 41 25 48 49* – ⧗ ⇔ TV ☎ ♿ P – 🏛 70. AE ⓓ GB JCB CZ e
**Repas** *(fermé sam., dim. et midi du 28 juil. au 25 août)* *(10)* - 13 ₰, enf. 6,50 – **52 ch** ☐ 69.
◆ Construction moderne et sobre, propice à l'étape d'affaires. Chambres bien équipées, toutes identiques, garnies d'un pimpant mobilier aux lignes sagement design.

**Ibis**, r. Poissonnerie ✉ 49100 ☎ 02 41 86 15 15, *H0848@accor-hotels.com*, *Fax 02 41 87 10 41* – ⧗ ⇔ TV ♿ – 🏛 30. AE ⓓ GB. ⚘ rest BY b
**Repas** (dîner seul.) *(12)* - 17 ♀, enf. 6 – ☐ 6 – **95 ch** 59/64.
◆ Entre centre-ville et voies rapides, hôtel entièrement rafraîchi, disposant de plaisantes chambres contemporaines et d'un attrayant restaurant tendance bistrot.

**Continental** sans rest, 14 r. L. de Romain ✉ 49100 ☎ 02 41 86 94 94, *le.continental@wanadoo.fr*, *Fax 02 41 86 96 60* – ⧗ TV ☎. AE ⓓ GB BYZ n
☐ 7 – **25 ch** 40/55.
◆ Une situation centrale, des chambres toutes simples mais lumineuses et rénovées, et une bonne insonorisation font l'estime de cet hôtel aménagé dans un immeuble ancien.

# ANGERS

Alsace (R. d') ........ **CZ**
Aragon
(Av. Yolande d')..... **AY** 2
Baudrière (R.)........ **BY** 5
Beaurepaire (R.)....... **AY**
Bichat (R.).......... **AY** 8
Bon-Pasteur
(Bd du)............ **AY** 9
Bout-du-Monde
(Prom. du)......... **AY** 12
Bressigny (R.)........ **CZ**
Chaperonnière (Rue). **BYZ** 15
Commerce (R. du).... **CY** 19
David-d'Angers (Rue) . **CY** 21
Denis-Papin (R.)...... **BZ** 22
Droits-de-l'Homme
(Av. des).......... **CY** 25
Espine (R. de l')....... **BY** 27
Estoile (Sq.J. de l') ... **AY** 28
Foch (Bd Mar.)....... **BCZ**
Freppel (Pl.) ......... **BY** 31
Gare (R. de la) ....... **BZ** 32
Laiterie (Pl.).......... **AY**
La Rochefoucauld-
Liancourt (Pl.) .... **ABY** 38
Lenepveu (R.)........ **CY** 40
Lices (R. des)........ **BZ**
Lionnaise (R.) ........ **AY**
Lise (R. P.)........... **CY** 43
Marceau (R.).......... **AZ** 45
Mirault (Bd).......... **BY** 49
Mondain-Chanlouineau
(Sq.)............... **BY** 51
Oisellerie (R.) ........ **BY** 53
Parcheminerie
(R.)................ **BY** 54
Pasteur (Av.)......... **CY** 55
Pilori (Pl. du)......... **CY** 56
Plantagenêt (R.)...... **BY** 57
Pocquet-de-
Livonnières (R.) .... **CY** 58
Poëliers (R. des) ..... **CY** 59
Pompidou (Allées).... **CY** 60
Prés.-Kennedy
(Place du) ......... **AZ** 62
Ralliement (Pl. du).... **BY** 66
Résistance-et-de-
la-Déport. (Bd) ..... **CY** 68
Robert (Bd).......... **BY** 69
Roë (R. de la)......... **BY** 70
Ronceray
(Bd du)............ **AY** 71
St-Aignan (R.)........ **AY** 72
St-Aubin (R.)......... **BZ** 73
St-Étienne (R.)........ **CY** 75
St-Julien (R.)........ **BCZ**
St-Laud (R.).......... **BY** 77
St-Lazare (R.)........ **AY** 79
St-Martin (R.)........ **BZ** 80
St-Maurice (Mtée).... **BY** 82
St-Maurille (R.)....... **CY** 83
St-Michel (Bd) ....... **CY** 84
St-Samson (R.)....... **CY** 85
Ste-Croix (Pl.) ....... **BZ** 86
Talot (R.)............ **BZ** 89
Tonneliers (Rue des) .. **AY** 90
Ursules (R. des)...... **CY** 91
Voltaire (R.)......... **BZ** 93
8-Mai-1945 (Av. du)... **CZ** 94

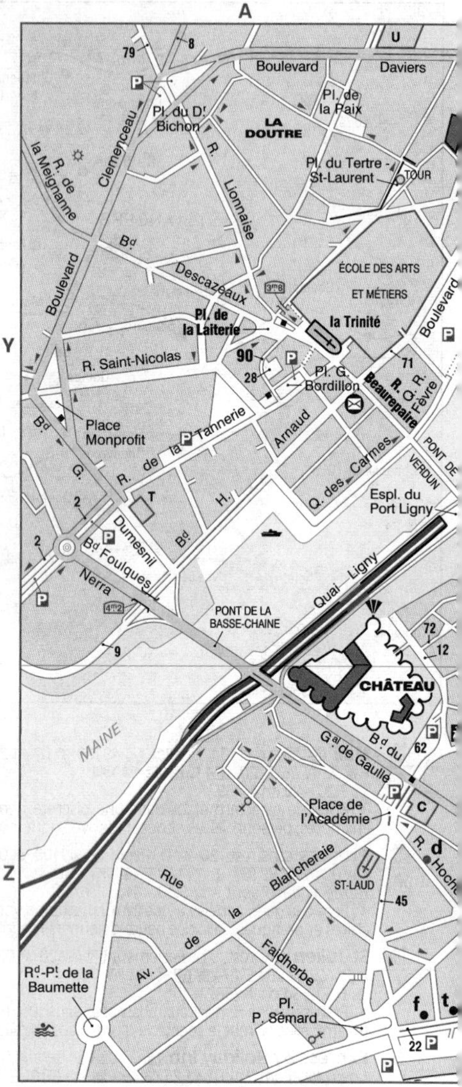
A
Y
Z
A
U
Boulevard
Daviers
Pl. de la Paix
Pl. du Dr Bichon
LA DOUTRE
R. de la Meignanne
Clemenceau
R. Lionnaise
Pl. du Tertre St-Laurent
TOUR
Bd Descazeaux
ÉCOLE DES ARTS ET MÉTIERS
Boulevard
Pl. de la Laiterie
la Trinité
R. Saint-Nicolas
Pl. G. Bordillon
R. Beaurepaire
R. G. Fèvre
Place Monprofit
R. de la Tannerie
Arnaud
Q. des Carmes
PONT DE VERDUN
Espl. du Port Ligny
Bd G.
Dumesnil
Bd H.
Bd Foulques Nerra
Quai Ligny
PONT DE LA BASSE-CHAINE
CHÂTEAU
MAINE
Bd du Gal de Gaulle
Place de l'Académie
R. Hoche
Rue de la Blancheraie
ST-LAUD
Av. de la Faidherbe
Rd-Pt de la Baumette
Pl. P. Sémard
79
8
90
28
71
2
9
72
12
62
45
22
T
C
d
f
t

🏠 **Europe** sans rest, 3 r. Château-Gontier ✉ 49100 ☎ 02 41 88 67 45, *hoteldeleuropeangers @wanadoo.fr, Fax 02 41 86 17 42* – TV. AE ⓓ GB JCB CZ a
☕ 6 – **29 ch** 39,50/47,50.

◆ Petite adresse de quartier à l'ambiance familiale. Les chambres, peu à peu rajeunies, possèdent un mobilier confortable et bénéficient d'une assez bonne isolation phonique.

🏠 **Royalty** sans rest, 21 bd Ayrault ✉ 49100 ☎ 02 41 43 78 76, *le.royalty@wanadoo.fr, Fax 02 41 60 37 51* – TV. GB CY z
*fermé 1er au 10 août et 26 déc. au 4 janv.* – ☕ 6,50 – **20 ch** 37/50.

◆ Les chambres, bien insonorisées et pratiques, sont réservées aux non-fumeurs. Salle des petits-déjeuners décorée d'affiches du Festival 1er plan.

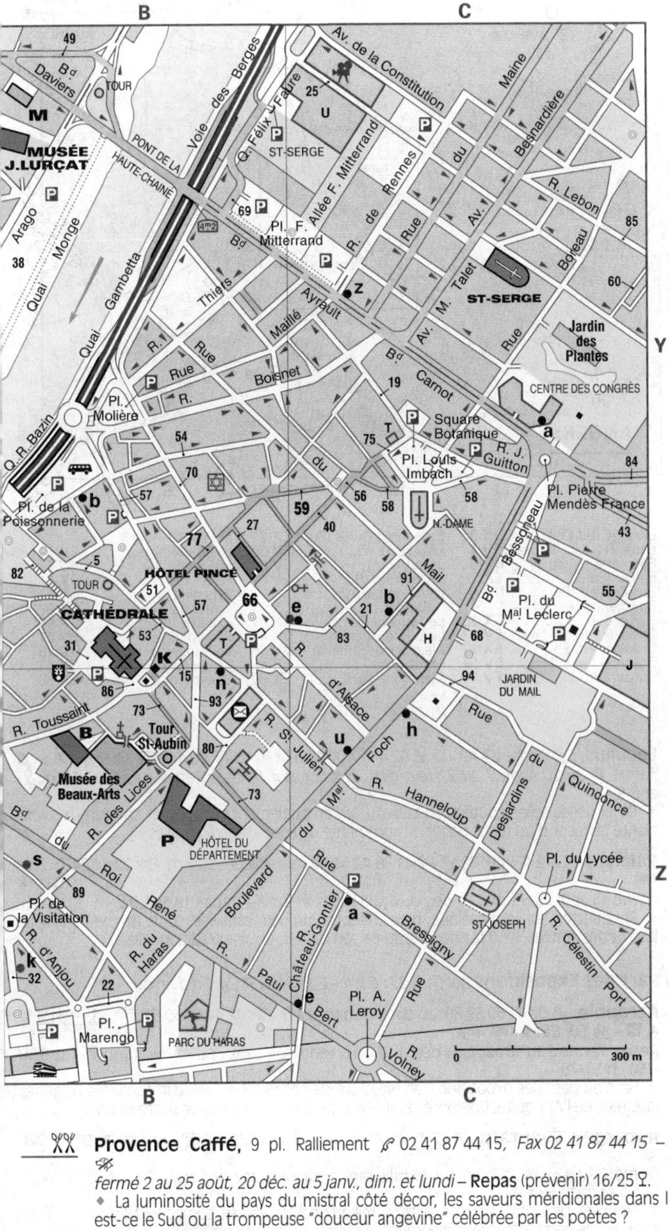

B
C
Y
Z
Av. de la Constitution
Maine
Besnardière
Voie des Berges
Q. Félix Faure
ST-SERGE
Allée F. Mitterrand
R. de Rennes
Rue du
Av. du
R. Lebon
Boreau
Bd Daviers
TOUR
M
MUSÉE J.LURÇAT
PONT DE LA HAUTE-CHAINE
Arago
Quai Monge
Quai Gambetta
Pl. F. Mitterrand
Bd Thiers
Bd Ayrault
Maillé
Av. M. Talet
ST-SERGE
Jardin des Plantes
CENTRE DES CONGRÈS
Rue
R. Rue
Boisnet
Bd Carnot
Square Botanique
R. J. Guitton
Pl. Molière
Q. R. Bazin
Pl. Louis Imbach
Pl. Pierre Mendès France
Pl. de la Poissonnerie
du
N.-DAME
Bd Bessonneau
HÔTEL PINCÉ
TOUR
Mail
Pl. du Mal Leclerc
CATHÉDRALE
K
R. d'Alsace
H
J
JARDIN DU MAIL
R. Toussaint
Tour St-Aubin
B
Musée des Beaux-Arts
R. St-Julien
Foch
Rue du Quinconce
R. Hanneloup
Desjardins
R. des Lices
Bd du Roi René
HÔTEL DU DÉPARTEMENT
P
Boulevard du Mal
Rue Bressigny
Pl. du Lycée
Pl. de la Visitation
R. d'Anjou
R. du Haras
R. Paul Bert
R. Château-Gontier
ST-JOSEPH
R. Célestin Port
Pl. A. Leroy
Rue
R. Volney
Pl. Marengo
PARC DU HARAS
0
300 m


**XX** **Provence Caffé,** 9 pl. Ralliement ✆ 02 41 87 44 15, *Fax 02 41 87 44 15* – ▤. GB. ⌀ — **BCY e**

*fermé 2 au 25 août, 20 déc. au 5 janv., dim. et lundi* – **Repas** (prévenir) 16/25 ♀.

◆ La luminosité du pays du mistral côté décor, les saveurs méridionales dans l'assiette : est-ce le Sud ou la trompeuse "douceur angevine" célébrée par les poètes ?

**XX** **Ma Campagne,** 14 prom. de Reculée ✉ 49100 ✆ 02 41 48 38 06, *Fax 02 41 48 04 37,* ☂ – ▤. GB — **EV f**

*fermé 12 août au 1 sept., 2 au 16 janv., dim. soir, mardi soir (sauf du 15 mai au 12 aout) et lundi* – **Repas** 15 (déj.), 18/34 ♀, enf. 9,20.

◆ Une promenade le long de la Maine conduira à cette maison aménagée à la façon d'une auberge campagnarde. Agréable véranda ouverte sur la rivière. Cuisine classique.

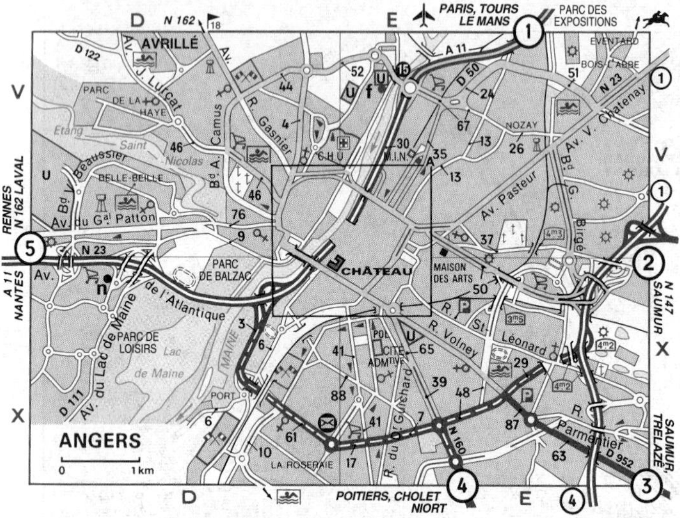
PARIS, TOURS
LE MANS
PARC DES
EXPOSITIONS
EVENTARD
BOIS-L'ABBE
AVRILLÉ
N 162
D 122
PARC DE LA HAYE
Étang
Saint Nicolas
BELLE-BEILLE
Av. du Gal Patton
Bd A. Camus
R. Gasnier
C.H.U.
M.I.N.
NOZAY
Av. V. Chatenay
Av. Pasteur
Bd G. Birgé
RENNES
N 162 LAVAL
A 11 NANTES
N 23
Av. de l'Atlantique
PARC DE BALZAC
CHÂTEAU
MAISON DES ARTS
R. Volney
R. St Léonard
N 147
SAUMUR
PARC DE LOISIRS
Lac de Maine
Av. du Lac de Maine
D 111
MAINE
PORT
CITÉ ADMTIVE
R. du Dr Guichard
N 160
R. Parmentier
D 952
SAUMUR, TRELAZÉ
LA ROSERAIE
ANGERS
0
1 km
POITIERS, CHOLET
NIORT
D
E
V
X

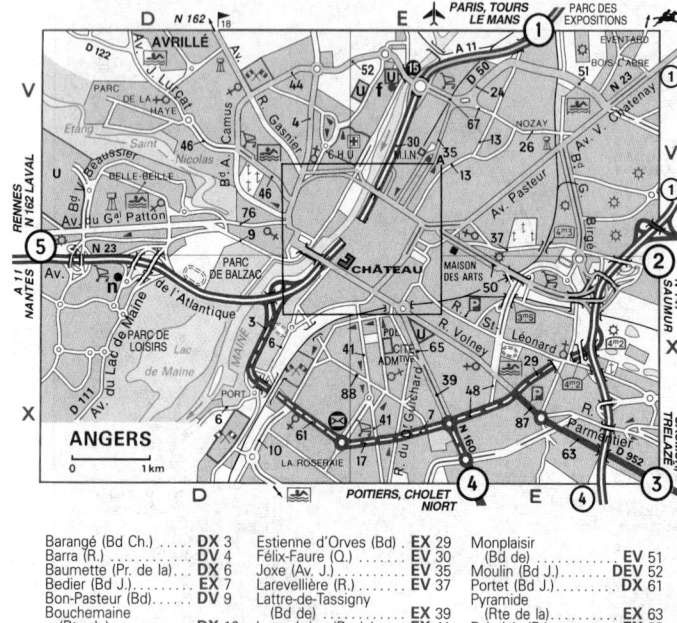

Barangé (Bd Ch.) ..... DX 3
Barra (R.) ..... DV 4
Baumette (Pr. de la)... DX 6
Bedier (Bd J.)......... EX 7
Bon-Pasteur (Bd)...... DV 9
Bouchemaine (Rte de)........... DX 10
Chalouère (R. de la) ... EV 13
Chaumin (Bd E.) ...... EX 17
Doyenné (Bd du)...... EV 24
Dunant (Bd H.)........ EV 26
Estienne d'Orves (Bd) . EX 29
Félix-Faure (Q.) ....... EV 30
Joxe (Av. J.).......... EV 35
Larevellière (R.) ....... EV 37
Lattre-de-Tassigny (Bd de) ............ EX 39
Letanduère (R. de) .... EX 41
Lizé (R. du Gén.)...... DV 44
Meignanne (R. de la) .. DV 46
Millot (Bd J.) ......... EX 48
Montaigne (Av.)....... EX 50
Monplaisir (Bd de) ............ EV 51
Moulin (Bd J.)....... DEV 52
Portet (Bd J.)......... DX 61
Pyramide (Rte de la).......... EX 63
Rabelais (R.).......... EX 65
Ramon (Bd G.)........ EV 67
St-Jacques (R.) ....... DV 76
Saumuroise (R.)....... EX 87
Strasbourg (Bd de)... DEX 88

XX **Lucullus,** 5 r. Hoche ✉ 49100 ✆ 02 41 87 00 44, *Fax 02 41 87 00 44* – AE ⓓ GB AZ d
*fermé 1er au 20 août, 7 au 22 fév., dim. et lundi sauf fériés* – **Repas** *(13,50)* - 19/52 bc ♀, enf. 9,50.
◆ Deux belles salles voûtées en tuffeau, un ameublement rustique et chaleureux : voici planté le décor d'un repas classique agrémenté de spécialités régionales.

X **Relais,** 9 r. Gare ✉ 49100 ✆ 02 41 88 42 51, *le.relais@libertysurf.fr, Fax 02 41 24 75 20* – GB BZ k
*fermé 15 août au 5 sept., 21 déc. au 6 janv., dim. et lundi* – **Repas** 18,50/28 ♀.
◆ Banquettes, sol en mosaïque, belles fresques un peu "canailles" sur le thème du vin : ce bistrot des années 1950 n'a rien perdu de son cachet. Cuisine traditionnelle.

**près du Parc des Expositions** *par ① N 23 : 6 km – ✉ 49480 St Sylvain d'Anjou :*

**Acropole,** ✆ 02 41 60 87 88, *acropole@unimedia.fr, Fax 02 41 60 30 03,* ☂, ⛱ – ⧉ TV ✆ ♿ P – 🏛 50. AE ⓓ GB JCB
**Repas** *(fermé 8 au 18 août, 24 déc. au 2 janv., vend. soir, sam. et dim) (13)* - 16/25 ♀ – ☕ 8,50 – **50 ch** 58/78.
◆ Face au parc des expositions, architecture de béton rehaussée d'imposantes colonnes inspirées de l'Antiquité. Chambres avant tout pratiques, au mobilier sobre et clair.

XXX **Auberge d'Éventard,** ✆ 02 41 43 74 25, *Fax 02 41 34 89 20,* ☂, 🌳 – ▤ P. AE ⓓ GB. ⛔
*fermé 2 au 10 janv., 30 avril au 10 mai, sam. midi, dim. soir et lundi* – **Repas** 39 bc (déj.), 55/75 et carte 58 à 90.
◆ Meubles, bibelots, tableaux et tentures aux coloris choisis composent l'élégant décor intérieur de cette auberge chaleureuse et intime. Cuisine au goût du jour.

XX **Clafoutis,** rte Paris ✆ 02 41 43 84 71, *Fax 02 41 34 74 80* – ▤ P. AE GB
*fermé 22 juil. au 20 août, 24 déc. au 3 janv., sam. midi, dim. soir, soirs fériés et lundi* – **Repas** *(12)* - 16/39 ♀, enf. 11.
◆ Discrète maison de pays abritant une salle à manger d'esprit rustique prolongée d'une véranda. Repas traditionnel avec l'incontournable clafoutis aux griottes au dessert.

**à Foudon** *Est : 11 km (dir. Plessis-Grammoire) par D 116 et D 113 – ✉ 49124 Plessis-Grammoire :*

XX **Boeuf Plessis,** ☎ 02 41 76 72 12, *Fax 02 41 76 80 85,* – GB
*fermé 3 au 19 août, dim. soir et lundi* – **Repas** 25/41 ♀.
◆ Un repas à la campagne à moins de 10 mn de la ville ? Optez pour cette chaleureuse salle de restaurant actuelle et, en été, pour son agréable terrasse-jardin.

**à l'Ouest** – *✉ 49000 Angers :*

**Mercure Lac de Maine** [M], ☎ 02 41 48 02 12, *h1212@accor-hotels.com, Fax 02 41 48 57 51,* – | | – 110. AE GB JCB **DX n**
**Repas** *(fermé 20 déc. au 4 janv., vend. soir, sam. et dim.)* (dîner seul du 14 juil. au 17 août) 17/29 bc ♀ – 10 – **75 ch** 95/105.
◆ À proximité d'une zone commerciale, construction à la façade un peu austère dissimulant des chambres fonctionnelles et une salle à manger feutrée bien dans la ligne Mercure.

**au Nord-Ouest** *rte de Laval par N 162 : 8 km* - **DV** – *✉ 49240 Avrillé :*

**Cavier,** La Croix-Cadeau ☎ 02 41 42 30 45, *lecavier@lacroixcadeau.fr, Fax 02 41 42 40 32,* – – 40. AE GB
**Repas** *(fermé 21 déc. au 4 janv. et dim.)* 17/32,50 ♀ – 7 – **43 ch** 43,50/62.
◆ Hôtel récent de type motel, aux chambres pratiques, et insolite restaurant aménagé dans les caves de stockage de la farine d'un ancien moulin à vent (1730).

## ANGERVILLE *91670 Essonne 312 A6 – 3 012 h alt. 141.*

*Paris 70 – Chartres 46 – Ablis 28 – Étampes 20 – Évry 54 – Orléans 55 – Pithiviers 28.*

**France,** pl. du Marché ☎ 01 69 95 11 30, *hotel-de-france3@wanadoo.fr, Fax 01 64 95 39 59* – | | – 60. AE GB
*fermé dim. soir et lundi midi* – **Repas** 27/30 ♀ – 9 – **19 ch** 75/120.
◆ Relais de poste du 18e s. dont le cadre rustique est bien mis en valeur par un mobilier ancien et une décoration colorée. Coquettes chambres personnalisées.

**à la Poste-de-Boisseaux** *Sud : 7 km sur N 20 – ✉ 28310 (E.-et-L) Barmainville :*

XX **Panetière,** ☎ 02 38 39 58 26, *Fax 02 38 39 53 40,* – AE GB
*fermé 4 au 18 août, 16 au 29 fév. dim. soir, mardi soir, jeudi soir et lundi* – **Repas** 19/26.
◆ Au bord de la nationale, vieille ferme beauceronne convertie en restaurant. L'espace "grillades" des cuisines est visible de la salle à manger campagnarde.

## Les ANGLES *66210 Pyr.-Or. 344 D7 G. Languedoc Roussillon – 528 h alt. 1650 – Sports d'hiver : 1 600/2 400 m 1 20 .*

*Office du tourisme, ☎ 04 68 04 32 76, Fax 04 68 309 309, les-angles@little-france.com.*

*Paris 868 – Font-Romeu-Odeillo-Via 20 – Mont-Louis 11 – Perpignan 92 – Quillan 60.*

**Llaret,** ☎ 04 68 30 90 90, *Fax 04 68 30 91 66,* – GB.
*1er juil.-31 août et 15 déc.-30 mars* – **Repas** (dîner seul)(résidents seul.) 20/22 – 7 – **26 ch** 58/65 – 1/2 P 54/65.
◆ Le charme de ce grand chalet tient dans sa situation dominant le vieux village et le lac de Matemale. Chambres sobrement meublées. Salle à manger-véranda panoramique.

## ANGLES-SUR-L'ANGLIN *86260 Vienne 322 L4 G. Poitou Vendée Charentes – 424 h alt. 100.*

Voir *Site★ – Ruines du château★.*

*Office du Tourisme, 14 place ☎ 05 49 48 86 87, Fax 05 49 48 27 55, info@angles-france.com.*

*Paris 337 – Poitiers 51 – Châteauroux 78 – Châtellerault 34 – Montmorillon 34.*

**Relais du Lyon d'Or** , rte de Vicq ☎ 05 49 48 32 53, *thoreau@lyondor.com, Fax 05 49 84 02 28,* – AE GB
*fermé janv. et fév.* – **Repas** *(fermé mardi midi et lundi)* 17 (déj.), 25/29 ♀ – 8 – **11 ch** 65/100 – 1/2 P 65/73.
◆ Cette maison du 15e s. restaurée choie le client : chambres garnies d'un mobilier chiné au fil du temps, jardin de repos, centre de soins et stages de peinture décorative.

## ANGLET *64600 Pyr.-Atl. 342 C4 G. Aquitaine – 33 041 h alt. 20.*

*de Biarritz-Anglet-Bayonne ☎ 05 59 43 83 83, SO : 2 km.*

*OMT, 1 avenue de la Chambre d'Amour ☎ 05 59 03 77 01, Fax 05 59 03 55 91, anglet.tourisme@wanadoo.fr.*

*Paris 772 – Biarritz 4 – Bayonne 5 – Cambo-les-Bains 17 – Pau 114 – St-Jean-de-Luz 21.*

**Plan** : voir Biarritz-Anglet-Bayonne.

**Atlanthal** Ⓜ, 153 bd Plages - **ABX** ☎ 05 59 52 75 75, *info@atlanthal.com, Fax 05 59 52 75 13*, ←, ☂, ₣₺, ⛱, 🪑 – 🛗 cuisinette ⇔, ▤ rest, 📺 ✆ ♿ 🅿 – 🏛 20 à 150. AE ⊙ GB. ✂ rest
**Repas** 27/31 ♀, enf. 8 – ☕ 10 – **99 ch** 121/307 – ½ P 120/180.
◆ Entre le golf de Chiberta et l'Atlantique, complexe moderne incluant un centre de thalassothérapie. Chambres confortables ayant, pour la plupart, vue sur l'océan.

**Novotel Biarritz Aéroport,** 68 av. Espagne, N 10 ☎ 05 59 58 50 50, *H0394@accor-hotels.com, Fax 05 59 03 33 55*, ☂, ⛱, 🪑, ✂ – 🛗 ⇔ ▤ 📺 ✆ 🅿 – 🏛 25 à 120. AE ⊙ GB JCB **BX m**
**Repas** 22,80 ♀, enf. 8 – ☕ 20 – **121 ch** 114.
◆ Vaste établissement bâti en lisière d'un parc. Les chambres, standardisées, sont grandes et bien équipées ; celles donnant sur le bois garantissent plus de calme.

**Les Terrasses d'Atlanthal**, 153 bd Plages ☎ 05 59 52 58 58, *info@atlanthal.com, Fax 05 59 52 75 19*, ←, ☂, 🪑 – 🛗, ▤ rest, 📺 ✆ ♿ 🅿 – 🏛 20 à 80. AE ⊙ GB
**Repas** (résidents seul.) 15 ♀ – **48 ch** ☕ 121/307 – ½ P 120/179,50.
◆ Cet hôtel flambant neuf partage avec le complexe Atlanthal la même propriété. Architecture à galeries autour d'un patio. Accès direct au centre de thalassothérapie.

**Ibis Biarritz Aéroport,** 64 av. Espagne, N 10 ☎ 05 59 58 50 00, *H0822@accor-hotels.com, Fax 05 59 58 50 10*, ☂ – 🛗 ⇔, ▤ ch, 📺 ✆ 🅿 – 🏛 15 à 40. AE ⊙ GB **BX m**
**Repas** *(fermé mars)* *(13,20)* - 16,90 ♀, enf. 4,10 – ☕ 6 – **84 ch** 58/70.
◆ Avion, train ou automobile : tous les moyens de locomotion mènent à cet Ibis. Les chambres répondent désormais aux dernières normes de confort de la chaîne.

## ANGOULÊME

🅿 *16000 Charente* 324 K6 *G. Poitou Vendée Charentes – 42 876 h Aggl. 103 746 h alt. 98.*
Voir *Site★ – La Ville haute★★ – Cathédrale St-Pierre★ : façade★★* **Y F** – *C.N.B.D.I. (Centre national de la bande dessinée et de l'image)★* **Y.**
ℹ *Office du Tourisme, place des Halles ☎ 05 45 95 16 84, Fax 05 45 95 91 76, angouleme tourisme@wanadoo.fr.*
*Paris 448 ① – Bordeaux 118 ⑤ – Limoges 103 ② – Niort 116 ① – Périgueux 85 ③.*

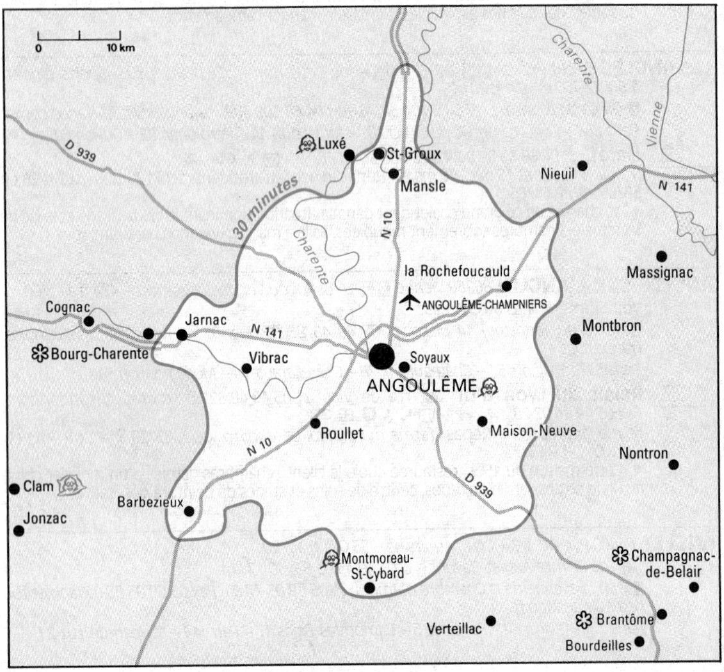
0
10 km
Charente
Vienne
D 939
Luxé
St-Groux
Mansle
Nieuil
N 141
30 minutes
N 10
Charente
Massignac
la Rochefoucauld
ANGOULÊME-CHAMPNIERS
Cognac
Jarnac
N 141
Montbron
Bourg-Charente
Vibrac
Soyaux
ANGOULÊME
Roullet
Maison-Neuve
N 10
Nontron
D 939
Clam
Barbezieux
Jonzac
Montmoreau-St-Cybard
Champagnac-de-Belair
Verteillac
Brantôme
Bourdeilles

# ANGOULÊME



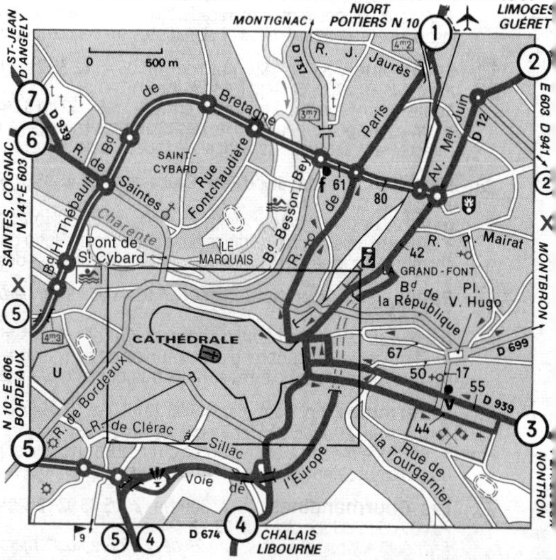

MONTIGNAC
NIORT
POITIERS N 10
LIMOGES
GUÉRET
ST-JEAN D'ANGELY
SAINTES, COGNAC N 141-E 603
N 10-E 606 BORDEAUX
E 603 D 941
MONTBRON
NONTRON
D 674
CHALAIS
LIBOURNE
500 m
SAINT-CYBARD
Rue Fontchaudière
ÎLE MARQUAIS
Pont de St Cybard
Charente
CATHÉDRALE
R. de Bordeaux
R. de Clérac à Sillac
Voie de l'Europe
Rue de la Tourgarnier
LA GRAND-FONT
Bd de la République
Pl. V. Hugo
R. P. Mairat
Av. Mal Juin
R. J. Jaurès
Bd H. Thébault
R. de Saintes
Bd Besson Bey
D 737
D 939
D 699
D 12


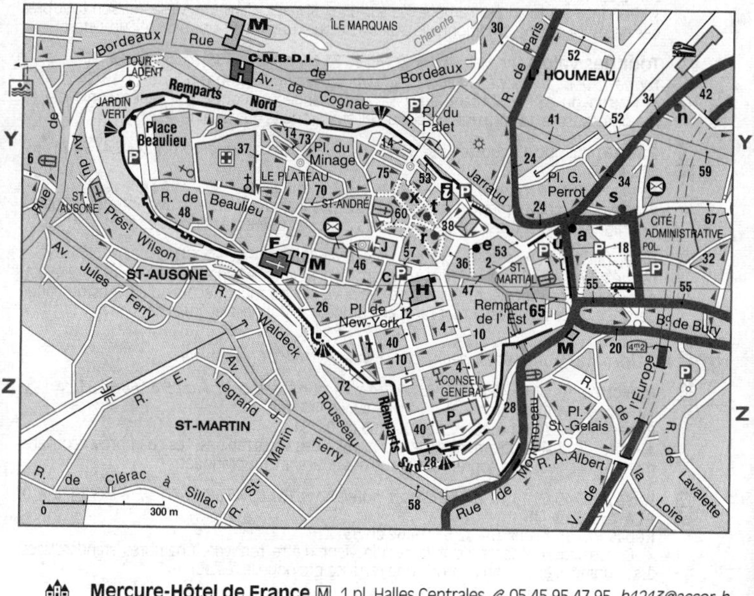

ÎLE MARQUAIS
C.N.B.D.I.
Rue de Bordeaux
Av. de Cognac
TOUR LADENT
JARDIN VERT
Remparts Nord
Place Beaulieu
Pl. du Minage
LE PLATEAU
ST-ANDRÉ
R. de Beaulieu
Pl. du Palet
Jarraud
L'HOUMEAU
Pl. G. Perrot
CITÉ ADMINISTRATIVE
ST-AUSONE
Av. du Prést Wilson
Av. Jules Ferry
R. Waldeck Rousseau
Pl. de New-York
ST-MARTIAL
Rempart de l'Est
Bd de Bury
CONSEIL GÉNÉRAL
Remparts Sud
ST-MARTIN
R. de Clérac à Sillac
Pl. St-Gelais
R. A. Albert
Rue de Montmoreau
R. de Lavalette
R. de l'Europe
300 m


**Mercure-Hôtel de France** [M], 1 pl. Halles Centrales ☎ 05 45 95 47 95, *h1213@accor-hotels.com, Fax 05 45 92 02 70*, – – 20 à 200. AE GB JCB

Y e

**Repas** *(fermé sam. midi, dim. midi et fériés le midi)* (16) - 26, enf. 10 – 10 – **89 ch** 89/119.

◆ Maison natale de Guez de Balzac devenue hôtel en 1875. Chambres modernes, garnies d'un mobilier d'inspiration Art déco. Quelques belles pièces d'antiquité ; joli jardin.

**Européen** sans rest, 1 pl. G. Perrot ☎ 05 45 92 06 42, *Fax 05 45 94 88 29* – 15. AE GB Y a
*fermé 21 déc. au 5 janv.* – 7,50 – **31 ch** 57/62.
◆ À deux pas des remparts, façade colorée abritant des chambres fonctionnelles et bien insonorisées, personnalisées et climatisées sur l'ensemble du 3e étage.

**St-Antoine,** 31 r. St Antoine ☎ 05 45 68 38 21, *hotelsaintantoine@wanadoo.fr, Fax 05 45 69 10 31,* – GB X f
**Repas** *(fermé sam. et dim.)* 13/33, enf. 7 – 6 – **32 ch** 37/47.
◆ Un cadre peu à peu rénové, des chambres fraîches et une bonne isolation phonique caractérisent cet établissement situé tout près de la Charente.

**L'Épi d'Or** sans rest, 66 bd René Chabasse ☎ 05 45 95 67 64, *Fax 05 45 92 97 23* – 20. AE GB X v
*fermé 23 déc. au 2 janv. et dim.* – 5,60 – **33 ch** 38,10/41,20.
◆ Adresse utile à faible distance de la place Victor-Hugo où se tient un marché animé. Les chambres, spacieuses et pratiques, sont bien protégées des nuisances sonores.

**Ruelle,** 6 r. Trois Notre-Dame ☎ 05 45 95 15 19, *laruelle16@wanadoo.fr, Fax 05 45 92 94 64* – AE GB Y x
*fermé 3 au 18 août, sam. midi et dim. sauf fêtes* – **Repas** 20 (déj.), 26/40 et carte 34 à 63 ♀.
◆ Étonnant intérieur obtenu par la réunion de deux maisons anciennes, autrefois séparées par une ruelle. Vieilles pierres et murs framboise donnent le ton du décor.

**Le Terminus,** 1 pl. Gare ☎ 05 45 95 27 13, *Fax 05 45 94 04 09,* – . AE GB Y n
*fermé 10 au 25 août, dim. et lundi* – **Repas** 22/28 ♀.
◆ Brasserie moderne et chic dotée d'un cadre en blanc et noir. La carte prend les couleurs du terroir et s'enrichit des arrivages de la côte Atlantique.

**Les Gourmandines,** 25 r. Genève ☎ 05 45 92 58 98, *emmanuel.cornu@wanadoo.fr, Fax 05 45 92 58 98,* – . AE GB Y t
*fermé 17 août au 8 sept., 21 au 29 déc., 22 fév. au 1er mars, dim. et lundi* – **Repas** 17 (déj.), 21/42 ♀, enf. 8.
◆ Plaisante petite adresse aménagée sur deux niveaux, dans une vieille maison tout près des halles. La cuisine, traditionnelle, s'autorise quelques incursions dans le Sud-Ouest.

**Tour des Valois,** 7 r. Massillon ☎ 05 45 95 23 64, *Fax 05 45 38 14 55* – AE GB Y r
*fermé 16 août au 6 sept., 14 au 22 fév., dim. soir et lundi* – **Repas** 10,40 (déj.), 16/34 ♀.
◆ Maison du 15e s. abritant deux salles à manger rustiques. Cheminée conviviale au rez-de-chaussée. La carte fait un clin d'oeil aux produits d'Aquitaine.

**Palma,** 4 rampe d'Aguesseau ☎ 05 45 95 22 89, *lepalma16@aol.com, Fax 05 45 94 26 66* – AE GB Y u
*fermé 20 déc. au 4 janv. et dim.* – **Repas** 13/26 ♀, enf. 8.
◆ La façade, fraîchement ravalée, ne passe pas inaperçue et le nouvel intérieur, éclairci, s'est agrandi d'une brasserie pour les plats du jour. Cuisine traditionnelle.

**Cité,** 28 r. St-Roch ☎ 05 45 92 42 69, *Fax 05 45 93 24 35* – AE GB Y s
*fermé 27 juil. au 20 août, 16 fév. au 3 mars, dim. et lundi* – **Repas** 12,20 (déj.), 15,80/25,50.
◆ L'empreinte du célèbre festival se retrouve sur les murs décorés d'affiches de bande dessinée de ce petit restaurant familial. Cuisine traditionnelle et fruits de mer.

**rte de Poitiers** *par ①, près échangeur Nord : 6km – ✉ 16430 Champniers :*

**Mercure** M, ☎ 05 45 68 53 22, *h0397-gl@accor-hotels.com, Fax 05 45 68 33 83,* – 15 à 110. AE GB JCB
**Repas** (13) - 17 ♀, enf. 7,40 – 8,50 – **103 ch** 81/84.
◆ Hôtel de chaîne utilement situé à proximité des voies rapides. Les chambres, régulièrement rafraîchies, sont sobrement meublées et avant tout pratiques.

**Ibis,** ☎ 05 45 69 16 16, *h1096@accor-hotels.com, Fax 05 45 68 20 77,* – 25. AE GB
**Repas** (12) - 15, enf. 6 – 5,50 – **62 ch** 55.
◆ Construction récente dont la façade vient d'être rénovée. Chambres standardisées, assez grandes et de bon confort. Une terrasse prolonge le restaurant.

**à Soyaux** *par ③ : 4 km – 10 353 h. alt. 133 – ✉ 16800 :*

**Cigogne,** (à la Mairie, prendre r. A.-Briand et 1,5 km) ☎ 05 45 95 89 23, *Fax 05 45 95 89 23,* – AE GB
*fermé 28 oct. au 26 nov., 4 au 19 mars, dim. soir et lundi* – **Repas** 12 (déj.), 18/26 ♀.
◆ Accolée à une ancienne champignonnière cette maison, jadis guinguette, vous accueille dans sa salle à manger colorée, ou sur la terrasse ombragée face à la campagne.

**à Maison-Neuve** *par ③, D 939, D 4 et D 25 : 17 km – ✉ 16410 Vouzan :*

XX **L'Orée des Bois** avec ch, ☎ 05 45 24 94 38, *mege.oreedesbois@wanadoo.fr, Fax 05 45 24 97 51,* – P. AE GB
*fermé 3 au 13 mars, 3 au 20 nov., 6 au 15 janv., mardi midi, dim. soir et lundi* – **Repas** 20/50 – 6 – **7 ch** 50/52 – ½ P 52.
◆ Deux maisons basses : l'ancienne abrite le restaurant de style Louis XIII et sa cheminée ; la plus récente, de type motel, héberge des chambres en rez-de-jardin.

**à Roullet** *par ⑤ et N 10, dir. Bordeaux : 14 km – 3 378 h. alt. 50 – ✉ 16440 :*

**Vieille Étable**, rte Mouthiers : 1,5 km ☎ 05 45 66 31 75, *vieille.etable@wanadoo.fr, Fax 05 45 66 47 45,* – P – 20 à 50. GB. rest
*fermé dim. soir d'oct. à mai* – **Repas** 13,70/46, enf. 8,40 – 6,10 – **29 ch** 49/61,20 – ½ P 55,70/62,20.
◆ La tranquillité champêtre de cette ferme restaurée, pourtant proche de la N 10, vous surprendra. Chambres installées dans des pavillons disséminés dans le parc.

**Marjolaine** sans rest, Les Glamots ☎ 05 45 66 46 46, *hotel.marjolaine@wanadoo.fr, Fax 05 45 66 43 29* – P. GB.
*fermé 25 déc. au 1er janv. et dim. en hiver* – 4,10 – **30 ch** 28/36,40.
◆ En léger retrait de la route, construction basse aux murs colorés conçue comme un motel, possédant des chambres pratiques, toutes semblables.

**rte de Cognac** *par ⑥, N 141 et D 120 : 10 km – ✉ 16290 Asnières-sur-Nouère :*

**Hostellerie du Maine Brun**, ☎ 05 45 90 83 00, *hostellerie-du-maine-brun@wanadoo.fr, Fax 05 45 96 91 14,* – P. AE GB JCB
*25 janv.-25 oct. et fermé dim. soir sauf du 15 avril au 15 oct., mardi midi et lundi* – **Repas** 27/35 – 11 – **18 ch** 75/116 – ½ P 78/89.
◆ Hôtel aménagé dans un ancien moulin au bord de la Nouère, au sein d'un vaste domaine viticole. Les chambres, spacieuses, dotées d'un beau mobilier, ouvrent sur la campagne.

---

## ANNEBAULT *14430 Calvados 303 M4 – 317 h alt. 140.*

*Paris 201 – Caen 37 – Cabourg 15 – Pont-l'Évêque 12.*

X **Auberge Le Cardinal** avec ch, ☎ 02 31 64 81 96, *cardinal@club-internet.fr, Fax 02 31 64 64 65,* – P. AE GB
*fermé 10 janv. au 10 fév., mardi et merc. sauf juil.-août* – **Repas** 16/43 – 6 – **6 ch** 50 – ½ P 52/54.
◆ Séparée de la route par un jardinet, maison récente à la silhouette sagement normande. Repas traditionnels servis devant la cheminée de la salle à manger champêtre.

---

## ANNECY P *74000 H.-Savoie 328 J5 G. Alpes du Nord – 49 644 h Agglo. 136 815 h alt. 448 – Casino.*

**Voir** *Le Vieil Annecy★★ : Descente de Croix★ dans l'église St-Maurice* **EY E**, *Palais de l'Isle★★* **EY M²**, *rue Ste-Claire★ – pont sur le Thiou ≤★* **EY N** *– Musée-château d'Annecy★ – Les Jardins de l'Europe★ – Les bords du lac★★ ≤★★.*

**Env.** *Tour du lac★★★ – Gorges du Fier★★ : 11 km par ⑥ – Col de la Forclaz★★ – Forêt du crêt du Maure★ : ≤★★ 3 km par D 41* **CV**.

*d'Annecy-Haute-Savoie ☎ 04 50 27 30 06, par N 508* **BU** *et D 14 : 4 km.*

*Office du Tourisme, 1 rue Jean Jaurès ☎ 04 50 45 00 33, Fax 04 50 51 87 20, ancytour@cybercable.tm.fr.*

*Paris 536 ⑤ – Aix-les-Bains 35 ⑤ – Genève 42 ① – Lyon 138 ⑤ – St-Étienne 184 ⑤.*

Plans pages suivantes

**L'Impérial Palace** M, 32 av. Albigny ☎ 04 50 09 30 00, *reservation@hotel-imperial-palace.com, Fax 04 50 09 33 33,* ≤ lac, – – P – 25 à 600. AE GB
***La Voile :*** **Repas** carte 40 à 67 – 25 – **91 ch** 225/275, 8 appart – ½ P 156,50. **CV s**
◆ Vue imprenable sur le lac depuis ce palace (1913) situé au coeur d'un parc public. Chambres à l'élégant décor design. Plaisante terrasse. Centre de congrès et casino.

**Splendid** M sans rest, 4 quai E. Chappuis ☎ 04 50 45 20 00, *Splenditel@aol.com, Fax 04 50 45 52 23* – – 60. AE GB JCB. **EY d**
*fermé 20 déc. au 12 janv.* – 12,50 – **50 ch** 88/125.
◆ Immeuble des années 1930 entièrement rénové et remeublé dans le style d'origine. Chambres assez spacieuses, bien isolées phoniquement ; certaines sont orientées côté lac.

**Novotel Atria** M, 1 av. Berthollet ☎ 04 50 33 54 54, *h1357@accor-hotels.com, Fax 04 50 45 50 68* – – 25 à 200. AE GB JCB. rest **DX h**
**Repas** *(15)* - carte 19 à 25 – 10,50 – **95 ch** 90/129,60.
◆ À deux pas de la gare, hôtel jumelé avec un centre de congrès. Chambres confortables et bien insonorisées. Adresse qui sied à la clientèle d'affaires et aux séminaires.

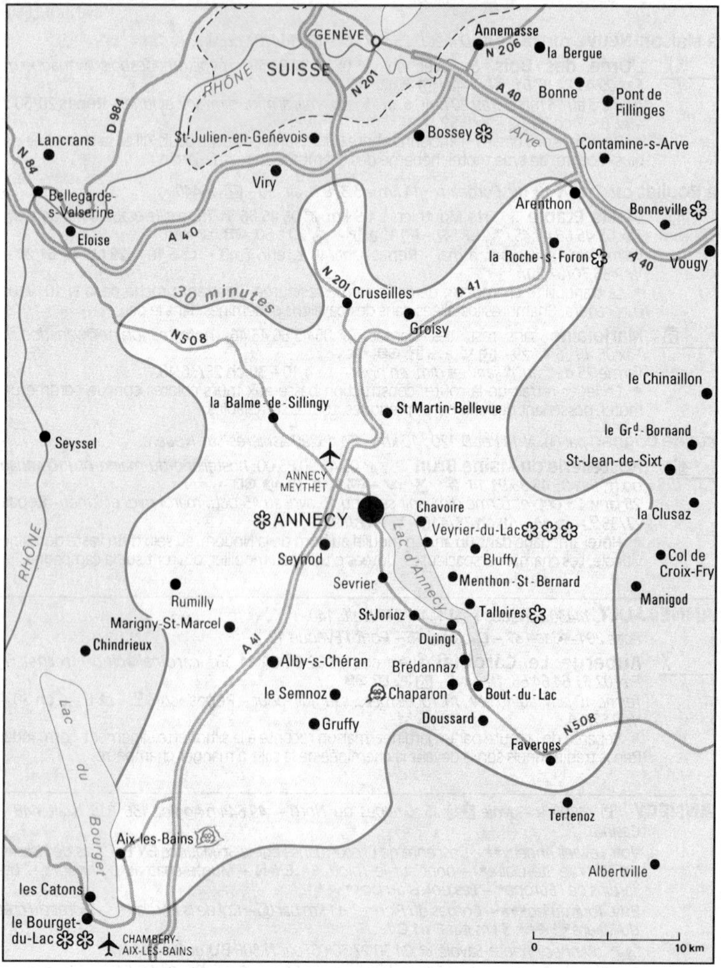

GENÈVE
SUISSE
RHÔNE
Annemasse
N 206
la Bergue
N 201
A 40
Bonne
Pont de Fillinges
D 984
Lancrans
St-Julien-en-Genevois
Bossey
Arve
Contamine-s-Arve
N 84
Viry
Bellegarde-s-Valserine
Arenthon
Bonneville
Eloise
A 40
la Roche-s-Foron
A 40
Vougy
N 201
Cruseilles
A 41
30 minutes
Groisy
N508
le Chinaillon
la Balme-de-Sillingy
St Martin-Bellevue
le Grd-Bornand
Seyssel
St-Jean-de-Sixt
ANNECY MEYTHET
Chavoire
la Clusaz
ANNECY
Veyrier-du-Lac
Lac d'Annecy
Col de Croix-Fry
Seynod
Bluffy
RHÔNE
Sevrier
Menthon-St-Bernard
Manigod
Rumilly
Talloires
St-Jorioz
Marigny-St-Marcel
Duingt
Chindrieux
A 41
Alby-s-Chéran
Brédannaz
le Semnoz
Chaparon
Bout-du-Lac
Gruffy
Doussard
Lac du Bourget
N508
Faverges
Tertenoz
Aix-les-Bains
Albertville
les Catons
le Bourget-du-Lac
CHAMBERY-AIX-LES-BAINS
0
10 km


**Les Trésoms** Ⓜ, 3 bd Corniche ✆ 04 50 51 43 84, *info@lestresoms.com*, *Fax 04 50 45 56 49*, ≤, 🏞, Fō, 🏊, 🌳 – |≑| ⇆ TV 📞 P – 🔈 25. AE ⓘ GB JCB.
rest CV f

**Repas** 23 (déj.), 29/94 bc ♀, enf. 17 – ☕ 15 – **49 ch** 111/189 – ½ P 93/125.

◆ Au calme, dans un grand jardin, demeure des années 1930 surplombant le lac, visible de la moitié des chambres. Intérieur Art déco. Restaurant panoramique en rotonde.

**Carlton** sans rest, 5 r. Glières ✆ 04 50 10 09 09, *contact@bw-carlton.com*, *Fax 04 50 10 09 60* – |≑| TV 📞 🚗 – 🔈 30. AE ⓘ GB JCB DY g

☕ 10 – **55 ch** 86/105.

◆ Les chambres de cet immeuble du début du 20e s. proche de la gare, fonctionnelles et de bonne ampleur, sont désormais toutes insonorisées et rénovées.

**Holiday Inn Garden Court** Ⓜ, 19 av. du Rhone ✆ 04 50 52 35 35, *hiannecy@aol.com*, *Fax 04 50 52 35 00*, Fō – |≑| ⇆ ▤ TV 📞 ♿ 🚗 – 🔈 25 à 80. AE ⓘ GB JCB BV n

**Repas** 11/15 ♀, enf. 8 – ☕ 9,50 – **134 ch** 80/100.

◆ Sur un axe assez fréquenté, jeune bâtiment un peu excentré, dont les chambres viennent toutes d'être refaites. Décor actuel au restaurant.

**Marquisats** sans rest, 6 chemin Colmyr ☎ 04 50 51 52 34, *marquisats@wanadoo.fr,*
*Fax 04 50 51 89 42* – 📺 P. AE ⓓ GB. — CV n
*fermé 21 au 28 déc.* – ☕ 10
**23 ch** 65/100.
◆ Au calme, une maison ancienne joliment restaurée offrant des chambres personnalisées, garnies d'un mobilier raffiné ; certaines sont tournées vers le lac.

**Mercure** M sans rest, 26 r. Vaugelas ☎ 04 50 45 59 80, *H2812-gm@accor-hotels.com,*
*Fax 04 50 45 21 99* – 📺 AE GB — DY a
☕ 11 – **39 ch** 79/89.
◆ Central, entièrement rénové et bénéficiant d'une excellente insonorisation, cet établissement séduira également la clientèle d'affaires par ses chambres pratiques.

## ANNECY

Aléry (Av. d') .......... **BV** 4
Aléry (Gde-R. d') .......... **BV** 7
Balmettes (Fg des) .......... **CV** 10
Beauregard (Av. de) .......... **BV** 13
Bel-Air (R. du) .......... **CU** 15
Bordeaux (R. Henry) .......... **CU** 18
Boschetti (Av. Lucien) .......... **BCV** 21
Chambéry (Av. de) .......... **BV** 23
Chevêne (Av. de) .......... **BV** 29
Corniche (Bd de la) .......... **CV** 32
Crêt-du-Maure (Av. du) .......... **CV** 35
Crête (R. de la) .......... **BU** 38
Fins Nord (Ch. des) .......... **BCU** 45
Hirondelles (Av. des) .......... **BV** 52
Leclerc (R. du Mar.) .......... **BU** 59
Loverchy (Av. de) .......... **BV** 63
Martyrs-de-la-Déportation (R. des) .......... **CU** 64
Mendès-France (Av. Pierre) .......... **BV** 65
Mermoz (R. Jean) .......... **CU** 66
Novel (Av. de) .......... **CU** 69
Perréard (Av. Germain) .......... **BU** 73
Pont-Neuf (Av. du) .......... **BV** 77
Prélevet (Av. de) .......... **BV** 79
Prés-Riants (R. des) .......... **CU** 81
St-Exupéry (R. A. de) .......... **CU** 86
Stade (Av. du) .......... **BCU** 92
Theuriet (R. André) .......... **CV** 93
Thônes (Av. de) .......... **CU** 94
Trésum (Av. de) .......... **CV** 97
Trois-Fontaines (Av. des) .......... **BV** 98
Val-Vert (R. du) .......... **BV** 99

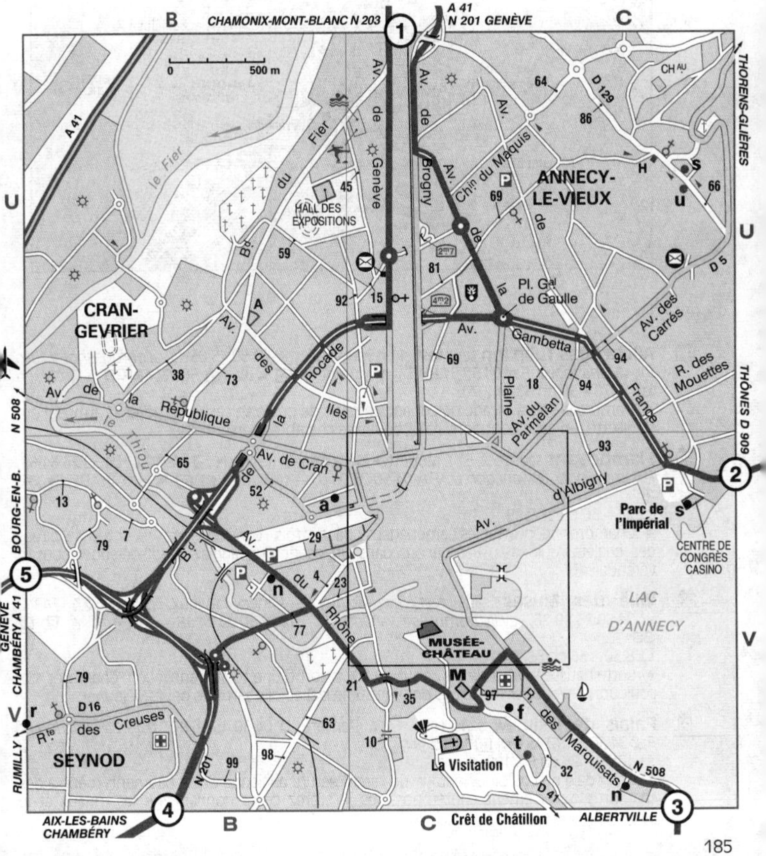

B
CHAMONIX-MONT-BLANC N 203
A 41
N 201 GENÈVE
C
THORENS-GLIÈRES
0
500 m
A 41
le Fier
Bd du Fier
Av. de Genève
Av. de Brogny
Av. de la Plaine
Chin du Maquis
ANNECY-LE-VIEUX
HALL DES EXPOSITIONS
CRAN-GEVRIER
Pl. Gal de Gaulle
Av. Gambetta
Av. des Carrés
R. des Mouettes
Av. de France
Av. des Iles
Rocade
Av. de la République
le Thiou
Av. de Cran
Av. du Parmelan
Av. d'Albigny
Parc de l'Impérial
CENTRE DE CONGRÈS CASINO
LAC D'ANNECY
Bd de la Rocade
Av. du Rhône
MUSÉE-CHÂTEAU
R. des Marquisats
La Visitation
Rte des Creuses
SEYNOD
D 16
N 201
D 41
N 508
THÔNES D 909
BOURG-EN-B. N 508
GENÈVE CHAMBÉRY A 41
RUMILLY
AIX-LES-BAINS CHAMBÉRY
Crêt de Châtillon
ALBERTVILLE
U
V

# ANNECY

Chambéry (Av. de) . . . **DY** 23
Chappuis (Q. Eustache) **EY** 26
Filaterie (R.) . . . . . . . . . **EY** 43
Grenette (R.) . . . . . . . . **EY** 51
Hôtel-de-Ville (Pl.) . . . . **EY** 53
Jean-Jacques-Rousseau (R.) . . . . . . . **DY** 55
Lac (R. du) . . . . . . . . . . . **EY** 57
Libération (Pl. de la) . . . **EY** 61
Pâquier (R. du) . . . . . . . . **EY** 71
Perrière (R.) . . . . . . . . . . **EY** 75
Pont-Morens (R. du) . . . **EY** 76
Poste (R. de la) . . . . . . . **DY** 78
République (R.) . . . . . . . **DY** 83
Royale (R.) . . . . . . . . . . . **DY** 85
St-François-de-Sales (Pl.) . . . . . . . . . . **EY** 87
St-François-de-Sales (R.) . . . . . . . . . . **DY** 89
Ste-Claire (Fg et R.) . . . **DY** 91
Tour-la-Reine (Ch.) . . . . . **EY** 95

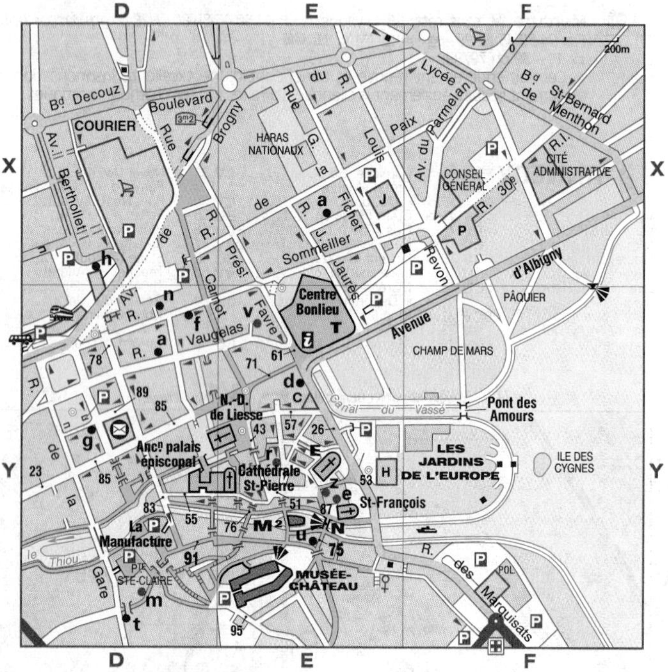
D
E
F
X
Y
200m
COURIER
Bd Decouz
Boulevard
HARAS NATIONAUX
Lycée
Paix
Av. du Parmelan
Bd de St-Bernard Menthon
CITÉ ADMINISTRATIVE
CONSEIL GÉNÉRAL
Sommeiller
Centre Bonlieu
Avenue d'Albigny
PÂQUIER
CHAMP DE MARS
Vaugelas
Canal du Vassé
Pont des Amours
N.-D. de Liesse
Anc.n palais épiscopal
Cathédrale St-Pierre
LES JARDINS DE L'EUROPE
ILE DES CYGNES
St-François
La Manufacture
PTE STE-CLAIRE
MUSÉE-CHÂTEAU
le Thiou
Gare
R. des Marquisats
POL

**Allobroges Tulip Inn** sans rest, 11 r. Sommeiller ☎ 04 50 45 03 11, *allobrogeshotel.tulipinn@wanadoo.fr, Fax 04 50 51 88 32* – cuisinette – 30. AE GB DY n
10,70 – **50 ch** 88/142,70.
◆ Derrière la sobre façade de cet ancien relais de poste se cache un hôtel à l'atmosphère douillette, un peu "bonbonnière". Coquettes chambres personnalisées.

**Flamboyant** sans rest, 52 r. Mouettes **CU** à Annecy-le-Vieux ✉ 74940 ☎ 04 50 23 61 69, *leflamboyant74@wanadoo.fr, Fax 04 50 23 05 03* – cuisinette AE GB JCB
11 – **30 ch** 90/199.
◆ Chambres confortables aménagées dans trois constructions récentes inspirées des chalets régionaux. Bar décoré dans un esprit pub anglais. Petit-déjeuner sous la véranda.

**Villa des Muses** sans rest, av. Albigny à Annecy-le-Vieux, par ② ✉ 74940 ☎ 04 50 23 29 26, *lavilladesmuses@wanadoo.fr, Fax 04 50 23 74 18* – AE GB
8,50 – **36 ch** 63/74.
◆ Cette bâtisse savoyarde du début du 20e s. sort d'une totale rénovation. Chambres aux couleurs provençales (certaines ont vue sur le lac) et jolie salle des petits-déjeuners.

**Palais de l'Isle** M sans rest, 13 r. Perrière ☎ 04 50 45 86 87, *palisle@wanadoo.fr, Fax 04 50 51 87 15* – AE GB EY u
10,50 – **26 ch** 60/100.
◆ Un dédale de couloirs, héritage de l'architecture ancienne de ce bâtiment, mène à des chambres ouvertement contemporaines. Préférez celles donnant sur les canaux et le palais.

**Kyriad Centre** sans rest, 1 fg Balmettes ✆ 04 50 45 04 12, *annecy.hotel.kyriad@wanadoo.fr, Fax 04 50 45 90 92* – TV. AE GB. DY t
6,50 – **24 ch** 54/58.
◆ Jouxtant le vieil Annecy, bâtisse du 16e s. entièrement rénovée dans un esprit méridional. Les chambres, aux tons jaune et bleu, sont fraîches et accueillantes.

**Bonlieu** M sans rest, 5 r. Bonlieu ✆ 04 50 45 17 16, *hbonlieu@noos.fr, Fax 04 50 45 11 48* – TV P – 25. AE GB JCB EX a
8 – **35 ch** 66/86.
◆ Dans une rue calme proche du centre Bonlieu, architecture moderne et intérieur contemporain : les chambres, d'une sobriété reposante, sont pratiques et bien insonorisées.

**Nord** sans rest, 24 r. Sommeiller ✆ 04 50 45 08 78, *annecy.hotel.du.nord@wanadoo.fr, Fax 04 50 51 22 04* – TV. AE GB. DY f
6,50 – **30 ch** 48/57.
◆ Cure de jouvence bénéfique pour ce petit hôtel du centre-ville : les chambres sont dotées de meubles de qualité et d'une décoration très actuelle, gaie et colorée.

**Les Terrasses,** 15 r. L. Chaumontel ✆ 04 50 57 08 98, *lesterrasses@wanadoo.fr, Fax 04 50 57 05 28,* – TV P. GB. rest BV a
**Repas** *(fermé 13 déc. au 11 janv., sam. et dim. sauf juil.-août)* 12/15 – 7 – **20 ch** 62 – 1/2 P 49.
◆ Dans un quartier résidentiel, pension de famille aux chambres fraîches, meublées dans un esprit rustique tout simple. Salle à manger sobre et terrasses ombragées.

**Clos des Sens** (Petit), 13 r. J. Mermoz à Annecy-le-Vieux par av. France et rte Thônes ✉ 74940 ✆ 04 50 23 07 90, *clos-des-sens@wanadoo.fr, Fax 04 50 66 56 54,* – AE GB CU u
*fermé 8 au 26 sept., 2 au 11 janv., dim. soir sauf juil.-août, mardi midi et lundi* – **Repas** 25 (déj.), 38/90 et carte 65 à 80, enf. 15.
◆ Cuisine inventive à déguster dans la belle salle au cadre contemporain (boiseries claires et collection... de Guides Michelin) ou sur la terrasse ombragée surplombant la ville.
**Spéc.** Écrevisses à l'émulsion de pommes de terre fumées. Omble chevalier "lait battu thym-citron" (mars à sept.). Caïon des Bauges, coulant de polenta. **Vins** Chignin-Bergeron, Mondeuse d'Arbin.

**Ciboulette,** 10 r. Vaugelas - cour du Pré Carré ✆ 04 50 45 74 57, *georges.paccard@wanadoo.fr, Fax 04 50 45 76 75,* – GB EY v
*fermé 1er au 27 juil., vacances de toussaint, dim. et lundi* – **Repas** 24/47 et carte 50 à 63.
◆ La terrasse joliment fleurie et la salle à manger, décorée de pierre et de bois, font l'attrait de cet établissement situé dans une cour piétonne. Cuisine au goût du jour.

**L'Atelier Gourmand** (Leloup), 2 r. St-Maurice ✆ 04 50 51 19 71, *Fax 04 50 51 36 48,* – AE GB EY z
*fermé 25 août au 2 sept., 1er au 7 janv., dim. soir, mardi midi et lundi* – **Repas** 22 (déj.), 31/71 et carte 65 à 90.
◆ Les tableaux réalisés par le maître des lieux ornent cette élégante salle à manger moderne ; un surprenant "coup de patte" créatif, que l'on retrouve dans l'assiette !
**Spéc.** Lasagne de fruits de mer à l'encre de seiche. Omble chevalier et cromesquis de beaufort. Soupe au chocolat et fruits secs. **Vins** Chignin-Bergeron, Mondeuse d'Arbin

**Auberge de Savoie,** 1 pl. St-François-de-Sales ✆ 04 50 45 03 05, *Fax 04 50 51 18 28,* – AE GB EY e
*fermé 22 avril au 7 mai, 26 août au 3 sept., 1er au 14 janv., mardi et merc.* – **Repas** 23/47.
◆ Au coeur de la "Venise savoyarde", cette auberge ancienne, aménagée avec goût dans un esprit contemporain, propose une cuisine axée sur les produits de la mer... et des lacs.

**Belvédère** avec ch, rte Semnoz Sud-Est : 2 km par r. Marquisat ✆ 04 50 45 04 90, *info@belvedere-annecy.com, Fax 04 50 45 67 25,* ← Annecy et lac, – TV P. AE GB CV t
*hôtel : fermé 15 janv. au 31 mars* – **Repas** *(fermé 15 janv. au 20 fév., dim. soir, mardi soir et merc.)* 23 (déj.), 30/51, enf. 12 – 10 – **5 ch** 95/125 – 1/2 P 115.
◆ Cuisine classique, élégant décor et les montagnes et le lac pour toile de fond : de bonnes raisons pour "grimper" jusqu'à ce restaurant panoramique. Chambres bien agencées.

**Brasserie St-Maurice,** 7 r. Collège Chapuisien ✆ 04 50 51 24 49, *stmau@noos.fr, Fax 04 56 72 45 69,* – AE GB EY r
*fermé dim. et lundi* – **Repas** 24/42.
◆ Pierres et poutres en salle, terrasse ensoleillée et petites touches provençales côté cuisine : sympathique restaurant aménagé dans une magnifique maison de 1675.

XX **Pré de la Danse,** 16 r. J. Mermoz à Annecy-le-Vieux, par av. France et rte Thônes ✉ 74940 ✆ 04 50 23 70 41, *Fax 04 50 09 90 83*, – P. GB CU s
*fermé 23 fév. au 10 mars, dim. soir, merc. soir et lundi* – **Repas** 15 (déj.), 23/39, enf. 9.
◆ L'on dansait jadis sur un pré jouxtant cette ancienne ferme perchée sur les hauteurs. Salle à manger rustique et fraîche, terrasse et plats traditionnels simples.

XX **Bilboquet,** 14 fg Ste-Claire ✆ 04 50 45 21 68, *Fax 04 50 45 21 68* – AE GB DY m
*fermé 1er au 15 juil., dim. et lundi sauf juil.-août* – **Repas** 22/42.
◆ Aimable petite adresse du vieil Annecy, où la cuisine, renouvelée au rythme des saisons, est servie dans une agréable salle à manger tout en longueur.

## à Chavoires *par ② : 4,5 km – ✉ 74290 Veyrier :*

**Demeure de Chavoire** sans rest, 71 rte Annecy ✆ 04 50 60 04 38, *demeure.chavoire@wanadoo.fr, Fax 04 50 60 05 36*, ← – P. AE GB JCB
*fermé 10 au 24 nov.* – 17 – **10 ch** 135/190, 3 appart.
◆ Une façade toute simple dissimule cet hôtel de caractère. Élégantes installations, meubles anciens, ambiance "cosy" et petit-déjeuner en terrasse, face au lac.

## à Veyrier-du-Lac *par ② : 5,5 km – 1 967 h. alt. 504 – ✉ 74290.*

*Office du Tourisme, 31 rue de la Tournette ✆ 04 50 60 22 71, Fax 04 50 60 00 90, veyrierdulactourism@wanadoo.fr.*

XXXXX **Auberge de l'Éridan** (Veyrat) M avec ch, 13 Vieille rte des Pensières ✆ 04 50 60 24 00, *contact@marcveyrat.fr, Fax 04 50 60 23 63*, ← lac, – P. AE GB
✿✿✿
*mi-mai-fin oct. et fermé mardi sauf le soir en juil.-août, lundi et le midi sauf week ends* – **Repas** 230/310 et carte 200 à 260 – 60 – **11 ch** 450/695.
◆ La constellation de l'Éridan ? Trois étoiles, ou l'éclat d'une cuisine à des années-lumière de la tradition. C'est que l'homme a plus d'un tour dans son chapeau : qui mangera... Veyrat !
**Spéc.** Langoustine et semoule de consoude virtuelle. Féra et glaçon de benoîte urbaine. Mignon de veau, bonbon de carvi et aubépine. **Vins** Chignin-Bergeron, Mondeuse.

## rte du Semnoz *Sud-Est : 3,5 km par D 41 CV et rte forestière – ✉ 74000 Annecy :*

X **Super Panorama** avec ch, ✆ 04 50 45 34 86, ← lac et montagnes, – GB. ch
*fermé 30 déc. au 5 fév., lundi soir et mardi* – **Repas** 18/26, enf. 7,70 – 5,50 – **5 ch** 36.
◆ Perché à flanc de montagne et dominant le lac, un établissement tout simple, mais qui porte bien son nom. Goûtez à sa cuisine traditionnelle et abreuvez-vous du paysage !

## rte de Chambéry *et D 16 : 3 km – ✉ 74960 Cran-Gevrier :*

**Kyriad,** 72 rte des Creuzes ✆ 04 50 69 31 03, *Fax 04 50 69 14 38*, – ch, P – 25. AE GB. ch BV r
**Repas** *(fermé dim. midi et sam. sauf fériés)* (13) - 16, enf. 7,50 – 7 – **58 ch** 59/68 – ½ P 53,60.
◆ Chambres standardisées, dotées de voilages et dessus-de-lit colorés, de meubles pratiques et de salles de bains neuves. Bonne insonorisation depuis la récente rénovation.

## à Seynod *par ④ : 1 km – 14 764 h. alt. 577 – ✉ 74600 :*

**Mercure** M, N 201 ✆ 04 50 52 09 66, *h0340@accor-hotels.com, Fax 04 50 69 29 32*, – P – 100. AE GB JCB
**Repas** *(fermé dim. midi et sam.)* 13/22, enf. 9,50 – 11 – **63 ch** 79/95.
◆ En bordure de route, une architecture évocatrice des années 1970, mais des espaces intérieurs actualisés. Chambres confortables et bien équipées.

---

# ANNEMASSE *74100 H.-Savoie 328 K3 – 27 669 h Agglo. 106 673 h alt. 432 – Casino Grand Casino.*

*Office du Tourisme, rue de la Gare ✆ 04 50 95 07 10, Fax 04 50 37 11 71, ot.annemasse@mairie-annemasse.fr.*

*Paris 538 ③ – Annecy 46 ③ – Thonon-les-Bains 31 ① – Bonneville 22 ③ – Genève 8 ③.*

Plan page ci-contre

**Mercure** M, par ③ *et rte Gaillard* ✉ 74240 Gaillard ✆ 04 50 92 05 25, *h0343@accor-hotels.com, Fax 04 50 87 14 57*, – P – 70. AE GB
**Repas** 20/21 – 11 – **78 ch** 120.
◆ Près de l'autoroute, hôtel inscrit dans un cadre de verdure, au bord d'une rivière. Chambres assez spacieuses, confortables, insonorisées et en majorité rénovées.

**St-André** M sans rest, 20 r. M. Courriard ✆ 04 50 84 07 00, *hotel-saint-andre@wanadoo.fr, Fax 04 50 84 36 22* – P – 180. AE GB Z v
8 – **45 ch** 50/83.
◆ Dans un ensemble résidentiel récent, chambres modernes et bien équipées ; mobilier pratique assez plaisant et décor ensoleillé. Bonne isolation phonique.

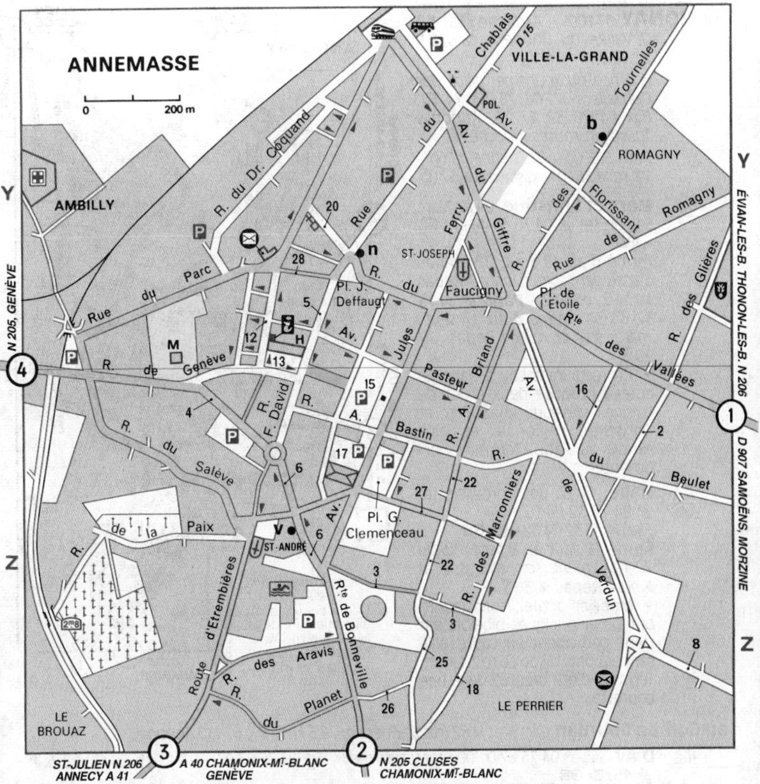
ANNEMASSE
0
200 m
VILLE-LA-GRAND
ROMAGNY
AMBILLY
ST-JOSEPH
ST-ANDRÉ
LE PERRIER
LE BROUAZ
Y
Z
R. du Dr. Coquand
Rue du Parc
R. de Genève
R. du Salève
R. de la Paix
R. F. David
Rue du Chablais
Av. du Giffre
Av. J. Ferry
R. du Faucigny
R. des Tournelles
Rue de Romagny
R. des Florissant
Pl. J. Deffaugt
Av. Jules Pasteur
R. A. Briand
Pl. de l'Étoile
Rte des Vallées
R. des Glières
R. A. Bastin
R. du Beulet
R. de Verdun
R. des Marronniers
Pl. G. Clemenceau
Av.
Rte de Bonneville
R. des Aravis
R. du Planet
Route d'Etrembières
POL.
M
H
N 205, GENÈVE
ÉVIAN-LES-B. THONON-LES-B. N 206
D 907 SAMOËNS, MORZINE
ST-JULIEN N 206
ANNECY A 41
A 40 CHAMONIX-MT-BLANC
GENÈVE
N 205 CLUSES
CHAMONIX-MT-BLANC
D 15
1
2
3
4

| | | | | | |
|---|---|---|---|---|---|
| Alsace-Lorraine (Av. d') | Z 2 | Gare (R. de la) | Y 12 | Mont-Blanc (R. du) | Y 20 |
| Château-Rouge (R. du) | Z 3 | Hôtel-de-Ville (Pl. de l') | Y 13 | Petit-Malbrande (R. du) | Z 22 |
| Clos-Fleury (R. du) | Z 4 | Libération (Pl. de la) | Z 15 | Saget (R. du) | Z 25 |
| Commerce (R. du) | Y 5 | Malbrande (R. de) | Z 16 | Vaillat (R. L.) | Z 27 |
| Courriard (R. M.) | Z 6 | Marché-de-Gros (Pl. du) | Z 17 | Voirons (R. des) | Y 28 |
| Dusonchet (R. Ph.) | Z 8 | Massenet (R.) | Z 18 | | |

**Arc-en-Ciel** sans rest, 21 r. Tournelles (à Ville-la-Grand) ✆ 04 50 92 66 00, *Fax 04 50 87 06 88* – ⎮ ⅔ TV – 25. AE ⓓ GB **Y b**
*fermé 20 déc. au 5 janv.* – ☕ 7 – **40 ch** 55/66.
◆ Hôtel aménagé au 3e étage d'un immeuble dont le rez-de-chaussée est occupé par un supermarché et un centre de remise en forme. Chambres fonctionnelles.

**Place** sans rest, 10 pl. J. Deffaugt ✆ 04 50 92 06 44, *Fax 04 50 87 07 45* – ⎮ P. AE ⓓ GB
☕ 7 – **45 ch** 35/60. **Y n**
◆ Établissement central convenant pour une étape sur la route de la Suisse. Murs immaculés et mobilier contemporain en bois caractérisent les chambres, récemment rénovées.

**à La Bergue** *Est : 6 km par ①, D 907 et D 183 – ✉ 74380 Cranves-Sales :*

**Pergola,** ✆ 04 50 39 30 27, *Fax 04 50 36 76 43,* – P. GB
*fermé 25 août au 19 sept., 2 au 20 fév., lundi et mardi* – **Repas** 17/33,80.
◆ Cet accueillant petit restaurant, situé au centre du village, offre une cuisine traditionnelle agrémentée de spécialités du terroir. Salle des repas sobrement rustique.

*Si vous êtes retardé sur la route, dès 18 h, confirmez votre réservation par téléphone, c'est plus sûr... et c'est l'usage.*

**ANNONAY** *07100 Ardèche* 331 K2 *G. Vallée du Rhône – 18 525 h alt. 350.*

*Office du Tourisme, place des Cordeliers ✆ 04 75 33 24 51, Fax 04 75 32 47 79, Annonay Tour@inforoutes-ardeche.fr.*

*Paris 535 ① – St-Étienne 43 ④ – Valence 56 ① – Yssingeaux 57 ③.*

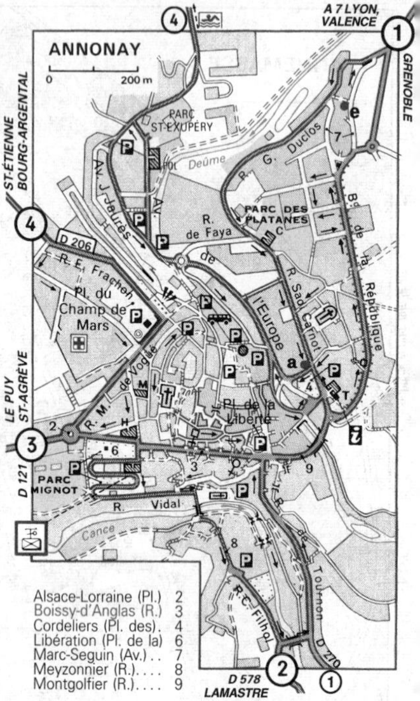

ANNONAY
0
200 m
A 7 LYON, VALENCE
GRENOBLE
ST-ÉTIENNE BOURG-ARGENTAL
LE PUY ST-AGRÈVE
D 121
D 206
D 578
LAMASTRE
D 270
PARC ST-EXUPÉRY
PARC DES PLATANES
PARC MIGNOT
Pl. du Champ de Mars
Pl. de la Liberté
Av. J. Jaurès
R. de Faya
R. E. Frachon
R. M. de Vogüé
R. G. Duclos
Bd de la République
R. Sadi Carnot
de l'Europe
R. Vidal
R. C. Filhol
R. de Tournon
Deûme
Cance
Alsace-Lorraine (Pl.) 2
Boissy-d'Anglas (R.) 3
Cordeliers (Pl. des). 4
Libération (Pl. de la) 6
Marc-Seguin (Av.) . . 7
Meyzonnier (R.). . . . 8
Montgolfier (R.). . . . 9


**Marc et Christine,** 29 av. Marc Seguin **(e)** ✆ 04 75 33 46 97, – GB
*fermé 5 au 18 août, 22 avril au 5 mai, dim. soir et lundi* – **Repas** 18/34 ♀, enf. 12 – ***Patio*** ✆ 04 75 32 33 34 *(fermé 3 au 17 sept., mardi soir et merc.)* **Repas** 14/20 ♀.
♦ Ce restaurant bâti à flanc de coteau propose deux styles de cuisine : classique chez Marc et Christine, régionale et plus simple au Patio. Terrasses verdoyantes.

**Halle,** 17 pl. des Cordeliers **(a)** ✆ 04 75 32 04 62, *Fax 04 75 32 04 62* – AE GB
*fermé 18 août au 8 sept., 16 au 22 fév., merc. soir, dim. soir et lundi* – **Repas** 14/36 ♀.
♦ Mobilier actuel, tons jaune-orangé et quelques bibelots anciens participent au cadre plaisant et convivial de ce restaurant. Terrasse d'été dressée dans une courette.

**au Golf de Gourdan** *par ① et N 82 (rte St-Étienne) : 6,5 km – ✉ 07430 Annonay :*

**D'Ay**, ✆ 04 75 67 01 00, *hotel.ay@free.fr, Fax 04 75 67 07 38*, – , ch, TV P – 15. AE GB
**Repas** *(fermé dim. soir et lundi midi)* (13) - 18/32 ♀ – 7 – **35 ch** 69/95.
♦ Cet hôtel récent qui domine le parcours de golf propose des chambres assez spacieuses et meublées en rotin ; celles du 1er étage, avec balcon, sont les plus agréables.

**ANNOT** *04240 Alpes-de-H.-P.* 334 I9 *G. Alpes du Sud – 1 053 h alt. 708.*

**Voir** *Vieille ville★ – Clue de Rouaine★ S : 4 km.*

*Office du Tourisme, boulevard St-Pierre ✆ 04 92 83 23 03, Fax 04 92 83 32 82, annot.mairie@wanadoo.fr.*

*Paris 817 – Digne-les-Bains 71 – Castellane 31 – Manosque 111.*

**Avenue,** ✆ 04 92 83 22 07, *Fax 04 92 83 33 13* – TV. GB. rest
*1er avril-1er nov.* – **Repas** *(fermé merc. midi et vend. midi)* 15/23 – 6 – **11 ch** 51/62, (en été : ½ pens. seul.) – ½ P 45/50.
♦ Sur une avenue ombragée, sympathique hôtel familial à la jolie façade ocre. Chambres bien tenues, aux tons provençaux. À table, cuisine traditionnelle et régionale.

**ANOST** *71550 S.-et-L.* 320 E7 *G. Bourgogne – 746 h alt. 454.*

*Paris 274 – Autun 24 – Château-Chinon 20 – Mâcon 135 – Montsauche 19.*

**Galvache,** ✆ 03 85 82 70 88, *Fax 03 85 82 79 62*, – GB
*Pâques-11 nov. et fermé lundi hors saison* – **Repas** 15/32 ♀.
♦ Une adresse à ne pas manquer si l'on veut s'immerger dans la vie de village. Bar et restaurant tout simples, à l'ambiance bon enfant. Cuisine traditionnelle.

*Si le coût de la vie subit des variations importantes,*
*les prix que nous indiquons peuvent être majorés.*
*Lors de votre réservation à l'hôtel, faites-vous préciser le prix définitif.*

**ANSE** *69480 Rhône* 327 H4 – *4 458 h alt. 170.*

*Office du Tourisme, place du 8 mai 1945 ☎ 04 74 60 26 16, Fax 04 74 67 29 74.*

*Paris 437 – Lyon 30 – Bourg-en-Bresse 57 – Mâcon 51 – Villefranche-sur-Saône 7.*

**St-Romain**, rte Graves ☎ 04 74 60 24 46, *hotel-saint-romain@wanadoo.fr, Fax 04 74 67 12 85,* – 20. AE GB JCB
*fermé 24 nov. au 5 déc. et dim. soir de nov. à avril* – **Repas** 18/45 – 6 – **24 ch** 42/53 – 1/2 P 43.
◆ Vieille ferme beaujolaise rénovée dont les chambres rustiques, un peu désuètes, sont d'une tenue exemplaire. Table traditionnelle dans la salle à manger campagnarde.

**à Lachassagne** *Sud-Ouest : 4 km par D 39 – 605 h. alt. 368 – ✉ 69480 :*

**Au Goutillon Beaujolais,** ☎ 04 74 67 14 99, *Fax 04 74 67 14 99,* – GB
*fermé 27 juil. au 27 août, dim. soir, lundi et mardi sauf fériés* – **Repas** 15 (déj.), 19/46.
◆ Grimpez jusqu'au restaurant juché sur la colline, attablez-vous en terrasse et jouissez de la vue étendue sur le vignoble. Intérieur sobre et clair. Cuisine régionale.

**ANTHY-SUR-LÉMAN** *74 H.-Savoie* 328 L2 – *rattaché à Thonon-les-Bains.*

*Dans ce guide*
*un même symbole, un même mot,*
*imprimé en* ***rouge*** *ou en* ***noir****, en maigre ou en* ***gras****,*
*n'ont pas tout à fait la même signification.*
*Lisez attentivement les pages explicatives.*

**ANTIBES** *06600 Alpes-Mar.* 341 D6 *G. Côte d'Azur – 70 005 h alt. 2 – Casino "la Siesta" bord de mer par ①.*

**Voir** *Vieille ville★ : Promenade Amiral-de-Grasse ≤★* **DXY** *– Château Grimaldi (Déposition de Croix★, Musée donation Picasso★)* **DX** *– Musée Peynet et de la Caricature★* **DX M²** *– Marineland★ 4 km par ①.*

*Office du Tourisme, 11 place de Gaulle ☎ 04 92 90 53 00, Fax 04 92 90 53 01, accueil@antibes-juanlespins.com.*

*Paris 914 ③ – Cannes 12 ② – Aix-en-Provence 160 ③ – Nice 20 ①.*

Plans pages suivantes

**Mas Djoliba**, 29 av. Provence ☎ 04 93 34 02 48, *hotel.djoliba@wanadoo.fr, Fax 04 93 34 05 81,* – AE GB JCB, ch — CY d
*3 fév.-4 nov.* – **Repas** *(1er mai-30 sept.)* (dîner seul.(résidents seul.) 23,50 – 10 – **13 ch** 80/117 – 1/2 P 73,50/92.
◆ Cette grande villa 1920 nichée dans un jardin est un oasis de quiétude où il fait bon paresser. Les chambres sont coquettes et régulièrement rafraîchies.

**Josse** sans rest, 8 bd James Wyllie ☎ 04 92 93 38 38, *hotel.josse@wanadoo.fr, Fax 04 92 93 38 39,* ≤ mer, – AE GB — BU s
10 – **26 ch** 113/158.
◆ Un boulevard sépare cette longue bâtisse de la plage de la Salis. Toutes les chambres, sobrement meublées et dotées de balcons, s'ouvrent sur la "grande bleue".

**Petit Castel** sans rest, 22 chemin des Sables ☎ 04 93 61 59 37, *info@hotel-petitcastel.com, Fax 04 93 67 51 28* – AE GB — BU b
10 – **16 ch** 80/110.
◆ La bonne insonorisation des chambres compense la proximité d'une route passante. Décor actuel, mobilier en rotin. Belle vue depuis la terrasse-solarium du dernier étage.

**Ponteil**, 11 impasse Jean Mensier ☎ 04 93 34 67 92, *Fax 04 93 34 49 47,* – GB — CY u
*fermé 18 nov. au 26 déc.* – **Repas** (dîner seul.)(résidents seul.) – 8 – **15 ch** 52/82 – 1/2 P 54/69.
◆ Gentille pension de famille dans une impasse proche des plages. Chambres modestes, mais calmes. Jardin arboré et fleuri. L'accueil charmant est compris dans l'addition !

**Jarre,** 14 r. St-Esprit ☎ 04 93 34 50 12, *Fax 04 93 34 50 12,* – GB — DX a
*fermé merc.* – **Repas** 32 (déj.)et carte 38 à 55.
◆ Auberge familiale aménagée dans un ancien monastère de la vieille ville. Appréciez sa cuisine régionale sous le magnifique figuier du patio ou dans la salle provençale.

## ANTIBES

Flèche noire
Sens unique en saison

| | |
|---|---|
| Chataignier (Av. du) | **AU** 13 |
| Contrebandiers (Ch. des) | **BV** 16 |
| Ferrié (Av. du Gén.) | **AU** 26 |
| Gardiole-Bacon (Bd) | **BUV** 31 |
| Garoupe (Bd de la) | **BV** 33 |
| Garoupe (Ch. de la) | **BV** 34 |
| Grec (Av. Jules) | **ABU** 38 |
| Malespine (Av.) | **BV** 50 |
| Phare (Route du) | **BV** 62 |
| Raymond (Ch. G.) | **BV** 64 |
| Reibaud (Av.) | **AU** 65 |
| Salis (Av. de la) | **BV** 77 |
| Sella (Av. André) | **BV** 78 |
| Tamisier (Ch. du) | **BV** 79 |
| Tour-Gandolphe (Av.) | **BV** 82 |
| 11-Novembre (Av. du) | **BU** 91 |

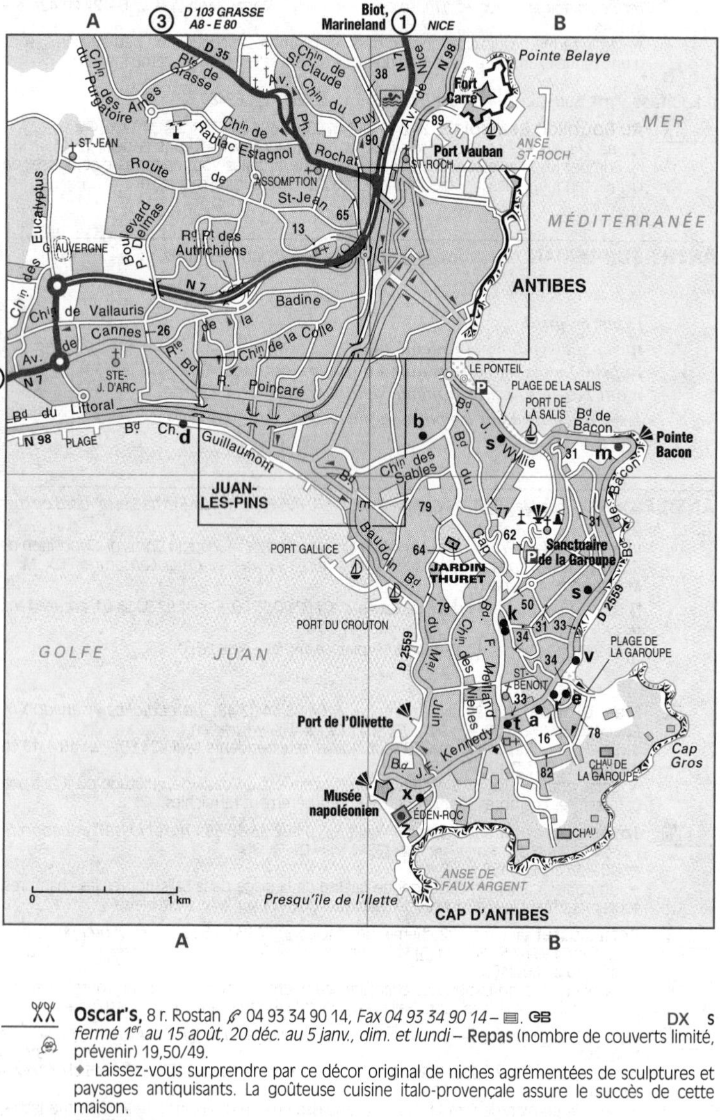

A
B
U
V
D 103 GRASSE
A8 - E 80
Biot, Marineland
NICE
CANNES GOLFE-JUAN
Pointe Belaye
Fort Carré
MER
MÉDITERRANÉE
Port Vauban
ANSE ST-ROCH
ANTIBES
LE PONTEIL
PLAGE DE LA SALIS
PORT DE LA SALIS
Pointe Bacon
JUAN-LES-PINS
PORT GALLICE
JARDIN THURET
Sanctuaire de la Garoupe
PORT DU CROUTON
GOLFE
JUAN
PLAGE DE LA GAROUPE
Port de l'Olivette
Musée napoléonien
ÉDEN-ROC
Cap Gros
ANSE DE FAUX ARGENT
Presqu'île de l'Ilette
CAP D'ANTIBES
0
1 km


**Oscar's,** 8 r. Rostan ✆ 04 93 34 90 14, *Fax 04 93 34 90 14* – ▤. GB — DX s

*fermé 1er au 15 août, 20 déc. au 5 janv., dim. et lundi* – **Repas** (nombre de couverts limité, prévenir) 19,50/49.

◆ Laissez-vous surprendre par ce décor original de niches agrémentées de sculptures et paysages antiquisants. La goûteuse cuisine italo-provençale assure le succès de cette maison.

**Sucrier,** 6 r. Bains ✆ 04 93 34 85 40, *Fax 04 93 34 85 40,* – ▤. AE GB — DY a

*fermé 11 au 19 nov., 8 janv. au 4 fév. et mardi* – **Repas** (dîner seul. sauf dim.en hiver) 23/39.

◆ Cuisine salée-sucrée au goût du jour, pimpant décor et une terrasse qui ajoute son grain de sel : seule l'addition n'est pas salée dans ce Sucrier qui ne manque pas de sel.

## ANTIBES



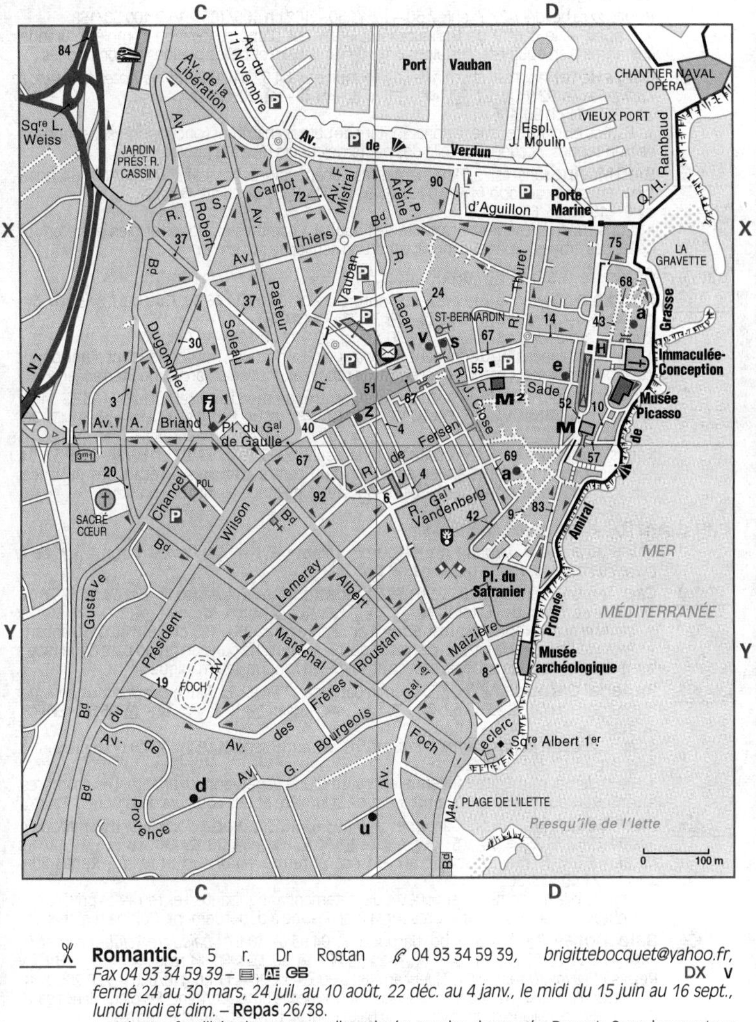

C
D
X
Y
Port Vauban
CHANTIER NAVAL OPÉRA
VIEUX PORT
Espl. J. Moulin
Q. H. Rambaud
Av. de Verdun
Porte Marine
d'Aguillon
LA GRAVETTE
Av. du 11 Novembre
Av. de la Libération
Sqre L. Weiss
JARDIN PRÉST R. CASSIN
N 7
Av. Carnot
Av. F. Mistral
Av. P. Arène
Bd Thiers
R. S. Robert
Av. Pasteur
Vauban
R. Lacan
ST-BERNARDIN
R. Thuret
Bd Dugommier
Av. Soleau
Av. A. Briand
Pl. du Gal de Gaulle
R. de Fersen
R. J. Closse
R. Sade
Immaculée-Conception
Musée Picasso
Av. Amiral de Grasse
R. Gal Vandenberg
Pl. du Safranier
Promde
MER MÉDITERRANÉE
Musée archéologique
R. Chancel
SACRÉ CŒUR
POL
Bd Wilson
Bd Lemeray
Bd Albert 1er
Bd Maréchal Foch
Bd Président
Gustave
Bd du Président
Av. des Frères
Roustan
Gal
Maizière
Av. G. Bourgeois
Av. de Provence
FOCH
Leclerc
Sqre Albert 1er
PLAGE DE L'ILETTE
Presqu'île de l'Ilette
Mal.
0 100 m


**Romantic,** 5 r. Dr Rostan ✆ 04 93 34 59 39, *brigittebocquet@yahoo.fr, Fax 04 93 34 59 39* – AE GB  DX v
*fermé 24 au 30 mars, 24 juil. au 10 août, 22 déc. au 4 janv., le midi du 15 juin au 16 sept., lundi midi et dim.* – **Repas** 26/38.
◆ Adresse familiale dans une ruelle animée proche du musée Peynet. Sous les poutres anciennes de la coquette salle, on sert une cuisine traditionnelle aux accents du Sud.

**Marquis,** 4 r. Sade ✆ 04 93 34 23 00, *Fax 04 93 34 23 00* – AE GB  DX e
*fermé 18 au 25 juin, 12 nov. au 3 déc., mardi midi et lundi* – **Repas** 15/33.
◆ On apprécie ce restaurant voisin du pittoresque marché Masséna pour sa toute petite salle rustique et son atmosphère conviviale. Cuisine traditionnelle.

**L'Oursin,** 16 r. République ☎ 04 93 34 13 46, – ▤. GB CX z
*fermé 9 au 16 juin, 3 au 17 nov., 3 au 17 fév.* – **Repas** *(fermé dim. soir, mardi soir hors saison, dim. midi, mardi midi en saison et lundi)* 17,95, enf. 7,50.
◆ Ce bistrot est devenu au fil des ans une institution locale. Les produits de la mer y tiennent le haut de l'affiche et se dégustent au coude à coude dans une joyeuse ambiance.

**rte de Nice** *par ① et N 7 – ✉ 06600 Antibes :*

**Thalazur,** 770 chemin Moyennes Breguières (près hôpital) ☎ 04 92 91 82 00, *antibes@thalassofrance.com, Fax 04 93 65 94 14,* ≤, – ▤ – 15 à 60. AE GB JCB. rest
**Repas** 22,80 bc (déj.)/27 ♀, enf. 7,50 – ☕ 13,50 – **162 ch** 105/185 – ½ P 100,50/158.
◆ L'hôtel et le centre de thalassothérapie sortent d'une rénovation complète. Grandes chambres bien équipées (certaines ont vue sur la baie) et belles piscines panoramiques.

**Chrys Hôtel** sans rest, chemin de la Parouquine ☎ 04 92 91 70 20, *chrys-hotel@chrys-hotel.com, Fax 04 92 91 70 21,* – – 20. AE GB.
☕ 8,75 – **31 ch** 90/105.
◆ Bâtisse blanche de style régional abritant de petites chambres fonctionnelles, insonorisées et bien tenues. Accueillante salle des petits-déjeuners face à la piscine.

**Bleu Marine** sans rest, 2,5 km chemin des 4 Chemins (près hôpital) ☎ 04 93 74 84 84, *hotel-bleu-marine@wanadoo.fr, Fax 04 93 95 90 26* – . AE GB.
☕ 6 – **18 ch** 53/63.
◆ Construction récente à proximité de l'hôpital. Chambres pratiques et bien entretenues. Celles des étages supérieurs profitent d'une échappée sur la mer.

**par** ③ *rte de Grasse : 4,5 km – ✉ 06600 Antibes :*

**Apogia,** 87 allée Belle-Vue (près accès autoroute) ☎ 04 93 74 46 36, *Fax 04 93 74 53 04,* – , ▤ ch, – 30. AE GB JCB
**Repas** *(fermé sam. et dim.)* (15) - 21,50 – ☕ 10 – **75 ch** 108 – ½ P 80,80.
◆ Hôtel des années 1970 dominant voies rapides et autoroute, mais bénéficiant d'une bonne isolation phonique. Chambres récemment rénovées. Piscine et jardin méditerranéen.

**Kyriad** M, 2067 chemin de St-Claude (près centre commercial Carrefour) ☎ 04 93 33 34 50, *kyriad.antibes@wanadoo.fr, Fax 04 93 74 11 61,* – ▤ – 30. AE GB. rest
**Repas** *(fermé sam. et dim. hors saison)* (dîner seul.) 12/25 ♀ – ☕ 7 – **87 ch** 60/86 – ½ P 52/54.
◆ Construction moderne située au coeur d'un centre d'affaires à l'écart des nuisances sonores. Chambres rafraîchies et bien équipées. Une étape avant tout pratique.

## Cap d'Antibes – ✉ *06160 Juan-les-Pins.*

**Voir** *Plateau de la Garoupe* ✱★★ – *Jardin Thuret*★ **Z F** – ≤★ *Pointe Bacon* – ≤★ *de la plate-forme du bastion (musée naval)* **Z M.**

**Cap** , bd Kennedy ☎ 04 93 61 39 01, *edenroc-hotel@wanadoo.fr, Fax 04 93 67 76 04,* ≤ littoral et massif de l'Esterel, – , ▤ ch, – 200. BV x
*17 avril-mi oct.* – **Repas** voir rest ***Eden Roc*** ci-après – ☕ 23 – **123 ch** 280/1100, 10 appart.
◆ Passage obligé de la jet-set, ce palace du 19e s. est niché dans un grand parc fleuri face à la mer. Luxe, meubles anciens, espace et calme en font un lieu magique.

**Impérial Garoupe** M , 770 chemin Garoupe ☎ 04 92 93 31 61, *cap@hotelimperialgaroupe.com, Fax 04 92 93 31 62,* – ▤ – 25. AE GB. rest BV r
*10 avril-31 oct.* – **Repas** *(fermé merc. sauf 1er juil. au 15 sept.)* 44/52 – **30 ch** (½ pens. seul.), 4 appart – ½ P 272,50/290.
◆ Belle demeure méditerranéenne entourée d'une végétation luxuriante. Les chambres, réparties autour d'un patio, s'emplissent de la lumière et des couleurs de la Côte d'Azur.

**Don César** M, 46 bd Garoupe ☎ 04 93 67 15 30, *hotel.don.cesar@wanadoo.fr, Fax 04 93 67 18 25,* ≤, – ▤ – 20. AE GB. BV s
*hôtel : 18 fév.-30 nov. ; rest. : 1er avril-31 oct. et fermé mardi midi et lundi* – **Repas** 50 – ☕ 14 – **21 ch** 233/305.
◆ Grande villa moderne à la silhouette discrètement antiquisante. Les terrasses privées des chambres cossues donnent toutes sur la mer. Piscine à débordement. Cuisine régionale.

**Baie Dorée** M , 579 bd Garoupe ☎ 04 93 67 30 67, *baiedore@club-internet.fr, Fax 04 92 93 76 39,* ≤ mer, – ▤ – 60. AE GB. rest BV v
**Repas** *(15 avril-30 sept.)* 38 (déj.)et carte 60 à 90 ♀ – ☕ 20 – **17 ch** 410/680 – ½ P 205/560.
◆ Cette villa méditerranéenne bénéficie d'un superbe emplacement "les pieds dans l'eau". Chambres accueillantes, avec vue sur la baie. Ponton privé et agréable terrasse.

**Garoupe et Gardiole** M, 60 chemin Garoupe ☎ 04 92 93 33 33, *info@hotel-lagaroupe-gardiole.com, Fax 04 93 67 61 87,* – ▤ . AE GB. ch BV k
*1er avril-fin oct.* – **Repas** *(1er juin-fin sept.)* (dîner seul.) 28 ♀ – ☕ 10 – **37 ch** 95/170 – ½ P 81,50/119.
◆ Jolies maisons des années 1920 restaurées dans un esprit provençal. Chambres fraîches à la Garoupe et rustiques à la Gardiole. Calme jardin arboré. Plaisante terrasse.

**Levant** sans rest, à la Garoupe, chemin plage 04 92 93 72 99, *Fax 04 92 93 72 60*, ←, – TV P. AE GB. BV e
*26 avril-29 sept.* – 8 – **25 ch** 104/180.
◆ Petit immeuble situé en léger retrait de la plage de la Garoupe. Chambres de bon confort, dotées de balcons et parfois tournées vers la "grande bleue".

**Castel Garoupe** sans rest, 959 bd la Garoupe 04 93 61 36 51, *castel-garoupe@wanadoo.fr, Fax 04 93 67 74 88*, , , – cuisinette TV P. AE GB. BV a
*14 mars-4 nov.* – 13 – **22 ch** 127/146, 5 studios.
◆ Maison des années 1960 dans un parc fleuri. Le décor d'origine s'harmonise avec un beau mobilier chiné chez les antiquaires. Toutes les chambres bénéficient d'un balcon.

**Beau Site** sans rest, 141 bd Kennedy 04 93 61 53 43, *hbeausit@club-internet.fr, Fax 04 93 67 78 16*, – TV P. AE GB. BV t
*18 fév.-20 oct.* – 10 – **30 ch** 72/120.
◆ Façade proprette, chambres au mobilier peint dans le style provençal du 18e s., terrasse ombragée et piscine font l'attrait de cet hôtel convivial de la délicieuse presqu'île.

XXXX **Eden Roc** - Hôtel du Cap, bd Kennedy 04 93 61 39 01, *edenroc-hotel@wanadoo.fr, Fax 04 93 67 76 04*, ← littoral et les îles, – P. BV z
*17 avril-mi-oct.* – **Repas** carte 90 à 120.
◆ Superbe villa isolée sur un roc en bordure de mer : difficile de trouver meilleure situation pour goûter au luxe d'un lieu mythique où s'attabler sur la terrasse est un "must".

XXX **Bacon,** bd Bacon 04 93 61 50 02, *restaurantdebacon@libertysurf.fr, Fax 04 93 61 65 19*, ← Antibes et baie des Anges, – P. AE GB. BU m
*1er fév.-31 oct. et fermé mardi midi et lundi* – **Repas** (dîner à la carte en juil.-août) 45 (déj.)/75 et carte 75 à 110.
◆ L'institution locale en matière de cuisine de la mer. Salle et terrasse panoramiques où se marient élégance et sobriété ; tables décorées de poissons en verrerie de Biot.
**Spéc.** Bouillabaisse. Fricassée de langouste à l'estragon. Chapon grand mère aux petits oignons blancs (mai à sept.). **Vins** Côtes de Provence.

*Une réservation confirmée par écrit ou par fax est toujours plus sûre.*

**ANTILLY** *60620 Oise* 305 I6 – *271 h alt. 90.*
*Paris 70 – Compiègne 37 – Beauvais 91 – Meaux 28 – Senlis 36 – Soissons 46.*

**Poivre et Sel,** 19 r. Château 03 44 87 88 20, *Fax 03 44 87 88 29*, – TV AE GB. ch
*fermé dim. soir et merc.* – **Repas** 20/32 – 6,50 – **7 ch** 43/51.
◆ Ambiance familiale dans cette auberge située sur la place de l'église. Chambres garnies d'un mobilier contemporain. Salles à manger champêtres dont une dotée d'une cheminée.

**ANTONNE-ET-TRIGONANT** *24 Dordogne* 329 F4 – *rattaché à Périgueux.*

**ANTONY** *92 Hauts-de-Seine* 311 J3 101 ㉕ – *Voir à Paris, Environs.*

**ANTRAIGUES-SUR-VOLANE** *07530 Ardèche* 331 I5 *G. Vallée du Rhône – 506 h alt. 470.*
*Syndicat d'Initiative, place de la Résistance 04 75 88 23 06, Fax 04 75 88 23 06.*
*Paris 644 – Le Puy-en-Velay 75 – Aubenas 14 – Lamastre 59 – Langogne 67 – Privas 42.*

X **Remise,** au pont de l'Huile 04 75 38 70 74 – P.
*fermé 24 juin au 3 juil., 1er au 9 sept., 16 déc. au 8 janv., dim. soir et vend. sauf juil.-août* – **Repas** 19/31.
◆ Ici, le patron propose oralement ses recettes du terroir choisies en fonction du marché. "Bonne franquette" et nappes à carreaux dans une vieille grange ardéchoise.

**ANZIN-ST-AUBIN** *62 P.-de-C.* 301 J6 – *rattaché à Arras.*

**AOSTE** *38490 Isère* 333 G4 *G. Alpes du Nord – 1 548 h alt. 221.*
*Paris 512 – Grenoble 55 – Belley 25 – Chambéry 34 – Lyon 71.*

**à la Gare de l'Est** *Nord-Est : 2 km sur N 516 – 38490 Aoste :*

**Vieille Maison,** 04 76 31 60 15, *Fax 04 76 31 69 75*, , , – TV P. AE GB
*fermé 9 sept. au 7 oct. et 23 déc. au 3* – **Repas** *(fermé dim. soir, jeudi midi et merc.)* 18/48, enf. 11 – 7 – **17 ch** 49/55 – ½ P 49/52.
◆ Ancien relais de diligence restauré et agrandi. Chambres et salle à manger d'inspiration rustique, terrasse dans la cour plantée de marronniers, jardin verdoyant, sauna.

**Au Coq en Velours** avec ch, ☎ 04 76 31 60 04, *Fax 04 76 31 77 55*, 🏠, 🐄 – 📺 🚗 P. AE GB
*fermé 6 au 13 oct., 1er au 24 janv., jeudi soir(sauf hôtel) dim. soir et lundi* – **Repas** (18) - 25/52 – ☕ 7 – 7 ch 52/60.
◆ Pimpante auberge de village, tenue par la même famille depuis 1900. Restaurant contemporain, décoré avec goût sur le thème du coq et terrasse ombragée dans un jardin fleuri.

---

## APPOIGNY *89380 Yonne 319 E4 G. Bourgogne – 2 755 h alt. 110.*

*Syndicat d'Initiative, 4 rue du Fer, ☎ 03 86 53 20 90.*
*Paris 163 – Auxerre 11 – Joigny 18 – St-Florentin 25.*

**Auberge Les Rouliers,** N 6 ☎ 03 86 53 20 09, *contact@les-rouliers.com, Fax 03 86 53 02 61*, 🏠 – P. AE GB
*fermé 1er au 10 janv., merc. soir et jeudi soir du 15 nov. au 15 mars* – **Repas** 14,50/37 ♀, enf. 8.
◆ Discrète façade bourguignonne abritant deux salles à manger campagnardes. La terrasse d'été, située à l'arrière, est protégée des nuisances sonores de la route.

---

## APREMONT *73190 Savoie 333 I4 – 781 h alt. 330.*

Env. *Col de Granier : ≤★★ des terrasses du chalet-hôtel, SO : 14 km,* **G. Alpes du Nord.**
*Paris 570 – Grenoble 53 – Albertville 49 – Chambéry 9 – St-Jean-de-Maurienne 70.*

**St-Vincent,** ☎ 04 79 28 21 85, *Fax 04 79 71 62 06*, 🏠 – AE GB
*fermé 22 juin au 4 juil., vacances de Toussaint, de fév, dim. soir et merc.* – **Repas** 12,30 (déj.), 23,50/42 ♀, enf. 8,50.
◆ Accueillante ambiance rustique au coeur du petit village célèbre pour son vin : coquette salle à manger voûtée et jolie terrasse donnant sur les vignes.

---

## APT *SP 84400 Vaucluse 332 F10 G. Provence – 11 506 h alt. 250.*

*Office du Tourisme, 20 avenue Ph.de Girard ☎ 04 90 74 03 18, Fax 04 90 04 64 30, tourisme@commune-apt-provence.org.*
*Paris 732 ③ – Digne-les-Bains 91 ① – Aix-en-Provence 56 ② – Avignon 54 ③.*

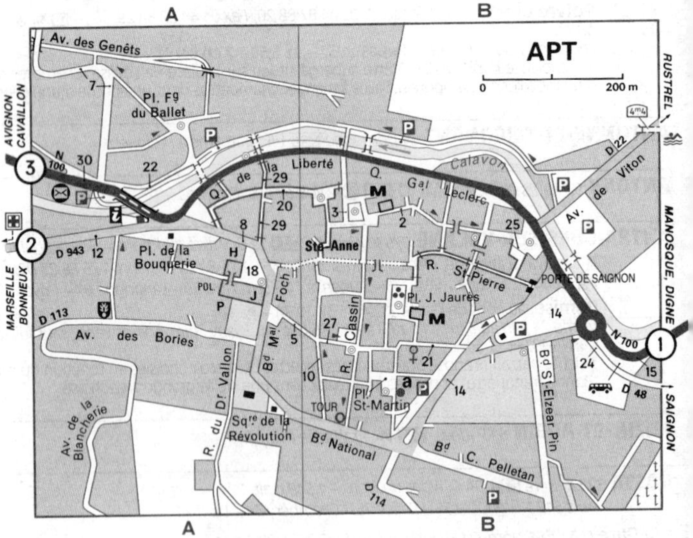
APT
0
200 m
A
B
Av. des Genêts
Pl. Fg du Ballet
AVIGNON CAVAILLON
N 100
RUSTREL
D 22
Calavon
Q. de la Liberté
Q. Gal Leclerc
Av. de Viton
MARSEILLE BONNIEUX
D 943
Pl. de la Bouquerie
POL.
Ste-Anne
Foch
R. St-Pierre
PORTE DE SAIGNON
Pl. J. Jaurès
MANOSQUE, DIGNE
D 113
Av. des Bories
Bd Mal
Cassin
Bd St-Elzéar Pin
N 100
D 48
SAIGNON
R. du Dr. Vallon
Av. de la Blancherie
Sqre de la Révolution
TOUR
Pl. St-Martin
Bd National
Bd C. Pelletan
D 114

XX **Carré des Sens,** pl. St-Martin ✆ 04 90 74 74 00, *Fax 04 90 94 74 09,* 余 – ▤. AE GB — B a
*fermé 15 nov. au 1^er déc., 17 fév. au 2 mars, lundi midi et dim.* – **Repas** 21 (déj.)/28 ♀.
◆ Épicerie fine, cave à vins, bar et restaurant dans un hôtel particulier du 17^e s. Jolie salle mariant design et ancien. À midi, formule bistrot ; le soir, carte plus étoffée.

**à Saignon** *Sud-Est : 4 km par D 48 – 1 018 h. alt. 450 – ✉ 84400 Apt :*

**Auberge du Presbytère** 🐦, ✆ 04 90 74 11 50, *auberge.presbytere@wanadoo.fr, Fax 04 90 04 68 51,* ←, 余 – GB
*fermé 15 nov. au 15 fév., merc. (sauf hôtel) et jeudi midi* – **Repas** (prévenir) 30 – ☕ 8,50 – **15 ch** 70/115 – ½ P 64,50/91.
◆ Mobilier ancien, tomettes, poutres apparentes et cheminée préservent l'âme de cette vénérable maison. Chambres plaisantes, dont deux avec terrasse offrant une vue unique.

**par** ③ – ✉ *84400 Apt :*

XXX **Bernard Mathys,** Le Chêne, 4,5 km par N 100 ✆ 04 90 04 84 64, *Fax 04 90 74 69 78,* 余, 🌳 – P. AE GB
*fermé mi-janv. à mi-fév., mardi et merc.* – **Repas** 40/80 et carte 58 à 91.
◆ Au bout d'un chemin un peu accidenté, demeure bourgeoise entourée d'un parc soigneusement entretenu. Deux élégantes salles à manger au mobilier d'inspiration Empire.

---

**ARBOIS** *39600 Jura* **321** E5 *G. Jura – 3 900 h alt. 350.*

**Voir** *Maison paternelle de Pasteur★ – Reculée des Planches★★ et grottes des Planches★ E : 4,5 km par D 107 – Cirque du Fer à Cheval★★ S : 7 km par D 469 puis 15 mn – Église Saint-Just★.*

**i** *Office du Tourisme, 10 rue de l'Hôtel-de-Ville ✆ 03 84 66 55 50, Fax 03 84 66 25 50, otsi@arbois.com.*

*Paris 408 – Besançon 47 – Dole 35 – Lons-le-Saunier 39 – Salins-les-Bains 14.*

**Cépages** M, rte Villette-les-Arbois ✆ 03 84 66 25 25, *contact@sylver-tours.com, Fax 03 84 37 49 62* – |♦|, ▤ rest, TV ♿ P – 🏛 30. AE ◑ GB
**Repas** *(fermé vend., sam. et dim.)* (dîner seul.)(résidents seul.) 19 ♀ – ☕ 8,50 – **33 ch** 52/61 – ½ P 48.
◆ Au bord de la N 83, bâtiment cubique abritant des chambres avant tout pratiques ; celles côté route bénéficient d'une insonorisation efficace et de la climatisation.

**Messageries** sans rest, r. Courcelles ✆ 03 84 66 15 45, *hotel.lesmessageries@wanadoo.fr, Fax 03 84 37 41 09* – TV 📞. GB
*fermé déc. et janv.* – ☕ 6 – **26 ch** 27/58.
◆ Sur une artère fréquentée, vieux relais de poste à jolie façade en pierre. Chambres progressivement rénovées, plus anciennes mais aussi plus tranquilles à l'arrière.

XXX ✿✿ **Jean-Paul Jeunet** M avec ch, r. de l'Hôtel de Ville ✆ 03 84 66 05 67, *jeunet@receptionfrance.com, Fax 03 84 66 24 20* – |♦| TV 🚗 – 🏛 40. AE ◑ GB
*fermé déc., janv., merc. sauf le soir en juil.-août et mardi* – **Repas** 42/115 et carte 68 à 90 ♀, enf. 17 – ☕ 14 – **12 ch** 80/104.
◆ Au pays de Pasteur, une halte gourmande incontournable : élégante salle à manger contemporaine, agréable patio verdoyant, subtile cuisine du terroir et superbe carte des vins.
**Spéc.** Ecrevisses et tempura de consoude farcie (été). Poulet au Vin jaune et morilles. Macaron au chocolat, fèves et gentiane. **Vins** Arbois, Château-Chalon.

**Annexe Le Prieuré** 🐦 sans rest,, 🌳 – TV
☕ 14 – **7 ch** 69/104.
◆ À 200 m de la maison mère, bâtisse du 17^e s. au confort bourgeois où l'on chouchoute le client. Les chambres sont garnies d'un mobilier de style. Reposant jardin fleuri.

XX **Balance Mets et Vins,** r. Courcelles ✆ 03 84 37 45 00, *Fax 03 84 66 14 55,* 余 – GB
*fermé 14 déc. au 30 janv., lundi sauf fériés et dim. soir sauf 13 juil. au 18 août* – **Repas** *(14 bc)* - 18/35 ♀, enf. 9.
◆ Ici chaque plat, mijoté en cocotte sur le vieux fourneau trônant dans la salle, est inspiré par un cépage du Jura. Décor épuré aux tons orangés et agréable terrasse.

X ⊛ **Finette - Taverne d'Arbois,** 22 av. Pasteur ✆ 03 84 66 06 78, *maire@aricia.fr, Fax 03 84 66 08 82,* 余 – ▤ P. AE GB
**Repas** 15/50 ♀, enf. 7,50.
◆ Sympathique taverne au cadre rustique jurassien (façade en bois, mobilier paysan, service en costume traditionnel) où l'on propose une cuisine régionale. Ambiance animée.

X **Caveau d'Arbois,** 3 rte Besançon ✆ 03 84 66 10 70, *contact@sylver-tours.com, Fax 03 84 37 49 62* – ▤ P. AE ◑ GB. ✂
*fermé 2 au 31 janv., dim. soir et lundi* – **Repas** *(10 bc)* - 16/31 ♀, enf. 10.
◆ À l'orée d'Arbois, maison de pays dont la cuisine traditionnelle, agrémentée de spécialités du terroir, se déguste dans une salle lumineuse sobrement aménagée.

**ARBONNE** *64 Pyr.-Atl.* 342 C4 – *rattaché à Biarritz.*

**ARCACHON** *33120 Gironde* 335 D7 *G. Aquitaine – 11 770 h alt. 5 – Casino* **BZ**.

*Voir Front de mer★ : ≤★ de la jetée – Boulevard de la Mer★ – La Ville d'Hiver★ – Musée de la maquette marine : port★* **BZ M.**

*Office du Tourisme, esplanade Georges Pompidou ☎ 05 57 52 97 97, Fax 05 57 52 97 77, tourisme@arcachon.com.*

*Paris 651 ① – Bordeaux 67 ① – Agen 197 ① – Bayonne 183 ① – Dax 147 ① – Royan 192 ①.*

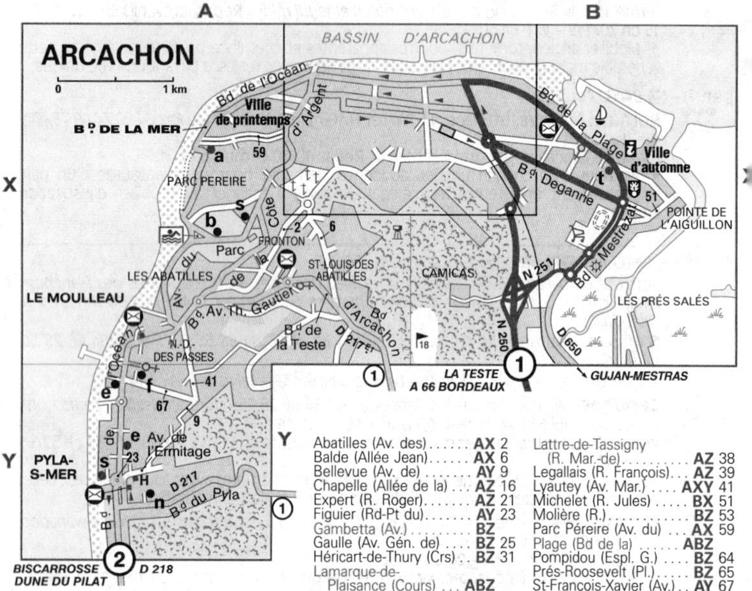

ARCACHON
0
1 km
A
B
X
Y
BASSIN D'ARCACHON
Bd de l'Océan
Ville de printemps
Bd DE LA MER
PARC PEREIRE
Parc
FRONTON
LES ABATILLES
LE MOULEAU
ST-LOUIS DES ABATILLES
CAMICAS
N.-D.-DES PASSES
Bd Av. Th. Gautier
Bd d'Arcachon
Bd de la Teste
Bd de la Plage
Ville d'automne
Bd Deganne
Bd Mestrezat
POINTE DE L'AIGUILLON
LES PRÉS SALÉS
N 251
N 250
D 650
D 217
D 218
Av. de l'Ermitage
Bd du Pyla
PYLA-S-MER
LA TESTE
A 66 BORDEAUX
GUJAN-MESTRAS
BISCARROSSE
DUNE DU PILAT


Abatilles (Av. des) . . . . . . **AX** 2
Balde (Allée Jean) . . . . . . **AX** 6
Bellevue (Av. de) . . . . . . . **AY** 9
Chapelle (Allée de la) . . . **AZ** 16
Expert (R. Roger) . . . . . . . **AZ** 21
Figuier (Rd-Pt du) . . . . . . . **AY** 23
Gambetta (Av.) . . . . . . . . . **BZ**
Gaulle (Av. Gén. de) . . . . **BZ** 25
Héricart-de-Thury (Crs) . . **BZ** 31
Lamarque-de-Plaisance (Cours) . . . **ABZ**
Lamartine (Av. de) . . . . . . **BZ** 35
Lattre-de-Tassigny (R. Mar.-de) . . . . . . . . . **AZ** 38
Legallais (R. François) . . . **AZ** 39
Lyautey (Av. Mar.) . . . . . **AXY** 41
Michelet (R. Jules) . . . . . **BX** 51
Molière (R.) . . . . . . . . . . . . **BZ** 53
Parc Péreire (Av. du) . . . . **AX** 59
Plage (Bd de la) . . . . . . . **ABZ**
Pompidou (Espl. G.) . . . . **BZ** 64
Prés-Roosevelt (Pl.) . . . . . **BZ** 65
St-François-Xavier (Av.) . . **AY** 67
Thiers (Pl.) . . . . . . . . . . . . . **BZ** 71

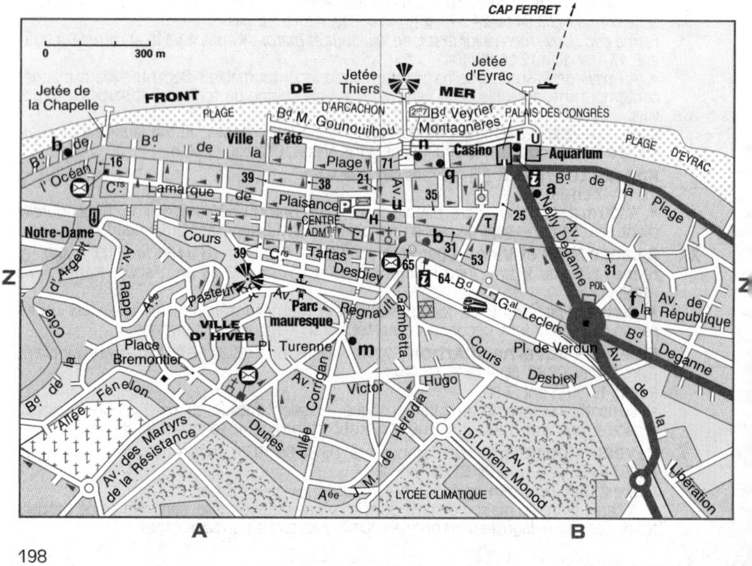

CAP FERRET
0
300 m
Jetée de la Chapelle
FRONT DE MER
Jetée Thiers
Jetée d'Eyrac
PLAGE D'ARCACHON
Bd M. Gounouilhou
Bd Veyrier Montagnères
PALAIS DES CONGRÈS
Ville d'été
Casino
Aquarium
PLAGE D'EYRAC
Bd de l'Océan
Bd de la Plage
Cours Lamarque de Plaisance
CENTRE ADM.
Notre-Dame
Cours Tartas
Cours Desbiey
Côte d'Argent
Av. Rapp
Allée Pasteur
Parc mauresque
VILLE D'HIVER
Place Bremontier
Pl. Turenne
Av. Regnault
Av. Gambetta
Bd Gal Leclerc
Pl. de Verdun
Av. Nelly Deganne
Av. de la République
Bd Deganne
Av. de la Libération
Av. Corrigan
Victor Hugo
Bd de la Fénelon
Allée des Martyrs de la Résistance
Allée Dunes
Allée M. de Heredia
Av. Dr Lorenz Monod
LYCÉE CLIMATIQUE
A
B
Z

**Mercure** sans rest, 4 r. Prof. Jolyet ✆ 05 56 83 99 91, *hotel.mercure.arcachon@wanadoo.fr, Fax 05 56 83 87 92* – AE GB JCB BZ r
*fermé 7 au 26 déc.* – 11 – **57 ch** 88/140.
◆ Presque sur le front de mer, chambres confortables et actuelles, à réserver en priorité avec balcon et vue sur le bassin. Salles de réunions dans le palais des congrès accolé.

**Point France** sans rest, 1 r. Grenier ✆ 05 56 83 46 74, *hotel.point.france@hotel.point.france.com, Fax 05 56 22 53 24* – AE GB JCB BZ q
*1er mars-1er nov.* – 10 – **34 ch** 129/168.
◆ Les chambres de cet hôtel des années 1970 sont progressivement rénovées dans un joli style contemporain et certaines disposent de terrasses tournées vers le bassin.

**Grand Hôtel Richelieu** sans rest, 185 bd Plage ✆ 05 56 83 16 50, *grand-Hotel-Richelieu@wanadoo.fr, Fax 05 56 83 47 78,* – AE GB BZ n
*15 mars-2 nov.* – 9 – **43 ch** 76/150.
◆ Sobre architecture centenaire bien située sur le front de mer, grandes chambres garnies de meubles de style (préférez celles donnant sur les flots) et accès direct à la plage.

**Les Vagues**, 9 bd Océan ✆ 05 56 83 03 75, *info@hotel-les-vagues.com, Fax 05 56 83 77 16,* – 20 à 30. AE GB. rest AZ b
**Repas** *(30 mars-29 sept.)* 25/27 ♀, enf. 10 – 10,50 – **30 ch** 75/145 – ½ P 74/109.
◆ Pour un séjour "les pieds dans les vagues". Chambres pimpantes et bien équipées, agrandies d'un bow-window au dernier étage. Le décor du restaurant s'inspire de la mer.

**Semiramis-Villa Teresa** sans rest, 4 allée Rebsomen ✆ 05 56 83 25 87, *Fax 05 57 52 22 41,* – GB AZ m
*fermé 10 janv. à fin fév.* – 12 – **20 ch** 116/130.
◆ Cette belle villa hispano-mauresque (1882), classée monument historique, témoigne du passé fastueux de la ville d'hiver. Cadre de caractère, bon confort et accueil familial.

**Kyriad** sans rest, 10 av. Nelly Deganne ✆ 05 56 83 06 23, *contact@hotelarcachon.com, Fax 05 56 83 41 47* – 20 à 50. AE GB BZ a
6,80 – **50 ch** 90/114.
◆ À proximité du rivage, construction moderne améliorant régulièrement son confort : moquettes, tissus et literie neufs dans les chambres ; salles de bains bien équipées.

**Les Mimosas** sans rest, 77 bis av. République ✆ 05 56 83 45 86, *contact.hotel@wanadoo.fr, Fax 05 56 22 53 40* – AE GB BZ f
*fermé 31 déc. au 1er mars* – 5,40 – **21 ch** 50/61.
◆ Dans un quartier résidentiel plutôt calme, discrète maison de style régional abritant des chambres modestes, mais bien tenues. En été, petits-déjeuners sur la terrasse.

**Patio,** 10 bd Plage ✆ 05 56 83 02 72, *Fax 05 56 54 89 98,* – AE GB BX t
*fermé 15 au 30 nov., 15 au 28 fév., lundi midi, mardi midi, merc. midi en été et mardi en hiver* – **Repas** 28,50 bc ♀, enf. 10.
◆ Élégante salle à manger contemporaine et colorée, ouverte sur un ravissant patio-terrasse envahi de fleurs et de verdure. Cuisine au goût du jour, axée sur l'océan.

**Cap Pereire,** 1 av. Parc Pereire ✆ 05 56 83 24 01, *Fax 05 57 15 04 41,* – GB
*fermé le mardi d'oct. à fév.* – **Repas** 29/36. AX a
◆ Beau décor marin, terrasse face à la mer, cuisine océane et remarquable carte des vins à prix coûtants : de bonnes raisons pour mettre le cap sur cette maison de style colonial.

**Yvette,** 59 bd Gén. Leclerc ✆ 05 56 83 05 11, *Fax 05 56 22 51 62* – AE GB JCB
**Repas** 17 ♀, enf. 10,40. BZ b
◆ Cette adresse est devenue une institution locale pour ses spécialités de produits de la mer. On y mange dans un plaisant cadre nautique et une joyeuse ambiance.

**Bayonne** avec ch, 9 cours Lamarque ✆ 05 56 83 33 82, *Fax 05 56 83 73 06,* – AE GB BZ u
*30 mars-15 oct.* – **Repas** *(fermé dim. soir et lundi)* 16,50/30 ♀, enf. 7,50 – 7 – **18 ch** 84/91.
◆ Adresse accueillante et sans prétention. Salle de restaurant sagement actuelle, lumineuse, prolongée d'une cour intérieure abritée du vent. Carte traditionnelle.

**aux Abatilles** *Sud-Ouest : 2 km* – ✉ *33120 Arcachon :*

**Novotel** , av. Parc ✆ 05 57 72 06 72, *h3382@accor-hotels.com, Fax 05 57 72 06 82,* – 150. AE GB AX b
**Repas** 26, enf. 10,70 – 11 – **94 ch** 149,40/172 – ½ P 107/130.
◆ Dans une pinède, à 100 m de la plage, Novotel neuf associé à un centre de thalassothérapie. Chambres modernes, solarium dominant la passe, repas classiques ou diététiques.

**Parc** sans rest, 5 av. Parc ✆ 05 56 83 10 58, *b.dronne@wanadoo.fr, Fax 05 56 54 05 30* – AX s
*30 avril-30 sept.* – ☕ 8,50 – **30 ch** 76/89.
◆ Cet immeuble des années 1970, ceint d'une pinède, rénove progressivement ses chambres : spacieuses et dotées de balcons, elles présentent désormais un décor sobrement actuel.

**au Moulleau** *Sud-Ouest : 5 km – ✉ 33120 Arcachon :*

**Les Buissonnets** sans rest, 12 r. L. Garros ✆ 05 56 54 00 83, *Fax 05 56 22 55 13*, – GB. AY f
*fermé oct.* – ☕ 8 – **13 ch** 75.
◆ Jolie villa centenaire tapissée de vigne vierge. La plupart des chambres, pratiques et discrètement personnalisées, donnent sur le jardin fleuri. Boutique de produits locaux.

**Yatt** sans rest, 253 bd Côte d'Argent ✆ 05 57 72 03 72, *information@yatt-hotel.com, Fax 05 56 22 51 34* – – 25. AE GB. AY e
*Pâques-Toussaint* – ☕ 7 – **25 ch** 59/80.
◆ Hôtel récemment refait : façade immaculée et chambres - plus petites au 1er étage - offrant un cadre d'inspiration maritime. Petits-déjeuners servis sous forme de buffet.

---

**ARCANGUES** *64 Pyr.-Atl.* 342 C4 – *rattaché à Biarritz.*

---

**ARC-EN-BARROIS** *52210 H.-Marne* 313 K6 *G. Champagne Ardenne – 874 h alt. 270.*

*Office du Tourisme, place Moreau ✆ 03 25 02 52 17, Fax 03 25 01 55 20.*

*Paris 264 – Chaumont 24 – Bar-sur-Aube 55 – Châtillon-sur-Seine 44 – Langres 30.*

XX **Parc** avec ch, ✆ 03 25 02 53 07, *Fax 03 25 02 42 84*, – – 20. GB
*fermé 15 fév. au 30 mars, dim. soir et lundi du 30 mars au 15 juin, mardi soir et merc. du 1er sept. au 15 fév.* – **Repas** (14,05) - 16/39 – ☕ 7 – **16 ch** 47/60 – ½ P 52.
◆ Cet ancien relais de poste daterait en partie du 17e s. Dans la salle à manger, couleurs ensoleillées, parquet et mobilier de style. Chambres sobrement contemporaines.

---

**ARCENS** *07310 Ardèche* 331 H4 – *479 h alt. 615.*

*Paris 606 – Le Puy-en-Velay 57 – Le Cheylard 15 – Privas 62 – St-Agrève 24.*

**Chalet des Cévennes** , ✆ 04 75 30 41 90, ←, – . GB. ch
*fermé 1er au 15 oct., 20 déc. au 1er janv. et vend. soir* – **Repas** 13,80/25 – ☕ 5,50 – **15 ch** 28/37 – ½ P 33/35.
◆ Il règne en cette grosse bâtisse régionale une chaleureuse ambiance "pension de famille". Chambres modestes mais fort bien tenues. Jardin en terrasses. Vue sur la vallée.

---

**ARC-ET-SENANS** *25610 Doubs* 321 E4 *G. Jura – 1 277 h alt. 231.*

Voir *Saline Royale*★★.

Env. *Port-Lesney*★.

*Office du Tourisme, Saline Royale ✆ 03 81 57 43 21, Fax 03 81 57 43 51, info@ot arcetsenans.fr.*

*Paris 397 – Besançon 36 – Pontarlier 62 – Salins-les-Bains 17.*

X **Relais** avec ch, pl. Église ✆ 03 81 57 40 60, *Fax 03 81 57 46 17*, – GB
*fermé 15 déc. au 15 janv. et dim. soir* – **Repas** 11/27 ♀, enf. 8 – ☕ 6,50 – **10 ch** 34/37 – ½ P 28/66.
◆ À proximité des célèbres Salines de Ledoux, auberge précédée d'une petite terrasse d'été. Trois salles à manger en enfilade, résolument rustiques et fort sympathiques.

---

**ARCINS** *33 Gironde* 335 G4 – *rattaché à Margaux.*

---

**ARCIZANS-AVANT** *65 H.-Pyr.* 342 L7 – *rattaché à Argelès-Gazost.*

*Ecrivez-nous...*
*Vos louanges comme vos critiques seront examinées avec le plus grand soin. Nous reverrons sur place les informations que vous nous signalez.*
*Par avance merci !*

**Les ARCS** *73 Savoie* 333 N4 *G. Alpes du Nord – Sports d'hiver : 1 600/3 226 m* 6 54 – *73700 Bourg-St-Maurice.*

**Voir** *Arc 1800 ★ – Arc 1600 ★ – Arc 2000 ★ – Télécabine le Transac ★★ – Télésiège de la Cachette★.*

*Office du Tourisme, 04 79 07 12 57, Fax 04 79 07 45 96, bourgot@lesarcs.com.*

*Paris 645 – Albertville 65 – Bourg-St-Maurice 11 – Chambéry 115 – Val-d'Isère 41.*

**Grand Hôtel Mercure** M, Les Arcs 1800, village Charmettoger 04 79 07 65 00, *h1669@accor-hotels.com, Fax 04 79 07 64 08*, –  20 à 80. AE GB. rest

*28 juin-30 août et 13 déc.-fin avril* – **Repas** 23/26 , enf. 13 – 11,50 – **81 ch** 175/335 – 1/2 P 152/190,50.

◆ Union réussie d'un décor savoyard et du confort moderne dans ce chalet situé au pied des pistes. Chambres familiales bien équipées. Grand choix d'activités et de loisirs.

---

**Les ARCS** *83460 Var* 340 N5 *G. Côte d'Azur – 4 744 h alt. 80.*

**Voir** *Polyptyque★ dans l'église – Chapelle Ste-Roseline★ NE : 4 km.*

*Office du Tourisme, place Gal de Gaulle 04 94 73 37 30, Fax 04 94 73 37 30, lesarc.mairie@wanadoo.fr.*

*Paris 854 – Fréjus 26 – Cannes 59 – Draguignan 10 – St-Raphaël 30.*

**Logis du Guetteur** , au village médiéval 04 94 99 51 10, *le.logis.du.guetteur@wanadoo.fr, Fax 04 94 99 51 29*, – ch, AE GB

*fermé 15 janv. au 8 mars* – **Repas** *(fermé merc. hors saison)* 29/75 – 11 – **11 ch** 120/139 – 1/2 P 132.

◆ Sur un promontoire dominant le village, pittoresque hôtel installé dans un fort du 11e s. À l'intérieur, voûtes et pierres apparentes. Chambres sagement personnalisées.

**Bacchus Gourmand**, à la Maison des Vins, rte Vidauban par N 7 : 2 km 04 94 47 48 47, *Fax 04 94 47 55 13*, – AE GB

*fermé 24/03 au 2/04, 17 au 26/11, 6 au 22/01, dim. soir, mardi soir de sept. à juin, vend. midi en juil.-août et merc.* – **Repas** 35/49 et carte 50 à 62 , enf. 10.

◆ Au 1er étage de la maison des vins, salle à manger moderne soigneusement décorée. En été, repas servis dans le patio. Plats du terroir arrosés de côtes-de-provence.

**Relais des Moines**, Est : 1,5 km par rte Ste-Roseline 04 94 47 40 93, *Fax 04 94 47 40 93*, – AE GB

*fermé 1er au 15 déc., 10 au 24 mars, dim. soir sauf juil.-août et lundi* – **Repas** 33/53.

◆ Dans un parc arboré à flanc de colline, cette ancienne bergerie qui fut aussi une cantine de moines conserve dans sa salle à manger de belles arcades en pierre du 18e s.

---

**ARC-SUR-TILLE** *21560 Côte-d'Or* 320 L5 – *1 950 h alt. 219.*

*Paris 325 – Dijon 14 – Avallon 119 – Besançon 96 – Langres 73.*

**Auberge Les Marronniers** M, 03 80 37 09 62, *Fax 03 80 37 24 94*, – AE GB

**Repas** 17 (déj.), 24/39 , enf. 12 – 8,50 – **11 ch** 55/70 – 1/2 P 69.

◆ Deux maisons au coeur du village : chambres spacieuses et confortables dans une aile récente et, à l'auberge, salle à manger rustique et terrasse ombragée par des marronniers.

---

**ARDENTES** *36120 Indre* 323 H6 *G. Berry Limousin – 3 511 h alt. 172.*

*Paris 276 – Bourges 66 – Argenton-sur-Creuse 42 – Châteauroux 14 – La Châtre 23.*

**Gare**, 02 54 36 20 24, *Fax 02 54 36 92 07*, – GB

*fermé 19 juil. au 11 août, 21 fév. au 8 mars, dim. soir, merc. soir, lundi et soirs fériés* – **Repas** 20/28.

◆ Dans un quartier calme proche de l'ancienne gare, façade assez anodine abritant une salle de restaurant sagement champêtre. Copieuse cuisine traditionnelle.

---

**ARDRES** *62610 P.-de-C.* 301 E2 *G. Picardie Flandres Artois – 3 936 h alt. 11.*

*Office de tourisme, Chapelle des Carmes 03 21 35 28 51, Fax 03 21 35 28 51.*

*Paris 273 – Calais 17 – Arras 94 – Boulogne-sur-Mer 38 – Lille 91.*

**Le François 1er**, pl. Armes 03 21 85 94 00, *lewandowski@lefrancois1er.com, Fax 03 21 85 87 53* – GB.

*fermé 8 au 12 avril, 31 août au 14 sept., 24 déc. au 2 janv., merc. soir, dim. et lundi* – **Repas** 19/35 , enf. 13.

◆ Belle demeure située sur la pittoresque Grand'Place. La blancheur des murs met en valeur le parquet et les belles poutres de la salle à manger sobrement élégante.

**ARÊCHES** *73 Savoie* 333 M3 *G. Alpes du Nord – alt. 1080 – Sports d'hiver : 1 050/2 300 m* 15 –
✉ *73270 Beaufort-sur-Doron.*
**Voir** *Hameau de Boudin★ E : 2 km.*
*Office de tourisme,* ✆ *04 79 38 15 33, otareches-beaufort@wanadoo.fr.*
*Paris 604 – Albertville 25 – Chambéry 77 – Megève 42.*

**Auberge du Poncellamont**, ✆ 04 79 38 10 23, *Fax 04 79 38 13 98*, ←, – P. GB. ch
*15 juin-15 sept., 22 déc.-15 avril et fermé dim. soir, lundi midi et merc. hors saison* – **Repas** 16/31 – 7 – **14 ch** 40/54 – 1/2 P 54.
◆ Dans le village, chalet savoyard abondamment fleuri en été. Chambres simples et pratiques ; certaines sont mansardées, d'autres pourvues de balcons.

**ARENTHON** *74 H.-Savoie* 328 K4 – *rattaché à La Roche-sur-Foron.*

**ARÈS** *33740 Gironde* 335 E6 *G. Aquitaine – 3 911 h alt. 6.*
*Office du Tourisme, esplanade G. Dartiquelongue* ✆ *05 56 60 18 07, Fax 05 56 60 39 41.*
*Paris 629 – Bordeaux 48 – Arcachon 45.*

**St-Éloi,** 11 bd Aérium ✆ 05 56 60 20 46, *nlatour@free.fr, Fax 05 56 60 10 37*, – AE GB
*fermé vacances de fév., dim. soir, lundi, merc. soir hors saison et lundi midi en saison* – **Repas** 23/49.
◆ Dans un quartier résidentiel à proximité du bassin d'Arcachon. La cuisine, axée sur le terroir, se déguste dans une plaisante salle à manger contemporaine et colorée.

**ARGELÈS-GAZOST** 65400 *H.-Pyr.* 342 L6 *G. Midi-Pyrénées – 3 229 h alt. 462 – Stat. therm. (début avril-fin oct.) – Casino* **Y.**
*Office du Tourisme, 15 place République* ✆ *05 62 97 00 25, Fax 05 62 97 50 60.*
*Paris 874 ① – Pau 58 ① – Lourdes 13 ① – Tarbes 31 ①.*

Plan page ci-contre

**Miramont,** 44 av. Pyrénées ✆ 05 62 97 01 26, *hotel-miramont@sudfr.com, Fax 05 62 97 56 67*, – rest, P. AE GB. Z n
*fermé 5 nov. au 20 déc.* – **Repas** *(fermé dim. soir et merc. sauf juil.-août)* (dim. prévenir) 16/38 – 8 – **27 ch** 40/70 – P 60/68.
◆ Ce "paquebot" ancré dans un jardin très fleuri propose de vastes chambres actuelles, parfois dotées de balcons. À l'annexe, hébergement tout confort, mais plus ancien.

**Les Cimes**, pl. Ourout ✆ 05 62 97 00 10, *contact@hotel-lescimes.com, Fax 05 62 97 10 19*, – cuisinette, rest, P. GB Z a
*fermé 2 nov. au 18 déc.* – **Repas** 14,50/38 – 7,50 – **25 ch** 49/65, 6 studios – P 59/64.
◆ Bâtiment des années 1950 agrandi d'une aile moderne en verre et bois. Chambres à dominante rustique, correctement équipées ; quelques balcons. Calme jardin.

**Soleil Levant,** 17 av. Pyrénées ✆ 05 62 97 08 68, *Fax 05 62 97 04 60*, – P. AE GB. rest Y t
*fermé 1er au 23 déc. et 2 janv. au 1er fév.* – **Repas** 10,20/32 – 6 – **35 ch** 35/40,50 – P 44,20/47,30.
◆ Ambiance familiale en cet hôtel de la ville basse. Chambres bien insonorisées et pourvues d'un mobilier fonctionnel ; certaines ont vue sur les sommets alentour.

**à St-Savin** *Sud : 3 km par D 101 -* **Z** *– 331 h. alt. 580 –* ✉ *65400.*
**Voir** *Site★ de la chapelle de Piétat S : 1 km.*

**Viscos** avec ch, ✆ 05 62 97 02 28, *leviscos@wanadoo.fr, Fax 05 62 97 04 95*, – P. AE GB
*fermé 5 au 19 janv., dim. soir et lundi sauf juil.-août* – **Repas** 21/50, enf. 10 – 7 – **13 ch** 42/75 – 1/2 P 49/73.
◆ Dans une bâtisse blanche, salle à manger sagement contemporaine agrandie d'une terrasse et jouissant d'une échappée sur les montagnes. Chambres d'appoint.

**à Arcizans-Avant** *Sud : 4,5 km par D 101 et D 13 – 258 h. alt. 640 –* ✉ *65400 :*

**Auberge Le Cabaliros** avec ch, ✆ 05 62 97 04 31, *auberge.cabaliros@wanadoo.fr, Fax 05 62 97 91 48*, ←, – P. GB.
*fermé 3 nov. au 4 fév.* – **Repas** *(fermé mardi soir et merc. hors vacances scolaires)* 15/40 – 6 – **8 ch** 52 – 1/2 P 45.
◆ Petite auberge de village face aux sommets pyrénéens. La vue est splendide de la terrasse prolongeant la salle à manger rustique. Quelques chambres simples mais bien équipées.

# ARGELÈS-GAZOST

Alicot (R. Michel) . . . . . . . . Y 3
Bourdette (R. Jean) . . . . . . . Z 18
Bourg Neuf (R. du). . . . . . . Y 19
Coubertin (Av. P. de) . . . . . Z 29
Dambé (Av. Jules) . . . . . . . Y 30
Digoy (R. Capitaine) . . . . YZ 33
Edouard VII (Pl.) . . . . . . . . . Z 36
Foch (R. du Mar.) . . . . . . . . . . Y 39
Gassan (Av. Emile) . . . . . . . . . Y 42
Joffre (Pl.) . . . . . . . . . . . . . . . YZ 53
Nansouty
(Av. du Gén.) . . . . . . . . . . . . Y 69
Pasteur (R.). . . . . . . . . . . . . . . Z 75
Pérus (Pl.). . . . . . . . . . . . . . . . Y 77
Poilus (R. des) . . . . . . . . . . . . Y 80
Reine Nathalie (Av.) . . . . . . . . Y 84
République (Pl. de la ) . . . . . . Z 85
Saint-Orens (R.). . . . . . . . . . . . . Z 88
Sainte-Castere
(R.) . . . . . . . . . . . . . . . . . . . . . Z 91
Sassere (Av. Hector). . . . . . . . Y 92
Sorbe (R. ) . . . . . . . . . . . . . . . . Y 93
Sylvestre
(Av. Armand) . . . . . . . . . . . . . Z 96
Victoire (Pl. de la) . . . . . . . . . . Y 100
Vieuzac (R. de ) . . . . . . . . . . . . Y 101
8 Mai (R. du) . . . . . . . . . . . . . . Y 106

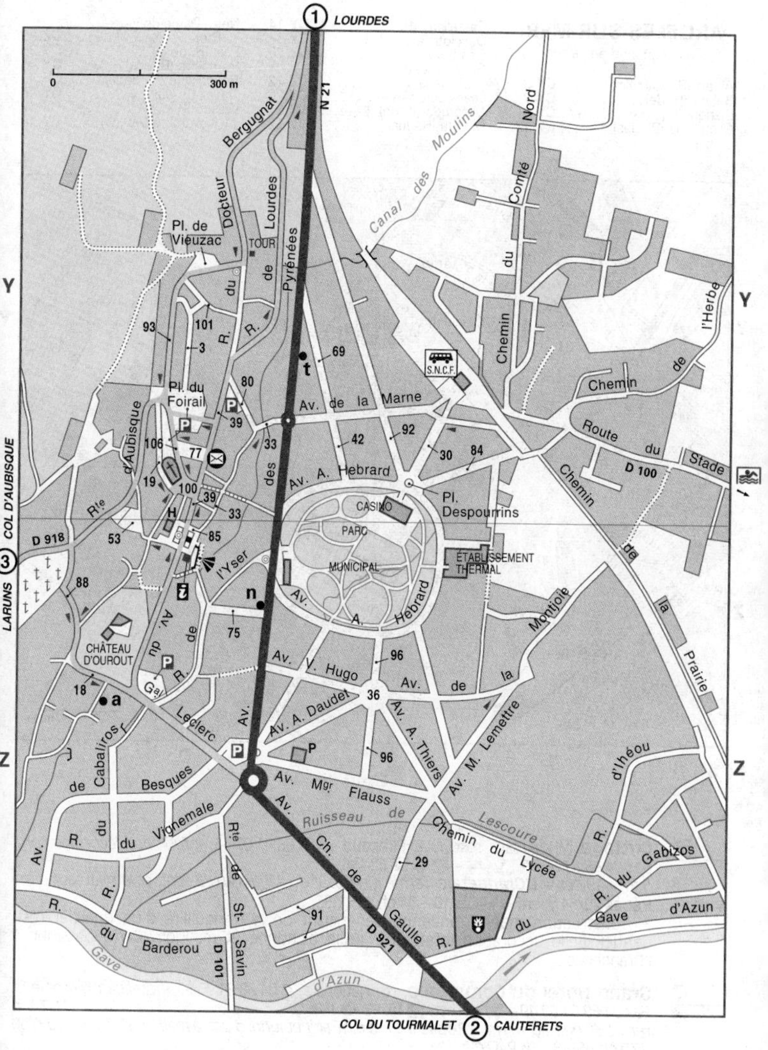

1 LOURDES
0
300 m
N 21
Bergugnat
Canal des Moulins
Chemin du Comté
Nord
Pl. de Vieuzac
R. du Docteur
TOUR
R. de Lourdes
Pyrénées
des
93
101
3
69
t
80
Pl. du Foirail
P
39
33
Av. de la Marne
42
92
30
84
S.N.C.F.
Chemin de l'Herbe
Route du Stade
D 100
Chemin de la Prairie
d'Aubisque
106
77
19
100
39
33
H
85
Rte
D 918
53
3 COL D'AUBISQUE
LARUNS
88
l'Yser
Av. A. Hebrard
CASINO
PARC
MUNICIPAL
Pl. Despourrins
ÉTABLISSEMENT THERMAL
n
Av. de la Montjoie
CHÂTEAU D'OUROUT
75
Av. du R.
Av. V. Hugo
96
36
Av. A. Daudet
Av. A. Thiers
Av. M. Lemettre
d'Ihéou
18
a
Gal Leclerc
P
96
Cabaliros
de
Besques
Av. Mgr Flauss
Ruisseau de Lescoure
Chemin du Lycée
R. du Vignemale
Av. Ch. de Gaulle
Rte de St-Savin
29
R. du Gabizos
Gave d'Azun
R. du Gave
91
D 921
R. du Barderou
D 101
Gave d'Azun
Y
Z
COL DU TOURMALET 2 CAUTERETS


*Dans ce guide*
*un même symbole, un même mot,*
*imprimé en* ***rouge*** *ou en* ***noir****, en maigre ou en* ***gras****,*
*n'ont pas tout à fait la même signification.*
*Lisez attentivement les pages explicatives.*

**ARGELÈS-SUR-MER** *66700 Pyr.-Or.* 344 *J7 G. Languedoc Roussillon* – *7 188 h alt. 19* – *Casino à Argelès-Plage* **BV.**

*Office du Tourisme, place de l'Europe ☎ 04 68 81 15 85, Fax 04 68 81 16 01, infos@argeles-sur-mer.com.*

*Paris 874 ⑤ – Perpignan 22 ⑤ – Céret 28 ④ – Port-Vendres 9 ③ – Prades 66 ⑤.*

## ARGELÈS-SUR-MER

Zone piétonne en saison

Albert (R. Marcelin) ....... **CY** 3
Bel-Air (R. de) ............ **CY** 7
Blanqui (R.) ............... **CY** 9
Castellans (Pl. des) ....... **CY** 13
Castellans (R.) ............ **CY** 14
Desclot (R.) ............... **CY** 18
Gambetta (R.) .............. **CDZ** 20
Gendarmerie (R. de la) ..... **CDZ** 22
Jean-Jaurès (R.) ........... **CY** 26
Majorque (R. de) ........... **CY** 27
Morata (R. Juan) ........... **CY** 32
Notre-Dame-de-Vie (Rte) .... **CZ** 33
Paix (R. de la) ............ **CY** 35
Remparts (R. des) .......... **CY** 41
République (Pl. de la) ..... **CY** 42
Travail (R. du) ............ **CY** 45
Wilson (R.) ................ **CZ** 47
11 Novembre (Av. du) ....... **CY** 48

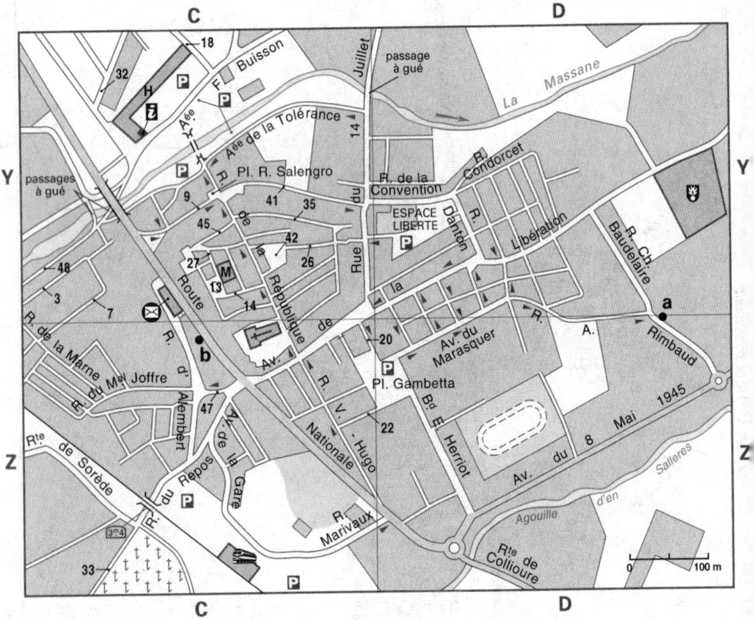

C
D
Y
Z
La Massane
passage à gué
passages à gué
Juillet
Buisson
Aée de la Tolérance
Pl. R. Salengro
R. de la Convention
R. Condorcet
ESPACE LIBERTE
R. Danton
Libération
R. Ch. Baudelaire
Rue du 14
R. de la République
Route
Av. de la Libération
R. A. Rimbaud
Av. du Marasquer
Pl. Gambetta
R. de la Marne
R. du Mal Joffre
R. d'Alembert
Av. de la Gare
R. du Repos
Rte de Sorède
R. Nationale
R. V. Hugo
Bd E. Herriot
Av. du 8 Mai 1945
R. Marivaux
Rte de Collioure
Agouille d'en Sallères
0
100 m
a
b


**Cottage** sans rest, r. A. Rimbaud ☎ 04 68 81 07 33, *info@hotel-lecottage.com, Fax 04 68 81 59 69,* – **DY a**
*5 avril-19 oct.* – ***L'Orangeraie*** *(fermé lundi sauf du 11 juin au 22 sept. et le midi sauf dim.)* **Repas** 29/54, enf. 11 – 10 – **34 ch** 115/155.
◆ Construction méditerranéenne bénéficiant de la tranquillité d'un quartier résidentiel. Belle décoration intérieure, jardin bichonné et minigolf. Carte classique à l'Orangeraie.

**Grand Hôtel du Commerce,** rte Nationale ☎ 04 68 81 00 33, *hotel.parc@infonie.fr, Fax 04 68 81 69 49* – , rest, **CZ b**
*fermé 30 déc. au 15 fév.* – **Repas** *(fermé dim. soir et lundi d'oct. à mai)* 11,50/31 – 6,50 – **30 ch** 46/48 – ½ P 47/49.
◆ Ce complexe hôtelier abrite des chambres garnies de mobilier catalan et un restaurant dont les salles à manger de style rustique sont réparties sur deux niveaux.

**Annexe Le Parc** sans rest, –
*20 mai-30 sept.* – 6,80 – **24 ch** 48/62.
◆ Vous dormirez paisiblement dans l'annexe située dans le jardin derrière le Grand Hôtel. Les chambres, équipées de mobilier fonctionnel, donnent toutes sur la piscine.

## ARGELÈS-SUR-MER

Zone piétonne en saison

Albères (Bd des) . . . . . . . . **BV** 2
Arrivée (Rond-Point de l'). **BV** 6
Buisson (Allée Ferdinand) **AV** 10
Charlemagne (Av. de) . . . . . . **BX** 16
Corbières (Av. des) . . . . . . . . **BV** 17
Gaulle (Av. du Gén. de). . . . . **BV** 21
Grau (Av. du). . . . . . . . . . . . . **BX** 24
Méditerranée (Bd de la) . . . . **BV** 29
Mimosas (Av. des). . . . . . . . . **BV** 30
Pins (Allée des) . . . . . . . . . . **BV** 37
Pins (Av. des) . . . . . . . . . . . . **BV** 38
Platanes (Av. des) . . . . . . . . . **BV** 39
Port (R. du) . . . . . . . . . . . . . . **BX** 40
Racou (Allée du). . . . . . . . . **BVX** 42
Ste-Madeleine (Chemin). . . . **AX** 43
Trabucaire (R. des). . . . . . . . **AV** 44
14 Juillet (R. du). . . . . . . . . . **AV** 49

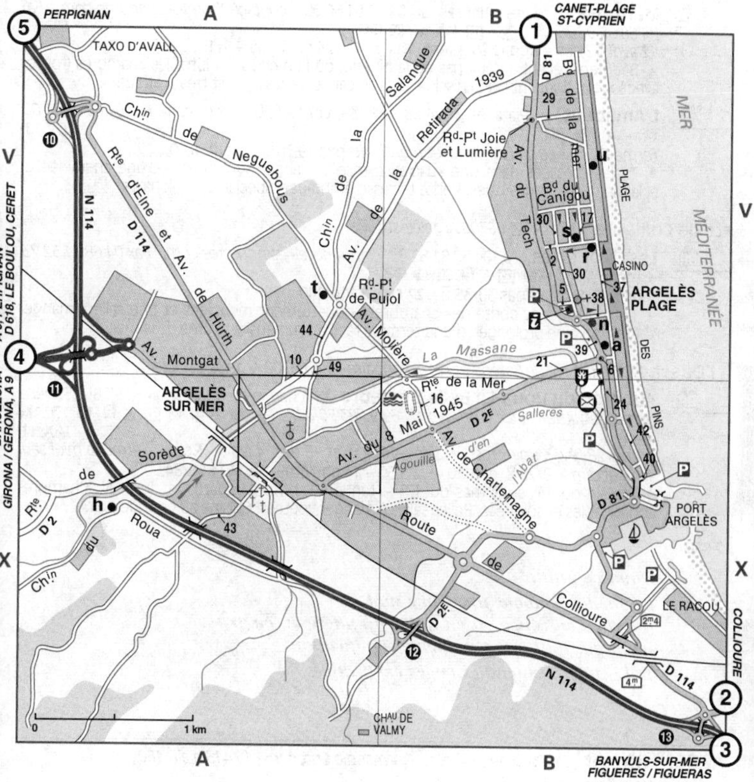

PERPIGNAN
CANET-PLAGE
ST-CYPRIEN
TAXO D'AVALL
Chin de Neguebous
Rte d'Elne et Av. de Hürth
N 114
D 114
Chin de la Salanque
Av. de la Retirada 1939
Rd-Pt Joie et Lumière
Bd de la mer
Av. du Tech
Bd du Canigou
PLAGE
MER MÉDITERRANÉE
CASINO
ARGELÈS PLAGE
Rd-Pt de Pujol
Av. Molière
La Massane
Av. Montgat
ARGELÈS SUR MER
Rte de la Mer
Av. du 8 Mai 1945
D 2E
Salleres
Av. de Charlemagne
Agouille d'en l'Abat
Route de Collioure
PORT ARGELÈS
D 81
LE RACOU
COLLIOURE
A 9, PERPIGNAN
D 618, LE BOULOU, CERET
BARCELONA
GIRONA / GERONA, A 9
Rte de Sorède
Chin du Roua
D 2
D 114
DES PINS
CHAU DE VALMY
BANYULS-SUR-MER
FIGUERES / FIGUERAS
1 km


**Acapella** sans rest, chemin de Neguebous ✆ 04 68 95 89 45, *hotel.acapella@wanadoo.fr*, *Fax 04 68 95 84 93*, – **P**. GB AV t
*28 mars-1er nov.* – 5 – **27 ch** 50/60.
◆ Un peu plus de 7000 Argelésiens l'hiver, plusieurs centaines de milliers l'été... Pensez donc à réserver ! Chambres pratiques, équipées de balcons. Solarium et piscine.

**à Argelès-Plage** *Est : 2,5 km G. Languedoc Roussillon* – ✉ *66700 Argelès-sur-Mer.*
Voir *SE : Côte Vermeille*★★.

**Grand Hôtel du Lido,** bd Mer ✆ 04 68 81 10 32, *contact@hotel-le-lido.com*, *Fax 04 68 81 10 98*, ←, , , , – |, ch, **P**. AE GB BV u
*8 mai-30 sept.* – **Repas** 26/39, enf. 11 – 10 – **66 ch** 80/150 – ½ P 83/112.
◆ Agréablement situé en bord de plage, le Lido abrite des chambres rénovées, pourvues de balcons ou de terrasses ; la plupart ont vue sur la mer. Restaurant-véranda côté piscine.

**Plage des Pins** sans rest, ✆ 04 68 81 09 05, *contact@plage-des-pins.com*, *Fax 04 68 81 12 10*, ←, , – | **P**. GB. BV r
*24 mai-27 sept.* – 12 – **50 ch** 80/104.
◆ Face à la Méditerranée, grandes chambres fonctionnelles dotées de balcons, à choisir côté mer ou montagne. Aux beaux jours, il fait bon "lézarder" autour de la piscine.

**Kyriad** sans rest, Allée Palmiers ✆ 04 68 81 12 24, *lagon.bleu@infonie.fr, Fax 04 68 81 17 46* – AE GB **BV a**
6,50 – **39 ch** 65.
◆ Bien placé au coeur de la station, hôtel rénové dans ses moindres recoins. Les chambres, insonorisées, ont toutes des petits balcons avec vue sur la mer ou les Pyrénées.

**Maritime,** bd des Albères ✆ 04 68 81 50 00, *contact@hotel-le-maritime.com, Fax 04 68 95 96 75,* – . AE GB **BV s**
*12 avril-12 oct.* – **Repas** 23, enf. 10 – 8 – **24 ch** 55/65 – ½ P 62.
◆ Bâtiment récent à deux pas de la pinède, où l'on choisira plutôt les chambres (toutes avec loggia) donnant sur la piscine, plus au calme. Le garage est très pratique.

**L'Amadeus,** av. Platanes ✆ 04 68 81 12 38, *contact@lamadeus.com, Fax 04 68 81 30 00,* – . GB **BV n**
*fermé 30 nov. au 14 fév., lundi et mardi* – **Repas** 19,50/38 ♀, enf. 8,50.
◆ Tables dressées dans une spacieuse salle à manger agrémentée d'une cheminée et éclairée par de larges baies. Petite terrasse ombragée. Spécialités régionales.

**rte de Collioure** *: 4 km – ✉ 66700 Argelès-sur-Mer :*

**Les Mouettes,** ✆ 04 68 81 82 83, *info@hotel-lesmouettes.com, Fax 04 68 81 32 73,* ≤ mer, – . AE GB
*5 avril-15 oct.* – **Repas** 30/35 ♀ – **27 ch** 114/140.
◆ Cette résidence abrite des chambres coquettement meublées et une salle à manger contemporaine prolongée d'une terrasse face à l'immensité azurée de la mer.

**à l'Ouest** *1,5 km par rte de Sorède et rte secondaire – ✉ 66700 Argelès-sur-Mer :*

**Auberge du Roua-La Belle Demeure**, chemin du Roua ✆ 04 68 95 85 85, *belle.demeure@little-france.com, Fax 04 68 95 83 50,* – AE GB JCB **AX h**
*hôtel : 28 fév.-3 nov. ; rest. : 11 fév.-16 nov. et 15 déc.-4 janv.* – **Repas** *(fermé le midi sauf sam. et dim.)* 29/75 ♀, enf. 10 – 9,50 – **14 ch** 76/99 – ½ P 74,50/84,50.
◆ Moulin du 13e s. et mas du 17e s. tenus à l'abri des regards et du bruit. Chambres confortables et soignées. Belles salles à manger voûtées. Cuisine au goût du jour.

*Dans ce guide*
*un même symbole, un même mot,*
*imprimé en* ***rouge*** *ou en* ***noir****, en maigre ou en* ***gras****,*
*n'ont pas tout à fait la même signification.*
*Lisez attentivement les pages explicatives.*

---

**ARGENTAN** *61200 Orne* 310 I2 *G. Normandie Cotentin – 16 413 h alt. 160.*

**Voir** *Église St-Germain★.*

*Office du Tourisme, place du Marché ✆ 02 33 67 12 48, Fax 02 33 39 96 61, tourisme.argentan@wanadoo.fr.*

*Paris 192 ② – Alençon 46 ③ – Caen 59 ⑤ – Dreux 115 ② – Flers 43 ④ – Lisieux 58 ①.*

Plan page ci-contre

**France,** 8 bd Carnot **(r)** ✆ 02 33 67 03 65, *Fax 02 33 36 62 24,* – . GB
*fermé 30 juin au 14 juil., 22 au 29 déc., 16 fév. au 1er mars, les soirs fériés, dim. soir, vend. soir et lundi* – **Repas** 13/38 ♀ – 7 – **10 ch** 37/46 – ½ P 40/45.
◆ Accueil chaleureux et tenue impeccable sont les points forts de cet établissement familial. À l'heure du digestif, laissez-vous tenter par la superbe carte de Calvados.

**Ariès,** Z.A. Beurrerie par ④ *: 1 km* ✆ 02 33 39 13 13, *aries-htl@wanadoo.fr, Fax 02 33 39 34 71,* – 50. AE GB
**Repas** 15/17 – 6,10 – **43 ch** 46 – ½ P 48.
◆ La proximité d'un axe à forte circulation est compensée par la bonne insonorisation de l'hôtel. Hébergement simple et fonctionnel. Restauration sous forme de buffets.

**Renaissance** avec ch, 20 av. 2e Division Blindée **(n)** ✆ 02 33 36 14 20, *Fax 02 33 36 65 50,* – . AE GB
*fermé 4 au 18 août, vacances de fév., lundi (sauf hôtel) et dim.soir* – **Repas** *(15,30)* - 18,30/54 et carte 37,50 à 48 ♀ – 7 – **12 ch** 49/63 – ½ P 52,50/60.
◆ De grandes baies vitrées éclairent cette salle à manger rustico-bourgeoise, bien dressée et égayée d'une belle cheminée d'inspiration Renaissance. Cuisine au goût du jour.

## ARGENTAN

Beigle (R. du) .................. 2
Boschet (R. P.) .................. 3
Carnot (Bd) .................. 7
Chaussée (R. de la) .................. 8
Collège (R. du) .................. 9
Forêt-Normande (Av. de la) .................. 13
Gaulle (Bd Général-de) .................. 14
Griffon (R. du) .................. 15
Henri-IV (Pl.) .................. 18
Marché (Pl. du) .................. 20
Panthou (R. E.) .................. 21
St-Germain (R.) .................. 28
St-Martin (R.) .................. 29
Semard (Pl. Pierre) .................. 30
Trois-Croix (Pl. des) .................. 31
Victor-Hugo (Bd) .................. 32
Vimal-du-Bouchet (Pl.) .................. 33
Wolf (R. J.) .................. 34
2e-D.-B. (Av. de la) .................. 35
104e-Régiment-d'Infanterie (R. du) .................. 38

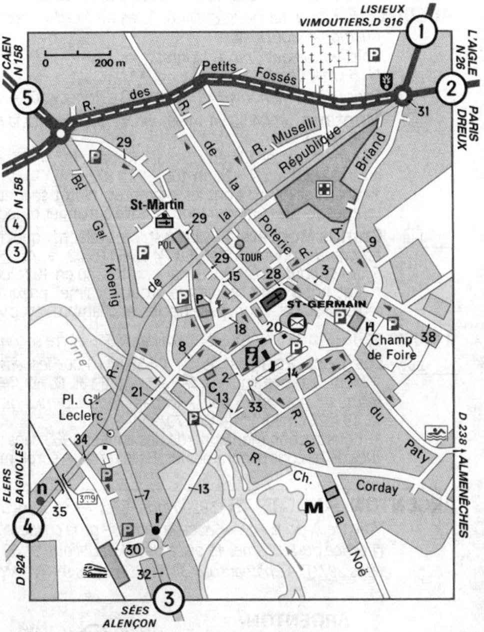

LISIEUX
VIMOUTIERS, D 916
L'AIGLE N 26
PARIS DREUX
CAEN N 158
N 158
0
200 m
R. des Petits Fossés
R. de la Poterie
R. Muselli
République
R. A. Briand
St-Martin
POL
TOUR
ST-GERMAIN
Champ de Foire
Bd Gal Koenig
R. de la Chaussée
Orne
Pl. Gal Leclerc
R. du Paty
R. de la Noë
Corday
D 238 ALMENÊCHES
FLERS BAGNOLES
D 924
SÉES ALENÇON
3m9
M


par ② N 26 et D 729 : 11 km – ✉ 61310 Silly-en Gouffern :

**Pavillon de Gouffern** ⛰, ☎ 02 33 36 64 26, *lebourgsamuel@tiscali.fr, Fax 02 33 36 53 81*, ≤, 🌳, – TV 📞 P – 🏛 50. AE ⓓ GB
**Repas** 15 (déj.), 25/45 ♀ – ☕ 11 – **20 ch** 72/81 – ½ P 119.
◆ Dans un parc entouré de bois, pavillon de chasse du 19e s. avec façade à colombages. Chambres sobrement meublées, de style campagnard dans les annexes. Salle à manger-véranda.

**à Fontenai-sur-Orne** *par ④ : 4,5 km – 292 h. alt. 65 – ✉ 61200 :*

**Faisan Doré** avec ch, ☎ 02 33 67 18 11, *lefaisandore@wanadoo.fr, Fax 02 33 35 82 15*, 🏞 – TV 📞 P – 🏛 100. GB
*fermé vend. soir, sam. midi et dim. soir (sauf hôtel)* – **Repas** 15/32 – ☕ 6,20 – **14 ch** 46/55 – ½ P 42/46.
◆ Auberge normande située au bord d'une route fréquentée. Atmosphère mi-rustique, mi-bourgeoise dans la salle à manger précédée d'un salon habillé de boiseries. Accueil aimable.

---

**ARGENTAT** *19400 Corrèze* 329 M5 *G. Berry Limousin – 3 189 h alt. 183.*

*Office de tourisme, 30 avenue Pasteur ☎ 05 55 28 16 05, Fax 05 55 28 97 04, office tourisme-argentat@wanadoo.fr.*
*Paris 504 – Brive-la-Gaillarde 44 – Aurillac 54 – Mauriac 50 – St-Céré 42 – Tulle 29.*

**Fouillade** avec ch, pl. Gambetta ☎ 05 55 28 10 17, *Fax 05 55 28 90 52*, 🏞 – TV 📞. GB
*fermé 12 nov. au 12 déc. et 21 fév. au 7 mars* – **Repas** *(fermé lundi hors saison) (9,80)* - 11,60/27,50 ♀, enf. 6,40 – ☕ 5,80 – **14 ch** 36,50 – ½ P 29/36.
◆ Vieille maison corrézienne sise sur une place où l'on dresse des tables en été. Dans la salle à manger rustique, des bancs sont disposés autour du "cantou".

---

**ARGENTEUIL** *95 Val-d'Oise* 305 E7 101 ⑭ – *voir à Paris, Environs.*

*Si vous êtes retardé sur la route, dès 18 h, confirmez votre réservation par téléphone, c'est plus sûr... et c'est l'usage.*

**ARGENTIÈRE** *74 H.-Savoie* 328 O5 *G. Alpes du Nord – Sports d'hiver : voir Chamonix –* ✉ *74400 Chamonix-Mont-Blanc.*

Voir *Aiguille des Grands Montets*** : ※*** – Réserve naturelle des Aiguilles Rouges*** N : 3 km – Col de la Balme** : ※**.*

*Paris 619 – Chamonix-Mont-Blanc 10 – Annecy 105 – Vallorcine 10.*

**Montana,** ✆ 04 50 54 14 99, *info@hotel-montana.fr, Fax 04 50 54 03 40,* ≤, – P. AE GB

*15 juin-1er oct. et 15 déc.-15 mai –* **Repas** *(1er juil.-15 sept. et 20 déc.-1er mai)* (dîner seul. en hiver) 22/28 – 9 – **24 ch** 106 – ½ P 87.

◆ Chalet savoyard dont les chambres, plutôt spacieuses, sont toutes dotées de balcons tournés vers les Grands Montets. Salle à manger redécorée dans le style alpin. Sauna.

**Grands Montets** sans rest, près téléphérique de Lognan ✆ 04 50 54 06 66, *info@hotel-grands-montets.com, Fax 04 50 54 05 42,* ≤, – P. AE GB JCB

*5 juil.-31 août et 12 déc.-8 mai –* 10 – **40 ch** 102/200.

◆ Cet hôtel a de séduisants atouts : calme, proximité du téléphérique, plaisant décor régional au bar-salon, belle piscine et chambres avec vue sur le glacier ou la vallée.

**à Montroc-le-Planet** *Nord-Est : 2 km par N 506 et rte secondaire –* ✉ *74400 Argentière :*

**Les Becs Rouges** , ✆ 04 50 54 01 00, *lesbecs@euroscan.com, Fax 04 50 54 00 51,* ≤ Mont-Blanc et aiguilles, – P. AE GB JCB. rest

*fermé 1er nov. au 15 déc. –* **Repas** *(fermé le midi du mardi au vend. en hiver)* 36/72 ♀ – 13 – **24 ch** 90/114 – ½ P 79/92.

◆ Construction montagnarde des années 1960 dans un hameau paisible. Chambres pourvues de balcons panoramiques. Belle terrasse surplombant le jardin. Cuisine originale.

**ARGENTON-SUR-CREUSE** *36200 Indre* 323 F7 *G. Berry Limousin – 5 193 h alt. 100.*

Voir *Vieux pont* ≤* – ≤* *de la terrasse de la chapelle N.-D.-des-Bancs.*

*Office du Tourisme, 13 place de la République* ✆ *02 54 24 05 30, Fax 02 54 24 28 13.*

*Paris 297 ① – Châteauroux 31 ① – Limoges 93 ④ – Montluçon 103 ② – Poitiers 101 ⑤.*

**ARGENTON-SUR-CREUSE**

| | |
|---|---|
| Acacias (Allée des) | 2 |
| Barbès (R.) | 5 |
| Brillaud (R. Charles) | 6 |
| Chapelle-N.-D. (R. de la) | 7 |
| Châteauneuf (R.) | 8 |
| Chauvigny (R. A. de) | 10 |
| Coursière (R. de la) | 12 |
| Gare (R. de la) | 14 |
| Grande (Rue) | 15 |
| Merle-Blanc (R. du) | 18 |
| Point-du-Jour (R. du) | 20 |
| Pont-Neuf (R. du) | 23 |
| Raspail (R.) | 24 |
| République (Pl. de la) | 25 |
| Rochers-St-Jean (R. des) | 27 |
| Rosette (R.) | 28 |
| Rousseau (R. Jean-J.) | 29 |
| Tanneurs (R. des) | 31 |
| Victor-Hugo (R.) | 33 |
| Villers (Imp. de) | 35 |

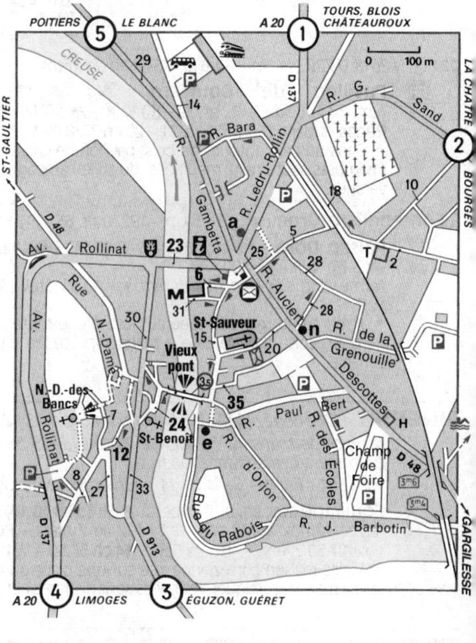
POITIERS
LE BLANC
A 20
TOURS, BLOIS CHÂTEAUROUX
LA CHATRE
BOURGES
ST-GAULTIER
CREUSE
R. Bara
R. Ledru-Rollin
Gambetta
R. G. Sand
Rollinat
Rue N.-Dame
St-Sauveur
Vieux pont
N.-D.-des-Bancs
St-Benoît
R. Auclert
R. de la Grenouille
Descottes
R. Paul Bert
R. des Ecoles
Champ de Foire
R. d'Orion
Rue du Rabois
R. J. Barbotin
D 137
D 48
D 913
GARGILESSE
A 20
LIMOGES
ÉGUZON, GUÉRET

**Manoir de Boisvillers** sans rest, 11r. Moulin de Bord **(e)** ✉ 36200 ✆ 02 54 24 13 88, *manoir.de.boisvilliers@wanadoo.fr, Fax 02 54 24 27 83,* – P. GB

*fermé 15 déc. au 10 janv. –* 9,30 – **15 ch** 60/89.

◆ Belle demeure bourgeoise du 18e s. s'élevant au coeur du vieil Argenton. Coquettes chambres personnalisées, salon contemporain et agréable jardin arboré autour de la piscine.

**Cheval Noir,** 27 r. Auclert-Descottes **(n)** ✆ 02 54 24 00 06, *Fax 02 54 24 11 22*, – rest, . 
*fermé dim. soir hors saison* – **Repas** (10) - 15,50/33,50 ♀, enf. 9 – 6 – **20 ch** 44/53 – ½ P 47.
◆ Ancien relais de poste aux chambres douillettes et bien tenues. Salle à manger moderne et feutrée, égayée de quelques plantes vertes. Carte au goût du jour.

**Source,** 9 r. Ledru-rollin **(a)** ✆ 02 54 24 30 21 – 
*fermé 1er au 6 juil., 20 au 30 oct., 23 fév. au 27 mars, mardi soir sauf juil.-aout et merc.* – **Repas** 17/30 ♀.
◆ Deux salles à manger : l'une rustique (poutres apparentes, râtelier et vieux billard en bois) ; l'autre élégante et plus actuelle. Cuisine traditionnelle et accueil aimable.

à St-Marcel *par ① : 2 km – 1 687 h. alt. 146 – ✉ 36200 .*
Voir *Église★ – Musée archéologique d'Argentomagus★ – Théâtre du Virou★.*

**Prieuré,** ✆ 02 54 24 05 19, *Fax 02 54 24 32 28*, ≤, , – – 30. 
*fermé vacances de fév.* – **Repas** *(fermé dim. soir et lundi hors saison)* 14/29 ♀ – 5,40 – **14 ch** 34/43 – ½ P 37.
◆ Les chambres, progressivement rajeunies, et le restaurant panoramique sont répartis dans deux bâtiments des années 1970 dominant la route. Terrasse-jardin sous un marronnier.

à Bouësse *par ② : 11 km – 416 h. alt. 185 – ✉ 36200 :*

**Château de Bouesse** , ✆ 02 54 25 12 20, *Fax 02 54 25 12 30*, ≤, – . 
*fermé 15 janv. au 15 mars, lundi soir et mardi d'oct. à mai* – **Repas** 22 (déj.), 28/34 – 10 – **11 ch** 85/95 – ½ P 88/104.
◆ Au coeur d'un parc, château du 13e s. où se serait arrêtée Jeanne d'Arc cheminant à travers le Berry. Les chambres allient atmosphère médiévale et confort moderne.

---

## ARGENT-SUR-SAULDRE *18410 Cher* 323 K1 *G. Berry Limousin – 2 525 h alt. 171.*

*Syndicat d'Initiative, La Marine ✆ 02 48 73 33 17.*
*Paris 172 – Orléans 62 – Bourges 58 – Cosne-sur-Loire 46 – Gien 22 – Salbris 42 – Vierzon 54.*

**Relais du Cor d'Argent** avec ch, ✆ 02 48 73 63 49, *cordargent@wanadoo.fr, Fax 02 48 73 37 55* – . 
*fermé 20 au 31 oct., 17 fév. au 19 mars, mardi et merc.* – **Repas** 14,50/55 ♀ – 6 – **7 ch** 34/44 – ½ P 34.
◆ La bâtisse est abondamment fleurie l'été. Sobres salles à manger où l'on propose une cuisine traditionnelle variant selon le marché. Petites chambres simples.

---

## ARGOULES *80120 Somme* 301 E5 *G. Picardie Flandres Artois – 363 h alt. 18.*

Voir *Abbaye★ et jardins★ de Valloires NO : 2 km.*
*Paris 220 – Calais 93 – Abbeville 34 – Amiens 83 – Hesdin 17 – Montreuil 21.*

**Auberge du Coq-en-Pâte,** ✆ 03 22 29 92 09, *Fax 03 22 29 92 09*, – 
*fermé 2 au 16 sept., 6 janv. au 3 fév., dim. soir, mardi midi et lundi hors saison sauf fériés* – Repas (nombre de couverts limité, prévenir) 19,50.
◆ Coquette maisonnette proche de l'abbaye de Valloires. Salle à manger égayée de gravures et peintures à thème animalier. Goûteuse cuisine élaborée en fonction du marché.

---

## ARINSAL 343 G9 – *voir à Andorre (Principauté d').*

---

## ARLEMPDES *43490 H.-Loire* 331 F4 *G. Vallée du Rhône – 142 h alt. 840.*

Voir *Site★★.*
*Paris 564 – Le Puy-en-Velay 29 – Aubenas 67 – Langogne 27.*

**Manoir** , ✆ 04 71 57 17 14, *Fax 04 71 57 19 68*, ≤, – . ch
*9 mars-1er nov.* – **Repas** 14/36,60 – 6 – **16 ch** 41/44 – ½ P 39.
◆ Au pied d'un surprenant piton volcanique, maison de pays avec chambres pratiques et salle à manger panoramique. Vue sur les gorges de la Loire.

---

## ARLES *13200 B.-du-R.* 340 C3 *G. Provence – 52 058 h alt. 13.*

Voir *Arènes★★ – Théâtre antique★★ – Cloître St-Trophime★★ et église★ : portail★★ – Les Alyscamps★ – Palais Constantin★* **Y S** *– Hôtel de ville : voûte★ du vestibule* **Z H** *– Cryptoportiques★* **Z E** *– Musée de l'Arles antique★★ (sarcophages★★) – Museon Arlaten★* **Z M**6 *– Musée Réattu★* **Y M**4 *– Ruines de l'abbaye de Montmajour★ 5 km par ①.*
*Office du Tourisme, 43 boulevard de Craponne ✆ 04 90 18 41 20, Fax 04 90 18 41 29, ot.administration@arles.org.*
*Paris 723 ① – Avignon 37 ① – Aix-en-Provence 77 ② – Marseille 95 ② – Nîmes 32 ⑥.*

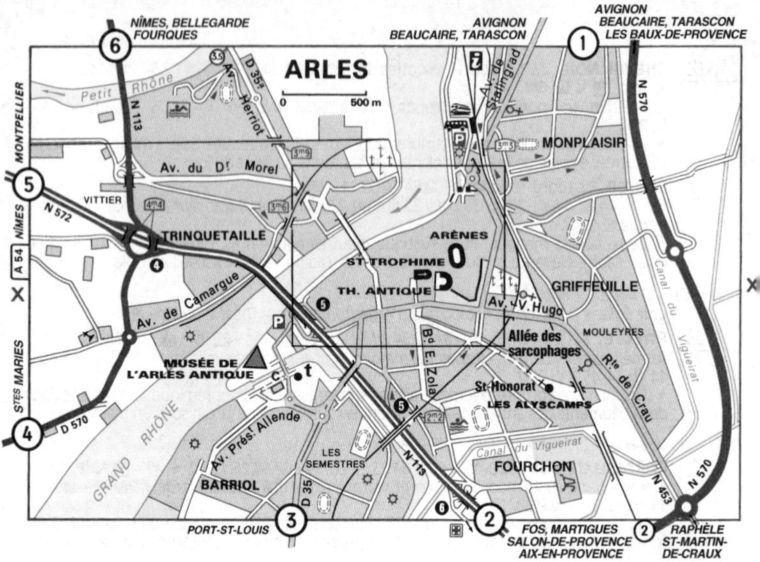
ARLES
0
500 m
NÎMES, BELLEGARDE
FOURQUES
AVIGNON
BEAUCAIRE, TARASCON
AVIGNON
BEAUCAIRE, TARASCON
LES BAUX-DE-PROVENCE
MONTPELLIER
NÎMES
A 54
STES MARIES
Petit Rhône
D 35a
Av. Herriot
N 113
Av. du Dr Morel
VITTIER
N 572
TRINQUETAILLE
Av. de Stalingrad
MONPLAISIR
N 570
ARÈNES
ST-TROPHIME
TH. ANTIQUE
GRIFFEUILLE
Canal du Vigueirat
Av. de Camargue
Av. V. Hugo
MOULEYRES
Allée des sarcophages
Rte de Crau
MUSÉE DE
L'ARLES ANTIQUE
Bd E. Zola
St-Honorat
LES ALYSCAMPS
D 570
GRAND RHÔNE
Av. Prést Allende
LES SEMESTRES
N 113
Canal du Vigueirat
FOURCHON
N 453
BARRIOL
D 35
PORT-ST-LOUIS
FOS, MARTIGUES
SALON-DE-PROVENCE
AIX-EN-PROVENCE
RAPHÈLE
ST-MARTIN-
DE-CRAUX
X

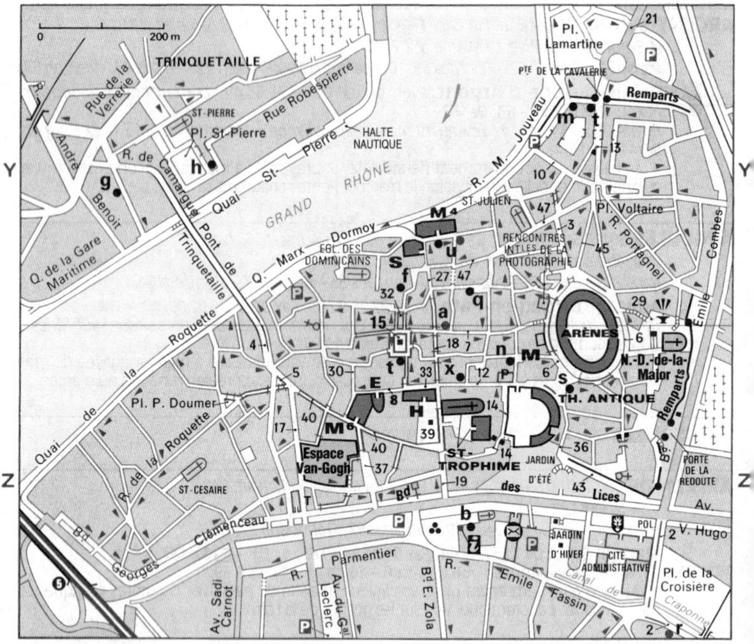
0
200 m
TRINQUETAILLE
Rue de la Verrerie
Rue Robespierre
ST-PIERRE
Pl. St-Pierre
R. de Camargue
Quai St-Pierre
HALTE NAUTIQUE
André Benoit
GRAND RHÔNE
R. M. Jouveau
Pl. Lamartine
PTE DE LA CAVALERIE
Remparts
ST-JULIEN
Pl. Voltaire
R. Portagnel
Combes
Q. de la Gare Maritime
Pont de Trinquetaille
Q. Marx Dormoy
EGL. DES DOMINICAINS
RENCONTRES INTLES DE LA PHOTOGRAPHIE
ARÈNES
N.-D.-de-la-Major
Émile
Quai de la Roquette
Pl. P. Doumer
R. de la Roquette
TH. ANTIQUE
Remparts
Espace Van-Gogh
ST-TROPHIME
JARDIN D'ÉTÉ
PORTE DE LA REDOUTE
ST-CÉSAIRE
R. de la
Bd des Lices
Av. V. Hugo
Bd Georges Clémenceau
JARDIN D'HIVER
CITÉ ADMINISTRATIVE
Pl. de la Croisière
Parmentier
R. Émile Fassin
Canal de Craponne
Av. Sadi Carnot
Av. du Gal Leclerc
Bd E. Zola
Y
Z

| | | |
|---|---|---|
| Alyscamps (Av. des) . . . . . . . . **Z** 2 | Cloître (R. du) . . . . . . . . . . . **Z** 14 | Place (R. de la) . . . . . . . . . . **Y** 32 |
| Amphithéâtre (R. de l') . . . . . **Y** 3 | Forum (Pl. du) . . . . . . . . . . . **Z** 15 | Plan de la Cour (R. du) . . . . . . **Z** 33 |
| Anatole-France (R.) . . . . . . . . **Z** 4 | Gambetta (R.) . . . . . . . . . . . **Z** 17 | Porte-de-Laure (R.) . . . . . . . . **Z** 36 |
| Antonelle (Pl.) . . . . . . . . . . . **Z** 5 | Hôtel-de-Ville (R.) . . . . . . . . **Z** 18 | Président-Wilson (R. du) . . . . **Z** 37 |
| Arènes (Rd-Pt des) . . . . . . . **YZ** 6 | Jean-Jaurès (R.) . . . . . . . . . **Z** 19 | République (Pl. de la) . . . . . . **Z** 39 |
| Arènes (R. des) . . . . . . . . . **YZ** 7 | Lamartine (Av.) . . . . . . . . . . **Y** 21 | République (R. de la) . . . . . . **Z** 40 |
| Balze (R.) . . . . . . . . . . . . . . **Z** 8 | Lices (Bd des) . . . . . . . . . . . **Z** | Vauban (Montée) . . . . . . . . . **Z** 43 |
| Blum (R. Léon) . . . . . . . . . . **Y** 10 | Maïsto (R. D.) . . . . . . . . . . . **Y** 27 | Voltaire (R.) . . . . . . . . . . . . **Y** 45 |
| Calade (R. de la) . . . . . . . . . **Z** 12 | Major (Pl. de la) . . . . . . . . . **Y** 29 | 4-Septembre (R. du) . . . . . . . **Y** 47 |
| Cavalerie (R. de la) . . . . . . . **Y** 13 | Mistral (R. Frédéric) . . . . . . . **Z** 30 | |

**Jules César,** bd Lices ✆ 04 90 52 52 52, *julescesar2@wanadoo.fr, Fax 04 90 52 52 53,* – ▤ TV ✆ – 🚗 – 30 à 80. AE GB JCB Z b
*fermé début nov. au 23 déc.* – ***Lou Marquès*** *(fermé sam. midi et lundi midi sauf fériés)* **Repas** 27(déj.),36/72, ♀ ,enf. 11 – ***Le Cloître :*** (déj. seul.) *(fermé merc. et dim.)* **Repas** 19/24bc – ☕ 14,50 – **50 ch** 128,50/215, 5 appart.
♦ Cet ancien couvent de carmélites cerné de jardins clos respire l'élégance et le bon goût. Beaux meubles anciens dans les chambres. Cloître et chapelle avec retable baroque.

**Nord Pinus,** pl. Forum ✆ 04 90 93 44 44, *info@nord-pinus.com, Fax 04 90 93 34 00,* – ▤ ch, TV 🚗. AE GB JCB Z t
*mars-nov.* – **Repas** *(fermé mardi soir et merc. hors saison)* 20 (déj.), 30/35 ♀ – ☕ 18 – **25 ch** 125/275.
♦ Véritable institution arlésienne qui reçut Cocteau, Picasso ou encore Dominguin dont le "traje de luces" illumine le bar. Le décor mariant baroque et corrida ravit les yeux.

**D'Arlatan** sans rest, 26 r. Sauvage (près pl. Forum) ✆ 04 90 93 56 66, *hotel-arlatan@pr ovnet.fr, Fax 04 90 49 68 45,* – ▤ TV ✆ 🚗 – 50. AE GB Y f
*fermé 6 janv. au 9 fév.* – ☕ 10,50 – **41 ch** 65/153, 7 appart.
♦ Cette gracieuse demeure des 14ᵉ et 15ᵉ s. s'enorgueillit de ses nombreux vestiges archéologiques (plusieurs chambres en recèlent un). Décor personnalisé, mobilier ancien.

**Mercure Arles Camargue** M, av. 1ᵉ Division Française Libre (près Palais des Congrès) ✆ 04 90 93 98 80, *H2738-gm@accor-hotels.com, Fax 04 90 49 92 76,* – ▤ TV P – 150. AE GB JCB. rest X t
**Repas** *(14)* - 20/22 , enf. 7,80 – ☕ 9,80 – **80 ch** 85/108.
♦ Face au riche musée de l'Arles antique, cet immeuble des années 1970, totalement relooké, propose des chambres confortables et claires. Fer forgé et couleurs du Sud au bar.

**Mireille** M, 2 pl. St-Pierre à Trinquetaille ✆ 04 90 93 70 74, *contact@hotel-mireille.com, Fax 04 90 93 87 28,* – ▤ TV ✆ 🚗. AE GB JCB. rest Y h
*hôtel : 5 mars-3 nov. ; rest. : 15 mars-31 oct.* – **Repas** 20/31 ♀, enf. 13,50 – ☕ 10,50 – **34 ch** 61/115 – ½ P 77,80/97,80.
♦ Deux maisons excentrées sur la rive droite du Rhône. Coquettes chambres provençales, patio-terrasse au bord de la piscine, boutique du terroir et accueil aux petits soins.

**Calendal** M sans rest, 5 r. Porte de Laure ✆ 04 90 96 11 89, *contact@lecalendal.com, Fax 04 90 96 05 84,* – ▤ TV. AE GB JCB Z s
*fermé 6 au 26 janv.* – ☕ 7 – **38 ch** 45/80.
♦ Ravissantes chambres aux tons méridionaux ; certaines ont vue sur le théâtre antique, d'autres sur les arènes ou encore sur le beau jardin ombragé de palmiers. Salon de thé.

**Musée** sans rest, 11 r. Gd-Prieuré ✆ 04 90 93 88 88, *hotel-du-musee@wanadoo.fr, Fax 04 90 49 98 15* – ▤ TV ✆ 🚗. AE GB JCB Y u
*fermé 25 nov. au 20 déc. et 5 janv. au 10 fév.* – ☕ 7 – **28 ch** 40/77.
♦ Cet hôtel particulier du 17ᵉ s. abrite des chambres pratiques, de styles variés. Joli patio où l'on petit-déjeune l'été ; expositions de photos d'art. Accueil charmant.

**Acacias** sans rest, 1 r. Marius Jouveau ✆ 04 90 96 37 88, *contact@hotel-acacias.com, Fax 04 90 96 32 51* – ▤ TV ✆ ♿. GB Y t
*28 fév.-1ᵉʳ déc.* – ☕ 6 – **33 ch** 55.
♦ Pimpante façade rose au pied de la porte de la Cavalerie. Chambres fraîches, colorées et meublées avec simplicité. Salle des petits-déjeuners égayée d'une fresque.

**Amphithéâtre** M sans rest, 5 r. Diderot ✆ 04 90 96 10 30, *contact@hotelamphitheatre.fr, Fax 04 90 93 98 69* – ▤ TV ✆. AE GB JCB Z n
☕ 6 – **28 ch** 59/127.
♦ À l'ombre des platanes, ce bel immeuble du 17ᵉ s. vous propose des chambres lumineuses, sobres et soignées (bois peint, fer forgé, tissus colorés). Copieux petit-déjeuner.

**St-Trophime** sans rest, 16 r. Calade ✆ 04 90 96 88 38, *st-trophime@worldonline.fr, Fax 04 90 96 92 19* – TV. AE GB Z x
*fermé 15 janv. au 15 fév.* – ☕ 6 – **22 ch** 40/58.
♦ Ancien hôtel particulier situé à deux pas de la célèbre église St-Trophime. Un noble escalier conduit aux chambres spacieuses, de divers styles. Charmant patio avec fontaine.

**Muette** sans rest, 15 r. Suisses ✆ 04 90 96 15 39, *hotel.muette@wanadoo.fr, Fax 04 90 49 73 16* – TV ✆ 🚗. AE GB Y q
*fermé vacances de fév.* – ☕ 6 – **18 ch** 51/61.
♦ Belle façade, sans doute du 12ᵉ s., donnant sur une placette de la vieille ville. Pierres apparentes dans les chambres, sagement provençales et correctement insonorisées.

**Porte de Camargue** sans rest, 15 r. Noguier à Trinquetaille ✆ 04 90 96 17 32, *porte.camargue@libertysurf.fr, Fax 04 90 18 97 92* – ▤ TV ✆ ♿. AE GB JCB. Y g
*17 mars-28 oct.* – ☕ 5,90 – **25 ch** 50/55.
♦ Sur la rive droite du Grand Rhône, maison de style camarguais aménagée dans un discret esprit campagnard. Chambres simples et bien tenues. Solarium sur le toit-terrasse.

**Régence** sans rest, 5 r. Marius Jouveau ✆ 04 90 96 39 85, *contact@hotel-regence.com, Fax 04 90 96 67 64* – TV ✆. CB GB — Y m
*fermé 16 nov. au 11 fév.* – ☕ 4,50 – **17 ch** 35/44.
◆ Les petits budgets trouveront ici un hébergement simple, récemment rénové, profitant d'une belle situation face au Rhône. Hall décoré sur le thème de la tauromachie.

**L'Olivier,** 1 bis r. Réattu ✆ 04 90 49 64 88, *restaurant-olivier@provnet.fr, Fax 04 90 93 85 42,* – . GB — Y u
*fermé 1er au 30 nov., 15 au 30 janv., lundi et dim.* – **Repas** 18 (déj.), 28/55 et carte 42 à 68.
◆ On accède à cette maison arlésienne par une courette où murmure une fontaine. À l'intérieur, voûtes de pierres blondes, cheminée et fleurs fraîches. Cuisine classique.

**Jardin de Manon,** 14 av. Alyscamps ✆ 04 90 93 38 68, *Fax 04 90 49 62 03,* – AE GB — Z r
*fermé 24 oct. au 5 nov., 20 fév. au 10 mars et merc.* – **Repas** 13,50 (déj.), 18/36 ♀.
◆ Carte dans la note régionale, composée selon le marché, et salle à manger aux tons provençaux. Agréable terrasse ombragée située à l'arrière de la maison, au calme.

**Gueule du Loup,** 39 r. Arènes ✆ 04 90 96 96 69 – . GB — Y a
*fermé 10 au 20 nov., 12 janv. au 12 fév., lundi sauf le soir de mars à sept. et dim.* – **Repas** (prévenir) *(12)* - 25.
◆ Pierres et poutres apparentes, mobilier rustique, vieilles affiches de magiciens et plats régionaux : jetez-vous dans cette Gueule du Loup bien sympathique et sans danger !

**à Fourques** *(Card) par ⑥ : 4 km – 2 251 h. alt. 3 – ✉ 30300 :*

**Mas des Piboules** M, N 113 ✆ 04 90 96 25 25, *Fax 04 90 93 68 88,* , – TV ♿ P. GB.
*1er mars-31 oct.* – **Repas** (dîner seul.) 16/22 – ☕ 6,50 – **50 ch** 60/63 – ½ P 49.
◆ Hôtel récent de type motel, disposant de chambres pratiques, claires et bien tenues ; la moitié possède un balcon ou une terrasse en rez-de-jardin face à la piscine.

---

**ARMBOUTS-CAPPEL** *59 Nord* 302 C2 – *rattaché à Dunkerque.*

---

**ARMENTIÈRES** *59280 Nord* 302 F3 *G. Picardie Flandres Artois – 25 219 h alt. 16.*
*Office du Tourisme, 33 rue de Lille ✆ 03 20 44 18 19, Fax 03 20 77 48 15, armentieres-@tourisme.norsys.fr.*
*Paris 234 – Lille 20 – Dunkerque 58 – Kortrijk 47 – Lens 39 – St-Omer 52.*

**Albert 1er** sans rest, 28 r. Robert Schuman ✆ 03 20 77 31 02, *Fax 03 20 77 05 16* – TV. AE GB.
☕ 5 – **15 ch** 27/39.
◆ Établissement familial situé à proximité de la gare. Chambres toutes simples et fonctionnelles. Également, location au mois de studios ou de meublés.

---

**ARMOY** *74 H.-Savoie* 328 M2 – *rattaché à Thonon-les-Bains.*

---

**ARNAC-POMPADOUR** *19230 Corrèze* 329 J3 *G. Berry Limousin – 1 444 h alt. 413.*
*Office du Tourisme, place de la Poste ✆ 05 55 98 55 47, Fax 05 55 98 54 97.*
*Paris 448 – Brive-la-Gaillarde 43 – Limoges 60 – Périgueux 66 – St-Yrieix-la-Perche 24.*

**Parc,** pl. Vieux Lavoir ✆ 05 55 73 30 54, *Fax 05 55 73 39 79,* , – TV ✆. AE GB
*fermé 1er au 21 janv., sam. midi et dim. soir d'oct. à fév.* – **Repas** 10,50 (déj.), 13/31 ♀ – ☕ 6,50 – **10 ch** 38/43 – ½ P 40/45.
◆ Maison ancienne nichée au coeur de la cité du cheval, non loin du château. Chambres peu spacieuses mais bien tenues. Plaisantes salles à manger. Cuisine du terroir.

**rte de Lanouaille** *Ouest : 5 km par D 7 – ✉ 19230 Arnac-Pompadour :*

**Auberge de la Mandrie** , ✆ 05 55 73 37 14, *contact@la-mandrie.com, Fax 05 55 73 67 13,* , , – TV P – 25. CB GB
*fermé 3 au 31 janv.* – **Repas** *(fermé dim. soir de nov. à mars)* 12,50/31 ♀, enf. 8 – ☕ 6,50 – **22 ch** 40 – ½ P 38,50.
◆ Cette auberge de la campagne limousine accueillait autrefois l'école communale. Les bungalows installés dans le parc abritent des chambres fonctionnelles. Belle aire de jeux.

---

**ARNAGE** *72 Sarthe* 310 K7 – *rattaché au Mans.*

---

**ARNAY-LE-DUC** *21230 Côte-d'Or* 320 G7 *G. Bourgogne – 2 040 h alt. 375.*
*Office du Tourisme, 15 rue Saint Jacques ✆ 03 80 90 07 55, Fax 03 80 90 07 55, ot@arnay-le-duc.com.*
*Paris 286 – Beaune 36 – Dijon 59 – Autun 28 – Chagny 38 – Montbard 74 – Saulieu 29.*

**Chez Camille,** ✆ 03 80 90 01 38, *chez-camille@wanadoo.fr, Fax 03 80 90 04 64* – TV P. AE ⓓ GB JCB
**Repas** 18,50/47 ♀ – ☐ 15 – **11 ch** 70 – ½ P 73.
◆ Chambres personnalisées, plutôt "cosy" ; certaines jouissent d'un petit salon, d'autres de poutrages préservés. Restaurant de style jardin d'hiver, coiffé d'une verrière.

**ARPAILLARGUES-ET-AUREILLAC** *30 Gard* 339 *L4 – rattaché à Uzès.*

**ARPAJON** *91290 Essonne* 312 *C4 – 8 713 h alt. 51.*
*Office du Tourisme, 70 Grande Rue ✆ 01 60 83 36 51, Fax 01 60 83 80 00.*
*Paris 33 – Fontainebleau 50 – Chartres 71 – Évry 18 – Melun 47 – Orléans 93 – Versailles 40.*

**Saint Clément,** 16 av. Hoche (D152) ✆ 01 64 90 21 01, *le-saint-clement@wanadoo.fr, Fax 01 60 83 32 67,* – AE GB
*fermé août, vacances de fév., dim. soir, sam. midi et lundi* – **Repas** 34/42 et carte 55 à 70 ♀.
◆ Un peu à l'écart du centre-ville, façade de style néoclassique abritant une salle à manger à la fois sobre et confortable. Terrasse d'été ombragée.

**ARPAJON-SUR-CÈRE** *15 Cantal* 330 *C5 – rattaché à Aurillac.*

**Les ARQUES** *46250 Lot* 337 *D4 G. Périgord Quercy – 160 h alt. 254.*
**Voir** *Église St-Laurent★ : Christ★ et Pietà★ – Fresques murales★ de l'église St-André-des-Arques.*
*Paris 570 – Cahors 28 – Gourdon 26 – Villefranche-du-Périgord 19 – Villeneuve-sur-Lot 59.*

**Récréation,** ✆ 05 65 22 88 08, – GB
*1er avril-31 oct. et week-ends (sauf dim. soir) en mars, oct. et nov. et fermé jeudi midi et merc.* – **Repas** *(16 bc)* - 25, enf. 9.
◆ Sympathique adresse aménagée dans l'ex-école du village : classe-salle à manger, terrasse-préau, totem-marronnier sculpté dans la cour de "récré" et plats au goût du jour.

**ARRADON** *56 Morbihan* 308 *O9 – rattaché à Vannes.*

**ARRAS** P *62000 P.-de-C.* 301 *J6 G. Picardie Flandres Artois – 38 983 h Agglo. 124 206 h alt. 72.*
**Voir** *Grand'Place★★★ et Place des Héros★★★ – Hôtel de Ville et beffroi★* **BY H** *– Ancienne abbaye St-Vaast★★ : musée des Beaux-Arts★.*
*Office du Tourisme, place des Héros ✆ 03 21 51 26 95, Fax 03 21 71 07 34, arras.tourisme-@wanadoo.fr.*
*Paris 179 ② – Lille 54 ① – Amiens 69 ④ – Calais 110 ① – Charleville-Mézières 160 ②.*

Plan page suivante

**Univers** M, 3 pl. Croix Rouge ✆ 03 21 71 34 01, *hotelunivers.arras@wanadoo.fr, Fax 03 21 71 41 42* – TV P – 40 à 100. AE GB **BZ v**
**Repas** *(fermé dim. soir en janv. et fév.)* 18,50/44 ♀ – ☐ 12 – **38 ch** 73/120 – ½ P 99.
◆ Monastère, puis hôpital et enfin hôtel : cette élégante demeure du 18e s. abrite de ravissantes chambres personnalisées et une belle salle à manger aux cloisons de briques.

**Mercure Atria** M, 58 bd Carnot ✆ 03 21 23 88 88, *h1560@accor-hotels.com, Fax 03 21 23 88 89* – TV – 30 à 300. AE ⓓ GB **CZ b**
**Repas** 16/21 ♀, enf. 8,40 – ☐ 10 – **80 ch** 81/96.
◆ Vaste complexe en briques et verre hébergeant un centre d'affaires. Chambres modernes, pratiques et bien insonorisées. Bar pour une pause entre deux contrats !

**Angleterre** M, 7 pl. Foch ✆ 03 21 51 51 16, *hotelangleterre@pilortec.fr, Fax 03 21 71 38 20* – TV – 25. AE ⓓ GB JCB **CZ r**
*fermé 21 déc. au 2 janv.* – **Repas** *(fermé dim.)* (dîner seul.) 18,30/23,50 ♀, enf. 8,40 – ☐ 9 – **20 ch** 70/90 – ½ P 75.
◆ Au coeur du nouveau quartier de la gare, cette bâtisse de 1929 abrite désormais un hôtel. Chambres feutrées et bien équipées. Coloris provençaux au restaurant.

**Ibis** sans rest, 11 r. Justice ✆ 03 21 23 61 61, *H1567@accor-hotels.com, Fax 03 21 71 31 31* – TV . AE ⓓ GB **CZ n**
☐ 6 – **63 ch** 65.
◆ Idéalement situé entre les deux magnifiques places arrageoises. Les chambres, récemment rénovées, sont un peu petites mais fonctionnelles et insonorisées.

**3 Luppars** sans rest, 49 Grand'Place ✆ 03 21 60 02 03, *Fax 03 21 24 24 80* – TV . AE ⓓ GB JCB **CY r**
☐ 7 – **42 ch** 36/62.
◆ La plus ancienne demeure d'Arras (1467, superbe façade gothique) abrite des chambres simples et pratiques ; celles sur l'arrière sont plus calmes, mais sans vue sur la place.

# ARRAS

Adam (R. Paul) . . . . . . . . . AY 2
Agaches (R. des) . . . . . . . BY 3
Albert-Ier-de-Belg. (Rue) . . . . . . . . . . . . . . . . BY 4
Ancien-Rivage (Pl. de l') . . . . . . . . . . . . BY 5
Barbot (R. du Gén.) . . . . . BY 6
Baudimont (Rond-Point) . . . . . . . . . AY 7
Carabiniers d'Artois (R. des) . . . . . . . . . . . . . AY 8
Cardinal (R. du) . . . . . . . . CZ 9
Delansorne (R. D.) . . . . . . BZ 10
Doumer (R. Paul) . . . . . . . BY 12
Ernestale (R.) . . . . . . . . . . BZ 13
Ferry (R. Jules) . . . . . . . . . AY 15
Foch (Pl. Maréchal) . . . . . CZ 16
Gambetta (R.) . . . . . . . . . . BZ
Gouvernance (R. de la) . . . . . . . . . . . . BY 18
Guy-Mollet (Pl.) . . . . . . . . CY 19
Kennedy (Av. J.) . . . . . . . . AZ 24
Legrelle (R. E.) . . . . . . . BCZ 25
Madeleine (Pl. de la) . . . . BY 28
Marché-au-Filé (R. du) . . . . . . . . . . . . . BY 30
Marseille (Pl. de) . . . . . . . BZ 31
Robespierre (R.) . . . . . . . . BZ 34
Ronville (R.) . . . . . . . . . . . CZ 35
St-Aubert (R.) . . . . . . . . . . BY
Ste-Claire (R.) . . . . . . . . . . AZ 37
Ste-Croix (R.) . . . . . . . . . . CY 39
Strasbourg (Bd de) . . . . . CZ 42
Taillerie (R. de la) . . . . . . . CY 43
Teinturiers (R. des) . . . . . BY 45
Théâtre (Pl. et R.) . . . . . . BZ 47
Verdun (Cours de) . . . . . . . AZ 49
Victor-Hugo (Pl.) . . . . . . . . AZ 51
Wacquez-Glasson (Rue) . . . . . . . . . . . . . . . CZ 52
Wetz-d'Amain (Pl. du) . . . . . . . . . . . . . . BY 53
29-Juillet (R. du) . . . . . . . BY 54
33e (Pl. du) . . . . . . . . . . . . BY 55

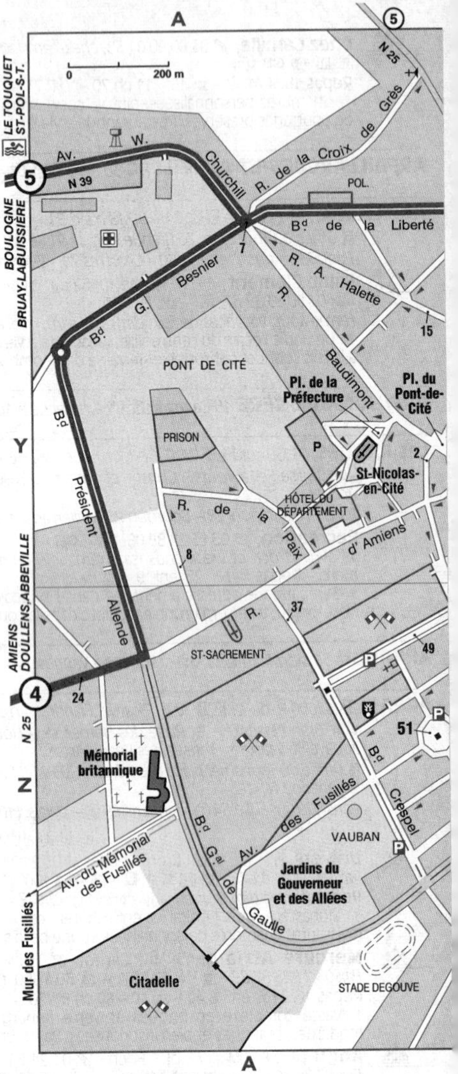
A
Y
Z
0
200 m
LE TOUQUET
ST-POL-S-T.
BOULOGNE
BRUAY-LABUISSIÈRE
AMIENS
DOULLENS, ABBEVILLE
N 25
N 39
Av. W. Churchill
R. de la Croix de Grès
POL.
Bd de la Liberté
R. A. Halette
R. Baudimont
Bd G. Besnier
PONT DE CITÉ
Pl. de la Préfecture
Pl. du Pont-de-Cité
PRISON
St-Nicolas-en-Cité
HÔTEL DU DÉPARTEMENT
R. de la Paix
R. d'Amiens
Bd Président Allende
R. St-SACREMENT
Mémorial britannique
Av. du Mémorial des Fusillés
Bd Gal de Gaulle
Av. des Fusillés
Bd Crespel
VAUBAN
Jardins du Gouverneur et des Allées
Mur des Fusillés
Citadelle
STADE DEGOUVE

**Astoria,** 12 pl. Foch ✆ 03 21 71 08 14, *hotelcarnot@wanadoo.fr, Fax 03 21 71 60 95* – rest, TV ✆ – 30. AE ⓓ GB JCB CZ s
**Repas** 16/39 bc ♀, enf. 8 – ☐ 7 – **29 ch** 46/51 – ½ P 42,50.
◆ Deux maisons en briques rouges du début du 20e s., aux chambres fraîches, actuelles et insonorisées. Cuisine traditionnelle proposée dans une salle d'esprit brasserie.

XXX **Faisanderie,** 45 Grand'Place ✆ 03 21 48 20 76, *Fax 03 21 50 89 18* – AE ⓓ GB JCB CY f
*fermé 4 au 26 août, 2 au 9 janv., 17 au 25 fév., dim. soir, mardi midi et lundi* – **Repas** 24,50/58 et carte 55 à 88.
◆ Sur la somptueuse place, demeure du 17e s. abritant une belle cave où d'imposantes colonnes en pierre soutiennent les vénérables voûtes en briques. Carte classique revisitée.

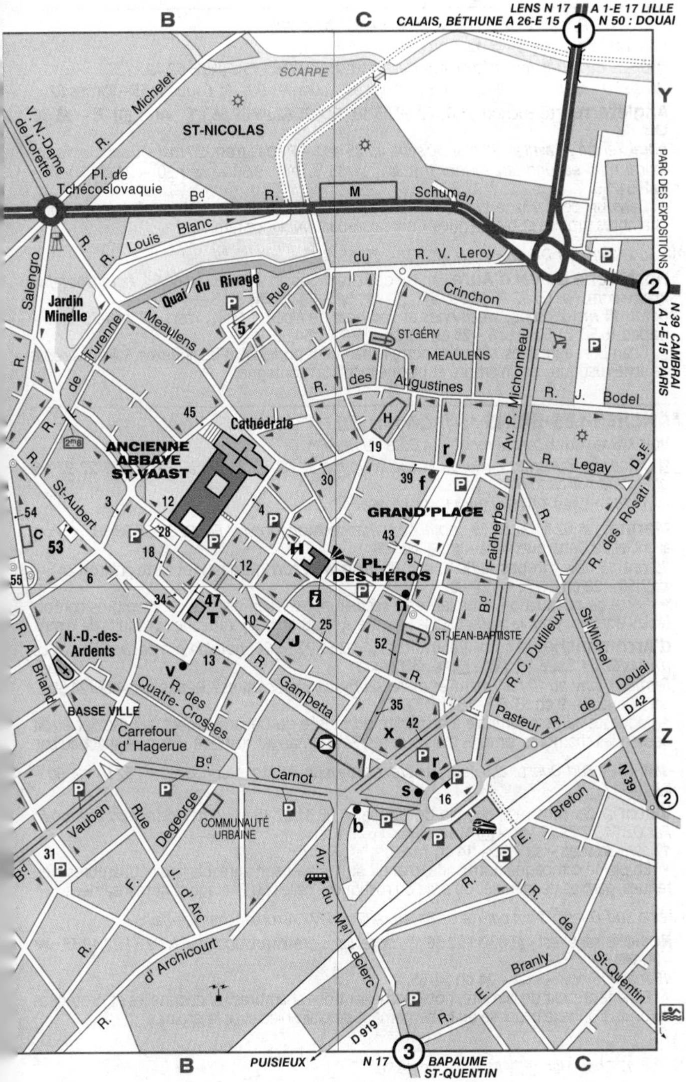
LENS N 17
A 1-E 17 LILLE
CALAIS, BÉTHUNE A 26-E 15
N 50 : DOUAI
B
C
Y
Z
SCARPE
ST-NICOLAS
R. Michelet
V. N.-Dame de Lorette
Pl. de Tchécoslovaquie
Bd
R.
M
Schuman
Louis Blanc
du
R. V. Leroy
PARC DES EXPOSITIONS
N 39 CAMBRAI
A 1-E 15 PARIS
Crinchon
Quai du Rivage
Rue
Salengro
Jardin Minelle
Meaulens
Turenne
ST-GÉRY
MEAULENS
R. des Augustines
Av. P. Michonneau
R. J. Bodel
Cathédrale
ANCIENNE ABBAYE ST-VAAST
R. Legay
GRAND'PLACE
St-Aubert
R. des Rosati
PL. DES HÉROS
Faidherbe
ST-JEAN-BAPTISTE
R. C. Dutilleux
St-Michel
N.-D.-des-Ardents
R. A. Briand
R. des Quatre-Crosses
R. Gambetta
Pasteur
R. de Douai
BASSE VILLE
Carrefour d' Hagerue
Bd Carnot
Vauban
Rue Degeorge
COMMUNAUTÉ URBAINE
Breton
J. d'Arc
Av. du Mal Leclerc
R. de St-Quentin
d' Archicourt
Branly
D 919
PUISIEUX
N 17
BAPAUME
ST-QUENTIN

Coupole d'Arras, 26 bd Strasbourg ✆ 03 21 71 88 44, *Fax 03 21 71 52 46* – AE GB JCB — CZ x

*fermé 16 au 22 août, dim. soir de nov. à Pâques et sam. midi* – **Repas** 19,50/29 ♀.

◆ Grand restaurant aux allures de brasserie des années folles : reproductions de Mucha, vitraux, meubles bistrot et Art déco. Carte traditionnelle et produits de la mer.

**à Anzin-St-Aubin** *Nord-Ouest : 5 km par D 341 – 2 543 h. alt. 71 – ✉ 62223 :*

**Golf** M, r. Briquet Tallandier ✆ 03 21 50 45 04, *hotel-golf-arras@wanadoo.fr, Fax 03 21 15 07 00*, ≤, – |‡| ⇹, ▤ rest, TV ✆ ♿ P – 🏠 130. AE ⓓ GB

**Repas** 22/29 ♀ – ☕ 8,50 – **43 ch** 72/130.

◆ À l'entrée d'un golf 18 trous, imposante construction en bois dont l'architecture s'inspire de la Louisiane. Chambres flambant neuf et restaurant à fleur de green.

**ARREAU** *65240 H.-Pyr.* 342 O7 *G. Midi-Pyrénées – 853 h alt. 705.*

Voir *Vallée d'Aure★ S – ☀★★★ du col d'Aspin NO : 13 km.*

*Office du Tourisme, Château des Nestes ✆ 05 62 98 63 15, Fax 05 62 40 12 32.*

*Paris 830 – Bagnères-de-Luchon 33 – Auch 93 – Lourdes 80 – St-Gaudens 55 – Tarbes 62.*

**Angleterre,** rte Luchon ✆ 05 62 98 63 30, *Fax 05 62 98 69 66,* – 30. GB.

*hôtel: fermé 21 avril au 21 mai, 30 sept. au 25 déc.* – **Repas** *(rest: 20 mai -30 sept. et fermé mardi midi et lundi en saison) ) (10,50)* - 17/35 ♀, enf. 9,50 – ☕ 7,50 – **24** ch 50/57 – ½ P 51/56.

◆ Dans un petit village typique de la vallée, ancien relais de poste aménagé en hôtel. Chambres simples et bien tenues. Coin salon-bar. Ambiance familiale.

**à Cadéac** *Sud : 2 km par D 929 – 161 h. alt. 736 – ✉ 65240 :*

**Hostellerie du Val d'Aure** , rte de St-Lary-Soulan ✆ 05 62 98 60 63, *hotel@hotel-valdaure.com, Fax 05 62 98 68 99,* GB

*hôtel: 1er mai-28 sept., week-ends et vacances de Noël, de fév. ; rest. : 1er mai-28 sept.* – **Repas** 16,50/21,50 – ☕ 6 – **23 ch** 49/65 – ½ P 50/54,50.

◆ Chambres agréables, réparties entre le bâtiment principal et les annexes. Salle des repas de style rustique. Jardin arboré et piscine face à la montagne.

**ARROMANCHES-LES-BAINS** *14117 Calvados* 303 I3 *G. Normandie Cotentin – 409 h.*

Voir *Musée du débarquement – La Côte du Bessin★ O.*

*Office du Tourisme, 2 rue du Maréchal Joffre ✆ 02 31 21 47 56, Fax 02 31 22 92 06, off-tour@mail.cpod.fr.*

*Paris 265 – Caen 34 – Bayeux 11 – St-Lô 46.*

**Marine,** ✆ 02 31 22 34 19, *hotel.de.la.marine@wanadoo.fr, Fax 02 31 22 98 80,* ≤ Port artificiel du Débarquement – AE GB

*15 fév.-15 nov.* – **Repas** 18/50 ♀, enf. 8 - ***Pub Winston :*** **Repas** 14 et carte environ 24 ♀ – ☕ 7,50 – **28 ch** 61/71 – ½ P 68.

◆ Forte de sa situation littorale, cette accueillante maison dispose de chambres confortables donnant pour la plupart sur la Manche. Restaurant panoramique ; produits de la mer.

**d'Arromanches,** 2 r. Col. René Michel ✆ 02 31 22 36 26, *hoteldarromanche@ifrance.com, Fax 02 31 22 23 29,* GB. ch

*fermé 1er janv. au 10 fév., mardi et merc. sauf vacances scolaires* – **Repas** (12) 14,50/24,50 ♀, enf. 7 – ☕ 7 – **9 ch** 53/62 – ½ P 51,50/56.

◆ Modeste adresse familiale à proximité du musée du Débarquement. Un escalier étroit dessert les chambres, simples mais propres. Salle à manger rustique ; formule snack au bar.

**à Tracy-sur-Mer** *Sud-Ouest : 2,5 km par rte de Bayeux et rte secondaire – 252 h. alt. 60 – ✉ 14117 :*

**Victoria** sans rest, chemin de l'Église ✆ 02 31 22 35 37, *hotel-victoria@wanadoo.fr, Fax 02 31 22 93 38,* GB.

*1er avril-30 sept.* – ☕ 7,50 – **14 ch** 74/85.

◆ En pleine campagne normande, manoir du 19e s. et son agréable jardin. Chambres bien tenues, garnies de meubles de style ou rustiques ; celles du 2e étage sont mansardées.

**à La Rosière** *Sud-Ouest : 3 km par rte de Bayeux – ✉ 14177 Arromanches-les-Bains :*

**Rosière** sans rest, ✆ 02 31 22 36 17, *hotel.larosiere@wanadoo.fr, Fax 02 31 22 19 33,* – GB

*15 mars-15 nov.* – ☕ 7 – **24 ch** 54/65.

◆ En léger retrait de la route, hôtel accueillant des chambres fonctionnelles et protégées du bruit. L'annexe propose un hébergement de plain-pied avec le jardin.

**ARS-EN-RÉ** *17 Char.-Mar.* 324 A2 – *voir Ile de Ré.*

**ARSONVAL** *10 Aube* 313 H4 – *rattaché à Bar-sur-Aube.*

**ARTEMARE** *01510 Ain* 328 H5 – *961 h alt. 245.*

*Paris 506 – Aix-les-Bains 33 – Bourg-en-Bresse 77 – Chambéry 50 – Lyon 104 – Nantua 43.*

**Michallet,** ✆ 04 79 87 39 33, *Fax 04 79 87 39 20,* GB

*fermé 31 août au 9 sept., 20 déc. au 20 janv., dim. soir et lundi* – **Repas** (13) - 15/40 ♀ – ☕ 6 – **21 ch** 35/45 – ½ P 36/41.

◆ Belle façade en pierres de taille abritant des chambres simples et pratiques et une vaste salle à manger actuelle. Hébergement un peu plus ancien à l'annexe.

**ARTRES** *59 Nord* 302 J6 – *rattaché à Valenciennes.*

**ARTZENHEIM** *68320 H.-Rhin 315 J8 – 607 h alt. 180.*
*Paris 462 – Colmar 16 – Mulhouse 56 – Sélestat 21 – Strasbourg 75.*

XXX **Auberge d'Artzenheim** avec ch, 03 89 71 60 51, *Fax 03 89 71 68 21*, – P. AE GB
*fermé 15 fév. au 15 mars* – **Repas** 18,50/65 et carte 38 à 55, enf. 12 – 6,50 – **9 ch** 44/48 – ½ P 51/57.
♦ Jolie demeure alsacienne ouverte sur un jardin et offrant deux styles de décor pour les repas : contemporain sous verrière ou régional sous poutres apparentes.

**ARUDY** *64260 Pyr.-Atl. 342 J6 G. Aquitaine – 2 537 h alt. 413.*
*Office du Tourisme, place de la Mairie 05 59 05 77 11, Fax 05 59 05 80 31.*
*Paris 806 – Pau 27 – Argelès-Gazost 55 – Lourdes 42 – Oloron-Ste-Marie 21.*

**France,** pl. Hôtel de Ville 05 59 05 60 16, *Fax 05 59 05 70 06* – TV P. GB.
*fermé mai et sam. sauf saison et vacances scolaires* – **Repas** 11/19, enf. 8 – 5,20 – **19 ch** 20/43,80 – ½ P 28,50/37,20.
♦ Maison traditionnelle du bas Ossau. Chambres déjà anciennes, rénovées progressivement dans un style actuel. Grande salle à manger rustique. Bar réchauffé par une cheminée.

**ARVIEU** *12120 Aveyron 338 H5 – 925 h alt. 730.*
*Syndicat d'Initiative, 05 65 46 71 06, Fax 05 65 74 20 20.*
*Paris 660 – Rodez 31 – Albi 68 – Millau 59 – St-Affrique 47 – Villefranche-de-Rouergue 77.*

**Au Bon Accueil,** 05 65 46 72 13, *aubonaccueil@fr.st, Fax 05 65 74 28 95* – AE GB
*fermé 1er au 15 fév.* – **Repas** 10,50 bc/30 – 5,90 – **12 ch** 42 – ½ P 45.
♦ Sur la place du village, à 5 mn du lac de Pareloup, petite auberge flanquée d'un bar à fréquentation locale. Sobriété et propreté dans les chambres comme au restaurant.

*Le Guide change, changez de guide tous les ans.*

**ARZON** *56640 Morbihan 308 N9 G. Bretagne – 1 754 h alt. 9.*
**Voir** *Tumulus de Tumiac ou butte de César ★ E : 2 km puis 30 mn.*
*Office du Tourisme, Rond-Point du Crouesty 02 97 53 69 69, Fax 02 97 53 76 10, crouesty@crouesty.com.*
*Paris 489 – Vannes 33 – Auray 51 – Lorient 97 – Quiberon 80 – La Trinité-sur-Mer 64.*

**au Port du Crouesty** *Sud-Ouest : 2 km – 56640 Arzon :*

**Miramar** M, 02 97 53 49 00, *reservation@miramarcrouesty.com, Fax 02 97 53 49 99*, – P – 80. AE GB JCB. rest
*fermé 24 nov. au 22 déc.* – ***Salle à Manger :*** Repas 45/70 – ***Ruban Bleu*** (rest. diététique) **Repas** 45 – 17 – **108 ch** 310/490, 12 appart – ½ P 219/269.
♦ Bienvenue à bord de cette architecture originale évoquant un paquebot. Chambres modernes avec balcon, vue exceptionnelle depuis les restaurants, institut de thalassothérapie.

**Crouesty** M sans rest, 02 97 53 87 91, *Fax 02 97 53 66 76* – TV P. GB
*fermé janv.* – 6,50 – **26 ch** 69/75.
♦ Construction récente d'allure "néo-bretonne" face au port de plaisance. Chambres fonctionnelles et colorées ; les plus spacieuses sont tournées vers l'océan. Salon-piano.

**à Port Navalo** *Ouest : 3 km – 56640 Arzon :*

XXX **Grand Largue,** à l'embarcadère 02 97 53 71 58, *Fax 02 97 53 92 20*, golfe du Morbihan, – GB
*fermé 15 nov. au 25 déc., 7 janv. au 10 fév., mardi sauf juil.-août et lundi* – **Repas** 26/66 et carte 56 à 78.
♦ Telle la "figure de proue" du port, cette maison fièrement dressée face à l'océan vous invite à savourer une cuisine axée sur les produits de la mer. Décor de bateau.

**ASCAIN** *64310 Pyr.-Atl. 342 C4 G. Aquitaine – 2 653 h alt. 24.*
*Office du Tourisme, Hôtel de Ville 05 59 54 00 84.*
*Paris 794 – Biarritz 23 – Cambo-les-Bains 25 – Hendaye 18 – Pau 135 – St-Jean-de-Luz 7.*

**Parc Trinquet-Larralde,** 05 59 54 00 10, *parcascain@aol.com, Fax 05 59 54 01 23*, – TV. AE GB.
*fermé 2 janv. à fin fév., dim. et lundi de nov. à mars* – **Repas** *(fermé dim. soir de sept. à juin et lundi)* 15 (déj.), 23/32 – 8 – **24 ch** 54/70 – ½ P 54/61.
♦ Trois bâtisses de style régional. Chambres progressivement rénovées. Cheminée ornée d'une étonnante croix basque au restaurant. Fronton de pelote dans le jardin.

**au col de St-Ignace** *Sud-Est : 3,5 km – alt. 169 – ✉ 64310 Ascain.*
**Voir** *Montagne de la Rhune ※★★★, 1h par chemin de fer à crémaillère.*

X **Les Trois Fontaines,** ☎ 05 59 54 20 80, *Fax 05 59 54 20 80*, ←, 🏞, 🚗 – 🅿. GB
*fermé janv et merc. d'oct. à mars* – **Repas** 12/22,50 🍷, enf. 7.
◆ À deux pas de la gare du célèbre train de la Rhune, pimpante maison basque nichée dans la verdure. Salle à manger rustique et véranda tournée vers la terrasse et le jardin.

---

**ASNIÈRES-SUR-SEINE** *92 Hauts-de-Seine* 311 J2 101 ⑮ – *voir à Paris, Environs.*

---

**ASPRES-SUR-BUËCH** *05140 H.-Alpes* 334 C5 *G. Alpes du Sud – 743 h alt. 778.*
🅘 *Office du Tourisme, route de Grenoble ☎ 04 92 58 68 88, Fax 04 92 58 63 16.*
*Paris 661 – Gap 33 – Grenoble 97 – Sisteron 46 – Valence 129.*

🏠 **Parc,** ☎ 04 92 58 60 01, *info@hotel-buech.com, Fax 04 92 58 67 84* – 🅿. AE ⓓ GB
*fermé 6 déc. au 6 janv., dim. soir et merc.* – **Repas** 16 (déj.), 19/33 🍷, enf. 10,50 – ☕ 7,50 – **24 ch** 31/48 – ½ P 30/46.
◆ Hôtel des années 1960 situé au coeur du bourg. Chambres simples, rénovées progressivement dans un style actuel. Salle à manger aux tons pastel et terrasse ombragée.

---

**ASTAFFORT** *47220 L.-et-G.* 336 F5 – *1 828 h alt. 65.*
🅘 *Office du Tourisme, place de la Nation ☎ 05 53 67 13 33, Fax 05 53 67 13 33, ot astaffort@wanadoo.fr.*
*Paris 675 – Agen 19 – Auvillar 31 – Condom 33 – Lectoure 20.*

🏠 **Square "Michel Latrille"** Ⓜ ⛾, ☎ 05 53 47 20 40, *latrille.michel@wanadoo.fr, Fax 05 53 47 10 38*, 🏞 – |♦| ≡ 📺 📞 ♿ 🚗 – 🏛 20. GB. ✂ ch
✿ *fermé 28 avril au 5 mai, 17 nov. au 2 déc., 5 au 13 janv. et dim. hors saison* – **Repas** *(fermé dim. soir, mardi midi et lundi)* 22/52 et carte 55 à 75, enf. 12 – ☕ 10 – **14 ch** 60/120.
◆ Meubles contemporains et anciens, couleurs du Sud... Les chambres et le restaurant-patio logés dans ces charmantes maisons villageoises ne manquent pas de caractère.
**Spéc.** Ravioli de langoustines aux truffes. Pigeonneau rôti et parfumé aux épices douces. Moelleux au café **Vins** Côtes du Brulhois.

XX **Une Auberge en Gascogne** avec ch, N 21 (face Poste) ☎ 05 53 67 10 27, *Fax 05 53 67 10 22*, 🏞 – 📺 📞 🅿 – 🏛 20. AE GB
*fermé 1er au 20 nov., dim. soir en hiver, jeudi midi et merc.* – **Repas** 22/56 🍷, enf. 12 – ☕ 7 – **8 ch** 42/46 – ½ P 50.
◆ La salle de restaurant, refaite, conserve son petit air campagnard. L'été, terrasse dans la cour intérieure, au calme. Cuisine créative utilisant les produits du terroir.

---

**ATHIS-MONS** *91 Essonne* 312 D3 101 ㊱ – *voir à Paris, Environs.*

---

**ATTENSCHWILLER** *68220 H.-Rhin* 315 I11 – *693 h alt. 360.*
*Paris 480 – Mulhouse 36 – Altkirch 22 – Basel 14 – Colmar 69.*

X **A la Couronne,** ☎ 03 89 68 76 96, *Fax 03 89 68 73 77* – AE GB
*fermé 25 août au 16 sept., vacances de fév., lundi et mardi* – **Repas** *(10)* - 13 (déj.)/52 🍷, enf. 10.
◆ Près de l'église du village, discrète façade du Sundgau abritant deux salles à manger sagement rustiques. Cuisine du terroir, tartes flambées et gibier en saison.

---

**ATTICHY** *60350 Oise* 305 J4 – *1 651 h alt. 73.*
*Paris 101 – Compiègne 18 – Laon 60 – Noyon 26 – Soissons 24.*

XX **Croix d'Or** avec ch, 13 r. Tondu de Metz ☎ 03 44 42 15 37, *Fax 03 44 42 15 37* – 📺 ♿. AE GB
**Repas** *(fermé lundi soir et mardi)* 13/38 🍷, enf. 6 – **5 ch** ☕ 32/39 – ½ P 32,50.
◆ Deux maisons régionales autour d'une cour intérieure. Dans l'une, fraîche salle de restaurant contemporaine ; dans l'autre, chambres simples et pratiques.

*Dans ce guide*
*un même symbole, un même mot,*
*imprimé en* ***rouge*** *ou en* ***noir****, en maigre ou en* ***gras****,*
*n'ont pas tout à fait la même signification.*
*Lisez attentivement les pages explicatives.*

**ATTIGNAT** *01340 Ain* **328** D3 – *1 776 h alt. 227.*

*Paris 420 – Mâcon 34 – Bourg-en-Bresse 13 – Lons-le-Saunier 76 – Louhans 46 – Tournus 42.*

**Dominique Marcepoil** avec ch, D 975 ✆ 04 74 30 92 24, *mancepoil@liberty surf.fr, Fax 04 74 25 93 48*, – 25. AE GB. ch
*fermé 29 sept. au 14 oct., 5 au 20 janv., dim. soir, mardi midi, et lundi sauf soir en juil.-août –* **Repas** 19/61 bc ♀, enf. 13 – ☕ 7 – **9 ch** 38/61 – ½ P 52.
◆ Maison bressane en pierre et brique. La salle à manger est séparée de la cave à vins par une baie vitrée. Cuisine régionale et au goût du jour. Chambres simples.

**ATTIGNAT-ONCIN** *73 Savoie* **333** H4 – *rattaché à Aiguebelette-le-Lac.*

**ATTIN** *62 P.-de-C.* **301** D5 – *rattaché à Montreuil.*

**AUBAGNE** *13400 B.-du-R.* **340** I6 *G. Provence* – *41 100 h alt. 102.*

*Office du Tourisme, avenue Antide Boyer ✆ 04 42 03 49 98, Fax 04 42 03 83 62, aubagnetour@aubagne.com.*

*Paris 792 – Marseille 18 – Toulon 48 – Aix-en-Provence 39 – Brignoles 49.*

à **St-Pierre-lès-Aubagne** *Nord : 5 km par N 96 ou D 43 – ✉ 13400 :*

**Hostellerie de la Source** ✆ 04 42 04 09 19, *h.delasource@gofornet.com, Fax 04 42 04 58 72*, – 40. AE GB JCB
*fermé vacances de Toussaint et fév. –* **Repas** *(fermé sam. midi, dim. soir et lundi)* 24 (déj.), 33/52 ♀ – ☕ 11 – **25 ch** 95/160 – ½ P 82/119.
◆ Cette demeure du 17e s., agrandie d'une annexe récente, possède sa propre source. Chambres actuelles. Restaurant ouvert sur le parc arboré. Belle piscine sous verrière.

*Si vous êtes retardé sur la route, dès 18 h,*
*confirmez votre réservation par téléphone,*
*c'est plus sûr... et c'est l'usage.*

**AUBAZINE** *19190 Corrèze* **329** L4 *G. Périgord Quercy* – *788 h alt. 345.*

Voir *Abbaye★ : clocher★, mobilier★, tombeau de St-Étienne★★, armoire liturgique★.*

*Office du Tourisme, Le bourg ✆ 05 55 25 79 93, Fax 05 55 25 79 93, ot.aubaine@net courrier.com.*

*Paris 482 – Brive-la-Gaillarde 14 – Aurillac 86 – St-Céré 54 – Tulle 18.*

**Tour,** ✆ 05 55 25 71 17, *Fax 05 55 84 61 83* – GB
*fermé janv., lundi midi en hiver et dim. soir –* **Repas** 19/35, enf. 10 – ☕ 5 – **19 ch** 46/48 – ½ P 46.
◆ Face à l'abbaye, deux maisons de caractère ; la plus ancienne est flanquée d'une tour. Chambres égayées de papiers peints colorés. Spécialités régionales.

**Saut de la Bergère** avec ch, à l'Est : 2 km par D 48 ✆ 05 55 25 74 09, *Fax 05 55 84 63 05*, – GB
*fermé 1er janv. au 7 mars, dim. soir et lundi de sept. à fin avril –* **Repas** *(13)* - 17/33 ♀, enf. 8 – ☕ 6,10 – **8 ch** 20/50 – ½ P 30,50/38.
◆ Selon la légende, une bergère aurait fait le grand plongeon du haut de ces falaises aujourd'hui vouées à l'escalade. À table, découvrez les saveurs du terroir.

**AUBE** *61270 Orne* **310** M2 *G. Normandie Vallée de la Seine* – *1 681 h alt. 230.*

*Paris 145 – Alençon 55 – L'Aigle 7 – Argentan 47 – Mortagne-au-Perche 32.*

**Auberge St-James,** 62 rte Paris ✆ 02 33 24 01 40, *Fax 02 33 24 01 40* – GB
*fermé 5 au 20 août, dim. soir et lundi –* **Repas** 11/28.
◆ Modeste auberge familiale dans le village où la comtesse de Ségur passa une grande partie de sa vie. Cuisine simple servie dans une salle à manger sagement campagnarde.

**AUBENAS** *07200 Ardèche* **331** I6 *G. Vallée du Rhône* – *11 105 h alt. 330.*

Voir *Site★ – Façade★ du château.*

*Office du Tourisme, 4 boulevard Gambetta ✆ 04 75 89 02 03, Fax 04 75 89 02 04, ot.aubenas.ardeche@en-france.com.*

*Paris 634 ② – Le Puy-en-Velay 92 ① – Alès 75 ④ – Montélimar 42 ③ – Privas 31 ②.*

## AUBENAS

Béranger de la Tour (R.) .. Y 2
Bernardy (R. de) ....... YZ 3
Bouchet (R. Auguste) .... Y 4
Champalbert (R.) ........ Y 5
Cordeliers (R. des) ....... Y 6
Couderc (R. G.) .......... Z 7
Delichères (R.) .......... Y 8
Gambetta (Bd) .......... Z
Gaulle (Pl. Gén.-de) ...... Z 9
Grand'-Rue ............... Y 10
Hoche (R.) ............... Z 12
Hôtel-de-Ville (Pl.) ....... Y 13
Jaurès (R. Jean) ......... Y 15
Jeanne d'Arc (Pl.) ...... YZ 16
Jourdan (R.) ............. Y 17
Laprade (Bd C.) .......... Z 18
Lésin-Lacoste (R.) ........ Y 19
Montlaur (R.) ............ Y 21
Nationale (R.) ............ Y 22
Parmentier (Pl.) .......... Y 24
Radal (R.) ............... Z 25
République (R. de la) ..... Y 26
Réservoirs (R. des) ...... Y 27
Roure (Pl. Jacques) ...... Y 29
St-Benoît (Rampe) ....... Y 30
Silhol (R. Henri) .......... Y 32
Vernon (Bd de) .......... Z 33
4-Septembre (R.) ......... Y 35

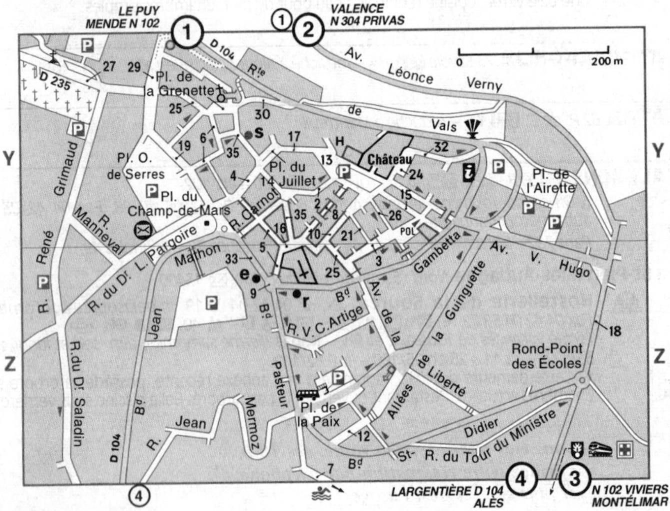

LE PUY
MENDE N 102
VALENCE
N 304 PRIVAS
LARGENTIÈRE D 104
ALÈS
N 102 VIVIERS
MONTÉLIMAR
Pl. de la Grenette
Pl. O. de Serres
Pl. du Champ-de-Mars
Pl. du 14 Juillet
Château
Pl. de l'Airette
Av. Léonce Verny
Rte de Vals
Av. V. Hugo
Rond-Point des Écoles
Allées de la Guinguette
Allées de Liberté
Pl. de la Paix
R. du Tour du Ministre
R. du Dr L. Pargoire
R. du Dr Saladin
R. René Grimaud
R. Manneval
R. Carnot
Bd Gambetta
R. V. C. Artige
Bd Pasteur
Bd Jean Mathon
R. Jean Mermoz
Bd St-Didier
200 m


🏨 **Cévenol** sans rest, 77 bd Gambetta ✆ 04 75 35 00 10, *Fax 04 75 35 03 29* – GB. Z r
☕ 6,50 – **44 ch** 50,50.
◆ Hôtel des années 1970 abritant des chambres meublées dans le goût de l'époque, plus tout à fait à la mode, mais fort bien tenues. Bonne insonorisation côté rue.

🏨 **Ibis** M, rte Montélimar ✆ 04 75 35 44 45, *Fax 04 75 93 01 01*, – 50. AE GB
**Repas** *(14)* - 17 ♀, enf. 6,50 – ☕ 6 – **43 ch** 54/65.
◆ Chambres conformes aux normes de la chaîne et agrément d'une originale salle à manger moderne largement ouverte sur la terrasse orientée plein Sud.

🏨 **Provence** sans rest, 5 bd Vernon ✆ 04 75 35 28 43, *Fax 04 75 35 28 43* – GB
*fermé 7 déc. au 15 janv.* – ☕ 5 – **21 ch** 32/39. Z e
◆ Adresse pour petits budgets, attrayante par sa situation très centrale, ses chambres simples et fraîches pourvues de double vitrage et la générosité de son accueil.

XX **Fournil,** 34 r. 4-Septembre ✆ 04 75 93 58 68, *Fax 04 75 93 58 68*, – GB Y s
*fermé 22 juin au 9 juil., vacances de Toussaint, de Noël, de fév., dim. et lundi* – **Repas** 18/33.
◆ Dans une ruelle de la vieille ville, maison séculaire abritant une salle à manger voûtée coquette et rustique. Aux beaux jours, repas servis dans la cour intérieure.

**AUBETERRE-SUR-DRONNE** *16390 Charente* 324 L8 *G. Poitou Vendée Charentes – 388 h alt. 72.*

Voir *Église monolithe★★*.

ℹ *Office du Tourisme, place du Château ✆ 05 45 98 57 18, Fax 05 45 98 54 13, aubeterre tourisme@wanadoo.fr.*

*Paris 495 – Périgueux 54 – Angoulême 48 – Bordeaux 94.*

🏨 **Hostellerie du Périgord,** ✆ 05 45 98 50 46, *hpmorel@aol.com, Fax 05 45 98 50 46*, – P. GB JCB
*fermé 24 nov. au 7 déc. et 15 au 31 janv.* – **Repas** *(fermé lundi sauf le soir en été et dim. soir)* 15,50 (déj.), 25/35 ♀ – ☕ 7 – **12 ch** 40/75 – ½ P 50.
◆ Cure de jouvence réussie pour ce petit hôtel familial situé au pied du célèbre village. Chambres colorées et bien insonorisées. Agréable véranda face au jardin.

## AUBIGNY-SUR-NÈRE *18700 Cher 323 K2 G. Berry Limousin – 5 803 h alt. 180.*

*Office du Tourisme, 1 rue de l'Eglise ✆ 02 48 58 40 20, Fax 02 48 58 40 20, tourisme@aubigny.org.*

*Paris 181 – Bourges 49 – Orléans 67 – Cosne-sur-Loire 42 – Gien 30 – Salbris 32 – Vierzon 44.*

**Fontaine,** 2 av. Gén. Leclerc ✆ 02 48 58 02 59, *fontaine-masse@wanadoo.fr, Fax 02 48 58 36 80* – TV ✆. GB
*fermé 16 déc. au 3 janv., vend. (sauf hôtel) et dim. soir* – **Repas** 17/34 ♀, enf. 11 – ☕ 6 – **16 ch** 42/55 – ½ P 43.
♦ Aux portes de la cité des Stuart, pavillon bourgeois abritant des chambres anciennes mais spacieuses et, dans une aile récente, un hébergement moderne et bien insonorisé.

**Chaumière** (annexe), 2 r. Paul Lasnier ✆ 02 48 58 04 01, *Fax 02 48 58 10 31* – rest, TV P. GB
*fermé 18 au 28 août, 16 fév. au 15 mars et dim. sauf juil.-août* – **Repas** *(fermé dim. soir et lundi sauf juil.-août)* 18/50 ♀, enf. 10 – ☕ 6,50 – **20 ch** 38/85 – ½ P 45,50/67.
♦ Briques, poutres, plâtres teintés : les toutes nouvelles chambres de l'annexe, plus grandes, utilisent les matériaux traditionnels. À table, cuisine au goût du jour.

**Bien Aller,** 3 r. des Dames ✆ 02 48 58 03 92 – . AE GB
*fermé mardi soir et merc. soir* – **Repas** 17,50/28 ♀.
♦ Derrière la façade moderne, un intérieur insoupçonné, de style bistrot, au décor subtilement "colonial". Carte axée sur le terroir, variant selon l'inspiration du chef.

*Ecrivez-nous...*
*Vos louanges comme vos critiques seront examinées avec le plus grand soin.*
*Nous reverrons sur place les informations que vous nous signalez.*
*Par avance merci !*

## AUBRAC *12 Aveyron 338 J3 G. Languedoc Roussillon – alt. 1300 – ✉ 12470 St-Chély-d'Aubrac.*

*Paris 585 – Aurillac 95 – Rodez 56 – Mende 60 – St-Flour 64.*

**Dômerie**, ✆ 05 65 44 28 42, *Fax 05 65 44 21 47*, – P. GB
*1er avril-25 oct.* – **Repas** *(27 avril-20 oct. et fermé merc. midi sauf août)* 17/35,50 ♀, enf. 10 – ☕ 8 – **23 ch** 52/72 – ½ P 46/62.
♦ Belle demeure ancienne au coeur du village. Chambres confortables (mobilier de style ou rustique), salon au coin du feu. À table, la cuisine met en vedette la viande d'Aubrac.

## AUBRIVES *08320 Ardennes 306 K2 – 1 139 h alt. 108.*

*Paris 280 – Charleville-Mézières 52 – Fumay 17 – Givet 8 – Rocroi 35.*

**Debette** avec ch, ✆ 03 24 41 64 72, *contact@hotel-debette.com, Fax 03 24 41 10 31*, – TV ✆. AE GB
*fermé 19 déc. au 13 janv.* – **Repas** *(fermé dim. soir et lundi midi)* 11,43/37,35, enf. 9 – ☕ 8,50 – **15 ch** 45/53,50 – ½ P 48,80.
♦ Deux maisons régionales séparées par la route. Dans l'une, la salle à manger champêtre et quelques chambres ; dans l'autre, un hébergement un peu plus moderne.

## AUBUSSON *23200 Creuse 325 K5 G. Berry Limousin – 5 097 h alt. 440.*

**Voir** *Musée départemental de la Tapisserie★ (Centre Culturel Jean-Lurçat).*

*Office du Tourisme, rue Vieille ✆ 05 55 66 32 12, Fax 05 55 83 84 51, tourisme.aubusson@wanadoo.fr.*

*Paris 389 ① – Clermont-Ferrand 91 ③ – Guéret 41 ① – Limoges 88 ④ – Montluçon 64 ①.*

Plan page suivante

**France,** 6 r. Déportés **(a)** ✆ 05 55 66 10 22, *Fax 05 55 66 88 64*, – TV ✆ – 30. GB
**Repas** 15/38 ♀ – ☕ 6 – **23 ch** 46/93 – ½ P 61.
♦ Entre la Creuse et le centre ancien, demeure du 18e s. et sa ravissante courette intérieure. Une palette de couleurs chatoyantes égaie les chambres, toutes différentes.

**Lion d'Or,** pl. Gén. Espagne **(e)** ✆ 05 55 66 13 88, *Fax 05 55 66 84 73*, – TV ✆. AE GB
*fermé vacances de fév., dim. soir (sauf rest.) et lundi hors saison* – **Repas** (11) - 16/31, enf. 8 – ☕ 9 – **10 ch** 41/56.
♦ Accueillante maison donnant sur l'ancienne place du marché. Un petit bar dessert deux salles à manger où règne une atmosphère familiale. Cuisine au goût du jour.

**Chapître** sans rest, 53 Gde Rue **(n)** ✆ 05 55 66 18 54, *Fax 05 55 67 79 63* – TV. GB
☕ 5,40 – **12 ch** 29/38,20.
♦ À deux pas de la Maison du Tapissier accostée de son élégante tourelle du 16e s., ce petit hôtel vous reçoit dans des chambres rénovées et bien insonorisées.

## AUBUSSON

Chapitre (R. du)............ 2
Chateaufavier (R.).......... 4
Dayras (Pl. M.)............ 5
Déportés (R. des).......... 7
Espagne (Pl. Gén.)......... 8
Fusillés (R. des).......... 10
Iles (Quai des)............ 12
Libération (Pl. de la)..... 15
Lissiers (Av. des)......... 16
Lurçat (Pl. J.)............ 18
Marché (Pl. du)............ 20
République (Av.)........... 23
St-Jean (R.)............... 24
Terrade (Pont de la)....... 27
Vaveix (R.)................ 29
Vieille (R.)............... 30

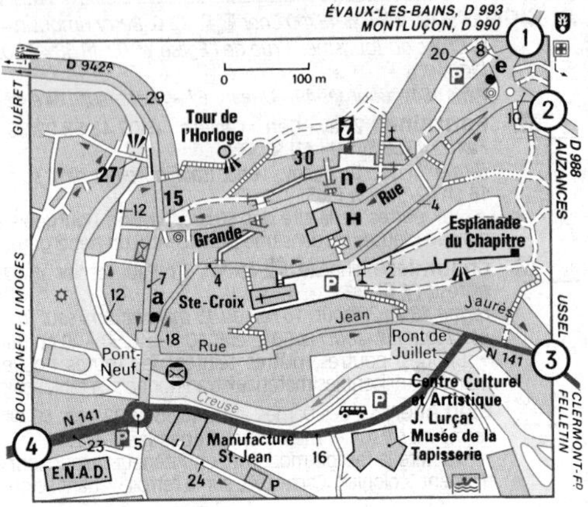

ÉVAUX-LES-BAINS, D 993
MONTLUÇON, D 990
D 942A
GUÉRET
0
100 m
Tour de l'Horloge
Grande
Rue
Ste-Croix
Jean
Jaurès
Esplanade du Chapitre
Pont de Juillet
N 141
Pont-Neuf
Rue
Creuse
Centre Culturel et Artistique J. Lurçat
Musée de la Tapisserie
Manufacture St-Jean
E.N.A.D.
BOURGANEUF, LIMOGES
D 988 AUZANCES
USSEL
CLERMONT-FD FELLETIN


## AUBUSSON D'AUVERGNE *63120 P.-de-D. 326 I8 – 191 h alt. 418.*

*Paris 409 – Clermont-Ferrand 56 – Ambert 42 – Thiers 22.*

✗ **Au Bon Coin,** ☎ 04 73 53 55 78, *Fax 04 73 53 56 29* – GB

*fermé 20 déc. au 25 janv., dim. soir et lundi hors saison* – **Repas** 18/37 ♀, enf. 7.

◆ Auberge sans prétention incluant le café du village. On s'y attable auprès de la cheminée, pour déguster une cuisine traditionnelle aux accents du terroir.

## AUCH P *32000 Gers 336 F8 G. Midi-Pyrénées – 23 136 h alt. 169.*

Voir *Cathédrale Ste-Marie★★ : stalles★★★, vitraux★★.*

*Office du Tourisme, 1 rue Dessoles ☎ 05 62 05 22 89, Fax 05 62 05 92 04, ot.auch@wanadoo.fr.*

*Paris 724 ① – Agen 74 ① – Bordeaux 206 ① – Tarbes 73 ③ – Toulouse 78 ③.*

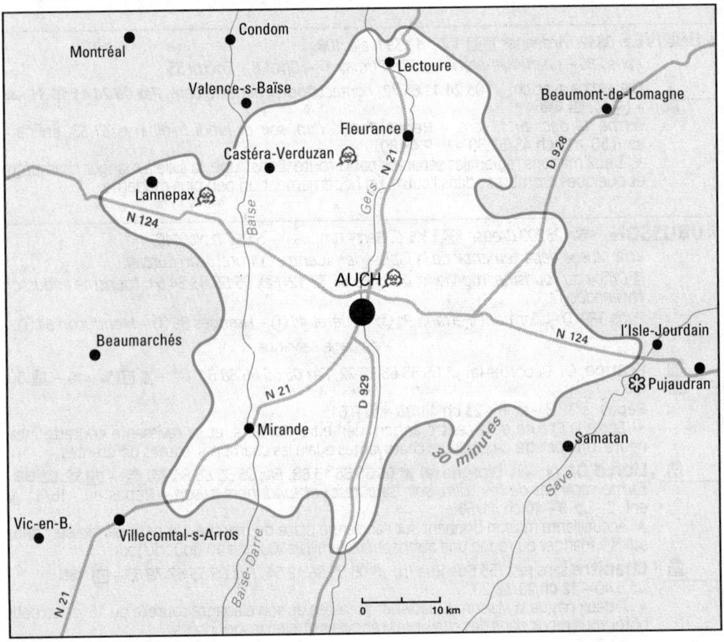

Condom
Montréal
Lectoure
Valence-s-Baïse
Beaumont-de-Lomagne
Fleurance
Castéra-Verduzan
N 21
D 928
Lannepax
N 124
Baïse
Gers
AUCH
Beaumarchés
N 124
l'Isle-Jourdain
Pujaudran
N 21
D 929
Mirande
30 minutes
Samatan
Save
Vic-en-B.
Villecomtal-s-Arros
Baïse-Darré
N 21
0
10 km

## AUCH

Alsace (Av. d') . . . . . . . . BY 2
Caillou (Pl. du) . . . . . . . . AZ 4
Caumont (R.) . . . . . . . . . AZ 5
Convention (R. de la) . . AZ 7
David (Pl. J.) . . . . . . . . . . AY 8
Daumesnil (R.) . . . . . . . . BY 9
Dessoles (R.) . . . . . . . . . AY 12
Espagne (R.) . . . . . . . . . AZ 13
Fabre d'Églantine (R.) . . AZ 14
Gambetta (R.) . . . . . . . . AY
Lamartine (R.) . . . . . . . . AY 15
Lartet (R. Ed.) . . . . . . . . AZ 16
Lagarrasic (Allées) . . . ABZ 17
Lissagaray (Q.) . . . . . . BYZ 18
Marceau (R.) . . . . . . . . . BY 19
Marne (Av. de la) . . . . . . . . . . BY 22
Montebello (R.) . . . . . . . BZ 23
Pasteur (R.) . . . . . . . . . . BZ 25
Pont-National (R. du) . . AZ 27
Pouy (R. du) . . . . . . . . . . BY 28
Prieuré (Pt du) . . . . . . . . AZ 29
Rabelais (R.) . . . . . . . . . BZ 31
République (Pl. de la) . . AZ 33
Rousseau (R. A.) . . . . . . AZ 35
Salleneuve (R.) . . . . . . . . AY 38
Somme (R. de la) . . . . . BY 40

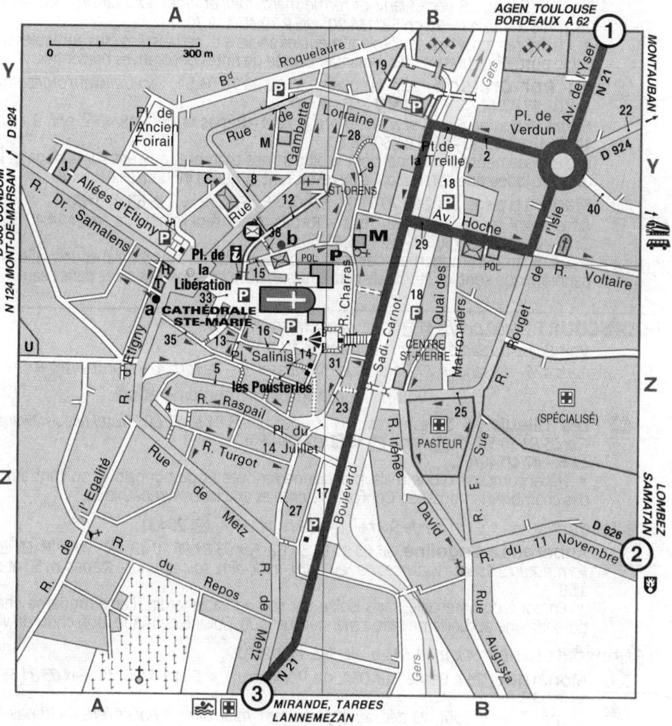
A
B
AGEN TOULOUSE
BORDEAUX A 62
MONTAUBAN
0
300 m
Y
Z
Bd Roquelaure
Pl. de l'Ancien Foirail
Rue de Gambetta
Lorraine
Pl. de Verdun
Av. de l'Yser
N 21
D 924
Pt de la Treille
Allées d'Etigny
R. Dr. Samalens
ST-ORENS
Av. Hoche
Pl. de la Libération
CATHÉDRALE STE-MARIE
R. Charras
Sadi-Carnot
Quai des Marronniers
Rouget de l'Isle
R. Voltaire
CENTRE ST-PIERRE
Pl. Salinis
les Pousterles
R. Raspail
Pl. du 14 Juillet
R. Turgot
Rue de Metz
R. Irénée David
PASTEUR
(SPÉCIALISÉ)
Boulevard
R. de l'Egalité
R. du Repos
R. de Metz
R. E. Sue
R. du 11 Novembre
D 626
LOMBEZ SAMATAN
Rue Augusta
Gers
D 930 CONDOM
N 124 MONT-DE-MARSAN
D 924
MIRANDE, TARBES
LANNEMEZAN

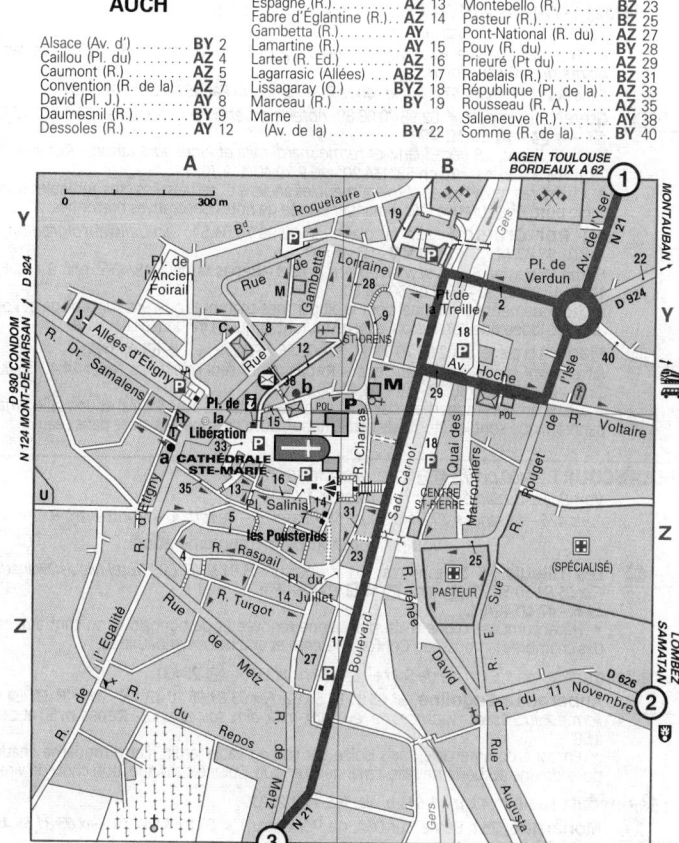

**France,** pl. Libération ✆ 05 62 61 71 71, *auchgarreau@intelcom.fr, Fax 05 62 61 71 81* – rest, – 15 à 60. AE GB JCB AZ a
*fermé 5 au 19 janv.* – **Repas** 25 (déj.), 48/78 – 14 – **29 ch** 60/146 – 1/2 P 108.
◆ Ancien relais de poste abritant de spacieuses chambres personnalisées. L'une d'elles, de style rococo, servit de décor lors du tournage du film Le Bonheur est dans le pré.

**Ibis** M, av. J. Jaurès, Zone d'Endoumingue ✆ 05 62 63 55 44, *Fax 05 62 60 13 45*, – P – 40. AE GB
**Repas** 11/19 – 6 – **51 ch** 51/53.
◆ Hôtel récent voisin de l'hippodrome auscitain. Les chambres répondent aux dernières normes de confort de la chaîne. Côté restaurant, carte simple composée de grillades.

**Table d'Hôtes,** 7 r. Lamartine ✆ 05 62 05 55 62, – AE GB. AY b
*fermé 2 au 9 mars, 30 juin au 6 juil., 21 au 28 sept., 21 au 31 déc., dim. et merc.* – **Repas** (nombre de couverts limité, prévenir) 15/20,50.
◆ Spécialités du terroir à savourer dans une jolie petite salle rustique. Le chef vous concoctera son fameux "Hambur-gers gascon", recette mêlant savoir-faire et tradition.

**rte d'Agen** *par ① : 7 km* – ✉ *32810 Montaux-les Créneaux :*

**Papillon,** N 21 ✆ 05 62 65 51 29, *Fax 05 62 65 54 33*, , – P. GB
*fermé 30 juin au 7 juil., 25 août au 9 sept., 16 au 23 fév., dim soir et lundi* – **Repas** 13 (déj.), 15/39,50, enf. 10.
◆ Pavillon récent en retrait de la nationale. De larges baies éclairent le restaurant et son ameublement moderne. Une deuxième salle est aménagée pour les réceptions.

**AUDIERNE** *29770 Finistère* 308 D6 *G. Bretagne – 2 746 h alt. 5.*

Voir Site* – *Planète Aquarium***.

*Office du Tourisme, 8 rue Victor Hugo ☎ 02 98 70 12 20, Fax 02 98 70 20 20, ot.cap.siun.pointe.du.ra@wanadoo.fr.*

*Paris 602 – Quimper 37 – Douarnenez 21 – Pointe du Raz 15 – Pont-l'Abbé 32.*

**Goyen,** sur le port ☎ 02 98 70 08 88, *hotel.le.goyen@wanadoo.fr, Fax 02 98 70 18 77,* ≤, – TV – 30. AE GB

*1er avril- 5 nov., 28 déc.-3 janv. et fermé mardi midi et lundi hors saison* – **Repas** 15 (déj.), 28,20/66 – 11 – **26 ch** 58/134,20 – ½ P 79,30/119,70.

◆ Chambres "cosy" où se côtoient meubles anciens et actuels ; les plus agréables donnent sur le port. Chaleureuse salle à manger semée de notes décoratives bretonnes.

**Au Roi Gradlon,** sur la plage ☎ 02 98 70 04 51, *accueil@auroigradlon.com, Fax 02 98 70 14 73,* ≤ – TV P. AE GB

*fermé 18 déc. au 5 janv. et merc. d'oct. à mars* – **Repas** 16 (déj.), 18/49, enf. 9 – 6,90 – **19 ch** 47,80/63,80 – ½ P 61,30/66,60.

◆ Établissement fonctionnel dont la plupart des chambres ouvrent sur la plage et l'océan. Une vue iodée que l'on retrouve au restaurant et qui en influence la cuisine.

**Plage,** à la plage ☎ 02 98 70 01 07, *Fax 02 98 75 04 69,* ≤ – TV. GB

*hôtel : avril-sept. ; rest. : juin-sept.* – **Repas** (dîner seul.)(résidents seul.) 24,40/33,60 – 7 – **24 ch** 45,80/60,30 – ½ P 53,40/60,60.

◆ Des chambres modernes, claires et colorées (certaines avec loggia) et une salle à manger panoramique sont les atouts de cette maison qui a presque "les pieds dans l'eau".

**AUDINCOURT** *25400 Doubs* 321 L2 *G. Jura – 16 361 h alt. 323.*

Voir *Église du Sacré-Coeur : baptistère** **AY B.**

*Paris 476 – Besançon 75 – Mulhouse 58 – Basel 95 – Belfort 20 – Montbéliard 8.*

Voir plan de Montbéliard agglomération..

**Les Tilleuls** M sans rest, 51 r. Foch ☎ 03 81 30 77 00, *hotel.tilleuls@wanadoo.fr, Fax 03 81 30 57 20,* – TV P. AE GB JCB Y s

6 – **47** ch 40/63.

◆ Hôtel composé d'une maison ancienne rénovée et de bungalows où sont aménagées des chambres lambrissées. Confort, détente et ambiance sympathique.

**à Taillecourt** *Nord : 1,5 km rte de Sochaux – 659 h. alt. 330 – ✉ 25400 :*

**Auberge La Gogoline,** ☎ 03 81 94 54 82, *Fax 03 81 95 20 42,* – P. AE GB

*fermé 2 au 23 sept., vacances de fév., sam. midi, dim. soir et lundi* – **Repas** 17/50 et carte 34 à 58. Y k

◆ En zone commerciale, mais isolée par son agréable jardin, cette moderne chaumière possède une accueillante salle à manger rustique. Cuisine classique, bon choix de vins.

**à Séloncourt** *Sud-Est : 4 km – 5 613 h. alt. 365 – ✉ 25230 :*

**Monarque,** 23 r. Berne (sur D34, rte Porrentruy) ☎ 03 81 37 12 39, *Fax 03 81 35 45 85* – P. GB

*fermé 1er au 25 août, 23 déc. au 12 janv., sam. midi, dim., lundi et fériés* – **Repas** 17/32, enf. 8.

◆ Offrez-vous une étape gourmande dans une pimpante maison de pays. Cuisine traditionnelle dans le cadre chaleureux d'une salle à manger colorée de rouge et de jaune.

**AUDRESSEIN** *09 Ariège* 343 E7 – *rattaché à Castillon-en-Couserans.*

**AUDRIEU** *14 Calvados* 303 I4 – *rattaché à Bayeux.*

**AULLÈNE** *2A Corse-du-Sud* 345 D9 – *voir à Corse.*

**AULNAY** *17470 Char.-Mar.* 324 H3 *G. Poitou Vendée Charentes – 1 462 h alt. 63.*

Voir *Église St-Pierre***.

*Office du Tourisme, 290 avenue de l'Eglise ☎ 05 46 33 14 44, Fax 05 46 33 15 46, o.t.aulnay@asteur.fr.*

**Donjon** M sans rest, ☎ 05 46 33 67 67, *hotel-du-donjon@wanadoo.fr, Fax 05 46 33 67 64* – TV. GB

5,70 – **10** ch 56,50/64,10.

◆ Maison saintongeaise restaurée, non loin de l'église St-Pierre, chef-d'oeuvre de l'art roman poitevin. Poutres et pierres anciennes en harmonie avec le confort moderne.

**AULNAY-SOUS-BOIS** *93 Seine-St-Denis* 305 F7 101 ⑱ – *voir à Paris, Environs.*

**AULON** *65240 H.-Pyr.* 342 N7 – *80 h alt. 1213.*

*Paris 842 – Bagnères-de-Luchon 44 – Col d'Aspin 24 – Lannemezan 39 – St-Lary-Soulan 14.*

X **Auberge des Aryelets,** ☏ 05 62 39 95 59, – GB

*fermé 15 au 30 juin, 3 nov. au 19 déc., dim. soir, lundi et mardi sauf vacances scolaires* – **Repas** 17/27, enf. 10.

◆ Maison en pierres de taille abritant la mairie, le bar du village et une petite salle à manger rustique. Cuisine régionale servie sans chichi sur des tables en bois ciré.

**AULT** *80460 Somme* 301 B7 *G. Picardie Flandres Artois – 2 054 h alt. 30.*

*Office du Tourisme, 4 place de l'Eglise ☏ 03 22 60 57 15, Fax 03 22 60 49 03.*

*Paris 183 – Amiens 88 – Abbeville 35 – Dieppe 39.*

**Victor Hugo,** 25 r. Pêche ☏ 03 22 60 40 40, *hotelvictorhugo@free.fr, Fax 03 22 60 40 00* – TV P. GB

*fermé janv. et fév.* – **Repas** 23/32 – 7 – **24 ch** 45/70 – 1/2 P 55.

◆ Jolie façade bleue et blanche à deux pas des falaises et de la plage. Chambres bien tenues. Dans la mignonne salle à manger, vous goûterez à des petits plats... russes !

**AULUS-LES-BAINS** *09140 Ariège* 343 G8 *G. Midi-Pyrénées – 210 h alt. 750 – Stat. therm. (début avril-fin oct.).*

Voir *Vallée du Garbet★ N.*

*Syndicat d'Initiative, Résidence de l'Ars ☏ 05 61 96 01 79, Fax 05 61 96 01 79, aulus-les-bains@worldonline.fr.*

*Paris 819 – Foix 76 – Oust 17 – St-Girons 33.*

**Hostellerie de la Terrasse,** ☏ 05 61 96 00 98, *Fax 05 61 96 01 42,* – TV. GB. rest

*hôtel: 1er mai-30 sept.; rest.: 1er juin-30 sept.* – **Repas** (nombre de couverts limité, prévenir) 17/38 – 6,90 – **12 ch** 46/61 – 1/2 P 61.

◆ Au-delà de la rivière que l'on franchit par une pittoresque passerelle, une maison presque centenaire. Plats traditionnels à déguster en été sur la terrasse ombragée.

**Les Oussaillès,** ☏ 05 61 96 03 68, *jcharrue@free.fr, Fax 05 61 96 03 70,* – TV . GB.

**Repas** 13/23 – 5,50 – **12 ch** 37/52 – P 51/54.

◆ Vieille demeure ariégeoise en pierre accostée d'une gracieuse tourelle, au coeur de la petite station thermale. Chambres fonctionnelles ; certaines donnent sur le jardin.

**AUMALE** *76390 S.-Mar.* 304 K3 *G. Normandie Vallée de la Seine – 2 690 h alt. 130.*

*Office du Tourisme, rue René Gicquel ☏ 02 35 93 41 68, Fax 02 35 93 41 68.*

*Paris 137 ③ – Amiens 47 ② – Beauvais 49 ③ – Dieppe 69 ⑤ – Rouen 75 ⑤.*

**AUMALE**

Abbaye-d'Auchy (R. de l') .... 2
Bailliage (R. du) .... 3
Birmandreis (R. de) .... 5
Foch (Av. Maréchal) .... 7
Fontaines (Bd des) .... 8
Gaulle (Av. du Gén.-de) .... 9
Gicquel (R. R.) .... 10
Hamel (R. du) .... 12
Libération (Pl. de la) .... 13
Louis-Philippe (R.) .... 14
Marchés (Pl. des) .... 16
Nationale (R.) .... 18
Normandie (R. de) .... 19
Picardie (R. de) .... 22
St-Lazare (R.) .... 24
St-Pierre (R.) .... 25
Tanneurs (R. des) .... 27
8-Mai-1945 (Av. du) .... 30

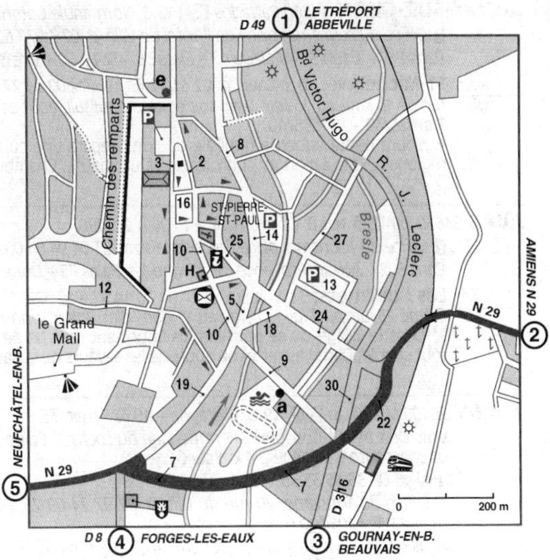
D 49 ① LE TRÉPORT ABBEVILLE
Bd Victor Hugo
R. J. Leclerc
Bresle
Chemin des remparts
ST-PIERRE-ST-PAUL
le Grand Mail
AMIENS N 29
N 29
②
NEUFCHÂTEL-EN-B.
⑤
D 3/16
200 m
D 8 ④ FORGES-LES-EAUX
③ GOURNAY-EN-B. BEAUVAIS

**Villa des Houx,** av. Gén. de Gaulle **(a)** ✆ 02 35 93 93 30, *Fax 02 35 93 03 94*, – P. GB
*fermé 1er au 24 janv. et dim. soir du 12 oct. au 14 mars* – **Repas** 15,30 (déj.), 22/45 ♀, enf. 10 – ☕ 6,50 – **22 ch** 60/73 – ½ P 60.
◆ Cette jolie façade à colombages abritait naguère la gendarmerie. Vous y dormirez la conscience tranquille dans des chambres tout confort. À table, tradition et terroir.

**Mouton Gras** avec ch, 2 r. Verdun **(e)** ✆ 02 35 93 41 32, *Fax 02 35 94 52 91*, – P. GB
*fermé mardi soir et merc. sauf fériés* – **Repas** (11,50) - 15,30/36,60 ♀, enf. 7,70 – ☕ 6,10 – **5 ch** 43/54 – ½ P 40,90/67.
◆ Maisons régionales du 17e s. bien restaurées. Les repas sont servis dans une coquette salle à manger normande égayée d'une cheminée monumentale. Cuisine traditionnelle.

## AUMONT-AUBRAC *48130 Lozère 330 H6 – 1 050 h alt. 1040.*

*Office du Tourisme, maison du prieuré ✆ 04 66 42 88 70, Fax 04 66 42 88 70.*
*Paris 553 – Aurillac 117 – Mende 40 – Le Puy-en-Velay 90 – Espalion 57 – Marvejols 24.*

**Grand Hôtel Prouhèze,** ✆ 04 66 42 80 07, *prouheze@prouheze.com*, *Fax 04 66 42 87 78*, – P – 25. AE GB
*28 mars-2 nov. et fermé lundi sauf le soir en juil.-août, dim. soir et mardi midi de sept. à juin* – **Repas** voir aussi ***Compostelle*** ci-après- 31/89 et carte 57 à 69, enf. 13 – ☕ 13 – **26 ch** 64/87 – ½ P 97.
◆ Meubles anciens ou actuels et tissus chaleureux agrémentent cette demeure lozérienne. Le restaurant est aussi élégant que les chambres : poutres apparentes et chaises drapées.
**Spéc.** Queues de langoustines sautées dans infusion au boudin de la ferme. Galette de museau de porcelet aux escargots "petits gris". Pot-au-feu de foie gras de canard. **Vins** Côtes de Millau, Vin de pays d'Oc

**Chez Camillou,** N9 ✆ 04 66 42 80 22, *camillou@club-internet.fr*, *Fax 04 66 42 93 70*, – P. GB
*hôtel : ouvert 1er avril-31 oct.* – **Repas** *(fermé 15 nov. au 15 déc. et 10 janv. au 10 fév., dim. soir et lundi sauf juil.-août)* ✆ 04 66 42 86 14 16/50, enf. 8 – ☕ 7,60 – **40 ch** 46/83 – ½ P 44,50/61.
◆ En léger retrait de la nationale, deux bâtiments récents d'aspect traditionnel dans un environnement boisé. Fraîches chambres rustiques ; petits-déjeuners dans la véranda.

**Compostelle** - Grand Hôtel Prouhèze, ✆ 04 66 42 80 07, *Fax 04 66 42 87 78* – P. AE GB
*28 mars-2 nov. et fermé mardi midi, dim. soir et lundi sauf juil.-août* – **Repas** 14/21 ♀, enf. 10.
◆ Aligot, choux farci, tripoux... tout l'Aubrac dans votre assiette ! Les recettes du terroir sont mises à l'honneur dans ce petit bistrot au charme très campagnard.

## AUNAY-SUR-ODON *14260 Calvados 303 I5 G. Normandie Cotentin – 2 878 h alt. 188.*

*Office du tourisme, place de l'Hôtel de Ville ✆ 02 31 77 60 32, Fax 02 31 77 94 97.*
*Paris 267 – Caen 35 – Falaise 42 – Flers 36 – St-Lô 50 – Vire 34.*

**St-Michel** avec ch, r. Caen ✆ 02 31 77 63 16, *Fax 02 31 77 05 83* – AE GB
*fermé 15 janv. au 15 fév., dim. soir et lundi sauf juil.-août et fériés* – **Repas** 12/36 ♀ – ☕ 6 – **7 ch** 23/38 – ½ P 35/40.
◆ Sobre petite auberge familiale où l'on prépare une cuisine traditionnelle dans la note régionale. Salle à manger confortable et lumineuse. Chambres simples et pratiques.

## AUPS *83630 Var 340 M4 G. Côte d'Azur – 1 796 h alt. 496.*

*Office du Tourisme, place Frédéric Mistral, ✆ 04 94 84 00 69.*
*Paris 822 – Aix-en-Provence 89 – Digne-les-Bains 79 – Draguignan 29 – Manosque 60.*

**Les Gourmets,** 5 r. Voltaire ✆ 04 94 70 14 97 – GB
*fermé 23 juin au 7 juil., 17 nov. au 1er déc., dim. soir et lundi en saison* – **Repas** 13/30, enf. 9.
◆ Dans le village où se tient le plus important marché de truffes du Var. Cadre rustique tout simple. Dans l'assiette, on apprécie les saveurs de la Haute-Provence.

## AURAY *56400 Morbihan 308 N9 G. Bretagne – 10 323 h alt. 35.*

**Voir** *Quartier St-Goustan★ – Promenade du Loch★ – Église St-Gildas★ – Ste-Avoye : Jubé★ et charpente★ de l'église 4 km par ①.*
*✆ 08 36 35 35 35.*
*Office du Tourisme, 20 rue du Lait ✆ 02 97 24 09 75, Fax 02 97 50 80 75, officetourismeauray@wanadoo.fr.*
*Paris 477 ① – Vannes 19 ① – Lorient 44 ④ – Pontivy 52 ④ – Quimper 101 ④.*

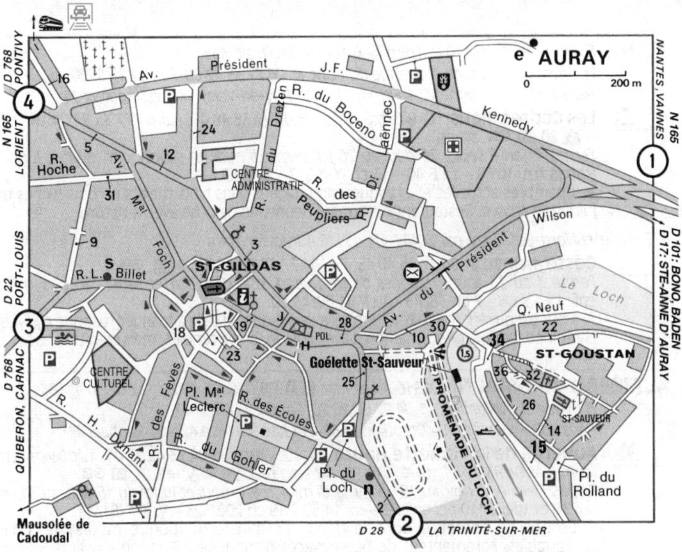

AURAY
0
200 m
N 165 NANTES, VANNES
D 101: BONO, BADEN
D 17: STE-ANNE D'AURAY
D 768 PONTIVY
N 165 LORIENT
D 22 PORT-LOUIS
D 768 CARNAC
QUIBERON
D 28
LA TRINITÉ-SUR-MER
Mausolée de Cadoudal
Av. Président J.F. Kennedy
R. du Boceno
R. du Drezen
R. Dr Laënnec
R. des Peupliers
CENTRE ADMINISTRATIF
R. Hoche
Av. Mal Foch
R. L. Billet
ST-GILDAS
Av. du Président Wilson
Le Loch
Q. Neuf
ST-GOUSTAN
ST-SAUVEUR
Goélette St-Sauveur
PROMENADE DU LOCH
CENTRE CULTUREL
R. des Fèves
R. H. Dunant
Pl. Mal Leclerc
R. des Écoles
R. du Gohler
Pl. du Loch
Pl. du Rolland
POL.


| | | | | | |
|---|---|---|---|---|---|
| Abbé-Martin (R.) | 2 | Franklin (Quai B.) | 15 | Petit-Port (R. du) | 26 |
| Barré (R.J.M.) | 3 | Gaulle (Av. Gén.-de) | 16 | République (Pl. de la) | 28 |
| Briand (R. Aristide) | 5 | Joffre (Pl. du Mar.) | 18 | St-Goustan (Pont de) | 30 |
| Cadoudal (R. G.) | 9 | Lait (R. du) | 19 | St-Julien (R.) | 31 |
| Château (R. du) | 10 | Neuve (R.) | 22 | St-René (R.) | 32 |
| Clemenceau (R. Georges) | 12 | Notre-Dame (Pl.) | 23 | St-Sauveur (Pl.) | 34 |
| Église St-Goustan (R. de l') | 14 | Penher (R. du) | 24 | St-Sauveur (R.) | 36 |
| | | Père-Éternel (R. du) | 25 | | |

**Loch** , La Forêt **(e)** ☏ 02 97 56 48 33, *contact@hotel-du-loch.com, Fax 02 97 56 63 55,* – 30. AE GB.
***Sterne** (fermé dim. soir d'oct. à Pâques et sam. midi)* **Repas** 17/41,50 – 9 – **30 ch** 52/70 – ½ P 53,50.
◆ Insolite architecture moderne dans un quartier résidentiel calme. Chambres spacieuses et fonctionnelles, agrémentées de meubles de style. Salle à manger ouverte sur le jardin.

**Branhoc** M sans rest, rte du Bono : 1,5 km ☏ 02 97 56 41 55, *le.branhoc@wanadoo.fr, Fax 02 97 56 41 35,* – 25. GB JCB.
*fermé 15 nov. au 15 fév.* – 6,50 – **29 ch** 50/68.
◆ Ambiance familiale dans cette jeune construction à toits d'ardoises. Chambres sobrement meublées ; certaines ont vue sur le jardin. Au bar, sélection de bières belges.

**Closerie de Kerdrain,** 20 r. L. Billet **(s)** ☏ 02 97 56 61 27, *Fax 02 97 24 15 79,* AE GB
*fermé 10 au 27 mars, 1er au 18 déc., merc. hors saison et lundi* – **Repas** (22) - 32/100 bc et carte 70 à 96.
◆ Charmant petit manoir breton niché dans un jardin. Élégantes salles à manger habillées de boiseries et agréable terrasse ajoutent à l'attrait d'une appétissante cuisine.

**Chebaudière,** 6 r. Abbé J. Martin **(n)** ☏ 02 97 24 09 84, *Fax 02 97 24 09 84* – GB
*fermé 28 août au 7 sept., 2 au 18 janv., dim. soir, mardi soir et merc.* – **Repas** 13/30.
◆ Petite adresse de quartier où l'on mitonne une cuisine au goût du jour. Salle à manger sagement contemporaine, accueillant des expositions de tableaux.

**au golf de St-Laurent** *par ③, D 22 et rte secondaire : 10 km –* ✉ *56400 Auray :*

**Bleu Marine** M , ☏ 02 97 56 88 88, *hotel.bleu.marine.carnac@wanadoo.fr, Fax 02 97 56 88 28,* – 50. AE GB. rest
*fermé 20 déc. au 4 janv.* – **Repas** *(fermé sam. et dim. du 1er oct. au 31 mars)* (dîner seul.) 22/29, enf. 10 – 11,50 – **42 ch** 130 – ½ P 95.
◆ L'environnement du golf garantit calme et repos. Chambres fonctionnelles dotées de terrasses privatives. Salle à manger tournée vers la piscine. Bar feutré, billard.

*Si vous cherchez un hôtel tranquille,*
*consultez d'abord les cartes de l'introduction*
*ou repérez dans le texte les établissements indiqués avec le signe* .

**AUREC-SUR-LOIRE** *43110 H.-Loire* 331 H1 – *4 510 h alt. 435.*

*Office du Tourisme, 2 avenue du Pont ☎ 04 77 35 42 65, Fax 04 77 35 32 46.*

*Paris 540 – St-Étienne 22 – Firminy 11 – Le Puy-en-Velay 57 – Yssingeaux 31.*

**Les Cèdres Bleus,** rte Bas-en-Basset ☎ 04 77 35 48 48, *Fax 04 77 35 37 04,* – – 20. AE GB. ch
*fermé 1er au 8 sept., 26 déc. au 20 janv., mardi midi en saison, dim. soir et lundi midi –* **Repas** *(13)* - 16/65 – 6,40 – **15 ch** 40/55, 7 – ½ P 53.
◆ Chambres actuelles et pratiques, aménagées dans trois chalets en bois nichés dans un joli jardin arboré. Restaurant et terrasse fleurie, en osmose avec la nature.

**à Semène** *Nord-Est : 3 km par D 46 – ✉ 43110 Aurec-sur-Loire :*

**Coste** avec ch, ☎ 04 77 35 40 15, *Fax 04 77 35 39 05,* – . GB
*fermé 3 au 25 août, vacances de fév., vend. soir, dim. soir et sam. –* **Repas** 17/42,50, enf. 11 – 6 – **7 ch** 38/43 – ½ P 41,50/43,50.
◆ Pour le couvert : carte traditionnelle servie dans la salle à manger rustique égayée d'une cheminée. Pour le gîte : chambres avec balcon, assez simples, mais bien tenues.

---

**AURIBEAU-SUR-SIAGNE** *06810 Alpes-Mar.* 341 C6 *G. Côte d'Azur – 2 072 h alt. 85.*

*Syndicat d'Initiative, ☎ 04 92 60 20 20, Fax 04 93 60 93 07.*

*Paris 905 – Cannes 14 – Draguignan 62 – Grasse 9 – Nice 42 – St-Raphaël 41.*

**Auberge de la Vignette Haute**, rte village ☎ 04 93 42 20 01, *info@vignettehaute.com, Fax 04 93 42 31 16,* – rest, . AE GB
**Repas** *(fermé 15 nov. au 15 déc., mardi midi, merc. midi et lundi du 15 déc. au 31 mars) (29 bc)* - 38 bc (déj.)/110 bc, enf. 23 – 14,50 – **19 ch** 200/325 – ½ P 178/241.
◆ Étonnante demeure dont le décor s'inspire de l'époque médiévale. Chambres confortables, agrémentées de belles pièces d'antiquités. Bergerie - vivante ! - visible du restaurant.

**Petite Provence** M sans rest, 376 chemin Gabre (rte Tanneron) ☎ 04 92 60 22 50, *contact@la-petite-provence.com, Fax 04 92 60 22 79,* – . AE GB.
*fermé nov. –* 8 – **14 ch** 90/97.
◆ Bâtiment neuf dans un jardin bien aménagé avec balançoires, serre et boulodrome. Chambres diversement meublées, dotées de balcons ou de petites terrasses privatives.

---

**AURIGNAC** *31420 H.-Gar.* 343 D5 *G. Midi-Pyrénées – 983 h alt. 430.*

*Voir Donjon ※★.*

*Office du Tourisme, rue des Nobles ☎ 05 61 98 70 06, Fax 05 61 98 71 33.*

*Paris 762 – Bagnères-de-Luchon 68 – St-Gaudens 23 – St-Girons 42 – Toulouse 77.*

**Cerf Blanc** avec ch, r. St-Michel ☎ 05 61 98 95 76, *Fax 05 61 98 76 80,* – rest, . GB
*fermé lundi sauf juil.-août –* **Repas** 13,50 (déj.), 23/47 – 6,50 – **9 ch** 23/40.
◆ Discrète maison de pays abritant un restaurant dont la terrasse s'ouvre largement sur la vallée. Plats du jour servis au bar. Petites chambres avant tout pratiques.

---

**AURILLAC** P *15000 Cantal* 330 C5 *G. Auvergne – 30 773 h alt. 610.*

*Voir Château St-Étienne : muséum des Volcans★.*

*Aurillac ☎ 04 71 64 50 00 par ③ : 2 km.*

*Office du Tourisme, place du square ☎ 04 71 48 46 58, Fax 04 71 48 99 39, aurillac.tourisme@wanadoo.fr.*

*Paris 557 ② – Brive-la-Gaillarde 98 ④ – Clermont-Ferrand 160 ② – Montauban 171 ③.*

Plan pages suivantes

**Grand Hôtel St-Pierre,** 16 cours Monthyon ☎ 04 71 48 00 24, *courrier@ac-hotel.com, Fax 04 71 64 81 83* – – 15 à 40. AE GB JCB BZ a
***Pommier d'Amour*** ☎ 04 71 48 37 60 **Repas** 20/45 – 7,50 – **35 ch** 49/84 – ½ P 55.
◆ L'austère façade auvergnate dissimule un intérieur chaleureux. Chambres actuelles, pensées avec goût. Dans la salle de réception, boiseries classées à voir absolument !

**Grand Hôtel de Bordeaux** sans rest, 2 av. République ☎ 04 71 48 01 84, *bestwestern@hotel-de-bordeaux.fr, Fax 04 71 48 49 93* – – 35. AE GB JCB
9 – **32 ch** 64/90. BY r
◆ Bel immeuble du début 20e s. au cachet préservé. Chambres de bonne ampleur, régulièrement rénovées et joliment meublées (mobilier de style ou rotin). Bar à l'anglaise.

**Delcher,** 20 r. Carmes ☎ 04 71 48 01 69, *hotel.delcher@wanadoo.fr, Fax 04 71 48 86 66,* – . AE GB JCB BZ q
*fermé 12 au 27 juil. et 21 déc. au 4 janv. –* **Repas** *(fermé dim. soir)* 13/33,10, enf. 8,10 – 5,50 – **23 ch** 34/43 – ½ P 37.
◆ Chambres simples et de bon confort, mansardées au dernier étage. Dans l'une d'elles et au salon, fresques de l'artiste danois Gorm Hansen, peintes en guise de loyer !

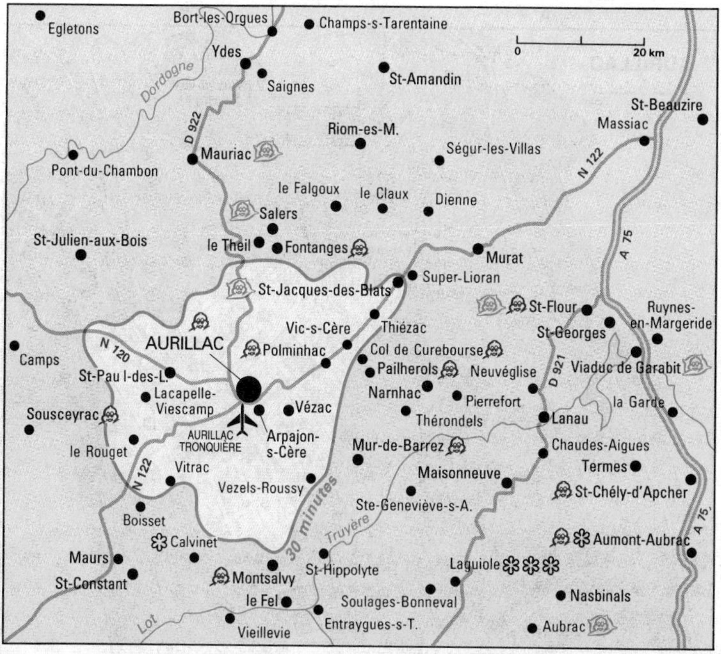
Egletons
Bort-les-Orgues
Champs-s-Tarentaine
0
20 km
Ydes
Dordogne
Saignes
St-Amandin
St-Beauzire
Massiac
D 922
Riom-es-M.
Ségur-les-Villas
N 122
Mauriac
Pont-du-Chambon
le Falgoux
le Claux
Dienne
Salers
St-Julien-aux-Bois
le Theil
Fontanges
Murat
A 75
Super-Lioran
St-Jacques-des-Blats
St-Flour
Ruynes-en-Margeride
Vic-s-Cère
Thiézac
St-Georges
Camps
N 120
AURILLAC
Polminhac
Col de Curebourse
St-Paul-des-L.
Pailherols
Neuvéglise
D 921
Viaduc de Garabit
Lacapelle-Viescamp
Narnhac
Pierrefort
la Garde
Sousceyrac
Vézac
Thérondels
Lanau
AURILLAC TRONQUIÈRE
Arpajon-s-Cère
Mur-de-Barrez
Chaudes-Aigues
le Rouget
N 122
Vitrac
Maisonneuve
Termes
Vezels-Roussy
30 minutes
St-Chély-d'Apcher
Ste-Geneviève-s-A.
Boisset
Truyère
A 75
Calvinet
Aumont-Aubrac
Maurs
Laguiole
St-Constant
Montsalvy
St-Hippolyte
Nasbinals
le Fel
Soulages-Bonneval
Lot
Vieillevie
Entraygues-s-T.
Aubrac

**Square**, 15 pl. Square ✆ 04 71 48 24 72, *hotel.le.square@wanadoo.fr, Fax 04 71 48 47 57* – 🛗 📺 ✆. GB. ✗ ch BZ s
*fermé dim. soir d'oct. à mai* – **Repas** 11/26 🍷, enf. 7 – ☕ 6 – **19 ch** 36/46 – ½ P 34/40.
◆ Cet hôtel occupe les premiers étages d'un immeuble moderne. Chambres avant tout pratiques, sagement contemporaines. Brasserie au rez-de-chaussée.

**Campanile**, rte de Clermont-Ferrand par ③ ✆ 04 71 64 64 84, *Fax 04 71 64 55 90*, 🏞 – ✗, ▤ ch, 📺 ✆ ♿ 🅿 – 🏛 25. AE ⓓ GB
**Repas** *(12)* - 16,50 🍷, enf. 6 – ☕ 6 – **48 ch** 56.
◆ Établissement répondant aux critères de confort de la chaîne. Chambres toutes rénovées, fraîches et fonctionnelles. Le petit "plus" : un joli environnement de verdure.

**XX Reine Margot**, 19 r. G. de Veyre ✆ 04 71 48 26 46, *Fax 04 71 48 92 39* – ▤. GB. ✗ BZ u
*fermé 10 au 16 mars, 16 au 29 juil., 10 au 16 nov., 6 au 11 janv., sam. midi, dim. soir et lundi* – **Repas** 19/28 🍷, enf. 7.
◆ Cuisine traditionnelle dans une menue salle de restaurant rustique. Boiseries sombres égayées de saynètes peintes relatant les "galanteries" de la reine Margot.

**XX Quatre Saisons**, 10 r. Champeil ✆ 04 71 64 85 38 – ▤. GB BY v
*fermé 18 août au 1er sept., dim. soir et lundi* – **Repas** 13,50/34,50.
◆ Au rez-de-chaussée d'une maison ancienne, plaisante salle à manger contemporaine agrémentée de plantes vertes et d'un bel aquarium. Cuisine traditionnelle généreuse.

**à Arpajon-sur-Cère** *par ③ rte de Rodez (D 920) : 2 km – 5 296 h. alt. 613 – ✉ 15130 :*

**Les Provinciales** sans rest, pl. Foirail ✆ 04 71 64 29 50, *pro@ac-hotel.com, Fax 04 71 64 67 87*, 🏊 – 📺 ✆ ♿ 🅿. AE ⓓ GB
*fermé 21 déc. au 12 janv., sam. et dim. du 30 sept. au 31 mai* – ☕ 5,50 – **20 ch** 40/54.
◆ Bordant une placette, bâtisse aux façades entièrement revêtues d'ardoises. Chambres calmes, garnies d'un mobilier joyeusement coloré. Espace bar-brasserie.

**à Vézac** *par ③, D 920 et D 990 : 10 km – 955 h. alt. 650 – ✉ 15130 :*

**Hostellerie du Château de Salles** 🐦, ✆ 04 71 62 41 41, *chateaudesalles@wanadoo.fr, Fax 04 71 62 44 14*, ≤, 🏞, 🚴, 🏊, 🎾, 🏋 – 🛗 📺 ✆ ♿ 🅿 – 🏛 30. AE ⓓ GB
*1er avril-2 janv.* – **Repas** 22 🍷, enf. 15 – ☕ 10 – **26 ch** 95/170, 4 appart – ½ P 71,50/117.
◆ Au sommet d'une colline, château du 15e s. entouré d'un parc. Jolies chambres personnalisées et équipements complets de loisirs. Vue étendue sur les monts du Cantal.

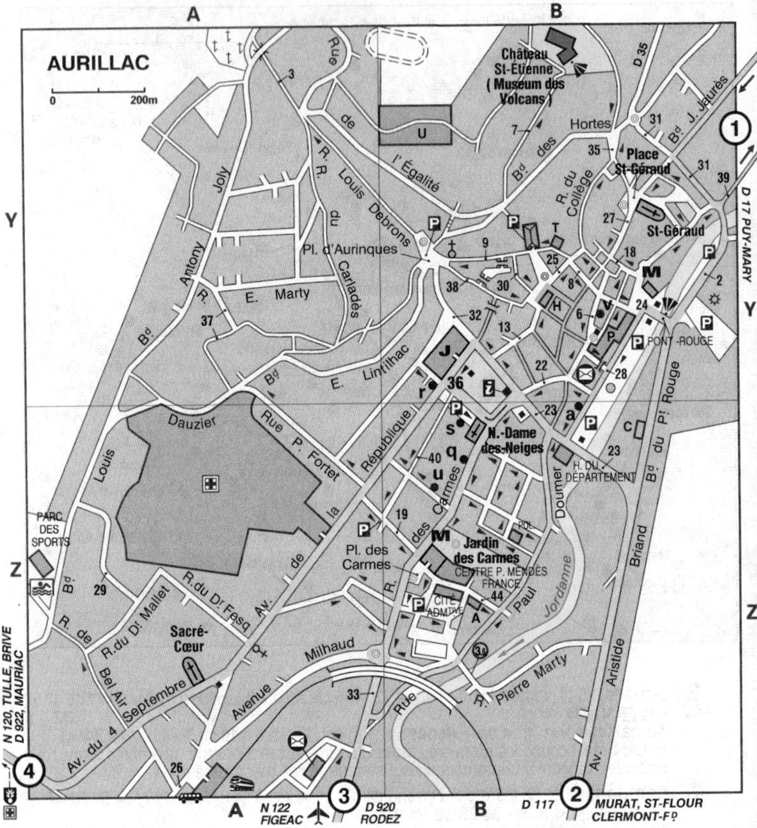
AURILLAC
0
200m
A
B
Y
Z
Château St-Étienne (Muséum des Volcans)
Place St-Géraud
St-Géraud
Pl. d'Aurinques
Rue de l'Égalité
R. Louis Debrons
R. du Carladès
Bd des Hortes
R. du Collège
Bd J. Jaurès
D 35
D 17 PUY-MARY
PONT-ROUGE
Bd du Pt Rouge
N.-Dame des-Neiges
H. DU DÉPARTEMENT
Bd E. Lintilhac
Bd Antony Joly
R. E. Marty
Rue P. Fortet
Av. de la République
R. des Carmes
Pl. des Carmes
Jardin des Carmes
CENTRE P. MENDÈS FRANCE
CITÉ ADMIVE
POL.
Av. Paul Doumer
Jordanne
Av. Aristide Briand
Bd Louis Dauzier
PARC DES SPORTS
R.du Dr Fesq
R.du Dr Mallet
R. de Bel Air
Sacré-Cœur
Av. du 4 Septembre
Avenue Milhaud
Rue
R. Pierre Marty
N 120, TULLE, BRIVE
D 922, MAURIAC
N 122 FIGEAC
D 920 RODEZ
D 117
MURAT, ST-FLOUR CLERMONT-Fd

Angoulême (Cours d') . . . . **BY** 2
Arbre-Croumaly (R. de l') . . . . **AY** 3
Carmes (R. des) . . . . **BZ**
Champeil (R. J.-B.) . . . . **BY** 6
Château St-Étienne (R. du) . . . . **BY** 7
Consulat (R. du) . . . . **BY** 8
Coste (R. de la) . . . . **BY** 9
Duclaux (R. Émile) . . . . **BY** 13
Fargues (R. des) . . . . **BY** 18
Ferry (R. Jules) . . . . **BZ** 19
Frères (R. des) . . . . **BY** 22
Gambetta (Av.) . . . . **BZ** 23
Gerbert (Pl.) . . . . **BY** 24
Marchande (R.) . . . . **BY** 25
Maynard (R. F.) . . . . **AZ** 26
Monastère (R. du) . . . . **BY** 27
Monthyon (Cours) . . . . **BY** 28
Mont-Mouchet (R. du) . . . . **AZ** 29
Noailles (R. de) . . . . **BY** 30
Pavatou (Bd du) . . . . **BY** 31
Prés.-Delzons (R. du) . . . . **BY** 32
Pupilles-de-la-Nation (Av. des) . . . . **AZ** 33
République (Av. de la) . . . . **AZ**
St-Géraud (Pl.) . . . . **BY** 34
St-Jacques (R.) . . . . **BY** 35
Square (Pl. du) . . . . **BY** 36
Vaissière (R. Robert de La) . . . . **AY** 37
Vermenouze (R. Arsène) . . . . **BY** 38
Veyre (Av. J.-B.) . . . . **BY** 39
14-Juillet (R. du) . . . . **BZ** 40
139e-R.-I. (R. du) . . . . **BZ** 44

**par** ③ *rte de Clermont, N 122 :*

**Akena** [M] sans rest, 41 av. G. Pompidou ✆ 04 71 43 22 68, *Fax 04 71 43 24 93* – [P] – 30. AE GB
☕ 6 – **55 ch** 36/42.
◆ Un "hôtel économique" flambant neuf, aménagé dans une ancienne usine de parapluies. Chambres fonctionnelles, réparties autour d'un patio (salon) et très bien insonorisées.

***Dans ce guide***
*un même symbole, un même mot,*
*imprimé en **rouge** ou en **noir**, en maigre ou en **gras**,*
*n'ont pas tout à fait la même signification.*
*Lisez attentivement les pages explicatives.*

**AURIOL** *13390 B.-du-R.* 340 *I5 – 6 788 h alt. 200.*

*Office de tourisme, place de la Libération ✆ 04 42 04 70 61.*

*Paris 784 – Marseille 30 – Aix-en-Provence 30 – Brignoles 38 – Toulon 59.*

**Commerce**, ✆ 04 42 04 70 25, *Fax 04 42 04 32 55*, – TV P. GB
*fermé fév., dim. soir et lundi* – **Repas** 11 (déj.), 16/34 – 6,50 – **11 ch** 38/45 – ½ P 39.
♦ Chambres fonctionnelles rénovées (tournant toutes le dos à la route), spacieuse salle à manger rustique, véranda et terrasse ombragée de platanes. Chaleureux accueil familial.

**AURONS** *13121 B.-du-R.* 340 *F4 – 355 h alt. 243.*

*Paris 727 – Marseille 61 – Aix-en-Provence 33 – Cavaillon 29 – Salon-de-Provence 9.*

**Domaine de la Reynaude**, Nord-Ouest : 6 km par D 68, D 16 et rte secondaire ✆ 04 90 59 30 24, *domaine.reynaude@wanadoo.fr*, *Fax 04 90 59 36 06*, – TV P – 15 à 40. AE GB
*fermé 15 au 31 déc.* – **Repas** *(fermé dim. soir)* 20/36, enf. 10 – 9 – **32 ch** 52/112 – ½ P 60/76,50.
♦ Dans la campagne, complexe hôtelier aux chambres simples et pratiques. Une bastide du 16e s. abrite le restaurant et sa jolie cour-terrasse. Nombreux équipements de loisirs.

**AUSSOIS** *73500 Savoie* 333 *N6 G. Alpes du Nord – 530 h alt. 1489 – Sports d'hiver : 1 500/2 750 m 11.*

Voir *Monolithe de Sardières★ NE : 3 km – Ensemble fortifié de l'Esseillon★ S : 4 km.*

*Office du Tourisme, route des Barrages ✆ 04 79 20 30 80, Fax 04 79 20 40 23, info@aussois.com.*

*Paris 670 – Albertville 96 – Chambéry 109 – Lanslebourg-Mont-Cenis 17 – Modane 7.*

**Soleil** M, ✆ 04 79 20 32 42, *Fax 04 79 20 37 78*, – TV P. AE GB. ch
*16 juin-15 sept. et 17 déc.-20 avril* – **Repas** (prévenir)(dîner seul.) 20/27 – 9 – **22 ch** 53/78 – ½ P 68/74.
♦ Hôtel offrant l'agrément de ses chambres ouvertes sur la montagne et de ses équipements de détente : sauna, hammam, jacuzzi de plein air et petite salle de cinéma.

**Les Mottets**, ✆ 04 79 20 30 86, *infos@hotel-lesmottets.com*, *Fax 04 79 20 34 22*, – TV P. GB
*fermé mai et 1er nov. au 15 déc.* – **Repas** 13/28, enf. 9 – 7 – **25 ch** 33/56 – ½ P 56.
♦ À 200 m des pistes, chalet jouissant d'un beau point de vue sur les sommets environnants. Chambres simples et fonctionnelles ; espace de remise en forme.

**Choucas**, ✆ 04 79 20 32 77, *Fax 04 79 20 39 87*, – TV. GB. rest
*15 juin-30 sept. et 20 déc.-20 avril* – **Repas** 15/20 – 8 – **28 ch** 38/58 – ½ P 50.
♦ Construction des années 1960 bénéficiant d'une jolie perspective sur les cimes de haute Maurienne. Spécialités de pays à déguster dans le spacieux restaurant.

**AUTERIVE** *31190 H.-Gar.* 343 *G4 – 5 814 h alt. 185.*

*Paris 719 – Toulouse 35 – Carcassonne 90 – Castres 88 – Muret 20 – St-Gaudens 79.*

**Delta**, 61 rte Toulouse ✆ 05 61 50 52 16, *Fax 05 61 50 00 21* – rest, TV P. GB
**Repas** *(fermé 9 au 17 août, sam. soir et dim.)* (8) - 10,20/21,60, enf. 6 – 5,50 – **16 ch** 38 – ½ P 36.
♦ Aux portes de la ville, chambres simples et pratiques, bien insonorisées. Vaste salle à manger sous charpente, au décor "minimaliste". Restauration limitée.

**AUTRANS** *38880 Isère* 333 *G6 G. Alpes du Nord – 1 406 h alt. 1050 – Sports d'hiver : 1 050/1 710 m 13.*

*Office du Tourisme, route de Méaudre ✆ 04 76 95 30 70, Fax 04 76 95 38 63, autrans@alpes-net.fr.*

*Paris 588 – Grenoble 36 – Romans-sur-Isère 58 – St-Marcellin 46 – Villard-de-Lans 16.*

**Poste**, ✆ 04 76 95 31 03, *gerard.barnier@wanadoo.fr*, *Fax 04 76 95 30 17*, – TV – 60. AE GB. ch
*fermé 21 avril au 10 mai et 20 oct. au 6 déc.* – **Repas** *(fermé dim. soir et lundi du 15 mars au 15 juin et du 1er sept. au 15 déc.)* 15 (déj.), 18/40, enf. 10 – 7,50 – **29 ch** 48/60 – ½ P 62.
♦ Cette pimpante maison située au coeur du village est tenue par la même famille depuis 1937. Chambres garnies de mobilier rustique. Salle à manger au décor campagnard.

**Les Tilleuls**, la Côte ✆ 04 76 95 32 34, *tilleuls.hotel@wanadoo.fr*, *Fax 04 76 95 31 58*, – TV P. AE GB. rest
*fermé 23 avril au 6 mai, 29 sept. au 21 oct., dim. soir et lundi hors saison sauf vacances scolaires* – **Repas** 12,50/30,50, enf. 8,50 – 8,80 – **22 ch** 40/55 – ½ P 52,10/55,10.
♦ Près du centre de la station, une bâtisse accueillante abritant des chambres fonctionnelles et bien tenues. Salle à manger agrémentée de plantes vertes. Plats régionaux.

**Vernay**, 04 76 95 31 24, *le-vernay@planete-vercors.com, Fax 04 76 95 73 88*, – 15. AE GB. rest
*fermé 24 mars au 18 avril, 3 nov. au 3 déc.* – **Repas** *(fermé dim. soir, merc. et jeudi du 19 avril au 30 juin et du 15 sept. au 15 déc.)* 15/23 – 8 – **17 ch** 47/56 – ½ P 55.
◆ Hôtel familial placé au départ des pistes de ski de fond, en lisière de forêt. La plupart des chambres ouvrent sur la nature préservée du Vercors ; réservez-en une rénovée.

**Montbrand** sans rest, 04 76 95 34 58, *Fax 04 76 95 72 71*, – . AE GB
*juin-sept. et Noël-fin mars* – 7 – **8 ch** 48/50.
◆ Au pied de la villa : les 160 km de pistes balisés pour le ski de fond ! Chambres de style chalet, spacieuses et lambrissées. Salle des petits-déjeuners au cadre montagnard.

**à Méaudre** *Sud : 5,5 km par D 106ᶜ – 840 h. alt. 1012 – Sports d'hiver 1000/1600 m 10 –*
*38112 .*
*Office du Tourisme, Le village 04 76 95 20 68, Fax 04 76 95 25 93, infos@meaudre.com.*

**Auberge du Furon,** 04 76 95 21 47, *leydierl@wanadoo.fr, Fax 04 76 95 24 71*, – . GB JCB
*fermé 12 nov. au 12 déc., 12 au 27 avril, merc. soir, dim. soir et lundi hors saison* – **Repas** 12,20/29, enf. 9 – 6,50 – **9 ch** 47 – ½ P 53/58.
◆ Accueil familial, aménagements simples et bonne tenue caractérisent ce petit chalet situé au pied des remontées mécaniques. Cuisine traditionnelle et spécialités fromagères.

**Pertuzon** avec ch, 04 76 95 21 17, *locana@club-internet.fr, Fax 04 76 95 26 00*, – . AE GB
*fermé 2 nov. au 8 juin, 15 nov. au 15 déc., dim. soir, mardi soir et merc. hors saison* – **Repas** 16/50 – 7,50 – **9 ch** 41 – ½ P 52.
◆ Plats traditionnels à déguster dans cette salle de restaurant confortable égayée de tableaux d'artistes locaux. Chambres simples mais bien tenues. Accueil tout sourire.

---

## AUTREVILLE *88300 Vosges 314 D2 – 108 h alt. 310.*

*Paris 311 – Nancy 42 – Neufchâteau 19 – Toul 24.*

**Relais Rose,** 24 r. Neufchâteau 03 83 52 04 98, *Fax 03 83 52 06 03*, – . AE GB
**Repas** 11,50 (déj.), 20,50/26,50, enf. 7 – 6,20 – **16 ch** 37/65 – ½ P 43/57.
◆ Hôtel familial au confort douillet. Chaque chambre, étonnant patchwork de meubles aussi variés en âge qu'en style, a son originalité. Laquelle choisir ?

**Les Tilleuls,** 6 rte Neufchâteau 03 83 52 84 50, *restolestilleuls@aol.com, Fax 03 83 52 06 42*, – GB
*fermé 14 au 31 juil., 8 au 15 sept., 22 déc. au 5 janv., le soir du dim. au jeudi et lundi* – **Repas** (prévenir) *(7,50)* - 10 (déj.), 22,50/38,20.
◆ Cette maison ancienne abrite, derrière une sobre façade, deux salles à manger bourgeoises et une autre, plus simple, réservée aux repas de semaine. Cuisine au goût du jour.

---

## AUTUN *71400 S.-et-L. 320 F8 G. Bourgogne – 17 906 h alt. 326.*

**Voir** *Cathédrale St-Lazare★★ (tympan★★★, chapiteau★★) – Musée Rolin★ (la Tentation d'Eve★★, Nativité au cardinal Rolin★★, vierge d'Autun★★)* **BZ M²** *– Porte St-André★ – Grilles★ du lycée Bonaparte* **AZ B** *– Manuscrits★ (bibliothèque de l'Hôtel de Ville)* **BZ H.**
*Office du Tourisme, 2 avenue Charles de Gaulle 03 85 86 80 38, Fax 03 85 86 80 49, tourisme@autun.com.*
*Paris 287 ① – Chalon-sur-Saône 51 ③ – Avallon 78 ① – Dijon 85 ② – Mâcon 110 ③.*

Plan page ci-contre

**St-Louis et Poste,** 6 r. Arbalète 03 85 52 01 01, *louisposte@aol.com, Fax 03 85 86 32 54*, – 20. AE GB JCB — BZ x
**Repas** *(fermé sam. midi)* 17/43, enf. 10 – 8,50 – **44 ch** 85/150, 6 appart.
◆ Un bel appartement de style Empire rappelle que ce relais de poste du 18ᵉ s. hébergea Napoléon Iᵉʳ. Dans les chambres, décor raffiné et confort moderne.

**Ursulines**, 14 r. Rivault 03 85 86 58 58, *welcome@hotelursulines.fr, Fax 03 85 86 23 07*, – 60. AE GB JCB — AZ e
**Repas** *(14,50)* - 25,50/64, enf. 13 – 9,20 – **36 ch** 56/94, 7 appart – ½ P 76/103.
◆ Ancien couvent de l'ordre des Ursulines, bien situé en haut de la vieille ville. Quiètes chambres aux tons pastel. La chapelle est aménagée en salle de banquet.

**Tête Noire,** 3 r. Arquebuse 03 85 86 59 99, *welcome@hoteltetenoire.fr, Fax 03 85 86 33 90* – , rest, – 25. GB — BZ n
*fermé 15 déc. au 25 janv.* – **Repas** 12/40, enf. 10 – 8 – **31 ch** 48/54 – ½ P 53.
◆ Cette adresse vient de bénéficier d'une rénovation complète. Les chambres, pimpantes, renferment un mobilier rustique en bois peint. Bonne insonorisation.

# AUTUN

Arbalète (R. de l') .... BZ 2
Arquebuse (R. de l') .. BZ 3
Cascade (R. de la) ... BZ 4
Chauchien (Gde R.) .. BZ 6
Cocand (R.) ........... AZ 7
Cordeliers (R. des) ... BZ 9
Cordiers (R. aux) ..... BZ 12
Dijon (R. de) ........ BY 13
Dr-Renaud (R.) ...... AZ 15
Eumène (R.) ........ AY 16
Gaillon (R. de) ....... BY 18
Gaulle (Av. Ch.-de) .. AYZ 19
Grange-Vertu (R.) .... AY 21
Guérin (R.) .......... BY 23
Jeannin (R.) ......... BZ 26
Lattre-de-Tassigny (R. de) ........... BZ 27
Laureau (Bd) ........ BY 28
Marbres (R. des) .... BZ 29
Notre-Dame (R.) ..... AZ 31
Paris (R. de) ....... ABY 32
Passage couvert ..... BZ 33
Pernette (R.) ........ AZ 35
Raquette (R.) ........ BZ 37
St-Saulge (R.) ....... AZ 40
Vieux-Colombier (R. du) ............. BZ 42

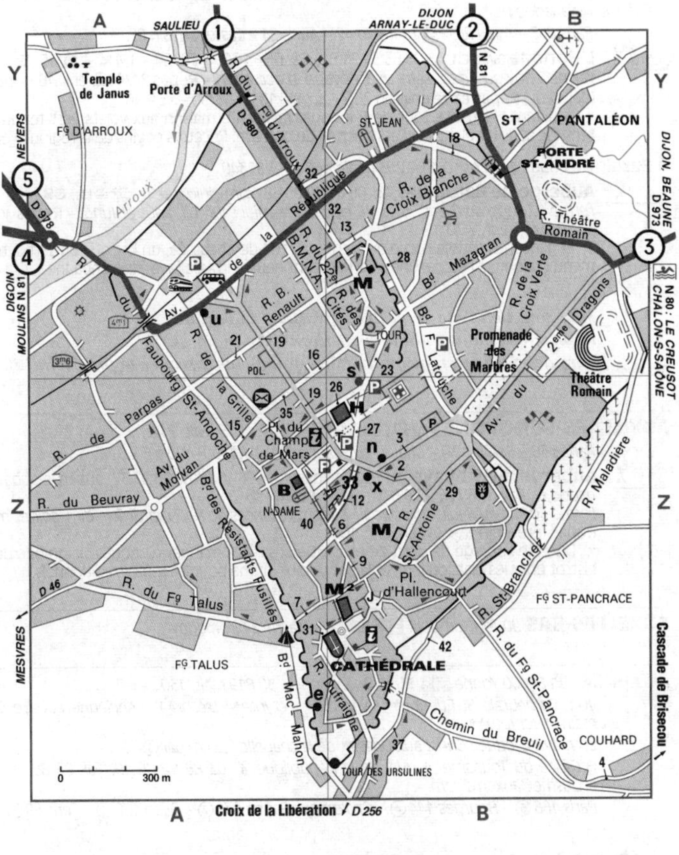

SAULIEU
DIJON
ARNAY-LE-DUC
NEVERS
D 978
DIGOIN
MOULINS N 81
MESVRES
D 46
DIJON, BEAUNE
D 973
N 80 : LE CREUSOT
CHALON-S-SAÔNE
Cascade de Brisecou
Croix de la Libération
D 256
Temple de Janus
Porte d'Arroux
Fg D'ARROUX
Arroux
ST-JEAN
ST-PANTALÉON
PORTE ST-ANDRÉ
R. Théâtre Romain
R. de la Croix Blanche
Bd Mazagran
R. de la Croix Verte
Promenade des Marbres
Théâtre Romain
2ème Dragons
Av. du
R. Maladière
Av. de la République
R. B. Renault
R. des Cités
TOUR
Bd F. Latouche
Pl. du Champ de Mars
R. de la Grille
R. de Parpas
Faubourg St-Andoche
Av. du Morvan
R. du Beuvray
Bd des Résistants Fusillés
N-DAME
CATHÉDRALE
Pl. d'Hallencourt
R. St-Antoine
R. St-Branchez
Fg ST-PANCRACE
R. du Fg St-Pancrace
Chemin du Breuil
COUHARD
R. du Fg Talus
Fg TALUS
Bd Mac-Mahon
R. Dufraigne
TOUR DES URSULINES
POL.
300 m


**Ibis** Ⓜ, rte Chalon par ③ : *2 km* ✆ 03 85 52 00 00, *h3232@accor-hotels.com, Fax 03 85 52 20 20,* – cuisinette – 20 à 40. AE GB JCB
**Repas** *(12)* - 15/17 ♀, enf. 6 – ☕ 6 – **42 ch** 50/56.
◆ Cet Ibis, installé au bord d'un plan d'eau (base de loisirs), regarde la cité gallo-romaine. Chambres fonctionnelles aux dernières normes de la chaîne. Plaisant restaurant.

**Commerce et Touring,** 20 av. République ✆ 03 85 52 17 90, *hotelducommerce.touring@wanadoo.fr, Fax 03 85 52 37 63* – . GB AY **u**
*fermé janv.* – **Repas** *(fermé lundi) (10)* - 11/26 ♀, enf. 8 – ☕ 5 – **21 ch** 24/40 – ½ P 28/32.
◆ Pratique par sa situation juste en face de la gare, établissement familial dont les chambres, simples et correctement agencées, sont fort bien tenues. Cuisine traditionnelle.

**Chalet Bleu,** 3 r. Jeannin ✆ 03 85 86 27 30, *le-chalet-bleu@wanadoo.fr, Fax 03 85 52 74 56* – AE GB BYZ **s**
*fermé 17 fév. au 9 mars, dim. soir du 15 nov. au 31 mars, lundi soir et mardi* – **Repas** 14,50/43 ♀, enf. 10.
◆ Derrière une devanture vitrée, salle à manger aux murs ornés de fresques représentant des paysages et jardins imaginaires. La carte marie tradition et terroir.

**AUVERS** *77 S.-et M.* 312 D5 – *rattaché à Milly-la-Forêt (Essonne).*

---

**AUVERS-SUR-OISE** *95 Val-d'Oise* 305 E6 106 ⑥ 101 ③ – *voir à Paris, Environs.*

---

**AUVILLAR** *82340 T.-et-G.* 337 B7 – *921 h alt. 141.*

*Office du Tourisme, place de la Halle ☎ 05 63 39 89 82, Fax 05 63 39 89 82, office.auvillar-@wanadoo.fr.*

*Paris 653 – Agen 28 – Montauban 42 – Auch 64 – Castelsarrasin 22.*

XX **L'Horloge** avec ch, ☎ 05 63 39 91 61, *Fax 05 63 39 75 20,* – TV – 15. AE GB
*fermé 7 nov. au 5 déc., sam. midi et vend. d'oct. à avril* – **Repas** 24/60 ♀, enf. 10 - ***Bouchon*** (déj. seul.) **Repas** carte environ 22 ♀ – ☕ 8 – **10 ch** 33/50 – ½ P 46.
◆ Jouxtant l'élégante tour de l'Horloge, ravissante maison aux volets vert tendre et sa terrasse sous les platanes. Cadre actuel de bon ton. Recettes et vins de la région.

**à Bardigues** *Sud : 4 km par D 11 – 203 h. alt. 160 – ✉ 82340 :*

X **Auberge de Bardigues,** ☎ 05 63 39 05 58, *cam.ciril@free.fr,* – . GB
*fermé 22 sept. au 6 oct., 5 au 26 janv., sam. midi sauf juil.-août et lundi* – **Repas** 10 (déj.), 16,50/27, enf. 7,70.
◆ Engageante bâtisse rurale en pierre : au rez-de-chaussée, un bar où l'on sert, à midi, le menu du jour ; à l'étage, une salle flambant neuf. Terrasse face à la campagne.

*Si le coût de la vie subit des variations importantes, les prix que nous indiquons peuvent être majorés. Lors de votre réservation à l'hôtel, faites-vous préciser le prix définitif.*

---

**AUVILLARS-SUR-SAÔNE** *21250 Côte-d'Or* 320 K7 – *215 h alt. 212.*

*Paris 336 – Beaune 30 – Chalon-sur-Saône 55 – Dijon 30 – Dole 50.*

X **Auberge de l'Abbaye,** au Sud : 1 km sur D 996 ☎ 03 80 26 97 37, *auberge-abbaye@wanadoo.fr, Fax 03 80 26 92 25,* – P. GB.
*fermé 30 juin au 4 juil., 25 août au 3 sept., vacances de fév., mardi soir, dim. soir et merc.* – **Repas** (prévenir) 20,60/39,60, enf. 10.
◆ Discrète auberge de bord de route. Deux salles à manger rustiques : la grande de style bistrot pour les plats du jour, et la petite plus intime pour les repas traditionnels.

---

**AUXELLES-BAS** *90 Terr.-de-Belf.* 315 E10 – *rattaché à Giromagny.*

---

**AUXERRE** P *89000 Yonne* 319 E5 *G. Bourgogne* – *38 819 h alt. 130.*

Voir *Cathédrale St-Étienne★★ (vitraux★★, crypte★, trésor★) – Ancienne abbaye St-Germain★★ (crypte★★).*

Env. *Gy-l'Évêque : Christ aux Orties★ de la chapelle 9,5 km par ③.*

*Office du Tourisme, 1 quai de la République ☎ 03 86 52 06 19, Fax 03 86 51 23 27, tourisme@auxerre.com.*

*Paris 166 ⑤ – Bourges 144 ④ – Chalon-sur-Saône 176 ② – Dijon 152 ② – Sens 59 ⑤.*

Plan pages suivantes

**Maxime,** 2 quai Marine ☎ 03 86 52 14 19, *hotel-maxime@ipoint.fr, Fax 03 86 52 21 70,* – , rest, TV P. AE GB — BY f
*fermé 31 déc. au 6 janv.* – ***Le Maxime*** ☎ 03 86 52 04 41 *(fermé 22 déc. au 8 janv.)* **Repas** 33/48 et carte 22,50 à 36 ♀, enf. 15,30 – ***Bistro du Terroir*** ☎ 03 86 52 04 41 *(fermé 22 déc. au 8 janv.)* **Repas** 18/25 ♀ – ☕ 9 – **26 ch** 60/110 – ½ P 65/78.
◆ Hôtel voisin des maisons à pans de bois du quartier de la marine. Chambres avec vue sur l'Yonne ou plus calmes côté cour. Restaurant bourguignon et bistrot (salles voûtées).

**Parc des Maréchaux** sans rest, 6 av. Foch ☎ 03 86 51 43 77, *contact@hotel-parcmarechaux.com, Fax 03 86 51 31 72,* – TV P. AE GB JCB — AZ u
☕ 12 – **25 ch** 70/110.
◆ Cette demeure Napoléon III renferme de jolies chambres "cosy", meublées dans le style Empire et presque toutes orientées vers le parc aux arbres centenaires (belle piscine).

**Normandie** sans rest, 41 bd Vauban ☎ 03 86 52 57 80, *normandie@acom.fr, Fax 03 86 51 54 33,* – TV – 25. AE GB JCB — AY b
☕ 7 – **47 ch** 48/74.
◆ Belle maison bourgeoise (19ᵉ s.) séparée de la rue par une cour-terrasse. Chambres confortables, parfois garnies de meubles de style ; l'aile récente est plus calme. Billard.

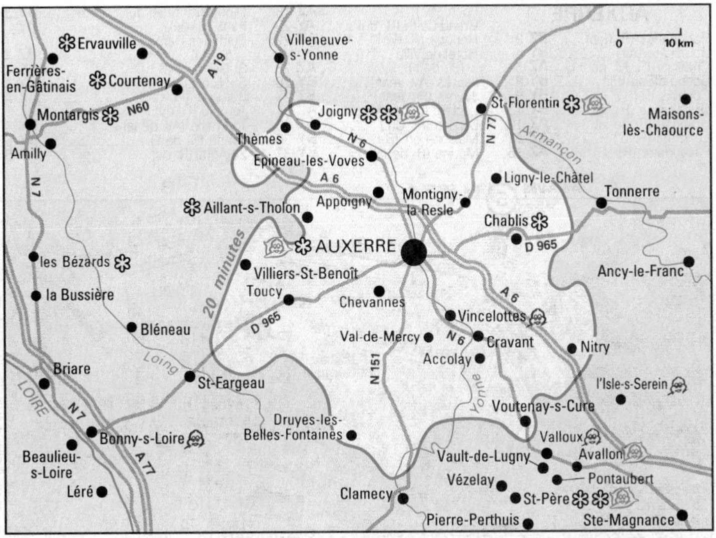
Ervauville
Villeneuve-s-Yonne
0 10 km
Ferrières-en-Gâtinais
Courtenay
A 19
Montargis
N60
Joigny
St-Florentin
Maisons-lès-Chaource
Thèmes
N 6
N 77
Armançon
Amilly
Epineau-les-Voves
A 6
Ligny-le-Châtel
N 7
Aillant-s-Tholon
Appoigny
Montigny-la-Resle
Tonnerre
Chablis
AUXERRE
D 965
les Bézards
20 minutes
Villiers-St-Benoît
Ancy-le-Franc
la Bussière
Toucy
Chevannes
A 6
Vincelottes
Bléneau
D 965
Val-de-Mercy
N 6
Cravant
Nitry
Loing
N 151
Accolay
Briare
St-Fargeau
Yonne
l'Isle-s-Serein
LOIRE
Voutenay-s-Cure
N 7
Druyes-les-Belles-Fontaines
Valloux
Bonny-s-Loire
A 77
Vault-de-Lugny
Avallon
Beaulieu-s-Loire
Vézelay
Pontaubert
Léré
Clamecy
St-Père
Pierre-Perthuis
Ste-Magnance

**Les Clairions**, par ⑤, *N 6 : 2 km* ✆ 03 86 94 94 94, *reservation@clairions.com, Fax 03 86 48 16 38*, – – 30 à 150. AE GB
**Repas** 19 (déj.), 23/40 ₸, enf. 9 – ☕ 7,50 – **66 ch** 39,50/64,50 – ½ P 53,80.
◆ Imposant bâtiment des années 1970. La plupart des chambres, fonctionnelles, ont conservé leur décor d'origine ; celles des derniers étages sont modernes et plaisantes.

**Cygne** sans rest, 14 r. du 24-Août ✆ 03 86 52 26 51, *hcygne@3and1hotels.com, Fax 03 86 51 68 33* – TV P. AE GB JCB AZ r
☕ 7 – **30** ch 42/68.
◆ À l'écart du centre, façade passe-partout mais intérieur soigné et accueil souriant. Chambres fraîches, mobilier actuel et tenue rigoureuse. Nuits plus calmes côté cour.

XXXX ✿ **Barnabet**, 14 quai République ✆ 03 86 51 68 88, *Fax 03 86 52 96 85*, – AE GB BYZ s
*fermé 23 déc. au 12 janv., mardi midi, dim. soir et lundi* – **Repas** 34/51 et carte 55 à 77 ₸, enf. 16.
◆ Ancien hôtel particulier ouvert sur une cour fleurie où l'on dresse la terrasse aux beaux jours. Élégante salle à manger contemporaine. Cuisine inventive ; carte des vins étoffée.
**Spéc.** Emincé de pied de cochon en ravigote. Sandre poêlé aux oignons croustillants et mijotés. Purée de pommes de terre aux truffes fraîches de Bourgogne (sept. à déc.)
**Vins** Côtes d'Auxerre, Irancy.

XXX **Jardin Gourmand**, 56 bd Vauban ✆ 03 86 51 53 52, *le.jardin.gourmand.auxerre@wanadoo.fr, Fax 03 86 52 33 82*, – AE GB AY d
*fermé 17 au 25 juin, 11 nov. au 4 déc., mardi et merc.* – **Repas** *(30)* - 40/72 et carte 55 à 76, enf. 15.
◆ Maison bourgeoise, ex-propriété d'un vigneron, précédée d'un jardin-terrasse ombragé. Salle rehaussée de tableaux modernes. Carte au goût du jour ; bon choix de chablis.

XX **Salamandre**, 84 r. Paris ✆ 03 86 52 87 87, *la-salamandre@wanadoo.fr, Fax 03 86 52 05 85* – . AE GB AY a
*fermé sam. midi et dim.* – **Repas** 30/55 ₸, enf. 12.
◆ Recherché pour sa cuisine de la mer, ce restaurant du vieil Auxerre vous accueille dans une salle à manger au décor actuel égayé de plantes vertes.

X **P'tite Beursaude**, 55 r. Joubert ✆ 03 86 51 10 21, *auberge.beursaudiere@wanadoo.fr, Fax 03 86 51 10 21* – AE GB BZ t
*fermé 15 au 30 sept., 1er au 12 janv., dim. soir, mardi midi et lundi.* – **Repas** 20,50/24,50 ₸, enf. 8.
◆ Chaleureux intérieur rustique, service en costume régional et cuisine du terroir réalisée sous vos yeux : une adresse simple et charmante, à dénicher près du théâtre.

## AUXERRE

Boucheries (R. des) ..... **BZ** 3
Bourbotte (Av.) .......... **BY** 4
Chesnez (R. M. des) .... **AZ** 5
Coche-d'Eau (Pl.) ....... **BY** 8
Cochois (R.) ............ **BY** 9
Dr-Labosse (R. du) ..... **BY** 10
Draperie (R. de la) ...... **AZ** 12
Eckmühl (R. d') ......... **AZ** 14
Fécauderie (R.) ......... **AZ** 16
Foch (Av.) ............... **AZ** 18
Grand-Caire (R. du) ..... **AY** 20
Horloge (R. de l') ........ **AZ** 22
Hôtel-de-Ville
(Pl. de l') ............ **AZ** 23
Jaurès (Av. Jean) ....... **BY** 26
Jaurès (Pl. Jean) ....... **BZ** 27
Leclerc (Pl. du Mar.) .... **AZ** 34
Lepère (Pl. Ch.) ......... **AZ** 35
Maison-Fort (R.) ......... **BY** 36
Marine (R. de la) ........ **BY** 37
Mont-Brenn (R. du) ............ **BY** 38
Paris (R. de) ................. **AY**
Puits-des-Dames
(R. du) ................... **BZ** 40
St-Germain (R.) .............. **ABY** 44
St-Nicolas (Pl.) .............. **BY** 45
Surugue (Pl. Ch.) ............ **AZ** 46
Temple (R. du) ................ **AZ**
Tournelle (Av. de la) ......... **BY** 48
Yonne (R. de l') .............. **BY** 52
24-Août (R. du) ............... **AZ** 54

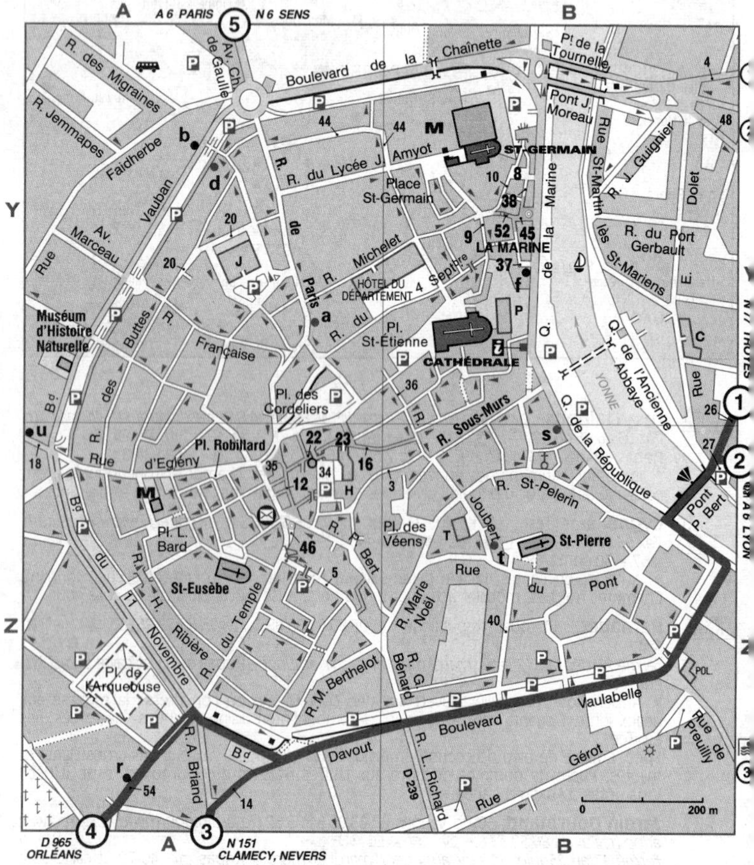

A 6 PARIS
N 6 SENS
Boulevard de la Chaînette
Pt de la Tournelle
Pont J. Moreau
R. des Migraines
R. Jemmapes
Faidherbe
Vauban
Av. Ch. de Gaulle
R. du Lycée J. Amyot
Place St-Germain
ST-GERMAIN
R. de Paris
R. Michelet
HÔTEL DU DÉPARTEMENT
4 Septbre
LA MARINE
Q. de la Marine
Rue St-Martin lès St-Mariens
R. J. Guignier
R. du Port Gerbault
Dolet
Av. Marceau
Rue des Buttes
R. Française
Muséum d'Histoire Naturelle
Pl. St-Étienne
CATHÉDRALE
Q. de l'Ancienne Abbaye
YONNE
Q. de la République
Pl. des Cordeliers
R. Sous-Murs
Pl. Robillard
Rue d'Egleny
R. St-Pelerin
Joubert
St-Pierre
Pont P. Bert
Pl. L. Bard
St-Eusèbe
R. du Temple
R. P. Bert
Pl. des Véens
Rue du Pont
R. Marie Noël
R. H. Ribière
Bd du 11 Novembre
Pl. de l'Arquebuse
R. M. Berthelot
R. G. Bénard
Vaulabelle
Boulevard Davout
Rue de Preuilly
Gérot
R. A. Briand
R. L. Richard
D 239
0
200 m
D 965 ORLÉANS
N 151 CLAMECY, NEVERS
A 6 LYON
N 77 TROYES


**rte de Chablis** *par ② : 8 km près échangeur A 6 Auxerre-Sud – ⊠ 89290 Venoy :*

XX **Moulin de la Coudre** avec ch, ✆ 03 86 40 23 79, *moulin89@wanadoo.fr, Fax 03 86 40 23 55,* – – 40. GB
*fermé 6 au 29 janv., dim. soir et lundi* – **Repas** 20/50 ♀, enf. 10 – ☕ 8 – **7 ch** 58/72 – 1/2 P 68.
◆ Au fond d'un vallon, vieux moulin bordant une rivière, où vous prendrez vos repas dans un cadre assez sobre ou en terrasse, à l'ombre des grands arbres. Plats traditionnels.

**à Vincelottes** *par ② N 6 et D 38 : 16 km – 286 h. alt. 110 – ⊠ 89290 :*

XX **Auberge Les Tilleuls** avec ch, ✆ 03 86 42 22 13, *Fax 03 86 42 23 51,* – TV. GB
*fermé 19 déc. au 21 fév., jeudi d'oct. à Pâques et merc.* – **Repas** 21/50 ♀, enf. 14 – ☕ 11 – **5 ch** 49,50/70 – 1/2 P 64/73,20.
◆ Étape bucolique au bord de l'Yonne. Deux coquettes salles à manger ornées de tableaux d'artistes du pays. Belle terrasse à fleur d'eau. Carte traditionnelle.

**à Chevannes** *par ③ et D1 : 8 km – 1 901 h. alt. 170 – ✉ 89240 :*

XXX **Chamaille** avec ch, ☎ 03 86 41 24 80, *lachamaille@wanadoo.fr, Fax 03 86 41 34 80*, P. AE GB. ch
*fermé 1er au 17 janv., dim. soir du 14 nov. au 14 fév., lundi et mardi* – **Repas** (nombre de couverts limité, prévenir) 20/58,50 et carte 47 à 52 ♀, enf. 12,50 – ☕ 6,30 – **3 ch** 38,50/45,80 – ½ P 69/73.
◆ Atmosphère agreste d'une ferme d'autrefois nichée dans la verdure. Salle rustique et véranda ouverte sur le parc traversé par un ruisseau. Cuisine traditionnelle et créative.

**près échangeur Auxerre-Nord** *par ⑤ : 7 km :*

**Mercure** M, N 6 ✉ 89380 Appoigny ☎ 03 86 53 25 00, *H0348@accor-hotels.com, Fax 03 86 53 07 47*, TV P – 25 à 120. AE GB
**Repas** (15,70) - 22,70/26,80 ♀, enf. 11 – ☕ 12 – **77 ch** 85/99.
◆ Bâtiments de style régional disposés autour de la piscine. Chambres spacieuses et rénovées avec soin. Ambiance feutrée au restaurant. Jardin planté de quelques ceps de vignes.

**Campanile,** r. Athènes ✉ 89470 Monéteau ☎ 03 86 40 71 11, *auxerremo@campanile.fr, Fax 03 86 40 50 74*, TV P – 25. AE GB
**Repas** (12) - 15,50/17 ♀, enf. 6 – ☕ 6 – **83 ch** 58.
◆ Chambres avant tout pratiques, sobres et bien tenues ; quelques-unes, plus grandes, sont idéales pour les séjours en famille. Repas servis sous forme de buffets.

***Les prix***
*Pour toutes précisions sur les prix indiqués dans ce guide, reportez-vous aux pages explicatives.*

---

**AUXONNE** *21130 Côte-d'Or* 320 *M6 G. Bourgogne – 6 781 h alt. 184.*
*Office du Tourisme, rue Berbis ☎ 03 80 37 34 46, Fax 03 80 31 02 34, tourismeauxonne@wanadoo.fr.*
*Paris 344 – Dijon 32 – Dole 17 – Gray 38 – Vesoul 81.*

**à Lamarche-sur-Saône** *Nord-Ouest : 11,5 km par N 5 et D 976 – 1 223 h. alt. 190 – ✉ 21760 :*

XX **Hostellerie St-Antoine** avec ch, ☎ 03 80 47 11 33, *hotel@lesaintantoine.com, Fax 03 80 47 13 56*, TV P. AE GB JCB. rest
*fermé vacances de toussaint, samedi soir et dim. d'oct. à déc.* – **Repas** 24/30 ♀ – ☕ 8 – **12 ch** 49/55 – ½ P 49/52.
◆ Grande demeure bourguignonne aux abords du village. Deux salles à manger confortables dont une sous véranda, tournée vers le beau jardin bordant la Saône.

**aux Maillys** *Sud : 8 km par D 20 – 739 h. alt. 182 – ✉ 21130 :*

XX **Virion,** ☎ 03 80 39 13 40, *virionresto@aol.com, Fax 03 80 39 17 22* – . GB
*fermé dim. soir et lundi* – **Repas** 13 bc/28 ♀.
◆ Dans cette sympathique maison de pays située à côté de l'église, les plats traditionnels fleurent bon le terroir. Deux salles à manger, dont une plus rustique.

---

**AVALLON** SP *89200 Yonne* 319 *G7 G. Bourgogne – 8 617 h alt. 250.*
**Voir** *Site★ – Ville fortifiée★ : Portails★ de l'église St-Lazare – Miserere★ du musée de l'Avallonnais* **M**1 *– Vallée du Cousin★ S par D 427.*
*Office du Tourisme, 6 rue Bocquillot ☎ 03 86 34 14 19, Fax 03 86 34 28 29, avallon.otsi@wanadoo.fr.*
*Paris 222 ② – Auxerre 52 ④ – Beaune 103 ② – Chaumont 134 ② – Nevers 97 ④.*

Plan page suivante

**Hostellerie de la Poste,** 13 pl. Vauban **(b)** ☎ 03 86 34 16 16, *info@hostelleriedelaposte.com, Fax 03 86 34 19 19*, ch, TV P – 15. AE GB JCB
*15 mars-15 nov.* – **Repas** *(fermé lundi hors saison et dim. soir)* 21,50 (déj.), 26/75,50 ♀, enf. 16,75 – ☕ 12,50 – **27 ch** 98/167, 3 duplex – ½ P 92/115.
◆ Beau relais de poste bourguignon du 18e s. qui hébergea Napoléon Ier à son retour d'exil. Jolies chambres personnalisées et salle à manger au cachet ancien préservé.

**Avallon Vauban** sans rest, 53 r. Paris **(r)** ☎ 03 86 34 36 99, *Fax 03 86 31 66 31*, – cuisinette TV P – 15. GB
☕ 6,20 – **26 ch** 45/51, 4 studios.
◆ Bordant un carrefour animé, demeure régionale ouverte sur un vaste parc ombragé. Décor frais et meubles en merisier dans les chambres, plus tranquilles sur l'arrière.

# AVALLON

Belgrand (R.) ........ 2
Bocquillot (R.)........ 3
Capucins (Prom. des). 5
Collège (R. du)....... 6
Fontaine-Neuve (R.) .. 8
Fort-Mahon (R.) ...... 9
Gaulle (Pl. Gén.-de)... 12
Gde-Rue A.-Briand ... 13
Odebert (R. des) ..... 14
Paris (R. de)
Porte-Auxerroise (R.) . 16
Terreaux Vauban (Prom. des)........ 18
Vauban (Pl.)

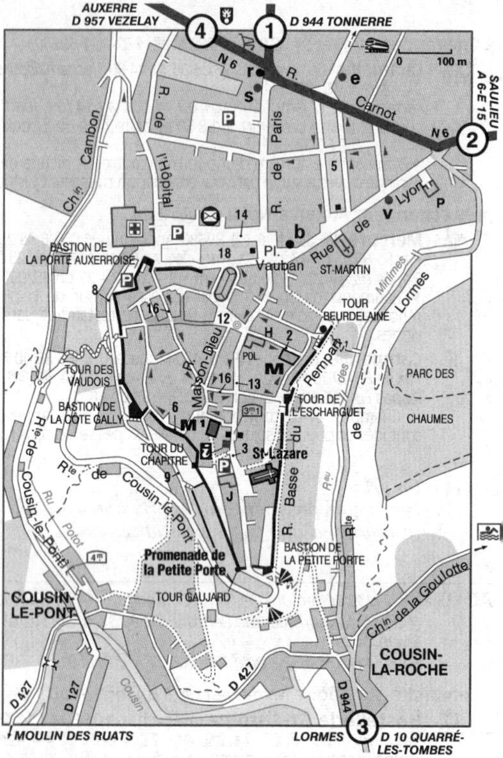

AUXERRE
D 957 VEZELAY
D 944 TONNERRE
0
100 m
SAULIEU
A 6-E 15
N 6
R. Carnot
R. de l'Hôpital
Ch^in Cambon
R. de Paris
Rue de Lyon
BASTION DE
LA PORTE AUXERROISE
Pl. Vauban
ST-MARTIN
Minimes
Lormes
TOUR BEURDELAINE
Rempart des Minimes
PARC DES CHAUMES
TOUR DES VAUDOIS
R. Maison-Dieu
POL.
TOUR DE L'ESCHARGUET
BASTION DE LA CÔTE GALLY
TOUR DU CHAPITRE
St-Lazare
R^te de Cousin-le-Pont
R. Basse du Rempart
Ru Potot
Promenade de la Petite Porte
BASTION DE LA PETITE PORTE
TOUR GAUJARD
COUSIN-LE-PONT
Ch^in de la Goulotte
COUSIN-LA-ROCHE
D 427
D 127
D 944
Cousin
MOULIN DES RUATS
LORMES
D 10 QUARRÉ-LES-TOMBES


Pour visiter la Bourgogne, utilisez le **Guide Vert Michelin. Bourgogne Morvan**

**Dak'Hôtel** M sans rest, rte Saulieu par ② ☎ 03 86 31 63 20, *dakhotel@voila.fr, Fax 03 86 34 25 28*, – TV P – 60. AE GB
7 – **26 ch** 46/51.
◆ Bâtiment cubique proche de la nationale. Chambres fonctionnelles, un peu nues, mais bien équipées et insonorisées. Salle des petits-déjeuners donnant sur le jardin.

**Les Capucins** avec ch, 6 av. P. Doumer **(e)** ☎ 03 86 34 06 52, *hotellescapucins@aol.com, Fax 03 86 34 58 47*, – TV P. AE GB
*fermé 28 juin au 8 juil., 22 déc. au 8 janv., 28 fév. au 10 mars mardi et merc.* – **Repas** 29/49 – 6 – **7 ch** 49/66.
◆ Accueil charmant dans cette maison abritant une salle à manger sobrement rustique, une plaisante terrasse tournée vers le jardin et des chambres pratiques et bien tenues.

**Relais des Gourmets,** 47 r. Paris **(s)** ☎ 03 86 34 18 90, *relais-des-gourmets@wanadoo.fr, Fax 03 86 31 60 21*, – . AE GB
*fermé dim. soir et lundi de nov. à juin* – **Repas** 16/60 bc, enf. 9.
◆ Derrière une façade fleurie, surprenante salle à manger-véranda d'inspiration provençale : couleurs chaudes et oliviers centenaires. Généreuse cuisine régionale.

**Gourmillon,** 8 r. Lyon **(v)** ☎ 03 86 31 62 01, *Fax 03 86 31 62 01* – . AE GB
*fermé 5 au 25 janv. et dim. soir* – **Repas** 13,50/28, enf. 8.
◆ Petite adresse du centre-ville où simplicité rime avec générosité. Fraîche salle à manger sagement champêtre. Les menus font la part belle au terroir.

**rte de Saulieu** *par ② : 6 km – ✉ 89200 Avallon :*

**Relais Fleuri** M, ☎ 03 86 34 02 85, *relais-fleuri@wanadoo.fr, Fax 03 86 34 09 98*, – TV P – 30 à 50. AE GB JCB
**Repas** 19,50/56 bc – 12 – **48 ch** 72/79 – 1/2 P 72.
◆ Côté hôtel, chambres vastes et confortables, de plain-pied avec le jardin et la piscine. Côté restaurant, lumineuse salle rustique et appétissante carte traditionnelle.

**près échangeur Autoroute A 6** *par ② et D 50 : 7 km – ✉ 89200 Magny :*

**Ibis** Ⓜ, ✆ 03 86 33 01 33, *h1740@hotels-accor.com, Fax 03 86 33 00 66* – TV ♿ P – 30. AE ⓓ GB
**Repas** *(fermé lundi midi et dim. midi)* (12) - 15 ♀ – ☕ 5,50 – **42 ch** 49/55.
◆ Commode pour une étape sur la route du soleil, cet hôtel dispose de chambres insonorisées et peu à peu rénovées. Repas simples servis dans une salle ouverte sur la campagne.

**à Pontaubert** *par ④ et D 957 : 5 km – 336 h. alt. 160 – ✉ 89200 :*

**Les Fleurs** avec ch, ✆ 03 86 34 13 81, *Fax 03 86 34 23 32,* – TV P. GB
*fermé 15 au 22 oct., 15 déc. au 16 fév., merc. et jeudi* – **Repas** 14/34,50, enf. 9,50 – ☕ 6 – **7 ch** 45/54 – ½ P 45/48.
◆ Discrète auberge familiale située au coeur du village. La salle à manger de style rustique ouvre sur le jardin ombragé où l'on dresse des tables en saison.

**dans la Vallée du Cousin** *par ④, Pontaubert et D 427 : 6 km – ✉ 89200 Avallon :*

**Moulin des Ruats** ✆ 03 86 34 97 00, *contact@moulin-des-ruats.com, Fax 03 86 31 65 47,* – TV P. AE ⓓ GB JCB
*mi-fév.-mi-nov.* – **Repas** *(fermé lundi et le midi sauf dim.)* 26/38 ♀ – ☕ 10 – **25 ch** 65/115 – ½ P 78/103.
◆ Reconversion réussie pour ce vieux moulin : salon feutré, chambres au charme d'antan et salle à manger-véranda dominant le Cousin qui traverse cet agréable domaine.

**à Vault de Lugny** *par ④ et D 142 : 6 km – 320 h. alt. 148 – ✉ 89200 :*

**Château de Vault de Lugny** ✆ 03 86 34 07 86, *hotel@lugny.com, Fax 03 86 34 16 36,* ←, – TV P. AE ⓓ GB JCB
*21 mars-11 nov.* – **Repas** *(fermé merc.)* (table d'hôtes)(dîner seul.)(résidents seul.) 50/90 ♀ – **12 ch** ☕ 210/460 – ½ P 125/275.
◆ Château du 16e s., havre de paix au luxueux décor. Ravissantes chambres et grande table d'hôte face à la cheminée. Des animaux de basse-cour folâtrent dans le parc.

**à Valloux** *par ④ et N 6 : 6 km – ✉ 89200 Avallon :*

**Auberge des Chenêts,** ✆ 03 86 34 23 34, *Fax 03 86 34 21 24* – GB
*fermé vacances de printemps, de Toussaint, dim. soir et lundi* – **Repas** (14) - 20/51 ♀.
◆ Aimable auberge de campagne (non-fumeur) au bord d'une route assez fréquentée. Attablez-vous auprès de la cheminée et goûtez des plats traditionnels inspirés de la Bourgogne.

***Les prix***
*Pour toutes précisions sur les prix indiqués dans ce guide, reportez-vous aux pages explicatives.*

---

## AVÈNE

*34260 Hérault* 339 D6 – *269 h alt. 350 – Stat. therm. (fin mars-fin oct.).*
*Office du Tourisme, Le Village ✆ 04 67 23 43 38, Fax 04 67 23 44 94.*
*Paris 707 – Montpellier 83 – Bédarieux 25 – Clermont-l'Hérault 47.*

**Val d'Orb** Ⓜ, Les Bains d'Avène ✆ 04 67 23 44 45, *val.dorb@wanadoo.fr, Fax 04 67 23 39 07,* ←, – rest, TV ♿ P – 15 à 50. AE GB. rest
*1er avril-30 oct.* – **Repas** 17/26 – ☕ 7,50 – **58 ch** 78/88 – ½ P 57,50.
◆ Blotti dans un vallon à l'abri des regards, établissement intégré au nouveau centre thermal. Hébergement spacieux. Au restaurant, carte traditionnelle et suggestions du jour.

**Les Mûriers,** Les Bains d'Avène ✆ 04 67 23 40 97, *Fax 04 67 23 39 07,* – P. AE GB
*10 avril-15 oct. et fermé dim. soir et lundi* – **Repas** 11,80 (déj.), 16/21,50 ♀, enf. 8,50.
◆ Bel environnement verdoyant pour ce petit restaurant rénové à la manière d'un plaisant jardin d'hiver. Terrasse au bord de la rivière. Cuisine aux accents du pays.

---

## AVESNES-SUR-HELPE

SP *59440 Nord* 302 L7 *G. Picardie Flandres Artois – 5 108 h alt. 151.*
Voir *L'Avesnois** E par D 133.*
*Office du Tourisme, 41 place du Général Leclerc ✆ 03 27 56 57 20, Fax 03 27 56 57 20, avesnes@tourisme.norsys.fr.*
*Paris 216 – St-Quentin 66 – Charleroi 56 – Valenciennes 44 – Vervins 33.*

**Crémaillère,** 26 pl. Gén. Leclerc (près église) ✆ 03 27 61 02 30, *trochain@aol.com, Fax 03 27 59 10 44* – AE GB
*fermé 16 au 31 août, 2 au 28 janv., dim. soir, mardi soir et lundi* – **Repas** (14) - 18 (déj.), 22/27 ♀.
◆ Salle à manger au cachet rustique préservé et cuisine mariant tradition et créativité dans cette maison ancienne en briques du pays des fromages forts (boulette d'Avesnes).

**AVIGNON** P 84000 Vaucluse 332 B10 *G. Provence* – 86 939 h Agglo. 253 580 h alt. 21.

*Voir Palais des Papes*** : ≤** de la terrasse des Dignitaires – Rocher des Doms ≤** – Pont St-Bénézet** – Remparts* – Vieux hôtels* (rue Roi-René)* **EZ F**[2] *– Coupole* de la cathédrale Notre-Dame-des-Doms – Façade* de l'hôtel des Monnaies* **EY K** *– Vantaux* de l'église St-Pierre* **EY** *– Retable* de l'église St-Didier* **EZ** *– Musées : Petit Palais*** **EY**, *Calvet** **EZ M**[2], *Lapidaire** **EZ M**[4], *Louis Vouland (faïences*)* **DY M**[5] *– Musée Angladon** **EZ M**[1].

*d'Avignon : ☎ 04 90 81 51 15, par ③ et N 7 : 8 km – ☎ 08 36 35 35 35.*

*Office du Tourisme, 41 cours Jean Jaurès ☎ 04 32 74 32 74, Fax 04 90 82 95 03, information@ot-avignon.fr.*

*Paris 686 ② – Aix-en-Provence 82 ③ – Arles 37 ④ – Marseille 99 ③ – Nîmes 46 ⑤.*

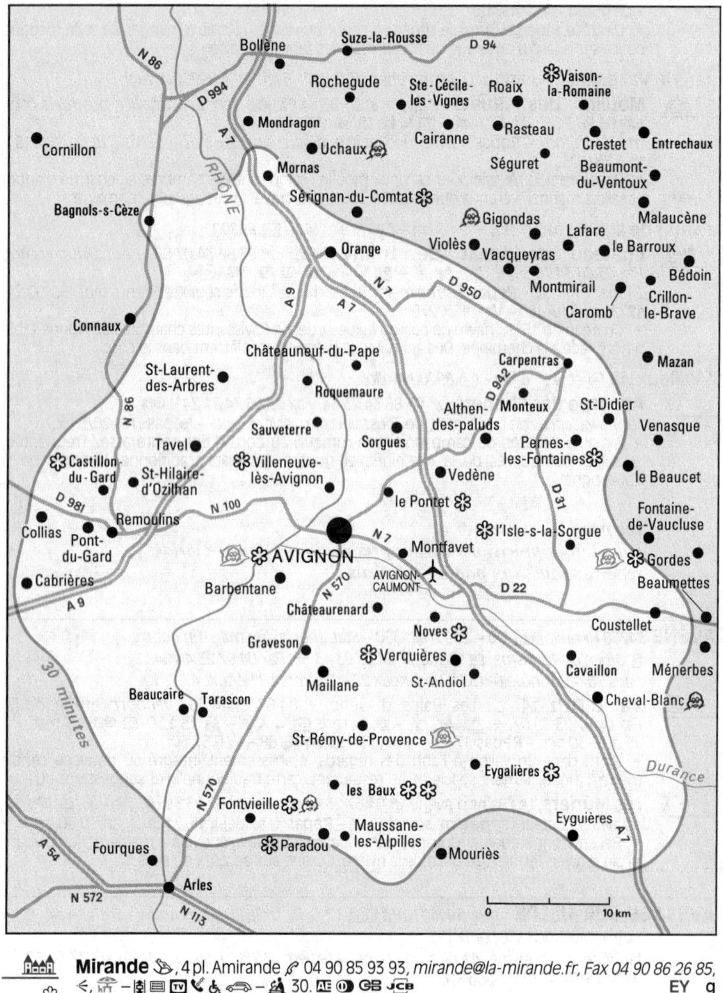
Bollène
Suze-la-Rousse
D 94
N 86
Rochegude
Ste-Cécile-les-Vignes
Roaix
Vaison-la-Romaine
D 994
Mondragon
Rasteau
Crestet
Entrechaux
Cornillon
A 7
Uchaux
Cairanne
Séguret
Beaumont-du-Ventoux
RHÔNE
Mornas
Sérignan-du-Comtat
Malaucène
Bagnols-s-Cèze
Gigondas
Lafare
Violès
le Barroux
Orange
Vacqueyras
Bédoin
N 7
D 950
Montmirail
Crillon-le-Brave
A 9
A 7
Caromb
Connaux
Châteauneuf-du-Pape
Carpentras
Mazan
St-Laurent-des-Arbres
Roquemaure
D 942
N 86
Althen-des-paluds
Monteux
St-Didier
Sauveterre
Sorgues
Venasque
Tavel
Pernes-les-Fontaines
Castillon-du-Gard
Villeneuve-lès-Avignon
St-Hilaire-d'Ozilhan
Vedène
le Beaucet
D 981
D 31
N 100
le Pontet
Fontaine-de-Vaucluse
Remoulins
Collias
Pont-du-Gard
N 7
l'Isle-s-la-Sorgue
Montfavet
AVIGNON
Gordes
Cabrières
AVIGNON-CAUMONT
Barbentane
N 570
D 22
Beaumettes
A 9
Châteaurenard
Coustellet
Noves
Graveson
Verquières
Cavaillon
Ménerbes
30 minutes
Maillane
St-Andiol
Beaucaire
Tarascon
Cheval-Blanc
St-Rémy-de-Provence
Durance
Eygalières
N 570
les Baux
Fontvieille
Eyguières
Maussane-les-Alpilles
A 7
A 54
Fourques
Paradou
Mouriès
Arles
N 572
N 113
0
10 km

**Mirande** 4 pl. Amirande ☎ 04 90 85 93 93, *mirande@la-mirande.fr, Fax 04 90 86 26 85,* ≤, – 30. AE GB JCB EY g

**Repas** *(fermé 6 janv. au 5 fév., mardi et merc.)* 38 (déj.), 49/82 et carte 70 à 90 – ☕ 26 – **20 ch** 340/450.

◆ Découvrez la douce atmosphère de cet ancien palais cardinalice totalement rénové dans le goût d'une maison provençale du 18e s. À table, carte classique et régionale.

**Spéc.** Fleurs de courgette farcies de calamar (juil.-août). Vapeur de dorade farcie à la citronnelle. Salade de fraises et pourpier, olivettes confites (15 juin au 15 sept.). **Vins** Côtes du Ventoux, Gigondas.

**Europe** ⚘, 12 pl. Crillon ☎ 04 90 14 76 76, *reservations@hotel-d-europe.fr, Fax 04 90 14 76 71,* – |♦| ▤ TV ☏ ♿ – 40 à 80. AE ⓓ GB JCB EY d
**Repas** *(fermé 17 août au 1er sept., 23 nov. au 1er déc., 12 au 27 janv., lundi midi et dim.* 30 (déj.), 56/70 et carte 68 à 98 ♀ – ☕ 20 – **41 ch** 125/398, 3 appart.
◆ Élégant hôtel particulier du 16e s. à la décoration raffinée. Les suites du dernier étage offrent de belles échappées sur le palais des Papes. Cuisine au goût du jour.
**Spéc.** Dos de bar de ligne cuit sur peau. Carré d'agneau de pays rôti, ris et rognons meunière. Tartare de fraises et tomates au basilic (été). **Vins** Côtes-du-Rhône, Châteauneuf-du-Pape.

**Avignon Grand Hôtel** M, 34 bd St-Roch (à la Gare) ☎ 04 90 80 98 09, *reservation@avignongrandhotel.com, Fax 04 90 80 98 10,* – |♦| cuisinette, ▤ ch, TV ☏ ♿ – 50. AE ⓓ GB EZ t
**Repas** *(fermé dim. en hiver et sam.)* (15) - 21 ♀ – ☕ 15 – **11 ch** 115, 110 appart 215/375, 14 duplex.
◆ Inspirations médiévale et provençale pour le décor de cet hôtel situé au pied des remparts. Chambres actuelles et spacieux appartements. Piscine ronde installée sur le toit.

**Cloître St-Louis** M ⚘, 20 r. Portail Boquier ☎ 04 90 27 55 55, *hotel@cloitre-saint-louis.com, Fax 04 90 82 24 01,* – |♦|, ▤ ch, TV ♿ P – 20. AE ⓓ GB EZ s
**Repas** *(fermé 21 fév. au 8 mars, sam. et dim. de nov. à mars)* 25 (déj.), 38/48 ♀ – ☕ 16 – **77 ch** 140/270, 3 duplex.
◆ Décor contemporain dans un cloître du 16e s. et son annexe conçue par Jean Nouvel. Chambres au design monacal, restaurant dans les salles voûtées et les galeries.

**Mercure Pont d'Avignon** M ⚘ sans rest, rue Ferruce, quartier Balance ☎ 04 90 80 93 93, *h549@accor-hotels.com, Fax 04 90 80 93 94* – |♦| ▤ TV ☏ – 80. AE ⓓ GB JCB EY r
☕ 12 – **87 ch** 100/125.
◆ Hôtel récent à la mode provençale : meubles de style régional et tons chaleureux égaient les chambres pratiques et claires. Jolie salle des petits-déjeuners.

**Mercure Cité des Papes** sans rest, 1 r. J. Vilar ☎ 04 90 80 93 00, *h1952@accor-hotels.com, Fax 04 90 80 93 01* – |♦| TV ☏. AE ⓓ GB EY b
☕ 12 – **85 ch** 115/125.
◆ Bâtiment des années 1970 apprécié pour son emplacement au coeur de la cité des Papes. Chambres au sobre décor provençal. Superbe terrasse panoramique pour les petits-déjeuners.

**de l'Horloge** sans rest, 1 r. F. David (pl. Horloge) ☎ 04 90 16 42 00, *hoteldelhorloge@web-office.fr, Fax 04 90 82 17 32* – |♦| ▤ TV ☏ ♿ – 15. AE ⓓ GB JCB EY t
☕ 10 – **67 ch** 76/153.
◆ Deux belles bâtisses au coeur du vieil Avignon. Préférez les jolies chambres rénovées (avec terrasse au dernier étage) ; les autres sont meublées dans le style Louis XVI.

**Blauvac** sans rest, 11 r. de la Bancasse ☎ 04 90 86 34 11, *blauvac@aol.com, Fax 04 90 86 27 41* – TV. AE ⓓ GB. EY m
*fermé 10 au 17 nov. et 6 au 13 janv.* – ☕ 6,40 – **16 ch** 54/68,40.
◆ Ancienne résidence du marquis de Blauvac (17e s.). Intérieur d'esprit rustique. Les murs des chambres (parfois avec mezzanine) laissent souvent apparaître la pierre d'origine.

**Angleterre** sans rest, 29 bd Raspail ☎ 04 90 86 34 31, *info@hoteldangleterre.fr, Fax 04 90 86 86 74* – |♦| TV ☏ P. GB. DZ a
*fermé 20 déc. au 21 janv.* – ☕ 7 – **40 ch** 60/77.
◆ Cet immeuble centenaire abritait autrefois une fabrique de pâtes. Les chambres, rajeunies par étapes, sont simples, correctement équipées et bien tenues. Parking pratique.

**Ibis Centre Gare,** 42 bd St-Roch ☎ 04 90 85 38 38, *Fax 04 90 86 44 81* – |♦| ▤ TV ☏ ♿ – 15. AE ⓓ GB JCB EZ r
**Repas** (12) - 16 ♀, enf. 6 – ☕ 6 – **98 ch** 62/85.
◆ Pour une halte entre deux trains, choisissez cette architecture "tout béton" adossée à la gare. Vous séjournerez dans des chambres relookées, à l'insonorisation exemplaire.

**Lavarin,** 1715 chemin du Lavarin Sud ☎ 04 90 89 50 60, *inforesa@hotel-du-lavarin.com, Fax 04 90 89 86 00,* , –, ▤ ch, TV ☏ ♿ P. AE ⓓ GB JCB AX b
*rest : fermé 24 oct. au 2 nov., 19 déc. au 4 janv., 19 fév. au 7 mars* – **Repas** *(fermé dim. sauf le soir d'avril à oct., vend. soir hors saison, sam. midi et lundi midi)* (13) - 16 ♀, enf. 7 – ☕ 10 – **44 ch** 110.
◆ Accueil aimable, chambres rajeunies et colorées, piscine et agréable terrasse : cet hôtel constitue une sympathique étape de la périphérie avignonnaise, à deux pas de l'hôpital.

LES ANGLES

Pinède (Ch. de la) . . . AV

AVIGNON

Amandier (Av. de l') . CX
Aulnes (Av. des) . . . . CX
Avignon (Av. d') . . . . . CX
Croix-Rouge (Av. de la) . . . . . . . . BX
Docteur Pons (Rte Touristique) . . BV
Eisenhover (Av.) . . . . AX
Europe (Pont de l') . AX
Ferry (Bd J.) . . . . . . . AX
Folie (Av. de la) . . . BCX 29
Foncouverte (Av. de) . . . . . . . . BCX 31
Gaulle (Rocade Ch. de) . ABX
Lyon (Rte de) . . . . . . BV
Marseille (Rte de) . BCX 51
Monclar (Av.) . . . . . . . AX
Monod (Bd J.) . . . . . . AX 58
Montfavet (Rte de) BCX 60
Morières (Rte de) . BCV
Moulin-Notre-Dame (Av. du) . . . . BX 61
Réalpanier (Carr.) . . . CV
Reine-Jeanne (Av. de la) . . . . . . . . BX 81
Royaume (Pont du) . AV 92
St-Chamand (Av.) . . . BX 95
St-Ruf (Av.) . . . . . . . . AX
Semard (Av. P.) . . . . . BX
Sixte-Isnard (Bd) . . . . BX 112
Souspirous (Av. de) . CX
Tarascon (Av. de) . . . AX
Ire-D.-B. (Bd de la) . . . BX 125

LE PONTET

Avignon (Av. d') . . . . . CV
Carpentras (Av. de) . CV
Delorme (Av. Th.) . . . CV
Goutarel (Av. G.) . . . . CV 38
Pasteur (Av. L.) . . . . . . CV

VILLENEUVE-LÈS-AVIGNON

Camp de Bataille (R.) . . . . . . . AV 15
Chartreux (Ch. des) . AV 16
Ducros (Bd Edmond) AV
Fort St-André (Montée du) . . . . . . AV 32
Gaulle (Av. Ch.-de) . . AV 33
Hôpital (R. de l') . . . . AV 43
Joffre (Rte) . . . . . . . . . AV
Leclerc (Av. Gén.) . . . AV
Monnaie (R. de la) . . AV 57
Pasteur (Av.) . . . . . . . AV
Péri (Av. G.) . . . . . . . . AV
Ravoux (Av. Paul) . . . AV
République (R. de la) . . . . . . . . . AV 87
Tour (Montée de la) . AV 115
Verdun (Av. de) . . . . . AV 117

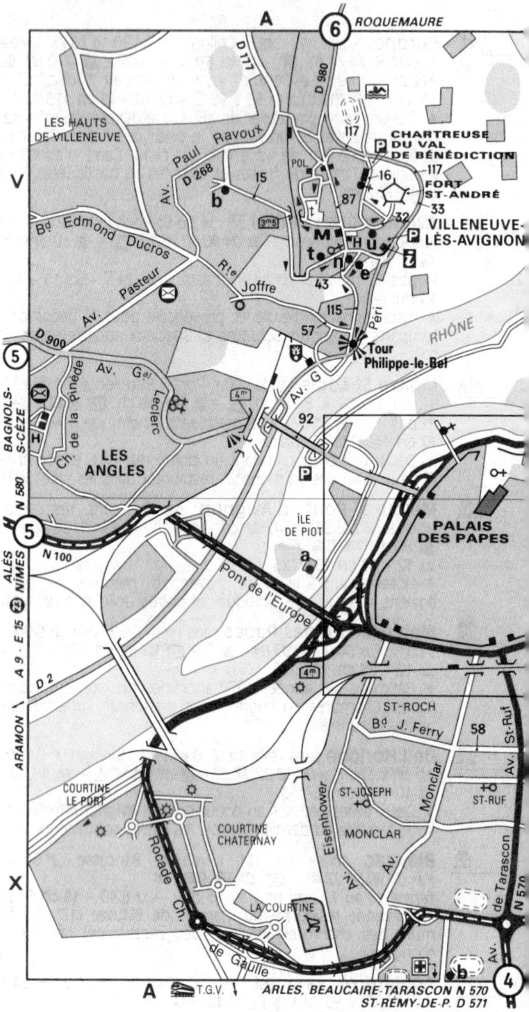

A
ROQUEMAURE
LES HAUTS DE VILLENEUVE
CHARTREUSE DU VAL DE BÉNÉDICTION
FORT ST-ANDRÉ
VILLENEUVE-LÈS-AVIGNON
Tour Philippe-le-Bel
RHÔNE
LES ANGLES
BAGNOLS-S-CÈZE
ÎLE DE PIOT
Pont de l'Europe
PALAIS DES PAPES
ALÈS NÎMES
A 9 - E 15
ARAMON
ST-ROCH
ST-JOSEPH
ST-RUF
MONCLAR
COURTINE LE PORT
COURTINE CHATERNAY
LA COURTINE
V
X
ARLES, BEAUCAIRE-TARASCON N 570
ST-RÉMY-DE-P. D 571
T.G.V.


**Garlande** sans rest, 20 r. Galante ✆ 04 90 80 08 85, *hotel-garlande@avignon-et-provence.com, Fax 04 90 27 16 58* – TV. AE ⓓ GB JCB — EY f
*fermé dim. de nov. à mars* – ☕ 6,10 – **11 ch** 58/99.
◆ Accueil familial, pittoresque dédale de couloirs et escaliers, chambres sagement provençales, meubles et bibelots chinés : ce petit hôtel ne manque pas de cachet.

**Médiéval** sans rest, 15 r. Petite Saunerie ✆ 04 90 86 11 06, *hotel.medieval@wanadoo.fr, Fax 04 90 82 08 64* – cuisinette TV ✆. GB — FY e
*fermé 3 janv. au 7 fév.* – ☕ 6 – **34 ch** 46/60.
◆ Dans une ruelle sombre mais calme, hôtel particulier de la fin du 17e s. où les chambres, desservies par un bel escalier, sont garnies d'un mobilier de style rustique.

**Ibis Pont de l'Europe** sans rest, 12 bd St-Dominique ✆ 04 90 82 00 00, *ibis.avignon.centre.europe@wanadoo.fr, Fax 04 90 85 67 16* – |$| ⇆ ▤ TV ♿. AE ⓓ GB — DZ q
☕ 5,50 – **74 ch** 67/76.
◆ Au pied des remparts, structure récente offrant des chambres un peu exiguës, mais rénovées et bien tenues. Petit-déjeuner servi sous forme de buffet.

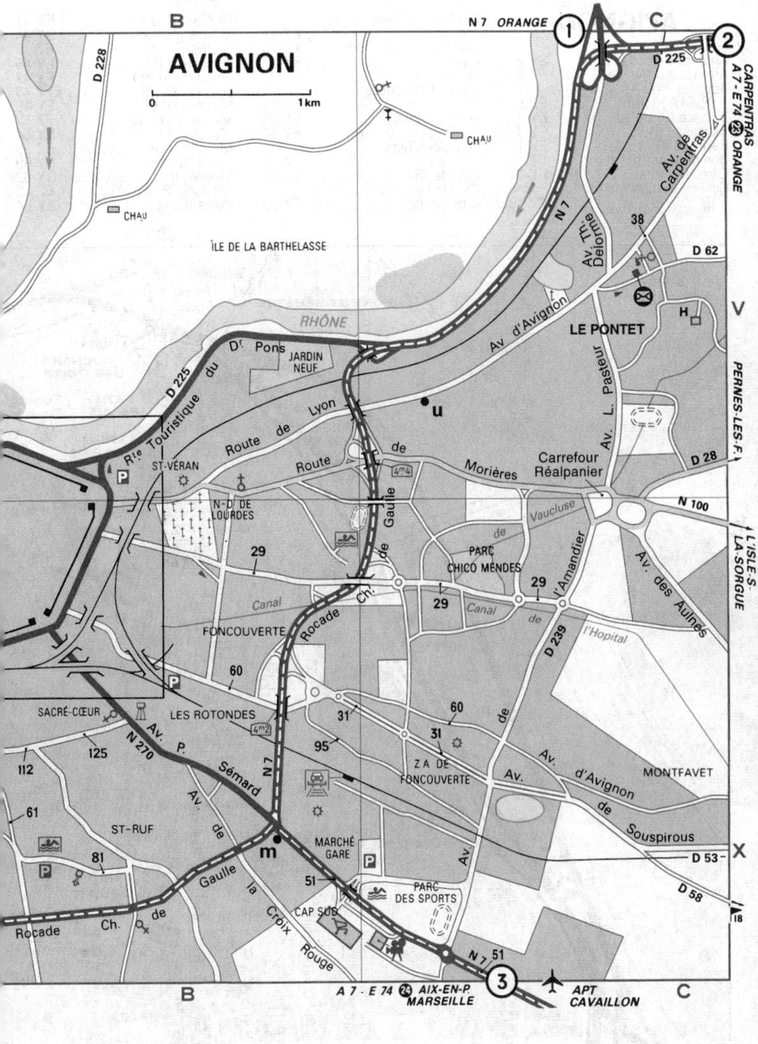
AVIGNON
0
1 km
B
C
N 7 ORANGE
1
2
D 225
D 228
CHAU
ÎLE DE LA BARTHELASSE
RHÔNE
CARPENTRAS
A 7 - E 74 23 ORANGE
Av. de Carpentras
N 7
Av. Th. Delorme
38
D 62
Av. d'Avignon
LE PONTET
H
V
PERNES-LES-F.
D 225
Dr. Pons
JARDIN NEUF
Rte Touristique du
Route de Lyon
u
Av. L. Pasteur
Route de Morières
Carrefour Réalpanier
D 28
ST-VÉRAN
N-D DE LOURDES
Ch. de Gaulle
N 100
Vaucluse
de
PARC CHICO MENDES
L'ISLE-S.-LA-SORGUE
29
Canal
Canal de l'Hopital
l'Amandier
Av. des Aulnes
FONCOUVERTE
Rocade
D 239
60
SACRÉ-CŒUR
LES ROTONDES
31
95
Z A DE FONCOUVERTE
Av. de Av. d'Avignon
MONTFAVET
125
112
N 270
Av. P. Sémard
N 7
de Souspirous
61
ST-RUF
Av. de Gaulle
MARCHÉ GARE
m
X
D 53
81
51
PARC DES SPORTS
D 58
18
Rocade Ch. de
la Croix Rouge
CAP SUD
N 7
3
A 7 - E 74 24 AIX-EN-P. MARSEILLE
APT CAVAILLON

XXX **Christian Étienne,** 10 r. Mons ✆ 04 90 86 16 50, *contact@christian-etienne.fr,*
✿ *Fax 04 90 86 67 09,* – ▤. AE ⓓ GB EY h
*fermé lundi sauf en juil. et dim.* – **Repas** 30 (déj.), 55/85 et carte 65 à 80.

♦ Belles demeures des 13e et 14e s. accolées au palais des Papes : décor chargé d'histoire et vue plongeante sur la place. Registre culinaire provençal inventif.

**Spéc.** Menu "tomates" (15 juin au 15 sept.). Pigeon des Alpes rôti au vrai jus. Sorbet au fenouil , crème anglaise safranée. **Vins** Côtes-du-Rhône-Villages, Côtes du Luberon

XX **Hiély-Lucullus,** 5 r. République (1er étage) ✆ 04 90 86 17 07, *Fax 04 90 86 32 38* – ▤. AE GB JCB EY n
*fermé 30 juin au 17 juil., 17 nov. au 3 déc., mardi et merc.* – **Repas** *(24)* - 30/38 ♀.

♦ À l'étage d'un immeuble ancien. Ambiance feutrée dans la salle des repas sagement bourgeoise où s'épanouissent de beaux bouquets de fleurs. Carte classique.

# AVIGNON

Amirande (Pl. de l') ....... EY 2
Arroussaire (Av. de l') ...... FZ 3
Aubanel (R. Théodore) ........... EZ 5
Balance (R. de la) ......... EY 7
Bancasse (R.) ............ EY 9
Bertrand (R.) ............ FY 10
Bon-Martinet (R. du) ...... FZ 13
Campane (R.) ............. FY 14
Collège-d'Annecy (R. du) ............... EZ 18
Collège-du-Roure (R. du) ................. EY 19
Corps-Saints (Pl. des) ..... EZ 20
David (R. Félicien) ......... EY 22
Dorée (R.) ............... EY 23
Folco-de-Baroncelli (R.) .................... EY 28
Four (Rue du) ............. FY 33
Fourbisseurs (R. des) ..... EY 34
Four-de-la-Terre (R. du) ................ FZ 35
Galante (R.) ............. EY 37
Grande-Fusterie (R. de la) ............. EY 39
Grottes (R. des) .......... EY 41
Italiens (Av. des) ......... GY 44
Jaurès (Cours J.) ......... EZ
Jérusalem (Pl.) ........... FY 45
Ledru-Rollin (R.) .......... FY 47
Manivet (R. P.) .......... EFZ 48
Marchands (R. des) ....... EY 49
Masse (R. de la) .......... FZ 52
Molière (R.) .............. EY 54
Monclar (Av.) ............. EZ 55
Mons (R. de) .............. EY 59
Muguet (R.) .............. GY 62
Ortolans (R. des) ......... EZ 63
Palais (Pl. du) ............ EY 64

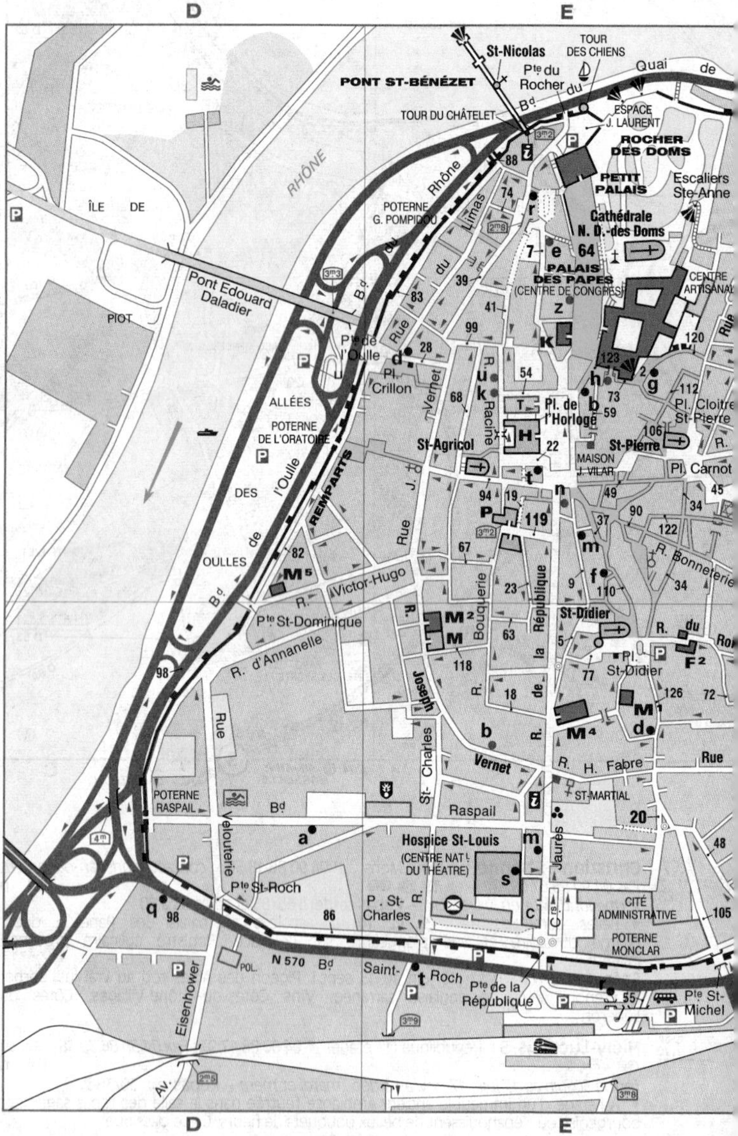

D
E
Y
Z
St-Nicolas
TOUR DES CHIENS
Pte du Rocher
Quai de
PONT ST-BÉNÉZET
Bd du
TOUR DU CHÂTELET
ESPACE J. LAURENT
ROCHER DES DOMS
PETIT PALAIS
Escaliers Ste-Anne
Cathédrale N. D.-des Doms
RHÔNE
ÎLE DE
PIOT
POTERNE G. POMPIDOU
Bd du Rhône
Limas
Rue du
Pont Edouard Daladier
PALAIS DES PAPES (CENTRE DE CONGRÈS)
CENTRE ARTISANAL
Pte de l'Oulle
Pl. Crillon
ALLÉES
POTERNE DE L'ORATOIRE
DES
OULLES
Bd de l'Oulle
REMPARTS
St-Agricol
Pl. de l'Horloge
MAISON J. VILAR
St-Pierre
Pl. Cloitre St-Pierre
Pl. Carnot
Rue J. Vernet
R. Racine
R. Bonneterie
R. Victor-Hugo
Pte St-Dominique
R. d'Annanelle
R. Bouquerie
R. de la République
St-Didier
Pl. St-Didier
R. du Roi
R. Joseph Vernet
Rue St-Charles
R. H. Fabre
Rue
ST-MARTIAL
POTERNE RASPAIL
Bd Raspail
Rue Velouterie
Hospice St-Louis
(CENTRE NATL DU THÉATRE)
Cours Jaurès
Pte St-Roch
P. St-Charles
CITÉ ADMINISTRATIVE
POTERNE MONCLAR
N 570 Bd Saint-Roch
POL.
Pte de la République
Pte St-Michel
Av. Eisenhower

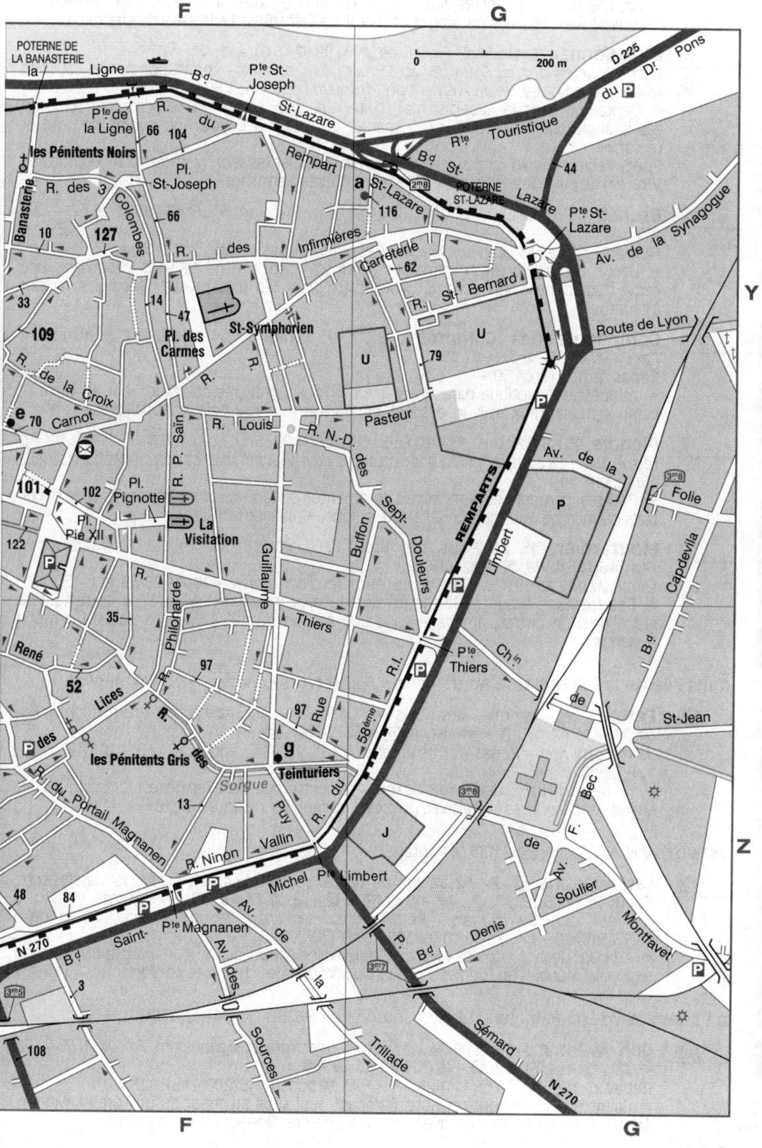
F
G
Y
Z
POTERNE DE LA BANASTERIE
la Ligne
Bd St-Lazare
Pte St-Joseph
0
200 m
D 225
Bd du Dr Pons
Rte Touristique
Pte de la Ligne
R. du Rempart
les Pénitents Noirs
Pl. St-Joseph
R. des 3 Colombes
Banasterie
Rempart St-Lazare
Bd St-Lazare
POTERNE ST-LAZARE
Pte St-Lazare
Av. de la Synagogue
R. des Infirmières
Carreterie
R. St-Bernard
St-Symphorien
Pl. des Carmes
R. de la Croix
Route de Lyon
R. Carnot
R. Louis Pasteur
R. N.-D. des Sept-Douleurs
R. P. Saïn
Pl. Pignotte
La Visitation
Pl. Pie XII
Av. de la Folie
REMPARTS
Limbert
Buffon
Guillaume
R. Philonarde
R. Thiers
Pte Thiers
Chin de St-Jean
Capdevila
Bd
René
Lices
R. des
les Pénitents Gris
Teinturiers
Sorgue
Rue du 58ème R.I.
R. du Portail Magnanen
R. Ninon Vallin
Puy
R. du
Pte Limbert
Av. F. Bec
Av. de
Soulier
Montfavet
Bd Denis
Bd Saint-Michel
Pte Magnanen
N 270
Av. des Sources
Av. de la Trillade
P. Sémard
3m5
3m7
3m8
2m8
10
127
33
109
14
47
66
104
116
62
79
44
e
70
a
101
102
122
35
52
97
g
13
48
84
3
108

XX **Fourchette,** 17 r. Racine ☎ 04 90 85 20 93, *restaurant.la.fourchette@wanadoo.fr, Fax 04 90 85 57 60* – ▤. GB EY u
*fermé 9 au 24 août, 6 au 14 sept., 21 fév. au 7 mars, sam. et dim.* – **Repas** (nombre de couverts limité, prévenir) *(21)* - 26.
◆ Collections de fourchettes, de cigales et de cartes de voeux évoquant le festival : ce coquet bistrot est apprécié des Avignonnais. Menus traditionnels aux accents du Sud.

XX **Auberge de la Treille** avec ch, à l'Ile Piot par pont Éd. Daladier ou Pont de l'Europe ☎ 04 90 16 46 20, *Fax 04 90 16 46 21*, – TV P – 60. GB. rest AX a
**Repas** 19 (déj.)/40 ♀ – ☕ 10 – **6 ch** 92/138.
◆ Bastide du 19e s. ancrée sur une île du Rhône. Salles à manger agrémentées de dessins de Sem, terrasse ombragée et chambres élégantes : l'adresse a du charme.

X **L'Isle Sonnante** (Gradassi), 7 r. Racine ☎ 04 90 82 56 01 – ▤. GB. EY k
*fermé août, 24 déc. au 3 janv., 24 au 31 mars, dim. et lundi* – **Repas** (nombre de couverts limité, prévenir)(rest. exclusivement non-fumeur) *(29,50 bc)* - 51,50.
◆ L'enseigne évoque Rabelais, mais l'intérieur "cosy" donne à ce restaurant chic un esprit anglo-saxon apprécié. On y mange au coude à coude une cuisine actuelle et régionale.
**Spéc.** Râble de lapin farci aux olives de Nyons. Gibier (saison). Macaron praliné-chocolat.
**Vins** Vin de pays des collines rhodaniennes, Crozes-Hermitage

X **Brunel,** 46 r. Balance ☎ 04 90 85 24 83, *brunel@mnet.fr, Fax 04 90 86 26 67* – ▤. GB EY e
*fermé 23 déc. au 13 janv., lundi sauf juil. et dim.* – **Repas** 18 (déj.), 21/27 (dîner) ♀.
◆ Décor contemporain "minimaliste" pour ce bistrot dans le vent proposant une carte traditionnelle aux accents provençaux. Pour les plus pressés, formules rapides à l'annexe.

X **Compagnie des Comptoirs,** 83 r. J. Vernet ☎ 04 90 85 99 04, *jds@mnet.fr, Fax 04 90 85 89 24*, – AE GB EZ b
**Repas** carte environ 50.
◆ Atmosphère exotique dans un cloître du 14e s. : gravures coloniales, bar en verre et bambou, cuisine aux "saveurs des Sud" et cour-terrasse avec palmier et paillotes !

X **Piedoie,** 26 r. 3 Faucons ☎ 04 90 86 51 53, *Fax 04 90 85 17 32* – ▤. GB EZ d
*fermé 18 au 28 août, 17 au 27 nov., vacances de fév., lundi midi et merc.* – **Repas** 18 (déj.), 25/52, enf. 11.
◆ Poutres, parquets et murs blancs agrémentés de tableaux contemporains côté décor, plats du marché volontiers créatifs côté cuisine. Ambiance familiale.

X **Moutardier,** 15 pl. Palais des Papes ☎ 04 90 85 34 76, *moutardier@wanadoo.fr, Fax 04 90 86 42 18*, – ▤. GB EY z
*fermé 24 nov. au 19 déc., 6 au 25 janv. et merc. d'oct. à mars* – **Repas** 28/39, enf. 15.
◆ Des fresques évoquant le moutardier du pape habillent les murs de ce restaurant aux allures de bistrot, aménagé dans une maison du 18e s. face au palais. Un menu "lyonnais".

**dans l'île de la Barthelasse** *Nord : 5 km par D 228 et rte secondaire – ✉ 84000 Avignon :*

**Ferme** , chemin des Bois ☎ 04 90 82 57 53, *info@hotel-laferme.com, Fax 04 90 27 15 47*, – , ▤ ch, TV P. AE GB JCB. ch
*19 mars-1er nov.* – **Repas** *(fermé lundi et merc.)* 22/45 ♀, enf. 12 – ☕ 9 – **20 ch** 62/80 – ½ P 63/68.
◆ Un havre de paix à deux tours de roues du centre-ville. Belle ferme restaurée offrant des chambres spacieuses et fraîches, garnies d'un mobilier rustique simple.

**vers** ② *par N 7 : 3,5 km – ✉ 84130 Le Pontet :*

**Les Agassins** M , 52 av. Ch. de Gaulle ☎ 04 90 32 42 91, *avignon@agassins.com, Fax 04 90 32 08 29*, , , – ▤ TV P – 30. AE GB JCB. rest CV u
*fermé 1er janv. au 1er mars* – **Repas** *(fermé sam. midi de nov. à mars) (17)* - 23 (déj.), 46/76, enf. 20 – ☕ 25 – **30 ch** 90/300 – ½ P 120/200.
◆ Au bord de la "route des vacances" mais isolée par un jardin fleuri, bâtisse d'inspiration régionale. Meubles en rotin et couleurs du Midi dans les chambres confortables.

**à Vedène** *Nord-Est : 10 km par D 62 et rte secondaire – 6 675 h. alt. 34 – ✉ 84270 :*

**Golf** M , ☎ 04 90 02 09 09, *contact@hotelgolfgrandavignon.com, Fax 04 90 02 09 08*, , , – ▤ TV P – 20 à 50. AE GB
**Repas** 23 (déj.)/40 ♀ – ☕ 11 (½ pens. seul.), 30 appart 145/200 – ½ P 115.
◆ Calme et espace pour cet hôtel flambant neuf situé au coeur du golf Grand Avignon. Appartements bien équipés, avec vue sur les greens. Restaurant panoramique.

**au Pontet** *vers ② par N 7 et D 62 : 6 km – 15 688 h. alt. 40 – ✉ 84130 :*

**Auberge de Cassagne**, 450 allée de Cassagne ☎ 04 90 31 04 18, *cassagne@wanadoo.fr, Fax 04 90 32 25 09,* – AE GB JCB
*fermé 4 au 30 janv.* – **Repas** 30 (déj.), 50/80 et carte 75 à 98, enf. 19 – 20 – **35 ch** 210/360, 5 appart – 1/2 P 145/265.
◆ Chambres provençales dans les pavillons ouverts sur de ravissants jardins et cuisine traditionnelle à déguster sur l'agréable terrasse ombragée par un platane centenaire.
**Spéc.** Croustillant de légumes poêlés. Filet de rouget au citron vert. Émincé d'agneau et cotelettes de lapereau panées aux petits légumes farcis. **Vins** Côtes-du-Rhône. Lirac.

**à l'Échangeur A 7** *Avignon-Nord par ② : 9 km – ✉ 84700 Sorgues :*

**Novotel Avignon Nord** M, ☎ 04 90 03 85 00, *h0550@accor-hotels.com, Fax 04 90 03 85 10,* – – 15 à 150. AE GB
**Repas** *(16)* - carte environ 29 ♀, enf. 8 – 11 – **100 ch** 107.
◆ Construction des années 1970 aux aménagements intérieurs entièrement "redesignés" dans un esprit actuel de bon ton. Vastes chambres bien équipées et insonorisées.

**à Montfavet** *Est : 7 km par av. Avignon* - **CX** – *✉ 84140 :*

**Hostellerie Les Frênes** M, av. Vertes Rives ☎ 04 90 31 17 93, *frenes@wanadoo.fr, Fax 04 90 23 95 03,* – – 25. AE GB JCB
*12 avril-31 oct.* – **Repas** (dîner seul.) 55/84 – 16 – **13 ch** 206/456, 5 appart.
◆ Dans un parc, gracieuse demeure bourgeoise (1800) et ses dépendances plus récentes enfouies sous la végétation. Au choix : chambres de style, contemporaines ou méridionales.

**rte de Marseille** *par N 7 – ✉ 84000 Avignon :*

**Mercure Avignon Sud**, 3 km ☎ 04 90 89 26 26, *h0346@accor-hotels.com, Fax 04 90 89 26 27,* – – 25 à 150. AE GB JCB
**Repas** *(16)* - 21, enf. 10 – 11 – **105 ch** 83/110. **BX m**
◆ Une haie d'arbres isole opportunément l'hôtel de son environnement un peu austère. Les chambres sont grandes, pratiques et colorées. Restaurant ouvert sur la piscine.

**à l'aéroport d'Avignon-Caumont** *par ③ : 8 km – ✉ 84140 Montfavet :*

**Paradou-Avignon**, ☎ 04 90 84 18 30, *contact@hotel-paradou.com, Fax 04 90 84 19 16,* – – 20 à 50. AE GB JCB
**Repas** *(fermé dim. du 5 oct. au 30 mars)* 17/35,10 ♀, enf. 9 – 10 – **60 ch** 80,50/126 – 1/2 P 67/84.
◆ Motel d'esprit provençal où vous préférerez les vastes chambres récemment créées ; toutes bénéficient d'une miniterrasse de plain-pied avec le jardin ou d'un grand balcon.

*voir aussi ressources hôtelières de* **Villeneuve-lès-Avignon**

---

**AVIGNON-CAUMONT (Aéroport d')** *84 Vaucluse* 332 *C10 – rattaché à Avignon.*

---

**AVOINE** *37420 I.-et-L.* 317 *K5 – 1 664 h alt. 35.*

*Office du tourisme, Maison de la Confluence - Le Pommier Rond ☎ 02 47 58 45 40, Fax 02 47 58 45 40.*

*Paris 292 – Tours 53 – Azay-le-Rideau 28 – Chinon 7 – Langeais 27 – Saumur 22.*

**L'Atlantide**, 17 r. Nationale ☎ 02 47 58 81 85, *Fax 02 47 58 49 97,* – GB
*fermé 1er au 15 juil., dim. soir et lundi* – **Repas** 24,40/33,60 - ***Casse-Croûte du Vigneron :*** **Repas** 11,30/15.
◆ Salle de restaurant contemporaine rehaussée d'une décoration inspirée de la Grèce antique. Le Casse-Croûte du Vigneron propose des plats du jour aux accents du terroir.

---

**AVORIAZ** *74 H.-Savoie* 328 *N3 – rattaché à Morzine.*

***Les prix***
*Pour toutes précisions sur les prix indiqués dans ce guide, reportez-vous aux pages explicatives.*

**AVRANCHES** 50300 Manche 303 D7 *G. Normandie Cotentin* – 8 638 h alt. 108.

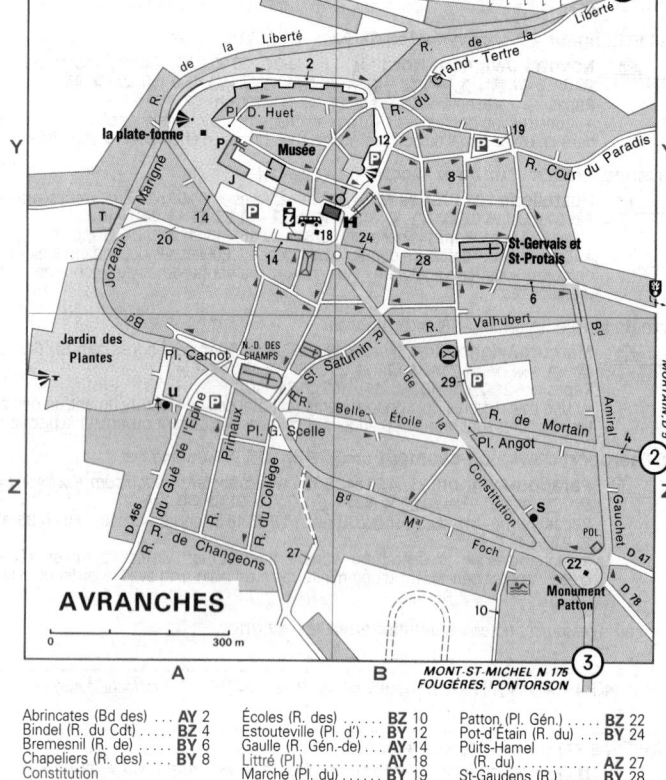

Voir *Manuscrits*★★ *du Mont-St-Michel (musée) – Jardin des Plantes* : ★ – *La "plate-forme"* ★.

*Office du Tourisme, 2 rue Général de Gaulle* 02 33 58 00 22, *Fax 02 33 68 13 29, avranches-tourisme@wanadoo.fr.*

*Paris 336 ① – St-Lô 59 ① – St-Malo 68 ③ – Caen 104 ① – Rennes 80 ③.*

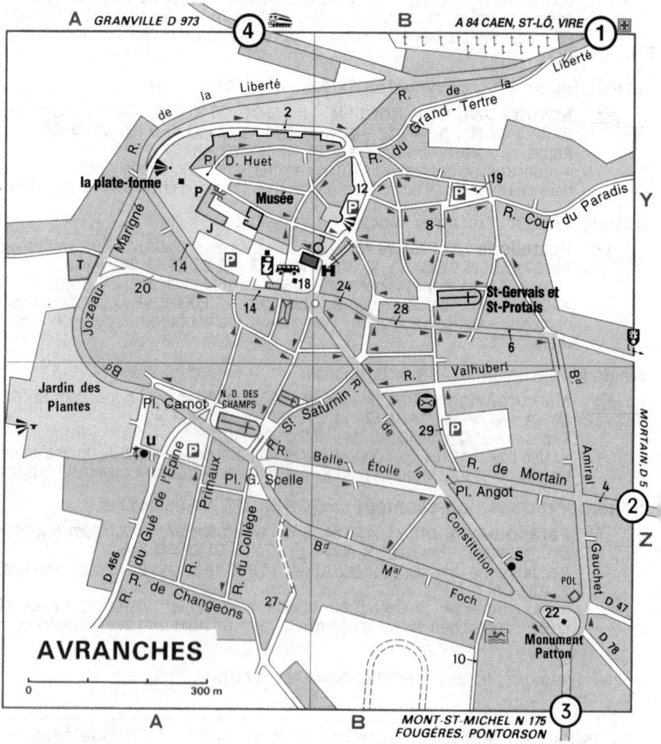

A
GRANVILLE D 973
4
B
A 84 CAEN, ST-LÔ, VIRE
1
R. de la Liberté
Liberté
R. du Grand-Tertre
Pl. D. Huet
la plate-forme
Musée
R. Cour du Paradis
Y
Marigné
Jozeau-
St-Gervais et St-Protais
Valhubert
Jardin des Plantes
Pl. Carnot
N.-D. DES CHAMPS
St. Saturnin
R. de la Constitution
Belle-Étoile
R. de Mortain
Pl. Angot
MORTAIN, D 5
2
Z
Amiral
Gauchet
Pl. G. Scelle
Primaux
R. du Gué de l'Épine
R. du Collège
R. de Changeons
D 456
Bd Mal Foch
D 47
D 78
Monument Patton
AVRANCHES
0
300 m
3
MONT-ST-MICHEL N 175
FOUGÈRES, PONTORSON


| | | |
|---|---|---|
| Abrincates (Bd des) ... **AY** 2 | Écoles (R. des) ...... **BZ** 10 | Patton (Pl. Gén.) ...... **BZ** 22 |
| Bindel (R. du Cdt) ..... **BZ** 4 | Estouteville (Pl. d') ... **BY** 12 | Pot-d'Étain (R. du) ... **BY** 24 |
| Bremesnil (R. de) ..... **BY** 6 | Gaulle (R. Gén.-de) ... **AY** 14 | Puits-Hamel (R. du) ............ **AZ** 27 |
| Chapeliers (R. des) .... **BY** 8 | Littré (Pl.) ........... **AY** 18 | St-Gaudens (R.) ...... **BY** 28 |
| Constitution (R. de la) ........... **BZ** | Marché (Pl. du) ...... **BY** 19 | St-Gervais (R.) ....... **BZ** 29 |
| | Millet (R. L.) ......... **AY** 20 | |

**Croix d'Or**, 83 r. Constitution 02 33 58 04 88, *Fax 02 33 58 06 95*, – – 30. **BZ s**
*fermé janv. et dim. soir du 15 oct. au 25 mars* – **Repas** 14,50 (déj.), 21/48 – 6,60 – **27 ch** 44/63 – ½ P 54/61.
◆ Belle façade à colombages d'un relais de poste du 17ᵉ s. La plupart des chambres ouvrent sur le joli jardin fleuri. Salle à manger normande (meubles et cuivres anciens).

**Abrincates** sans rest, 37 bd Luxembourg par ③ : *0,5 km* 02 33 58 66 64, *Fax 02 33 58 40 11* –
6 – **29 ch** 48/58.
◆ Établissement des années 1980 disposant de chambres pratiques, décorées dans le goût de l'époque. Une bonne insonorisation les protège des nuisances de la route.

**Jardin des Plantes**, 10 pl. Carnot 02 33 58 03 68, *jardin.des.plantes@wanadoo.fr*, *Fax 02 33 60 01 72*, – **AZ u**
*fermé 23 déc. au 2 janv.* – **Repas** 13/25 – 7 – **26 ch** 52/79.
◆ Accueil au bar, fréquenté par la clientèle locale. Chambres réparties dans trois maisons ; celles du bâtiment arrière sont récentes, plus spacieuses et plus calmes.

**à St-Quentin-sur-le-Homme** *Sud-Est : 5 km par D 78* **BZ** *– 1 007 h. alt. 55 –* ✉ *50220 :*

XXX **Gué du Holme** Ⓜ avec ch, ✆ 02 33 60 63 76, *gue.holme@wanadoo.fr, Fax 02 33 60 06 77,* – AE GB
*fermé 1^er^ au 5 janv. et dim. du 1^er^ oct. à Pâques –* **Repas** *(fermé 11 au 19 nov., vacances de fév., sam. midi, dim. soir et lundi)* 25/54 et carte 36 à 64 ♀, enf. 12,20 – ☕ 9,20 – **10 ch** 65/85 – ½ P 80/110.
◆ La façade moderne en bois contraste avec les murs en pierre de la bâtisse. Élégantes salles à manger ; la plus petite s'ouvre sur la terrasse d'été. Chambres côté jardin.

**AVRILLÉ** *85440 Vendée* 316 H9 *G. Poitou Vendée Charentes – 1 004 h alt. 45.*
**Voir** *St-Hilaire-la-Forêt : démonstrations des techniques préhistoriques★ du Centre de Recherche sur le Néolithique SO : 3 km.*
*Office du Tourisme, 8 bis avenue du General de Gaulle ✆ 02 51 22 30 70, Fax 02 51 22 34 00.*
*Paris 448 – La Rochelle 69 – La Roche-sur-Yon 27 – Luçon 27 – Les Sables-d'Olonne 25.*

X **Menhir,** av. Gén. de Gaulle ✆ 02 51 22 32 18, *Fax 02 51 22 34 13* – AE GB
*fermé 15 janv. au 28 fév., dim. soir de sept. à juin et lundi –* **Repas** 13,50 (déj.), 18/30 ♀, enf. 10.
◆ Auberge accueillante située dans un village célèbre pour son menhir, le plus haut de Vendée. Cadre campagnard égayé d'une cheminée ; cuisine traditionnelle simple.

*Si le coût de la vie subit des variations importantes,*
*les prix que nous indiquons peuvent être majorés.*
*Lors de votre réservation à l'hôtel, faites-vous préciser le prix définitif.*

**AX-LES-THERMES** *09110 Ariège* 343 J8 *G. Midi-Pyrénées – 1 489 h alt. 720 – Stat. therm. – Sports d'hiver : au Saquet par route du plateau de Bonascre★ (8km) et télécabine : 1 400/ 2 400 m 1 15 – Casino.*
**Voir** *Vallée d'Orlu★ au SE.*
**Tunnel de Puymorens** : *Péage en 2002, aller simple : autos 5,20, auto et caravane 10,40, P.L 15,30 à 25,40, deux-roues 3,05. Tarifs spéciaux A.R : renseignements ✆ 04 68 04 97 20.*
*Office du Tourisme, avenue Théophile Delcassé ✆ 05 61 64 60 60, Fax 05 61 64 68 18, vallées.ax@wanadoo.fr.*
*Paris 815 – Foix 43 – Andorra-la-Vella 59 – Carcassonne 106 – Prades 99 – Quillan 55.*

**L'Auzeraie,** (face casino) ✆ 05 61 64 20 70, *Fax 05 61 64 38 50,* – – 25. AE GB
*fermé 12 nov. au 20 déc. –* **Repas** *(fermé mardi midi hors vacances scolaires)* 12/38 ♀, enf. 8 – ☕ 8 – **33 ch** 64/74 – ½ P 44/46.
◆ Immeuble récent abritant des chambres fonctionnelles, parfois dotées de balcons. Salle à manger meublée à la façon d'un bistrot, agrandie d'une terrasse d'été.

XX **L'Orry Le Saquet** avec ch, au Sud sur N 20 : 1 km ✆ 05 61 64 31 30, *Fax 05 61 64 00 31,* – – 15. AE GB
*fermé vacances de Toussaint, janv., mardi soir et merc. –* **Repas** 18/65 bc ♀, enf. 9 – ☕ 12 – **15 ch** 50 – ½ P 46.
◆ Bâtisses aux allures de chalet situées sur la route de l'Andorre. Sympathique restaurant joliment rafraîchi dans l'esprit des auberges de campagne. Chambres rénovées.

**au Castelet** *Nord-Ouest : 4 km –* ✉ *09110 Ax-les-Thermes :*

**Castelet** , ✆ 05 61 64 24 52, *hotel.le.castelet@wanadoo.fr, Fax 05 61 64 05 93,* – . AE GB. rest
*juin-sept. –* **Repas** *(fermé mardi et merc. sauf juil.-août)* (dîner seul.) 11/26 – ☕ 5,40 – **27 ch** 34/52 – ½ P 35/52.
◆ Bâtiment d'aspect traditionnel s'ouvrant sur un jardin et sur la campagne. Sobre mobilier d'esprit rustique dans des chambres au décor déjà ancien, mais bien tenues.

**AY** *51160 Marne* 306 F8 *– 4 318 h alt. 76.*
*Paris 153 – Reims 29 – Château-Thierry 61 – Épernay 4 – Châlons-en-Champagne 34.*

XX **Vieux Puits,** 18 r. Roger Sondag ✆ 03 26 56 96 53, *Fax 03 26 56 96 54* – GB
*fermé 24 au 31 déc., 12 au 27 avril, merc. et jeudi –* **Repas** 17,50 bc (déj.), 25/40 ♀, enf. 10.
◆ Cette maison champenoise restaurée dispose d'une belle cour intérieure où trône un vieux puits. Trois salles à manger rustiques, dont une sous charpente. Vins d'Ay.

**AY-SUR-MOSELLE** *57300 Moselle* **307** *I3 – 1 344 h alt. 160.*

*Paris 334 – Metz 17 – Briey 25 – Saarlouis 56 – Thionville 15.*

XX **Au Martin Pêcheur,** 1 rte d'Hagondange ✆ 03 87 71 42 31, *Fax 03 87 71 42 31*, – P. GB
*fermé 18 août au 8 sept., 9 au 23 fév., sam. midi, dim. soir et lundi* – **Repas** 25 (déj.), 40/70 bc ♀, enf. 15.
◆ Un charmant jardin fleuri entoure cette plaisante maison (1928) proche de la Moselle. Salles à manger égayées d'aquarelles et terrasse ombragée. Cuisine au goût du jour.

**AYTRÉ** *17 Char.-Mar.* **324** *D3 – rattaché à La Rochelle.*

**AZAY-LE-RIDEAU** *37190 I.-et-L.* **317** *L5 G. Châteaux de la Loire – 3 053 h alt. 51.*

Voir *Château★★★ – Façade★ de l'église St-Symphorien.*

*Office du Tourisme, place de l'Europe ✆ 02 47 45 44 40, Fax 02 47 45 31 46, ot si.aay.le.rideau@wanadoo.fr.*

*Paris 265 – Tours 27 – Châtellerault 61 – Chinon 21 – Loches 60 – Saumur 47.*

**des Châteaux** M, 2 rte Villandry ✆ 02 47 45 94 59, *hdcresor@club-internet.fr, Fax 02 47 45 68 29*, – P. GB.
*1er mars-30 nov.* – **Repas** *(fermé dim. soir hors saison et lundi)* 16/22 ♀ – 6,30 – **27 ch** 48/65 – ½ P 45/55.
◆ De prestigieux châteaux jalonnent encore votre itinéraire touristique ; prenez le temps de vous reposer dans l'une de ces petites chambres coquettes et bien agencées.

**Val de Loire** sans rest, 50 r. Nationale ✆ 02 47 45 28 29, *hvl@wanadoo.fr, Fax 02 47 45 91 19* – P. AE GB JCB
*15 mars-1er nov.* – 7,50 – **27 ch** 67/85.
◆ Non loin du château, deux constructions reliées par une galerie en pierre dans laquelle prend place le salon-bar. Literie et mobilier neufs dans toutes les chambres.

**de Biencourt** sans rest, r. Balzac ✆ 02 47 45 20 75, *biencourt@infonie.fr, Fax 02 47 45 91 73* – GB.
*1er mars-15 nov.* – 7 – **17 ch** 35/52.
◆ Maison du 18e s. bordant une rue semi-piétonne qui mène au château. Chambres simples, parfois meublées dans le style Directoire. Petit-déjeuner servi dans une véranda.

XX **L'Aigle d'Or,** 10 av., A. Riché ✆ 02 47 45 24 58, *aigledor@wanadoo.fr, Fax 02 47 45 90 18*, – GB
*fermé 1er au 7 sept., 17 au 30 nov., fév., lundi soir de nov. à mars, mardi soir sauf juil.-août, dim. soir et merc.* – **Repas** (prévenir) *(17)* - 25/56 ♀, enf. 10.
◆ L'établissement donne à admirer son éclatante façade en tuffeau. Tout en savourant des plats traditionnels, appréciez l'atmosphère intime et feutrée des lieux.

XX **Les Grottes,** 23 r. Pineau (D 84) ✆ 02 47 45 21 04, *sarl_busque_sinard@hotmail.com, Fax 02 47 45 92 51*, – GB
*fermé 10 déc. au 10 fév., jeudi sauf le soir en juil.-août et merc.* – **Repas** 19,80/31,60 ♀.
◆ Étape insolite aux portes de la ville : restaurant composé de deux salles troglodytiques creusées dans la falaise. Cuisine traditionnelle généreuse.

**à Saché** *Est : 6,5 km par D 17 – 868 h. alt. 78 – ✉ 37190 :*

XX **Auberge du XIIe Siècle** (Aubrun et Jimenez), ✆ 02 47 26 88 77, *Fax 02 47 26 88 21*, – GB
✿ *fermé 10 au 18 juin, 1er au 9 sept., 6 au 28 janv., dim. soir, mardi midi et lundi* – **Repas** (dim. prévenir) *(21)* - 27/58 et carte 51 à 65.
◆ Vénérable auberge à colombages où Balzac avait ses habitudes à deux pas du château qui l'accueillit si souvent. Cadre rustique bien conservé. Recettes classiques.
**Spéc.** Salade de pigeonneau et foie gras chaud. Sandre rôti à la mousseline de rhubarbe (juin à sept.). Marbré au chocolat. **Vins** Azay-le-Rideau, Chinon.

**AZINCOURT** *62310 P.-de-C.* **301** *F5 – 250 h alt. 115.*

*Office du Tourisme, 22 rue Charles VI ✆ 03 21 47 27 53, Fax 03 21 47 13 12.*

*Paris 235 – Calais 78 – Arras 56 – Boulogne-sur-Mer 62 – Hesdin 16 – St-Omer 40.*

X **Charles VI,** ✆ 03 21 41 53 00, *restaurantcharles6@wanadoo.fr, Fax 03 21 41 53 11*, – P. GB
*fermé 15 au 26 fév., dim. soir et merc.* – **Repas** 13 bc/30 ♀.
◆ 25 octobre 1415... "Boutez" la bataille, Henri V et Shakespeare hors de vos pensées et prenez paisiblement votre repas dans cette salle sous haut plafond lambrissé.

*Michelin n'accroche pas de panonceau aux hôtels et restaurants qu'il signale.*

**BACCARAT** *54120 M.-et-M.* 307 L8 *G. Alsace Lorraine – 5 022 h alt. 260.*

Voir *Vitraux★ de l'église St-Rémy – Musée du cristal.*

*Office du Tourisme, place du Gal Leclerc ✆ 03 83 75 13 37, Fax 03 83 75 36 76, otbaccarat@.free.fr.*

*Paris 367 – Nancy 58 – Épinal 43 – Lunéville 27 – St-Dié 29 – Sarrebourg 44.*

**Renaissance,** 31 r. Cristalleries ✆ 03 83 75 11 31, *renaissance.la@wanadoo.fr, Fax 03 83 75 21 09* – AE GB

**Repas** *(fermé vend. soir et dim. soir)* 11 (déj.), 14/30, enf. 8 – 6,50 – **16 ch** 43/58 – 1/2 P 44/49.

◆ Face au musée du Cristal, petite adresse aux chambres fonctionnelles et insonorisées. Salle à manger rustique complétée par une menue terrasse accueillant les repas en été.

**BADEN** *56870 Morbihan* 308 N9 *– 2 844 h alt. 28.*

*Paris 474 – Vannes 15 – Auray 9 – Lorient 53 – Quiberon 41.*

**Gavrinis,** à Toulbroch : 2 km par rte Vannes ✆ 02 97 57 00 82, *gavrinis@wanadoo.fr, Fax 02 97 57 09 47,* – AE GB JCB

*fermé 15 nov. au 31 janv. dim. soir d'oct. à mi-avril et lundi* – **Repas** 19/61 – 8 – **18 ch** 66/76 – 1/2 P 63/68.

◆ Au milieu d'un beau jardin, vaste maison récente d'allure bretonne. Les chambres, tout confort, sont sobrement décorées. À table, heureux mariage entre tradition et terroir.

**BAERENTHAL** *57230 Moselle* 307 Q5 *– 723 h alt. 220.*

*Office du Tourisme, 1 rue du Printemps d'Alsace ✆ 03 87 06 50 26, Fax 03 87 06 62 31.*

*Paris 454 – Strasbourg 64 – Bitche 15 – Haguenau 33 – Wissembourg 46.*

**Kirchberg** sans rest, ✆ 03 87 98 97 70, *resid.hotel.kirchberg@wanadoo.fr, Fax 03 87 98 97 91,* – cuisinette GB

*fermé 5 janv. au 5 fév.* – 6,80 – **12** ch 38/60, 8 studios.

◆ Hôtel moderne au coeur du Parc régional des Vosges. Chambres pratiques et bien tenues ; celles sur l'arrière offrent une vue reposante sur les sapinières. Air pur garanti !

**à Untermuhlthal** *Sud-Est : 4 km par D 87 – ✉ 57230 Baerenthal :*

**L'Arnsbourg** (Klein), ✆ 03 87 06 50 85, *l.arnsbourg@wanadoo.fr, Fax 03 87 06 57 67,* – AE GB JCB

*fermé 29 avril au 7 mai, 8 au 16 juil., 26 août au 10 sept., 18 au 26 nov., 23 déc. au 21 janv., mardi et merc.* – **Repas** (week-ends prévenir) 52 (déj.), 95/115 et carte 90 à 120.

◆ Près du château ruiné de l'Arnsbourg, belle maison isolée en pleine forêt vosgienne. Élégante salle à manger (non-fumeurs) surplombant la Zinsel. Imagination débridée au "piano".

**Spéc.** Langoustines et foie gras marinés, petite salade d'artichauts et truffes. Saint-Pierre infusé au laurier en croûte de sel. Carré de porcelet au foin. **Vins** Gewürztraminer, Muscat.

**BÂGÉ-LE-CHÂTEL** *01380 Ain* 328 C3 *– 751 h alt. 209.*

*Syndicat d'Initiative, 1 rue Marsale ✆ 03 85 30 56 66, Fax 03 85 30 56 66.*

*Paris 395 – Mâcon 10 – Bourg-en-Bresse 35 – Pont-de-Veyle 6 – St-Amour 40 – Tournus 40.*

**Table Bâgesienne,** Gde Rue ✆ 03 85 30 54 22, *latablebagesienne@free.fr, Fax 03 85 30 58 33,* – AE GB,

*fermé 16 au 29 août, 9 au 22 fév., lundi soir, mardi soir et merc.* – **Repas** 15 (déj.), 20/39, enf. 9.

◆ Cheminée, boiseries, vieux meubles bressans : deux salles rustiques, dont une réservée aux non-fumeurs. La terrasse est ombragée par un tilleul. Généreuse cuisine régionale.

**BAGES** *11 Aude* 344 I4 *– rattaché à Narbonne.*

**BAGNÈRES-DE-BIGORRE** *65200 H.-Pyr.* 342 M6 *G. Midi-Pyrénées – 8 424 h alt. 551 – Stat. therm. (début mars-fin nov.) – Casino* **AZ.**

Voir *Parc thermal de Salut★ par Av. Pierre-Noguès – Grotte de Médous★★ SE : 2,5 km par D 935.*

*Office du Tourisme, 3 allée Tournefort ✆ 05 62 95 50 71, Fax 05 62 95 33 13, ot-bagneres@hautebigorre.com.*

*Paris 841 – Pau 65 – Lourdes 24 – St-Gaudens 65 – Tarbes 22.*

**Résidence**, Parc Thermal de Salut ✆ 05 62 91 19 19, *Fax 05 62 95 29 88,* – – 20. GB

*2 mai-31 oct.* – **Repas** (résidents seul.) 20 (déj.)/23 – 8 – **28 ch** 76 – 1/2 P 65.

◆ Au calme, dans le cadre champêtre du parc de la station thermale. Chambres spacieuses et progressivement rénovées, ouvertes sur le vallon de Salut. Salon-vidéothèque.

**Hostellerie d'Asté,** rte de Campan (D 935) : 3,5 km ✆ 05 62 91 74 27, *hotel@hotel-aste.com, Fax 05 62 91 76 74,* ≤, – TV P – 30. AE GB.
*fermé 12 nov. au 12 déc.* – **Repas** *(fermé dim. soir hors vacances scolaires)* (9,60) - 12,90/31,50, enf. 12,90 – 6 – **20 ch** 51,20/58 – P 64,80/69,40.
◆ Imposante construction de pays entre la route et l'Adour. Petites chambres refaites par étapes. Salle à manger lumineuse et terrasse dressée dans l'agréable jardin arboré.

**Jardin des Brouches,** 22 bd Carnot ✆ 05 62 91 07 95, – GB
*fermé dim. et lundi* – **Repas** (nombre de couverts limité, prévenir) 23, enf. 8.
◆ Accueillante maison de maître proche du casino. Intérieur chaleureux (joli mobilier, cheminée, couleurs vives) et belle terrasse dans le jardin clos. Carte au goût du jour.

**à Beaudéan** *Sud : 4,5 km rte de Campan (D 935) – 410 h. alt. 625 – ✉ 65710 Campan :*
Voir *Vallée de Lesponne★ SO.*

**Catala** , ✆ 05 62 91 75 20, *Fax 05 62 91 79 72* – TV P – 20. GB.
*fermé 3 au 31 janv., dim. soir et lundi* – **Repas** (dîner seul.)(résidents seul.) 15/40 ♀, enf. 8 – 6,50 – **22 ch** 45/60, 3 appart – 1/2 P 45/60.
◆ Décor des chambres en accord avec les fresques thématiques peintes sur les portes (sport, culture, histoire) : original et haut en couleurs ! Terrasse panoramique.

---

## BAGNÈRES-DE-LUCHON

**BAGNÈRES-DE-LUCHON** *31110 H.-Gar.* 343 B8 *G. Midi-Pyrénées – 3 094 h alt. 630 – Stat. therm. (début avril-fin oct.) – Sports d'hiver à Superbagnères : 1 440/2 260 m 1 14 – Casino* **Y.**
*Office du Tourisme, 18 allée d'Etigny ✆ 05 61 79 21 21, Fax 05 61 79 11 23, luchon-@luchon.com.*
*Paris 824 ① – St-Gaudens 46 ① – Tarbes 97 ① – Toulouse 140 ①.*

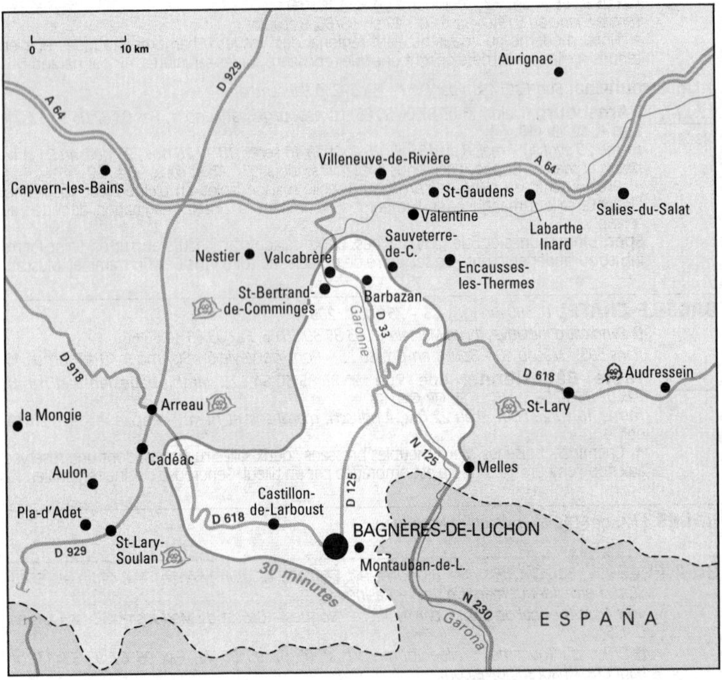
0
10 km
D 929
A 64
Aurignac
Villeneuve-de-Rivière
A 64
Capvern-les-Bains
St-Gaudens
Salies-du-Salat
Valentine
Labarthe
Inard
Sauveterre-
de-C.
Nestier
Valcabrère
Encausses-
les-Thermes
St-Bertrand-
de-Comminges
Barbazan
Garonne
D 33
D 918
D 618
Audressein
St-Lary
Arreau
la Mongie
Cadéac
N 125
Melles
Aulon
D 125
Castillon-
de-Larboust
Pla-d'Adet
D 618
BAGNÈRES-DE-LUCHON
D 929
St-Lary-
Soulan
Montauban-de-L.
30 minutes
N 230
ESPAÑA
Garona

**Corneille,** 5 av. A. Dumas ✆ 05 61 79 36 22, *corneil31@aol.com, Fax 05 61 79 81 11,* ≤, – TV P – 20. AE GB. rest **Y u**
*fermé 25 oct. au 20 déc.* – **Repas** (18,50) - 25/31 ♀ – 10 – **54 ch** 74/123 – 1/2 P 77/92.
◆ Dans un parc, construction du 19e s. qui fut le premier casino de Luchon. Chambres de diverses tailles, garnies de meubles de style. Belle vue sur la chaîne des Pyrénées.

# BAGNÈRES-DE-LUCHON

Alexandre-Dumas (Av.) . . . . . . . **Y** 2
Bains (Allées des) . . . . . . . . . . . **Z** 3
Barrau (Av. J.) . . . . . . . . . . . . . **Z** 4
Boularan (Av. Jean) . . . . . . . . . . **Y** 6
Boileau (R. P.) . . . . . . . . . . . . . . **X** 8
Carnot (Av.) . . . . . . . . . . . . . . . **Y** 9
Colomic (R.) . . . . . . . . . . . . . . . **X** 12
Dardenne (Bd) . . . . . . . . . . . . . . **Y** 13
Dr-Germès (R. du) . . . . . . . . . . . **X** 14
Étigny (Allées d') . . . . . . . . . . **YZ** 16
Fontan (Bd A.) . . . . . . . . . . . . **XY** 17
Gambetta (R.) . . . . . . . . . . . . . . **Y** 18
Joffre (Pl. Mar.) . . . . . . . . . . . . **X** 20
Laity (R.) . . . . . . . . . . . . . . . . . . **X** 22
Lamartine (R.) . . . . . . . . . . . . . . **Y** 23
Nadau (R. G.) . . . . . . . . . . . . . . **X** 25
Nérée-Boubée (R.) . . . . . . . . . . **X** 26
Pyrénées (Av. des) . . . . . . . . . . **Z** 28
Quinconces (Cours des) . . . . . **Z** 30
Rostand (Bd E.) . . . . . . . . . . . . . **Y** 32
Thiers (R.) . . . . . . . . . . . . . . . . . **Y** 33
Toulouse (Av. de) . . . . . . . . . . . **X** 34
Victor-Hugo (R.) . . . . . . . . . . . . **Y** 36

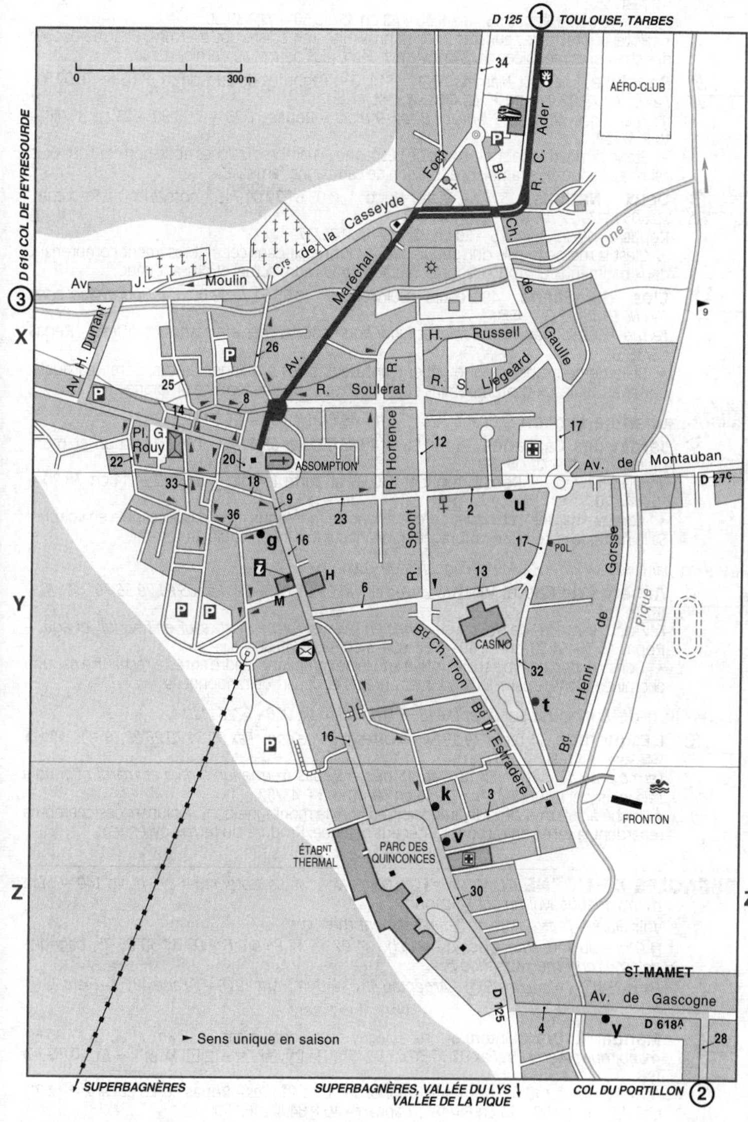

D 125 (1) TOULOUSE, TARBES
0
300 m
AÉRO-CLUB
34
Bd
R. C. Ader
Foch
Ch. de Gaulle
Av. Maréchal
Crs de la Casseyde
Av. J. Moulin
(3) D 618 COL DE PEYRESOURDE
Av. H. Dunant
H. Russell
R. S. Liegeard
R. Soulerat
R. Hortence
R. Spont
26
25
8
14
Pl. G. Rouy
22
20
ASSOMPTION
18
33
9
36
23
2
u
17
POL.
Av. de Montauban
D 27C
12
g
16
H
M
6
13
CASINO
Bd Ch. Tron
Bd Dr Estradère
32
t
Henri de Gorsse
Bd
Pique
One
16
k
3
v
FRONTON
ÉTABNT THERMAL
PARC DES QUINCONCES
30
ST-MAMET
Av. de Gascogne
D 125
4
y
D 618A
28
Sens unique en saison
X
Y
Z
SUPERBAGNÈRES
SUPERBAGNÈRES, VALLÉE DU LYS
VALLÉE DE LA PIQUE
COL DU PORTILLON (2)


*Si vous cherchez un hôtel tranquille,*
*consultez d'abord les cartes de l'introduction*
*ou repérez dans le texte les établissements indiqués avec le signe* ⛷.

**d'Étigny,** face établ. thermal ✆ 05 61 79 01 42, *etigny@aol.com, Fax 05 61 79 80 64,* – rest, TV. GB. rest Z k
*1er mai-25 oct.* – **Repas** 16/43, enf. 9 – 9,50 – **58 ch** 59/100, 5 appart – ½ P 60/80.
◆ Ancien hôtel particulier dont on a su préserver le cachet tout en y apportant le confort moderne. Les chambres rénovées, confortables et actuelles, sont plaisantes.

**Royal Hôtel,** 1 cours Quinconces ✆ 05 61 79 00 62, *Fax 05 61 79 38 35* – . GB. rest Z v
*25 mai-10 oct.* – **Repas** 15 – 5,30 – **48 ch** 35/38,50 – ½ P 38,50.
◆ Hôtel apprécié des curistes pour sa proximité immédiate des thermes. Charme désuet des chambres meublées dans le style Art déco, plus petites au dernier étage.

**Rencluse,** à St-Mamet ✉ 31110 Bagnères-de-Luchon ✆ 05 61 79 02 81, *Fax 05 61 79 82 99* – TV P. AE GB. rest Z y
*1er mai-6 oct., 26 déc.-6 janv. et 8 fév.-9 mars* – **Repas** 11/23 – 5,80 – **23 ch** 31/46 – ½ P 37/39.
◆ Étape sympathique sur la route de l'Espagne : chambres fraîches et de bon confort, plus calmes à l'annexe, et ambiance "maison de campagne familiale".

**Deux Nations,** 5 r. Victor-Hugo ✆ 05 61 79 01 71, *hotel2nations@aol.com, Fax 05 61 79 27 89,* – TV. GB Y g
**Repas** (9) - 12/25 – 5 – **28 ch** 22/43 – ½ P 29/37.
◆ C'est la même famille qui, depuis 1917, vous reçoit dans cet établissement comprenant deux bâtiments. Chambres sobres, restaurant au cadre actuel et plaisant patio.

**Clos du Silène,** 19 cours Quinconces ✆ 05 61 79 12 00, *colliourey@aol.com, Fax 05 61 79 12 00* – GB Y t
*fermé 17 au 27 nov., mardi midi et lundi hors saison, fériés et vacances scolaires* – **Repas** 15/35 ♀.
◆ Belle demeure bourgeoise hébergeant deux salles à manger de caractère : parquets, boiseries, tableaux contemporains et jolis lustres. Agréable terrasse ombragée.

**à Montauban-de-Luchon** *Est par D 27c : 2 km – 434 h. alt. 632 – ✉ 31110 ;*

**Jardin des Cascades** , ✆ 05 61 79 83 09, *Fax 05 61 79 79 16,* ≤ Luchon et montagnes, , – AE GB
*1er avril-30 sept.* – **Repas** 18,30 (déj.)/30,50 et carte le soir – 6,10 – **11 ch** 38,20 – ½ P 44,20.
◆ Adresse "nature" : ce chalet perché à flanc de montagne n'est pas accessible en voiture ! Salle rustique et terrasse ombragée donnant sur le parc où coule un torrent.

**au Sud** *par D 125 : 4 km – ✉ 31110 Bagnères-de-Luchon :*

**Auberge de Castel Vielh** avec ch, ✆ 05 61 79 36 79, *Fax 05 61 79 36 79,* , – TV P. GB
*fév.-oct., vacances de Noël, week-ends en hiver et fermé merc. sauf en fév., juil. et août* – **Repas** 15,30/34,30, enf. 7,60 – 5,80 – **3 ch** 38,20/45,80 – ½ P 46.
◆ Construction de type chalet isolée en pleine campagne. Cadre agreste réchauffé par une cheminée. Dans le parc, jeux pour les enfants et départ de randonnées.

**à Castillon-de-Larboust** *par ③ et D 618 : 6 km – 86 h. alt. 956 – ✉ 31110 :*

**L'Esquerade,** ✆ 05 61 79 19 64, *info@esquerade.com, Fax 05 61 79 26 29,* ≤ – P. AE GB JCB. rest
*fermé 5 au 13 avril et 15 nov. au 15 déc.* – **Repas** *(fermé lundi midi et mardi midi hors saison)* 15 (déj.), 19/58 ♀ – 7 – **15 ch** 38/48 – ½ P 43/62.
◆ Niché à 950 m d'altitude, imposant édifice de montagne dont la plupart des chambres regardent la vallée du Larboust. Intérieur rustique. Produits du terroir pyrénéens.

---

**BAGNOLES-DE-L'ORNE** *61140 Orne* 310 G3 *G. Normandie Cotentin – 875 h alt. 140 – Stat. therm. (début avril-fin oct.) – Casino* **A.**
Voir *Site★ – Lac★ – Parc de l'établissement thermal★.*
*Office du Tourisme, place du Marché ✆ 02 33 37 85 66, Fax 02 33 30 06 75, bagnolesdelorne.tourisme@wanadoo.fr.*
*Paris 238 ① – Alençon 49 ② – Argentan 39 ① – Domfront 19 ③ – Falaise 48 ① – Flers 28 ④.*

Plan page ci-contre

**Manoir du Lys** (Quinton) , rte Juvigny-sous-Andaine par ③ : *2 km* ✆ 02 33 37 80 69, *manoirdulys@lemel.fr, Fax 02 33 30 05 80,* , , , , – TV P – 40. AE GB
*fermé 2 janv. au 13 fév., dim. soir et lundi de nov à Pâques* – **Repas** 26/65 et carte 50 à 70, enf. 13 – 12,50 – **23 ch** 65/185, 7 appart – ½ P 84,40/162,50.
◆ Au milieu des bois, belle demeure normande aux chambres récentes et personnalisées. Une construction originale abrite des appartements. Plaisant restaurant ouvert sur le parc.
**Spéc.** Tarte friande d'andouille façon Vire. Pigeonneau à la crème d'ail. "Cèpe glacé" de la forêt d'Andaines.

## BAGNOLES-DE-L'ORNE



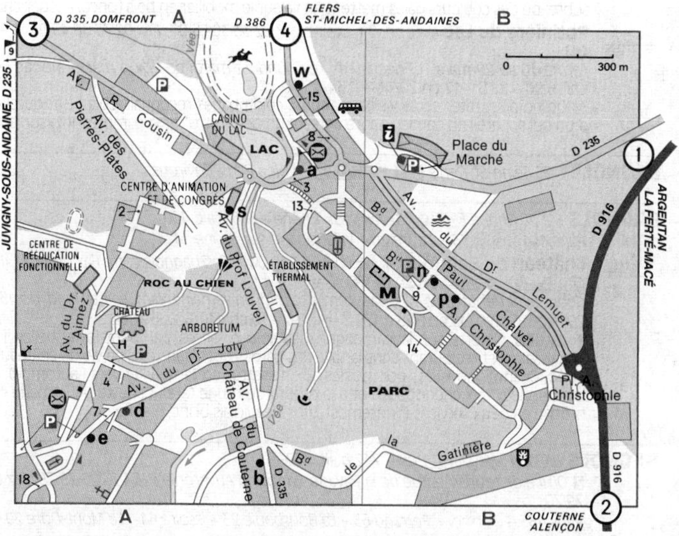

D 335, DOMFRONT
A
D 386
FLERS
ST-MICHEL-DES-ANDAINES
B
0
300 m
JUVIGNY-SOUS-ANDAINE, D 235
Av. R. Cousin
Av. des Pierres-Plates
CASINO DU LAC
LAC
Place du Marché
D 235
CENTRE D'ANIMATION ET DE CONGRÈS
ARGENTAN LA FERTÉ-MACÉ
D 916
Av. du Prof Louvel
CENTRE DE RÉÉDUCATION FONCTIONNELLE
ROC AU CHIEN
ÉTABLISSEMENT THERMAL
Av. du Dr Paul Chalvet
Lemuet
Bd A. Christophle
CHATEAU
Av. du Dr J. Aimez
ARBORETUM
Av. du Dr Joly
Av. du Château de Couterne
PARC
Pl. A. Christophle
Bd de la Gatinière
D 335
Vée
COUTERNE ALENÇON


**Nouvel Hôtel,** 8 av. Dr P. Noal ✆ 02 33 30 75 00, *nouvel.hotel@wanadoo.fr, Fax 02 33 30 75 13,* – |♦|, rest, TV ✆ P. GB. rest — A e
*avril-oct.* – **Repas** 14/27 ♀, enf. 8 – ☐ 6,80 – **30 ch** 43,50/60 – P 54/59,50.
♦ Cette jolie villa du début du 20e s. offre des chambres fonctionnelles, plaisantes et bien insonorisées. Salon doté d'un piano et paisible jardin fleuri sur l'arrière.

**Lutetia-Reine Astrid** ⊗, bd Paul Chalvet ✆ 02 33 37 94 77, *resa@lutetiaastrid.com, Fax 02 33 30 09 87,* – |♦| TV P. – 25. AE GB. rest — B n
*1er avril-6 oct.* – **Repas** *(16)* - 22/51 ♀, enf. 12,50 – ☐ 10 – **32 ch** 56/110 – P 89,50.
♦ Maison centenaire située dans un secteur résidentiel calme. Chambres de bon confort, salle à manger et sa véranda donnant sur le jardin. Expositions de peintures en saison.

**Bois Joli** ⊗, av. Ph. du Rozier ✆ 02 33 37 92 77, *boisjoli@wanadoo.fr, Fax 02 33 37 07 56,* – |♦| TV P. AE GB JCB — A w
*fermé 16 fév. au 25 mars* – **Repas** 17/41 ♀, enf. 10 – ☐ 10 – **20 ch** 67/119 – P 83,50/96,50.
♦ Élégante façade à colombages d'une villa anglo-normande du 19e s. Intérieur feutré, meubles anciens de divers styles et coquettes chambres en partie rénovées. Parc arboré.

**Camélias,** av. Château de Couterne ✆ 02 33 37 93 11, *cameliashotel@wanadoo.fr, Fax 02 33 37 48 32,* – |♦| TV P. AE GB — A b
*30 mars-1er nov.* – **Repas** 16,50/35 ♀, enf. 10,50 – ☐ 5,90 – **26 ch** 34/60 – P 42,50/58.
♦ Maison normande du début du 20e s. appréciée des curistes pour son accueil familial et son jardin paisible. Chambres régulièrement rafraîchies, pratiques et colorées.

**Ermitage** ⊗ sans rest, 24 bd Paul Chalvet ✆ 02 33 37 96 22, *ermitageme@aol.com, Fax 02 33 38 59 22,* – |♦| TV P. GB — B p
*8 avril-31 oct.* – ☐ 7,65 – **38 ch** 38,20/65.
♦ Cet hôtel bâti en 1886 se trouve au coeur du quartier Belle Époque de la station. Chambres sobrement équipées d'un mobilier d'inspiration paysanne et dotées de menus balcons.

**Roc au Chien,** r. Prof. Louvel ✆ 02 33 37 97 33, *info@hotelrocauchien.fr, Fax 02 33 37 59 29,* – |♦| P. AE GB — A s
*28 mars-3 nov.* – **Repas** *(15,50)* - 18/27 ♀, enf. 10 – ☐ 6 – **42 ch** 47/55 – P 50/60.
♦ La comtesse de Ségur aurait séjourné dans cet établissement composé de deux petits immeubles juxtaposés dont un flanqué d'une tourelle en briques. Chambres de style rustique.

**Celtic**, 14 r. Dr Noal ✆ 02 33 37 92 11, *leceltic@club-internet.fr, Fax 02 33 38 90 27* – AE ⊙ GB A d
*fermé 20 janv. au 5 mars, dim. soir, mardi soir et merc. du 15 nov. au 5 avril* – **Repas** 15/28 ♀.
◆ L'élégante façade du début du 20e s. cache une salle à manger campagnarde assez sobre, où des couleurs gaies mettent en valeur le mobilier en bois foncé. Accueil charmant.

**Potinière du Lac** avec ch, 2 r. Casinos ✆ 02 33 30 65 00, *Fax 02 33 38 49 04*, ← – TV. AE GB A a
*fermé 10 au 20 mars, 15 déc. au 1er fév., lundi et mardi de nov. à mars* – **Repas** 13/26,90, enf. 6,90 – ☕ 5 – **17 ch** 20/46 – P 34/45,50.
◆ On ne peut rater cette vieille maison à colombages reconnaissable à sa tourelle ornée d'un bel appareil en damier. Cadre agreste un peu "rétro" et vue imprenable sur le lac.

---

**BAGNOLET** *93 Seine-St-Denis* 305 F7 101 ⑰ – *voir à Paris, Environs.*

---

**BAGNOLS** *69620 Rhône* 327 G4 *G. Vallée du Rhône – 636 h alt. 400.*
*Paris 444 – Lyon 33 – Tarare 20 – Villefranche-sur-Saône 14.*

**Château de Bagnols** 🔇, ✆ 04 74 71 40 00, *info@bagnols.com, Fax 04 74 71 40 49*, ←, 🏞, 🏊, 🌳 – 🛗 TV ☎ P. AE ⊙ GB JCB
*début avril-début janv.* – **Repas** *(fermé le midi en semaine, dim. soir et lundi du 15 nov. au 20 déc.)* 85/120 et carte 95 à 120 ♀ – ☕ 30 – **16 ch** 430/600, 5 appart.
◆ Jardins ouverts sur la campagne beaujolaise, accès par pont-levis, belles fresques Renaissance et restaurant dans la salle des gardes gothique : c'est la vie de château !
**Spéc.** Champignons des bois poêlés aux noisettes en tarte à l'envers ((automne). Féra du lac d'Annecy aux chénopodes et à la moutarde rouge (été). Canette de Barbarie rôtie à la broche en deux services (printemps). **Vins** Beaujolais blanc, Fleurie.

---

**BAGNOLS** *63810 P.-de-D.* 326 C9 – *712 h alt. 862.*
ℹ *Office de tourisme, rue de la Pavade, La Tour d'Auvergne ✆ 04 73 21 79 78, Fax 04 73 21 79 70,.*
*Paris 485 – Clermont-Ferrand 65 – La Bourboule 23 – Issoire 64 – Le Mont-Dore 29.*

**Voyageurs**, ✆ 04 73 22 20 12, *Fax 04 73 22 21 18* – ☎. GB
*fermé 15 au 30 janv., dim. soir et lundi hors saison* – **Repas** 15/50 – ☕ 6 – **21 ch** 43/66 – ½ P 34/49.
◆ Construction des années 1960 de style régional. Chambres progressivement refaites, simples et pratiques. Au restaurant, cuisine au goût du jour et saveurs auvergnates.

---

**BAGNOLS-LES-BAINS** *48190 Lozère* 330 J7 *G. Languedoc Roussillon – 200 h alt. 913 – Stat. therm. (début avril-fin oct.) – Casino.*
ℹ *Office du Tourisme, place de la Mairie ✆ 04 66 47 61 13, Fax 04 66 47 61 13.*
*Paris 608 – Mende 20 – Langogne 42 – Villefort 37.*

**Bridge Hôtel-Résidence du Pont**, ✆ 04 66 47 60 03, *Fax 04 66 47 62 78*, 🏊, 🏞 – 🛗 TV. GB
*30 mars-15 oct.* – **Repas** 12/25 🍷, enf. 7,50 – ☕ 8,10 – **26 ch** 43/55 – ½ P 48/50.
◆ Réparties dans deux maisons lozériennes, chambres tout confort, rénovées dans un esprit sobrement actuel. Salle à manger tournée vers le jardin bordant la rivière.

---

**BAGNOLS-SUR-CÈZE** *30200 Gard* 339 M4 *G. Provence – 17 872 h alt. 51.*
**Voir** *Musée d'Art moderne Albert-André*★.
**Env.** *Site*★ *de Roques-sur-Cèze.*
ℹ *Office du Tourisme, Espace St-Gilles ✆ 04 66 89 54 61, Fax 04 66 89 83 38.*
*Paris 657 – Avignon 34 – Alès 53 – Nîmes 61 – Orange 24 – Pont-St-Esprit 11.*

**Château du Val de Cèze** M 🔇 sans rest, rte d'Avignon : 1 km ✆ 04 66 89 61 26, *hotel valdeceze@sudprovence.com, Fax 04 66 89 97 37*, 🏊, 🎾, 🌳 – ▤ TV ☎ ♿ P – 🏛 15 à 90. AE ⊙ GB JCB
*fermé 20 déc. au 5 janv., sam. et dim. d'oct. à mars* – ☕ 10 – **22 ch** 98/107.
◆ Élégant château du 17e s. abritant réception et salons. Les chambres, provençales (fer forgé, tomettes, tissus colorés), sont dans des bungalows. Parc arboré de 8 ha.

**rte d'Alès** *Ouest : 5 km par D 6 et D 143 – ✉ 30200 Bagnols-sur-Cèze :*

**Château de Montcaud** M 🔇, ✆ 04 66 89 60 60, *montcaud@relaischateaux.com, Fax 04 66 89 45 04*, 🏞, 🏋, 🏊, 🎾, 🌳 – 🛗 ▤ TV ☎ ♿ P – 🏛 50. AE ⊙ GB JCB
*12 avril-1er nov.* – ***Les Jardins de Montcaud*** (dîner seul. sauf dim.) *(brunch le dim. en saison)* **Repas** 60/90 ♀ – ***Bistrot de Montcaud*** (déj. seul.) *(fermé sam. et dim)* **Repas** 25/35 ♀ – ☕ 19 – **29 ch** 210/425 – ½ P 194/292.
◆ Noble demeure du 19e s. au coeur d'un parc aux multiples essences, vrai havre de paix aux jolies chambres personnalisées. Cuisine inventive servie dans une salle ensoleillée.

**rte de Pont-St-Esprit** *Nord : 5,5 km par N 86 – ✉ 30200 Bagnols-sur-Cèze :*

**Valaurie,** ✆ 04 66 89 66 22, *contact@hotel-valaurie.fr, Fax 04 66 89 55 80,* ≤, 🏠, – TV 🚗 P. AE ① GB
*fermé Noël au 7 janv.* – **Repas** *(fermé vend. hors saison et sam. midi)* 18/23 ♀ – ☕ 8,50 – **22 ch** 45/61 – ½ P 42/61.
◆ Ce bâtiment des années 1970 entouré d'une pinède domine une route fréquentée. Les chambres sur l'arrière sont plus calmes ; certaines profitent de la vue sur la vallée.

**à Connaux** *Sud : 8,5 km sur N 86 – 1 450 h. alt. 86 – ✉ 30330 :*

**Paul Itier,** ✆ 04 66 82 00 24, *imbert30@aol.com, Fax 04 66 82 43 23,* 🏠 – ▤. GB
*fermé vacances de fév.* – **Repas** 12 (déj.), 17/45 ♀.
◆ Petit restaurant situé en léger retrait de la route nationale. Sobre salle à manger campagnarde prolongée d'une terrasse d'été coiffée d'un auvent.

**BAIE DES TRÉPASSÉS** *29 Finistère* 308 C6 – *rattaché à Pointe du Raz.*

**BAILLARGUES** *34 Hérault* 339 J7 – *rattaché à Montpellier.*

**BAILLEUL** *59270 Nord* 302 E3 *G. Picardie Flandres Artois – 13 847 h alt. 44.*
**Voir** ✻★ *du beffroi.*
ℹ *Office du Tourisme, 3 Grand' Place* ✆ *03 28 43 81 00, Fax 03 28 43 81 01, bailleul@tourisme.norsys.fr.*
*Paris 244 – Lille 30 – Armentières 13 – Béthune 31 – Dunkerque 44 – Ieper 21 – St-Omer 39.*

**Belle Hôtel** sans rest, 19 r. Lille ✆ 03 28 49 19 00, *belle.hotel@wanadoo.fr, Fax 03 28 49 22 11* – ⇆ TV ✆ ♿ P. AE ① GB JCB
*fermé 11 au 17 août* – ☕ 9,50 – **31 ch** 62/92.
◆ Deux maisons flamandes en briques rouges, au coeur de la ville huit fois détruite. Les chambres, de style rustique dans la partie ancienne, sont plus actuelles dans l'annexe.

**Pomme d'Or** avec ch, 27 r. Ypres ✆ 03 28 49 11 01, *lapomme-dor@wanadoo.fr, Fax 03 28 49 17 90* – TV – 🏛 30. AE ① GB
*fermé 15 au 31 août et dim. soir* – **Repas** 11,50/26 ♀ – ☕ 6 – **4 ch** 45 – ½ P 40.
◆ Établissement familial proposant une cuisine classique servie dans une salle à manger toute simple mais fraîche ; ambiance animée et décontractée. Chambres bien tenues.

**BAINS-LES-BAINS** *88240 Vosges* 314 F4 *G. Alsace Lorraine – 1 466 h alt. 315 – Stat. therm. (début avril-début nov.).*
ℹ *Office du Tourisme, 3 avenue André Damaure* ✆ *03 29 36 31 75, Fax 03 29 36 23 24.*
*Paris 368 ④ – Épinal 27 ① – Luxeuil-les-Bains 30 ② – Vesoul 63 ② – Vittel 42 ④.*

## BAINS-LES-BAINS

Chavane (Av. du Lieutenant-Colonel) .... 2
Demazure (Av.) .... 3
Docteur-Bailly (Av. du) .... 4
Docteur-Leroy (R. du) .... 5
Docteur-Mathieu (Av. du) . 6
Leclerc (R. du Général) .... 7
Poirot (R. Marie) .... 10
Verdun (R. de) .... 12
2e-D.-B. (Pl. de la) .... 14

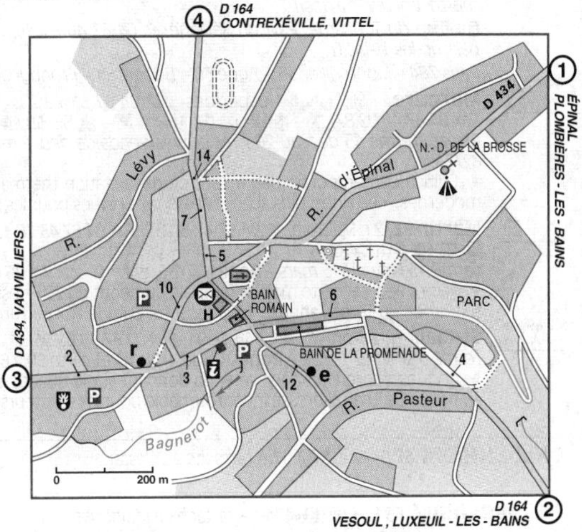

④ D 164 CONTREXÉVILLE, VITTEL
① ÉPINAL PLOMBIÈRES-LES-BAINS
D 434
N.-D. DE LA BROSSE
R. d'Épinal
Lévy
R.
14
7
5
10
BAIN ROMAIN
H
6
PARC
BAIN DE LA PROMENADE
4
2
r
3
12
e
R. Pasteur
Bagnerot
0
200 m
③ D 434, VAUVILLIERS
D 164 ② VESOUL, LUXEUIL-LES-BAINS

**Poste,** (e) ✆ 03 29 36 31 01, *no.lutin@wanadoo.fr, Fax 03 29 30 44 22* – TV P. GB. ✻
*hôtel : 1er avril-27 oct.* – **Repas** *(fermé 27 au 31 oct., mi-déc. à mi-janv. et le soir hors saison sauf sam. et lundi)* (11,30) - 13,30/22,60 ♀ – ☕ 5,10 – **14 ch** 28/40,40 – P 50,50/53,90.
◆ La façade de ce relais de poste est un peu austère, mais l'intérieur s'avère accueillant et confortable. Chambres simples et bien tenues. Goûteuse cuisine traditionnelle.

**Promenade,** (r) ✆ 03 29 36 30 06, *Fax 03 29 30 44 28*, – TV P. GB. ✻ ch
*23 mars-12 nov.* – **Repas** 11,80 (dîner), 13/35 ♀ – ☕ 5,10 – **19 ch** 32/40 – P 48,80/55.
◆ Bâtiment des années 1960 précédé d'un jardinet abondamment fleuri. Les chambres, qui ont conservé leur décor d'origine, sont peu à peu rafraîchies. Ambiance familiale.

---

**BAIX** *07210 Ardèche* 331 K5 – *748 h alt. 80.*
*Paris 595 – Valence 31 – Crest 38 – Montélimar 23 – Privas 18.*

**Cardinale,** ✆ 04 75 85 80 40, *cardinale@relaischateaux.com, Fax 04 75 85 82 07*, – P. AE ⓞ GB
*21 mars-26 oct.* – **Repas** *(fermé merc. midi, lundi et mardi d'oct. à avril, et le midi sauf dim. en juil.-août)* 30/75 et carte 54 à 81 ♀.
◆ Cette ancienne demeure seigneuriale doit son nom à Richelieu qui séjourna dans ses nobles murs en 1642. Luxe discret du confort moderne associé au charme d'antan.

**Résidence** , à 3 km, – TV P – 30. AE ⓞ GB
Repas voir ***Cardinale*** – ☕ 16 – **10 ch** 219/289 – ½ P 158,50/213,50.
◆ Le mobilier de style ou contemporain et la décoration soignée ajoutent à l'atmosphère raffinée de ce mas provençal baigné de lumière. Vaste parc où s'inscrit la piscine.

**Auberge des Quatre Vents,** rte Chomérac, Nord-Ouest : 2 km ✆ 04 75 85 84 49, *Fax 04 75 85 84 49*, – rest, TV P. GB
*fermé vacances de fév.* – **Repas** *(fermé sam. midi et dim. soir)* 18/35 – ☕ 6 – **16 ch** 28/40 – ½ P 48/64.
◆ Façade ocre et volets bleus pour ces deux bâtiments situés en léger retrait d'une route passante. Chambres modestes mais pratiques ; restaurant rustique égayé de tableaux.

*Pas de publicité payée dans ce guide.*

---

**BALAN** *01360 Ain* 328 D6 – *1 668 h alt. 194.*
*Paris 477 – Lyon 30 – Bourg-en-Bresse 57 – Bourgoin-Jallieu 45 – Villefranche-sur-Saône 51.*

**Les Alizés,** à la Valbonne, Nord-Est : 3 km, N 84 ✆ 04 72 25 95 95, *Fax 04 78 06 17 82* – P. GB
*fermé 28 juil. au 25 août, sam. midi, dim. soir et lundi* – **Repas** 14 bc (déj.), 21/33, enf. 9,50.
◆ Coincée entre route et voie ferrée, petite adresse familiale à l'accueil tout sourire. Sobre salle à manger gentiment dressée et cuisine traditionnelle.

---

**BALARUC-LES-BAINS** *34540 Hérault* 339 H8 *G. Languedoc Roussillon* – *5 013 h alt. 3 – Stat. therm. (mi fév.-mi déc.).*
*Office du Tourisme, Pavillon Sévigné ✆ 04 67 46 81 46, Fax 04 67 46 81 54, otsi@ville balaruc-les-bains.fr.*
*Paris 784 – Montpellier 33 – Agde 30 – Béziers 51 – Frontignan 8 – Lodève 64 – Sète 9.*

**Mercure** M, av. Hespérides ✆ 04 67 51 79 79, *h1812@accor-hotels.com, Fax 04 67 48 02 87*, – TV P – 55. AE ⓞ GB. ✻ rest
**Repas** *(fermé 15 déc. au 20 janv. et week-ends de déc. à mars)* 18/26 – ☕ 12,50 – **86 ch** 82/94.
◆ Édifice contemporain bâti à l'entrée de la station thermale. Les chambres sont toutes modernes ; certaines, plus spacieuses, sont prévues pour les familles.

**Martinez,** 2 r. M. Clavel ✆ 04 67 48 50 22, *Fax 04 67 43 18 13*, – rest, TV P. AE ⓞ GB. ✻ ch
*fermé 15 janv. au 15 mars* – **Repas** 17/36, enf. 10 – ☕ 7 – **25 ch** 38/69.
◆ Face à l'église, cette maison familiale du début du 20e s. est appréciée des curistes. Pour séjourner, préférez l'annexe, plus récente. Cuisine aux parfums d'oc.

**St-Clair,** quai Port ✆ 04 67 48 48 91, *Fax 04 67 18 86 96*, – GB
*fermé 3 janv. au 10 fév.* – **Repas** 18 (déj.), 28/47 et carte 50 à 60.
◆ Coquette salle à manger-véranda donnant sur le quai et grande terrasse couverte face au bassin de Thau. Adresse incontournable pour les amateurs de poissons et coquillages !

---

**BALDENHEIM** *67 B.-Rhin* 315 J7 – *rattaché à Sélestat.*

---

**BALDERSHEIM** *68 H.-Rhin* 315 I10 – *rattaché à Mulhouse.*

**BALLEROY** *14490 Calvados* 303 G4 *G. Normandie Cotentin – 613 h alt. 70.*
Voir Château★.
*Paris 277 – St-Lô 23 – Bayeux 15 – Caen 44 – Vire 46.*

XXX ✿ **Manoir de la Drôme** (Leclerc), ✆ 02 31 21 60 94, *denisleclerc@wanadoo.fr, Fax 02 31 21 88 67,* – P. AE GB.
*fermé 25 au 30 août, 2 au 27 fév., dim. soir, lundi et merc.* – **Repas** 29 (déj.), 40/56 et carte 55 à 68.
◆ Ce joli manoir du 17e s. où grimpe la vigne vierge vous invite à déguster une cuisine classique dans une élégante salle à manger ouverte sur le jardin baigné par la Drôme.
**Spéc.** Saveurs "terre et mer". Turbot aux épices douces. Fricassée de sole au foie gras et pâtes fraîches.

**La BALME-DE-SILLINGY** *74330 H.-Savoie* 328 J5 *– 3 075 h alt. 480.*
*Syndicat d'Initiative, route de Choisy ✆ 04 50 68 78 70, Fax 04 50 68 53 29.*
*Paris 524 – Annecy 13 – Bellegarde-sur-Valserine 30 – Belley 60 – Frangy 14 – Genève 48.*

**Les Rochers,** N 508 ✆ 04 50 68 70 07, *hotel.restaurant.les-rochers@wanadoo.fr, Fax 04 50 68 82 74,* – TV P – 50. AE GB
*fermé 1er au 12 nov., janv., dim. soir et lundi du 15 sept. au 15 juin* – **Repas** 16/64, enf. 9,20 – 6,50 – **25 ch** 41/49 – ½ P 45/50.
◆ Préférez les chambres tournant le dos à la route nationale. Deux salles à manger ; la plus spacieuse est réservée pour les banquets.

**Annexe La Chrissandière** sans rest, à 400 m., – TV P. AE GB
*fermé 1er au 12 nov., janv., dim. et lundi du 15 sept. au 15 juin* – 6,50 – **10 ch** 56/59.
◆ Chaumière entourée d'un parc de 3 ha. Chambres simples, d'ampleur diverse. Formule grill en été sur la terrasse bordant la piscine. L'accueil se fait aux Rochers.

**BALOT** *21330 Côte-d'Or* 320 G3 *– 93 h alt. 272.*
*Paris 235 – Auxerre 74 – Chaumont 74 – Dijon 82 – Montbard 28 – Troyes 72.*

**Auberge de la Baume,** ✆ 03 80 81 40 15, *Fax 03 80 81 62 87* – TV. AE GB
*fermé 20 déc. au 4 janv., vend. soir et dim. soir hors saison* – **Repas** 10 (déj.), 14,50/25,50 ⅀, enf. 9,50 – 5,50 – **10 ch** 29/37 – ½ P 35,50.
◆ En face de l'église, accueil attentionné et chambres rénovées, pratiques et bien tenues. Goûtez à l'ambiance locale, tant au bar qu'au restaurant résolument campagnards.

**BAMBECQUE** *59470 Nord* 302 D2 *– 589 h alt. 8.*
*Paris 271 – Calais 64 – Dunkerque 24 – Hazebrouck 26 – Lille 57 – St-Omer 38.*

XX **Vieille Forge,** ✆ 03 28 27 60 67, *Fax 03 28 27 60 67* – GB
*fermé 13 août au 2 sept., vacances de fév., le soir en hiver sauf week-end, dim. soir et lundi* – **Repas** 25,70/46 ⅀.
◆ Ces vieux murs de briques abritaient jadis une forge. Salle à manger au cachet rustique avec poutres, sol en tomettes et belle cheminée. Cuisine au goût du jour.

**BANASSAC** *48500 Lozère* 330 H8 *– 747 h alt. 525.*
*Paris 591 – Mende 46 – Florac 55 – Millau 52.*

**Calice du Gévaudan** M, ✆ 04 66 32 94 18, *calice@wanadoo.fr, Fax 04 66 32 98 62,* – TV P – 20. AE GB
*fermé 25/08 au 2/09, 24/10 au 4/11, vend. soir, sam. midi et dim. soir sauf juil.-août hors vacances scolaires* – **Repas** 12/15 – 6 – **29 ch** 42/53 – ½ P 38,50/47,50.
◆ Pour une halte sur la route des vacances, misez sur cet hôtel récent et fonctionnel qui propose des chambres assez simplement meublées, mais correctement insonorisées.

X **Séquoia** avec ch, à la Mothe, Nord : 2 km ✆ 04 66 32 81 63, *Fax 04 66 32 44 04,* – TV P. GB
*fermé 6 janv. au 11 fév., lundi et mardi* – **Repas** 20/36, enf. 12 – 8 – **7 ch** 50 – ½ P 70.
◆ À proximité de l'autoroute, dans un hameau du causse de Sauveterre bordant le Lot, restaurant rajeuni et sa terrasse ombragée par un magnifique séquoia. Chambres rénovées.

**BAN-DE-LAVELINE** *88520 Vosges* 314 K3 *– 1 240 h alt. 427.*
*Paris 410 – Colmar 58 – Épinal 67 – St-Dié 14 – Ste-Marie-aux-Mines 15 – Sélestat 39.*

XX **Auberge Lorraine** avec ch, ✆ 03 29 51 78 17, *Fax 03 29 51 71 72,* – TV P. GB
*fermé 18 au 27 mars, 14 au 23 oct., dim. soir et lundi* – **Repas** (12) - 16/33 ⅀, enf. 10,50 – 8 – **7 ch** 47/52 – ½ P 49.
◆ Étape plaisante en pays vosgien : repas traditionnels et régionaux dans une élégante salle à manger, et nuitées dans des chambres spacieuses et confortables. Sauna, jacuzzi.

**BANDOL** *83150 Var* 340 *J7 G. Côte d'Azur – 7 431 h alt. 1 – Casino* **Y.**

**Voir** *Allées Jean-Moulin★.*

**Accès** *à l'Ile de Bendor par vedette 7 mn ℘ 04 94 29 44 34 (Bandol).*

*Office de tourisme, allée Vivien ℘ 04 94 29 41 35, Fax 04 94 32 50 39.*

*Paris 822 ② – Marseille 48 ② – Toulon 18 ② – Aix-en-Provence 68 ②.*

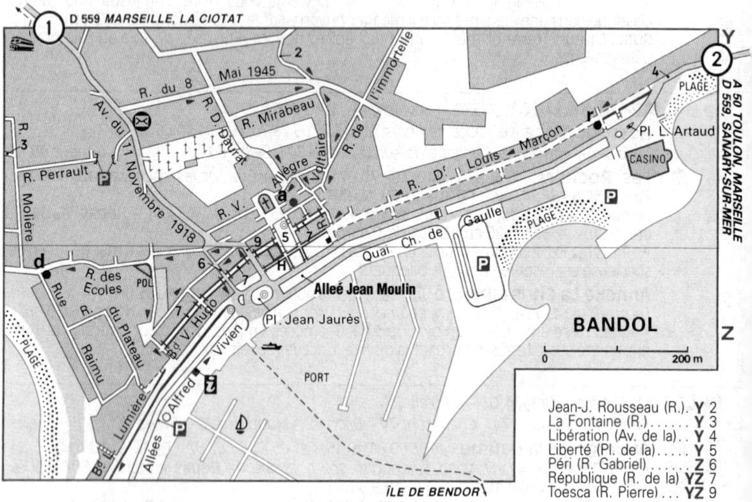

D 559 MARSEILLE, LA CIOTAT
A 50 TOULON, MARSEILLE
D 559, SANARY-SUR-MER
R. du 8 Mai 1945
R. Mirabeau
R. D. Daurat
Av. du 11 Novembre 1918
R. Perrault
R. Molière
R. de l'Immortelle
R. Voltaire
R. V. Allègre
R. Dr Louis Marçon
Pl. L. Artaud
CASINO
PLAGE
Quai Ch. de Gaulle
Allée Jean Moulin
Pl. Jean Jaurès
R. des Ecoles
R. du Plateau
Rue Raimu
Bd V. Hugo
Allées Vivien
Allées Alfred
Bd Lumière
PORT
BANDOL
0
200 m
ÎLE DE BENDOR
Jean-J. Rousseau (R.). Y 2
La Fontaine (R.) . . . . . Y 3
Libération (Av. de la) . . Y 4
Liberté (Pl. de la) . . . . . Y 5
Péri (R. Gabriel) . . . . . Z 6
République (R. de la) YZ 7
Toesca (R. Pierre) . . . YZ 9


**Provençal** sans rest, r. Écoles ℘ 04 94 29 52 11, *hotel-provençal@wanadoo.fr, Fax 04 94 29 67 57* – ▤ TV ℡. AE GB. ✈ **Z d**
*fermé 15 nov. au 1er fév.* – ☕ 6,50 – **20 ch** 61/75.
◆ Petit hôtel familial situé sur les hauteurs de Bandol. Les chambres, simples, sont assez spacieuses ; réservez en priorité celles dotées d'une terrasse avec vue sur la mer.

**Golf Hôtel,** sur plage Renécros par bd L. Lumière - **Z** - ℘ 04 94 29 45 83, *golf.hotel@nomade.fr, Fax 04 94 32 42 47,* <, ☂, ⛱ – ▤ ch, TV P. GB. ✈
*hôtel : fermé 2 janv. au 29 fév. ; rest. : 19 avril-30 sept.* – **Repas** (uniquement en terrasse) (déj. seul. sauf en août) 16/20 ♀, enf. 9 – ☕ 8 – **23 ch** 70/105 – ½ P 63/80,50.
◆ Ancrée dans le sable fin, charmante villa abritant de petites chambres au mobilier diversifié ; certaines bénéficient de loggias ou de balcons. Repas en terrasse côté mer.

**Baie** sans rest, 62 r. Dr L. Marçon ℘ 04 94 29 40 82, *Fax 04 94 29 95 24* – ▤ TV ℡. AE GB. ✈ **Y r**
☕ 6 – **14 ch** 65/86.
◆ Après une soirée au casino, deux pas suffisent pour gagner cet hôtel proche du port. Chambres plutôt grandes, simples, mais bien insonorisées en façade.

**Bel Ombra** ♨, r. La Fontaine - **Y** - ℘ 04 94 29 40 90, *hotel.bel.ombra@wanadoo.fr, Fax 04 94 25 01 11,* ☂ – TV. GB. ✈ rest
*hôtel : 1er avril-15 oct. ; rest. : 15 juin-20 sept.* – **Repas** (dîner seul.)(résidents seul.) 18 – ☕ 6,50 – **20 ch** 55/60 – ½ P 54,50.
◆ Dans un environnement résidentiel, villa offrant aux familles des chambres avec mezzanine. Au restaurant, les amateurs de poisson trouveront leur bonheur.

**Les Galets,** par ② : *0,5 km* ℘ 04 94 29 43 46, *Fax 04 94 32 44 36,* <, ☂ – P. AE ⓓ GB. ✈
*1er mars-11 nov.* – **Repas** *(1er mai-30 sept.)* 21,40 – ☕ 6,10 – **20 ch** 42,70/61 – ½ P 48,80/58.
◆ Bâti à flanc de colline, hôtel dont la terrasse offre une splendide vue sur la mer. Préférez les chambres du 2e étage, avec double vitrage. Cuisine de type pension.

**Clocher,** 1 r. Paroisse ℘ 04 94 32 47 65, *le.clocher@wanadoo.fr,* ☂ – GB **Y a**
*fermé 12 au 30 nov., 24 au 26 déc., vacances de fév., mardi et merc. hors saison et le midi sauf dim.* – **Repas** 26/32.
◆ Installé dans une maison ancienne du vieux Bandol, sympathique petit restaurant aux allures de café provençal. Terrasse sur la ruelle. Dans l'assiette, cuisine du Midi.

**Ile de Bendor** : *en bateau* – ✉ *83150 Bandol* :

**Delos** ⛳, ☎ 04 94 29 11 60, *ethebault@hoteldelos.com, Fax 04 94 32 41 44,* ≤ port et mer, ⛱, 🏊, 🎾 – |‡| 📺 – 🅰 25 à 100. AE ◑ GB
*1er mars-30 oct.* – ***L'Odyssée*** *(avril-oct.)* **Repas** 30,50 – ☕ 12 – **55 ch** 107/247 – ½ P 182,30/221.
◆ Près du débarcadère et à moins de 10 mn de la côte, deux bâtisses en pierres de pays dressées telle une forteresse. Chambres modernes ou de style. Vue imprenable.

**par** ② *et rte de Sanary* : *1,5 km* – ✉ *83110 Sanary-sur-Mer* :

XX **Castel** ⛳ avec ch, ☎ 04 94 29 82 98, *Fax 04 94 32 53 32,* ⛱ – 📺 P. AE ◑ GB
*fermé 18 nov. au 6 déc., 18 janv. au 6 fév. et dim. soir du 15 nov. au 30 mars* – **Repas** (prévenir) 26/32 – ☕ 6,50 – **9 ch** 46/62 – ½ P 58,50/61.
◆ Petite auberge familiale nichée dans un cadre fleuri. Coquette salle à manger, cuisine traditionnelle et quelques chambres simples, pour la plupart en rez-de-jardin.

---

**BANGOR** *56 Morbihan* 63 *11* – *voir à Belle-Ile-en-Mer.*

---

**BANNALEC** *29380 Finistère* 308 *I7* – *4 840 h alt. 98.*
🅘 *Office du Tourisme,* ☎ *02 98 39 43 34.*
*Paris 536* – *Quimper 35* – *Carhaix-Plouguer 51* – *Châteaulin 58* – *Concarneau 25.*

**rte de St-Thurien** *Nord-Est* : *4,5 km par D 23 et rte secondaire* – ✉ *29380 Bannalec* :

**Manoir du Ménec** ⛳, ☎ 02 98 39 47 47, *merlinnenec@aol.com, Fax 02 98 39 46 17,* Fδ, 🏊, 🌳 – 📺 P. GB. ✱
**Repas** *(fermé merc., sauf le soir de mars à nov. et jeudi midi)* 20/35 🍷 – ☕ 6,10 – **16 ch** 85/95 – ½ P 57,50.
◆ Le manoir d'origine abrite de belles chambres (quelques lits à baldaquin) et une salle à manger rustique. Hébergement plus sobre et espace détente dans les annexes. Parc.

*Les pages explicatives de l'introduction*
*vous aideront à mieux profiter de votre* ***Guide Rouge Michelin***

---

**BANNEGON** *18210 Cher* 323 *M6* – *260 h alt. 180.*
*Paris 286* – *Bourges 43* – *Moulins 70* – *St-Amand-Montrond 22* – *Sancoins 24.*

XXX **Moulin de Chaméron** ⛳ avec ch, Sud-Est : 3 km par D 76 et rte secondaire ☎ 02 48 61 83 80, *moulindechameron@wanadoo.fr, Fax 02 48 61 84 92,* ⛱, 🏊, 🌳 – 📺 📞 P. AE GB
*1er mars-15 nov. et fermé lundi sauf le soir en saison et mardi midi* – **Repas** 22/44 et carte 42 à 62 🍷, enf. 10 – ☕ 9 – **13 ch** 60/83.
◆ Dans un cadre bucolique à souhait, moulin du 18e s. hébergeant un restaurant cossu et un musée de la meunerie. La partie hôtel, séparée, abrite des chambres soignées.

---

**BANYULS-SUR-MER** *66650 Pyr.-Or.* 344 *J8 G. Languedoc Roussillon* – *4 662 h alt. 1.*
Voir ✱★★ *du cap Réderis E : 2 km.*
🅘 *Office du Tourisme, avenue de la République* ☎ *04 68 88 31 58, Fax 04 68 88 36 84, banyuls@banyuls-sur-mer.com.*
*Paris 889* – *Perpignan 37* – *Cerbère 11* – *Port-Vendres 7.*

**Catalan,** rte Cerbère ☎ 04 68 88 02 80, *hlecatalan@aol.com, Fax 04 68 88 16 14,* ≤ Banyuls et la côte, ⛱, Fδ, 🏊 – |‡| 📺 P. AE ◑ GB 0
*15 mars-15 nov. et 20 déc.-5 janv.* – **Repas** 20/36 🍷, enf. 10 – ☕ 8 – **35 ch** 72/78, (½ pens. seul. en été) – ½ P 62,50/75.
◆ Cet imposant immeuble en arc de cercle, arrimé à la colline, domine la ville. Chambres fraîches, équipées d'un mobilier catalan assez simple. Salle à manger panoramique.

**Les Elmes,** plage des Elmes ☎ 04 68 88 03 12, *hotel.des.elmes@wanadoo.fr, Fax 04 68 88 53 03,* ≤, ⛱ – ▤ rest, 📺 ♿ P – 🅰 25. AE ◑ GB
***Littorine*** *(fermé 10 nov. au 15 déc.)* **Repas** 26,50 🍷, enf. 10 – ☕ 7,50 – **31 ch** 72/100 – ½ P 62/80.
◆ Les chambres sont très modernes au troisième étage : meubles design et murs immaculés. À La Littorine, carte aux accents régionaux, beau choix de vins et vue sur la mer.

**Villa Miramar** ⛳ sans rest, r. Lacaze Duthiers ☎ 04 68 88 33 85, *ange.st@wanadoo.fr, Fax 04 68 66 88 63,* 🏊, 🌳 – 📺 P. GB
*1er avril-15 oct.* – ☕ 4,50 – **16 ch** 45/59.
◆ Hôtel bâti à flanc de coteau dans un quartier résidentiel calme. Chambres confortables, assez spacieuses, meublées en rotin. Décoration sur le thème "Thaïlande".

**Solhôtel** Ⓜ sans rest, Cap d'Osne (N 114) ✆ 04 68 98 34 34, *Fax 04 68 88 55 45*, ≤ mer – |♦| ▤ TV ♿ ⇔ P. AE GB
☕ 6,30 – **23 ch** 61/67.
◆ Au bord d'une route animée qui surplombe la "grande bleue", construction récente de style régional, abritant des chambres fonctionnelles dotées de balcons.

**Eden** sans rest, av. E. Chatton ✆ 04 68 88 33 07, *Fax 04 68 88 78 68*, ≤ – TV ✆ ♿. GB
*1ᵉʳ avril-15 oct.* – ☕ 5,50 – **10 ch** 58,60.
◆ Adresse familiale perchée sur une éminence. Petit-déjeuner servi uniquement dans les chambres, pratiques et munies de balcons orientés vers le large.

XX **Al Fanal et H. El Llagut** avec ch, av. Fontaulé ✆ 04 68 88 00 81, *alfanal@wanadoo.fr*, *Fax 04 68 88 13 37*, 🏖 – |♦| TV. AE ⓞ GB. ✗
**Repas** *(14)* - 19/55 ♀, enf. 9 – ☕ 7 – **13 ch** 48/62 – ½ P 47/54.
◆ Cuisine régionale et sélection de banyuls à déguster dans ce restaurant contemporain au joli cadre marin. Terrasse ombragée face au port. Petites chambres fraîches.

---

**BAPAUME** *62450 P.-de-C.* **301** *K7 – 3 509 h alt. 123.*
*Paris 156 – Amiens 51 – St-Quentin 51 – Arras 28 – Cambrai 30 – Douai 43 – Doullens 44.*

XX **Paix** Ⓜ avec ch, av. A. Guidet ✆ 03 21 07 11 03, *Fax 03 21 07 43 66* – TV ⇔ P – 🏛 15. AE GB
*fermé dim. soir en janv. et fév.* – **Repas** *(13)* - 14,50/21,10 ♀, enf. 8,90 – ☕ 7 – **13 ch** 56/62 – ½ P 47,50.
◆ Vieille cuve à fermentation de bière en guise de bar et surprenante tarte aux endives en dessert : ce chaleureux restaurant ménage ses effets ! Chambres fonctionnelles.

*Nos guides hôteliers, nos guides touristiques et nos cartes routières sont complémentaires. Utilisez-les ensemble.*

---

**BARAQUEVILLE** *12160 Aveyron* **338** *G5 – 2 458 h alt. 792.*
ℹ *Syndicat d'Initiative, place du Marché ✆ 05 65 69 10 78.*
*Paris 644 – Rodez 17 – Albi 60 – Millau 74 – Villefranche-de-Rouergue 43.*

**Segala Plein Ciel**, rte Albi ✆ 05 65 69 03 45, *infos@hotel-pleinciel.com*, *Fax 05 65 70 14 54*, ≤ vallée, 🏊, ✗, 🌳 – |♦|, ▤ rest, TV ✆ ♿ P – 🏛 120. GB
*fermé 20 déc. au 8 janv., vend. soir et dim. soir de sept. à juin* – **Repas** 19/40 🍷 – ☕ 6,50 – **43 ch** 42/75 – ½ P 48/51.
◆ Sur les hauteurs du bourg, bâtisse des années 1970 et son parc. Les chambres, de bon confort, conservent leur mobilier d'origine ; quelques-unes sont plus actuelles.

---

**BARATIER** *05200 H.-Alpes* **334** *G5 – 356 h alt. 855.*
*Paris 709 – Gap 39 – Grenoble 145 – Marseille 214 – Valence 121.*

**Les Peupliers** ⛰, ✆ 04 92 43 03 47, *info@hotel-les-peupliers.com*, *Fax 04 92 43 41 49*, ≤, 🏖, 🏊 – ⇔ TV P. GB. ✗ rest
*fermé 31 mars au 18 avril et 29 sept. au 24 oct.* – **Repas** *(fermé mardi sauf fériés et vacances scolaires)* 14/32 ♀, enf. 8 – ☕ 5,50 – **24 ch** 39,50/47,50 – ½ P 41,50/43.
◆ Dans un village tranquille, avenant chalet aux abords verdoyants. Les chambres, rajeunies, bénéficient parfois d'une vue sur le lac de Serre-Ponçon. Cuisine régionale.

---

**BARBÂTRE** *85 Vendée* **316** *C6 – voir à Île de Noirmoutier.*

---

**BARBAZAN** *31510 H.-Gar.* **343** *B6 – 351 h alt. 464 – Stat. therm. (fin avr.-fin oct.).*
ℹ *Office du Tourisme, ✆ 05 61 88 35 64, Fax 05 61 88 35 64.*
*Paris 791 – Bagnères-de-Luchon 31 – Lannemezan 26 – St-Gaudens 13 – Tarbes 67.*

XX **Hostellerie de l'Aristou** ⛰ avec ch, rte Sauveterre ✆ 05 61 88 30 67, *Fax 05 61 95 55 66*, ≤, 🏖, 🌳 – ⇔ TV P. AE GB JCB. ✗
*fermé 10 déc. au 12 fév., dim. soir et lundi du 7 sept. au 1ᵉʳ mai* – **Repas** 18/33 – ☕ 7 – **7 ch** 37/51 – ½ P 48.
◆ Ferme du 19ᵉ s. convertie en auberge champêtre. Deux salles à manger accueillantes et bien dressées. Chambres garnies de meubles rustiques ou de style.

---

**La BARBEN** *13 B.-du-R.* **340** *G4 – rattaché à Salon-de-Provence.*

**BARBENTANE** *13570 B.-du-R.* 340 D2 *G. Provence – 3 273 h alt. 40.*

Voir *Château★★.*

*Office du Tourisme, Le Cours ✆ 04 90 90 85 86, Fax 04 90 95 60 02.*

*Paris 696 – Avignon 10 – Arles 33 – Marseille 104 – Nîmes 39 – Tarascon 16.*

**Castel Mouisson** sans rest, quartier Castel-Mouisson, par rte Rognonas : 1,5 km ✆ 04 90 95 51 17, *contact@hotel-castelmouisson.com, Fax 04 90 95 67 63*, – P. GB.

*1er mars-31 oct.* – 7 – **17 ch** 54/59.

◆ Cette agréable maison provençale au pied de la Montagnette propose des chambres simples et rustiques, ouvertes sur le beau et vaste jardin arboré. Chaleureux accueil familial.

**BARBEZIEUX** *16 Charente* 324 J7 *G. Poitou Vendée Charentes – 4 774 h alt. 100 – 16300 Barbezieux-St-Hilaire.*

*Office du Tourisme, 16 place du Marché ✆ 05 45 78 02 54.*

*Paris 481 – Angoulême 36 – Bordeaux 85 – Cognac 37 – Jonzac 24 – Libourne 75.*

**Boule d'Or,** 9 bd Gambetta ✆ 05 45 78 64 13, *laboule.dor@wanadoo.fr, Fax 05 45 78 63 83*, – . AE GB

*fermé 20 déc. au 5 janv., vend. soir et dim. soir d'oct. à avril* – **Repas** 12/35 – 5,50 – **20 ch** 42/49 – 1/2 P 43,70.

◆ Construction ancienne disposant de grandes chambres fonctionnelles. Salle à manger spacieuse et lumineuse. Terrasse au calme à l'ombre d'un vieux marronnier.

**Bon Repos,** rte Angoulême : 1,5 km ✆ 05 45 78 01 92, *Fax 05 45 78 89 81*, – rest, P. – 40. AE GB

*fermé vacances de fév., dim. soir d'oct. à avril et sam. midi* – **Repas** 16/23,70 – **16 ch** 38/44.

◆ Étape pratique proche de la N 10. Le plus ancien des deux bâtiments accueille le restaurant, confortable et bien tenu. Le pavillon récent est réservé à l'hébergement.

**BARBIZON** *77630 S.-et-M.* 312 E5 *G. Ile de France – 1 407 h alt. 80.*

Voir *Auberge du Père Ganne★.*

*Office du Tourisme, 55 Grande Rue ✆ 01 60 66 41 87, Fax 01 60 66 22 38.*

*Paris 57 – Fontainebleau 10 – Étampes 42 – Melun 13 – Pithiviers 45.*

**Hôtellerie du Bas-Bréau** , ✆ 01 60 66 40 05, *basbreau@wanadoo.fr, Fax 01 60 69 22 89*, – ch, P – 20. AE GB

**Repas** 53 (déj.)/74 – 18 – **12 ch** 130/350, 8 appart.

◆ Les séjours de R. L. Stevenson, hôte célèbre parmi d'autres, ont fait la réputation de cette demeure. Belles chambres personnalisées donnant sur le parc aux mille fleurs.

**L'Angélus,** ✆ 01 60 66 40 30, *restaurant.angelus@wanadoo.fr, Fax 01 60 66 42 12*, – P. AE GB

*fermé 18 au 26 août, 19 janv. au 10 fév., lundi et mardi* – **Repas** 28/38 et carte 42 à 60.

◆ Dans la rue principale, pimpante auberge rustique dont l'enseigne rend hommage à l'une des plus fameuses oeuvres de Millet, peinte à Barbizon.

**Relais de Barbizon,** ✆ 01 60 66 40 28, – GB

*fermé 18 au 29 août, 8 au 26 déc., mardi soir et merc.* – **Repas** 20/35.

◆ Au bord d'une route passante, petite adresse familiale accueillante dans sa simplicité. Cadre campagnard avec cheminée, et terrasse ombragée pour les beaux jours.

**BARBOTAN-LES-THERMES** *32 Gers* 336 B6 *G. Midi-Pyrénées – Stat. therm. (fin mars-début déc.) – Casino – 32150 Cazaubon.*

*Office du Tourisme, Maison du Tourisme et du Thermalisme ✆ 05 62 69 52 13, Fax 05 62 69 57 71, omt.barbotan@wanadoo.fr.*

*Paris 706 – Mont-de-Marsan 43 – Aire-sur-l'Adour 37 – Auch 75 – Condom 37.*

**Paix,** 24 av. Thermes ✆ 05 62 69 52 06, *hotel.paix@wanadoo.fr, Fax 05 62 09 55 73*, – P. GB. rest

*13 mars-11 nov.* – **Repas** (dîner seul.) *(11,50)* - 15/23, enf. 7 – 7 – **32 ch** 38/58 – 1/2 P 40/48.

◆ Bâtiment récent proche de l'église et du centre thermal. Les chambres, coquettes et bien tenues, sont équipées d'un mobilier fonctionnel. Cuisine traditionnelle.

**Les Fleurs de Lees,** rte Agen ✆ 05 62 08 36 36, *contact@fleursdelees.com, Fax 05 62 08 36 37*, – P. GB.

**Repas** *(19)* - carte 36 à 54, enf. 8 – **16 ch** 65/115 – P 74,50/98.

◆ Pimpante maison située au coeur de l'Armagnac. Chambres feutrées ; belles suites à thème ("Afrique", "Asie", "Inde", etc.). Cuisine du monde et meubles de Dubaï au restaurant.

**Cante Grit,** ✆ 05 62 69 52 12, *hotel.cante.grit@wanadoo.fr, Fax 05 62 69 53 98* – TV P. AE GB. rest
*15 avril-30 oct.* – **Repas** 13,80/17,50 ♀ – ☕ 7 – **20 ch** 46/55 – P 46,50/60.
◆ Cette jolie villa des années 1930 tapissée de vigne vierge propose des chambres assez grandes, fraîches et pratiques. Accueillant salon évoquant une demeure familiale.

**Beauséjour,** 6 av. Thermes ✆ 05 62 08 30 30, *bernard.urrutia@wanadoo.fr, Fax 05 62 09 50 78,* – TV P. GB
*26 mars-23 nov.* – **Repas** 16,30/32 ♀ – ☕ 7 – **29 ch** 29/61.
◆ Grande maison de style régional aux chambres rustiques. Salle à manger et terrasse tournées vers la campagne gersoise. Petit salon d'esprit "british" et joli jardin arboré.

**Aubergade,** ✆ 05 62 69 55 43, *Fax 05 62 69 52 09,* – rest, TV. AE GB
*mars-nov.* – **Repas** 17/25 ♀ – ☕ 7 – **19 ch** 28/54 – P 44/50.
◆ À l'entrée de la station, chambres fonctionnelles, correctement insonorisées ; certaines possèdent un balcon. Sobre salle à manger éclairée de larges baies.

---

**BARCELONNETTE** SP *04400 Alpes-de-H.-P.* 334 H6 *G. Alpes du Sud – 2 976 h alt. 1135 – Sports d'hiver : Le Sauze/Super Sauze 1 400/2 000 m 23 et Pra-Loup 1 500/2 600 m 3 29 .*
**Voir** *Église de St-Pons★ NO : 2 km.*
*Office du Tourisme, place Frédéric Mistral ✆ 04 92 81 04 71, Fax 04 92 81 22 67, info@barcelonnette.net.*
*Paris 739 – Gap 69 – Briançon 87 – Cannes 162 – Cuneo 98 – Digne-les-Bains 87 – Nice 146.*

**Azteca** sans rest, 3 r. François Arnaud ✆ 04 92 81 46 36, *hotel-azteca@wanadoo.fr, Fax 04 92 81 43 92* – TV P – 70. AE GB
*fermé 2 au 30 nov.* – ☕ 9,50 – **27 ch** 70/87.
◆ Jolie villa où meubles et objets artisanaux mexicains composent un décor original évoquant l'épopée des "Barcelonnettes" au Mexique. Trois chambres déclinent ce thème.

**Passe-Montagne,** à 3 km, rte Col de la Cayolle ✆ 04 92 81 08 58, – P. AE GB
*fermé juin, 1er oct. au 15 déc., mardi et merc. hors saison* – **Repas** (prévenir) 23/29.
◆ Accueil charmant, ambiance conviviale et chaleureux décor alpin en ce petit chalet implanté à l'orée d'une pinède. Goûteuse cuisine, montagnarde l'hiver et provençale l'été.

**au Sauze** *Sud-Est : 4 km par D 900 et D 209 – Sports d'hiver : 1 400/2 000 m 23 – ✉ 04400 Barcelonnette*

**Alp'Hôtel** , ✆ 04 92 81 05 04, *info@alp.hotel.com, Fax 04 92 81 45 84,* , , , – cuisinette TV P. GB
*hotel : 25 mai-30 sept. et 20 déc.-15 avril ; rest : 1er juin-30 sept. et 20 déc.-31 mars* – **Repas** (16) - 22/25 – ☕ 9 – **24 ch** 71/82 – ½ P 69/74.
◆ L'hôtel jouxte un télésiège au coeur de la petite station dominée par son "Chapeau de Gendarme" (2685m). Chambres simples souvent pourvues de balcons. Salons voûtés.

**L'Équipe,** ✆ 04 92 81 05 12, *Fax 04 92 81 45 33,* , – P. AE GB
*28 juin-7 sept. et 20 déc.-15 avril* – **Repas** 14,50/20 ♀ – ☕ 6,10 – **23 ch** 51,80 – ½ P 50,30.
◆ Champs de neige ou forêts de mélèzes : chalet des années 1950, "L'Équipe" garde la faveur des sportifs en toutes saisons. Petites chambres lambrissées au confort modeste.

**au Super-Sauze** *Sud-Est : 10 km par D 900 et D 209 – Sports d'hiver : voir au Sauze – ✉ 04400 Barcelonnette :*

**Pyjama** sans rest, ✆ 04 92 81 12 00, *Fax 04 92 81 03 16,* – cuisinette TV P. AE GB
*15 juin-15 sept. et 20 déc.-20 mai* – ☕ 7,50 – **10 ch** 49/98, 4 studios.
◆ Les chambres, assez simples et agrémentées de meubles anciens, sont parfois agrandies d'une mezzanine pratique pour un séjour familial au pays de Carole Merle.

**à Jausiers** *Nord-Est : 8 km par D 900 – 860 h. alt. 1240 – ✉ 04850 :*
*Office du Tourisme, rue Principale ✆ 04 92 81 21 45, Fax 04 92 84 63 42, info@jausiers-.com.*

**Villa Morelia** avec ch, ✆ 04 92 84 67 78, *rboudard@aol.com, Fax 04 92 84 67 78,* , – TV. GB
*fermé 25 oct. au 30 déc., 23 mars au 30 avril, lundi hors saison et dim.* – **Repas** *(fermé dim., lundi et mardi hors saison)* (dîner seul.) (menu unique)(prévenir) 37/55 ♀ – ☕ 10 – **5 ch** 107/145.
◆ Restaurant logé dans l'une des célèbres villas "mexicaines" (1900) de Barcelonnette. Élégant intérieur, terrasse face au parc et cuisine inventive. Coquettes chambres d'hôte.

**à Pra-Loup** *Sud-Ouest : 8,5 km par D 902, D 908 et D 109 – Sports d'hiver : 1 500/2 600 m 3 29 – ✉ 04400 Barcelonnette.*

*Office du Tourisme, Maison de Pra-Loup ✆ 04 92 84 10 04, Fax 04 92 84 02 93, info@praloup.com.*

**Auberge du Clos Sorel**, à Molanès ✆ 04 92 84 10 74, *Fax 04 92 84 09 14*, ←, – GB. rest
*15 juin-début sept. et 20 déc.-début avril* – **Repas** *(fermé le midi sauf vacances scolaires)* 25/35 – 8 – **11 ch** 87/138 – ½ P 61/97.
◆ Authentique ferme du 17e s. joliment restaurée. Chambres personnalisées (mobilier régional chiné dans les brocantes), avec vue sur les sommets ; belle piscine panoramique.

**Prieuré de Molanès,** à Molanès ✆ 04 92 84 11 43, *hotel.leprieure@wanadoo.fr, Fax 04 92 84 01 88*, – P. GB JCB
*7 juin-13 sept. et 15 déc.-26 avril* – **Repas** 18/23,50 ♀, enf. 7 – 7 – **14 ch** 50/75 – ½ P 61.
◆ Ambiance montagnarde dans cet ancien prieuré transformé en hôtellerie familiale. Chambres peu à peu redécorées dans un esprit alpin et chaleureuses salles à manger rustiques.

*Dans ce guide*
*un même symbole, un même mot,*
*imprimé en* ***rouge*** *ou en* ***noir****, en maigre ou en* ***gras****,*
*n'ont pas tout à fait la même signification.*
*Lisez attentivement les pages explicatives.*

---

**BARCUS** *64130 Pyr.-Atl.* 342 H5 – *788 h alt. 230.*
*Paris 816 – Pau 53 – Mauléon-Licharre 14 – Oloron-Ste-Marie 18 – St-Jean-Pied-de-Port 53.*

**Chilo** avec ch, ✆ 05 59 28 90 79, *martine.chilo@wanadoo.fr, Fax 05 59 28 93 10*, – P. AE GB.
*fermé 5 au 30 janv., vacances de fév., dim. soir, mardi midi d'oct. à juin et lundi sauf le soir de juil. à sept.* – **Repas** (14) - 38 et carte 48 à 61 ♀, enf. 10 – 8 – **11 ch** 42/100 – ½ P 56/79.
◆ Belle maison de pays située au coeur d'un paisible village. Cuisine aux saveurs régionales servie dans une chaleureuse salle à manger. Agréable jardin face à la montagne.

---

**BARDIGUES** *82 T.-et-G.* 337 B7 – *rattaché à Auvillar.*

---

**BARFLEUR** *50760 Manche* 303 E1 *G. Normandie Cotentin – 599 h alt. 5.*
Voir *Phare de la Pointe de Barfleur : ※★★ N : 4 km* – Intérieur★ *de l'église de Montfarville 2 km S.*
*Syndicat d'Initiative, quai Henri Chardon ✆ 02 33 54 02 48, Fax 02 33 23 43 00.*
*Paris 355 – Cherbourg 29 – Carentan 48 – St-Lô 76 – Valognes 26.*

**Conquérant** sans rest, ✆ 02 33 54 00 82, *Fax 02 33 54 65 25*, – GB.
*15 mars-15 nov.* – 8,50 – **13 ch** 33/80.
◆ À deux pas du port, belle demeure du 17e s. en granit, agrémentée d'un jardin à la française. Chambres rustiques, parfois dotées d'armoires normandes.

**Moderne,** ✆ 02 33 23 12 44, *Fax 02 33 23 91 58* – AE GB
*fermé 3 janv. au 3 fév., mardi soir et merc. sauf du 1er juil. au 15 sept.* – **Repas** 16,80 (déj.), 23/45 ♀, enf. 10.
◆ Ce restaurant central bordant une rue calme de la petite station balnéaire propose une carte traditionnelle et des produits de la mer. Salle garnie de meubles rustiques.

---

**BARJAC** *30430 Gard* 339 L3 – *1 361 h alt. 171.*
*Office du Tourisme, place Charles Guynet ✆ 04 66 24 53 44, Fax 04 66 60 23 08.*
*Paris 670 – Alès 34 – Aubenas 47 – Mende 114.*

**Mas du Terme**, Sud-Est : 4 km par D 901 et rte secondaire ✆ 04 66 24 56 31, *welcome@mas-du-terme.com, Fax 04 66 24 58 54*, – P. GB
*avril-oct.* – **Repas** 26,50/34,50 ♀ – 8,50 – **22 ch** 74/142 – ½ P 72/108.
◆ Cette ex-magnanerie entourée de vignobles est située à deux tours de roue du féerique aven d'Orgnac. Chambres provençales (10 dans l'annexe récente). Salle à manger voûtée.

**L'Esplanade,** pl. Église ✆ 04 66 24 58 42, *Fax 04 66 24 58 42*, – GB
*16 janv.-29 sept. et fermé mardi sauf juil.-août* – **Repas** 13/23 ♀.
◆ Petite maison en pierre (18e s.) au coeur de ce pittoresque village. Intérieur voûté agrémenté d'objets chinés et terrasse fleurie offrant une jolie vue sur la campagne.

X **Hostellerie de Landes** avec ch, Sud-Est : 5 km par D 901 ✆ 04 66 24 56 14, *hostlan @club-internet.fr, Fax 04 66 60 22 39*, , – P. AE GB JCB. rest
*fermé 1er déc. au 15 janv., mardi midi du 15 mars au 1er oct., dim. soir et lundi d'oct. à mars* – **Repas** 18 (déj.), 25/41 – ☕ 8,50 – **4 ch** 47/63 – 1/2 P 49/58.
◆ Cette adorable villa étoffe sa carte de quelques spécialités régionales. Aux premiers beaux jours, rejoignez la terrasse surplombant le jardin. Salle à manger-véranda.

**BAR-LE-DUC** P *55000 Meuse* 307 B6 *G. Alsace Lorraine – 17 545 h alt. 188.*
**Voir** *"le Transi" (statue)★★ dans l'église St-Étienne* **AZ.**
*Office du Tourisme, 5 rue Jeanne-d'Arc ✆ 03 29 79 11 13, Fax 03 29 79 21 95.*
*Paris 234 ④ – Metz 97 ① – Nancy 84 ② – Reims 113 ④ – St-Dizier 25 ③ – Verdun 57 ①.*

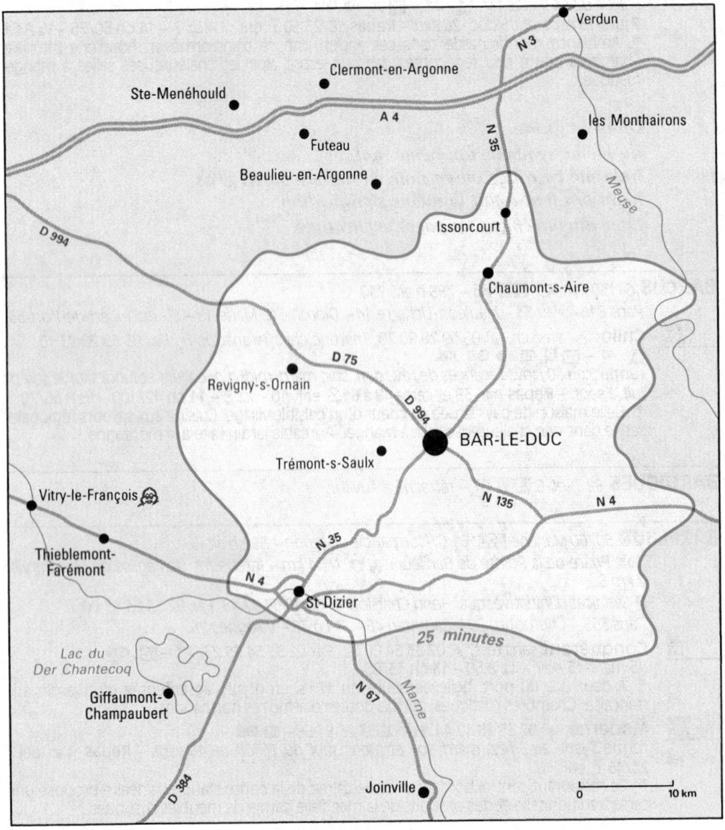
Verdun
N 3
Clermont-en-Argonne
Ste-Menéhould
A 4
N 35
les Monthairons
Futeau
Beaulieu-en-Argonne
Meuse
D 994
Issoncourt
Chaumont-s-Aire
D 75
Revigny-s-Ornain
D 994
BAR-LE-DUC
Trémont-s-Saulx
Vitry-le-François
N 135
N 4
N 35
Thieblemont-Farémont
N 4
St-Dizier
25 minutes
Lac du Der Chantecoq
N 67
Marne
Giffaumont-Champaubert
D 384
Joinville
0
10 km

X **Bistro St-Jean,** 132 av. La Rochelle ✆ 03 29 45 40 40, *Fax 03 29 45 40 45* – . GB **BZ s**
*fermé 15 juil. au 10 août, 10 au 20 janv., dim. soir et soirs fériés* – **Repas** 35/55, enf. 9,20.
◆ Adresse à retenir en plein centre-ville : sympathique petit établissement aux allures de bistrot traditionnel modernisé. Carte typique du genre et produits de la mer.

**à Trémont-sur-Saulx** *par ③ et D 3 : 9,5 km – 608 h. alt. 166 – ✉ 55000 :*

**Source** , ✆ 03 29 75 45 22, *hotel-restaurant-lasource@wanadoo.fr, Fax 03 29 75 48 55*, , – rest, TV & P – 25. AE GB. rest
*fermé 1er au 24 août, 22 déc. au 12 janv., dim. soir et lundi midi* – **Repas** 20/44 , enf. 12 – ☕ 9 – **26 ch** 56/87 – 1/2 P 60/70.
◆ Ce motel des années 1980 largement ouvert sur la campagne propose des chambres calmes et rénovées avec soin. Rôtissoire à même le restaurant agrémenté en outre d'une cheminée.

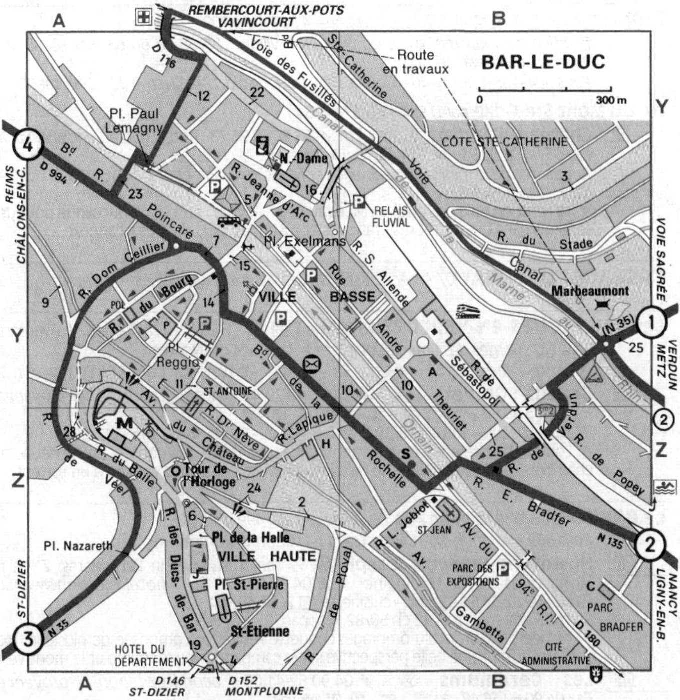

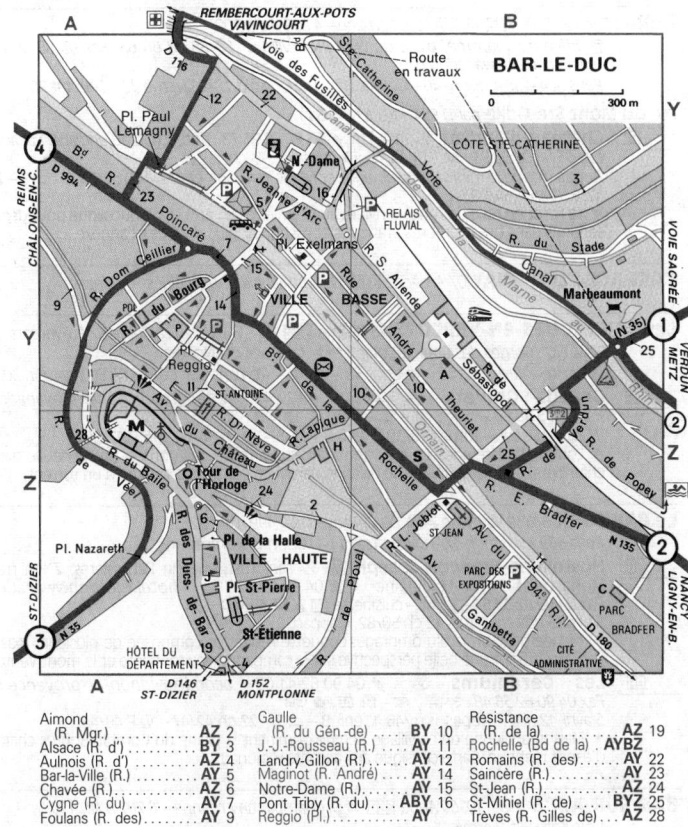

BAR-LE-DUC
0
300 m
REMBERCOURT-AUX-POTS
VAVINCOURT
Route en travaux
Voie des Fusillés
Ste-Catherine
Canal
CÔTE STE-CATHERINE
Voie de la Marne au Rhin
R. du Stade
Canal
Marbeaumont
Pl. Paul Lemagny
N.-Dame
R. Jeanne d'Arc
RELAIS FLUVIAL
Bd R. Poincaré
Pl. Exelmans
R. S. Allende
R. Dom Ceillier
R. du Bourg
VILLE BASSE
Rue André
R. de Sébastopol
Pl. Reggio
Bd de la Rochelle
Theuriet
ST-ANTOINE
R. Dr Nève
R. Lapique
Av. du Château
Ornain
R. de Verdun
R. de Popey
R. E. Bradfer
R. du Baile
R. de Véel
Tour de l'Horloge
Pl. de la Halle
VILLE HAUTE
Pl. St-Pierre
St-Étienne
R. des Ducs-de-Bar
R. de Ploval
R. L. Joblot
ST-JEAN
Av. du 94e R.I.
Av. Gambetta
PARC DES EXPOSITIONS
PARC BRADFER
CITÉ ADMINISTRATIVE
Pl. Nazareth
HÔTEL DU DÉPARTEMENT
D 146 ST-DIZIER
D 152 MONTPLONNE
REIMS CHÂLONS-EN-C.
ST-DIZIER
VOIE SACRÉE
VERDUN METZ
NANCY LIGNY-EN-B.
D 994
D 116
N 35
N 135
D 180


| | | | | | | | | |
|---|---|---|---|---|---|---|---|---|
| Aimond (R. Mgr.) | AZ | 2 | Gaulle (R. du Gén.-de) | BY | 10 | Résistance (R. de la) | AZ | 19 |
| Alsace (R. d') | BY | 3 | J.-J.-Rousseau (R.) | AY | 11 | Rochelle (Bd de la) | AYBZ | |
| Aulnois (R. d') | AZ | 4 | Landry-Gillon (R.) | AY | 12 | Romains (R. des) | AY | 22 |
| Bar-la-Ville (R.) | AY | 5 | Maginot (R. André) | AY | 14 | Saincère (R.) | AY | 23 |
| Chavée (R.) | AZ | 6 | Notre-Dame (R.) | AY | 15 | St-Jean (R.) | AZ | 24 |
| Cygne (R. du) | AY | 7 | Pont Triby (R. du) | ABY | 16 | St-Mihiel (R. de) | BYZ | 25 |
| Foulans (R. des) | AY | 9 | Reggio (Pl.) | AY | | Trèves (R. Gilles de) | AZ | 28 |

## BARNEVILLE-CARTERET *50270 Manche* 303 B3 *G. Normandie Cotentin – 2 222 h alt. 47.*

*Office du Tourisme, 10 rue des Ecoles ℘ 02 33 04 90 58, Fax 02 33 04 93 24, tourisme.barneville-carteret@wanadoo.fr.*

*Paris 356 – Cherbourg 39 – St-Lô 63 – Carentan 43 – Coutances 48.*

### à Carteret.

Voir *Table d'orientation* <★.

*Office de tourisme, place des Flandres-Dunkerque ℘ 02 33 04 94 54.*

**Marine** (Cesne) ℘ 02 33 53 83 31, *Fax 02 33 53 39 60*, ≤, – TV – 15. AE GB. rest

*1er mars-12 nov.* – **Repas** *(fermé lundi midi et jeudi midi d'avril à sept. sauf juil.-août, dim. soir, jeudi midi et lundi d'oct. à mars)* 26/39,50 et carte 47 à 73 – ☕ 9 – **30 ch** 49/108 – ½ P 75/92.

◆ Cette maison, qui a quasiment "les pieds dans l'eau", est tenue par la même famille depuis 1876. Belles chambres, avec balcon côté port. Délicieuse cuisine au goût du jour.

**Spéc.** Huîtres creuses en nage glacée de cornichons. Carpaccio de tête et langue de veau sauce gribiche (printemps-été). Homard grillé aux aromates.

**des Ormes** M sans rest, quai Barbey d'Aurevilly ℘ 02 33 52 23 50, *Fax 02 33 52 91 65*, ≤, – TV P. GB

*fermé 5 janv. au 12 fév.* – ☕ 10 – **10 ch** 82/95.

◆ Demeure ancienne face au port de plaisance. Confortable salon et chambres fraîches garnies de meubles anciens ou modernes. Beau jardin fleuri en saison.

## BARNEVILLE-LA-BERTRAN *14 Calvados* 303 N3 *– rattaché à Honfleur.*

**BARR** *67140 B.-Rhin* 315 I6 *G. Alsace Lorraine – 4 839 h alt. 200.*

*Office du Tourisme, place de l'Hôtel de Ville ☎ 03 88 08 66 65, Fax 03 88 08 66 51, mairie.barr.ot@wanadoo.fr.*

*Paris 504 – Strasbourg 40 – Colmar 42 – Le Hohwald 12 – Saverne 47 – Sélestat 20.*

**rte du Mont Ste-Odile** *par D 854 – ✉ 67140 Barr :*

**Château d'Andlau**, à 2 km ☎ 03 88 08 96 78, *hotel.chateau-andlau@wanadoo.fr, Fax 03 88 08 00 93,* – TV P. AE GB JCB. ch
**Repas** *(fermé le midi sauf week-ends et fériés, dim. soir et lundi)* 20,50/39 – 8 – **23 ch** 42/61 – ½ P 54/60,50.
◆ La forêt en toile de fond, la rivière au premier plan : ambiance bucolique pour des nuits sereines dans des chambres pratiques et rustiques, plus simples à l'annexe.

---

**BARRAGE DU TERNAY** *07 Ardèche* 331 J2 *– rattaché à St-Marcel-lès-Annonay.*

---

**Les BARRAQUES-EN-VERCORS** *26 Drôme* 332 F3 *– ✉ 26420 La Chapelle-en-Vercors.*

Env. *NO : Gorges des Grands-Goulets★★★,* G. Alpes du Nord.

*Paris 605 – Grenoble 55 – Valence 58 – Die 46 – Romans-sur-Isère 41 – St-Marcellin 30.*

**Grands Goulets**, ☎ 04 75 48 22 45, *hotel.grands.goulets@wanadoo.fr, Fax 04 75 48 10 24,* – P. AE GB
*1er mai-15 sept.* – **Repas** 16/30, enf. 8 – 6 – **29 ch** 34/60 – ½ P 42/50.
◆ Longue bâtisse adossée à la montagne sur la route des gorges. Literie neuve dans les chambres, parfois pourvues de balcons. Jardin en contrebas, proche d'un torrent.

---

**Le BARROUX** *84330 Vaucluse* 332 D9 *G. Provence – 499 h alt. 325.*

*Paris 689 – Avignon 37 – Carpentras 11 – Vaison-la-Romaine 15.*

**Hostellerie François-Joseph** M sans rest, chemin Rabassières, 2 km rte des Monastères Ste-Madeleine ☎ 04 90 62 52 78, *hotel.f.joseph@wanadoo.fr, Fax 04 90 62 33 54,* – cuisinette TV P. AE GB.
*5 avril-3 nov.* – 10 – **12 ch** 50/82, 6 appart.
◆ Nichée dans un jardin ombragé, coquette résidence composée de plusieurs mas provençaux offrant une belle perspective sur la campagne environnante et le mont Ventoux.

**Les Géraniums**, ☎ 04 90 62 41 08, *acomi@avignon-et-provence.com, Fax 04 90 62 56 48,* – P. AE GB
*5 avril-12 nov.* – **Repas** 15,50/46, enf. 8 – 7 – **22 ch** 42/47 – ½ P 40/43.
◆ Maison ancienne de ce village perché dominant la plaine du Comtat. Sobres chambres d'esprit rustique. Carte classique aux accents régionaux.

---

**BAR-SUR-AUBE** SP *10200 Aube* 313 I4 *G. Champagne Ardenne – 6 707 h alt. 190.*

Voir *Église St-Pierre★.*

*Office du Tourisme, place de l'Hôtel de Ville ☎ 03 25 27 24 25, Fax 03 25 27 40 02, ot-bar@barsuraube.net.*

*Paris 231 – Chaumont 41 – Châtillon-sur-Seine 61 – Troyes 53 – Vitry-le-François 66.*

**Toque Baralbine**, 18 r. Nationale ☎ 03 25 27 20 34, *toquebaralbine@aol.com, Fax 03 25 27 20 34,* – GB
*fermé 5 au 26 janv., dim. soir et lundi* – **Repas** 17/49, enf. 10.
◆ Façade rénovée, décor de la salle principale revu et aménagement d'un salon de style champenois : ce restaurant du centre-ville soigne son cadre autant que son assiette.

**Cellier aux Moines**, r. Gén. Vouillemont ☎ 03 25 27 08 01, *Fax 03 25 01 56 22* – GB
*fermé mardi midi et le soir sauf vend. et sam.* – **Repas** 19/28.
◆ Dans le centre historique, vaste cellier du 12e s. converti en restaurant. Belles voûtes multi-séculaires, mobilier campagnard et service assuré en costumes de vignerons.

**à Arsonval** *Nord-Ouest : 6 km sur N 19 – 365 h. alt. 159 – ✉ 10200 :*

**Hostellerie de la Chaumière** avec ch, ☎ 03 25 27 91 02, *lachaumiere@pem.net, Fax 03 25 27 90 26,* – TV P. AE GB JCB
*fermé 10 déc. au 20 janv., dim. soir hors saison et lundi* – **Repas** 18/50 – 7,50 – **11 ch** 53/66 – ½ P 55/60.
◆ Jolie façade champenoise abritant une accueillante salle à manger rustique. Dans les anciennes écuries, chambres pratiques tournées vers le jardin fleuri et la rivière.

**à Dolancourt** *Nord-Ouest : 9 km par rte Troyes – 169 h. alt. 112 – ✉ 10200 :*

**Moulin du Landion**, ☎ 03 25 27 92 17, *moulindulandion@wanadoo.fr, Fax 03 25 27 94 44,* – TV P – 25. AE GB JCB. rest
*fermé 15 nov. au 15 fév.* – **Repas** 18,20/54, enf. 10,50 – 8 – **16 ch** 64/77 – ½ P 69,50/75.
◆ Chambres fonctionnelles, dotées de meubles de style et s'ouvrant sur le parc. Les baies vitrées de la salle à manger offrent le coup d'oeil sur la roue à aubes du moulin.

**Le BAR-SUR-LOUP** *06620 Alpes-Mar.* 341 C5 *G. Côte d'Azur – 2 465 h alt. 320.*

Voir *Site★ – Danse macabre★ (peintures sur bois) dans l'église St-Jacques – <★ de la place de l'église.*

*Office du Tourisme, place Francis Paulet ✆ 04 93 42 72 21, Fax 04 93 42 92 60, lebarsurloup@stella-net.fr.*

*Paris 921 – Grasse 10 – Nice 32 – Vence 16.*

XX **Jarrerie,** ✆ 04 93 42 92 92, *Fax 04 93 42 91 22,* – AE GB JCB
*fermé 2 au 31 janv., lundi soir et mardi –* **Repas** 25/45.
◆ Autrefois monastère, puis conserverie, cette bâtisse régionale du 17e s. abrite une grande salle à manger rustique avec cheminée, pierres et poutres apparentes.

**BAR-SUR-SEINE** *10110 Aube* 313 G5 *G. Champagne Ardenne – 3 630 h alt. 157.*

Voir *Intérieur★ de l'église St-Étienne.*

*Office du Tourisme, 33 rue Gambetta ✆ 03 25 29 94 43, Fax 03 25 29 70 21, otbar @wanadoo.fr.*

*Paris 198 – Troyes 33 – Bar-sur-Aube 37 – Châtillon-sur-Seine 36 – St-Florentin 57.*

X **Commerce** avec ch, r. République ✆ 03 25 29 86 36, *Fax 03 25 29 64 87* – rest, TV – 40. GB. ch
*fermé 25 au 31 août, dim. sauf le midi en juil.-août et vend. –* **Repas** 10,50/32 – 4,80 – **13 ch** 33/35 – 1/2 P 28.
◆ Cet établissement tout simple se trouve au coeur du bourg. Salle à manger d'esprit rustique, égayée d'une cheminée, et chambres modestes mais récemment rénovées.

**près échangeur** *autoroute A5, Nord-Est : 9 km par D 443 – ✉ 10110 Magnant :*

**Val Moret,** ✆ 03 25 29 85 12, *Fax 03 25 29 70 81,* – rest, TV P – 30. AE GB.
**Repas** 16/45, enf. 7 – 8,50 – **42 ch** 37/69 – 1/2 P 50/64.
◆ Hôtel-restaurant de type motel proposant des chambres fonctionnelles et assez spacieuses, toutes en rez-de-chaussée. Espace gazonné avec aire de jeux pour les enfants.

**BAS-MAUCO** *40 Landes* 335 H12 – *rattaché à St-Sever.*

**BAS-RUPTS** *88 Vosges* 314 J4 – *rattaché à Gérardmer.*

**BASSE-GOULAINE** *44 Loire-Atl.* 316 H4 – *rattaché à Nantes.*

**BASTELICA** *2A Corse-du-Sud* 345 D7 – *voir à Corse.*

**BASTIA** *2B H.-Corse* 345 F3 – *voir à Corse.*

**La BASTIDE** *83840 Var* 340 O3 – *136 h alt. 1000.*

*Paris 816 – Digne-les-Bains 79 – Castellane 24 – Draguignan 42 – Grasse 49.*

**Lachens** , ✆ 04 94 76 80 01, *Fax 04 94 84 21 88,* , – TV. GB. ch
*15 avril-15 nov. et fermé mardi et merc. sauf fériés –* **Repas** 14/27, enf. 7 – 5,50 – **13 ch** 40/54 – 1/2 P 38,50/42.
◆ Dans un hameau perdu, maison traditionnelle disposant de chambres pratiques et bien tenues. La cuisine privilégie les viandes (la boucherie familiale est juste en face).

**La BASTIDE-DES-JOURDANS** *84240 Vaucluse* 332 G11 – *814 h alt. 412.*

*Paris 766 – Digne-les-Bains 77 – Aix-en-Provence 39 – Apt 40 – Manosque 17.*

XX **Auberge du Cheval Blanc** avec ch, ✆ 04 90 77 81 08, *provence.luberon@wanadoo.fr, Fax 04 90 77 86 51,* – TV P. GB
*fermé mi-janv. à fin fév. et hôtel le jeudi sauf en été –* **Repas** *(fermé merc. soir et jeudi de mi-nov. à fin mars, jeudi midi et vend. midi de juil. à sept.)* 26/36, enf. 14 – 9,50 – **4 ch** 70/80 – 1/2 P 70.
◆ Demeure provençale située au coeur du village. Salle à manger bourgeoise aux couleurs du Midi, et plats à l'accent du terroir. Quelques coquettes chambres personnalisées.

**BATZ-SUR-MER** *44740 Loire-Atl.* 316 B4 *G. Bretagne – 2 734 h alt. 12.*

Voir *✳★★ de l'église St-Guenolé★ – Chapelle N.-D. du Mûrier★ – Excursions guidées★ dans les marais (musée des Marais salants) – La Côte Sauvage★.*

*Office du Tourisme, 25 rue de la Plage ✆ 02 40 23 92 36, Fax 02 40 23 74 10.*

*Paris 458 – Nantes 83 – La Baule 7 – Redon 63 – Vannes 71.*

**Lichen** sans rest, Le Manérick, Sud-Est : 2 km par D 45 ☎ 02 40 23 91 92, *alain.paroux@wanadoo.fr, Fax 02 40 23 84 88*, ≤, – TV P. AE GB
9 – **14 ch** 60/200.
◆ Sur la Côte sauvage, vaste villa néo-bretonne (1990) jouissant du spectacle unique de l'océan. La moitié des chambres, fraîches et assez grandes, donne sur les flots.

---

**BAUGÉ** *49150 M.-et-L.* 317 I3 *G. Châteaux de la Loire – 3 748 h alt. 55.*

*Voir Croix d'Anjou★★ dans la chapelle des Filles du Coeur de Marie – Le Vieil-Baugé : choeur★ de l'église St-Symphorien SO : 2 km par D 61 – Forêt de Chandelais★ SE : 3 km – Pontigné : peintures murales★ dans l'église E : 5 km par D 141.*

*Office du Tourisme, place de l'Europe ☎ 02 41 89 18 07, Fax 02 41 89 04 43, tourisme-.bauge@wanadoo.fr.*

*Paris 265 – Angers 41 – La Flèche 19 – Le Mans 62 – Saumur 36 – Tours 67.*

**Boule d'Or,** 4 r. Cygne ☎ 02 41 89 82 12, *Fax 02 41 89 06 07* – TV. GB
*fermé 21 déc. au 7 janv., dim. soir sauf juil.-août et lundi* – **Repas** 17/30 – 6,50 – **10 ch** 46/70 – ½ P 55/65.
◆ La fameuse Croix d'Anjou est conservée à deux pas de cet ancien relais de poste. Une coursive dessert, au-dessus d'un beau patio intérieur, des chambres printanières.

---

**BAULE** *45 Loiret* 318 H5 – *rattaché à Beaugency.*

---

**La BAULE** *44500 Loire-Atl.* 316 B4 *G. Bretagne – 14 845 h alt. 31 – Casino Grand Casino* **BZ.**

*Voir Front de mer★ – Parc des Dryades★* **DZ.**

*Office du tourisme, 8 place de la Victoire ☎ 02 40 24 34 44, Fax 02 40 11 08 10, tourisme.la.baule@wanadoo.fr.*

*Paris 452 ① – Nantes 77 ① – Rennes 121 ① – St-Nazaire 19 ② – Vannes 66 ①.*

Plan page ci-contre

**Hermitage Barrière**, espl. Lucien Barrière ☎ 02 40 11 46 46, *hermitage@lucienbarriere.com, Fax 02 40 11 46 45*, ≤, , , , , , – TV P – 200. AE GB. rest **BZ h**
*21 mars-31 oct.* – ***Les Ambassadeurs*** *(ouvert juil.-août et week-ends fériés)* **Repas** carte 42 à 68 – ***Eden Beach*** ☎ 02 40 11 46 16 - produits de la mer - **Repas** 34/58 – 18 – **204 ch** 267/461, 6 appart – ½ P 192,50/384,50.
◆ Imposante architecture anglo-normande des années 1920. Spacieuses chambres personnalisées ouvertes sur la mer ou le jardin. La salle à manger des Ambassadeurs est digne des palaces d'autrefois.

**Royal-Thalasso**, 6 av. P. Loti ☎ 02 40 11 48 48, *royalthalasso@lucienbarriere.com, Fax 02 40 11 48 45*, ≤, , , , , , , – TV P – 60. AE GB JCB. rest **BZ t**
***Rotonde :*** *(fermé janv.)* **Repas** 40 – ***Ponton*** ☎ 02 40 60 52 05 *(fermé janv., le soir d'oct. à mars sauf sam. et vacances scolaires)* **Repas** carte 35 à 40 – 18 – **91 ch** 238/382, 6 appart, 4 duplex – ½ P 174/246.
◆ Dans un parc face à l'océan, bel édifice séculaire relié à un centre moderne de thalassothérapie. Harmonie de meubles de style et de tissus chatoyants dans les chambres.

**Castel Marie-Louise**, 1 av. Andrieu ☎ 02 40 11 48 38, *marielouise@relaischateaux.com, Fax 02 40 11 48 35*, ≤, , – TV P – 30. AE GB JCB. rest **BZ g**
*fermé 12 nov. au 23 déc.* – **Repas** *(fermé le midi sauf dim. du 15 sept. au 15 mai)* 40,40/78 et carte 70 à 90 – 18 – **29 ch** 374/440 – ½ P 198,50/290.
◆ Ambiance "cosy" dans ce charmant manoir entouré d'un joli parc. Chambres au calme, garnies de meubles anciens et décorées avec goût. À table, carte traditionnelle.
**Spéc.** Menu découverte "homard et terroir" (mai à oct.). Poule "coucou de Rennes" en gelée. Faux-filet de boeuf au vin de Chinon. **Vins** Muscadet, Malvoisie des Coteaux d'Ancenis.

**Bellevue Plage** M, 27 bd Océan ☎ 02 40 60 28 55, *hotel@hotel.bellevue.plage.fr, Fax 02 40 60 10 18*, ≤, – , rest, TV P. AE GB. rest **DZ r**
*fermé 3 janv. au 15 fév.* – ***Véranda*** ☎ 02 40 60 57 77 *(fermé déc., janv., merc. sauf juil.-août et lundi midi)* **Repas** 22(déj.), 31/70 bc , enf. 14 – 10 – **35 ch** 110/155 – ½ P 92,50/115.
◆ Hôtel dont les chambres pimpantes ont vue sur l'Atlantique ou sur les pins. Salon et terrasse sur le toit dominant la baie. La Véranda offre aussi le spectacle de l'océan.

**Majestic,** espl. Lucien Barrière ☎ 02 40 60 24 86, *hotel-le-majestic@wanadoo.fr, Fax 02 40 42 03 13*, ≤ – , rest, TV P – 20 à 40. AE GB JCB **BZ e**
*fermé 10 janv. au 1er mars* – ***Ruban Bleu*** *(sam. midi, dim. soir et lundi sauf juil.-août)* **Repas** 25/40 – 12 – **66 ch** 115/175 – ½ P 97,50/152,50.
◆ La rénovation des chambres dans le style Art déco d'origine réveille l'âme de cet ancien palace. Le cadre du Ruban Bleu évoque la fameuse course transatlantique.

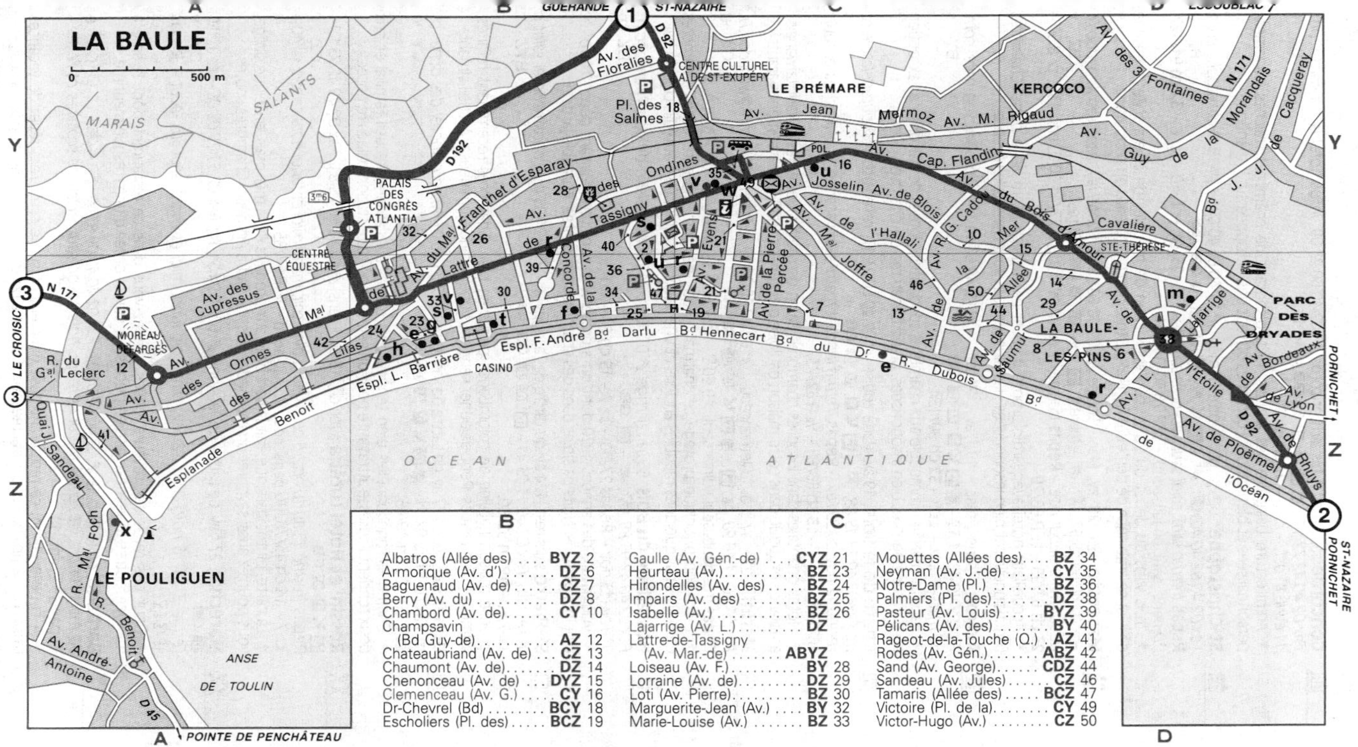

LA BAULE
0
500 m
GUÉRANDE
ST-NAZAIRE
ST-NAZAIRE PORNICHET
PORNICHET
LE CROISIC
POINTE DE PENCHÂTEAU
LE PRÉMARE
KERCOCO
LA BAULE-LES-PINS
LE POULIGUEN
PARC DES DRYADES
CENTRE CULTUREL A. DE ST-EXUPÉRY
PALAIS DES CONGRÈS ATLANTIA
CENTRE ÉQUESTRE
CASINO
STE-THÉRÈSE
MOREAU-DEFARGES
MARAIS
SALANTS
OCEAN ATLANTIQUE
ANSE DE TOULIN
N 171
D 92
D 192
D 45
Pl. des Salines
Av. des Floralies
Av. des Cupressus
Esplanade
Espl. L. Barrière
Espl. F. André
Bd Darlu
Bd Hennecart
Bd du Dr R. Dubois
Bd de l'Océan
Av. de Ploërmel
Av. de Rhuys
Av. de l'Étoile
Av. de Bordeaux
Av. de Lyon
Av. du Bois d'Amour
Av. Cavalière
Av. Jean Mermoz
Av. M. Rigaud
Av. Guy de la Morandais
Bd J. J. de Cacqueray
Av. des 3 Fontaines
Av. Cap. Flandin
Av. Josselin
Av. de Blois
Av. de l'Hallali
Av. Mal Joffre
Av. R. G. Cadou
Allée de la Mer
Av. de Saumur
Av. de la Pierre Percée
Av. de la Concorde
Av. des Ondines
Av. Franchet d'Esparay
Av. du Mal de Lattre de Tassigny
Av. des Lilas
Av. des Ormes
Quai J. Sandeau
R. du Gal Leclerc
R. Mal Foch
R. Benoit
Av. André-Antoine
A
B
C
D
Y
Z


| | | | | | | | | |
|---|---|---|---|---|---|---|---|---|
| Albatros (Allée des) | **BYZ** | 2 | Gaulle (Av. Gén.-de) | **CYZ** | 21 | Mouettes (Allées des) | **BZ** | 34 |
| Armorique (Av. d') | **DZ** | 6 | Heurteau (Av.) | **BZ** | 23 | Neyman (Av. J.-de) | **CY** | 35 |
| Baguenaud (Av. de) | **CZ** | 7 | Hirondelles (Av. des) | **BZ** | 24 | Notre-Dame (Pl.) | **BZ** | 36 |
| Berry (Av. du) | **DZ** | 8 | Impairs (Av. des) | **BZ** | 25 | Palmiers (Pl. des) | **DZ** | 38 |
| Chambord (Av. de) | **CY** | 10 | Isabelle (Av.) | **BZ** | 26 | Pasteur (Av. Louis) | **BYZ** | 39 |
| Champsavin (Bd Guy-de) | **AZ** | 12 | Lajarrige (Av. L.) | **DZ** | | Pélicans (Av. des) | **BY** | 40 |
| Chateaubriand (Av. de) | **CZ** | 13 | Lattre-de-Tassigny (Av. Mar.-de) | **ABYZ** | | Rageot-de-la-Touche (Q.) | **AZ** | 41 |
| Chaumont (Av. de) | **DZ** | 14 | Loiseau (Av. F.) | **BY** | 28 | Rodes (Av. Gén.) | **ABZ** | 42 |
| Chenonceau (Av. de) | **DYZ** | 15 | Lorraine (Av. de) | **DZ** | 29 | Sand (Av. George) | **CDZ** | 44 |
| Clemenceau (Av. G.) | **CY** | 16 | Loti (Av. Pierre) | **BZ** | 30 | Sandeau (Av. Jules) | **CZ** | 46 |
| Dr-Chevrel (Bd) | **BCY** | 18 | Marguerite-Jean (Av.) | **BY** | 32 | Tamaris (Allée des) | **BCZ** | 47 |
| Escholiers (Pl. des) | **BCZ** | 19 | Marie-Louise (Av.) | **BZ** | 33 | Victoire (Pl. de la) | **CY** | 49 |
| | | | | | | Victor-Hugo (Av.) | **CZ** | 50 |

**Concorde** sans rest, 1 bis av. Concorde ✆ 02 40 60 23 09, *info@hotel-la-concorde.com, Fax 02 40 42 72 14* – TV. AE GB JCB. BZ f
*11 avril-1er oct.* – 8 – **47 ch** 84/115.
◆ Architecture balnéaire des années 1960 disposant de chambres fraîches, sagement personnalisées et bien tenues ; certaines offrent une échappée sur l'Atlantique.

**St-Christophe**, pl. Notre-Dame ✆ 02 40 62 40 00, *info@st-christophe.com, Fax 02 40 62 40 40*, – TV P – 20. AE GB JCB BZ u
**Repas** *(fermé sam. midi sauf vacances scolaires)* (17) - 25/34, enf. 10 – 8 – **32 ch** 91/127, (1/2 pens. seul. en juil.-août) – 1/2 P 76,50/94,50.
◆ Trois villas du début du 20e s. où l'association de meubles de divers styles crée une délicieuse ambiance de demeure familiale. Exposition de tableaux au restaurant.

**Mascotte**, 26 av. Marie Louise ✆ 02 40 60 26 55, *hotel.la.mascotte@wanadoo.fr, Fax 02 40 60 15 67*, – rest, TV. AE GB. rest BZ v
*début mars-début nov.* – **Repas** *(fermé merc. midi)* 17 (déj.), 27/41,50 ♀, enf. 13 – 8,50 – **23 ch** 67/95 – 1/2 P 66/79.
◆ Accueillant hôtel avec jardin arboré (pins et palmiers), à 50 m de la plage. Chambres fonctionnelles et bien insonorisées ; les plus grandes sont dans l'aile récente.

**Alcyon** sans rest, 19 av. Pétrels ✆ 02 40 60 19 37, *info@alcyon-hotel.com, Fax 02 40 42 71 33* – TV P. AE GB BY s
*10 mars-2 nov.* – 8 – **32 ch** 90/134.
◆ Face au marché, immeuble aux chambres spacieuses, dotées de balcons - à l'exception du dernier étage - et bien insonorisées. Grand bar au rez-de-chaussée.

**Route de la Soie,** 19 av. Marie-Louise ✆ 02 40 60 23 17, *reservations@routedelasoie.com, Fax 02 40 24 48 88*, – TV P. AE GB BZ s
*fermé 12 nov. au 29 fév.* – **Repas** *(fermé lundi et mardi sauf vacances scolaires)* (dîner seul.) 16/23 ♀ – 7 – **13 ch** 66/88 – 1/2 P 62/73.
◆ Notes orientales dans les jolies chambres, salon de thé asiatique, restaurant taiwanais : ambiance exotique dans cette maison bauloise des années 1920. Dépaysement garanti !

**Marini,** 22 av. G. Clemenceau ✆ 02 40 60 23 29, *interhotelmarini@wanadoo.fr, Fax 02 40 11 16 98*, – TV. AE GB JCB CY u
**Repas** (résidents seul.)(dîner seul.) 19,50 ♀ – 7,50 – **33 ch** 64/91 – 1/2 P 53/62.
◆ L'isolation phonique protège ce charmant hôtel des rumeurs extérieures. Chambres embellies par quelques meubles anciens et une décoration soignée. Fauteuils club au bar.

**Hostellerie du Bois,** 65 av Lajarrige ✆ 02 40 60 24 78, *hostellerie-du-bois@wanadoo.fr, Fax 02 40 42 05 88*, – TV. GB DZ m
*1er fév.-15 nov.* – **Repas** 27/30 – 7 – **15 ch** 64 – 1/2 P 62.
◆ Villégiature des années 1920 dont on a préservé le caractère. Plaisant décor "rétro" et bibelots birmans. Nuits paisibles dans des chambres pimpantes. Agréable jardinet.

**St-Pierre** sans rest, 124 av. de Lattre de Tassigny ✆ 02 40 24 05 41, *contact@hotel-saint.pierre.com, Fax 02 40 11 03 41* – TV. AE GB. BYZ r
7,50 – **19 ch** 52/60.
◆ Jolie maison habillée de colombages peints en bleu. Chambres récemment refaites, calmes et bien tenues. Petit-déjeuner servi sous une véranda lumineuse. Accueil aimable.

**Dunes** sans rest, 277 av. de Lattre de Tassigny ✆ 02 51 75 07 10, *info@hotel-des-dunes.com, Fax 02 51 75 07 11* – TV P. AE GB CY w
6,50 – **33 ch** 40/65.
◆ Chambres fonctionnelles bien tenues, plus calmes sur l'arrière. Accueil familial et prix doux rendent l'adresse attrayante pour un séjour dans cette station balnéaire prisée.

**Rossini et Hôtel Lutétia** avec ch, 13 av. Evens ✆ 02 40 60 25 81, *Fax 02 40 42 73 52* – TV P. AE GB CZ r
**Repas** *(fermé 1er au 10 oct., 5 au 30 janv., dim. soir, mardi midi et lundi hors saison)* 19/40 – 7 – **14 ch** 43/78, (1/2 pens. seul. en juil.-août) – 1/2 P 57/65.
◆ La carte, plutôt classique, fait la part belle aux produits de la mer mais, enseigne oblige, vous pourrez aussi savourer un tournedos Rossini. Cadre Art déco. Chambres sobres.

**Maréchal,** 277 av. de Lattre de Tassigny ✆ 02 40 24 51 14, *Fax 02 51 75 02 06* – P. AE GB CY v
*fermé 3 au 16 nov., 2 au 22 fév., dim. soir, lundi midi et merc. sauf juil.-août* – **Repas** 18/34 ♀.
◆ Pour des repas aux saveurs iodées, rendez-vous dans ce restaurant dont la salle à manger feutrée (boiseries, mise en place soignée) est ornée d'une fresque maritime.

**Barbade,** bd R. Dubois ✆ 02 40 42 01 01, *Fax 02 40 42 09 83*, ←, – GB CZ e
*30 mars-fin oct. et fermé mardi et merc. hors saison sauf vacances scolaires et fériés* – **Repas** 33 ♀, enf. 11.
◆ À la belle saison, ce restaurant posé directement sur le sable fera rêver de vacances tropicales. Ambiance décontractée, avec l'océan à perte de vue ! Poissons et crustacés.

**à St-André-des-Eaux** *au Nord-Est : 7 km – 2 919 h. alt. 20 – ✉ 44117 :*

*Office du Tourisme, 1 ter rue de la Chapelle ✆ 02 40 91 53 53, Fax 02 40 91 54 65.*

**Golf International** Ⓜ, ✆ 02 40 17 57 57, *hoteldugolflabaule@lucienbarriere.com, Fax 02 40 17 57 58*, ←, – cuisinette – 80. AE GB. rest

*15 mars-31 oct.* – ***Le Green*** (dîner seul. hors saison) **Repas** 27/50 ♀, enf. 15 – ☕ 16 – **31 ch** 180/275, 78 appart 256, 36 studios – ½ P 136/183,50.

◆ Complexe hôtelier et son parc au coeur d'un immense golf. Belles chambres, spacieuses et personnalisées. Également, possibilité de louer des villas indépendantes.

---

**BAUME-LES-DAMES** *25110 Doubs* 321 I2 *G. Jura – 5 237 h alt. 280.*

*Office du Tourisme, 6 rue de Provence ✆ 03 81 84 27 98, Fax 03 81 84 15 61, otsibaumois@wanadoo.fr.*

*Paris 441 – Besançon 30 – Belfort 61 – Lure 47 – Montbéliard 46 – Pontarlier 65 – Vesoul 46.*

**Hostellerie du Château d'As** avec ch, ✆ 03 81 84 00 66, *chateau.das@wanadoo.fr, Fax 03 81 84 39 67*, ←, – AE GB

*fermé 17 nov. au 8 déc., 26 janv. au 10 fév., dim. soir et lundi* – **Repas** 25 bc (déj.), 29/68 ♀ – ☕ 10 – **6 ch** 57/69 – ½ P 58/69.

◆ Bâtie sur les hauteurs, demeure centenaire gardant son atmosphère d'antan. Salle à manger agréablement provinciale et cuisine classique. Chambres rénovées avec goût.

**à Pont-les-Moulins** *Sud : 6 km par D 50 – 170 h. alt. 275 – ✉ 25110 :*

**Auberge des Moulins,** rte Pontarlier ✆ 03 81 84 09 97, *auberge.desmoulins@wanado o.fr, Fax 03 81 84 04 44*, – – 25. GB

*fermé 20 déc. au 28 janv., dim. et vend. de sept. à juin sauf fériés* – **Repas** *(fermé vend. soir et dim. soir de sept. à mai, vend. midi et sam. midi)* 15 (déj.), 19/28 – ☕ 6 – **14 ch** 39/47 – ½ P 45.

◆ Auberge campagnarde offrant des chambres à la fois rustiques et raffinées. Cuisine classique et spécialités de truites. Parcours de pêche privé dans le parc.

*Ecrivez-nous...*
***Vos louanges comme vos critiques seront examinées avec le plus grand soin. Nous reverrons sur place les informations que vous nous signalez.***
*Par avance merci !*

---

**BAUME-LES-MESSIEURS** *39210 Jura* 321 D6 *G. Jura – 196 h alt. 333.*

Voir *Abbaye★ (retable à volet★ dans l'église) – Belvédère des Roches de Baume★★★ sur cirque★★★ et grottes★ de Baume S : 3,5 km.*

*Paris 406 – Champagnole 27 – Dole 53 – Lons-le-Saunier 12 – Poligny 21.*

**Grottes,** aux Grottes, Sud : 3 km ✆ 03 84 48 23 15, *Fax 03 84 48 23 15*, ←, – GB

*Pâques-30 sept. et fermé merc. sauf juil.-août* – **Repas** (prévenir)(déj. seul.) 14/24 ♀.

◆ Pavillon champêtre 1900 au fond d'une reculée, à proximité des grottes. Salle de restaurant au charme Belle Époque. Agréable terrasse d'été tournée vers les cascades.

---

**BAUVIN** *59221 Nord* 302 F4 *– 5 444 h alt. 25.*

*Paris 209 – Lille 26 – Arras 33 – Béthune 22 – Lens 15.*

**Salons du Manoir,** 53 r. J. Guesde ✆ 03 20 85 64 77, *Fax 03 20 86 72 22*, – AE GB

*fermé août, 17 au 28 fév. lundi et mardi* – **Repas** 31 (déj.), 46 bc/65 bc et carte 51 à 61 ♀.

◆ Au coeur d'un domaine campagnard, dépendances d'une maison de maître converties en restaurant. Salle à manger sous voûtains, chaleureuse et intime. Cuisine classique.

---

**Les BAUX-DE-PROVENCE** *13520 B.-du-R.* 340 D3 *G. Provence – 457 h alt. 185.*

Voir *Site★★★ - Village★★★ : Place★ et église St-Vincent★ – Château★ : ✻★★ – Monument Charloun Rieu ←★ – Tour Paravelle ←★ – Musée Yves-Brayer★ – Cathédrale d'Images★ N : 1 km par D 27 – ✻★★★ sur le village N : 2,5 km par D 27.*

*Office du Tourisme, Maison du Roy ✆ 04 90 54 34 39, Fax 04 90 54 51 15, tourisme@lesbauxdeprovence.com.*

*Paris 717 – Avignon 29 – Arles 20 – Marseille 90 – Nîmes 46 – St-Rémy-de-Provence 10.*

**dans le Vallon :**

XXXXX ✿✿ **Oustaù de Baumanière** (Charial) avec ch, 04 90 54 33 07, *contact@oustaudebeaumaniere.com, Fax 04 90 54 40 46*, ≤, – ch, AE GB JCB
*fermé début janv. à début mars, jeudi midi et merc. de nov. à mars* – **Repas** 86/135 et carte 95 à 135 – 19 – **12 ch** 245/300, 4 appart – ½ P 264/294.
◆ Demeure du 16ᵉ s. aux voûtes séculaires, superbe terrasse avec les Alpilles en toile de fond : le lieu est magique. Belle cuisine gorgée de soleil et somptueuse carte des vins.
**Spéc.** Ravioli de truffes aux poireaux. Filets de rouget au basilic. Canon d'agneau en croûte. **Vins** Côtes de Provence, Coteaux d'Aix-en-Provence-les Baux.

**Manoir** ≤, – ch, AE GB JCB
Repas voir ***Oustaù de Baumanière*** – 19 – **7 ch** 240/260, 7 appart 400 – ½ P 241,50/274.
◆ Les chambres de cette élégante bastide conjuguent confort, raffinement et charme provençal d'antan. Parc arboré (dont un splendide platane séculaire) et jardin à la française.

**Riboto de Taven**, 04 90 54 34 23, *contact@riboto-de-taven.fr, Fax 04 90 54 38 88*, ≤, – ch, AE GB JCB
*fermé 5 janv au 23 fév.* – **Repas** *(fermé merc.)* (dîner seul.) 46 – 16 – **6 ch** 152/250 – ½ P 138/169.
◆ Cet étonnant mas troglodytique ravit les yeux. Chambres décorées avec goût ; deux d'entre elles mordent dans le rocher. Vue imprenable sur les Baux. Jardin fleuri et piscine.

**rte d'Arles** *Sud-Ouest par D 27 :*

✿ **Cabro d'Or**, à 1 km 04 90 54 33 21, *contact@lacabrodor.com, Fax 04 90 54 45 98*, ≤, – ch, AE GB
*fermé 11 nov. au 20 déc., lundi de nov. à mars et mardi midi* – **Repas** 36 bc (déj.), 49/75 et carte 70 à 90 – 13,50 – **23 ch** 160/225, 8 appart – ½ P 146,50/179.
◆ Chambres élégantes, ravissant jardin fleuri, nombreux loisirs dont un centre d'équitation et cuisine résolument méditerranéenne : une étape "champêtre chic" des plus agréables.
**Spéc.** Ravioles de queues de langoustines aux courgettes. Filet de loup grillé sur poêlée d'artichauts violets. Carré d'agneau rôti à la broche. **Vins** Coteaux d'Aix-en-Provence-les Baux, Côtes de Provence.

**Auberge de la Benvengudo**, à 2 km 04 90 54 32 54, *Fax 04 90 54 42 58*, ≤, – ch, AE GB. rest
*15 mars-31 oct.* – **Repas** *fermé dim.* (dîner seul.) 36/40 – **17 ch** 136/185, 3 appart.
◆ Au pied de la citadelle, charmante bastide tapissée de vigne vierge et renfermant de beaux meubles de style. Chambres au luxe discret, ouvertes sur un joli jardin fleuri.

**Mas de l'Oulivié** M sans rest, à 2,5 km 04 90 54 35 78, *contact@masdeloulivie.com, Fax 04 90 54 44 31*, – AE GB
*11 avril-12 nov.* – 10 – **23 ch** 170/230.
◆ Accueil personnalisé, décor provençal, meubles patinés, magnifique jardin : tout est "déstressant" en ce mas niché dans une oliveraie. Étonnante piscine à débordements.

**Mas d'Aigret**, à 500 m. 04 90 54 20 00, *masdaigret@aol.com, Fax 04 90 54 44 00*, – ch, AE GB JCB
*fermé 20 janv. au 13 fév.* – **Repas** *(fermé le midi en semaine de nov. à fév. sauf fêtes)* (22) - 40 – 12 – **16 ch** 95/170 – ½ P 140/175.
◆ Adossée à la falaise, maison régionale et sa terrasse panoramique. L'espace petit-déjeuner et les salles de bains des chambres troglodytiques sont taillés dans le rocher.

---

**BAVAY** *59570 Nord* 302 K6 *G. Picardie Flandres Artois – 3 751 h alt. 148.*

*Office du Tourisme, rue Saint-Maur 03 27 39 81 65, Fax 03 27 39 81 65, bavaisis@tourisme.norsys.fr.*

*Paris 229 – Avesnes-sur-Helpe 24 – Lille 79 – Maubeuge 15 – Mons 25.*

XX **Bagacum**, r. Audignies (rte Avesnes-sur-Helpe) 03 27 66 87 00, *pierre-lesne@wanadoo.fr, Fax 03 27 66 86 44*, – AE GB JCB
*fermé dim. soir et lundi sauf fériés* – **Repas** 17/43 bc.
◆ Murs en briques rouges, charpente apparente, bibelots et tableaux font le cachet de cette vieille grange convertie en restaurant. Terrasse fleurie. Cuisine traditionnelle.

XX **Bourgogne**, porte Gommeries 03 27 63 12 58, *Fax 03 27 66 99 74* – AE GB
*fermé 4 au 25 août, 24 fév. au 8 mars, merc. soir, dim. soir et lundi* – **Repas** 19/54.
◆ Bordant un axe animé, maison en briques abritant une sobre salle à manger contemporaine. À table, tradition et invention ; la carte des vins fait la part belle aux bourgognes.

---

**BAYEUX** SP *14400 Calvados* 303 H4 *G. Normandie Cotentin – 14 704 h alt. 50.*

**Voir** *Tapisserie dite "de la reine Mathilde"* ★★★ – *Cathédrale Notre-Dame*★★ – *Musée-mémorial de la bataille de Normandie*★ **Y M¹** – *Maison à colombage*★ *(rue St-Martin)* **ZN.**

*Office du Tourisme, Pont St-Jean 02 31 51 28 28, Fax 02 31 51 28 29, bayeux tourisme@mail.cpod.fr.*

*Paris 262 ① – Caen 29 ① – Cherbourg 96 ④ – Flers 70 ② – St-Lô 36 ③ – Vire 61 ②.*

## BAYEUX



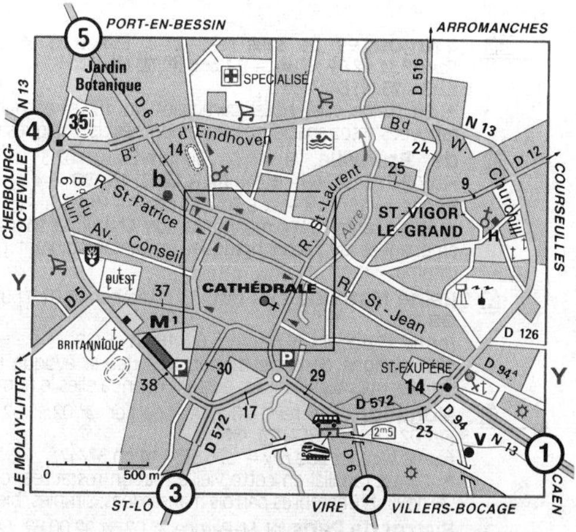

PORT-EN-BESSIN
ARROMANCHES
Jardin Botanique
SPECIALISÉ
D 516
N 13
Bd d'Eindhoven
Bd W. Churchill
D 12
COURSEULLES
CHERBOURG-OCTEVILLE
Bd du 6 Juin
R. St-Patrice
Av. Conseil
R. St-Laurent
ST-VIGOR-LE-GRAND
CATHÉDRALE
R. St-Jean
OUEST
BRITANNIQUE
D 5
D 126
ST-EXUPÈRE
D 572
D 94
LE MOLAY-LITTRY
500 m
ST-LÔ
VIRE
VILLERS-BOCAGE
CAEN
D 6


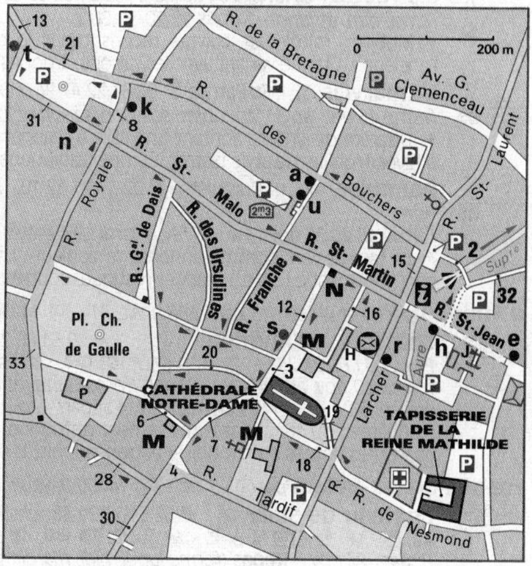

R. de la Bretagne
Av. G. Clemenceau
R. des Bouchers
R. St-Laurent
R. St-Malo
R. Royale
R. Gl de Dais
R. des Ursulines
R. Franche
R. St-Martin
R. St-Jean
Pl. Ch. de Gaulle
CATHÉDRALE NOTRE-DAME
TAPISSERIE DE LA REINE MATHILDE
Larcher
R. Tardif
R. de Nesmond
200 m


**Lion d'Or**, 71 r. St Jean ✆ 02 31 92 06 90, *lion.d-or.bayeux@wanadoo.fr, Fax 02 31 22 15 64* – AE GB JCB — Z e
*fermé 21 déc. au 22 janv.* – **Repas** *(fermé lundi midi et sam. midi)* 20 (déj.), 25/44 – 12 – **25 ch** 75/108 – ½ P 84/93.
◆ Jolie cour pavée, confortables chambres diversement meublées et restaurant au cadre rustico-bourgeois caractérisent cet ancien relais de poste qui daterait en partie du 18e s.

**Grand Hôtel du Luxembourg**, 25 r. Bouchers ✆ 02 31 92 00 04, *hotel.luxembourg@wanadoo.fr, Fax 02 31 92 54 26*, – rest, – 25. AE GB JCB
**Repas** 16 (déj.), 25/45 – 10 – **27 ch** 98 – ½ P 74. — Z a
◆ Élégant hôtel particulier (18e s.) abritant de chaleureuses chambres habillées de toile de Jouy et une salle à manger agrémentée d'un original plafond à caissons colorés.

**Château de Bellefontaine** sans rest, 49 rue Bellefontaine ✆ 02 31 22 00 10, *hotelbellefontaine@wanadoo.fr, Fax 02 31 22 19 09*, – 30. AE GB
*fermé 2 janv. au 2 fév.* – 9 – **15 ch** 105/122, 6 Duplex. — Y v
◆ Un joli parc aux arbres majestueux, agrémenté d'un plan d'eau, sépare ce château 18e s. de la route. Confortables chambres diversement meublées.

**Churchill** sans rest, 14 r. St-Jean ✆ 02 31 21 31 80, *hotel-churchill@wanadoo.fr, Fax 02 31 21 41 66* – AE GB — Z h
*1er mars-12 nov.* – 7,50 – **32 ch** 85/100.
◆ Deux beaux bâtiments autour d'une cour, reliés par une véranda-jardin d'hiver où l'on sert les petits-déjeuners. Chambres un peu menues, mais fraîches et personnalisées.

**d'Argouges** sans rest, 21 r. St-Patrice ✆ 02 31 92 88 86, *dargouges@aol.com, Fax 02 31 92 69 16*, – TV P. AE GB Z n
8 – **25 ch** 64/76.
◆ En pleine ville, hôtel particulier du 18e s. entouré d'un reposant jardin. Chambres rénovées assez spacieuses, agrémentées de quelques meubles anciens.

**de Brunville,** 9 r. G. Duhomme ✆ 02 31 21 18 00, *hotel.brunville@wanadoo.fr, Fax 02 31 51 70 89* – TV P. AE GB JCB Z u
**Repas** (7) - 16/40 – 8,50 – **33 ch** 66 – ½ P 55.
◆ Hôtel central à la pimpante façade. Chambres sobrement décorées, un peu petites mais aménagées de façon pratique. Plaisant restaurant égayé par des photos d'acteurs de cinéma.

**Reine Mathilde** sans rest, 23 r. Larcher ✆ 02 31 92 08 13, *Fax 02 31 92 09 93* – TV. AE GB. Z r
*fermé 15 déc. au 1er fév.* – 6 – **16 ch** 45/68.
◆ L'enseigne de cette maison très fleurie évoque la célèbre tapisserie. Les chambres, simples mais bien tenues, portent quant à elles le nom d'un saint normand. Salon de thé.

**Mogador** sans rest, 20 r. A. Chartier ✆ 02 31 92 24 58, *hotel.mogador@wanadoo.fr, Fax 02 31 92 24 85* – TV. GB Z k
*fermé vacances de fév.* – 5,50 – **14 ch** 37/47.
◆ Climat familial en cette vieille maison restaurée, ordonnée autour d'un patio-véranda verdoyant. Chambres parfois mansardées, simples, bien tenues, plus calmes sur l'arrière.

**Bistrot de Paris,** pl. St-Patrice ✆ 02 31 92 00 82, *Fax 02 31 92 00 82* – GB Z t
*fermé dim. et lundi* – **Repas** 12,20/32,80.
◆ Mobilier, miroirs et cuivres reconstituent le décor et l'atmosphère d'un bistrot à l'ancienne. Cuisine variant avec les saisons, ardoises de plats du jour.

**L'Amaryllis,** 32 r. St-Patrice ✆ 02 31 22 47 94, *Fax 02 31 22 50 03* – GB Y b
*fermé 15 déc. au 31 janv., dim. soir hors saison et lundi* – **Repas** 11 (déj.), 15/28.
◆ Discrète devanture abritant une salle à manger tout en longueur, aux allures de jardin d'hiver. Mobilier de style bistrot. Cuisine traditionnelle.

**Pommier,** 40 r. Cuisiniers ✆ 02 31 21 52 10, *Fax 02 31 21 06 01*, – AE GB JCB Z s
*fermé 18 au 26 nov., 3 au 27 fév., mardi sauf été et merc.* – **Repas** 12/25, enf. 6.
◆ La façade vert pomme annonce la couleur : ici, on revendique une carte "cent pour cent" normande ! Salle à manger rustique (poutres, cheminée) ; ambiance décontractée.

**à Audrieu** *par ① et D 158 : 13 km – 868 h. alt. 71 – ✉ 14250 :*

**Château d'Audrieu** , ✆ 02 31 80 21 52, *chateaudaudrieu@mail.cpod.fr, Fax 02 31 80 24 73*, ≤, , – TV P. AE GB. rest
*fermé 30 nov. au 14 fév.* – **Repas** *(fermé lundi et le midi sauf sam., dim. et fériés)* 45/84, enf. 18,50 – 22 – **23 ch** 130/377, 4 appart – ½ P 141/266.
◆ Château du 18e s. classé monument historique, isolé au sein d'un immense parc. Belles chambres dotées d'un mobilier ancien. À table, la carte revisite la tradition.

**rte de Port-en-Bessin** *par ⑤ : 3 km – ✉ 14400 Bayeux :*

**Château de Sully** , ✆ 02 31 22 29 48, *chsully@club-internet.fr, Fax 02 31 22 64 77*, , , , – TV P – 35. AE GB. rest
*8 mars-23 nov.* – **Repas** *(fermé lundi midi, mardi midi, merc. midi et sam. midi)* (nombre de couverts limité, prévenir) 20,50 bc (déj.), 30/64 et carte 70 à 90, enf. 14,50 – 13 – **22 ch** 102/135 – ½ P 106/116.
◆ Élégant château du 18e s. et son parc en façade. On y cultive un luxe discret dans des chambres délicatement personnalisées. La cuisine panache tradition et modernité.
**Spéc.** Homard tiède en salade (juil.-août). Bar à la vapeur d'algues. Tranche de fouasse poêlée et giboulée de fruits rouges.

---

**BAYONNE** SP *64100 Pyr.-Atl.* 342 D4 *G. Aquitaine – 40 051 h Agglo. 178 965 h alt. 3.*
**Voir** *Cathédrale Ste-Marie★ et Cloître★* **B** – *Fêtes★ (début août) – Musée Bonnat★★* **BY M2** – *Musée basque★★★.*
*de Biarritz-Anglet-Bayonne : ✆ 05 59 43 83 83, SO : 5 km par N 10* **AZ.**
*Office du Tourisme, place des Basques ✆ 05 59 46 01 46, Fax 05 59 59 37 55, Bayonne. tourisme@wanadoo.fr.*
*Paris 769 ③ – Biarritz 9 – Bordeaux 185 ③ – Pamplona 109 ⑥ – San Sebastián 55 ⑥.*

Accès et sorties : voir à Biarritz.

**Grand Hôtel,** 21 r. Thiers ✆ 05 59 59 62 00, *infos@bw-legrandhotel.com, Fax 05 59 59 62 01* – TV AE GB AY n
**Repas** *(fermé 17 janv. au 24 fév., sam. et dim. d'oct. à juin)* 16/24 – 11 – **54 ch** 77/119 – ½ P 56,50/73,50.
◆ Bien que rénové, cet hôtel a conservé son charme désuet. Chambres de tailles diverses, plus calmes côté cours intérieures. Restaurant sous verrière. Élégant salon-bar.

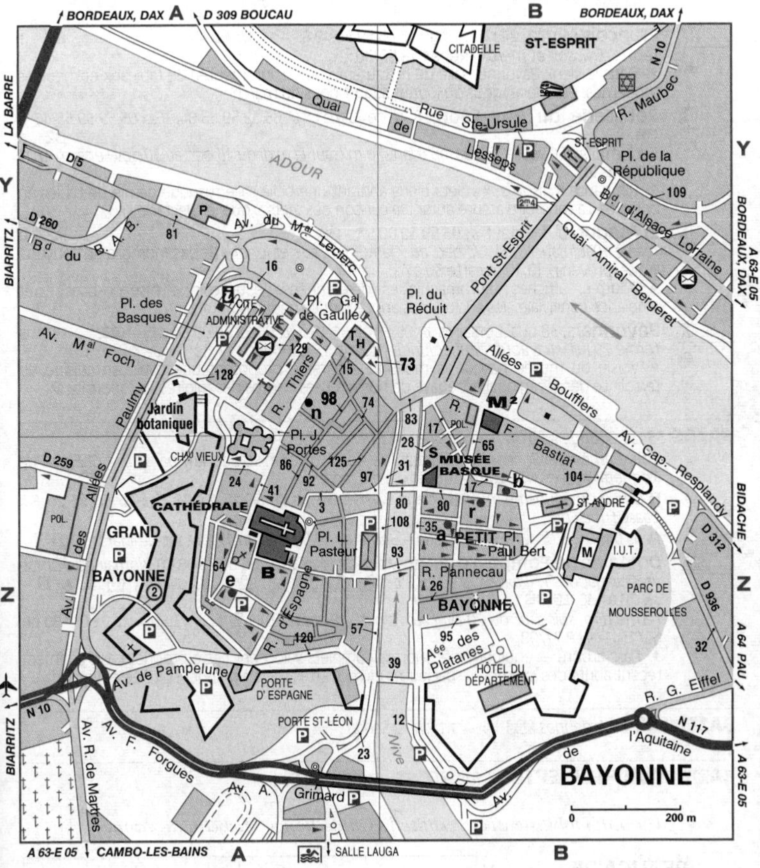
BORDEAUX, DAX
A
D 309 BOUCAU
B
BORDEAUX, DAX
LA BARRE
Y
BIARRITZ
Z
BIARRITZ
CITADELLE
ST-ESPRIT
N 10
R. Maubec
Quai de Lesseps
Rue Ste-Ursule
ST-ESPRIT
Pl. de la République
109
Bd d'Alsace Lorraine
Quai Amiral Bergeret
BORDEAUX, DAX
A 63-E 05
ADOUR
D 5
D 260
Bd du B. A. B.
81
Av. du Mal Leclerc
16
Pl. des Basques
CITÉ ADMINISTRATIVE
Pl. Gal de Gaulle
129
T H
73
Pont St-Esprit
Pl. du Réduit
Allées Boufflers
Av. M^al Foch
128
15
R. Thiers
98
n
74
83
M²
Paulmy
Jardin botanique
Pl. J. Portes
CHau VIEUX
86
125
92
97
31
28
S
MUSÉE BASQUE
17
POL.
R. F. Bastiat
65
Av. Cap. Resplandy
104
b
BIDACHE
D 259
Allées des
24
41
CATHÉDRALE
3
80
r
ST-ANDRÉ
POL.
GRAND BAYONNE
Pl. L. Pasteur
108
35
a
PETIT
Pl. Paul Bert
M
I.U.T.
D 312
64
e
B
93
R. Pannecau
26
BAYONNE
PARC DE MOUSSEROLLES
D 936
Av.
R. d'Espagne
57
120
95
Aée des Platanes
32
A 64 PAU
Av. de Pampelune
PORTE D'ESPAGNE
39
HÔTEL DU DÉPARTEMENT
R. G. Eiffel
N 10
PORTE ST-LÉON
12
N 117
Av. F. Forgues
Nive
l'Aquitaine
de
BAYONNE
23
Av. R. de Martres
Av. A. Grimard
Av.
A 63-E 05
0
200 m
A 63-E 05
CAMBO-LES-BAINS
A
SALLE LAUGA
B

Argenterie (R.) . . . . . . . . . . . AZ 3
Basques (Pl. des) . . . . . . . . . AY 10
Bastion Royal (R. du) . . . . . BZ 12
Bernède (R.) . . . . . . . . . . . . AY 15
Bonnat (Av. Léon) . . . . . . . . . AY 16
Bourg-Neuf (R.) . . . . . . . . . BYZ 17
Chanoine-Lamarque (Av.) . . AZ 23
Château-Vieux (Pl.) . . . . . . . AZ 24
Cordeliers (Rue des) . . . . . . BZ 26
Corsaires (Quai des) . . . . . . BZ 28
Dubourdieu (Q. Amiral) . . . . BZ 31
Duvergier-de Hauranne (Av.) . . . . . . . . . . . . . . . . . BZ 32
Galuperie (Quai) . . . . . . . . . BZ 35
Génie (Pont du) . . . . . . . . . . BZ 39
Gouverneurs (R. des) . . . . . AZ 41
Jauréguiberry (Q.) . . . . . . . . AZ 57
Lachepaillet (Rempart) . . . . . . . . . . . . . AZ 64
Laffitte (R. Jacques) . . . . . BYZ 65
Liberté (Pl. de la) . . . . . . . . . BY 73
Lormond (R.) . . . . . . . . . . . . AY 74
Marengo (Pont et R.) . . . . . . BZ 80
Marines (Av. des Allées) . . . AY 81
Mayou (Pont) . . . . . . . . . . . . BY 83
Monnaie (R. de la) . . . . . . . . AZ 86
Orbe (R.) . . . . . . . . . . . . . . . AZ 92
Pannecau (Pont) . . . . . . . . . . BZ 93
Pelletier (R.) . . . . . . . . . . . . BZ 95
Port-de-Castets (R.) . . . . . . AZ 97
Port-Neuf (R. du) . . . . . . . . . AY 98
Ravignan (R.) . . . . . . . . . . . . BZ 104
Roquebert (Q. du Cdt) . . . . . BZ 108
Ste Catherine (R.) . . . . . . . . BY 109
Thiers (R.) . . . . . . . . . . . . . . AY
Tour-de-Sault (R.) . . . . . . . . AZ 120
Victor-Hugo (R.) . . . . . . . . . . AZ 125
11-Novembre (Av.) . . . . . . . AY 128
49e (R. du) . . . . . . . . . . . . . . AY 129

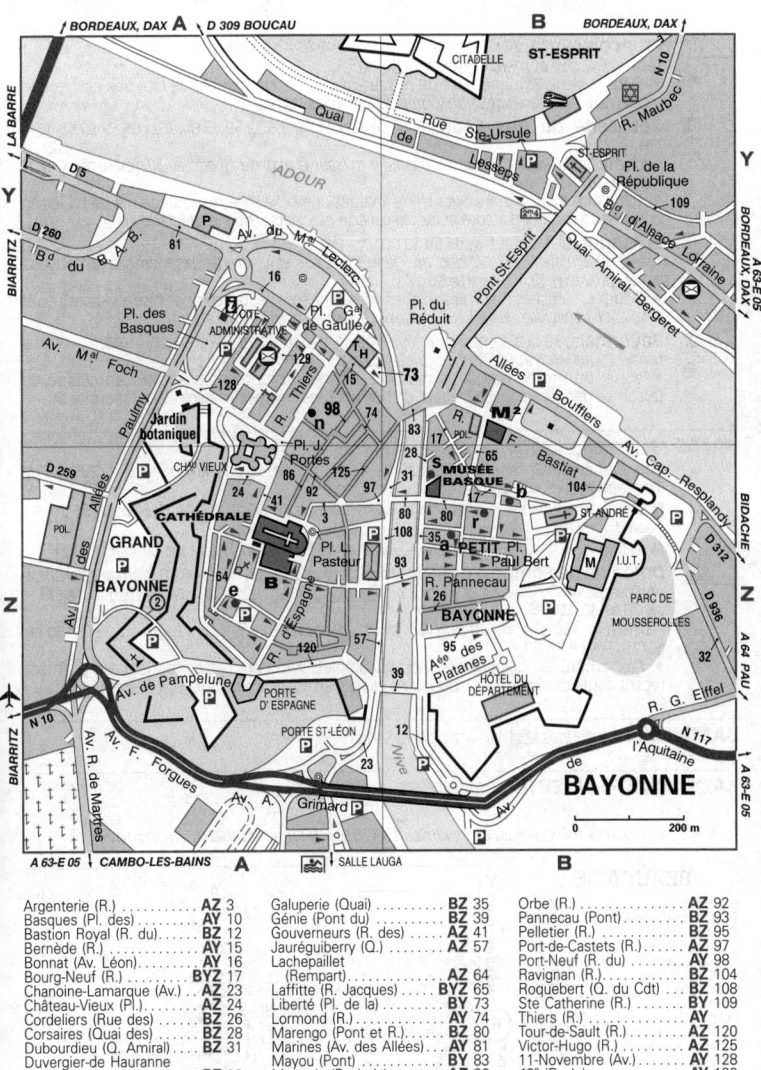

XXX ✿ **Auberge du Cheval Blanc** (Tellechea), 68 r. Bourgneuf ✆ 05 59 59 01 33, *Fax 05 59 59 52 26* – ▤. AE GB **BZ** b
*fermé 1er au 9 juil., 30 juil. au 4 août, 10 fév. au 3 mars, dim. soir et lundi sauf août* – **Repas** 23/61 et carte 47 à 73 ♀.
◆ Maison de style basque du Petit Bayonne. Tables rondes dressées dans une vaste salle à manger bien fleurie. Cuisine régionale revisitée et bon choix d'irouléguys.
**Spéc.** Merlu rôti à l'émincé d'oignons dorés, jus de volaille et poivrons doux. Saint-Jacques poêlées, piperade et tuile à l'Ibaïona (oct. à mars). Parmentier de Xamango au jus de veau truffé. **Vins** Irouléguy, Madiran.

**François Miura,** 24 r. Marengo ℘ 05 59 59 49 89 – ▤. AE ① GB BZ r
*fermé dim. soir et merc.* – **Repas** 18,50/30 ♀.
◆ Dans le vieux Bayonne, salle de restaurant voûtée agrémentée de tableaux et meubles modernes. Cuisine au goût du jour et suggestions du marché.

**Rôtisserie du Roy Léon,** 8 r. de Cousic ℘ 05 59 59 55 84, *Fax 05 59 59 55 46* – GB BZ a
*Fermé 15 au 30 sept., 23 déc. au 3 janv., dim.(sauf le midi du 15 oct. au 30 nov.) et sam. midi* – **Repas** 26.
◆ Pimpante maison aux volets bleus abritant une belle salle rustique garnie de tables en bois ciré. La rôtissoire assure autant la cuisson des mets... que le spectacle !

**El Asador,** pl. Montaut ℘ 05 59 59 08 57 – GB AZ e
*fermé 10 juin au 1er juil., 23 déc. au 7 janv., dim. soir et lundi* – **Repas** (nombre de couverts limité, prévenir) 19,10 et carte 30 à 41.
◆ Poutres, affiches tauromachiques des années 1950, cuisine hispano-basque et ambiance conviviale : les aficionados apprécient ce petit restaurant.

**Bayonnais,** 38 quai Corsaires ℘ 05 59 25 61 19, *Fax 05 59 59 00 64*, – GB BZ s
*fermé 29 juil. au 6 août, dim. et lundi* – **Repas** 15 (sauf dim.).
◆ Voisin du musée basque, sympathique adresse proposant une copieuse cuisine du terroir. Le décor régional est égayé de nombreuses photos des "gloires" du sport local.

---

**BAZAS** *33430 Gironde 335 J8 G. Aquitaine – 4 379 h alt. 70.*

Voir *Cathédrale St-Jean★ – Château de Cazeneuve★★ SO : 11 km par D 9 – Château de Roquetaillade★★ NO : 2 km – Collégiale d'Uzeste★.*

*Office du Tourisme, 1 place de la Cathédrale ℘ 05 56 25 25 84, Fax 05 56 25 25 84, baas@fnotsi.net.*

*Paris 640 – Bordeaux 63 – Agen 84 – Bergerac 102 – Langon 17 – Mont-de-Marsan 70.*

**Domaine de Fompeyre**, rte Mont-de-Marsan ℘ 05 56 25 98 00, *domainedefompeyre@wanadoo.fr, Fax 05 56 25 16 25*, – , ▤ rest, P – 20 à 130. AE GB
*fermé dim. soir sauf du 20 avril au 12 oct.* – **Repas** 30/41 ♀, enf. 12,50 – 9,50 – **50 ch** 62/134 – ½ P 77/98.
◆ Parc arboré et équipements sportifs complets valorisent cette propriété. Un bâtiment récent abrite des chambres spacieuses et coquettes. Salle à manger soignée et véranda.

---

**BAZEILLES** *08 Ardennes 306 L4 – rattaché à Sedan.*

---

**BAZINCOURT-SUR-EPTE** *27 Eure 304 K6 – rattaché à Gisors.*

*Un automobiliste averti utilise le* **Guide Rouge Michelin** *de l'année.*

## BEAUCAIRE

Barbès (R.) . . . . . . . . Z 2
Bijoutiers (R. des) . . . . . YZ 3
Charlier (R.) . . . . . . . . Y 4
Château (R. du) . . . . . . . Y 5
Clemenceau (Pl. Georges) . . . . Z 6
Danton (R.) . . . . . . . . Y 7
Denfert (R.) . . . . . . . . Z 8
Écluse (R. de l') . . . . . . Z 9
Foch (Bd Maréchal) . . . . . YZ 12
Gambetta (Cours) . . . . . . Z 13
Hôtel-de-Ville (R. de l') . . . . Z 14
Jaurès (Pl. Jean) . . . . . . Y 15
Jean-Jacques-Rousseau (R.) . . . Y 16
Ledru-Rollin (R.) . . . . . . Z 17
Nationale (R.) . . . . . . . Z
Pascal (R. Roger) . . . . . . Z 21
République (Pl. de la) . . . . Y 22
République (R. de la) . . . . . Y 23
Victor-Hugo (R.) . . . . . . Y 25

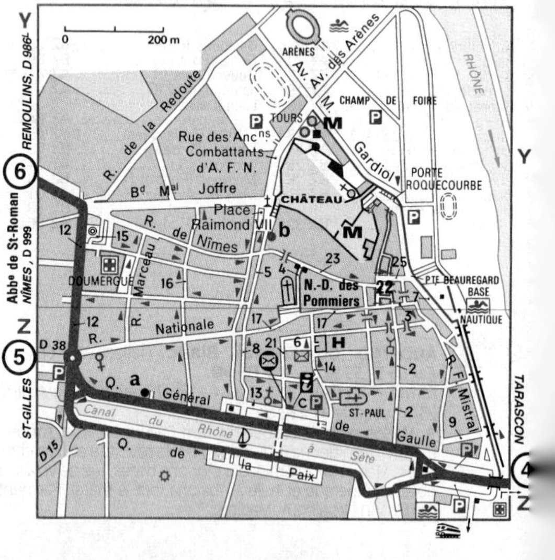

200 m
ARÈNES
Av. des Arènes
CHAMP DE FOIRE
RHÔNE
R. de la Redoute
TOURS
Rue des Ancns Combattants d'A. F. N.
Gardiol
PORTE ROQUECOURBE
Bd Mal Joffre
CHÂTEAU
Place Raimond VII
R. de Nîmes
DOUMERGUE
R. Marceau
N.-D. des Pommiers
PTE BEAUREGARD
BASE NAUTIQUE
R. Nationale
Q. Général de Gaulle
ST-PAUL
R. F. Mistral
Canal du Rhône à Sète
Q. de la Paix
D 38
D 15
REMOULINS, D 986
Abbe de St-Roman
NÎMES, D 999
ST-GILLES
TARASCON

**BEAUCAIRE** *30300 Gard* 339 M6 *G. Provence – 13 400 h alt. 18.*

Voir *Château*★.

*Office du Tourisme, 24 cours Gambetta ✆ 04 66 59 26 57, Fax 04 66 59 68 51, beaucaire@mnet.fr.*

*Paris 706 ⑥ – Avignon 26 ④ – Arles 18 ④ – Nîmes 25 ⑥.*

Plan page ci-contre

**Les Doctrinaires,** quai Gén. de Gaulle ✆ 04 66 59 23 70, *Fax 04 66 59 22 26,* – – 40. GB Z a

*fermé 15 déc. au 11 janv.* – **Repas** *(fermé sam. midi)* 16/40 ♀, enf. 10 – 9 – **32 ch** 51/69 – ½ P 54/63.

◆ Ancien collège de Doctrinaires bâti au 17e s. Chambres assez simples, plus grandes côté canal. Le rez-de-chaussée, entièrement voûté, abrite une élégante salle à manger.

**L'Ail Heure,** 48 r. Château ✆ 04 66 59 67 75, – . GB Y b

*fermé sam. midi et dim.* – **Repas** 14 (déj.), 29/44 ♀.

◆ Ambiance feutrée, décor soigné (pierres et poutres séculaires, tons ocre, fer forgé), cuisine au goût du jour et accueil charmant... C'est au pied du château, et pas ailleurs.

**Le BEAUCET** *84 Vaucluse* 332 D10 – *rattaché à Carpentras.*

**BEAUDÉAN** *65 H.-Pyr.* 342 M6 – *rattaché à Bagnères-de-Bigorre.*

**BEAUFORT** *73270 Savoie* 333 M3 *G. Alpes du Nord – 1 996 h alt. 750.*

Voir *Beaufortain*★★.

Env. *N.-D.de Bellecombe* ✳ ★★.

*Office du Tourisme, ✆ 04 79 38 15 33, Fax 04 79 38 16 70, otareches-beaufort@wanadoo.fr.*

*Paris 599 – Albertville 20 – Chambéry 72 – Megève 37.*

**Grand Mont,** ✆ 04 79 38 33 36, *Fax 04 79 38 39 07* – . GB

*fermé 22 avril au 7 mai, 28 sept. au 8 nov. et vend. hors saison* – **Repas** (9,95) - 19,50/28 ♀, enf. 10 – 7,60 – **14 ch** 42,80/58,90 – ½ P 50,30/53,40.

◆ Ambiance sympathique à l'intérieur de cette maison de pays : chambres bien rénovées, salle à manger classiquement aménagée et salon intime pour repas discrets.

**Roche,** ✆ 04 79 38 33 31, *Fax 04 79 38 38 60,* , – . GB

*fermé 19 avril au 4 mai et 25 oct. au 8 déc.* – **Repas** *(fermé dim. soir sauf juil.-août et fév.)* 11,50/15,20 ♀ – 6 – **17 ch** 25/36 – ½ P 34/38,50.

◆ Ce vaste chalet d'allure traditionnelle posté à l'entrée du village abrite de petites chambres lambrissées, modestes mais bien tenues. Agréable jardin arboré.

**BEAUGENCY** *45190 Loiret* 318 G5 *G. Châteaux de la Loire – 6 917 h alt. 99.*

Voir *Église Notre-Dame*★ – *Donjon*★ – *Tentures*★ *dans l'hôtel de ville* **H** – *Musée régional de l'Orléanais*★ *dans le château.*

*Office du Tourisme, 3 place Dr Hyvernaud ✆ 02 38 44 54 42, Fax 02 38 46 45 31, tourisme.beaugency@wanadoo.fr.*

*Paris 153 ① – Orléans 32 ① – Blois 36 ④ – Châteaudun 42 ⑥ – Vendôme 65 ⑤.*

Plan page suivante

**Hostellerie de l'Écu de Bretagne,** pl. Martroi **(n)** ✆ 02 38 44 67 60, *ecu-de-bretagne@wanadoo.fr, Fax 02 38 44 68 07* – . AE GB

*fermé Noël au Jour de l'An, lundi (sauf hôtel) et dim. soir de nov. à fév.* – **Repas** 18/29,60 ♀ – 6,20 – **27 ch** 32/78.

◆ Cet ex-relais de poste balgentien et son annexe abritent des chambres dotées de meubles anciens. Au restaurant, cadre classique et cuisine traditionnelle.

**Sologne** sans rest, pl. St Firmin **(e)** ✆ 02 38 44 50 27, *hotel-de-la-sologne-beaugency@wanadoo.fr, Fax 02 38 44 90 19* – . GB

*fermé 23 déc. au 11 janv.* – 7 – **16 ch** 43/60.

◆ Un perron joliment fleuri en été donne accès à cet édifice solognot situé à deux pas de la tour St-Firmin. Petites chambres lumineuses, rénovées par étapes.

**P'tit Bateau,** 54 r. Pont **(u)** ✆ 02 38 44 56 38, *Fax 02 38 46 44 37,* – GB

*fermé 19 août au 4 sept., 28 oct. au 5 nov., 24 fév. au 4 mars, dim. soir, mardi midi et lundi* – **Repas** (15) - 21/30 ♀, enf. 9,50.

◆ Deux salles à manger : l'une au cadre rustique soigné avec poutres apparentes et cheminée ; l'autre plus petite, ouverte sur une cour-terrasse. Cuisine traditionnelle.

# BEAUGENCY

Abbaye (R. de l') .......... 2
Bretonnerie (R. de la) .......... 3
Change (R. du) .......... 4
Châteaudun (R. de) .......... 5
Cordonnerie (R. de la) .......... 6
Dr-Hyvernaud (Pl.) .......... 8
Dunois (Pl.) .......... 9
Maille-d'Or (R. de la) .......... 10
Martroi (Pl. du)
Pellieux (Passage) .......... 12
Pont (R. du)
Puits-de-l'Ange (R. du) .......... 14
Sirène (R. de la) .......... 15
Traîneau (R. du) .......... 17
Trois-Marchands (R. des) .......... 18

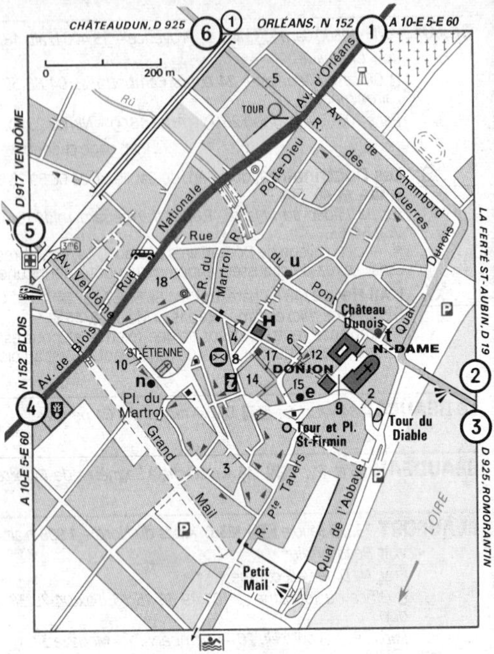

CHÂTEAUDUN, D 925
ORLÉANS, N 152
A 10-E 5-E 60
200 m
D 917 VENDÔME
N 152 BLOIS
A 10-E 5-E 60
LA FERTÉ ST-AUBIN, D 19
D 925, ROMORANTIN
TOUR
Av. d'Orléans
R. Porte-Dieu
Av. de Chambord
R. des Querres
Rue Nationale
Rue du Pont
R. du Martroi
Av. Vendôme
Av. de Blois
Quai Dunois
Château Dunois
N.-DAME
DONJON
ST-ÉTIENNE
Pl. du Martroi
Grand Mail
Tour et Pl. St-Firmin
Tour du Diable
R. Pte Tavers
Quai de l'Abbaye
LOIRE
Petit Mail
Rû


**Relais du Château**, 8 r. Pont **(t)** ✆ 02 38 44 55 10, *relaischateau@aol.com, Fax 02 38 44 11 02* – GB
*fermé vacances de fév., de Toussaint, mardi soir, jeudi soir d'oct. à juin et merc.* – **Repas** 13/29 ♀.
◆ Coquet petit restaurant situé dans une rue commerçante à proximité du donjon (11e s.). Expositions de peintures d'artistes régionaux à titre de décor. Plats traditionnels.

**à Baule** *par ① : 5 km – 1 457 h. alt. 103 – ✉ 45130.*
**Voir** *Meung-sur-Loire : église St-Liphard★ NE : 2 km.*

**Auberge Gourmande**, ✆ 02 38 45 01 02, *auberge-gourmande@wanadoo.fr, Fax 02 38 45 03 08*, – AE GB
*fermé 20 août au 1er sept., dim. soir, lundi soir et merc.* – **Repas** 14,10/35,10.
◆ Cette ancienne maison de vignerons sert une cuisine classique et généreuse dans l'agreste salle à manger ou, l'été, sur la plaisante terrasse ombragée d'un tilleul.

**à Tavers** *par ④ et rte secondaire : 3 km – 1 105 h. alt. 100 – ✉ 45190 :*

**Tonnellerie**, près Église ✆ 02 38 44 68 15, *tonelri@club-internet.fr, Fax 02 38 44 10 01*, – TV. AE GB
*fermé 24 déc au 28 fév.* – **Repas** *(fermé lundi midi et sam. midi)* 25/45 ♀ – ☕ 12 – **17 ch** 90/170, 3 appart – 1/2 P 110/155.
◆ Hostellerie solognote encadrant un agréable jardin fleuri et une piscine. Les chambres, dotées de meubles de style, sont aménagées dans l'esprit d'une maison particulière.

**BEAUJEU** *69430 Rhône* 327 G3 *G. Vallée du Rhône – 1 874 h alt. 293.*
*Office du Tourisme, square de Grandhan ✆ 04 74 69 22 88, Fax 04 74 69 22 88, Beaujeu.beaujolais@wanadoo.fr.*
*Paris 431 – Mâcon 36 – Roanne 62 – Bourg-en-Bresse 57 – Lyon 63.*

**Anne de Beaujeu** avec ch, ✆ 04 74 04 87 58, *Fax 04 74 69 22 13*, – TV P. GB
*fermé 28 juil. au 11 août, 22 déc. au 20 janv., mardi midi, dim. soir et lundi* – **Repas** 18,60/47,50 ♀ – ☕ 6,60 – **7 ch** 57,80/62 – 1/2 P 50,50/60.
◆ La famille de Beaujeu a donné son nom au Beaujolais. Belle demeure du 19e s. dans un parc. Une fresque évoquant une scène de repas décore la salle de restaurant.

## BEAULIEU *07460 Ardèche 331 H7 – 373 h alt. 130.*

*Paris 672 – Alès 40 – Aubenas 38 – Largentière 28 – Pont-St-Esprit 51 – Privas 69.*

**Santoline**, Sud-Est : 1 km ☎ 04 75 39 01 91, *contact@lesantoline.com, Fax 04 75 39 38 79,* ←, GB. rest
*1er mai-30 sept.* – **Repas** (dîner seul.)(résidents seul.) – ☐ 10 – **8 ch** 58/104 – ½ P 63/90.
◆ Aux portes des Cévennes, bâtisse du 16e s. entourée de garrigue. Ambiance provençale un peu "tendance" dans des chambres garnies de meubles rustiques et contemporains.

## BEAULIEU-EN-ARGONNE *55250 Meuse 307 B4 G. Champagne Ardenne – 42 h alt. 275.*

Voir *Pressoir★ dans l'ancienne abbaye.*

*Paris 248 – Bar-le-Duc 37 – Futeau 10 – Ste-Menehould 23 – Verdun 38.*

**Hostellerie de l'Abbaye**, ☎ 03 29 70 72 81, *Fax 03 29 70 71 19,* ←, GB. ch
*hôtel : 15 mars-1er nov. ; rest. : 15 mars-11 nov. et fermé merc.* – **Repas** 12,50/29, enf. 7 – ☐ 4,80 – **8 ch** 39,80/45 – ½ P 35,50/39.
◆ Discrète maison des années 1960 hébergeant aussi un bar-tabac. La plupart des chambres, bien tenues, et la salle à manger s'ouvrent largement sur la campagne environnante.

## BEAULIEU-SUR-DORDOGNE *19120 Corrèze 329 M6 G. Berry Limousin – 1 265 h alt. 142.*

Voir *Église St-Pierre★★ : portail méridionale★★ – Vieille Ville★.*

*Office du Tourisme, place Marbot ☎ 05 55 91 09 94, Fax 05 55 91 10 97, office.de.tourisme.de.beaulieu.sur.dordogne@wanadoo.fr.*

*Paris 514 – Brive-la-Gaillarde 46 – Aurillac 67 – Figeac 59 – Sarlat-la-Canéda 72 – Tulle 39.*

**Central Hôtel Fournié**, ☎ 05 55 91 01 34, *Fax 05 55 91 23 57,* P. GB
*1er avril-1er nov. et fermé merc. midi et mardi* – **Repas** 16/35 – ☐ 6,50 – **20 ch** 43/50 – ½ P 48/53.
◆ Demeure de caractère face à une grande place. Demandez une chambre refaite. Plats traditionnels et du terroir à déguster dans une jolie salle rustique.

**Turenne**, ☎ 05 55 91 10 16, *Fax 05 55 91 22 42,* GB
**Repas** (prévenir) 17/37, enf. 10 – ☐ 8 – **18 ch** 44/50 – ½ P 45/48.
◆ Mêlant le confort et l'insolite, ancienne abbaye transformée en hôtel. Le bel escalier à vis mène aux chambres, peu à peu revues. Salle à manger animée de l'esprit médiéval.

**Les Charmilles** avec ch, ☎ 05 55 91 29 29, *charme@club-internet.fr, Fax 05 55 91 29 30,* GB
**Repas** *(fermé 21 au 26 déc., mardi et merc. d'oct. à mai)* 16/38 – ☐ 7 – **8 ch** 50 – ½ P 45.
◆ Établissement entièrement rénové abritant des chambres coquettes et bien meublées. De riantes couleurs égaient la salle de restaurant. Ambiance détendue. Carte classique.

## BEAULIEU-SUR-LOIRE *45630 Loiret 318 N6 – 1 644 h alt. 156.*

*Office du Tourisme, place d'Armes ☎ 02 38 35 87 24, Fax 02 38 35 30 10, otsibeaul@wanadoo.fr.*

*Paris 172 – Auxerre 68 – Cosne-sur-Loire 19 – Gien 27 – Sancerre 29.*

**Relais des Sources**, au bord du canal ☎ 02 38 37 17 77, *relaisdessources@aol.com, Fax 02 38 37 17 77,* P. AE GB
*fermé 26 août au 6 sept., 2 au 16 janv., et merc.* – **Repas** 14,50/24,40.
◆ Restaurant apprécié pour sa terrasse dressée sur une berge du canal latéral à la Loire. La salle est sobrement aménagée. Cuisine traditionnelle variant au gré des saisons.

## BEAULIEU-SUR-MER *06310 Alpes-Mar. 341 F5 G. Côte d'Azur – 4 013 h – Casino.*

Voir *Site★ de la Villa Kerylos★ – Baie des Fourmis★.*

*Office du Tourisme, place Georges Clemenceau ☎ 04 93 01 02 21, Fax 04 93 01 44 04, tourisme@ot.beaulieu-sur-mer.fr.*

*Paris 940 ④ – Nice 9 ④ – Menton 25 ③.*

Plan page suivante

**Réserve de Beaulieu**, bd Mar. Leclerc ☎ 04 93 01 00 01, *reserve@wanadoo.fr, Fax 04 93 01 28 99,* ← mer, ch, AE GB Z w
**Repas** (dîner seul. de juin à sept.) 45 (déj.), 65/130 et carte 115 à 175 – ☐ 28 – **34 ch** 450/1312, 4 appart – ½ P 328/809.
◆ Luxe et raffinement au bord de la mer dans ce palace bâti en 1880 dans le style des palais florentins de la Renaissance. Centre de beauté. Savoureuse cuisine méridionale.
**Spéc.** Compotée de carottes aux toasts melba de foie gras. Cressonnette à l'oeuf truffé et Saint-Jacques (sauf été). Loup de Méditerranée au bellet rouge et poire épicée. **Vins** Côtes de Provence.

# BEAULIEU-SUR-MER



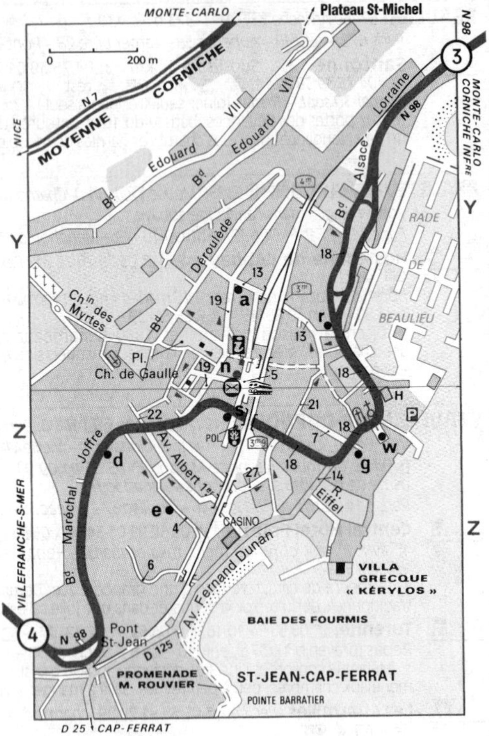

MONTE-CARLO
Plateau St-Michel
N 98
3
0
200 m
MOYENNE CORNICHE
N 7
NICE
MONTE-CARLO CORNICHE INFRE
Bd Edouard VII
Bd Alsace-Lorraine
N 98
Y
RADE DE BEAULIEU
Bd Déroulède
Ch.in des Myrtes
Bd
Pl. Ch. de Gaulle
a
r
n
s
H
P
w
g
d
e
POL
Av. Albert 1er
R. Eiffel
CASINO
Z
Bd Maréchal Joffre
VILLEFRANCHE-S-MER
Av. Fernand Dunan
VILLA GRECQUE « KÉRYLOS »
BAIE DES FOURMIS
4
N 98
Pont St-Jean
D 125
PROMENADE M. ROUVIER
ST-JEAN-CAP-FERRAT
POINTE BARRATIER
D 25 CAP-FERRAT

ATTENTION AU FEU


*Le feu
est le plus terrible
ennemi de la forêt.
Soyez prudent !*

**Métropole**, bd Mar. Leclerc ☎ 04 93 01 00 08, *metropole@relaischateaux.com, Fax 04 93 01 18 51,* ≤ mer, – AE GB JCB Z g
*fermé 20 oct. au 20 déc.* – **Repas** 56 bc (déj.), 72/86 – 22 – **35 ch** 230/570, 5 appart – 1/2 P 210/355.
◆ Belle demeure centenaire située dans un parc fleuri, face à la "grande bleue". Chambres spacieuses et élégantes. Piscine à l'eau de mer et vaste terrasse.

**Carlton** sans rest, 7 av. Edith Cavell ☎ 04 93 01 44 70, *info@carlton-beaulieu.com, Fax 04 93 02 44 30,* – AE GB Z e
*fermé 8 janv. au 3 fév.* – 10 – **33 ch** 135/160.
◆ À 200 m de la plage, hôtel abritant des chambres de bonne ampleur et bien tenues, et un agréable salon (rénové). Belle piscine et petit jardin aux essences méridionales.

**Frisia** sans rest, bd E. Gauthier ☎ 04 93 01 01 04, *info@frisia-beaulieu.com, Fax 04 93 01 31 92,* ≤ – AE GB Y r
*fermé 9 nov. au 14 déc.* – 9 – **32 ch** 77/125.
◆ Situé sur le port de plaisance, hôtel disposant de chambres actuelles et bien équipées ; la moitié jouit d'une vue maritime agréable. Solarium sur le toit.

**Comté de Nice** sans rest, bd Marinoni ☎ 04 93 01 19 70, *contact@hotel-comtedenice.com, Fax 04 93 01 23 09* – AE GB JCB Y a
8,50 – **32 ch** 92/102.
◆ Dans un sobre immeuble du centre-ville, chambres fraîches et de bonne ampleur, souvent équipées de balcons. Salons et bar meublés dans l'esprit Art déco.

**Artémis** sans rest, 3 bd Mar. Joffre ☎ 04 93 01 12 15, *artemishotel@libertysurf.fr, Fax 04 93 01 27 46* – AE GB Z s
8 – **69 ch** 116.
◆ Hôtel des années 1970 proche de la célèbre villa Kerylos. Chambres progressivement rénovées ; pratiques et dotées de balcons, elles sont plus calmes à l'arrière.

**Havre Bleu** sans rest, bd Mar. Joffre ☎ 04 93 01 01 40, *pascal.cheruy@wanadoo.fr*, *Fax 04 93 01 29 92* – TV P. AE ① GB Z d
*fermé nov.* – **21 ch** ☐ 60/66.
◆ Sur un axe animé, maison blanche aux volets bleus abritant un hôtel familial. Les chambres, très simples, sont plus tranquilles sur l'arrière.

**Les Agaves,** 4 av. Mar. Foch ☎ 04 93 01 13 12, *Fax 04 93 01 13 12* – ▤. AE GB Y n
*fermé 1er au 15 déc. et lundi* – **Repas** (dîner seul.) 30.
◆ Boiseries, moulures d'origine, parquet et petite touche provençale dans le décor : ce discret restaurant berlugan propose une cuisine au goût du jour d'inspiration régionale.

**Autres ressources hôtelières** : *voir à* ***St-Jean-Cap-Ferrat***

## BEAUMARCHÉS *32160 Gers* 336 *C8 – 549 h alt. 175.*

*Paris 758 – Agen 110 – Auch 55 – Mont-de-Marsan 64 – Pau 62.*

**à Cayron** *Est : 5 km par D 946 – ✉ 32160 Beaumarchés :*

**Relais du Bastidou** ⛰, Sud : 2 km par rte secondaire ☎ 05 62 69 19 94, *lerelaisdubastidou@libertysurf.fr, Fax 05 62 69 19 94*, 🏞, 🏊, 🌳 – TV ♿ P. GB
*fermé vacances de Toussaint* – **Repas** *(fermé dim. soir et lundi sauf juil.-août et fériés)* 15/25, enf. 9 – ☐ 7 – **4 ch** 55/61, 4 duplex – ½ P 46/49.
◆ Au bout d'un chemin, isolée en pleine nature, cette ancienne ferme vous garantit le plus grand calme. Chambres aménagées dans la grange. Salle à manger campagnarde.

## BEAUMESNIL *27410 Eure* 304 *E7 G. Normandie Vallée de la Seine – 527 h alt. 169.*

*Voir Château★.*

*Office du Tourisme, 32 rue du Château ☎ 02 32 46 45 68, Fax 02 32 45 10 05.*

*Paris 138 – Rouen 61 – Bernay 13 – Dreux 66 – Évreux 39.*

**L'Étape Louis XIII** (Ravinel), ☎ 02 32 44 44 72, *Fax 02 32 45 53 84*, 🏞, 🌳 – P. GB
*fermé 24 juin au 10 juil., vacances de Toussaint, de fév., merc. sauf juil.-août et mardi* – **Repas** (nombre de couverts limité, prévenir) 23 (déj.), 29/57 ♀.
◆ Le cachet rustique de cette maison normande du 17e s. contraste avec l'aristocratique façade en briques et pierre du château voisin, également d'époque Louis XIII.
**Spéc.** Huîtres d'Isigny au sabayon de cidre (sauf été). Poêlée de foie gras de canard. Croustillant aux pommes caramélisées.

## Les BEAUMETTES *84 Vaucluse* 332 *E10 – rattaché à Cordes.*

## BEAUMONT-DE-LOMAGNE *82500 T.-et-G.* 337 *B8 G. Midi-Pyrénées – 3 488 h alt. 400.*

*Office du Tourisme, 3 rue Pierre Fermat ☎ 05 63 02 42 32, Fax 05 63 65 61 17.*

*Paris 675 – Auch 51 – Toulouse 61 – Agen 60 – Condom 60 – Montauban 36.*

**Commerce** avec ch, r. Mar. Foch ☎ 05 63 02 31 02, *hotelrest.lecommerce@wanadoo.fr*, *Fax 05 63 65 26 22*, 🏞 – ▤ rest, TV 🚗. AE ① GB. ✻ ch
*fermé 1er au 10 mars, 13 au 27 oct., 28 déc. au 4 janv., dim. soir et lundi* – **Repas** 16/26 – ☐ 6 – **12 ch** 38/42 – ½ P 39/41.
◆ Maison de pays bordant la traversée du village. La salle de restaurant a préservé son charme campagnard. Hébergement modeste, mais soigneusement entretenu.

## BEAUMONT-DU-VENTOUX *84340 Vaucluse* 332 *E8 – 260 h alt. 360.*

*Paris 680 – Avignon 46 – Carpentras 21 – Nyons 28 – Vaison-la-Romaine 13.*

**La Maison** avec ch, ☎ 04 90 65 15 50, *Fax 04 90 65 23 29*, 🏞 – GB. ✻ ch
*12 avril-31 oct.* – **Repas** *(fermé mardi de sept. à juin, le midi en juil.-août sauf dim. et lundi)* 27 – ☐ 8 – **3 ch** 58/66.
◆ Ancienne ferme des environs de Malaucène. Pimpante salle à manger provençale, agréable terrasse ombragée par des tilleuls et coquettes petites chambres. Cuisine du terroir.

## BEAUMONT-EN-AUGE *14950 Calvados* 303 *M4 G. Normandie Vallée de la Seine – 472 h alt. 90.*

*Paris 199 – Caen 42 – Le Havre 75 – Deauville 12 – Lisieux 22 – Pont-l'Évêque 7.*

**Auberge de l'Abbaye,** ☎ 02 31 64 82 31, *Fax 02 31 64 81 63* – AE GB
*fermé 29 sept. au 8 oct., 5 au 29 janv., lundi soir du 1er nov. au 31 mars, mardi et merc.* – **Repas** 26/48 ♀, enf. 12,20.
◆ Belle façade régionale du 18e s. où grimpe la vigne vierge. Plats du terroir servis dans trois petites salles à manger typiquement normandes, décorées de bibelots anciens.

**BEAUMONT-SUR-SARTHE** *72170 Sarthe* 310 *J5 – 1 874 h alt. 76.*

*Syndicat d'Initiative, 14 place de la Libération ✆ 02 43 33 03 03, Fax 02 43 97 02 21, beaumont.sur.sarthe@wanadoo.fr.*

*Paris 223 – Alençon 24 – Le Mans 29 – La Ferté-Bernard 70 – Mamers 25 – Mayenne 62.*

XX **Chemin de Fer** avec ch, à la Gare Est : 1,5 km par D 26 ✉ 72170 Vivoin ✆ 02 43 97 00 05, *hotel-du-chemin-de-fer@wanadoo.fr, Fax 02 43 97 87 49,* – TV. AE GB. ch

*fermé 25 au 31/08, 27/10 au 12/11, vacances de fév., sam. midi de 10 à 04, vend. soir et dim. soir de sept. à juin* – **Repas** 11 (déj.), 18/38 – 5 – **14 ch** 43/59 – 1/2 P 33,80/39,80.

◆ Comme son nom l'indique, ce restaurant se situe à deux pas de la gare. Grande salle à manger sagement campagnarde. Chambres insonorisées, au mobilier rustique.

**BEAUNE** 21200 *Côte-d'Or* 320 *I7 G. Bourgogne – 21 289 h alt. 220.*

**Voir** *Hôtel-Dieu★★★ : polyptyque du Jugement dernier★★★, Grand'salle salle ou chambre des pauvres★★★ – Collégiale Notre-Dame★ : tapisseries★★ – Hôtel de la Rochepot★* **AY B** – *Remparts★ – Musée du vin de Bourgogne★* **AYZ M**[1].

**Env.** *Archéodrome de Bourgogne★ S : 7 km.*

*Office du Tourisme, 1 rue de l'Hôtel Dieu ✆ 03 80 26 21 30, Fax 03 80 26 21 39, ot.beaune@wanadoo.fr.*

*Paris 309 ③ – Autun 49 ④ – Chalon-sur-Saône 29 ③ – Dijon 45 ③ – Dole 65 ③.*

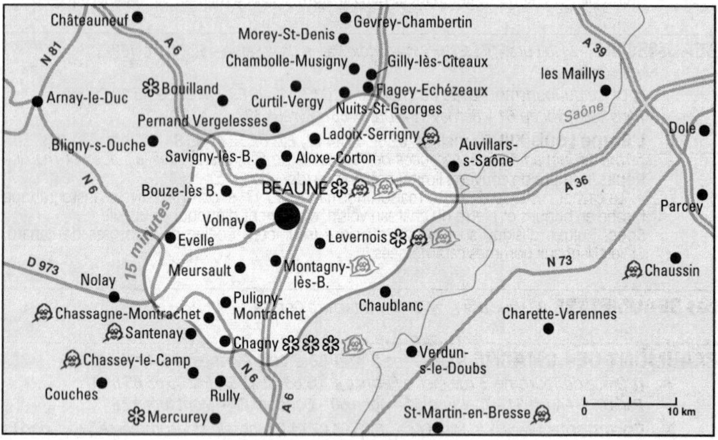
Châteauneuf
Gevrey-Chambertin
Morey-St-Denis
N 81
A 6
A 39
Chambolle-Musigny
Gilly-lès-Cîteaux
les Maillys
Arnay-le-Duc
Bouilland
Curtil-Vergy
Flagey-Echézeaux
Nuits-St-Georges
Saône
Pernand Vergelesses
Ladoix-Serrigny
Dole
Bligny-s-Ouche
Savigny-lès-B.
Aloxe-Corton
Auvillars-s-Saône
N 6
Bouze-lès B.
BEAUNE
A 36
Parcey
15 minutes
Volnay
Evelle
Levernois
D 973
Nolay
Meursault
Montagny-lès-B.
N 73
Chaussin
Puligny-Montrachet
Chaublanc
Chassagne-Montrachet
Charette-Varennes
Santenay
Chagny
Verdun-s-le-Doubs
Chassey-le-Camp
Couches
Rully
Mercurey
St-Martin-en-Bresse
0
10 km

**Cep** sans rest, 27 r. Maufoux ✆ 03 80 22 35 48, *resa@hotel-cep-beaune.com, Fax 03 80 22 76 80* – TV P – 15 à 70. AE GB JCB **AZ z**
15 – **57 ch** 122/230.

◆ Ancien hôtel particulier (16e s.) d'un administrateur des Hospices. Chambres personnalisées. Petits-déjeuners servis l'été dans la ravissante cour Renaissance à arcades.

**L'Hôtel** M sans rest, 5 r. Samuel Legay ✆ 03 80 25 94 14, *info@hotelde beaune.com, Fax 03 80 25 94 13* – TV. AE GB JCB **AZ p**
12 – **7 ch** 250/335.

◆ Luxueuses chambres de style Empire, équipements high-tech et salles de bains design : une nouvelle vie pour cette demeure bourgeoise qui abrita naguère la Maison Louis Jadot.

**Poste,** 5 bd Clemenceau ✆ 03 80 22 08 11, *francoise.stratigos@wanadoo.fr, Fax 03 80 24 19 71,* – , ch, TV – 25. AE GB JCB **AZ f**
*fermé fév.* – **Repas** 20,50/42 et carte 27 à 45 ***Bistro*** *(fermé dim.)* **Repas** carte environ 17 – 15 – **27 ch** 100/290, 8 appart.

◆ La situation bruyante de ce relais de poste du 19e s. est compensée par une insonorisation efficace. Chambres au mobilier ancien ou actuel. Salle à manger traditionnelle.

**Hostellerie Le Cèdre** M, 12 bd Mar. Foch ✆ 03 80 24 01 01, *bleumarine.beaune@wanadoo.fr, Fax 03 80 24 09 90,* , , – , ch, TV P – 80. AE GB JCB
***Clos du Cèdre*** *(fermé 2 au 20 janv. et dim.)* **Repas** 16(déj.)27/50 ,enf. 12 – 11 – **34 ch** 92/135, 6 duplex – 1/2 P 90/105. **AY t**

◆ Chambres spacieuses, contemporaines et bien isolées. Le restaurant (joli décor bourgeois) occupe un pavillon du 19e s. ; terrasse dressée sous un cèdre plus que centenaire.

# BEAUNE

Alsace (R. d') .......... **AZ** 2
Belin (R.) .............. **AZ** 4
Bourgelat (R.) .......... **AZ** 5
Carnot (Petite-Place) .... **AZ** 6
Carnot (Pl.) ............ **AZ** 7
Carnot (R.) ............. **AZ** 9
Château (R. du) ......... **BY** 10
Dames (Rempart des) . **AZ** 13
Dr-Jorrot (Pl du) ....... **BY** 15
Enfant (R. de l') ....... **AY** 16
Favart (R.) ............. **AY** 18
Fleury (Pl.) ............ **AZ** 19
Fraysse (R. E.) ......... **AZ** 21
Halle (Pl. de la) ....... **AZ** 23
Lorraine (R. de) ........ **AY**
Maufoux (R.) ............ **AZ** 25
Monge (Pl.) ............. **AY** 26
Monge (R.) .............. **AZ** 28
Perpreuil (Bd) .......... **AZ** 29
Poterne (R.) ............ **AZ** 30
Rolin (R.) .............. **AZ** 31
Rousseau-Deslandes (R.) ....... **BY** 32
St-Nicolas (R. du Fg.) ... **AY** 34
Ste-Marguerite (R.) ..... **AY** 35
Tonneliers (R. des) ...... **AY** 37
Ziem (Pl.) .............. **AZ** 40

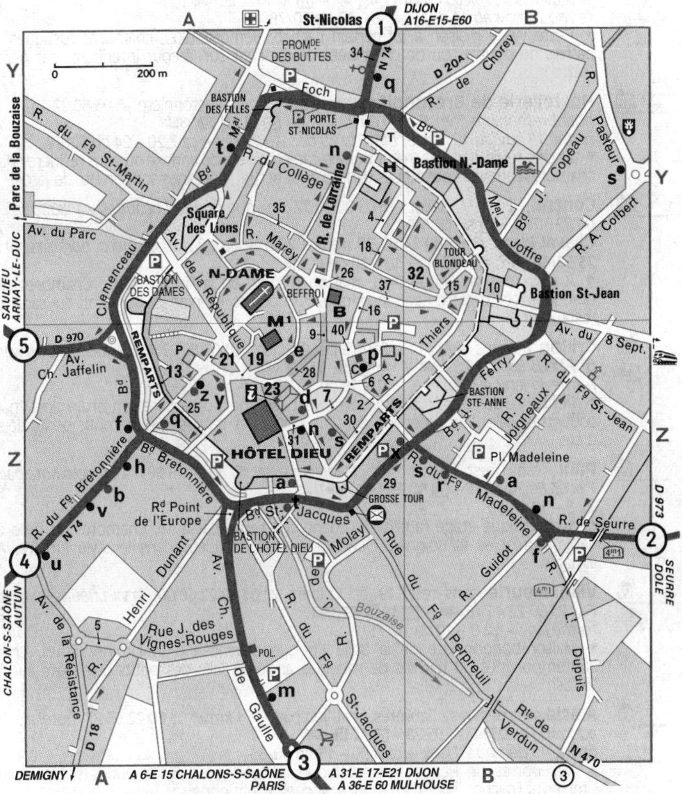

DIJON
A16-E15-E60
St-Nicolas
A
B
Y
Z
200 m
PROMDE DES BUTTES
BASTION DES FILLES
PORTE ST-NICOLAS
Foch
R. du Fg St-Martin
Parc de la Bouzaise
R. du Collège
R. de Lorraine
Bastion N.-Dame
Square des Lions
Av. du Parc
R. Marey
TOUR BLONDEAU
Bastion St-Jean
N-DAME
BEFFROI
BASTION DES DAMES
Av. de la République
Clemenceau
REMPARTS
D 970
Av. Ch. Jaffelin
HÔTEL DIEU
BASTION STE-ANNE
Bd Bretonnière
R. du Fg Bretonnière
N 74
Rd Point de l'Europe
Bd St-Jacques
BASTION DE L'HÔTEL DIEU
GROSSE TOUR
R. de Seurre
Madeleine
Pl. Madeleine
Av. du 8 Sept.
R. du Fg St-Jean
Joigneaux
Thiers
Ferry
Av. Ch. de Gaulle
Rue J. des Vignes-Rouges
Henri Dunant
Av. de la Résistance
Rue du Fg Perpreuil
R. du Fg St-Jacques
Rte de Verdun
N 470
Bouzaise
Dupuis
Guidot
Bd J. Copeau
R. Pasteur
R. A. Colbert
Mal Joffre
R. de Chorey
D 20A
D 973
SEURRE DOLE
SAULIEU ARNAY-LE-DUC
CHALON-S-SAÔNE AUTUN
D 18
DEMIGNY
A 6-E 15 CHALONS-S-SAÔNE PARIS
A 31-E 17-E21 DIJON A 36-E 60 MULHOUSE
POL.


**Mercure** Ⓜ, av. Ch. de Gaulle ✆ 03 80 22 22 00, *H1217@accor-hotels.com, Fax 03 80 22 91 74,* – 30 à 90. AE GB JCB **AZ m**
**Repas** 21/25 ♀, enf. 10 – ☕ 11 – **107 ch** 92/107.
◆ Cet établissement de la périphérie conviendra à l'étape d'affaires : chambres fonctionnelles rénovées pour le travail et le repos, bar et piscine pour la détente.

**Henry II** sans rest, 12 r. Fg St-Nicolas ✆ 03 80 22 83 84, *Fax 03 80 24 15 13* – AE GB JCB. **AY q**
☕ 8 – **50 ch** 71/118.
◆ L'aile récente de l'hôtel a été conçue en harmonie avec la partie classée (ancien relais de poste). Chambres pratiques au décor varié, du Louis XV à l'Art déco.

**Closerie** sans rest, par ④ *rte Autun N 74* ✆ 03 80 22 15 07, *closeriequalityhotel@wanadoo.fr, Fax 03 80 24 16 22,* – AE GB JCB
*fermé 24 déc. au 15 janv.* – ☕ 10 – **46 ch** 52/102.
◆ Entre centre-ville et voies rapides, établissement entouré de verdure. Chambres sobres et pratiques ; certaines donnent sur la grande piscine.

**Panorama,** 74 rte Pommard par ④ ✆ 03 80 26 22 17, *hotel@le-panorama.com, Fax 03 80 26 22 18,* – – **65 ch** 40. AE GB. rest
*fermé 20 déc. au 15 janv.* – **Repas** (dîner seul.)(résidents seul.) 25/35 – 9 – **65 ch** 80/110 – ½ P 57,30/66,30.
◆ Établissement de type motel récemment rénové. Chambres fonctionnelles, au calme, réparties dans deux pavillons au milieu des vignes. Larges baies vitrées au restaurant.

**Belle Époque** sans rest, 15 r. Fg Bretonnière ✆ 03 80 24 66 15, *hotelbelleepoque.gabard@wanadoo.fr, Fax 03 80 24 17 49,* – . AE GB AZ h
*fermé 23 nov. au 14 déc.* – 8 – **18 ch** 70/78.
◆ Cette vieille maison a un certain cachet : verrière 1900, chambres rustiques dotées parfois de poutres ou de cheminées et donnant sur la cour intérieure, bar gentiment "rétro".

**Hostellerie de Bretonnière** sans rest, 43 r. Fg Bretonnière ✆ 03 80 22 15 77, *infos@hotelbretonniere.com, Fax 03 80 22 72 54* – . AE GB AZ v
*fermé 19 nov. au 19 déc. et dim. du 20 déc. au 28 fév.* – 7,20 – **24 ch** 52/72.
◆ Ancien relais de poste (réception de caractère) et son annexe où vous résiderez dans des chambres rénovées par étapes dans le goût actuel ; certaines sont en rez-de-jardin.

**Central,** 2 r. V. Millot ✆ 03 80 24 77 24, *hotel.central.beaune@wanadoo.fr, Fax 03 80 22 30 40* – . AE GB AZ n
***Cheval Blanc*** ✆ 03 80 24 69 70 *(fermé 20 nov. au 20 déc. et merc. hors saison)* **Repas** 23,50/38,50, enf. 13 – 10 – **20 ch** 60/140.
◆ À deux pas de l'hôtel-Dieu, maison d'angle de la fin du 16ᵉ s. Chambres simples, pratiques et correctement insonorisées. Poutres et pierres donnent du caractère au restaurant.

**Grillon** sans rest, 21 rte Seurre par ② : *1 km* ✆ 03 80 22 44 25, *joel.grillon@wanadoo.fr, Fax 03 80 24 94 89,* – . AE GB
*fermé 31 janv. au 3 mars* – 7 – **18 ch** 50/65.
◆ Pimpante demeure rose aux volets vert amande blottie dans son jardin clos. Chambres coquettes, salon-bar aménagé dans un caveau et terrasse fleurie pour petits-déjeuners d'été.

**Paix** sans rest, 45 r. Fg Madeleine ✆ 03 80 24 78 08, *contact@hotelpaix.com, Fax 03 80 24 10 18* – . AE GB JCB BZ n
8 – **10 ch** 69.
◆ Sympathique étape familiale bordant une route passante. Chambres de taille convenable, agréables et soignées ; certaines sont meublées dans le style Empire. Accueil aimable.

**Villa Fleurie** sans rest, 19 pl. Colbert ✆ 03 80 22 66 00, *la.villa.fleurie@wanadoo.fr, Fax 03 80 22 45 46,* – . AE GB BY s
*fermé janv.* – 8 – **10 ch** 70/75.
◆ Maison-bonbonnière de la Belle Époque devancée d'un jardinet fleuri. Chambres contemporaines ou garnies de meubles anciens. Salle des petits-déjeuners au charme "british".

**Alésia** sans rest, 4 av. Sablières, rte Dijon par ① : *1 km* ✆ 03 80 22 63 27, *hotel.alesia@wanadoo.fr, Fax 03 80 24 95 28* – . GB
*fermé 15 déc. au 20 janv.* – 5,50 – **15 ch** 30/53.
◆ Aux portes de Beaune, sympathique adresse pour petits budgets. Les chambres, simples et fraîches, sont bien tenues. Accueil attentionné.

**Beaun Hôtel** sans rest, 55 bis r. Fg Bretonnière ✆ 03 80 22 11 01, *beaunehotel@aol.com, Fax 03 80 22 46 66* – . AE GB AZ u
*5 mars-30 nov.* – 8 – **21 ch** 52,50/78.
◆ Discrète bâtisse située près d'un carrefour. Les chambres, un peu petites mais fonctionnelles et scrupuleusement tenues, profitent presque toutes du calme de la cour intérieure.

**Bernard Morillon,** 31 r. Maufoux ✆ 03 80 24 12 06, *restaurant-morillon@wanadoo.fr, Fax 03 80 22 66 22,* – AE GB JCB AZ z
*fermé janv., mardi midi, vend. midi et lundi* – **Repas** 29 (déj.), 52/76 et carte 65 à 90.
◆ Ambiance raffinée en cette belle demeure du 18ᵉ s. Salle à manger sous haut plafond à la française, cossue et chaleureuse, et terrasse encadrée de bâtiments Renaissance.

**Jardin des Remparts** (Chanliaud), 10 r. Hôtel-Dieu ✆ 03 80 24 79 41, *lejardin@club-internet.fr, Fax 03 80 24 92 79,* – . GB AZ a
*fermé 1ᵉʳ fév. au 10 mars, 1ᵉʳ au 7 août, dim. et lundi* – **Repas** 30/72 et carte 50 à 66.
◆ Ravissante maison des années 1930 et son délicieux jardin-terrasse longeant les remparts beaunois. Élégant intérieur contemporain, cuisine inventive et belle carte des vins.
**Spéc.** Foie gras de canard poché à l'hydromel. Tartare de boeuf aux huîtres. Gâteau tiède au chocolat. **Vins** Puligny-Montrachet, Auxey-Duresses.

XXX **L'Écusson,** pl. Malmédy ✆ 03 80 24 03 82, *Fax 03 80 24 74 02,* – AE ⓓ GB JCB
*fermé 4 fév. au 3 mars, merc. et dim.* – **Repas** 22/48, enf. 12,50. BZ f
◆ Pimpante façade dissimulant une plaisante salle actuelle, rehaussée d'une sympathique touche rustique : murs habillés de portes d'armoires et buffets d'antan. Agréable terrasse.

XX **Bénaton,** 25 r. Fg Bretonnière ✆ 03 80 22 00 26, *lebenaton@club-internet.fr, Fax 03 80 22 51 95* – GB JCB AZ b
*fermé en nov., jeudi sauf le soir en saison et merc.* – **Repas** 20 (déj.), 32/45 ♀.
◆ Petit restaurant associant mobilier rustique et contemporain à des tonalités ensoleillées ; fresque ayant trait au vignoble beaunois. Cuisine traditionnelle recomposée.

XX **Verger,** 21 rte de Seurre par ② : *1 km* ✆ 03 80 24 28 05, *le.verger@wanadoo.fr, Fax 03 80 24 28 05* – AE GB
*fermé déc., janv., fév., merc. midi, jeudi midi et mardi* – **Repas** 20/32, enf. 12.
◆ Tout entière tournée vers le joli jardin fleuri, salle de restaurant actuelle en demi-rotonde prolongée d'une agréable terrasse. Cuisine au goût du jour à tendance régionale.

XX **Auberge Bourguignonne** avec ch, 4 pl. Madeleine ✆ 03 80 22 23 53, *Fax 03 80 22 51 64* – rest, TV ✆. GB BZ a
*fermé 23 nov. au 15 déc., 15 fév. au 3 mars, et lundi sauf fériés* – **Repas** 16/36 – ☕ 6 – **10 ch** 53/68.
◆ Deux jolies maisons régionales en pierre abritant deux salles à manger d'esprit campagnard, pour des repas traditionnels orientés terroir. Demander une chambre rénovée.

XX **Caveau des Arches,** 10 bd Perpreuil ✆ 03 80 22 10 37, *restaurant.caveau.des.arches@wanadoo.fr, Fax 03 80 22 76 44* – . AE GB ABZ x
*fermé 20 juil. au 11 août, 21 déc. au 8 janv., dim. et lundi* – **Repas** (14) - 19/29.
◆ Un lieu insolite et plaisant caché dans le sous-sol de Beaune : belles caves sous-tendues par les arches d'un pont qui commandait jadis l'accès à la cité. Plats classiques.

XX **Auberge du Cheval Noir,** 17 bd St-Jacques ✆ 03 80 22 07 37, *lechevalnoir@wanadoo.fr, Fax 03 80 24 06 92,* – GB AZ t
*fermé 1er au 9 mars, mardi soir et merc.* – **Repas** 16/44 bc ♀.
◆ Proche de l'hôtel-Dieu, salle à manger récemment rafraîchie (tons jaune, spots, carrelage) et terrasse pour les beaux jours. Menus traditionnels et régionaux.

XX **Fleury,** 16 pl. Fleury ✆ 03 80 22 35 50, *restaurant@lefleury.com, Fax 03 80 22 21 00* – AE ⓓ GB AZ y
*fermé 5 au 19 janv. et jeudi d'oct. à mai* – **Repas** 19,80 (déj.), 20/45 ♀, enf. 15.
◆ Couleurs pastel, boiseries, exposition-vente de tableaux et spécialités bourguignonnes à l'honneur : une petite pause gourmande après votre "grande vadrouille" beaunoise.

X **Ciboulette,** 69 r. Lorraine ✆ 03 80 24 70 72, *Fax 03 80 22 79 71* – . AE GB AY n
*fermé 3 au 27 fév., 4 au 21 août, lundi et mardi* – **Repas** 17/22,20 ♀.
◆ Deux salles à manger un peu menues, égayées d'un mobilier en rotin vert et de boiseries à mi-hauteur. Courte carte effleurée d'une touche bourguignonne.

X **Gourmandin,** 8 pl. Carnot ✆ 03 80 24 07 88, *Gourm01@.com, Fax 03 80 22 27 42* – . GB AZ d
**Repas** 20 ♀.
◆ Cuisine régionale mais esprit "bouchon" lyonnais dans le décor des salles ; l'une d'elles, dans la cour intérieure, est aménagée en mezzanine sous une verrière.

X **Ma Cuisine,** passage Ste-Hélène ✆ 03 80 22 30 22, *cave-sainte-helene@wanadoo.fr, Fax 03 80 24 99 79* – . GB. AZ s
*fermé août, vacances scolaires, merc., sam. et dim.* – **Repas** (nombre de couverts limité, prévenir) 17 ♀.
◆ Dans une ruelle calme, pimpante petite salle de restaurant aux couleurs de la Provence, voûtée et dallée à l'ancienne. Cuisine du marché à découvrir sur un tableau noir.

X **Paradoxe,** 6 r. Fg Madeleine ✆ 03 80 22 63 94, *Fax 03 80 24 20 42* – GB BZ s
*fermé 28 juil. au 10 août, 1er au 14 déc. sam. et dim.* – **Repas** 16/35.
◆ Menus et suggestions s'écrivent sur ardoise... pour éviter les paradoxes ? On mange en tout cas au coude à coude dans une salle à manger conviviale aux murs ensoleillés.

X **P'tit Paradis,** 25 r. Paradis ✆ 03 80 24 91 00 – GB AZ e
*fermé 11 au 19 mars, 11 au 20 août, 18 nov. au 10 déc., lundi et mardi* – **Repas** (prévenir) 12,50 (déj.), 15,50/27,50 ♀.
◆ Ce p'tit coin de paradis est situé dans une vieille rue pavée du centre-ville. Salle à manger un peu étroite, mais coquettement aménagée. Cuisine variant avec les saisons.

X **Les Tontons,** 22 r. Fg Madeleine ✆ 03 80 24 19 64, *Fax 03 80 22 34 07* – GB BZ r
*fermé 3 au 18 août, 21 déc. au 4 janv., dim. et lundi* – **Repas** 17,50/41.
◆ L'atmosphère sympathique et les tables un peu serrées font le cachet de ce petit bistrot ; ses repas fleurant bon la Bourgogne n'attendent plus que vous !

X **Les Vignes rouges,** 45 r.Maufoux ✆ 03 80 24 71 28, *Fax 03 80 24 68 05* – GB
*fermé 15 août au 3 sept, mardi et merc.* – **Repas** 17/30,20.
◆ Sobre décor marin et insolite aménagement intérieur : la cuisine est intégrée à la salle, le chef travaille sous les yeux des clients ! Plats traditionnels.

**à Savigny-lès-Beaune** *par ①, D 18 et D 2 : 7 km – 1 392 h. alt. 237 – ✉ 21420 :*

Voir Château★.

*Syndicat d'Initiative, rue Vauchey Very ☏ 03 80 26 12 56, Fax 03 80 21 56 63.*

**Hameau de Barboron** sans rest, ☏ 03 80 21 58 35, *Fax 03 80 26 10 59,* – 25. GB
15 – **9 ch** 92/125, 3 duplex.
◆ En pleine nature, ensemble de fermes fortifiées superbement restaurées. Jolies chambres personnalisées au charme champêtre préservé (poutres, tomettes, cheminées).

**L'Ouvrée,** rte Bouilland ☏ 03 80 21 51 52, *Fax 03 80 26 10 04,* – GB
*fermé 1er fév. au 15 mars* – **Repas** 16/28 ₹, enf. 11 – 6,50 – **22 ch** 51/57 – ½ P 47/50.
◆ Discrète bâtisse proche de l'étonnant musée-château (collection de motos, avions de chasse, etc.). Chambres peu à peu refaites ; salles de bains flambant neuves.

**Cuverie,** 5 r. Chanoine Donin ☏ 03 80 21 50 03, *Fax 03 80 21 50 03* – GB
*fermé 20 déc. au 20 janv., mardi et merc.* – **Repas** 15/35.
◆ Salle à manger lumineuse et spacieuse, agrémentée de meubles rustiques bourguignons et de murs de pierres apparentes. À table, carte traditionnelle axée sur le terroir.

**rte de Dijon** *par ① : 4 km – ✉ 21200 Beaune :*

**Ermitage de Corton** avec ch, ☏ 03 80 22 05 28, *ermitagecorton@wanadoo.fr, Fax 03 80 24 64 51,* ≤, – GB JCB
*fermé 11 janv. au 19 fév.* – **Repas** *(fermé mardi midi, dim. soir et lundi)* 40/95 et carte 74 à 124 ₹ – 25 – **1 ch** 200, 9 appart 205/350.
◆ Cette imposante auberge située entre la nationale et le vignoble est réputée pour la générosité de sa cuisine et sa belle carte des vins. Salle à manger bourgeoise.

**à Aloxe-Corton** *par ① : 6 km – 187 h. alt. 255 – ✉ 21420 :*

**Villa Louise** sans rest, ☏ 03 80 26 46 70, *hotel-villa-louise@wanadoo.fr, Fax 03 80 26 47 16,* – GB
*fermé janv.* – 12 – **10 ch** 115/145.
◆ Dominant le village, belle maison (17e s.) dont le jardin s'ouvre sur les vignes produisant les fameux cortons. Chambres contemporaines, joliment rénovées. Ambiance "guest-house".

**à Ladoix-Serrigny** *par ① et N 74 : 7 km – 1 549 h. alt. 200 – ✉ 21550 :*

**Les Coquines,** à Buisson ☏ 03 80 26 43 58, *Fax 03 80 26 49 59,* – GB
*fermé 23 déc. au 3 janv., 11 au 21 mars, merc. et jeudi* – **Repas** 29/39 ₹.
◆ Adresse accueillante où l'on choisit le cadre de son repas : contemporain sage dans la salle sous verrière, champêtre dans l'ancien cellier où trône un vieux pressoir.

**Les Terrasses de Corton** avec ch, ☏ 03 80 26 42 37, *patrice.sanchez3@wanadoo.fr, Fax 03 80 26 42 13,* – GB
*fermé 27 janv. au 2 mars, mardi soir et merc. d'oct. à mars* – **Repas** 16/36, enf. 9,50 – 6,50 – **10 ch** 37/46 – ½ P 39.
◆ Dans ce petit village de vignerons, auberge familiale proposant une carte d'inspiration régionale. Salle à manger claire, prolongée d'une terrasse ombragée sur l'arrière.

**au Sud-Est près de l'échangeur A 6** *par ③ : 2 km – ✉ 21200 Beaune :*

**Novotel** M, av. Ch. de Gaulle ☏ 03 80 24 59 00, *h1177@accor-hotels.com, Fax 03 80 24 59 29,* – 150. GB JCB
**Repas** *(17,50)* - 20,50/28 ₹, enf. 8 – 11 – **127 ch** 90/109.
◆ Architecture ultra-sobre, coiffée d'un toit à la mode bourguignonne. Chambres bien aménagées et insonorisées. Nombreux et complets équipements pour séminaires.

**à Levernois** *Sud-Est : 5 km par rte de Verdun-sur-le-Doubs, D 970 et D 111L - **BZ** – 285 h. alt. 198 – ✉ 21200 :*

**Colvert Golf Hôtel** M sans rest, ☏ 03 80 24 78 20, *hotelcolvert@libertysurf.fr, Fax 03 80 24 77 70,* ≤ – GB
*fermé 15 déc. au 15 janv.* – 8 – **24 ch** 49/61.
◆ Unité moderne. Décor "minimaliste" dans les grandes chambres fonctionnelles, avec balcon donnant sur le golf. Meubles de style et belle cheminée 19e s. dans le salon.

**Parc** sans rest, ☏ 03 80 24 63 00, *hotel.le.parc@wanadoo.fr, Fax 03 80 24 21 19,* – GB.
*fermé 23 nov. au 16 janv.* – 6,50 – **25 ch** 46/85.
◆ Ravissante maison bourguignonne tournée sur une cour intérieure fleurie. Chambres douillettes, garnies de meubles patinés, plus grandes à l'annexe. Parc ouvert sur la campagne.

**Hostellerie de Levernois** (Crotet) avec ch, rte Combertault 03 80 24 73 58, *levernois@relaischateaux.com, Fax 03 80 22 78 00,* – AE GB
*fermé 1er déc. au 22 janv., dim. soir et mardi de nov. à mars* – **Repas** *(fermé dim soir de nov. à mars, mardi sauf le soir d'avril à oct et merc. midi)* 60/104 et carte 80 à 110, enf. 16 – 19 – **16 ch** 168/305 – ½ P 175,50/240.
◆ Gentilhommière entourée d'un jardin à la française et d'un parc de 4 ha traversé par un cours d'eau : un havre de paix où l'on régale d'une cuisine classique. Jolies chambres.
**Spéc.** Petits escargots de Bourgogne en cocotte lutée. Saumon fumé aux sarments de vigne. Canon d'agneau fourré au foie gras. **Vins** Bourgogne-Aligoté, Savigny-lès-Beaune.

**Garaudière,** 03 80 22 47 70, *Fax 03 80 22 64 01,* – AE GB
*fermé 1er déc. au 15 janv., sam. midi de Pâques à nov., dim. d'avril à fin nov. et lundi* – **Repas** 15/18.
◆ Intérieur rustique chaleureux, plats régionaux et grillades cuites sur la braise : ex-grange convertie en sympathique auberge. Terrasse aménagée sous une tonnelle.

**à Montagny-lès-Beaune** *par ③ et D 113 : 3 km – 763 h. alt. 206 – 21200*

**Clos** sans rest, 22 r. Gravières 03 80 25 97 98, *hotelleclos@wanadoo.fr, Fax 03 80 25 94 70,* – 20. GB.
*fermé 23 nov. au 16 janv.* – 8 – **24 ch** 55/100.
◆ Un ancien pressoir occupe la cour de cette accueillante bâtisse, naguère exploitation viticole. Les chambres, neuves et meublées en style rustique, ne manquent pas de charme.

**à Meursault** *par ④ : 8 km – 1 538 h. alt. 243 – 21190 .*
*Office du Tourisme, place de l'Hôtel de Ville 03 80 21 25 90, Fax 03 80 21 26 00.*

**Magnolias** sans rest, 8 r. P. Joigneaux 03 80 21 23 23, *lesmagnolias@mageos.com, Fax 03 80 21 29 10* – AE GB.
*15 mars-30 nov.* – 9 – **12 ch** 82/122.
◆ Le séjour s'écoule agréablement dans cette hôtellerie de caractère où la décoration, raffinée et personnalisée, recrée la douillette atmosphère d'une maison familiale.

**Les Charmes** sans rest, pl. Murger 03 80 21 63 53, *Fax 03 80 21 62 89,* – GB.
*15 mars-1er déc.* – 8 – **14 ch** 80/100.
◆ Ancienne propriété de viticulteur du 18e s. abritant des chambres spacieuses et garnies de meubles anciens, ou plus contemporaines et colorées. Joli jardin arboré.

**Relais de la Diligence,** à la gare, Sud-Est : 2,5 km par D 23 03 80 21 21 32, *diligence.la@wanadoo.fr, Fax 03 80 21 64 69,* – AE GB
*fermé 9 déc. au 21 janv., mardi soir et merc. hors saison* – **Repas** 15/36, enf. 8.
◆ Imposante façade en pierres de Bourgogne. Trois salles à manger claires et confortables, dont deux surélevées et largement ouvertes sur les vignes. Carte traditionnelle.

**Bouchon,** pl. Hôtel-de-Ville 03 80 21 29 56, *Fax 03 80 21 29 56* – AE GB
*fermé 20 nov. au 28 déc., dim. soir et lundi* – **Repas** (9) - 12,50/26, enf. 7,60.
◆ Proche de l'hôtel de ville aux tuiles vernissées, petit bistrot à l'esprit "bouchon". Menus traditionnels et plats du terroir dans une salle rénovée (bois clair, miroirs).

**à Puligny-Montrachet** *par ④ et N 74 : 12 km – 466 h. alt. 227 – 21190 :*

**Montrachet** , 03 80 21 30 06, *info@le-montrachet.com, Fax 03 80 21 39 06* – AE GB
*fermé 1er déc. au 10 janv.* – **Repas** 39/75 – 13 – **31 ch** 95.
◆ Belle maison de village (1824) et ses anciennes écuries. Chambres de bon confort, sagement rustiques, plus fonctionnelles au dernier étage. Cadre campagnard chic au restaurant.

**à Volnay** *par ④ et N 74 – 355 h. alt. 290 – 21190 :*

**Auberge des Vignes,** N 74 03 80 22 24 48, *elisabeth.leneuf@free.fr, Fax 03 80 22 24 48,* – GB
*fermé 24 nov. au 4 déc., 2 au 29 fév., dim. soir, mardi soir et merc.* – **Repas** 15/33.
◆ Sur un axe animé en retrait du bourg, agreste salle à manger égayée d'une cheminée et véranda tournée vers le vignoble. Spécialités régionales et suaves volnays à l'honneur.

**à Bouze-lès-Beaune** *par ⑤ et D 970 : 6,5 km – 247 h. alt. 400 – 21200 :*

**Bouzerotte,** 03 80 26 01 37, *la.bouzerotte@wanadoo.fr, Fax 03 80 26 09 37,* – GB
*fermé 1er au 9 sept., 22 déc. au 1er janv., 9 fév. au 2 mars lundi et mardi* – **Repas** (dim. prévenir) 15/37.
◆ Cuisine dans la note régionale, simple et de bon aloi, à déguster en cette maison située aux portes de la localité. Sympathique cadre rustique et aimable ambiance villageoise.

**voir aussi** *ressource hôtelière de* **Bouilland**

## BEAUPRÉAU 49600 M.-et-L. 317 D5 *G. Châteaux de la Loire – 5 937 h alt. 73.*

*Office du Tourisme, Centre Culturel de la Loge ☎ 02 41 75 38 31, Fax 02 41 75 38 28.*
*Paris 346 – Angers 52 – Ancenis 29 – Châteaubriant 75 – Cholet 19 – Nantes 54 – Saumur 87.*

**à la Chapelle-du-Genêt** *Sud-Ouest : 3 km – 924 h. alt. 95 – ✉ 49600 :*

XX **Auberge de la Source,** ☎ 02 41 63 03 89, *Fax 02 41 63 35 34* – GB
*fermé 18 août au 1er sept., dim. soir et lundi* – **Repas** 16,50/40,40 ♀.
◆ Au bord d'une route de campagne, petite maison de pays servant dans sa plaisante salle à manger actuelle des repas traditionnels assaisonnés d'une pincée de modernité.

## BEAURECUEIL 13 B.-du-R. 340 I4 – *rattaché à Aix-en-Provence.*

## BEAUREPAIRE 38270 Isère 333 D5 – *3 735 h alt. 259.*

*Office du Tourisme, avenue des Terreaux ☎ 04 74 84 68 84, Fax 04 74 84 68 86.*
*Paris 522 – Annonay 42 – Grenoble 68 – Romans-sur-Isère 39 – St-Étienne 80 – Vienne 31.*

XXX **Fiard-Zorelle** avec ch, av. Terreaux ☎ 04 74 84 62 02, *info@zorelle.com, Fax 04 74 84 71 13* – TV – 15. AE GB.
*fermé dim. soir et lundi* – **Repas** (18) - 26/44 et carte 50 à 70 ♀ – ☕ 8 – **15 ch** 46/61 – ½ P 54/61.
◆ Grande salle à manger chaleureuse et confortable : fer forgé, couleurs provençales et poutres apparentes, où vous dégusterez une cuisine au goût du jour.

**aux Roches de Pajay** *Est : 3 km par D 519 – 736 h. alt. 358 – ✉ 38260 Pajay :*

X **Chandelier,** ☎ 04 74 84 66 67, – P. GB
*fermé le soir* – **Repas** 11/25.
◆ Sympathique adresse aménagée dans un ancien bistrot de village. Cuisine traditionnelle et produits de la pisciculture voisine servis dans un décor campagnard.

*Les principales voies commerçantes figurent en* **rouge** *dans la liste des rues des plans de villes.*

## BEAUREPAIRE-EN-BRESSE 71580 S.-et-L. 320 M9 – *502 h alt. 147.*

*Paris 383 – Châlon-sur-Saône 49 – Bourg-en-Bresse 65 – Lons-le-Saunier 13 – Tournus 45.*

**Croix Blanche,** ☎ 03 85 74 13 22, *Fax 03 85 74 13 25,* – TV
*fermé 17 nov. au 9 déc., 6 au 13 janv., dim. soir et lundi sauf juil.-août* – **Repas** 14/35 ♀, enf. 10 – ☕ 6,40 – **14 ch** 33/44 – ½ P 41/46.
◆ Proche d'une route fréquentée, auberge coiffée d'un toit où l'on distingue une croix blanche. Les chambres, situées sur l'arrière, bénéficient d'un récent rafraîchissement.

## BEAUSOLEIL 06 Alpes-Mar. 341 F5 – *voir Monaco (Principauté de).*

## Le BEAUSSET 83330 Var 340 J6 – *7 114 h alt. 167.*

*Office du Tourisme, place Charles de Gaulle ☎ 04 94 90 55 10, Fax 04 94 98 51 83.*
*Paris 821 – Toulon 18 – Aix-en-Provence 67 – Marseille 47.*

**Mas Lei Bancau** sans rest, Sud : 2 km par N 8 et rte secondaire ☎ 04 94 90 27 78, *administration@mas-lei-bancau.com, Fax 04 94 90 29 00,* – TV P. AE GB.
*fermé 5 au 31 janv.* – ☕ 7,50 – **8 ch** 90/100.
◆ Un chemin pentu mène à ce petit mas dominant les coteaux du vignoble de Bandol. Salle des petits-déjeuners et chambres aux couleurs de la Provence. Joli parc méridional.

**Cigalière**, Nord : 1,5 km par N 8 et rte secondaire ☎ 04 94 98 64 63, *hotel.lacigaliere@aol.com, Fax 04 94 98 66 04,* – cuisinette TV P – 25. AE GB.
**Repas** *(mai-sept. et fermé dim. soir)* (dîner seul.) 25/35 ♀, enf. 12,50 – ☕ 10 – **19 ch** 90/170 – ½ P 80/95.
◆ Perdues dans la nature, deux maisons de style régional à l'ombre des pins. Les studios avec cuisinette et terrasse privée sont très prisés des familles. Plats du terroir.

## BEAUVAIS P 60000 Oise 305 D4 *G. Picardie Flandres Artois – 54 190 h Agglo. 100 733 h alt. 67.*

**Voir** *Cathédrale St-Pierre*** : horloge astronomique* – Église St-Étienne* : vitraux** et arbre de Jessé*** – Musée départemental de l'Oise* dans l'ancien palais épiscopal* **M²**.
*Office du Tourisme, 1 rue Beauregard ☎ 03 44 15 30 30, Fax 03 44 15 30 31, ot.beauvaisis@wanadoo.fr.*
*Paris 88 ④ – Compiègne 60 ③ – Amiens 62 ② – Boulogne-sur-Mer 185 ① – Rouen 82 ⑤.*

# BEAUVAIS

Beauregard (R.) . . . . . . . . . . 2
Brière (Bd J.) . . . . . . . . . . . . 3
Carnot (R.)
Clemenceau (Pl.) . . . . . . . . 4
Dr-Gérard (R.) . . . . . . . . . . . 5
Dr-Lamotte (Bd du) . . . . . . 6
Dreux (R. Ph. de) . . . . . . . . 7
Gambetta (R.)
Grenier-à-Sel (R.) . . . . . . . 8
Guéhengnies (R. de) . . . . 9
Hachette (Pl. J.) . . . . . . . . 10
Halles (Pl. des) . . . . . . . . . 12
Leclerc (R. Mar.) . . . . . . . 13
Lignières (R. J. de) . . . . . 15
Loisel (Bd A.) . . . . . . . . . . 16
Malherbe (R. de) . . . . . . . 18
Nully-d'Hécourt (R.) . . . . . 19
République (Av. de la) . . . . . . . . . . . 20
St-André (Bd) . . . . . . . . . . . . 22
St-Laurent (R.) . . . . . . . . . . . 23
St-Pierre (R.) . . . . . . . . . . . . 24
St-Vincent-de-Beauvais (R.) 26
Scellier (Cours) . . . . . . . . . . 27
Taillerie (R. de la) . . . . . . . . 29
Tapisserie (R. de la) . . . . . . 30
Villiers-de-l'Isle-Adam (R.) . . . . . . . . . . . . . . . . . . 35
Watrin (R. du Gén.) . . . . . . . 36
27-Juin (R. du) . . . . . . . . . . . 38

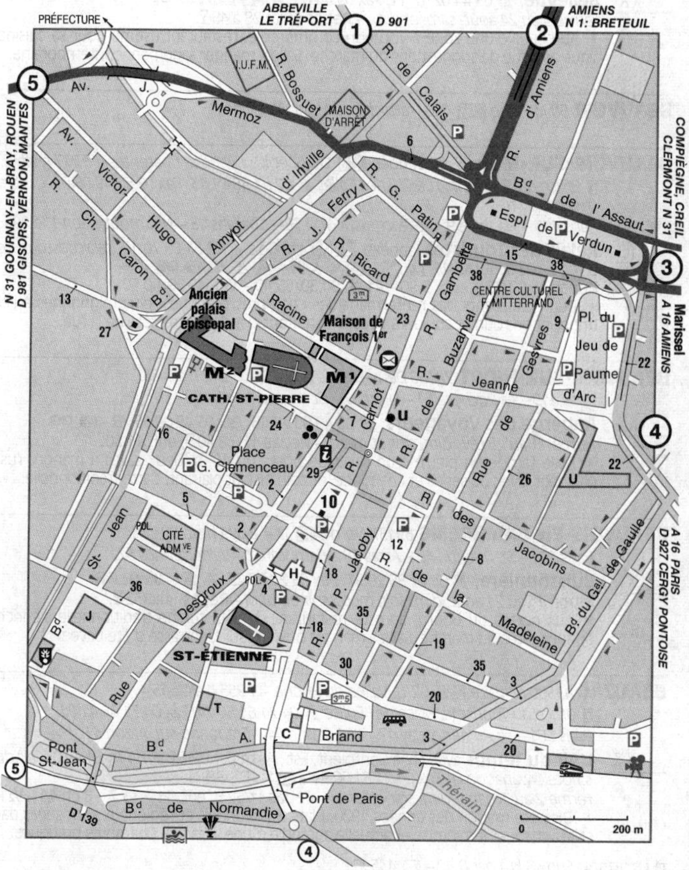

PRÉFECTURE
ABBEVILLE LE TRÉPORT
D 901
AMIENS N 1: BRETEUIL
N 31 GOURNAY-EN-BRAY, ROUEN
D 981 GISORS, VERNON, MANTES
COMPIÈGNE, CREIL CLERMONT N 31
Marissel A 16 AMIENS
A 16 PARIS D 927 CERGY PONTOISE
Ancien palais épiscopal
Maison de François 1er
CATH. ST-PIERRE
CENTRE CULTUREL F. MITTERRAND
Place G. Clemenceau
CITÉ ADM VE
ST-ÉTIENNE
Espl. de Verdun
Pl. du Jeu de Paume
Pont St-Jean
Pont de Paris
Thérain
Bd de Normandie
D 139
Briand
200 m


**Hostellerie St-Vincent** M, par ③ *3 km (Espace St-Germain)* ✆ 03 44 05 49 99, *h.st.vincent@wanadoo.fr, Fax 03 44 05 52 94*, – TV ✆ ♿ P – 🏃 70. AE ⊙ GB
**Repas** 14/30 ♀, enf. 8,50 – ☕ 7 – **48 ch** 56/65 – ½ P 44/48,50.
◆ Près d'axes routiers, bâtiment récent offrant des chambres spacieuses, pratiques et bien insonorisées. Restaurant moderne et clair ; carte traditionnelle.

**Cygne** sans rest, 24 r. Carnot **(u)** ✆ 03 44 48 68 40, *Fax 03 44 45 16 76* – TV. GB.
*fermé 25 déc. au 1er janv.* – ☕ 7 – **21 ch** 33/51.
◆ Idéalement situé au coeur du vieux Beauvais. Les chambres sont simples et bien tenues ; préférez celles sur l'arrière, plus au calme. Pimpante salle des petits-déjeuners.

**Résidence** sans rest, 24 r. L. Borel par ② *et r. D. Maillart* ✆ 03 44 48 30 98, *Fax 03 44 45 09 42* – TV ✆ P. GB
*fermé 4 au 24 août et dim. d'oct. à avril* – ☕ 6,50 – **22 ch** 33/46.
◆ Adresse paisible et familiale à dénicher dans un quartier résidentiel de la périphérie de la capitale de l'Oise. Chambres un peu exiguës, mais bien entretenues.

**par** ④ *et N 1 : 5 km –* ✉ *60000 Beauvais :*

**Mercure** Ⓜ, quartier St-Lazare ✆ 03 44 02 80 80, *h0350@accor-hotels.com, Fax 03 44 02 12 50*, – , rest, – 40. AE ⓓ GB
**Repas** 19, enf. 7 – 9 – **60 ch** 70/80.
◆ Bâtisse des années 1970 récemment modernisée, où vous serez hébergé dans des chambres de bonne ampleur, fonctionnelles et colorées. Hall agrémenté d'une imposante cheminée.

**Bellevue,** ✆ 03 44 02 17 11, *Fax 03 44 02 54 44* – P. AE GB
*fermé 5 au 24 août, sam. et dim.* – **Repas** carte 28 à 45 ♀.
◆ Au coeur d'une zone à vocation commerciale, restaurant estimé pour sa cuisine classique assortie de suggestions du marché. Salle à manger sagement contemporaine.

---

**BEAUVOIR** *50 Manche* 303 C8 *– rattaché au Mont-St-Michel.*

---

**BEAUVOIR-SUR-MER** *85230 Vendée* 316 D6 *G. Poitou Vendée Charentes – 3 277 h alt. 8.*
*Office du Tourisme, rue Charles Gallet ✆ 02 51 68 71 13, Fax 02 51 49 05 04, otsibeauvoir @wanadoo.fr.*
*Paris 443 – Nantes 59 – La Roche-sur-Yon 58 – Challans 15 – Noirmoutier-en-l'Ile 29.*

**Relais des Touristes** (annexe Ⓜ), rte Gois ✆ 02 51 68 70 19, *relaisdestouristes@free.fr, Fax 02 51 49 33 45*, – P – 25. AE ⓓ GB JCB
**Repas** 10,80/35 – 5,90 – **41 ch** 54,50/65,40 – ½ P 42,50/50,50.
◆ Deux bâtiments bas renfermant des chambres pratiques, plus mignonnes à l'annexe (mobilier en rotin et couleurs vives). Restaurant-bar de l'autre côté de la rue.

---

**BEAUVOIR-SUR-NIORT** *79360 Deux-Sèvres* 322 D7 *– 1 242 h alt. 66.*
*Paris 419 – La Rochelle 61 – Niort 17 – St-Jean-d'Angély 28.*

**Auberge des Voyageurs,** ✆ 05 49 09 70 16, *Fax 05 49 09 65 78* – ⓓ GB
*fermé 1er au 15 fév., dim. soir et merc.* – **Repas** 17/38,50 ♀, enf. 11,50.
◆ Belle façade en pierre d'un relais de poste du 19e s. Deux salles à manger rustiques soignées, avec boiseries et cheminée, et coin bistrot plaisant. Carte traditionnelle.

---

**BEAUVOIS-EN-CAMBRÉSIS** *59157 Nord* 302 I7 *– 2 099 h alt. 89.*
*Paris 191 – St-Quentin 40 – Arras 48 – Cambrai 12 – Valenciennes 37.*

**Buissonnière,** ✆ 03 27 85 29 97, *Fax 03 27 76 25 74*, – P. AE GB
*fermé 1er au 21 août, dim. soir, merc. soir et lundi* – **Repas** 19,80/32 ♀.
◆ Aux portes du bourg, agreste restaurant dont la cuisine traditionnelle s'enrichit des opportunités du marché. Salle à manger ouvrant sur la terrasse d'été pavée.

---

**BEAUZAC** *43590 H.-Loire* 331 G2 *G. Vallée du Rhône – 1 955 h alt. 565.*
*Office du Tourisme, place de l'Eglise ✆ 04 71 61 50 74, Fax 04 71 61 41 91.*
*Paris 561 – Le Puy-en-Velay 47 – St-Étienne 44 – Craponne-sur-Arzon 31.*

**L'Air du Temps** avec ch, à Confolent, Est : 4 km par D 461 ✆ 04 71 61 49 05, *air.du.temps.hotel@wanadoo.fr, Fax 04 71 61 50 91* – AE GB
*fermé 2 au 30 janv., dim. soir et lundi* – **Repas** 17/52 ♀, enf. 11 – 7 – **8 ch** 44 – ½ P 42.
◆ Discrète maison des années 1920. Plats traditionnels et régionaux sont servis dans une salle à manger lumineuse et actuelle agrandie d'une véranda. Chambres pratiques.

**à Bransac** *Sud : 3 km par D 42 –* ✉ *43590 :*

**Table du Barret** Ⓜ avec ch, ✆ 04 71 61 47 74, *sandy.caire@wanadoo.fr, Fax 04 71 61 52 73*, – P. GB. ch
*fermé 10 au 23 nov., 24 au 30 déc., fév., mardi soir, dim. soir et merc.* – **Repas** 18 (déj.), 22/53 ♀, enf. 13,50 – 9,50 – **9** ch 45 – ½ P 44.
◆ Dans un paisible hameau proche de la Loire, sobre salle de restaurant contemporaine où l'on sert une appétissante cuisine au goût du jour. Chambres confortables.

---

**BEBLENHEIM** *68980 H.-Rhin* 315 H8 *G. Alsace Lorraine – 918 h alt. 212.*
*Paris 442 – Colmar 11 – Gérardmer 56 – Ribeauvillé 5 – St-Dié 46 – Sélestat 19.*

**Kanzel** Ⓜ sans rest, chemin des Amandiers ✆ 03 89 49 08 00, *contact@kanzel.com, Fax 03 89 47 99 10*, ≤ Vosges et vignoble, – cuisinette – 25. ⓓ GB
*fermé 21 au 27 déc. et 5 janv. au 14 fév.* – **10 ch** 116/176, 14 appart 237.
◆ Complexe hôtelier et résidentiel conçu comme un petit village alsacien bâti autour d'une placette. Aménagements actuels, parfois luxueux. Bons équipements de loisirs.

**Auberge Le Bouc Bleu,** ✆ 03 89 47 88 21, *Fax 03 89 86 01 04*, – GB
*fermé vacances de Toussaint, 26 au 31 janv., 23 au 29 fév., jeudi midi, sam. midi et merc.* – **Repas** *(23)* - 29 ♀.
◆ La salle à manger rustique, un brin "rétro", a du cachet avec ses gravures et sa collection de menus anciens accrochés aux murs. Jolie cour-terrasse. Plats régionaux créatifs.

---

## Le BEC-HELLOUIN *27800 Eure* 304 E6 *G. Normandie Vallée de Seine* – *434 h alt. 101.*

**Voir** *Abbaye★★*.
*Paris 152* – *Rouen 41* – *Bernay 22* – *Évreux 46* – *Lisieux 46* – *Pont-Audemer 23.*

**Canterbury,** ✆ 02 32 44 14 59, *Fax 02 32 44 14 59*, – GB
*fermé dim.soir, mardi soir et merc.* – **Repas** 13,60 (déj.), 20,60/34,30 ♀, enf. 8,40.
◆ Dans une rue assez tranquille, façade à colombages où grimpe la vigne vierge. Poutres apparentes et murs blanchis donnent un cachet rustique à la salle à manger.

---

## BÉDARIEUX *34600 Hérault* 339 D7 – *5 997 h alt. 196.*

*Office du Tourisme, place aux Herbes ✆ 04 67 95 08 79, Fax 04 67 95 39 69, francis.ot@libertysurf.fr.*
*Paris 727* – *Montpellier 71* – *Béziers 35* – *Lodève 29.*

**Forge,** 22 av. Abbé Tarroux ✆ 04 67 95 13 13, *Fax 04 67 95 10 81*, – P. GB
*fermé 18 nov. au 2 déc., 5 au 25 janv., dim. soir et lundi hors saison* – **Repas** 14/25 ♀.
◆ Ces voûtes du 17ᵉ s. abritaient jadis une forge et une écurie. Architecture intérieure peu commune, cheminée monumentale et grande terrasse fleurie et ombragée.

**à Soumartre** *Sud-Est : 4 km par D 909 et D 146E7* – ✉ *34600 Faugères :*

**L'Échalote,** ✆ 04 67 23 18 05, *Fax 04 67 23 18 05*, ≤, – P. GB
*fermé 1er au 11 nov., lundi et mardi* – **Repas** (prévenir) 20,60/30, enf. 10.
◆ Jolie vue sur le hameau de Soumartre et les coteaux alentour depuis cette maison construite en bois du Canada. Plats et vins de la région servis sur des tables en chêne.

**à Villemagne-l'Argentière** *Ouest : 8 km par D 908 et D 922* – *365 h. alt. 193* – ✉ *34600 :*

**Auberge de l'Abbaye,** ✆ 04 67 95 34 84, *auberge.abbaye@free.fr, Fax 04 67 95 34 84*, – AE GB
*fermé 17 au 27 nov., 26 déc. au 11 fév., mardi midi et lundi* – **Repas** 21/45, enf. 8.
◆ Ambiance monacale mais non ascétique dans la salle à manger voûtée de cet ancien bâtiment conventuel. Recettes mariant terroir, épices et saveurs salées-sucrées.

---

## BÉDOIN *84410 Vaucluse* 332 E9 *G. Provence* – *2 215 h alt. 295.*

**Voir** *Le Paty ≤★ NO : 4,5 km.*
*Office du Tourisme, Espace Marie-Louis Gravier ✆ 04 90 65 63 95, Fax 04 90 12 81 55, ot.bedoin@axit.fr.*
*Paris 696* – *Avignon 42* – *Carpentras 16* – *Nyons 36* – *Sault 35* – *Vaison-la-Romaine 21.*

**Pins** , 1 km chemin des Crans ✆ 04 90 65 92 92, *hoteldespins@wanadoo.fr, Fax 04 90 65 60 66*, , , – P. AE GB. rest
*hôtel : 2 mars-4 nov. ; rest. : 23 mars-4 nov.* – **Repas** *(fermé le midi en semaine)* 25/36,70 ♀, enf. 11 – 9,20 – **25 ch** 55/75 – ½ P 57,50/67,50.
◆ Maison récente, de type mas provençal, au milieu d'une pinède. Les chambres, de petite taille, sont rénovées par étapes et de jolis tons ocre-rouge égaient le restaurant.

**à Ste-Colombe** *Est : 4 km par rte du Mont-Ventoux* – ✉ *84410 :*

**Garance** M sans rest, ✆ 04 90 12 81 00, *hotelgarance@aol.com, Fax 04 90 65 93 05*, ≤, – P. GB
*fermé 15 au 25 nov.* – 7 – **14 ch** 45/65.
◆ Vieille ferme restaurée au sein d'un hameau entouré de vignes et de vergers. Dans les chambres, mobilier actuel, couleurs du Midi et sols anciens. Belle vue sur le mont Ventoux.

**rte du Mont-Ventoux** *Est : 6 km* – ✉ *84410 Bédoin :*

**Mas des Vignes,** au virage de St-Estève ✆ 04 90 65 63 91, *Fax 04 90 65 63 91*, ≤ Dentelles de Montmirail et le Comtat, – P
*29 mars-28 sept.* – **Repas** *(fermé le midi en juil.-août, mardi midi et lundi)* 30 ♀.
◆ Maison provençale séculaire, devancée par une superbe terrasse d'été d'où l'on profite pleinement du panorama. L'élégante salle à manger, couleur saumon, est fort plaisante.

---

## BEG-MEIL *29 Finistère* 308 H7 *G. Bretagne* – ✉ *29170 Fouesnant.*

**Voir** *Site★.*
*Office de tourisme, ✆ 02 98 94 97 47, Fax 02 98 56 64 02.*
*Paris 561* – *Quimper 20* – *Concarneau 16* – *Pont-l'Abbé 23* – *Quimperlé 44.*

**Thalamot** , ✆ 02 98 94 97 38, *resa@hotel-thalamot.com, Fax 02 98 94 49 92*, , – – 30. AE GB. rest
*5 avril-30 sept.* – **Repas** 21/42 ♀, enf. 10 – ☐ 7,50 – **32 ch** 53/78 – ½ P 58/66.
◆ Dans un quartier calme proche des plages, chambres simples et actuelles, rénovées par étapes. Collection de tableaux du début du 20e s. représentant des scènes bretonnes.

---

## BEHUARD *49170 M.-et-L.* 317 *F4 – 94 h alt. 17.*

*Syndicat d'Initiative,* ✆ *02 41 72 84 11, Fax 02 41 72 84 11.*
*Paris 312 – Angers 18 – Laval 90 – Nantes 88 – La Roche-sur-Yon 119 – Tours 124.*

**Les Tonnelles,** ✆ 02 41 72 21 50, *g.bosse@libertysurf.fr, Fax 02 41 72 81 10*, – GB
*fermé 20 au 30 déc., vacances de fév., merc. soir hors saison, dim. soir et lundi* – **Repas** (23) - 30/91 bc ♀, enf. 15.
◆ Entourée par la Loire, sur l'île de Béhuard, parmi les vieilles maisons du pittoresque village, ce restaurant s'attache à défendre le terroir. Agréable tonnelle.

---

## BEINHEIM *67930 B.-Rhin* 315 *M3 – 1 556 h alt. 115.*

*Paris 521 – Strasbourg 43 – Haguenau 25 – Karlsruhe 37 – Wissembourg 27.*

**François** sans rest, 58 r. Principale ✆ 03 88 86 41 26, *Fax 03 88 86 27 00*, – P. AE GB.
*fermé 1er au 15 août et 24 déc. au 1er janv.* – ☐ 6 – **13 ch** 34/48.
◆ Adresse quelque peu confidentielle ; dans une vaste villa de style régional, chambres douillettes et bien équipées, parfois dotées d'un balcon.

---

## BELCAIRE *11340 Aude* 344 *C6 – 360 h alt. 1002.*

Voir *Forêts★★ de la Plaine et Comus NO.*
Env. *Belvédère du Pas de l'Ours★★ E : 13 km puis 15 mn,* **G. Languedoc Roussillon.**
*Office du Tourisme, avenue d'Ax les Thermes* ✆ *04 68 20 75 89, Fax 04 68 20 79 13, pays-de-sault@fnotsi.net.*
*Paris 822 – Foix 54 – Ax-les-Thermes 26 – Carcassonne 80 – Quillan 29.*

**Bayle** avec ch, ✆ 04 68 20 31 05, *hotel-bayle@ataraxie.fr, Fax 04 68 20 35 24*, , – GB
*fermé 12 au 26 nov.* – **Repas** 11 (déj.), 14/23 ♀ – ☐ 5 – **12 ch** 37/44,40 – ½ P 37/39.
◆ Restaurant familial au coeur d'un village du pays cathare. Salle à manger rustique prolongée d'une terrasse face à la campagne. Plats inspirés du terroir. Chambres modestes.

---

## BELCASTEL *12390 Aveyron* 338 *G4 G. Midi-Pyrénées – 245 h alt. 406.*

*Office du Tourisme, Maison du Patrimoine* ✆ *05 65 64 46 11, Fax 05 65 64 46 11.*
*Paris 624 – Rodez 25 – Decazeville 29 – Villefranche-de-Rouergue 35.*

**Vieux Pont** (Mme Fagegaltier) M avec ch, ✆ 05 65 64 52 29, *hotel-du-vieux-pont@wanadoo.fr, Fax 05 65 64 44 32*, ← – P. GB
*fermé 1er janv. au 15 mars, dim. soir et lundi soir sauf juil.-août* – **Repas** *(fermé dim. soir sauf en juil.-août, mardi midi et lundi)* (nombre de couverts limité, prévenir) 25 (déj.), 38/66 et carte 48 à 62 ♀, enf. 14 – ☐ 11 – **7 ch** 76/82 – ½ P 84/90.
◆ Deux maisons situées de part et d'autre d'un vieux pont de pierre du 15e s. Cadre de caractère où cohabitent meubles anciens et modernes. Carte régionale actualisée.
**Spéc.** Foie de canard grillé, caramel au curry. Poitrine de pigeon rissolée, purée de potimarron. Pavé de veau de l'Aveyron, purée de céleri rave. **Vins** Marcillac, Vins d'Entraygues et du Fel.

---

## BELFORT P *90000 Ter.-de-Belf.* 315 *F11 G. Jura – 50 125 h Agglo. 104 962 h alt. 360.*

Voir *Le Lion★★ – Le camp retranché★★ : ※★★ de la terrasse du fort – Vieille ville★ : porte de Brisach★ – Orgues★ de la cathédrale St-Christophe* **Y B** – *Fresque★ (parking rue de l'As-de-Carreau* **Z** *6) – Cabinet d'un amateur★ : Donation Maurice Jardot* **M**1.
*Office du Tourisme, 2 bis rue Clémenceau* ✆ *03 84 55 90 90, Fax 03 84 55 90 99, otbtb@essor-info.fr.*
*Paris 423 ③ – Besançon 93 ③ – Mulhouse 41 ② – Basel 78 ② – Épinal 96 ⑤.*

Plans page ci-contre

**Boréal** M sans rest, 2 r. Comte de la Suze ✆ 03 84 22 32 32, *hotel.boreal@wanadoo.fr, Fax 03 84 28 15 01* – – 30. AE GB **Z r**
*fermé 19 déc. au 4 janv.* – ☐ 9 – **54 ch** 75/79.
◆ Dans une rue calme des quartiers de la rive droite, hôtel récent dont les chambres fonctionnelles et fraîches ont su fidéliser une clientèle d'affaires. Bar feutré.

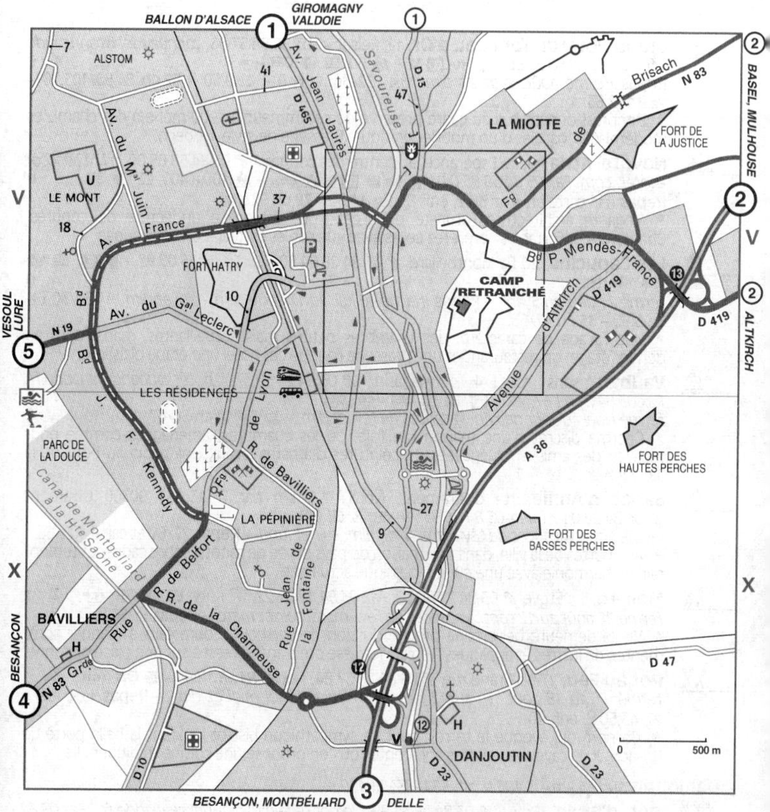

BALLON D'ALSACE
GIROMAGNY
VALDOIE
BASEL, MULHOUSE
ALTKIRCH
VESOUL
LURE
BESANÇON
BESANÇON, MONTBÉLIARD
DELLE
ALSTOM
LE MONT
LA MIOTTE
FORT DE LA JUSTICE
FORT HATRY
CAMP RETRANCHÉ
LES RÉSIDENCES
PARC DE LA DOUCE
LA PÉPINIÈRE
FORT DES HAUTES PERCHES
FORT DES BASSES PERCHES
BAVILLIERS
DANJOUTIN
Av. Jean Jaurès
Savoureuse
Av. du Mal Juin
Av. du Gal Leclerc
Bd J. F. Kennedy
R. de Lyon
R. de Bavilliers
R. de Belfort
R. de la Charmeuse
Rue Jean de la Fontaine
Grde Rue
Bd P. Mendès-France
Avenue d'Altkirch
Fg de Brisach
Canal de Montbéliard à la Hte Saône
N 83
N 19
D 465
D 13
D 419
D 47
D 23
D 10
A 36
0
500 m


# BELFORT

R. P. Berger
Square E. Lechten
CENTRE DES CONGRÈS
ÉCOLE DES BEAUX-ARTS
Av. Capit. de la Laurencie
Fg de Brisach
Marché couvert Fréry
PORTE DE BRISACH
HÔTEL DU DÉPT
CITÉ ADMTIVE
LE LION
CAMP RETRANCHÉ
R. Gal Stolz
Q. Ch. Vallet
Savoureuse
Fg de Montbéliard
R. Thiers
N 83
N 19
D 13
D 23
D 465
0
200 m

**Grand Hôtel du Tonneau d'Or**, 1 r. Reiset ✆ 03 84 58 57 56, *tonneaudor@tonneaudo r.fr, Fax 03 84 58 57 50* – 60. AE GB JCB Y e
**Repas** *(fermé août, sam. et dim.)* (13) - 22/36, enf. 9 – 9,50 – **52 ch** 84,50/103,70 – 1/2 P 132,63.
◆ L'impressionnant hall au cadre préservé de cet immeuble 1900 mène à des chambres modernisées, garnies d'un mobilier pratique. Brasserie de style Art déco.

**Novotel Atria** M, av. Espérance (au centre des congrès) ✆ 03 84 58 85 00, *h1742@accor -hotels.com, Fax 03 84 58 85 01* – 100 à 400. AE GB Y u
**Repas** (15) - carte environ 36 ♀, enf. 8 – 11,50 – **79 ch** 92/101.
◆ Élégante architecture futuriste pour cet hôtel intégré à un centre de congrès. Chambres confortables ; préférez celles avec vue sur les fortifications de Vauban.

**Les Capucins,** 20 fg Montbéliard ✆ 03 84 28 04 60, *Fax 03 84 55 00 92* – . AE GB. rest Z n
*fermé 21 déc. au 5 janv.* – **Repas** *(fermé 26 juil. au 17 août, sam. midi et dim.)* 14,50/30 ♀ – 6,50 – **35 ch** 47/55.
◆ Une façade de caractère, des chambres petites mais accueillantes, mansardées au dernier étage, un restaurant et une brasserie font de cet hôtel une étape plaisante.

**Vauban** sans rest, 4 r. Magasin ✆ 03 84 21 59 37, *hotel.vauban@wanadoo.fr, Fax 03 84 21 41 67*, – . AE GB JCB. Y h
*fermé Noël au Jour de l'An, vacances de fév. et dim.* – 7 – **14 ch** 56/67.
◆ Charme discret d'une maison familiale, où les chambres, aménagées comme pour recevoir des amis, sont égayées de peintures d'artistes locaux. Joli jardin au bord de la Savoureuse.

**Sabot d'Annie,** rte d'Offemont, Nord : 1,5 km par D 13 ✉ 90300 Offemont ✆ 03 84 26 01 71, *Fax 03 84 26 83 79* – P. AE GB
*fermé août, vacances de fév., sam. midi, dim. soir et lundi* – **Repas** 22/60 et carte 40 à 68.
◆ Aux portes de la ville, dans une maison de pays ornée de sabots, sobre cadre contemporain en harmonie avec une cuisine classique actualisée.

**Molière,** 6 r. Étuve ✆ 03 84 21 86 38, *Fax 03 84 58 01 22*, – . AE GB JCB Z z
*fermé 22 août au 12 sept., vacances de fév., mardi soir et merc.* – **Repas** 19/50 ♀.
◆ Vieille demeure belfortaine proche du Lion de Bartholdi. Sobre salle à manger agrémentée de lustres et appliques "rétro". Terrasse ombragée dressée sur une place piétonne.

**Pot au Feu,** 27 bis Grand'rue ✆ 03 84 28 57 84, *Fax 03 84 58 17 65* – AE GB JCB Y s
*fermé 1er au 18 août, 1er au 12 janv., sam. midi, lundi midi et dim.* – **Repas** 19,50 (déj.), 27/43,50 ♀, enf. 10.
◆ Un nom qui évoque le terroir pour ce sympathique bistrot jouxtant la belle porte de Brisach. Jolie cave avec pierres apparentes où l'on propose une cuisine traditionnelle.

**à Danjoutin** *Sud : 3 km – 3 103 h. alt. 354 – ✉ 90400 :*

**Pot d'Étain** (Roy), ✆ 03 84 28 31 95, *le.pot.detain.danjoutin@wanadoo.fr, Fax 03 84 21 70 15* – P. AE GB X v
*fermé 15 au 31 août, vacances de fév., sam. midi, dim. soir et lundi* – **Repas** (36) - 55/80 ♀.
◆ Cuisine au goût du jour, cadre élégant et actuel avec boiseries peintes et cheminée : une plaisante étape gourmande de ce "fier coin de terre" qu'est le territoire de Belfort.
**Spéc.** Marbré de foie gras de canard. Selle d'agneau en croûte d'herbes (juin à nov.). Gâteau au chocolat coulant. **Vins** Chardonnay de Charcenne, Riesling.

**Les Errues** *par ② : 12 km sur N 83 – ✉ 90150 Menoncourt :*

**Pomme d'Argent,** 13 r. Noye ✆ 03 84 27 63 69, *Fax 03 84 27 63 69* – P. GB
*fermé en sept., dim. soir , mardi midi et lundi* – **Repas** 18,50 (déj.), 24,50/36 ♀.
◆ Dans un hameau, maison ancienne au cadre rustique récemment rafraîchi, concoctant une cuisine au goût du jour qui varie en fonction du marché.

---

## BELGODÈRE *2B H.-Corse 345 D4 – voir à Corse.*

---

## BELLE-ÉGLISE *60540 Oise 305 E5 – 503 h alt. 69.*

*Paris 52 – Compiègne 67 – Beauvais 32 – Pontoise 29.*

**Grange de Belle-Eglise** (Duval), 28 bd René-Aimé Lagabrielle ✆ 03 44 08 49 00, *Fax 03 44 08 45 97*, – P. GB
*fermé 4 au 25 août, 23 fév. au 8 mars, dim. soir, mardi midi et lundi* – **Repas** 23 (déj.), 38/53 et carte 60 à 90, enf. 15.
◆ Grange à charbon hier, élégant restaurant aujourd'hui ; sous ses hautes poutres, vous serez initié aux plaisirs d'une cuisine classique sensible au rythme des saisons.
**Spéc.** Fraîcheur de homard en salade au safran (mars à sept.). Noisette de chevreuil sauce Grand Veneur (nov. à fév.). Soupe de pêche de vigne, pain d'épices et glace au poivre (sept. à mi-nov.).

**BELLEGARDE** *45270 Loiret* **318** L4 *G. Châteaux de la Loire* – *1 442 h alt. 113.*

Voir *Château*★.

*Office du Tourisme, 12bis place Charles Desvergnes ☎ 02 38 90 25 37, Fax 02 38 90 28 32, bellegard@aol.com.*

*Paris 112 – Orléans 51 – Gien 41 – Montargis 23 – Nemours 40 – Pithiviers 30.*

**Agriculture** avec ch, ☎ 02 38 90 10 48, *Fax 02 38 90 18 13,* – P. GB
*fermé 6 au 23 oct., 12 janv. au 5 fév. et mardi* – **Repas** 11,20/27,50 ♀, enf. 8,90 – ☕ 5,30 – **18 ch** 20/40 – ½ P 30/40.
◆ Cette maison de pays située face à la mairie accueille de nombreux habitués dans ses trois salles à manger rustiques. Quelques chambres ont été rénovées.

**BELLEGARDE-SUR-VALSERINE** *01200 Ain* **328** H4 *G. Jura* – *11 153 h alt. 350.*

Voir *Berges de la Valserine*★ *par* ①.

*Office du Tourisme, 24 place Victor Bérard ☎ 04 50 48 48 68, Fax 04 50 48 65 08, otbelleg@cc-pays-de-gex.fr.*

*Paris 496 ① – Annecy 43 ③ – Bourg-en-Bresse 72 ① – Genève 43 ③ – Lyon 114 ①.*

## BELLEGARDE-SUR-VALSERINE

Beauséjour (R. de) . . . . . . . . . YZ
Bérard (Pl. Victor) . . . . . . . . . Z 2
Bertola (R. Joseph) . . . . . . . . YZ 4
Brazza (R.) . . . . . . . . . . . . . . Z 5
Carnot (Pl.) . . . . . . . . . . . . . . Y
Dumont (R. Louis) . . . . . . . . . Y 6
Ferry (R. Jules) . . . . . . . . . . . Y 7
Gambetta (Pl.) . . . . . . . . . . . . Y 8
Gare (Av. de la) . . . . . . . . . . . Y 10
Lafayette (R.) . . . . . . . . . . . . . Z
Lamartine (R.) . . . . . . . . . . . . YZ 12
Lilas (R. des) . . . . . . . . . . . . . Y
Musinens (R. de) . . . . . . . . . . Y 14
Painlevé (R. Paul) . . . . . . . . . . Y 15
République (R. de la) . . . . . . . Z

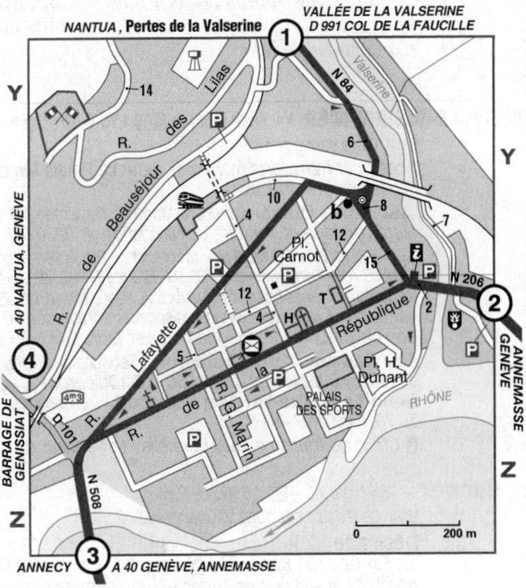
VALLÉE DE LA VALSERINE
D 991 COL DE LA FAUCILLE
NANTUA, Pertes de la Valserine
Y
Z
R. des Lilas
R. de Beauséjour
Valserine
N 84
N 206
Pl. Carnot
République
R. Lafayette
R. de la R. G. Marin
Pl. H. Dunant
PALAIS DES SPORTS
RHÔNE
A 40 NANTUA, GENÈVE
BARRAGE DE GENISSIAT
D 101
N 508
ANNEMASSE GENÈVE
0 200 m
ANNECY
A 40 GENÈVE, ANNEMASSE



**Belle Époque,** 10 pl. Gambetta ☎ 04 50 48 14 46, *Fax 04 50 56 01 71* – ▤ rest, TV ☎ GB Y b
*fermé 6 au 22 juil., 14 déc. au 6 janv., lundi midi et dim. hors saison* – **Repas** 20/43 ♀ – ☕ 8 – **20 ch** 49/64 – ½ P 57/64.
◆ Avenante demeure bâtie au début du 20e s. Chambres un brin "rétro", desservies par un bel escalier d'époque. Salle à manger éclairée par des lustres à pendeloques.

**à Lancrans** *par* ① *: 3 km* – *815 h. alt. 500* – ✉ *01200 :*

**Sorgia,** ☎ 04 50 48 15 81, *Fax 04 50 48 44 72,* – TV P. GB
*fermé 22 août au 16 sept., 20 déc. au 6 janv., sam. midi, dim. soir et lundi* – **Repas** 12,50/30 ♀ – ☕ 6,20 – **17 ch** 39/42 – ½ P 36/58.
◆ Au coeur du petit village, la même famille reçoit les visiteurs dans son auberge depuis plus d'un siècle. Hébergement simple mais bien tenu. Agréable terrasse.

**à Éloise** *(74 H.-Savoie) par* ③ *: 5 km* – *656 h. alt. 511* – ✉ *01200 (Ain) :*

**Fartoret** ☎ 04 50 48 07 18, *Fax 04 50 48 23 85,* – TV P – 50. AE GB
*fermé 23 déc. au 4 janv. et dim. soir hors saison* – **Repas** 20,10/45,10 ♀, enf. 11 – ☕ 9,50 – **40 ch** 39,40/83,50 – ½ P 52,10/75,50.
◆ Sur les hauteurs de Bellegarde, plusieurs bâtiments donnant sur un vaste parc. Chambres actuelles, au calme. Belles poutres apparentes et collection de coqs au restaurant.

**à Ochiaz** *par ④ et D 101 : 5 km – ✉ 01200 Châtillon-en-Michaille :*

XX **Auberge de la Fontaine** avec ch, ☏ 04 50 56 57 23, *aubergefontaine@minitel.net, Fax 04 50 56 56 55,* ☂, ☂ – P. AE ⊙ GB
*fermé 17 au 25 juin, 1er au 7 oct., 6 au 27 janv., dim. soir, mardi soir et lundi* – **Repas** 20/46 ♀ – ☕ 5,50 – **7 ch** 37 – ½ P 37/43.
◆ Une multitude de fleurs colorent la façade de cette charmante maison. L'été, repas servis en plein air, sous les arbres. Cuisine classique mêlant finesse et savoir-faire.

**rte du Plateau de Retord** *par ④, Vouvray et D 101 : 12 km – ✉ 01200 Bellegarde-sur-Valserine :*

**Auberge Le Catray** ⛰, ☏ 04 50 56 56 25, *Fax 04 50 56 56 25,* ≤ Mont-Blanc et les Alpes, ☂, ☂ – P. GB
*fermé 10 au 14 mars, 16 au 20 juin, 8 au 23 sept., 10 au 21 nov., lundi et mardi* – **Repas** 15/26,50 – ☕ 5 – **7 ch** 28/43 – ½ P 34/41,50.
◆ Chalet juché sur un sommet, en pleine nature. Modestes chambres lambrissées. Raclettes et fondues à déguster dans une salle à manger au décor montagnard.

*Ecrivez-nous...*
*Vos louanges comme vos critiques seront examinées avec le plus grand soin. Nous reverrons sur place les informations que vous nous signalez. Par avance merci !*

---

## BELLE-ILE-EN-MER ★★ *56 Morbihan* 308 L10 *G. Bretagne.*

Env. *Côte sauvage★★★.*

Accès *par transports maritimes, pour* Le Palais *(en été* **réservation indispensable** *pour le passage des véhicules).*

⛴ *depuis* **Quiberon** *(Port-Maria) - Traversée 45 mn - Renseignements et tarifs : Cie Morbihannaise et Nantaise de Navigation ☏ 0820 056 000 (Le Palais), Fax 02 97 31 56 81.*

⛴ *depuis* **Port-Navalo** *- (avril-oct.)- Traversée 1 h 50 mn - Renseignements et tarifs ; Navix S.A. à Port-Navalo ☏ 02 97 53 74 12 -* ⛴ *depuis* **Vannes** *- (avril-oct.)- Traversée 2 h- Renseignements et tarifs : Navix S.A., Gare Maritime ☏ 02 97 46 60 00, Fax 02 97 46 60 29 –* ⛴ *depuis* **Lorient** *- Service saisonnier - Traversée 50 mn (passagers uniquement, réservation obligatoire) - Renseignements et Tarifs C.M.N.N. ☏ 0820 056 000.*

*Pour* **Sauzon** *: depuis* **Quiberon** *- Service saisonnier - Traversée 45 mn - Renseignements et tarifs : C.M.N.N. ☏ 0820 056 000 (Quiberon) -* ⛴ *depuis* **Locmariaquer-Auray Le Bono-La Trinité-sur-Mer** *(juil.-août) - Renseignements et tarifs : Navix S.A. ☏ 02 97 57 36 78, Fax 02 97 46 60 29.*

ℹ *Office de Tourisme, quai Bonnelle - Le Palais ☏ 02 97 31 81 93, Fax 02 97 31 56 17.*

**Bangor** – *735 h alt. 45 – ✉ 56360 Le Palais.*

Voir *Le Palais : citadelle Vauban★ NE : 3,5 km.*

**Désirade** M ⛰, rte Port Goulphar : 2 km ☏ 02 97 31 70 70, *hotel-la-desirade@libertysurf .fr, Fax 02 97 31 89 63,* ☂, ⛱, ☂ – TV ☏ ♿ P. AE GB. ✂ rest
*hôtel : 1er avril-3 nov. et 27 déc.-6 janv.* – **Repas** *(fermé 6 janv. au 31 mars)* 30,50 ♀ – ☕ 11 – **24 ch** 102/117, (½ pens. seul. en haute saison) – ½ P 105.
◆ Bases idéales pour sillonner l'île, ces maisons "néo-bretonnes" agencées autour de la piscine abritent un salon "cosy" et de belles chambres personnalisées et lambrissées.

**Le Palais** *56 – 2 435 h alt. 7 – ✉ 56360.*

Voir *Citadelle Vauban★.*

**Vauban** ⛰, 1 r. Remparts ☏ 02 97 31 45 42, *Fax 02 97 31 42 82,* ≤, ☂ – TV ♿. AE GB JCB. ✂ rest
*hôtel : 15 fév.-5 nov. ; rest. : 1er avril-30 sept. et dim. soir* – **Repas** (dîner seul.)(résidents seul.) ♀ – ☕ 8 – **16 ch** 39/70 – ½ P 62/67.
◆ Hôtel simple et fonctionnel situé sur les hauteurs du Palais. Chambres sobres et bien tenues ; la plupart offrent une vue sur le port, la citadelle Vauban et l'océan.

**Port-Goulphar** – *✉ 56360 Le Palais.*

Voir *Site★ : ≤★.*

**Castel Clara** ⛰, ☏ 02 97 31 84 21, *contact@castel-clara.com, Fax 02 97 31 51 69,* ≤ crique et falaises, ☂, Fs, ⛱, ☂, ✂ – |‡| TV ☏ P – 🏛 25. AE ⊙ GB. ✂ rest
*mi-fév.-mi-nov.* – **Repas** (dîner seul.) 29/60 ♀ – ☕ 25 – **27 ch** 271/569, 7 duplex – ½ P 113/343.
◆ Emplacement idyllique sur la Côte sauvage, institut de thalassothérapie, chambres raffinées et salle à manger panoramique : le luxe discret... au bout du monde !

**Sauzon** – *701 h alt. 35 – ✉ 56360.*

*Voir Site★ – Pointe des Poulains★★ : ※★ NO : 3 km puis 30 mn – Port-Donnant : site★★ S : 6 km puis 30 mn.*

**Roz Avel,** derrière l'Église ☎ 02 97 31 61 48, – AE GB
*fermé 31 déc. au 1er mars et merc.* – **Repas** (nombre de couverts limité, prévenir) 22,50 ♀.
◆ Maison de pays possédant une salle à manger garnie de meubles bretons et une terrasse prolongée d'un jardinet. Beaux produits de l'océan préparés sans fioriture.

**Contre Quai,** r. St-Nicolas ☎ 02 97 31 60 60, *Fax 02 97 31 01 87* – GB
*1er avril-30 sept. et fermé sam. midi, dim. et lundi sauf juil.-août* – **Repas** (déj. seul.) 23 ♀.
◆ Sympathique petite adresse surplombant le port. Ambiance familiale dans un cadre de style bistrot marin. Carte axée sur le terroir et la mer.

**Café de la Cale,** ☎ 02 97 31 65 74, *Fax 02 97 31 65 67,* – GB
*1er avril-30 sept., 25 oct.-12 nov., 26 déc.-5 janv., vacances de fév. et fermé mardi sauf juil.-août* – **Repas** (prévenir) 19 ♀, enf. 13.
◆ Ancienne sardinerie transformée en bistrot chic à la mode. Navigateurs de renom et touristes y jouent des coudes pour apprécier poissons, coquillages et cuisine régionale.

**BELLÊME** *61130 Orne* 310 M4 *G. Normandie Vallée de la Seine – 1 788 h alt. 241.*

*Voir Forêt★.*

*Office du Tourisme, boulevard Bansard des Bois ☎ 02 33 73 09 69, Fax 02 33 83 95 17, tourisme.belleme@wanadoo.fr.*

*Paris 168 – Alençon 42 – Le Mans 55 – La Ferté-Bernard 23 – Mortagne-au-Perche 18.*

**Golf** , rte du Mans par D 938 : 2 km ☎ 02 33 85 13 13, *belleme@voila.fr, Fax 02 33 85 13 14,* <, , – TV P – 80. AE GB. rest
**Repas** 20 bc (déj.), 24/35 ♀, enf. 10 – ☕ 10 – **70 ch** 80/95, 5 duplex – ½ P 61/66.
◆ Ancienne ferme rénovée et postée aux abords d'un golf 18 trous. Chambres bien équipées, plus grandes dans l'annexe récente. Salon-billard. Restaurant à fleur de green.

**à Noce** *Est : 8 km par D 203 – 735 h. alt. 120 – ✉ 61340 :*

**Auberge des 3 J.,** ☎ 02 33 73 41 03, *Fax 02 33 83 33 66* – GB
*fermé 15 sept. au 3 oct., 1er au 15 janv., mardi de sept. à avril, dim. soir et lundi* – **Repas** 23/42,50 ♀, enf. 10.
◆ Maison d'aspect traditionnel située sur la place du village. Tables joliment dressées dans une confortable salle à manger rustique où dominent la pierre et le bois.

**BELLENAVES** *03330 Allier* 326 F5 *G. Auvergne – 1 006 h alt. 340.*

*Paris 371 – Clermont-Ferrand 59 – Moulins 55 – Gannat 19 – Montluçon 54 – Vichy 39.*

**Hostellerie du Château** avec ch, ☎ 04 70 58 37 19, *hostellerie.bellenaves@wanadoo.fr, Fax 04 70 58 37 23,* – rest, TV. GB. ch
*fermé 27 oct. au 16 nov., 22 au 29 fév., dim. soir, jeudi soir et lundi* – **Repas** 10,50 (déj.), 16/30 ♀, enf. 9 – ☕ 5 – **8 ch** 33/37 – ½ P 29.
◆ Salle de restaurant de couleur jaune, meublée dans le style contemporain ; recettes régionales. Cette auberge familiale dispose aussi de quelques chambres bien aménagées.

**BELLERIVE-SUR-ALLIER** *03 Allier* 326 H6 – *rattaché à Vichy.*

**BELLEVAUX** *74470 H.-Savoie* 328 M3 *G. Alpes du Nord – 1 113 h alt. 913 – Sports d'hiver : 1 100/1 800 m 23 .*

*Voir Site★.*

*Office du Tourisme, chef lieu ☎ 04 50 73 71 53, Fax 04 50 73 78 60.*

*Paris 575 – Thonon-les-Bains 23 – Annecy 73 – Bonneville 30 – Genève 47.*

**Cascade,** ☎ 04 50 73 70 22, *Fax 04 50 73 77 46,* <, – TV P. GB
*15 avril-30 sept. et 15 déc.-30 mars* – **Repas** (11) - 16/30 , enf. 9 – ☕ 6 – **11 ch** 30/42 – ½ P 43/48.
◆ Bâtisse récente au coeur de la petite station. Chambres spacieuses et claires, toutes avec balcon et vue sur les montagnes alentour. Salle à manger en rotonde.

**Les Moineaux** , ☎ 04 50 73 71 11, *info@hotel-les-moineaux.com, Fax 04 50 73 75 79,* <, , , – P. GB
*15 juin-15 sept. et 15 déc.-15 avril* – **Repas** 14/27 ♀, enf. 10 – ☕ 6 – **14 ch** 36/41 – ½ P 46.
◆ En contrebas du village, deux bâtiments de type chalet. L'un abrite des chambres fonctionnelles, lambrissées et dotées de balcons, et l'autre un restaurant. Accueil familial.

**au lac de Vallon** *Sud-Est : 6 km par D 26 et D 236 – ✉ 74470 Bellevaux :*

**Lac de Vallon** ⛰, ✆ 04 50 73 74 55, *Fax 04 50 73 77 95*, ≤, 🍽 – P. GB
*fermé 15 nov. au 15 déc.* – **Repas** *(fermé dim. soir et jeudi soir hors saison)* 13/22,10 – ☕ 6,40 – **16 ch** 32,50/45,80 – ½ P 39,50.
◆ Petit chalet apprécié des pêcheurs à la ligne. Chambres simples ; certaines bénéficient d'une agréable vue sur le lac. Salle des repas rustique et terrasse au bord de l'eau.

**à Hirmentaz** *Sud-Ouest : 7 km par D 26 et D 32 – ✉ 74470 Bellevaux :*

**Christania** ⛰, ✆ 04 50 73 70 77, *info@hotel.christania.com, Fax 04 50 73 76 08*, ≤, – TV P. GB. rest
*7 mai-7 sept. et 20 déc.-31 mars* – **Repas** 16/26 ♀, enf. 9,20 – ☕ 6,90 – **35 ch** 48,80/50,30 – ½ P 54,90.
◆ Hôtel des années 1970 au pied des pistes de ski. Chambres très "seventies" et majoritairement équipées de balcons ; celles du dernier étage sont mansardées. Salle de jeux.

**Excelsa** ⛰, ✆ 04 50 73 73 22, *excelsa.hotel@wanadoo.fr, Fax 04 50 73 72 73*, ≤, 🍽, – TV P. GB. rest
*15 juin-1er sept. et 20 déc.-31 mars* – **Repas** 14,50 (déj.), 15,25/23 – ☕ 6,10 – **19 ch** 45,75/48,80 – ½ P 47,30/52,20.
◆ Chalet situé à l'entrée de cette station du Chablais. Chambres insensibles aux dernières modes, mais bien équipées. Salle multi-activités aménagée au sous-sol.

**Panoramic** ⛰, ✆ 04 50 73 70 34, *contact-marina@wanadoo.fr, Fax 04 50 73 74 82*, ≤, 🍽, – TV P. AE GB. rest
*15 juin-15 sept. et 20 déc.-1er avril* – **Repas** (10) - 15 , enf. 7 – ☕ 7,60 – **31 ch** 46/50 – ½ P 58.
◆ Chambres lambrissées et dotées de balcons ; décor plus actuel à l'annexe. Salle à manger sagement montagnarde et grande terrasse face aux pistes. Salle de jeux, discothèque.

*Nos guides hôteliers, nos guides touristiques et nos cartes routières sont complémentaires. Utilisez-les ensemble.*

---

## BELLEVILLE *54940 M.-et-M.* 307 *H6 – 1 276 h alt. 190.*

*Paris 326 – Nancy 19 – Metz 42 – Pont-à-Mousson 14 – Toul 37.*

XXX **Bistroquet** (Mme Ponsard), ✆ 03 83 24 90 12, *Fax 03 83 24 04 01*, 🍽 – P. AE GB
*fermé 11 au 26 août, 2 au 10 janv., sam. midi, dim. soir, lundi et mardi* – **Repas** (nombre de couverts limité, prévenir) 28/48 et carte 53 à 73 ♀.
◆ La discrète façade dissimule une salle à manger au cadre d'inspiration 1900 (miroirs, affiches et lustres). Terrasse fleurie aménagée à l'arrière de la maison.
**Spéc.** Foie gras de canard poêlé. Homard aux penne rigate, tomate et basilic. Soufflé à la liqueur de mirabelle. **Vins** Gris de Toul, Pinot noir des Côtes de Toul.

XX **Moselle,** face gare ✆ 03 83 24 91 44, *restaurant.la.moelle@wanadoo.fr, Fax 03 83 24 99 38*, 🍽, – P. AE GB JCB
*fermé 18 août au 3 sept., 9 au 24 fév., lundi soir, dim. soir et merc. soir* – **Repas** (17) - 20,60/45 ♀, enf. 13.
◆ Établissement familial réparti en deux salles accueillantes, séparées par des panneaux ornés de vitraux exécutés dans le style de l'école de Nancy. Agréable terrasse ombragée.

---

## BELLEVILLE *69220 Rhône* 327 *H3 G. Vallée du Rhône – 5 935 h alt. 192.*

*Office du Tourisme, 68 rue de la République ✆ 04 74 66 44 67, Fax 04 74 06 43 56.*
*Paris 416 – Mâcon 30 – Bourg-en-Bresse 43 – Lyon 48 – Villefranche-sur-Saône 19.*

**L'Ange Couronné,** 18 r. République ✆ 04 74 66 42 00, *Fax 04 74 66 49 20* – TV . GB
*fermé 29 sept. au 6 oct., 5 au 26 janv., dim. soir, mardi midi et lundi* – **Repas** 15/31 , enf. 8,50 – ☕ 5 – **15 ch** 32/47.
◆ Bâtisse simple bordant la rue principale de Belleville. Un atrium conçu comme un jardin d'hiver dessert les chambres, sobres et fonctionnelles. Restaurant joliment rénové.

**Charme,** péage A 6 ✆ 04 74 69 61 69, *Fax 04 74 66 58 04*, 🍽 – TV P. GB
**Repas** 13/19 ♀, enf. 7,50 – ☕ 6 – **50 ch** 40/60 – ½ P 40/43.
◆ Hôtel pratique pour une étape éclair sur la route des vacances. Petites chambres récentes aménagées dans plusieurs pavillons de plain-pied avec le jardin.

X **Beaujolais,** 40 r. Mar. Foch (près gare) ✆ 04 74 66 05 31, *Fax 04 74 07 90 46* – P. AE GB
*fermé 22 avril au 25 mai, 6 au 27 août, 22 au 27 déc., dim. soir, mardi soir et merc.* – **Repas** (13) - 15,80/31 ♀, enf. 8.
◆ Dans une maison régionale, salle à manger rustique où trône une belle armoire bressane. Recettes traditionnelles et carte des vins sont ancrées dans le Beaujolais.

**à Pizay** *Nord-Ouest : 5 km par D18 et D69 – ✉ 69220 St-Jean-d'Ardières :*

**Château de Pizay** Ⓜ, ☎ 04 74 66 51 41, *info@chateau-pizay.com, Fax 04 74 69 65 63,* – ch, 15 à 60. AE GB JCB
*fermé 24 déc. au 4 janv.* – **Repas** 34,50/58, enf. 20 – 12 – **62 ch** 96,25/207,80 – 1/2 P 96,25/135,85.
◆ Demeure séculaire au milieu du vignoble. Chambres de style dans l'aile 17e s., plus grandes et actuelles dans les pavillons neufs. Jardin à la française dans le parc.

---

**BELLEY** 01300 Ain 328 H6 *G. Jura – 7 807 h alt. 279.*
**Voir** *Choeur★ de la cathédrale St-Jean – Charpente★ du château des Allymes.*
*Office du Tourisme, 34 Grande Rue ☎ 04 79 81 29 06, Fax 04 79 81 08 80, ot.belley@club-internet.fr.*
*Paris 507 – Aix-les-Bains 31 – Bourg-en-Bresse 79 – Chambéry 36 – Lyon 95.*

**Ibis,** bd Mail ☎ 04 79 81 01 20, *Fax 04 79 81 53 83* – AE GB JCB
**Repas** *(fermé dim.)* (12,60) - 17 ♀, enf. 6,50 – 5,50 – **35 ch** 46/52.
◆ Adresse utile pour l'étape au centre-ville. Chambres rénovées : mobilier récent en bois noir, tissus et moquettes aux tons bleu. Petit-déjeuner servi sous forme de buffet.

**au Sud-Est** *: 3 km sur rte Chambéry – ✉ 01300 Belley :*

**Auberge La Fine Fourchette,** N 504 ☎ 04 79 81 59 33, *Fax 04 79 81 55 43,* ← – P. GB
*fermé 21 déc. au 10 janv., dim. soir et lundi* – **Repas** 21/50 ♀, enf. 9,50.
◆ En surplomb de la route, charmant pavillon tourné vers la campagne et un plan d'eau. Les larges baies de la salle à manger s'ouvrent sur la terrasse. Cuisine classique.

**à Contrevoz** *Nord-Ouest : 9 km sur D 32 – 416 h. alt. 320 – ✉ 01300 :*

**Auberge de Contrevoz,** ☎ 04 79 81 82 54, *auberge.de.contrevoz@wanadoo.fr, Fax 04 79 81 80 17,* – P. GB
*fermé 24 déc. au 30 janv., dim. soir sauf juil.-août et lundi* – **Repas** 14 (déj.), 20,50/34 ♀.
◆ Avenante maison régionale agrémentée d'un joli jardin fleuri et d'une terrasse. Intérieur rustique. Cuisine au goût du jour et plats du terroir. Accueil charmant.

**à Pugieu** *Nord-Ouest : 9 km sur N 504 – 123 h. alt. 247 – ✉ 01510 :*

**Moulin du Martinet,** ☎ 04 79 87 82 03, *Fax 04 79 87 87 83,* – P. GB
*fermé 1er au 10 oct., mardi soir et merc.* – **Repas** 14,80/34 ♀.
◆ Jardin face à la montagne, canards en liberté, bassin à truites, agréable terrasse, repas au coin du feu en hiver et cuisine du Bugey : un vieux moulin (1825) bien séduisant.

---

**BELLIGNAT** *01 Ain* 328 G3 *– rattaché à Oyonnax.*

---

**BÉNÉVENT-L'ABBAYE** *23210 Creuse* 325 G4 *G. Berry Limousin – 837 h alt. 480.*
**Voir** *Puy de Goth ←★ 30 mn.*
*Office du Tourisme, 2 rue de la Fontaine ☎ 05 55 62 68 35, Fax 05 55 62 67 52, ot.eaux.vives@wanadoo.fr.*
*Paris 370 – Limoges 54 – Bellac 64 – Châteauroux 104 – Guéret 25.*

**Cèdre** Ⓜ, r. de l'Oiseau ☎ 05 55 81 59 99, *Fax 05 55 81 59 98,* – P – 35. GB
*fermé fév.* – **Repas** 18/45 ♀, enf. 10 – 8 – **16 ch** 60/100 – 1/2 P 52,50.
◆ Noble demeure creusoise du 18e s. dans un jardin où veille un cèdre centenaire. Mobilier contemporain et atmosphère "cosy" dans de grandes chambres personnalisées.

---

**BENFELD** *67230 B.-Rhin* 315 J6 *G. Alsace Lorraine – 4 330 h alt. 160.*
*Office du Tourisme, 3 rue de l'Eglise ☎ 03 88 74 04 02, Fax 03 88 58 10 45, grandried.ot.benfeld@wanadoo.fr.*
*Paris 457 – Strasbourg 34 – Colmar 41 – Obernai 16 – Sélestat 19.*

**Au Petit Rempart,** 1 r. Petit Rempart ☎ 03 88 74 42 26, *Fax 03 88 74 18 58* – AE GB
*fermé 14 juil. au 15 août, 15 fév. au 15 mars, lundi soir, mardi soir et merc.* – **Repas** 8,80 (déj.), 20/39,50 ♀, enf. 7,70.
◆ Boiseries, plafonds à caissons et mobilier choisi concourent à l'ambiance raffinée de cette maison de style alsacien. Carte traditionnelle variant avec les saisons.

---

**BÉNODET** *29950 Finistère* 308 G7 *G. Bretagne – 2 436 h – Casino.*
**Voir** *Pont de Cornouaille ←★ – L'Odet★★ en bateau : 1h30.*
*Office du Tourisme, 29 avenue de la Mer ☎ 02 98 57 00 14, Fax 02 98 57 23 00, tourisme@benodet.fr.*
*Paris 565 – Quimper 17 – Concarneau 20 – Fouesnant 10 – Pont-l'Abbé 12 – Quimperlé 48.*

**Ker Moor**, corniche de la Plage ✆ 02 98 57 04 48, *hotel.kermoor@gofornet.com, Fax 02 98 57 17 96*, – 25 à 70. AE GB. rest
*fermé 20 déc. au 6 janv.* – **Repas** 26 (dîner), 27/54, enf. 9 – 7,50 – **69 ch** 90/160 – ½ P 85/89.
◆ Imposant édifice 1930 et son annexe (salles de séminaires, bar) au coeur d'un parc arboré. Chambres actuelles. Collection de tableaux de l'école de Pont-Aven.

**Gwell Kaër**, av. Plage ✆ 02 98 57 04 38, *Fax 02 98 66 22 85*, ←, – GB
*fermé 15 déc. à fin janv.* – **Repas** *(fermé dim. soir et lundi hors saison)* 16/52 – 7,50 – **24 ch** 85/105 – ½ P 80/90.
◆ Chambres plaisantes et de bon confort ; les plus lumineuses, dotées de balcons, ont vue sur la mer. Salle à manger panoramique prolongée d'une terrasse dominant la plage.

**Kastel**, av. Plage ✆ 02 98 57 05 01, *hotel.kastel@wanadoo.fr, Fax 02 98 57 29 99*, ← – – 60. AE GB
*fermé 15 au 25 déc.* – **Repas** (12) - 23/25 ♀ – 8 – **22 ch** 84/111 – ½ P 113/118.
◆ Il suffit de traverser la rue pour rejoindre la plage ! Pour la nuit, chambres spacieuses meublées en rotin, orientées vers le parc (loisirs sportifs) ou l'océan.

**Domaine de Kereven** sans rest, rte Quimper : 2 km ✆ 02 98 57 02 46, *domaine-de-kereven@wanadoo.fr, Fax 02 98 66 22 61*, – GB.
*1er mai-30 sept.* – 6,50 – **12 ch** 64, 4 studios.
◆ Plusieurs constructions récentes de style régional disséminées dans un parc. Coquettes chambres rénovées, décorées d'un camaïeu de beige. Location de maisons en saison.

**Hostellerie Abbatiale**, 4 av. Odet ✆ 02 98 66 21 66, *abbatiale.benodet@wanadoo.fr, Fax 02 98 66 21 50* – – 15. AE GB JCB
**Repas** 18/40 ♀ – 9 – **55 ch** 59/95 – ½ P 66/75.
◆ Atout majeur de cet hôtel : son emplacement face au port de la petite station balnéaire bretonne. Chambres fonctionnelles ; certaines offrent une belle échappée sur l'océan.

**Bains de Mer**, r. Kerguelen ✆ 02 98 57 03 41, *bainsdemer@portdebenodet.com, Fax 02 98 57 11 07*, – , rest, AE GB
*1er mars-12 nov.* – **Repas** 15/24, enf. 7 - ***Domino*** grill-pizzeria *(fermé 20 déc. au 1er fév.)* **Repas** carte 19 à 31 ♀, enf.6,50 – 6,80 – **32 ch** 59/73 – ½ P 66.
◆ Après un bain de mer, vous aurez plaisir à retrouver votre chambre moderne et pimpante dans cet accueillant hôtel de la petite cité d'adoption d'Éric Tabarly. Sauna.

**à Clohars-Fouesnant** *Nord-Est : 3 km par D 34 et rte secondaire – 1 279 h. alt. 30 – ✉ 29950 :*

**Forge d'Antan**, ✆ 02 98 54 84 00, *Fax 02 98 54 89 11*, – GB
*fermé 7 au 22 fév., dim. soir de sept. à juin, merc. midi en saison, mardi midi et lundi* – **Repas** 21 (déj.), 29/55 ♀, enf. 12.
◆ Dans la campagne, auberge possédant deux salles de repas : l'une de style rustique, un peu sombre mais chaleureuse, l'autre plus lumineuse, tournée vers le jardin.

**à Ste-Marine** *Ouest : 5 km par pont de Cornouaille – ✉ 29120 Pont-l'Abbé :*

**L'Agape** (Le Guen), rte plage ✆ 02 98 56 32 70, *Fax 02 98 51 91 94* – AE GB
*fermé 31 déc. au 14 mars, dim. soir sauf juil.-août et lundi* – **Repas** (30) - 43/60 et carte 60 à 85 ♀.
◆ Entre port et plage, dans un petit quartier pavillonnaire, ce restaurant propose une cuisine au goût du jour fleurant bon la Bretagne. Salle à manger océane.
**Spéc.** Kouign aman de pomme de terre et andouille. Galette de turbot. Pomme rôtie au caramel.

---

**BÉNOUVILLE** *14 Calvados* 303 K4 – *rattaché à Caen.*

---

**BÉNY-BOCAGE** *14 Calvados* 303 G6 – *rattaché à Vire.*

---

**BERCHÈRES-SUR-VESGRE** *28 E.-et-L.* 311 F2 – *rattaché à Houdan.*

---

**BERCK-SUR-MER** *62600 P.-de-C.* 301 C5 *G. Picardie Flandres Artois – 14 167 h alt. 5 – Casino.*
**Voir** *Parc d'attractions de Bagatelle★ 5 km par ①.*
*Office du Tourisme, 5 avenue Francis Tattegrain ✆ 03 21 09 50 00, Fax 03 21 09 15 60.*
*Paris 233 – Calais 83 – Abbeville 48 – Arras 95 – Boulogne-sur-Mer 41 – Montreuil 18.*

**à Berck-Plage :**

**Impératrice**, 43 r. Division Leclerc ✆ 03 21 09 01 09, *hotel.limperatrice@nordnet.fr, Fax 03 21 09 72 80* – rest, AE GB. ch
*fermé dim. soir, lundi midi et mardi midi* – **Repas** 15/43 ♀ – 8 – **12 ch** 57/62 – ½ P 47/50.
◆ L'impératrice Eugénie inaugura à Berck le premier hôpital maritime. Chambres actuelles et pratiques, couleurs provençales au restaurant : cet hôtel central a fait peau neuve.

XX **Verrière,** pl. 18 Juin ✆ 03 21 84 27 25, *casino-62berck@wanadoo.fr, Fax 03 21 84 14 65,* – ▤. GB – *fermé mardi sauf juil.-août* – **Repas** 19,90 (déj.), 25,20/42,70 ♀.
◆ Dans l'ancienne gare routière convertie en casino, grande salle de restaurant contemporaine, lumineuse et soignée. Cuisine traditionnelle élaborée selon le marché.

**BERGERAC** <SP> *24100 Dordogne* **329** D6 *G. Périgord Quercy – 26 899 h alt. 37.*

**Voir** *Le Vieux Bergerac*★★ *: musée du Tabac*★★ *(maison Peyrarède*★*) – Musée du Vin, de la Batellerie et de la Tonnellerie*★ M³.

✈ *Bergerac-Roumanière : ✆ 05 53 22 25 25, par ③ : 5 km.*

ℹ *Office du Tourisme, 97 rue Neuve d'Argenson ✆ 05 53 57 03 11, Fax 05 53 61 11 04, tourisme-bergerac@aquinet.tm.fr.*

*Paris 534 ① – Périgueux 48 ① – Agen 92 ③ – Angoulême 111 ⑥ – Bordeaux 95 ⑤.*

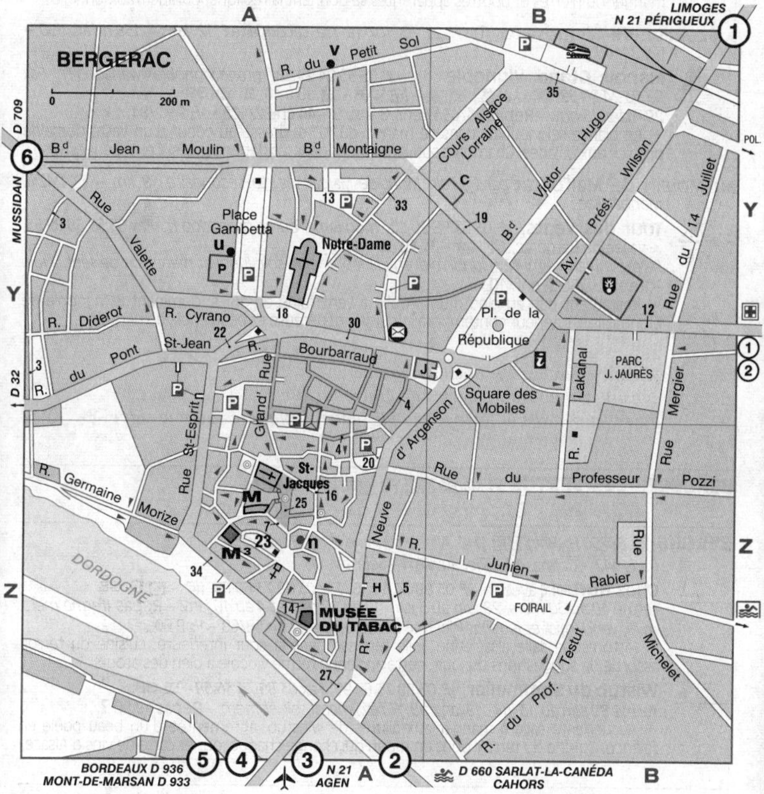
BERGERAC
0
200 m
A
B
LIMOGES
N 21 PÉRIGUEUX
D 709
MUSSIDAN
D 32
Y
Z
POL.
R. du Petit Sol
Bd Jean Moulin
Bd Montaigne
Cours Alsace Lorraine
Victor Hugo
Prés. Wilson
14 Juillet
Rue Valette
Place Gambetta
Notre-Dame
Bd Maine de Biran
Av.
R. Diderot
R. Cyrano
St-Jean
R. du Pont
Bourbarraud
Pl. de la République
Square des Mobiles
PARC J. JAURÈS
Lakanal
Mergier
Rue Grand'Rue
Rue St-Esprit
St-Jacques
d'Argenson
Rue du Professeur Pozzi
R. Germaine Morize
DORDOGNE
Neuve
R. Junien Rabier
FOIRAIL
MUSÉE DU TABAC
R. du Prof. Testut
Michelet
BORDEAUX D 936
MONT-DE-MARSAN D 933
N 21 AGEN
D 660 SARLAT-LA-CANÉDA
CAHORS



**Flambée,** rte Périgueux par ① : *3 km* ✆ 05 53 57 52 33, *Fax 05 53 61 07 57,* – TV ✆ P – 40 à 100. AE GB
**Repas** *(fermé sam. midi, dim. soir et lundi du 16 sept. au 14 juin)* 16/31 ♀ – ☕ 7,50 – **20 ch** 61/77 – 1/2 P 56,50/70.
◆ Demeure ancienne nichée dans un parc joliment fleuri en saison. Chambres spacieuses et personnalisées. Élégantes salles à manger dont une agrémentée de solives.

**France** sans rest, 18 pl. Gambetta ✆ 05 53 57 11 61, *Fax 05 53 61 25 70*, – . GB JCB AY u
9 – **20 ch** 46/64.
◆ Au coeur de la petite capitale française du tabac, immeuble des années 1970 abritant des chambres sobrement décorées, parfois climatisées. Parking public face à l'hôtel.

**Europ Hôtel** sans rest, 20 r. Petit Sol ✆ 05 53 57 06 54, *Fax 05 53 58 67 60*, , – P. AE GB AY v
5,50 – **22 ch** 37,50/43,50.
◆ Dans le quartier de la gare, hôtel familial agrémenté d'un jardin. Les chambres, qui datent des années 1970, sont simples et à prix serrés.

XX **L'Imparfait,** 8 r. Fontaines ✆ 05 53 57 47 92, *Fax 05 53 58 92 11*, – AE GB
*15 janv.-17 nov.* – **Repas** 19 (déj.), 35/45 ♀. AZ n
◆ Cette maison médiévale du quartier historique vous accueille dans sa grande salle à manger où pierres et poutres apparentes se donnent la réplique. Cuisine traditionnelle.

**à St-Julien-de-Crempse** *par ①, N 21, D 107 et rte secondaire : 12 km – 158 h. alt. 150 – ✉ 24140 :*

**Manoir Grand Vignoble** , ✆ 05 53 24 23 18, *grand.vignoble@wanadoo.fr, Fax 05 53 24 20 89*, , , , , – P – 15 à 40. AE GB
*29 mars-15 nov.* – **Repas** 23/43 ♀, enf. 8 – 9 – **44 ch** 82/105 – ½ P 72/84.
◆ Ambiance seigneuriale dans ce manoir du 17e s. dressé au coeur d'un vaste domaine propice aux balades. Chambres souvent logées dans les dépendances. Centre équestre.

**au Moulin de Malfourat** *par ④, dir. Mont-de-Marsan et rte secondaire : 8 km – ✉ 24240 Monbazillac :*

XX **Tour des Vents,** ✆ 05 53 58 30 10, *moulinmalfourat@wanadoo.fr, Fax 05 53 58 89 55*, ≤ vallée de Bergerac, , – P. AE GB
*fermé mi-janv. à mi-fév., lundi midi en juil.-août, dim. soir, lundi et merc. soir de sept. à juin* – **Repas** 16/50 ♀, enf. 10.
◆ Restaurant bâti au pied d'un moulin à vent ruiné du 15e s. dominant le vignoble de Monbazillac. Intérieur contemporain, cuisine généreuse et beau choix de bergeracs.

*Si vous cherchez un hôtel tranquille,*
*consultez d'abord les cartes de l'introduction*
*ou repérez dans le texte les établissements indiqués avec le signe* .

---

**BERGÈRES-LÈS-VERTUS** *51 Marne* 306 F9 – *rattaché à Vertus.*

---

**BERGHEIM** *68750 H.-Rhin* 315 I7 *G. Alsace Lorraine – 1 802 h alt. 235.*
*Paris 442 – Colmar 18 – Ribeauvillé 4 – Sélestat 11.*

XX **Chez Norbert** avec ch, ✆ 03 89 73 31 15, *Fax 03 89 73 60 65*, – P. GB
*fermé 10 au 30 mars, 28 juin au 5 juil., 12 au 22 nov. et 4 au 10 janv.* – **Repas** *(fermé merc. midi, vend. midi et jeudi)* 26 (déj.)/48 ♀ – 9,50 – **12 ch** 58/69 – ½ P 60.
◆ Pittoresque salle alsacienne, jolie terrasse dans la cour intérieure, cuisine du terroir assortie de suggestions du jour : cette ancienne ferme viticole a bien des atouts.

X **Wistub du Sommelier,** ✆ 03 89 73 69 99, *Fax 03 89 73 36 58* – AE GB
*fermé 30 juin au 13 juil., 19 janv. au 1er fév., mardi soir et merc.* – **Repas** 19,90 ♀.
◆ Accueillante salle à manger aux allures de winstub, agrémentée d'un beau poêle en faïence. Cuisine du terroir dont un menu qui change chaque jour et carte de vins d'Alsace.

---

**La BERGUE** *74 H.-Savoie* 328 K3 – *rattaché à Annemasse.*

---

**BERGUES** *59380 Nord* 302 C2 *G. Picardie Flandres Artois – 4 163 h alt. 4.*
Voir *Couronne d'Hondschoote★.*
*Office du Tourisme, Au Beffroi ✆ 03 28 68 71 06, Fax 03 28 68 71 06, tourisme.bergues@wanadoo.fr.*
*Paris 279 – Calais 52 – Dunkerque 9 – Hazebrouck 34 – Lille 65 – St-Omer 31.*

**Au Tonnelier,** près église ✆ 03 28 68 70 05, *Fax 03 28 68 21 87* – . GB
*fermé 18 au 28 août, 22 déc. au 5 janv. et dim. soir du 1er déc. au 31 mars.* – **Repas** *(fermé lundi midi)* 15/27 ♀ – 6,70 – **11 ch** 43/57 – ½ P 45.
◆ Petite adresse familiale occupant une maison en briques abondamment fleurie de la cité fortifiée en partie par Vauban. Chambres refaites et salle à manger rustique.

**Commerce** sans rest, près église ✆ 03 28 68 60 37, *Fax 03 28 68 70 76* – AE GB
☕ 7,50 – **13 ch** 25/48.
◆ Longue bâtisse régionale abritant des chambres modestes, rénovées par étapes et bien tenues. Au rez-de-chaussée, grand café à l'atmosphère animée et conviviale.

---

**BERNAY** SP *27300 Eure* 304 D7 *G. Normandie Vallée de la Seine – 10 582 h alt. 105.*
Voir *Boulevard des Monts*★.
*Office du Tourisme, 29 rue Thiers ✆ 02 32 43 32 08, Fax 02 32 45 82 68, office.tourisme.bernay@wanadoo.fr.*
*Paris 155 – Rouen 60 – Argentan 70 – Évreux 50 – Le Havre 86 – Louviers 52.*

**Acropole Hôtel** M sans rest, Sud-Ouest : 3 km sur rte de Broglie (N 138) ✆ 02 32 46 06 06, *info@hotel-acropole.com, Fax 02 32 44 01 04* – TV ✆ ♿ P – 45. AE ⓓ GB
☕ 7 – **51 ch** 48/56.
◆ Excentré dans une zone commerciale, établissement proposant un hébergement avant tout pratique. Insonorisation et équipements propices à l'étape de repos ou d'affaires.

**Hostellerie du Moulin Fouret** avec ch, Sud : 3,5 km par rte St-Quentin-des-Isles ✆ 02 32 43 19 95, *lemoulinfouret@wanadoo.fr, Fax 02 32 45 55 50*, – P. AE GB JCB
*fermé 10 au 24 mars, 24 nov. au 7 déc., dim. soir, mardi midi et lundi sauf fériés de sept. à mars* – **Repas** 28,50/40 et carte 44,50 à 62 ♀ – ☕ 8 – **8 ch** 45.
◆ Salle à manger rustique ouverte sur le bar où se trouvent les rouages de ce moulin reconverti. Terrasse au calme, prolongée par un parc fleuri bordant la rivière.

**à St-Quentin-des-Isles** *Sud-Ouest : 5 km par rte de Broglie – 255 h. alt. 115 – ✉ 27270 :*

**Pommeraie,** sur N 138 ✆ 02 32 45 28 88, *Fax 02 32 44 69 00*, – P. AE ⓓ GB
*fermé 5 au 11 août, 7 au 20 janv., dim. soir et lundi* – **Repas** 13/46 ♀, enf. 9,90.
◆ Maison moderne d'allure normande, séparée de la route passante par son jardin agrémenté de pièces d'eau et de vieilles charrettes. Salle des repas spacieuse et lumineuse.

---

**BERNEX** *74500 H.-Savoie* 328 N2 *G. Alpes du Nord – 737 h alt. 955 – Sports d'hiver : 1 000/2 000 m* ⛷13 ⛷.
*Office du Tourisme, Le Clos du Moulin ✆ 04 50 73 60 72, Fax 04 50 73 16 17, bernex@ot-bernex.fr.*
*Paris 589 – Thonon-les-Bains 20 – Annecy 97 – Évian-les-Bains 11 – Morzine 33.*

**Chez Tante Marie** , ✆ 04 50 73 60 35, *chez-tante-marie@wanadoo.fr, Fax 04 50 73 61 73*, ←, – TV P. ⓓ GB. ch
*fermé 15 oct. au 15 déc.* – **Repas** *(fermé dim. soir hors saison)* 19/41 ♀ – ☕ 9 – **27 ch** 66/71 – ½ P 63/66.
◆ Construction de type chalet dans un ravissant jardin fleuri. Les chambres, de bon confort, ont une belle vue sur les montagnes ; quelques-unes avec balcon. Cuisine du terroir.

**L'Échelle et H. Grand Chenay** avec ch, ✆ 04 50 73 60 42, *Fax 04 50 73 69 21*, – cuisinette P. GB
*fermé 15 nov. au 15 déc.* – **Repas** *(fermé lundi et mardi)* 16 (déj.), 22,70/30 ♀, enf. 11 – ☕ 6,10 – **6 ch** 45/60, 5 studios – ½ P 50/55.
◆ Cette maison de pays renferme une chaleureuse salle à manger montagnarde, exposant de nombreux outils anciens. Cuisine régionale : poissons du lac, charcuteries "maison", etc.

**à La Beunaz** *Nord-Ouest : 1,5 km par D 52 – alt. 1000 – ✉ 74500 Évian-les-Bains :*

**Bois Joli** , ✆ 04 50 73 60 11, *hboisjoli@aol.com, Fax 04 50 73 65 28*, ←, , , , – TV P. AE ⓓ GB
*mi-avril-19 oct. et 19 déc.-mi-mars* – **Repas** *(fermé dim. soir et merc.)* 16/39 – ☕ 8 – **26 ch** 61/69, 3 appart – ½ P 56.
◆ Pimpant chalet noyé dans la verdure. Chambres disposant de balcons face à la dent d'Oche ou au mont Billiat, salle de jeux pour les enfants, restaurant panoramique.

---

**BERRWILLER** *68500 H.-Rhin* 315 H9 *– 912 h alt. 260.*
*Paris 469 – Mulhouse 20 – Belfort 44 – Colmar 30 – Épinal 100 – Guebwiller 9.*

**L'Arbre Vert,** 96 r. Principale ✆ 03 89 76 73 19, *Fax 03 89 76 73 68* – . GB
*fermé 1er au 21 juil., 1er au 9 mars, dim. soir et lundi* – **Repas** 8,70 (déj.), 19,50/42 ♀, enf. 7,70.
◆ Faites connaissance avec ce village d'Alsace en vous arrêtant dans cette coquette auberge fleurie. Confortable restaurant doublé d'un café plus champêtre.

*Donnez-nous votre avis sur les tables que nous recommandons, sur leurs spécialités et leurs vins de pays.*

**BERRY-AU-BAC** *02190 Aisne* 306 F6 – *509 h alt. 62.*

*Paris 166 – Reims 22 – Laon 31 – Rethel 45 – Soissons 48 – Vouziers 65.*

XXX **Côte 108,** ✆ 03 23 79 95 04, *Fax 03 23 79 83 50,* ☂, ⛱ – ▤ P. AE GB
*fermé 14 au 29 juil., 26 déc. au 16 janv., mardi soir, dim. soir et lundi* – **Repas** (dim. prévenir) 27,50/68,50 et carte 55 à 75 ♀, enf. 17.
◆ Pause gourmande face à la cote 108 : cette maison en bord de route vous invite à goûter une cuisine d'aujourd'hui dans un cadre contemporain raffiné.

**BESANÇON** P *25000 Doubs* 321 G3 *G. Jura* – *113 828 h Agglo. 134 376 h alt. 250* – *Casino* **BY.**

Voir *Site*★★★ – *Citadelle*★★ : *musée d'Histoire naturelle*★ **M**³, *musée comtois*★ **M**², *musée de la Résistance et de la Déportation*★ **M**⁴ – *Vieille ville*★★ **ABYZ** : *Palais Granvelle*★, *cathédrale*★ *(Vierges aux Saints*★*), horloge astronomique*★, *façades des maisons du 17*ᵉ *s.*★ – *Préfecture*★ **AZ P** – *Bibliothèque municipale*★ **BZ B** – *Grille*★ *de l'Hôpital St-Jacques* **AZ** – *Musée des Beaux-Arts et d'Archéologie*★★.

*Office du Tourisme, 2 place de la 1ère Armée Française* ✆ *03 81 80 92 55, Fax 03 81 80 58 30, otsi.besancon@caramail.com.*

*Paris 405 ④ – Basel 167 ⑤ – Bern 154 ② – Dijon 91 ④ – Lyon 226 ④ – Nancy 205 ⑤.*

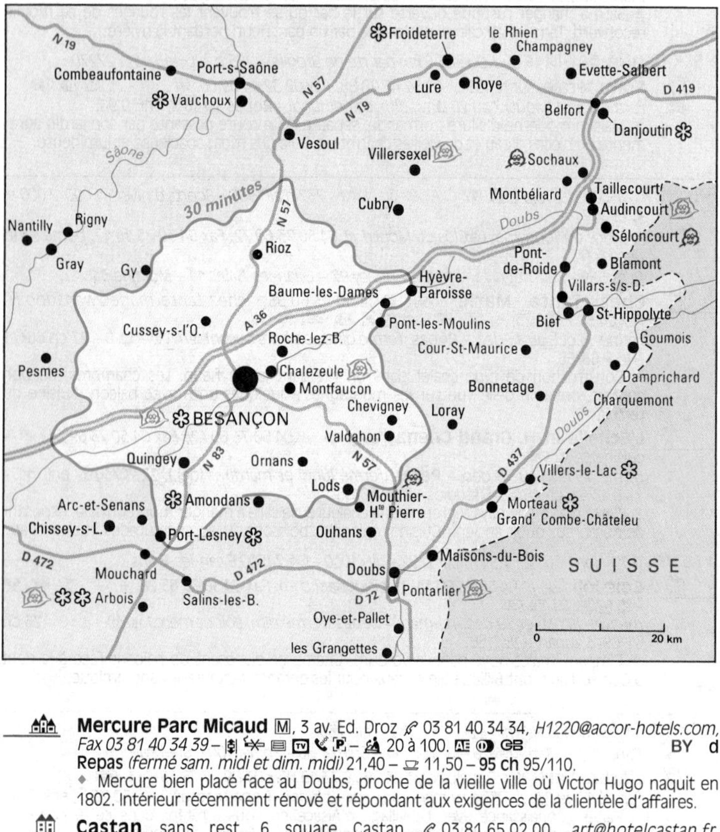
N 19
Froideterre
le Rhien
Champagney
Combeaufontaine
Port-s-Saône
Evette-Salbert
N 57
Lure
Roye
D 419
Vauchoux
N 19
Belfort
Vesoul
Danjoutin
Saône
Villersexel
Sochaux
30 minutes
Montbéliard
Taillecourt
Cubry
Audincourt
N 57
Doubs
Nantilly
Rigny
Sélomcourt
Rioz
Pont-de-Roide
Gray
Blamont
Gy
Hyèvre-Paroisse
Baume-les-Dames
Villars-s/s-D.
A 36
Bief
St-Hippolyte
Cussey-s-l'O.
Pont-les-Moulins
Roche-lez-B.
Cour-St-Maurice
Goumois
Pesmes
Chalezeule
Damprichard
Montfaucon
Bonnetage
Charquemont
Chevigney
Loray
BESANÇON
Valdahon
Doubs
Quingey
N 83
Ornans
N 57
D 437
Villers-le-Lac
Lods
Arc-et-Senans
Amondans
Mouthier-Hte Pierre
Morteau
Grand' Combe-Châteleu
Chissey-s-L.
Port-Lesney
Ouhans
D 472
Maisons-du-Bois
Mouchard
D 472
Doubs
SUISSE
Arbois
Salins-les-B.
D 72
Pontarlier
Oye-et-Pallet
0
20 km
les Grangettes

🏨 **Mercure Parc Micaud** M, 3 av. Ed. Droz ✆ 03 81 40 34 34, *H1220@accor-hotels.com,* *Fax 03 81 40 34 39* – 🛗 ⇆ ▤ TV ✆ P – 🏰 20 à 100. AE ⓓ GB — **BY d**
**Repas** *(fermé sam. midi et dim. midi)* 21,40 – ☕ 11,50 – **95 ch** 95/110.
◆ Mercure bien placé face au Doubs, proche de la vieille ville où Victor Hugo naquit en 1802. Intérieur récemment rénové et répondant aux exigences de la clientèle d'affaires.

🏨 **Castan** sans rest, 6 square Castan ✆ 03 81 65 02 00, *art@hotelcastan.fr,* *Fax 03 81 83 01 02,* ⛱ – TV ✆. AE GB — **BZ t**
*fermé 31 juil. au 21 août et 23 déc. au 4 janv.* – ☕ 11 – **10 ch** 120/170.
◆ Le porche ouvre sur un élégant hôtel particulier du 17ᵉ s. L'esprit des siècles passés est ranimé dans des chambres à thème disposant d'un confort de notre temps.

# BESANÇON



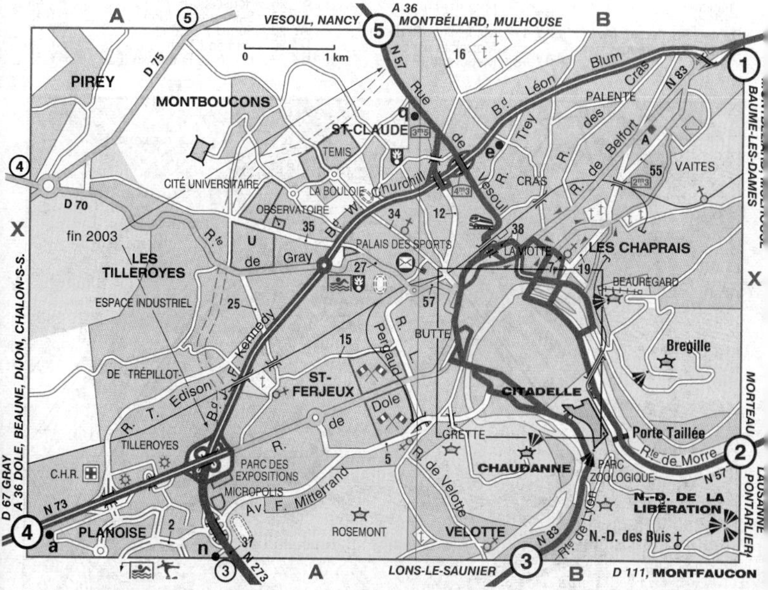

A
B
VESOUL, NANCY
A 36
MONTBÉLIARD, MULHOUSE
0
1 km
PIREY
MONTBOUCONS
D 75
N 57
Rue de Vesoul
ST-CLAUDE
TEMIS
CITÉ UNIVERSITAIRE
LA BOULOIE
OBSERVATOIRE
Bd W. Churchill
Bd Léon Blum
PALENTE
R. des Cras
R. de Belfort
N 83
VAITES
BAUME-LES-DAMES
CRAS
D 70
fin 2003
LES TILLEROYES
Rte de Gray
U
PALAIS DES SPORTS
LA VIOTTE
LES CHAPRAIS
BEAUREGARD
ESPACE INDUSTRIEL
BUTTE
Bregille
DE TRÉPILLOT
R. T. Edison
Bd J. F. Kennedy
ST-FERJEUX
R. Pergaud
R. de Dole
CITADELLE
MORTEAU
Porte Taillée
Rte de Morre
TILLEROYES
C.H.R.
PARC DES EXPOSITIONS
MICROPOLIS
GRETTE
CHAUDANNE
PARC ZOOLOGIQUE
N 57
N.-D. DE LA LIBÉRATION
LAUSANNE PONTARLIER
N 73
Av. F. Mitterrand
R. de Velotte
Rte de Lyon
PLANOISE
ROSEMONT
VELOTTE
N 83
N.-D. des Buis
D 67 GRAY A 36 DOLE, BEAUNE, DIJON, CHALON-S-S.
N 273
LONS-LE-SAUNIER
D 111, MONTFAUCON
X


**Novotel**, 22 bis r. Trey ☎ 03 81 50 14 66, *h0400@accor-hotels.com, Fax 03 81 53 51 57*, – – 100. AE GB JCB BX e
Repas 28,70 bc/45,80 bc – 11 – **107 ch** 89/99.
◆ Une situation calme dans un quartier résidentiel et des chambres fonctionnelles font l'intérêt de cet hôtel construit dans les années 1970 et régulièrement rénové.

**Nord** sans rest, 8 r. Moncey ☎ 03 81 81 34 56, *hoteldunord3@wanadoo.fr, Fax 03 81 81 85 96* – P. AE GB JCB BY r
5,40 – **44 ch** 35,90/52.
◆ Laissez votre voiture au garage et découvrez la vieille ville à pied à partir de cet immeuble du 19e s. très central. Chambres fraîches, bien équipées et insonorisées.

**Ibis Centre** M sans rest, 21 r. Gambetta ☎ 03 81 81 02 02, *ibis-besancon-centre@wanadoo.fr, Fax 03 81 81 89 65* – P – 25. AE GB. BY k
6 – **49 ch** 58/72.
◆ Bâtiment industriel en pierres de taille, usine d'aiguilles de montres au 19e s., réhabilité en hôtel. Chambres rénovées selon les nouvelles normes de la chaîne.

**Siatel Châteaufarine** M, 6 r. L. Aragon, zone commerciale de Châteaufarine ☎ 03 81 41 12 22, *Fax 03 81 41 12 22* – rest, P – 80. GB. AX a
Repas *(fermé dim.)* 8,90/18, enf. 6 – 5,50 – **30 ch** 45/46,50 – ½ P 35.
◆ Misez sur la commodité de cet hôtel situé aux portes de la cité bisontine, à proximité des voies rapides. Espaces fonctionnels bénéficiant d'une bonne insonorisation.

**Siatel,** 3 chemin des Founottes par N 57 : 3 km ☎ 03 81 80 41 41, *Fax 03 81 80 41 41* – P – 40. GB AX q
Repas *(fermé dim.)* 10,60/18, enf. 6 – 5,50 – **36 ch** 45/46,50 – ½ P 35.
◆ Hôtel d'étape proche d'un axe animé, mais bien protégé contre le bruit. Toutes semblables, les chambres offrent un confort pratique. Repas servis sous forme de buffets.

**Relais des Vallières,** 3 r. P. Rubens par bd de l'Ouest : 4 km ☎ 03 81 52 02 02, *Fax 03 81 51 18 26* – P – 15. AE GB AX n
Repas *(fermé dim. soir)* (12) - 14,50/25, enf. 7,50 – 6 – **49 ch** 44 – ½ P 38/43.
◆ Voisine de Micropolis (parc des expositions), adresse aux chambres fonctionnelles et fraîches, parfois agrandies d'une mezzanine pour les familles. Cuisine régionale.

# BESANÇON

Battant (Pont) . . . . . . . . . . . . **AY** 3
Battant (R.) . . . . . . . . . . . . . . . **AY**
Bersot (R.) . . . . . . . . . . . . . . . **BY**
Carnot (Av.) . . . . . . . . . . . . . . **BY** 7
Castan (Sq.) . . . . . . . . . . . . . . **BZ** 8
Chapitre
(R. du) . . . . . . . . . . . . . . . . . **BZ** 14
Denfert-Rochereau (Av.) . . . . **BY** 17
Denfert-Rochereau
(Pont) . . . . . . . . . . . . . . . **ABY** 18
Fusillés-de-la-Résistance
(R. des) . . . . . . . . . . . . . . . . . **BZ** 20
Gambetta (R.) . . . . . . . . . . . . . **BY** 21
Gare-d'eau (Av. de la) . . . . . . **AZ** 22
Gaulle (Bd Ch.-de) . . . . . . . . . **AZ** 23
Girod-de-Chantrans (R.) . . . **AYZ** 24
Grande-Rue . . . . . . . . . . . . **ABYZ**
Granges (R. des) . . . . . . . . . **ABY**
Krug (R. Ch.) . . . . . . . . . . . . . **BY** 26
Lycée (R. du) . . . . . . . . . . . . . **AY** 28
Madeleine (R. de la) . . . . . . . . **AY** 29
Martelots (R. des) . . . . . . . . . **BZ** 30
Mégevand (R.) . . . . . . . . . . . **ABZ** 32
Moncey (R.) . . . . . . . . . . . . . . **BY** 33
Orme-de-Chamars
(R. de l') . . . . . . . . . . . . . . . . **AZ** 36
Pouillet (R. C.) . . . . . . . . . . . . **AY** 39
République (R. de la) . . . . . . . **BY** 40
Révolution (Pl. de la) . . . . . . . **AY** 41
Rivotte (Faubourg) . . . . . . . . . **BZ** 42
Ronchaux (R.) . . . . . . . . . . . . . **BZ** 43
Rousseau (R.) . . . . . . . . . . . . . **AY** 45
Saint-Amour (Sq.) . . . . . . . . . . **BY** 48
Sarrail (R. Gén.) . . . . . . . . . . . **BY** 52
Vauban (Quai) . . . . . . . . . . . . . **AY** 56
Ire-Armée-Française (Pl.) . . . . **BY** 58

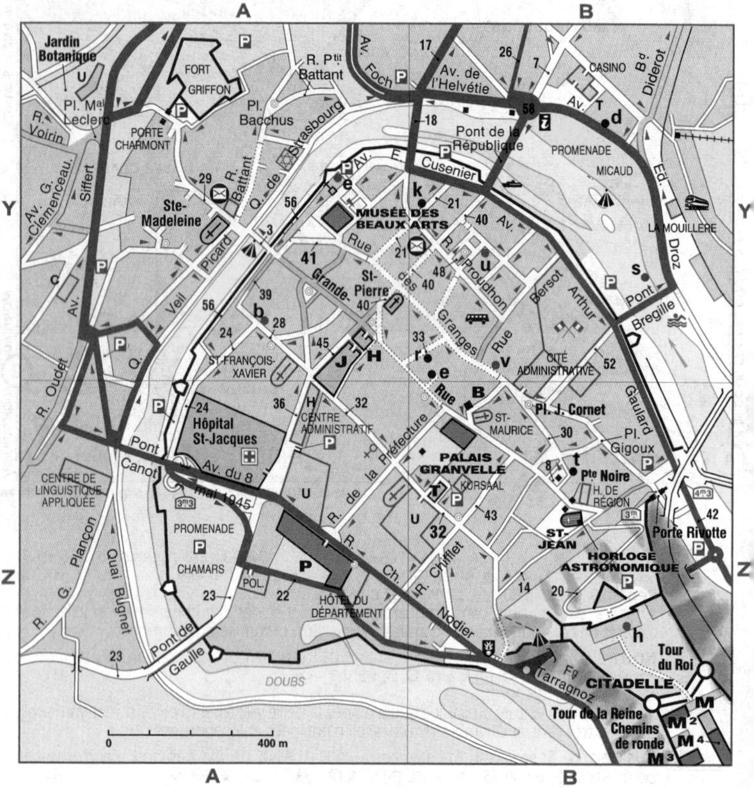

A
B
Y
Z
Jardin Botanique
FORT GRIFFON
R. Ptit Battant
Pl. Bacchus
Av. Foch
Av. de l'Helvétie
CASINO
Bd Diderot
Pl. Mal Leclerc
R. Voirin
PORTE CHARMONT
Q. de Strasbourg
Pont de la République
PROMENADE MICAUD
Av. E. Cusenier
Av. G. Clemenceau
Siffert
Ste-Madeleine
R. Battant
Picard
MUSÉE DES BEAUX ARTS
LA MOUILLÈRE
Droz
Rue des Granges
R. Proudhon
Bersot
Arthur
Grande-Rue
St-Pierre
Pont Bregille
Veil
Av. C
R. Oudet
ST-FRANÇOIS-XAVIER
CITÉ ADMINISTRATIVE
Rue
Gaulard
Pl. J. Cornet
Hôpital St-Jacques
CENTRE ADMINISTRATIF
ST-MAURICE
Pl. Gigoux
Pont Canot
Av. du 8 mai 1945
R. de la Préfecture
PALAIS GRANVELLE
KURSAAL
Pte Noire
H. DE RÉGION
CENTRE DE LINGUISTIQUE APPLIQUÉE
PROMENADE CHAMARS
ST-JEAN
Porte Rivotte
HORLOGE ASTRONOMIQUE
R. G. Plançon
Quai Bugnet
POL.
HÔTEL DU DÉPARTEMENT
R. Ch. Nodier
R. Chifflet
Pont de Gaulle
DOUBS
Fg Tarragnoz
Tour du Roi
CITADELLE
Tour de la Reine
Chemins de ronde
0
400 m

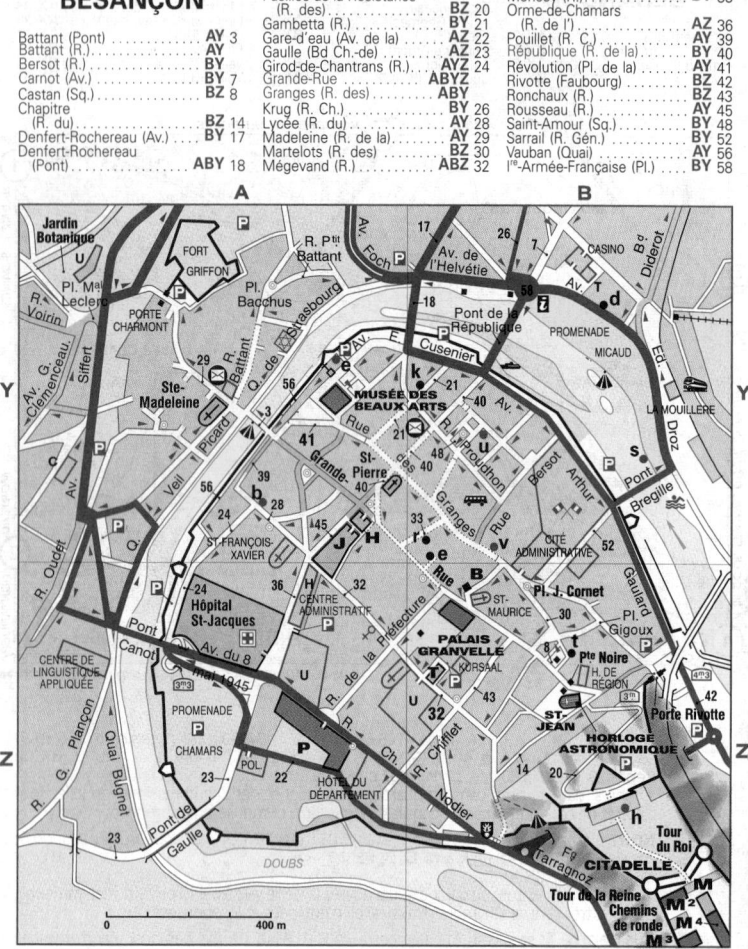

Régina sans rest, 91 Grande Rue ✆ 03 81 81 50 22, *regina.hotel@wanadoo.fr*, *Fax 03 81 81 60 20* – TV. AE ① GB **BY** e
*fermé 3 au 10 août et 24 déc. au 2 janv.* – ☕ 5,20 – **20 ch** 30/54.
◆ Hôtel charmant dans sa simplicité, aménagé dans une ancienne maternité. Chambres confortables et paisibles ; certaines ont un balcon, d'autres la vue sur la citadelle.

XXX ✿ **Mungo Park** (Mme Choquart), 11 r. Jean Petit ✆ 03 81 81 28 01, *Fax 03 81 83 36 97* – AE ① GB **AY** e
*fermé 29 juil. au 18 août, 3 au 11 nov., 8 au 15 mars, dim. et lundi.* – **Repas** 32 (déj.), 47/86 et carte 60 à 80 ♀.
◆ Des souvenirs exotiques égayent la salle rustique de cette vieille maison de pays, façon "retour de Mungo l'explorateur". Table inventive, produits du terroir.
**Spéc.** Millefeuille de pommes de terre confites au foie gras et morteau. Suprême de volaille aux morilles et Vin Jaune. Moelleux au pain d'épices et vieux pontarlier. **Vins** Arbois-Chardonnay, Arbois-Trousseau.

XX **Chaland,** promenade Micaud, près Pont Brégille ✆ 03 81 80 61 61, *chaland@chaland.com, Fax 03 81 88 67 42*, ≤ – ▤. AE GB BY s
*fermé sam. midi* – **Repas** 15 (déj.), 25/52 bc.
◆ Péniche d'avant-guerre transformée en bateau-restaurant depuis 1966. Le cabotage des barques anime les repas, servis sur le pont supérieur confortablement aménagé.

XX **Poker d'As,** 14 square St-Amour ✆ 03 81 81 42 49, *Fax 03 81 81 05 59* – ▤. AE ⓓ GB
*fermé 14 juil. au 11 août, dim. soir et lundi* – **Repas** 15,50/40 ♀. BY u
◆ Un amusant bric-à-brac de cuivres et bois sculptés, oeuvres familiales, couvre les murs de l'agreste salle à manger. Cuisine traditionnelle et spécialités régionales.

XX **Vauban,** à la Citadelle ✆ 03 81 83 02 77, *Fax 03 81 83 17 25*, 🏡 – AE GB. ✂ BZ h
*1er mars-31 oct. et fermé dim. soir et lundi* – **Repas** 17/31 ♀.
◆ Restaurant posté à l'entrée de la citadelle édifiée par Vauban et intégré à la fortification. Deux salles à manger voûtées et superbe terrasse dominant Besançon.

X **L'Ô à la Bouche,** 9 r. Lycée ✆ 03 81 82 09 08, *Fax 03 81 82 16 38* – AE GB AY b
*fermé 11 août au 1er sept., sam. midi, lundi soir et dim.* – **Repas** 11,50 (déj.), 19/38 ♁.
◆ Sympathique salle à manger agrémentée de poutres ou cave voûtée : un choix ô combien cornélien, mais dans les deux cas la lecture des menus vous mettra l'eau à la bouche.

X **Au Petit Polonais,** 81 r. Granges ✆ 03 81 81 23 67, *jean-michel.viennot@wanadoo.fr, Fax 03 81 81 88 21* – AE GB BY v
*fermé 14 juil. au 15 août, sam. soir et dim.* – **Repas** 10,20/25 ♀, enf. 6,10.
◆ Un des plus anciens restaurants de la ville, fondé en 1870, qui a su préserver la simplicité de son cadre. Cuisine traditionnelle et régionale. Accueil familial.

**à Chalezeule** *par ① et D 217 : 5,5 km – 944 h. alt. 252 – ✉ 25220 :*

🏠 **Trois Iles** ♨, ✆ 03 81 61 00 66, *hotel.3iles@wanadoo.fr, Fax 03 81 61 73 09* – ⇹ TV ☎ P – 🚩 15. AE ⓓ GB. ✂ rest
*fermé 15 déc. au 3 janv.* – **Repas** (dîner seul.) 16 ♀ – ☕ 8 – **17** ch 44/65 – ½ P 45/57.
◆ Petite adresse familiale estimée pour son environnement calme et verdoyant. Chambres sobrement décorées, au mobilier d'inspiration rustique. Menu unique journalier.

**à Roche-lez-Beaupré** *par ① : 8 km – 1 663 h. alt. 242 – ✉ 25220 :*

X **Auberge des Rosiers,** ✆ 03 81 57 05 85, *Fax 03 81 60 51 54*, 🏡 – P. ⓓ GB
*fermé 1er au 15 oct., 15 au 28 fév., dim. soir en hiver, lundi soir et mardi* – **Repas** 11/31 ♀, enf. 9,90.
◆ Aux portes de la localité, établissement dont la cuisine, traditionnelle, se déguste dans une salle fraîche et claire, ou sur la terrasse ombragée.

**à Montfaucon** *par ②, D 464 et D 146 : 9 km – 1 262 h. alt. 491 – ✉ 25660 :*

XX **Cheminée,** rte Belvédère ✆ 03 81 81 17 48, *restaurantlacheminee@wanadoo.fr, Fax 03 81 82 86 45*, ≤, 🏡 – P. AE GB
*fermé 18 août au 3 sept., 16 fév. au 8 mars, dim. soir et merc.* – **Repas** 22/40.
◆ Dans un pittoresque village surplombant l'agglomération bisontine. Deux salles à manger, dont une offrant une échappée sur les reliefs alentour. Spécialités régionales.

**à l'Espace Valentin Vert-Bois-Vallon** *par ⑤ et D 75 : 5 km – ✉ 25480 École-Valentin :*

XXX **Valentin** (Maire), ✆ 03 81 80 03 90, *restaurant.le.valentin@wanadoo.fr, Fax 03 81 53 45 49*, 🏡, 🌳 – P. AE GB
✿ *fermé 4 au 25 août, 23 fév. au 8 mars, sam. midi, dim. soir et lundi* – **Repas** 26/72 et carte 53 à 72 ♀.
◆ Demeure du début du 20e s. isolée de la route par un mur en pierre. Ambiance feutrée dans les salles à manger décorées avec goût et sobriété. Cuisine classique revisitée.
**Spéc.** Poêlée de homard à la canelle-feuille. Pigeon rôti aux épices. Gibier (saison). **Vins** Arbois, Côtes du Jura

**à l'Espace Valentin** *par ⑤ et N 57 : 7 km – ✉ 25000 Besançon :*

🏠 **Campanile,** 1 r. Châtillon ✆ 03 81 53 52 22, *Fax 03 81 88 12 56*, 🏡 – TV ☎ ♿ P – 🚩 15. AE ⓓ GB
**Repas** 15,50 ♀ – ☕ 6 – **53 ch** 55.
◆ Hôtel de chaîne proche de l'A 36. Les chambres, fonctionnelles, se répartissent dans deux bâtiments. Dans le troisième, repas servis sous forme de buffets.

---

**BESSANS** *73480 Savoie* 333 O6 *G. Alpes du Nord – 303 h alt. 1730 – Sports d'hiver : 1 750/2 050 m* ⛷4 ⛷.
**Voir** *Peintures★ de la chapelle St-Antoine.*
**Env.** *Vallée d'Avérole★★.*
ℹ *Office du Tourisme, ✆ 04 79 05 96 52, Fax 04 79 05 83 11, info@besans.com.*
*Paris 698 – Albertville 125 – Chambéry 137 – Lanslebourg-Mont-Cenis 13 – Val-d'Isère 37.*

**Mont-Iseran,** ✆ 04 79 05 95 97, *info@montiseran.com*, *Fax 04 79 05 84 67* – TV. GB. rest
*25 juin-30 sept. et 15 déc.- 26 avril* – **Repas** 11,50/24,50 – 6,90 – **19 ch** 55/56,50 – ½ P 52.
◆ Au centre du village et à proximité des pistes de ski de fond, chalet aux chambres régulièrement rénovées, souvent équipées de balcons. Bar-salon de thé.

**Le BESSAT** *42660 Loire* 327 *G7 – 250 h alt. 1170 – Sports d'hiver : 1 170/1 427 m.*
*Syndicat d'Initiative, Maison Communale ✆ 04 77 20 43 76, Fax 04 77 20 46 10.*
*Paris 534 – St-Étienne 19 – Annonay 30 – St-Chamond 19 – Yssingeaux 65.*

**La Fondue "Chez l'Père Charles"** avec ch, ✆ 04 77 20 40 09, *Fax 04 77 20 45 20* – TV. AE GB.
*15 mars-15 nov. et fermé dim. soir, lundi midi et soirs fériés* – **Repas** (9) - 13/20 – 6 – **8 ch** 43/58.
◆ Les salles à manger à l'esprit champêtre sont logées dans une auberge située au centre du village. Cuisine traditionnelle aux accents régionaux. Chambres simples.

**BESSE-EN-CHANDESSE** *63610 P.-de-D.* 326 *E9 G. Auvergne – 1 799 h alt. 1050 – Sports d'hiver à Super Besse.*
Voir *Église St-André★ – Rue de la Boucherie★ – Porte de ville★ – Lac Pavin★★ ≤★ et Puy de Montchal★★ ✻★★ SO : 4 km par D 978.*
*Office du Tourisme, place du Dr Pipet ✆ 04 73 79 52 84, Fax 04 73 79 52 08, Super-Besse@laposte.fr.*
*Paris 464 – Clermont-Ferrand 46 – Condat 28 – Issoire 31 – Le Mont-Dore 25.*

**Les Mouflons,** ✆ 04 73 79 56 93, *les-mouflons@wanadoo.fr*, *Fax 04 73 79 51 18*, – TV P. AE GB JCB
*1er mai-30 sept. et 22 déc.-15 mars* – **Repas** (dîner seul.en hiver) 16,50/28,50, enf. 6,90 – 9,15 – **50 ch** 56/60 – ½ P 55.
◆ Construction régionale des années 1970 où vous choisirez une chambre rénovée, égayée de tissus colorés. Repas simples servis dans une spacieuse salle à manger.

**Gazelle**, rte Compains ✆ 04 73 79 50 26, *gazelle@lagazelle.fr*, *Fax 04 73 79 89 03*, ≤, – TV P. GB
*1er avril-28 sept. et 25 déc.-16 mars* – **Repas** (dîner seul.) 18 – 8,50 – **35 ch** 58/62 – ½ P 51/53.
◆ Fort de sa position dominante, cet hôtel offre une belle vue sur Besse la médiévale. Chambres refaites dans le style montagnard. Petits-déjeuners servis dans la véranda.

**Charmilles** sans rest, rte Super-Besse ✆ 04 73 79 50 79, ≤ – TV P. GB
*15 juin-20 sept., vacances de fév. et week-ends en hiver* – 6 – **20 ch** 44/49.
◆ Hôtel familial dont les chambres aux murs crépis sont meublées en pin. Préférez celles qui offrent une belle vue sur le village et la vallée. Accueil aimable.

**Hostellerie du Beffroy** avec ch, ✆ 04 73 79 50 08, *Fax 04 73 79 57 87* – TV. AE GB. rest
*fermé 4 nov. au 26 déc., lundi et mardi sauf le soir en juil.-août et fév., merc. midi en juil.-août* – **Repas** (dim. prévenir) 21,35 – 9 – **11 ch** 46/85 – ½ P 65.
◆ Autrefois logis des gardes du beffroi, cette maison du 15e s. abrite deux salles à manger rustiques garnies de meubles patinés par les ans. Plats traditionnels.

**BESSENAY** *69690 Rhône* 327 *G5 – 1 611 h alt. 400.*
*Paris 465 – Roanne 70 – Lyon 31 – Montbrison 53 – St-Étienne 65.*

**Auberge de la Brevenne,** N 89 ✆ 04 74 70 80 01, *auberge-labrevenne@wanadoo.fr*, *Fax 04 74 70 82 31* – rest, TV P – 30. AE GB
**Repas** *(fermé dim. soir)* (11) - 15/36 – 7,70 – **20 ch** 50,50/57 – ½ P 49.
◆ Au pied du col de la Luère, chambres spacieuses, bien équipées et insonorisées. Vaste salle à manger d'inspiration rustique. Salon de thé, salle de jeux pour enfants.

**BESSINES-SUR-GARTEMPE** *87250 H.-Vienne* 325 *F4 – 2 988 h alt. 335.*
*Office du Tourisme, 6 avenue du 11 novembre, ✆ 05 55 76 09 28, Fax 05 55 76 01 24, ot.bessines@wanadoo.fr.*
*Paris 356 – Limoges 38 – Argenton-sur-Creuse 58 – Bellac 30 – Guéret 54.*

**Bellevue** avec ch, D 220 ✆ 05 55 76 01 99, *Fax 05 55 76 68 81* – TV P. GB
*fermé 10 janv. au 10 fév., vend. soir sauf juil.-août, sam. midi de nov. à Pâques et lundi soir (sauf hôtel)* – **Repas** 11/35, enf. 8 – 5 – **12 ch** 36/43 – ½ P 36/46.
◆ Maison de style régional dans la traversée du village. Tables joliment dressées dans une salle à manger toute neuve. Chambres récemment refaites.

**à La Croix-du-Breuil** *Nord : 3 km sur D 220 – ✉ 87250 Bessines-sur-Gartempe :*

**Manoir Henri IV,** ✆ 05 55 76 00 56, *Fax 05 55 76 14 14,* – TV ✆ P. ① GB
*fermé lundi d'oct. à mai et dim. soir* – **Repas** (13) - 19/42, enf. 10 – ☕ 6 – **11 ch** 41/55.
◆ Henri IV aurait été l'hôte de cette ferme fortifiée du 16ᵉ s. aujourd'hui agrandie d'une aile récente. Chambres rustiques. Trois plaisantes salles à manger campagnardes.

---

**BÉTHUNE** SP *62400 P.-de-C.* **301** I4 *G. Picardie Flandres Artois – 24 556 h Agglo. 259 198 h alt. 34.*
*Office du Tourisme, Le Beffroi ✆ 03 21 57 25 47, Fax 03 21 57 01 60.*
*Paris 214 ④ – Calais 83 ④ – Lille 40 ② – Arras 34 ④ – Boulogne-sur-Mer 91 ②.*

## BÉTHUNE

| Rue | Secteur | N° |
|---|---|---|
| Albert 1er (R.) | YZ | 2 |
| Arras (R. d') | Z | 3 |
| Bruay (R. de) | Z | 6 |
| Buridan(R.) | Z | 7 |
| Clemenceau (Pl. G.) | Z | |
| Egalité (R. de l') | Y | 8 |
| Gambetta (R.) | YZ | 10 |
| Grand'Place | Z | |
| Haynaut (R. Eugène) | Z | 12 |
| Juin (Av. du Mar.) | Z | 14 |
| Kennedy (Av. du Prés.) | Y | 15 |
| Lamartine (Pl.) | Y | 17 |
| Lattre-de-Tassigny (Av. de) | Z | 18 |
| Pont de Pierre (R. du) | Y | 20 |
| Quai du Rivage (R. du) | Y | 21 |
| République (Pl. de la) | Y | 22 |
| Sadi-Carnot (R.) | Y | |
| Treilles (R. des) | Z | 25 |
| Vauban (Bd) | Z | 26 |
| Zola (R. Emile) | Z | 27 |

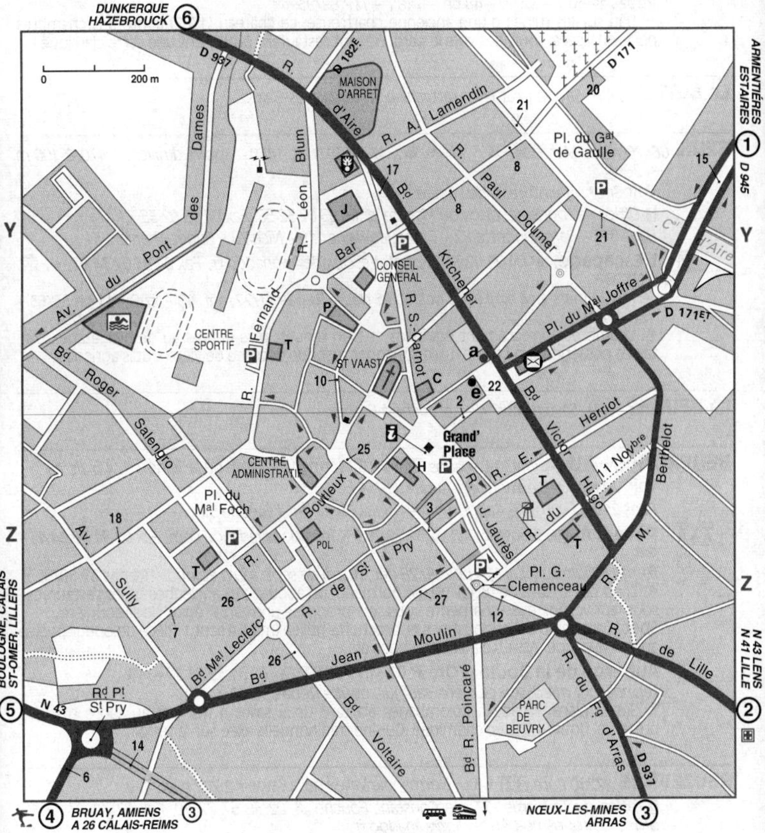

DUNKERQUE
HAZEBROUCK
ARMENTIÈRES
ESTAIRES
D 945
N 43 LENS
N 41 LILLE
BOULOGNE, CALAIS
ST-OMER, LILLERS
BRUAY, AMIENS
A 26 CALAIS-REIMS
NŒUX-LES-MINES
ARRAS
MAISON D'ARRET
CONSEIL GENERAL
CENTRE SPORTIF
CENTRE ADMINISTRATIF
ST VAAST
Grand' Place
Pl. du Gal de Gaulle
Pl. du Mal Joffre
Pl. du Mal Foch
Pl. G. Clemenceau
Rd Pt St Pry
PARC DE BEUVRY
R. Lamendin
R. Paul Doumer
Bd Kitchener
Bd Victor Hugo
R. S.-Carnot
R. E. Herriot
R. M. Berthelot
R. du 11 Novbre
R. J. Jaurès
R. de St Pry
R. de Lille
R. du Fg d'Arras
Bd Jean Moulin
Bd Mal Leclerc
Bd Voltaire
Bd R. Poincaré
Bd Roger Salengro
Av. du Pont des Dames
Av. Sully
R. Fernand Bar
R. Léon Blum
R. d'Aire
R. L. Boutleux
D 937
D 171
D 171E
D 182E
N 43
200 m


**L'Eden** M sans rest, pl. République ✆ 03 21 68 83 83, *Fax 03 21 68 83 84* – |‡|. AE ① GB
☕ 8,10 – **34 ch** 59/74. Y e
◆ Maison en briques au coeur de la ville de Gambrinus, le roi de la bière. Intérieur rénové : chambres spacieuses et contemporaines dotées de baignoires "balnéo".

XXX ✿✿ **Meurin et Résidence Kitchener** avec ch, 15 pl. République ✆ 03 21 68 88 88, *mar c.meurin@le-meurin.fr, Fax 03 21 68 88 89,* – cuisinette, rest, . AE GB JCB Y a
*fermé 1er au 25 août, 2 au 10 janv., mardi midi, dim. soir et lundi* – **Repas** 35 (déj.), 48/95 et carte 85 à 100 – 12 – **7 ch** 80/120 – ½ P 100/120.
◆ Belle demeure flamande du début du 20e s. Ravissantes salles à manger bourgeoises et véranda-terrasse d'esprit Belle Époque. Cuisine inventive. Chambres personnalisées.
**Spéc.** Foie gras poêlé à la rhubarbe et pain d'épices. Saint-Jacques en salade de chou-fleur (oct. à avril). Turbot, croustille de pied de porc, nougat d'ail et chicons.

**rte de Bruay-la-Bussière** *par ④ (sortie 6 par A 26) : 3 km – ✉ 62232 Fouquières-les-Béthune :*

**Campanile,** ✆ 03 21 57 76 76, *bethunefo@campanile.fr, Fax 03 21 56 98 50,* – , ch, P – 25. AE GB
**Repas** *(12)* - 15,50 ♀, enf. 6 – 6 – **58 ch** 54 – ½ P 45/50.
◆ Pratique car situé près des voies rapides, cet hôtel composé de deux bâtiments propose des chambres fonctionnelles et fraîches, plus au calme sur l'arrière.

**à Gosnay** *par ④, N 41 et D 181 : 5 km – 1 226 h. alt. 29 – ✉ 62199 :*

**Chartreuse du Val St-Esprit** , ✆ 03 21 62 80 00, *lachartreuse@gofornet.com, Fax 03 21 62 42 50,* , , , – P – 25 à 100. AE GB
**Repas** 29/60 ♀ – 10 – **48 ch** 91/191 – ½ P 89/93.
◆ Bâti sur les ruines d'une ancienne chartreuse, ce château (1762) abrite des chambres personnalisées, tournées vers le parc. Élégant restaurant proposant une carte classique.

---

**Le BETTEX** *74 H.-Savoie* 328 N5 – *rattaché à St-Gervais-les-Bains.*

---

**BEUIL** *06470 Alpes-Mar.* 341 C3 *G. Alpes du Sud – 330 h alt. 1450 – Sports d'hiver : 1 470/2 100 m 26 .*
**Voir** *Site★ - Peintures★ de l'église.*
*Office de tourisme, place du Pissaire ✆ 04 93 02 32 58, Fax 04 93 02 35 72.*
*Paris 817 – Barcelonnette 82 – Digne-les-Bains 119 – Nice 79 – Puget-Théniers 31.*

**L'Escapade,** ✆ 04 93 02 31 27, *hotel-escapade@wanadoo.fr, Fax 04 93 02 34 67,* , – . GB
*fermé 24 mars au 4 avril et 1er oct. au 25 déc.* – **Repas** 17/22, enf. 10 – 8 – **11 ch** 33/63 – ½ P 43/58.
◆ Chambres correctement équipées et bien tenues, plus petites au dernier étage ; certaines possèdent un balcon. Salle à manger rustique décorée de vieux outils agricoles.

---

**La BEUNAZ** *74 H.-Savoie* 328 M2 – *rattaché à Bernex.*

---

**BEUVRON-EN-AUGE** *14430 Calvados* 303 L4 *G. Normandie Vallée de la Seine – 274 h alt. 11.*
**Voir** *Village★ – Clermont-en-Auge★ NE : 3 km.*
*Paris 218 – Caen 32 – Cabourg 14 – Lisieux 25 – Pont-l'Évêque 33.*

XXX ✿ **Pavé d'Auge** (Bansard), ✆ 02 31 79 26 71, *info@lepavedauge.com, Fax 02 31 39 04 45* – GB
*fermé 30 juin au 7 juil., 24 nov. au 28 déc, mardi de sept. à juin et lundi* – **Repas** 32,50/52 ♀.
◆ Si on bat le pavé de ce joli village normand, on aboutit aux anciennes halles restaurées ; sous leur vertigineuse charpente vous sera proposée une carte régionale saisonnière.
**Spéc.** Capuccino de langoustines et brochette grillée (mars à sept.). Pièce de boeuf poêlée au jus de daube. Assiette aux cinq chocolats

X **Auberge de la Boule d'Or,** ✆ 02 31 79 78 78, *Fax 02 31 39 61 50* – GB
*fermé janv., mardi soir et merc. sauf juil.-août* – **Repas** 16/24 ♀.
◆ Sur la place, façade à colombages abritant deux salles à manger au cadre rustique préservé, dont une avec cheminée. Cuisine traditionnelle axée sur le terroir.

---

**BEUZEVILLE** *27210 Eure* 304 C5 *G. Normandie Vallée de la Seine – 2 702 h alt. 129.*
*Office du Tourisme, 52 rue Constant Fouché ✆ 02 32 57 72 10, Fax 02 32 57 72 10, office-de-tourisme-beuzeville@wanadoo.fr.*
*Paris 178 – Le Havre 50 – Bernay 38 – Deauville 26 – Évreux 77 – Honfleur 16.*

**Petit Castel** sans rest, ✆ 02 32 57 76 08, *Fax 02 32 42 25 70,* – P. GB.
*fermé 15 déc. au 15 janv.* – 6,30 – **16 ch** 43/52.
◆ L'hôtel propose des chambres pratiques et habillées d'étoffes colorées ; celles côté jardin sont plus calmes. L'accueil est parfois assuré à l'auberge du Cochon d'Or.

**Poste,** ✆ 02 32 20 32 32, *Fax 02 32 42 11 01*, ☂, ⛟ – TV ✆ P. AE ⦿ GB. ⛒ ch
*1er avril-12 nov.* – **Repas** *(fermé dim. soir, vend. midi de sept. à juin et jeudi)* 17/33,50 ♀ – ☕ 6,80 – **14 ch** 42/60 – ½ P 52/63.
◆ Jolie façade en brique et pierre d'un relais de poste du 19e s. Petites chambres simples et pimpantes. Salle à manger de style bistrot où trône un vénérable comptoir.

XXX **Auberge du Cochon d'Or** avec ch, pl. Gén. de Gaulle ✆ 02 32 57 70 46, *auberge-du-cochon-dor@wanadoo.fr, Fax 02 32 42 25 70* – GB. ⛒ ch
*fermé 15 déc. au 15 janv., dim. soir d'oct. à mars et lundi* – **Repas** 14/40 et carte 29 à 45 ♀ – ☕ 6,30 – **4 ch** 36/42.
◆ Aménagé dans une maison normande du début du 20e s., ce restaurant vous invite à découvrir ses deux élégantes et confortables salles. Plats traditionnels.

**à l'Ouest** : *3 km par N 17* – ✉ *14130 Quetteville* :

**Hostellerie de la Hauquerie-Chevotel** M ⛰, ✆ 02 31 65 62 40, *info@chevotel.com, Fax 02 31 64 24 52*, ⩽, ☂ – |‡|, ▤ rest, TV ✆ ♿ P – 🅰 15. AE GB
*fermé janv. et fév.* – **Repas** *(fermé le midi en semaine hors saison et fériés)* 28/41 ♀ – ☕ 15 – **17 ch** 150/210 – ½ P 105/140.
◆ Plaisante atmosphère "cottage" en cet hôtel-haras dédié aux amis des pur-sang. Les chambres, dont le décor évoque des étalons renommés, s'ouvrent sur la nature.

*Nos guides hôteliers, nos guides touristiques et nos cartes routières sont complémentaires. Utilisez-les ensemble.*

## BEYNAC ET CAZENAC 24220 Dordogne 329 H6 *G. Périgord Quercy – 498 h alt. 75.*

**Voir** *Site★★ – Village★ – Calvaire ✳★★ – Château★★ : ✳★★.*
ℹ *Office du Tourisme, La Balme ✆ 05 53 29 43 08, Fax 05 53 29 43 08,.*
*Paris 538 – Brive-la-Gaillarde 63 – Périgueux 66 – Sarlat-la-Canéda 12 – Gourdon 27.*

**à Vézac** *Sud-Est : 2 km sur rte de Sarlat – 620 h. alt. 90 –* ✉ *24220* :

XX **Relais des Cinq Châteaux** avec ch, ✆ 05 53 30 30 72, *5chateaux@perigord.com, Fax 05 53 30 30 08*, ⩽, ☂, ⛱ – ▤ rest, TV P – 🅰 20. GB
*fermé 16 fév. au 19 mars et lundi midi* – **Repas** (11) - 22/49, enf. 9,50 – ☕ 6,50 – **11 ch** 55/130 – ½ P 54.
◆ Maison récente de style régional. Deux salles à manger dont une véranda. La terrasse offre une belle vue sur la campagne et trois châteaux fortifiés. Carte classique soignée.

## Les BÉZARDS 45 Loiret 318 N5 – ✉ 45290 Boismorand.

*Paris 136 – Auxerre 79 – Gien 17 – Joigny 57 – Montargis 23 – Orléans 74.*

**Auberge des Templiers** M ⛰, à 4 km de l'autoroute A 77, sortie 19 ✆ 02 38 31 80 01, *templiers@relaischateaux.fr, Fax 02 38 31 84 51*, ☂, ⛱, ✂, ♣ – ▤ ch, TV ✆ ♿ ⛟ P – 🅰 20. AE ⦿ GB JCB
*fermé 7 au 29 fév.* – **Repas** 55 (déj.), 70/115 et carte 85 à 115 ♀ – ☕ 15 – **22 ch** 125/240, 8 appart – ½ P 140/200.
◆ Hôtellerie de caractère au décor personnalisé et raffiné. Des cottages disséminés çà et là abritent de luxueux appartements. Élégant restaurant ouvert sur le parc fleuri.
**Spéc.** Sandre de Loire aux artichauts-poivrade (saison). Gibier de Sologne (saison). Entremets de l'auberge. **Vins** Pouilly Fumé, Sancerre.

## BÈZE 21 Côte-d'Or 320 L5 – *rattaché à Mirebeau-sur-Bèze.*

## BÉZIERS SP 34500 Hérault 339 E8 *G. Languedoc Roussillon – 70 996 h Agglo. 124 967 h alt. 17.*

**Voir** *Anc. cathédrale St-Nazaire★ : terrasse ⩽★ – Musée du Biterois★* **BZ M3** *– Jardin St Jacques ⩽★.*
✈ *de Béziers-Vias : ✆ 04 67 90 99 10, par ③ : 12 km.*
ℹ *Office du Tourisme, 29 avenue Saint Saëns ✆ 04 67 76 06 24, Fax 04 67 76 50 80, tourisme@ville-beziers.fr.*
*Paris 763 ③ – Montpellier 71 ③ – Marseille 234 ③ – Perpignan 93 ④.*

Plan page suivante

**Champ de Mars** sans rest, 17 r. Metz ✆ 04 67 28 35 53, *Fax 04 67 28 61 42* – TV ✆ ⛟. AE ⦿ GB. ⛒ **CY v**
*fermé 7 au 15 fév.* – ☕ 5 – **10 ch** 33,50/46.
◆ Petit hôtel familial dans une ruelle tranquille, à l'écart du centre-ville. D'ampleur moyenne, les chambres, sobrement décorées, bénéficient d'un équipement complet.

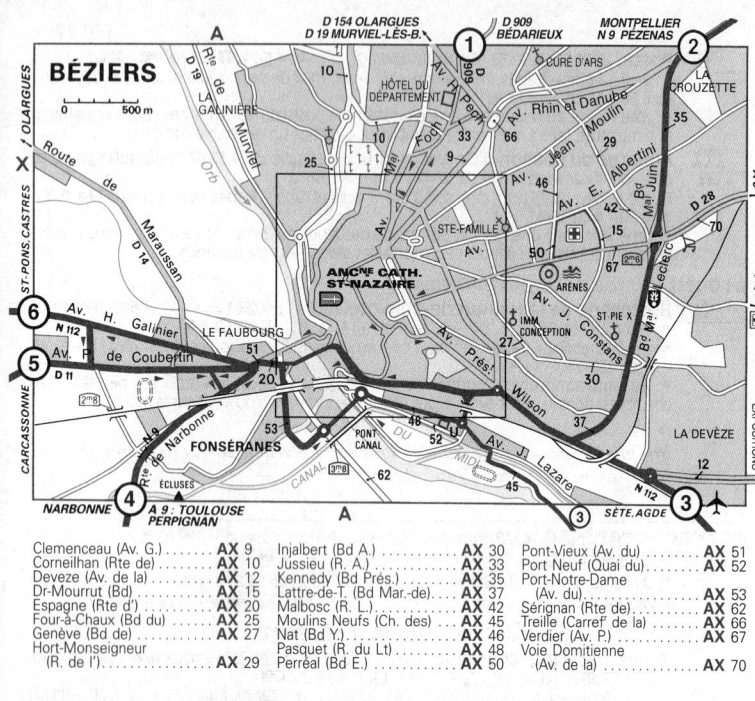

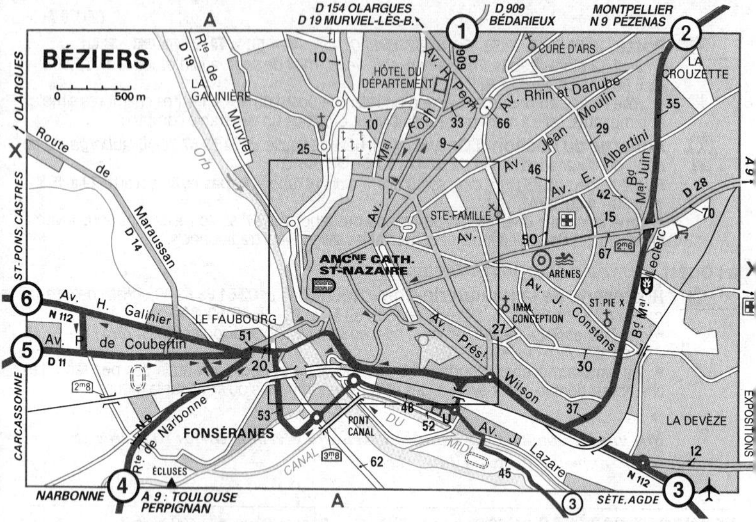
BÉZIERS
0
500 m
D 154 OLARGUES
D 19 MURVIEL-LÈS-B.
D 909
BÉDARIEUX
MONTPELLIER
N 9 PÉZENAS
A
LA GALINIÈRE
Rte de Murviel
D 19
Orb
HÔTEL DU DÉPARTEMENT
Av. H. Pech
D 909
CURÉ D'ARS
LA CROUZETTE
Av. Rhin et Danube
Av. Jean Moulin
Av. E. Albertini
Bd Mal Juin
D 28
Route de Maraussan
D 14
STE-FAMILLE
ANCNE CATH. ST-NAZAIRE
ARÈNES
IMM. CONCEPTION
ST-PIE X
Av. J. Constans
Bd Mal Leclerc
Av. Prés. Wilson
Av. H. Galinier
N 112
LE FAUBOURG
Av. P. de Coubertin
D 11
FONSÉRANES
Rte de Narbonne
N 9
PONT CANAL
CANAL DU MIDI
Av. J. Lazare
LA DEVÈZE
EXPOSITIONS
ÉCLUSES
NARBONNE
A 9 : TOULOUSE PERPIGNAN
SÈTE, AGDE
CARCASSONNE
ST-PONS, CASTRES
OLARGUES
A 9

| | | |
|---|---|---|
| Clemenceau (Av. G.) . . . . . . . **AX** 9 | Injalbert (Bd A.) . . . . . . . . . . **AX** 30 | Pont-Vieux (Av. du) . . . . . . . **AX** 51 |
| Corneilhan (Rte de) . . . . . . . **AX** 10 | Jussieu (R. A.) . . . . . . . . . . . **AX** 33 | Port Neuf (Quai du) . . . . . . . **AX** 52 |
| Deveze (Av. de la) . . . . . . . . **AX** 12 | Kennedy (Bd Prés.) . . . . . . . . **AX** 35 | Port-Notre-Dame (Av. du) . . . . . . . . . . . . . . **AX** 53 |
| Dr-Mourrut (Bd) . . . . . . . . . . **AX** 15 | Lattre-de-T. (Bd Mar.-de) . . . . **AX** 37 | Sérignan (Rte de) . . . . . . . . . **AX** 62 |
| Espagne (Rte d') . . . . . . . . . **AX** 20 | Malbosc (R. L.) . . . . . . . . . . . **AX** 42 | Treille (Carref' de la) . . . . . . **AX** 66 |
| Four-à-Chaux (Bd du) . . . . . . **AX** 25 | Moulins Neufs (Ch. des) . . . **AX** 45 | Verdier (Av. P.) . . . . . . . . . . . **AX** 67 |
| Genève (Bd de) . . . . . . . . . . **AX** 27 | Nat (Bd Y.) . . . . . . . . . . . . . . **AX** 46 | Voie Domitienne (Av. de la) . . . . . . . . . . . . **AX** 70 |
| Hort-Monseigneur (R. de l') . . . . . . . . . . . . **AX** 29 | Pasquet (R. du Lt) . . . . . . . . **AX** 48 | |
| | Perréal (Bd E.) . . . . . . . . . . . **AX** 50 | |

XXX **L'Ambassade,** 22 bd Verdun (face gare) ✉ 34500 ✆ 04 67 76 06 24, *Fax 04 67 76 74 05* – ▤. AE ⓪ GB — CZ n
*fermé 25 mai au 15 juin, dim. et lundi* – **Repas** 24/65 ♀.
◆ Une décoration résolument contemporaine (boiseries blondes, verre sablé), des mets appétissants et une carte des vins exceptionnelle : le "Tout-Béziers" s'y précipite !

XX **Val d'Héry,** 67 av. Prés. Wilson ✆ 04 67 76 56 73, *Fax 04 67 76 56 73* – ▤. ⓪ GB
*fermé 15 au 30 juin, dim. et lundi* – **Repas** 17/32 ♀. — CZ b
◆ Près du Plateau des Poètes, le joli parc aménagé au 19e s. Sobre décor actuel rehaussé de toiles du chef et cuisine au goût du jour évoluant au gré des saisons.

XX **Framboisier,** 12 r. Boïeldieu ✆ 04 67 49 90 00, *Fax 04 67 28 06 73* – ▤. AE ⓪ GB JCB — CY u
*fermé 16 août au 5 sept., vacances de fév., dim. et lundi* – **Repas** 26/39,70.
◆ À deux pas des allées Paul-Riquet et des salles de cinéma, découvrez l'ambiance feutrée de cet agréable restaurant. Répertoire classique côté cuisine.

**par** ③ *: 6 km près échangeur A9-Béziers-Est* – ✉ *34420 Villeneuve-lès-Béziers :*

**Ibis,** ✆ 04 67 62 55 14, *h0683-gn@accorhotels.com, Fax 04 67 76 50 78,* ⛱, 🏊 – |‡| ⇔ ▤ TV ☏ ♿ P – 🏔 40 à 80. AE ⓪ GB JCB
**Repas** *(12)* - 15 ♨, enf. 6 – ☕ 5,50 – **108 ch** 59.
◆ D'un accès facile par l'autoroute, deux bâtiments contigus accueillent clientèle d'affaires et touristes dans des chambres fonctionnelles, récemment rafraîchies.

**Clim'Oc,** Parc d'activité La Montagnette, rte Valras : 1 km ✆ 04 67 39 40 00, *Fax 04 67 39 39 61,* 🏊, 🎾 – ⇔ ▤ TV ☏ ♿ P – 🏔 15 à 50. AE ⓪ GB
**Repas** 13/30 ♀ – ☕ 6 – **78 ch** 51/72 – ½ P 48,50/59.
◆ À la périphérie de la ville, étape utile sur la route de l'Espagne. Chambres standardisées ; demandez-en une rénovée. Bons équipements sportifs.

**à Maraussan** *Ouest : 6 km par D 14 – 2 336 h. alt. 38 –* ✉ *34370 :*

XX **Parfums de Garrigues,** 37 r. Poste ✆ 04 67 90 33 76, *Fax 04 67 90 33 76,* ⛱ – ▤ P. ⓪ GB
*fermé 25 août au 3 sept., 27 oct. au 5 nov., 24 fév. au 12 mars, mardi et merc.* – **Repas** 18 (déj.), 23/33 ♀, enf. 10.
◆ Confortable salle à manger aux tons d'oc et terrasse ombragée installée dans la cour intérieure de cette bâtisse joliment rénovée. Cuisine aux parfums de la garrigue.

# BÉZIERS

Abreuvoir (R. de l') ......... **BZ** 2
Albert-Ier (Av.) .............. **CY** 3
Bonsi (R. de) ............... **BZ** 4
Brousse (Av. Pierre) ........ **BZ** 5
Canterelles (R.) ............ **BZ** 6
Capus (R. du) .............. **BZ** 7
Citadelle (R. de la) ......... **BZ** 9
Drs-Bourguet (R. des) ...... **BZ** 13
Estienne-d'Orves (Av.) ...... **BZ** 22
Flourens (R.) ............... **BY** 23
Garibaldi (Pl.) .............. **CZ** 26
Joffre (Av. Mar.) ............ **CZ** 32
Massol (R.) ................. **BZ** 43
Moulins (Rampe des) ....... **BY** 44
Orb (R. de l') ............... **BZ** 47
Péri (Pl. G.) ............... **BYZ** 49
Puits-des-Arènes (R. du) .... **BZ** 54
République (R. de la) ....... **BY** 55
Révolution (Pl. de la) ....... **BZ** 57
Riquet (R. P.) ............... **BY** 58
St-Jacques (R.) ............. **BZ** 60
Strasbourg (Bd de) .......... **CY** 64
Tourventouse (Bd) ........... **BZ** 65
Victoire (Pl. de la) ........ **BCY** 68
Viennet (R.) ................ **BZ** 69
4-Septembre (R. du) ........ **BY** 72
11-Novembre (Pl. du) ....... **CY** 74

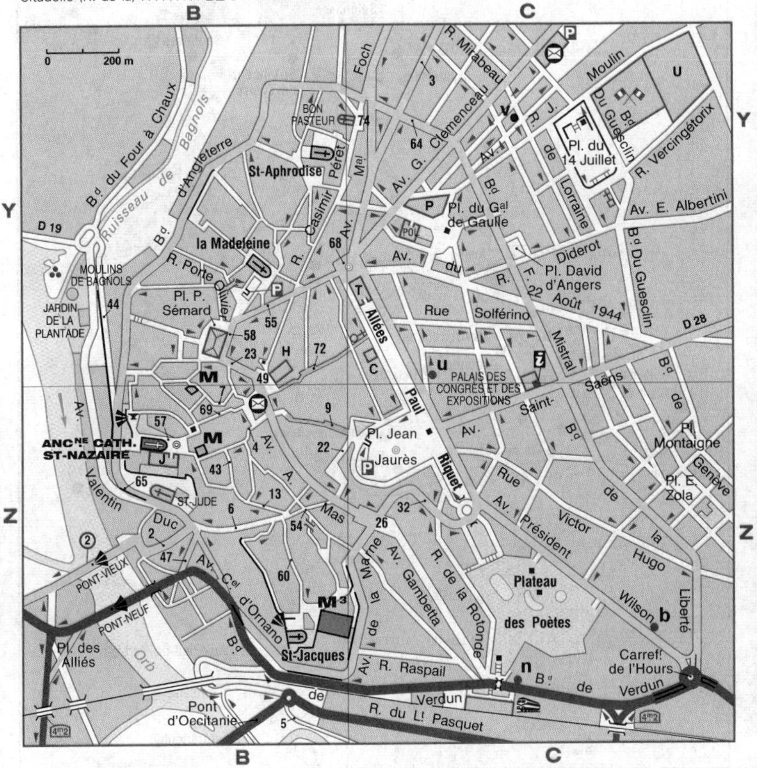

B
C
Y
Z
0
200 m
Bd du Four à Chaux
Ruisseau de Bagnols
Bd d'Angleterre
D 19
MOULINS DE BAGNOLS
JARDIN DE LA PLANTADE
BON PASTEUR
St-Aphrodise
la Madeleine
R. Porte Olivier
Pl. P. Sémard
R. Casimir Péret
Foch
R. Mirabeau
Av. G. Clemenceau
Pl. du Gal de Gaulle
Pl. du 14 Juillet
Bd Du Guesclin
R. Vercingétorix
Av. E. Albertini
Bd de Lorraine
Pl. David d'Angers
Av. Diderot
R. du 22 Août 1944
Rue Solférino
Mistral
D 28
Allées Paul Riquet
PALAIS DES CONGRES ET DES EXPOSITIONS
Av. Saint-Saëns
Bd de Genève
Pl. Montaigne
Pl. E. Zola
Pl. Jean Jaurès
ANCNE CATH. ST-NAZAIRE
ST-JUDE
Av. Valentin
Duc
Av. A. Mas
Rue Victor Hugo
Av. Président Wilson
Bd de la Liberté
Plateau des Poètes
Av. de la Marne
Av. Gambetta
R. de la Rotonde
PONT-VIEUX
PONT-NEUF
Pl. des Alliés
Orb
Av. Cel d'Ornano
St-Jacques
R. Raspail
Bd de Verdun
Carreft de l'Hours
Pont d'Occitanie
R. du Lt Pasquet


✗ **Vieux Puits**, ✆ 04 67 90 05 59, *Fax 04 67 90 05 59* – AE ⓓ GB
*fermé dim. et lundi* – **Repas** 25/35 ♀.
◆ Le "vieux puits" se trouve à l'entrée de la salle à manger de ce restaurant familial. Intérieur décoré de fresques fruitières, recettes traditionnelles et plats du terroir.

**à Lignan-sur-Orb** *Nord-Ouest par D 19 (rte de Murviel) : 7 km – 2 543 h. alt. 28 – ✉ 34490 :*

**Château de Lignan** M, ✆ 04 67 37 91 47, *chateau.de.lignan@wanadoo.fr, Fax 04 67 37 99 25*, – AE ⓓ GB. rest
**Repas** 35/42 ♀ – ☕ 13 – **49 ch** 107/137 – ½ P 130.
◆ Ancienne résidence épiscopale à la tête d'un parc de 6 ha au bord de l'Orb. Chambres contemporaines sobres et bien équipées. Salle à manger spacieuse et claire.

**BIARRITZ** *64200 Pyr.-Atl.* 342 C4 *G. Aquitaine – 28 742 h alt. 19 – Casino.*
**Voir** *≤★★ de la Perspective – ≤★ du phare et de la Pointe St-Martin* **AX** *– Rocher de la Vierge★ – Musée de la mer★.*
✈ *de Biarritz-Anglet-Bayonne : ✆ 05 59 43 83 83, 2 km* **ABX.**
🚗 *✆ 08 36 35 35 35.*
ℹ *Office du tourisme, square d'Ixelles ✆ 05 59 22 37 00, Fax 05 59 24 14 19, Biarritz. Tourisme@biarritz.tm.fr.*
*Paris 776 ③ – Bayonne 9 – Bordeaux 192 ③ – Pau 123 ② – San Sebastián 48 ⑥.*

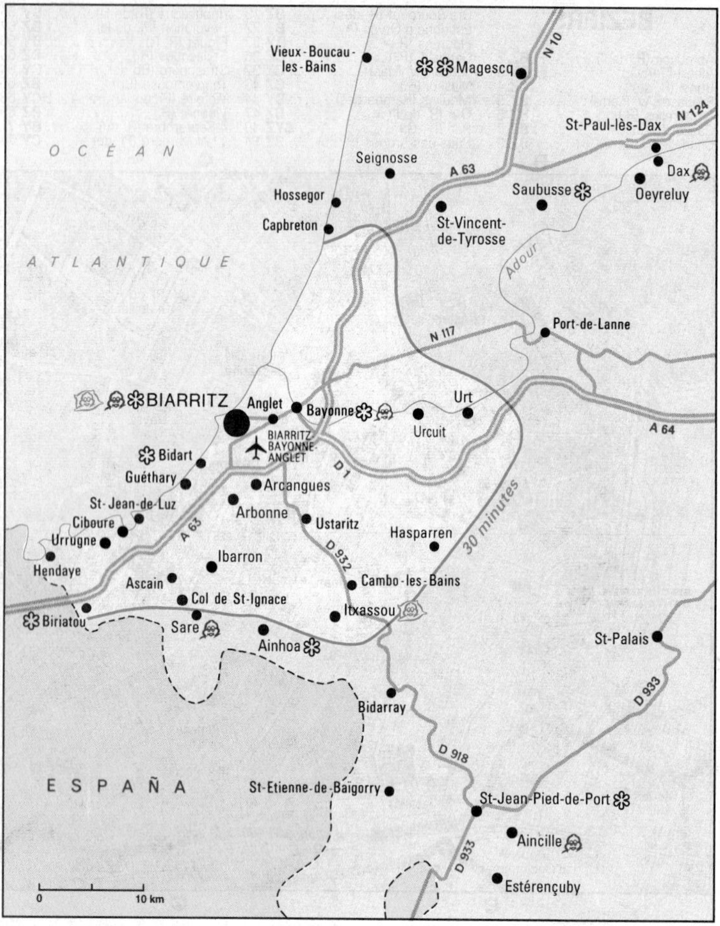

Vieux-Boucau-les-Bains
Magescq
N 10
St-Paul-lès-Dax
N 124
O C É A N
Seignosse
A 63
Dax
Saubusse
Oeyreluy
Hossegor
Capbreton
St-Vincent-de-Tyrosse
A T L A N T I Q U E
Adour
Port-de-Lanne
N 117
BIARRITZ
Anglet
Bayonne
Urt
Urcuit
A 64
BIARRITZ-BAYONNE-ANGLET
D 1
Bidart
Guéthary
Arcangues
St-Jean-de-Luz
Arbonne
Ciboure
Urrugne
A 63
Ustaritz
Hasparren
30 minutes
Hendaye
Ibarron
D 932
Ascain
Cambo-les-Bains
Col de St-Ignace
Itxassou
Biriatou
Sare
Ainhoa
St-Palais
Bidarray
D 933
D 918
E S P A Ñ A
St-Etienne-de-Baïgorry
St-Jean-Pied-de-Port
Aincille
D 933
Estérençuby
0
10 km


**Palais**, 1 av. Impératrice ✆ 05 59 41 64 00, *reception@hotel-du-palais.com, Fax 05 59 41 67 99*, – 25 à 150. rest **EY k**

*fermé fév.* – ***Villa Eugénie*** (dîner seul. en juil.-août) **Repas** 85 et carte 85 à 105 – ***La Rotonde*** (résidents seul.) **Repas** 50, enf. 25 – ***L'Hippocampe*** (rest. piscine) *(mi-avril-fin oct. et fermé le soir sauf juil.-août)* **Repas** 45 (déj.) 65/95, enf. 25 – 35 – **134 ch** 325/500, 22 appart – ½ P 270/320.

◆ L'élégante villégiature offerte par Napoléon III à l'impératrice est devenue un palace luxueux. Le salon de la Villa Eugénie fait partie des anciens appartements impériaux.

**Spéc.** Asperges vertes et oeuf poché à la truffe (printemps). Rouget du pays en filets poêlés, chipirons et riz, sauce à l'encre. Poêlée de framboises tièdes, glace à la vanille (saison). **Vins** Jurançon sec, Irouléguy.

**Sofitel Miramar** M, 13 r. L. Bobet ✆ 05 59 41 30 00, *H2049@accor-hotels.com, Fax 05 59 24 77 20*, – 20 à 170. rest **AX k**

***Relais :*** **Repas** 46, enf. 16 – ***Les Piballes*** (rest. diététique) **Repas** 46, enf. 16 – 18 – **109 ch** 317/490, 17 appart – ½ P 237/299.

◆ Santé et luxe vivent en harmonie dans cet hôtel abritant un centre de thalassothérapie. Les terrasses des chambres donnent sur l'océan. Face à la piscine, le Relais.

# BIARRITZ - ANGLET BAYONNE

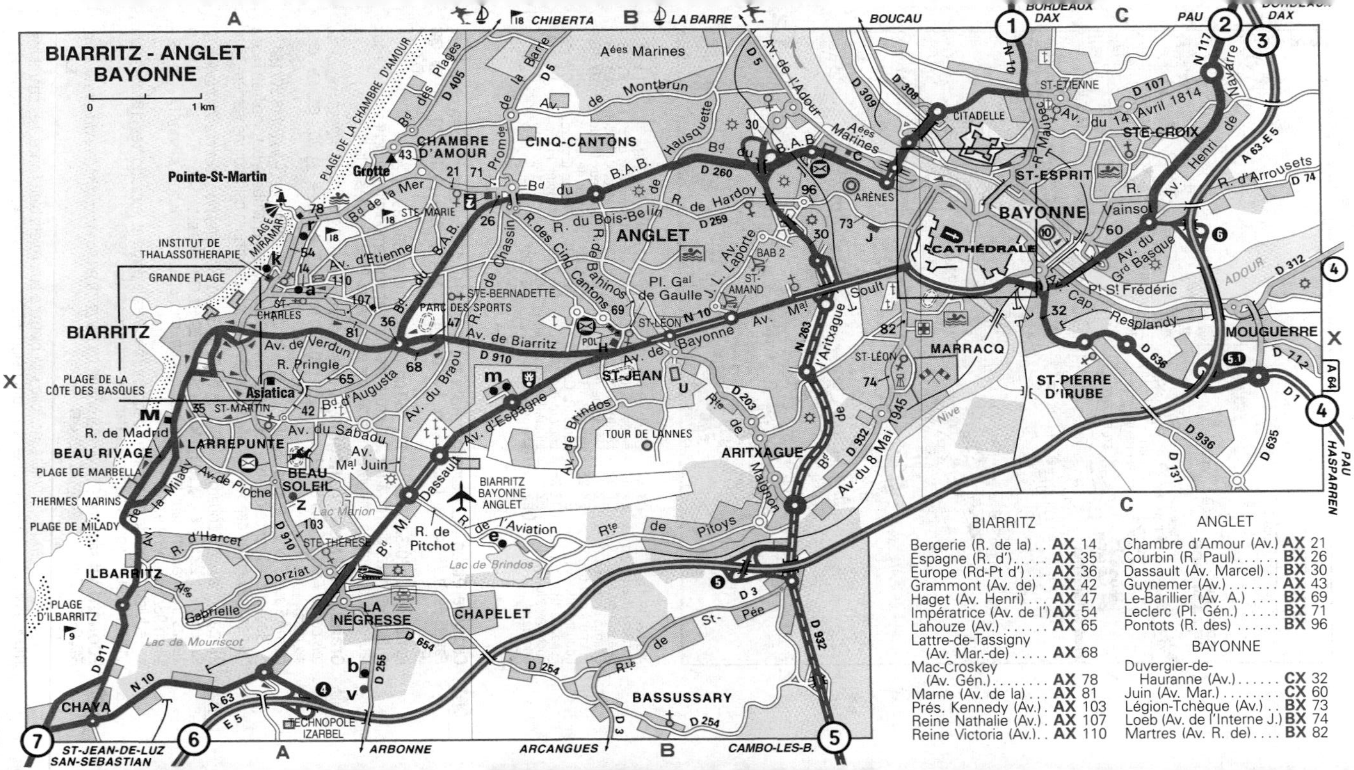
0
1 km
A
B
C
X
CHIBERTA
LA BARRE
BOUCAU
BORDEAUX DAX
PAU
PAU HASPARREN
ST-JEAN-DE-LUZ SAN-SEBASTIAN
ARBONNE
ARCANGUES
CAMBO-LES-B.
BIARRITZ
ANGLET
BAYONNE
CHAMBRE D'AMOUR
CINQ-CANTONS
Pointe-St-Martin
Grotte
PLAGE MIRAMAR
INSTITUT DE THALASSOTHERAPIE
GRANDE PLAGE
PLAGE DE LA CHAMBRE D'AMOUR
PLAGE DE LA CÔTE DES BASQUES
PLAGE DE MARBELLA
THERMES MARINS
PLAGE DE MILADY
PLAGE D'ILBARRITZ
BEAU RIVAGE
LARREPUNTE
BEAU SOLEIL
ILBARRITZ
CHAYA
LA NÉGRESSE
CHAPELET
BASSUSSARY
ARITXAGUE
ST-JEAN
MARRACQ
ST-PIERRE D'IRUBE
MOUGUERRE
ST-ESPRIT
STE-CROIX
CITADELLE
CATHÉDRALE
ARÈNES
ST-ÉTIENNE
STE-MARIE
ST-CHARLES
ST-MARTIN
STE-THÉRÈSE
STE-BERNADETTE
PARC DES SPORTS
ST-LÉON
ST-AMAND
TOUR DE LANNES
BIARRITZ BAYONNE ANGLET
TECHNOPOLE IZARBEL
Asiatica
Lac Marion
Lac de Brindos
Lac de Mouriscot
ADOUR
Nive
N 10
N 117
N 263
A 63-E 5
A 64
D 1
D 3
D 5
D 107
D 137
D 203
D 254
D 255
D 259
D 260
D 308
D 309
D 312
D 405
D 635
D 636
D 654
D 712
D 910
D 911
D 932
D 936
Bd du B.A.B.
Av. de l'Adour
Aées Marines
Av. de Montbrun
Hausquette
Promde de la Barre
Bd des Plages
Bd de la Mer
Av. d'Etienne
R. de Chassin
R. des Cinq Cantons
R. de Bahinos
R. du Bois-Belin
R. de Hardoy
Av. L. Laporte
Pl. Gal de Gaulle
Av. de Biarritz
Av. de Verdun
R. Pringle
Bd d'Augusta
Av. du Braou
Av. de Bayonne
Av. Mal Soult
Bd de l'Aritxague
Av. du 8 Mai 1945
Av. d'Espagne
Bd M. Dassault
R. de Pitchot
R. de l'Aviation
Rte de Pitoys
Rte de Maignon
Av. de Brindos
Av. du Sabaou
Av. Mal Juin
Av. de Pioche
Av. de la Milady
R. de Madrid
R. d'Harcet
Dorziat
Aée Gabrielle
Rte de St-Pée
Av. du 14 Avril 1814
Av. Henri de Navarre
R. d'Arrousets
R. Vainsot
Av. du Grd Basque
Pt St Frédéric
Av. Cap. Resplandy
R. Maubec
BAB 2
POL
1
2
3
4
5
6
7

| BIARRITZ | | |
|---|---|---|
| Bergerie (R. de la) | AX | 14 |
| Espagne (R. d') | AX | 35 |
| Europe (Rd-Pt d') | AX | 36 |
| Grammont (Av. de) | AX | 42 |
| Haget (Av. Henri) | AX | 47 |
| Impératrice (Av. de l') | AX | 54 |
| Lahouze (Av.) | AX | 65 |
| Lattre-de-Tassigny (Av. Mar.-de) | AX | 68 |
| Mac-Croskey (Av. Gén.) | AX | 78 |
| Marne (Av. de la) | AX | 81 |
| Prés. Kennedy (Av.) | AX | 103 |
| Reine Nathalie (Av.) | AX | 107 |
| Reine Victoria (Av.) | AX | 110 |

| ANGLET | | |
|---|---|---|
| Chambre d'Amour (Av.) | AX | 21 |
| Courbin (R. Paul) | BX | 26 |
| Dassault (Av. Marcel) | BX | 30 |
| Guynemer (Av.) | AX | 43 |
| Le-Barillier (Av. A.) | BX | 69 |
| Leclerc (Pl. Gén.) | BX | 71 |
| Pontots (R. des) | BX | 96 |

| BAYONNE | | |
|---|---|---|
| Duvergier-de-Hauranne (Av.) | CX | 32 |
| Juin (Av. Mar.) | CX | 60 |
| Légion-Tchèque (Av.) | BX | 73 |
| Loeb (Av. de l'Interne J.) | BX | 74 |
| Martres (Av. R. de) | BX | 82 |

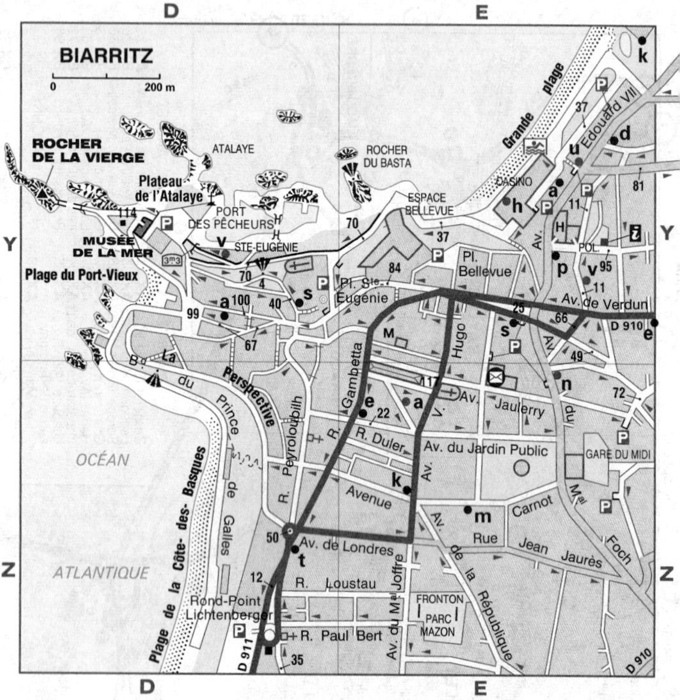

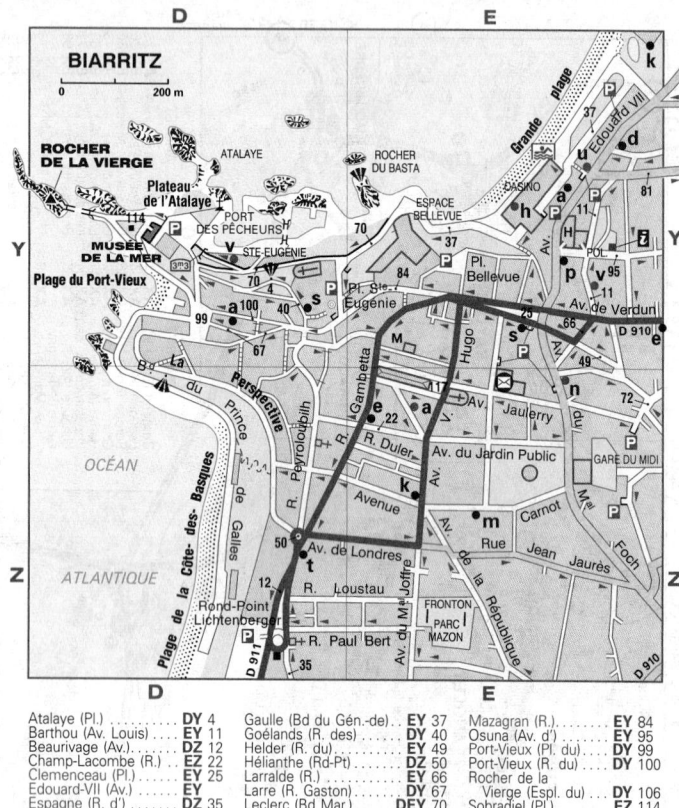

D
E
BIARRITZ
0
200 m
ROCHER DE LA VIERGE
ATALAYE
Plateau de l'Atalaye
ROCHER DU BASTA
PORT DES PÊCHEURS
STE-EUGÉNIE
ESPACE BELLEVUE
Grande plage
CASINO
Edouard VII
MUSÉE DE LA MER
Plage du Port-Vieux
Pl. Ste-Eugénie
Pl. Bellevue
Av. de Verdun
D 910
Perspective
Gambetta
Hugo
Av. Jaulerry
R. Duler
Av. du Jardin Public
GARE DU MIDI
OCÉAN
ATLANTIQUE
Plage de la Côte-des-Basques
Bd du Prince de Galles
R. Peyroloubilh
Avenue
Carnot
Foch
Av. de Londres
Rue Jean Jaurès
Av. de la République
R. Loustau
Rond-Point Lichtenberger
R. Paul Bert
Av. du Mal Joffre
FRONTON
PARC MAZON
D 911
D 910
Y
Z


Atalaye (Pl.) .......... DY 4
Barthou (Av. Louis) .... EY 11
Beaurivage (Av.)....... DZ 12
Champ-Lacombe (R.) .. EZ 22
Clemenceau (Pl.)....... EY 25
Edouard-VII (Av.) ...... EY
Espagne (R. d') ....... DZ 35
Foch (Av. du Mar.)..... EZ
Gambetta (R.) ....... DEZ
Gaulle (Bd du Gén.-de).. EY 37
Goélands (R. des) ..... DY 40
Helder (R. du).......... EY 49
Hélianthe (Rd-Pt) ...... DZ 50
Larralde (R.) .......... EY 66
Larre (R. Gaston)....... DY 67
Leclerc (Bd Mar.) ..... DEY 70
Libération (Pl. de la) .... EZ 72
Marne (Av. de la)....... EY 81
Mazagran (R.)........ EY 84
Osuna (Av. d') ....... EY 95
Port-Vieux (Pl. du).... DY 99
Port-Vieux (R. du) .... DY 100
Rocher de la Vierge (Espl. du) ... DY 106
Sobradiel (Pl.)........ EZ 114
Verdun (Av. de) ...... EY
Victor-Hugo (Av.).... EYZ

**Crowne Plaza** Ⓜ, 1 carrefour Hélianthe ✆ 05 59 01 13 13, *reservations@cpbiarritz.fr*, *Fax 05 59 01 13 14*, ←, Fo, ⛱ – |¤|, ⊁ ▤ TV ✆ ♿ 🚗 P – 🏋 15 à 70. AE ⓓ GB JCB DZ t

**Repas** *(21 bc)* - 30/37,50 ♀ – ☕ 19 – **150 ch** 240/315 – ½ P 339/389.

◆ Nouvel hôtel biarrot à l'architecture résolument contemporaine. Affiches et tableaux taurins décorent les chambres, spacieuses et colorées. Belle piscine sur le toit.

**Grand Hôtel Mercure Régina,** 52 av. Impératrice ✆ 05 59 41 33 00, *H2050@accor-hotels.com*, *Fax 05 59 41 33 99*, ←, ⛱ – |¤|, ▤ rest, TV ♿ P – 🏋 20. AE ⓓ GB. ⊁ rest AX r

*fermé 5 au 25 janv.* – **Repas** 36/46 – ☕ 15 – **56 ch** 175/222, 10 appart – ½ P 118,50/134.

◆ Élégante résidence de style Second Empire. Confortables chambres, côté golf ou face à l'océan, desservies par des coursives plongeant sur le bel atrium coiffé d'une verrière.

**Plaza,** av. Édouard VII ✆ 05 59 24 74 00, *hotel.plaza.biarritz@wanadoo.fr*, *Fax 05 59 22 22 01*, ← – |¤| ▤ TV ✆ P – 🏋 25. AE ⓓ GB. ⊁ rest EY p

**Repas** *(fermé dim. sauf le soir en saison, sam. midi et lundi midi hors saison)* 17 – ☕ 15 – **54 ch** 98/154 – ½ P 97,50/111.

◆ Séduisante façade de style Art déco tournée vers la plage et le casino. Les chambres, au charme désuet, sont aménagées dans l'esprit des années 1930.

**Édouard VII** sans rest, 21 av. Carnot ✆ 05 59 22 39 80, *contact@hotel-edouardVII.com*, *Fax 05 59 22 39 71* – ▤ TV ✆. AE GB EZ k

☕ 9,50 – **18 ch** 109/124.

◆ Proche du centre commerçant, jolie villa biarrote aux volets bleu foncé. Les chambres, impeccables, sont personnalisées. Petits-déjeuners en terrasse. Accueil sympathique.

**Tonic** M, 58 av. Édouard VII ☎ 05 59 24 58 58, *tonic.biarritz@wanadoo.fr, Fax 05 59 24 86 14,* – ▤ – AE GB EY d
Repas - ***Maison Blanche*** *(fermé dim. soir et lundi du 1er nov. au 30 avril)* **Repas** *(15)*25/35 – 15 – **63 ch** 135/190 – ½ P 110/130.
◆ Hôtel récent aux chambres fonctionnelles, toutes équipées de baignoires hydromassantes. Agréable salle à manger contemporaine rehaussée de petites touches océanes.

**Florida,** pl. Ste-Eugénie ☎ 05 59 24 01 76, *hotel.florida@wanadoo.fr, Fax 05 59 24 36 54,* – cuisinette AE GB. rest DY s
*hôtel : 15 mars-15 nov.; rest.: fermé 15 nov. au 15 déc.* – **Repas** 13,70/18,30, enf. 5,30 – 11 – **39 ch** 132/186, 6 studios – ½ P 81/115.
◆ Hôtel situé à deux pas du pittoresque port des Pêcheurs. Les chambres colorées, récemment rénovées, ont pour la plupart vue sur le large. Salon cossu. Billard.

**Windsor,** Grande Plage ☎ 05 59 24 08 52, *hotelwindsor-biarritz@wanadoo.fr, Fax 05 59 24 98 90,* ←, – , ▤ rest, AE GB JCB EY a
*fermé 16 nov. au 15 déc.* – ***Galion*** ☎ 05 59 24 20 32 *(fermé mardi midi et lundi sauf du 1er juil. au 15 sept.)* **Repas** 25 – 10 – **48 ch** 70/140 – ½ P 68/103.
◆ La moitié des chambres de cette grande bâtisse offre la vue sur la plage et l'océan. Une récente cure de jouvence a réveillé l'ensemble de l'hôtel.

**Altess** sans rest, 19 av. Reine Victoria ☎ 05 59 22 04 80, *altess@wanadoo.fr, Fax 05 59 24 91 19* – ▤ – 20. AE GB JCB AX a
*fermé fév.* – 10 – **40 ch** 120/135, 3 duplex.
◆ Bâtiment récent situé dans le centre de la station, à quelques minutes de la plage de la "côte des Fous". Chambres pratiques, pas très grandes mais bien tenues.

**Président** sans rest, pl. Clemenceau ☎ 05 59 24 66 40, *info@lepresident-biarritz.com, Fax 05 59 24 90 46* – ▤ – 30. AE GB EY s
10 – **64 ch** 65/140.
◆ Construction et aménagement intérieur évoquent les années 1970. Optez pour les chambres des trois derniers étages : vue splendide sur l'océan et cadre rénové.

**Maïtagaria** sans rest, 34 av. Carnot ☎ 05 59 24 26 65, *Fax 05 59 24 27 37,* – GB
*fermé 1er au 10 déc.* – 6 – **17 ch** 55/73. EZ m
◆ Demeure de style régional agrémentée d'un tout petit jardin abondamment fleuri. Chambres fraîches et fonctionnelles ; quelques-unes ont conservé un joli mobilier Art déco.

**Maison Garnier** sans rest, 29 r. Gambetta ☎ 05 59 01 60 70, *maison-garnier@hotel-biarritz.com, Fax 05 59 01 60 80* – AE GB EZ e
9 – **7 ch** 80/110.
◆ Coquette villa biarrote du 19e s. agréablement aménagée dans un esprit de maison d'hôte. Mobilier ancien et décoration soignée font le cachet des chambres, assez grandes.

**Marbella,** 11 r. Port Vieux ☎ 05 59 24 04 06, *infos@hotel-marbella.fr, Fax 05 59 24 63 26* – ▤ GB JCB DY a
*fermé 15 déc. au 15 janv.* – **Repas** *(fermé sam. et dim. du 30 oct. au 15 avril)* (dîner seul.) 15,30 – 7,35 – **30 ch** 75/150.
◆ Immeuble bordant une rue commerçante, à quelques encablures du rocher de la Vierge et du musée de la Mer. Chambres un peu petites, mais plaisantes et bien tenues.

**Christina** sans rest, 38 av. Verdun ☎ 05 59 24 26 17, *christina@biarritz-hotel.com, Fax 05 59 24 66 08* – GB JCB EY e
*fermé 20 déc. au 20 janv.* – 6 – **18 ch** 50/56.
◆ Hôtel familial situé sur une avenue passante, à proximité de la future bibliothèque-médiathèque. Chambres un peu exiguës, simples et pratiques.

**Les Platanes** (Daguin), 32 av. Beausoleil ☎ 05 59 23 13 68, *arnindago@club-internet.fr* – AE GB AX z
*fermé lundi et mardi sauf le soir du 14 juil. au 21 août* – **Repas** (nombre de couverts limité, prévenir) 26 (déj.), 40/46 et carte environ 60.
◆ Villa basque abritant deux salles à manger. Cadre soigné, agrémenté de tableaux modernes et meubles anciens. Menus annoncés verbalement et composés selon le marché.
**Spéc.** Foies gras. Pigeonneau à l'ancienne. Chocolat aux chocolats. **Vins** Jurançon moelleux, Côtes de Saint-Mont.

**L'Operne,** 17 av. Edouard VII ☎ 05 59 24 30 30, *operne@wanadoo.fr, Fax 05 59 24 37 89,* ← océan, – AE GB JCB EY u
*fermé 20 janv. au 3 fév. et lundi hors saison* – **Repas** 24/30.
◆ L'un des plus anciens bâtiments du front de mer. Repas sur la terrasse à l'ombre d'un parasol ou dans une salle éclairée par de grandes baies vitrées.

**Café de la Grande Plage,** 1 av. Edouard VII (casino) ☎ 05 59 22 77 77, *casinobiarritz@lucienbarriere.com, Fax 05 59 22 77 83,* ← océan, – ▤. AE GB EY h
**Repas** *(17,30)* - 23,30/28,50, enf. 9,20.
◆ Un petit creux entre deux parties de baccara ? Au rez-de-chaussée du casino, brasserie de style Art déco ornée de mosaïques. Vue idéale sur la plage et les surfeurs.

**Plaisir des Mets,** 5 r. Centre ✆ 05 59 24 34 66 – ▤. GB EZ a
*fermé 15 au 30 juin, 15 au 30 nov., lundi midi et mardi midi en juil.-août, mardi soir et merc. de sept. à juin –* **Repas** 21 ♀.
◆ Restaurant situé à deux pas des halles. Accueillante salle à manger contemporaine égayée de peintures modernes. Cuisine sensible au rythme des saisons.

**Sissinou,** 5 av. Mar. Foch ✆ 05 59 22 51 50, *restaurant.sissinou@wanadoo.fr, Fax 05 59 22 50 58 –* ▤. GB EZ n
*fermé 29 juin au 6 juil., 15 fév. au 1er mars, dim. sauf le soir en août et sam. midi –* **Repas** 28,50 (déj.)/34 ♀.
◆ Discret restaurant posté en retrait de l'animation touristique. Sobre salle à manger moderne. La carte, composée de recettes au goût du jour, change tous les mois.

**Clos Basque,** 12 r. L. Barthou ✆ 05 59 24 24 96, *Fax 05 59 22 34 46,* – GB EY v
*fermé 23 juin au 3 juil., 19 oct. au 6 nov., dim. soir sauf juil.-août et lundi –* **Repas** (nombre de couverts limité, prévenir) 22,50 ♀.
◆ Pierres apparentes et azulejos donnent un air ibérique à la petite salle à manger. Ambiance conviviale et spécialités régionales. Pour papilles gourmandes.

**Chez Albert,** au Port des Pêcheurs ✆ 05 59 24 43 84, *Fax 05 59 24 20 13,* ≤, – AE GB DY v
*fermé 1er au 15 déc., 5 janv. au 10 fév. et merc. sauf juil.-août –* **Repas** 30, enf. 12.
◆ Les produits de la mer sont à l'honneur dans ce restaurant animé et décontracté qui offre une vue imprenable sur le petit port de pêche. Terrasse très prisée en été.

## au lac de Brindos *Sud-Est : 4 km – ✉ 64600 Anglet :*

**Château de Brindos** , 1 allée du Château ✆ 05 59 23 17 68, *info@chateaudebrindos.com, Fax 05 59 23 48 47,* ≤, – ▤ – 15 à 50. AE GB JCB
**Repas** 45/75, enf. 13 – ☕ 25 – **25 ch** 230/310, 5 appart – ½ P 200/215. BX e
◆ Face à un lac de 10 ha, élégante bâtisse invitant au repos et disposant de chambres très spacieuses. La terrasse du restaurant est dressée sous les tilleuls, au bord de l'eau.

## rte d'Arbonne *Sud : 4 km par La Négresse et D 255 – ✉ 64200 Biarritz :*

**Château du Clair de Lune** sans rest, 48 av. Alan-Seeger ✆ 05 59 41 53 20, *hotel-clair-de-lune@wanadoo.fr, Fax 05 59 41 53 29,* ≤, – TV P. GB JCB AX b
☕ 10 – **17 ch** 84/140.
◆ Charmante demeure bourgeoise (1902) et son joli parc. Chambres spacieuses et raffinées, plus actuelles dans les dépendances, pour contempler le clair de lune... à Biarritz !

**Campagne et Gourmandise** (Gaüzère), 52 av. Alan-Seeger ✆ 05 59 41 10 11, *Fax 05 59 43 96 16,* ≤, – ▤ P. GB AX v
*fermé 26 oct. au 12 nov., 14 fév. au 3 mars, dim soir, lundi midi et merc. –* **Repas** 36/59 ♀.
◆ Belle villa basque dans un vaste jardin face aux Pyrénées. Intérieur campagnard chic et jolie terrasse où déguster une cuisine ancrée dans le terroir : une enseigne-vérité !
**Spéc.** Ravioli de crustacés et piment doux à la brandade de morue. Pigeonneau en cocotte à la tranche de foie gras. Crème brûlée aux fraises des bois (1er juil. au 15 sept.). **Vins** Jurançon sec, Irouléguy.

## à Arbonne *Sud : 7 km par La Négresse et D 255 – 1 366 h. alt. 37 – ✉ 64210 :*

**Laminak** sans rest, rte de St Pée ✆ 05 59 41 95 40, *info@hotel-laminak.com, Fax 05 59 41 87 65,* ≤, – TV P. AE GB
*fermé 15 nov. au 26 déc. –* ☕ 9,15 – **12 ch** 56,40/91,50.
◆ À la sortie de ce joli village labourdin, ferme du 18e s. proposant de grandes chambres personnalisées. Petits-déjeuners servis sous la véranda, face au jardin.

## à Arcangues *8 km par La Négresse, D 254 et D 3 – 2 506 h. alt. 80 – ✉ 64200 :*

**Moulin d'Alotz,** au Sud : 3 km par rte Arbonne ✆ 05 59 43 04 54, *Fax 05 59 43 04 54,* – P. GB
*fermé 17 nov. au 2 déc., 12 janv. au 1er fév., merc. midi et mardi –* **Repas** (nombre de couverts limité, prévenir) 23 ♀.
◆ Cette auberge basque typique daterait de 1694. L'intérieur, intime et élégant, a conservé ses poutres apparentes et sa cheminée. Plaisante terrasse dans un jardin fleuri.

**Auberge d'Achtal,** pl. Fronton (accès piétonnier) ✆ 05 59 43 05 56, *Fax 05 59 43 14 09,* – GB
*fermé 6 janv. au 3 avril, mardi et merc. sauf juil.-août –* **Repas** 26 ♀, enf. 10.
◆ Luis Mariano, prince de l'opérette, repose dans ce pittoresque village basque. Intérieur rustique de caractère et terrasse ombragée face au fronton. Plats régionaux.

**voir aussi ressources** *à Anglet*

*Les principales voies commerçantes figurent en* ***rouge*** *dans la liste des rues des plans de villes.*

**BIDARRAY** *64780 Pyr.-Atl.* 342 D5 *G. Aquitaine – 585 h alt. 110.*
*Paris 802 – Biarritz 37 – Cambo-les-Bains 17 – Pau 129 – St-Jean-Pied-de-Port 21.*

**Barberaenea**, pl. Église ✆ 05 59 37 74 86, *hotel-restaurant-barberaenea0wanadoo.fr, Fax 05 59 37 77 55,* <, – TV P. GB. rest
*fermé 18 nov. au 15 déc., mardi et merc. de nov. à mars sauf vacances scolaires –* **Repas** 15/21,50, enf. 7,50 – 6,40 – **9 ch** 30,50/54 – 1/2 P 36,65/48,40.
♦ Près du fronton, hôtellerie basque simple et chaleureuse. Chambres rustiques, agréables à vivre, jouissant d'une belle vue sur monts et vallées environnants.

**Erramundeya** sans rest, rte St-Jean-Pied-de-Port (D 918) ✆ 05 59 37 71 21, *Fax 05 59 37 71 21,* < – P. GB
*fermé 15 nov. au 15 mars et mardi sauf juil.-août –* 5,10 – **10 ch** 29/43.
♦ Maison régionale colorée en grès rouge dans la campagne de Basse-Navarre. Chambres petites, mais confortables et bien tenues. Préférez celles dotées d'une terrasse.

**Pont d'Enfer,** ✆ 05 59 37 70 88, *hotel.restaurant.du.pont.denfer@wanadoo.fr, Fax 05 59 37 76 60,* <, – TV P. AE GB
*9 fév.-30 nov. –* **Repas** *(fermé merc. midi et dim. soir)* 12/26, enf. 7 – 5,80 – **15 ch** 21/52 – 1/2 P 36/45.
♦ Plats classiques ou du terroir à savourer dans cette vieille bâtisse adossée à la falaise, face au pont. Le soir, laissez-vous bercer par les eaux frémissantes de la Nive.

*Si vous cherchez un hôtel tranquille,*
*consultez d'abord les cartes de l'introduction*
*ou repérez dans le texte les établissements indiqués avec le signe* .

**BIDART** *64210 Pyr.-Atl.* 342 C4 *G. Aquitaine – 4 123 h alt. 40.*
Voir *Chapelle Ste-Madeleine* ★.
*Office du Tourisme, rue d'Erretegia ✆ 05 59 54 93 85, Fax 05 59 54 70 51, bidarttourisme-@wanadoo.fr.*
*Paris 781 – Biarritz 7 – Bayonne 17 – Pau 122 – St-Jean-de-Luz 9.*

**Villa L'Arche** sans rest, chemin Camboénéa ✆ 05 59 51 65 95, *villalarche@wanadoo.fr, Fax 05 59 51 65 99,* < Océan, – TV . GB
*7 fév.-12 nov. –* 12 – **9 ch** 145/210.
♦ Entre un quartier résidentiel de la station et les rivages de l'océan se dresse cette charmante villa. Les jolies chambres personnalisées et le beau jardin dominent les flots.

**Ouessant-Ty** sans rest, r. Erretegia ✆ 05 59 54 71 89, *hotel.ouessant-ty@wanadoo.fr, Fax 05 59 47 58 70* – TV . AE GB.
*fermé 14 au 22 juin et 20 déc. au 20 janv. –* 8 – **12 ch** 88/136.
♦ Un sympathique petit établissement flambant neuf, à la fois central et à deux pas des plages. Grandes chambres meublées en rotin. Salon de style breton et crêperie attenante.

**Gochoki** sans rest, r. Caricartenea ✆ 05 59 26 59 55, *hotel.gochoki@wanadoo.fr, Fax 05 59 54 71 00,* – cuisinette TV P. GB.
*8 fév.-12 nov. –* 5,10 – **10 ch** 50/55, 11 studios 76/87.
♦ Cet hôtel devancé par un jardin constitue un pied-à-terre idéal pour sillonner la région. Les familles apprécieront les aménagements en duplex et les studios.

**Ypua,** r. Chapelle ✆ 05 59 54 93 11, *ypua.logis.de.france@wanadoo.fr, Fax 05 59 54 95 14,* , – TV P. AE GB
**Repas** *(fermé dim. soir du 2 nov. au 14 déc.)* 17 (déj.), 24/36 – 9 – **12 ch** 50/90 – 1/2 P 62/75.
♦ Façade blanche et volets bleus, cette pimpante maison basque dispose de chambres modestes mais bien tenues et d'une jolie terrasse au bord de l'Ouhabia. Piscine-jacuzzi.

**Table et Hostellerie des Frères Ibarboure** M avec ch, Sud par N 10, rte Ahetze et rte secondaire : 4 km ✆ 05 59 54 81 64, *contact@freres.ibarboure.com, Fax 05 59 54 75 65,* , , – TV P – 15. AE GB JCB
*fermé 15 nov. au 7 déc. et 5 au 20 janv. –* **Repas** *(fermé dim. soir et merc. du 7 sept. au 30 juin, dim. soir et lundi midi en juil.)* 33 (déj.), 40/60 et carte 56 à 72 – 13 – **8 ch** 122/198.
♦ Belle demeure basque au coeur d'un agréable parc. Plusieurs salles coquettes invitent à savourer les recettes du Sud-Ouest. Chambres personnalisées tournées vers la piscine.
**Spéc.** Craquelon d'araignée de mer à la crème d'oursin. Tournedos moelleux de morue et compoté de basquaise. Foie chaud de canard aux agrumes. **Vins** Irouléguy, Madiran

**BIEF** *25 Doubs* 321 K3 – *rattaché à Villars-sous-Dampjoux.*

**BIELLE** *64260 Pyr.-Atl.* 342 J6 *G. Aquitaine – 470 h alt. 448.*

*Paris 809 – Pau 31 – Laruns 8 – Lourdes 43 – Oloron-Ste-Marie 26.*

**L'Ayguelade,** rte Pau : 1 km ☎ 05 59 82 60 06, *hotel.ayguelade@wanadoo.fr, Fax 05 59 82 61 17,* – rest, GB

*fermé janv., mardi et merc. hors saison –* **Repas** 12/30 ♀, enf. 7 – ☕ 6 – **10 ch** 38/49 – ½ P 38/42.

◆ Maison béarnaise et son annexe situées le long d'un affluent du gave d'Ossau. La plupart des petites chambres sont actuelles et colorées. Généreuse cuisine du terroir.

**BIERT** *09320 Ariège* 343 F7 *– 286 h alt. 590.*

*Paris 811 – Foix 47 – Ax-les-Thermes 59 – Auch 135 – St-Girons 25 – Toulouse 127.*

**Auberge du Gypaete Barbu,** ☎ 05 61 04 89 92, *gypaete.barbu@free.fr, Fax 05 61 04 89 92,* – GB.

*fermé 20 au 30 juin, 20 au 30 sept., déc., dim. soir et lundi sauf juil.-août –* **Repas** 13/30, enf. 8,50.

◆ Voisine de l'église, petite adresse à l'accueil tout sourire proposant des plats traditionnels et régionaux. Salle à manger et bar sobrement campagnards.

**BIESHEIM** *68 H.-Rhin* 315 J8 *– rattaché à Neuf-Brisach.*

**BIGNAN** *56 Morbihan* 308 O7 *– rattaché à Locminé.*

**BILLÈRE** *64 Pyr.-Atl.* 342 J5 *– rattaché à Pau.*

**BILLIERS** *56190 Morbihan* 308 Q9 *– 760 h alt. 20.*

*Paris 462 – Nantes 87 – Vannes 28 – La Baule 42 – Redon 40 – La Roche-Bernard 17.*

**Domaine de Rochevilaine** , à la Pointe de Pen Lan-Sud : 2 km par D 5 ☎ 02 97 41 61 61, *Fax 02 97 41 44 85,* ≤ littoral, – 50. AE GB JCB. rest

**Repas** *(31)* - 48/76 et carte 56 à 75 ♀ – ☕ 15 – **34 ch** 153/304, 3 appart – ½ P 145/200.

◆ Hameau de belles demeures bretonnes et centre de balnéothérapie ancrés à l'extrémité d'une pointe rocheuse face à l'océan. Chambres spacieuses et personnalisées.

**Spéc.** Grosses langoustines en galette de blé noir (mai à août). Bar de ligne poêlé, jus de cidre réduit. Torsade de fromage blanc, glace au lait.

**BINIC** *22520 C.-d'Armor* 309 F3 *G. Bretagne – 2 798 h alt. 35.*

*Office du Tourisme, avenue du Général de Gaulle ☎ 02 96 73 60 12, Fax 02 96 73 35 23.*

*Paris 463 – St-Brieuc 14 – Guingamp 36 – Lannion 67 – Paimpol 31 – St-Quay-Portrieux 6.*

**Benhuyc** M, 1 quai J. Bart ☎ 02 96 73 39 00, *benhuyc@benhuyc.com, Fax 02 96 73 77 04,* – cuisinette GB.

***Cormoran*** ☎ 02 96 73 60 90 *(fermé dim. soir et lundi hors saison)* **Repas** 16,20/28 ♀ – ☕ 7,80 – **23 ch** 53/78.

◆ Sur le port, la façade de cette maison bretonne associe ardoise, granit et verre. Dans les chambres, confort moderne et mobilier de style. Terrasse sous les palmiers.

**BIOT** *06410 Alpes-Mar.* 341 D6 *G. Côte d'Azur – 5 575 h alt. 80.*

**Voir** *Musée national Fernand Léger★★ – Retable du Rosaire★ dans l'église.*

*Office du Tourisme, 46 rue Saint-Sébastien ☎ 04 93 65 78 00, Fax 04 93 65 78 04, tourisme.biot@wanadoo.fr.*

*Paris 915 – Cannes 17 – Nice 21 – Antibes 6 – Cagnes-sur-Mer 9 – Grasse 21 – Vence 18.*

**Domaine du Jas** M sans rest, 625 rte Mer (D 4) ☎ 04 93 65 50 50, *domaine-du-jas@wanadoo.fr, Fax 04 93 65 02 01,* ≤, – AE GB

*1er mars-15 nov.* – ☕ 14 – **16 ch** 140/235, 3 duplex.

◆ Dans un jardin fleuri, ces villas récentes de style régional sont agencées autour de la piscine. Chambres fraîches d'inspiration provençale, dotées de balcons ou de terrasses.

**Les Terraillers,** 11 rte Chemin Neuf (D 4), au pied du village ☎ 04 93 65 01 59, *Fax 04 93 65 13 78,* – AE GB

*fermé nov., jeudi sauf le soir de juin à août et merc. –* **Repas** 29 (déj.), 42/60 et carte 68 à 85 ♀.

◆ Poterie du 16e s. dont l'ancien four a été transformé en salon. Belle salle à manger avec voûtes, pierres, poutres apparentes et fleurs fraîches. Carte aux accents du Sud.

**Spéc.** Homard en deux façons, rôti et en cannelloni. Loup sauvage entier en croûte de sel, sauce fenouillette. Gratin de citron aux framboises, coulis d'abricots. **Vins** Côtes du Luberon, Bellet.

XXX **Auberge du Jarrier,** au village ✆ 04 93 65 11 68, *jarrier.auberge@wanadoo.fr, Fax 04 93 65 50 03,* – . GB
*fermé 1er janv. au 15 mars, lundi et mardi sauf juil.-août* – **Repas** 28 (déj.), 36/53 et carte 39 à 60 ♀.
◆ Les jarres biotoises des maîtres potiers furent prisées dès l'Antiquité. Un bar agrémenté de lampes en verre soufflé dessert la salle à manger et une véranda.

X **Chez Odile,** au village ✆ 04 93 65 15 63,
*fermé 30 nov. au 1er fév., merc. midi, jeudi midi en juil.-août, merc. soir et jeudi de sept. à juin* – **Repas** 26.
◆ Odile vous réserve un accueil haut en couleur dans cette sympathique auberge rustique. Cuisine visible de tous où l'on mitonne les recettes du pays. Jolie terrasse fleurie.

**BIRIATOU** *64 Pyr.-Atl.* 342 B4 – *rattaché à Hendaye.*

**BIRKENWALD** *67440 B.-Rhin* 315 I5 – *228 h alt. 295.*
*Paris 469 – Strasbourg 34 – Molsheim 23 – Saverne 12.*

**Au Chasseur** , ✆ 03 88 70 61 32, *hotel.au-chasseur@wanadoo.fr, Fax 03 88 70 66 02,* , , , – , rest, TV P – 25. AE GB. ch
*fermé 1er janv. au 8 fév.* – **Repas** *(fermé mardi midi, jeudi midi et lundi)* 15/52 ♀ – 10 – **22 ch** 55/75 – ½ P 61/91.
◆ Les chambres de cette coquette auberge sont confortables et fraîches ; certaines ont vue sur les Vosges. À table, l'Alsace se savoure dans le décor et dans l'assiette !

**BISCARROSSE** *40600 Landes* 335 E8 *G. Aquitaine* – *9 054 h alt. 22* – *Casino.*
*Office du Tourisme, 55 place Georges Dufau ✆ 05 58 78 20 96, Fax 05 58 78 23 65, biscarrosse@biscarrosse.com.*
*Paris 658 – Bordeaux 74 – Arcachon 40 – Bayonne 129 – Dax 93 – Mont-de-Marsan 86.*

**Atlantide** sans rest, pl. Marsan ✆ 05 58 78 08 86, *hotel.atlantide@wanadoo.fr, Fax 05 58 78 75 98* – TV . AE GB
6,50 – **33 ch** 60/72.
◆ Hôtel fonctionnel situé au centre-ville. Les chambres, très sobrement décorées, bénéficient parfois de balcons ; celles du dernier étage sont mansardées.

XX **Fontaine Marsan,** pl. Marsan ✆ 05 58 82 81 29, *fontaine.marsan@wanadoo.fr,* – AE GB
*fermé 1er au 15 mars, 15 au 31 oct., dim. soir et lundi* – **Repas** 12,10/32,90 ♀.
◆ Lumineuse salle agrémentée d'une petite collection de triporteurs en miniature. Restauration traditionnelle ou formule bistrot, dans un répertoire aux accents régionaux.

**à Ispe** *Nord : 6 km par D 652 et D 305* – ✉ *40600 Biscarrosse :*

**Caravelle** , ✆ 05 58 09 82 67, *Fax 05 58 09 82 18,* , – TV P. GB. ch
*fermé 1er nov. au 14 fév., lundi midi et mardi midi sauf juil.-août* – **Repas** 15/37, enf. 7 – 7 – **15 ch** 50/76, (en été : ½ pens. seul.) – ½ P 50/54.
◆ Toutes les chambres de cet hôtel qui a pratiquement "les pieds dans l'eau" s'ouvrent sur le lac. Aménagements plus récents à la Villa, mais pas de vue. Ponton privé.

**BISCHWIHR** *68 H.-Rhin* 315 I8 – *rattaché à Colmar.*

**BITCHE** *57230 Moselle* 307 P4 *G. Alsace Lorraine* – *5 517 h alt. 300.*
**Voir** *Citadelle★ – Ligne Maginot : Gros ouvrage du Simserhof★ O : 4 km.*
*Office du Tourisme, 4 rue du glacis du Château ✆ 03 87 06 16 16, Fax 03 87 06 16 17, office-tour@ville-bitche.fr.*
*Paris 443 – Strasbourg 75 – Haguenau 43 – Sarrebourg 62 – Sarreguemines 33 – Saverne 53.*

**Relais des Châteaux Forts,** 6 quai E. Branly (près gare) ✆ 03 87 96 14 14, *Fax 03 87 96 07 36,* – TV P – 25. GB
**Repas** *(fermé 9 au 24 janv., jeudi et vend.)* 10,70 (déj.), 16,30 bc/38 ♀ – 8 – **30 ch** 43/48 – ½ P 46.
◆ Construction moderne située au pied de la citadelle de Vauban. Chambres pimpantes, rénovées et bien équipées. Vaste salle des repas ouverte sur une terrasse.

XX **Strasbourg** M avec ch, 24 r. Col Teyssier ✆ 03 87 96 00 44, *le-strasbourg@wanadoo.fr, Fax 03 87 96 11 57* – TV – 20. AE GB. ch
*fermé 1er au 16 sept., 5 au 23 janv.* – **Repas** *(fermé dim. soir, mardi midi et lundi)* 20/58 ♀, enf. 9 – 7,50 – **10 ch** 60/89 – ½ P 60.
◆ Ce restaurant propose une cuisine au goût du jour dans une spacieuse salle à manger rustique. Chambres bien rénovées et personnalisées : Afrique, Asie, Provence, etc.

**Auberge de la Tour,** 3 r. Gare ✆ 03 87 96 29 25, *Fax 03 87 96 02 61* – P. GB
*fermé 14 au 30 juil., 16 au 25 fév. et lundi* – **Repas** 12,50/45 ♀, enf. 8,50.
◆ Entre gare et centre-ville, grande bâtisse flanquée d'une tourelle. Une décoration d'inspiration Belle Époque rend attrayantes les trois salles à manger.

---

**BIZE-MINERVOIS** *11120 Aude* 344 I3 – *807 h alt. 58.*
*Paris 802 – Béziers 34 – Carcassonne 50 – Narbonne 22 – St-Pons-de-Thomières 33.*

**Bastide Cabezac** M, au Hameau de Cabezac, Sud : 3 km sur D 5 ✆ 04 68 46 66 10, *basti decabezac@aol.com, Fax 04 68 46 66 29*, , – rest, TV & P – 15
**Repas** *(fermé sam. midi, dim. soir et lundi de sept.à avril)* (16) - 23/39 ♀, enf. 10 – 10 – **12 ch** 84/115.
◆ Relais de poste du 18e s. au coeur du vignoble minervois. Aménagements raffinés, meubles de style et couleurs chaleureuses en font un plaisant lieu de séjour.

---

**BLAESHEIM** *67 B.-Rhin* 315 J5 – *rattaché à Strasbourg.*

---

**BLAGNAC** *31 H.-Gar.* 343 G3 – *rattaché à Toulouse.*

---

**BLAMONT** *25310 Doubs* 321 L2 – *1 026 h alt. 576.*
*Paris 487 – Besançon 85 – Baume-les-Dames 55 – Montbéliard 20 – Morteau 58.*

**Vieille Grange,** ✆ 03 81 35 19 00, *Fax 03 81 35 19 00* – TV & . GB
*fermé 4 au 11 août et 22 au 30 déc.* – **Repas** *(fermé sam. midi, lundi midi et dim.)* carte 22 à 28 ♀ – 5,40 – **10 ch** 35/42 – ½ P 61.
◆ Pittoresque adresse de campagne comprenant un hôtel récent qui offre des chambres de bon confort et un restaurant aménagé dans une ferme du 18e s. au cachet préservé.

---

**BLÂMONT** *54450 M.-et-M.* 307 M7 – *1 318 h alt. 264.*
*Paris 375 – Nancy 66 – Lunéville 34 – St-Dié 47 – Sarrebourg 26.*

**Hostellerie du Château,** 2 r. F. Schmitt ✆ 03 83 76 30 30, *Fax 03 83 76 30 31*, – rest, TV & P – 15. GB
**Repas** 10,80 (déj.)/35,50 ♀ – 4,60 – **7 ch** 45,80/51,90 – ½ P 36,60.
◆ Au coeur du village, petit hôtel familial disposant de chambres toutes semblables, fraîches et fonctionnelles. Aux repas, cuisine traditionnelle simple.

---

**Le BLANC** SP *36300 Indre* 323 C7 *G. Berry Limousin – 7 361 h alt. 85.*
*Office du Tourisme, place de la Libération ✆ 02 54 37 05 13, Fax 02 54 37 31 93.*
*Paris 327 – Poitiers 62 – Bellac 62 – Châteauroux 61 – Châtellerault 52.*

**Cygne,** 8 av. Gambetta ✆ 02 54 28 71 63, *Fax 02 54 28 72 13* – . GB
*fermé 16/06 au 05/07, 26/08 au 04/09, 02 au 17/01, dim. soir d'oct.à juin, lundi et mardi* – **Repas** (nombre de couverts limité, prévenir) 15/45.
◆ À deux pas de l'église réputée pour ses guérisons miraculeuses, agréable restaurant aux tables soigneusement dressées. La cuisine, au goût du jour, évolue au gré du marché.

**par rte de Belâbre** , *D 10 et rte secondaire : 6 km : – ✉ 36300 Le Blanc :*

**Domaine de l'Étape** , ✆ 02 54 37 18 02, *domainetape@wanadoo.fr, Fax 02 54 37 75 59*, , – TV P – 60. AE GB JCB
**Repas** 20/55 ♀ – 9 – **35 ch** 38/110.
◆ Belle demeure bourgeoise du 19e s., son domaine équestre et son étang (pêche, canotage) dans un parc de 200 ha. Chambres assez joliment meublées, plus actuelles à l'annexe.

---

**Le BLANC-MESNIL** *93 Seine-St-Denis* 305 F7 101 ⑰ – *voir à Paris, Environs.*

---

**BLANGY-SUR-BRESLE** *76340 S.-Mar.* 304 J2 – *3 447 h alt. 70.*
*Office du Tourisme, 1 rue Checkroun ✆ 02 35 93 52 48, Fax 02 35 93 52 48.*
*Paris 157 – Amiens 55 – Abbeville 28 – Dieppe 56 – Neufchâtel-en-Bray 31 – Le Tréport 26.*

**Pieds dans le Plat,** 27 r. St-Denis ✆ 02 35 93 38 36, *Fax 03 87 01 49 16* – . GB
*fermé 23 au 30 juin, vacances de fév., jeudi soir hors saison et lundi* – **Repas** 13,80/28 ♀, enf. 6,50.
◆ Pimpante et lumineuse salle à manger égayée de tableaux d'un artiste local et d'originales fleurs en verre. Accueil tout sourire. Cuisine traditionnelle.

---

**BLANQUEFORT** *33 Gironde* 335 H5 – *rattaché à Bordeaux.*

**BLÉNEAU** *89220 Yonne* 319 A5 – *1 585 h alt. 200.*

Env. *Château de St Fargeau*★★ G. Bourgogne.

*Syndicat d'Initiative, 13 rue d'Orléans ✆ 03 86 74 82 28, Fax 03 86 74 82 28.*

*Paris 157 – Auxerre 56 – Clamecy 59 – Gien 29 – Montargis 43.*

**Blanche de Castille,** 17 r. d'Orléans ✆ 03 86 74 92 63, *daniel.gaspard@free.fr, Fax 03 86 74 94 43,* – P. AE GB

**Repas** *(fermé 16 au 24 sept., janv., dim. soir et jeudi)* (7,50) - 13/29 – 8,50 – **13 ch** 46/62 – ½ P 60.

◆ Dans un ancien relais de poste. Les chambres, peu à peu refaites, portent de doux prénoms féminins ; celles du premier étage sont mansardées. Salon de lecture.

**Auberge du Point du Jour,** pl. Mairie ✆ 03 86 74 94 38, *daniel.gaspard@free.fr, Fax 03 86 74 85 92* – . AE GB

*fermé 27 août au 5 sept., 23 déc. au 2 janv., vac. de fév., dim. soir, mardi soir, merc. soir et lundi sauf fériés* – **Repas** 15,50 (déj.), 21/45 et carte 45 à 60.

◆ Poutres apparentes, boiseries égayées de tableaux et lumière diffuse ajoutent à l'ambiance chaleureuse de cette salle à manger assez cossue.

**BLÉNOD-LÈS-PONT-A-MOUSSON** *54 M.-et-M.* 307 H5 – *rattaché à Pont-à-Mousson.*

**BLÉRÉ** *37150 I.-et-L.* 317 O5 *G. Châteaux de la Loire* – *4 388 h alt. 59.*

*Office du Tourisme, 8 rue Jean-Jacques Rousseau ✆ 02 47 57 93 00, Fax 02 47 57 93 00, tourisme@blere-touraine.com.*

*Paris 236 – Tours 26 – Blois 49 – Château-Renault 36 – Loches 25 – Montrichard 17.*

**Cheval Blanc** (Blériot), pl. Église ✆ 02 47 30 30 14, *le.cheval.blanc@wanadoo.fr, Fax 02 47 23 52 80,* , , – rest, P. AE GB

*fermé 1er janv. au 13 fév.* – **Repas** *(fermé vend. midi, dim. soir hors saison et lundi)* (prévenir) 17/56 – 7,50 – **12 ch** 58/72 – ½ P 65/76.

◆ Demeure du 17e s. dont la plupart des chambres donnent sur l'agréable et paisible cour fleurie. Élégante salle à manger. La cuisine, copieuse, varie au gré des saisons.

**Spéc.** Escalope de sandre beurre blanc et gratinée de Saint-Jacques (sept. à avril). Caneton, cuisse grillée et filet poêlé aux champignons sauvages. Charlotte à la crème d'amandes.
**Vins** Montlouis, Chinon.

**BLÉRIOT-PLAGE** *62 P.-de-C.* 301 E2 – *rattaché à Calais.*

**BLESLE** *43450 H.-Loire* 331 B2 *G. Auvergne* – *703 h alt. 520.*

Voir *Église St-Pierre*★.

*Office du Tourisme, place de l'Eglise ✆ 04 71 76 26 90, Fax 04 71 76 26 90.*

*Paris 487 – Aurillac 94 – Brioude 24 – Issoire 38 – Murat 45 – St-Flour 38.*

**Bougnate** M avec ch, pl. Vallat ✆ 04 71 76 29 30, *Fax 04 71 76 29 39,* – – 20. GB

*fermé 2 janv. à fin fév., lundi, mardi et merc. d'oct. à mars* – **Repas** 24,40 – 6 – **12 ch** 56/61.

◆ Auberge depuis le 18e s., cette maison blesloise a été restaurée avec goût sous l'impulsion de Gérard Klein. Plats du terroir privilégiant le boeuf de Salers. Jolies chambres.

**BLIENSCHWILLER** *67650 B.-Rhin* 315 I6 – *292 h alt. 230.*

*Syndicat d'Initiative, ✆ 03 88 92 40 16, Fax 03 88 92 40 16.*

*Paris 447 – Strasbourg 49 – Barr 52 – Erstein 26 – Obernai 18 – Sélestat 12.*

**Winzenberg** M sans rest, 58 rte des Vins ✆ 03 88 92 62 77, *winzenberg@visit-alsace.com, Fax 03 88 92 45 22* – P. GB.

*fermé 5 janv. au 20 fév.* – 6 – **13** ch 38/47.

◆ Façade rose très fleurie, jolie cour intérieure, chambres coquettes (mobilier alsacien en bois peint) : cet hôtel familial aménagé dans une maison de viticulteur a du cachet.

**BLIGNY-SUR-OUCHE** *21360 Côte-d'Or* 320 I7 *G. Bourgogne* – *745 h alt. 360.*

*Office du Tourisme, place de l'Hôtel de Ville ✆ 03 80 20 16 51, Fax 03 80 20 17 90.*

*Paris 290 – Beaune 19 – Autun 42 – Dijon 49 – Pouilly-en-Auxois 22 – Saulieu 44.*

**Trois Faisans** avec ch, ✆ 03 80 20 10 14, *info@troisfaisans.fr, Fax 03 80 20 08 68,* , – P. AE GB. rest

*fermé 20 au 26 nov. et 2 janv. au 25 fév.* – **Repas** *(fermé mardi et merc. sauf juil.-août et fériés)* 11 bc (déj.), 24/37, enf. 8 – 6,50 – **6 ch** 45/62 – ½ P 45/53.

◆ Ancien relais de poste bourguignon et sa cour où l'on sert les repas l'été. Jolie salle rustique avec cheminée. Chambres actualisées. Jardin bucolique au bord de l'Ouche.

**BLOIS** P 41000 L.-et-Ch. 318 E6 *G. Châteaux de la Loire – 49 318 h Agglo. 116 544 h alt. 73.*

Voir *Château★★★ : musée des Beaux-Arts★ – Le Vieux Blois★ : Église St-Nicolas★ – Cour avec galeries★ de l'hôtel d'Alluye* **YZ E** – *Jardins de l'Evêché ≤★ – Jardin des simples et des fleurs royales ≤★* **L** – *Maison de la Magie Robert-Houdin★.*

*Office du Tourisme, 3 avenue Jean Laigret ☎ 02 54 90 41 41, Fax 02 54 90 41 49, info@loiredeschateaux.com.*

*Paris 183 ① – Orléans 62 ① – Tours 65 ① – Le Mans 112 ⑧.*

Plans page suivante

**Mercure Centre** M, 28 quai St-Jean ☎ 02 54 56 66 66, *H1621@accor-hotels.com, Fax 02 54 56 67 00,* – – 30 à 200. AE GB. rest
**Repas** (15,50) - 22,20 ♀, enf. 11 – ☕ 10,50 – **84 ch** 84/111, 12 duplex. **Y f**
◆ Belles chambres contemporaines desservies par une coursive qui domine l'agréable bar-salon coiffé d'une verrière. Restaurant face à la Loire. Expositions d'art dans le hall.

**Holiday Inn Garden Court** M, 26 av. Maunoury ☎ 02 54 55 44 88, *holibloi@imaginet.fr, Fax 02 54 74 57 97,* – – 25 à 40. AE GB JCB **Y t**
**Repas** *(fermé sam. midi et dim. midi)* (12,20) - 15,30/29,80 ♀, enf. 7,70 – ☕ 8,40 – **78 ch** 91 – ½ P 60,60.
◆ Cet hôtel légèrement excentré vous invite à séjourner dans des chambres au confort moderne. Salle à manger façon jardin d'hiver. L'été, barbecues en terrasse.

**Anne de Bretagne** sans rest, 31 av. J. Laigret ☎ 02 54 78 05 38, *annedebretagne@free.fr, Fax 02 54 74 37 79* – . GB **Z k**
*fermé 4 janv. au 5 fév.* – ☕ 5,80 – **28 ch** 45/58.
◆ Cette aimable adresse voisine du château rénove régulièrement ses chambres ; mobilier rustique, fonctionnel ou en rotin et couleurs pimpantes. Troisième étage mansardé.

**L'Orangerie du Château** (Molveaux), 1 av. J. Laigret ☎ 02 54 78 05 36, *contact@orangerie-du-chateau.fr, Fax 02 54 78 22 78,* ≤, – GB **Z e**
*fermé 15/02-15/03, 18-24/08, 5-12/11, lundi midi de Pâques à oct., mardi soir de nov. à Pâques, dim. soir et merc.* – **Repas** 27/63 et carte 65 à 80 ♀, enf. 14.
◆ Dans une dépendance du château datant du 15e s., longue salle lumineuse et raffinée. En terrasse, vue imprenable sur le noble logis de François Ier. Cuisine classique.
**Spéc.** Sandre rôti sur peau, petit épeautre et pignons de pin. Lamelles de boeuf façon "Rossini". Carpaccio de fraises (été). **Vins** Cour-Cheverny, Touraine-Mesland.

**Médicis** M avec ch, 2 allée François 1er ☎ 02 54 43 94 04, *christiangaranger@wanadoo.fr, Fax 02 54 42 04 05* – – 20. AE GB JCB **X p**
*fermé 2 janv. au 1er fév. et dim. soir d'oct. à Pâques* – **Repas** 22/47 et carte 46,50 à 72 ♀, enf. 15 – ☕ 11,50 – **12 ch** 84,50/93 – ½ P 84,50/90.
◆ Maison 1900 bordant les allées François 1er, autrefois promenade royale. Salle à manger et véranda cossues (beaux plafonds moulurés) ; cuisine mi-traditionnelle, mi-inventive.

**Au Rendez-vous des Pêcheurs** (Cosme), 27 r. Foix ☎ 02 54 74 67 48, *Fax 02 54 74 47 67* – . AE GB **X r**
*fermé 27 juil. au 18 août, 2 au 12 janv., lundi midi et dim. sauf fériés* – **Repas** (nombre de couverts limité, prévenir) 24/64 et carte 52 à 70, enf. 13,80.
◆ Cette discrète maison du quartier St-Nicolas est un rendez-vous de... pêcheurs : les gourmands s'y régalent d'une cuisine dédiée au poisson. Salle simple, récemment refaite.
**Spéc.** Langoustines rôties et fleur de courgette farcie (juin à oct.). Sandre de Loire cuit à la vapeur, sauce acidulée (oct. à avril). Suprêmes de pigeonneau de Sologne sur béatilles. **Vins** Menetou-Salon, Chinon.

**Au Bouchon Lyonnais,** 25 r. Violettes ☎ 02 54 74 12 87, – AE GB **Z a**
*fermé 7 au 15 sept., 19 au 27 oct., 21 déc. au 12 janv., dim. et lundi sauf le soir en juil.-août* – **Repas** (prévenir) 18,30/25,90.
◆ Les Blésois se pressent dans ce "bouchon" au cadre rustique avec pierres et poutres apparentes. La carte, traditionnelle, fait honneur aux spécialités de la capitale des Gaules.

**Z.A. Vallée Maillard** *Nord : 3 km – ✉ 41000 Blois :*

**Ibis,** ☎ 02 54 74 60 60, *h0599@accor-hotels.com, Fax 02 54 74 85 71,* – – 20. AE GB **V d**
**Repas** *(fermé sam. midi, dim. midi et fêtes)* (12) - 15 , enf. 6 – ☕ 6 – **61 ch** 59.
◆ La façade de cet Ibis classique a été rafraîchie. Chambres petites, mais correctement équipées et bien tenues. Salon avec cheminée et bar pour la détente.

**Préma Hôtel,** ☎ 02 54 78 89 90, *claude.berneau@wanadoo.fr, Fax 02 54 56 02 27,* – – 30. AE GB **V u**
*fermé 19 déc. au 3 janv.* – **Repas** *(fermé sam. midi et dim. midi)* (12) - 15/18 bc ♀, enf. 7 – ☕ 5,70 – **42 ch** 56 – ½ P 41/43.
◆ Étape pratique sur la route des châteaux de la Loire, cet hôtel de la périphérie dispose de chambres sobres et fonctionnelles. Accueil familial. Menus et formules buffets.

# BLOIS

Abbé-Grégoire (Quai de l') . . . . . . . . . . Z 2
Anne-de-Bretagne (R.) . . . . . . . . . . . . . Z 3
Augustin-Thierry (Sq.) . . . Z 4
Balzac (R. H.) . . . . . . . . . . V 5
Beauvoir (R.) . . . . . . . . . . . Y 6
Bourg-St-Jean (R. du) . . . Y 10
Cartier (R. R.) . . . . . . . . . V 13
Chemonton (R.) . . . . . . . . Y 16
Clouseau (Mail) . . . . . . . . Y 17
Commerce (R. du) . . . . . . . Z
Cordeliers (R. des) . . . . . . Y 18
Curie (R. Pierre et Marie) . . . X 19
Dion (R. R.) . . . . . . . . . . . V 20
Dupuis (Bd D.) . . . . . . . . . X 21
Fontaine-des-Élus (R.) . . . . . . . . . . . . . Z 22
Fossés-du-Château (R. des) . . . . . . . . . . . Z 23
Gambetta (Av.) . . . . . . . . . X 25
Gaulle (Pont Ch.-de) . . . . . . . . X 26
Gentils (Bd R.) . . . . . . . . . X 27
Industrie (Bd de l') . . . . . . V 29
Jeanne-d'Arc (R.) . . . . . . . Z 30
Laigret (Av. J.) . . . . . . . . . Z 32
Leclerc (Av. du Mar.) . . . . X 33
Lices (Pl. des) . . . . . . . . . Z 34
Lion-Ferré (R. du) . . . . . . . Z 35
Louis-XII (Pl.) . . . . . . . . . Z 38
Maunoury (Av. du Mar.) . . . . . . . . . Y 39

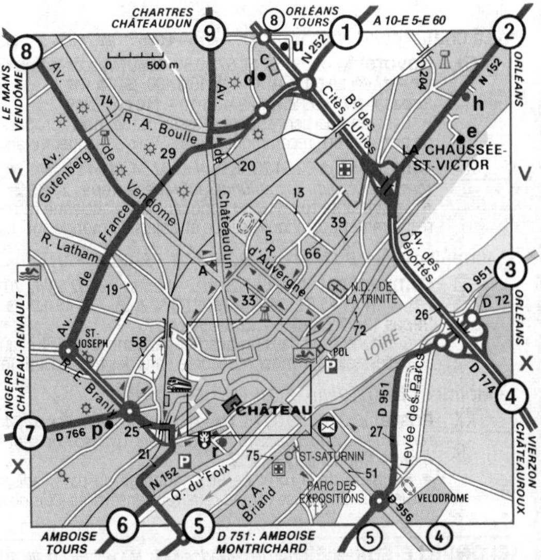

CHARTRES CHÂTEAUDUN
ORLÉANS TOURS
A 10-E 5-E 60
LE MANS VENDÔME
ORLÉANS
ANGERS CHÂTEAU-RENAULT
VIERZON CHÂTEAUROUX
AMBOISE TOURS
D 751 : AMBOISE MONTRICHARD
LA CHAUSSÉE-ST-VICTOR
CHÂTEAU
LOIRE
N.D.-DE LA TRINITÉ
ST-JOSEPH
ST-SATURNIN
PARC DES EXPOSITIONS
VELODROME
Av. de France
Av. de Vendôme
R. A. Boulle
Av. Gutenberg
R. Latham
R. E. Branly
Av. de Châteaudun
R. d'Auvergne
Bd des Cités Unies
Av. des Déportés
Levée des Parcs
Q. du Foix
Q. A. Briand


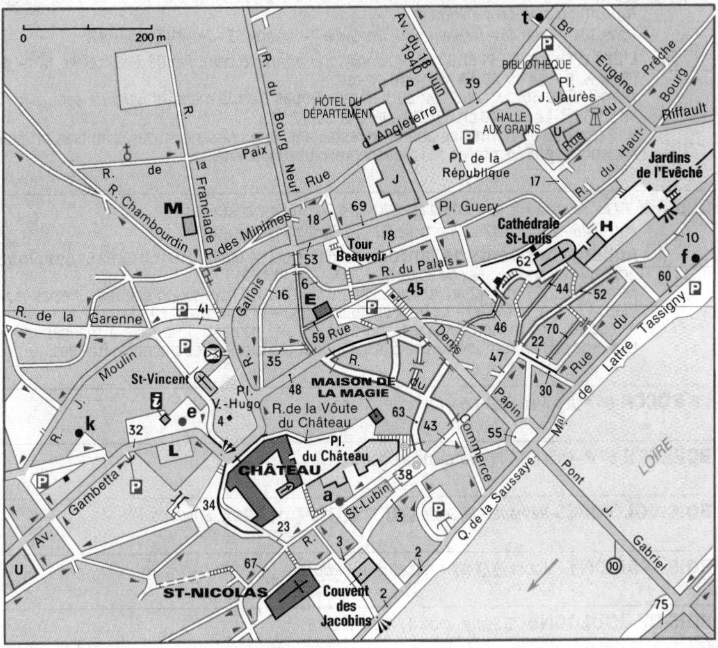

BIBLIOTHÈQUE
Pl. J. Jaurès
HÔTEL DU DÉPARTEMENT
HALLE AUX GRAINS
Pl. de la République
Pl. Guery
Jardins de l'Evêché
Cathédrale St-Louis
Tour Beauvoir
MAISON DE LA MAGIE
St-Vincent
Pl. V.-Hugo
R. de la Vôute du Château
Pl. du Château
CHÂTEAU
ST-NICOLAS
Couvent des Jacobins
LOIRE
Av. du 18 Juin 1940
R. du Bourg Neuf
R. d'Angleterre
R. de la Paix
R. de la Franciade
R. Chambourdin
R. des Minimes
R. de la Garenne
R. du Palais
R. Denis Papin
Rue du Commerce
Rue du Lattre Tassigny
Q. de la Saussaye
Pont J. Gabriel
Av. Gambetta
Bd Eugène Riffault
Rue du Bourg
R. du Haut-Bourg


Monsabre (R. du Père) . . . . . . . . . . . . Z 41
Orfèvres (R. des) . . . . . . . . . Z 43
Papegaults (R. des) . . . . . . . Y 44
Papin (Escaliers D.) . . . . . . . . Y 45
Papin (R. Denis) . . . . . . . . . . Z
Pierre-de-Blois (R.) . . . . . . . . Z 46
Poids-du-Roi (R. du) . . . . . . . Z 47
Porte-Côté (R.) . . . . . . . . . . . Z 48
Prés.-Wilson (Av.) . . . . . . . . . . Z 51
Puits-Châtel (R. du) . . . . . . . . . Y 52
Remparts (R. des) . . . . . . . . . . Y 53
Résistance (Rd-Pt-de la) . . . . . . . . . . . . Z 55
Ronsard (R. P.) . . . . . . . . . . . . X 58
St-Honoré (R.) . . . . . . . . . . . . YZ 59
St-Jean (Q.) . . . . . . . . . . . . . . Y 60
St-Louis (Pl.) . . . . . . . . . . . . . Y 62
St-Martin (R.) . . . . . . . . . . . . . . . . Z 63
Schuman (Av. R.) . . . . . . . . . . . . . V 64
Signeuix (R. de) . . . . . . . . . . . . . . V 66
Trois-Marchands (R. des) . . . . . Z 67
Trouessard (R.) . . . . . . . . . . . . . . . Y 69
Vauvert (R.) . . . . . . . . . . . . . . . . . Z 70
Verdun (Av. de) . . . . . . . . . . . . . . X 72
Vezin (R. A.) . . . . . . . . . . . . . . . . V 74
Villebois-Mareuil (Q.) . . . . . X, Z 75

**à La Chaussée-St-Victor** *par ② : 4 km – 4 036 h. alt. 105 – ✉ 41260 :*

**Novotel** Ⓜ, ☎ 02 54 57 50 50, *h0401@accor-hotels.com, Fax 02 54 57 50 40,* – 15 à 100. AE GB V e
Repas 17,60/21,90 ♀, enf. 8 – ☕ 10 – **116 ch** 73/99.
◆ Dans un quartier résidentiel assez calme, hôtel proposant des chambres spacieuses et de bon confort, récemment refaites. Salle à manger-véranda tournée vers la piscine.

**Tour,** N 152 ☎ 02 54 78 98 91, *Fax 02 54 74 74 52,* – P. GB JCB V h
*fermé août, dim. soir et lundi sauf fériés* – **Repas** 24/35 ♀.
◆ La puissante tour (16e s.) flanquant cette ancienne ferme abrite une séduisante salle de restaurant. Décoration rustique et objets du monde agricole. Véranda côté jardin.

**à Vineuil** *par ④ et D 174 : 4 km – 6 253 h. alt. 73 – ✉ 41350 :*

**Campanile,** 48 r. Quatre Vents ☎ 02 54 42 70 22, *boisvineuil@campanile.fr, Fax 02 54 42 43 81,* – rest, P – 45. AE GB
**Repas** 12/17 ♀, enf. 6 – ☕ 6 – **58 ch** 77.
◆ Cet hôtel situé dans un quartier pavillonnaire a fait peau neuve. Chambres pratiques et actuelles, salle à manger redécorée dans des tons pastel. Terrasse dans un minijardin.

**à Molineuf** *par ⑦ : 9 km – 810 h. alt. 115 – ✉ 41190 :*

**Poste,** ☎ 02 54 70 03 25, *thierry@poidras.com, Fax 02 54 70 12 46* – . AE GB
*fermé 11 nov. au 5 déc., 16 fév. au 5 mars, dim. soir de sept. à juin, mardi soir d'oct. à avril et merc.* – **Repas** 16,50/28,50 ♀.
◆ En lisière de la forêt de Blois, auberge de pays, jadis relais de poste. Salle à manger actuelle et lumineuse véranda aux tons ensoleillés. Cuisine au goût du jour soignée.

---

## BLONVILLE-SUR-MER *14910 Calvados 303 M3 – 1 062 h alt. 10.*

*Office du Tourisme, 26 avenue Michel d'Ornano ☎ 02 31 87 91 14, Fax 02 31 87 11 38, tourisme-blonville@wanadoo.fr.*
*Paris 204 – Caen 46 – Le Havre 80 – Deauville 4 – Lisieux 33 – Pont-l'Évêque 17.*

**L'Épi d'Or,** ☎ 02 31 87 90 48, *epidor@hotel-normand.com, Fax 02 31 87 08 98,* – P – 40. AE GB JCB. rest
*fermé 16 au 30 déc. et 3 fév. au 5 mars* – **Repas** *(fermé merc. et jeudi de sept. à juin)* 16,50/35 ♀ – ☕ 7 – **40 ch** 69/130 – ½ P 57,50/77,50.
◆ Cette maison normande abrite un restaurant, une brasserie et des chambres un peu anciennes ; préférez celles de l'aile récente, plus fonctionnelles.

---

## BLUFFY *74 H.-Savoie 328 K5 – 203 h alt. 640 – ✉ 74290 Veyrier-du-Lac.*

*Paris 546 – Annecy 12 – Albertville 38 – La Clusaz 24 – Megève 53.*

**Auberge des Dents de Lanfon** avec ch, au col de Bluffy ☎ 04 50 02 82 51, *jean-marc_durey@wanadoo.fr, Fax 04 50 02 85 19,* – P. GB.
*fermé 12 au 22 mai, 12 au 20 nov., 5 au 29 janv., mardi hors saison et lundi* – **Repas** 13,70 (déj.), 17/35, enf. 7,80 – ☕ 6 – **9 ch** 46,50/54,50 – ½ P 46,50/50,50.
◆ Accueillante maison savoyarde bordant un axe passant. Jolie salle à manger montagnarde où l'on sert une cuisine d'inspiration régionale. Petites chambres fraîches.

---

## La BOCCA *06 Alpes-Mar. 341 C6 – rattaché à Cannes.*

---

## BOERSCH *67 B.-Rhin 315 I6 – rattaché à Obernai.*

---

## BOIS-COLOMBES *92 Hauts-de-Seine 311 J2 101 ⑮ – voir à Paris, Environs.*

---

## BOIS-D'AMONT *39 Jura 321 G7 – rattaché aux Rousses.*

---

## BOIS DE BOULOGNE *75 Seine – voir à Paris (Paris 16e).*

---

## BOIS DE LA CHAIZE *85 Vendée 316 C5 – voir à Île de Noirmoutier.*

*Les prix*
*Pour toutes précisions sur les prix indiqués dans ce guide, reportez-vous aux pages explicatives.*

**BOIS-DU-FOUR** *12 Aveyron* 338 *J5* – ✉ *12780 Vézins-de-Lévézou.*

*Paris 627 – Rodez 45 – Aguessac 16 – Millau 23 – Pont-de-Salars 25 – Sévérac-le-Château 17.*

**Relais du Bois du Four**, ✆ 05 65 61 86 17, *Fax 05 65 58 81 37*, – P. GB

*1er avril-30 nov. et fermé mardi et merc.* – **Repas** 13/28 – 6,20 – **27 ch** 29/51,80 – 1/2 P 55.

◆ Les amateurs de pêche iront titiller le goujon dans l'étang situé juste en face de cet ancien relais de poste. Aménagements modestes, mais tenue sans reproche.

**BOIS-LE-ROI** *77590 S.-et-M.* 312 *F5* – *4 744 h alt. 80.*

*Paris 59 – Fontainebleau 10 – Melun 10 – Montereau-Fault-Yonne 26.*

**Pavillon Royal** sans rest, 40 av. Gallieni ✆ 01 64 10 41 00, *hotel-le-pavilon-royal@wanadoo.fr*, *Fax 01 64 10 41 10*, – P. GB

6,50 – **26 ch** 60.

◆ Un peu à l'écart du centre-ville, hôtel récent accolé à l'Institut oléohydraulique. Chambres pratiques et actuelles, parfois meublées en rotin. Bonne isolation phonique.

**Marine,** 52 quai O. Metra (à l'Écluse) ✆ 01 60 69 61 38, *Fax 01 60 66 38 59*, – GB

*fermé 15 sept. au 1er oct., 14 au 29 fév., lundi et mardi* – **Repas** 23/37, enf. 11.

◆ Cette aimable auberge jouit d'une situation attractive au bord de la Seine. Salle à manger sagement rustique et paisible terrasse d'été. Cuisine traditionnelle.

**BOIS-PLAGE-EN-RÉ** *17 Char.-Mar.* 324 *B2* – *voir à Île de Ré.*

**BOISSERON** *34160 Hérault* 339 *J6* – *981 h alt. 32.*

*Paris 744 – Montpellier 28 – Aigues-Mortes 28 – Alès 46 – Nîmes 37 – Sommières 3.*

**Auberge Lou Caléou,** ✆ 04 67 86 60 76, *dominique.dercourt@loucaleou.fr*, *Fax 04 67 86 60 76*, – AE GB

*fermé 15-30/09, 25/10-2/11, 6-22/02, 23/12-2/01, le soir en hiver sauf vend. et sam., dim. soir, lundi et mardi* – **Repas** (15) - 22, enf. 12.

◆ Vous prendrez votre repas dans la salle des gardes de cette maison du 12e s. : cadre médiéval, murs de pierres apparentes et "caléous" (porte-bougies). Cuisine régionale.

**BOISSET** *15600 Cantal* 330 *B6* – *653 h alt. 426.*

*Paris 559 – Aurillac 31 – Calvinet 18 – Entraygues-sur-Truyère 47 – Figeac 36 – Maurs 14.*

**Auberge de Concasty** M, Nord-Est : 3 km par D 64 ✆ 04 71 62 21 16, *info@auberge-concasty.com*, *Fax 04 71 62 22 22*, – P. AE GB

*29 mars-18 nov.* – **Repas** *(fermé lundi)* (sur réservation seul.)(dîner seul. sauf dim.) 28/38 – 14 – **13 ch** 66/108 – 1/2 P 64/92.

◆ Domaine entouré d'un parc largement ouvert sur la campagne cantalienne. Coquettes chambres actuelles, un peu plus fonctionnelles à l'annexe. Repos et air pur garantis !

**BOISSEUIL** *87220 H.-Vienne* 325 *E6* – *1 558 h alt. 350.*

*Paris 399 – Limoges 11 – Bourganeuf 47 – Nontron 71 – Périgueux 98 – Uzerche 47.*

**Gril de l'Anneau** avec ch, ✆ 05 55 06 90 06, *Fax 05 55 06 32 88*, – GB.

*fermé 1er au 8 mai, 3 au 18 août, 20 déc. au 5 janv., dim. et lundi* – **Repas** 21 – 6,10 – **7 ch** 21/38.

◆ Salle à manger rustique joliment décorée, agrémentée d'une cheminée où l'on grille la viande limousine, spécialité de la maison. Sur les tables, vaisselle en Limoges.

**BOLLENBERG** *68 H.-Rhin* 315 *H9* – *rattaché à Rouffach.*

**BOLLÈNE** *84500 Vaucluse* 332 *B8 G. Provence* – *13 907 h alt. 40.*

*Office du Tourisme, place Reynaud de la Gardette ✆ 04 90 40 51 45, Fax 04 90 40 51 44, ot-bollene@free.fr.*

*Paris 638 – Avignon 53 – Montélimar 34 – Nyons 35 – Orange 26 – Pont-St-Esprit 10.*

**De Chabrières,** 7 bd Gambetta ✆ 04 90 40 08 08, *Fax 04 90 40 52 88*, – AE GB JCB

*fermé dim. midi du 15 sept. au 15 juin* – **Repas** (12,50) - 15,70, enf. 7,50 – 7,60 – **10 ch** 54,90 – 1/2 P 52.

◆ Une ravissante cour fleurie précède cette petite villa. Chambres entièrement meublées en pin. Cuisine traditionnelle servie dans une minisalle à manger aux murs immaculés.

XX **Lou Bergamoutié,** r. Abbé Prompsault ✆ 04 90 40 10 33, *kieragajl@aol.com, Fax 04 90 40 10 39,* – . GB
*fermé dim. soir et lundi* – **Repas** 24/50 bc ♀.
◆ Restaurant situé dans une ruelle du vieux Bollène. Salle à manger à l'atmosphère "rétro", agréable patio-terrasse et accueil aimable. Plats traditionnels.

**La BOLLÈNE-VÉSUBIE** *06 Alpes-Mar.* 341 F4 *G. Côte d'Azur – 308 h alt. 700 –* ✉ *06450 Lantosque.*
Voir *Chapelle St-Honorat* ≤★ *S : 1 km.*
*Paris 894 – Nice 58 – Puget-Théniers 60 – St-Martin-Vésubie 17 – Sospel 36.*

**Grand Hôtel du Parc** ⑤, D 70 ✆ 04 93 03 01 01, *Fax 04 93 03 01 20,* , – P. AE GB. ✻ rest
*19 avril-30 sept.* – **Repas** 17,50/24,40, enf. 7,60 – ☕ 6 – **42 ch** 21/57 – ½ P 48/55.
◆ Cet hôtel familial, blotti dans un beau parc arboré, abrite des chambres bien tenues au charme "rétro" ou actuelles. Calme et air pur garantis. Accueil charmant.

**BOLLEZEELE** *59470 Nord* 302 B2 – *1 476 h alt. 40.*
Voir *Commune de la "Méridienne verte".*
*Paris 276 – Calais 45 – Dunkerque 24 – Lille 68 – St-Omer 18.*

**Hostellerie St-Louis** ⑤, ✆ 03 28 68 81 83, *contact@hostelleriesaintlouis.com, Fax 03 28 68 01 17,* – TV ♿ P – 40. AE GB
*fermé 14 au 23 juil., 26 déc. au 22 janv., le midi du lundi au sam. et dim. soir* – **Repas** 21,50 (déj.), 39/50 bc ♀ – ☕ 7 – **27 ch** 39/56,50 – ½ P 52,50/62,50.
◆ Cette pimpante maison bourgeoise à la façade colorée est séparée de la route par un joli jardin. Chambres récentes au mobilier cérusé ou décor plus fonctionnel.

*Si le coût de la vie subit des variations importantes,*
*les prix que nous indiquons peuvent être majorés.*
*Lors de votre réservation à l'hôtel, faites-vous préciser le prix définitif.*

**BONDUES** *59 Nord* 302 G3 – *rattaché à Lille.*

**Le BONHOMME** *68650 H.-Rhin* 315 G7 *G. Alsace Lorraine – 607 h alt. 735 – Sports d'hiver : au Lac Blanc 950/1 240 m* 9 .
*Paris 424 – Colmar 26 – Gérardmer 33 – St-Dié 28 – Ste-Marie-aux-Mines 16 – Sélestat 39.*

**Poste,** au village ✆ 03 89 47 51 10, *hposte@club-internet.fr, Fax 03 89 47 23 85,* , – TV ♿ P – 15. GB
*fermé 8 mars au 9 avril* – **Repas** 10/34 ♀, enf. 7,70 – ☕ 6,90 – **29 ch** 38/61 – ½ P 55.
◆ Imposante bâtisse régionale bordant un axe animé. Chambres sobres et fonctionnelles, plus calmes côté jardin. Salle à manger actuelle ; bar alsacien. Sauna.

**BONIFACIO** *2A Corse-du-Sud* 345 D11 – *voir à Corse.*

**BONLIEU** *39130 Jura* 321 F7 *G. Jura – 206 h alt. 785.*
*Paris 440 – Champagnole 23 – Lons-le-Saunier 33 – Morez 24 – St-Claude 42.*

XX **Poutre** avec ch, ✆ 03 84 25 57 77, *Fax 03 84 25 51 61* – TV P. GB
*6 mai-2 nov. et fermé lundi et mardi* – **Repas** 15/31, enf. 10 – ☕ 8 – **8 ch** 30/55 – ½ P 45/55.
◆ Ferme de 1740 située au centre du bourg. Coquette salle à manger rustique aux tons jaune et bleu, avec poutres et belle cheminée en pierre. Carte classique et régionale.

**BONNATRAIT** *74 H.-Savoie* 328 L2 – *rattaché à Thonon-les-Bains.*

**BONNE** *74380 H.-Savoie* 328 K3 – *1 815 h alt. 457.*
*Paris 545 – Annecy 45 – Thonon-les-Bains 31 – Bonneville 16 – Genève 17 – Morzine 41.*

XX **Baud** avec ch, ✆ 04 50 39 20 15, *info@hotel-baud.com, Fax 04 50 36 28 96,* , – TV P. AE GB JCB
**Repas** *(fermé dim. soir)* 33/55 ♀ - ***Buffet de la Gare*** *(fermé vend. soir, sam. et dim.)* **Repas** 13(déj.), 19/27 – ☕ 12 – **17 ch** 80/120, 3 appart.
◆ Derrière l'ancienne gare, deux salles de restaurant décorées avec un goût sûr, des chambres rénovées et un parc insoupçonné bordant la Ménoge. Cuisine au goût du jour.

**au Pont-de-Fillinges** *Est : 2,5 km – ✉ 74250 Fillinges :*

XX **Pré d'Antoine,** rte Boëge ✆ 04 50 36 45 06, *lepredantoine@chez.com, Fax 04 50 31 12 28,* – P. GB
*fermé 8 au 26 juil., 2 au 8 janv., mardi soir et merc.* – **Repas** 16 (déj.), 27/39 ♀.
◆ Construction moderne d'esprit chalet abritant une grande salle à manger habillée de boiseries, complétée d'une terrasse bien exposée. Cuisine classique variant selon le marché.

---

**BONNE-FONTAINE** *57 Moselle* 307 O6 – *rattaché à Phalsbourg.*

---

**BONNÉTAGE** *25210 Doubs* 321 K3 – *657 h alt. 960.*
*Paris 468 – Besançon 65 – Belfort 68 – Biel/Bienne 63 – La Chaux-de-Fonds 29.*

XX **Etang du Moulin** avec ch, 1,5 km par D 236 et chemin privé ✆ 03 81 68 92 78, *etang.du.moulin@wanadoo.fr, Fax 03 81 68 94 42,* ←, – TV P. GB
*fermé 22 au 26 déc., 5 au 31 janv., merc. midi et mardi du 15 sept. au 30 juin sauf fériés* – **Repas** 21/75 ♀ – 7,50 – **19 ch** 39/59 – ½ P 41/46.
◆ Pour les amateurs de nature sauvage : grand chalet récent perdu en pleine campagne, entre un étang et une forêt. Salle à manger et chambres sagement rustiques.

X **Perce-Neige** avec ch, D 437 ✆ 03 81 68 91 51, *Fax 03 81 68 95 25* – rest, TV P. GB
**Repas** *(fermé dim. soir sauf juil.-août) (8,50)* - 12/38 ♀, enf. 7 – 6 – **12 ch** 31/40 – ½ P 37/45.
◆ Deux bâtiments séparés par une route fréquentée, mais assez calme la nuit. Dans l'un, salles à manger actuelles et bar pour plats du jour ; dans l'autre, chambres pratiques.

---

**BONNEUIL-MATOURS** *86210 Vienne* 322 J4 – *1 642 h alt. 60.*
*Office du Tourisme, 1 rue du 8 mai 1945 ✆ 05 49 85 08 62, Fax 05 49 85 29 63.*
*Paris 323 – Poitiers 25 – Bellac 79 – Le Blanc 51 – Châtellerault 16 – Montmorillon 42.*

XX **Pavillon Bleu,** sur D 749 (face pont) ✆ 05 49 85 28 05, *c.ribardiere@wanadoo.fr, Fax 05 49 21 61 94* – GB
*fermé 3 au 26 oct., merc. soir d'oct. à mai, dim. soir et lundi* – **Repas** *(11,50)* - 15,30/26,50 ♀, enf. 11.
◆ Face au village et au pont suspendu qui enjambe la Vienne, coquette auberge où l'on déguste plats traditionnels et au goût du jour. Cadre rustique aux tons ensoleillés.

---

**BONNEVAL-SUR-ARC** *73480 Savoie* 333 P5 *G. Alpes du Nord – 216 h alt. 1800 – Sports d'hiver : 1 800/3 000 m* ⛷ *10.*
**Voir** *Vieux village*★★.
*Office du Tourisme, ✆ 04 79 05 95 95, Fax 04 79 05 86 87, info@bonneval-sur-arc.com.*
*Paris 707 – Albertville 133 – Chambéry 145 – Lanslebourg 21 – Val-d'Isère 30.*

**A la Pastourelle** , ✆ 04 79 05 81 56, *Fax 04 79 05 85 44,* ← – TV. AE GB.
*fermé 24 mai au 1er juin et vacances de Toussaint* – **Repas** *(ouvert : 20 déc.-24 avril)* 12/20, enf. 8 – 6,50 – **12** ch 53/56 – ½ P 49.
◆ Maison bonnevalaine dominée par de prestigieuses cimes. Ambiance familiale et lits douillets. Crêpes, fondues, raclettes et diots satisferont les appétits féroces.

**Bergerie** , ✆ 04 79 05 94 97, *Fax 04 79 05 93 24,* ← – P. AE GB.
*7 juin-21 sept. et 20 déc.-24 avril* – **Repas** (dîner seul. sauf week-ends et fériés en été) 12,50/20 ♀, enf. 6 – 8 – **22 ch** 40/54 – ½ P 52/55.
◆ Entrez dans la Bergerie et mordez à pleines dents sa cuisine aux accents régionaux ! Chambres offrant une belle perspective sur le massif des Évettes.

X **Auberge Le Pré Catin,** ✆ 04 79 05 95 07, *Fax 04 79 05 88 07,* – GB
*28 juin-28 sept., 20 déc.-27 avril et fermé mardi midi, merc. midi en hiver, dim. soir, jeudi midi et lundi* – **Repas** carte 27 à 40 ♀, enf. 8.
◆ Les gourmets viennent ici pour savourer grillades et recettes du terroir près de la cheminée, dans la chaleureuse atmosphère campagnarde de la salle à manger. Salon de thé.

***Dans ce guide***
*un même symbole, un même mot,*
*imprimé en **rouge** ou en **noir**, en maigre ou en **gras**,*
*n'ont pas tout à fait la même signification.*
*Lisez attentivement les pages explicatives.*

## BONNEVILLE

74130 H.-Savoie 328 L4 G. Alpes du Nord – 9 998 h alt. 450.

*Office du Tourisme, 154 place de l'Hôtel de Ville ✆ 04 50 97 38 37, Fax 04 50 97 19 33, officetourismebonneville@wanadoo.fr.*

*Paris 555 – Annecy 41 – Chamonix-Mont-Blanc 54 – Thonon-les-Bains 45 – Nantua 87.*

**Bellevue**, à Ayse, Est : 2,5 km par D 6 ✆ 04 50 97 20 83, *Fax 04 50 25 28 38*, ← – P. GB

*13 mai-28 sept., 6 fév.-8 mars et fermé dim. soir et lundi sauf juil.-août* – **Repas** *(17 juin-7 sept. et fermé dim. soir et lundi sauf juil.-août)* 14/25,50 – 6,10 – **21 ch** 34/47 – ½ P 38,50.

◆ Établissement familial où vous trouverez des chambres simples et rustiques. En rez-de-jardin, salle à manger panoramique ménageant une vue sur la plaine de l'Arve.

XXX **L'Eau Sauvage et Hôtel Sapeur** (Guénon) avec ch, pl. Hôtel de Ville ✆ 04 50 97 20 68, *Fax 04 50 25 73 48* – – 25. AE GB

*fermé dim. soir, mardi midi et lundi* – **Repas** 40/74 et carte 80 à 110 – 6 – **12 ch** 44/54 – ½ P 52.

◆ Le décor, un brin suranné, se veut "à la romaine" : colonnes d'albâtre, fontaines, bustes à l'antique et plantes vertes. Cuisine de caractère, inventive ; riche carte des vins.

**Spéc.** Panette de Saint-Jacques à la pimprenelle (15 oct. au 21 mars). Paillon de truite rose au fenouil bâtard. Omelette à la rhubarbe, glace caramel-pain d'épices-gentiane (15 avril au 22 sept.) **Vins** Chignin-Bergeron, Mondeuse d'Arbin.

**à Vougy** *Est : 5 km par N 205 – 867 h. alt. 471 – ✉ 74130 :*

XXX **Capucin Gourmand**, 1520 rte de Genève RN 205 ✆ 04 50 34 03 50, *lecapucingourmand@wanadoo.fr, Fax 04 50 34 57 57*, – P. GB.

*fermé 3 au 26 août, 1er au 8 janv., sam. midi, dim. soir et lundi* – **Repas** 32/49 et carte 46 à 65 ♀ – ***Bistro du Capucin :*** **Repas** 18,50/24 ♀.

◆ Tentures, mobilier de style, bibelots, cuisine classique et beau choix de vins dans le restaurant principal ; ambiance décontractée et plats traditionnels au Bistro du Capucin.

## BONNIEUX

84480 Vaucluse 332 E11 G. Provence – 1 422 h alt. 400.

**Voir** *Terrasse* ←★.

*Office du Tourisme, 7 place Carnot ✆ 04 90 75 91 90, Fax 04 90 75 92 94, ot-bonnieux@axit.fr.*

*Paris 726 – Aix-en-Provence 49 – Apt 12 – Carpentras 42 – Cavaillon 26.*

**Bastide de Capelongue** M, rte de Lourmarin, puis D 232 et voie secondaire : 1,5 km ✆ 04 90 75 89 78, *bastide@francemarket.com, Fax 04 90 75 93 03*, ←, – P. AE GB. rest

*15 mars-15 nov.* – **Repas** 38 (déj.)/53 – 18 – **17 ch** (½ pens. seul.) – ½ P 183/259.

◆ Grand mas récent d'allure traditionnelle. Belle décoration provençale à tous les étages. Quelques chambres et la salle à manger jouissent d'une jolie vue sur Bonnieux.

X **Fournil**, pl. Carnot ✆ 04 90 75 83 62, *Fax 04 90 75 96 19*, – GB

*fermé 1er déc. au 6 fév., mardi soir d'oct. à mars, sam. midi d'avril à sept., mardi midi et lundi* – **Repas** (nombre de couverts limité, prévenir) 25 (déj.)/35.

◆ Cette maison adossée à la colline propose sa terrasse, installée sur la placette, ou son originale et fraîche salle à manger troglodytique, meublée dans l'esprit bistrot.

**au Sud-Est** *: 6 km par D 36 et D 943 – ✉ 84480 Bonnieux :*

**Auberge de l'Aiguebrun**, ✆ 04 90 04 47 00, *aiguebrun@wanadoo.fr, Fax 04 90 04 47 01*, ←, – P. GB. ch

*10 mars-15 nov.* – **Repas** *(ouvert vend. soir, sam. soir et dim. soir)* 50 ♀ – 17 – **8 ch** 110/200, 3 appart.

◆ Blottie au creux d'un vallon, bastide provençale disposant de chambres soignées dont trois occupent des "cabanons". Joli restaurant campagnard ouvert sur le jardin en terrasses.

## BONNY-SUR-LOIRE

45420 Loiret 318 O6 – 1 921 h alt. 190.

*Office du Tourisme, 29 Grande Rue ✆ 02 38 31 57 71, Fax 02 38 31 57 71.*

*Paris 168 – Auxerre 64 – Cosne-sur-Loire 19 – Gien 24 – Montargis 57.*

XX **Voyageurs** avec ch, 10 Grande rue ✆ 02 38 27 01 45, *Fax 02 38 27 01 46* – rest, P. GB

*fermé 25 août au 8 sept., 16 fév. au 7 mars, lundi, mardi midi (sauf hôtel), et dim. soir* – **Repas** 15/36 ♀ – 5 – **6 ch** 32/34 – ½ P 31,50.

◆ Établissement entièrement rénové. Le restaurant expose les tableaux d'un artiste de la famille et propose une cuisine au goût du jour soignée. Chambres fonctionnelles.

## Le BONO 56400 Morbihan 308 N9 – 1 747 h alt. 10.

*Paris 479 – Vannes 21 – Auray 6 – Lorient 50 – Quiberon 37.*

**Hostellerie Abbatiale**, par rte Baden et rte secondaire : 1,5 km ☎ 02 97 57 84 00, *contact@abbatiales.com, Fax 02 97 57 83 00*, – TV P – 100. AE GB
*fermé 29 déc. au 4 janv.* – **Repas** 20/40 – 11 – **69 ch** 75/110 – ½ P 72,50/82,50.
◆ Chambres réparties entre le manoir breton et ses annexes récentes disposées autour de la piscine. Sobre mobilier de style rustique. Quelques balcons. Grand parc arboré.

## BONSECOURS 76 S.-Mar. 304 G5 – *rattaché à Rouen.*

## BONS-EN-CHABLAIS 74890 H.-Savoie 328 L3 – 3 275 h alt. 565.

*Paris 552 – Thonon-les-Bains 16 – Annecy 59 – Bonneville 30 – Genève 25.*

**Progrès,** ☎ 04 50 36 11 09, *Fax 04 50 39 44 16* – TV P. AE GB
*fermé 25 juin au 20 juil., 1er au 20 janv., dim. soir et lundi* – **Repas** 15,50/45,50 – 6,80 – **10 ch** 39,50/52 – ½ P 45/47.
◆ Deux maisons de village : l'une abrite de spacieuses chambres actuelles, l'autre le restaurant mi-rustique, mi-bourgeois décoré avec soin. Goûteuse cuisine régionale.

*Ecrivez-nous...*
*Vos louanges comme vos critiques seront examinées avec le plus grand soin.*
*Nous reverrons sur place les informations que vous nous signalez.*
*Par avance merci !*

# BORDEAUX

🅿 *33000 Gironde* 335 H5-H6 *G. Aquitaine - 210 336 h. agglo 753 931 h - alt. 4.*
*Paris 583 ① – Lyon 533 ② – Nantes 325 ① – Strasbourg 1066 ① – Toulouse 249 ⑤*



## OFFICES DE TOURISME

*12 cours du 30 Juillet ☎ 05 56 00 66 00, Fax 05 56 00 66 01, à la gare St-Jean ☎ 05 56 91 64 70 otb@bordeaux-tourisme.com.*

*Maison du vin de Bordeaux (Informations, dégustations) (fermé week-ends mi oct. à mi-mai) 1 cours 30 Juillet ☎ 05 56 00 22 88, Fax 05 56 00 22 77 civb@vins-bordeaux.sf* **DX**

## RENSEIGNEMENTS PRATIQUES

### TRANSPORTS

*Auto-train ☎ 08 36 35 35 35.*

### AÉROPORT

*Bordeaux : ☎ 05 56 34 50 50,* **AU** *: 11 km.*

## DÉCOUVRIR

### BORDEAUX DU 18e S.

*Grand théâtre★★ - Place de la Comédie - Place Gambetta - Cours de l'intendance - Église Notre-Dame★* **DX** *- Place de la Bourse★★ - Place du Parlement★ - Basilique St-Michel★*

*Porte de la Grosse Cloche★* **EY**

*Fontaines★ du monument aux Girondins, Esplanade des Quinconces*

## QUARTIER DES CHARTRONS

*Entrepôts de vins - Balcons★ du cours Xavier-Arnozan - Entrepôt Lainé★★ : musée d'Art contemporain★* **BU M**[2]

*Musée des Chartrons* **BU M**[5] *- Croiseur Colbert★★.*

## QUARTIER PEY BERLAND

*Cathédrale St-André★ - Hôtel de ville* **DY H** *- <★★ de la tour Pey Berland★* **DY Q.**

*Musée : Beaux-Arts★* **DY M**[4] *, Aquitaine★★* **DY M**[1] *Arts décoratifs★* **DY M**[3]**.**

## BORDEAUX CONTEMPORAIN

*Quartier Mériadeck* **CY** *: espaces verts, immeubles en verre et béton (Caisse d'Épargne, Bibliothèque, Hôtel de Région, Hôtel des Impôts).*

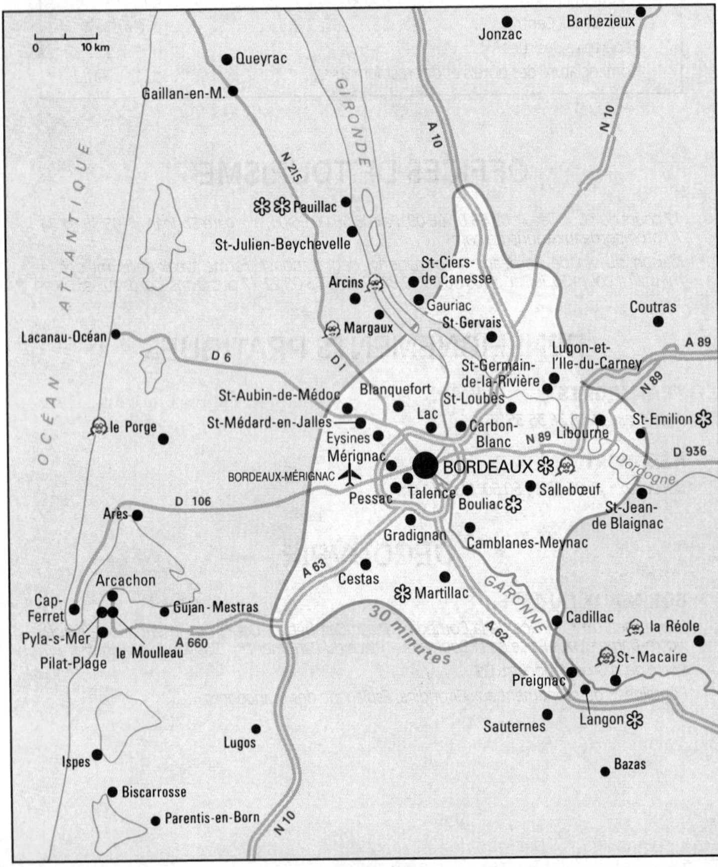
0
10 km
Jonzac
Barbezieux
Queyrac
Gaillan-en-M.
GIRONDE
A 10
N 10
N 215
OCÉAN ATLANTIQUE
Pauillac
St-Julien-Beychevelle
St-Ciers-de Canesse
Arcins
Gauriac
Margaux
St-Gervais
Coutras
Lacanau-Océan
D 6
D1
A 89
St-Germain-de-la-Rivière
Lugon-et-l'Ile-du-Carney
N 89
St-Aubin-de-Médoc
Blanquefort
St-Loubès
le Porge
St-Médard-en-Jalles
Lac
Carbon-Blanc
N 89
Libourne
St-Emilion
Eysines
Mérignac
D 936
BORDEAUX-MÉRIGNAC
BORDEAUX
Dordogne
Pessac
Talence
Sallebœuf
Bouliac
D 106
Arès
St-Jean-de Blaignac
Gradignan
Camblanes-Meynac
A 63
Cestas
Arcachon
Martillac
GARONNE
Cap-Ferret
Gujan-Mestras
30 minutes
Cadillac
la Réole
Pyla-s-Mer
A 660
A 62
Pilat-Plage
le Moulleau
St-Macaire
Preignac
Langon
Sauternes
Lugos
Ispes
Bazas
Biscarrosse
Parentis-en-Born
N 10

**Burdigala** M, 115 r. G. Bonnac 05 56 90 16 16, *burdigala@burdigala.com, Fax 05 56 93 15 06* – – 25 à 100. AE GB JCB p. 6 **CX** r
***Jardin de Burdigala* : Repas** (26)-32, enf. 16 – 17 – **68 ch** 165/240, 8 appart, 7 duplex.
◆ Luxueux hôtel dont le bel aménagement intérieur allie tradition et équipements dernier cri. Chambres spacieuses et élégantes. Salle à manger raffinée, disposée en rotonde.

**Mercure Château Chartrons** M, 81 cours St-Louis 33300 05 56 43 15 00, *h1810@accor-hotels.com, Fax 05 56 69 15 21*, – – 150. AE GB p. 5 **BT** r
**Repas** 18,50/24,50 – 11 – **144 ch** 99/109.
◆ Jolie façade d'anciens chais du 18e s. transformés en hôtel. Chambres amples et bien équipées. Amusante plantation de ceps de vigne sur le toit-terrasse. Bar à vins.

**Claret** M, Cité Mondiale du Vin, 18 parvis des Chartrons 05 56 01 79 79, *h2877@accor.hotels.com, Fax 05 56 01 79 00*, – – 25 à 800. AE GB JCB. rest p. 5 **BU** k
*fermé 22 déc. au 5 janv.* – ***Le 20*** restaurant-bar à vins *(fermé 28 juil. au 17 août, vend. soir, sam. et dim.)* **Repas** (13) et carte environ 25 – 11 – **96 ch** 100/190.
◆ Architecture en verre, chambres contemporaines et terrasse dominant tout Bordeaux pour un séjour au coeur de la Cité mondiale. Le "20" : un nom bien choisi pour ce lieu où des dégustations de crus accompagnent les repas de type bistrot.

**Mercure Mériadeck** M, 5 r.-Lateulade 05 56 56 43 43, *h1281@accor-hotels.com, Fax 05 56 96 50 59* – – 15 à 150. AE GB JCB p. 6 **CY** v
***Festival*** *(fermé sam., dim. et fériés)* **Repas** 17 – 11 – **194 ch** 98/124.
◆ Bâtiment des années 1970 dont la décoration rend hommage au 7e art : affiches et photos du festival de Cannes sont accrochées aux murs du restaurant. Chambres accueillantes.

**Holiday Inn** M, 30 r. de Tauzia 33800 05 56 92 21 21, *hiBordeauxCentre@alliance-hotellerie.fr, Fax 05 56 91 08 06*, – – 65. AE GB JCB
**Repas** *(fermé sam. et dim.)* 14 – 13 – **89 ch** 105/120. p. 7 **FZ** v
◆ La blancheur de cette construction moderne contraste avec la chaleur de la décoration des espaces intérieurs. Chambres confortablement et gaiement aménagées.

**Novotel Bordeaux-Centre** M, 45 cours Mar. Juin 05 56 51 46 46, *h1023@accor-hotels.com, Fax 05 56 98 25 56*, – – 80. AE GB JCB
**Repas** (12,20) - 16,80, enf. 8 – 10 – **138 ch** 96/103. p. 6 **CY** m
◆ Une architecture bien intégrée au quartier Mériadeck, de vastes chambres régulièrement rafraîchies et une bonne insonorisation font la qualité de cette étape.

**Ste-Catherine** M sans rest, 27 r. Parlement Ste-Catherine 05 56 81 95 12, *quality.bordeaux@wanadoo.fr, Fax 05 56 44 50 51* – – 40. AE GB
11 – **84 ch** 124/158,30. p. 6 **DX** m
◆ Bâtiment du 18e s. élégamment restauré dont les chambres, de tailles diverses, bénéficient d'un équipement complet et frais. Un joli puits du 17e s. orne l'espace bar.

**Normandie** sans rest, 7 cours 30-Juillet 05 56 52 16 80, *Fax 05 56 51 68 91* – – 30. AE GB JCB p. 6 **DX** z
12 – **100 ch** 53/214.
◆ Un vaste hall, style palace des années 1930, conduit à des chambres fonctionnelles ; elles sont plus confortables aux deux derniers étages et ont vue sur la Garonne en façade.

**Bayonne Etche-Ona** sans rest, 4 r. Martignac 05 56 48 00 88, *bayetche@bordeaux-hotel.com, Fax 05 56 48 41 60* – – 35. AE GB JCB. p. 6 **DX** f
*fermé 23 déc. au 3 janv.* – 11 – **63 ch** 93/220.
◆ Cure de jouvence bénéfique pour cet hôtel occupant deux immeubles du 18e s. : les chambres, pratiques et de tailles variées, affichent un décor frais et actuel.

**Majestic** sans rest, 2 r. Condé 05 56 52 60 44, *mail-majestic@hotel-majestic.com, Fax 05 56 79 26 70* – . AE GB JCB p. 6 **DX** a
9 – **49 ch** 85/200.
◆ Dans une rue assez calme située derrière le Grand Théâtre, hôtel familial aménagé dans un bel édifice du 18e s. Chambres accueillantes et sobrement meublées.

**Grand Hôtel Français** sans rest, 12 rue Temple 33000 05 56 48 10 35, *info@grand-hotel-francais.com, Fax 05 56 81 76 18* – . AE GB JCB p. 6 **DX** v
10 – **35 ch** 76/115.
◆ Belle demeure du 18e s. à la façade ornée de balcons en ferronnerie. Salons et escalier gardent leur cachet d'origine. Confortables chambres actualisées.

**Chantry** sans rest, 151 r. G. Bonnac 05 56 24 08 88, *hotel.le.chantry@wanadoo.fr, Fax 05 56 98 91 72* – – 50. AE GB JCB p. 6 **CXY** a
6,50 – **40 ch** 58/68.
◆ Dans le quartier Mériadeck, aménagements fonctionnels, pratiques pour l'étape. Chambres aux tons pastel, bénéficiant d'une bonne isolation phonique.

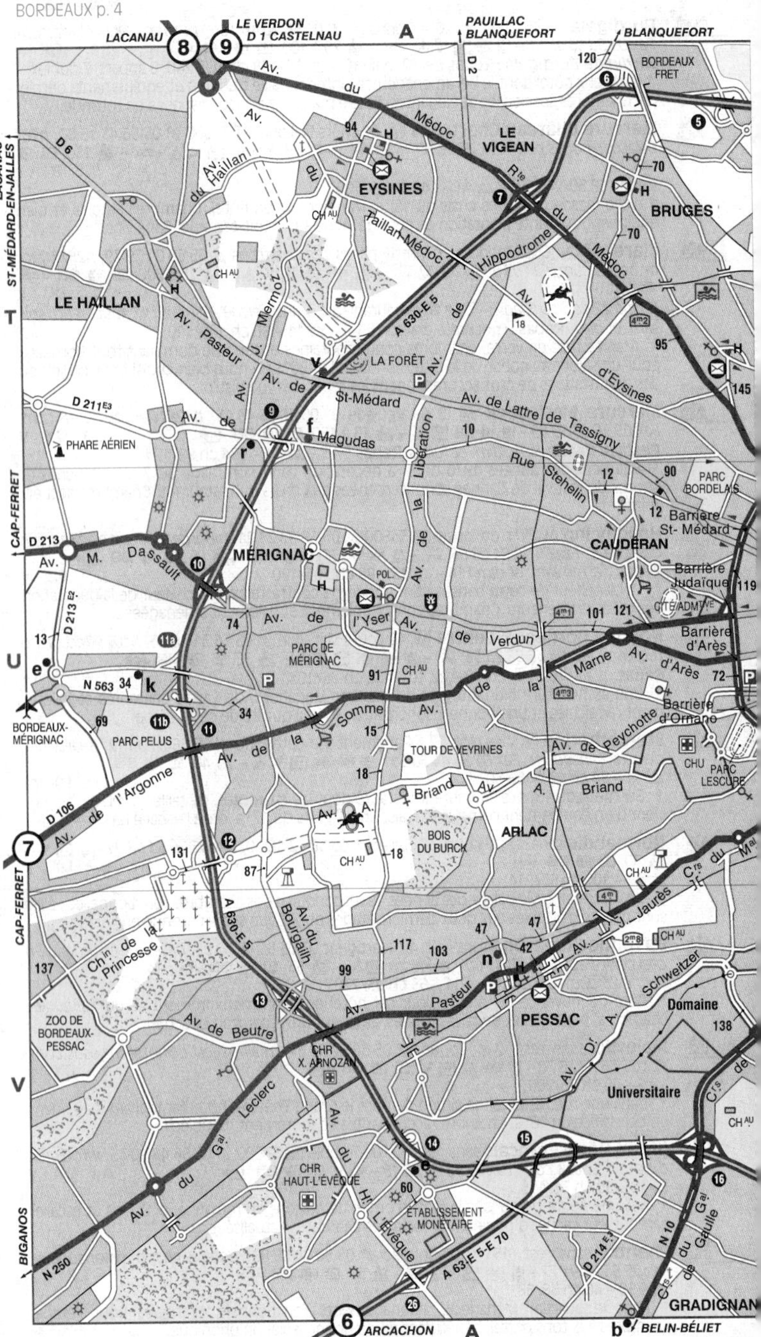
LACANAU
LE VERDON
D 1 CASTELNAU
PAUILLAC
BLANQUEFORT
BLANQUEFORT
BORDEAUX FRET
LE VIGEAN
EYSINES
BRUGES
LE HAILLAN
LACANAU
ST-MÉDARD-EN-JALLES
Av. du Médoc
Av. du Haillan
Av. du Taillan Médoc
Rte du Médoc
Av. de l'Hippodrome
Av. J. Mermoz
A 630-E 5
LA FORÊT
Av. Pasteur
Av. de St-Médard
Av. de Lattre de Tassigny
Av. d'Eysines
D 211E3
PHARE AÉRIEN
Av. de Magudas
Av. de la Libération
Rue Stehelin
PARC BORDELAIS
Barrière St-Médard
CAUDÉRAN
Barrière Judaïque
CITÉ ADMTVE
CAP-FERRET
D 213
Av. M. Dassault
MÉRIGNAC
POL.
Av. de l'Yser
Av. de Verdun
Barrière d'Arès
Av. d'Arès
Av. de la Marne
D 213E2
PARC DE MÉRIGNAC
N 563
BORDEAUX-MÉRIGNAC
PARC PELUS
Av. de la Somme
Barrière d'Ornano
Av. de Peychotte
CHU
PARC LESCURE
TOUR DE VEYRINES
Av. de l'Argonne
D 106
Av. A. Briand
ARLAC
BOIS DU BURCK
CAP-FERRET
Av. du Bourgailh
Cours J. Jaurès
Cours du Mal
Ch.in de la Princesse
ZOO DE BORDEAUX-PESSAC
Av. de Beutre
Av. Pasteur
PESSAC
Av. Schweitzer
Domaine Universitaire
Av. Dr. A.
CHR X. ARNOZAN
Av. du Gal Leclerc
CHR HAUT-L'ÉVÊQUE
Av. du Ht L'Évêque
ÉTABLISSEMENT MONÉTAIRE
A 63-E 5-E 70
D 214E3
N 10
Crs du Gal de Gaulle
GRADIGNAN
BIGANOS
N 250
ARCACHON
BAYONNE
BELIN-BÉLIET

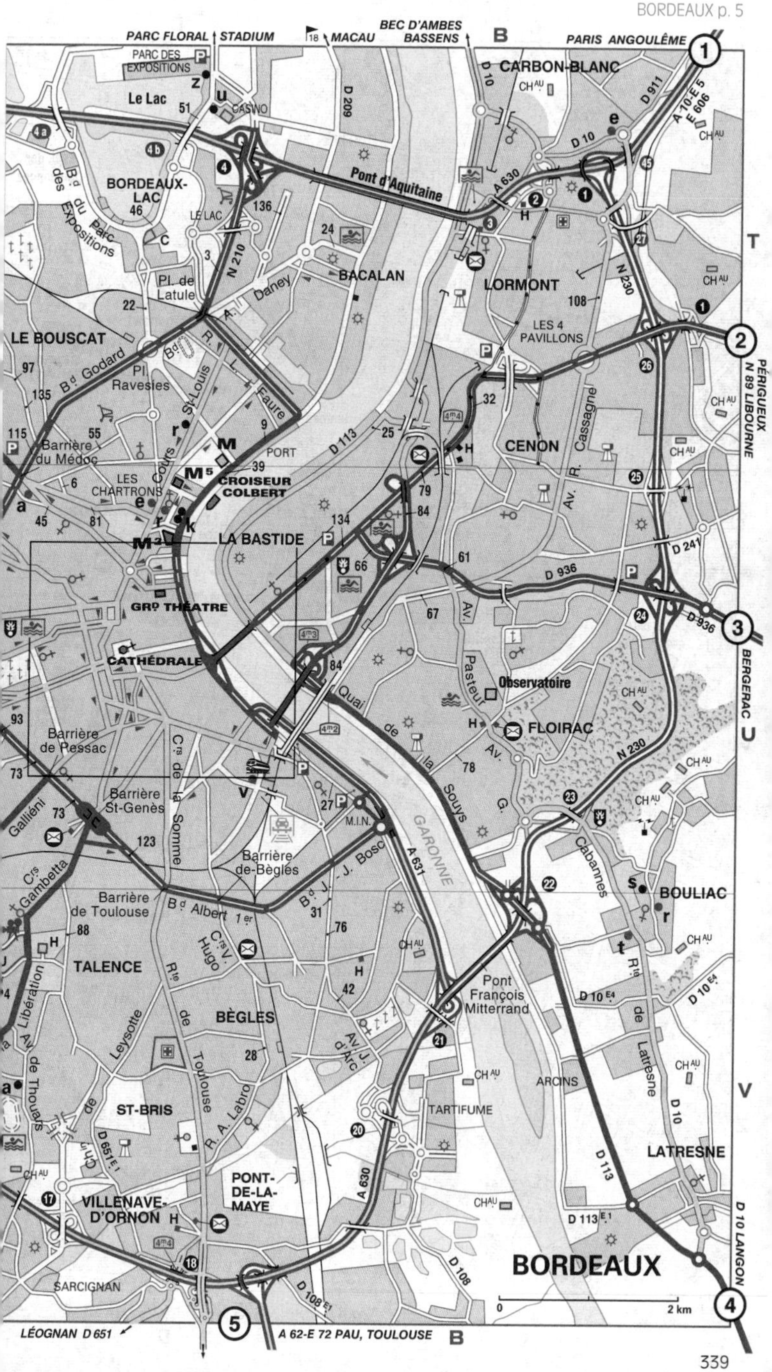
PARC FLORAL
STADIUM
MACAU
BEC D'AMBES
BASSENS
B
PARIS ANGOULÊME
PARC DES EXPOSITIONS
Le Lac
CASINO
CARBON-BLANC
Pont d'Aquitaine
BORDEAUX-LAC
Bd du Parc des Expositions
LE LAC
BACALAN
LORMONT
LES 4 PAVILLONS
LE BOUSCAT
Bd Godard
Pl. de Latule
Pl. Ravesies
Cours St-Louis
PORT
CROISEUR COLBERT
Barrière du Médoc
LES CHARTRONS
LA BASTIDE
CENON
Av. R. Cassagne
GRD THÉÂTRE
CATHÉDRALE
Observatoire
FLOIRAC
Quai de la Souys
Av. Pasteur
Av. G. Cabannes
Barrière de Pessac
Barrière St-Genès
Cours de la Somme
Barrière de-Bègles
Bd J. J. Bosc
GARONNE
M.I.N.
Gallièni
Crs Gambetta
Barrière de Toulouse
Bd Albert 1er
Crs V. Hugo
BOULIAC
TALENCE
BÈGLES
Pont François Mitterrand
Rte de Latresne
Av. J. d'Arc
Leysotte
Rte de Toulouse
R. A. Labro
Av. de Thouars
Libération
ST-BRIS
ARCINS
TARTIFUME
LATRESNE
PONT-DE-LA-MAYE
VILLENAVE-D'ORNON
SARCIGNAN
BORDEAUX
PÉRIGUEUX N 89 LIBOURNE
BERGERAC
D 10 LANGON
LÉOGNAN D 651
A 62-E 72 PAU, TOULOUSE
0
2 km

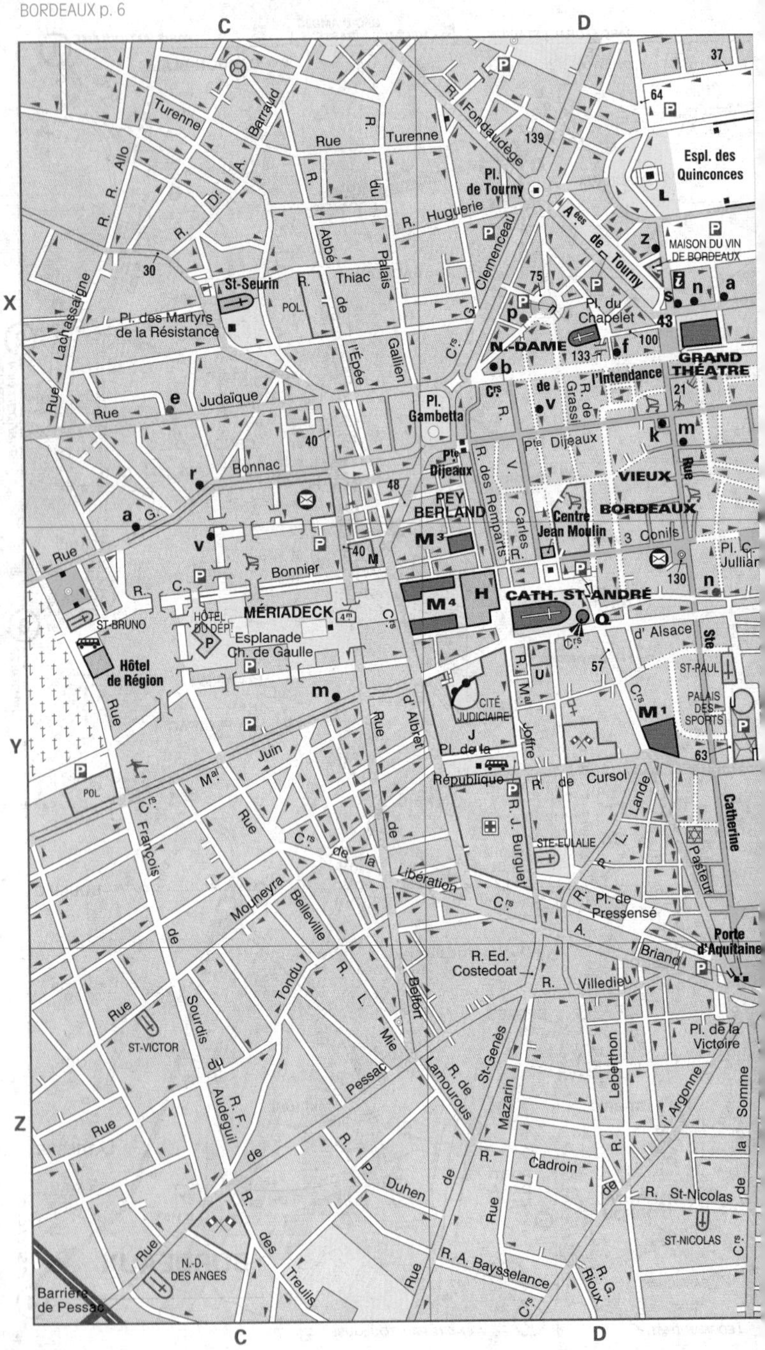
C
D
X
Y
Z
37
64
Espl. des Quinconces
L
Turenne
R. Barraud
R. Allo
R. A. Dr.
R.
Rue Turenne
R. du Palais
R. Fondaudège
139
Pl. de Tourny
R. Huguerie
Abbé
Thiac de l'Épée
Gallien
Clemenceau
Cours G.
Allées de Tourny
MAISON DU VIN DE BORDEAUX
z
s n a
30
St-Seurin
POL.
Pl. des Martyrs de la Résistance
Rue Lachassaigne
75
p
Pl. du Chapelet
43
100
N.-DAME
133
f
b
GRAND THÉATRE
Cours de l'Intendance
R. de Grassi
21
v
Rue Judaïque
e
40
Pl. Gambetta
Cours de V. R.
Pte Dijeaux
k
m
Bonnac
r
Pte Dijeaux
R. des Remparts
VIEUX BORDEAUX
48
PEY BERLAND
Rue Carles
a G.
Rue
M3
Centre Jean Moulin
3 Conils
v
40
M
Pl. C. Julliar
130
R. C. Bonnier
n
HÔTEL DU DÉPT
MÉRIADECK
4m
M4
H
CATH. ST-ANDRÉ
Q
ST-BRUNO
Esplanade Ch. de Gaulle
Cours d'Alsace
Ste
Hôtel de Région
57
ST-PAUL
Rue
m
R. Mal Joffre
U
PALAIS DES SPORTS
M1
CITÉ JUDICIAIRE
J
Pl. de la République
63
Rue d'Albret
Juin
Mal
POL.
R. de Cursol
R. J. Burguet
Catherine
Cours François de Sourdis
Rue
Cours de la Libération
STE-EULALIE
R. L. Lande
Pasteur
R. Pl. de Pressensé
Cours A. Briand
Porte d'Aquitaine
Mouneyra
Belleville
R. Ed. Costedoat
R. Villedieu
Tondu
R. L. Mie
Belfort
Rue
ST-VICTOR
du R. F. Audeguil
Pessac
R. de Lamourous
St-Genès
Mazarin
Leberthon
Pl. de la Victoire
l'Argonne
Somme
Rue
R. P. Duhen
de Rue
R. Cadroin
R. de
Cours de la
R. St-Nicolas
ST-NICOLAS
Rue
R. des Treuils
N.-D. DES ANGES
Barrière de Pessac
Rue
R. A. Bayssélance
R. G. Rioux
Crs

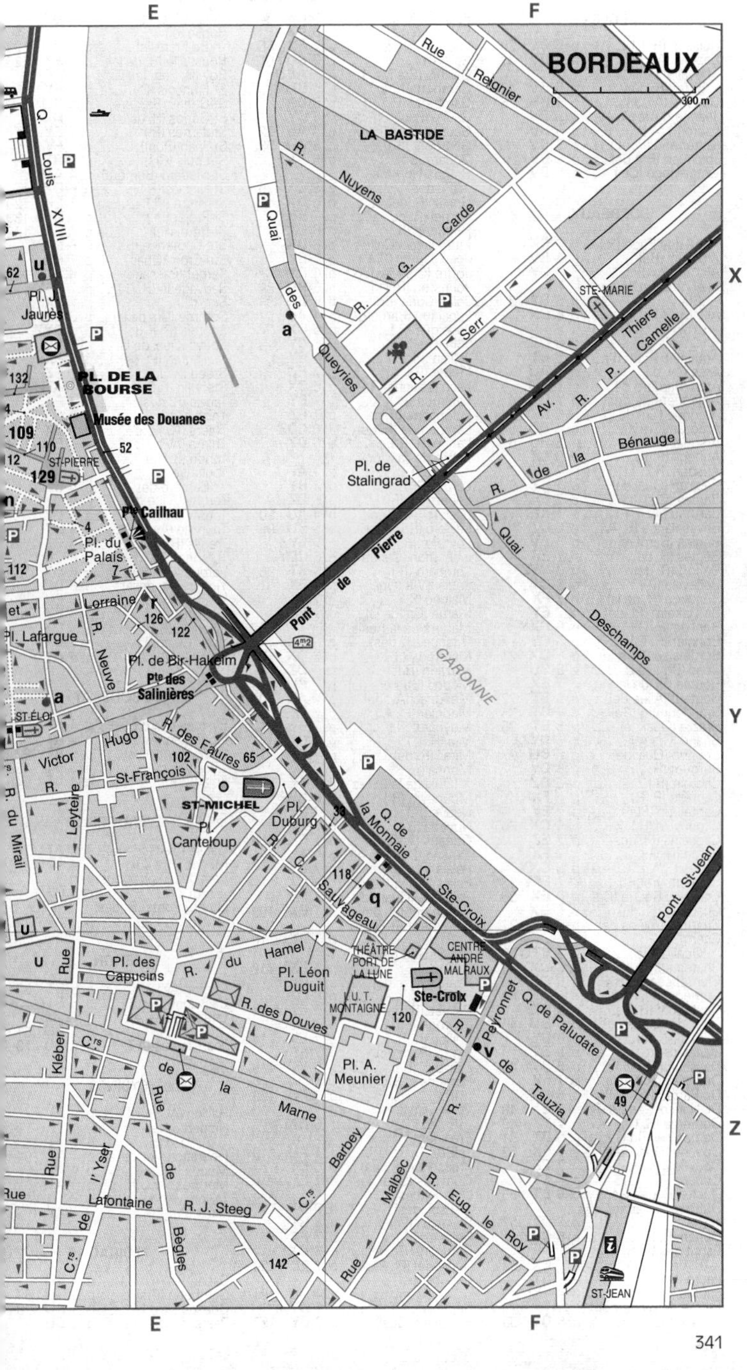
E
F
BORDEAUX
0
300 m
X
Y
Z
LA BASTIDE
Rue Reignier
R. Nuyens
R. G. Carde
Quai des Queyries
R. Serr
STE-MARIE
Av. Thiers
R. P. Camelle
R. de la Bénauge
Pl. de Stalingrad
Quai Deschamps
Pont de Pierre
GARONNE
Q. Louis XVIII
Pl. J. Jaurès
PL. DE LA BOURSE
Musée des Douanes
ST-PIERRE
Pte Cailhau
Pl. du Palais
Lorraine
Pl. Lafargue
R. Neuve
Pl. de Bir-Hakeim
Pte des Salinières
ST-ÉLOI
Victor Hugo
R. des Faures
R. St-François
ST-MICHEL
Pl. Duburg
Pl. Canteloup
R. du Mirail
Leyteire
Q. de la Monnaie
Q. Ste-Croix
R. C. Sauvageau
Pl. des Capucins
R. du Hamel
Pl. Léon Duguit
THÉÂTRE PORT DE LA LUNE
CENTRE ANDRÉ MALRAUX
Ste-Croix
U.T. MONTAIGNE
R. des Douves
R. Peyronnet
Q. de Paludate
R. de Tauzia
Pont St-Jean
Pl. A. Meunier
Crs de la Marne
Rue Kléber
Rue de Bègles
Rue de l'Yser
Crs de Lafontaine
R. J. Steeg
Crs Barbey
Rue Malbec
R. Eug. le Roy
ST-JEAN
62
132
109
110
112
12
129
52
4
7
126
122
102
65
33
118
120
49
142
4m2
a
u
r
q
v
E
F

# RÉPERTOIRE DES RUES DU PLAN DE BORDEAUX

## BÈGLES

Buisson (R. F.) p. 5 **BV** 28
Capelle (Av. A.) p. 5 **BV** 31
Chevalier de la Barre (R. du) p. 5 **BV** 42
Guesde (Av. J.) p. 5 **BV** 76
Jeanne d'Arc (Av.) p. 5 **BV**
Labro (R. A.) p. 5 **BV**
Mitterrand (Pont F.) p. 5 **BV**
Toulouse (Rte de) p. 5 **BV**
Victor-Hugo (Crs) p. 5 **BV**

## BORDEAUX

Abbé-de-l'Épée (R.) p. 6 **CX**
Albert-Ier (Bd) p. 5 **BV**
Albret (Crs d') p. 6 **CY**
Aliénor-d'Aquitaine (Bd) p. 5 **BT** 3
Allo (R. R.) p. 6 **CX**
Alsace et Lorraine (Crs d') p. 6 **DEZ**
Aquitaine (Pont d') p. 5 **BT**
Arès (Av. d') p. 4 **AU**
Arès (Barrière d') p. 4 **AU**
Argentiers (R. des) p. 7 **EY** 4
Argonne (Crs de l') p. 6 **DZ**
Arnozan (Crs X.) p. 5 **BU** 5
Arsenal (R. de l') p. 5 **BU** 6
Audegil (R. F.) p. 6 **CZ**
Ausone (R.) p. 7 **EY** 7
Bacalan (Quai de) p. 5 **BT** 9
Barbey (Crs) p. 7 **EFZ**
Barthou (Av. L.) p. 4 **AU** 12
Baysselance (R. A.) p. 6 **DZ**
Bègles (Barrière de) p. 5 **BV**
Bègles (R. de) p. 7 **EZ**
Belfort (R. de) p. 6 **CYZ**
Belleville (R.) p. 6 **CY**
Bénauge (R. de la) p. 7 **FX**
Bir-Hakeim (Pl. de) p. 7 **EY**
Bonnac (R. G.) p. 6 **CXY**
Bonnier (R. C.) p. 6 **CY**
Bordelaise (Galerie) p. 6 **DX** 21
Bosc (Bd J.-J.) p. 5 **BU**
Bourse (Pl. de la) p. 7 **EX**
Boutaut (Allée de) p. 5 **BT** 22
Brandenburg (Bd) p. 5 **BT** 24
Brazza (Quai de) p. 5 **BT** 25
Briand (Crs A.) p. 6 **DYZ**
Brienne (Quai de) p. 5 **BU** 27
Burguet (R. J.) p. 6 **DY**
Cadroin (R.) p. 6 **DZ**
Camelle (R. P.) p. 7 **FX**
Canteloup (Pl.) p. 7 **EY**
Capdeville (R.) p. 6 **CX** 30
Capucins (Pl. des) p. 7 **EZ**
Carde (R. G.) p. 7 **FX**
Carles (R. V.) p. 6 **DXY**
Carpenteyre (R.) p. 7 **EFY** 33
Chapeau-Rouge (Crs) p. 7 **EX** 36
Chapelet (Pl. du) p. 6 **DX**
Chartres (Allées de) p. 6 **DX** 37
Chartrons (Quai des) p. 5 **BTU** 39
Château-d'Eau (R. du) p. 6 **CXY** 40
Clemenceau (Crs G.) p. 6 **DX**
Comédie (Pl. de la) p. 6 **DX** 43
Costedoat (R. Ed.) p. 6 **DZ**
Croix de Seguey (R.) p. 5 **BU** 45
Cursol (R. de) p. 6 **DY**
Daney (Bd) p. 5 **BT**
Dassault (Av. M.) p. 5 **BT** 46
Deschamps (Quai) p. 7 **FY**
Dr. Barraud (R. A.) p. 6 **CX**
Dr. Nancel-Pénard (R.) p. 6 **CX** 48
Domercq (R. C.) p. 7 **FZ** 49
Domergue (Bd G.) p. 5 **BT** 51
Douane (Quai de la) p. 7 **EX** 52
Douves (R. des) p. 7 **EZ**
Duburg (Pl.) p. 7 **EY**
Duché (R. des Gén.) p. 5 **BT** 55
Duffour-Dubergier (R.) p. 6 **DY** 57
Duhen (R. P.) p. 6 **CDZ**
Esprit des Lois (R. de l') p. 7 **EX** 62
Faure (R. L.) p. 5 **BT**
Faures (R. des) p. 7 **EY**
Ferme de Richemont (Pl. de la) p. 6 **DY** 63
Foch (R. Mar.) p. 6 **DX** 64
Fondaudège (R.) p. 6 **DX**
Fusterie (R. de la) p. 7 **EY** 65
Galin (R.) p. 5 **BU** 66
Gallieni (Crs Mar.) p. 5 **ABU**
Gambetta (Crs) p. 5 **BUV**
Gambetta (Pl.) p. 6 **DX**
Gaulle (Espl. Ch.-de) p. 6 **CY**
Gautier (Bd A.) p. 4 **AU** 72
George-V (Bd) p. 5 **BU** 73
Godard (Bd) p. 5 **BT**
Grands-Hommes (Pl. des) p. 6 **DX** 75
Grassi (R. de) p. 6 **DX**
Hamel (R. du) p. 7 **EZ**
Huguerie (R.) p. 6 **DX**
Intendance (Crs de l') p. 6 **DX**
Jean-Jaurès (Pl.) p. 7 **EX**
Joffre (Crs Mar.) p. 6 **DY**
Johnston (R. D.) p. 5 **BU** 81
Joliot-Curie (Bd) p. 5 **BU** 84
Judaïque (Barrière) p. 4 **AU**
Judaïque (R.) p. 6 **CX**
Juin (Crs Mar.) p. 6 **CY**
Jullian (Pl. C.) p. 6 **DY**
Kléber (R.) p. 7 **EZ**
Lachassaigne (R.) p. 6 **CX**
Lafargue (Pl.) p. 7 **EY**
Lafontaine (R.) p. 7 **EZ**
Lamourous (R. de) p. 6 **CDZ**
Lande (R. P. L.) p. 6 **DY**
Lattre-de-Tassigny (Av. de) p. 4 **AT**
Latule (Pl. de) p. 5 **BT**
Leberthon (R.) p. 6 **DZ**
Leclerc (Av. Gén.) p. 4 **AU** 90
Leclerc (Bd Mar.) p. 5 **BU** 93
Leyteire (R.) p. 7 **EYZ**
Libération (Crs de la) p. 6 **CDY**
Lombard (R.) p. 5 **BT** 96
Louis XVIII (Quai) p. 7 **EX**
Malbec (R.) p. 7 **FZ**
Marne (Crs de la) p. 7 **EZ**
Martyrs-de-la-Résistance (Pl. des) p. 6 **CX**
Mautrec (R.) p. 6 **DX** 100
Mazarin (R.) p. 6 **DZ**
Médoc (Barrière du) p. 5 **BU**
Mérignac (Av. de) p. 4 **AU** 101
Meunier (Pl. A.) p. 7 **FZ**
Meynard (Pl.) p. 7 **EY** 102
Mie (R. L.) p. 6 **CZ**
Mirail (R. du) p. 7 **EY**
Monnaie (Quai de la) p. 7 **FY**
Mouneyra (R.) p. 6 **CYZ**
Neuve (R.) p. 7 **EY**
Nuyens (R.) p. 7 **FX**
Orléans (Allée d') p. 7 **EX** 106
Ornano (Barrière d') p. 4 **AU**
Palais (Pl. du) p. 7 **EY**
Palais Gallien (R. du) p. 6 **CX**
Paludate (Quai de) p. 7 **FZ**
Parlement (Pl. du) p. 7 **EX** 109
Parlement St-Pierre (R. du) p. 7 **EX** 110
Pas St-Georges (R. du) p. 7 **EXY** 112
Pasteur (Crs de) p. 6 **DY**
Pessac (Barrière de) p. 6 **CZ**
Pessac (R. de) p. 6 **CZ**
Peyronnet (R.) p. 7 **FZ**
Philippart (R. F.) p. 7 **EX** 114
Pierre (Pont de) p. 7 **EFY**
Pierre-Ier (Bd) p. 5 **BT** 115
Porte de la Monnaie (R.) p. 7 **FY** 118
Porte-Dijeaux (R. de la) p. 6 **DX**
Président-Wilson (Bd) p. 4 **AU** 119
Pressensé (Pl. de) p. 6 **DY**
Queyries (Quai des) p. 7 **EFX**
Quinconces (Espl. des) p. 6 **DX**
Ravesies (Pl.) p. 5 **BT**
Reignier (R.) p. 7 **FX**
Remparts (R. des) p. 6 **DXY**
Renaudel (Pl. P.) p. 7 **FZ** 120
République (Av. de la) p. 4 **AU** 121
République (Pl. de la) p. 6 **DY**
Richelieu (Quai) p. 7 **EY** 122
Rioux (R. G.) p. 6 **DZ**
Roosevelt (Bd Franklin) p. 5 **BU** 123
Rousselle (R. de la) p. 7 **EY** 126
Roy (R. Eug. le) p. 7 **FZ**
St-François (R.) p. 7 **EY**
St-Genès (Barrière) p. 5 **BU**
St-Genès (R. de) p. 6 **DZ**
St-James (R.) p. 7 **EY**
St-Jean (Pont) p. 7 **FY**
St-Louis (Crs) p. 5 **BT**
St-Médard (Barrière) p. 4 **AU**
St-Nicolas (R.) p. 6 **DZ**
St-Pierre (Pl.) p. 7 **EX** 129
St-Projet (Pl.) p. 6 **DY** 130
St-Rémi (R.) p. 7 **EX** 132
Ste-Catherine (R.) p. 6 **DXY**
Ste-Croix (Quai) p. 7 **FY**
Sarget (Passage) p. 6 **DX** 133
Sauvageau (R. C.) p. 7 **EFY**
Serr (R.) p. 7 **FX**
Somme (Crs de la) p. 6 **DZ**
Sourdis (R. F. de) p. 6 **CYZ**
Souys (Quai de la) p. 5 **BU**
Stalingrad (Pl. de) p. 7 **FX**
Steeg (R. J.) p. 7 **EZ**
Stehelin (R.) p. 4 **ATU**
Tauzia (R. des) p. 7 **FZ**
Thiac (R.) p. 6 **CX**
Thiers (Av.) p. 7 **EX**
Thiers (Av.) p. 5 **BU** 134
Tondu (R. du) p. 6 **CZ**
Toulouse (Barrière de) p. 5 **BU**
Tourny (Allée de) p. 6 **DX**
Tourny (Pl. de) p. 6 **DX**
Tourville (Av. de) p. 5 **BT** 136
Treuils (R. des) p. 6 **CZ**
Turenne (R.) p. 6 **CDX**
Verdun (Crs de) p. 6 **DX** 139
Victoire (Pl. de la) p. 6 **DZ**
Victor-Hugo (Crs) p. 7 **EY**
Vilaris (R.) p. 7 **EZ** 142
Villedieu (R.) p. 6 **DZ**
Yser (Crs de l') p. 7 **EZ**
3-Conils (R. des) p. 6 **DY**

## LE BOUSCAT

Eysines (Av. d') p. 4 **AT**
Libération (Av. de la) p. 4 **AT** 95
Louis-Blanc (Crs) p. 5 **BT** 97
Tivoli (Av. de) p. 5 **BT** 135
Zola (R. E.) p. 4 **AT** 145

## BRUGES

Gaulle (Av. Gén.-de) p. 4 **AT** 70
Médoc (Rte du) p. 4 **AT**
Parc des Expositions (Bd) p. 5 **BT**
Quatre-Ponts (R. des) p. 4 **AT** 120

## CENON

Carnot (Av.) p. 5 **BT** 32
Cassagne (Av. R.) p. 5 **BTU**
Entre-Deux-Mers (Bd de l') p. 5 **BU** 61
Jean-Jaurès (Av.) p. 5 **BU** 79

## EYSINES

Haillon (Av. du) p. 4 **AT**
Hippodrome (Av. de l') p. 4 **AT**
Libération (Av. de la) p. 4 **AT** 94
Médoc (Av. du) p. 4 **AT**
Mermoz (Av. J.) p. 4 **AT**
Taillon-Médoc (Av. du) p. 4 **AT**

## FLOIRAC

Cabannes (Av. G.) p. 5 **BU**
Gambetta (Crs) p. 5 **BU** 67
Guesde (R. J.) p. 5 **BU** 78
Pasteur (Av.) p. 5 **BU**

**Presse** sans rest, 6 r. Porte Dijeaux ✆ 05 56 48 53 88, *cjourdian@free.fr, Fax 05 56 01 05 82* – AE GB JCB p. 6 **DX** k
*fermé 25 déc. au 2 janv.* – 7,50 – **27 ch** 46/82.
◆ Au coeur du secteur piétonnier, façade en pierres de taille abritant un hôtel bien tenu et décoré avec goût. Chambres actuelles et fonctionnelles. Accès auto réglementé.

**Continental** sans rest, 10 r. Montesquieu ✆ 05 56 52 66 00, *continental@hotel-le-continental.com, Fax 05 56 52 77 97* – AE GB JCB p. 6 **DX** b
6,50 – **50 ch** 52/91.
◆ Ancien hôtel particulier du 18e s. aménagé à proximité de la galerie des Grands Hommes. Plaisantes chambres aux tons lumineux. Salon "cosy" joliment meublé.

**Quatre Soeurs** sans rest, 6 cours 30-Juillet ✆ 05 57 81 19 20, *4soeurs@mailcity.com, Fax 05 56 01 04 28* – AE GB **DX** s
8 – **34 ch** 60/85.
◆ Richard Wagner aurait séjourné dans cet hôtel en 1850. Chambres rénovées, bonne isolation phonique et situation centrale pour une étape bordelaise pratique.

**Opéra** sans rest, 35 r. Esprit des Lois ✆ 05 56 81 41 27, *hotel.opera.bx@wanadoo.fr, Fax 05 56 51 78 80* – GB. p. 6 **DX** n
*fermé 24 déc. au 5 janv.* – 6 – **27 ch** 34,50/51.
◆ Hôtel familial logé dans un immeuble du 18e s. tout en hauteur. Les chambres, mansardées au dernier étage, sont simples et petites, mais assez confortables.

**Notre-Dame** sans rest, 36 r. Notre-Dame ✆ 05 56 52 88 24, *Fax 05 56 79 12 67* – AE GB JCB. p. 5 **BU** k
*fermé 28 déc. au 5 janv.* – 5,50 – **21 ch** 38,40/47,35.
◆ Les amateurs d'antiquités choisiront ce petit hôtel établi dans le quartier où fourmillent les boutiques d'objets et meubles anciens. Chambres pratiques et bien tenues.

XXXX ✿ **Chapon Fin,** 5 r. Montesquieu ✆ 05 56 79 10 10, *tmarx2@wanadoo.fr, Fax 05 56 79 09 10* – AE GB JCB. p. 6 **DX** p
*fermé 10 au 25 août, dim. et lundi* – **Repas** 27 (déj.), 47/74 et carte 75 à 100, enf. 14.
◆ Véritable institution bordelaise que les gourmets fréquentent principalement pour sa cuisine, et aussi pour l'original décor de rocaille 1900 ornant la salle à manger.
**Spéc.** Foie gras de canard en croûte de tomate. Canon d'agneau de lait, gnocchi al verde. Mangue au poivre vert, crème glacée citron-gingembre. **Vins** Bordeaux blanc, Graves.

XXX ✿ **Pavillon des Boulevards** (Franc), 120 r. Croix de Seguey ✆ 05 56 81 51 02, *pavillon.des.boulevards@wanadoo.fr, Fax 05 56 51 14 58,* – AE GB JCB p. 5 **BU** a
*fermé 4 au 24 août, 1er au 8 janv., lundi midi, sam. midi et dim.* – **Repas** 38,50 (déj.), 55/73,50 et carte 68 à 90.
◆ Le décor raffiné de cette maison typiquement bordelaise saura vous faire oublier sa situation un peu excentrée. Belle terrasse d'été. Cuisine au goût du jour.
**Spéc.** Liégeois de caviar d'Aquitaine, homard à la crème de châtaigne. Le "Tout-cèpes" (sept.-oct.). Côte de veau de Bazas rôtie. **Vins** Premières Côtes de Bordeaux rouge, Pessac-Léognan.

XXX **Jean Ramet,** 7 pl. J. Jaurès ✆ 05 56 44 12 51, *ramet@ramet-jean.com, Fax 05 56 52 19 80* – ▤. AE GB p. 7 **EX** u
✿ *fermé 2 au 24 août, 2 au 13 janv., dim. et lundi* – **Repas** 28 (déj.), 45/56 et carte 56 à 77.
◆ Les Bordelais aiment à se retrouver autour de plats traditionnels et de produits de la mer dans cette salle égayée de tons ensoleillés en harmonie avec tentures et mobilier.
**Spéc.** La trilogie des saveurs. Cul de lièvre à la royale (nov.-déc.). Papillote de fruits de saison aux épices. **Vins** Pessac-Léognan, Haut-Médoc.

XXX **Vieux Bordeaux,** 27 r. Buhan ✆ 05 56 52 94 36, *Fax 05 56 44 25 11*, 🏖 – ▤. AE ⓓ GB p. 7 **EY** a
*fermé 4 au 25 août, 16 fév. au 1er mars, lundi midi, sam. midi, dim. et fériés* – **Repas** *(17 bc)* - 28/48 et carte 45 à 65, enf. 10.
◆ Derrière une façade de type bistrot, restaurant disposant de deux salles à manger rustiques rehaussées de touches contemporaines, dont une ouverte sur un agréable patio.

XXX **L'Alhambra,** 111 bis r. Judaïque ✆ 05 56 96 06 91, *Fax 05 56 98 00 52* – ▤. GB
*fermé 25 juil. au 20 août, sam. midi, dim., lundi midi et fériés* – **Repas** 18 (déj.), 27/37 et carte 42 à 58 ♀. p. 6 **CX** e
◆ Adresse familiale plaisamment agencée à la façon d'un jardin d'hiver ; coloris verts et mobilier confortable en rotin. La cuisine classique flatte les palais... de l'Alhambra.

XX **Didier Gélineau,** 26 r. Pas St-Georges ✆ 05 56 52 84 25, *Fax 05 56 51 93 25* – ▤. AE ⓓ GB JCB p. 7 **EX** n
*fermé 10 au 24 août, lundi midi, sam. midi et dim.* – **Repas** (prévenir) 20 (déj.), 34/50 ♀.
◆ Dans une maison ancienne du vieux Bordeaux, cuisine traditionnelle et quelques spécialités du Sud-Ouest servies dans une sobre salle à manger habillée de tissus colorés.

XX **Gravelier,** 114 cours Verdun ✆ 05 56 48 17 15, *Fax 05 56 51 96 07* – ▤. AE ⓓ GB p. 5 **BU** r
*fermé 1er au 25 août, sam. et dim.* – **Repas** 20 (déj.), 24/32 ♀.
◆ Mobilier épuré en teck et zinc, couleurs chaleureuses (aubergine, vert anis, orange) : un nouveau décor - "zen" et convivial - très réussi. Cuisine au goût du jour soignée.

XX **Tupina,** 6 r. Porte de la Monnaie ✆ 05 56 91 56 37, *latupina@latupina.com, Fax 05 56 31 92 11* – AE ⓓ GB p. 7 **FY** q
**Repas** *(16)* - 32 (déj.)/48 ♀.
◆ On se bouscule dans cette maison à l'atmosphère campagnarde. Les plats du Sud-Ouest rôtissent dans la cheminée ou mijotent sur le fourneau, comme autrefois. Service décontracté.

XX **L'Oiseau Bleu,** 65 cours Verdun ✆ 05 56 81 09 39, *Fax 05 56 81 09 39* – ▤. AE ⓓ GB
*fermé 29 juil. au 19 août, 1er au 8 janv., sam. midi et dim.* – **Repas** 17 (déj.)/33 ♀.
◆ Petit bistrot estimé pour l'ambiance chaleureuse qui règne dans sa coquette salle à manger un brin "rétro" et pour son appétissante cuisine au goût du jour.

X **l'Estaquade,** quai Queyries ✆ 05 57 54 02 50, *Fax 05 57 54 02 51*, ≤ vieux Bordeaux, 🏖 – AE GB p. 7 **EX** a
**Repas** 14 (déj. en semaine) et carte 35 à 46 ♀.
◆ Postée sur la Garonne, cette insolite construction sur pilotis contemple le vieux Bordeaux. Décor volontairement épuré et cuisine du monde : une adresse "très mode" !

X **Croc-Loup,** 35 r. Loup ✆ 05 56 44 21 19, *x.durin@free.fr* – GB p. 6 **DY** n
*fermé 1er au 28 août, dim. et lundi* – **Repas** 13 (déj.), 24/29.
◆ Restaurant de poche situé à proximité de la cathédrale St-André. On y sert une cuisine traditionnelle et parfois du baliste, poisson tropical élevé près d'Arcachon.

X **L'Olivier du Clavel,** 44 r. C. Domercq (face gare St-Jean) ✆ 05 57 95 09 50, *Fax 05 56 92 15 28* – ▤. AE ⓓ GB p. 5 **BU** v
*fermé août, lundi, sam. midi et dim.* – **Repas** 16 bc (déj.)/25.
◆ La carte de ce bistrot propose des recettes du marché, toutes préparées à base de différents crus d'huiles d'olive. Propret décor contemporain et tables simplement dressées.

**à Bordeaux-Lac** *(près parc des expositions)* – ✉ *33300 Bordeaux :*

**Sofitel Aquitania** Ⓜ, ✆ 05 56 69 66 66, *h0669@accor-hotels.com, Fax 05 56 69 66 00*, 🏖, 🏊 – 🛗 ⇔ ▤ TV ✆ P – 🏛 15 à 400. AE ⓓ GB JCB p. 5 **BT** u
***Flore :*** **Repas** 23/29 et carte 30/36 🌡 – ☕ 14 – **183 ch** 220/230.
◆ Complexe hôtelier apprécié de la clientèle d'affaires pour ses espaces de réunion. Grandes chambres fonctionnelles. Le Flore offre une belle vue sur le lac. Bar et casino.

**Novotel-Bordeaux Lac** Ⓜ, ✆ 05 56 43 65 00, *h0403@accor-hotels.com, Fax 05 56 43 65 01*, 🏖, 🏊, 🌳 – 🛗 ⇔ ▤ TV ✆ ♿ P – 🏛 120. AE ⓓ GB JCB
**Repas** carte 21 à 40 ♀, enf. 8 – ☕ 11 – **175 ch** 91/102. p. 5 **BT** z
◆ La proximité du parc des expositions est l'atout majeur de cet hôtel des années 1970. Chambres pratiques, à choisir côté lac. Jardin avec jeux pour les enfants.

## par la rocade A 630 :

**à Blanquefort** *Nord, sortie n° 6 : 3 km – 12 843 h. alt. 17 – ✉ 33290 :*

**Les Criquets,** 130 av. 11-Novembre (D 210) ✆ 05 56 35 09 24, *hotel-des-criquets@wanadoo.fr, Fax 05 56 57 13 83,* ⌂, ▭, ♒ – ▭ ✆ P – ⛰ 30. AE ⓓ GB
**Repas** *(fermé dim. soir, sam. midi et lundi)* 16 (déj.), 30/54 ♀ – ☕ 10 – **21 ch** 52/69 – ½ P 59,50.
◆ Relais de campagne situé aux portes du vignoble médocain. L'omniprésence du bois et la gaieté des tissus personnalisent joliment les chambres. Table traditionnelle.

**à Carbon-Blanc** *Nord-Est sortie n° 2 en venant de l'Ouest, sortie n° 27 en venant du Sud – 5 842 h. alt. 21 – ✉ 33560 :*

XXX **Marc Demund,** 5 av. Gardette ✆ 05 56 74 72 28, *Fax 05 56 06 55 40,* ⌂, ♣ – P. AE ⓓ GB p. 5 BT e
*fermé sam. midi, dim. soir et lundi* – **Repas** 23/57 et carte 50 à 70.
◆ À l'écart du bourg, belle demeure bordelaise entourée d'arbres centenaires. Salle à manger de caractère, prolongée par une terrasse d'été dans le parc.

**à Bouliac** *: Sud-Est, sortie n° 23 – 2 841 h. alt. 74 – ✉ 33270 :*

**Hauterive et rest. St-James** M ⛰, pl. C. Hostein, près église ✆ 05 57 97 06 00, *reception@saint-james-bouliac.com, Fax 05 56 20 92 58,* ≤ Bordeaux, ⌂, ⛱, ♒ – |♦|, ▤ ch, ▭ ✆ ♿ P – ⛰ 25 à 40. AE ⓓ GB JCB. ✂ p. 5 BU s
✿
*fermé janv.* – **Repas** *(fermé lundi hors saison et dim.)* (28) - 46/74 et carte 74 à 94 ♀, enf. 18 - ***Le Bistroy*** ✆ 05 57 97 06 00 *(fermé mars et dim.)* **Repas** 35 ♀ – ☕ 18 – **18 ch** 168/297.
◆ Maison vigneronne du 17e s. entourée de bâtiments conçus par Jean Nouvel et inspirés des séchoirs à tabac. Cadre "zen" très design. Cuisine aussi inventive qu'esthétique.
**Spéc.** Salade tiède d'encornets (automne-hiver). Saint-Pierre au citron confit (printemps-été). Vacherin aux fruits rouges, réglisse et coulis de fraise. **Vins** Pessac-Léognan, Saint-Emilion.

XX **Auberge du Marais,** 22 rte de Latresne ✆ 05 56 20 52 17, *Fax 05 56 20 98 06,* ⌂ – P. AE ⓓ GB p. 5 BV t
*fermé 15 août au 6 sept., 15 fév. au 1er mars , dim soir et merc.* – **Repas** 14 (déj.), 21,30/42 ♀, enf. 10,70.
◆ Maison de pays qui, aux beaux jours, propose sa belle terrasse ombragée. À l'intérieur, collection de tableaux modernes. Carte traditionnelle et plats du Sud-Ouest.

X **Café de l'Espérance,** derrière l'Église ✆ 05 56 20 52 16, *Fax 05 56 20 92 58,* ⌂ – AE GB p. 5 BV r
*fermé fév. et lundi* – **Repas** 12/25 ♀.
◆ Les nostalgiques du "troquet" de village aimeront ce petit café où l'on refait le monde autour d'un verre ! Cuisine du terroir et grillades suggérées sur tableau noir.

**à Camblanes-et-Meynac** *par la sortie n° 22 et D 113 : 10 km – 1 932 h. alt. 50 – ✉ 33360 :*

X **Maison du Fleuve,** port neuf, par D 14 et rte secondaire : 2 km ✆ 05 56 20 06 40, *e.rene@jm-amat.com, Fax 05 56 20 01 04,* ≤ la Garonne, ⌂ – P. AE ⓓ GB
*fermé 1er au 28 janv., dim. soir et lundi d'oct. à avril* – **Repas** (14,50) - carte 40 à 60.
◆ Insolite bistrot contemporain posté sur une rive de la Garonne et sa terrasse sur pilotis. Décor ethnique, cuisine et vins des cinq continents : sitôt ouvert, sitôt "branché" !

**à Martillac** *Sud, sortie n° 18, N 113 et rte secondaire : 9 km – 1 652 h. alt. 40 – ✉ 33650 :*

**Sources de Caudalie** M ⛰, chemin de Smith Haut-Lafitte ✆ 05 57 83 83 83, *sources@sources-caudalie.com, Fax 05 57 83 83 84,* 𝐿𝑎, ⛱, ♒ – |♦|, ▤ ch, ▭ ✆ P – ⛰ 40. AE ⓓ GB. ✂ ch
✿
***Grand'Vigne*** *(fermé lundi et mardi)* **Repas** 57/125 et carte 64 à 100 ♀, enf. 19 – ***Table du Lavoir :*** **Repas** (24)-32/55 ♀, enf 13 – ☕ 20 – **43 ch** 215/450, 6 appart – ½ P 141/277.
◆ Luxe, détente et remise en forme au milieu des vignes : ce domaine incluant un institut de vinothérapie vous offre "la vie de château" des temps modernes. Le cadre du Grand' Vigne s'inspire des orangeries du 18e s. Au 19e s., les vendangeurs battaient leur linge à la Table du Lavoir.
**Spéc.** Foie gras de canard grillé, reconstitué en terrine. Saint-Pierre rôti entier au four. Andouillette de cochon et jarret de veau au foie gras. **Vins** Pessac-Léognan.

**à Talence** *: Sud, sortie n° 16 – 34 485 h. alt. 17 – ✉ 33400 :*

**Guyenne** (Lycée Hôtelier), av. F. Rabelais, domaine universitaire ✆ 05 56 84 48 60, *Fax 05 56 84 48 61* – |♦| ▭ P – ⛰ 40. AE ⓓ GB. ✂ p. 5 BV a
*fermé de mai à sept., vacances scolaires, vend., sam., dim. et fériés* – **Repas** 18/22 – ☕ 6,50 – **27 ch** 40/45.
◆ Cet immeuble moderne abrite des chambres spacieuses et fonctionnelles. La salle à manger, éclairée par de grandes baies vitrées, a été récemment rénovée.

**à Gradignan** : *Sud, sortie n° 16 – 21 727 h. alt. 26 – ✉ 33170 :*

**Châlet Lyrique,** 169 cours Gén. de Gaulle ✆ 05 56 89 11 59, *lechaletlyriquebis@chaletlyrique.com, Fax 05 56 89 53 37,* – 25. AE GB p. 4 **AV** b
**Repas** *(fermé 2 au 31 août, sam. midi et dim.)* carte 28 à 36 ♀ – ☕ 8,40 – **44 ch** 62/85.
◆ Chambres diverses en taille et en confort ; demandez-en une rénovée. L'ancien café du village, transformé en restaurant, n'a rien perdu de son ambiance "lyrique".

**à Cestas** *Sud-Ouest, sortie n° 15 et A 63 : 6,5 km – 16 768 h. alt. 77 – ✉ 33610 :*

**Chais d'Haussmann,** 61 av. Baron Haussmann ✆ 05 56 21 58 74, *chais.haussmann@wanadoo.fr, Fax 05 56 21 58 48,* , – P. GB
*fermé 18 août au 5 sept., vacances de fév., dim. soir et lundi* – **Repas** 14,50 (déj.), 23/55 ♀, enf. 9,15.
◆ Cette grange joliment restaurée abrite une salle à manger contemporaine égayée de tons clairs, largement ouverte sur la terrasse d'été.

**au Sud-Ouest** *sortie n°14, Z.I. Pessac – ✉ 33600 Pessac :*

**Ibis Bordeaux-Pessac** M, 8 r. A. Becquerel ✆ 05 56 07 27 84, *h0850-gm@accor-hotels.com, Fax 05 56 36 86 81,* , – P. AE GB p. 4 **AV** e
**Repas** *(12)* - carte 20 à 30 ♀, enf. 5,95 – ☕ 6 – **87 ch** 63.
◆ Construction cubique de couleur paille, située à proximité d'une rocade, mais bénéficiant d'une bonne insonorisation. Chambres refaites. Cuisine d'inspiration bistrot.

**à Pessac** : *Sud-Ouest, sortie n° 13 – 51 055 h. alt. 35 – ✉ 33600 :*

**Cohé,** 8 av. R. Cohé ✆ 05 56 45 73 72, *Fax 05 56 45 96 39* – . AE GB. p. 4 **AV** n
*fermé 4 au 29 août, dim. soir et lundi* – **Repas** *(14,50)* - 18/53,50, enf. 10.
◆ Les pièces de monnaie sont frappées à Pessac. Belle maison ancienne abritant une salle à manger sobrement contemporaine. Cuisine traditionnelle actualisée.

**à l'aéroport de Mérignac** : *Ouest, sortie n° 11 en venant du Sud, sortie n° 11^b en venant du Nord – ✉ 33700 Mérignac :*

**Mercure Aéroport** M, 1 av. Ch. Lindbergh ✆ 05 56 34 74 74, *h1508@accor-hotels.com, Fax 05 56 34 30 84,* , – P – 110. AE GB p. 4 **AU** e
**Repas** *(fermé week-end et fériés) (20)* - 28/38 ♀, enf. 9 – ☕ 11 – **149 ch** 105/190.
◆ Établissement idéalement conçu pour une escale entre deux avions. Repos dans de spacieuses chambres insonorisées et repas dans une confortable salle à manger.

**Novotel Aéroport** M, av. J. F. Kennedy ✆ 05 56 34 10 25, *h0402@accor-hotels.com, Fax 05 56 55 99 64,* , , – P – 70. AE GB JCB
**Repas** *(13)* - 17,50 ♀, enf. 8 – ☕ 11 – **137 ch** 97/105. p. 4 **AU** k
◆ La pinède entourant cet hôtel contraste avec la proximité de l'aéroport. Chambres rénovées, conformes au nouveau "look" Novotel. La carte du restaurant mise sur la simplicité.

**à Mérignac** : *Ouest, sortie n° 9 – 57 273 h. alt. 35 – ✉ 33700 :*

**Bleu Marine** M, 116 av. Magudas ✆ 05 57 92 00 00, *bleumarine@bordeaux-hotels.net, Fax 05 57 92 00 60,* , – P – 30 à 70. AE GB JCB p. 4 **AT** r
**Repas** *(fermé dim. sauf de juin à août)* 24 ♀ – ☕ 9,50 – **46 ch** 91/130, 4 duplex.
◆ Près de la rocade, une nouvelle étape commode pour la clientèle d'affaires. Chambres spacieuses et fonctionnelles. Repas servis sous forme de buffets.

**L'Iguane,** 127 av. Magudas ✆ 05 56 34 07 39, *Fax 05 56 34 41 37* – P. AE GB JCB
*fermé sam. midi et dim. soir* – **Repas** 28,20/58 et carte 32 à 62 ♀. p. 4 **AT** f
◆ Bâtiment récent conçu dans le style du pays et cadre intérieur moderne assorti d'une touche rustique. Cuisine au goût du jour, privilégiant les plats de poissons.

**à Eysines** : *Ouest, sortie n° 9 – 16 391 h. alt. 15 – ✉ 33320 :*

**Tilleuls,** 205 av. St-Médard à La Forêt ✆ 05 56 28 04 56, *Fax 05 56 28 93 22,* – P. AE GB p. 4 **AT** v
*fermé 17 au 25 fév., 11 au 19 août, sam. midi, dim. soir et lundi* – **Repas** 18,30 (déj.), 26/41,20 ♀, enf. 9,15.
◆ Sympathique adresse où l'on mitonne plats classiques et spécialités régionales. Salle à manger campagnarde égayée de tons vifs et chaleureux. Jolie terrasse d'été.

*Ecrivez-nous...*
*Vos louanges comme vos critiques seront examinées avec le plus grand soin. Nous reverrons sur place les informations que vous nous signalez. Par avance merci !*

**Les BORDES** *45 Loiret* 318 L5 – *rattaché à Sully-sur-Loire.*

**BORMES-LES-MIMOSAS** *83230 Var* 340 N7 *C. Côte d'Azur – 5 083 h alt. 180.*

Voir *Site* – Les vieilles rues* – ≤* du château.*

*Office du Tourisme, 1 place Gambetta ✆ 04 94 01 38 38, Fax 04 94 01 38 39, mail @bormeslesmimosas.com.*

*Paris 877 – Fréjus 57 – Hyères 21 – Le Lavandou 4 – St-Tropez 35 – Toulon 40.*

**Lou Portaou,** r. Cubert des Poètes ✆ 04 94 64 86 37, *Fax 04 94 64 81 43,* – . GB
*fermé 15 nov. au 20 déc., lundi soir et mardi hors saison et le midi en saison –* **Repas** (prévenir) 34.
◆ Étonnant "restaurant-musée" qui a su préserver l'âme de cette demeure médiévale : objets et meubles évoquant cette époque sont réunis dans les deux petites salles voûtées.

**Tonnelle,** pl. Gambetta ✆ 04 94 71 34 84, *Fax 04 94 01 09 37* – . GB
*fermé 12 nov. au 20 déc., jeudi midi et merc. –* **Repas** *(fermé le midi en juil.-août)* 17 (déj.), 30/35, enf. 15.
◆ Maison ancienne située à côté de l'Office de tourisme. Salle à manger et véranda portent haut les couleurs du Sud ; une cheminée réchauffe les repas d'hiver.

**Cassole,** ruelle du Moulin ✆ 04 94 71 14 86, *Fax 04 94 71 14 86,* – . GB
*fermé 15 nov. au 15 déc., 5 au 20 janv., dim. soir et lundi sauf juil.-août –* **Repas** (dîner seul. en juil.-août) 28/46.
◆ Adresse à dénicher dans une venelle pentue de la vieille ville. Plaisante salle à manger en partie voûtée, fraîche et sagement méditerranéenne. Ambiance chaleureuse.

**à Cabasson** *Sud : 8 km – ✉ 83230 Bormes-les-Mimosas :*

**Palmiers** , chemin du Petit Fort ✆ 04 94 64 81 94, *les.palmiers@wanadoo.fr, Fax 04 94 64 93 61,* , , – . AE GB
*fermé 15 nov. au 31 janv. –* **Repas** 28/40, enf. 14 – 12 – **17 ch** (1/2 pens. seul.) – 1/2 P 100/120.
◆ Les balcons des chambres donnent en majorité sur le jardin. L'été, vous prendrez votre repas sur la terrasse, au bord de la piscine. Fort de Brégançon et plage sont à deux pas.

**BORNY** *57 Moselle* 307 I4 – *rattaché à Metz.*

**BORT-LES-ORGUES** *19110 Corrèze* 329 Q3 *C. Auvergne – 4 208 h alt. 430.*

Voir *Barrage de Bort**.*

Env. *Musée de la radio et du phonographe* à Lanobre N : 8 km – Site** du château de Val* N : 9 km.*

*Office du Tourisme, place Marmontel ✆ 05 55 96 02 49, Fax 05 55 96 90 79, contact@bort-artense.com.*

*Paris 476 – Aurillac 83 – Clermont-Ferrand 83 – Mauriac 32 – Tulle 85 – Ussel 31.*

**Rider,** av. Gare ✆ 05 55 96 00 47, *hotel-le-riderwanadoo.fr, Fax 05 55 96 73 07,* – rest, . AE GB
*fermé 28 juin au 6 juil. et 15 déc. au 4 janv. –* **Repas** *(fermé vend. soir, sam. midi et dim. soir sauf juil.-août)* 13/28,50 – 5 – **24 ch** 34/46 – 1/2 P 36.
◆ Façade repeinte, insonorisation renforcée : ce discret immeuble situé face à la gare améliore régulièrement son confort. Un original trompe-l'oeil décore la salle à manger.

**BORT-L'ÉTANG** *63 P.-de-D.* 326 H8 – *rattaché à Lezoux.*

**BOSDARROS** *64290 Pyr.-Atl.* 342 J5 – *872 h alt. 370.*

*Paris 793 – Pau 14 – Lourdes 113 – Oloron-Ste-Marie 29 – Tarbes 50.*

**Auberge Labarthe,** derrière l'église ✆ 05 59 21 50 13, *auberge-labarthe@wanadoo.fr, Fax 05 59 21 68 55* – AE GB
*fermé 5 au 28 janv., dim. soir et lundi sauf juil.-août, mardi et fériés –* **Repas** (week-end prévenir) 20/55 ♀.
◆ Derrière l'église, pimpante maison joliment fleurie. Salle de restaurant égayée de vives couleurs. En hiver, une cheminée réchauffe le coin bar. Carte au goût du jour.

**BOSSEY** *74 H.-Savoie* 328 J4 – *rattaché à St-Julien-en-Genevois.*

**Les BOSSONS** *74 H.-Savoie* 328 O5 – *rattaché à Chamonix.*

**BOUAYE** *44 Loire-Atl.* 316 F5 – *rattaché à Nantes.*

**BOUC-BEL-AIR** *13320 B.-du-R.* 340 H5 – *11 512 h alt. 259.*

*Paris 763 – Marseille 23 – Aix-en-Provence 10 – Aubagne 35 – Salon-de-Provence 43.*

**L'Étape Lani,** au Sud sur D 6 rte Gardane-Marseille ✆ 04 42 22 61 90, *etapelani@worldonline.fr, Fax 04 42 22 68 67,* – 30. GB JCB

**Repas** *(fermé 12 août au 3 sept., 21 au 30 déc., dim. sauf midi de sept. à juin, lundi sauf le soir en juil. et sam. midi)* 35/48, enf. 14 – 9 – **30 ch** 50/80 – ½ P 47/72.

◆ L'accueil, les chambres bien insonorisées, le plaisant décor provençal de la nouvelle annexe et la coquette salle à manger font vite oublier la proximité de la route passante.

**BOUCÉ** *03 Allier* 326 H5 – *rattaché à Varennes-sur-Allier.*

**BOUDES** *63340 P.-de-D.* 326 G10 – *243 h alt. 466.*

*Paris 465 – Clermont-Fd 53 – Brioude 29 – Issoire 15 – St-Flour 62.*

XX **Boudes La Vigne** M avec ch, ✆ 04 73 96 55 66, *Fax 04 73 96 55 55,* – . AE GB

*fermé 24 août au 5 sept. et 2 au 22 janv.* – **Repas** *(fermé dim. soir et lundi)* 12/40 – 6 – **9 ch** 32/40 – ½ P 31.

◆ Maison aménagée sur les anciennes fortifications d'une bourgade de vignerons. Une salle, campagnarde, est agrémentée d'un vivier à homards, l'autre occupe un caveau voûté.

**BOUESSE** *36 Indre* 323 G7 – *rattaché à Argenton-sur-Creuse.*

**BOUGIVAL** *78 Yvelines* 311 I2 101 ⑬ – *voir à Paris, Environs.*

**La BOUILLADISSE** *13720 B.-du-R* 340 I5 – *4 115 h alt. 220.*

*Syndicat d'Initiative, place de la Libération ✆ 04 42 62 97 08, Fax 04 42 62 98 65.*

*Paris 780 – Marseille 31 – Aix-en-Provence 26 – Brignoles 43 – Toulon 60.*

**Fenière,** ✆ 04 42 72 56 32, *la.feniere@wanadoo.fr, Fax 04 42 62 30 54,* , – rest, . AE GB

**Repas** *(fermé sam. midi et dim.)* 13/20, enf. 8,50 – 6 – **12 ch** 46/61 – ½ P 42/46.

◆ Établissement composé de deux bâtiments : côté jardin-piscine, petites chambres récemment rénovées, fonctionnelles et insonorisées ; côté rue, restaurant sobrement rustique.

**BOUILLAND** *21420 Côte-d'Or* 320 I7 *G. Bourgogne* – *145 h alt. 400.*

*Paris 296 – Beaune 17 – Dijon 41 – Autun 54 – Bligny-sur-Ouche 13 – Saulieu 57.*

**Hostellerie du Vieux Moulin** (Silva) M , ✆ 03 80 21 51 16, *Fax 03 80 21 59 90,* , , – rest, – 25. GB

*fermé 2 au 31 janv., lundi midi, jeudi midi et merc. sauf le soir de mai à oct. et fériés.* – **Repas** 36/65 et carte 65 à 90 – 14 – **26 ch** 79/150 – ½ P 120/140.

◆ Petit village de la verdoyante vallée du Rhoin. Chambres de style ou modernes, avec terrasse. Cuisine personnalisée servie dans une salle à manger très contemporaine.

**Spéc.** Lasagne de cuisses de grenouilles et gros cocos au jus de truffe. Carpaccio de Saint-Jacques et truffes (oct. à avril). Pigeonneau rôti, jus à la réglisse. **Vins** Saint-Romain, Savigny-lès-Beaune.

**La BOUILLE** *76530 S.-Mar.* 304 F5 *G. Normandie Vallée de la Seine* – *862 h alt. 5.*

*Paris 132 – Rouen 21 – Bernay 44 – Elbeuf 12 – Louviers 32 – Pont-Audemer 36.*

**Bellevue,** ✆ 02 35 18 05 05, *bellevue@hotel.wanadoo.fr, Fax 02 35 18 00 92,* <, – – 20. AE GB

*fermé 28 juil. au 10 août, 20 déc. au 4 janv. et vacances de fév.* – **Repas** *(fermé dim. soir de sept. à mars et sam. midi)* 18/40 , enf. 12 – 7 – **19 ch** 33/59 – ½ P 47.

◆ Sur une rive de la Seine. Chambres diversement meublées ; certaines profitent comme le restaurant d'une belle vue sur le fleuve. Cuisine régionale servie dans un cadre normand.

XX **Poste,** ✆ 02 35 18 03 90, *Fax 02 35 18 18 91,* <, – GB

*fermé 22 déc. au 12 janv., dim. soir, lundi soir et mardi soir* – **Repas** 17/36,60.

◆ Belle façade à colombages d'un relais de poste du 18e s. ancré sur les quais. Salle à manger rustique ou, à l'étage, cadre plus récent et plus clair avec vue sur la Seine.

XX **Les Gastronomes,** ✆ 02 35 18 02 07, *Fax 02 35 18 14 49* – GB

*fermé 22 août au 4 sept., 18 au 26 déc., 20 fév. au 2 mars, merc. et jeudi* – **Repas** 18/35 .

◆ À côté de l'église, maison abritant deux salles des repas ; celle du rez-de-chaussée a des allures de bistrot Belle Époque. Accueil familial et cuisine traditionnelle.

**BOUIN** *85230 Vendée* 316 E6 – *2 268 h alt. 5.*

*Office du Tourisme, boulevard Sébastien Luneau ☎ 02 51 68 88 85.*

*Paris 435 – Nantes 51 – La Roche-sur-Yon 64 – Challans 22 – Noirmoutier-en-l'Ile 36.*

**Martinet**, ☎ 02 51 49 08 94, *hotel-martinet@free.fr, Fax 02 51 49 83 08,* – AE GB JCB. rest

**Repas** *(fermé nov., mardi midi et lundi en saison, dim. soir hors saison)* 20/30, enf. 10 – 7 – **30 ch** 48/69 – ½ P 48/58.

♦ Demeure ancienne à l'ambiance familiale. Les chambres en rez-de-jardin sont plus agréables et coquettes. Repas autour des produits de la pêche locale.

---

**BOULAY-LES-BARRES** *45 Loiret* 318 H4 – *rattaché à Orléans.*

---

**BOULEURS** *77580 S.-et-M.* 312 G2 – *1 049 h alt. 97.*

*Paris 47 – Château-Thierry 62 – Coulommiers 16 – Meaux 13 – Melun 44.*

**Auberge de la Veillée,** 13 r. Église ☎ 01 64 63 62 05, *Fax 01 64 63 62 05* – GB

*fermé 1er au 8 mars, 11 au 31 août, lundi, mardi et merc.* – **Repas** (prévenir) 22/36 ♀.

♦ Tomettes, meubles anciens et cheminée caractérisent cette salle à manger prolongée par deux vérandas. Registre culinaire traditionnel et service souriant.

---

**BOULIAC** *33 Gironde* 335 H6 – *rattaché à Bordeaux.*

---

**BOULIGNEUX** *01 Ain* 328 C4 – *rattaché à Villars-les-Dombes.*

---

**BOULOGNE-BILLANCOURT** *92 Hauts-de-Seine* 311 J2 101 ㉔ – *voir à Paris, Environs.*

---

**BOULOGNE-SUR-MER** SP *62200 P.-de-C.* 301 C3 *G. Picardie Flandres Artois – 43 678 h Agglo. 135 116 h alt. 58 – Casino (privé)* **Z**.

**Voir** *Nausicaa★★★ – Ville haute★★ : crypte et trésor★ de la basilique* ≤★ *du Beffroi* **Y H** – *Perspectives★ des remparts – Calvaire des marins* ≤★ **Y** – *Château-Musée★ : vases grecs★★, masques inuits et aléoutes★★ – Colonne de la Grande Armée★ :* ✻★★ *5 km par* ① – *Côte d'Opale★ par* ①.

*Office du Tourisme, 24 quai Gambetta ☎ 03 21 10 88 10, Fax 03 21 10 88 11, ot.boulogne@wanadoo.fr.*

*Paris 267 ③ – Calais 36 ② – Amiens 131 ④ – Arras 117 ③ – Lille 119 ③ – Rouen 185 ④.*

Plans page suivante

**Matelote** M, 70 bd Ste-Beuve ☎ 03 21 30 33 33, *tolestienne@nordnet.fr, Fax 03 21 30 87 40,* ≤ – ch, – 15. AE GB **Y q**

voir rest. ***Matelote*** ci-après – 12 – **29 ch** 95/160.

♦ Élégante construction des années 1930 postée sur le front de mer. Les chambres, spacieuses et rénovées, sont bien insonorisées. Ambiance chaleureuse, service aux petits soins.

**Hamiot** M, 1 r. Faidherbe ☎ 03 21 31 44 20, *Fax 03 21 83 71 56,* – rest, GB. ch **Z h**

**Repas** *(10)* - 15 bc/27 – 7,62 – **12 ch** 68,60/83,90 – ½ P 50,70/56,40.

♦ Bâtiment d'après-guerre proche du port et du centre-ville animé. Chambres refaites, confortables et bien insonorisées. Au rez-de-chaussée, brasserie sans chichi.

**Métropole** sans rest, 51 r. Thiers ☎ 03 21 31 54 30, *hotel.metropol@wanadoo.fr, Fax 03 21 30 45 72,* – AE GB **Z e**

*fermé 19 déc. au 5 janv.* – 8 – **25 ch** 59/92.

♦ Les chambres présentent des atmosphères différentes (contemporaine ou agreste), mais un confort identique. Jolie salle des petits-déjeuners ouverte sur le jardin.

**Plage** sans rest, 168 bd Ste-Beuve ☎ 03 21 32 15 15, *Fax 03 21 30 47 97,* ≤ – AE GB JCB **X u**

5,40 – **42 ch** 44,30/58,70.

♦ Enseigne-vérité : l'hôtel est situé sur le front de mer. Chambres, fonctionnelles, à choisir sur l'arrière pour le calme ou en façade, à partir du 3e étage, pour la vue.

**Ibis-Centre,** bd Diderot ☎ 03 21 30 12 40, *H0602@accor-hotels.com, Fax 03 21 87 48 98* – , rest, – 30. AE GB **Z k**

**Repas** (dîner seul.) *(12,04)* - 15,50/21 ♀, enf. 6 – 6 – **79 ch** 65.

♦ Sur les quais, construction cubique attenante à un centre commercial. Chambres rénovées dans un style actuel et pratique conforme au nouveau standard de la chaîne.

# BOULOGNE-SUR-MER

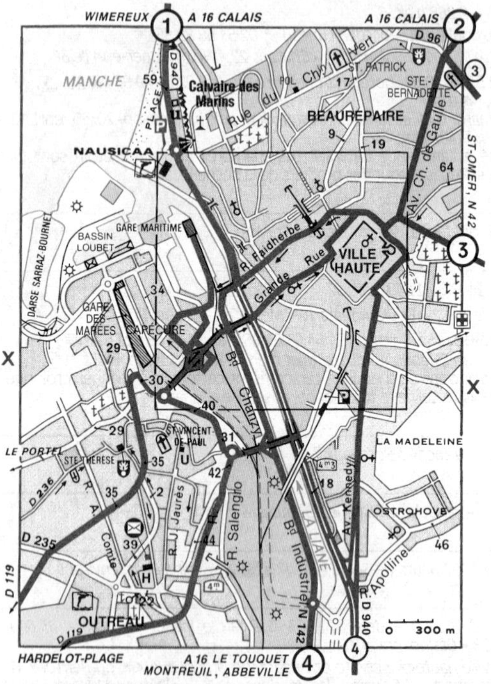

WIMEREUX
A 16 CALAIS
A 16 CALAIS
MANCHE
Calvaire des Marins
BEAUREPAIRE
ST-PATRICK
STE-BERNADETTE
NAUSICAA
GARE MARITIME
BASSIN LOUBET
DARSE SARRAZ-BOURNET
GARE DES MARÉES
CAPÉCURE
VILLE HAUTE
R. Faidherbe
Grande Rue
Av. Ch. de Gaulle
ST-OMER, N 42
Bd Chanzy
LA MADELEINE
LE PORTEL
STE-THÉRÈSE
ST-VINCENT-DE-PAUL
R. A. Comte
R. J. Jaurès
R. Salengro
Bd Industriel N 142
LA LIANE
Av. Kennedy
R. Apolline
OSTROHOVE
OUTREAU
HARDELOT-PLAGE
A 16 LE TOUQUET
MONTREUIL, ABBEVILLE
D 940
D 235
D 236
D 119
0 300 m
X


- Adam (R. A.) X 2
- Aumont (R. d') Z 7
- Beaucerf (Bd) Z 8
- Beaurepaire (R.) X 9
- Bras-d'Or (R. du) Z 13
- Colonne (R. de la) X 17
- Diderot (Bd) X 18
- Duflos (R. Louis) X 19
- Dutertre (R.) Y 20
- Égalité (R. de l') X 22
- Entente-Cordiale (Pont de l') Z 23
- Faidherbe (R.) Y
- Grande-Rue Z
- Huguet (R. A.) X 29
- Jaurès (Bd et Viaduc J.) X 30
- J.-J.-Rousseau (Viaduc) X 31
- Lampe (R. de la) Z 32
- Lattre-de-Tassigny (Av. de) Y 33
- Lavocat (R. Albert) X 34
- Liberté (Bd de la) X 35
- Lille (R. de) Y 37
- Marguet (Pont) Z 38
- Michelet (R. J.) X 39
- Mitterrand (Bd F.) Z 40
- Montesquieu (Bd) X 42
- Mont-Neuf (R. du) X 44
- Orme (R. de l') X 46
- Perrochel (R. de) Z 48
- Porte-Neuve (R.) Y 49
- Puits-d'Amour (R.) Z 53
- Résistance (Pl.) Y 55
- St-Louis (R.) Y 56
- Ste-Beuve (Bd) XY 59
- Thiers (R. A.) YZ 60
- Tour-N.-Dame (R.) Y 61
- Victoires (R. des) Y 63
- Victor-Hugo (R.) YZ
- Wicardenne (R. de) X 64

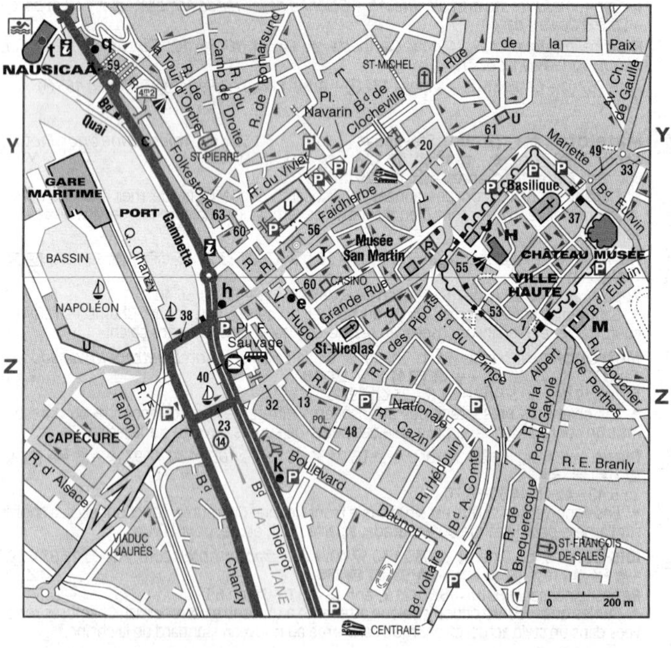

NAUSICAÄ
R. de la Tour d'Ordre
R. du Camp de Droite
R. de Bomarsund
ST-MICHEL
Pl. Navarin
Bd de Clocheville
Rue de la Paix
Av. Ch. de Gaulle
ST-PIERRE
Quai Gambetta
Folkestone
R. du Vivier
Faidherbe
GARE MARITIME
PORT
BASSIN
NAPOLÉON
Q. Chanzy
Musée San Martin
CASINO
Grande Rue
V. Hugo
St-Nicolas
Pl. F. Sauvage
Basilique
CHÂTEAU MUSÉE
VILLE HAUTE
Mariette
Bd Eurvin
R. des Pipots
Bd du Prince
R. de la Porte Gayole
R. Albert
R. de Perthes
R. Boucher
R. E. Branly
R. Nationale
R. Cazin
R. Hédouin
Bd A. Comte
R. de Brequerecque
ST-FRANÇOIS-DE-SALES
Farjon
CAPÉCURE
R. d'Alsace
VIADUC J. JAURÈS
Boulevard Daunou
Bd Diderot
LA LIANE
Chanzy
Bd Voltaire
CENTRALE
0 200 m
Y
Z

XXX **Matelote** (Lestienne), 80 bd Ste Beuve ✆ 03 21 30 17 97, *tolestienne@nordnet.fr, Fax 03 21 83 29 24* – ▤. AE GB
Y q
*fermé 23 déc. au 15 janv., dim. soir et jeudi midi* – **Repas** 35/75 et carte 60 à 80.
♦ Tons rouge et or, meubles de style Louis XVI et bibelots marins composent le cadre élégant et feutré de ce restaurant boulonnais. Produits de la mer superbement valorisés.
**Spéc.** Salade de homard tiède, velouté de crustacés. Darne de turbot rôti sur l'arête, beurre de thym. Parfait chocolaté tiède, biscuit aux noisettes.

X **Rest. de Nausicaa,** bd Ste-Beuve ✆ 03 21 33 24 24, *Fax 03 21 30 15 63,* ← – ▤. GB
Y t
*fermé lundi soir* – **Repas** 19/28, enf. 8.
♦ Pause repas au fascinant Centre national de la mer. Ambiance animée dans deux immenses salles modernes d'esprit brasserie. Vue panoramique sur le port et la plage.

**à Pont-de-Briques** *par ④ : 5 km – ✉ 62360 Pont-de-Briques St-Étienne*

XXX **Hostellerie de la Rivière** avec ch, 17 r. Gare ✆ 03 21 32 22 81, *Fax 03 21 87 45 48,* – TV ✆. AE GB. ch
*fermé 24 août au 11 sept., 20 janv. au 12 fév., mardi midi d'oct. à mars, dim. soir et lundi* – **Repas** 27 (déj.), 35/50 et carte 35 à 70 Ƴ, enf. 17 – ☕ 9 – **8 ch** 58/74 – ½ P 83/91,50.
♦ Cette demeure retirée dans une impasse abrite une salle à manger dont les boiseries donnent au décor un style rustique. Accueil familial. Cuisine traditionnelle.

**à Hesdin-l'Abbé** *par ④ et N 1 : 9 km – 1 880 h. alt. 50 – ✉ 62360 :*

**Cléry**, au village ✆ 03 21 83 19 83, *Fax 03 21 87 52 59,* – TV P. AE GB.
**Repas** *(fermé sam. midi)* 17 (déj.), 25/48 – ☕ 10 – **22 ch** 70/130.
♦ Castel du 18e s. et son cottage disposant de douillettes chambres personnalisées et d'un restaurant prolongé d'une véranda. Parc fleuri aux arbres centenaires.

*Le Guide change, changez de guide tous les ans.*

---

**Le BOULOU** *66160 Pyr.-Or.* **344** I7 *G. Languedoc Roussillon – 4 436 h alt. 90 – Stat. therm. (début fév.-début déc.) – Casino.*

*Office du Tourisme, place de la Mairie ✆ 04 68 87 50 95, Fax 04 68 87 50 96, o.t.le.boulou @wanadoo.fr.*

*Paris 874 – Perpignan 22 – Argelès-sur-Mer 20 – Barcelona 171 – Céret 10.*

**Domitien,** rte d'Espagne (près Thermes) ✆ 04 68 83 49 50, *Fax 04 68 83 45 90,* – cuisinette TV P – 40. AE GB. rest
*fermé mi-déc. à mi-janv.* – **Repas** *(fermé dim. soir et lundi soir de nov. à mars)* 18,50/27 – ☕ 8 – **40 ch** 60/63, 8 appart – ½ P 50.
♦ Vaste bâtiment de style régional. Chambres bien insonorisées et dotées de balcons, plus agréables côté piscine. Appartements répartis entre les deux pavillons du jardin.

**Néoulous,** près échangeur A9 ✆ 04 68 87 52 20, *leneoulous@wanadoo.fr, Fax 04 68 83 13 40,* ←, – ▤ rest, TV ✆ P – 30. AE GB
**Repas** 15/30 Ƴ – ☕ 7 – **47 ch** 47/59 – ½ P 44/46,50.
♦ À proximité de l'autoroute, hébergement pratique et équipé du double vitrage. Depuis les chambres, joli coup d'oeil sur les pics du Néoulous et du Canigou.

**Canigou,** r. Bousquet ✆ 04 68 83 15 29, *Fax 04 68 87 75 41,* – TV. GB
*fermé 18 nov. au 10 fév.* – **Repas** (dîner seul.) 22 – ☕ 6 – **15 ch** 46 – ½ P 36,50/38.
♦ Charmante maison des années 1930 hébergeant des petites chambres bien tenues, un coquet salon de repos et une salle à manger lumineuse. Agréable terrasse prisée en été.

**Grillon d'Or**, 40 r. République ✆ 04 68 83 03 60, *le-grillon@wanadoo.fr, Fax 04 68 87 79 27,* ←, – cuisinette TV P – 20. GB
**Repas** *(fermé dim. soir et merc. 1er nov. au 31 janv.)* (12) - 15/35, enf. 8 – ☕ 6 – **39 ch** 46/60 – ½ P 43/49.
♦ Cet hôtel familial légèrement excentré abrite de petites chambres rénovées et une salle à manger actuelle prolongée d'une terrasse. Les thermes sont à quelques kilomètres.

**au village catalan** *Nord : 7 km par N 9 – ✉ 66300 Banyuls-dels-Aspres*

**Village Catalan** M sans rest, accès par N 9 et A 9 ✆ 04 68 21 66 66, *hotel-catalan@wanadoo.fr, Fax 04 68 21 70 95,* – ▤ TV P – 50. GB
☕ 9 – **77 ch** 60/115.
♦ Vaste bâtisse aux couleurs du Midi, s'ouvrant sur un écrin de verdure. Chambres de tailles variées, bien insonorisées ; huit d'entre elles s'adjoignent un garage privatif.

**au Sud-Est** *: 4,5 km par N 9, D 618 et rte secondaire – ✉ 66160 Le Boulou :*

**Relais des Chartreuses**, 106 av. d'En Carbouner ✆ 04 68 83 15 88, *relais.des.chartreuses@wanadoo.fr, Fax 04 68 83 26 62,* – P. AE GB
*14 mars-3 nov.* – **Repas** *(fermé merc. en mars, avril et oct.)* (dîner seul)(résidents seul.) 23 Ƴ – ☕ 10 – **10 ch** 78/95 – ½ P 60/76.
♦ Édifié à flanc de colline, mas en pierre, sans doute du 17e s., entièrement restauré. Spacieuses chambres personnalisées. Sauna, jacuzzi et terrasse sous les tilleuls.

**à Vivès** *Ouest : 5 km par D 115 et D 73 – 75 h. alt. 228 – ✉ 66490 :*

✗ **Hostalet de Vivès** avec ch, ☎ 04 68 83 05 52, *Fax 04 68 83 51 91* – cuisinette, rest, [TV]. GB. ✗ ch
*fermé 12 janv. au 6 mars* – **Repas** 20 (déj.)/29 – ☐ 8 – **3 ch** 60/80.
◆ Cette ravissante maison en pierre du 12ᵉ s. a conservé son cachet d'antan. Le bâtiment contigu accueille quelques chambres. Spécialités catalanes.

---

**BOULOURIS** *83 Var* 340 P5 – *rattaché à St-Raphaël.*

---

**BOUNIAGUES** *24560 Dordogne* 329 E7 – *466 h alt. 170.*
*Paris 547 – Périgueux 61 – Bergerac 14 – Villeneuve-sur-Lot 48.*

✗ **Les Voyageurs** avec ch, ☎ 05 53 58 32 26, *Fax 05 53 58 32 26*, ☂, ☂ – [TV]. GB
*fermé 30 août au 7 sept., fév., dim. soir et lundi du 30 sept. au 30 juin* – **Repas** 12/27 ♀, enf. 9 – ☐ 6,10 – **7 ch** 34/45,80 – ½ P 38/45.
◆ Auberge toute simple à l'ambiance familiale où vous dégusterez une saine cuisine du terroir à prix doux. Terrasse ombragée sur l'arrière pour l'été. Chambres modestes.

---

**BOURBACH-LE-BAS** *68290 H.-Rhin* 315 G10 – *508 h alt. 340.*
*Paris 453 – Mulhouse 25 – Altkirch 27 – Belfort 26 – Thann 10.*

✗ **Couronne d'Or** avec ch, 9 r. Principale ☎ 03 89 82 51 77, *Fax 03 89 82 58 03* – [TV]. GB
**Repas** *(fermé mardi soir et lundi)* 15/46 ♀ – ☐ 6,50 – **7 ch** 35/48 – ½ P 42.
◆ Dans un village de la vallée de la Doller. Sobre façade abritant trois salles à manger rustiques dont une plus petite et plus intime. Chambres pratiques, bien insonorisées.

*Michelin n'accroche pas de panonceau aux hôtels et restaurants qu'il signale.*

---

**BOURBON-LANCY** *71140 S.-et-L.* 320 C10 *G. Bourgogne* – *6 178 h alt. 240 – Stat. therm. (début avril-fin oct.).*
**Voir** *Maison de bois et tour de l'horloge*★ **B.**
ℹ *Office du Tourisme, place d'Aligre* ☎ *03 85 89 18 27, Fax 03 85 89 28 38, Bourbon.Tourisme@wanadoo.fr.*
*Paris 309 ④ – Moulins 36 ④ – Autun 63 ① – Mâcon 109 ③ – Montceau-les-Mines 55 ②.*

## BOURBON-LANCY

| | |
|---|---|
| Aligre (Pl. d') | 2 |
| Autun (R. d') | 3 |
| Châtaigneraie (R. de la) | 4 |
| Commerce (R. du) | 5 |
| Dr-Gabriel-Pain (R. du) | 6 |
| Dr-Robert (R. du) | 7 |
| Gaulle (Av. du Gén.-de) | |
| Gueugnon (R. de) | 12 |
| Horloge (R. de l') | 13 |
| Libération (Av. de la) | 15 |
| Musée (R. du) | 16 |
| Prébendes (R. des) | 18 |
| République (Pl. de la) | 22 |
| St-Nazaire (R.) | 23 |

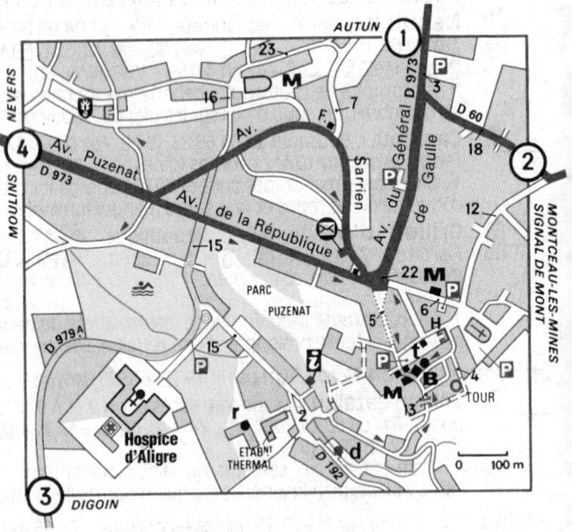

AUTUN
1
23
M
16
7
F.
D 973
Av. du Général de Gaulle
P
3
D 60
18
2
NEVERS
4
Av. Puzenat
D 973
Av. de la République
Sarrien
MOULINS
12
15
22 M
6
H
PARC PUZENAT
5
D 979A
15
P
t
B
M
4
TOUR
13
r
2
d
Hospice d'Aligre
ETABt THERMAL
D 192
0 100 m
3
DIGOIN
MONTCEAU-LES-MINES SIGNAL DE MONT


**Manoir de Sornat** , allée Sornat, rte Moulins par ④ : *2 km* ☎ 03 85 89 17 39, *Fax 03 85 89 29 47*, ☂, ♣ – [TV] P. AE ⓓ GB. ✗ rest
*fermé 4 janv. au 10 fév., dim. soir (sauf juil-août et fêtes), lundi midi et mardi midi* – **Repas** 22 (déj.), 25/75 ♀, enf. 14 – ☐ 10 – **13 ch** 58/115 – ½ P 75/100.
◆ Manoir de style normand dans un parc arboré. Belles boiseries dans le hall et le salon. Chambres d'ampleurs diverses, garnies de meubles pratiques. À table, cuisine classique.

**Grand Hôtel** ⛰, **(r)** ✆ 03 85 89 08 87, *bourbon.thermal@wanadoo.fr, Fax 03 85 89 32 23,* ☂, ⛹ – |‡| cuisinette TV ☎ P. GB
*3 avril-25 oct.* – **Repas** 12/27 – ☕ 6,90 – **29 ch** 56,60/66,20 – ½ P 31,55/54,10.
◆ Ancien couvent bordant le parc de l'établissement thermal. Chambres spacieuses, rénovées et dotées d'un mobilier moderne ou de style. Jolie terrasse dans le cloître.

**Tourelle du Beffroi** sans rest, pl. Mairie **(t)** ✆ 03 85 89 39 20, *Fax 03 85 89 39 29* – TV ☎ ♿ 🚗. GB
☕ 6,50 – **9 ch** 45/69.
◆ Bel emplacement à l'ombre du beffroi pour cette jolie maison 1900 à tourelle et sa terrasse à balustres. Chambres neuves, décorées avec soin. Ambiance "guesthouse".

**Villa du Vieux Puits** ⛰ avec ch, 7 r. Bel Air **(d)** ✆ 03 85 89 04 04, *Fax 03 85 89 13 87,* ☂, ⛱ – TV ☎ P. GB
*fermé 15 fév. au 15 mars, dim. soir et lundi* – **Repas** 16/45 ♀, enf. 10 – ☕ 7,50 – **7 ch** 38/50 – ½ P 38,50/46.
◆ Coquette auberge familiale aménagée dans les murs d'une tannerie nichée dans un jardin en contrebas de la route. Salle à manger campagnarde et chambres douillettes.

*Une réservation confirmée par écrit ou par fax est toujours plus sûre.*

**BOURBON-L'ARCHAMBAULT** *03160 Allier* 326 F3 *G. Auvergne – 2 630 h alt. 367 – Stat. therm. (début mars-mi nov.).*
**Voir** *Nouveau parc* ⩽★ – *Château* ⩽★.
*Office du Tourisme, 1 place des Thermes* ✆ *04 70 67 09 79, Fax 04 70 67 09 79.*
*Paris 293 ① – Moulins 24 ② – Montluçon 51 ③ – Nevers 54 ①.*

## BOURBON-L'ARCHAMBAULT

Allier (R. Achille) .......... Y 2
Bel-Air (R. de) .......... Z
Bignon (Bd J.) .......... Z 4
Burge (R. de la) .......... Y
Château (R. du) .......... Y 6
Desbordes (Av. E.) .......... Z
Dubost (R. Lieutenant-Colonel) .......... Y 8
Fontaine-Jonas (R. de la) .......... Z 9
Guillaumin (Av. E.) .......... Z 10
Louis-Philippe (Av. Charles) .......... Z
Macé (R. Jean) .......... Z 13
Meillers (R. de) .......... Z 14
Mouillières (Bd des) .......... Y 15
Moulin (R. du) .......... Y 16
Parc (R. du) .......... Z
Paroisse (R. de la) .......... Z 19
Pied-de-Fourche (R. du) .......... Y 21
République (R. de la) .......... YZ
Rondreux (R. A.) .......... Y 24
St-Georges (R.) .......... Z
Solins (Bd de) .......... Z
Thermes (Pl. des) .......... Z 27
Thermes (R. des) .......... Z
Trois-Maures (R. des) .......... Y
Villefranche (R. de) .......... Y 29

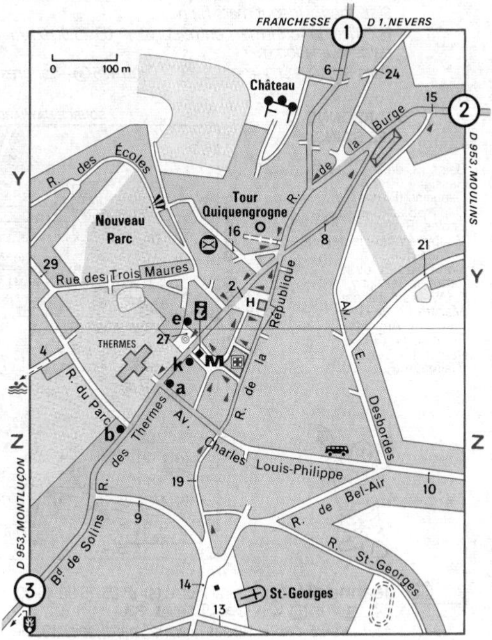
FRANCHESSE
D 1, NEVERS
D 953, MOULINS
D 953, MONTLUÇON
0 100 m
Château
Tour Quiquengrogne
Nouveau Parc
THERMES
St-Georges
R. des Écoles
Rue des Trois Maures
R. de la Burge
R. de la République
Av. E. Desbordes
Av. Charles Louis-Philippe
R. du Parc
R. des Thermes
R. de Bel-Air
R. St-Georges
Bd de Solins

**Grand Hôtel Montespan-Talleyrand,** pl. Thermes ✆ 04 70 67 00 24, *hotelmontespan@wanadoo.fr, Fax 04 70 67 12 00,* ⛱, ⛱ – |‡| cuisinette TV ☎. AE ◑ GB. ✂ rest
YZ e
*1er avril-20 oct.* – **Repas** (11) - 15,50/35 ♀ – ☕ 9 – **45 ch** 50/82,40, 4 appart – ½ P 49,20/70.
◆ Ces trois maisons anciennes ont hébergé Mme de Montespan, Mme de Sévigné et Talleyrand. Les chambres, spacieuses et personnalisées, sont régulièrement rénovées. Solarium.

**Thermes,** av. Ch.-Louis-Philippe ✆ 04 70 67 00 15, *Fax 04 70 67 09 43*, – rest, – 15. AE GB Z a
*8 mars-30 oct.* – **Repas** 18,50/38 ♀ – ☕ 8,50 – **22 ch** 52/62 – P 55/70.
◆ Accueil courtois, bonne tenue et agréable atmosphère "vieille France" caractérisent cet établissement géré par la même famille depuis 1923. À table, cuisine classique.

**annexe Les Sources**, av. Thermes ✆ 04 70 67 00 15, *Fax 04 70 67 09 43*, – AE GB Z k
*8 mars-30 oct.* – **Repas** 14,50/22 ♀ – ☕ 5,70 – **20 ch** 29/45 – P 45.
◆ Adresse simple voisine du musée Augustin-Bernard, ancien "Logis du Roy" bâti par Gaston d'Orléans. Chambres un brin désuètes. Clientèle de curistes.

**Grand Hôtel du Parc,** r. Parc ✆ 04 70 67 02 55, *sinteslaurent@wanadoo.fr, Fax 04 70 67 13 95* – P. AE GB. rest Z b
*6 avril-12 oct.* – **Repas** 13,70 – ☕ 6,10 – **37 ch** 51/54 – P 50/52.
◆ Atmosphère d'hôtel de cure dans cette imposante demeure Belle Époque. Confortable salon, chambres déjà anciennes et salle à manger de style Louis XIII.

**par** ③, *rte de Montluçon D 933, D 18 et rte secondaire : 10 km* – ✉ *03160 Ygrande :*

**Château d'Ygrande**, ✆ 04 70 66 33 11, *reservation@chateauygrande.fr, Fax 04 70 66 33 63*, ←, – P – 40. AE GB
*fermé janv., fév., dim. soir et lundi en mars, avril et sept.* – **Repas** *(fermé dim. soir et lundi sauf juil.-août) (28)* - 40, enf. 14 – ☕ 14 – **16 ch** 90/160 – P 89/123.
◆ Belle maison du 19e s. au charme romantique, dont le parc de 40 ha se fond dans la paisible campagne bourbonnaise. À l'intérieur, tout respire l'élégance et le bon goût.

*Pas de publicité payée dans ce guide.*

---

## BOURBONNE-LES-BAINS

**BOURBONNE-LES-BAINS** *52400 H.-Marne* 313 O6 *G. Champagne Ardenne – 2 764 h alt. 290 – Stat. therm. (début mars-fin nov.).*
*Office du Tourisme, Centre Borvo ✆ 03 25 90 01 71, Fax 03 25 90 14 12, bourbonne-les-bains@wanadoo.fr.*
*Paris 315 ④ – Chaumont 55 ④ – Dijon 125 ④ – Langres 40 ④ – Neufchâteau 53 ①.*

**BOURBONNE-LES-BAINS**

Bains (R. des) .......... 2
Bassigny (R. du) .......... 3
Capucins (R. des) .......... 4
Daprey-Blache (R.) .......... 5
Écoles (R. des) .......... 6
Gouby (Av. du Lieutenant) .......... 7
Grande-Rue .......... 9
Hôtel-Dieu (R. de l') .......... 12
Lattre-de-Tassigny (Av. Maréchal-de) .......... 14
Maistre (R. du Gén.) .......... 15
Pierre (R. Amiral) .......... 22
Porte-Galon (R.) .......... 23
Verdun (Pl. de) .......... 25
Walferdin (Rue) .......... 26

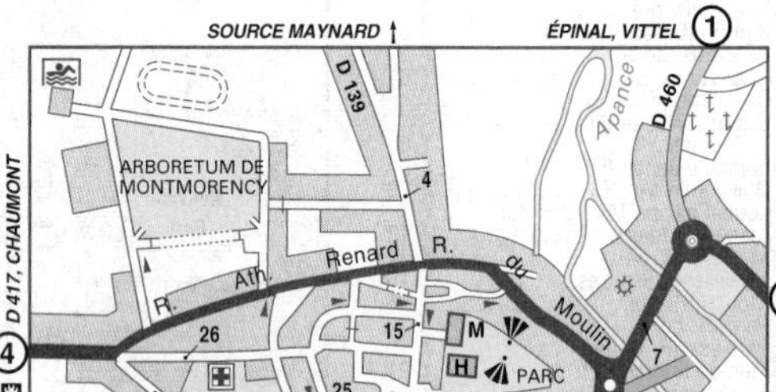
SOURCE MAYNARD
ÉPINAL, VITTEL
D 417, CHAUMONT
D 139
D 460
Apance
ARBORETUM DE MONTMORENCY
R. Renard
Ath.
R. du Moulin
PARC
Rue Vellonne
Borne
R. d'Orfeuil
Pl. des Bains
THERMES
PARC
0
200 m

**Jeanne d'Arc,** r. Amiral Pierre **(s)** ✆ 03 25 90 46 00, *hoteljda@free.fr, Fax 03 25 88 78 71*, – P. AE GB
*16 mars-25 oct.* – **Repas** *(fermé mardi soir)* 18 (déj.), 24/31 ♀ – ☕ 8 – **28 ch** 44/60 – ½ P 42/59.
◆ Chambres de bonne ampleur aux aménagements déjà anciens, mais rénovées progressivement et fort bien tenues. Salle à manger et bar contemporains.

**des Sources,** pl. Bains **(u)** ✆ 03 25 87 86 00, *hotel-des-sources@wanadoo.fr, Fax 03 25 87 86 33*, – cuisinette GB. rest
*1er avril-30 nov.* – **Repas** *(fermé merc. soir)* 12/25, enf. 7 – ☕ 5,50 – **23 ch** 40/51 – P 35/39.
◆ Juste à côté des thermes, façade colorée abritant des chambres simples et fonctionnelles, mansardées au dernier étage. Salle à manger ouverte sur un plaisant petit patio.

**Orfeuil,** r. Orfeuil **(a)** ✆ 03 25 90 05 71, *hotel-des-sources@wanadoo.fr, Fax 03 25 84 46 25,* – cuisinette . rest
*1er avril-25 oct.* – **Repas** *(fermé dim. soir et lundi)* 12/25, enf. 7 – 5,50 – **47 ch** 41/51 – P 33/39.
◆ Dans la maison principale, salon bourgeois et chambres de bon confort régulièrement rénovées. À l'annexe, hébergement récent et spacieux, sobrement décoré.

**Lauriers Roses,** pl. Bains **(d)** ✆ 03 25 90 00 97, *lauriers.roses@wanadoo.fr, Fax 03 25 88 78 02,* –
*6 avril-25 oct.* – **Repas** 13/22,50, enf. 6 – 4,60 – **68 ch** 28,50/43 – P 39/47.
◆ Pour rejoindre les thermes, il suffit de traverser la place. Chambres fonctionnelles, réparties dans deux bâtiments ; certaines donnent côté jardin. Salon-bibliothèque.

---

**La BOURBOULE** *63150 P.-de-D.* 326 D9 *G. Auvergne – 2 113 h alt. 880 – Stat. therm. (début février-fin oct.) – Casino* **AZ.**
Voir *Parc Fenêstre★ – Murat-le-Quaire : musée de la Toinette★ N : 2 km.*
*Office du Tourisme, place de la République ✆ 04 73 65 57 71, Fax 04 73 65 50 21, info@bourboule.com.*
*Paris 471 ③ – Clermont-Ferrand 51 ③ – Aubusson 82 ③ – Mauriac 71 ③ – Ussel 51 ③.*

## LA BOURBOULE

Alsace-Lorraine (Av.) .... **BY** 2
Clemenceau (Bd G.) .. **ABY**
États-Unis (Av. des) ............ **BY** 3
Féron (Quai) ............ **BY**
Foch (Av. Mar.)........ **AY** 6
Gambetta (Quai) ...... **AZ** 7
Guéneau-de-Mussy (Av.) ............... **AY** 8
Hôtel-de-Ville (Q.) ..... **AY** 10
Jeanne-d'Arc (Q.) ..... **BY** 12
Jet-d'eau (Sq. du) ..... **AY** 13
Joffre (Sq. du Mar.) ... **BY** 15
Lacoste (Pl. G.) ....... **AY** 16
Libération (Q. de la) .. **AZ** 17
Mangin (Av. du Gén.) ...... **AZ** 19
République (Pl. de la) ........ **AZ** 21
Souvenir (Pl. du) ..... **BY** 22
Victoire (Pl. de la) .... **AY** 23

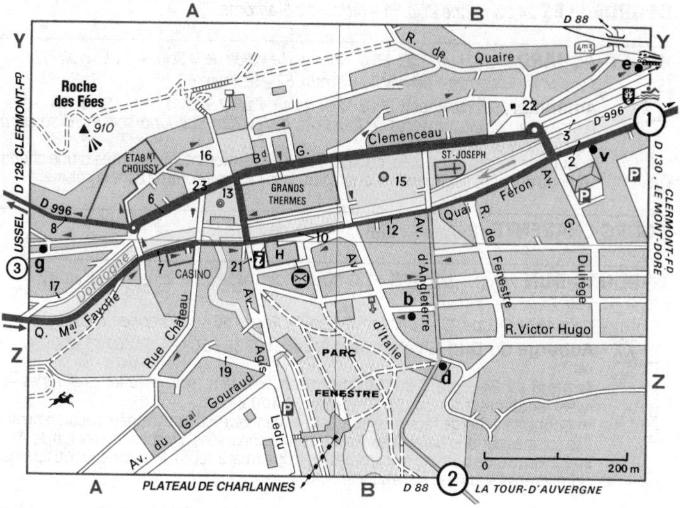

A
B
Y
Z
D 88
R. de Quaire
Roche des Fées
910
D 129, CLERMONT-FD
USSEL
D 996
Clemenceau
Bd G.
ST-JOSEPH
ÉTABt CHOUSSY
GRANDS THERMES
Quai Féron
Av. G. Duliège
R. de Fenestre
Av. d'Angleterre
Av. d'Italie
R. Victor Hugo
CASINO
Dordogne
Q. Mal Fayolle
Rue Château
Av. Agis
Av. du Gal Gouraud
Ledru
PARC FENESTRE
D 130, LE MONT-DORE
CLERMONT-FD
PLATEAU DE CHARLANNES
LA TOUR-D'AUVERGNE
0
200 m


**Régina,** av. Alsace-Lorraine ✆ 04 73 81 09 22, *bourboulergina@multimania.com, Fax 04 73 81 08 55,* – rest **BY v**
*fermé 11 nov. au 20 déc.* – **Repas** 14/35, enf. 10 – 8 – **25 ch** 79/110, (1/2 pens. seul. en été) – 1/2 P 69/75.
◆ Demeure du 19e s. bordant la Dordogne. Chambres actuelles ; quatre d'entre elles sont entièrement anallergiques. Belle salle à manger ancienne. Agréable piscine couverte.

**Charlet,** bd L. Choussy ✆ 04 73 81 33 00, *hotel.lecharlet@wanadoo.fr, Fax 04 73 65 50 82,* – **AZ g**
*fermé 15 nov. au 15 déc.* – **Repas** 16/26, enf. 9 – 7 – **36 ch** 38/65 – 1/2 P 43,50/51.
◆ Dans un quartier assez calme, établissement où vous disposerez de chambres pratiques, sobres et bien tenues. Équipements de détente et de sport très complets.

**Aviation,** r. Metz ✆ 04 73 81 32 32, *aviation@nat.fr, Fax 04 73 81 02 85,* Lø, ⊠ – |‡| TV 🚗. GB. ✻ rest BZ b
*fermé 1er oct. au 19 déc.* – **Repas** 17, enf. 8 – ☕ 7 – **41 ch** 41/58 – ½ P 50.
◆ Plusieurs beaux bâtiments du début du 20e s. composent cet hôtel apprécié pour ses chambres fonctionnelles (assez simples à l'annexe) et pour sa gamme étendue de loisirs.

**Pavillon,** av. Angleterre ✆ 04 73 65 50 18, *hotel.lepavillon@wanadoo.fr, Fax 04 73 81 00 93,* – |‡| TV. AE GB. ✻ BZ d
*hôtel : 1er avril-30 oct. ; rest. : 1er avril-30 sept.* – **Repas** 15/20 ♁, enf. 8 – ☕ 6 – **24 ch** 32/50 – ½ P 38/40.
◆ Immeuble de 1926 à l'orée du parc Fenestre, agréable lieu de promenade. Chambres petites mais fraîches ; certaines sont complètement anallergiques. Bonne insonorisation.

**Val Doré,** r. Belgique ✆ 04 73 81 06 14, *valdore@wanadoo.fr, Fax 04 73 65 58 79* – |‡| TV ✆. AE GB. ✻ ch BY e
*fermé 12 au 24 mars et 3 nov. au 21 déc.* – **Repas** 11,50/20 ♁, enf. 10 – ☕ 5,80 – **32 ch** 47/58 – ½ P 42/45.
◆ Adresse familiale située à deux pas de la gare. Petites chambres sobrement aménagées dans un esprit actuel. Vaste salle des repas. Minipiscine couverte.

**à St-Sauves-d'Auvergne** *par ③ : 5 km – 1 030 h. alt. 791 – ✉ 63950 :*

**Poste,** pl. du Portique ✆ 04 73 81 10 33, *hoteldelaposte63@aol.com, Fax 04 73 81 02 27* – TV P. GB
**Repas** *(fermé 5 au 20 janv.)* 10,50/27,50 ♀, enf. 7 – ☕ 5,30 – **17 ch** 38/42 – ½ P 37/39.
◆ Ancien relais de poste incluant le bar-tabac du village. Chambres rustiques au charme désuet, mais bien tenues. À table, cuisine traditionnelle et plats du terroir.



---

**BOURDEILLES** *24 Dordogne* 329 *E4 – rattaché à Brantôme.*

---

**BOURG-ACHARD** *27310 Eure* 304 *E5 G. Normandie Vallée de la Seine – 2 255 h alt. 124.*
*Paris 141 – Rouen 29 – Bernay 40 – Évreux 62 – Le Havre 63.*

XXX **Amandier,** 581 rte Rouen ✆ 02 32 57 11 49, *Fax 02 32 57 11 49* – AE ⓓ GB
*fermé 15 au 31 juil., vacances de Toussaint, de fév., dim. soir, lundi soir, mardi soir et merc.* – **Repas** 17/29 et carte 40 à 56.
◆ Sur une route fréquentée, coquette salle de restaurant agrémentée d'une cheminée et véranda donnant sur le jardin. Générosité dans l'accueil comme dans la cuisine.

---

**BOURG-CHARENTE** *16 Charente* 324 *I5 – rattaché à Jarnac.*

---

**Le BOURG-DUN** *76740 S.-Mar.* 304 *F2 G. Normandie Vallée de la Seine – 481 h alt. 17.*
**Voir** *Tour★ de l'église.*
*Paris 187 – Dieppe 20 – Fontaine-le-Dun 7 – Rouen 56 – St-Valery-en-Caux 15.*

XX **Auberge du Dun** (Chrétien), face Église ✆ 02 35 83 05 84, *Fax 02 35 83 05 84* – P. GB. ✻
✿ *fermé 8 au 24 sept., 3 au 18 janv., merc. soir, dim. soir et lundi sauf fériés* – **Repas** (week-ends, prévenir) *(24)* - 36/60 et carte 52 à 70 ♀.
◆ Coquette auberge face à l'église. Salle à manger rustique soignée, séparée du spectacle des cuisines par une baie vitrée. Recettes personnalisées d'inspiration régionale.
**Spéc.** Risotto de homard aux arômes de truffe (mai à sept.). Pigeonneau rôti au vinaigre de cidre. Crêpes soufflées au calvados.

---

**BOURG-EN-BRESSE** P *01000 Ain* 328 *E3 G. Bourgogne – 40 972 h Agglo. 101 016 h alt. 251.*
**Voir** *Église de Brou★★ (tombeaux★★★, stalles★★, jubé★★, vitraux★★, chapelle et oratoires★★★, portail★)* **X B** – *Stalles★ de l'église Notre-Dame* **Y** – *Musée du monastère★* **X E.**
ℹ *Office du Tourisme, 6 avenue Alsace Lorraine ✆ 04 74 22 49 40, Fax 04 74 23 06 28, bourgenbresse.officedetourisme@wanadoo.fr.*
*Paris 423 ⑦ – Mâcon 38 ⑦ – Annecy 112 ④ – Genève 112 ④ – Lyon 81 ⑤.*

Plans page ci-contre

**Mercure** M, 10 av. Bad-Kreuznach ✆ 04 74 22 44 88, *1187@accor-hotels.com, Fax 04 74 23 43 57,* – |‡| ⇆, ▤ ch, TV ✆ ♿ P – 🔔 100. AE ⓓ GB JCB. ✻ rest
**Repas** *(fermé sam. midi)* 15 (déj.), 22/38, enf. 10 – ☕ 10,50 – **60 ch** 90/100. X e
◆ Ce bâtiment des années 1970 abrite des chambres régulièrement rafraîchies. Petit côté "bonbonnière" dans le cadre du restaurant et agréable terrasse face à un joli jardin.

# BOURG-EN-BRESSE

Anciens Combattants (Av. des) . . . . . . . . . . . . **Z** 3
Arsonval (Av. A. d') . . . . . **X** 4
Bad-Kreuznach (Av. de) . . **X** 5
Basch (R. Victor) . . . . . . . . **Z** 6
Baudin (Av. A.) . . . . . . . . . **Z** 7
Belges (Av. des) . . . . . . . . **Y** 9
Bernard (Pl.) . . . . . . . . . . . **Y** 10
Bons Enfants (R. des) . **YZ** 12
Bouveret (R.) . . . . . . . . . . . **Y** 13
Champ-de-Foire (Av. du) . . . . . . . . . . . . . . . . **Y** 14
Citadelle (R. de la) . . . . . . **X** 15
Crêts (R. des) . . . . . . . . . . **X** 16
Debeney (R. Général) . . . **Y** 17
Europe (Car. de l') . . . . . . **X** 19
Foch (R. Maréchal) . . . . . . **Y** 20
Gambetta (R.) . . . . . . . . . . **Z** 21
Huchet (Bd E.) . . . . . . . . . **X** 22
Jaurès (Av. Jean) . . . . . . **XZ** 23
Joliot-Curie (Bd Irène) . . . . . . . . . . . . . . . **X** 24
Juin (Av. Maréchal) . . . . . . **X** 26
Lévrier (Bd A.) . . . . . . . . . **X** 27
Lyon (Pont de) . . . . . . . . . . **X** 28
Mail (Av. du) . . . . . . . . . . . **X** 30
Migonney (R. J.) . . . . . . . . **Z** 31
Morgon (R. J.) . . . . . . . . . . **X** 32
Muscat (Av. A.) . . . . . . . . . **Z** 33
Neuve (Pl.) . . . . . . . . . . . . . **Y** 34
Notre-Dame (R.) . . . . . . . . . **Y** 35
Palais (R. du) . . . . . . . . . . . **Y** 36
St-Nicolas (Bd) . . . . . . . . . **X** 37
Samaritaine (R.) . . . . . . . . **Z** 38
Semard (Av. P.) . . . . . . . . . **X** 40
Teynière (R.) . . . . . . . . . . . **Z** 42
Valéry (Bd P.) . . . . . . . . . . **X** 43
Verdun (Cours de) . . . . . . . **Y** 44
Victoire (Av. de la) . . . . . . **Z** 45
4-Septembre (R. du) . . . . . **Y** 48
23e-R.I. (R. du) . . . . . . . . . **X** 50

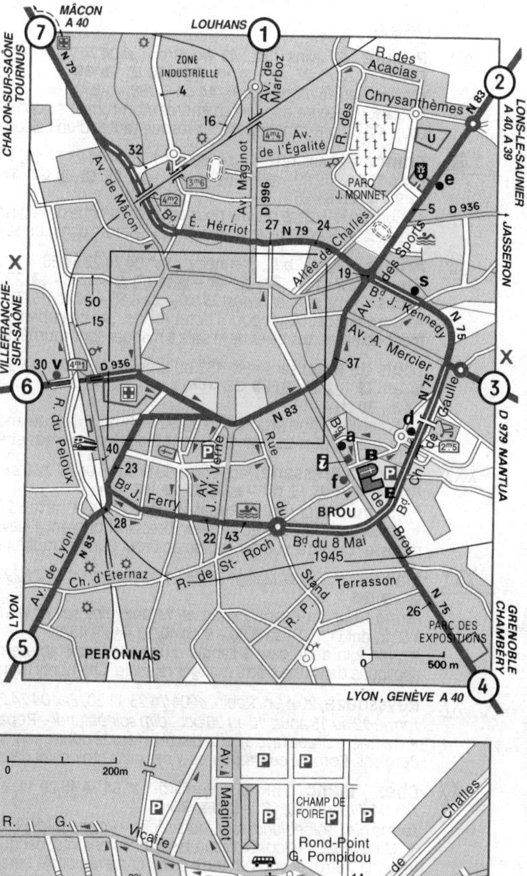

MÂCON A 40
LOUHANS
CHALON-SUR-SAÔNE TOURNUS
LONS-LE-SAUNIER A 40, A 39
JASSERON
VILLEFRANCHE-SUR-SAÔNE
D 979 NANTUA
LYON
GRENOBLE CHAMBÉRY
LYON, GENÈVE A 40
ZONE INDUSTRIELLE
Av. de Marboz
R. des Acacias
Chrysanthèmes
Av. de l'Égalité
PARC J. MONNET
Av. de Mâcon
Bd É. Hérriot
Av. Maginot
Allée de Challes
Av. Bd J. Kennedy
Av. A. Mercier
Av. de Gaulle
R. du Peloux
Bd J. Ferry
Av. J. M. Verne
BROU
Bd du 8 Mai 1945
R. de St-Roch
Ch. d'Eternaz
Av. de Lyon
Terrasson
PARC DES EXPOSITIONS
PERONNAS
0
500 m
X


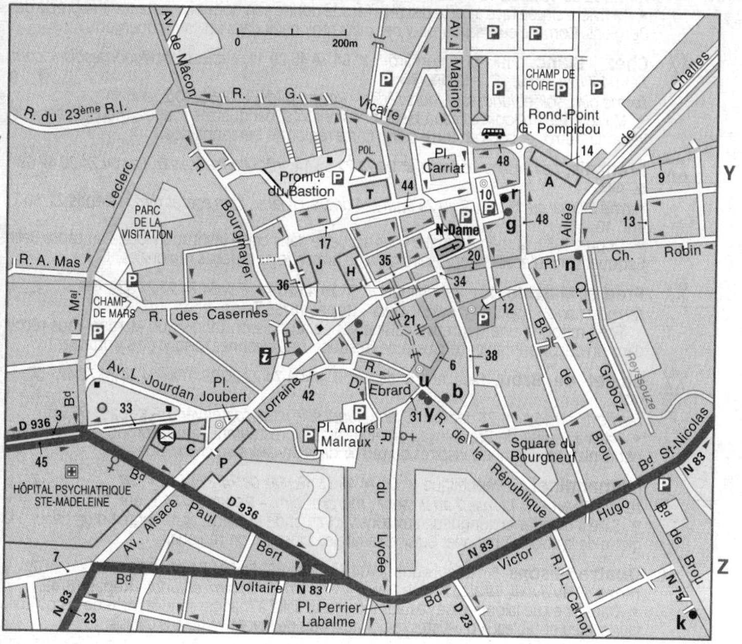

0
200m
Av. de Mâcon
R. G. Vicaire
R. du 23ème R.I.
Av. Maginot
CHAMP DE FOIRE
Rond-Point G. Pompidou
Challes
Pl. Carriat
POL.
Promde du Bastion
PARC DE LA VISITATION
R. Bourgmayer
N-Dame
Allée
Ch. Robin
R. A. Mas
CHAMP DE MARS
R. des Casernes
Leclerc
Av. L. Jourdan
Pl. Joubert
Lorraine
R. Dr Ebrard
Pl. André Malraux
R. de la République
Square du Bourgneuf
Bd de Brou
Q. H. Groboz
Reyssouze
Bd St-Nicolas
HÔPITAL PSYCHIATRIQUE STE-MADELEINE
Av. Alsace
Bd Paul Bert
R. du Lycée
Bd Voltaire
Pl. Perrier Labalme
Bd Victor Hugo
R. L. Carnot
Y
Z

**Prieuré** sans rest, 49 bd Brou 04 74 22 44 60, *hotel-du-prieure@wanadoo.fr, Fax 04 74 22 71 07*, – AE GB X a
*fermé 1er au 16 mars* – 9 – **14 ch** 62/88.
◆ Maison récente dont les chambres (non-fumeurs), dotées de mobilier de style Louis XV, Louis XVI ou bressan, disposent presque toutes d'un balcon avec vue sur l'église de Brou.

**France** M sans rest, 19 pl. Bernard 04 74 23 30 24, *info@grand-hoteldefrance.com, Fax 04 74 23 69 90* – – 25. AE GB JCB Y r
9 – **44 ch** 63/85.
◆ Cure de jouvence réussie pour cet hôtel proche de l'église Notre-Dame : jolies chambres actuelles, salles de bains neuves et hall restauré dans son style 1900 d'origine.

**Ariane** M, bd Kennedy 04 74 22 50 88, *hotel.ariane.bourg@wanadoo.fr, Fax 04 74 22 51 57*, , , – – 25 à 50. AE GB X s
**Repas** *(fermé dim. et fériés)* 23/40 – 8,50 – **40 ch** 65/75.
◆ Nouveau décollage pour l'hôtel Ariane : les chambres sont toutes refaites et plaisamment colorées. Les baies de la salle à manger sont tournées vers le jardin et la piscine.

**Logis de Brou** sans rest, 132 bd Brou 04 74 22 11 55, *Fax 04 74 22 37 30*, – – 25. AE GB JCB Z k
8 – **30 ch** 47/63.
◆ Accueillant logis proche de l'église de Brou. Rustique, moderne ou rotin : le mobilier est varié, mais toutes les chambres sont rénovées, colorées et équipées de balcons.

**Auberge Bressane,** face église de Brou 04 74 22 22 68, *info@aubergebressane.com, Fax 04 74 23 03 15*, – . AE GB JCB X f
*fermé mardi sauf fériés* – **Repas** 22 (déj.), 27/66 et carte 53 à 70 ♀.
◆ Collection de coqs et mobilier bressan honorent l'élevage et l'artisanat locaux. De la terrasse couverte, vue sur l'église de Brou. Cuisine traditionnelle.

**Mail** avec ch, 46 av. Mail 04 74 21 00 26, *Fax 04 74 21 29 55* – rest, – 20. AE GB X v
*fermé 19 juil. au 7 août, 25 déc. au 13 janv., dim. soir et lundi* – **Repas** (18) - 26/50 et carte 35 à 52 ♀, enf. 12,50 – 6,50 – **9 ch** 40/52 – ½ P 45/50.
◆ Non loin de la gare à l'angle d'une rue, cet établissement sert une cuisine bressane appliquée dans une salle à manger rajeunie. Chambres modestes mais nettes.

**Reyssouze,** 20 r. Ch. Robin 04 74 23 11 50, *Fax 04 74 23 94 32* – . AE GB Y n
*fermé 12 au 18 août, 10 au 20 oct., dim soir et lundi* – **Repas** 19/50,30 ♀, enf. 13.
◆ La rivière située face à cette discrète façade donne son nom à ce restaurant apprécié des Burgiens. Comme eux, savourez-y des plats régionaux dans un cadre bourgeois.

**Chez Blanc,** 19 pl. Bernard 04 74 45 29 11, *chezblanc@georgesblanc.com, Fax 04 74 24 73 69*, – AE GB Y g
*fermé dim. soir et lundi sauf jours fériés* – **Repas** 17 (déj.), 18,50/40 ♀, enf. 11.
◆ Maison 1900 relookée façon bistrot : coloris vifs, banquettes rouges, meubles anciens, véranda "rétro" et coqs en terre cuite. Carte régionale personnalisée.

**Français,** 7 av. Alsace-Lorraine 04 74 22 55 14, *info@le-francais.fr, Fax 04 74 22 47 02* – AE GB Z r
*fermé 29 mai au 1er juin, 2 au 25 août, 24 déc. au 4 janv., sam soir et dim.* – **Repas** 22/50 ♀, enf. 10.
◆ Depuis 1932, la même famille vous accueille dans cette institution locale au cadre Belle Époque. Banc d'écailler, répertoire de type brasserie et touches régionales.

**Fred et Martine,** 11 r. République 04 74 45 20 78, *Fax 04 74 22 77 82* – GB Z b
*fermé 11 au 25 août, dim. soir et lundi* – **Repas** 16/35 ♀.
◆ Fred mitonne une goûteuse cuisine vouée au poisson tandis que Martine vous reçoit dans un décor printanier rehaussé de fresques. Deux bonnes raisons de s'y attabler !

**Chalet de Brou,** face église de Brou 04 74 22 26 28, *Fax 04 74 24 72 42*, – GB X f
*fermé 1er au 15 juin, 23 déc. au 23 janv., lundi soir, jeudi soir et vend.* – **Repas** 14/35 ♀.
◆ Face à l'église de Brou, joyau architectural, ce restaurant familial propose de goûteux petits plats traditionnels inspirés du terroir dans un cadre au charme désuet.

**L'Amandine,** 4 r. République 04 74 45 33 18, *Fax 04 74 22 55 87* – GB Z u
*fermé 29 avril au 12 mai, 7 au 21 sept., merc. et dim.* – **Repas** 16/34 ♀, enf. 9.
◆ Salle à manger en longueur, aux tons vert amande et blanc, agrémentée d'un décor à la gloire de la volaille bressane. Cuisine familiale, d'inspiration régionale.

**Quatre Saisons,** 6 r. République 04 74 22 01 86, *Fax 04 74 21 10 35* – GB Z y
*fermé 1er au 8 mai, 19 au 31 août, 2 au 8 janv., sam. midi, dim. et lundi* – **Repas** 16/45.
◆ Dans une rue jalonnée de restaurants, cette salle à manger joue la carte de la couleur : jaune, bleu et tableaux d'artistes régionaux. Cuisine inventive et vins choisis.

**rte de Lons-le-Saunier** *par ② : 6,5 km N 83 – ✉ 01370 St-Étienne-du-Bois :*

X **Les Mangettes,** ☎ 04 74 22 70 66, 斎 – P. GB
*fermé 8 au 16 sept., 5 au 20 janv., dim. soir, lundi soir et mardi* – **Repas** 16 (déj.), 20/31.
◆ Ce pavillon, situé en pleine campagne mais à proximité de l'autoroute, invite à la détente. L'été, jardin fleuri et terrasse ; l'hiver, repas près de la cheminée.

**à Péronnas** *par ⑤ : 3 km, N 83 – 5 352 h. alt. 281 – ✉ 01960 :*

XX **Marelle,** ☎ 04 74 21 75 21, *Fax 04 74 21 06 81,* 斎, – P. AE GB
*fermé août, mardi et merc.* – **Repas** 22 (déj.), 31/54 ♀, enf. 10.
◆ De la terre jusqu'au ciel, jouons à la marelle en passant par des saveurs méditerranéennes, un menu du marché ou une carte alléchante. Deux décors : rustique ou actuel.

---

**BOURGES** P *18000 Cher 323 K4 G. Berry Limousin – 75 609 h Agglo. 123 584 h alt. 153.*

*Voir Cathédrale St-Étienne★★★ : tour Nord ≤★★* **Z** *– Jardins de l'Archevêché★ – Palais Jacques-Coeur★★ – Jardins des Prés-Fichaux★ – Maisons à colombage★ – Hôtel des Échevins★ : musée Estève★* **Y M²** *– Hôtel Lallemant★* **Y M³** *– Hôtel Cujas★ : Musée du Berry★* **Y M¹** *– Muséum d'histoire naturelle★* **Z** *– Les marais★* **V** *– Promenade des remparts★ – Commune de la "Méridienne verte".*

*Office du Tourisme, 21 rue Victor Hugo ☎ 02 48 23 02 60, Fax 02 48 23 02 69, tourisme@ville-bourges.fr.*

*Paris 245 ⑦ – Châteauroux 67 ⑥ – Dijon 254 ② – Nevers 69 ③ – Orléans 122 ⑦.*

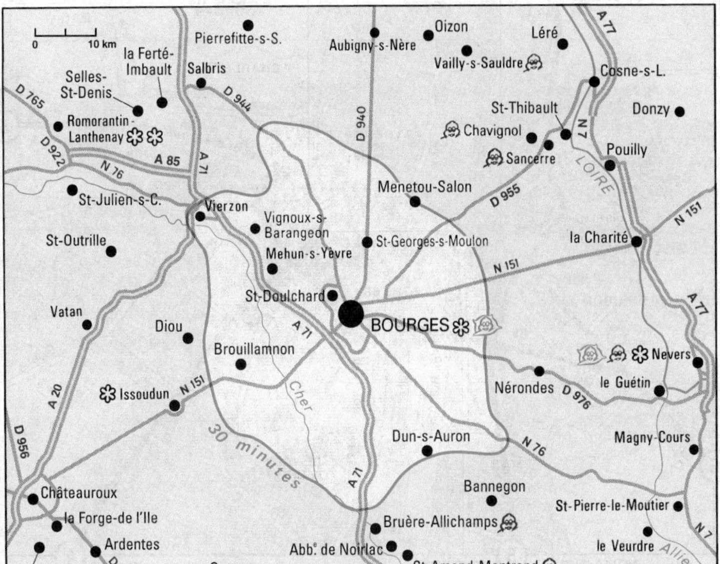

0 10 km
Pierrefitte-s-S.
Aubigny-s-Nère
Oizon
Léré
la Ferté-Imbault
Salbris
Vailly-s-Sauldre
Selles-St-Denis
Cosne-s-L.
Romorantin-Lanthenay
St-Thibault
Donzy
Chavignol
Sancerre
Pouilly
A 85
N 76
D 765
D 922
D 944
D 940
A 71
A 77
N 7
LOIRE
Menetou-Salon
D 955
St-Julien-s-C.
Vierzon
Vignoux-s-Barangeon
N 151
St-Outrille
St-Georges-s-Moulon
la Charité
Mehun-s-Yèvre
St-Doulchard
Vatan
BOURGES
Diou
Brouillamnon
Nevers
Nérondes
D 976
le Guétin
Issoudun
A 20
Cher
D 956
30 minutes
Dun-s-Auron
Magny-Cours
Châteauroux
Bannegon
St-Pierre-le-Moutier
la Forge-de l'Ile
Bruère-Allichamps
Ardentes
Abbᵉ de Noirlac
le Veurdre
Allier
le Poinçonnet
D 943
Orsan
St-Amand-Montrond


**Bourbon** M, bd République ☎ 02 48 70 70 00, *hbourbon@infonie.fr, Fax 02 48 70 21 22* – 🛗 ✈ TV ☎ ♿ P – 🎤 30 à 50. AE ① GB JCB **Y b**
voir rest. ***Abbaye St-Ambroix*** ci-après – ☕ 11,50 – **59 ch** 78/120 – ½ P 89.
◆ Réservez l'une des chambres aménagées dans les murs de l'ancienne abbaye ; spacieuses et claires, elles sont dotées de meubles en merisier ou acajou. Salon-bar raffiné.

**Christina** sans rest, 5 r. Halle ☎ 02 48 70 56 50, *info@le-christina.com, Fax 02 48 70 58 13* – 🛗 TV ☎ – 🎤 25. AE GB **Z m**
☕ 6,50 – **71 ch** 41,50/75.
◆ Immeuble des années 1960 situé face à la Halle-au-Blé (19ᵉ s.). Les chambres rénovées sont plaisantes ; les autres sont petites, mais restent fonctionnelles.

# BOURGES



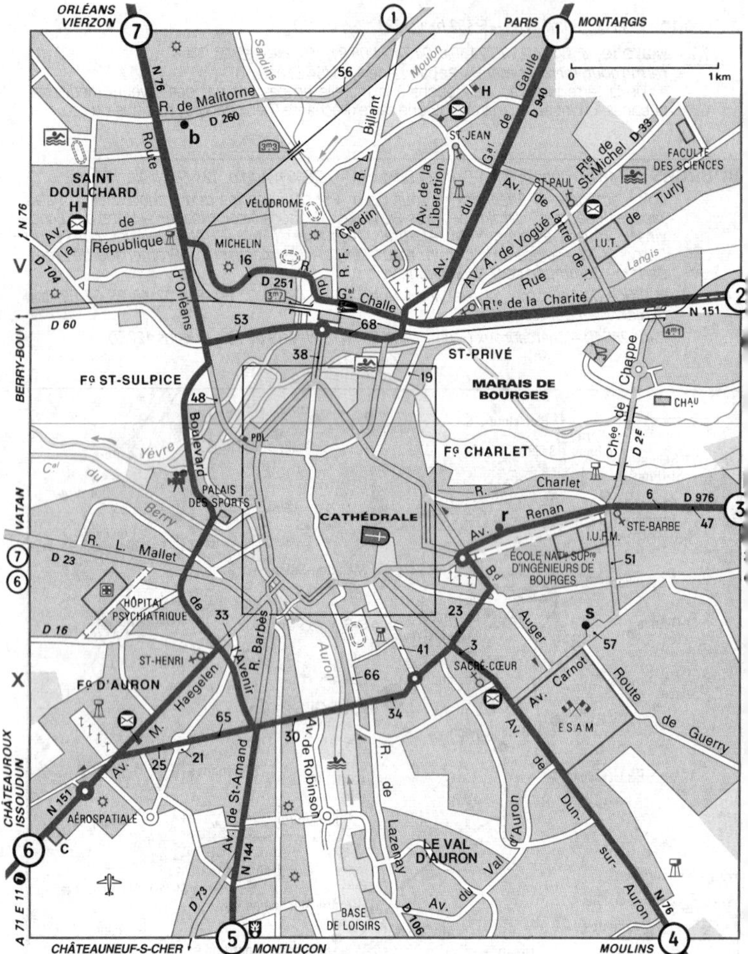

ORLÉANS VIERZON
PARIS
MONTARGIS
0
1 km
R. de Malitorne
D 260
Route d'Orléans
N 76
SAINT DOULCHARD
Av. de la République
MICHELIN
VÉLODROME
D 251
D 60
D 104
BERRY-BOUY
Fg ST-SULPICE
Boulevard
PALAIS DES SPORTS
Yèvre
Cal du Berry
R. L. Mallet
D 23
D 16
VATAN
HÔPITAL PSYCHIATRIQUE
ST-HENRI
Fg D'AURON
Av. M. Haegelen
R. de l'Avenir
R. Barbès
Av. de St-Amand
N 144
N 151
AÉROSPATIALE
CHÂTEAUROUX ISSOUDUN
A 71 E 11
D 73
CHÂTEAUNEUF-S-CHER
MONTLUÇON GUERET
BASE DE LOISIRS
Av. de Robinson
R. de Lazenay
LE VAL D'AURON
Av. du Val d'Auron
D 106
Av. de Dun-sur-Auron
N 76
MOULINS
Auron
CATHÉDRALE
Fg CHARLET
R. Charlet
Av. Renan
STE-BARBE
D 976
I.U.R.M.
ÉCOLE NATle SUPre D'INGÉNIEURS DE BOURGES
Bd Auger
SACRÉ-CŒUR
Av. Carnot
ESAM
Route de Guerry
MARAIS DE BOURGES
ST-PRIVÉ
Chée de Chappe
D 2E
CHAU
N 151
Rte de la Charité
Rue de Lattre de T.
Av. A. de Vogüé
Langis
I.U.T.
Rte de St-Michel
D 33
Turly
FACULTÉ DES SCIENCES
ST-PAUL
ST-JEAN
Av. du Gal de Gaulle
D 940
Av. de la Libération
R. F. Chedin
R. L. Billant
R. du Gal Challe
Moulon
Sandins
POL.


**Tilleuls** sans rest, 7 pl. Pyrotechnie ✆ 02 48 20 49 04, *antoine.falleur@wanadoo.fr, Fax 02 48 50 61 73*, – 30. AE GB JCB X s
6 – **38 ch** 53/58.
◆ Établissement joliment fleuri aux chambres rustiques ou plus feutrées (mobilier de style). Hébergement plus simple à l'annexe, mais vous y bénéficierez de la climatisation.

**Ibis** M, quartier Prado ✆ 02 48 65 89 99, *h0819@accor-hotels.com, Fax 02 48 65 18 47*, – – 20 à 30. AE GB Z v
**Repas** *(fermé le midi en juil.-août) (13)* - 16, enf. 6 – 5,50 – **86 ch** 60/64.
◆ Sur un axe passant proche de l'Auron, cet Ibis est désormais entièrement refait : les chambres répondent aux dernières normes de confort de la chaîne.

# BOURGES

Armuriers (R. des) . . . . . . . . . . Z 2
Auron (R. d') . . . . . . . . . . . . . . . Z
Barbès (R.) . . . . . . . . . . . . . . . . Z 4
Beaux-Arts (R. des) . . . . . . . . Y 5
Bourbonnoux (R.) . . . . . . . . . YZ
Calvin (R.) . . . . . . . . . . . . . . . . Y 7
Cambournac (R.) . . . . . . . . . . . Y 8
Champ-de-Foire (R. du) . . . . . . . . . . . . . . Z 12
Commerce (R. du) . . . . . . . . . Y 13
Coursalon (R.) . . . . . . . . . . . . . Y
Cujas (Pl.) . . . . . . . . . . . . . . . . Y 15
Dr-Témoin (R. du) . . . . . . . . . . Y 17
Dormoy (Av. Marx) . . . . . . . . . Y 19
Equerre (Rue de l') . . . . . . . . . Z 20
George-Sand (Escalier) . . . . . . Y 27
Hémerettes (R. des) . . . . . . . . Z 29
Jacobins (Cour des) . . . . . . . . Z 31
Jacques-Cœur (R.) . . . . . . . . . Y 32
J.-J.-Rousseau (R.) . . . . . . . . . Z 33
Jean-Jaurès (Av.) . . . . . . . . . . . Y
Joyeuse (R.) . . . . . . . . . . . . . . Y 35
Juranville (Pl.) . . . . . . . . . . . . . Z 36
Leblanc (R. N.) . . . . . . . . . . . YZ 40
Linières (Rue de) . . . . . . . . . . Z 42
Louis XI (Av.) . . . . . . . . . . . . . Z 43
Mallet (R. L.) . . . . . . . . . . . . . Z 44
Marceau (Rampe) . . . . . . . . . . Z 45
Mirebeau (R.) . . . . . . . . . . . . . Y
Moyenne (R.) . . . . . . . . . . . . YZ
Orléans (Av. d') . . . . . . . . . . . Y 48
Pelvoysin (R.) . . . . . . . . . . . . . Y 50
Poissonnerie (R. de la) . . . . . . Y 52
Prinal (R. du) . . . . . . . . . . . . . Y 55
Rimbault (R. J.) . . . . . . . . . . . Z 61
Strasbourg (Bd de) . . . . . . . . . Z 71
Thaumassière (R. de la) . . . . . Y 72
Tory (R. G.) . . . . . . . . . . . . . . Y 73
Victor-Hugo (R.) . . . . . . . . . . . Z 74
3 Maillets (R. des) . . . . . . . . . Z 75
4-Piliers (Pl. des) . . . . . . . . . Z 76
95e-de-Ligne (R. du) . . . . . . . Z 78

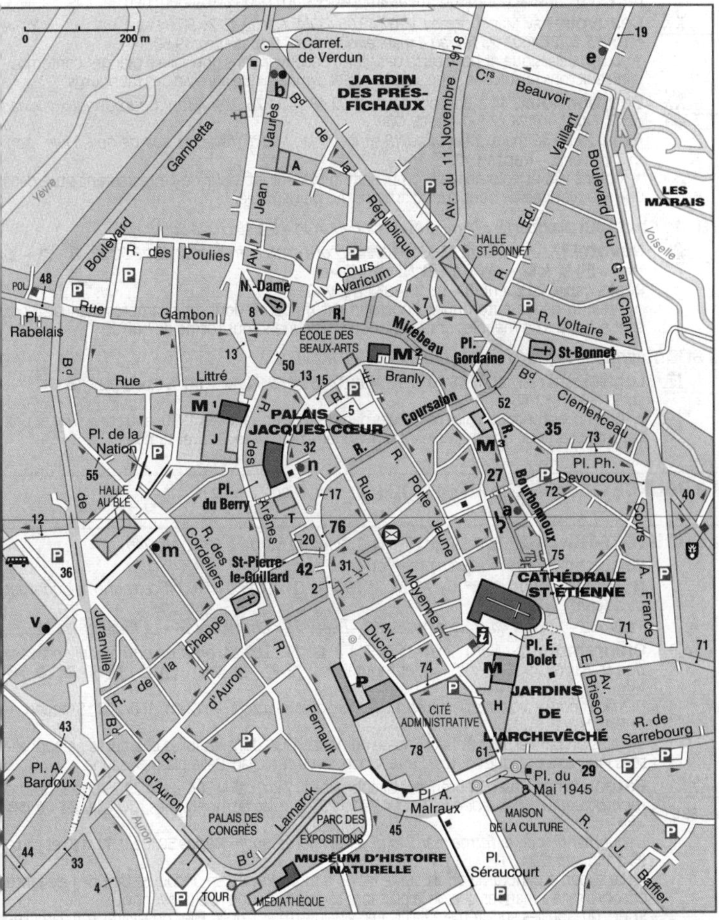

0
200 m
Carref. de Verdun
JARDIN DES PRÉS-FICHAUX
Cours Beauvoir
Av. du 11 Novembre 1918
Bd de la République
Boulevard Gambetta
Av. Jean Jaurès
R. Ed. Vaillant
Boulevard du Gal Chanzy
LES MARAIS
Voiselle
Yèvre
HALLE ST-BONNET
R. des Poulies
Cours Avaricum
N.-Dame
Rue Gambon
Pl. Rabelais
POL
R. Mirebeau
R. Voltaire
ÉCOLE DES BEAUX-ARTS
Pl. Gordaine
St-Bonnet
Bd Clemenceau
Rue Littré
R. E. Branly
R. Coursalon
PALAIS JACQUES-CŒUR
Pl. de la Nation
HALLE AU BLÉ
Pl. du Berry
R. des Arènes
Rue Porte Jaune
R. Bourbonnoux
Pl. Ph. Devoucoux
Cours A. France
R. des Cordeliers
St-Pierre-le-Guillard
Moyenne
Av. Ducrot
CATHÉDRALE ST-ÉTIENNE
Pl. É. Dolet
JARDINS DE L'ARCHEVÊCHÉ
Av. E. Brisson
R. de Sarrebourg
Bd de Juranville
R. de la Chappe
R. d'Auron
R. Fernault
CITÉ ADMINISTRATIVE
Pl. A. Bardoux
Pl. du 8 Mai 1945
Pl. A. Malraux
MAISON DE LA CULTURE
Auron
PALAIS DES CONGRÈS
Bd Lamarck
PARC DES EXPOSITIONS
MUSÉUM D'HISTOIRE NATURELLE
Pl. Séraucourt
R. J. Baffier
TOUR
MÉDIATHÈQUE
Y
Z


XXX **Abbaye St-Ambroix** - Hôtel de Bourbon, 60 av. J. Jaurès ✆ 02 48 70 80 00, *abbaye-saint-ambroix@wanadoo.fr, Fax 02 48 70 21 22* – P. AE GB JCB — Y b

**Repas** (23) - 38,50/65 et carte 65 à 77 ♀.

◆ L'ex-chapelle (17e s.) de l'abbaye avec son immense voûte a été judicieusement rénovée dans un style contemporain : un cadre exceptionnel pour une cuisine au goût du jour.

**Spéc.** Brochette de langoustines. Dos de sandre rôti. Moelleux au chocolat coulant. **Vins** Reuilly, Menetou-Salon.

XXX **Jacques Coeur,** 3 pl. J. Coeur ✆ 02 48 70 12 72, *cuisinierpoete@aol.com, Fax 02 48 70 00 21* – AE ⓓ GB **Y n**
*fermé dim. soir et lundi* – **Repas** 24/49 et carte 27 à 58 ♀.
◆ Vieille demeure berruryère face au palais Jacques Coeur. Boiseries et touches décoratives médiévales agrémentent les petites salles à manger. Cuisine traditionnelle.

XXX **Jardin Gourmand,** 15 bis av. E. Renan ✆ 02 48 21 35 91, *Fax 02 48 20 59 75*, – AE GB **X r**
*fermé 7 au 25 juil., 20 déc. au 20 janv., mardi midi, dim. soir et lundi* – **Repas** 15/36 et carte 29,50 à 46.
◆ Discrète maison de maître sur un boulevard excentré. Le restaurant occupe trois petites pièces en enfilade bourgeoisement aménagées. Joli salon avec cheminée en bois.

XX **Beauvoir,** 1 av. Marx Dormoy ✆ 02 48 65 42 44, *Fax 02 48 24 80 84* – ▤. GB **Y e**
*fermé 5 au 27 août, 23 fév. au 4 mars et dim. soir* – **Repas** 15,80/39,50.
◆ Cuisine classique et belle carte des vins à découvrir dans une salle à manger contemporaine aux tons ensoleillés : une séduisante et sympathique adresse des faubourgs.

XX **Bourbonnoux,** 44 r. Bourbonnoux ✆ 02 48 24 14 76, *restaurant.bourbonnoux@wanadoo.fr, Fax 02 48 24 77 67* – ▤. AE GB **Y a**
*fermé 21 au 30 mars, 29 août au 19 sept., 23 janv. au 1er fév., dim. soir de nov. à juin, sam. midi et vend.* – **Repas** 12/28 ♀.
◆ Coloris vifs et colombages composent le plaisant intérieur de ce restaurant situé dans une rue jalonnée de boutiques d'artisans. Accueil aimable.

**rte de Châteauroux** *par ⑥ : 7 km, près échangeur A 71 – ✉ 18570 Le Subdray :*

**Novotel** Ⓜ, ✆ 02 48 26 53 33, *h1302@accor-hotels.com, Fax 02 48 26 52 22*, , – ▤ TV ✆ ♿ P – 🏛 30 à 150. AE ⓓ GB JCB
**Repas** (16,50) - 21 ♀, enf. 8 – ☕ 10 – **93 ch** 78/100.
◆ Près du péage autoroutier, hébergement moderne dont les chambres standardisées sont équipées de meubles pratiques. Petits-déjeuners sous forme de buffet.

**à St-Doulchard** -V- *vers ⑦ – 9 149 h. alt. 158 – ✉ 18230 :*

**Logitel** sans rest, ✆ 02 48 70 07 26, *Fax 02 48 24 59 94*, – TV ✆ P – 🏛 25. AE GB
☕ 5 – **30 ch** 42/45.
◆ Chambres fonctionnelles meublées dans le style des années 1980, entretien suivi et prix raisonnables : une étape simple de la périphérie berruryère. Accueil familial.

---

## Le BOURGET *93 Seine-St-Denis* 305 F7 101 ⑰ – *voir à Paris, Environs.*

---

## Le BOURGET-DU-LAC *73370 Savoie* 333 I4 *G. Alpes du Nord – 2 886 h alt. 240.*

**Voir** *Lac★★ – Église : frise sculptée★ du choeur.*
*Office du Tourisme, ✆ 04 79 25 01 99, Fax 04 79 25 01 99, office.tourisme@bourgetdulac.com.*
*Paris 532 – Annecy 44 – Aix-les-Bains 10 – Belley 23 – Chambéry 13 – La Tour-du-Pin 52.*

**Ombremont** , Nord : 2 km par N 504 ✆ 04 79 25 00 23, *ombremontbateauivre@wanadoo.fr, Fax 04 79 25 25 77*, ≤ lac et montagnes, , – , ▤ ch, TV P – 🏛 50. AE ⓓ GB JCB
*8 mai-3 nov.* - voir rest. ***Bateau Ivre*** ci-après – ☕ 14 – **12 ch** 150/228, 5 appart – ½ P 152/221.
◆ Dans un parc arboré et fleuri, vaste demeure 1930 dont les jolies chambres personnalisées jouissent presque toutes d'une superbe vue sur le lac. Belle piscine ; sauna.

XXXX ✿✿ **Bateau Ivre** - Hôtel Ombremont (Jacob), Nord : 2 km par N 504 ✆ 04 79 25 00 23, *ombremontbateauivre@wanadoo.fr, Fax 04 79 25 25 77*, ≤ lac et montagnes, – P. AE ⓓ GB JCB
*début mai-fin oct. et fermé mardi midi, jeudi midi et lundi* – **Repas** 50 (déj.), 72/130 et carte 95 à 115, enf. 22.
◆ Le superbe panorama offert sur le lac et le mont Revard se découvre tant de l'élégante et sobre salle à manger que de la plaisante terrasse. Cuisine ivre d'inventivité.
**Spéc.** Grenouilles sur crème à l'ail doux, vinaigrette aux noix. Filet de lavaret rôti, lamelles de betterave et crème de volaille. Mignon de veau de lait rôti en papillote de lard, jus aigre-doux. **Vins** Chardonnay du Bugey, Mondeuse d'Arbin.

XXX ✿ **Auberge Lamartine** (Marin), Nord : 3,5 km par N 504 ✆ 04 79 25 01 03, *aubergelamartine@wanadoo.fr, Fax 04 79 25 20 66*, ≤ lac et montagnes, , – P. AE ⓓ GB
*fermé mi-déc. à début janv., mardi midi de sept. à mai, dim. soir et lundi sauf fériés* – **Repas** (25) - 36/65 et carte 52 à 68 ♀.
◆ Cuisine délicate, chaleureuse salle à manger (cave à vins vitrée, tableaux, cheminée, etc.) et terrasse tournée vers le "lac de Lamartine" : ô temps, suspends ton vol !
**Spéc.** Escalope de foie gras de canard poêlée au caramel de porto. Omble chevalier meunière. Gibier (automne). **Vins** Chignin-Bergeron, Mondeuse d'Arbin.

**Grange à Sel**, ✆ 04 79 25 02 66, *info@grangeasel.com, Fax 04 79 25 25 03*, – **P**. AE GB JCB
*fermé janv., dim. soir et merc.* – **Repas** 25 (déj.), 33/74 et carte 49 à 66 ♀, enf. 23.
◆ Ancienne grange à sel et son jardin fleuri où l'on dresse des tables aux beaux jours. Cadre rustique avec pierres et poutres apparentes. Cuisine personnalisée.
**Spéc.** Oeufs pochés aux truffes d'été (saison). Poissons du lac meunière. Assiette de la chasse (automne-hiver). **Vins** Colombière, Chignin-Bergeron.

**Beaurivage** avec ch, ✆ 04 79 25 00 38, *delaporte.jcl@wanadoo.fr, Fax 04 79 25 06 49*, ≤, – TV **P**. AE GB.
*fermé 3 au 24 nov., 9 au 16 fév., dim. soir, merc. soir et lundi* – **Repas** 20 (déj.), 26/48 ♀ – 7,70 – **4 ch** 54.
◆ La salle à manger s'ouvre sur une agréable terrasse ombragée de platanes d'où le regard s'évade sur le romantique lac. Cuisine classique. Chambres refaites et bien aménagées.

**Bouchon d'Hélène**, Sud : 1 km par N 504, à Savoie-Technolac ✆ 04 79 25 00 69, *Fax 04 79 25 02 34*, – GB
*fermé 20 août au 5 sept., 2 au 10 janv., sam. midi et dim. soir* – **Repas** 16/23,50 ♀, enf. 7.
◆ Près d'un parc technologique, petit restaurant précédé d'une terrasse. Intérieur sobre, décoré de tableaux et de bouquets de fleurs. Plats traditionnels et menu du jour.

**aux Catons** *Nord-Ouest : 2,5 km par D 42 – ✉ 73370 Le Bourget-du-Lac :*

**Atmosphères** avec ch, ✆ 04 79 25 01 29, *Fax 04 79 25 26 19*, ≤ lac et montagnes, – TV **P**. GB
*fermé 21 oct. au 6 nov. mardi et merc.* – **Repas** 18 (déj.), 25/32 ♀ – 7 – **5 ch** 46.
◆ Petit chalet bâti à flanc de colline et entouré de verdure. Plaisante salle à manger rénovée et terrasse panoramique ; cuisine du marché concoctée avec soin. Chambres simples.

*Dans ce guide*
*un même symbole, un même mot,*
*imprimé en* **rouge** *ou en* **noir**, *en maigre ou en* **gras**,
*n'ont pas tout à fait la même signification.*
*Lisez attentivement les pages explicatives.*

## BOURG-LA-REINE
*92 Hauts-de-Seine* 311 J3 101 ㉕ – *voir à Paris, Environs.*

## BOURG-LÈS-VALENCE
*26 Drôme* 332 C4 – *rattaché à Valence.*

## BOURG-MADAME
*66760 Pyr.-Or.* 344 C8 *G. Languedoc Roussillon – 1 238 h alt. 1140.*
*Syndicat d'initiative, ✆ 04 68 04 55 35, Fax 04 68 04 64 01.*
*Paris 859 – Font-Romeu-Odeillo-Via 18 – Andorra-la-Vella 67 – Foix 88 – Perpignan 102.*

**Celisol** sans rest, ✆ 04 68 04 53 70, – TV **P**. GB
6 – **14 ch** 44/47.
◆ Étape pratique avant de passer la frontière, établissement des années 1970 dont les chambres, équipées de leur mobilier d'origine, sont assez grandes et bien tenues.

## BOURGOIN-JALLIEU
*38300 Isère* 333 E4 *G. Vallée du Rhône – 22 392 h alt. 235.*
*Office du Tourisme, 1 place Carnot ✆ 04 74 93 47 50, Fax 04 74 93 76 01.*
*Paris 505 ④ – Lyon 42 ④ – Bourg-en-Bresse 81 ① – Grenoble 66 ② – La Tour-du-Pin 16 ②.*
Plan page suivante

**Menestret**, par ④ : *1 km sur N 6* ✆ 04 74 93 13 01, *Fax 04 74 28 46 70*, – rest, TV **P**. AE GB.
*fermé 20 déc. au 8 janv., lundi midi et dim.* – **Repas** 13,50/26 – 7 – **9 ch** 40/48 – ½ P 36,50/41.
◆ Cette pimpante façade bordant la nationale dissimule une petite adresse familiale où l'on propose chambres simples, salle à manger rénovée et jardin-terrasse.

**Bruno Chavancy**, 1 av. Tixier ✆ 04 74 93 63 88, *Fax 04 74 28 42 44* – . AE GB B r
*fermé 1er juil. au 6 août, dim. soir, lundi et mardi* – **Repas** 20/47 ♀, enf. 10.
◆ À deux pas des rues piétonnes, discret établissement réputé pour sa cuisine traditionnelle et ses gibiers (en saison). Sobre salle à manger contemporaine.

**L'Aquarelle**, 19 av. Alpes ✆ 04 74 28 15 00, *Fax 04 74 93 12 14*, – AE GB A a
*fermé 1er au 16 sept., 1er au 15 janv., dim. soir, lundi et sam.* – **Repas** 20 (déj.), 24/43 ♀, enf. 10.
◆ Ravissante villa de la fin du 19e s. non loin du centre-ville. Carte au goût du jour servie dans une jolie salle à manger bourgeoise ou en terrasse.

## BOURGOIN-JALLIEU

Alpes (Av. des) .................. A 2
Belmont (R. Robert) ............ B 4
Carnot (Pl.) ....................... B 5
Champ-de-Mars .................. B 6
Clemenceau
(R. Georges) ..................... A 9
Diéderichs (Pl. Ch.) ............ B 10
Gambetta (Av.) .................. A 12
Génin (Av. Ambroise) .......... A 15
Halle (Pl. de la) ................. B 16
Libération (R. de la) ........... B
Liberté (R. de la) ............... B 19
Moulin (R. J.) .................... B 21
Moulins (R. des) ................ B 22
Nations-Unies
(Av. des) ........................... B 23
Paix (R. de la) ................... A 25
Pontcottier (R.) .................. B
Pouchelon (R. de) .............. B 26
République
(Pl. de la) ......................... A 29
République (R. de la) ......... AB 31
St-Michel (Pl.) .................. B 32
Seigner (R. Joseph) ........... A 35
Victor-Hugo (R.) ................ B 36
1er Atelier (R. du) ............. A 37
19-Mars-62 (R. du) ............ AB 39
23-Août-1944 (Pl. du) ......... B 41

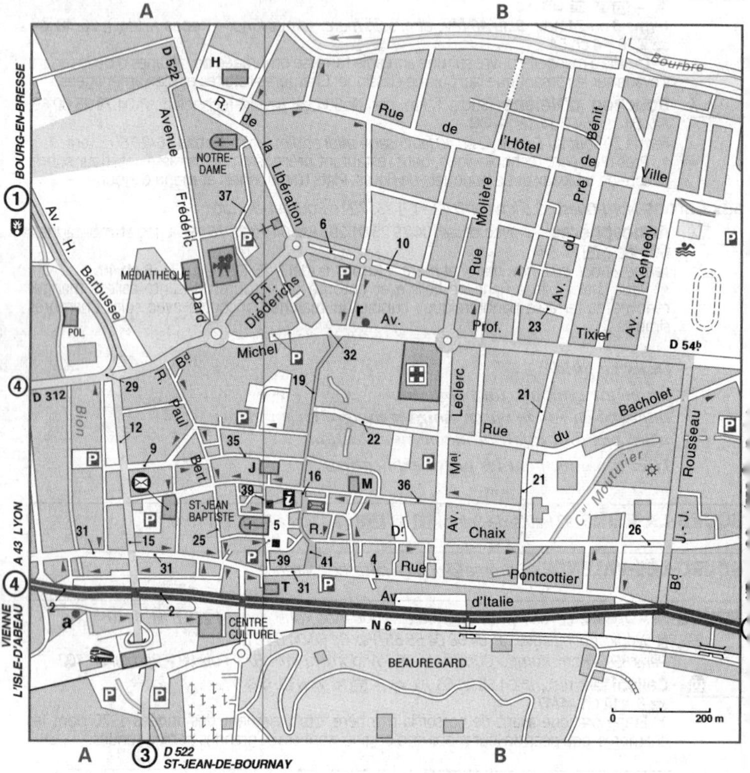
A
B
D 522
H
R. de la Libération
Rue de l'Hôtel de Ville
Bourbre
Avenue Frédéric Dard
NOTRE-DAME
Bénit
Pré du
Rue Molière
Av. Kennedy
BOURG-EN-BRESSE
1
Av. H. Barbusse
MÉDIATHÈQUE
R.T. Diéderichs
Av. Prof. Leclerc
Tixier
D 54b
Michel
POL
4
D 312
R. Paul Bert
Bd
Bion
Rue du Bacholet
Rue Ma! Leclerc
C.el Mouturier
Rousseau
J.-J.
ST-JEAN BAPTISTE
Av. Chaix
R. D.r
Rue Pontcottier
Bd J.-J. Rousseau
A 43 LYON
VIENNE L'ISLE-D'ABEAU
Av. d'Italie
N 6
CENTRE CULTUREL
BEAUREGARD
0
200 m
3
D 522
ST-JEAN-DE-BOURNAY

**par** ② : *2 km par N 6 et rte de Boussieu* – ✉ *38300 Bourgoin-Jallieu :*

XXXX **Laurent Thomas - les Séquoias** M avec ch, 54 Vie de Boussieu ☎ 04 74 93 78 00, *Fax 04 74 28 60 90*, ≤, ⛱, ♧ – ▤ rest, TV ☏ P – 🏔 15. AE ⓓ GB. ✻ ch
✿ *fermé 3 août au 3 sept., 21 déc. au 4 janv., dim. soir, mardi midi, lundi et soirs fériés* – **Repas** 30 (déj.), 37/74 et carte 66 à 98 ♀ – ☕ 12
**5 ch** 105/137.

◆ Belle demeure bourgeoise du 18e s. dans un parc aux arbres centenaires. Élégante salle à manger ouverte sur une terrasse. Cuisine au goût du jour. Chambres spacieuses.

**Spéc.** Aiguillettes de foie d'oie aux noix. Volaille de Bresse aux écrevisses (15 juin au 30 sept.). Cuisse de lièvre à la royale (mi-oct. à fin déc.). **Vins** Côte-Rôtie, Vin des Balmes dauphinoises

**à la Combe-des-Éparres** *par* ② *et N 85 : 7 km* – ✉ *38300 Bourgoin-Jallieu :*

**L'Auberge,** ☎ 04 74 92 01 17, *Fax 04 74 92 01 17* – TV. AE ⓓ GB
*fermé 1er au 24 sept., dim. soir et lundi* – **Repas** 10,30/26 🍷 – ☕ 4
**7 ch** 20/34 – 1/2 P 26/33.

◆ Modeste auberge au bord de la nationale. Les chambres de l'annexe sont plus tranquilles et plus confortables. Le bar fait aussi office de salle de restaurant.

**à La Grive** *par ④ : 4,5 km – ✉ 38080 St-Alban-de-Roche :*

XX **Bernard Lantelme,** D 312 ✆ 04 74 28 19 12, *Fax 04 74 93 78 88*, – P. GB
*fermé 26 juil. au 24 août, sam. et dim.* – **Repas** 20/45 ♀.
◆ Ferme du 19e s. transformée en restaurant. Les tableaux modernes qui égaient la coquette salle à manger rustique forment un heureux contraste avec la cuisine classique.

---

**BOURG-STE-MARIE** *52150 H.-Marne* 313 N4 – *117 h alt. 329.*
*Paris 305 – Chaumont 40 – Langres 47 – Neufchâteau 24 – Vittel 42.*

**St-Martin,** ✆ 03 25 01 10 15, *f1253@aol.com, Fax 03 25 03 91 68*, – rest, P – 30. AE GB
*fermé 10 déc. au 15 janv. et dim. soir sauf hôtel d'avril à sept.* – **Repas** 15,70/37,40 ♀, enf. 9,60 – 8 – **18 ch** 52,20/75 – ½ P 53,50/68,50.
◆ Cette maison ancienne proche d'une route fréquentée abrite des chambres simples, mais bien tenues. Salle à manger campagnarde et petit bar. Cuisine traditionnelle.

---

**BOURG-ST-MAURICE** *73700 Savoie* 333 N4 *G. Alpes du Nord – 6 056 h alt. 850 – Sports d'hiver aux Arcs : 1 600/3 226 m 6 54.*
Env. *Fresque★ de la chapelle St-Gras à Vulmix S : 4 km.*
*Paris 666 – Albertville 55 – Aosta 83 – Chambéry 105 – Chamonix-Mont-Blanc 118.*

**L'Autantic** M sans rest, 69 rte Hauteville ✆ 04 79 07 01 70, *hotel-autantic@wanadoo.fr, Fax 04 79 07 51 55*, ← – P – 30. AE GB
7 – **23** ch 60/70.
◆ Accueillant hôtel construit comme un chalet de Tarentaise. Chambres pimpantes, garnies de meubles en bois et largement ouvertes sur la nature ; quatre ont un balcon.

X **Montagnole,** 26 av. Stade ✆ 04 79 07 11 52, *Fax 04 79 07 11 52* – GB
*fermé 16 juin au 2 juil., 12 nov. au 3 déc. et merc.* – **Repas** (13) - 16/32 ♀, enf. 7,50.
◆ Au rez-de-chaussée d'un immeuble moderne. Salle à manger décorée de marines peintes par le patron-artiste. Plats traditionnels et menu savoyard.

---

**BOURGUEIL** *37140 I.-et-L.* 317 J5 *G. Châteaux de la Loire – 4 001 h alt. 42.*
*Office du Tourisme, 16 place de l'église ✆ 02 47 97 91 39, Fax 02 47 97 91 39, otsi bourgueil@wanadoo.fr.*
*Paris 290 – Tours 47 – Angers 81 – Chinon 17 – Saumur 24.*

**Thouarsais** sans rest, pl. Hublin ✆ 02 47 97 72 05 – GB.
*fermé 4 au 19 oct. et dim. d'oct. à Pâques* – 5 – **23 ch** 23/46.
◆ Trois bâtiments régionaux disposés autour d'une courette où l'on sert les petits-déjeuners aux beaux jours. Confort modeste mais tenue exemplaire. Ambiance familiale.

X **Moulin Bleu,** au Nord : 1,5 km par rte de Courléon ✆ 02 47 97 73 13, *Fax 02 47 97 79 66*, ←, – GB
*fermé 26 juin au 4 juil., 19 déc. à fin janv., lundi soir de mi nov. à mi mars, mardi soir et merc.* – **Repas** (13) - 17/34 ♀, enf. 8.
◆ Ce pittoresque moulin peint en bleu dispose de deux salles à manger voûtées et d'une terrasse dominant le vignoble. Plats traditionnels et dégustations de vins locaux.

---

**BOURNEVILLE** *27500 Eure* 304 D5 – *691 h alt. 124.*
*Office du Tourisme, Le Bourg ✆ 02 32 57 32 23, Fax 02 32 57 15 48.*
*Paris 154 – Le Havre 47 – Rouen 43 – Brionne 25 – Caudebec-en-Caux 24.*

X **Risle Seine,** ✆ 02 32 42 30 22, – GB
*fermé 24 nov au 7 déc., merc. soir et lundi* – **Repas** 15/32 ♀, enf. 6,50.
◆ Cette petite auberge située au centre du village dispose d'une salle à manger rustique et d'une véranda tournée sur la verdure. Cuisine traditionnelle mitonnée avec soin.

---

**BOURRON-MARLOTTE** *77780 S.-et-M.* 312 F5 – *2 424 h alt. 71.*
*Office du Tourisme, 37 rue Murger ✆ 01 64 45 88 86, Fax 01 64 45 88 86.*
*Paris 73 – Fontainebleau 9 – Melun 26 – Montereau-Fault-Yonne 25 – Nemours 11.*

XXX **Les Prémices,** Château de Bourron ✆ 01 64 78 33 00, *lespremices@aol.com, Fax 01 64 78 36 00*, – P. AE GB
*fermé 4 au 20 août, 22 au 29 déc., 16 au 24 fév., dim. soir et lundi* – **Repas** 30/58 et carte 60 à 100 ♀.
◆ Étoffes unies et mobilier design décorent avec élégance ce restaurant aménagé dans les dépendances d'un château "brique et pierre" du 16e s. Cuisine inventive.

**BOURTH** *27580 Eure* 304 E9 – *1 064 h alt. 182.*
*Paris 126 – Alençon 78 – L'Aigle 16 – Évreux 44 – Verneuil-sur-Avre 11.*

XX **Auberge Chantecler,** face église ☎ 02 32 32 61 45, *Fax 02 32 32 61 45*, – GB
*fermé 4 août au 1er sept., 16 au 29 fév., jeudi soir, dim. soir et lundi sauf fériés* – **Repas** 14 (déj.), 22,50/40 ♀.
◆ Cette façade en briques chaulées se couvre de fleurs en été. Une collection de coqs, régulièrement enrichie par les habitués, est exposée dans les deux salles à manger.

**BOUSSAC** *23600 Creuse* 325 K2 *G. Berry Limousin* – *1 652 h alt. 376.*
Voir *Site*★.
*Office du Tourisme, place de l'Hôtel de Ville ☎ 05 55 65 05 95, Fax 05 55 65 00 93.*
*Paris 334 – Aubusson 49 – La Châtre 38 – Guéret 41 – Montluçon 38.*

XX **Relais Creusois,** rte La Châtre ☎ 05 55 65 02 20, *Fax 05 55 65 13 60* – GB
*fermé 18 au 28 juin, janv., fév., mardi soir, merc. sauf juil.-aout et fériés* – **Repas** (dîner en hiver sur réservation) 22/58 ♀.
◆ À travers les fenêtres du restaurant, joli coup d'oeil sur la campagne creusoise. Intérieur spacieux, tables rondes et meubles de style bistrot. Carte au goût du jour.

**BOUT-DU-LAC** *74 H.-Savoie* 328 K6 – *rattaché à Doussard.*

**BOUT-DU-PONT-DE-LARN** *81 Tarn* 338 G9 – *rattaché à Mazamet.*

**BOUTENAC-TOUVENT** *17120 Char.-Mar.* 324 F7 – *219 h alt. 45.*
*Paris 507 – Royan 31 – Cognac 46 – Libourne 89 – Saintes 34.*

**Relais de Touvent,** ☎ 05 46 94 13 06, *Fax 05 46 94 10 40*, – TV P. AE GB
*fermé dim. soir et lundi* – **Repas** 14/32,10 ♀ – 6,90 – **12 ch** 39,70/44,50 – 1/2 P 45,80.
◆ Relais familial dans une bourgade entourée par le vignoble de Cognac. La bâtisse, récente, abrite des chambres fonctionnelles convenant pour l'étape. Lumineuse salle à manger.

**BOUTIGNY-SUR-ESSONNE** *91820 Essonne* 312 D5 – *2 556 h alt. 61.*
*Paris 58 – Fontainebleau 29 – Corbeil-Essonnes 28 – Étampes 19 – Melun 33.*

**Domaine de Bélesbat** M, ☎ 01 69 23 19 00, *domaine.de.belesbat@wanadoo.fr, Fax 01 69 23 19 01*, ≤, , , , , – TV P – 70. AE GB JCB
*fermé 22 déc. au 2 janv.* – ***Pavillon*** (dîner seul.) *(fermé dim.)* **Repas** 40/90 ♀, enf. 20 – ***Douves*** (fermé le soir sauf sam. et dim.) **Repas** carte environ 30 ♀ – 20 – **43 ch** 200, 3 appart, 15 duplex.
◆ Complexe hôtelier luxueusement aménagé dans un château des 15e et 18e s. Le superbe parc, traversé par un bras de l'Essonne, accueille un parcours de golf 18 trous.

**BOUZEL** *63910 P.-de-D.* 326 G8 – *510 h alt. 320.*
*Paris 434 – Clermont-Ferrand 23 – Ambert 58 – Issoire 36 – Thiers 25 – Vichy 47.*

XX **Auberge du Ver Luisant,** ☎ 04 73 62 93 83, *Fax 04 73 62 93 83* – GB
*fermé 15 août au 9 sept., 1er au 6 janv., merc. soir, dim. soir et lundi* – **Repas** 14,50 (déj.), 23/44 ♀.
◆ Débusquez cette discrète maison de village au cadre d'inspiration rustique ; vous y savourerez une cuisine traditionnelle variant au rythme des saisons.

**BOUZE-LÈS-BEAUNE** *21 Côte d'Or* 320 I7 – *rattaché à Beaune.*

**BOUZIGUES** *34 Hérault* 339 G8 – *rattaché à Mèze.*

**BOYARDVILLE** *17 Char.-Mar.* 324 C4 – *voir à Ile d'Oléron.*

**BOZOULS** *12340 Aveyron* 338 I4 *G. Midi-Pyrénées* – *2 060 h alt. 530.*
Voir *Trou de Bozouls*★.
*Office du Tourisme, place de la Mairie ☎ 05 65 48 50 52, Fax 05 65 51 28 01, ot.bozouls @wanadoo.fr.*
*Paris 607 – Rodez 22 – Espalion 11 – Mende 101 – Sévérac-le-Château 41.*

**A la Route d'Argent** M, sur D 988 ✆ 05 65 44 92 27, *Fax 05 65 48 81 40*, – rest, TV ♿ P. AE GB
*fermé janv., fév., dim. soir et lundi midi hors saison* – **Repas** 15/38 ♀ – ☕ 6 – **21** ch 40/60 – ½ P 48/55.
◆ Vaste bâtisse de pays entièrement rénovée dans un esprit actuel. Chambres de bon confort, joliment colorées. À table, plats traditionnels et régionaux.

**BRACIEUX** *41250 L.-et-Ch.* 318 G6 *G. Châteaux de la Loire – 1 157 h alt. 70.*
*Syndicat d'Initiative, Hôtel de Ville ✆ 02 54 46 09 15, Fax 02 54 46 09 15.*
*Paris 185 – Orléans 64 – Blois 19 – Montrichard 39 – Romorantin-Lanthenay 30.*

**Bonnheure** sans rest, ✆ 02 54 46 41 57, *Fax 02 54 46 05 90*, – cuisinette P. AE GB
*mi mars-début déc.* – ☕ 9 – **14** ch 45/65.
◆ Chambres au cadre rustique, paisible jardin exposant des outils agricoles et une mention spéciale pour le bon petit-déjeuner : cet hôtel familial est un vrai "bonnheure" !

**Cygne**, ✆ 02 54 46 41 07, *Fax 02 54 46 04 87*, – TV ♿ P. GB
*fermé 15 déc. au 15 fév., dim. et lundi* – ***Autebert :*** Repas 14/28 ♀, enf. 10 – ☕ 7 – **14 ch** 46/62 – ½ P 41/46.
◆ Deux bâtiments solognots distants d'une cinquantaine de mètres. Hébergement fonctionnel. Les belles poutres et la cheminée président au décor agreste de l'Autebert.

XXXX **Bernard Robin - Relais de Bracieux**, ✆ 02 54 46 41 22, *relaisbracieux.robin@wanadoo.fr, Fax 02 54 46 03 69*, – AE GB JCB
✿✿ *fermé mi-déc. à mi-janv., dim. soir et lundi sauf de mars à déc., mardi et merc.* – **Repas** (nombre de couverts limité, prévenir) *(30)* - 38 (déj.), 60/115 et carte 65 à 95 ♀.
◆ La maison est à l'entrée du village. Tableaux et tapisseries anciennes agrémentent l'élégant décor de la salle à manger. Cuisine classique réalisée avec brio. Jardin arboré.
**Spéc.** Croustillant de canard aux tomates séchées. Langoustines meunière et pied de cochon croustillant. Géline de Touraine rôtie à la broche, truffée sous la peau. **Vins** Vouvray, Cheverny.

*Un automobiliste averti utilise le* ***Guide Rouge Michelin*** *de l'année.*

**BRANCION** *71 S.-et-L.* 320 I10 – *rattaché à Tournus.*

**BRANSAC** *43 H.-Loire* 331 G2 – *rattaché à Beauzac.*

**BRANTÔME** *24310 Dordogne* 329 E3 *G. Périgord Quercy – 2 080 h alt. 104.*
Voir *Clocher★★ de l'église abbatiale – Bords de la Dronne★★.*
*Syndicat d'Initiative, Abbaye ✆ 05 53 05 80 52, Fax 05 53 05 80 52, si.mailbratome@perigord.tm.fr.*
*Paris 474 – Angoulême 59 – Périgueux 27 – Limoges 86 – Nontron 23 – Thiviers 26.*

**Moulin de l'Abbaye** M, ✆ 05 53 05 80 22, *moulin@relaischateaux.com, Fax 05 53 05 75 27*, – TV ♿ . AE GB JCB
✿ *27 avril-27 oct.* – **Repas** *(fermé le midi sauf week-ends et fériés)* 45/65 ♀ – ☕ 17 – **19 ch** 170/245, 3 appart – ½ P 175/198.
◆ Un ravissant moulin et sa terrasse à fleur d'eau, la maison du meunier et celle de l'abbé : une trilogie romantique pour un séjour reposant dans la "Venise du Périgord".
**Spéc.** Fritots de langoustines au jus de carottes épicées. Escalope de foie gras poêlé au vin de noix. Palet "café-caramel". **Vins** Bergerac.

**Domaine de la Roseraie** , Nord : 1,5 km ✆ 05 53 05 84 74, *domaine.la.roseraie@wanadoo.fr, Fax 05 53 05 77 94*, – TV ♿ P. AE GB JCB
*28 mars-12 nov.* – **Repas** 39/58 – ☕ 10 – **10 ch** 140/180 – ½ P 125/165.
◆ L'ancienne chartreuse au milieu des roses abrite aujourd'hui des chambres joliment décorées, souvent avec terrasse sur le parc. Agréable restaurant. Accueil charmant.

**Chabrol**, ✆ 05 53 05 70 15, *charbonnel-freres@wanadoo.fr, Fax 05 53 05 71 85*, – TV . AE GB
*fermé 15 nov. au 15 déc., fév., dim. soir et lundi d'oct. à juin sauf fériés* – **Repas** 25,50 (déj.), 35,50/47,50 – ☕ 7 – **20 ch** 43/70 – ½ P 58/68.
◆ Cette maison de tradition dispose de chambres de bon confort et d'une salle à manger à l'atmosphère provinciale. Belle terrasse surplombant la Dronne. Cuisine du terroir.

X **Au Fil de l'Eau**, ✆ 05 53 05 73 65, *fildeleau@fildeleau.fr, Fax 05 53 05 73 65*, – GB
*avril-oct. et fermé mardi soir et merc. sauf juil. à sept. et fériés* – **Repas** 22/27 ♀.
◆ Coquette guinguette décorée sur le thème de la pêche. Suivez le fil de l'eau sous les saules pleureurs de la terrasse bordant la Dronne. Fritures et spécialités périgourdines.

**Au Fil du Temps,** ✆ 05 53 05 24 12, *fildutemps@fildutemps.fr, Fax 05 53 05 18 01,* – GB

*fermé 6 janv. au 6 fév., dim. soir et lundi* – **Repas** 21 ♀.

◆ Une salle avec rôtissoire, une autre plus cossue et "cosy", une terrasse ombragée par un tilleul : trois espaces délicieux pour déguster plats du terroir et viandes à la broche.

**à Champagnac de Belair** *Nord-Est : 6 km par D 78 et D 83 – 658 h. alt. 135 – ✉ 24530 :*

**Moulin du Roc** (Gardillou) ✆ 05 53 02 86 00, *moulinroc@aol.com, Fax 05 53 54 21 31,* ←, – ch, P. AE GB JCB

*fermé 1er janv. au 7 fév., lundi et mardi d'oct. à mai* – **Repas** *(fermé lundi et merc. d'oct. à mai, merc. midi de juin à sept. et mardi)* 29 bc (déj.), 45/70 et carte 55 à 80 – 14 – **13 ch** 125/145 – ½ P 114/137.

◆ Le lieu est magique : ancien moulin à huile dont les mécanismes ornent l'une des salles. Cadre de caractère, jardin et terrasses au bord de l'eau. Cuisine au goût du jour.

**Spéc.** Carpaccio de homard et courgettes. Pâtes fraîches aux truffes, foie gras poêlé à la ciboulette. Tartine de légumes confits aux noix, blanc de pintade rôti au foie gras. **Vins** Bergerac, Pécharmant.

**à Bourdeilles** *Sud-Ouest : 10 km par D 78 – 811 h. alt. 103 – ✉ 24310 .*

**Voir** *château★ : mobilier★★, cheminée★★ de la salle à manger.*

*Syndicat d'Initiative, place des Tilleuls ✆ 05 53 03 42 96, Fax 05 53 54 56 27.*

**Hostellerie Les Griffons,** ✆ 05 53 45 45 35, *griffons@griffons.fr, Fax 05 53 45 45 20,* ←, – AE GB

*18 avril-15 oct. et fermé lundi midi, vend. midi en juil.-août et le midi sauf week-end et fériés de sept. à juin* – **Repas** 21,60/40 (carte dim.) ♀ – 7,80 – **10 ch** 80/94 – ½ P 78/80.

◆ Au pied du château, maison bourgeoise du 16e s. et sa terrasse dominant la Dronne. Côté chambres : meubles anciens, pierres, poutres et belles charpentes au dernier étage.

*Ecrivez-nous...*

*Vos louanges comme vos critiques seront examinées avec le plus grand soin. Nous reverrons sur place les informations que vous nous signalez.*

*Par avance merci !*

---

## BRASSAC-LES-MINES *63570 P.-de-D.* 326 G10 *G. Auvergne – 3 446 h alt. 430.*

**Voir** *Galerie★ du musée de la mine, NO : 2,5 km.*

**Env.** *Auzon★, statue de N.-D.-du-Portail★★ dans l'église.*

*Syndicat d'initiative - Mairie, ✆ 04 73 54 30 88, Fax 04 73 54 31 67.*

*Paris 471 – Clermont-Ferrand 59 – Brioude 16 – Issoire 22 – Murat 62 – St-Flour 55.*

**Limanais** avec ch, av. Ste-Florine ✆ 04 73 54 13 98, *Fax 04 73 54 39 63,* – P. GB.

*fermé 20 au 26 sept., fév., sam. midi, vend. de sept. à juin, lundi midi en juil.-août et dim. soir* – **Repas** 15/45 – 6,50 – **12 ch** 40/54 – ½ P 42.

◆ Après la visite romantique du musée Peynet, pause repas dans cette salle de restaurant un peu excentrée où l'on sert une cuisine traditionnelle. Aire de jeux pour enfants.

---

## BRAX *47 L.-et-G.* 336 F4 *– rattaché à Agen.*

---

## BRÉAUTÉ *76110 S.-Mar.* 304 C4 *– 1 052 h alt. 122.*

*Paris 192 – Le Havre 37 – Bolbec 9 – Étretat 21 – Fécamp 16 – Rouen 70.*

**à la gare de Bréauté** *Sud-Est : 3 km – ✉ 76110 Bréauté :*

**Relais de Maupassant,** D 910 ✆ 02 35 38 92 81, *Fax 02 35 38 92 81* – P. GB

**Repas** 15 (déj.), 20,50/28 ♀.

◆ Entre route passante et voie ferrée, ce sympathique restaurant mitonne des recettes du terroir. Coquette petite salle à manger. Accueil familial.

---

## BREBIÈRES *62 P.-de-C.* 301 L5 *– rattaché à Douai.*

---

## BRÉDANNAZ *74 H.-Savoie* 328 K6 *– alt. 450 – ✉ 74210 Faverges.*

*Paris 550 – Annecy 15 – Albertville 31 – Megève 46.*

**Port et Lac,** ✆ 04 50 68 67 20, *hotel.portetlac@wanadoo.fr, Fax 04 50 68 92 01,* ←, – P. AE GB

*fév.-oct.* – **Repas** 16 (déj.), 21/45 ♀, enf. 9 – 9 – **18 ch** 43/61 – ½ P 49/61.

◆ Bâtisse centenaire au bord du lac. Chambres simples mais bien tenues. Superbe coup d'oeil à travers les larges baies du restaurant et de la terrasse ombragée par des platanes.

**à Chaparon** *Sud : 1,5 km par rte secondaire – ✉ 74210 Lathuile :*

**Châtaigneraie** ⛰, ✆ *04 50 44 30 67, info@hotelchataigneraie.com, Fax 04 50 44 83 71,* ←, parc, Fō, piscine, jardin, ✂ – TV ✆ P. AE ⓪ GB. ✂ rest
*1er fév.-1er nov. et fermé dim. soir et lundi sauf de mai à sept.* – **Repas** 18,50/42 ♀ – ☕ 9,50 – **25 ch** 65/78 – ½ P 55/69.
◆ Dans un hameau, en retrait du lac, maison familiale disposant de chambres bien équipées. Cuisine inspirée du terroir. Jardin ombragé et piscine avec vue sur les montagnes.

---

**La BRÉE-LES-BAINS** *17 Char.-Mar.* 324 B3 – *voir à Île d'Oléron.*

---

**BRÉHAL** *50290 Manche* 303 C6 – *2 351 h alt. 69.*
ℹ *Office du Tourisme,* ✆ *02 33 90 07 95, Fax 02 33 90 07 95, tourism.canton.brehal@wanadoo.fr.*
*Paris 339 – St-Lô 47 – Coutances 19 – Granville 11 – Villedieu-les-Poêles 28.*

**Gare,** ✆ *02 33 61 61 11, Fax 02 33 61 18 02,* parc – TV ✆ P. AE GB
*fermé 9 au 23 mai, 14 déc. au 31 janv., dim. soir et lundi sauf fériés en juil.-août* – **Repas** 15/36 ♀, enf. 8 – ☕ 7 – **9 ch** 48/52 – ½ P 47/49.
◆ Hôtel familial s'ordonnant autour d'une cour intérieure fleurie où l'on sert les repas en été. Chambres un peu exiguës, mais d'une tenue exemplaire. Restaurant rustique.

*Les plans de villes sont orientés le Nord en haut.*

---

**La BREILLE-LES-PINS** *49390 M.-et-L.* 317 J4 – *345 h alt. 105.*
*Paris 284 – Angers 70 – Baugé 32 – Chinon 30 – Saumur 18.*

**L'Orée des Bois** avec ch, ✆ 02 41 38 85 45, *Fax 02 41 38 86 07,* parc – ▤ rest, TV P. GB
*fermé 1er au 18 oct., 2 au 25 janv., lundi et mardi* – **Repas** 17,90/40, enf. 7 – ☕ 5,50 – **7 ch** 36/42 – ½ P 36,50/48.
◆ Au coeur du village, petit bâtiment actuel abritant une salle de restaurant accueillante (meubles de styles Louis XIII et rustique) et des chambres fraîches et bien équipées.

---

**BRELIDY** *22140 C.-d'Armor* 309 C3 – *325 h alt. 100.*
Voir *Église de Runan★ NE : 4 km,* G. Bretagne.
*Paris 498 – St-Brieuc 47 – Carhaix-Plouguer 64 – Guingamp 15 – Lannion 26 – Morlaix 57.*

**Château de Brelidy** ⛰, ✆ 02 96 95 69 38, *chateau.brelidy@worldonline.fr, Fax 02 96 95 18 03,* ⛳ – TV P. AE ⓪ GB. ✂ rest
*31 mars-1er janv.* – **Repas** (prévenir) 25/31,50 ♀ – ☕ 9,70 – **13 ch** 82/101 – ½ P 77,80/103.
◆ Beau manoir breton du 16e s. entouré d'un parc traversé par deux rivières. Coquettes chambres personnalisées. Billard, jacuzzi et parcours de pêche privé.

---

**La BRESSE** *88250 Vosges* 314 J4 *G. Alsace Lorraine – 5 191 h alt. 636 – Sports d'hiver : 650/1 350 m* ⛷ *31* ⛷.
ℹ *Office du Tourisme, 2A rue des Proyes* ✆ *03 29 25 41 29, Fax 03 29 25 64 61, info@labresse.net.*
*Paris 436 – Colmar 54 – Épinal 51 – Gérardmer 13 – Thann 39 – Le Thillot 20.*

**Les Vallées** Ⓜ, 31 r. P. Claudel ✆ 03 29 25 41 39, *hotel.lesvallees@remy-loisirs.com, Fax 03 29 25 64 38,* parc, piscine, ✂, ⛳ – ascenseur cuisinette TV ✆ garage P – 100. AE ⓪ GB
**Repas** 16/48 ♀, enf. 10 – ☕ 8,50 – **54 ch** 59/79, 55 studios – ½ P 64.
◆ Complexe hôtelier proposant spacieux studios rénovés et chambres pimpantes. Restaurant ouvert sur le parc. Équipements très complets pour séminaires et loisirs.

**au Sud** *rte de Cornimont : 3 km par D 486 – ✉ 88250 :*

**Clos des Hortensias,** ✆ *03 29 25 41 08, Fax 03 29 25 65 34* – P. GB
*fermé 1er au 10 avril, 12 au 27 nov., dim. soir et lundi sauf fériés* – **Repas** (prévenir) 13/33 ♁.
◆ Une fresque représentant des hortensias agrémente la façade de ce restaurant familial. Cuisine traditionnelle soignée servie dans un intérieur aussi charmant que l'accueil.

**au Nord-Est** *rte du col de la Schlucht : 6,5 km par D 34 et D 34D – ✉ 88250 La Bresse :*

**Auberge du Pêcheur** avec ch, ✆ 03 29 25 43 86, *aubpecheur@aol.com, Fax 03 29 25 52 59,* ←, parc, ⛱ – TV P. AE ⓪ GB
*fermé 15 au 30 juin, 1er au 15 déc., mardi et merc. hors saison* – **Repas** 12/23,50 ♁ – ☕ 5,30 – **4 ch** 31,50/43 – ½ P 39,50/41,50.
◆ Sur le chemin des pistes de ski, chalet familial où l'on concocte des plats traditionnels aux accents du terroir. Cadre rustique vosgien. Terrasse verdoyante.

**BRESSIEUX** *38870 Isère* 333 E6 – *96 h alt. 510.*

*Paris 535 – Grenoble 49 – Lyon 77 – Valence 73 – Vienne 45 – Voiron 30.*

**Auberge du Château,** ✆ 04 74 20 91 01, ←, 🏠 – P. GB
*fermé janv., lundi et mardi* – **Repas** 12 (déj.), 16/24 ♁.
◆ Au faîte d'un vieux village perché, accueillante maison ancienne bien restaurée. La terrasse ombragée offre un beau point de vue sur la vallée et les monts du Lyonnais.

**BRESSON** *38 Isère* 333 H7 – *rattaché à Grenoble.*

**BRESSUIRE** *79300 Deux-Sèvres* 322 D3 *G. Poitou Vendée Charentes* – *17 827 h alt. 186.*

*Office du Tourisme, place de l'Hotel de Ville* ✆ *05 49 65 10 27, Fax 05 49 80 41 49.*

*Paris 364 – Angers 85 – Cholet 45 – Niort 64 – Poitiers 82 – La Roche-sur-Yon 86.*

**Boule d'Or,** 15 pl. É. Zola ✆ 05 49 65 02 18, *Fax 05 49 74 11 19* – TV – P – 30. AE GB
*fermé août, 26 déc. au 10 janv., dim. soir et lundi midi* – **Repas** 11/32 ♀ – ☕ 5,33 – **20 ch** 36,50/46 – 1/2 P 36,60/42.
◆ Bâtisse régionale proche de la gare. Chambres d'ampleur variée, correctement équipées ; les plus récentes offrent une meilleure isolation phonique et un décor plus gai.

**Bouchon,** 9 r. E. Perochon ✆ 05 49 74 66 34, *Fax 05 49 81 28 03* – GB
*fermé 17 au 31 août, 21 au 29 fév., dim. et lundi* – **Repas** *(10 bc)* - 14 ♀.
◆ Cadre patiné et accumulation de bibelots hétéroclites font le charme de ce bistrot convivial aménagé dans une ancienne épicerie. Plats traditionnels et ardoise de suggestions.

*Dans ce guide*
*un même symbole, un même mot,*
*imprimé en **rouge** ou en **noir**, en maigre ou en **gras**,*
*n'ont pas tout à fait la même signification.*
*Lisez attentivement les pages explicatives.*

**BREST** 0 *29200 Finistère* 308 E4 *G. Bretagne* – *147 956 h Agglo. 210 055 h alt. 35.*

Voir *Océanopolis★★★ – Cours Dajot ←★★ – Traversée de la rade★ – Arsenal et base navale★* **DZ** – *Musée des Beaux-Arts★* **EZ M¹** – *Musée de la Marine★* **DZ M²** – *Conservatoire botanique du vallon du Stang-Alar★.*

Excurs. *Les Abers★★.*

*Office du Tourisme, place de la Liberté* ✆ *02 98 44 24 96, Fax 02 98 44 53 73, Office.de. Tourisme.Brest@wanadoo.fr.*

*Paris 596 ② – Lorient 134 ⑤ – Quimper 72 ⑤ – Rennes 246 ② – St-Brieuc 145 ②.*

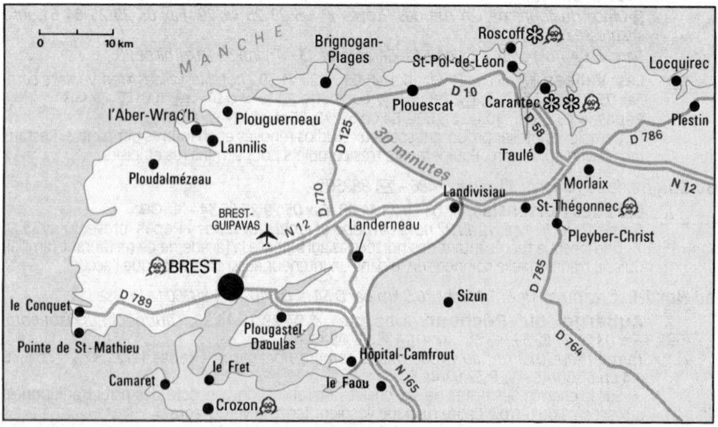

0
10 km
MANCHE
Brignogan-Plages
Roscoff
St-Pol-de-Léon
Locquirec
Plouescat
D 10
Carantec
Plestin
l'Aber-Wrac'h
Plouguerneau
Lannilis
D 125
30 minutes
D 58
Taulé
D 786
Ploudalmézeau
Morlaix
N 12
D 770
Landivisiau
BREST-GUIPAVAS
N 12
St-Thégonnec
Landerneau
Pleyber-Christ
BREST
D 785
D 789
Sizun
le Conquet
Plougastel-Daoulas
D 764
Pointe de St-Mathieu
Hôpital-Camfrout
le Fret
Camaret
le Faou
N 165
Crozon

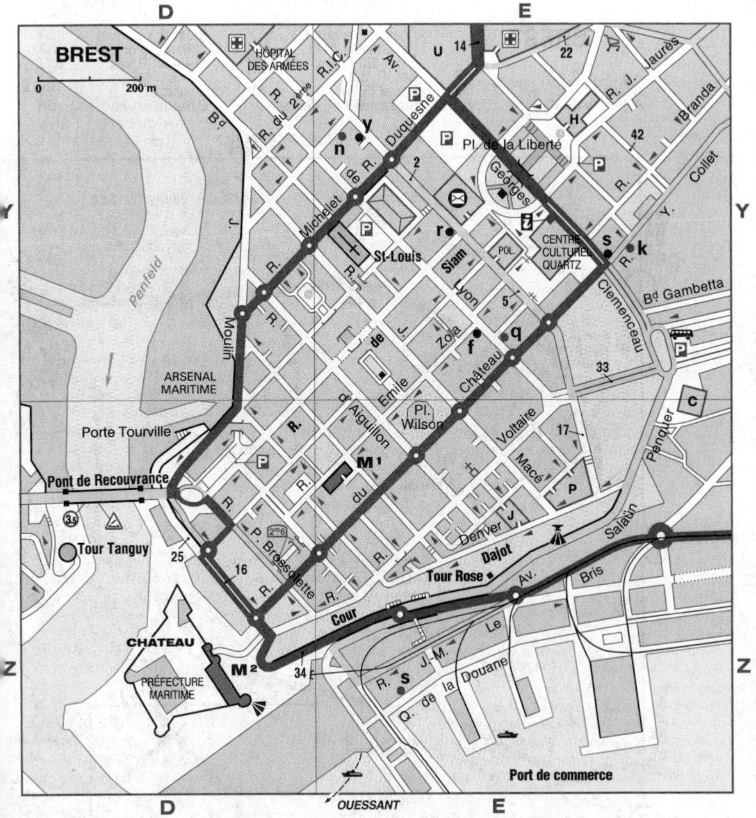
BREST
0
200 m
D
E
Y
Z
HÔPITAL DES ARMÉES
R. du 2ème R.I.C.
Av. Duquesne
R. de Siam
Michelet
Pl. de la Liberté
Georges
R. J. Jaurès
Branda
Collet
42
22
14
2
5
17
33
25
16
34
u
y
n
r
s
k
f
q
H
P
C
CENTRE CULTUREL QUARTZ
POL.
St-Louis
Siam
Lyon
Zola
R. de J.
Emile
Château
Voltaire
Macé
Pl. Wilson
R. d'Aiguillon
R. du
M 1
M 2
Bd Gambetta
Clemenceau
Penquer
Salaün
Bris
Av.
Bd J. Moulin
Penfeld
ARSENAL MARITIME
Porte Tourville
Pont de Recouvrance
Tour Tanguy
P. Brossolette
Denver
Dajot
Tour Rose
Cour
Le
J.-M.
R. S
Q. de la Douane
CHATEAU
PRÉFECTURE MARITIME
Port de commerce
OUESSANT

Algésiras (R. d') .......... EY 2
Clemenceau (Av. G.) ...... EY
Colbert (R.) ............... EY 5
Foch (Av. Mar.) ........... EY 14
Français Libres (Bd des) ... DZ 16
Frégate-la-Belle-Poule (R.) .. EZ 17
Jaurès (R. Jean) .......... EY
Kérabécam (R. de) ........ EY 22
Liberté (Pl. de la) ......... EY
Lyon (R. de) ............. DEY
Marine (Bd de la) ......... DZ 25
Réveillère (R. Amiral) ...... EY 33
Roosevelt (Av. F.) ......... DZ 34
Siam (R. de) .............. EY
11-Martyrs (R. des) ....... EY 42

**Holiday Inn Garden Court** M, 41 r. Branda ✆ 02 98 80 84 00, *holiday-inn@hotelsofibra.com, Fax 02 98 80 84 84* – |♦| ⇔ ▤ TV ✆ ♿ 🚗 – 🏛 15 à 50. AE ⊙ GB JCB BX t
**Repas** *(fermé 11 juil. au 24 août, sam., dim. et fériés)* 22 bc/30 bc – ☕ 10 – **84 ch** 90/108.
◆ Architecture récente aux lignes élégantes, disposant de chambres contemporaines bien insonorisées. Décor d'inspiration brasserie et cuisine classique au restaurant.

**Mercure Continental** M sans rest, square La Tour d'Auvergne ✆ 02 98 80 50 40, *continental-brest@hotelsofibra.com, Fax 02 98 43 17 47* – |♦| ⇔ ▤ TV ✆ ♿ – 🏛 15 à 150. AE ⊙ GB EY f
☕ 10 – **73 ch** 98/136.
◆ Ce grand immeuble d'après-guerre rénové abrite de vastes chambres de style moderne ou Art déco. Hall exposant des reproductions de Bernard Buffet. Bonne insonorisation.

**Océania,** 82 r. Siam ✆ 02 98 80 66 66, *oceania-brest@hotel-sofibra.com, Fax 02 98 80 65 50* – |♦| ⇔ TV ✆ – 🏛 15 à 90. AE ⊙ GB EY r
**Repas** *(fermé 15 juil. au 15 août, sam. midi, lundi soir et dim.)* (20) - 26/37 ♀ – ☕ 10 – **82 ch** 81/119.
◆ Dans la rue de Siam, évoquée dans un célèbre poème de Prévert. Chambres "seventies" un peu désuètes, mais spacieuses et à la tenue irréprochable. Salle à manger rafraîchie.

# BREST

Aiguillon (R. d') .......... EZ
Albert 1er (Pl.) .......... BZ
Algésiras (R. d') .......... EY 2
Anatole-France (R.) .... AX
Beaumanoir (R.) ...... AX 3
Blum (Bd Léon) ....... BV
Bot (R. du) .......... CV
Botrel (R. Th.) ........ BV
Brossolette (R. Pierre) . DZ
Bruat (R.) .......... BX
Caffarelli (Porte) ....... AX
Château (R. du) ..... EYZ
Clemenceau (Av. G.) ... EY
Colbert (R.) .......... EY 5
Collet (R. Yves) ....... BX

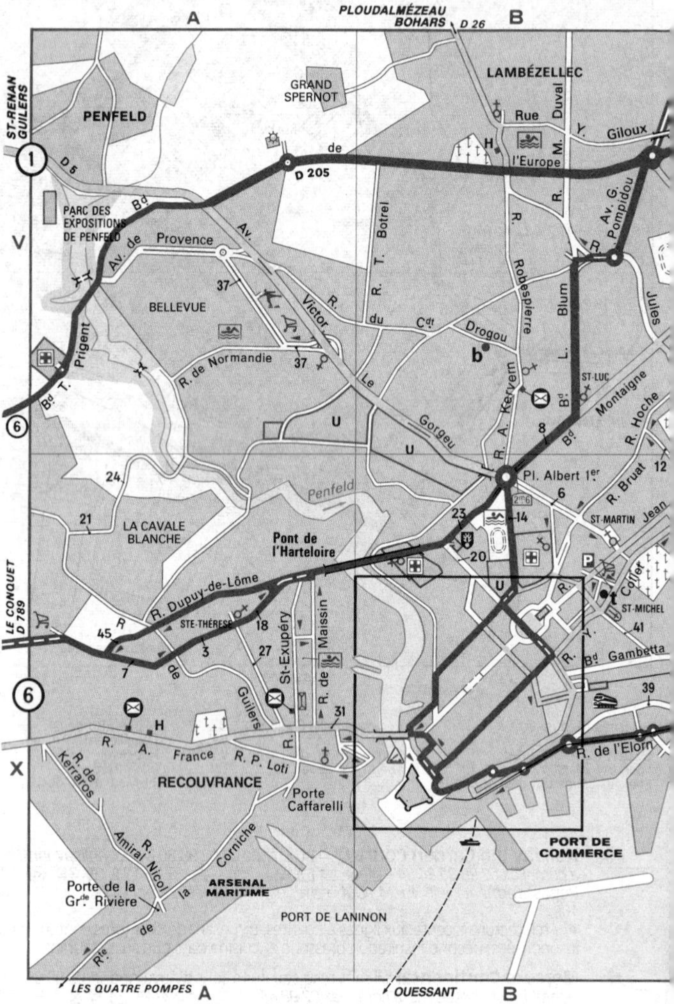

A
PLOUDALMÉZEAU
BOHARS
D 26
B
ST-RENAN
GUILERS
PENFELD
GRAND SPERNOT
LAMBÉZELLEC
Rue
de
l'Europe
Duval
Giloux
D 5
D 205
PARC DES EXPOSITIONS DE PENFELD
Bd
Av. de Provence
Av.
R. T. Botrel
R. Robespierre
Av. G. Pompidou
V
BELLEVUE
R. Victor
du Cdt Drogou
Blum
Jules
Prigent
Bd T.
R. de Normandie
Le Gorgeu
ST-LUC
Montaigne
R. Hoche
R. A. Keryern
Bd
U
Pl. Albert 1er
R. Bruat
Penfeld
LA CAVALE BLANCHE
Pont de l'Harteloire
ST-MARTIN
Jean
R. Dupuy-de-Lôme
STE-THÉRÈSE
St-Exupéry
R. de Maissin
ST-MICHEL
LE CONQUET
D 789
Guilers
Bd Gambetta
R. de l'Elorn
R. A. France
R. P. Loti
X
RECOUVRANCE
R. de Kerraros
Porte Caffarelli
R. Amiral Nicol
Corniche
PORT DE COMMERCE
Porte de la Grde Rivière
ARSENAL MARITIME
PORT DE LANINON
Rte de
LES QUATRE POMPES
OUESSANT


**Mercure** sans rest, 2 rue Y. Collet ✆ 02 98 80 31 80, *mercure.voyageurs@libertysurf.fr*, *Fax 02 98 46 52 98* – 🛗 TV ✆. AE ⓓ GB EY s
☕ 9,20 – **40 ch** 60/87.
◆ La cohabitation de meubles contemporains ou d'esprit Art déco (dans 4 chambres) avec de chatoyantes couleurs fait le charme de cet hôtel confortable et bien insonorisé.

**Paix** sans rest, 32 r. Algésiras ✆ 02 98 80 12 97, *Fax 02 98 43 30 95* – 🛗 TV ✆. AE ⓓ GB JCB EY y
*fermé 22 déc. au 5 janv.* – ☕ 6,50 – **25 ch** 45/55.
◆ Petit hôtel du centre-ville à l'ambiance familiale. Les chambres, en cours de rénovation, adoptent peu à peu un décor actuel. Au petit-déjeuner, copieuse formule buffet.

Corniche (Rte de la) AX
Dajot (Cours) . . . . . . . EZ
Denvers (R.) . . . . . . . . EZ
Desmoulins
(Av. C.) . . . . . . . . . . BX 6
Dr-Kerrien (R. du) . . . AX 7
Doumer (R. Paul) . . . BV 8
Dourjacq (Rte du) . . . CV
Drogou (R. Com.) . . . BV
Dupuy-de-Lôme (R.) AX
Duquesne (R.) . . . . . . EY
Duval (R. Marcellin) . BV

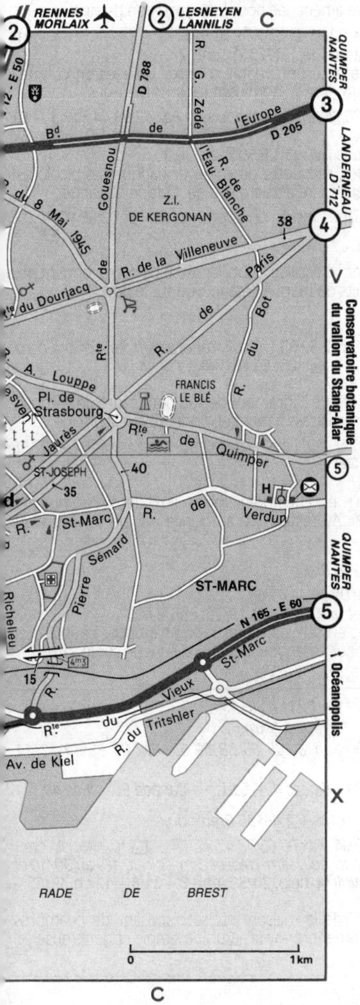

RENNES
MORLAIX
2
LESNEYEN
LANNILIS
C
QUIMPER
NANTES
D 788
R. G. Zédé
3
Bd de l'Europe
D 205
LANDERNEAU
D 712
Gouesnou
R. de l'Eau Blanche
Z.I.
DE KERGONAN
du 8 Mai 1945
38
4
R. de la Villeneuve
R. de Paris
V
Rte du Dourjacq
Conservatoire botanique du vallon du Stang-Alar
R. du Bot
A. Louppe
FRANCIS
LE BLÉ
Pl. de
Strasbourg
Rte de Quimper
Jaurès
5
ST-JOSEPH
40
35
H
R. de Verdun
R. St-Marc
Sémard
Pierre
ST-MARC
Richelieu
N 165 - E 60
5
St-Marc
15
Vieux
Rte du Tritshler
R. du Tritshler
Océanopolis
Av. de Kiel
X
RADE DE BREST
0
1 km
C


Eau-Blanche (R. de l') . . . . . . . . . . . . CV
Elorn (R. de l') . . . . . . . . . . . . . . . . . . BX
Europe (Bd de l') . . . . . . . . . . . . . . ACV
Ferry (R. J.) . . . . . . . . . . . . . . . . . . BCX 12
Foch (Av. Mar.) . . . . . . . . . . . . . . . . BX 14
Forestou (Pont du) . . . . . . . . . . . . . CX 15
Français Libres (Bd des) . . . . . . . . . . DZ 16
Frégate-La-Belle-Poule
(R. de la) . . . . . . . . . . . . . . . . . . . EZ 17
Gallieni (R. du Mar.) . . . . . . . . . . . . AX 18
Gambetta (Bd) . . . . . . . . . . . . . . . . . BX
Gouesnou (Rte de) . . . . . . . . . . . . . . CV
Grande-Rivière (Porte de la) . . . . . . AX
Guilers (R. de) . . . . . . . . . . . . . . . . . AX
Harteloire (Pt de l') . . . . . . . . . . . . . AX
Harteloire (R. de l') . . . . . . . . . . . . . AX 20
Hoche (R.) . . . . . . . . . . . . . . . . . . . . BV
Jaurès (R. J.) . . . . . . . . . . . . . . . . . . EY
Kent (R. de) . . . . . . . . . . . . . . . . . . . AX 21
Kérabécam (R. de) . . . . . . . . . . . . . . EY 22
Kerraros (R. de) . . . . . . . . . . . . . . . . AX
Kervern (R. Auguste) . . . . . . . . . . . . BV
Kiel (Av. de) . . . . . . . . . . . . . . . . . . . CX
Lamotte-Picquet . . . . . . . . . . . . . . . BX 23
Le Bris (R. J.-M.) . . . . . . . . . . . . . . . EZ
Le Gorgeu (Av. Victor) . . . . . . . . . . . AV
Lesven (R. Jules) . . . . . . . . . . . . . . BCV
Libération (Av. de la) . . . . . . . . . . . AX 24
Liberté (Pl. de la) . . . . . . . . . . . . . . EY
Loti (R. Pierre) . . . . . . . . . . . . . . . . AX
Louppe (R. Albert) . . . . . . . . . . . . . CV
Lyon (R. de) . . . . . . . . . . . . . . . . . . DEY
Macé (R. Jean) . . . . . . . . . . . . . . . . EZ
Maissin (R. de) . . . . . . . . . . . . . . . . AX
Marine (Bd de la) . . . . . . . . . . . . . . DZ 25
Michelet (R.) . . . . . . . . . . . . . . . . . . DY
Montaigne (Bd) . . . . . . . . . . . . . . . . BV
Mouchotte (Bd Cdt) . . . . . . . . . . . . . AX 27
Moulin (Bd Jean) . . . . . . . . . . . . . . . DY
Nicol (R. de l'Amiral) . . . . . . . . . . . AX
Normandie (R. de) . . . . . . . . . . . . . . AV
Paris (R. de) . . . . . . . . . . . . . . . . . . CV
Pompidou (R. G.) . . . . . . . . . . . . . . . BV
Porte (R. de la) . . . . . . . . . . . . . . . . AX 31
Prigent (Bd T.) . . . . . . . . . . . . . . . . AV
Provence (Av. de) . . . . . . . . . . . . . . AV
Quimper (Rte de) . . . . . . . . . . . . . . . CV
Recouvrance (Pt de) . . . . . . . . . . . . DZ
Réveillère (Av. Amiral) . . . . . . . . . . EY 33
Richelieu (R.) . . . . . . . . . . . . . . . . . CX
Robespierre (R.) . . . . . . . . . . . . . . . BY
Roosevelt (Av. Fr.) . . . . . . . . . . . . . DZ 34
St-Exupéry (R.) . . . . . . . . . . . . . . . . AX
St-Marc (R.) . . . . . . . . . . . . . . . . . . CX
Salaün-Penquer (Av.) . . . . . . . . . . . EZ
Sébastopol (R.) . . . . . . . . . . . . . . . . CX 35
Semard (R. Pierre) . . . . . . . . . . . . . CX
Siam (R. de) . . . . . . . . . . . . . . . . . . EY
Strasbourg (Pl. de) . . . . . . . . . . . . . CV
Tarente (Av. de) . . . . . . . . . . . . . . . AV 37
Tourville (Porte) . . . . . . . . . . . . . . . DZ
Tourbihan (R. de) . . . . . . . . . . . . . . CV 38
Tritshler (R. du) . . . . . . . . . . . . . . . CX
Troude (R. Amiral) . . . . . . . . . . . . . BX 39
Valmy (R. de) . . . . . . . . . . . . . . . . . CX 40
Verdun (R. de) . . . . . . . . . . . . . . . . CX
Victor-Hugo (R.) . . . . . . . . . . . . . . . BX 41
Vieux-St-Marc (R. du) . . . . . . . . . . . CX
Villeneuve (R. de la) . . . . . . . . . . . . CV
Voltaire (R.) . . . . . . . . . . . . . . . . . . EZ
Wilson (Pl.) . . . . . . . . . . . . . . . . . . EZ
Zédé (R. G.) . . . . . . . . . . . . . . . . . . CV
Zola (R. Émile) . . . . . . . . . . . . . . . . EY
2e-R.C.I. (R. du) . . . . . . . . . . . . . . DY
8-Mai-1945 (R. du) . . . . . . . . . . . . . CV
11-Martyrs (R. des) . . . . . . . . . . . . . EY 42
19-Mars-1962 (R. du) . . . . . . . . . . . AX 45

**Kyriad** sans rest, 157 r. J. Jaurès ✆ 02 98 43 58 58, *kyriadbrest@wanadoo.fr*, *Fax 02 98 43 58 01* – 40. AE GB CX d
☕ 7 – **50 ch** 51/57.
◆ Établissement commode bordant une avenue fréquentée. Chambres fonctionnelles récemment rafraîchies, plus tranquilles côté cour. Généreux petits-déjeuners.

XXX **Fleur de Sel,** 15 bis r. Lyon ✆ 02 98 44 38 65, *Fax 02 98 43 38 53* – AE GB JCB
*fermé 28 juil. au 23 août, 1er au 7 janv., sam. midi et dim.* – **Repas** *(19 bc)* - 24/34 et carte 33,60 à 56 ♀. EY q
◆ Lumineuse salle de restaurant où boiseries et couleurs ensoleillées composent un cadre d'inspiration Art déco soigné. À table, cuisine traditionnelle actualisée.

XXX **Nouveau Rossini,** 22 r. Cdt Drogou ✆ 02 98 47 90 00, *Fax 02 98 47 90 00*, 🏠, 🍽 – 🅿. AE GB BV b
*fermé 10 au 15 mars, 25 août au 3 sept., dim. soir et lundi* – **Repas** 23/58 et carte 51 à 75 ♀.
◆ Adorable maison bretonne centenaire entourée d'un joli jardin fleuri. Spacieuse salle à manger éclairée de baies vitrées. Belle cave aménagée pour la dégustation de vins.

XX **Vatel,** 23 r. Fautras ✆ 02 98 44 51 02, *Fax 02 98 43 33 72* – AE GB EY n
*fermé sam. midi, dim. soir et lundi* – **Repas** 14 (déj.), 17/50 ♀, enf. 7.
◆ Au milieu de la salle à manger est présenté un éventail d'épices utilisées en cuisine : petite note "pimentée" dans un cadre bourgeois où dominent les tons bleu-gris.

XX **Ruffé,** 1 bis r. Y. Collet ✆ 02 98 46 07 70, *leruffe@wanadoo.fr, Fax 02 98 44 31 46* – AE GB EY k
*fermé dim. sauf le midi en juil.-août* – **Repas** *(12)* - 15/28,50 ♀, enf. 6,90.
◆ Décor d'inspiration "paquebot" (parquet, maquette de voilier et banquettes bicolores) au rez-de-chaussée ; chaleureux et pimpant cadre actuel à l'étage. Cuisine classique.

X **Maison de l'Océan,** 2 quai Douane (port de Commerce) ✆ 02 98 80 44 84, *Fax 02 98 46 19 83*, ≤, 🏠 – ▤. AE GB EZ s
**Repas** 14/24,50, enf. 7.
◆ "L'Océan" célébré dans le décor (banc d'écailler, mobilier et bibelots évoquant les bateaux) et dans l'assiette (poissons et fruits de mer). À l'étage, vue sur le port.

**au Nord** *par D 788* **CV** *: 5 km – ✉ 29200 Brest :*

**Novotel,** Z.A. Kergaradec ✆ 02 98 02 32 83, *novotel-brest@hotel-sofibra.com, Fax 02 98 41 69 27*, 🏠, 🏊 – ⇔ ▤ TV ♿ 🅿 – 🏛 100. AE ⓓ GB
**Repas** *(15)* - 18,50, enf. 9 – ☕ 10 – **85 ch** 78/87.
◆ Construction des années 1970 bénéficiant de l'agrément de son petit cadre de verdure. Chambres fonctionnelles ; certaines, comme la salle à manger, donnent sur la piscine.

**Ibis,** près Z.A. Kergaradec ✆ 02 98 47 50 50, *ibiskergaradec@wanadoo.fr, Fax 02 98 47 76 62*, 🏠 – TV ✆ ♿ 🅿 – 🏛 15. AE ⓓ GB
**Repas** *(12)* - 15 ♀, enf. 6 – ☕ 6 – **54 ch** 55.
◆ Bâtiment récent de style breton, où les chambres, mises aux dernières normes de la chaîne, sont fraîches et bien tenues. Au restaurant, ambiance marine et spécialités locales.

**au Port du Moulin Blanc** *par ⑤ : 7 km – ✉ 29200 Brest :*

X **Ma Petite Folie,** ✆ 02 98 42 44 42, *Fax 02 98 41 43 68*
*fermé 25 août au 12 sept., 1er au 10 janv. et dim.* – **Repas** 19/26, enf. 8,40.
◆ Ponts inférieur et supérieur aménagés en salles à manger, original décor nautique et belle cuisine de la mer : une nouvelle vie pour ce langoustier (1952) échoué sur le sable.

---

**BRETENOUX** *46130 Lot* 337 H2 *G. Périgord Quercy – 1 211 h alt. 136.*
**Voir** *Château de Castelnau-bretenoux★★ : ≤★ SO : 3,5 km.*
ℹ *Office du Tourisme, avenue de la Libération ✆ 05 65 38 59 53, Fax 05 65 39 72 14, ot.bretenoux@wanadoo.fr.*
*Paris 523 – Brive-la-Gaillarde 44 – Cahors 84 – Figeac 49 – Sarlat-la-Canéda 65 – Tulle 48.*

**au Port de Gagnac** *Nord-Est : 6 km par D 940 et D 14 – ✉ 46130 Bretenoux :*

**Hostellerie Belle Rive,** ✆ 05 65 38 50 04, *Fax 05 65 38 47 72*, 🏠 – TV ✆. GB. ⇔ ch
*fermé 24 déc. au 4 janv.* – **Repas** *(fermé vend. soir, sam. midi et dim. soir du 1/9 au 30/10 et du 11/4 au 30/6, sam. et dim. de nov. à avril)* 14 (déj.), 20/39, enf. 8 – ☕ 6 – **12 ch** 39/65 – ½ P 39/54.
◆ Dans un hameau au bord de la Cère, vieille maison lotoise disposant de chambres modestes, mais bien tenues et progressivement rénovées. Cuisine simple et généreuse.

---

**BRETEUIL** *60120 Oise* 305 E3 *– 3 879 h alt. 80.*
**Voir** *Commune de la Méridienne verte.*
*Paris 117 – Amiens 31 – Compiègne 55 – Beauvais 29 – Creil 53 – Pontoise 84.*

X **Globe,** 12 r. République (près poste) ✆ 03 44 07 01 78, *Fax 03 44 80 18 63*, 🏠 – AE GB
*fermé 28 juil. au 12 août, dim. soir, mardi soir, merc. soir et lundi* – **Repas** 14/32 ♀.
◆ La même famille vous accueille depuis cinq générations dans cette salle à manger de style rustique. Carte traditionnelle et produits de la mer.

*Ecrivez-nous...*
*Vos louanges comme vos critiques seront examinées avec le plus grand soin. Nous reverrons sur place les informations que vous nous signalez.*
*Par avance merci !*

**BRETEUIL-SUR-ITON** *27160 Eure* 304 F8 *G. Normandie Vallée de la Seine – 3 351 h alt. 168.*

*Syndicat d'Initiative, 02 32 29 82 45, Fax 02 32 29 91 25.*

*Paris 118 – L'Aigle 25 – Alençon 88 – Évreux 31 – Verneuil-sur-Avre 12.*

**Grain de Sel,** 76 pl. Laffitte 02 32 29 70 61, *Fax 02 32 29 70 61,* – GB

*fermé 4 au 18 août, dim. soir, mardi soir et lundi –* **Repas** 14,50/25.

◆ Carte au registre traditionnel proposée dans un petit restaurant situé sur la place du marché. Une exposition de tableaux égaie la pimpante salle à manger.

**Le BREUIL** *71 S.-et-L.* 320 G9 *– rattaché au Creusot.*

**Le BREUIL-EN-AUGE** *14130 Calvados* 303 N4 *– 779 h alt. 38.*

*Paris 195 – Caen 55 – Deauville 21 – Lisieux 9.*

**Auberge du Dauphin** (Lecomte), 02 31 65 08 11, *dauphin.le@wanadoo.fr, Fax 02 31 65 12 08 –* AE GB

*fermé 12 nov. au 9 déc., dim. soir et lundi –* **Repas** 32/39,50 et carte 52 à 68.

◆ Maison normande appréciée tant pour sa cuisine unissant invention et tradition que pour son cadre champêtre agrémenté d'une collection de bouteilles de digestifs.

**Spéc.** Pressé de langoustines et d'andouille de Vire (mai à oct.). Râble de lapin farci comme à Mortagne. Pigeonneau en cage au jus de romarin.

**BRÉVIANDES** *10 Aube* 313 E4 *– rattaché à Troyes.*

**BRÉVONNES** *10220 Aube* 313 G3 *– 604 h alt. 120.*

*Paris 199 – Troyes 27 – Bar-sur-Aube 30 – St-Dizier 59 – Vitry-le-François 52.*

**Vieux Logis** avec ch, 03 25 46 30 17, *logisbrevonnes@wanadoo.fr, Fax 03 25 46 37 20,* – TV P. AE GB

*fermé 1er au 24 mars, lundi sauf le soir en saison et dim. soir –* **Repas** 13/34 – 6 – **5 ch** 36/43 – ½ P 46/49.

◆ L'atmosphère familiale qui règne ici est jalousement préservée : meubles rustiques, vieux bibelots et tissus "rétro" possèdent le charme désuet des logis de nos grands-mères.

**BREZOLLES** *28270 E.-et-L.* 311 C3 *– 1 695 h alt. 170.*

*Paris 101 – Chartres 44 – Alençon 90 – Argentan 92 – Dreux 23.*

**Relais de Brezolles,** 02 37 48 20 84, *lerelais-brezolles@wanadoo.fr, Fax 02 37 48 28 46 –* TV P. AE GB JCB

*fermé 5 au 25 août, 1er au 21 janv., lundi midi, vend. soir et dim. soir –* **Repas** 12,20/31 – 7,60 – **24 ch** 35/46 – ½ P 36,25/41,45.

◆ Les chambres de cet hôtel familial sont joliment rénovées par étapes. Cuisine traditionnelle proposée dans une salle à manger récemment lambrissée.

**BRIANÇON** SP *05100 H.-Alpes* 334 H3 *G. Alpes du Sud – 11 041 h alt. 1321 – Sports d'hiver : 1 200/2 800 m 9 67.*

**Voir** *Ville haute★★ : Grande Gargouille★, Statue "La France"★B – Chemin de ronde supérieur★, ≤★ de la porte de la Durance – Puy St-Pierre ※★★ de l'église SO : 3 km par Rte de Puy St-Pierre.*

**Env.** *Croix de Toulouse ≤★★ par Av. de Toulouse et D232T : 8,5 km.*

*08 36 35 35 35.*

*Office du Tourisme, 1 place du Temple 04 92 21 08 50, Fax 04 92 20 56 45.*

*Paris 683 ④ – Digne-les-Bains 146 ③ – Gap 90 ③ – Grenoble 119 ④ – Torino 109 ①.*

Plan pages suivantes

**Parc Hôtel** sans rest, Central Parc 04 92 20 37 47, *sep.parchotel@wanadoo.fr, Fax 04 92 20 53 74,* – TV P – 20. AE GB A a

10 – **60 ch** 78/105.

◆ Située au centre-ville, cette construction récente propose des chambres refaites, confortables et égayées de tissus aux couleurs provençales.

**Vauban,** 13 av. Gén. de Gaulle (n) 04 92 21 12 11, *vauban.hotel@wanadoo.fr, Fax 04 92 20 58 20,* – TV P. GB

**Repas** *(fermé dim. soir et lundi)* 18/38 – 9,50 – **38 ch** 70/85 – ½ P 63/69.

◆ Petit immeuble des années 1960 aux chambres décorées dans le goût de l'époque, parfois rajeunies dans un esprit actuel. Salle à manger désuète, à l'ambiance pension de famille.

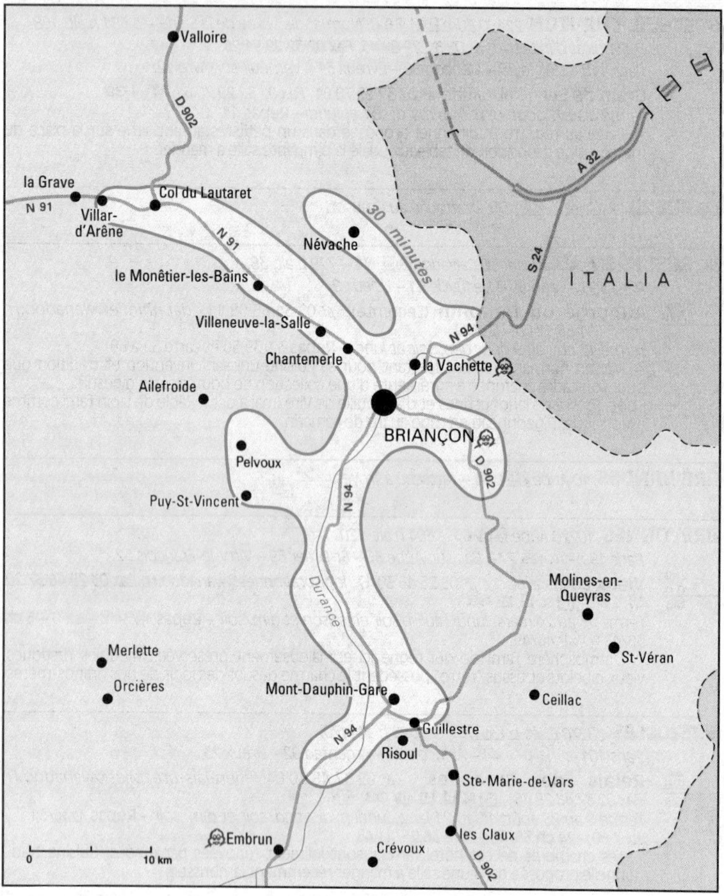

Valloire
D 902
la Grave
N 91
Villar-d'Arêne
Col du Lautaret
N 91
30 minutes
Névache
A 32
S 24
ITALIA
le Monêtier-les-Bains
Villeneuve-la-Salle
Chantemerle
N 94
la Vachette
Ailefroide
BRIANÇON
D 902
Pelvoux
Puy-St-Vincent
N 94
Durance
Molines-en-Queyras
St-Véran
Merlette
Orcières
Mont-Dauphin-Gare
Ceillac
Guillestre
N 94
Risoul
Ste-Marie-de-Vars
Embrun
les Claux
Crévoux
D 902
0
10 km


**Chaussée,** 4 r. Centrale **(e)** ✆ 04 92 21 10 37, *hotel.de.la.chaussee@wanadoo.fr, Fax 04 92 20 03 94* – TV. AE GB
*fermé 30 sept. au 18 oct.* – **Repas** *(fermé 22 avril au 12 mai, dim. soir et lundi sauf vacances scolaires)* 15/27,50 ♀, enf. 8,50 – ☕ 6,50 – **13 ch** 46/51 – 1/2 P 46/49.
◆ Depuis cinq générations, la même famille vous reçoit dans cet hôtel de la ville basse. Chambres simples et spacieuses ; quelques balcons. Salle à manger au décor montagnard.

**Cristol,** 6 rte Italie **(x)** ✆ 04 92 20 20 11, *Fax 04 92 21 02 58* – TV P. AE GB
**Repas** 11/24, enf. 7 – ☕ 6,80 – **24 ch** 37/55 – 1/2 P 38/48.
◆ Établissement fonctionnel et bien tenu ; préférez les chambres rénovées, modernes et colorées avec, en option pour certaines, une vue sur les fortifications de Vauban.

**Péché Gourmand,** 2 rte Gap **(v)** ✆ 04 92 21 33 21, *Fax 04 92 21 33 21,* – P. GB
*fermé vacances de printemps, de Noël, dim. soir et lundi* – **Repas** 21/40.
◆ Restaurant aménagé dans les caves d'une ancienne fabrique de pâtes située au bord de la Guisane. Décor chaleureux et soigné, exposition de tableaux et cuisine au goût du jour.

**à La Vachette** *par ① : 3 km – ✉ 05100 :*

**Nano,** rte d'Italie ✆ 04 92 21 06 09, *Fax 04 92 20 13 61* – P. GB
*fermé mai, vacances de Toussaint à fin nov., dim. et lundi de sept. à juin. et mardi en juil.-août* – **Repas** (prévenir) 23/45.
◆ La façade ne paie pas de mine, mais la cuisine au goût du jour de ce restaurant jouxtant l'église mérite votre joli coup de fourchette. L'intérieur, de plus, est très plaisant.

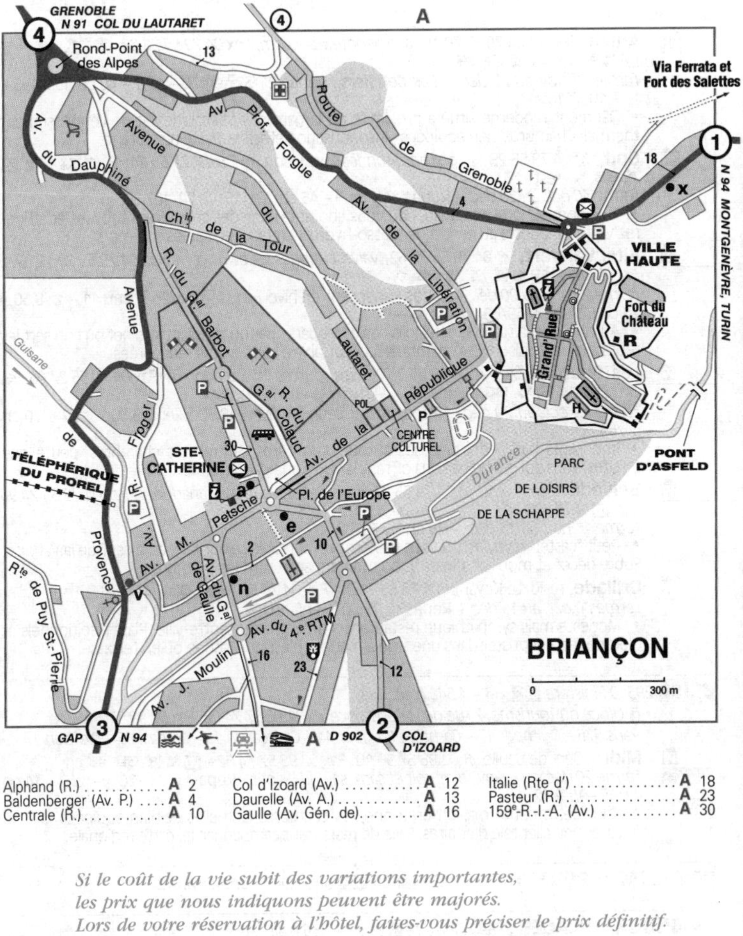
GRENOBLE
N 91 COL DU LAUTARET
A
Via Ferrata et
Fort des Salettes
Rond-Point
des Alpes
Av. du Dauphiné
Avenue du Lautaret
Av. Prof. Forgue
Route de Grenoble
Av. de la Libération
Ch^in de la Tour
R. du G^al Barbot
G^al R. du Colaud
Avenue Froger
Av. de la République
VILLE
HAUTE
Fort du
Château
Grand' Rue
N 94 MONTGENÈVRE, TURIN
Guisane
POL
CENTRE
CULTUREL
STE-
CATHERINE
TÉLÉPHÉRIQUE
DU PROREL
Pl. de l'Europe
Petsche
Av. M.
R. Provence
Durance
PARC
DE LOISIRS
DE LA SCHAPPE
PONT
D'ASFELD
Av. du G^al de Gaulle
Av. du 4^e RTM
Rte de Puy St. Pierre
Av. J. Moulin
BRIANÇON
0
300 m
GAP
N 94
D 902
COL
D'IZOARD

| | | | | | | | | |
|---|---|---|---|---|---|---|---|---|
| Alphand (R.) | A | 2 | Col d'Izoard (Av.) | A | 12 | Italie (Rte d') | A | 18 |
| Baldenberger (Av. P.) | A | 4 | Daurelle (Av. A.) | A | 13 | Pasteur (R.) | A | 23 |
| Centrale (R.) | A | 10 | Gaulle (Av. Gén. de) | A | 16 | 159^e-R.-I.-A. (Av.) | A | 30 |

*Si le coût de la vie subit des variations importantes,*
*les prix que nous indiquons peuvent être majorés.*
*Lors de votre réservation à l'hôtel, faites-vous préciser le prix définitif.*

---

**BRIARE** *45250 Loiret 318 N6 G. Châteaux de la Loire – 6 070 h alt. 135.*

*Office du tourisme, 1 place Charles de Gaulle ☎ 02 38 31 24 51, Fax 02 38 37 15 16.*

*Paris 156 – Auxerre 76 – Cosne-sur-Loire 31 – Gien 10 – Orléans 79.*

**Cerf** sans rest, 22 bd Buyser ☎ 02 38 37 00 80, *Fax 02 38 37 05 15*, – TV P. GB
*fermé 22 déc. au 4 janv., vend. (sauf hôtel d'avril à sept.) et sam. midi –* 6 – **21 ch** 42/50.
◆ Près du célèbre et magnifique pont-canal (fin 19^e s.) dessiné par Eiffel. Chambres toutes blanches, sobrement aménagées ; celles de l'annexe sont au calme, côté jardin.

---

**BRIDES-LES-BAINS** *73570 Savoie 333 M5 G. Alpes du Nord – 611 h alt. 580 – Stat. therm. (début mars-fin oct.) – Casino.*

*Office du Tourisme, ☎ 04 79 55 20 64, Fax 04 79 55 20 40, tourism@brides-les-bains.com.*

*Paris 613 – Albertville 33 – Annecy 78 – Chambéry 82 – Courchevel 18 – Moûtiers 7.*

**Grand Hôtel des Thermes,** ☎ 04 79 55 38 38, *gdhotel@brides.les.bains.com, Fax 04 79 55 28 29,* – TV P – 80. AE GB. rest
*fermé 30 oct. au 26 déc. –* **Repas** 23/25 – 12 – **102 ch** 86/160 – P 100/130.
◆ Entre thermes et casino, immeuble du 19^e s. disposant de chambres spacieuses et actuelles. Restaurant "rétro" ; menus traditionnels ou diététiques. Fitness complet.

**Amélie** M, ✆ 04 79 55 30 15, *ameliehotel@aol.com, Fax 04 79 55 28 08*, – AE GB
*fermé 1er nov. au 20 déc.* – **Les Cerisiers :** **Repas** 21/32,enf.9 – 9 – **40 ch** 135/155 – 1/2 P 100/110.
◆ Bâtiment moderne situé à proximité de la gare des télécabines et de l'établissement thermal. Chambres bien équipées ; insonorisation efficace. Vaste restaurant.

**Golf,** ✆ 04 79 55 28 12, *golfhotel-brides@wanadoo.fr, Fax 04 79 55 24 78*, – GB. rest
*fermé 30 oct. au 20 déc.* – **Repas** 24 – 9 – **45 ch** 70/115 – P 74/107,50.
◆ Traditionnel hôtel de curistes où vous choisirez l'une des chambres rénovées et affinerez votre silhouette au centre de masso-hydrothérapie. Vue sur les sommets.

**Altis Val Vert,** ✆ 04 79 55 22 62, *valvert@brides.les.bains.com, Fax 04 79 55 29 12*, – AE GB.
*fermé 25 oct. au 20 déc.* – **Repas** (dîner seul. en hiver) (13,50) - 19,50/23, enf. 11 – 8,50 – **28 ch** 62/68 – P 59/66.
◆ Au coeur de la station, deux jolis chalets séparés par un ravissant jardinet où l'on sert les repas à la belle saison. Les chambres, confortables, sont toutes redécorées.

**Les Sources**, ✆ 04 79 55 29 22, *les.sources.1@wanadoo.fr, Fax 04 79 55 27 06*, – GB. rest
*fermé 29 oct. au 20 déc.* – **Repas** (dîner seul. en hiver) 18,50, enf. 9,50 – 7 – **70 ch** 51/63.
◆ Imposants bâtiments disposés autour d'un corps central. Les chambres, peu à peu refaites, sont dotées de balcons offrant la vue sur le parc thermal.

**Belvédère** sans rest, ✆ 04 79 55 23 41, *hotel.belvedere@wanadoo.fr, Fax 04 79 55 24 96* – GB.
*fermé 1er nov. au 15 déc.*. – **28 ch** 51/75.
◆ Petit "castel" savoyard où vous passerez un agréable séjour face au massif de la Vanoise. Sobre décor et mobilier d'inspiration montagnarde dans les chambres.

**Grillade,** résid. Le Royal ✆ 04 79 55 20 90, *Fax 04 79 55 20 90*, – GB.
*fermé 30 oct. au 15 déc.* – **Repas** 17/22,50, enf. 10.
◆ Modeste mais sympathique restaurant à deux pas du centre-ville. Plats traditionnels et diététiques à déguster dans une salle à manger d'esprit rustique ou en terrasse.

---

**BRIEC** *29510 Finistère* 308 H6 – *4 546 h alt. 158.*
*Office du Tourisme, 7 rue de la Résistance ✆ 02 98 57 74 62, Fax 02 98 57 74 62.*
*Paris 576 – Quimper 17 – Carhaix-Plouguer 44 – Châteaulin 15 – Morlaix 65 – Pleyben 17.*

**Midi,** r. Gén. de Gaulle ✆ 02 98 57 90 10, *Fax 02 98 57 74 82* – GB. ch
*fermé 20 déc. au 6 janv., dim. soir et sam. sauf juil.-août* – **Repas** (11) - 14/28 – 7 – **14 ch** 42/45 – 1/2 P 42.
◆ Dans cette petite maison bretonne, les chambres, actuelles et bien équipées, ont su fidéliser une clientèle d'affaires. Salle de restaurant campagnarde, carte régionale.

---

**BRIE-COMTE-ROBERT** *77 S.-et-M.* 312 E3 101 (39) – *voir à Paris, Environs.*

---

**BRIGNOGAN-PLAGES** *29890 Finistère* 308 F3 – *836 h alt. 17.*
*Office du Tourisme, 7 avenue du Général de Gaulle ✆ 02 98 83 41 08, Fax 02 98 83 40 47, otbrigno@aol.com.*
*Paris 585 – Brest 42 – Landerneau 27 – Morlaix 51 – Quimper 89.*

**Castel Régis**, ✆ 02 98 83 40 22, *castel-regis@wanadoo.fr, Fax 02 98 83 44 71*, – GB
*hotel : début mai-fin sept. ; rest : 15 juin-31 août* – **Repas** (résidents seul.) – 7,50 – **21 ch** 78/95 – 1/2 P 70/83.
◆ Cadre enchanteur pour ces pavillons disséminés dans un grand jardin bordant l'anse de Pontusval. Chambres au sobre décor marin. Salle des repas de style rustique.

---

**BRIGNOLES** *83170 Var* 340 L5 – *11 239 h alt. 214.*
*Syndicat d'Initiative, 10 rue du Palais ✆ 04 94 69 27 51, Fax 04 94 69 44 08.*
*Paris 813 – Aix-en-Provence 59 – Draguignan 55 – Toulon 50.*

**Kyriad,** centre d'Affaires l'Hexagone-Bretelle A8 ✆ 04 94 69 30 30, *Fax 04 94 59 03 44*, – 35. AE GB
**Repas** 16/18 – 6,50 – **39 ch** 58/65.
◆ Des chambres simples, spacieuses et bien équipées vous attendent dans cet hôtel implanté dans un quartier d'affaires proche de l'autoroute, mais relativement calme.

---

**La BRIGUE** *06 Alpes-Mar.* 341 G3 – *rattaché à Tende.*

## BRINON-SUR-SAULDRE *18410 Cher 323 J1 – 1 107 h alt. 147.*

*Paris 191 – Orléans 54 – Bourges 65 – Cosne-sur-Loire 60 – Gien 37 – Salbris 25.*

**Solognote**, ✆ 02 48 58 50 29, *Fax 02 48 58 56 00*, – rest, TV P. GB. ch
*fermé 15 au 21 mai, 9 au 17 sept., 15 fév. au 15 mars,* – **Repas** *(fermé mardi, merc. sauf en juil.-août, mardi midi, merc. midi et jeudi midi de juil. à sept.)* (19,50) - 26/55 – 10 – **13 ch** 57/75 – ½ P 75/83.
◆ Belle maison en briques du village où Maurice Genevoix écrivit son Raboliot. Chambres donnant sur la jolie cour-jardin et cadre solognot au restaurant (tomettes, vitraux, etc.).

## BRIOLLAY *49125 M.-et-L. 317 F3 – 2 005 h alt. 20.*

**Env.** *Plafond*** de la salle des Gardes du château de Plessis-Bourré NO : 10 km* G. Châteaux de la Loire.

*Syndicat d'Initiative, place O'Kelly ✆ 02 41 42 50 28, Fax 02 41 37 92 89.*

*Paris 289 – Angers 15 – Château-Gontier 42 – La Flèche 41.*

**par rte de Soucelles** *(D 109) : 3 km – ✉ 49125 Briollay :*

**Château de Noirieux**, ✆ 02 41 42 50 05, *noirieux@relaischateaux.com*, *Fax 02 41 37 91 00*, ←, , , , – TV & P – 60. AE GB JCB
*fermé 2 au 27 nov., 16 fév. au 20 mars, dim. et lundi de nov. au 14 avril sauf fériés* – **Repas** *(fermé dim. soir de nov. au 14 avril, mardi sauf le soir de nov.au 14 avril et lundi)* (40) - 49/92 et carte 80 à 115 – 19 – **19 ch** 165/315 – ½ P 136/210.
◆ Cette superbe propriété réunit un château du 17ᵉ s., un manoir du 15ᵉ s. et une chapelle dans un parc dominant le Loir. Goûtez à la volupté d'un luxe discret et raffiné.
**Spéc.** Araignée de mer en lasagne à la truffe. Queues de langoustines aux artichauts frits et légumes croquants. Pigeon rôti en cocotte, jus au vin de Bonnezeaux. **Vins** Savennières, Anjou-Villages.

## BRION *01 Ain 328 G3 – rattaché à Nantua.*

## BRIONNE *27800 Eure 304 E6 G. Normandie Vallée de la Seine – 4 408 h alt. 56.*

**Voir** *Abbaye du Bec-Hellouin** N : 6 km – Harcourt : château* et arboretum* SE : 7 km.*

*Office du Tourisme, 1 rue du Général de Gaulle ✆ 02 32 45 70 51, Fax 02 32 45 70 51.*

*Paris 155 – Rouen 44 – Bernay 16 – Évreux 41 – Lisieux 40 – Pont-Audemer 27.*

**Logis** avec ch, pl. St Denis ✆ 02 32 44 81 73, *lelogisdebrionne@free.fr*, *Fax 02 32 45 10 92* – TV P. AE GB JCB
*fermé 27 juil. au 11 août, 21 fév. au 8 mars, sam. midi, dim. soir et lundi* – **Repas** 17/57 et carte 43 à 62 – 9 – **12 ch** 56/63 – ½ P 70/75.
◆ Salle à manger contemporaine agrémentée de nombreuses plantes vertes. On y déguste une cuisine au goût du jour et des spécialités du pays. Chambres garnies de meubles anciens.

**Auberge du Vieux Donjon** avec ch, r. Soie ✆ 02 32 44 80 62, *auberge.vieuxdonjon@wanadoo.fr*, *Fax 02 32 45 83 23*, – TV P. AE GB
*fermé 12 au 23 mars, 19 au 25 août et 14 au 30 oct.* – **Repas** 13,60/34, enf. 8,40 – 6,20 – **7 ch** 40/55 – ½ P 51/56.
◆ Belle maison normande du 18ᵉ s. à colombages près des ruines du donjon brionnais (11ᵉ s.). Intérieur campagnard avec assiettes et cuivres anciens. Patio-terrasse ombragé.

## BRIOUDE *43100 H.-Loire 331 C2 G. Auvergne – 7 285 h alt. 427.*

**Voir** *Basilique St-Julien** (chevet**, chapiteaux**).*

**Env.** *Lavaudieu : fresques* de l'église et cloître** de l'ancienne abbaye 9,5 km par ①.*

*Office du Tourisme, place Lafayette ✆ 04 71 74 97 49, Fax 04 71 74 97 87.*

*Paris 482 ① – Le Puy-en-Velay 62 ① – Clermont-Ferrand 70 ① – St-Flour 53 ②.*

Plan page suivante

**Sapinière** M, av. P. Chambriard **(m)** ✆ 04 71 50 87 30, *hotel.la.sapiniere@wanadoo.fr*, *Fax 04 71 50 87 39*, , , – TV & P – 25. AE GB
*fermé janv., fév. et dim. sauf juil.-août* – **Repas** *(fermé nov. à Pâques, dim. soir et lundi)* (dîner seul.)(résidents seul.) 20/36 – 9 – **11 ch** 75/85 – ½ P 68.
◆ Au coeur de la petite cité mais au calme d'un joli jardin, plaisante construction récente abritant des chambres spacieuses et personnalisées. Agréable terrasse ombragée.

**Poste et Champanne** (annexe 17 ch.), 1 bd Dr Devins **(a)** ✆ 04 71 50 14 62, *Fax 04 71 50 10 55* – TV P
*fermé 25 janv. au 1ᵉʳ mars, dim. soir (sauf hôtel en juil.-août) et lundi midi* – **Repas** 14/35 – 6,50 – **20 ch** 27/50 – ½ P 44.
◆ Chambres fonctionnelles, plus calmes à l'annexe. Généreuse cuisine auvergnate servie dans les salles à manger de cette auberge familiale où l'on cultive l'art de recevoir.

## BRIOUDE

Assas (R. d') .............. 2
Blum (Av. Léon) .............. 3
Briand (Bd Aristide) .............. 4
Chambriard (Av. P.) .............. 5
Chapitre (R. du) .............. 6
Chèvrerie (R. de la) .............. 7
Commerce (R. du) .............. 8
Gilbert (Pl. Eugène) .............. 9
Grégoire-de-Tours (Place) .............. 10
La-Fayette (Pl.) .............. 12
Lamothe (Av. de) .............. 13
Liberté (Pl. de la) .............. 14
Maigne (R. J.) .............. 15
Mendès-France (Av. P.) .............. 16
Michel-de-l'Hospital (Rue) .............. 17
Pascal (R.) .............. 18
République (R. de la) .............. 19
Résistance (Pl. de la) .............. 20
St-Jean (Pl.) .............. 21
Sébastopol (R.) .............. 22
Séguret (R.) .............. 23
Talairat (R.) .............. 24
Vercingétorix (Bd) .............. 25
Victor-Hugo (Av.) .............. 26
4-Septembre (R. du) .............. 27
14-Juillet (R. du) .............. 28
21-Juin-1944 (R. du) .............. 29

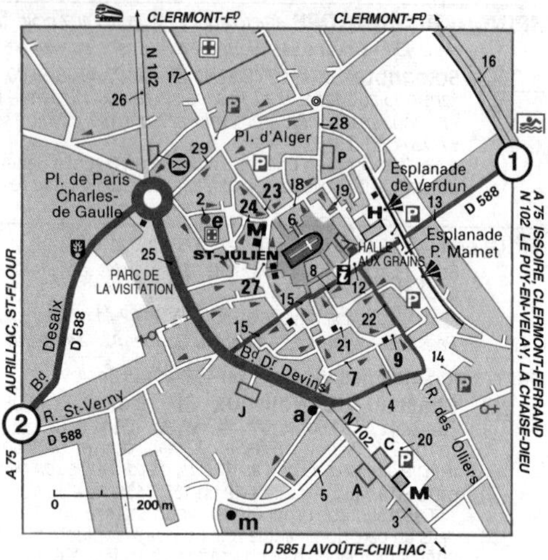

CLERMONT-Fᴰ
CLERMONT-Fᴰ
N 102
Pl. d'Alger
Pl. de Paris Charles-de Gaulle
Esplanade de Verdun
Esplanade P. Mamet
D 588
A 75 ISSOIRE, CLERMONT-FERRAND
N 102 LE PUY-EN-VELAY, LA CHAISE-DIEU
ST-JULIEN
HALLE AUX GRAINS
PARC DE LA VISITATION
AURILLAC, ST-FLOUR
Bd Desaix
Bd Dr Devins
R. St-Verny
R. des Olliers
A 75
200 m
D 585 LAVOÛTE-CHILHAC


✗ **Pons,** 7 r. d'Assas **(e)** ✆ 04 71 50 00 03 – GB
*fermé 16 au 24 juin, 10 nov. au 10 déc., dim. soir, mardi soir et lundi* – **Repas** (prévenir) 9 (déj.), 12,50/15 ₰.
◆ Les Brivadois fréquentent cet établissement voisin de la basilique St-Julien pour ses menus aux accents régionaux et sa convivialité. Salle à manger champêtre.

*Ecrivez-nous...*
*Vos louanges comme vos critiques seront examinées avec le plus grand soin. Nous reverrons sur place les informations que vous nous signalez.*
*Par avance merci !*

**BRIOUZE** *61220 Orne* 310 *G2 – 1 658 h alt. 210.*
*Paris 219 – Alençon 58 – Argentan 27 – La Ferté-Macé 13 – Flers 17.*

✗ **Sophie** avec ch, ✆ 02 33 62 82 82, *Fax 02 33 62 82 83* – TV ✆. GB. ✗ ch
*fermé 21 déc. au 4 janv. et 16 au 30 août* – **Repas** 11/25 ₰ – ☕ 5 – **9 ch** 37/63 – ½ P 40.
◆ Sur la place du village, très animée les jours de marché aux bestiaux, petite adresse familiale disposant de deux salles à manger sobrement rustiques. Chambres pratiques.

**BRISSAC** *34190 Hérault* 339 *H5 – 365 h alt. 145.*
*Paris 736 – Alès 54 – Montpellier 42 – Le Vigan 26.*

✗ **Jardin aux Sources,** 30 av. Parc ✆ 04 67 73 31 16, *isaje@club-internet.fr, Fax 04 67 73 31 16,* ☂ – GB
*fermé 15 au 30 juin, 16 au 30 nov., 5 au 12 janv., dim. soir et lundi* – **Repas** (nombre de couverts limité, prévenir) 28/58, enf. 10.
◆ Maison en pierre au coeur d'un pittoresque village de la vallée de l'Hérault. Restaurant voûté garni de meubles contemporains et paisible terrasse. Cuisine au goût du jour.

**BRISSAC-QUINCÉ** *49320 M.-et-L.* 317 *G4 G. Châteaux de la Loire – 2 275 h alt. 65.*
Voir *Château*★★.
ℹ *Office du Tourisme,* ✆ *02 41 91 21 50, Fax 02 41 91 28 12, Brissac.Tourisme49@wanadoo.fr.*
*Paris 308 – Angers 18 – Cholet 61 – Saumur 39.*

🏠 **Castel** M sans rest, 1 r. L. Moron (face château) ✆ 02 41 91 24 74, *Fax 02 41 91 71 55* – ✗ TV ✆ P. AE GB. ✗
☕ 8 – **11 ch** 54/61.
◆ Petit hôtel fraîchement rénové offrant des chambres confortables, pimpantes et colorées. Pour les amateurs, la plus luxueuse propose son lit à baldaquin.

**BRIVE-LA-GAILLARDE** <SP> *19100 Corrèze* 329 K5 *G. Périgord Quercy – 49 765 h alt. 142.*
Voir *Musée de Labenche*★.
✆ *08 36 35 35 35.*
ℹ *Office du Tourisme, place du 14 Juillet ✆ 05 55 24 08 80, Fax 05 55 24 58 24, tourisme. brive@wanadoo.fr.*
*Paris 480 ③ – Albi 209 ② – Clermont-Ferrand 177 ① – Limoges 92 ③ – Toulouse 212 ②.*

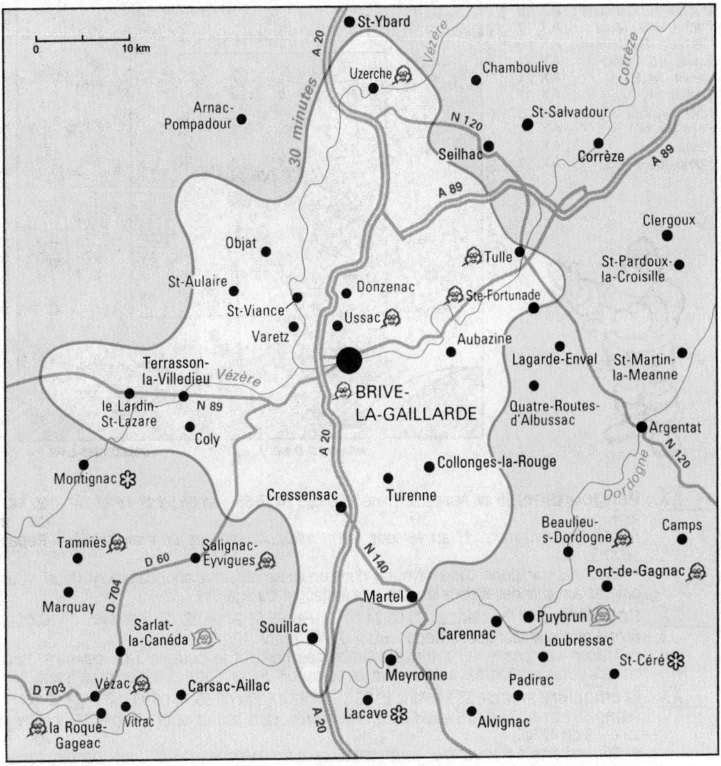

0
10 km
St-Ybard
A 20
Vézère
Uzerche
Chamboulive
Corrèze
30 minutes
Arnac-Pompadour
N 120
St-Salvadour
Seilhac
Corrèze
A 89
A 89
Clergoux
Objat
Tulle
St-Pardoux-la-Croisille
St-Aulaire
Donzenac
Ste-Fortunade
St-Viance
Ussac
Varetz
Aubazine
Terrasson-la-Villedieu
Vézère
Lagarde-Enval
St-Martin-la-Meanne
BRIVE-LA-GAILLARDE
le Lardin-St-Lazare
N 89
Quatre-Routes-d'Albussac
Argentat
Coly
A 20
N 120
Collonges-la-Rouge
Montignac
Turenne
Dordogne
Cressensac
Beaulieu-s-Dordogne
Camps
Tamniès
Salignac-Eyvigues
D 60
N 140
Port-de-Gagnac
Marquay
D 704
Martel
Puybrun
Sarlat-la-Canéda
Souillac
Carennac
Loubressac
St-Céré
Meyronne
Padirac
D 703
Vézac
Carsac-Aillac
Vitrac
Lacave
A 20
Alvignac
la Roque-Gageac


**Truffe Noire,** 22 bd A. France ✆ 05 55 92 45 00, *contact@la-truffe-noire.com, Fax 05 55 92 45 13,* – 🛗 ▤ 📺 📞 – 🏛 20. AE ⓓ GB JCB — CY v
Repas *(16)* - 23/25 ♀ – ☕ 9,20 – **27 ch** 72/93 – ½ P 69/77.
◆ Grande maison régionale du 19e s. au seuil de la vieille ville. Belles chambres. Truffes et spécialités corréziennes à déguster dans le caveau voûté ou la salle à manger.

**Collonges** M sans rest, 3 pl. W. Churchill ✆ 05 55 74 09 58, *lecollonges@wanadoo.fr, Fax 05 55 74 11 25* – 🛗 📺 📞. AE ⓓ GB — CZ n
☕ 6,50 – **24 ch** 45/53.
◆ Entre centre historique et quartiers résidentiels, en léger retrait du boulevard de ceinture. Intérieur coloré et ameublement moderne, pour le bien-être des voyageurs.

**Ibis** sans rest, 32 r. M. Roche ✆ 05 55 17 42 42, *h0814@accor-hotels.com, Fax 05 55 23 54 41* – 🛗 ⇔ 📺 📞 🅿 – 🏛 25. AE GB — AX u
☕ 6 – **50 ch** 55.
◆ Séparé de la Corrèze par une route animée, hôtel pratique dont les chambres, grandes et claires, se rénovent peu à peu. Buffet pour le petit-déjeuner servi dès 6 h 30.

**Quercy** sans rest, 8 bis quai Tourny ✆ 05 55 74 09 26, *Fax 05 55 74 06 24* – 🛗 📺 📞. AE ⓓ GB. ✻ — CY d
*fermé 15 déc. au 5 janv.* – ☕ 7 – **60 ch** 50/56.
◆ Le marché dont Brassens fit la réputation se tient sur la place, face à l'hôtel. La foire du Livre s'y déroule également chaque année. Chambres spacieuses et nettes.

## BRIVE-LA-GAILLARDE

Blum (Av. L.) .......... **AX** 4
Clemenceau (Bd) ..... **AX** 6
Dalton (R. Gén.) ...... **AX** 7
Dellessert (R.B.) ...... **AX** 9
Dr.-Marbeau (Bd) ..... **AX** 10
Dormoy (Bd M.) ....... **AX** 13
Dubois (Bd Cardinal) .. **AX** 15
Foch (Av. du Mar.) ..... **AX** 17
Germain (Bd Colonel).. **AX** 20
Grivel (Bd Amiral) ..... **AX** 22
Hériot (Av. E.) ......... **AX** 24
Leclerc (Av. Mar.) ..... **AX** 31
Michelet (Bd).......... **AX** 33
Paris (Av. de) .......... **AX** 34
Pasteur (Av.) .......... **AX** 35
Pompidou (Av. G.) .... **AX** 37

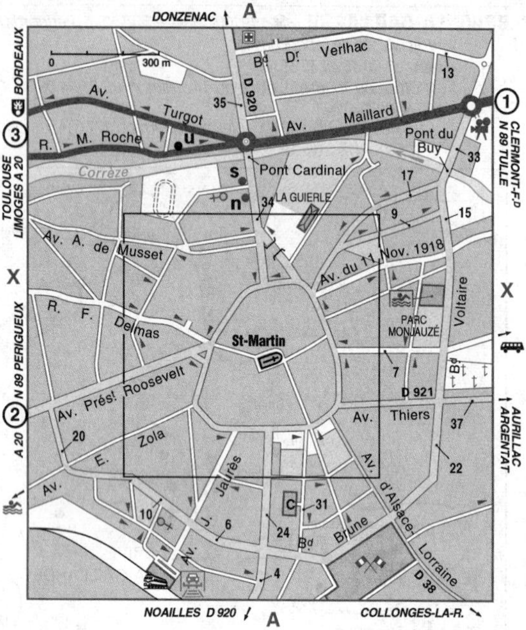

DONZENAC
A
300 m
Bd Dr Verlhac
D 920
Av. Turgot
Av. Maillard
R. M. Roche
Pont du Buy
Corrèze
Pont Cardinal
LA GUIERLE
Av. A. de Musset
Av. du 11 Nov. 1918
R. F. Delmas
St-Martin
PARC MONJAUZÉ
Voltaire
Av. Prést Roosevelt
D 921
Av. Thiers
E. Zola
Av. J. Jaurès
Av. d'Alsace-Lorraine
Bd Brune
D 38
NOAILLES D 920
COLLONGES-LA-R.
BORDEAUX
TOULOUSE LIMOGES A 20
PERIGUEUX
A 20 N 89
CLERMONT-F.D N 89 TULLE
AURILLAC ARGENTAT
X

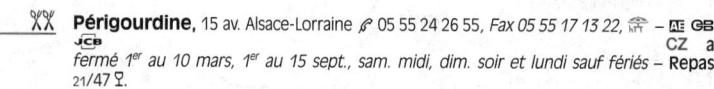

XX **Périgourdine,** 15 av. Alsace-Lorraine ✆ 05 55 24 26 55, *Fax 05 55 17 13 22,* 𝄐 – AE GB JCB — CZ a
*fermé 1er au 10 mars, 1er au 15 sept., sam. midi, dim. soir et lundi sauf fériés* – **Repas** 21/47 ♀.
◆ Recettes traditionnelles à savourer dans un cadre classique abondamment fleuri. Vous dînerez aux chandelles dans la vaste salle à manger ou le jardin.

XX **Potinière,** 6 bd Puyblanc ✆ 05 55 24 06 22, *Fax 05 55 24 06 22,* 𝄐 – AE GB — CZ z
*fermé dim. soir sauf août* – **Repas** (12,50) - 23/47 ♀, enf. 10.
◆ Maison centenaire et sa terrasse ombragée bordant le boulevard de ceinture. Tons chauds et tables dressées autour d'un joli comptoir de bar. Carte classique et rôtisserie.

XX **Crémaillère** avec ch, 53 av. Paris ✆ 05 55 74 32 47, *Fax 05 55 74 00 15,* 𝄐 – TV ✆ GB
*fermé 30 juin au 7 juil., 25 au 31 août, 9 au 16 fév., dim. soir et lundi* – **Repas** 16 bc/40 ♀ – ☕ 6 – **9 ch** 42/45. — AX n
◆ Sur une artère fréquentée, contraste d'un cadre rustique et d'un décor contemporain d'oeuvres peintes ou sculptées par un artiste local. Terrasse dans la cour intérieure.

X **Chez Francis,** 61 av. Paris ✆ 05 55 74 41 72, *Fax 05 55 17 20 54* – GB — AX s
*fermé 2 au 18 août, vacances de fév., dim., lundi et fériés* – **Repas** (nombre de couverts limité, prévenir) 14/21 ♀.
◆ Salle égayée d'affichettes "show bizz" et de pubs "rétro" que les nostalgiques des bistrots parisiens retrouveront avec plaisir. Plats du pays mijotés comme il se doit.

X **Toupine,** 11 r. Jean Labrunie ✆ 05 55 23 71 58, *Fax 05 55 23 71 58* – ▤. GB — CZ v
*fermé 9 au 24 août, vacances de fév., merc. soir et dim.* – **Repas** (prévenir) (10) - 17/24 ♀.
◆ Après la visite du musée Labenche, vous pourrez envisager une pause repas dans ce restaurant sobrement aménagé, souvent complet à midi. Carte traditionnelle.

**à Ussac** *Nord-Ouest par D 920 **AX** et D 57 : 5 km – 2 762 h. alt. 350 – ✉ 19270 :*

**Auberge St-Jean,** ✆ 05 55 88 30 20, *Fax 05 55 87 28 50,* 𝄐 – TV. GB
**Repas** *(fermé dim. soir de nov. à Pâques)* 11,50/30 – ☕ 6 – **27 ch** 36/45 – ½ P 44.
◆ Accueillante auberge villageoise sur fond de collines et de vallons périgourdins. Chambres modernes ou de style rustique. La terrasse profite d'une vue étendue.

XX **Petit Clos** avec ch, au Pouret ✆ 05 55 86 12 65, *Fax 05 55 86 94 32,* 𝄐, 🏊, 🌳 – TV ✆ P – 🏛 20. GB. ✱ rest
*fermé 1er au 24 oct., 20 fév. au 16 mars, dim. soir et lundi* – **Repas** 20/40 ♀ – ☕ 7 – **7 ch** 58/76.
◆ Attardez-vous dans ces deux séduisantes maisons corréziennes en pleine campagne. L'intérieur rustique a conservé pierres apparentes et cheminées. Spécialités régionales.

## BRIVE-LA-GAILLARDE

Alsace-Lorraine (Av. d') .. **CZ** 2
Anatole-France (Bd) ..... **CY** 3
Dalton (R.Gén.) ........ **CY** 7
Dauzier (Pl. J.-M.) ...... **CY** 8
Dellessert (R. B.) ....... **CY** 9
Dr-Massénat (R.) ....... **CY** 12
Faro (R.du Lt-Colonel) ...... **CZ** 16
Gambetta (R.) ............ **CZ**
Gaulle (Pl. Ch. de) .......... **CZ** 18
Halle (Pl. de la) ........... **CY** 23
Herriot (Av. E.) ............ **CZ** 24
Hôtel-de-Ville (Pl.de l') ...... **CY** 26
Hôtel-de-Ville (R.de l') ...... **BZ** 27
Lattre-de-T. (Pl. de) ......... **CZ** 29
Latreille (Pl.) .............. **CZ** 30
Leclerc (Av. Mar.) .......... **CZ** 31
Lyautey (Bd Mar.) .......... **BZ** 32
Paris (Av. de) .............. **BY** 34
Puyblanc (Bd de) .......... **CZ** 39
Raynal (R. B.) ............. **CZ** 40
République (Pl. de la) ............. **BZ** 42
République (R. de la) ............. **BZ** 43
Salan (R. du) ............. **CZ** 45
Ségéral-Verninac (R.) ....... **BY** 46
Teyssier (R.) .............. **CY** 47
Toulzac (R.) ............... **CY** 48

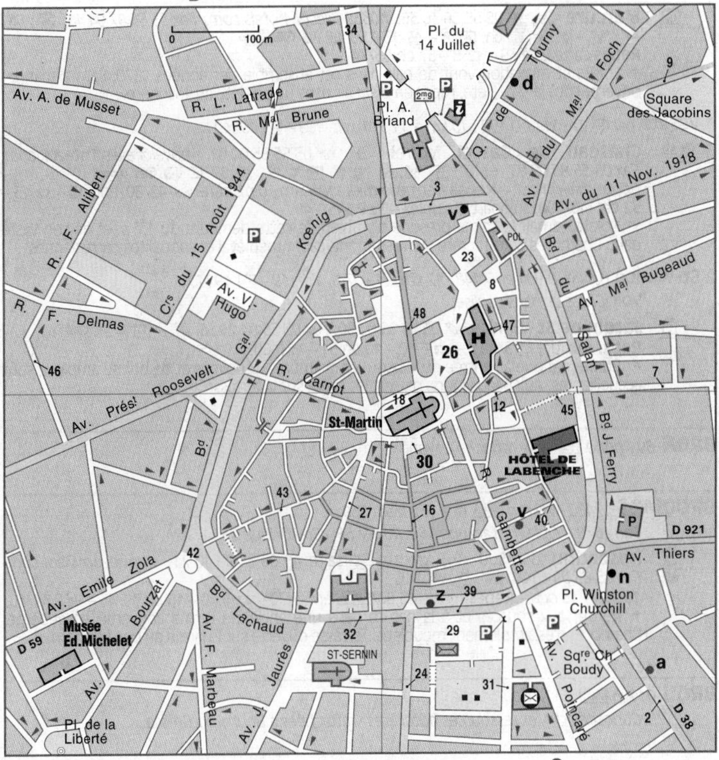

B
C
Y
Z
0
100 m
Pl. du 14 Juillet
Av. A. de Musset
R. L. Latrade
R. Mal Brune
Pl. A. Briand
Q. de Tourny
Av. du Mal Foch
Square des Jacobins
Av. du 11 Nov. 1918
R. F. Alibert
Crs du 15 Août 1944
Kœnig
Av. V. Hugo
Gal
R. F. Delmas
Av. Présl Roosevelt
R. Carnot
Bd du Salan
Av. Mal Bugeaud
St-Martin
HÔTEL DE LABENCHE
Bd J. Ferry
R. Gambetta
D 921
Av. Thiers
Pl. Winston Churchill
Av. Emile Zola
Bourzat
Bd Lachaud
Av. F. Marbeau
Av. J. Jaurès
Musée Ed.Michelet
D 59
ST-SERNIN
Sqre Ch. Boudy
Av. Poincaré
D 38
Pl. de la Liberté


rte d'Aurillac *Est par D 921* **CZ** – ✉ *19360 Malemort* :

XX **Auberge des Vieux Chênes** avec ch, à 2,5km ✆ 05 55 24 13 55, *Fax 05 55 24 56 82* – TV ✆ 🚗 P – 🏋 30. AE ⓓ GB. ✂ ch
*fermé dim. et fériés* – **Repas** 13,50/30 🍷 – ☕ 7 – **12 ch** 38/45 – 1/2 P 36,50/38.
◆ Aux portes de Brive, étape prisée de la clientèle d'affaires : cadre contemporain, chambres tout confort, bar, tabac et journaux. Recettes classiques aux accents du pays.

X **Auberge du Château,** Le Peyroux, à 5 km ✆ 05 55 92 07 59, *chateau.auberge@wanadoo.fr, Fax 05 59 87 05 73* – P. GB
*fermé 25 août au 10 sept., vacances de fév., dim. soir, sam. midi et lundi* – **Repas** (nombre de couverts limité, prévenir) 17/36.
◆ À la campagne, maison bourgeoise abritant une chaleureuse salle à manger rustique avec pierres et poutres ; cuisine au goût du jour. Discothèque attenante mais indépendante.

**rte de Périgueux** *par ②: 3 km – 19100 Brive-la-Gaillarde :*

**Teinchurier,** av. du Teinchurier ☎ 05 55 86 45 00, *leteinchurier@wanadoo.fr, Fax 05 55 86 45 45,* – rest, – 30. AE GB
**Repas** *(fermé 24 déc. au 1er janv. et dim. soir)* 10,20 (déj.), 11,50/33,50 ♀, enf. 7,30 – 8,60 – **40 ch** 53/54,50 – ½ P 47,30.
◆ Si vous préférez séjourner à l'écart de l'animation du centre-ville, vous pourrez opter pour cet hôtel fonctionnel offrant des chambres spacieuses et bien insonorisées.

**rte d'Objat** *par ③, D 901 et D 170 : 6 km – 19100 Brive-la-Gaillarde :*

**Mercure** ☎ 05 55 86 36 36, *h0358@accor-hotels.com, Fax 05 55 87 04 40,* ch, – 15 à 50. AE GB JCB
**Repas** carte 25 à 39 – 8 – **57 ch** 65/74.
◆ Loisirs et relaxation vont de pair dans cet ensemble des années 1970. Salle à manger ouverte côté jardin. L'été, repas en plein air dans une quiète atmosphère.

**à Varetz** *par ③, D 901 et D 152 : 10 km – 1 851 h. alt. 109 – 19240 :*

**Château de Castel Novel** ☎ 05 55 85 00 01, *novel@relaischateaux.com, Fax 05 55 85 09 03,* – 80. AE GB JCB
*début mai-fin oct.* – **Repas** *(fermé le midi sauf sam., dim. et fériés)* 42/80, enf. 15 – 15 – **32 ch** 140/300, 3 appart, 3 duplex – ½ P 145/240.
◆ Colette aimait le calme presque olympien de cette demeure du 13e s. et de son vaste parc. Chambres de caractère. Au restaurant, cadre médiéval et spécialités corréziennes.

**à St-Viance** *par ③, D 901 et D 148 : 12 km – 1 407 h. alt. 119 – 19240.*
Voir *Châsse* dans l'église.*

**Jardin de St-Viance,** ☎ 05 55 85 00 50, *Fax 05 55 84 25 36,* – GB
**Repas** 8,50 (déj.), 16/30 ♀ – 6,10 – **10 ch** 51 – ½ P 60.
◆ Étape pratique à l'entrée du village. Les chambres, rénovées et de bonne ampleur, sont accueillantes. Aux beaux jours, on sert les repas sur la terrasse.

---

**BRON** *69 Rhône* 327 I5 – *rattaché à Lyon.*

---

**BROQUIÈS** *12480 Aveyron* 338 I6 – *652 h alt. 386.*
*Paris 679 – Albi 64 – Lacaune 56 – Rodez 56 – St-Affrique 23.*

**Pescadou**, Sud : 2,5 km rte St-Izaire ☎ 05 65 99 40 21, *wantiezam@aol.com, Fax 05 65 99 48 04,*
*15 mars-15 oct.* – **Repas** *(11 bc)* - 13,60/22 ♀, enf. 7,70 – 5,40 – **15 ch** 30/45 – ½ P 37/40.
◆ Retour aux sources et à la nature dans une ancienne ferme convertie en auberge. Chambres très simplement meublées. Terrasse ouverte sur le jardin au bord du Tarn.

---

**BROU** *01 Ain* 328 E3 *G. Bourgogne.*
*Curiosités*** et ressources hôtelières : rattachées à Bourg-en-Bresse.*

---

**BROU** *28160 E.-et-L.* 311 C6 – *3 803 h alt. 150.*
*Office du Tourisme, rue de la Chevalerie ☎ 02 37 47 01 12, Fax 02 37 47 01 12, otsi.brou.28@wanadoo.fr.*
*Paris 143 – Chartres 38 – Châteaudun 22 – Le Mans 86 – Nogent-le-Rotrou 33.*

**L'Ascalier,** 9 pl. Dauphin ☎ 02 37 96 05 52, *Fax 02 37 96 05 52,* – GB
*fermé vacances de Toussaint, de fév., dim. soir, lundi soir et mardi* – **Repas** (prévenir) *(12)* - 16/38,90 ♀, enf. 7.
◆ Le bel "ascalier" du 16e s. dessert la salle à manger de l'étage. Intérieur rustique, terrasse fleurie et cuisine traditionnelle soignée : l'adresse est très courue.

*Dans ce guide*
*un même symbole, un même mot,*
*imprimé en* **rouge** *ou en* **noir**, *en maigre ou en* **gras**,
*n'ont pas tout à fait la même signification.*
*Lisez attentivement les pages explicatives.*

**BROUAINS** *50 Manche 303 G7 – rattaché à Sourdeval.*

**BROUCKERQUE** *59630 Nord 302 B2 – 1 168 h alt. 2.*

*Paris 281 – Calais 37 – Cassel 26 – Dunkerque 14 – Lille 74 – St-Omer 28.*

**Middel Houck,** pl. du village ✆ 03 28 27 13 46, *middelhouck@wanadoo.fr, Fax 03 28 27 15 10* – AE ⓓ GB
*fermé 21 juil. au 6 août, dim. soir, lundi soir, mardi soir et merc. soir* – **Repas** 17 (déj.), 25/45 ♀.
◆ Sur la traversée du village, cette vaste maison en briques, ancien relais de poste, convie à découvrir sa salle à manger rustique et sa carte traditionnelle.

**BROUILLAMNON** *18 Cher 323 I4 – rattaché à Charost.*

**BROUSSE-LE-CHÂTEAU** *12480 Aveyron 338 H7 G. Languedoc Roussillon – 203 h alt. 239.*

Voir *Village perché*★.

*Paris 699 – Albi 55 – Cassagnes-Bégonhès 35 – Lacaune 51 – Rodez 60 – St-Affrique 29.*

**Relays du Chasteau** ⛰, ✆ 05 65 99 40 15, *Fax 05 65 99 21 25*, ≤ – ▤ rest, P. ⓓ GB
*fermé 20 déc. au 20 fév., vend. soir et sam. d'oct. à mai* – **Repas** 14/28 bc ♀ – ☕ 6 – **12 ch** 33,50/41 – ½ P 35/38.
◆ Jolie maison aveyronnaise disposant de chambres sobres et fonctionnelles, toutes tournées vers le château médiéval. Salle à manger d'esprit campagnard. Salon TV.

**BROU-SUR-CHANTEREINE** *77 S.-et-M. 312 ② 101 ⑲ – voir à Paris, Environs.*

**BRUÈRE-ALLICHAMPS** *18 Cher 323 K6 – rattaché à St-Amand-Montrond.*

**Le BRUGERON** *63880 P.-de-D. 326 J8 – 359 h alt. 850.*

*Paris 423 – Clermont-Ferrand 70 – Ambert 28 – St-Étienne 109 – Thiers 36.*

**Gaudon** avec ch, ✆ 04 73 72 60 46, *Fax 04 73 72 63 83* – P. GB
*fermé janv., dim. soir, lundi soir et mardi du 15 sept. au 1er juin* – **Repas** 20,10/36,10 – ☕ 6,40 – **8 ch** 35,30/40,10 – ½ P 34,50/38,50.
◆ Aux abords du village, établissement familial où salle des repas et véranda offrent un cadre au charme désuet. Cuisine traditionnelle. Chambres claires et fonctionnelles.

**BRUMATH** *67170 B.-Rhin 315 K4 – 8 182 h alt. 145.*

*Paris 480 – Strasbourg 19 – Haguenau 14 – Molsheim 45 – Saverne 35.*

**A L'Écrevisse** avec ch, 4 av. Strasbourg ✆ 03 88 51 11 08, *ecrevisse@wanadoo.fr, Fax 03 88 51 89 02*, – ▤ rest, TV P. – 30. AE ⓓ GB
*fermé 28 juil. au 13 août, lundi soir et mardi* – **Repas** 29/70 et carte 43 à 67 ♀, enf. 13 - ***Krebs'Stuebel :*** Repas 21/30♀, enf. 9,10 – ☕ 9 – **17 ch** 35/61.
◆ Maison alsacienne dirigée par la même famille depuis sept générations. Salle de restaurant cossue. Esprit winstub et carte terroir au Krebs'Stuebel.

**à Mommenheim** *Nord-Ouest : 6 km par D 421 – 1 702 h. alt. 155 – ✉ 67670 :*

**Manoir St-Georges** avec ch, 53 rte Brumath ✆ 03 88 51 61 78, *e.brot@libertysurf.fr, Fax 03 88 51 59 96*, – TV P. – 30. GB
*fermé du 4 au 18 août, 5 au 12 janv., sam. midi, dim. soir et lundi* – **Repas** (10) - 19/52 ♀, enf. 9 – ☕ 6,50 – **7 ch** 34/51.
◆ Demeure récente flanquée d'une tourelle, sise en léger retrait de la route. Salle à manger feutrée et terrasse d'été. Aire de jeux pour les enfants. Chambres rustiques.

**Le BRUSC** *83 Var 340 J7 – rattaché à Six-Fours-les-Plages.*

**BRUSQUE** *12360 Aveyron 338 J8 – 422 h alt. 465.*

*Paris 702 – Albi 92 – Béziers 76 – Lacaune 31 – Lodève 51 – Rodez 109 – St-Affrique 35.*

**Dent de St-Jean** ⛰, ✆ 05 65 99 52 87, *Fax 05 65 99 53 89*, ≤ – P. GB. ch
*15 mars-1er nov. et fermé dim. soir et lundi hors saison* – **Repas** 13,50/30,30 – ☕ 5 – **16 ch** 33/44,50 – ½ P 39.
◆ Bâtisse des années 1960 édifiée sur les hauteurs du bourg. Chambres fort bien tenues, conservant leur mobilier d'origine. Atmosphère désuète mais attachante.

**BRY-SUR-MARNE** *94 Val-de-Marne 312 E2 101 ⑱ – voir à Paris, Environs.*

**BUELLAS** *01310 Ain 328 D3 – 1 162 h alt. 225.*

*Paris 424 – Mâcon 32 – Annecy 119 – Bourg-en-Bresse 9 – Lyon 70.*

**Auberge Bressane,** ✆ 04 74 24 20 20, *Fax 04 74 24 20 20,* – P. GB
*fermé 4 au 8 août, 20 au 29 oct., 24 fév. au 16 mars, dim. soir, mardi soir et merc.* – **Repas** 11 (déj.), 19,50/34.
◆ Accueillante maison familiale d'un village de la Bresse savoyarde. Intérieur d'esprit méridional, aux tons jaune et bleu. Cuisine du terroir et quelques plats provençaux.

**Le BUGUE** *24260 Dordogne 329 G6 G. Périgord Quercy – 2 764 h alt. 62.*

**Voir** *Gouffre de Proumeyssac★ S : 3 km.*

*Office du Tourisme, rue du Jardin Public ✆ 05 53 07 20 48, Fax 05 53 54 92 30.*

*Paris 522 – Périgueux 43 – Sarlat-la-Canéda 32 – Bergerac 48 – Brive-la-Gaillarde 73.*

**Domaine de la Barde**, rte Périgueux ✆ 05 53 07 16 54, *domainebarde@wanadoo.fr, Fax 05 53 54 76 19,* – TV P. AE GB
*12 avril-14 oct.* – ***L'Oustalou*** ✆ 05 53 07 66 63 **Repas** 23(déj.), 25/56 ♀, enf.13 – ☕ 11,50 – **18 ch** 77/203 – ½ P 81,50/137.
◆ Belle propriété périgourdine s'ouvrant sur un jardin à la française. En annexes, un moulin restauré abritant des chambres spacieuses, et une orangerie avec salle de fitness.

**Cygne,** 2 le Cingle ✆ 05 53 07 17 77, *Fax 05 53 07 17 06,* – TV GB
*fermé 6 au 19 oct., 21 déc. au 5 janv., sam. midi, dim. soir et lundi sauf juil.-août* – **Repas** 14/32 ♀, enf. 7 – ☕ 6 – **11 ch** 44/48 – ½ P 40/42.
◆ Aux portes du bourg, ancienne demeure familiale convertie en hôtel. Chambres simples et bien tenues, sagement campagnardes ; salle à manger-véranda et jolie terrasse ombragée.

**Les Trois As,** pl. Gendarmerie ✆ 05 53 08 41 57, *les3as@wanadoo.fr,* – GB
*fermé fév., mardi et merc.* – **Repas** 17 (déj.), 27/36.
◆ Le restaurant est situé près de la gendarmerie. Salle à manger sobre et actuelle où l'on propose une cuisine classique évoluant au fil des saisons.

**à Campagne** *Sud-Est : 4 km par D 703 – 281 h. alt. 60 – ✉ 24260 :*

**du Château,** ✆ 05 53 07 23 50, *hotduchateau@aol.com, Fax 05 53 03 93 69,* – TV P. GB. ch
*1er avril-15 oct.* – **Repas** 18/50 ♀ – ☕ 7 – **16 ch** 45/60 – ½ P 45.
◆ Décor rustique tant dans les chambres que dans la salle à manger et la véranda d'où l'on aperçoit le château de Campagne. Terrasse ombragée. Carte régionale soignée.

**BUIS-LES-BARONNIES** *26170 Drôme 332 E8 G. Alpes du Sud – 2 030 h alt. 365.*

**Voir** *Vieille ville★.*

*Office du Tourisme, boulevard Michel Eysseric ✆ 04 75 28 04 59, Fax 04 75 28 13 63.*

*Paris 690 – Carpentras 39 – Nyons 29 – Orange 50 – Sault 37 – Sisteron 72 – Valence 130.*

**Les Arcades-Le Lion d'Or** sans rest, pl. Marché ✆ 04 75 28 11 31, *arcadulion@aol.com, Fax 04 75 28 12 07,* – TV. GB.
*fermé 1er déc. au 31 janv.* – ☕ 6 – **16 ch** 43/58.
◆ L'entrée de l'hôtel se fait sous les belles arcades (15e s.) de la place centrale. Chambres fraîchement rénovées. Le charmant jardin intérieur vaut le coup d'oeil.

**Le BUISSON-CORBLIN** *61 Orne 310 F2 – rattaché à Flers.*

**Le BUISSON-DE-CADOUIN** *24480 Dordogne 329 G6 – 2 003 h alt. 63.*

*Office du Tourisme, place du Général De Gaulle ✆ 05 53 22 06 09, Fax 05 53 22 06 09.*

*Paris 532 – Périgueux 53 – Sarlat-la-Canéda 36 – Bergerac 38 – Brive-la-Gaillarde 83.*

**Manoir de Bellerive**, rte Siorac : 1,5 km ✆ 05 53 22 16 16, *manoir.bellerive@wanadoo.fr, Fax 05 53 22 09 05,* – TV P – 20. AE GB. rest
*fermé 5 janv. au 15 mars* – ***Les Délices d'Hortense*** *(fermé lundi sauf le midi hors saison, mardi et merc.)* **Repas** 30 bc (déj.), 45/100 et carte 65 à 88 ♀, enf.15 – ☕ 11,50 – **22 ch** 122/206 – ½ P 113,50/155.
◆ Cette noble demeure Napoléon III aurait abrité une favorite de l'empereur. Chambres donnant sur le parc à l'anglaise ou sur la Dordogne. Cuisine du terroir personnalisée.
**Spéc.** Pressé de foie gras de canard. Coffre de canard gras rôti, sauce Périgueux. Assiette "tout chocolat". **Vins** Bergerac blanc et rouge.

**BURLATS** *81 Tarn 338 F9 – rattaché à Castres.*

## BURNHAUPT-LE-HAUT 68520 H.-Rhin 315 G10 – 1 426 h alt. 300.

Paris 456 – Mulhouse 17 – Altkirch 16 – Belfort 31 – Thann 14.

**Aigle d'Or** M, au Pont d'Aspach Nord : 1 km ✆ 03 89 83 10 10, *info@aigleor.com, Fax 03 89 83 10 33*, – rest, – 25. AE GB
**- Coquelicot** ✆ 03 89 83 10 00 *(fermé 4 au 18 août, 2 au 12 janv., sam. midi et dim. soir)*
**Repas** 11 (déj.), 15,50/50 ♀, enf. 8 – 9 – **26 ch** 54/75 – ½ P 55/61.
◆ Hôtel récent proche d'axes routiers fréquentés, disposant de chambres confortables et plaisantes. Joli salon-cheminée meublé à l'ancienne. Cuisine régionale au Coquelicot.

## BUSCHWILLER 68220 H.-Rhin 315 J11 – 767 h alt. 305.

Paris 504 – Mulhouse 34 – Altkirch 26 – Basel 8 – Colmar 67.

**Couronne,** ✆ 03 89 69 12 62, *alacouronne.lacour@wanadoo.fr, Fax 03 89 70 11 20*, – GB
*fermé 21 juil. au 17 août, sam. midi, dim. soir et lundi* – **Repas** 14,50 (déj.), 30/38,50 ♀.
◆ Restaurant aménagé dans l'ancien théâtre d'un village typiquement alsacien. Salle à manger spacieuse et haute de plafond. Terrasse jouxtant une vieille grange en bois.

## BUSSEAU-SUR-CREUSE 23 Creuse 325 J4 – ✉ 23150 Ahun.

Env. *Moutier d'Ahun : boiseries★★ de l'église SE : 5,5 km – Ahun : boiseries★ de l'église SE : 6 : km*, G. Berry Limousin.

*Paris 360 – Aubusson 27 – Guéret 19.*

**Viaduc** avec ch, ✆ 05 55 62 57 20, *ch-cl-lemestre@wanadoo.fr, Fax 05 55 62 55 80*, ← – GB
*fermé janv., dim. soir et lundi* – **Repas** 13,50/35,50 – 6 – **7 ch** 26/50 – ½ P 42.
◆ Cette auberge tire profit de sa situation dominante : la salle à manger rustique et la terrasse offrent une belle vue sur un viaduc de 1863 qui enjambe la Creuse.

*Ecrivez-nous...*
*Vos louanges comme vos critiques seront examinées avec le plus grand soin.*
*Nous reverrons sur place les informations que vous nous signalez.*
*Par avance merci !*

## La BUSSIÈRE 45230 Loiret 318 N5 G. Bourgogne – 715 h alt. 160.

Voir *Château des pêcheurs★*.

*Paris 144 – Auxerre 74 – Cosne-sur-Loire 45 – Gien 14 – Montargis 29 – Orléans 78.*

**Nuage,** r. Briare ✆ 02 38 35 90 73, *contact@lenuage.com, Fax 02 38 35 90 62*, – – 25. AE GB. rest
**Repas** *(fermé 24 déc. au 1^er^ janv.)* 15/24, enf. 8 – 6 – **15 ch** 42/45 – ½ P 41,50.
◆ Établissement récent de type motel situé aux portes du village. Chambres pratiques et petite salle de restaurant contemporaine. Fitness bien équipé.

## BUSSY-ST-GEORGES 77 S.-et-M. 312 F2 101 20 – *voir à Paris, Environs (Marne-la-Vallée).*

## BUXY 71390 S.-et-L. 320 I9 – 1 998 h alt. 263.

*Office du Tourisme, place de la gare ✆ 03 85 92 00 16, Fax 03 85 92 00 57.*

*Paris 352 – Chalon-sur-Saône 17 – Chagny 25 – Montceau-les-Mines 33.*

**Fontaine de Baranges** sans rest, r. Fontaine de Baranges ✆ 03 85 94 10 70, *Hotel.Fontaine.de.Baranges@wanadoo.fr, Fax 03 85 94 10 79*, – – 30. AE GB
*fermé 3 au 31 janv.* – 9 – **17 ch** 50/115.
◆ Élégante demeure du 19^e^ s. ayant conservé tout son cachet. Chambres spacieuses et personnalisées, parfois avec terrasse. Belle cave voûtée pour les petits-déjeuners.

**Relais du Montagny,** ✆ 03 85 94 94 94, *le.relais.du.montagny@wanadoo.fr, Fax 03 85 92 07 19*, , – – 30. AE GB
*fermé 19 au 28 déc., 1^er^ au 4 janv., vend. soir et dim. soir d'oct. à mai* – **Girardot** ✆ 03 85 94 94 60 **Repas** 13/36 ♀ – 7 – **30 ch** 47/60 – ½ P 45/55.
◆ L'hôtel dispose de chambres fonctionnelles toutes identiques. Au restaurant Girardot, à 150 m, lumière tamisée, ambiance intime et cuisine régionale.

**Aux Années Vins,** 2 Grande Rue ✆ 03 85 92 15 76, *aux.annees.vins@wanadoo.fr, Fax 03 85 92 12 20*, – GB
*fermé 15 au 25 sept., 1^er^ au 22 janv., merc. midi et mardi* – **Repas** 15/49 ♀, enf. 10.
◆ Bien située au centre du village, grande salle de restaurant ornée d'une cheminée en pierre. Terrasse originale sous des voûtes surplombant la route.

**BUZANÇAIS** *36500 Indre* 323 E5 – *4 749 h alt. 111.*

*Paris 287 – Le Blanc 47 – Châteauroux 25 – Chatellerault 78 – Tours 91.*

**Hermitage** ♨, rte d'Argy ☎ 02 54 84 03 90, *csureau@aol.com, Fax 02 54 02 13 19,* – rest, TV ☎ P. GB
*fermé 7 au 16 sept., 2 au 17 janv., dim. soir et lundi* – **Repas** (dim. prévenir) 15,60/48 ♀, enf. 9,20 – ☐ 6 – **14 ch** 40,40/58 – ½ P 45/50.
◆ Belle propriété dont les coquettes chambres donnent presque toutes sur le jardin traversé par l'Indre. Salle à manger feutrée et élégante véranda. Cuisine traditionnelle.

**CABASSON** *83 Var* 340 M7 – *rattaché à Bormes-les-Mimosas.*

**CABOURG** *14390 Calvados* 303 L4 *G. Normandie Vallée de la Seine* – *3 355 h alt. 3* – *Casino.*

*Office du Tourisme, Jardins du Casino ☎ 02 31 91 20 00, Fax 02 31 24 14 49, office.tourisme@cabourg.net.*

*Paris 219 ③ – Caen 24 ④ – Deauville 23 ① – Lisieux 35 ② – Pont-l'Évêque 34 ②.*

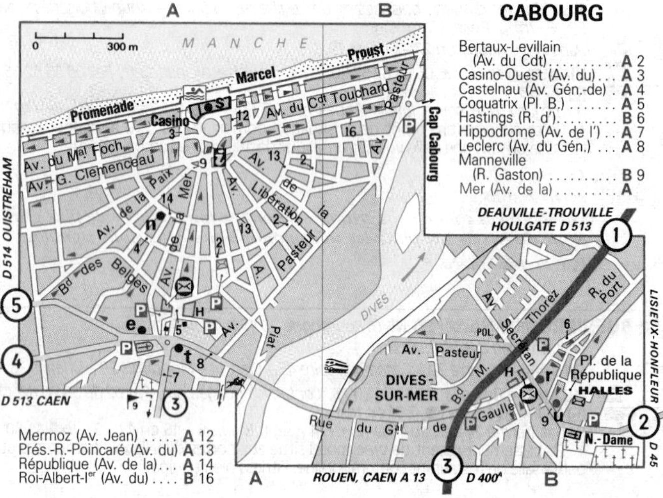
CABOURG
A
B
0
300 m
MANCHE
Promenade
Marcel
Proust
Casino
Av. du Cdt Touchard
Av. Pasteur
Cap Cabourg
Av. du Mal Foch
Av. G. Clemenceau
Av. de la Paix
Av. de la Mer
Av. de la Libération
Av. Pasteur
Bd des Belges
Av. Piat
DIVES
DIVES-SUR-MER
Av. Pasteur
Bd. M. Secrétan
Av. Thorez
R. du Port
Pl. de la République
HALLES
N.-Dame
Rue du Gal de Gaulle
POL.
D 514 OUISTREHAM
D 513 CAEN
DEAUVILLE-TROUVILLE
HOULGATE D 513
LISIEUX-HONFLEUR
D 45
ROUEN, CAEN A 13
D 400A
Bertaux-Levillain (Av. du Cdt) . . . . . . . . . . A 2
Casino-Ouest (Av. du) . . . A 3
Castelnau (Av. Gén.-de) . A 4
Coquatrix (Pl. B.) . . . . . . . A 5
Hastings (R. d') . . . . . . . . B 6
Hippodrome (Av. de l') . . A 7
Leclerc (Av. du Gén.) . . . A 8
Manneville (R. Gaston) . . . . . . . . . B 9
Mer (Av. de la) . . . . . . . . . A
Mermoz (Av. Jean) . . . . . A 12
Prés.-R.-Poincaré (Av. du) A 13
République (Av. de la) . . . A 14
Roi-Albert-Ier (Av. du) . . . . B 16

**Grand Hôtel** ♨, prom. M. Proust ☎ 02 31 91 01 79, *h1282@accor-hotels.com, Fax 02 31 91 83 93,* ←, – TV ☎ P – 20 à 100. AE GB JCB **A s**
**Repas** *(fermé lundi et mardi d'oct. à avril)* 39/48, enf. 14 – ☐ 15 – **70 ch** 148/246.
◆ Palace du front de mer hanté par le souvenir de Marcel Proust : sa chambre attitrée est reconstituée à l'identique. Pour nostalgiques d'un temps perdu, enfin retrouvé...

**Mercure Hippodrome** M ♨, av. M. d'Ornano par av. Hippodrome **A** ☎ 02 31 24 04 04, *h1223@accor-hotels.com, Fax 02 31 91 03 99,* – TV & P – 30 à 100. AE GB
**Repas** *(fermé le midi du 11 nov. au 12 mars, dim. et lundi)* 20/21, enf. 9,20 – ☐ 10 – **70 ch** 99/110, 8 duplex – ½ P 80,50/86.
◆ Deux bâtiments récents d'allure normande. Chambres aménagées dans un élégant style contemporain. Chaleureuse salle à manger largement ouverte sur le champ de courses.

**Golf,** av. M. d'Ornano par av. Hippodrome **A** ☎ 02 31 24 12 34, *Fax 02 31 24 18 51,* – TV P – 30. AE GB JCB
**Repas** *(fermé sam. midi et vend.)* 13 (déj.), 20/26 ♀, enf. 8,50 – ☐ 7,50 – **40 ch** 62/69 – ½ P 57.
◆ Établissement de type motel aux chambres simples et fonctionnelles, de plain-pied avec le jardin ou la terrasse. La contiguïté du golf assure la tranquillité du séjour.

**Cabourg** sans rest, 5 av. République ☎ 02 31 24 42 55, *Fax 02 31 24 48 93* – TV. GB
*fermé 8 au 19 janv. et 10 au 21 déc.* – ☐ 8 – **9 ch** 73/103. **A n**
◆ Témoin de la fondation de Cabourg au 19e s., cette jolie villa de style Second Empire dispose de chambres coquettes et personnalisées, identifiées par un nom de fleur.

**Cottage** sans rest, 24 av. Gén. Leclerc ✆ 02 31 91 65 61, *Fax 02 31 28 78 82*, – TV. GB A e
7 – **14 ch** 63/87.
◆ Atmosphère de maison d'hôte en ce cottage des années 1900 devancé par un jardinet. Les chambres, insonorisées, offrent un décor variant du simple et pratique au plus raffiné.

**Parc** sans rest, 33 av. Gén. Leclerc ✆ 02 31 91 00 82, *hotel-du-parc1@wanadoo.fr, Fax 02 31 91 00 18* – TV. GB A t
6,20 – **19 ch** 48/60.
◆ Hôtel aménagé dans deux bâtisses centenaires bordant une avenue passante. Chambres récentes et insonorisées ; pour plus de calme, réservez tout de même sur l'arrière.

**à Dives-sur-Mer** : *Sud du plan – 5 344 h. alt. 3 – ✉ 14160.*
Voir *Halles*★.
*Syndicat d'Initiative, rue du Général de Gaulle ✆ 02 31 91 24 06, Fax 02 31 24 42 28, mairie-dives-sur-mer@wanadoo.fr.*

**Guillaume le Conquérant,** 2 r. Hastings ✆ 02 31 91 07 26, *Fax 02 31 91 07 26*, – AE GB B r
*fermé 25/06 au 2/07, 26/11 au 25/12, dim. soir et lundi sauf juil.-août et fériés, merc. soir de nov. à avril* – **Repas** 15,50/50,30 ♀, enf. 9,90.
◆ Relais de poste du 16e s. au coeur d'un quartier normand typique aujourd'hui réhabilité en village d'art. Jolie cour pavée aménagée en terrasse d'été.

**Chez le Bougnat,** 27 r. G. Manneville ✆ 02 31 91 06 13 – GB B u
*fermé 5 au 25 janv., mardi midi en saison, dim. soir, mardi soir, merc. soir hors saison et lundi* – **Repas** 14,50/18,50 ♀.
◆ Ancienne quincaillerie transformée en bistrot convivial. Murs recouverts de vieilles affiches et étonnant bric-à-brac d'objets chinés en guise de décor. Carte selon le marché.

**par** ④, *D 513 et rte de Gonneville-en-Auge : 7 km – ✉ 14860 Ranville :*

**Hostellerie Moulin du Pré** avec ch, ✆ 02 31 78 83 68, *Fax 02 31 78 21 05*, – P. AE GB. ch
*fermé 4 au 18 mars, 30 sept. au 29 oct., dim. soir, mardi midi et lundi sauf 15 juil. au 15 août et fériés* – **Repas** 32/43 – 6,10 – **10 ch** 38/57.
◆ Dans un parc avec étang, ancienne ferme abritant une salle de restaurant campagnarde égayée d'une cheminée où l'on prépare les grillades. Chambres simples.

**au Hôme** *par* ⑤ *: 2 km – ✉ 14390 Cabourg :*

**Au Pied de Cochon,** ✆ 02 31 91 27 55, *Fax 02 31 91 86 13* – AE GB.
*fermé 16 au 22 juin, 22 au 28 déc., 12 janv. au 1er fév., lundi et mardi sauf le soir en juil.-août* – **Repas** 20 bc (déj.), 30/50.
◆ Auberge normande prisée pour sa cuisine traditionnelle et ses spécialités de pied de cochon. Grillades cuisinées sous vos yeux dans la cheminée de la salle à manger rustique.

---

## CABRERETS *46330 Lot* 337 F4 *G. Périgord Quercy – 191 h alt. 130.*

Voir *Château de Gontaut-Biron*★ – ≤★ *de la rive gauche du Célé.*
Env. *Grotte du Pech Merle*★★★ *NO : 3 km.*
*Office du tourisme, place du Sombral Saint-Cirq-Lapopie ✆ 05 65 31 29 06, Fax 05 65 31 29 06, saint-cirq.lapopie@wanadoo.fr.*
*Paris 567 – Cahors 26 – Figeac 45 – Gourdon 42 – St-Céré 58 – Villefranche-de-Rouergue 44.*

**Auberge de la Sagne** , rte grotte de Pech Merle ✆ 05 65 31 26 62, *Fax 05 65 30 27 43*, , , – P. GB JCB.
*15 mai-15 sept.* – **Repas** (nombre de couverts limité, prévenir) (dîner seul.) 15/20 ♀ – 6,20 – **9 ch** 51 – ½ P 48.
◆ Maison d'inspiration régionale aux chambres simples, mais accueillantes dans leur style campagnard ; celles du dernier étage sont mansardées. Joli jardin ombragé.

**des Grottes,** ✆ 05 65 31 27 02, *hotel.grottes@wanadoo.fr, Fax 05 65 31 20 15*, , – P. GB
*1er avril-1er nov. et fermé dim. soir et lundi du 1er avril au 15 juin* – **Repas** (11) - 13,60/22,50 ♀, enf. 8 – 6,50 – **16 ch** 29/45 – ½ P 33/40,50.
◆ À deux pas de la magnifique grotte du Pech-Merle et de ses peintures pariétales. Modestes chambres bien tenues. La terrasse du restaurant domine le Célé.

***Dans ce guide***
*un même symbole, un même mot,*
*imprimé en* **rouge** *ou en* **noir**, *en maigre ou en* **gras**,
*n'ont pas tout à fait la même signification.*
*Lisez attentivement les pages explicatives.*

**CABRIÈRES** *30210 Gard* 339 L5 – *875 h alt. 120.*

*Paris 700 – Avignon 33 – Alès 64 – Arles 40 – Nîmes 16 – Orange 45 – Pont-St-Esprit 52.*

**L'Enclos des Lauriers Roses**, 71 r. 14-Juillet 04 66 75 25 42, *hotel-lauriersroses@wanadoo.fr, Fax 04 66 75 25 21*, , , – . AE GB

*15 mars-2 nov. et 20 déc.-3 janv.* – **Repas** 20/39 , enf. 9,15 – 11 – **15 ch** 89/122 – ½ P 80/90.

◆ Dans le village, bâtisses gardoises ouvertes sur un joli jardin planté de cinq variétés de lauriers roses. Coquettes chambres provençales ; la plupart possèdent une terrasse.

**CABRIS** *06 Alpes-Mar.* 341 C6 – *rattaché à Grasse.*

**CADÉAC** *65 H.-Pyr.* 342 O7 – *rattaché à Arreau.*

**La CADIÈRE-D'AZUR** *83740 Var* 340 J6 *G. Côte d'Azur – 3 139 h alt. 144.*

**Voir** ★ – *Le Castelet : Village★ NE : 4 km.*

*Office du Tourisme, place Général de gaulle 04 94 90 12 56, Fax 04 94 98 30 13.*

*Paris 819 – Marseille 45 – Toulon 22 – Aix-en-Provence 65 – Brignoles 53.*

**Hostellerie Bérard**, près Poste 04 94 90 11 43, *berard@hotel-berard.com, Fax 04 94 90 01 94*, , , , , – – 30. AE GB JCB.

*fermé 4 janv. au 10 fév.* – **Repas** *(fermé lundi midi et sam. midi)* 27/51 – 17 – **37 ch** 89/152, 3 appart – ½ P 102/134.

◆ Plusieurs maisons de caractère dont un couvent du 11e s. où sont aménagées de belles chambres provençales. Salle à manger tournée vers le vignoble de Bandol.

**CADILLAC** *33410 Gironde* 335 J7 *G. Aquitaine – 2 582 h alt. 16.*

*Office de tourisme, place de la Libération 05 56 62 12 92, Fax 05 56 76 99 72, cadillac.tourisme@wanadoo.fr.*

*Paris 609 – Bordeaux 42 – Langon 12 – Libourne 40.*

**Château de la Tour,** D 10 05 56 76 92 00, *Fax 05 56 62 11 59*, , , – – 20 à 50. AE GB

**Repas** *(fermé vend. soir, sam. et dim. de nov. à avril)* 15 (déj.), 24/54, enf. 11 – 10 – **32 ch** 95/125 – ½ P 85/100.

◆ Cet hôtel bâti dans l'ancien potager du château des ducs d'Épernon propose des chambres fonctionnelles et actuelles, ouvertes sur le parc arboré. Sauna et jacuzzi.

**CAEN** P *14000 Calvados* 303 J4 *G. Normandie Cotentin – 112 846 h Agglo. 199 490 h alt. 25.*

**Voir** *Abbaye aux Hommes★★ : église St-Etienne★★ – Abbaye aux Dames★ : église de la Trinité★★ – Chevet★★, frise★★ et voûtes★★ de l'église St-Pierre★ – Église et cimetière St-Nicolas★ – Tour-lanterne★ de l'église St-Jean* **EZ** – *Hôtel d'Escoville★* **DY B** – *Vieilles maisons★ (nº 52 et 54 rue St-Pierre)* **DY K** – *Musée des Beaux-Arts★★ dans le château★* **DX M¹** – *Mémorial★★* **AV** – *Musée de Normandie★* **DX M²**.

*de Caen-Carpiquet : 02 31 71 20 10, par D 9 : 7 km.*

*Office du Tourisme, place Saint Pierre 02 31 27 14 11, Fax 02 31 27 14 13, tourismadm@ville-caen.fr.*

*Paris 235 ④ – Alençon 105 ⑥ – Cherbourg 126 ⑨ – Le Havre 111 ④ – Rennes 184 ⑧.*

Plans pages suivantes

**Holiday Inn** M, 4 pl. Foch 02 31 27 57 57, *holiday-inn-caen@wanadoo.fr, Fax 02 31 27 57 58* – – 150. AE GB. **DZ z**

**Repas** 20 – 10 – **88 ch** 79/114.

◆ Chambres contemporaines ; certaines offrent une vue sur l'hippodrome. Élégant restaurant avec boiseries couleur acajou, belle cheminée et plafond à caissons ; flambage en salle.

**Dauphin,** 29 r. Gemare 02 31 86 22 26, *dauphin.caen@wanadoo.fr, Fax 02 31 86 35 14* – – 30. AE GB **DY a**

*fermé 24 au 31 oct, 16 au 22 fév.* – **Repas** *(fermé 16 au 31 juil., le midi en été, dim. soir en hiver et sam midi)* 18/50 – 10 – **37 ch** 60/130 – ½ P 63/95.

◆ Ancien prieuré proche des murailles du château. Chambres personnalisées, parfois coiffées de poutres patinées. Restaurant bourgeois ; cuisine classique aux accents du terroir.

**Mercure Port de Plaisance** M, 1 r. Courtonne 02 31 47 24 24, *h0869@accor-hotels.com, Fax 02 31 47 43 88* – , ch, – 300. AE GB **EY b**

**Repas** voir ***Brasserie La Londe*** (Hôtel Ibis Port de Plaisance) – 10 – **110 ch** 85/101, 4 appart.

◆ Les chambres de cet hôtel de chaîne faisant face au port de plaisance se caractérisent par un ameublement de bon goût et une atmosphère "cosy". Centre d'affaires.

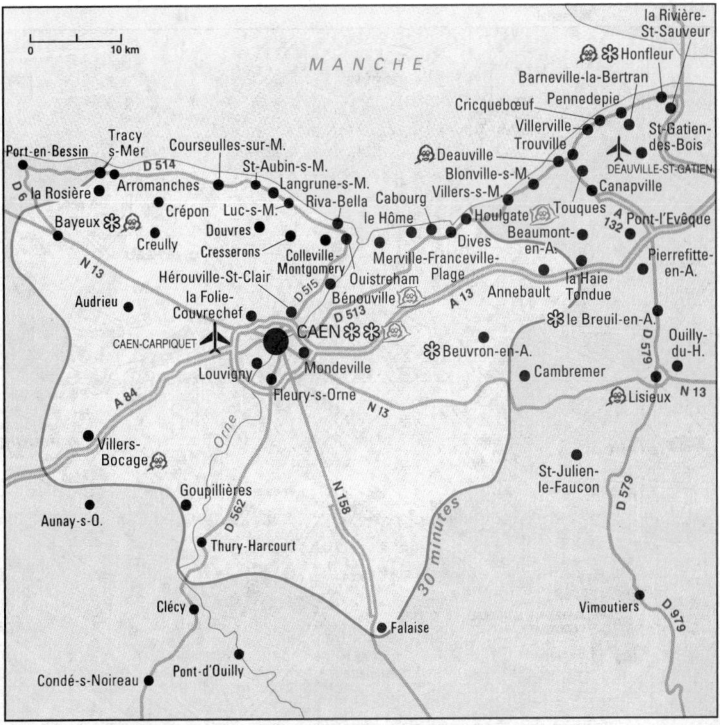

0
10 km
MANCHE
la Rivière-St-Sauveur
Honfleur
Barneville-la-Bertran
Pennedepie
Cricqueboeuf
Villerville
Trouville
St-Gatien-des-Bois
DEAUVILLE-ST-GATIEN
Deauville
Blonville-s-M.
Villers-s-M.
Canapville
Houlgate
Touques
Pont-l'Evêque
A 132
Beaumont-en-A.
Pierrefitte-en-A.
Cabourg
le Hôme
Dives
Merville-Franceville-Plage
la Haie Tondue
Annebault
le Breuil-en-A.
Ouilly-du-H.
Beuvron-en-A.
Cambremer
Lisieux
N 13
D 579
Port-en-Bessin
Tracy s-Mer
Courseulles-sur-M.
D 514
St-Aubin-s-M.
Langrune-s-M.
Riva-Bella
Luc-s-M.
Arromanches
la Rosière
D 6
Crépon
Bayeux
Douvres
Creully
Cresserons
Colleville-Montgomery
Ouistreham
Hérouville-St-Clair
D 515
Bénouville
A 13
D 513
N 13
Audrieu
la Folie-Couvrechef
CAEN
CAEN-CARPIQUET
Louvigny
Mondeville
Fleury-s-Orne
N 13
A 84
Orne
Villers-Bocage
St-Julien-le-Faucon
D 579
N 158
Goupillières
Aunay-s-O.
D 562
30 minutes
Thury-Harcourt
Clécy
Vimoutiers
D 979
Falaise
Pont-d'Ouilly
Condé-s-Noireau


**Moderne** Ⓜ sans rest, 116 bd Mar. Leclerc ☎ 02 31 86 04 23, *info@hotel-caen.com, Fax 02 31 85 37 93* – |‡| ✕ TV ☎ ♿ 🚗. AE ⓓ GB JCB — DY d
☕ 9,50 – **40 ch** 61/109.
◆ Discrète construction d'après-guerre aux chambres fonctionnelles bien tenues. Au 5e étage, les fenêtres de la salle des petits-déjeuners ouvrent sur les toits de la ville.

**Quatrans** sans rest, 17 r. Gemare ☎ 02 31 86 25 57, *hotel-des-quatrans@wanadoo.fr, Fax 02 31 85 27 80* – |‡| TV ☎. GB — DY p
☕ 6,50 – **32** ch 45/52.
◆ À deux pas du centre, établissement familial abritant des chambres pratiques, sobrement meublées mais habillées de tissus colorés ; celles sur l'arrière sont plus calmes.

**Bristol** sans rest, 31 r. 11-Novembre ☎ 02 31 84 59 76, *hotelbristol@wanadoo.fr, Fax 02 31 52 29 28* – |‡| TV ☎. AE GB — EZ h
☕ 6 – **24** ch 45/55.
◆ Un peu excentré mais à proximité du champ de courses, hôtel abritant des chambres lumineuses, récemment relookées. Bonne insonorisation. Accueil familial. Salon-bar.

**Royal** sans rest, 1 pl. République ☎ 02 31 86 55 33, *hotelroyalcaen@wanadoo.fr, Fax 02 31 79 89 44* – |‡| TV. AE GB. ✗ — DY e
☕ 7 – **42 ch** 47/52.
◆ La place est bordée par de belles maisons anciennes. Chambres colorées ; elles devraient être prochainement rénovées. Confortable salon-bar contemporain.

**Ibis Port de Plaisance** Ⓜ, 6 pl. Courtonne ☎ 02 31 95 88 88, *h1183@accor-hotels.com, Fax 02 31 43 80 80* – |‡| ✕, ▤ rest, TV ☎ ♿ 🚗 – 🏛 300. AE ⓓ GB — EY k
***Brasserie La Londe*** ☎ 02 31 47 24 56 **Repas** (15)-20 ♁, enf.8 – ☕ 6 – **101 ch** 55/62.
◆ Halte pratique en plein centre-ville, face au port de plaisance. Chambres aux nouvelles normes de la chaîne. Centre d'affaires et espace brasserie partagés avec le Mercure.

**Havre** sans rest, 11 r. Havre ☎ 02 31 86 19 80, *hotelduhavre@aol.com, Fax 02 31 38 87 67* – TV ☎. AE GB — EZ v
**19 ch** ☕ 31/43.
◆ Cet hôtel familial, récemment rafraîchi, propose des chambres sans luxe mais pratiques, plus tranquilles sur l'arrière. Tenue scrupuleuse et prix doux.

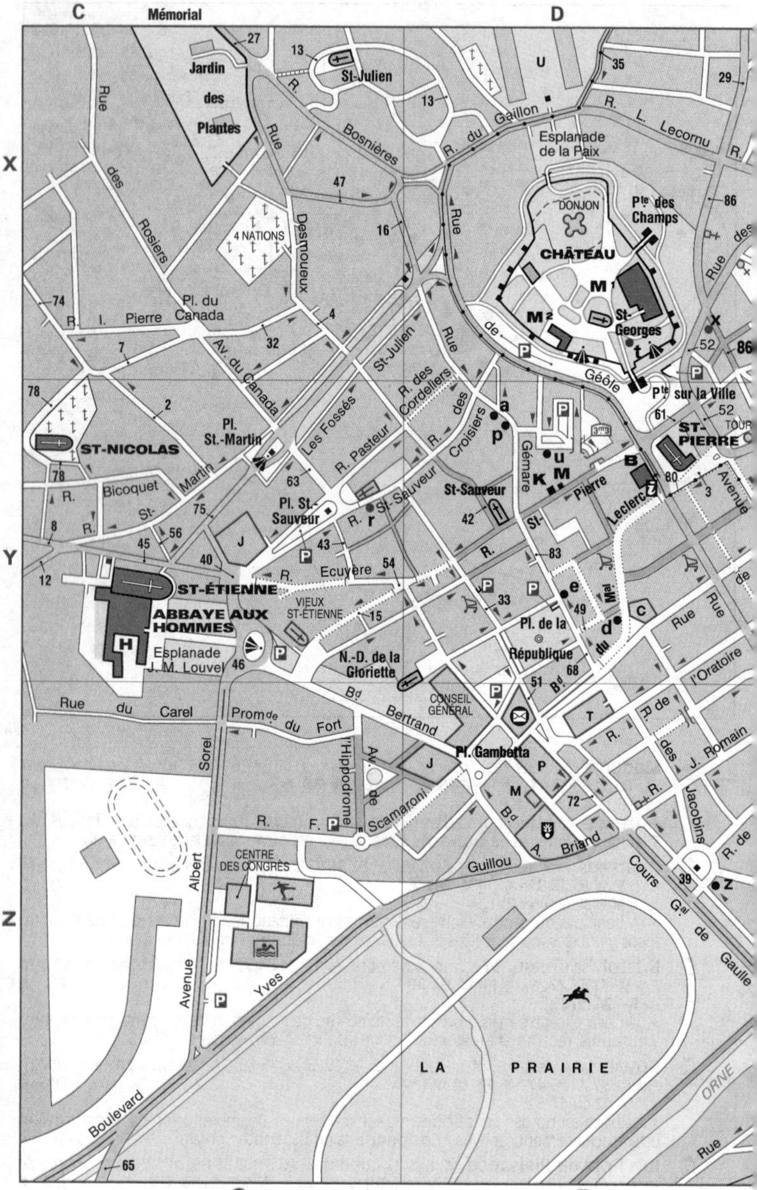
C
Mémorial
D
X
Y
Z
Jardin des Plantes
St-Julien
R. Bosnières
R. du Gaillon
Esplanade de la Paix
R. L. Lecornu
Rue des Rosiers
Rue Desmoueux
4 NATIONS
DONJON
Pte des Champs
CHÂTEAU
M1
M2
St-Georges
Pte sur la Ville
R. de Géôle
ST-PIERRE
TOUR
Pl. du Canada
R. I. Pierre
Av. du Canada
Pl. St.-Martin
ST-NICOLAS
R. Bicoquet
R. St-Martin
Les Fossés St-Julien
R. des Cordeliers
R. Pasteur
R. des Croisiers
Rue Gémare
St-Sauveur
R. St-Pierre
Leclerc
Pl. St.-Sauveur
R. St-Sauveur
R. Ecuyère
ST-ÉTIENNE
ABBAYE AUX HOMMES
VIEUX ST-ÉTIENNE
Esplanade J. M. Louvel
N.-D. de la Gloriette
Pl. de la République
Bd Mal Leclerc
Rue de l'Oratoire
CONSEIL GÉNÉRAL
Bd Bertrand
Rue du Carel
Promde du Fort
Pl. Gambetta
Av. de l'Hippodrome
Av. de Scamaroni
R. F.
Bd A. Briand
R. des Jacobins
R. J. Romain
Cours Gal de Gaulle
Guillou
CENTRE DES CONGRÈS
Avenue Albert Sorel
Boulevard Yves Guillou
LA PRAIRIE
ORNE
Rue
13
27
35
29
86
47
16
74
4
32
7
52
78
2
61
80
3
63
75
8
56
45
42
43
40
54
83
12
33
49
15
46
68
51
72
39
65

*Dans ce guide*
*un même symbole, un même mot,*
*imprimé en **rouge** ou en **noir**, en maigre ou en **gras**,*
*n'ont pas tout à fait la même signification.*
*Lisez attentivement les pages explicatives.*

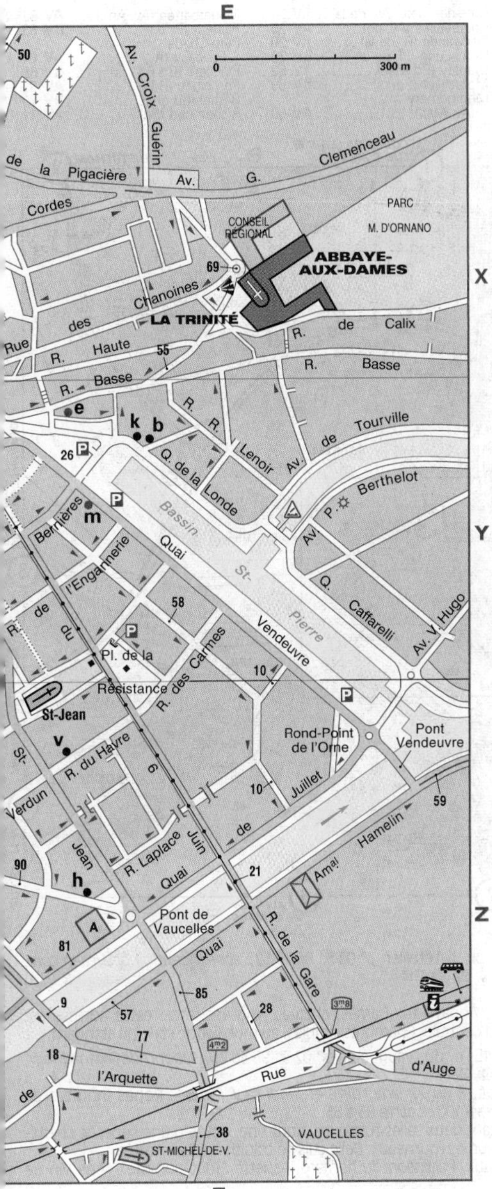
E
0
300 m
50
Av. Croix Guérin
de la Pigacière
Av. G. Clemenceau
Cordes
PARC
M. D'ORNANO
CONSEIL RÉGIONAL
ABBAYE-AUX-DAMES
69
Chanoines
LA TRINITÉ
R. de Calix
Rue des
R. Haute
55
R. Basse
R. Basse
e
k b
26
R. R. Lenoir
Av. de Tourville
Q. de la Londe
Bassin St-Pierre
Av. P. Berthelot
m
Bernières
Quai Vendeuvre
l'Engannerie
Q. Caffarelli
Av. V. Hugo
R. de du
58
Pl. de la Résistance
R. des Carmes
10
St-Jean
Rond-Point de l'Orne
Pont Vendeuvre
v
R. du Havre
St-Verdun
6 Juin
10
Juillet
59
R. Laplace
Quai de
Hamelin
Jean
90
h
21
Amal
A
Pont de Vaucelles
Quai
R. de la Gare
81
85
9
57
28
77
18
l'Arquette
Rue d'Auge
de
38
ST-MICHEL-DE-V.
VAUCELLES
E
X
Y
Z

# CAEN

Académie (R. de l') ....... CY 2
Alliés (Bd des) ........... DY 3
Bagatelle (Av. de)......... CX 4
Barbey-d'Aurevilly (R.)..... CX 7
Bayeux (R. de) ........... CY 8
Bir-Hakeim
(Pont de)............... EZ 9
Brunet (R. H.) ............ EZ 10
Caponière (R.)............. CY 12
Carrières-St-Julien (R. des)... CDX 13
Caumont (R. A. de) ....... CY 15
Chanoine X.
de St-Paul (R.) ......... CX 16
Chaussée-Ferrée (R. de la). EZ 18
Churchill (Pont) ........... EZ 21
Courtonne (Pl.) ........... EY 26
Creully (Av. de)........... CX 27
Decaen (R. Gén.) ......... EZ 28
Délivrande (R. de la)...... DX 29
Docteur-Rayer (R.)........ CX 32
Doumer (R. Paul) ......... DY 33
Ecuyère (R.) .............. CY
Edimbourg (Av. d')........ DX 35
Falaise (R. de)............ EZ 38
Foch (Pl. Mar.) ........... DZ 39
Fontette (Pl.)............. CY 40
Froide (R.)................ DY 42
Fromages (R. aux) ........ CY 43
Guillaume-le-
Conquérant (R.) ........ CY 45
Guillouard (Pl. L.)........ CYZ 46
Juifs (R. aux)............. CX 47
Lair (R. P.-A.)............ DY 49
Lebisey (R. de)........... EX 50
Lebret (R. G.)............ DYZ 51
Leclerc (Bd Mar.) ......... DY
Libération (Av. de la) .... DXY 52
Malherbe (Pl.)............ CY 54
Manissier (R.)............ EX 55
Marot (R. J.).............. CY 56
Meslin (Quai E.) .......... EZ 57
Miséricorde (R. de la) ..... EY 58
Montalivet (Cours) ........ EZ 59
Montoir-Poissonnerie (R.).. DY 61
Pémagnie (R.)............. CY 63
Petit-Vallerent (Bd du) ..... CZ 65
Pont St-Jacques (R. du) ... DY 68
Reine-Mathilde (Pl.)....... EX 69
Sadi-Carnot (R.).......... DZ 72
St-Jean (R.) ........... DEYZ
St-Gabriel (R.)............ CX 74
St-Manvieu (R.)........... CY 75
St-Michel (R.)............. EZ 77
St-Nicolas (R.) .......... CXY 78
St-Pierre (Pl.)............ DY 80
St-Pierre (R.) ............ DY
Sévigné (Prom. de) ....... EZ 81
Strasbourg (R. de) ........ DY 83
Vaucelles (R. de).......... EZ 85
Vaugueux (R. du).......... DX 86
6-Juin (Av. du)......... DEYZ
11-Novembre (R. du)...... EZ 90

*Ecrivez-nous...*
*Vos louanges comme vos critiques seront examinées avec le plus grand soin.*
*Nous reverrons sur place les informations que vous nous signalez.*
*Par avance merci !*

# CAEN

Baladas (Bd des) .......... **AV** 6
Chemin Vert (R. du)....... **AV** 19
Chéron (Av. Henri)......... **AV** 20
Clemenceau (Av. G.)........ **BV** 22
Copernic (Av. N.)......... **ABV** 23
Côte-de-Nacre (Av. de la) .. **AV** 24
Courseulles (Av. de)........ **AV** 25
Délivrande (R. de la) ....... **AV** 29
Demi-Lune (Pl. de la) ..... **BV** 30
Lyautey (Bd Mar.).......... **AV** 53
Montalivet (Cours)......... **BV** 59
Montgomery
(Av. Mar.)............... **AV** 60
Mountbatten (Av. Am.)..... **AV** 62
Pasteur (R. L.) ............ **BV** 63
Père-Ch.-de-
Foucault (Av.) .......... **AV** 64
Poincaré (Bd R.)........... **BV** 66
Pompidou (Bd G.) ......... **AV** 67
Rethel (Bd de) ............ **BV** 70
Richemond (Bd)............ **AV** 71

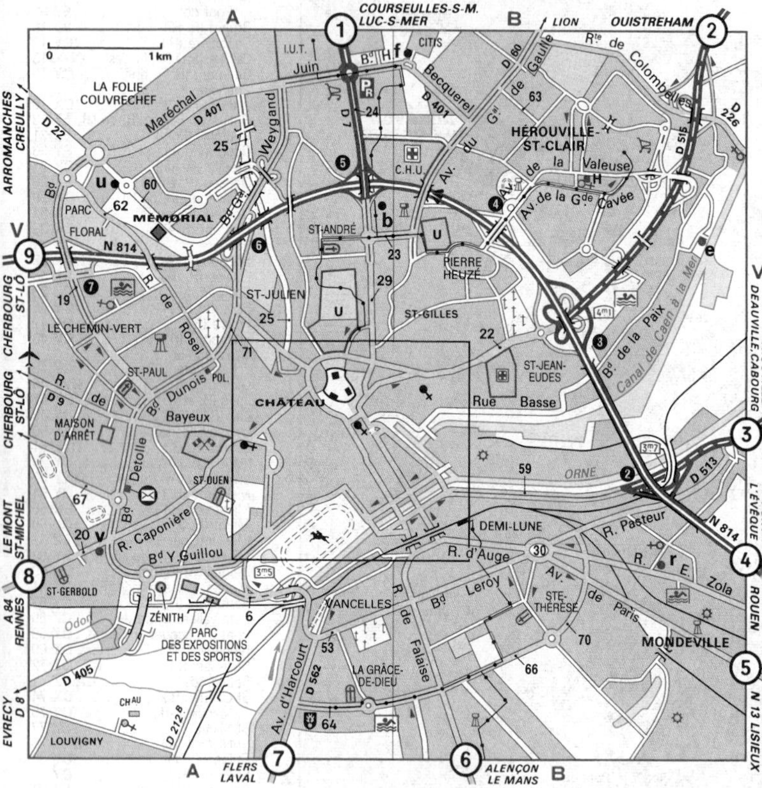

COURSEULLES-S-M.
LUC-S-MER
LION
OUISTREHAM
ARROMANCHES CREULLY
CHERBOURG ST-LÔ
LE MONT ST-MICHEL
A 84 RENNES
EVRECY D 8
FLERS LAVAL
ALENÇON LE MANS
DEAUVILLE, CABOURG
L'ÉVÊQUE
ROUEN
N 13 LISIEUX
LA FOLIE-COUVRECHEF
HÉROUVILLE-ST-CLAIR
MÉMORIAL
PARC FLORAL
N 814
LE CHEMIN-VERT
ST-PAUL
MAISON D'ARRÊT
ST-JULIEN
ST-ANDRÉ
PIERRE HEUZÉ
ST-GILLES
CHÂTEAU
ST-JEAN-EUDES
Rue Basse
ORNE
DEMI-LUNE
ST-OUEN
ST-GERBOLD
ZÉNITH
PARC DES EXPOSITIONS ET DES SPORTS
VANCELLES
STE-THÉRÈSE
MONDEVILLE
LA GRÂCE-DE-DIEU
LOUVIGNY
C.H.U.
CITIS
I.U.T.
Canal de Caen à la Mer
Bd de la Paix
R. Caponière
Bd Y. Guillou
R. d'Auge
Bd Leroy
R. de Falaise
Av. d'Harcourt
Av. de Paris
R. E. Zola
R. Pasteur
R. de Bayeux
Bd Dunois
R. de Rosel
Bd Detolle
Av. du Gal de Gaulle
Rte de Colombelles
Becquerel
Av. de la Valeuse
Av. de la Gde Cavée
Maréchal Juin
Weygand
Odon


**⌂** **Central** sans rest, 23 pl. J. Letellier ✆ 02 31 86 18 52, *acueil@centralhotel-caen.com*, *Fax 02 31 86 88 11* – TV ☏. AE ⓓ GB **DY u**
☕ 5 – **25 ch** 27,50/42.
◆ Abbaye-aux-Hommes, Abbaye-aux-Dames, château, musées, etc. : cette adresse est estimée pour sa situation centrale. Chambres simples, au mobilier de style ou standard.

**XXX** ✿✿ **Bourride** (Bruneau), 15 r. du Vaugueux ✆ 02 31 93 50 76, *labourride@wanadoo.fr*, *Fax 02 31 93 29 63* – AE ⓓ GB **DX x**
*fermé 18 août au 2 sept., 8 au 22 janv., dim. et lundi sauf fériés* – **Repas** (nombre de couverts limité, prévenir) 39/100 et carte 65 à 85.
◆ Maison du 17e s. abritant deux salles rustiques, dont une, dotée d'une superbe cheminée, bénéficie de la vue sur les fourneaux. Belle cuisine traditionnelle revisitée.
**Spéc.** Persillade d'ormeaux. Paillasson de homard. Assiette "Tout pomme". **Vins** Vin de Pays du Calvados.

**XXX** ✿ **Pressoir** (Vautier), 3 av. H. Chéron ✆ 02 31 73 32 71, *Fax 02 31 73 32 71* – P. AE GB **AV v**
*fermé 28 juil. au 22 août, vacances de fév., sam. midi, dim. soir et lundi* – **Repas** 24/56 et carte 50 à 68.
◆ Située dans les faubourgs de la ville, bâtisse ancienne joliment restaurée. Plaisant cadre rustique et meubles contemporains. Cuisine personnalisée au goût du jour.
**Spéc.** Croustillant d'andouille, crème de camembert. Filet de boeuf de race normande, petit pâté de cèpes. Dégustation de desserts.

XX **Gastronome,** 43 r. St Sauveur ☎ 02 31 86 57 75, *legastronome@wanadoo.fr, Fax 02 31 38 27 78* – GB CY r
*fermé 30 juil. au 13 août, mardi soir et dim.* – **Repas** (12,90) - 16,50/32 ♀.
◆ Cuisine classique aux parfums du terroir dans une salle à manger tout en longueur, moderne et colorée, dont on apprécie la convivialité. Mise en place soignée. Accueil familial.

XX **Carlotta,** 16 quai Vendeuvre ☎ 02 31 86 68 99, *reservation@lecarlotta.fr, Fax 02 31 38 92 31* – ▤. AE GB EY m
*fermé dim.* – **Repas** 18,50/28 ♀.
◆ Grande brasserie d'inspiration Art déco, fréquentée pour son atmosphère vivante et sa cuisine typique du genre, enrichie de plats de poissons.

XX **Alcide,** 1 pl. Courtonne ☎ 02 31 44 18 06, *Fax 02 31 94 47 45* – GB EY e
*fermé 20 au 31 déc., vend. soir hors saison et sam.* – **Repas** 13,80/21,90 ♀.
◆ Maison traditionnelle abritant une salle à manger de style bistrot "rétro" et un bar pour clients pressés. La carte privilégie le terroir ; quelques plats de poissons.

X **Café Mancel,** au Château ☎ 02 31 86 63 64, *cafe.mancel@wanadoo.fr, Fax 02 31 86 63 40,* – AE ⓓ GB DX t
*fermé vacances de fév., dim. soir et lundi* – **Repas** (15) - 20.
◆ Sobre cadre contemporain, plaisante terrasse, appétissante carte et soirées musicales (jazz principalement) : un sympathique restaurant de musée dans l'enceinte du château.

## à l'échangeur Caen-Université *(bretelle du bd périphérique, sortie nº 5)* – ✉ *14000 Caen :*

**Novotel Côte de Nacre** Ⓜ, av. Côte de Nacre ☎ 02 31 43 42 00, *h0405@accor-hotels.com, Fax 02 31 44 07 28,* – ▤ TV ♿ P – 200. AE ⓓ GB AV b
**Repas** (17,60) - 21,90 ♀, enf. 8 – ☕ 10 – **126 ch** 79/90.
◆ Hôtel moderne offrant des chambres bien insonorisées et aux derniers standards de la chaîne. Salle à manger contemporaine ouverte sur la piscine, bar dans l'esprit Art déco.

## à Hérouville St-Clair *Nord-Est : 3 km – 24 795 h. alt. 20* – ✉ *14200 :*

**Quality Hôtel,** 2 pl. Boston Citis ☎ 02 31 44 05 05, *quality.caen@wanadoo.fr, Fax 02 31 44 95 94,* – TV ♿ P – 300. AE ⓓ GB. rest BV f
**Repas** *(fermé dim. midi)* 22/27,50 – ☕ 9,50 – **90 ch** 75/90.
◆ Au coeur d'un quartier de bureaux, chambres amples et fraîches bénéficiant d'une bonne isolation phonique. Restaurant décoré dans le style anglais.

X **L'Espérance,** r. Abbé Alix, bord du canal ☎ 02 31 44 97 10, *Fax 02 31 94 89 23* – P. GB
*fermé 9 au 15 sept., vacances de Toussaint, de fév., dim. soir, merc. soir et lundi* – **Repas** 13/30,50 ♀. BV e
◆ Pour un repas au bord de l'eau, pensez à cette auberge dont la salle à manger, agrandie d'une véranda, bénéficie d'une vue sur le canal et la campagne environnante.

## à Bénouville *par ② : 10 km – 1 258 h. alt. 8* – ✉ *14970 .*

*Voir Château★ : escalier d'honneur★★ – Pegasus Bridge★.*

**Glycine** Ⓜ, 11 pl. Commando nº 4 (face Église) ☎ 02 31 44 61 94, *Fax 02 31 43 67 30* – TV P – 20. AE GB
*fermé 20 déc. au 10 janv.* – **Repas** *(fermé dim. soir hors saison)* 16/39 ♀, enf. 13 – ☕ 6,50 – **25 ch** 47/63 – ½ P 52.
◆ Le fameux "Pegasus Bridge" disputé lors du "D Day" est proche de ces deux maisons reliées par un beau patio fleuri. Chambres fonctionnelles. Salle à manger colorée.

XX **Manoir d'Hastings et la Pommeraie** avec ch, 18 av. Côte de Nacre (près Église) ☎ 02 31 44 62 43, *Fax 02 31 44 76 18,* – TV P – 30. AE ⓓ GB
*fermé 12 nov. au 4 déc. et vacances de fév.* – **Repas** *(fermé dim. soir et lundi)* 21 (déj.), 27/55 ♀ – ☕ 8 – **15 ch** 61/92 – ½ P 69/77.
◆ Salle à manger rustique, véranda et coquettes chambres côté prieuré (17ᵉ s.), aménagements plus fonctionnels dans le bâtiment récent. Cuisine traditionnelle. Beau jardin arboré.

## à Mondeville *Est : 4 km – 9 488 h. alt. 10* – ✉ *14120 :*

XX **Les Gourmets,** 41 r. E. Zola ☎ 02 31 82 37 59, *Fax 02 31 82 37 92* – GB BV r
*fermé 1er au 20 août, mardi soir et merc.* – **Repas** 14/28 ♀.
◆ Salon d'accueil avec fresques sur le thème de la Normandie gourmande et salle intime habillée de boiseries brunes. Collection de saucières anciennes. Table traditionnelle.

## à Fleury-sur-Orne *par ⑦ : 4 km – 3 861 h. alt. 33* – ✉ *14123 :*

XX **Auberge de l'Ile Enchantée,** au bord de l'Orne (1 r. St-André) ☎ 02 31 52 15 52, *Fax 02 31 72 67 17,* ≤ – GB
*fermé 29 juil. au 13 août, 17 fév. au 4 mars, dim. soir, merc. soir et lundi* – **Repas** 17,60/29,80 ♀, enf. 10,50.
◆ Deux salles à manger au chaleureux cadre agreste dans une maison à colombages ; celle du premier étage est plus claire et donne sur le cours reposant de la rivière.

**à Louvigny** *Sud : 4,5 km par D 212^B* **AV** *– 1 712 h. alt. 10 – ✉ 14111 :*

**Auberge de l'Hermitage,** au bord de l'Orne ☎ 02 31 73 38 66, *Fax 02 31 73 91 56,* – GB
*fermé 25 août au 7 sept., 25 janv. au 8 fév., dim. et lundi sauf fériés* – **Repas** 14/34 ♀.
◆ Poutres apparentes et cheminée ajoutent au charme de cette discrète auberge de village bordant l'Orne. Jolie terrasse dévolue aux repas d'été. Cuisine traditionnelle.

**à La Folie-Couvrechef** *(près Mémorial)* **AV** *– ✉ 14000 Caen :*

**Otelinn,** av. Mar. Montgomery ☎ 02 31 44 34 20, *otelinn-caen@libertysurf.fr, Fax 02 31 44 63 80* – P – 60. AE GB **AV u**
**Repas** *(fermé 21 déc. au 6 janv.)* (16) - 16/24 ♀ – 6,50 – **50 ch** 50,50/53 – ½ P 49.
◆ Adresse pratique proche du Mémorial de Caen. Chambres identiques, plaisantes dans leur fraîche simplicité. Sobre salle de restaurant tournée sur un îlot de verdure.

---

**CAGNES-SUR-MER** *06800 Alpes-Mar.* 341 D6 *G. Côte d'Azur – 40 902 h alt. 20 – Casino.*

**Voir** *Haut-de-Cagnes★ – Château-musée★ : patio★★, ✱★ de la tour – Musée Renoir.*

*Office du Tourisme, 6 boulevard Maréchal Juin ☎ 04 93 20 61 64, Fax 04 93 20 52 63, Cagnes06@aol.com.*

*Paris 920 ⑤ – Nice 14 ② – Antibes 11 ④ – Cannes 21 ⑤ – Grasse 24 ⑥ – Vence 9 ①.*

Plan page ci-contre

**Domaine Cocagne** M, colline de la rte de Vence, par ①, *D 36 et rte secondaire : 2 km* ☎ 04 92 13 57 77, *hotel@domainecocagne.com, Fax 04 92 13 57 89,* – cuisinette P. AE GB.
*fermé 4 nov. au 12 déc.* – **Repas** *(fermé dim. du 13 oct. au 13 avril et merc.)* 30 (déj.), 35/40 ♀, enf. 10 – 12 – **17 ch** 180/205, 3 appart – ½ P 112,50/137,50.
◆ Joli jardin, chambres avec balcon ou terrasse, bel intérieur contemporain et, comme il se doit dans la cité adoptée par Renoir, expositions de peintures : un pays de cocagne !

**Brasilia** sans rest, chemin Grands Plans ☎ 04 93 20 25 03, *info@hotel-brasilia-riviera.com, Fax 04 93 22 44 09* – P – 15. AE GB JCB **BX r**
6,10 – **18 ch** 69/78.
◆ Bâtisse des années 1980 située dans une rue calme. On rénove peu à peu les chambres ; toutes ont un balcon ou une grande terrasse. Bonne insonorisation et tenue sans reproche.

**Comfort Hôtel Le Tiercé** sans rest, 33 bd Kennedy ☎ 04 93 20 02 09, *tierce.hotel@wanadoo.fr, Fax 04 93 20 31 55* – P. AE GB JCB **BX v**
8 – **23 ch** 70/122.
◆ Dans cet établissement du front de mer, les turfistes choisiront la vue sur l'hippodrome. Chambres avec balcon, peu à peu refaites ; sept s'ouvrent sur la "grande bleue".

**Splendid** sans rest, 41 bd Mar. Juin ☎ 04 93 22 02 00, *hotel.splendid@free.fr, Fax 04 93 20 12 44* – P – 25. AE GB JCB **BX x**
7 – **24 ch** 64/81.
◆ Cet hôtel du centre-ville occupe deux étages d'un immeuble d'habitation récent. Les chambres, fonctionnelles et claires, donnent presque toutes sur l'arrière, au calme.

**Chantilly** sans rest, 31 chemin Minoterie ☎ 04 93 20 25 50, *hotel.chantilly.cagnes@wanadoo.fr, Fax 04 92 02 82 63* – P. AE GB JCB **BX b**
7 – **20 ch** 52/66.
◆ Villa balnéaire fleurie en saison. Le mobilier des chambres appartient à différents styles et les espaces communs possèdent le charme d'une maison de famille. Quelques balcons.

**au Haut-de-Cagnes :**

**Cagnard**, 45 r. Sous Barri ☎ 04 93 20 73 21, *resa@le-cagnard.com, Fax 04 93 22 06 39,* ≤, – ch, P – 25. AE GB JCB **AZ e**
**Repas** *(fermé début nov. à mi-déc., lundi midi, mardi midi et jeudi midi)* 53,36 (déj.), 60/81 et carte 87 à 123 – 16 – **20 ch** 150/245, 5 appart – ½ P 185.
◆ Noble demeure du 14^e s. juchée sur les remparts. Chambres de caractère. En été, le plafond à caissons historiés du restaurant s'ouvre sur le ciel. Cuisine du Sud personnalisée.
**Spéc.** Lasagne de truffes d'Aups. Risotto de langoustines au jus de truffe. Carré d'agneau aux herbes de Provence, petits farcis niçois. **Vins** Côtes de Provence.

**Fleur de Sel,** 85 montée de la Bourgade ☎ 04 93 20 33 33, *Fax 04 93 20 33 33* – . GB **Z m**
*fermé 2 au 8 juin, vacances de Toussaint, jeudi midi et merc.* – **Repas** 21/52 ♀.
◆ Sympathique petit restaurant situé au pied de l'église. Cuisine visible de tous dans la salle mi-rustique, mi-provençale (nombreux cuivres et tableaux). Carte au goût du jour.

**CAGNES-VILLE**

Béranger (R. Gén.) .......... **BZ** 3
Chevalier-Martin (R.) ....... **BZ** 6
Gaulle (Pl. Gén.-de) ....... **BZ** 15
Giacosa (R. J.-R.) .......... **BZ** 17
Hôtel-des-Postes (Av. de l') **BZ** 19
Hôtel-de-Ville (Av. de l') .... **BZ** 20
Mistral (Av. F.) ............ **BZ** 24
Renoir (Av. A.) ............. **BZ**

**CROS-DE-CAGNES**

Jaurès (Av. Jean) ......... **BX** 22
Leclerc (Av. Gén.) ......... **BX** 23
Nice (Av. de) ............. **BX** 25
Oliviers (Av. des) .......... **BX** 26
Serre (Av. de la) ........... **BX** 36

**HAUT-DE-CAGNES**

Château (Montée du) ..... **AZ** 4
Clergue (R. Denis J.) ...... **AZ** 7
Dr-Maurel (Pl. du) ......... **AZ** 8
Dr-Provençal (R. du) ...... **AZ** 10
Geniaux (R. Ch.) .......... **AZ** 16
Grimaldi (Pl.) ............. **AZ** 18
Paissoubran (R.) ........... **AZ** 27
Piolet (R. du) .............. **AZ** 28
Planastel (R. du) ........... **AZ** 29
Pontis-Long (R. du) ....... **AZ** 30
St-Sébastien (R.) ........... **AZ** 33
Sous-Baous (Montée) ...... **AZ** 37

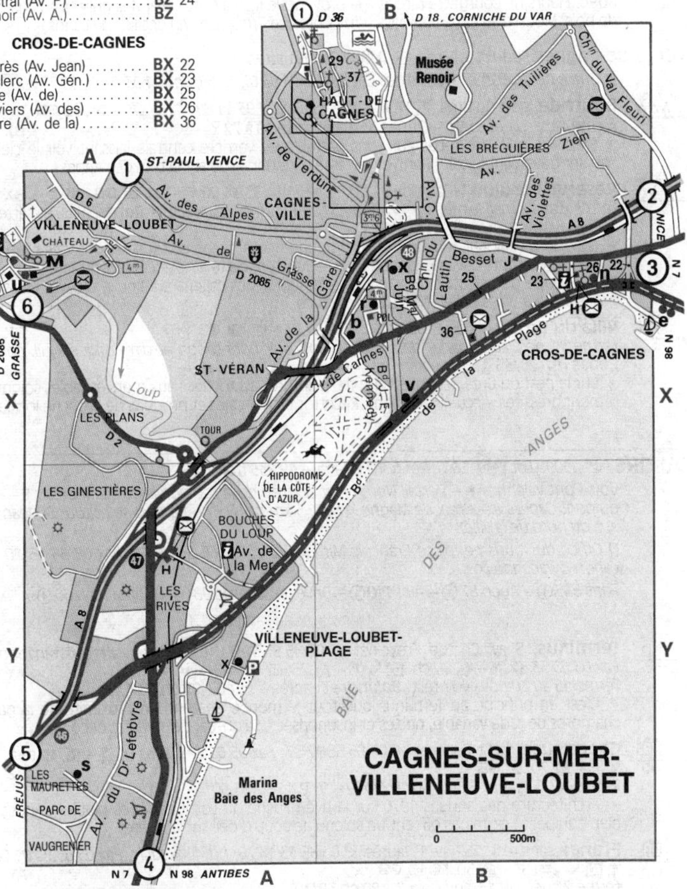
D 36
D 18, CORNICHE DU VAR
ST-PAUL, VENCE
Musée Renoir
HAUT-DE-CAGNES
CAGNES-VILLE
LES BRÉGUIÈRES
Av. des Tullières
Chin du Val Fleuri
Av. de Verdun
Av. des Alpes
Av. des Violettes
VILLENEUVE-LOUBET
CHÂTEAU
D 2085
Grasse
Av. de la Gare
Besset
Lautin
A 8
NICE
N 7
N 98
CROS-DE-CAGNES
Bd de la Plage
ST-VÉRAN
Av. de Cannes
Bd J. F. Kennedy
Loup
LES PLANS
TOUR
D 2
LES GINESTIÈRES
HIPPODROME DE LA CÔTE D'AZUR
BOUCHES DU LOUP
Av. de la Mer
LES RIVES
BAIE DES ANGES
VILLENEUVE-LOUBET-PLAGE
Marina Baie des Anges
CAGNES-SUR-MER-VILLENEUVE-LOUBET
LES MAURETTES
PARC DE VAUGRENIER
Av. du Dr Lefebvre
FRÉJUS
GRASSE
N 7
N 98 ANTIBES
0
500m

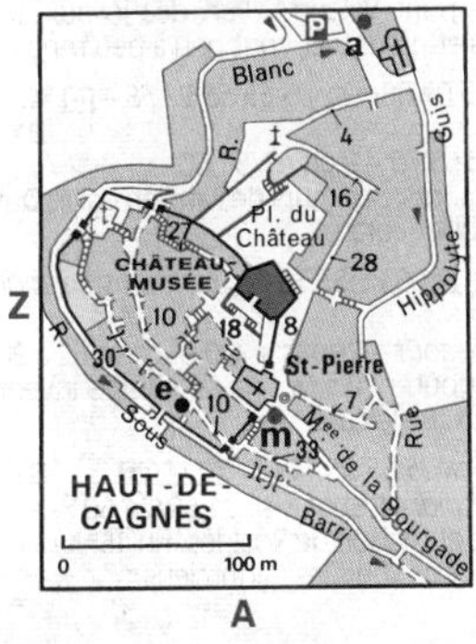
Blanc
Pl. du Château
CHÂTEAU-MUSÉE
St-Pierre
Hippolyte Guis
Rue
Sous Barri
Mée de la Bourgade
HAUT-DE-CAGNES
0
100 m

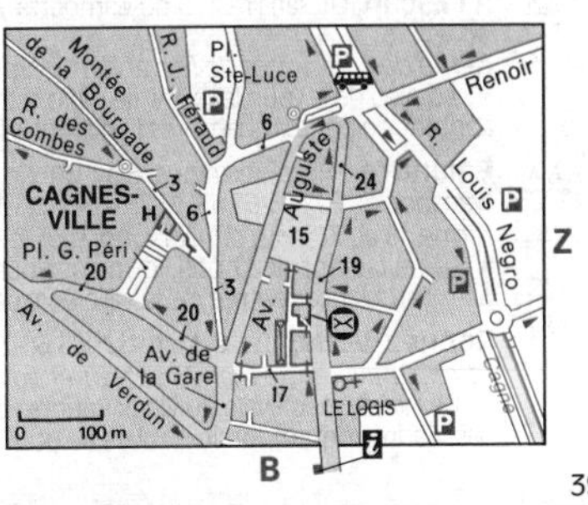
Montée de la Bourgade
R. des Combes
R. J. Féraud
Pl. Ste-Luce
Renoir
Auguste
R. Louis Negro
CAGNES-VILLE
Pl. G. Péri
Av. de Verdun
Av. de la Gare
LE LOGIS
Cagne
0
100 m

**Josy-Jo** (Mme Bandecchi), 4 pl. Planastel ✆ 04 93 20 68 76, *Fax 04 93 73 08 69*, – ▤. AE GB AZ a
*fermé 20 nov. au 25 déc., sam. midi et dim.* – **Repas** carte 46 à 63.
◆ Le décor est simple (tableaux, objets en ferronnerie) et le service sans "tralala", mais fameuses grillades et bons petits plats provençaux rendent l'adresse bien séduisante.
**Spéc.** Fleurs de courgette farcies à la provençale (juil. à sept.). Viandes grillées au charbon de bois. Mousse au citron du pays. **Vins** Côtes de Provence, Vin des Iles de Lérins.

**à Cros-de-Cagnes** *Sud-Est : 2 km* – ✉ *06800 Cagnes-sur-Mer.*
*Office de tourisme, avenue des Oliviers ✆ 04 93 07 67 08, Fax 04 93 07 61 59.*

**Bourride,** port du Cros ✆ 04 93 31 07 75, *Fax 04 93 31 89 11*, <, – ▤. AE GB
*fermé dim. soir et merc.* – **Repas** 31/68 et carte 49 à 72 ♀. BX e
◆ Plaisante salle des repas aux tons pastel, avec verrière centrale laissant voir le ciel et palmier traversant le toit ! Patio et terrasse côté port. Vue sur la baie des Anges.

**Réserve "Loulou"** (Campo), 91 bd Plage ✆ 04 93 31 00 17 – ▤. AE GB. BX n
*fermé 8 au 22 mai, le midi du 14 juil. au 31 août, sam. midi et dim.* – **Repas** 35,50 et carte 55 à 95.
◆ Joli cadre régional, tableaux et lithographies côté décor, poissons et grillades préparés sous vos yeux côté cuisine : laissez-vous séduire par cette ambiance décontractée.
**Spéc.** Soupe de poissons. Salade tiède de supions et calamars à l'huile d'olive. Poissons grillés au four. **Vins** Bellet, Côtes de Provence.

**Villa du Cros,** port du Cros ✆ 04 93 07 57 83 – AE GB JCB BX e
*fermé 1er déc. au 31 janv., dim. soir et lundi soir hors saison et dim. midi en juil.-août* – **Repas** (15) - 25/35.
◆ Sur le port du Cros. Meubles de style, peintures accrochées aux murs et tables soigneusement dressées. Accueil charmant. Recettes provençales et produits de la pêche locale.

---

## CAHORS

**CAHORS** P *46000 Lot* 337 E5 *G. Périgord Quercy – 19 735 h alt. 135.*
*Voir Pont Valentré★★ – Portail Nord★★ et cloître★ de la cathédrale St-Etienne★* **BY E** *– <★ du pont Cabessut – Croix de Magne <★ O : 5 km par D 27 – Barbacane et tour St-Jean★ – <★ du nord de la ville.*
*Office du Tourisme, place François Mitterrand ✆ 05 65 53 20 65, Fax 05 65 53 20 74, cahors@wanadoo.fr.*
*Paris 575 ① – Agen 87 ① – Albi 110 ④ – Brive-la-Gaillarde 98 ① – Montauban 60 ④.*

Plan pages suivantes

**Terminus,** 5 av. Ch. de Freycinet ✆ 05 65 53 32 00, *terminus.balandre@wanadoo.fr, Fax 05 65 53 32 26* – |‡|, ▤ ch, TV P – 25. AE GB JCB. AY s
*fermé 15 au 30 nov.* - voir rest. ***Balandre*** ci-après – ☐ 10 – **22 ch** 50/125.
◆ C'est en principe au Terminus que tout le monde descend ! À proximité de la gare, chambres de taille variable, nettes et insonorisées. Salon-bar de style Art déco.

**Chartreuse,** fg St-Georges ✆ 05 65 35 17 37, *Fax 05 65 22 30 03*, <, – |‡|, ▤ rest, TV P – 20. AE GB BZ u
**Repas** 14/37 – ☐ 6,50 – **50 ch** 44/62 – ½ P 44,50/51,50.
◆ Architecture des années 1970 sur la rive gauche du Lot. Chambres plutôt grandes et bien équipées ; certaines offrent un splendide coup d'oeil sur la rivière.

**France** sans rest, 252 av. J. Jaurès ✆ 05 65 35 16 76, *hdf46@crdi.fr, Fax 05 65 22 01 08* – |‡| TV P – 50. AE GB. AY n
*fermé 21 déc. au 13 janv.* – ☐ 7 – **80 ch** 39/70.
◆ Vaste bâtisse proche de la gare et du célèbre pont Valentré, l'un des joyaux architecturaux du Moyen Âge. Les chambres, spacieuses et pratiques, sont peu à peu rénovées.

**A l'Escargot** sans rest, 5 bd Gambetta ✆ 05 65 35 07 66, *Fax 05 65 53 92 38* – TV. GB. BY v
*fermé déc., vacances de fév. et dim. hors saison* – ☐ 5,70 – **9 ch** 47/51,50.
◆ Au pied de la tour Jean XXII (le pape est natif de Cahors), les murs de l'ancien palais Duèze abritent de petites chambres fonctionnelles au mobilier coloré.

**Balandre** - Hôtel Terminus, 5 av. Ch. de Freycinet ✆ 05 65 53 32 00, *terminus.balandre@wanadoo.fr, Fax 05 65 53 32 26* – ▤. AE GB JCB
*fermé 15 au 30 nov., dim. et lundi sauf le soir en juil. août* – **Repas** 36/90 et carte 62 à 90 ♀.
◆ Le restaurant de l'hôtel Terminus vous invite à goûter sa savoureuse cuisine inventive dans l'ambiance feutrée de sa salle égayée de vitraux. Belle cave.

**Rendez-Vous,** 49 r. C. Marot ✆ 05 65 22 65 10, *Fax 05 65 35 11 05*, – GB BY e
*fermé 27 avril au 13 mai, 26 oct. au 11 nov., dim. et lundi* – **Repas** (16) - 21,50/24,60 ♀, enf. 7.
◆ Demeure médiévale du vieux Cahors : cathédrale et maison de Roaldès (fin 15e s.) à deux pas. Cadre contemporain et plats au goût du jour ont conquis les Cadurciens.

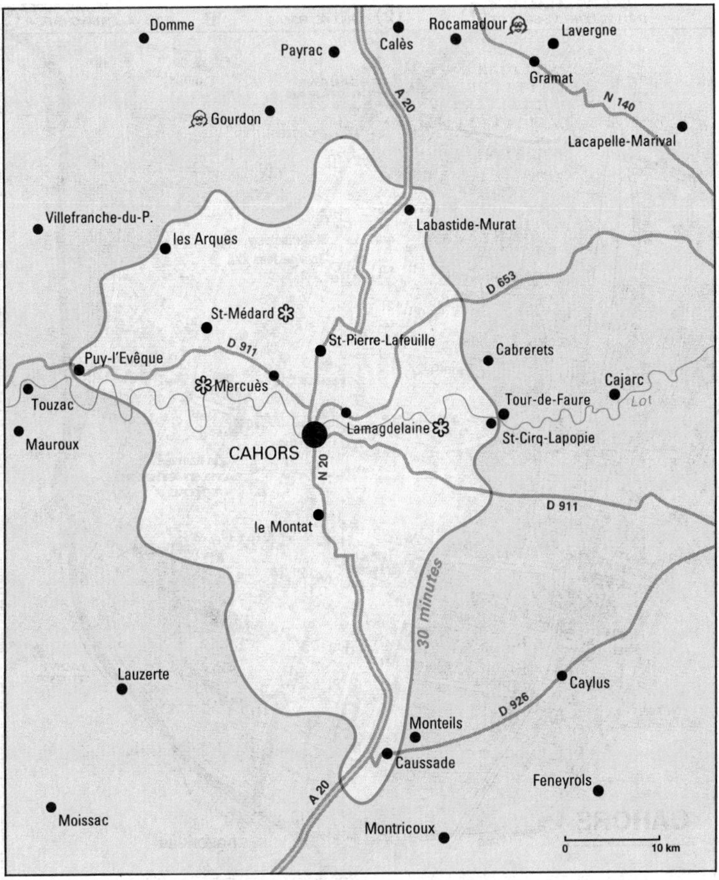
Domme
Payrac
Calès
Rocamadour
Lavergne
Gramat
N 140
A 20
Gourdon
Lacapelle-Marival
Labastide-Murat
Villefranche-du-P.
les Arques
D 653
St-Médard
St-Pierre-Lafeuille
D 911
Cabrerets
Puy-l'Evêque
Mercuès
Cajarc
Touzac
Tour-de-Faure
Lot
Lamagdelaine
St-Cirq-Lapopie
Mauroux
CAHORS
N 20
D 911
le Montat
30 minutes
Lauzerte
Caylus
D 926
Monteils
Caussade
Feneyrols
A 20
Moissac
Montricoux
0
10 km

X **Au Fil des Douceurs,** 90 quai Verrerie ✆ 05 65 22 13 04, *Fax 05 65 35 61 09*, ←, – ▤. GB BY x

*fermé 1er au 20 janv., 23 juin au 7 juil., dim. et lundi* – **Repas** 12,50 (déj.), 17/43, enf. 8.

◆ Nul besoin d'avoir le pied marin pour embarquer sur cette "gabarre" aménagée en restaurant. Les deux salles à manger superposées offrent une jolie vue sur le Lot.

**rte de Brive** *par ① et N 20 : 7 km* – ✉ *46000 Cahors* :

XX **Garenne,** ✆ 05 65 35 40 67, *Fax 05 65 35 40 67*, , – P. GB

*fermé 1er au 15 mars, fév., lundi soir et mardi soir sauf 15 juil. au 31 août et merc.* – **Repas** 16,50/45 ♀, enf. 10.

◆ Dans la traversée des plateaux du Quercy, ancienne écurie transformée en restaurant au joli décor campagnard. Accueil sympathique. Cuisine classique.

**à Mercuès** *par ①, rte de Villeneuve-sur-Lot : 10 km* – *768 h. alt. 133* – ✉ *46090* :

**Château de Mercuès** , ✆ 05 65 20 00 01, *mercues@relaischateaux.com, Fax 05 65 20 05 72*, ← vallée du Lot, , , , – TV P – 60. AE GB JCB. rest

✿ *Pâques-1er nov.* – **Repas** *(fermé mardi midi, merc. midi, jeudi midi et lundi)* 50/88 et carte 75 à 90 ♀ – 15 – **24 ch** 140/250, 6 appart – ½ P 150/190.

◆ L'ancien château des comtes-évêques de Cahors domine la vallée du Lot. Chambres personnalisées. Élégante salle à manger ; aux beaux jours, les dîners sont servis dans la cour.

**Spéc.** Risotto de truffes au jus de céleri. Jambonnette de pigeonneau et foie gras poêlé aux cèpes. Praliné aux noix, glace pruneaux et armagnac.

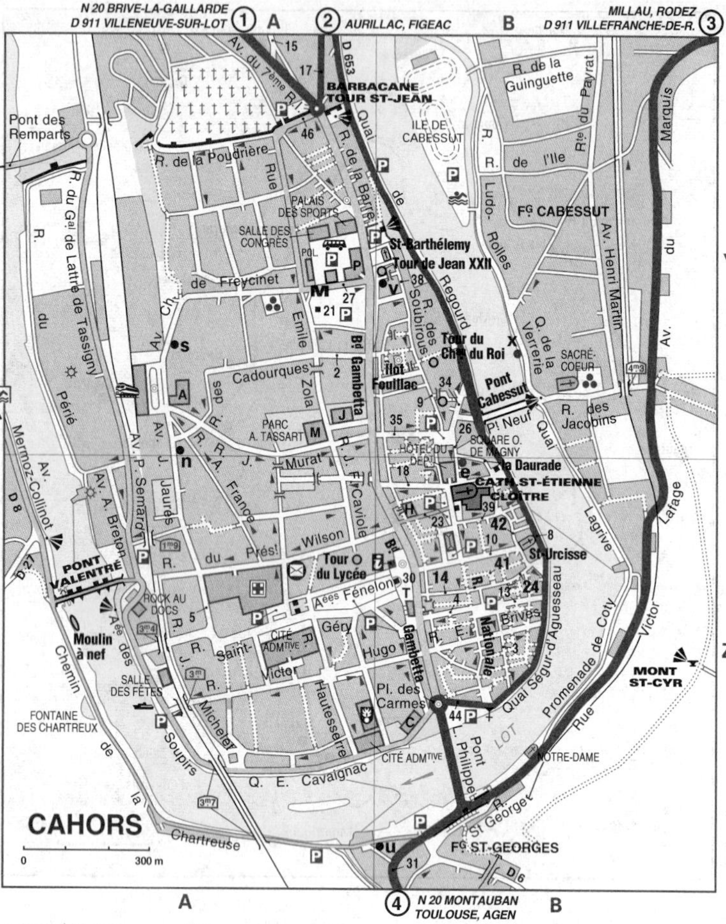

N 20 BRIVE-LA-GAILLARDE
D 911 VILLENEUVE-SUR-LOT
AURILLAC, FIGEAC
MILLAU, RODEZ
D 911 VILLEFRANCHE-DE-R.
BARBACANE
TOUR ST-JEAN
ILE DE CABESSUT
R. de la Guinguette
R. de l'Ile
Pont des Remparts
R. de la Poudrière
PALAIS DES SPORTS
SALLE DES CONGRÈS
St-Barthélemy
Tour de Jean XXII
Fg CABESSUT
Av. Henri Martin
Marquis
Regourd
Q. de la Verrerie
SACRÉ-CŒUR
Tour du Chât du Roi
Pont Cabessut
R. des Jacobins
Pt Neuf
SQUARE O. DE MAGNY
la Daurade
CATH. ST-ÉTIENNE
CLOÎTRE
St-Urcisse
Lagrive
Lafage
R. du Gal de Lattre de Tassigny
Freycinet
Cadourques
Emile Zola
Bd Gambetta
Ilot Fouillac
PARC A. TASSART
HÔTEL DU DÉPt
Murat
France
Wilson
du Prés!
Tour du Lycée
Aées Fénelon
Av. Mermoz-Collinot
Av. A. Breton
Av. P. Semard
Av. J. Jaurès
PONT VALENTRÉ
ROCK AU DOCS
Moulin à nef
SALLE DES FÊTES
FONTAINE DES CHARTREUX
Chemin de la Chartreuse
CITÉ ADMTIVE
Saint-Victor
Géry
Hugo
Hautesserre
Pl. des Carmes
Nationale
Brives
Quai Ségur-d'Aguesseau
Promenade de Coty
Rue Victor
MONT ST-CYR
Michelet
Soupirs
Q. E. Cavaignac
CITÉ ADMTIVE
Pont L. Philippe
LOT
NOTRE-DAME
R. St Georges
Fg ST-GEORGES
CAHORS
0
300 m
N 20 MONTAUBAN
TOULOUSE, AGEN


Augustins (R. des) . . . . . . . . **AY** 2
Badernes (R. des) . . . . . . . . **BZ** 3
Blanqui (R.) . . . . . . . . . . . . . . **BZ** 4
Bourthoumieux (R. P.) . . . . . **AZ** 5
Champollion (Quai) . . . . . . . . **BZ** 8
Château-du-Roi (R. du) . . . . **BZ** 9
Clemenceau (Av. G.) . . . . . . **BZ** 10
Delmas (R. du Col.) . . . . . . . **BZ** 13
Dr. Bergounioux
(R. du) . . . . . . . . . . . . . . . . . **BZ** 14
Dr. Jean Segala
(R. du) . . . . . . . . . . . . . . . . . **AY** 15
Evêques (Côte des) . . . . . . . **AY** 17
Foch (R. du Mar.) . . . . . . . . . **BZ** 18
Gambetta (Bd) . . . . . . . . **AY, BZ**
Gaulle (Pl. Ch. de) . . . . . . . . **AY** 21
Joffre (R. du Mar.) . . . . . . . . **BZ** 23
Lastié (R. de) . . . . . . . . . . . . **BZ** 24
Marot (R. Clément) . . . . . . . **BY** 26
Mendès-France (R. P.) . . . . . **AY** 27
Mitterrand (Pl. Fr.) . . . . . . . . **BZ** 30
Monzie (Av. A. de) . . . . . . . . **BZ** 31
Pelegry (R.) . . . . . . . . . . . . . . **BY** 34
Portail-Alban (R. du) . . . . . . . **BY** 35
St-Barthélemy (R.) . . . . . . . . **BY** 38
St-James (R.) . . . . . . . . . . . . **BZ** 39
St-Priest (R.) . . . . . . . . . . . . **BZ** 41
St-Urcisse (R.) . . . . . . . . . . . **BZ** 42
Vaxis (Cours) . . . . . . . . . . . . **BZ** 44
Villars (R. René) . . . . . . . . . . **AY** 46

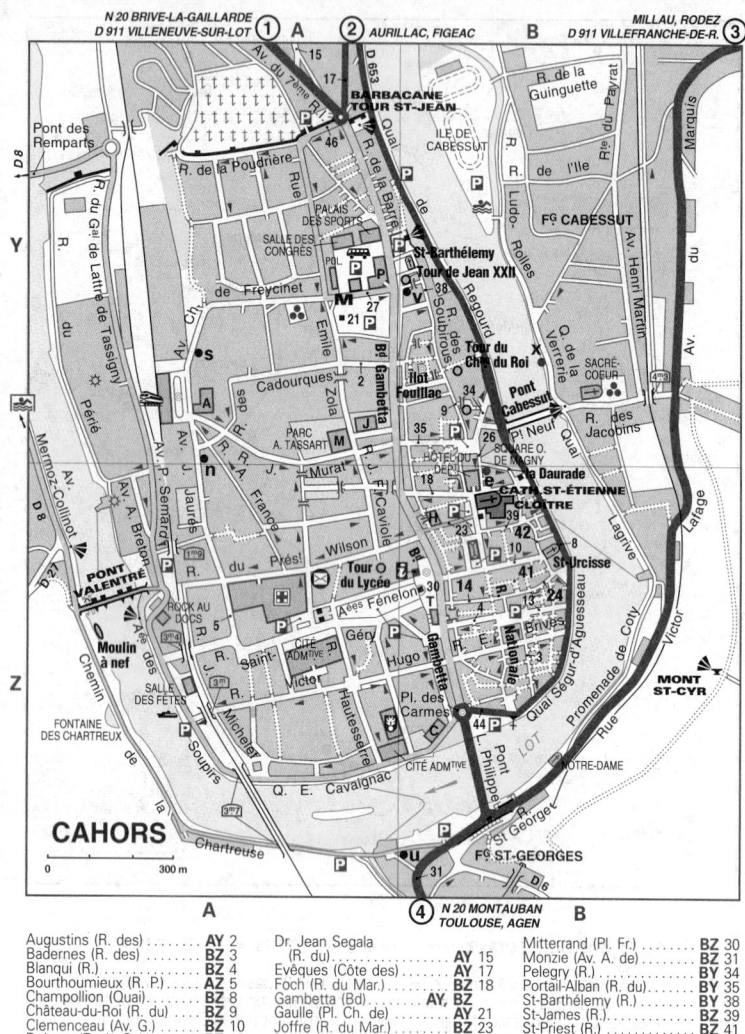

**à Lamagdelaine** *par ② : 7 km – 731 h. alt. 122 – ✉ 46090 :*

XXX ✿ **Claude Marco** Ⓜ avec ch, ✆ 05 65 35 30 64, *Fax 05 65 30 31 40*, – ch, TV P. AE ① GB JCB
*fermé 16 au 25 oct., 3 janv. au 5 mars* – **Repas** *(fermé lundi sauf le soir en saison, dim. soir et mardi midi hors saison)* 25/60 et carte 49 à 65 ♀, enf. 13 – ☕ 10
**4 ch** 95/120.
◆ Cuisine régionale personnalisée à déguster dans une belle salle à manger voûtée qui servit de cave à vins au 19e s. Chambres modernes, en rez-de-jardin.
**Spéc.** Foie gras de canard poêlé aux dix épices. Morue fraîche à la plancha. Côte de veau en cocotte aux morilles farcies. **Vins** Cahors.

**au Montat** *par ④ et D 47 : 8,5 km – 685 h. alt. 271 – ✉ 46090 :*

XXX **Les Templiers,** ✆ 05 65 21 01 23, *les.templiers@wanadoo.fr, Fax 05 65 21 02 38* – ▤. ⓓ GB
*fermé 1er au 12 juil., 15 janv. au 10 fév., lundi soir, dim. soir et mardi* – **Repas** (16) - 22,60/41 et carte 28 à 47 , enf. 7,70.
◆ L'Ordre du Temple quasiment ressuscité par ce restaurant installé dans une demeure médiévale abritant une jolie salle à manger voûtée. Cuisine régionale.

---

**CAHUZAC-SUR-VÈRE** *81140 Tarn* 338 D7 – *1 074 h alt. 240.*
*Office du Tourisme, ✆ 05 63 33 91 71, Fax 05 63 33 91 71.*
*Paris 662 – Toulouse 69 – Albi 28 – Gaillac 11 – Montauban 60 – Rodez 86.*

**Château de Salettes** M, Sud : 3 km par D 922 ✆ 05 63 33 60 60, *salettes@chateaudesalettes.com, Fax 05 63 33 60 61*, ←, , , – ▤ TV ♿ P – 20. AE ⓓ GB
**Repas** 22 (déj.), 29/80 bc ♀ – ▭ 14 – **18 ch** 115/145 – ½ P 111,50/187,50.
◆ Au milieu des vignes, château du 13e s. entièrement rebâti. Belle décoration contemporaine et mobilier design. Grandes chambres parfois dotées de baignoires "balnéo".

XX **Falaise,** rte Cordes ✆ 05 63 33 96 31, *guilaume.salvan@wanadoo.fr, Fax 05 63 33 96 31*, – P. AE ⓓ GB. ✗
*fermé 28 oct. au 2 nov., 2 au 4 janv., dim. soir, merc. midi et lundi* – **Repas** 19 (déj.), 22/36 ♀.
◆ Ancien hangar à vins converti en restaurant. Salle à manger sobrement rustique, véranda et terrasse sous les saules pour l'été. Carte personnalisée et beau choix de gaillacs.

---

**CAILLY-SUR-EURE** *27490 Eure* 304 H7 – *191 h alt. 23.*
*Paris 103 – Rouen 45 – Évreux 13 – Louviers 13 – Vernon 32.*

**Deux Sapins,** ✆ 02 32 67 75 13, *juhel.eric@wanadoo.fr, Fax 02 32 67 73 62*, – TV ♿ P. GB. ✗ ch
*fermé 10 août au 3 sept., lundi (sauf hôtel) et dim. soir* – **Repas** 13,80/22,20 – ▭ 6 – **15 ch** 38,50/49 – ½ P 30/32.
◆ Établissement de type motel, moderne et accueillant. Chambres simples et fonctionnelles, desservies par une galerie couverte. Petit salon installé sous une verrière.

---

**CAIRANNE** *84290 Vaucluse* 332 C8 – *863 h alt. 136.*
*Paris 655 – Avignon 43 – Bollène 47 – Montélimar 51 – Nyons 25 – Orange 18.*

**Auberge Castel Miréïo** M, rte Carpentras par D 8 ✆ 04 90 30 82 20, *info@castelmireio.fr, Fax 04 90 30 78 39*, , – ▤ rest, TV ♿ P. GB
*fermé janv.* – **Repas** *(fermé dim. soir et merc. soir de sept. à juin, mardi midi et sam. midi en juil.-août et lundi midi)* 16 (déj.), 19/30 ♀ – ▭ 6,50 – **9 ch** 53/60 – ½ P 52/55.
◆ La villa principale abrite la salle à manger rustique avec son joli carrelage centenaire. Chambres sobres égayées de tissus provençaux, logées dans une annexe récente.

---

**CAJARC** *46160 Lot* 337 H5 *G. Périgord Quercy – 1 033 h alt. 160.*
*Paris 587 – Cahors 52 – Figeac 25 – Rocamadour 60 – Villefranche-de-Rouergue 27.*

**Ségalière** , rte Capdenac ✆ 05 65 40 65 35, *hotel.segaliere@wanadoo.fr, Fax 05 65 40 74 92*, , , – TV P. AE ⓓ GB JCB
*28 mars-3 nov.* – **Repas** *(fermé le midi en semaine sauf 12 juil. au 24 août)* 14/46 ♀, enf. 9 – ▭ 8 – **18 ch** 55/66 – ½ P 55.
◆ Village natal de Françoise Sagan... et du "papy Mougeot" de Coluche ! Construction des années 1970 aux chambres rénovées, dotées de balcons. Salle à manger meublée en rotin.

---

**CALACUCCIA** *2B H.-Corse* 345 D5 – *voir à Corse.*

---

**CALAIS** 62100 *P.-de-C.* 301 E2 *G. Picardie Flandres Artois – 75 309 h Agglo. 104 852 h alt. 5 – Casino* **CX.**
**Voir** *Monument des Bourgeois de Calais (Rodin)★★ – Phare ✻★★* **DX** *– Musée des Beaux-Arts et de la Dentelle★* **CX M**2.
**Env.** *Cap Blanc Nez★★ : 13 km par ④.*
**Tunnel sous la Manche** *: Terminal de Coquelles* **AU**, *renseignements* **"Le Shuttle"** ✆ 03 21 00 61 00.
✆ *08 36 35 35 35.*
*Office du Tourisme, 12 boulevard Clemenceau ✆ 03 21 96 62 40, Fax 03 21 96 01 92, ot@ot-calais.fr.*
*Paris 290 ② – Boulogne-sur-Mer 36 ③ – Dunkerque 47 ① – St-Omer 44 ②.*

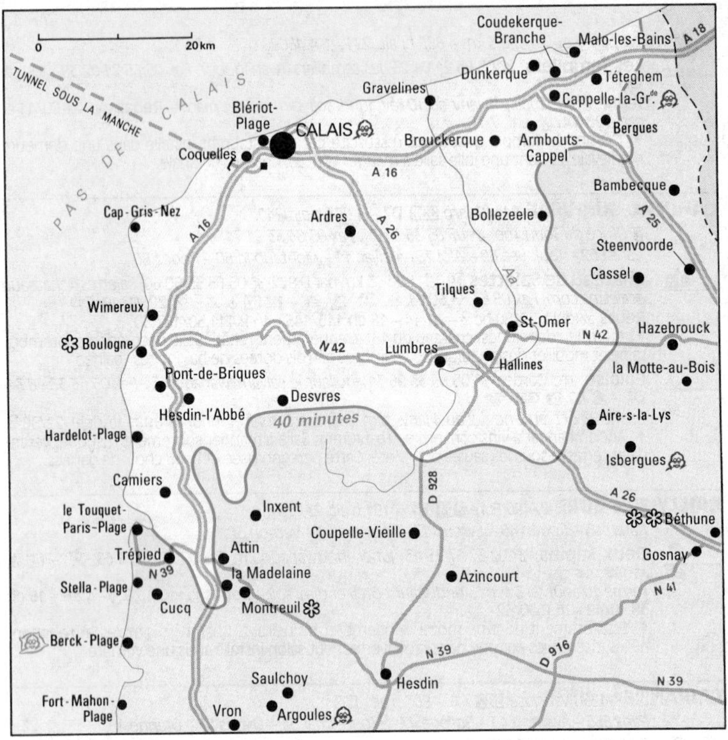
0
20 km
TUNNEL SOUS LA MANCHE
PAS DE CALAIS
Coudekerque-Branche
Malo-les-Bains
A 18
Dunkerque
Téteghem
Gravelines
Cappelle-la-Gr^de
Bergues
Blériot-Plage
CALAIS
Coquelles
Brouckerque
Armbouts-Cappel
A 16
Bambecque
Cap-Gris-Nez
Ardres
A 26
Bollezeele
A 25
A 16
Steenvoorde
Cassel
Tilques
Aa
Wimereux
St-Omer
N 42
Hazebrouck
Boulogne
N 42
Lumbres
Hallines
la Motte-au-Bois
Pont-de-Briques
Desvres
Hesdin-l'Abbé
Aire-s-la-Lys
40 minutes
Hardelot-Plage
Isbergues
Camiers
D 928
A 26
Béthune
le Touquet-Paris-Plage
Inxent
Coupelle-Vieille
Gosnay
Trépied
Attin
N 39
Stella-Plage
la Madelaine
Azincourt
N 41
Cucq
Montreuil
Berck-Plage
D 916
N 39
Saulchoy
Hesdin
N 39
Fort-Mahon-Plage
Vron
Argoules

**Holiday Inn** Ⓜ, bd Alliés ✆ 03 21 34 69 69, *holidayinn@holidayinn-calais.com, Fax 03 21 97 09 15,* ← – |≑|, ≡ rest, TV ✆ ♿ – 🅿 30. AE ⓓ GB JCB CX a
**Repas** *(fermé sam. midi et dim. midi)* 16/22 ♀ – ☕ 11,50 – **63 ch** 110/119.
◆ Vaste ensemble disposant de chambres spacieuses et fonctionnelles ; certaines ont, comme le restaurant au décor contemporain, vue sur l'animation portuaire.

**Meurice,** 5 r. E. Roche ✆ 03 21 34 57 03, *meurice@hotel-meurice.fr, Fax 03 21 34 14 71* – |≑| TV. AE ⓓ GB CX v
**Repas** *(fermé sam. midi)* 14,50/54 ♀ – ☕ 12 – **41 ch** 75/120 – ½ P 60/80.
◆ Hôtel de tradition avec son vaste hall à l'atmosphère "vieille France" et ses grandes chambres au charme délicieusement désuet ; cadre actuel dans une aile plus récente.

**Métropol Hôtel** sans rest, 43 quai du Rhin ✆ 03 21 97 54 00, *metropol@metropolhotel.com, Fax 03 21 96 69 70* – |≑| TV ✆. AE ⓓ GB JCB CY h
*fermé 19 déc. au 6 janv.* – ☕ 8 – **40 ch** 46/60.
◆ Derrière la façade en briques rouges d'une bâtisse ancienne, chambres insonorisées et dotées d'un mobilier pratique en bois blond. Bar "cosy", aménagé dans l'esprit anglais.

**George V,** 36 rue Royale ✆ 03 21 97 68 00, *georgev@georgev-calais.com, Fax 03 21 97 34 73* – |≑|, ≡ rest, TV ✆ ♿ P – 🅿 25. AE ⓓ GB JCB CX d
**Repas** *(fermé 20 déc. au 12 janv., sam. midi et dim.)* 26/43,50 bc ♀ - ***Petit George*** - brasserie *(fermé 20 déc. au 12 janv., sam. midi et dim. soir)* **Repas** *(13,50)*-15/20♀, enf. 9 – ☕ 8 – **40 ch** 58/78 – ½ P 69.
◆ Cet hôtel borde une artère commerçante calaisienne et propose des chambres rénovées ou dans le style des années 1980. Pour les repas : brasserie ou restaurant traditionnel.

**Ibis,** ZUP Beau Marais, r. Greuze ✆ 03 21 96 69 69, *Fax 03 21 97 89 99* – ✕ TV ✆ ♿ P. AE ⓓ GB. ✻ rest BT n
**Repas** (dîner seul.) *(12)* - carte environ 21 ♀, enf. 6 – ☕ 6 – **55 ch** 67.
◆ Dans un quartier résidentiel des faubourgs du premier port français. Toutes les chambres bénéficient des aménagements "dernier cri" de la chaîne.

## CALAIS

Bossuet (R.) .............. BT 9
Cambronne (R.) .......... AU 12
Chateaubriand (R.) ........ BT 15
Égalité (Bd de l') .......... BT 18
Einstein (Bd) ............. AU 19
Fontinettes (R. des) ..... ATU 25
Four à Chaux (R. du) ...... AU 27
Gambetta (Bd Léon) ....... AT 28
Gaulle (Bd du Gén.-de) .... AT 30
Hoche (R.) .............. ATU 33
Jacquard (Bd) ............ AT 34
Lafayette (Bd) ............ AT 39
Lattre-de-Tassigny (R. Mar.-de) ........... AT 40
Lheureux (Quai L.) ........ BU 41
Maubeuge (R. de) ........ BT 43
Phalsbourg (R. de) ........ BT 51
Prairies (R. des) .......... AU 52
Ragueneau (R. de) ...... BTU 57
Valenciennes (R. de) ................ AU 69
Verdun (R. de) ............ AT 73

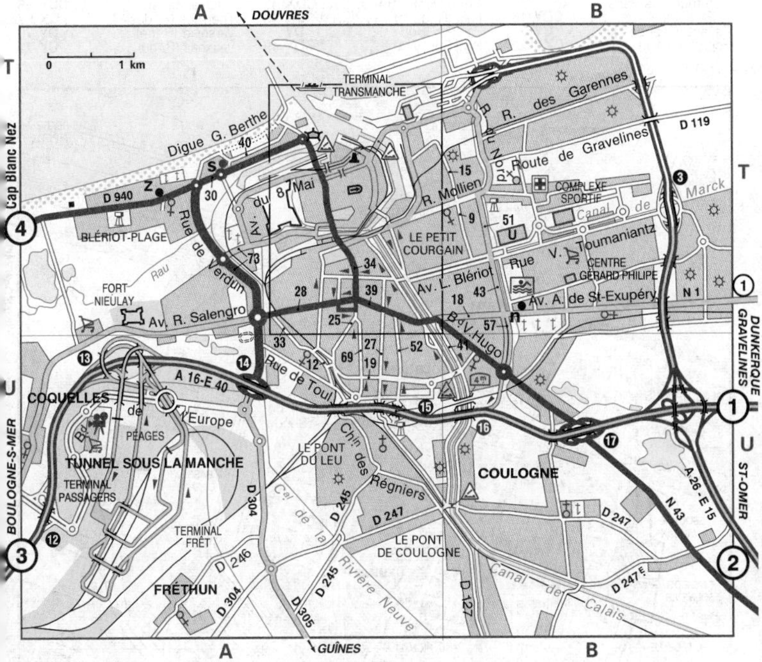
A
DOUVRES
B
0 1 km
TERMINAL TRANSMANCHE
Digue G. Berthe
R. des Garennes
D 119
Route de Gravelines
R. du Nord
R. Mollien
COMPLEXE SPORTIF
Canal de Marck
LE PETIT COURGAIN
Rue V. Toumaniantz
CENTRE GÉRARD PHILIPE
Av. L. Blériot
Av. A. de St-Exupéry
Bd V. Hugo
N 1
D 940
BLÉRIOT-PLAGE
Rue de Verdun
Av. du 8 Mai
FORT NIEULAY
Av. R. Salengro
Rau
A 16-E 40
Rue de Toul
COQUELLES
Bd de l'Europe
PÉAGES
TUNNEL SOUS LA MANCHE
TERMINAL PASSAGERS
TERMINAL FRET
FRÉTHUN
LE PONT DU LEU
Chin des Régniers
COULOGNE
LE PONT DE COULOGNE
D 304
D 246
D 245
D 247
D 305
D 127
D 247E
N 43
A 26-E 15
Cal de la Rivière Neuve
Canal de Calais
Cap Blanc Nez
BOULOGNE-S-MER
DUNKERQUE GRAVELINES
ST-OMER
GUÎNES
T
U

⌂ **Richelieu** sans rest, 17 r. Richelieu ✆ 03 21 34 61 60, *Fax 03 21 85 89 28* – TV. AE ⓓ GB.
CX k
*fermé vacances de Noël* – ☐ 6 – **15 ch** 46.
◆ Petit hôtel tout simple voisin du parc Richelieu et du musée des Beaux-Arts et de la Dentelle. Chambres un brin désuètes, mais propres ; celles sur l'arrière sont plus calmes.

XX **Aquar'aile,** 255 r. J. Moulin (4e étage) ✆ 03 21 34 00 00, *f.leroy@aquaraile.com, Fax 03 21 34 15 00*, ≤ plage et port – |‡| ▤. AE ⓓ GB
AT s
*fermé dim. soir et lundi* – **Repas** 22/38 ♀.
◆ Agréable panorama depuis cette salle à manger : d'un côté la Manche, de l'autre la mer du Nord et, au loin, visibles par beau temps, les côtes anglaises. Carte de poisson.

XX **Au Côte d'Argent,** 1 digue G. Berthe ✆ 03 21 34 68 07, *lefebvre@cotedargent.com, Fax 03 21 96 42 10*, ≤ – AE ⓓ GB.
CX f
*fermé 18 août au 8 sept., 24 déc. au 2 janv., 23 fév. au 7 mars, merc. soir de sept. à avril, dim. soir et lundi* – **Repas** 17/36 ♀.
◆ Embarquement immédiat pour un voyage gourmand riche en saveurs iodées dans un cadre plaisant inspiré des cabines de bateau, le tout en observant le ballet des ferry-boats.

XX **Pléiade,** 32 r. J. Quehen ✆ 03 21 34 03 70, *e.memain@lapleiade.com, Fax 03 21 34 03 13* – ▤. AE ⓓ GB
CX r
*fermé 12 août au 1er sept., vacances de fév., dim. sauf fériés et lundi* – **Repas** 22/36 ♀.
◆ Façade engageante pour ce restaurant au décor moderne agrémenté d'une collection de tableaux à thème marin. Cuisine traditionnelle et suggestions du marché.

# CALAIS

Amsterdam (R. d') ...... **DXY** 3
Angleterre (Pl. d') ........ **DX** 4
Barbusse (Pl. Henri) ...... **DX** 6
Bonningue (R. du Cdt) .... **DX** 7
Bruxelles (R. de) .......... **DX** 10
Chanzy (R. du Gén.) ...... **DY** 13
Commune de Paris
(R. de la) ............... **CDY** 16
Escaut (Quai de l') ......... **CY** 21
Foch (Pl. Mar.) ........... **CXY** 22
Fontinettes (R. des) ..... **CDY** 24
Gambetta (Bd Léon) ....... **CY**
George-V (Pont) ........... **CY** 31
Jacquard (Bd) ............ **CDY**
Jacquard (Pont) ........... **CY** 36
Jean-Jaurès (R.) .......... **DY** 37
Lafayette (Bd) .............. **DY**
Londres (R. de) ........... **DX** 42
Mer (R. de la) .............. **CX** 45
Notre-Dame (R.) ........ **CDX** 46
Paix (R. de la) .............. **CX** 48
Pasteur (Bd) ................ **DY**
Paul-Bert (R.) ............ **CDY** 49
Prés.-Wilson (Av. du) ...... **CY** 54
Quatre-Coins (R. des) ..... **CY** 55
Rhin (Quai du) .............. **CY** 58
Richelieu (R.) ............... **CX** 60
Rome (R. de) ............... **CY** 61
Royale (R.) .................. **CX** 63
Soldat-Inconnu
(Pl. du) ................... **DY** 64
Tamise
(Quai de la) ............ **CDY** 66
Thermes (R. des) .......... **CX** 67
Varsovie (R. de) ........... **DY** 70
Vauxhall (R. du) ............ **CY** 72

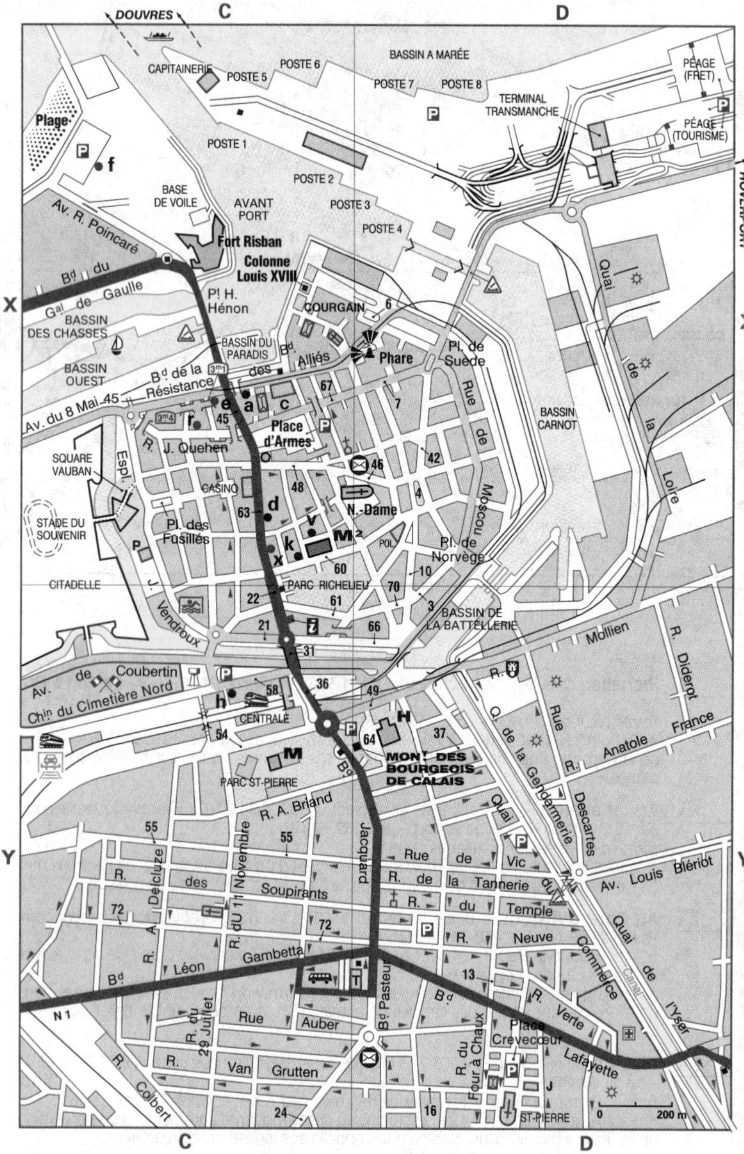

DOUVRES
C
D
X
Y
BASSIN A MARÉE
CAPITAINERIE
POSTE 5
POSTE 6
POSTE 7
POSTE 8
PÉAGE (FRET)
TERMINAL TRANSMANCHE
PÉAGE (TOURISME)
Plage
f
POSTE 1
POSTE 2
POSTE 3
POSTE 4
BASE DE VOILE
AVANT PORT
Fort Risban
Colonne Louis XVIII
Av. R. Poincaré
Bd du Gal de Gaulle
Pl H. Hénon
COURGAIN
BASSIN DES CHASSES
BASSIN DU PARADIS
Bd des Alliés
Phare
Pl. de Suède
BASSIN OUEST
Bd de la Résistance
Av. du 8 Mai 45
Place d'Armes
Rue de Moscou
Quai de la Loire
BASSIN CARNOT
SQUARE VAUBAN
Espl.
R. J. Quehen
CASINO
N.-Dame
STADE DU SOUVENIR
Pl. des Fusillés
Pl. de Norvège
POL
CITADELLE
PARC RICHELIEU
BASSIN DE LA BATELLERIE
J. Vendroux
R. Mollien
R. Diderot
Av. de Coubertin
Chin du Cimetière Nord
CENTRALE
Rue Anatole France
MONT DES BOURGEOIS DE CALAIS
PARC ST-PIERRE
Q. de la Gendarmerie
R. Descartes
R. A. Briand
R. Delcluze
R. du 11 Novembre
Jacquard
Rue de Vic
R. de la Tannerie
R. des Soupirants
R. du Temple
R. Neuve
Quai du Commerce
Av. Louis Blériot
Bd Léon Gambetta
N 1
Bd Pasteur
Rue Auber
R. du 29 Juillet
Bd Lafayette
R. Verte
Place Crevecœur
Quai de l'Yser
Canal
R. Colbert
R. Van Grutten
R. du Four à Chaux
ST-PIERRE
200 m

XX **Channel,** 3 bd Résistance ✆ 03 21 34 42 30, *Fax 03 21 97 42 43* – ▤. AE ⓓ GB CX e
*fermé 26 juil. au 9 août, 23 déc. au 18 janv., dim. soir et mardi* – **Repas** 17/60 ♀.
◆ Décor de boiseries peintes, produits de la mer et belle carte des vins : une plaisante escale avant la traversée du "channel" (vingt millions de voyageurs par an !).

X **Histoire Ancienne,** 20 r. Royale ✆ 03 21 34 11 20, *p.comte@histoire-ancienne.com, Fax 03 21 96 19 58* – AE GB CX x
*fermé 1er au 15 août, lundi soir et dim.* – **Repas** (12) - 16/28 ♀, enf. 8,50.
◆ Ambiance bon enfant dans ce restaurant aux allures de brasserie "rétro" avec ses banquettes en skaï et son zinc. Grillades, plats traditionnels et du terroir.

**à Coquelles** *Ouest : 6 km par av. R. Salengro* **AT** – *2 133 h. alt. 5* – ✉ *62231 :*

**Copthorne** M ⛭, ✆ 03 21 46 60 60, *sales.calais@mill.coq.com, Fax 03 21 85 76 76,* ⛹, ▢ – |‡| ⇹, ▤ rest, TV ✆ ♿ P – 🏛 15 à 80. AE ⓓ GB
**Repas** *(fermé sam. midi)* 24,40 bc – ☕ 15,30 – **118 ch** 110/125.
◆ Complexe moderne voisin du tunnel sous la Manche. La moitié des chambres sort d'une rénovation totale et soignée. Décor campagnard chic au restaurant. Fitness très complet.

**à Blériot-Plage** **AT** – ✉ *62231 :*

*Syndicat d'Initiative, 31 bis route Nationale Sangatte ✆ 03 21 34 97 98, Fax 03 21 97 75 13.*

**Dunes,** 48 rte Nationale ✆ 03 21 34 54 30, *p.mene@les.dunes.com, Fax 03 21 97 17 63* – TV ✆. AE ⓓ GB AT z
*fermé 16 au 29 sept. et 20 au 26 janv.* – **Repas** *(fermé dim. soir sauf fériés et lundi de sept. à juil.)* 16/36 ♀, enf. 7 – ☕ 7 – **9 ch** 53/59 – ½ P 55.
◆ Petite adresse aux chambres neuves et au restaurant "cosy" dans la commune qui vit s'envoler Louis Blériot le 25 juillet 1909 pour une glorieuse traversée de la Manche.

*Dans ce guide*
*un même symbole, un même mot,*
*imprimé en* ***rouge*** *ou en* ***noir****, en maigre ou en* ***gras****,*
*n'ont pas tout à fait la même signification.*
*Lisez attentivement les pages explicatives.*

**CALA-ROSSA** *2A Corse-du-Sud* 345 F10 – *voir à Corse (Porto-Vecchio).*

**CALÈS** *46350 Lot* 337 F3 – *141 h alt. 273.*
*Paris 538 – Cahors 55 – Gourdon 20 – Rocamadour 14 – Sarlat-la Canéda 36 – St-Céré 42.*

**Petit Relais,** ✆ 05 65 37 96 09, *petit.relais@wanadoo.fr, Fax 05 65 37 95 93,* ☂ – TV. ⓓ GB
*fermé 20 déc. au 10 janv. et sam. midi* – **Repas** 16/42 – ☕ 7 – **13 ch** 53,50/69 – ½ P 48/56.
◆ Depuis trois générations, la même famille vous accueille dans cette vieille maison quercynoise. Chambres bien rénovées, restaurant rustique et cuisine du terroir à prix doux.

**CALLAS** *83830 Var* 340 O4 *G. Côte d'Azur* – *1 276 h alt. 398.*
*Office du Tourisme, place du 18 juin 1940 ✆ 04 94 39 06 77, Fax 04 94 39 06 79.*
*Paris 877 – Castellane 51 – Draguignan 14.*

**rte de Muy** *Sud-Est : 7 km par D 25* – ✉ *83830 Callas :*

**Hostellerie Les Gorges de Pennafort** M ⛭, D 25 ✆ 04 94 76 66 51, *info@hostellerie-pennafort.com, Fax 04 94 76 67 23,* ≤, ☂, ⛱, 🌳, ✂ – ▤ TV ✆ ♿ P – 🏛 20. AE ⓓ GB
✿
*fermé mi-janv. à mi-mars* – **Repas** *(fermé merc. midi, dim. soir et lundi)* 37 (déj.), 49/110 et carte 90 à 120 ♀, enf. 15 – ☕ 16 – **16 ch** 175/210 – ½ P 155/170.
◆ Harmonie de couleurs et de matières en ce mas où tout a été pensé pour créer une atmosphère raffinée. Le soir, jeux de lumières sur les falaises rouges des gorges.
**Spéc.** Raviolis de foie gras au parmesan. Turbot rôti aux artichauts. Feuillantine de langues de chat aux deux chocolats. **Vins** Côtes de Provence.

**CALVAIRE DE QUILINEN** *29 Finistère* 308 G6 – *rattaché à Quimper.*

**CALVI** *2B H.-Corse* 345 B4 – *voir à Corse.*

## CALVINET 15340 Cantal 330 C6 – 404 h alt. 600.

*Paris 575 – Aurillac 35 – Rodez 57 – Entraygues-sur-Truyère 31 – Figeac 40 – Maurs 18.*

XX **Beauséjour** (Puech) avec ch, ✆ 04 71 49 91 68, *beausejour-puech@wanadoo.fr, Fax 04 71 49 98 63* – TV ✆ P. ⓓ GB JCB

*fermé 5/01-6/02, lundi sf le soir en été et le midi d'oct à fév, mardi sf le soir hors saison et merc. d'oct à fév* – **Repas** (prévenir) 25/55 et carte 50 à 65 ♀ – ☕ 12 – **12 ch** 46 – ½ P 55.

◆ Maison de pays bien rénovée, où l'on s'attache à faire découvrir les saveurs d'une cuisine mariant inventivité et traditions du terroir cantalien. Élégante salle à manger.

**Spéc.** Gaufres au foie gras de canard. Salade de lentilles, pieds de porc et cèpes (juil. à oct.). Sablé à la châtaigne, poêlée de pommes et glace caramel. **Vins** Marcillac, Saint Pourçain

## CAMARET-SUR-MER 29570 Finistère 308 D5 *G. Bretagne* – 2 933 h alt. 4.

**Env.** *Pointe de Penhir★★★ SO : 3,5 km.*

*Office du Tourisme, 15 quai Kleber ✆ 02 98 27 93 60, Fax 02 98 27 87 22, ot.camaret@wanadoo.fr.*

*Paris 599 – Brest 69 – Châteaulin 45 – Crozon 11 – Morlaix 91 – Quimper 59.*

**Thalassa,** ✆ 02 98 27 86 44, *hotel.thalassa@wanadoo.fr, Fax 02 98 27 88 14,* ←, Ⓛ, ⛱ – |♦| TV ✆ ♿ P – 🏊 25. AE ⓓ GB JCB

*hôtel : 15 avril-30 sept. ; rest. : mai-sept.* – **Repas** *(fermé le midi en semaine et dim. fériés)* 17/45 ♀, enf. 8 – ☕ 8 – **47 ch** 59/115 – ½ P 54/78.

◆ Sur le port, deux bâtiments actuels disposés autour de la piscine. Chambres assez amples, meublées en rotin. Certaines, équipées de balcons, s'ouvrent côté mer.

**France,** ✆ 02 98 27 93 06, *hotel.thalassa@wanadoo.fr, Fax 02 98 27 88 14,* ← – |♦|, ▤ rest, TV. AE ⓓ GB JCB. ✗ rest

*1er avril-3 nov.* – **Repas** *(11,50)* - 16,90/42 ♀, enf. 8 – ☕ 7 – **20 ch** 40/86 – ½ P 50/64.

◆ Chambres confortables, bien tenues et insonorisées, plus petites sur l'arrière. Spécialités de fruits de mer servies dans une salle à manger jouissant de la vue sur le port.

**Vauban** sans rest, ✆ 02 98 27 91 36, *Fax 02 98 27 96 34,* ←, ⛱ – P. GB. ✗

*fermé déc. et janv.* – ☕ 5,50 – **16 ch** 28/38.

◆ Les navigateurs ne s'y trompent pas en faisant escale ici : l'hôtel est très simple (chambres fraîches, un peu petites), mais son accueil justifie qu'on change de cap !

*Les principales voies commerçantes figurent en **rouge** dans la liste des rues des plans de villes.*

## CAMBLANÈS-ET-MEYNAC 33 Gironde 335 I6 – *rattaché à Bordeaux.*

## CAMBO-LES-BAINS 64250 Pyr.-Atl. 342 D4 *G. Aquitaine – 4 128 h alt. 67 – Stat. therm. (fin février-mi déc.).*

**Voir** *Villa Arnaga★★* **M.**

*Office du Tourisme, Parc Public ✆ 05 59 29 70 25, Fax 05 59 29 90 77, Cambotourisme@aol.com.*

*Paris 786 ② – Biarritz 21 ② – Pau 115 ① – San Sebastián 63 ②.*

### CAMBO-LES-BAINS

Chiquito de Cambo . . . . . 2
Côte de la Gare . . . . . . . . 3
Espagne (Av. d') . . . . . . . . . . . . . 4
Mairie (Av. de la) . . . . . . . 6
Marronniers (Allée des) . . . . . . . . . . 7
Navarre (Av. de) . . . . . . . 9
Neubourg (Allée A.-de) . . . . . . . . 12
Professeur-Grancher (Av. du) . . . . . . . . . . . . . 13
Rostand (Allée Ed.) . . . . . . . . . . 14
Terrasses (R. des) . . . . . . . . . . . . 16
Thermes (Av. des) . . . . . . . . . . . . 18
Ursuya (Av. de) . . . . . . . . . 19

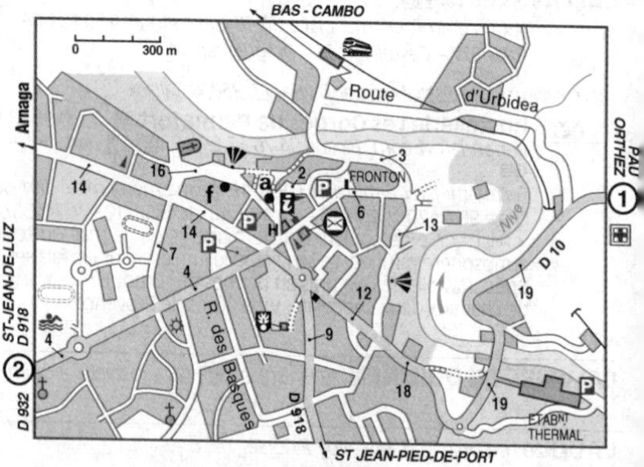

BAS - CAMBO
0
300 m
Route
d'Urbidea
Arnaga
PAU
ORTHEZ
1
FRONTON
Nive
D 10
R. des Basques
D 918
ST-JEAN-DE-LUZ
D 918
2
D 932
ETABNT
THERMAL
ST JEAN-PIED-DE-PORT

**Bellevue,** r. Terrasses (f) ✆ 05 59 93 75 75, *Fax 05 59 93 75 85*, ←, 🏖, 🏊, 🌳 – TV P. AE GB. ✂ rest
*fermé 15 nov. au 1er mars* – **Repas** *(fermé 15 au 30 nov., 20 déc. au 7 janv., 15 au 28 fév., dim. soir et lundi)* 15/27 ♀ - ***Bistrot*** (déj. seul.) *(fermé 20/11 au 5/12, 23/12 au 5/1, lundi sauf juil.-août)* **Repas** *(8,50)*-10♀ – ☕ 5,50 – **24 ch** 40/63 – ½ P 45/54.
◆ Près de la villa d'Edmond Rostand. Certaines chambres donnent sur le jardin, d'autres sur la Nive. Spécialités du terroir servies dans une vaste salle de restaurant.

**Chez Tante Ursule** (annexe M 10 ch), quartier Bas-Cambo, au Nord : 2 km ✆ 05 59 29 78 23, *Fax 05 59 29 28 57*, 🏖 – TV ♿ P. AE ① GB. ✂ ch
*fermé 15 fév. au 15 mars et mardi* – **Repas** 14/30,50 – ☕ 6,50 – **17 ch** 27/50 – ½ P 30,50/43,50.
◆ L'hôtel voisine avec le fronton du pittoresque Bas Cambo. Préférez les chambres de l'annexe, plus récentes. Pimpante salle à manger agrémentée de poutres et boiseries.

**Trinquet** sans rest, r. Trinquet (a) ✆ 05 59 29 73 38, *Fax 05 59 29 25 61* – TV. GB
*fermé 3 nov. au 2 déc., mardi sauf du 9 juil. au 15 sept.* – ☕ 4,50 – **12 ch** 29/34,50.
◆ Cette grande maison située au coeur de la station a pris le nom d'une variante de la pelote basque. Chambres spacieuses et bien entretenues. Ambiance familiale.

***Dans ce guide***
*un même symbole, un même mot,*
*imprimé en* ***rouge*** *ou en* ***noir****, en maigre ou en* ***gras****,*
*n'ont pas tout à fait la même signification.*
*Lisez attentivement les pages explicatives.*

---

## CAMBRAI

SP 59400 Nord 302 H6 *G. Picardie Flandres Artois* – *33 092 h alt. 53.*

Voir *Mise au tombeau*★★ *de Rubens dans l'église St-Géry* **AY** – *Musée Beaux-Arts : clôture du choeur*★, *char de procession*★ **AZ M.**

ℹ *Office du Tourisme, 48 rue de Noyon* ✆ *03 27 78 36 15, Fax 03 27 74 82 82, cambrai@tourisme.norsys.fr.*

*Paris 179* ⑥ – *St-Quentin 51* ⑤ – *Amiens 98* ⑥ – *Arras 36* ⑥ – *Lille 77* ⑦.

Plan page suivante

**Château de la Motte Fénelon** 🐎, square Château (par allée St Roch - Nord du plan) **BY** ✆ 03 27 83 61 38, *cmf@cambraichateaudelamotte.com, Fax 03 27 83 71 61*, 🎾, 🌳 – TV P – 🏛 150. AE ① GB. ✂ ch
**Repas** 23/37 ♀ – ☕ 10 – **40 ch** 60/230 – ½ P 58/138,50.
◆ Le château du 19e s. édifié par Hittorff abrite des chambres de caractère au mobilier ancien. Hébergement plus simple dans l'orangerie et les bungalows au fond du parc.

**Beatus** 🐎 sans rest, 718 av. Paris par ⑤ : *1,5 km* ✆ 03 27 81 45 70, *Fax 03 27 78 00 83*, 🌳 – TV 📞 P – 🏛 30. AE ① GB
☕ 9 – **33 ch** 54/70.
◆ À l'ombre de grands arbres, demeure toute blanche proposant de spacieuses chambres contemporaines, provençales ou de style, certaines en rez-de-jardin. Salon-bar feutré.

**Mouton Blanc,** 33 r. Alsace-Lorraine ✆ 03 27 81 30 16, *Fax 03 27 81 83 54* – 🛗 TV – 🏛 30. AE GB **BY a**
**Repas** *(fermé dim. soir et lundi)* 19/42 🍷 – ☕ 7,50 – **31 ch** 55/70 – ½ P 42,80/50,30.
◆ Façade régionale en briques rouges et pierres blanches proche de la gare. Réservez en priorité l'une des chambres au cadre actuel. Chaleureuse salle à manger champêtre.

**L'Escargot,** 10 r. Gén. de Gaulle ✆ 03 27 81 24 54, *restaurantlescargot@wanadoo.fr, Fax 03 27 83 95 21* – GB **BZ n**
*fermé 21 juil. au 3 août, 23 au 29 fév., vend. soir et merc.* – **Repas** 16,50 (déj.), 24/35 ♀.
◆ Sage restaurant au coeur de la petite capitale des "bêtises". Salle à manger rustique avec mezzanine, où l'on sert une cuisine traditionnelle dans une ambiance conviviale.

**Crabe Tambour,** 52 r. Cantimpré ✆ 03 27 83 10 18 – GB **AY r**
*fermé dim. soir et lundi* – **Repas** 15/24,50, enf. 11,50.
◆ La carte, traditionnelle, fait la part belle au poisson dans ce petit restaurant situé près des canaux. Atmosphère campagnarde colorée dans la salle à manger.

par ⑥ *4 km sur rte de Bapaume* – ✉ *59400 Fontaine-Notre-Dame :*

**Auberge Fontenoise,** N 30 ✆ 03 27 37 71 24, *auberge.fontenosie@9online.fr, Fax 03 27 70 34 91* – AE GB
*fermé vacances de fév., 16 au 24 août, sam. midi, dim. soir et merc.* – **Repas** 13/25.
◆ Cette discrète auberge familiale, située au bord d'un axe fréquenté, abrite une salle à manger rustique où l'on propose une appétissante cuisine traditionnelle.

## CAMBRAI

Albert-1er (Av.) . . . . . . . . . . . . **BY** 2
Alsace-Lorraine (R. d') . . . . . . . . . . . . . . . **BYZ** 4
Berlaimont (Bd de) . . . . . . . . **BZ** 5
Briand (Pl. A.) . . . . . . . . . . . **AYZ** 6
Cantimpré (R. de) . . . . . . . . . . **AY** 7
Capucins (R. des) . . . . . . . . . . **AY** 8
Chât.-de-Selles (R. du) . . . . . . . . . . . . . . . . . **AY** 10
Clefs (R. des) . . . . . . . . . . . . **AY** 12
Épée (R. de l') . . . . . . . . . . . **AZ** 13
Fénelon (Gde-Rue) . . . . . . . . **AY** 15
Fénelon (Pl.) . . . . . . . . . . . . . **AY** 16
Feutriers (R. des) . . . . . . . . . **AY** 17
Gaulle (R. Gén.-de) . . . . . . . . **BZ** 18
Grand-Séminaire (R. du) . . . . . . . . . . . . . . . **AZ** 19
Lattre-de-Tassigny (R. du Mar.-de) . . . . . . . . **BZ** 21
Leclerc (Pl. du Mar.) . . . . . . **BZ** 22
Lille (R. de) . . . . . . . . . . . . . **BY** 23
Liniers (R. des) . . . . . . . . . . . **AZ** 24
Moulin (Pl. J.) . . . . . . . . . . . . **AZ** 25
Nice (R. de) . . . . . . . . . . . . . . **AY** 27
Pasteur (R.) . . . . . . . . . . . . . . **AY** 29
Porte-Notre-Dame (R.) . . . . **BY** 31
Porte de Paris (Pl. de la) . . . **AZ** 32
Râtelots (R. des) . . . . . . . . . . **AZ** 33
Sadi-Carnot (R.) . . . . . . . . . . . **AY** 35
St-Aubert (R.) . . . . . . . . . . . . . **AY** 36
St-Géry (R.) . . . . . . . . . . . . . . **AY** 37
St-Ladre (R.) . . . . . . . . . . . . . . **BZ** 39
St-Martin (Mail) . . . . . . . . . . . **AZ** 40
St-Sépulcre (Pl.) . . . . . . . . . . **AZ** 41
Selles (R. de) . . . . . . . . . . . . . **AY** 43
Vaucelette (R.) . . . . . . . . . . . **AZ** 45
Victoire (Av. de la) . . . . . . . . **AZ** 46
Watteau (R.) . . . . . . . . . . . . . . **BZ** 47
9-Octobre (Pl. du) . . . . . . . . . **AY** 48

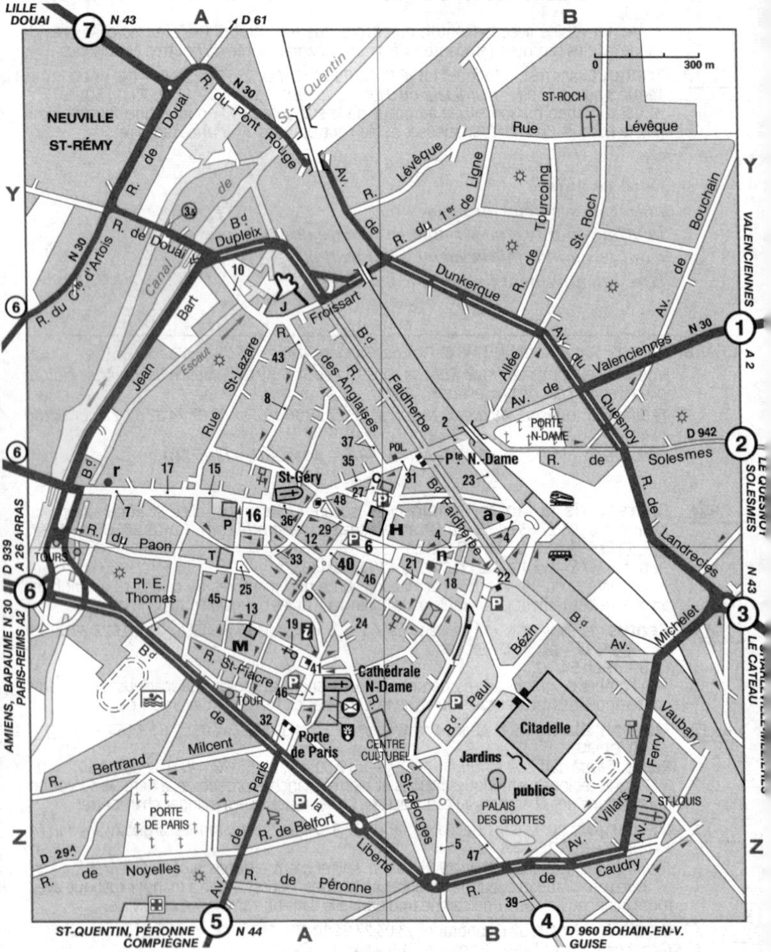
LILLE
DOUAI
N 43
A
D 61
B
0
300 m
NEUVILLE
ST-RÉMY
ST-ROCH
Rue Lévêque
R. de Douai
R. du Pont Rouge
N 30
St-Quentin
Av. de Dunkerque
R. Lévêque
R. du 1er de Ligne
R. de Tourcoing
R. St-Roch
Av. de Bouchain
Bd Dupleix
Canal de
Escaut
R. du Cte d'Artois
Jean Bart
Froissart
Bd Faidherbe
R. des Anglaises
R. St-Lazare
Rue
VALENCIENNES
A 2
Av. du Quesnoy
Av. de Valenciennes
Allée
PORTE N-DAME
D 942
R. de Solesmes
LE QUESNOY
SOLESMES
Pte N.-Dame
POL.
St-Géry
R. du Paon
TOURS
Pl. E. Thomas
R. de Landrecies
N 43
LE CATEAU
Bd Faidherbe
Bd Bézin
Av. Michelet
R. St-Fiacre
TOUR
Cathédrale N-Dame
Porte de Paris
CENTRE CULTUREL
Bd Paul
Citadelle
Jardins publics
PALAIS DES GROTTES
Vauban
Av. J. Ferry
Villars
ST-LOUIS
R. Bertrand
Milcent
PORTE DE PARIS
R. de Belfort
la Liberté
St-Georges
Av. de Paris
D 29A
R. de Noyelles
R. de Péronne
Av. de Caudry
AMIENS, BAPAUME N 30
PARIS-REIMS A2
D 939
A 26 ARRAS
ST-QUENTIN, PÉRONNE
COMPIÈGNE
N 44
D 960 BOHAIN-EN-V.
GUISE
Y
Z

*Ecrivez-nous...*
*Vos louanges comme vos critiques seront examinées avec le plus grand soin.*
*Nous reverrons sur place les informations que vous nous signalez.*
*Par avance merci !*

**CAMBREMER** *14340 Calvados* 303 M5 *– 1 006 h alt. 100.*

*Syndicat d'Initiative, rue Pasteur ✆ 02 31 63 08 87, Fax 02 31 63 08 21, cambremer.si@fnac.net.*

*Paris 210 – Caen 38 – Deauville 27 – Falaise 38 – Lisieux 15 – Saint-Lô 106.*

**Château Les Bruyères** sans rest, rte Cadran (D 85) ✆ 02 31 32 22 45, *chateau.bruyeres@wanadoo.fr, Fax 02 31 32 22 58,* – TV ♿ P. AE GB.
*19 avril-21déc.* – 11 – **13 ch** 87/173.

◆ Cette noble demeure se dresse au coeur d'un agréable parc arboré. Élégant salon bourgeois et jolies chambres personnalisées pour un séjour au grand calme.

**CAMIERS** *62176 P.-de-C.* 301 C4 *– 2 176 h alt. 23.*

*Office du Tourisme, esplanade Ste-Cécile-Plage ✆ 03 21 84 72 18, Fax 03 21 84 51 77.*

*Paris 246 – Calais 57 – Arras 99 – Boulogne-sur-Mer 21 – Le Touquet 10.*

**Les Cèdres** , ✆ 03 21 84 94 54, *hotel-cedres@wanadoo.fr, Fax 03 21 09 23 29,* , – TV P. AE GB
*fermé le midi de nov. à mars sauf dim., merc. midi et sam. midi d'avril à juin et en sept.-oct.* – **Repas** 14/25 ♀, enf. 8,50 – 7,50 – **27 ch** 53 – ½ P 48.

◆ Au centre du bourg, deux maisons séparées par une agréable cour-terrasse. Les chambres sont progressivement rajeunies (coloris vifs). Hall et salon-bar pimpants.

**CAMOËL** *56130 Morbihan* 308 Q10 *– 598 h alt. 26.*

*Paris 453 – Nantes 79 – Vannes 40 – La Baule 27 – La Roche-Bernard 12 – St-Nazaire 37.*

**Vilaine** sans rest, ✆ 02 99 90 01 96, *Fax 02 99 90 09 81* – P. AE GB
*1er mars-30 nov.* – 5 – **24 ch** 30/45.

◆ La Vilaine toute proche a donné son nom à cet hôtel familial disposant de chambres simples au décor un brin désuet, plus calmes sur l'arrière.

**CAMORS** *56330 Morbihan* 308 M7 *– 2 375 h alt. 113.*

*Paris 474 – Vannes 32 – Auray 27 – Lorient 43 – Pontivy 29.*

**Bruyères** sans rest, ✆ 02 97 39 29 99, *Fax 02 97 39 28 34* – TV ♿ P. GB.
*fermé 1er au 27 janv.* – 6 – **15 ch** 50.

◆ Proche d'un carrefour à l'entrée de la ville, établissement possédant des chambres actuelles, bien pensées et insonorisées. Atmosphère bon enfant au bar du rez-de-chaussée.

**CAMPAGNE** *24 Dordogne* 329 G6 *– rattaché au Bugue.*

**CAMPIGNY** *27 Eure* 304 D6 *– rattaché à Pont-Audemer.*

**Le CAMP-LAURENT** *83 Var* 340 K7 *– rattaché à Toulon.*

**CAMPS** *19 Corrèze* 329 M6 *– 293 h alt. 700 – ✉ 19430 Mercoeur.*

Voir *Rocher du Peintre ≤★ S : 1 km,* G. Berry Limousin.

*Paris 521 – Aurillac 45 – Brive-la-Gaillarde 62 – St-Céré 27 – Tulle 47.*

**Lac** , ✆ 05 55 28 51 83, *mnsolignac@club-internet.fr, Fax 05 55 28 53 71,* – TV P. GB
*fermé vacances de fév.* – **Repas** 12 (déj.), 18/36 ♀ – 5,20 – **11 ch** 37/39,50 – ½ P 37/38,50.

◆ Bâtisse contemporaine dans un village de la campagne limousine. Murs lambrissés dans les chambres comme au restaurant. Trois petits chalets, pratiques pour les familles.

**CANAPVILLE** *14 Calvados* 303 M4 *– rattaché à Deauville.*

**CANCALE** *35260 I.-et-V.* 309 K2 *G. Bretagne – 4 910 h alt. 50.*

Voir *Site★ – Port de la Houle★ – ※★ de la tour de l'église St-Méen – Pointe du Hock et sentier des Douaniers ≤★.*

Env. *Pointe du Grouin★★.*

*Office du Tourisme, 44 rue du Port ✆ 02 99 89 63 72, Fax 02 99 89 75 08, ot.cancale@wanadoo.fr.*

*Paris 398 ① – St-Malo 16 ② – Avranches 63 ① – Dinan 36 ① – Fougères 73 ①.*

# CANCALE

Bricourt (Pl.) .................. Y 3
Calvaire (Pl. du) ................ Z 4
Du-Guesclin (R.) ................ Y 8
Duguay-Trouin (Quai) ........... Z 9
Duquesne (R.) .................. Y 10
Fenêtre (Jetée de la) ........... Z 12
Gallais (R.) .................... Y 13
Gambetta (Quai) ................ Z 14
Hock (R. du) .................... Z 16
Jacques-Cartier (Quai) .......... Z 17
Juin (R. du Mar.) ............... Z 18
Kennedy (Quai) ................. Z 19
Leclerc (R. Gén.) ............... YZ 20
Mennais (R. de la) .............. Y 22
Port (R. du) .................... Z
République (Pl. de la) .......... Z 23
Rimains (R. des) ................ Y 24
Roulette (R. de la) .............. Z 25
Stade (R. du) .................... Y 27
Surcouf (R.) .................... Y 28
Thomas (Quai) .................. Z 30

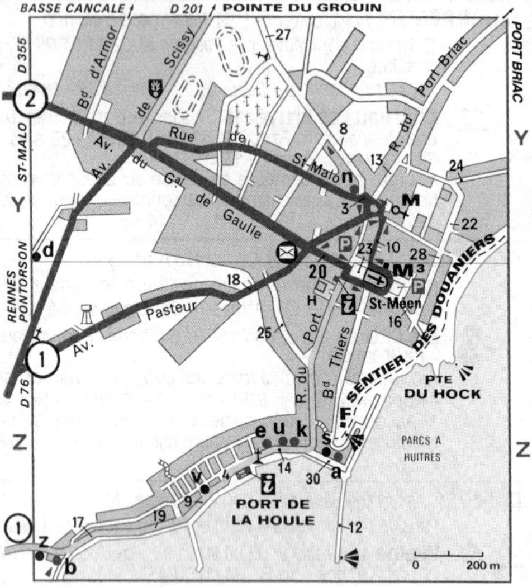

BASSE CANCALE
D 201
POINTE DU GROUIN
PORT BRIAC
D 355
ST-MALO
RENNES PONTORSON
D 76
Bd d'Armor
Av. de Scissy
Rue de St-Malo
Av. du Gal de Gaulle
Av. Pasteur
R. du Port Briac
R. du Port
Bd Thiers
St-Méen
SENTIER DES DOUANIERS
PTE DU HOCK
PARCS A HUITRES
PORT DE LA HOULE
0
200 m

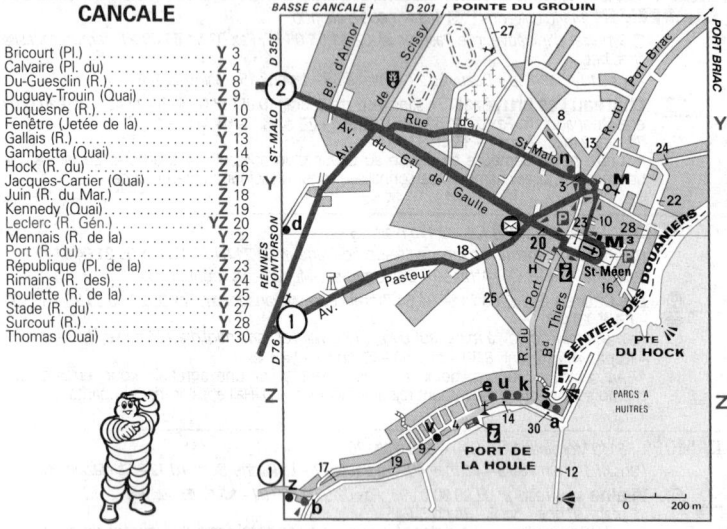

**de Bricourt-Richeux** 🌿, rte Mont-St-Michel : 6,5 km par D 76, D 155 et voie secondaire ☎ 02 99 89 64 76, *info@maisons-de-bricourt.com, Fax 02 99 89 88 47*, ← baie du Mont-St-Michel, – 20. AE GB JCB
voir aussi rest. ***Maisons de Bricourt*** ci-après - ***Coquillage*** ☎ 02 99 89 64 76 *(fermé jeudi midi, mardi midi et lundi midi)* **Repas** 25,20/47enf.15 – ☕ 16 – **11 ch** 160/290.
◆ Dans un parc (2500 plantes du monde entier) dominant la baie du Mont-St-Michel, superbe villa des années 1920 où séjourna Léon Blum. Chambres raffinées et bistrot marin.

**Querrien** M, 7 quai Duguay-Trouin ☎ 02 99 89 64 56, *le-querrien@wanadoo.fr, Fax 02 99 89 79 35*, ←, – rest, TV. AE GB — Z v
**Repas** 15/38 – ☕ 8 – **15 ch** 54/110 – ½ P 52/78.
◆ Maison bretonne et sa grande véranda directement sur le quai face au port de la Houle. Ambiance océane, tant au restaurant que dans les élégantes chambres rénovées.

**Continental,** quai Thomas ☎ 02 99 89 60 16, *hotel-conti@wanadoo.fr, Fax 02 99 89 69 58*, ←, – TV. AE GB. rest — Z s
*21 mars-11 nov.* – **Repas** *(fermé vend. midi , mardi midi et lundi)* (16) - 21/56, enf. 10,50 – ☕ 8,50 – **18 ch** 75/125 – ½ P 64,50/89,50.
◆ Situation privilégiée face au port de pêche. Confortables chambres aux teintes pastel, plus agréables côté mer. Au restaurant, belles boiseries rehaussées de marines.

**Auberge de la Motte Jean** M 🌿 sans rest, par ② *: 2 km sur D 355* ☎ 02 99 89 41 99, *hotel-pointe-du-grouin@wanadoo.fr, Fax 02 99 89 92 22*, – TV P. GB.
☕ 7 – **10 ch** 76/87.
◆ Ancien corps de ferme isolé dans la campagne cancalaise. Grand calme, jardin soigné et aménagements de caractère (réservez en priorité une chambre rénovée).

**Chatellier** sans rest, par ② *: 1 km sur D 355* ☎ 02 99 89 81 84, *hotelchatel@aol.com, Fax 02 99 89 61 69*, – TV P. GB
☕ 7,50 – **13** ch 51/56.
◆ Cette maison familiale restaurée séduira ceux qui redoutent l'effervescence du centre-ville. Les chambres, mansardées à l'étage, sont fraîches, simples et insonorisées.

**Nuit et Jour** sans rest, av. Scissy ☎ 02 99 89 75 59, *Fax 02 99 89 77 13*, – cuisinette TV P. GB — YZ d
*fermé 15 nov. au 26 déc. et 6 janv. au 1er fév.* – ☕ 6,50 – **30 ch** 43,50.
◆ Motel composé de plusieurs bungalows hexagonaux à toit d'ardoise. Chambres en rez-de-chaussée, simples, parfois dotées d'une mezzanine. Jeux pour les enfants.

**Voilerie** sans rest, Le Chemin Neuf ☎ 02 99 89 88 00, *denys.maisons@wanadoo.fr, Fax 02 99 89 74 00* – TV P. GB — Z z
*fermé 12 nov. au 14 déc. et lundi hors saison et vacances scolaires* – ☕ 6,10 – **13 ch** 44/50.
◆ Le musée de l'Huître est à deux pas de cet aimable hôtel disposant de chambres un peu exiguës, mais actuelles. Salle des petits-déjeuners au décor naval (mobilier en teck).

XXX **Maisons de Bricourt** (Roellinger), r. Duguesclin ✆ 02 99 89 64 76, *info@maisons.de.bricourt.com, Fax 02 99 89 88 47,* – P. AE O GB JCB Y n
*mi-mars-mi-déc.* – **Repas** *(fermé lundi midi et vend. midi d'oct. à avril, merc. sauf le soir en juil-août et mardi)* (nombre de couverts limité, prévenir) 82/138 et carte 110 à 140.
◆ Née au 18e s. de la "course aux épices", cette malouinière est aujourd'hui ressuscitée par une cuisine inventive et personnalisée, imprégnée des parfums des cinq continents.
**Spéc.** Solettes dorées au beurre salé au fenouil sauvage. Petit homard aux saveurs de l'île aux épices. Bar en cuisson douce aux huiles parfumées.

**Les Rimains** M sans rest, r. Rimains ✆ 02 99 89 64 76, *Fax 02 99 89 88 47,* ← baie du Mont-St-Michel, – TV P. AE O GB JCB
*mi-mars-mi-déc.* – 16 – **5 ch** 145/230.
◆ Ravissant petit cottage des années 1930 blotti dans un jardin qui surplombe la mer et donne accès au sentier des Douaniers. Chambres soignées jusqu'au moindre détail.

XX **St-Cast,** rte Corniche ✆ 02 99 89 66 08, *Fax 02 99 89 89 20,* ←, – . GB Z b
*fermé 16 nov. au 19 déc., 7 au 26 fév., dim. soir, mardi sauf juil.-août et merc.* – **Repas** 19,50/36 ♀, enf. 10.
◆ Salle à manger ensoleillée (boiseries, mobilier de style) et véranda tournée vers la baie pour un repas au goût du jour, à dominante de produits de la mer.

XX **Cancalais** M avec ch, quai Gambetta ✆ 02 99 89 61 93, *Fax 02 99 89 89 24,* ← – rest, TV. GB. ch Z u
*fermé 30 nov. au 3 fév., dim. soir (sauf hôtel) et lundi sauf vacances scolaires* – **Repas** 16/44 – 7 – **10 ch** 60/75.
◆ Deux espaces et deux ambiances : une salle rustique avec ses meubles d'inspiration bretonne et une véranda largement ouverte sur le port. Jolies chambres colorées.

XX **Phare** avec ch, quai Thomas ✆ 02 99 89 60 24, *Fax 02 99 89 91 75,* ←, – TV. GB Z a
*fermé 11 nov. au 10 fév., jeudi sauf juil.-août et merc.* – **Repas** 17/45 ♀, enf. 11 – 6,90 – **11 ch** 50/75 – ½ P 50/65.
◆ En hiver, attablez-vous près des baies vitrées pour observer l'animation portuaire. En été, profitez de la terrasse offerte à la brise marine. Carte traditionnelle.

X **Surcouf,** 7 quai Gambetta ✆ 02 99 89 61 75, *Fax 02 99 89 76 41,* ←, – GB. Z k
*fermé 17 nov. au 17 déc., 6 janv. au 4 fév., merc. sauf juil.-août et jeudi* – **Repas** 18/60.
◆ Le célèbre corsaire et armateur malouin a donné son nom évocateur à ce pimpant restaurant situé face à la jetée. La cuisine, au goût du jour, fait la part belle à l'océan.

X **Troquet,** 19 quai Gambetta ✆ 02 99 89 99 42, ←, – GB Z e
*fermé 18 nov. au 7 fév., vend. soir, dim. soir et lundi* – **Repas** 16/26.
◆ Un sympathique petit bistrot à dénicher parmi les nombreuses enseignes qui bordent le quai. Poissons et crustacés à l'honneur, dont les fameuses huîtres de Cancale.

**à la Pointe du Grouin** ★★ *Nord : 4,5 km par D 201 – ✉ 35260 Cancale :*

**Pointe du Grouin** , ✆ 02 99 89 60 55, *hotel-pointe-du-grouin@wanadoo.fr, Fax 02 99 89 92 22,* ← îles et baie du Mt-St-Michel – TV P. GB
*1er avril-15 nov.* – **Repas** *(fermé jeudi midi et mardi)* 25/56 ♀ – 8 – **16 ch** 76/90 – ½ P 71/78.
◆ Cette demeure bretonne perchée sur la falaise - la célèbre "transat" de la route du Rhum s'élance de la pointe - propose des chambres confortables et un restaurant panoramique.

---

## CANDES-ST-MARTIN *37500 I.-et-L.* 317 J5 *G. Châteaux de la Loire – 244 h alt. 35.*

Voir *Collégiale*★.

*Paris 300 – Angers 76 – Chinon 16 – Saumur 13 – Tours 57.*

X **Auberge de la Route d'Or,** 2 pl. Église ✆ 02 47 95 81 10, *routedor@clubinternet.fr, Fax 02 47 95 81 10,* – GB
*5 avril-11 nov., 14 fév.-2 mars et fermé mardi soir sauf juil.-août et merc.* – **Repas** 13 (déj.), 20/32 ♀, enf. 9.
◆ Auberge rustique aménagée dans une maison du 17e s. Salle à manger intime avec cheminée. À l'étage, coin-salon où vous pourrez consulter une documentation sur la région.

*Dans ce guide*
*un même symbole, un même mot,*
*imprimé en* **rouge** *ou en* **noir**, *en maigre ou en* **gras**,
*n'ont pas tout à fait la même signification.*
*Lisez attentivement les pages explicatives.*

## CANDÉ-SUR-BEUVRON *41120 L.-et-Ch.* 318 *E7 – 1 134 h alt. 70.*

*Office du Tourisme, 10 route de Blois ☎ 02 54 44 00 44, Fax 02 54 44 00 44.*

*Paris 199 – Orléans 78 – Tours 50 – Blois 16 – Chaumont-sur-Loire 7 – Montrichard 21.*

**Caillère**, 36 rte Montils ☎ 02 54 44 03 08, *lacaillere@mageos.com, Fax 02 54 44 00 95,* – AE GB JCB
*fermé 1er janv. au 28 fév.* – **Repas** *(fermé jeudi midi et merc.)* 16,70/48,60, enf. 10,20 – 10 – **14 ch** 60/65 – ½ P 64.
◆ Vieille ferme restaurée et son annexe moderne. Les chambres rénovées sont plaisantes. Jolie salle à manger campagnarde, terrasse dressée face au jardin et cuisine saisonnière.

**Lion d'Or,** ☎ 02 54 44 04 66, *Fax 02 54 44 06 19,* – GB
*fermé 5 au 30 janv., lundi soir hors saison et mardi* – **Repas** 14,50/40,50, enf. 10 – 5,50 – **9 ch** 30,50/39,50 – ½ P 27,50/38,50.
◆ L'ambiance est familiale dans cette gentille auberge villageoise. La salle à manger a conservé ses belles poutres. À l'étage, chambres spacieuses et bien tenues.

## CANET-EN-ROUSSILLON *66140 Pyr.-Or.* 344 *J6 – 7 575 h alt. 11 – Casino* **BZ.**

*Office du Tourisme, Espace Mediterranée ☎ 04 68 73 61 00, Fax 04 68 73 61 10, infos@ot-canet.fr.*

*Paris 854 ② – Perpignan 11 ② – Argelès-sur-Mer 21 ① – Narbonne 66 ②.*

Plan page ci-contre

### Canet-Plage *G. Languedoc Roussillon – ✉ 66140.*

Voir *Musée du jouet★.*

**Clos des Pins,** 34 av. Roussillon ☎ 04 68 80 32 63, *mas.fleuri@wanadoo.fr, Fax 04 68 80 49 19,* – ch, – 15. GB **AY a**
*mars-oct.* – ***Mas Fleuri*** *(fermé le midi sauf week-ends)* **Repas** 27/30 – **17 ch** 105/140 – ½ P 90/125.
◆ À l'ombre des pins, charmante villa catalane du 19e s. disposant de chambres tout confort, peu à peu repeintes aux couleurs du Sud. Joli décor méditerranéen au Mas Fleuri.

**Mercure** sans rest, 120 prom. Côte Vermeille ☎ 04 68 80 28 59, *Fax 04 68 80 80 60,* ≤ mer – AE GB. **BZ b**
9 – **48 ch** 90.
◆ Discret immeuble du front de mer rénové, proposant des chambres contemporaines, pour moitié tournées vers la "grande bleue" et pourvues de balcons. Salon-bar avec billard.

**Aquarius,** 40 av. Roussillon ☎ 04 68 73 30 00, *hotelaquarius@hotmail.com, Fax 04 68 80 24 34,* – – 20. GB **AY d**
**Repas** *(fermé 25 déc. au 1er janv. et week-ends d'oct. à avril)* 14 – – **50 ch** 76/85 – ½ P 52/54.
◆ Bâtiment des années 1970 abritant des chambres de bonne ampleur ; mobilier de style catalan (en rotin au troisième étage). Cadre "tex-mex" au restaurant.

**Port,** 21 bd Jetée ☎ 04 68 80 62 44, *Fax 04 68 73 28 83* – GB **BY e**
*hôtel: avril-oct.; rest. : juin-sept.* – **Repas** (dîner seul.) 15/25 – 7 – **36 ch** 59/62 – ½ P 50.
◆ À mi-chemin entre port et plage, établissement des années 1980 où vous séjournerez dans des chambres dotées de balcons et d'un mobilier contemporain.

**Galion,** 20 bis av. Grand large ☎ 04 68 80 28 23, *le-galion.@wanadoo.fr, Fax 04 68 80 20 46,* – AE GB **BZ r**
**Repas** *(fermé dim. soir et lundi midi du 20 oct. au 15 mars)* 23/26 – 9 – **28 ch** 72/114 – ½ P 69/84.
◆ Ce galion-là se trouve à quelque 150 m des flots. Mobilier et literie neufs dans les chambres, nouvellement améliorées ; la majorité possède un balcon.

**Frégate** sans rest, 12 r. Cerdagne ☎ 04 68 80 22 87, *contact@hotel-lafregate.fr, Fax 04 68 73 82 72* – GB **BY f**
*fermé 4 janv. au 20 mars* – 6,50 – **26 ch** 62/70.
◆ Cet hôtel situé à l'angle de deux rues relativement calmes renferme des chambres de taille moyenne, équipées d'un plaisant mobilier rustique de style catalan.

**Don Quichotte,** 22 av. Catalogne ☎ 04 68 80 35 17, *ledonquichotte@wanadoo.fr, Fax 04 68 73 36 05* – AE GB JCB **BY r**
*fermé 12 janv. au 10 fév., mardi midi, merc. midi en juil.-août et lundi* – **Repas** 22,50/46.
◆ Face à la poste, restaurant tout simple aménagé au rez-de-chaussée d'un immeuble d'habitation. Intérieur neuf, repeint dans de jolis tons pastel. Cuisine classique.

## CANET-PLAGE

Aigues Marines (R. des) . . . **BZ** 2
Albères (R. des) . . . . . . . . . . **BY** 5
Amandiers (R. des) . . . . . . . **BY** 6
Anémones (Bd des) . . . . . **AYZ** 7
Balcons du front de mer (Av. des) . . . . . . . . . . . . . . . **BZ** 8
Bourgogne-Morvan (R.) . . . . . **BZ** 9
Capcir (Galerie du) . . . . . . . . . **BY** 12
Cassanyes (Galerie) . . . . . . . . **BY** 14
Catalogne (Av. de la) . . . . . . . **BY** 15
Cerdagne (R. de) . . . . . . . . . . **BY** 18
Cerisiers (R. des) . . . . . . . . . . **BY** 20
Champagne (R. de) . . . . . . . . **BZ** 22
Coquillages (R. des) . . . . . . . **BZ** 25
Corbières (R. des) . . . . . . . . . **BY** 28
Grande Bretagne (R. de) . . **BYZ** 29
Gratia (Av. Edmond) . . . . . . . . **BZ** 30
Ile de France (R.) . . . . . . . . . . **BZ** 32
Jouy d'Arnaud (R.) . . . . . . . . . **BY** 33
Pountarrou (Av. du) . . . . . . . . **AY** 34
Pyrénées (R. des) . . . . . . . . . . **BY** 35
Sardane (R. de la) . . . . . . . . **ABY** 36

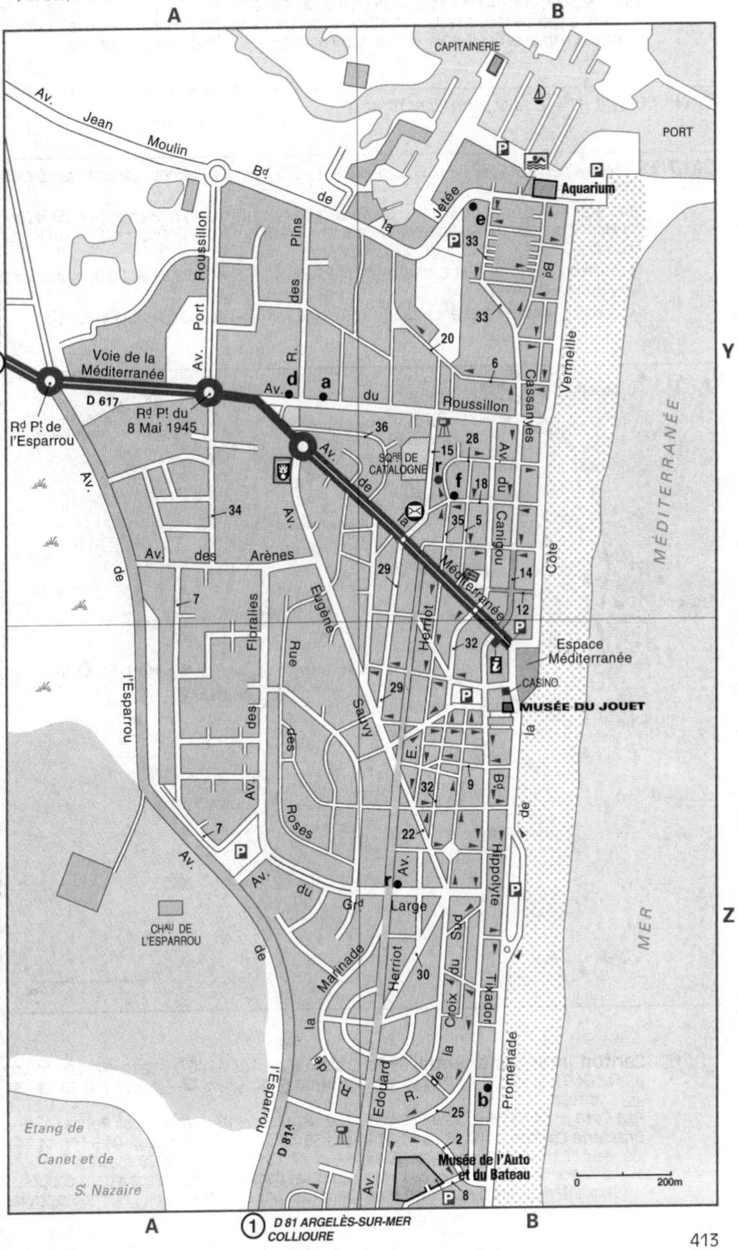
A
B
Y
Z
CAPITAINERIE
PORT
Aquarium
Av. Jean Moulin
Bd de la Jetée
Voie de la Méditerranée
D 617
Rd Pt de l'Esparrou
Rd Pt du 8 Mai 1945
Av. Port Roussillon
R. des Pins
Av. du Roussillon
Av. de la Méditerranée
SQRE DE CATALOGNE
Av. des Arènes
Av. des Floralies
Av. Eugène
Rue des Roses
Sauvy
Av. E. Herriot
Av. du Canigou
Cassanyes
Côte Vermeille
Bd Hippolyte Tixador
Bd de la Promenade
MÉDITERRANÉE
MER
Espace Méditerranée
CASINO
MUSÉE DU JOUET
Av. de l'Esparrou
Av. du Grd Large
R. de la Marinade
Edouard Herriot
R. du Sud
R. de la Croix du Sud
CHAU DE L'ESPARROU
Etang de Canet et de St Nazaire
D 81A
Musée de l'Auto et du Bateau
0
200m
D 81 ARGELÈS-SUR-MER COLLIOURE

**CANGEY** *37530 I.-et-L.* 317 P4 – *722 h alt. 85.*

*Paris 211 – Tours 35 – Amboise 12 – Blois 29 – Montrichard 26.*

**Fleuray** ⛰, Nord : 7 km sur rte Dame-Marie-les-Bois ☎ 02 47 56 09 25, *lefleurayhotel@wanadoo.fr, Fax 02 47 56 93 97,* ←, ⛰ – ♿ 🚗 P. GB
*fermé 31 oct au 15 nov., 17 déc. au 7 janv. et 10 au 20 fév.* – **Repas** (dîner seul.) (prévenir) 26,50/36,50 ♀, enf. 14,50 – ☕ 12 – **15 ch** 82/106 – ½ P 78/99.
◆ Cette ancienne ferme restaurée et son jardin planté d'arbres fruitiers ont beaucoup de charme. Chambres douillettes, délicieusement décorées. Salle des repas rustique.

**CANILLO** 343 H9 – *voir à Andorre (Principauté d').*

**CANNES** *06400 Alpes-Mar.* 341 D6 *G. Côte d'Azur – 68 676 h alt. 2 – Casinos : Carlton Casino Club* **BYZ**, *Croisette* **BZ.**

Voir *Site★★ – Le front de Mer★★ : boulevard★★ et pointe★ de la croisette – ←★ de la tour du Mont-Chevalier* **AZ** *– Musée de la Castre★* **AZ** *– Chemin des Collines★ NE : 4 km* **V** *– La Croix des Gardes* **X** *←★ O : 5 km puis 15 mn.*

*Office du Tourisme, 1 La Croisette ☎ 04 93 39 24 53, Fax 04 92 99 84 23, semoftou@Palais-Festivals-Cannes.fr.*

*Paris 906 ⑤ – Aix-en-Provence 152 ⑤ – Marseille 165 ⑤ – Nice 33 ⑤ – Toulon 125 ⑤.*

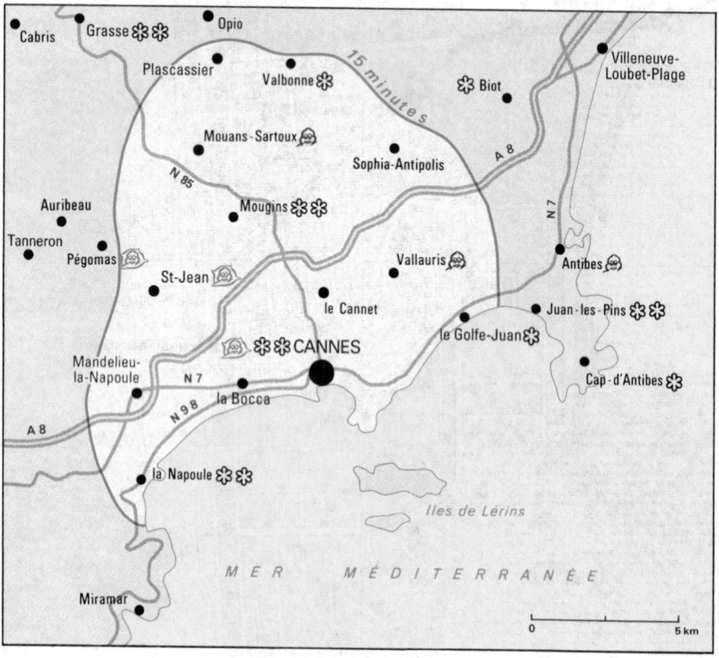

Cabris
Grasse
Opio
Plascassier
Valbonne
15 minutes
Villeneuve-Loubet-Plage
Biot
Mouans-Sartoux
Sophia-Antipolis
A 8
N 85
Auribeau
Mougins
N 7
Tanneron
Pégomas
Vallauris
Antibes
St-Jean
le Cannet
Juan-les-Pins
le Golfe-Juan
CANNES
Mandelieu-la-Napoule
N 7
la Bocca
Cap-d'Antibes
N 98
A 8
la Napoule
Iles de Lérins
MER MÉDITERRANÉE
Miramar
0
5 km


**Carlton Inter-Continental,** 58 bd Croisette ☎ 04 93 06 40 06, *cannes@interconti.com, Fax 04 93 06 40 25,* ←, ⛰, 🏋, 🏖 – 🛗 ✈ ▤ TV 📞 ♿ 🚗 P – 🏛 25 à 250. AE ⓓ GB JCB. ✂ rest **CZ e**
**- *La Côte*** ☎ 04 93 06 40 23 (dîner seul.) *(juil.-sept. et fermé dim. et lundi)* **Repas** 61/75 – ***Brasserie Carlton*** ☎ 04 93 06 40 21 **Repas** 38/46 ♀, enf. 15 – ***Plage*** ☎ 04 93 06 44 94 - (déj. seul.) *(avril-oct.)* **Repas** carte 68 à 100 – ☕ 27 – **310 ch** 390/770, 28 appart.
◆ Hitchcock filma des scènes de La Main au collet dans le célèbre palace à deux coupoles. Luxueux intérieur Art déco, passé prestigieux : un univers d'exception pour hôtes privilégiés de la Croisette.

**Majestic Barrière,** 10 bd Croisette ✆ 04 92 98 77 00, *majestic@lucienbarriere.com, Fax 04 93 38 97 90,* ←, ⛹, 🏊, 🏖 – 🛗 ▤ 📺 📞 ♿ 🚗 – 🅰 400. AE ⓓ GB JCB BZ n
*fermé 8 nov. au 26 déc.* – voir rest. ***Villa des Lys*** ci-après- ***Fouquet's*** ✆ 04 92 98 77 05 *(fermé mi-nov. à fin déc.)* Repas (25)-33/40bc 🍷 – ***Plage*** (déj. seul.) *(mai-mi-oct.)* Repas 38/50bc 🍷 enf. 20 – ☕ 29 – **282 ch** 450/840, 23 appart.
◆ La majestueuse façade immaculée date des années 1920. Luxe et raffinement à tous les étages. Les plus belles chambres donnent côté mer. Bar décoré "à l'égyptienne". Chaleureuse et lumineuse salle à manger-véranda sur la Croisette : une place au soleil pour le Fouquet's !

**Martinez,** 73 bd Croisette ✆ 04 92 98 73 00, *martinez@concorde-hotels.com, Fax 04 93 39 67 82,* ←, 🏠, 🏊, 🏖 – 🛗 ▤ 📺 📞 ♿ 🅿 – 🅰 600. AE ⓓ GB JCB DZ n
voir rest. ***Palme d'Or*** ci-après - ***Relais Martinez*** ✆ 04 92 98 74 12 *(fermé le midi en juil.-août)* Repas 31(déj.)38/54 🍷 – ***Plage*** ✆ 04 92 98 74 22 (déj. seul.) *(10 avril-15 oct.)* Repas carte 45 à 73 🍷 – ☕ 30 – **390 ch** 470/790, 27 appart.
◆ Ce beau palace entièrement aménagé dans le style Art déco est le rendez-vous des stars du festival. Côté Croisette, deux suites somptueuses se partagent le dernier étage.

**Noga Hilton** Ⓜ, 50 bd Croisette ✆ 04 92 99 70 00, *sales_cannes@hilton.com, Fax 04 92 99 70 11,* 🏠, ⛹, 🏊, 🏖 – 🛗 🚭 ▤ 📺 📞 ♿ – 🅰 500. AE ⓓ GB JCB CZ b
***Scala :*** ✆ 04 92 99 70 93 *(fermé le midi en juil.-août)* Repas 38 🍷 – ***Plage*** ✆ 04 92 99 70 27 *(avril-sept.)* Repas carte 42,50 à 60 🍷 – ☕ 27 – **186 ch** 319/769, 48 appart.
◆ Cette construction cubique abrite un saisissant atrium et un théâtre de 800 places. Chambres fonctionnelles. Toit-terrasse avec piscine. Assiette méditerranéenne à la Scala.

**Sofitel Méditerranée** Ⓜ, 2 bd J. Hibert ✆ 04 92 99 73 00, *lemedcannes@tiscali.fr, Fax 04 92 99 73 29,* ←, 🏠, 🏊 – 🛗 🚭 ▤ 📺 📞 ♿ 🚗 – 🅰 70. AE ⓓ GB JCB AZ n
***Méditerranée*** (7e étage) ✆04 92 99 73 02 (dîner seul. en juil.-août) *(fermé 16 nov. au 16 déc., dim. et lundi de sept. à juin)* Repas 37,50(déj.), 47/67 🍷 – ***Chez Panisse*** ✆ 04 92 99 73 10- décor provençal - Repas 27,50 🍷, enf. 11,50 – ☕ 23 – **149 ch** 294/360.
◆ Hôtel des années 1930 joliment décoré dans le style provençal. La piscine et le restaurant Méditerranée, perchés sur le toit, offrent une vue splendide sur la baie.

**Radisson SAS Montfleury** Ⓜ 🌿, 25 av. Beauséjour ✆ 04 93 68 86 86, *info.montfleury@radissonsas.com, Fax 04 93 68 87 87,* ←, 🏠, 🏊, 🌳, 🎾 – 🛗 🚭 ▤ 📺 📞 ♿ 🚗 – 🅰 260. AE ⓓ GB JCB. 🐕 DY m
- ***L'Olivier*** *(fermé juil.-août et dim. de sept. à juin)* Repas 19 (déj) 37/50 🍷 – ☕ 20 – **182 ch** 199/350.
◆ L'hôtel jouxte le quartier de la Californie et ses luxueuses villas. Chambres refaites dans le style marin ou provençal. Cuisine méridionale au goût du jour à L'Olivier.

**Gray d'Albion** Ⓜ, 38 r. Serbes ✆ 04 92 99 79 79, *graydalbion@lucienbarriere.com, Fax 04 93 99 26 10,* 🏠, 🏖 – 🛗 🚭 ▤ 📺 📞 ♿ – 🅰 150. AE ⓓ GB BZ d
***Royal Gray*** ✆ 04 92 99 79 60 *(fermé dim. et lundi)* Repas 40 🍷 – ☕ 25 – **191 ch** 260/425, 8 appart.
◆ Cet immeuble des années 1970 abrite une galerie marchande luxueuse et des chambres douillettes progressivement rénovées. Restaurant cossu. Plage privée sur la Croisette.

**Croisette Beach** Ⓜ sans rest, 13 r. Canada ✆ 04 92 18 88 00, *croisettebea@aws.fr, Fax 04 93 68 35 38,* 🏊 – 🛗 🚭 ▤ 📺 📞 ♿ 🚗. AE ⓓ GB JCB DZ y
*fermé 20 nov. au 27 déc.* – ☕ 17 – **94 ch** 146/295.
◆ Chambres de bonne ampleur, dotées d'un mobilier fonctionnel en bois blond et bien isolées du bruit. Salon et bar accueillent régulièrement des expositions de tableaux.

**Amarante** Ⓜ, 78 bd Carnot ✆ 04 93 39 22 23, *cannes@amarantehotels.com, Fax 04 93 39 40 22,* 🏠, 🏊 – 🛗 🚭 ▤ 📺 📞 ♿ 🚗 – 🅰 25. AE ⓓ GB JCB V e
Repas *(fermé déc., sam. et dim. de janv. à mars)* (25) - 31 🍷 – ☕ 15 – **71 ch** 140/180.
◆ Mobilier acajou, murs patinés et couleurs du Sud caractérisent l'aménagement des chambres. Bonne insonorisation. Restaurant ouvert sur la piscine ; cuisine traditionnelle.

**Savoy,** 5 r. F. Einesy ✆ 04 92 99 72 00, *info@hotel-savoy-cannes.com, Fax 04 93 68 25 59,* 🏠, 🏊 – 🛗 ▤ 📺 📞 🚗 – 🅰 15 à 80. AE ⓓ GB JCB. 🐕 CZ u
***Mahatma*** ✆ 04 92 99 72 09 Repas 28 🍷 – ☕ 20 – **101 ch** 209/300, 5 appart.
◆ Construit et meublé dans le style Art déco, cet hôtel récent propose des chambres actuelles. Piscine panoramique sur le toit. Cadre exotique et cuisine indienne au Mahatma.

**Sun Riviera** Ⓜ sans rest, 138 r. d'Antibes ✆ 04 93 06 77 77, *sun-riviera-hotel.cannes@wanadoo.fr, Fax 04 93 38 31 10,* 🏊, 🌳 – 🛗 🚭 ▤ 📺 📞 ♿ 🚗. AE ⓓ GB JCB CZ h
*fermé 21 nov. au 28 déc.* – ☕ 14 – **42 ch** 150/230.
◆ Dans une rue jalonnée de boutiques de luxe, cet hôtel abrite des chambres aux couleurs ensoleillées, garnies de meubles de style ; optez pour celles côté jardin (beau palmier).

## CANNES

Albert-Édouard (Jetée) . BZ
Alexandre-III (Bd) . . . . . . . X 2
Alsace (Bd) . . . . . . . . . BDY
Anc. Combattants d'Afrique du Nord (Av.) . . . . . AYZ 4
André (R. du Cdt) . . . . . CZ
Antibes (R. d') . . . . . . . BCY
Bachaga Saïd Boualam (Av.) . . . . . . . AY 5
Beauséjour (Av.) . . . . . DYZ
Beau-Soleil (Bd) . . . . . . . . X 10
Belges (R. des) . . . . . . . BZ 12
Blanc (R. Louis) . . . . . . AYZ
Broussailles (Av. des) . . . V 16
Buttura (R.) . . . . . . . . . . BZ 17
Canada (R. du) . . . . . . . . DZ
Carnot (Bd) . . . . . . . . . . . X
Carnot (Square) . . . . . . . . V 20
Castre (Pl. de la) . . . . . . AZ 21
Chabaud (R.) . . . . . . . . . CY 22
Clemenceau (R. G.) . . . AZ
Coteaux (Av. des) . . . . . . V
Croisette (Bd de la) . . BDZ
Croix-des-Gardes (Bd) . VX 29
Delaup (Bd) . . . . . . . . . . AY 30
Dr-Pierre Gazagnaire (R.) . . . . . . . . . . . . . . AZ 32
Dr-R. Picaud (Av.) . . . . . . . X
Dollfus (R. Jean) . . . . . . AZ 33
États-Unis (R. des ) . . . . CZ 35
Faure (R. Félix) . . . . . . ABZ
Favorite (Av. de la) . . . . . . X 38
Félix-Faure (R.) . . . . . . ABZ
Ferrage (Bd de la) . . . ABY 40
Fiesole (Av.) . . . . . . . . . . X 43
Foch (R. du Mar.) . . . . . BY 44
Gallieni (R. du Mar.) . . . BY 48
Gaulle (Pl. Gén.-de) . . . BZ 51
Gazagnaire (Bd Eugène) . X
Grasse (Av. de) . . . . . . . VX 53
Guynemer (Bd) . . . . . . . . AY
Hespérides (Av. des) . . . X 55
Hibert (Bd Jean) . . . . . . AZ
Hibert (R.) . . . . . . . . . . . . AZ
Isola-Bella (Av. d') . . . . . . X
Jaurès (R. Jean) . . . . BCY
Joffre (R. du Mar.) . . . . BY 60
Juin (Av. Mar.) . . . . . . . . DZ
Koenig (Av. Gén.) . . . . . DY
Lacour (Bd Alexandre) . . X 62
Latour-Maubourg (R.) . DZ
Lattre-de-T. (Av. de) . . . AY 63
Laubeuf (Quai Max) . . . AZ
Leader (Bd) . . . . . . . . . VX 64
Lérins (Av. de) . . . . . . . . X 65
Lorraine (Bd de) . . . . CDY
Macé (R.) . . . . . . . . . . . CZ 66
Madrid (Av. de) . . . . . . . DZ
Meynadier (R.) . . . . . . ABY
Midi (Bd du) . . . . . . . . . . X
Mimont (R. de) . . . . . . . BY
Mont-Chevalier (R. du) AZ 72
Montfleury (Bd) . . . . . CDY 74
Monti (R. Marius) . . . . . AY 75
Noailles (Av. J.-de) . . . . . . X
Observatoire (Bd de l') . X 84
Oxford (Bd d') . . . . . . . . . V 87
Pantiero (la) . . . . . . . . ABZ
Paradis-Terrestre (Corniches du) . . . . . . V 88
Pasteur (R.) . . . . . . . . . . DZ
Pastour (R. Louis) . . . . AY 90
Perier (Bd du) . . . . . . . . . V 91
Perrissol (R. Louis) . . . AZ 92
Petit-Juas (Av. du) . . . VX
Pins (Bd des) . . . . . . . . . X 95
Pompidou (Espl. G.) . . . BZ
Prince de-Galles (Av. du) X 97
République (Bd de la) . . . X
Riou (Bd du) . . . . . . . . VX
Riouffe (R. Jean de) . . BY 98
Roi-Albert Ier (Av.) . . . . . X
Rouguière (R.) . . . . . . . BY 100
St-Antoine (R.) . . . . . . . AZ 102
St-Nicolas (Av.) . . . . . . BY 105
St-Pierre (Quai) . . . . . . . AZ
Sardou (R. Léandre) . . . X 108
Serbes (R. des) . . . . . . BZ 110
Source (Bd de la) . . . . . . X 112
Stanislas (Pl.) . . . . . . . . AY
Strasbourg (Bd de) . . CDY
Teisseire (R.) . . . . . . . . CY 114
Tuby (Bd Victor) . . . . AYZ 115
Vallauris (Av. de) . . . . . VX 116
Vallombrosa (Bd) . . . . . AY 118
Vautrin (Bd Gén.) . . . . . DZ
Vidal (R. du Cdt) . . . . . CY 120
Wemyss (Av. Amiral Wester) . . X 122

## LE CANNET

Aubarède (Ch. de l') . . . V 8
Bellevue (Pl.) . . . . . . . . . V 13
Bréguières (Ch. des) . . . V 14
Cannes (R. de) . . . . . . . . V 19
Carnot (R. de) . . . . . . . . . V
Cheval (Av. Maurice) . . . V 23
Collines (Ch. des) . . . . . V
Doumer (Bd Paul) . . . . . V
Écoles (R. des) . . . . . . . . V 34
Four-à-Chaux (Bd du) . . V 45
Gambetta (Bd) . . . . . . . . V 50
Gaulle (Av. Gén.-de) . . . V
Jeanpierre (Av. Maurice) V 58
Mermoz (Av. Jean) . . . . . V 67
Monod (Bd Jacques) . . . V 68
Mont-Joli (Av. du) . . . . . V 73
N.-D.-des-Anges (Av.) . . V 79
Olivet (Ch. de l') . . . . . . V 85
Olivetum (Av. d') . . . . . . V 86
Paris (R. de) . . . . . . . . . V 89
Pinède (Av. de la) . . . . . V 94
Pompidou (Av. Georges) V 96
République (Bd de la) . . V
Roosevelt (Av. Franklin) V 99
St-Sauveur (R.) . . . . . . . V 106
Victor-Hugo (R.) . . . . . . V 119
Victoria (Av.) . . . . . . . . . V

## VALLAURIS

Cannes (Av. de) . . . . . . . V 18
Clemenceau (Av. G.) . . . V 25
Golfe (Av. du) . . . . . . . . V 52
Isnard (Pl. Paul) . . . . . . V 56
Picasso (Av. P.) . . . . . . . V 93
Rouvier (Bd Maurice) . . V 102
Tapis-Vert (Av. du) . . . . . V 113

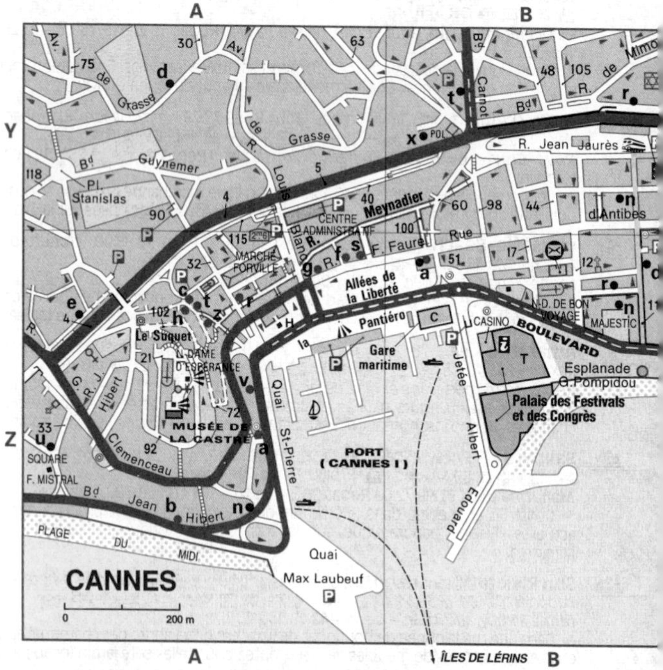

A
B
Y
Z
CANNES
200 m
R. Jean Jaurès
Meynadier
CENTRE ADMINISTRATIF
MARCHÉ FORVILLE
Allées de la Liberté
Le Suquet
N.-DAME D'ESPÉRANCE
MUSÉE DE LA CASTRE
SQUARE F. MISTRAL
PLAGE DU MIDI
Gare maritime
PORT (CANNES I)
Quai Max Laubeuf
CASINO
BOULEVARD
Esplanade G.Pompidou
Palais des Festivals et des Congrès
N.-D. DE BON VOYAGE
MAJESTIC
d'Antibes
Pantiero
Jetée Albert Édouard
Quai St-Pierre
Clemenceau
Hibert
Guynemer
Pl. Stanislas
Grasse
Carnot
ÎLES DE LÉRINS

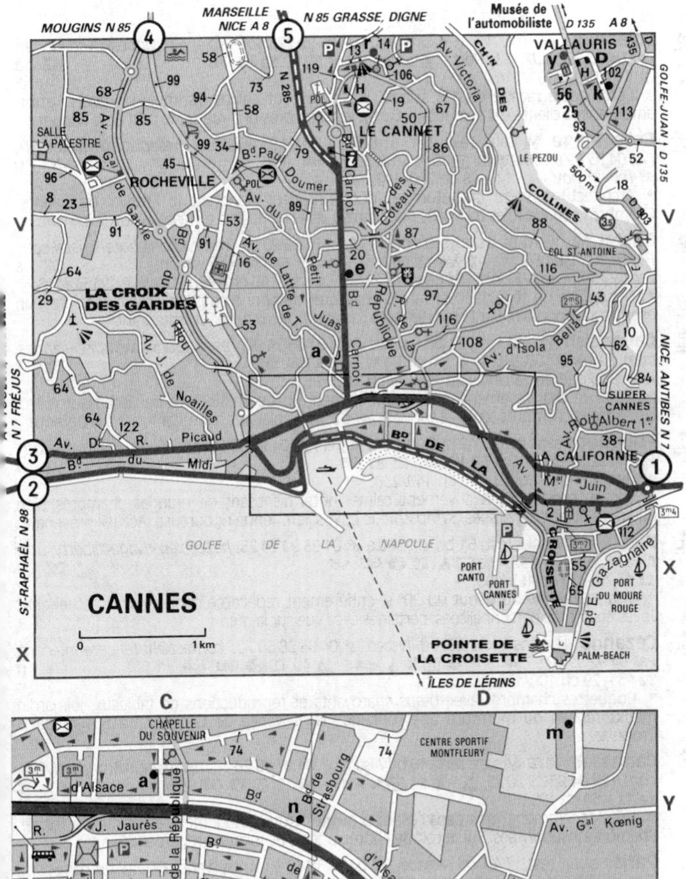
MOUGINS N 85
MARSEILLE
NICE A 8
N 85 GRASSE, DIGNE
Musée de l'automobiliste
D 135
A 8
VALLAURIS
GOLFE-JUAN
D 135
LE CANNET
ROCHEVILLE
SALLE LA PALESTRE
LA CROIX DES GARDES
Bd Paul Doumer
Bd Carnot
Av. Victoria
CHIN DES COLLINES
LE PEZOU
COL ST-ANTOINE
Av. de Lattre de T.
Av. du Petit Juas
Bd de la République
Av. des Coteaux
Av. Gal de Gaulle
Av. J. de Noailles
Av. d'Isola Bella
SUPER CANNES
Av. Roi Albert 1er
LA CALIFORNIE
Av. Mal Juin
Av. Dr R. Picaud
Bd du Midi
Bd DE LA CROISETTE
NICE, ANTIBES N 7
N 7 FRÉJUS
ST-RAPHAËL N 98
GOLFE DE LA NAPOULE
PORT CANTO
PORT CANNES II
Bd E. Gazagnaire
PORT DU MOURÉ ROUGE
POINTE DE LA CROISETTE
PALM-BEACH
ÎLES DE LÉRINS
CANNES
0
1 km
V
X
C
D

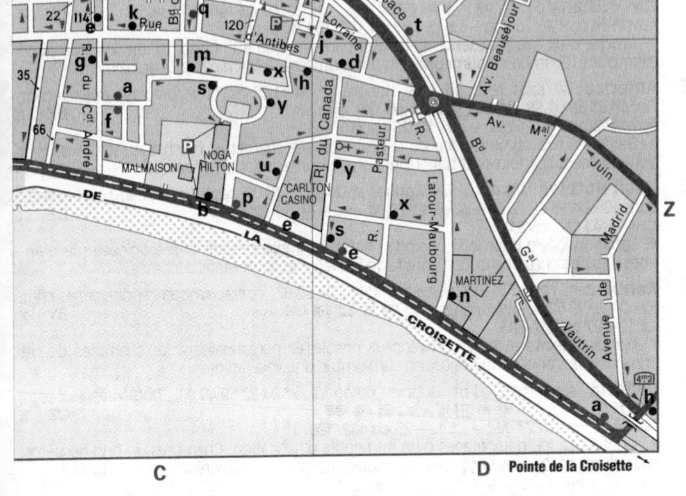
CHAPELLE DU SOUVENIR
CENTRE SPORTIF MONTFLEURY
Bd d'Alsace
Bd de Strasbourg
R. J. Jaurès
Bd de Lorraine
Rue d'Antibes
Bd de la République
R. du Cdt André
R. du Canada
R. Pasteur
Av. Beauséjour
Av. Gal Kœnig
Av. Mal Juin
Bd Gal Vautrin
Av. Latour-Maubourg
Avenue de Madrid
MALMAISON
NOGA HILTON
CARLTON CASINO
MARTINEZ
DE LA CROISETTE
Y
Z
C
D
Pointe de la Croisette

**Splendid** sans rest, 4 r. F. Faure ✆ 04 97 06 22 22, *hotel.splendid.cannes@wanadoo.fr, Fax 04 93 99 55 02,* ≤ le Port – cuisinette . GB BZ a
16 – **62 ch** 103/214.
◆ Cette noble façade du 19e s. aux allures de petit palace dissimule un hôtel familial entourant sa clientèle d'attentions. Certaines chambres ont vue sur le port et le Suquet.

**Belle Plage** M sans rest, 6 r. J. Dollfus ✆ 04 93 06 25 50, *belleplage@wanadoo.fr, Fax 04 93 99 61 06* – . GB JCB AZ u
*1er fév.-1er nov.* – 14 – **48 ch** 200/300.
◆ Architecture "verre et béton" et décor intérieur honorant le Festival de Cannes. Chambres confortables tournées pour moitié vers la mer. Toit-terrasse avec minipiscine.

**Cristal** M, 15 rd-pt Duboys d'Angers ✆ 04 92 59 29 29, *reservation@hotel-cristal.com, Fax 04 93 38 64 66,* – . GB JCB. ch CZ s
*fermé 23 nov. au 27 déc.* – **Repas** (18) - 29/38 – 16 – **50 ch** 175/390 – ½ P 121,50/186.
◆ Cet édifice de style 1930 offre des chambres de bonne ampleur, aménagées dans un esprit contemporain. Sur le toit-terrasse : solarium, jacuzzi, bar et restaurant.

**Cavendish** M sans rest, 11 bd Carnot ✆ 04 97 06 26 00, *reservation@cavendish-cannes.com, Fax 04 97 06 26 01* – . GB. BY t
*fermé 15 déc. au 15 janv.* – 18 – **34 ch** 230/285.
◆ Hôtel de charme aménagé dans une demeure bâtie en 1897. Le bel ascenseur (1920) dessert des chambres "cosy", rénovées avec soin. Le plaisant salon-bar invite à la détente.

**Fouquet's** sans rest, 2 rd-pt Duboys d'Angers ✆ 04 92 59 25 00, *info@le-fouquets.com, Fax 04 92 98 03 39* – . GB CZ y
*1er avril-15 nov.* – 12 – **10 ch** 140/230.
◆ Sur un rond-point relativement calme, hôtel disposant de grandes chambres bien équipées et personnalisées. Sympathique coin-salon. Tenue rigoureuse. Accueil prévenant.

**Bleu Rivage** sans rest, 61 bd Croisette ✆ 04 93 94 24 25, *hotel.bleu-rivage@libertysurf.fr, Fax 04 93 43 74 92* – . GB. DZ s
13,70 – **19 ch** 165/199.
◆ Villa azuréenne du début du 20e s. entièrement redécorée dans un style actuel chic. Jolies chambres personnalisées, certaines avec vue sur la mer.

**Cézanne** M sans rest, 40 bd Alsace ✆ 04 93 38 50 70, *contact@hotel-cezanne.com, Fax 04 92 99 20 99,* – – 40. GB JCB CY n
13 – **29 ch** 108/138.
◆ Coquettes chambres avec tissus chatoyants et reproductions de tableaux, joli jardin méditerranéen où murmure une fontaine : la Provence de Cézanne... à 500 m de la Croisette.

**Cannes Riviera** M sans rest, 16 bd Alsace ✆ 04 97 06 20 40, *reservation@cannesriviera.com, Fax 04 93 39 20 75,* – – 20. GB JCB. BY r
12 – **64 ch** 105/190.
◆ Hôtel récemment refait dans l'esprit provençal (tons pastel, meubles peints, fer forgé). Chambres insonorisées. Sur le toit de l'hôtel, piscine et solarium regardent Cannes.

**Paris** sans rest, 34, bd Alsace ✆ 04 93 38 30 89, *reservation@hotel-de-paris.com, Fax 04 93 39 04 61,* , – – 25. GB JCB. CY a
*fermé 16 nov. au 26 déc.* – 13 – **47 ch** 130/150, 3 appart.
◆ Proche d'un axe fréquenté, cet hôtel particulier du 19e s. jouit d'une insonorisation exemplaire. Chambres bourgeoises un brin désuètes. Joli jardin planté de palmiers.

**America** M sans rest, 13 r. St-Honoré ✆ 04 93 06 75 75, *info@hotel-america.com, Fax 04 93 68 04 58* – . GB JCB. BZ r
*fermé 26 nov. au 26 déc.* – 11 – **28 ch** 110/163.
◆ Dans une rue calme proche de la Croisette. Les chambres, fraîches et actuelles, sont généralement spacieuses et bénéficient d'une bonne isolation phonique.

**Eden Hôtel** M sans rest, 133 r. Antibes ✆ 04 93 68 78 00, *reception@eden-hotel-cannes.com, Fax 04 93 68 78 01* – – 60. GB DZ d
14 – **43 ch** 185/210.
◆ Situation idéale pour le shopping : l'hôtel est implanté dans la prestigieuse rue d'Antibes. Les chambres, rénovées, sont fonctionnelles et sobrement décorées.

**Renoir** sans rest, 7 r. Edith Cavell ✆ 04 92 99 62 62, *contact@hotel-renoir-cannes.com, Fax 04 92 99 62 82* – cuisinette . GB JCB BY x
12 – **27 ch** 137/243.
◆ Meubles peints et tissus provençaux ensoleillés personnalisent les chambres de cet immeuble des années 1920 situé en surplomb d'une voie rapide.

**Victoria** sans rest, rd-pt Duboys d'Angers ✆ 04 92 59 40 00, *hotelvicto@aol.com, Fax 04 93 38 03 91* – . GB CZ x
*fermé 22 nov. au 27 déc.* – 12 – **25 ch** 142/199.
◆ L'hôtel occupe deux étages d'un immeuble d'habitation. Chambres un brin désuètes, mais plutôt spacieuses et garnies de meubles de style. Bar décoré à la mode anglaise.

**Mondial** sans rest, 1 r. Teisseire ✆ 04 93 68 70 00, *mondial@dial.oleane.com, Fax 04 93 99 39 11* – AE GB JCB CY e
12 – **49 ch** 140/295.
◆ La rénovation de l'hôtel s'est effectuée dans un esprit Art déco. Le mobilier, inspiré de cette époque, agrémente des chambres pimpantes parfois pourvues de balcons.

**Villa de l'Olivier** sans rest, 5 r. Tambourinaires ✆ 04 93 39 53 28, *reception@hotelolivier.com, Fax 04 93 39 55 85*, – P. AE GB JCB. AZ e
*fermé 22 nov. au 21 déc.* – 9 – **24 ch** 91/120.
◆ Villa provençale du Suquet relativement protégée de la route passante par un petit écran de verdure. Chambres coquettes, garnies de meubles de divers styles. Accueil aimable.

**Régina** M sans rest, 31 r. Pasteur ✆ 04 93 94 05 43, *reception@hotel-regina-cannes.com, Fax 04 93 43 20 54* – P. GB. DZ x
*fermé 10 nov. au 26 déc.* – 11 – **19 ch** 155/165.
◆ Voisin des palaces de la Croisette, cet hôtel offre des chambres rénovées, meublées en chêne clair ou en rotin et bien tenues ; quelques-unes jouissent de la vue sur la mer.

**Festival** M sans rest, 3 r. Molière ✆ 04 97 06 64 40, *infos@hotel-festival.com, Fax 04 97 06 64 45* – AE GB JCB. CZ m
*fermé 20 nov. au 20 déc.* – 8 – **14 ch** 95/112.
◆ Au premier étage d'un immeuble résidentiel proche de la rue d'Antibes, chambres fonctionnelles et insonorisées. Pour la détente : sauna et jacuzzi.

**Embassy**, 6 r. Bône ✆ 04 97 06 99 00, *embassy@wanadoo.fr, Fax 04 93 99 07 98* – AE GB JCB DY j
Repas 26/35 – 10,50 – **60 ch** 122/138 – ½ P 101,50.
◆ Établissement des années 1970 abritant des chambres de bonne ampleur, toutes rénovées et rehaussées d'étoffes colorées. Solarium et jacuzzi sur le toit-terrasse.

**California's** M sans rest, 8 traverse Alexandre III ✆ 04 93 94 12 21, *nadia@californias-hotel.com, Fax 04 93 43 55 17*, – – 15. AE GB DZ h
14 – **33 ch** 116/300.
◆ Les chambres de ces deux belles villas immaculées s'ordonnent autour d'un joli jardin. Récemment refaites, elles sont personnalisées et certaines profitent d'une terrasse.

**Albert 1er** sans rest, 68 av. Grasse ✆ 04 93 39 24 04, *Fax 04 93 38 83 75* – P. GB AY d
*fermé 21 nov. au 21 déc.* – 6 – **11 ch** 52/61.
◆ Ambiance familiale et accueil charmant dans cette villa des années 1930 où l'on petit-déjeune sur une plaisante terrasse embaumant les senteurs provençales. Sobres chambres.

**France** sans rest, 85 r. Antibes ✆ 04 93 06 54 54, *infos@h-de-france.com, Fax 04 93 68 53 43* – AE GB JCB CY k
*fermé 22 nov. au 26 déc.* – 9 – **33 ch** 110/127.
◆ Chambres pratiques et insonorisées, au mobilier d'inspiration Art déco. La rue est conquise par les boutiques de luxe : lèche-vitrine ou "bronzette" sur le toit-terrasse ?

**Florian** sans rest, 8 r. Cdt André ✆ 04 93 39 24 82, *info@hotel-florian-cannes.com, Fax 04 92 99 18 30* – AE GB JCB CZ g
*fermé 15 nov. au 15 janv.* – 5 – **20 ch** 60/70.
◆ Pimpante façade ocre à 200 m de la Croisette. Accueil tout sourire garanti dans cet hôtel familial aux chambres fraîches et actuelles, rigoureusement tenues. Clients fidèles.

**Beverly** sans rest, 14 r. Hoche ✆ 04 93 39 10 66, *contact@hotel-beverly.com, Fax 04 92 98 65 63* – AE GB JCB. BY n
8 – **19 ch** 48/72.
◆ Dans une rue commerçante proche de la gare, haute façade dissimulant de menues chambres avant tout pratiques, que l'on rénove progressivement.

XXXX ✿✿ **Palme d'Or** - Hôtel Martinez, 73 bd Croisette ✆ 04 92 98 74 14, *martinez@concorde-hotels.com, Fax 04 93 39 03 38*, – P. AE GB DZ n
*fermé mi-nov. à mi-déc., lundi et mardi* – **Repas** 50 bc (déj.), 68/140 et carte 100 à 140.
◆ Ce restaurant meublé dans le style Art déco et agrémenté de photos de stars de cinéma ouvre "plein cadre" sur la Croisette. Belle terrasse panoramique. Carte méridionale.
**Spéc.** Soupe froide de tomate à l'effeuillé de morue douce (printemps-été). Comme un stockfisch, sardines en filets de chips de perrugine. Foie gras laqué aux fruits de saison.
**Vins** Côtes du Luberon, Vin de l'Ile Saint Honorat

XXXX ✿ **Villa des Lys** - Hôtel Majestic Barrière, 10 bd Croisette ✆ 04 92 98 77 41, *villadeslys@luciennbarriere.com, Fax 04 93 38 97 90* – . AE GB JCB BZ n
*fermé mi-nov. à fin déc., dim. et lundi* – **Repas** *(dîner seul)* 75/250 et carte 95 à 130.
◆ Nouvelle salle à manger sous une élégante verrière et son décor d'inspiration Napoléon III signé Jacques Garcia. Beaux produits de la mer cuisinés à la mode provençale.
**Spéc.** Poitrine de pigeon marinée au vin de Rasteau. Turbot breton piqué au citron, risotto en cassolette. "Traou Mad" tiède à la vanille. **Vins** Côtes de Provence.

XXX **Mesclun,** 16 r. St-Antoine 04 93 99 45 19, *lemesclun@wanadoo.fr, Fax 04 93 47 68 29* – . AE GB JCB AZ t
*fermé 20 nov. au 20 déc., 20 au 28 fév. et merc.* – **Repas** 20 (déj.)/31 🍷.
◆ Ambiance feutrée dans cette maison ancienne du vieux Cannes. Murs lambrissés, meubles de style, tableaux et éclairage discret forment le cadre de vos dîners intimes.

XXX **Félix,** 63 bd Croisette 04 93 94 00 61, *Fax 04 93 94 10 71,* – . AE GB. DZ e
*fermé 20 nov. au 20 déc. et merc. hors saison* – **Repas** 37/40 et carte 43 à 65 🍷.
◆ On y tourna La Bonne Année et Trenet y avait sa table. Cet élégant restaurant de style brasserie chic jouit d'un emplacement privilégié sur la Croisette. Terrasse prisée.

XX **Palm Square,** 1 allée Liberté 04 93 06 78 27, *Fax 04 93 06 78 29* – . AE GB AZ a
**Repas** 18 (déj.), 45/70 🍷, enf. 8.
◆ Près du palais des festivals, nouvelle adresse au décor d'inspiration coloniale (boiseries, tons chauds et plantes). Le soir, des musiciens animent ce restaurant "tendance".

XX **Festival,** 52 bd Croisette 04 93 38 04 81, *contact@lefestival.fr, Fax 04 93 38 13 82,* – . AE Ⓓ GB JCB CZ p
*fermé 17 nov. au 27 déc.* – **Repas** (26) - 36/38 🍷, enf. 23 - ***Grill :*** **Repas** carte 30 à 46 🍷.
◆ Des dessins de navires en coupe égayent les lambris blonds de cette vaste brasserie. Service plus rapide côté Grill. Terrasse face à la Croisette pour voir... et être vu !

XX **Gaston et Gastounette,** 7 quai St-Pierre 04 93 39 47 92, *Fax 04 93 99 45 34,* – . AE Ⓓ GB AZ v
*fermé 1er au 20 déc.* – **Repas** 23 (déj.)/35 🍷.
◆ Les boiseries claires des deux salles à manger sont agrémentées de représentations colorées de paysages azuréens. Terrasse tournée vers le port. Cuisine de la mer.

XX **Relais des Semailles,** 9 r. St-Antoine 04 93 39 22 32, *Fax 04 93 39 84 73* – . AE GB
*fermé 1er au 20 déc. et lundi midi* – **Repas** 15 (déj.), 32/49. AZ z
◆ Tableaux, meubles anciens et bibelots composent le cadre "cosy" de ce restaurant situé dans une ruelle du Suquet (la vieille ville). Jolie mise en place. Plats régionaux.

XX **Rest. Arménien,** 82 bd Croisette 04 93 94 00 58, *lucieetchristian@lerestaurantarmenien.com, Fax 04 93 94 56 12* – . Ⓓ GB DZ a
*fermé 18 nov. au 10 déc., le midi en juil.-août et lundi* – **Repas** menu unique 40.
◆ Au rez-de-chaussée d'un immeuble résidentiel. Salle à manger un peu kitsch éclairée de vitraux colorés et généreuse cuisine arménienne. Clientèle fidèle (Aznavour).

XX **Madeleine,** 13 bd Jean Hilbert 04 93 39 72 22, *lemadeleine@fr.st, Fax 04 93 94 61 57,* ≤, – . AE Ⓓ GB JCB AZ b
*fermé 15 déc. au 15 janv., dim. soir d'oct. à juin, merc. midi de juil. à sept. et mardi* – **Repas** 23/35 🍷.
◆ Hommage rendu à la mer dans cet établissement aux tonalités résolument azuréennes. Belle vue sur l'Esterel et les îles de Lérins. Cuisine iodée.

XX **Côté Jardin,** 12 av. St-Louis 04 93 38 60 28, *cotejardin.com@wanadoo.fr, Fax 04 93 38 60 28,* – . AE GB X a
*fermé 21 au 31 déc., 1er au 6 janv., 15 au 23 fév., dim. et lundi* – **Repas** (20) - 35 🍷.
◆ Restaurant à l'ambiance provençale sis dans un quartier résidentiel. Salle à manger agrandie d'une véranda. En été, profitez de la fraîcheur du petit jardin ombragé.

XX **Il Rigoletto,** 60 bd Alsace 04 93 43 32 19, – . AE GB DY t
*fermé 24 nov. au 7 déc., mardi soir et dim.* – **Repas** 14 (déj.), 26/46.
◆ Le quartier est un peu excentré et la façade bourgeoise discrète, mais l'adresse a déjà ses fidèles, conquis par son authentique cuisine italienne entièrement faite "maison".

XX **Mantel,** 22 r. St-Antoine 04 93 39 13 10, *noel.mantel@wanadoo.fr, Fax 04 93 39 13 10* – . GB BZ c
*fermé merc.* – **Repas** (23) - 32/54 🍷.
◆ L'un des nombreux restaurants bordant une pittoresque ruelle du Suquet. Celui-ci se distingue par sa cuisine appliquée mariant recettes provençales et saveurs d'aujourd'hui.

XX **Au Mal Assis,** 15 quai St-Pierre 04 93 99 19 09, *Fax 04 93 39 13 38,* – AE Ⓓ GB
*fermé 20 nov. au 22 déc.* – **Repas** 22/32 🍷. AZ a
◆ Bouillabaisse, bourride ou autres poissons dans l'assiette, sobre cadre marin et le spectacle du port en prime : voilà un restaurant bien assis !

XX **3 Portes,** 16 r. Frères Pradignac 04 93 38 91 70, *Fax 04 93 38 95 52,* – . AE GB CZ f
*fermé 30 nov. au 7 déc., 29 juin au 6 juil., lundi midi, sam. et dim. hors saison* – **Repas** 26 🍷.
◆ "Fashion victim" ? Vous avez frappé aux 3 bonnes portes : cuisine au goût du jour d'inspiration méditerranéenne et décor design épuré sur fond musical "tendance".

X **Mi-Figue, Mi-Raisin,** 27 r. Suquet 04 93 39 51 25, *Fax 04 93 39 51 25,* – AE GB
*fermé 8 au 26 déc., 5 au 18 janv. et lundi* – **Repas** (dîner seul.) 24. AY h
◆ Ce restaurant intime situé sur les hauteurs du Suquet propose une goûteuse cuisine provençale réalisée avec des produits choisis sur les étals du marché Forville.

**Caveau 30,** 45 r. F. Faure ✆ 04 93 39 06 33, *lecaveau30@wanadoo.fr, Fax 04 92 98 05 38,* – ▤. AE ⓓ GB AZ f
Repas 20,40/29 ♀.
◆ Vaste restaurant disposant de deux salles à manger de style brasserie des années 1930. Terrasse donnant sur une grande place ombragée. Produits de la mer.

**Mère Besson,** 13 r. Frères Pradignac ✆ 04 93 39 59 24, *lamerebesson@wanadoo.fr, Fax 04 92 18 93 11,* – ▤. AE ⓓ GB CZ a
*fermé dim.* – **Repas** (dîner seul) 25/30.
◆ Cette modeste maison est devenue une institution en matière de cuisine provençale. Salle à manger aux murs jaune paille animée par le spectacle de la brigade en action.

**Radeau,** 53 r. F. Faure ✆ 04 93 39 20 88, *info@restaurantleradeau.com, Fax 04 93 39 20 88,* – ▤. AE GB AZ s
*fermé 17 nov. au 17 déc., dim. soir et lundi de nov. à mars* – **Repas** 19/33 ♀.
◆ Dans un quartier où abondent les restaurants, salle à manger tout en longueur présentant une décoration méridionale pimpante et soignée ; ambiance conviviale.

**Rendez-Vous,** 35 r. F. Faure ✆ 04 93 68 55 10, *Fax 04 93 38 96 21,* – ▤. AE GB AZ g
*fermé 6 au 17 janv.* – **Repas** 18,20/25,20 ♀.
◆ Rendez-vous dans cette plaisante salle à manger actuelle après une matinée parfumée passée sur le marché aux fleurs voisin. Cuisine traditionnelle.

**La Cave,** 9 bd République ✆ 04 93 99 79 87, *Fax 04 93 68 57 69* – ▤. AE GB JCB CY q
*fermé août, sam. midi et dim.* – **Repas** (23) - 28.
◆ Miroirs, affiches, banquettes en skaï et cuisines visibles de tous : un bistrot convivial où l'on mange un peu au coude à coude. Ardoise de suggestions du jour.

**Aux Bons Enfants,** 80 r. Meynadier, – ▤. ⛌ AZ r
*fermé 3 au 31 août, 24 déc. au 4 janv., sam. soir d'oct. à avril et dim.* – **Repas** (nombre de couverts limité) 16.
◆ Cette adresse s'applique à cultiver son côté simple et familial. Goûteuse cuisine aux accents méridionaux. Particularités de la maison : pas de téléphone et on paie en liquide.

**au Cannet** *Nord : 3 km - V – 41 842 h. alt. 80 – ✉ 06110 .*

*Office du Tourisme, avenue du Campon ✆ 04 93 45 34 27, Fax 04 93 45 28 06, tourisme@mairie-lecannet.*

**Pézou,** 346 r. St-Sauveur ✆ 04 93 69 32 50, *Fax 04 93 46 05 59,* – GB. ⛌ V r
*fermé nov., 29 janv. au 11 fév., dim. soir hors saison et merc.* – **Repas** 20/27,50 ♀.
◆ Pour oublier la Croisette le temps d'un repas, sympathique restaurant situé sur une jolie placette où l'on dresse des tables en été. Salle à manger aux couleurs du Midi.

**à La Bocca** *par ③ : 3 km – ✉ 06150 Cannes-La Bocca :*

*Office de tourisme, rue Pierre-Sémard ✆ 04 93 47 04 12, Fax 04 93 90 99 85.*

**Luna Caffe,** 8 r. Barthélémy ✆ 04 93 90 96 20, – ▤. GB
*fermé 1er au 24 août, 22 déc. au 2 janv., sam. et dim.* – **Repas** 21/26.
◆ Salle de restaurant actuelle, égayée de touches provençales colorées. Aux beaux jours, les repas sont servis sur la terrasse installée dans une ruelle piétonne.

---

## Le CANNET *06 Alpes-Mar.* 341 D6 – *rattaché à Cannes.*

---

## Le CANNET-DES-MAURES *83340 Var* 340 N5 – *3 126 h alt. 124.*

*Paris 838 – Fréjus 39 – Brignoles 30 – Cannes 73 – Draguignan 27 – Toulon 55.*

**Mas de Causserène,** N 7 ✆ 04 94 60 74 87, *Fax 04 94 60 95 97,* , – TV ✆ ♿ P – 30 à 100. AE GB
**Repas** *(fermé dim. soir du 8 sept. au 15 avril)* 15 (déj.), 20/32 ♀, enf. 12 – ***L'Oustalet :*** **Repas** 15(déj.),20/32 ♀, enf.12 – ☕ 7,50 – **49 ch** 45/54 – 1/2 P 47/54.
◆ Proche de l'autoroute, hôtel pratique pour l'étape. Chambres fonctionnelles, de bonne ampleur. Décoration provençale dans la vaste salle à manger tournée côté campagne.

---

## CAPBRETON *40130 Landes* 335 C13 *G. Aquitaine – 5 089 h alt. 6 – Casino.*

*Office du Tourisme, avenue Georges Pompidou ✆ 05 58 72 12 11, Fax 05 58 41 00 29, tourisme.capbreton@wanadoo.fr.*

*Paris 753 – Biarritz 29 – Mont-de-Marsan 90 – Bayonne 22 – St-Vincent-de-Tyrosse 12.*

**quartier de la plage :**

**L'Océan**, av. G. Pompidou ✆ 05 58 72 10 22, *hotel-capbreton@wanadoo.fr, Fax 05 58 72 08 43*, ← – |‡| TV P. AE ① GB
*fermé 12 nov. au 13 déc. et 7 au 30 janv.* – **Repas** *(fermé merc. et jeudi sauf juil.-août)* 15/22, enf. 7 – ☕ 8 – **25 ch** 74/84.
◆ Au bord du chenal, façade immaculée abritant des chambres dotées de balcons ; certaines renferment des meubles basques. Au restaurant, décor marin et produits de la mer.

**Café Bellevue**, av. G. Pompidou ✆ 05 58 72 10 30, *Fax 05 58 72 11 12* – AE ① GB
*fermé 3 nov. au 31 janv.* – **Repas** 15/25.
◆ Près du port, grande salle à manger décorée dans un esprit "rétro", agrandie d'une large véranda donnant sur le chenal. Cuisine traditionnelle et banc d'écailler.

**quartier la Pêcherie :**

**Regalty**, port de plaisance ✆ 05 58 72 22 80, *Fax 05 58 72 22 80*, – AE ① GB
*fermé 12 nov. au 4 déc., 13 au 31 janv., dim. soir hors saison et lundi sauf fériés* – **Repas** 28 et carte 41 à 51.
◆ Restaurant aménagé au rez-de-chaussée d'un immeuble moderne. Atmosphère marine dans la salle à manger habillée de boiseries. À table, produits de l'océan.

**Pavé du Port**, 2 quai Pêcherie ✆ 05 58 72 29 28, *Fax 05 58 72 29 28*, – ▤. ① GB
*fermé vacances de Toussaint, 20 déc. au 20 janv., lundi en juil.-août, mardi et merc. hors saison* – **Repas** 17/26,50 ♀, enf. 10.
◆ Deux petites salles de repas agrémentées d'oeuvres peintes par un artiste local et de bibelots relatifs au monde de la mer : cuivres et maquettes de bateaux.

---

**CAP COZ** *29 Finistère* 308 *H7 – rattaché à Fouesnant.*

---

**CAP D'AGDE** *34 Hérault* 339 *G9 – rattaché à Agde.*

---

**CAP D'AIL** *06 Alpes Mar.* 341 *F5 – voir à Monaco (Principauté de).*

---

**CAPDENAC-GARE** *12700 Aveyron* 338 *E3 – 4 818 h alt. 175.*
*Office du Tourisme, place du 14 juillet ✆ 05 65 64 74 87, Fax 05 65 80 88 15, office.de.tourisme.du.capdenacois@wanadoo.fr.*
*Paris 588 – Rodez 59 – Aurillac 66 – Villefranche-de-Rouergue 31.*

**à St-Julien-d'Empare** *Sud : 2 km par D 86 et D 558 – ✉ 12700 Capdenac-Gare :*

**Auberge La Diège**, ✆ 05 65 64 70 54, *hotel@diege.com, Fax 05 65 80 81 58*, – TV ♿ P – 20 à 30. AE ① GB
*fermé 15 déc. au 11 janv. et 7 au 15 fév.* – **Repas** *(fermé vend. soir, dim. soir et sam. d'oct. à avril et sam. midi d'avril à juin)* 9,70/30 ♀, enf. 6,80 – ☕ 8 – **24 ch** 47/54 – ½ P 46.
◆ Alliance audacieuse d'un bâtiment résolument contemporain avec une vieille ferme en grès beige. Chambres fonctionnelles et restaurant au cadre rustique affirmé.

---

**CAPESTANG** *34310 Hérault* 339 *D9 – 2 903 h alt. 22.*
*Office du Tourisme, boulevard Pasteur ✆ 04 67 93 34 23, Fax 04 67 93 34 23.*
*Paris 785 – Montpellier 89 – Béziers 17 – Carcassonne 62 – Narbonne 18 – St-Pons 40.*

**à l'Ouest** *5 km par D 11 et D 5 – ✉ 11590 Ouveillan :*

**Relais de Pigasse**, ✆ 04 67 89 40 98, *relaispigasse@comtecathare.com, Fax 04 67 89 40 18*, – P. GB
*fermé 5 janv. au 2 mars, dim. soir et lundi* – **Repas** 23/92,50 bc et carte 48 à 75 ♀.
◆ Belle bâtisse (1684) au bord du canal du Midi. Décor moderne valorisant les vieilles pierres et séduisante cuisine personnalisée escortée par les vins de la propriété.
**Spéc.** Nems de petites seiches. Soupière de poissons de roche en croûte. Corne d'abondance au café, glace cacao.

---

**CAP FERRET** *33 Gironde* 335 *D7 G. Aquitaine – alt. 11 – ✉ 33950 Lege Cap Ferret.*
Voir ✻★ *du phare.*
*Paris 652 – Bordeaux 71 – Arcachon 8 – Lacanau-Océan 55 – Lesparre-Médoc 88.*

**Frégate** sans rest, av. Océan ✆ 05 56 60 41 62, *resa@hotel-la-fregate.net, Fax 05 56 03 76 18*, – TV ♿ P. AE ① GB
*fermé 2 nov. au 26 déc. et 5 janv. au 1er fév.* – ☕ 7,50 – **29 ch** 45/114.
◆ Réparties dans plusieurs bâtiments, chambres diverses en taille et en style, mais toutes décorées avec soin ; certaines ont un balcon donnant sur la piscine. Accueil familial.

XX **Patrick Chautant,** rd-pt de l'Herbe, Nord : 7 km sur D 106 ✆ 05 56 60 51 32, *Fax 05 56 60 51 32,* – GB
*1er fév.-2 nov. et fermé dim. soir, lundi soir et mardi sauf du 9 juil. au 20 août et lundi midi* – **Repas** 28/55 ♀.
◆ Dans un cabanon de pêcheur à l'ombre des pins. Pratiquement toute la cuisine, au goût du jour, est préparée sous vos yeux dans la cheminée. Produits de la mer.

X **Pinasse Café,** 2 bis av. Océan ✆ 05 56 03 77 87, *pinassecafe@wanadoo.fr, Fax 05 56 60 63 47,* <, – AE GB
*8 fév.-15 nov.* – **Repas** 15/23 ♀, enf. 7,20.
◆ Ce sympathique bistrot honore l'océan dans le décor (oeuvres à thème marin) et dans l'assiette (poissons et crustacés). En terrasse, belle vue sur le bassin.

X **Chez Hortense,** à la pointe ✆ 05 56 60 62 56, <, – GB
*juil.-août et week-ends d'avril à sept.* – **Repas** carte 35 à 55.
◆ Restaurant aménagé dans une maison de pêcheur en briques et bois. Salle d'esprit bistrot, terrasse ouverte sur le bassin et la dune du Pilat. Cuisine de la mer.

---

**CAP FRÉHEL** *22 C.-d'Armor* 309 I2 *G. Bretagne* – ✉ *22240 Fréhel.*
Voir *Site★★★ – ✼★★★ – Fort La Latte : site★★, ✼★★ SE : 5 km.*
*Paris 438 – St-Malo 44 – Dinan 43 – Dinard 36 – Lamballe 36 – Rennes 99 – St-Brieuc 48.*

**Fanal** sans rest, Sud : 2,5 km par D 16 ✆ 02 96 41 43 19, – P. GB.
*1er juin - 16 sept.* – 5,50 – **9 ch** 37/52.
◆ Sur la route du cap, cette façade lambrissée abrite quelques chambres simples meublées en pin. La chaleur de l'accueil et le jardin arboré invitent à un séjour prolongé.

X **Fauconnière,** à la Pointe ✆ 02 96 41 54 20, < mer et côte – GB
*1er avril-30 sept.* – **Repas** *(fermé le soir hors saison et merc.)* (13) - 17/27 ♀, enf. 8.
◆ Ce restaurant situé dans un site classé uniquement accessible à pied, est solidement ancré sur les roches rouge violacé de la Fauconnière. Décor naturel grandiose.

---

**CAP GRIS-NEZ** ★★ *62 P.-de-C.* 301 C2 *G. Picardie Flandres Artois* – ✉ *62179 Audinghen.*
*Paris 288 – Calais 32 – Arras 126 – Boulogne-sur-Mer 21 – Marquise 13 – St-Omer 63.*

**Les Mauves** , ✆ 03 21 32 96 06, , – TV P. GB.
*28 mars-15 nov.* – **Repas** (dîner seul.) 20/38 ♀ – 8 – **16 ch** 70/92 – ½ P 58/78.
◆ À quelques brasses de l'autoroute maritime la plus fréquentée du monde. Vous serez reçus ici comme à la maison : chambres proprettes et restaurant égayé de bibelots.

X **Sirène,** ✆ 03 21 32 95 97, *Fax 03 21 32 74 75,* < mer – P. GB
*fermé 15 déc. au 25 janv., le soir sauf sam. de sept. à Pâques, dim. soir et lundi* – **Repas** 20/35,60 ♀.
◆ Point de sirènes à l'horizon, mais homards et poissons vous charmeront dans cette maison postée au bord de l'eau, face aux côtes anglaises (visibles par beau temps).

---

**CAPINGHEM** *59 Nord* 302 F4 – *rattaché à Lille.*

---

**CAPPELLE-LA-GRANDE** *59 Nord* 302 C2 – *rattaché à Dunkerque.*

---

**La CAPTE** *83 Var* 340 L7 – *rattaché à Hyères.*

---

**CAPVERN-LES-BAINS** *65130 H.-Pyr.* 342 N6 *G. Midi-Pyrénées – alt. 450 – Stat. therm. (fin avril-fin oct.) – Casino.*
Env. *Donjon du château de Mauvezin ✼★ O : 4,5 km.*
*Office du Tourisme, place des Thermes ✆ 05 62 39 00 46, Fax 05 62 39 08 14.*
*Paris 816 – Bagnères-de-Luchon 70 – Bagnères-de-Bigorre 18 – Lannemezan 9 – Tarbes 31.*

**Lemoine,** 846 r. Provence ✆ 05 62 39 02 18, *Fax 05 62 39 04 20,* – TV P. GB.
*28 avril-19 oct.* – **Repas** (8,50) - 12/16 ♀, enf. 7 – 5,50 – **12 ch** 38/46 – ½ P 34/37,50.
◆ Construction régionale en bord de route. Les petites chambres rustiques sont fort bien tenues ; choisir celles donnant sur le parc arboré. Salle à manger familiale.

---

**CARANTEC** *29660 Finistère* 308 H2 *G. Bretagne – 2 609 h alt. 37.*
Voir *Croix de procession★ dans l'église – "Chaise du Curé" (plate-forme) <★.*
Env. *Pointe de Pen-al-Lann <★★ E : 1,5 km puis 15 mn.*
*Office du Tourisme, 4 rue Pasteur ✆ 02 98 67 00 43, Fax 02 98 67 90 51, carantec.tourisme@wanadoo.fr.*
*Paris 552 – Brest 70 – Lannion 52 – Morlaix 15 – Quimper 90 – St-Pol-de-Léon 21.*

**L'Hôtel de Carantec-Patrick Jeffroy** M, ☎ 02 98 67 00 47, *patrick.jeffroy@wanadoo.fr, Fax 02 98 67 08 25,* ≤ Baie de Morlaix, – | TV P – 15. AE GB. ch
*fermé 24 nov. au 7 déc., 6 au 26 janv., dim. soir du 14 sept. au 15 juin, lundi sauf le soir en sais. et mardi midi* – **Repas** 32 (déj.), 48/95 et carte 65 à 90, enf. 20 – 14,50 – **12 ch** 120/155 – 1/2 P 132,50.
◆ Cette charmante maison de 1936, habilement rénovée dans le style de l'époque, surplombe la merveilleuse baie de Morlaix. Chambres raffinées. Cuisine personnalisée "terre et mer".
**Spéc.** Gâteau de sardines mi-cuites en escabèche (avril à mi-nov.). Bar de ligne aux carottes et petits violets du pays (mai à oct.). Crêpes dentelles aux fraises de Plougastel (mai à mi-oct.).

**Cabestan,** au port ☎ 02 98 67 01 87, *lecabestan.carantec@wanadoo.fr, Fax 02 98 67 90 49,* ≤ – GB.
*fermé 5 nov. au 10 déc., lundi sauf juil.-août et mardi* – **Repas** 21/32.
◆ Salle à manger d'esprit rustique où l'on s'attable autour de plats régionaux avec le port et la Manche en toile de fond. Bar-brasserie.

**Chaise du Curé,** pl. République ☎ 02 98 78 33 27, *Fax 02 98 78 33 27* – GB.
*fermé fév., 17 au 23 nov., 25 juin au 3 juil., merc. et jeudi* – **Repas** 16/28 ♀.
◆ Sympathique adresse familiale près de l'église et de la "Chaise du Curé" (de ce rocher, vue sur les grèves et la baie). Salle simple et colorée, cuisine du marché.

## CARBON-BLANC *33 Gironde* 335 H5 – *rattaché à Bordeaux.*

*Les pages explicatives de l'introduction vous aideront à mieux profiter de votre* **Guide Rouge Michelin**

## CARCASSONNE P *11000 Aude* 344 F3 *G. Languedoc Roussillon – 43 470 h alt. 110.*

Voir *La Cité★★★ – Basilique St-Nazaire★ : vitraux★★, statues★★ – Musée du château Comtal : calvaire★ de Villanière – Montolieu★ (village du livre) – Châteaux de Latours★ – Commune de la "Méridienne verte".*
*de Carcassonne-Salvaza : ☎ 04 68 71 96 46, par ④ : 3 km.*
*Office du Tourisme, 15 boulevard Camille Pelletan ☎ 04 68 10 24 30, Fax 04 68 10 24 38, carcassonne@fnotsi.net.*
*Paris 780 ④ – Perpignan 114 ② – Toulouse 92 ④ – Albi 107 ① – Narbonne 61 ②.*

Plans page ci-contre

**Trois Couronnes** M, 2 r. Trois Couronnes ☎ 04 68 25 36 10, *Fax 04 68 25 92 92,* ≤, – | TV – 15 à 100. AE GB — BZ u
Repas 21/27 ♀ – 9,50 – **68 ch** 64/100 – 1/2 P 58,50/71.
◆ Immeuble récent bénéficiant d'une belle situation au bord de l'Aude, face aux remparts de la Cité. Chambres fonctionnelles. Au dernier étage, restaurant panoramique.

**Montségur** sans rest, 27 allée d'Iéna ☎ 04 68 25 31 41, *reservation@hotelmontsegur.com, Fax 04 68 47 13 22* – | TV P. AE GB JCB — AZ t
*fermé 22 déc. au 28 janv.* – 9 – **21 ch** 55/88.
◆ Cette maison de maître de la fin du 19e s. rénove peu à peu ses chambres personnalisées par de beaux meubles anciens. Salon de style ou patio pour les petits-déjeuners.

**Pont Vieux** sans rest, 32 r. Trivalle ☎ 04 68 25 24 99, *hoteldupontvieux@minitel.net, Fax 04 68 47 62 71* – TV. AE GB — BZ s
6,90 – **19 ch** 40/85.
◆ Cette bâtisse ancienne dissimule un paisible jardinet veillé par un olivier tricentenaire. Chambres simples offrant parfois la vue sur tours et remparts.

**Languedoc,** 32 allée Iéna ☎ 04 68 25 22 17, *info@languedocrestaurant.com, Fax 04 68 25 04 14,* – . AE GB JCB — AZ z
*fermé 23 juin au 3 juil., 22 déc. au 21 janv., lundi sauf le soir en juil.-août et dim. soir* – **Repas** 22/39 et carte 32 à 48.
◆ Sur une artère fréquentée, accueil courtois invitant à déguster une cuisine classique dans un cadre rustico-bourgeois. En été, préférez le calme et la fraîcheur du patio.

**L'Écurie,** 43 bd Barbès ☎ 04 68 72 04 04, *Fax 04 68 25 55 89,* – AE GB — AZ m
*fermé dim.* – **Repas** 21/26 ♀, enf. 13.
◆ Étape insolite, ces authentiques écuries du 18e s. attendent cavaliers et cavalières. Stalles élégamment aménagées, sol en galets, tableaux et jardin ombragé au calme.

**Chez Fred,** 31 bd O. Sarraut ☎ 04 68 72 02 23, *contact@chez-fred.fr, Fax 04 68 71 52 64,* – . GB — AY a
*fermé 20 oct. au 3 nov. 9 fév. au 2 mars, vacances de fév., mardi soir, merc. en hiver et sam. midi* – **Repas** 12 (déj.), 18/27 ♀.
◆ Convivialité et spécialités andalouses se sont donné rendez-vous dans ce bistrot "tendance" niché au fond d'une cour, près de la gare. Intérieur chatoyant, soirées à thème.

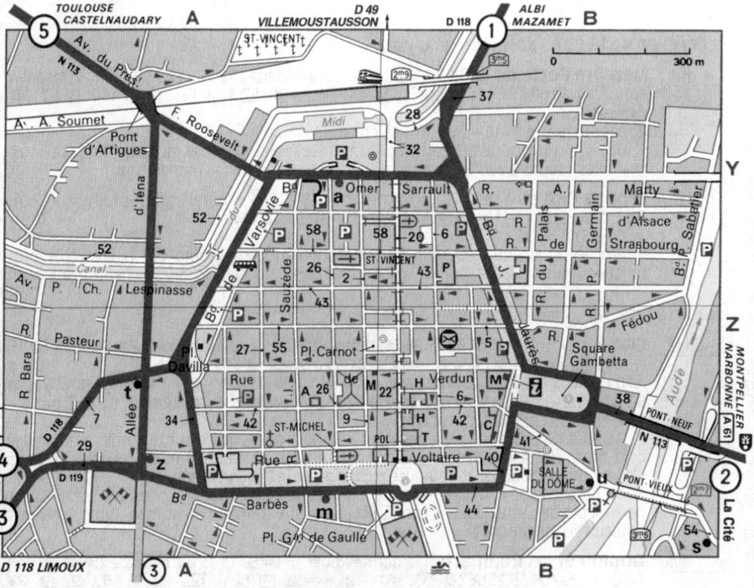
TOULOUSE
CASTELNAUDARY
A
D 49
VILLEMOUSTAUSSON
D 118
ALBI
MAZAMET
B
0
300 m
ST-VINCENT
Av. du Prés.
N 113
F. Roosevelt
A. A. Soumet
Pont d'Artigues
Midi
Omer Sarrault
R. A. Marty
d'Alsace
Strasbourg
Palais de Justice
R. du P. Germain
Bd de Varsovie
Bd du Canal
Canal
Av. P. Ch. Lespinasse
Sauzède
ST VINCENT
Pl. Carnot
R. Pasteur
R. Bara
Pl. Davilla
Allée d'Iéna
Rue de Verdun
ST-MICHEL
Rue Voltaire
Bd Barbès
Pl. Gal de Gaulle
Fédou
Square Gambetta
Aude
PONT-NEUF
N 113
PONT-VIEUX
SALLE DU DÔME
MONTPELLIER
NARBONNE
A 61
TOULOUSE
A 61
D 118
D 119
D 118 LIMOUX
La Cité
Y
Z

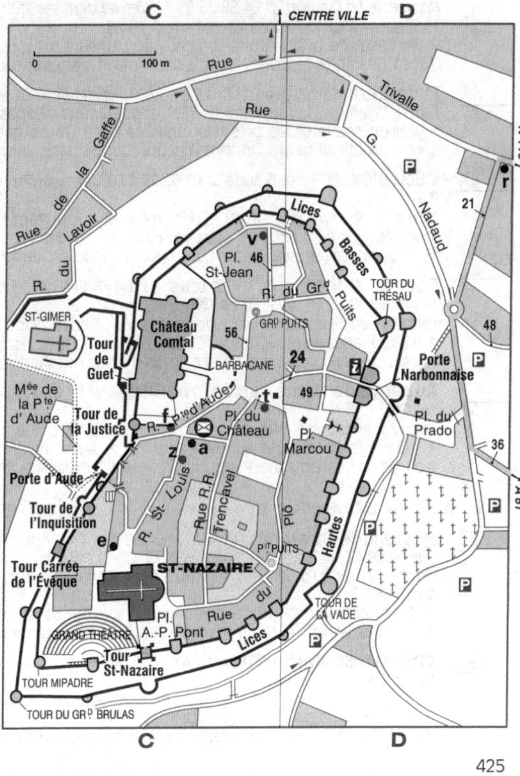
C
D
CENTRE VILLE
0
100 m
Rue Trivalle
N 113
Rue de la Gaffe
Rue du Lavoir
R. G. Nadaud
Lices Basses
Pl. St-Jean
R. du Grd Puits
TOUR DU TRÉSAU
ST-GIMER
Château Comtal
Tour de Guet
BARBACANE
GRD PUITS
Porte Narbonnaise
Mée de la Pte d'Aude
Tour de la Justice
R. Pte d'Aude
Pl. du Château
Pl. Marcou
Pl. du Prado
Porte d'Aude
Tour de l'Inquisition
R. St-Louis
Rue R. Trencavel
R. Plô
Lices Hautes
PtT PUITS
Tour Carrée de l'Évêque
ST-NAZAIRE
Pl. A.-P. Pont
Rue du Plô
GRAND THÉÂTRE
Tour St-Nazaire
TOUR DE LA VADE
Lices
TOUR MIPADRE
TOUR DU GRD BRULAS
A 61

## CARCASSONNE

| | | |
|---|---|---|
| Armagnac (R. A.) | AY | 2 |
| Barbès (R.) | BZ | 5 |
| Bringer (R. Jean) | BYZ | 6 |
| Bunau-Varilla (Av.) | AZ | 7 |
| Chartran (R.) | AZ | 9 |
| Clemenceau (R. G.) | BY | 20 |
| Combéléran (Mtée G.) | D | 21 |
| Courtejaire (R.) | BZ | 22 |
| Cros-Mayrevieille (Rue) | D | 24 |
| Dr-A.-Tomey (R.) | AYZ | 26 |
| Études (R. des) | AZ | 27 |
| Foch (Av. du Mar.) | BY | 28 |
| Gout (Av. Henri) | AZ | 29 |
| Joffre (Av. du Mar.) | BY | 32 |
| Marcou (Bd) | AZ | 34 |
| Médiévale (Voie) | D | 36 |
| Minervoise (Route) | BY | 37 |
| Mullot (Av. Arthur) | BZ | 38 |
| Pelletan (Bd C.) | BZ | 40 |
| Pont-Vieux (R. du) | BZ | 41 |
| Ramon (R. A.) | ABZ | 42 |
| République (R. de la) | ABY | 43 |
| Roumens (Bd du Cdt) | BZ | 44 |
| St. Jean (R.) | C | 46 |
| St. Saëns (R. C.) | D | 48 |
| St. Sernin (R.) | D | 49 |
| Semard (Av. Pierre) | AY | 52 |
| Trivalle (R.) | BZ | 54 |
| Verdun (R. de) | ABZ | |
| Victor-Hugo (R.) | AZ | 55 |
| Viollet-le-Duc (Rue) | C | 56 |
| 4-Septembre (R. du) | ABY | 58 |

**à l'entrée de la Cité**, *près porte Narbonnaise :*

**Mercure Porte de la Cité** M, 18 r. C. Saint-Saens ☎ 04 68 11 92 82, *h1622@accor-hotels.com, Fax 04 68 71 11 45,* – 15 à 50. AE GB JCB. rest
**Repas** 16/26 ♀, enf. 10 – 9,20 – **61 ch** 90/93.
◆ Dans un quartier résidentiel, avec la cité médiévale pour toile de fond. Optez pour les chambres tournées vers les remparts. Décoration d'inspiration méridionale.

**Espace Cité** sans rest, 132 r. Trivalle ☎ 04 68 25 24 24, *hotel-espace-cité@wanadoo.fr, Fax 04 68 25 17 17* – 30. AE GB D r
6 – **48 ch** 58/73.
◆ Proche de la Cité, cet hôtel de conception moderne abrite des petites chambres fonctionnelles. L'espace "buffet" vous permet de composer à loisir votre petit-déjeuner.

**dans la Cité** - *Circulation réglementée en été :*

**Cité**, pl. Église ☎ 04 68 71 98 71, *reservations@hoteldelacite.com, Fax 04 68 71 50 15,* – 15 à 60. AE GB JCB C e
*fermé déc. à mi-janv.* – ***Barbacane*** ☎ 04 68 71 98 67 (dîner seul.) *(4 avril-2 nov.)* **Repas** 60/80 et carte 70 à 95 ♀ – ***Chez Saskia*** *(fermé 1er déc. au 15 janv.)* **Repas** 17/31 ♀, enf. 8 – 28,80 – **53 ch** 315/400, 8 appart.
◆ Adresse de prestige, cette demeure néo-gothique s'ouvre sur un jardin avec piscine côté remparts. Agencements luxueux agrémentés de tableaux et de meubles de style. Élégant décor médiéval et goûteuse cuisine actuelle à la Barbacane.
**Spéc.** Carpaccio de foie gras de canard. Pintade frottée à la vanille, rôtie à la broche. Tartine de haricots de Castelnaudary, confit à la sauge aux truffes d'été (saison). **Vins** Corbières, Coteaux du Languedoc.

**Donjon et les Remparts,** 2 r. Comte Roger ☎ 04 68 11 23 00, *info@bestwestern-donjon.com, Fax 04 68 25 06 60,* – 15 à 50. AE GB JCB C a
***Brasserie Le Donjon*** ☎ 04 68 25 95 72 *(fermé dim. soir de nov. à mars)* **Repas** *(13,50)*-15/23 ♀, enf. 7 – 10 – **62 ch** 70/200 – 1/2 P 75/85.
◆ Au coeur de la Cité, hôtel composé de plusieurs maisons, dont un ancien orphelinat (15e s.). Chambres rénovées, dont le décor marie pierres et couleurs chatoyantes.

**Marquière,** 13 r. St Jean ☎ 04 68 71 52 00, *Fax 04 68 71 30 81,* – AE GB C v
*fermé 15 janv. au 15 fév., jeudi sauf juil.-août et merc.* – **Repas** 16/44, enf. 10.
◆ Maison crépie située près des remparts Nord. Pause gourmande à l'étage, dans un décor rustique et feutré, ou dans la petite cour-terrasse. Cuisine traditionnelle.

**L'Écu d'Or,** 7 r. Porte d'Aude ☎ 04 68 25 49 03, *lecudor@free.fr, Fax 04 68 25 33 14,* – GB C f
*fermé 12 nov. au 6 déc., 16 au 25 déc., merc. et jeudi* – **Repas** 22/40 ♀, enf. 10.
◆ Après avoir parcouru lices basses et hautes, accordez-vous un entracte dans ce logis du 13e s. ou sur sa terrasse. Sa cuisine, au goût du jour, évolue au gré des saisons.

**Comte Roger,** 14 r. St-Louis ☎ 04 68 11 93 40, *restaurant@comteroger.com, Fax 04 68 11 93 41,* – AE GB C z
*fermé 1er au 11 mars, dim. et lundi sauf fériés* – **Repas** 22 (déj.), 28/34 ♀, enf. 12.
◆ Vos flâneries entre le Château Comtal et la basilique St-Nazaire vous mèneront peut-être à cette terrasse ombragée dressée au bord d'une rue animée. Cuisine inventive.

**Auberge de Dame Carcas,** 3 pl. Château ☎ 04 68 71 23 23, *Fax 04 68 72 46 17,* – . GB C t
*fermé janv. et merc.* – **Repas** (dîner seul.) 13,50/23 ♀, enf. 9.
◆ Une légende raconte qu'une dame Carcas aurait mis fin au siège de la ville par les troupes de Charlemagne. Petits plats "canailles" servis dans un cadre rustique.

**au hameau de Montredon** *Nord-Est : 4 km par r. A. Marty* **BY** – *11090 Carcassonne :*

**Hostellerie St-Martin** M, ☎ 04 68 47 44 41, *hostellerie@chateausaintmartin.net, Fax 04 68 47 74 70,* – AE GB.
*fermé 12 nov. au 4 déc. et 7 janv. au 3 fév.* – **Repas** voir rest. ***Château St-Martin*** – 9 – **15 ch** 56/82.
◆ Cette bâtisse récente de style régional se situe dans un paisible parc entouré par la campagne. Les chambres, mi-provençales, mi-rustiques, sont plaisantes.

**Château St-Martin "Trencavel",** ☎ 04 68 71 09 53, *Fax 04 68 25 46 55,* – AE GB
*fermé dim. soir du 15 oct. au 1er avril et merc.* – **Repas** 28/52 et carte 37 à 55.
◆ Au fond d'un parc, belle demeure des 14e et 17e s., flanquée d'une tour du 12e s. Sobre intérieur agrémenté d'une fresque ; agréable terrasse d'été. Cuisine classique.

**à Floure** *par ② et N 113 : 11 km – 255 h. alt. 77 – ✉ 11800 :*

**Château de Floure** ⑤, ☎ 04 68 79 11 29, *contact@chateau-de-floure.com, Fax 04 68 79 04 61,* ⌂, ⛱, ⛶, ✗ – TV P – 🔑 60. AE ⓓ GB JCB. ✗ rest
*1er avril-3 janv.* – **Repas** *(fermé le midi sauf dim.)* 39/59 ♀ – ☕ 12 – **11 ch** 100/170, 5 appart – ½ P 97/132.
◆ Ce château du 12e s. où vécut le poète Gaston Bonheur présente une belle décoration intérieure. Vastes chambres de style, avec vue sur le jardin à la française.

**au Sud par** ③ *et Est par D 104 : 3 km – ✉ 11000 Carcassonne :*

**Domaine d'Auriac** (Rigaudis) ⑤, ☎ 04 68 25 72 22, *auriac@relaischateaux.com, Fax 04 68 47 35 54,* ←, ⌂, ⛱, ✗, ⛳ – ▯ ▤ TV ✆ ⟸ P – 🔑 50. AE ⓓ GB JCB
✿ *fermé 27/4-5/5, 16-24/11, 4/1-9/2, le midi du lundi au jeudi de mai à sept., dim. soir et lundi d'oct à avril* – **Repas** 47/100 et carte 65 à 90 – ☕ 19 – **26 ch** 130/420 – ½ P 145/290.
◆ Agréable demeure du 19e s. dans un parc aux essences méridionales. Coquettes chambres personnalisées. La table fait la part belle aux spécialités régionales. Golf 18 trous.
**Spéc.** Les foies gras chauds et froids. Cassoulet. Gibier (saison). **Vins** Limoux, Corbières.

**à Cavanac** *par ③ et rte de St-Hilaire : 7 km – 676 h. alt. 138 – ✉ 11570 :*

**Château de Cavanac** ⑤, ☎ 04 68 79 61 04, *Fax 04 68 79 79 67,* ⌂, ⛱, ⛶, ✗ – ▯, ▤ ch, TV P – 🔑 20. GB. ✗ ch
*fermé janv., fév. et lundi (sauf hôtel hors saison)* – **Repas** (dîner seul.) 38 bc – ☕ 10 – **24 ch** 105/150, 4 appart.
◆ Ce château du 17e s. entouré de vignes possède un bel aménagement intérieur, des chambres de caractère et une originale salle à manger installée dans des écuries du 18e s.

---

**CARENNAC** *46110 Lot* 337 G2 *G. Périgord Quercy – 370 h alt. 123.*

Voir *Portail★ de l'église St Pierre – Mise au tombeau★ dans la salle capitulaire du cloître.*

ℹ *Office du Tourisme, Cour du Prieuré ☎ 05 65 10 97 01, Fax 05 65 10 51 22, ot.intercom.carennac@wanadoo.fr.*

*Paris 521 – Brive-la-Gaillarde 40 – Cahors 80 – Martel 16 – St-Céré 17 – Tulle 51.*

**Auberge du Vieux Quercy** M ⑤, ☎ 05 65 10 96 59, *vieuxquercy@medianet.fr, Fax 05 65 10 94 05,* ⌂, ⛱, ⛶ – TV ✆ P. ⓓ GB
*15 mars-15 nov. et fermé dim. soir et lundi du 15 mars au 30 avril et du 1er oct. au 15 nov.* – **Repas** (dîner seul. sauf dim. et fériés) 25/130, enf. 10 – ☕ 8,50 – **22 ch** 67/75 – ½ P 67/71.
◆ Les chambres, bien tenues, offrent un joli coup d'oeil sur les toits du village où fut tourné le téléfilm La Rivière Espérance ; celles de l'annexe donnent sur la piscine.

**Hostellerie Fénelon** ⑤, ☎ 05 65 10 96 46, *Fax 05 65 10 94 86,* ⌂, ⛱ – TV ✆ P. GB
*fermé 6 janv. au 20 mars, 17 nov. au 20 déc., vend., sam. midi et lundi midi sauf juil.-août* – **Repas** 17,50/47 ♀, enf. 8,50 – ☕ 8 – **15 ch** 45/57 – ½ P 52/58.
◆ Grande maison quercinoise à l'ambiance familiale où vous préférerez les chambres offrant une vue sur le cours de la Dordogne. Salle à manger de style régional.

---

**CARENTAN** *50500 Manche* 303 E4 *G. Normandie Cotentin – 6 300 h alt. 18.*

ℹ *Office du Tourisme, boulevard de Verdun ☎ 02 33 42 74 01, Fax 02 33 42 74 01, info@ot-carentan.fr.*

*Paris 308 – Cherbourg 52 – St-Lô 28 – Avranches 86 – Caen 75 – Coutances 36.*

**Vauban** sans rest, 7 r. Sébline ☎ 02 33 71 00 20 – TV ✆ ⟸. GB. ✗
☕ 5,40 – **15 ch** 36,60/48,80.
◆ Des petites chambres accueillantes (mansardées au dernier étage) et une salle de petits-déjeuners façon jardin d'hiver font l'attrait de cet hôtel du centre-ville.

XX **Auberge Normande,** bd Verdun ☎ 02 33 42 28 28, *accueil@auberge-normande.com, Fax 02 33 42 00 72,* ⌂ – P. AE ⓓ GB
*fermé 1er au 10 juil., dim. soir et lundi* – **Repas** (13) - 17/29 ♀.
◆ Maisons en pierres et briques disposées autour d'une cour fleurie. Pimpante salle à manger contemporaine où l'on sert une cuisine traditionnelle aux accents du terroir.

**à St-Hilaire-Petitville** *Est : 2 km – 1 219 h. alt. 10 – ✉ 50500 Carentan :*

**Kyriad,** N 13 ☎ 02 33 71 11 11, *kyriad.carentan@wanadoo.fr, Fax 02 33 71 92 88,* ⌂ – ✗ TV ✆ ♿ P – 🔑 60. AE ⓓ GB
**Repas** *(fermé 20 déc. au 5 janv., dim. sauf le soir en saison et sam.)* (12) - 14/17,50 ♀ – ☕ 6,50 – **37 ch** 52/55.
◆ L'habile orientation des bâtiments, proches de la voie rapide, préserve la tranquillité des chambres, simples et pratiques. Salle des repas fleurie et lumineuse. Billard.

---

**CARGÈSE** *2A Corse-du-Sud* 345 A7 – *voir à Corse.*

## CARHAIX-PLOUGUER 29270 Finistère 308 J5 G. Bretagne – 8 198 h alt. 138.

*Office du Tourisme, rue Brieux ✆ 02 98 93 04 42, Fax 02 98 93 23 83, tourismeCarhaix @wanadoo.fr.*

*Paris 506 – Quimper 61 – Brest 86 – Guingamp 47 – Lorient 79 – Morlaix 47 – Pontivy 59.*

**Noz-Vad** M sans rest, 12 bd République ✆ 02 98 99 12 12, *aemcs@nozvad.com, Fax 02 98 99 44 32* – TV – 20 à 50. GB
*fermé 15 déc. au 5 janv.* – 6,50 – **43** ch 39/65.
◆ Des artistes locaux ont participé à la rénovation de cet hôtel arborant désormais un bel intérieur breton, contemporain et original. Chambres confortables et insonorisées.

**à Port de Carhaix** *Sud-Ouest : 6 km par rte de Lorient – ✉ 29270 Motreff :*

**Auberge du Poher,** ✆ 02 98 99 51 18, *Fax 02 98 99 55 98,* – P. GB
*fermé 1er au 21 juil., 3 au 17 fév., merc. soir, mardi soir hors saison, dim. soir et lundi* – **Repas** (11) - 15/39 ♀.
◆ Gentille auberge située à l'orée du village. Le vestibule garni de meubles régionaux précède une plaisante salle à manger champêtre tournée vers le jardin.

## CARIGNAN 08110 Ardennes 306 N5 – 3 359 h alt. 174.

*Paris 275 – Charleville-Mézières 45 – Mouzon 8 – Montmédy 23 – Sedan 22 – Verdun 67.*

**Gourmandière,** 19 av. Blagny ✆ 03 24 22 20 99, *la-gourmandiere2@wanadoo.fr, Fax 03 24 22 20 99,* – P. AE GB
*fermé lundi* – **Repas** 13/45, enf. 10.
◆ Maison bourgeoise en pierre abritant une sobre salle de restaurant rustique. En été, profitez de la terrasse dressée dans le jardin, à l'écart de la route.

*Nos guides hôteliers, nos guides touristiques et nos cartes routières sont complémentaires. Utilisez-les ensemble.*

## CARMAUX 81400 Tarn 338 E6 – 10 957 h alt. 241.

*Office du Tourisme, ✆ 05 63 76 76 67, Fax 05 63 36 84 51.*

*Paris 667 – Rodez 60 – Toulouse 94 – Cordes-sur-Ciel 22 – St-Affrique 91.*

**Au Chapon Tarnais,** 3 bd Augustin Malraux (N 88) ✆ 05 63 36 60 10, *Fax 05 63 36 60 10*
*fermé 19 avril au 5 mai, 28 juil. au 3 août, sam. midi, dim. soir, mardi soir et lundi* – **Repas** 20/32, enf. 15.
◆ Discrète maisonnette au bord de la route nationale. Intérieur simple et frais, avec poutres et cheminée, généreuse cuisine traditionnelle et accueil familial charmant.

## CARNAC 56340 Morbihan 308 M9 G. Bretagne – 4 243 h alt. 16.

Voir *Musée de préhistoire*★★ **M** – *Église St-Cornély*★ **E** – *Tumulus St-Michel*★ : ≤★ – *Alignements du Ménec*★★ *par D 196 : 1,5 km – Alignements de Kermario*★★ *par ② : 2 km – Alignements de Kerlescan*★ *par ② : 4,5 km.*

*Office du Tourisme, 74 avenue des Druides ✆ 02 97 52 13 52, Fax 02 97 52 86 10, ot.carnac@ot-carnac.fr.*

*Paris 491 ② – Vannes 32 ② – Auray 13 ② – Lorient 54 ① – Quiberon 19 ①.*

Plan page ci-contre

**Diana,** 21 bd Plage ✆ 02 97 52 05 38, *contact@lediana.com, Fax 02 97 52 87 91,* ≤, – TV P. AE GB JCB Z r
*hôtel : 5 avril-15 nov. ; rest. : 2 mai-3 nov.* – **Repas** *(fermé le midi hors saison sauf dim. et fériés, merc. soir hors saison et merc. midi en saison)* 25 (déj.), 41/55 ♀ – 14 – **32 ch** 175/230 – ½ P 127,50/158.
◆ Atmosphère cossue, parfois un peu "kitsch", dans des chambres plutôt spacieuses ayant vue sur l'océan ou - plus calmes - sur le minigolf. Terrasse et piscine panoramiques.

**Novotel** M, av. Atlantique ✆ 02 97 52 53 00, *h0406@accor-hotels.com, Fax 02 97 52 53 55,* ≤, – TV P – 50. AE GB JCB
*fermé 4 au 19 janv.* – ***Clipper :*** **Repas** (19,50)-27 ♀, enf. 11 – ***Diététique :*** **Repas** 27 – 11,50 – **107 ch** 123,50/160 – ½ P 105,80/113,50. Z s
◆ Ce Novotel a bien des atouts : emplacement entre anciennes salines et petit port, accès direct au centre de thalassothérapie, piscine à l'eau de mer et chambres rénovées.

**Celtique** M, 17 av. Kermario ✆ 02 97 52 14 15, *hotel.celtique.bw.carnac@wanadoo.fr, Fax 02 97 52 71 10,* – cuisinette TV P – 70. AE GB Z h
**Repas** *(fermé le midi d'oct. à mars sauf week-ends et vacances scolaires)* carte 25 à 40 ♀ – 10,60 – **51 ch** 137, 5 duplex – ½ P 87,90/98,90.
◆ Immeuble récent entouré de pins séculaires. Chambres actuelles et claires. Proximité de la plage, piscine couvrable hors saison, jacuzzi et fitness : un programme tonique !

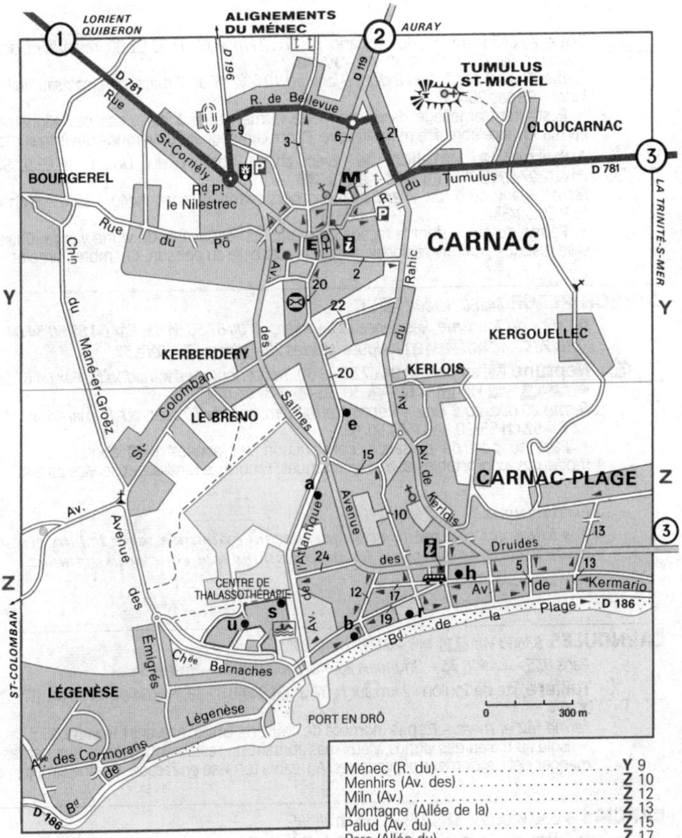

LORIENT
QUIBERON
ALIGNEMENTS
DU MÉNEC
AURAY
TUMULUS
ST-MICHEL
CLOUCARNAC
D 781
Rue
St-Cornély
D 196
R. de Bellevue
D 119
BOURGEREL
Rd Pt
le Nilestrec
Tumulus
du
R.
LA TRINITÉ-S-MER
Rue
du
Pô
Chin
du
Mané-er-Groëz
CARNAC
Av.
des
Salines
Rahic
du
KERGOUELLEC
KERBERDERY
KERLOIS
St-Colomban
LE BRENO
Av.
Av. de Kerlois
CARNAC-PLAGE
Av.
Avenue
des
Émigrés
Avenue
de
l'Atlantique
Druides
des
Av.
de
Kermario
CENTRE DE
THALASSOTHÉRAPIE
Plage
D 186
Bd
de
la
Chée
Bernaches
ST-COLOMBAN
LÉGENÈSE
Légenèse
PORT EN DRÔ
0
300 m
Ave des Cormorans
de
Bd
D 186


| | | | |
|---|---|---|---|
| Colary (R.) | Y 2 | Ménec (R. du) | Y 9 |
| Courdiec (R. de) | Y 3 | Menhirs (Av. des) | Z 10 |
| Cromlech (Allée du) | Z 5 | Miln (Av.) | Z 12 |
| Korrigans (R. des) | Y 6 | Montagne (Allée de la) | Z 13 |
| | | Palud (Av. du) | Z 15 |
| | | Parc (Allée du) | Z 17 |
| | | Port-en-Dro (Av. de) | Z 19 |
| | | Poste (Av. de la) | Y 20 |
| | | Poul-Person (R. de) | Y 21 |
| | | Roer (Av. du) | Y 22 |
| | | Talleyrand (R. de) | Z 24 |

**Plancton,** 12 bd Plage ✆ 02 97 52 13 65, *info@hotel-plancton.com, Fax 02 97 52 87 63,* ≤, – 25. AE GB. rest — Z b
*5 avril-30 sept.* – **Repas** (dîner seul.) 20/31 – 8,70 – **23 ch** 100/120 – ½ P 80/88.
◆ Construction des années 1970 située sur le front de mer. Chambres fonctionnelles et lumineuses, mieux agencées côté plage. La terrasse, orientée plein Sud, domine les flots.

**Ibis,** av. Atlantique ✆ 02 97 52 54 00, *H1054@accor-hotels.com, Fax 02 97 52 53 66,* ≤, – 20 à 60. AE GB — Z u
**Repas** *(15)* - 22, enf. 7,50 – 7,50 – **96 ch** 82/111, 23 duplex – ½ P 70/81.
◆ Ce bâtiment émergeant au ras des anciennes salines est relié au centre de thalassothérapie. Chambres tout confort dotées de balcons. Menus diététiques ou traditionnels.

**Licorne** sans rest, 5 av. Atlantique ✆ 02 97 52 10 59, *info@hotel-la-licorne.com, Fax 02 97 52 80 30,* – AE GB — Z a
*1er avril-12 nov.* – 7 – **26 ch** 43/84.
◆ Maison récente d'allure bretonne abritant des chambres fraîches et pratiques ; certaines ont vue sur le plan d'eau des anciens marins salants. Quelques balcons.

**Armoric,** 53 av. Poste ✆ 02 97 52 13 47, *armoric.carnac@wanadoo.fr, Fax 02 97 52 98 66,* – 20. AE GB JCB. rest — Z e
*fermé 7 au 23 fév.* – **Repas** *(fermé jeudi) (12,50)* - 18,50/25, enf. 8 – 7,20 – **25 ch** 60/105 – ½ P 67,60/77,20.
◆ Les chambres de cet hôtel des années 1960 sortent d'une cure de jouvence et sont pratiques et gaies ; aux derniers étages, elles offrent une vue dégagée. Calme jardin arboré.

XX **Côte,** aux Alignements de Kermario, par ② : *2 km* ✆ 02 97 52 02 80, *restaurant.lacote@wanadoo.fr, Fax 02 97 52 02 80,* – P. GB
*fermé 1er au 6 oct., 1er au 8 déc., 5 janv. au 10 fév., 1er au 7 mars, dim. soir sauf juil.-août et lundi* – **Repas** 20/65.
◆ Restaurant aménagé dans une vieille ferme située à deux pas des alignements de Kermario, le célèbre site mégalithique. Cadre campagnard et véranda ouverte sur le jardin.

X **Auberge le Râtelier** avec ch, 4 chemin du Douet ✆ 02 97 52 05 04, *Fax 02 97 52 76 11* – TV P – 15. GB Y r
*fermé 6 janv. au 6 fév., mardi et merc. hors saison* – **Repas** 15/40 – 6 – **9 ch** 44/49 – ½ P 50,50/53.
◆ Ferme du 19e s. dont la façade en granit est recouverte de vigne vierge. Chaleureuse salle rustique ; cuisine régionale faisant la part belle au poisson. Chambres simples.

## CARNON-PLAGE *34280 Hérault* 339 I7.

*Office du Tourisme, Résidence La Civadière ✆ 04 67 50 51 15, Fax 04 67 50 54 04.*
*Paris 763 – Montpellier 20 – Aigues-Mortes 20 – Nîmes 57 – Sète 37.*

**Neptune** M, au port ✆ 04 67 50 88 00, *hotel-neptune@wanadoo.fr, Fax 04 67 50 96 72,* ←, , – TV P – 30. AE GB. rest
*fermé 20 déc. au 5 janv.* – **Repas** *(fermé dim. soir du 30 sept. au 1er mars)* (14) - 16/35 ♀ – 8 – **52 ch** 55/90 – ½ P 64,50/68.
◆ Face au port de plaisance, construction des années 1980 abritant des chambres modernes, confortables et très bien tenues. Ambiance familiale et service attentif.

*Ecrivez-nous...*
*Vos louanges comme vos critiques seront examinées avec le plus grand soin. Nous reverrons sur place les informations que vous nous signalez.*
*Par avance merci !*

## CARNOULES *83660 Var* 340 M6 – *2 292 h alt. 205.*

*Paris 835 – Toulon 35 – Brignoles 23 – Draguignan 48 – Hyères 34.*

X **Tuilière,** rte de Toulon : 2 km sur N 97 ✆ 04 94 48 32 39, *Fax 04 94 48 36 06,* , , – P. GB
*fermé fév. et merc.* – **Repas** (nombre de couverts limité, prévenir) 18,30/33,55 ♀.
◆ Isolé au milieu des vignes, vieux mas abritant un restaurant rustique aux petites salles à manger délicieusement provençales. Agréable terrasse en façade. Cuisine simple.

## CAROMB *84330 Vaucluse* 332 D9 – *2 640 h alt. 95.*

*Office du Tourisme, place du Cabaret ✆ 04 90 62 36 21, Fax 04 90 62 36 22, ot caromb@axit.fr.*
*Paris 687 – Avignon 35 – Carpentras 10 – Nyons 34.*

XX **Four à Chaux,** rte Malaucène : 2 km ✆ 04 90 62 40 10, *Fax 04 90 62 36 62,* – P. GB
*fermé 12 nov. au 3 déc., 1er au 28 janv., mardi sauf le soir en juil.-août et lundi* – **Repas** 17 (déj.), 24/40 ♀.
◆ Restaurant aménagé dans un ancien four à chaux attenant à un atelier de poterie. Plaisante salle à manger sobrement rustique, ouverte sur une agréable terrasse ombragée.

## CARPENTRAS *84200 Vaucluse* 332 D9 *G. Provence* – *24 212 h alt. 102.*

Voir *Ancienne cathédrale St-Siffrein★ : Synagogue★.*
*Office du Tourisme, place Aristide Briand ✆ 04 90 63 00 78, Fax 04 90 60 41 02, tourist.carpentras@axit.fr.*
*Paris 683 ④ – Avignon 28 ③ – Digne-les-Bains 139 ② – Gap 145 ① – Marseille 106 ②.*

Plan page ci-contre

**Forum** M sans rest, 24 r. Forum ✆ 04 90 60 57 00, *if8408@inter-hotel.com, Fax 04 90 63 52 65* – TV P. AE GB Z t
*fermé 21 déc. au 4 janv. et 1er au 15 fév.* – 7 – **28 ch** 52,50/59,50.
◆ Au centre-ville, immeuble récent dont les chambres disposent d'un mobilier de style provençal. Au 3e étage, salon et terrasse. Petit-déjeuner servi sous forme de buffet.

**Comtadin** M sans rest, 65 bd Albin Durand ✆ 04 90 67 75 00, *le.comtadin@wanadoo.fr, Fax 04 90 67 75 01* – TV – 30. AE GB Z u
*fermé 22 déc. au 19 janv. et dim. d'oct. à fév.* – 9 – **19 ch** 58/74.
◆ Des orchidées agrémentent le hall de cet hôtel particulier (fin du 18e s.) entièrement rénové. La majorité des chambres, claires et bien insonorisées, donne sur le patio.

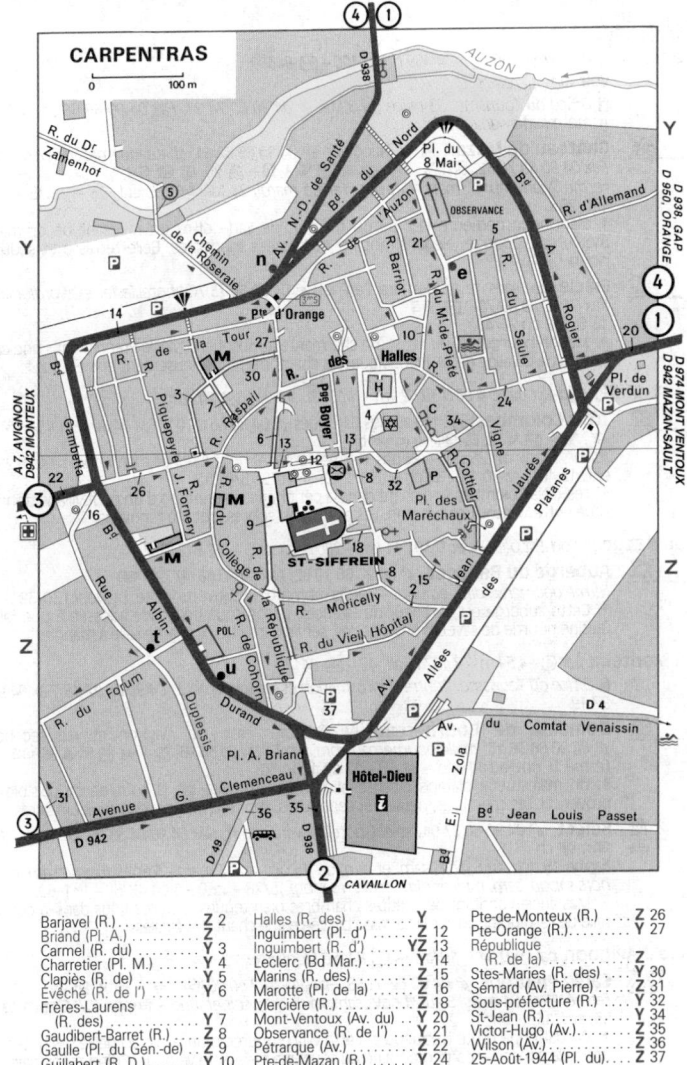

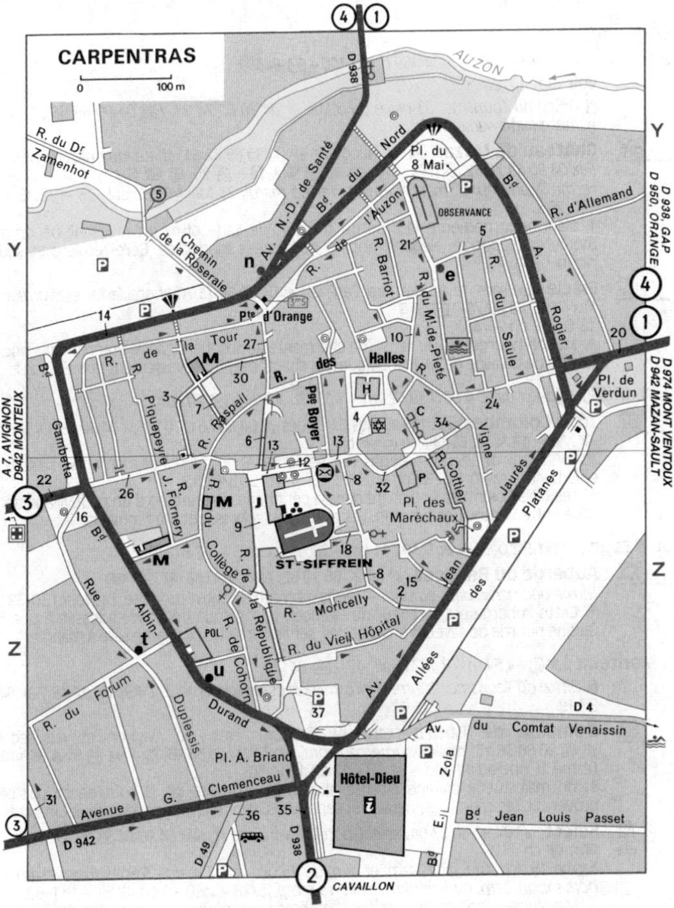
CARPENTRAS
0
100 m
AUZON
R. du Dr Zamenhof
Chemin de la Roseraie
Av. N.-D. de Santé
Bd du Nord
Pl. du 8 Mai
OBSERVANCE
R. d'Allemand
Bd A. Rogier
D 938, GAP
D 950, ORANGE
D 974 MONT VENTOUX
D 942 MAZAN-SAULT
A 7, AVIGNON
D942 MONTEUX
Pte d'Orange
R. de la Tour
R. des Halles
R. Raspail
R. Piquepeyre
R. J. Fornery
Pge Boyer
R. Barriot
R. du Mt-de-Piété
R. du Saule
R. de l'Auzon
Pl. de Verdun
R. Vigne
R. Cottier
Pl. des Maréchaux
ST-SIFFREIN
R. du Collège
R. de la République
R. Moricelly
R. du Vieil Hôpital
Av. Jean Jaurès
Allées des Platanes
Bd Gambetta
Bd Albin-Durand
Rue du Forum
R. Duplessis
R. de Cohorn
POL.
Pl. A. Briand
Av. G. Clemenceau
Avenue
D 942
D 49
D 938
CAVAILLON
Hôtel-Dieu
Av. du Comtat Venaissin
D 4
Av. E. Zola
Bd Jean Louis Passet
Y
Z

Barjavel (R.) . . . . . . . . . . . . Z 2
Briand (Pl. A.) . . . . . . . . . . . Z
Carmel (R. du) . . . . . . . . . . Y 3
Charretier (Pl. M.) . . . . . . Y 4
Clapiès (R. de) . . . . . . . . . . Y 5
Évêché (R. de l') . . . . . . . Y 6
Frères-Laurens
(R. des) . . . . . . . . . . . . . Y 7
Gaudibert-Barret (R.) . . . . Z 8
Gaulle (Pl. du Gén.-de) . . Z 9
Guillabert (R. D.). . . . . . . . Y 10
Halles (R. des) . . . . . . . . . . Y
Inguimbert (Pl. d') . . . . . . Z 12
Inguimbert (R. d') . . . . . YZ 13
Leclerc (Bd Mar.) . . . . . . . Y 14
Marins (R. des). . . . . . . . . . Z 15
Marotte (Pl. de la) . . . . . . . Z 16
Mercière (R.) . . . . . . . . . . . Z 18
Mont-Ventoux (Av. du) . . Y 20
Observance (R. de l') . . . . Y 21
Pétrarque (Av.) . . . . . . . . . Z 22
Pte-de-Mazan (R.) . . . . . . Y 24
Pte-de-Monteux (R.) . . . . Z 26
Pte-Orange (R.). . . . . . . . . Y 27
République
(R. de la). . . . . . . . . . . . . Z
Stes-Maries (R. des) . . . . Y 30
Sémard (Av. Pierre) . . . . . Z 31
Sous-préfecture (R.) . . . . Y 32
St-Jean (R.) . . . . . . . . . . . Y 34
Victor-Hugo (Av.). . . . . . . . Z 35
Wilson (Av.). . . . . . . . . . . . Z 36
25-Août-1944 (Pl. du). . . . Z 37

**Vert Galant,** (transfert prévu) 12 r. Clapiès ✆ 04 90 67 15 50, *Fax 04 90 67 15 50* – ▤. GB — Y e

*fermé lundi sauf le soir de mai à sept. et dim. sauf le midi d'oct. à avril* – **Repas** (nombre de couverts limité, prévenir) 26,50/44.

◆ Dans une rue calme de la vieille ville, avenante devanture en bois précédant une petite salle de restaurant rustique égayée de couleurs ensoleillées. Carte au goût du jour.

**Rives d'Auzon,** 47 bd Nord (face Porte d'Orange) ✆ 04 90 60 62 62 – GB — Y n

*fermé 15 déc. au 13 janv., sam. midi et mardi* – **Repas** 17 (déj.), 22/29 ♀.

◆ Face à la porte fortifiée du 14e s., cet établissement vous accueille dans une salle à manger décorée à la manière d'un jardin d'hiver. Cuisine aux accents du Midi.

**à Mazan** *Est : 7 km par D 942 – 4 459 h. alt. 100 – ✉ 84380.*

**Voir** *Cimetière ←★.*

*Office du Tourisme, 83 place du 8 Mai ☏ 04 90 69 74 27, Fax 04 90 69 66 31, officetourisme-maan@wanadoo.fr.*

**Château de Mazan** Ⓜ, pl. Napoléon ☏ 04 90 69 62 61, *chateaudemazan@wanadoo.fr, Fax 04 90 69 76 62,* – 20.
*fermé 2 janv. au 1er mars* – **Repas** *(fermé mardi)* 27 (déj.)/61 ♀, enf. 23 – ☕ 15 – **25 ch** 120/255.
◆ L'ancienne demeure (18e s.) du marquis de Sade offre un ravissant décor mariant moulures d'époque, élégant mobilier et touches modernes. Belle terrasse et séduisant jardin.

**Siècle** sans rest, (derrière l'église) ☏ 04 90 69 75 70, *hotel.lesiecle@wordlonline.fr, Fax 04 90 69 80 78* –
☕ 6 – **12 ch** 26/46.
◆ Maison bourgeoise du 16e s. à la charmante atmosphère "vieille France" dans une calme localité de la vallée de l'Auzon. Modestes chambres méticuleusement entretenues.

**à St-Didier** *Sud-Est par D 4 et D 39 : 2 km – 1 657 h. alt. 98 – ✉ 84210 :*

**Trois Colombes** , 148 av. des Garrigues ☏ 04 90 66 07 01, *Fax 04 90 66 11 54,* ch
*fermé 2 janv. au 28 fév.* – **Repas** *(fermé 12 au 28 nov., lundi et mardi hors saison)* 22/55, enf. 12,40 – ☕ 10,15 – **38 ch** 95,20/110 – ½ P 79,75/87,15.
◆ Les Trois Colombes se nichent dans la périphérie résidentielle d'un petit village tranquille situé entre Ventoux et Luberon. Les chambres, sobres, ont été rénovées.

**au Beaucet** *Sud-Est par D 4 et D 39 : 11 km – 280 h. alt. 275 – ✉ 84210 :*

**Auberge du Beaucet,** ☏ 04 90 66 10 82, *Fax 04 90 66 00 72* –
*fermé déc., janv., dim. et lundi* – **Repas** (nombre de couverts limité, prévenir) 30/38 ♀.
◆ Cette auberge est au coeur du Beaucet, pittoresque bourgade adossée à une falaise. Cuisine nourrie de saveurs provençales, servie dans une pimpante salle à manger.

**à Monteux** *par ③ : 4,5 km – 8 157 h. alt. 42 – ✉ 84170 :*

*Office du Tourisme, Centre d'Information et de Tourisme ☏ 04 90 66 97 18, Fax 04 90 66 97 19.*

**Domaine de Bournereau** Ⓜ sans rest, rte Avignon et rte secondaire ☏ 04 90 66 36 13, *mail@bournereau.com, Fax 04 90 66 36 93,*
*fermé 16 nov. au 14 déc.* – ☕ 10 – **12 ch** 120/150.
◆ Un majestueux platane bicentenaire trône au milieu de la cour de ce paisible mas provençal. Les chambres, neuves et spacieuses, sont égayées par des couleurs ocres.

**Select,** ☏ 04 90 66 27 91, *select-hotel2@wanadoo.fr, Fax 04 90 66 33 05,* ch
*fermé 15 déc. au 6 janv., sam. et dim. du 15 oct. au 15 mars* – **Repas** *(fermé sam. et dim. hors saison, sam. midi et dim. midi en saison)* 15/28 – ☕ 8 – **8 ch** 48/58 – ½ P 60.
◆ Mas ancien abritant des petites chambres bien tenues. Installez-vous dans la coquette salle de restaurant ou sur la terrasse bercée par le chant des cigales.

**rte d'Avignon** *par ③ D 942 : 10 km : – ✉ 84180 Monteux :*

**Saule Pleureur,** ☏ 04 90 62 01 35, *Fax 04 90 62 10 90,*
*fermé 1er au 21 mars, 5 au 21 nov., sam. midi, dim. soir et lundi* – **Repas** 30/68 et carte 51 à 83, enf. 13.
◆ Bordant une route fréquentée, cette villa entourée d'un jardin accueille ses hôtes dans une salle à manger contemporaine ou sous une ravissante véranda. Cuisine régionale.

---

## CARQUEIRANNE *83320 Var* 340 L7 – *7 118 h alt. 30.*

*Syndicat d'Initiative, place de la République ☏ 04 94 01 40 40.*

*Paris 854 – Toulon 16 – Draguignan 80 – Hyères 7.*

**Plein Sud** sans rest, av. Gén. de Gaulle par rte du port ☏ 04 94 58 52 86, *Fax 04 94 12 95 59* –
*fermé 15 oct. au 15 déc.* – ☕ 6,80 – **17 ch** 42/65,10.
◆ Construction cubique des années 1970 située sur la route menant au port. Chambres un brin désuètes, mais plutôt spacieuses et rigoureusement tenues.

**Table du Port,** 39 av. Gén. de Gaulle par rte du port ☏ 04 94 12 27 27,
*fermé dim. soir, mardi midi et lundi* – **Repas** 18, enf. 10.
◆ Restaurant de style contemporain situé à deux pas du petit port de pêche. Au programme, cuisine inventive privilégiant les saveurs provençales et belle carte des vins.

**Les Santonniers,** 18 r. J.-Jaurès (centre ville) ✆ 04 94 58 62 33, – GB
*fermé mardi et merc. hors saison* – **Repas** 15 ♀.
♦ Installé dans une maison de pays du centre-ville, ce modeste restaurant possède deux atouts : une jolie terrasse ombragée d'un platane et un menu-carte à prix sages.

---

**CARRIÈRES-SUR-SEINE** *78 Yvelines* 311 J2 101 ⑭ – *voir à Paris, Environs.*

---

**Les CARROZ-D'ARÂCHES** *74300 H.-Savoie* 328 M4 *G. Alpes du Nord – alt. 1140 – Sports d'hiver : 1 140/2 500 m 5 70 .*
*Paris 580 – Chamonix-Mont-Blanc 47 – Thonon-les-Bains 70 – Annecy 66 – Bonneville 25.*

**Croix de Savoie**, rte Flaine : 1 km ✆ 04 50 90 00 26, *info@lacroixdesavoie.fr, Fax 04 50 90 00 63,* ≤ montagnes et vallée, – P. GB
**Repas** 11,50/21, enf. 7,50 – ☐ 6,50 – **19 ch** 71/75 – ½ P 47/50.
♦ Chalet savoyard typique situé sur les hauteurs de la station et non loin des pistes. Spécialités du pays servies dans une salle à manger panoramique. Atmosphère chaleureuse.

---

**CARRY-LE-ROUET** *13620 B.-du-R.* 340 F6 *G. Provence – 5 224 h alt. 5 – Casino.*
*Office du Tourisme, avenue Aristide Briand ✆ 04 42 13 20 36, Fax 04 42 44 52 03, ot.carrylerouet@visitprovence.com.*
*Paris 770 – Marseille 32 – Aix-en-Provence 39 – Martigues 20 – Salon-de-Provence 45.*

**L'Escale** (Clor), prom. du Port ✆ 04 42 45 00 47, *gclor@free.fr, Fax 04 42 44 72 69,* ≤, – AE GB
*1er mars-28 sept. et fermé dim. soir sauf du 14 juil. au 15 août, sam. midi et lundi* – **Repas** (dim. prévenir) 32 (déj.)/52 et carte 60 à 88.
♦ De la terrasse surplombant le port, la vue s'étend parfois jusqu'à Marseille. Le mistral souffle ? Choisissez la salle à manger ocre-orangé, elle aussi tournée vers la mer.
**Spéc.** Terrine de baudroie. Casserole de poissons "Côte bleue". Homard rôti au beurre de corail. **Vins** Cassis, Châteauneuf-du-Pape.

**Madrigal,** 4 av. Dr G. Montus ✆ 04 42 44 58 63, *Fax 04 42 44 58 63,* ≤, – P. AE GB
*fermé 12 nov. au 10 janv., dim. soir et lundi* – **Repas** 24,50/30,50.
♦ Sur les hauts de Carry, maison rose dont l'agréable terrasse offre un panorama de carte postale. Intérieur sobre éclairé par de larges baies vitrées. Carte traditionnelle.

---

**CARSAC AILLAC** *24200 Dordogne* 329 I6 *G. Périgord Quercy – 1 219 h alt. 80.*
*Paris 537 – Brive-la-Gaillarde 60 – Sarlat-la-Canéda 8 – Gourdon 18.*

**Relais du Touron**, rte Sarlat ✆ 05 53 28 16 70, *relais.du.touron@wanadoo.fr, Fax 05 53 28 52 51,* , , – TV P. GB
*29 mars-3 nov.* – **Repas** 14,50/30,50 ♀ – ☐ 8 – **12 ch** 58/61 – ½ P 56,50.
♦ Dans un joli parc arboré, séduisante maison périgourdine et son annexe où vous dormirez dans des chambres simples et rustiques. Sympathique véranda face à la piscine.

---

**CARTERET** *50 Manche* 303 B3 – *voir à Barneville-Carteret.*

---

**CARVIN** *62220 P.-de-C.* 301 K5 – *17 059 h alt. 31.*
*Paris 204 – Lille 25 – Arras 35 – Béthune 27 – Douai 23.*

**Parc Hôtel,** N 17 - Z.I. du Château ✆ 03 21 79 65 65, *customer@parc-hotel.com, Fax 03 21 79 80 00,* – TV P – 25. AE GB JCB
**Repas** *(fermé dim. soir et soirs fériés)* 18,40/26 bc ♀ – ☐ 9,60 – **46 ch** 52/62 – ½ P 70/77.
♦ À proximité de l'autoroute, établissement récent abritant des chambres fonctionnelles, plus calmes côté campagne. Repas servis sous forme de buffets.

**Charolais,** Domaine de la Gloriette, r. Mar. Foch (rte Seclin) ✆ 03 21 40 12 98, *lecharolais@compuserve.com, Fax 03 21 40 41 15,* – P. AE GB
*fermé août, mardi soir, merc. soir, jeudi soir, dim. soir et lundi* – **Repas** (19 bc) - 25/62 bc, enf. 13.
♦ La maison est bien dans le style régional avec sa façade en briques. Salle à manger sobrement aménagée. Cuisine traditionnelle et spécialité de boeuf charolais.

---

**CASAMOZZA** *2B H.-Corse* 345 F4 – *voir à Corse.*

*Nos guides hôteliers, nos guides touristiques et nos cartes routières sont complémentaires. Utilisez-les ensemble.*

**CASSEL** *59670 Nord* 302 C3 *G. Picardie Flandres Artois – 2 177 h alt. 175.*
**Voir** *Site★.*
*Office du Tourisme, place Grand'Place ✆ 03 28 40 52 55, Fax 03 28 40 59 17, cassel@tourisme.norsys.fr.*
*Paris 250 – Calais 57 – Dunkerque 30 – Hazebrouck 11 – Lille 52 – St-Omer 22.*

**Petit Bruxelles,** au Petit-Bruxelles, Sud-Est : 3,5 km sur D 916 ✆ 03 28 42 44 64, *bdesnave@nordnet.fr, Fax 03 28 40 58 13,* – P. GB
*fermé vacances de fév., dim. soir, mardi soir, merc. soir et lundi* – **Repas** 23/41 ♀, enf. 12,20.
◆ Ancien relais de poste à la pimpante façade de briques rouges. Poutres apparentes et tables en bois ciré dans une chaleureuse salle à manger rustique à la mode flamande.

**CASSIS** *13260 B.-du-R.* 340 I6 *G. Provence – 7 967 h alt. 10 – Casino.*
**Voir** *Site★ – Les Calanques★★ (1h en bateau) – Mt de la Saoupe ✳★★ : 2 km par D 41A.*
**Env.** *Cap Canaille, la plus haute falaise maritime d'Europe, ⩽★★★ 5 km par D41A – Sémaphore ✳★★★ - Corniche des Crêtes★★ de Cassis à la Ciotat.*
*Office du Tourisme, quai des Moulins ✆ 04 42 01 71 17, Fax 04 42 01 28 31, omt@cassis.fr.*
*Paris 804 ① – Marseille 30 ① – Aix-en-Provence 50 ② – La Ciotat 10 ② – Toulon 42 ②.*

## CASSIS



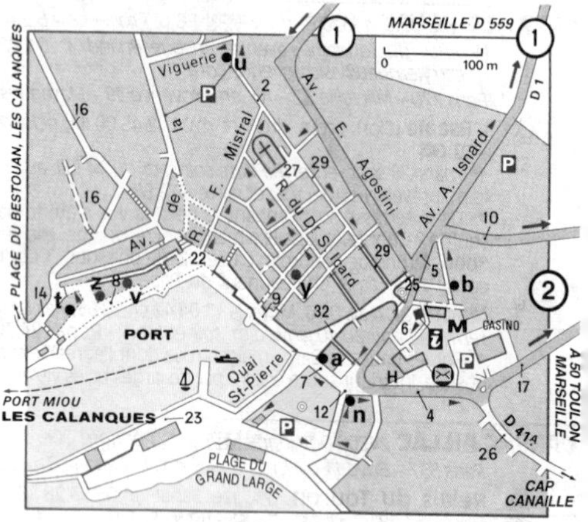

MARSEILLE D 559
0
100 m
PLAGE DU BESTOUAN, LES CALANQUES
Viguerie
Av. E. Agostini
Av. A. Isnard
R. de la F. Mistral
R. du Dr S. Ichard
Av.
PORT
Quai St-Pierre
CASINO
PORT MIOU
LES CALANQUES
PLAGE DU GRAND LARGE
D 41A
A 50 TOULON MARSEILLE
CAP CANAILLE
D 1


*Le Guide change, changez de guide tous les ans.*

**Royal Cottage** sans rest, 6 av. 11 Novembre par ① ✆ 04 42 01 33 34, *info@royal-cottage.com, Fax 04 42 01 06 90,* – P – 20. AE GB
*fermé 22 déc. au 4 janv.* – ☐ 11 – **22 ch** 115/183, 3 duplex.
◆ Petit paradis provençal où s'épanouit une luxuriante végétation exotique. Intérieur contemporain. La terrasse de certaines chambres offre un splendide coup d'oeil sur le port.

**Les Jardins de Cassis** sans rest, r. A. Favier par ① : *1 km* ✆ 04 42 01 84 85, *contact@hotel-lesjardinsde-cassis.com, Fax 04 42 01 32 38,* – P – 25 à 50. AE GB
*1er avril-4 nov.* – ☐ 12 – **36 ch** 109.
◆ Sur les hauteurs de Cassis, chapelet de petits bâtiments roses abritant des chambres simples et bien tenues, souvent dotées de terrasses privatives. Beau jardin méridional.

**Golfe** sans rest, quai Barthélemy **(t)** ✆ 04 42 01 00 21, *Fax 04 42 01 92 08,* ⩽ – . AE GB
*29 mars-3 nov.* – ☐ 8 – **30 ch** 64/89.
◆ Ravissante villégiature située face au port, au-dessus d'un bar-glacier. Toutes les chambres sont pratiques et colorées, mais préférez celles dont le balcon ouvre côté mer.

**Liautaud** sans rest, 2 r. V. Hugo **(a)** ✆ 04 42 01 75 37, *Fax 04 42 01 12 08,* ⩽ – . GB.
*fermé 1er déc. au 1er fév.* – ☐ 6,50 – **39 ch** 58/69.
◆ La silhouette de l'hôtel se reflète sur les eaux du port de plaisance. Jolie vue sur le large d'une partie des chambres - toutes rénovées - et de la salle des petits-déjeuners.

**Clos des Arômes** , 10 r. Paul Mouton **(u)** ✆ 04 42 01 71 84, *Fax 04 42 01 31 76,* – . AE GB. ch
*mars-janv.* – **Repas** *(mars-Toussaint et fermé mardi midi, merc. midi et lundi)* 19/25 – ☐ 7 – **14 ch** 45/70.
◆ Les portes de cette charmante maison cassidaine ouvrent sur un riant jardin fleuri. Chambres décorées avec goût. Cuisine inspirée par l'ambiance provençale.

**Grand Jardin** sans rest, 2 r. P. Eydin **(b)** ✆ 04 42 01 70 10, *Fax 04 42 01 70 10* – TV. AE GB.
7 – **26 ch** 58/67.
◆ Avenante résidence située en plein centre-ville. Chambres fonctionnelles, donnant pour la plupart sur un jardin. Terrasse fleurie où l'on sert le petit-déjeuner en été.

**Cassitel** sans rest, pl. Clemenceau **(n)** ✆ 04 42 01 83 44, *cassitel@hotel-cassis.com, Fax 04 42 01 96 31* – TV. AE GB JCB
7 – **25 ch** 63.
◆ Entre port et plage, mais aussi en plein coeur du Cassis animé et noctambule (discothèques, bars). Chambres pratiques ; la salle des petits-déjeuners provençale a du cachet.

**Presqu'île,** par rte Port-Miou, Sud-Ouest : 2 km ✆ 04 42 01 03 77, *restaurantlapresquile@wanadoo.fr, Fax 04 42 01 94 49,* ≤ mer et Cap Canaille, – P. AE GB
*1er mars-12 nov. et fermé dim. soir de sept. à mai et lundi* – **Repas** 28/43 et carte 50 à 70.
◆ L'atout majeur de cette villa se trouvant sur la route des calanques est son exceptionnelle vue sur la mer. Mobilier en fer forgé, décor méridional et cuisine régionale.

**Nino,** port de Cassis **(v)** ✆ 04 42 01 74 32, *Fax 04 42 01 74 32,* ≤ – AE GB JCB
*fermé 16 déc. au 15 fév., dim. soir hors saison et lundi* – **Repas** 35/40.
◆ Cette maison daterait de 1432. Plaisant décor nautique ; la terrasse surplombant le port est très prisée en saison. Produits de la mer (bouillabaisse) et vins régionaux.

**Fleurs de Thym,** 5 r. La Martine **(y)** ✆ 04 42 01 23 03
*fermé 1er au 28 déc.* – **Repas** *(fermé lundi du 1er oct. au 31 mars)* (dîner seul. sauf dim. hors saison) 24/36.
◆ Cheminée, bois peint, tissus Souleiado, faïences de Moustiers : cadre méridional "cosy" dans une ancienne chapelle dont il ne reste que la façade en pierre. Carte ensoleillée.

**Romano,** port de Cassis **(z)** ✆ 04 42 01 08 16, *Fax 04 42 01 30 33,* ≤, – AE GB JCB
**Repas** *(15,60)* - 21,20/26, enf. 10.
◆ Restaurant de type bistrot marin où les fourneaux s'expriment avec un accent provençal. Décor contemporain sobre, éclairé de baies vitrées tournées vers le port.

*Une réservation confirmée par écrit ou par fax est toujours plus sûre.*

**CASTAGNÈDE** *64 Pyr.-Atl.* 342 G4 – *rattaché à Salies-de-Béarn.*

**CASTAGNIERS** *06670 Alpes-Mar.* 341 E5 – *1 229 h alt. 350.*
Voir *Aspremont : ✻★ de la terrasse de l'ancien château SE : 4 km,* G. Côte d'Azur.
*Paris 943 – Nice 18 – Antibes 34 – Cannes 44 – Contes 31 – Levens 16 – Vence 23.*

**Chez Michel,** ✆ 04 93 08 05 15, *Fax 04 93 08 05 38,* , – TV. AE GB
*fermé 28 oct. au 1er déc.* – **Repas** *(fermé dim. soir et lundi)* 15/28,50 – 6,10 – **20 ch** 43,50/46 – ½ P 50.
◆ Adresse familiale où règne une ambiance bon enfant. L'annexe, située sur l'arrière, abrite des chambres simples et bien tenues. Restaurant rustique dans le bâtiment principal.

**à Castagniers-les-Moulins** *Ouest : 5 km* – ✉ *06670 :*

**Servotel,** N 202 ✆ 04 93 08 22 00, *info@servotel.fr, Fax 04 93 29 03 66,* , , – cuisinette, rest, TV P – 30. AE GB.
***Servella*** ✆ 04 93 08 10 62 *(fermé 10/3 au 24/3, 27/10 au 17/11, dim. soir et lundi midi)* **Repas** 16/46, enf. 9 – 8 – **40 ch** 52/80, 30 studios – ½ P 50/56.
◆ Au bord de la N 202, complexe hôtelier proposant des studios bien équipés et de confortables chambres égayées de couleurs provençales. Cuisine régionale.

**CASTANET-TOLOSAN** *31 H.-Gar.* 343 H3 – *rattaché à Toulouse.*

**Le CASTELET** *09 Ariège* 343 I8 – *rattaché à Ax-les-Thermes.*

**CASTELJALOUX** *47700 L.-et-G.* 336 C4 *G. Aquitaine – 5 048 h alt. 52.*
*Office du Tourisme, Maison du Roy* ✆ *05 53 93 00 00, Fax 05 53 20 74 32, office tourisme@casteljaloux.com.*
*Paris 677 – Agen 55 – Mont-de-Marsan 74 – Langon 55 – Marmande 23 – Nérac 30.*

**Cordeliers,** r. Cordeliers ✆ 05 53 93 02 19, *hotel.lescordeliers@wanadoo.fr, Fax 05 53 93 55 48* – TV P. AE GB
*fermé 22 déc. au 19 janv., 29 sept. au 6 oct.* – **Repas** *(fermé dim. soir, lundi midi, vend. midi et sam. midi d'oct. à juin)* *(12)* - 16/25, enf. 8 – 6,50 – **24 ch** 36/65 – ½ P 36/39.
◆ Dans une ruelle donnant sur la grande place, bâtiment tout en longueur où l'on choisira de préférence les chambres rénovées. Restauration simple.

XXX **Vieille Auberge,** 11 r. Posterne ✆ 05 53 93 01 36, *Fax 05 53 93 18 89* – P. GB
*fermé 23 juin au 6 juil., 24 nov. au 7 déc., 15 au 23 fév., mardi soir de nov. à mars, dim. soir et merc.* – **Repas** 18,30/38,10 et carte 40 à 45 ♀, enf. 10,70.
◆ Charmante maison de pierre bordant une ruelle de la bastide. De riantes couleurs jaunes et bleues égaient la salle à manger, bien fleurie. Cuisine classique.

## CASTELLANE

*04120 Alpes-de-H.-P.* 334 H9 *G. Alpes du Sud – 1 349 h alt. 730.*
Voir *Site★ – Lac de Chaudanne★ 4 km par ①.*
Excurs. *Grand canyon du Verdon★★★.*
🅸 *Office du Tourisme, rue Nationale ✆ 04 92 83 61 14, Fax 04 92 83 76 89, office@castellane.org.*
*Paris 801 ③ – Digne-les-Bains 55 ③ – Draguignan 59 ② – Grasse 64 ① – Manosque 95 ②.*

**Nouvel Hôtel du Commerce,** pl. Église (e) ✆ 04 92 83 61 00, *accueil@hotel-fradet.com, Fax 04 92 83 72 82,* – TV P – 15. AE GB
*1er mars-30 oct.* – **Repas** *(fermé merc. midi et mardi)* 19/35 ♀, enf. 10 – 8 – **35 ch** 46/65 – ½ P 61.
◆ Au pied de la falaise où se dresse la chapelle N.-D.-du-Roc, hôtel aux chambres déjà anciennes mais bien tenues. À table, cuisine traditionnelle et touche provençale.

**à la Garde** *par ① et N 85 : 6 km – 88 h. alt. 928 – ✉ 04120 :*

XX **Auberge du Teillon** avec ch, ✆ 04 92 83 60 88, *Fax 04 92 83 74 08* – TV P. GB
*fermé 1er déc. au 15 mars, dim. soir d'oct. à Pâques, mardi midi en juil.-août et lundi de sept. à juin* – **Repas** 18/40, enf. 7 – 7 – **8 ch** 39/49 – ½ P 45/50.
◆ Accueil tout sourire et ambiance conviviale en cette auberge rustique de bord de route. Cuisine simple offrant une remarquable diversité de préparations provençales.

*Dans ce guide*
*un même symbole, un même mot,*
*imprimé en* ***rouge*** *ou en* ***noir,*** *en maigre ou en* ***gras****,*
*n'ont pas tout à fait la même signification.*
*Lisez attentivement les pages explicatives.*

## Le CASTELLET

*83330 Var* 340 J6 *– 3 084 h alt. 252.*
*Paris 820 – Marseille 46 – Toulon 23 – Aubagne 30 – Bandol 10.*

**à Ste-Anne-du-Castellet** *Nord : 4,5 km par D 226 et D 26 – ✉ 83330 :*

**Castel Ste-Anne** sans rest, ✆ 04 90 32 60 08, *Fax 04 94 32 68 16,* – TV P. GB.
6 – **24 ch** 47/59.
◆ Quiétude, jardin fleuri et jolie piscine caractérisent l'environnement de cet hôtel familial. À l'annexe, chambres neuves dotées de terrasses ; les autres sont plus sobres.

**au Circuit Paul Ricard** *Nord : 11 km par D 226, D 26 et N 8 – ✉ 83330 Le Beausset :*

**Castellet** M, 3001 rte Hauts du Camp ✆ 04 94 98 37 77, *infos@hotelducastellet.com, Fax 04 94 98 37 78,* – rest, TV – 30. AE GB.
**Repas** *(fermé lundi midi)* 40 (déj.), 60/80, enf. 15 – 25 – **47 ch** 335/425 – ½ P 255.
◆ À deux pas du célèbre circuit, belle demeure orientée plein Sud et entourée d'un joli parc clos. Décor mi-provençal, mi-toscan, luxueux aménagements et golf 4 trous.

**Résidence des Équipages** M sans rest, 3100 rte Hauts du Camp ✆ 04 94 98 37 77, *infos@hotelducastellet.com, Fax 04 94 98 37 78* – TV P. GB.
15 – **19 ch** 160.
◆ Mobilier design, isolation phonique efficace, télévison à écran plat, connexion Internet : cet hôtel accolé à l'aérogare séduira autant équipages que passagers en transit.

## CASTELNAUDARY

*11400 Aude* 344 C3 *G. Languedoc Roussillon – 10 970 h alt. 175.*
🅸 *Office du Tourisme, place de la République ✆ 04 68 23 05 73, Fax 04 68 23 61 40, castelnaudary@fnotsi.net.*
*Paris 747 ④ – Toulouse 60 ④ – Carcassonne 42 ④ – Foix 70 ④ – Pamiers 53 ⑤.*

Plan page ci-contre

**Canal** sans rest, 2 ter av. A. Vidal ✆ 04 68 94 05 05, *Fax 04 68 94 05 06,* – TV P – 25. AE GB JCB
AZ b
8 – **38 ch** 40/50.
◆ Belle bâtisse ocre, autrefois usine à chaux, longée par le canal du Midi. Chambres pratiques et bien insonorisées. Petits-déjeuners servis au bord de l'eau. Joli Jardin.

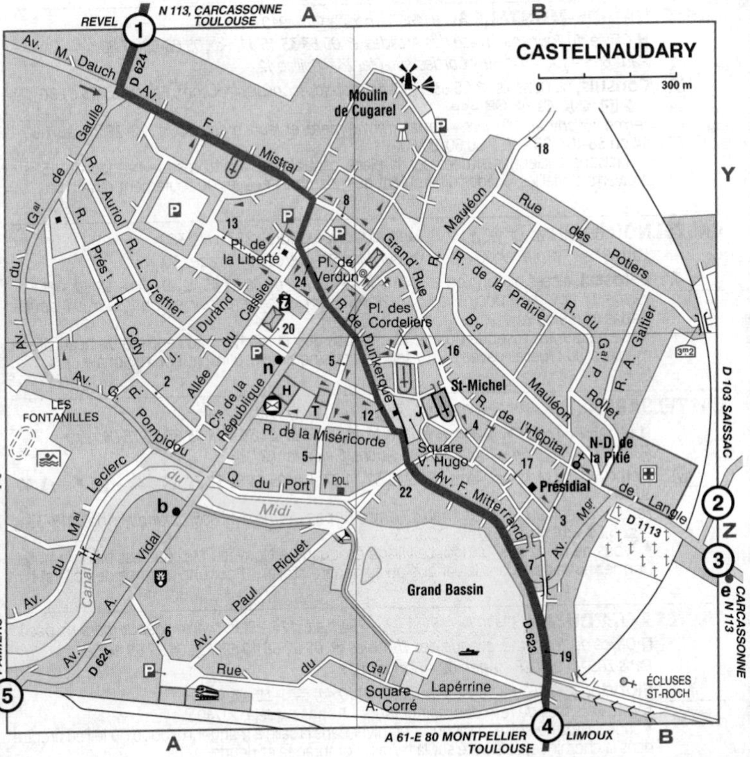
CASTELNAUDARY
0
300 m
REVEL
N 113, CARCASSONNE TOULOUSE
A
B
Y
Z
Av. M. Dauch
D 624
Av. F. Mistral
Moulin de Cugarel
18
8
13
Pl. de la Liberté
Pl. de Verdun
24
20
Grand' Rue
Pl. des Cordeliers
R. de Dunkerque
16
St-Michel
R. de l'Hôpital
Rue des Potiers
R. de la Prairie
R. Mauléon
Bd Mauléon
R. du Gal P. Rollet
R. A. Galtier
D 103 SAISSAC
N-D. de la Pitié
Av. Mgr de Langle
Présidial
Av. F. Mitterrand
Square V. Hugo
17
4
3
D 1113
7
R. de la Miséricorde
12
5
Cs de la République
Allée du Cassieu
R. Durand
R. L. Greffier
R. Coty
R. Prést
R. V. Auriol
Gal de Gaulle
Av. du
Av. G. Pompidou
J.
2
LES FONTANILLES
Av. Mal Leclerc
Q. du Port
POL.
22
du Midi
Canal
b
n
H
T
J
Av. A. Vidal
Av. Paul Riquet
Grand Bassin
D 623
19
6
D 624
Rue du Gal Lapérrine
Square A. Corré
ÉCLUSES ST-ROCH
CARCASSONNE N 113
e
PAMIERS
A 61-E 80 MONTPELLIER TOULOUSE
LIMOUX
1
2
3
4
5



**Centre et Lauragais,** 31 cours République ✆ 04 68 23 25 95, *Fax 04 68 94 01 66,* 余 – TV ✆. GB — AZ n
*fermé 4 janv. au 5 fév., dim. soir* – **Repas** 18/50 ♀ – ☕ 5,50 – **16 ch** 40/45 – ½ P 39/41.
◆ Établissement familial en centre-ville. Chambres d'ampleur correcte, sobrement équipées d'un mobilier canné. Salle des repas contemporaine assez spacieuse.

**Clos Fleuri St-Siméon,** 134 av. Mgr. de Langle par ③ ✆ 04 68 94 01 20, *clos-saint-simeon@logis-de-france-aude.com, Fax 04 68 94 05 47,* 余, ⛱, – TV ✆ ♿ P. AE GB
*fermé sam. et dim. de nov. à mars* – **Repas** 14/29 – ☕ 6 – **31 ch** 39/44 – ½ P 55.
◆ Isolé des bâtiments commerciaux par son enclos de verdure, hôtel récent disposant de chambres fonctionnelles aux tons pastel, pourvues du double vitrage.

XX **Tirou,** 90 av. Mgr de Langle ✆ 04 68 94 15 95, *tirou@ataraxie.fr, Fax 04 68 94 15 96,* 余, – P. GB — BZ e
*fermé 23 au 30 juin, 20 déc au 20 janv., merc. soir, jeudi soir hors saison, dim. soir et lundi* – **Repas** 15 (déj.), 20/40.
◆ Maison d'habitation convertie en restaurant. Salle à manger actuelle largement ouverte sur le jardin et la terrasse. Parmi la carte régionale, l'incontournable cassoulet !

**CASTELNAU-DE-LÉVIS** *81 Tarn* 338 E7 – *rattaché à Albi.*

*Si vous êtes retardé sur la route, dès 18 h, confirmez votre réservation par téléphone, c'est plus sûr... et c'est l'usage.*

## CASTELNAU-DE-MONTMIRAL *81140 Tarn 338 C7 – 910 h alt. 287.*

*Office du Tourisme, place des Arcades ☎ 05 63 33 15 11, Fax 05 63 33 17 60.*
*Paris 653 – Toulouse 69 – Cordes-sur-Ciel 23 – Gaillac 12.*

**Consuls,** pl. Consuls ☎ 05 63 33 17 44, *hoteldesconsuls@aol.com, Fax 05 63 33 61 30,* – AE GB JCB
*fermé 1er janv. au 1er mars* – **Repas** *(fermé merc. et jeudi d'oct. à avril)* 20/26 – 7,60 – **14 ch** 38,10/106 – ½ P 50,50/80,60.
◆ Maisons anciennes situées sur la place centrale de la pittoresque bastide du 13e s. : couverts et vieilles façades dissimulent des chambres neuves ou seulement rafraîchies.

## CASTELNOU *66300 Pyr.-Or. 344 H7 G. Languedoc Roussillon – 277 h alt. 300.*

*Paris 872 – Perpignan 23 – Argelès-sur-Mer 39 – Céret 41 – Prades 30.*

**L'Hostal,** (accès piétonnier) ☎ 04 68 53 45 42, *Fax 04 68 53 45 42,* ←, – AE GB
*fermé 17 nov. au 9 déc., 6 janv. au 28 fév., dim. soir, merc. soir et lundi sauf juil.-août* – **Repas** 21/38 bc.
◆ Ce restaurant rustique occupe une bâtisse des 11e et 12e s. au centre d'un beau village médiéval aux ruelles pavées. On y sert une cuisine simple, d'inspiration régionale.

## CASTELSARRASIN *82100 T.-et-G. 337 C7 – 11 317 h alt. 82.*

*Office du Tourisme, place de la Liberté ☎ 05 63 32 01 39, Fax 05 63 32 75 01.*
*Paris 657 – Agen 54 – Toulouse 68 – Auch 76 – Cahors 81.*

**Félix**, rte Moissac : 4 km ☎ 05 63 32 14 97, *Fax 05 63 32 37 51,* – 40. AE GB. ch
*fermé 28 sept. au 7 oct. et 1er au 13 janv.* – **Repas** *(fermé dim. soir et lundi)* 13 (déj.), 18/33 – 5,50 – **14 ch** 38/63 – ½ P 39/43.
◆ Vous ne rêvez pas, gringo, ce village évoquant le Nouveau-Mexique est bien un hôtel. Dormez au saloon, dans la banque ou au general store... "Pour une poignée de dollars" !

## CASTÉRA-VERDUZAN *32410 Gers 336 E7 – 794 h alt. 114 – Stat. therm. (début mars-mi déc.).*

*Office du Tourisme, avenue des Thermes ☎ 05 62 68 10 66, Fax 05 62 68 14 58.*
*Paris 709 – Auch 26 – Agen 62 – Condom 21.*

**Florida,** ☎ 05 62 68 13 22, *Fax 05 62 68 10 44,* – AE GB
*fermé vacances de fév., dim. soir et lundi* – **Repas** 12 (déj.), 21/40.
◆ Spécialités gersoises à savourer en hiver dans la salle à manger rustique où le feu crépite dans la cheminée, et en été sur la terrasse ombragée et fleurie.

## CASTERINO *06 Alpes-Mar. 341 G3 – rattaché à Tende.*

## CASTILLON-DE-LARBOUST *31 H.-Gar. 343 B8 – rattaché à Bagnères-de-Luchon.*

## CASTILLON-DU-GARD *30 Gard 339 M5 – rattaché à Pont-du-Gard.*

## CASTILLON-EN-COUSERANS *09800 Ariège 343 E7 G. Midi-Pyrénées – 403 h alt. 543.*

*Office du Tourisme, rue Noòl Peyrevidal ☎ 05 61 96 72 64, Fax 05 61 96 46 12, ot castil@club-internet.fr.*
*Paris 799 – Bagnères-de-Luchon 62 – Foix 58 – St-Girons 14.*

**à Audressein** *par rte de Luchon : 1 km – 121 h. alt. 509 – ✉ 09800 :*

**L'Auberge** avec ch, ☎ 05 61 96 11 80, *aubergeaudressein@club-internet.fr, Fax 05 61 96 82 96* – rest,. GB
*fermé 6 au 31 janv.* – **Repas** *(fermé dim. soir et lundi du 15 sept. au 5 mai sauf vacances scolaires)* 17,60/43 – 6,10 – **9 ch** 40 – ½ P 33,50/38,50.
◆ Ces vieux murs de pierre abritaient une forge au 19e s. Salle à manger champêtre, véranda surplombant la rivière et appétissante cuisine inspirée par le terroir.

## CASTRES *81100 Tarn 338 F9 G. Midi-Pyrénées – 44 812 h alt. 170.*

Voir *Musée Goya★ – Hôtel de Nayrac★* **AY** *– Centre national et musée Jean-Jaurès* **AY**.
Env. *Le Sidobre★ 9 km par ① – Musée du Protestantisme à Ferrières.*
*de Castres-Mazamet : ☎ 05 63 70 34 77 par ③ : 8 km.*
*Office du Tourisme, 3 rue Milhau-Ducommun ☎ 05 63 62 63 62, Fax 05 63 62 63 60.*
*Paris 730 ⑦ – Toulouse 79 ④ – Albi 43 ⑦ – Béziers 107 ③ – Carcassonne 67 ③.*

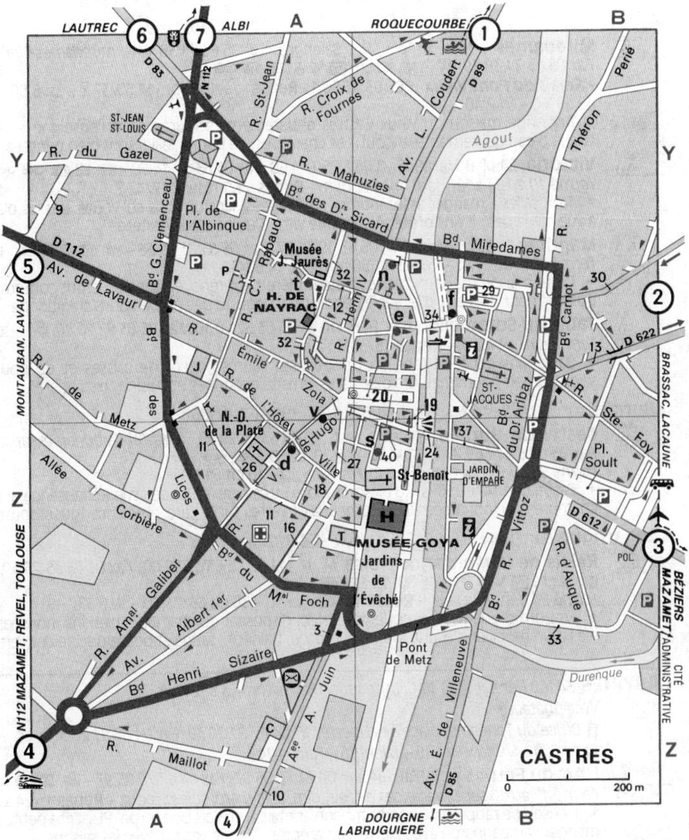
LAUTREC
ALBI
ROQUECOURBE
A
B
Y
Z
D 83
N 112
D 89
R. St-Jean
R. Croix de Fournes
Coudert
Agout
Périé
Théron
ST-JEAN ST-LOUIS
R. du Gazel
R. Mahuzies
Av. L.
Bd des Drs Sicard
Pl. de l'Albinque
Bd G. Clemenceau
D 112
Av. de Lavaur
Musée J. Jaurès
H. DE NAYRAC
R. Rabaud
R. Henri IV
Bd Miredames
R. Émile Zola
R. de l'Hôtel de Ville
R. V. Hugo
N.-D. de la Platé
Bd des Lices
R. de Metz
Allée Corbière
ST-JACQUES
Bd du Dr Aribat
Bd Carnot
D 622
R. Ste-Foy
Pl. Soult
St-Benoît
JARDIN D'EMPARE
D 612
R. Vittoz
R. d'Auque
POL
MUSÉE GOYA
Jardins de l'Évêché
Bd du Mal Foch
Av. Albert 1er
R. Amal Galliber
Av. Bd Henri Sizaire
A. Juin
Pont de Metz
Durenque
R. Maillot
Aée
Av. É. de Villeneuve
D 85
CASTRES
0
200 m
MONTAUBAN, LAVAUR
N112 MAZAMET, REVEL, TOULOUSE
BRASSAC, LACAUNE
BÉZIERS MAZAMET
CITÉ ADMINISTRATIVE
DOURGNE LABRUGUIERE

Alsace-Lorraine (Pl.) . . . AZ 3
Bourgeois (Bd L.) . . . . . AY 9
Cassin (Av. R.) . . . . . . . AZ 10
Chambre de l'Édit (R.) . AZ 11
Consulat (R. du) . . . . . . . AY 12
Desplats (Av. Lt J.) . . . . BY 13
Fuzies (R.) . . . . . . . . . . . BY 14
Gambetta (R.) . . . . . . . . AZ 16
Guy (R. G.) . . . . . . . . . . . . AZ 18
Henri-IV (R.) . . . . . . . . . . ABY
Jacobins (Quai des) . . . . . . . . . . BY 19
Jaurès (Pl. Jean) . . . . . . . BY 20
Neuf (Pont) . . . . . . . . . . . . BZ 24
Platé (R. de la) . . . . . . . . . AZ 26
Sabatier (R.) . . . . . . . . . . . AZ 27
Ste-Claire (Pl.) . . . . . . . . BY 29
Sœur Audenet (R.) . . . . BY 30
Thomas (R. F.) . . . . . . . . AY 32
Veaute (R. A.) . . . . . . . . . BZ 33
Vieux (Pont) . . . . . . . . . . . BY 34
Villegoudou (R.) . . . . . . . BZ 37
Zola (R. Émile) . . . . . . . . . AY
8-Mai-1945 (Pl. du) . . . . BZ 40

**Renaissance** sans rest, 17 r. V. Hugo ☎ 05 63 59 30 42, *Fax 05 63 72 11 57* – ▤ 📺 📞. AE ⓓ GB — AZ d

☕ 7 – **20** ch 55/70.

◆ Belle façade à colombages du 17ᵉ s. abritant des chambres personnalisées (styles Empire, Napoléon III, africain, etc.) où foisonnent tableaux et bibelots. Salons très "cosy".

**Europe,** 5 r. V. Hugo ☎ 05 63 59 00 33, *Fax 05 63 59 21 38* – 📺. ⓓ GB — AYZ v

**Repas** *(fermé août, 23 déc. au 2 janv. et dim.)* 10 🍷 – ☕ 7 – **35 ch** 55/70.

◆ Trois maisons du 17ᵉ s. reliées entre elles par un beau patio garni d'objets chinés. Dans les chambres, murs en briques et colombages, mobilier moderne et éclairage soigné.

**Occitan** Ⓜ, 201 av. Ch. de Gaulle par ③ ☎ 05 63 35 34 20, *hotel-occitan@wanadoo.fr, Fax 05 63 35 70 32,* , , – |‡|, ▤ rest, 📺 P – 🏊 15. AE ⓓ GB

*fermé 25 déc. au 4 janv.* – **Repas** *(fermé sam. midi)* 13,50/40 🍷, enf. 10 – ☕ 8 – **62 ch** 55/72 – ½ P 54/64.

◆ Hôtel fonctionnel, pratique pour une étape aux portes de la ville. On rafraîchit peu à peu les chambres dans un esprit plus actuel. Même traitement pour le restaurant.

**Miredames** M, 1 pl. R. Salengro ✆ 05 63 71 38 18, *miredames@infonie.fr, Fax 05 63 71 38 19,* – ch, . AE GB BY f

*- **Relais du Pont Vieux*** ✆05 63 35 56 14 **Repas** 10,50 (déj.)bc, 14,50/37 – 6,50 – **14 ch** 49,50/60 – ½ P 40.

◆ Ancienne maison du vieux Castres entièrement restaurée dont l'enseigne évoque le coche d'eau qui remonte l'Agout. Les chambres, de bonne taille, sont bien pensées.

**Victoria,** 24 pl. 8-Mai 1945 ✆ 05 63 59 14 68, *Fax 05 63 59 14 68* – . AE GB JCB

*fermé 10 au 24 août, sam. midi et dim.* – **Repas** 11,50 (déj.), 17/42. BZ s

◆ Trois salles à manger assez intimes aménagées dans un sous-sol voûté. La plus plaisante a vue sur la cave à vins protégée par une vitre. Cuisine traditionnelle.

**Mandragore,** 1 r. Malpas ✆ 05 63 59 51 27, *Fax 05 63 73 29 68* – . GB BY e

*fermé dim. et lundi* – **Repas** 11,50 bc (déj.), 14,50/30.

◆ Cette maison du vieux Castres a été entièrement rénovée dans un esprit contemporain où dominent bois blond et verre dépoli. On y déguste des préparations traditionnelles.

**Table du Sommelier,** 6 pl. Pélisson ✆ 05 63 82 20 10, *Fax 05 63 82 20 10,* – . GB

*fermé dim. et lundi* – **Repas** 15/30. AY t

◆ Bar à vins situé en face du musée Jean Jaurès : décor de caisses et de bouteilles, salon-fumoir pour amateurs de cigares, crus sélectionnés et cuisine "bistrotière".

**à Burlats** *par ①, D 89 et D 58 : 9 km – 1 670 h. alt. 191 – ✉ 81100 :*

**Castel de Burlats** sans rest, ✆ 05 63 35 29 20, *le.castel.de.burlats@wanadoo.fr, Fax 05 63 51 14 69,* – P – 20. AE GB JCB

*fermé 25 au 31 août, et 15 au 22 fév.* – 10 – **10 ch** 61/91.

◆ Castel des 14^e^ et 16^e^ s. au blason redoré : très beau salon de style Renaissance et vastes chambres personnalisées (non-fumeurs) ouvertes sur le parc. Ambiance "guesthouse".

**à Lagarrigue** *par ③ : 4 km – 1 695 h. alt. 200 – ✉ 81090*

**Relais de la Montagne Noire** M, N 112 ✆ 05 63 35 52 00, *Fax 05 63 35 25 59,* – , ch, P – 30. AE GB

*fermé 24 déc. au 4 janv.* – **Repas** 16/22 – 10 – **30 ch** 66/73,50 – ½ P 57.

◆ Au bord d'une route fréquentée, hôtel disposant de chambres bien insonorisées, garnies d'un mobilier d'esprit Art déco. Espace "balnéo" : sauna et petite piscine couverte.

---

## CASTRIES *34160 Hérault* 339 I6 *G. Languedoc Roussillon – 3 992 h alt. 70.*

Voir *Château*★.

*Office du Tourisme, place des Libertés ✆ 04 67 91 20 39, Fax 04 67 91 20 39.*

*Paris 750 – Montpellier 15 – Lunel 15 – Nîmes 44.*

**L'Art du Feu,** 13 av. 8-Mai-1945 ✆ 04 67 70 05 97, *Fax 04 67 70 05 97* – . AE GB

*fermé 1^er^ au 10 sept., vacances de fév., dim. soir, mardi soir et merc.* – **Repas** 12/24.

◆ L'enseigne rappelle que cette maison abritait autrefois une forge. Plaisante petite salle à manger campagnarde avec pierres apparentes. Cuisine variant avec les saisons.

---

## Le CATEAU-CAMBRÉSIS *59360 Nord* 302 J7 *G. Picardie Flandres Artois – 7 703 h alt. 123.*

*Office du Tourisme, rue Victor Hugo ✆ 03 27 84 10 94, Fax 03 27 77 81 74.*

*Paris 203 – St-Quentin 41 – Cambrai 24 – Hirson 45 – Lille 86 – Valenciennes 33.*

**Hostellerie du Marché** avec ch, r. Landrecies ✆ 03 27 84 09 32, *hostelleriedumarche@yahoo.fr, Fax 03 27 77 01 00* – GB JCB

Repas 12/20 – 5 – **16 ch** 39 – ½ P 36,50.

◆ La ville du "traité" est aussi celle de Matisse, né ici en 1869. Cadre champêtre et cossu dans ce restaurant où l'on régale, à midi, de formules plus simples au bar.

**Relais Fénelon** avec ch, 21 r. Mar. Mortier ✆ 03 27 84 25 80, *Fax 03 27 84 38 60,* , – . GB

*fermé 4 au 28 août* – **Repas** *(fermé dim. soir et lundi sauf fériés)* 18/29 – 6 – **4 ch** 42/48 – ½ P 33.

◆ Cette demeure du 19^e^ s. abrite une salle à manger rustique assez élégante, précédée d'un salon au confort bourgeois. Agréable terrasse d'été tournée vers un jardin arboré.

---

## Le CATELET *02420 Aisne* 306 B2 *– 223 h alt. 90.*

*Paris 181 – St-Quentin 19 – Cambrai 22 – Le Cateau-Cambrésis 28 – Laon 66 – Péronne 29.*

**Auberge de la Croix d'Or,** ✆ 03 23 66 21 71, *Fax 03 23 66 28 32,* , – P. GB

*fermé 5 au 23 août, 23 déc. au 6 janv., dim. soir et lundi* – **Repas** 20,20 bc/32,70.

◆ Sympathique auberge de bord de route. Deux salles à manger rustiques avec poutres apparentes, ouvertes sur le jardin où l'on installe la terrasse aux beaux jours.

---

## Les CATONS *73 Savoie* 333 I4 – *rattaché au Bourget-du-Lac.*

**CAUDEBEC-EN-CAUX** *76490 S.-Mar.* 304 E4 *G. Normandie Vallée de la Seine – 2 265 h alt. 6.*

Voir *Église Notre-Dame*★.

Env. *Vallon de Rançon*★ *NE : 2 km.*

*Office du Tourisme, square Galler ☎ 02 32 70 46 32, Fax 02 32 70 46 31, office-tourisme cc@wanadoo.fr.*

*Paris 161 – Le Havre 54 – Rouen 37 – Lillebonne 18 – Yvetot 13.*

**Normandie,** quai Guilbaud ☎ 02 35 96 25 11, *info@le-normandie.fr, Fax 02 35 96 68 15,* ≤ – TV ☎ P. AE ① GB JCB

Repas *(fermé dim. soir et lundi midi sauf fériés)* 15/35 ♀ – ☕ 5,50 – **15 ch** 39/58 – 1/2 P 46/50.

◆ Chambres fonctionnelles, parfois garnies de meubles rustiques ; préférez les plus spacieuses, en façade. Salle à manger actuelle, aux baies ouvertes sur le fleuve.

**Cheval Blanc,** 4 pl. R. Coty ☎ 02 35 96 21 66, *Fax 02 35 95 35 40* – TV. AE ① GB

*fermé 24 au 31 déc.* – **Repas** *(fermé dim. soir sauf fériés)* (10) - 13/32 ♀, enf. 8 – ☕ 6 – **14 ch** 41/58 – 1/2 P 43.

◆ Hôtel du centre-ville en constante évolution où vous choisirez l'une des chambres rénovées ; toutes sont pourvues d'un double vitrage. Table privilégiant le terroir.

**CAULIÈRES** *80290 Somme* 301 E9 – *188 h alt. 185.*

*Paris 137 – Amiens 38 – Abbeville 45 – Beauvais 49 – Neufchâtel-en-Bray 35.*

XX **Auberge de la Forge,** ☎ 03 22 38 00 91, *aubergedelaforge@aol.com, Fax 03 22 38 08 48* – GB

*fermé merc. soir hors saison* – **Repas** (dim. prévenir) (12) - 16 bc/21 ♀, enf. 7,70.

◆ Grande bâtisse à la façade peinte bordant une route passante. Vous traverserez le hall moderne pour gagner la salle à manger sobrement rustique.

*Pas de publicité payée dans ce guide.*

**CAUREL** *22530 C.-d'Armor* 309 D5 – *384 h alt. 188.*

*Paris 462 – St-Brieuc 48 – Carhaix-Plouguer 44 – Guingamp 48 – Loudéac 24 – Pontivy 22.*

XX **Beau Rivage** avec ch, au Lac de Guerlédan : 2 km par D 111 ☎ 02 96 28 52 15, *Fax 02 96 26 01 16,* ≤, – TV – 30. GB.

*fermé 6 au 22 oct., 2 au 24 fév., lundi et mardi* – **Repas** 16/35, enf. 10 – ☕ 7 – **8 ch** 39/51 – 1/2 P 42/46.

◆ Cette maison moderne a su tirer parti de sa situation au bord du lac en dotant la jolie salle à manger actuelle de larges baies vitrées. Quelques chambres agréables.

**CAURO** *2A Corse-du-Sud* 345 C8 – *voir à Corse.*

**CAUSSADE** *82300 T.-et-G.* 337 F7 – *6 009 h alt. 109.*

*Office du Tourisme, rue de la République ☎ 05 63 26 04 04, Fax 04 63 26 04 04.*

*Paris 614 – Cahors 38 – Gaillac 50 – Montauban 25 – Villefranche-de-Rouergue 52.*

**Dupont,** r. Récollets ☎ 05 63 65 05 00, *Fax 05 63 65 12 62* – TV ☎ & P. GB

Repas *(fermé sam. midi et dim. soir)* (10) - 15/29 ♀, enf. 6,90 – ☕ 8 – **29 ch** 35/53,40 – 1/2 P 39/47.

◆ Hôtel familial situé dans la petite capitale du chapeau de paille. Préférez les chambres sur l'arrière, plus récentes. Petit-déjeuner servi sous une véranda.

**à Monteils** *Nord-Est : 3 km par D 17 – 999 h. alt. 120 – ✉ 82300 :*

X **Clos Monteils,** ☎ 05 63 93 03 51, *Fax 05 63 93 03 51,* –

*fermé janv., fév., mardi de nov. au 15 mai, sam. midi, dim. soir et lundi* – **Repas** (nombre de couverts limités, prévenir) 14 (déj.), 24/34.

◆ L'ancien presbytère de ce village quercynois, transformé en restaurant, est décoré dans l'esprit d'une maison particulière. Agréable terrasse. Cuisine du terroir.

**CAUTERETS** *65110 H.-Pyr.* 342 L7 *G. Midi-Pyrénées – 1 201 h alt. 932 – Stat. therm. – Sports d'hiver : 1 000/2 350 m 3 18 – Casino.*

Voir *La station*★ – *Route et site du Pont d'Espagne*★★★ *(chutes du Gave) au Sud par D 920 – Cascade*★★ *et vallée*★ *de Lutour S : 2,5 km par D 920.*

Env. *Cirque du Lys*★★.

*Office du Tourisme, place Foch ☎ 05 62 92 50 27, Fax 05 62 92 59 12, espaces.cauterets@sudfr.com.*

*Paris 891 ① – Pau 75 ① – Argelès-Gazost 17 ① – Lourdes 30 ① – Tarbes 48 ①.*

# CAUTERETS



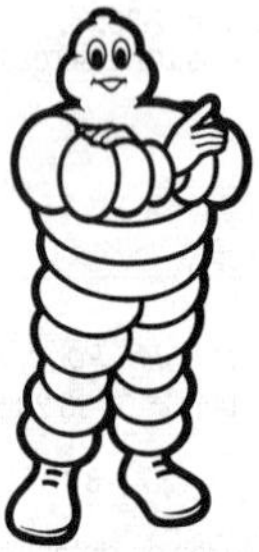

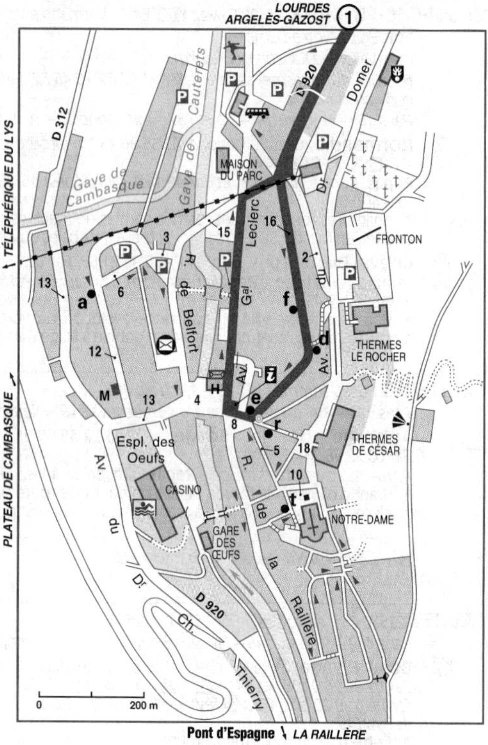

LOURDES
ARGELÈS-GAZOST
1
D 312
D 920
Domer
Gave de Cauterets
Gave de Cambasque
MAISON DU PARC
TÉLÉPHÉRIQUE DU LYS
FRONTON
R. de Belfort
Av. Gal Leclerc
Av. du Dr
THERMES LE ROCHER
THERMES DE CÉSAR
PLATEAU DE CAMBASQUE
Espl. des Oeufs
CASINO
GARE DES ŒUFS
NOTRE-DAME
Av. du Dr Ch. Thierry
R. de la Raillère
0
200 m
Pont d'Espagne
LA RAILLÈRE


**Sacca** Ⓜ, bd Latapie-Flurin **(a)** ✆ 05 62 92 50 02, *Fax 05 62 92 64 63*, – |ǂ|, ▤ rest, TV. AE ⓓ GB JCB. ✗ rest
*fermé 1er oct. au 1er déc.* – **Repas** 12/28, enf. 9 – ☕ 6 – **44 ch** 40/66 – ½ P 38/43.
◆ Les chambres, dotées de balcons, sont aménagées dans un esprit contemporain. De belles boiseries blondes habillent depuis peu le hall et la salle de restaurant.

**César**, r. César **(r)** ✆ 05 62 92 52 57, *Fax 05 62 92 08 19* – |ǂ| TV. AE ⓓ GB. ✗ rest
*fermé 25 avril au 24 mai et 30 sept. au 24 oct.* – **Repas** *(fermé le midi et merc. en hiver)* 13/30 – ☕ 5,10 – **17 ch** 36/48 – ½ P 38/43.
◆ À proximité des thermes du même nom, façade colorée abritant des chambres assez grandes ; celles du 3e étage sont plus plaisantes et actuelles. Table traditionnelle.

**Welcome**, 3 r. V. Hugo **(t)** ✆ 05 62 92 50 22, *Fax 05 62 92 02 90* – |ǂ| TV. GB
*fermé 21 oct. au 30 nov.* – **Repas** 16/23 – ☕ 5,50 – **26 ch** 41/50 – ½ P 43/49.
◆ Bordant une rue paisible proche de l'église, hôtel aux chambres pratiques et très bien tenues, un peu plus anciennes à l'annexe située à 50 m. Salle à manger rustique.

**Lion d'Or**, 12 r. Richelieu **(d)** ✆ 05 62 92 52 87, *hotel.lion.dor@wanadoo.fr*, *Fax 05 62 92 03 67* – |ǂ| TV. AE GB. ✗
**Repas** *(fermé 30 sept au 20 déc.)* (résidents seul.) 16/22, enf. 9 – ☕ 8 – **26 ch** 39/64 – ½ P 40/54.
◆ La jolie façade fleurie de cette maison du 19e s. attire l'oeil. À l'intérieur, les chambres sont personnalisées et agrémentées de bibelots. Coquet restaurant rustique. Patio.

**Paris** sans rest, 1 pl. Mar. Foch **(e)** ✆ 05 62 92 53 85, *skibar@wanadoo.fr*, *Fax 05 62 92 02 23* – |ǂ| cuisinette TV. AE GB. ✗
*fermé 21 avril au 8 mai et 12 oct. au 6 déc.* – ☕ 5,60 – **8 ch** 43/56, 6 studios.
◆ Dressé au coeur de la station thermale, ce bâtiment de 1905 au cachet préservé dispose de chambres au mobilier varié. Bar montagnard et terrasse ensoleillée.

**CAVAILLON** *84300 Vaucluse* 332 D10 *G. Provence – 23 102 h alt. 75.*

**Voir** *Musée de l'Hôtel-Dieu : collection archéologique*★ **M** – ≤★ *de la colline St-Jacques.*

*Office du Tourisme, place Francois Tourel* ✆ *04 90 71 32 01, Fax 04 90 71 42 99, tourisme@cavaillon.com.*

*Paris 706 ④ – Avignon 25 ① – Aix-en-Provence 59 ④ – Arles 44 ④ – Manosque 70 ②.*

## CAVAILLON



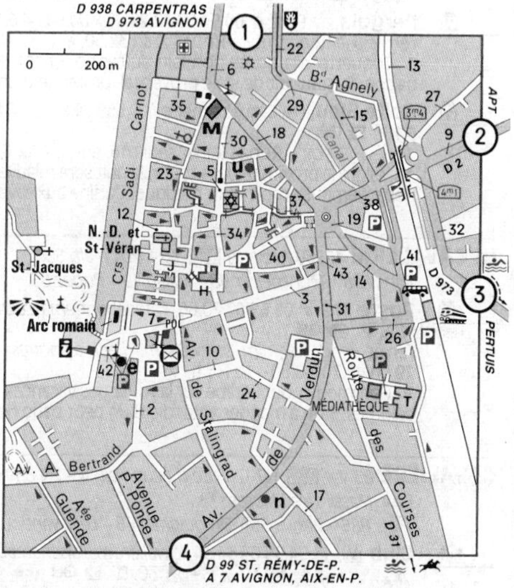

D 938 CARPENTRAS
D 973 AVIGNON
0
200 m
B^d Agnely
Canal
Carnot
Sadi
Crs.
N.-D. et St-Véran
St-Jacques
Arc romain
MÉDIATHÈQUE
Av. de Stalingrad
Av. A. Bertrand
Avenue P. Ponce
Allée Guende
Route des Courses
Verdun
D 99 ST. RÉMY-DE-P.
A 7 AVIGNON, AIX-EN-P.
APT
PERTUIS
D 973
D 2
D 31


**Mercure** M, 601 av. Boscodomini, par ④ : *2 km* ✆ 04 90 71 07 79, *h1951@accor-hotels.com, Fax 04 90 78 27 94,* – 60. AE GB
**Repas** 15,30/20 – 10 – **61 ch** 78/93.
◆ Bâtisse des années 1970 récemment rajeunie. Les chambres, toutes dotées de balcons mais plus calmes côté Sud, et la salle des repas bénéficient d'un décor méridional coloré.

**Ibis** M, 601 av. Boscodomini, par ④ : *2 km* ✆ 04 90 06 18 88, *h2179@accor-hotels.com, Fax 04 90 71 03 50,* ch, – 60. AE GB
**Repas** *(14,50)* - 19, enf. 7,70 – 6 – **47 ch** 67/72.
◆ Cet Ibis entièrement refait occupe deux étages du Relais Mercure. Chambres modernes et accueillantes ; celles orientées vers le Sud garantissent des nuits plus tranquilles.

**Parc** sans rest, pl. F. Tourel **(e)** ✆ 04 90 71 57 78, *hoteldparc.cavaillon@wanadoo.fr, Fax 04 90 76 10 35* – GB
8 – **40 ch** 38/56.
◆ Préférez les chambres rénovées de l'annexe : les murs, colorés, sont agrémentés de frises composées de textes évoquant la Provence. Petits-déjeuners servis en véranda.

**Prévot,** 353 av. Verdun **(n)** ✆ 04 90 71 32 43, *jean-jacques.prevot2@freesbee.fr, Fax 04 90 71 97 05* – AE GB JCB
*fermé 10 au 25 août, 21 fév. au 1^er mars, dim. sauf le midi d'oct. à mai et lundi* – **Repas** 25 (déj.), 40/85.
◆ La décoration célèbre le melon dans tous ses états : tableaux, bibelots, lustres, vaisselle... Bien sûr, un menu entier est dédié à la cucurbitacée !

**à Cheval-Blanc** *par ③ : 5 km – 3 032 h. alt. 83 – ✉ 84460 :*

**Auberge de Cheval Blanc,** La Canebière ✆ 04 32 50 18 55, *Fax 04 32 50 18 52,* – AE GB
*fermé sam. midi, lundi midi et merc.* – **Repas** 15 (déj.), 23/49.
◆ Plaisante étape que cette discrète auberge de bord de route. Salle tout en couleurs et cuisine éclectique (provençale, lyonnaise ou au goût du jour) réalisée avec soin.

**CAVALAIRE-SUR-MER** *83240 Var* 340 O6 *G. Côte d'Azur – 4 188 h alt. 2 – Casino.*

**Env.** *Massif des Maures*★★★.

*Office du Tourisme, Maison de la Mer* ✆ *04 94 01 92 10, Fax 04 94 05 49 89, accueilcav@franceplus.com.*

*Paris 882 – Fréjus 42 – Draguignan 55 – Le Lavandou 21 – St-Tropez 20 – Toulon 62.*

**Calanque** r. Calanque ✆ 04 94 00 49 00, *mario.lacalanque@wanadoo.fr, Fax 04 94 64 66 20*, ≤ mer et calanques, – ch, AE GB
*fermé 4 janv. au 15 mars* – **Repas** *(fermé lundi d'oct. à déc.)* 32/53 – 24 – **28 ch** 165/235 – ½ P 130/163.
◆ Dominant la Méditerranée, chambres spacieuses, très joliment meublées. Deux salles à manger panoramiques offrant une belle perspective sur la mer. Spécialités du pays.

**Pergola,** av. Port ✆ 04 94 00 42 22, *Fax 04 94 64 60 08*, – ch, AE GB.
*fermé 5 janv. au 5 fév.* – **Repas** 22,50/32,50, enf. 13 – 6 – **24 ch** 65/110 – ½ P 83/91.
◆ Coquette villa située non loin du casino. Chambres claires et bien tenues, parfois avec balcon. Restaurant de style provençal, prolongé d'une terrasse ombragée.

**Golfe Bleu,** rte Croix-Valmer par D 559 : 1 km ✆ 04 94 00 42 81, *Fax 04 94 05 48 79*, – AE GB
*1er fév.-1er nov.* – **Repas** (dîner seul.) 16, enf. 8 – 6,30 – **15 ch** 73 – ½ P 57,50.
◆ Malgré la proximité de la route, la nuit sera relativement paisible grâce au double vitrage. Hébergement simple mais pratique. Cuisine aux saveurs du Midi.

## La CAVALERIE *12230 Aveyron 338 K6 – 701 h alt. 800.*

*Paris 658 – Montpellier 98 – Millau 19 – Rodez 85.*

**Poste,** N 9 ✆ 05 65 62 70 66, *francebonnemayre@wanadoo.fr, Fax 05 65 62 78 24* – GB
*fermé vend. soir, dim. soir et sam. d'oct. à Pâques* – **Repas** 14/35, enf. 8,40 – 6,10 – **29 ch** 42,70/58,80 – ½ P 51.
◆ Commode pour l'étape sur la route des vacances. Chambres rénovées, fonctionnelles et colorées. Salle à manger agrandie d'un petit patio fleuri et bar animé.

## CAVALIÈRE *83 Var 340 N7 G. Côte d'Azur – alt. 4 – ✉ 83980 Le Lavandou.*

**Env.** *Massif des Maures★★★.*

*Paris 886 – Fréjus 55 – Draguignan 68 – Le Lavandou 8 – St-Tropez 33 – Toulon 48.*

**Club** Ⓜ, ✆ 04 98 04 34 34, *cavaliere@relaischateaux.com, Fax 04 94 05 73 16*, ≤, – – 30. AE GB JCB
*1-e-r mai-28 sept.* – **Repas** 40 (déj.), 55/65 – 16 – **42 ch** 460/530 – ½ P 250/335.
◆ Face à la "grande bleue", élégante demeure parée de couleurs ensoleillées. Chambres contemporaines bien équipées. Plaisante décoration provençale au restaurant.

**Grand Hôtel Moriaz,** ✆ 04 94 05 80 01, *grand.hotel.moriaz@wanadoo.fr, Fax 04 94 05 70 88*, ≤, – GB. rest
*hôtel : 17 avril-8 oct. ; rest. : 26 mai-30 sept.* – **Repas** 27/39 – 10 – **23 ch** 80/140 – ½ P 100/130.
◆ En bord de mer, chambres de tailles variées renfermant un mobilier standard ; dotées de terrasses, elles sont presque toutes tournées vers le large.

## CAVANAC *11 Aude 344 E3 – rattaché à Carcassonne.*

## CAYLUS *82160 T.-et-G. 337 G6 G. Périgord Quercy – 1 327 h alt. 228.*

**Voir** *Christ★ en bois dans l'église.*

*Office du Tourisme, rue Droite ✆ 05 63 67 00 28, Fax 05 63 67 00 28.*

*Paris 634 – Cahors 59 – Albi 60 – Montauban 47 – Villefranche-de-Rouergue 30.*

**Renaissance** avec ch, av. du Père Huc ✆ 05 63 67 07 26, *Fax 05 63 24 03 57*, – rest, GB. ch
*fermé 16 au 23 juin, 5 au 20 oct., 26 janv. au 9 fév., dim. soir et lundi* – **Repas** 11 (déj.), 17/32, enf. 7,70 – 7 – **9 ch** 38/44 – ½ P 41/44.
◆ Au calme à l'arrière de cet ancien relais de poste, la terrasse offre une échappée sur les vieilles maisons du bourg. Cuisine traditionnelle. Chambres fonctionnelles.

## CÉAUX *50 Manche 303 D8 – rattaché à Pontaubault.*

## CEILLAC *05600 H.-Alpes 334 I4 G. Alpes du Sud – 289 h alt. 1640 – Sports d'hiver : 1 700/2 500 m 6.*

**Voir** *Site★ – Église St-Sébastien★.*

**Env.** *Vallon du Mélezet★ – Lac Ste-Anne★★.*

*Office de tourisme, ✆ 04 92 45 05 74, Fax 04 92 45 47 05.*

*Paris 732 – Briançon 50 – Gap 76 – Guillestre 14.*

**Cascade** ⛰, au pied du Mélezet Sud-Est : 2 km ✆ 04 92 45 05 92, *info@hotel-la-cascade.com, Fax 04 92 45 22 09*, ≤, 🏠 – 🅿. GB. ⚘
*1er juin-7 sept. et 20 déc.-13 avril* – **Repas** 13,70/21,50 ♀, enf. 8 – ☕ 7 – **23 ch** 32/64 – ½ P 53,50/58,50.
◆ L'hôtel, isolé dans un beau site alpestre, séduira les amoureux de la nature. Chambres dotées de meubles en pin typiques du Queyras. Restaurant et terrasse face aux montagnes.

---

## La CELLE *83170 Var* 340 L5 – *911 h alt. 260.*

ℹ *Syndicat d'Initiative, place des Ormeaux* ✆ *04 94 59 19 05, Fax 04 94 59 19 05.*
*Paris 817 – Aix-en-Provence 63 – Draguignan 58 – Marseille 66 – Toulon 48.*

**Hostellerie de l'Abbaye de la Celle** ⛰, ✆ 04 98 05 14 14, *contact@abbaye-celle.com, Fax 04 98 05 14 15*, 🏠, 🏊, 🌳 – ▤ ch, 📺 ✆ ♿ 🅿. AE ⓞ GB. ⚘
*fermé 26 janv. au 8 fév.* – **Repas** 37/69 – ☕ 15 – **10 ch** 235/320.
◆ Cette ravissante demeure provençale du 18e s. entourée d'un parc arboré et d'un potager eut pour hôte le Général. Intérieur raffiné. Séduisante cuisine méridionale.

---

## CELLES-SUR-BELLE *79370 Deux-Sèvres* 322 E7 *G. Poitou Vendée Charentes* – *3 425 h alt. 117.*

**Voir** *Portail★ de l'église Notre-Dame.*
ℹ *Office du Tourisme, Les Halles* ✆ *05 49 32 92 28, Fax 05 49 32 92 28, comcanton.celles@wanadoo.fr.*
*Paris 400 – Poitiers 68 – Couhé 36 – Niort 22 – St-Jean-d'Angély 52.*

**Hostellerie de l'Abbaye,** 1 pl. Epoux-Laurant ✆ 05 49 32 93 32, *hostellerie.abbaye@wanadoo.fr, Fax 05 49 79 72 65*, 🏠 – 📺 ✆ 🅿 – 🏛 25. ⓞ GB
*fermé 15 fév. au 9 mars, 26 oct. au 3 nov. et dim. soir du 15 oct. au 31 mars* – **Repas** *(fermé dim. soir)* 11,20/38,20 ♀, enf. 8,60 – ☕ 6 – **20 ch** 39/48 – ½ P 34.
◆ À l'ombre du haut clocher de l'abbatiale, maison régionale disposant de chambres fonctionnelles, rénovées par étapes. Pimpant restaurant et carte traditionnelle.

*Les plans de villes sont orientés le Nord en haut.*

---

## CELLETTES *41120 L.-et-Ch.* 318 F6 – *1 922 h alt. 78.*

ℹ *Office du Tourisme, 2 rue de la Roelle* ✆ *02 54 70 30 46, Fax 02 54 70 30 46.*
*Paris 190 – Orléans 68 – Tours 72 – Blois 9 – Romorantin-Lanthenay 35.*

XXX **Bernard Noël - Rest. de la Roselle,** ✆ 02 54 70 31 27, *noel-la-roselle@wanadoo.fr, Fax 02 54 70 35 48*, ⚘, 🌳 – ▤ 🅿. GB
*fermé 20 janv. au 6 mars, jeudi soir de sept. à juin, dim. soir et lundi sauf fériés* – **Repas** 25/38 et carte 43 à 64 ♀, enf. 14.
◆ Gentilhommière du 18e s. joliment restaurée, nichée dans un parc arboré. Salle à manger coquettement dressée dans le jardin d'hiver. Carte traditionnelle actualisée.

---

## CELONY *13 B.-du-R.* 340 H4 – *rattaché à Aix-en-Provence.*

---

## CERCY-LA-TOUR *58340 Nièvre* 319 E10 – *2 258 h alt. 260.*

ℹ *Syndicat d'Initiative, quai Lacharme* ✆ *03 86 50 59 53, Fax 03 86 50 04 15.*
*Paris 284 – Moulins 53 – Châtillon-en-Bazois 24 – Luzy 30 – Nevers 47.*

**Val d'Aron,** r. Écoles ✆ 03 86 50 59 66, *terrierje@wanadoo.fr, Fax 03 86 50 04 24*, 🏠, 🏊, 🪑 – 📺 ✆ 🅿. GB
*fermé 15 déc. au 5 janv.* – **Repas** *(fermé sam. midi et dim. du 1er nov. au 30 avril)* 16,50 (déj.), 24/40 ♀, enf. 10 – ☕ 8 – **14 ch** 54/70 – ½ P 55/60.
◆ Demeure bourgeoise du 19e s. abritant des chambres vastes et fraîches, plus agréables côté jardin. L'été, repas servis sous la charpente d'une ancienne ferme reconstituée.

---

## CERDON *45620 Loiret* 318 L6 *G. Châteaux de la Loire* – *929 h alt. 145.*

**Voir** *Etang du Puits★ SE : 5 km – Commune de la "Méridienne verte".*
ℹ *Syndicat d'initiative, 2 impasse du Stade* ✆ *02 38 36 04 97, Fax 02 38 36 04 46.*
*Paris 176 – Orléans 50 – Aubigny-sur-Nère 21 – Gien 25 – Sully-sur-Loire 16.*

X **Relais de Cerdon,** ✆ 02 38 36 02 15, *Fax 02 38 36 05 85* – GB
*fermé 10 au 26 mars, 18 au 27 août, 22 au 30 déc., lundi soir, mardi soir et merc.* – **Repas** 17,50/27,50 ♀, enf. 11.
◆ Charmante auberge à colombages dont l'une des salles a préservé sa belle cheminée et son élégante charpente. Plats traditionnels et une spécialité : la tête de veau.

**CERDON** *01450 Ain* 328 *F4 – 672 h alt. 300.*

*Syndicat d'Initiative, place F. Allombert ✆ 04 74 39 93 02, Fax 04 74 39 93 02.*

*Paris 460 – Ambérieu-en-Bugey 25 – Bourg-en-Bresse 33 – Nantua 20 – Oyonnax 31.*

**Vieille Côte,** pl. Mairie ✆ 04 74 39 96 86, *c.b.france@wanadoo.fr, Fax 04 74 39 93 42* – GB

*fermé 2 au 29 fév., mardi et merc. hors saison* – **Repas** 16/30 ♀.

◆ Traversez le café du village pour gagner la salle à manger, rajeunie par de chaudes couleurs. Service sans chichi et cuisine ménagère enrichie de spécialités régionales.

**CÉRET** *66400 Pyr.-Or.* 344 H8 *G. Languedoc Roussillon – 7 285 h alt. 153.*

Voir *Vieux pont★ – Musée d'Art Moderne★★.*

*Office du Tourisme, avenue C. Clemenceau ✆ 04 68 87 00 53, Fax 04 68 87 00 56, office.du.Tourisme.ceret@wanadoo.fr.*

*Paris 881 – Perpignan 33 – Gerona 80 – Port-Vendres 37 – Prades 71.*

**Terrasse au Soleil**, Ouest : 1,5 km par rte Fontfrède ✆ 04 68 87 01 94, *terrasse-au-soleil.hotel@wanadoo.fr, Fax 04 68 87 39 24,* ← le Canigou et plaine du Roussillon, , , , – , ch, – 15. AE GB JCB

***Cerisaie*** *(fermé 15 oct. au 15 mars : fermé le midi sauf sam. et dim.)* **Repas** 43 ♀ – 13 – **25 ch** 217/265, 7 appart – ½ P 163/179.

◆ Charles Trenet vécut longtemps dans ce vieux mas catalan isolé sur les vertes hauteurs de Céret. Jolies chambres personnalisées. Cuisine au goût du jour à la Cerisaie.

**Mas Trilles** M sans rest, au Pont de Reynès : 3 km par rte d'Amélie ✆ 04 68 87 38 37, *Fax 04 68 87 42 62,* , – . GB

*Pâques-7 oct.* – **12 ch** 130/200.

◆ Maison catalane du 17ᵉ s. nichée dans un vallon. Ravissantes chambres aux couleurs méditerranéennes, souvent avec terrasse ou jardin privatif. Piscine dominant le Tech.

**Les Arcades** sans rest, 1 pl. Picasso ✆ 04 68 87 12 30, *Fax 04 68 87 49 44* – cuisinette . GB.

*fermé 21 déc. au 4 janv.* – 6 – **30** ch 40/54.

◆ Chambres fraîches et gaies, garnies de meubles de style catalan. Collections de tableaux, affiches et lithographies évoquent des peintres de "L'École de Céret".

**Les Feuillants** avec ch, 1 bd La Fayette ✆ 04 68 87 37 88, *contact@les-feuillants.com, Fax 04 68 87 44 68,* – – 15. GB

**Repas** *(fermé dim. soir et lundi)* 32/105 bc et carte 58 à 76, enf. 20 - ***Brasserie Le Carré*** *(fermé dim. soir et lundi sauf du 16 juin au 14 sept.)* **Repas** (16)-22♀ – 12,20 – **3 ch** 90, 3 appart 95/140 – ½ P 68/105.

◆ Au coeur de la cité, jolie villa Belle Époque ombragée par des platanes. Agréable salle à manger bourgeoise décorée d'une fresque contemporaine. Chambres de grand confort.

**Chat qui Rit,** à la Cabanasse : 1,5 km par rte Amélie ✆ 04 68 87 02 22, *jean-paul.vander-elst@tiscali.fr, Fax 04 68 87 43 40,* – . GB

*fermé 24 nov. au 3 déc., 5 janv. au 3 fév., merc. sauf juil.-août, dim. soir et lundi* – **Repas** 13 bc (déj.), 20/31 ♀, enf. 10.

◆ Emblème de cette maison de pays, le chat fait partie intégrante du décor. Cadre moderne, mobilier en rotin et table centrale où sont dressés de copieux buffets.

**Frigoulette,** au pont de Reynès : 3 km par rte Amélie-les-Bains ✆ 04 68 87 48 95 – GB

*fermé 20 oct. au 4 nov., dim. soir et merc.* – **Repas** 11/24 ♀, enf. 8.

◆ Tons pastel, citronniers et oliviers agrémentent la salle à manger de cette pimpante maison familiale. Côté cuisine et cave, le Roussillon est mis à l'honneur.

**Del Bisbe,** 4 pl. Soutine ✆ 04 68 87 00 85, *bisbe@club-internet.fr, Fax 04 68 87 62 33,*

*fermé janv. et merc.* – **Repas** 23/31 ♀.

◆ Demeure du 18ᵉ s. dont l'enseigne signifie "maison de l'Évêque" en catalan. Authentique décor rustique, jolie terrasse sous une treille et cuisine du terroir. Bar à tapas.

**Le CERGNE** *42460 Loire* 327 *E3 – 650 h alt. 640.*

*Paris 400 – Mâcon 73 – Roanne 28 – Charlieu 16 – Chauffailles 17 – Lyon 80 – St-Étienne 101.*

**Bel'Vue** avec ch, ✆ 04 74 89 87 73, *lebelvue@wanadoo.fr, Fax 04 74 89 78 61,* ←, – . AE GB

*fermé 1ᵉʳ au 19 août, dim. soir et lundi* – **Repas** 14,50 (déj.), 19,60/47,40, enf. 8 – 6,30 – **8 ch** 51/54 – ½ P 33.

◆ Pimpante auberge qui, comme son nom l'indique, offre une belle vue sur la vallée depuis la salle à manger, agrémentée de plantes. Cuisine traditionnelle. Chambres neuves.

**CERGY** *95 Val-d'Oise* 305 D6 106 05 101 ② – *voir à Paris, Environs (Cergy-Pontoise).*

**CÉRILLY** *03350 Allier* 326 D3 *G. Auvergne – 1 591 h alt. 340.*

*Office du Tourisme, place du Champ de Foire ✆ 04 70 67 55 89, Fax 04 70 67 50 96.*

*Paris 300 – Moulins 46 – Bourges 67 – Montluçon 40 – St-Amand-Montrond 32.*

**Chez Chaumat,** pl. Péron ✆ 04 70 67 52 21, *Fax 04 70 67 35 28* – rest, . GB

*fermé 30 juin au 18 juil., 1er au 19 sept., 21 déc. au 5 janv., dim. soir et lundi* – **Repas** 10/30 – 5,30 – **8 ch** 38/54 – 1/2 P 42,50/45.

◆ Adresse familiale à quelques toises de la forêt de Tronçais. Chambres simples, rénovées et insonorisées. Restaurant meublé en style Louis XIII ; copieux plats traditionnels.

**CERNAY** *68700 H.-Rhin* 315 H10 *G. Alsace Lorraine – 10 313 h alt. 275.*

*Office du Tourisme, 1 rue Latouche ✆ 03 89 75 50 35, Fax 03 89 75 49 24, ot.cernay@newel.net.*

*Paris 463 – Mulhouse 18 – Altkirch 26 – Belfort 38 – Colmar 36 – Guebwiller 15 – Thann 6.*

**Hostellerie d'Alsace** avec ch, 61 r. Poincaré ✆ 03 89 75 59 81, *Fax 03 89 75 70 22* – rest, . AE GB

*fermé 26 juil. au 17 août, 27 déc. au 11 janv., sam. et dim.* – **Repas** 18/55 – 7 – **10 ch** 39/55 – 1/2 P 37,50/42,50.

◆ Située près d'un carrefour, jolie maison à colombages abritant une salle à manger actuelle, claire et confortable. Chambres pratiques, plus tranquilles sur l'arrière.

**CERNAY-LA-VILLE** *78 Yvelines* 311 H3 106 ㉙ 101 ㉛ – *voir à Paris, Environs.*

**CESSON** *22 C.-d'Armor* 309 F3 – *rattaché à St-Brieuc.*

**CESSON-SÉVIGNÉ** *35 I.-et-V.* 309 M6 – *rattaché à Rennes.*

**CESTAS** *33 Gironde* 335 G6 – *rattaché à Bordeaux.*

**CETTE-EYGUN** *64490 Pyr.-Atl.* 342 I7 – *89 h alt. 700.*

*Paris 858 – Pau 69 – Lescun 10 – Lurbe-St-Christau 25 – Urdos 10.*

**Au Château d'Arance**, Le Bourg ✆ 05 59 34 75 50, *Fax 05 59 34 57 62*, – ch, – 30. GB. ch

**Repas** 26, enf. 9,20 – **8 ch** 58/60 – 1/2 P 56.

◆ Castel du 13e s. dominant la vallée d'Aspe. Chambres flambant neuves (parquet, murs immaculés et meubles contemporains). Cadre moderne au restaurant. Terrasse panoramique.

**COL DE CEYSSAT** *63 P.-de-D.* 326 E8 – *rattaché à Clermont-Ferrand.*

**CHABLIS** *89800 Yonne* 319 F5 *G. Bourgogne – 2 569 h alt. 135.*

*Office du Tourisme, 1 quai du Bie ✆ 03 86 42 80 80, Fax 03 86 42 49 71, ot-chablis@chablis.net.*

*Paris 182 – Auxerre 21 – Avallon 39 – Tonnerre 18 – Troyes 76.*

**Hostellerie des Clos** (Vignaud), ✆ 03 86 42 10 63, *host.clos@wanadoo.fr, Fax 03 86 42 17 11*, – , rest, – 20 à 40. AE GB

*fermé 22 déc. au 18 janv.* – **Repas** 34/70 et carte 51 à 87 – 10 – **32 ch** 48/122 – 1/2 P 82/138.

◆ Cette hostellerie est une étape de charme au coeur du village : chambres aux couleurs chatoyantes, élégant restaurant ouvert sur le jardin, cuisine et vins du terroir.

**Spéc.** Fricassée d'escargots de Bourgogne. Dos de sandre rôti sur peau au chablis. Rognon de veau poêlé dans sa graisse. **Vins** Chablis, Irancy.

**Ibis,** rte Auxerre ✆ 03 86 42 49 20, *ibis.chablis@wanadoo.fr, Fax 03 86 42 80 04* – . AE GB JCB

**Repas** 15, enf. 6 – 6 – **38 ch** 47/52 – 1/2 P 55.

◆ Établissement moderne et sobre bâti aux portes de l'agglomération. Chacune des chambres, rénovées et bien insonorisées, porte le nom d'un cru de Chablis. Repas simples.

**Vieux Moulin,** 18 r. des Moulins ✆ 03 86 42 47 30, *vxmoulinchablis@aol.com, Fax 03 86 42 84 44* – . GB

*fermé du 24 déc. au 1er janv.* – **Repas** 16,50/39.

◆ Moulin céréalier d'origine médiévale. La belle salle à manger rustique agrémentée de vieux objets paysans surplombe le cours du Serein. Recettes inspirées du terroir.

**CHAGNY** *71150 S.-et-L.* 320 I8 – *5 346 h alt. 215.*

*Office du Tourisme, 2 rue des Halles ✆ 03 85 87 25 95, Fax 03 85 87 14 44, ot.chagny bourgogne@wanadoo.fr.*

*Paris 327 ① – Beaune 15 ① – Chalon-sur-Saône 19 ② – Autun 44 ① – Mâcon 77 ②.*

## CHAGNY

Anciens d'Algérie (R. des) .......... YZ 2
Beaune (R. de) .......... Y 3
Bellecroix (R. de) .......... Z
Boillet (R. M.) .......... Z
Bourg (R. du) .......... YZ 5
Boutière (R. de la) .......... YZ
Bretin (R. T.) .......... YZ
Chalon (Route de) .......... Z 6
Charollais (Pl. M.) .......... Z
Chaudenay (R. de) .......... Y
Ferté (R. de la) .......... Z 8
Gare (Av. de la) .......... Z 10
Gaulle (Av. du Gén.-de) .......... Y
Grabiau (R.) .......... Y 12
Jaurès (R.J.) .......... Y 14
Leclerc (Av. du Gén.) .......... Y
Liberté (Bd de la) .......... Z
Loyère (R. de la) .......... Z 15
Marey (R. J.-E.) .......... Z 18
Martin (R. J.) .......... Z
Moulin (Chemin du) .......... Y
Moulin de la Ville (R. du) .. Y 19
Muriers (Chemin des) .......... Y 22
Nantil (R. du) .......... Z
Pierres (R. de) .......... Z 25
Poste (R. de la) .......... Z 27
Presles (R. de) .......... Y 28
Remigny (Route de) .......... Z 30
République (R. de la) .......... Y 32
Stand (R. du) .......... Y 34
Vincenot (R. H.) .......... Z 36
8-Mai (Av. du) .......... Y 37

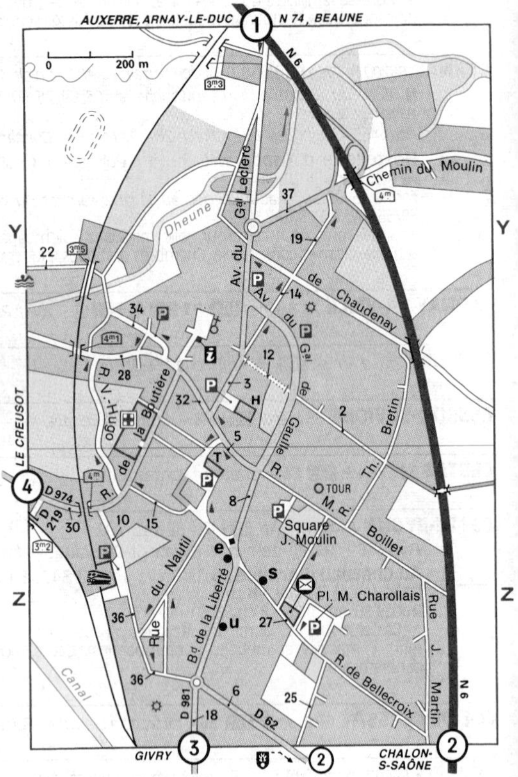

AUXERRE, ARNAY-LE-DUC
N 74, BEAUNE
200 m
Chemin du Moulin
Dheune
Av. du Gal Leclerc
Av. du Gal de Gaulle
R. de Chaudenay
R. V. Hugo
R. de la Boutière
Bretin
R. Th.
M. R. Boillet
Square J. Moulin
TOUR
Pl. M. Charollais
R. de Bellecroix
Rue J. Martin
Rue du Nautil
Bd de la Liberté
Canal
LE CREUSOT
GIVRY
CHALON-S-SAÔNE
D 974
D 219
D 981
D 62
N 6

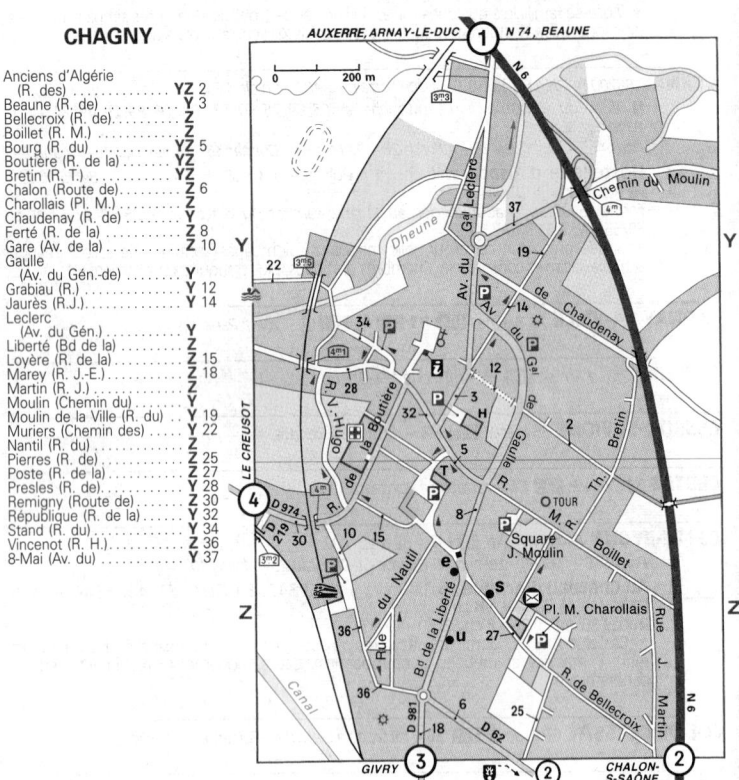

**Lameloise** M, pl. d'Armes ✆ 03 85 87 65 65, *reception@lameloise.fr, Fax 03 85 87 03 57* – AE GB JCB Z e
*fermé 17 déc. au 22 janv., jeudi midi, mardi midi et merc.* – **Repas** (prévenir) 80/115 et carte 75 à 105 – ☕ 19 – **16 ch** 115/260.
◆ Cette ancienne et discrète maison bourguignonne dissimule une élégante décoration intérieure, tant dans les chambres qu'au restaurant. Cuisine dans la grande tradition.
**Spéc.** Ravioli d'escargots de Bourgogne dans leur bouillon d'ail doux. Pigeonneau rôti à l'émietté de truffes. Griottines au chocolat noir sur une marmelade d'oranges amères. **Vins** Rully blanc, Givry rouge.

**Poste** sans rest, 17 r. Poste ✆ 03 85 87 64 40, *hoteldelaposte-chagny71@wanadoo.fr, Fax 03 85 87 64 41,* – P. GB Z s
*fermé 30 déc. au 17 fév.* – ☕ 6 – **11** ch 40/51.
◆ L'établissement est situé au coeur du bourg, mais au calme d'une impasse. Toutes les chambres, progressivement rénovées et nettes, sont en rez-de-jardin.

**Ferté** sans rest, bd Liberté ✆ 03 85 87 07 47, *reservation@hotelferte.com, Fax 03 85 87 37 64,* – P. AE GB Z u
*fermé 21 au 25 déc.* – ☕ 5,50 – **13 ch** 41/55.
◆ Accueil chaleureux, chambres impeccablement tenues et jardin aux senteurs de glycine et de rose sont les atouts de cet hôtel situé dans un village de la côte chalonnaise.

**rte de Chalon** *par ②, N 6 et rte secondaire : 2 km – ✉ 71150 Chagny :*

**Hostellerie du Château de Bellecroix** ⛰, ✆ 03 85 87 13 86, *chateau.de.bellecroix @wanadoo.fr, Fax 03 85 91 28 62,* ,  ,  – TV P. AE ⓓ GB JCB
*fermé 17 déc. au 13 fév., et merc. hors saison* – **Repas** *(fermé lundi midi, jeudi midi et merc.)* 23 (déj.), 44/58 – ☕ 13,50 – **20 ch** 80/180 – ½ P 98/148.
◆ Ancienne demeure des chevaliers de Malte nichée dans un parc. Les chambres, personnalisées, sont vastes dans la commanderie du 12ᵉ s., plus petites dans le château du 18ᵉ s.

**à Chassey-le-Camp** *par ④, D 974 et D 109 : 6 km – 257 h. alt. 300 – ✉ 71150 :*

**Auberge du Camp Romain** ⛰, ✆ 03 85 87 09 91, *auberge.du.camp.romain@wanadoo.fr, Fax 03 85 87 11 51,* ←, , , ,  – TV ✆ ♿ P – 40. GB
*fermé 1ᵉʳ janv. au 10 fév.* – **Repas** 16 (déj.), 23/41 ♀ – ☕ 8 – **35 ch** 58/73, 5 duplex – ½ P 57/74.
◆ Entre vignes et bois, à deux pas d'un camp néolithique. Les chambres de l'annexe sont plus grandes et plus modernes ; espace détente. Cuisine traditionnelle généreuse.

---

## CHAILLES *73 Savoie 333 H5 – rattaché aux Échelles.*

---

## CHAILLOL *05 H.-Alpes 334 F4 – alt. 1450 – ✉ 05260 St-Michel-de-Chaillol.*

*Paris 665 – Gap 25 – Orcières 20 – St-Bonnet-en-Champsaur 9.*

**L'Étable** ⛰, ✆ 04 92 50 48 35, *Fax 04 92 50 48 35,* ← – P
*25 juin-15 sept. et 20 déc.-30 mars* – **Repas** (résidents seul.) 13,50/17 – ☕ 5,20 – **14 ch** 31,50/37,50 – ½ P 35,50/37.
◆ Hôtel-restaurant tout simple, aménagé dans une ancienne ferme. Chambres mansardées au dernier étage. Salle des repas voûtée, meublée à la façon d'un bistrot.

*Donnez-nous votre avis sur les tables que nous recommandons, sur leurs spécialités et leurs vins de pays.*

---

## CHAILLY-SUR-ARMANÇON *21 Côte-d'or 320 G6 – rattaché à Pouilly-en-Auxois.*

---

## CHAINTRÉ *71570 S.-et-L. 320 I12 – 503 h alt. 284.*

*Paris 398 – Mâcon 10 – Bourg-en-Bresse 46 – Lyon 73.*

XX **Table de Chaintré,** ✆ 03 85 32 90 95, *Fax 03 85 32 91 04* – . GB
*fermé 6 au 21 août, 24 déc. au 8 janv., dim. soir, lundi et mardi* – **Repas** (nombre de couverts limité, prévenir) *(31)* - 48.
◆ Au coeur du vignoble de Pouilly, accueillante maison où naquit et vécut Lucie Aubrac. Plaisante salle à manger d'esprit rustique. Cuisine du marché et belle carte des vins.

---

## La CHAISE-DIEU *43160 H.-Loire 331 E2 G. Auvergne – 778 h alt. 1080.*

Voir *Église abbatiale St-Robert** : tapisseries***.*

ℹ *Office du Tourisme, place de la Mairie ✆ 04 71 00 01 16, Fax 04 71 00 03 45, otcasadei@aol.com.*

*Paris 506 – Le Puy-en-Velay 42 – Ambert 30 – Brioude 34 – Issoire 58 – St-Étienne 81.*

**Écho et Abbaye** ⛰, pl. Écho ✆ 04 71 00 00 45, *Fax 04 71 00 00 22,*  – TV ✆. AE ⓓ GB. 
*27 mars-11 nov. et fermé merc. sauf juil.-août* – **Repas** 21,50/38 ♀, enf. 10 – ☕ 8 – **10 ch** 40/60 – ½ P 58.
◆ Les ténors du festival de musique descendent dans cet hôtel situé juste derrière l'abbaye. Mobilier à dominante rustique. Certaines chambres ont vue sur le cloître.

**Casadeï,** pl. Abbaye ✆ 04 71 00 00 58, *casadei@es-conseil.com, Fax 04 71 00 01 67,*  – TV. GB
*20 avril-3 nov.* – **Repas** *(fermé dim., lundi et mardi sauf juil.-août)* (dîner seul.)(résidents seul.) 14/23 ♀ – ☕ 8 – **9 ch** 37/49 – ½ P 46/49.
◆ Au pied du grand escalier de l'abbatiale, hôtel familial proposant des chambres sobres et pratiques. Boutique d'artisanat local où s'accumulent bibelots et tableaux.

**Monastère et Terminus,** ✆ 04 71 00 00 73, *info@hotel-monastere-terminus.com, Fax 04 71 00 09 18* – TV. GB
*20 mars-20 nov. et fermé dim. soir et lundi sauf juil.-août* – **Repas** *(7,50)* - 12/22 ♀, enf. 6,50 – ☕ 7 – **14 ch** 36/41 – ½ P 31,50/34.
◆ Sur une route passante face à l'ancienne gare de la Chaise-Dieu. Chambres au confort simple, rajeunies par étapes et salle à manger sagement rustique, avec véranda.

**CHALAIS** *16210 Charente* 324 K8 *G. Poitou Vendée Charentes – 2 172 h alt. 70.*

*Office du Tourisme, 38 place de l'Hôtel de Ville ☎ 05 45 98 02 71.*

*Paris 494 – Angoulême 47 – Bordeaux 84 – Périgueux 66.*

XX **Relais du Château,** au château ☎ 05 45 98 23 58, *Fax 05 45 98 00 53,* – P. AE GB
*fermé 2 au 30 nov., dim. soir, mardi midi et lundi* – **Repas** 16 (déj.), 21,40/27,50 ♀.
◆ Le pont-levis franchi (à pied !), gagnez ce restaurant aménagé dans une noble salle voûtée du château érigé sur les hauteurs de Chalais. Cadre médiéval bien conservé.

---

**CHALEZEULE** *25 Doubs* 321 G3 – *rattaché à Besançon.*

---

**CHALLANS** *85300 Vendée* 316 E6 *G. Poitou Vendée Charentes – 14 203 h alt. 8.*

*Office du Tourisme, place de l'Europe ☎ 02 51 93 19 75, Fax 02 51 49 76 04, ot.challans@free.fr.*

*Paris 437 ② – La Roche-sur-Yon 42 ③ – Cholet 84 ② – Nantes 59 ①.*

## CHALLANS

Baudry (R. P.) .......... A
Bazin (Bd R.) .......... A
Biochaud (Av.) .......... B
Bois-de-Céné (R. de) .......... A 2
Bonne-Fontaine (R.) .......... B
Briand (Pl. A.) .......... A 3
Calmette (R.) .......... B
Carnot (Rue) .......... A
Champ de Foire (Pl. du) .......... B 4
Cholet (R. de) .......... B 5
Clemenceau (Bd) .......... A
Dodin (Bd L.) .......... B
F.F.I. (Bd des) .......... A 6
Gambetta (R.) .......... B
Gare (Bd de la) .......... B
Gaulle (Pl. du Gén. de) .......... A 7
Guérin (Bd) .......... B
Leclerc (R. du Général) .......... A 8
Lézardière (R. P. de) .......... A 10
Lorraine (R. de) .......... A 12
Marzelles (R. des) .......... B 13
Monnier (R. P.) .......... A 15
Nantes (R. de) .......... AB
Roche-sur-Yon (R. de la) .......... B 16
Sables (R. des) .......... B 17
Strasbourg (Bd de) .......... A
Viaud Grand-Marais (Bd) .......... B
Yole (Bd J.) .......... AB

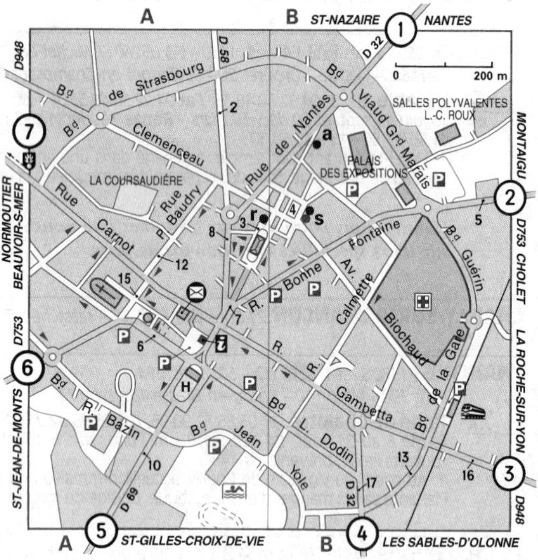

A
B
ST-NAZAIRE
NANTES
MONTAIGU
D 753 CHOLET
LA ROCHE-SUR-YON
D948
LES SABLES-D'OLONNE
ST-GILLES-CROIX-DE-VIE
ST-JEAN-DE-MONTS
D753
NOIRMOUTIER BEAUVOIR-S-MER
D948
D 58
D 32
D 69
0
200 m
SALLES POLYVALENTES L.-C. ROUX
PALAIS DES EXPOSITIONS
LA COURSAUDIÈRE
Bd de Strasbourg
Bd Clemenceau
Rue de Nantes
Viaud Grd Marais
Rue Carnot
Rue P. Baudry
Fontaine
R. Bonne
Av. Calmette
Biochaud
Bd Guérin
Bd de la Gare
R. Gambetta
Bd L. Dodin
Bd Jean Yole
R. Bazin

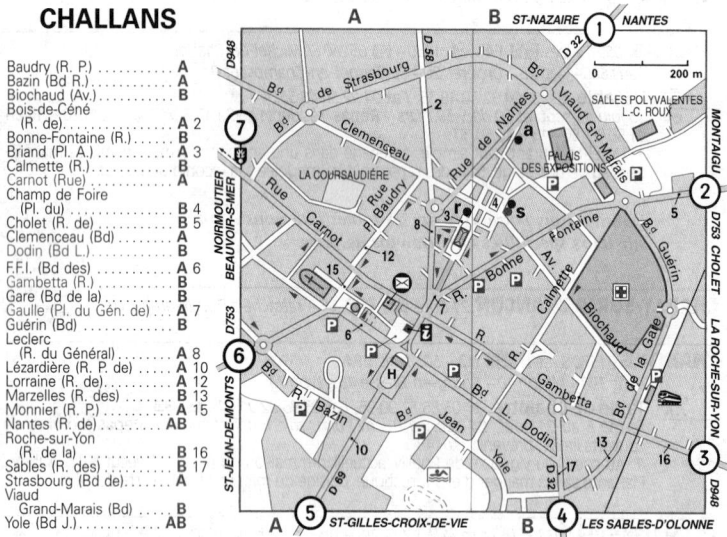

**Antiquité** sans rest, 14 r. Gallieni ☎ 02 51 68 02 84, *antiquitehotel@aol.com, Fax 02 51 35 55 74,* – TV P. AE GB. — B a
☐ 5,50 – **16** ch 42/64.
◆ Maison récente de style vendéen. Le mobilier chiné chez les antiquaires personnalise les chambres, toutes tournées côté cour ; celles de l'annexe sont très soignées.

**Commerce** sans rest, 17 pl. A. Briand ☎ 02 51 68 06 24, *aubard.g@wanadoo.fr, Fax 02 51 49 44 97* – TV – 25. AE GB — A r
☐ 5,80 – **21 ch** 43.
◆ Sobre bâtisse blanche partiellement recouverte d'ardoises. Chambres rénovées aux tons pastel et pimpante salle des petits-déjeuners d'esprit rustique.

**Champ de Foire,** 10 pl. Champ de Foire ☎ 02 51 68 17 54, *hotel.champ.foire@wanadoo.fr, Fax 02 51 35 06 53* – TV. AE GB. ch — B s
*fermé 24 oct. au 8 nov., 22 fév. au 10 mars , vend. soir et sam. sauf juil.-août* – **Repas** 13,50/43 ♀, enf. 10 – ☐ 5,50 – **12 ch** 34/40 – ½ P 36/40.
◆ Sur le vieux foirail, maison de pays aux chambres déjà anciennes, mais bien tenues et progressivement rafraîchies. Salles des repas actuelles et colorées.

X **Chez Charles,** 8 pl. Champ de Foire ☎ 02 51 93 36 65, *chezcharles85@aol.com, Fax 02 51 49 31 88* – . AE GB JCB — B s
*fermé 20 déc. au 25 janv., dim. soir et lundi* – **Repas** 18/44, enf. 11.
◆ Sympathique petit restaurant familial à l'esprit bistrot. Salle à manger joliment fleurie, où l'on sert une cuisine du marché.

**à la Garnache** *par ① : 6,5 km – 3 379 h. alt. 28 – ✉ 85710 :*

XX **Petit St-Thomas,** ✆ 02 51 49 05 99 – GB
*fermé 11 au 29 juin, 29 sept., au 5 oct., 12 janv. au 3 fév. et merc.* – **Repas** (12) - 18/37.
◆ Auberge régionale située à l'entrée du village. Salle des repas au cadre rustique à la fois sobre et soigné, recettes traditionnelles simples.

**rte de St-Gilles-Croix-de-Vie** *par ⑤ – ✉ 85300 Challans :*

**Château de la Vérie** ⑤, 2,5 km sur D 69 ✆ 02 51 35 33 44, *verie@wanadoo.fr, Fax 02 51 35 14 84*, ⛱, 🎾, 🌳 – TV P. AE ① GB
**Repas** *(fermé dim. soir et lundi de sept. à juin)* 25/55 ♀ – ☕ 10 – **21 ch** 112/155 – ½ P 90/111,50.
◆ Cette demeure du 16^e s. vous invite à séjourner dans des chambres spacieuses garnies de meubles anciens. Promenades bucoliques dans le parc avec rivière et marais.

XXX **Gite du Tourne-Pierre,** 3 km sur D 69 ✆ 02 51 68 14 78, *Fax 02 51 68 14 78*, 🏖, ⛱ – P. AE ① GB JCB
*fermé 7 au 29 mars, 5 au 23 oct., vend. hors saison, sam. midi et dim. soir* – **Repas** (prévenir) 32/48 et carte 50 à 72.
◆ En léger retrait d'une route passante, maison vendéenne entourée de verdure. Salle à manger mi-campagnarde, mi-actuelle tournée vers le jardin et les sous-bois.

## CHALLES-LES-EAUX *73 Savoie* 333 I4 – *rattaché à Chambéry.*

## CHALONNES-SUR-LOIRE *49290 M.-et-L.* 317 E4 *G. Châteaux de la Loire – 5 354 h alt. 25.*

Voir *Corniche angevine★ E.*

ℹ *Syndicat d'Initiative, place de la mairie ✆ 02 41 78 26 21, Fax 02 41 74 91 54.*

*Paris 319 – Angers 26 – Ancenis 38 – Châteaubriant 65 – Château-Gontier 62 – Cholet 41.*

X **Boule d'Or,** 4 r. Las-Cases (près poste) ✆ 02 41 78 02 46, *Fax 02 41 74 94 38* – GB
*fermé 17 juin au 8 juil., dim. soir, merc. soir et lundi* – **Repas** 14,50/29,80.
◆ Aimable petite adresse à dénicher au détour d'une ruelle. Riante salle à manger rustique précédée d'un bar où l'on sert les plats du jour. Cuisine aux parfums régionaux.

## CHÂLONS-EN-CHAMPAGNE P *51000 Marne* 306 I9 *G. Champagne Ardenne – 48 423 h alt. 83.*

Voir *Cathédrale St-Étienne★★ – Église N.-D.-en-Vaux★ : intérieur★★* **F** *– Statues-colonnes★★ du musée du cloître de N.-D.-en-Vaux★* **AY M¹**.

Env. *Basilique N.-D.-de-l'Épine★★.*

ℹ *Office du Tourisme, 3 quai des Arts ✆ 03 26 65 17 89, Fax 03 26 65 35 65, off.tourisme.chalons-en-champagne@wanadoo.fr.*

*Paris 174 ⑥ – Reims 50 ① – Dijon 259 ④ – Metz 161 ② – Nancy 162 ④ – Troyes 84 ⑤.*

Plans page suivante

**Angleterre** (Michel) M, 19 pl. Mgr Tissier ✆ 03 26 68 21 51, *hot.angl@wanadoo.fr, Fax 03 26 70 51 67* – ▤ TV 📞 ♿ P. AE ① GB **BY g**
*fermé 13 juil. au 5 août, vacances de Noël et dim.* – ***Jacky Michel*** *(fermé sam. midi, lundi midi et dim.)* **Repas** 30/85 et carte 70 à 90 ♀ – ☕ 14 – **25 ch** 85/150.
◆ Sobre construction offrant des chambres très confortables et personnalisées, souvent dotées de belles salles de bains en marbre. La table surfe entre tradition et modernité.
**Spéc.** Poêlée de langoustines à la mousseline de topinambour (oct. à mars). Rissolles d'aile de caille, cuisses confites, galette de pomme de terre et foie gras poêlé. Soufflé au chocolat. **Vins** Champagne, Cumières.

**Renard,** 24 pl. République ✆ 03 26 68 03 78, *lerenard51@wanadoo.fr, Fax 03 26 64 50 07* – 🚭 TV 📞 P – 🎤 30. AE GB. ✂ rest **AZ r**
*fermé 20 déc. au 4 janv.* – **Repas** *(fermé sam. midi et dim. soir)* 17/92 bc ♀, enf. 10 – ☕ 12 – **38 ch** 58/90 – ½ P 61,50/97.
◆ Ces deux bâtiments reliés par un patio-jardin d'hiver abritent d'originales chambres contemporaines : lit au centre de la pièce et décor "minimaliste". Accueil convivial.

**Pot d'Étain** sans rest, 18 pl. République ✆ 03 26 68 09 09, *hotel.le.pot.detain@wanadoo.fr, Fax 03 26 68 58 18* – TV 📞. AE GB JCB **AZ u**
☕ 10 – **27 ch** 56/86.
◆ Sur une place animée, immeuble ancien disposant de pimpantes chambres insonorisées et garnies de meubles rustiques ou actuels. Petit-déjeuner avec viennoiseries "maison".

XX **Pré St-Alpin,** 2 bis r. Abbé Lambert ✆ 03 26 70 20 26, *pre.saint.alpin@wanadoo.fr, Fax 03 26 68 52 20*, 🏖 – ▤. GB **AZ v**
*fermé dim. soir* – **Repas** 16,10/28 ♀ - ***Cuisine d'à Côté*** **Repas** 15.
◆ Cuisine traditionnelle soignée à déguster dans un superbe cadre 1900. Deux salles à manger sous verrières, baignées de lumière, et une troisième habillée de boiseries.

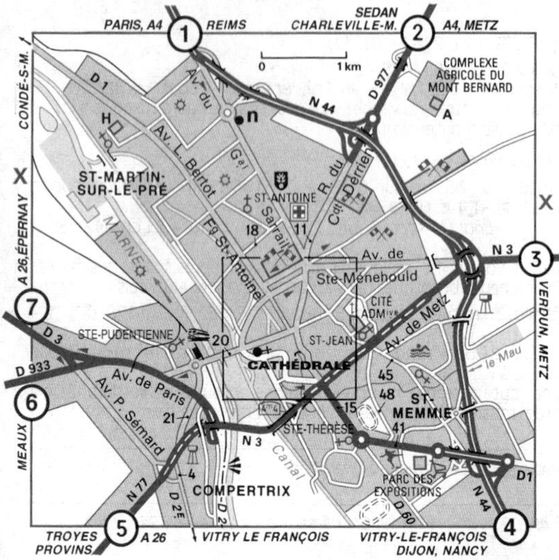
PARIS, A4
REIMS
SEDAN
CHARLEVILLE-M.
A4, METZ
CONDÉ-S-M.
A 26, ÉPERNAY
MEAUX
VERDUN, METZ
TROYES
PROVINS
A 26
VITRY LE FRANÇOIS
VITRY-LE-FRANÇOIS
DIJON, NANCY
COMPLEXE AGRICOLE DU MONT BERNARD
ST-MARTIN-SUR-LE-PRÉ
MARNE
ST-ANTOINE
Av. de Ste-Menehould
CITÉ ADMive
ST-JEAN
CATHÉDRALE
STE-PUDENTIENNE
Av. de Paris
Av. P. Sémard
Av. de Metz
STE-THÉRÈSE
ST-MEMMIE
Canal
PARC DES EXPOSITIONS
COMPERTRIX
le Mau
Av. L. Bertot
Fg St-Antoine
N 44
N 3
N 77
D 977
D 933
D 1
D 3
D 2
D 60
X

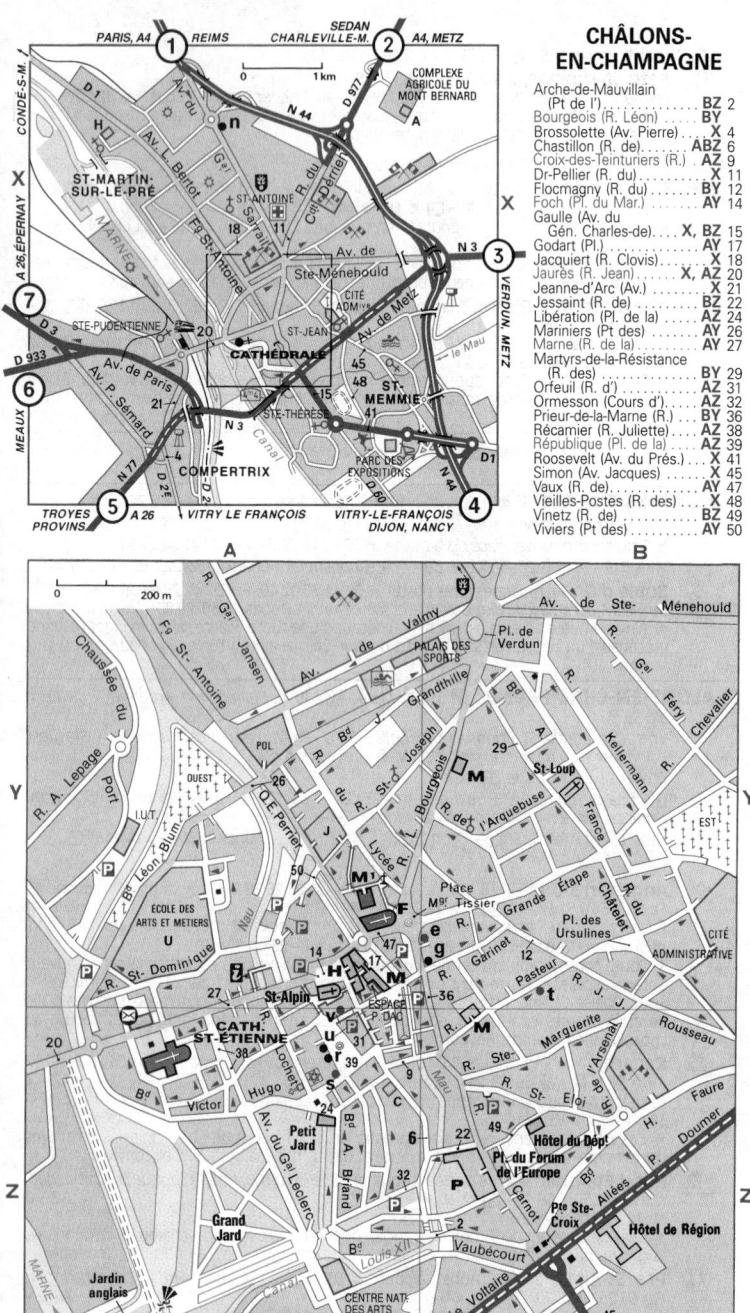

# CHÂLONS-EN-CHAMPAGNE

Arche-de-Mauvillain (Pt de l') . . . . . . . . . . . . **BZ** 2
Bourgeois (R. Léon) . . . . . **BY**
Brossolette (Av. Pierre) . . . . **X** 4
Chastillon (R. de) . . . . . . . **ABZ** 6
Croix-des-Teinturiers (R.) . **AZ** 9
Dr-Pellier (R. du) . . . . . . . . . **X** 11
Flocmagny (R. du) . . . . . . . **BY** 12
Foch (Pl. du Mar.) . . . . . . . . **AY** 14
Gaulle (Av. du Gén. Charles-de) . . . . **X, BZ** 15
Godart (Pl.) . . . . . . . . . . . . . **AY** 17
Jacquiert (R. Clovis) . . . . . . . . **X** 18
Jaurès (R. Jean) . . . . . . **X, AZ** 20
Jeanne-d'Arc (Av.) . . . . . . . . **X** 21
Jessaint (R. de) . . . . . . . . . . **BZ** 22
Libération (Pl. de la) . . . . . **AZ** 24
Mariniers (Pt des) . . . . . . . **AY** 26
Marne (R. de la) . . . . . . . . . **AY** 27
Martyrs-de-la-Résistance (R. des) . . . . . . . . . . . . **BY** 29
Orfeuil (R. d') . . . . . . . . . . . **AZ** 31
Ormesson (Cours d') . . . . . **AZ** 32
Prieur-de-la-Marne (R.) . . . **BY** 36
Récamier (R. Juliette) . . . . **AZ** 38
République (Pl. de la) . . . . **AZ** 39
Roosevelt (Av. du Prés.) . . . **X** 41
Simon (Av. Jacques) . . . . . . . **X** 45
Vaux (R. de) . . . . . . . . . . . . **AY** 47
Vieilles-Postes (R. des) . . . . **X** 48
Vinetz (R. de) . . . . . . . . . . . **BZ** 49
Viviers (Pt des) . . . . . . . . . . **AY** 50

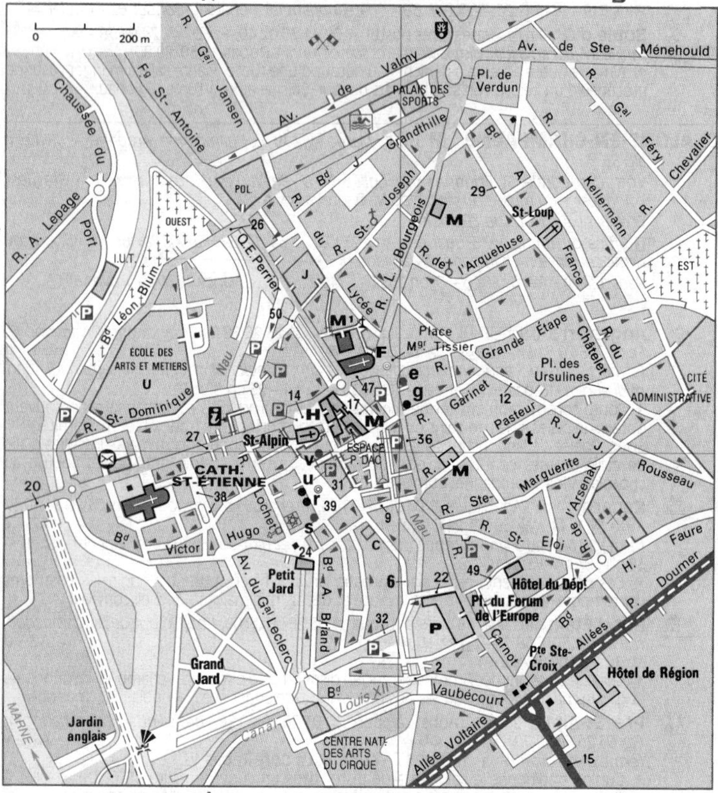
A
B
Y
Z
Av. de Ste-Ménehould
Av. de Valmy
PALAIS DES SPORTS
Pl. de Verdun
R. Gal Jansen
Fg St-Antoine
Chaussée du Port
R. A. Lepage
OUEST
I.U.T.
Bd Léon Blum
POL.
Q.E. Perrier
Bd J. Grandthille
R. du St-Joseph
R. L. Bourgeois
R. du Lycée
R. de l'Arquebuse
St-Loup
R. de France
R. Kellermann
R. Gal Féry
R. Chevalier
EST
Place Mgr Tissier
Grande Étape
Pl. des Ursulines
Châtelet
CITÉ ADMINISTRATIVE
ÉCOLE DES ARTS ET METIERS
St-Dominique
St-Alpin
ESPACE P. DAC
R. Garinet
R. Pasteur
R. J. J. Rousseau
R. Ste-Marguerite
R. de l'Arsenal
R. St-Eloi
R. H. Faure
Bd P. Doumer
CATH. ST-ÉTIENNE
Bd Victor Hugo
Lochet
Petit Jard
Bd A. Briand
Av. du Gal Leclerc
Hôtel du Dépt
Pl. du Forum de l'Europe
Carnot
Pte Ste-Croix
Allées
Hôtel de Région
Grand Jard
Bd Louis XII
Vaubécourt
Allée Voltaire
Jardin anglais
MARNE
Canal
CENTRE NATL DES ARTS DU CIRQUE
Mau
200 m

XX **Les Ardennes,** 34 pl. République ✆ 03 26 68 21 42, *Fax 03 26 21 34 55,* – AE GB **AZ s**
*fermé 27 oct. au 3 nov., 5 au 12 janv., dim. soir et lundi* – **Repas** 20/39 ♀, enf. 6,30.
◆ Salle de restaurant rustique cloisonnée de colombages et réchauffée par une cheminée. La carte privilégie les produits du terroir et de la mer. Agréable terrasse d'été.

X **Au Carillon Gourmand,** 15bis pl. Mgr Tissier ✆ 03 26 64 45 07, *Fax 03 26 21 06 09* – GB **BY e**
*fermé 21 au 28 avril, 3 au 25 août, 23 fév. au 19 mars, dim. soir, merc. soir et lundi* – **Repas** (16) - 25 ♀.
◆ Chaleureuse salle à manger prolongée d'une véranda ouverte sur la rue. Plats traditionnels assortis de suggestions du jour mitonnées en fonction des arrivages du marché.

X **Petit Pasteur,** 42 r. Pasteur ✆ 03 26 68 24 78, *Fax 03 26 68 25 97,* – P. GB **BY t**
*fermé 4 au 24 août, 2 au 11 janv., sam. midi, dim. soir et lundi* – **Repas** 16/38 ♀.
◆ Aimable restaurant abritant une salle au cadre actuel prolongée par une courette où l'on dresse quelques tables à la belle saison. Recettes traditionnelles et au goût du jour.

**rte de Reims** *vers ① : 3 km – ✉ 51520 St-Martin-sur-le-Pré :*

**Campanile,** ✆ 03 26 70 41 02, *chalonsenchampagne@campanile.fr, Fax 03 26 66 87 85,* – P – 25. AE GB **X n**
**Repas** 13/18 ♀, enf. 6 – 6 – **49 ch** 56.
◆ Halte pratique à deux pas des voies rapides. Chambres fonctionnelles et bien insonorisées. Des buffets sont dressés dans la salle à manger égayée d'une cheminée.

**à l'Épine** *par ③ : 8,5 km – 631 h. alt. 153 – ✉ 51460 .*

**Voir** *Basilique N.-Dame★★.*

**Aux Armes de Champagne,** ✆ 03 26 69 30 30, *aux.armes.de.champagne@wanadoo.fr, Fax 03 26 69 30 26,* – P – 100. AE GB
*fermé 4 janv. au 13 fév., dim. soir et lundi de nov. à mars* – **Repas** 23 (déj.), 40/88 et carte 55 à 90, enf. 16 – 13 – **37 ch** 85/160.
◆ Coquette auberge champenoise couplée à une hôtellerie confortable et raffinée. Atmosphère "cosy" dans les chambres personnalisées. Cuisine du terroir actualisée.
**Spéc.** Petits épineux et brebis frais d'Argonne. Vives poêlées et tapenade provençale. Pied de veau cuisiné en cocotte. **Vins** Champagne, Coteaux Champenois

*Pour les grands voyages d'affaires ou de tourisme,*
*Guide Rouge MICHELIN : EUROPE.*

## CHALON-SUR-SAÔNE

*71100 S.-et-L.* 320 J9 *G. Bourgogne – 54 575 h Agglo. 130 825 h alt. 180.*

**Voir** *Musées : Denon★* **BZ M**[1], *Nicéphore Niepce★★* **BZ M**[2] – *Roseraie St-Nicolas★ SE : 4 km* **X.**

*Office du Tourisme, boulevard de la République ✆ 03 85 48 37 97, Fax 03 85 48 63 55, chalon@chalon-sur-saone.net.*

*Paris 336 ⑦ – Besançon 132 ① – Dijon 68 ⑦ – Lyon 128 ④ – Mâcon 59 ④.*

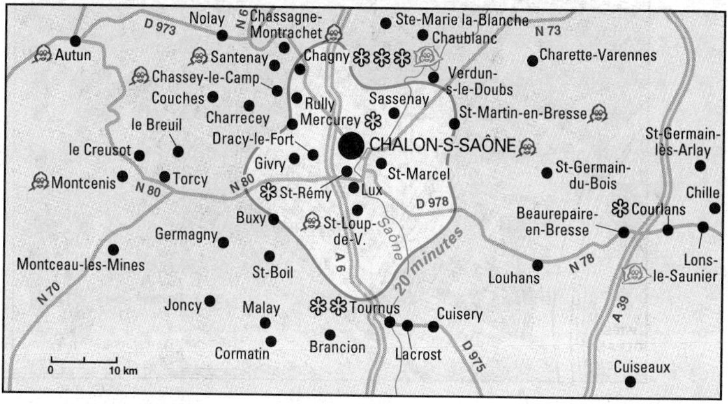
Nolay
Chassagne-Montrachet
Ste-Marie la-Blanche
Chaublanc
N 73
D 973
N 6
Autun
Santenay
Chagny
Charette-Varennes
Chassey-le-Camp
Verdun-s-le-Doubs
Couches
Rully
Sassenay
Charrecey
Mercurey
St-Martin-en-Bresse
le Breuil
Dracy-le-Fort
CHALON-S-SAÔNE
St-Germain-lès-Arlay
le Creusot
Givry
St-Marcel
Montcenis
Torcy
N 80
St-Rémy
Lux
St-Germain-du-Bois
Chille
D 978
Courlans
Buxy
St-Loup-de-V.
Saône
Beaurepaire-en-Bresse
Germagny
A 6
20 minutes
Montceau-les-Mines
St-Boil
N 78
Louhans
Lons-le-Saunier
N 70
Joncy
Malay
Tournus
Cuisery
A 39
Cormatin
Brancion
Lacrost
D 975
Cuiseaux
0
10 km

# CHALON-SUR-SAÔNE

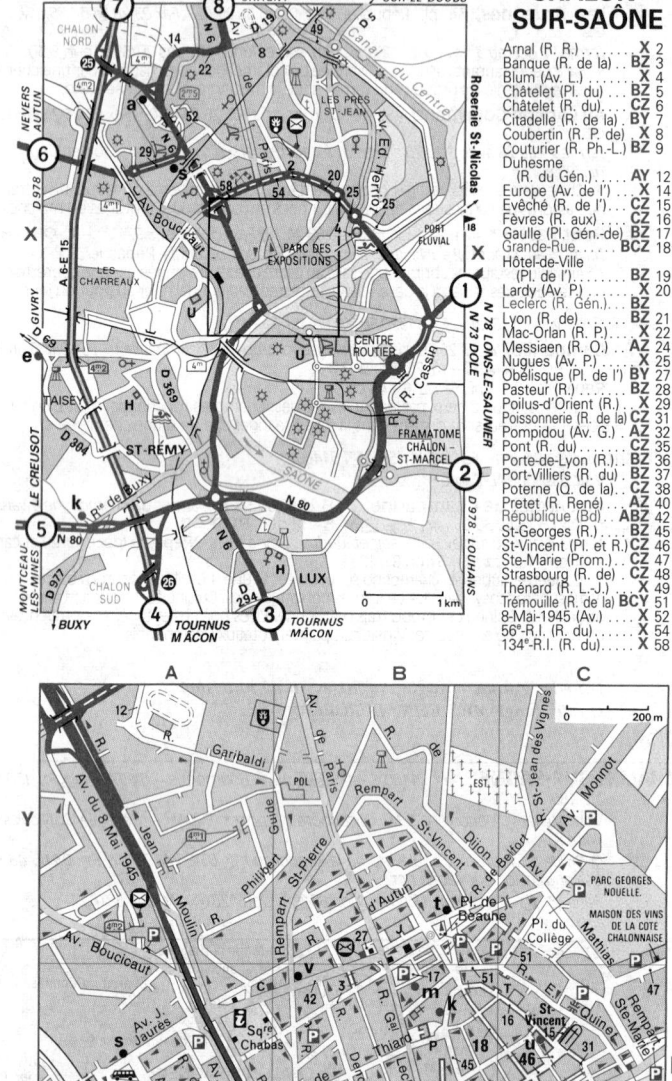

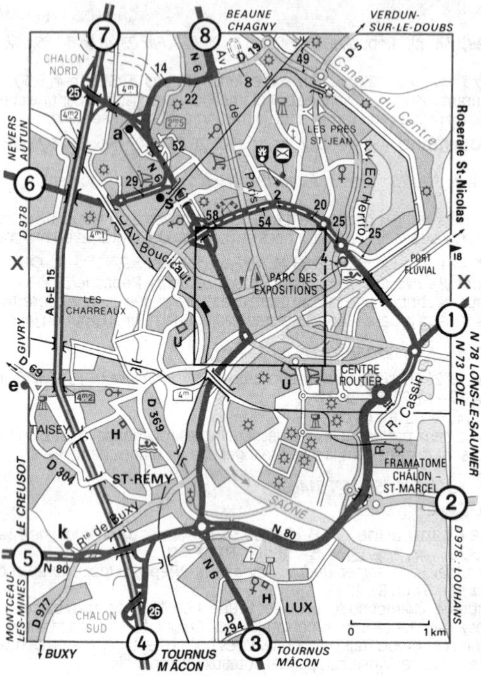
BEAUNE
CHAGNY
VERDUN-SUR-LE-DOUBS
CHALON NORD
NEVERS
AUTUN
D 978
A 6-E 15
Canal du Centre
LES PRÉS ST-JEAN
Av. Ed. Herriot
Av. de Paris
Roseraie St-Nicolas
PORT FLUVIAL
PARC DES EXPOSITIONS
Av. Boucicaut
LES CHARREAUX
GIVRY
D 69
CENTRE ROUTIER
R. Cassin
N 78 LONS-LE-SAUNIER
N 73 DOLE
TAISEY
D 369
D 304
ST-RÉMY
FRAMATOME
CHALON - ST-MARCEL
SAÔNE
LE CREUSOT
Rte de Buxy
N 80
MONTCEAU-LES-MINES
D 977
CHALON SUD
LUX
D 294
D 978 : LOUHANS
BUXY
TOURNUS MÂCON
TOURNUS MÂCON
0
1 km

Arnal (R. R.) . . . . . . . X 2
Banque (R. de la) . . BZ 3
Blum (Av. L.) . . . . . . X 4
Châtelet (Pl. du) . . . BZ 5
Châtelet (R. du) . . . . CZ 6
Citadelle (R. de la) . BY 7
Coubertin (R. P. de) . X 8
Couturier (R. Ph.-L.) BZ 9
Duhesme (R. du Gén.) . . . . . AY 12
Europe (Av. de l') . . . . X 14
Evêché (R. de l') . . . CZ 15
Fèvres (R. aux) . . . . CZ 16
Gaulle (Pl. Gén.-de) BZ 17
Grande-Rue . . . . . . BCZ 18
Hôtel-de-Ville (Pl. de l') . . . . . . . . BZ 19
Lardy (Av. P.) . . . . . . X 20
Leclerc (R. Gén.) . . . . BZ
Lyon (R. de) . . . . . . . BZ 21
Mac-Orlan (R. P.) . . . . X 22
Messiaen (R. O.) . . . . AZ 24
Nugues (Av. P.) . . . . . X 25
Obélisque (Pl. de l') BY 27
Pasteur (R.) . . . . . . . BZ 28
Poilus-d'Orient (R.) . . X 29
Poissonnerie (R. de la) CZ 31
Pompidou (Av. G.) . . AZ 32
Pont (R. du) . . . . . . . CZ 35
Porte-de-Lyon (R.) . . BZ 36
Port-Villiers (R. du) . BZ 37
Poterne (Q. de la) . . CZ 38
Pretet (R. René) . . . . AZ 40
République (Bd) . . ABZ 42
St-Georges (R.) . . . . BZ 45
St-Vincent (Pl. et R.) CZ 46
Ste-Marie (Prom.) . . . CZ 47
Strasbourg (R. de) . CZ 48
Thénard (R. L.-J.) . . . X 49
Trémouille (R. de la) BCY 51
8-Mai-1945 (Av.) . . . . X 52
56e-R.I. (R. du) . . . . . X 54
134e-R.I. (R. du) . . . . X 58

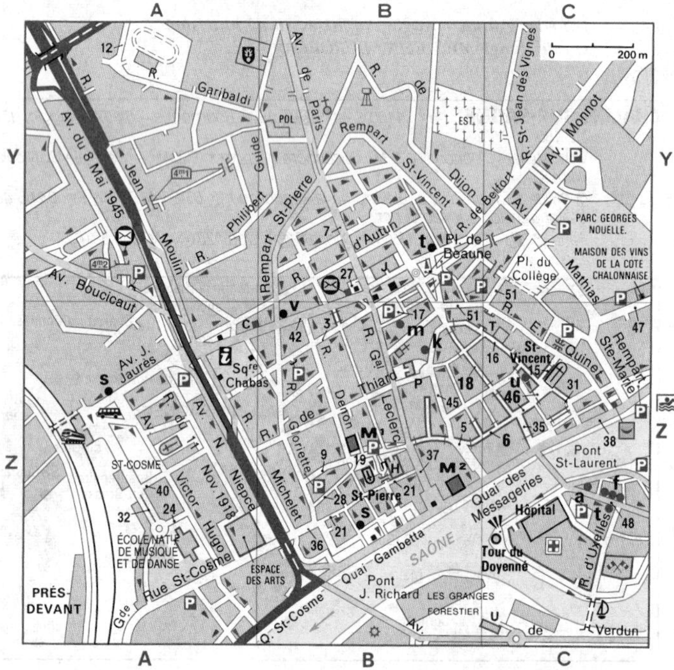
A
B
C
Y
Z
0
200 m
R. Garibaldi
POL
Av. de Paris
R. de Rempart St-Vincent
Dijon
R. de Belfort
EST
R. St-Jean des Vignes
Av. Monnot
Av. du 8 Mai 1945
R. Jean Moulin
R. Philibert Guide
Rempart St-Pierre
R. d'Autun
PARC GEORGES NOUELLE
MAISON DES VINS DE LA COTE CHALONNAISE
Pl. de Beaune
Pl. du Collège
R. Mathias
Av. Boucicaut
R. E. Quinet
Rempart Ste-Marie
St-Vincent
Av. J. Jaurès
Sq re Chabas
R. Gal Leclerc
R. Gal Thiard
R. de Gorlette
R. Denon
Av. N. Niepce
R. du 11 Nov. 1918
Av. Victor Hugo
ST-COSME
Pont St-Laurent
Hôpital
St-Pierre
Quai des Messageries
Quai Gambetta
SAÔNE
Tour du Doyenné
R. d'Uxelles
ÉCOLE NATLE DE MUSIQUE ET DE DANSE
ESPACE DES ARTS
PRÉS-DEVANT
Gde Rue St-Cosme
Q. St-Cosme
Pont J. Richard
LES GRANGES FORESTIER
Av. de Verdun

**St-Régis,** 22 bd République ☎ 03 85 90 95 60, *saint-regis@saint-regis-chalon.fr, Fax 03 85 90 95 70* – 30. AE GB JCB BZ v
**Repas** *(fermé dim. soir et sam. midi) (16,70)* - 23,50/31,90 ♀, enf. 10 – 9,50 – **36 ch** 116/125,80.
◆ Sur un boulevard animé, bâtiment du début du 20e s. au charme provincial. Chambres bourgeoises, souvent spacieuses. Salle à manger lumineuse. Plaisant salon meublé en cuir.

**St-Georges,** 32 av. J. Jaurès ☎ 03 85 90 80 50, *reservation@lesaintgeorges71.fr, Fax 03 85 90 80 55* – 30. AE GB JCB AZ s
**Repas** *(fermé 28 juil. au 13 août, le midi en août, sam. midi et dim. soir)* 26/66 ♀ - ***Petit Comptoir d'à Côté*** ☎ 03 85 90 80 52 *(fermé sam. midi et dim.)* **Repas** 14/20 ♀, enf. 8,40 – 9 – **50 ch** 46/121 – ½ P 62/75.
◆ À côté de la gare, façade centenaire en pierre et brique. Chambres garnies d'un mobilier en bois cérusé. Au restaurant, décor néoclassique et cuisine traditionnelle.

**Kyriad** sans rest, 35 pl. Beaune ☎ 03 85 90 08 00, *kyriad-chalon@wanadoo.fr, Fax 03 85 90 08 01*, – AE GB BY t
6,50 – **42 ch** 49/58.
◆ En plein centre-ville, maison ancienne de style bourguignon dont la plupart des chambres donnent sur la cour. Belle cave voûtée pour les petits-déjeuners.

**St-Jean** sans rest, 24 quai Gambetta ☎ 03 85 48 45 65, *Fax 03 85 93 62 69* – GB BZ s
5 – **25 ch** 34/46.
◆ Hôtel particulier du 19e s. sur les quais de Saône. Préférez les chambres des 1er et 2e étages, plus spacieuses. Salle des petits-déjeuners sous verrière.

**Gourmand,** 13 r. Strasbourg ☎ 03 85 93 64 61, *Fax 03 85 93 64 61* – . AE GB CZ f
*fermé 30 juil. au 21 août, 28 janv. au 13 fév., lundi et mardi* – **Repas** 15,50/30 ♀.
◆ Sur l'île St-Laurent où se côtoient plusieurs restaurants, les "gourmands" plébiscitent celui-ci pour sa carte traditionnelle étoffée et sa chaleureuse salle à manger.

**Bourgogne,** 28 r. Strasbourg ☎ 03 85 48 89 18, *Fax 03 85 93 39 10* – AE GB JCB CZ t
*fermé 29 juin au 14 juil., 25 au 30 déc., dim. soir et lundi* – **Repas** 14,50/43 ♀, enf. 9,50.
◆ L'éclairage aux chandelles dans le caveau et le mobilier d'inspiration Louis XIII dans la salle à manger confortent le cadre "rustico-bourguignon" de ce restaurant.

**Réale,** 8 pl. Gén. de Gaulle ☎ 03 85 48 07 21, *Fax 03 85 48 57 77* – . GB BZ m
*fermé 17 juil. au 14 août, vend. midi, dim. soir et lundi* – **Repas** 16,50/26 ♀, enf. 10,60.
◆ Vous êtes dans le quartier commerçant, au coeur de la ville, où ce restaurant de type brasserie propose plats régionaux et fruits de mer.

**L'Ile Bleue,** 3 r. Strasbourg ☎ 03 85 48 39 83, *Fax 03 85 48 72 58* – GB CZ a
*fermé 4 au 22 avril, mardi soir, sam. midi et merc.* – **Repas** 16/31 ♀.
◆ Havre de fraîcheur sur l'île St-Laurent. Vous serez conviés à déguster poissons et fruits de mer dans une salle à manger aux couleurs océanes.

**Chez Jules,** 11 r. Strasbourg ☎ 03 85 48 08 34, *Fax 03 85 48 55 48* – . AE GB CZ f
*fermé 1er au 20 août, vacances de fév., sam. midi et dim.* – **Repas** 19/29,80 ♀.
◆ Sur l'île St-Laurent, étroite façade vitrée laissant découvrir un restaurant au cadre intime, dressé avec soin. Cuisine traditionnelle ; suggestions du jour.

**Rôtisserie St-Vincent,** 9 r. du Blé ☎ 03 85 48 83 52 – . GB CZ u
*fermé 16 juin au 7 juil., sam. midi, dim. soir et lundi* – **Repas** 16/22,50 ♀, enf. 9,15.
◆ Dans une antique venelle, adresse sympathique disposant de petits salons feutrés pour la conversation et d'une vaste salle à manger avec vue sur la rôtissoire.

**Ripert,** 31 r. St Georges ☎ 03 85 48 89 20 – GB BZ k
*fermé 12 au 21 mai, 12 au 31 août, 1er au 6 janv., dim. et lundi* – **Repas** 12,90/22,80.
◆ Dans une rue calme derrière la sous-préfecture, charmante façade en bois abritant une salle à manger décorée dans l'esprit "taverne". Cuisine du marché.

**Bistrot,** 31 r. Strasbourg ☎ 03 85 93 22 01, *Fax 03 85 93 27 05* – GB CZ f
*fermé sam. et dim.* – **Repas** 14/24 ♀.
◆ Ambiance animée dans ce Bistrot de l'île St-Laurent dont le décor "rétro" (boiseries, bar, vieilles affiches, lampes...) a été recréé à partir du cadre d'origine.

**à St-Marcel** *à l'Est par D 978 : 3 km – 4 118 h. alt. 185 – ✉ 71380 :*

**Jean Bouthenet,** 19 r. de la Villeneuve (D 978) ☎ 03 85 96 56 16, *Fax 03 85 96 75 81* – GB
*fermé 16 août au 5 sept., 16 fév. au 4 mars, dim. soir, mardi soir et lundi* – **Repas** 15/64 ♀, enf. 11.
◆ Située à la sortie du village, cette construction régionale présente un intérieur rénové. Plats traditionnels à déguster dans une ambiance conviviale.

**à Lux** *vers ③ par N 6 : 4 km – 1 619 h. alt. 180 – ✉ 71100 :*

**Les Charmilles,** r. Libération ✆ 03 85 48 58 08, *hotel.les.charmilles@wanadoo.fr, Fax 03 85 93 04 49,* – 20. AE GB
*fermé 23 au 31 déc.* – **Repas** *(fermé 26 juil. au 18 août, 22 au 31 déc., sam. midi et dim.)* 13/16,50 ♀, enf. 7 – ☕ 6 – **32 ch** 44/48 – ½ P 41/45.
◆ Literie neuve dans toutes les chambres, salle à manger fraîchement relookée et accueil dynamique : une cure de jouvence bénéfique pour cet hôtel des années 1970.

**à St-Loup-de-Varennes** *par ③ : 7 km – 986 h. alt. 186 – ✉ 71240 :*

**Saint Loup,** N 6 ✆ 03 85 44 21 58, *sylparo@wanadoo.fr, Fax 03 85 44 21 58* – GB
*fermé 1er au 20 juil., 15 fév. au 2 mars, mardi soir, dim. soir et merc.* – **Repas** (13) 16/26 ♀, enf. 10.
◆ Pratique pour l'étape, cette auberge bourguignonne est sur la route nationale. Coquette salle à manger campagnarde. Cuisine régionale et bon choix de vins au verre.

**à St-Rémy** *vers ⑤ (rte du Creusot) N 6, N 80 et rte secondaire : 4 km – 5 627 h. alt. 187 – ✉ 71100 :*

**Moulin de Martorey** (Gillot), ✆ 03 85 48 12 98, *Fax 03 85 48 73 67,* – AE GB
*fermé 11 au 25 août, 2 au 20 janv., dim. soir, mardi midi et lundi* – **Repas** 24/69 et carte 55 à 85 ♀. **X k**
◆ Paisible minoterie du 19e s. surplombant un bief. Bel intérieur rustique (jolies dalles de pierre) agencé autour de l'ancienne machinerie. Cuisine personnalisée.
**Spéc.** Trois préparations d'escargots. Blanc de sandre de Saône en crépine d'herbes (oct. à avril). Tomates confites et fenouil caramélisé, glace au basilic (mai à oct.). **Vins** Montagny, Givry.

**rte de Givry** *Ouest : 4 km sur D 69 – ✉ 71880 Châtenoy-le-Royal :*

**Auberge des Alouettes,** ✆ 03 85 48 32 15, *Fax 03 85 93 12 96,* – GB **X e**
*fermé 16 juil. au 7 août, 7 au 21 janv., dim. soir, mardi soir et merc.* – **Repas** 17/50 ♀.
◆ Atmosphère chaleureuse dans cette auberge bordant une artère fréquentée. Attablez-vous près de l'élégante cheminée en pierre pour déguster les suggestions du jour.

**à Dracy-le-Fort** *par ⑥ et D 978 : 6 km – 1 103 h. alt. 180 – ✉ 71640 :*

**Dracy** ✆ 03 85 87 81 81, *le-dracy@charmehotel.com, Fax 03 85 87 77 49,* – 60. AE GB
***La Garenne*** ✆ 03 85 87 72 73 **Repas** 16/40 ♀, enf. 12 – ☕ 8 – **41 ch** 67/81 – ½ P 63/68.
◆ Nichés dans un écrin de verdure, trois bâtiments récemment construits vous invitent à la détente. Chambres mansardées à l'étage. Salle à manger en jaune et bleu.

**près échangeur A6 Chalon-Nord** – *✉ 71100 Chalon-sur-Saône :*

**Mercure** Ⓜ, av. Europe ✆ 03 85 46 51 89, *H368@accor-hotels.com, Fax 03 85 46 08 96,* – 80. AE GB **X a**
**Repas** *(fermé sam. midi, dim. midi et fériés)* 13/21 ♀, enf. 8 – ☕ 11,50 – **86 ch** 86/106 – ½ P 80.
◆ Bien placée près de l'accès autoroutier, imposante construction des années 1970 abritant des chambres printanières, équipées de meubles en bois peint.

**Ibis,** av. de l'Europe ✆ 03 85 41 04 10, *h1565@accor-hotels.com, Fax 03 85 41 04 11,* – 100. AE GB JCB **X s**
**Repas** 15/21,50 ♀, enf. 6 – ☕ 6,50 – **86 ch** 58/68.
◆ Architecture cubique où vous séjournerez dans des chambres fonctionnelles récemment rénovées. Repas servis dans une salle à manger bien éclairée.

**à Sassenay** *Nord-Est : 9 km par D 5 – 1 263 h. alt. 178 – ✉ 71530 :*

**Magny,** 29 Grande rue ✆ 03 85 91 61 58, *Fax 03 85 91 77 28* – AE GB
*fermé 24 au 31 mars, 7 au 25 août, dim. soir, mardi soir et lundi* – **Repas** 18/42 ♀.
◆ Restaurant de village à l'ambiance agréablement provinciale. Vieilles armoires, reproductions sur le thème de la volaille et compositions florales président au décor.

---

**CHAMAGNE** *88 Vosges* 314 F2 – *rattaché à Charmes.*

---

**CHAMALIÈRES** *63 P.-de-D.* 326 F8 – *rattaché à Clermont-Ferrand.*

---

**CHAMARANDES** *52 H.-Marne* 313 K5 – *rattaché à Chaumont.*

*Les prix*
*Pour toutes précisions sur les prix indiqués dans ce guide, reportez-vous aux pages explicatives.*

**CHAMBERET** *19370 Corrèze* 329 L2 – *1 376 h alt. 450.*

Env. *Mont Gargan* ☼★★ *NO : 9 km*, G. Berry Limousin.

☐ *Syndicat d'Initiative, 1 rue du Mont-Ceix* ✆ *05 55 98 34 92.*

*Paris 453 – Limoges 65 – Guéret 84 – Tulle 45 – Ussel 64.*

**France**, ✆ 05 55 98 30 14, *sylvie.pouget@wanadoo.fr, Fax 05 55 73 47 15* – ▤ rest, TV ✆ P. GB – *fermé 5 janv. au 9 fév., vend. soir et dim. soir de sept. à juin* – **Repas** (12,50) - 16/30 ♀, enf. 9 – ☕ 6 – **15 ch** 34/46 – ½ P 40.

◆ Pimpante maison aux chambres rénovées. Salle à manger avec poutres apparentes et fresques représentant des châteaux et villages corréziens.

**CHAMBÉRY** P *73000 Savoie* 333 I4 *G. Alpes du Nord* – *54 120 h Agglo. 113 457 h alt. 270.*

Voir *Vieille ville*★★ : *Château*★, *place St-Léger*★, *grilles*★ *de l'hôtel de Châteauneuf (nº18 rue de la Croix-d'Or)* – *Crypte*★ *de l'église St-Pierre-de-Lémenc* – *Rue Basse-du-Château*★ – *Cathédrale métropolitaine St-François-de-Sales*★ – *Musée Savoisien*★ **M¹** – *Musée des Beaux-Arts*★ **M²**.

✈ *de Chambéry-Aix-les-Bains :* ✆ *04 79 54 49 54, au Bourget-du-Lac par* ④ *: 8 km.*

☐ *Office du Tourisme, 24 boulevard de la Colonne* ✆ *04 79 33 42 47, Fax 04 79 85 71 39, info@chambery-tourisme.com.*

*Paris 563* ④ – *Grenoble 56* ② – *Annecy 50* ④ – *Lyon 100* ④ – *Torino 205* ②.

## CHAMBÉRY

| | | |
|---|---|---|
| Allobroges (Q. des) | A | 2 |
| Banque (R. de la) | B | 3 |
| Basse-du-Château (R.) | A | 4 |
| Bernardines (Av. des) | A | 6 |
| Boigne (R. de) | B | |
| Borrel (Q. du Sénateur A.) | B | 7 |
| Charvet (R. F.) | B | 9 |
| Château (Pl. du) | A | 10 |
| Colonne (Bd de la) | B | 12 |
| Ducis (R.) | B | 13 |
| Ducs-de-Savoie (Av. des) | B | 14 |
| Europe (Espl. de l') | B | 16 |
| Freizier (R.) | AB | 17 |
| Gaulle (Av. Gén.-de) | B | 18 |
| Italie (R. d') | B | 20 |
| Jaurès (Av. J.) | A | 21 |
| Jeu-de-Paume (Q. du) | A | 23 |
| Juiverie (R.) | A | |
| Lans (R. de) | A | 24 |
| Libération (Pl. de la) | B | 25 |
| Maché (Pl.) | A | 27 |
| Maché (R. du Fg) | A | 28 |
| Martin (R. Cl.) | B | 30 |
| Métropole (Pl.) | B | 31 |
| Michaud (R.) | B | 32 |
| Mitterrand (Pl. F.) | B | 33 |
| Musée (Bd du) | AB | 34 |
| Ravet (Q. Ch.) | B | 35 |
| St-Antoine (R.) | A | 36 |
| St-François (R.) | B | 38 |
| St-Léger (Pl.) | B | |
| Théâtre (Bd du) | B | 39 |
| Vert (Av. du Comte) | A | 40 |

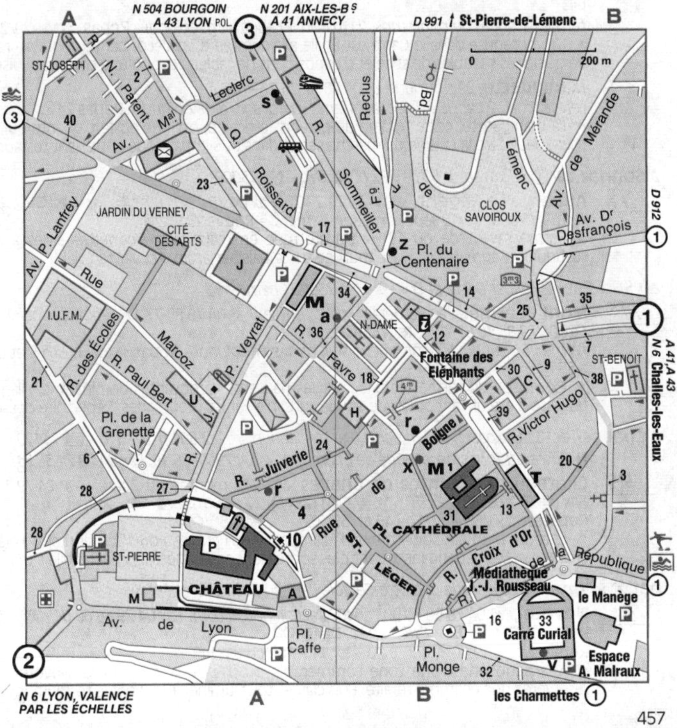
N 504 BOURGOIN
A 43 LYON
N 201 AIX-LES-BS
A 41 ANNECY
D 991 St-Pierre-de-Lémenc
JARDIN DU VERNEY
CITÉ DES ARTS
CLOS SAVOIROUX
Pl. du Centenaire
Fontaine des Eléphants
PL. CATHÉDRALE
CHÂTEAU
ST-PIERRE
Médiathèque J.-J. Rousseau
le Manège
Carré Curial
Espace A. Malraux
Pl. Caffe
Pl. Monge
Av. de Lyon
N 6 LYON, VALENCE PAR LES ÉCHELLES
les Charmettes
A 41, A 43
N 6 Challes-les-Eaux
D 912

**Mercure** M sans rest, 183 pl. Gare ☎ 04 79 62 10 11, *h1541@accor-hotels.com*, *Fax 04 79 62 10 23* – AE GB A s
11 – **81 ch** 140.
◆ Face à la gare, architecture résolument moderne alternant verre et béton. Plaisant hall d'accueil, salon-bar contemporain, chambres spacieuses et bien insonorisées.

**Princes** sans rest, 4 r. Boigne ☎ 04 79 33 45 36, *hoteldesprinces@wanadoo.fr*, *Fax 04 79 70 31 47* – 20. AE GB JCB B r
7 – **45** ch 56/64.
◆ Chambres plaisantes, décor thématique (musique, cinéma, poésie, etc.), meubles choisis, etc. : cet hôtel charmant est situé à proximité de la fontaine des Éléphants.

**France** sans rest, 22 fg Reclus ☎ 04 79 33 51 18, *hotellefrance@wanadoo.fr*, *Fax 04 79 85 06 30* – 50. AE GB B z
9 – **48 ch** 60/80.
◆ Cette imposante bâtisse des années 1960 propose des chambres bien tenues, dotées de balcons et rénovées par étapes. Bonne insonorisation.

**L'Essentiel** (Bouvier), 183 pl. Gare ☎ 04 79 96 97 27, *bouviergas@aol.com*, *Fax 04 79 96 17 78*, – AE GB A s
*fermé 1er au 6 janv., sam. midi, lundi midi et dim.* – **Repas** 22 (déj.), 35/60 et carte 65 à 97 ♀.
◆ Dans une structure pyramidale en verre, élégante salle à manger moderne agrémentée de nombreux bibelots et plantes vertes, et... l'essentiel : la cuisine au goût du jour.
**Spéc.** Omble chevalier meunière. Canette caramélisée en cocotte aux huit épices. Glace des Pères chartreux. **Vins** Roussette de Savoie, Chignin-Bergeron

**St-Réal,** 86 r. St-Réal ☎ 04 79 70 09 33, *Fax 04 79 33 49 65* – AE GB B x
*fermé dim.* – **Repas** 32/88 et carte 45 à 84 ♀.
◆ Cette maison du 17e s., jadis église des pénitents blancs, abrite une salle à manger cossue (éclairage tamisé, tableaux, poutres et pierres apparentes). Belle carte des vins.

**Tonneau,** 2 r. St-Antoine ☎ 04 79 33 78 26, *Fax 04 79 85 49 69*, – AE GB AB a
*fermé dim. soir et lundi* – **Repas** 21/37 ♀.
◆ Restaurant animé et décontracté, au décor de type brasserie : boiseries, banquettes, grand comptoir et lustres "rétro". Recettes traditionnelles.

**L'Hypoténuse,** 141 Carré Curial ☎ 04 79 85 80 15, *Fax 04 79 85 80 18*, – AE GB B v
*fermé vacances de printemps, 21 juil. au 19 août, dim. et lundi* – **Repas** *(15,50)* - 20/29 ♀.
◆ L'Hypoténuse dans le Carré est égale à la somme d'un décor contemporain - rehaussé de quelques meubles de style et d'expositions de tableaux - et d'une copieuse cuisine.

**Maniguette,** 99 r. Juiverie ☎ 04 79 62 25 26 – GB A r
*fermé 1er au 21 août, 20 déc. au 4 janv., mardi soir, dim. et lundi* – **Repas** 24 ♀.
◆ La maniguette, cette "graine de paradis" africaine, est une épice piquante qui aromatisera peut-être la cuisine du marché servie dans ce sympathique et plaisant restaurant.

**à Sonnaz** *par ① : 8 km sur D 991 – 977 h. alt. 370 – ✉ 73000 :*

**Auberge Le Régent,** ☎ 04 79 72 27 70, *Fax 04 79 71 63 09*, – P. GB.
*fermé 15 août au 10 sept., dim. soir et merc.* – **Repas** 23,50/41.
◆ Ferme savoyarde du 19e s. transformée en restaurant. Coquettes salles à manger rustiques et agréable terrasse tournée sur le paisible jardin. Accueil familial.

**au Sud-Est** *: 2 km par D 912 et D 4 -* **B** *– ✉ 73000 Chambéry :*

**Mont Carmel,** à Barberaz (près église) ☎ 04 79 85 77 17, *montcarmel@aol.com*, *Fax 04 79 85 16 65*, – AE GB.
*fermé 26 août au 1er sept., merc. soir, dim. soir et lundi* – **Repas** 16 (déj.), 27/65 et carte 35 à 55.
◆ Ex-maison de carmélites bâtie sur les hauteurs verdoyantes dominant le village. Belle terrasse d'été offrant quiétude et vue agréable sur les montagnes. Répertoire classique.

**à Challes-les-Eaux** *par ② : 7 km par N 6 et rte secondaire – 2 801 h. alt. 310 – ✉ 73190 :*
*Office du Tourisme, avenue de Chambéry ☎ 04 79 72 86 19, Fax 04 79 71 38 51.*

**Château des Comtes de Challes** , 247 montée du Château ☎ 04 79 72 66 71, *Fax 04 79 72 83 83*, – 20 à 100. AE GB. rest
**Repas** *(20)* - 30/60 – 12 – **45 ch** 55/230 – ½ P 67,50/144.
◆ Entouré d'un parc qui domine la campagne, joli château du 15e s. abritant d'élégantes chambres. Les dépendances sont plus sobrement aménagées. Agréable salle à manger.

**par** ④ *: 3 km sur D 201 (sortie La Motte-Servolex) – ✉ 73000 Chambéry :*

**Novotel,** ☎ 04 79 68 60 00, *h0409@accor-hotels.com*, *Fax 04 79 68 60 01*, – 20 à 120. AE GB
**Repas** *(15,30)* - 19,60 ♀, enf. 8,20 – 11 – **102 ch** 81/145.
◆ À la périphérie d'une zone commerciale proche de la voie rapide, Novotel où vous réserverez une chambre refaite. Bois clair et tons lumineux égayent le restaurant.

**Ibis** M, ✆ 04 79 69 28 36, *Fax 04 79 96 39 91*, – |‡| ⇆ TV P – 🏛 20. AE ⦿ GB. ✗
**Repas** *(fermé dim. midi et sam.)* 13/22, enf. 7 – ☕ 6 – **88 ch** 65.
◆ Vous ne serez pas déçus par le confort et la fonctionnalité des nouvelles chambres : isolation phonique refaite et dernier "look" Ibis côté décor.

**à Chambéry-le-Vieux** *par ④ : 5 km par N 201 et rte secondaire (sortie Chambéry-le-Haut) – ✉ 73000 :*

**Château de Candie**, ✆ 04 79 96 63 00, *candie@icor.fr, Fax 04 79 96 63 10*, ←, – |‡| TV ✆ ♿ P – 🏛 30 à 90. AE GB
**Repas** *(fermé mardi midi en juil.-août, dim. soir de sept. à juin, sam. midi et lundi)* 25 (déj.), 42/65 ♀ – ☕ 13 – **17 ch** 105/200, 3 duplex – ½ P 85/130.
◆ Au coeur d'un parc de 6 ha dominant la vallée, noble demeure du 14e s. rénovée avec élégance. Décor personnalisé et beaux meubles anciens caractérisent les chambres.

## CHAMBOLLE-MUSIGNY *21220 Côte-d'Or 320 J6 – 355 h alt. 280.*

*Paris 327 – Beaune 27 – Dijon 17.*

**Château André Ziltener** sans rest, ✆ 03 80 62 41 62, *chateau.ziltener@wanadoo.fr, Fax 03 80 62 83 75*, – TV ✆ ♿ P – 🏛 25. AE ⦿ GB JCB
*15 mars-30 nov.* – ☕ 15 – **10 ch** 200/260.
◆ Cette demeure du 18e s. vous invite à partager le luxe discret de ses spacieuses chambres de style Louis XV, mariage réussi de l'ancien et du moderne. Petit musée du vin.

**Chambolle Musigny**, ✆ 03 80 62 86 26, *Fax 03 80 62 86 26* – GB. ✗
*fermé 18 déc. au 20 janv., vacances de fév., dim. soir de déc. à mars, merc. et jeudi midi* – **Repas** 22/32.
◆ Accueil tout sourire dans cette petite salle à manger simple et proprette où l'on propose des recettes inspirées par le terroir et mitonnées avec le plus grand soin.

*Si vous cherchez un hôtel tranquille,*
*consultez d'abord les cartes de l'introduction*
*ou repérez dans le texte les établissements indiqués avec le signe* .

## CHAMBON-LA-FORÊT *45340 Loiret 318 K3 – 589 h alt. 117.*

*Paris 97 – Orléans 43 – Châteauneuf-sur-Loire 26 – Montargis 43 – Pithiviers 15.*

**Auberge de la Rive du Bois,** Nord : 1 km par rte Pithiviers ✉ 10 ✆ 02 38 32 28 44, *Fax 02 38 32 02 61*, – P. GB
*fermé 1er au 19 août, 23 déc. au 6 janv., lundi soir, mardi soir et merc.* – **Repas** 14/42 ♀, enf. 8.
◆ Pimpante auberge abritant également le bar-tabac de ce paisible hameau. Deux salles à manger champêtres dressées avec soin, véranda meublée en rotin et terrasse fleurie.

## Le CHAMBON-SUR-LIGNON *43400 H.-Loire 331 H3 G. Vallée du Rhône – 2 854 h alt. 967.*

*Office du Tourisme, 1 rue des Quatre Saisons ✆ 04 71 59 71 56, Fax 04 71 65 88 78.*
*Paris 580 – Le Puy-en-Velay 45 – Annonay 49 – Lamastre 32 – Privas 77 – St-Étienne 63.*

**Bel Horizon**, chemin de Molle ✆ 04 71 59 74 39, *hotel.bel.horizon@free.fr, Fax 04 71 59 79 81*, ←, – TV ✆ ♿ – 🏛 40. AE GB
*fermé janv., dim. soir et lundi hors saison* – **Repas** 18/39 ♀ – ☕ 7 – **20 ch** 62/84 – ½ P 69.
◆ Ambiance décontractée dans cet hôtel qui mise sur la détente et les loisirs. Chambres fonctionnelles au frais décor "minimaliste". Salle à manger ouverte sur le jardin.

**au Sud** *: 3 km par D 151, rte de la Suchère et rte secondaire – ✉ 43400 Chambon-sur-Lignon :*

**Bois Vialotte**, ✆ 04 71 59 74 03, *Fax 04 71 65 86 32*, ←, – ✆ P. GB. ✗ rest
*1er juin-30 sept.* – **Repas** 14/19 ♀, enf. 7 – ☕ 6 – **17 ch** 55 – ½ P 49/52.
◆ Les amateurs de calme apprécieront cet établissement situé à la lisière d'un bois. Les chambres, tournées vers la campagne, sont très bien tenues. Accueil familial.

**à l'Est** *: 3,5 km par D 157 et D 185 – ✉ 43400 Chambon-sur-Lignon :*

**Clair Matin**, ✆ 04 71 59 73 03, *hotelclairmatin0aol.com, Fax 04 71 65 87 66*, ←, – TV ✆ ♿ P – 🏛 30. AE ⦿ GB
*hôtel : 1er avril-15 nov.; rest. : mai-15 nov.* – **Repas** *(fermé mardi midi, jeudi midi et merc. en avril)* 23/65 ♀, enf. 13 – ☕ 15 – **30 ch** 61/122 – ½ P 61/85.
◆ Cet accueillant chalet offre au "matin clair" une vue étendue sur les Cévennes. Chambres actuelles, bien équipées. Nombreux loisirs dans le parc. Air pur garanti !

**CHAMBORD** *41250 L.-et-Ch.* 318 *G6 – 200 h alt. 71.*

Voir *Château****, G. Châteaux de la Loire.

*Paris 177 – Orléans 55 – Blois 18 – Châteauroux 100 – Romorantin-Lanthenay 38 – Salbris 55.*

**Grand St-Michel**, 02 54 20 31 31, *Fax 02 54 20 36 40*, – P. GB. ch
*fermé 12 nov. au 20 déc. et merc. de déc. à mars* – **Repas** (dim. et fêtes prévenir) 19/25 , enf. 10 – 7 – **38 ch** 49/75.

◆ Préférez les chambres avec vue sur le château. Restaurant décoré sur le thème de la chasse et terrasse estivale dressée face au logis royal magnifiquement illuminé le soir.

**CHAMBORIGAUD** *30530 Gard* 339 *I3 – 716 h alt. 297.*

*Paris 642 – Alès 30 – Florac 52 – La Grand-Combe 19 – Villefort 22.*

**Les Cévennes**, 04 66 61 47 27, *Fax 04 66 61 51 01*, – P. GB
*fermé 23 sept. au 3 oct., 1er janv. au 29 fév. et mardi du 15 sept. au 15 juin* – **Repas** (7,70) - 11,50/20 , enf. 7 – 6,10 – **11 ch** 36/40 – ½ P 34,50/36.

◆ Gentille petite auberge abritant des chambres coquettes et bien tenues. Cuisine traditionnelle à déguster en salle, ou sur la terrasse ombragée l'été. Ambiance familiale.

**CHAMBOULIVE** *19450 Corrèze* 329 *L3 G. Berry Limousin – 1 190 h alt. 429.*

*Syndicat d'Initiative, place de l'Eglise 05 55 21 68 40.*

*Paris 459 – Brive-la-Gaillarde 44 – Bourganeuf 72 – Seilhac 10 – Tulle 23 – Uzerche 16.*

**Deshors Foujanet**, rte Treignac 05 55 21 62 05, *hotel.deshors-foujanet@wanadoo.fr, Fax 05 55 21 68 80*, – P. AE GB
*fermé 1er au 27 oct., dim. soir et lundi sauf juil.-août* – **Repas** (9) - 15, enf. 8,40 – 6,30 – **25 ch** 44/64 – ½ P 45/49.

◆ Deux maisons mitoyennes aux portes du village. Chambres simples et nettes. La salle à manger, en partie rénovée, garde son cachet rustique. Carte régionale.

**CHAMBRAY-LÈS-TOURS** *37 I.-et-L.* 317 *N4 – rattaché à Tours.*

**CHAMBRETAUD** *85500 Vendée* 316 *K6 – 1 310 h alt. 214.*

*Paris 375 – La Roche-sur-Yon 49 – Angers 85 – Bressuire 50 – Cholet 21 – Nantes 75.*

**Château du Boisniard**, 02 51 67 50 01, *contact@chateau-boisnard.com, Fax 02 51 67 53 81*, – P – 25. GB.
*fermé du 1er au 15 février* – **Repas** *(fermé lundi)* (sur réservation seul.) 20,60/40 – 8 – **10 ch** 80/150.

◆ Beau manoir entouré d'un vaste domaine englobant un parc, une forêt et deux étangs. Dans les chambres, mobilier ancien et décor soigné. Jolie bibliothèque. Cuisine du marché.

**CHAMONIX-MONT-BLANC** *74400 H.-Savoie* 328 *O5 G. Alpes du Nord – 9 701 h alt. 1040 – Sports d'hiver : 1 035/3 840 m 14 36 – Casino* **AY.**

Env. *E : Mer de glace*** et le Montenvers*** par chemin de fer à crémaillère – SE : Aiguille du midi *** par téléphérique (station intermédiaire : plan de l'Aiguille**) – NO : Le Brévent *** par téléphérique (station intermédiaire : Planpraz**).*

*Office du Tourisme, 85 place du Triangle de l'Amitié 04 50 53 00 24, Fax 04 50 53 58 90, info@chamonix.com.*

*Paris 609 ② – Albertville 64 ② – Annecy 95 ② – Aosta 61 ② – Genève 82 ②.*

Plans pages suivantes

**Hameau Albert 1er** (Carrier) M, 119 impasse Montenvers 04 50 53 05 09, *infos@hameaualbert.fr, Fax 04 50 55 95 48*, P – 15. AE GB JCB — AX f
*fermé 11 au 27 mai et fin oct. au 3 déc.* – **Repas** *(fermé jeudi midi et merc. sauf fériés)* 48/135 et carte 80 à 120 , enf. 28 – 15 – **27 ch** 136/267, 3 chalets – ½ P 136/194.

◆ Hommage au roi des Belges, "aficionado" de la station, cet hôtel cultive tradition et modernité avec le même bonheur. Brillante cuisine personnalisée. Ravissant jardin.

**Spéc.** Menu "La Maison de Savoie". Raviole de chanterelles et cèpes de pays, lait de truffe d'Alba (sept. à Noël). Homard breton rôti entier en trois services. **Vins** Chignin-Bergeron, Mondeuse d'Arbin.

**La Ferme** M , massif du Mont-Blanc, – 
**Repas** voir ***Hameau Albert 1er*** et rest. ***Maison Carrier*** – 15 – **12 ch** 302/808 – ½ P 212/465. — AX f

◆ Le "Hameau", c'est aussi ce magnifique chalet construit avec le bois patiné de fermes d'alpages et à l'intérieur résolument design. Fitness complet et dernier cri.

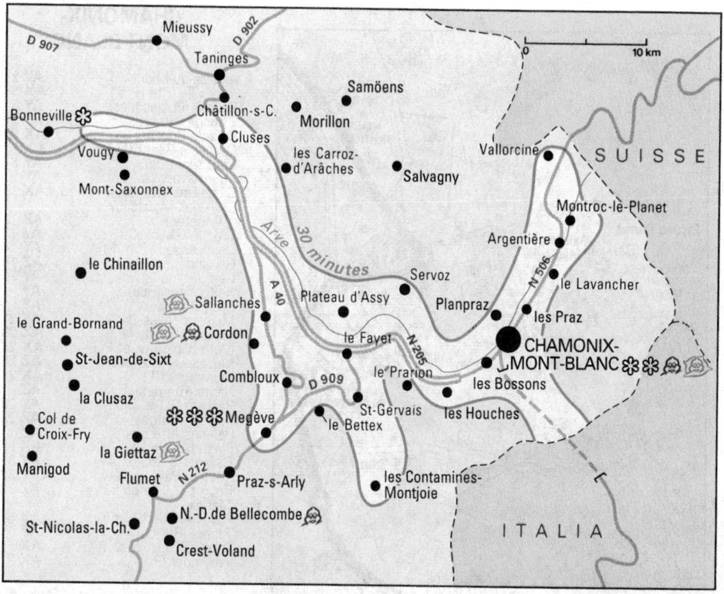
Mieussy
D 907
D 902
Taninges
Samöens
Bonneville
Châtillon-s-C.
Morillon
Cluses
Vougy
les Carroz-d'Arâches
Salvagny
Mont-Saxonnex
Vallorcine
SUISSE
Montroc-le-Planet
Argentière
Arve
30 minutes
le Chinaillon
N 506
le Lavancher
Servoz
A 40
Sallanches
Plateau d'Assy
Planpraz
les Praz
le Grand-Bornand
Cordon
le Fayet
N 205
CHAMONIX-MONT-BLANC
St-Jean-de-Sixt
Combloux
D 909
le Prarion
les Bossons
la Clusaz
St-Gervais
les Houches
Col de Croix-Fry
Megève
le Bettex
la Giettaz
Manigod
N 212
Flumet
Praz-s-Arly
les Contamines-Montjoie
N.-D.de Bellecombe
St-Nicolas-la-Ch.
ITALIA
Crest-Voland
0
10 km

**Mont-Blanc,** 62 allée Majestic ✆ 04 50 53 05 64, *mont-blanc@chamonixhotels.com, Fax 04 50 55 89 44,* ← AY g
*fermé 20 oct. au 12 déc.* – ***Matafan :*** **Repas** 31 (déj.)47/62 ♀ – ☕ 13 – **32 ch** 132/222, 8 appart – ½ P 145/155.
◆ Après rénovations, c'est toute l'ambiance Belle Époque que l'on redécouvre dans cet établissement du centre-ville. Cuisine traditionnelle au Matafan. Jardin ombragé.

**Auberge du Bois Prin**, aux Moussoux ✆ 04 50 53 33 51, *boisprin@relaischateaux.com, Fax 04 50 53 48 75,* ← massif du Mont-Blanc, AE GB JCB
*fermé 22 avril au 7 mai et 27 oct. au 27 nov.* – **Repas** *(fermé merc. midi et lundi midi) (20 bc)* - 27/65,50 ♀ – ☕ 13 – **11 ch** 119/209 – ½ P 103/145. AZ a
◆ Sur les hauteurs de la "capitale française de l'alpinisme", joli chalet savoyard très fleuri en saison. Chambres confortables, dotées de balcons. Terrasse panoramique.

**Les Aiglons** M, av. Courmayeur ✆ 04 50 55 90 93, *info@aiglons.com, Fax 04 50 53 51 08,* ← AE GB JCB AY m
*fermé 30 avril au 15 mai et 15 oct. au 30 nov.* – **Repas** 20 ♀, enf. 7,50 – ☕ 8 – **56 ch** 114/198 – ½ P 86/127.
◆ Chambres contemporaines et spacieuses situées à deux pas du téléphérique de l'aiguille du Midi. Certaines donnent sur le massif du Mont-Blanc. Solarium et fitness complet.

**Morgane** M, 145 av. Aiguille du Midi ✆ 04 50 53 57 15, *info@morgane-hotel-chamonix.com, Fax 04 50 53 28 07,* ← 40. AE GB JCB AY u
- ***Bistrot Savoyard :*** **Repas** 12/32 ♀, enf. 6,90 – ☕ 8 – **59 ch** 114/198 – ½ P 86/127.
◆ Hôtel récent mariant tradition régionale et confort moderne. Chambres bien équipées et insonorisées, toutes avec balcon ou terrasse. Décor de boiseries au Bistrot Savoyard.

**Alpina,** 79 av. Mt-Blanc ✆ 04 50 53 47 77, *alpina@chamonixhotels.com, Fax 04 50 55 98 99,* ← rest, 25 à 100. AE GB JCB AX t
*2 juin-20 oct. et 5 déc.-27 avril* – **Repas** 19 (déj.), 24/28 ♀ – ☕ 12 – **127 ch** 84/146, 9 appart – ½ P 89/109.
◆ Hôtel des années 1970 au-dessus d'une galerie marchande. Toutes les chambres sont rénovées, lambrissées de pin ou de merisier. Restaurant panoramique au dernier étage.

**Hermitage-Paccard**, r. Cristalliers ✆ 04 50 53 13 87, *hotel-hermitage@infonie.fr, Fax 04 50 55 98 14,* ← AE GB AX e
*8 mai-29 sept. et 21 déc.-21 avril* – **Repas** *(fermé le lundi)* 25 ♀, enf. 10 – ☕ 9,50 – **29 ch** 82/128, 3 appart – ½ P 82/94.
◆ Dans un quartier calme et verdoyant, chalet-hôtel disposant de chambres pratiques et dotées de balcons. Beau jardin-terrasse. Plats traditionnels et spécialités fromagères.

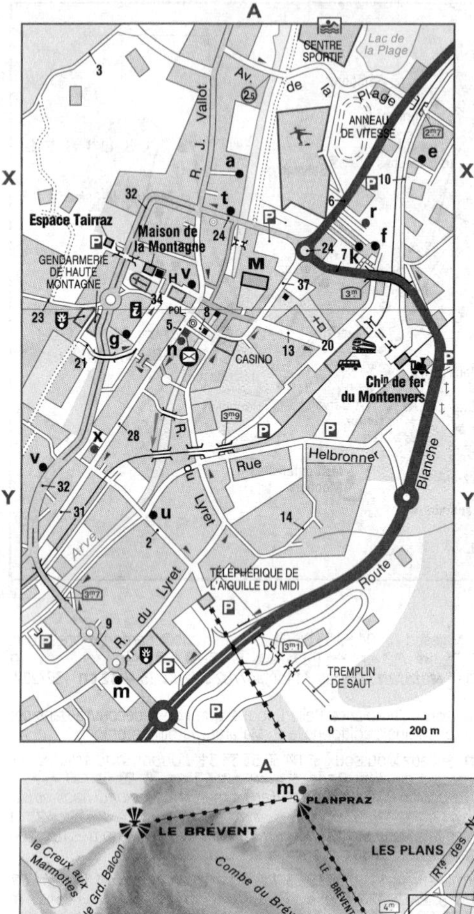
A
X
Y
CENTRE SPORTIF
Lac de la Plage
Av. de la Plage
ANNEAU DE VITESSE
R. J. Vallot
Espace Tairraz
Maison de la Montagne
GENDARMERIE DE HAUTE MONTAGNE
POL
CASINO
Chin de fer du Montenvers
Rue Helbronner
R. du Lyret
Route Blanche
Arve
TÉLÉPHÉRIQUE DE L'AIGUILLE DU MIDI
TREMPLIN DE SAUT
0
200 m

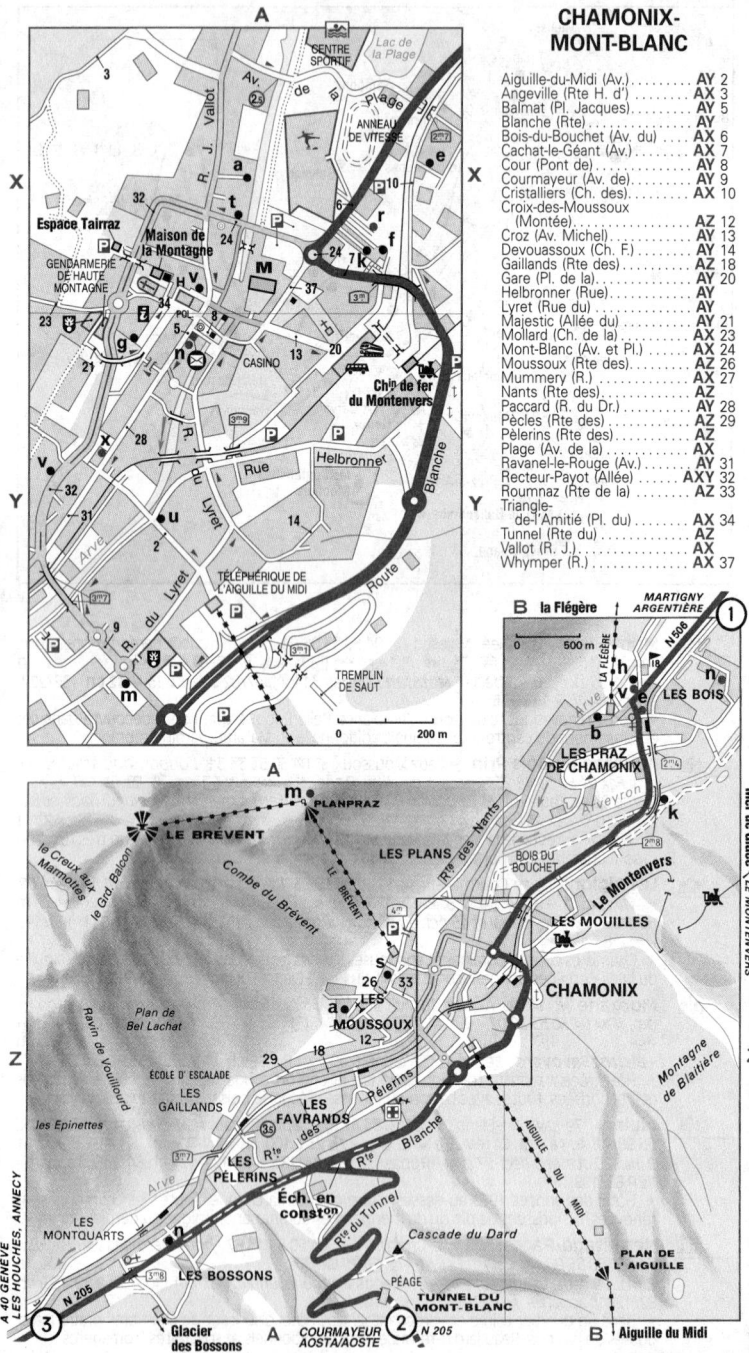

# CHAMONIX-MONT-BLANC

Aiguille-du-Midi (Av.) .......... AY 2
Angeville (Rte H. d') .......... AX 3
Balmat (Pl. Jacques) .......... AY 5
Blanche (Rte) .......... AY
Bois-du-Bouchet (Av. du) .......... AX 6
Cachat-le-Géant (Av.) .......... AX 7
Cour (Pont de) .......... AY 8
Courmayeur (Av. de) .......... AY 9
Cristalliers (Ch. des) .......... AX 10
Croix-des-Moussoux (Montée) .......... AZ 12
Croz (Av. Michel) .......... AY 13
Devouassoux (Ch. F.) .......... AY 14
Gaillands (Rte des) .......... AZ 18
Gare (Pl. de la) .......... AY 20
Helbronner (Rue) .......... AY
Lyret (Rue du) .......... AY
Majestic (Allée du) .......... AY 21
Mollard (Ch. de la) .......... AX 23
Mont-Blanc (Av. et Pl.) .......... AX 24
Moussoux (Rte des) .......... AZ 26
Mummery (R.) .......... AX 27
Nants (Rte des) .......... AZ
Paccard (R. du Dr.) .......... AY 28
Pècles (Rte des) .......... AZ 29
Pèlerins (Rte des) .......... AZ
Plage (Av. de la) .......... AX
Ravanel-le-Rouge (Av.) .......... AY 31
Recteur-Payot (Allée) .......... AXY 32
Roumnaz (Rte de la) .......... AZ 33
Triangle-de-l'Amitié (Pl. du) .......... AX 34
Tunnel (Rte du) .......... AZ
Vallot (R. J.) .......... AX
Whymper (R.) .......... AX 37

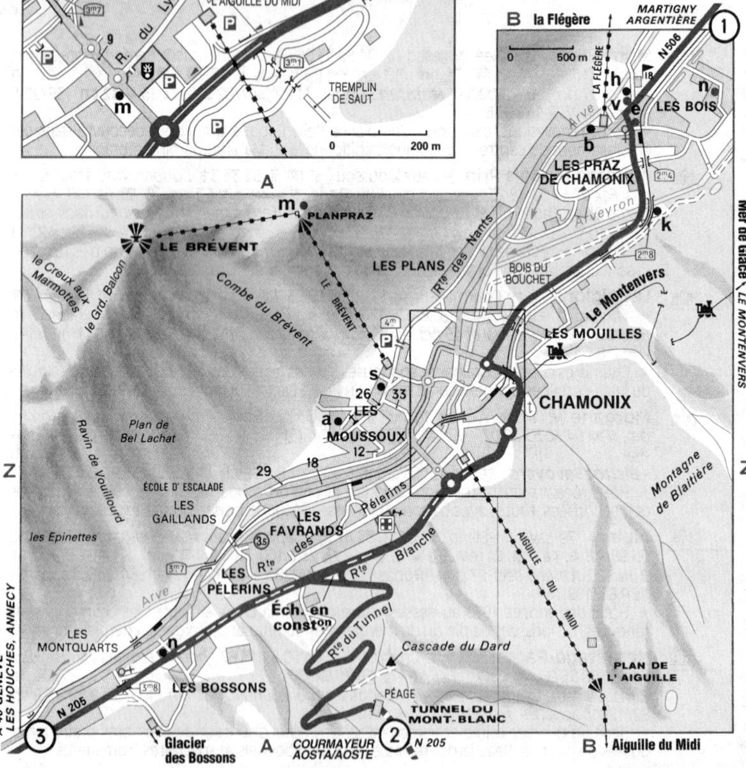
B la Flégère
MARTIGNY ARGENTIÈRE
0
500 m
N 506
LA FLÉGÈRE
LES BOIS
LES PRAZ DE CHAMONIX
Arveyron
BOIS DU BOUCHET
Le Montenvers
LES MOUILLES
CHAMONIX
Mer de Glace
LE MONTENVERS
Montagne de Blaitière
A
PLANPRAZ
LE BRÉVENT
le Creux aux Marmottes
le Grd. Balcon
Combe du Brévent
LES PLANS
Rte des Nants
LES MOUSSOUX
Plan de Bel Lachat
Ravin de Vouillourd
ÉCOLE D' ESCALADE
LES GAILLANDS
les Epinettes
LES FAVRANDS
Rte des Pèlerins
Rte Blanche
LES PÉLERINS
Éch. en constn
Rte du Tunnel
Cascade du Dard
AIGUILLE DU MIDI
PLAN DE L' AIGUILLE
LES MONTQUARTS
LES BOSSONS
N 205
PÉAGE
TUNNEL DU MONT-BLANC
A 40 GENÈVE LES HOUCHES, ANNECY
Glacier des Bossons
COURMAYEUR AOSTA/AOSTE
B
Aiguille du Midi
Z

**Prieuré,** allée Recteur Payot ✆ 04 50 53 20 72, *prieure@chamonixhotels.com*, *Fax 04 50 55 87 41*, ≤, – cuisinette – 30. AE GB JCB AY v
*fermé 20 oct. au 20 déc.* – **Repas** (15) - 20/25 ♀, enf. 12 – ☕ 12 – **81 ch** 80/130, 10 appart – ½ P 93/101.
◆ Ce grand hôtel de type chalet abrite des chambres insonorisées, rénovées dans un style savoyard actualisé : lambris, meubles en pin et tissus colorés.

**Savoyarde**, 28 rte Moussoux ✆ 04 50 53 00 77, *lasavoyarde@wanadoo.fr*, *Fax 04 50 55 86 82*, ≤, – GB AZ s
*fermé 12 au 28 mai et 24 nov. au 18 déc.* – **Repas** *(fermé mardi midi et jeudi midi)* 15/30,50 ♀, enf. 7 – ☕ 7 – **14 ch** 103/200 – ½ P 88.
◆ Coquette maison chamoniarde du 19ᵉ s. à 50 m du téléphérique du Brévent. Chambres confortables, lambrissées, parfois mansardées ou agrandies d'une mezzanine.

**Arve**, 60 impasse Anémones ✆ 04 50 53 02 31, *contact@hotelarve-chamonix.com*, *Fax 04 50 53 56 92*, ≤, – AE GB. rest AX a
*fermé 1ᵉʳ nov. au 19 déc.* – **Repas** *(fermé 4 au 28 mai, 21 sept. au 19 déc. et le midi hors saison)* 13/15,50, enf. 8,50 – ☕ 7,60 – **39 ch** 78/104 – ½ P 55/66.
◆ Grande bâtisse régionale disposant de chambres rénovées, certaines dans l'esprit savoyard, d'autres dans un style plus fonctionnel. Salle à manger ouverte sur l'Arve.

**Arveyron,** rte du Bouchet : 2 km ✆ 04 50 53 18 29, *hotel.arveyron-chamonix@club-internet.fr*, *Fax 04 50 53 06 43*, ≤, – GB. rest BZ k
*6 juin-20 sept. et 20 déc.-6 avril* – **Repas** *(fermé lundi et merc.)* 14,20/20,50 ♀, enf. 7,80 – ☕ 8,20 – **31** ch 36,60/60,50 – ½ P 51,70/55,20.
◆ Ce plaisant hôtel familial abrite des chambres montagnardes, plus au calme côté forêt. Bar-salon, billard et jardin reposant... sous les aiguilles de Chamonix !

**Croix Blanche,** 87 r. Vallot ✆ 04 50 53 00 11, *croix-blanche@chamonixhotels.com*, *Fax 04 50 53 48 83*, ≤, – 20. AE GB JCB AX v
*fermé 2 mai au 14 juin* – ***L'M*** brasserie **Repas** 18/24 ♀, enf. 6 – ☕ 10 – **35 ch** 71/106.
◆ Demandez une chambre rénovée, agrémentée d'un mobilier de style et de tissus colorés. "L'M", la brasserie conviviale de Chamonix, a opté pour un décor tout bois.

**Auberge Le Manoir,** 8 rte Bouchet ✆ 04 50 53 10 77, *auberge-du-manoir@aol.com*, *Fax 04 50 53 36 37*, ≤, – GB. ch AX k
*hôtel : fermé nov. ; rest : fermé mai, nov., merc. midi et mardi* – **Repas** 23/29 ♀, enf. 7 – ☕ 6 – **23 ch** 56/65 – ½ P 48/52.
◆ Construction traditionnelle - joliment fleurie en saison - située à 2 mn du centre-ville. Petites chambres sobrement meublées. Salon et salle à manger d'esprit rustique.

**Atmosphère,** 123 pl. Balmat ✆ 04 50 55 97 97, *infos@restaurant-atmosphere.com*, *Fax 04 50 53 38 96* – AE GB JCB AY n
Repas 20/25 ♀.
◆ Décor montagnard, véranda surplombant l'Arve, tables serrées, carte des vins étoffée, cuisine traditionnelle et spécialités savoyardes : un restaurant d'atmosphère !

**Maison Carrier,** rte du Bouchet ✆ 04 50 53 00 03, *infos@hameaualbert.fr*, *Fax 04 50 55 95 48*, – AE GB JCB AX r
*fermé 1ᵉʳ au 17 juin, 12 nov. au 16 déc. et lundi sauf juil.-août et fériés* – **Repas** (20) - 24/39, enf. 13,80.
◆ Salle des guides, vertigineuse cheminée, etc. : un intérieur savoyard typique pour cette jolie ferme reconstituée avec de vieux bois de chalets d'alpage. Cuisine du terroir.

**Panier des Quatre Saisons,** 24 galerie Blanc-Neige, r. Paccard ✆ 04 50 53 98 77, *Fax 04 50 53 98 77* – AE GB AY x
*fermé 26 mai au 16 juin, 17 nov. au 8 déc., jeudi midi et merc.* – **Repas** (11,50) - 14,50 (déj.), 20/32 ♀, enf. 8.
◆ Caché dans un étroit passage, ce restaurant est une sympathique bonbonnière au cadre champêtre : fleurs séchées, paniers et tons pastel. Cuisine évoluant au gré des saisons.

**aux Praz-de-Chamonix** *Nord : 2,5 km* – ✉ *74400 Chamonix.*

**Voir** *La Flégère* ≤★★ *par téléphérique* **BZ.**

**Labrador** Ⓜ sans rest, au golf ✆ 04 50 55 90 09, *info@hotel-labrador.com*, *Fax 04 50 53 15 85*, ≤ Mont-Blanc et golf, – 25. AE GB JCB BZ h
*fermé 1ᵉʳ oct. au 19 déc.* – ☕ 9 – **32 ch** 130/184.
◆ Vaste chalet coiffé d'un toit gazonné, inspiré de l'architecture scandinave. Chambres lambrissées, toutes orientées vers le golf. Équipements de loisirs complets.

**L'Eden,** ✆ 04 50 53 18 43, *relax@hoteleden-chamonix.com*, *Fax 04 50 53 51 50*, ≤, – AE GB BZ e
*fermé 7 au 30 nov.* – **Repas** (dîner seul. sauf en été) 15 (déj.)/73 ♀ – ☕ 8 – **14 ch** 78/128 – ½ P 83/89.
◆ Dans une pimpante maison centenaire. Chambres bien équipées (quelques-unes, plus spacieuses, accueillent les familles) et salle à manger actuelle. Salon à la mode nordique.

**Les Lanchers,** ✆ 04 50 53 47 19, *vacances@hotel-lanchers-chamonix.com, Fax 04 50 53 66 14*, ≤, 🅃 – TV. GB BZ b
*fermé 21 mai au 10 juin, 10 nov. au 11 déc.* – **Repas** *(fermé lundi)* 16/23 ♀ – ☕ 6 – **11 ch** 65/71 – ½ P 55/60.
◆ Maison sans chichi à la façade égayée de fresques colorées : chambres simples et fraîches, salle à manger-véranda d'inspiration bistrot et bar à clientèle locale.

XX **Cabane,** au golf ✆ 04 50 53 23 27, *Fax 04 50 53 15 85*, ≤, 🅃 – P. AE ⓓ GB BZ v
*fermé 1er au 15 mai, 5 nov. au 15 déc. et mardi du 15 déc. au 1er mai* – **Repas** 27,50/45 ♀, enf. 11.
◆ Cette avenante "cabane" en rondins accueille davantage de golfeurs que de coureurs des bois ! Belle charpente, mise en place soignée et convivialité assurée. Plats classiques.

**aux Bois** *Nord : 3,5 km – ✉ 74400 Chamonix-Mt-Blanc :*

X **Sarpé,** ✆ 04 50 53 29 31, *Fax 04 50 55 81 94*, 🅃 – P. GB BZ n
*fermé 26 mai au 19 juin, 3 nov. au 4 déc., lundi et le midi sauf vacances scolaires* – **Repas** 19,10/40,40.
◆ Cet ancien atelier de menuiserie est devenu une adresse appréciée : on s'y réunit entre amis, dans un cadre rustique et une ambiance savoyarde, autour de plats régionaux.

**au Lavancher** *par ①, N 506 et rte secondaire : 6 km – Sports d'hiver : voir à Chamonix – ✉ 74400 Chamonix.*
Voir ≤★★.

**Jeu de Paume** M 🐚, ✆ 04 50 54 03 76, *jeu-de-paume-chamonix@wanadoo.fr, Fax 04 50 54 10 75*, ≤, 🅃, ⛆, 🌳, ✂ – |♦| TV ✆ P – 🏛 40. AE ⓓ GB JCB. ✻ rest
*15 juin-7 sept., 12 déc.-12 mai et fermé mardi midi et merc. midi* – **Repas** 30/61 ♀ – ☕ 11 – **23 ch** 145/229 – ½ P 114/156.
◆ Bois omniprésent et meubles chinés chez les antiquaires composent le cadre raffiné de ce chalet traditionnel situé au pied de l'aiguille Verte. Agréable espace de détente.

**Beausoleil** 🐚, ✆ 04 50 54 00 78, *hotel.beausoleil@libertysurf.fr, Fax 04 50 54 17 34*, ≤, 🅃, 🌳, ✂ – TV P. AE ⓓ GB JCB. ✻ rest
*fermé 12 au 23 mai et 21 sept. au 20 déc.* – **Repas** *(fermé à midi du 20 déc. au 14 juin et jeudi midi en été)* 13/24 🍷, enf. 9 – ☕ 8 – **15 ch** 80/90 – ½ P 62/67.
◆ Cet hôtel familial dispose de plaisantes petites chambres habillées de bois. En saison, agréable terrasse dressée dans le joli jardin, avec les "aiguilles" pour toile de fond.

**aux Bossons** *Sud : 3,5 km – alt. 1005 – ✉ 74400 :*

**Aiguille du Midi,** ✆ 04 50 53 00 65, *hotel-aiguille-du-midi@wanadoo.fr, Fax 04 50 55 93 69*, ≤, 🅃, Fᴏ, ⛆, ✂, 🌳 – |♦| TV P – 🏛 20. AE GB. ✻ rest AZ n
*17 mai-20 sept. et 20 déc.-12 avril* – **Repas** 21/35 ♀ – ☕ 12 – **40 ch** 67/77 – ½ P 66/75.
◆ Fresques à la mode tyrolienne pour cet hôtel familial du pays de l'or blanc. Chambres lambrissées. Agréable parc ombragé face au glacier des Bossons. Équipements de loisirs.

**à Planpraz** *par télécabine – ✉ 74400 :*

X **Bergerie de Planpraz,** ✆ 04 50 53 05 42, *bergerie.planpraz@wanadoo.fr, Fax 04 50 53 93 40*, ≤ Mont-Blanc et aiguilles, 🅃 – AE GB JCB. ✻ AZ m
*mi-juin-fin-sept. et mi-déc.-fin avril* – **Repas** (déj. seul.) carte 31 à 38,50 ♀.
◆ Ce beau chalet d'altitude en pierre occupe une situation en nid d'aigle, face à la chaîne du Mont-Blanc. Intérieur rustique, terrasse panoramique et goûteux plats du terroir.

---

**CHAMOUILLE** *02 Aisne* 306 D6 – *rattaché à Laon.*

---

**CHAMOUSSET** *73390 Savoie* 333 K4 – *373 h alt. 215.*
*Paris 589 – Albertville 27 – Allevard 25 – Chambéry 28 – Grenoble 62.*

**Christin,** ✆ 04 79 36 42 06, *Fax 04 79 36 45 43*, 🅃, 🌳 – ▤ rest, TV ✆ P. GB. ✻ rest
*fermé 15 sept. au 8 oct., 2 au 10 janv., dim. soir et lundi* – **Repas** 11 (déj.), 13,60/28 ♀ – ☕ 4,30 – **18 ch** 31/39 – ½ P 37.
◆ Près d'une voie ferrée peu fréquentée et du confluent de l'Arc et de l'Isère. Chambres réparties dans deux pavillons s'ouvrant sur un vaste et beau jardin.

---

**CHAMPAGNAC-DE-BELAIR** *24 Dordogne* 329 F3 – *rattaché à Brantôme.*

---

**CHAMPAGNEUX** *73 Savoie* 333 G4 – *rattaché à St-Génix-sur-Guiers.*

---

**CHAMPAGNEY** *70 H.-Saône* 314 I6 – *rattaché à Ronchamp.*

## CHAMPAGNOLE *39300 Jura* 321 F6 *G. Jura – 9 250 h alt. 541.*

Voir *Musée archéologique : plaques-boucles*★ **M.**

*Office du Tourisme, rue Baronne Delort ✆ 03 84 52 43 67, Fax 03 84 52 54 57, info@tourisme.champagnole.com.*

*Paris 421 ④ – Besançon 66 ④ – Dole 68 ④ – Genève 86 ② – Lons-le-Saunier 34 ③.*

### CHAMPAGNOLE



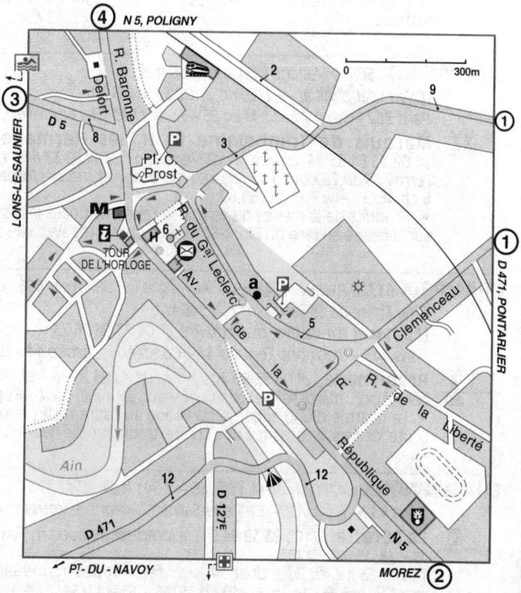

④ N 5, POLIGNY
300m
R. Baronne
Delort
D 5
③ LONS-LE-SAUNIER
Pl. C. Prost
M
TOUR DE L'HORLOGE
H
R. du Gal Leclerc
Av. de la République
R. Clemenceau
R. de la Liberté
① D 471, PONTARLIER
Ain
D 471
D 127E
PT- DU - NAVOY
MOREZ ②
a
N 5

**Bois Dormant** Ⓜ, rte Pontarlier par ① : *1,5 km* ✆ 03 84 52 66 66, *hotel@bois-dormant.com, Fax 03 84 52 66 67*, – TV ✆ & P – 50 à 60. GB
**Repas** 15/36 ♀, enf. 10 – ☕ 7 – **40 ch** 46/52 – ½ P 44.
◆ Jouxtant le parc forestier, construction récente coiffée d'une solide charpente en sapin. Chambres spacieuses et confortables. Au restaurant, décor actuel aux tons rose et gris.

**Grand Hôtel Ripotot,** 54 r. Mar. Foch **(a)** ✆ 03 84 52 15 45, *Fax 03 84 52 09 11*, –
TV P. GB
*1er avril-15 oct.* – **Repas** *(15)* - 23/36 ♀, enf. 11 – ☕ 7 – **35 ch** 48/54 – ½ P 43,50/45.
◆ Une "institution" de l'hôtellerie jurassienne, tenue par la même famille depuis 1875. Les chambres, revues peu à peu, bénéficient du silence du parc, pourtant en centre-ville.

**rte de Genève** *par ② : 8 km – ✉ 39300 Champagnole :*

**Auberge des Gourmets** avec ch, sur N 5 ✆ 03 84 51 60 60, *Fax 03 84 51 62 83*, – TV P. AE GB
*fermé 21 déc. au 31 janv., dim. soir et lundi midi du 1er oct. au 15 avril sauf vacances scolaires* – **Repas** 15/45 ♀ – ☕ 7,30 – **7 ch** 53/61 – ½ P 59.
◆ Pour dormir en toute sérénité, préférez les chambres côté terrasse, dotées d'une meilleure insonorisation. Restaurant au cadre bourgeois, goûteuse cuisine traditionnelle.

## CHAMPAGNY-EN-VANOISE *73350 Savoie* 333 N5 *G. Alpes du Nord – 502 h alt. 1240.*

Voir *Retable*★ *dans l'église – Télécabine de Champagny*★ : ≤★ *– Champagny-le-Haut*★★.

*Office du Tourisme, Le Centre ✆ 04 79 55 06 55, Fax 04 79 55 04 66, ot.champagny@telepost.fr.*

*Paris 625 – Albertville 45 – Chambéry 95 – Moûtiers 20.*

**L'Ancolie** Ⓜ, ✆ 04 79 55 05 00, *contact@hotel-ancolie.com, Fax 04 79 55 04 42*, ≤, – TV ✆ &. GB. rest
*21 juin-6 sept. et 22 déc.-15 avril* – **Repas** 17 (déj.)/19 ♀, enf. 7,50 – ☕ 9 – **31 ch** 87/114 – ½ P 79.
◆ La fleur d'altitude a prêté son nom à cet hôtel perché sur les hauteurs d'un authentique village-station. Plaisant décor montagnard dans la plupart des chambres. Plats savoyards.

**Les Glières** ⛰, ☎ 04 79 55 05 52, *accueil@hotel-glieres.com, Fax 04 79 55 04 84*, ≤, 🏞 – TV. GB
*14 juin-13 sept. et 20 déc.-20 avril* – **Repas** (15) - 17 (déj.)/18, enf. 7,50 – ☕ 8 – **20 ch** 63/88 – ½ P 65/70.
◆ Chalet récent jouissant d'un environnement paisible à deux pas du centre du village. Chambres sobrement aménagées. Cuisine régionale servie dans une salle à manger rustique.

---

**CHAMPEAUX** *50530 Manche* 303 *C7 – 330 h alt. 80.*
*Syndicat d'Initiative, L'Epine ☎ 02 33 61 85 20.*
*Paris 352 – St-Lô 74 – St-Malo 85 – Avranches 18 – Granville 17.*

XX **Marquis de Tombelaine et H. les Hermelles** ⛰ avec ch, sur D 911 ☎ 02 33 61 85 94, *claude.giard@wanadoo.fr, Fax 02 33 61 21 52*, ≤, 🏞, 🌳 – TV P. GB
*fermé 20 au 28 nov., 5 au 30 janv., mardi soir et merc.* – **Repas** 18,80/54 🍷, enf. 10 – ☕ 6 – **6 ch** 46/52 – ½ P 65,60/68,60.
◆ Produits de la mer et du terroir se rejoignent dans les assiettes de ce restaurant juché sur la falaise en face du Mont-St-Michel. Chambres avec vue sur la célèbre baie.

---

**CHAMPEIX** *63320 P.-de-D.* 326 *F9 G. Auvergne – 1 087 h alt. 456.*
Env. *Église de St-Saturnin*★★ *N : 10 km.*
*Syndicat d'Initiative, place du Pré ☎ 04 73 96 26 73.*
*Paris 443 – Clermont-Ferrand 31 – Condat 49 – Issoire 14 – Le Mont-Dore 36 – Thiers 64.*

X **Promenade,** ☎ 04 73 96 70 24, *Fax 04 73 96 71 76* – AE GB
*fermé oct., mardi soir, jeudi soir et merc. sauf juil.-août* – **Repas** 12,40/19,90, enf. 7.
◆ Le charme d'une auberge de village au cadre rustique patiné par le temps. Ambiance toute locale s'accordant à une cuisine traditionnelle fleurant bon l'Auvergne.

---

**CHAMPENOUX** *54280 M.-et-M.* 307 *J6 – 1 041 h alt. 234.*
*Paris 332 – Nancy 20 – Château-Salins 17 – Pont-à-Mousson 40 – St-Avold 62.*

**La Lorette,** ☎ 03 83 39 91 91, *la.lorette@wanadoo.fr, Fax 03 83 31 71 04*, 🏞 – TV ☎ ♿ P – 🏛 15. AE ① GB
*fermé 28 juil. au 25 août et 14 au 23 fév.* – **Repas** *(fermé sam. midi, dim. soir et lundi)* (10) - 17/33 🍷, enf. 8,50 – ☕ 6 – **10 ch** 38/46 – ½ P 42/54.
◆ Ancien corps de ferme converti en hôtellerie. Le bâtiment principal abrite deux salles à manger dont une sous véranda. Dans l'annexe, chambres fonctionnelles et calmes.

---

**CHAMPIGNÉ** *49330 M.-et-L.* 317 *F3 – 1 461 h alt. 25.*
*Paris 285 – Angers 25 – Château-Gontier 25 – Sablé-sur-Sarthe 30 – Segré 25.*

**à l'Anjou golf** *Sud : 3 km par D 190 – ✉ 49330 Champigné :*

XX **Auberge de Mozé,** ☎ 02 41 34 52 42, *Fax 02 41 42 04 37*, 🏊, 🎾, ⛳ – P. GB
*fermé 2 au 23 janv. et dim. soir au vend. midi sauf fériés* – **Repas** 25/60 🍷.
◆ Cette ferme (19e s.) est située à l'entrée d'un golf 18 trous et héberge une salle au cadre rustique agrémenté d'un ancien four à pain. Cuisine du terroir actualisée.

---

**CHAMPILLON** *51 Marne* 306 *F8 – rattaché à Épernay.*

---

**CHAMPS-SUR-TARENTAINE** *15270 Cantal* 330 *D2 – 1 088 h alt. 450.*
Env. *Gorges de la Rhue*★★ *SE : 9 km,* **G. Auvergne.**
*Office de tourisme, ☎ 04 71 78 72 75, Fax 04 71 78 75 09.*
*Paris 503 – Aurillac 89 – Clermont-Ferrand 83 – Condat 24 – Mauriac 38 – Ussel 37.*

**Auberge du Vieux Chêne** ⛰, ☎ 04 71 78 71 64, *danielle.moins@wanadoo.fr, Fax 04 71 78 70 88*, 🏞, 🌳 – P. ① GB
*1er avril-1er nov. et fermé dim. soir et lundi sauf du 15 juin au 15 sept.* – **Repas** (dîner seul) 22/30 🍷 – ☕ 8,50 – **15 ch** 55/80 – ½ P 52/65.
◆ Délicieuse étape champêtre dans une authentique ferme du 19e s. Chambres coquettes et chaleureuses. La salle à manger rustique, ancienne grange, s'ouvre sur le jardin.

*Si le coût de la vie subit des variations importantes,*
*les prix que nous indiquons peuvent être majorés.*
*Lors de votre réservation à l'hôtel, faites-vous préciser le prix définitif.*

**CHAMPTOCEAUX** *49270 M.-et-L.* 317 B4 *G. Châteaux de la Loire – 1 524 h alt. 68.*

Voir *Site★ – Promenade de Champalud★★.*

*Office du Tourisme, Maison du Champalud ☎ 02 40 83 57 49.*

*Paris 358 – Nantes 32 – Ancenis 9 – Angers 65 – Beaupréau 30 – Cholet 51 – Clisson 35.*

**Champalud** M, pl. Église ☎ 02 40 83 50 09, *le-champalud@wanadoo.fr, Fax 02 40 83 53 81* – GB

**Repas** *(fermé dim. soir d'oct. à Pâques)* 11,30 bc/42 ♀, enf. 7,50 – ☕ 6,20 – **13 ch** 40/62 – ½ P 42/52.

◆ Poutres apparentes et vieilles pierres se fondent habilement dans le décor actuel de cette maison rénovée. Chambres neuves, bien équipées. Salle à manger rustique et bar-pub.

**Les Jardins de la Forge** (Pauvert) M avec ch, pl. Piliers ☎ 02 40 83 56 23, *Fax 02 40 83 59 80,* – ch, . AE GB. ch

*fermé 1er au 15 mars et 1er au 15 oct.* – **Repas** *(fermé dim. soir, lundi et mardi)* 30/75 et carte 50 à 70 – ☕ 10 – **7 ch** 85/145.

◆ Aménagé dans les murs de la forge familiale, ce restaurant jouit d'une échappée sur les ruines du château. Cuisine personnalisée. Belles chambres contemporaines.

**Spéc.** Poêlée de civelles et Saint-Jacques aux amandes (janv. à mars). Dos de sandre de Loire doré sur peau à la mimosa d'huîtres (sept. à avril). Pigeonneau "royal" sauce morille et jus de truffe. **Vins** Muscadet sur lie, Anjou-Villages.

**CHAMPTOCÉ-SUR-LOIRE** *49123 M.-et-L.* 317 D4 *G. Châteaux de la Loire – 1 335 h alt. 17.*

*Syndicat d'Initiative, ☎ 02 41 39 91 80, Fax 02 41 39 95 89.*

*Paris 320 – Angers 27 – Châteaubriant 60 – Cholet 52 – Nantes 74.*

**Cheval Blanc,** ☎ 02 41 39 91 81, *Fax 02 41 39 98 67* – GB

*fermé 1er au 7 mars, 15 au 30 sept., vend. soir, dim. soir et sam. hors saison* – **Repas** 11,50/31,30 ♀ – ☕ 5,40 – **12 ch** 29/58 – ½ P 45.

◆ Maison de style ligérien tenue par la même famille depuis trois générations. Chambres sobres et nettes. Salle à manger traditionnelle. Collection de poupées à l'accueil.

*Michelin n'accroche pas de panonceau aux hôtels et restaurants qu'il signale.*

**CHAMROUSSE** *38 Isère* 333 I7 *G. Alpes du Nord – 544 h alt. 1650 – Sports d'hiver : 1 350/2 250 m* 1 25 – ✉ *38410 Uriage.*

Voir *Réserve naturelle de Luitel★ – Fôret de Prémol★.*

Env. *Croix de Chamrousse★★ : ★★ par téléphérique.*

*Office du Tourisme, 24 place de Belledonne ☎ 04 76 89 92 65, Fax 04 76 89 98 06, infos@chamrousse.com.*

*Paris 596 – Grenoble 30 – Allevard 57 – Chambéry 72 – Uriage-les-Bains 19 – Vizille 26.*

**L'Écureuil,** au Recoin ☎ 04 76 89 90 13, *Fax 04 76 89 90 13,* – AE GB

*fermé 1er mai au 1er juil.* – **Repas** 12,50/25 ♀, enf. 6,50.

◆ Cadre typiquement montagnard au pied du téléphérique : la salle à manger est décorée d'animaux naturalisés illustrant la faune de la chaîne de Belledonne. Plats régionaux.

**CHANAS** *38150 Isère* 333 B6 *– 1 727 h alt. 150.*

*Paris 517 – Grenoble 87 – Lyon 57 – St-Étienne 75 – Valence 51.*

**Halte OK,** à l'échangeur A 7 ☎ 04 74 84 27 50, *Fax 04 74 84 36 61,* – 15 à 50. GB

*fermé 21 déc. au 4 janv.* – **Repas** *(fermé août, sam. midi, lundi midi, et dim.)* 15,50/31 ♀ – ☕ 6,50 – **41 ch** 47/55.

◆ Pour une étape sur la route des vacances, hôtel disposant de chambres pratiques, pourvues d'une bonne isolation phonique. Original salon-bar agrémenté d'un aquarium.

**CHANCELADE** *24 Dordogne* 329 E4 *– rattaché à Périgueux.*

**CHANDAI** *61300 Orne* 310 N2 *– 583 h alt. 200.*

*Paris 129 – Alençon 72 – L'Aigle 9 – Chartres 72 – Dreux 52 – Évreux 56 – Lisieux 67.*

**L'Écuyer Normand,** N 26 ☎ 02 33 24 08 54, *Fax 02 33 24 08 54* – AE GB JCB

*fermé merc. soir, dim. soir et lundi* – **Repas** (14) - 22/32.

◆ Poutres apparentes, mobilier rustique et cheminée en pierre donnent du caractère à cette auberge normande ; nombreux bibelots et tableaux sur le thème du cheval.

**CHANDOLAS** *07230 Ardèche* 331 H7 – *366 h alt. 115.*

*Paris 666 – Alès 44 – Privas 63 – Aubenas 33.*

**Auberge Les Murets** ⛯, ✆ 04 75 39 08 32, *dominique.rignanese@wanadoo.fr, Fax 04 75 39 39 90,* ⛱, ⛰, – ▤ TV P. AE ◑ GB. ⛒ ch

*fermé 2 janv. au 12 fév., lundi et mardi du 15 oct. au 30 mars* – **Repas** 14,50/23,50 ♀, enf. 8 – ☕ 6 – **7** ch 52 – ½ P 45.

◆ Ferme cévenole du 18^e s. entourée d'un parc ouvert sur la campagne. Pimpantes et agréables chambres meublées en rotin. Terrasse du restaurant ombragée d'un mûrier centenaire.

**CHANGÉ** *53 Mayenne* 310 E6 – *rattaché à Laval.*

**CHANTELLE** *03140 Allier* 326 F5 *G. Auvergne – 1 043 h alt. 324.*

*Office du Tourisme, place de la Mairie ✆ 04 70 56 62 37, Fax 04 70 56 62 37.*

*Paris 341 – Moulins 47 – Gannat 17 – Montluçon 60 – St-Pourçain-sur-Sioule 15.*

**Poste,** ✆ 04 70 56 62 12, ⛱ – P. AE GB

*fermé 21 sept. au 15 oct., 7 au 25 fév. et merc.* – **Repas** (8) - 14/26 ♀, enf. 7 – ☕ 4,50 – **12 ch** 34,30/38,50 – ½ P 29,50/32,50.

◆ Cet ancien relais de poste propose des chambres modestes mais bien tenues, dotées d'un mobilier éclectique à dominante rustique. Terrasse installée dans une jolie cour.

**CHANTEMERLE** *05 H.-Alpes* 334 H3 – *rattaché à Serre-Chevalier.*

**CHANTEPIE** *35 I.-et-V.* 309 M6 – *rattaché à Rennes.*

**CHANTILLY** *60500 Oise* 305 F5 *G. Île de France – 11 341 h alt. 59.*

Voir *Château*★★★ – *Parc*★★ – *Grandes Écuries*★★ : *musée vivant du Cheval*★★ – *L'Aérophile*★ *(vol en ballon captif) :* ←★.

Env. *Site*★ *du château de la Reine-Blanche S : 5,5 km.*

*Office du Tourisme, 60 avenue du Maréchal Joffre ✆ 03 44 57 08 58, Fax 03 44 57 74 64.*

*Paris 52 ② – Compiègne 45 ① – Beauvais 55 ⑤ – Meaux 53 ② – Pontoise 41 ④.*

Plan page ci-contre

**Parc** sans rest, 36 av. Mar. Joffre ✆ 03 44 58 20 00, *bwhotelduparc@aol.com, Fax 03 44 57 31 10,* – ⧖ ⛒ TV ✆. AE ◑ GB A a

☕ 11 – **57 ch** 88/112.

◆ Hôtel récent aux chambres assez spacieuses, claires et fonctionnelles, bénéficiant parfois d'une terrasse ; les plus calmes sont tournées vers le jardin. Bar anglais.

**rte d'Apremont** *par ① et D 606 :*

**Dolce Chantilly** M ⛯, à 3 km ✉ 60500 Vineuil-St-Firmin ✆ 03 44 58 47 77, *dolcechantilly@wanadoo.fr, Fax 03 44 58 50 11,* ←, ⛹, ⛰, ⛰, – ⧖ ⛒, ▤ ch, TV ✆ ♿ P – 🏛 300. AE ◑ GB JCB. ⛒ rest

***Carmontelle*** *(fermé lundi midi et sam.)* **Repas** 40bc(déj.),55bc/99bc ♀ – ***L'Étoile*** *(dîner seul.)* **Repas** 37bc/99bc ♀ – ☕ 16 – **200 ch** 214/427, 4 appart.

◆ Complexe hôtelier bâti sur un golf en lisière de forêt. Mobilier "rétro" dans des chambres lumineuses, parfois dotées d'une loggia. Beau fitness et agréable piscine couverte.

**Tour d'Apremont,** au golf d'Apremont, 7 km ✉ 60300 Apremont ✆ 03 44 25 61 11, *golf.apremont@free.fr, Fax 03 44 25 11 72,* ←, ⛱ – P. AE GB JCB. ⛒

*fermé lundi* – **Repas** (déj. seul.) carte 24 à 35, enf. 12,20.

◆ Entourée de bois, cette bâtisse blanche vous accueille dans une élégante salle à manger largement ouverte sur le parcours de golf. Cuisine traditionnelle.

**Auberge La Grange aux Loups** ⛯ avec ch, à Apremont, 6 km ✉ 60300 Apremont ✆ 03 44 25 33 79, *lagrangeauxloups@wanadoo.fr, Fax 03 44 24 22 22,* ⛱, – TV ✆. AE GB JCB

**Repas** *(fermé dim. soir et lundi)* 34 bc/59 bc – ☕ 9 – **4 ch** 72.

◆ Entrez sans crainte, les loups ont disparu ! Repas servis dans la salle à manger champêtre ou, en été, sur la terrasse. Quatre chambres coquettes dans une dépendance.

**à Montgrésin** *par ② : 5 km – ✉ 60560 Orry-la-Ville :*

**Relais d'Aumale** M ⛯, ✆ 03 44 54 61 31, *relaisd.aumale@wanadoo.fr, Fax 03 44 54 69 15,* ⛱, , ⛒ – ⧖ TV ✆ ♿ P – 🏛 30. AE ◑ GB JCB

*fermé 23 déc. au 5 janv.* – **Repas** 36,50/40 – ☕ 11 – **24 ch** 108/130 – ½ P 113.

◆ Ancien pavillon de chasse du duc d'Aumale, niché dans un jardin à l'orée de la forêt. L'aile neuve abrite des chambres feutrées. Belle carte des vins et d'alcools.

## CHANTILLY



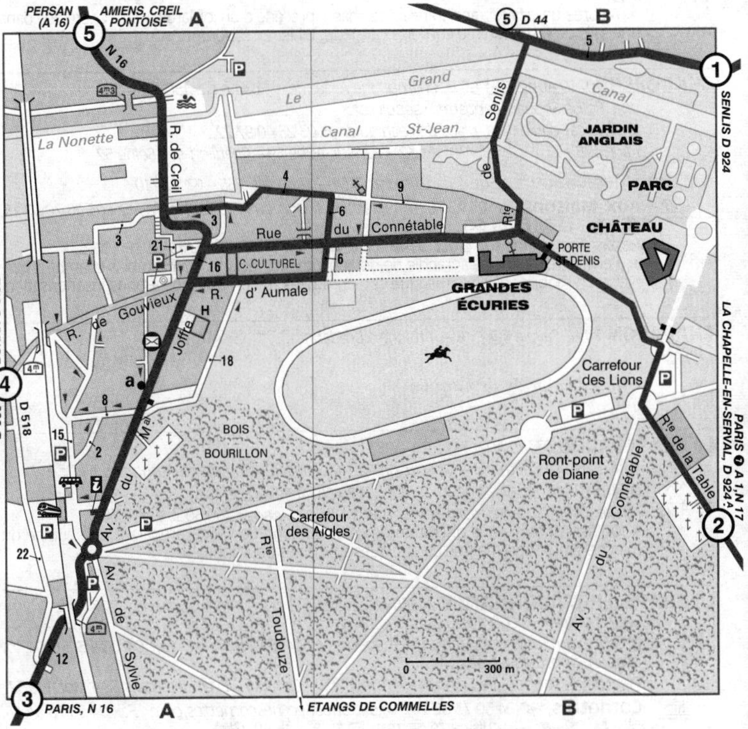

PERSAN (A 16)
AMIENS, CREIL PONTOISE
A
D 44
B
N 16
Le Grand Canal
La Nonette
Canal St-Jean
R. de Creil
Rte. de Senlis
JARDIN ANGLAIS
PARC
CHÂTEAU
Rue du Connétable
C. CULTUREL
PORTE ST-DENIS
R. d' Aumale
GRANDES ÉCURIES
R. de Gouvieux
Joffre
Av. du Mal.
H
a
BOIS BOURILLON
Carrefour des Lions
Ront-point de Diane
Carrefour des Aigles
Rte. Toudouze
Av. de Sylvie
Av. du Connétable
Rte. de la Table
0 300 m
SENLIS D 924
PARIS A 1, N 17 LA CHAPELLE-EN-SERVAL, D 924 A
BORAN-S-OISE
D 909
D 518
PARIS, N 16
ETANGS DE COMMELLES


**à Gouvieux** *par ④ : 4 km – 9 756 h. alt. 26 – ✉ 60270 :*

**Château de la Tour** ⛰, ✆ 03 44 62 38 38, *reception@lechateaudelatour.fr, Fax 03 44 57 31 97,* <, ... – TV ✆ ♿ P – 100. AE ① GB JCB
*fermé 20 au 29 déc.* – **Repas** 37/61 – **41 ch** ☕ 157/197 – ½ P 97.
◆ Cet ancien relais de chasse (début 20e s.) d'un richissime banquier et son extension récente dominent un parc boisé de 5 ha. Élégance et raffinement omniprésents.

**Château de Montvillargenne** ⛰, ✆ 03 44 62 37 37, *montvillargenne@wanadoo.fr, Fax 03 44 57 28 97,* <, ... – TV ✆ ♿ P – 180. AE ① GB JCB
**Repas** 35/71 ♀ – ☕ 21 – **120 ch** 160/300, 3 duplex – ½ P 135/195.
◆ Château du 19e s. s'élevant dans un grand parc. Chambres personnalisées, aux tons harmonieux. Salle à manger habillée de boiseries et dotée d'une mezzanine.

**Pavillon St-Hubert** ⛰, à Toutevoie, bord de l'Oise ✆ 03 44 57 07 04, *Fax 03 44 57 75 42,* <, ... – TV ✆ P – 30. AE GB
*fermé 15 janv. au 15 fév.* – **Repas** *(fermé dim. soir et lundi sauf fériés)* 24/30 ♀ – ☕ 7 – **18 ch** 48/70 – ½ P 62.
◆ Ancien pavillon de chasse agréablement situé sur les bords de l'Oise. Salle à manger ornée de massacres. Belle terrasse ombragée de platanes, avec la rivière en toile de fond.

**Renardière,** 2 r. Frères Segard (La Chaussée) ✆ 03 44 57 08 23, *Fax 03 44 57 30 37* – GB
*fermé 1er au 15 août* – **Repas** 15/31, enf. 8.
◆ Dans un hameau proche des berges de la Nonette, petit restaurant familial au cadre rustique. À la carte, grillades et quelques spécialités alsaciennes.

**rte de Creil** *par ⑤ : 4 km – ✉ 60740 St-Maximin :*

XXX **Verbois,** N 16, rd-pt Verbois ✆ 03 44 24 06 22, *Fax 03 44 25 76 63,* – P. AE GB
*fermé 16 au 31 août, 5 au 19 janv., dim. soir et lundi sauf fériés* – **Repas** 23/47 et carte 50 à 65.
◆ À l'orée de la forêt, ancien relais de chasse précédé d'un joli jardin. Belle cheminée dans une salle de restaurant au confort bourgeois. Gibier en saison.

---

**CHAOURCE** *10210 Aube* 313 E5 *G. Champagne Ardenne – 1 031 h alt. 150.*
*Voir Église St-Jean-Baptiste★ : sépulcre★★.*
*Syndicat d'Initiative, place de l'échiquier ✆ 03 25 40 97 22,.*
*Paris 198 – Auxerre 66 – Troyes 32 – Bar-sur-Aube 59 – Châtillon-sur-Seine 52.*

**à Maisons-lès-Chaource** *Sud-Est : 6 km par D 34 – 171 h. alt. 235 – ✉ 10210 :*

**Aux Maisons,** ✆ 03 25 70 07 19, *accueil@logis-aux-maisons.com, Fax 03 25 70 07 75,* – TV P. AE GB
**Repas** *(fermé dim. soir d'oct. à mars)* 20/38 – 8 – **19 ch** 53/63 – ½ P 59/65.
◆ Ferme champenoise agrandie de deux bâtiments récents. Confortables chambres garnies d'un mobilier de style rustique et mansardées au dernier étage. Bonne insonorisation.

---

**CHAPARON** *74 H.-Savoie* 328 K6 *– rattaché à Bredannaz.*

*Utilisez le guide de l'année.*

---

**La CHAPELAUDE** *03380 Allier* 326 C4 *– 982 h alt. 230.*
*Paris 326 – La Châtre 53 – Montluçon 12 – Moulins 89 – St-Amand-Montrond 51.*

X **Grain d'Sel,** ✆ 04 70 06 47 78, *Fax 04 70 06 44 32* – P. GB
*fermé 1er au 18 sept., mardi soir et merc.* – **Repas** (8,84) - 12/30,50, enf. 7,60.
◆ On sera sensible à la discrétion de cette auberge de village préparant une cuisine du marché simple agrémentée de quelques spécialités bourbonnaises.

---

**La CHAPELLE-D'ABONDANCE** *74360 H.-Savoie* 328 N3 *G. Alpes du Nord – 727 h alt. 1020 – Sports d'hiver : 1 000/1 850 m 1 11.*
*Office du Tourisme, Maison des soeurs ✆ 04 50 73 51 41, Fax 04 50 73 56 04, ot chapelle@portesdusoleil.com.*
*Paris 600 – Thonon-les-Bains 34 – Annecy 108 – Châtel 6 – Évian-les-Bains 32 – Morzine 32.*

**Cornettes,** ✆ 04 50 73 50 24, *valdabondance@lescornettes.com, Fax 04 50 73 54 16,* – cuisinette, rest, TV P – 40. GB
*6 mai-13 oct. et 18 déc.-22 avril* – **Repas** 20/55 – 10 – **42 ch** 60/110, 22 studios – ½ P 75/90.
◆ Régis par la même famille depuis 1894, ces bâtiments abritent de confortables chambres lambrissées. Équipements de loisirs et petit musée savoyard. Cuisine du terroir.

**Les Gentianettes** M, ✆ 04 50 73 56 46, *bienvenue@gentiannettes.fr, Fax 04 50 73 56 39,* – TV P. GB
*24 mai-15 sept. et 20 déc.-1er avril* – **Repas** 19/49, enf. 12 – 8 – **32 ch** 70/85 – ½ P 70.
◆ Dominé par les Cornettes de Bises (2450 m), chalet blond aux chambres pourvues de balcons et habillées de chaleureuses boiseries. Décor alpin soigné dans la salle à manger.

**L'Ensoleillé,** ✆ 04 50 73 50 42, *info@hotel-ensoleille.com, Fax 04 50 73 52 96,* – TV P. GB. rest
*20 mai-15 sept. et 15 déc.-31mars* – **Repas** *(fermé mardi)* 20/45, enf. 10 – 8 – **35 ch** 55/80 – ½ P 55/80.
◆ Deux chalets voisins proposant des chambres dotées de balcons. Salle à manger montagnarde ; carte traditionnelle fleurant bon la Savoie. Espace forme complet.

**Chabi**, ✆ 04 50 73 50 14, *hotel@lechabi.com, Fax 04 50 73 55 84,* – TV P. GB
*fermé 1er au 14 avril et 1er au 15 oct.* – **Repas** 20/35 – 9 – **19 ch** 80/95 – ½ P 52/69.
◆ Surplombant la petite station familiale, hôtel offrant des chambres garnies de meubles en pin. Comme la salle à manger, elles jouissent d'une vue étendue sur la montagne.

**Vieux Moulin**, rte Chevenne ✆ 04 50 73 52 52, *maxit-levieuxmoulin@wanadoo.fr, Fax 04 50 73 55 62,* – TV P. AE GB.
*20 mai-fin sept, 20 déc.-15 avril et fermé merc.* – **Repas** 18/34 – 7 – **14 ch** 38/46 – ½ P 49/54.
◆ Cet établissement situé un peu à l'écart du village dispose de chambres fonctionnelles lambrissées. Salle de restaurant rustique offrant une belle échappée sur la vallée.

**CHAPELLE-DES-BOIS** *25240 Doubs* 321 G7 *G. Jura – 202 h alt. 1087 – Sports d'hiver : 1 050/1 300 m.*
*Paris 459 – Genève 67 – Lons-le-Saunier 62 – Pontarlier 45.*

**Les Mélèzes,** ☎ 03 81 69 21 82, *hotel.melezes@wanadoo.fr, Fax 03 81 69 12 75,* ←, – GB.
*20 juin-10 sept., 15 déc.-30 mars et week-ends hors saison* – **Repas** *(dîner seul. en été)* 15/27 ♀, enf. 10 – ☕ 7 – **9 ch** 50/57 – ½ P 60.
◆ Rendez-vous des skieurs de fond et des randonneurs, cet hôtel familial propose des chambres simples et fonctionnelles. Coquette salle à manger au charme campagnard. Sauna.

**La CHAPELLE-DU-GENÊT** *49 M.-et-L.* 317 C5 – *rattaché à Beaupréau.*

**La CHAPELLE-EN-SERVAL** *60520 Oise* 305 G6 – *2 185 h alt. 104.*
*Paris 42 – Compiègne 43 – Beauvais 64 – Chantilly 10 – Meaux 44 – Senlis 10.*

**Mont-Royal** M, Est : 2 km par D 118 ☎ 03 44 54 50 50, *commercial-montroyal@hotels.com, Fax 03 44 54 50 21,* ←, – 180. AE GB JCB
**Repas** 35/58 – **100 ch** ☕ 235/380.
◆ Dans un parc, joli pavillon de chasse où l'on s'initie à la "vie de château". Atmosphère raffinée, vastes chambres élégantes et équipements complets pour la détente.

**La CHAPELLE-EN-VALGAUDEMAR** *05800 H.-Alpes* 334 F4 *G. Alpes du Sud – 135 h alt. 1083.*
Voir *Les "Oulles du Diable"★★ (marmites des géants) – Cascade du Casset★ NE : 3,5 km.*
Env. *Chalet-hôtel du Gioberney : cirque★★.*
*Syndicat d'Initiative, La Chapelle en Valgaudemar ☎ 04 92 55 23 21, Fax 04 92 55 23 21.*
*Paris 658 – Gap 49 – Grenoble 94 – La Mure 52.*

**Mont-Olan,** ☎ 04 92 55 23 03, *Fax 04 92 55 34 58,* ←, – P. GB. ch
*5 avril-15 sept. et fermé 2 au 8 juin* – **Repas** 11/23 ♀, enf. 8 – ☕ 7 – **28 ch** 39/41 – ½ P 38.
◆ Ces deux bâtiments fréquentés par de nombreux randonneurs sont animés d'une chaleureuse ambiance familiale. Petites chambres rustiques, carte traditionnelle et formules snack.

**La CHAPELLE-EN-VERCORS** *26420 Drôme* 332 F4 *G. Alpes du Nord – 628 h alt. 945 – Sports d'hiver au Col de Rousset : 1 255/1 700 m 8.*
Voir *Grotte de la Draye blanche★, 5 km au S par D 178.*
*Office du Tourisme, place Piétri ☎ 04 75 48 22 54, Fax 04 75 48 13 81, ot.vercors-@wanadoo.fr.*
*Paris 610 – Grenoble 60 – Valence 63 – Die 41 – Romans-sur-Isère 46 – St-Marcellin 35.*

**Bellier**, ☎ 04 75 48 20 03, *Fax 04 75 48 25 31,* – P. AE GB
*avril-oct. et fermé merc. soir et jeudi* – **Repas** 14/30, enf. 11 – ☕ 6 – **13 ch** 58/65 – ½ P 54/58.
◆ Pimpant chalet bâti sur un éperon dominant la route. Les chambres, spacieuses, sont le plus souvent équipées d'un balcon. Salle de restaurant meublée dans le style savoyard.

**Sports,** ☎ 04 75 48 20 39, *hotel.des.sports@wanadoo.fr, Fax 04 75 48 10 52,* – GB
*fermé déc., janv., dim. soir et lundi sauf vacances scolaires* – **Repas** (12) - 14/23 – ☕ 6,50 – **14 ch** 28/39,50 – ½ P 36,50/42,50.
◆ Dans une rue commerçante située à l'entrée du village, un véritable pied-à-terre des cyclistes et randonneurs parcourant la région. Chambres bien insonorisées.

**La-CHAPELLE-ST-LAURENT** *79430 Deux-Sèvres* 322 D4 – *1 749 h alt. 180.*
*Paris 375 – Niort 52 – Bressuire 12 – Cholet 56 – La Roche-sur-Yon 89.*

**Petite Auberge,** Basilique Pitié ☎ 05 49 72 02 15, *Fax 05 49 80 30 73,* – GB
*fermé lundi soir* – **Repas** 13/37,50 ♀.
◆ Au pied de la basilique, maison régionale abritant deux salles à manger rustiques, dont une égayée d'une jolie cheminée. Terrasse d'été avec jeux pour les enfants.

**La CHAPELLE-ST-MESMIN** *45 Loiret* 318 H4 – *rattaché à Orléans.*

**La CHAPELLE-SUR-ERDRE** *44 Loire-Atl.* 316 G4 – *rattaché à Nantes.*

**CHARAVINES** *38850 Isère* 333 G5 *G. Vallée du Rhône – 1 251 h alt. 500.*
Voir *Tour du Lac★.*
*Office du Tourisme, rue des Bains ☏ 04 76 06 60 31, Fax 04 76 06 60 50.*
*Paris 536 – Grenoble 40 – Belley 47 – Chambéry 54 – La Tour-du-Pin 21 – Voiron 13.*

**Beau Rivage,** Nord : 1 km par D 50 ☏ 04 76 06 61 08, *Fax 04 76 06 66 58,* ≤, – 25. GB. ch
*fermé 20 déc. au 1er fév., lundi sauf le soir en juil.-août, dim. soir et mardi soir de sept. à juin* – **Repas** 16/36 ♀, enf. 10 – 7 – **29 ch** 45/50 – ½ P 45/47.
◆ Vaste maison et son annexe joliment tournées vers le lac de Paladru. Les pensionnaires bénéficient de l'accès gratuit aux jeux installés sur la plage. Restaurant panoramique.

**CHARBONNIÈRES-LES-BAINS** *69 Rhône* 327 H5 – *rattaché à Lyon.*

**CHARENTON-LE-PONT** *94 Val-de-Marne* 312 D3 101 ㉖ – *voir à Paris, Environs.*

**CHARETTE** *38390 Isère* 333 F3 – *232 h alt. 250.*
*Paris 479 – Aix-les-Bains 76 – Belley 37 – Grenoble 88 – Lyon 63.*

**Auberge du Vernay**, sur D 52, rte Optevoz ☏ 04 74 88 57 57, *aub.vernay.@libertysurf.fr, Fax 04 74 88 58 57,* – 15. GB
*fermé 20 juin au 8 juil., 22 au 30 sept., 10 au 20 janv.* – **Repas** *(fermé dim. soir et lundi)* 15/26 ♀ – 6 – **7 ch** 46/53 – ½ P 42/47.
◆ Le calme de la campagne, les coquettes chambres personnalisées et la jolie salle à manger mi-rustique, mi-contemporaine font l'attrait de cette accueillante ferme du 18e s.

**CHARETTE-VARENNES** *71 S.-et-L.* 320 L8 – *rattaché à Pierre-de-Bresse.*

**La CHARITÉ-SUR-LOIRE** *58400 Nièvre* 319 B8 *G. Bourgogne – 5 686 h alt. 170.*
Voir *Église N.-Dame★★ : ≤★★ sur le chevet – Esplanade rue du Clos ≤★.*
*Office du Tourisme, 5 place Ste Croix ☏ 03 86 70 15 06, Fax 03 86 70 21 55, silacharité@wanadoo.fr.*
*Paris 213 ① – Bourges 51 ④ – Auxerre 110 ② – Montargis 102 ① – Nevers 25 ①.*

**Grand Monarque,** 33 quai Clemenceau (e)
☏ 03 86 70 21 73, *le.grand.monarque@wanadoo.fr, Fax 03 86 69 62 32,* rest, – 20. AE GB JCB
*fermé 15 fév. au 18 mars* – **Repas** *(fermé dim. soir du 12 nov. au 31 mars) (15 bc)* - 23/46 ♀ – 9 – **15 ch** 59/82 – ½ P 55/79.
◆ Belle demeure située sur les quais de la Loire. Spacieuses chambres rénovées. La salle à manger panoramique offre un joli coup d'oeil sur le fleuve et le pont de la Charité.

**Bon Laboureur** sans rest, quai Romain Mollot (Ile de la Loire), par ④ : *0,5 km* ☏ 03 86 70 22 85, *leb onlaboureur@wanadoo.fr, Fax 03 86 70 23 64,* AE GB.
5,50 – **16 ch** 35/48.
◆ Ancien relais de poste et grange de marinier transformés en hôtel abritant des chambres soignées. Petits-déjeuners servis dans une véranda ouverte sur le jardin.

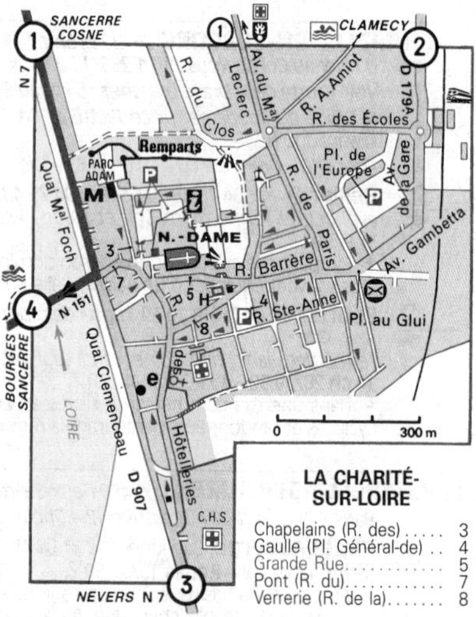
SANCERRE COSNE
CLAMECY
N 7
D 179A
R. du Clos
Lecler
Av. du Mal
R. A. Amiot
R. des Écoles
Remparts
PARC ADAM
Pl. de l'Europe
Av. de la Gare
Quai Mal Foch
N.-DAME
R. de Paris
Av. Gambetta
R. Barrère
R. Ste-Anne
Pl. au Glui
N 151
BOURGES SANCERRE
Quai Clemenceau
LOIRE
R. des Hôtelleries
D 907
C.H.S
NEVERS N 7
0 300 m
LA CHARITÉ-SUR-LOIRE
Chapelains (R. des) ..... 3
Gaulle (Pl. Général-de) .. 4
Grande Rue ........... 5
Pont (R. du) ........... 7
Verrerie (R. de la) ....... 8

*Si le coût de la vie subit des variations importantes,*
*les prix que nous indiquons peuvent être majorés.*
*Lors de votre réservation à l'hôtel, faites-vous préciser le prix définitif.*

**CHARLEVAL** *13350 B.-du-R.* 340 G3 – *1 877 h alt. 136.*

*Office du Tourisme, 2 place André Leblanc ℘ 04 42 28 45 30, Fax 04 42 28 45 30, office-tourisme-charleval@wanadoo.fr.*

*Paris 724 – Aix-en-Provence 33 – Cavaillon 27 – Marseille 63 – Salon-de-Provence 20.*

**Cherche-Midi,** (derrière l'église) ℘ 04 42 28 52 50, *Fax 04 42 28 52 50,* – GB
*fermé vacances de Toussaint, 20 déc. au 8 janv., dim. de nov. à fév., mardi midi,jeudi midi en juil.-août et lundi* – **Repas** 11,50 (déj.), 16/25 ♀, enf. 9,50.
◆ Adorable maison tapissée de vigne vierge au coeur d'un agréable village provençal. Décor rustique, tableaux d'artistes locaux et cuisine mi-traditionnelle, mi-régionale.

**CHARLEVILLE-MÉZIÈRES** P *08000 Ardennes* 306 K4 *G. Champagne Ardenne* – *57 008 h Agglo. 107 777 h alt. 145.*

Voir *Place Ducale★★* – *Musée de l'Ardenne★* **BX M¹** – *Musée Rimbaud* **BX M²** – *Basilique N.-D.-d'Espérance : vitraux★* **BZ.**

*Office du Tourisme, 4 place Ducale ℘ 03 24 55 69 90, Fax 03 24 55 69 89.*

*Paris 239 ① – Liège 195 ② – Luxembourg 129 ① – Reims 87 ① – Sedan 26 ①.*

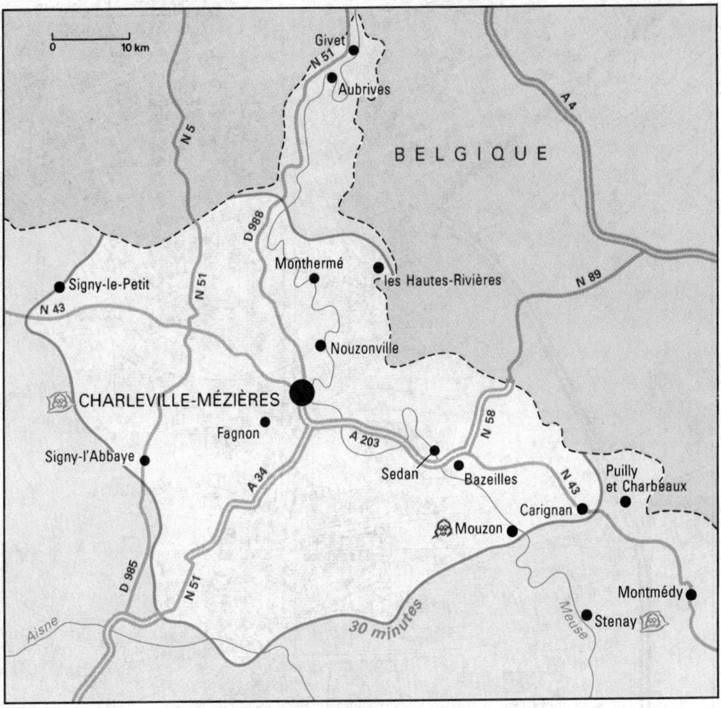

0
10 km
Givet
N 51
Aubrives
N 5
A 4
BELGIQUE
D 988
Monthermé
les Hautes-Rivières
N 89
Signy-le-Petit
N 51
N 43
Nouzonville
CHARLEVILLE-MÉZIÈRES
Fagnon
N 58
A 203
Signy-l'Abbaye
A 34
Sedan
Bazeilles
N 43
Puilly et Charbeaux
Carignan
Mouzon
D 985
N 51
Montmédy
Meuse
Stenay
Aisne
30 minutes


**Paris** sans rest, 24 av. G. Corneau ℘ 03 24 33 34 38, *hotel.de.paris.08@wanadoo.fr, Fax 03 24 59 11 21* – AE GB **BY n**
*fermé 9 au 24 août et 21 déc. au 5 janv.* – ▭ 6,30 – **27** ch 39,50/70.
◆ Hôtel aménagé dans trois bâtiments du début du 20ᵉ s. Chambres claires et de bon confort, spacieuses et insonorisées côté rue, plus petites et au calme côté cour.

**Clef des Champs,** 33 r. Moulin ℘ 03 24 56 17 50, *courrier@laclefdeschamps.fr, Fax 03 24 59 94 07* – AE GB **BX e**
*fermé dim. soir, mardi soir et merc.* – **Repas** *(15)* - 21/59 et carte 43 à 80 ♀, enf. 10.
◆ Près de la place Ducale, la "place des Vosges" de Charleville, maison du 17ᵉ s. abritant une salle sobre (réservée aux non-fumeurs), dotée d'une cheminée en brique et bois.

# CHARLEVILLE-MÉZIÈRES

Arches (Av. d') .......... **BYZ**
Arquebuse (R. de l') ..... **BX** 2
Bérégovoy (R. P.) .......... **BX** 3
Bourbon (R.) .......... **BX** 4
Carré (R. Irénée) .......... **BX** 5
Corneau (Av. G.) .......... **BY** 6
Droits-de-l'Homme (Pl. des) .......... **BX** 7
Fg de Pierre (R. du) .......... **BZ** 8
Flandre (R. de) .......... **BX** 9
Hôtel de Ville (Pl. de l') .......... **BZ** 10
Jaurès (Av. Jean) .......... **BY**
Leclerc (Av. Mar.) .......... **BY** 19
Manchester (Av. de) .......... **AY** 20
Mantoue (R. de) .......... **BX** 21
Mitterrand (Av. F.) .......... **AX** 22
Monge (R.) .......... **BZ** 23
Montjoly (R. de) .......... **AX** 24
Moulin (R. du) .......... **BX** 25
Nevers (Pl. de) .......... **BX** 27
Petit-Bois (Av. du) .......... **BX** 28
Petit-Bois (R. du) .......... **BX** 29
République (R. de la) .......... **BX** 30
Résistance (Pl. de la) .......... **BZ** 31
St-Julien (Av. de) .......... **AY** 32
Sévigné (R. Mme de) .......... **BY** 33
Théâtre (R. du) .......... **BX** 34
91e-Régt-d'Infanterie (Av. du) .......... **BZ** 36

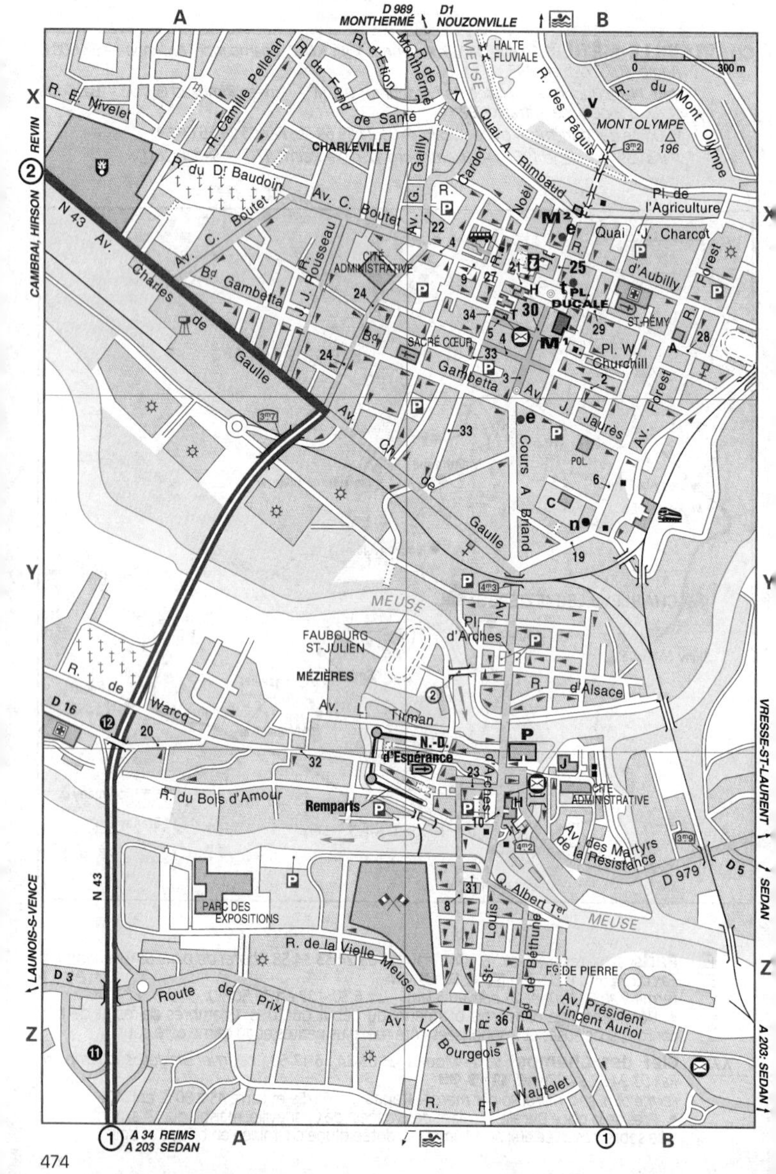
A
B
D 989 MONTHERMÉ
D1 NOUZONVILLE
X
Y
Z
2 CAMBRAI, HIRSON REVIN
1 A 34 REIMS A 203 SEDAN
LAUNOIS-S-VENCE
VRESSE-ST-LAURENT
SEDAN
A 203: SEDAN
HALTE FLUVIALE
MEUSE
0 300 m
R. E. Nivelet
R. Camille Pelletan
R. du Fond de Santé
R. d'Etion
R. de Montherme
R. des Pâquis
R. du Mont Olympe
MONT OLYMPE
196
CHARLEVILLE
Av. G. Gailly
R. Cardot
Quai A. Rimbaud
R. du Dr Baudoin
Av. C. Boutet
Pl. de l'Agriculture
Quai J. Charcot
N 43
Av. Charles de Gaulle
Bd Gambetta
R. J. J. Rousseau
CITÉ ADMINISTRATIVE
R. d'Aubilly
R. Forest
PL. DUCALE
ST-RÉMY
SACRÉ CŒUR
Pl. W. Churchill
Av. J. Jaurès
Av. Forest
Cours A. Briand
POL.
Av. Ch. de Gaulle
FAUBOURG ST-JULIEN
MÉZIÈRES
Pl. d'Arches
Av. d'Arches
R. d'Alsace
R. de Warcq
D 16
Av. L. Tirman
N.-D. d'Espérance
R. du Bois d'Amour
Remparts
CITÉ ADMINISTRATIVE
Av. des Martyrs de la Résistance
D 979
D 5
PARC DES EXPOSITIONS
Q. Albert 1er
R. St-Louis
Bd de Béthune
FG DE PIERRE
R. de la Vielle Meuse
D 3
Route de Prix
Av. Président Vincent Auriol
Av. L. Bourgeois
R. F. Wautelet

XX **Manoir du Mont Olympe,** 1 r. Pâquis ☎ 03 24 33 43 20, *c.silva@mcg.fr, Fax 03 24 37 12 25,* 🏠 – AE GB BX v
*fermé dim. soir et lundi soir* – **Repas** *(17)* - 32 ♀.
◆ Villa centenaire en briques rouges adossée au mont Olympe. Agréable salle à manger aux tons pastel et terrasse ombragée où l'on sert repas et rafraîchissements.

XX **Côte à l'Os,** 11 cours A. Briand ☎ 03 24 59 20 16, *Fax 03 24 59 48 30,* 🏠 – ▤. AE ⓓ GB BY e
*fermé dim. soir* – **Repas** 13/30 ♀, enf. 8 - ***Taverne*** (1er étage) *(fermé dim. soir)* **Repas** 12/30.
◆ Grande salle de restaurant tout en longueur, où l'on déguste dans une ambiance animée plats traditionnels et produits de la mer. À l'étage, la Taverne, de style winstub.

X **Amo Rini,** 46 pl. Ducale ☎ 03 24 37 48 80 – GB BX t
*fermé 1er au 21 août, dim. et lundi* – **Repas** (déj. seul.) carte 18 à 25 ♀.
◆ Cette trattoria carolomacérienne offre un cadre typiquement italien avec ses fresques figurant des angelots. Mets et vins transalpins servis en salle ou en vente à l'épicerie.

**à Fagnon** *par D 3* **AZ** *et D 39 : 8 km – 334 h. alt. 171 – ✉ 08090 :*

**Abbaye de Sept Fontaines** ♨, ☎ 03 24 37 38 24, *abbaye-7-fontaines@wanadoo.fr, Fax 03 24 37 58 75,* ←, 🏠, – TV 📞 P – 🏛 25. AE ⓓ GB. ✱ rest
**Repas** 30/59,50 ♀, enf. 10 – ☕ 11,50 – **23 ch** 82/197 – ½ P 81/96.
◆ Au coeur d'un parc où s'inscrit un parcours de golf, hôtel occupant les bâtiments restaurés d'une abbaye du 17e s. Au premier étage, grandes chambres avec vue sur la nature.

*Les pages explicatives de l'introduction*
*vous aideront à mieux profiter de votre* ***Guide Rouge Michelin***

---

**CHARLIEU** *42190 Loire* 327 E3 *G. Bourgogne – 3 727 h alt. 265.*
**Voir** *Ancienne abbaye bénédictine★ : façade★★ – Couvent des Cordeliers★.*
ℹ *Office du Tourisme, place St Philibert ☎ 04 77 60 12 42, Fax 04 77 60 16 91, office.tourisme.charlieu@wanadoo.fr.*
*Paris 384 ④ – Roanne 19 ④ – Mâcon 76 ② – St-Étienne 103 ④.*

**CHARLIEU**



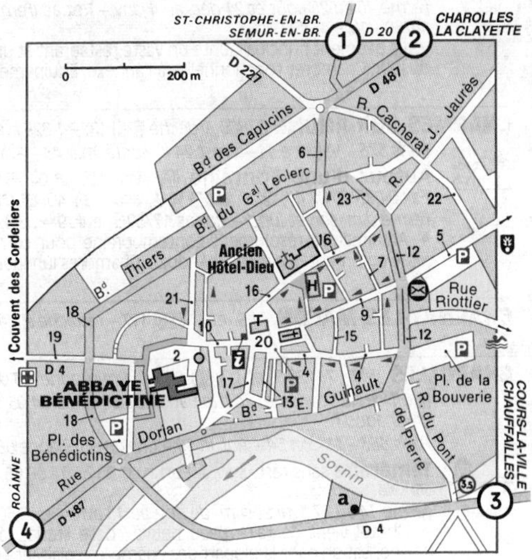
ST-CHRISTOPHE-EN-BR.
SEMUR-EN-BR.
CHAROLLES
LA CLAYETTE
D 20
D 227
D 487
200 m
R. Cacherat
J. Jaurès
Bd des Capucins
Bd du Gal Leclerc
Bd Thiers
Ancien Hôtel-Dieu
Couvent des Cordeliers
Rue Riottier
ABBAYE BÉNÉDICTINE
Pl. des Bénédictins
Rue
Dorlan
Bd
Guinault
Pl. de la Bouverie
R. du Pont
de Pierre
Sornin
COURS-LA-VILLE
CHAUFFAILLES
ROANNE
D 4
D 487

**Relais de l'Abbaye,** (a) ☎ 04 77 60 00 88, *Fax 04 77 60 14 60,* 🏠 – ⇔ TV 📞 P – 🏛 50. AE GB
*fermé 24 au 31 août, janv., vend. soir et sam. midi hors saison, dim soir et lundi midi* – **Repas** 13 (déj.), 17/36,50 ♀, enf. 8,50 – ☕ 6,50 – **27 ch** 41/53,60 – ½ P 45,80.
◆ Établissement récemment rénové où vous séjournerez dans des chambres fonctionnelles, colorées et bien tenues. Vaste pelouse avec aire de jeux pour enfants.

**rte de Pouilly** *par ④ et rte secondaire : 2,5 km :*

XX **Moulin de Rongefer,** ✉ 42190 St-Nizier-sous-Charlieu ✆ 04 77 60 01 57, *Fax 04 77 60 33 28,* – P. GB
*fermé 16 août au 5 sept., vacances de fév., dim. soir, mardi soir et merc.* – **Repas** 14,50 (déj.), 23/47.
◆ Un fléchage efficace vous guidera jusqu'à cet ancien moulin bordant le Sornin. Confortable salle à manger campagnarde prolongée d'une agréable terrasse fleurie.

X **Auberge du Château de Tigny,** ✉ 42720 Pouilly-sous-Charlieu ✆ 04 77 60 09 55, *Fax 04 77 69 03 93,* , – P. GB
*fermé 15 sept. au 15 oct., 26 déc. au 10 janv., merc. soir et jeudi soir d'oct. à avril, lundi et merc.* – **Repas** 15 (déj.), 21/34.
◆ En pleine nature, maison forte du 16e s. où l'on concocte une cuisine traditionnelle. Plaisante atmosphère campagnarde. Exposition de porcelaines peintes par la patronne.

## CHARMES *88130 Vosges* 314 F2 *G. Alsace Lorraine – 4 721 h alt. 282.*

*Office du Tourisme, 2 place Henri Breton ✆ 03 29 38 17 09, Fax 03 29 38 17 09.*
*Paris 382 – Épinal 32 – Nancy 43 – Lunéville 35 – St-Dié 59 – Toul 62 – Vittel 41.*

XX **Dancourt** avec ch, 6 pl. H. de Ville ✆ 03 29 38 80 80, *reception@hotel-dancourt.com, Fax 03 29 38 09 15,* – TV. AE GB
*fermé 19 déc. au 18 janv., dim. soir du 15 sept. au 22 juin, sam. midi et vend.* – **Repas** *(12,75)* - 15,50/50, enf. 10 – 7,20 – **16 ch** 35/51,50 – ½ P 39/45.
◆ Près de la maison natale de Maurice Barrès, cadre original mêlant bustes et colonnes à la grecque, sobre mobilier contemporain et plantes exotiques. Chambres pratiques.

**à Chamagne** *Nord : 4 km par D 9 – 441 h. alt. 265 – ✉ 88130 :*

X **Chamagnon,** 236 rue du Patis ✆ 03 29 38 14 74, – GB
*fermé 24 juin au 10 juil., 23 au 29 sept., dim. soir, merc. soir et lundi* – **Repas** 9,20 (déj.), 15/34,50.
◆ Claude Gellée dit Le Lorrain est né dans le village. Deux salles à manger récemment rénovées dans un style contemporain et petite terrasse fleurie. Carte au goût du jour.

**à Vincey** *Sud-Est : 4 km par N 57 – 2 198 h. alt. 297 – ✉ 88450 :*

**Relais de Vincey** M, ✆ 03 29 67 40 11, *relais.de.vincey@wanadoo.fr, Fax 03 29 67 36 66,* , , – TV P – 25. AE GB JCB
*fermé 10 au 25 août et 21 déc. au 4 janv.* – **Repas** *(fermé sam.)* 19,20/43,20 – 8 – **34 ch** 44/60 – ½ P 45/55.
◆ Le bâtiment principal abrite un vaste restaurant et un bar à l'américaine dévolu aux plats du jour. Chambres fonctionnelles à l'annexe. Équipements de loisirs et détente.

## CHARMES-SUR-RHÔNE *07800 Ardèche* 331 K4 *– 1 826 h alt. 112.*

*Paris 576 – Valence 11 – Crest 24 – Montélimar 43 – Privas 29 – St-Péray 11.*

XX **Autour d'une Fontaine** M avec ch, ✆ 04 75 60 80 10, *jmgaudry@hotmail.com, Fax 04 75 60 87 47,* – TV – 40. AE GB JCB
*fermé dim. soir et lundi* – **Repas** 17/52, enf. 9 – 8,40 – **8 ch** 60/75 – ½ P 65/69.
◆ Architecture résolument contemporaine pour ce restaurant ouvert sur un patio-terrasse agrémenté de vases d'Anduze. Chambres lumineuses, décorées sur le thème fruitier.

## CHARNAY-LÈS-MÂCON *71 S.-et-L.* 320 I12 *– rattaché à Mâcon.*

## CHAROLLES *71120 S.-et-L.* 320 F11 *G. Bourgogne – 3 048 h alt. 279.*

*Office du Tourisme, 24 rue Baudinot ✆ 03 85 24 05 95, Fax 03 85 24 28 12, o.t.charolles @wanadoo.fr.*
*Paris 363 – Mâcon 54 – Autun 79 – Chalon-sur-Saône 66 – Moulins 82 – Roanne 61.*

**Téméraire** sans rest, 3 av. J. Furtin ✆ 03 85 24 06 66, *Fax 03 85 24 05 54* – TV. AE GB
*fermé 14 au 27 avril et sam. de nov. au 15 avril* – 6,50 – **10 ch** 42/53.
◆ L'hôtel vient de faire peau neuve : belle literie, salles de bains modernes et bonne insonorisation dans la plupart des chambres ; plaisante salle des petits-déjeuners.

XXX **Poste** avec ch, av. Libération (près église) ✆ 03 85 24 11 32, *hotel-de-la-liberation-doucet @wanadoo.fr, Fax 03 85 24 05 74,* – TV. AE GB
*fermé 9 nov. au 2 déc., dim. soir et lundi* – **Repas** 21/57 et carte 57 à 69, enf. 11 – 8 – **11 ch** 56/83.
◆ Imposante demeure de style bourguignon agrémentée d'une terrasse fleurie. Chambres confortables, certaines avec balcon. Décor bourgeois recherché dans la salle à manger.

**au Sud-Ouest** *par D 985 et D 270 : 11 km – ✉ 71120 Changy :*

**Chidhouarn,** ✆ 03 85 88 32 07, *Fax 03 85 88 01 23,* – P. AE GB
*fermé 1er au 10 sept., 19 janv. au 11 fév., lundi et mardi* – **Repas** 13 (déj.), 18,50/44 ♀, enf. 8,50.
◆ Au calme, en pleine campagne, plusieurs salles à manger rustiques dont une aménagée sous véranda. Salon égayé d'une belle cheminée. Spécialités de poissons.

---

**CHAROST** *18290 Cher* 323 I5 *G. Berry Limousin – 1 134 h alt. 137.*
*Paris 240 – Bourges 27 – Châteauroux 40 – Dun-sur-Auron 43 – Issoudun 11 – Vierzon 31.*

**à Brouillamnon** *Nord-Est : 3 km par N 151 et D 16E – ✉ 18290 Plou :*

**L'Orée du Bois,** ✆ 02 48 26 21 40, *Fax 02 48 26 27 81,* – P. GB
*fermé 28 juil. au 13 août, 12 janv. au 9 fév., dim. soir et lundi* – **Repas** 12,20/32,50 ♀, enf. 11,50.
◆ Un petit hameau tranquille abrite cette auberge champêtre et son agréable jardin. Plats du terroir servis dans une lumineuse salle à manger, ou sur la terrasse en été.

*Si vous êtes retardé sur la route, dès 18 h,*
*confirmez votre réservation par téléphone,*
*c'est plus sûr... et c'est l'usage.*

---

**CHARQUEMONT** *25140 Doubs* 321 K3 *– 2 205 h alt. 864.*
*Paris 478 – Besançon 75 – Basel 101 – Belfort 65 – Montbéliard 49 – Pontarlier 59.*

**Haut Doubs Hôtel,** ✆ 03 81 44 00 20, *eric.voisard@wanadoo.fr, Fax 03 81 44 09 18,* – TV P. GB
*fermé 15 oct. au 15 nov., dim. soir et lundi* – **Repas** 10/27, enf. 9 – ☕ 5 – **23 ch** 39/41 – ½ P 42.
◆ Cette bâtisse tout en longueur héberge des chambres un peu petites, mais convenablement équipées et bien tenues. Restaurant au cadre sagement rustique.

**Au Bois de la Biche** avec ch, Sud-Est : 4,5 km par D 10E et rte secondaire ✆ 03 81 44 01 82, *thierry.marcelpoix@wanadoo.fr, Fax 03 81 68 65 09,* ←, – TV P. GB
*fermé 2 janv. au 2 fév. et lundi* – **Repas** 15/34,50 ♀, enf. 7,50 – ☕ 6,20 – **3 ch** 37 – ½ P 42.
◆ Point de ralliement des randonneurs, ce chalet entouré de bois domine les gorges du Doubs. La plaisante salle à manger actuelle ouvre sur les crêtes du Jura suisse.

---

**CHARRECEY** *71510 S.-et-L.* 320 H8 *– 285 h alt. 350.*
*Paris 340 – Chalon-sur-Saône 18 – Autun 36 – Beaune 28 – Mâcon 77.*

**Petit Blanc,** Est : 2 km par D 978, rte Chalon-sur-Saône ✆ 03 85 45 15 43, *Fax 03 85 45 19 80,* – P. GB
*fermé 25 avril au 5 mai, 17 août au 2 sept., 22 déc. au 6 janv., jeudi soir, dim. soir et lundi* – **Repas** 13 (déj.), 19/26 ♀, enf. 9.
◆ Cette auberge de bord de route ne paye pas de mine et pourtant on s'y bouscule : plaisant intérieur de bistrot campagnard et cuisine traditionnelle très copieuse.

---

**CHARROUX** *03140 Allier* 326 F5 *G. Auvergne – 324 h alt. 420.*
*Paris 346 – Clermont-Ferrand 61 – Moulins 52 – Montluçon 66 – Vichy 30.*

**Ferme St-Sébastien,** ✆ 04 70 56 88 83, *Fax 04 70 56 86 66* – P. GB
*fermé 23 juin au 2 juil., 22 sept. au 1er oct., 5 janv. au 4 fév., mardi sauf juil.-août et lundi* – **Repas** (prévenir) *(19)* - 21,40/42 ♀, enf. 9,50.
◆ Authentique ferme bourbonnaise réhabilitée et sa coquette salle mi-rustique, mi-contemporaine décorée d'oeuvres d'art. Cuisine au goût du jour fleurant bon le terroir.

---

**CHARTRES** P *28000 E.-et-L.* 311 E5 *G. Île de France – 39 595 h Agglo. 130 681 h alt. 142 Grand pèlerinage des étudiants (fin avril-début mai).*
**Voir** *Cathédrale Notre-Dame★★★ : le portail Royal★★★, les vitraux★★★ – Vieux Chartres★ : église St-Pierre★, ←★ sur l'église St-André, des bords de l'Eure – Musée des Beaux-Arts : émaux★* **Y M**2 *– COMPA★ (Conservatoire du Machinisme agricole et des Pratiques Agricoles) 2 km par D24.*
*Office du Tourisme, place de la Cathédrale ✆ 02 37 18 26 26, Fax 02 37 21 51 91, Chartres.Tourism@wanadoo.fr.*
*Paris 90 ② – Évreux 78 ① – Le Mans 120 ④ – Orléans 78 ③ – Tours 142 ④.*

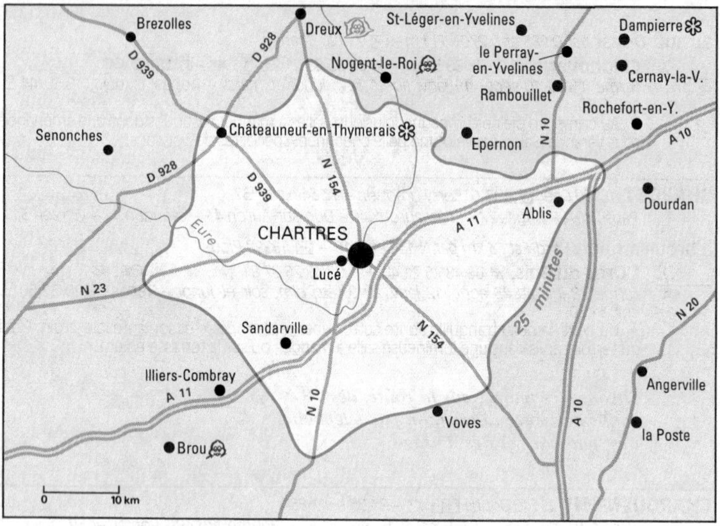
Brezolles
Dreux
St-Léger-en-Yvelines
Dampierre
D 928
D 939
Nogent-le-Roi
le Perray-en-Yvelines
Cernay-la-V.
Rambouillet
Rochefort-en-Y.
Senonches
Châteauneuf-en-Thymerais
Epernon
N 10
A 10
D 928
N 154
D 939
Dourdan
Ablis
Eure
CHARTRES
A 11
Lucé
25 minutes
N 23
N 20
Sandarville
N 154
Illiers-Combray
A 11
Angerville
N 10
A 10
Voves
la Poste
Brou
0
10 km

**Grand Monarque,** 22 pl. Épars ✆ 02 37 18 15 15, *info@bw-grand-monarque.com, Fax 02 37 36 34 18* – 15 à 60. AE GB JCB Z e
**Repas** *(fermé dim. soir et lundi)* 30/60 ♀ - ***Madrigal :*** **Repas** 18,50 ♀ – 11 – **50 ch** 81/150, 5 appart.
◆ Relais de poste du 16e s. dont les chambres, en cours de rénovation, adoptent une atmosphère feutrée. Plats traditionnels servis dans un cadre bourgeois ou formule bistrot.

**Ibis Centre** M, 14 pl. Drouaise ✆ 02 37 36 06 36, *h0917@accor-hotels.com, Fax 02 37 36 17 20,* – 35. AE GB X b
**Repas** (12) - 15, enf. 6 – 5,50 – **79 ch** 65.
◆ Au coeur de la capitale du "grenier de la France". Demandez une chambre refaite selon les dernières normes de la chaîne. Terrasse ouverte sur l'Eure, très prisée l'été.

**Vieille Maison,** 5 r. au Lait ✆ 02 37 34 10 67, *rest.la.vielle.maison@wanadoo.fr, Fax 02 37 91 12 41* – GB Y s
*fermé dim. soir et lundi* – **Repas** 29/46 ♀, enf. 13.
◆ Pierres et poutres apparentes, meubles rustiques et cheminée donnent tout son cachet à cette vénérable demeure plusieurs fois centenaire. Cuisine traditionnelle.

**Moulin de Ponceau,** 21 r. Tannerie ✆ 02 37 35 30 05, *le-moulin-de-ponceau@wanadoo.fr, Fax 02 37 35 30 12,* – AE GB Y a
*fermé 15 fév. au 3 mars, sam. midi et dim. soir* – **Repas** 20 (déj.), 24/40 ♀.
◆ Halte apaisante dans ce moulin du 16e s. posté au bord de l'Eure. Salles à manger champêtres, véranda et terrasse offrent un joli coup d'oeil sur la vieille ville.

**St-Hilaire,** 11 r. Pont-St-Hilaire ✆ 02 37 30 97 57, *Fax 02 37 30 97 57* – GB YZ t
*fermé 27 juil. au 18 août, 21 déc. au 5 janv., sam. midi, lundi et dim.* – **Repas** (nombre de couverts limité, prévenir) 15/38 ♀.
◆ Du pont, jolie vue sur la cathédrale. Tomettes, poutres et meubles peints : cette maison du 16e s. propose un cadre plaisant. Cuisine mariant tradition et terroir.

**Dix de Pythagore,** 2 r. Porte Cendreuse ✆ 02 37 36 02 38 – . AE GB Y d
*fermé 15 au 31 juil., dim. soir et lundi.* – **Repas** 15/25.
◆ Aimable restaurant familial aménagé dans l'ancienne cave d'une modeste maison. Petite salle à manger sobrement décorée et cuisine traditionnelle à la puissance 10.

**par** ② *et N 10 : 4 km* – ✉ *28000 Chartres :*

**Novotel** M, av. Marcel Proust ✆ 02 37 88 13 50, *h0413@accor-hotels.com, Fax 02 37 30 29 56,* , rest, – 100. AE GB JCB
**Repas** (16) - 21 ♀, enf. 8 – 10 – **78 ch** 76/92.
◆ Construction des années 1970 située entre zone commerciale et voies rapides. Préférez les chambres rénovées, pratiques et claires. En été, terrasse dressée face à la piscine.

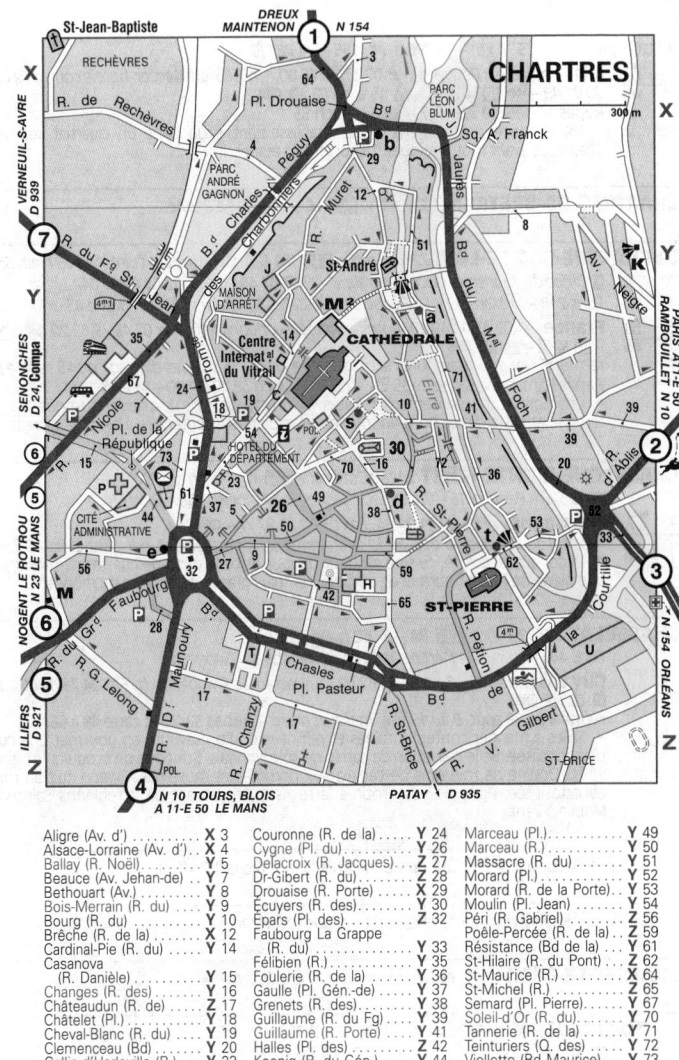

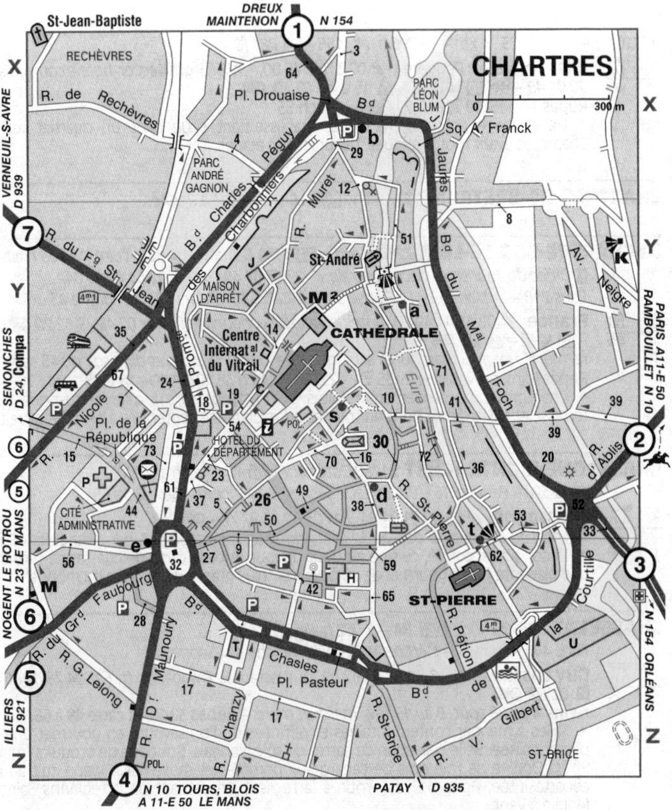
CHARTRES
DREUX
MAINTENON
N 154
St-Jean-Baptiste
RECHÈVRES
R. de Rechèvres
Pl. Drouaise
PARC LÉON BLUM
Sq. A. Franck
PARC ANDRÉ GAGNON
Bd Charles Péguy
R. des Charbonniers
R. Muret
St-André
MAISON D'ARRÊT
CATHÉDRALE
Centre Internat^al du Vitrail
HÔTEL DU DÉPARTEMENT
Pl. de la République
CITÉ ADMINISTRATIVE
Eure
Bd du M^al Foch
Bd Jaurès
Av. Neigre
R. d'Ablis
R. St-Pierre
ST-PIERRE
R. Pétion
R. de la Courtille
Bd de la Courtille
Bd Chasles
Pl. Pasteur
R. St-Brice
R. Chanzy
R. Dr Maunoury
R. G. Lelong
R. du Grd Faubourg
R. du Fg St-Jean
R. Nicole
Prom^de des Charbonniers
R. V. Gilbert
ST-BRICE
VERNEUIL-S-AVRE D 939
SENONCHES D 24, Compa
NOGENT LE ROTROU N 23 LE MANS
ILLIERS D 921
N 10 TOURS, BLOIS
A 11-E 50 LE MANS
PATAY D 935
N 154 ORLÉANS
PARIS A11-E 50 RAMBOUILLET N 10
0 300 m

Aligre (Av. d') .......... X 3
Alsace-Lorraine (Av. d') .. X 4
Ballay (R. Noël) .......... Y 5
Beauce (Av. Jehan-de) .. Y 7
Bethouart (Av.) .......... Y 8
Bois-Merrain (R. du) .... Y 9
Bourg (R. du) .......... Y 10
Brêche (R. de la) ....... X 12
Cardinal-Pie (R. du) ..... Y 14
Casanova (R. Danièle) .......... Y 15
Changes (R. des) ....... Y 16
Châteaudun (R. de) ..... Z 17
Châtelet (Pl.) ............ Y 18
Cheval-Blanc (R. du) .... Y 19
Clemenceau (Bd) ....... Y 20
Collin-d'Harleville (R.) ... Y 23
Couronne (R. de la) ..... Y 24
Cygne (Pl. du) .......... Y 26
Delacroix (R. Jacques) ... Z 27
Dr-Gibert (R. du) ........ Z 28
Drouaise (R. Porte) ..... X 29
Écuyers (R. des) ........ Y 30
Épars (Pl. des) .......... Z 32
Faubourg La Grappe (R. du) ............... Y 33
Félibien (R.) ............. Y 35
Foulerie (R. de la) ...... Y 36
Gaulle (Pl. Gén.-de) ..... Y 37
Grenets (R. des) ......... Y 38
Guillaume (R. du Fg) .... Y 39
Guillaume (R. Porte) .... Y 41
Halles (Pl. des) .......... Z 42
Koenig (R. du Gén.) ..... Y 44
Marceau (Pl.) ............ Y 49
Marceau (R.) ............. Y 50
Massacre (R. du) ........ Y 51
Morard (Pl.) ............. Y 52
Morard (R. de la Porte) .. Y 53
Moulin (Pl. Jean) ........ Y 54
Péri (R. Gabriel) ........ Z 56
Poêle-Percée (R. de la) .. Z 59
Résistance (Bd de la) ... Y 61
St-Hilaire (R. du Pont) ... Z 62
St-Maurice (R.) .......... X 64
St-Michel (R.) ........... Z 65
Semard (Pl. Pierre) ...... Y 67
Soleil-d'Or (R. du) ....... Y 70
Tannerie (R. de la) ....... Y 71
Teinturiers (Q. des) ..... Y 72
Viollette (Bd Maurice) ... Y 73

**Campanile,** parc des Propylées ✆ 02 37 90 76 00, *chartres@campanile.fr, Fax 02 37 90 84 40,* – [TV] & [P] – 25. AE GB

**Repas** *(12)* - 13,50/17 ♀, enf. 6 – ☕ 6 – **48 ch** 57.

◆ Établissement comprenant deux bâtiments : l'un équipé de chambres fonctionnelles récemment refaites, l'autre abritant une salle à manger-véranda.

## Z.A. de Barjouville *par ④ : 4 km – ✉ 28630 Barjouville :*

**Mercure,** ✆ 02 37 35 35 55, *h3481@accor-hotels.com, Fax 02 37 34 72 12,* – [TV] & [P] – 60. AE ① GB

**Repas** *(fermé sam. midi et dim.) (20)* - 24 ♀, enf. 6 – ☕ 11 – **73 ch** 55/74.

◆ Privilégiez les chambres contemporaines et bien agencées de la nouvelle aile ; les autres attendent une rénovation. Ardoise de suggestions du jour au restaurant.

**à Lucé** *par ⑥ et N 23 : 4 km – 18 796 h. alt. 158 – ✉ 28110 :*

**Ibis,** impasse Périgord ☎ 02 37 35 76 00, *h0688-gm@accor-hotels.com, Fax 02 37 30 01 49* – 15 à 40. AE GB
**Repas** (12) - 15/19 ♀, enf. 7 – ☕ 6 – **74 ch** 55.
◆ Un fléchage précis mène à cet établissement situé dans un quartier résidentiel. Chambres avant tout pratiques, rajeunies par étapes.

---

**CHARTRES-DE-BRETAGNE** *35 I.-et-V.* 309 L6 – *rattaché à Rennes.*

---

**La CHARTRE-SUR-LE-LOIR** *72340 Sarthe* 310 M8 *G. Châteaux de la Loire – 1 669 h alt. 55.*
*Office du Tourisme, place Centrale ☎ 02 43 44 40 04, Fax 02 43 44 40 04.*
*Paris 218 – Le Mans 49 – La Flèche 57 – St-Calais 30 – Tours 42 – Vendôme 43.*

**France,** ☎ 02 43 44 40 16, *hoteldefrance@worldonline.fr, Fax 02 43 79 62 20,* – 25. GB
*fermé 1er fév. au 5 mars, lundi sauf le soir de juil. au 15 sept. et dim. soir du 15 sept. à juin* – **Repas** (dim. prévenir) 12,50/35 ♀ – ☕ 5,60 – **24 ch** 38,10/54,90 – ½ P 35,10/42,70.
◆ Chambres progressivement refaites, sympathique salle à manger rustique, agréable terrasse et joli jardin au bord du Loir : ce relais de poste centenaire a bien des attraits.

---

**CHASSAGNE-MONTRACHET** *21180 Côte-d'Or* 320 I8 – *431 h alt. 200.*
*Paris 328 – Beaune 16 – Chalon-sur-Saône 23 – Amboise 350 – Blois 69.*

**Chassagne,** ☎ 03 80 21 94 94, *Fax 03 80 21 97 77* – GB
*fermé 4 au 12 août, 15 déc. au 12 janv., dim. soir, merc. soir et lundi* – **Repas** 18/45 ♀.
◆ Décor actuel coloré, cuisine au goût du jour et belle carte de chassagne-montrachet : une plaisante étape gourmande au pays des "plus grands vins blancs du monde" !

---

**CHASSELAY** *69380 Rhône* 327 H4 – *2 002 h alt. 220.*
*Paris 443 – Lyon 24 – L'Arbresle 15 – Villefranche-sur-Saône 18.*

**Guy Lassausaie,** ☎ 04 78 47 62 59, *guy.lassausaie@wanadoo.fr, Fax 04 78 47 06 19* – P. AE GB
*fermé 4 au 28 août, 9 au 19 fév., mardi et merc.* – **Repas** 32/70 et carte 48 à 66.
◆ Salles à manger contemporaines et raffinées où l'on savoure en gourmet une cuisine personnalisée. Belle collection de carrés de soie lyonnais. Boutique de produits "maison".
**Spéc.** Dodine de foie gras de canard aux pommes et sauternes. Pigeon cuit au foin en cocotte lutée. Poire de veau rôtie à la réglisse, croustillant de jarret. **Vins** Saint-Véran, Moulin à Vent.

---

**CHASSENEUIL-DU-POITOU** *86 Vienne* 322 I5 – *rattaché à Poitiers.*

---

**CHASSE-SUR-RHÔNE** *38 Isère* 333 B4 – *rattaché à Vienne.*

---

**CHASSEY-LE-CAMP** *71 S.-et-L.* 320 I8 – *rattaché à Chagny.*

---

**La CHATAIGNERAIE** *85120 Vendée* 316 L8 – *2 904 h alt. 155.*
*Office du Tourisme, ☎ 02 51 52 62 37, Fax 02 51 52 69 20.*
*Paris 410 – Bressuire 32 – Fontenay-le-Comte 23 – Parthenay 42 – La Roche-sur-Yon 59.*

**Auberge de la Terrasse,** 7r. Beauregard ☎ 02 51 69 68 68, *Fax 02 51 52 67 96* – 15. AE GB JCB. rest
*fermé 25 oct. au 2 nov., vend. soir, sam. et dim. soir hors saison* – **Repas** 10 (déj.), 16,50/30 ♀, enf. 8 – **14 ch** ☕ 40,80/55 – ½ P 41,60.
◆ Dans un quartier excentré assez tranquille. Côté hôtel, chambres bien tenues, simples et pratiques. Côté restaurant, salle à manger sagement rustique.

---

**CHÂTEAU-ARNOUX-ST-AUBAN** *04160 Alpes-de-H.-P.* 334 E8 *G. Alpes du Sud – 5 109 h alt. 440.*
**Env.** *Église St-Donat★ – Belvédère de la chapelle St-Jean★ – Site★ de Montfort.*
*Office du Tourisme, Ferme de Font-Robert ☎ 04 92 64 02 64, Fax 04 92 64 54 55, ot.district@wanadoo.fr.*
*Paris 721 – Digne-les-Bains 25 – Forcalquier 30 – Manosque 42 – Sault 71 – Sisteron 15.*

**Bonne Étape** (Gleize), Chemin du lac 04 92 64 00 09, *bonneetape@relaischateaux.com, Fax 04 92 64 37 36*, – – 25 à 50. AE GB JCB
*fermé 24 nov. au 9 déc., 5 janv. au 10 fév., merc. midi , mardi (sauf hôtel) et lundi hors saison* – **Repas** 40/135 bc et carte 65 à 90 , enf. 22 - ***Au Goût du Jour*** 04 92 64 48 48 *(fermé mardi midi et lundi hors saison)* **Repas** (14)-22 , enf. 10 – 14 – **11 ch** 160/220, 7 appart – ½ P 168/243.
◆ Difficile de ne pas succomber au charme de cette demeure du 18e s. fleurant bon la Provence. Ravissantes chambres dotées de meubles anciens. Belle cuisine classique.
**Spéc.** Salade de pigeon à la lavande. Agneau de Haute-Provence rôti. Crème glacée au miel de lavande. **Vins** Coteau de Pierrevert, Vacqueyras.

**L'Oustaou de la Foun,** Nord : 1,5 km sur N 85 04 92 62 65 30, *Fax 04 92 62 65 32*, – P. AE GB
*fermé 23 au 30 juin, vacances de Toussaint, 1er au 10 janv., dim. et lundi* – **Repas** 26/54 et carte 38 à 55 .
◆ Au bord de la nationale, vieille ferme provençale réhabilitée. Deux salles à manger (dont une voûtée) fraîches et rustiques, rehaussées de tableaux colorés.

**Magnanerie** avec ch, sur rte Sisteron, N 85 : 2 km 04 92 62 60 11, *stefanparoche@aol.com, Fax 04 92 62 63 05*, – P. GB
*fermé 22 au 28 déc., 2 au 18 janv., jeudi soir hors saison, dim. soir et lundi* – **Repas** 16 (déj.), 24/45 – 7 – **7 ch** 43/51.
◆ Sur la rive droite de la Durance, au pied de la montagne de Lure, cette construction régionale vous propose des préparations entre haute et basse Provence.

**à St-Auban** *Sud-Ouest : 3,5 km par N 96 – 04600 .*
Voir *Site★ de Montfort S : 2 km.*

**Villiard,** 04 92 64 17 42, *Fax 04 92 64 23 29*, , – P. GB
*fermé 20 déc. au 20 janv.* – **Repas** *(fermé lundi midi et dim.)* (10,70) - 22,10 – 6,50 – **18 ch** 39/68 – ½ P 44,50/57,50.
◆ Cet établissement bordant une route fréquentée est progressivement rénové. Façade repeinte, chambres un peu anciennes mais bien tenues, et création d'un jardinet-terrasse.

*Pour visiter une ville ou une région : utilisez les Guides Verts* ***Michelin.***

## CHÂTEAUBOURG *35220 I.-et-V. 309 N6 – 4 056 h alt. 50.*

*Paris 330 – Rennes 24 – Angers 114 – Châteaubriant 52 – Fougères 44 – Laval 58.*

**Ar Milin'** , 02 99 00 30 91, *info@armilin.com, Fax 02 99 00 37 56*, , – – 20 à 50. AE GB
*fermé 20 déc. au 6 janv.* – **Repas** *(fermé dim. soir du 1er nov. au 28 fév., mardi midi et lundi midi en juil.-août)* 26/50 – 10 – **32 ch** 71/165 – ½ P 62/80.
◆ Dans un parc (bel arboretum), ce moulin à farine du 19e s. bordant la Vilaine abrite des chambres personnalisées et un restaurant avec vue sur la rivière et la nature.

**à St-Didier** *Est : 6 km par D 33 – 1 055 h. alt. 49 – 35220 Chateaubourg :*

**Pen'Roc** , à La Peinière par D 105 02 99 00 33 02, *hotellerie@penroc.fr, Fax 02 99 62 30 89*, , , , – , rest, P – 60. AE GB
*fermé 25 déc. au 15 janv.* – **Repas** *(fermé vend. soir et dim. soir hors saison)* 18,50/58 – 9,50 – **29 ch** 73,50/170 – ½ P 84/122.
◆ À la campagne, près d'un site de pèlerinage. Belles chambres contemporaines ou d'inspiration asiatique ; certaines ont une terrasse. Plats traditionnels, produits de la mer.

## CHÂTEAUBRIANT *44110 Loire-Atl. 316 H1 G. Bretagne – 12 783 h alt. 70.*

Voir *Château★.*

*Office du Tourisme, 22 rue de Couëré 02 40 28 20 90, Fax 02 40 28 06 02, mairie.chateaubriant@wanadoo.fr.*

*Paris 355 ① – Angers 74 ③ – Laval 66 ② – Nantes 62 ④ – Rennes 61 ⑤.*

Plan page suivante

**Poêlon d'Or,** 30 bis r. 11-Novembre **(s)** 02 40 81 43 33, *Fax 02 40 81 43 33* – . GB JCB
*fermé 5 au 25 août, 4 au 10 mars, dim. soir et lundi* – **Repas** 15,50/46 et carte 46 à 63 .
◆ Une cuisine traditionnelle et l'incontournable spécialité de la ville, le Chateaubriant (filet de boeuf grillé), vous sont proposées dans cette salle à manger cossue.

**Auberge Bretonne** avec ch, 23 pl. Motte **(b)** 02 40 81 03 05, *Fax 02 40 28 37 51* – GB JCB
*fermé dim. soir et lundi sauf juil.-août* – **Repas** 13 bc/50 – 6 – **8 ch** 31/74 – ½ P 35.
◆ L'établissement occupe une maison régionale bien restaurée. Salle à manger actuelle, cuisine traditionnelle. Quelques chambres dotées d'un joli mobilier.

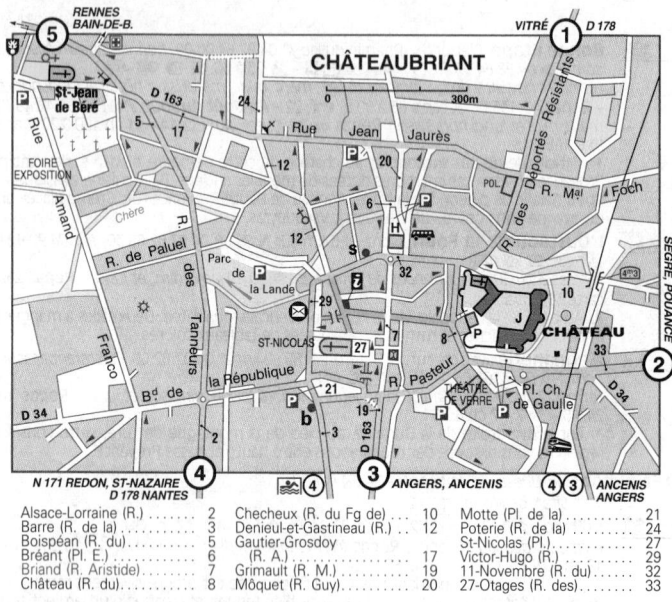

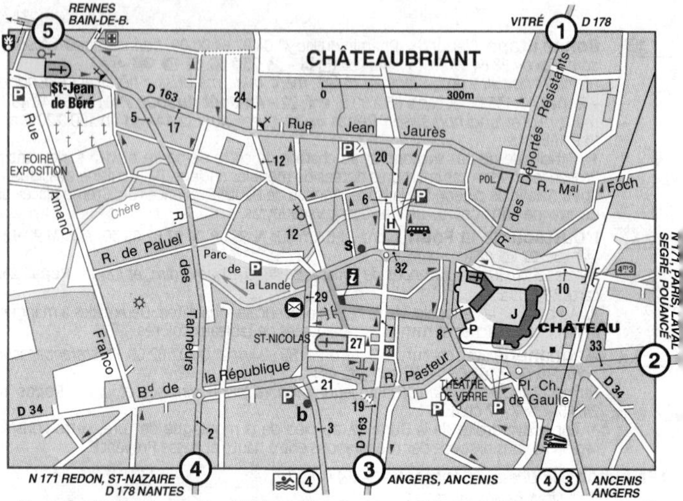
RENNES
BAIN-DE-B.
VITRÉ
D 178
CHÂTEAUBRIANT
0
300m
St-Jean
de Béré
D 163
Rue Jean Jaurès
Rue
FOIRE
EXPOSITION
Amand
Chère
R. de Paluel
R. des Tanneurs
Parc de la Lande
R. des Déportés Résistants
POL.
R. Mal Foch
ST-NICOLAS
Franco
Bd de la République
D 34
R. Pasteur
THÉÂTRE DE VERRE
Pl. Ch. de Gaulle
CHÂTEAU
D 163
N 171, PARIS, LAVAL
SEGRÉ, POUANCÉ
N 171 REDON, ST-NAZAIRE
D 178 NANTES
ANGERS, ANCENIS
ANCENIS
ANGERS

| | | | | | |
|---|---|---|---|---|---|
| Alsace-Lorraine (R.) | 2 | Checheux (R. du Fg de) | 10 | Motte (Pl. de la) | 21 |
| Barre (R. de la) | 3 | Denieul-et-Gastineau (R.) | 12 | Poterie (R. de la) | 24 |
| Boispéan (R. du) | 5 | Gautier-Grosdoy (R. A.) | 17 | St-Nicolas (Pl.) | 27 |
| Bréant (Pl. E.) | 6 | Grimault (R. M.) | 19 | Victor-Hugo (R.) | 29 |
| Briand (R. Aristide) | 7 | Môquet (R. Guy) | 20 | 11-Novembre (R. du) | 32 |
| Château (R. du) | 8 | | | 27-Otages (R. des) | 33 |

## CHÂTEAU-CHINON 58120 Nièvre 319 G9 *G. Bourgogne – 2 502 h alt. 510.*

Voir *Musée du Septennat★ – ☼★ du Calvaire – Promenade du Château★.*

*Office du Tourisme, place Notre-Dame ✆ 03 86 85 06 58, Fax 03 86 85 06 58.*

*Paris 282 – Autun 41 – Clamecy 65 – Nevers 65.*

**Vieux Morvan,** ✆ 03 86 85 05 01, *Fax 03 86 85 02 78*, ≤, – TV ✆ P. GB
*fermé 15 déc. au 31 janv. –* **Repas** *(fermé dim. soir et lundi sauf juil.-août)* 15/41 ♀, enf. 8,50 – ☕ 7 – **24 ch** 54 – ½ P 49.
◆ Cet établissement rendu célèbre par les nombreuses visites de F. Mitterrand profite d'une jolie vue sur le Morvan depuis la salle à manger panoramique et quelques chambres.

## CHÂTEAU D'IF 13 B.-du-R. 340 G6 *G. Provence.*

*au départ de* **Marseille** *pour le château d'If★★ (☼★★★) 20 mn.*

## CHÂTEAU D'OLÉRON 17 Char.-Mar. 324 C4 – *voir à Île d'Oléron.*

## CHÂTEAUDOUBLE 83300 Var 340 N4 *G. Côte d'Azur – 322 h alt. 540.*

Voir *Site★ – ≤★ de la tour "sarrasine" – Gorges de Châteaudouble★.*

*Paris 880 – Castellane 50 – Draguignan 14 – Fréjus 44 – Toulon 92.*

**Château,** ✆ 04 94 70 90 05, *Fax 04 94 70 90 05*, – GB
*fermé vacances de Toussaint –* **Repas** *(fermé dim. soir, lundi, mardi, merc. de sept. à juin, le midi de juin à sept. sauf dim.)* 42.
◆ Sièges provençaux design, tableaux modernes et cadre rustique en ce charmant restaurant situé dans un bourg médiéval surplombant les gorges de la Nartuby.

## CHÂTEAU-DU-LOIR 72500 Sarthe 310 L8 – *5 473 h alt. 50.*

*Office du Tourisme, 2 avenue Jean Jaurès ✆ 02 43 44 56 68, Fax 02 43 44 56 95, ot.loir.berce@wanadoo.fr.*

*Paris 236 – Le Mans 43 – La Flèche 42 – Langeais 47 – Tours 41 – Vendôme 58.*

**Grand Hôtel,** pl. Hôtel de Ville ✆ 02 43 44 00 17, *Fax 02 43 44 37 58* – TV. AE GB
*fermé vacances de Noël et de fév. –* **Repas** 18/39 ♁, enf. 11 – ☕ 6 – **18 ch** 41/52 – ½ P 41.
◆ Élégant immeuble en tuffeau (1895) aux chambres correctement équipées, rustiques ou actuelles. Le plafond de la salle à manger est orné de moulures et de décors de théâtre.

**CHÂTEAUDUN** 28200 E.-et-L. 311 D7 *G. Châteaux de la Loire* – 14 511 h alt. 140.

Voir *Château★★ – Vieille ville★ : église de la Madeleine★ – Promenade du Mail ≤★ – Musée des Beaux-Arts et d'Histoire naturelle : Collection d'oiseaux★* **M.**

*Office du Tourisme, 1 rue de Luynes ✆ 02 37 45 22 46, Fax 02 37 66 00 16.*

*Paris 131 ① – Orléans 52 ② – Blois 58 ③ – Chartres 44 ① – Tours 98 ③.*

## CHÂTEAUDUN

Cap-de-la-Madeleine (Pl.) . . . . . . . . . . **A** 3
Château (R. du) . . . . . . . . . . . . **A** 4
Cuirasserie (Rue de la) . . . . . . . **A** 5
Dunois (Pl. J.-de) . . . . . . . . . . . **A** 6
Gambetta (R.) . . . . . . . . . . . . . **AB**
Guichet (R.du) . . . . . . . . . . . . . . **A** 7
Huileries (R. des) . . . . . . . . . . . **A** 8
Luynes (R. de) . . . . . . . . . . . . . . **A** 10
Lyautey (R. Mar.) . . . . . . . . . . **A** 12
Porte d'Abas (R. de la) . . . . . **A** 14
République (R.) . . . . . . . . . . . **AB**
St-Lubin (R.) . . . . . . . . . . . . . . . **A** 18
St-Médard (R.) . . . . . . . . . . . . . **A** 19
18-Octobre (Pl. du) . . . . . . . . . . **A** 21

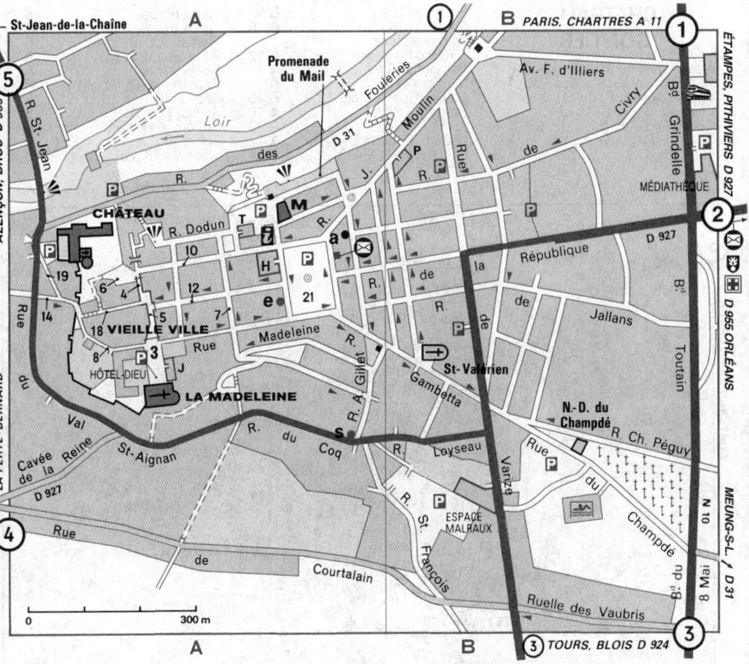

St-Jean-de-la-Chaîne
A
B
PARIS, CHARTRES A 11
ÉTAMPES, PITHIVIERS D 927
D 955 ORLÉANS
MEUNG-S-L. D 31
Promenade du Mail
Fouleries
Loir
des
R.
D 31
Moulin
J.
Av. F. d'Illiers
Civry
de
Bd Grindelle
MÉDIATHÈQUE
D 927
R. St-Jean
CHÂTEAU
R. Dodun
M
T
H
a
e
10
19
6
4
12
7
5
14
18
VIEILLE VILLE
21
République
la
de
R.
Jallans
Bd Toutain
Madeleine
Rue
8
3
HÔTEL-DIEU
J
LA MADELEINE
R. A. Gillet
Gambetta
St-Valérien
N.-D. du Champdé
R. Ch. Péguy
Rue du Val
Cavée de la Reine
St-Aignan
D 927
R. du Coq
s
R. Loyseau
Varize
Rue du Champdé
ESPACE MALRAUX
R. St François
Rue de Courtalain
Ruelle des Vaubris
Bd du 8 Mai
N 10
0
300 m
TOURS, BLOIS D 924


**St-Michel** sans rest, 5 r. Péan ✆ 02 37 45 15 70, *Fax 02 37 45 83 39* – AE GB — **A a**
*fermé 20 déc. au 5 janv.* – 6 – **19 ch** 40/50.
◆ Dans les murs d'un ancien relais de poste à l'ambiance familiale, chambres bien tenues, refaites dans le goût moderne. Accès par une belle galerie sous verrière. Sauna.

**Aux Trois Pastoureaux,** 31 r. A Gillet ✆ 02 37 45 74 40, *restaurant@aux-trois-pastoureaux.fr, Fax 02 37 66 00 32,* – AE GB — **A s**
*fermé 5 au 19 janv., dim. soir, jeudi soir et lundi* – **Repas** *(15,10)* - 19,90/40,80 ♀, enf. 10.
◆ Le mariage des styles Art déco et rustique caractérise le cadre confortable de cette maison connue comme étant la plus ancienne auberge de Châteaudun. Plats au goût du jour.

**Licorne,** 6 pl. 18-Octobre ✆ 02 37 45 32 32, – . GB — **A e**
*fermé 19 au 28 juin, 20 déc. au 15 janv., mardi soir et merc.* – **Repas** 11/27,50.
◆ Il règne dans ce petit établissement une atmosphère décontractée. Restauration "à la bonne franquette" dans une salle à manger tout en longueur. Cuisine traditionnelle.

**à Marboué** *par ① sur N 10 : 5 km – 1 052 h. alt. 113 – ✉ 28200 :*

**Toque Blanche,** ✆ 02 37 45 12 14, *Fax 02 37 45 12 14* – . AE GB
*fermé 15 sept. au 1er oct., fév., mardi soir et merc.* – **Repas** 16,80/33,60 ♀, enf. 10.
◆ Restaurant d'étape situé en léger retrait d'une route passante. Deux salles à manger décorées dans un esprit discrètement campagnard. Cuisine traditionnelle simple.

**CHÂTEAUFORT** *78 Yvelines* 311 I3 101 ㉒ – *voir à Paris, Environs.*

---

**CHÂTEAU-GONTIER** ⓈⓅ *53200 Mayenne* 310 E8 *G. Châteaux de la Loire* – *11 085 h alt. 33.*

Voir *Intérieur roman*★ *de l'église St-Jean-Baptiste.*

🅸 *Office du Tourisme, quai d'Alsace ✆ 02 43 70 42 74, Fax 02 43 70 95 52, tourisme@cc chateau-gontier.fr.*

*Paris 289 ② – Angers 50 ③ – Châteaubriant 56 ⑤ – Laval 30 ① – Le Mans 94 ②.*

## CHÂTEAU-GONTIER

Alsace-Lorraine (Quai et R. d') **B** 2
Anjou (R. René d') . . . . . **A**
Bourg-Roussel (R. du) . . . . . **A** 5
Chevreul (R.) . . . . . **A**
Coubertin (Q. P. de) . . . . . **B** 7
Doumer (Pl. Paul) . . . . . **A**
Enfer (R. d') . . . . . **B** 8
Foch (Av. Mar.) . . . . . **B** 9
Fouassier (R.) . . . . . **A** 10
Français-Libres (Rond-Point des) . . . . . **A** 12
Gambetta (R.) . . . . . **A** 14
Garnier (R.) . . . . . **A**
Gaulle (Quai Ch. de) . . . . . **B** 15
Homo (R. René) . . . . . **A** 18
Joffre (Av. Mar.) . . . . . **A** 20
Leclerc (R. de la Division) . . . **A** 22
Lemonnier (R. Gén.) . . . . . **B** 24
Lierru (R. de) . . . . . **B** 25
Olivet (R. d') . . . . . **A** 29
Pasteur (Quai) . . . . . **B** 31
Pilori (Pl. du) . . . . . **A** 33
Razilly (Av. de) . . . . . **A**
République (Pl. de la) . . . . . **A** 36
St-Jean (Pl.) . . . . . **A** 39
St-Just (Pl.) . . . . . **B** 40
St-Rémi (Pl.) . . . . . **A**
Thiers (R.) . . . . . **B**
Thionville (R. de) . . . . . **B** 45

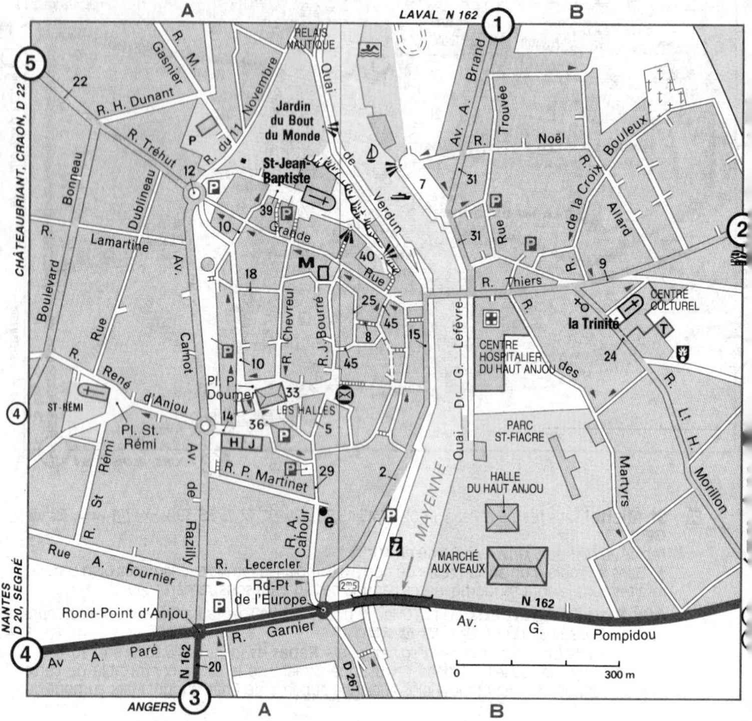
A
B
LAVAL N 162
CHÂTEAUBRIANT, CRAON, D 22
NANTES D 20, SEGRÉ
ANGERS
RELAIS NAUTIQUE
Jardin du Bout du Monde
St-Jean-Baptiste
Quai de Verdun
R. H. Dunant
R. Tréhut
R. du 11 Novembre
Boulevard Bonneau
R. Lamartine
Dublineau
Av. Carnot
Rue René d'Anjou
ST-RÉMI
Pl. St. Rémi
R. St Rémi
Grande Rue
R. Chevreul
R. J. Bourré
Pl. P. Doumer
LES HALLES
R. P. Martinet
R. A. Cahour
Av. de Razilly
Rue A. Fournier
R. Lecercler
Rd-Pt de l'Europe
Rond-Point d'Anjou
R. Garnier
Av A. Paré
N 162
D 267
MAYENNE
Quai Dr G. Lefèvre
Av. A. Briand
Rue Trouvée
R. Noël
Bouleux
R. de la Croix
Allard
R. Thiers
CENTRE CULTUREL
la Trinité
CENTRE HOSPITALIER DU HAUT ANJOU
R. des Martyrs
R. Lt H. Morillon
PARC ST-FIACRE
HALLE DU HAUT ANJOU
MARCHÉ AUX VEAUX
Av. G. Pompidou
0
300 m

🏨 **Jardin des Arts** 🐎, 5 r. A. Cahour ✆ 02 43 70 12 12, *jardin@art8.com, Fax 02 43 70 12 07,* ≤, 🍽, 🪑 – 📺 📞 🅿 – 🏛 30. GB. 🚭 A e
*fermé 3 au 22 août et 21 déc. au 4 janv.* – **Repas** *(fermé dim.)* (dîner seul.) 19/25 ♀, enf. 14 – ☕ 13 – **20 ch** 52/76 – ½ P 50/70.
◆ Ancienne sous-préfecture dont le beau jardin domine la Mayenne. Chambres spacieuses, salons abritant d'insolites billards, équipements informatiques de pointe, auditorium, etc.

**Parc Hôtel** sans rest, 46 av. Joffre par ③ ✆ 02 43 07 28 41, *contact@parchotel.fr, Fax 02 43 07 63 79,* – 25. GB
*fermé 6 au 15 fév.* – 7 – **21 ch** 51/92.
◆ Maison de maître du 19ᵉ s. au coeur d'un parc. Cadre sans fioriture, mais de caractère : fer forgé, mobilier exotique, couleurs vives. Sept chambres dans les ex-écuries.

**L'Aquarelle,** Sud (rte de Ménil) par D 267 : 1 km ✆ 02 43 70 15 44, *Fax 02 43 07 88 67,* – GB
*fermé 22 au 30 sept., 15 au 31 janv., dim. soir du 1ᵉʳ sept. au 15 juin et merc.* – **Repas** 14/31, enf. 8,90.
◆ Dans un quartier résidentiel, villa récente surplombant la Mayenne. Les repas en terrasse sont bercés par les eaux frémissantes de la rivière. Carte traditionnelle.

---

**CHÂTEAUMEILLANT** *18370 Cher* 323 J7 *G. Berry Limousin – 2 081 h alt. 247.*
Voir *Choeur★ de l'église St-Genès.*
*Office du Tourisme, rue de la Victoire ✆ 02 48 61 39 89, Fax 02 48 61 39 89, ot. chateaumeillant@wanadoo.fr.*
*Paris 302 – Argenton-sur-Creuse 58 – Châteauroux 54 – La Châtre 19 – Guéret 59.*

**Piet à Terre** (Finet) avec ch, ✆ 02 48 61 41 74, *tfinet@wanadoo.fr, Fax 02 48 61 41 88* – rest, GB.
*1ᵉʳ mars-11 nov. et fermé 1ᵉʳ au 7 sept., mardi, dim. soir et lundi sauf juil.-août* – **Repas** (nombre de couverts limité, prévenir) 24/75 et carte 62 à 82, enf. 14 – 9,90 – **7 ch** 46/72.
◆ Pied à terre ! Faites de ce ravissant restaurant, situé au pied des vignes castelmeillantaises, votre pied-à-terre berrichon : vous en repartirez du bon pied.
**Spéc.** Crème renversée au caramel de genièvre, petit lait de champignons. Turbot juste saisi, à l'infusion de légumes. Gourmandise de chocolat. **Vins** Châteaumeillant, Menetou-Salon.

*Ecrivez-nous...*
*Vos louanges comme vos critiques seront examinées avec le plus grand soin. Nous reverrons sur place les informations que vous nous signalez.*
*Par avance merci !*

---

**CHÂTEAUNEUF** *21320 Côte-d'Or* 320 H6 *G. Bourgogne – 63 h alt. 475.*
Voir *Site★ du village★ – Château★.*
*Paris 279 – Beaune 35 – Dijon 44 – Avallon 73 – Montbard 67.*

**Hostellerie du Château** , ✆ 03 80 49 22 00, *hdc@hostellerie-chateauneuf.com, Fax 03 80 49 21 27,* GB
*fermé 1ᵉʳ déc. au 15 fév., merc. d'oct. à mars, lundi et mardi sauf juil.-août* – **Repas** *(fermé mardi midi)* 23/40, enf. 8 – 8 – **17 ch** 45/70 – ½ P 52/64.
◆ A côté du château féodal, maison de caractère aux chambres rustiques personnalisées, plus spacieuses dans l'annexe. Le jardin offre une jolie vue sur la forteresse.

---

**CHÂTEAUNEUF** *71 S.-et-L.* 320 F12 – *rattaché à Chauffailles.*

---

**CHÂTEAUNEUF-DE-GALAURE** *26330 Drôme* 332 C2 – *1 246 h alt. 253.*
*Paris 536 – Valence 40 – Beaurepaire 19 – Romans-sur-Isère 27 – Tournon-sur-Rhône 24.*

**Yves Leydier,** ✆ 04 75 68 68 02, *Fax 04 75 68 66 19,* – GB
*fermé 1ᵉʳ au 10 juil., 28 au 31 août, 17 fév. au 12 mars, dim. soir sauf juil.-août, mardi soir et merc.* – **Repas** 25/45.
◆ Belle maison en galets de la Galaure. Au choix : salle à manger intime, véranda aux larges baies vitrées ou terrasse ombragée surplombant le jardin fleuri.

---

**CHÂTEAUNEUF-DU-FAOU** *29520 Finistère* 308 I5 *G. Bretagne – 3 777 h alt. 130.*
Voir *Domaine de Trévarez★ S : 6 km.*
*Office du Tourisme, place Arsegal ✆ 02 98 81 83 90, Fax 02 98 81 79 30, mairie@chateauneufdufaou.com.*
*Paris 528 – Quimper 38 – Brest 65 – Carhaix-Plouguer 23 – Châteaulin 25 – Morlaix 51.*

**Relais de Cornouaille,** rte Carhaix ✆ 02 98 81 75 36, *Fax 02 98 81 81 32* – 30. GB.
*fermé oct.* – **Repas** *(fermé dim. soir et sam.)* 12,50/34 – 6 – **29 ch** 37/48 – ½ P 42,50.
◆ Ambiance familiale dans cet hôtel dont le bar est fréquenté par une clientèle locale. Chambres fonctionnelles, fraîches et bien tenues. Salle à manger rustique très simple.

## CHÂTEAUNEUF-DU-PAPE *84230 Vaucluse 332 B9 G. Provence – 2 062 h alt. 87.*

Voir ≤★★ *du château des Papes.*

*Office du Tourisme, place du Portail ☎ 04 90 83 71 08, Fax 04 90 83 50 34, tourisme chato9-pape@wanadoo.fr.*

*Paris 672 – Avignon 18 – Alès 82 – Carpentras 22 – Orange 10 – Roquemaure 11.*

XXX **Hostellerie Château des Fines Roches** avec ch, rte Sorgues et voie privée ☎ 04 90 83 70 23, *reservation@chateaufinesroches.com, Fax 04 90 83 78 42,* ≤ les vignes, 余, – ▤ TV. AE GB. ✗

*fermé 24 nov. au 22 déc.* – **Repas** 30/72 ♀ – ☐ 14 – **6 ch** 150/192 – 1/2 P 134/155.

◆ Étonnant château crénelé (19e s.) dominant le vignoble. Petites salles élégamment décorées où l'on sert une cuisine aux saveurs régionales. Chambres agréables et spacieuses.

XX **Mère Germaine** avec ch, pl. Fontaine ☎ 04 90 83 54 37, *resa@lameregermaine.com, Fax 04 90 83 50 27,* ≤, 余 – TV P. GB. ✗ ch

**Repas** *(fermé mardi soir, merc. soir et dim. soir sauf juil.-août)* 25 (déj.), 31/79 bc – ☐ 6,50 – **8 ch** 49/69 – 1/2 P 58/68.

◆ La Mère Germaine officiait jadis aux fourneaux de ce restaurant. Carte classique dans une salle aux couleurs du Sud offrant une belle vue sur les vignobles ; formule bistrot.

XX **Verger des Papes,** au Château ☎ 04 90 83 50 40, *vergerdespapes@wanadoo.fr, Fax 04 90 83 79 93,* ≤ le vignoble, le Luberon et Avignon, 余 – ▤. GB

*fermé 21 déc. au 3 mars, dim. soir, lundi soir, mardi soir et merc. soir de nov. à mars* – **Repas** 17,50 (déj.)/24 ♀.

◆ Plaisant restaurant logé dans les remparts du château. Terrasse ombragée d'où l'on admire un splendide panorama. Caves gallo-romaines taillées dans le roc. Cuisine provençale.

X **Pistou,** 15 r. Joseph Ducos ☎ 04 90 83 71 75, *lepistou.ramos@wanadoo.fr, Fax 04 90 83 78 68* – GB

*fermé 23 au 30 juin, janv., dim. soir et lundi* – **Repas** *(fermé le soir de nov. à Pâques sauf sam.)* 13,80 ♀.

◆ Petite adresse située dans une ruelle menant à la forteresse papale. Sobre cadre rustique. Plats traditionnels et provençaux ou suggestions du jour à découvrir sur l'ardoise.

**à l'Ouest** *4 km par D 17 – ✉ 84230 Châteauneuf-du-Pape :*

**Sommellerie,** ☎ 04 90 83 50 00, *la-sommellerie@wanadoo.fr, Fax 04 90 83 51 85,* 余, ⛱, – ▤ rest, TV P – 🔺 30. AE GB JCB. ✗ rest

*fermé 2 au 6 janv., dim. soir et lundi de nov. à mars* – **Repas** 27,50 (déj.), 40/75 – ☐ 11 – **14 ch** 80/90 – 1/2 P 90/95.

◆ Au coeur du célèbre vignoble, bergerie du 17e s. joliment restaurée. Chambres fraîches, garnies d'un sobre mobilier campagnard. Cuisine régionale. Beau jardin arboré.

## CHÂTEAUNEUF-EN-THYMERAIS *28170 E.-et-L. 311 D4 – 2 459 h alt. 204.*

*Paris 99 – Chartres 26 – Dreux 20 – Nogent-le-Rotrou 46 – Verneuil-sur-Avre 32.*

XX ✿ **L'Écritoire** (Pasquier) avec ch, 43 r. É. Vivier ☎ 02 37 51 85 80, *Fax 02 37 51 86 87,* 余 – P. GB. ✗ ch

*fermé vacances de Toussaint, de fév., dim. soir, lundi et merc.* – **Repas** (nombre de couverts limité, prévenir) 23 (déj.), 28/56 et carte 50 à 62 ♀ – ☐ 7 – **5 ch** 45.

◆ Relais de poste du 16e s. au cachet préservé et cuisine subtile mariant produits du terroir et saveurs du monde. L'enseigne évoque l'écrivain public qui avait ici sa table.

**Spéc.** Saladine de foie gras de canard et Saint-Jacques aux herbes potagères (hiver). "Fricassure" de caille et gambas blanches aux cinq poivres et cinq épices (automne). Sauté de lapin du Thymerais et homard au piment doux et noix (été).

## CHÂTEAUNEUF-LE-ROUGE *13790 B.-du-R. 340 I5 – 1 283 h alt. 230.*

*Paris 768 – Marseille 36 – Aix-en-Provence 14 – Aubagne 26 – Brignoles 46 – Rians 31.*

**Galinière,** N 7 - rte St-Maximin : 2 km ☎ 04 42 53 32 55, *lagaliniere@aol.com, Fax 04 42 53 33 80,* 余, ⛱, – TV P – 🔺 15. AE ⓓ GB

**Repas** 25/50, enf. 12 – ☐ 9,20 – **17 ch** 50/70 – 1/2 P 69/74.

◆ Ferme des Templiers au 12e s., relais de poste au 18e s., ce domaine abrite aujourd'hui des chambres de style rustique, un restaurant et un centre équestre.

## CHÂTEAUNEUF-SUR-SARTHE *49330 M.-et-L. 317 G2 – 2 370 h alt. 20.*

*Office du Tourisme, quai de la Sarthe ☎ 02 41 69 82 89, Fax 02 41 69 82 89, tourismechateauneufsursarthe@wanadoo.fr.*

*Paris 279 – Angers 31 – Château-Gontier 26 – La Flèche 33.*

**Les Ondines,** quai Sarthe ✆ 02 41 69 84 38, *Fax 02 41 69 83 59*, – AE GB
*fermé 20 fév. au 20 mars* – **Repas** *(fermé dim. soir du 15 nov. au 15 mars)* 15 – 6 – **24 ch** 39/59 – ½ P 37,50/41.
◆ Atmosphère "seventies" pieusement préservée tant dans les chambres (réserver celles côté rivière) qu'au restaurant. En été, un gril anime la terrasse surplombant la Sarthe.

**Sarthe** avec ch, ✆ 02 41 69 85 29, *Fax 02 41 69 85 29*, ←, – GB. ch
*fermé oct., dim. soir hors saison et lundi* – **Repas** 14/32 – 5 – **7 ch** 39/46 – ½ P 46/54.
◆ Bâtisse ancienne enfouie sous le lierre et dominant le cours de la Sarthe. Sur la terrasse au bord de l'eau, les clients apprécient la friture d'anguilles "maison".

**CHÂTEAURENARD** *13160 B.-du-R.* 340 E2 *G. Provence – 11 790 h alt. 37.*
**Voir** *Château féodal : ✱★ de la tour du Griffon.*
*Office du tourisme, 11 cours Carnot ✆ 04 90 24 25 50, Fax 04 90 24 25 52, ot chateaurenard@visitprovence.com.*
*Paris 697 – Avignon 10 – Carpentras 37 – Cavaillon 21 – Marseille 96 – Nîmes 45 – Orange 40.*

**Les Glycines** avec ch, 14 av. V. Hugo ✆ 04 90 94 10 66, *Fax 04 90 94 78 10*, – rest, . GB
*fermé 16 fév. au 8 mars, dim. soir et lundi* – **Repas** (12) - 16/25, enf. 8 – 5 – **10 ch** 39 – ½ P 40.
◆ Trois salles à manger en enfilade, un patio couvert et une agréable petite terrasse d'été. Décor rustique simple et coloré, accueil familial et cuisine à l'accent régional.

**Bistrot Provençal,** 19 bd 4-Septembre ✆ 04 90 94 68 23, *Fax 04 90 90 10 05*, – . GB
*fermé 23 août au 6 sept., 23 au 28 déc., vacances de fév., mardi soir et merc.* – **Repas** 11,50 bc (déj.), 15/22,50.
◆ L'enseigne dit l'essentiel : vous dégusterez ici des petits plats provençaux à des prix raisonnables, dans un chaleureux cadre de style bistrot. Terrasse ombragée sur rue.

**CHÂTEAUROUX** P *36000 Indre* 323 G6 *G. Berry Limousin – 50 969 h alt. 155.*
**Voir** *Déols : clocher★ de l'ancienne abbaye, sarcophage★ dans l'église St-Etienne.*
*Office du Tourisme, 1 place de la Gare ✆ 02 54 34 10 74, Fax 02 54 27 57 97, tourisme chateauroux@wanadoo.fr.*
*Paris 265 ① – Bourges 66 ② – Blois 101 ⑨ – Limoges 125 ⑥ – Tours 116 ⑧.*

Plans page suivante

**Mercure** M, r. V. Hugo ✆ 02 54 34 61 61, *h1080@accor-hotels.com, Fax 02 54 27 69 51* – – 15 à 30. AE GB BY v
**Repas** *(fermé sam. sauf le soir en juil.-aout et dim.)* (15) - 21, enf. 6,50 – 9 – **60 ch** 67/76.
◆ Étape pratique, cet hôtel central abrite des chambres de bonne ampleur, fonctionnelles et bien insonorisées. Salle à manger contemporaine rehaussée de couleurs printanières.

**Elysée Hôtel** sans rest, 2 r. République ✆ 02 54 22 33 66, *elysee36@wanadoo.fr, Fax 02 54 07 34 34* – . AE GB JCB AY s
*fermé 24 déc. au 2 janv.* – 7 – **18 ch** 43/58.
◆ Les chambres de cet immeuble centenaire sont personnalisées et bien tenues. Épris de littérature, le patron vous invite à découvrir les ouvrages de la bibliothèque du salon.

**Boischaut** sans rest, 135 av. La Châtre par ④ ✆ 02 54 22 22 34, *hotel-boischaut@wanadoo.fr, Fax 02 54 22 64 89* – . AE GB X v
*fermé 26 déc. au 5 janv.* – 5 – **27 ch** 34,50/46.
◆ Chambres régulièrement rénovées, garnies de meubles rustiques ou pratiques. Salon moderne et confortable, salle des petits-déjeuners éclairée par de larges baies.

**Ciboulette,** 42 r. Grande ✆ 02 54 27 66 28, *Fax 02 54 27 66 28* – GB BY e
*fermé 3 août au 2 sept., 21 déc. au 6 janv., dim., lundi et fériés* – **Repas** 15/37.
◆ Dans une ruelle pavée du vieux Châteauroux, accueillante devanture vitrée derrière laquelle s'abrite une lumineuse salle à manger. Cuisine au goût du jour ; vins au verre.

**Lavoir de la Fonds Charles,** 26 r. Château-Raoul ✆ 02 54 27 11 16, *Fax 02 54 60 02 22*, – GB AY n
*fermé 15 au 25 août, sam. midi, dim. soir et lundi* – **Repas** 16,50/30.
◆ Dominé par le château Raoul, ce restaurant familial propose une carte traditionnelle à prix doux. Intérieur rustique, véranda et belle terrasse ombragée au bord de l'Indre.

**rte de Paris** *près Céré par ① : 6 km – ✉ 36130 Déols :*

**Relais St-Jacques,** ✆ 02 54 60 44 44, *Fax 02 54 60 44 00*, – rest, – 30 à 50. AE GB
**Repas** *(fermé dim. soir)* 17,30/44 – 7,65 – **46 ch** 53,60/58,80.
◆ Construction des années 1970 abritant des chambres au mobilier fonctionnel. Au restaurant, recettes classiques à déguster dans une atmosphère feutrée.

# CHÂTEAUROUX



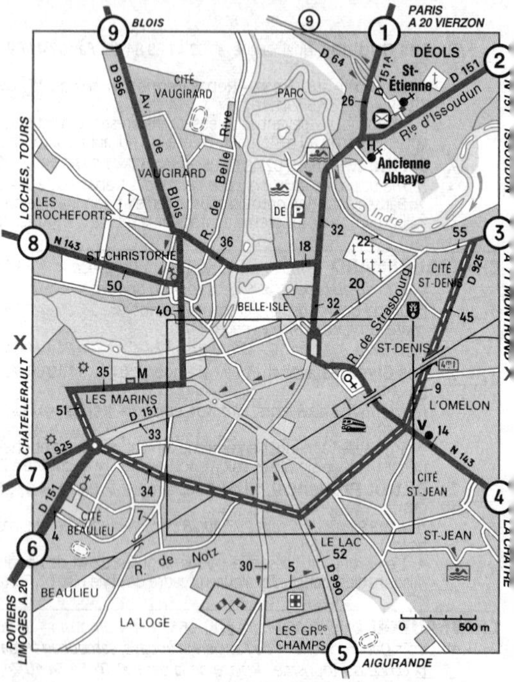

BLOIS
PARIS A 20 VIERZON
DÉOLS
St-Étienne
D 151
D 64
D 151A
D 956
CITÉ VAUGIRARD
PARC
Rte d'Issoudun
Ancienne Abbaye
Indre
Av. de Blois
R. de Belle Rive
VAUGIRARD
LES ROCHEFORTS
LOCHES, TOURS
N 143
ST-CHRISTOPHE
BELLE-ISLE
CITÉ ST-DENIS
D 925
R. de Strasbourg
ST-DENIS
L'OMELON
LES MARINS
D 151
X
CHÂTELLERAULT
D 925
N 143
CITÉ ST-JEAN
ST-JEAN
CITÉ BEAULIEU
R. de Notz
LE LAC
D 990
BEAULIEU
LA LOGE
LES GRds CHAMPS
POITIERS LIMOGES A 20
AIGURANDE
0
500 m
LA CHÂTRE


A B

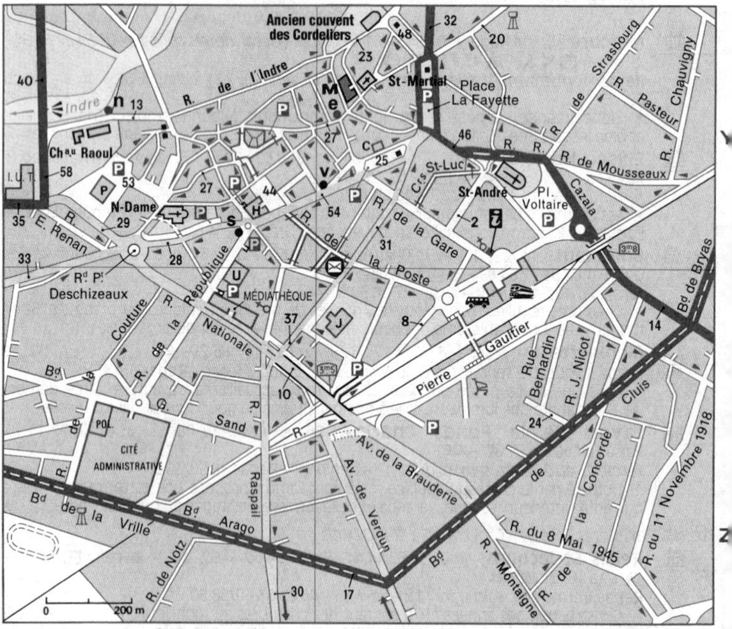

Ancien couvent des Cordeliers
St-Martial
Place La Fayette
R. de l'Indre
Indre
Chau Raoul
I. U. T.
N-Dame
E. Renan
Rd Pt Deschizeaux
R. de la République
St-André
Crs St-Luc
Pl. Voltaire
R. de Mousseaux
R. de Strasbourg
R. Pasteur
R. Chauvigny
Cazala
R. de la Gare
R. de la Poste
MÉDIATHÈQUE
R. Nationale
Couture
Bd de la
R. G. Sand
R. Raspail
Pierre Gaultier
Rue Bernardin
R. J. Nicot
Cluis
Bd de Bryas
POL.
CITÉ ADMINISTRATIVE
Av. de la Brauderie
Av. de Verdun
Bd de la Vrille
Bd Arago
R. de Notz
R. du 8 Mai 1945
R. de la Concorde
R. du 11 Novembre 1918
R. Montaigne
0
200 m
Y
Z
A
B

**par** ② *rte de Bourges sur N 151 : 6 km* – ✉ *36130 Montierchaume :*

**Les Ajoncs,** N 151 ✆ 02 54 26 93 93, *Fax 02 54 26 93 85,* – TV ♿ P – 20. AE GB
**Repas** *(fermé dim. soir)* 11 (déj.), 12/19 – 5 – **50 ch** 28/32,50 – ½ P 28.
◆ Cet hôtel situé sur la route d'Issoudun dispose de petites chambres pratiques bien tenues. Salle à manger claire et fleurie. Expositions de tableaux renouvelées régulièrement.

**à la Forge-de-l'Ile** *par* ④ *: 6 km* – ✉ *36330 Le Poinçonnet :*

**Auberge de l'Arc en Ciel** sans rest, ✆ 02 54 34 09 83, *info@hotel-arc-en-ciel.com, Fax 02 54 34 46 74* – TV P – 50. GB
*fermé Noël au Jour de l'An* – 4,50 – **24 ch** 25/39.
◆ Avenante maison régionale disposant de confortables chambres au charme désuet ; la moitié d'entre elles donnent sur la campagne. Salon assez cossu pour le petit-déjeuner.

**Le Poinçonnet** *par* ⑤ *: 6 km – 4 600 h. alt. 160* – ✉ *36330 :*

**Fin Gourmet,** 73 av. Forêt ✆ 02 54 35 40 17, *faim.gourmet@wanadoo.fr, Fax 02 54 35 47 20* – P. GB
*fermé 28 avril au 11 mai, 4 au 18 août, 3 au 13 janv., dim. soir et lundi* – **Repas** 25/76.
◆ Cette discrète bâtisse de la périphérie dissimule un élégant intérieur contemporain : tons ocre et bleu, tableaux modernes et mise en place soignée. Cuisine au goût du jour.

**rte de Limoges** *par* ⑥ *: 6 km* – ✉ *36250 St-Maur :*

**Campanile,** ✆ 02 54 08 24 00, *Fax 02 54 07 17 09,* – TV ♿ P – 25. AE GB
**Repas** *(12)* - 15,50/17,50, enf. 6 – 6 – **43 ch** 55.
◆ Étape pratique sur la N 20, entre Champagne berrichonne et vallée de la Creuse. Les chambres, rénovées, sont simples et bien tenues. Cuisine visible de la salle à manger.

---

## CHÂTEAU-THIERRY

**CHÂTEAU-THIERRY** 02400 Aisne 306 C8 *G. Champagne Ardenne* – 15 312 h alt. 63.
**Voir** *Maison natale de La Fontaine* **A M** – *Vallée de la Marne*★.
*Office du Tourisme, 11 rue Vallée ✆ 03 23 83 10 14, Fax 03 23 83 14 74, otsi-château thierry@wanadoo.fr.*
*Paris 92* ① – *Reims 58* ① – *Épernay 56* ② – *Meaux 45* ⑤ – *Soissons 41* ① – *Troyes 112* ④.

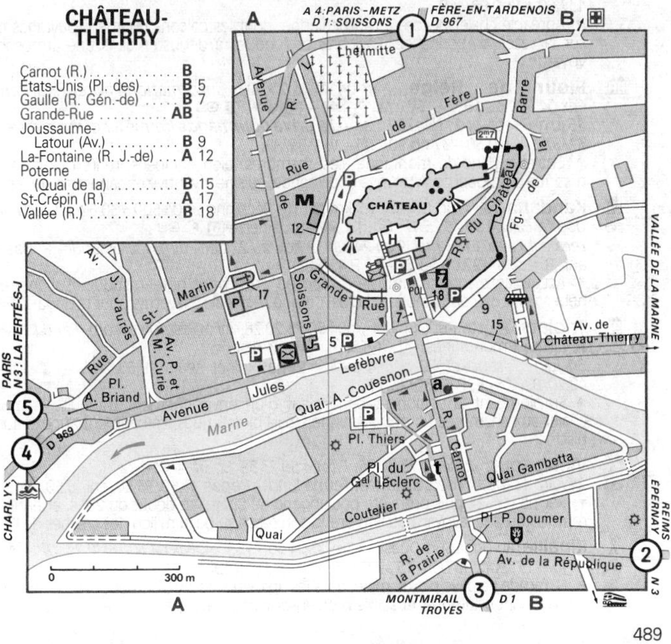
CHÂTEAU-THIERRY
Carnot (R.) B
États-Unis (Pl. des) B 5
Gaulle (R. Gén.-de) B 7
Grande-Rue AB
Joussaume-Latour (Av.) B 9
La-Fontaine (R. J.-de) A 12
Poterne (Quai de la) B 15
St-Crépin (R.) A 17
Vallée (R.) B 18
A 4: PARIS - METZ
D 1: SOISSONS
FÈRE-EN-TARDENOIS
D 967
Lhermitte
Avenue
Rue de Fère
Barre
CHÂTEAU
Rue de Soissons
Grande Rue
R. du Château
Fg. de la
St-Martin
Av. J. Jaurès
Av. P. et M. Curie
Pl. A. Briand
Avenue Jules Lefèbvre
Quai A. Couesnon
Marne
Pl. Thiers
Pl. du Gal Leclerc
R. Carnot
Quai Gambetta
Coutelier
Quai
Pl. P. Doumer
R. de la Prairie
Av. de la République
Av. de Château-Thierry
VALLÉE DE LA MARNE
PARIS N 3 : LA FERTÉ-S-J
CHARLY
D 969
REIMS ÉPERNAY
N 3
MONTMIRAIL TROYES
D 1
300 m

**Ibis,** av. Gén. de Gaulle à Essomes par ④ : *2 km* ☎ 03 23 83 10 10, *Fax 03 23 83 45 23,* – 50. AE GB
**Repas** *(15)* - 22, enf. 5,95 – 5,50 – **55 ch** 49/52.
◆ Chambres aux dernières normes de la chaîne ; calmes sur l'arrière, elles offrent à l'avant la vue sur le monument américain de la Cote 204 commémorant les combats de 1918.

**Campanile,** rte de Soissons par ① : *3 km* ☎ 03 23 69 23 23, *Fax 03 23 69 91 11,* – 25. AE GB JCB
**Repas** *(12)* - 15,50 ♀, enf. 6 – 6 – **46 ch** 49.
◆ Près de l'autoroute, deux bâtisses récentes reliées par une terrasse couverte. Chambres fonctionnelles et bien tenues. Formules buffets au restaurant.

**Auberge Jean de la Fontaine,** 10 r. Filoirs ☎ 03 23 83 63 89, *Fax 03 23 83 20 54,* – AE GB **B a**
*fermé 1ᵉʳ au 21 août, 1ᵉʳ au 16 janv., dim. soir et lundi* – **Repas** 24/34 bc ♀.
◆ Hommage rendu au génial fabuliste dans cette petite salle de restaurant rustique où sont exposées des peintures sur bois illustrant quelques-unes de ses oeuvres.

**Estoril,** 1 pl. Granges ☎ 03 23 83 64 16, *Fax 03 23 83 77 08* – GB **B t**
*fermé dim. soir et lundi* – **Repas** *(12,50)* - 19,10/40 ♀, enf. 7,50.
◆ Clin d'oeil au Portugal dans le décor de ce restaurant (azulejos et couleurs ensoleillées) proposant spécialités lusitaniennes et plats traditionnels.

*Nos guides hôteliers, nos guides touristiques et nos cartes routières sont complémentaires. Utilisez-les ensemble.*

---

**CHÂTEL** *74390 H.-Savoie* 328 O3 *G. Alpes du Nord – 1 255 h alt. 1180 – Sports d'hiver : 1 200/2 100 m 2 52.*
**Voir** *Site★ – Lac du pas de Morgins★ S : 3 km.*
*Office du Tourisme, Chef Lieu ☎ 04 50 73 22 44, Fax 04 50 73 22 87, touristoffice@chatel-.com.*
*Paris 605 – Thonon-les-Bains 39 – Annecy 113 – Évian-les-Bains 38 – Morzine 38.*

**Macchi,** ☎ 04 50 73 24 12, *elisabeth@hotelmachi.com, Fax 04 50 73 27 25,* ←, – GB, rest
*20 juin-10 sept. et 15 déc.-15 avril* – **Repas** (dîner seul.) 19 ♀ – 12,20 – **32 ch** 119,60/137,60 – ½ P 88/108.
◆ Agréable chalet décoré à l'autrichienne, dont les balcons finement ouvragés donnent sur la vallée d'Abondance. Raclettes et fondues à déguster dans une atmosphère savoyarde.

**Fleur de Neige,** ☎ 04 50 73 20 10, *information@hotel-fleurdeneige.fr, Fax 04 50 73 24 55,* ←, – AE GB
*15 juin-6 sept. et 21 déc.-30 mars* – ***La Grive Gourmande*** *(fermé lundi soir en hiver)* **Repas** 32/67 ♀ – 9,50 – **37 ch** 90/105 – ½ P 59/88.
◆ Chalet à flanc de montagne. Les chambres, bien équipées, renferment un mobilier rustique ou moderne. À La Grive Gourmande, cuisine inventive et panorama sur les alpages.

**Kandahar**, Sud-Ouest : 1,5 km par rte Béchigne ☎ 04 50 73 30 60, *lekandahar@wanadoo.fr, Fax 04 50 73 25 17,* – cuisinette GB
*fermé 13 avril au 13 mai, 9 au 24 juin, 2 nov. au 22 déc., dim. soir et lundi* – **Repas** 14/31 ♀, enf. 8 – 8 – **22 ch** 38/60 – ½ P 45/60.
◆ Accueillante adresse familiale composée d'un chalet-hôtel rustique et d'une résidence hébergeant de confortables studios. Cuisine régionale. Navettes pour le Linga.

**Triolets**, rte Petit Châtel ☎ 04 50 73 20 28, *info@lestriolets.com, Fax 04 50 73 24 10,* ← vallée et montagnes, – GB, rest
*30 juin-1ᵉʳ sept. et 20 déc.-4 avril* – **Repas** (dîner seul.) 19,50/29 ♀ – 10 – **20 ch** 49,20/92,40 – ½ P 67,30/76,10.
◆ Surplombant la station et bénéficiant d'un environnement tranquille, sympathique chalet aux chambres un peu anciennes mais bien tenues. Le bâtiment annexe abrite une piscine.

**Vieux Four,** ☎ 04 50 73 30 56, *Fax 04 50 73 38 12,* – GB
*21 juin-7 sept., 14 déc.-21 avril et fermé lundi* – **Repas** 13,50/33,50, enf. 8,50.
◆ Ferme (1852), puis première boulangerie de Châtel au début du 20ᵉ s. et enfin chaleureux restaurant savoyard où l'on prend son repas au beau milieu des crèches de l'étable.

**Ripaille,** au Linga Sud-Ouest : 2 km ☎ 04 50 73 32 14, *Fax 04 50 73 20 21,* – GB
*1ᵉʳ juil.-15 sept., 15 déc.-15 avril et fermé lundi* – **Repas** 15/34 ♀, enf. 8.
◆ La façade ne paye pas de mine, mais les ripailleurs ne s'y trompent pas : ici, les spécialités du pays sont goûteuses et servies copieusement. À deux pas de la télécabine.

**CHÂTELAILLON-PLAGE** *17340 Char.-Mar.* 324 D3 *G. Poitou Vendée Charentes – 4 993 h alt. 3 – Casino.*

*Office du Tourisme, 5 avenue de Strasbourg ☎ 05 46 56 26 97, Fax 05 46 56 09 49, mairiechatelaillon@office.fr.*

*Paris 470 – La Rochelle 16 – Niort 63 – Rochefort 23 – Surgères 29.*

**Trois Iles** M, à la Falaise ☎ 05 46 56 14 14, *hrcm3iles@aol.com, Fax 05 46 56 23 70,* ≤ mer et îles, – cuisinette – 60. AE GB

*fermé 21 déc. au 2 janv.* – **Repas** *(12)* - 23, enf. 9 – 8,80 – **62 ch** 87/106, 17 duplex – ½ P 75,50/79,50.

◆ Vaste complexe hôtelier quasiment "les pieds dans l'eau", proposant des chambres fonctionnelles, dotées de balcons côté océan. Grande terrasse ouverte aux brises iodées.

**Ibis** M, à la Falaise ☎ 05 46 56 35 35, *Fax 05 46 56 33 44,* ≤, – – 25. AE GB

**Repas** *(15,25)* - 18,85, enf. 6,20 – 7 – **70 ch** 85/94.

◆ Ce bâtiment moderne héberge un centre de thalassothérapie. Chambres assez spacieuses, avant tout pratiques. À table, carte "Ibis" et menu diététique.

**Majestic Hôtel,** bd République ☎ 05 46 56 20 53, *majestic.chatelaillon@wanadoo.fr, Fax 05 46 56 29 24,* – . AE GB

**Repas** *(11)* - 16,50/38 ♀, enf. 9 – 7 – **34 ch** 60/105 – ½ P 55,50/77,50.

◆ Au coeur de la station, belle façade des années 1920 abritant des chambres progressivement rénovées dans un esprit actuel et très simplement meublées.

**Rivage** sans rest, 36 bd Mer ☎ 05 46 56 25 79, *Fax 05 46 56 19 03,* ≤ – – 25. AE GB

*5 avril-8 nov.* – 6 – **40 ch** 46/56.

◆ Face à la plage, plusieurs bâtiments disposés autour d'un patio-jardin. Les chambres, correctement équipées et bien tenues, sont pourvues de balcons côté océan.

**Plage,** bd Mer ☎ 05 46 56 26 02, *hotelaplage-chatel@wanadoo.fr, Fax 05 46 56 01 29,* ≤ – . GB

**Repas** *(fermé dim. soir et lundi)* 15/25 ♀ – 6,50 – **10 ch** 50/68 – ½ P 38/55.

◆ Dans cette discrète maison régionale, les chambres ont presque toutes vue sur le rivage. Confort modeste et mobilier éclectique, mais tenue sans reproche.

**Acadie St-Victor** avec ch, 35 bd Mer ☎ 05 46 56 25 13, *stvictor@wanadoo.fr, Fax 05 46 56 25 12,* ≤ – . AE GB

*fermé 16 fév. au 7 mars, 19 oct. au 12 nov., vend. soir d'oct. à avril (sauf hôtel), dim. soir et lundi hors sais.* – **Repas** *(13)* - 18/34,50 ♀, enf. 8 – 5,70 – **13 ch** 43/57 – ½ P 47,70/54,70.

◆ Sur le front de mer, restaurant au cadre contemporain dont les baies vitrées ouvrent "plein cadre" sur la plage. Chambres pimpantes et pratiques.

**Les Flots** M avec ch, 52 bd Mer ☎ 05 46 56 23 42, *Fax 05 46 56 99 37,* ≤, – – 20. GB

*fermé 8 déc. au 31 janv.* – **Repas** *(fermé mardi)* 22 ♀ – 7 – **11 ch** 67/80 – ½ P 60/67.

◆ Décor marin dans une plaisante salle à manger de type bistrot ouverte sur l'immense plage chère aux Rochelais. Goûteuse cuisine océane. Chambres actuelles.

**Le CHÂTELET** *18170 Cher* 323 J7 – *1 106 h alt. 200.*

**Voir** *Commune de la Méridienne verte.*

*Paris 290 – Bourges 54 – Argenton-sur-Creuse 66 – Châteauroux 55.*

**à Orsan** *Nord-Ouest : 7 km par D 951 et D 65, rte de Lignères – ✉ 18170 Maisonnais :*

**Maison d'Orsan** M, ☎ 02 48 56 27 50, *Fax 02 48 56 39 64,* ≤, – . GB. ch

*29 mars-3 nov.* – **Repas** *(fermé le midi en avril sauf week-end et fériés)* 33 (déj.), 41/48 ♀ – 18 – **6 ch** 180/215 – ½ P 121/167.

◆ Délicieuse étape dans un prieuré du 17ᵉ s. : réfectoire et dortoir transformés en ravissantes chambres contemporaines, exquise tonnelle et jardins monastiques recomposés.

***Dans ce guide***

*un même symbole, un même mot,*

*imprimé en* ***rouge*** *ou en* ***noir****, en maigre ou en* ***gras****,*

*n'ont pas tout à fait la même signification.*

*Lisez attentivement les pages explicatives.*

**CHÂTELGUYON** *63140 P.-de-D.* 326 F7 *G. Auvergne – 4 743 h alt. 430 – Stat. therm. (début mai-fin sept.) – Casino* **B.**

*Office du Tourisme, 1 avenue de l'Europe ☎ 04 73 86 01 17, Fax 04 73 86 27 03, ot.chatelguyon@wanadoo.fr*

*Paris 414 ① – Clermont-Ferrand 21 ① – Cannat 32 ① – Vichy 43 ① – Volvic 11 ②.*

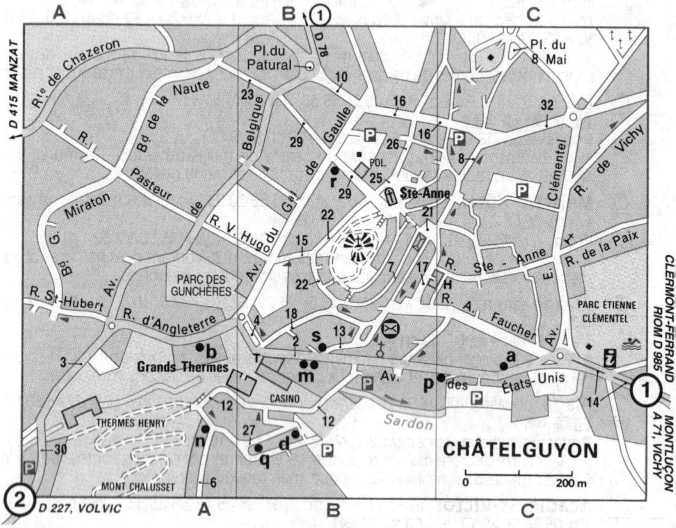

A
B
C
①
D 78
D 415 MANZAT
Pl. du Patural
Pl. du 8 Mai
Rte de Chazeron
Bd de la Naute
Belgique
R. Pasteur
Gal de Gaulle
R. Clémentel
R. de Vichy
Miraton
R. V. Hugo
Av. du
POL.
Ste-Anne
R. Ste-Anne
R. de la Paix
Bd G.
PARC DES GUNCHÈRES
R. St-Hubert
R. d'Angleterre
R. A. Faucher
PARC ÉTIENNE CLÉMENTEL
CLERMONT-FERRAND RIOM D 985
Grands Thermes
CASINO
Av. des États-Unis
THERMES HENRY
Sardon
CHÂTELGUYON
0
200 m
MONTLUÇON A 71, VICHY
MONT CHALUSSET
②
D 227, VOLVIC

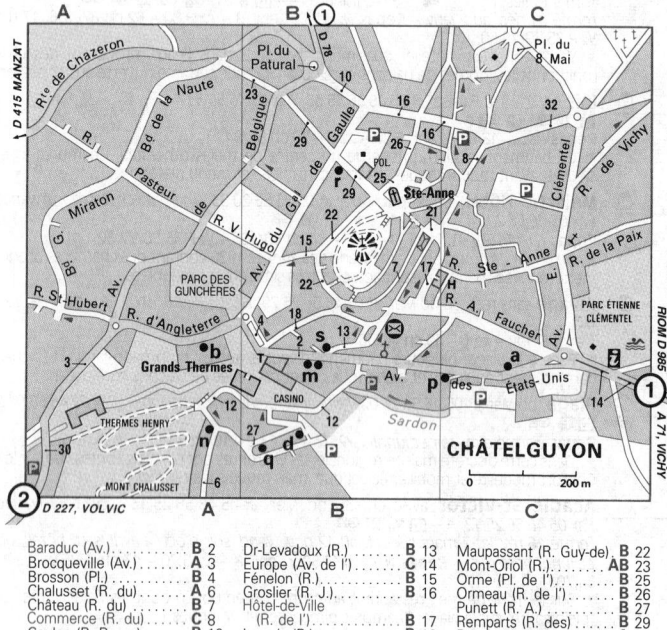

Baraduc (Av.) . . . . . . . . . . **B** 2
Brocqueville (Av.) . . . . . . . **A** 3
Brosson (Pl.) . . . . . . . . . . . **B** 4
Chalusset (R. du) . . . . . . . **A** 6
Château (R. du) . . . . . . . . **B** 7
Commerce (R. du) . . . . . . **C** 8
Coulon (R. Roger) . . . . . . **B** 10
Dr-Gübler (R.) . . . . . . . . . . **B** 12
Dr-Levadoux (R.) . . . . . . . **B** 13
Europe (Av. de l') . . . . . . . **C** 14
Fénelon (R.) . . . . . . . . . . . **B** 15
Groslier (R. J.) . . . . . . . . . **B** 16
Hôtel-de-Ville (R. de l') . . . . . . . . . . . **B** 17
Lacroix (R.) . . . . . . . . . . . **B** 18
Marché (Pl. du) . . . . . . . . **B** 21
Maupassant (R. Guy-de) . **B** 22
Mont-Oriol (R.) . . . . . . . **AB** 23
Orme (Pl. de l') . . . . . . . . **B** 25
Ormeau (R. de l') . . . . . . . **B** 26
Punett (R. A.) . . . . . . . . . . **B** 27
Remparts (R. des) . . . . . . **B** 29
Russie (Av. de) . . . . . . . . . **A** 30
Thermal (Bd) . . . . . . . . . . . **C** 32

**Thermalia,** av. Baraduc ☎ 04 73 86 00 11, *raymondc@nat.fr, Fax 04 73 86 21 97* – 25. AE GB. — **B m**
*fermé 15 déc. au 15 janv.* – **Repas** *(fermé dim. soir et lundi midi hors saison)* 12,50/26 – 6,40 – **35 ch** 49/60 – P 56,50.
◆ Deux bâtiments (dont une ex-maison de cure) séparés par un jardin-terrasse fleuri et ombragé par des marronniers. Chambres sobres. Salle à manger au décor Belle Époque.

**Splendid,** 5-7 r. Angleterre ☎ 04 73 86 04 80, *splendid.hotel.chatel@wanadoo.fr, Fax 04 73 86 17 56,* – 40. AE GB. rest — **A b**
*fermé 15 déc. au 15 janv.* – **Repas** *(fermé sam. et dim. du 1er nov. au 28 fév.)* 14/29 – 9 – **75 ch** 50/90 – 1/2 P 55/64.
◆ Guy de Maupassant fréquenta ce grand hôtel bâti en 1872 et a laissé son nom à l'un des salons. Chambres au charme "rétro" et majestueuse salle à manger d'époque.

**Mont Chalusset**, r. A. Punett ☎ 04 73 86 00 17, *hotel-montchalusset@massifcentral.net, Fax 04 73 86 22 94,* – 15. AE GB. rest — **B q**
*fermé déc.* – **Repas** *(fermé dim. soir en hiver)* (13,50) - 17,50/40, enf. 11 – 7,50 – **40 ch** 70/95 – 1/2 P 72,50.
◆ Ambiance familiale dans cette bâtisse centenaire adossée au mont Chalusset. Les chambres, bien tenues et équipées d'un mobilier varié, sont parfois dotées de balcons.

**Bellevue**, 4 r. A. Punett ☎ 04 73 86 07 62, *hotel-bellevue.chatelguyon@wanadoo.fr, Fax 04 73 86 02 56,* – AE GB. rest — **B d**
*hôtel: 1er avril-2 nov. ; rest.: 28 avril-27 sept.* – **Repas** 18/30 – 7 – **38 ch** 42/66 – P 55/63.
◆ Hôtel des années 1930 surplombant la petite station thermale du pays brayaud. Chambres fonctionnelles et fraîches, plus grandes en façade. Menus régionaux.

**Hirondelles,** av. États-Unis ✆ 04 73 86 09 11, *hotel.hirondelles@wanadoo.fr, Fax 04 73 86 48 38,* ☂, ⛱, ⚘ – TV ☎ P. GB. ✂ rest B p
*18 avril-13 oct.* – **Repas** *(2 mai-28 sept.)* 14 bc/29 ♀, enf. 7 – ☕ 7 – **34 ch** 52/75 – P 48/57.
◆ Le bâtiment principal abrite des chambres pratiques bénéficiant d'un double vitrage ; à l'annexe, elles donnent sur un plaisant jardin. Minigolf, billard, fitness.

**Bains,** av. Baraduc ✆ 04 73 86 07 97, *les.bains.hotel.chatelguyon@wanadoo.fr, Fax 04 73 86 11 56* – ⇕ ⚡ TV P – 🏔 35. AE ⓓ GB B m
**Repas** *(fermé dim. soir, lundi midi et sam. midi d'oct. à avril)* (11) - 16/37 ♀, enf. 7,50 – ☕ 9 – **33 ch** 48/64 – ½ P 46.
◆ À deux pas du casino. Côté avenue, petites chambres récemment rénovées. Côté cour, hébergement plus spacieux aménagé en style rustique. Bonne insonorisation.

**Régence,** 31 av. États-Unis ✆ 04 73 86 02 60, *hotel-regence3@wanadoo.fr, Fax 04 73 86 02 49,* ⚘ – ⇕ P. AE GB. ✂ rest C a
*fermé 21 nov. au 15 mars, dim. et lundi d'oct. à avril)* – **Repas** 16/21,50 ♀ – ☕ 7,50 – **26 ch** 41/44,50 – ½ P 42,50.
◆ Bâti en 1903, cet hôtel a préservé son cachet originel (mobilier, belle cheminée). Chambres bien tenues et chaleureuse salle à manger. Navette gratuite pour les thermes.

**Beau Site** ⛰, r. Chalusset ✆ 04 73 86 00 49, *Fax 04 73 86 14 61,* ⚘ – TV ☎ P. GB
*1er mai-30 sept.* – **Repas** 12/18, enf. 7 – ☕ 6 – **27 ch** 36/38 – ½ P 35. A n
◆ Maison centenaire dont le vénérable escalier en bois mène à des chambres actuelles et claires. Le restaurant offre une vue sur le parc des thermes. Jardin à flanc de colline.

**Paris,** r. Dr Levadoux ✆ 04 73 86 00 12, *hotel.de.paris@wanadoo.fr, Fax 04 73 86 43 55* – ⇕, ▤ rest, TV – 🏔 30. AE GB B s
**Repas** *(fermé jeudi d'oct. à avril et dim. soir)* 14/29 ♀ – ☕ 6 – **59 ch** 33/51 – ½ P 41,30/45,50.
◆ Les chambres, refaites peu à peu, sont logées dans le bâtiment principal et dans une ancienne chapelle située à l'arrière. Vaste salle à manger donnant sur la rue.

**Chante-Grelet,** av. Gén. de Gaulle ✆ 04 73 86 02 05, *Fax 04 73 86 48 58,* ⚘ – ⚡ TV ☎ 🚗. GB. ✂ rest B r
*2 mai-30 sept.* – **Repas** 13/25 ♀, enf. 8 – ☕ 7 – **35 ch** 39/44 – ½ P 41/44.
◆ Établissement des années 1960 offrant des chambres simples et bien tenues, qui ont conservé leur mobilier initial ; la moitié d'entre elles donnent sur le jardin ombragé.

*Si vous êtes retardé sur la route, dès 18 h,*
*confirmez votre réservation par téléphone,*
*c'est plus sûr... et c'est l'usage.*

---

## CHÂTELLERAULT

SP 86100 Vienne 322 J4 *G. Poitou Vendée Charentes* – *34 678 h alt. 52.*

ℹ *Office du Tourisme, 2 avenue Treuille* ✆ *05 49 21 05 47, Fax 05 49 02 03 26, contact@cc-pays-chatelleraudais.fr.*

*Paris 305 ① – Poitiers 36 ③ – Châteauroux 99 ② – Cholet 134 ④ – Tours 71 ①.*

Plan page suivante

**Grand Hôtel Moderne,** 74 bd Blossac ✆ 05 49 93 33 00, *grand.hotel.moderne.@wanadoo.fr, Fax 05 49 93 25 19* – ⇕, ▤ rest, TV ☎ 🚗. AE ⓓ GB BY n
***Charmille*** *(fermé 15 nov. au 17 déc., sam. midi, dim. et lundi)* **Repas** (16,30)23/44 ♀ – ***Grill*** *(fermé 20 déc. au 2 janv., vend. soir, sam. soir et dim.)* **Repas** 11/20♀ – ☕ 8,40 – **24 ch** 65/140.
◆ Tout près de l'hôtel de ville, édifice du début du 20e s. plutôt élégant. Les chambres, progressivement rénovées, adoptent des styles différents (classique, ethnique, etc.). Cadre bourgeois et cuisine classique à la Charmille.

**Ibis,** av. C. Pagé, par ③ : *3 km* ✆ 05 49 02 18 18, *H0610@accor-hotels.com, Fax 05 49 02 01 79* – ⇕ ⚡ ▤ TV ☎ – 🏔 20 à 40. AE ⓓ GB JCB
***Brasserie*** ✆ 05 49 02 18 19 **Repas** (10,70)-21/26 🍷, enf. 7,40 – ☕ 6 – **72 ch** 57.
◆ Construction cubique jouxtant un centre commercial. Chambres insonorisées mises aux dernières normes de la chaîne. Plats alsaciens, fruits de mer et grillades à la Brasserie.

**à Naintré** *par ③ : 9 km sur N 10 – 4 718 h. alt. 73 – ✉ 86530 :*

**Grillade,** ✆ 05 49 90 03 42, *Fax 05 49 90 06 75,* ☂, ⚘ – P. GB
*fermé dim. soir, mardi soir et merc. soir du 15 nov. au 15 mars* – **Repas** 14/32 ♀.
◆ Bâtisse de type chaumière disposant d'une salle à manger en rotonde sous charpente. Carte traditionnelle, rôtisserie et grillades au feu de bois ; vins de Loire à l'honneur.

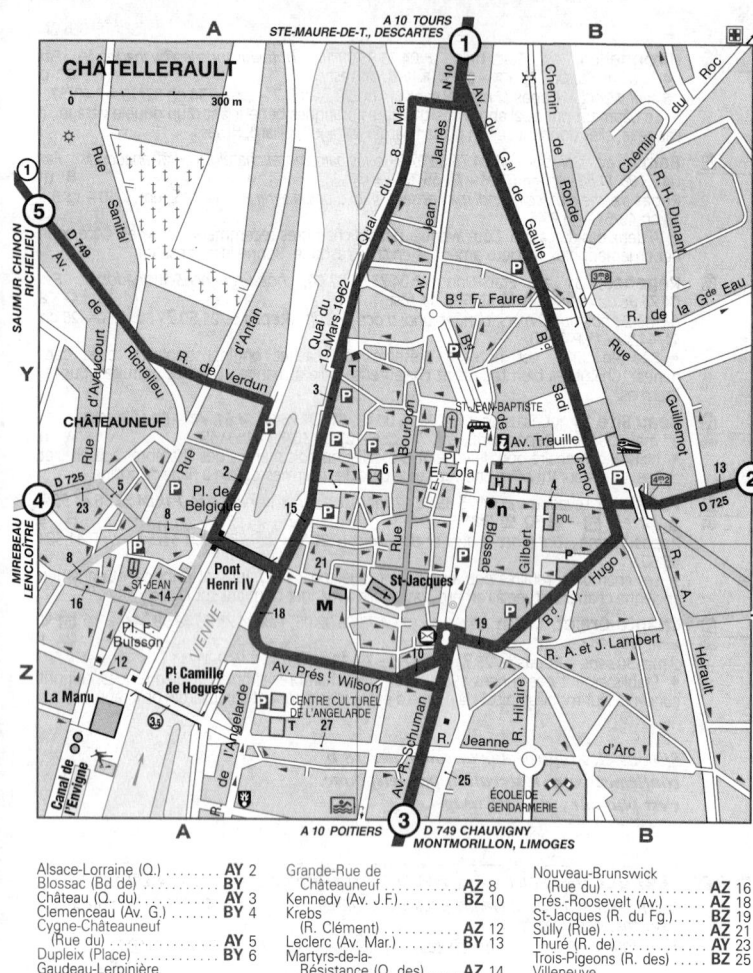

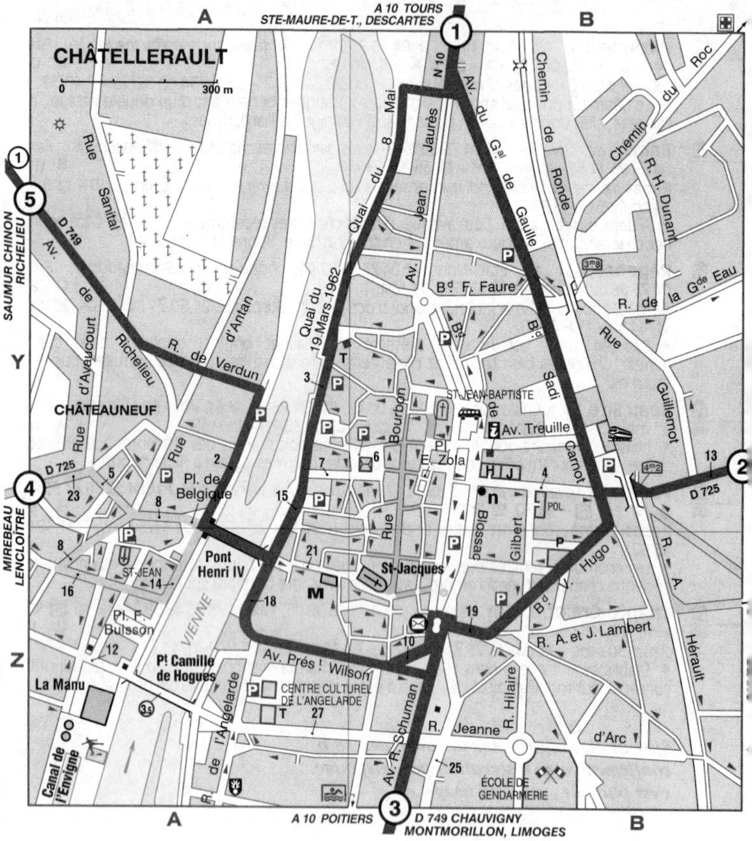
A 10 TOURS
STE-MAURE-DE-T., DESCARTES
A
B
CHÂTELLERAULT
0
300 m
N 10
Av. du Gal de Gaulle
Chemin de Ronde
Chemin du Roc
R. H. Dunant
Quai du 8 Mai
Av. Jean Jaurès
SAUMUR CHINON RICHELIEU
D 749
Av. de Richelieu
Rue Sanitat
Rue d'Antan
R. de Verdun
Quai du 19 Mars 1962
Bd F. Faure
R. de la Gde Eau
Rue Guillemot
Bd Sadi Carnot
Y
Z
Rue d'Avaucourt
CHÂTEAUNEUF
Rue
ST-JEAN-BAPTISTE
Av. Treuille
Bourbon
Pl. E. Zola
D 725
Pl. de Belgique
MIREBEAU LENCLOÎTRE
Rue
Blossac
Gilbert
POL
R. A.
Pont Henri IV
St-Jacques
Bd V. Hugo
ST-JEAN
Pl. F. Buisson
VIENNE
R. A. et J. Lambert
Hérault
Pt Camille de Hogues
Av. Prés.t Wilson
La Manu
CENTRE CULTUREL DE L'ANGELARDE
R. de l'Angelarde
Av. R. Schuman
R. Jeanne d'Arc
R. Hilaire
Canal de l'Envigne
ÉCOLE DE GENDARMERIE
A 10 POITIERS
D 749 CHAUVIGNY
MONTMORILLON, LIMOGES

Alsace-Lorraine (Q.) ........ AY 2
Blossac (Bd de) ........... BY
Château (Q. du)........... AY 3
Clemenceau (Av. G.) ....... BY 4
Cygne-Châteauneuf (Rue du) ................ AY 5
Dupleix (Place) ............ BY 6
Gaudeau-Lerpinière (Rue) .................. AY 7
Grande-Rue de Châteauneuf .......... AZ 8
Kennedy (Av. J.F.)......... BZ 10
Krebs (R. Clément) .......... AZ 12
Leclerc (Av. Mar.)......... BY 13
Martyrs-de-la-Résistance (Q. des)..... AZ 14
Napoléon-1er (Quai)......... AY 15
Nouveau-Brunswick (Rue du)............... AZ 16
Prés.-Roosevelt (Av.)...... AZ 18
St-Jacques (R. du Fg.)..... BZ 19
Sully (Rue)................ AZ 21
Thuré (R. de).............. AY 23
Trois-Pigeons (R. des) ..... BZ 25
Villeneuve (R. Chanoine-de)........ AZ 27

---

**CHATILLON-EN-BAZOIS** *58110 Nièvre* 319 *E9 – 1 161 h alt. 250.*

*Syndicat d'Initiative, 1 place de la mairie ☎ 03 86 84 10 18, Fax 03 86 84 11 43.*

*Paris 277 – Château-Chinon 25 – Clamecy 56 – Decize 34 – Nevers 40.*

**France**, ☎ 03 86 84 13 10, *auberge-hotel-de-france@wanadoo.fr, Fax 03 86 84 14 32* – TV ☎ P. GB

*fermé 19 déc. au 26 janv., dim. soir et lundi sauf fériés et juil.-août* – **Repas** 17/31 ♀, enf. 9 – ☕ 7 – **14 ch** 30/50 – ½ P 32/40.

◆ Ancien relais de poste (16e s.) d'un village du Bazois apprécié des plaisanciers. Chambres simples et salle à manger au cachet rustique préservé (poutres, pierres, cheminée).

---

**CHÂTILLON-SUR-CHALARONNE** *01400 Ain* 328 *C4 G. Vallée du Rhône – 3 786 h alt. 177.*

Voir *Triptyque*★ *dans l'ancien hôpital.*

*Office du Tourisme, place du Champ de Foire ☎ 04 74 55 02 27, Fax 04 74 55 34 78, office tourisme.chatillon@wanadoo.fr.*

*Paris 417 – Mâcon 29 – Bourg-en-Bresse 28 – Lyon 58 – Villefranche-sur-Saône 27.*

**Tour,** pl. République ✆ 04 74 55 05 12, *hotellatour@free.fr, Fax 04 74 55 09 19,* – TV GB
*fermé 15 au 25 déc. et dim. soir* – **Repas** *(fermé dim. soir et merc.)* (18) - 23/52 ♀, enf. 13 – ☕ 8 – **20 ch** 65/80 – ½ P 71/78.
◆ Maison en briques (15e s.) dont la tour d'angle a fourni le nom de l'hôtel. Chambres personnalisées, salle à manger "cosy", service aux petits soins et cuisine bien tournée.

**à l'Abergement-Clémenciat** *Nord-Ouest : 5 km par D 7 et D 64ᶜ – 579 h. alt. 250 – ✉ 01400 :*

**St-Lazare** (Bidard), ✆ 04 74 24 00 23, *Fax 04 74 24 00 62,* – AE GB
*fermé 15 au 31 juil., 12 au 20 nov., 10 au 26 fév, merc. et jeudi* – **Repas** (prévenir) *(22 bc)* - 25 (déj.), 28/68 et carte 50 à 70 ♀, enf. 18.
◆ Épicerie de village joliment convertie en restaurant. Deux salles à manger dont une véranda moderne ouverte sur un jardinet méditerranéen. Goûteuse cuisine personnalisée.
**Spéc.** Sandre de Saône en tournedos poêlé aux fruits (automne-hiver). Boeuf charolais à l'huile d'olive et coriandre. "Rencontre café-cacao" (sauf été). **Vins** Pouilly-Fuissé, Chiroubles

## CHÂTILLON-SUR-CLUSES *74300 H.-Savoie 328 M4 – 1 014 h alt. 730.*

*Paris 575 – Chamonix-Mont-Blanc 47 – Thonon-les-Bains 50 – Annecy 61.*

**Bois du Seigneur,** rte Taninges ✆ 04 50 34 27 40, *Fax 04 50 34 80 20,* ← – TV P. AE GB
*fermé 1er au 14 oct.* – **Repas** *(fermé dim. soir et lundi sauf fév. et août)* (11) - 15,50/30,50 ♀, enf. 9,20 – ☕ 5,50 – **10 ch** 40/45.
◆ Bâtisse savoyarde surplombant une route passante. Chambres simples d'esprit campagnard. Cuisine traditionnelle et plats régionaux servis près de la cheminée ou dans la véranda.

*Utilisez le guide de l'année.*

## CHÂTILLON-SUR-SEINE *21400 Côte-d'Or 320 H2 G. Bourgogne – 6 862 h alt. 219.*

**Voir** *Source de la Douix★ – Musée★ du Châtillonnais : trésor de Vix★★.*
*Office du Tourisme, place Marmont ✆ 03 80 91 13 19, Fax 03 80 91 21 46, tourism chatillon-sur-seine@wanadoo.fr.*
*Paris 234 – Chaumont 60 – Auxerre 85 – Dijon 84 – Langres 77 – Saulieu 79 – Troyes 69.*

**à Montliot** *Nord-Ouest : 4 km par N 71 – 288 h. alt. 224 – ✉ 21400 :*

**Magiot** sans rest, ✆ 03 80 91 20 51, *Fax 03 80 91 30 20* – TV P. AE GB.
*fermé 21 déc. au 2 janv. et dim. d'oct. à mars* – ☕ 6 – **22 ch** 44/47.
◆ Établissement récent de type motel. Chambres avant tout pratiques, réparties dans les deux ailes encadrant la terrasse-solarium. Véranda aménagée en salon.

## CHATOU *78 Yvelines 311 I2 101 ⑬ – voir à Paris, Environs.*

## La CHÂTRE *36400 Indre 323 H7 G. Berry Limousin – 4 623 h alt. 210.*

*Office du Tourisme, square George Sand ✆ 02 54 48 22 64, Fax 02 54 06 09 15, ot.la-chatre@wanadoo.fr.*
*Paris 298 ① – Bourges 69 ② – Châteauroux 36 ① – Guéret 53 ④ – Montluçon 64 ③.*

Plan page suivante

**Notre Dame** sans rest, 4 pl. N.-Dame **(a)** ✆ 02 54 48 01 14, *Fax 02 54 48 31 14* – TV. AE GB
☕ 6,60 – **19 ch** 36,10/47.
◆ Petit hôtel au charme discret, situé dans un quartier calme du centre-ville. Chambres de style rustique et bien tenues, donnant presque toutes côté cour. Accueil très aimable.

**A l'Escargot,** pl. Marché **(s)** ✆ 02 54 48 03 85 – AE GB
*fermé 14 janv. au 13 fév., lundi soir et mardi* – **Repas** 16/36 ♀.
◆ Sympathique auberge jadis fréquentée, dit-on, par les parents de George Sand. Trois pimpantes salles à manger ; la première, rustique, est plus agréable. Carte traditionnelle.

**Auberge du Moulin Bureau,** Sud : 1 km par pl. Abbaye ✆ 02 54 48 04 20, *Fax 02 54 48 04 20,* – P. GB
*fermé 15 déc. au 8 mars, mardi d'oct. à mars, lundi de sept. à juil. et dim. soir sauf juil.-août* – **Repas** 15,60/32.
◆ Ancien moulin ayant conservé sa majestueuse roue à aube et son système d'engrenage visible dans le bar. Plats traditionnels à savourer en salle ou au bord de la rivière.

## LA CHÂTRE



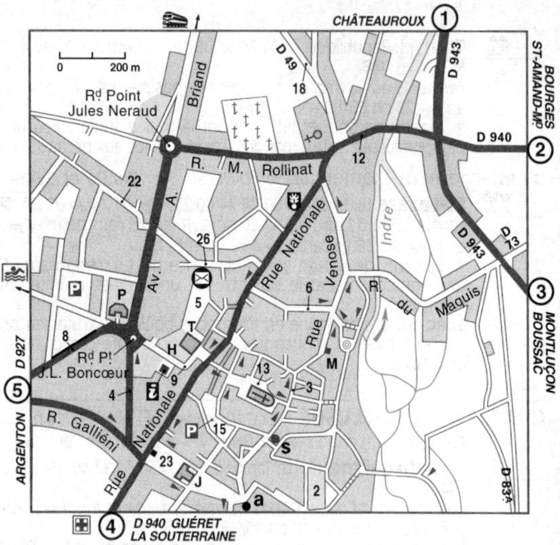

CHÂTEAUROUX
1
BOURGES
ST-AMAND-Mᴰ
D 943
D 49
18
0
200 m
Rᵈ Point
Jules Neraud
Briand
D 940
2
R. M. Rollinat
12
22
Av. A.
Rue Nationale
Indre
26
Venose
D 943
D 73
3
MONTLUÇON
BOUSSAC
5
6
R. du Maquis
Rue
T
8
Rᵈ Pᵗ
J.L. Boncœur
H
M
D 927
5
13
9
3
4
R. Galliéni
Nationale
15
ARGENTON
S
23
J
Rue
2
a
D 83A
4
D 940 GUÉRET
LA SOUTERRAINE


à **Nohant-Vic** *par ① et D 918 : 6 km – 481 h. alt. 221 – ✉ 36400 :*

**Auberge de la Petite Fadette** ⛰, ☎ 02 54 31 01 48, *Fax 02 54 31 10 19*, 🏖, – TV ☎ P. AE GB JCB
**Repas** 16/45 ♀ – ☕ 10 – **9 ch** 58/120 – ½ P 55/76.
◆ L'héroïne de George Sand a donné son nom à cette auberge berrichonne. Beau mobilier ancien, souvent familial, dans les chambres spacieuses et jolie salle à manger rustique.

à **St-Chartier** *par ① et D 918 : 9 km – 548 h. alt. 195 – ✉ 36400 .*
**Voir** *Vic : fresques★ de l'église SO : 2 km.*

**Château Vallée Bleue** ⛰, rte Verneuil ☎ 02 54 31 01 91, *valleebleu@aol.com*, *Fax 02 54 31 04 48*, 🏖, 🏊, – TV ☎ P – 🏢 40. AE GB.
*fin mars-début nov. et fermé dim. soir et lundi sauf de juin à sept.* – **Repas** *(fermé le midi sauf dim. et fériés)* 27/37 ♀ – ☕ 10 – **12 ch** 95/130 – ½ P 85/100.
◆ Belle maison de maître du 19ᵉ s. ayant appartenu à un médecin. Chambres personnalisées et agréable duplex aménagé dans un pigeonnier retiré dans le vaste parc arboré.

à **Pouligny-Notre-Dame** *par ④ et D 940 : 12 km – 661 h. alt. 376 – ✉ 36160 :*

**Les Dryades** ⛰, ☎ 02 54 06 60 60, *les.dryades@wanadoo.fr*, *Fax 02 54 30 10 24*, ≤ Vallée Noire, 🏖, 🏋, 🏊, 🏊, , – |‡| ≡ TV ☎ ♿ P – 🏢 25 à 150. AE ◑ GB
**Repas** 30/70 ♀ – ☕ 10 – **80 ch** 95/115 – ½ P 97,50.
◆ Centre de balnéothérapie, parcours de golf 18 trous et grand confort au coeur de la vallée Noire, à deux tours de roue du village où fut tourné le Jour de fête de J. Tati.

---

**CHAUBLANC** *71 S.-et-L.* 320 *J8 – rattaché à St-Gervais-en-Vallière.*

---

**CHAUDES-AIGUES** *15110 Cantal* 330 *G5 G. Auvergne – 1 110 h alt. 750 – Stat. therm. (fin avril-fin oct.) – Casino.*

ℹ *Office du Tourisme, 1 avenue Georges Pompidou ☎ 04 71 23 52 75, Fax 04 71 23 51 98, ot.chaudes-aigues@auvergne.net.*

*Paris 543 – Aurillac 88 – Espalion 54 – St-Chély-d'Apcher 29 – St-Flour 29.*

**Beauséjour**, ☎ 04 71 23 52 37, *beausejour@wanadoo.fr*, *Fax 04 71 23 56 89*, 🏖, 🏊 – |‡| TV. GB
*2 avril-25 nov. et fermé vend. soir et sam. sauf vacances scolaires* – **Repas** 11,60/23,90 ♀, enf. 6,80 – ☕ 6,10 – **40 ch** 48/55 – ½ P 43/48.
◆ À deux pas du centre thermal, immeuble des années 1960 dont les chambres, fonctionnelles et bien tenues, sont munies du double vitrage côté rue. Salon-bar "cosy".

**Aux Bouillons d'Or,** 04 71 23 51 42, *Fax 04 71 23 57 41* – . GB
*fermé janv., fév., dim. soir et lundi en mars-avril* – **Repas** 10,50/13 – 6 – **12 ch** 29/35 – ½ P 30.
◆ Petit établissement à prix doux, style "pension de famille", situé en plein centre de la station. Chambres simples, déjà anciennes, renfermant un mobilier éclectique.

**à Lanau** *Nord : 4,5 km par D 921 – ✉ 15260 Neuvéglise :*

**Auberge du Pont de Lanau** avec ch, 04 71 23 57 76, *aubergedupontdelanau@wanadoo.fr, Fax 04 71 23 53 84*, , – P. GB
*fermé 20 déc. au 1er fév. et lundi midi* – **Repas** 24,50/49,50 – 9 – **8 ch** 49/59,50.
◆ Maison auvergnate du 19e s., naguère relais de poste. Boiseries, pierres apparentes et cheminées confèrent un cachet rustique à la salle à manger.

**à Maisonneuve** *Sud-Ouest : 10 km par D 921 – ✉ 15110 Chaudes-Aigues :*

**Moulin des Templiers** avec ch, 04 71 73 81 80, *les-templiers2@wanadoo.fr, Fax 04 71 73 81 80* – P. GB
*fermé 10 au 25 oct., dim. soir et lundi* – **Repas** 12,50/30,50, enf. 6,50 – 5 – **5 ch** 34 – ½ P 34.
◆ Aimable auberge de bord de route où l'on propose une cuisine traditionnelle fleurant bon l'Auvergne. Salle à manger sagement campagnarde et quelques chambres pratiques.

*Ecrivez-nous...*
*Vos louanges comme vos critiques seront examinées avec le plus grand soin.*
*Nous reverrons sur place les informations que vous nous signalez.*
*Par avance merci !*

---

## CHAUFFAILLES 71170 S.-et-L. 320 G12 *G. Bourgogne* – *4 485 h alt. 405.*

*Office du Tourisme, 1 rue Gambetta 03 85 26 07 06, Fax 03 85 26 03 92, office.tourisme.chauffaillles@wanadoo.fr.*
*Paris 393 – Mâcon 64 – Roanne 34 – Charolles 33 – Lyon 81.*

**à Châteauneuf** *Ouest : 7 km par D 8 G. Bourgogne – 110 h. alt. 370 – ✉ 71740 :*

**Fontaine,** 03 85 26 26 87, *Fax 03 85 26 26 87* – P. GB
*fermé 5 au 9 juil., 3 au 6 nov., 5 janv. au 5 fév., dim. soir hors saison, mardi soir et merc.* – **Repas** 15 (déj.), 18,50/50,50.
◆ À l'entrée du village, ex-atelier de tissage où grimpe la glycine. La salle est aménagée à la façon d'un jardin d'hiver "rétro", avec fontaine et belle mosaïque décorative.

---

## CHAUFFAYER 05 H.-Alpes 334 E4 – *363 h alt. 910 – ✉ 05800 St-Firmin-en-Valgaudemar.*

*Paris 644 – Gap 27 – Grenoble 80 – St-Bonnet-en-Champsaur 13.*

**Château des Herbeys**, Nord : 2 km par N 85 et rte secondaire 04 92 55 26 83, *delas-hotel-restaurant@wanadoo.fr, Fax 04 92 55 29 66*, , , , – P. AE GB
*1er avril-11 nov. et fermé mardi sauf vacances scolaires* – **Repas** 19,10/36,60, enf. 11,50 – 10 – **10 ch** 50/115 – ½ P 60/90.
◆ Vous apercevrez peut-être des daims ou des lamas dans le parc arboré de cette demeure du 13e s. Mobilier ancien dans les chambres ; certaines possèdent une baignoire "balnéo".

---

## CHAUFOUR-LÈS-BONNIÈRES 78270 Yvelines 311 E1 – *376 h alt. 157.*

*Paris 73 – Rouen 64 – Évreux 27 – Mantes-la-Jolie 21 – Vernon 9 – Versailles 64.*

**Les Nymphéas** M sans rest, N 13 01 34 76 09 44, *contact@hotelnympheas.com, Fax 01 34 76 09 45* – P – 30. GB
6 – **24 ch** 65/75.
◆ Architecture récente abritant un hall au cadre rustique réchauffé par une cheminée et des chambres neuves, sobrement décorées et bien insonorisées.

**Au Bon Accueil** avec ch, N 13 01 34 76 11 29, *Fax 01 34 76 00 36* – rest, P. GB
*fermé 20 juil. au 19 août, 24 déc. au 5 janv., vend. soir et sam.* – **Repas** 13,20/27, enf. 8,40 – 5 – **16 ch** 23/38.
◆ Adresse toute simple, mais "bon accueil" assuré. Ambiance décontractée et plats traditionnels sont les autres atouts de cette maison qui sert aussi des repas pour les routiers.

**CHAUMONT** P 52000 H.-Marne 313 K5 *G. Champagne Ardenne – 27 041 h alt. 318.*
Voir *Viaduc★ – Basilique St-Jean-Baptiste★.*
*Office du Tourisme, place du Général de Gaulle ☎ 03 25 03 80 80, Fax 03 25 32 00 99.*
*Paris 265 ⑤ – Épinal 127 ② – Langres 34 ③ – St-Dizier 74 ① – Troyes 101 ⑤.*

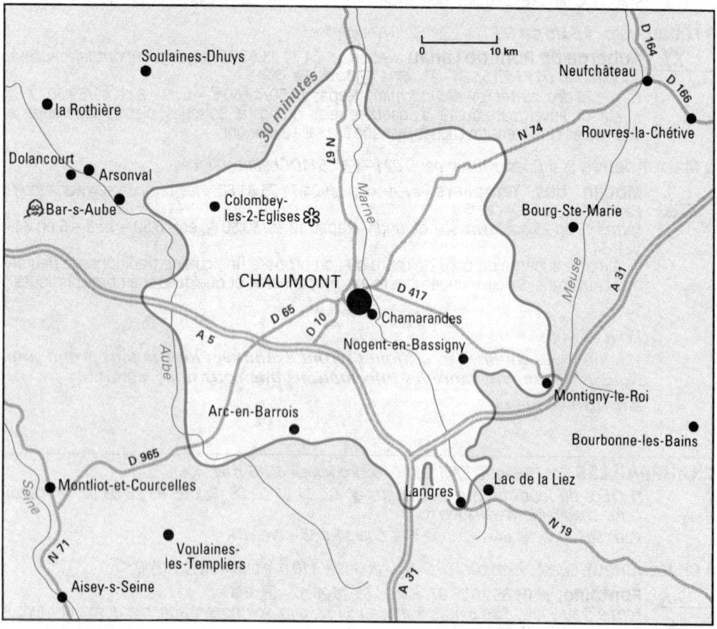

0
10 km
Soulaines-Dhuys
la Rothière
30 minutes
Dolancourt
Arsonval
Bar-s-Aube
Colombey-les-2-Eglises
N 67
Marne
Neufchâteau
D 164
D 166
Rouvres-la-Chétive
N 74
Bourg-Ste-Marie
Meuse
A 31
CHAUMONT
D 417
Chamarandes
D 65
D 10
A 5
Nogent-en-Bassigny
Aube
Montigny-le-Roi
Arc-en-Barrois
Bourbonne-les-Bains
D 965
Montliot-et-Courcelles
Seine
Lac de la Liez
Langres
N 19
N 71
Voulaines-les-Templiers
Aisey-s-Seine
A 31


**France** M, 25 r. Toupot de Béveaux ☎ 03 25 03 01 11, *contact@chaumont-hotel-france.com, Fax 03 25 32 35 80* – cuisinette TV AE GB JCB Z s
**Repas** *(fermé 21 juil. au 17 août, dim. et fériés)* (dîner seul.) 15/34 ♀, enf. 10 – ☕ 9 – **13 ch** 78/99, 7 appart.
♦ Auberge depuis le 16ᵉ s., cette pimpante bâtisse rose abrite des chambres personnalisées par de discrets décors évoquant des destinations lointaines. Bonne insonorisation.

**Grand Hôtel Terminus-Reine,** pl. Gén. de Gaulle ☎ 03 25 03 66 66, *relais.sud.terminus@wanadoo.fr, Fax 03 25 03 28 95* – TV – 60. GB Z a
**Repas** *(fermé dim. soir du 1ᵉʳ nov. à Pâques)* 11,50 (dîner), 16,50/65 ♀ – ☕ 7,30 – **61 ch** 52/90.
♦ Proximité de la gare, façade fleurie à la belle saison, choix entre cuisine traditionnelle ou grill-pizzeria caractérisent cet hôtel où vous préférerez une chambre rénovée.

**Grand Val,** rte Langres par ③ : *2,5 km* ☎ 03 25 03 90 35, *legrandval.@wanadoo.fr, Fax 03 25 32 11 80* – TV P. AE GB
*fermé 23 au 31 déc.* – **Repas** 9,30 (déj.), 14,50/28, enf. 7,10 – ☕ 4,30 – **52 ch** 27/49.
♦ Imposant hôtel des années 1960 en léger retrait de la route nationale. Les chambres, fonctionnelles, progressivement rajeunies, sont plus grandes côté façade principale.

**L'Étoile d'Or,** rte Langres par ③ : *2 km* ☎ 03 25 03 02 23, *Fax 03 25 32 52 33* – TV P – 25. GB
**Repas** *(fermé dim. soir et soirs fériés)* 13/27 ♀ – ☕ 6 – **12 ch** 36/46.
♦ Les nuisances de la N 19 proche de l'hôtel sont tempérées par un double vitrage efficace. Chambres d'assez bon confort, parfois lambrissées ou mansardées.

**à Chamarandes** *par ③ et D 162 : 3,5 km – ✉ 52000 :*

**Au Rendez-vous des Amis** avec ch, ☎ 03 25 32 20 20, *pascal.nicard@wanadoo.fr, Fax 03 25 02 60 90,* – TV – 25. GB
*fermé 1ᵉʳ au 12 mai* – **Repas** *(fermé vend. soir, dim. soir et sam.)* 17/45 ♀, enf. 15 – ☕ 6,50 – **19 ch** 38/61.
♦ Riante auberge de village voisine de l'église. Cuisine traditionnelle servie dans une salle à manger rustique ou, en été, à l'ombre du tilleul centenaire. Chambres pratiques.

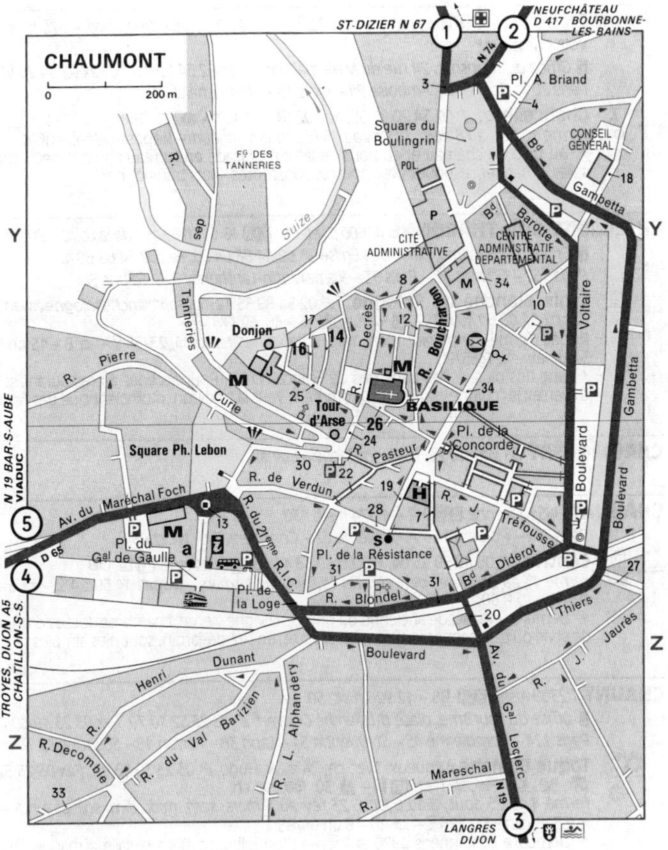
CHAUMONT
0
200 m
ST-DIZIER N 67
NEUFCHÂTEAU D 417 BOURBONNE-LES-BAINS
N 74
Pl. A. Briand
Square du Boulingrin
CONSEIL GÉNÉRAL
Bd Gambetta
POL.
Fg DES TANNERIES
Suize
CITÉ ADMINISTRATIVE
Bd Barotte
CENTRE ADMINISTRATIF DÉPARTEMENTAL
Tanneries
Donjon
Decrès
R. Bouchardon
Voltaire
Gambetta
R. Pierre Curie
Tour d'Arse
BASILIQUE
Pl. de la Concorde
Square Ph. Lebon
R. Pasteur
R. de Verdun
Boulevard
N 19 BAR-S-AUBE VIADUC
Av. du Maréchal Foch
R. du 21eme R.I.C.
R. J. Tréfousse
Pl. du Gal de Gaulle
D 65
Pl. de la Résistance
Bd Diderot
TROYES, DIJON A5 CHATILLON-S-S.
Pl. de la Loge
R. Blondel
Thiers
Jaurès
Boulevard
Dunant
Henri
R. L. Alphandery
Av. du Gal Leclerc
R. du Val Barizien
R. Decomble
Mareschal
N 19
LANGRES DIJON
Y
Z

Carnot (Av.) . . . . . . . . . . . Y 3
Champ-de-Mars (R. du). . Y 4
Clemenceau (R. G.) . . . . . Z 7
Dutailly (Rue G.) . . . . . . . . Y 8
Fourcaut (Rue V.) . . . . . . . Y 10
Girardon (R.) . . . . . . . . . . . Y 12
Goguenheim (Pl. E.). . . . . Z 13
Gouthière (R.) . . . . . . . . . . Y 14
Guyard (R.) . . . . . . . . . . . . Y 16
Hautefeuille (Rue) . . . . . . Y 17
Hugueny (R. du Cdt). . . . . Y 18
Laloy (Rue) . . . . . . . . . . . . Z 19
Langres (Pt. de) . . . . . . . . Z 20
Mariotte (Rue V.) . . . . . . . Z 22
Mgr. Desprez (R.) . . . . . YZ 24
Palais (R. du). . . . . . . . . . Y 25
St-Jean (R.). . . . . . . . . . . YZ 26
Souvenir Français (Av. du) Z 27
Toupot-de-Béveaux (R.). . . . . . . . . . . . . . . . . . Z 28
Tour Charton (R. de la) . . . . . . . . . . . . Z 30
Tour Mongeard (Bd de la). . . . . . . . . . . . Z 31
Val Anne-Marie (R. du) . . Z 33
Verdun (R. de). . . . . . . . . . Z
Victoire-de-la-Marne (R.) . Y 34

---

**CHAUMONT** *89340 Yonne* 319 *B2 – 552 h alt. 70.*

*Paris 98 – Fontainebleau 34 – Montereau-Fault-Yonne 15 – Nemours 35 – Sens 21.*

**Château de Chaumont**, ✆ 03 86 96 61 69, *le.chateau.de.chaumont@wanadoo.fr, Fax 03 86 96 61 28*, ≤, – 25. AE GB
*fermé dim. soir et lundi du 1er oct. au 31 mars* – **Repas** 21/36 – 10 – **37 ch** 61/113 – ½ P 69/84,30.
◆ Joli château bourguignon du 18e s. dont le parc domine la vallée de l'Yonne. Dans les chambres, mobilier de style rehaussé de quelques belles pièces originales.

---

**CHAUMONT-SUR-AIRE** *55260 Meuse* 307 *C5 – 151 h alt. 250.*

*Paris 277 – Bar-le-Duc 24 – St-Mihiel 25 – Verdun 33.*

**Auberge du Moulin Haut**, Est : 1 km sur rte St-Mihiel ✆ 03 29 70 66 46, *auberge@moulinhaut.fr, Fax 03 29 70 60 75*, – P. AE GB
*fermé vacances de fév., dim. soir et lundi* – **Repas** 15 (déj.), 23/90, enf. 8,50.
◆ Moulin situé au bord d'un cours d'eau, dans un domaine comprenant plusieurs bâtiments du 18e s. Chaleureuse salle à manger champêtre et vaste parc avec étang (pêche).

## CHAUMONT-SUR-LOIRE *41150 L.-et-Ch.* 318 E7 *G. G. Châteaux de la Loire. – 876 h alt. 69.*

*Voir Château★★.*

*Office du Tourisme, 24 rue du Maréchal Leclerc ☎ 02 54 20 91 73, Fax 02 54 20 90 34.*

*Paris 201 – Tours 44 – Amboise 21 – Blois 19 – Montrichard 19.*

**Chancelière,** ☎ 02 54 20 96 95, *Fax 02 54 33 91 71* – AE GB

*fermé 10 nov. au 5 déc., 14 janv. au 13 fév., merc. et jeudi* – **Repas** 15/34 ♀, enf. 9.

◆ Au pied du château et au bord de la Loire, façade en tuffeau abritant deux coquettes salles à manger rustiques avec poutres apparentes. Plats traditionnels.

## CHAUMONT-SUR-THARONNE *41600 L.-et-Ch.* 318 I6 *G. Châteaux de la Loire – 901 h alt. 122.*

*Office du tourisme, place de l'Église ☎ 02 54 88 64 00, Fax 02 54 88 60 40.*

*Paris 167 – Orléans 36 – Blois 53 – Romorantin-Lanthenay 32 – Salbris 30.*

**Croix Blanche de Sologne,** ☎ 02 54 88 55 12, *lacroixblanchesologne@wanadoo.fr, Fax 02 54 88 60 40,* – TV P – 15 à 40. AE GB JCB

**Repas** *(fermé mardi midi, merc. midi et jeudi midi)* 20 (déj.), 23/55 ♀ – 8 – **15 ch** 50/110, 3 duplex – ½ P 65/90.

◆ Une des plus vieilles auberges de France (1700). Pour accéder au restaurant solognot, traversez la "cuisine-musée" où, comme le veut la tradition, n'officient que des femmes.

## CHAUMOUSEY *88 Vosges* 314 G3 – *rattaché à Épinal.*

## CHAUNAY *86510 Vienne* 322 H7 – *1 174 h alt. 130.*

*Paris 382 – Poitiers 47 – Angoulême 67 – Confolens 52 – Niort 66.*

**Central,** ☎ 05 49 59 25 04, *Fax 05 49 53 41 88,* – rest, TV P. GB

*fermé 1er au 21 fév. et dim. soir du 15 sept. au 31 mars* – **Repas** 14,50/24 ♀ – 6 – **14 ch** 39/45 – ½ P 60.

◆ Derrière une façade ancienne où grimpe la vigne vierge, chambres dotées d'un mobilier de style ou campagnard ; celles de l'annexe, en rez-de-jardin, sont plus simples.

## CHAUNY *02300 Aisne* 306 B5 – *12 926 h alt. 50.*

*Office du Tourisme, place du Marché Couvert ☎ 03 23 52 10 79, Fax 03 23 39 38 77.*

*Paris 124 – Compiègne 45 – St-Quentin 31 – Laon 36 – Noyon 18 – Soissons 33.*

**Toque Blanche** (Lequeux) avec ch, 24 av. V. Hugo ☎ 03 23 39 98 98, *Fax 03 23 52 32 79,* , , – , rest, TV P – 30. GB. ch

*fermé 4 au 25 août, 2 au 6 janv., 23 fév. au 5 mars, sam. midi, dim. soir et lundi* – **Repas** 29/65 et carte 60 à 75 ♀ – 10 – **6 ch** 65/85.

◆ Demeure des années 1920 entourée d'un joli parc. Dans la salle à manger, moulures d'époque et sobre mobilier d'esprit Art déco. La table marie tradition et invention.

**Spéc.** Etuvée de homard au sauternes. Filet de dorade royale au caviar d'olive. Soufflé chaud au parfum de saison.

### à Ognes *Ouest : 2 km par rte de Noyon – 1 169 h. alt. 55 – ✉ 02300 :*

**Relais St-Sébastien,** ☎ 03 23 52 15 77, *Fax 03 23 39 91 52,* – GB

*fermé 25 août au 2 sept., vacances de fév., sam. midi et le soir sauf vend. et sam.* – **Repas** 15,50/38.

◆ Cette auberge familiale bordant un axe animé propose une cuisine traditionnelle dans un cadre sagement rustique ou, en été, sur la petite terrasse entourée d'un jardin.

### au Rond-d'Orléans *Sud-Est : 8 km par D 937 et D 1750 – ✉ 02300 Sinceny :*

**Auberge du Rond d'Orléans** , ☎ 03 23 40 20 10, *Fax 03 23 52 36 80* – TV P – 40. GB

*fermé 16 au 23 août, 23 déc. au 12 janv., 15 au 23 fév. et dim. soir* – **Repas** (15) - 21/45 – 7 – **21 ch** 46/53 – ½ P 56.

◆ Au coeur de la forêt domaniale de Coucy-Basse, établissement de type motel disposant de chambres fonctionnelles. Un bâtiment séparé abrite la grande salle des repas.

## La-CHAUSSÉE-ST-VICTOR *41 L.-et-Ch.* 318 F6 – *rattaché à Blois.*

*Les prix*

*Pour toutes précisions sur les prix indiqués dans ce guide, reportez-vous aux pages explicatives.*

**CHAUSSIN** *39120 Jura* 321 C5 – *1 587 h alt. 191.*

*Paris 354 – Beaune 51 – Besançon 76 – Chalon-sur-Saône 56 – Dijon 62 – Dole 21.*

**Chez Bach,** pl. Ancienne Gare ☎ 03 84 81 80 38, *hotel-bach@wanadoo.fr, Fax 03 84 81 83 80,* – TV P – 25. AE GB JCB

*fermé 21 déc. au 6 janv., vend. soir sauf 14 juil. au 31 août, lundi midi sauf août et dim. soir* – **Repas** (week-end prévenir) 14/54 – 8 – **20 ch** 52/56 – ½ P 53.

♦ Les chambres du bâtiment récent sont modernes et confortables. Grande salle à manger contemporaine où l'on sert des plats traditionnels et régionaux. Accueil familial.

**Val d'Orain,** 34 r. S.-M. Lévy ☎ 03 84 81 82 15, *aubergevaldorain@wanadoo.fr, Fax 03 84 81 75 24,* – TV. GB

*fermé 25 au 31 août, vacances de Toussaint, de fév., vend. soir, sam. midi sauf juil.-août et dim. soir* – **Repas** 11,50 bc (déj.), 15/31,50, enf. 9,50 – 5,50 – **10 ch** 28/37 – ½ P 36.

♦ Auberge bordant la traversée du village. Chambres simples à la tenue irréprochable. Salle des repas sagement campagnarde. Cuisine inspirée du terroir.

**CHAUVIGNY** *86300 Vienne* 322 J5 *G. Poitou Vendée Charentes – 6 665 h alt. 65.*

Voir *Ville haute★ – Église St-Pierre★ : chapiteaux du choeur★★ – Donjon de Gouzon★.*

Env. *St-Savin : abbaye★★ (peintures murales★★★).*

*Office du Tourisme, 5 rue St-Pierre ☎ 05 49 46 39 01.*

*Paris 334 – Poitiers 25 – Bellac 64 – Le Blanc 37 – Châtellerault 30 – Montmorillon 27.*

**Lion d'Or,** 8 r. Marché, ville basse ☎ 05 49 46 30 28, *Fax 05 49 47 74 28* – rest, TV P. AE GB

*fermé 24 déc. au 7 janv.* – **Repas** 15,50/34, enf. 7 – 5,50 – **26 ch** 42 – ½ P 39.

♦ Rénovation réussie pour cet établissement de la ville basse : décor tout en gaieté (tons jaune) dans les chambres comme dans l'originale salle à manger. Plats traditionnels.

**Beauséjour,** 18 r. Vassalour, ville basse ☎ 05 49 46 31 30, *Fax 05 49 56 00 34,* – TV P. AE GB

*fermé 21 déc. au 15 janv., dim. soir, vend. soir et lundi* – **Repas** 10,70/19 – 4,60 – **20 ch** 26/46 – ½ P 29/38.

♦ Établissement voisin d'une fabrique de porcelaine où se perpétue l'activité traditionnelle de la ville. Demandez les chambres de l'annexe, plus spacieuses. Accueil sympathique.

**CHAUX-NEUVE** *25240 Doubs* 321 G6 – *191 h alt. 992.*

*Paris 451 – Besançon 95 – Genève 78 – Lons-le-Saunier 67 – Pontarlier 35 – St-Claude 53.*

**Auberge du Grand Gît** ☎ 03 81 69 25 75, *nicod@aubergedugrandgit.com, Fax 03 81 69 15 44,* – P. GB

*fermé 30 mars au 3 mai, 19 oct. au 16 déc.* – **Repas** *(fermé dim. soir et lundi)* 12/19,60 – 6,50 – **10 ch** 35/44 – ½ P 45.

♦ Chalet récent à l'orée de la forêt, où l'on apprécie le calme des chambres assez confortables et lambrissées. Ambiance familiale. Cuisine régionale.

**CHAVANAY** *42410 Loire* 327 H7 – *2 071 h alt. 200.*

*Paris 508 – Annonay 27 – St-Étienne 50 – Serrières 12 – Tournon-sur-Rhône 52 – Vienne 19.*

XXX **Alain Charles** avec ch, rte Nationale ☎ 04 74 87 23 02, *Fax 04 74 87 01 42,* – TV P. GB

*fermé 16 août au 7 sept., 2 au 10 janv., dim. soir et lundi sauf fériés* – **Repas** 16,50/59 et carte 37 à 60, enf. 9,20 – 8,50 – **4 ch** 40/52 – ½ P 47,50/76.

♦ Halte gourmande aux abords du Parc naturel régional du Pilat. Cuisine classique servie dans une salle à manger agréable, à l'atmosphère bourgeoise. Chambres simples.

**CHAVIGNOL** *18 Cher* 323 M2 – *rattaché à Sancerre.*

**CHAVOIRES** *74 H.-Savoie* 328 K5 – *rattaché à Annecy.*

**CHAZELLES-SUR-LYON** *42140 Loire* 327 F6 *G. Vallée du Rhône – 4 895 h alt. 630.*

*Office du Tourisme, 9 place Jean-Baptiste Galland ☎ 04 77 54 98 86, Fax 04 77 54 94 58, tourisme@cc.fore-en-lyonnais.fr.*

*Paris 490 – St-Étienne 36 – Lyon 48 – Montbrison 28 – Roanne 62.*

**Château Blanchard** M, 36 rte St-Galmier ☎ 04 77 54 28 88, *Fax 04 77 54 36 03,* – TV P – 40. AE GB

*fermé 10 au 26 août* – **Repas** *(fermé vend. soir, dim. soir et lundi)* 18/27 – 7 – **12 ch** 52/70 – ½ P 48.

♦ Jadis propriété d'un chapelier du pays et voisine du musée du Chapeau, imposante villa abritant des chambres pratiques et une salle à manger bourgeoise. Jardin arboré.

**CHAZEY-SUR-AIN** *01150 Ain* 328 E5 – *895 h alt. 235.*

*Paris 468 – Lyon 43 – Bourg-en-Bresse 44 – Chambéry 87 – Nantua 57.*

XX **Louizarde,** au Sud par D 62 et rte secondaire : 3 km ☎ 04 74 61 53 23, *Fax 04 74 61 58 47,* – P. AE GB

*fermé 20/8 au 3/9, 1er au 30/1, mardi soir, merc. soir, jeudi soir d'oct à mai, sam. midi, dim. soir et lundi* – **Repas** 17 (déj.), 26/48.

◆ La silhouette de cette maison n'est pas sans rappeler l'architecture de la Louisiane. Décor intérieur subtilement "colonial" et belle terrasse ouverte sur le jardin.

**Le CHEIX** *63 P.-de-D.* 326 F9 – ✉ *63320 St-Diéry.*

Voir *Gorges de Courgoul*★ *SE : 5 km,* **G. Auvergne.**

*Paris 456 – Clermont-Ferrand 44 – Besse-en-Chandesse 9 – Issoire 23 – Le Mont-Dore 29.*

X **Relais des Grottes** avec ch, rte Besse ☎ 04 73 96 30 30, *Fax 04 73 96 31 34,* ←, – P. GB

*fermé 24 déc. au 15 janv., dim. soir et merc. sauf juil.-août* – **Repas** 14/29 ♀, enf. 9 – ☕ 5,50 – **9 ch** 25/34 – ½ P 30/36.

◆ Ancien relais de poste proche des grottes de Jonas. Cuisine régionale servie dans une petite salle sagement campagnarde ou sur la belle terrasse d'été. Chambres modestes.

**CHELLES** *60 Oise* 305 J4 – *rattaché à Pierrefonds.*

*Lisez attentivement l'introduction : c'est la clé du guide.*

**CHÉNAS** *69840 Rhône* 327 H2 – *372 h alt. 253.*

*Paris 408 – Mâcon 18 – Bourg-en-Bresse 45 – Lyon 62 – Villefranche-sur-Saône 27.*

XX **Les Platanes de Chénas,** aux Deschamps, Nord : 2 km par D 68 ☎ 03 85 36 79 80, *Fax 03 85 36 78 33,* – GB

*fermé 23 au 28 déc., fév., mardi et merc. sauf juil.-août* – **Repas** 22/45 ♀, enf. 12.

◆ Poutres, parquet et cheminée dans la salle colorée située à l'étage de cette vieille ferme. La terrasse, ombragée par des platanes, offre une belle vue sur le Beaujolais.

**CHÊNEHUTTE-LES-TUFFEAUX** *49 M.-et-L.* 317 I5 – *rattaché à Saumur.*

**CHÉNÉRAILLES** *23130 Creuse* 325 K4 *G. Berry Limousin – 794 h alt. 537.*

Voir *Haut-relief*★ *dans l'église.*

*Syndicat d'Initiative,* ☎ *05 55 62 91 22.*

*Paris 371 – Aubusson 19 – La Châtre 63 – Guéret 32 – Montluçon 46.*

XX **Coq d'Or** avec ch, ☎ 05 55 62 30 83, *Fax 05 55 62 95 18* – GB

*fermé 23 juin au 4 juil., 21 sept. au 2 oct., 30 déc. au 19 janv., dim. soir, merc. soir et lundi* – **Repas** 11 (déj.), 17/36 ♀ – ☕ 4,50 – **5 ch** 35/43 – ½ P 34.

◆ Au centre d'un village qui possède une intéressante église du 13e s. Salle à manger au cadre gentiment "rétro". Petites chambres rustiques, fraîches et bien tenues.

**CHENONCEAUX** *37150 I.-et-L.* 317 P5 *G. Châteaux de la Loire – 313 h alt. 62.*

Voir *Château de Chenonceau*★★★.

*Office du Tourisme, 1 rue Bretonneau* ☎ *02 47 23 94 45, Fax 02 47 23 82 41.*

*Paris 236 – Tours 31 – Amboise 12 – Château-Renault 36 – Loches 31 – Montrichard 8.*

**Bon Laboureur,** ☎ 02 47 23 90 02, *laboureur@wanadoo.fr, Fax 02 47 23 82 01,* – ch, TV P. GB

*fermé 12 nov. au 19 déc., 5 janv. au 6 fév., mardi midi et jeudi midi* – **Repas** 30/69 et carte 57 à 73 ♀ – ☕ 9 – **22 ch** 75/130, 4 appart – ½ P 92/114.

◆ Près du château, dans un parc avec potager, ensemble de coquettes maisons abritant de belles chambres feutrées. Élégante salle à manger bourgeoise et jolie terrasse.

**Spéc.** Crème onctueuse d'écrevisses et concassé de tomates au basilic (juin à sept.). Filets de rouget barbet et pied de porc croustillant. Dacquoise praliné, sorbet chocolat. **Vins** Montlouis, Chenonceau.

**Roseraie,** ☎ 02 47 23 90 09, *lfiorito@aol.com, Fax 02 47 23 91 59,* – TV P. AE GB

*1er mars-12 nov.* – **Repas** *(fermé mardi midi et lundi en mars et du 15 oct. au 12 nov.)* 16 (déj.), 22,50/32 ♀ – ☕ 8,70 – **17 ch** 53,50/91.

◆ Ce long bâtiment tapissé de vigne vierge renferme des chambres spacieuses d'esprit rustique et une salle de restaurant meublée en style Louis XIII.

**Hostellerie La Renaudière,** ✆ 02 47 23 90 04, *gerhotel@club-internet.fr, Fax 02 47 23 90 51*, ⛱, 🏋, 🏊, 🌳 – cuisinette 📺 📞 ♿ 🅿. AE ⓓ GB JCB. ✂ rest
*fermé 12 nov. au 19 déc. et 5 janv. au 6 fév.* – **Repas** *(fermé merc. et le midi en semaine)* (16) - 19/39 🍷 – ☕ 5 – **16 ch** 47/95 – ½ P 48/63.
◆ Belle demeure du 19e s. aux chambres agréables. La terrasse couverte prolongeant la salle à manger offre une jolie vue sur le parc planté de séquoias et de cèdres du Liban.

**CHENÔVE** *21 Côte-d'Or* 320 K6 – *rattaché à Dijon.*

**CHÉPY** *80210 Somme* 301 C7 – *1 246 h alt. 96.*
*Paris 176 – Amiens 58 – Abbeville 24 – Le Tréport 23.*

**Auberge Picarde** Ⓜ 🐌, à la Gare ✆ 03 22 26 20 78, *Fax 03 22 26 33 34* – 📺 📞 ♿ 🅿 – 🎤 30. AE GB
*fermé 11 au 24 août, 26 déc. au 7 janv. et 23 au 29 fév.* – **Repas** *(fermé sam. midi et dim. soir)* 14/34 🍷 – ☕ 5,40 – **25 ch** 37,50/60,30 – ½ P 36,30.
◆ Confortables chambres de style ancien ou moderne. On accède au restaurant par une galerie couverte aménagée comme un jardin d'hiver. Cuisine du terroir.

*Si vous cherchez un hôtel tranquille,*
*consultez d'abord les cartes de l'introduction*
*ou repérez dans le texte les établissements indiqués avec le signe* 🐌.

**CHERBOURG-OCTEVILLE** SP *50100 Manche* 303 C2 *G. Normandie Cotentin – 27 121 h Agglo. 117 855 h alt. 10 – Casino* **BY.**
**Voir** *Fort du Roule* ≤★ – *Château de Tourlaville : parc*★ *5 km par* ①.
✈ *de Cherbourg-Maupertus : ✆ 02 33 88 57 60, par ① : 13 km.*
ℹ *Office du Tourisme, 2 quai Alexandre III ✆ 02 33 93 52 02, Fax 02 33 53 66 97, ot.cherbourg-cotentin@wanadoo.fr.*
*Paris 359 ② – Brest 405 ② – Caen 125 ② – Laval 226 ② – Le Mans 284 ② – Rennes 207 ②.*

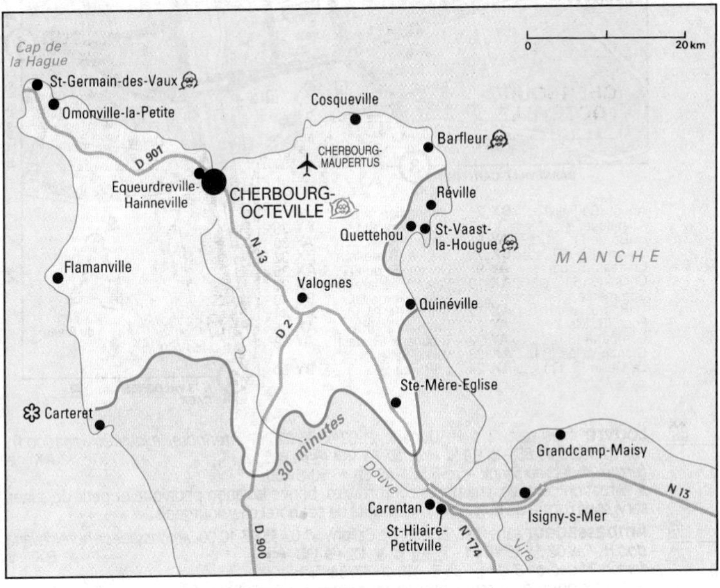

0
20 km
Cap de la Hague
St-Germain-des-Vaux
Omonville-la-Petite
Cosqueville
Barfleur
CHERBOURG-MAUPERTUS
D 901
Equeurdreville-Hainneville
CHERBOURG-OCTEVILLE
Réville
Quettehou
St-Vaast-la-Hougue
N 13
MANCHE
Flamanville
Valognes
Quinéville
D 2
Ste-Mère-Eglise
Carteret
30 minutes
Grandcamp-Maisy
Douve
Carentan
Isigny-s-Mer
N 13
St-Hilaire-Petitville
N 174
D 900
Vire


**Chantereyne** sans rest, port de plaisance ✆ 02 33 93 02 20, *hotel-chantereyne@wanadoo.fr, Fax 02 33 93 45 29* – 📺 📞 ♿. AE ⓓ GB — **AX b**
*fermé 19 déc. au 4 janv.* – ☕ 7 – **50 ch** 55/62.
◆ Imposante bâtisse des années 1980 située face au port de plaisance. Les chambres, pratiques et claires, ont conservé le style de l'époque. Bonne insonorisation.

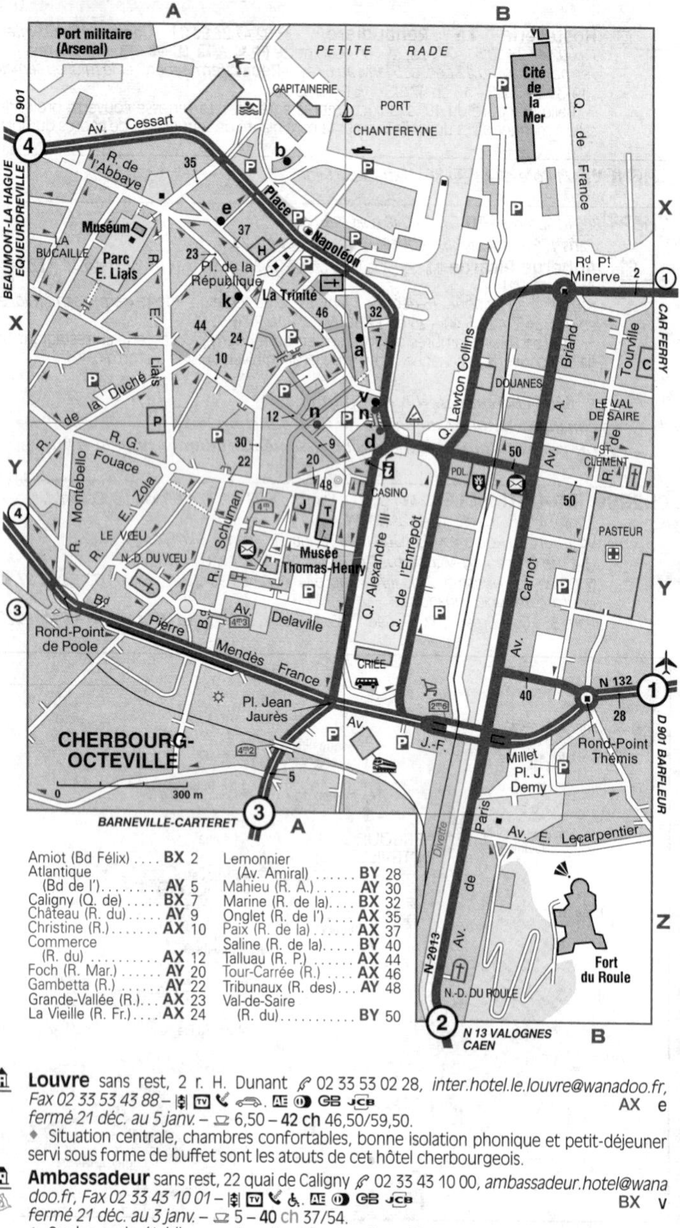

A
B
X
Y
Z
Port militaire (Arsenal)
PETITE RADE
CAPITAINERIE
PORT CHANTEREYNE
Cité de la Mer
Q. de France
Av. Cessart
R. de l'Abbaye
Place Napoléon
Muséum
Parc E. Liais
LA BUCAILLE
R. E. Liais
Pl. de la République
La Trinité
R. de la Duché
R. G. Fouace
R. Montebello
R. E. Zola
LE VŒU
N.D. DU VŒU
R. Schuman
Musée Thomas-Henry
Av. Delaville
Bd Pierre Mendès France
Rond-Point de Poole
Pl. Jean Jaurès
CASINO
CRIÉE
Q. Alexandre III
Q. de l'Entrepôt
Q. Lawton Collins
DOUANES
Av. A. Briand
R. Tourville
LE VAL DE SAIRE
ST-CLÉMENT
POL.
PASTEUR
Av. Carnot
Rd Pt Minerve
CAR FERRY
N 132
Rond-Point Thémis
Av. J.-F. Millet
Pl. J. Demy
Av. de Paris
Av. E. Lecarpentier
Divette
N 2013
N.-D. DU ROULE
Fort du Roule
D 901 BARFLEUR
BEAUMONT-LA HAGUE EQUEURDREVILLE
D 901
BARNEVILLE-CARTERET
N 13 VALOGNES CAEN
CHERBOURG-OCTEVILLE
300 m


Amiot (Bd Félix) . . . . BX 2
Atlantique (Bd de l') . . . . AY 5
Caligny (Q. de) . . . . BX 7
Château (R. du) . . . . AY 9
Christine (R.) . . . . AX 10
Commerce (R. du) . . . . AX 12
Foch (R. Mar.) . . . . AY 20
Gambetta (R.) . . . . AY 22
Grande-Vallée (R.) . . . AX 23
La Vieille (R. Fr.) . . . . AX 24
Lemonnier (Av. Amiral) . . . . BY 28
Mahieu (R. A.) . . . . AY 30
Marine (R. de la) . . . . BX 32
Onglet (R. de l') . . . . AX 35
Paix (R. de la) . . . . AX 37
Saline (R. de la) . . . . BY 40
Talluau (R. P.) . . . . AX 44
Tour-Carrée (R.) . . . . AX 46
Tribunaux (R. des) . . . AY 48
Val-de-Saire (R. du) . . . . BY 50

**Louvre** sans rest, 2 r. H. Dunant ✆ 02 33 53 02 28, *inter.hotel.le.louvre@wanadoo.fr, Fax 02 33 53 43 88* – ... AE GB JCB — AX e
*fermé 21 déc. au 5 janv.* – ☕ 6,50 – **42 ch** 46,50/59,50.
◆ Situation centrale, chambres confortables, bonne isolation phonique et petit-déjeuner servi sous forme de buffet sont les atouts de cet hôtel cherbourgeois.

**Ambassadeur** sans rest, 22 quai de Caligny ✆ 02 33 43 10 00, *ambassadeur.hotel@wanadoo.fr, Fax 02 33 43 10 01* – ... AE GB JCB — BX v
*fermé 21 déc. au 3 janv.* – ☕ 5 – **40 ch** 37/54.
◆ Sur les quais, établissement mettant à votre disposition ses chambres au décor sobre et convenablement équipées ; celles de la façade ont vue sur le port.

**Angleterre** sans rest, 8 r. P. Talluau ✆ 02 33 53 70 06, *Fax 02 33 53 74 36* – ... GB. — AX k
*fermé 20 déc. au 5 janv.* – ☕ 5 – **23 ch** 32/44.
◆ Proche du centre-ville, adresse plaisante pour son atmosphère familiale et ses petites chambres fonctionnelles ; elles ont été refaites et sont égayées de tissus fleuris.

**Moderna** sans rest, 28 r. Marine ✆ 02 33 43 05 30, *hotel-moderna@wanadoo.fr, Fax 02 33 43 97 37* – TV ✆. AE ① GB JCB BX a
☕ 5 – **25 ch** 38/47.
◆ Escale pratique aux chambres aussi colorées que les décors créés pour les Parapluies de Cherbourg, la célèbre comédie musicale (1964) de Jacques Demy. Prix doux.

**Café de Paris,** 40 quai Caligny ✆ 02 33 43 12 36, *cafedeparis.res@wanadoo.fr, Fax 02 33 43 98 49* – ▤. AE GB BXY d
*fermé 10 au 24 mars, 2 au 17 nov., dim. et lundi midi du 29 sept. au 13 avril* – **Repas** (13) - 21/32,50 ♀.
◆ Vaste brasserie au cadre contemporain chic. Attablez-vous près des baies vitrées pour jouir de l'animation des bassins portuaires. Cuisine traditionnelle et produits de la mer.

**Vauban,** 22 quai Caligny ✆ 02 33 43 10 11, *Fax 02 33 43 15 18* – AE GB BX n
*fermé 20 oct. au 4 nov., vacances de fév., sam. midi hors saison, dim. soir et lundi* – **Repas** 19/49 ♀, enf. 10.
◆ Teintes ensoleillées, fauteuils crapauds et tables rondes composent le cadre de ce petit restaurant situé sur les quais de l'avant-port. Cuisine au goût du jour.

**Pommier,** 15 bis r. Notre-Dame ✆ 02 33 53 54 60, *Fax 02 33 53 40 86,* 🏞 – ▤. GB. ✂
*fermé 20 avril au 12 mai, dim. et lundi* – **Repas** 23,90 ♀. AXY n
◆ Ce restaurant abrite, derrière sa discrète façade, une salle à manger égayée de couleurs méridionales. Exposition de peintures et de sculptures. Cuisine traditionnelle.

**à Equeurdreville-Hainneville** *par ④ : 4 km – 18 256 h. alt. 8 – ✉ 50120 :*

**Gourmandine,** 24 r. Surcouf ✆ 02 33 93 41 26, *rest.gourmandine.equeud@wanadoo.fr, Fax 02 33 93 41 26,* ← – ▤. AE ① GB
*fermé 13 juil. au 5 août, 21 déc. au 6 janv., dim. et lundi* – **Repas** 12,50/33, enf. 11,50.
◆ Cette chaleureuse salle à manger au décor nautique est un observatoire idéal pour contempler le trafic maritime en rade de Cherbourg. Cuisine traditionnelle.

---

## CHERENG *59152 Nord 302 H4 – 2 634 h alt. 24.*

*Paris 224 – Lille 16 – Douai 43 – Tournai 16 – Valenciennes 52.*

**Verzenay,** 142 rte Nationale ✆ 03 20 41 14 56, *leverzenay@wanadoo.fr, Fax 03 20 41 28 50,* 🏞 – P. AE GB JCB
*fermé 22 au 28 avril, 1er au 18 août, 5 au 12 janv., dim. soir et lundi* – **Repas** (12 bc) - 20/36 ♀.
◆ Cuisine traditionnelle à coloration régionale proposée dans une salle à manger contemporaine et claire agrandie d'une petite mezzanine, ou sur la paisible terrasse d'été.

---

## Les CHÈRES *69380 Rhône 327 H4 – 1 027 h alt. 190.*

*Paris 440 – Lyon 24 – L'Arbresle 16 – Meximieux 55 – Trévoux 8 – Villefranche-sur-Saône 14.*

**Auberge du Pont de Morancé,** Ouest : 2 km par D 100 ✉ 69480 Anse ✆ 04 78 47 65 14, *jacquesverdier@mail.com, Fax 04 78 47 05 83,* 🏞, 🌳, 🏠 – P. GB
*fermé fév., dim. soir, lundi soir, mardi soir et merc.* – **Repas** 20/50 🌡, enf. 12.
◆ Étape champêtre dans la vallée de l'Azergues. Salles à manger rustiques et belle terrasse s'avançant vers un jardin fleuri au bord d'une rivière.

---

## CHERISY *28 E.-et-L. 311 E3 – rattaché à Dreux.*

---

## CHÉROY *89690 Yonne 319 A2 – 1 326 h alt. 145.*

*Paris 101 – Fontainebleau 41 – Auxerre 70 – Montargis 33 – Nemours 25 – Sens 23.*

**Tour de Chéroy,** ✆ 03 86 97 53 43, *tourcheroy@free.fr, Fax 03 86 97 58 60* – GB
*fermé 30 juin au 8 juil., 26 janv. au 23 fév., dim. soir, lundi soir, merc. soir et mardi* – **Repas** 15/29.
◆ Face à l'église, construction bourguignonne dont la sobre salle à manger meublée dans le style rustique s'ouvre sur un espace bar. Plats traditionnels.

---

## Le CHESNAY *78 Yvelines 311 I3 101 23 – voir à Paris, Environs (Versailles).*

---

## CHEVAGNES *03230 Allier 326 I3 – 729 h alt. 224.*

*Paris 311 – Moulins 18 – Bourbon-Lancy 18 – Decize 31 – Digoin 43 – Lapalisse 51.*

**Le Goût des Choses,** 12 rte Nationale ✆ 04 70 43 11 12, *Fax 04 70 43 17 88,* 🏞 – GB
*fermé 6 au 15 janv., dim. soir et merc.* – **Repas** (14) - 20/41 ♀, enf. 7.
◆ Ici, le goût des choses s'exprime tant dans l'assiette, élaborée en fonction du marché, que dans la salle, décorée et dressée avec soin. Accueil souriant.

---

## CHEVAL-BLANC *84 Vaucluse 332 D11 – rattaché à Cavaillon.*

**CHEVANNES** *89 Yonne* 319 D5 – *rattaché à Auxerre.*

**CHEVERNY** *41 L.-et-Ch.* 318 F7 – *rattaché à Cour-Cheverny.*

**CHEVIGNEY-LÈS-VERCEL** *25 Doubs* 321 I4 – *rattaché à Valdahon.*

**CHEVIGNY** *21 Côte-d'Or* 320 K6 – *rattaché à Dijon.*

**CHEVRY** *01 Ain* 328 J3 – *rattaché à Gex.*

**Le CHEYLARD** *07160 Ardèche* 331 I4 – *3 833 h alt. 450.*

*Office du Tourisme, rue du 5 Juillet 1944 ✆ 04 75 29 18 71, Fax 04 75 29 46 75, office@otlecheylard-ardeche.com.*

*Paris 604 – Le Puy-en-Velay 62 – Valence 60 – Aubenas 50 – Lamastre 22 – Privas 47.*

**Provençal,** 17 av. Gare ✆ 04 75 29 02 08, *Fax 04 75 29 35 63*, – rest, P. GB. ch

*fermé 14 mars au 2 avril, 30 août au 17 sept., 26 déc. au 7 janv., vend. soir, dim. soir et lundi* – **Repas** 19/58 bc ♀ – ☕ 7,50 – **10 ch** 43/62 – ½ P 50.

◆ Derrière une façade ardéchoise, chambres toutes simples, mais de bon confort, et deux salles à manger où l'on vous propose une carte traditionnelle aux accents du terroir.

*Une réservation confirmée par écrit ou par fax est toujours plus sûre.*

**CHÉZERY-FORENS** *01410 Ain* 328 I3 – *357 h alt. 585.*

*Paris 503 – Bellegarde-sur-Valserine 17 – Bourg-en-Bresse 79 – Gex 39 – Nantua 32.*

**Commerce,** ✆ 04 50 56 90 67, – GB

*12 fév.-30 sept. et fermé mardi soir et merc. hors vacances scolaires* – **Repas** 13/32 – ☕ 6,10 – **8 ch** 40 – ½ P 38/40.

◆ Petites chambres rénovées, cuisine régionale et accueil plein de gentillesse sont les atouts de cette attachante maison bercée par les eaux frémissantes de la Valserine.

**CHICHILIANNE** *38930 Isère* 333 G9 – *158 h alt. 1006.*

*Paris 619 – Die 45 – Gap 77 – Grenoble 55 – La Mure 62.*

**Château de Passières** , ✆ 04 76 34 45 48, *Fax 04 76 34 46 25*, <, , , , – P – 35. AE GB

*fév.-oct. et fermé dim. soir et lundi hors saison* – **Repas** 19/35, enf. 12 – ☕ 8 – **23 ch** 50/67 – ½ P 52/67.

◆ Boiseries à rechampis, meubles anciens et objets d'art décorent ce château du 14e s. bâti au pied du mont Aiguille. Chambres classiques et soignées ou modernes et simples.

**CHILLE** *39 Jura* 321 D6 – *rattaché à Lons-le-Saunier.*

**CHILLEURS-AUX-BOIS** *45170 Loiret* 318 J3 – *1 471 h alt. 125.*

*Paris 97 – Orléans 30 – Chartres 71 – Étampes 47 – Pithiviers 14.*

**Lancelot,** 12 r. Déportés ✆ 02 38 32 91 15, *Fax 02 38 32 92 11*, – P. GB

*fermé 4 au 11 août, dim. soir, merc. soir et lundi* – **Repas** (dim. et fêtes, prévenir) *(14,50)* - 19,50/61 ♀.

◆ Chaleureux restaurant installé dans une discrète maison au centre du village. Décor rustique, tableaux en exposition-vente, accueil aimable et cuisine traditionnelle.

**CHINAILLON** *74 H.-Savoie* 328 L5 – *rattaché au Grand-Bornand.*

**CHINDRIEUX** *73310 Savoie* 333 I3 – *1 059 h alt. 300.*

Env. *Abbaye de Hautecombe*** *SO : 10 km,* **G. Alpes du Nord.**

*Paris 520 – Annecy 48 – Aix-les-Bains 16 – Bellegarde-sur-Valserine 39 – Chambéry 33.*

**Relais de Chautagne,** ✆ 04 79 54 20 27, *Fax 04 79 54 51 63* – P – 25. GB.

*fermé 24 déc. au 10 fév., dim. soir et lundi* – **Repas** 14,50/30 ♀ – ☕ 6 – **25 ch** 39/49.

◆ La Chautagne est le nom de ce petit "pays" savoyard. Les chambres, de taille moyenne, ont toutes été rénovées. Au restaurant, cadre rustique et cuisine régionale.

**CHINON** 37500 I.-et-L. 317 K6 *G. Châteaux de la Loire – 8 627 h alt. 40.*

Voir *Vieux Chinon★★ : Grand Carroi★★* **A E** *– Château★★ : ≤★★.*

Env. *Château d'Ussé★★ 14 km par* ①.

*Office du Tourisme, place Hofheim ☎ 02 47 93 17 85, Fax 02 47 93 93 05, tourisme@chinon.com.*

*Paris 285 ① – Tours 47 ① – Châtellerault 52 ③ – Poitiers 81 ③ – Saumur 29 ③.*

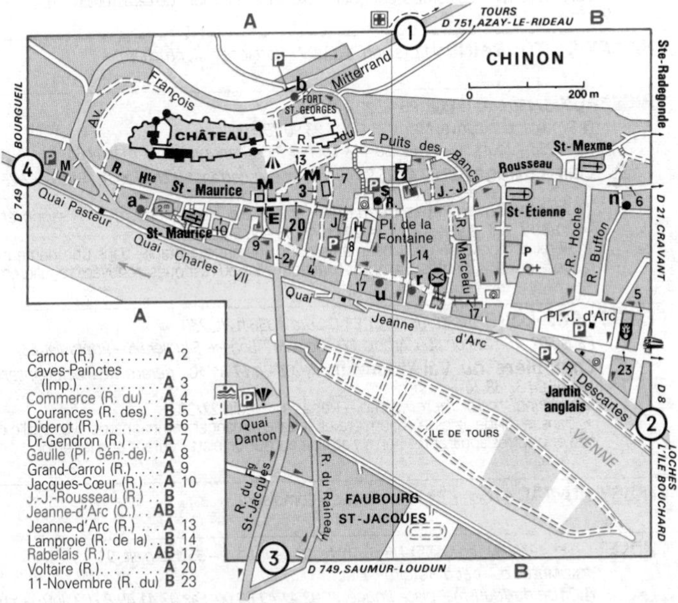

CHINON
TOURS
D 751, AZAY-LE-RIDEAU
Ste-Radegonde
D 21, CRAVANT
D 8
LOCHES L'ILE BOUCHARD
D 749, SAUMUR-LOUDUN
D 749
BOURGUEIL
0
200 m
CHÂTEAU
FORT ST-GEORGES
Mitterrand
François
Av.
R. Hte St-Maurice
Quai Pasteur
Quai Charles VII
St-Maurice
Puits des Bancs
Rousseau
St-Mexme
St-Étienne
R. Hoche
R. Buffon
Pl. de la Fontaine
R. Marceau
Quai Jeanne d'Arc
Pl. J. d'Arc
R. Descartes
Jardin anglais
VIENNE
ILE DE TOURS
Quai Danton
R. du Fg St-Jacques
R. du Raineau
FAUBOURG ST-JACQUES


Carnot (R.) . . . . . . . . . **A** 2
Caves-Painctes (Imp.) . . . . . . . . . . . . **A** 3
Commerce (R. du) . . . **A** 4
Courances (R. des) . . **B** 5
Diderot (R.) . . . . . . . . . **B** 6
Dr-Gendron (R.) . . . . . **A** 7
Gaulle (Pl. Gén.-de) . . **A** 8
Grand-Carroi (R.) . . . . **A** 9
Jacques-Cœur (R.) . . **A** 10
J.-J.-Rousseau (R.) . . **B**
Jeanne-d'Arc (Q.) . . . **AB**
Jeanne-d'Arc (R.) . . . **A** 13
Lamproie (R. de la) . . **B** 14
Rabelais (R.) . . . . . . . . **AB** 17
Voltaire (R.) . . . . . . . . . **A** 20
11-Novembre (R. du) **B** 23

**France,** 47 pl. Gén. de Gaulle ☎ 02 47 93 33 91, *elmachinon@aol.com, Fax 02 47 98 37 03* – ⇔, ▤ rest, TV ☏ 🚗. AE ⓓ GB JCB. ✗ ch **A s**
*fermé 17 fév. au 11 mars, 17 au 30 nov., 21 déc. au 6 janv. et dim. de nov. à mars –* ***Chapeau rouge*** *(fermé vend. midi, sam. midi, lundi midi en été, dim. soir et lundi)* **Repas** 24/56 ♀ – ☕ 9 – **29 ch** 66/92, 3 appart – ½ P 64/77.
◆ Deux maisons mitoyennes du 16ᵉ s. disposant de chambres fraîches, confortables et bien insonorisées ; certaines ont vue sur les remparts. Élégante salle à manger.

**Diderot** sans rest, 4 r. Buffon ☎ 02 47 93 18 87, *hoteldiderot@hoteldiderot.com, Fax 02 47 93 37 10* – ♿ P. AE ⓓ GB. ✗ **B n**
*fermé 22 au 28 déc. et mi-janv. à mi-fév.* – ☕ 6,10 – **28 ch** 40/69.
◆ Dans les murs d'une belle demeure du 18ᵉ s., chambres simples rehaussées de quelques meubles anciens. Petit-déjeuner servi dans une jolie salle au décor rustique.

XXX ✿ **Au Plaisir Gourmand** (Rigollet), quai Charles VII ☎ 02 47 93 20 48, *Fax 02 47 93 05 66,* ☂ – ▤. AE GB **A a**
*fermé 17 fév. au 18 mars, mardi midi, dim. soir et lundi* – **Repas** (nombre de couverts limité, prévenir) 27/59 et carte 46 à 58.
◆ Cette noble maison du 17ᵉ s., précédée d'une ravissante cour fleurie, invite tous les gargantuas de passage à déguster ses mets classiques et régionaux dans un cadre feutré.
**Spéc.** Sandre au beurre blanc. Queue de boeuf braisée au chinon. Pruneaux en chemise.
**Vins** Vouvray, Chinon

XX **L'Océanic,** 13 r. Rabelais ☎ 02 47 93 44 55, *Fax 02 47 93 38 08,* ☂ – ▤. GB **A u**
*fermé 29 déc. au 26 janv., dim. soir et lundi* – **Repas** 20/50 bc ♀, enf. 10.
◆ Sympathique restaurant de produits de la mer situé dans une rue piétonne du centre-ville. Un bel aquarium trône au milieu de la salle à manger, actuelle et confortable.

X **L'Écho de Rabelais,** 2 r. Château ☎ 02 47 93 95 87, *Fax 02 47 81 20 63,* ≤, ☂ – GB **A b**
*fermé 15 au 25 nov., 1ᵉʳ au 12 fév., dim. soir et merc. soir* – **Repas** 16/26,90 ♀, enf. 6,50.
◆ Restaurant situé à l'entrée du château, face aux prestigieuses vignes du Clos de l'Écho (jadis propriété du père de Rabelais). Décor de bistrot moderne et terrasse ombragée.

**à Marçay** *par ③ et D 116 : 9 km – 416 h. alt. 65 – ✉ 37500 :*

**Château de Marçay**, ✆ 02 47 93 03 47, *marcay@relaischateaux.fr, Fax 02 47 93 45 33*, ←, – 30 à 80. AE ⓓ GB JCB
*fermé mi-janv. à début mars* – **Repas** *(fermé dim. soir et lundi hors saison, jeudi midi en saison, lundi midi et mardi midi)* 46/75 ♀ – ☕ 18 – **30 ch** 114/246, 4 appart – ½ P 144/210.
◆ Château du 15e s. entouré d'un vaste parc arboré et de ses vignes. Mobilier ancien et décoration raffinée composent pour votre séjour un cadre de caractère.

---

## CHISSAY-EN-TOURAINE *41 L.-et-Ch.* 318 D7 – *rattaché à Montrichard.*

---

## CHISSEAUX *37150 I.-et-L.* 317 P5 – *522 h alt. 58.*

*Syndicat d'Initiative, Mairie ✆ 02 47 23 90 75.*
*Paris 236 – Tours 36 – Amboise 14 – Loches 33 – Romorantin-Lanthenay 60.*

**Clair Cottage**, ✆ 02 47 23 90 69, *hotel.clair.cottage@wanadoo.fr, Fax 02 47 23 87 07*, – rest, AE GB
*1[er] mars-15 nov.* – **Repas** *(fermé dim. soir, mardi midi, merc. midi en saison et lundi)* 14,80/30 ♀, enf. 8,50 – ☕ 6,90 – **20 ch** 46/55 – ½ P 43/51.
◆ Hôtel composé de deux bâtiments dont une annexe établie dans une demeure tourangelle du 19e s. Petites chambres fonctionnelles ou rustiques, rénovées régulièrement.

---

## CHISSEY-SUR-LOUE *39380 Jura* 321 E4 *G. Jura* – *336 h alt. 230.*

*Paris 392 – Besançon 40 – Arbois 17 – Dole 24 – Lons-le-Saunier 55 – Pontarlier 63.*

**Chaumière du Val d'Amour**, ✆ 03 84 37 61 40, *gerard.vidal@club.internet.fr, Fax 03 84 37 68 14*
*fermé lundi, mardi, merc. et jeudi* – **Repas** (prévenir) 22/28.
◆ Dans le village, grosse chaumière et sa salle à manger campagnarde avec vieille cheminée et poutres apparentes ; on s'y attable autour de plats fleurant bon le terroir.

---

## CHOISY-AU-BAC *60 Oise* 305 I4 – *rattaché à Compiègne.*

---

## CHOLET *49300 M.-et-L.* 317 D6 *G. Châteaux de la Loire* – *55 132 h alt. 91.*

Voir *Musée d'Art et d'Histoire★* **Z M.**
*Office du Tourisme, place Rougé ✆ 02 41 49 80 00, Fax 02 41 49 80 09, info-accueil@otcholet.fr.*
*Paris 355 ① – Angers 65 ① – La Roche-sur-Yon 67 ④ – Ancenis 49 ⑥ – Nantes 59 ⑤.*

Plans page ci-contre

**Grand Hôtel de la Poste**, 26 bd G.-Richard ✆ 02 41 62 07 20, *Fax 02 41 58 54 10* – rest, – 50. AE ⓓ GB JCB **Z e**
*fermé 20 déc. au 5 janv.* – ***Rotonde*** *(fermé 1er au 12 mai, 20 déc. au 5 janv., vend. soir, sam. midi et dim.)* **Repas** (14)-17,50/52,50 ♀, enf. 10 – ☕ 8 – **47 ch** 52,50/91,50.
◆ Hôtel central tenu par la même famille depuis 1919. Chambres actuelles, de tailles diverses. La Rotonde offre un cadre d'inspiration Art déco.

**Atlantel**, rte Angers ✆ 02 41 71 08 08, *atlantel2@wanadoo.fr, Fax 02 41 71 96 96*, – – 70. AE ⓓ GB **BX t**
*(fermé vend. soir et sam. du 15 sept. au 1er juin)* – **Repas** 19/44, enf. 10 – ☕ 8,40 – **57 ch** 53/59 – ½ P 60.
◆ Implantée dans une zone commerciale, construction récente bénéficiant d'une bonne insonorisation. Chambres spacieuses et bien équipées. Terrasse-patio pour les repas d'été.

**Parc** sans rest, 4 av. A. Manceau ✆ 02 41 62 65 45, *hotel.parc@free.fr, Fax 02 41 58 64 08* – – 50. GB **AY x**
*fermé 20 déc. au 5 janv.* – ☕ 7 – **46 ch** 52/85.
◆ Cet hôtel de la petite capitale de la "Vendée militaire" vient de subir une salutaire rénovation. Chambres plus tranquilles sur l'arrière.

**Commerce** sans rest, 194 r. Nationale ✆ 02 41 62 08 97, *lecommerce.cholet@wanadoo.fr, Fax 02 41 62 31 57* – . AE GB **Z a**
☕ 5,50 – **15 ch** 31/47.
◆ Nostalgie, quand tu nous tiens... Que de souvenirs d'enfance ranimés par ces papiers peints à grosses fleurs ! Charme désuet, ambiance familiale et tenue irréprochable.

**Touchetière**, rd-pt St-Léger ✆ 02 41 62 55 03, *Fax 02 41 58 82 10*, – . AE GB
*fermé 3 au 30 août, sam. midi, dim. soir et mardi soir* – **Repas** 19,50/32 ♀. **AX b**
◆ Salle à manger avec poutres apparentes et cheminée : cette auberge, qui daterait du 16e s., a préservé son cachet rustique. Terrasse d'été fleurie et calme.

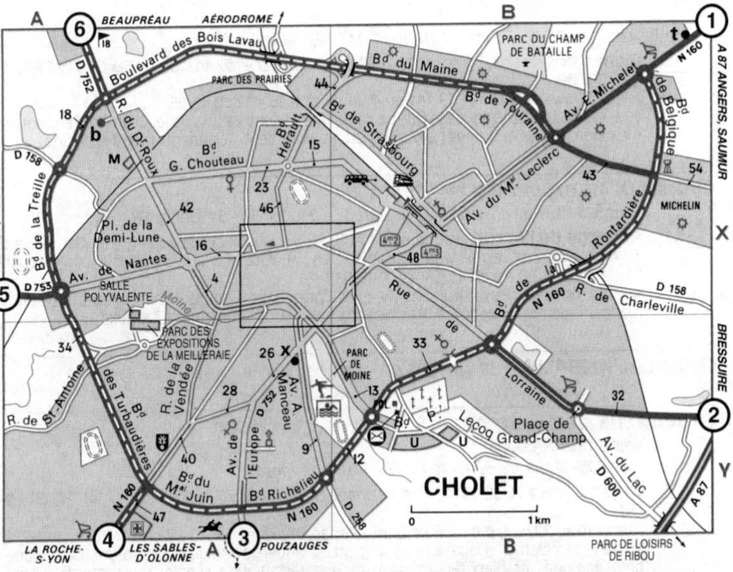

CHOLET
BEAUPRÉAU
AÉRODROME
A 87 ANGERS, SAUMUR
NANTES, CLISSON
BRESSUIRE
LA ROCHE-S-YON
LES SABLES-D'OLONNE
POUZAUGES
PARC DE LOISIRS DE RIBOU
PARC DU CHAMP DE BATAILLE
PARC DES PRAIRIES
SALLE POLYVALENTE
PARC DES EXPOSITIONS DE LA MEILLERAIE
PARC DE MOINE
MICHELIN
Boulevard des Bois Lavau
Bd du Maine
Bd de Touraine
Av. E. Michelet
Bd de Belgique
Bd de Strasbourg
Av. du Mal Leclerc
Bd de la Rontardière
R. de Charleville
Rue de Lorraine
Place de Grand-Champ
Av. du Lac
Bd G. Chouteau
R. du Dr Roux
Pl. de la Demi-Lune
Av. de Nantes
Bd de la Treille
R. de St-Antoine
Bd des Turbaudières
Bd du Mal Juin
Bd Richelieu
Bd Lecoq
Av. A. Manceau
Av. de l'Europe
R. de la Vendée
0 1 km


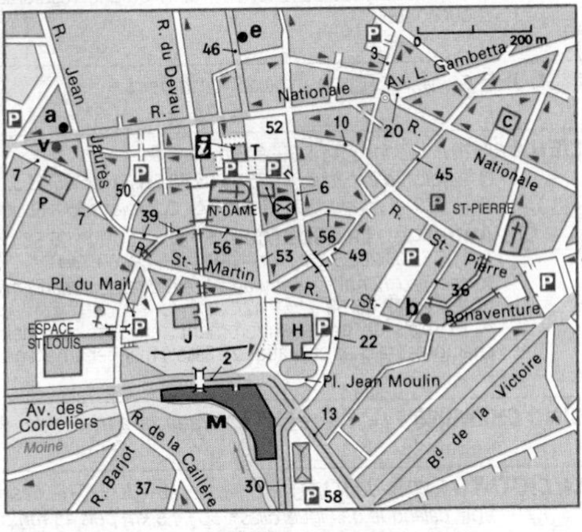

R. Jean Jaurès
R. du Devau
R. Nationale
Av. L. Gambetta
ST-PIERRE
N-DAME
R. St-Martin
R. St-Pierre
R. St-Bonaventure
Pl. du Mail
ESPACE ST-LOUIS
Pl. Jean Moulin
Bd de la Victoire
Av. des Cordeliers
R. de la Caillère
R. Barjot
Moine
0 200 m

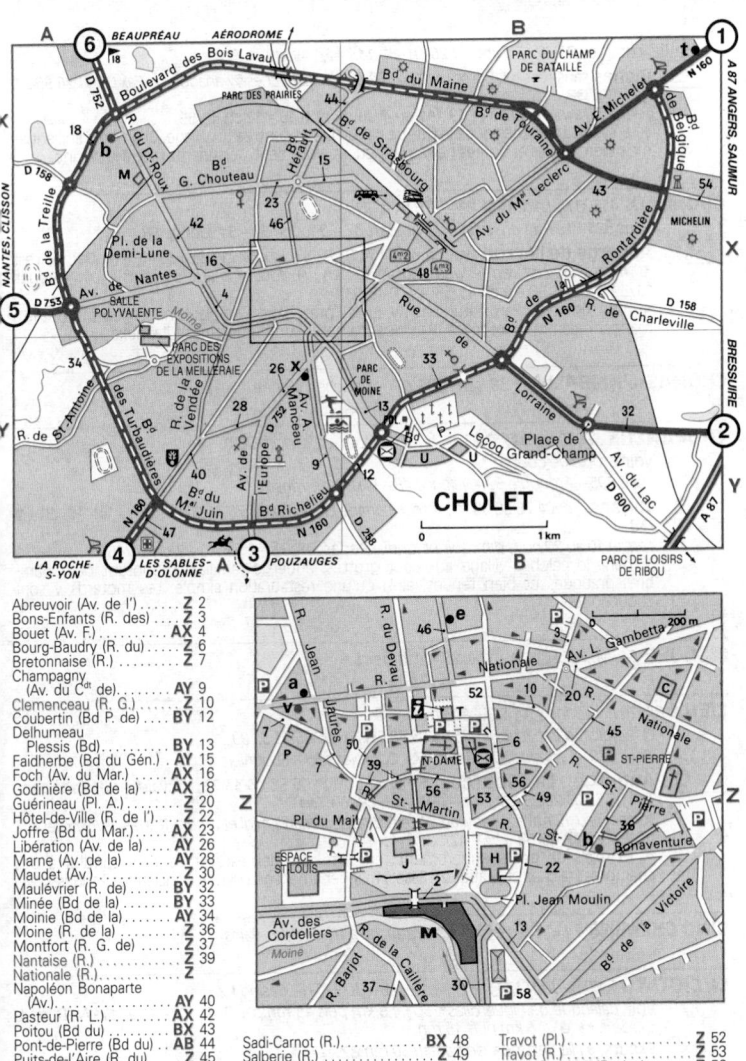

X **L'Ourdissoir,** 40 r. St-Bonaventure ✆ 02 41 58 55 18, *thermidor@wanadoo.fr, Fax 02 41 58 55 18* – GB Z b

*fermé 20 juil. au 12 août, 24 fév. au 5 mars, dim. soir et merc.* – **Repas** *(13)* - 16/32 ♀.

◆ Deux agrestes salles à manger dont l'une fut un atelier de tisserands de la ville du mouchoir. Les beaux murs de pierres servent de cadre à une cuisine traditionnelle.

X **Passé Simple,** 181 r. Nationale ✆ 02 41 75 90 06, *Fax 02 41 75 90 06* – AE GB. Z v

*fermé 18 août au 7 sept., dim. soir et lundi* – **Repas** 20/40 ♀.

◆ Atmosphère conviviale, mi-champêtre, mi-bistrot, dans cet établissement où se mitonnent des plats classiques renouvelés au fil des saisons.

**à Nuaillé** *par ① et D 960 : 7,5 km – 1 261 h. alt. 133 – ✉ 49340 :*

**Biches** sans rest, pl. Église ✆ 02 41 62 38 99, *les-biches@wanadoo.fr, Fax 02 41 26 96 24,* – TV. GB
*fermé 30 avril au 4 mai et 19 déc. au 4 janv.* – 8,35 – **12 ch** 48/56.
◆ En 1794, La Rochejaquelein fut tué par un Bleu à l'entrée du village. Chambres anciennes mais bien tenues et dotées de literies neuves. Vous petit-déjeunerez face à la piscine.

---

**CHOMELIX** *43500 H.-Loire* 331 E2 – *376 h alt. 910.*
*Paris 523 – Le Puy-en-Velay 30 – Ambert 37 – Brioude 51 – St-Étienne 68.*

**Auberge de l'Arzon** avec ch, ✆ 04 71 03 62 35, *Fax 04 71 03 61 62* – TV ♿. GB. rest
*30 mars-3 nov. et fermé lundi sauf le soir en juil.-août et mardi de sept. à juin* – **Repas** 21/39 – 6,50 – **9 ch** 43/58 – 1/2 P 46/53.
◆ À proximité du Parc naturel du Livradois-Forez, bâtisse en pierre hébergeant une salle à manger récemment rénovée. Paisibles chambres contemporaines à l'annexe.

---

**CHONAS-L'AMBALLAN** *38 Isère* 333 B5 – *rattaché à Vienne.*

---

**CHORANCHE** *38680 Isère* 333 F7 *G. Alpes du Nord – 132 h alt. 280.*
Voir *Grotte de Coufin***.
*Paris 595 – Grenoble 52 – Valence 48 – Villard-de-Lans 20.*

**Jorjane,** ✆ 04 76 36 09 50, *info@lejorjane.com, Fax 04 76 36 00 80,* – . AE GB
*fermé 10 au 20 nov., dim. soir et lundi* – **Repas** 15/20 – 6,10 – **7 ch** 34/46.
◆ Dans le célèbre village aux sept grottes, auberge familiale proposant des chambres pratiques et bien tenues, ainsi qu'une restauration simple. Les motards y sont chouchoutés.

---

**CIBOURE** *64 Pyr.-Atl.* 85 02 – *voir à St-Jean-de-Luz.*

---

**CIEUX** *87520 H.-Vienne* 325 D5 – *943 h alt. 320.*
*Syndicat d'Initiative,* ✆ *05 55 03 30 28, Fax 05 55 03 32 99.*
*Paris 388 – Limoges 30 – Bellac 17 – Confolens 35 – St-Junien 18.*

**Auberge La Source,** 1 av. Lac ✆ 05 55 03 33 23, *awaldbauer@aol.com, Fax 05 55 03 26 88,* , – TV ♿ – 60. GB
*fermé 5 au 12 nov., 20 janv. au 11 fév., dim. soir, mardi midi et lundi* – **Repas** 19/50, enf. 7 – 6 – **8 ch** 46/58 – 1/2 P 42/52.
◆ Ex-relais de poste entièrement réhabilité. Un vieil escalier de bois conduit à des chambres fraîches et pratiques. Salle à manger aménagée dans les anciennes écuries.

---

**CINQ CHEMINS** *74 H.-Savoie* 328 L2 – *rattaché à Thonon-les-Bains.*

---

**La CIOTAT** *13600 B.-du-R.* 340 I6 *G. Provence – 30 620 h – Casino* **AZ.**
Voir *Calanque de Figuerolles* SO : 1,5 km puis 15 mn par D141* **AZ** *– Chapelle N.-D. de la Garde ≤** O : 2,5 km puis 15 mn.*
Excurs. *à l'Ile Verte ≤* en bateau 30 mn* **BZ.**
*Office du Tourisme, boulevard Anatole France* ✆ *04 42 08 61 32, Fax 04 42 08 17 88.*
*Paris 806 ⑤ – Marseille 33 ⑤ – Toulon 36 ③ – Aix-en-Provence 53 ⑤ – Brignoles 62 ⑤.*

Plans page ci-contre

**Fresque,** pl. Église ✆ 04 42 08 00 60, *lafresque@aol.com,* – GB. **BZ r**
*fermé 1er au 15 janv., le soir en janv. et lundi* – **Repas** 20/29, enf. 7.
◆ Dominant le port, pharmacie du 19e s. convertie en agréable restaurant. Son nom provient de la jolie fresque ornant le plafond de la salle. La carte a l'accent du Sud.

**au Clos des Plages** – ✉ *13600 La Ciotat :*

**Provence Plage,** 3 av. Provence ✆ 04 42 83 09 61, *provence-plage@wanadoo.fr, Fax 04 42 08 16 28,* – TV P. AE GB **BY d**
*fermé 28 oct. au 25 nov.* – **Repas** *(fermé dim. soir d'oct. à mai)* 11 (déj.), 16/25, enf. 8,50 – 7 – **20 ch** 43/58 – 1/2 P 40/47,50.
◆ Dans un quartier de villas à deux pas de la plage, hôtel des années 1950 à l'ambiance familiale. Sobres chambres actuelles. Cuisine traditionnelle et grillades.

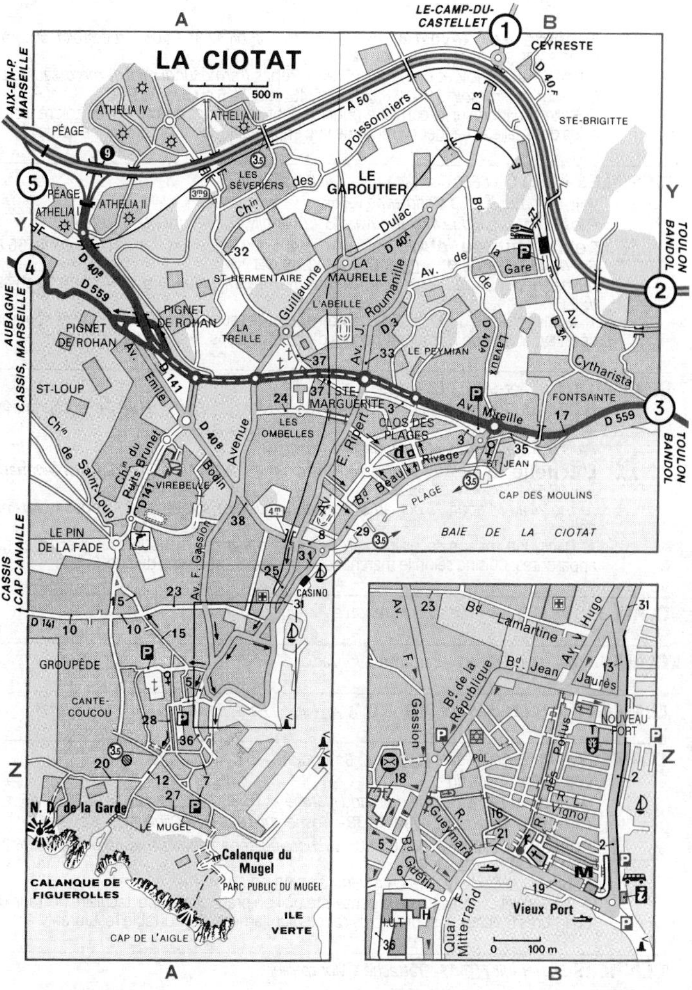

LA CIOTAT
500 m
LE-CAMP-DU-CASTELLET
CEYRESTE
AIX-EN-P. MARSEILLE
STE-BRIGITTE
ATHELIA IV
ATHELIA III
ATHELIA II
ATHELIA I
PÉAGE
A 50
Poissonniers
LES SÉVERIERS
LE GAROUTIER
Dulac
TOULON BANDOL
Gare
ST HERMENTAIRE
LA MAURELLE
L'ABEILLE
AUBAGNE CASSIS, MARSEILLE
PIGNET DE ROHAN
LA TREILLE
LE PEYMIAN
Cytharista
ST-LOUP
STE MARGUERITE
FONTSAINTE
LES OMBELLES
CLOS DES PLAGES
Av. Mireille
ST JEAN
VIREBELLE
PLAGE
CAP DES MOULINS
LE PIN DE LA FADE
BAIE DE LA CIOTAT
CASSIS CAP CANAILLE
CASINO
GROUPÈDE
CANTE-COUCOU
N. D. de la Garde
LE MUGEL
Calanque du Mugel
CALANQUE DE FIGUEROLLES
PARC PUBLIC DU MUGEL
CAP DE L'AIGLE
ILE VERTE
Bd Lamartine
Bd Jean Jaurès
Av. V. Hugo
Bd de la République
Av. F. Gassion
NOUVEAU PORT
R. des Poilus
R. L. Vignol
R. Gueymard
Bd Guérin
Quai F. Mitterrand
Vieux Port
0 100 m


Anatole-France (Bd) . . . . . BZ 2
Aubanel (Av. Théodore) . BY 3
Bertolucci (Bd) . . . . . . . . ABZ 5
Bouronne (R.) . . . . . . . . . . BZ 6
Calanques (Av. des) . . . . AZ 7
Camugli (Av.) . . . . . . . . . . AY 8
Camusso (Av. Marcel) . . AZ 10
Cardinal Maurin (Av. du) . AZ 12
Clemenceau (Bd G.) . . . . BZ 13
Crozet (Av. Louis) . . . . . . AZ 15
Foch (R. Mar.) . . . . . . . . BZ 16
Fontsainte (Av. de) . . . . BY 17
Gallieni (Av. Mar.) . . . . . BZ 18
Ganteaume (Quai) . . . . . BZ 19
Garde (Av. de la) . . . . . . AZ 20
Gaulle (Quai Gén. de) . . . . . . BZ 21
Kennedy (Av. J. F.) . . . ABZ 23
Mistral (Av. Frédéric) . . AZ 25
Mugel (Av. du) . . . . . . . . AZ 27
Narvick (Bd de) . . . . . . . . AZ 28
Poilus (R. des) . . . . . . . . . BZ
Prés. Roosevelt (Av. du) . BY 29
Prés. Wilson (Av. du) . . . BZ 31
Roumagoua (Chemin de) AY 32
Roumanille (Av. J.) . . . . . BY 33
St-Jean (Av. de) . . . . . . . . BY 35
Sandral (Av. M.) . . . . . . ABZ 36
Sellon (Av. Émile) . . . . . . . AY 37
Subilia (Av. Ernest) . . . . . . AY 38

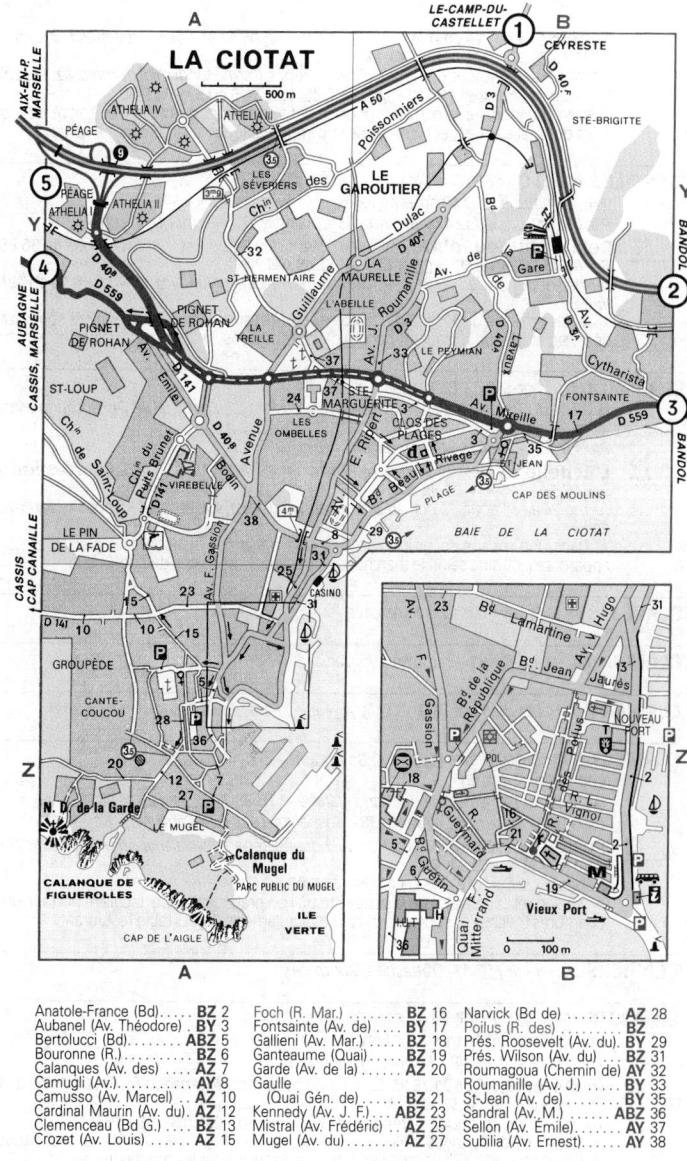

**au Liouquet** *par ③ et D 559 : 6 km – ✉ 13600 La Ciotat :*

**Ciotel Le Cap** 🐚, ✆ 04 42 83 90 30, *leciotel@aol.com, Fax 04 42 83 04 17*, ⛱, 🏊, 🪑 – ▤ ch, TV ✆ P. AE ⊙ GB. ✗ ch
*29 mars-31 oct.* – **Repas** *(fermé dim. soir sauf juil.-août)* 26/46 🍷 – ☕ 15,50 – **45 ch** 153/183.
◆ Disséminés dans un ravissant jardin fleuri, six pavillons de plain-pied abritant des chambres de bonne ampleur, dotées de terrasses. Jolie piscine face à la mer.

**Auberge Le Revestel** avec ch, 04 42 83 11 06, *revestel@aol.com, Fax 04 42 83 29 50,* ←, – TV. GB. ch
*fermé 17 au 27 nov. et 6 janv. au 13 fév.* – **Repas** *(fermé lundi midi et merc. sauf le soir en juil.-août et dim. soir)* 31,50/36,50 ♀, enf. 15 – ☕ 7 – **6 ch** 52 – ½ P 60.
◆ Belle situation sur la corniche pour ce petit restaurant au cadre très coloré. Les larges baies de la salle à manger offrent une vue imprenable sur le large. Cuisine actuelle.

---

**CIRES-LÈS-MELLO** *60660 Oise* 305 F5 – *3 458 h alt. 39.*
Voir *Commune de la Méridienne verte.*
*Paris 65 – Compiègne 47 – Beauvais 33 – Chantilly 17 – Clermont 16 – Creil 12.*

**Relais du Jeu d'Arc,** pl. Jeu d'Arc à Mello, Est : 1 km 03 44 56 85 00, *Fax 03 44 56 85 19,* – TV P – 40. AE GB.
*fermé août et 24 déc. au 1er janv.* – **Repas** *(fermé dim. et lundi)* 22/37 – ☕ 8 – **10 ch** 49/77 – ½ P 69.
◆ Relais de poste du 17e s. aux chambres actuelles et confortables ; certaines sont mansardées. Sympathique restaurant décoré d'objets paysans : mangeoires, fléaux, etc.

---

**CLAIRAC** *47320 L.-et-G.* 336 E3 – *2 338 h alt. 52.*
*Office du Tourisme, 16 place Viçoe 05 53 88 71 59, Fax 05 53 88 71 59, tourime@clairac.com.*
*Paris 605 – Agen 42 – Marmande 24 – Nérac 36.*

**L'Écuelle d'Or,** 22 r. Porte Pinte 05 53 88 19 78, *ecuelle.or@wanadoo.fr, Fax 05 53 88 90 77* – AE GB
*fermé 24 au 31 août, 25 oct. au 2 nov., sam. midi, dim. soir et lundi* – **Repas** (14 bc) - 17/27, enf. 11.
◆ Dans une maison séculaire, agréable salle à manger rustique avec pierres et poutres apparentes. Cuisine selon le marché, plus quelques spécialités du Sud-Ouest.

---

**CLAIX** *38 Isère* 333 H7 – *rattaché à Grenoble.*

---

**CLAM** *17 Char.-Mar.* 324 H7 – *rattaché à Jonzac.*

---

**CLAMART** *92 Hauts-de-Seine* 311 J3 101 ㉕ – *voir à Paris, Environs.*

---

**CLAMECY** *58500 Nièvre* 319 E7 *G. Bourgogne* – *5 284 h alt. 144.*
Voir *Église St-Martin*★.
*Office du Tourisme, rue du Grand Marché 03 86 27 02 51, Fax 03 86 27 20 65.*
*Paris 209 – Auxerre 42 – Avallon 38 – Cosne-sur-Loire 52 – Dijon 145 – Nevers 69.*

**Poste,** 9 pl. E. Zola 03 86 27 01 55, *hotelposteclamecy@wanadoo.fr, Fax 03 86 27 05 99* – TV – 20. AE GB
**Repas** 17/28 ♀ – ☕ 7 – **13 ch** 42/50 – ½ P 40/50.
◆ Ancien relais de poste de la petite cité où l'on pratiquait le spectaculaire flottage du bois. Chambres fraîches et sobres, plus calmes sur l'arrière. Confortable restaurant.

---

**CLAPIERS** *34 Hérault* 339 I7 – *rattaché à Montpellier.*

---

**Le CLAUX** *15400 Cantal* 330 E4 – *293 h alt. 1080.*
Voir *Cascade du Sartre*★ *N : 4 km* G. Auvergne.
*Paris 517 – Aurillac 49 – Mauriac 51 – Murat 23.*

**Peyre-Arse,** 04 71 78 93 32, *cantallogisdefrance@wanadoo.fr, Fax 04 71 78 90 37,* ←, – P – 50. AE GB
*fermé 11 nov. au 11 déc.* – **Repas** 18/25 ♀ – ☕ 6,10 – **28 ch** 38/46 – ½ P 43.
◆ Bâtiment des années 1980 situé à l'entrée du village. Les chambres, avant tout pratiques, ont conservé leur mobilier d'origine. Belle vue sur les monts du Cantal.

---

**Les CLAUX** *05 H.-Alpes* 334 I5 – *rattaché à Vars.*

---

**La CLAYETTE** *71800 S.-et-L.* 320 F12 *G. Bourgogne* – *2 307 h alt. 369.*
Voir *Château de Drée*★ *N : 4 km.*
*Office du Tourisme, 3 route de Charolles 03 85 28 16 35, Fax 03 85 28 28 34, office-de-tourisme-de-la-clayette@wanadoo.fr.*
*Paris 376 – Mâcon 55 – Charolles 20 – Lapalisse 62 – Lyon 90 – Roanne 40.*

XX **Gare** avec ch, ✆ 03 85 28 01 65, *Fax 03 85 28 03 13*, 🍴, ⛱, 🌳 – TV ☎ 🚗 P. GB
*fermé 6 janv. au 12 fév., dim. soir et lundi sauf juil.-août* – **Repas** 18,50/32 – ☕ 6,10 – **8 ch** 41/49,50 – ½ P 40.
◆ À la sortie du bourg, maison ancienne au confort modeste. La salle à manger contemporaine où dominent les tons pastel ouvre sur un agréable jardin fleuri en été.

---

**CLÉCY** *14570 Calvados* 303 J6 *G. Normandie Cotentin – 1 182 h alt. 100.*

**Env.** *Croix de la Faverie★.*

*Office du Tourisme, place du Tripot ✆ 02 31 69 79 95, Fax 02 31 69 76 50, otsi.clecy@libertysurf.fr.*

*Paris 267 – Caen 38 – Condé-sur-Noireau 10 – Falaise 31 – Flers 22 – Vire 36.*

**Moulin du Vey** ⛺, Est : 2 km par D 133^A ✆ 02 31 69 71 08, *reservations@moulinduvey.com, Fax 02 31 69 14 14*, ≤, 🍴 – TV P – 🏃 80. AE ⓓ GB
*fermé déc. et janv.* – **Repas** *(fermé dim. soir et lundi midi du 1^er nov. au 30 mars)* 23/63 ♀ – ☕ 9,50 – **12 ch** 70/98 – ½ P 83/94.
◆ Étape bucolique au coeur de la Suisse normande : beau moulin au bord de l'Orne, avec ses coquettes chambres personnalisées et son élégante salle à manger rustico-bourgeoise.

**Manoir du Placy** 🏠 ⛺ sans rest, à 400 m. ✆ 02 31 59 20 00 – TV P. GB
*Pâques-sept.* – ☕ 9,50 – **6 ch** 75.
◆ Situé à 400 m de la maison-mère, ce corps de ferme joliment restauré propose des chambres simples, meublées dans le style campagnard et fort bien tenues.

**Relais de Surosne** 🏠 sans rest, à 3,5 km ✆ 02 31 69 71 08, *Fax 02 31 69 14 14*, 🌳 – TV P. AE GB
*Pâques-sept.* – ☕ 9,50 – **7 ch** 70/98.
◆ Belle maison de maître du 19^e s. située à 3 km du Moulin de Vey. Chambres de caractère, assez spacieuses, salle des petits-déjeuners rustique et parc aux arbres centenaires.

XX **Auberge du Chalet de Cantepie,** à Cantepie, Nord : 1 km ✆ 02 31 69 88 88, *auberge.cantepie@wanadoo.fr, Fax 02 31 69 66 72*, 🍴, 🌳 – P. AE ⓓ GB
*fermé 6 janv. au 9 fév., dim. soir et lundi sauf fériés* – **Repas** 18/35 ♀.
◆ Plaisante bâtisse régionale à colombages et sa terrasse ombragée. Collection de tableaux réalisés par les descendants de Pissarro. Service en costumes traditionnels normands.

---

**CLÉDEN-CAP-SIZUN** *29770 Finistère* 308 D6 *– 1 181 h alt. 30.*

**Voir** *Pointe de Brézellec* ≤★ *N : 2 km*, **G. Bretagne.**

*Paris 610 – Quimper 47 – Audierne 11 – Douarnenez 28.*

X **L'Étrave,** rte Pointe du Van sur D 7 : 2 km ✆ 02 98 70 66 87, ≤, 🌳 – P. GB
*6 avril-28 sept. et fermé mardi soir sauf juil.-août et merc.* – **Repas** 16/45 ♀, enf. 7.
◆ Une étrave en guise de comptoir, la charpente en carène renversée, de belles échappées sur l'océan : cadre pleinement maritime où l'on se presse pour déguster du homard.

---

**CLELLES** *38930 Isère* 333 G9 *– 345 h alt. 746.*

*Office du Tourisme, place de la Mairie ✆ 04 76 34 43 09, Fax 04 76 34 43 09.*

*Paris 616 – Gap 72 – Die 61 – Grenoble 52 – La Mure 29 – Serres 58.*

🏠 **Ferrat,** à la gare ✆ 04 76 34 42 70, *Fax 04 76 34 47 47*, ≤, ⛱, 🌳 – TV ☎ 🚗 P. GB
**Repas** 19/33 ♀, enf. 9 – ☕ 6 – **23 ch** 32/52 – ½ P 54.
◆ Au pied du mont Aiguille, chambres d'esprit rustique ou actuelles, parfois dotées de petits balcons. Bonne insonorisation. Aux beaux jours, snack-bar près de la piscine.

---

**CLÈRES** *76690 S.-Mar.* 304 G4 *G. Normandie Vallée de la Seine – 1 254 h alt. 113.*

**Voir** *Parc zoologique★.*

*Office du Tourisme, 59 avenue du Parc ✆ 02 35 33 38 64, Fax 02 35 33 38 64, infos@otcleres.fr.*

*Paris 155 – Rouen 26 – Dieppe 45 – Forges-les-Eaux 35 – Neufchâtel-en-Bray 37 – Yvetot 37.*

**à Frichemesnil** *Nord-Est : 4 km par D 6 et D 100 – 406 h. alt. 150 – ✉ 76690 :*

XX **Au Souper Fin** avec ch, ✆ 02 35 33 33 88, *eric.buisset@free.fr, Fax 02 35 33 50 42*, 🍴, 🌳 – TV 🚗. GB. ✗ ch
*fermé 11 août au 4 sept., 17 au 30 déc., dim. soir d'oct. à avril, merc. et jeudi* – **Repas** 16 (déj.), 26/45, enf. 10 – ☕ 7 – **3 ch** 44/50.
◆ Sympathique étape campagnarde dans un ancien café-épicerie. Façade en briques et colombages, coquette salle à manger, terrasse-pergola et jolies petites chambres.

**au Sud** : *2 km sur D 155 – ✉ 76690 Clères :*

X **Auberge du Moulin,** ☏ 02 35 33 62 76, *marchalbourg@net-up.com, Fax 02 35 33 62 76,* – P. GB
*fermé 18 au 31 août, vacances de fév., lundi et mardi* – **Repas** (12) - 18,50/29.
◆ Accueillante auberge à quelques tours de roue du parc zoologique de Clères. Salle à manger rustique, rajeunie par de lumineuses couleurs et réchauffée par une petite cheminée.

**CLERGOUX** *19320 Corrèze* 329 *M4 – 367 h alt. 520.*
*Paris 500 – Brive-la-Gaillarde 47 – Mauriac 46 – St-Céré 73 – Tulle 21 – Ussel 52.*

**Chammard** sans rest, ☏ 05 55 27 76 04, – P.
3,70 – **14 ch** 26/32.
◆ Chambres simples, sans téléviseur ni téléphone, mais tenue méticuleuse et ambiance chaleureuse. Salle des petits-déjeuners agrémentée de deux magnifiques lits bretons.

**CLERMONT** *60600 Oise* 305 *F4 G. Picardie Flandres Artois – 8 934 h alt. 125.*
*Office du Tourisme, 9 place de l'Hôtel de Ville ☏ 03 44 50 40 25, Fax 03 44 50 40 25.*
*Paris 79 – Compiègne 34 – Amiens 84 – Beauvais 27 – Mantes-la-Jolie 100 – Pontoise 61.*

**à Gicourt-Agnetz** *Ouest : 2 km par ancienne rte de Beauvais – ✉ 60600 Agnetz :*

XX **Auberge de Gicourt,** 466 av. Forêt de Hez ☏ 03 44 50 00 31, *Fax 03 44 50 42 29,* – AE GB
*fermé 1er au 6 janv., dim. soir, merc. soir et lundi* – **Repas** 17/25.
◆ À proximité d'une forêt, pimpante auberge champêtre où l'on concocte une cuisine traditionnelle et quelques spécialités du Sud-Ouest. Terrasse fleurie.

**à Étouy** *Nord-Ouest : 7 km par D 151 – 814 h. alt. 85 – ✉ 60600 :*

XXX **L'Orée de la Forêt** (Leclercq), 255 r. Forêt ☏ 03 44 51 65 18, *Fax 03 44 78 92 11,* – P. AE GB.
*fermé 4 août au 2 sept., 2 au 9 janv., sam. midi, dim. soir, vend. et soirs fériés* – **Repas** 22 (déj.), 39/62 et carte 60 à 73.
◆ Belle maison de maître du début du 20e s. nichée dans son paisible parc arboré. Deux jolies salles à manger au confort bourgeois. Cuisine au goût du jour.
**Spéc.** Escalopes de foie gras poêlées au sirop de betterave. Pigeonneau rôti à la badiane. Millefeuille vanillé.

**CLERMONT-EN-ARGONNE** *55120 Meuse* 307 *B4 G. Champagne Ardenne – 1 794 h alt. 229.*
*Office du tourisme, place de la République ☏ 03 29 88 42 22, Fax 03 29 88 42 43.*
*Paris 243 – Bar-le-Duc 50 – Dun-sur-Meuse 41 – Ste-Menehould 15 – Verdun 30.*

XX **Bellevue** avec ch, r. Libération ☏ 03 29 87 41 02, *Fax 03 29 88 46 01,* – TV P. AE GB. ch
*fermé 23 déc. au 10 janv., dim. soir et merc.* – **Repas** 13,80/36, enf. 8 – 6,20 – **7 ch** 38,50/50 – 1/2 P 43.
◆ Côté restaurant, salle à manger moderne prolongée d'une terrasse surplombant le jardin. Côté hôtel, chambres simples, un tantinet désuètes mais bien tenues.

**CLERMONT-FERRAND** P *63000 P.-de-D.* 326 *F8 G. Auvergne – 136 181 h Agglo. 258 541 h alt. 401.*
**Voir** *Le Vieux Clermont*** **EFVX** *: Basilique de N.-D.-du-Port*** (choeur***), Cathédrale** (vitraux**), fontaine d'Amboise*, cour* de la maison de Savaron* **EV** *– Cour* dans le musée du Ranquet* **EV M**[1]*, musée d'archéologie Bargoin** **FX** *– Le Vieux Montferrand** : hôtel de Lignat*, hôtel de Fontenilhes*, maison de l'Éléphant*, cour* de l'hôtel Regin, porte* de l'hôtel d'Albiat, – Bas-relief* de la maison d'Adam et d'Ève – Musée d'art Roger-Quilliot – Belvédère de la D 941A ≤*** **AY.**
**Env.** *Puy de Dôme ※*** 15 km par ⑥ – Vulcania (Centre Européen du Vulcanisme).*
**Circuit automobile de Clermont-Ferrand-Charade AZ.**
✈ *de Clermont-Ferrand-Auvergne : ☏ 04 73 62 71 00 par D 766* **CY** *: 6 km.*
*Office du Tourisme, place de la Victoire ☏ 04 73 98 65 00, Fax 04 73 90 04 11, tourisme@clermont-fd.com.*
*Paris 422 ② – Lyon 172 ③ – Moulins 106 ① – St-Étienne 147 ③.*

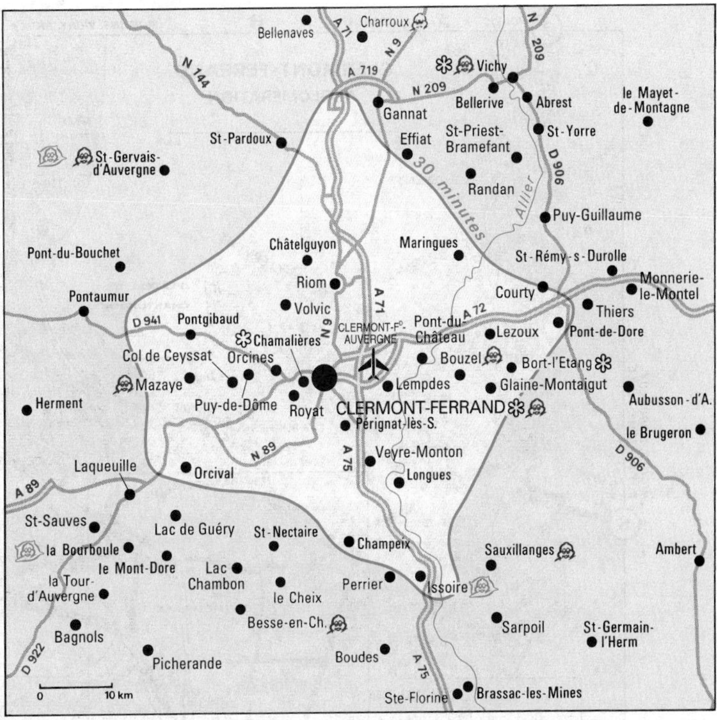
Bellenaves
Charroux
A 71
N 9
N 209
N 144
A 719
Vichy
N 209
Bellerive
Abrest
le Mayet-de-Montagne
Gannat
St-Pardoux
Effiat
St-Priest-Bramefant
St-Yorre
St-Gervais-d'Auvergne
30 minutes
D 906
Randan
Allier
Puy-Guillaume
Pont-du-Bouchet
Châtelguyon
Maringues
St-Rémy-s-Durolle
Riom
Courty
Monnerie-le-Montel
Pontaumur
Volvic
A 71
Thiers
D 941
Pontgibaud
N 9
A 72
CLERMONT-Fᴰ-AUVERGNE
Pont-du-Château
Lezoux
Pont-de-Dore
Chamalières
Col de Ceyssat
Orcines
Bouzel
Bort-l'Etang
Mazaye
Lempdes
Glaine-Montaigut
Herment
Puy-de-Dôme
Royat
CLERMONT-FERRAND
Aubusson-d'A.
Pérignat-lès-S.
le Brugeron
N 89
A 75
Veyre-Monton
D 906
Laqueuille
Orcival
Longues
A 89
St-Sauves
Lac de Guéry
St-Nectaire
Champeix
Sauxillanges
Ambert
la Bourboule
le Mont-Dore
Lac Chambon
la Tour-d'Auvergne
Perrier
Issoire
le Cheix
Besse-en-Ch.
Sarpoil
St-Germain-l'Herm
Bagnols
D 922
Picherande
Boudes
A 75
0
10 km
Ste-Florine
Brassac-les-Mines

**Mercure Centre** M, 82 bd F. Mitterrand ✆ 04 73 34 46 46, *h1224@accor-hotels.com, Fax 04 73 34 46 36*, – |≡| ⊭ ≡ TV ✆ ♿ – 🏔 20 à 100. AE ⓓ GB. ✻ rest EX v
**Repas** *(fermé 27 déc. au 4 janv., sam. midi et dim. midi)* 21/31 ♀ – ☕ 11 – **123 ch** 97/105.
♦ Imposant bâtiment des années 1970 abritant des chambres récentes et bien insonorisées ; certaines offrent une vue sur le puy de Dôme. Bar "cosy" et vastes salles de réunion.

**Novotel** M, Z.I. du Brézet, r. G. Besse ✉ 63100 ✆ 04 73 41 14 14, *h1175@accor-hotels.com, Fax 04 73 41 14 00*, , ⛱, – |≡| ⊭ ≡ TV ✆ ♿ P – 🏔 15 à 120. AE ⓓ GB CY a
***Clos des Iris*** (déj. seul.) *(fermé sam. et dim.)* **Repas** *(25)*-31/38 – ***Jardin des Puys*** *(fermé dim. midi et sam. sauf juil.-août)* **Repas** *(16,50)*-20/30♀ ,enf 8,50 – ☕ 11 – **131 ch** 94/107.
♦ Espace, décor plaisant, bonne isolation phonique : réservez en priorité une chambre rénovée. Joli restaurant en rotonde au Clos des Iris, cadre de brasserie au Jardin des Puys.

**des Puys Arverne**, pl. Delille ✆ 04 73 91 92 06, *clermont@hoteldespuys.com, Fax 04 73 91 60 25*, – |≡| ≡ TV ✆ – 🏔 15 à 60. AE ⓓ GB JCB FV m
**Repas** *(fermé vacances scolaires, sam. midi, dim. et fériés)* 15/40 ♀, enf. 10 – ☕ 10 – **57 ch** 91/98.
♦ Des chambres fonctionnelles et fraîches (certaines avec balcon) et un restaurant panoramique (vue imprenable sur le puy de Dôme) font l'attrait de cet hôtel du centre.

**Holiday Inn Garden Court** M, 59 bd F. Mitterrand ✆ 04 73 17 48 48, *higcclermont@alliance-hospitality.com, Fax 04 73 35 58 47* – |≡| ⊭ ≡ TV ✆ ♿ – 🏔 15 à 50. AE ⓓ GB JCB EX a
**Repas** *(fermé sam. midi et dim. midi)* 16 ♀, enf. 7 – ☕ 10 – **94 ch** 115.
♦ À l'abri d'une sobre façade, chambres bien équipées et garnies d'un mobilier aux lignes élégantes. Salle à manger-véranda contemporaine égayée de plantes vertes.

**Lafayette** M sans rest, 53 av. Union Soviétique ✆ 04 73 91 82 27, *hotel-le-lafayette@massifcentral.net, Fax 04 73 91 17 26* – |≡| TV ✆ P. AE ⓓ GB GV a
☕ 9 – **48 ch** 69/81.
♦ Cet hôtel voisin de la gare est entièrement rénové : chambres aux tons pastel dotées de meubles modernes en bois clair. Climatisation côté rue et calme sur l'arrière.

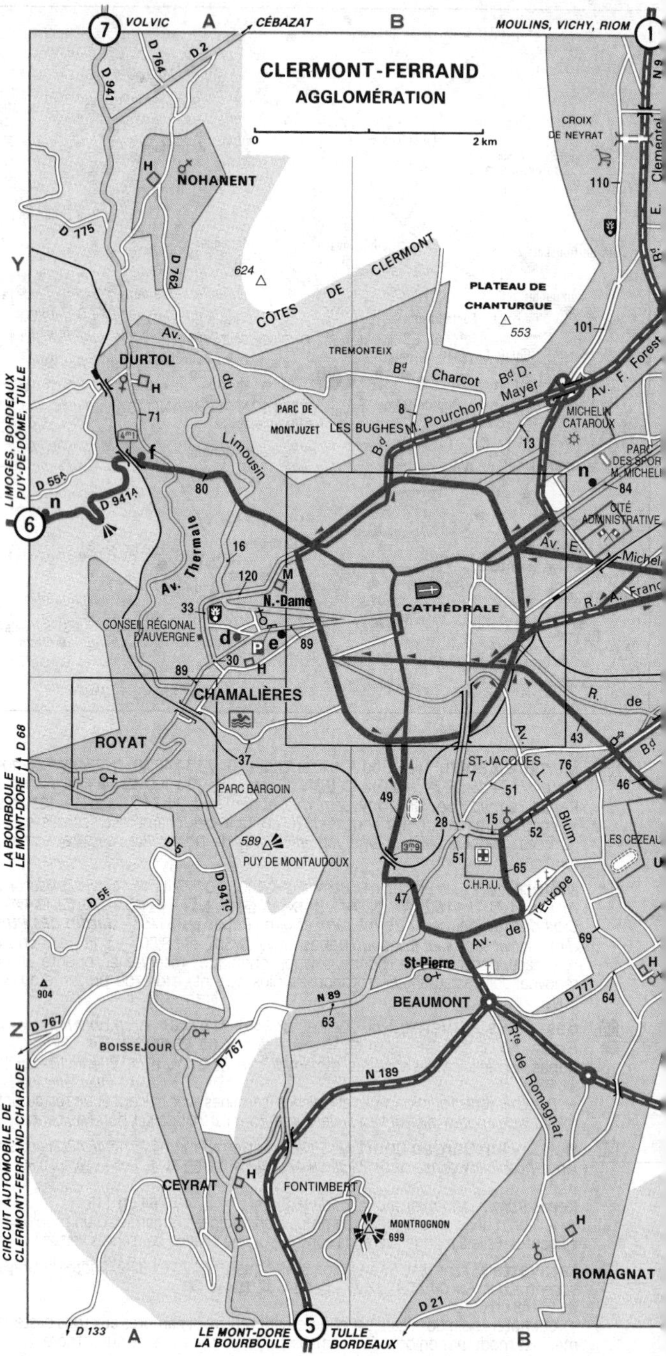
CLERMONT-FERRAND
AGGLOMÉRATION
0
2 km
VOLVIC
CÉBAZAT
MOULINS, VICHY, RIOM
LIMOGES, BORDEAUX PUY-DE-DÔME, TULLE
LA BOURBOULE LE MONT-DORE
CIRCUIT AUTOMOBILE DE CLERMONT-FERRAND-CHARADE
LE MONT-DORE LA BOURBOULE
TULLE BORDEAUX
NOHANENT
CÔTES DE CLERMONT
PLATEAU DE CHANTURGUE
553
624
CROIX DE NEYRAT
DURTOL
TREMONTEIX
PARC DE MONTJUZET
LES BUGHES
Av. du Limousin
Av. Thermale
Bd Charcot
Bd D. Mayer
Bd M. Pourchon
Av. F. Forest
Bd E. Clementel
MICHELIN CATAROUX
PARC DES SPORTS M. MICHELIN
CITÉ ADMINISTRATIVE
Av. E. Michelin
R. A. France
N.-Dame
CONSEIL RÉGIONAL D'AUVERGNE
CATHÉDRALE
CHAMALIÈRES
ROYAT
PARC BARGOIN
589
PUY DE MONTAUDOUX
ST-JACQUES
Av. L. Blum
C.H.R.U.
Av. de l'Europe
LES CEZEAUX
St-Pierre
BEAUMONT
Rte de Romagnat
904
BOISSEJOUR
CEYRAT
FONTIMBERT
MONTROGNON 699
ROMAGNAT
D 2
D 764
D 941
D 775
D 762
D 55A
D 941A
D 68
D 5
D 5E
D 941C
D 767
D 133
D 21
D 777
N 9
N 89
N 189

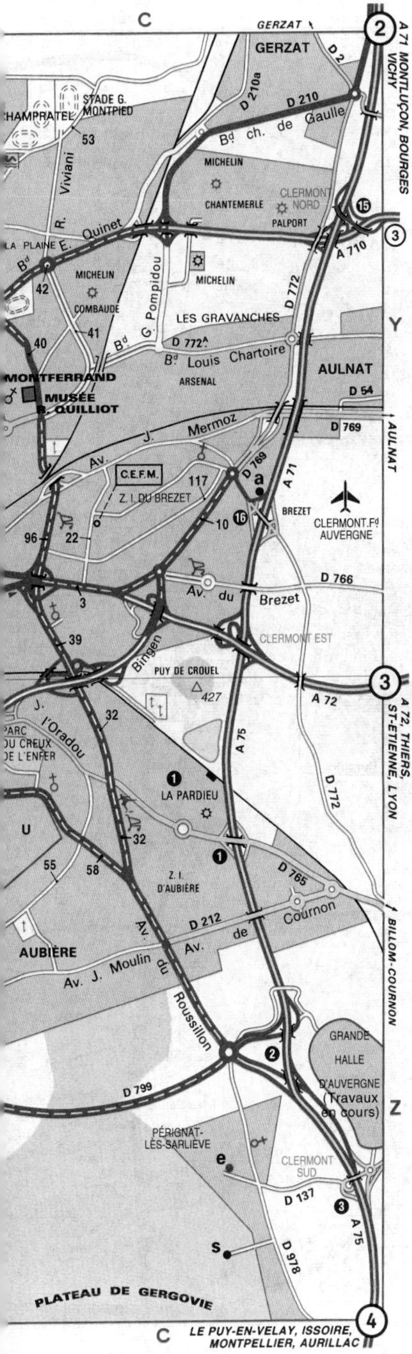
C
GERZAT
2
A 71 MONTLUÇON, BOURGES VICHY
D 2
D 210a
D 210
STADE G. MONTPIED
CHAMPRATEL
53
Viviani
R.
Bd ch. de Gaulle
MICHELIN
CHANTEMERLE
CLERMONT NORD
PALPORT
15
3
A 710
LA PLAINE
E. Quinet
Bd
42
MICHELIN
COMBAUDE
Bd G. Pompidou
MICHELIN
D 772
LES GRAVANCHES
Y
41
40
Bd
D 772A
Bd Louis Chartoire
AULNAT
MONTFERRAND
ARSENAL
MUSÉE R. QUILLIOT
D 54
D 769
AULNAT
Av. J. Mermoz
C.E.F.M.
D 769
a
A 71
117
Z. I. DU BREZET
10
16
BREZET
CLERMONT.Fd AUVERGNE
96
22
D 766
3
Av. du Brezet
39
CLERMONT EST
Bingen
PUY DE CROUEL
427
3
A 72
A 72, THIERS, ST-ETIENNE, LYON
J.
l'Oradou
32
PARC DU CREUX DE L'ENFER
A 75
D 772
1
LA PARDIEU
U
32
1
55
58
Z. I. D'AUBIÈRE
D 765
D 212
Av. de Cournon
BILLOM-COURNON
AUBIÈRE
Av. J. Moulin
Av. du Roussillon
2
GRANDE HALLE D'AUVERGNE (Travaux en cours)
D 799
Z
PÉRIGNAT-LÈS-SARLIÈVE
e
CLERMONT SUD
D 137
3
A 75
s
D 978
PLATEAU DE GERGOVIE
4
C
LE PUY-EN-VELAY, ISSOIRE, MONTPELLIER, AURILLAC

### AUBIÈRE

Cournon (Av. de) . . . . . . . . **CZ**
Maerte (Av. R.) . . . . . . . . . **CZ** 55
Mont-Mouchet (Av. du) . . . **BZ** 64
Moulin (Av. Jean) . . . . . . . . **CZ**
Noellet (Av. J.) . . . . . . . . . **BZ** 69
Roussillon (Av. du) . . . . . . . **CZ**

### BEAUMONT

Europe (Av. de l') . . . . . . . . **BZ**
Leclerc (Av. du Mar.) . . . . . **BZ** 47
Mont-Dore (Av. du) . . . . . **ABZ** 63
Romagnat (Rte de) . . . . . . **BZ**

### CHAMALIÈRES

Claussat (A. J.) . . . . . . . . . . **AY** 16
Europe (Carref. de l') . . . . . **AY** 30
Fontmaure (Av. de) . . . . . . **AY** 33
Gambetta (Bd) . . . . . . . . . . **AZ** 37
Royat (Av. de) . . . . . . . . . . **AY** 89
Voltaire (R.) . . . . . . . . . . . . **AY** 120
Thermale (Av.) . . . . . . . . . . **AY**

### CLERMONT-FERRAND

Agriculture (Av. de l') . . . . **CY** 3
Anatole-France (R.) . . . . . . **BY**
Bernard (Bd Cl.) . . . . . . . . . **BZ** 7
Bingen (Bd J.) . . . . . . . . **BCYZ**
Blanzat (R. de) . . . . . . . . . . **BY** 8
Blériot (R. L.) . . . . . . . . . . . **CY** 10
Blum (Av. L.) . . . . . . . . . . . . **BZ**
Brezet (Av. du) . . . . . . . . . . **CY**
Champfleuri (R. de) . . . . . . **BY** 13
Charcot (Bd) . . . . . . . . . . . . **BY**
Churchill (Bd Winston) . . . **BZ** 15
Clementel (Bd E.) . . . . . . . **BY**
Cugnot (R. N.-J.) . . . . . . . . **CY** 22
Dunant (Pl. H.) . . . . . . . . . . **BZ** 28
Flaubert (Bd G.) . . . . . . . . . **CZ** 32
Forest (Av. F.) . . . . . . . . . . **BY**
Jean-Moulin (Bd) . . . . . . . . **CY** 39
Jouhaux (Bd L.) . . . . . . . . . **CY** 40
Kennedy (Bd J.-F.) . . . . . . . **CY** 41
Kennedy (Carref.) . . . . . . . . **CY** 42
La Fayette (Bd) . . . . . . . . . . **BZ** 43
Landais (Av. des) . . . . . . . **BCZ** 46
Libération (Av. de la) . . . . . **BZ** 49
Limousin (Av. du) . . . . . . . . **AY**
Liondards (Av. des) . . . . . . **BZ** 51
Loucheur (Bd Louis) . . . . . **BZ** 52
Mabrut (R. A.) . . . . . . . . . . **CY** 53
Margeride (Av. de la) . . . . . **CZ** 58
Mayer (Bd D.) . . . . . . . . . . . **BY**
Mermoz (Av. J.) . . . . . . . . . . **CY**
Michelin (Av. Edouard) . . . **BY**
Montalembert (R.) . . . . . . . **BZ** 64
Oradou (R. de l') . . . . . . . **BCZ**
Pochet-Lagaye (Bd P.) . . . . **BZ** 76
Pompidou (Bd G.) . . . . . . . **CY**
Pourchon (Bd M.) . . . . . . . **BY**
Puy-de-Dôme (Av. du) . . . . **AY** 80
Quinet (Bd E.) . . . . . . . . . . **CY**
République (Av. de la) . . . . **BY** 84
St-Jean (Bd) . . . . . . . . . . . . **CY** 96
Sous-les-Vignes (R.) . . . . . **BY** 101
Torpilleur Sirocco (R. du) . **BY** 110
Verne (R. Jules) . . . . . . . . . **CY** 117
Viviani (R.) . . . . . . . . . . . . . **CY**

### DURTOL

Paix (Av. de la) . . . . . . . . . . **AY** 71

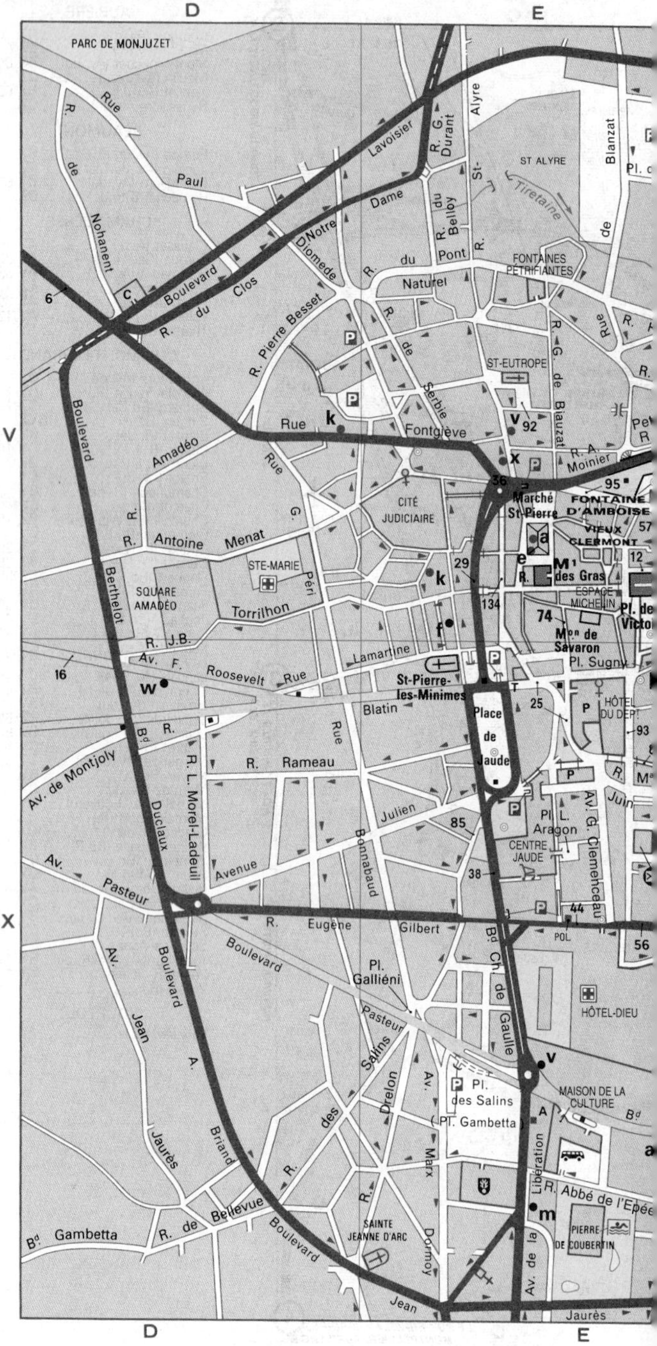
D
E
V
X
PARC DE MONJUZET
Rue Paul
R. de Nohanent
Lavoisier
R. G. Durant
Alyre
St-
ST ALYRE
Tiretaine
Blanzat
de
Pl.
Notre Dame
Boulevard du Clos
R. du Belloy
R. du Pont
R. du Naturel
Diomede
R. Pierre Besset
FONTAINES PÉTRIFIANTES
Rue
R. G. de Biauzat
R. de Serbie
ST-EUTROPE
6
C
Boulevard Berthelot
Rue Fontgiève
Amadéo
Rue G. Péri
92
R. A. Moinier
36
95
Marché St-Pierre
FONTAINE D'AMBOISE
VIEUX CLERMONT
57
CITÉ JUDICIAIRE
R. Antoine Menat
STE-MARIE
SQUARE AMADÉO
29
134
M[1] des Gras
ESPACE MICHELIN
12
Pl. de Victo
74
Mon de Savaron
Pl. Sugny
Torrilhon
R. J.B. Lamartine
16
Av. F. Roosevelt
Rue Blatin
St-Pierre-les-Minimes
Place de Jaude
25
HÔTEL DU DÉPt
93
R. Rameau
R. L. Morel-Ladeuil
Av. de Montjoly
Bd R.
Rue Bonnabaud
Julien
Avenue
85
Pl. L. Aragon
CENTRE JAUDE
Av. G. Clemenceau
Juin
38
Duclaux
Av. Pasteur
R. Eugène Gilbert
44
POL
56
Bd Ch. de Gaulle
Boulevard Pasteur
Pl. Galliéni
HÔTEL-DIEU
Av. Jean Jaurès
Boulevard A. Briand
R. des Salins
Drelon
Av. Marx Dormoy
Pl. des Salins
(Pl. Gambetta)
MAISON DE LA CULTURE
Bd
Av. de la Libération
R. Abbé de l'Epée
PIERRE DE COUBERTIN
R. de Bellevue
Bd Gambetta
SAINTE JEANNE D'ARC
Boulevard Jean Jaurès
k
v
x
a
e
f
w
m
T
P

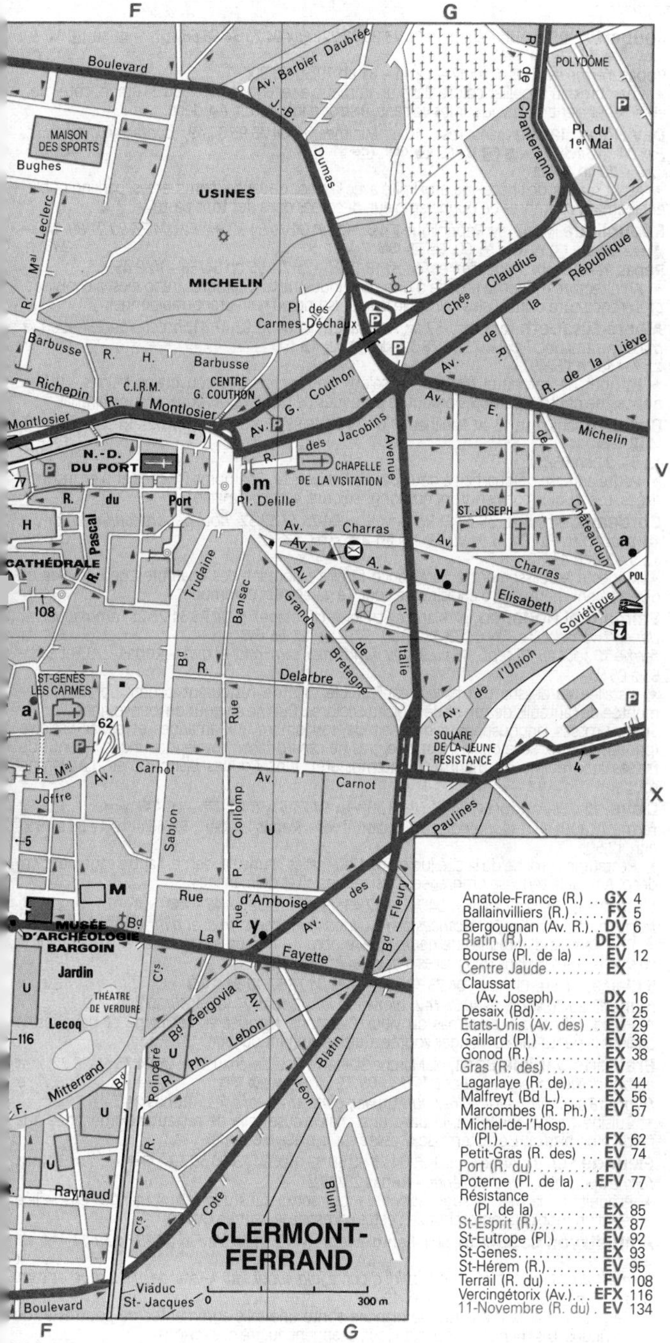
F
G
V
X
Boulevard
Av. Barbier Daubrée
J.-B. Dumas
R. de Chanteranne
POLYDÔME
Pl. du 1er Mai
MAISON DES SPORTS
Bughes
USINES
MICHELIN
R. Mal Leclerc
Pl. des Carmes-Déchaux
Chée Claudius
Av. de la République
R. de la Liève
Barbusse
R. H. Barbusse
Richepin
C.I.R.M.
CENTRE G. COUTHON
R. Montlosier
Montlosier
Av. G. Couthon
R. des Jacobins
Avenue d'Italie
Av. E. Michelin
Av. de R.
N.-D. DU PORT
CHAPELLE DE LA VISITATION
77
m
Pl. Delille
R. du Port
H
R. Pascal
CATHÉDRALE
108
Av. Charras
ST. JOSEPH
R. de Châteaudun
a
v
Av. Elisabeth
Soviétique
POL
Trudaine
Rue Bansac
Av. Grande Bretagne
Bd R. Delarbre
Av. de l'Union
ST-GENÈS LES CARMES
a
62
SQUARE DE LA JEUNE RÉSISTANCE
4
R. Mal Joffre
Av. Carnot
Carnot
Sablon
Av. P. Collomp
U
-5
Paulines
Av. des Paulines
M
MUSÉE D'ARCHÉOLOGIE BARGOIN
Rue d'Amboise
y
La Fayette
Bd Fleury
Jardin Lecoq
THÉATRE DE VERDURE
U
-116
Crs Sablon
Bd Gergovia
Av. Ph. Lebon
R. Poincaré
Blatin
Léon Blum
F. Mitterrand
Bd
R.
Raynaud
Cote
Crs
CLERMONT-FERRAND
Viaduc St-Jacques
Boulevard
0
300 m

Anatole-France (R.) . . **GX** 4
Ballainvilliers (R.) . . . . . **FX** 5
Bergougnan (Av. R.) . . **DV** 6
Blatin (R.) . . . . . . . . . . **DEX**
Bourse (Pl. de la) . . . . **EV** 12
Centre Jaude . . . . . . . . **EX**
Claussat
(Av. Joseph) . . . . . . . **DX** 16
Desaix (Bd) . . . . . . . . . **EX** 25
États-Unis (Av. des) . . **EV** 29
Gaillard (Pl.) . . . . . . . . **EV** 36
Gonod (R.) . . . . . . . . . . **EX** 38
Gras (R. des) . . . . . . . . **EV**
Lagarlaye (R. de) . . . . . **EX** 44
Malfreyt (Bd L.) . . . . . . **EX** 56
Marcombes (R. Ph.) . . **EV** 57
Michel-de-l'Hosp.
(Pl.) . . . . . . . . . . . . . **FX** 62
Petit-Gras (R. des) . . . **EV** 74
Port (R. du) . . . . . . . . . **FV**
Poterne (Pl. de la) . . **EFV** 77
Résistance
(Pl. de la) . . . . . . . . . **EX** 85
St-Esprit (R.) . . . . . . . . **EX** 87
St-Eutrope (Pl.) . . . . . . **EV** 92
St-Genes . . . . . . . . . . . **EX** 93
St-Hérem (R.) . . . . . . . . **EV** 95
Terrail (R. du) . . . . . . . **FV** 108
Vercingétorix (Av.) . . . **EFX** 116
11-Novembre (R. du) . **EV** 134

**Coubertin,** 25 av. Libération ☎ 04 73 93 22 22, *Fax 04 73 34 88 66,* – – 35. EX m
Repas *(fermé sam. et dim.)* 17 – 11 – **81 ch** 79,50/89,90.
◆ Chambres au mobilier coloré dans un immeuble récent ; à partir du 3e étage, côté rue, elles bénéficient de la vue sur les volcans. Bistrot d'inspiration Art déco.

**Dav'Hôtel Jaude** sans rest, 10 r. Minimes ☎ 04 73 93 31 49, *contact@davhotel.fr, Fax 04 73 34 38 16* – . EV f
7 – **28 ch** 44/51.
◆ Atout majeur de l'hôtel : sa proximité avec la place de Jaude (commerces, parking public et cinémas). Chambres de bonne ampleur, décorées dans des tons pastel.

**République** M, 97, av. République ✉ 63100 ☎ 04 73 91 92 92, *Fax 04 73 90 21 88,* – , ch, – 60. BY n
Repas *(fermé sam. midi, dim. et fériés)* 16/23 – 7 – **55 ch** 54/58 – 1/2 P 45.
◆ Architecture moderne proche d'une zone industrielle. Chambres, rénovées, à choisir de préférence côté usines, plus calmes le soir. Brasserie ou restaurant traditionnel.

**Albert-Élisabeth** sans rest, 37 av. A. Élisabeth ☎ 04 73 92 47 41, *hotel-albertelisabeth@massifcentral.net, Fax 04 73 90 78 32* – . GV v
7 – **38 ch** 45/49.
◆ Le nom de cet hôtel évoque un séjour clermontois des souverains belges. L'hôtel dispose de petites chambres pratiques et tenues de façon rigoureuse. Accueil familial.

**Beaulieu** sans rest, 13 av. Paulines ☎ 04 73 92 46 99, *Fax 04 73 90 47 02* – cuisinette . . FX y
5 – **21 ch** 35/54.
◆ Petite adresse de quartier, à deux pas de l'université. Chambres fraîches et bien insonorisées. Les studios conviendront aux longs séjours. Accueil aimable.

**Bordeaux** sans rest, 39 av. F. Roosevelt ☎ 04 73 37 32 32, *hoteldebordeaux-clermontfd@wanadoo.fr, Fax 04 73 31 40 56* – . . DX w
5 – **32 ch** 43/50.
◆ Modeste établissement à l'ambiance familiale abritant des chambres peu amples et diversement meublées, à choisir côté cour. Le garage est commode.

**Emmanuel Hodencq,** pl. Marché St-Pierre (1er étage) ☎ 04 73 31 23 23, *emmanuel.hodencq@wanadoo.fr, Fax 04 73 31 36 00,* – . EV a
*fermé 10 août au 1er sept., 16 au 22 fév., lundi midi, sam. midi et dim.* – **Repas** 35/93 et carte 63 à 85.
◆ Installée au-dessus des halles, confortable salle de restaurant contemporaine agrémentée de fauteuils design et de tableaux colorés. Cuisine au goût du jour soignée.
**Spéc.** Grosses langoustines raidies, lait de concombre aux amandes et caviar osciètre (printemps-été). Selle de lièvre et foie gras de canard façon royale (oct. à déc.). Confit de fraises aux feuilles de menthe (printemps-été). **Vins** Boudes blanc, Côtes d'Auvergne rouge.

**Clavé,** 12 r. St-Adjutor ☎ 04 73 36 46 30, *Fax 04 73 31 30 74,* – EV k
*fermé 17 août au 8 sept. et dim. midi sauf fériés* – **Repas** 25 (déj.), 32/66 et carte 65 à 75, enf. 12,50.
◆ Restaurant proche de la cité judiciaire. Deux salles : l'une moderne, l'autre sagement Art déco. Agréable terrasse ombragée. Cuisine sans effet de manches.

**L'Alambic,** 6 r. Ste-Claire ☎ 04 73 36 17 45, *Fax 04 73 36 17 45* – EV v
*fermé mi-juil. à mi-août, vacances de fév., lundi midi, merc. midi et dim.* – **Repas** 22/32.
◆ De l'alambic d'antan ne demeure que le nom. La maison s'attache à faire découvrir la cuisine du terroir dans deux salles à manger immaculées.

**5 Claire,** 5 r. Ste-Claire ☎ 04 73 37 10 31, *Fax 04 73 37 10 31* – EV x
*fermé 1er au 30 août, 15 au 28 fév., dim. et lundi* – **Repas** 24 (déj.), 35/50.
◆ Façade discrète à deux pas du vieux Clermont. Mobilier en fer forgé et banquettes égaient la petite salle à manger voûtée. Cuisine au goût du jour.

**Brasserie Danièle Bath,** pl. Marché St-Pierre (rez-de-chaussée) ☎ 04 73 31 23 22, *restaurant.bath@wanadoo.fr, Fax 04 73 31 08 33,* – . EV e
*fermé 18 août au 2 sept., 9 fév. au 1er mars, dim., lundi et fériés* – **Repas** 21.
◆ Cuisine traditionnelle servie dans une chaleureuse salle de restaurant aménagée à la façon d'un bistrot. L'été, terrasse dressée sur la place piétonne.

**Fleur de Sel,** 8 r. Abbé Girard ☎ 04 73 90 30 59, *Fax 04 73 90 30 59* – FX a
*fermé août, dim., lundi et fériés* – **Repas** 25/39.
◆ Produits de la mer et suggestions du jour servis dans une salle à manger ensoleillée dotée d'un mobilier contemporain : cette adresse a le vent en poupe.

**Amphitryon Capucine,** 50 r. Fontgièvre ☎ 04 73 31 38 39, *Fax 04 73 31 38 44* – . DV k
*fermé 4 au 24 août, dim. sauf le midi d'oct. à juin, lundi sauf le soir de juil. à sept. et sam. midi* – **Repas** 14 (déj.), 22/36, enf. 10.
◆ Ce petit restaurant à la façade blanche abrite une salle agrémentée de poutres et de tissus fleuris. Les menus, au goût du jour, changent au gré des saisons.

**à Chamalières** – *17 301 h. alt. 450 – ✉ 63400 :*

**Radio** ⛰, 43 av. P. et M.-Curie ✆ 04 73 30 87 83, *resa@hotel-radio.fr, Fax 04 73 36 42 44*, ≤, – |‡|, ▤ rest, TV ✆ P – 🎓 40. AE ⊙ GB Plan de Royat **B w**
*fermé 2 avril au 14 mai et 1er au 23 janv.* – **Repas** *(fermé sam. midi, lundi midi et dim.)* 28/81 et carte 55 à 74 ♀ – ☕ 11 – **26 ch** 92/125 – ½ P 78/105.
◆ Établissement des années 1930 dont le hall, l'élégant salon et la salle à manger ont retrouvé leur cadre Art déco. Grandes chambres contemporaines. Cuisine personnalisée.
**Spéc.** Blanc de bar vapeur, légumes sautés et truffe râpée (mai à sept.). Brochette de langoustines grillées au jus d'agrumes. Biscuit châtaigne et ganache douce-amère au miel (nov. à fév.). **Vins** Saint-Pourçain, Chateaugay.

**Europe Hôtel** sans rest, 29 av. Royat ✆ 04 73 37 61 35, *Fax 04 73 31 16 59* – |‡| TV ✆ 🚗. ⊙ GB **AY e**
*fermé 2 au 24 août* – ☕ 7,60 – **34 ch** 42,90/61.
◆ Hôtel des années 1970 bordant une avenue fréquentée. Mobilier "seventies" ou style Louis XV dans les chambres ; celles donnant sur la cour sont plus calmes.

**Gravière,** 22 r. Pont Gravière ✆ 04 73 36 99 35, *Fax 04 73 36 99 35* – GB **AY d**
*fermé 21 juil. au 12 août, dim. soir et merc.* – **Repas** 20,50/40 ♀.
◆ Restaurant de style rustique niché dans une rue étroite et tranquille. Un espace bar est aménagé dans la salle à manger aveugle. Repas traditionnels.

**à l'aéroport d'Aulnat** *par D 769* **CY** – *✉ 63610 Aulnat :*

**Inter Hôtel Aéroport,** ✆ 04 73 60 42 80, *Fax 04 73 90 12 33* – ▤ TV ♿ P – 🎓 20. AE ⊙ GB
**Repas** *(11,80)* - 14/25 👶, enf. 7 – ☕ 6,50 – **42 ch** 50 – ½ P 41.
◆ Hôtel d'étape situé face à l'aérogare. Les chambres, fonctionnelles et bien tenues, sont plus paisibles côté parking. Repas servis sous forme de buffets dans une véranda.

**à Pérignat-lès-Sarliève** *: 8 km – 1 716 h. alt. 364 – ✉ 63170 :*
Voir *Plateau de Gergovie*★ : ✳★★ S : 8 km.

**Hostellerie St-Martin** ⛰, ✆ 04 73 79 81 00, *reception@hostellerie-st-martin.com, Fax 04 73 79 81 01*, ≤, – |‡| TV ✆ ♿ P – 🎓 20 à 60. AE GB **CZ s**
**Repas** *(fermé dim. soir de nov. à mars)* 17/39 ♀ – ☕ 9 – **34 ch** 78/135 – ½ P 72,50/97,50.
◆ Les bâtiments d'une abbaye cistercienne du 14e s., entourés d'un joli parc, abritent des chambres personnalisées, plus simples dans l'annexe, et un élégant restaurant.

**Pescalune** avec ch, r. J. Jaurès ✆ 04 73 79 11 22, *le.pescalune@wanadoo.fr, Fax 04 73 79 09 30*, – AE ⊙ GB **CZ e**
*fermé 4 au 27 août, 16 fév. au 2 mars, sam. midi, dim. soir et lundi* – **Repas** 19/46 – ☕ 5 – **3 ch** 28/35 – ½ P 35.
◆ Une belle cheminée décore la salle à manger campagnarde de cette auberge de village où l'on propose une cuisine traditionnelle. Agréable terrasse sur l'arrière de la maison.

**rte de La Baraque** *vers ⑥ – ✉ 63830 Durtol :*

**Bernard Andrieux,** ✆ 04 73 19 25 00, *Fax 04 73 19 25 04* – ▤ P. AE ⊙ GB JCB. **AY f**
*fermé 28 avril au 2 mai, 20 juil. au 14 août et 24 déc. au 2 janv.* – **Repas** *(fermé sam. midi, dim. soir et lundi d'oct. à juin, sam. midi et dim. de juil. à sept.)* 27,50/64 et carte 50 à 80.
◆ Halte gourmande sur la route du puy de Dôme dans une maison fleurie abritant d'élégants petits salons bourgeois et feutrés. Cuisine sachant marier tradition et modernité.
**Spéc.** Alliance de foie gras aux pieds de porc et lentilles. Tronçon de turbot rôti, purée de pommes de terre aux champignons. Pigeonneau en croûte de noix.

**L'Aubergade,** ✆ 04 73 37 84 64, *Fax 04 73 30 95 57*, – P. GB **BY n**
*fermé 7 au 22 fév., 16 août au 15 sept. et merc.* – **Repas** 22 (déj.), 27/69 ♀, enf. 12,20.
◆ Salle rustique ouverte sur le jardin, tables fleuries et cuisine au goût du jour : une halte sympathique sur la route du puy de Dôme, le célèbre volcan de la chaîne des Puys.

**à Orcines** *par ⑥ : 8 km – 2 873 h. alt. 810 – ✉ 63870 :*

**Hostellerie les Hirondelles,** ✆ 04 73 62 22 43, *Fax 04 73 62 19 12*, – TV ✆ ♿ P – 🎓 25. GB
*fermé 23 déc. au 18 fév., dim. soir au mardi midi d'oct. à avril* – **Repas** 16/38 ♀, enf. 10 – ☕ 8 – **18 ch** 50/57 – ½ P 45/50.
◆ Au pied du Parc régional des volcans, ferme convertie en hôtel familial. Chambres plus amples côté façade principale. Restaurant aménagé sous les voûtes de l'ancienne étable.

**au sommet du Puy-de-Dôme** *par ⑥ : 13 km – alt. 1465 – ✉ 63870 Orcines :*

**Mont Fraternité,** ✆ 04 73 62 23 00, *Fax 04 73 62 10 30*, ≤ volcans et Sancy – GB
*avril-oct.* – **Repas** *(fermé le soir en avril et oct.)* 21,50/35 ♀ - ***Brasserie*** *(1er mai-30 sept.)* **Repas** 14/17 👶.
◆ Dans un bâtiment hébergeant également musée, boutique de souvenirs et bar, restaurant moderne éclairé par de larges baies vitrées. Plats régionaux simples à la Brasserie.

**au col de Ceyssat** *par ⑥ et rte du Puy-de-Dôme : 12 km – 424 h. alt. 800 – ✉ 63810 Orcines :*

✕ **Auberge des Muletiers,** ✆ 04 73 62 25 95, *Fax 04 73 62 28 03,* ☂ – P. GB
*fermé 10 au 25 mars, 17 nov. au 9 déc., 12 janv. au 3 fév., mardi hors vacances scolaires, dim. soir et lundi* – **Repas** 18/27 ♀.
◆ Construction de type chalet située au pied du puy de Dôme. Chaleureux décor rustique agrémenté d'un vaisselier et d'une cheminée. Terrasse panoramique. Cuisine régionale.

---

**CLERMONT-L'HÉRAULT** *34800 Hérault* 339 F7 *G. Languedoc Roussillon – 6 041 h alt. 92.*
Voir *Église St-Paul★.*
ℹ *Office du Tourisme, rue René Gosse ✆ 04 67 96 23 86, Fax 04 67 96 98 58.*
*Paris 718 – Montpellier 42 – Béziers 50 – Lodève 19 – Pézenas 24 – Sète 44.*

✕✕ **Fontenay,** rte Lac du Salagou ✆ 04 67 88 04 06, *valerie@fontenay.net, Fax 04 67 88 03 40,* ☂ – ▤ P. AE ◑ GB
*fermé 30 juin au 13 juil., sam. midi, dim. soir et merc. soir* – **Repas** 13 (déj.), 21/43 ♀.
◆ Construction récente dans un quartier résidentiel. Salle à manger claire, actuelle et colorée, tournée sur une agréable terrasse intérieure. Cuisine au goût du jour.

**à St-Guiraud** *Nord : 7,5 km par N 9, N 109, D 908, D 141 et D 130E – 171 h. alt. 120 – ✉ 34725 :*

✕✕ **Mimosa,** ✆ 04 67 96 67 96, *le.mimosa@wanadoo.fr, Fax 04 67 96 61 15,* ☂ – ▤. ◑ GB. ✻
*15 mars-4 nov. et fermé dim. soir sauf juil.-août, lundi et le midi sauf dim.* – **Repas** 48 ♀.
◆ Ex-maison de vigneron au coeur du village. Coquet intérieur contemporain où l'on déguste une cuisine du marché d'inspiration méditerranéenne. Bon choix de vins régionaux.

**à St-Saturnin-de-Lucian** *Nord : 10 km par N 9, N 109, D 908, D 141 et D 130 – 199 h. alt. 150 – ✉ 34725 :*
Env. *Grotte de Clamouse★★ NE : 12 km – St-Guilhem-le-Désert : site★★, église abbatiale★ NE : 17 km.*

🏠 **Ostalaria Cardabela** ⛰ sans rest, 10 pl. Fontaine ✆ 04 67 88 62 62, *ostalaria.cardabela@wanadoo.fr, Fax 04 67 88 62 82* – ☎. ◑ GB. ✻
*14 mars-2 nov.* – ☕ 9,50 – **7 ch** 65/85.
◆ Ravissante demeure séculaire sur la place du village. Chambres spacieuses où s'harmonisent mobilier design, vieilles pierres et cheminées d'origine. Accueil à partir de 17 h.

---

**CLICHY** *92 Hauts-de-Seine* 311 J2 101 ⑮ – *voir à Paris, Environs.*

---

**CLIMBACH** *67510 B.-Rhin* 315 L2 – *480 h alt. 347.*
*Paris 483 – Strasbourg 65 – Bitche 38 – Haguenau 30 – Wissembourg 9.*

✕✕ **Cheval Blanc** avec ch, ✆ 03 88 94 41 95, *Fax 03 88 94 21 96* – TV P. GB
*fermé 1er au 10 juil., 15 janv. au 15 fév., dim. soir du 15 nov. au 15 mars, mardi soir et merc.* – **Repas** 15,50/26 et dim. carte seul. 🍷 – ☕ 6,10 – **12 ch** 42/49 – 1/2 P 46/50.
◆ Auberge familiale composée de deux maisons : la principale abrite une salle à manger rustico-alsacienne tandis que de confortables chambres sont logées dans l'annexe.

---

**CLIOUSCLAT** *26270 Drôme* 332 C5 – *558 h alt. 235.*
*Paris 592 – Valence 32 – Montélimar 24.*

🏠 **Treille Muscate** ⛰, ✆ 04 75 63 13 10, *latreillemuscate@wanadoo.fr, Fax 04 75 63 10 79,* ≤, ☂ – TV ☎ P. GB
*1er mars-15 déc.* – **Repas** *(fermé merc.)* 23/26 ♀ – ☕ 8 – **12 ch** 60/110 – 1/2 P 62/87.
◆ Cette coquette auberge ne manque pas de charme : atmosphère provençale, chambres joliment personnalisées, salle à manger voûtée et des vergers en toile de fond.

*Dans ce guide*
*un même symbole, un même mot,*
*imprimé en* ***rouge*** *ou en* ***noir,*** *en maigre ou en* ***gras,***
*n'ont pas tout à fait la même signification.*
*Lisez attentivement les pages explicatives.*

**CLISSON** *44190 Loire-Atl.* 316 I5 *G. Poitou Vendée Charentes – 5 495 h alt. 34.*

Voir *Site★ – Domaine de la Garenne-Lemot★.*

*Office du Tourisme, place du Minage ✆ 02 40 54 02 95, Fax 02 40 54 07 77, ot @clisson.com.*

*Paris 398 ① – Nantes 31 ① – Niort 130 ③ – Poitiers 151 ② – La Roche-sur-Yon 54 ③.*

**CLISSON**

| | |
|---|---|
| Bertin (R.) | 2 |
| Cacault (R.) | 3 |
| Clisson (R. O. de) | 4 |
| Dr-Boutin (R.) | 6 |
| Dimerie (R. de la) | 7 |
| Grand-Logis (R. du) | 8 |
| Halles (R. des) | 12 |
| Leclerc (Av. Gén.) | 13 |
| Nid-d'Oie (Pont de) | 14 |
| Nid-d'Oie (Rte de) | 16 |
| St-Jacques (R.) | 18 |
| Trinité (Gde-R. de la) | 22 |
| Vallée (R. de la) | 23 |

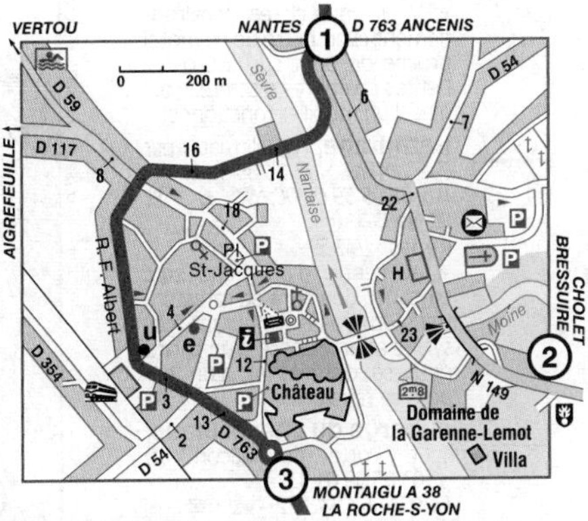
VERTOU
NANTES
D 763 ANCENIS
D 54
0
200 m
Sèvre
D 59
D 117
AIGREFEUILLE
R. F. Albert
Nantaise
Pl. St-Jacques
Château
Moine
CHOLET BRESSUIRE
N 149
Domaine de la Garenne-Lemot
Villa
D 354
D 763
D 54
MONTAIGU A 38
LA ROCHE-S-YON

**Gare,** r. Ferdinand-Albert **(u)** ✆ 02 40 36 16 55, *Fax 02 40 54 40 85* – rest, TV. GB
**Repas** *(fermé 1er au 6 janv., 5 au 11 avril, vend. soir hors saison, dim. soir et fériés)* 9,60 (déj.), 10,70/27,50 ♀, enf. 7,50 – ☐ 7 – **34 ch** 30,50/51 – ½ P 31/39,50.
◆ Hôtel familial disposant de chambres régulièrement rénovées, actuelles et fonctionnelles. Accueillante salle des repas et bar ouvert à la clientèle de passage.

XXX **Bonne Auberge** (Poiron), 1 r. O. de Clisson **(e)** ✆ 02 40 54 01 90, *Fax 02 40 54 08 48,* – AE ⓓ GB
✿ *fermé 10 août au 4 sept., 14 au 29 fév., dim. soir, mardi midi, merc. midi et lundi* – **Repas** 23 (déj.), 35,50/48,50 et carte 60 à 76 ♀.
◆ Avenante maison bourgeoise au coeur de la petite cité italianisée. Trois coquettes salles à manger dont une véranda ouverte sur le jardin. Carte classique personnalisée.
**Spéc.** Lasagne de foie gras et filets de pigeon au jus. Bar en écailles de pommes de terre au fumet de truffe. Tarte aux cèpes et Saint-Jacques. **Vins** Muscadet.

**à Gétigné** *par ② : 3 km – 2 912 h. alt. 26 – ✉ 44190 :*

XX **Gétignière,** 3 r. Navette ✆ 02 40 36 05 37, *Fax 02 40 54 24 76* – AE GB
*fermé 6 au 27 aout, 24 déc. au 2 janv., dim. soir, lundi soir, mardi soir et merc.* – **Repas** 18/60 ♀.
◆ Lambris et stores "bateau" blancs, bibelots (mouettes et canards) : régalez-vous d'une cuisine au goût du jour dans cette jolie salle à manger contemporaine récemment refaite.

**CLOHARS-FOUESNANT** *29 Finistère* 308 G7 – *rattaché à Bénodet.*

**CLUNY** *71250 S.-et-L.* 320 H11 *G. Bourgogne – 4 430 h alt. 248.*

Voir *Anc. abbaye★★ : clocher de l'Eau Bénite★★ – Musée Ochier★* **M** *– Clocher★ de l'église St-Marcel.*

Env. *Château de Cormatin★★ (cabinet de St-Cécile★★★) N : 13 KM – Communauté de Taizé N : 10 km.*

*Office du Tourisme, 6 rue Mercière ✆ 03 85 59 05 34, Fax 03 85 59 06 95, cluny@wanadoo.fr.*

*Paris 384 ① – Mâcon 25 ③ – Chalon-sur-Saône 49 ① – Montceau-les-Mines 44 ④ – Tournus 33 ②.*

Plan page suivante

**Bourgogne,** pl. Abbaye **(n)** ✆ 03 85 59 00 58, *contact@hotel-cluny.com, Fax 03 85 59 03 73* – TV ♿ . AE GB
*fermé 1er déc. au 31 janv. et hôtel : mardi et merc. en fév.* – **Repas** *(fermé mardi et merc.)* 21/39 ♀ – ☐ 10 – **13 ch** 76/116, 3 appart – ½ P 76,50/89.
◆ Lamartine venait se reposer dans cet hôtel particulier de caractère situé face à l'abbaye bénédictine. Chambres et boudoir sont dotés d'un mobilier de style Empire.

**St-Odilon** sans rest, rte Azé (y) ✆ 03 85 59 25 00, *saint-odilon@acmtel.com, Fax 03 85 59 06 18*, – P. GB
6,50 – **36 ch** 49.
◆ Vous apprécierez l'environnement champêtre de ce motel proche du pont sur la Grosne. Petites chambres discrètes garnies d'un mobilier fonctionnel.

**Hermitage,** rte Cormatin par ①: *1km* ✆ 03 85 59 27 20, *Fax 03 85 59 08 06*, – P. AE GB JCB
**Repas** 22/43 ♀.
◆ Au centre d'un grand parc paysager, demeure de caractère transformée en restaurant "cosy". Le salon dispose d'un billard pour se distraire et d'un bar pour se rafraîchir.

**Auberge du Cheval Blanc,** 1 r. Porte de Mâcon **(a)** ✆ 03 85 59 01 13, *Fax 03 85 59 13 32* – GB
*fermé 28 nov au 8 mars, 28 juin au 10 juil., le soir en mars et nov., vend. et sam.* – **Repas** 14,50/35, enf. 9,50.
◆ Imposante auberge régionale à l'entrée de la ville. Plats traditionnels à déguster tout en admirant la fresque peinte sur un des murs de la salle à manger.

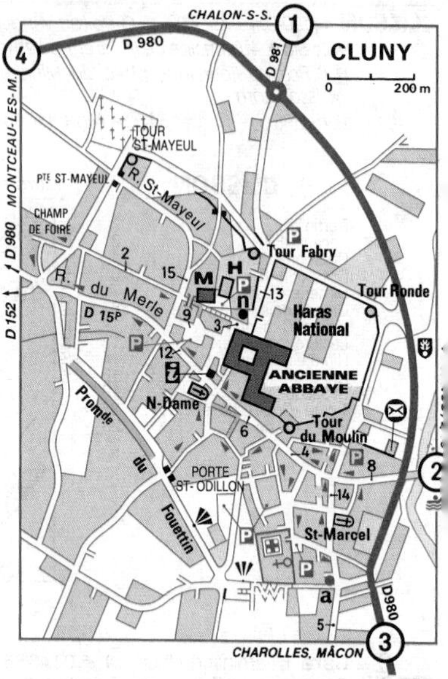
CHALON-S-S.
CLUNY
0 200 m
D 980
D 981
MONTCEAU-LES-M.
D 980
D 152
TOUR ST-MAYEUL
PTE ST-MAYEUL
R. St-Mayeul
CHAMP DE FOIRE
Tour Fabry
R. du Merle
D 15P
Tour Ronde
Haras National
ANCIENNE ABBAYE
N-Dame
Promde du Fouettin
Tour du Moulin
PORTE ST-ODILLON
St-Marcel
D 980
CHAROLLES, MÂCON

| | | | |
|---|---|---|---|
| Avril (R. d') | 2 | Levée (R. de la) | 8 |
| Conant (Espace K. J.) | 3 | Marché (Pl. du) | 9 |
| Filaterie (R.) | 4 | Mercière (R.) | 12 |
| Gaulle (Av. Ch.-de) | 5 | Pte-des-Prés (R.) | 13 |
| Lamartine (R.) | 6 | Prud'hon (R.) | 14 |
| | | République (R.) | 15 |

*Michelin n'accroche pas de panonceau aux hôtels et restaurants qu'il signale.*

---

**La CLUSAZ** *74220 H.-Savoie* 328 L5 *G. Alpes du Nord – 1 845 h alt. 1040 – Sports d'hiver : 1 100/2 600 m 6 49.*

Voir *E : Vallon des Confins★ – Vallée de Manigod★ S – Col des Aravis ≤★★ par ② : 7,5 km.*

*Office du Tourisme, Maison du Tourisme ✆ 04 50 32 65 00, Fax 04 50 32 65 01, infos@laclusa.com.*

*Paris 564 ① – Annecy 33 ① – Chamonix-Mont-Blanc 59 ② – Albertville 39 ②.*

**Beauregard** , **(k)** ✆ 04 50 32 68 00, *info@hotel-beauregard.fr, Fax 04 50 02 59 00*, – P. – 25 à 100. AE GB. rest
*fermé nov.* – **Repas** 19 (déj.), 21/25 ♀ – 10 – **95 ch** 100/180, (en hiver : ½ pens. seul.) – ½ P 203.
◆ Entre les pistes et le coeur de la station, ensemble de chalets confortables et bien équipés. Bel intérieur en bois blond, grandes chambres et terrasse plein Sud au calme.

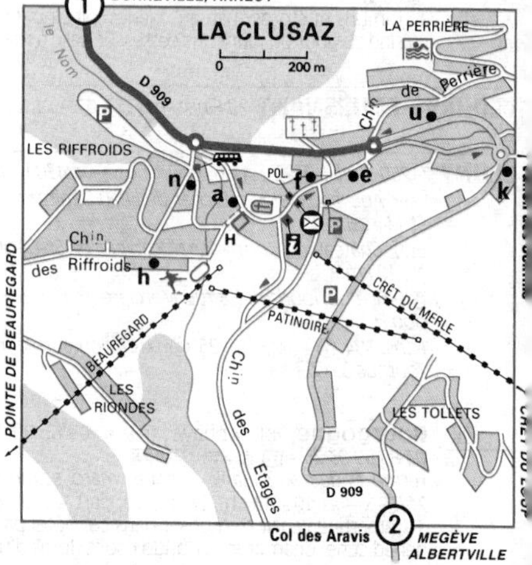
BONNEVILLE, ANNECY
LA CLUSAZ
0 200 m
LA PERRIÈRE
le Nom
D 909
Chin de Perrière
LES RIFFROIDS
POL.
Chin des Riffroids
CRÊT DU MERLE
PATINOIRE
BEAUREGARD
POINTE DE BEAUREGARD
LES RIONDES
Chin des Etages
LES TOLLETS
D 909
Col des Aravis
MEGÈVE ALBERTVILLE

**Sapins** , (h) ✆ 04 50 63 33 33, *info@clusaz.com, Fax 04 50 63 33 34,* ←, , – 
, , . rest
*9 juin-10 sept. et 20 déc.-15 avril* – **Repas** 16/21 – 8 – **24 ch** 60/80 – ½ P 82/90.
◆ Chalet tourné vers la chaîne des Aravis. Chambres rénovées dans le style savoyard, agrémentées de boiseries et de tissus colorés. Vue sur les pistes depuis le restaurant.

**Alp'Hôtel,** (e) ✆ 04 50 02 40 06, *alphotel@clusaz.com, Fax 04 50 02 60 16,* , – 
. 
*20 juin-30 sept. et 1er déc.-20 avril* – **Repas** 22/45 ♀, enf. 8 – 8 – **15 ch** 170 – ½ P 115.
◆ Haut chalet dressé au centre de La Clusaz. Les chambres, garnies de meubles en merisier, pin ou rotin, sont dotées de balcons. Cuisine régionale. Salon de thé.

**Montagne,** (u) ✆ 04 50 63 38 38, *montagne@clusaz.com, Fax 04 50 63 38 39,* – 
. 
**Repas** *(fermé dim.soir et lundi en mai-juin et de sept. à nov.)* 17/30 ♀, enf. 7 – 8 – **27 ch** 100 – ½ P 95.
◆ Architecture classique des stations de sports d'hiver. Intérieur tout bois, chambres douillettes (réservez-en une rénovée) et salon avec cheminée et piano pour l'après-ski.

**Les Airelles,** (a) ✆ 04 50 02 40 51, *airelles@clusaz.com, Fax 04 50 32 35 33,* – .

*fermé mi-nov. à mi-déc.* – **Repas** 16/27 ♀, enf. 10 – 7 – **14 ch** 53/80 – ½ P 85/90.
◆ À deux pas de l'église, hôtel rajeuni, doté de petites chambres lambrissées aux tons frais. Plats du pays à savourer dans un sympathique décor de boiseries.

**Christiania,** (f) ✆ 04 50 02 60 60, *contact@hotelchristina.fr, Fax 04 50 32 66 98* – 
, . . 
*29 juin-10 sept. et 20 déc.-20 avril* – **Repas** *(fermé merc.)* 17/26, enf. 9,50 – 6,80 – **28 ch** 62/85 – ½ P 58/79.
◆ Établissement familial sérieusement entretenu, situé au coeur de la station. Les chambres ont en partie été refaites ; certaines possèdent une terrasse. Restaurant spacieux.

**Floralp,** (n) ✆ 04 50 02 41 46, *info@hotel-floralp74.com, Fax 04 50 02 63 94* – .
. rest
*28 juin-15 sept. et 20 déc.-14 avril* – **Repas** 19/23 – 7 – **20 ch** 48/75 – ½ P 62/74.
◆ Chalet ancien soucieux de préserver son ambiance montagnarde. Les chambres en façade sont les plus prisées. Billard pour les amateurs et agréable salon-bar.

**à Crêt-du-Merle** *par ② et rte secondaire : 5 km – ✉ 74220 La Clusaz :*

**Bercail,** ✆ 04 50 02 43 75, *Fax 04 50 32 69 87,* ←, – 
*juil.-août, 15 déc.-15 avril et week-ends du 1er sept au 13 déc.* – **Repas** (nombre de couverts limité, prévenir) 10 (déj.), 30/35 et dîner à la carte ♀.
◆ Restaurant d'altitude aménagé dans une ancienne bergerie (1732), au sein du domaine skiable. Plaisante terrasse à midi, tables d'hôte le soir (accès par chenillette ou 4x4).

**rte du Col des Aravis** *par ② : 4 km – ✉ 74220 La Clusaz :*

**Chalets de la Serraz** , ✆ 04 50 02 48 29, *info-hotel-chalets-serraz@wanadoo.fr, Fax 04 50 02 64 12,* ←, , , – – 15. 
*fermé 25 avril au 23 mai et oct.* – **Repas** *(fermé mardi)* 25,50/45 ♀ – 11,50 – **7 ch** 175,50, 3 duplex – ½ P 138.
◆ Coquette ferme d'alpage et ses trois petits chalets dont les chambres "cosy" s'ouvrent toutes sur la montagne. Belle salle à manger sous charpente. Cuisine savoyarde.

---

**La CLUSE** *01 Ain* 328 G3 – *rattaché à Nantua.*

***Dans ce guide***
*un même symbole, un même mot,*
*imprimé en* ***rouge*** *ou en* ***noir,*** *en maigre ou en* ***gras,***
*n'ont pas tout à fait la même signification.*
*Lisez attentivement les pages explicatives.*

**CLUSES** *74300 H.-Savoie* **328** **M4** *G. Alpes du Nord – 16 358 h alt. 486.*

**Voir** *Bénitier★ de l'église.*

*Office du Tourisme, 100 place du 11 Novembre ☎ 04 50 98 31 79, Fax 04 50 96 46 99, ot@cluses.com.*

*Paris 569 ④ – Chamonix-Mont-Blanc 41 ② – Thonon-les-Bains 59 ④ – Annecy 55 ④.*

## CLUSES

Bargy (R. du) . . . . . . . . **AZ** 3
Berthelot (R.M.) . . . . . . . . **BZ** 4
Chautemps (R. E.) . . . . . . . . **BZ** 7
Colomby (Av. de) . . . . . . . . **AY** 9
Deuxième D.B. (R. de la) . . . . . . . . **BY** 12
Europe (Carr. de l') . . . . . . . . **BY** 13
Ferrié (R. du Gén.) . . . . . . . . **BZ** 15
Gaillard (Av. A.) . . . . . . . . **AY** 18
Gare (Av. de la) . . . . . . . . **BZ** 19
Gaulle (Pl. Ch. de) . . . . . . . . **BZ** 20
Grand Massif (Av. du) . . . . . . . . **BY** 21
Grande Rue . . . . . . . . **BZ** 22
Grands Champs (R. des) . . . . . . . . **BY** 24
Hugard (R.Cl.) . . . . . . . . **BZ** 25
Lattre-de-Tassigny (R. du Mar.-de) . . . . . . . . **AY** 27
Leclerc (R. du Mar.) . . . . . . . . **BZ** 28
Libération (Av. de la) . . . . . . . . **BZ** 30
Louis Armand (R.) . . . . . . . . **AY** 31
Luther King (R.M.) . . . . . . . . **AY** 33
Lycée (R. du) . . . . . . . . **BZ** 34
Mont-Blanc (Rd-Pt du) . . . . . . . . **BZ** 37
Pasteur (R.) . . . . . . . . **BZ** 39
Pointe de la Lanche (R. de la) . . . . . . . . **BY** 40
Pointe du Criou (R. de la) . . **BY** 42
Pointe de la Cupoire (R. de la) . . . . . . . . **BY** 43
Prairie (R. de la) . . . . . . . . **BY** 48
Pré Benevix (R.du) . . . . . . . . **BZ** 49
Pont (R. du) . . . . . . . . **AY** 51
Tête de Colonney (R. de la) **BY** 52
Trappier (R.P.) . . . . . . . . **AY** 57
8-Mai-1945 (R. du) . . . . . . . . **BZ** 59

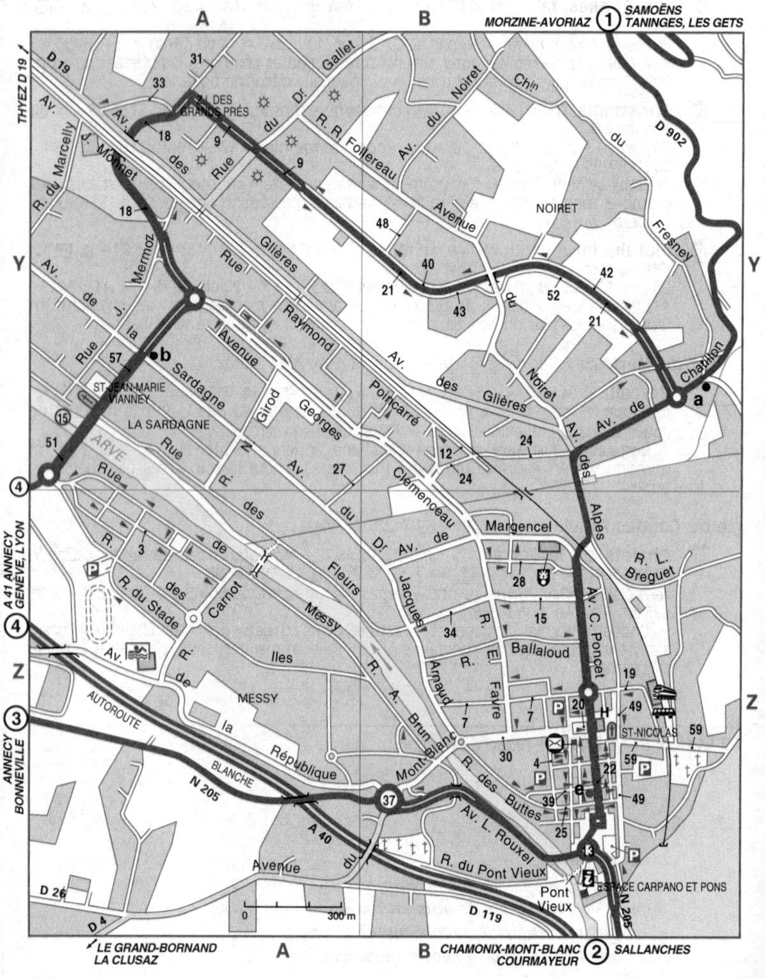

A
B
MORZINE-AVORIAZ
1
SAMOËNS
TANINGES, LES GETS
THYEZ D 19
D 19
D 902
Z.I. DES GRANDS PRÉS
NOIRET
LA SARDAGNE
ST-JEAN-MARIE VIANNEY
ARVE
MESSY
ST-NICOLAS
ESPACE CARPANO ET PONS
Pont Vieux
AUTOROUTE BLANCHE
N 205
A 40
D 119
D 26
D 4
A 41 ANNECY GENÈVE, LYON
ANNECY BONNEVILLE
Y
Z
3
4
300 m
LE GRAND-BORNAND
LA CLUSAZ
CHAMONIX-MONT-BLANC
COURMAYEUR
2
SALLANCHES

**4 C** M, 301 bd Chevran ✆ 04 50 98 01 00, *hotel4c@aol.com, Fax 04 50 98 32 20,* – 40. AE GB. BY a
*hôtel : fermé 8 au 25 août –* ***Bagatelle*** *(fermé 1 au 11/5, 1 au 31/8, 1 au 5/1, sam. sauf le soir de déc. à mars et dim.)* **Repas** 24/49, enf. 8 – 10 – **39 ch** 75/90.
◆ Les chambres, fonctionnelles, possèdent de petits balcons ouverts sur la campagne. Une galerie mène au restaurant où sont servis pizzas et plats traditionnels.

**Bargy** M, 28 av. Sardagne ✆ 04 50 98 01 96, *le.bargy@wanadoo.fr, Fax 04 50 98 23 24,* – AE GB AY b
***Cercle des Songes*** *(fermé 1er au 11/05, 2 au 24/08, 24/12 au 1/01, sam. d'avril à déc. et dim.)* **Repas** 14,50/27, enf. 8,50 – 7 – **30 ch** 60/66 – ½ P 51,50/54,50.
◆ À proximité du centre-ville, établissement récent dont les chambres, spacieuses et bien insonorisées, disposent toutes d'un canapé pour "tenir salon". Cuisine traditionnelle.

**Grenette,** 9 Grande Rue ✆ 04 50 96 31 50, – . GB BZ e
*fermé 2 au 31 août, lundi soir, mardi soir et dim.* – **Repas** 13,50 (déj.), 20/32, enf. 6.
◆ Dans la rue principale de Cluses, attablez-vous à l'étage de chez Grenette, dans un cadre égayé de tableaux, pour goûter ses spécialités régionales. Terrasse au calme.

**COCHEREL** *27 Eure* 304 I7 – *rattaché à Pacy-sur-Eure.*

**COCURÈS** *48 Lozère* 330 J8 – *rattaché à Florac.*

*Dans ce guide*
*un même symbole, un même mot,*
*imprimé en* ***rouge*** *ou en* ***noir****, en maigre ou en* ***gras****,*
*n'ont pas tout à fait la même signification.*
*Lisez attentivement les pages explicatives.*

**COGNAC** SP *16100 Charente* 324 I5 *G. Poitou Vendée Charentes – 19 528 h alt. 25.*
*Office du Tourisme, 16 rue du 14 juillet* ✆ *05 45 82 10 71, Fax 05 45 82 34 47, office@tourisme-cognac.com.*
*Paris 479 ⑤ – Angoulême 43 ① – Bordeaux 121 ③ – Niort 82 ⑤ – Saintes 27 ④.*
Plan page suivante

**Valois** sans rest, 35 r. 14-Juillet ✆ 05 45 36 83 00, *hotel.le-valois@wanadoo.fr, Fax 05 45 36 83 01* – 20. AE GB JCB Z a
*fermé 24 déc. au 2 janv.* – 7 – **45 ch** 59/69.
◆ Construction récente à deux pas des grands chais. Spacieuses chambres au mobilier fonctionnel. Une collection de bouteilles de cognac agrémente le salon.

**Résidence** sans rest, 25 av. V. Hugo ✆ 05 45 36 62 40, *la residence@free.fr, Fax 05 45 36 62 49* – . AE GB Z e
6,30 – **20 ch** 39,60/51.
◆ À proximité du centre-ville, hôtel récemment rénové, disposant d'agréables chambres pratiques égayées de meubles et d'étoffes colorés. Accueil chaleureux.

**Pigeons Blancs** avec ch, 110 r. J.-Brisson ✆ 05 45 82 16 36, *pigeonsblancs@wanadoo.fr, Fax 05 45 82 29 29,* , – . AE GB. ch Y d
*fermé 1er au 15 janv., dim. soir et lundi midi* – **Repas** (20) - 29/55 et carte 46 à 65, enf. 15 – 10 – **7 ch** 45/95 – ½ P 60/80.
◆ Ce relais de poste du 17e s. bénéficie du calme d'un quartier résidentiel. Plaisante salle à manger bourgeoise, chambres personnalisées et terrasse-pergola face au jardin.

**par** ①, *rte d'Angoulême et rte de Rouillac (D 15) : 3 km* – ✉ *16100 Châteaubernard :*

**Château de l'Yeuse** M , quartier l'Échassier, r. Bellevue ✆ 05 45 36 82 60, *Fax 05 45 35 06 32,* , , , , – 40. AE GB JCB
*fermé 1er au 13 janv.* – **Repas** *(fermé 1er janv. au 12 fév., dim. soir d'oct. à avril et sam. midi)* 23 (déj.), 38/61 – 12 – **21 ch** 84/138, 3 appart – ½ P 86/109.
◆ Gentilhommière du 19e s. agrandie d'une aile moderne. Mobilier ancien et décor raffiné dans les chambres. La terrasse du restaurant domine la vallée de la Charente.

**L'Échassier** M , quartier l'Échassier, 72 r. Bellevue ✆ 05 45 35 01 09, *echassier@wanadoo.fr, Fax 05 45 32 22 43,* , , – 20. AE GB JCB
*fermé 24 déc. au 5 janv.* – **Repas** *(fermé dim. soir, vend. soir hors saison, vend. midi et sam. midi)* 25/57 – 8 – **22 ch** 80/90 – ½ P 67/76,50.
◆ Deux bâtiments de part et d'autre d'un jardin. La villa récente abrite de douillettes chambres contemporaines. Le restaurant est aménagé dans des écuries datant du 19e s.

# COGNAC

Angoulême (R. d') . . . . . . . . . . Y
Armes (Place d') . . . . . . . . . . Y
Bazoin (R. Abel) . . . . . . . . . . Y 6
Boucher (R. Cl.) . . . . . . . . . . Y 7
Briand (R. A.) . . . . . . . . . . . . Y
Canton (R. du) . . . . . . . . . . . . Y 8
Champ-de-Mars (Allées du) . . Z 9
Château (Q. du) . . . . . . . . . . . Y 10
Cordeliers (R. des) . . . . . . . . . Y 11
Corderie (Allées de la) . . . . . . Z 12
François-Ier (R.) . . . . . . . . . . . Y 13
Germain (R. H.) . . . . . . . . . . . Y 14
Grande-Rue . . . . . . . . . . . . . . Y 15
Isle-d'Or (R. de l') . . . . . . . . . Y 16
Lusignan (R. de) . . . . . . . . . . . Y 20
Magdeleine (R.) . . . . . . . . . . . Y 21
Martell (Pl. Ed.) . . . . . . . . . . . Z 22
Monnet (Pl. Jean) . . . . . . . . . . Z 23
Palais (R. du) . . . . . . . . . . . . . Y 24
Victor-Hugo (Av.) . . . . . . . . . . Z
14-Juillet (R. du) . . . . . . . . . . Z 26

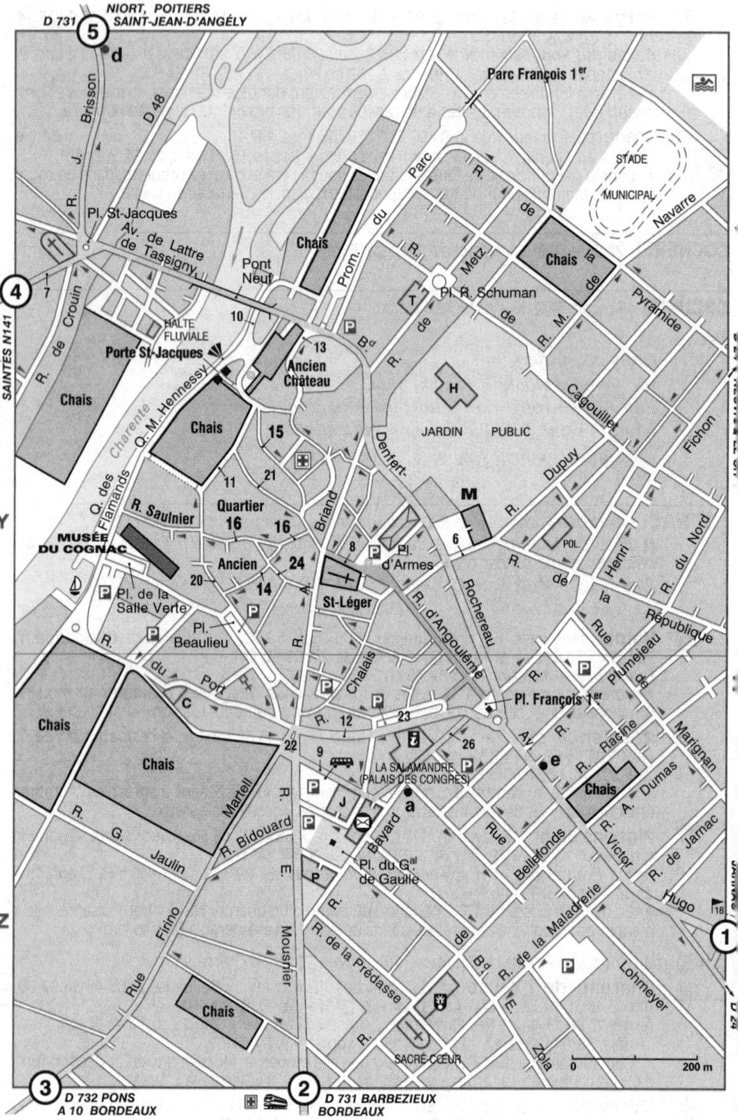
NIORT, POITIERS
D 731
SAINT-JEAN-D'ANGÉLY
LA ROCHELLE, ROYAN
SAINTES N141
D 732 PONS
A 10 BORDEAUX
D 731 BARBEZIEUX
BORDEAUX
Parc François 1er
STADE
MUNICIPAL
Chais
Pl. St-Jacques
Av. de Lattre de Tassigny
Pont Neuf
HALTE FLUVIALE
Porte St-Jacques
Ancien Château
Pl. R. Schuman
JARDIN PUBLIC
Charente
Q. M. Hennessy
Q. des Flamands
R. Saulnier
Quartier Ancien
MUSÉE DU COGNAC
Pl. de la Salle Verte
Pl. Beaulieu
Pl. d'Armes
St-Léger
Pl. François 1er
LA SALAMANDRE (PALAIS DES CONGRÈS)
Pl. du Gal de Gaulle
SACRÉ-CŒUR
R. de Navarre
R. de la Pyramide
R. de Cagouillet
R. Fichon
R. Dupuy
R. Henri Fichon
R. du Nord
R. de la République
Rue Plumejeau
R. de Marignan
R. Racine
R. A. Dumas
R. de Jarnac
Av. Victor Hugo
R. de la Maladrerie
Lohmeyer
Bd Denfert-Rochereau
R. d'Angoulême
R. Chalais
R. A. Briand
R. du Port
R. Martell
R. G. Jaulin
R. Bidouard
R. E. Mousnier
Rue Firino
R. de la Prédasse
Rue Bayard
Rue Bellefonds
Bd de Paris
R. E. Zola
R. J. Brisson
R. de Crouin
D 48
Prom. du Parc
R. de Metz
0
200 m
Y
Z

*Si vous cherchez un hôtel tranquille,*
*consultez d'abord les cartes de l'introduction*
*ou repérez dans le texte les établissements indiqués avec le signe* 🐎.

**COGOLIN** *83310 Var 340 O6 – 7 976 h alt. 20.*

*Office du Tourisme, place de la Republique ✆ 04 94 55 01 10, Fax 04 94 55 01 11, cogolin.tourisme.accueil@wanadoo.fr.*

*Paris 867 – Fréjus 33 – Ste-Maxime 13 – Toulon 61.*

**Maison du Monde,** ✆ 04 94 54 77 54, *info@lamaisondumonde.com, Fax 04 94 54 77 55,* – P. AE GB

*fermé fév.* – **Repas** *(fermé dim. soir et lundi)* 28/61 – 12,30 – **12 ch** 90/145.

◆ Jolie demeure bourgeoise du 19e s. entourée d'un agréable jardin planté de palmiers et de platanes. Chambres de caractère, garnies de meubles provenant du monde entier.

**Grain de Sel,** 6 r. 11-Novembre ( derrière Mairie) ✆ 04 94 54 46 86 – . AE GB

*fermé vacances de Toussaint, de fév., sam. midi et merc.* – **Repas** (dîner seul. en juil.-août) 29 ♀.

◆ Un minuscule bistrot provençal qui ne manque pas de sel : le chef prépare sous vos yeux, directement dans la salle à manger, d'appétissantes recettes du marché.

**L'Oustaou d'Italie,** 28 r. Gambetta ✆ 04 94 54 72 41 – . GB

*fermé 24 déc. au 10 janv., le midi en juil.-août, lundi midi et dim.* – **Repas** 20/30 ♀.

◆ Enseigne à décoder : on sert ici une cuisine italo-provençale, non pas dans un "ouastou" (mas en réduction), mais dans deux petites salles rustiques toutes simples.

**au Sud-Est** *sur N 98, direction Toulon : 5 km – ✉ 83310 :*

**Ferme du Magnan,** ✆ 04 94 49 57 54, *Fax 04 94 49 57 54,* <

*5 avril-20 oct. et fermé mardi* – **Repas** 25/46, enf. 12,50.

◆ Bastide au 16e s., magnanerie au 19e s. et enfin sympathique restaurant campagnard. La table, généreuse, utilise les produits de la ferme. Terrasse panoramique.

**COIGNIÈRES** *78310 Yvelines 311 H3 – 4 157 h alt. 160.*

*Paris 39 – Rambouillet 15 – St-Quentin-en-Yvelines 7 – Versailles 21.*

**Capucin Gourmand,** N 10 ✆ 01 34 61 46 06, *k-vivier@wanadoo.fr, Fax 01 34 61 73 46,* – P. AE GB

*fermé dim. soir* – **Repas** 27,20/34,50 et carte 44 à 66, enf. 8,30.

◆ Coquette auberge à la façade tapissée de lierre. Salle à manger à la fois agreste et cossue, réchauffée l'hiver par une cheminée. Calme terrasse fleurie.

**Vivier,** N 10 ✆ 01 34 61 64 39, *k-vivier@wanadoo.fr, Fax 01 34 61 94 30* – P. AE GB

*fermé dim. soir et lundi* – **Repas** 28,30/33,40.

◆ Comme le suggère l'enseigne, on déguste ici une cuisine des plus frétillantes. Deux belles salles à manger rustiques, égayées de petites notes marines.

**COISE** *73800 Savoie 333 J4 – 828 h alt. 292.*

*Paris 584 – Grenoble 57 – Albertville 32 – Chambéry 23.*

**Château de la Tour du Puits** , rte du Puits : 1 km ✆ 04 79 28 88 00, *info@chateaudelatourdupuits.com, Fax 04 79 28 88 01,* <, – P – 50. AE GB JCB.

*fermé 3 nov. au 11 déc.* – **Repas** *(fermé lundi et mardi)* (menu unique) 29/55 – 20 – **7 ch** 170/250.

◆ Ce gracieux château rebâti au 18e s. dresse sa jolie tour en poivrière au milieu d'un superbe parc boisé. Chambres décorées à ravir. Cuisine classique actualisée. Héliport.

**COL BAYARD** *05 H.-Alpes 334 E5 G. Alpes du Nord – alt. 1248 – ✉ 05500 St-Bonnet-en-Champsaur.*

*Paris 663 – Cap 8 – La Mure 57 – Sisteron 60.*

**à Laye** *Nord : 2,5 km par N 85 – 192 h. alt. 1170 – ✉ 05500 St-Bonnet-en-Champsaur :*

**Laiterie du Col Bayard,** ✆ 04 92 50 50 06, *colbayard@wanadoo.fr, Fax 04 92 50 19 91,* – P. GB

*fermé 12 nov. au 18 déc., mardi soir, merc. soir, jeudi soir et lundi hors vacances scolaires et fériés* – **Repas** 12,95/30,20 bc, enf. 8,40.

◆ Attenant à une laiterie-fromagerie, étonnant restaurant où est installée une boutique de produits locaux. Terrasse avec vue sur les montagnes. À la carte, le fromage est roi.

**COL D'ARCAROTTA** *2B H.-Corse 345 F5 – Voir à Corse.*

**COL DE BAVELLA** *2A Corse-du-Sud 345 E9 – voir à Corse.*

**COL DE CUREBOURSE** *15 Cantal 330 D5 – rattaché à Vic-sur-Cère.*

**COL DE LA CROIX-FRY** *74 H.-Savoie 328 L5 – rattaché à Manigod.*

**COL DE LA FAUCILLE** ★★ *01 Ain* 328 J2 *G. Jura – alt. 1320 – Sports d'hiver : (Mijoux-Lelex-la Faucille) 900/1 680 m* 3 29 – ✉ *01170 Gex.*

Voir *Descente sur Gex★★ (N 5)* ★★ *SE : 2 km – Mont-Rond★★ (accès par télécabine - gare à 500 m au SO du col).*

*Paris 481 – Bourg-en-Bresse 108 – Genève 28 – Gex 11 – Morez 28 – Nantua 61.*

**Mainaz**, Sud : 1 km par N5 ☎ 04 50 41 31 10, *mainaz@club-internet.fr, Fax 04 50 41 31 77,* ← lac Léman et les Alpes, , – TV P. AE GB
*fermé 26 oct. au 12 déc., dim. soir et lundi sauf vacances scolaires –* **Repas** 23/46 ♀, enf. 15 – ☕ 11 – **22 ch** 55/85 – ½ P 70/76.
◆ Atout majeur de ce grand chalet de bois sombre : le magnifique panorama sur le lac Léman et les Alpes. Chambres anciennes, parfois avec balcon. Chaleureuse salle des repas.

**Couronne**, ☎ 04 50 41 32 65, *hotel-de-la-couronne@wanadoo.fr, Fax 04 50 41 32 47,* ←, , – TV P. GB
*15 déc.-31 mars et 15 mai-15 sept. –* **Repas** 20/35 – ☕ 7 – **15 ch** 48/56 – ½ P 52.
◆ Chalet-hôtel isolé au sommet du col, au coeur d'une sapinière. Chambres fonctionnelles ; la plupart offrent une agréable vue sur le Mont-Rond. Salle à manger rustique.

**Petite Chaumière**, ☎ 04 50 41 30 22, *info@petitechaumiere.com, Fax 04 50 41 33 22,* ←, – TV P. GB
*fermé 2 au 28 avril et 14 oct. au 20 déc. –* **Repas** 17,20/27,70 – ☕ 8,20 – **54 ch** 47,50/61 – ½ P 58,50/62.
◆ Au pied des pistes, chalet jurassien des années 1960. Chambres simples, lambrissées à hauteur d'appui. Vaste salle de restaurant montagnarde.

*Les pages explicatives de l'introduction*
*vous aideront à mieux profiter de votre* ***Guide Rouge Michelin***

---

**COL DE LA MACHINE** *26 Drôme* 332 F4 *– rattaché à St-Jean-en-Royans.*

---

**COL DE LA SCHLUCHT** *88 Vosges* 314 K4 *G. Alsace Lorraine – alt. 1258 – Sports d'hiver : 1 150/1 250 m* .

Voir *Route des Crêtes★★★ N et S – Le Hohneck* ★★★ *S : 5 km.*

*Paris 441 – Colmar 37 – Épinal 56 – Gérardmer 16 – Guebwiller 46 – St-Dié 37 – Thann 48.*

**Collet**, au Collet : 2 km sur rte Gérardmer ✉ 88400 Xonrupt-Longemer ☎ 03 29 60 09 57, *hotcollet@aol.com, Fax 03 29 60 08 77,* ←, – TV P. AE GB
*fermé 31 mars au 13 avril et 12 nov. au 12 déc. –* **Repas** *(fermé jeudi midi et merc.)* 15 (déj.), 21/25 ♀ – ☕ 9 – **21 ch** 55/66 – ½ P 61/67.
◆ Au milieu des sapins, solide construction de montagne à l'ambiance familiale très conviviale. Belle décoration intérieure, chatoyante et fleurie. Cuisine du terroir épanouie.

---

**COL DE ST-IGNACE** *64 Pyr.-Atl.* 342 C3 *– rattaché à Ascain.*

---

**COL DE TURINI** *06440 Alpes-Mar.* 341 F4 *G. Côte d'Azur – alt. 1607.*

Voir *Forêt de Turini★★ – Monument aux Morts* ★ *NE : 4 km.*

Env. *Pointe des 3-Communes* ★★ *NE : 6,5 km – Pierre Plate* ★★ *S : 7 km – Cime de Peira Cava* ★★ *S : 8,5 km puis 30 mn.*

*Paris 980 – L'Escarène 27 – Nice 47 – Roquebillière 20 – St-Martin-Vésubie 29 – Sospel 24.*

**Trois Vallées**, ☎ 04 93 91 57 21, *Fax 04 93 79 53 62,* ←, – TV P. AE GB
**Repas** 15,30 (déj.), 21,40/38 ♀ – ☕ 8,90 – **19 ch** 56,40/91,50 – ½ P 56,60/74,50.
◆ Une forêt nordique à 25 km de la mer, une étape mythique du rallye de Monte-Carlo : l'insolite et célèbre col accueille ce grand chalet. Quelques chambres ont un balcon.

---

**COL DU CUCHERON** *38 Isère* 333 I5 *– rattaché à St-Pierre-de-Chartreuse.*

---

**COL DU DONON** *67 B.-Rhin* 315 G5 *G. Alsace Lorraine – alt. 718 –* ✉ *67130 Schirmeck.*

Voir ★★ *sur la chaîne des Vosges.*

*Paris 401 – Strasbourg 62 – Lunéville 61 – St-Dié 41 – Sarrebourg 38 – Sélestat 68.*

**Donon**, ☎ 03 88 97 20 69, *hotelrestdudonon@wanadoo.fr, Fax 03 88 97 20 17,* ←, , , , , – cuisinette TV P – 50. GB
*fermé 18 au 26 mars, 12 nov. au 9 déc. et jeudi hors saison –* **Repas** 16/37 ♀ – ☕ 7,20 – **22 ch** 53/57, 6 studios – ½ P 52/55.
◆ Menues touches autrichiennes dans la décoration de cette bâtisse isolée dans la campagne. Chambres garnies d'un mobilier peint ou rustique. Salles des repas lambrissées.

## COL DU LAUTARET *05220 H.-Alpes 334 G2 – alt. 2058.*

*Paris 655 – Briançon 27 – Les Deux-Alpes 37 – Valloire 25.*

**Glaciers** M, ✆ 04 92 24 42 21, *bonnabel@hotel-bonnabel.com, Fax 04 92 24 44 81,* ≤ montagnes et glaciers, – GB
*fermé oct. et nov.* – **Repas** 16,50 (déj.), 18/44 – 15 – **23 ch** 150/280 – ½ P 117/182.
◆ Depuis cet hôtel bâti au sommet du col (2058 m), la vue sur les montagnes et les glaciers est exceptionnelle. Grandes chambres d'esprit chalet et bel espace de remise en forme.

## COL DU PAVILLON *69 Rhône 327 F3 – rattaché à Cours-la-Ville.*

## COLIGNY *01270 Ain 328 F2 – 1 117 h alt. 298.*

*Paris 408 – Mâcon 57 – Bourg-en-Bresse 24 – Lons-le-Saunier 39 – Tournus 48.*

**Petit Relais,** ✆ 04 74 30 10 07, *Fax 04 74 30 10 07,* – AE GB JCB
*fermé 27 mars au 4 avril, 30 sept. au 17 oct., merc. soir et jeudi* – **Repas** 15/54 ♀, enf. 9.
◆ À proximité de l'église, petit restaurant rustique dont la cuisine goûteuse met à l'honneur les spécialités de la Bresse. Terrasse d'été installée dans une cour intérieure.

## COLLÉGIEN *77 S.-et-M. 312 F2 101 19 – voir à Paris, Environs (Marne-la-Vallée).*

## La COLLE-SUR-LOUP *06480 Alpes-Mar. 341 D5 G. Côte d'Azur – 6 025 h alt. 90.*

*Office du Tourisme, 28 avenue Maréchal Foch ✆ 04 93 32 68 36, Fax 04 93 32 05 07.*
*Paris 924 – Nice 19 – Antibes 15 – Cagnes-sur-Mer 6 – Cannes 25 – Grasse 19 – Vence 7.*

**L'Abbaye,** 541 bd Teisseire (rte Grasse) ✆ 04 93 32 68 34, *l-abbaye@wanadoo.fr, Fax 04 93 32 85 06,* – P. AE GB
**Repas** *(fermé mardi midi et lundi)* 30/80 ♀ – 10 – **14 ch** 115/200 – ½ P 97,50/140.
◆ Dans les nobles murs d'une très ancienne abbaye, chambres personnalisées et belle salle à manger voûtée. Ravissant patio ombragé. Chapelle du 10e s.

**Marc Hély** sans rest, Sud-Est : 0,8 km par D 6 ✆ 04 93 22 64 10, *contact@hotelmarc-hely, Fax 04 93 22 93 84,* ≤, – P. AE GB
8 – **14 ch** 75/89.
◆ Grande maison provençale dont la plupart des chambres, rustiques et bien équipées, bénéficient d'une vue sur Saint-Paul-de-Vence. Petits-déjeuners servis dans une véranda.

**L'Eden,** ✆ 04 93 32 50 25, *gillesgalli@libertysurf.fr, Fax 04 93 32 04 78,* ≤, – GB
*fermé 18 nov. au 3 déc., 15 fév. au 4 mars, dim. soir hors saison, sam. midi en saison et lundi* – **Repas** 26/73.
◆ En surplomb de la route, accueillante salle à manger égayée de tons bleu et blanc. En été, repas servis en terrasse à l'ombre des mûriers. Cuisine classique.

**Blanc-Manger,** Sud-Est : 1,5 km par D 6 ✆ 04 93 22 51 20, *Fax 04 93 22 51 20,* – P. GB
*fermé 3 nov. au 3 déc., le midi, dim. soir et merc.* – **Repas** 26.
◆ Bordant un axe animé, adresse familiale où l'on concocte une cuisine d'inspiration provençale et italienne. Coquette salle à manger et terrasse d'été ombragée.

## COLLEVILLE-MONTGOMERY *14 Calvados 303 K4 – rattaché à Ouistreham.*

## COLLIAS *30 Gard 339 L5 – rattaché à Pont-du-Gard.*

## COLLIOURE *66190 Pyr.-Or. 344 J7 G. Languedoc Roussillon – 2 726 h alt. 2.*

*Voir Site★★ – Retables★ dans l'église Notre-Dame-des-Anges.*
*Office du Tourisme, place du 18 Juin ✆ 04 68 82 15 47, Fax 04 68 82 46 29, contact@collioure.com.*
*Paris 882 ② – Perpignan 30 ② – Argelès-sur-Mer 7 ② – Céret 35 ② – Port-Vendres 3 ①.*

Plan page suivante

**Casa Païral** sans rest, impasse Palmiers ✆ 04 68 82 05 81, *contact@hotel-casa-pairal.com, Fax 04 68 82 52 10,* – P. AE GB A b
*29 mars-2 nov.* – 10 – **28 ch** 64/165.
◆ Demeure du 19e s. disposée autour d'un luxuriant jardin méditerranéen où murmure une fontaine. Les chambres, confortables, ont plus de cachet dans le bâtiment principal.

**L'Arapède** M, rte Port-Vendres ✆ 04 68 98 09 59, *Fax 04 68 98 30 90,* ≤, – P. GB
*8 mars-25 nov. et fermé le midi sauf week-end et fériés* – **Repas** 17/46 – 9,50 – **20 ch** 70/150 – ½ P 63,50/103,50.
◆ Hôtel bâti à flanc de colline et étagé sur plusieurs niveaux. Joli mobilier de style catalan dans de grandes chambres tournées vers la mer. La cuisine s'inspire du terroir.

## COLLIOURE

Aire (R. de l') . . . . . . . . . . . . . . **B** 2
Amirauté (Q. de l') . . . . . . . . . **B** 3
Arago (R. François) . . . . . . . . . **B** 4
Argelès (Rte d') . . . . . . . . . . . **A**
Dagobert (R.) . . . . . . . . . . . . . **B** 7
Démocratie (R. de la) . . . . . . . **B** 8
Égalité (R. de l') . . . . . . . . . . **B** 9
Ferry (R. Jules) . . . . . . . . . . **AB** 13
Galère (R. de la) . . . . . . . . . . . **A**
Gaulle (Av. du Gén.) . . . . . . . . **B**
Jaurès (Pl. Jean) . . . . . . . . . . **B** 14
Lamartine (R.) . . . . . . . . . . . . **B** 15
La Tour d'Auvergne (R. de) . . . . . . . . . . . . . . . **B** 16
Leclerc (Pl. Gén.) . . . . . . . . . **AB** 17
Maillol (Av. Aristide) . . . . . . . . . **A**
Mailly (R.) . . . . . . . . . . . . . . . **B** 19
Michelet (R. Jules) . . . . . . . . . **A** 20
Miradou (Av. du) . . . . . . . . . . . **A** 23
Pasteur (R.) . . . . . . . . . . . . . . **B**
Pla de Las Fourques (R. du) . . . . . . . . . . . . . . . . **A**
République (R. de la) . . . . . **AB**
Rolland (R. Romain) . . . . . . . . **A**
Rousseau (R. J. J.) . . . . . . . . **AB** 29
St-Vincent (R.) . . . . . . . . . . . . **B** 30
Soleil (R. du) . . . . . . . . . . . . . **B** 33
Vauban (R.) . . . . . . . . . . . . . . **B** 34
18-Juin (Pl. du) . . . . . . . . . . . **B** 35

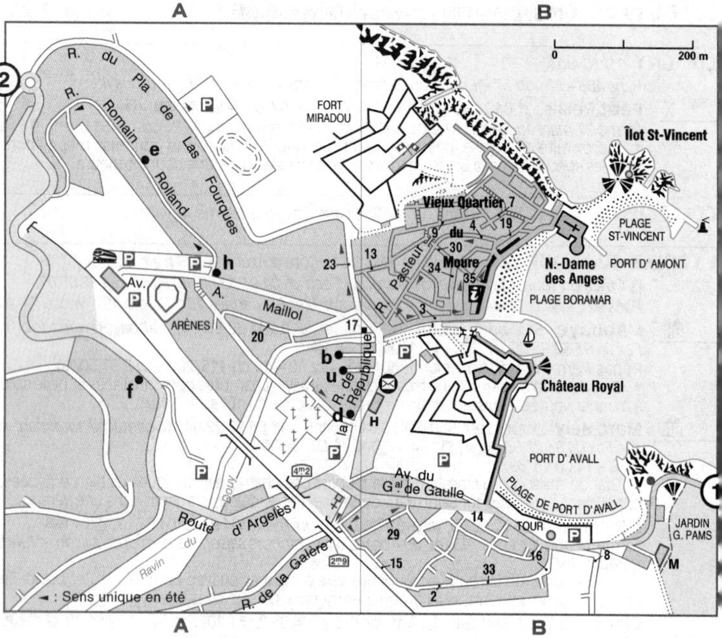
A
B
PERPIGNAN N 114
2
R. du Pla de Las Fourques
R. Romain Rolland
0
200 m
FORT MIRADOU
Îlot St-Vincent
Vieux Quartier
du Moure
Pasteur
PLAGE ST-VINCENT
N.-Dame des Anges
PORT D' AMONT
PLAGE BORAMAR
Av. A. Maillol
ARÈNES
R. de la République
Château Royal
PORT D' AVALL
Av. du Gal de Gaulle
PLAGE DE PORT D'AVALL
TOUR
JARDIN G. PAMS
Route d' Argelès
Ravin du Douy
R. de la Galère
◄ : Sens unique en été
A
B

**Princes de Catalogne** M sans rest, r. Palmiers ☎ 04 68 98 30 00, *Fax 04 68 98 30 31* – |♦| ▤ TV ♿. AE ① GB — A u
☐ 8,80 – **29 ch** 68/102.
◆ Immeuble récent se fondant bien dans le quartier ancien. Chambres assez spacieuses et fonctionnelles, égayées de jolis tissus provençaux. Piano-bar et bar à tapas.

**Mas des Citronniers,** 22 r. République ☎ 04 68 82 04 82, *contact@hotel-mas-des-citronniers.com, Fax 04 68 82 52 10* – ▤ TV ☎ P. AE ① GB — A d
*hôtel : 8 fév.-16 nov. ; rest. : 1er avril-15 oct.* – **Repas** (dîner seul.) 21/24, enf. 10 – ☐ 7 – **30 ch** 57/82 – ½ P 58/65.
◆ Deux maisons dont une présente une façade de style basque. Chambres rustiques ou actuelles, en rez-de-jardin ou avec balcon, plus calmes à l'arrière.

**Madeloc** sans rest, r. R.-Rolland ☎ 04 68 82 07 56, *hotel@madeloc.com, Fax 04 68 82 55 09,* ⛱, 🌳 – TV ☎ P. AE ① GB — A e
*15 mars-15 nov.* – ☐ 6,80 – **23 ch** 60/80.
◆ Sur les hauteurs de la cité des "fauves", chambres simples meublées en rotin, dotées de terrasses privatives au dernier étage. Jardin méditerranéen grimpant à flanc de colline.

**Méditerranée** sans rest, av. A. Maillol ☎ 04 68 82 08 60, *mediterraneehotel@free.fr, Fax 04 68 82 28 07,* 🌳 – ▤ TV 🚗. GB — A h
*fin mars-début nov.* – ☐ 7 – **23 ch** 61/77.
◆ Ce bâtiment des années 1970 régulièrement rénové propose des chambres sobres et pratiques, toutes pourvues de balcons. Jardin en terrasses. Solarium. Garage pratique.

**Ambeille** sans rest, rte d'Argelès ☎ 04 68 82 08 74, ≤ – TV P. GB. ✗ — A f
*début avril-début oct.* – ☐ 6 – **21 ch** 52/60.
◆ Construction des années 1970 abritant un hôtel familial tout simple. Les chambres, de bonne ampleur, bénéficient en façade d'une agréable vue sur les toits et la mer.

XXX **Neptune** (Mourlane), rte Port-Vendres ✆ 04 68 82 02 27, *smourlane@yahoo.fr, Fax 04 68 82 50 33,* ≤ vieux port, – ▤ P. AE ① GB. ✻ B v
*fermé 8 au 19 déc., 2 au 31 janv., lundi de juil. à sept., mardi et merc. d'oct. à juin* – **Repas** 29,50 (déj.), 44,50/55 et carte 55 à 80.
◆ Les superbes terrasses étagées de ce restaurant aux couleurs du Sud s'agrippent au rocher. Carte régionale et produits de la mer. Également, formule "moulerie" en été.
**Spéc.** Parillada de poissons et crustacés. Homard grillé en deux services. Galet de Collioure en chocolat (sept. à juin). **Vins** Côtes du Roussilon, Côtes du Roussillon-Villages

## COLLONGES-AU-MONT-D'OR *69 Rhône* 327 I5 – *rattaché à Lyon.*

## COLLONGES-LA-ROUGE *19500 Corrèze* 329 K5 *G. Périgord Quercy – 381 h alt. 230.*

Voir *Village★★ : tympan★ et clocher★ de l'église, castel de Vassinhac★ – Saillac : tympan★ de l'église S : 4 km.*

*Paris 501 – Brive-la-Gaillarde 22 – Cahors 107 – Figeac 75 – Tulle 35.*

**Relais de St-Jacques de Compostelle** ⊗, ✆ 05 55 25 41 02, *relais-st-jacques@yahoo.fr, Fax 05 55 84 08 51,* – P. AE ① GB
*15 mars-15 nov.* – **Repas** 18/39,50 ♀ – ☐ 7 – **11 ch** 49/61 – ½ P 49/61.
◆ L'adresse est idéale pour profiter du lumineux village en grès rouge. Les chambres, pas très grandes mais bien tenues, donnent sur les castels ou sur la campagne.

## COLMAR P *68000 H.-Rhin* 315 I8 *G. Alsace Lorraine – 63 498 h Agglo. 116 268 h alt. 194.*

Voir *Musée d'Unterlinden★★★ (retable d'Issenheim★★★) – Ville ancienne★★ : Maison Pfister★★* **BZ W**, *Collégiale St-Martin★* **BY**, *Maison des Arcades★* **CZK**, *Maison des Têtes★* **BY Y** *– Ancienne Douane★* **BZ D**, *Ancien Corps de Garde★* **BZ B** *– Vierge au buisson de roses★★ et vitraux★ de l'église des Dominicains* **BY** *– Vitrail de la Grande Crucifixion★ du temple St-Matthieu* **CY** *– La "petite Venise"★ : ≤★ du pont St-Pierre* **BZ** *, quartier de la Krutenau★, rue de la Poissonnerie★, façade du tribunal civil★* **BZ J** *– Maison des vins d'Alsace par* ①.

ℹ *Office du Tourisme, 8 rue Kléber ✆ 03 89 20 68 92, Fax 03 89 41 34 13, info@ot-colmar.fr.*

*Paris 460 ① – Basel 67 ③ – Freiburg-im-Breisgau 52 ② – Nancy 151 ① – Strasbourg 73 ①.*

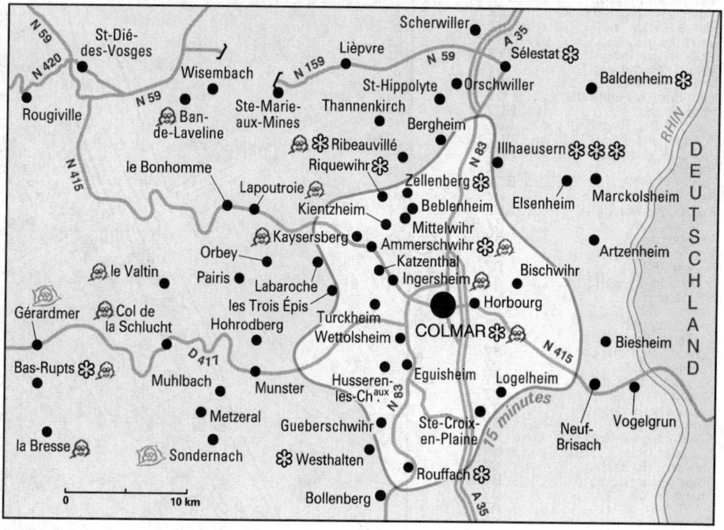
N 59
St-Dié-des-Vosges
N 420
Rougiville
Wisembach
N 59
Ban-de-Laveline
Ste-Marie-aux-Mines
N 159
Lièpvre
Scherwiller
A 35
Sélestat
N 59
St-Hippolyte
Orschwiller
Baldenheim
Thannenkirch
Bergheim
RHIN
Ribeauvillé
Riquewihr
N 83
Illhaeusern
le Bonhomme
N 415
Lapoutroie
Zellenberg
Elsenheim
Marckolsheim
Kientzheim
Beblenheim
Mittelwihr
DEUTSCHLAND
Kaysersberg
Ammerschwihr
Artzenheim
Orbey
Katzenthal
le Valtin
Pairis
Labaroche
Ingersheim
Bischwihr
Gérardmer
Col de la Schlucht
les Trois Épis
Horbourg
Hohrodberg
Turckheim
Wettolsheim
COLMAR
N 415
Biesheim
D 417
Bas-Rupts
Muhlbach
Munster
Husseren-les-Ch^aux
Eguisheim
Logelheim
N 83
15 minutes
Metzeral
Gueberschwihr
Ste-Croix-en-Plaine
Neuf-Brisach
Vogelgrun
la Bresse
Sondernach
Westhalten
Rouffach
A 35
0
10 km
Bollenberg

**Les Têtes** M ⊗, 19 r. Têtes ✆ 03 89 24 43 43, *les-tetes@calixo.net.fr, Fax 03 89 24 58 34* – ▮ TV ✆ P – 🏛 30. AE ① GB JCB BY y
*fermé fév., dim. soir, mardi midi et lundi* voir rest. ***Maison des Têtes*** ci-après – ☐ 13 – **21 ch** 109/230.
◆ Demeure du 17e s. à la façade sculptée d'une centaine de "têtes". Les couloirs, décorés par un artiste local, desservent des chambres raffinées. Ravissante cour intérieure.

# COLMAR

Agen (R. d') .................. **BY**
Alsace (Av. d') ................ **CYZ**
Ancienne Douane (Pl. de l') ..... **CZ** 2
Augustins (R. des)............. **BZ** 3
Bagatelle (R. de la ) ........... **AY**
Bains (R. des)................. **BY** 5
Bâle (Route de) ................ **CZ**
Bartholdi (R.) ................. **BCZ**
Blés (R. des) .................. **BZ** 9
Boulangers (R. des) ........... **BY** 12
Brasseries (R. des) ............ **CY** 13
Bruat (R.)..................... **BZ** 14
Cathédrale (Pl. de la) .......... **BY** 17
Cavalerie (R. de la)............ **BCY**
Champ-de-Mars (Bd du) ...... **BYZ** 18
Chauffour (R.)................. **BZ** 20
Clefs (R. des) ................. **BCY**
Clemenceau (Av. Georges)..... **BCZ**
Écoles (R. des)................ **BZ** 22
Est (R. de l') .................. **CYZ**
Fleischhauer (R.).............. **BCY**
Fleurent (R. J.-B.) ............ **BY** 24
Fleurs (R. des) ................ **CZ**
Florimont (R. du) .............. **AY** 25
Foch (Av.) ..................... **BZ**
Fribourg (Av. de) .............. **CZ**
Gare (Pl. et R. de la)........... **AZ**
Grad (R. Charles).............. **AY**
Gaulle (Av. du Gén. de) ..... **ABYZ**
Golbéry (R.) ................... **BY**
Grand'Rue ..................... **BCZ** 31
Grenouillère (R. de la) ........ **CYZ** 32
Herse (R. de la) ............... **BZ** 33
Ingersheim (Rte d') ........... **ABY**
Jeanne d'Arc (Pl.) ............. **CY**
Joffre (Av. ) ................... **BZ**
Kléber (R.).................... **BY** 35
Ladhof (R. du) ................ **CY** 36
Lasch (R. Georges) ............ **AZ** 37
Lattre-de-Tassigny (Av. J. de).. **ABY** 43
Leclerc (Bd du Gén.)........... **BZ** 45
Liberté (Av. de la) ............. **AZ**
Logelbach (R. du) ............. **AY**
Manège (R. du) ................ **BZ** 49
Marchands (R. des) .......... **BYZ** 50
Marché-aux-Fruits (Pl. du) ..... **BZ** 51
Marne (Av. de la)............... **BZ**
Messimy (R.)................. **ABZ** 52
Molly (R. Berthe) ............ **BYZ** 54
Mouton (R. du) ................ **CY** 57
Mulhouse (R. de)............... **AZ**
Neuf-Brisach (Route de)........ **CY**
Nord (R. du).................. **BCY**
Poincaré (Av. Raymond) ....... **ABZ**
Poissonnerie (R. et Q. de la) .. **BCZ** 62
Preiss (R. Jacques) .......... **ABZ** 63
Rapp (Pl.)..................... **BZ**
Rapp (R.) .................... **BCY**
Reims (R. de).................. **BZ** 65
République (Av. de la)........ **ABZ**
Ribeauvillé (R. de)............. **BY** 67
Rœsselman (R.)................ **BY** 69
Rouffach (Route de) ............ **AZ**
St-Jean (R.)................... **BZ** 71
St-Joseph (Pl. et R.) ........... **AY**
St-Josse (R.)................... **CZ**
St-Léon (R.)................... **AY**
St-Nicolas (R.) ................ **BY** 73
St-Pierre (Bd et Pont) ........ **BCZ**
Schlumberger (R. Camille) .... **ABZ**
Schwendi (R.).................. **CZ**
Sélestat (Route de)............. **CY**
Semm (R. de la) ............... **CZ**
Serruriers (R. des)............. **BY** 75
Sinn (Quai de la) .............. **BY** 77
Six-Montagnes-Noires (Pl. des).. **BZ** 79
Stanislas (R.) ................. **BY**
Tanneurs (R. des) ............. **CZ** 82
Têtes (R. des).................. **BY** 83
Thann (R. de) .................. **CY**
Tir (R. du) ..................... **AZ**
Turckheim (R. de) .............. **AY**
Turenne (R.).................. **BCZ**
Unterlinden (Pl. d') ............ **BY** 85
Val St-Grégoire (R. du) ........ **AY**
Vauban (R.)................... **CY**
Voltaire (R.) ................. **ABZ**
Weinemer (R.) ................. **BZ** 86
1re Armée Française (R. de la) .. **BY**
2 Février (Pl. du)............... **CY** 87
5e Division Blindée (R.de la) .... **BY** 95
18 Novembre (Pl. du).......... **BY** 97

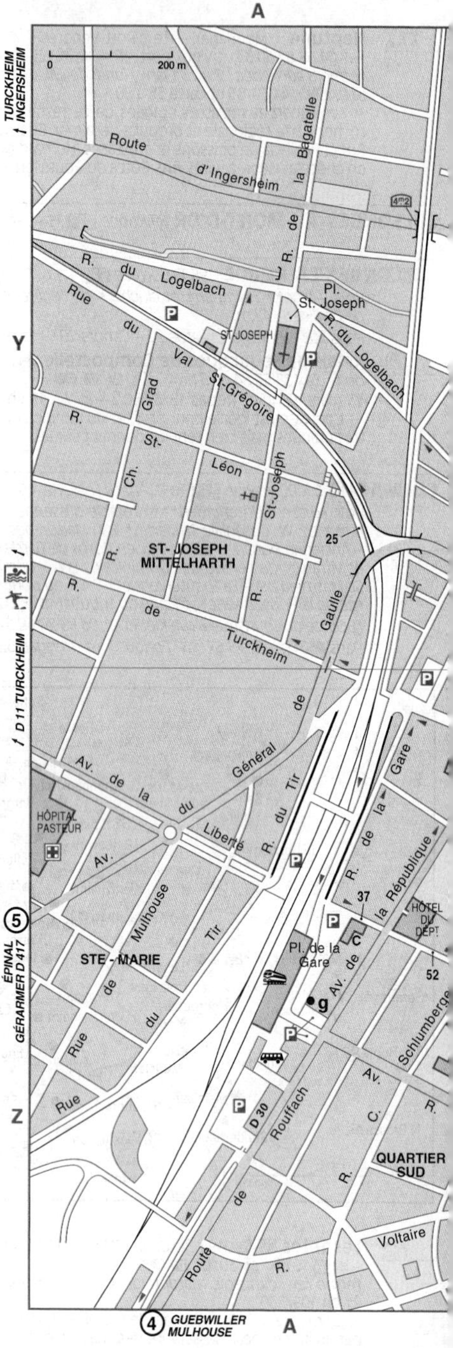

A
0
200 m
TURCKHEIM
INGERSHEIM
Route d' Ingersheim
R. de la Bagatelle
R. du Logelbach
Rue du Val St-Grégoire
Pl. St. Joseph
R. du Logelbach
ST-JOSEPH
Y
R. Ch. Grad
R. St-Léon
R. St-Joseph
25
ST- JOSEPH
MITTELHARTH
R. de Turckheim
D 11 TURCKHEIM
Av. du Général de Gaulle
Av. de la Liberté
HÔPITAL
PASTEUR
R. du Tir
R. de la Gare
Av. de la République
37
HÔTEL DU DÉPT
52
5
ÉPINAL
GÉRARMER D 417
Rue de Mulhouse
Rue du Tir
STE - MARIE
Pl. de la Gare
g
C
Av. de Schlumberger
R. C.
Z
D 30
Route de Rouffach
QUARTIER
SUD
R. Voltaire
4
GUEBWILLER
MULHOUSE
A

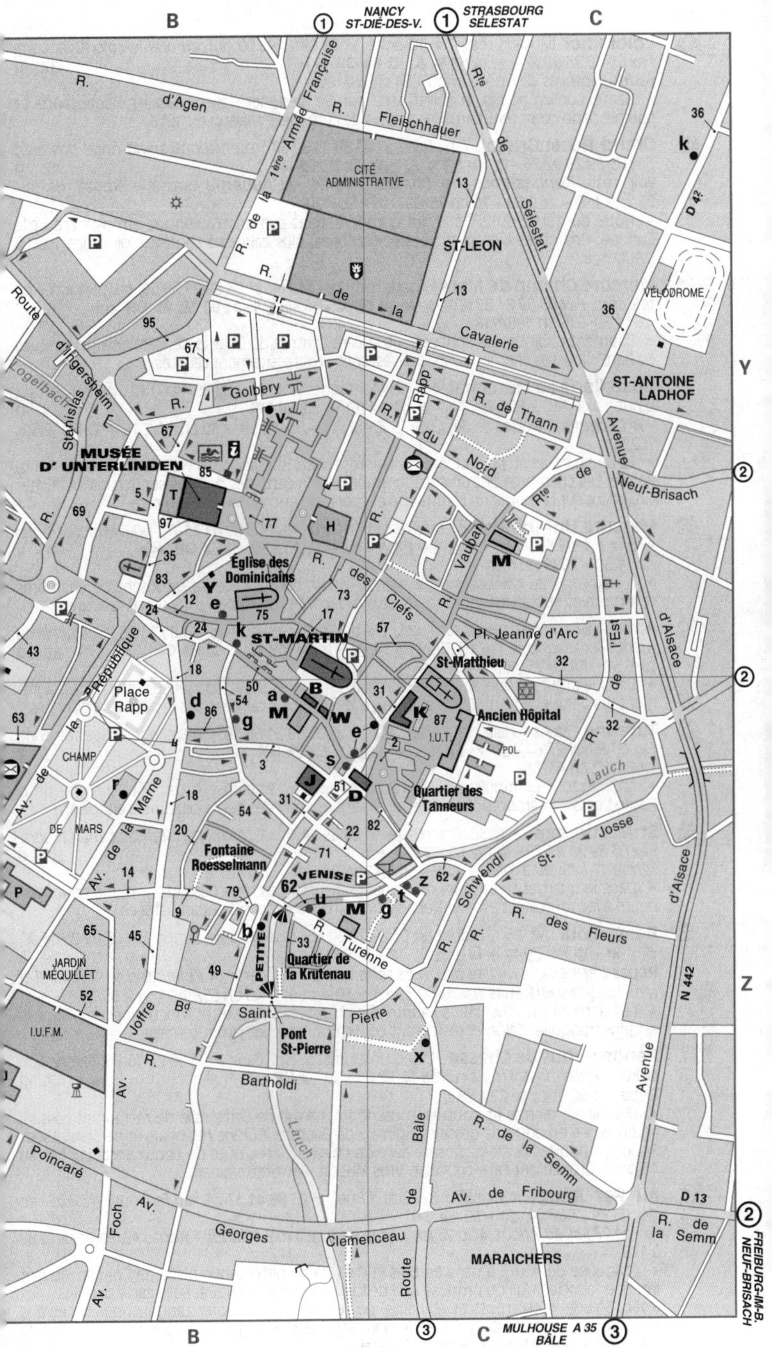
B
C
NANCY
ST-DIÉ-DES-V.
STRASBOURG
SÉLESTAT
CITÉ ADMINISTRATIVE
ST-LEON
VÉLODROME
ST-ANTOINE LADHOF
MUSÉE D' UNTERLINDEN
Église des Dominicains
ST-MARTIN
St-Matthieu
Ancien Hôpital
Pl. Jeanne d'Arc
Place Rapp
CHAMP DE MARS
Quartier des Tanneurs
Fontaine Roesselmann
VENISE
Quartier de la Krutenau
PETITE
Pont St-Pierre
JARDIN MEQUILLET
I.U.F.M.
MARAICHERS
R. d'Agen
R. Fleischhauer
R. de la 1ère Armée Française
R. de la Cavalerie
Rte de Sélestat
Route d'Ingersheim
Logelbach
Stanislas
R. Golbery
R. Rapp
R. de Thann
R. du Nord
Rte de Neuf-Brisach
Avenue
R. Vauban
R. des Clefs
R. de l'Est
Avenue d'Alsace
Lauch
R. St-Josse
R. Schwendi
R. des Fleurs
R. Turenne
Av. de la République
Av. de la Marne
Bd Saint-Pierre
Joffre
R. Bartholdi
Av. Poincaré
Av. Foch
Av. Georges Clemenceau
Route de Bâle
R. de la Semm
Av. de Fribourg
D 13
D 42
N 442
I.U.T.
POL
Y
Z
MULHOUSE A 35
BÂLE
FREIBURG-IM-B.
NEUF-BRISACH

**Colombier** Ⓜ sans rest, 7 r. Turenne ✆ 03 89 23 96 00, *info@hotel-le-colombier.com, Fax 03 89 23 97 27* – BZ u
*fermé vacances de Noël* – 10 – **24 ch** 75/180.
◆ Cadre contemporain, mobilier créé par un designer italien, escalier Renaissance et paisible patio comptent parmi les trésors de cette belle maison du 15e s.

**Grand Hôtel Bristol,** 7 pl. Gare ✆ 03 89 23 59 59, *reservation@grand-hotel-bristol.fr, Fax 03 89 23 92 26* – 25. AZ g
voir rest. ***Rendez-vous de Chasse*** ci-après - ***L'Auberge*** brasserie **Repas** (13)-18/25 ♀, enf. 8 – 9,60 – **70 ch** 75/99 – ½ P 90/120.
◆ Hôtel du début du 20e s. ayant conservé, dans son ensemble, une atmosphère Belle Époque. Chambres bien meublées et équipées, plus calmes à l'arrière. Joli cadre 1900 à L'Auberge.

**Mercure Champ de Mars** Ⓜ sans rest, 2 av. Marne ✆ 03 89 21 59 59, *h1225@accor-hotels.com, Fax 03 89 21 59 00* – 45 à 200. BZ r
11,50 – **75 ch** 108/118.
◆ Bâtiment cubique des années 1960 situé à l'entrée du Champ de Mars alsacien (statues de Bartholdi). Les chambres, spacieuses, sont progressivement refaites.

**Hostellerie Le Maréchal,** 4 pl. Six Montagnes Noires ✆ 03 89 41 60 32, *marechal@calixo.net, Fax 03 89 24 59 40*, – BZ b
**- *A l'Échevin* :** **Repas** 25(déj.), 35/75 ♀, enf. 11 – 12,50 – **30 ch** 80/215 – ½ P 102,50/162,50.
◆ La Lauch coule au pied de ces ravissantes maisons alsaciennes (16e et 17e s.) de la Petite Venise. Les chambres ont un côté "bonbonnière" ; certaines ont vue sur le canal. À l'Échevin, décor sur le thème de la musique et spectacle enchanteur de la rivière.

**Mercure Unterlinden** Ⓜ sans rest, 15 r. Golbery ✆ 03 89 41 71 71, *H0978@accor-hotels.com, Fax 03 89 23 82 71* – 15 à 60. BY v
11,50 – **76 ch** 93/101.
◆ À deux pas du célèbre musée d'Unterlinden, bâtisse récente disposant de chambres confortables et bien insonorisées, toutes redécorées peu à peu dans un style actuel.

**Amiral-Bleu Marine** Ⓜ sans rest, 11A bd Champ-de-Mars ✆ 03 89 23 26 25, *amiralbleumarine@wanadoo.fr, Fax 03 89 23 83 64*, – BZ d
9,50 – **44 ch** 75/105, 3 duplex.
◆ Dans les murs d'une ancienne malterie, chambres assez spacieuses et fraîches, agrémentées de quelques meubles anciens ; elles sont plus calmes dans le bâtiment principal.

**Turenne** sans rest, 10 rte Bâle ✆ 03 89 21 58 58, *helmlinger@turenne.com, Fax 03 89 41 27 64* – 15. CZ x
8 – **82 ch** 43/66.
◆ Architecture et mobilier d'inspiration régionale caractérisent cet hôtel proche de la Petite Venise. Chambres pimpantes et pratiques. Salle des petits-déjeuners alsacienne.

**St-Martin** sans rest, 38 Grand'Rue ✆ 03 89 24 11 51, *colmar@hotel-saint-martin.com, Fax 03 89 23 47 78* – . CZ e
*fermé 1er janv. au 2 mars.* – 9 – **33 ch** 89/121.
◆ Dans le quartier historique, deux maisons anciennes réparties autour d'une cour intérieure avec tourelle et escalier Renaissance. Chambres "cosy" personnalisées.

**Beauséjour** Ⓜ, 25 r. Ladhof ✆ 03 89 20 66 66, *resa@beausejour.fr, Fax 03 89 20 66 00*, , – 40. CY k
**Repas** *(fermé sam. midi et dim. hors saison)* 20,50/70 ♀, enf. 14 ***Keller*** *(fermé sam. midi et dim. hors saison)* **Repas** (15)-29/50 ♀, enf. 9,50 – 11 – **40 ch** 55/145 – ½ P 55/95.
◆ Le bâtiment principal (19e s.) abrite des chambres actuelles et fonctionnelles ; l'annexe est plus tranquille. Salon et restaurant contemporains ; joli jardin-terrasse.

**Rendez-vous de Chasse** - Grand Hôtel Bristol, 7 pl. Gare ✆ 03 89 23 15 86, *reservation@grand.hotel-bristol.fr, Fax 03 89 23 92 26* – AZ g
**Repas** 40/90 et carte 62 à 88 ♀.
◆ Cheminée, pierres et poutres ajoutent au charme de cette salle de restaurant cossue, agrémentée en outre de dessins originaux de Daumier. Cuisine régionale et personnalisée.
**Spéc.** Grenouilles poêlées. Dos de selle de chevreuil en croûte de choux verts (15 juil. au 15 janv.). Croustillant café-chocolat. **Vins** Muscat, Gewürztraminer.

**Au Fer Rouge** (Fulgraff), 52 Grand'Rue ✆ 03 89 41 37 24, *au.fer.rouge@calixo.net, Fax 03 89 23 82 24*, – BZ s
*fermé 27 juil. au 7 août, 4 au 23 janv., dim. de janv. à mai et lundi.* – **Repas** 45/91 et carte 80 à 110.
◆ Gracieuse demeure à pans de bois (17e s.) d'une pittoresque place de Colmar. Élégant intérieur alsacien où l'on propose une délicieuse cuisine classique. Belle carte des vins.
**Spéc.** Strudel d'escargots et épinards, poêlée de champignons. Langoustines rôties à la choucroute, sauce riesling. Carré de porcelet croustillant, pieds de porcs et quenelles de foie. **Vins** Pinot-Auxerrois, Rouge d'Alsace.

XXX **Maison des Têtes** - Hôtel Les Têtes, 19 r. Têtes ✆ 03 89 24 43 43, *les-tetes@calixo.net, Fax 03 89 24 58 34*, – ▤. AE ⓓ GB JCB BY y
*fermé fév., dim. soir, mardi midi et lundi* – **Repas** 29/62 et carte 50 à 73 ♀, enf. 12,50.
◆ Cette belle maison Renaissance est l'un des joyaux du patrimoine architectural colmarien. Salle à manger habillée de boiseries blondes (19e s.) et repas traditionnels.

XX **Jean-Yves Schiillinger**, 17 r. Poissonerie ✆ 03 89 21 53 60, *Fax 03 89 21 53 65*, – ▤. AE GB CZ g
*fermé 4 au 13 janv. et dim.* – **Repas** 27/60 ♀.
◆ Jolie façade colorée pour cette bâtisse de 1650 ancrée au bord de la Lauch. Intérieur résolument contemporain, cuisine offerte à la vue de tous et carte très "tendance".

XX **Aux Trois Poissons**, 15 quai Poissonnerie ✆ 03 89 41 25 21, *Fax 03 89 41 25 21* – ▤. AE ⓓ GB JCB CZ t
*fermé 15 juil. au 1er août, 23 au 27 déc., 5 au 18 janv., dim. soir, mardi soir et merc.* – **Repas** 21/38 ♀.
◆ Ambiance chaleureuse, coquette salle à manger et carte mi-traditionnelle, mi-inventive où le poisson est roi : cette maison à colombages bordant la Lauch a bien des attraits.

XX **Bartholdi**, 2 r. Boulangers ✆ 03 89 41 07 74, *Fax 03 89 41 14 65*, – GB BY e
*fermé 16 au 29 juin, 5 au 18 janv., dim. soir et lundi* – **Repas** 20,20/48 ♀, enf. 6,90.
◆ Bois omniprésent et mobilier alsacien donnent un air de winstub à ce spacieux restaurant proche de la maison natale de Bartholdi. Cuisine de pays, spécialités de poissons.

XX **Arpège**, 24 r. Marchands ✆ 03 89 23 37 89, *restaurant.arpege@wanadoo.fr, Fax 03 89 23 39 22*, – AE GB JCB BZ a
*fermé 14 au 21 août, 30 oct. au 6 nov., sam. midi, mardi soir et merc.* – **Repas** (nombre de couverts limité, prévenir) 22 (déj.), 25/49 ♀, enf. 9.
◆ Cette demeure datant de 1463, nichée au fond d'une impasse, aurait appartenu à la famille Bartholdi. Salle à manger actuelle et terrasse aménagée dans un joli jardin fleuri.

X **Chez Hansi**, 23 r. Marchands ✆ 03 89 41 37 84, *Fax 03 89 41 37 84*, – GB BZ e
*fermé 24 au 30 juin, janv., merc. et jeudi* – **Repas** 18/44 ♀.
◆ Taverne typique du vieux Colmar : façade à colombages, boiseries, mobilier régional et service assuré en costume folklorique. Cuisine du terroir soignée.

X **Garbo**, 15 r. Berthe Molly ✆ 03 89 24 48 55, *garbo@restaurantgarbo.com, Fax 03 89 24 57 68* – ▤. AE GB JCB BZ g
*fermé 4 au 19 août, 1er au 6 janv., dim., lundi et fériés* – **Repas** 30/65 bc ♀.
◆ Aimable restaurant de quartier. Mobilier simple de type bistrot, atmosphère intime et cuisine régionale variant avec les saisons.

X **des Halles**, 11 r. Wickram ✆ 03 89 23 61 10, *Fax 03 89 41 35 16* – GB CZ z
*fermé 27 juil. au 10 août, 24 déc. au 4 janv., sam. et dim.* – **Repas** 11 (déj.), 16/31 ♀.
◆ Sympathique petite adresse à deux pas du canal de la Lauch. Poutres apparentes et jolie décoration actuelle. Cuisine du marché : les menus sont renouvelés tous les jours.

X **Au Crocus**, 14 pl. École ✆ 03 89 23 32 49, *aucrocus@fr.fm* – ▤. GB BY k
*fermé 18 au 31 août, 26 fév. au 4 mars, merc. soir et dim.* – **Repas** 13,50 (déj.), 21/36.
◆ Accueil tout sourire, plats du marché et prix doux ont fait le succès de cette discrète maison située dans la vieille ville. Décor simple, mi-rustique, mi-régional.

X **Wistub Brenner**, 1 r. Turenne ✆ 03 89 41 42 33, *Fax 03 89 41 37 99*, – GB BZ u
*fermé 23 juin au 3 juil., 17 au 26 nov., 24 déc. au 2 janv., 17 fév. au 3 mars, mardi et merc.* – **Repas** carte 23 à 35 ♀, enf. 7,50.
◆ Ambiance décontractée et animée dans ce bistrot façon Wistub où l'on mange au coude à coude. Sympathique terrasse. Cuisine traditionnelle proposée à l'ardoise.

**à l'aérodrome** *par ① : 3,5 km* – ✉ *68000 Colmar* :

**Novotel** M, ✆ 03 89 41 49 14, *h0416@accor-hotels.com, Fax 03 89 41 22 56*, , , – ▤ TV P – 35. AE ⓓ GB
**Repas** (18) - 23/26 ♀, enf. 11,50 – 11,50 – **66 ch** 87/102.
◆ Hôtel des années 1970 périodiquement rénové. Chambres de bon confort ; certaines ont vue sur l'aérodrome et les Vosges. Restaurant donnant sur le tarmac et terrasse ombragée.

**à Horbourg** *à l'Est par rte de Neuf-Brisach : 4 km – 4 518 h. alt. 188 –* ✉ *68180 Horbourg Wihr* :

**Europe** M, 15 rte Neuf-Brisach ✆ 03 89 20 54 00, *reservation@hotel-europe-colmar.fr, Fax 03 89 41 27 50*, , , – , ▤ ch, TV & P – 15 à 300. AE ⓓ GB. rest
***Eden des Gourmets*** *(fermé 15 au 31 juil., janv., dim. soir, mardi midi et lundi)* **Repas** 39/76 ♀, enf. 14 – ***Jardin d'Hiver*** *(fermé dim. midi)* **Repas** 23/29 ♀, enf. 14 – 13,80 – **127 ch** 100/152, 11 appart – ½ P 96.
◆ Imposante architecture "néo-alsacienne" aux chambres spacieuses et confortables, parfois très luxueuses. Équipements d'exception pour séminaires et loisirs. Cuisine traditionnelle à l'Éden des Gourmets et plats du terroir au Jardin d'Hiver.

**Cerf,** 9 Grand'Rue ✆ 03 89 41 20 35, *cerf-hotel@wanadoo.fr, Fax 03 89 24 24 98,* – GB.
*11 mars- 25 déc.* – **Repas** *(fermé le midi sauf dim. et fériés en avril, mai et juin et merc. du 15 sept. au 25 déc.)* 22/30 ♀, enf. 8,50 – 9 – **26 ch** 65/75 – ½ P 55/58.
◆ Pimpante maison à la façade colorée. Chambres actuelles et pratiques, bar évoquant la Belle Époque et plaisante salle à manger bourgeoise. Grand jardin sur l'arrière.

**Ibis,** 13 rte Neuf Brisach ✆ 03 89 23 46 46, *H1034-act2003@accor-hotels.com, Fax 03 89 24 35 45* – – 20. AE GB JCB
**Repas** 9/15 ♀, enf. 6 – 6 – **86 ch** 54/69 – ½ P 49,50/55,50.
◆ Les chambres de cet hôtel sont progressivement refaites selon les dernières normes de la chaîne. Bonne insonorisation. Carte "Ibis" assortie de spécialités régionales.

**à Bischwihr** *Nord-Est par D 111 : 8 km – 598 h. alt. 187 – ✉ 68320 :*

**Relais du Ried,** ✆ 03 89 47 47 06, *hotel.relais.duried@wanadoo.fr, Fax 03 89 47 72 58,* – GB. rest
*fermé 12 au 29 nov. et 20 déc. au 5 mars* – **Repas** (dîner seul.) 18 ♀ – 7 – **59 ch** 47/62 – ½ P 46.
◆ En léger retrait d'une route passante, ancienne ferme transformée en hôtel. Chambres simples, fonctionnelles et bien tenues. Restaurant agrandi d'une véranda.

**à Logelheim** *Sud-Est par D 13 et D 45 -* **CZ** *- 9 km – 406 h. alt. 195 – ✉ 68280 :*

**A la Vigne** , ✆ 03 89 20 99 60, *la-vigne@reperes.com, Fax 03 89 20 99 69* – GB. ch
*fermé 23 juin au 10 juil. et 21 déc. au 8 janv.* – **Repas** *(fermé dim. sauf fériés, sam. midi et lundi soir)* 9,90 (déj.), 19,20/32 ♀, enf. 9,60 – 5,60 – **9 ch** 44,90/67,10 – ½ P 46.
◆ À la fois simple et accueillante, cette maison villageoise propose des chambres calmes, aménagées avec soin, et un restaurant rustique agrémenté de meubles alsaciens.

**à Ste-Croix-en-Plaine** *par ③ : 10 km – 1 895 h. alt. 192 – ✉ 68127 :*

**Au Moulin** sans rest, rte d'Herrlisheim sur D 1 ✆ 03 89 49 31 20, *Fax 03 89 49 23 11,* – GB
*1er avril-3 nov.* – 8 – **17 ch** 40/80.
◆ Dans cet ancien moulin, une partie des chambres, confortables et bien tenues, a vue sur les Vosges. Petit musée réunissant divers objets témoins de l'Alsace d'autrefois.

**à Wettolsheim** *par ⑤ et D 1 bis II : 4,5 km – 1 616 h. alt. 220 – ✉ 68000 :*

XXX **Auberge du Père Floranc** avec ch, ✆ 03 89 80 79 14, *Fax 03 89 79 77 00,* – AE GB JCB
*fermé 2 janv. au 6 fév., dim. soir, mardi midi et lundi* – **Repas** 39/66 et carte 32,50 à 68 ♀ – 10 – **7 ch** 57 – ½ P 71.
◆ Belles boiseries ouvragées dans la salle à manger, joli jardin fleuri, cuisine traditionnelle et régionale : cette auberge constitue une plaisante étape de la route des Vins.

**Annexe : Le Pavillon** sans rest,, – AE GB JCB
10 – **19 ch** 63/95.
◆ Discrète bâtisse dissimulée au bout d'une allée verdoyante. Chambres calmes, de bon confort, rafraîchies par étapes. Amusante collection de coquillages dans le salon.

**à Ingersheim** *Nord-Ouest : 4 km – 4 063 h. alt. 220 – ✉ 68040 :*

XXX **Kuehn** avec ch, quai Fecht ✆ 03 89 30 08 88, *kuehng@club-internet.fr, Fax 03 89 27 00 77,* – – 30. GB. rest
*fermé 9 au 22 mars, 9 au 22 nov., 11 janv. au 10 fév. et hôtel : dim. et lundi d'oct. à juil.* – **Repas** *(fermé lundi sauf le soir d'oct. à juil., dim. soir d'oct. à juil., merc. midi de juil. à oct. et mardi midi)* 30/65 et carte 41 à 55,50 ♀, enf. 10 – 9 – **21 ch** 48/53 – ½ P 62.
◆ Aux portes de Colmar, grand établissement récent à toit pentu. Deux salles des repas - une rustique et l'autre plus bourgeoise - offrant un joli coup d'oeil sur les collines.

XX **Taverne Alsacienne,** 99 r. République ✆ 03 89 27 08 41, *Fax 03 89 80 89 75* – AE GB
*fermé 21 juil. au 13 août, 1er au 10 janv., jeudi soir, dim. soir et lundi sauf fériés* – **Repas** 14 (déj.), 22/52 ♀.
◆ Au bord de la Fecht, vaste salle à manger contemporaine et claire, précédée d'un bar servant des plats du jour. Cuisine classique et régionale, belle carte des vins.

## COLOMBEY-LES-DEUX-ÉGLISES *52330 H.-Marne* 313 *J4 C. Champagne Ardenne – 660 h alt. 353.*

Voir *Mémorial du Général-de-Gaulle et la Boisserie (musée).*

*Syndicat d'Initiative, 72 rue du Général de Gaulle ✆ 03 25 01 52 33, Fax 03 25 01 98 61.*

*Paris 249 – Chaumont 25 – Bar-sur-Aube 16 – Châtillon-sur-Seine 63 – Neufchâteau 71.*

**Dhuits,** N 19 ✆ 03 25 01 50 10, *Fax 03 25 01 56 22,* ☂, ⛱ – ⅙ TV ♿ 🚗 P – 🏛 50. GB
*fermé 20 déc. au 5 janv.* – **Repas** 14,50/30 ♁, enf. 9,50 – ☕ 7 – **40 ch** 39/59 – ½ P 50/60.
◆ Construction des années 1970 au bord de la nationale. Chambres fonctionnelles pour une étape dans le village du Général, à deux pas de la Boisserie et du Mémorial.

XX **Auberge de la Montagne** (Natali) ☆ avec ch, ✆ 03 25 01 51 69, *Fax 03 25 01 53 20,* ⛱ – TV P. AE GB. ✂ ch
✿ *fermé 10 au 18 mars, 22 au 30 sept., 22 au 28 déc., 9 au 24 fév., lundi et mardi* – **Repas** 24/77 et carte 70 à 90 ♀ – ☕ 8 – **8 ch** 44/70.
◆ Pierres et poutres affirment le cadre rustique des salles à manger de cette maison nichée dans un jardin-verger ; cuisine séduisante. Chambres bien équipées et calmes.
**Spéc.** Pigeonneau au jambon serrano et choux chinois. Sandre rôti, croûte de thym-citron et risotto aux truffes. Fraîcheur glacée à l'avocat, minestrone de fruits. **Vins** Champagne, Coteaux champenois rouge.

**COLOMIERS** *31 H.-Gar.* 343 F3 – *rattaché à Toulouse.*

**COLROY-LA-ROCHE** *67420 B.-Rhin* 315 H6 – *435 h alt. 475.*
*Paris 410 – Strasbourg 67 – Lunéville 70 – St-Dié 33 – Sélestat 31.*

**Hostellerie La Cheneaudière** M ☆, ✆ 03 88 97 61 64, *chenaudiere@relaischateaux.fr, Fax 03 88 47 21 73,* ≤, ☂, Fø, ⛆, ⛱, ✂ – ▤ rest, TV ✆ P – 🏛 25. AE ⓘ GB
✿ ***Princes de Salm :*** Repas 110 et carte 77 à 95 – ***Pastoureaux :*** Repas 38 – ☕ 19 – **29 ch** 130/260, 3 appart – ½ P 122/201.
◆ Élégante hostellerie et son agréable jardin dominant le village. Chambres personnalisées et excellents équipements de loisirs. Beau répertoire culinaire aux Princes de Salm, superbes boiseries anciennes aux Pastoureaux.
**Spéc.** Tartare de saumon frais d'Écosse. Fricassée de homard et pâtes larges au basilic. Carré d'agneau rôti aux épices orientales. **Vins** Riesling, Tokay-Pinot gris.

**COL ST-JEAN** *04 Alpes-de-H.-P.* 334 G6 – *rattaché à Seyne.*

**COLY** *24 Dordogne* 329 I5 – *rattaché au Lardin-St-Lazare.*

**La COMBE** *73 Savoie* 333 H4 – *rattaché à Aiguebelette-le-Lac.*

**COMBEAUFONTAINE** *70120 H.-Saône* 314 D6 – *446 h alt. 259.*
ℹ *Syndicat d'Initiative,* ✆ *03 84 92 11 80, Fax 03 84 92 15 23.*
*Paris 337 – Besançon 73 – Épinal 82 – Gray 42 – Langres 53 – Vesoul 25.*

XX **Balcon** avec ch, ✆ 03 84 92 11 13, *Fax 03 84 92 15 89* – TV 🚗. AE ⓘ GB. ✂ ch
*fermé 23 juin au 3 juil., 29 sept. au 6 oct., 26 déc. au 12 janv., dim. soir, mardi midi et lundi* – **Repas** 23/54 – ☕ 6,50 – **15 ch** 36/58 – ½ P 46.
◆ Cette auberge tapissée de vigne vierge abrite une jolie salle à manger rustique (cuivres et meubles cirés) ; plats régionaux. Réservez une chambre sur l'arrière, au calme.

**La COMBE-DES-ÉPARRES** *38 Isère* 333 E4 – *rattaché à Bourgoin-Jallieu.*

**COMBLOUX** *74920 H.-Savoie* 328 M5 *G. Alpes du Nord – 1 716 h alt. 980 – Sports d'hiver : 1 000/1 850 m* ⛷ 1 ⛷ 24 ⛷.
**Voir** ✳★★★ - *Table d'orientation★ de la Cry.*
ℹ *Office du Tourisme, 49 chemin des Passerands* ✆ *04 50 58 60 49, Fax 04 50 93 33 55, Combloux@wanadoo.fr.*
*Paris 593 – Chamonix-Mont-Blanc 30 – Annecy 78 – Bonneville 37 – Megève 6 – Morzine 50.*

**Aux Ducs de Savoie** ☆, au Bouchet ✆ 04 50 58 61 43, *info@ducs-de-savoie.com, Fax 04 50 58 67 43,* ≤ Mont-Blanc, ☂, Fø, ⛆, ⛱ – |ǂ| TV ✆ 🚗 P – 🏛 35. AE ⓘ GB. ✂ rest
*1er juin-6 oct. et 15 déc.-25 avril* – **Repas** 27/35 – ☕ 13 – **50 ch** 160 – ½ P 120.
◆ Face au mont Blanc, vaste chalet avec chambres rénovées, salle à manger panoramique de style savoyard et piscine surplombant la vallée. Spécialités régionales.

**Au Coeur des Prés** ☆, ✆ 04 50 93 36 55, *hotelaucoeurdespres@wanadoo.fr, Fax 04 50 58 69 14,* ≤ Aravis et Mont-Blanc, Fø, ⛆, ⛱, ✂ – |ǂ| TV 🚗 P. GB. ✂ rest
*1er juin-21 sept. et 20 déc.-30 mars* – **Repas** (résidents seul.) 26/42 ♀ – ☕ 10 – **30 ch** 80/104 – ½ P 77/84.
◆ Sur les hauteurs dominant Combloux, chambres sans fioritures mais lumineuses, lambrissées et assez spacieuses. Confortable salon réchauffé par une cheminée.

**Feug**, 04 50 93 00 50, *hotel.le.feug@wanadoo.fr*, *Fax 04 50 21 21 44*, – GB
*15 juin-15 sept. et 20 déc.-30 mars* – **Repas** *(fermé le midi en juin et sept.)* (15) - 22/26 – 10,10 – **28 ch** 66,50/99,50 – ½ P 75.
◆ Dans un environnement paisible, bâtiment récent ménageant une belle perspective sur monts et forêts. Sobres chambres équipées de meubles en pin. Plats du terroir.

**Tavaillon,** La Barotière 04 50 58 65 99, *Fax 04 50 93 35 75* – GB.
*fermé 23 juin au 10 juil., 23 nov. au 11 déc., dim. soir et merc.* – **Repas** (12,50) - 15 (déj.), 24/112.
◆ Côté décor : murs habillés de lattes, poutres apparentes, comptoir en pierre et bouquets de fleurs séchées. Côté cuisine, recettes régionales mises au goût du jour.

**au Haut-Combloux** *Ouest : 3,5 km – 74920 Combloux :*

**Rond-Point des Pistes**, 04 50 58 68 55, *rpoinpiste@aol.com*, *Fax 04 50 93 30 54*, Mont-Blanc, – GB. rest
*1er juil.-1er sept. et 20 déc.-4 avril* – **Repas** 30 – 15 – **29 ch** 70/110 – ½ P 85.
◆ Hôtel bien situé au départ des remontées mécaniques. Chambres lambrissées, plus agréables côté mont Blanc. Au restaurant, joli panorama et cuisine du pays. Billard.

---

**COMBOURG** *35270 I.-et-V.* 309 L4 *G. Bretagne* – *4 843 h alt. 45.*
Voir Château★.
*Office du Tourisme, place Albert Parent* *02 99 73 13 93, Fax 02 99 73 52 39, ot @combourg.org.*
*Paris 385 – St-Malo 36 – Avranches 51 – Dinan 25 – Fougères 49 – Rennes 42 – Vitré 57.*

**Château,** pl. Chateaubriand 02 99 73 00 38, *hotelduchateau@wanadoo.fr*, *Fax 02 99 73 25 79*, – 15 à 35. GB
*fermé 6 au 14 avril, 20 déc. au 20 janv., dim. soir sauf du 10/7 au 17/8, lundi soir d'oct. à avril et lundi midi* – **Repas** 18/47, enf. 9 – 9 – **32 ch** 94/115 – ½ P 50/84.
◆ Au pied du château hanté par le souvenir de Chateaubriand, belle maison ancienne et ses annexes, où vous séjournerez dans de confortables chambres personnalisées.

**Lac,** pl. Chateaubriand 02 99 73 05 65, *hoteldulac@tiscali.fr*, *Fax 02 99 73 23 34*, – 20. GB
*fermé fév., dim. soir hors saison et vend.* – **Repas** 15,50/42,50 – 8,50 – **28 ch** 39/62,50 – ½ P 40/51.
◆ Pour ainsi dire "les pieds dans le lac", maison régionale disposant de chambres pratiques et fraîches. Salle à manger tournée vers les flots, jardin avec barbecue.

**L'Écrivain,** pl. St-Gilduin (face église) 02 99 73 01 61, *Fax 02 23 16 46 31*, – GB
*fermé vacances de Toussaint, de fév., merc. soir, dim.soir hors saison et jeudi* – **Repas** 14 (déj.), 20/34.
◆ Une salle à manger habillée de boiseries, une autre ouverte sur le jardin ; il règne ici une ambiance bucolique que n'aurait pas renié le plus célèbre de nos romantiques.

---

**COMBREUX** *45530 Loiret* 318 K4 – *142 h alt. 130.*
*Paris 113 – Orléans 41 – Bellegarde 12 – Châteauneuf-sur-Loire 14 – Pithiviers 31.*

**Auberge de Combreux,** 02 38 46 89 89, *aubergec@compuserve.com*, *Fax 02 38 59 36 19*, – 20. GB
*fermé 20 déc. au 20 janv. et lundi midi* – **Repas** 18/35, enf. 10 – 8 – **19 ch** 60/79 – ½ P 64/74.
◆ Proche de la forêt, auberge tapissée de vigne vierge et, séparée par la route, son annexe composée de trois maisonnettes entourées d'un jardin. Plaisant intérieur campagnard.

---

**COMMENTRY** *03600 Allier* 326 D5 *G. Auvergne* – *8 021 h alt. 407.*
*Paris 338 – Moulins 66 – Aubusson 76 – Gannat 61 – Montluçon 16 – Riom 68.*

**Michel Rubod,** 47 r. J.-J. Rousseau 04 70 64 45 31, *Fax 04 70 64 33 17* – GB
*fermé 22 au 29 avril, 26 juil.au 19 août, 22 déc. au 6 janv., merc. midi, dim. soir et lundi* – **Repas** 22/68 et carte 48 à 80.
◆ La façade tout juste refaite dissimule une élégante salle à manger contemporaine aux tables joliment dressées. On y savoure une cuisine au goût du jour soignée.
**Spéc.** Grillade d'aubergine et rouget à l'huile des Baux (avril à déc.). Tournedos de charolais, chantilly, moutarde et vin rouge. Sablé de crème brûlée aux fruits rouges (avril à déc.). **Vins** Saint-Pourçain blanc

*Si le coût de la vie subit des variations importantes, les prix que nous indiquons peuvent être majorés. Lors de votre réservation à l'hôtel, faites-vous préciser le prix définitif.*

## COMMERCY

55200 Meuse 307 E6 – 6 404 h alt. 240.

Office du Tourisme, Château Stanislas ✆ 03 29 91 75 57, Fax 03 29 91 75 75.

Paris 268 – Nancy 53 – Bar-le-Duc 40 – Metz 73 – Toul 31 – Verdun 56.

**Madeleine** M, La Louvière (rte Nancy) ✆ 03 29 91 51 25, *hotelmadeleine@free.fr, Fax 03 29 91 09 59,* – ▤ TV P – 30. GB

**Repas** 15/27 – 5,50 – **26 ch** 40/50 – ½ P 35,50/37,50.

♦ Au pays de la célèbre madeleine, bâtiment moderne proposant aux voyageurs des chambres actuelles, insonorisées et équipées d'un mobilier mariant bois et fer forgé.

**Côté Jardin** avec ch, 40 r. St-Mihiel ✆ 03 29 92 09 09, *sarl.cotejardin@wanadoo.fr, Fax 03 29 92 09 10,* – ▤ rest, TV – 15 à 100. GB

**Repas** *(fermé 1er au 15 sept., vend. soir et dim. soir)* (dîner seul sauf vend. et dim.) 24,40/36,60 – 11 – **11 ch** 52/65,50 – ½ P 50/65,60.

♦ Côté rue, une façade joliment rénovée ; "côté jardin", une confortable salle de restaurant largement ouverte sur la terrasse et la verdure. Cuisine composée selon la saison.

## COMPIÈGNE

60200 Oise 305 H4 *G. Picardie Flandres Artois – 41 896 h Agglo. 108 234 h alt. 41.*

**Voir** *Palais★★★ : musée de la voiture★★, musée du Second Empire★★ – Hôtel de ville★* **BZ H** *– Musée de la Figurine historique★* **BZ M** *– Musée Vivenel : vases grecs★★* **AZ M1**.

**Env.** *Forêt★★ (les Beaux Monts) – Rethondes : Clairière de l'Armistice★★ (statue du Maréchal Foch, dalle commémorative, wagon du Maréchal Foch).*

*Office du Tourisme, place de l'Hôtel de Ville ✆ 03 44 40 01 00, Fax 03 44 40 23 28, otsi@mairie-compiegne.fr.*

*Paris 81 ⑥ – Amiens 83 ⑦ – Beauvais 61 ⑥ – St-Quentin 74 ① – Soissons 39 ②.*

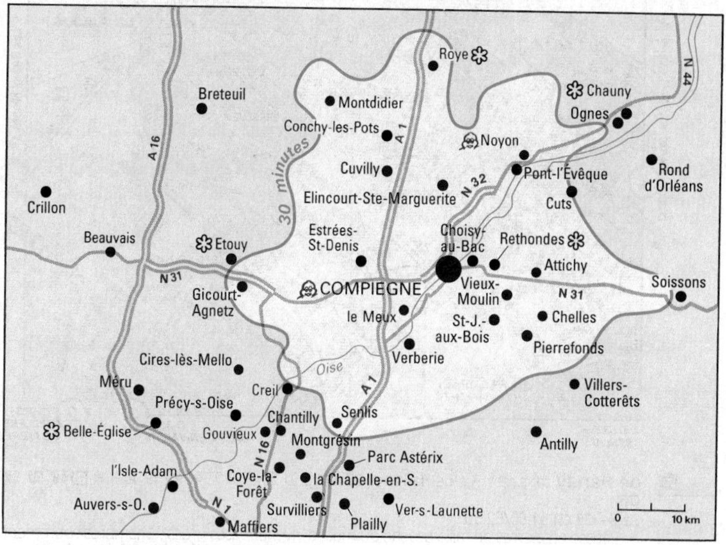
Roye
Chauny
N 44
Breteuil
Montdidier
Ognes
Conchy-les-Pots
A 1
Noyon
A 16
30 minutes
Cuvilly
Pont-l'Évêque
Rond d'Orléans
Elincourt-Ste-Marguerite
N 32
Cuts
Crillon
Estrées-St-Denis
Choisy-au-Bac
Rethondes
Beauvais
Etouy
Attichy
N 31
Vieux-Moulin
Soissons
Gicourt-Agnetz
COMPIEGNE
N 31
le Meux
Chelles
St-J.-aux-Bois
Pierrefonds
Verberie
Cires-lès-Mello
Oise
Méru
Creil
A 1
Villers-Cotterêts
Précy-s-Oise
Chantilly
Senlis
Belle-Église
Gouvieux
Montgrésin
Antilly
N 16
Parc Astérix
l'Isle-Adam
Coye-la-Forêt
la Chapelle-en-S.
Auvers-s-O.
N 1
Survilliers
Ver-s-Launette
Maffiers
Plailly
0
10 km

**Les Beaux Arts** M sans rest, 33 cours Guynemer ✆ 03 44 92 26 26, *hotel@bw-lesbeauxarts.com, Fax 03 44 92 26 00* – cuisinette ▤ TV – 30. AE GB JCB

10 – **35 ch** 55/86, 14 appart. AY v

♦ Chambres modernes et lumineuses, garnies d'un élégant mobilier souvent en teck ; quelques-unes sont équipées d'une cuisinette. Confort et convivialité.

**Flandre** sans rest, 16 quai République ✆ 03 44 83 24 40, *Fax 03 44 90 02 75* – TV. GB JCB AY u

*fermé 20 déc. au 4 janv.* – 7,50 – **42 ch** 51/54.

♦ À deux pas de la gare, sur la rive droite de l'Oise. Chambres d'esprit rustique, progressivement rafraîchies. Une bonne insonorisation atténue les bruits du carrefour.

## COMPIÈGNE

Austerlitz (R. d') ...... **AZ** 2
Boucheries (R. des) ... **AZ** 3
Capucins (R. des) ...... **AZ** 4
Change (Pl. du) ........ **AZ** 5
Clemenceau (Av. G.) .. **BY** 6
Harlay (R. de)........... **AY** 8
Hôtel-de-Ville (Pl. de l') **AZ** 10
Legendre (R. J.) ....... **BZ** 12
Lombards (R. des) .... **BZ** 13
Magenta (R.) ............ **BZ** 14
Notre-Dame-de-Bon-Secours (R.).... **AZ** 15
Noyon (R. de) ......... **AY** 16
Paris (R. de)........... **AZ** 17
Pierrefonds (R. de).... **BZ** 18
St-Antoine (R.).......... **AZ** 19
St-Corneille (R.)......... **AZ** 20
St-Jacques (Pl.)......... **BZ** 22
Soissons (R. de)........ **BY** 24
Solferino (R.)........... **AYZ** 25
Sorel (R. du Prés.) .... **AZ** 26
Sous-Préfecture (R. de la).......... **BZ** 27
54ᵉ-Rgt.-d'Infanterie (Pl.)................ **AY** 30

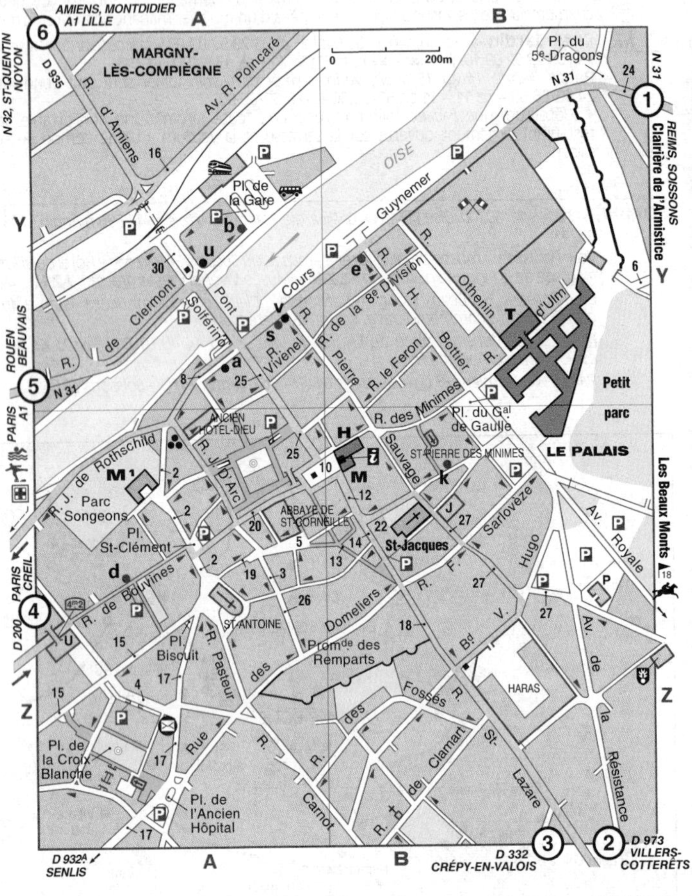

AMIENS, MONTDIDIER A1 LILLE
N 32, ST-QUENTIN NOYON
MARGNY-LÈS-COMPIÈGNE
Av. R. Poincaré
R. d'Amiens
OISE
Pl. de la Gare
Cours Guynemer
R. de Clermont
Pont Solférino
R. Vivenel
R. de la 8e Division
R. Othenin
R. d'Ulm
Petit parc
LE PALAIS
Pl. du Gal de Gaulle
R. des Minimes
R. le Feron
R. Pierre Sauvage
ST-PIERRE DES MINIMES
ANCIEN HÔTEL-DIEU
R. J. d'Arc
R. J. de Rothschild
Parc Songeons
Pl. St-Clément
ABBAYE DE ST-CORNEILLE
St-Jacques
R. de Bouvines
ST-ANTOINE
Promde des Remparts
R. des Domeliers
Bd V. Hugo
R. F. Sarlovèze
Av. Royale
Les Beaux Monts
Av. de la Résistance
HARAS
R. des Fossés
R. de Clamart
R. St-Lazare
R. Carnot
R. Pasteur
Pl. Biscuit
Pl. de la Croix Blanche
Pl. de l'Ancien Hôpital
ROUEN BEAUVAIS
PARIS A1
PARIS CREIL
D 200
D 932A SENLIS
D 332 CRÉPY-EN-VALOIS
D 973 VILLERS-COTTERETS
REIMS, SOISSONS Clairière de l'Armistice
Pl. du 5e-Dragons
N 31


**de Harlay** sans rest, 3 r. de Harlay ✆ 03 44 23 01 50, *Fax 03 44 20 19 46* – AE GB  AY a
7 – **21 ch** 51,80/62,50.
◆ Bâtisse en pierres de taille proche du musée Vivenel (vases grecs). Chambres sobrement meublées et bien tenues ; celles donnant sur les quais sont dotées d'un double vitrage.

**Part des Anges,** 18 r. Bouvines ✆ 03 44 86 00 00, *Fax 03 44 86 09 00,* – AE GB
*fermé 28 juil. au 28 août, sam. midi, dim. soir et lundi* – **Repas** *(21 bc)* - 24,50/37 et carte 27,50 à 43,50 ♀, enf. 13.  AZ d
◆ Deux salles à manger : l'une actuelle, vaste et claire, l'autre plus petite et intime, égayée d'une fresque illustrant la "part des anges". Cuisine au goût du jour soignée.

**Rive Gauche,** 13 cours Guynemer ✆ 03 44 40 29 99, *rivegauche@wanadoo.fr, Fax 03 44 40 38 00* – AE GB JCB  BY e
*fermé lundi et mardi* – **Repas** 32/37 et carte 54 à 59 ♀.
◆ Sur la rive gauche de l'Oise, une élégante façade abrite deux salles à manger feutrées ; l'une d'elle est éclairée par une verrière colorée. Cuisine au goût du jour.

XXX **Nord** avec ch, pl. Gare ✆ 03 44 83 22 30, *Fax 03 44 90 11 87* – AE GB
*fermé sam. midi et dim. soir* – **Repas** 22,50/34,50 et carte 39 à 68 ♀ – ☕ 7 – **20 ch** 42/45 – 1/2 P 52,50. AY b
◆ Adresse devenue une "institution locale" pour ses spécialités de produits de la mer. Salle à manger moderne et claire, d'où l'on peut observer le mouvement des cuisines.

X **Bistrot des Arts,** 35 cours Guynemer ✆ 03 44 20 10 10, *Fax 03 44 20 61 01* – GB AY s
*fermé sam. midi et dim.* – **Repas** 18 bc/21,40 ♀.
◆ Atmosphère conviviale typique des bistrots : chaises ad hoc, banquettes, tables sans nappage et plats préparés en fonction du marché et inscrits sur l'ardoise du jour.

X **Palais Gourmand,** 8 r. Dahomey ✆ 03 44 40 13 13, *Fax 03 44 40 13 13* – AE GB BZ k
*fermé 3 au 22 août, 22 au 29 déc., 29 fév. au 7 mars, dim. soir et lundi* – **Repas** 15,50/19,50 bc ♀.
◆ Près du palais, cette pimpante maison (1890) abrite une enfilade de salons au sympathique cadre de bistrot (miroirs, carrelage d'époque). Agréable véranda. Plats traditionnels.

## à Élincourt-Ste-Marguerite *par ① et D 142 : 15 km – 681 h. alt. 83 – ✉ 60157 :*

**Château de Bellinglise**, Nord : 1 km ✆ 03 44 96 00 33, *chateaudebellinglise@wanadoo.fr, Fax 03 44 96 03 00,* ← – 70. AE GB JCB. rest
**Repas** 32/79, enf. 22 – ☕ 16 – **35 ch** 240/350 – 1/2 P 140/181.
◆ Chaque chambre de cette élégante demeure du 16e s. s'élevant dans un parc possède son propre décor inspiré des siècles passés. Belles boiseries dans les salles à manger.

## à Choisy-au-Bac *par ② : 5 km – 3 786 h. alt. 40 – ✉ 60750 :*

XX **Auberge du Buissonnet,** 825 r. Vineux ✆ 03 44 40 17 41, *Fax 03 44 85 28 18,* – P. AE GB
*fermé dim. soir, mardi soir et lundi* – **Repas** 18/32, enf. 15.
◆ La quiétude du jardin baigné par un étang compense la proximité d'une route passante. Salle à manger aux tons vifs, ouverte sur la nature. Cuisine traditionnelle.

## à Rethondes *par ② : 10 km – 591 h. alt. 38 – ✉ 60153 .*

**Voir** *St-Crépin-aux-Bois : mobilier★ de l'église NE : 4 km.*

XXX **Alain Blot,** ✆ 03 44 85 60 24, *Fax 03 44 85 92 35,* – AE GB
✿ *fermé 1er au 17 sept., 2 au 14 janv., sam. midi, dim. soir, lundi et mardi* – **Repas** (nombre de couverts limité, prévenir) 33 bc/66 et carte 56 à 83.
◆ Non loin de la Clairière de l'Armistice, salle raffinée, meublée Louis XVI et prolongée d'une véranda ouverte sur un joli jardin. Cuisine traditionnelle personnalisée.
**Spéc.** Grillade de bar de ligne à la confiture d'oignon. Menu "simple expression de la mer". Composition légère "tout chocolat".

## à Vieux-Moulin *par ③ et D 14 : 10 km – 495 h. alt. 49 – ✉ 60350 .*

**Voir** *Mont St-Marc★ N : 2 km – Les Beaux-Monts★★ : ←★ NO : 7 km.*

XXX **Auberge du Daguet,** face église ✆ 03 44 85 60 72, *Fax 03 44 85 61 28* – GB
*fermé 15 au 25 juil., 6 au 24 janv., lundi soir et mardi* – **Repas** 22/41 ♀.
◆ À l'ombre du clocher en chapeau chinois, vitraux, pierres et poutres composent le cadre d'inspiration "médiévale" de cette avenante auberge champêtre. Gibier en saison.

XX **Auberge du Mont St-Pierre,** 28 rte des Étangs ✆ 03 44 85 60 00, *Fax 03 44 85 23 03,* – P. AE GB
*fermé vacances de fév., dim. soir et lundi sauf fériés* – **Repas** 16/33,50.
◆ Proche des étangs creusés par les religieux du Mont-St-Pierre, maison de pays postée à la lisière de la forêt. Salle à manger-véranda ; produits de saison et gibier.

## Z.A.C. de Mercières *par ⑤ et D 200 : 6 km – ✉ 60200 :*

**Mercure** M, carrefour J. Monnet ✆ 03 44 30 30 30, *h1623@accor-hotel.com, Fax 03 44 30 30 44,* – P – 40 à 150. AE GB JCB. rest
**Repas** *(fermé dim. midi et sam. midi)* 20 ♀ – ☕ 11 – **92 ch** 92/100.
◆ Entre ville et autoroute, hôtel pensé pour le bien-être du voyageur : confort, espace, bonne insonorisation et bar convivial, idéal pour la détente.

**Relais Napoléon,** av. Europe ✆ 03 44 20 11 11, *contact@aurelaisnapoleon.com, Fax 03 44 20 41 60,* rest, P – 40. AE GB JCB
**- *Bonaparte*** *(fermé sam. midi et dim. soir)* **Repas** (14)-18/46 ♀, enf. 10 – ☕ 10 – **48 ch** 70/85.
◆ Construction récente abritant de sobres chambres. Quelques meubles de style Empire et une collection de bibelots ayant trait à Napoléon Ier entretiennent le souvenir impérial.

**au Meux** *par ⑤, D 200 et D 98 : 11 km – 1 471 h. alt. 50 – ✉ 60880 :*

**Auberge de la Vieille Ferme,** ☎ 03 44 41 58 54, *auberge.vieille.ferme@wanadoo.fr, Fax 03 44 41 23 50* – TV ✆ P – 30. GB
*fermé 28 juil. au 19 août, 22 déc. au 7 janv., lundi (sauf hôtel) et dim. soir* – **Repas** 20 bc/50 bc – 9 – **14 ch** 50/64 – ½ P 50/60.
◆ Ancienne ferme en briques rouges abritant des chambres simples, mais pratiques et bien tenues. Salle de restaurant d'esprit campagnard et cuisine régionale.

XX **Maison du Gourmet,** ☎ 03 44 91 10 10, *Fax 03 44 91 13 94,* – P. AE GB
*fermé 21 juil. au 6 août, 26 janv. au 5 fév., sam. midi, dim. soir et lundi* – **Repas** 15/24 ♀, enf. 9,20.
◆ Restaurant familial aménagé dans une maison en brique où mobilier choisi et tons pastel composent un cadre intime. Cuisine traditionnelle.

---

**COMPS-SUR-ARTUBY** *83840 Var* 340 O3 *G. Alpes du Sud – 272 h alt. 898.*
Env. *Balcons de la Mescla★★★ NO : 14,5 km – Tunnels de Fayet ≤★★★ O : 20 km.*
*Paris 821 – Digne-les-Bains 84 – Castellane 29 – Draguignan 31 – Grasse 60 – Manosque 99.*

**Grand Hôtel Bain,** ☎ 04 94 76 90 06, *jmbain@wanadoo.fr, Fax 04 94 76 92 24,* – TV ✆ . AE GB
*fermé 11 nov. au 25 déc.* – **Repas** 13/34, enf. 9 – 6,50 – **17 ch** 45/58 – ½ P 45/48.
◆ Inscrite dans le Livre des records, la même famille vous accueille dans cet hôtel depuis 1737. Chambres fonctionnelles rafraîchies et bien tenues. Agréable jardin.

*Une réservation confirmée par écrit ou par fax est toujours plus sûre.*

---

**CONCA** *2A Corse-du-Sud* 345 E9 – *voir à Corse.*

---

**CONCARNEAU** *29900 Finistère* 308 H7 *G. Bretagne – 18 630 h alt. 4.*
Voir *Ville Close★★* **C** – *Musée de la Pêche★* **M¹** – *Pont du Moros ≤★* **B** – *Fête des Filets bleus★ (fin août).*
*pour* **Beg Meil** - *(juillet-août) Traversée 25 mn - Renseignements et Tarifs : Vedettes Glenn, face au Port de Plaisance à Concarneau ☎ 02 98 97 10 31, Fax 02 98 60 49 70 –* *pour* Iles Glénan - *(avril à sept.) Traversée 1h 10 mn - Renseignements et Tarifs : voir ci-dessus –* *pour* **La Rivière de l'Odet** - *(avril à sept.) Traversée 4h - Renseignements et Tarifs : voir ci-sessus.*
*Office du Tourisme, quai d'Aiguillon ☎ 02 98 97 01 44, Fax 02 98 50 88 81, OTSI.concarneau@wanadoo.fr.*
*Paris 548 ① – Quimper 24 ① – Brest 94 ① – Lorient 50 ① – Vannes 103 ①.*

Plans page ci-contre

**Océan,** plage Sables Blancs ☎ 02 98 50 53 50, *hotel.ocean@wanadoo.fr, Fax 02 98 50 84 16,* ≤, – TV ✆ P – 20 à 40. GB. rest — A r
**Repas** *(fermé lundi midi, dim. soir et sam. d'oct. à avril)* 19,90/40 – 11 – **53 ch** 95/105, 17 duplex – ½ P 75/79.
◆ Imposant bâtiment moderne contemplant la mer. Chambres spacieuses, actuelles et claires ; celles en façade jouissent d'une belle vue sur le large. Bonne insonorisation.

**Les Halles** sans rest, pl. Hôtel de Ville ☎ 02 98 97 11 41, *Fax 02 98 50 58 54* – TV ✆. AE GB — C s
*fermé dim. soir hors saison* – 6 – **23 ch** 47/56.
◆ Ambiance familiale dans cet hôtel disposant d'un bar au rez-de-chaussée. Chambres pimpantes et colorées, pourvues de meubles en rotin ou en bois peint.

**France et Europe** sans rest, 9 av. Gare ☎ 02 98 97 00 64, *hotel.france-europe@wanadoo.fr, Fax 02 98 50 76 66* – TV ✆ P. AE GB JCB — C b
*fermé 21 déc. au 7 janv. et sam. du 15 nov. au 15 mars* – 7 – **26 ch** 48/60.
◆ La situation de l'immeuble sur un axe passant ne nuit pas à la tranquillité de ses chambres fonctionnelles équipées du double vitrage.

XX **Coquille,** quai Moros ☎ 02 98 97 08 52, *Fax 02 98 50 69 13,* – AE GB — B k
*fermé 1er au 15 juin, 5 au 25 janv., dim. soir et lundi* – **Repas** 26/70.
◆ Sur le port, restaurant rustique agrémenté de meubles bretons et d'une collection de tableaux des écoles de Pont-Aven et Concarneau. Produits de la mer.

XX **Chez Armande,** 15 bis av. Dr Nicolas ☎ 02 98 97 00 76, *Fax 02 98 97 00 76* – AE GB — C d
*fermé 26 août au 3 sept., 16 déc. au 7 janv., 10 au 25 fév., mardi sauf juil.-août et merc.* – **Repas** 19/34 ♀, enf. 10.
◆ Pour déguster cuisine traditionnelle soignée et gourmandises de la mer, rejoignez cette maison située face à la ville close. Jolie salle à manger de style breton.

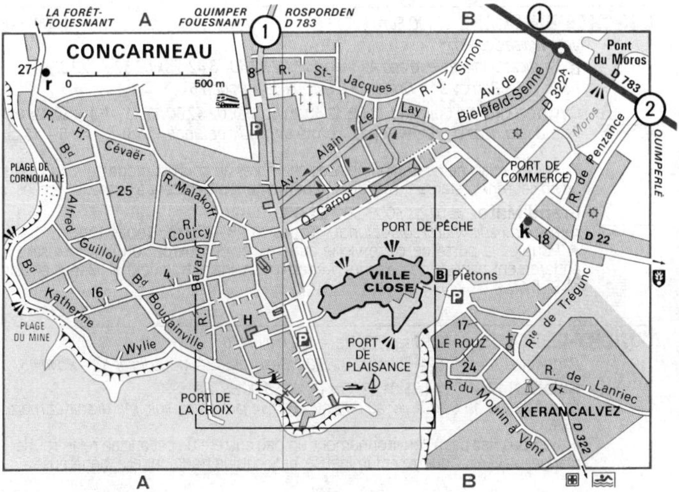

LA FORÊT-FOUESNANT
A
QUIMPER FOUESNANT
ROSPORDEN D 783
B
CONCARNEAU
0
500 m
Pont du Moros
D 783
QUIMPERLÉ
R. St-Jacques
R. J. Simon
Av. de Bielefeld-Senne
D 322A
Moros
R. de Penzance
Av. Alain Le Lay
R. H. Cévaër
Bd Alfred Guillou
Bd Katherine Wylie
Bd Bougainville
R. Malakoff
R. Courcy
R. Bayard
Q. Carnot
PLAGE DE CORNOUAILLE
PLAGE DU MINE
PORT DE COMMERCE
PORT DE PÊCHE
VILLE CLOSE
Piétons
PORT DE PLAISANCE
PORT DE LA CROIX
LE ROUZ
Rte de Trégunc
R. de Lanriec
R. du Moulin à Vent
KERANCALVEZ
D 322
D 22
A
B


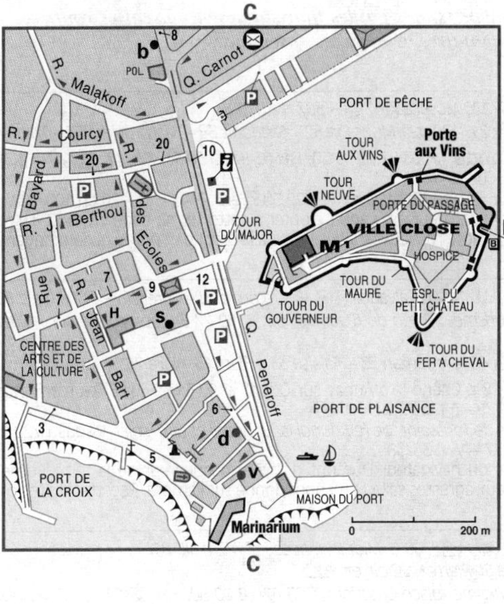

C
R. Malakoff
Q. Carnot
POL.
PORT DE PÊCHE
R. Courcy
R. Bayard
R. J. Berthou
R. des Écoles
TOUR AUX VINS
Porte aux Vins
TOUR NEUVE
PORTE DU PASSAGE
TOUR DU MAJOR
VILLE CLOSE
HOSPICE
TOUR DU MAURE
ESPL. DU PETIT CHÂTEAU
TOUR DU GOUVERNEUR
TOUR DU FER A CHEVAL
Rue Jean Bart
CENTRE DES ARTS ET DE LA CULTURE
Q. Peneroff
PORT DE PLAISANCE
PORT DE LA CROIX
MAISON DU PORT
Marinarium
0
200 m
C

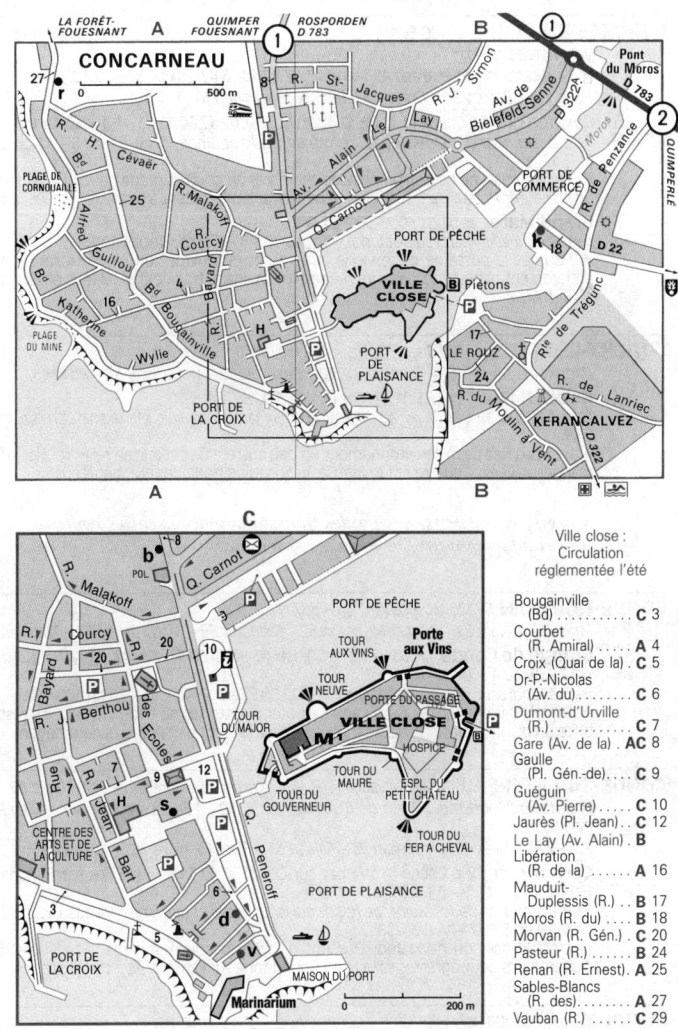

Ville close : Circulation réglementée l'été

Bougainville (Bd) . . . . . . . . . . . **C** 3
Courbet (R. Amiral) . . . . . **A** 4
Croix (Quai de la) . **C** 5
Dr-P.-Nicolas (Av. du) . . . . . . . . **C** 6
Dumont-d'Urville (R.) . . . . . . . . . . **C** 7
Gare (Av. de la) . **AC** 8
Gaulle (Pl. Gén.-de) . . . . **C** 9
Guéguin (Av. Pierre) . . . . . **C** 10
Jaurès (Pl. Jean) . . **C** 12
Le Lay (Av. Alain) . **B**
Libération (R. de la) . . . . . . **A** 16
Mauduit-Duplessis (R.) . . **B** 17
Moros (R. du) . . . . **B** 18
Morvan (R. Gén.) . **C** 20
Pasteur (R.) . . . . . . **B** 24
Renan (R. Ernest). **A** 25
Sables-Blancs (R. des). . . . . . . . **A** 27
Vauban (R.) . . . . . . **C** 29

✗ **Buccin,** 1 r. Duguay-Trouin ✆ 02 98 50 54 22, *Fax 02 98 50 70 37* – AE GB C V
*fermé 17 au 30 nov., sam. midi hors saison, dim. soir et jeudi* – **Repas** 16/34 ♀, enf. 10,50.
◆ Escale paisible un peu à l'écart du circuit touristique. Spécialités océanes servies dans une salle à manger contemporaine. Fréquentes expositions de peintures.

***Dans ce guide***
*un même symbole, un même mot,*
*imprimé en **rouge** ou en **noir**, en maigre ou en **gras**,*
*n'ont pas tout à fait la même signification.*
*Lisez attentivement les pages explicatives.*

**CONCHES-EN-OUCHE** *27190 Eure* 304 F8 *G. Normandie Vallée de la Seine – 4 009 h alt. 123.*

Voir *Église Ste-Foy*★.

*Syndicat d'Initiative, place A. Briand ☎ 02 32 30 76 42, Fax 02 32 60 22 35.*

*Paris 116 – Bernay 34 – Dreux 46 – Évreux 18 – Rouen 61.*

**Cygne,** 2 R. Paul Guilbaud ☎ 02 32 30 20 60, *Fax 02 32 30 45 73* – TV ♿ P. AE GB
*fermé vacances de fév.* – **Repas** *(fermé dim. soir et lundi)* 15/20 ♀ – ☕ 6 – **15 ch** 36/50 – ½ P 42.

◆ Ancien relais de poste abritant des chambres au confort modeste mais bien tenues et un chaleureux restaurant rustique. Hébergement plus récent à l'annexe. Accueil familial.

**Grand'Mare,** ☎ 02 32 30 23 30 – AE GB
*fermé dim. soir, mardi soir et lundi* – **Repas** 18/28 - ***Bistro :*** Repas 12 .

◆ Poussez la porte de cette vieille auberge et découvrez son élégante salle à manger entièrement habillée de boiseries. Répertoire culinaire traditionnel. Menus et plats du jour au Bistro.

**CONCHY-LES-POTS** *60490 Oise* 305 H3 – *462 h alt. 106.*

*Paris 100 – Amiens 57 – Compiègne 28 – Beauvais 68 – Montdidier 14 – Roye 13.*

**Relais,** N 17 ☎ 03 44 85 01 17, *Fax 03 44 85 00 58* – P. GB
*fermé 28 juil. au 6 août, 17 au 26 nov., 5 au 14 janv., dim. soir, mardi soir et merc.* – **Repas** 24/62.

◆ Ne vous fiez pas à l'environnement un peu austère de cet ancien relais routier : la salle à manger s'avère coquette et lumineuse, et la cuisine traditionnelle, généreuse.

*Nos guides hôteliers, nos guides touristiques et nos cartes routières sont complémentaires. Utilisez-les ensemble.*

**CONDÉ-NORTHEN** *57220 Moselle* 307 J4 – *507 h alt. 208.*

*Paris 357 – Metz 21 – Pont-à-Mousson 52 – Saarlouis 38 – Saarbrücken 53 – Thionville 48.*

**Grange de Condé,** ☎ 03 87 79 30 50, *Fax 03 87 79 30 51*, , , – |‡|, ch, TV P – 50 à 300. AE GB
*fermé lundi sauf fériés* – **Repas** (9,50) - 13/29,50 ♀, enf. 7 – ☕ 12 – **20 ch** 100/200.

◆ Un hôtel flambant neuf est venu s'ajouter à cette ferme bâtie en 1682. Le restaurant offre un plaisant cadre rustico-lorrain ; cuisine à la broche et produits du potager.

**CONDÉ-SUR-NOIREAU** *14110 Calvados* 303 I6 *G. Normandie Cotentin – 6 309 h alt. 85.*

*Office du Tourisme, 29 rue du 6 Juin ☎ 02 31 69 27 64, otsi-conde-sur-noireau@wanadoo.fr.*

*Paris 276 – Caen 48 – Argentan 53 – Falaise 33 – Flers 13 – Vire 26.*

**Cerf** avec ch, 18 r. Chêne (rte Aunay-sur-Odon) ☎ 02 31 69 40 55, *restcerf@wanadoo.fr, Fax 02 31 69 78 29* – TV P. AE GB JCB
*fermé vacances de Toussaint, de fév., lundi (sauf hôtel) et dim. soir* – **Repas** 11/29 ♀, enf. 8 – ☕ 5 – **9 ch** 31/37 – ½ P 35/38.

◆ C'est le pays du navigateur Dumont d'Urville, découvreur de la terre Adélie. La plus plaisante des deux agrestes salles à manger donne sur l'arrière. Recettes du terroir.

**CONDOM** SP *32100 Gers* 336 E6 *G. Midi-Pyrénées – 7 717 h alt. 81.*

Voir *Cathédrale St-Pierre*★ : *Cloître*★ **BZ.**

*Office du Tourisme, place Bossuet ☎ 05 62 28 00 80, Fax 05 62 28 45 46, otsi@condom.org.*

*Paris 732 ① – Agen 42 ① – Auch 46 ② – Mont-de-Marsan 81 ③ – Toulouse 121 ②.*

Plan page ci-contre

**Les Trois Lys** , 38 r. Gambetta ☎ 05 62 28 33 33, *hoteltroislys@wanadoo.fr, Fax 05 62 28 41 85*, , – TV P – 15. GB **Y a**
*fermé fév.* – **Repas** *(fermé dim. sauf le soir de juin à sept. et lundi midi)* 15 (déj.), 20/25 ♀ – ☕ 9 – **10 ch** 100/135 – ½ P 80/97,50.

◆ Cet élégant hôtel particulier du 18e s. abrite des chambres personnalisées, souvent dotées de beaux meubles anciens et parfois d'une cheminée. Jolie piscine sur l'arrière.

**Continental,** 20 av. Mar. Foch ☎ 05 62 68 37 00, *lecontinental@lecontinental.net, Fax 05 62 68 23 71*, – TV ♿. GB **Y d**
**Repas** *(fermé dim. soir et lundi)* 12,50 bc (déj.), 15/43 – ☕ 8 – **25 ch** 37/58 – ½ P 42.

◆ Rénovation réussie pour cet hôtel bâti au début du 20e s. face à la Baïse : chambres confortables, en majorité tournées sur un jardinet, et restaurant aux tons jaune-orangé.

## CONDOM

| | | | | | | | |
|---|---|---|---|---|---|---|---|
| Aquitaine (Av. d') | **Y** 2 | Cazaubon (R. H.) | **Z** 16 | Monnaie (R. de la) | **YZ** 38 |
| Armuriers (R. des) | **Y** 5 | Charron (R.) | **Y** 19 | Paix (R. de la) | **Z** 40 |
| Barlet (Pont) | **Y** 7 | Cordeliers (R. des) | **Z** 21 | Roquepine (R. de) | **Z** 44 |
| Bonnamy (R.) | **YZ** 8 | Foch (R. Mar.) | **Y** 22 | Roques (R.) | **Y** 47 |
| Buzon (R. et Quai) | **Z** 12 | Gaichies (R.) | **Y** 24 | Saint-Exupéry (R.) | **Z** 50 |
| Carmes (Pont des) | **Z** 14 | Gambetta (R. L.) | **Y** 26 | St-Pierre (Pl.) | **Y** 53 |
| | | Jaurès (R. J.) | **Z** 28 | | |
| | | Lannelongue (Pl.) | **Y** 31 | | |
| | | Lion-d'Or (Pl. du) | **Y** 35 | | |

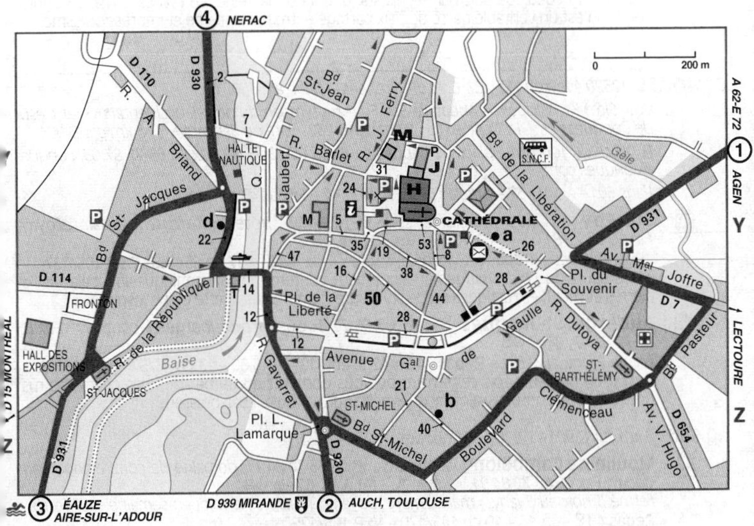

4 NERAC
D 930
D 110
R. A. Briand
Bd St-Jean
R. J. Ferry
R. Barlet
Bd de la Libération
S.N.C.F.
Gèle
A 62-E 72
1 AGEN
Y
HALTE NAUTIQUE
R. Jaubert
CATHÉDRALE
Bd St-Jacques
D 931
Av. Mal Joffre
Pl. du Souvenir
D 7
D 114
FRONTON
Pl. de la Liberté
R. de la République
HALL DES EXPOSITIONS
Baïse
ST-JACQUES
Avenue Gal de Gaulle
R. Dutoya
Bd Pasteur
LECTOURE
ST-BARTHÉLEMY
Clémenceau
Boulevard
R. Gavarret
ST-MICHEL
Pl. L. Lamarque
Bd St-Michel
Av. V. Hugo
D 654
Z
D 15 MONTRÉAL
0
200 m
3 ÉAUZE AIRE-SUR-L'ADOUR
D 939 MIRANDE
2 AUCH, TOULOUSE


**Logis des Cordeliers** sans rest, r. de la Paix ✆ 05 62 28 03 68, *reception@logisdescordeliers.com, Fax 05 62 68 29 03,* – TV P. GB — Z b
*fermé 3 janv. au 5 fév.* – 6 – **21** ch 42/64.
◆ Bâtiment récent situé dans un quartier tranquille. Chambres fonctionnelles ; optez pour celles côté piscine, agrémentées de petits balcons fleuris. Accueil aimable.

---

**CONDRIEU** *69420 Rhône* 327 H7 *G. Vallée du Rhône – 3 093 h alt. 150.*

Voir *Calvaire* ≤★.

*Office du Tourisme, place du Séquoia ✆ 04 74 56 62 83, Fax 04 74 56 62 83.*

*Paris 501 – Lyon 42 – Annonay 34 – Rive-de-Gier 20 – Tournon-sur-Rhône 55 – Vienne 12.*

**Hôtellerie Beau Rivage** (Donet), ✆ 04 74 56 82 82, *infos@hotel-beaurivage.com, Fax 04 74 59 59 36,* ≤, , – TV P. GB JCB
**Repas** 33/69 et carte 62 à 80 – 13 – **18 ch** 104/160.
◆ Maison de tradition postée sur une rive du Rhône. Chambres "cosy" personnalisées. La terrasse offre une agréable vue sur le fleuve. Belle cuisine classique.
**Spéc.** Quenelle de brochet au salpicon de homard. Fleur de courgette farcie, beurre d'estragon (15 mai au 15 oct.). Côte de boeuf casserole. **Vins** Condrieu, Saint-Joseph.

**Reclusière** M avec ch, 14 rte Nationale ✆ 04 74 56 67 27, *Fax 04 74 56 80 05* – TV P. AE GB
*fermé 10 fév. au 3 mars* – **Repas** *(fermé merc. midi et mardi) (12,50)* - 28/59 – 10 – **8 ch** 51/74.
◆ En retrait de la route, maison bourgeoise récemment rénovée. Décor contemporain et exposition de tableaux dans les salles à manger. Petites chambres bien équipées.

---

**CONFLANS-STE-HONORINE** *78 Yvelines* 311 I2 101 ③ – *voir à Paris, Environs.*

---

**CONLEAU** *56 Morbihan* 308 O9 – *rattaché à Vannes.*

---

**CONNAUX** *30 Gard* 339 M4 – *rattaché à Bagnols-sur-Cèze.*

**CONNELLES** *27430 Eure* 304 H6 – *154 h alt. 15.*

*Paris 110 – Rouen 32 – Les Andelys 13 – Évreux 34 – Vernon-sur-Eure 40.*

**Moulin de Connelles** ⚲, D 19 ✆ 02 32 59 53 33, *moulindeconnelles@moulindeconnelles.com, Fax 02 32 59 21 83,* ≤, ⛱, 🏊, 🎾, – TV ✆ P – 🏔 30. AE ⓓ GB JCB

**Repas** *(fermé dim. soir, mardi midi et lundi d'oct. à avril)* 30/55 et carte 41 à 67 ♀ – ☕ 12 – **7 ch** 115/150, 6 appart – ½ P 90/115.

◆ Niché au coeur de son parc-écrin sur une île de la Seine, ce ravissant manoir anglo-normand est un véritable havre de paix partagé entre romantisme et impressionnisme.

**CONQUES** *12320 Aveyron* 338 G3 *G. Midi-Pyrénées – 362 h alt. 350.*

Voir *Site★★ - Village★ – Abbatiale Ste-Foy★★ : tympan du portail occidental★★★ et trésor de Conques★★★ – Le Cendié★ O : 2 km par D 232 – Site du Bancarel★ S : 3 km par D 901.*

*Office du Tourisme, place de l'Abbatiale ✆ 05 65 72 85 00, Fax 05 65 72 87 03, conques@conques.com.*

*Paris 601 – Rodez 37 – Aurillac 54 – Espalion 42 – Figeac 43.*

**Ste-Foy** ⚲, Rue principale ✆ 05 65 69 84 03, *hotelsaintefoy@hotelsaintefoy.fr, Fax 05 65 72 81 04,* ≤, ⛱ – |♦| ♿ 🚗. AE ⓓ GB

*19 avril-19 oct.* – **Repas** (15) - 20 (déj.), 33/59 ♀ – ☕ 12,50 – **17 ch** 95/188 – ½ P 105/137.

◆ Demeure du 17e s. typiquement rouergate, contemplant la magnifique abbatiale. Vieilles pierres et meubles rustiques ou de style agrémentent aussi cette étape inspirée.

**Auberge St-Jacques** ⚲, ✆ 05 65 72 86 36, *info@aubergestjacques.fr, Fax 05 65 72 82 47,* ⛱ – GB

*fermé 2 janv. au 2 fév.* – **Repas** 14,50/42 ♀, enf. 10 – ☕ 6,80 – **13 ch** 43/57 – ½ P 43/49.

◆ Maison plusieurs fois centenaire où vous dormirez au calme dans des chambres rustiques de bon confort : saint Jacques veille sur vos nuits ! Bar-brasserie.

**au Sud** : *3 km sur D 901 – ✉ 12320 Conques :*

**Moulin de Cambelong** ⚲ avec ch, ✆ 05 65 72 84 77, *domaine-de-cambelong@wanadoo.fr, Fax 05 65 72 83 91,* ≤, ⛱, 🏊 – TV ♿ P. AE ⓓ GB

*fermé 5 nov. au 5 janv. , mardi, merc. de janv. à mars et le midi en semaine sauf fériés* – **Repas** 40 ♀ – ☕ 13 – **10 ch** 145/170 – ½ P 105/125.

◆ Beau moulin (18e s.) baigné par le Dourdou et entouré de verdure. Plaisante salle campagnarde et agréable terrasse d'été dominant la rivière. Chambres personnalisées.

**Le CONQUET** *29217 Finistère* 308 C4 *G. Bretagne – 2 149 h alt. 30.*

Voir *Site★.*

Excurs. *Île d'Ouessant★★ – Les Abers★★.*

*Office du Tourisme, Parc de Beauséjour ✆ 02 98 89 11 31, Fax 02 98 89 08 20, ot.conquet@wanadoo.fr.*

*Paris 620 – Brest 24 – Brignogan-Plages 65 – St-Pol-de-Léon 85.*

**Pointe Ste-Barbe** ⚲, ✆ 02 98 89 00 26, *hotelpointesaintebarbe@wanadoo.fr, Fax 02 98 89 14 81,* ≤ mer et les îles – |♦| TV ✆ ♿ P – 🏔 40. AE ⓓ GB. ✻ rest

*fermé mi-nov. à mi-déc.* – **Repas** *(fermé lundi du 15 sept. au 30 juin)* 17/77 ♀ – ☕ 6,30 – **48 ch** 32/107 – ½ P 46/82.

◆ La "figure de proue" de la station : imposante construction surplombant l'océan. Chambres modernes et panoramiques, plus simples et petites dans le bâtiment ancien.

**à la Pointe de St-Mathieu** *Sud : 4 km – ✉ 29217 Plougonvelin.*

Voir *Phare ✻★★ – Ruines de l'église abbatiale★.*

**Hostellerie de la Pointe St-Mathieu** M ⚲, ✆ 02 98 89 00 19, *saintmathieu.hotel.@wanadoo.fr, Fax 02 98 89 15 68,* ≤, 🏊 – |♦| TV ✆ ♿ – 🏔 25. AE GB. ✻ rest

*fermé fév.* – **Repas** *(fermé dim. soir sauf juil.-août)* 25/64 ♀ – ☕ 8 – **23 ch** 51/122 – ½ P 55/100,50.

◆ Le site est exceptionnel : cette hôtellerie du bout du monde se niche entre les phares et les vestiges de l'abbaye. Belles chambres confortables, à choisir avec balcon !

*Les prix*

*Pour toutes précisions sur les prix indiqués dans ce guide, reportez-vous aux pages explicatives.*

**Les CONTAMINES-MONTJOIE** *74170 H.-Savoie* 328 N6 *G. Alpes du Nord – 994 h alt. 1164 – Sports d'hiver : 1 165/2 500 m 4 22 .*

**Voir** *Le Signal★ (par télécabine).*

*Office du Tourisme, route de Notre-Dame de la Gorge 04 50 47 01 58, Fax 04 50 47 09 54, Les.Contamines@wanadoo.fr.*

*Paris 605 – Chamonix-Mont-Blanc 33 – Annecy 91 – Bonneville 50 – Megève 20.*

**Chemenaz,** près de la télécabine du Lay 04 50 47 02 44, *info@chemenaz.com, Fax 04 50 47 12 73,* , , , – TV P. GB
*hôtel : 14 juin-13 sept. et 20 déc.-10 avril –* ***Trabla*** *(1er juil.-31 août et 20 déc.-10 avril)* **Repas** 16/32bc, enf. 9 – 8,50 – **40 ch** 110/131 – ½ P 78/101.
◆ Sis aux hameaux du Lay, chalet moderne aux larges baies vitrées. Chambres équipées d'un mobilier en pin. À la Trabla, belle charpente et imposante cheminée centrale.

**Gai Soleil** , 04 50 47 02 94, *gaisoleil2@wanadoo.fr, Fax 04 50 47 18 43,* , – P. GB. rest
*15 juin-15 sept. et 20 déc.-20 avril –* **Repas** 16/23 – 8 – **19 ch** 49/67 – ½ P 56/60.
◆ Dominant la station, une ancienne ferme au toit recouvert de tavillons, joliment fleurie en saison. Chambres lambrissées. On est ici aux petits soins pour la clientèle.

**Grizzli** M sans rest, 148 rte Notre-Dame de la Gorge 04 50 91 56 55, *grizzlihotel@grizzli.com, Fax 04 50 91 57 00,* – TV. AE GB.
*fermé 1er au 15 mai et 15 au 30 nov. –* 6 – **16 ch** 54/60.
◆ La façade assez anodine contraste avec la chaleur du nouveau décor d'inspiration montagnarde. Bois et tissus colorés habillent les chambres, plus calmes sur l'arrière.

**Christiania,** 04 50 47 02 72, *hotelchristiana.@wanadoo.fr, Fax 04 50 47 06 90,* , , , , – TV P. GB
*20 juin-10 sept. et 20 déc.-15 avril –* **Repas** (dîner seul.) 17 – 6,50 – **14 ch** 34/69 – ½ P 55/58.
◆ Avenant chalet savoyard proche du téléski des Loyers. Chambres lambrissées. Raclettes et fondues sont servies dans le décor alpin de la salle à manger.

**CONTAMINE-SUR-ARVE** *74130 H.-Savoie* 328 L4 *– 1 125 h alt. 450.*

*Paris 547 – Annecy 45 – Thonon-les-Bains 36 – Chamonix-Mont-Blanc 62 – Genève 20.*

**Tourne Bride** avec ch, 04 50 03 62 18, *hotel-tourne-bride@wanadoo.fr, Fax 04 50 03 91 99 –* TV. GB
*fermé 21 juil. au 10 août, 5 au 18 janv., dim. soir et lundi –* **Repas** 12,50 (déj.), 21,50/37 – 6 – **8 ch** 37/45 – ½ P 39.
◆ La façade pimpante de cet ex-relais de poste attire l'oeil. L'écurie abrite désormais une coquette salle à manger campagnarde où l'on sert une cuisine traditionnelle soignée.

**CONTEVILLE** *27210 Eure* 304 C5 *– 701 h alt. 33.*

*Paris 180 – Le Havre 43 – Évreux 101 – Honfleur 15 – Pont-Audemer 13 – Pont-l'Évêque 28.*

**Auberge du Vieux Logis** (Louet), 02 32 57 60 16, *Fax 02 32 57 45 84 –* AE GB JCB
*fermé 17 nov. au 4 déc. et 16 fév. au 4 mars –* **Repas** *(fermé dim. soir sauf août, mardi d'oct. à avril et lundi)* 30/58 et carte 56 à 72.
◆ Coquette façade à pans de bois et intérieur normand de caractère avec colombages et murs de briques. La cuisine, personnalisée, revisite avec brio les "classiques" du terroir.
**Spéc.** Pavé de cabillaud à l'andouille, sauce au cidre. Canard sauvage et foie gras "vapeur" à l'orange et coriandre (saison). Baluchon de pommes et raisins confits, sabayon calvados.

**CONTRES** *41700 L.-et-Ch.* 318 F7 *– 2 979 h alt. 98.*

*Paris 203 – Tours 65 – Blois 22 – Châteauroux 79 – Montrichard 23.*

**France,** 02 54 79 50 14, *metivier@mond.net, Fax 02 54 79 02 95,* , , , – , rest, TV P – 30. GB. ch
*fermé dim. soir et lundi de Toussaint à Pâques –* **Repas** *(fermé 21 janv. au 19 mars)* 17/44 – 9 – **30 ch** 59/88, (en été : ½ pens. seul.) – ½ P 61/73.
◆ Malgré la proximité de la route, les chambres de cette jolie maison régionale, en majorité orientées côté piscine, sont au calme. Agréable terrasse dans une cour très fleurie.

**Botte d'Asperges,** 02 54 79 50 49, *Fax 02 54 79 08 74 –* GB
*fermé 24 déc. au 27 déc., dim. soir (sauf juil.-août) et lundi –* **Repas** *(10,70)* - 14 (déj.), 14,50/27 , enf. 8.
◆ Poutres apparentes et colombages participent, avec la fresque murale représentant un étang solognot, à l'atmosphère agreste de ce restaurant. Cuisine traditionnelle.

**CONTREVOZ** *01 Ain* 328 G6 *– rattaché à Belley.*

**CONTREXÉVILLE** *88140 Vosges* 314 D3 *G. Alsace Lorraine – 3 945 h alt. 342 – Stat. therm. (fin mars-mi oct.) – Casino* **Y**.

☐ *Office du Tourisme, 105 rue du Shah de Perse ☎ 03 29 08 08 68, Fax 03 29 08 25 40, contrex.tourisme@wanadoo.fr.*

*Paris 338 ③ – Épinal 47 ① – Langres 75 ② – Nancy 83 ① – Neufchâteau 28 ③.*

## CONTREXÉVILLE

Daudet (R.) .................... **Y** 2
Hazau (Av. du Bois d') .......... **Y** 5
Hirschauer (R. du Gén.) ......... **Y** 6
Moulin (R. Jean) ................ **Z** 9
Shah-de-Perse (R. du) ........... **Y** 10
Stanislas (R. du Roi) ........... **Z** 12
Thomson (R. Gaston) ............. **Z** 13
Victoire (R. de la) ............. **Y** 15
Wladimir (R. Grande-Duchesse) .. **Z** 16
Ziwer-Pacha (R.) ................ **Z** 18
11-Septembre (R. du) ............ **Y** 19

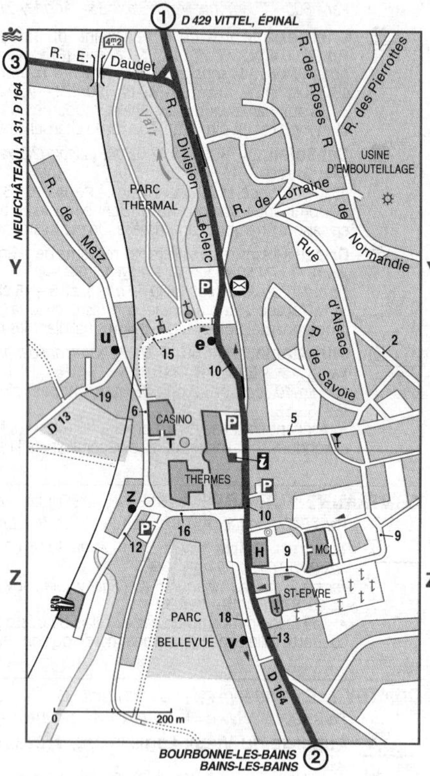

D 429 VITTEL, ÉPINAL
NEUFCHÂTEAU, A 31, D 164
R. E. Daudet
R. Division Leclerc
Vair
PARC THERMAL
R. de Metz
R. des Roses
R. des Pierrottes
USINE D'EMBOUTEILLAGE
R. de Lorraine
Rue de Normandie
R. d'Alsace
R. de Savoie
D 13
CASINO
THERMES
MCL
ST-EPVRE
PARC BELLEVUE
D 164
200 m
BOURBONNE-LES-BAINS
BAINS-LES-BAINS


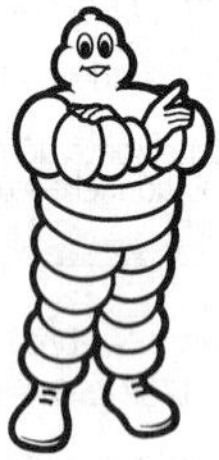

**Cosmos,** r. Metz ☎ 03 29 07 61 61, *contact@cosmos-hotel.com, Fax 03 29 08 68 67*, – 15 à 40. AE GB. rest **Y u**
**Repas** 33,60 – ☐ 7,70 – **77 ch** 66/81, 6 appart – ½ P 62/70.
◆ Jadis fréquenté par le schah, hôtel Belle Époque dans un parc (practice de golf). Chambres progressivement revues, hall majestueux, établissement thermal intégré, etc.

**Souveraine** sans rest, Parc Thermal ☎ 03 29 08 09 59 – P. AE GB **Y e**
*fermé 15 oct. au 15 mars* – ☐ 6,80 – **31 ch** 50/65.
◆ Ancienne résidence de la grande-duchesse Wladimir, tante de Nicolas II. Hauts plafonds, moulures, lits en cuivre... un décor "rétro" qui vous séduira. Chambres refaites.

**Villa Beauséjour,** 204 r. Ziwer-Pacha ☎ 03 29 08 04 89, *villa.beausejour@wanadoo.fr, Fax 03 29 08 62 28* – . GB. rest **Z v**
*30 mars-12 oct.* – **Repas** 19,50/38,50 ♀, enf. 9 – ☐ 8 – **30 ch** 40/46.
◆ Moins bruyantes, les chambres tournées vers la cour fleurie auront votre préférence. Agréable salon décoré à l'anglaise. À table : menus traditionnels et carte "minceur".

**France,** 58 av. Roi Stanislas ☎ 03 29 05 05 05, *mi.dodin@wanadoo.fr, Fax 03 29 08 69 96* – P. AE GB **Z z**
*fermé 15 déc. au 20 janv. et dim. soir du 20 janv. au 1er mars* – **Repas** 14/27 ♀ – ☐ 7 – **31 ch** 41/50 – ½ P 45.
◆ Cette façade pastel dissimule des chambres rénovées, mais simplement aménagées, et une salle à manger sobrement rustique. Petite terrasse. Clientèle de curistes.

**COQUELLES** *62 P.-de-C.* 301 D2 – *rattaché à Calais.*

## La COQUILLE 24450 Dordogne 329 G2 – 1 515 h alt. 337.

*Syndicat d'initiative - Mairie, ☎ 05 53 52 80 56, Fax 05 53 52 80 46.*

*Paris 434 – Limoges 45 – Brive-la-Gaillarde 86 – Périgueux 49.*

XX **Voyageurs** avec ch, N 21 ☎ 05 53 52 80 13, *lesvoyageurs.lacoquille@wanadoo.fr, Fax 05 53 62 18 29*, – GB
*fermé fév., dim. soir et lundi hors saison* – **Repas** 12 (déj.), 17/33 ♀, enf. 9 – ☕ 6,50 – **9 ch** 42/50 – ½ P 46.
◆ Au seuil du Périgord Vert, bâtisse couleur sable bordant la nationale. Salle rustique, agrémentée d'une collection de coqs et d'un original plafond peint. Chambres colorées.

## CORBEIL-ESSONNES 91 Essonne 312 D4 101 ㊲ – voir à Paris, Environs.

## CORBIGNY 58800 Nièvre 319 F8 *G. Bourgogne* – 1 802 h alt. 203.

*Office du Tourisme, 8 rue de l'Abbaye ☎ 03 86 20 02 53, Fax 03 86 20 07 52, ot sicorbigny@infonie.fr.*

*Paris 236 – Autun 77 – Avallon 39 – Clamecy 28 – Nevers 59.*

**Europe,** 7 Grande Rue ☎ 03 86 20 09 87, *hoteleuropelecepage@tiscali.fr, Fax 03 86 20 06 40*, – 20. GB
***Cépage*** *(fermé 23 fév. au 21 mars, dim. soir, merc. soir et jeudi sauf juil.-août)* **Repas** 18,50/36♀, enf. 9,90 – ***Bistrot*** *(fermé 23 fév. au 21 mars, dim. soir, merc. soir et jeudi sauf juil.-août)* **Repas** 9,20/15,65 ♀, enf.8,20 – ☕ 6,15 – **18 ch** 42/59 – ½ P 35/46,50.
◆ Plaisantes chambres rénovées et deux formules de restauration : le Cépage - jolie mise en place et plats traditionnels - et le Bistrot doté d'une petite carte régionale.

**Buissonnière,** pl. St-Jean ☎ 03 86 20 02 13, *Fax 03 86 20 13 85*, – . AE GB
*fermé janv.* – ***Marode*** ☎ *03 86 20 13 55 (fermé fév., dim. soir et lundi)* **Repas** 9,20/46 ♀ – ☕ 5,50 – **23 ch** 40,50/48 – ½ P 37,40.
◆ Chambres crépies et mobilier fonctionnel avec, parfois, vue sur la campagne pour cet hôtel situé au centre de la localité. Spacieuse salle à manger au cadre moderne.

*Michelin n'accroche pas de panonceau aux hôtels et restaurants qu'il signale.*

## CORDES-SUR-CIEL 81170 Tarn 338 D6 *G. Midi-Pyrénées* – 932 h alt. 279.

*Voir Site★★ – La Ville haute★★ : maisons gothiques★★ - musée d'Art et d'Histoire Charles-Portal★ – Musée de l'Outil et des Métiers anciens★ à Vindrac-Alayrac O : 5 km.*

*Office du Tourisme, Maison Fonpeyrouse ☎ 05 63 56 00 52, Fax 05 63 56 19 52, officedutourisme.cordes@wanadoo.fr.*

*Paris 661 – Toulouse 82 – Albi 25 – Rodez 79 – Villefranche-de-Rouergue 46.*

**Grand Écuyer** (Thuriès) ☎ 05 63 53 79 50, *grand.ecuyer@thuries.fr, Fax 05 63 53 79 51*, ≤ vallée – rest, . AE GB. rest
*Rameaux-nov.* – **Repas** *(fermé le midi en semaine et lundi sauf août)* 28 (déj.), 38/105 et carte 70 à 85 ♀ – ☕ 11 – **13 ch** 115/137 – ½ P 110.
◆ Demeure gothique au bel intérieur, sise dans l'une des pittoresques ruelles pavées du village perché. Raymond VII en fit sa résidence de chasse. Cuisine régionale.
**Spéc.** Duo de foie gras de canard. Pigeonneau confit à l'huile d'olive. Gratin de fraises des bois. **Vins** Gaillac, Marcillac.

**Hostellerie du Vieux Cordes** ☎ 05 63 53 79 20, *vieux.cordes@thuries.fr, Fax 05 63 56 02 47*, ≤, – – 20 à 50. AE GB
*fermé janv.* – **Repas** *(fermé dim. soir et lundi du 1er nov. à Pâques)* 13,50/32,10 ♀, enf. 7,70 – ☕ 6,50 – **21 ch** 44/62,50 – ½ P 50.
◆ Dans les murs d'un monastère. Un bel escalier à vis mène aux chambres sobrement décorées. Patio ombragé d'une glycine. Deux thèmes à la carte : saumon et canard.

**Annexe La Cité** sans rest, ☎ 05 63 56 03 53, *vieux.cordes@thuries.fr, Fax 05 63 56 02 47*, ≤ – . AE GB
*Pâques-mi-oct.* – ☕ 6 – **8 ch** 45/50.
◆ Au fond d'une cour intérieure, dans une maison du 13e s. intégrée aux remparts, chambres plus ou moins spacieuses, au décor déjà ancien, mais bien tenues.

## CORDON 74700 H.-Savoie 328 M5 *G. Alpes du Nord* – 766 h alt. 871.

*Voir Site★.*

*Office du Tourisme, La Frasse ☎ 04 50 58 01 57, Fax 04 50 91 25 36, ot.cordon @wanadoo.fr.*

*Paris 589 – Chamonix-Mont-Blanc 31 – Annecy 74 – Bonneville 33 – Megève 10.*

**Les Roches Fleuries** , ✆ 04 50 58 06 71, *info@rochesfleuries.com, Fax 04 50 47 82 30,* ≤ chaîne Mont-Blanc, , , , – TV P – 30. AE GB JCB. rest
*10 mai-25 sept. et mi-déc.-mi-avril* – **Repas** *(fermé lundi midi et mardi midi sauf vacances scolaires)* 28 (déj.), 38/60 ♀ - ***Boîte à Fromages*** (dîner seul.)(prévenir) *(juin-sept., 20 déc.-fin mars et fermé lundi sauf vacances scolaires)* **Repas** 29♀ – 13 – **21 ch** 110/205, 4 appart – ½ P 110/145.
◆ Ravissant chalet fleuri perché sur les hauteurs du "balcon du mont Blanc". Chaleureux intérieur tout bois et mobilier savoyard ancien. Cuisine classique ou fromagère.

**Chamois d'Or** , ✆ 04 50 58 05 16, *hotel@hotel-chamoisdor.com, Fax 04 50 93 72 96,* ≤ chaîne Mont-Blanc, , , , , – TV P. AE GB JCB
*1er juin-mi-sept. et 21 déc.-début avril* – **Repas** *(fermé jeudi midi)* 22/45 ♀ – 13 – **28 ch** 98/130 – ½ P 105.
◆ Chalet de style autrichien, régulièrement rénové, intéressant pour ses équipements de loisirs. Chambres lambrissées, égayées de jolis tissus. Confortable salon.

**Cordonant** , ✆ 04 50 58 34 56, *lecordonant@wanadoo.fr, Fax 04 50 47 95 57,* ≤ chaîne Mont-Blanc, , – TV P. GB. rest
*20 mai-20 sept. et 20 déc.-15 avril* – **Repas** 21/29 – 7 – **16 ch** 56/70 – ½ P 67/75.
◆ Pimpant chalet à la chaleureuse ambiance familiale. Beaux meubles en bois peint dans les chambres rénovées ; préférez celles avec balcon, côté vallée. Cuisine régionale.

**Les Rhodos** , ✆ 04 50 58 13 54, *mail@hotelrhodos.com, Fax 04 50 58 57 23,* ≤ chaîne Mont-Blanc – TV P. GB
*fermé 30 avril au 30 mai et 30 sept. au 20 déc.* – **Repas** 14/18 – 7,50 – **25 ch** 46,30/56,20 – ½ P 40/44.
◆ Cet établissement situé au pied d'un téléski bénéficie d'une vue plongeante sur la station. Chambres simples ; certaines sont plus actuelles. Pour petits budgets.

**Planet** , ✆ 04 50 58 04 91, *Fax 04 50 91 38 07,* ≤ chaîne Mont-Blanc, – P. GB
*1er juin-15 sept. et 20 déc.-15 avril* – **Repas** 16/23 ♀, enf. 10 – 6,10 – **28 ch** 53 – ½ P 47/50.
◆ La plupart des chambres, bien exposées côté vallée, ont été refaites ; elles sont dotées de salles de bains modernes. Restaurant panoramique au cadre rustique.

---

**CORENC** *38 Isère* 333 H6 – *rattaché à Grenoble.*

---

**CORMATIN** *71460 S.-et-L.* 320 I10 *G. Bourgogne – 468 h alt. 212.*
Voir Château★★.
*Paris 372 – Chalon-sur-Saône 37 – Mâcon 36 – Montceau-les-Mines 41.*

**Blés d'Or,** ✆ 03 85 50 10 94, *contact@hotel-cormatin.com, Fax 03 85 50 13 23,* – TV
**Repas** 15/22 ♀ – 8 – **15 ch** 62/120 – ½ P 50/80.
◆ L'hôtel voisine avec le célèbre château du 17e s. Chambres d'esprit rustique, certaines avec poutres et pierres apparentes. Buffet de hors-d'oeuvre et cuisine traditionnelle.

---

**CORMEILLES** *27260 Eure* 304 C6 – *1 069 h alt. 80.*
*Office du Tourisme, 14 place du Mont Mirel ✆ 02 32 56 02 39, Fax 02 32 42 32 66.*
*Paris 180 – Bernay 430 – Lisieux 19 – Pont-Audemer 17 – Pont-l'Évêque 17.*

**Auberge du Président,** ✆ 02 32 57 80 37, *aubergedupresident@wanadoo.fr, Fax 02 32 57 88 31* – TV P. AE GB
*fermé 15 au 20 janv. et 9 au 17 mars* – **Repas** *(fermé dim. soir hors saison et lundi)* 16/30 ♀ – 8 – **13 ch** 44/68 – ½ P 42/64.
◆ L'enseigne rend hommage au président de la République René Coty qui séjourna à l'hôtel. Choisissez une chambre rénovée et attablez-vous dans la plaisante salle à manger normande.

---

**CORMEILLES-EN-VEXIN** *95 Val-d'Oise* 305 D6 106 (50) – *voir à Paris, Environs (Cergy-Pontoise).*

---

**CORMERY** *37320 I.-et-L.* 317 N5 *G. Châteaux de la Loire – 1 323 h alt. 59.*
*Syndicat d'Initiative, 13 rue Nationale ✆ 02 47 43 30 84, Fax 02 47 43 18 73.*
*Paris 255 – Tours 20 – Blois 64 – Château-Renault 49 – Loches 22 – Montrichard 33.*

**Auberge du Mail,** pl. Mail ✆ 02 47 43 40 32, *Fax 02 47 43 08 72,* – AE GB
*fermé 22 au 25/4, 28/6 au 5/7, 24/12 au 9/1, vend sauf le soir en juil-août, jeudi soir de sept à juin et sam. midi* – **Repas** 17/48 bc ♀, enf. 10.
◆ Maison de pays proche de l'abbaye célèbre pour ses macarons. Cadre rustico-bourgeois dans la salle à manger et reposante terrasse ombragée par des tilleuls et une glycine.

**Auberge des 2 Cèdres,** av. Gare ✆ 02 47 43 03 09, – GB
*fermé 7 au 21 juil., vacances de fév., de Toussaint, merc. soir et mardi du 15 déc. au 31 mars, dim. soir et lundi* – **Repas** 10,50 (déj.), 14/31 ♀, enf. 7.
◆ Faux air de guinguette pour cette bâtisse régionale située non loin de la gare. Cadre très simple et terrasse dressée dans un minijardin. Accueil charmant et cuisine familiale.

---

**CORNILLON** *30630 Gard* 339 L3 *G. Provence – 609 h alt. 168.*
*Paris 670 – Alès 47 – Avignon 50 – Bagnols-sur-Cèze 17 – Pont-St-Esprit 25.*

**Vieille Fontaine** avec ch, ✆ 04 66 82 20 56, *vieillefontaine@libertysurf.fr, Fax 04 66 82 33 64,* ≤ vallée de la Cèze, , , – . AE GB
*mars-nov* – **Repas** *(fermé lundi au merc. d'oct. à avril)* (dîner seul. en juil.-août sauf dim.et feriés) 35/55 – 10 – **8 ch** 100/145 – ½ P 85/107,50.
◆ Maison de caractère adossée aux murailles médiévales. Chambres coquettes, salle à manger voûtée, piscine et jardin en terrasses dominant la vallée.

---

**CORPS** *38970 Isère* 333 I9 *G. Alpes du Sud – 512 h alt. 939.*
Voir *Barrage★★ et pont★ du Sautet O : 4 km.*
*Syndicat d'Initiative, route Napoléon ✆ 04 76 30 03 85, Fax 04 76 30 03 85.*
*Paris 631 – Gap 40 – Grenoble 67 – La Mure 25.*

**Tilleul,** ✆ 04 76 30 00 43, *hotel.restaurant.du.tilleul@wanadoo.fr, Fax 04 76 30 06 12,* – . AE GB JCB
*fermé 3 nov. au 15 déc.* – **Repas** 12,10/28 ♀, enf. 8 – 5,60 – **17 ch** 36/55 – ½ P 40.
◆ Sur la route Napoléon et au coeur du vieux village. Chambres fraîches et bien tenues, plus calmes à l'annexe. Salle de restaurant à l'ambiance campagnarde. Accueil charmant.

**Napoléon** sans rest, ✆ 04 76 30 00 42, *hotelnapoleon@wanadoo.fr, Fax 04 76 30 06 83* – . GB
*1er mai-15 oct. et 8 fév.-10 mars* – 6 – **22 ch** 43/50.
◆ Dans une vaste bâtisse, petites chambres claires récemment ravivées, équipées d'un mobilier de facture artisanale. Salle des petits-déjeuners aux tons pastel.

**Poste** avec ch, ✆ 04 76 30 00 03, *delas-hotel-restaurant@wanadoo.fr, Fax 04 76 30 02 73,* – . AE GB
*fermé 2 janv. au 15 fév.* – **Repas** 19,50/39 ♀ – 7 – **18 ch** 38/69 – ½ P 41/61.
◆ Pimpante façade colorée et fleurie. Intérieur avec mobilier de style Louis XIII, limonaire et accumulation de tableaux et bibelots. Terrasse protégée de la route.

---

**CORRENÇON-EN-VERCORS** *38 Isère* 333 G7 – *rattaché à Villard-de-Lans.*

---

**CORRENS** *83570 Var* 340 L5 – *569 h alt. 190.*
*Syndicat d'Initiative, place Général de Gaulle ✆ 04 94 37 21 95, Fax 04 94 37 21 99, mairie-correns@wanadoo.fr.*
*Paris 826 – Aix-en-Provence 72 – Draguignan 578 – Toulon 63.*

**Auberge du Parc** avec ch, ✆ 04 94 59 53 52, *aubergeduparc@wanadoo.fr, Fax 04 94 59 53 54,* , – . AE GB
**Repas** *(fermé dim. soir au jeudi midi de nov. à avril et mardi en saison)* 38/45 – 11 – **6 ch** 100/130.
◆ Auberge originalement décorée (surtout les chambres, ornées de fresques et trompe-l'oeil). Le menu unique, changé chaque jour, met en valeur les produits du terroir.

---

**CORRÈZE** *19800 Corrèze* 329 M3 *G. Berry Limousin – 1 145 h alt. 455.*
*Office du Tourisme, place de la Mairie ✆ 05 55 21 32 82, Fax 05 55 21 63 56, correze.village@wanadoo.fr.*
*Paris 480 – Brive-la-Gaillarde 46 – Aubusson 97 – Tulle 19 – Uzerche 35.*

**Seniorie de Corrèze** , ✆ 05 55 21 22 88, *hotelseniorie@wanadoo.fr, Fax 05 55 21 24 00,* ≤, , , , – – 30. AE GB.
*fermé 20 au 27 déc., fév., sam. (sauf rest.), dim. et lundi de nov. à mars* – **Repas** 20/30 – 10 – **29 ch** 90/125 – ½ P 67.
◆ Ce majestueux édifice du 19e s., jadis pensionnat pour jeunes filles, domine la cité médiévale. Chambres très spacieuses, pour la plupart rénovées. Cuisine classique.

*Ecrivez-nous...*
*Vos louanges comme vos critiques seront examinées avec le plus grand soin. Nous reverrons sur place les informations que vous nous signalez.*
*Par avance merci !*

# CORSE

345 *G. Corse - 249 729 h.*

## RENSEIGNEMENTS PRATIQUES

### TRANSPORTS MARITIMES

*Depuis la France continentale les relations avec la Corse s'effectuent à partir de Marseiile, Nice et Toulon*

*au départ de Marseille : SNCM - 61 bd des Dames (2ᵉ) ☎ 08 36 67 95 00, Fax 04 91 56 95 86. CMN - 4 quai d'Arenc (2ᵉ) ☎ 04 91 99 45 00, Fax 04 91 99 45 52.*

*au départ de Nice : SNCM - Ferryterranée quai du Commerce ☎ 04 93 13 66 99, Fax 04 93 13 66 81. CORSICA FERRIES - quai Amiral Infernet ☎ 04 92 00 42 93, Fax 04 92 00 42 94.*

*au départ de Toulon : SNCM/CMT - 49 av. Infanterie de Marine (1er avr.-30 sept.) ☎ 04 94 16 66 66, Fax 04 94 16 66 68.*

### AÉROPORTS

*La Corse dispose de quatre aéroports assurant des relations avec le continent, l'Italie et une partie de l'Europe :*

*Ajaccio ☎ 04 95 23 56 56, Calvi ☎ 04 95 65 88 88, Bastia ☎ 04 95 54 54 54 , et Figari-Sud-Corse ☎ 04 95 71 10 10 (Bonifacio et Porto-Vecchio).*

*Voir aussi au texte de ces localités.*

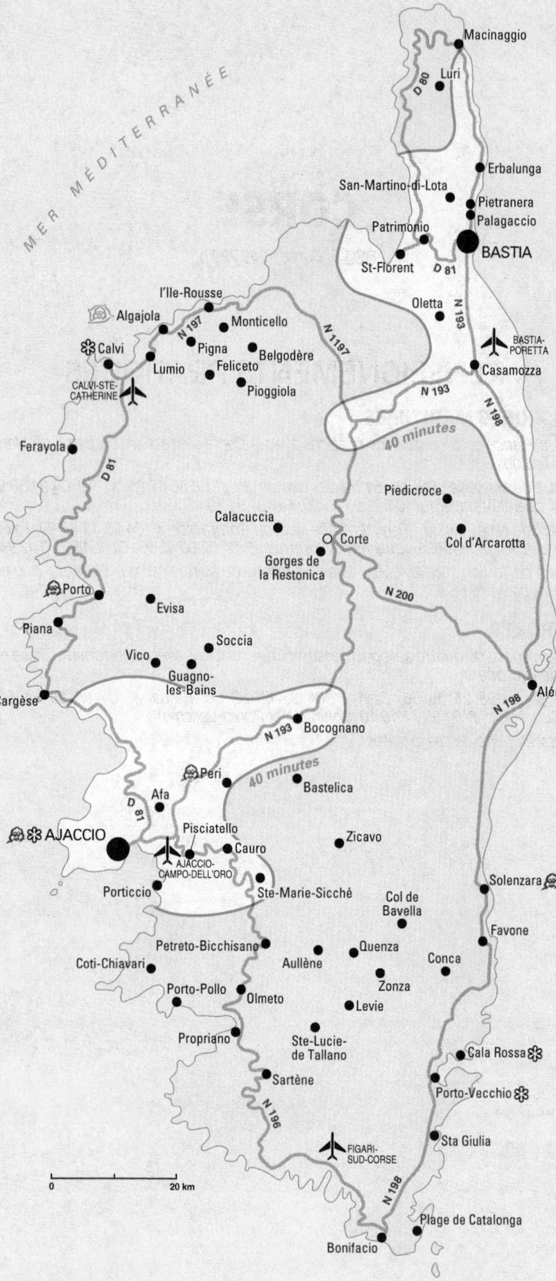
MER MÉDITERRANÉE
Macinaggio
Luri
D 80
Erbalunga
San-Martino-di-Lota
Pietranera
Palagaccio
Patrimonio
BASTIA
St-Florent
D 81
l'Ile-Rousse
Algajola
Monticello
N 197
Pigna
Belgodère
Calvi
Lumio
Feliceto
Pioggiola
CALVI-STE-CATHERINE
N 1197
Oletta
N 193
BASTIA-PORETTA
Casamozza
N 193
N 198
40 minutes
Ferayola
D 81
Piedicroce
Calacuccia
Corte
Col d'Arcarotta
Gorges de la Restonica
N 200
Porto
Evisa
Piana
Soccia
Vico
Guagno-les-Bains
Cargèse
Aléria
N 198
N 193
Bocognano
Peri
40 minutes
Bastelica
Afa
D 81
AJACCIO
Pisciatello
Cauro
Zicavo
AJACCIO-CAMPO-DELL'ORO
Porticcio
Ste-Marie-Sicché
Solenzara
Col de Bavella
Favone
Petreto-Bicchisano
Aullène
Quenza
Coti-Chiavari
Conca
Zonza
Porto-Pollo
Olmeto
Levie
Propriano
Ste-Lucie-de Tallano
Cala Rossa
Sartène
Porto-Vecchio
N 196
Sta Giulia
FIGARI-SUD-CORSE
0
20 km
N 198
Plage de Catalonga
Bonifacio

**Ajaccio** P 2A Corse-du-Sud 345 B8 – 58 315 h – Casino **Z** – ✉ 20000.

Voir *Vieille Ville★ - Musée Fesch★★ : peintures italiennes★★★ – Maison Bonaparte★ – Musée Napoléonien★ (1er étage de l'hôtel de ville) – Jetée de la Citadelle ≤★ – Place Gén.-de-Gaulle ou Place du Diamant≤★.*

Env. *Golfe d'Ajaccio★★ – Les Milelli★ 5 km au NO par ①.*

Excurs. *aux Iles Sanguinaires★★.*

*d'Ajaccio-Campo dell'Oro : ☎ 04 95 23 56 56, par ① : 7 km.*

*OMT, boulevard du Roi Jérôme ☎ 04 95 51 53 03, Fax 04 95 51 53 01, ajaccio.tourisme @wanadoo.fr.*

*Bastia 146 ① – Bonifacio 132 ① – Calvi 165 ① – Corte 80 ① – L'Ile-Rousse 141 ①.*

Plans page suivante

**Fesch** sans rest, 7 r. Cardinal Fesch ☎ 04 95 51 62 62, *Fax 04 95 21 83 36* – AE GB JCB Z y
*fermé 20 déc. au 20 janv.* – 6,80 – **77 ch** 65/97.
◆ Dans une rue piétonne du centre-ville. Un réseau un peu déroutant de couloirs mène à des chambres crépies, spacieuses, au mobilier d'inspiration corse.

**Napoléon** sans rest, 4 r. Lorenzo Vero ☎ 04 95 51 54 00, *info@hotel-napoleon-ajaccio.com, Fax 04 95 21 80 40* – AE GB Z s
8 – **62 ch** 79/89.
◆ La rue, perpendiculaire au cours Napoléon, est assez calme. Chambres fonctionnelles, dans l'attente d'une cure de jouvence. Accueil souriant.

**San Carlu** sans rest, 8 bd Casanova ☎ 04 95 21 13 84, *Fax 04 95 21 09 99* – AE GB JCB Z f
*fermé 20 déc. au 31 janv.* – 8 – **40 ch** 82/106.
◆ Hôtel dominant la citadelle (domaine militaire) et voisin de la plage St-François. Amples chambres bien équipées, dépourvues de climatisation, mais correctement insonorisées.

**Impérial,** 6 bd Albert 1er ☎ 04 95 21 50 62, *Fax 04 95 21 15 20*, – rest, AE GB. rest Y a
*mars-nov.* – **Repas** 20 – 6,50 – **57 ch** 66/75 – ½ P 49/60.
◆ Petit immeuble en lisière de ville, que seule une placette sépare de la mer. Chambres de bonne ampleur. Restaurant et bar décorés de toiles du patron, peintre à ses heures.

**Marengo** sans rest, 2 r. Marengo ☎ 04 95 21 43 66, *Fax 04 95 21 51 26* – GB. Y n
*25 mars-5 nov.* – 5,80 – **16 ch** 59.
◆ Légèrement excentré et dans un quartier calme, petit établissement familial aux chambres simples, mais fraîches et bien tenues. Bon accueil.

**Grand Café Napoléon,** 10 cours Napoléon ☎ 04 95 21 42 54, *cafe.napoleon@wanadoo.fr, Fax 04 95 21 53 32* – GB Z d
*fermé 24 déc. au 1er janv., sam. soir, dim. et fériés* – **Repas** 16 (déj.), 28/44 ♀.
◆ La vaste salle napoléonienne de l'ancien café chantant résonne encore d'airs de bel canto. Cuisine au goût du jour. Sur rue, terrasse-limonade très prisée.

**A La Funtana,** 9 r. Notre Dame ☎ 04 95 21 78 04, *Fax 04 95 51 40 56* – AE GB JCB Z a
*fermé dim. et lundi* – **Repas** *(12,50)* - 23/46 ♀.
◆ Restaurant voisin de la cathédrale (16e s.) où fut baptisé Napoléon Bonaparte. Aménagements de caractère - murs crépis et poutres apparentes - et cuisine au goût du jour.

**Floride,** au port Charles Ornano ☎ 04 95 22 67 48, *Fax 04 95 23 31 16*, ≤, – AE GB Y b
*fermé dim. midi en saison, sam. midi et dim. soir* – **Repas** 32/57 ***Bistrot*** ☎ 04 95 22 70 10 *(fermé le midi de juin à sept. et dim. midi)* **Repas** carte 20 à 40.
◆ Au premier étage, se donnant un air de capitainerie, salle et véranda-terrasse avec vue panoramique sur le port. Produits de la mer. L'été, carte plus simple au Bistrot.

**Le 20123,** 2 r. Roi de Rome ☎ 04 95 21 50 05, *Fax 04 95 24 22 24*, – Z v
*fermé 15 janv. au 15 fév., le midi et lundi* – **Repas** (prévenir) 26.
◆ Seule besogne qui vous incombera au coeur de cette évocation d'un village corse : puiser votre eau à la fontaine de la "place". Cuisine du terroir annoncée verbalement.

**U Pampasgiolu,** 15 r. Porta ☎ 04 95 50 71 52, – GB Z r
*fermé dim. sauf le soir de juin à sept. et sam. midi* – **Repas** 20/22 ♀.
◆ Salle à manger voûtée où l'on propose un copieux menu composé de plats corses servis sur une planche de bois : un "spuntinu" (casse-croûte) convivial et original.

**Bec Fin,** 3 bis bd Roi Jérôme ☎ 04 95 21 30 52, *Fax 04 95 21 30 52* – AE GB Z k
*fermé 15 sept. au 15 oct., lundi soir en hiver, dim. et fériés* – **Repas** 12,50/25.
◆ Face à une esplanade verdoyante, une salle sobre et spacieuse, fréquentée à midi par les habitués, et davantage par les touristes le soir. Cuisine traditionnelle.

# AJACCIO

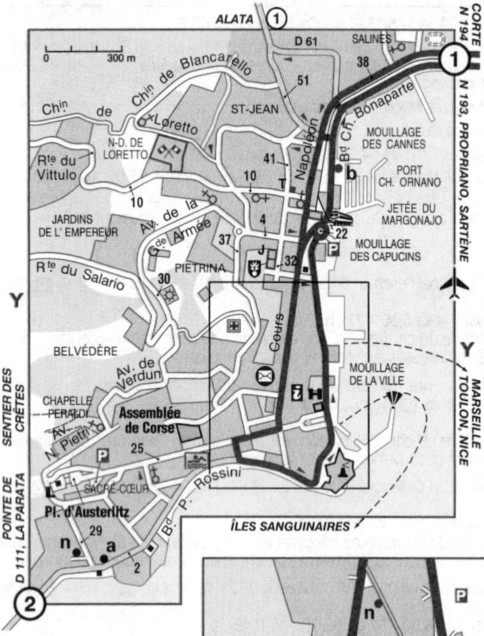

ALATA
1
CORTE N 194
N 193, PROPRIANO, SARTÈNE
0 300 m
D 61
SALINES
38
51
Ch^in de Blancarello
Ch^in de Loretto
ST-JEAN
Bd Ch. Bonaparte
MOUILLAGE DES CANNES
N.-D. DE LORETTO
Rte du Vittulo
41
Napoléon
b
PORT CH. ORNANO
10
T
JETÉE DU MARGONAJO
JARDINS DE L' EMPEREUR
Av. de la Gde Armée
4
22
37
J
MOUILLAGE DES CAPUCINS
Rte du Salario
PIETRINA
32
30
Y
BELVÉDÈRE
Cours
Av. de Verdun
MOUILLAGE DE LA VILLE
H
SENTIER DES CRÊTES
CHAPELLE PERALDI
Assemblée de Corse
Av. N. Pietri
25
MARSEILLE TOULON, NICE
Y
SACRÉ-CŒUR
Bd P. Rossini
Pl. d'Austerlitz
29
n
a
2
ÎLES SANGUINAIRES
POINTE DE LA PARATA
D 111, LA PARATA
2


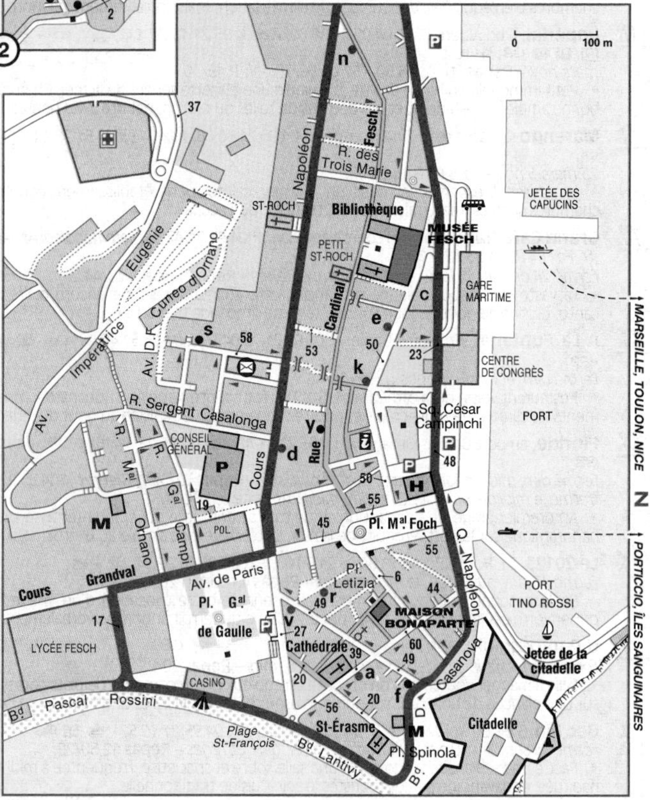

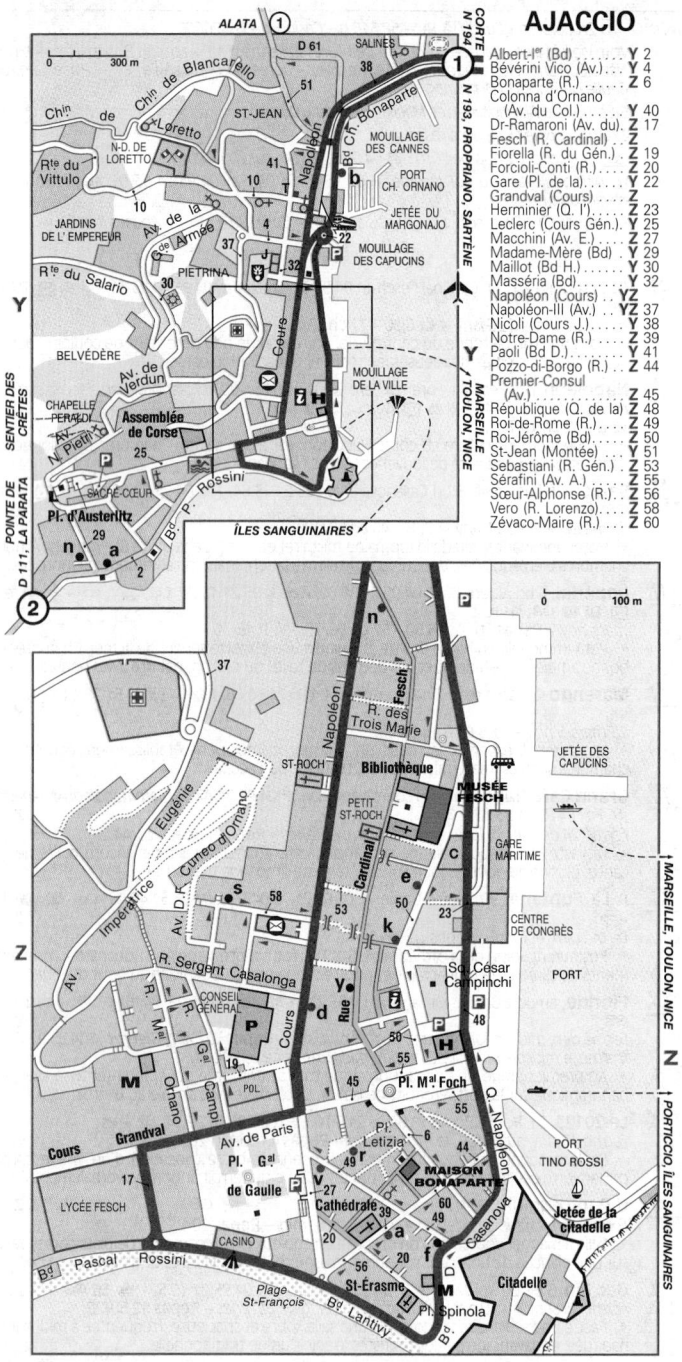

0 100 m
n
37
Fesch
R. des Trois Marie
Napoléon
Eugénie
ST-ROCH
Bibliothèque
MUSÉE FESCH
JETÉE DES CAPUCINS
PETIT ST-ROCH
Cuneo d'Ornano
Cardinal
c
GARE MARITIME
e
s
58
53
50
23
Impératrice
Av. D.R.
k
CENTRE DE CONGRÈS
MARSEILLE, TOULON, NICE
Z
R. Sergent Casalonga
Sq. César Campinchi
PORT
Av.
y
CONSEIL GÉNÉRAL
d
Rue
48
R. Mal Ornano
R. Gal Campi
Cours
P
50
H
Z
55
M
19
POL.
45
Pl. Mal Foch
55
Cours Grandval
Av. de Paris
Pl. Letizia
6
PORT TINO ROSSI
Q. Napoléon
44
Pl. Gal de Gaulle
49
r
MAISON BONAPARTE
17
v
27
LYCÉE FESCH
Cathédrale
39
60
49
Jetée de la citadelle
20
a
CASINO
Bd D. Casanova
f
Bd Pascal Rossini
56
20
Plage St-François
St-Érasme
M
Citadelle
PORTICCIO, ÎLES SANGUINAIRES
Bd Lantivy
Pl. Spinola
Bd

X **Piano,** 13 bd Roi Jérôme ✆ 04 95 51 23 81, *Fax 04 95 20 95 98,* ☂ – ▤. GB Z e
*fermé 2 nov. au 2 déc., lundi et mardi midi de juin à sept., merc. en janv. et mai* – **Repas** 11,50 (déj.), 18,50/30,50 ♀.
◆ Coquet restaurant à deux pas du musée Fesch. Petit intérieur voûté, décoré de masques vénitiens. Terrasse dressée face au boulevard ombragé. Carte traditionnelle.

X **France,** 59 r. Cardinal Fesch ✆ 04 95 21 11 00, ☂ – AE ⓞ GB Z n
*fermé nov. et dim.* – **Repas** 15/20 ♁.
◆ À l'extrémité d'une rue piétonne, mignonne salle à manger voûtée, à la décoration simple mais accueillante, où l'on propose cuisine traditionnelle et spécialités régionales.

**à Afa** *par ① : 15 km par rte de Bastia et D 161 – 1 726 h. alt. 150 – ✉ 20167 Mezzavia :*

XX **Auberge d'Afa,** ✆ 04 95 22 92 27, *Fax 04 95 22 92 27,* ☂ – P. AE ⓞ GB
*fermé 1^er au 15 nov., 1^er au 15 fév. et lundi sauf août* – **Repas** (nombre de couverts limité, prévenir) 16 (déj.)/24,50.
◆ Avenante auberge aux abords fleuris nichée aux portes du village. Salle à manger spacieuse et colorée prolongée par une terrasse. Cuisine traditionnelle.

**Plaine de Cuttoli par** *① : 15 km par rte de Bastia, rte de Cuttoli (D 1) puis rte de Bastelicaccia – ✉ 20167 Mezzavia :*

XX **U Licettu,** ✆ 04 95 25 61 57, *Fax 04 95 53 71 00,* ≤, ☂, ⛱ – P. GB
*fermé janv. et lundi* – **Repas** (prévenir)(menu unique) 33,50 bc.
◆ Villa dominant le golfe et noyée sous les fleurs, accueil charmant, cuisine corse copieuse et savoureuse (charcuteries maison) : de bonnes raisons de ne pas prendre le maquis !

XX **A Casetta,** ✆ 04 95 25 66 59, *acasetta@infonie.fr, Fax 04 95 25 87 67,* ☂ – P. AE ⓞ GB
*fermé dim. soir hors saison et lundi* – **Repas** 33,50/43,50.
◆ Restaurant apprécié pour sa fraîche salle rustique, sa terrasse fleurie où il fait bon s'attarder, sa cuisine du terroir, ses grillades et pizzas. Tentant, n'est-ce pas ?

**à Pisciatello** *par ① et N 196 : 12 km – ✉ 20129 Bastelicaccia :*

X **Auberge du Prunelli,** ✆ 04 95 20 02 75, ☂ – GB
*fermé avril et mardi* – **Repas** 17,50/29 bc ♀.
◆ Maison corse du 19^e s. jouxtant le pont ancien qui traverse le Prunelli. Cuisine du terroir, produits du verger et du potager servis dans un agréable cadre rustique.

**rte des îles Sanguinaires** *par ② – ✉ 20000 Ajaccio :*

⌂⌂⌂ **Dolce Vita** ◈, à 9 km ✆ 04 95 52 42 42, *hotel.dolcevita@wanadoo.fr, Fax 04 95 52 07 15,* ≤ Iles Sanguinaires et le golfe, ☂, ⛆, ⛱, ⛱ – ▤ ch, TV P – 🏟 35. AE ⓞ GB. ✂ rest
*1^er avril-31 oct.* – ***Mer :*** **Repas** 38,50/52,80 et carte 70 à 100 ♀ – ☕ 15,80 – **32 ch** 320,40/393,80, (1/2 Pens. seul. en saison) – 1/2 P 166,20/196,90.
◆ Dolce Vita... Et si Anita Ekberg surgissait de la piscine ? Il faut dire que ce lieu de villégiature couru est bien séduisant avec ses chambres orientées côté mer. Le restaurant dont la terrasse en bord de plage offre une vue époustouflante, régalera les fins palais de saveurs iodées.
**Spéc.** Fleur de courgette farcie aux langoustines. Dos de denti rôti, gnocchi de pomme de terre. Pigeon cuit dans un pain à la farine de châtaigne. **Vins** Coteaux d'Ajaccio.

⌂⌂⌂ **Eden Roc** ◈, à 10 km ✆ 04 95 51 56 00, *edenroc@wanadoo.fr, Fax 04 95 52 05 03,* ≤ golfe, ☂, Fø, ⛆, ⛱ – |‡| ▤ TV ✆ P – 🏟 80. AE ⓞ GB JCB. ✂ rest
**Repas** 38 ♀, enf. 20 – ☕ 18 – **48 ch** 232/537 – 1/2 P 209,50.
◆ Belle situation dominant le golfe, piscine nichée dans un jardin d'éden ombragé de quelques palmiers et chambres relookées ouvertes sur la mer : l'adresse a bien des atouts.

⌂⌂⌂ **Cala di Sole** ◈, à 6 km ✆ 04 95 52 01 36, *caladisole@annuaire-corse.com, Fax 04 95 52 00 20,* ≤ mer, ⛆, ⛱, ✗ – ▤ rest, TV ✆ P. AE ⓞ GB. ✂ rest
*1^er avril-15 oct.* – **Repas** carte 40 à 58 – **31 ch** (1/2 pens. seul.) – 1/2 P 125.
◆ Séjour tonique dans une construction moderne "les pieds dans l'eau" : plage privée, piscine, fitness, plongée, jet-ski et planche à voile à disposition. Chambres avec terrasse.

⌂⌂ **Pinède** M ◈ sans rest, à 3,5 km ✆ 04 95 52 00 44, *hotelpinede@wanadoo.fr, Fax 04 95 52 09 48,* ≤, ⛆, ⛱, ✗ – |‡| ▤ TV ✆ ♿ P. AE ⓞ GB. ✂
☕ 6 – **38 ch** 120/150.
◆ Le jardin de ce bâtiment contemporain et sa piscine bordée de pins incitent au farniente. Chambres actuelles, en majorité tournées vers la baie. Plage de Barbicaja à proximité.

XX **Palm Beach,** à 5 km ✆ 04 95 52 01 03, *noble@studio2prod.com, Fax 04 95 52 02 89,* ≤, ☂, ⛱ – ▤. AE ⓞ GB JCB. ✂
**Repas** 23/50, enf. 10.
◆ Avec en premier plan la "grande bleue", restaurant de plage aménagé dans un esprit méditerranéen sobre et raffiné. À la carte, le poisson est roi.

**Nausicaa,** à 7 km ✆ 04 95 52 01 42, *Fax 04 95 52 01 42*, ≤, – P. AE GB
*fermé mardi d'oct. à mai* – **Repas** (dîner seul. en juin-juil.-août) 20 (déj.)/27,40.
◆ Villa noyée sous les lauriers et les mûriers. Dégustez, entre autres, les poissons grillés au feu de bois dans une salle rustique ou sur l'agréable terrasse, face au golfe.

---

**Aléria** *2B H.-Corse 345 G7 – 2 022 h alt. 20 – ✉ 20270 .*
*Office du Tourisme, Casa Luciana ✆ 04 95 57 01 51, Fax 04 95 57 03 79.*
*Bastia 71 – Corte 51 – Porto Vecchio 72.*

**L'Atrachjata** sans rest, ✆ 04 95 57 03 93, *hotel-atrachjata@wanadoo.fr, Fax 04 95 57 08 03* – P. AE GB.
11 – **26 ch** 90/135.
◆ Au coeur d'Aléria (première métropole historique de Corse), hôtel familial entièrement refait. Grandes chambres actuelles, salles de bains neuves et insonorisation efficace.

---

**Algajola** *2B H.-Corse 345 C4 – 211 h alt. 2 – ✉ 20220 L'Ile-Rousse.*
Voir *Citadelle★ – Descente de Croix★ dans l'église.*
*Bastia 77 – Calvi 16 – L'Ile-Rousse 10.*

**Stellamare,** ✆ 04 95 60 71 18, *stellamare2@wanadoo.fr, Fax 04 95 60 69 39*, – P. GB.
*1er avril-31 oct.* – **Repas** (dîner seul.)(résident seul.) 23 – 7 – **16** ch (½ pens. seul.) – ½ P 65/70.
◆ En retrait de la mer, nichée sur les hauteurs de la station, maison que l'on atteint après avoir traversé un beau jardin. Chambres plaisantes, régulièrement rafraîchies.

**Beau Rivage,** ✆ 04 95 60 73 99, *info@hotel-beau-rivage.com, Fax 04 95 60 79 51*, ≤, – P. AE GB. rest
*15 avril-15 oct.* – **Repas** (dîner seul.) – **36 ch** 47/59 – ½ P 59/70.
◆ Vous serez ici "les pieds dans l'eau" : les chambres de ce bâtiment moderne donnent toutes sur la Méditerranée. Restauration dans une salle panoramique face à la plage.

**Plage,** ✆ 04 95 60 72 12, *Fax 04 95 60 64 89*, ≤, – P. GB.
*1er mai-30 sept.* – **Repas** 21 – 5 – **36 ch** 60/69 – ½ P 55/57,50.
◆ Pension de famille en bord de plage, au charme désuet. Bercés par le sac et le ressac, vous oublierez vite l'aspect monacal de certaines chambres !

---

**Aullène** *2A Corse-du-Sud 345 D9 – 149 h alt. 825 – ✉ 20116 .*
*Ajaccio 71 – Bonifacio 86 – Corte 103 – Porto-Vecchio 59 – Propriano 37 – Sartène 35.*

**Poste,** ✆ 04 95 78 61 21, *Fax 04 95 78 61 21*, ≤, – GB. rest
*1er mai-30 sept.* – **Repas** 15,50/21,50 – 5,40 – **20 ch** 28/40 – ½ P 34/36.
◆ Dans un village de montagne, un des plus anciens hôtels de Corse, tenu par la même famille depuis 1880. Simplicité, sens de l'hospitalité éprouvé et cuisine corse généreuse.

---

**Bastelica** *2A Corse-du-Sud 345 D7 – 436 h alt. 800 – ✉ 20119 .*
Voir *Route panoramique★★ du plateau d'Ese.*
Env. *A 400 m du col de Mercujo : belvédère ≤★★ et SO : 13,5 KM.*
*Ajaccio 42 – Corte 69 – Propriano 69 – Sartène 81.*

**Chez Paul** avec ch, ✆ 04 95 28 71 59, *Fax 04 95 28 73 13*, ≤, – cuisinette. GB
**Repas** 12/19 – 4 – **6 ch** 40 – ½ P 36.
◆ Vue plongeante sur le village et la vallée du Prunelli depuis la petite salle séparée de la cuisine... par la rue ! Cuisine corse, charcuteries "maison". Chambres bien équipées.

---

**Bastia** P *2B H.-Corse 345 F3 – 37 845 h – ✉ 20200 .*
Voir *Terra-Vecchia★ : le vieux port★★, oratoire de l'Immaculée Conception★ – Terra-Nova★ : Assomption de la Vierge★★ dans l'église Ste-Marie, décor★★ rococo dans la chapelle Ste-Croix – musée d'Ethnographie corse★* **M1.**
Env. *Église Ste-Lucie ≤★★ 6 km NO par D 31* **X** – *※★★★ de la Serra di Pigno 14 km par ③ – ≤★★ du col de Teghime10 km par ③.*
*de Bastia-Poretta : ✆ 04 95 54 54 54, par ② : 20 km.*
*Office du Tourisme, place St Nicolas ✆ 04 95 54 20 40, Fax 04 95 54 20 41, otbastia@wanadoo.fr.*
*Ajaccio 148 ② – Bonifacio 171 ② – Calvi 92 ③ – Corte 68 ② – Porto 135 ②.*

Plan page ci-contre

**Les Voyageurs** M sans rest, 9 av. Mar. Sébastiani ✆ 04 95 34 90 80, *hotel-voyageurs@ifrance.com, Fax 04 95 34 00 65* – AE GB. **X r**
*fermé 20 déc. au 10 janv.* – 6 – **24 ch** 60/90.
◆ À deux pas de la gare, cet hôtel a pris un nouvel élan grâce à la rénovation réussie de ses chambres, décorées dans des tons jaune et bleu. Bonne insonorisation.

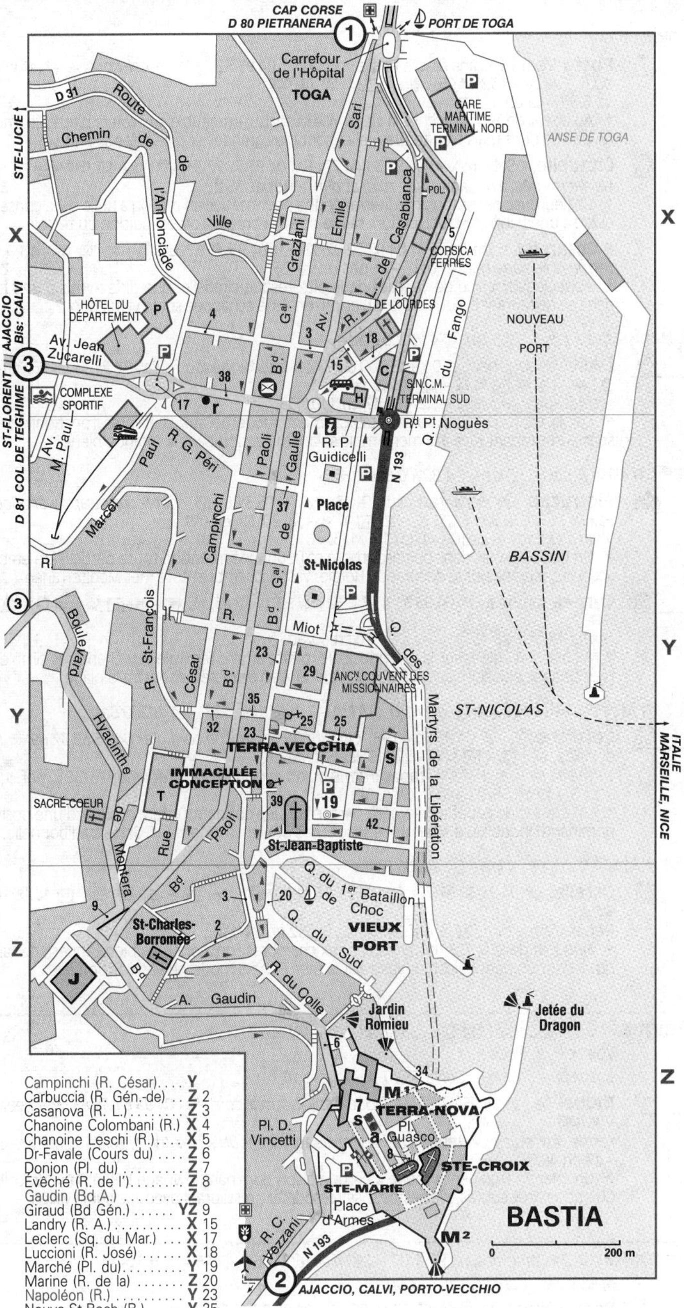
CAP CORSE
D 80 PIETRANERA
PORT DE TOGA
Carrefour de l'Hôpital
TOGA
GARE MARITIME TERMINAL NORD
ANSE DE TOGA
D 31
Route de l'Annonciade
Chemin de Ville
STE-LUCIE
Sari
Graziani
Emile
Casabianca
POL.
CORSICA FERRIES
N. D. DE LOURDES
NOUVEAU PORT
HÔTEL DU DÉPARTEMENT
Av. Jean Zuccarelli
AJACCIO Bis: CALVI
ST-FLORENT D 81 COL DE TEGHIME
COMPLEXE SPORTIF
Av. M. Paul
S.N.C.M. TERMINAL SUD
Rd Pt Noguès
R. P. Guidicelli
Paoli
Gaulle
R. G. Péri
Paul Marcel
Campinchi
Place St-Nicolas
N 193
Q. du Fango
BASSIN
Miot
Q. des Martyrs de la Libération
Boulevard Hyacinthe de Montera
R. St-François
César
ANCN COUVENT DES MISSIONNAIRES
ST-NICOLAS
ITALIE MARSEILLE, NICE
TERRA-VECCHIA
IMMACULÉE CONCEPTION
SACRÉ-CŒUR
St-Jean-Baptiste
Rue
Q. du 1er Bataillon de Choc
VIEUX PORT
Q. du Sud
St-Charles-Borromée
A. Gaudin
R. du Colle
Jardin Romieu
Jetée du Dragon
TERRA-NOVA
Pl. Guasco
Pl. D. Vincetti
STE-CROIX
STE-MARIE
Place d'Armes
R. C. Vezzani
N 193
BASTIA
0
200 m
AJACCIO, CALVI, PORTO-VECCHIO
X
Y
Z

Campinchi (R. César) . . . . Y
Carbuccia (R. Gén.-de) . . Z 2
Casanova (R. L.) . . . . . . . . Z 3
Chanoine Colombani (R.) X 4
Chanoine Leschi (R.) . . . . X 5
Dr-Favale (Cours du) . . . . Z 6
Donjon (Pl. du) . . . . . . . . . Z 7
Évêché (R. de l') . . . . . . . . Z 8
Gaudin (Bd A.) . . . . . . . . . . Z
Giraud (Bd Gén.) . . . . . . YZ 9
Landry (R. A.) . . . . . . . . . . X 15
Leclerc (Sq. du Mar.) . . . X 17
Luccioni (R. José) . . . . . . X 18
Marché (Pl. du) . . . . . . . . . Y 19
Marine (R. de la) . . . . . . . Z 20
Napoléon (R.) . . . . . . . . . . Y 23
Neuve-St-Roch (R.) . . . . . Y 25
Paoli (Bd) . . . . . . . . . . . . . . Y
Pierangeli (Cours H.) . . . . Y 29
St-François (R.) . . . . . . . . . Y 32
St-Michel (R.) . . . . . . . . . . Z 34
St-Roch (R.) . . . . . . . . . . . . Y 35
Salicetti (R.) . . . . . . . . . . . . Y 37
Sari (Av. E.) . . . . . . . . . . . . X
Sébastiani (Av. Mar.) . . . . X 38
Terrasses (R. des) . . . . . . Y 39
Zéphyrs (R. des) . . . . . . . . Y 42

**Posta Vecchia** sans rest, r. Posta Vecchia ✆ 04 95 32 32 38, *hotel-postavecchia@wanadoo.fr, Fax 04 95 32 14 05* – AE GB Y s
6,50 – **49 ch** 41/78.
◆ Au coeur de Terra-Vecchia, la vieille ville bastiaise, immeuble aux volets bleus. Chambres un peu étroites mais bien tenues ; elles sont plus grandes et plaisantes à l'annexe.

**Citadelle,** r. Ste-Croix ✆ 04 95 31 44 70, *Fax 04 95 32 77 53,* – AE GB JCB
*fermé mi-déc. à mi-janv., sam. midi et dim.* – **Repas** 35 ♀. Z a
◆ Chaleureuse décoration méditerranéenne pour cet ancien moulin à huile qui a conservé, grâce à une habile restructuration, sa meule et sa presse à olives. Cuisine du terroir.

**A Casarella,** r. Ste-Croix ✆ 04 95 32 02 32, *Fax 04 95 32 02 32,* – AE GB.
*fermé nov., sam. midi et dim.* – **Repas** *(15,30)* - 26. Z s
◆ Après le labyrinthe de venelles de la pittoresque citadelle, que diriez-vous d'une halte dans ce restaurant où quelques tables offrent une échappée sur le vieux port ?

**à Palagaccio** *par ① : 2,5 km – ✉ 20200 Bastia :*

**L'Alivi** sans rest, ✆ 04 95 55 00 00, *hotel-alivi@wanadoo.fr, Fax 04 95 31 03 95,* ≤ mer, – 50. AE GB
*fermé 2 déc. au 3 janv.* – 10 – **37 ch** 110/155.
◆ Sur la route du Cap Corse, établissement moderne aux chambres fonctionnelles et spacieuses faisant face à la mer. Ample solarium surplombant la "grande bleue".

**à Pietranera** *par ① : 3 km – ✉ 20200 Bastia :*

**Pietracap** sans rest, sur D 131 ✆ 04 95 31 64 63, *hotel-pietracap@wanadoo.fr, Fax 04 95 31 39 00,* ≤, – 20. AE GB JCB
*1er avril-30 nov.* – 10 – **40 ch** 106/145.
◆ Un havre de paix dans un parc arboré et fleuri, une attention toute particulière étant ici accordée à la splendide décoration florale. Vastes chambres côté mer Méditerranée.

**Cyrnea** sans rest, ✆ 04 95 31 41 71, *Fax 04 95 31 72 65,* ≤, – 20. GB
*fermé 15 déc. au 15 janv.* – 6 – **20 ch** 60/80.
◆ À côté de l'église, sur la rue principale, petite affaire familiale aux chambres simples et bien tenues, plus agréables côté mer. Le jardin, en terrasses, aboutit à la plage.

**à San Martino di Lota** *par ① et D 131 : 13 km – 2 466 h. alt. 350 – ✉ 20200 Bastia :*

**Corniche** , ✆ 04 95 31 40 98, *info@hotel-lacorniche.com, Fax 04 95 32 37 69,* ≤ mer et vallée, – 15. AE GB. ch
*fermé 1er janv. au 15 fév.* – **Repas** *(fermé mardi midi, merc. midi et lundi)* 23/38 ♀, enf. 11,50 – 8 – **19 ch** 55/92 – ½ P 70/75,50.
◆ La terrasse de cet établissement perché sur une colline vous fera profiter d'une position dominante inoubliable. Chambres spacieuses et bien insonorisées. Carte traditionnelle.

**rte d'Ajaccio** *par ② : 4 km – ✉ 20600 Bastia :*

**Ostella,** ✆ 04 95 30 97 70, *Fax 04 95 33 11 70,* – rest, GB. ch
**Repas** *(fermé dim.)* 23 ♀, enf. 9,20 – 8 – **52 ch** 84/130.
◆ Non loin de la N 193, hôtel récent aux chambres fonctionnelles bien tenues ; certaines possèdent un petit balcon ouvrant sur la mer. Fitness moderne et très complet.

---

## Belgodère *2B H.-Corse 345 D4 – 331 h alt. 320 – ✉ 20226 .*

**Voir** ≤★ *du vieux fort.*

*Bastia 68 – Calvi 40 – Corte 55 – L'Ile-Rousse 16.*

**Niobel** , ✆ 04 95 61 34 00, *niobeltrani@hotmail.com, Fax 04 95 61 35 85,* ≤ vallée, – GB
*fermé nov. et janv.* – **Repas** *(fermé mardi sauf juil.-août) (11)* - 15 (déj.), 20/25 ♀, enf. 9 – 6 – **12 ch** 46/70 – ½ P 52,50/55,50.
◆ Un chemin très pentu mène à cette maison dominant le village bâti à flanc de colline. Chambres très sobres, idéales pour se ressourcer ; restaurant avec vue sur la vallée.

---

## Bocognano *2A Corse-du-Sud 345 D7 – 290 h alt. 600 – ✉ 20136 .*

*Ajaccio 39 – Bonifacio 157 – Corte 43.*

**Beau Séjour** , ✆ 04 95 27 40 26, *Fax 04 95 27 40 26,* ≤, – AE GB
*15 avril-15 oct.* – **Repas** 13,90 – 5,30 – **17 ch** 42,50/47,50 – ½ P 41,50/43,50.
◆ Au milieu des châtaigniers, bâtisse (1890) appréciée des randonneurs et autres amoureux de la nature. Chambres simples ; certaines offrent une belle vue sur le Monte d'Oro.

XX **L'Ustaria,** ☎ 04 95 27 41 10, *Fax 04 95 27 43 26,* – AE GB
*femé 25 oct. au 3 nov., 15 fév. au 3 mars et merc. du 15 sept. au 30 juin* – **Repas** (déj. seul.) 18/43 ♀.
◆ L'hospitalité ("lustaria" en corse) n'est pas un vain mot au pays des "bandits d'honneur". Généreuse cuisine du terroir servie près de la cheminée ou sur la terrasse.

---

**Bonifacio** *2A Corse-du-Sud* 345 *D11 G. Corse – 2 683 h alt. 55 – ✉ 20169.*

Voir *Site★★★ – Ville haute★★ : Place du marché ≤★★ – Trésor★ des églises de Bonifacio (Palazzu Publicu) – Eglise St-Dominique★ – Esplanade St-Francois ≤★ – Cimetière marin★.*

Excurs. *Grottes marines et la côte★★.*

*Figari-Sud-Corse : ☎ 04 95 71 10 10, N : 21 km.*

*Office du Tourisme, 2 rue Fred Scamaroni ☎ 04 95 73 11 88, Fax 04 95 73 14 97.*

*Ajaccio 134 – Corte 151 – Sartène 52.*

**Genovese** M sans rest, ville haute ☎ 04 95 73 12 34, *info@hotel-genovese.com, Fax 04 95 73 09 03,* ≤, – P – 25. AE GB.
*mars-déc.* – 16 – **15 ch** 230/290.
◆ Belle demeure méditerranéenne juchée sur les falaises de la ville haute, offrant des chambres agréables et de bonne taille, avec vue sur la cité fortifiée ou le port.

**Caravelle,** 35 quai Comparetti ☎ 04 95 73 00 03, *restaurant-la-caravelle@wanadoo.fr, Fax 04 95 73 00 41,* , ≤ – – 25. AE GB JCB. rest
*15 avril-fin oct.* – **Repas** 37/98 – **28 ch** 152/210.
◆ Sur le port, cette maison abrite des chambres spacieuses, joliment aménagées. Vaste terrasse ouverte sur la marine où l'on sert poissons et spécialités bonifaciennes.

**A Trama** , rte Santa Manza Est : 2 km ☎ 04 95 73 17 17, *hotelatrama@aol.com, Fax 04 95 73 17 79,* , , – ch, P. AE GB. rest
**Repas** *(ouvert 1er mars-15 nov.)* (déj. seul.) 27 ♀ – 8 – **25 ch** 142.
◆ À l'écart de l'animation, bungalows agréablement nichés au coeur d'un beau jardin méditerranéen. Les chambres, sobrement décorées, possèdent toutes une terrasse.

**Centre Nautique,** quai Nord ☎ 04 95 73 02 11, *info@centre-nautique.com, Fax 04 95 73 17 47,* – P. AE GB.
**Repas** *(fermé lundi sauf juil.-août)* 25/70 et carte 30 à 55, enf. 15 – 10 – **11 ch** 140/190 – ½ P 174/224.
◆ Cette maison ancienne est l'observatoire idéal pour contempler tranquillement le port et la ville haute. Plaisante décoration maritime. Chambres agencées en duplex.

**Roy d'Aragon** sans rest, 13 quai Comparetti ☎ 04 95 73 03 99, *Fax 04 95 73 07 94* – . AE GB.
7 – **31 ch** 87/130.
◆ Cette bâtisse du 18e s. qui abrita, un temps, la gendarmerie, propose aujourd'hui des chambres rénovées ; certaines donnant sur le port. Terrasse pour le petit-déjeuner.

**Santa Teresa** sans rest, quartier St-François (ville haute) ☎ 04 95 73 11 32, *hotel.santateresa@wanadoo.fr, Fax 04 95 73 15 99,* ≤ – P. GB.
*1er avril-31 oct.* – 10 – **48 ch** 126/137.
◆ Imposante bâtisse proche du surprenant cimetière marin. Chambres fonctionnelles et calmes ; préférez celles bénéficiant d'une vue sur les falaises et la Sardaigne.

X **Stella d'Oro,** 7 r. Doria (ville haute) ☎ 04 95 73 03 63, *stella.oro@bonifacio.com, Fax 04 95 73 03 12* – . AE GB
*12 avril-30 sept.* – **Repas** (prévenir) 22.
◆ Petite adresse très sympathique et joliment décorée (poutres, pressoir à olives et meule en pierre). Cuisine bonifacienne et poissons au gré des arrivages. Accueil chaleureux.

X **Domaine de Licetto** avec ch, rte Pertusato, Sud-Est : 2 km ☎ 04 95 73 19 48, *Fax 04 95 73 05 59,* ≤, – P
**Repas** *(ouvert Pâques-fin oct.)* (nombre de couverts limité, prévenir)(dîner seul.)(menu unique) 29 – 6 – **7 ch** 65/110.
◆ Petite salle rustique et terrasse fleurie où l'on sert une cuisine corse familiale préparée avec les légumes du potager. Chambres simples. Du domaine, vue superbe sur la région.

**à Gurgazu** *Nord-Est : 6 km par rte de Santa-Manza – ✉ 20169 Bonifacio :*

**Golfe** , ☎ 04 95 73 05 91, *golfe.hotel@wanadoo.fr, Fax 04 95 73 17 18,* ≤, – ch, P. AE GB
*22 mars-24 oct.* – **Repas** 14,50/22 – 6,90 – **12 ch** (½ pens. seul.) – ½ P 65.
◆ Occupant un site sauvage dans le golfe de Santa Manza, à 50 m de la mer, une affaire familiale simple pour amateurs de quiétude et de bonne chère.

**à Calalonga** *Est : 6 km par D 258 et rte secondaire – ✉ 20169 Bonifacio :*

XX **Marina di Cavu** avec ch, ✆ 04 95 73 14 13, *info@marinadicavu.com, Fax 04 95 73 04 82,* ≤ Iles Lavezzi et Cavallo, , – . AE GB JCB.
*20 mars-31 déc.* – **Repas** (nombre de couverts limité, prévenir) 42/74 – 16 – **7 ch** 220/320.
◆ Le chemin est un peu cahotant, mais vous serez récompensés de votre peine avec cet insolite restaurant aménagé dans les rochers et ces jolies chambres méditerranéennes.

**au Nord-Est** *: 10 km par rte de Porto-Vecchio (N 198) et rte secondaire – ✉ 20169 Bonifacio :*

**U Capu Biancu**, ✆ 04 95 73 05 58, *info@ucapubiancucom, Fax 04 95 73 18 66,* ≤, , , – rest, . AE GB. rest
*17 avril-2 nov.* – **Repas** 31/42 – 15 – **42 ch** 124/235 – ½ P 110/141.
◆ Un chemin défoncé conduit à cet hôtel moderne isolée dans la nature, face au golfe de Santa Manza. Chambres sobres, côté mer ou maquis. Ponton privé, sports nautiques.

---

**Calacuccia** *2B H.-Corse 345 D5 – 331 h alt. 830 – ✉ 20224.*

**Voir** *Site★★ – Tour du lac de barrage★★ – Défilé de la Scala di Santa Régina★★ NE : 5 km.*
*Syndicat d'Initiative, route de Cuccia ✆ 04 95 48 05 22, Fax 04 95 48 08 80.*
*Bastia 77 – Calvi 96 – Corte 35 – Piana 68 – Porto 58.*

**Acqua Viva** sans rest, ✆ 04 95 48 06 90, *Fax 04 95 48 08 82* – . GB
9 – **14 ch** 65/70.
◆ Au débouché de la Scala di Santa Regina taillée, dit-on, par la Vierge en personne, cet hôtel dispose de chambres actuelles d'une tenue irréprochable. Accueil aimable.

X **Auberge Casa Balduina,** lieu-dit Le Couvent ✆ 04 95 48 08 57, *jeannequilichini@aol.com, Fax 04 95 48 08 57,* , – . GB.
*fermé mars* – **Repas** 17/23.
◆ Précédée d'un jardin et d'un potager, maison particulière transformée en auberge familiale. Cuisine fidèle à la tradition régionale, tout comme l'accueil chaleureux.

---

**Calvi** *2B H.-Corse 345 B4 – 4 815 h – ✉ 20260.*

**Voir** *Citadelle★★ : fortifications★ – La Marine★.*
**Env.** *Intérieur★ de l'église St-Jean-Baptiste.*
**Excurs.** *La Balagne★★★.*
*de Calvi-Ste-Catherine : ✆ 04 95 65 88 88, par ①.*
*Office du Tourisme, Port de Plaisance ✆ 04 95 65 16 67, Fax 04 95 65 14 09, omt.calvi@wanadoo.fr.*
*Bastia 92 ① – Corte 87 ① – L'Ile-Rousse 25 ① – Porto 73 ①.*

Plan page ci-contre

**Villa** M, chemin de Notre Dame de la Serra par ① *: 1 km* ✆ 04 95 65 10 10, *la-villa.reservation@wanadoo.fr, Fax 04 95 65 10 50,* ≤, , , , , – – 40. AE GB JCB.
*1er avril-2 janv.* – **Repas** 70 et carte 80 à 120 ***L'Alivu :*** **Repas** 70 et carte 77 à 90 – 23 – **41 ch** 380/420, 10 appart.
◆ Entre couvent et villa romaine, palace contemporain juché sur les hauteurs, face à la mer. Élégant décor (fer forgé, mosaïques, terre cuite) et table savoureuse : un joyau caché !
**Spéc.** Penne rigate comme un risotto. Filet de Saint-Pierre poêlé à l'huile d'olive. Dessert à la châtaigne.

**Balanea** sans rest, 6 r. Clemenceau **(n)** ✆ 04 95 65 94 94, *info@hotel-balanea.com, Fax 04 95 65 29 71,* ≤ – . AE GB
12 – **38 ch** 90/275.
◆ Accès par rue piétonne. La plupart des chambres, spacieuses et peu à peu rénovées, offrent une belle vue sur le port ; toutes sont climatisées.

**Meridiana** M sans rest, av. Santa Maria par ① ✆ 04 95 65 31 38, *info@hotel-meridiana.com, Fax 04 95 65 32 72,* ≤ – . AE GB.
9 – **42 ch** 95/140.
◆ Complexe hôtelier moderne sur les hauteurs de la cité "toujours fidèle". Loggia privée et vue sur la mer pour les chambres (sauf quatre récemment aménagées). Accueil aimable.

**L'Onda** sans rest, av. Christophe Colomb par ① *: 1 km* ✆ 04 95 65 35 00, *Fax 04 95 65 16 26* – . AE GB.
*1er avril-15 nov.* – 7 – **24 ch** 82/106.
◆ À proximité de la plage et de la pinède créée à la fin du 19e s., petit immeuble des années 1980 dont les chambres, pratiques, bénéficient toutes de l'agrément d'une loggia.

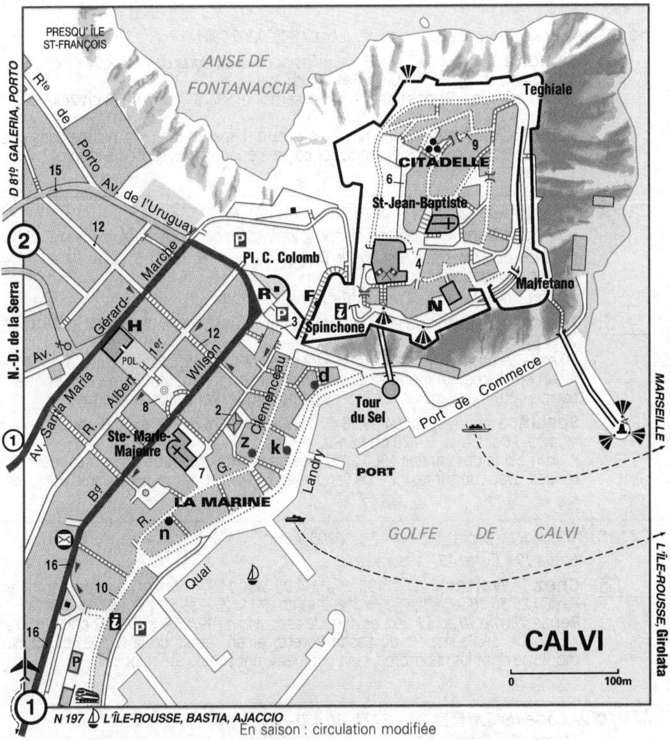
PRESQU' ÎLE ST-FRANÇOIS
ANSE DE FONTANACCIA
Rte de Porto
Av. de l'Uruguay
D 81B GALERIA, PORTO
N.-D. de la Serra
Teghiale
CITADELLE
St-Jean-Baptiste
Pl. C. Colomb
Malfetano
Spinchone
Gérard-Marche
Av. Santa Maria
R. Albert 1er
POL
Bd Wilson
Ste-Marie-Majeure
R. G. Clemenceau
LA MARINE
Quai Landry
Tour du Sel
Port de Commerce
PORT
GOLFE DE CALVI
MARSEILLE
L'ÎLE-ROUSSE, Girolata
CALVI
0
100m
N 197 L'ÎLE-ROUSSE, BASTIA, AJACCIO

En saison : circulation modifiée

| | | | | | |
|---|---|---|---|---|---|
| Alsace-Lorraine (R.) | 2 | Crudelli (Pl.) | 7 | Montée des Écoles (Chemin de) | 12 |
| Anges (R. des) | 3 | Dr-Marchal (Pl. du) | 8 | Napoléon (Av.) | 15 |
| Armes (Pl. d') | 4 | Fil (R. du) | 9 | République (Av. de la) | 16 |
| Clemenceau (R. G.) | | Joffre (R.) | 10 | Wilson (Bd) | |
| Colombo (R.) | 6 | | | | |

**Caravelle** ⛱, à la plage par ① : *0,5 km* ☎ 04 95 65 95 50, *hotel-la-caravelle-calvi@wanadoo.fr, Fax 04 95 65 00 03*, – ▤ TV ☏. GB. ✻
*10 avril-2 nov.* – **Repas** (dîner seul.)(1/2 pens. obligatoire en saison) 21/31 – **34 ch** ☕ 78/94 – 1/2 P 96/106.
◆ Construction basse aux allures d'hacienda. Chambres réparties autour d'un nid de verdure, certaines avec terrasse fleurie. Solarium dominant le golfe de Calvi.

**Revellata** sans rest, av. Napoléon, rte d'Ajaccio par ② : *0,5 km* ☎ 04 95 65 01 89, *info.@hotel-revellata.com, Fax 04 95 65 29 82*, ≤ – ▤ P. AE ⓓ GB. ✻
*1er avril-30 oct.* – ☕ 7 – **43 ch** 90/120.
◆ La mer est à moins de 100 m, seulement séparée de l'établissement par la route conduisant à Porto. Chambres au mobilier robuste, jouissant de la vue sur la "grande bleue".

XXX **Emile's,** quai Landry **(k)** ☎ 04 95 65 09 60, ≤, – ▤. AE GB. ✻
*fév.-oct. et fermé mardi* – **Repas** 28/38 et carte 40 à 75 ♀.
◆ Un discret escalier mène à la terrasse panoramique surplombant le port et à la salle à manger. Cuisine faisant la part belle aux produits de la mer.

X **Calellu,** quai Landry **(d)** ☎ 04 95 65 22 18, ≤, – AE GB
*1er mars-31 oct. et fermé lundi hors saison* – **Repas** 20 ♀.
◆ Petite façade avenante et salle aux tons beiges, décorée sur le thème de la flore corse. Carte de poissons, à déguster tout en contemplant les bateaux dans la baie.

X **Aux Bons Amis,** r. Clemenceau **(z)** ☎ 04 95 65 05 01, *Fax 04 95 65 32 41*, – ▤. GB
*1er avril-15 oct. et fermé jeudi hors saison et dim. midi en saison* – **Repas** 17/54 ♀.
◆ Dans une rue piétonne, sympathique petit restaurant décoré sur le thème de la pêche (filets, bibelots) ; vivier à langoustes et homards. Spécialités de produits de la mer.

**par** ① *rte de l'aéroport et chemin privé : 5 km – ✉ 20260 Calvi :*

**Signoria** ⚲, ✆ 04 95 65 93 00, *info@hotel-la-signoria.com, Fax 04 95 65 38 77*, – ch, AE GB. ch
*1er avril-mi-oct.* – **Repas** (dîner seul. en semaine) 58/73 – ☕ 20 – **18 ch** 244/290 – ½ P 194/217.
◆ La fibre méditerranéenne palpite en cette demeure du 17e s. nichée dans une pinède : murs aux tons ocre ou bleu, mobilier corse d'époque et... senteurs infinies !

**Cargèse** *2A Corse-du-Sud* 345 *A7 – 915 h alt. 75 – ✉ 20130.*
Voir *Église latine* ≤★ – *Site*★★ *depuis le belvédère de la pointe Molendino E : 3 km.*
*Office du Tourisme, rue du Dr Dragacci* ✆ *04 95 26 41 31, Fax 04 95 26 48 80, ot.cargese@wanadoo.fr.*
*Ajaccio 51 – Calvi 106 – Corte 119 – Piana 21 – Porto 33.*

**Thalassa** ⚲, plage du Pero, Nord : 1,5 km ✆ 04 95 26 40 08, *Fax 04 95 26 41 66*, ≤, – . rest
*20 mai-30 sept.* – **Repas** 23 – ☕ 5 – **22 ch** 60/70, (en été : ½ pens. seul.) – ½ P 70.
◆ Un étroit chemin mène à cet hôtel "les pieds dans l'eau". Chambres rustiques, donnant parfois côté mer. Ambiance de pension de famille. Petit salon de bridge.

**Spelunca** sans rest, ✆ 04 95 26 40 12, *Fax 04 95 26 47 36*, ≤ – GB.
*1er avril-31 oct.* – ☕ 6 – **20 ch** 65/80.
◆ Immeuble des années 1960 à l'entrée de la "ville grecque". Chambres méticuleusement tenues, avec vue sur le golfe de Sagone en façade, et calme appréciable sur l'arrière.

**Casamozza** *2B H.-Corse* 345 *F4 – ✉ 20290 Borgo.*
*Bastia 19 – Corte 49 – Vescovato 6.*

**Chez Walter,** N 193 ✆ 04 95 36 00 09, *hotel.chez.walter@wanadoo.fr, Fax 04 95 36 18 92*, – ch, – 30 à 80. AE GB
**Repas** *(fermé 10 au 31 déc. et dim. de sept. à juin.)* 19/23 – ☕ 7 – **52 ch** 58/150 – ½ P 75.
◆ Proche de l'aéroport de Bastia-Poretta et en retrait de la N 193, complexe hôtelier moderne dont les chambres, bien équipées, ont toutes été relookées.

**Cauro** *2A Corse-du-Sud* 345 *C8 – 849 h alt. 450 – ✉ 20117.*
*Ajaccio 22 – Sartène 62.*

**Napoléon,** ✆ 04 95 28 40 78 – AE GB
*15 juil.-15 sept., weeks-ends hors saison et fermé merc.* – **Repas** (prévenir) 25 ♀.
◆ Auberge avenante sur la rue principale du village. Salle à manger rustique où l'on propose une cuisine d'inspiration régionale. Accueil familial décontracté.

**Col d'Arcarotta** *2B H.-Corse* 345 *F5 – alt. 819 – ✉ 20234 Piobetta.*
*Bastia 59 – Corte 62 – Vescovato 40.*

**Auberge des Deux Vallées,** ✆ 04 95 35 91 20, *Fax 04 95 35 91 20*, ≤, – GB
*1er mai-15 sept.* – **Repas** *(fermé lundi)* 12,50/20 ♀.
◆ Modeste petite auberge comme perdue en pleine Castagniccia, où l'on jouira d'un beau panorama sur les vallées verdoyantes. Spécialités corses ; vente de charcuteries locales.

**Col de Bavella** *2A Corse-du-Sud* 345 *E9 – alt. 1218 – ✉ 20124 Zonza.*
Voir *Col et aiguilles de de Bavella*★★★ – *Forêt de Bavella*★★.
*Ajaccio 100 – Bonifacio 76 – Porto-Vecchio 49 – Propriano 49 – Sartène 47.*

**Auberge du Col,** ✆ 04 95 72 09 87, *Fax 04 95 72 16 48*, – AE GB JCB
*1er avril-31 oct.* – **Repas** 14,50/20, enf. 7,50.
◆ Ressource de montagne perdue parmi les pins laricio, à proximité des surprenantes aiguilles de Bavella. Vaste salle rustique. Spécialités corses et charcuteries "maison".

**Conca** *2A Corse-du-Sud* 345 *E9 – 783 h alt. 360 – ✉ 20135.*
*Ajaccio 149 – Bonifacio 50.*

**San Pasquale** ⚲ sans rest, ✆ 04 95 71 56 13, *Fax 04 95 71 56 13*,
*mai-oct.* – ☕ 5,40 – **10 ch** 70.
◆ Vous goûterez à un repos bien mérité dans ce petit hôtel familial, point d'aboutissement, ou de départ, du GR 20. Chambres toutes blanches, meublées en rotin.

**Corte** 2B H.-Corse 345 D6 *G. Corse* – *5 693 h alt. 396* – ✉ *20250*.

**Voir** *Ville haute★ : chapelle Ste-Croix★, citadelle★ ≤★, Belvédère ✻★ – Musée de la Corse★★.*

**Env.** *✻★★ du Monte Cecu N : 7 km – SO : gorges de la Restonica★★.*

*Office du Tourisme, La Citadelle ✆ 04 95 46 26 70, Fax 04 95 46 34 05.*

*Bastia 68 – Bonifacio 151 – Calvi 87 – L'Ile-Rousse 63 – Porto 93 – Sartène 149.*

**dans les Gorges de La Restonica** *Sud-Ouest sur D 623 – ✉ 20250 Corte :*

**Dominique Colonna** sans rest, à 2 km ✆ 04 95 45 25 65, *restonica@club-internet.fr, Fax 04 95 61 03 91,* – P. AE GB JCB
*15 mars-4 nov.* – 10 – **28 ch** 94/125.
◆ Au beau milieu des gorges profondes et des "pins de Corte" se dresse fièrement ce groupe de bâtiments portant le nom d'une célébrité du ballon rond. Chambres modernes.

**Auberge de la Restonica,** à 2 km ✆ 04 95 46 09 58, *Fax 04 95 61 15 79,* – P. GB
*15 mars-3 nov. et fermé merc. hors saison* – **Repas** *(13)* - carte 24 à 32.
◆ Cette auberge propose, dans un cadre agreste chaleureux, une cuisine du terroir ainsi que quelques spécialités de poissons directement pêchés dans la Restonica.

**Coti-Chiavari** *2A Corse-du-Sud* 345 B9 – *399 h alt. 625* – ✉ *20138*.

*Ajaccio 42 – Propriano 37 – Sartène 49.*

**Belvédère** , ✆ 04 95 27 10 32, *Fax 04 95 27 12 99,* ≤ golfe d'Ajaccio, – P. rest
*fermé 11 nov. au 15 fév.et le midi sauf dim. de fév. à mai* – **Repas** (prévenir) 23/26 – 5 – **13 ch** 46/61 – ½ P 42.
◆ Véritable nid d'aigle isolé dans le maquis et offrant une vue époustouflante sur le golfe d'Ajaccio. Chambres spacieuses et pratiques. Terrasse panoramique. Plats du terroir.

**Erbalunga** *2B H.-Corse* 345 F3 – ✉ *20222*.

**Voir** *Le port★.*

*Bastia 11 – Rogliano 31.*

**Castel'Brando** sans rest, ✆ 04 95 30 10 30, *info@castelbrando.com, Fax 04 95 33 98 18,* – cuisinette P. AE GB JCB
*15 mars-2 nov.* – 10 – **27 ch** 134/160.
◆ Maison de maître édifiée par un médecin des armées napoléoniennes. Le client y est choyé. Chambres sans fioritures, mais de caractère : pierres, tomettes et murs blanchis.

**Pirate,** au port ✆ 04 95 33 24 20, *jeanpierrericci@aol.com, Fax 04 95 33 18 97,* ≤, – AE GB,
*7 avril-2 nov. et fermé lundi sauf le soir en juil.-août* – **Repas** carte 60 à 82.
◆ Selon les anciens du village, cette vieille maison en pierre servait de garage pour les bateaux. Désormais, on s'y régale de poissons fraîchement pêchés, face au port.

**Évisa** *2A Corse-du-Sud* 345 B6 – *257 h alt. 850* – ✉ *20126*.

**Voir** *Forêt d'Aïtone★★ – Cascades d'Aïtone★★ NE : 3 km puis 30 mn.*

**Env.** *Col de Vergio ≤★★ NE : 10 km.*

*Ajaccio 71 – Calvi 96 – Corte 70 – Piana 33 – Porto 23.*

**Scopa Rossa,** ✆ 04 95 26 20 22, *Fax 04 95 26 24 17,* – P. GB. rest
*1er mars-30 nov.* – **Repas** 20/30 – 6 – **20 ch** 47/64 – ½ P 49/55.
◆ Chambres des années 1970, simples mais bien tenues. Les fusils ornant la salle rustique sont aujourd'hui muets, mais peut-être servirent-ils au "Roi des Montagnes" ?

**Favone** *2A Corse-du-Sud* 345 F9 – ✉ *20144 Ste Lucie-de-Porto-Vecchio.*

*Ajaccio 129 – Bonifacio 57.*

**U Dragulinu** sans rest, ✆ 04 95 73 20 30, *Fax 04 95 73 22 06,* ≤, – P. AE GB
*avril-oct.* – 9,20 – **32 ch** 122/153.
◆ "La famille est de Favone" confie une chanson d'Yves Duteil. Possible. Du moins nous réserve-t-on ici un accueil familial, en un lieu idéal pour un séjour balnéaire.

**Feliceto** *2B H.-Corse* 345 C4 – *145 h alt. 350* – ✉ *20225 Muro.*
*Bastia 77 – Calvi 26 – Corte 72 – L'Ile-Rousse 15.*

**Mare E Monti** sans rest, ☎ 04 95 63 02 00, *Fax 04 95 63 02 01*, ←, ⛱, – P. GB
*1er avril-15 oct.* – ☕ 7 – **16 ch** 78/94.
◆ Fortune faite dans la canne à sucre, les ancêtres de la famille revinrent de Porto Rico et édifièrent au 19e s. ce "Palais américain" entre mer et montagne. Chapelle privée.

**Galéria** *2B H.-Corse* 345 A5 – *305 h alt. 30* – ✉ *20245 .*
Voir *Golfe de Galéria*★.
*Syndicat d'Initiative, Carrefour Cinque Arcate* ☎ *04 95 62 02 27, Fax 04 95 62 02 27.*
*Bastia 118 – Calvi 34 – Porto 48.*

**à Ferayola** *Nord : 13 km par D 351 et D 81B* – ✉ *20260 Calvi :*

**Auberge de Ferayola**, ☎ 04 95 65 25 25, *ferayola@aol.com, Fax 04 95 65 20 78*, – P. GB.
*1er mai-30 sept.* – **Repas** 16/18,50 – ☕ 6,90 – **10 ch** (1/2 pens. seul.) – 1/2 P 64/70.
◆ Petit îlot de vie totalement isolé en plein maquis et seulement séparé de la mer par la route littorale. Calme assuré. On ne peut que respecter cette loi du silence !

**Guagno-les-Bains** *2A Corse-du-Sud* 345 C6 – ✉ *20160 Poggiolo.*
*Ajaccio 63 – Calvi 124 – Corte 100 – Vico 12.*

**Thermes**, ☎ 04 95 26 80 50, *Fax 04 95 28 34 02*, ←, – cuisinette P – 30. AE GB. rest
*19 avril-30 oct.* – **Repas** 20, enf. 10 – ☕ 8 – **40 ch** 63/83.
◆ Bâtiment moderne face aux thermes de 1808 et à proximité des chemins de randonnée. Chambres spacieuses et tranquilles, dotées de loggias. Salle à manger fonctionnelle.

**L'Ile-Rousse** *2B H.-Corse* 345 C4 – *2 288 h* – ✉ *20220 .*
Voir *Marché couvert*★ – *Ile de la Bietra*★.
Excurs. *La Balagne*★★★.
*Office du Tourisme, 7 place Paoli* ☎ *04 95 60 04 35, Fax 04 95 60 24 74.*
*Bastia 68 – Calvi 25 – Corte 63.*

**Santa Maria** sans rest, rte Port ☎ 04 95 63 05 05, *hotel-santamaria@wanadoo.fr, Fax 04 95 60 32 48*, ←, – P – 15. AE GB
☕ 9,50 – **56 ch** 134.
◆ Situé avant le pont conduisant sur l'île de la Pietra. Chambres agréables, de conception actuelle. Quelques-unes offrent, par gros temps, une vue d'apocalypse sur la mer.

**Funtana Marina** sans rest, 1 km par rte Monticello et rte secondaire ☎ 04 95 60 16 12, *hotel-funtana.marina@wanadoo.fr, Fax 04 95 60 35 44*, ← mer, – P. AE GB.
*fermé fév.* – ☕ 8,40 – **29 ch** 84.
◆ Sur les hauteurs, bâtisse récente immergée dans une végétation luxuriante. Quelques chambres rénovées. Belle piscine d'où l'on bénéficie d'un panorama sur la mer et la ville.

**Cala di l'Oru** sans rest, bd Fogata ☎ 04 95 60 14 75, *hotelcaladiloru@wanadoo.fr, Fax 04 95 60 36 40*, ←, – P. AE GB.
*1er mars-1er nov.* – ☕ 8 – **26 ch** 77/98.
◆ Construction moderne dressée au milieu d'un séduisant jardin planté d'essences méditerranéennes. Chambres au calme, avec vue sur la "grande bleue" ou sur la montagne.

**L'Amiral** sans rest, bd Ch.-Marie Savelli ☎ 04 95 60 28 05, *info@hotel-amiral.com, Fax 04 95 60 31 21*, ← – P. GB.
*avril-sept.* – ☕ 7,50 – **20 ch** 67/73.
◆ Petit immeuble de deux étages, à 50 m de la plage de sable de cette station de villégiature. Chambres fonctionnelles, de taille moyenne, très simples à l'annexe.

**Grillon,** av. P. Doumer ☎ 04 95 60 00 49, *Fax 04 95 60 43 69* – GB
*1er mars-31 oct.* – **Repas** 12,50/15,70 – ☕ 5,20 – **16 ch** 46/52 – 1/2 P 45.
◆ Le sens de l'hospitalité que l'on cultive ici fera oublier la simplicité du lieu. Les chambres, rafraîchies, restent modestes. Cuisine familiale à tendance régionale.

**à Monticello** *Sud-Est : 4,5 km par D 63 – 944 h. alt. 220* – ✉ *20220 L'Ile-Rousse :*

**A Pasturella** avec ch, ☎ 04 95 60 05 65, *Fax 04 95 60 21 78*, ←, – rest, AE GB
*fermé 2 nov. au 1er déc. et dim. soir de mi-déc. à fin mars* – **Repas** 23/43 – ☕ 10 – **12 ch** 43/68 – 1/2 P 60/66.
◆ Dans un pittoresque village perché de la corniche Paoli. Cuisine traditionnelle et spécialités de poissons (pêche du jour). Attablez-vous près des balustrades.

**à Pigna** *Sud-Ouest : 8 km par N 197 et D 151 – 92 h. alt. 400 – ✉ 20220 :*

**Casa Musicale** , ✆ 04 95 61 77 31, *info@casa-musicale.org, Fax 04 95 61 74 28*, ←, – AE GB.
*fermé janv.* – **Repas** carte 36 à 53 – 6 – **7 ch** 56/80.
◆ Mélodie en M majeur : Méditerranée, montagne et musique, pour une vieille maison pétrie de charme. Chambres au décor "minimaliste". Restaurant dans un ancien pressoir à huile.

**Levie** *2A Corse-du-Sud* 345 D9 – *781 h alt. 645* – ✉ *20170 .*
*Voir Musée de l'Alta Rocca : christ en ivoire★.*
*Env. Sites★★ de Cucuruzzu et Capula O : 7 km.*
*Office du Tourisme, rue Sorba ✆ 04 95 78 41 95, Fax 04 95 78 46 74.*
*Ajaccio 99 – Bonifacio 58 – Porto-Vecchio 40 – Sartène 28.*

**Pergola,** ✆ 04 95 78 41 62, – GB
*mai-oct.* – **Repas** (nombre de couverts limité, prévenir) 14,50, enf. 7,60.
◆ Après la visite des collections du musée de l'Alta Rocca, retour au temps présent sous une accueillante tonnelle où l'on sert quelques spécialités corses.

**Lumio** *2B H.-Corse* 345 B4 – *895 h alt. 150* – ✉ *20260 .*
*Bastia 82 – Calvi 10 – L'Ile-Rousse 15.*

**Chez Charles** avec ch, ✆ 04 95 60 61 71, *chezcharles@wanadoo.fr, Fax 04 95 60 62 51*, – rest, TV P. AE GB JCB.
*25 fév.-15 nov.* – **Repas** *(fermé 25 fév. au 30 avril, mardi midi et lundi)* 20 (déj.), 30/53, enf. 12 – 9,50 – **15 ch** 81/115 – ½ P 79.
◆ Maison simple en bord de route nationale. Agréable salle à manger récemment rafraîchie et terrasse panoramique ombragée. Cuisine traditionnelle.

**Luri** *2B H.-Corse* 345 F2 – *671 h alt. 107* – ✉ *20228 .*
*Bastia 32.*

**Santa Severa** sans rest, à Santa Severa ✆ 04 95 35 00 98, *Fax 04 95 35 31 05*, ← – P. AE GB
5 – **15 ch** 60/69.
◆ Sur les hauteurs, cet hôtel récemment rénové borde la route du Cap Corse. Chambres simples, avec terrasse, majoritairement tournées vers la mer. Accueil familial sympathique.

**A Luna,** à Santa Severa ✆ 04 95 35 03 17, *Fax 04 95 35 03 17*, ←, – AE GB
*1er mai-30 sept. et fermé lundi en mai, juin et sept.* – **Repas** 17/25.
◆ Restaurant quasiment "les pieds dans l'eau", aménagé sur la marine de Luri. Intérieur redécoré (tableaux modernes) et grande terrasse semi-couverte. Carte orientée poisson.

**Macinaggio** *2B H.-Corse* 345 F2 – ✉ *20248 .*
*Bastia 37.*

**U Libecciu** , ✆ 04 95 35 43 22, *Fax 04 95 35 46 08*, – rest, TV P. AE GB JCB
*1er avril-30 sept.* – **Repas** 17/25 – 6 – **30 ch** 76/95 – ½ P 65.
◆ Le mouillage de Macinaggio est réputé depuis l'Antiquité ; le port moderne est à moins de 100 m de cette pension de famille datant des années 1980. Chambres spacieuses.

**U Ricordu,** ✆ 04 95 35 40 20, *info@hotel-uricordu.com, Fax 04 95 35 41 88*, , – TV P. AE GB. rest
*1er avril-31 oct.* – **Repas** *(10 avril-20 oct.)* 14/16 – 7 – **60 ch** 129/138 – ½ P 80.
◆ Chambres fraîches et actuelles équipées d'un mobilier en pin, que vous rejoindrez après avoir parcouru le vivifiant sentier des douaniers.

**Oletta** *2B H.-Corse* 345 F4 – *879 h alt. 250* – ✉ *20232 .*
*Bastia 18 – Calvi 77 – Corte 72 – L'Ile-Rousse 53.*

**Auberge A Magina,** ✆ 04 95 39 01 01, *Fax 04 95 39 01 01*, ← Nebbio et golfe de St-Florent, – GB
*1er avril-15 oct.* – **Repas** *(fermé lundi)* 20/25.
◆ Une vue à couper le souffle et une vraie cuisine corse préparée en famille, servie dans une belle salle moderne. Le soir, depuis la terrasse, sublime coucher de soleil.

**Olmeto** *2A Corse-du-Sud* 345 *C9 – 1 019 h alt. 320 – ✉ 20113 .*

*Syndicat d'Initiative, Village ✆ 04 95 74 65 87, Fax 04 95 74 62 86.*

*Ajaccio 64 – Propriano 7 – Sartène 19.*

**Santa Maria** , ✆ 04 95 74 65 59, *ettorinathalie@aol.com, Fax 04 95 74 60 33,* – . AE GB

*fermé nov. et déc.* – **Repas** 12,50 (déj.)/23 – 5,50 – **12 ch** 49/52 – ½ P 50.

◆ Ancien moulin à huile sur la place de l'église. Deux salles voûtées et une envolée d'escaliers menant aux chambres rénovées lui donnent du cachet. Ambiance familiale.

**Patrimonio** *2B H.-Corse* 345 *F3 – 546 h alt. 100 – ✉ 20253 .*

Voir *Église St-Martin★ – Nativu★.*

*Bastia 17 – St-Florent 6 – San-Michele-de-Murato 22.*

**Osteria di San Martinu,** ✆ 04 95 37 11 93, – P. GB.

*avril-fin sept. et fermé merc.midi en avril, mai et sept.* – **Repas** 19,50.

◆ Tout se passe, en été, sur la terrasse sous pergola : on y goûte des plats corses et des grillades arrosés, bien entendu, de vin de Patrimonio, produit par le frère du patron.

**Peri** *2A Corse-du-Sud* 345 *C7 – 924 h alt. 450 – ✉ 20167 .*

*Ajaccio 26 – Corte 66 – Propriano 81 – Sartène 93.*

**Chez Séraphin,** ✆ 04 95 25 68 94,

*fermé 1er oct. au 21 nov., lundi, mardi, merc. et jeudi du 21 nov. à juin, mardi midi et lundi de juil. à sept.* – **Repas** (menu unique) 34 bc.

◆ Typique maison corse dans un charmant village accroché à la montagne. Terrasse dominant la vallée. L'accueil est chaleureux, la cuisine authentique et généreuse.

**Petreto-Bicchisano** *2A Corse-du-Sud* 345 *C9 – 585 h alt. 600 – ✉ 20140 Petreto-Bicchisano.*

*Ajaccio 52 – Sartène 34.*

**France,** à Bicchisano ✆ 04 95 24 30 55, – P. GB.

*1er avril-3 nov.* – **Repas** (prévenir) 25 (déj.), 32/46, enf. 15.

◆ Spécialités corses et produits "maison" (charcuteries, confitures, liqueurs) sont servis dans cette salle à manger au décor agreste soigné ou sous la fraîche tonnelle.

**Piana** *2A Corse-du-Sud* 345 *A6 – 500 h alt. 420 – ✉ 20115 .*

Voir *Golfe de Porto★★★.*

*Syndicat d'Initiative, ✆ 04 95 27 84 42, Fax 04 95 27 82 72.*

*Ajaccio 72 – Calvi 85 – Évisa 33 – Porto 13.*

**Capo Rosso** , ✆ 04 95 27 82 40, *caporosso@wanadoo.fr, Fax 04 95 27 80 00,* ≤ golfe et les calanche, , , – P. AE GB. rest

*1er avril-15 oct.* – **Repas** 23/58 – 9,20 – **56 ch** 83/99, (en été : ½ pens. seul.) – ½ P 102.

◆ Cet hôtel en partie rénové domine agréablement le golfe de Porto et les Calanche. Beau panorama depuis de nombreuses chambres, ainsi que du restaurant et de la piscine.

**Scandola,** rte Cargèse ✆ 04 95 27 80 07, *info@hotelsandola.com, Fax 04 95 27 83 88,* ≤, – P. GB

*1er avril-15 oct.* – **Repas** *(15)* - carte 18 à 37 – 5,40 – **17 ch** 50/89.

◆ Le principal attrait de l'établissement est sa perspective sur les Calanche et la baie de Porto. Un paysage exceptionnel que vous admirerez depuis votre loggia privée.

**Continental** sans rest, ✆ 04 95 27 89 00, *Fax 04 95 27 84 71,* – P. GB.

*1er avril-30 sept.* – 6 – **16 ch** 28/59.

◆ Chambres modestes et parquetées, au charme désuet, ou style "seventies" à l'annexe. On se passe aisément de luxe à deux pas des majestueux escarpements cyclopéens.

**Piedicroce** *2B H.-Corse* 345 *F5 – 91 h alt. 636 – ✉ 20229 .*

*Office du Tourisme, ✆ 04 95 35 82 54, Fax 04 95 58 41 01.*

*Bastia 53 – Corte 52 – Vescovato 35.*

**Le Refuge,** ✆ 04 95 35 82 65, *Fax 04 95 35 84 42,* ≤, – GB. rest

*avril-oct.* – **Repas** 15,30/23 – 6,10 – **20 ch** 48/55 – ½ P 48.

◆ Non loin du Monte San Petrone et des ruines romantiques du couvent d'Orezza, établissement modeste où l'on demandera une chambre orientée vers la ténébreuse vallée.

**Pioggiola** *2B H.-Corse* 345 C4 – *49 h alt. 880* – ✉ *20259.*

*Bastia 83 – Calvi 44.*

**Auberge Aghjola** ⛰, ✆ 04 95 61 90 48, *Fax 04 95 61 92 99,* ⛱, 🏊 – AE ⓓ GB. ⚘ rest

*1er avril-10 oct.* – **Repas** (nombre de couverts limité, prévenir) 16/22 – ☕ 6 – **8 ch** 40/60 – ½ P 61.

◆ Maison du bout du monde où le temps semble s'être arrêté. Chambres simples (meubles en bois peint), grande table d'hôte et cuisine corse authentique... Une adresse attachante.

**Porticcio** *2A Corse-du-Sud* 345 B8 – ✉ *20166.*

*OMT, Plage des marines ✆ 04 95 25 01 01, Fax 04 95 25 11 12.*

*Ajaccio 19 – Sartène 67.*

**Maquis** ⛰, ✆ 04 95 25 05 55, *info@lemarquis.com, Fax 04 95 25 11 70,* ≤ Ajaccio et golfe, ⛱, 🏊, 🏊, ⛵, 🏖, ⚘ – |♦|, ▤ ch, TV ✆ P. AE ⓓ GB. ⚘ rest

*fermé 3 janv. au 6 fév.* – **Repas** grill le midi, le soir, carte 55 à 85 ♀ – ☕ 20 – **19 ch** 300/450, 6 appart – ½ P 215/290.

◆ Jolie demeure d'inspiration génoise nichée dans un jardin luxuriant en bordure de mer. Chambres spacieuses, au beau mobilier ancien. Superbes piscines et terrasse panoramiques.

**Sofitel** ⛰, ✆ 04 95 29 40 40, *h0587@accor-hotels.com, Fax 04 95 25 00 63,* ≤ golfe, ⛱, 🏊, ⛵, 🏖, ⚘ – |♦| ✈ ▤ TV ✆ ♿ P – 🎤 20 à 60. AE ⓓ GB. ⚘ rest

**Repas** (27) - 41/43 – ☕ – **98 ch** 255/466 – ½ P 233.

◆ Complexe hôtelier voué à Neptune : situation isolée à la pointe du cap de Porticcio, institut de thalassothérapie, sports nautiques, terrasse et chambres tournées vers la mer.

**à Agosta-Plage** *Sud : 2 km* – ✉ *20166 :*

**Crique,** ✆ 04 95 25 94 73, ⛱ – ⓓ GB

*fermé 10 nov. au 1er déc., 5 au 19 janv., dim. soir et lundi sauf 13 juil. au 17 août* – **Repas** 13,50/22,50 ♀.

◆ Ce restaurant a des airs de chalet (murs lambrissés et arche en pierre), mais criques et tours génoises rappellent le paysage balnéaire corse. Plats traditionnels, salades et grillades.

**Porto** *2A Corse-du-Sud* 345 B6 – ✉ *20150 Ota.*

**Voir** *La Marine★ – Tour génoise★.*

**Env.** *Golfe de Porto★★★ : les Calanche★★★ – NO : réserve de Scandola★★★, golfe★★ de Girolata.*

*Office de tourisme, place de la Marine ✆ 04 95 26 10 55, Fax 04 95 26 14 25, office@porto-tourisme.com.*

*Ajaccio 84 – Calvi 73 – Corte 93 – Évisa 23.*

**Belvédère** M ⛰ sans rest, à la Marine ✆ 04 95 26 12 01, *info@hotel-le-belvedere.com, Fax 04 95 26 11 97,* ≤ – |♦| ▤ TV ♿. AE ⓓ GB

☕ 6,10 – **20 ch** 70/99.

◆ Au pied de la célèbre tour génoise défiant les assauts de la mer, construction moderne en pierres rouges proposant des chambres bien équipées, à choisir côté port.

**Subrini** sans rest, à la Marine ✆ 04 95 26 14 94, *subrini@hotels-porto.com, Fax 04 95 26 11 57,* ≤ – |♦| ▤ TV ♿ P. AE ⓓ GB. ⚘

*6 avril-31 oct.* – ☕ 10 – **23 ch** 65/120.

◆ Bâtisse en pierres de taille située au-delà de la route bordée par les fameux eucalyptus centenaires. Chambres donnant sur la place principale de la marine et sur la tour.

**Capo d'Orto** sans rest, ✆ 04 95 26 11 14, *hotel.capo.d.orto@wanadoo.fr, Fax 04 95 26 13 49,* ≤, 🏊 – TV P. ⓓ GB

*1er avril-31 oct.* – ☕ 7,50 – **30 ch** 83/89.

◆ Cet hôtel récent surplombe la route, à l'entrée de la petite station balnéaire. Chambres amples, toutes pourvues d'une loggia ou d'un balcon tourné vers la mer.

**Bella Vista,** ✆ 04 95 26 11 08, *bellavistacorse@aol.com, Fax 04 95 26 15 18,* ≤, ⛱ – ▤ rest, TV P. GB. ⚘

*3 avril-2 nov., 26 déc.-4 janv. et week-ends en fév., mars et nov.* – **Repas** *(fermé lundi midi sauf juil.-août)* 16 (déj.), 23/58 ♀ – ☕ 10 – **18 ch** 70/130 – ½ P 75/105.

◆ Ambiance familiale dans cette maison où vous préférerez une chambre rénovée. Plats au goût du jour, charcuteries "maison". Coucher de soleil inoubliable sur le Capo d'Orto.

**Romantique** Ⓜ, à la Marine ✆ 04 95 26 10 85, *Fax 04 95 26 14 04*, ≤, – ch, TV. GB. ch
*1er mai-10 oct.* – **Repas** 15,10/19,90 – 7 – **8 ch** 95 – ½ P 71,10.
◆ Chambres spacieuses, crépies et carrelées ; les balcons donnent tous sur la petite marine et le bois d'eucalyptus. Terrasse dominant le port. Cuisine simple.

**Mer,** à la Marine ✆ 04 95 26 11 27, *Fax 04 95 96 11 17*, ≤, – GB
*15 mars-15 nov.* – **Repas** 18/29.
◆ À l'extrémité de la marine, la terrasse de cette maison de pierre aux volets bleus est idéale pour voir la montagne se jeter dans la mer. Spécialités de poissons.

---

## Porto-Pollo
*2A Corse-du-Sud* 345 B9 – *alt. 140* – ✉ *20140 Petreto-Bicchisano.*
*Ajaccio 52 – Sartène 30.*

**Les Eucalyptus** sans rest, ✆ 04 95 74 01 52, *Fax 04 95 74 06 56*, ≤, – TV P. AE GB.
*15 avril-13 oct.* – 6,40 – **27 ch** 55/83,50.
◆ Construction des années 1960 dominant le golfe de Valinco que l'on contemplera depuis la plupart des chambres, fonctionnelles et dotées de balcons. Jardin méridional arboré.

**Kallisté,** ✉ 20156 Serra di Ferro ✆ 04 95 74 02 38, *Fax 04 95 74 06 26*, – P. GB
*1er avril-8 nov.* – **Repas** 20/25, enf. 8 – 7 – **19 ch** 57,80/61 – ½ P 65,60.
◆ Chambres actualisées, dotées d'un mobilier et d'équipements fonctionnels. Quelques-unes bénéficient de terrasses accordant le coup d'oeil sur les flots bleus.

---

## Porto-Vecchio
*2A Corse-du-Sud* 345 E10 – *9 307 h alt. 40* – ✉ *20137 .*
Env. *Golfe de Porto-Vecchio*★★ – *Castellu d'Arraghju*★ ≤★★ *N : 7,5 km.*
*Figari-Sud-Corse : ✆ 04 95 71 10 10, SO : 23 km.*
*Office du Tourisme, rue du Docteur Camille de Rocca Serra ✆ 04 95 70 09 58, Fax 04 95 70 03 72.*
*Ajaccio 142 – Bonifacio 27 – Corte 123 – Sartène 61.*

**Belvédère** Ⓜ, rte plage de Palombaggia : 5 km ✆ 04 95 70 54 13, *info@hbcorsica.com, Fax 04 95 70 42 63*, ≤, – ch, TV P – 15. AE GB. ch
*fermé 4 janv. au 13 mars* – **Repas** *(fermé le midi de juin à sept.)* 49/79 et carte 66 à 90 - ***Mari e Tarra*** (terrasse)(dîner seul.)(grill) *(mai-oct.)* **Repas** carte 40 à 65 – 15 – **16 ch** 295/370, 3 appart – ½ P 200/230.
◆ Dans une oasis de verdure, au bord de l'eau, bel ensemble avec piscine et terrasse panoramiques, plage privée et chambres méditerranéennes en bungalows. Un coin de paradis !
**Spéc.** Ravioli de langoustines aux champignons sauce crustacés. Pièce de veau corse rôtie. Cannelloni de pain d'épices sur giboulée de fruits rouges. **Vins** Figari, Patrimonio.

**Syracuse**, rte plage de Palombaggia : 6 km ✆ 04 95 70 53 63, *contact@corse-hotelsyracuse.com, Fax 04 95 70 28 97*, ≤, – TV P. AE GB. rest
*1er avril-15 oct.* – **Repas** *(31 mars-15 oct.)* 38/53 – 11 – **18 ch** 195/217 – ½ P 152,50.
◆ Architecture moderne séparée de la mer par une végétation luxuriante. Chambres en rez-de-jardin ou dotées d'une loggia. Salle de restaurant aménagée sous un kiosque de toile.

**Golfe Hôtel** Ⓜ, r. du 9-Septembre-1943 ✆ 04 95 70 48 20, *info@golfehotel.com, Fax 04 95 70 92 00*, – TV P – 20. AE GB. rest
***Les Quatre Saisons*** ✆ 04 95 70 92 03 (dîner seul.) *(fermé 1er au 26 déc.)* **Repas** 23, enf. 6,50 – 8 – **41 ch** 147/303, (en été : ½ pens. seul.) – ½ P 115/190,50.
◆ Hôtel récent en léger retrait de la route menant au port. Chambres actuelles, bien tenues. Quelques-unes, rajeunies, bénéficient d'une décoration plus soignée.

**Alcyon** Ⓜ sans rest, 9 r. Mar. Leclerc (face Poste) ✆ 04 95 70 50 50, *info@hotel-alcyon.com, Fax 04 95 70 25 84* – TV P. AE GB
9 – **40 ch** 169.
◆ Immeuble moderne du centre-ville. Chambres sobres et fonctionnelles, toutes rénovées. Préférez celles de la façade, ou des étages supérieurs sur l'arrière.

**San Giovanni**, rte Arca, Sud-Ouest : 3 km par D 659 ✆ 04 95 70 22 25, *info@hotel-san-giovanni.com, Fax 04 95 70 20 11*, ≤, – rest, TV P. AE GB.
*mars-oct.* – **Repas** (résidents seul.) 20 – 8 – **30 ch** 73/90 – ½ P 70.
◆ Pension de famille dans un grand parc arboré et fleuri, agrémenté d'un bassin. Certaines chambres s'ouvrent de plain-pied sur un petit jardin privatif. Piscine et jacuzzi.

**Goéland** sans rest, à la Marine ✆ 04 95 70 14 15, *hotel-goeland@wanadoo.fr, Fax 04 95 72 05 18*, ≤, – TV P. GB.
*15 mars-7 nov.* – 8 – **23 ch** 79/150.
◆ "Les pieds dans l'eau", vous serez hébergé dans une maison aux installations simples, mais permettant de profiter pleinement de la beauté du site. Petit port privé.

XX **Troubadour,** 13 r. Gén. Leclerc (près Poste) (1er étage) ✆ 04 95 70 08 62, *georges-billon@wanadoo.fr, Fax 04 95 70 55 26,* – ▤ P. GB
*fermé dim. midi* – **Repas** (dîner seul. en saison) 15 (déj.)/23 ♀.
◆ Cure de jouvence pour ce restaurant porto-vecchiais : la salle à manger, prolongée d'une terrasse fleurie, a pris de jolies couleurs méditerranéennes. Cuisine corse.

XX **L'Orée du Maquis** avec ch, à la Trinité, Nord : 5 km et chemin de la Lézardière ✆ 04 95 70 22 21, *Fax 04 95 70 22 21,* <, – P. GB
*fermé nov., dim. hors saison et lundi en saison* – **Repas** (nombre de couverts limité, prévenir)(menu unique)(dîner seul.) 58 – ☐ 10 – **3 ch** 77/150 – ½ P 110/145.
◆ On accède à cette villa isolée par un chemin escarpé. De la terrasse occupant une position dominante, la vue porte loin sur le maquis et le littoral. Cuisine sucrée-salée.

**au golfe de Santa Giulia** *Sud : 8 km par N 198 et rte secondaire* – ✉ *20137 Porto-Vecchio :*

**Moby Dick** M (annexe 69 pavillons), ✆ 04 95 70 70 00, *webmaster@sudcorse.com, Fax 04 95 70 46 66,* <, – ▤ ch, TV ✆ ♿ P – 40. AE ⓓ GB.
*30 avril-20 oct.* – **Repas** 35 et carte environ 50 – ☐ 13 – **113 ch** 218/308 – ½ P 165/231.
◆ Sur la lagune, isolée du golfe aux couleurs polynésiennes par une plage de sable fin. Chambres rénovées dans le bâtiment principal ou pavillons dispersés dans la pinède.

**Castell'Verde** M , ✆ 04 95 70 71 00, *webmaster@sud-corse.com, Fax 04 95 70 71 01,* < golfe, – ▤ ch, TV P. AE ⓓ GB.
*1er mai-30 sept.* – **Repas** -voir rest. ***Costa Rica*** – ☐ 10 – **30 ch** 77, (en été : ½ pens. seul.) – ½ P 137.
◆ Dans un village de vacances construit en pin laricio, établissement dont les chambres au décor chatoyant sont toutes tournées vers la mer. Plage à 300 m.

XX **Costa Rica,** ✆ 04 95 72 24 51, *Fax 04 95 72 05 66,* <, – P. AE ⓓ GB
*1er mai-15 oct.* – **Repas** 30 ♀.
◆ Salle en demi-rotonde dont les grandes baies vitrées révèlent l'omniprésence de la mer et de la nature corse. Agréable terrasse ombragée face à la baie. Plats au goût du jour.

**à Cala Rossa** *Nord-Est : 10 km par N 198 et D 468* – ✉ *20137 Porto-Vecchio :*

**Grand Hôtel de Cala Rossa** , ✆ 04 95 71 61 51, *patricia.biancarelli@wanadoo.fr, Fax 04 95 71 60 11,* <, – ▤ TV P. AE ⓓ GB JCB.
*7 avril-3 janv.* – **Repas** (dîner seul.) 90/120 et carte 100 à 145 ♀ – ☐ 30 – **42 ch** 200/255, (en été : ½ pens. seul.) – ½ P 340/495.
◆ Sous les pins, face à la plage, jardin fleuri aux exhalaisons de tamaris et de lauriers-roses : à demeure d'exception, écrin splendide. Chambres dans la note méditerranéenne.
**Spéc.** Cannelloni de seiche, grosses crevettes en brochette de romarin et cappucino de crustacés. Filet de loup à la plancha. Feuillet de sabayon chocolat. **Vins** Patrimonio, Figari.

**à la presqu'île du Benedettu** *Nord-Est : 10 km par N 198 et D 468* – ✉ *20137 Porto-Vecchio :*

**U Benedettu** , ✆ 04 95 71 62 81, *benedettu@wanadoo.fr, Fax 04 95 71 66 37,* <, – ▤ ch, TV ✆ P. AE ⓓ GB
carte environ 35***A Perla*** ✆04 95 71 60 68 *(réouverture prévue au printemps après travaux)* – ☐ 11 – **9 ch** 150/180 – ½ P 190/275.
◆ Situation idyllique : pavillons disséminés sur la presqu'île et restaurant au bord de la plage d'où l'on jouit d'une intéressante perspective sur le golfe de Porto-Vecchio.

---

**Propriano** *2A Corse-du-Sud* 345 *C9 – 3 217 h alt. 5 – Stat. therm. O (Bains de Baracci)* – ✉ *20110.*
*Office du Tourisme, Port de Plaisance ✆ 04 95 76 01 49, Fax 04 95 76 00 65.*
*Ajaccio 72 – Bonifacio 65 – Corte 139 – Sartène 13.*

**Grand Hôtel Miramar,** rte Corniche ✆ 04 95 76 06 13, *miramar@wanadoo.fr, Fax 04 95 76 13 14,* < golfe de Valinco, – ▤ ch, TV ✆ P – 25. AE ⓓ GB
*25 avril-11 oct.* – **Repas** carte 50 à 65 – ☐ 15 – **25 ch** 305/352, 3 appart – ½ P 217,50/241.
◆ Cette demeure de caractère, dont la blancheur contraste avec les eaux turquoise du golfe et la végétation luxuriante, est une invite au séjour. Plaisant décor méditerranéen.

**Roc é Mare** sans rest, ✆ 04 95 76 04 85, *rocemare@rocemare.fr, Fax 04 95 76 17 55,* < golfe, – TV P – 80. AE ⓓ GB
*10 avril-20 oct.* – ☐ 9,90 – **62 ch** 86/121.
◆ Immeuble des années 1960 ancré sur un promontoire dominant le golfe de Valinco. Les chambres, fonctionnelles, disposent toutes d'une loggia côté mer. En été, snack sur la plage.

**Ibiscus** sans rest, ✆ 04 95 76 01 56, *Fax 04 95 76 23 88,* < – TV ✆ ♿ P. GB
☐ 6,90 – **24 ch** 76,30.
◆ Hôtel proche du centre, mais protégé du bruit par sa situation en surplomb. Grands balcons tournés vers le golfe, meubles en merisier et ampleur caractérisent les chambres.

**Loft Hôtel** sans rest, 3 r. Pandolfi ✆ 04 95 76 17 48, *Fax 04 95 76 22 04* – TV ✆ P. GB. ✗
*15 avril-30 sept.* – ☕ 5,80 – **25 ch** 52/60.
◆ Construction récente en retrait du port abritant des chambres sobrement aménagées et mansardées à l'étage. Les "lofteurs" de grande taille choisiront celles du rez-de-chaussée !

**Arcu di Sole** ⛰, rte Barraci, Nord-Est : 2 km ✉ 20113 Olmeto ✆ 04 95 76 05 10, *Arcudisole@wanadoo.fr, Fax 04 95 76 13 36,* ☂, ♨, ☂, ✗ – P. AE GB. ✗ rest
*12 avril-15 oct.* – **Repas** 18/20 ♀ – ☕ 8 – **51 ch** 81/90 – ½ P 66/68,30.
◆ Architecture ocre rose au coeur d'un vaste jardin fleuri. Chambres meublées en rotin ou en bois peint. Repas servis en terrasse avec vue sur le minigolf ou sur la piscine.

**Lido** ⛰ avec ch, ✆ 04 95 76 06 37, *Fax 04 95 76 31 18,* ≤, ☂ – AE GB. ✗ ch
*2 mai-30 sept. et fermé lundi midi et merc. midi* – **Repas** (20) - carte 43 à 55 – ☕ 10 – **14 ch** 91,50/183.
◆ Restaurant construit en 1932 sur une presqu'île, entre plages et rochers. Décor marin, transats et terrasses "les pieds dans l'eau". Belles chambres "andalouses".

**Cabanon,** av. Napoléon (sur le port) ✆ 04 95 76 07 76, *Fax 04 95 76 27 97,* ≤, ☂ – AE ⓓ GB
*1er avril-1er nov.* – **Repas** 17 (déj.), 20/30, enf. 12.
◆ Salle à manger en bleu marine et blanc, belle terrasse d'où l'on contemple les bateaux et spécialités de poissons : ce "cabanon" proche du port est tout entier voué à la mer.

## Quenza *2A Corse-du-Sud* 345 *D9 – 214 h alt. 840 – ✉ 20122 .*

Voir *Fresques★ de la chapelle Santa-Maria-Assunta.*
*Ajaccio 84 – Bonifacio 75 – Porto-Vecchio 47 – Sartène 38.*

**Sole e Monti,** ✆ 04 95 78 62 53, *sole.e.monti@wanadoo.fr, Fax 04 95 78 63 88,* ≤, ☂, ☂ – TV P. AE ⓓ GB. ✗ rest
*1er mai-15 oct.* – **Repas** *(fermé lundi et mardi)* 30/40 ♀ – ☕ 10 – **20 ch** 110/160 – ½ P 80/90.
◆ Soleil et montagne dans ce village dominé par les majestueuses aiguilles de Bavella. Chambres rustiques, à choisir côté façade principale pour la vue sur la vallée.

## St-Florent *2B H.-Corse* 345 *E3 – 1 350 h – ✉ 20217 .*

Voir *Église Santa Maria Assunta★★ – Vieille Ville★.*
Env. *Les Agriates★.*
ℹ *Office du Tourisme, ✆ 04 95 37 06 04, Fax 04 95 37 06 04.*
*Bastia 23 – Calvi 70 – Corte 74 – L'Ile-Rousse 46.*

**Dolce Notte** ⛰ sans rest, ✆ 04 95 37 06 65, *info@hotel-dolce-notte.com, Fax 04 95 37 10 70,* ≤ golfe, ⛵, ☂ – TV P. GB. ✗
*20 mars-20 oct.* – ☕ 7 – **20 ch** 92/127.
◆ Construction basse tout en longueur, en bord de mer à la sortie de la ville sur la route du Cap Corse. Chambres tournées vers la Méditerranée, avec terrasse ou loggia.

**Tettola** sans rest, Nord : 1 km sur D 81 ✆ 04 95 37 08 53, *hotel.tettola@wanadoo.fr, Fax 04 95 37 09 19,* ≤, ♨ – cuisinette ▤ TV ✆ P. GB. ✗
*mars-oct.* – ☕ 6 – **30 ch** 82/115.
◆ Sur une plage de galets, jeune établissement dont vous occuperez de préférence une chambre côté "grande bleue", plus tranquille et plus lumineuse. Accueil aimable.

**Bellevue** sans rest, ✆ 04 95 37 00 06, *hotel-bellevue@wanadoo.fr, Fax 04 95 37 14 83,* ≤, ♨, ✗, ☂ – TV P – 🏛 100. GB. ✗
*1er avril-31 oct.* – ☕ 8 – **25 ch** 116/155.
◆ Une place de choix au milieu d'un beau parc dominant la mer, face au Cap Corse. Les chambres, tout en blanc et bleu, sont dotées de lits en fer forgé, parfois à baldaquin.

**Les Galets** sans rest, ✆ 04 95 37 09 09, *hotellesgalets@wanadoo.fr, Fax 04 95 37 48 88,* ≤, ☂ – ▤ TV ✆ ♿ P
*1er avril-30 oct.* – ☕ 6,50 – **16 ch** 120/130.
◆ Attenant à une résidence, mais indépendant, hôtel récent disposant de grandes chambres fonctionnelles avec balcon et vue sur la mer. Agréable jardin ; accueil sympathique.

**Maxime** M sans rest, ✆ 04 95 37 05 30, *Fax 04 95 37 13 07* – TV ♿ P. ✗
☕ 7 – **19 ch** 70.
◆ Bâtisse blanche aux volets bleus récemment construite au bord d'une petite rivière (amarrage possible). Les chambres sont équipées de loggias ou de balcons.

**Rascasse,** promenade des Quais ✆ 04 95 37 06 99, *atrium-saintflorent@wanadoo.fr, Fax 04 95 37 06 09,* ≤, ☂ – ▤. AE GB. ✗
*1er mars-30 oct.* – **Repas** carte 34 à 46 ♀.
◆ Après la visite de l'ancienne cathédrale du Nebbio, venez ici déguster quelques spécialités de poisson. À l'étage, terrasse panoramique dominant le port.

**Sainta-Maria-Sicché** *2A Corse-du-Sud* 345 C8 – *355 h alt. 420* – ✉ *20190 Santa-Maria-Sicché.*
*Ajaccio 36 – Sartène 50.*

**Santa Maria,** ☎ 04 95 25 72 65, *Fax 04 95 25 71 34,* – TV P. AE GB JCB.
**Repas** 15/23 – 6,10 – **22 ch** 40/58 – 1/2 P 46/53.
◆ Bâtiment des années 1970 aux chambres modestes, mais bien tenues ; quelques-unes sont dotées de balcons. Ambiance de pension de famille. Charcuteries "maison".

**Ste-Lucie-de-Tallano** *2A Corse-du-Sud* 345 D9 – *424 h alt. 450* – ✉ *20112.*
*Ajaccio 90 – Bonifacio 71 – Porto-Vecchio 48 – Sartène 19.*

**Santa Lucia,** ☎ 04 95 78 81 28, –. AE GB
**Repas** *(fermé janv. et dim. hors saison)* 14,50/20,60.
◆ Bercé par le murmure de la fontaine, attardez-vous sur la terrasse ombragée (tilleul et acacia), face à la place centrale de ce pittoresque village. Cuisine corse familiale.

**Sartène** *2A Corse-du-Sud* 345 C10 *G. Corse* – *3 525 h alt. 310* – ✉ *20100.*
Voir *Vieille ville★★ – Procession de Catenacciu★★ (vend. Saint) – Musée de Préhistoire corse★.*
*Syndicat d'Initiative, 6 rue Borgo ☎ 04 95 77 15 40, Fax 04 95 77 15 40.*
*Ajaccio 82 – Bonifacio 52 – Corte 149.*

**Villa Piana** sans rest, rte Propriano ☎ 04 95 77 07 04, *info@lavillapiana.com, Fax 04 95 73 45 65,* – TV P – 70. AE GB.
*12 avril-15 oct.* – 8 – **31 ch** 95.
◆ Beau panorama sur "la plus corse des villes corses" (P. Mérimée) depuis le parc de l'hôtel. La piscine à débordement domine la vallée du Rizzanèse. Chambres plaisantes.

**Auberge Santa Barbara,** rte de Propriano ☎ 04 95 77 09 06, *Fax 04 95 77 09 09,* – P. AE GB
*15 mars-15 oct. et fermé lundi sauf le soir en saison* – **Repas** 27.
◆ De la terrasse sous auvent, au coeur d'un jardin coquet, saisissante vue en contre-plongée sur Sartène. Intérieur campagnard et spécialités régionales.

**Soccia** *2A Corse-du-Sud* 345 C6 – *143 h alt. 670* – ✉ *20125.*
*Ajaccio 69 – Calvi 130 – Corte 106 – Vico 18.*

**U Paese** sans rest, ☎ 04 95 28 31 92, *hotel.u.paese@wanadoo.fr, Fax 04 95 28 35 19,* – P. GB
6 – **30 ch** 36/54.
◆ Bâtisse des années 1970 dans un ravissant village perché. Le confort est spartiate, comme s'il s'avérait superflu devant le sublime spectacle de la nature.

**Solenzara** *2A Corse-du-Sud* 345 F8 – *alt. 310* – ✉ *20145.*
*Office de tourisme, rue Principale ☎ 04 95 57 43 75, Fax 04 95 57 43 59.*
*Ajaccio 119 – Bonifacio 68 – Sartène 77.*

**Solenzara** sans rest, ☎ 04 95 57 42 18, *info@lasolenzara.com, Fax 04 95 57 46 84,* – TV P. AE GB
*21 avril-3 nov.* – 7 – **28 ch** 79/90.
◆ Imposante architecture de style génois datant du 18e s. au milieu d'un jardin face à la mer. Préférez les chambres de l'annexe, spacieuses et plus récentes.

**Maquis et Mer** sans rest, ☎ 04 95 57 42 37, *maquis-et-mer@wanadoo.fr, Fax 04 95 57 46 85* – TV P – 30. AE GB JCB
*1er avril-30 oct.* – 6 – **42 ch** 134/200.
◆ Chambres plus grandes et mieux meublées dans l'aile sans ascenseur. Dans l'autre, profitez de la climatisation. L'hôtel est fréquenté par les pilotes de chasse de la base voisine.

**A Mandria,** Nord : 1 km ☎ 04 95 57 41 95, *Sirius1@wanadoo.fr, Fax 04 95 57 45 96,* – P
*fermé janv., dim. soir et lundi hors saison* – **Repas** 19,50.
◆ Repas sous l'agréable pergola ou dans la salle à manger rustique et simple où sont exposés les outils trouvés dans l'ancienne bergerie. Grill et cuisine corse.

**Vico** *2A Corse-du-Sud* 345 B7 – *921 h alt. 400* – ✉ *20160.*
Voir *Couvent St-François : christ en bois★ dans l'église conventuelle.*
*Office du Tourisme, ☎ 04 95 28 05 36, Fax 04 95 28 05 36.*
*Ajaccio 51 – Calvi 112 – Corte 88.*

**U Paradisu** , ✆ 04 95 26 61 62, *uparadisu@wanadoo.fr, Fax 04 95 26 67 01*, –
. AE GB
*fermé 1er janv. au 1er mars* – **Repas** (14,50) - 18,30/22 , enf. 10 – 6,10 – **21 ch** 68/87 – ½ P 59.
◆ Ambiance de pension de famille dans cet hôtel situé aux portes de la petite capitale du Liamone. Chambres simples et bien tenues. Salle à manger rustique et terrasse couverte.

**Zicavo** *2A Corse-du-Sud* 345 *D8 – 245 h alt. 700 – ✉ 20132*.
*Ajaccio 62 – Bonifacio 113 – Corte 78 – Porto-Vecchio 86 – Sartène 62.*

**Tourisme** , ✆ 04 95 24 40 06, ≤, –
**Repas** 13 – 4 – **15 ch** 29/36 – ½ P 38.
◆ Cette maison familiale offre un très joli panorama sur la vallée. Chambres modestes, mais bien tenues ; certaines ont une terrasse. Salle à manger empreinte de simplicité.

**Zonza** *2A Corse-du-Sud* 345 *E9 – 1 600 h alt. 780 – ✉ 20124*.
**Voir** *Col et aiguilles de Bavella★★★ NE : 9 km.*
*Ajaccio 91 – Bonifacio 67 – Porto-Vecchio 40 – Sartène 38.*

**Tourisme,** ✆ 04 95 78 67 72, *letourisme@wanadoo.fr, Fax 04 95 78 73 23*, ≤, , –
. GB JCB
*25 mars-30 oct.* – **Repas** (13,50) - 17,50/26,50 , enf. 8 – 8,50 – **16 ch** 45,50/115 – ½ P 63/70.
◆ Hôtel de la fin du 19e s. régulièrement rénové. Chambres claires, dotées de balcons. Copieuse cuisine du pays. À l'arrivée, désaltérez-vous à la fontaine de la maison !

**L'Incudine,** ✆ 04 95 78 67 71, *Fax 04 95 78 67 71*, – . AE GB
*1er avril-30 oct.* – **Repas** *(fermé lundi midi)* 15 (dîner), 20/34, enf. 10 – 6 – **18 ch** (½ pens. seul.) – ½ P 55.
◆ L'Incudine, la "crête des Forgerons" (forme d'enclume), veille sur cette maison villageoise. Demander une chambre refaite. Plats du terroir. Atmosphère familiale.

*Une réservation confirmée par écrit ou par fax est toujours plus sûre.*

**CORTE** *2B H.-Corse* 345 *D6 – voir à Corse.*

**COSNE-SUR-LOIRE** 58200 *Nièvre* 319 *A7 G. Bourgogne – 12 123 h alt. 150.*
**Voir** *Cheminée★ du musée.*
*Office du Tourisme, place de l'Hôtel de Ville ✆ 03 86 28 11 85, Fax 03 86 28 11 85, otcosne@club-internet.fr.*
*Paris 185 ① – Bourges 60 ④ – Auxerre 81 ① – Montargis 74 ① – Nevers 54 ③.*

Plan page ci-contre

**Vieux Relais,** 11 r. St-Agnan **(r)** ✆ 03 86 28 20 21, *contacts@le-vieux-relais.fr, Fax 03 86 26 71 12* – . AE GB
*fermé 24 déc. au 10 janv., vend. soir, sam. midi et dim. soir* – **Repas** 16,80/30 – 9,20 – **11 ch** 66,40/80 – ½ P 62.
◆ Relais de poste multi-centenaire que l'on vient de rénover. Chambres distribuées autour d'une petite cour intérieure très fleurie. Salle à manger à l'esprit campagnard.

**Saint-Christophe,** pl. Gare **(u)** ✆ 03 86 28 02 01, *Fax 03 86 26 94 28* – . AE GB
*fermé 25 juil. au 22 août, 26 déc. au 2 janv., dim. soir et vend.* – **Repas** (13) - 18,50/34,50 , enf. 9 – 5,80 – **8 ch** 32,50/41 – ½ P 40/43,50.
◆ Discret établissement situé juste en face de la gare. Petites chambres confortablement équipées, plus calmes sur l'arrière. Salle de restaurant fraîchement rénovée.

**Les Forges** M avec ch, 21 r. St-Aignan **(a)** ✉ 58200 ✆ 03 86 28 23 50, *denis-cathye@wanadoo.fr, Fax 03 86 28 91 60* – rest, . GB. rest
*fermé 1er au 6 juil., 22 au 29 déc.* – **Repas** *(fermé dim. soir et lundi)* (17) - 25 – 7 – **7 ch** 43/58.
◆ Nulle trace du "routier" d'origine dans cet hôtel-restaurant revu de fond en comble : salle à manger actuelle et gaie (carte au goût du jour), crêperie et chambres pratiques.

**Panetière,** 18 pl. Pêcherie **(v)** ✆ 03 86 28 01 04, – GB
*fermé 28 juil. au 19 août, 22 au 31 déc., dim. soir et lundi* – **Repas** 15/42 .
◆ Les anciennes maisons des mariniers bordent la place. Intérieur récemment refait dans l'esprit rustique et petite terrasse devançant la façade recouverte de vigne vierge.

## COSNE-SUR-LOIRE

Baudin (R. Alphonse) . 2
Buchet-Desforges (R.) .......... 4
Clemenceau (Pl. G.) ....... 5
Dr-J. Moineau (Pl.) .......... 6
Donzy (R. de) ... 7
Frères-Gambon (R. des) ...... 8
Gaulle (R. du Gén.-de) 12
Pêcherie (Pl. de la) ..... 15
Pelletan (R. Eugène) ... 16
République (Bd de la) .... 17
St-Agnan (R.) ... 21
St-Jacques (R.) .. 22
Vieille-Route .... 25
14-Juillet (R. du) 26

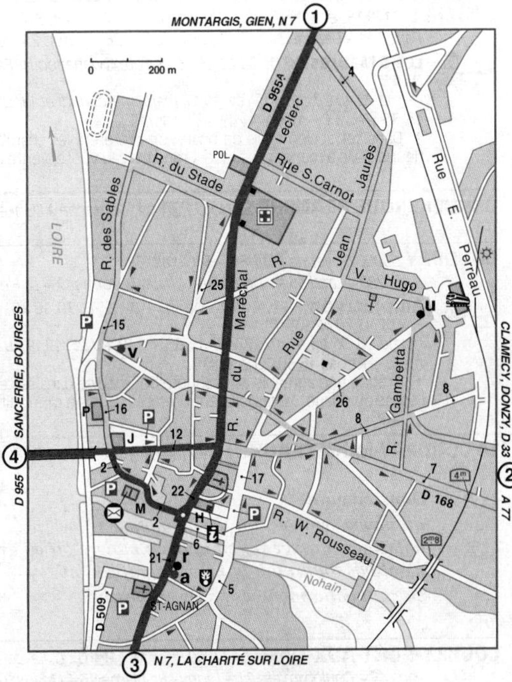

MONTARGIS, GIEN, N 7
1
0 200 m
D 955A
Leclerc
POL.
R. du Stade
Rue S.Carnot
Jaurès
Rue E. Perreau
LOIRE
R. des Sables
R.
Jean
V. Hugo
u
25
Maréchal
du
Rue
15
v
Gambetta
26
8
16
12
R.
J
4
SANCERRE, BOURGES
D 955
CLAMECY, DONZY, D 33
2
A 77
22
17
7
D 168
M
2
H
R. W. Rousseau
6
21
r
a
5
Nohain
D 509
ST-AGNAN
3
N 7, LA CHARITÉ SUR LOIRE

*Lisez attentivement l'introduction : c'est la clé du guide.*

---

**COSQUEVILLE** *50330 Manche* 303 *D1 – 501 h alt. 22.*
*Paris 357 – Cherbourg 21 – Caen 124 – Carentan 51 – St-Lô 78 – Valognes 27.*

XX **Au Bouquet de Cosqueville,** ✆ 02 33 54 32 81, *contact@bouquetdecosqueville.com, Fax 02 33 54 63 38* – AE GB
*fermé janv., merc. de sept. à juin et mardi* – **Repas** 19/70, enf. 6,50.
◆ Entrez dans cette vieille maison villageoise tapissée de vigne vierge pour déguster une cuisine de la mer et du terroir dans un cadre intime et sagement rustique.

---

**Le COTEAU** *42 Loire* 327 *D3 – rattaché à Roanne.*

---

**La CÔTE-ST-ANDRÉ** *38260 Isère* 333 *E5 G. Vallée du Rhône – 3 966 h alt. 370.*
*Office du Tourisme, place Hector Berlioz ✆ 04 74 20 61 43, Fax 04 74 20 56 25.*
*Paris 527 – Grenoble 49 – Lyon 69 – La Tour-du-Pin 33 – Valence 76 – Vienne 37 – Voiron 32.*

XX ✿ **France** avec ch, pl. Église ✆ 04 74 20 25 99, *Fax 04 74 20 35 30* – rest, TV – 25. GB
**Repas** *(fermé dim. soir et lundi sauf fériés)* 27,50/69 et carte 45 à 65, enf. 16 – 8 – **14 ch** 50/60 – ½ P 80/100.
◆ Demeure ancienne au coeur de la cité natale de Berlioz. La cuisine, ancrée dans la tradition, est servie dans un cadre contemporain. Chambres au mobilier campagnard.
**Spéc.** Suprême de bar au cornas. Poulet au vinaigre. Pigeonneau côtois en croûte dorée.
**Vins** Condrieu, Viognier.

---

**COTI-CHIAVARI** *2A Corse-du-Sud* 345 *B9 – voir à Corse.*

---

**COTINIÈRE** *17 Char.-Mar.* 324 *C4 – rattaché à Ile d'Oléron.*

---

**La COUARDE-SUR-MER** *17 Char.-Mar.* 324 *B2 – voir à Île de Ré.*

**COUCHES** *71490 S.-et-L.* 320 H8 *G. Bourgogne – 1 457 h alt. 320.*

*Paris 311 – Beaune 31 – Chalon-sur-Saône 26 – Autun 25 – Le Creusot 16.*

**Les 3 Maures,** ✆ 03 85 49 63 93, *tolfotel@wanadoo.fr, Fax 03 85 49 50 29,* – TV. AE GB

*fermé 22 au 29 déc., 17 fév. au 17 mars, mardi midi et lundi du 15 sept. au 15 juil.* – **Repas** 13/35 ♀ – 6 – **16 ch** 46/49 – ½ P 40/45.

◆ Dans cet ancien relais de poste, on préférera les chambres donnant sur l'arrière-cour fleurie. Salle à manger rustique. Grand caveau voûté, vente de bourgognes.

**COUDEKERQUE BRANCHE** *59 Nord* 302 C1 – *rattaché à Dunkerque.*

**COUDRAY** *53000 Mayenne* 310 F8 – *546 h alt. 68.*

*Paris 280 – Laval 36 – Angers 51 – Château-Gontier 7 – La Flèche 49.*

**Amphitryon,** 2 rte Daon ✆ 02 43 70 46 46, *lamphitryon@wanadoo.fr, Fax 02 43 70 42 93,* – GB

*fermé 28/06 au 16/07, 27/10 au 05/11, 23 au 25/12, 9 au 25/02, dim. soir, mardi soir et merc.* – **Repas** 15,50/23 ♀, enf. 9.

◆ Il règne une agréable atmosphère bourgeoise dans cette maison du 19e s. située face à l'église du village. Tables joliment dressées ; cuisine mi-traditionnelle, mi-terroir.

**Le COUDRAY-MONTCEAUX** *91 Essonne* 312 D4 – *voir à Paris, Environs (Corbeil-Essonnes).*

***Dans ce guide***
*un même symbole, un même mot,*
*imprimé en* ***rouge*** *ou en* ***noir***, *en maigre ou en* ***gras***,
*n'ont pas tout à fait la même signification.*
*Lisez attentivement les pages explicatives.*

**COUILLY-PONT-AUX-DAMES** *77860 S.-et-M.* 312 G2 *G. Île-de-France – 1 635 h alt. 50.*

*Paris 45 – Coulommiers 21 – Lagny-sur-Marne 13 – Meaux 9 – Melun 47.*

**Auberge de la Brie** (Pavard), rte Quincy (D 436) ✆ 01 64 63 51 80, *Fax 01 64 63 51 80,* – P. GB

*fermé 4 au 27 août, 22 déc. au 6 janv., 16 fév. au 2 mars, dim et lundi* – **Repas** (nombre de couverts limité, prévenir) *(26)* - 36/62 et carte 60 à 75.

◆ L'intérieur de cette coquette maison briarde ne manque pas de caractère, la cuisine - régionale et au goût du jour - non plus. Une salle est réservée aux non-fumeurs.

**Spéc.** Millefeuille de homard aux tomates confites. Aiguillette de Saint-Pierre rôtie aux girolles (saison). Soufflé au Grand Marnier.

**COUIZA** *11190 Aude* 344 E5 *G. Languedoc Roussillon – 1 287 h alt. 228.*

*Paris 797 – Foix 72 – Carcassonne 40 – Perpignan 88 – Toulouse 109.*

**Château des Ducs de Joyeuse** M, ✆ 04 68 74 23 50, *d.avelange@chateau-des-ducs.com, Fax 04 68 74 23 36,* – TV – 20 à 50. AE GB. rest

*1er avril-15 nov.* – **Repas** *fermé 22 déc. au 3 fév., dim. soir et lundi de nov. à mars* (dîner seul.) 21/42 ♀ – 12 – **35 ch** 80/165 – ½ P 79/121,50.

◆ Beau château du 16e s. cantonné de tours rondes. Préférez les chambres de caractère (pierres, poutres et lits à baldaquin) aux autres, plus fonctionnelles. Agréable salon.

**COULANDON** *03 Allier* 326 G3 – *rattaché à Moulins.*

**COULANGES-LA-VINEUSE** *89580 Yonne* 319 E5 – *878 h alt. 193.*

*Paris 181 – Auxerre 14 – Avallon 43 – Clamecy 34 – Cosne-sur-Loire 68.*

**à Val-de-Mercy** *Sud : 4 km par D 165 et D 38 – 294 h. alt. 115 – ✉ 89580 :*

**Auberge du Château** avec ch, ✆ 03 86 41 60 00, *delfontaine.j@wanadoo.fr, Fax 03 86 41 73 28,* – TV. GB. rest

*fermé 15 janv. au 5 mars, dim. soir (sauf hôtel), mardi midi et lundi hors saison* – **Repas** (nombre de couverts limité, prévenir) 23/37,50 ♀, enf. 10,70 – 9,20 – **5 ch** 65,60/91,50 – ½ P 71,70.

◆ Cette ancienne ferme est devenue une coquette auberge de campagne. Restaurant composé de deux salons bourgeois parquetés aux murs ornés de tableaux. Chambres feutrées.

**COULLONS** *45720 Loiret* 318 L6 – *2 258 h alt. 166.*

*Paris 166 – Orléans 61 – Aubigny-sur-Nère 18 – Gien 16 – Sully-sur-Loire 22.*

XX **Canardière,** ✆ 02 38 29 23 47, *Fax 02 38 29 27 33,* – GB
*fermé 20 août au 10 sept., 1er au 14 janv., dim. soir, mardi soir et merc.* – **Repas** 28/50 ♀, enf. 14 - ***Brasserie*** (fermé le soir sauf en juil. août, mardi soir, merc. et dim.) **Repas** 11bc(déj.)/16, enf. 10.
◆ Adresse villageoise au cadre rustique soigné : poutres, belle cheminée en cuivre, trophées de chasse et animaux naturalisés. Cuisine au goût du jour et gibier en saison.

**COULOMBIERS** *86600 Vienne* 322 H6 – *962 h alt. 141.*

*Paris 353 – Poitiers 19 – Couhé 25 – Lusignan 8 – Parthenay 44 – Vivonne 11.*

**Centre Poitou,** ✆ 05 49 60 90 15, *Fax 05 49 60 53 70,* – 25. GB
*fermé 22 oct. au 7 nov., 23 fév. au 7 mars, et dim. sauf juil.-août* – **Repas** *(femé dim. soir et lundi du 15 sept. à juin)* 20/60 ♀ – 7 – **13 ch** 48/84 – ½ P 65/70.
◆ Plaisantes chambres meublées dans le style Louis-Philippe, chaleureuses salles à manger rustiques, terrasse sous une tonnelle : une sympathique étape sur la route de Compostelle.

**COULOMMIERS** *77120 S.-et-M.* 312 H3 *G. Île de France* – *13 087 h alt. 85.*

*Office du Tourisme, 7 rue du Général de Gaulle ✆ 01 64 03 88 09, Fax 01 64 03 88 09.*

*Paris 63 – Châlons-en-Champagne 111 – Meaux 26 – Melun 51 – Provins 40.*

X **Échevins,** quai Hôtel-de-Ville ✆ 01 64 20 75 85, *Fax 01 64 20 75 85,* – . AE GB
*fermé 28 juil. au 15 août, dim. soir et lundi* – **Repas** 15,30/35.
◆ En centre-ville, une façade évoquant un chalet dissimule ce restaurant récemment rénové. Plaisant intérieur de style contemporain, terrasse d'été et cuisine au goût du jour.

**COULON** *79510 Deux-Sèvres* 322 C7 *G. Poitou Vendée Charentes* – *1 870 h alt. 6.*

Voir *Marais poitevin*★★.

*Office du Tourisme, rue Gabriel Auchier ✆ 05 49 35 99 29, Fax 05 49 35 84 31, ot@ville coulon.fr.*

*Paris 419 – La Rochelle 63 – Fontenay-le-Comte 25 – Niort 11 – St-Jean-d'Angély 57.*

**Au Marais** sans rest, quai L. Tardy ✆ 05 49 35 90 43, *information@hotel-aumarais.com, Fax 05 49 35 81 98* – GB
*fermé 15 déc. au 1er fév.* – 10 – **18 ch** 48/71.
◆ Face à l'embarcadère pour le Marais mouillé, deux anciennes maisons de bateliers. Plaisantes chambres rustiques et colorées ; certaines ont vue sur la Sèvre. Accueil charmant.

XX **Central** avec ch, pl. Église ✆ 05 49 35 90 20, *Fax 05 49 35 81 07,* – . AE GB
*fermé 29 sept. au 16 oct., 19 janv. au 2 fév., 23 fév. au 2 mars, dim. soir et lundi* – **Repas** 16/33 ♀, enf. 8 – 5,40 – **5 ch** 40/42 – ½ P 39,40/40,50.
◆ Poutres, meubles anciens, objets agricoles, faïences : le cadre campagnard de cette auberge, située sur une jolie place, a du cachet. Patio-terrasse. Cuisine soignée.

**COUPELLE-VIEILLE** *62310 P.-de-C.* 301 F4 – *501 h alt. 147.*

*Paris 244 – Calais 68 – Abbeville 59 – Arras 65 – Boulogne-sur-Mer 49 – Lille 87.*

XX **Fournil,** D 928 ✆ 03 21 04 47 13, *Fax 03 21 47 16 06,* – P. GB
*fermé 18 au 30 août, 5 au 17 janv., mardi soir d'oct. à mai, dim. soir et lundi* – **Repas** 13,50/30,50 ♀.
◆ Restaurant proche du parc d'attractions du Moulin de la tour. Salle à manger égayée de tons pastel et deux salons pour les repas commandés. Cuisine au goût du jour.

**COURBEVOIE** *92 Hauts-de-Seine* 311 J2 101 ⑮ – *voir à Paris, Environs.*

**COURCELLES-DE-TOURAINE** *37330 I.-et-L.* 317 K4 – *298 h alt. 85.*

*Paris 268 – Tours 35 – Angers 76 – Chinon 47 – Saumur 46.*

**au golf** *Est : 7 km par D 3 et D 34 – ✉ 37330 Courcelles-de-Touraine :*

**Château des Sept Tours** , ✆ 02 47 24 69 75, *info@7tours.com, Fax 02 47 24 23 74,* – P – 25 à 40. AE GB
*fermé fév.* – **Repas** *(fermé le midi du lundi au jeudi) (32,78)* - 35/50 ♀, enf. 16 ***Club House*** (déj. seul.) **Repas** *(16)*25♀ – 13 – **46 ch** 135/190.
◆ Château du 15e s. plusieurs fois remanié, entouré d'un vaste parc et d'un golf 18 trous (le club-house occupe l'ancienne chapelle). Chambres bien meublées. Beaux salons.

## COURCELLES-SUR-VESLE *02220 Aisne 306 D6 – 270 h alt. 75.*

*Paris 123 – Reims 38 – Fère-en-Tardenois 20 – Laon 35 – Soissons 21.*

**Château de Courcelles** ⑤, ℘ 03 23 74 13 53, *reservation@chateau-de-courcelles.fr, Fax 03 23 74 06 41*, ≤, parc, piscine, tennis, ... – ⊠ TV ✆ ♿ P – ⛬ 40. AE ⓓ GB JCB
**Repas** 40/75 et carte 70 à 95 ♀, enf. 20 – ☐ 15 – **15 ch** 170/260, 3 appart – ½ P 150/205.
◆ Château du 17e s. dans un parc de 20 ha. Crébillon, Rousseau ou encore Cocteau lui ont confirmé ses lettres de noblesse. Chambres personnalisées ; élégantes salles à manger.
**Spéc.** Charlotte de langoustines aux aubergines confites. Filet d'agneau en croûte d'herbes, petits légumes à la provençale. Pigeonneau rôti, jus au cacao et poêlée de champignons des bois. **Vins** Champagne, coteaux champenois

## COURCHEVEL *73120 Savoie 333 M5 G. Alpes du Nord – Sports d'hiver : 1 100/2 750 m ⛷ 11 ⛷ 54 ⛷.*

*Altiport International ℘ 04 79 03 31 14, S : 4 km.*

*Office du Tourisme, La Croisette ℘ 04 79 08 00 29, Fax 04 79 08 15 63, pro@courchevel.com.*

*Paris 662 ① – Albertville 51 ① – Chambéry 100 ① – Moûtiers 25 ①.*

### à Courchevel 1850.

Voir ☀★ – *Belvédère la Saulire★★★ (télécabine).*

**Les Airelles** M ⑤, au Jardin Alpin ℘ 04 79 00 38 38, *info@airelles.fr, Fax 04 79 00 38 39*, ≤, hammam, ⛹, ☐ – ⛴, ≡ rest, TV ✆ ♿ ⛟. AE ⓓ GB JCB. ✂ Z h
*13 déc.-21 avril* – ***Table du Jardin :*** **Repas** 90(déj.)/130, ♀ – ***Coin Savoyard :*** spécialités savoyardes (dîner seul.) **Repas** 130, ♀ – ☐ 30 – **57 ch** 765/1330, 3 appart – ½ P 435/680.
◆ Exotisme montagnard en ce grand chalet de style tyrolien : oriel, balcons ouvragés, polychromie des façades, gros poêle en faïence... et personnel en costume autrichien !

**Byblos des Neiges** M ⑤, au jardin Alpin ℘ 04 79 00 98 00, *courchevel@byblos.com, Fax 04 79 00 98 01*, ≤, hammam, ⛹, ☐ – ⛴ TV ✆ ♿ ⛟ P – ⛬ 40. AE ⓓ GB JCB. ✂ rest
*mi-déc.-mi-avril* – ***La Clairière :*** **Repas** 60 (déj.), 70/90 ♀ – ***L'Écailler*** (dîner seul.) **Repas** 60/80 ♀ – **65 ch**, 11 appart, (½ pens. seul.) – ½ P 400/1020. Z y
◆ Le petit frère du Byblos tropézien allie architecture contemporaine et tradition savoyarde. Chambres orientées au Sud, avec vue sur la forêt. Cuisine de la mer à l'Écailler.

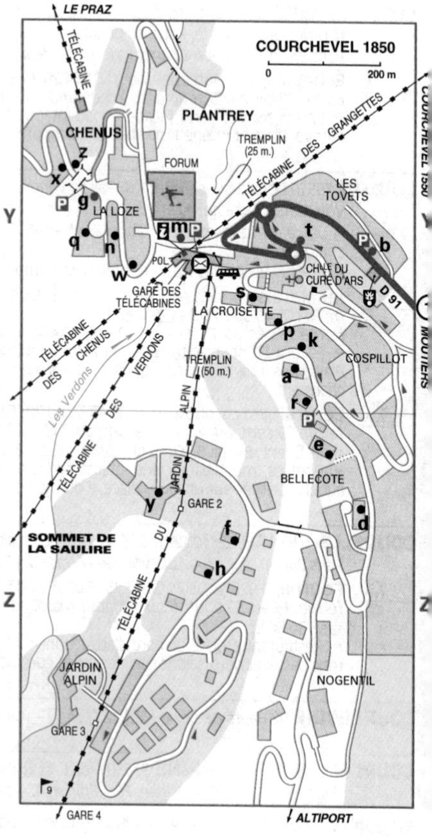

LE PRAZ
TÉLÉCABINE
COURCHEVEL 1850
0
200 m
PLANTREY
CHENUS
TREMPLIN (25 m.)
FORUM
TÉLÉCABINE DES GRANGETTES
LES TOVETS
LA LOZE
POL
GARE DES TÉLÉCABINES
CHLLE DU CURÉ D'ARS
D 91
LA CROISETTE
COSPILLOT
TÉLÉCABINE DES CHENUS
TÉLÉCABINE DES VERDONS
Les Verdons
TREMPLIN (50 m.)
TÉLÉCABINE DU JARDIN ALPIN
BELLECOTE
GARE 2
SOMMET DE LA SAULIRE
JARDIN ALPIN
NOGENTIL
GARE 3
GARE 4
ALTIPORT
COURCHEVEL 1550
MOÛTIERS
Y
Z


**Annapurna** M ⑤, rte Altiport ℘ 04 79 08 04 60, *info@annapurna-courchevel.com, Fax 04 79 08 15 31*, ≤ pistes et la Saulire, hammam, ⛹, ☐ – ⛴ TV ✆ ⛟ – ⛬ 15 à 80. AE ⓓ GB. ✂ rest
*12 déc.-18 avril* – **Repas** 46,50 (déj.)/57 ♀ – ☐ 24 – **62 ch** 615/630, 4 appart – ½ P 295/350.
◆ C'est l'hôtel de Courchevel le plus proche des cimes. Cadre minéral, sobre architecture de bois clair. Toutes les chambres sont exposées plein Sud, face aux pistes.

**Kilimandjaro** M, rte Altiport ✆ 04 79 01 46 46, *welcome@hotelkilimandjaro.com, Fax 04 79 01 46 40*, ≤ pistes et montagnes, , , – , ch, . AE GB.
*déc.-avril* – ***Coeur d'Or*** (dîner seul.) **Repas** 60/90 ♀, enf. 25 – ***Terrasses du Coeur d'Or*** (déj. seul.) **Repas** carte 50 à 70 ♀, enf. 15 – **15 ch** (1/2 pens. seul.), 12 appart, 3 duplex – 1/2 P 420/1328.
◆ Lauze, pierre et bois "vieilli" composent ces luxueux chalets regroupés en hameau. Superbes chambres savoyardes, équipées high-tech et toutes dotées d'une loggia.

**des Neiges** M, ✆ 04 79 08 03 77, *hotel-des-neiges@wanadoo.fr, Fax 04 79 08 18 70*, ≤, , – , ch, . AE GB. ch Z e
*15 déc.-15 avril* – **Repas** 39,50 (déj.)/61 – 15 – **42 ch** 360/630, 6 appart – 1/2 P 225/330.
◆ Nouvelle façade en bois clair et pierre, chambres rénovées avec goût, élégant restaurant ouvert sur les pistes et centre de remise en forme : une cure de jouvence réussie !

**Carlina** M, ✆ 04 79 08 00 30, *message@hotelcarlina.com, Fax 04 79 08 04 03*, ≤, , – – 25 à 60. AE GB. rest Y a
*20 déc.-13 avril* – **Repas** 50/60 – **52 ch** (1/2 pens. seul.), 12 appart – 1/2 P 270/350.
◆ Imposant chalet de couleur brun-rouge dont les chambres, vastes et feutrées, ont vue sur les pistes (Sud) ou sur la vallée (Nord). Centre de balnéothérapie complet.

**Lana** , ✆ 04 79 08 01 10, *info@lelana.com, Fax 04 79 08 36 70*, ≤, , , – – 80. AE GB. rest Y p
*15 déc.-15 avril* – **Repas** 33 (déj.)/66, enf. 25 – 15 – **62 ch** (1/2 pens. seul.), 16 appart – 1/2 P 232/470.
◆ Nouvelles chambres (à réserver en priorité) et salle à manger provençales, bronzes, piscine "à la romaine" : l'originalité est de mise à l'intérieur de ce chalet en bois sombre.

**Bellecôte** , r. Bellecôte ✆ 04 79 08 10 19, *message@lebellecote.com, Fax 04 79 08 17 16*, ≤, , , – – 40. AE GB. rest Z d
*20 déc.-13 avril* – **Repas** 50/60 – **52 ch** (1/2 pens. seul.) – 1/2 P 240/310.
◆ Salle à manger panoramique meublée en style Louis XIII et insolites chambres au parfum d'Asie : portes sculptées afghanes, mobilier népalais et statuettes cambodgiennes.

**Alpes Hôtel du Pralong** M, rte Altiport ✆ 04 79 08 24 82, *pralong@relaischateaux.com, Fax 04 79 08 36 41*, ≤, , , – – 30. AE GB JCB.
*20 déc.-mi-avril* – **Repas** 42 (déj.)/74 – **57 ch** (1/2 pens. seul.), 8 appart – 1/2 P 200/535.
◆ Sur la route de l'altiport, établissement tout entier tourné vers les pistes et la montagne. Chambres claires et spacieuses, élégant restaurant et belle piscine en mosaïque.

**Mélézin** M, r. Bellecôte ✆ 04 79 08 01 33, *lemelezin@amanresorts.com, Fax 04 79 08 08 96*, ≤, , , – . AE GB. Y r
*19 déc.-15 avril* – **Repas** 51 (dîner) – 24 – **26 ch** 500/900, 5 appart.
◆ L'inspiration "troubadour" de la façade ne laisse pas deviner le ravissant intérieur contemporain (jolis bronzes d'art). Chambres et restaurant raffinés. Cuisine au goût du jour.

**St-Joseph** M, r. Park City ✆ 04 79 08 16 16, *info@lasaintjoseph.com, Fax 04 79 08 38 38* – . AE GB. rest Y n
*15 déc.-15 avril* – **Repas** (dîner seul) 43/55 ♀ ***Le Hussard*** (dîner seul) **Repas** 40/65 – **10 ch** 715, 3 appart.
◆ Nid douillet superbement aménagé dans l'esprit d'une luxueuse demeure de famille. Nobles matériaux et mobilier chiné décorent chambres raffinées et vastes appartements.

**Chabichou** (Rochedy) M, ✆ 04 79 08 00 55, *chabi@courchevel.com, Fax 04 79 08 33 58*, ≤, , – , rest, – 30 à 50. AE GB Y z
✿✿
*juil.-août et déc.-avril* – **Repas** (37) - 68 (déj.), 77/140 et carte 98 à 140, enf. 27 – – **41 ch** (1/2 pens. seul.), 3 appart – 1/2 P 189/245.
◆ Deux jolis chalets jumeaux en bois peint couleur crème et deux étoiles... des neiges pour une belle cuisine au goût du jour ! Élégantes chambres. Terrasse bien exposée.
**Spéc.** Terrine de beaufort aux artichauts. Noisette de chevreuil sauce poivrade. Le "tout-chocolat". **Vins** Roussette de Marestel, Mondeuse d'Arbin

**Sivolière** M, Nord-Ouest : 1 km ✆ 04 79 08 08 33, *sivoliere@wanadoo.fr, Fax 04 79 08 15 73*, ≤, – . GB.
*30 nov.-29 avril* – **Repas** 43 (déj.), 60/100 – 15 – **32 ch** 156/590.
◆ Les chambres, à l'esprit montagnard de bon ton, ont vue sur le spectacle donné par les écureuils de la forêt de sapins ! Salon de billard et attentions pour les enfants.

**Les Trois Vallées** , ✆ 04 79 08 00 12, *les3vallees@aol.com, Fax 04 79 08 17 98*, ≤, , – – 60. AE GB. Y q
*1er déc.-15 avril* – **Repas** (dîner seul.) 57/64 – 23 – **30 ch** 458/530 – 1/2 P 244/280.
◆ Élégant décor contemporain, tant aux salons que dans les spacieuses chambres aux coloris tendres. Salle à manger en mezzanine. Centre de remise en forme très complet.

**Les Grandes Alpes** M ⛷, ✆ 04 79 08 03 35, *info@lesgrandesalpes.com, Fax 04 79 08 12 52*, ≤, 🍽, ℎ, ⛝ – |♯| TV ✆ ♿ 🚗 – 🏛 15. AE GB. ✂ rest Y s
*30 nov.-30 avril* – **Repas** 30 (déj.)/40 ♀, enf. 15 – ☐ 15 – **41 ch** 225/440, 4 appart – ½ P 250/350.
◆ Chalet à la belle façade de pierre situé au-dessus d'une luxueuse galerie marchande. Chambres spacieuses et coquettes, plus agréables côté Sud (calme et vue sur les pistes).

**Loze** M sans rest, ✆ 04 79 08 28 25, *info@la-loze.com, Fax 04 79 08 39 29* – |♯| TV ✆ ♿. AE ⓓ GB. ✂ Y w
*1er déc.-22 avril* – ☐ 20 – **29 ch** 340/420.
◆ À côté des télécabines, établissement égayé d'une fresque en façade. Peintures murales dans les chambres confortables. Joli salon décoré à l'autrichienne, où l'on sert le thé.

**Pomme de Pin** M ⛷, ✆ 04 79 08 36 88, *pommedepin.courchevel@wanadoo.fr, Fax 04 79 08 38 72*, ≤ vallée et montagnes, 🍽, ℎ – |♯| TV ♿ 🚗. AE ⓓ GB Y x
*21 déc.-15 avril* – **Repas** (voir aussi ***Le Bateau Ivre*** ci-après) - carte 30 à 60 ♀ – ☐ 11 – **49 ch** 290/341 – ½ P 191/216.
◆ Cette architecture contemporaine en bois et verre s'écarte résolument du style chalet. Grandes chambres douillettes. Au 5e étage, plaisant cadre savoyard au restaurant.

**Les Ducs de Savoie** ⛷, au Jardin Alpin ✆ 04 79 08 03 00, *message@lesducsdesavoie.com, Fax 04 79 08 16 30*, ≤, 🍽, ℎ, ⛝ – |♯| TV 🚗 – 🏛 40. AE ⓓ GB Z f
*20 déc.-13 avril* – **Repas** 35/50 – **70 ch** (½ pens. seul.) – ½ P 170/300.
◆ Chambres garnies d'un solide mobilier en pin, différemment exposées. Élégante salle à manger tournée vers une forêt de sapins. Bon équipement sportif et salon de billards.

**Crystal Hôtel** ⛷, rte Altiport ✆ 04 79 08 28 22, *crystal.hotel@wanadoo.fr, Fax 04 79 08 28 39*, ≤ montagnes, 🍽, ⛝ – |♯| TV ✆ ♿ P. AE ⓓ GB
*20 déc.-mi-avril* – **Repas** 37 (déj.)/56 – **47 ch** (½ pens. seul.), 4 appart – ½ P 170/232.
◆ Hôtel situé au pied des pistes et à l'écart du centre, offrant des chambres rénovées, pratiques et baignées de lumière. Cuisine classique. Espace de remise en forme.

**Courcheneige** ⛷, r. Nogentil ✆ 04 79 08 02 59, *info@courcheneige.com, Fax 04 79 08 11 79*, ≤ montagnes, 🍽, ℎ – |♯| TV 🚗. AE GB. ✂
*20 déc.-20 avril* – **Repas** (dîner pour résidents seul.) 28 (déj.) 🍷 – **77 ch** (½ pens. seul.), 4 appart, 4 duplex – ½ P 128/200.
◆ Ce chalet planté au milieu des pistes illustre bien le concept de "station skis aux pieds". Petites chambres fonctionnelles. Carte des vins étoffée et à prix doux. Belle terrasse.

**L'Aiglon** ⛷, ✆ 04 79 08 02 66, *aiglon@courchevel1850.com, Fax 04 79 08 37 94* – TV. AE ⓓ GB. ✂ rest Y k
*7 déc.-27 avril* – **Repas** 38 – ☐ 10 – **33 ch** (½ pens. seul.) – ½ P 135/226.
◆ Un petit chalet accueillant proche des pistes, où règne une ambiance "pension de famille" peu commune à Courchevel 1850 ! Toutes les chambres sont désormais rénovées.

XXX ✿✿ **Bateau Ivre** - Hôtel Pomme de Pin - (Jacob), ✆ 04 79 08 36 88, *pommedepin.courchevel@wanadoo.fr, Fax 04 79 08 38 72*, ≤ station et massif de la Vanoise – |♯|. AE ⓓ GB Y x
*mi-déc.-mi-avril* – **Repas** 60 (déj.), 82/150 et carte 102 à 125, enf. 28.
◆ Cuisine inventive, belle carte des vins, chaleureux décor contemporain et vue panoramique époustouflante sur la station et sur la Vanoise : l'après-ski façon "Courch" !
**Spéc.** Oeuf de caille cuit dans un flan d'oursin, fumet de coquillages, crépinette rôtie. Mignon de veau de lait rôti en papillote de lard, jus aigre-doux. Variation autour de la banane en chaud et froid. **Vins** Roussette de Marestel, Mondeuse d'Arbin.

XX **Saulire,** pl. Rocher ✆ 04 79 08 07 52, *lasaulire@wanadoo.fr, Fax 04 79 08 02 63*, 🍽 – ▤. AE GB Y t
*fermé mai, juin, et lundi de sept. à nov.* – **Repas** 28 (déj.), 30/38 carte le soir ♀, enf. 15.
◆ Décor savoyard tout bois, affiches anciennes et vieux outils montagnards : l'intérieur façon chalet alpin a du cachet. Carte traditionnelle et menu du jour suggéré sur ardoise.

XX **Genépi,** r. Park City ✆ 04 79 08 08 63, *le-genepi@wanadoo.fr, Fax 04 79 08 08 63* – AE GB Y g
*fermé 10 juil. au 10 sept., sam. et dim. de mai à nov.* – **Repas** 18 (déj.), 23/34 ♀, enf. 17.
◆ Le plaisant salon-bar, agrémenté d'une cheminée, dessert deux petites salles à manger rustiques et chaleureuses. Cuisine au goût du jour, menu végétarien et plats régionaux.

X **Comptoir des Épices et des Saveurs,** au Forum ✆ 04 79 08 01 13, ≤, 🍽 – AE ⓓ GB Y m
*fermé mai-juin et les week-ends de sept. à nov.* – **Repas** 30.
◆ Dans une galerie marchande, restaurant décoré à la façon d'un chalet. Intérieur tout bois, terrasse ensoleillée et carte mariant cuisine d'aujourd'hui et plats du terroir.

X **Fromagerie,** r. Tovets ✆ 04 79 08 27 47, *Fax 04 79 08 20 91* – GB Y b
*1er juil.-31 août et 1er déc.-1er mai* – **Repas** 19 (déj.), 27/35, enf. 12,50.
◆ Dégustation de spécialités fromagères régionales dans une salle à manger montagnarde décorée d'objets savoyards chinés dans les brocantes. Dîner aux chandelles.

**à Courchevel 1650** *par ① : 4 km – ✉ 73120 :*

**Golf** Ⓜ, r. Maquis ✆ 04 79 00 92 92, *alex.courchevel@wanadoo.fr, Fax 04 79 08 19 93,* ← – AE GB. rest
*fermé le week-end du 1er au 27 juin et du 31 août au 30 oct.* – **Repas** *(fermé mai et du 30 oct. au 15 déc.)* (dîner seul.) 45, enf. 18 – 8 – **46 ch** 105/326, 6 duplex – ½ P 111/140.
◆ Immeuble abritant une résidence hôtelière et un hôtel. Ce dernier dispose de chambres lambrissées, dotées de balcons tournés vers la vallée ou les pistes.

**Portetta,** ✆ 04 79 08 01 47, *info@portetta.com, Fax 04 79 08 16 23,* ←, , , – . GB
*15 déc.-15 avril* – **Repas** 30/40 – **45 ch** 140/180 – ½ P 115/160.
◆ Cet hôtel, prodigue de rénovations, offre un séjour convivial dans des chambres agréablement décorées et dotées de balcons côté Sud. Salon et terrasse ont vue sur les pistes.

**à Courchevel 1550** *par ① : 5,5 km – ✉ 73120 Courchevel*

**Les Ancolies** , ✆ 04 79 08 27 66, *message@lesancolies.fr, Fax 04 79 08 05 64,* ←, – . AE GB JCB. rest
*déc.-fin avril* – **Repas** (dîner seul.) 30 – **32 ch** (½ pens. seul.) – ½ P 118.
◆ Tout de pierre et de bois, imposant immeuble situé aux portes de cette tranquille station familiale ; chambres lambrissées et de tailles variées. Cuisine au goût du jour.

**au Praz** *(Courchevel 1300) par ① : 8 km – ✉ 73120 Courchevel :*

**Les Peupliers,** ✆ 04 79 08 41 47, *lespeuplie@aol.com, Fax 04 79 08 45 05,* – . AE GB
*25 juin-30 oct. et 11 déc.-30 avril* – **Repas** 18,50 (déj.), 26/33 – 10 – **34 ch** 120/170 – ½ P 95/120.
◆ Au voisinage d'un petit lac pittoresque et avec le tremplin olympique de saut en toile de fond, hôtel familial aux chambres rénovées. Clientèle fidèle. Nouvel espace fitness.

---

## COUR-CHEVERNY *41700 L.-et-Ch. 318 F6 – 2 347 h alt. 86.*

Env. *Château de Cheverny*** S : 1 km – Porte* de la chapelle du château de Troussay SO : 3,5 km – Château de Beauregard*,* **G. Châteaux de la loire..**
*Office de tourisme, 12 rue du Chêne des Dames ✆ 02 54 79 95 63, Fax 02 54 79 23 90.*
*Paris 195 – Orléans 73 – Blois 14 – Châteauroux 88 – Romorantin-Lanthenay 28.*

**St-Hubert,** ✆ 02 54 79 96 60, *hotel-sthubert@wanadoo.fr, Fax 02 54 79 21 17,* – – 15. AE GB
*fermé 6 au 26 fév.* – **Repas** *(fermé dim. soir du 15 nov. au 15 mars)* 13/36,50 – 6 – **20 ch** 44/54 – ½ P 45.
◆ Les chambres rénovées de cet hôtel proche du centre-ville sont fraîches et de bon confort. Vaste salle à manger lambrissée ; cuisine traditionnelle et gibier en saison.

**à Cheverny** *Sud : 1 km – 900 h. alt. 110 – ✉ 41700 :*
*Office du Tourisme, 12 rue du Chêne des Dames ✆ 02 54 79 95 63, Fax 02 54 79 23 90.*

**Château du Breuil** sans rest, Ouest : 3 km par D 52 et voie privée ✆ 02 54 44 20 20, *Fax 02 54 44 30 40,* – . AE GB
*20 mars-15 nov. et fermé dim. soir et lundi hors saison* – 11 – **18 ch** 83/140.
◆ Visitez Cheverny et logez au Breuil : ce discret château du 18e s., situé dans un beau parc arboré, dispose de chambres assez spacieuses, dotées de meubles de style.

**Rousselière,** au Sud : 1 km par rte secondaire et voie privée ✆ 02 54 79 23 02, *contact@golf-cheverny.com, Fax 02 54 79 25 52,* , , – . AE GB
*fermé 23 déc. au 5 janv. et le soir du 15 sept. au 30 mai* – **Repas** 20/29, enf. 10.
◆ Sur un golf 18 trous, ancienne ferme réhabilitée abritant également le club-house. Salle à manger actuelle avec vue sur les greens. Carte traditionnelle ; formules rapides.

**Grand Chancelier,** ✆ 02 54 79 22 57, *Fax 02 54 79 22 57,* – AE GB
*fermé 1er janv. au 3 mars, merc.et mardi sauf le midi en saison et lundi hors saison* – **Repas** 16,80/50.
◆ Auberge du 15e s. installée dans les communs du superbe château de Cheverny, alias Moulinsart pour les "Tintinophiles". Plats traditionnels et l'été, carte brasserie en sus.

---

## COURCOURONNES *91 Essonne 312 D4 101 ㊱ – voir à Paris, Environs (Évry).*

---

## COURCOURY *17100 Char.-Mar. 324 G5 – 546 h alt. 13.*

*Paris 478 – Royan 45 – Niort 81 – La Rochelle 82 – Saintes 9.*

**Amaryllis,** ✆ 05 46 74 09 91, *amaryllisdecourcoury@wanadoo.fr, Fax 05 46 93 76 30,*
*fermé 1er au 17 oct., mardi soir, sam. midi et merc.* – **Repas** 12/22,30, enf. 8.
◆ Maison de pays veillée par l'église romane d'un village proche de la Charente. Le décor de la salle panache style rustique et touches méridionales. Carte traditionnelle.

**COURLANS** *39 Jura* 321 *C6 – rattaché à Lons-le-Saunier.*

**COURRUERO** *83 Var* 340 *O6 – rattaché à Plan-de-la-Tour.*

**COUR-ST-MAURICE** *25380 Doubs* 321 *K3 – 155 h alt. 500.*

*Paris 482 – Besançon 68 – Baume-les-Dames 44 – Montbéliard 44 – Maiche 12 – Morteau 37.*

**Moulin**, à Moulin du Milieu, Est : 3 km sur D 39 ☎ 03 81 44 35 18, ←, – P. GB. rest

*fermé 1er au 5 oct. et 15 janv. au 15 fév.* – **Repas** *(fermé merc. sauf le soir en saison)* (nombre de couverts limité, prévenir) 16,80/27 – ☕ 6,10 – **6 ch** 40/61 – ½ P 43/53,50.

◆ Cette insolite villa des années 1930 fut construite pour un meunier de la vallée. Chambres "rétro". Jardin ombragé sur la berge de la Dessoubre.

**Truite du Moulin,** à Moulin du Bas, Est : 2 km sur D 39 ☎ 03 81 44 30 59, *Fax 03 81 44 30 59,* – P. GB

*fermé déc., mardi soir et merc.* – **Repas** 15,50/35 ♀, enf. 11,50.

◆ L'ancien moulin bordant une rivière poissonneuse, le bief est devenu un vivier à truites. La spécialité de la maison se déguste dans une accueillante salle à manger.

**COURSAN** *11 Aude* 344 *J3 – rattaché à Narbonne.*

**COURSEGOULES** *06140 Alpes-Mar.* 341 *D5 G. Côte d'Azur – 260 h alt. 1020.*

*Paris 860 – Castellane 59 – Grasse 33 – Nice 40.*

**Auberge de L'Escaou** M, ☎ 04 93 59 11 28, *escaou@wanadoo.fr, Fax 04 93 59 13 70,* ←, – TV. AE GB

*10 janv.-13 oct.* – **Repas** 17/32 – ☕ 6 – **10 ch** 38/60 – ½ P 45.

◆ Maison ancienne dans un pittoresque village juché sur un piton. Petites chambres rénovées, sobrement aménagées. Deux terrasses, dont une tournée vers la vallée de la Cagne.

**COURSEULLES-SUR-MER** *14470 Calvados* 303 *J4 G. Normandie Cotentin – 3 182 h.*

Voir *Clocher★ de l'église de Bernières-sur-Mer E : 2,5 km – Tour★ de l'église de Ver-sur-Mer O : 5 km par D 514.*

Env. *Château★★ de Fontaine-Henry S : 6,5 km.*

*Office du Tourisme, 54 rue de la Mer ☎ 02 31 37 46 80, Fax 02 31 36 17 18, tourisme.courseulles@wanadoo.fr.*

*Paris 252 – Caen 20 – Arromanches-les-Bains 14 – Bayeux 24 – Cabourg 41.*

**Paris** avec ch, pl. 6-Juin ☎ 02 31 37 45 07, *hoteldeparis-normandie@wanadoo.fr, Fax 02 31 37 51 63,* – TV P. AE GB. rest

*fermé 12 nov. au 11 déc.* – **Repas** 14/30 ♀ – ☕ 6,80 – **27 ch** 43/51 – ½ P 46/55.

◆ Accueillante salle à manger où l'on déguste produits de la mer et du terroir. Véranda et terrasse bien à l'abri du vent. Quelques chambres rénovées.

**Pêcherie** avec ch, pl. 6-Juin ☎ 02 31 37 45 84, *pecherie@wanaddoo.fr, Fax 02 31 37 90 40,* – TV P. AE GB

**Repas** 16/42 ♀, enf. 9 – ☕ 8 – **6 ch** 74 – ½ P 74.

◆ Plaisante salle aux tons pastel ou cadre rustique mariant poutres et pierres, mais une seule carte valorisant les produits de la mer. Chambres façon "cabines de bateau".

**Crémaillère** avec ch, bd Plage ☎ 02 31 37 46 73, *cremaillere@wanadoo.fr, Fax 02 31 37 19 31,* ←, – TV. AE GB

**Repas** 15,10/52,60 ♀ – ☕ 8 – **7 ch** 50/76, 4 appart – ½ P 50/76.

◆ Cure de jouvence pour cette maison ancrée sur la côte de Nacre : salle panoramique joliment rafraîchie et pimpantes chambres rénovées dans l'esprit marin. Cuisine de la mer.

**Annexe Gytan** sans rest, ☎ 02 31 37 95 96, *cremaillere@wanadoo.fr, Fax 02 31 37 19 31,* – TV P – 30. AE GB

☕ 8 – **25 ch** 45/68, 11 duplex.

◆ La réception se fait à la Crémaillère, dont ce bâtiment moderne, proche des plages du Débarquement, est l'annexe. Chambres bien équipées ; duplex commodes pour les familles.

*Ecrivez-nous...*

*Vos louanges comme vos critiques seront examinées avec le plus grand soin. Nous reverrons sur place les informations que vous nous signalez.*

*Par avance merci !*

**COURS-LA-VILLE** *69470 Rhône* 327 *E3 – 4 637 h alt. 543.*

*Syndicat d'Initiative, 54 rue de Thiy ✆ 04 74 64 72 11.*

*Paris 402 – Mâcon 70 – Roanne 28 – Chauffailles 18 – Lyon 77 – Villefranche-sur-Saône 50.*

**au col du Pavillon** *Est : 4 km par D 64 – alt. 755 – ✉ 69470 Cours-la-Ville :*

**Pavillon**, ✆ 04 74 89 83 55, *hotel-le-pavillon@wanadoo.fr, Fax 04 74 64 70 26*, – 30. GB

*fermé 10 fév. au 10 mars, dim. soir, vend. soir et sam. sauf juil.-août* – **Repas** (18) - 22/53 – 7,50 – **21** ch 43/55 – ½ P 49/52.

◆ Au col, en lisière de forêt, l'architecture d'inspiration nordique et les chambres rénovées font de cet hôtel une étape plaisante. Salle de restaurant contemporaine.

**COURTENAY** *45320 Loiret* 318 *P3 – 3 292 h alt. 146.*

*Office du Tourisme, 5 rue du Mail ✆ 02 38 97 00 60, Fax 02 38 97 39 12.*

*Paris 119 – Auxerre 56 – Nemours 45 – Orléans 102 – Sens 25.*

**Auberge La Clé des Champs** (Delion) avec ch, rte Joigny : 1 km ✆ 02 38 97 42 68, *Fax 02 38 97 38 10*, AE GB

*fermé 13 au 29 oct., 5 au 21 janv., mardi et merc.* – **Repas** (nombre de couverts limité, prévenir) 25/80 et carte 60 à 100 – 9,50 – **7 ch** 75,50/128.

◆ Ferme du 17e s. et son jardin fleuri. Chambres campagnardes, élégante salle à manger rustique, ambiance champêtre, héliport privé : cette clé-là ouvre bien des horizons !

**Spéc.** Ris d'agneau à la crème de vanille et à l'oseille. Pigeonneau fermier rôti, jus à la réglisse. Noisettine meringuée du duc de Praslin (sept. à mai). **Vins** Chitry, Irancy.

**Raboliot,** pl. Marché ✆ 02 38 97 44 52 – . GB

**Repas** (déj. seul.) 10/20.

◆ L'enseigne est un clin d'oeil au roman solognot de Maurice Genevoix. Petite façade en bois et cadre agreste simple ; mise en place un peu serrée. Cuisine traditionnelle.

**à Ervauville** *Nord-Ouest : 9 km par N 60, D 32 et D 34 – 299 h. alt. 152 – ✉ 45320 :*

**Le Gamin,** ✆ 02 38 87 22 02, *Fax 02 38 87 25 40*, – GB

*fermé 16 juin au 1er juil., 29 sept au 7 oct., 26 janv. au 10 fév., dim. soir, lundi et mardi* – **Repas** (nombre de couverts limité, prévenir) 36/53 et carte 82 à 110.

◆ L'ancienne épicerie-buvette familiale est devenue une élégante auberge. Décor original : jeux de miroirs, briques flammées et bibelots. Terrasse ouverte sur un joli jardin.

**Spéc.** Feuilleté de foie gras poêlé à la rhubarbe (saison). Parmentier de confit de canard aux girolles (saison). Tarte aux quetches, glace à la pêche de vigne (saison). **Vins** Chablis, Menetou-Salon.

**COURTILS** *50220 Manche* 303 *D8 – 271 h alt. 35.*

*Paris 348 – St-Malo 60 – Avranches 13 – Dol-de-Bretagne 36 – Fougères 43 – St-Lô 70.*

**Manoir de la Roche Torin**, Bas Courtils ✆ 02 33 70 96 55, *manoir.rochetorin@wanadoo.fr, Fax 02 33 48 35 20*, AE GB

*fermé 4 janv. au 14 fév., 11 nov. au 15 déc., le midi en semaine, dim. et sam. midi en saison et lundi sauf juil.-août* – **Repas** 20/49 – 11 – **15 ch** 77/195 – ½ P 77/135.

◆ Coquet manoir isolé sur la grève dans la baie du Mont-St-Michel. Chambres progressivement refaites. Demander une table avec vue dégagée sur la "Merveille de l'Occident".

**La COURTINE** *23100 Creuse* 325 *K6 – 1 057 h alt. 789.*

*Syndicat d'Initiative, ✆ 05 55 66 76 58, Fax 05 55 66 70 69.*

*Paris 426 – Aubusson 38 – La Bourboule 53 – Guéret 80 – Ussel 21.*

**Au Petit Breuil,** rte Felletin ✆ 05 55 66 76 67, *Fax 05 55 66 71 84*, GB

*fermé vend. soir du 15 oct. au 15 mars* – **Repas** (11) - 11/16, enf. 9 – 6 – **11 ch** 35/38 – ½ P 41.

◆ Demeure familiale centenaire dont la plupart des chambres, simples mais correctement équipées, sont rénovées. Deux salles à manger de style rustique.

**COURTY** *63 P.-de-D.* 326 *I7 – rattaché à Thiers.*

**COUSTELLET** *84660 Vaucluse* 332 *D10 G. Provence – alt. 243.*

*Paris 709 – Avignon 31 – Apt 23 – Carpentras 26 – Cavaillon 10.*

**Maison Gouin,** N 100 ✆ 04 90 76 90 18, *Fax 04 90 76 91 78*, – . GB

*fermé 15 nov. au 10 déc., 15 fév. au 10 mars, merc. et dim.* – **Repas** 10,70 bc (déj.)/29.

◆ Dans un village du Petit Luberon, restaurant familial aménagé dans l'arrière-boutique de cette boucherie ouverte en 1928. On choisit directement son vin à la cave. Atypique !

**COUTANCES** 50200 Manche 303 D5 *G. Normandie Cotentin – 9 715 h alt. 91.*

**Voir** *Cathédrale★★★ : tour-lanterne★★★, parties hautes★★ – Jardin des Plantes★.*

*Office du Tourisme, place Georges Leclerc ☎ 02 33 19 08 10, Fax 02 33 19 08 19.*

*Paris 333 ② – St-Lô 29 ② – Avranches 52 ③ – Cherbourg 77 ⑤ – Vire 56 ③.*

## COUTANCES

Albert-1er (Av.) . . . . . . . . . . . . . **Z** 2
Croûte (R. de la) . . . . . . . . . . . . **YZ** 3
Daniel (R.) . . . . . . . . . . . . . . . . **Y** 5
Duhamel (R.) . . . . . . . . . . . . . . . **Z** 6
Écluse-Chette (R. de l') . . . . . . . **Y** 8
Encoignard (Bd) . . . . . . . . . . . . **Z** 9
Foch (R. Mar.) . . . . . . . . . . . . . . **Z** 10
Gambetta (R.) . . . . . . . . . . . . . . **Y** 12
Herbert (R. G.) . . . . . . . . . . . . . **Z** 13
Leclerc (Av. Division) . . . . . . . . . **Y** 15
Legentil-de-la-Galaisière (Bd) . . . . **Z** 16
Lycée (R. du) . . . . . . . . . . . . . . **Z** 17
Marest (R. Thomas du) . . . . . . . . **Y** 18
Milon (R.) . . . . . . . . . . . . . . . . . **Y** 19
Montbray (R. G.-de) . . . . . . . . . . **Z** 20
Normandie (R. de) . . . . . . . . . . . **Y** 21
Palais-de-Justice (R. du) . . . . . . . **Y** 23
Paynel (Bd J.) . . . . . . . . . . . . . . **Y** 24
Quesnel-Morinière (R.) . . . . . . . . **Z** 26
République (Av. de la) . . . . . . . . **Y** 27
St-Dominique (R.) . . . . . . . . . . . **Y** 29
St-Nicolas (R.) . . . . . . . . . . . . . **Y** 30
Tancrède (R.) . . . . . . . . . . . . . . **Y** 32
Tourville (R.) . . . . . . . . . . . . . . **Y** 33

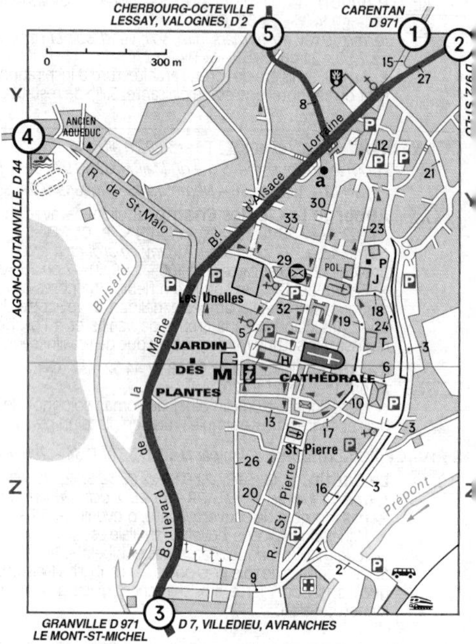

CHERBOURG-OCTEVILLE
LESSAY, VALOGNES, D 2
CARENTAN
D 971
0
300 m
AGON-COUTAINVILLE, D 44
ANCIEN AQUEDUC
R. de St-Malo
Bd. d'Alsace Lorraine
Bulsard
Les Unelles
JARDIN DES PLANTES
CATHÉDRALE
POL.
St-Pierre
R. St Pierre
Boulevard de la Marne
Prépont
GRANVILLE D 971
LE MONT-ST-MICHEL
D 7, VILLEDIEU, AVRANCHES


**Cositel** 🐎, par ④ : *1 km sur D44* ☎ 02 33 19 15 00, *hotelcositel@wanadoo.fr, Fax 02 33 19 15 02*, ← – TV – P – 15 à 100. AE GB

***Pommeau :*** Repas 19,80/39,60 ♀, enf. 9 – ***Bistro Jazzy*** *(fermé vend. soir, sam. et dim.)* Repas *(13,50)*-19,90 ♀, enf. 9 – ☕ 8,80 – **55 ch** 51/59 – ½ P 50.

◆ Construction moderne érigée sur une colline surplombant la ville. Chambres équipées d'un mobilier pratique. Vinothèque à l'entrée. Cadre actuel et vue panoramique au Pommeau.

**Pocatière** sans rest, 25 bd Alsace-Lorraine ☎ 02 33 45 13 77, *Fax 02 33 45 77 18* – TV P. GB    Y a

☕ 6 – **18 ch** 22/57.

◆ À 500 m de la magnifique cathédrale gothique, hôtel aux chambres simples garnies de meubles de série et égayées de tissus colorés.

**à Gratot** *par ④ et D 244 : 4 km – 581 h. alt. 83 – ✉ 50200 :*

**Tourne-Bride,** ☎ 02 33 45 11 00, *Fax 02 33 45 11 00*, – P. GB

*fermé 1er au 15 juil., vacances de fév., dim. soir et lundi* – **Repas** 15/36 ♀, enf. 8,50.

◆ Relais de poste du 19e s. proche du château de Gratot et de sa Tour à la Fée. Salles à manger campagnardes, coquettes et chaleureuses. Cuisine traditionnelle.

**COUTRAS** *33230 Gironde 335 K4 – 6 689 h alt. 15.*

*Office du Tourisme, 17 rue Sully ☎ 05 57 69 36 53, Fax 05 57 69 36 43, office-du-tourisme.pays-de-coutras@wanadoo.fr.*

*Paris 527 – Bordeaux 52 – Bergerac 66 – Blaye 51 – Jonzac 59 – Libourne 18 – Périgueux 86.*

**Henri IV** sans rest, pl. 8 Mai 1945 (face gare) ☎ 05 57 49 34 34, *hotel-henriIV.gironde@wanadoo.fr, Fax 05 57 49 20 72*, – TV P – 30. AE GB

☕ 7,50 – **14 ch** 40,50/60.

◆ La bataille que livra Henri de Navarre en 1587 a fait entrer Coutras dans l'histoire. Cette maison de maître du 19e s. abrite des chambres simples et bien tenues.

**COYE-LA-FORÊT** *60580 Oise* 305 F6 – *3 199 h alt. 88.*

*Paris 47 – Compiègne 51 – Beauvais 65 – Chantilly 8 – Meaux 48 – Senlis 16.*

XX **Auberge Les Étangs,** 1 r. Clos des Vignes ☎ 03 44 58 60 15, *Fax 03 44 58 75 95*, – AE GB

*fermé 16 au 20 juil., 12 au 26 janv., lundi et mardi* – **Repas** 23,50/32,50 ♀.

◆ Dans l'aire des étangs de Commelles, en forêt de Coye-Chantilly, auberge de campagne fleurie. Salles à manger de style Louis XIII et cuisine traditionnelle.

**CRANSAC** *12110 Aveyron* 338 F3 – *2 180 h alt. 300 – Stat. therm. (début avril-début nov.).*

*Office du Tourisme, 1 place Jean Jaurès ☎ 05 65 63 06 80, Fax 05 65 43 15 59.*

*Paris 613 – Rodez 37 – Aurillac 71 – Espalion 64 – Figeac 33 – Villefranche-de-Rouergue 38.*

**Parc**, r. Gén. Artous ☎ 05 65 63 01 78, *Fax 05 65 63 36 98*, – P. GB. rest

*fermé fév.* – **Repas** 13/31 – 5,40 – **27 ch** 28/48 – 1/2 P 31/45.

◆ Cette belle maison tapissée de lierre et précédée d'une longue terrasse ombragée vous réserve un accueil convivial. Chambres du bâtiment principal plus hospitalières.

**Hostellerie du Rouergue,** av. J. Jaurès ☎ 05 65 63 02 11, – P. AE GB

*1er avril-17 nov.* – **Repas** 15/38 ♀, enf. 9 – 6,90 – **16 ch** 33,50/50 – 1/2 P 40/47.

◆ À quelques pas du centre-ville, petite affaire familiale bien tenue, qui a gardé son mobilier des années 1970. Pour les repas, choisissez l'agréable coin-véranda.

**CRAPONNE** *69290 Rhône* 327 H5 *G. Vallée du Rhône – 7 048 h alt. 285.*

*Paris 463 – Lyon 12 – L'Arbresle 20 – Vienne 36 – Villefranche-sur-Saône 37.*

**Longchamp,** 26 r. 11-Novembre-1918 ☎ 04 78 57 83 40, *longchamp.hotel@wanadoo.fr, Fax 04 78 57 17 54*, – TV P – 30 à 60. AE GB

**Repas** *(fermé 28 juil. au 24 août, 24 déc. au 4 janv., sam. midi et dim. soir)* (15) - 22 – 9 – **40 ch** 92/102.

◆ La façade passe-partout de cette construction cubique contraste avec un chaleureux intérieur contemporain. Chambres ouvertes côté piscine. Au restaurant, décor "hippique".

X **Poste,** 107 av. E. Millaud ☎ 04 78 57 45 40, *Fax 04 37 22 02 15*, – P. AE GB

*fermé 12 au 26 août, 24 fév. au 17 mars, merc. soir d'oct. à avril, dim. soir et lundi* – **Repas** (10) - 14/37.

◆ Après avoir contemplé les vestiges d'un aqueduc qui alimentait en eau le Lyon gallo-romain, ce restaurant vous mettra, lui, l'eau à la bouche. Terrasse très prisée en été.

**CRAPONNE-SUR-ARZON** *43500 H.-Loire* 331 F2 *G. Vallée du Rhône – 3 008 h alt. 915.*

*Office du Tourisme, 6 place du For ☎ 04 71 03 23 14, Fax 04 71 01 24 19.*

*Paris 477 – Le Puy-en-Velay 39 – Clermont-Ferrand 110 – St-Etienne 60.*

X **Brûleurs de Loups** avec ch, Les Cours, Nord-Est : 1 km par D 498 et rte secondaire ☎ 04 71 03 22 99, *info@bruleursdeloup.com, Fax 04 71 03 89 60*, ≤, – TV P. AE GB. rest

*1er avril-15 oct.* – **Repas** *(fermé 1er janv. au 20 fév., mardi de sept. à juin et lundi)* (week-ends, prévenir) 15/35 ♀, enf. 7 – 6 (1/2 pens. seul.), 8 chalets 43/67 – 1/2 P 41/48,50.

◆ Restaurant familial situé au coeur d'un parc qui surplombe le village. Salle à manger rustique et amusante terrasse-paillote. Chambres aménagées dans des petits chalets.

**La CRAU** *83260 Var* 340 L7 – *11 257 h alt. 36.*

*Office du Tourisme, rue Renaude ☎ 04 94 01 56 99, Fax 04 94 01 56 99.*

*Paris 853 – Toulon 16 – Brignoles 41 – Draguignan 70 – Hyères 9 – Marseille 79.*

XX **Auberge du Fenouillet,** 20 av. Gén. de Gaulle ☎ 04 94 66 76 74, *auberge.fenouillet@wanadoo.fr, Fax 04 94 57 81 09* – . AE GB

*fermé 13 juil. au 20 août, dim. soir, lundi et mardi* – **Repas** 30/46 ♀.

◆ Façade discrète mais avenante au centre de la petite ville. Vous déjeunerez ou dînerez dans le frais décor d'une salle à manger rénovée. Cuisine traditionnelle.

**CRAVANT** *89460 Yonne* 319 F5 – *794 h alt. 120.*

*Syndicat d'Initiative, 4 rue d'Orléans ☎ 03 86 42 25 71, Fax 03 86 42 25 71, syndicat-dinitiative.cravant@wanadoo.fr.*

*Paris 186 – Auxerre 19 – Avallon 34 – Clamecy 34 – Montbard 62.*

**Hostellerie St-Pierre** sans rest, 5 r. Église ☎ 03 86 42 31 67, *lestpierre@aol.com, Fax 03 86 42 37 43* – . AE GB

*19 avril-2 nov.* – 8 – **16 ch** 45/90.

◆ Trois bâtiments autour d'une sympathique cour-jardin. Les chambres ne disposent pas toutes du confort sanitaire, mais elles sont toujours personnalisées et plaisantes.

**CRÈCHES-SUR-SAÔNE** *71 S.-et-L.* 320 *I12 – rattaché à Mâcon.*

**CRÉCY-EN-PONTHIEU** *80150 Somme* 301 *E6 G. Picardie Flandres Artois – 1 491 h alt. 30.*

*Syndicat d'Initiative, 32 rue du Maréchal Leclerc de Hauteclocque ☎ 03 22 23 93 84, Fax 03 22 23 93 84.*

*Paris 209 – Amiens 72 – Abbeville 20 – Montreuil 32 – St-Omer 74.*

**Maye,** ☎ 03 22 23 54 35, *Fax 03 22 23 53 32,* – TV P. AE GB
*fermé 1er au 28 mars, dim. soir et lundi* – **Repas** 12 (déj.), 16/32 ♀ – ☕ 7,50 – **11 ch** 43/56 – ½ P 42/50.
◆ La localité est passée à la postérité un triste jour de 1346... Petites chambres insonorisées et salle à manger rustique accueillent sans distinction vainqueurs et vaincus.

**CREIL** *60100 Oise* 305 *F5 G. Ile de France – 31 956 h alt. 30.*

*Syndicat d'Initiative, 41 place du Gal de Gaulle ☎ 03 44 55 16 07, Fax 03 44 55 05 27.*

*Paris 63 – Compiègne 37 – Beauvais 45 – Chantilly 9 – Clermont 17.*

**Ferme de Vaux,** rte Vaux (sur D 120 direction Verneuil) ☎ 03 44 64 77 00, *Fax 03 44 26 81 50* – TV P – 30. AE GB JCB
**Repas** *(fermé sam. midi et dim. soir)* 27 ♀ – ☕ 7,50 – **29 ch** 55/60 – ½ P 54.
◆ Ancienne ferme tout de pierre bâtie. Cadre d'inspiration rustique dans la salle à manger et confort moderne dans les chambres, plus spacieuses au rez-de-chaussée.

**CRÉMIEU** *38460 Isère* 333 *E3 G. Vallée du Rhône – 2 855 h alt. 200.*

Voir *Halles★.*

*Office du Tourisme, 5 place de la Nation Charles de Gaulle ☎ 04 74 90 45 13, Fax 04 74 90 02 25, office.tourismecremieu@wanadoo.fr.*

*Paris 488 – Lyon 39 – Belley 48 – Bourg-en-Bresse 64 – Grenoble 86 – La Tour-du-Pin 28.*

**Auberge de la Chaite** avec ch, ☎ 04 74 90 76 63, *Fax 04 74 90 88 08,* – TV P. AE GB
*fermé 22 avril au 11 mai, 20 déc. au 8 janv., mardi midi d'oct. à avril, dim. soir et lundi* – **Repas** 13,50/31, enf. 7,50 – ☕ 6 – **10 ch** 39/50.
◆ Face à la porte de la Loi, cette maison de pays propose des plats traditionnels à déguster dans une salle au décor campagnard ou sur la terrasse ombragée. Chambres rénovées.

**CREPON** *14 Calvados* 303 *I4 G. Normandie Cotentin – 209 h alt. 52 – ✉ 14480 Creully.*

*Paris 256 – Caen 23 – Bayeux 13 – Deauville 66.*

**Ferme de la Rançonnière** , rte Arromanches-les-Bains ☎ 02 31 22 21 73, *ranconniere@wanadoo.fr, Fax 02 31 22 98 39,* – TV P – 30. AE GB
**Repas** *(fermé 5 au 29 janv.)* 15/38 ♀, enf. 9 – ☕ 11 – **35 ch** 45/110 – ½ P 52/82.
◆ Ravissante ferme fortifiée médiévale : poutres patinées, meubles et bibelots anciens dans les chambres ; belles voûtes en pierre et cheminées au restaurant.

**Annexe Ferme de Mathan** sans rest, à 800 m., – TV P. AE GB
☕ 11 – **13 ch** 80/90.
◆ Chambres récemment aménagées dans une métairie du 18e s. ; spacieuses, elles sont joliment décorées et dotées de meubles chinés. Calme garanti.

**CRESSENSAC** *46600 Lot* 337 *F1 – 570 h alt. 300.*

*Paris 497 – Brive-la-Gaillarde 20 – Sarlat-la-Canéda 44 – Cahors 82 – Gourdon 44 – Larche 18.*

**Chez Gilles** avec ch, N 20 ☎ 05 65 37 70 06, *Fax 05 65 37 77 15* – TV . AE GB
**Repas** 17,50/43 ♀, enf. 10 – ☕ 6,50 – **8 ch** 46,50/51 – ½ P 52/56.
◆ Avenante maison régionale en bord de route, où l'on dégustera une cuisine classique dans une salle rustique. Chambres un peu sonores, mais bien tenues.

**CRESSERONS** *14 Calvados* 303 *J4 – rattaché à Douvres-la-Délivrande.*

**CREST** *26400 Drôme* 332 *D5 G. Vallée du Rhône – 7 583 h alt. 196.*

Voir *Donjon★ : ✻★.*

*Office du Tourisme, place du Docteur Roier ☎ 04 75 25 11 38, Fax 04 75 76 79 65, ot-crest@vallee-drome.com.*

*Paris 590 ④ – Valence 29 ④ – Die 38 ① – Gap 128 ① – Grenoble 113 ④ – Montélimar 38 ②.*

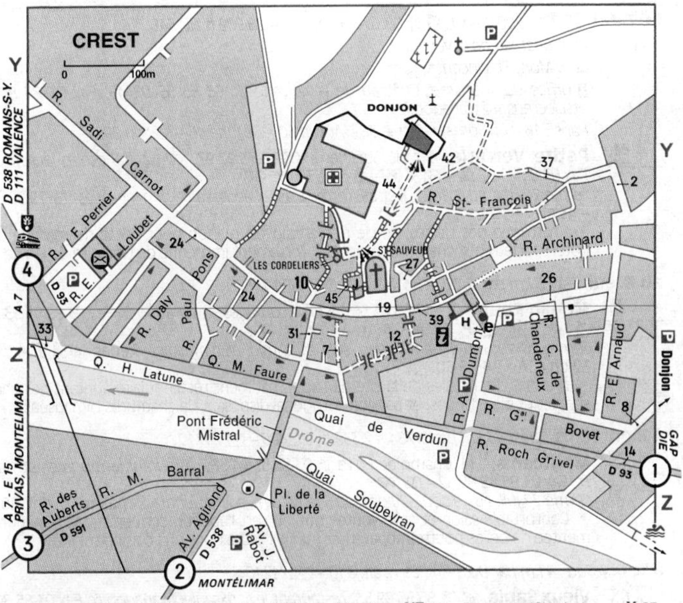
CREST
0
100m
DONJON
LES CORDELIERS
ST-SAUVEUR
R. Sadi Carnot
R. F. Perrier
Loubet
Pons
R. E.
R. Daly
Paul
R. St- François
R. Archinard
R. C. de Chandeneux
R. E. Arnaud
R. A. Dumont
Q. H. Latune
Q. M. Faure
Pont Frédéric Mistral
Quai de Verdun
Drôme
R. Gal Bovet
R. Roch Grivel
R. M. Barral
R. des Auberts
Av. Agirond
Pl. de la Liberté
Quai Soubeyran
Av. J. Rabot
D 538 ROMANS-S-Y. D 111 VALENCE
A 7 - E 15 PRIVAS, MONTELIMAR
MONTÉLIMAR
GAP DIE
Donjon
D 93
D 591
D 538
A 7


Barbèyère (Mtée de la) . . . **Y** 2
Boucheries (R. des) . . . . . . **Z** 7
Calade (R. de la) . . . . . . . . . **Z** 8
Cordeliers (Esc. des) . . . . . **Y** 10
Cuiretteries (R. des) . . . . . . **Z** 12
Dr.-A. Ricateau (Av.) . . . . . . **Z** 14
Gaulle (Pl. du Gén.-de) . . . **YZ** 19
Hôtel-de-Ville (R. de) . . . . . **Y** 24
Jourbernon (Cours de) . . . **Y** 26
Julien (Pl.) . . . . . . . . . . . . . . **Y** 27
Long (R. M.) . . . . . . . . . . . . . **Z** 31
Pied Gai (Quai) . . . . . . . . . . **Z** 33
Remparts (Ch. des) . . . . . **Y** 37
République (R. de la) . . **YZ** 39
Saboury (R. de) . . . . . . . . . **Y** 42
Tour (R. de la) . . . . . . . . . . . **Y** 44
Vieux-Gouvernement (R. du) . . . . . . . . . . . . . . **Y** 45

XX **Kléber** avec ch, 6 r. A. Dumont ✆ 04 75 25 11 69, *Fax 04 75 76 82 82* – ▤ rest, TV. GB
*fermé 18 août au 8 sept., 1er au 20 janv., mardi midi, dim. soir et lundi* – **Repas** 16/42 – ☕ 5,80 – **7 ch** 30/46,50. **Z e**
◆ Touche transalpine dans la petite cité au fier donjon : murs joliment travaillés à l'éponge et sièges italiens en cuir rouge. Cuisine classique.

**Le CRESTET** *84 Vaucluse* 332 D8 – *rattaché à Vaison-la-Romaine.*

**CREST-VOLAND** *73590 Savoie* 333 M3 *G. Alpes du Nord – 395 h alt. 1230 – Sports d'hiver : 1 230/2 000 m* ⛷ *17* ⛷*.*

*Office du Tourisme, Maison de Crest-Voland ✆ 04 79 31 62 57, Fax 04 79 31 85 36, info@crestvoland-cohenno.com.*

*Paris 588 – Chamonix-Mont-Blanc 47 – Albertville 24 – Annecy 53 – Megève 15.*

**Caprice des Neiges** ⛷, rte Saisies : 1 km ✆ 04 79 31 62 95, *lecapricedes-neiges@wanadoo.fr, Fax 04 79 31 79 30,* ≤, ☂, ☂, ✂ – TV P. ⓓ GB. ✂ rest
*20 juin-15 sept. et 15 déc.-20 avril* – **Repas** 20/27 ♀ – ☕ 7 – **16 ch** 76 – ½ P 63.
◆ Chalet fleuri de style savoyard situé au pied des pistes, légèrement à l'écart du village. Chaleureux intérieur rénové dans l'esprit montagnard actuel. Spécialités régionales.

**CRÉTEIL** *94 Val-de-Marne* 312 D3 101 ㉗ – *voir à Paris, Environs.*

**CREULLY** *14480 Calvados* 303 I4 – *1 396 h alt. 27.*

*Paris 253 – Caen 19 – Bayeux 13 – Deauville 62.*

XX **Hostellerie St-Martin** avec ch, ✆ 02 31 80 10 11, *hostellerie.stmartin@wanadoo.fr, Fax 02 31 08 17 64* – TV ✆ P. AE ⓓ GB
**Repas** 12,50/35,50 ♀ – ☕ 5,50 – **12 ch** 43/46 – ½ P 46.
◆ Ces belles salles voûtées du 16e s., agrémentées de sculptures d'un artiste régional, abritaient naguère les halles du village ; plats traditionnels. Chambres pour l'étape.

**Le CREUSOT** *71200 S.-et-L.* 320 G9 *G. Bourgogne – 28 909 h alt. 348.*

Voir *Château de la Verrerie*★.

Env. *Mont St-Vincent*★ ✻★★.

*Office du Tourisme, Château de la Verrerie ✆ 03 85 55 02 46, Fax 03 85 80 11 03, otsi.lecreusot@wanadoo.fr.*

*Paris 316 – Chalon-sur-Saône 38 – Autun 30 – Beaune 46 – Mâcon 89.*

**Petite Verrerie,** 4 r. J. Guesde ✆ 03 85 73 97 97, *contact@hotelfp-lecreusot.com, Fax 03 85 73 97 90* – TV P – 15 à 30. AE GB

*fermé 20 déc. au 6 janv.* – **Repas** *(fermé 9 au 24 août, sam., dim. et fériés)* 23/29,50 – 9 – **43 ch** 74.

◆ Pharmacie des Usines, cercle des employés, maison pour hôtes de marque et enfin hôtel spacieux aux chambres rénovées, fortement imprégné de l'histoire de la ville.

**au Breuil** *Est : 3 km par D 290 – 3 741 h. alt. 337 – ✉ 71670 :*

**Moulin Rouge** ✆ 03 85 55 14 11, *e.corbanese@wanadoo.fr, Fax 03 85 55 53 37,* – TV P. AE GB JCB

*fermé 20 déc. au 10 janv., vend. soir, sam. midi et dim. soir* – **Repas** 16/31 – 7,50 – **32 ch** 42/61 – 1/2 P 50.

◆ À un jet d'étincelles de la cité de l'acier, bâtiment rectangulaire abritant des chambres simples et bien tenues, et pavillon octogonal disposant de chambres climatisées.

**à Montcenis** *Ouest : 3 km par D 784 – 2 339 h. alt. 400 – ✉ 71710 :*

**Montcenis,** 2 pl. Champ de Foire ✆ 03 85 55 44 36, *restaurant.le-montcenis@wanadoo.fr, Fax 03 85 55 89 52* – AE GB

*fermé 29 juil. au 19 août, 26 déc. au 6 janv., dim. soir et lundi* – **Repas** 18/31, enf. 10.

◆ Confortable salon et cave voûtée où l'on sert l'apéritif, coquette salle à manger agrémentée de belles poutres apparentes : un joli cadre pour une cuisine soignée.

**à Torcy** *Sud : 4 km par D 28 – 4 059 h. alt. 310 – ✉ 71210 :*

**Vieux Saule,** ✆ 03 85 55 09 53, *restaurant.levieuxsaule@wanadoo.fr, Fax 03 85 80 39 99,* – P. GB

*fermé dim. soir et lundi* – **Repas** 16/61 et carte 36 à 55, enf. 10.

◆ La visite du château de la Verrerie aux étonnantes tours coniques vous a ouvert l'appétit ? Rejoignez cette salle élégante où vous dégusterez une cuisine traditionnelle.

---

**CREVOUX** *05200 H.-Alpes* 334 H5 *G. Alpes du Sud – 117 h alt. 1577 – Sports d'hiver : 1 600/2 400 m 5.*

*Paris 722 – Briançon 57 – Gap 53 – Embrun 14 – Guillestre 29.*

**Parpaillon** ✆ 04 92 43 18 08, *Fax 04 92 43 69 66,* – P. AE GB. rest

*fermé 20 au 30 avril et 10 au 30 nov.* – **Repas** *(13)* - 16,50/24, enf. 8,50 – 6 – **25 ch** 29/49 – 1/2 P 36,50/42.

◆ Établissement familial situé dans un hameau isolé, au pied de la chaîne du Parpaillon. Les chambres de l'annexe sont plus récentes. Cadre montagnard pour les repas.

---

**CRICQUEBOEUF** *14 Calvados* 303 M3 – *rattaché à Honfleur.*

---

**CRILLON** *60112 Oise* 305 C3 – *440 h alt. 110.*

*Paris 104 – Compiègne 76 – Aumale 33 – Beauvais 16 – Breteuil 33 – Gournay-en-Bray 18.*

**Petite France,** 7 r. Moulin ✆ 03 44 81 01 13, *Fax 03 44 81 01 13* – . GB

*fermé 10 août au 3 sept., dim. soir, lundi et mardi* – **Repas** *(12,50)* - 19 bc/30.

◆ Auberge accueillante dans un petit village du Beauvaisis. Intérieur rustique agréablement désuet, avec mise en place soignée. Cuisine du terroir.

---

**CRILLON-LE-BRAVE** *84410 Vaucluse* 332 D9 – *370 h alt. 340.*

*Paris 691 – Avignon 39 – Carpentras 14 – Nyons 36 – Vaison-la-Romaine 22.*

**Hostellerie de Crillon le Brave**, pl. Église ✆ 04 90 65 61 61, *crillonbrave@relaischateaux.com, Fax 04 90 65 62 86,* plaine et mont Ventoux, – TV P. AE GB. rest

*fermé 2 janv. au 13 mars* – **Repas** *(fermé le midi et mardi de nov. à mars.)* 64 ***Le Bistrot*** *(1er avril-31 oct. et fermé le midi et mardi)* **Repas** carte environ 35, – 17 – **24 ch** 185/540, 8 appart.

◆ Charmante bastide du 17e s. dans un village perché. Terrasse avec vue sur la plaine et le mont Ventoux, jardin à l'italienne, salle à manger voûtée et chambres provençales.

**CRISENOY** *77 S.-et-M.* 312 F4 – *rattaché à Melun.*

**Le CROISIC** *44490 Loire-Atl.* 316 A4 *G. Bretagne – 4 428 h alt. 6.*

Voir *Océarium*★ – ≤★ du *Mont-Lénigo.*

ℹ *Office du Tourisme, place du 18 Juin 1940 ☎ 02 40 23 00 70, Fax 02 40 23 23 70.*

*Paris 460* ① – *Nantes 85* ① – *La Baule 9* ① – *Redon 65* ① – *Vannes 73* ①.

## LE CROISIC

Aiguillon (Quai d') .......... **AY** 2
Cordiers (R. des) .......... **BY** 6
Europe (Rue de l') .......... **AY** 7
Gaulle (Pl. du Gén.-de) ..... **AZ** 9
Grande-Rue .......... **AY** 12
Lénigo (Quai du) .......... **AY** 13
Lepré (Pl. Domatien) ...... **AY** 16
Mail de Broc (R. du) ...... **AY** 17
Petite Chambre (Q. de la) . **BY** 20
Pilori (R. du) .......... **BY** 22
Poilus (R. des) .......... **BZ** 23
Port Charly (Quai) .......... **AY** 26
Port Ciguet (Quai du) ...... **AY** 27
Port Lin (Av. de) .......... **AZ** 28
Rielle (Quai Hervé) .......... **BY** 32
Saint-Christophe (R.) ...... **BY** 33
Saint-Goustan (Av. de) ...... **AY** 35
18-Juin-1940 (Pl. du) ...... **BZ** 36

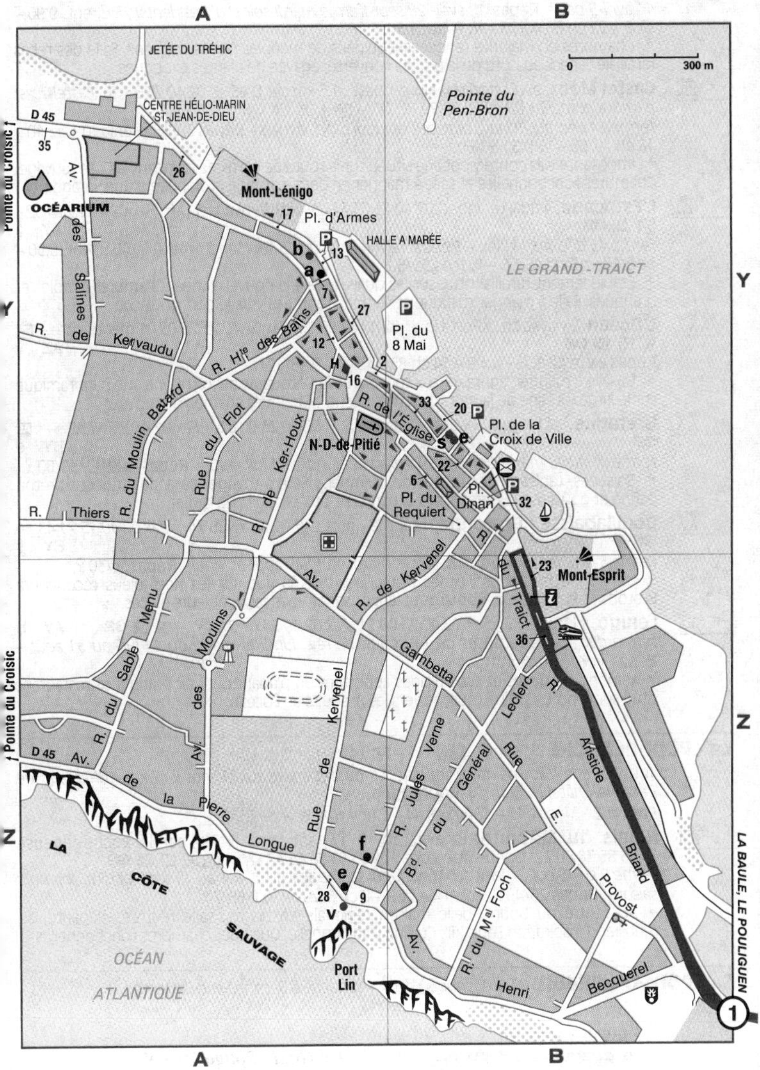

A
B
Y
Z
JETÉE DU TRÉHIC
0
300 m
CENTRE HÉLIO-MARIN ST-JEAN-DE-DIEU
Pointe du Pen-Bron
D 45
Pointe du Croisic
OCÉARIUM
Mont-Lénigo
Pl. d'Armes
HALLE A MARÉE
LE GRAND-TRAICT
Av. des Salines
R. de Kervaudu
R. Hte des Bains
Pl. du 8 Mai
R. du Moulin Batard
Rue du Flot
R. de Ker-Houx
N-D-de-Pitié
R. de l'Église
Pl. de la Croix de Ville
Pl. du Requiert
Pl. Dinan
R. Thiers
Mont-Esprit
R. de Kervenel
R. du Traict
Av. Gambetta
Menu
Sable
R. du
Av. des Moulins
Rue de Kervenel
R. Jules Verne
Bd du Général Leclerc
Rue E. Provost
R. Aristide Briand
Av. de la Pierre Longue
LA CÔTE SAUVAGE
OCÉAN ATLANTIQUE
Port Lin
R. du Mal Foch
Av. Henri Becquerel
LA BAULE, LE POULIGUEN

**Fort de l'Océan** M, pointe du Croisic ☎ 02 40 15 77 77, *contact@fort-ocean.com, Fax 02 40 15 77 80,* ← Côte sauvage, – AE GB
**Repas** *(fermé 12/11 au 18/12, 4/1 au 10/2, le midi (sauf vend., sam., dim.) en juil., lundi et mardi du 15/9 au 30/6* 20 (déj.)/54 – 13 – **9 ch** 138/199 – ½ P 127/180.
◆ Fortin du 17e s. de type Vauban surplombant l'océan. Vue superbe sur la Côte sauvage depuis quelques-unes des chambres personnalisées. Salle des repas raffinée.

**Vikings** sans rest, à Port-Lin ☎ 02 40 62 90 03, *Fax 02 40 23 28 03,* ← – 50. AE GB AZ e
9 – **24 ch** 71/111.
◆ Cet immeuble récent abrite des chambres spacieuses dotées d'un mobilier de qualité. Quelques-unes tournent leur bow-window vers la Côte sauvage.

**Nids**, 15 r. Pasteur à Port-Lin ☎ 02 40 23 00 63, *hotel.lesnids@worldonline.fr, Fax 02 40 23 09 79,* – GB AZ f
*1er avril-5 oct.* – **Repas** *1er avril- 28 sept (fermé mardi soir sauf résidents)* 23 ♀, enf. 9,90 – 8 – **22 ch** 60,40/75 – ½ P 48/61,50.
◆ Chambres en majorité rénovées, équipées de meubles peints vosgiens. Salle des repas familiale ; snack au bord de la piscine couverte, égayée de plantes exotiques.

**Castel Moor,** av. Castouillet, Nord-Ouest : 1,5 km sur D 45 ☎ 02 40 23 24 18, *castel@castel-moor.com, Fax 02 40 62 98 90,* ←, – P. GB
*fermé 24 déc. au 28 janv., dim. soir et lundi d'oct. à mars* – **Repas** 20/35 ♀, enf. 10 – 10 – **18 ch** 49/66 – ½ P 51,50/60.
◆ Imposante villa contemporaine située sur la route de corniche longeant la Côte sauvage. Chambres fonctionnelles et salle à manger en demi-rotonde prolongée d'une véranda.

**L'Estacade,** 4 quai Lénigo ☎ 02 40 23 03 77, *lestacade@wanadoo.fr, Fax 02 40 23 24 32* – . AE GB AY a
*fermé 15 déc. au 14 janv.* – **Repas** *(fermé jeudi du 15 sept. au 31 mars)* 16/40 ♀, enf. 9,90 – 6,10 – **15 ch** 45/56 – ½ P 44,50/50.
◆ Établissement familial situé sur les quais, face à la nouvelle criée. Chambres simples et pratiques. Salle à manger rustique et véranda tournées vers le port de pêche.

**L'Océan** avec ch, à Port-Lin ☎ 02 40 62 90 03, *Fax 02 40 23 28 03,* ← mer et côte – . AE GB AZ v
**Repas** carte 42 à 93 – 9 – **14 ch** 85/143 – ½ P 98/127.
◆ La salle à manger, agrippée aux rochers de la Côte sauvage, offre une vue panoramique sur le large. Cuisine de la mer "tout frais pêché". Quelques chambres rénovées.

**Bretagne,** 11 quai Petite Chambre ☎ 02 40 23 00 51, *Fax 02 40 23 18 32* – AE GB BY e
*fermé 1er au 15 mars, dim. soir, mardi soir et lundi sauf juil.-août* – **Repas** 19 (déj.), 30/60 ♀.
◆ Boiseries, tableaux et faïences de Quimper... Salle à manger-véranda au décor breton patiné et goûteuse cuisine faisant la part belle aux produits de la mer.

**Bouillabaisse Bretonne,** sur le port ☎ 02 40 23 06 74, *Fax 02 40 15 71 43* – GB BY s
*fermé 5 janv. au 25 mars, dim. soir et mardi sauf juil.-août et lundi* – **Repas** 20/30 ♀.
◆ L'enseigne fera sourciller les Marseillais, mais la vue sur les flots bleus réconciliera Bretons et Provençaux. Homards et langoustines vous tendent leurs pinces.

**Lénigo,** 11 quai Lénigo ☎ 02 40 23 00 31, *Fax 02 40 23 01 01,* – AE GB AY b
*fermé déc., janv., vacances de Toussaint, de fév., lundi et mardi du 14 juil. au 31 août* – **Repas** 18/32 ♀, enf. 10.
◆ Lambris, cordages et accastillages apportent un plaisant petit air marin à ce restaurant situé sur le port. Cuisine tournée vers les produits de l'océan.

## La CROIX-BLANCHE *71 S.-et-L.* 320 I11 – ✉ *71960 Berzé-la-Ville.*

Voir *Berzé-la-Ville : peintures murales★★* de la chapelle aux Moines *E : 2 km* – Château★ de *Berzé-le-Châtel N : 3 km,* **G. Bourgogne.**

*Paris 408 – Mâcon 13 – Charolles 44 – Cluny 10 – Roanne 85.*

**Relais du Mâconnais** avec ch, D 17 (ancienne N 79) par la Roche-Vineuse ☎ 03 85 36 60 72, *lannuel@aol.com, Fax 03 85 36 65 47,* – P. AE GB
*fermé 8 au 15 oct., 7 janv. au 4 fév., lundi sauf le soir du 1er juil. au 15 sept. et dim. soir hors saison* – **Repas** 26/49 ♀, enf. 14 – 9 – **8 ch** 59/67 – ½ P 65/74.
◆ Au centre du bourg, belle maison régionale en pierre ; salle feutrée, élégante, au mobilier d'inspiration Louis XIII. Cuisine traditionnelle. Quelques chambres fonctionnelles.

## La CROIX-DU-BREUIL *87 H.-Vienne* 325 F4 – *rattaché à Bessines-sur-Gartempe.*

*Les pages explicatives de l'introduction vous aideront à mieux profiter de votre* ***Guide Rouge Michelin***

**La CROIX-VALMER** *83420 Var 340 O6 G. Côte d'Azur – 2 634 h alt. 120.*

*Office du Tourisme, esplanade de la Gare ✆ 04 94 55 12 12, Fax 04 94 55 12 10, otac@wanadoo.fr.*

*Paris 876 – Fréjus 35 – Draguignan 49 – Le Lavandou 28 – Ste-Maxime 16 – Toulon 68.*

**au Sud-Ouest** *: 3,5 km par D 559 puis rte secondaire par rd-pt du Débarquement – ✉ 83420 La Croix-Valmer :*

**Petite Auberge de Barbigoua,** quartier Barbigoua ✆ 04 94 54 21 82, – P. GB
*fermé 20 nov. au 28 déc., lundi, mardi, merc. hors saison, le midi en saison* – **Repas** carte 30 à 60.
◆ Petite salle où vous serez installés autour de tables bien espacées, dans un frais décor rustique. L'atmosphère est conviviale, la carte orientée vers les poissons.

**à Gigaro** *Sud-Est : 5 km par rte secondaire – ✉ 83420 La Croix-Valmer :*

**Château de Valmer** M, ✆ 04 94 55 15 15, *chatvalmer@aol.com, Fax 04 94 55 15 10*, ch, P – 30. AE GB.
*avril-oct.* – **Repas** *(fermé mardi)* (dîner seul.) 52 – 17 – **42 ch** 195/340, 4 appart.
◆ Au sein d'un domaine viticole, bastide précédée d'un patio où trône un vieil olivier. Vastes chambres au mobilier de style provençal et piscine bordée d'une palmeraie.

**Pinède-Plage**, ✆ 04 94 55 16 16, *pinedepla@aol.com, Fax 04 94 55 16 10*, – ch, P. AE GB.
*mai-sept.* – **Repas** 45 (dîner), et carte le midi 50 – 17 – **23 ch** 195/340, 10 appart – ½ P 160/232.
◆ "Les pieds dans l'eau" et ombragé par des pins parasols, construction récente au plaisant décor (joli camaïeu de beiges). Chambres "cosy", avec terrasse ou balcon.

**Souleias**, ✆ 04 94 55 10 55, *infos@hotel-souleias.com, Fax 04 94 54 36 23*, mer et îles, P – 25. AE GB. rest
*11 avril-12 oct.* – **Repas** 32 (déj.), 47/72, enf. 16 – 16 – **44 ch** 177/401 – ½ P 114/262,50.
◆ Belle propriété sous les pins, au sommet d'une colline dominant le littoral. Chambres sobres, restaurant cossu, terrasse panoramique. Carte classique aux saveurs provençales.

**Les Moulins de Paillas et de Gigaro,** ✆ 04 94 79 71 11, *message@lesmoulinsdepaillas.com, Fax 04 94 54 37 05*, P – 20. AE GB
*23 mai-fin sept.* – ***Brigantine*** ✆ 04 94 79 67 16 (dîner seul.) **Repas** 50 – ***Pépé Le Pirate*** ✆ 04 94 79 67 16 grill - (déj. seul.) **Repas** 20, enf. 15 – 15 – **68 ch** 155/320 – ½ P 140/180.
◆ Complexe hôtelier en bord de mer. Préférez la Résidence : les chambres y sont plus spacieuses et au calme. Ambiance estivale détendue autour du grill de Pépé le Pirate.



**CROS-DE-CAGNES** *06 Alpes-Mar. 341 D6 – rattaché à Cagnes-sur-Mer.*

**Le CROTOY** *80550 Somme 301 C6 G. Picardie Flandres Artois – 2 440 h alt. 1.*

*Office de tourisme, 1 rue Carnot ✆ 03 22 27 05 25, Fax 03 22 27 90 58.*

*Paris 211 – Amiens 75 – Abbeville 22 – Berck-sur-Mer 29 – Hesdin 42.*

**Les Tourelles**, ✆ 03 22 27 16 33, *lestourelles@nhgroupe.com, Fax 03 22 27 11 45*, – GB
*fermé 7 au 30 janv.* – **Repas** 19,80/27,80, enf. 9 – 6 – **24 ch** 49/64 – ½ P 95/110.
◆ Jolie maison de maître tournée vers la baie de Somme. Chambres personnalisées, décorées dans l'esprit marin. Original dortoir pour les enfants. Cadre bourgeois au restaurant.

**CROZANT** *23160 Creuse 325 G2 G. Berry Limousin – 636 h alt. 263.*

*Voir Ruines★.*

*Paris 330 – Argenton-sur-Creuse 31 – La Châtre 46 – Guéret 38 – Montmorillon 68.*

**Auberge de la Vallée,** ✆ 05 55 89 80 03, *Fax 05 55 89 83 22* – AE GB
*fermé 3 janv. au 3 fév., lundi soir et mardi du 15 sept. au 30 juin* – **Repas** 16/32, enf. 9.
◆ Petite auberge campagnarde où les serveurs officient certains jours en costume folklorique marchois. Cuisine traditionnelle généreuse, réalisée avec les produits du terroir.

**Lac** avec ch, au pont de Crozant, Est : 1 km par D 72 et D 30 ✆ 05 55 89 81 96, – P. GB
*fermé fév., dim. soir, merc. soir et lundi* – **Repas** 15/24 – 5 – **7 ch** 20/46 – ½ P 26,80/36,80.
◆ Établissement modeste bien situé face au lac (possibilité d'excursions en vedette). Salle à manger agréablement provinciale, et quelques chambres pouvant dépanner.

**CROZON** *29160 Finistère* 308 E5 *G. Bretagne – 7 705 h alt. 85.*

Voir *Retable★ de l'église.*

Env. *Circuit des Pointes★★★.*

*Office du Tourisme, boulevard de Pralognan ✆ 02 98 27 07 92, Fax 02 98 27 24 89.*

*Paris 589 – Brest 59 – Quimper 49 – Châteaulin 35 – Douarnenez 38 – Morlaix 81.*

**Presqu'île** M sans rest, pl. Église ✆ 02 98 27 29 29, *mutin.gourmand@wanadoo.fr, Fax 02 98 26 11 97* – TV ✆ ♿. AE GB. ✗
*fermé dim. soir et lundi hors saison* – ☕ 9 – **12 ch** 47/72.
◆ L'ancienne mairie de Crozon a été tout récemment réaménagée en hôtel aux chambres insonorisées et décorées dans un style actuel. Boutique de produits régionaux.

**Mutin Gourmand,** pl. Église ✆ 02 98 27 06 51, *mutin.gourmand@wanadoo.fr, Fax 02 98 26 11 97* – ▤. AE GB
*fermé lundi hors saison* – **Repas** *(fermé dim. soir et lundi midi en saison)* 16/59 ♀, enf. 10.
◆ La petite maison bretonne attire l'oeil avec ses volets bleus. Décor contemporain, pierres apparentes et nombreuses aquarelles. Carte régionale ; poissons selon les arrivages.

**au Fret** *Nord : 5,5 km par D 155 et D 55 – ✉ 29160 Crozon :*

**Hostellerie de la Mer,** ✆ 02 98 27 61 90, *hostellerie.de.la.mer@wanadoo.fr, Fax 02 98 27 65 89,* ≤ – AE GB
*fermé 2 janv. au 13 fév.* – **Repas** 18/65 – ☕ 8 – **25 ch** 42/60 – ½ P 49/58.
◆ Hôtel familial situé sur le port. Petites chambres simples ; quelques-unes sont rénovées. La salle de restaurant garnie de meubles bretons offre une vue sur l'anse du Fret.

*Si le coût de la vie subit des variations importantes,*
*les prix que nous indiquons peuvent être majorés.*
*Lors de votre réservation à l'hôtel, faites-vous préciser le prix définitif.*

---

**CRUIS** *04230 Alpes-de-H.P.* 334 D8 *– 408 h alt. 728.*

*Paris 735 – Digne-les-Bains 41 – Forcalquier 22 – Manosque 42 – Sisteron 26.*

**Auberge de l'Abbaye,** ✆ 04 92 77 01 93, *Fax 04 92 77 01 92,* ☂ – TV ✆ – 🏃 25. GB
*fermé 3 au 30 janv.* – **Repas** *(fermé lundi)* 17/29 ♀ – ☕ 7 – **9 ch** 55/62 – ½ P 53.
◆ Dans un village de Haute-Provence accroché à la montagne de Lure, petite adresse familiale aux chambres rustiques fort bien tenues. Terrasse ombragée et cuisine régionale.

---

**CRUSEILLES** *74350 H.-Savoie* 328 J4 *– 2 716 h alt. 781.*

*Syndicat d'initiative, 35 place de la Mairie ✆ 04 50 32 10 33, Fax 04 50 44 07 36.*

*Paris 536 – Annecy 18 – Bellegarde-sur-Valserine 44 – Bonneville 37 – Genève 27.*

**L'Ancolie** M ⛰ avec ch, au parc des Dronières, Nord-Est : 1 km par D 15 ✆ 04 50 44 28 98, *ancolie.hotel@wanadoo.fr, Fax 04 50 44 09 73,* ≤, ☂, 🛥 – TV ✆ P – 🏃 35. GB. ✗ rest
*fermé vacances de Toussaint, de fév., dim. soir de juin à sept. et lundi sauf hôtel* – **Repas** 22 (déj.), 33/60 – ☕ 10,50 – **10 ch** 66/98 – ½ P 70/83.
◆ Pimpant chalet moderne au bord d'un lac, dans un joli site. Chambres chaleureuses, à l'esprit alpin. Élégante salle à manger ; terrasse panoramique. Cuisine aromatique.

**aux Avenières** *Nord : 6 km par D 41 et rte secondaire – ✉ 74350 Cruseilles :*

**Château des Avenières** ⛰, ✆ 04 50 44 02 23, *chateau-des-avenieres@aic.fr, Fax 04 50 44 29 09,* ≤ chaîne des Aravis, ☂, 🌳 – 🛗 TV ✆ P – 🏃 30. AE ⓓ GB. ✗ ch
*fermé 17 fév. au 4 mars et 20 oct. au 4 nov.* – **Repas** *(fermé lundi et mardi)* 26 (déj.), 39/98 ♀ – ☕ 14,50 – **12 ch** 115/245 – ½ P 102,50/167,50.
◆ Délicieux manoir (1907) empreint de mystère. Chambres personnalisées, salle à manger néogothique, ravissant parc en forme de papillon et vue splendide sur les montagnes.

---

**CUBRY** *25680 Doubs* 321 I2 *– 105 h alt. 340.*

*Paris 392 – Besançon 54 – Belfort 51 – Lure 28 – Montbéliard 41 – Vesoul 31.*

**Château de Bournel** ⛰, ✆ 03 81 86 00 10, *info@bournel.com, Fax 03 81 86 01 06,* ☂, 🏌, 🌳 – 🛗 TV P – 🏃 50. AE GB. ✗ rest
*28 mars -31 oct.* – ***Le Maugré*** ✆03 81 86 06 60 **Repas** 13(déj.), 25/50 ♀, enf.11 – ☕ 10 – **17 ch** 150/205 – ½ P 128.
◆ Hôtel aménagé dans les dépendances (18e s.) du château du marquis de Moustier, au coeur d'un parc de 80 ha. Chambres spacieuses. Golf 18 trous. Le Maugré ("Moustier sera maugré le Sarrazin") est installé dans une jolie salle voûtée.

---

**CUCQ** *62 P.-de-C.* 301 C5 *– rattaché à Le Touquet-Paris-Plage.*

**CUCUGNAN** *11350 Aude* 344 G5 *G. Languedoc Roussillon – 128 h alt. 310.*

**Voir** *Circuit des Corbières cathares★★.*

*Paris 854 – Perpignan 42 – Carcassonne 77 – Limoux 78 – Quillan 51.*

**Auberge du Vigneron** avec ch, ✆ 04 68 45 03 00, *auberge.vigneron@ataraxie.fr, Fax 04 68 45 03 08,* – . GB.

*1er mars-12 nov.* – **Repas** *(fermé lundi midi en juil.-août, dim. soir et lundi)* 19/28 ♀ – ☕ 6,10 – **7 ch** 42/61 – ½ P 55.

◆ Vieille maison d'un village des Corbières rendu célèbre par la plume d'Alphonse Daudet. Salle à manger dans l'ancien chai, chambres accueillantes : rien à sermonner !

**Auberge de Cucugnan** avec ch, ✆ 04 68 45 40 84, *Fax 04 68 45 01 52,* – ch, . GB

*fermé janv., fév. et merc. hors saison* – **Repas** (12) - 16 bc/40 bc, enf. 7 – ☕ 6 – **6 ch** 44/50 – ½ P 42/46.

◆ Grange aménagée que l'on atteint après avoir parcouru un dédale de ruelles. Ambiance campagnarde. Cuisine généreuse, fleurant bon le terroir. Chambres neuves.

**CUCURON** *84160 Vaucluse* 332 F11 *G. Provence – 1 624 h alt. 350.*

*Office du Tourisme, rue Léonce Brieugne ✆ 04 90 77 28 37, Fax 04 90 77 17 00, ot-cucuron@axit.fr.*

*Paris 745 – Digne-les-Bains 109 – Apt 25 – Cavaillon 40 – Manosque 35.*

**Petite Maison** (Mehdi), pl. Étang ✆ 04 90 77 18 60, *la-petite-maison@wanadoo.fr, Fax 04 90 77 18 61,* – AE GB

*fermé 16 nov. au 8 déc., 25 janv. au 9 fév., lundi et mardi* – **Repas** 24,40 (déj.), 43,50/68,60 et carte 77 à 97 ♀, enf. 19.

◆ Au centre du village, charmant restaurant délicieusement décoré (magnifique tapisserie du 17e s. au rez-de-chaussée). La cuisine met en valeur le terroir provençal.

**Spéc.** Risotto à la truffe noire ou blanche. Volaille élevée au maïs, cuite en cocotte à la luzerne et à la paille. Civet de lièvre à la royale (15 sept. au 15 déc.). **Vins** Côte du Luberon.

**Horloge,** ✆ 04 90 77 12 74, *horlog.@wanadoo.fr, Fax 04 90 77 29 90* – GB

*fermé 10 fév. au 15 mars, 22 au 28 déc., lundi soir du 1er oct. au 20 avril, mardi soir et merc.* – **Repas** (12 bc) - 15/35 ♀, enf. 8.

◆ Dans ce bourg du Luberon, pressoir à huile du 14e s. réaménagé en restaurant rustique égayé de chauds coloris. Plats aux accents régionaux.

**CUERS** *83390 Var* 340 L6 – *7 027 h alt. 140.*

*Office du Tourisme, 18 place Général de Gaulle ✆ 04 94 48 56 27, Fax 04 94 28 03 56.*

*Paris 838 – Toulon 23 – Brignoles 25 – Draguignan 58 – Marseille 86.*

**Lingousto,** Est : 2 km par rte Pierrefeu ✆ 04 94 28 69 10, *Fax 04 94 48 63 79,* – . AE GB

*fermé 2 janv. au 1er fév., dim soir, merc. soir et lundi* – **Repas** 50/70 et carte 50 à 55 ♀.

◆ Charmante bastide entourée de vignes. Cuisine au goût du jour sur la terrasse bordée de platanes ou dans la salle à manger et le salon ornés d'oeuvres contemporaines.

**Verger des Kouros,** rte de Solliès-Pont par N 97 : 2 km ✆ 04 94 28 50 17, *Fax 04 94 48 69 77,* – . AE GB

*fermé 1er au 15 nov, 7 au 15 janv. et merc.* – **Repas** 14 (déj.)/31.

◆ Point de statues d'éphèbes, mais trois frères d'origine grecque à la tête de ce restaurant occupant une maison régionale. Fraîche salle à manger et recettes du terroir.

**CUISEAUX** *71480 S.-et-L.* 320 M11 *G. Bourgogne – 1 779 h alt. 280.*

*Syndicat d'Initiative, cours du Château des Princes d'Orange ✆ 03 85 72 70 86, Fax 03 85 72 54 22.*

*Paris 396 – Chalon-sur-Saône 60 – Mâcon 74 – Lons-le-Saunier 26 – Tournus 46.*

**Vuillot,** ✆ 03 85 72 71 79, *hotel.vuillot@wanadoo.fr, Fax 03 85 72 54 22,* – rest, . AE GB

*fermé janv., lundi sauf hôtel et dim. soir* – **Repas** 13/41 ♀, enf. 7 – ☕ 7 – **16 ch** 32/49 – ½ P 36/39.

◆ Maison bourguignonne en belles pierres du pays. Petites chambres proprettes, salle à manger rénovée depuis peu et cuisine traditionnelle généreuse.

*Ecrivez-nous...*

*Vos louanges comme vos critiques seront examinées avec le plus grand soin. Nous reverrons sur place les informations que vous nous signalez.*

*Par avance merci !*

**CUISERY** *71290 S.-et-L.* 320 J10 *G. Bourgogne – 1 505 h alt. 211.*

Syndicat d'Initiative, place d'Armes ☎ 03 85 40 11 70, Fax 03 85 40 11 70.

*Paris 368 – Chalon-sur-Saône 35 – Lons-le-Saunier 50 – Mâcon 38 – Tournus 8.*

XXX **Hostellerie Bressane** avec ch, ☎ 03 85 32 30 66, *hostellerie.bressane@worldonline.fr, Fax 03 85 40 14 96,* – GB
*fermé 17 déc. au 22 janv., mardi soir, jeudi midi et merc.* – **Repas** 17 (déj.), 21,50/57 et carte 36 à 59 ♀, enf. 12 – 8,50 – **14 ch** 60/80 – ½ P 70/72.
◆ Cuisine traditionnelle servie dans une lumineuse salle à manger coiffée d'une charpente peinte. À l'annexe, chambres calmes et actuelles ; les autres attendent une rénovation.

**CUQ-TOULZA** *81470 Tarn* 338 D9 – *546 h alt. 203.*

*Paris 725 – Toulouse 47 – Albi 63 – Castelnaudary 36 – Castres 33 – Gaillac 54.*

**Cuq en Terrasses**, Sud-Est : 2,5 km par D 45 ☎ 05 63 82 54 00, *cuq-en-terrasses@wanadoo.fr, Fax 05 63 82 54 11,* – AE GB JCB.
*21 mars-20 nov. et fermé le midi et merc.* – **Repas** (prévenir)(menu unique) 29 ♀ – 11 – **8 ch** 90/145 – ½ P 75/100.
◆ Chambres personnalisées et décorées avec goût dans une charmante maison du 18e s. à l'ambiance "guesthouse". Insolite jardin en terrasses. Une perle rare !

**La CURE** *39 Jura* 321 G8 – *rattaché aux Rousses.*

**CURTIL-VERGY** *21 Côte-d'Or* 320 J6 – *rattaché à Nuits-St-Georges.*

**CURZAY-SUR-VONNE** *86600 Vienne* 322 G6 – *460 h alt. 125.*

*Paris 363 – Poitiers 29 – Lusignan 11 – Niort 54 – Parthenay 34 – St-Maixent-l'École 27.*

**Château de Curzay**, rte Jazeneuil ☎ 05 49 36 17 00, *info@chateau-curzay.com, Fax 05 49 53 57 69,* – 30. AE GB JCB
*19 avril-13 nov.* – ***La Cédraie*** *(fermé 18 avril au 30 juin, 1er au 12 nov., mardi midi, merc. midi, jeudi)* **Repas** 35/89 et carte 60 à 95 ♀ – 18 – **22 ch** 145/280 – ½ P 145/215.
◆ Beau château du début du 18e s. dressé au coeur d'un parc de 120 ha traversé par une rivière et hébergeant un haras. Chambres au port aristocratique. Cuisine personnalisée.
**Spéc.** Cassolette d'escargots petits gris à la crème d'ail doux et lentins de chêne. Queues de langoustines, mitonnée d'artichauts poivrade (avril à juil.). Pigeonneau rôti, fèves parfumées à l'hysope. **Vins** Haut-Poitou, Touraine.

**CUSSAY** *37 I.-et-L.* 317 N6 – *rattaché à Ligueil.*

**CUSSEY-SUR-L'OGNON** *25870 Doubs* 321 F2 – *570 h alt. 227.*

Env. *Château de Moncley*★, **G. Jura.**

*Paris 413 – Besançon 14 – Gray 40 – Vesoul 46.*

XX **Vieille Auberge** avec ch, ☎ 03 81 48 51 70, *Fax 03 81 57 62 30,* – GB
*fermé 25 août au 8 sept., 29 déc. au 5 janv., lundi, vend. soir hors saison et dim. soir* – **Repas** *(13,50)* - 21/36, enf. 10 – 7 – **8 ch** 48/55 – ½ P 48.
◆ Maison ancienne en pierres de taille tapissée de lierre. Salle à manger discrètement rustique, cuisine traditionnelle. Chambres bien insonorisées.

**CUTS** *60400 Oise* 305 J3 – *736 h alt. 79.*

*Paris 116 – Compiègne 26 – St-Quentin 45 – Chauny 15 – Noyon 11 – Soissons 30.*

XX **Auberge Le Bois Doré,** 5 r. Ramée - D 934 ☎ 03 44 09 77 66, *Fax 03 44 09 79 27* – GB
*fermé 25 fév. au 15 mars, dim. soir, mardi soir et lundi* – **Repas** *(11,50)* - 14,50 (déj.), 18/31 ♀.
◆ Bâtisse plus que centenaire dont la façade s'égaye de dais verts. Salle à manger récemment refaite, claire et sobrement décorée. À l'étage, vaste salle de banquets.

**CUVES** *50 Manche* 303 F7 – *297 h alt. 78* – ✉ *50670 St-Pois.*

*Paris 333 – St-Lô 55 – Avranches 23 – Domfront 42 – Fougères 48 – Vire 25.*

XX **Moulin de Jean,** Nord-Est : 2 km sur D 48 ☎ 02 33 48 39 29, *reservations@lemoulindejean.com, Fax 02 33 48 35 32,* – P. AE GB
**Repas** 28/35 ♀.
◆ Ce vieux moulin perdu dans la campagne est aménagé en restaurant. Cuisine au goût du jour à déguster, selon la saison, dans un cadre rustique ou en terrasse.

**CUVILLY** *60490 Oise* 305 H3 – *462 h alt. 78.*
*Paris 93 – Amiens 56 – Compiègne 21 – Beauvais 62 – Montdidier 15 – Noyon 32 – Roye 20.*

**L'Auberge Fleurie,** 64 rte Flandres (N 17) ✆ 03 44 85 06 55, 🏞, 🚗 – AE GB
*fermé 18 août au 1er sept., dim. soir et lundi* – **Repas** 13/35 ♁.
◆ Maison tapissée de vigne vierge au riche passé : relais de poste, puis ferme et aujourd'hui restaurant. Salle rustique, sise dans l'ancienne bergerie. Plats traditionnels.

**DABISSE** *04 Alpes-de-H.-P.* 334 D9 – ✉ *04190 Les Mées.*
*Paris 736 – Digne-les-Bains 33 – Forcalquier 20 – Manosque 27 – Sisteron 30.*

**Vieux Colombier,** rte d'Oraison, Sud : 2 km sur D 4 ✆ 04 92 34 32 32, *snowak@wanadoo.fr, Fax 04 92 34 34 26,* 🏞 – P. AE ⓓ GB
*fermé 2 au 10 janv., dim. soir et merc.* – **Repas** 28/54 et carte 49 à 62 ♀, enf. 13.
◆ Dans une ancienne ferme, salle à manger avec poutres apparentes. Agréable terrasse ombragée par deux marronniers centenaires. Cuisine au goût du jour.

**DACHSTEIN** *67120 B.-Rhin* 315 J5 – *957 h alt. 160.*
*Paris 485 – Strasbourg 23 – Molsheim 6 – Saverne 28 – Sélestat 40.*

**Auberge de la Bruche,** ✆ 03 88 38 14 90, *Fax 03 88 48 81 12,* 🏞 – GB
*fermé 18 août au 5 sept., 27 déc. au 9 janv., sam. midi, dim. soir et mardi* – **Repas** 25/46 ♀.
◆ Prenez l'ancienne tour de garde du village ; à ses pieds, un cours d'eau, la Bruche, et à ses côtés une auberge fleurie au décor élégant : le tout forme un joli tableau.

**La DAILLE** *73 Savoie* 333 O5 – *rattaché à Val-d'Isère.*

**DAMBACH-LA-VILLE** *67650 B.-Rhin* 315 I7 *G. Alsace Lorraine – 1 800 h alt. 210.*
*Office du Tourisme, 11 place du Marché* ✆ *03 88 92 61 00, Fax 03 88 92 47 11, otdlv@netcourrier.com.*
*Paris 443 – Strasbourg 48 – Obernai 24 – Saverne 61 – Sélestat 9.*

**Vignoble** sans rest, ✆ 03 88 92 43 75, *Fax 03 88 92 62 21* – TV ✆ ♿. GB. ✗
*fermé 22 juin au 4 juil., 24 déc. au 12 mars et dim. hors saison* – ☕ 6 – **7 ch** 42/50.
◆ Les cloches de l'église voisine restent muettes la nuit, permettant de profiter pleinement des coquettes petites chambres de cette ancienne grange (1765) bâtie à l'alsacienne.

**Au Raisin d'Or,** ✆ 03 88 92 48 66, *au-raisin-d-or@wanadoo.fr, Fax 03 88 92 61 42* – ▤ rest, TV P. ⓓ GB. ✗
*fermé 22 déc. au 6 janv., 2 au 24 fév., mardi et lundi* – **Repas** 20 ♀, enf. 8,50 – ☕ 6,50 – **8 ch** 42/46 – ½ P 35,30/36,80.
◆ L'extérieur est sobre ; l'intérieur offre le décor simple mais chaleureux d'une aimable pension familiale. Le repas, régional, sera arrosé des vins de la propriété.

**DAMGAN** *56750 Morbihan* 308 P9 – *1 032 h.*
*Office du Tourisme, place du Presbytère* ✆ *02 97 41 11 32, Fax 02 97 41 13 22.*
*Paris 470 – Vannes 27 – Muzillac 10 – Redon 49 – La Roche-Bernard 25.*

**Plage** M sans rest, ✆ 02 97 41 10 07, *arrele@wanadoo.fr, Fax 02 97 41 12 82,* ≤ – |‡| TV ♿ P. GB
*fermé 12 nov. au 21 déc. et 6 janv. au 8 fév.* – ☕ 6,50 – **18 ch** 49/61.
◆ Mention particulière pour ces chambres bien pensées qui profitent presque toutes d'une belle échappée sur l'Atlantique. Restauration d'appoint, avec une "saladerie".

**Albatros,** ✆ 02 97 41 16 85, *Fax 02 97 41 21 34,* ≤, 🏞 – ▤ rest, TV ✆ ♿ P. GB
*28 mars-mi-oct.* – **Repas** (10) - 16/35 ♀, enf. 8 – ☕ 6 – **27 ch** 45/62 – ½ P 45/52,50.
◆ Bâtisse des années 1970 que seule une route sépare de la plage. La majorité des chambres offre une vue sur l'océan ; toutes sont scrupuleusement tenues. Cuisine traditionnelle.

**DAMPIERRE-EN-YVELINES** *78 Yvelines* 311 H3 101 ㉛ – *voir à Paris, Environs.*

**DAMPRICHARD** *25450 Doubs* 321 L3 – *1 858 h alt. 825.*
*Paris 506 – Besançon 82 – Basel 94 – Belfort 63 – Montbéliard 47 – Pontarlier 67.*

**Lion d'Or,** ✆ 03 81 44 22 84, *hotel.damprichard@wanadoo.fr, Fax 03 81 44 23 10,* 🏞 – TV 🚗 P. GB
*fermé 13 au 27 oct.,* – **Repas** 13,50 (déj.), 17,50/45 ♀ – ☕ 6,60 – **16 ch** 40/47 – ½ P 39/45.
◆ Petit hôtel familial au centre du village. Chambres modestes mais nettes ; salle de restaurant lumineuse, aux aménagements modernes et simples.

**DANJOUTIN** *90 Ter.-de-Belf.* 315 *F11 – rattaché à Belfort.*

**DANNEMARIE** *68210 H.-Rhin* 315 *G11 – 1 820 h alt. 320.*

*Paris 449 – Mulhouse 27 – Basel 43 – Belfort 24 – Colmar 57 – Thann 27.*

**Wach,** près H. de Ville ✆ 03 89 25 00 01, *Fax 03 89 25 00 01* – GB JCB
*fermé 11 au 23 août, 24 déc. au 12 janv. et lundi* – **Repas** (déj. seul.) 10/30 ⅀, enf. 8,50.
◆ La modeste façade de ce restaurant familial est joliment fleurie en saison. L'appétissante cuisine du terroir s'accompagne d'un vin choisi sur une carte bien fournie.

**Ritter,** face gare ✆ 03 89 25 04 30, *restaurant.ritter@wanadoo.fr, Fax 03 89 08 02 34,* – P. GB JCB
*fermé 20 fév. au12 mars, 7 au 11 juil., 19 au 31 déc., jeudi soir, lundi soir et mardi* – **Repas** 22/30 ⅀, enf. 9.
◆ L'intérieur de cette belle maison 1900 - ancien théâtre du village - est aménagé à l'alsacienne : collection de chopes, outils paysans... Spécialité de carpes frites.

**DAX** *40100 Landes* 335 *E12 G. Aquitaine – 19 309 h alt. 12 – Stat. therm. – Casinos : La Potinière, et à St-Paul-lès-Dax.*

*Office du Tourisme, place Thiers ✆ 05 58 56 86 86, Fax 05 58 56 86 80, tourisme.dax@wanadoo.fr.*

*Paris 731 ① – Biarritz 59 – Mont-de-Marsan 54 ② – Bordeaux 147 ① – Pau 86 ③.*

## DAX

Aspremont (R. d') **A** 2
Augusta (Cours J.) **B** 3
Baignots (Allée des) **B** 4
Bouvet (Pl. C.) **B** 5
Carmes (R. des) **B** 6
Carnot (Bd) **A** 10
Cazade (R.) **B** 12
Chanoine-Bordes (Pl.) **B** 13
Chaulet (Av. G.) **AB** 14
Clemenceau (Av. G.) **AB** 15
Doumer (Av. P.) **A** 16
Ducos (Pl. R.) **B** 18
Foch (Cours Mar.) **B** 19
Fusillés (R. des) **B** 22
Gaulle (Espl. Gén.-de) **B** 23
Lahillade (R. G.) **A** 24
Lorrin (Bd C.) **A** 26
Manoir (Bd Y.-du) **AB** 28
Milliés-Lacroix (Av. E.) **AB** 30
Neuve (Rue) **B** 31
Pasteur (Cours) **B** 34
Sablar (Av. du) **B** 37
St-Pierre (Pl.) **B** 38
St-Pierre (R.) **B** 39
St-Vincent (R.) **B** 40
St-Vincent-de-Paul (Av.) **AB** 44
Sully (R.) **B** 47
Tambour (R. du) **A** 48
Thiers (Pl.) **B** 49
Toro (R. du) **B** 50
Tuilleries (Av. des) **AB** 51
Verdun (Cours de) **B** 52
Victor-Hugo (Av.) **AB** 54

ST-PAUL-LÈS-DAX

Foch (R. Mar.) **A** 20
Liberté (Av. de la) **A** 25
Loustalot (R. René) **A** 27
Résistance (Av. de la) **A** 36
St-Vincent-de-Paul (Av.) **A** 45

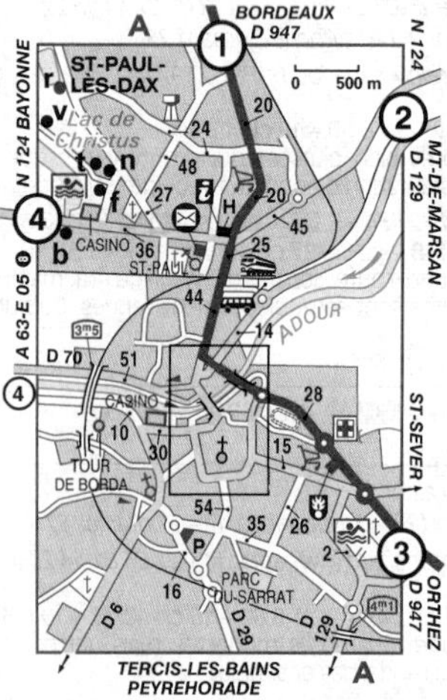
A
BORDEAUX D 947
N 124
ST-PAUL-LÈS-DAX
Lac de Christus
N 124 BAYONNE
MT-DE-MARSAN D 129
A 63-E 05
CASINO
ST-PAUL
ADOUR
D 70
CASINO
TOUR DE BORDA
PARC DU SARRAT
ST-SEVER
ORTHEZ D 947
TERCIS-LES-BAINS
PEYREHORADE
0 500 m

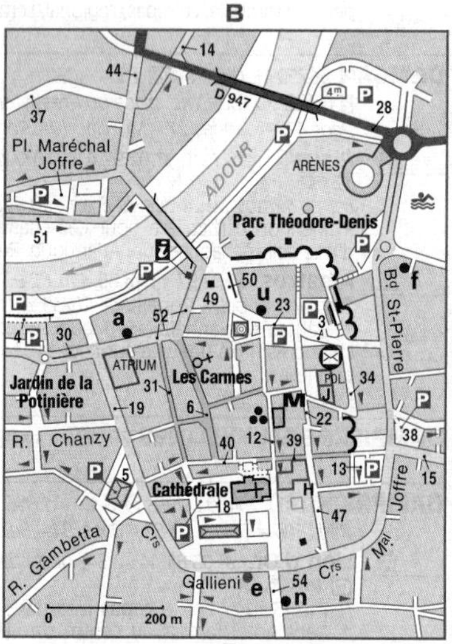
B
ADOUR
ARÈNES
Pl. Maréchal Joffre
Parc Théodore-Denis
Bd St-Pierre
ATRIUM
Les Carmes
Jardin de la Potinière
R. Chanzy
Cathédrale
R. Gambetta
Crs Gallieni
Crs Mal Joffre
0 200 m
B

**Grand Hôtel Mercure Splendid,** cours Verdun ✆ 05 58 56 70 70, *H2148@accor-hotels.com, Fax 05 58 74 76 33,* ≤, ⛱, 🛋 – |♦| TV P – 🎪 20 à 100. AE ⓞ GB. ✂ rest B a
*2 mars-2 janv.* – **Repas** 23/32 ♀, enf. 10 – ☕ 10 – **155 ch** 110/120, 6 appart – 1/2 P 63,50/83.
◆ Le cadre Art déco originel est pieusement conservé, tant dans la majestueuse salle à manger que dans les chambres spacieuses, au charme désuet. Centre thermal récemment rénové.

**Grand Hôtel** M 🐚, r. Source ✆ 05 58 90 53 00, *tadour@aol.com, Fax 05 58 90 52 88,* 🛋 – |♦| cuisinette, ▤ rest, TV ✆ P – 🎪 50. AE GB JCB. ✂ rest B f
*fermé 22 déc. au 6 janv.* – **Repas** 14/20 ♀ – ☕ 9 – **129 ch** 64/79, 7 appart – 1/2 P 53/60.
◆ Cet hôtel a trouvé un second souffle grâce à une réfection bien réalisée. Chambres contemporaines insonorisées. Thermes intégrés et nombreuses animations (thés dansants).

**Richelieu,** 13 av. V. Hugo ✆ 05 58 90 49 49, *Fax 05 58 90 80 86,* ⛱ – |♦| cuisinette TV ✆ P – 🎪 25. AE ⓞ GB B n
*fermé 12 au 22 août, 25 déc. au 15 janv.* – **Repas** *(fermé sam. midi, dim. soir et lundi)* 14 bc (déj.), 19/34 ♀ – ☕ 5 – **20 ch** 50/60 – 1/2 P 80.
◆ Chambres fonctionnelles refaites (demandez-en une sur l'arrière) et studios aménagés dans une annexe. Joli patio où l'on dresse les tables par beau temps. Discothèque "rétro".

**Vascon** sans rest, pl. Fontaine Chaude ✆ 05 58 56 64 60, *Fax 05 58 90 85 47* – |♦| TV ✆. GB B u
*3 mars-1er déc.* – ☕ 4,60 – **25 ch** 29/41.
◆ Face à la Fontaine chaude (64° !), principale curiosité dacquoise, petites chambres coquettes, colorées et dotées d'un mobilier de facture artisanale. Accueil aimable.

**L'Amphitryon,** 38 cours Galliéni ✆ 05 58 74 58 05 – GB B e
*fermé 26 août au 6 sept., 2 au 27 janv., dim. soir, sam. midi et lundi* – **Repas** (nombre de couverts limité, prévenir) 20/37 ♀.
◆ Le restaurant a été revu de pied en cap : façade immaculée et plaisante salle à manger au décor marin. Cuisine au goût du jour utilisant les produits régionaux.

## St-Paul-lès-Dax – *9 452 h. alt. 21 – ✉ 40990 .*

*Office du Tourisme, 68 avenue de la Résistance.*

**Calicéo** M 🐚, au Lac de Christus ✆ 05 58 90 66 00, *caliceo@nomade.fr, Fax 05 58 90 68 68,* ≤, ⛱, 🏋, 🛋 – |♦| cuisinette ⚹ ▤ TV ✆ ♿ 🚗 P – 🎪 25 à 80. AE ⓞ GB JCB. ✂ rest A n
**Repas** 18/25 ♀, enf. 7 – ☕ 8 – **50 ch** 75/100, 146 appart 100.
◆ Complexe récent dont la décoration s'inspire des années 1940, au restaurant comme dans les chambres. Espace de remise en forme aquatique et minicentre thermal.

**Les Jardins du Lac** M 🐚, au lac de Christus ✆ 05 58 91 43 43, *jardinsdulac@wanadoo.fr, Fax 05 58 91 34 24,* ⛱, ⛱, 🛋 – |♦| cuisinette, ▤ rest, TV ✆ ♿ P – 🎪 15. AE ⓞ GB JCB. ✂ rest A v
**Repas** *(fermé dim. soir et lundi de nov. à mars)* 14,50/33 ♀ – ☕ 8 – **51 ch** (1/2 pens. seul.) – 1/2 P 65,50.
◆ Immeuble moderne entre lac et forêt. Appartements spacieux, sobrement décorés et répondant aux normes de confort actuelles ; espace salon séparé et cuisinette.

**Lac** 🐚, au lac de Christus ✆ 05 58 90 60 00, *tadour@aol.com, Fax 05 58 91 34 88,* 🛋 – |♦| cuisinette, ▤ rest, TV ✆ ♿ P – 🎪 15 à 60. AE ⓞ GB. ✂ rest A t
*2 mars-23 nov.* – ***L'Arc-en-Ciel*** **: Repas** 14,50/23 enf. 7,60 – ☕ 7 – **250 ch** 55/61 – 1/2 P 59.
◆ Ensemble hôtelier et thermal possédant deux restaurants : l'un réservé aux curistes, l'autre, plus chaleureux, aux clients de passage. Chambres refaites, la moitié avec loggia.

**Kyriad,** au lac de Christus ✆ 05 58 91 70 70, *Fax 05 58 91 90 00* – ⚹ TV ✆ P – 🎪 25. AE ⓞ GB JCB A f
**Repas** 15,50/27,50 ♀ – ☕ 6 – **42 ch** 62.
◆ Proche du lac et voisin du casino, hôtel de chaîne aux aménagements fonctionnels. Les chambres, colorées, ont été récemment rénovées.

**Campanile,** rte Bayonne - N 124 ✆ 05 58 91 35 34, *Fax 05 58 91 37 00,* ⛱ – ⚹ TV ✆ ♿ P – 🎪 25. AE ⓞ GB A b
**Repas** 12/18 ♀ – ☕ 6 – **46 ch** 62.
◆ Séparé du lac par la nationale, Campanile entouré de verdure et doté des équipements habituels à la chaîne. Chambres avec sas d'entrée et murs crépis ; tenue soignée.

**Moulin de Poustagnacq,** ✆ 05 58 91 31 03, *Fax 05 58 91 37 97,* ⛱ – P. AE ⓞ GB A r
*fermé vacances de Toussaint, mardi midi, dim. soir et lundi* – **Repas** 25/58 et carte 55 à 83, enf. 10.
◆ Réhabilitation réussie d'un ancien moulin en lisière de bois. Salle à manger originalement décorée et terrasse au bord d'un étang. Cuisine actuelle aux accents régionaux.

XX **Relais des Plages** avec ch, rte de Bayonne par ④ : *3 km* ℘ 05 58 91 78 86, *Fax 05 58 91 85 13*, , , – rest, . 
**Repas** *(fermé dim. soir et lundi sauf juil.-août)* *(13)* - 16/26,50 – 7 – **9 ch** 39/54 – ½ P 50/56.
◆ Salles à manger rustiques, véranda et terrasse tournée vers le jardin et la piscine. Table traditionnelle et spécialités locales. Petites chambres bien refaites.

**à Oeyreluy** *Sud : 5 km par D 6-A-et rte secondaire – 1 063 h. alt. 10 – ✉ 40180 :*

X **Auberge Au Point du Jour,** ℘ 05 58 57 81 01, *s.labeyrie@infonie.fr, Fax 05 58 57 81 01* – 
*fermé 19 janv. au 1er fév., dim. soir, lundi soir et merc.* – **Repas** 20/31 .
◆ Cette petite auberge basque située sur la place d'un minuscule village propose une généreuse cuisine régionale. Accueil des plus sympathiques.

*Ecrivez-nous...*
*Vos louanges comme vos critiques seront examinées avec le plus grand soin.*
*Nous reverrons sur place les informations que vous nous signalez.*
*Par avance merci !*

---

**DEAUVILLE** *14800 Calvados* 303 M3 *G. Normandie Vallée de la Seine – 4 261 h alt. 2 – Casino* **AZ.**
**Voir** *Mont Canisy★ 5 km par ④ puis 20 mn.*
**Excurs.** *La corniche normande★★ – La côte fleurie★★.*
✈ *de Deauville-St-Gatien : ℘ 02 31 65 65 65, S : 7 km* **BY.**
*Office du Tourisme, place de la Mairie ℘ 02 31 14 40 00, Fax 02 31 88 78 88, info @deauville.org.*
*Paris 201 ③ – Caen 50 ④ – Le Havre 77 ③ – Évreux 122 ③ – Lisieux 30 ③ – Rouen 90 ③.*

## DEAUVILLE

Blanc (R. E.) .......... **AZ** 4
Colas (R. E.) .......... **AZ** 5
Fossorier (R. R.) ..... **ABZ** 8
Fracasse (R. A.) ........ **AZ**
Gambetta (R.) .......... **BY** 9
Gaulle (Av. Gén.-de) .... **AZ** 10
Gontaut-Biron (R.) ..... **AYZ** 13
Hoche (R.) ........... **AYZ** 20
Laplace (R.) ........... **AZ** 23
Le-Hoc (R. D.) ......... **BZ** 24
Le Marois (R.) ........ **AZ** 25
Mirabeau (R.) ......... **BY** 26
Morny (Pl. de) ......... **BZ** 28
République (Av. de la) ......... **ABZ**

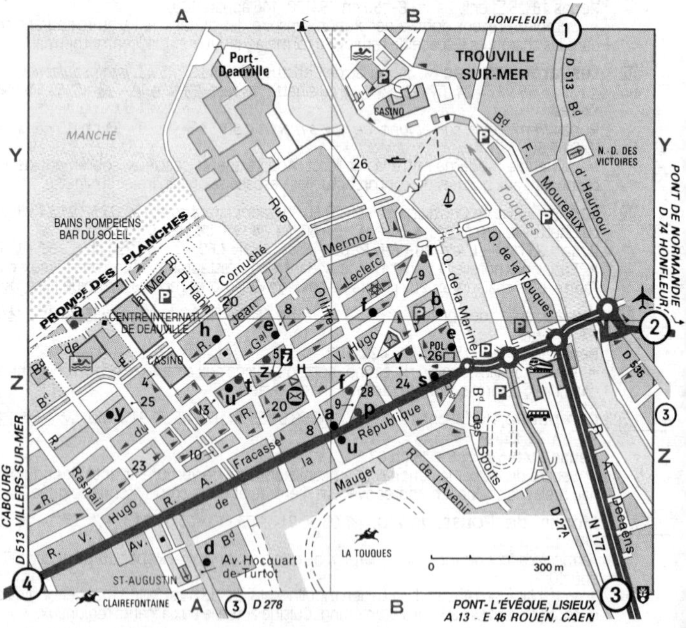
HONFLEUR
TROUVILLE SUR-MER
Port-Deauville
CASINO
MANCHE
N. D. DES VICTOIRES
PONT DE NORMANDIE D 74 HONFLEUR
BAINS POMPEIENS BAR DU SOLEIL
PROMDE DES PLANCHES
CENTRE INTERNATL DE DEAUVILLE
CASINO
Rue Mermoz
Leclerc
Cornuché
Olliffe
V. Hugo
Q. de la Marine
Q. de la Touques
Touques
Moureaux
d'Hautpoul
D 513
D 535
République
Fracasse
Mauger
R. de l'Avenir
Bd des Sports
Raspail
Av. Hocquart de Turtot
ST-AUGUSTIN
LA TOUQUES
CLAIREFONTAINE
D 278
D 27A
N 177
R. A. Decaëns
CABOURG D 513 VILLERS-SUR-MER
0
300 m
PONT-L'ÉVÊQUE, LISIEUX A 13 - E 46 ROUEN, CAEN

**Normandy-Barrière,** 38 r. J. Mermoz ☎ 02 31 98 66 22, *normandy@lucienbarriere.com, Fax 02 31 98 66 23,* ≤, ☂, ₣₆, ◻, ✂ – |‡| ▭ ✆ ♿ ⇔ – 🔔 15 à 160. AE ⓓ GB JCB. ✻ rest AZ h
***Belle Époque :*** Repas 46/58 ♀ – ☕ 22 – **272 ch** 566, 19 appart.
◆ La silhouette de manoir anglo-normand de ce palace dessiné en 1912 est devenue l'emblème de la station. Spacieuses chambres soignées. Bel espace de remise en forme. Vaste salle à manger de style Belle Époque et tables dressées dans la jolie "cour normande" l'été.

**Royal-Barrière,** bd E. Cornuché ☎ 02 31 98 66 33, *royal@lucienbarriere.com, Fax 02 31 98 66 34,* ≤, ☂, ₣₆, ⛱, ✂ – |‡| ▭ ✆ ♿ P – 🔔 20 à 200. AE ⓓ GB JCB
*7 mars-2 nov.* – carte 43 à 68 ♀ - ***L'Etrier*** (dîner seul.) **Repas** 56/90 – ***Côté Royal :*** Repas 46/55 ♀ – ☕ 23 – **222 ch** 370/495, 30 appart. AZ y
◆ Imposante architecture 1900 appréciée par la "jet-set" et les stars du cinéma. Chambres luxueusement aménagées, parfois tournées vers la Manche. Cadre "cosy" au restaurant l'Étrier et élégante atmosphère de palace au Côté Royal.

**L'Augeval** Ⓜ, 15 av. Hocquart de Turtot ☎ 02 31 81 13 18, *info@augeval.com, Fax 02 31 81 00 40,* ☂, ⛱ – |‡|, ▤ rest, ▭ ✆ ♿ – 🔔 50. AE ⓓ GB JCB AZ d
**Repas** 28/75 ♀ – ☕ 13 – **32 ch** 105/215 – ½ P 87,50/142,50.
◆ Séduisant manoir restauré situé à proximité de l'hippodrome. Ambiance feutrée et décor actuel dans les chambres. Cuisine personnalisée servie sous une jolie voûte de briques.

**Libertel Yacht Club** Ⓜ sans rest, 2 r. Breney ☎ 02 31 87 30 00, *h2876@accor-hotels.com, Fax 02 31 87 05 80* – |‡| ⇸ ▭ ✆ ♿. AE ⓓ GB JCB BY b
*fermé 5 janv. au 5 fév.* – ☕ 10,50 – **53 ch** 125/138, 6 duplex.
◆ Hôtel récent abritant des chambres fonctionnelles, à choisir côté quai pour la vue sur les voiliers, ou côté jardin public pour le calme. Copieux petit-déjeuner.

**Trophée** sans rest, 81 r. Gén. Leclerc ☎ 02 31 88 45 86, *information.@letrophee.com, Fax 02 31 88 07 94,* ⛱ – |‡| ▤ ▭ ✆. AE ⓓ GB JCB AZ u
☕ 10 – **35 ch** 89/124.
◆ Toutes les chambres de cet hôtel viennent de bénéficier d'une rénovation et certaines disposent de la climatisation ou de balcons. Çà et là, meubles coloniaux. Solarium.

**Hélios** sans rest, 10 r. Fossorier ☎ 02 31 14 46 46, *hotehelios@wanadoo.fr, Fax 02 31 88 53 87* – |‡| ▭. AE ⓓ GB JCB. ✻ AZ e
☕ 8 – **37 ch** 75, 8 duplex.
◆ Emplacement pratique au centre de la célèbre station balnéaire de la Côte Fleurie. Sobres chambres récemment rajeunies et duplex appréciés par les familles. Minipiscine.

**Continental** sans rest, 1 r. Désiré Le Hoc ☎ 02 31 88 21 06, *info@hotel-continental-deauville.com, Fax 02 31 98 93 67* – |‡| ▭ ✆ – 🔔 30. AE ⓓ GB JCB BZ s
*fermé 12 nov. au 20 déc.* – ☕ 7,50 – **42 ch** 74.
◆ Hôtel bâti en 1880 à proximité de la gare. Petites chambres équipées d'un mobilier en stratifié et d'un efficace double vitrage. Sympathique salle des petits-déjeuners.

**Côte Fleurie** sans rest, 55 av. République ☎ 02 31 98 47 47, *Fax 02 31 98 47 46* – ▭. AE ⓓ GB BZ u
**16 ch** 72/110.
◆ Fleurs peintes sur les portes, touches marines, meubles joliment colorés et charmant patio font de cette maison deauvillaise fraîchement rénovée une bonne petite adresse.

**Ibis,** quai Marine ☎ 02 31 14 50 00, *h0795@accor-hotels.com, Fax 02 31 14 50 05,* ☂ – |‡| ⇸ ▭ ♿ ⇔ – 🔔 30. AE ⓓ GB BZ e
*fermé le midi hors saison* – **Repas** *(12)* - 15 ♀, enf. 6 – ☕ 7 – **81 ch** 58/113, 14 duplex.
◆ Bâtisse moderne située face au port de plaisance. Le décor des chambres, plus calmes sur l'arrière, ne déroge pas au style de la chaîne. Sobre salle à manger.

**Chantilly** sans rest, 120 av. République ☎ 02 31 88 79 75, *hchantilly@aol.com, Fax 02 31 88 41 29* – ▭ ✆. AE ⓓ GB JCB. ✻ BZ a
☕ 7 – **15 ch** 72/95.
◆ Hôtel sis à deux pas de l'hippodrome de la Touques. Les chambres, petites et simples, sont refaites par étapes ; préferez celles donnant sur la cour, plus au calme.

**L'Espérance,** 32 r. V. Hugo ☎ 02 31 88 26 88, *Fax 02 31 88 33 29,* ☂ – ▭. GB. ✻ ch
*fermé 22 au 30 avril, 15 au 30 juin, 7 au 13 fév.* – **Repas** *(fermé merc. et jeudi sauf vacances scolaires)* 19/29 ♀ – ☕ 6,20 – **10 ch** 45/67 – ½ P 44/54. BY f
◆ Atout principal de cet établissement familial : l'agréable petite cour intérieure où l'on sert les repas à la belle saison. Chambres et salle à manger empreintes de sobriété.

**Ciro's,** prom. Planches ☎ 02 31 14 31 31, *Fax 02 31 98 66 71,* ≤, ☂ – AE ⓓ GB JCB
*fermé 7 au 22 janv., mardi et merc. d'oct. à mai sauf vacances scolaires et fériés* – **Repas** 39 et carte 50 à 80 ♀. AZ a
◆ Pavillon donnant sur la fameuse promenade des "planches". Salle feutrée tournée vers la Manche et produits de la mer à l'honneur pour ce rendez-vous chic des célébrités.

XX **Spinnaker,** 52 r. Mirabeau ✆ 02 31 88 24 40, *Fax 02 31 88 43 58* – AE ⓓ GB BZ v
*fermé 15 au 30 nov., 2 au 31 janv., mardi d'oct. à avril et lundi* – **Repas** 27/49 ♀.
◆ Ce "spi"-là ne vous fera pas gagner de régate, mais il vous propulsera vers un joli cadre contemporain où vous attendent cuisine de la mer et viandes cuites à la rôtissoire.

XX **Yearling,** 38 av. Hocquart de Turtot (Sud du plan **AZ**) *D 278* ✆ 02 31 88 33 37, *le-yearling@wanadoo.fr, Fax 02 31 88 33 89* – AE GB
*fermé 11 au 26 nov., 5 au 28 janv., mardi et merc.* – **Repas** 20/59 bc ♀.
◆ Élégant bistrot décoré à l'anglaise sur une thématique hippique. Le cheval gagnant de la carte est toutefois le homard, qui s'y taille la part du lion.

XX **Les Alizés,** 70 r. Gambetta ✆ 02 31 88 30 75, *Fax 02 31 88 30 79* – AE GB BZ f
*fermé 17 au 26 juin, 18 au 27 nov., lundi midi, mardi midi et merc. midi en août* – **Repas** 27/34 ♀.
◆ Un homme et une femme, Deauville, les Antilles et la Normandie... Mélangez le tout et vous obtenez d'insolites recettes mariant saveurs épicées et produits du terroir !

XX **Flambée,** ✆ 02 31 88 28 46, *Fax 02 31 88 28 46,* 🏠 – ▤ AZ t
**Repas** *(16)* - 18,50/45 ♀, enf. 13.
◆ Une belle flambée crépite dans la grande cheminée où l'on prépare, sous vos yeux, les grillades. Autres choix : plats traditionnels et homard (vivier). Décor "brasserie".

X **Garage,** 118 bis av. République ✆ 02 31 87 25 25, *Fax 02 31 87 38 37,* 🏠 – AE ⓓ GB JCB BZ p
*fermé 12 nov. au 06 déc., dim. soir d'oct. à Pâques et lundi de sept. à Pâques.* – **Repas** 15,50/25,50 ♀.
◆ De l'ancien garage subsiste une fresque à sujet automobile. Salle de restaurant façon brasserie, agrémentée de photographies de stars. On y déguste surtout des fruits de mer.

X **Bagdad Café,** 77 r. Gén. Leclerc ✆ 02 31 98 25 45, *Fax 02 31 98 91 56* – AE GB AY z
*fermé 12 au 28 nov., 10 au 25 janv., mardi et merc. hors saison* – **Repas** carte 31 à 41.
◆ Charmant restaurant égayé de murs orangés et d'objets marocains. Accueil tout sourire garanti et cuisine aussi parfumée que savoureuse : pastilla, couscous, tajines, etc.

X **Chez Marthe,** 1 quai de la Marine ✆ 02 31 88 92 51, *chezmarthe@chezmarthe.com, Fax 02 31 87 34 95* – AE GB BY r
*fermé janv., mardi et merc. hors saison* – **Repas** *(23)* - carte 32 à 52 ♀.
◆ Face au port de plaisance, adresse "mode" inspirée par les bistrots d'antan, mais où vieux bibelots et mobilier hétéroclite sont savamment disposés. Ambiance conviviale.

**à l'aéroport Deauville-St-Gatien** *par ② : 7 km par D 74 – ✉ 14130 Pont-l'Évêque :*

XX **Rest. Aéroport,** 1er étage ✆ 02 31 64 81 81, *Fax 02 31 64 83 83,* ≤, 🏠 – AE ⓓ GB
*fermé 24 au 30 juin, 12 au 21 nov., 1er au 13 fév., lundi et mardi* – **Repas** *(14)* - 22,90/43 ♀, enf. 10.
◆ Cuisine traditionnelle, vivier à homards, cheminée en pierre et vue sur le tarmac : ce restaurant d'aérogare sollicite autant le coup d'oeil que le coup de fourchette !

**à Touques** *par ③ : 2,5 km – 3 070 h. alt. 10 – ✉ 14800 :*

**Domaine de l'Amirauté** Ⓜ, N 177 ✆ 02 31 81 82 83, *contact@amiraute-resort.com, Fax 02 31 81 82 93,* 🏠, Fб, 🏊, 🏊, 🎾, 🏌 – 🛗 📺 📞 ♿ 🅿 – 🎪 20 à 600. AE ⓓ GB JCB
***Pré St-Arnoult*** *(fermé lundi et mardi de sept. à mars)* **Repas** 36/43♀, enf. 14 – ***Grill :*** **Repas** 25 ♀, enf. 13 – ☕ 11 – **225 ch** 125/235, 6 appart – ½ P 90/140.
◆ Vaste domaine situé sur les rives de la Touques : hôtel doté de chambres spacieuses, club de sport très complet (piscine sous une pyramide de verre) et centre de congrès.

XX **Aux Landiers,** 90 r. Louvel et Brière ✆ 02 31 88 00 39, *aux.landiers@wanadoo.fr, Fax 02 31 88 99 39,* 🏠 – AE ⓓ GB
*fermé 6/01 au 7/02, lundi midi, mardi midi en juil.-août, merc. sauf le soir en juil.-août, jeudi de sept. à juin* – **Repas** 19 (déj.), 25/51 ♀, enf. 10.
◆ Cette façade boisée dissimule deux coquettes petites salles à manger où poutres et cheminée apportent une plaisante touche campagnarde. Agréable terrasse fleurie.

XX **L'Ardoise,** ✆ 02 31 81 47 81, *Fax 02 31 81 47 81,* 🏠 – GB
*fermé 16 au 30 juin, 16 au 30 nov., lundi midi en juil.-août, mardi et merc.* – **Repas** *(20)* - 26/38 ♀.
◆ En retrait de la route, jolie maison en pierre devancée par une terrasse. Intérieur rustique. Dans l'assiette, plats traditionnels enrichis de saveurs provençales.

**à Canapville** *par ③ : 6 km – 185 h. alt. 10 – ✉ 14800 :*

XX **Auberge du Vieux Tour,** sur N 177 ✆ 02 31 65 21 80, *Fax 02 31 65 03 75,* 🏠, 🌳 – 🅿. GB
*fermé vacances de Noël, vacances de fév., dim. soir, mardi soir et merc. hors saison* – **Repas** 16/33 ♀.
◆ Coiffée de chaume, l'auberge borde la nationale, mais la coquette salle à manger (poutres, murs jaunes, tableaux, tomettes) et la terrasse sont au calme, côté jardin.

**au New Golf** *Sud : 3 km par D 278* - **BAZ** – *14800 Deauville :*

**Golf-Barrière**, 02 31 14 24 00, *hoteldugolfdeauville@lucienbarriere.com, Fax 02 31 14 24 01,* « campagne deauvillaise », – 30 à 200. AE GB JCB. rest
*fermé 11 nov. au 27 déc.* – ***Pommeraie*** (dîner seul) **Repas** *(40)*-48/60 – ***Club House*** 02 31 14 24 23 (déj. seul.) **Repas** *(25)*-30/35, enf. 12 – 20 – **178 ch** 339/599.
◆ Palace Art déco sur le mont Canisy d'où la vue s'étend sur la mer et sur la campagne deauvillaise. Entre roughs et bunkers, chambres spacieuses progressivement rénovées.

**au Sud** : *6 km par D 278 et chemin de l'Orgueil* – *14800 Deauville :*

**Hostellerie de Tourgéville**, 02 31 14 48 68, *hostellerie@hotel-de-tourgeville.com, Fax 02 31 14 48 69,* – 20. AE GB JCB.
*fermé 8 au 23 fév.* – **Repas** *(1^er^ janv.-12 juil. et fermé le midi sauf dim. et fériés)* 36/54 – 13 – **6 ch** 150, 6 appart 310, 13 duplex 185 – ½ P 137,50/200.
◆ Séduisant manoir normand isolé en plein bocage du pays d'Auge. Chambres, duplex et triplex portent le nom d'une vedette du cinéma ; décor personnalisé (golf, cheval, etc.).

**au golf de l'Amirauté** *Sud : 7 km par D 278* – *14800 Deauville :*

XX **Chaumes**, 02 31 14 42 00, *golf@amiraute-resort.com, Fax 02 31 88 32 00,* – P. GB
*fermé le soir d'oct. à juin* – **Repas** 28,10/39,60.
◆ Hier haras, aujourd'hui club-house abritant une salle de restaurant au cadre contemporain. Vue panoramique sur le parcours de 27 trous agrémenté de sculptures modernes.

---

## DECAZEVILLE *12300 Aveyron* 338 F3 *G. Midi-Pyrénées – 7 754 h alt. 230.*

*Office du Tourisme, square Jean Segalat 05 65 43 18 36, Fax 05 65 43 19 89, officetourismedecaeville@wanadoo.fr.*
*Paris 606 – Rodez 39 – Aurillac 64 – Figeac 27 – Villefranche-de-Rouergue 39.*

**Moderne**, 16 av. A. Bos (derrière église) 05 65 43 04 33, *Fax 05 65 43 17 17* – 30. AE GB
**Repas** *(fermé sam. et dim.)* 13/27 – 5 – **24 ch** 38/57 – ½ P 40/46.
◆ Face à la poste, une adresse pratique pour l'étape : chambres sobrement aménagées, salle à manger claire, solide cuisine régionale et ambiance familiale.

**Foulquier**, 16 av. V. Hugo (rte Figeac) 05 65 63 27 42, *Fax 05 65 43 37 33* – P. GB
**Repas** *(fermé 1^er^ au 13 juil., 23 déc. au 6 janv., sam. et dim.)* 9,50/15, enf. 7,50 – 5,50 – **21 ch** 35/44,50 – ½ P 33.
◆ Les chambres, fonctionnelles, occupent un bâtiment neuf. Le restaurant, où l'on sert des repas simples, est à côté dans une maison plus ancienne mais avenante.

---

## DECIZE *58300 Nièvre* 319 D11 *G. Bourgogne – 6 876 h alt. 197.*

*Office du Tourisme, place du Champs de Foire 03 86 25 27 23, Fax 03 86 77 16 58, tourisme.decie@wanadoo.fr.*
*Paris 271 – Moulins 35 – Châtillon-en-Bazois 34 – Luzy 44 – Nevers 34.*

XX **Charolais**, 33 bis rte Moulins 03 86 25 22 27, *frank.rapiau@wanadoo.fr, Fax 03 86 25 52 52,* – . GB
*fermé 29 déc. au 4 janv., 22 fév. au 7 mars,* – **Repas** 15,50/51.
◆ La ville natale de Maurice Genevoix abrite ce restaurant au cadre contemporain assidûment fréquenté par les plaisanciers du canal nivernais. Cuisine au goût du jour.

---

## La DÉFENSE *92 Hauts-de-Seine* 311 J2 101 ⑭ – *voir à Paris, Environs.*

---

## DELME *57590 Moselle* 307 J5 – *681 h alt. 220.*

*Syndicat d'Initiative, 03 87 01 37 19, Fax 03 87 01 42 91.*
*Paris 372 – Metz 33 – Nancy 33 – Château-Salins 12 – Pont-à-Mousson 27 – St-Avold 43.*

**A la XII^e^ Borne** M, 03 87 01 30 18, *XIIborne@wanadoo.fr, Fax 03 87 01 38 39,* – rest, AE GB
**Repas** 16/68 – 7 – **15 ch** 45/64 – ½ P 36,50.
◆ Proche de l'église, imposante bâtisse à la façade couleur pastel abritant des chambres actuelles. Sobre salle à manger moderne et boutique de produits locaux.

**Auberge de Delme**, 03 87 01 33 33, *Fax 03 87 01 38 12,* – P. AE GB
*fermé 4 au 22 janv.* – **Repas** 10/45 – 8 – **11 ch** 35/52 – ½ P 40.
◆ Petite maison du début du 20^e^ s. où l'on se sentira un peu comme chez soi. Chambres fonctionnelles et salle des repas toute simple. Jardin campagnard.

**DESCARTES** *37160 I.-et-L.* 317 N7 *G. Châteaux de la Loire – 4 120 h alt. 50.*

*Office de tourisme, Mairie ☎ 02 47 92 42 20, Fax 02 47 59 72 20.*

*Paris 293 – Tours 58 – Châteauroux 93 – Châtellerault 24 – Chinon 50 – Loches 32.*

**Moderne,** 15 r. Descartes ☎ 02 47 59 72 11, *Fax 02 47 92 44 90,* – P. GB
*fermé 15 au 31 janv., vend. soir de sept. à avril et sam. midi* – **Repas** 13/33 ♀, enf. 8 – ☕ 6,10 – **11 ch** 42/49 – ½ P 40/43,50.

◆ Pas très loin de la maison natale de René Descartes, devenue musée, chambres bien tenues abritant un mobilier standard. Bonne insonorisation.

**Auberge de l'Islette,** à Lilette (86 Vienne) Ouest : 3 km par D 58 et D5 ✉ 37160 Descartes ☎ 02 47 59 72 22, *auberge.lilette@wanadoo.fr, Fax 02 47 92 93 93* – P. GB
*fermé mardi soir et merc. de sept. à juin* – **Repas** *(9,20)* - 15/29 ♀.

◆ Modeste salle à manger tout en longueur couplée avec un bar-tabac. Tables bien espacées. On y sert des plats à dominante régionale.

**DESVRES** *62240 P.-de-C.* 301 E3 – *5 318 h alt. 98.*

*Office du Tourisme, rue Jean Macé ☎ 02 21 87 69 23, Fax 03 21 83 44 45, desvres@tourisme.norsys.fr – Paris 264 – Calais 45 – Arras 101.*

**Ferme du Moulin aux Draps** M sans rest, rte Crémarest (D 254[E]) : 1,5 km ☎ 03 21 10 69 59, *Fax 03 21 87 14 56,* – P. AE GB JCB.
☕ 11,50 – **20 ch** 75/88.

◆ Ce séduisant hôtel niché entre forêts et prairies a été reconstruit sur le modèle de l'ancienne ferme familiale : écuries au rez-de-chaussée et chambres récentes à l'étage.

**Les DEUX-ALPES (Alpes de Mont-de-Lans et de Vénosc)** *38860 Isère* 333 J7 *G. Alpes du Nord – Alpe de Vénosc, 1 660 m Alpe de Mont-de-Lans – Sports d'hiver : 1 650/3 600 m 7 49.*

**Voir** *Belvédères : de la Croix★, des Cîmes – Croisière Blanche★★★.*

*Office du Tourisme, ☎ 04 76 79 22 00, Fax 04 76 79 01 38.*

*Paris 642 ① – Grenoble 78 ① – Le Bourg-d'Oisans 26 ①.*

**Bérangère** , (a) ☎ 04 76 79 24 11, *berange@fr.inter.net, Fax 04 76 79 55 08,* – P – 25. AE GB. rest
*juil.-août et début déc.-mi-avril* – **Repas** 30 (déj.), 35/75 – ☕ 12 – **59 ch** 126/365 – ½ P 100/142.

◆ Façade habillée de bois, salle à manger panoramique rajeunie, chambres peu à peu refaites : une restructuration dynamique ! Et en sus : la vue sur les glaciers.

**Farandole** , (b) ☎ 04 76 80 50 45, *hotellafarandole@free.fr, Fax 04 76 79 56 12,* massif de la Muzelle, – P – 25 à 60. AE GB. rest
*6 déc.-27 avril* – **Repas** *(35)* - 45 ♀, enf. 20 – ☕ 15 – **46 ch** 180/260, 4 appart, 10 duplex – ½ P 150/160.

◆ Face aux pistes du Diable, construction des années 1960 grande ouverte sur la nature. Chambres assez grandes, rénovées côté Nord. Chaudes boiseries dans la salle à manger.

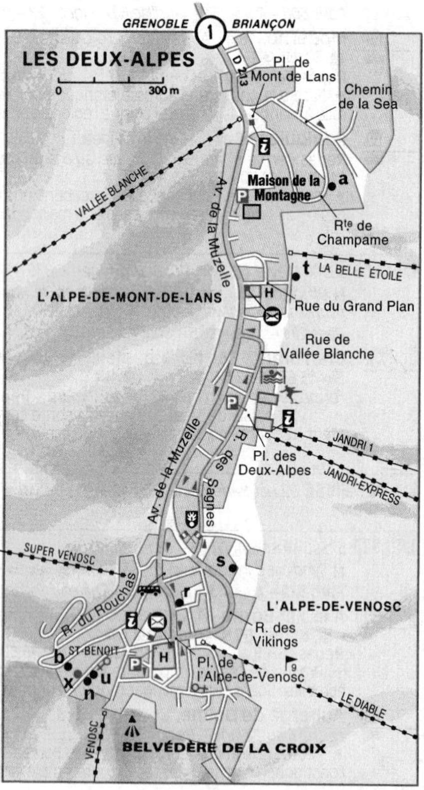

GRENOBLE
1
BRIANÇON
LES DEUX-ALPES
0
300 m
D 213
Pl. de Mont de Lans
Chemin de la Sea
VALLÉE BLANCHE
Av. de la Muzelle
Maison de la Montagne
a
Rte de Champame
t
LA BELLE ÉTOILE
L'ALPE-DE-MONT-DE-LANS
H
Rue du Grand Plan
Rue de Vallée Blanche
P
JANDRI 1
Pl. des Deux-Alpes
JANDRI-EXPRESS
R. des Sagnes
Av. de la Muzelle
Belvédère des Cîmes
SUPER VENOSC
s
r
L'ALPE-DE-VENOSC
R. du Rouchas
R. des Vikings
ST-BENOIT
b
x
u
n
Pl. de l'Alpe-de-Venosc
LE DIABLE
VENOSC
BELVÉDÈRE DE LA CROIX

**Chalet Mounier,** (n) ✆ 04 76 80 56 90, *doc@chalet-mounier.com, Fax 04 76 79 56 51,* ≤, ⛱, 🏋, 🏊, 🏊, 🐎, ✂ – |$| TV ♿ – 🏔 15 à 25. GB. ✂
*28 juin-1er sept. et 13 déc.-24 avril* – **Repas** (dîner seul sauf dim. et fériés) 25 (dîner), 32/37 ♀ - ***P'tit Polyte*** (dîner seul.) *(fermé lundi)* **Repas** (31)-44/54 ♀ – **44 ch** ☕ 94/181, 3 duplex – ½ P 82/119.
◆ Du chalet d'alpage de 1879 ne subsiste que l'âme : le décor renouvelé de bois sculpté et tissus tendus a instauré une ambiance "cosy style". Service attentionné. Cuisine traditionnelle personnalisée au P'tit Polyte.
**Spéc.** Bonbon coulant au beaufort et murson. Croustillant de féra et millefeuille de betterave. Pavé de veau, jus aux noisettes et croquant de cèpes. **Vins** Chignin-Bergeron, Mondeuse.

**Souleil'Or** ⛷, (t) ✆ 04 76 79 24 69, *hotel.le.souleil.or@wanadoo.fr, Fax 04 76 79 20 64,* ≤, ⛱, 🏋, 🏊 – |$|, ▤ rest, TV P – 🏔 25. AE GB. ✂
*21 juin-1er sept. et 19 déc.-1er mai* – **Repas** (dîner seul.) 28 ♀ – ☕ 10 – **42 ch** 138 – ½ P 98,50/105,50.
◆ L'originale architecture moderne de cet immeuble à balcons de bois contraste agréablement avec la décoration intérieure très autrichienne. Chambres récemment rénovées.

**Les Mélèzes,** (s) ✆ 04 76 80 50 50, *Fax 04 76 79 20 70,* ≤, ⛱, 🏋 – TV P – 🏔 25. GB. ✂ rest
*20 déc.-28 avril* – **Repas** 26,50/60 – ☕ 8,50 – **32 ch** 51/82 – ½ P 71,50/80.
◆ Tout près du centre-ville et au pied des pistes, étonnant chalet aux lignes triangulaires où l'on choisira plutôt les chambres tournées vers le Sud. Plaisants salons.

**Serre-Palas** sans rest, (u) ✆ 04 76 80 56 33, *limounier@wanadoo.frdoo.fr, Fax 04 76 79 04 36* – TV. GB
*fermé 4 mai au 21 juin, 7 sept. au 25 oct. et 3 au 29 nov.* – **24 ch** ☕ 91/112.
◆ Chambres agréables au mobilier de bois peint ou verni, égayées de voilages et dessus-de-lit colorés. Celles avec balcon ont vue sur le Parc national des Écrins.

**Bel'Auberge,** (x) ✆ 04 76 79 57 90, *belauberge@wanadoo.fr, Fax 04 76 80 56 89,* ⛱ – P. GB
*1er déc.-30 avril et 1er juil. au 31 août* – **Repas** (dîner seul.en hiver sauf week-ends) 17/31 ♀, enf. 10.
◆ Salle à manger habillée de boiseries blondes, avec meubles assortis, où vous goûterez une cuisine simple et les spécialités savoyardes traditionnelles (fondues et raclettes).

**Panoramic,** au sommet du téléphérique Jandri 2 ou Jandri-Express 1 ✆ 04 76 79 06 75, *Fax 04 76 79 20 37,* ≤ du massif du Vercors au versant italien du Mont-Blanc, ⛱ – GB
*1er déc.-4 mai* – **Repas** (déj. seul.) carte 24 à 34, enf. 10.
◆ Perché tout en haut des pistes, à 2600 m d'altitude, sympathique chalet rénové dans la tradition montagnarde. Recettes du pays, accueil charmant et panorama "grand écran".

---

## DHUIZON *41220 L.-et-Ch.* 318 G6 – *1 100 h alt. 93.*

*Paris 175 – Orléans 46 – Beaugency 23 – Blois 29 – Romorantin-Lanthenay 26.*

**Auberge du Grand Dauphin** avec ch, ✆ 02 54 98 31 12, *auberge-grand-dauphin@wanadoo.fr, Fax 02 54 98 37 64,* ⛱ – P. GB
*fermé 15 janv. au 15 fév., mardi de nov. à mars, dim. soir et lundi* – **Repas** 15/38 ♀, enf. 8 – ☕ 5 – **9 ch** 36/39 – ½ P 39,50.
◆ Proche de l'église, maison de style régional parementée de briques. Salle à manger chaleureuse ; cuisine traditionnelle. Chambres simples et nettes donnant sur la cour.

---

## DIE ⟨SP⟩ *26150 Drôme* 332 F5 *G. Alpes du Sud – 4 230 h alt. 415.*

**Voir** *Mosaïque★ dans l'hôtel de ville.*
**Env.** *Paysages du Diois★★.*
ℹ *Office du Tourisme, Quartier St Pierre ✆ 04 75 22 03 03, Fax 04 75 22 40 46, otdie@valleedrome.com.*
*Paris 629 – Valence 67 – Gap 91 – Grenoble 111 – Montélimar 74 – Nyons 83 – Sisteron 103.*

**Alpes** sans rest, 87 r. C. Buffardel ✆ 04 75 22 15 83, *hoteldesalpesdie@wanadoo.fr, Fax 04 75 22 09 39* – |$| TV ✆ 🚗. AE GB
☕ 6 – **24 ch** 38/45.
◆ Ce relais de diligences du 14e s., maintes fois remanié, propose des chambres spacieuses, peu à peu rénovées et impeccablement tenues.

*Ecrivez-nous...*
*Vos louanges comme vos critiques seront examinées avec le plus grand soin. Nous reverrons sur place les informations que vous nous signalez.*
*Par avance merci !*

**DIEFFENTHAL** *67650 B.-Rhin* 315 I7 – *246 h alt. 185.*

*Paris 441 – Strasbourg 50 – Lunéville 101 – St-Dié 46 – Sélestat 8.*

**Verger des Châteaux** M, 03 88 92 49 13, *Fax 03 88 92 40 99*, ←, – 30. GB. rest

*fermé 24 au 27 déc.* – **Repas** *(fermé sam. midi)* 9,90 (déj.), 21/35 – 7 – **32 ch** 55/59,50 – ½ P 49.

◆ L'imposante bâtisse borde le fameux vignoble alsacien. Les chambres, un peu nues, y sont amples et munies d'un mobilier actuel. Vaste salle des repas.

**DIEFMATTEN** *68780 H.-Rhin* 315 G10 – *227 h alt. 300.*

*Paris 451 – Mulhouse 21 – Belfort 24 – Colmar 47 – Thann 16.*

XXX **Auberge du Cheval Blanc,** 03 89 26 91 08, *Fax 03 89 26 92 28*, – AE GB

*fermé 15 juil. au 6 août, vacances de fév., lundi et mardi sauf les midis fériés* – **Repas** 19,50 (déj.), 27/68 et carte 38 à 57, enf. 10.

◆ Maison alsacienne du 19e s. à la pimpante façade bleu pastel. La salle à manger, récemment rénovée dans un esprit contemporain, a néanmoins conservé son âme campagnarde.

**DIENNE** *15300 Cantal* 330 E4 *G. Auvergne* – *359 h alt. 1053.*

Voir ←** *du Pas de Peyrol.*

*Paris 533 – Aurillac 56 – Allanche 21 – Condat 30 – Mauriac 52 – Murat 10 – St-Flour 34.*

**Poste,** 04 71 20 80 40, *Fax 04 71 20 82 75*, ← – AE GB.

*fermé 15 nov. au 1er fév.* – **Repas** (dîner seul.) 15/18 – 7 – **10 ch** 42/55 – ½ P 41/45.

◆ Sur la traversée du village, cet ancien relais de poste en pierres du pays fait preuve d'une hospitalité toute auvergnate. Unique menu régional ; produits du potager.

*Les pages explicatives de l'introduction vous aideront à mieux profiter de votre* **Guide Rouge Michelin**

**DIEPPE** *76200 S.-Mar.* 304 G2 *G. Normandie Vallée de la Seine* – *35 894 h alt. 6* – *Casino Municipal* **AY.**

Voir *Église St-Jacques★ – Chapelle N.-D.-de-Bon-Secours ←★ – Musée★ du château (ivoires dieppois★).*

*Office du Tourisme, Pont Jehan Ango 02 32 14 40 60, Fax 02 32 14 40 61, officetour.dieppe@wanadoo.fr.*

*Paris 197 ② – Abbeville 76 ① – Caen 174 ② – Le Havre 111 ② – Rouen 66 ②.*

Plan page ci-contre

**Aguado** sans rest, 30 bd Verdun 02 35 84 27 00, *Fax 02 35 06 17 61*, ← – AE GB. BY s

8 – **56 ch** 78/86.

◆ L'immeuble enjambe la rue, mais les chambres sont bien insonorisées ; celles donnant sur la promenade maritime disposent de plus d'espace.

**Europe** M sans rest, 63 bd Verdun 02 32 90 19 19, *Fax 02 32 90 19 00*, ← – 25. GB BY t

8 – **60 ch** 75/78.

◆ Hôtel récent dont l'originale façade est revêtue de bois clair. Vous y trouverez des chambres actuelles et meublées en rotin, toutes tournées vers la Manche.

**Plage** sans rest, 20 bd Verdun 02 35 84 18 28, *plagehotel@wanadoo.fr, Fax 02 35 82 36 82*, ← – AE GB JCB AY n

6,30 – **40 ch** 50/63.

◆ Hôtel familial idéalement situé face à la plage de galets. Les chambres profitent du calme sur l'arrière, de la vue sur la mer à l'avant. Agréable salle des petits-déjeuners.

**Présidence,** 1 bd Verdun 02 35 84 31 31, *hotel-la-presidence@wanadoo.fr, Fax 02 35 84 86 70*, ← – rest, – 70. AE GB AY v

**Repas** 14,50/24 – 8,40 – **89 ch** 78/93 – ½ P 62/64.

◆ Immeuble des années 1970 bénéficiant d'un emplacement au pied du château-musée et d'une vue sur la mer. Préférez une chambre rénovée. Restaurant panoramique au dernier étage.

**Ibis** M, par ② *le Val Druel* 02 35 82 65 30, *ho611@occorhotels, Fax 02 35 82 41 52* – – 25. AE GB. rest

**Repas** (dîner seul.) 12/15 – 6 – **45 ch** 63.

◆ Dans une Z.A.C. de la périphérie, tissu turquoise, lampes contemporaines et décor bois : des chambres fonctionnelles mises aux dernières normes de la chaîne.

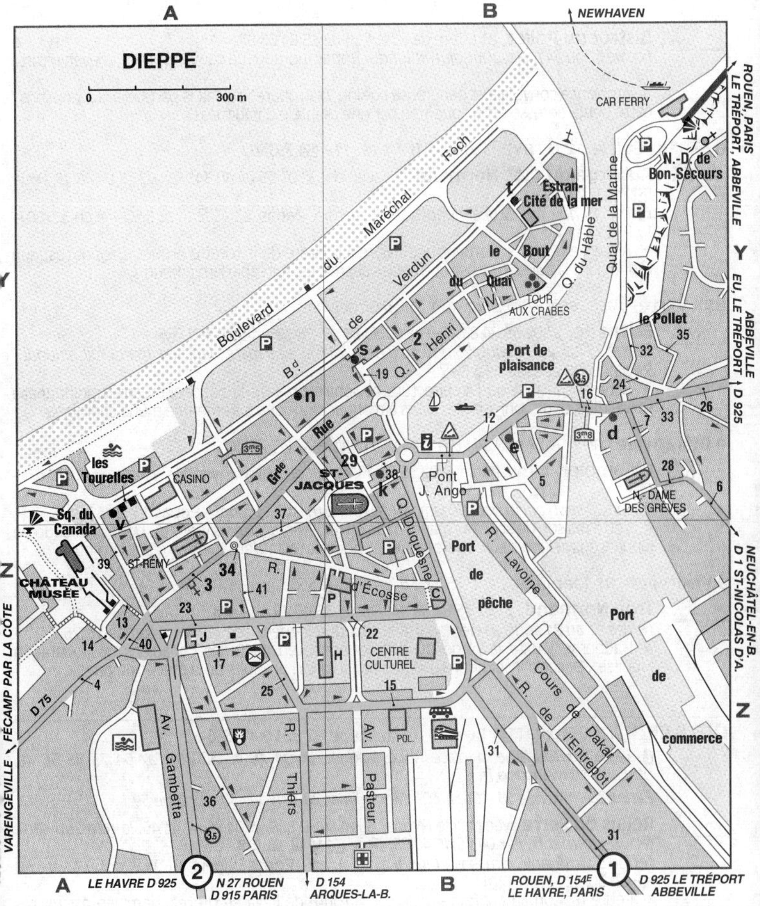

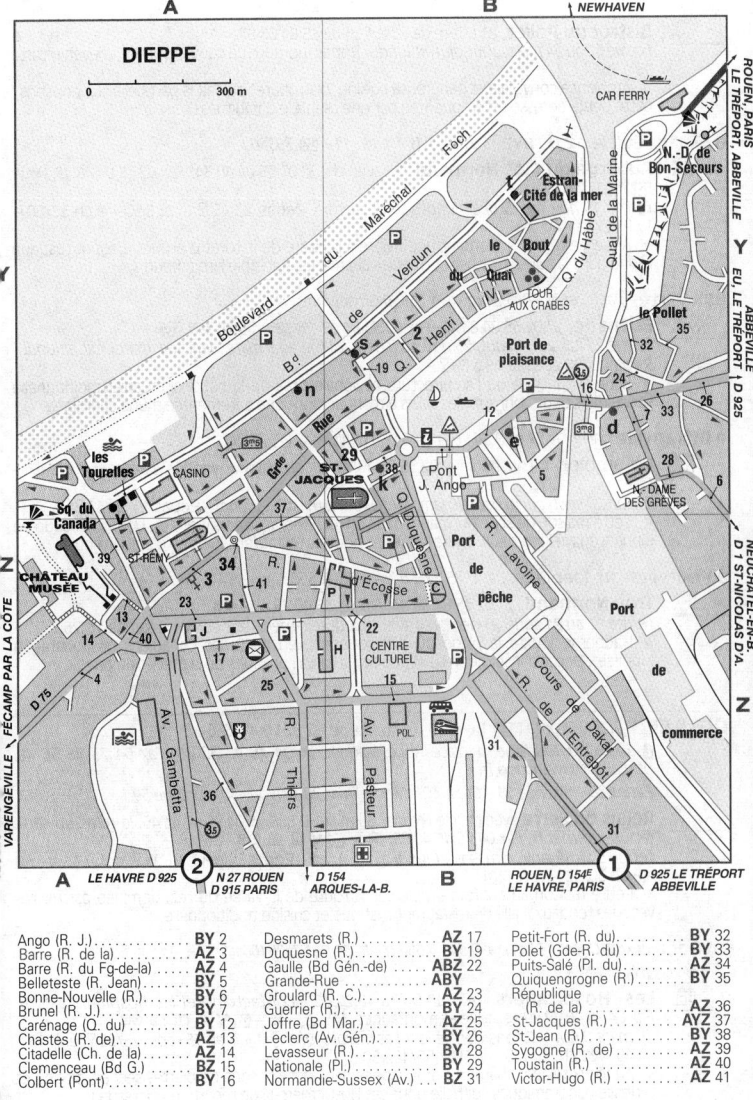

DIEPPE
0
300 m
A
B
NEWHAVEN
CAR FERRY
ROUEN, PARIS
LE TRÉPORT, ABBEVILLE
N.-D. de Bon-Secours
Boulevard du Maréchal Foch
Bd de Verdun
Estran-Cité de la mer
le Bout du Quai
Q. du Hâble
Quai de la Marine
TOUR AUX CRABES
Q. Henri IV
le Pollet
Port de plaisance
EU, LE TRÉPORT
ABBEVILLE
D 925
les Tourelles
CASINO
Grde Rue
ST-JACQUES
Pont J. Ango
N.-DAME DES GRÈVES
NEUCHÂTEL-EN-B.
D 1 ST-NICOLAS D'A.
Sq. du Canada
ST-RÉMY
CHÂTEAU MUSÉE
R. d'Écosse
Q. Duquesne
Port de pêche
R. Lavoine
Port de commerce
CENTRE CULTUREL
Cours de Dakar
R. de l'Entrepôt
Av. Gambetta
R. Thiers
Av. Pasteur
POL.
D 75
VARENGEVILLE
FÉCAMP PAR LA CÔTE
LE HAVRE D 925
N 27 ROUEN
D 915 PARIS
D 154
ARQUES-LA-B.
ROUEN, D 154E
LE HAVRE, PARIS
D 925 LE TRÉPORT
ABBEVILLE




XX **Mélie,** 2 Gde rue du Pollet ✆ 02 35 84 21 19, *huelamelie@aol.com, Fax 02 35 06 24 27* – GB **BY d**
*fermé dim. soir et lundi* – **Repas** (prévenir) 20 (déj.), 27,50/60.
◆ Petite façade si discrète que vous pourriez ne pas la remarquer. Dommage, car l'on sert ici une cuisine faisant honneur aux produits de la mer dans un cadre rustique sobre.

XX **Marmite Dieppoise,** 8 r. St-Jean ✆ 02 35 84 24 26, *Fax 02 35 84 31 12* – GB **BY k**
**Repas** *fermé 1er nov. au 31 mars, dim. sauf le midi d'avril à nov., jeudi soir et lundi* 18 (déj.), 26/39.
◆ Que contient donc cette fameuse marmite ? C'est la surprise du chef ! Nous dirons seulement que la salle est assez chaleureuse avec ses murs de briques.

X **Bistrot du Pollet,** 23 r. Tête de Boeuf 02 35 84 68 57 **BY e**
*fermé 10 au 24 mars, août, dim. et lundi* – **Repas** (nombre de couverts limité, prévenir) carte 19 à 29.
◆ Ambiance conviviale et généreuse cuisine "bistrotière" qui fait la part belle aux poissons : cette petite adresse est fréquentée par une clientèle d'habitués.

**à Martin-Église** *par D 1* **BYZ** *: 7 km – 1 167 h. alt. 11 – ✉ 76370 :*

XX **Auberge du Clos Normand** avec ch, 02 35 04 40 34, *Fax 02 35 04 48 49,* – P. AE GB
*fermé 15 nov. au 15 déc., lundi soir et mardi* – **Repas** 28/45 – 6,50 – **8 ch** 55/80 – 1/2 P 62/70.
◆ Auberge du 15e s. bordant une rivière à la lisière de la forêt d'Arques. L'esprit rustique règne dans la salle à manger et dans les chambres. Agréable jardin fleuri.

**aux Vertus** *par ② et N 27 : 3,5 km – ✉ 76550 Offranville :*

XXX **Bucherie,** 02 35 84 83 10, *Fax 02 35 84 18 19,* – P. AE GB JCB
*fermé 29 juil. au 11 août, 25 nov. au 8 déc., 24 fév. au 9 mars, dim. soir, mardi soir et lundi* – **Repas** 23/28 et carte 48 à 58.
◆ Bâtiment inspiré de l'architecture régionale près de la nationale. Carte traditionnelle servie dans deux confortables salles à manger, dont une agrémentée d'une cheminée.

**à Offranville** *par ②, N 27 et D 54 : 6 km – 3 059 h. alt. 80 – ✉ 76550 :*

XX **Colombier,** r. Loucheur 02 35 85 48 50, *lecourski@wanadoo.fr, Fax 02 35 83 76 87* – GB
*fermé 20 sept. au 10 oct., 20 janv. au 10 fév., dim. soir et lundi* – **Repas** 19,50/52.
◆ Cette maison de style normand, bâtie en 1509, serait la plus vieille du bourg. Un coup de jeune a égayé l'intérieur : murs jaunes et poutres restaurées. Cuisine d'aujourd'hui.

**à Pourville-sur-Mer** *Ouest par D 75* **AZ** *: 5 km – ✉ 76550 :*

XX **Trou Normand,** 02 35 84 59 84, *Fax 02 35 40 29 41* – GB
*fermé 1er au 21 août, 21 déc. au 4 janv., mardi soir, merc. soir et dim.* – **Repas** 16/26.
◆ L'auberge jouxte la plage où débarquèrent, en 1942, les Canadiens de l'opération "Jubilee". Décor d'inspiration rustique. Sur la carte : produits de la mer et du terroir.

---

## DIEULEFIT *26220 Drôme* 332 D6 *G. Vallée du Rhône – 2 924 h alt. 366.*

*Office du Tourisme, 1 place Abbé Magnet 04 75 46 42 49, Fax 04 75 46 36 48, ot.dieulefit@wanadoo.fr.*

*Paris 620 – Valence 58 – Crest 30 – Montélimar 28 – Nyons 30 – Orange 59.*

X **Relais du Serre** avec ch, rte Nyons : 3 km sur D 538 04 75 46 43 45, *le-relais-du-serre@club-internet.fr, Fax 04 75 46 40 98,* – P. AE GB
*fermé 5 au 19 janv., dim. soir et lundi d'oct. à mai* – **Repas** 12 (déj.), 16/25, enf. 7 – 6,50 – **9 ch** 30/53 – 1/2 P 42/46.
◆ Petite maison au confort simple sur la route de la vallée du Lez, dominée par maints vestiges féodaux. Salle de restaurant rustique et cuisine traditionnelle.

**au Poët-Laval** *Ouest : 5 km par D 540 – 652 h. alt. 311 – ✉ 26160 .*

**Voir** *Site★.*

**Les Hospitaliers**, 04 75 46 22 32, *contact@hotel-les-hospitaliers.com, Fax 04 75 46 49 99,* ≤ vallée et montagnes, – P. AE GB
*15 mars-9 nov.* – **Repas** *(fermé lundi et mardi sauf du 1er juil. au 15 sept.)* 25/52, enf. 15 – 13 – **22 ch** 65/135 – 1/2 P 67,50/102,50.
◆ Au vieux village, chambres aménagées dans des maisons de pierres sèches, piscine et terrasse panoramiques : difficile pour ces Hospitaliers-là de repartir en croisade !

---

## DIGNE-LES-BAINS P *04000 Alpes-de-H.-P.* 334 F8 *G. Alpes du Sud – 16 087 h alt. 608 – Stat. therm. (mi fév.-début déc.).*

**Voir** *Musée départemental★* **B M**2 *– Cathédrale N.D.-du-Bourg★ – Dalles à ammonites géantes★ N : 1 km par D 900A.*

**Env.** *≤★ de Courbons – ≤★ du Relais de Télévision.*

*Office du Tourisme, Rond-Point du 11 novembre 04 92 36 62 62, Fax 04 92 32 27 24, info@ot.dignelesbains.fr.*

*Paris 745 ③ – Aix-en-Provence 108 ③ – Avignon 166 ③ – Cannes 137 ② – Gap 88 ③.*

Plan pages suivantes

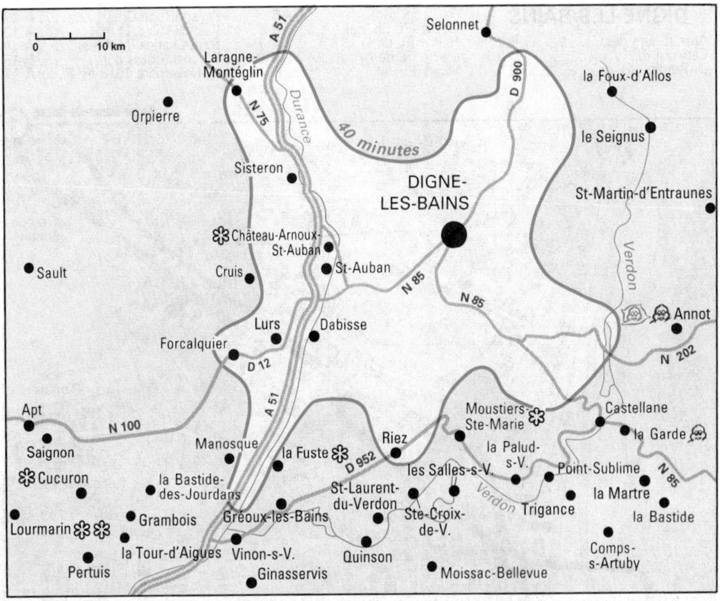
0
10 km
Selonnet
Laragne-Montéglin
A 51
N 75
Durance
Orpierre
40 minutes
D 900
la Foux-d'Allos
le Seignus
Sisteron
DIGNE-LES-BAINS
St-Martin-d'Entraunes
Château-Arnoux-St-Auban
St-Auban
Cruis
Sault
N 85
Verdon
Annot
Lurs
Dabisse
Forcalquier
D 12
N 202
Apt
N 100
Moustiers-Ste-Marie
Castellane
la Garde
Saignon
Manosque
Riez
la Fuste
la Palud-s-V.
D 952
Cucuron
la Bastide-des-Jourdans
les Salles-s-V.
Point-Sublime
N 85
St-Laurent-du-Verdon
la Martre
Trigance
Grambois
Gréoux-les-Bains
Ste-Croix-de-V.
la Bastide
Lourmarin
la Tour-d'Aigues
Vinon-s-V.
Quinson
Comps-s-Artuby
Pertuis
Ginasservis
Moissac-Bellevue

**Grand Paris,** 19 bd Thiers ✆ 04 92 31 11 15, *gransparis@wanadoo.fr, Fax 04 92 32 32 82,* – – 15. AE GB JCB A a
*1er mars-30 nov.* – **Repas** 23 (déj.), 30/67 – 12 – **24 ch** 78/145, 4 appart – P 115.
◆ Hôtel de tradition installé dans un couvent du 17e s. Les chambres, bien meublées, sont d'un charme un peu désuet s'accordant avec l'aimable ambiance "vieille France".

**Tonic Hôtel** (M), rte Thermes Est : 2 km par av. 8-Mai B ✆ 04 92 32 20 31, *tonic.hotel.digne04@wanadoo.fr, Fax 04 92 32 44 54,* , – – 80. AE GB. rest
*1er mars-31 oct.* – **Repas** 19/26 – 7 – **60 ch** 62,50/76 – ½ P 54/60.
◆ Construction récente à proximité des thermes. Les chambres, spacieuses, sont toutes équipées d'un jacuzzi. Salle à manger actuelle aux tables rondes espacées.

**Coin Fleuri,** 9 bd V. Hugo ✆ 04 92 31 04 51, *Fax 04 92 32 55 75,* – . GB B v
*fermé 2 janv. au 15 janv., dim. soir et lundi* – **Repas** 12 (déj.)/17 – 6 – **14 ch** 36/47 – ½ P 36,50/45 P 45/55.
◆ Les chambres sont simples, pratiques et bien insonorisées. Salle à manger de type pension et grande terrasse ombragée où l'on sert des repas sous forme de buffets en été.

**Provence** sans rest, 17 bd Thiers ✆ 04 92 31 32 19, *Fax 04 92 31 48 39* – . AE GB
7 – **15 ch** 34/57. A s
◆ Occupant en partie un couvent du 17e s., hôtel aux chambres récemment rafraîchies ; tissus à la mode provençale et mobilier de style, chiné dans les brocantes.

**Central** sans rest, 26 bd Gassendi ✆ 04 92 31 31 91, *Hcentral@wanadoo.fr, Fax 04 92 31 49 78* – . GB – 5 – **20 ch** 41/46. A t
◆ Les chambres, scrupuleusement tenues, de ce petit hôtel situé au coeur de la capitale des "Alpes de la Lavande" présentent une discrète décoration provençale.

**L'Origan** avec ch, 6 r. Pied-de-Ville ✆ 04 92 31 62 13, *rest-origan@wanadoo.fr, Fax 04 92 31 68 31,* – AE GB JCB A r
*fermé 22 au 28 déc., vacances de fév. et dim.* – **Repas** (en saison, prévenir) 19/42 – 4,50 – **8 ch** 14/22 – P 28,50/34.
◆ Immeuble ancien dans une rue piétonne. L'une des salles possède un décor provençal assez plaisant. Modestes chambres bien tenues. Clientèle de curistes.

**rte de Nice** *par ② et N 85 : 2 km – ✉ 04000 Digne-les-Bains :*

**Villa Gaïa** , ✆ 04 92 31 21 60, *hotel.gaia@wanadoo.fr, Fax 04 92 31 20 12,* , – P. GB. – *14 avril-25 oct.* – **Repas** *(fermé merc. sauf juil.-août)* (dîner seul.)(résidents seul.) 26/39 – 8,50 – **12 ch** 61/95 – ½ P 65/75.
◆ Maison de maître accueillante et décorée avec goût, dressée au coeur d'un vaste parc arboré. Meubles de style et petites salles à manger créent une atmosphère familiale.

## DIGNE-LES-BAINS

Arès (Cours des) . . . . . . . . . . . **B** 2
Capitoul (R.) . . . . . . . . . . . . . . **B** 3
Dr-Romieu (R. du) . . . . . . . . . . **B** 4
Gassendi (Bd) . . . . . . . . . . . **AB**
Gaulle (Pl. Ch. de) . . . . . . . . **B** 6
Hubac (R. de l') . . . . . . . . . . . **A** 7
Mairie (R. de la) . . . . . . . . . . **B** 8
Mitan (Pl. du) . . . . . . . . . . . . **B** 10
Payan (R. du Col.) . . . . . . . . . . **A** 12
Pied-de-Ville (R.) . . . . . . . . . . **A** 13
Saint-Charles (Montée) . . . . . **A** 14
Tribunal (Cours du) . . . . . . . . . **B** 15
11-Novembre 1918 (Rd-Pt du) **A** 17

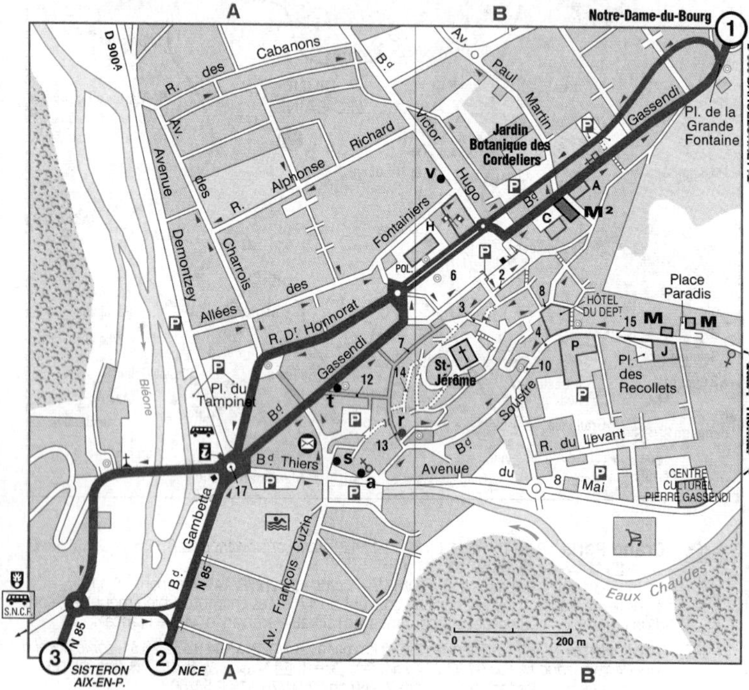

A
B
Notre-Dame-du-Bourg
1
D 900A
R. des Cabanons
Bd Victor Hugo
Av. Paul Martin
Gassendi
Pl. de la Grande Fontaine
Jardin Botanique des Cordeliers
R. Alphonse Richard
Av. des Charrois
Avenue Demontizey
Allées des Fontainiers
R. Dr Honnorat
Bd Gassendi
POL.
Place Paradis
HÔTEL DU DEPT
St-Jérôme
Pl. des Recollets
Bd Soustre
R. du Levant
Pl. du Tampinet
Bléone
Bd Thiers
Avenue du 8 Mai
CENTRE CULTUREL PIERRE GASSENDI
Bd Gambetta
N 85
Av. François Cuzin
Eaux Chaudes
S.N.C.F.
0
200 m
3
2
SISTERON AIX-EN-P.
NICE


*Donnez-nous votre avis sur les tables que nous recommandons, sur leurs spécialités et leurs vins de pays.*

---

**DIGOIN** *71160 S.-et-L.* 320 D11 *G. Bourgogne – 10 032 h alt. 232.*

*Office du Tourisme, 8 rue Guilleminot ✆ 03 85 53 00 81, Fax 03 85 53 27 54, ot.digoin-@wanadoo.fr.*

*Paris 337 – Moulins 56 – Autun 68 – Charolles 26 – Roanne 57 – Vichy 69.*

XXX **Gare** avec ch, 79 av. Gén. de Gaulle ✆ 03 85 53 03 04, *jean-pierre.mathieu@worldonline.fr, Fax 03 85 53 14 70,* – , rest, TV ✆ P. GB
*fermé janv., merc. sauf juil.-août et dim. soir d'oct. à juin –* **Repas** *(fermé dim. de juin à oct.)* 17,50/58 et carte 45 à 62 ♀ – 8 – **13 ch** 42/91 – ½ P 50.
◆ Proche du canal du Centre. D'étranges colonnes de pierre ajourées divisent la salle où l'on s'assied "Louis XIII". Chambres rénovées, meubles de facture artisanale.

**à Neuzy** *Nord-Est : 4 km par D 994 – ✉ 71160 Digoin :*

**Merle Blanc,** ✆ 03 85 53 17 13, *lemerleblanc@wanadoo.fr, Fax 03 85 88 91 71 –* TV ✆ P. GB
*fermé dim. soir et lundi midi –* **Repas** *(10,50)* - 14/37 , enf. 9 – 6 – **15 ch** 31,50/44 – ½ P 35/37.
◆ Affaire familiale au centre du village. Vaste salle des repas compartimentée par des claustras. On a redonné un peu d'éclat aux chambres, équipées d'un mobilier de série.

**à La Villeneuve** *Nord-Est : 7 km par D 994 et D 52 – ✉ 71160 Digoin :*

X **Auberge de Vigny,** ✆ 03 85 81 10 13, *Fax 03 85 81 10 13,* – GB
*fermé 15 au 30 oct., janv., lundi et mardi –* **Repas** 15/29.
◆ Simplicité et authenticité caractérisent cette auberge située en pleine campagne. Accueil familial, salle à manger rustique et recettes traditionnelles.

**DIJON** P 21000 Côte-d'Or 320 K6 *G. Bourgogne – 146 703 h Agglo. 236 953 h alt. 245.*

Voir *Palais des Ducs et des États de Bourgogne★★ : Musée des Beaux-Arts★★ (tombeaux des Ducs de Bourgogne★★★) - Rue des Forges★ - Eglise Notre-Dame★ – Plafonds★ du Palais de Justice* **DY J** *– Chartreuse de Champmol★ : Puits de Moïse★★, Portail de la Chapelle★* **A** *– Église St-Michel★ – Jardin de l'Arquebuse★* **CY** *– Rotonde★★ de la crypte★ dans la cathédrale St-Bénigne – Musée de la Vie bourguignonne★* **DZ M**[7] *– Musée Archéologique★* **CY M**[2] *– Musée Magnin★* **DY M**[5] *– Muséum d'Histoire naturelle★* **CY M**[8].

*Dijon-Bourgogne ✆ 03 80 67 67 67 par ⑤ : 4,5 km.*

*Office du Tourisme, 34 rue des Forges ✆ 03 80 44 11 44, Fax 03 80 30 90 02, infotourisme@ot-dijon.fr.*

*Paris 312 ⑦ – Auxerre 152 ⑦ – Besançon 94 ③ – Genève 192 ③ – Lyon 194 ④.*

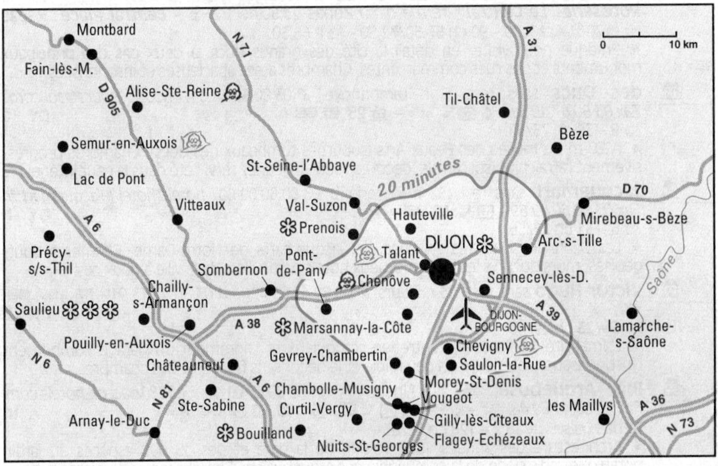

Montbard
Fain-lès-M.
N 71
D 905
Alise-Ste-Reine
A 31
0
10 km
Til-Châtel
Bèze
Semur-en-Auxois
Lac de Pont
St-Seine-l'Abbaye
20 minutes
D 70
Vitteaux
Val-Suzon
Hauteville
Mirebeau-s-Bèze
A 6
Prenois
DIJON
Arc-s-Tille
Précy-s/s-Thil
Pont-de-Pany
Talant
Saône
Sombernon
Chenôve
Sennecey-lès-D.
Chailly-s-Armançon
Saulieu
A 38
Marsannay-la-Côte
DIJON-BOURGOGNE
A 39
Lamarche-s-Saône
Pouilly-en-Auxois
Chevigny
N 6
Gevrey-Chambertin
Saulon-la-Rue
Châteauneuf
Morey-St-Denis
A 6
Chambolle-Musigny
N 81
Vougeot
Ste-Sabine
Curtil-Vergy
les Maillys
A 36
Arnay-le-Duc
Gilly-lès-Cîteaux
N 73
Bouilland
Nuits-St-Georges
Flagey-Echézeaux


**Sofitel La Cloche** M, 14 pl. Darcy ✆ 03 80 30 12 32, *h1202@accor-hotels.com, Fax 03 80 30 04 15*, – 80. AE GB JCB
***Les Jardins de la Cloche*** *(fermé dim. soir)* **Repas** *(25)* 27 (déj.) 32/40 ♀ – 15 – **64 ch** 135/210, 4 duplex. **CY f**
◆ Le bâtiment actuel ne date que de la fin du 19e s., mais la Cloche ouvrit ses portes dès 1424. Chambres contemporaines. Restaurant sous verrière et agréable terrasse-jardin.

**Hostellerie du Chapeau Rouge** (Frachot), 5 r. Michelet ✆ 03 80 50 88 88, *chapeaurouge@bourgogne.net, Fax 03 80 50 88 89* – 50. AE GB **CY a**
**Repas** 36/66 et carte 56 à 76 ♀ – 13 – **30 ch** 122/197.
◆ Chambres personnalisées, salon sous verrière façon jardin d'hiver, salle à manger feutrée et cuisine inventive méritant bien de recevoir le chapeau... au Rouge !
**Spéc.** Escargots croustillants, petits gnocchi de pomme de terre. Pigeon rôti, jus corsé au tabac vanillé. Soupe de noisettes et agrumes. **Vins** Bourgogne.

**Mercure** M, 22 bd Marne ✆ 03 80 72 31 13, *h1227@accor-hotels.com, Fax 03 80 73 61 45*, – 25 à 200. AE GB JCB. rest **EX z**
***Château Bourgogne :*** **Repas** *(20)*-25/45 ♀, enf. 10 – 11 – **123 ch** 105/130.
◆ L'immeuble, moderne, jouxte l'auditorium flambant neuf. Réserver plutôt les chambres rénovées. La terrasse du Château Bourgogne, au bord de la piscine, est très agréable.

**Libertel Philippe Le Bon** M, 18 r. Ste-Anne ✆ 03 80 30 73 52, *hotel-libertel-philippe-le-bon@wanadoo.fr, Fax 03 80 30 95 51* – ch, – 25 à 50. AE GB JCB
voir rest. ***Les Oenophiles*** ci-après – 11 – **29 ch** 74/109. **DY p**
◆ À proximité du musée de la Vie bourguignonne, chambres insonorisées, pourvues d'un mobilier pratique. Quelques-unes offrent une sympathique vue sur les toits dijonnais.

**Nord** M, pl. Darcy ✆ 03 80 50 80 50, *hotelnord@bourgogne.net, Fax 03 80 50 80 51* – – 30. AE GB **CY w**
*fermé 19 déc. au 5 janv.* – ***Porte Guillaume :*** **Repas** 17/35 ♀, enf. 8 – 8,50 – **27 ch** 65/85 – ½ P 63.
◆ Place Darcy, rue de la Liberté : le coeur animé et commerçant de Dijon bat aux portes de l'hôtel. Chambres contemporaines. Le restaurant offre la vue sur la Porte Guillaume.

**Wilson** sans rest, pl. Wilson 03 80 66 82 50, *hotelwilson@wanadoo.fr, Fax 03 80 36 41 54* – . AE GB DZ k
10 – **27 ch** 75/84.
◆ Les chambres de ce séduisant relais de poste du 17e s. s'ordonnent autour d'une cour intérieure. Elles présentent une décoration sobre et des poutres apparentes.

**Jura** sans rest, 14 av. Mar. Foch 03 80 41 61 12, *hotel-du-jura@wanadoo.fr, Fax 03 80 41 51 13* – – 35. AE GB JCB. CY r
9,50 – **79 ch** 80/134.
◆ Cet hôtel du 19e s. proche de la gare appartient à la même famille depuis 1911. Chambres climatisées en façade. Pierres apparentes dans la salle des petits-déjeuners.

**Ibis Central,** 3 pl. Grangier 03 80 30 44 00, *H0654@accor-hotels.com, Fax 03 80 30 77 12* – – 25. AE GB JCB CY e
***Rôtisserie "Le Central"*** *(fermé dim.)* **Repas** 23,50(déj.)/25 – ***Central Place :*** **Repas** *(12,50)*20 – 7,20 – **90 ch** 57,50/72,50 – ½ P 65,50.
◆ Pratique pour visiter en détail la cité des grands ducs, à deux pas des principaux monuments et des rues commerçantes. Chambres assez spacieuses et insonorisées.

**des Ducs** sans rest, 5 r. Lamonnoye 03 80 67 31 31, *hoteldesducs@aol.com., Fax 03 80 67 19 51* – – 25. AE GB DY a
9 – **38 ch** 75/95.
◆ À 50 m du musée des Beaux-Arts (superbes tombeaux des ducs). Chambres progressivement rafraîchies (sol carrelé, décor) et petit-déjeuner servi l'été dans la cour intérieure.

**Jacquemart** sans rest, 32 r. Verrerie 03 80 60 09 60, *hotel@hotel-lejacquemart.fr, Fax 03 80 60 09 69* – . AE GB JCB DY h
6 – **31 ch** 26/56.
◆ Les Dijonnais sont très attachés aux jacquemarts de Notre-Dame. Chambres bourgeoises, murs du 17e s. et les somptueux hôtels particuliers de la ville à deux pas.

**Victor Hugo** sans rest, 23 r. Fleurs 03 80 43 63 45, *Fax 03 80 42 13 01* – . GB. CX b
5 – **23 ch** 29/45.
◆ L'amabilité de l'accueil, l'entretien scrupuleux et l'agrément du garage compensent l'insonorisation intérieure un peu faible et le décor sans fioritures des chambres.

**Ibis Arquebuse,** 15 av. Albert 1er 03 80 43 01 12, *h1380@accor-hotels.com, Fax 03 80 41 69 48,* – – 100. AE GB JCB A n
**Repas** *(13,50)* - 16/18 – **128 ch** 60/65.
◆ Architecture des années 1970 voisine de la gare et des 35 000 espèces du jardin botanique, jadis siège de la compagnie des arquebusiers. Chambres aux dernières normes "Ibis".

**Congrès,** 16 av. R. Poincaré 03 80 71 10 56, *Fax 03 80 74 34 89* – . AE GB B t
**Repas** 17/28 , enf. 7 – 7,60 – **47 ch** 47,30/61.
◆ Étape proche du palais des congrès, commode lors de la prestigieuse foire gastronomique. Les chambres, claires et sobrement rénovées, sont bien tenues. Formule grill.

XXX **Stéphane Derbord,** 10 pl. Wilson 03 80 67 74 64, *Fax 03 80 63 87 72* – . AE GB DZ k
*fermé 3 au 21 août, 2 au 8 janv., lundi midi, mardi midi et dim.* – **Repas** 22/74 et carte 53 à 70 , enf. 13.
◆ Élégant cadre contemporain, plats inventifs mariant saveurs exotiques et du terroir, riche livre de cave : une étape incontournable de la cité des "grands ducs d'Occident".
**Spéc.** Filet de boeuf charolais cuit à la ficelle. Dos de sandre rôti aux noix. Crème brûlée au potimarron, glace aux truffes de Bourgogne et cappuccino arabica. **Vins** Saint-Aubin, Marsannay

XXX **Les Oenophiles** - Hôtel Philippe Le Bon, 18 r. Ste-Anne (Compagnie Bourguignonne des Oenophiles) 03 80 30 73 52, *hotel-libertel-philippe-le-bon@wanadoo.fr, Fax 03 80 30 95 51,* – . AE GB JCB DY p
*fermé le midi du 1er au 15 août et dim.* – **Repas** 32/50 et carte 37 à 53 .
◆ Salles de caractère installées dans un hôtel particulier du 15e s. Caveau-musée du Vin et collection de figurines se rapportant à l'histoire du duché de Bourgogne.

XXX **Pré aux Clercs,** 13 pl. Libération 03 80 38 05 05, *billoux@club-internet.fr, Fax 03 80 38 16 16* – AE GB DY n
*fermé 20 au 28 août, dim. soir et lundi* – **Repas** 33 bc (déj.), 45/85 et carte 58 à 85.
◆ Sur la jolie place dessinée par Hardouin-Mansart, ce restaurant dont l'enseigne est un clin d'oeil à l'opéra de Ferdinand Hérold présente un cadre résolument contemporain.

XX **Dame d'Aquitaine,** 23 pl. Bossuet 03 80 30 45 65, *dame.aquitaine@wanadoo.fr, Fax 03 80 49 90 41* – AE GB JCB. CY m
*fermé 1er au 6 janv., lundi midi et dim.* – **Repas** *(14,50)* - 21,10 bc (déj.), 25,70/35,90 .
◆ Salle de restaurant pittoresque, aménagée au sous-sol, dans une crypte voûtée du 13e s. Cadre médiéval et cuisine mariant saveurs gasconnes et bourguignonnes.

# DIJON

| Rue | Carré | N° |
|---|---|---|
| Aiguillottes (Bd des) | A | 2 |
| Albert-I[er] (Av.) | A | |
| Allobroges (Bd des) | A | 3 |
| Auxonne (Rue d') | B | |
| Bachelard (Bd Gaston) | A | 4 |
| Bellevue (R. de) | A | 5 |
| Bertin (Av. J. B.) | B | 6 |
| Bourroches (Bd des) | A | |
| Briand (Av. A.) | B | 8 |
| Camus (Av. Albert) | B | 12 |
| Castel (Bd du) | A | 13 |
| Champollion (Av.) | B | 15 |
| Chanoine-Bardy (Imp.) | B | 16 |
| Chanoine-Kir (Bd) | A | 17 |
| Chateaubriand (R. de) | B | 19 |
| Chèvre-Morte (Bd de) | A | 20 |
| Chevreul (R.) | AB | |
| Chicago (Bd de) | B | |
| Churchill (Bd W.) | B | 24 |
| Clomiers (Bd des) | A | 26 |
| Concorde (Av. de la) | B | 28 |
| Cracovie (R. de) | B | |
| Dijon (R. de) | A | |
| Dr-Petitjean (Bd du) | B | |
| Doumer (Bd Paul) | B | |
| Drapeau (Av. du) | B | |
| Dumont (R. Ch.) | AB | |
| Eiffel (Av. G.) | A | |
| Einstein (Av. Albert) | A | 36 |
| Europe (Bd de l') | B | 38 |
| Europe (Rd-Pt de l') | B | 40 |
| Faubourg-St-Martin (R. du) | A | |
| Fauconnet (R. Gén.) | AB | 42 |
| Fontaine-lès-Dijon (R.) | A | 43 |
| Fontaine-des-Suisses (Bd) | B | 44 |
| France-Libre (Pl. de la) | AB | 45 |
| Gabriel (Bd) | B | 46 |
| Gallieni (Bd Mar.) | AB | 48 |
| Gaulle (Crs Gén.-de) | B | 50 |
| Gorgets (Bd des) | A | 52 |
| Gray (R. de) | B | |
| Jaurès (Av. J.) | A | |
| Jeanne-d'Arc (Bd) | B | 55 |
| Joffre (Bd Mar.) | B | |
| Jouvence (R. de) | A | |
| Kennedy (Bd J.) | A | 56 |
| Langres (Av. de) | B | |
| Longvic (R. de) | B | |
| Magenta (R.) | B | 58 |
| Maillard (Bd) | A | 60 |
| Malines (R. de) | B | |
| Mansard (Bd) | B | 62 |
| Mayence (R. de) | B | |
| Mirande (R. de) | B | |
| Mont-Blanc (Av. du) | B | 65 |
| Moulins (R. des) | A | |
| Nation (Rd-Pt de la) | B | 66 |
| Orfèvres (R. des) | A | 68 |
| Ouest (Bd de l') | A | 69 |
| Parc (Cours du) | B | 70 |
| Pascal (Bd) | B | |
| Poincaré (Av. R.) | B | 71 |
| Pompidou (Rd-Pt Georges) | B | 72 |
| Pompidou (Voie Georges) | B | |
| Pompon (Bd F.) | A | 73 |
| Prat (Av. du Colonel) | B | 75 |
| Rembrandt (Bd) | B | 78 |
| Rolin (Q. Nicolas) | A | 79 |
| Roosevelt (Av. F. D.) | B | 80 |
| Saint-Exupéry (Pl.) | B | 85 |
| Salengro (Pl. R.) | B | |
| Schuman (Bd Robert) | B | 88 |
| Stalingrad (Av. de) | B | |
| Stearinerie (R. de la) | A | |
| Strasbourg (Bd de) | B | 90 |
| Sully (R.) | B | |
| Talant (R. de) | A | |
| Trimolet (Bd) | B | 91 |
| Troyes (Bd de) | A | |
| Université (Bd de l') | B | |
| Valendons (Bd des) | A | |
| Valendons (R. des) | A | |
| Victor-Hugo (Av.) | A | |
| Ier-Consul (Av. du) | A | |
| 8-Mai-1945 (Rd-Pt du) | B | 96 |
| 26e-Dragons (R. du) | B | 98 |

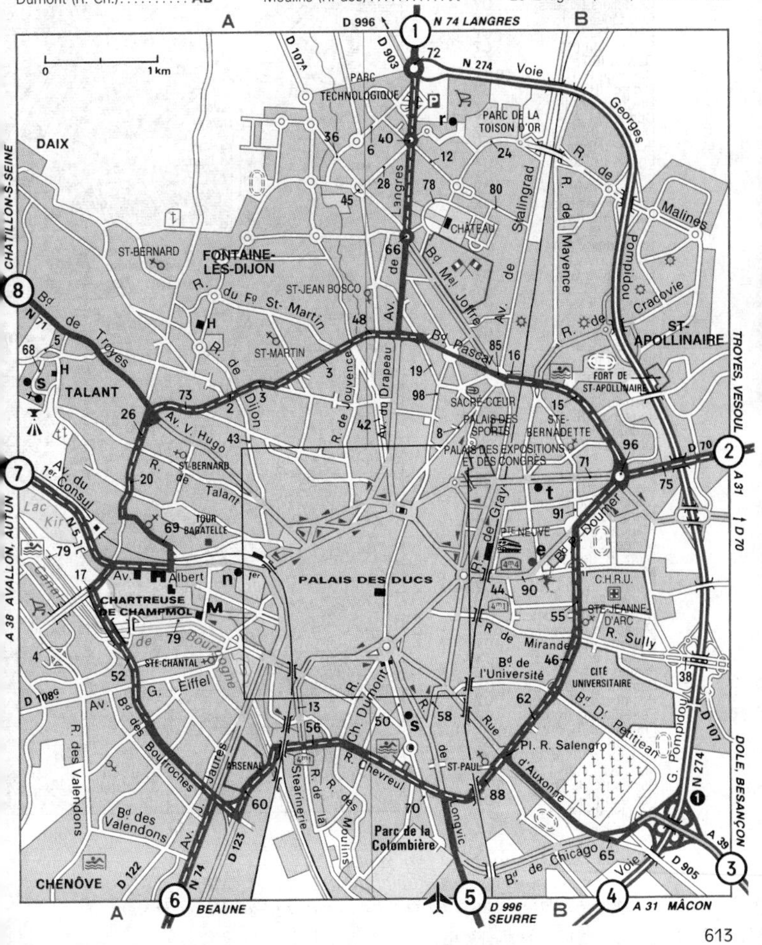

A
B
D 996
N 74 LANGRES
1 km
PARC TECHNOLOGIQUE
PARC DE LA TOISON D'OR
DAIX
CHATILLON-S-SEINE
FONTAINE-LÈS-DIJON
ST-BERNARD
ST-JEAN BOSCO
ST-MARTIN
CHÂTEAU
TALANT
ST-APOLLINAIRE
FORT DE ST-APOLLINAIRE
SACRÉ-CŒUR
PALAIS DES SPORTS
STE-BERNADETTE
PALAIS DES EXPOSITIONS ET DES CONGRÈS
TROYES, VESOUL
TOUR BARATELLE
PALAIS DES DUCS
CHARTREUSE DE CHAMPMOL
PTE NEUVE
C.H.R.U.
STE-JEANNE-D'ARC
CITÉ UNIVERSITAIRE
STE-CHANTAL
AVALLON, AUTUN
Lac Kir
ARSENAL
ST-PAUL
Pl. R. Salengro
Parc de la Colombière
CHENÔVE
DOLE, BESANÇON
BEAUNE
D 996 SEURRE
A 31 MÂCON

# DIJON

Adler (Pl. E.) . . . . . . . . . . . **EZ**
Albert-Ier (Av.) . . . . . . . . . . **CY**
Arquebuse (R. de l') . . . . **CY**
Audra (R.) . . . . . . . . . . . . . **CY**
Auxonne (R. d') . . . . . . . . **EZ**
Baudin (R. J.-B.) . . . . . . **EYZ**
Berbisey (R.) . . . . . . . . . **CYZ**
Berlier (R.) . . . . . . . . . . . **DEY**
Bordot (R.) . . . . . . . . . . . . **DZ**
Bossuet (R. et Pl.) . . . . **CDY**
Bouhey (Pl. J.) . . . . . . . . . **EX**
Bourg (R. du) . . . . . . . . . . **DY**
Briand (Av. A.) . . . . . . . . . **EX** 8
Brosses (Bd de) . . . . . . . . **CY** 9
Buffon (R.) . . . . . . . . . . . . **DY**
Cabet (R. P.) . . . . . . . . . . . **EY**
Carnot (Bd) . . . . . . . . . . . **DEY**
Castell (Bd du) . . . . . . . . . **CZ**
Cellerier (R. J.) . . . . . . . . . **CX**
Chabot-Charny (R.) . . . . **DYZ**
Champagne (Bd de) . . . . **EX** 14
Charrue (R.) . . . . . . . . . . . **DY** 18
Chouette (R. de la) . . . . . **DY** 21
Clemenceau (Bd G.) . . . . **EX**
Colmar (R. de) . . . . . . . . . **EX**
Comte (R. A.) . . . . . . . . . . **DY** 27
Condorcet (R.) . . . . . . . . . **CY**
Cordeliers (Pl. des) . . . . . **DY**
Courtépée (R.) . . . . . . . . . **DX**
Darcy (Pl.) . . . . . . . . . . . . **CY**
Daubenton (R.) . . . . . . . . . **CZ**
Davout (R.) . . . . . . . . . . . . **EY**
Devosge (R.) . . . . . . . . **CDXY**
Diderot (R.) . . . . . . . . . . . **EY**
Dr-Chaussier (R.) . . . . . . . **CY** 32
Dubois (Pl. A.) . . . . . . . . . **CY** 33
Dumont (R. Ch.) . . . . . . . . **DZ**
École-de-Droit (R.) . . . . . **DY** 35
Égalité (R. de l') . . . . . . . . **CX**
Févret (R.) . . . . . . . . . . . . **DZ**
Foch (Av. Mar.) . . . . . . . . . **CY** 43
Fontaine-lès-Dijon (R.) . . . **CX**
Forges (R. des) . . . . . . . . . **DY**
Fremiet (R. A.) . . . . . . . . . **DX**
Gagnereaux (R.) . . . . . . . . **DX**
Garibaldi (Av.) . . . . . . . . . . **DX**
Gaulle (Crs Gén.-de) . . . . **DZ**
Godrans (R. des) . . . . . . . **DY** 51
Grangier (Pl.) . . . . . . . . . . **DY** 54
Gray (R. de) . . . . . . . . . . . . **EY**
Guillaume-Tell (R.) . . . . . . **CY**
Hôpital (R. de l') . . . . . . . . **CZ**
Ille (R. de l') . . . . . . . . . . . **CZ**
J.-J.-Rousseau (R.) . . . . . **DY**
Jean-Jaurès (Av.) . . . . . . . **CZ**
Jeannin (R.) . . . . . . . . . . . **DEY**
Jouvence (R. de) . . . . . . . . **DX**
Ledru-Rollin (R.) . . . . . . . **EXY**
Libération (Pl. de la) . . . . **DY** 57
Liberté (R. de la) . . . . . . . . **CY**
Longvic (R. de) . . . . . . . . **DEZ**
Magenta (R.) . . . . . . . . . . . **EZ** 58
Manutention (R. de la) . . . **CZ**
Marceau (R.) . . . . . . . . . . . **DX**
Mariotte (R.) . . . . . . . . . . . **CY**
Marne (Bd de la) . . . . . . . . **EX**
Metz (R. de) . . . . . . . . . . . . **EY**
Michelet (R.) . . . . . . . . . . . **CY** 64
Mirande (R. de) . . . . . . . . . **EY**
Monge (R.) . . . . . . . . . . . . . **CY**
Montchapet (R. de) . . . . . . **CX**
Mulhouse (R. de) . . . . . . **EXY**
Musette (R.) . . . . . . . . . . . **DY**
Parmentier (R.) . . . . . . . . . **EX**
Pasteur (R.) . . . . . . . . . . . **DYZ**
Perrières (R. des) . . . . . . . **CY**
Perspective (Pl. de la) . . . **CZ**
Petit-Cîteaux (R. du) . . . . **CZ**
Petit-Potet (R. du) . . . . . . **DY** 71
Piron (R.) . . . . . . . . . . . . . **DY**
Préfecture (R. de la) . . . . . **DY**
Prés.-Wilson (Pl.) . . . . . . . **DZ**
Raines (R. du Fg) . . . . . **CYZ**
Rameau (R.) . . . . . . . . . . . **DY** 77
République (Pl. de la) . . . . **DX**
Rolin (Quai N.) . . . . . . . . . **CZ**
Roses (R. des) . . . . . . . . . . **CX**
Roussin (R. Amiral) . . . . . **DY**
Rude (Pl. F.) . . . . . . . . . . . **DY**
Rude (R. F.) . . . . . . . . . . . . **DY** 81
St-Bénigne (Pl.) . . . . . . . . **CY** 82
St-Bernard (Pl.) . . . . . . . . **DY** 83
St-Michel (Pl.) . . . . . . . . . . **DY** 86
Ste-Anne (R.) . . . . . . . . . **DYZ**
Sambin (R.) . . . . . . . . . . . . **DX**
Sévigné (Bd de) . . . . . . . . **CY**
Suquet (Pl.) . . . . . . . . . . . . **CZ**
Tanneries (Rd-Pt des) . . . **CZ**

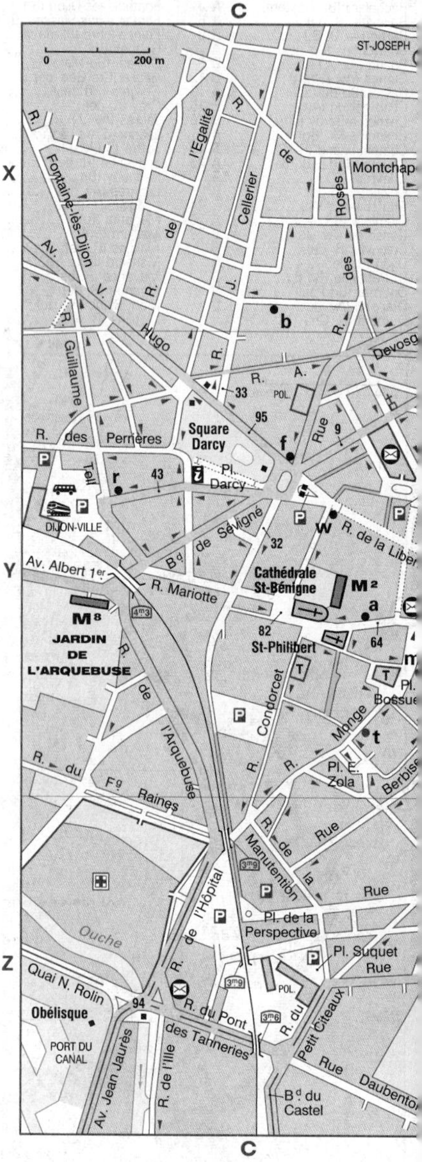
C
X
Y
Z
0
200 m
ST-JOSEPH
R. Fontaine-lès-Dijon
R. de l'Egalité
R. de Montchapet
R. J. Cellerier
R. des Roses
Av. V. Hugo
R. Guillaume Tell
R. des Perrières
b
R. Devosge
R. A. Dubois
33
POL.
95
Square Darcy
f
Rue 9
Pl. Darcy
r
43
DIJON-VILLE
Bd de Sévigné
32
w
R. de la Liberté
Av. Albert 1er
R. Mariotte
M8
JARDIN DE L'ARQUEBUSE
R. de l'Arquebuse
Cathédrale St-Bénigne
M2
a
82
St-Philibert
64
Pl. Bossuet
R. Condorcet
Monge
t
Pl. E. Zola
Berbisey
R. du Fg Raines
R. de la Manutention
Rue
Ouche
R. de l'Hôpital
Pl. de la Perspective
Pl. Suquet
Quai N. Rolin
94
Obélisque
R. du Pont des Tanneries
POL.
R. du Petit Cîteaux
PORT DU CANAL
Av. Jean Jaurès
R. de l'Ille
Rue Daubenton
Bd du Castel

*Si vous cherchez un hôtel tranquille,*
*consultez d'abord les cartes de l'introduction*
*ou repérez dans le texte les établissements indiqués avec le signe* 🐎.

| | | |
|---|---|---|
| Théâtre (Pl. du) ....... **DY** | Vaillant (R.) ............ **DY** 92 | Voltaire (Bd) .......... **EYZ** |
| Thiers (Bd) ........... **EY** | Vannerie (R.) ........... **DY** | Zola (Pl. E.) ............ **CY** |
| Tivoli (R. de) ........ **CDZ** | Vauban (R.) ............. **DY** | Ier-Mai (Pl. du) ......... **CZ** 94 |
| Transvaal (R. du) ..... **CDZ** | Verdun (Bd de) ......... **EX** 93 | Ire-Armée-Française (Av.) **CY** 95 |
| Trémouille (Bd de la) . **DXY** | Verrerie (R.) ............ **DY** | 26e-Dragons (R. du) ..... **EX** 98 |
| Turgot (R.) ............ **DZ** | Victor-Hugo (Av.) ...... **CXY** | 30-Octobre (Pl. du) ..... **EY** |

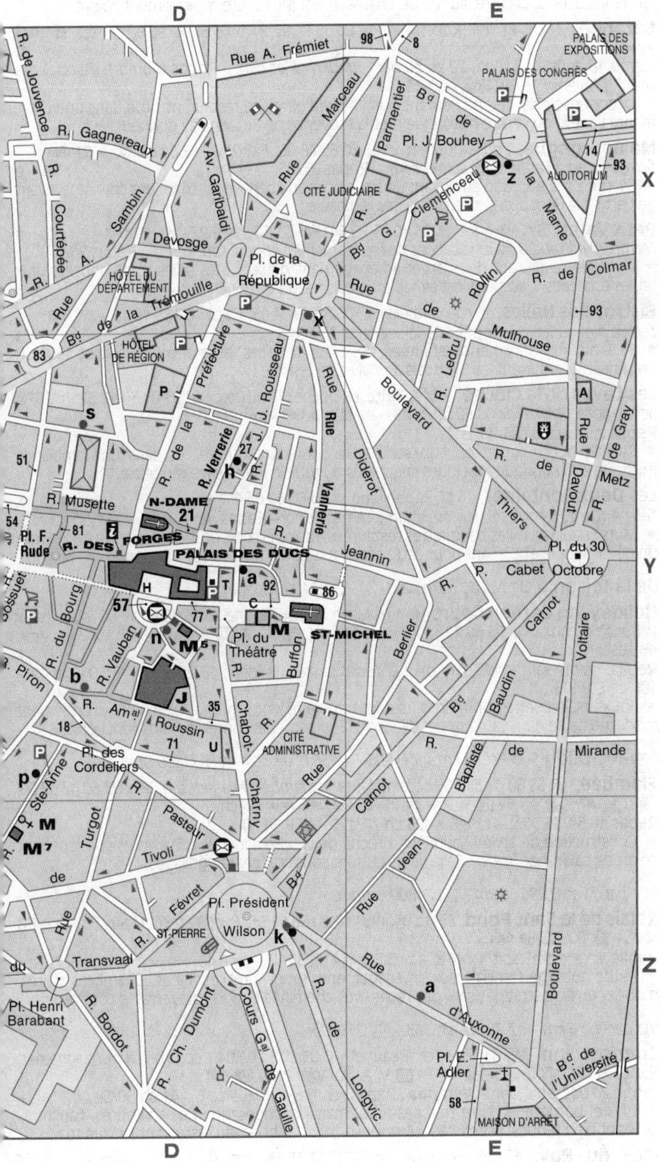

D
E
X
Y
Z
Rue A. Frémiet
PALAIS DES EXPOSITIONS
PALAIS DES CONGRÈS
AUDITORIUM
Pl. J. Bouhey
Bd de la Marne
R. de Jouvence
R. Gagnereaux
Av. Garibaldi
Rue Marceau
Parmentier
CITÉ JUDICIAIRE
Bd G. Clemenceau
Courtépée
R. A. Sambin
Devosge
Pl. de la République
HÔTEL DU DÉPARTEMENT
Bd de la Trémouille
HÔTEL DE RÉGION
Rue de Mulhouse
R. de Colmar
Rollin
R. Ledru
R. de la Préfecture
J. J. Rousseau
Rue Diderot
Boulevard Thiers
Rue de Gray
Rue Davout
R. de Metz
R. Musette
N-DAME
R. Verrerie
Rue Vannerie
Pl. F. Rude
R. DES FORGES
PALAIS DES DUCS
R. Jeannin
Pl. du 30 Octobre
P. Cabet
R. Carnot
Voltaire
ST-MICHEL
Pl. du Théâtre
R. Buffon
R. Berlier
R. du Bourg
R. Vauban
R. Piron
R. Amal Roussin
Chabot-Charny
CITÉ ADMINISTRATIVE
Bd Carnot
R. Baudin
R. Baptiste
R. de Mirande
Pl. des Cordeliers
Ste-Anne
Turgot
Pasteur
Tivoli
Rue de Tivoli
Pl. Président Wilson
R. Févret
ST-PIERRE
Rue Jean-
Rue d'Auxonne
Boulevard
Rue du Transvaal
Pl. Henri Barabant
R. Bordot
R. Ch. Dumont
Cours Gal de Gaulle
R. de Longvic
Pl. E. Adler
Bd de l'Université
MAISON D'ARRÊT


*Si le coût de la vie subit des variations importantes,*
*les prix que nous indiquons peuvent être majorés.*
*Lors de votre réservation à l'hôtel, faites-vous préciser le prix définitif.*

XX **Côte St-Jean,** 13 r. Monge ✆ 03 80 50 11 77, *Fax 03 80 50 18 75* – GB CY t
*fermé 14 juil. au 15 août, 1er au 15 janv., merc. midi, sam. midi et mardi* – **Repas** (prévenir) 15 (déj.), 21/35.
◆ Façade "rétro" avenante. Une sympathique salle voûtée au sous-sol, qui aurait servi de tannerie au 19e s. ; l'autre, au rez-de-chaussée, est plus sobre mais joliment colorée.

XX **Cézanne,** 38 r. Amiral Roussin ✆ 03 80 58 91 92, *Fax 03 80 49 86 80* – ▤. AE GB JCB DY b
*fermé 18 août au 2 sept., 22 au 30 déc., lundi midi et dim.* – **Repas** (nombre de couverts limité, prévenir) 16,90/45 ♀, enf. 13.
◆ Décor ensoleillé, cuisine fleurant bon l'huile d'olive : ce restaurant situé dans une charmante venelle du centre historique met la Provence de Cézanne à l'honneur.

XX **Ma Bourgogne,** 1 bd P. Doumer ✆ 03 80 65 48 06, *Fax 03 80 67 82 65,* 余 – AE GB B e
*fermé 12 au 28 août, dim. soir et sam.* – **Repas** 25/35.
◆ Sacrifiez à la tradition en buvant un kir, la boisson apéritive du truculent chanoine, avant de partir à la découverte des spécialités régionales.

XX **Petit Vatel,** 73 r. Auxonne ✆ 03 80 65 80 64, *Fax 03 80 31 69 92* – ▤. AE GB EZ a
*fermé 29 juil. au 28 août, vacances de fév., sam. midi et dim. sauf fériés* – **Repas** 23/37.
◆ Agréable restaurant de quartier aménagé dans deux petites salles traditionnelles, aux tables espacées. L'accueil y est aimable ; la cuisine, du terroir.

X **Bistrot des Halles,** 10 rue Bannelier ✆ 03 80 49 94 15, *Fax 03 80 38 16 16* – ▤. GB DY s
*fermé dim. et lundi* – **Repas** 16 (déj.)et carte 25 à 34 ♀.
◆ Face aux halles joliment restaurées, des plats "canailles" et le décor de bistrot 1900 un brin théâtral séduisent les Dijonnais. Convivialité assurée !

X **Les Caves de la Cloche** - Hôtel Sofitel La Cloche, 14 pl. Darcy ✆ 03 80 30 12 32, *h1202@accor-hotels.com, Fax 03 80 30 04 15* – ▤. AE ⓓ GB JCB
**Repas** (dîner seul.) 24/31 ♀.
◆ Caveau bourguignon où l'on sert, "à la bonne franquette" et dans une ambiance musicale et folklorique, quelques spécialités du terroir. Petite cave régionale.

X **Les Deux Fontaines,** 16 pl. République ✆ 03 80 60 86 45 DX x
*fermé 10 au 25 août, 25 déc. au 1er janv., dim. et lundi* – **Repas** *(11)* - 16 (déj.), 21/45 ♀, enf. 6.
◆ Murs chaulés, vieilles banquettes restaurées, tables en bois brut et affiches publicitaires : un décor simple et plaisant pour cette reconstitution d'un bistrot à l'ancienne.

## au Parc de la Toison d'Or *Nord : 5 km par N 74 – ✉ 21000 Dijon :*

**Holiday Inn Garden Court** Ⓜ, 1 pl. Marie de Bourgogne ✆ 03 80 60 46 00, *dijon.reservation@6C.com, Fax 03 80 72 32 72* – ▮ ⇔ ▤ TV ✆ ♿ P – 🏛 70. AE ⓓ GB JCB. ⌘ rest B r
**Repas** *(fermé sam. midi, dim. midi et fériés le midi)* 15 (déj.), 18/25 ♀, enf. 5,50 – ☕ 12 – **100 ch** 90/105.
◆ Jouxtant le centre commercial, cet immeuble récent s'intègre bien à l'environnement moderne de ce nouveau quartier dijonnais. Équipements contemporains fonctionnels.

## à Sennecey-lès-Dijon *Sud-Est : 6 km sur D 905 – 1 535 h. alt. 224 – ✉ 21800 Quétigny :*

**Flambée,** ✆ 03 80 47 35 35, *hotelrestaurantlaflambée@wanadoo.fr, Fax 03 80 47 07 08,* 余, ⛱, 🐎 – ▮ ⇔ ▤ TV ✆ P – 🏛 25. AE ⓓ GB JCB. ⌘ ch
**Repas** 16,50/35,50 ♀ – ☕ 8,90 – **23 ch** 70/120 – ½ P 54,50.
◆ Construction de style chaumière, proche de la base aérienne. Chambres spacieuses et colorées, salon-bar "rétro". Salle de restaurant sous charpente ; grillades.

## à Chevigny *par ⑤ et D 996 : 9 km – ✉ 21600 Longvic :*

**Relais de la Sans Fond,** 33 rte Dijon ✆ 03 80 36 61 35, *Fax 03 80 36 94 89,* 余, 🐎 – TV ✆ P – 🏛 60. AE ⓓ GB
**Repas** *(fermé dim. soir)* 15/44 ♀ – ☕ 5,50 – **14 ch** 35/45 – ½ P 40.
◆ Petite auberge familiale aux aménagements simples mais soignés. Chambres claires, mobilier en bois stratifié ; salle des repas avec cheminée et agréable terrasse côté jardin.

## à Chenôve *par ⑥ : 6 km – 17 721 h. alt. 263 – ✉ 21300 :*

**Comfort Inn** Ⓜ, N 74 (rte Beaune) ✆ 03 80 54 04 04, *comfort@bourgogne.net, Fax 03 80 54 04 05,* 余 – ▮ ⇔ ▤ TV ✆ ♿ P – 🏛 50. AE ⓓ GB
*fermé 20 déc. au 4 janv.* – ***Véranda :*** **Repas** *(13)*-17 ♀, enf. 6 – ☕ 6 – **41 ch** 50/52.
◆ L'hôtel borde une route très passante, mais l'insonorisation des chambres, fonctionnelles et bien tenues, est efficace. Ambiance "jardin d'hiver" au restaurant La Véranda.

XX **Clos du Roy,** 35 av. 14-Juillet ✆ 03 80 51 33 66, *clos.Du.roy@wanadoo.fr, Fax 03 80 51 36 66* – ▤ P. GB
*fermé 4 au 24 août, dim. soir et lundi* – **Repas** 15,30 (déj.), 21/54,20, enf. 15,30.
◆ Ce restaurant au cadre actuel est une étape de choix sur la route du vignoble. L'or de la côte y est fièrement représenté, la cuisine régionale également.

**à Marsannay-la-Côte** *par ⑥ : 8 km – 5 216 h. alt. 275 – ✉ 21160 :*

*Office du Tourisme, 41 rue de May ☎ 03 80 52 27 73, Fax 03 80 52 30 23, ot-marsannay@wanadoo.fr.*

XXX ✿ **Gourmets** (Perreault), 8 r. Puits de Têt (près église) ☎ 03 80 52 16 32, *joel--nicole.perreault@wanadoo.fr, Fax 03 80 52 03 01,* – AE GB JCB
*fermé 28 juil. au 12 août, 26 janv. au 10 fév., mardi midi, dim. soir et lundi* – **Repas** 29/75 et carte 65 à 95.
◆ Une carte des vins somptueuse, une cuisine au goût du jour personnalisée et séduisante, une salle à manger à la page... Le gourmet est ici comme un coq en pâte !
**Spéc.** Profiteroles d'escargots à la menthe fraîche. Salmigondis de pigeon à la goutte de sang. Travers de veau de sept heures aux arômes d'orange et parmesan. **Vins** Marsannay blanc et rouge.

**à Talant** *: 4 km – 12 860 h. alt. 354 – ✉ 21240 :*

Voir *Table d'orientation ≤★.*

**Bonbonnière** sans rest, au vieux village (près église) ☎ 03 80 57 31 95, *labonbonniere@wanadoo.fr, Fax 03 80 57 23 92,* – TV P. AE GB. A s
*fermé 1er au 14 août, 20 déc. au 4 janv., sam. et dim. en janv. et fév.* – 7,50 – **20 ch** 50/75.
◆ À proximité du lac artificiel (sports nautiques) créé par le chanoine Kir, petit hôtel familial aux aménagements soignés. Chambres spacieuses et fraîches ; agréable jardin.

**à Prenois** *par ⑧ : 12 km par N 71 et D 104 – 299 h. alt. 485 – ✉ 21370 :*

XXX ✿ **Auberge de la Charme** (Zuddas), ☎ 03 80 35 32 84, *Fax 03 80 35 34 48* – AE GB
*fermé 1er au 14 août, vacances de fév., dim. soir, mardi midi et lundi* – **Repas** (prévenir) 16 (déj.), 23/68 et carte 50 à 70 ♀, enf. 10.
◆ Le célèbre circuit voisin accueillit naguère les courses de F1, mais c'est désormais à cette ex-forge coquettement rénovée que le village doit sa notoriété. Cuisine inventive.
**Spéc.** Escargots et galette de brebis au pain trempé. Poitrines de pigeon frottées aux épices du Maghreb. Tarte sablée aux pêches de vignes (25 août au 15 sept.). **Vins** Marsannay blanc, Bourgogne rouge.

**rte de Troyes** *par ⑧ : 4 km – ✉ 21121 Daix :*

**Castel Burgond** Ⓜ sans rest, 3 rte Troyes (N 71) ☎ 03 80 56 59 72, *Fax 03 80 57 69 48* – TV P – 15. AE GB JCB
*fermé 25 déc. au 4 janv.* – 7 – **46 ch** 50/54.
◆ Dans un quartier résidentiel, bâtisse contemporaine proposant quelques petites chambres récentes au dernier étage ; les autres sont simplement fonctionnelles.

XX **Trois Ducs,** ☎ 03 80 56 59 75, *Fax 03 80 56 00 16,* – P. AE GB JCB
*fermé 26 déc. au 6 janv. , sam. midi , dim. soir et lundi* – **Repas** 22,50/83 bc ♀, enf. 13.
◆ Salle moderne et cuisine au goût du jour dégustée sous le regard de trois des quatre grands ducs Valois de Bourgogne. Jean sans Peur, il est vrai, était chétif et laid...

**à Hauteville-lès-Dijon** *par ⑧ et D 107F : 6 km – 963 h. alt. 402 – ✉ 21121 :*

XX **Musarde** avec ch, ☎ 03 80 56 22 82, *hotel.rest.lamusarde@wanadoo.fr, Fax 03 80 56 64 40,* – TV. AE GB JCB
*fermé 3 au 13 août, dim. soir, mardi midi et lundi* – **Repas** 21/40 ♀, enf. 10 – 8,50 – **11 ch** 42/62.
◆ Ferme du 19e s. transformée en hôtel-restaurant, grand calme et verdure, cuisine traditionnelle actualisée... tout semble réuni pour musarder ici sans retenue.

---

## DINAN

22100 C.-d'Armor 309 J4 *G. Bretagne* – 11 591 h alt. 92.

Voir *Vieille ville★★ : Tour de l'Horloge ★★ R, Jardin anglais ≤★★, place des Merciers★* **BZ** *, rue du Jerzual★* **BY,** *– Promenade de la Duchesse-Anne ≤★, Tour du Gouverneur ≤★★, Tour Ste-Catherine ≤★★ – Château★ : ★.*

*Office du Tourisme, place du château ☎ 02 96 87 69 76, Fax 02 96 87 69 77, infos@dinantourisme.com.*

*Paris 419 ② – St-Malo 31 ① – Rennes 56 ② – St-Brieuc 62 ③ – Vannes 120 ③.*

Plan page suivante

**Jerzual** Ⓜ, 26 quai Talards (au port) ☎ 02 96 87 02 02, *hotel-jerzualdinan@wanadoo.fr, Fax 02 96 87 02 03,* – , rest, TV P – 30 à 120. AE GB BY b
**Repas** *(fermé 16 au 29 fév., sam. midi et dim. soir hors saison)* 15 (déj.)/28 ♀ – 10 – **54 ch** 94/174 – ½ P 83/115.
◆ La silhouette bretonne de cet hôtel neuf se fond bien dans le quartier du port. Chambres spacieuses et actuelles. Restaurant-rôtisserie et terrasse au bord de la Rance.

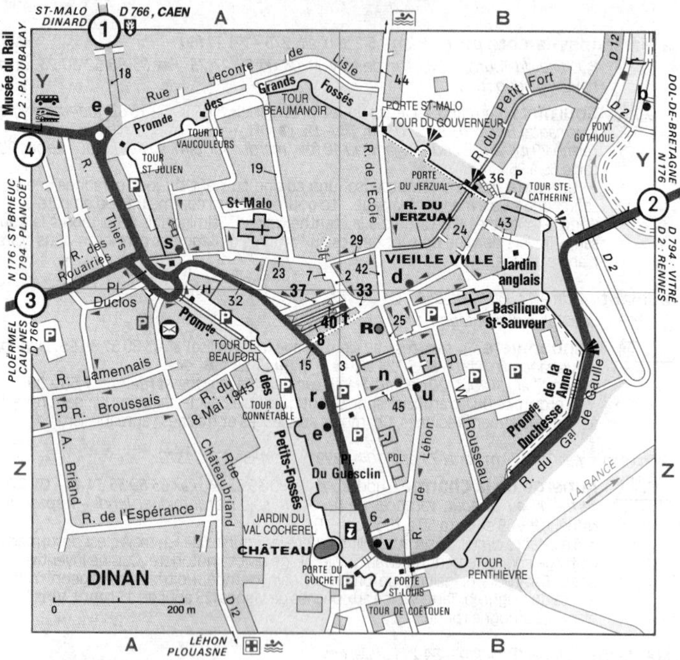

ST-MALO DINARD
D 766, CAEN
A
B
Musée du Rail
D 2 : PLOUBALAY
Y
e
18
Rue Leconte de Lisle
Promde des Grands Fossés
TOUR BEAUMANOIR
TOUR DE VAUCOULEURS
TOUR ST-JULIEN
44
PORTE ST-MALO
TOUR DU GOUVERNEUR
R. du Petit Fort
D 12
b
D 2
PONT GOTHIQUE
DOL-DE-BRETAGNE N 176
19
St-Malo
R. de l'École
PORTE DU JERZUAL
36
P
TOUR STE-CATHERINE
R. DU JERZUAL
24
43
N 176 : ST-BRIEUC
D 794 : PLANCOËT
R. Thiers
R. des Rouairies
S
29
VIEILLE VILLE
Jardin anglais
D 794 : VITRÉ
D 2 : RENNES
Pl. Duclos
H
32
23
7
2
42
37
33
d
Basilique St-Sauveur
Promde
40
f
R
25
PLOËRMEL
CAULNES
D 766
TOUR DE BEAUFORT
8
15
3
T
R. Lamennais
R. du 8 Mai 1945
des Petits-Fossés
n
u
R. W. Rousseau
Promde de la Duchesse Anne
R. Broussais
TOUR DU CONNÉTABLE
r
e
45
R. A. Briand
Rue Châteaubriand
Pl. Du Guesclin
POL.
R. de Léhon
R. du Gal de Gaulle
LA RANCE
Z
R. de l'Espérance
JARDIN DU VAL COCHEREL
6
CHÂTEAU
v
TOUR PENTHIÈVRE
DINAN
PORTE DU GUICHET
PORTE ST-LOUIS
0
200 m
TOUR DE COËTQUEN
D 12
LÉHON
PLOUASNE


Apport (R. de l') ..... **ABY** 2
Champ clos (Pl. du) .. **ABZ** 3
Château (R. du) ....... **BZ** 6
Cordeliers (Pl. des)..... **AY** 7
Cordonnerie (R. de la) ........... **AZ** 8
Ferronerie (R. de la) ... **AZ** 15
Gambetta (R.) ......... **AY** 18
Garaye (R. Comte de la) .... **AY** 19
Grande-Rue........... **AY** 23
Haute-Voie (R.)......... **BY** 24
Horloge (R. de l')....... **BZ** 25
Lainerie (R. de la) ..... **BY** 29
Marchix (R. du) ....... **AYZ** 32
Merciers (Pl. des).... **BYZ** 33
Michel (R.) ........... **BY** 36
Mittrie (R. de la) ...... **AZ** 37
Petit-Pain (R. du)...... **AZ** 40
Poissonnerie (R. de la)........... **BY** 42
Rempart (R. du)....... **BY** 43
St-Malo (R.) .......... **BY** 44
Ste-Claire (R.)......... **BZ** 45

**Challonge** Ⓜ sans rest, 29 pl. Duguesclin ✆ 02 96 87 16 30, *lechallonge@wanadoo.fr, Fax 02 96 87 16 31* – ▮ TV ✆ ♿. GB — AZ e
7 – **17 ch** 61/75.
◆ Cette longue façade classique borde l'ancien champ de foire veillé par la statue de Du Guesclin. Les chambres, confortables, ont un petit air "british". Accueil charmant.

**Avaugour** sans rest, 1 pl. Champ ✆ 02 96 39 07 49, *avaugour.hotel@wanadoo.fr, Fax 02 96 85 43 04,* – ▮ TV ✆. AE ⓓ GB — AZ r
*fermé 15 nov. au 20 déc. et 5 janv. au 5 fév.* – 10 – **24 ch** 110/170.
◆ Belle bâtisse en pierres du pays adossée aux remparts. Chambres rénovées, avec vue sur la place ou sur le joli jardin où l'on dresse des tables pour le petit-déjeuner en été.

**Arvor** Ⓜ sans rest, 5 r. Pavie ✆ 02 96 39 21 22, *arvor@destinationbretagne.com, Fax 02 96 39 83 09* – ▮ TV ✆ ♿. GB — BZ u
*fermé 5 janv. au 2 fév.* – 6 – **23 ch** 40/61.
◆ Un portail Renaissance sculpté donne accès à cet immeuble du 18e s. édifié sur le site d'un ancien couvent. Intérieur moderne et fonctionnel ; chambres de bonne ampleur.

**Grandes Tours** sans rest, 6 r. Château ✆ 02 96 85 16 20, *carregi@wanadoo.fr, Fax 02 96 85 16 04* – ▮ TV ✆. AE GB. — BZ v
*fermé 15 déc. au 15 fév.* – 5 – **34 ch** 45/69.
◆ Hôtel lumineux et simple face aux "grandes tours" de la porte du Guichet et des remparts. Victor Hugo et Juliette Drouet, en visite à Dinan, auraient passé la nuit ici.

**Les Grands Fossés,** 2 pl. Gén. Leclerc ✆ 02 96 39 21 50, *Fax 02 96 39 42 60* – GB — AY e
*fermé 20 juin au 3 juil. et jeudi* – **Repas** 16,50 (déj.), 28,50/49,50 et carte 40 à 56.
◆ Maison bourgeoise située face à la promenade des Grands-Fossés. Salle décorée de bibelots et de tableaux d'artistes locaux (certains en exposition-vente). Cuisine régionale.

XXX **Mère Pourcel,** 3 pl. Merciers ☎ 02 96 39 03 80, *Fax 02 96 39 49 91,* 🏠 – AE ⓓ GB BZ t
*fermé fév., dim. soir sauf juil.-août, mardi d'oct. à Pâques et lundi* – **Repas** 17 (déj.), 28/50 et carte 45 à 58.
◆ Le temps s'est arrêté pour vous sur la plus jolie place de Dinan, dans cette magnifique demeure à pans de bois et colombages du 15ᵉ s. Cuisine et cachet authentiques.

XX **Auberge du Pélican,** 3 r. Haute Voie ☎ 02 96 39 47 05, *Fax 02 96 87 53 30,* 🏠 – GB BY d
*fermé 15 janv au 10 fév., jeudi soir et lundi sauf juil.-août* – **Repas** 15/45 🍷, enf. 10,50.
◆ Sympathique adresse située au coeur du vieux Dinan. Salle à manger refaite dans un style contemporain et jolie terrasse d'été. Cuisine traditionnelle et produits de la mer.

X **Cantorbery,** 6 r. Ste-Claire ☎ 02 96 39 02 52 – AE GB. ✻ BZ n
*fermé 14 au 28 nov., 15 au 28 fév., 24 juin au 2 juil. et merc.* – **Repas** 20,50/30 ♀.
◆ En cette maison de ville du 17ᵉ s., les grillades sont cuites dans la grande cheminée de pierre du rez-de-chaussée. Boiseries d'époque dans la salle de l'étage.

---

**DINARD** *35800 I.-et-V.* 309 J3 *G. Bretagne – 9 918 h alt. 25 – Casino* **BY.**

Voir *Pointe du Moulinet ≤★★ – Grande Plage ou Plage de l'Écluse★ – Promenade du Clair de Lune★ - Pointe de la Vicomté★★ – La Rance★★ en bateau – St-Lunaire : pointe du Décollé ≤★★ et grotte des Sirènes★ 4,5 km par ② – Usine marémotrice de la Rance : digue ≤★ SE : 4 km.*

Env. *Pointe de la Garde Guérin★ : ✻★★ par ② : 6 km puis 15 mn.*

✈ *de Dinard-Pleurtuit-St-Malo ☎ 02 99 46 18 46, par ① : 5 km.*

ℹ *Office du Tourisme, 2 boulevard Féart ☎ 02 99 46 94 12, Fax 02 99 88 21 07, dinard.office.de.tourisme@wanadoo.fr.*

*Paris 406 ① – St-Malo 12 ① – Dinan 21 ① – Dol-de-Bretagne 29 ① – Rennes 75 ①.*

Plan page suivante

**Grand Hôtel Barrière de Dinard,** 46 av. George V ☎ 02 99 88 26 26, *grandhoteldinard@lucienbarriere.com, Fax 02 99 88 26 27,* ≤, Fø, 🏊, 🌳 – 🛗 ⇹ TV 📞 ♿ P – 🏛 80. AE ⓓ GB JCB. ✻ rest BY v
*21 mars-11 nov.* – **Repas** (dîner seul.) 38/85 ♀, enf. 17 – ☕ 17 – **90 ch** 190/400 – ½ P 145/250.
◆ Dominant la promenade maritime du Clair de Lune, ce "grand hôtel" du 19ᵉ s. a rouvert ses portes après une totale rénovation : tout y est conçu pour la détente et le confort.

**Novotel Thalassa** M 🐚, av. Château Hébert ☎ 02 99 16 78 10, *H114@accor-hotels.com, Fax 02 99 16 78 29,* ≤ mer, 🏠, Fø, 🏊, 🌳, 🎾 – 🛗 ⇹ TV 📞 ♿ 🚗 P – 🏛 25. AE ⓓ GB. ✻ rest AY r
*fermé 7 au 25 déc.* – **Repas** 26/32 ♀, enf. 11,50 – ☕ 11 – **106 ch** 143 – ½ P 107.
◆ Complexe moderne situé dans un cadre unique, sur la pointe de St-Énogat. Centre de thalassothérapie, chambres actuelles et restaurant diététique pour un séjour revigorant.

**Villa Reine Hortense** 🐚 sans rest, 19 r. Malouine ☎ 02 99 46 54 31, *reine.hortense@wanadoo.fr, Fax 02 99 88 15 88,* ≤ mer et St-Malo – TV P. AE ⓓ GB JCB BY e
*1ᵉʳ avril-5 oct.* – ☕ 13 – **7 ch** 175/205.
◆ Toute la Belle Époque revit dans le décor de cette villa typique de la "perle" de la Côte d'Émeraude. Chambres personnalisées. Accès privé à la plage de l'Écluse.

**Crystal** sans rest, 15 r. Malouine ☎ 02 99 46 66 71, *hcrystal@club-internet.fr, Fax 02 99 88 17 73,* ≤ – 🛗 cuisinette ⇹ TV 📞 P. AE ⓓ GB BY n
☕ 8 – **26 ch** 76/128.
◆ Hôtel récent aux chambres amples et bien tenues (certaines avec cuisinette) ; préférez celles côté mer. Les demeures voisines de la pointe de la Malouine méritent le coup d'oeil.

**Des Tilleuls,** 36 r. Gare ☎ 02 99 82 77 00, *hotel.des.tilleuls@wanadoo.fr, Fax 02 99 82 77 55,* 🌳 – ▤ rest, TV ♿ P. AE ⓓ GB. ✻ AYZ s
**Repas** *(fermé 22 déc. au 10 janv., dim. soir, vend. et sam. d'oct. à avril* 13/27 ♀, enf. 8 – ☕ 7 – **53 ch** 55/65 – ½ P 53/58.
◆ Entre l'ancienne gare et la poste, ce bâtiment des années 1960 vous réserve un accueil familial. Vous séjournerez dans des chambres au décor fleuri style "Liberty".

**Améthyste** sans rest, pl. Calvaire ☎ 02 99 46 61 81, *hotel-amethyste@wanadoo.fr, Fax 02 99 46 96 91* – cuisinette TV 📞. AE GB. ✻ AY a
*1ᵉʳ mars-20 nov. et 20 déc.-5 janv.* – ☕ 8 – **19 ch** 51/61, 5 studios.
◆ Partez à la découverte des somptueuses villas dinardaises depuis cette sympathique adresse aux chambres fonctionnelles. Accueil aimable et prix raisonnables.

# DINARD

Abbé-Langevin (R.) .... **AY** 2
Albert-Ier (Bd) .......... **BY** 3
Anciens Combattants (R. des) ............ **AZ** 5
Barbine (R. de)........ **AZ** 7
Boutin (Pl. J.)........... **BY** 9
Clemenceau (R. G.) ... **BY** 10
Coppinger (R.) ......... **BY** 12
Corbinais (R. de la) ..... **AZ** 13
Croix-Guillaume (R.) .................. **AZ** 15
Douet-Fourche (R. du) .. **AZ** 17
Dunant (R. H.) .......... **AY** 19
Féart (Bd) ............. **BYZ**
Français-Libres (R.) ...... **BZ** 22
Gaulle (Pl. du Gén.-de) .. **BZ** 25
Giraud (Av. du Gén.) .... **BZ** 26
Leclerc (R. Mar.) ....... **BYZ** 28
Levasseur (R.) .......... **BY** 29
Lhotelier (Bd) .......... **AY** 31
Libération (Bd de la) .. **AZ** 32
Malouine (R. de la) ... **BY** 34
Mettrie (R. de la) ...... **BZ** 35
Pionnière (R. de la) . **ABY** 38
Prés.-Wilson (Bd) ..... **BY** 40
Renan (R. E.)........... **AY** 43
République (Pl. de la) . **BY** 44
St-Lunaire (R. de)..... **AY** 48
Vallée (R. de la)..... **BYZ** 50
Verney (R. Y.) ......... **BY** 52

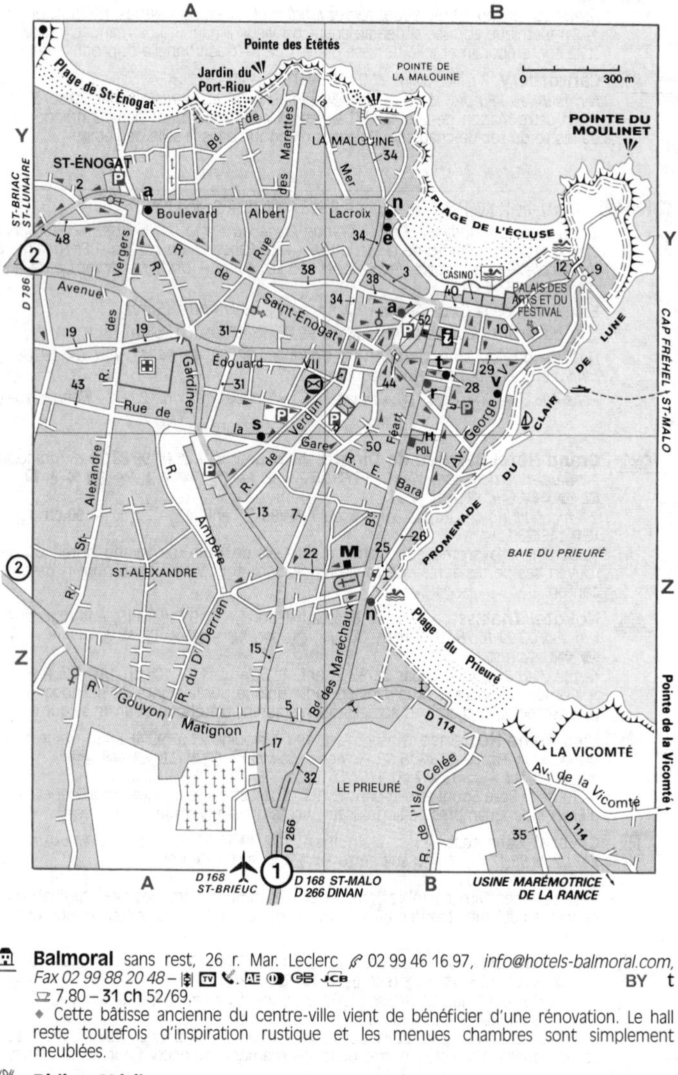
A
B
Pointe des Étêtés
Jardin du Port-Riou
POINTE DE LA MALOUINE
0
300 m
Plage de St-Énogat
POINTE DU MOULINET
LA MALOUINE
ST-ÉNOGAT
PLAGE DE L'ÉCLUSE
Boulevard Albert Lacroix
CASINO
PALAIS DES ARTS ET DU FESTIVAL
Avenue des Vergers
R. de Saint-Énogat
Édouard VII
R. Gardiner
Rue de la Gare
R. de Verdun
R. E. Bara
Av. George V
CLAIR DE LUNE
PROMENADE DU
BAIE DU PRIEURÉ
ST-ALEXANDRE
R. St-Alexandre
R. Ampère
R. du D. Derrien
Bd des Maréchaux
Plage du Prieuré
R. Gouyon Matignon
D 114
LA VICOMTÉ
Av. de la Vicomté
Pointe de la Vicomté
LE PRIEURÉ
R. de l'Isle Celée
D 266
ST-BRIAC
ST-LUNAIRE
D 786
CAP FRÉHEL
ST-MALO
Y
Z
D 168 ST-BRIEUC
D 168 ST-MALO
D 266 DINAN
USINE MARÉMOTRICE DE LA RANCE

**Balmoral** sans rest, 26 r. Mar. Leclerc ✆ 02 99 46 16 97, *info@hotels-balmoral.com, Fax 02 99 88 20 48* – **BY t**
7,80 – **31 ch** 52/69.
◆ Cette bâtisse ancienne du centre-ville vient de bénéficier d'une rénovation. Le hall reste toutefois d'inspiration rustique et les menues chambres sont simplement meublées.

**Didier Méril,** 6 r. Yves Verney ✆ 02 99 46 95 74, *didiermeril@wanadoo.fr, Fax 02 99 16 07 75,* – **BY a**
*fermé 24 nov. au 14 déc., 5 janv. au 2 fév. et merc. sauf vacances scolaires* – **Repas** 23/99 ♀.
◆ Salle à manger colorée et actuelle, élégante terrasse, produits de la mer et carte des vins étoffée : une pause gourmande à 50 m de la plage de l'Écluse et du casino.

XX **Salle à Manger,** 25 bd Féart ✆ 02 99 16 07 95, *lasalleamanger@wanadoo.fr, Fax 02 99 16 42 19* – GB BY r
*fermé dim. soir, lundi midi et merc. hors saison* – **Repas** (nombre de couverts limité, prévenir) *(12)* - 20 (déj.), 28/38 ♀.
◆ Sur le grand boulevard qui mène à la plage, cette coquette salle à manger demi-lambrissée vous convie à déguster une cuisine traditionnelle.

X **Prieuré** avec ch, 1 pl. Gén. de Gaulle ✆ 02 99 46 13 74, *Fax 02 99 46 81 90*, ←, 🏖 – TV. GB BZ n
*fermé janv., dim. soir sauf juil.-août et lundi* – **Repas** 18/26 ♀ – ☕ 6,30 – **7 ch** 46 – ½ P 48.
◆ Dominant la plage du Prieuré et la digue-promenade, sobre salle à manger tout entière tournée vers la baie et animée de l'ambiance du Dinard balnéaire façon Éric Rohmer.

**à la Jouvente** *Sud-Est : 7 km par D 114 - **BZ** et D 5 – ✉ 35730 Pleurtuit :*

**Manoir de la Rance** 🐌 sans rest, ✆ 02 99 88 53 76, *Fax 02 99 88 63 03*, ←, 🌳 – TV P. GB
*15 mars-15 nov.* – ☕ 9,20 – **9 ch** 90/130.
◆ Ce beau manoir (meubles anciens, tableaux, verrière) desservi par une voie privée se dresse fièrement dans un jardin fleuri au bord de la Rance. Goûtez au charme d'antan.

---

**DIOU** *36 Indre* 323 I4 – *rattaché à Issoudun.*

---

**DISNEYLAND PARIS** *77 S.-et-M.* 312 F2 106 ㉒ – *voir à Paris, Environs (Marne-La-Vallée).*

---

**DISSAY** *86130 Vienne* 322 I4 *G. Poitou Vendée Charentes* – *2 498 h alt. 69.*
Voir *Peintures murales★ de la chapelle du château.*
ℹ *Syndicat d'Initiative, place du 8 Mai 1945* ✆ *05 49 52 34 56, Fax 05 49 62 58 72.*
*Paris 321* – *Poitiers 16* – *Châtellerault 19.*

XX **Binjamin** avec ch, N 10 ✆ 05 49 52 42 37, *le.binjamin@wanadoo.fr, Fax 05 49 62 59 06*, 🏊, 🌳 – TV ✆ P. AE GB
*fermé sam. midi, dim. soir et lundi* – **Repas** 20,50/47 ♀ – ☕ 7,50 – **10 ch** 44/52 – ½ P 48/55.
◆ Construction moderne en léger retrait d'une route nationale. Salle à manger en rotonde, sur deux niveaux. Chambres fraîches, au mobilier en bois peint.

X **Clos Fleuri,** r. Église ✆ 05 49 52 40 27, *Fax 05 49 62 37 29*, 🏖 – P. GB
*fermé dim. soir, mardi soir et merc.* – **Repas** *(13)* - 17/33.
◆ Maison poitevine proche de l'église. L'accès se fait via une cour ombragée par un vénérable marronnier. Décor simple, plats traditionnels et une spécialité : la tête de veau.

---

**DIVES-SUR-MER** *14 Calvados* 303 L4 – *rattaché à Cabourg.*

---

**DIVONNE-LES-BAINS** *01220 Ain* 328 J2 *G. Jura* – *5 580 h alt. 486* – *Stat. therm. (mi mars-fin nov.)* – *Casino.*
ℹ *Office du Tourisme, rue des Bains* ✆ *04 50 20 01 22, Fax 04 50 20 32 12, divonne@divonnelesbains.com.*
*Paris 499* – *Thonon-les-Bains 102* – *Bourg-en-Bresse 119* – *Genève 18* – *Gex 9* – *Nyon 9.*

**Grand Hôtel** 🐌, ✆ 04 50 40 34 34, *info@domaine-de-divonne.com, Fax 04 50 40 34 24*, ←, 🏖, ₣₺, 🏊, 🎾, 🌳 – 🛗 ▤ TV ✆ P – 🎤 200. AE ⓞ GB JCB
*fermé fév. et vacances de Noël* – voir rest. ***Terrasse*** ci-après **- *Le Léman*** ✆ 04 50 40 34 18 *(fermé sam. midi sauf juil.-août)* **Repas** 25/32 et dîner à la carte ♀, enf. 13 – ☕ 20 – **116 ch** 210/490, 14 appart.
◆ Palace des années 1930 au coeur d'un parc ombragé de 5 ha. Bourgeois, Art déco ou contemporain : trois styles différents pour les chambres, toutes élégantes et spacieuses.

**Château de Divonne** 🐌, 115 r. Bains ✆ 04 50 20 00 32, *divonne@grandesetapes.fr, Fax 04 50 20 03 73*, ← lac Léman et Mont-Blanc, 🏖, 🏊, 🎾, 🌳 – 🛗, ▤ rest, TV ✆ P – 🎤 30. AE ⓞ GB JCB. ✻ rest
✿
*fermé 2 au 31 janv.* – **Repas** 47 (déj.), 52/94 et carte 68 à 93 – ☕ 25 – **29 ch** 122/290, 5 appart – ½ P 175/225.
◆ Sur les hauteurs de la ville, demeure du 19e s. dans un parc ombragé. Chambres personnalisées desservies par un escalier monumental. Cuisine classique dans un cadre soigné.
**Spéc.** Escalope de truite du Jura mi-fumée. Persillé d'escargots et pieds de cochon en cannelloni. Pigeonneau farci d'herbes sous la peau et rôti d'abats. **Vins** Bugey, Vin Jaune.

**Jura** M 🐌 sans rest, rte Arbère ✆ 04 50 20 05 95, *hoteljura@aol.com, Fax 04 50 20 21 21*, 🌳 – TV 🚗 P. AE ⓞ GB
☕ 7,50 – **19 ch** 55/91.
◆ Petite affaire familiale dont les chambres, méticuleusement tenues, viennent toutes d'être rénovées. Petits-déjeuners servis sous une véranda ouverte sur le jardin.

**Les Coccinelles** sans rest, rte de Lausanne 04 50 20 06 96, *hotel@coccinelles.fr, Fax 04 50 20 01 18,* – . GB
7 – **24 ch** 35/55.
◆ Sur l'arrière, l'agréable jardin ombragé constitue l'atout majeur de ce gros pavillon situé à proximité du centre-ville. Chambres simples, calmes et bien tenues.

**Terrasse** - Grand Hôtel, av. des Thermes 04 50 40 35 39, *terrasse@domaine-de-divonne.com, Fax 04 50 40 34 24,* – . GB JCB
*fermé fév., 21 au 28 déc., mardi midi sauf juil.-août, dim. soir et lundi* – **Repas** 35 (déj.), 55/79 et carte 60 à 85 ♀.
◆ Belle salle à manger feutrée dont la décoration s'inspire d'un jardin d'hiver. Tables rondes et sièges d'esprit Art nouveau. Agréable terrasse ombragée. Cuisine personnalisée. **Spéc.** Oreiller de crabe-dormeur aux blancs de poireaux. Paillard de bar de ligne sur mousseline de pommes de terre. Taureau à la fondue d'échalote et piment doux. **Vins** Arbois-Chardonnay, Cerdon.

**Auberge du Vieux Bois,** rte Gex : 1 km 04 50 20 01 43, *Fax 04 50 20 17 74,* – . GB JCB
*fermé 30 juin au 14 juil., 27 oct. au 3 nov., 8 au 23 fév., dim. soir et lundi* – **Repas** 15/40 ♀.
◆ Cadre champêtre récemment rafraîchi, jolie terrasse, accueil convivial et cuisine traditionnelle caractérisent cette engageante petite auberge adossée au bois du mont Mussy.

---

## DOLANCOURT *10 Aube* 313 H4 – *rattaché à Bar-sur-Aube.*

---

## DOL-DE-BRETAGNE *35120 I.-et-V.* 309 L3 *G. Bretagne* – *4 629 h alt. 20.*

**Voir** *Cathédrale St-Samson★★ - Cathédraloscope★ - Collection★ du musée Les "Trésors du mariage ancien" – Promenade des Douves★ : ←★ – Mont-Dol ✻★ 4,5 km NO par D 155.*

*Office du Tourisme, 3 Grande Rue des Stuart 02 99 48 15 37, Fax 02 99 48 14 13, office.dol@wanadoo.fr.*

*Paris 379 – St-Malo 26 – Alençon 159 – Dinan 26 – Fougères 52 – Rennes 59.*

**Bretagne,** pl. Châteaubriand 02 99 48 02 03, *Fax 02 99 48 25 75,* – . GB
*fermé oct., vacances de fév., sam. du 11 nov. au 13 avril sauf fêtes de fin d'année* – **Repas** 10/27 ♀ – 5,40 – **27 ch** 20/50.
◆ Dans la même famille depuis 1923, cet hôtel central abrite des chambres simples et une salle à manger façon "pension" ornée de bibelots et réchauffée par une cheminée.

**Bresche Arthur,** 36 bd Deminiac 02 99 48 01 44, *lbahotel@wanadoo.fr, Fax 02 99 48 16 32* – . GB
*fermé 22 déc. au 30 janv., dim. soir et lundi de sept. à juin* – **Repas** *(13,50)* - 16,50/22,50 ♀, enf. 10.
◆ Point n'est besoin de battre en brèche pour festoyer ! La porte de cet établissement est grande ouverte sur une élégante salle à manger. Cuisine traditionnelle.

**Grabotais,** 4 r. Ceinte 02 99 48 19 89 – . GB
*fermé 2 déc. au 6 janv., dim. soir hors saison et lundi* – **Repas** 12,20 (déj.), 17,20/25,50 ♀.
◆ Maison de marchand du 15e s. au coeur de la petite capitale du marais de Dol. À l'intérieur : poutres, pierres apparentes et cheminée où l'on prépare des grillades.

---

## DOLE *39100 Jura* 321 C4 *G. Jura* – *26 577 h alt. 220.*

**Voir** *Le Vieux Dole★★* **BZ** *: Collégiale Notre-Dame★ – Grille★ en fer forgé de l'église St-Jean-l'Evangéliste* **AZ** *– Le musée des Beaux-Arts★.*

**Env.** *Fôret de Chaux★.*

*Office du Tourisme, 6 place Grevy 03 84 72 11 22, Fax 03 84 72 31 12.*

*Paris 364 ① – Beaune 64 ① – Besançon 55 ① – Dijon 50 ⑤ – Lons-le-Saunier 57 ③.*

Plan page ci-contre

**Chaumière,** 346 av. Mar. Juin par ③ : *3 km* 03 84 70 72 40, *hotelrestaurantlachaumiere@wanadoo.fr, Fax 03 84 79 25 60,* , , – – 25. GB
*fermé 27 avril au 4 mai, 1er au 8 sept., 21 déc. au 12 janv. et dim. de sept. à juin* – **Repas** *(fermé dim. sauf le soir en juil.-août, sam. midi et lundi midi de sept. à juin)* 25/37 ♀, enf. 11,50 – 12 – **18 ch** 55/73.
◆ Côté jardin, chambres confortables et insonorisées. Au restaurant, pierres et poutres apparentes, lanternes en cuivre et sièges cannés. Cuisine créative, bons millésimes.

**Cloche** sans rest, 1 pl. Grévy 03 84 82 06 06, *lacloche.hotel@wanadoo.fr, Fax 03 84 72 73 82* – – 50. GB JCB **BY V**
*fermé 24 déc. au 2 janv.* – 7,50 – **30 ch** 52/70.
◆ Stendhal aurait séjourné dans cette vieille maison voisine du cours St-Mauris. Ses chambres, de bonne ampleur, sont rafraîchies par étapes. Sauna.

# DOLE

Arènes (R. des) . . . . . . . . . **ABZ**
Besançon (R. de) . . . . . . . . **BYZ**
Béthouart (R. du Gén.) . . . . **BZ** 2
Boyvin (R.) . . . . . . . . . . . . . . **BZ** 4
Chifflot (R. L.) . . . . . . . . . . . **AZ** 5
Duhamel (Av. J.) . . . . . . . . . . **AZ** 6
Gouvernement (R. du) . . . . **BY** 9
Grande-Rue . . . . . . . . . . . . . **BZ** 10
Jean-Jaurès (Av.) . . . . . . . . . **BY** 13
Juin (Av. du Mar.) . . . . . . . . . **BZ** 14
Lattre-de-Tassigny (Av. du Mar. de) . . . . . . . . **BY** 15
Messageries (R. des) . . . . . . **AY** 16
Nationale, Charles-de-Gaulle (Pl.) . . . . . . . . . . **BZ** 17
Parlement (R. du) . . . . . . . . . **BZ** 18
Rockefeller (R. J.) . . . . . . . . **BY** 21
Sous-Préfecture (R. de la) . . . . . . . . . . . . . . **BY** 22

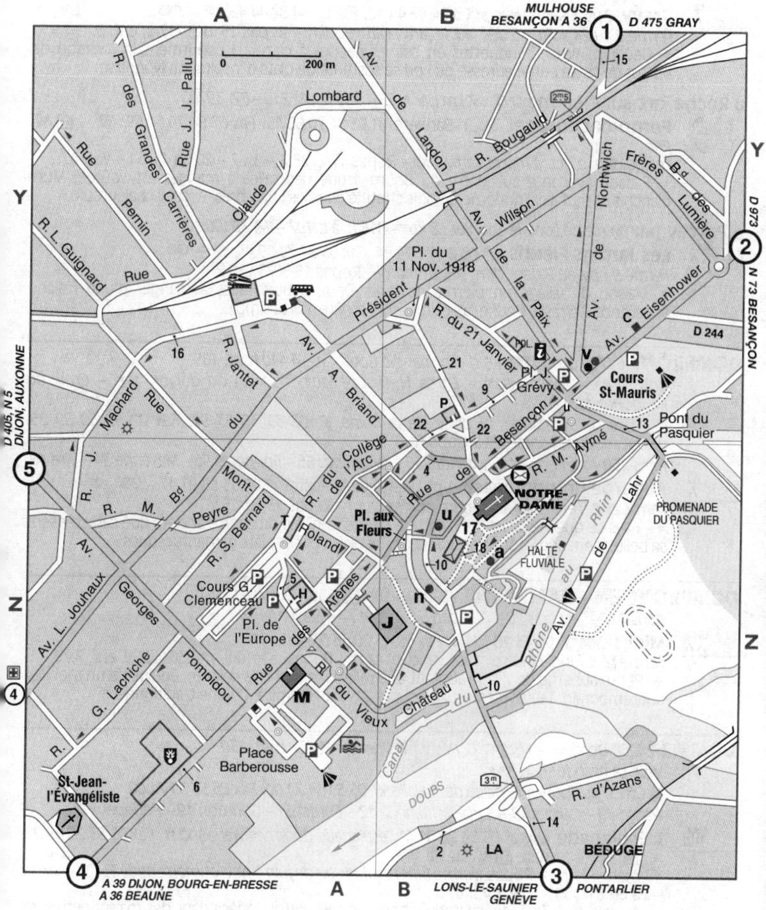

A
B
MULHOUSE
BESANÇON A 36
D 475 GRAY
0
200 m
R. des Grandes Carrières
Rue J. J. Pallu
Lombard
Av. de Landon
R. Bougauld
Rue Pernin
Claude
R. L. Guignard
Rue
Av. Wilson
Av. de la Paix
Northwich
Av. de
Frères
Bd des Lumière
D 973
N 73 BESANÇON
Pl. du 11 Nov. 1918
Président
R. du 21 Janvier
Av. Eisenhower
D 244
POL.
Pl. J. Grévy
Cours St-Mauris
R. Jantet
Av. A. Briand
Rue du
Machard
R. J.
D 405, N 5 DIJON, AUXONNE
Collège de l'Arc
R. du
Besançon
R. M. Aymé
Pont du Pasquier
Mont-
R. M. Bd
Peyre
R. S. Bernard
Roland
Pl. aux Fleurs
Rue de
NOTRE-DAME
PROMENADE DU PASQUIER
HALTE FLUVIALE
Rhin
Lahr
Av. de
au
Rhône
Av.
Cours G. Clemenceau
Pl. de l'Europe
Arènes
des
Rue
Av. L. Jouhaux
Georges
Pompidou
G. Lachiche
R.
Rl
du Vieux
Château
du
Canal
Place Barberousse
DOUBS
R. d'Azans
St-Jean-l'Évangéliste
LA
BÉDUGE
A 39 DIJON, BOURG-EN-BRESSE
A 36 BEAUNE
LONS-LE-SAUNIER
GENÈVE
PONTARLIER
Y
Z


XXX **Les Templiers,** 35 Gde Rue ✆ 03 84 82 78 78, *Fax 03 84 72 12 52* – ▤. AE ⓓ GB **BZ u**
*fermé 10 au 18 nov., 2 au 16 fév., sam. midi, dim. soir et lundi* – **Repas** 16 (déj.), 25/47 ♀.
◆ Jolie chapelle du 13e s. habilement réhabilitée. Cuisine traditionnelle actualisée, à déguster sous de belles voûtes ogivales dans un cadre Templier reposant.

XX **Bec Fin,** 67 r. Pasteur ✆ 03 84 82 43 43, *fassenet.romu@wanadoo.fr, Fax 03 84 79 28 07,* 🏠 – AE ⓓ GB **BZ a**
*fermé 17 au 26 mars, 6 au 15 oct., 5 au 21 janv., mardi midi, lundi en juil.-août et merc.* – **Repas** 23/52 ♀.
◆ À deux pas de la maison natale de Pasteur, coquette salle voûtée et terrasse offrant une vue sur le canal des Tanneurs. La cuisine personnalisée du chef est prometteuse.

XX **Romanée,** 13 r. Vieilles Boucheries ✆ 03 84 79 19 05, *la-romanee.franchini@wanadoo.fr, Fax 03 84 79 26 97,* – AE ① GB BZ n
*fermé dim. soir et merc. d'oct. à juin* – **Repas** 12 (déj.), 15/46 ♀, enf. 10.
◆ Cette ancienne boucherie datant de 1717 a conservé, sur les murs de la salle à manger voûtée, ses pendoirs. Terrasse bordée d'arbustes et de fleurs. Cuisine traditionnelle.

X **Grévy,** 2 av. Eisenhower ✆ 03 84 82 44 42, *Fax 03 84 82 44 42,* – GB BY v
*fermé 2 au 24 août, 25 déc. au 1er janv., sam. et dim.* – **Repas** 13 (déj.)/17 ♀, enf. 6.
◆ Décor minimal, banquettes en cuir et nappes à carreaux confirment la vocation de bistrot de cette petite adresse où l'on se sustente de plats d'inspiration lyonnaise.

**à Rochefort-sur-Nenon** *par ② : 7 km par N 73 – 599 h. alt. 210 – ✉ 39700 :*

**Fernoux-Coutenet**, r. Barbière ✆ 03 84 70 60 45, *Fax 03 84 70 50 89,* – TV. GB
*fermé dim. d'oct. à mai et sam. midi* – **Repas** 11,60/28 – ☕ 7 – **20 ch** 41/51 – ½ P 42.
◆ Façade avenante au centre du bourg. L'une des salles à manger est voûtée. Murs blanchis et mobilier moderne en bois stratifié dans les chambres. Accueil chaleureux.

**à Parcey par** ③ *rte de Lons-le-Saunier : 8 km – 818 h. alt. 197 – ✉ 39100 :*

XX **Les Jardins Fleuris,** ✆ 03 84 71 04 84, *Fax 03 84 71 09 43,* – GB
*fermé 9 nov. au 2 déc., dim. soir et mardi* – **Repas** 15,50/37,50 ♀.
◆ Maison de village en pierres de taille. Deux petites salles à manger d'une fraîche apparence. Terrasse fleurie, au calme, sur l'arrière. Carte simple.

---

**DOMFRONT** *61700 Orne* 310 F3 *G. Normandie Cotentin – 4 410 h alt. 185.*
**Voir** *Site★ - Vieille ville★ – Église N.-D-sur-l'Eau★ – Jardin du donjon ✻★ – Croix du Faubourg ✻★.*
*Office du Tourisme, 12 place de la Roirie ✆ 02 33 38 53 97, Fax 02 33 30 89 25, ot.bocagedomfrontais@wanadoo.fr.*
*Paris 250 – Alençon 61 – Argentan 55 – Avranches 65 – Fougères 56 – Mayenne 34 – Vire 40.*

X **Auberge Grandgousier,** 1 pl. Liberté (près Poste) ✆ 02 33 38 97 17 – GB.
*fermé oct., fév., lundi soir, merc. soir et jeudi* – **Repas** 13,50/25 ♀.
◆ "Fays ce que voudras" dans cette auberge familiale du centre ancien, que caractérisent sa belle cheminée - contemporaine de Rabelais - et ses plats gargantuesques.

---

**DOMFRONT-EN-CHAMPAGNE** *72240 Sarthe* 310 J6 *– 850 h alt. 131.*
*Paris 217 – Le Mans 20 – Alençon 54 – Laval 77 – Mayenne 54.*

XX **Midi,** D 304 ✆ 02 43 20 52 04, *Fax 02 43 20 56 03* – ▤. GB
*fermé fév., lundi et le soir sauf vend. et sam.* – **Repas** 12,20 (déj.), 18,30/30,50, enf. 7,70.
◆ Petite auberge de village abritant une salle à manger très colorée, équipée d'un mobilier contemporain. Tables bien espacées, préservant l'intimité. Cuisine traditionnelle.

---

**DOMME** *24250 Dordogne* 329 I7 *G. Périgord Quercy – 1 030 h alt. 250.*
**Voir** *La bastide★ : ✻★★★.*
*Office du Tourisme, place de la Halle ✆ 05 53 31 71 00, Fax 05 53 31 71 09.*
*Paris 539 – Cahors 49 – Sarlat-la-Canéda 12 – Fumel 51 – Gourdon 19 – Périgueux 76.*

**L'Esplanade**, ✆ 05 53 28 31 41, *esplanade.domme@wanadoo.fr, Fax 05 53 28 49 92,* <, – ▤ rest, TV. AE ① GB
*1er mars-11 nov.* – **Repas** *(fermé lundi sauf le soir de juin à nov. et merc. midi)* 35/90 – ☕ 11 – **23 ch** 61/130 – ½ P 85/116.
◆ Au sein de la bastide, chambres bourgeoises, parfois logées dans des maisonnettes, et salle de restaurant en jaune et bleu surplombant la vallée de la Dordogne.

---

**DOMPAIRE** *88270 Vosges* 314 F3 *– 907 h alt. 300.*
*Paris 367 – Épinal 21 – Luxeuil-les-Bains 61 – Nancy 63 – Neufchâteau 56 – Vittel 24.*

XX **Commerce** avec ch, pl. Gén. Leclerc ✆ 03 29 36 50 28, *Fax 03 29 36 66 12* – TV. AE GB
*fermé 22 déc. au 13 janv.* – **Repas** *(fermé dim. soir et lundi)* 11,50/27 – ☕ 4,50 – **7 ch** 32/40 – ½ P 27/32.
◆ Une succession de dais en tissu rayé égaye la blanche façade de l'établissement. Salle à manger moderne ; cuisine traditionnelle. Les chambres rénovées sont plus actuelles.

*Ecrivez-nous...*
*Vos louanges comme vos critiques seront examinées avec le plus grand soin. Nous reverrons sur place les informations que vous nous signalez.*
*Par avance merci !*

**DOMPIERRE-SUR-BESBRE** *03290 Allier* 326 J3 – *3 807 h alt. 234.*

*Paris 326 – Moulins 30 – Bourbon-Lancy 19 – Decize 46 – Digoin 27 – Lapalisse 36.*

**Auberge de l'Olive,** av. Gare ✆ 04 70 34 51 87, *auberge-olive@wanadoo.fr, Fax 04 70 34 61 68* – rest, TV ✆ & P. GB

*fermé 20 au 29 sept., dim. soir du 1er déc. au 15 avril et vend. sauf juil.-août* – **Repas** 11 (déj.), 14/42 ♀, enf. 7 – ☕ 5,50 – **17 ch** 41,50/43,50 – ½ P 37,30/38,30.

◆ Auberge traditionnelle abritant des chambres rafraîchies et une salle à manger rustique. Une aile récente propose un hébergement plus actuel et une lumineuse véranda.

**DOMPIERRE-SUR-VEYLE** *01240 Ain* 328 E4 – *828 h alt. 285.*

*Paris 439 – Mâcon 53 – Belley 71 – Bourg-en-Bresse 18 – Lyon 59 – Nantua 46.*

**Aubert,** ✆ 04 74 30 31 19, *Fax 04 74 30 36 98,* – GB

*fermé 16 au 25 juil., fév., jeudi et le soir sauf vend. et sam.* – **Repas** 18/40 ♀, enf. 7,70.

◆ Restaurant de village sur la place de l'église. Grande salle de café pour repas de type "cantine", et salle à manger simple où l'on sert les spécialités de la Dombes.

**DOMRÉMY-LA-PUCELLE** *88630 Vosges* 314 C2 *G. Alsace Lorraine* – *182 h alt. 280.*

**Voir** *Maison natale de Jeanne d'Arc★.*

*Paris 288 – Nancy 63 – Neufchâteau 10 – Toul 39.*

**Jeanne d'Arc** sans rest, ✆ 03 29 06 96 06 – . GB.

*1er avril-15 nov.* – ☕ 4 – **7 ch** 25/34.

◆ La maison natale de la Pucelle est à deux pas. Hôtel familial proposant de petites chambres bien tenues et peu sonores : n'y parviennent que des filets de voix. Salon TV.

**DONZENAC** *19270 Corrèze* 329 K4 *G. Périgord Quercy* – *2 050 h alt. 204.*

**Voir** *Les Pans de Travassac★.*

*Office du Tourisme, place de l'Hôtel de Ville ✆ 05 55 85 65 35, Fax 05 55 85 72 30, donenac.tourisme@free.fr.*

*Paris 469 – Brive-la-Gaillarde 11 – Limoges 81 – Tulle 26 – Uzerche 26.*

**au Nord-Est** *par rte d'Uzerche sur D 920*

**Relais du Bas Limousin,** à 6 km ✆ 05 55 84 52 06, *relais-du-bas-limousin@wanadoo.fr, Fax 05 55 84 51 41,* , , – TV ✆ P. GB

*fermé 2 au 16 nov., 1er au 16 janv., dim. soir de mi-sept. à fin-juin et lundi midi* – **Repas** 14/44 ♀ – ☕ 6 – **22 ch** 50/60 – ½ P 46.

◆ Auberge s'inspirant de l'architecture régionale. Chambres personnalisées. Outre la salle à manger, les repas peuvent être pris dans la véranda ouverte sur le jardin.

**Maleyrie,** à 5 km ✆ 05 55 84 50 67, *hoteldelamaleyrie@caramail.com, Fax 05 55 84 20 63,* , – TV ✆ P. GB

*fermé 17 au 31 mars, 22 déc. au 5 janv., sam. midi et vend. hors saison* – **Repas** 10 (déj.), 13/27 ♀, enf. 7,50 – ☕ 5 – **14 ch** 30/40 – ½ P 32/39.

◆ Hôtellerie familiale où l'on préférera les chambres donnant sur le jardin. Solives apparentes et chaises paillées apportent une note rustique à la salle de restaurant.

**DONZY** *58220 Nièvre* 319 B7 *G. Bourgogne* – *1 719 h alt. 188.*

*Office du Tourisme, 7 rue de l'Eminence ✆ 03 86 39 45 29.*

*Paris 201 – Bourges 73 – Auxerre 66 – Clamecy 39 – Cosne-sur-Loire 18 – Nevers 49.*

**Grand Monarque,** près église ✆ 03 86 39 35 44, *Fax 03 86 39 37 09,* – TV ✆. AE GB JCB

*fermé 10 janv. au 10 fév., lundi soir et mardi du 15 oct. au 15 avril* – **Repas** 14 bc (déj.), 20/35 ♀, enf. 9 – ☕ 7 – **11 ch** 52/67 – ½ P 45,50.

◆ Ancien relais de diligences. Un bel escalier à vis du 16e s. dessert des chambres simples, en partie rénovées. Restaurant rustique avec cuisine du 19e s. pieusement préservée.

**Le DORAT** *87210 H.-Vienne* 325 D3 *G. Berry Limousin* – *2 203 h alt. 209.*

**Voir** *Collégiale St-Pierre★★.*

*Office du Tourisme, 17 place de la Collégiale ✆ 05 55 60 76 81, Fax 05 55 68 27 87.*

*Paris 370 – Limoges 58 – Poitiers 76 – Bellac 13 – Le Blanc 49 – Guéret 68.*

**Promenade** avec ch, 3 av. Verdun ✆ 05 55 60 72 09, *Fax 05 55 68 67 62* – TV ✆ P. GB

*fermé 16 sept. au 7 oct., 14 janv. au 4 fév., dim. soir et lundi* – **Repas** 10,50/29,70 ♀, enf. 8,40 – ☕ 4,80 – **8 ch** 27/32 – ½ P 46/55.

◆ Derrière la façade engageante de l'établissement vous découvrirez une salle sagement décorée, lambrissée à hauteur d'appui. Cuisine traditionnelle. Chambres sobres.

**DORMANS** *51700 Marne* 306 D8 *G. Champagne – 3 125 h alt. 70.*

*Office du Tourisme, avenue des victoires ✆ 03 26 53 35 86, Fax 03 26 53 35 87.*

*Paris 116 – Reims 41 – Château-Thierry 24 – Épernay 25 – Meaux 69 – Soissons 46.*

XX **Table Sourdet,** ✆ 03 26 58 20 57, *Fax 03 26 58 88 82* – AE GB

*fermé lundi* – **Repas** 26/55 ♀ - ***Petite Table*** (déj. seul.) *(fermé dim. et lundi)* **Repas** 13/26 ♀.

◆ L'on est cuisinier de père en fils depuis six générations à la Table Sourdet ! La vaste maison abrite une salle à manger bourgeoise. Cuisine classique.

---

**DORNECY** *58530 Nièvre* 319 E7 – *554 h alt. 167.*

*Paris 216 – Auxerre 50 – Avallon 31 – Cosne-sur-Loire 59 – Nevers 75.*

X **Manse** avec ch, rte Clamecy, 1 km ✆ 03 86 24 23 24, *Fax 03 86 24 04 80,* – TV P. GB

*fermé 23 déc. au 2 janv. et vend. sauf juin à août* – **Repas** 13/27 ♀ – 6 – **13 ch** 37/40.

◆ Auberge familiale toute simple proposant des plats traditionnels (salle ornée de fresques). Sur l'arrière, les chambres offrent une vue reposante sur la campagne morvandelle.

---

**DORRES** *66760 Pyr.-Or.* 344 C8 *G. Languedoc Roussillon – 192 h alt. 1458.*

*Paris 861 – Font-Romeu-Odeillo-Via 15 – Ax-les-Thermes 47 – Perpignan 104.*

**Marty**, ✆ 04 68 30 07 52, *Fax 04 63 30 08 12,* ←, – TV P. GB

*fermé 25 oct. au 20 déc.* – **Repas** 15 bc/29, enf. 7,80 – 5,80 – **21 ch** 40/57 – ½ P 38.

◆ Pension de famille sur les hauteurs de la Cerdagne. Salle panoramique agrémentée d'objets du monde agricole et d'une peinture murale. Demander une chambre avec loggia.

*Si le coût de la vie subit des variations importantes,*
*les prix que nous indiquons peuvent être majorés.*
*Lors de votre réservation à l'hôtel, faites-vous préciser le prix définitif.*

---

**DOUAI** SP *59500 Nord* 302 G5 *G. Picardie Flandres Artois – 42 175 h alt. 31.*

Voir *Beffroi** **BY D** – *Musée de la Chartreuse*.*

Env. *Centre historique minier de Lewarde** SE : 8 km par ②.*

*Office du Tourisme, 70 place d'Armes ✆ 03 27 88 26 79, Fax 03 27 99 38 78, douai@tourisme.norsys.fr.*

*Paris 195 ③ – Lille 42 ④ – Arras 26 ③ – Tournai 38 ① – Valenciennes 47 ②.*

Plan page ci-contre

**Terrasse,** 36 terrasse St-Pierre ✆ 03 27 88 70 04, *Fax 03 27 88 36 05* – rest, TV P – 30. AE GB — BY a

**Repas** 20,50 bc/66 ♀ – 7,50 – **24 ch** 45/95.

◆ Maison avenante cachée dans une ruelle. Chambres sobres et bien insonorisées. Salle à manger cossue décorée de tableaux. Cuisine classique et belle carte des vins.

**Ibis,** pl. St-Amé ✆ 03 27 87 27 27, *Fax 03 27 98 31 64* – TV P – 60. AE GB — AY e

**Repas** 23 ♀ – 6 – **42 ch** 55.

◆ Les standards de la chaîne Ibis dans une demeure historique ! Ces maisons des 16e et 18e s. abritent des chambres de tailles variées et un restaurant sous voûtes de pierre.

XX **Au Turbotin,** 9 r. Massue ✆ 03 27 87 04 16, *Fax 03 27 87 87 57* – . AE GB — AY s

*fermé août, 22 au 29 fév., sam. midi, dim. soir et lundi* – **Repas** 15/40 ♀.

◆ Voisin du Palais, ce restaurant de poissons aménagé dans une ex-graineterie accueille une clientèle de gens de robe. Salle à manger récemment rajeunie, animée d'un vivier.

**à Roost-Warendin** *par ①, D 917 et D 8 : 10 km – 6 413 h. alt. 22 – ✉ 59286 :*

*Syndicat d'Initiative, 270 rue Brossolette ✆ 03 27 95 90 00, Fax 03 27 95 90 01.*

XXX **Chat Botté,** Château de Bernicourt ✆ 03 27 80 24 44, *Fax 03 27 80 35 81,* – P. AE GB

*fermé 1er au 15 août, dim. soir et lundi* – **Repas** (14,50) - 25/49 et carte 44 à 60 ♀.

◆ Harmonie de tons pastel, mobilier en rotin et plantes vertes dans les dépendances du joli château de Bernicourt (18e s.) entouré d'un vaste parc arboré. Plats au goût du jour.

**à Brebières** *par ③ : 7 km – 4 324 h. alt. 48 – ✉ 62117 (Pas-de-Calais) :*

XXX **Air Accueil,** N 50 ✆ 03 21 50 01 02, *Fax 03 21 50 84 17,* – P. GB

*fermé lundi en juil.-août, jeudi soir en août, dim. soir et soirs fériés* – **Repas** 23,50/36 et carte 31 à 46 ♀.

◆ Long bâtiment en briques près d'un aérodrome. Salle à manger de style Louis XIII égayée de tissus fleuris et verdoyante terrasse. Dégustations de vins dans un des salons.

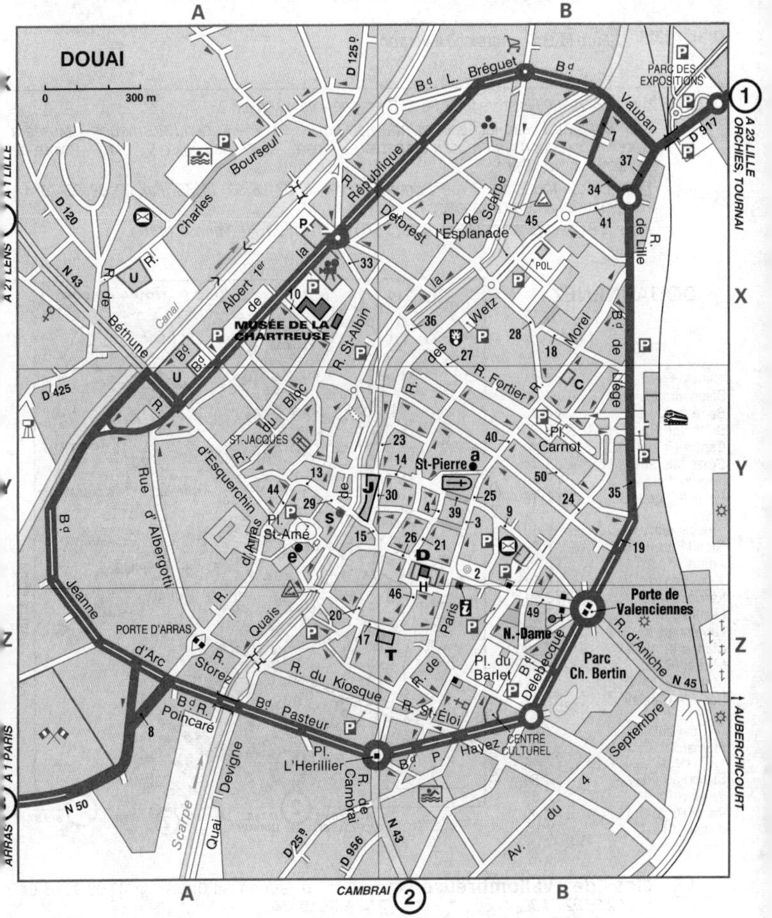
DOUAI
0
300 m
A
B
X
Y
Z
MUSÉE DE LA CHARTREUSE
Bd L. Bréguet
Bd Vauban
PARC DES EXPOSITIONS
A 23 LILLE
ORCHIES, TOURNAI
D 917
D 125
Bourseul
Charles
R. République
Deforest
Pl. de l'Esplanade
Scarpe
R. de Lille
POL
Bd Albert 1er
la
Canal
R. de Béthune
N 43
D 120
D 425
A 21 LENS
A 1 LILLE
R. St-Albin
R. des Wetz
R. Fortier
Morel
Bd de Liège
Pl. Carnot
St-Pierre
ST-JACQUES
R. du Bloc
R. d'Esquerchin
Rue d'Albergotti
Pl. St-Amé
R. d'Arras
R. de Paris
Porte de Valenciennes
R. d'Aniche
N 45
Parc Ch. Bertin
N.-Dame
Pl. du Barlet
Bd Delebecque
PORTE D'ARRAS
Quais
R. Storez
Bd Jeanne d'Arc
Bd R. Poincaré
Bd Pasteur
R. du Kiosque
R. St-Éloi
Pl. L'Herillier
R. de Cambrai
Bd P. Hayez
CENTRE CULTUREL
Septembre
Av. du
AUBERCHICOURT
Quai Devigne
Scarpe
D 25B
D 956
N 43
N 50
A 1 PARIS
ARRAS
CAMBRAI

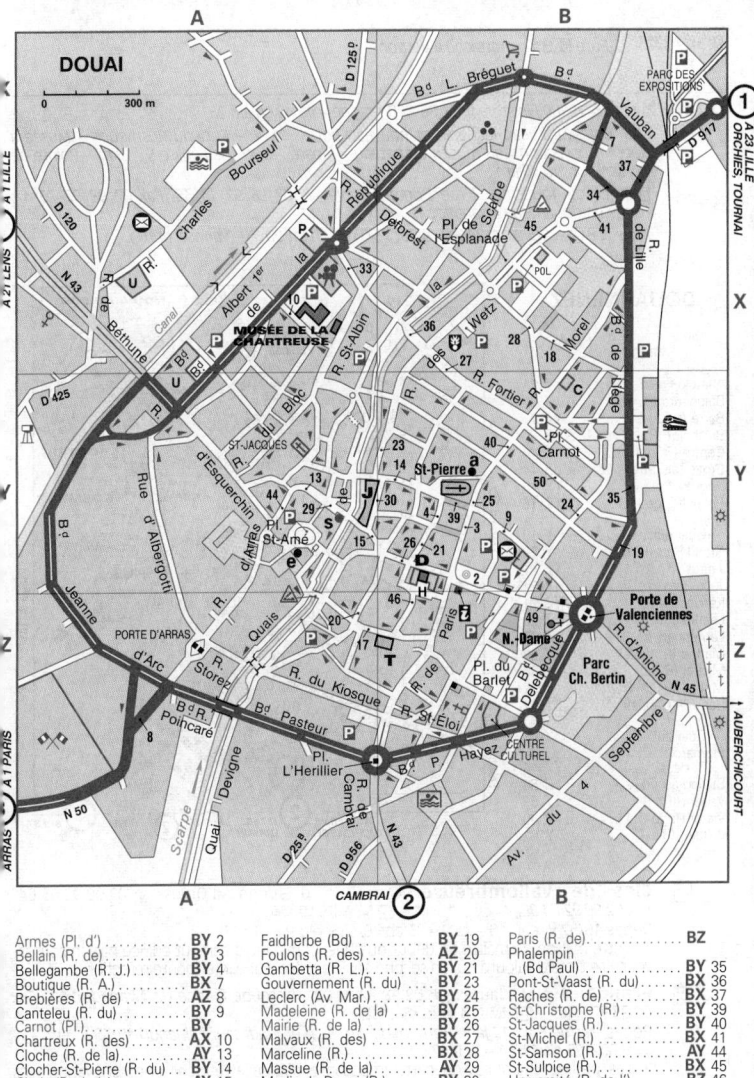

**rte de Hénin-Beaumont** *par ④ et N 43 : 3 km – ✉ 59553 Cuincy :*

**Campanile,** ✆ 03 27 96 97 00, *douaicu@campanile.fr, Fax 03 27 98 98 93,* – ⚒ – 🅿 – 🚶 25. AE ⓓ GB
**Repas** 12/17 ♀, enf. 6 – ☕ 6 – **50 ch** 51.
◆ Ce Campanile situé à la périphérie de la ville des géants devrait être prochainement rénové. Chambres pratiques et bien tenues ; demandez-en une sur l'arrière, au calme.

*Si le coût de la vie subit des variations importantes,*
*les prix que nous indiquons peuvent être majorés.*
*Lors de votre réservation à l'hôtel, faites-vous préciser le prix définitif.*

**DOUAINS** *27 Eure* 304 *I7 – rattaché à Vernon.*

**DOUARNENEZ** *29100 Finistère* 308 *F6 G. Bretagne – 16 457 h alt. 25.*

Voir *Boulevard Jean-Richepin et nouveau port★ ≤★* **Y** *– Port du Rosmeur★ – Musée à flot★★ - collection★ au musée du bateau – Ploaré : tour★ de l'église S : 1 km – Pointe de Leydé★ ≤★ NO : 5 km.*

*Office du Tourisme, 2 rue Docteur Mével ☎ 02 98 92 13 35, Fax 02 98 92 70 47, tourisme.douarnene@wanadoo.fr.*

*Paris 588 ① – Quimper 24 ② – Brest 75 ① – Lorient 90 ② – Vannes 143 ②.*

## DOUARNENEZ

Sens unique en saison : flèche noire

Anatole-France (R.) . . . . . . . **Y** 2
Baigneurs (R. des) . . . . . . . **Y** 5
Barré (R. J.) . . . . . . . . . . . **YZ** 7
Berthelot (R.) . . . . . . . . . . . **Z** 8
Centre (R. du) . . . . . . . . . . . **Y** 10
Croas-Talud (R.) . . . . . . . . . **Z** 14
Duguay-Trouin (R.) . . . . . . **YZ** 15
Enfer (Pl. de l') . . . . . . . . . **YZ** 16
Grand-Port (Quai du) . . . . . . . . . . . . **Y** 19
Grand-Port (R. du) . . . . . . . **Y** 20
Jaurès (R. Jean) . . . . . . . . **YZ**
Jean-Bart (R.) . . . . . . . . . . **Y** 24
Kerivel (R. E.) . . . . . . . . . . **YZ** 21
Laënnec (R.) . . . . . . . . . . . **Z** 25
Lamennais (R.) . . . . . . . . . . **Z** 27
Marine (R. de la) . . . . . . . . **Y** 32
Michel (R. L.) . . . . . . . . . . **Y** 36
Monte-au-Ciel (R.) . . . . . . . **Z** 37
Péri (Pl. Gabriel) . . . . . . . . **Y** 42
Petit-Port (Quai du) . . . . . . . . . . . . **Y** 43
Plomarc'h (R. des) . . . . . . . . . . . . . **YZ** 44
Stalingrad (Pl.) . . . . . . . . . . **Z** 56
Vaillant (Pl. E.) . . . . . . . . . . **Y** 59
Victor-Hugo (R.) . . . . . . . . . **Z** 60
Voltaire (R.) . . . . . . . . . . . . **Y** 62

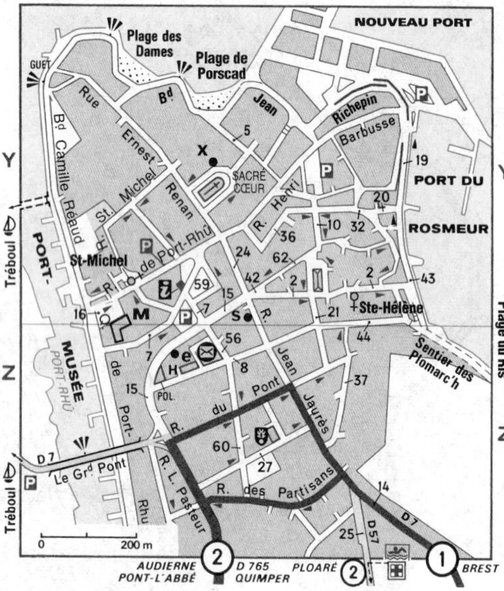

NOUVEAU PORT
Plage des Dames
Plage de Porscad
PORT DU ROSMEUR
Plage du Ris
Sentier des Plomarc'h
PORT-MUSÉE
St-Michel
Ste-Hélène
SACRÉ CŒUR
Tréboul
Le Grd Pont
AUDIERNE PONT-L'ABBÉ
D 765 QUIMPER
PLOARÉ
BREST
200 m


**Clos de Vallombreuse** 🐚, 7 r. d'Estienne-d'Orves ☎ 02 98 92 63 64, *Fax 02 98 92 84 98*, ≤, 🍴, 🏊, 🌳 – TV 📞 ♿ P. AE GB **Y x**
**Repas** 16/52 ♀, enf. 10 – ☕ 8 – **25 ch** 70/115 – ½ P 61/83,50.
◆ Cette maison de maître du début du 20e s. dominant la baie fut édifiée par un conserveur. Elle trouve aujourd'hui un second souffle grâce à une intelligente réfection.

**France,** 4 r. J. Jaurès ☎ 02 98 92 00 02, *hotel.de.france.dz@wanadoo.fr, Fax 02 98 92 27 05* – TV. AE GB JCB. ✂ rest **Y s**
**Repas** *(fermé 6 au 13 janv., sam. midi, dim. soir et lundi sauf juil.-août)* 19/35 ♀, enf. 7 – ☕ 6,80 – **25 ch** 49/54 – ½ P 47,50.
◆ Les petites chambres de cette imposante bâtisse attendent une rénovation. Les boiseries de la salle de restaurant égayée de tableaux modernes proviennent de vieux lits clos.

**Bretagne,** 23 r. Duguay-Trouin ☎ 02 98 92 30 44, *jl.lameyre@free.fr, Fax 02 98 92 09 07* – |‡| TV. GB **Z e**
**Repas** *(fermé lundi midi, merc. midi, sam. midi et dim.)* 10/18 🍷 – ☕ 6 – **23 ch** 30/47 – ½ P 31/39,50.
◆ Le Port-Musée étant proche, la vue du bateau-feu rouge vif ou du langoustier compense un peu la décoration déjà ancienne des chambres.

**rte de Quimper** *: 4 km – ✉ 29100 Douarnenez :*

**Auberge de Kerveoc'h,** ☎ 02 98 92 07 58, *auberge.de-kerveoch@worldonline.fr, Fax 02 98 92 03 58* – TV 📞 P. AE GB. ✂ rest
**Repas** 16/18 ♀, enf. 11 – ☕ 8,50 – **14 ch** 50/62 – ½ P 48/54.
◆ Cette vieille ferme abritait précédemment un centre équestre. Petites chambres récemment refaites, sobres et habillées de tissus bretons. Restaurant dans l'ex-écurie.

**à Tréboul** *Nord-Ouest : 3 km – ✉ 29100 :*

**Thalasstonic** Ⓜ, r. des Professeurs Curie ✆ 02 98 74 45 45, *info@hotel-douarnenez.com, Fax 02 98 74 36 07,* – 🅿. AE ⓓ GB. rest
*fermé 14 au 20 déc.* – **Repas** *(15)* - 19/30 ♀, enf. 9 – ☕ 8 – **50 ch** 57/88 – ½ P 69/78,50.
◆ Hôtel proche de la plage et du centre de thalassothérapie de la petite station balnéaire. Chambres sobres et spacieuses ; salle des repas contemporaine.

**Ty Mad**, près chapelle St-Jean ✆ 02 98 74 00 53, *Fax 02 98 74 15 16,* – 🅿. GB. rest
*1er avril-30 sept.* – **Repas** (dîner seul.) 21 – ☕ 6,50 – **19 ch** 50/53 – ½ P 47/50.
◆ Le peintre quimpérois Max Jacob aurait fréquenté cette "bonne maison" (ty mad) dominant la plage St-Jean. Chambres simples rénovées.

**DOUBS** *25 Doubs* **321** I5 – *rattaché à Pontarlier.*

**DOUCIER** *39130 Jura* **321** E7 – *231 h alt. 526.*
Voir *Lac de Chalain★★ N : 4 km* **G. Jura.**
*Paris 427 – Champagnole 21 – Lons-le-Saunier 25.*

**Comtois** avec ch, ✆ 03 84 25 71 21, *restaurant.comtois@wanadoo.fr, Fax 03 84 25 71 21,* – GB
*8 mars-23 nov. et fermé dim. soir, mardi soir, merc. sauf juil.-août et sam. midi* – **Repas** 19/26 ♀, enf. 8,50 – **9 ch** ☕ 28/50 – ½ P 36/41.
◆ Le patron de cette coquette petite auberge n'a pas son pareil pour vanter mets et vins. Plaisant décor campagnard, cuisine généreuse, service soigné et très bon accueil.

**Sarrazine,** ✆ 03 84 25 70 60, *Fax 03 84 25 79 34,* – 🅿. GB
*fermé début déc. à début janv. et jeudi* – **Repas** 12,80/21,10 ♀, enf. 10,40.
◆ On tue le cochon... sur la fresque murale de ce restaurant rustique où les ripailleurs se retrouvent autour de spécialités "maison" : pieds de porc et grillades.

**DOUÉ-LA-FONTAINE** *49700 M.-et-L.* **317** H5 *G. Châteaux de la Loire – 7 260 h alt. 75.*
Voir *Zoo de Doué★★.*
ℹ *Office du Tourisme, 30 place des Fontaines ✆ 02 41 59 20 49, Fax 02 41 59 93 85, Tourisme@ville-douelafontaine.fr.*
*Paris 323 – Angers 41 – Châtellerault 86 – Cholet 50 – Saumur 18 – Thouars 30.*

**Saulaie** sans rest, rte Montreuil-Bellay : 2 km ✆ 02 41 59 96 10, *hoteldelasaulaie@wanadoo.fr, Fax 02 41 59 96 11,* – 🅿. ⓓ GB
*fermé 20 déc. au 3 janv.* – ☕ 6,50 – **44 ch** 34,50/51.
◆ Après la visite des "caves demeurantes" alentour, retrouvez la lumière naturelle dans cet établissement récent aux chambres actuelles, colorées et assez spacieuses.

**Auberge Bienvenue** avec ch, rte Cholet (face Zoo) ✆ 02 41 59 22 44, *auberge.bienvenue@wanadoo.fr, Fax 02 41 59 93 49,* – ch, 🅿. AE GB
**Repas** *(fermé vacances de fév., dim. soir et lundi) (15)* - 19/40 ♀, enf. 10 – ☕ 6,50 – **7 ch** 50/55.
◆ Faites le plein de saveurs et de parfums dans cette ex-station-service convertie en restaurant : plats goûteux et terrasse fleurant bon la rose. Sept chambres toutes neuves.

**France** avec ch, 19 pl. Champ de Foire ✆ 02 41 59 12 27, *jarnot@hoteldefrance-doue-com, Fax 02 41 59 76 00* – GB
*fermé 25 juin au 3 juil., 22 déc. au 24 janv., dim. soir et lundi sauf juil.-août* – **Repas** *(14)* - 19/37 ♀, enf. 8 – ☕ 6 – **18 ch** 37/45 – ½ P 43/45.
◆ Dans la cité de la rose, salle de restaurant au décor velouté : murs tendus de tissu bleu, plafond orné de draperies et sièges Louis XVI. Chambres simples.

**DOURDAN** *91410 Essonne* **312** B4 *G. Île de France – 9 043 h alt. 100.*
Voir *Place du Marché aux grains★ – Vierge au perroquet★ au musée.*
ℹ *Office du Tourisme, place du Général de Gaulle ✆ 01 64 59 86 97, Fax 01 60 81 05 69, cdt@tourisme-essonne.com.*
*Paris 54 – Chartres 48 – Étampes 18 – Évry 44 – Orléans 80 – Rambouillet 22 – Versailles 51.*

**Auberge de l'Angélus,** 4 pl. Chariot ✆ 01 64 59 83 72, *angelus-gourmet@wanadoo.fr, Fax 01 64 59 83 72,* – AE ⓓ GB
*fermé 11 août au 4 sept., vacances de fév., lundi soir, mardi soir et merc.* – **Repas** 20 (déj.), 23/35.
◆ À l'écart du pittoresque centre historique, relais de poste du 18e s. abritant trois petites salles à manger récemment rénovées. Terrasse dressée dans la cour.

**DOURGNE** *81110 Tarn* 338 E10 – *1 211 h alt. 250.*

*Office du Tourisme, place Jean Bugis* ☎ *05 63 74 27 19, Fax 05 63 74 27 19.*

*Paris 754 – Toulouse 67 – Carcassonne 47 – Castelnaudary 35 – Castres 19 – Gaillac 65.*

**Hostellerie de la Montagne Noire** avec ch, pl. Promenades ☎ 05 63 50 31 12, *hotel.restaurant.montagne.noire@wanadoo.fr, Fax 05 63 50 13 55,* – rest, TV AE GB.

*fermé 1er au 15 oct. et 25 janv. au 15 fév.* – **Repas** *(fermé dim. soir et lundi)* 12,50/31 – 5,50 – **9 ch** 39/45 – ½ P 35,50/37,50.

◆ Vieille maison d'un village de la Montagne Noire. Deux salles à manger : l'une récente, fraîche et lumineuse, l'autre plus simple, de style champêtre. Chambres bien équipées.

**au Nord** *4 km par D 85 et D 14 – ✉ 81110 St-Avit :*

**Les Saveurs de St-Avit,** ☎ 05 63 50 11 45, *simonscott6@aol.com, Fax 05 63 50 11 45,* – P. GB.

*fermé janv., dim. soir et lundi* – **Repas** 17 (déj.), 29/45,75 ♀.

◆ Ancien corps de ferme isolé en pleine campagne. Bel intérieur rustique (poutres, puits, mangeoires) orné de tableaux d'un artiste local ; terrasse sous le toit de la grange.

---

**DOURLERS** *59228 Nord* 302 L6 – *582 h alt. 171.*

*Paris 245 – St-Quentin 76 – Avesnes-sur-Helpe 10 – Lille 95 – Maubeuge 13 – Le Quesnoy 26.*

**Auberge du Châtelet,** rte Avesnes-sur-Helpe sur N 2 : 1 km ✉ 59440 Avesnes-sur-Helpe ☎ 03 27 61 06 70, *Fax 03 27 61 20 02,* – P. AE GB

*fermé dim. et soirs fériés* – **Repas** 23/50 bc, enf. 13.

◆ Auberge familiale proche de ce village de l'Avesnois et de son surprenant kiosque à danser du 19e s. Chaleureux intérieur campagnard. Terrasse au calme.

---

**DOUSSARD** *74210 H.-Savoie* 328 K6 – *2 070 h alt. 456.*

*Syndicat d'initiative - Mairie,* ☎ *04 50 44 81 69, Fax 04 50 44 81 75.*

*Paris 555 – Annecy 20 – Albertville 27 – Megève 42.*

**Arcalod,** ☎ 04 50 44 30 22, *info@hotelarcalod.fr, Fax 04 50 44 85 03,* – TV P. GB. rest

*19 avril-29 sept.* – **Repas** *(fermé dim. soir et lundi du 19 avril au 15 mai)* 15,30/27,30 ♀, enf. 9,50 – 7,60 – **33 ch** 58/66,20 – ½ P 62.

◆ Fringant chalet savoyard séparé de son vaste jardin par la petite route conduisant au village. Salle à manger et chambres riantes. Nombreuses activités de loisirs.

**à Bout-du-Lac** *Nord-Ouest : 3 km par N 508 – ✉ 74210 :*

**Chappet** avec ch, ☎ 04 50 44 30 19, *hotel-chappet@wanadoo.fr, Fax 04 50 44 83 26,* – TV P. AE GB

*20 fév.-30 sept. et fermé jeudi soir, dim. soir et lundi* – **Repas** 26/47 ♀ – 8,50 – **9 ch** 54/58 – ½ P 62.

◆ Cuisine traditionnelle à déguster sur la belle terrasse ombragée au bord de l'eau offrant un superbe panorama sur le lac. Chambres actualisées. Ponton privé.

---

**DOUVAINE** *74140 H.-Savoie* 328 K3 – *3 354 h alt. 428.*

*Office du Tourisme, 35 rue du Centre* ☎ *04 50 94 10 55, Fax 04 50 94 36 13, ot.ville.douvaine@wanadoo.fr.*

*Paris 555 – Thonon-les-Bains 16 – Annecy 63 – Chamonix-Mont-Blanc 87 – Genève 18.*

**Couronne,** ☎ 04 50 85 10 20, *la.couronne2@freesbee.fr, Fax 04 50 85 10 40* – TV P. AE GB

*fermé 10 au 28 juin et 22 déc. au 6 janv.* – **Repas** *(fermé dim. soir et lundi)* 11,50 bc (déj.), 19/40 – 6,10 – **10 ch** 27,50/42,70 – ½ P 27,70/33,60.

◆ Cette auberge bâtie en 1780 a été entièrement rénovée : plaisantes chambres provençales, décor ensoleillé et poutres d'origine (mises à nu lors des travaux) au restaurant.

---

**DOUVRES LA DÉLIVRANDE** *14440 Calvados* 303 J4 *G. Normandie Cotentin* – *3 983 h alt. 19.*

*Syndicat d'Initiative, 41 rue Général de Gaulle* ☎ *02 31 37 93 10, Fax 02 31 37 93 10.*

*Paris 246 – Caen 14 – Bayeux 25 – Deauville 49.*

**Jacques Quirié,** 1 pl. Ancienne Mairie ☎ 02 31 37 20 04, *Fax 02 31 37 76 12* – P. AE GB

*fermé 6 au 25 juil., vacances de fév., dim. soir et lundi* – **Repas** 12/29.

◆ Le conseil municipal fréquente toujours l'endroit... à l'heure des repas : l'ex-mairie a été transformée en restaurant aux couleurs vives. Plats traditionnels et bouillabaisse.

**à Cresserons** *Est : 2 km par D 35 – 953 h. alt. 9 – ✉ 14440 :*

**Valise Gourmande,** rte Lion sur Mer ☎ 02 31 37 39 10, *Fax 02 31 37 59 13,* – P. GB.

*fermé 10 au 27 mars, 22 sept. au 9 oct., dim. soir et lundi* – **Repas** 28/48 et carte 41 à 57 ♀.

◆ Prieuré du 18e s. ceint d'un jardin clos. Trois petites salles élégamment décorées, dont une agrémentée d'une cheminée. Agréable terrasse d'été. Cuisine du terroir revisitée.

**DRACY-LE-FORT** *71 S.-et-L.* 320 I9 – *rattaché à Chalon-sur-Saône.*

**DRAGUIGNAN** *83300 Var* 340 N4 *G. Côte d'Azur – 30 183 h alt. 178.*

**Voir** *Musée des Arts et Traditions populaires de moyenne Provence*★ M². 
**Env.** *Site*★ *de Trans-en-Provence S : 5 km.*

*Office du Tourisme, 2 avenue Carnot* ☎ *04 98 105 105, Fax 04 98 105 110, Contact @coeurdeprovence.com.*

*Paris 863 ② – Fréjus 30 ② – Marseille 121 ② – Nice 89 ② – Toulon 79 ②.*

## DRAGUIGNAN

Cisson (R.) .......... YZ 3
Clemenceau (Bd) .......... Z
Clément (R. P.) .......... Z 4
Droits de l'Homme (Parvis des) .......... Z 5
Gay (Pl. C.) .......... Y 6
Grasse (Av. de) .......... Y 8
Joffre (Bd Mar.) .......... Z 9
Juiverie (R. de la) .......... Y 12
Kennedy (Bd J.) .......... Z 13
Leclerc (Bd Gén.) .......... Z 14
Marchands (R. des) .......... Y 15
Marché (Pl. du) .......... Y 16
Martyrs-de-la-R. (Bd des) .......... Z 17
Marx-Dormoy (Bd) .......... Z 18
Mireur (R. F.) .......... Y 19
Observance (R. de l') .......... Y 20
République (R. de la) .......... Z 23
Rosso (Av. P.) .......... Z 24

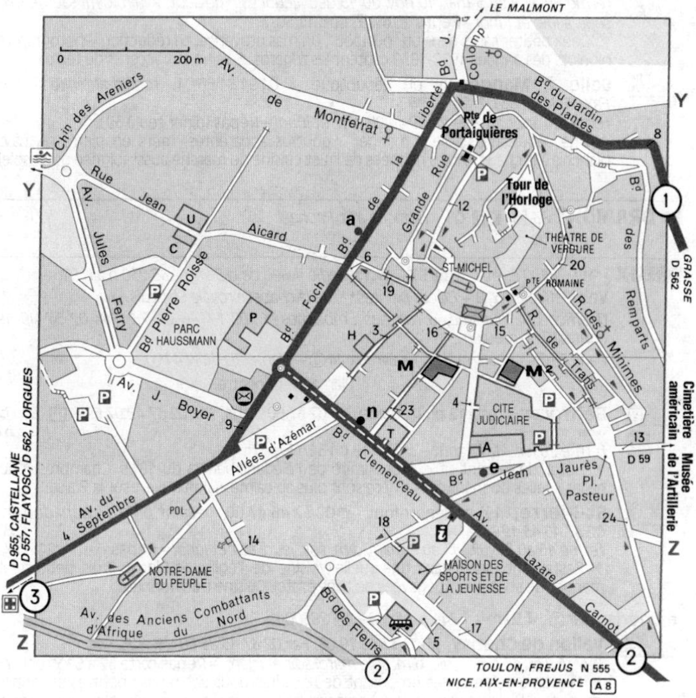

LE MALMONT
0
200 m
Av. de Montferrat
Chin des Areniers
Rue Jean Aicard
Av. Jules Ferry
Bd Pierre Roisse
PARC HAUSSMANN
Av. J. Boyer
Allées d'Azémar
Av. du 4 Septembre
Bd J. Collomp
Bd de la Liberté
Grande Rue
Bd Foch
Bd du Jardin des Plantes
Pte de Portaiguières
Tour de l'Horloge
THÉATRE DE VERDURE
ST-MICHEL
PTE ROMAINE
R. des Minimes
R. de Trans
Bd des Remparts
GRASSE D 562
Cimetière américain
Musée de l'Artillerie
CITE JUDICIAIRE
Bd Clemenceau
Bd Jean Jaurès
Pl. Pasteur
D 59
Av. Lazare Carnot
MAISON DES SPORTS ET DE LA JEUNESSE
NOTRE-DAME DU PEUPLE
POL
Av. des Anciens Combattants d'Afrique du Nord
Bd des Fleurs
D 955, CASTELLANE
D 557, FLAYOSC, D 562, LORGUES
TOULON, FREJUS N 555
NICE, AIX-EN-PROVENCE A 8


**Mercure** sans rest, 11 bd G. Clemenceau ☎ 04 94 50 95 09, *h2969@accor-hotels.com, Fax 04 94 68 23 49* – AE GB JCB Z n
9,30 – **38 ch** 63/98.
◆ Complexe hôtelier moderne situé en plein centre-ville, à proximité des musées. Chambres spacieuses, bien équipées et insonorisées, dont une partie a été rénovée.

**Lou Galoubet,** 23 bd J. Jaurès ☎ 04 94 68 08 50, *Fax 04 94 68 08 50* – AE GB Z e
*fermé 18 août au 5 sept., dim. soir et lundi* – **Repas** 20 ♀.
◆ Chaises et banquettes en skaï rouge mettent de la gaieté et donnent un air de brasserie à ce restaurant dont les cuisines s'offrent à la vue de tous.

**Rest. du Parc,** 21 bd Liberté ☎ 04 94 50 66 44, *Fax 04 94 50 66 44,* – GB Y a
*fermé vacances de Toussaint et de fév., dim. et lundi en hiver, sam. midi, dim. midi et lundi midi en été* – **Repas** 16 (déj.), 19/40 ♀, enf. 9,90.
◆ Petite salle aux couleurs méridionales et agréable terrasse ombragée par un platane séculaire. Cuisine traditionnelle ; formule unique à midi, carte plus étoffée le soir.

**rte de Flayosc** *par ③ et D 557 : 4 km – ✉ 83300 Draguignan :*

**Les Oliviers** sans rest, ☏ 04 94 68 25 74, *hotel-les-oliviers@club-internet.fr, Fax 04 94 68 57 54,* – **GB**
*fermé 5 au 25 janv.* – 7 – **12 ch** 50/65.
◆ Construction récente de style méridional. Les chambres, à la tenue irréprochable, ouvrent de plain-pied avec le jardin fleuri où l'on sert le petit-déjeuner en été.

**à Flayosc** *par ③ et D 557 : 7 km – 3 233 h. alt. 310 – ✉ 83780 :*
*Office du Tourisme, place Pied Bari ☏ 04 94 70 41 31, Fax 04 94 70 47 91.*

**Vieille Bastide** avec ch, par rte Salernes et rte secondaire ☏ 04 98 10 62 62, *lavieillebastide@provence-verdon.com, Fax 04 94 84 61 23,* – **GB**
*fermé 27 oct. au 16 nov., 5 au 15 janv., merc. midi de nov. à mars, dim. soir et lundi* – **Repas** 20,60 (déj.), 27,90/46, enf. 16,80 – 8 – **7 ch** 55/89 – ½ P 51/66.
◆ Ces vieux murs de pierre abritent une salle à manger agreste et gaie, ainsi que des chambres au mobilier peint, rénovées dans le goût régional. Terrasse ombragée.

**L'Oustaou,** au village ☏ 04 94 70 42 69, – **AE GB**
*fermé 28 avril au 5 mai, 10 nov. au 15 déc., jeudi soir, de sept. à juin, dim. sauf le midi de sept. à juin et lundi* – **Repas** 20/44 ♀, enf. 11,50.
◆ Deux petites salles dans un "oustaou", un mas provençal en réduction. Photographies et bibelots des années 1920-1930 captent les regards. Cuisine aux accents du terroir.

**Salle à Manger,** 9 pl. République ☏ 04 94 84 66 04, *ronald-abbink@12move.nl, Fax 04 94 84 66 04,* – **GB**
*fermé 24 août au 2 sept., 19 au 25 janv. et lundi* – **Repas** (dîner seul.) 39 ♀.
◆ Une séduisante "salle à manger" : poutres apparentes, murs en pierre du pays ou blanchis à la chaux, tables nappées de lin et cuisine du marché aussi soignée qu'ensoleillée.

---

**Le DRAMONT** *83 Var* 340 Q5 – *rattaché à St-Raphaël.*

---

**DREUX** *28100 E.-et-L.* 311 E3 *G. Normandie Vallée de la Seine – 35 230 h alt. 82.*
Voir *Beffroi*★ **AY B** – *Glaces peintes*★★ *de la chapelle royale St-Louis* **AY.**
*Office du Tourisme, 6 rue des EmbÛches ☏ 02 37 46 01 73, Fax 02 37 46 19 27, contact@ot-dreux.fr.*
*Paris 79 ② – Chartres 34 ④ – Évreux 44 ⑥ – Mantes-la-Jolie 44 ①.*

Plan page ci-contre

**Beffroi** sans rest, 12 pl. Métézeau ☏ 02 37 50 02 03, *Fax 02 37 42 07 69* – . **AE GB JCB** AZ e
*fermé 26 juil. au 17 août* – 7 – **16 ch** 51/55.
◆ Hôtel idéalement situé à proximité de l'élégant beffroi du 16e s. Chambres fonctionnelles ; celles donnant côté rivière sont plus au calme. Salon ouvert sur la Blaise.

**St-Pierre,** 19 r. Sénarmont ☏ 02 37 46 47 00, *lesaint.pierre@wanadoo.fr, Fax 02 37 46 43 19* – **AE GB** BY r
*fermé 15 au 30 juil., 1er au 8 mars, dim. soir, jeudi soir et lundi* – **Repas** (12) - 14/24,50.
◆ Restaurant niché dans une ruelle voisine de l'église St-Pierre. Trois petites salles à manger de style bistrot égayées de tons pastel. Cuisine traditionnelle.

**à Cherisy** *par ② : 4,5 km – 1 741 h. alt. 88 – ✉ 28500 :*

**Vallon de Chérisy,** ☏ 02 37 43 70 08, *Fax 02 37 43 86 00,* – **GB**
*fermé 8 au 15 mars, juil., dim. soir, mardi soir et merc.* – **Repas** carte 32 à 62 ♀, enf. 7,50.
◆ Maison à colombages proposant deux cadres pour vos repas : poutres et mobilier de style Louis-Philippe dans la salle à manger, baies vitrées et sièges en rotin sous la véranda.

**à Ste-Gemme-Moronval** *par ②, N 12, D 912 et D 308¹ : 6 km – 613 h. alt. 79 – ✉ 28500 :*

**L'Escapade,** ☏ 02 37 43 72 05, *Fax 02 37 43 86 96,* – **AE GB**
*fermé 13 août au 5 sept., 19 fév. au 6 mars, dim. soir, lundi soir et mardi* – **Repas** 28 (déj.), 32/60 et carte 48 à 70 ♀.
◆ Escapade gourmande dans cette accueillante auberge campagnarde offrant le choix entre la paisible terrasse et la chaleureuse salle à manger récemment rénovée.

**à Vernouillet-centre** *Sud par D 311* **AZ** *: 2 km – 11 680 h. alt. 97 – ✉ 28500 :*

**Auberge de la Vallée Verte** avec ch, (près Église) ☏ 02 37 46 04 04, *Fax 02 37 42 91 17* – **AE GB**. ch
*fermé 1er au 25 août, 25 déc. au 9 janv., dim. et lundi* – **Repas** 22,90/39,70 bc ♀ – 6,10 – **11 ch** 53,40/59,50 – ½ P 47,30.
◆ Dans le vieux Vernouillet. Poutres anciennes et tomettes : l'aspect rustique du restaurant a été pieusement préservé ; cuisine traditionnelle. Chambres refaites.

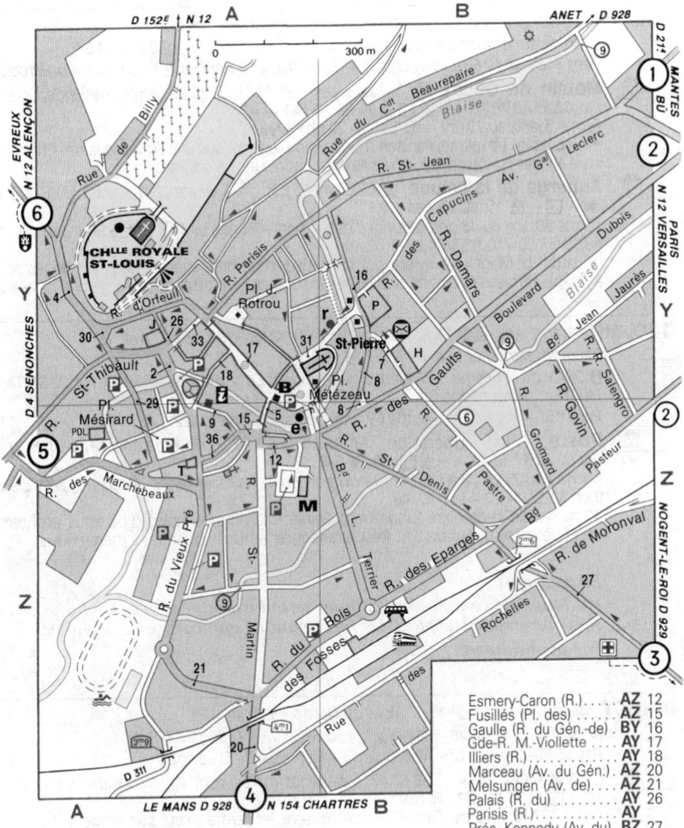

D 152E
N 12
A
B
ANET
D 928
D 21
MANTES
BÛ
0
300 m
Rue du Cdt Beaurepaire
Blaise
Rue de Billy
R. St-Jean
Av. Gal Leclerc
EVREUX N 12 ALENÇON
PARIS N 12 VERSAILLES
Capucins
R. des
R. Damars
Dubois
CHLLE ROYALE ST-LOUIS
R. Parisis
Pl. J. Rotrou
R. d'Orfeuil
Y
Z
D 4 SENONCHES
St-Pierre
Boulevard
Jean
Jaurès
R. Salengro
St-Thibault
Pl. Métézeau
R. des Gaults
R. Govin
Pl. Mésirard
POL
R. Gromard
Pasteur
R. St-Denis
R. Pastre
R. des Marchebeaux
R. du Vieux Pré
R. St-Martin
Bd L. Terrier
R. des Epargnes
R. de Moronval
NOGENT-LE-ROI D 929
R. du Bois
R. des Fossés
Rochelles
Rue des
D 311
LE MANS D 928
N 154 CHARTRES


# DREUX



*Une réservation confirmée par écrit ou par fax est toujours plus sûre.*

---

**DRUSENHEIM** *67410 B.-Rhin 315 L4 – 4 363 h alt. 122.*

*Paris 506 – Strasbourg 29 – Haguenau 17 – Saverne 62 – Wissembourg 48.*

XX **Auberge du Gourmet** M avec ch, rte Strasbourg, Sud-Ouest : 1 km ☎ 03 88 53 30 60, *Fax 03 88 53 31 39*, 🏠, 🌳, 🍴 – TV 📞 ♿ P. GB. 🐕
*fermé 1er au 15 août et 18 fév. au 10 mars* – **Repas** *(fermé sam. midi, mardi soir et merc.)* 23/38 – ☕ 6 – **11 ch** 37/51 – ½ P 38.
◆ L'auberge, postée à l'entrée de ce joli village, abrite une chaleureuse salle dotée d'un plafond à caissons ; cuisine alsacienne et suggestions du marché. Coquettes chambres.

---

**DRUYES-LES-BELLES-FONTAINES** *89560 Yonne 319 D6 – 302 h alt. 168.*

*Paris 184 – Auxerre 34 – Clamecy 17 – Gien 75 – Montargis 99.*

🏠 **Auberge des Sources** 🌿, ☎ 03 86 41 55 14, *aubergedessources@wanadoo.fr*, *Fax 03 86 41 90 31* – 📞 ♿ P. GB
*fermé 6 janv. au 14 fév., lundi et mardi* – **Repas** *(13)* - 16/38 🍷, enf. 10 – ☕ 8 – **15 ch** 38/50 – ½ P 42/45.
◆ Vieille bâtisse abritant des chambres fonctionnelles, plus agréables dans l'annexe, et une vaste salle à manger d'esprit rustique.

**DUCEY** *50220 Manche* 303 E8 *G. Normandie Cotentin – 2 069 h alt. 15.*

*Office du Tourisme, 4 rue du Génie ✆ 02 33 60 21 53, Fax 02 33 60 54 07.*

*Paris 346 – St-Lô 69 – Avranches 12 – Fougères 41 – Rennes 76 – St-Hilaire-du-Harcouët 16.*

**Moulin de Ducey** sans rest, ✆ 02 33 60 25 25, *info@moulinducey.com, Fax 02 33 60 26 76,* ← – AE GB JCB
*fermé 5 janv. au 12 fév.* – 12,50 – **28 ch** 66/99.
◆ Entre bief et Sélune, l'ancien moulin semble établi sur une île verdoyante. Chambres de style anglais ; salon coloré. On ferre le saumon dans les parages.

**Auberge de la Sélune,** ✆ 02 33 48 53 62, *info@selune.com, Fax 02 33 48 90 30,* – – 15. AE GB
*fermé 20 nov. au 15 déc. et lundi d'oct. à mars* – **Repas** 14/34 ♀, enf. 9,80 – 7,20 – **20 ch** 48,90/52,50 – ½ P 53/54,60.
◆ Jardin bordant une rivière poissonneuse, chambres sobres, salles à manger cossues, agréable terrasse et cuisine traditionnelle soignée font de cette auberge une belle étape.

**DUCLAIR** *76480 S.-Mar.* 304 F5 *G. Normandie Vallée de la Seine – 3 822 h alt. 8.*

**Bac:** *renseignements ✆ 02 35 37 53 11.*

*Office du Tourisme, 227 avenue du Président Coty ✆ 02 35 37 38 29, Fax 02 35 37 12 59, MDT.Duclair@wanadoo.fr.*

*Paris 151 – Rouen 21 – Dieppe 69 – Lillebonne 35 – Yvetot 22.*

**Poste,** quai Libération ✆ 02 35 05 92 50, *hoteldelaposte@worldonline.fr, Fax 02 35 37 39 19,* ← – AE GB.
*fermé 7 au 23 juil., 7 au 22 oct., lundi midi et dim. soir sauf fériés* – **Repas** 12,20/39 ♀ – 7 – **9 ch** 32,50/44,20 – ½ P 42/46.
◆ Immeuble centenaire longeant la Seine. Chambres simples d'où vous profiterez du ballet des péniches et du bac. Restaurant agrémenté de fresques à thème fluvial.

*Ecrivez-nous...*

*Vos louanges comme vos critiques seront examinées avec le plus grand soin. Nous reverrons sur place les informations que vous nous signalez.*

*Par avance merci !*

**DUINGT** *74410 H.-Savoie* 328 K6 *G. Alpes du Nord – 635 h alt. 450.*

*Syndicat d'initiative - Mairie, ✆ 04 50 68 67 07, Fax 04 50 77 03 17.*

*Paris 548 – Annecy 12 – Albertville 33 – Megève 48 – St-Jorioz 3.*

**Clos Marcel,** ✆ 04 50 68 67 47, *lionel@clos-marcel.com, Fax 04 50 68 61 11,* ←, , , – . AE GB. rest
*hôtel : 7 fév.-30 sept. ; rest. : 18 avril-28 sept. et fermé mardi soir et merc. hors saison* – **Repas** 18/25 ♀ – 7,50 – **15 ch** 75 – ½ P 54/68.
◆ Toutes les chambres sont côté flots. Salle de restaurant panoramique en demi-rotonde et jardin au bord du lac ô combien reposant ! Ponton privé.

**Auberge du Roselet,** ✆ 04 50 68 67 19, *nicolas.falquet@wanadoo.fr, Fax 04 50 68 64 80,* , , – . GB
*fermé 3 nov. au 3 janv.* – **Repas** 19/50 ♀, enf. 11 – 8 – **14 ch** 77 – ½ P 65.
◆ De part et d'autre de la N 508, salle à manger campagnarde et chambres assez spacieuses progressivement refaites. Joyau caché : la terrasse au bord de l'eau.

**DUNES** *82340 T.-et-G.* 337 A7 *– 853 h alt. 120.*

*Paris 656 – Agen 21 – Auvillar 13 – Miradoux 12 – Moissac 32.*

**Les Templiers,** ✆ 05 63 39 86 21, *Fax 05 63 39 86 21,* – GB
*fermé 1^er au 15 oct., mardi soir sauf juil.-août, sam. midi, dim. soir et lundi* – **Repas** 19/41 ♀.
◆ Maison du 16^e s. au cachet rustique habilement mis à profit. Décor lumineux : tons jaunes, pierres, briques et fleurs. Terrasse sous les arcades. Cuisine au goût du jour.

**DUNIÈRES** *43220 H.-Loire* 331 I2 *– 3 009 h alt. 760.*

*Paris 553 – Le Puy-en-Velay 52 – St-Étienne 36 – St-Agrève 30.*

**Tour,** D 61 ✆ 04 71 66 86 66, *la.tour-hotel-restaurant@wanadoo.fr, Fax 04 71 66 82 32,* – . AE GB
*fermé 1^er au 9 mars, 25 août au 7 sept., 22 au 25 déc. et 9 au 29 fév.* – **Repas** *(fermé vend. soir d'oct. à mai, dim. soir et lundi midi)* 12 (déj.), 16/38 ♀, enf. 8 – 7 – **11 ch** 43/52 – ½ P 43.
◆ Construction moderne proche des vestiges d'un château. Chambres actuelles et pratiques. Salle à manger ouverte sur la jolie terrasse fleurie ; cuisine traditionnelle.

**DUNKERQUE** *SP 59140 Nord* 302 C1 *G. Picardie Flandres Artois – 70 331 h Aggl. 191 173 h alt. 4 – Casino à Malo-les-Bains.*

*Voir Port★★ – Musée d'Art contemporain★ : jardin des sculptures★* **CDY** *– Musée des Beaux-Arts★* **CDZ M²** *– Musée portuaire★* **CZ M³** *– Commune de la "Méridienne verte".*

*Office du Tourisme, rue de l'Amiral Romarc'h ☎ 03 28 66 79 21, Fax 03 28 63 38 34, dunkerque@tourisme.norsys.fr.*

*Paris 287 ② – Calais 47 ③ – Amiens 205 ② – Ieper 55 ② – Lille 73 ② – Oostende 57 ①.*

## DUNKERQUE

Banc Vert (R. du) .......... **AX** 8
Berteaux (Av. M.) .......... **AX** 10
Cambon (Bd P.) .......... **BX** 17
Darses (Chaussées des) .......... **AX** 25
Jaurès (R. Jean) .......... **BX** 39
Lille (R. de) .......... **BX** 45
Malo (R. Célestin) .......... **BX** 50
Mendès-France (Bd) .......... **BX** 52
Pasteur (R.) .......... **BX** 56
République (R. de la ) .......... **AX** 61
Waldeck-Rousseau (R.) .......... **BX** 73

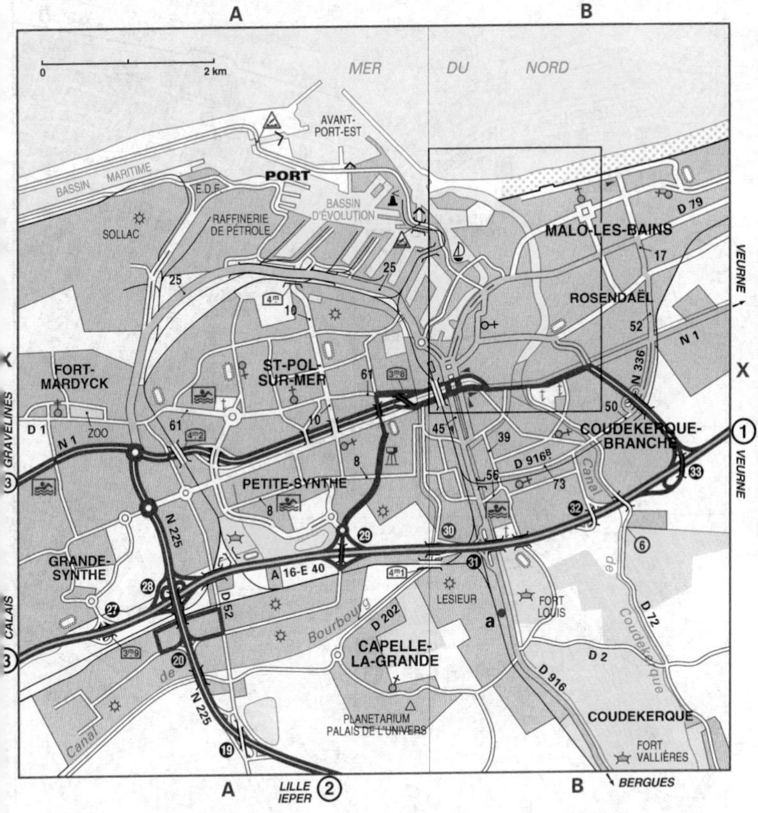

A
B
MER DU NORD
2 km
AVANT-PORT-EST
PORT
BASSIN MARITIME
E.D.F.
RAFFINERIE DE PÉTROLE
SOLLAC
BASSIN D'ÉVOLUTION
MALO-LES-BAINS
ROSENDAËL
ST-POL-SUR-MER
FORT-MARDYCK
ZOO
PETITE-SYNTHE
GRANDE-SYNTHE
COUDEKERQUE-BRANCHE
CAPELLE-LA-GRANDE
LESIEUR
FORT LOUIS
PLANETARIUM PALAIS DE L'UNIVERS
COUDEKERQUE
FORT VALLIÈRES
VEURNE
GRAVELINES
CALAIS
LILLE IEPER
BERGUES
N 1
N 225
A 16-E 40
D 52
D 202
D 916
D 916B
D 72
D 2
D 79
N 336
D 1
Canal de Bourbourg
Canal de Coudekerque
X


**Borel** Ⓜ sans rest, 6 r. L'Hermite ☎ 03 28 66 51 80, *borel@hotelborel.fr,* *Fax 03 28 59 33 82* – 25. AE GB JCB — CY u
9,20 – **48 ch** 62,50/71,50.
◆ Immeuble en briques proche du port de plaisance. Chambres modernes, pourvues de meubles de qualité. Copieux petit-déjeuner proposé sous forme de buffet.

**Europ'Hôtel** Ⓜ, 13 r. Leughenaer ☎ 03 28 66 29 07, *europhotel@aol.com,* *Fax 03 28 63 67 87* – rest, – 40 à 200. AE GB JCB — CY s
**Repas** *(fermé vend., sam. et dim.)* (dîner seul.) carte environ 20 – 8,50 – **116 ch** 60/68.
◆ À deux pas du Leughenaer, vestige des anciennes fortifications de la cité au 14ᵉ s., bâtiment des années 1970 abritant de petites chambres contemporaines et pratiques.

# DUNKERQUE

Albert-I$^{er}$ (R.) . . . . . . . . . . . . **CZ** 2
Alexandre-III (Bd) . . . . . . . . **CZ** 3
Arbres (R. des) . . . . . . . . **CDY** 6
Asseman (Pl. P.) . . . . . . . . . . **DY** 8
Bergues
(R. du Canal-de) . . . . . . . . **CZ** 9
Bollaert (Pl. Émile) . . . . . . . . **CZ** 12
Calonne (Pl.) . . . . . . . . . . . . . **DZ** 16
Carnot (Bd) . . . . . . . . . . . . . . **DY** 18
Carton Lurat (Av.) . . . . . . . . . . **DZ** 19
Clemenceau (R.) . . . . . . . . . . . **CZ** 21
Digue de Mer . . . . . . . . . . . . . **DY**
Écluse-de-Bergues (R.) . . . . **CZ** 26
Faidherbe (Av.) . . . . . . . . . . . **DY**
Fusiliers-Marins (R.) . . . . . . . **CZ** 30
Gare (Pl. de la) . . . . . . . . . . . **CZ** 32
Gaulle (Pl. du Gén.-de) . . . . **CZ** 33
Geeraert (Av. Adolphe) . . . . **DY**
Hermitte (R. l') . . . . . . . . . . . **CY** 35
Hollandais (Quai des) . . . . . . **CZ** 36
Hôtel-de-Ville (R. de l') . . . . **DY** 37
Jardins (Quai des) . . . . . . . . **CZ** 38
Jaurès (R. Jean) . . . . . . . . . . **CZ** 40
Jean-Bart (Pl.) . . . . . . . . . . . **CZ** 41
Jeu-de-Paume (R. du) . . . . . **CZ** 42
Leclerc (R. du Mar.) . . . . . . . **CY** 43
Leughenaer (R. du) . . . . . . . **CY** 44
Lille (R. de) . . . . . . . . . . . . . . **CZ** 45
Magasin-Général (R.) . . . . . . **CZ** 48
Malo (Av. Gaspard) . . . . . . . **DY** 49
Mar.-de-France
(Av. des) . . . . . . . . . . . . . . . **DY** 51
Minck (Pl. du) . . . . . . . . . . . . **CY** 53
Paris (R. de) . . . . . . . . . . . . . **CZ** 54
Prés.-Poincaré
(R. du) . . . . . . . . . . . . . . . . **CZ** 57
Prés.-Wilson (R. du) . . . . . . . **CZ** 58
Quatre-Écluses (Quai) . . . . . **CZ** 59
Thiers (R.) . . . . . . . . . . . . . . . **CZ** 65
Turenne (Pl.) . . . . . . . . . . . . . **DY** 67
Valentin (Pl. C.) . . . . . . . . . . . **CZ** 68
Verley (Bd Paul) . . . . . . . . . . **DY** 69
Victoire
(Pl. et R. de la) . . . . . . . **CDY** 70
Victor-Hugo (Bd) . . . . . . . . . . **CZ** 72

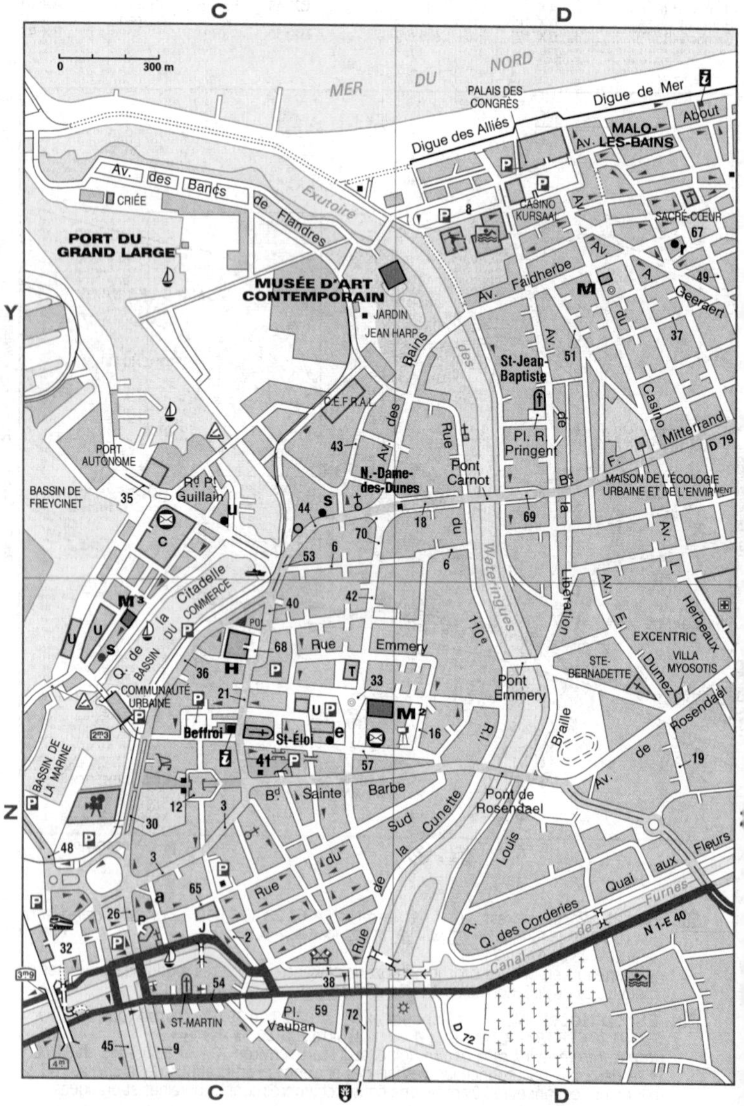
C
D
Y
Z
0
300 m
MER DU NORD
PALAIS DES CONGRÈS
Digue de Mer
Digue des Alliés
About
MALO-LES-BAINS
Av. des Bancs de Flandres
CRIÉE
Exutoire
CASINO KURSAAL
SACRÉ-CŒUR
PORT DU GRAND LARGE
MUSÉE D'ART CONTEMPORAIN
JARDIN JEAN HARP
Av. Faidherbe
Av. A. Geeraert
St-Jean-Baptiste
C.E.F.R.A.L.
Av. des Bains
Rue du Casino
Av. F. Mitterrand
D 79
PORT AUTONOME
Pl. R. Pringent
Pont Carnot
N.-Dame-des-Dunes
MAISON DE L'ÉCOLOGIE URBAINE ET DE L'ENVIRT
BASSIN DE FREYCINET
Rd Pt Guillain
Bd de la Libération
Canal des Wateringues
Citadelle
BASSIN DU COMMERCE
Q. de la Citadelle
110e R.I.
Rue Emmery
EXCENTRIC
VILLA MYOSOTIS
STE-BERNADETTE
Av. L. Herbeaux
Av. E. Dumez
Pont Emmery
COMMUNAUTÉ URBAINE
Beffroi
St-Éloi
Braille
Av. de Rosendael
BASSIN DE LA MARINE
Bd Sainte Barbe
Pont de Rosendael
Bd du Sud
Rue de la Cunette
Louis
Quai aux Fleurs
Canal de Furnes
Q. des Corderies
N 1-E 40
ST-MARTIN
Pl. Vauban
D 72

**Welcome,** 37 r. R. Poincaré ✆ 03 28 59 20 70, *contact@hotel-welcome.fr, Fax 03 28 21 03 49* – 🛗, rest, TV ✆ ♿ – 40. AE GB

***L'Écume Bleue*** *(fermé sam. midi et dim. soir)* **Repas** 17,60/21 ♀, enf.6,90 – ☕ 10,40 – **40 ch** 62/73 – ½ P 56,50.

◆ Situé en centre-ville, cet hôtel entièrement refait propose des chambres au décor actuel. Salle à manger contemporaine où trône le buffet de hors-d'oeuvre et de desserts.

**L'Estouffade,** 2 quai Citadelle ✆ 03 28 63 92 78, *Fax 03 28 63 92 78*, – GB CZ s

*fermé 10 août au 10 sept., dim. soir et lundi* – **Repas** 23/33,50 ♀.

◆ Petite salle à manger actuelle où l'on déguste spécialités de poisson et plats traditionnels. Terrasse d'été au calme, face au quai bordant le bassin du Commerce.

**Au Petit Pierre,** 4 r. Dampierre ✆ 03 28 66 28 36, *Fax 03 28 66 28 49* – AE GB CZ a

*fermé sam. midi et dim. soir* – **Repas** 14,50/26 ♀, enf. 6,90.

◆ Maison du 18e s. abritant une agréable salle à manger rustique (poutres, briques et fresques) où il règne une sympathique ambiance conviviale. Cuisine flamande.

**à Malo-les-Bains** – ✉ *59240 Dunkerque :*

**Hirondelle,** 46 av. Faidherbe ✆ 03 28 63 17 65, *info@hotelhirondelle.com, Fax 03 28 66 15 43* – 🛗 TV ✆ ♿ – 40. AE GB DY r

**Repas** *(fermé 3 au 17 mars, 18 août au 9 sept., dim. soir et lundi midi)* 14,70/41,50 ♀ – ☕ 5,60 – **42 ch** 56,60/61,20 – ½ P 39/45,30.

◆ Au coeur de la petite station balnéaire. Chambres bien tenues, équipées d'un mobilier pratique. Au restaurant, joli cadre marin et cuisine traditionnelle.

**à Téteghem** *Sud-Est par N 1* **BX** *et D 204 : 6 km – 5 839 h. alt. 1 –* ✉ *59229 :*

**Meunerie** avec ch, au Galghouck, Sud Est : 2 km par D 4 ✆ 03 28 26 14 30, *meunerie@wanadoo.fr, Fax 03 28 26 17 32*, – TV ✆ P – 20. AE GB

*fermé 1er au 15 août et 2 au 12 janv.* – **Repas** *(fermé mardi midi, dim. soir et lundi)* 28/61 ♀, enf. 14 – ☕ 12,20 – **9 ch** 84/130 – ½ P 100.

◆ Réparti en plusieurs salons feutrés et bourgeois ouverts sur le jardin, ce restaurant est installé dans un ancien moulin à vapeur. Appétissante cuisine classique.

**à Coudekerque-Branche** *– 23 644 h. alt. 1 –* ✉ *59210 :*

*Office du Tourisme, 59 rue du Boòrnhol ✆ 03 28 64 60 00, Fax 03 28 64 60 00.*

**Soubise,** 49 rte Bergues ✆ 03 28 64 66 00, *Fax 03 28 25 12 19* – P. AE GB BX a

*fermé 19 au 27 avril, 25 juil. au 19 aout, 20 déc. au 5 janv.,dim.et sam.* – **Repas** 26/39 et carte 39 à 60 ♀.

◆ Relais de poste du 18e s. en briques bordant le canal. Élégante salle à manger agrémentée de nombreux tableaux, où vous dégusterez une cuisine traditionnelle soignée.

**à Cappelle-la-Grande** *Sud : 5 km sur D 916 – 8 908 h. –* ✉ *59180 :*

*Syndicat d'Initiative, ✆ 03 28 64 94 41, Fax 03 28 60 25 31.*

**Bois de Chêne,** 48 rte Bergues ✆ 03 28 64 21 80, *Fax 03 28 61 22 00*, – P. AE GB

*fermé 2 au 18 août, vacances de Pâques, dim. soir, lundi soir et sam.* – **Repas** 25,50/51,50 bc ♀, enf. 9,50.

◆ L'aspect austère de la façade en briques contraste avec un chaleureux et lumineux intérieur rustique. Cuisine traditionnelle et spécialités régionales.

**au Lac d'Armbouts-Cappel** *par ② (sortie Bourbourg) : 9 km – 2 656 h. –* ✉ *59380 Armbouts-Cappel :*

**Lac** M, ✆ 03 28 60 70 60, *christophe@hoteldk.com, Fax 03 28 61 06 39*, – TV P – 80. AE GB

**Repas** *(fermé sam. midi)* 22,20/23,70 ♀ – ☕ 9,20 – **66 ch** 49/76,50.

◆ Hôtel récent et coloré où vous réserverez de préférence une chambre tournée vers le lac. Salle à manger contemporaine et terrasse bénéficient de la vue sur le jardin.

**Campanile,** ✆ 03 28 64 64 70, *Fax 03 28 60 53 12*, – TV ✆ ♿ P – 25. AE GB

**Repas** 15,50/17 ♀, enf. 6 – ☕ 6 – **40 ch** 55.

◆ Entre le lac et la nationale, un Campanile commode pour l'étape : les chambres sont toutes rénovées et les repas sont proposés sous forme de buffets.

---

## DUN-LE-PALESTEL *23800 Creuse* 325 *G3 – 1 203 h alt. 370.*

*Office du Tourisme, place de la Poste ✆ 05 55 89 24 61, Fax 05 55 89 95 11.*

*Paris 342 – Argenton-sur-Creuse 40 – Guéret 27 – La Souterraine 19.*

**Joly,** ✆ 05 55 89 00 23, *Fax 05 55 89 15 89* – TV ✆ ♿ – 20. GB. rest

*fermé 1er au 20 mars, 5 au 25 oct., dim. soir et lundi midi* – **Repas** 13,50/32 ♀, enf. 7,50 – ☕ 6 – **24 ch** 36/40 – ½ P 37/40.

◆ Face à un square, hôtel familial au cadre campagnard où l'on dégustera une cuisine classique. Préférer l'une des chambres de l'annexe, plus actuelles.

**DUN-SUR-AURON** *18130 Cher* **323** L5 *G. Berry Limousin – 4 261 h alt. 182.*

*Office du Tourisme, place du Châtelet ℘ 02 48 59 85 26, Fax 02 48 59 85 26.*

*Paris 270 – Bourges 28 – Moulins 81 – Montluçon 74 – Nevers 57 – St-Amand-Montrond 20.*

**Les Heures Gourmandes,** 12 Grande Rue ℘ 02 48 59 88 94, *jean-louis.fenayrou@wanadoo.fr, Fax 02 48 59 15 82* – ▤. GB

*fermé 1er au 6 juin, 24 au 29 août, 12 au 26 oct., 20 janv. au 9 fév., dim. soir, merc. soir et lundi* – **Repas** 16/33 ♀.

◆ Une cuisine du marché vous attend dans ce qui fut autrefois la boutique d'un horloger. Cadre coquet - où l'on s'abstient de fumer - et tables dressées avec soin.

**DURAS** *47120 L.-et-G.* **336** D1 *G. Aquitaine – 1 200 h alt. 122.*

*Syndicat d'Initiative, 2 boulevard Jean Brisseau ℘ 05 53 93 71 18, Fax 05 53 93 71 18.*

*Paris 577 – Périgueux 88 – Agen 90 – Marmande 23 – Ste-Foy-la-Grande 22.*

**Hostellerie des Ducs** avec ch, ℘ 05 53 83 74 58, *hostellerie.des.ducs@wanadoo.fr, Fax 05 53 83 75 03*, , , – ▤ rest, TV – 20. AE GB. ch

**Repas** *(fermé dim. soir et lundi d'oct. à juin et lundi midi de juil. à sept.)* (15) - 25/50 ♀, enf. 11 – 8 – **16 ch** 52/81 – ½ P 56/71.

◆ Une cuisine traditionnelle vous sera servie dans la salle à manger meublée en style Louis XIII de cet ancien presbytère voisin du château. Chambres actuelles.

**DURTAL** *49430 M-et-L.* **317** H2 *G. Châteaux de la Loire – 3 195 h alt. 39.*

*Syndicat d'Initiative, Vitrine du Pays Baugeois ℘ 02 41 76 37 26, Fax 02 41 76 37 26, regiondurtaloise@free.fr.*

*Paris 262 – Angers 38 – Le Mans 63 – La Flèche 14 – Laval 67 – Saumur 66.*

**Boule d'Or** avec ch, 19 av. d'Angers ℘ 02 41 76 30 20, *Fax 02 41 76 06 99* – TV . GB

*fermé 4 au 20 août, 18 au 26 fév., dim. soir, mardi soir, merc. et soirs fériés* – **Repas** 12,50/35 ♀, enf. 6 – 5,40 – **5 ch** 36/44,30.

◆ Petite affaire familiale bordant la route nationale. Solives et pierres apparentes confèrent un certain charme au restaurant. Chambres d'appoint au confort spartiate.

**DURY** *80 Somme* **301** G8 – *rattaché à Amiens.*

**EAUX-PUISEAUX** *10130 Aube* **313** D5 – *172 h alt. 220.*

*Paris 162 – Troyes 32 – Auxerre 53 – Sens 63.*

**Ferme du Clocher,** ℘ 03 25 42 02 21, *la-ferme-du-clocher@wanadoo.fr, Fax 03 25 42 03 30*, , – . GB

*fermé 25 août au 2 sept., janv., merc. soir, dim. soir et lundi* – **Repas** 15 (déj.), 21/28 ♀.

◆ Belle ferme ancienne mariant la pierre calcaire et la brique. Salle à manger rustique, avec mezzanine, ou terrasse donnant sur le verger. Cuisine du terroir.

**Les ÉCHELLES** *73360 Savoie* **333** H5 *G. Alpes du Nord – 1 246 h alt. 386.*

*Syndicat d'Initiative, rue Stendhal ℘ 04 79 36 56 24, Fax 04 79 36 53 12, ot.vallee-de-chartreuse@wanadoo.fr.*

*Paris 554 – Grenoble 40 – Chambéry 24 – Lyon 91 – Valence 106.*

**à Chailles** *Nord : 5 km – ✉ 73360 Les Échelles :*

**Auberge du Morge** avec ch, N 6 ℘ 04 79 36 62 76, *gil.bouvier@wanadoo.fr, Fax 04 79 36 51 65*, , – . AE GB. ch

*fermé 12 nov. au 20 janv. et merc.* – **Repas** 15/30 ♀, enf. 10 – 5,50 – **8 ch** 38/40 – ½ P 42/46.

◆ Construction régionale à l'entrée des gorges de Chailles, au bord d'un torrent qui tentera les pêcheurs. Salle de restaurant chaleureuse et chambres bien tenues.

**ECHENEVEX** *01 Ain* **328** J3 – *rattaché à Gex.*

**Les ÉCHETS** *01 Ain* **328** C5 – *alt. 276 – ✉ 01700 Miribel.*

*Paris 455 – Lyon 20 – L'Arbresle 29 – Bourg-en-Bresse 47 – Villefranche-sur-Saône 29.*

**Jacques et Christophe Marguin** avec ch, ℘ 04 78 91 80 04, *Fax 04 78 91 06 83*, – ▤ rest, TV . AE GB JCB

*fermé 3 au 26 août, 21 déc. au 6 janv., dim. soir et lundi* – **Repas** 19/62 et carte 35 à 72 – 8 – **8 ch** 46.

◆ Photographies des "ancêtres" (quatre générations de restaurateurs), boiseries, bibliothèque... un lieu agréable où l'on se sent un peu comme chez soi. Cuisine classique.

**ÉCHIROLLES** *38 Isère* 333 H7 – *rattaché à Grenoble.*

**EFFIAT** *63260 P.-de-D.* 326 G6 *G. Auvergne – 730 h alt. 350.*

Voir Château★.

*Paris 358 – Clermont-Ferrand 39 – Gannat 11 – Riom 22 – Thiers 39 – Vichy 17.*

**Cinq Mars,** r. Cinq-Mars (D 984) ☎ 04 73 63 64 16, *Fax 04 73 63 64 16* – GB
*fermé 24 fév. au 10 mars, 11 au 25 août, 1er au 6 janv., sam. midi et le soir sauf sam.* – **Repas** 12 (déj.), 20/25 ♀.
◆ Proche du beau château du bouillant marquis de Cinq-Mars, café de village de 1876 dont la partie épicerie est devenue une salle à manger rustique. Cuisine traditionnelle.

**ÉGLETONS** *19300 Corrèze* 329 N3 – *4 487 h alt. 650.*

*Office du Tourisme, rue Joseph Vialaneix ☎ 05 55 93 04 34, Fax 05 55 93 00 09, ot.egletons@wanadoo.fr.*

*Paris 506 – Aurillac 97 – Aubusson 75 – Limoges 118 – Mauriac 46 – Tulle 31 – Ussel 30.*

**Ibis,** rte Ussel par N 89 : 1,5 km ☎ 05 55 93 25 16, *Fax 05 55 93 37 54*, – 15. AE GB
**Repas** *(12)* - 15, enf. 6 – 5,50 – **41 ch** 51.
◆ Le plan d'eau voisin et les chambres un peu plus grandes qu'à l'ordinaire font l'attrait de cet Ibis. La salle à manger, fraîchement rénovée, intègre un salon avec cheminée.

*Si vous êtes retardé sur la route, dès 18 h, confirmez votre réservation par téléphone, c'est plus sûr... et c'est l'usage.*

**EGUISHEIM** *68420 H.-Rhin* 315 H8 *G. Alsace Lorraine – 1 530 h alt. 210.*

Voir *Circuit des remparts★ – Route des Cinq Châteaux★ SO : 3 km.*

*Office du Tourisme, 22a Grand' Rue ☎ 03 89 23 40 33, Fax 03 89 41 86 20, info@ot eguisheim.fr.*

*Paris 451 – Colmar 7 – Belfort 67 – Gérardmer 52 – Guebwiller 21 – Mulhouse 41.*

**Hostellerie du Pape** M, 10 Grand Rue ☎ 03 89 41 41 21, *info@hostellerie-pape.com, Fax 03 89 41 41 31*, – 30. AE GB JCB
*fermé 2 janv. au 7 fév.* – **Repas** *(fermé lundi et mardi)* 16/52 ♀ – 10 – **33 ch** 57/87 – ½ P 71.
◆ L'enseigne est un clin d'oeil à Léon IX, le "pape voyageur", né à Eguisheim en 1002. Chambres rénovées et jolie salle à manger. L'hiver, la patronne donne des cours de cuisine.

**St-Hubert** M sans rest, r. Trois Pierres ☎ 03 89 41 40 50, *hotel.st.hubert@wanadoo.f r, Fax 03 89 41 46 88*, – GB.
*fermé 16 au 27 nov. et fév.* – 10 – **12 ch** 89/99.
◆ À l'écart du bourg, construction récente où l'on cultive une ambiance de maison d'hôte. Grandes chambres actuelles et soignées ; quelques miniterrasses au ras des vignes.

**Hostellerie du Château** M sans rest, 2 r. Château ☎ 03 89 23 72 00, *info@hostelleried uchateau.com, Fax 03 89 41 63 93* – AE GB
*fermé 2 janv. au 10 fév.* – 9,50 – **11 ch** 63/120.
◆ Au centre du pittoresque village, une habile restauration a redonné vie à ces vieux murs. Chambres personnalisées et contemporaines, bien intégrées au cadre ancien.

**Auberge des Trois Châteaux,** 26 Grand'Rue ☎ 03 89 23 11 22, *contact@auberge-3-c hateaux.com, Fax 03 89 23 72 88* – GB. ch
*fermé 11 au 26 mars, 24 juin au 2 juil., 18 au 27 nov., 6 au 21 janv.* – **Repas** *(fermé mardi soir et merc.)* 15 ♀, enf. 7,50 – 7 – **13 ch** 45/61 – ½ P 47/53.
◆ Chambres récentes et fonctionnelles dans une maison fleurie (17e s.) située au coeur du bourg. Côté restaurant, cadre rustique, nappes à carreaux et plats du terroir.

**Auberge des Comtes,** 1 pl. Ch. de Gaulle ☎ 03 89 41 16 99, *Fax 03 89 24 97 10* – GB
*fermé 1er janv. au 15 mars* – **Repas** *(fermé merc. et jeudi)* 16/32 ♀ – 8 – **14 ch** 44/58 – ½ P 51/55.
◆ Vieille demeure familiale complétée d'une extension accueillant des chambres pratiques et une salle à manger au plafond orné de caissons moulurés. Cuisine régionale.

**Caveau d'Eguisheim,** 3 pl. Château St-Léon ☎ 03 89 41 08 89, *Fax 03 89 23 79 99* – GB
*fermé fin janv. à fin fév., lundi et mardi* – **Repas** 28 bc (déj.), 35/55 ♀.
◆ Authentique maison vigneronne à la pimpante façade fleurie. Le pressoir à vis de 1721 trône dans la chaleureuse salle du rez-de-chaussée. Cadre plus feutré à l'étage.

XX **Grangelière,** 59 r. Rempart Sud ✆ 03 89 23 00 30, *Fax 03 89 23 61 62* – GB
*fermé fév. et jeudi* – **Repas** 21,50 bc/64 bc.
◆ Cette belle architecture à pans de bois abrite une brasserie conviviale au rez-de-chaussée et deux salles plus cossues à l'étage où est proposée la carte gastronomique.

XX **Au Vieux Porche,** 16 r. Trois Châteaux ✆ 03 89 24 01 90, *Fax 03 89 23 91 25,* – GB.
*fermé 23 juin au 3 juil., 11 au 20 nov., mardi et merc.* – **Repas** 21/45 ♀.
◆ Dans la famille depuis plusieurs générations, cette demeure de vignerons abrite une jolie salle à manger (poutres, vitraux, boiseries). Plats traditionnels et alsaciens.

## ÉLINCOURT-STE-MARGUERITE *60 Oise* 305 H3 – *rattaché à Compiègne.*

## ELNE *66200 Pyr.-Or.* 344 I7 *G. Languedoc Roussillon – 6 262 h alt. 30.*

Voir *Cloître*★★ *de la Cathédrale Ste-Eulalie et Ste-Julie.*
*Office du Tourisme, Espace Sant Jordi ✆ 04 68 22 05 07, Fax 04 68 37 95 05, office.de.tourisme.elne@wanadoo.fr.*
*Paris 866 – Perpignan 14 – Argelès-sur-Mer 8 – Céret 28 – Port-Vendres 17 – Prades 59.*

**Week-End,** av. P. Reig ✆ 04 68 22 06 68, *hotel.weekend@libertysurf.fr, Fax 04 68 22 17 16,* – ch, TV ✆. AE GB JCB
*fermé 15 nov. au 15 déc.* – **Repas** *(fermé sam. sauf le soir en saison)* 12 bc (déj.), 20/25, enf. 8 – ☕ 6 – **8 ch** 55 – ½ P 47.
◆ Des chambres simples mais rénovées, le restaurant installé dans l'ancienne grange et la terrasse dressée dans le patio fleuri : une halte sympathique sur la route de l'Espagne.

*Les principales voies commerçantes figurent en* **rouge** *dans la liste des rues des plans de villes.*

## ÉLOISE *74 H.-Savoie* 328 I4 – *rattaché à Bellegarde-sur-Valserine.*

## ELSENHEIM *67390 B.-Rhin* 315 J8 – *637 h alt. 179.*

*Paris 455 – Colmar 18 – Ribeauvillé 419 – Sélestat 15.*

X **Cottage,** 22 r. Principale ✆ 03 88 92 51 59, *lecottage@evc.net, Fax 03 88 74 98 00,* – GB
*fermé 14 au 28 juil., 16 fév. au 8 mars, mardi soir, merc. soir et lundi* – **Repas** 13 (déj.), 20/45.
◆ Les arrivages réguliers de poissons constituent l'atout maître de ce restaurant : la marée est annoncée sur l'ardoise du jour. Salle à manger en "duplex" et terrasse.

## EMBRUN *05200 H.-Alpes* 334 G5 *G. Alpes du Sud – 5 793 h alt. 871.*

Voir *Cathédrale N.-D. du Réal*★ *: trésor*★*, portail*★ *– Peintures murales*★ *dans la chapelle des Cordeliers – Rue de la Liberté et Rue Clovis-Huques*★.
*Office du Tourisme, place Général Dosse ✆ 04 92 43 72 72, Fax 04 92 43 54 06, ot.embrunlaposte.fr.*
*Paris 710 – Briançon 51 – Gap 40 – Barcelonnette 55 – Digne-les-Bains 95 – Guillestre 22.*

**Mairie,** pl. Mairie ✆ 04 92 43 20 65, *Fax 04 92 43 47 02,* – TV – 20. AE GB
*fermé 1er au 20 mai, oct. et nov.* – **Repas** *(fermé lundi midi en juin et sept., dim. soir et lundi de déc. à avril)* 16/23 ♀, enf. 8,50 – ☕ 6,50 – **24 ch** 44/49 – ½ P 44/46.
◆ Au coeur de la vieille ville, jolie maison ancienne aux chambres bien rénovées. En terrasse, le murmure de la fontaine publique accompagnera un repas traditionnel et généreux.

**Notre-Dame,** av. Gén. Nicolas ✆ 04 92 43 08 36, *Fax 04 92 43 58 41,* – TV. GB
*fermé 20 déc. au 30 janv., dim. soir et lundi* – **Repas** 18/26 ♀, enf. 10 – ☕ 7 – **14 ch** 38/48 – ½ P 45/47.
◆ Deux villas des années 1930 aux portes de l'ex-métropole ecclésiastique. Chambres fonctionnelles très bien tenues ; celles de l'annexe, plus agréables, ouvrent sur un jardin.

**rte de Gap** *Sud-Ouest : 3 km par N 94 – ✉ 05200 Embrun :*

**Les Bartavelles** M, ✆ 04 92 43 20 69, *info@bartavelles.com, Fax 04 92 43 11 92,* – rest, TV ✆ P – 80. AE GB
*fermé 6 au 13 janv., dim. soir de nov. à avril sauf vacances scolaires* – **Repas** 15 (déj.), 20/35 ♀ – ☕ 8,50 – **42 ch** 75/89 – ½ P 66/73.
◆ Grosse "chaumière" des années 1970 et son vaste jardin. Chambres refaites, meublées dans le style caractéristique du Queyras, bungalows familiaux et bons équipements de loisirs.

**ÉMERINGES** *69840 Rhône* 327 H2 – *182 h alt. 353.*
*Paris 409 – Mâcon 19 – Bourg-en-Bresse 55 – Lyon 67 – Villefranche-sur-Saône 33.*

**Auberge des Vignerons,** ✆ 04 74 04 45 72, *Fax 04 74 04 48 96* – . GB
*fermé 23 au 30 juin, 1er au 7 janv., merc. de déc. à fév., lundi soir et mardi* – **Repas** 21/39.
◆ Les baies vitrées de la petite salle de restaurant offrent une jolie vue sur les vignes du Beaujolais. Intérieur lambrissé et nappes colorées. Cuisine traditionnelle.

**EMMERIN** *59 Nord* 302 F4 – *rattaché à Lille.*

**ENCAMP** 343 H9 – *voir à Andorre (Principauté d').*

**ENCAUSSE-LES-THERMES** *31160 H.-Gar.* 343 C6 – *560 h alt. 362.*
*Office du Tourisme, rue de la Fontaine* ✆ *05 61 89 32 64, Fax 05 61 88 81 34.*
*Paris 788 – Bagnères-de-Luchon 43 – St-Gaudens 12 – St-Girons 42 – Toulouse 104.*

**Aux Marronniers,** ✆ 05 61 89 17 12, *Fax 05 61 89 17 12,* – GB
*fermé janv., dim. soir et lundi hors saison* – **Repas** 13/24.
◆ Cette façade couverte de vigne vierge abrita un relais de poste au tout début du 20e s. Atmosphère "vieille France". Terrasse sous les marronniers, au bord d'une rivière.

**ENGHIEN-LES-BAINS** *95 Val-d'Oise* 305 E7 101 (50) – *voir à Paris, Environs.*

**ENGLOS** *59 Nord* 302 F4 – *rattaché à Lille.*

**ENTRAYGUES-SUR-TRUYÈRE** *12140 Aveyron* 338 H3 *G. Midi-Pyrénées* – *1 495 h alt. 236.*
Voir *Vieux Quartier : Rue Basse★ – Pont gothique★.*
Env. *Vallée du Lot★★.*
*Office du Tourisme, 30 Tour de Ville* ✆ *05 65 44 56 10, Fax 05 65 44 50 85, ot-pays entraygues@wanadoo.fr.*
*Paris 599 – Aurillac 44 – Rodez 42 – Figeac 58 – St-Flour 83.*

**Deux Vallées,** ✆ 05 65 44 52 15, *hotel.2vallees@wanadoo.fr, Fax 05 65 44 54 47,* – TV . GB
*fermé 1er au 15 fév., vend. soir et sam. de nov. à mars* – **Repas** 11/30 – 5,50 – **17 ch** 33/40 – ½ P 35.
◆ À Entraygues confluent les vallées du Lot et de la Truyère. Toutes les chambres, pratiques et bien insonorisées, sont rénovées ; celles de l'arrière ouvrent sur la campagne.

**Lion d'Or,** ✆ 05 65 51 40 44, – AE GB
*fermé janv., dim. soir et lundi* – **Repas** 11 (déj.), 14/29, enf. 7.
◆ L'atout de ce restaurant est son agréable terrasse d'été, ombragée et calme. Intérieur d'esprit rustique avec plancher et miroirs d'origine. Plats traditionnels et du terroir.

**au Fel** *Ouest : 10 km par D 107 et D 573 – 186 h. alt. 530 –* ✉ *12140 Entraygues-sur-Truyère :*

**Auberge du Fel** , ✆ 05 65 44 52 30, *info@auberge-du-fel.com, Fax 05 65 48 64 96,* , – P. GB
*1er avril-2 nov.* – **Repas** *(fermé le midi sauf sam., dim., vacances scolaires et fériés)* 11/33, enf. 9,50 – 6 – **11 ch** 51/57 – ½ P 45/47.
◆ Bâtisse en pierre tapissée de vigne vierge dans un village pittoresque surplombant la vallée du Lot : une charmante petite pension de famille fleurant bon le terroir.

**ENTRECHAUX** *84 Vaucluse* 332 D8 – *rattaché à Vaison-la-Romaine.*

**ENTRE-LÈS-FOURGS** *25 Doubs* 321 I6 – *rattaché à Jougne.*

**ENTZHEIM** *67 B.-Rhin* 315 J5 – *rattaché à Strasbourg.*

**ÉPERNAY** *51200 Marne* 306 F8 *G. Champagne Ardenne* – *26 682 h alt. 75.*
Voir *Caves de Champagne★★ – Collection archéologique★ au musée municipal.*
*Office du Tourisme, 7 avenue de Champagne* ✆ *03 26 53 33 00, Fax 03 26 51 95 22, tourisme@ot-epernay.fr.*
*Paris 150 (4) – Reims 28 (1) – Châlons-en-Champagne 34 (2) – Château-Thierry 57 (4).*

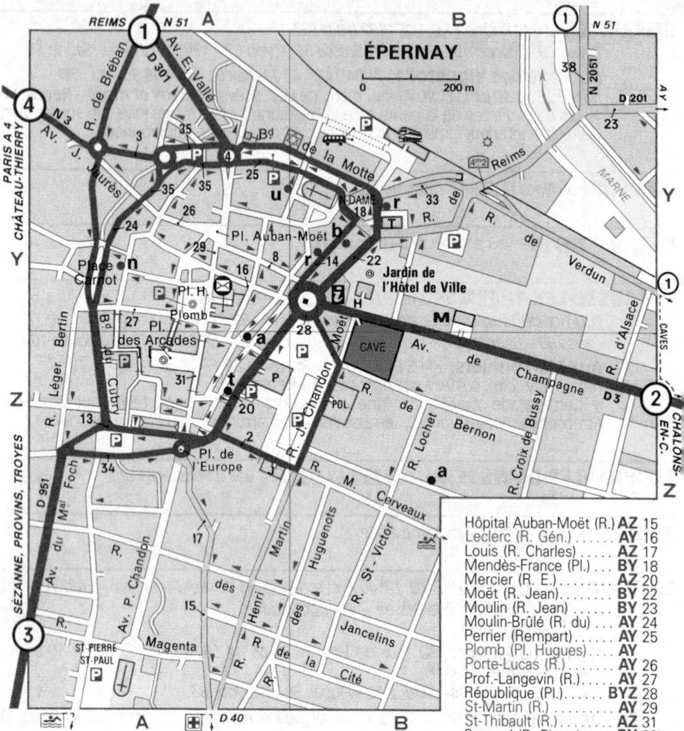

ÉPERNAY
0 200 m
REIMS N 51
N 51
PARIS A 4 CHÂTEAU-THIERRY
SÉZANNE, PROVINS, TROYES
CHALONS-EN-C.
D 201
D 951
D 40
D 3
D 301
N 2051
N 3
MARNE
CAVES
CAVE
Av. de Champagne
R. de Verdun
R. de Reims
R. de Bernon
R. M. Cerveaux
R. des Jancelins
R. de la Cité
R. de Magenta
Av. P. Chandon
R. J. Chandon
R. Léger Bertin
Av. du Mal Foch
Bd du Cubry
R. de Bréban
Av. J. Jaurès
Av. E. Vallé
Bd de la Motte
R. Lochet
R. Croix de Bussy
R. d'Alsace
R. St-Victor
R. des Huguenots
R. Henri Martin
Pl. Auban-Moët
Place Carnot
Pl. H. Plomb
Pl. des Arcades
Pl. de l'Europe
Jardin de l'Hôtel de Ville
ST-PIERRE ST-PAUL
N-DAME
POL.




**Clos Raymi** sans rest, 3 r. Joseph de Venoge ✆ 03 26 51 00 58, *closraymi@wanadoo.fr, Fax 03 26 51 18 98*, – TV. AE GB JCB — BZ a
*fermé 21 fév. au 7 mars* – ☕ 14 – **7 ch** 126/148.
◆ La jolie maison de maître en briques rouges fut celle de la famille Chandon. Chambres personnalisées raffinées. Agréable salle des petits-déjeuners ouverte sur le jardin.

**Les Berceaux** (Michelon), 13 r. Berceaux ✆ 03 26 55 28 84, *les.berceaux@wanadoo.fr, Fax 03 26 55 10 36* – |‡|, rest, TV. AE ⓓ GB. — AZ a
**Repas** *(fermé 15 au 31 août, 28 janv. au 17 fév., lundi et mardi)* 27/59 et carte 70 à 90 - ***Le Wine Bar*** *(fermé sam. et dim.)* **Repas** 26/38bc 🍷, enf. 10 – ☕ 11 – **29 ch** 66/75.
◆ Maison de tradition dont les chambres sont en partie rénovées. L'élégant restaurant propose une cuisine classique. Repas plus simple et bon choix de vins au verre au Wine Bar.
**Spéc.** Galette de pied de porc en croûte de pomme de terre. Bouquet de homard, langoustines et poissons de roche en salade tiède. Grosse asperge des bords de Marne rôtie (mai-juin). **Vins** Champagne, Coteaux Champenois.

**Champagne** sans rest, 30 r. E. Mercier ✉ 51200 ✆ 03 26 53 10 60, *infos@bw-hotel-champagne.com, Fax 03 26 51 94 63* – |‡| TV. AE ⓓ GB — AZ t
*fermé 22 déc. au 2 janv.* – ☕ 9,50 – **30 ch** 75/115.
◆ Central et pratique, l'hôtel dispose de chambres peu spacieuses mais refaites et bien meublées (contemporain ou merisier). Petit-déjeuner servi sous forme de buffet.

**Les Cépages,** 16 r. Fauvette ✆ 03 26 55 16 93, *lescepages@wanadoo.frf, Fax 03 26 54 51 30* – . AE GB — AY n
*fermé 2 au 24 juil., 25 au 30 déc., 26 fév. au 13 mars, merc. et jeudi* – **Repas** 17/65.
◆ Institut oenologique, boutique d'antiquités et aujourd'hui restaurant (non-fumeur) ! Expositions de toiles d'artistes régionaux. Cuisine classique et bon choix de champagnes.

XX **Théâtre,** 8 pl. P. Mendès-France ✆ 03 26 58 88 19, *Fax 03 26 58 88 38* – ▤. ⓓ GB
*fermé 21 juil. au 4 août, 17 fév. au 10 mars, dim. soir du 15 nov. au 15 avril, mardi soir et merc.* – **Repas** (15) - 21/40 ♀. BY r
◆ Sièges en rotin et couleurs chaudes apportent une touche "coloniale" à cette ample et élégante salle de restaurant installée dans un bâtiment du début du 20e s.

X **Table Kobus,** 3 r. Dr Rousseau ✆ 03 26 51 53 53, *Fax 03 26 58 42 68* – ▤. GB ABY u
*fermé 21 au 28 avril, 4 au 22 août, 23 déc. au 6 janv., dim. soir, jeudi soir et lundi* – **Repas** (17) - 24/37.
◆ Sympathique bistrot 1900 où l'on peut sabler le champagne en amenant ses propres bouteilles et ce, sans payer de droit de bouchon ! Les Sparnaciens s'y précipitent.

X **Bacchus Gourmet,** 21 r. Gambetta ✆ 03 26 51 11 44, *aubacchusgourmet@wanadoo.fr* – GB BY r
*fermé 7 au 23 mars, 27 oct. au 10 nov., lundi et mardi* – **Repas** (15,90) - 25 (déj.)/79 bc.
◆ Belle sélection de dives bouteilles dans ce bistrot bâti en pierres de Saint-Émilion. Un mur est égayé d'un trompe-l'oeil représentant une cave à vins. Cadre plutôt simple.

X **Cave à Champagne,** 16 r. Gambetta ✆ 03 26 55 50 70, *cave.champagne@wanadoo.fr, Fax 03 26 51 07 24* – ▤. GB BY b
*fermé mardi soir, merc. midi en juil.-août et merc. soir* – **Repas** (nombre de couverts limité, prévenir) (10) - 13,50/26 ♀, enf. 7,70.
◆ Petit caveau à la gloire des vins régionaux (exposition de bouteilles). Vraie gageure, on y fait un repas au champagne sans se ruiner.

**à Champillon** *par ① : 6 km – 533 h. alt. 210 – ✉ 51160 :*

**Royal Champagne** ⑤, N 2051 ✆ 03 26 52 87 11, *royalchampagne@wanadoo.fr, Fax 03 26 52 89 69,* ≤ Épernay, vignoble et vallée de la Marne, – TV ✆ ♿ P – 🅰 15 à 25. AE ⓓ GB JCB
*fermé début déc. à fin fév.* – **Repas** *(fermé lundi midi)* 38 (déj.), 55/125 bc et carte 70 à 95 – ☕ 22 – **20 ch** 210/280, 5 appart – ½ P 193.
◆ L'ancien relais de poste domine superbement la vallée. Les chambres y sont luxueusement aménagées et la salle à manger ne manque pas de caractère. Cuisine de tradition.
**Spéc.** Cannelloni de homard et champignons au beurre de corail. Effilochée de cabillaud fumé minute, beurre nantais à la ciboulette. Croquant de chocolat amer et glace crème brûlée, sauce guanaja. **Vins** Champagne, Cumières.

**rte de Reims** *par ① : 8 km – ✉ 51160 St-Imoges :*

XX **Maison du Vigneron,** N 51 ✆ 03 26 52 88 00, *Fax 03 26 52 86 03* – ▤ P. AE ⓓ GB JCB
*fermé dim. soir et merc.* – **Repas** 22/48 ♀.
◆ Maison de style auberge forestière, bordant la nationale. Cadre rustique : poutres, lustres en fer forgé, cheminée... bénéficiant d'une belle mise en place.

**à Vinay** *par ③ : 6 km – 489 h. alt. 102 – ✉ 51530 :*

**Hostellerie La Briqueterie** M, rte de Sézanne ✆ 03 26 59 99 99, *info@labriqueterie.com, Fax 03 26 59 92 10,* ⅼ₆, ⛝, – ▤ TV ✆ P – 🅰 35. AE GB
*fermé 21 au 26 déc.* – **Repas** 22 (dîner)/67 et carte 50 à 70 ♀, enf. 17 – ☕ 14 – **42 ch** 157/235.
◆ L'hostellerie s'entoure d'un gracieux jardin et abrite de douillettes chambres joliment rénovées. Poutres, tons écrus et draperies en lin composent l'élégant décor du restaurant.
**Spéc.** Foie gras de canard aux figues et ratafia. Pigeonneau désossé au foie gras et aux truffes en feuilleté. Crêpes soufflées au marc de champagne (nov. à fév.). **Vins** Coteaux Champenois, Cumières.

---

**ÉPERNON** *28230 E.-et-L.* 311 G4 *G. Ile de France – 5 097 h alt. 106.*
*Paris 65 – Chartres 27 – Dreux 32 – Étampes 51 – Rambouillet 14 – Versailles 47.*

**Madeleine,** 24 r. Madeleine ✆ 02 37 83 42 06, *Fax 02 37 83 57 34,* – TV ✆ P. GB
*fermé 1er au 8 mars, août, dim. soir et lundi* – **Repas** 15,50/43 bc ♀, enf. 8,20 – ☕ 5,90 – **7 ch** 38/58 – ½ P 41/49.
◆ Modeste hôtel familial convenant pour une étape à la périphérie de la vieille ville. Chambres simples, mais bien entretenues. Salle à manger sobrement rustique.

---

**ÉPINAL** P *88000 Vosges* 314 G3 *G. Alsace Lorraine – 36 732 h alt. 324.*
*Voir Vieille ville★ : Basilique★ – Parc du château★ – Musée départemental d'art ancien et contemporain★ – Imagerie d'Épinal.*
ℹ *Office du Tourisme, 6 place St. Goëry ✆ 03 29 82 53 32, Fax 03 29 82 88 22, tourisme.epinal@wanadoo.fr.*
*Paris 386 ⑦ – Belfort 97 ⑤ – Colmar 91 ④ – Mulhouse 107 ④ – Nancy 72 ① – Vesoul 90 ④.*

Plan pages suivantes

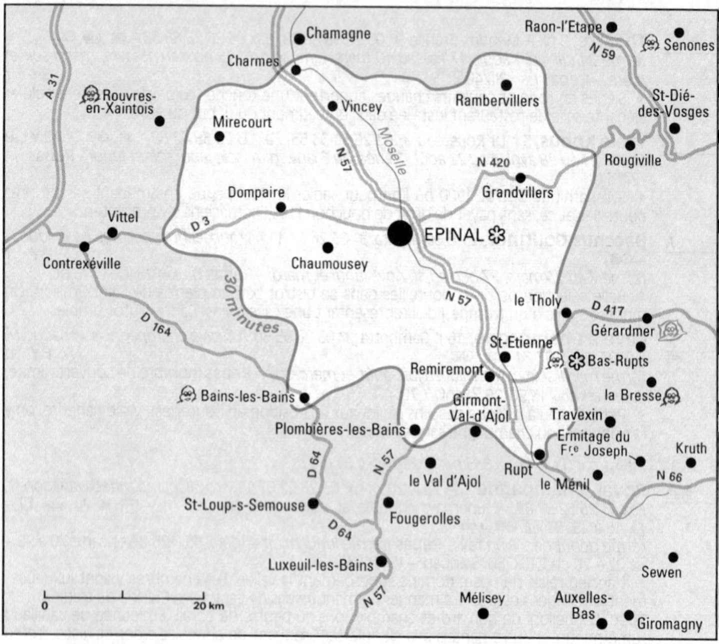

Chamagne
Raon-l'Etape
Senones
N 59
Charmes
A 31
Rouvres-en-Xaintois
Rambervillers
St-Dié-des-Vosges
Vincey
Mirecourt
Moselle
N 57
N 420
Rougiville
Dompaire
Grandvillers
Vittel
D 3
EPINAL
Contrexéville
Chaumousey
30 minutes
N 57
le Tholy
D 417
D 164
Gérardmer
St-Etienne
Bas-Rupts
Remiremont
Bains-les-Bains
la Bresse
Girmont-Val-d'Ajol
Travexin
Plombières-les-Bains
Ermitage du Fre Joseph
Kruth
D 64
N 57
Rupt
le Val d'Ajol
le Ménil
N 66
St-Loup-s-Semouse
Fougerolles
D 64
Luxeuil-les-Bains
Sewen
0
20 km
N 57
Mélisey
Auxelles-Bas
Giromagny


**Manoir des Ducs** M, 5 av. Provence ☎ 03 29 29 55 55, *manoir-hotel@wanadoo.fr, Fax 03 29 29 55 56* – ch, AE GB JCB. ch BZ n
voir rest. ***Ducs de Lorraine*** ci-après – 12 – **12 ch** 78/88.
◆ Cette ravissante demeure bourgeoise bâtie en 1876 abrite depuis peu de jolies chambres personnalisées, spacieuses et bien équipées.

**Mercure,** 13 pl. E. Stein ☎ 03 29 29 12 91, *h0831-gm@accor-hotels.com, Fax 03 29 29 12 92* – – 30 à 80. AE GB AZ e
**Repas** *(fermé dim. midi et sam. midi)* *(17)* - 22, enf. 8 – 12 – **53 ch** 83/98, 6 appart.
◆ Cet hôtel du 19e s., réhabilité et agrandi par la chaîne, vient de bénéficier d'une rénovation totale. Nuits plus calmes sur l'arrière. Restaurant entièrement relooké.

**Kyriad** M sans rest, 12 av. Gén. de Gaulle ☎ 03 29 82 10 74, *hotel-kyriad-epinal@wanadoo.fr, Fax 03 29 35 35 14* – . AE GB AY b
*fermé 24 déc. au 3 janv.* – 6,50 – **46 ch** 53/58, 3 appart.
◆ Face à la gare, mais bien insonorisées et situées pour moitié sur l'arrière, chambres peu spacieuses dont les atouts sont la fraîcheur et un confort actuel.

**Ibis** M, quai Mar. de Contades ☎ 03 29 64 28 28, *h0890-gm@accor-hotels.com, Fax 03 29 35 37 88,* – – 20 à 80. AE GB BY d
**Repas** (dîner seul.) *(12)* - 17, enf. 6 – 6 – **60 ch** 57.
◆ Construction moderne sur les berges de la Moselle. Chambres rénovées, répondant aux normes "Ibis". Quelques-unes offrent une vue sur la rivière.

**Ducs de Lorraine** (Obriot et Ringer), 5 r. Provence ☎ 03 29 29 56 00, *Fax 03 29 29 56 01,* – AE GB BZ f
*fermé dim. soir* – **Repas** 30 (déj.), 40/80 et carte 65 à 80, enf. 15.
◆ Villa cossue de la fin du 19e s., élégante salle à manger avec moulures et mobilier Louis XV, goûteuse cuisine classique et vins choisis : une bien belle image d'Épinal !
**Spéc.** Tartare de homard. Dînette de pigeon en cinq façons. Soufflé à la mirabelle, coulis et sorbet. **Vins** Gris de Toul, Pinot noir d'Alsace.

**Petit Robinson,** 24 r. R. Poincaré ☎ 03 29 34 23 51, *Fax 03 29 31 27 17* – AE GB BZ a
*fermé 15 juil. au 15 août, 23 déc. au 1er janv., sam., dim. et fériés* – **Repas** 18,50/33, enf. 11.
◆ La façade colorée de ce restaurant situé entre vieille ville et Moselle abrite une salle un brin désuète à l'ambiance intime. Salon pour repas commandés. Plats classiques.

# ÉPINAL

Abbé-Friesenhauser (R.) **BZ** 2
Ambrail (R. d') . . . . . . . . **BZ** 4
Bassot (Pl. Cl.) . . . . . . . . **BZ** 5
Blaudez (R. F.) . . . . . . . . **BZ** 6
Boegner (R. du Pasteur) **BZ** 7
Bons-Enfants (Quai des) **AZ** 8
Boudiou (Pt et R. du) . . **AZ** 10
Boulay-de-la-Meurthe (R.) . . . . . . . . **AY** 12
Bourg (R. L.) . . . . . . . . . . **AY** 13
Chapitre (R. du) . . . . . . . **BZ** 15
Clemenceau (Pl.) . . . . . . **AY** 17
Clemenceau (Pont) . . . . **BY** 18
Comédie (R. de la) . . . . . **BZ** 20
Entre-les-Deux-Portes (R.) . . . . . . . . . . . . . **BYZ** 24
États-Unis (R. des) . . . . **AY**
Foch (Pl.) . . . . . . . . . . . . . **BZ** 26
Gaulle (Av. du Gén.-de) . . . . . **AY** 27
Georgin (R.) . . . . . . . . . . **BZ** 29
Halles (R. des) . . . . . . . . **BZ** 30
Henri (Pl. E.) . . . . . . . . . . **BZ** 32
La Tour (R. G. de la) . . . **AZ** 35
Lattre (Av. Mar.-de) . . . . **AY** 36
Leclerc (R. Gén.) . . . . . . **BZ** 38
Lormont (R.) . . . . . . . . . . **BZ** 40
Lyautey (R. Mar.) . . . . . . **AY** 41
Maix (R. de la) . . . . . . . . **BZ** 43
Minimes (R. des) . . . . . . **AZ** 45
Neufchâteau (R. F. de) . **AY** 48
N.-D.-de-Lorette (R.) . . . **AY** 49
Pinau (Pl.) . . . . . . . . . . . . **AZ** 50
Poincaré (R. Raymond) **BY** 52
Sadi-Carnot (Pont) . . . . . **AZ** 53
St-Goery (R.) . . . . . . . . . . **BZ** 54
Schwabisch Hall (Pl. de) **BZ** 55
Vosges (Pl. des) . . . . . . . **BZ** 56
4-Nations (Pl. des) . . . . . **AY** 57
170^e^ Régt-d'Inf. (Pont du) **BZ** 59
170^e^-Régt-d'Inf. (R. du) . **BZ** 61

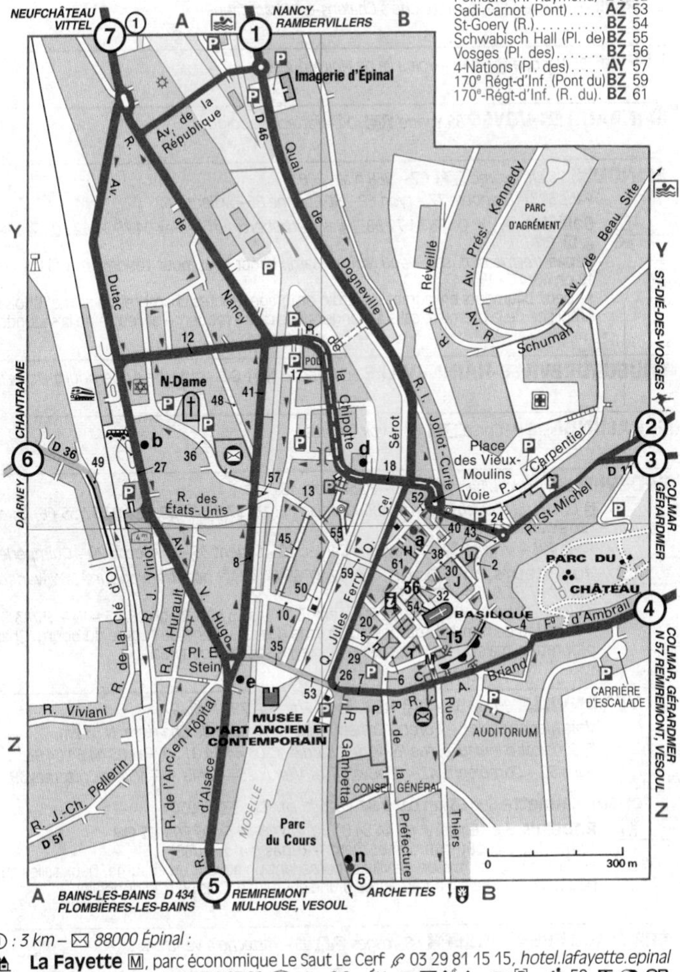

NEUFCHÂTEAU VITTEL
NANCY RAMBERVILLERS
Imagerie d'Épinal
Av. de la République
Quai de Dogneville
Av. Dutac
R. de Nancy
R. de la Chipotte
N-Dame
R. des États-Unis
PARC D'AGRÉMENT
Av. Prés. Kennedy
Av. de Beau Site
Av. R. Schuman
R. A. Réveillé
R. I. Joliot-Curie
Sérot
Place des Vieux-Moulins
Voie P. Carpentier
R. St-Michel
PARC DU CHÂTEAU
BASILIQUE
Fg d'Ambrail
A. Briand
CARRIÈRE D'ESCALADE
AUDITORIUM
CONSEIL GÉNÉRAL
Rue Thiers
R. de la Préfecture
R. Gambetta
Q. Jules Ferry
MUSÉE D'ART ANCIEN ET CONTEMPORAIN
Parc du Cours
MOSELLE
R. d'Alsace
R. de l'Ancien Hôpital
R. de la Clé d'Or
R. J. Viriot
R. A. Hurault
Av. V. Hugo
Pl. E. Stein
R. Viviani
R. J.-Ch. Pellerin
CHANTRAINE DARNEY
ST-DIÉ-DES-VOSGES
COLMAR GÉRARDMER
COLMAR, GÉRARDMER N 57 REMIREMONT, VESOUL
BAINS-LES-BAINS D 434 PLOMBIÈRES-LES-BAINS
REMIREMONT MULHOUSE, VESOUL
ARCHETTES
D 46
D 36
D 11
D 51
0 300 m

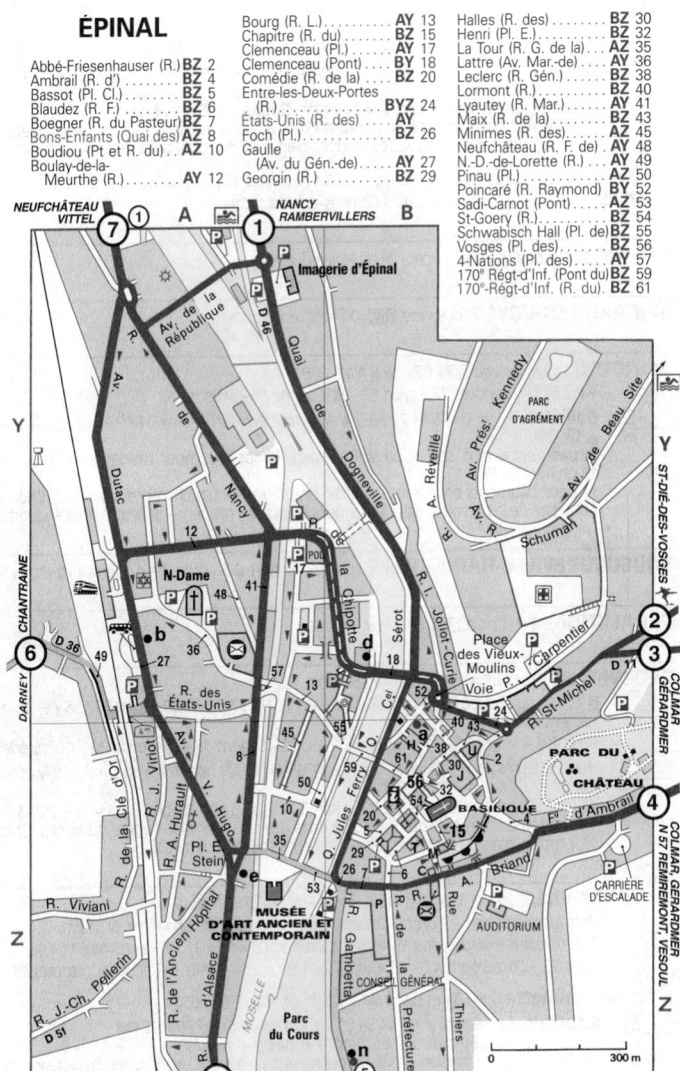

par ① : *3 km* – ✉ *88000 Épinal :*

**La Fayette** Ⓜ, parc économique Le Saut Le Cerf ☎ 03 29 81 15 15, *hotel.lafayette.epinal@wanadoo.fr, Fax 03 29 31 07 08,* – 50. AE ⓓ GB JCB
**Repas** 17,50/41 – 11 – **58 ch** 77/95 – 1/2 P 59/69.
◆ Dans une zone commerciale et face à un golf, complexe hôtelier récent aux équipements fonctionnels. Chambres spacieuses bien insonorisées ; salle à manger moderne.

**Campanile**, r. Merle Blanc, Bois de la Voivre ☎ 03 29 31 38 38, *Fax 03 29 34 71 65,* – 25. AE ⓓ GB
**Repas** 12/17 – 6 – **43 ch** 58.
◆ Hôtel de chaîne dans un site calme, à côté de la piscine municipale et du terrain de golf visible de la salle de restaurant. Toutes les chambres sont rénovées.

**à Chaumousey** *par ⑥ et D 460 : 10 km – 756 h. alt. 360 – ✉ 88390 :*

XX **Calmosien**, ✆ 03 29 66 80 77, *lecalmosien@wanadoo.fr, Fax 03 29 66 89 41,* – AE ◑ GB

*fermé 21 juil. au 3 août, dim. soir et lundi* – **Repas** 19/45 ꟸ, enf. 8.

◆ Pimpante petite maison du début du 20e s. proche de l'église. Décor "rétro" pieusement conservé : luminaires, moulures, papiers peints... Cuisine au goût du jour.

---

**L'ÉPINE** *51 Marne* 306 I9 – *rattaché à Châlons-en-Champagne.*

---

**L'ÉPINE** *85 Vendée* 67 O10 – *voir à Île de Noirmoutier.*

---

**ÉPINEAU-LES-VOVES** *89 Yonne* 319 D4 – *rattaché à Joigny.*

---

**EPINOUZE** *26210 Drôme* 332 C2 – *968 h alt. 208.*

*Paris 527 – Grenoble 77 – Lyon 68 – St-Étienne 86 – Valence 62.*

**Galliffet** ⛄, ✆ 04 75 31 72 98, *jj.galliffet@libertysurf.fr, Fax 04 75 31 62 30,* , – TV ♿ P. GB

**Repas** *(fermé dim. soir, vend. soir et sam.)* (dîner seul. pour résidents) 10/31 – 5 – **18 ch** 40/47 – ½ P 47.

◆ Deux bâtiments encadrant un jardin ombragé. Petites chambres au calme. Choisissez la simplicité de la première salle à manger ou le cadre moderne et feutré de la seconde.

---

**EQUEURDREVILLE-HAINNEVILLE** *50 Manche* 303 C2 – *rattaché à Cherbourg-Octeville.*

---

**ERBALUNGA** *2B H.-Corse* 345 F3 – *voir à Corse.*

---

**ERDEVEN** *56410 Morbihan* 308 M9 – *2 352 h alt. 18.*

*Office du Tourisme, 7 rue Abbé-Le-Barh ✆ 02 97 55 64 60, Fax 02 97 55 66 75, ot.erdeven@wanadoo.fr.*

*Paris 493 – Vannes 34 – Auray 15 – Carnac 10 – Lorient 35 – Quiberon 20 – Quimperlé 46.*

**Voyageurs**, r. Océan ✆ 02 97 55 64 47, *hotel-voyageurs-56@wanadoo.fr, Fax 02 97 55 64 24* – TV P. GB

*1er avril -30 sept.* – **Repas** 9/22,50 ꟸ, enf. 6,10 – 5,50 – **20 ch** 28/45 – ½ P 35/43.

◆ Pension de famille bretonne au charme désuet voisine de l'église du bourg. Chambres proprettes, mais un peu nues. Salle des repas sobre et conviviale.

---

**ERMENONVILLE** *60950 Oise* 305 H6 *G. Île de France – 782 h alt. 92.*

*Voir Mer de Sable★ – Forêt d'Ermenonville★ - Abbaye de Chaalis★★ N : 3 km.*

*Syndicat d'Initiative, rue René de Girardin ✆ 03 44 54 01 58, Fax 03 44 54 04 96.*

*Paris 52 – Compiègne 42 – Beauvais 70 – Meaux 25 – Senlis 14 – Villers-Cotterêts 38.*

**à Ver-sur-Launette** *Sud : 3 km par D 84 – 825 h. alt. 85 – ✉ 60950 :*

XX **Rabelais**, 3 pl. Église ✆ 03 44 54 01 70, *Fax 03 44 54 05 20* – AE GB

*fermé 4 au 24 août, dim. soir et merc.* – **Repas** (21) - 28,50/38.

◆ Face à l'église, maison de village possédant un auvent en chaume. Deux salles aux tons pastel, dont l'une est agrémentée d'une cheminée. Cuisine traditionnelle.

---

**ERMITAGE FRÈRE JOSEPH** *88 Vosges* 314 J5 – *rattaché à Ventron.*

*Dans ce guide*
*un même symbole, un même mot,*
*imprimé en* ***rouge*** *ou en* ***noir****, en maigre ou en* ***gras****,*
*n'ont pas tout à fait la même signification.*
*Lisez attentivement les pages explicatives.*

**ERNÉE** *53500 Mayenne* 310 D5 *G. Normandie Cotentin – 6 052 h alt. 120.*

*Syndicat d'Initiative, place de l'Hôtel de Ville ☎ 02 43 08 71 17.*

*Paris 304 – Domfront 46 – Fougères 22 – Laval 32 – Mayenne 26 – Vitré 31.*

XX **Grand Cerf** avec ch, 19 r. A.-Briand ☎ 02 43 05 13 09, *hotelrestaurantlegrandcerf@wanadoo.fr, Fax 02 43 05 02 90* – TV. AE GB JCB. ch

*fermé 13 janv. au 3 fév., dim. soir et lundi* – **Repas** (14) - 18,50/29,50 ♀ – ☕ 11 – **7 ch** 32,50/42 – ½ P 53/61.

◆ La salle à manger, décorée de nombreuses sculptures, allie pierres apparentes et éléments de décor modernes. Le cadre est soigné, la cuisine du terroir aussi.

**à La Coutancière** *Est : 9 km sur N 12 – ✉ 53500 Vautorte :*

X **Coutancière,** ☎ 02 43 00 56 27, *Fax 02 43 00 66 09* – P. GB

*fermé 15 juil. au 7 août, 22 fév. au 2 mars, dim. soir, mardi soir et merc.* – **Repas** 15,10/34 ♀.

◆ Auberge sympathique à l'orée de la forêt de Mayenne, au coeur de la région décrite par Balzac dans son roman Les Chouans. Cuisine traditionnelle et service attentif.

---

**ERQUY** *22430 C.-d'Armor* 309 H3 *G. Bretagne – 3 568 h alt. 12.*

Voir *Cap d'Erquy ★ NO : 3,5 km puis 30 mn.*

*Office du Tourisme, boulevard de la Mer ☎ 02 96 72 30 12, Fax 02 96 72 02 88, tourisme.erquy@wanadoo.fr.*

*Paris 452 – St-Brieuc 33 – Dinan 47 – Dinard 39 – Lamballe 21 – Rennes 101.*

**Beauséjour,** 21 r. Corniche ☎ 02 96 72 30 39, *hotel.beausejour@wanadoo.fr, Fax 02 96 72 16 30* – TV P. GB

*fermé 18 déc. au 4 janv., dim. soir et lundi du 15 sept. au 15 juin* – **Repas** 14,50/27,50 – ☕ 6,50 – **15 ch** 42/60 – ½ P 49/59.

◆ À 100 m de la plage, dans un "irréductible village gaulois", hôtel-restaurant familial aux chambres fonctionnelles et insonorisées. La salle à manger offre la vue sur la mer.

XX **L'Escurial,** bd Mer ☎ 02 96 72 31 56, *Fax 02 96 63 57 92,* ← – AE GB.

*fermé 5 au 20 oct., 18 janv. au 2 fév., dim. soir sauf juil.-août et lundi* – **Repas** 19/65 ♀.

◆ Face à la mer, restaurant installé dans le même immeuble que l'Office de tourisme. On y déguste plats classiques, poissons et, en saison, les fameuses noix de Saint-Jacques.

**à St-Aubin** *Sud-Est : 2,5 km par rte secondaire – ✉ 22430 Erquy :*

X **St-Aubin,** ☎ 02 96 72 13 22, *Fax 02 96 63 54 31,* – P. AE GB

*fermé 29 sept. au 6 oct., 20 au 27 déc., 7 au 23 fév., mardi et merc. sauf juil.-août et lundi* – **Repas** 13 (déj.), 19,50/50 ♀.

◆ Cette demeure campagnarde en pierres du pays propose une cuisine simple servie dans un cadre rustique et chaleureux. Aux beaux jours, profitez de la terrasse et du jardin.

---

**ERSTEIN** SP *67150 B.-Rhin* 315 J6 – *8 600 h alt. 150.*

*Office du Tourisme, 2 rue du Couvent ☎ 03 88 98 14 33, Fax 03 88 98 04 39, grandried.oterstein@wanadoo.fr.*

*Paris 518 – Strasbourg 26 – Colmar 49 – Molsheim 24 – St-Dié 69 – Sélestat 27.*

**Crystal** M, 41 av. Gare ☎ 03 88 64 81 00, *hotel-crystal@wanadoo.fr, Fax 03 88 98 11 29,* – , rest, TV P – 25 à 50. AE GB. rest

**Repas** *(fermé 1er au 21 août, 23 déc. au 5 janv., vend soir, sam. midi et dim.)* 7,50 (déj.), 13/50 ♀, enf. 7 – ☕ 7 – **66 ch** 47/69, 3 appart – ½ P 45.

◆ Architecture contemporaine proche de la route nationale. Intérieur récemment rénové : chambres bien aménagées, coin-salon feutré et plaisante salle à manger actuelle.

XXX **Jean-Victor Kalt,** 41 av. Gare ☎ 03 88 98 09 54, *jean-victor-kalt@wanadoo.fr, Fax 03 88 98 83 01* – P. AE GB

*fermé 23 juin au 7 juil., 5 au 15 janv., merc. soir, dim. soir et lundi sauf fériés* – **Repas** 18 (déj.), 25/65 et carte 37 à 58 ♀.

◆ Des murs revêtus de chaleureuses boiseries et décorés de tableaux, une belle mise en place et les tables espacées rendent attrayante cette salle de restaurant.

---

**ERVAUVILLE** *45 Loiret* 318 O3 – *rattaché à Courtenay.*

---

**ESCALDES-ENGORDANY** 343 H9 – *voir à Andorre (Principauté d').*

---

**ESPALION** *12500 Aveyron* 338 I3 *G. Midi-Pyrénées – 4 614 h alt. 342.*

Voir *Église de Perse★ SE : 1 km.*

*Office du Tourisme, 2 rue Saint Antoine ☎ 05 65 44 10 63, Fax 05 65 44 10 39, otespali@infosud.fr.*

*Paris 597 – Rodez 31 – Aurillac 70 – Figeac 93 – Mende 107 – Millau 81 – St-Flour 82.*

**France** Ⓜ sans rest, bd J. Poulenc ✆ 05 65 44 06 13, *Fax 05 65 44 76 26* – GB
6 – **9** ch 36/42.
◆ Central et voisin des musées, petit hôtel entièrement rénové : chambres crépies, fraîches, dotées de meubles en bois clair. Insonorisation efficace.

**Moderne,** bd Guizard ✆ 05 65 44 05 11, *Fax 05 65 48 06 94* – rest, . GB
*fermé 3 nov. au 9 déc. et 5 au 16 janv.* – ***L'Eau Vive*** *(fermé dim. soir et lundi sauf juil.-août)* **Repas** 18,5/40,50 ♀, enf. 8,50 – 6 – **28 ch** 40/54 – ½ P 39/46.
◆ Maison à pans de bois où la tradition d'accueil des pèlerins en route pour St-Jacques-de-Compostelle est restée vivace. Quelques chambres refaites.

**Méjane,** r. Méjane ✆ 05 65 48 22 37, *Fax 05 65 48 13 00* – . AE GB
*fermé 30 juin au 4 juil., vacances de fév., lundi sauf le soir hors sais., merc. sauf en juil.-août et dim. soir* – **Repas** (15) - 21/49 ♀, enf. 10,50.
◆ La présence de miroirs repousse les limites de la petite salle à manger. La décoration contemporaine est aussi soignée que la cuisine au goût du jour.

**ESPALY-ST-MARCEL** *43 H.-Loire* 331 F3 – *rattaché au Puy-en-Velay.*

**ESQUIÈZE-SÈRE** *65 H.-Pyr.* 342 L7 – *rattaché à Luz-St-Sauveur.*

**ESTAING** *12190 Aveyron* 338 I3 *G. Midi-Pyrénées* – *665 h alt. 313.*
*Syndicat d'Initiative, rue François d'Estaing ✆ 05 65 44 03 22, Fax 05 65 44 03 22, syndicatinitiative.estaing@wanadoo.fr.*
*Paris 606 – Rodez 36 – Aurillac 61 – Conques 33 – Espalion 10 – Figeac 74.*

**St-Fleuret,** face mairie ✆ 05 65 44 01 44, *auberge.st.fleuret@wanadoo.fr, Fax 05 65 44 72 19,* – . GB
*mars-nov. et fermé dim. soir et lundi hors saison* – **Repas** 17/50 ♀ – 5,50 – **14** ch 43/46 – ½ P 38/42.
◆ Cet ancien relais de poste (19e s.) abrite des chambres actuelles, donnant sur le jardin ou sur la vieille ville dominée par son pittoresque château. Carte régionale soignée.

**Aux Armes d'Estaing,** ✆ 05 65 44 70 02, *remi.catusse@wanadoo.fr, Fax 05 65 44 74 54* – . GB
*1[er] mars-15 nov. et fermé dim. soir et lundi* – **Repas** 12/35, enf. 6,50 – 5,50 – **33 ch** 41/50 – ½ P 35/40.
◆ Accueil familial devant le pont gothique franchissant le Lot, au pied du château, berceau de la famille d'Estaing. Chambres simples et restauration de type "pension".

**ESTAING** *65400 H.-Pyr.* 342 K7 *G. Aquitaine* – *86 h alt. 970.*
**Voir** *Lac d'Estaing★ S : 4 km.*
*Paris 885 – Pau 69 – Argelès-Gazost 12 – Arrens 7 – Laruns 43 – Lourdes 24 – Tarbes 42.*

**Lac d'Estaing** avec ch, au Lac Sud : 4 km ✆ 05 62 97 06 25, *Fax 05 62 97 06 25,* ←, – . GB
*1[er] mai-15 oct.* – **Repas** 14/25 – 6 – **8 ch** 33/42, (en été : ½ pens.seul.) – ½ P 38/44.
◆ Dans un site superbe, entre un lac romantique et de fiers sommets, modeste auberge de montagne à la façade fleurie. Salle à manger rustique et chambres simples.

**ESTÉRENÇUBY** *64 Pyr.-Atl.* 342 E6 – *rattaché à St-Jean-Pied-de-Port.*

**ESTIVAREILLES** *03190 Allier* 326 C4 – *1 104 h alt. 90.*
*Paris 319 – Moulins 79 – Bourbon-l'Archambault 45 – Montluçon 11 – Montmarault 37.*

**Lion d'Or,** N 144 ✆ 04 70 06 00 35, *Fax 04 70 06 09 78,* – . AE GB
*fermé 28 juil. au 12 août, 5 au 19 janv., dim. soir et lundi* – **Repas** 16/44 ♀.
◆ Bâtisse centenaire bordant la nationale. De belles poutres accordent du caractère à la salle des repas. La terrasse donne sur un parc arboré baigné par un étang.

**ESTRABLIN** *38 Isère* 333 C4 – *rattaché à Vienne.*

**ESTRÉES-ST-DENIS** *60190 Oise* 305 G4 – *3 498 h alt. 70.*
*Paris 81 – Compiègne 17 – Beauvais 46 – Clermont 21 – Senlis 33.*

**Moulin Brûlé,** 70 r. Flandres (N 17) ✆ 03 44 41 97 10, *Fax 03 44 51 87 96,* , – GB
*fermé 5 au 18 août, vacances de Toussaint, dim. soir, lundi et mardi* – **Repas** (15) - 20/48 ♀.
◆ Maison en pierres de taille sur la traversée du village. Intérieur campagnard avec poutres anciennes, tons pastel et cheminée. Sur l'arrière, petite terrasse au calme.

**ÉTAIN** *55400 Meuse* 307 E3 *G. Alsace Lorraine – 3 577 h alt. 210.*

*Office du Tourisme, 31 rue Raymond Poincaré ☎ 03 29 87 20 80, Fax 03 29 87 20 80.*

*Paris 293 – Metz 49 – Briey 26 – Longwy 43.*

**Sirène,** r. Prud'homme-Havette (rte Metz) ☎ 03 29 87 10 32, *Fax 03 29 87 17 65,* – TV P – 30. GB

*fermé 23 déc. au 1er fév., dim. soir et lundi* – **Repas** 11/29 – 7 – **21 ch** 42/59 – ½ P 39/47.

♦ Les lieux, restés sourds aux appels de la mode, résonnent du tumulte de l'histoire : Napoléon III serait tombé là - par hasard ? - après Gravelotte. Chambres rénovées.

**ÉTAMPES** *91150 Essonne* 312 B5 *G. Île de France – 21 457 h alt. 80.*

Voir *Collégiale Notre-Dame*★.

*Office du Tourisme, place de l'Hôtel de Ville et des droits de l'Homme ☎ 01 69 92 69 00, Fax 01 69 92 69 28.*

*Paris 51 – Fontainebleau 46 – Chartres 60 – Évry 35 – Melun 50 – Orléans 74 – Versailles 58.*

**Auberge de France,** allée Coquerive, rte Pithiviers (N 191) ☎ 01 60 80 04 72, *aubergefranceetampes@wanadoo.fr, Fax 01 60 80 04 77,* – , rest, TV P – 25. AE GB

**Repas** 17/37 – 6 – **50 ch** 52.

♦ Bâtiment récent proche d'un important carrefour routier à la périphérie d'Étampes. Chambres avant tout pratiques et sobrement aménagées. Salle à manger actuelle. Sauna.

**Auberge de la Tour St-Martin,** 97 r. St-Martin ☎ 01 69 78 26 19, *Fax 01 69 78 26 07* – AE GB

*fermé 11 au 25 août, sam. midi, dim. soir et lundi* – **Repas** 31.

♦ Cette sympathique petite salle rustique avec poutres, pierres apparentes et cheminée jouxte la "tour de Pise étampoise", un clocher incliné suite à un tassement du sol.

**à Ormoy-la-Rivière** *au Sud : 5 km par D 49 et rte secondaire – 874 h. alt. 81 – ✉ 91150 :*

**Vieux Chaudron,** ☎ 01 64 94 39 46, *guillaume.giblin@wanadoo.fr, Fax 01 64 94 39 46,* – GB

*fermé 19 août au 8 sept., 1er au 8 janv., vacances de printemps, jeudi soir, dim. soir et lundi* – **Repas** 28/32,50.

♦ Auberge familiale au centre du village, face à l'église. Intérieur campagnard égayé d'une cheminée et terrasse sur l'arrière, au calme. Cuisine traditionnelle.

**ÉTANG-DE-HANAU** *57 Moselle* 307 Q4 – *rattaché à Philippsbourg.*

**ÉTANG D'IMSTHAL** *67 B.-Rhin* 315 I3 – *rattaché à La Petite-Pierre.*

**Les ÉTANGS-DES-MOINES** *59 Nord* 302 M7 – *rattaché à Fourmies.*

**ETEL** *56410 Morbihan* 308 L9 *G. Bretagne – 2 318 h alt. 20.*

*Syndicat d'Initiative, place des Thoniers ☎ 02 97 55 23 80, Fax 02 97 55 58 26.*

*Paris 495 – Vannes 37 – Lorient 34 – Quiberon 24.*

**Trianon** , ☎ 02 97 55 32 41, *Fax 02 97 55 44 71,* – TV P. AE GB

**Repas** *(fermé janv., dim. soir et lundi midi de nov. à mars)* 19/42 – 10 – **24 ch** 60/78 – ½ P 65.

♦ Au coeur du petit port de pêche, chambres-bonbonnières (préférer celles de la villa annexe) et coquet restaurant bénéficiant d'une jolie mise en place. Jardinet au calme.

**ÉTOILE-SUR-RHÔNE** *26800 Drôme* 332 C4 – *3 504 h alt. 170.*

*Office du Tourisme, 45 Grande Rue ☎ 04 75 60 75 14, Fax 04 75 60 70 12, officetourisme.etoile@wanadoo.fr.*

*Paris 574 – Valence 12 – Crest 18 – Privas 35.*

**Vieux Four,** pl. Centre ☎ 04 75 60 72 21, *Fax 04 75 60 72 21,* – . GB.

*fermé 25 au 30 mars, 10 au 16 juin, 18 août au 8 sept., 6 au 12 janv., mardi soir, merc. soir, dim. soir et lundi* – **Repas** (17) - 20/55.

♦ Côtoyant une vieille demeure seigneuriale, belle maison régionale dont le bâti en pierre contraste heureusement avec un décor intérieur contemporain. Cuisine classique.

**ÉTOUY** *60 Oise* 305 F4 – *rattaché à Clermont.*

**L'ÉTRAT** *42 Loire* 327 F7 – *rattaché à St-Étienne.*

**ETRÉAUPONT** *02580 Aisne* 306 *F3 – 966 h alt. 127.*

*Syndicat d'Initiative, rue de la Libération ☎ 02 23 97 77 00, Fax 02 23 97 77 00.*

*Paris 185 – St-Quentin 51 – Avesnes-sur-Helpe 25 – Hirson 16 – Laon 44.*

**Clos du Montvinage,** 8 rue Albert Ledant ☎ 03 23 97 91 10, *contact@clos-du-montvinage.fr, Fax 03 23 97 48 92,* – 30. AE GB JCB. ch
*fermé dim. soir –* ***Auberge du Val de l'Oise*** ☎ 03 23 97 40 18 *(fermé 11 au 17 août, 22 au 28 déc., 1er au 7 janv., dim. soir et lundi)* **Repas** 19/32,50 ♀, enf.11,50 – 6,80 – **20 ch** 76,50 – ½ P 48,30/57.
◆ Avenante maison de maître du 19e s. toute en briques. Chambres de style Louis-Philippe. Salle à manger "cosy". Salon de billard feutré, minicourts de tennis, vélos.

**ÉTRETAT** *76790 S.-Mar.* 304 *B3 G. Normandie Vallée de la Seine – 1 565 h alt. 8 – Casino* **A.**

**Voir** *Le Clos Lupin★ – Falaise d'Aval★★★ – Falaise d'Amont★★.*

*Office du Tourisme, place Maurice Guillard ☎ 02 35 27 05 21, Fax 02 35 28 87 20, ot-etretat@wanadoo.fr.*

*Paris 205 ③ – Le Havre 29 ④ – Bolbec 30 ③ – Fécamp 17 ② – Rouen 90 ②.*

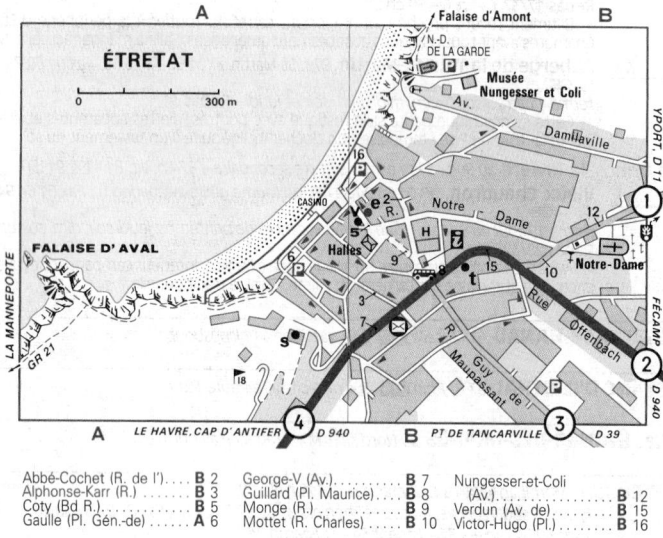

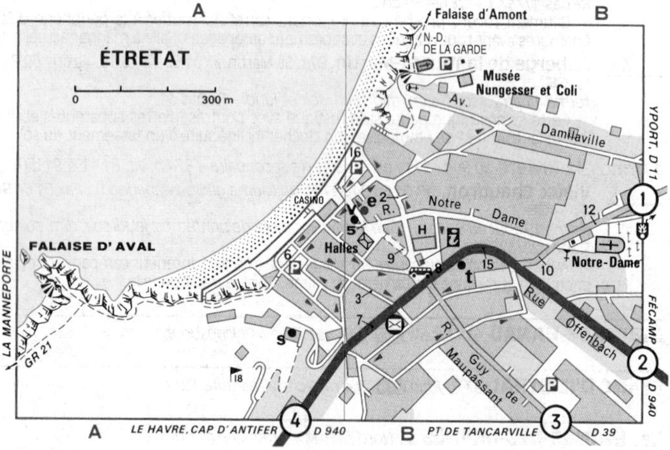

ÉTRETAT
0
300 m
A
B
Falaise d'Amont
N.-D. DE LA GARDE
Musée Nungesser et Coli
Av.
Damilaville
YPORT, D 11
CASINO
Notre Dame
R.
Halles
H
FALAISE D'AVAL
LA MANNEPORTE
GR 21
Notre-Dame
Rue Offenbach
FÉCAMP
R. Guy de Maupassant
D 940
LE HAVRE, CAP D'ANTIFER
PT DE TANCARVILLE
D 39

Abbé-Cochet (R. de l') .... **B** 2
Alphonse-Karr (R.) ....... **B** 3
Coty (Bd R.) ............. **B** 5
Gaulle (Pl. Gén.-de) ...... **A** 6
George-V (Av.) .......... **B** 7
Guillard (Pl. Maurice) .... **B** 8
Monge (R.) ............ **B** 9
Mottet (R. Charles) ..... **B** 10
Nungesser-et-Coli (Av.) ............. **B** 12
Verdun (Av. de) ......... **B** 15
Victor-Hugo (Pl.) ........ **B** 16

**Dormy House**, rte Le Havre ☎ 02 35 27 07 88, *dormy.house@wanadoo.fr, Fax 02 35 29 86 19,* ← falaise et mer, – 50. AE GB. rest
**Repas** 18,50 bc (déj.), 33/44,50 – 13 – **61 ch** 50/130 – ½ P 65/121. A s
◆ En surplomb de la station et au coeur d'un parc, manoir de 1870 et ses dépendances tournés vers la falaise d'Amont. Les chambres, "cosy", sont rénovées. Restaurant panoramique.

**Ambassadeur** sans rest, 10 av. Verdun ☎ 02 35 27 00 89, *hotel-ambassadeur@wanadoo.fr, Fax 02 35 28 63 69* – AE GB B t
11 – **21 ch** 61/105.
◆ Jolie villa centenaire proche du Clos Lupin, la maison-musée du "gentleman cambrioleur". Chambres spacieuses et sagement personnalisées, au délicieux charme "rétro".

**Falaises** sans rest, bd R. Coty ☎ 02 35 27 02 77, *Fax 02 35 28 87 59* – . GB B v
5,50 – **24 ch** 38/59.
◆ Petit immeuble situé à deux pas de la plage de galets encadrée par les falaises d'Aval et d'Amont. Les chambres, modernes et fonctionnelles, offrent un sobre décor.

**Galion,** bd R. Coty ☎ 02 35 29 48 74, *Fax 02 35 29 74 48* – AE GB B e
*fermé 15 déc. au 26 janv., mardi et merc.* – **Repas** 22/38 ♀.
◆ Le trésor de ce galion-là ne se trouve pas à fond de cale, mais au plafond : la forêt de poutres sculptées date du 14e s. et provient d'une maison de Lisieux.

**au Tilleul** *par ④ et D 940 : 3 km – 564 h. alt. 107 – ✉ 76790 Étretat :*

**St-Christophe** sans rest, ☎ 02 35 28 84 29, *Fax 02 35 28 84 30* – TV ☎. GB. ✻
*fermé 5 au 25 janv.* – ☕ 5,50 – **21 ch** 45/48.
◆ Cet ex-café de village proche de la célèbre Aiguille creuse propose des chambres simples, mais pratiques et dotées d'un mobilier de bonne facture. Accueil familial.

---

**EU** *76260 S.-Mar.* 304 I1 *G. Normandie Vallée de la Seine – 8 344 h alt. 19.*

Voir *Collégiale Notre-Dame et St-Laurent★ – Chapelle du Collège★.*

*Office du Tourisme, 41 rue Paul Bignon ☎ 02 35 86 04 68, Fax 02 35 50 16 03.*

*Paris 177 – Amiens 76 – Abbeville 41 – Dieppe 34 – Rouen 102 – Le Tréport 5.*

**Domaine de Joinville** ✎, Ouest : 1 km par D 1915 ☎ 02 35 50 52 52, *pavillon76@aol.com, Fax 02 35 50 27 37,* ☂, Fö, ⛱, ⛱, ✂, ⚘ – TV P – 🧑 30 à 100. AE GB. ✻
**Repas** *(fermé dim. soir et lundi soir de sept. à mai)* (dîner seul.) 38/43 et carte 38 à 50, enf. 12 – ☕ 15 – **23 ch** 78/137 – ½ P 89/118,50.
◆ Pavillon de chasse en briques rouges niché dans un parc, dont le prince de Joinville, fils de Louis-Philippe, fut l'heureux propriétaire. Préférez les chambres rénovées.

**Maine,** 20 pl. Gare ☎ 02 35 86 16 64, *info@hotel-maine.com, Fax 02 35 50 86 25,* ☂ – TV ☎ P. AE GB
**Repas** *(fermé 18 août au 9 sept. et dim. soir)* 15/38,90 ♀ – ☕ 6,40 – **18 ch** 39,70/53,40 – ½ P 51,90/58,70.
◆ Attrayante maison bourgeoise (1897) hébergeant des chambres parfois "rétro" et un restaurant de style Belle Époque agrémenté de tableaux et de bibelots anciens.

---

**EUGÉNIE-LES-BAINS** *40320 Landes* 335 I12 *G. Aquitaine – 467 h alt. 65 – Stat. therm. (mi fév.-début déc.).*

*Office du Tourisme, 147 rue René Vielle ☎ 05 58 51 13 16, Fax 05 58 51 12 02.*

*Paris 735 – Mont-de-Marsan 26 – Aire-sur-l'Adour 12 – Dax 79 – Orthez 52 – Pau 59.*

✿✿✿ **Les Prés d'Eugénie** (Guérard) M ✎, ☎ 05 58 05 06 07, *guerard@relaischateaux.fr, Fax 05 58 51 10 10,* ←, ☂, Fö, ⛱, ✂, ⚘ – |♿|, ▤ ch, TV ☎ P – 🧑 40. AE ⓓ GB. ✻
*fermé 1er au 19 déc. et 4 janv. au 25 mars* – (menus minceur pour résidents seul.) ***- rest. Michel Guérard*** (nombre de couverts limité, prévenir)(menu unique le midi) *(fermé lundi soir sauf du 13 juil. au 26 août et fériés)* **Repas** 55 (déj.), 120/165 et carte 115 à 135 ♀ – ☕ 28 – **22 ch** 315, 6 appart.
◆ Demeure du 19e s. élégamment décorée, parc et "ferme" thermale : heureux mariage entre maison de ville et maison des champs, entre plaisir et forme. Les Prés du bonheur ! Au village-jardin des Guérard, la cuisine inspirée par Dame Nature met les papilles en fête. Répertoire jardinier au déjeuner, carte gourmande en soirée.
**Spéc.** Etuvée marine de tourteau et langoustines d'Armor. Caneton rosé du "Mandarin Jardinier". Chocolat-café et Balthazar de pamplemousse. **Vins** Tursan blanc, Vin de Pays des Terroirs Landais.

**Couvent des Herbes** M ✎,, ⚘ – TV ☎ P. AE ⓓ GB. ✻ rest
*fermé 1er au 19 déc. et 4 janv. au 12 fév.* – voir rest. ***Les Prés d'Eugénie*** et ***Michel Guérard*** – ☕ 28 – **4 ch** 370, 4 appart.
◆ Napoléon III fit amoureusement restaurer pour Eugénie ce joli couvent du 18e s. surmonté d'un clocheton. Les chambres, entourées d'un jardin d'éden, sont la séduction même.

**Maison Rose** M ✎ (voir aussi rest. ***Michel Guérard***), ☎ 05 58 05 06 07, *guerard@relaischateaux.fr, Fax 05 58 51 10 10,* ⛱, ✂, ⚘ – cuisinette TV ☎ ♿ P. AE ⓓ GB
*(fermé 1er déc. au 14 fév.)* – **Repas** (résidents seul.) – ☕ 17 – **26 ch** 100/165, 5 studios – P 142/175.
◆ Couleurs pastel reposantes, mobilier en rotin blanc et fleurs fraîches, salon "cosy" aux murs tendus d'étoffe rayée : une ambiance "guesthouse" raffinée et réussie.

**Ferme aux Grives** M ✎ avec ch, ☎ 05 58 05 05 06, *guerard@relaischateaux.fr, Fax 05 58 51 10 10,* ☂, ⛱, ✂, ⚘ – TV ☎ P. GB
*fermé 4 janv. au 12 fév.* – **Repas** *(fermé mardi et merc. sauf du 13 juil. au 26 août et fériés)* 40 – ☕ 25 – **4 ch** 370/490.
◆ Ancienne auberge de village qui a retrouvé ses couleurs d'antan. Jardin potager, vieilles poutres et tomettes magnifient une cuisine du terroir ressuscitée.

*Ecrivez-nous...*
*Vos louanges comme vos critiques seront examinées avec le plus grand soin.*
*Nous reverrons sur place les informations que vous nous signalez.*
*Par avance merci !*

**ÉVELLE** *21340 C.-d'Or* 320 I8.

*Paris 313 – Beaune 15 – Autun 36 – Chalon-sur-Saône 32 – Dijon 59.*

**Auberge du Vieux Pressoir,** ✆ 03 80 21 82 16, *Fax 03 80 21 82 16* – GB

*fermé en janv., vacances de fév., dim. soir et le midi sauf dim.* – **Repas** 24,50/32, enf. 8.

◆ Auberge campagnarde des Hautes-Côtes de Beaune, à deux pas du château de la Rochepot. Vous devez traverser le café de village pour accéder à la modeste salle à manger.

**EVETTE-SALBERT** *90350 Ter.-de-Belf.* 315 E10 – *2 093 h alt. 390.*

*Paris 417 – Besançon 102 – Mulhouse 47 – Belfort 9 – Lure 28 – Montbéliard 31 – Thann 47.*

**Auberge du Lac,** 27 r. Lac ✆ 03 84 29 14 10, *Fax 03 84 29 14 10,* ≤ le lac et les Ballons, – GB

*fermé 15 au 30 oct., 2 janv. au 15 fév., mardi midi et lundi* – **Repas** 13/25 ♀.

◆ Cette ex-glacière, postée sur la rive du lac de Malsaucy, semble guetter le retour du festival des Eurockéennes. Salle à manger panoramique. Spécialités de fritures (carpes).

*Un automobiliste averti utilise le* ***Guide Rouge Michelin*** *de l'année.*

**ÉVIAN-LES-BAINS** *74500 H.-Savoie* 328 M2 *G. Alpes du Nord – 6 895 h alt. 370 – Stat. therm. (début fév.-mi nov.) – Casino* **B**.

Voir *Lac Léman★★★ – Promenade en bateau★★★ – L'escalier d'honneur★ de l'hôtel de ville.*

Env. *Falaises★★.*

*Office du Tourisme, place d'Allinges ✆ 04 50 75 04 26, Fax 04 50 75 61 08, otevian@icor.fr.*

*Paris 577 ③ – Thonon-les-Bains 10 ③ – Genève 44 ③ – Montreux 39 ①.*

**ÉVIAN-LES-BAINS**

Abondance (Av. d') .......... **C** 2
Bennevy (Bd de) .......... **AB** 5
Besson (Quai Ch.) .......... **B** 6
Clermont (R. de) .......... **B** 10
Cordeliers (R. des) .......... **C** 12
Cottet (Pl. Ch.) .......... **B** 15
Folliet (R. Gaspard) .......... **B** 19
Grottes (Av. des) .......... **C** 22
Larringes (Av. de) .......... **A** 25
Libération (Pl. de la) .......... **C** 26
Mateirons (Av. des) .......... **B** 27
Monnaie (R. de la) .......... **B** 29
Narvik (Av. de) .......... **B** 31
Nationale (Rue) .......... **B** 33
Neuvecelle (Av. de) .......... **C** 36
Port (Pl. du) .......... **C** 37
Sources (Av. des) .......... **B** 39
Vallées (Av. des) .......... **AB** 40

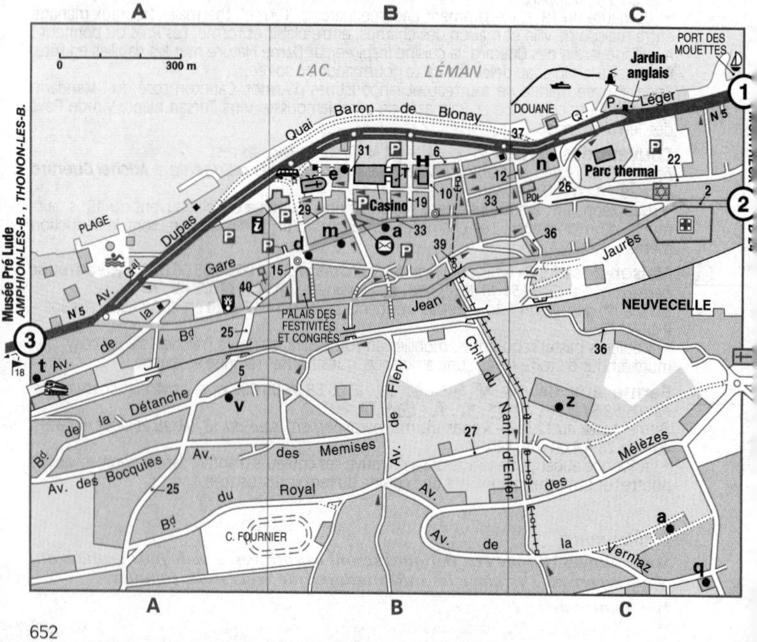
A
B
C
0
300 m
LAC
LÉMAN
PORT DES MOUETTES
Jardin anglais
DOUANE
Quai Baron de Blonay
P. Léger
N 5
Parc thermal
Casino
PLAGE
Dupas
Av. Gal
Gare
Jaurès
Jean
NEUVECELLE
PALAIS DES FESTIVITÉS ET CONGRÈS
Av. de la Détanche
Bd de Bennevy
Av. des Bocquies
Av. des Memises
Av. de Fleury
Chin du Nant d'Enfer
Av. des Mélèzes
Bd du Royal
C. FOURNIER
Av. de la Verniaz
Musée Pré Lude
AMPHION-LES-B., THONON-LES-B.
MONTREUX
POL.
1
2
3

**Royal**, 04 50 26 85 00, *hotelroyal@royalparcevian.com, Fax 04 50 75 38 40*, ≤, – ▣ – 25 à 50. AE GB JCB. rest C z
*fermé 30 nov. au 5 fév.* – voir rest. ***Café Royal*** ci-après - ***Véranda*** (rôtisserie) **Repas** 60 – ***Jardin des Lys*** (rest. diététique) **Repas** 60 – 22 – **130 ch** 430/690, 24 appart – ½ P 265/395.
♦ Ce palace édifié en 1907 sur commande d'Édouard VII est devenu l'un des fleurons de l'hôtellerie de luxe française. Architecture et mobilier Art déco. Parc majestueux.

**La Verniaz et ses Chalets**, rte Abondance 04 50 75 04 90, *verniaz@relaischateaux.com, Fax 04 50 70 78 92*, ≤, – 15. AE GB JCB C q
*7 fév.-9 nov.* – **Repas** 35/65 – 14 – **32 ch** 130/250, 5 chalets – ½ P 124/184.
♦ Bel ensemble de bâtiments et chalets savoyards disséminés dans un superbe parc, noyé sous les fleurs en saison. Chambres élégantes, restaurant-rôtisserie et vue sur le lac.

**Ermitage**, rte Abondance 04 50 26 85 00, *hotelermitage@royalparcevian.com, Fax 04 50 75 29 37*, ≤ lac et montagnes, – 25 à 100. AE GB JCB. rest C a
*fermé 11 nov. au 7 fév.* – ***Gourmandin* :** **Repas** 42/60 – 19 – **87 ch** 205/640, 4 appart – ½ P 175/355.
♦ Au coeur d'un magnifique parc, palace du début du 20$^e$ s. à taille humaine, alliant le charme "cosy" d'une décoration douillette au plaisir de la détente et des loisirs.

**Bourgogne,** pl. Charles Cottet 04 50 75 01 05, *bourgogne@wanadoo.fr, Fax 04 50 75 04 05*, – AE GB JCB B d
*fermé janv.* – **Repas** *(fermé dim. soir et lundi)* 26/29,80, enf. 12,50 - ***Brasserie*** *(fermé dim. soir et lundi)* **Repas** *(10,50)*- 12,10/22,50, enf. 9 – 7 – **31 ch** 68/92 – ½ P 65/70.
♦ Architecture moderne accueillante à l'entrée de la grand'rue piétonnière. Les chambres, de divers styles, sont spacieuses et pratiques. Restaurant gastronomique et Brasserie.

**Alizé** M, 2 av. J. Léger 04 50 75 49 49, *alize.hotel@wanadoo.fr, Fax 04 50 75 50 40* – ch, AE GB. ch C n
*fermé 15 nov. au 31 janv.* – ***Grand Café*** 04 50 75 46 73 *(fermé 10 déc. au 25 janv., lundi et mardi sauf juil.-août)* **Repas** 21,50/27 – 6,50 – **22 ch** 82/90 – ½ P 70.
♦ Belle situation face au débarcadère et à côté de l'espace thermal. Chambres rénovées, très colorées ; la plupart ont vue sur le lac. Carte de type brasserie au Grand Café.

**Littoral** M sans rest, av. de Narvik 04 50 75 64 00, *hlittoral@aol.com, Fax 04 50 75 30 04*, ≤, – AE GB B e
*fermé 26 oct. au 5 nov. et 2 au 16 fév.* – 7 – **30 ch** 69/87.
♦ Près du casino, bâtiment contemporain dont les équipements fonctionnels sont appréciés par la clientèle internationale. Toutes les chambres (sauf deux) ont un balcon côté lac.

**Oasis,** 11 bd Bennevy 04 50 75 13 38, *stephane.berthier@wanadoo.fr, Fax 04 50 74 90 30*, ≤, – GB. A v
*25 mars-6 oct.* – **Repas** *(1$^{er}$ mai-20 sept.)* (dîner seul.) 16/26, enf. 7 – 7 – **20 ch** 73/90 – ½ P 55/70.
♦ Sur les hauteurs d'Évian, charmant hôtel aux chambres gaies et actuelles ; certaines font face au lac, d'autres occupent deux maisonnettes nichées dans le joli jardin arboré.

**France** M sans rest, 59 r. Nationale 04 50 75 00 36, *hotel-france-evian@wanadoo.fr, Fax 04 50 75 32 47*, – 30. AE GB JCB B a
*fermé 14 nov. au 25 déc.* – 7 – **45 ch** 61/74.
♦ Maison bâtie sur le site de l'ancien château des ducs de Savoie (vestiges). Chambres pratiques donnant sur un ravissant jardin. Un programme de rénovations est en cours.

**Continental** sans rest, 65 r. Nationale 04 50 75 37 54, *hcontinental-evian@wanadoo.fr, Fax 04 50 75 31 11* – AE GB. B m
*fermé 1$^{er}$ au 15 janv.* – 6 – **32 ch** 46/58.
♦ Dans la rue principale - et piétonne - de la ville, cet immeuble de 1868 abrite de vastes chambres bien insonorisées ; celles du 4$^e$ étage, côté rue, offrent une jolie vue.

**Terminus,** 32 av. Gare 04 50 75 15 07, *hotelterminusevian@wanadoo.fr, Fax 04 50 74 63 23* – AE GB A t
*fermé 15 déc. au 5 janv.* – **Repas** *(fermé dim.)* 11/25, enf. 7 – 6 – **14 ch** 40/56 – ½ P 42/45.
♦ L'enseigne le laisse deviner, l'hôtel se trouve face à la gare. Toutes les chambres ont été refaites mais préférez celles avec balcon, côté Léman. Restaurant panoramique.

**Café Royal** - Hôtel Royal, 04 50 26 85 00, *hotelroyal@royalparcevian.com, Fax 04 50 75 38 40*, – AE GB JCB.
*fermé 30 nov. au 5 fév. et le midi hors saison sauf vacances scolaires* – **Repas** 60/90 et carte 80 à 110.
♦ Le superbe Café Royal renferme un petit trésor : les fresques Belle Époque de Gustave Jaulmes. Vue imprenable sur le lac depuis la très belle terrasse. Cuisine raffinée.
**Spéc.** Omble chevalier sauvage cuit meunière (15 janv. au 21 oct). Ecrevisses "pattes rouges" du lac Léman à la nage. Caïon des fermes savoyardes doré à l'âtre. **Vins** Roussette de Savoie, Mondeuse.

**à Grande-Rive** *par ① : 2 km – ✉ 74500 Évian-les-Bains :*

**Panorama,** ☎ 04 50 75 14 50, *Fax 04 50 75 59 12,* ≤, – ⎮ TV. AE GB
*15 avril-début oct.* – **Repas** 13/30, enf. 8,50 – ☕ 6 – **28 ch** 48/62 – ½ P 46/53.
◆ Seulement séparé du Léman par la nationale, hôtel à l'accueil cordial et spontané. Chambres spacieuses, progressivement refaites. Restaurant face au lac ; cuisine régionale.

---

**ÉVISA** *2A Corse-du-Sud* 345 B6 – *voir à Corse.*

---

**ÉVOSGES** *01230 Ain* 328 F5 – *101 h alt. 750.*
*Paris 481 – Aix-les-Bains 70 – Belley 38 – Bourg-en-Bresse 52 – Lyon 80 – Nantua 32.*

**Auberge Campagnarde** , ☎ 04 74 38 55 55, *auberge-campagnarde@wanadoo.fr, Fax 04 74 38 55 62,* , , – TV P. GB
*fermé 1er au 7 sept., 17 au 30 nov., janv., mardi soir et merc. (sauf hôtel) de mai à sept.* – **Repas** 16 (déj.), 21/48, enf. 10 – ☕ 6 – **14 ch** 39/62 – ½ P 46/54.
◆ Cette vieille ferme d'un village du Bugey est appréciée des amateurs de nature et de quiétude : chambres rustiques ou modernes et salle des repas champêtre. Minigolf.

*Une réservation confirmée par écrit ou par fax est toujours plus sûre.*

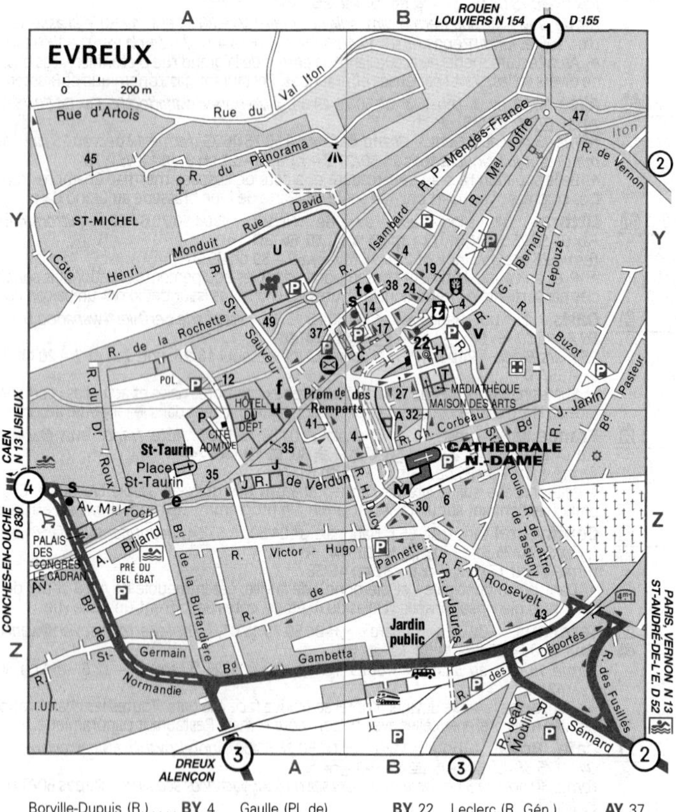
EVREUX
0 200 m
A
B
ROUEN LOUVIERS N 154
D 155
Y
Z
Rue d'Artois
Rue du Val Iton
R. du Panorama
ST-MICHEL
Rue David
Rue Monduit
Côte Henri
R. de la Rochette
R. St-Sauveur
R. P. Mendès-France
R. Mal Joffre
R. de Vernon
Isambard
R. G. Bernard
R. Lépouzé
R. Buzot
Bd Pasteur
J. Janin
POL.
HÔTEL DU DÉPT
CITÉ ADMINIE
Promde des Remparts
MÉDIATHÈQUE MAISON DES ARTS
R. Ch. Corbeau
CATHÉDRALE N.-DAME
St-Taurin
Place St-Taurin
R. de Verdun
R. du Dr Roux
Av. Mal Foch
R. H. Ducy
Bd Louis
R. de Lattre de Tassigny
PALAIS DES CONGRÈS LE CADRAN
PRÉ DU BEL ÉBAT
A. Briand
Bd de la Buffardière
R. Victor - Hugo
Pannette
R. F.-D. Roosevelt
R. J. Jaurès
Jardin public
Bd de Normandie
R. St-Germain
Bd Gambetta
R. des Déportés
R. des Fusillés
R. P. Sémard
R. Jean Moulin
I.U.T.
CAEN N 13 LISIEUX
CONCHES-EN-OUCHE D 830
PARIS, VERNON N 13
ST-ANDRÉ-DE-L'E. D 52
DREUX ALENÇON

Borville-Dupuis (R.) .... **BY** 4
Chambaudoin (Bd) .... **BZ** 6
Chartraine (R.) .... **BZ** 8
Chauvin (Bd G.) .... **AY** 12
Clemenceau (Pl.) .... **BY** 14
Dr-Oursel (R.) .... **BY** 17
Feray (R. Édouard) .... **BY** 19
Gaulle (Pl. de) .... **BY** 22
Grand Carrefour (Pl. du) .... **BY** 24
Grenoble (R. de) .... **BZ** 27
Harpe (R. de la) .... **BZ** 30
Horloge (R. de l') .... **BZ** 32
Joséphine (R.) .... **AZ** 35
Leclerc (R. Gén.) .... **AY** 37
Lombards (R. des) .... **BY** 38
Meilet (R. du) .... **AZ** 41
Résistance (R. de la) .. **BZ** 43
St-Michel (R. de) .... **AY** 45
Vigor (R.) .... **BY** 47
7e-Chasseurs (R. du) ... **AY** 49

**ÉVREUX** P *27000 Eure* 304 G7 *G. Normandie Vallée de la Seine – 49 103 h alt. 64.*

Voir *Cathédrale Notre-Dame*★★ – *Châsse*★★ *dans l'église St-Taurin – Musée*★★ **M.**

*Office du Tourisme, 1 ter place de Gaulle* ✆ *02 32 24 04 43, Fax 02 32 31 28 45, information@ot-pays-evreux.fr.*

*Paris 100 ② – Rouen 56 ① – Alençon 119 ③ – Caen 135 ④ – Chartres 77 ③.*

Plan page ci-contre

**Mercure** M, bd Normandie ✆ 02 32 38 77 77, *h1575@accor-hotels.com, Fax 02 32 32 39 04 53* – ... 80. AE GB AZ s

**Repas** 14,50/18 ♀, enf. 8 – ☕ 9,30 – **60 ch** 70/77.

◆ Architecture contemporaine dressée à l'intersection d'importants axes routiers. Chambres bien équipées et insonorisées ; plaisante salle à manger baignée de lumière.

**L'Orme** sans rest, 13 r. Lombards ✆ 02 32 39 34 12, *Fax 02 32 33 62 48* – ... AE GB. BY t

*fermé les week-ends hors saison* – ☕ 8 – **39 ch** 52/65.

◆ Cet établissement du centre-ville constitue une adresse pratique pour le voyageur de passage. Chambres sobres et fonctionnelles, parfois dotées d'un mobilier en bambou.

**Vieille Gabelle,** 3 r. Vieille Gabelle ✆ 02 32 39 77 13, *Fax 02 32 39 77 13* – AE GB BY s

*fermé 4 au 25 août, 25 déc. au 1er janv., sam. midi, dim. soir et lundi* – **Repas** 14/24.

◆ La devanture, bien normande avec ses colombages, est avenante. Deux salles à manger campagnardes avec poutres apparentes, dont une agrémentée d'une jolie cheminée de pierre.

**Gazette,** 7 r. St-Sauveur ✆ 02 32 33 43 40, *Fax 02 32 33 43 40* – AE GB AY f

*fermé 3 au 26 août, sam. midi et dim.* – **Repas** *(13,40)* - 16,50/35 ♀.

◆ Belle façade verte habillée de bois et intérieur tendance bistrot "rétro", décoré de reproductions de gazettes anciennes. Atmosphère intime et cuisine au goût du jour.

**Bretagne,** 3 r. St-Louis ✆ 02 32 39 27 38, *Fax 02 32 39 62 63* – AE GB BY v

*fermé 15 au 30 juil., vacances de fév., merc. soir et lundi* – **Repas** *(10)* - 12,50/30 ♀, enf. 7,50.

◆ À deux pas de la tour de l'Horloge, salle à manger au charme un brin désuet. Produits de la mer, plats du terroir et la spécialité "maison" : le rôti de poulet au camembert.

**Croix d'Or,** 3 r. Joséphine ✆ 02 32 33 06 07, *Fax 02 32 31 14 27* – AE GB AZ e

**Repas** 10,40 (déj.), 13,50/24,50 ♀, enf. 7,50.

◆ Le banc d'écailler et le vivier à homards annoncent la couleur : la carte, très étoffée, privilégie poissons et crustacés. Sobre décor d'esprit rustique et terrasse-véranda.

**à Parville** *par ④ : 4 km – 340 h. alt. 130 – ✉ 27180 :*

**Côté Jardin,** rte Lisieux ✆ 02 32 39 19 19, *Fax 02 32 31 21 85,* – P. AE GB

**Repas** *(16)* - 26/35 ♀.

◆ Jolie maison à colombages bordant la route nationale. La coquette salle à manger n'est pas en reste avec son cadre normand repeint dans des tons pastel. Carte au goût du jour.

**ÉVRON** *53600 Mayenne* 310 G6 *G. Normandie Cotentin – 6 904 h alt. 114.*

Voir *Basilique Notre-Dame*★ *: chapelle N.-D.-de l'Épine*★★.

*Office du Tourisme, place de la Basilique* ✆ *02 43 01 63 75, Fax 02 43 01 63 75, tourisme.evron@wanadoo.fr.*

*Paris 251 – Le Mans 55 – Alençon 58 – La Ferté-Bernard 98 – Laval 32 – Mayenne 25.*

**rte de Mayenne** *6 km par D 7 – ✉ 53600 Mézangers :*

**Relais du Gué de Selle** , ✆ 02 43 91 20 00, *relais-du-gue-de-selle.com, Fax 02 43 91 20 10,* ... P – 15 à 60. GB

*fermé 22 déc. au 7 janv., vacances de fév., dim. soir, vend. soir et lundi midi de juin à fin sept.* – **Repas** 19/42 ♀, enf. 8 – ☕ 8,50 – **25 ch** 58/103, 6 duplex – 1/2 P 51/71.

◆ Vieille ferme restaurée et son jardin sur une rive de l'étang, visible depuis une partie des plaisantes chambres. Promenade aménagée au bord de l'eau, vélos, pêche, etc.

**EYBENS** *38 Isère* 333 H7 – *rattaché à Grenoble.*

*Dans ce guide*
*un même symbole, un même mot,*
*imprimé en* ***rouge*** *ou en* ***noir****, en maigre ou en* ***gras****,*
*n'ont pas tout à fait la même signification.*
*Lisez attentivement les pages explicatives.*

## EYGALIÈRES *13810 B.-du-R. 340 E3 G. Provence – 1 594 h alt. 134.*

*Paris 705 – Avignon 28 – Cavaillon 14 – Marseille 84 – St-Rémy-de-Provence 12.*

**Mas de la Brune** sans rest, rte St-Rémy par D 74$^{A}$ : 1,5 km 04 90 90 67 67, *contact@masdelabrune.com, Fax 04 90 95 99 21,* – P. GB
*fermé déc. et janv.* – 13 – **10 ch** 165/240.
◆ Résidence du consul d'Eygalière, puis moulin à huile, cette demeure Renaissance abrite à présent un hôtel de caractère. L'insolite "jardin de l'alchimiste" vaut le coup d'oeil.

**Bastide** M sans rest, rte Orgon (D 24$^{B}$) et chemin privé : 1 km 04 90 95 90 06, *Fax 04 90 95 99 77,* – P. GB.
*mars-nov.* – 10 – **12 ch** 65/92.
◆ Meubles patinés, tomettes et autres matériaux anciens : les chambres de cette maison isolée dans la garrigue, au pied des Alpilles, ont un cachet certain. Beau jardin.

**Auberge de la Pierre Blanche** , rte Orgon (D 24$^{B}$) : 3 km 04 90 95 93 17, *bernadette.courdon@free.fr, Fax 04 90 90 60 62,* – P. GB
**Repas** *(avril-oct.)* 20/35 – 9 – **10 ch** 88 – ½ P 75.
◆ Épris de calme et de nature ? Vous apprécierez cet hôtel et son agréable jardin ouverts sur garrigue et pinède. Chambres pratiques et colorées ; activités de loisirs.

**Mas Du Pastre** sans rest, rte Orgon (D 24$^{B}$) : 1,5 km 04 90 95 92 61, *Fax 04 90 90 61 75,* – P. GB.
*fermé 15 nov. au 15 déc.* – 10 – **13 ch** 95/135.
◆ Ambiance "guesthouse", décoration provençale à l'ancienne, meubles et bibelots chinés, jardin enchanteur... Cette authentique bergerie familiale est pétrie de charme.

**annexe Maison Roumanille** sans rest, au village 04 90 95 92 61, *Fax 04 90 90 61 75* – GB
*fermé 15 nov. au 15 déc.* – 9 – **8 ch** 115.
◆ Au coeur du village, joli mas décoré dans le même esprit que la maison-mère. Toutes les chambres, sauf une, possèdent une terrasse. Véranda pour les petits-déjeuners.

**Bistrot d'Eygalières "Chez Bru"** avec ch, r. République 04 90 90 60 34, *sbru@club-internet.fr, Fax 04 90 90 60 37,* – AE GB
*fermé 9 au 14 août, 12 janv. au 15 mars, dim. soir d'oct. à mai, mardi de juin à sept. et lundi* – **Repas** (nombre de couverts limité, prévenir) 64/74 et carte 60 à 75 – 12 – **4 ch** 130/160.
◆ Bistrot chic et accueillant installé dans deux maisons villageoises accolées. Tons crème, tableaux contemporains et joli patio-terrasse. Cuisine provençale au goût du jour.
**Spéc.** Oeuf poché aux truffes. Tempura de gambas et tartare de haricots verts. Rognons de veau à la broche et tomates farcies. **Vins** Costières de Nîmes, Coteaux d'Aix-en-Provence-les-Baux.

## EYGUIÈRES *13430 B.-du-R. 340 F3 G. Provence – 4 481 h alt. 75.*

*Office du Tourisme, place de l'Ancien Hôtel de Ville 04 90 59 82 44, Fax 04 90 59 89 07, ot.eyguieres@visitprovence.com.*

*Paris 720 – Avignon 40 – Aix-en-Provence 49 – Arles 45 – Istres 27 – Marseille 67.*

**Relais du Coche,** pl. Monier 04 90 59 86 70, *Fax 04 90 45 09 50,* – AE GB
*fermé 30 juin au 4 juil., 2 au 23 janv., mardi midi en jui.-août, dim. soir de sept. à juin et lundi* – **Repas** 16 (déj.), 25/32, enf. 8.
◆ Grande salle rustique occupant les écuries d'un ancien relais de diligences (18$^{e}$ s.). L'espace est cloisonné en stalles. Agréable patio-terrasse envahi de vigne vierge.

## EYMET *24500 Dordogne 329 D8 G. Périgord Quercy – 2 769 h alt. 54.*

*Office du Tourisme, place Gambetta 05 53 23 74 95, Fax 05 53 27 98 76, ot.eymet@perigord.tm.fr.*

*Paris 558 – Périgueux 72 – Arcachon 72 – Bayonne 239 – Bordeaux 100 – Dax 188.*

**Les Vieilles Pierres** , rte de Marmande 05 53 23 75 99, *Fax 05 53 27 87 14,* – P. GB
*fermé vacances de fév. et de Toussaint* – **Repas** *(fermé dim. soir sauf 14 juil. au 30 août et sam. midi hors sais)* 10/30, enf. 8 – 5 – **9 ch** 31/50 – ½ P 35/39.
◆ Chambres simples réparties autour d'un patio ombragé d'un noyer. Le restaurant, aménagé dans une vieille grange, ne fait pas mentir l'enseigne. Aire de jeux pour les enfants.

*Ecrivez-nous...*
*Vos louanges comme vos critiques seront examinées avec le plus grand soin. Nous reverrons sur place les informations que vous nous signalez.*
*Par avance merci !*

**EYSINES** *33 Gironde* 335 H5 – *rattaché à Bordeaux.*

**Les EYZIES-DE-TAYAC** *24620 Dordogne* 329 H6 *G. Périgord Quercy – 853 h alt. 70.*

Voir *Musée national de Préhistoire★ – Grotte du Grand Roc★★ : ≤★ – Grotte de Font-de-Gaume★.*

*Office du Tourisme, 19 avenue de la Préhistoire ✆ 05 53 06 97 05, Fax 05 53 06 90 79, ot.les.eyies@perigord.tm.fr.*

*Paris 513 – Périgueux 47 – Sarlat-la-Canéda 21 – Brive-la-Gaillarde 62 – Fumel 64.*

**Centenaire** (Mazère) M (annexe 4 ch. , ≤ site des Eyzies, ), ✆ 05 53 06 68 68, *hotel.centenaire@wanadoo.fr, Fax 05 53 06 92 41,* – ch, P – 15. AE GB JCB. ch
*début avril-début nov.* – **Repas** (dîner seul sauf jeudi, sam., dim. et fériés) 35 (déj.), 60/115 et carte 86 à 120 – 18 – **14 ch** 138/230, 5 appart – ½ P 145/230.
◆ Belle demeure aux chambres cossues dans un paisible jardin clos. Vous vous délecterez d'une cuisine inventive, sublimant le terroir, dans l'élégante salle à manger.
**Spéc.** Terrine chaude de cèpes de châtaigniers. Filet d'esturgeon d'Aquitaine caramélisé, crème de maïs blanc au caviar de truffe. Steak d'oie "Rossini" et tourte de pomme de terre au vieux cantal. **Vins** Pécharmant, Montravel.

**Moulin de la Beune** , ✆ 05 53 06 94 33, *souliebeune@perigord.com, Fax 05 53 06 98 06,* , – P. AE GB. rest
*1er avril-1er nov.* – ***Au Vieux Moulin*** *(fermé mardi midi, merc. midi et sam. midi)* **Repas** 22/45 – 6,40 – **20 ch** 45,80/62,50 – ½ P 65/70.
◆ Deux anciens moulins dans un jardin au bord de la Beune. Chambres spacieuses et décorées avec goût, restaurant avec vue sur la roue à aubes et terrasse le long de la rivière.

**des Roches** sans rest, rte Sarlat ✆ 05 53 06 96 59, *hotel@roches-les-eyzies.com, Fax 05 53 06 95 54,* , – P. GB.
*12 avril-2 nov.* – 8,50 – **40 ch** 70/95.
◆ Construction de style régional au pied de falaises couronnées de chênes. Les chambres adoptent peu à peu un cadre plus feutré. Reposant jardin en bord de rivière.

**Hostellerie du Passeur,** ✆ 05 53 06 97 13, *hostellerie-du-passeur@perigord.com, Fax 05 53 06 91 63,* – P. GB
*début mars-début nov.* – **Repas** *(fermé lundi et mardi midi sauf en saison)* 18,50 bc (déj.), 22/45 , enf. 10 – 6,50 – **19 ch** 60/100 – ½ P 58/80.
◆ Demeure de caractère située au coeur du bourg. Les chambres refaites sont coquettes et très gaies. Salle à manger classique et agréable terrasse ombragée. Cuisine régionale.

**Les Glycines,** rte Périgueux ✆ 05 53 06 97 07, *les-glycines-aux-eyzies@wanadoo.fr, Fax 05 53 06 92 19,* ≤, , , – P. GB
*15 mars-15 nov.* – **Repas** *(fermé sam. midi et lundi midi)* 22/46 – 10 – **23 ch** 78/200 – ½ P 75/139.
◆ Près du pont sur la Vézère, hostellerie du 19e s. et sa tonnelle de glycine. Chambres progressivement rénovées. La salle à manger s'ouvre sur un magnifique parc fleuri.

**à l'Est** : *7 km par rte de Sarlat – ✉ 24620 Les-Eyzies-de-Tayac :*

**Métairie,** sur D 47 ✉ . ✆ 05 53 29 65 32, *bourgeade@wanadoo.fr, Fax 05 53 29 65 30,* – P. AE GB JCB
*fermé dim. soir hors saison, merc. midi et lundi* – **Repas** 12 (déj.), 21/33, enf. 8.
◆ Au pied du château de Beyssac dont elle dépendait, ancienne ferme bâtie autour d'une cour-terrasse. Les mangeoires ornant la salle à manger rappellent le passé des lieux.

**à l'Ouest** : *8 km par D 47, C 3 dir. Meyrals et rte secondaire – ✉ 24620 Meyrals :*

**Ferme Lamy** M sans rest, ✆ 05 53 29 62 46, *ferme-lamy@wanadoo.fr, Fax 05 53 59 61 41,* ≤, , – P. AE GB
14 – **12 ch** 95/200.
◆ Ambiance "cosy" dans cette ravissante ferme perdue en plein Périgord noir. Chambres au calme, garnies de meubles anciens et joliment décorées. Beau jardin. Accueil familial.

**ÈZE** *06360 Alpes-Mar.* 341 F5 *G. Côte d'Azur – 2 446 h alt. 390.*

Voir *Site★★ – Sentier Frédéric Nietzsche★ – Le vieux village★ – Jardin exotique ★★★.*

Env. *"Belvédère" d'Èze ≤★★ O : 4 km.*

*Office du Tourisme, place du Général De Gaulle ✆ 04 93 41 26 00, Fax 04 93 41 04 80, ee@webstore.fr.*

*Paris 943 – Monaco 8 – Nice 12 – Cap d'Ail 6 – Menton 18 – Monte-Carlo 8.*

**Château de la Chèvre d'Or**, r. Barri (accès piétonnier) 04 92 10 66 66, *reservation@chevredor.com, Fax 04 93 41 06 72,* côte et presqu'île, – 20. AE GB JCB
*mars-nov.* – **Repas** *(fermé merc. en mars et en nov.)* (prévenir) 60 (déj.)/130 et carte 125 à 170 – 35 – **33 ch** 360/750.
◆ Site pittoresque dominant la Méditerranée, vrai nid d'aigle aux jardins suspendus s'agrippant au rocher, cette demeure enchanteresse est une promesse de séjour inoubliable.
**Spéc.** Rouget barbet meunière et risotto de calamars. Longe d'agneau des Alpes de Haute Provence et millefeuille de légumes fondants. Soufflé au pain d'épices. **Vins** Bellet, Côtes de Provence.

**Les Terrasses d'Eze** M, rte La Turbie par N 7 et D 45 : 1,5 km 04 92 41 55 55, *info@terrasses-eze.com, Fax 04 92 41 55 10,* mer, – 100. AE GB. rest
**Repas** (dîner seul.) 35/60 – 20 – **75 ch** 210/280, 6 appart – ½ P 160/195.
◆ Architecture contemporaine accrochée à flanc de colline, terrasse et piscine panoramiques. Chambres spacieuses et fonctionnelles contemplant la "grande bleue".

**Hermitage du Col d'Èze,** Nord-Ouest : 2,5 km par D 46 et Gde Corniche 04 93 41 00 68, *Fax 04 93 41 24 05,* – P. AE GB. rest
*fermé déc. et janv.* – **Repas** *(15 fév. au 15 oct.)* (½ pens. seul. en été) – 4,90 – **14 ch** 38/53 – ½ P 38/46.
◆ Auberge familiale abritant des chambres simples et rustiques, orientées d'un côté vers la mer et de l'autre vers la montagne. Piscine à débordement nichée dans le jardin.

**Château Eza** avec ch, (accès piétonnier) 04 93 41 12 24, *chateza@wanadoo.fr, Fax 04 93 41 16 64,* côte et presqu'île, – AE GB JCB
*hôtel : 28 mars-2 nov. ; rest. : fermé 2 nov. au 25 déc., mardi et merc. du 25 déc. au 31 mars* – **Repas** 45 bc (déj.), 65/90 et carte 87 à 104 – **7 ch** 380/630, 3 appart.
◆ Époustouflante vue plongeante sur la côte depuis les terrasses de cette demeure (14e s.) accrochée entre ciel et mer, ex-propriété du prince de Suède. Chambres de caractère.

**L'Oliveto,** pl. Gén. de Gaulle 04 92 41 50 40, *commercial@chevredor.com, Fax 04 92 41 50 45,* – AE GB
*1er mars-31 oct. et fermé merc. midi et mardi* – **Repas** 38.
◆ Deux salles à manger situées à l'étage d'une maison de la place centrale : l'une bourgeoise, l'autre de style jardin d'hiver. La carte rend hommage à l'Italie voisine.

**Troubadour,** r. du Brec (accès piétonnier) 04 93 41 19 03 – GB
*fermé 29 juin au 8 juil., 22 nov. au 22 déc., 29 fév. au 8 mars, lundi sauf le soir d'avril à sept. et dim.* – **Repas** (prévenir) 30/40.
◆ Au coeur du vieux village, trois menues salles intimes et fraîches dans une demeure ancienne. Carte classique et quelques spécialités provençales.

---

## FAGNON *08 Ardennes 306 J4 – rattaché à Charleville-Mézières.*

---

## FAIN-LÈS-MONTBARD *21 Côte-d'Or 320 G4 – rattaché à Montbard.*

---

## FALAISE *14700 Calvados 303 K6 G. Normandie Cotentin – 8 119 h alt. 132.*

**Voir** *Château Guillaume-Le-Conquérant★ – Église de la Trinité★.*

*Office du Tourisme, boulevard de la Libération 02 31 90 17 26, Fax 02 31 90 98 70, falaise-tourism@mail.cpod.fr.*

*Paris 263 ③ – Caen 36 ① – Argentan 23 ③ – Flers 37 ⑤ – Lisieux 47 ① – St-Lô 103 ①.*

Plan page ci-contre

**Poste,** 38 r. G. Clemenceau 02 31 90 13 14, *hotel.delaposte@wanadoo.fr, Fax 02 31 90 01 81* – – 15. AE GB **B v**
*fermé 2 au 30 janv., dim. soir et lundi* – **Repas** (11,50) - 15/39, enf. 9,50 – 8 – **17 ch** 48/95 – ½ P 47/52.
◆ Ce bâtiment de l'après-guerre héberge des chambres sobres et bien tenues ; celles sur l'arrière sont plus calmes. Salle de restaurant aux tons pastel.

**Ibis** M, rd-pt de l'Attache par ① : *1,5 km* 02 31 90 11 00, *h1678@accor-hotels.com, Fax 02 31 90 08 00,* – 25. AE GB
**Repas** (12) - 15, enf. 6 – 6 – **53 ch** 47/52.
◆ Hôtel récent bâti à la périphérie de la ville. Chambres fonctionnelles, pour la plupart tournées vers le château. Salon de billard. Restaurant au décor actuel.

**Fine Fourchette,** 52 r. G. Clemenceau 02 31 90 08 59, *Fax 02 31 90 00 83* – AE GB
*fermé 18 fév. au 7 mars et mardi soir hors saison* – **Repas** 13,90/50 et carte 30 à 53, enf. 8,50. **B r**
◆ Tons provençaux et tables joliment dressées font le cachet de ces deux salles à manger sises dans une maison des années 1950 en pierres de taille. Cuisine personnalisée.

Abbatiale (R. de l') B 2
Belle-Croix (Pl.) . . . A 3
Caen (R. de) . . . . A 4
Clemenceau (R.) . . B
Guillaume-le-Conquérant (Pl.) A 5
Libération (Bd) . . . A 6
Notre-Dame (R.) . . B 7
Pelleterie (R.) . . . . A 8
St-Gervais (Pl.) . . . A 9
St-Gervais (R.) . . . . A 12
Trinité (R.) . . . . . . A 13
Ursulines (R. des) . . . . . . . . B 14

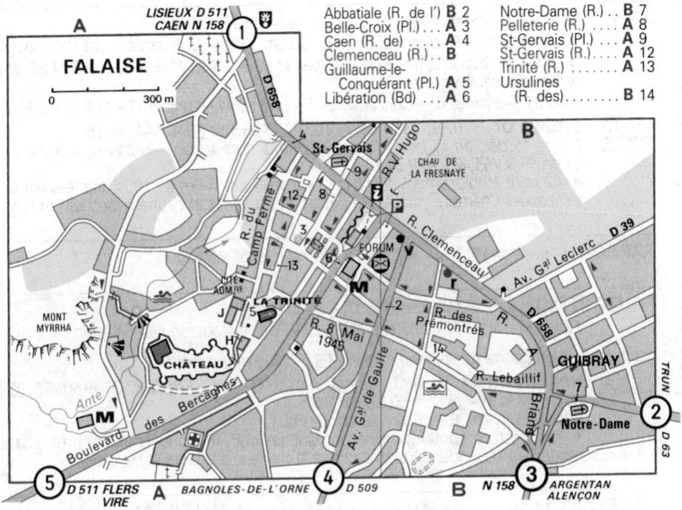
FALAISE
0
300 m
LISIEUX D 511
CAEN N 158
D 658
St-Gervais
R. V. Hugo
CHAU DE LA FRESNAYE
R. Clemenceau
Av. Gal Leclerc
D 39
R. du Camp Ferme
FORUM
CITÉ ADMVE
LA TRINITÉ
R. des Prémontrés
R. 8 Mai 1945
MONT MYRRHA
CHÂTEAU
Ante
Boulevard des Bercagnes
Av. Gal de Gaulle
R. Lebaillif
R. Briand
GUIBRAY
Notre-Dame
TRUN
D 63
D 511 FLERS VIRE
BAGNOLES-DE-L'ORNE
D 509
N 158
ARGENTAN ALENÇON
A
B

**L'Attache,** rte Caen par ①: *1,5 km* ✆ 02 31 90 05 38, *Fax 02 31 90 57 19* – AE GB.
*fermé 15 au 30 sept., mardi soir et merc.* – **Repas** (nombre de couverts limité, prévenir) 15/36,50.
◆ Ancien relais de poste à la pimpante façade. Sympathique intérieur campagnard et cuisine du terroir réhabilitant légumes et plantes aromatiques injustement délaissés.

---

**Le FALGOUX** *15380 Cantal* 330 D4 – *226 h alt. 930* – *Sports d'hiver : 1 050 m* 1 .
**Voir** *Vallée du Falgoux*★.
**Env.** *Cirque du Falgoux*★★ *SE : 6 km – Puy Mary* ✻★★★ *: 1 h AR du Pas de Peyrol*★★ *SE : 12 km,* **G. Auvergne.**
*Paris 535 – Aurillac 56 – Mauriac 28 – Murat 34 – Salers 14.*

**Eterlou**, ✆ *04 71 69 51 14, Fax 04 71 69 53 26,* <, – cuisinette . GB.
*31 mars-11 nov.* – **Repas** 11,90/28,50 – 6,30 – **10 ch** 57,60 – ½ P 48.
◆ Agréable maison de village servant des produits d'Auvergne et studios actuels aménagés dans l'annexe : une adresse "nature", idéale pour la découverte des monts du Cantal.

**Voyageurs,** ✆ 04 71 69 51 59, <, – GB
*fermé 10 nov. au 10 déc. et merc. soir sauf de mai à sept.* – **Repas** 15/22, enf. 7,65 – 5,60 – **14 ch** 36/41 – ½ P 38,60/41,10.
◆ Auberge dans la pure tradition auvergnate : "cantou" dans le bar, salle à manger rustique avec vue panoramique, menus régionaux et accueil serviable.

---

**Le FAOU** *29580 Finistère* 308 F5 *G. Bretagne – 1 522 h alt. 10.*
**Voir** *Site*★.
*Office du Tourisme, 10 rue du Gal de Gaulle* ✆ *02 98 81 06 85, Fax 02 98 81 08 03.*
*Paris 562 – Brest 30 – Châteaulin 20 – Landerneau 22 – Morlaix 52 – Quimper 43.*

**Beauvoir,** 11 pl. Mairie ✆ 02 98 81 90 31, *la-vieille renommée@wanadoo.com, Fax 02 98 81 92 93* – – 15 à 100. AE GB. rest
*fermé 10 au 28 déc. et dim. d'oct. à juin* – ***Vieille Renommée*** *(fermé dim. soir et lundi midi d'oct. à juin)* **Repas** 14(déj.),20/45 , enf. 11 – 8 – **33 ch** 51/70 – ½ P 51/55.
◆ Grande bâtisse au coeur d'un village éminemment breton. Chambres spacieuses à l'atmosphère "rétro". À la Vieille Renommée, cuisine traditionnelle et belle carte des vins.

*Dans ce guide*
*un même symbole, un même mot,*
*imprimé en* ***rouge*** *ou en* ***noir****, en maigre ou en* ***gras****,*
*n'ont pas tout à fait la même signification.*
*Lisez attentivement les pages explicatives.*

**Le FAOUËT** *56320 Morbihan* 308 *J6 G. Bretagne – 2 869 h alt. 68.*

Voir *Chapelle St-Fiacre★ : jubé★★ SE : 2,5 km – Site★ de la chapelle Ste-Barbe NE : 3 km.*

*Office du Tourisme, 1 rue de Quimper ☎ 02 97 23 23 23, Fax 02 97 23 11 66, officedetourisme.lefaouet@wanadoo.fr.*

*Paris 517 – Vannes 87 – Concarneau 45 – Lorient 44 – Pontivy 47 – Quimper 53.*

**Croix d'Or,** ☎ 02 97 23 07 33, *Fax 02 97 23 06 52* – GB. ch
*fermé 15 déc. au 15 janv., dim. soir et lundi hors saison* – **Repas** 13,50/36,60 – 6,90 – **11 ch** 35,90/53,40 – ½ P 39,70.

◆ Ce petit établissement (1872) fait face aux jolies halles du 16^e s. animées par un marché bimensuel. Chambres simples et nettes. Restaurant campagnard. Accueil familial.

**FARROU** *12 Aveyron* 338 *E4 – rattaché à Villefranche-de-Rouergue.*

**FAULQUEMONT** *57380 Moselle* 307 *K4 – 5 432 h alt. 275.*

*Paris 374 – Metz 37 – Château-Salins 29 – Pont-à-Mousson 46 – St-Avold 15.*

**au Nord** *: 3 km par rte de St-Avold et golf – ✉ 57380 Faulquemont :*

**Holiday Inn** M, av. J. Monnet ☎ 03 87 00 49 49, *Fax 03 87 00 49 40*, – ch, – 15 à 60. AE GB
**Repas** 23, enf. 8 – 12 – **60 ch** 93/115.

◆ Architecture contemporaine bordant un golf 18 trous. Les chambres, spacieuses et modernes, répondent aux attentes de la clientèle d'affaires et de loisirs.

**FAVERGES** *74210 H.-Savoie* 328 *K6 G. Alpes du Nord – 6 334 h alt. 507.*

*Office du Tourisme, place M. Piquand ☎ 04 50 44 60 24, Fax 04 50 44 45 96, ot.faverges@wanadoo.fr.*

*Paris 562 – Albertville 20 – Annecy 27 – Megève 35.*

**Florimont,** rte Albertville : 2,5 km ☎ 04 50 44 50 05, *info@hotelflorimont.com, Fax 04 50 44 43 20*, – – 30. AE GB.
**Repas** *(fermé 19 déc. au 5 janv. dim. soir et sam.)* 19,50/55, enf. 8,50 – 8,50 – **27 ch** 66/102 – ½ P 62/72.

◆ Ensemble hôtelier accueillant entre lac et montagnes et en retrait d'un axe passager. Coloris vifs et bon équipement caractérisent les chambres, toutes récemment rénovées.

**Genève,** 34 r. République ☎ 04 50 32 46 90, *hotel-de-geneve@wanadoo.fr, Fax 04 50 44 48 09*, – – 25. AE GB JCB
*fermé 19 avril au 5 mai, 20 déc. au 5 janv.* – **Repas** *(fermé vend. sauf juil.-août sam. et dim.) (dîner seul.)* 14,50/22 – 6,50 – **30 ch** 43/66 – ½ P 44/51.

◆ Stylos et briquets Dupont sont fabriqués à Faverges. Cet hôtel central dispose de chambres spacieuses et bien tenues ; préférez celles côté cour, plus calmes et avec balcon.

**Carte d'Autrefois,** 25 r. Gambetta ☎ 04 50 32 49 98, *Fax 04 50 32 49 98* – GB
*fermé 26/5 au 4/6, 23/8 au 3/9, 26/1 au 4/2, le soir en semaine du 18/10 au 31/3, dim. soir et lundi* – **Repas** 13/21, enf. 8.

◆ Façade vitrée toute simple, mais accueil chaleureux dans cette petite salle dont les murs sont ornés de photographies de Faverges au début du 20^e s. Plats traditionnels.

**au Tertenoz** *Sud-Est : 4 km par D 12 et rte secondaire – ✉ 74210 Faverges :*

**Au Gay Séjour** avec ch, ☎ 04 50 44 52 52, *hotel-gay-sejour@wanadoo.fr, Fax 04 50 44 49 52*, – AE GB JCB. ch
*fermé 10 nov. au 16 déc., dim. soir et lundi de sept. à juin sauf fériés* – **Repas** 24/68 – 10 – **11 ch** 60/78,50 – ½ P 75/83.

◆ Dans un hameau de montagne, ancienne ferme réaménagée en restaurant. De la salle, le regard s'évade vers la vallée. Cuisine traditionnelle soignée. Chambres bien tenues.

**FAVERGES-DE-LA-TOUR** *38 Isère* 333 *G4 – rattaché à La Tour-du-Pin.*

**FAVIÈRES** *80120 Somme* 301 *C6 – 406 h alt. 1.*

Voir *Le Crotoy : Butte du Moulin ≤★ SO : 5 km,* **G. Picardie Flandres Artois.**

*Paris 211 – Amiens 75 – Abbeville 22 – Berck-Plage 28 – Le Crotoy 5.*

**Clé des Champs,** ☎ 03 22 27 88 00, *Fax 03 22 27 79 36* – AE GB
*fermé 25 août au 9 sept., lundi et mardi sauf fériés* – **Repas** 13,80/38,20, enf. 8,20.

◆ Vieille ferme du Marquenterre à deux pas de la baie de Somme, où l'on déguste une généreuse cuisine du terroir. Murs décorés de faïences et de cuivres. Jolie mise en place.

**FAVONE** *2A Corse-du-Sud* 345 *F9 – voir à Corse.*

**FAYENCE** *83440 Var* 340 P4 *G. Côte d'Azur – 3 502 h alt. 350.*

**Voir** ≤★ *de la terrasse de l'Église.*

*Office du Tourisme, place Léon Roux* ✆ *04 94 76 20 08, Fax 04 94 39 15 96, ot.fayence@wanadoo.fr.*

*Paris 889 – Castellane 55 – Draguignan 30 – Fréjus 36 – Grasse 27 – St-Raphaël 37.*

**Les Oliviers** sans rest, quartier La Ferrage (rte Grasse) ✆ 04 94 76 13 12, *hotel.olivier.faye n@free.fr, Fax 04 94 76 08 05,* – GB
*fermé 15 nov. au 6 déc.* – 7,60 – **22 ch** 60/80.
◆ Petit immeuble dominant la plaine du Gué et son important centre de vol à voile. Sportifs et "pantouflards" trouveront aux Oliviers des chambres privilégiant le côté pratique.

**Farigoulette,** pl. Château ✆ 04 94 84 10 49, *Fax 04 94 84 10 49,* – GB.
*1er avril-30 sept. et fermé lundi* – **Repas** (dîner seul.) 32/52.
◆ Deux petites salles aménagées dans une ancienne étable, où pierres apparentes, meubles régionaux et décor provençal cohabitent harmonieusement. Cuisine régionale.

**France,** 1 Grand'Rue du Château ✆ 04 94 76 00 14 – GB
*fermé 1er au 24 déc., 11 janv. au 28 fév., dim. soir sauf juil.-août et lundi* – **Repas** 18 (déj.), 27/45 ♀.
◆ Sympathique maison de pays sur une place du village. La salle à manger, d'esprit bistrot, est agrémentée d'objets chinés et de boiseries. Balcon-terrasse surplombant la rue.

**Temps des Cerises,** pl. République ✆ 04 94 76 01 19
*fermé 2 au 16 déc., 14 janv. au 11 fév., le midi en semaine et mardi* – **Repas** 32.
◆ Ce restaurant fayençois, aménagé dans une charmante maison régionale, laisse le choix entre sa coquette salle à manger ocre-rouge et sa terrasse ombragée.

**à l'Ouest** *par rte de Seillans (D 19) et rte secondaire* – ✉ *83440 Fayence :*

**Moulin de la Camandoule**, à 2 km ✆ 04 94 76 00 84, *moulin.camandoule@wanadoo.fr, Fax 04 94 76 10 40,* ≤, – GB
**Repas** *(fermé 6 au 23 janv., jeudi du 24 janv. au 15 mars, jeudi midi, vend. midi du 15 mars au 1er déc. et merc. midi)* 36/50 ♀, enf. 15 – 12 – **11 ch** 118 – ½ P 93/125.
◆ Au coeur d'un parc traversé par un aqueduc romain, ancien moulin à huile dont vous découvrirez le mécanisme dans la salle à manger. Jolies chambres campagnardes.

**Castellaras** (Carro), à 4 km ✆ 04 94 76 13 80, *Fax 04 94 84 17 50,* ≤, – AE GB
*fermé 17 mars au 1er avril, 30 juin au 8 juil., 17 nov. au 9 déc., lundi sauf juil.-août et mardi* – **Repas** 43/58 et carte 60 à 74 ♀.
◆ Juchée sur une colline, jolie villa en pierre aménagée avec goût, d'où la vue porte sur Fayence et la vallée. Mais le principal attrait du lieu est sa cuisine au goût du jour.
**Spéc.** Cassolette d'artichaut en barigoule et poêlée d'encornets (printemps). Carpaccio de langoustines (été). "Mazarin" praliné (automne). **Vins** Côtes de Provence.

**Le FAYET** *74 H.-Savoie* 74 08 – *voir à St-Gervais-les-Bains.*

**FÉCAMP** *76400 S.-Mar.* 304 C3 *G. Normandie Vallée de la Seine – 20 808 h alt. 15 – Casino* **AZ.**

**Voir** *Abbatiale de la Trinité★ – Palais Bénédictine★★ – Musée des Terres-Neuvas et de la Pêche★* **M³** *– Chapelle N.-D.-du-Salut* ✻★★ *N : 2 km par D 79* **BY.**

*Office du Tourisme, 113 rue Alexandre le Grand* ✆ *02 35 28 51 01, Fax 02 35 27 07 77, fecamp-tourisme@wanadoo.fr.*

*Paris 200 ③ – Le Havre 44 ③ – Amiens 164 ② – Caen 119 ③ – Dieppe 66 ① – Rouen 74 ②.*

Plan page suivante

**Grand Pavois** M sans rest, 15 quai Vicomté ✆ 02 35 10 01 01, *Fax 02 35 29 31 67,* ≤ – AE GB AY r
10 – **34 ch** 80/185.
◆ Sur les quais, immeuble bâti en lieu et place d'une conserverie. Hall au décor marin et grandes chambres garnies de meubles contemporains ; certaines donnent sur le port.

**Ferme de la Chapelle**, côte de la Vierge par ①, *rte du Phare et D 79 : 2 km* ✆ 02 35 10 12 12, *fermedelachapelle@wanadoo.fr, Fax 02 35 10 12 13,* – cuisinette – 15. AE GB
*fermé 5 au 13 janv.* – **Repas** *(fermé lundi midi)* 14,50/27 ♀, enf. 9,50 – 7 – **17 ch** 61/84, 5 appart – ½ P 52.
◆ Couronnant une falaise qui domine la ville, cette ancienne ferme accolée à la chapelle des marins abrite, autour d'une cour carrée, des chambres sobrement meublées.

**Plage** sans rest, 87 r. Plage ✆ 02 35 29 76 51, *Fax 02 35 28 68 30* – AE GB AY f
7 – **22 ch** 51/64.
◆ Construction moderne proche du front de mer. Menues chambres pratiques et fraîches. On petit-déjeune dans une salle au décor maritime.

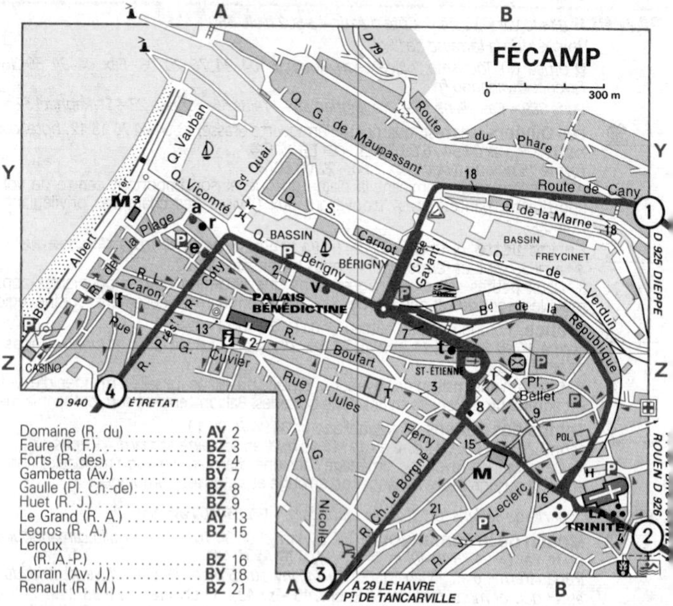
FÉCAMP
0
300 m
A
B
Y
Z
D 79
Route du Phare
Q. G. de Maupassant
Q. Vauban
Gd Quai
Q. Vicomté
Q. BASSIN
Q. S. Carnot
Q. Bérigny
BÉRIGNY
Route de Cany
Q. de la Marne
BASSIN FREYCINET
Q. de Verdun
Chée Gayant
Bd de la République
Bd Albert 1er
R. de la Plage
R. L. Caron
R. Prés. R. Coty
Rue G. Cuvier
R. Boufart
Rue Jules Ferry
R. G. Nicolle
R. Ch. Le Borgne
R. J.-L. Leclerc
PALAIS BÉNÉDICTINE
ST-ÉTIENNE
Pl. Bellet
POL.
LA TRINITÉ
CASINO
D 925 DIEPPE
ROUEN D 926
D 940 ÉTRETAT
A 29 LE HAVRE
Pt DE TANCARVILLE

| | | |
|---|---|---|
| Domaine (R. du) | AY | 2 |
| Faure (R. F.) | BZ | 3 |
| Forts (R. des) | BZ | 4 |
| Gambetta (Av.) | BY | 7 |
| Gaulle (Pl. Ch.-de) | BZ | 8 |
| Huet (R. J.) | BZ | 9 |
| Le Grand (R. A.) | AY | 13 |
| Legros (R. A.) | BZ | 15 |
| Leroux (R. A.-P.) | BZ | 16 |
| Lorrain (Av. J.) | BY | 18 |
| Renault (R. M.) | BZ | 21 |

**Vent d'Ouest** sans rest, 3 av. Gambetta ☎ 02 35 28 04 04, *hotel@hotelventdouest.fr, Fax 02 35 28 75 96* – TV. AE GB — BY t
4,60 – **15 ch** 31,90/38.
◆ Cet hôtel familial sans prétention, entièrement refait, conviendra aux budgets serrés. Les chambres, de couleur jaune, sont bien équipées. Coquette salle des petits-déjeuners.

XXX **Auberge de la Rouge** avec ch, par ③ *: 2 km* ☎ 02 35 28 07 59, *auberge.rouge@wanadoo.fr, Fax 02 35 28 70 55,* – TV P – 25. AE GB
**Repas** *(fermé dim. soir et lundi)* 17/49 et carte 40 à 60 ♀, enf. 10 – 6,10 – **8 ch** 58.
◆ Esprit campagnard avec poutres et cheminée ou véranda ouverte sur le jardin fleuri : deux cadres rénovés pour une cuisine traditionnelle. Chambres rustiques en rez-de-jardin.

XX **Plaisance,** 33 quai Vicomté ☎ 02 35 29 38 14, *Fax 02 35 28 95 76* – AE GB — AY a
*fermé 20 juin au 8 juil., 19 fév. au 10 mars, mardi soir, jeudi soir et merc.* – **Repas** *(15,50)* - 19,90/23.
◆ Situé face au port d'où partaient les terre-neuvas, ce restaurant célèbre tout naturellement la mer, tant sur la carte que dans le cadre.

XX **Marée,** 77 quai Bérigny (1er étage) ☎ 02 35 29 39 15, *Fax 02 35 29 73 27* – AE GB — AY v
*fermé en janv., jeudi soir, dim. soir et lundi* – **Repas** 17,60/33,50 ♀, enf. 11.
◆ La carte de ce restaurant qui abrite une poissonnerie au rez-de-chaussée est entièrement vouée aux produits de la mer. Sobre décor actuel et vue sur le port.

X **Le Vicomté,** 4 r. Prés. R. Coty ☎ 02 35 28 47 63 – GB — AY e
*fermé 18 août au 1er sept., 22 déc. au 5 janv., merc. soir, dim. et fériés* – **Repas** 14,60 ♀.
◆ Proche de l'étonnant palais Bénédictine dû au créateur de la célèbre liqueur, agréable petit bistrot où l'on déguste une cuisine du marché à découvrir sur l'ardoise.

---

**FEGERSHEIM** *67 B.-Rhin* 315 K6 – *rattaché à Strasbourg.*

---

**Le FEL** *12 Aveyron* 338 H3 – *rattaché à Entraygues-sur-Truyères.*

---

**FELDBACH** *68640 H.-Rhin* 315 H11 *G. Alsace Lorraine – 374 h alt. 410.*
*Paris 463 – Mulhouse 33 – Altkirch 14 – Basel 35 – Belfort 45 – Colmar 76 – Montbéliard 41.*

XX **Cheval Blanc,** ☎ 03 89 25 81 86, *Fax 03 89 07 72 88,* – P. GB
*fermé 7 au 22 juil., 23 fév. au 9 mars, lundi et mardi* – **Repas** 9 (déj.), 13/34 ♀, enf. 8.
◆ Cuisine au goût du jour, recettes régionales et très belle carte des vins dans cette maison traditionnelle du Sundgau où est exposée une collection de tableaux du 20e s.

**FELICETO** *2B H.-Corse* 345 C4 – *voir à Corse.*

**FENEYROLS** *82140 T.-et-G.* 337 G7 – *141 h alt. 124.*

*Paris 639 – Cahors 63 – Limoges 250 – Lyon 427 – Montpellier 256 – Toulouse 647.*

XX **Hostellerie Les Jardins des Thermes** avec ch, ☎ 05 63 30 65 49, *raffi-frederic@wanadoo.fr, Fax 05 63 30 60 17,* , – AE GB
*fermé 2 au 20 nov., 2 au 22 janv., merc. et jeudi d'oct. à février* – **Repas** *(fermé merc. de sept. à juin)* 13 (déj.), 16/41 ♀, enf. 10 – ☕ 6 – **5 ch** 40/58 – ½ P 40/50.
◆ Ex-hôtel thermal entièrement restauré dans un parc (vestiges de thermes romains) au bord de l'Aveyron. Restaurant joliment coloré et chambres spacieuses.

**FERAYOLA** *2B H.-Corse* 345 B5 – *voir à Corse (Caléria).*

**FÈRE-EN-TARDENOIS** *02130 Aisne* 306 D7 *G. Picardie Flandres Artois – 3 168 h alt. 180.*

Voir *Château de Fère★ : Pont-galerie★★ N : 3 km.*

*Office du Tourisme, 18 rue Etienne-Moreau-Nelaton ☎ 03 23 82 31 57, Fax 03 23 82 28 19, tardenois@aol.com.*

*Paris 116 – Reims 50 – Château-Thierry 25 – Laon 56 – Soissons 27.*

**Château de Fère** , au Nord, 3 km par D 967 ☎ 03 23 82 21 13, *chateau.fere@wanado o.fr, Fax 03 23 82 37 81,* ≤, , , , – 30. AE GB JCB
*fermé 2 janv. au 12 fév.* – **Repas** *(fermé lundi midi en fév., mars, nov. et déc.)* 34/86 – ☕ 17 – **19 ch** 160/320, 6 appart.
◆ Avec en arrière-plan les ruines du château d'Anne de Montmorency et de son fameux pont, cette belle demeure du 16e s. offre un décor somptueux. Vaste parc.

**FERNEY-VOLTAIRE** *01210 Ain* 328 J3 *G. Jura – 6 408 h alt. 430.*

Voir *Château★.*

Env. *Genève★★★.*

*de Genève-Cointrin ☎ (00 41 22) 717 71 11, S : 4 km.*

*Office du Tourisme, 26 Grand' Rue ☎ 04 50 28 09 16, Fax 04 50 40 78 99, otferney@cc-pays-de-gex.fr.*

*Paris 501 – Thonon-les-Bains 91 – Bellegarde-sur-Valserine 37 – Genève 8 – Gex 11.*

**Novotel** M, par D 35 rte de Meyrin ☎ 04 50 40 85 23, *h0422@accor.hotels.com, Fax 04 50 40 76 33,* , , , – – 100. AE GB
**Repas** *(16)* - 25 ♀, enf. 9 – ☕ 11 – **80 ch** 125/130.
◆ Ce Novotel, pratique pour une étape à proximité de la frontière suisse, vous reçoit dans des chambres fonctionnelles. Repas servis sous forme de buffets.

**Campanile,** par D 35 et chemin Planche Brûlée ☎ 04 50 40 74 79, *geneve@campanile.fr, Fax 04 50 42 97 29,* – AE GB
**Repas** *(12)* - 13,50/20 ♀, enf. 6 – ☕ 6 – **62 ch** 70/75.
◆ Une prochaine rénovation doit transformer les chambres et le restaurant de cette ressource proche de la voie de contournement de la petite cité.

XX **France** avec ch, 1 r. Genève ☎ 04 50 40 63 87, *hotelfranceferney@wanadoo.fr, Fax 04 50 40 47 27,* – AE GB.
**Repas** *(fermé 23 déc. au 9 janv., dim. et lundi)* *(17)* - 21 (déj.), 33/37 ♀, enf. 7,90 – ☕ 8 – **14 ch** 59/75 – ½ P 65.
◆ On s'attablera au milieu d'un décor de photos et d'affiches publicitaires ou sur l'agréable terrasse arborée : deux plaisantes manières d'apprécier une carte classique.

X **Chanteclair,** 13 r. Versoix ☎ 04 50 40 79 55, *Fax 04 50 40 93 04* – GB
*fermé 15 au 31 août, 22 déc. au 4 janv., dim. et lundi* – **Repas** 19 (déj.), 32/60 ♀, enf. 12.
◆ En centre-ville, cette petite salle de restaurant aux tons bleu et jaune vous invite à découvrir sa cuisine renouvelée au rythme des saisons et sa belle carte des vins.

**FERRETTE** *68480 H.-Rhin* 315 H12 *G. Alsace Lorraine – 863 h alt. 470.*

Voir *Site★ – Ruines du Château ≤★.*

*Syndicat d'Initiative, route de Lucelle ☎ 03 89 08 23 88, Fax 03 89 40 33 84, infotourisme@jura-alsacien.net.*

*Paris 469 – Mulhouse 39 – Altkirch 20 – Basel 28 – Belfort 51 – Colmar 83 – Montbéliard 47.*

**à Ligsdorf** *Sud : 4 km par D 432 – 313 h. alt. 520 – ✉ 68480 :*

XX **Moulin Bas** avec ch, 1 r. Raedersdorf ☎ 03 89 40 31 25, *info@le-moulin-bas.fr, Fax 03 89 40 37 15,* , – GB
*1er mai-30 sept. et fermé mardi* – **Repas** 12 (déj.), 20/30 ♀ – ☕ 9,50 – **7 ch** 65/70 – ½ P 70.
◆ Le moulin, édifié en 1796 au bord de l'Ill, a conservé intact son mécanisme que l'on voit de la coquette petite salle à manger. Chambres calmes et élégantes à l'annexe.

**à Moernach** *Ouest : 5 km par D 473 – 454 h. alt. 470 – ✉ 68480 :*

XX **Aux Deux Clefs** avec ch, ✆ 03 89 40 80 56, *Fax 03 89 08 10 47*, – TV P. GB
*fermé 22 au 29 juil.* – **Repas** *(fermé jeudi)* 15/48 ♀ – ☕ 5,30 – **7 ch** 35/45,70 – ½ P 46/52.
◆ Jolie maison à colombages typique du Sundgau. Chaleureuse salle à manger agrémentée d'une exposition de tableaux ; accueillantes chambres parquetées dans un bâtiment voisin.

**à Lutter** *Sud-Est : 8 km par D 23 – 283 h. alt. 428 – ✉ 68480 :*

XX **Auberge Paysanne** avec ch, r. Principale ✆ 03 89 40 71 67, *Fax 03 89 07 33 38*, – TV P. GB
*fermé 30 juin au 14 juil. et 16 fév. au 7 mars* – **Repas** *(fermé mardi midi et lundi)* 10 (déj.), 21/51 ♀, enf. 9,50 – ☕ 6,50 – **7 ch** 37/48 – ½ P 45.
◆ Plusieurs salles à manger dans ce restaurant proche de la frontière suisse. La plus séduisante présente un cadre alsacien. Cuisine régionale et gibier. Chambres actuelles.

**Annexe Hostellerie Paysanne** sans rest., – TV P – 20. GB
☕ 6 – **9 ch** 46/68 – ½ P 49/52.
◆ Cette ferme alsacienne de 1618 a été démontée, puis reconstruite dans ce village. Chambres fonctionnelles, garnies de meubles de style. L'accueil se fait à l'Auberge Paysanne.

## La FERRIÈRE-AUX-ÉTANGS *61 Orne 310 F3 – rattaché à Flers.*

*Les prix*
*Pour toutes précisions sur les prix indiqués dans ce guide, reportez-vous aux pages explicatives.*

## FERRIÈRES-EN-BRIE *77 S.-et-M. 312 F3 101 30 – voir à Paris, Environs (Marne-la-Vallée).*

## FERRIÈRES *45210 Loiret 318 N3 G. Bourgogne – 2 896 h alt. 96.*

Voir *Croisée du transept★ de l'église St-Pierre et St-Paul.*
*Office du Tourisme, place des Eglises ✆ 02 38 96 58 86, Fax 02 38 96 60 39.*
*Paris 100 – Auxerre 81 – Fontainebleau 40 – Montargis 12 – Nemours 26 – Orléans 84.*

**Abbaye** , ✆ 02 38 96 53 12, *Fax 02 38 96 57 63*, – TV P – 30. AE GB
**Repas** *(11,50)* - 19,50/46, enf. 9,50 – ☕ 7 – **30 ch** 53/60 – ½ P 47/52.
◆ Près de l'ancienne abbaye bénédictine. Préférez les nouvelles chambres, vastes et bien équipées. Restaurant tourné vers le Gâtinais. Terrasse très prisée en été.

## La FERTÉ-BERNARD *72400 Sarthe 310 M5 G. Châteaux de la Loire – 9 355 h alt. 90.*

Voir *Église N.-D.-des Marais★★.*
*Office du Tourisme, 15 place de la Lice ✆ 02 43 71 21 21, Fax 02 43 93 25 85, ot.la.ferte bernard@wanadoo.fr.*
*Paris 165 – Le Mans 54 – Alençon 57 – Chartres 79 – Châteaudun 65.*

XXX **Perdrix** avec ch, 2 r. Paris ✆ 02 43 93 00 44, *restaurantlaperdrix@hotmail.com*, *Fax 02 43 93 74 95* – rest, TV . GB
*fermé fév., lundi soir et mardi* – **Repas** 17/37 et carte 36 à 60, enf. 10 – ☕ 5,60 – **7 ch** 40/50.
◆ Imposante bâtisse bordant la route nationale. Les tons pastel de la décoration, sobre et soignée, créent une ambiance feutrée dans la salle à manger. Chambres insonorisées.

XX **Dauphin,** 3 r. d'Huisne (secteur piétonnier) ✆ 02 43 93 00 39, *Fax 02 43 71 26 65*, – GB
*fermé 15 au 31 août, dim. soir et lundi* – **Repas** 15/38 ♀.
◆ Cette maison de la vieille ville daterait en partie du 16e s. : l'affaire repose sur des bases solides ! Belle cheminée d'époque dans une salle ; terrasse côté rue piétonne.

## La FERTÉ-IMBAULT *41300 L.-et-Ch. 318 I7 – 1 047 h alt. 99.*

*Syndicat d'Initiative, 31 route Nationale ✆ 02 54 96 34 83, Fax 02 54 96 10 39.*
*Paris 192 – Bourges 68 – Orléans 69 – Romorantin-Lanthenay 19 – Vierzon 24.*

**Auberge A la Tête de Lard,** ✆ 02 54 96 22 32, *Fax 02 54 96 06 22*, – rest, TV P. GB. ch
*fermé 6 au 20 sept., 23 janv. au 13 fév., dim. soir, mardi midi et lundi sauf fériés* – **Repas** 20/46 ♀ – ☕ 6,50 – **11 ch** 45/72 – ½ P 46.
◆ Chambres actuelles et salle à manger campagnarde dans cette agréable petite auberge solognote. Terrasse d'été ombragée. Cuisine du terroir. Côté loisirs : VTT, kayaks, pêche.

**La FERTÉ-MACÉ** *61600 Orne* 310 G3 *G. Normandie Cotentin – 6 913 h alt. 250.*

*Office du Tourisme, 11 rue de la Victoire ☎ 02 33 37 10 97, Fax 02 33 37 10 97.*

*Paris 235 ① – Alençon 46 ③ – Argentan 33 ① – Domfront 23 ④ – Falaise 41 ⑤ – Flers 26 ⑤.*

## LA FERTÉ-MACÉ



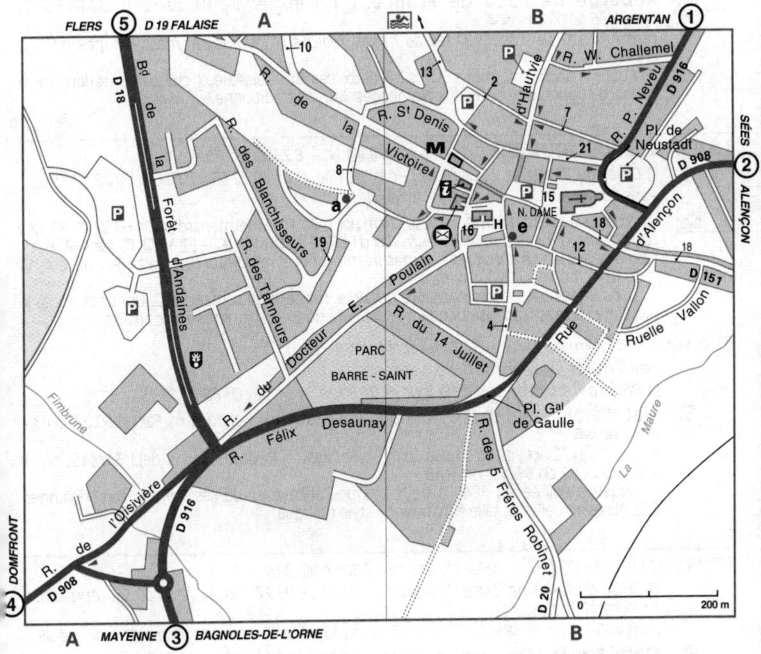

FLERS ⑤ D 19 FALAISE
A
B
ARGENTAN ①
Bd de la Forêt d'Andaines
D 18
R. des Blanchisseurs
R. des Tanneurs
R. de la Victoire
R. St Denis
R. d'Hautvie
R. W. Challemel
R. P. Neveu
D 916
Pl. de Neustadt
D 908
SÉES ② ALENÇON
Rue d'Alençon
N. DAME
D 151
Ruelle Vallon
R. du Docteur E. Poulain
R. du 14 Juillet
PARC BARRE - SAINT
Pl. Gal de Gaulle
R. Félix Desaunay
R. de l'Oisivière
R. des 5 Frères Robinet
Fimbrune
La Maure
D 20
D 916
D 908
DOMFRONT ④
MAYENNE ③ BAGNOLES-DE-L'ORNE
0 200 m


**Auberge d'Andaines,** rte Bagnoles-de-l'Orne par ③ : *2 km ☎ 02 33 37 20 28, auberge-andaines@hotmail.com, Fax 02 33 37 25 05,* – 🅿 – 30. GB
*fermé 15 janv. au 15 fév. et vend. du 1er nov. au 1er avril* – **Repas** (9) - 14/35 – 5,50 – **15 ch** 29/50 – ½ P 38,50/45.
◆ Auberge familiale à la lisière de la forêt des Andaines. Chambres simples mais bien tenues ; choisir celles côté jardin. Salle à manger d'esprit rustique.

**Auberge de Clouet** avec ch, Le Clouet ☎ 02 33 37 18 22, *Fax 02 33 38 28 52,* – 🅿. AE GB. ch **A a**
*fermé 1er au 17 nov., lundi de nov. à Pâques et dim. soir* – **Repas** 16/60 – 7 – **6 ch** 40/55 – ½ P 55.
◆ Cuisine du terroir, à apprécier dans l'intérieur campagnard de cette ancienne ferme du bocage normand ou sur sa jolie terrasse fleurie. Quelques chambres modestes.

**L'Espérance,** 13 r. Barre ☎ 02 33 37 38 21, *Fax 02 33 37 38 21* – GB **B e**
*fermé 20 juil. au 3 août, 26 oct. au 2 nov., 20 au 27 déc., 7 au 14 fév., dim. soir et merc.* – **Repas** 8,80/28,50, enf. 8,50.
◆ Petit restaurant traditionnel du centre-ville fréquenté par les Fertois. On y mange "à la bonne franquette" des plats régionaux dans une salle à manger sobrement décorée.

*Ecrivez-nous...*
*Vos louanges comme vos critiques seront examinées avec le plus grand soin. Nous reverrons sur place les informations que vous nous signalez.*
*Par avance merci !*

## La FERTÉ-ST-AUBIN *45240 Loiret 318 I5 G. Châteaux de la Loire – 6 414 h alt. 114.*

Voir Château★.

*Syndicat d'Initiative, rue des Jardins ☎ 02 38 64 67 93, Fax 02 38 64 61 39.*

*Paris 154 – Orléans 23 – Blois 63 – Romorantin-Lanthenay 45 – Salbris 34.*

XX **Ferme de la Lande,** Nord-Est : 3 km par rte Marcilly ☎ 02 38 76 64 37, *solognote@fermedelalande.com, Fax 02 38 64 68 87,* – P. AE GB

*fermé 13 janv. au 3 fév., dim. soir, merc. soir et lundi* – **Repas** 25/56 ♀, enf. 14,50.

◆ Restaurant aménagé dans un corps de ferme dont l'authenticité a été habilement préservée (pans de bois et briques). Cuisine au goût du jour. Balade apéritive dans le parc.

XX **Auberge de l'Écu de France,** 6 r. Gén. Leclerc (N 20) ☎ 02 38 64 69 22, *Fax 02 38 64 09 54* – GB

*fermé 18 août au 5 sept., 21 fév. au 7 mars, mardi soir, jeudi soir et merc.* – **Repas** 13/35 ♀, enf. 9.

◆ Petite maison solognote (17e s.) à deux pas du majestueux château. Intérieur campagnard coquet, cloisonné de colombages. Cuisine traditionnelle.

## La FERTÉ-SOUS-JOUARRE *77260 S.-et-M. 312 H2 – 8 236 h alt. 58.*

*Office du Tourisme, 26 place de l'Hôtel de Ville ☎ 01 60 22 63 43, Fax 01 60 22 19 73.*

*Paris 68 – Melun 70 – Reims 84 – Troyes 122.*

**Château des Bondons** ≫, Est : 2 km par D 70, rte Montménard ☎ 01 60 22 00 98, *chateau-des-bondons@club.internet.fr, Fax 01 60 22 97 01,* – TV P. AE GB JCB

*fermé début janv. à début fév.* – **Repas** *(fermé lundi et mardi)* 40/70 et carte 64 à 86, enf. 14 – ☕ 10 – **11 ch** 100/220, 3 appart.

◆ Dans un joli parc, cette demeure du 18e s. fut celle du romancier G. Ohnet et abrita le G.Q.G. de l'armée française pendant la drôle de guerre. Chambres personnalisées.

### à Jouarre *Sud : 3 km par D 402 – 3 274 h. alt. 141 – ✉ 77640.*

Voir *Crypte★ de l'abbaye, G. Ile de France.*

*Office du Tourisme, rue de la Tour ☎ 01 60 22 64 54, Fax 01 60 22 65 15.*

**Plat d'Étain,** ☎ 01 60 22 06 07, *hotel-le-plat-d-etain@wanadoo.fr, Fax 01 60 22 35 63* – TV P. GB

*fermé 1er au 12 oct., 17 au 31 déc., dim. soir et vend.* – **Repas** *(11,50)* - 15 (déj.), 31/34 ♀, enf. 8 – ☕ 5,50 – **18 ch** 38/49 – ½ P 45.

◆ Auberge édifiée en 1840 à deux pas de l'abbaye et de ses cryptes carolingiennes. Chambres actuelles et salle à manger de style rustique.

## FEURS *42110 Loire 327 E5 G. Vallée du Rhône – 7 803 h alt. 343.*

*Office du Tourisme, place du Forum ☎ 04 77 26 05 27, Fax 04 77 26 00 55, feurs.office.tourisme@libertysurf.fr.*

*Paris 435 – Roanne 38 – St-Étienne 47 – Lyon 65 – Montbrison 24 – Thiers 68 – Vienne 95.*

**Motel Etésia** M sans rest, rte Roanne ☎ 04 77 27 07 77, *Fax 04 77 27 03 33,* – TV P. AE GB.

*fermé 9 au 17 août, 19 déc. au 4 janv.* – ☕ 5 – **15 ch** 36,50/45.

◆ Proche d'un complexe sportif, pavillon récent proposant des chambres en rez-de-jardin, fonctionnelles et assez spacieuses. Salle des petits-déjeuners au confort modeste.

XX **Boule d'Or,** rte Lyon ☎ 04 77 26 20 68, *Fax 04 77 26 56 84,* – GB

*fermé 1er au 22 août, 15 au 31 janv., dim. soir et lundi* – **Repas** 16/52.

◆ Située à la sortie de la petite ville, sobre bâtisse abritant trois salles à manger classiquement aménagées où se déguste une solide cuisine traditionnelle.

### à Salt-en-Donzy *Est : 5 km – 412 h. alt. 337 – ✉ 42110 :*

X **Assiette Saltoise,** ☎ 04 77 26 04 29, *Fax 04 77 26 04 29,* – GB

*fermé 9 au 22 fév., mardi soir et merc.* – **Repas** 9,30 (déj.), 13,80/21,40.

◆ Cette sympathique auberge de campagne jouxte une jolie petite église romane. Intérieur tout simple et charmante terrasse sous les tilleuls. Généreuse cuisine du terroir.

## FEY *57 Moselle 307 H4 – rattaché à Metz.*

## FIGEAC *46100 Lot 337 I4 G. Périgord Quercy – 9 549 h alt. 214.*

Voir *Le vieux Figeac★★ : hôtel de la Monnaie★* **M1**, *musée Champollion★* **M2** *près de la place aux Ecritures★ – Chapelle N.D.-de-Pitié★ dans l'église St-Sauveur.*

*Office du Tourisme, place Vival ☎ 05 65 34 06 25, Fax 05 65 50 04 58, figeac@wanadoo.fr.*

*Paris 580 ⑥ – Rodez 66 ② – Aurillac 64 ① – Villefranche-de-Rouergue 36 ③.*

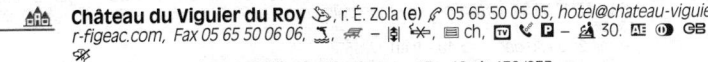

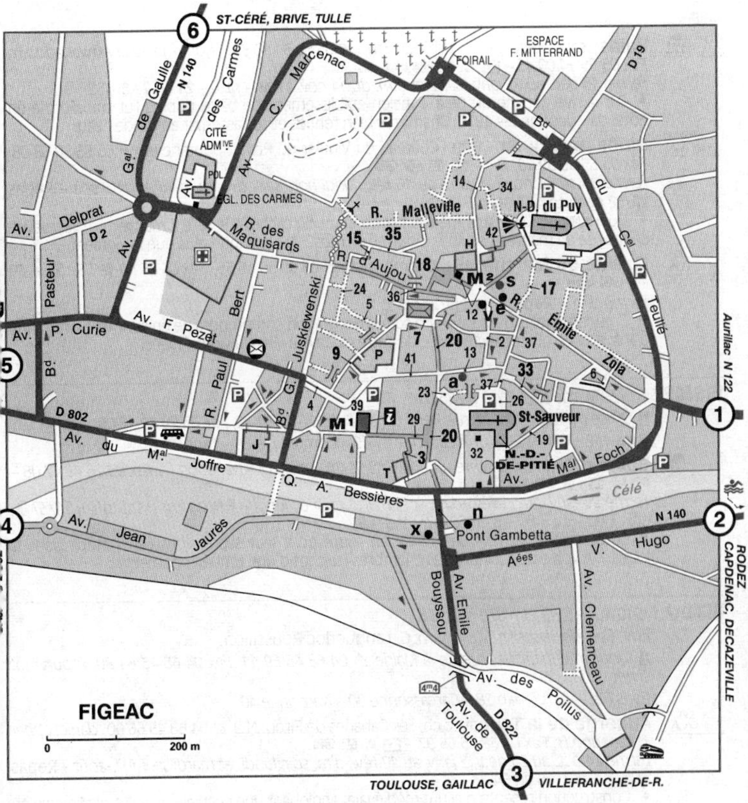
FIGEAC
0
200 m
ST-CÉRÉ, BRIVE, TULLE
TOULOUSE, GAILLAC
VILLEFRANCHE-DE-R.
RODEZ CAPDENAC, DECAZEVILLE
Aurillac N 122
N 140
D 19
D 2
D 802
D 822
ESPACE F. MITTERRAND
FOIRAIL
CITÉ ADM IVE
POL
ÉGL. DES CARMES
N.-D. du Puy
St-Sauveur
N.-D.-DE-PITIÉ
Av. G.al de Gaulle
Av. des Carmes
Av. C. Marcenac
Av. Delprat
Bd Pasteur
Av. P. Curie
Av. F. Pezet
R. des Maquisards
R. Paul Bert
Bd G. Juskiewenski
R. Malleville
R. d'Aujou
R. Émile Zola
Bd du Col. Teulié
Av. Mal Foch
Av. du Mal Joffre
Q. A. Bessières
Av. Jean Jaurès
Pont Gambetta
Aées V. Hugo
Av. Émile Bouyssou
Av. Clemenceau
Av. des Poilus
Av. de Toulouse
Célé
1
2
3
4
5
6
M1
M2
a
e
n
s
v
x
H
J
T



**Château du Viguier du Roy** ⚘, r. É. Zola **(e)** ✆ 05 65 50 05 05, *hotel@chateau-viguier-figeac.com, Fax 05 65 50 06 06,* ⛱, – 🛗 ✈, ▤ ch, TV ✆ P – 🎤 30. AE ⓓ GB.
*6 avril-28 oct.* – voir rest. ***Dînée du Viguier*** – ☕ 17 – **19 ch** 130/235.
◆ Bel ensemble urbain soigneusement restauré, dont les murs de grès résonnent d'échos moyenâgeux. Donjon du 14ᵉ s. et cloître contribuent à cette atmosphère.

**Pont d'Or** M sans rest, 2 av. J. jaurès **(x)** ✆ 05 65 50 95 00, *hotel.pont.or@free.fr, Fax 05 65 50 95 39,* ⛱ – 🛗 cuisinette ✈ ▤ TV ♿ P – 🎤 30. AE ⓓ GB JCB
☕ 9 – **35 ch** 63/95.
◆ L'hôtel, rénové, est situé dans le quartier historique. Chambres élégantes, équipements dernier cri, piscine sur le toit, jolie terrasse (petit-déjeuner) longeant le Célé.

**Champollion** M sans rest, 3 pl. Champollion **(v)** ✆ 05 65 34 04 37, *Fax 05 65 34 61 69* – TV ✆ ♿. AE ⓓ GB
☕ 5,50 – **10 ch** 38/45.
◆ Maison natale, Place des Écritures... et hôtel à l'enseigne de "l'Égyptien" : le souvenir de Champollion est aussi présent dans ce logis médiéval aux chambres actuelles.

**Bains** sans rest, 1 r. Griffoul **(n)** ✆ 05 65 34 10 89, *hotel-des-bains@wanadoo.fr, Fax 05 65 14 00 45* – TV ✆. AE ⓓ GB. 🚫
*fermé 13 déc. au 13 janv., sam. et dim. du 11 nov. à fév.* – ☕ 6 – **21 ch** 27,50/59.
◆ Sur la rive gauche du Célé, l'ancien établissement de bains publics fut transformé en hôtel dans les années 1970. Chambres bien tenues et terrasse-bar au ras de l'eau.

**Dînée du Viguier** - Hôtel Château du Viguier du Roy, r. Boutaric **(s)** ✆ 05 65 50 08 08, *Fax 05 65 50 09 09,* 🏠 – ▤. AE ⓓ GB
*fermé 16 au 23 nov., 25 janv. au 16 fév., lundi hors saison, sam. midi et dim. soir* – **Repas** 24/58 et carte 44 à 60 ♀.
◆ Quelques beaux restes médiévaux donnent du cachet à la salle à manger : majestueuse cheminée au manteau sculpté, poutres peintes... N'y manque plus que le viguier !

**Cuisine du Marché,** 15 r. Clermont **(a)** ✆ 05 65 50 18 55, *Fax 05 65 50 18 55,* 🏠 – AE ⓓ GB JCB
*fermé dim.* – **Repas** 17 (déj.), 22/25 ♀.
◆ Cuisines visibles de la salle et discrète décoration contemporaine en surimpression : une transparence qui respecte l'âme de cette ex-cave à vins du vieux Figeac.

## FISMES *51170 Marne 306 E7 – 5 286 h alt. 70.*

*ℹ Office du Tourisme, 28 rue René Letilly ✆ 03 26 48 81 28, Fax 03 26 48 12 09.*
*Paris 132 – Reims 29 – Château-Thierry 45 – Compiègne 69 – Laon 37.*

**Boule d'Or,** 11 r. Lefèvre ✆ 03 26 48 11 24, *boule.or@wanadoo.fr, Fax 03 26 48 17 08* – TV ✆. AE ⓓ GB. 🚫
*fermé 20 janv. au 11 fév., dim. soir, mardi midi et lundi* – **Repas** *(11)* - 15,50 (déj.), 21/37 ♁, enf. 7,80 – ☕ 6,80 – **8 ch** 52/57 – ½ P 56.
◆ Comme jadis les rois de France en route pour leur sacre, vous ferez étape dans la localité. À votre disposition, des chambres fraîches d'une tenue impeccable.

## FITOU *11510 Aude 344 I5 – 579 h alt. 38.*

Env. *Fort de Salses*★★ *SO : 11 km,* G. **Languedoc Roussillon.**
*ℹ Syndicat d'Initiative, rue de la Mairie ✆ 04 68 45 69 11, Fax 04 68 45 61 80, fitou@fnotsi.net.*
*Paris 828 – Perpignan 28 – Carcassonne 90 – Narbonne 40.*

**Auberge de la Tour** avec ch, Les Cabanes de Fitou, N 9 ✆ 04 68 45 66 90, *daniel.auber@wanadoo.fr, Fax 04 68 45 65 97* – TV P. AE GB
*fermé 24 oct. au 23 déc., 2 janv. au 12 fév., dim. soir, lundi, et mardi sauf juil.-août* – **Repas** 25/60 – ☕ 7 – **6 ch** 64.
◆ Construction récente d'allure médiévale, englobant une chapelle du 11e s. aménagée en salon. Pierres apparentes, tour circulaire, poutres et voûtes. Chambres rustiques.

**Cave d'Agnès,** ✆ 04 68 45 75 91 – P. GB
*15 mars-15 nov. et fermé jeudi midi et merc.* – **Repas** (nombre de couverts limité, prévenir) carte 23 à 35, enf. 10.
◆ Sur les hauteurs du village, cette vieille grange aux abords fleuris attire une clientèle nombreuse appréciant son sympathique cadre campagnard et sa table généreuse.

## FLACEY *28800 E.-et-L. 311 E7 – 202 h alt. 157.*

*Paris 123 – Orléans 60 – Châteaudun 9 – Chartres 36 – Nogent-le-Rotrou 51.*

**Domaine de Moresville** 🐌 sans rest, rte de Brou, Nord-Ouest par D 110 ✆ 02 37 47 33 94, *info@domaine-moresville.com, Fax 02 37 47 56 40* – TV ✆ P – 🏛 30. AE ⓓ GB
*fermé 21 au 30 déc.* – ☕ 10 – **9 ch** 77/155.
◆ Beau château du 18e s. dans un joli parc doté d'un étang. Meubles et parquets anciens, bonne ampleur et salles de bains neuves caractérisent les chambres. Sauna et jacuzzi.

## FLAGEY-ÉCHEZEAUX *21 C.-d'Or 320 J7 – rattaché à Vougeot.*

## FLAMANVILLE *50340 Manche 303 A2 – 1 781 h alt. 74.*

*Paris 372 – Cherbourg 27 – Barneville-Carteret 23 – Valognes 36.*

**Bel Air** 🐌 sans rest, ✆ 02 33 04 48 00, *hotelbelair@aol.com, Fax 02 33 04 49 56,* 🌳 – 🚭 TV ✆ P. AE GB. 🚫
*fermé 20 déc. au 31 janv.* – ☕ 10 – **12 ch** 60/90.
◆ Le régisseur des fermes du château résidait autrefois dans cette maison. Petites chambres "cosy", beau jardin fleuri et grand calme vous y attendent aujourd'hui.

**Sémaphore,** ✆ 02 33 52 18 98, *Fax 02 33 52 36 39*, <, – GB
*fermé 15 déc. au 31 janv., dim. soir ,mardi soir sauf juil.-août et lundi* – **Repas** 13,50/25.
◆ L'ancien sémaphore, posté sur une falaise face aux îles anglo-normandes, abrite une salle panoramique décorée de cartes marines. Cuisine traditionnelle et plats du Sud-Ouest.

**FLASSAN** *84410 Vaucluse* 332 E9 – *332 h alt. 410.*
*Paris 700 – Avignon 46 – Carpentras 20 – Sault 29 – Vaison-la-Romaine 27.*

**Mont-Ventoux,** ✆ 04 90 61 81 29, *Fax 04 90 61 72 79*, – GB
*fermé sept., 22 déc. au 3 janv. et merc.* – **Repas** 13/32.
◆ Il faut traverser le café du village pour gagner la salle à manger rustique ou la terrasse dressée sous les canisses. Cuisine traditionnelle, gibiers et truffes en saison.

**FLAVIGNY-SUR-MOSELLE** *54 M.-et-M.* 307 I7 – *rattaché à Nancy.*

**FLAYOSC** *83 Var* 340 N4 – *rattaché à Draguignan.*

**La FLÈCHE** *72200 Sarthe* 310 I8 *G. Châteaux de la Loire – 14 953 h alt. 33.*
**Voir** *Prytanée militaire★ – Boiseries★ de la chapelle N.-D.-des-Vertus – Parc zoologique du Tertre Rouge★ 5 km par ② puis D 104* – **Env.** *Bazouges-sur-le-Loir : pont <★, 7 km par ④.*
*Office du Tourisme, boulevard de Montréal ✆ 02 43 94 02 53, Fax 02 43 94 43 15, otsi-lafleche@libertysurf.fr.*
*Paris 246 ① – Angers 52 ④ – Le Mans 44 ① – Laval 70 ⑤ – Tours 70 ②.*

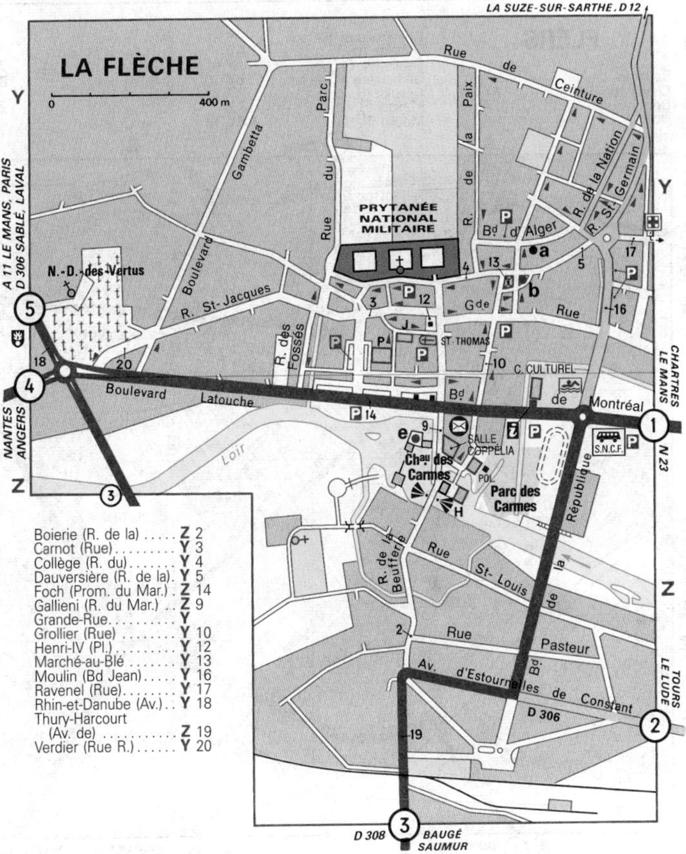
LA SUZE-SUR-SARTHE, D 12
LA FLÈCHE
0
400 m
PRYTANÉE NATIONAL MILITAIRE
N.-D.-des-Vertus
A 11 LE MANS, PARIS
D 306 SABLÉ, LAVAL
NANTES
ANGERS
CHARTRES
LE MANS
N 23
TOURS
LE LUDE
D 306
D 308
BAUGÉ
SAUMUR
Rue de Ceinture
R. de la Nation
R. St-Germain
Bd d'Alger
R. de la Paix
Rue du Parc
Boulevard Gambetta
R. St-Jacques
R. des Fossés
Gde Rue
ST-THOMAS
C. CULTUREL
Boulevard Latouche
Bd de Montréal
SALLE COPPÉLIA
Chau des Carmes
POL
Parc des Carmes
S.N.C.F.
Loir
Bd de la République
R. de la Beufferie
Rue St-Louis
Rue Pasteur
Av. d'Estournelles de Constant

Boierie (R. de la) ..... Z 2
Carnot (Rue) ......... Y 3
Collège (R. du) ........ Y 4
Dauversière (R. de la). Y 5
Foch (Prom. du Mar.) . Z 14
Gallieni (R. du Mar.) .. Z 9
Grande-Rue.......... Y
Grollier (Rue) ......... Y 10
Henri-IV (Pl.) ......... Y 12
Marché-au-Blé ....... Y 13
Moulin (Bd Jean)...... Y 16
Ravenel (Rue)......... Y 17
Rhin-et-Danube (Av.) . . Y 18
Thury-Harcourt
(Av. de) ............. Z 19
Verdier (Rue R.)....... Y 20

**Relais Cicero** sans rest, 18 bd Alger ✆ 02 43 94 14 14, *Fax 02 43 45 98 96*, – TV. AE GB **Y a**
*fermé 28 juil. au 10 août, 23 déc. au 5 janv. et dim.* – ☕ 8 – **20 ch** 67/103.
◆ Ancien couvent (17e s.), belle décoration intérieure et mobilier d'époque : une authenticité habilement sauvegardée en ce havre de paix que son jardin sépare du monde.

**Moulin des Quatre Saisons,** r. Galliéni ✆ 02 43 45 12 12, *camille.constantin@wanadoo.fr, Fax 02 43 45 10 31*, – P. AE GB **Z e**
*fermé vacances de Toussaint, 5 au 20 janv., merc. soir, dim. soir et lundi* – **Repas** 19,10/32,50 ♀, enf. 11.
◆ Moulin du 17e s. au bord du Loir, salle de restaurant au décor inspiré de l'Autriche et carte aux accents méditerranéens : on fait ici preuve d'un certain éclectisme !

**Fesse d'Ange,** pl. 8 Mai 1945 ✆ 02 43 94 73 60, *magaligasnier.@.aol.fr, Fax 02 43 45 97 33* – ▤. GB **Y b**
*fermé 28 juil. au 20 août, 17 au 24 fév., dim. soir, mardi soir et lundi* – **Repas** 17/35.
◆ N'allons pas discuter du sexe des anges : la cuisine traditionnelle est généreuse, la salle à manger présente un élégant décor contemporain et le service est attentionné.

**FLÉRÉ-LA-RIVIÈRE** *36700 Indre* 323 C4 – *628 h alt. 95.*
*Paris 278 – Tours 61 – Le Blanc 50 – Châtellerault 60 – Châtillon-sur-Indre 7 – Loches 17.*

**Relais du Berry,** 2 rte Tours ✆ 02 54 39 32 57 – GB
*fermé 8 au 18 sept., dim. soir, lundi et mardi* – **Repas** 13/35 ♁.
◆ À l'entrée du village, cet ancien relais de poste aux abords fleuris propose une cuisine traditionnelle réalisée avec les fruits et légumes du jardin. Cadre rustique simple.

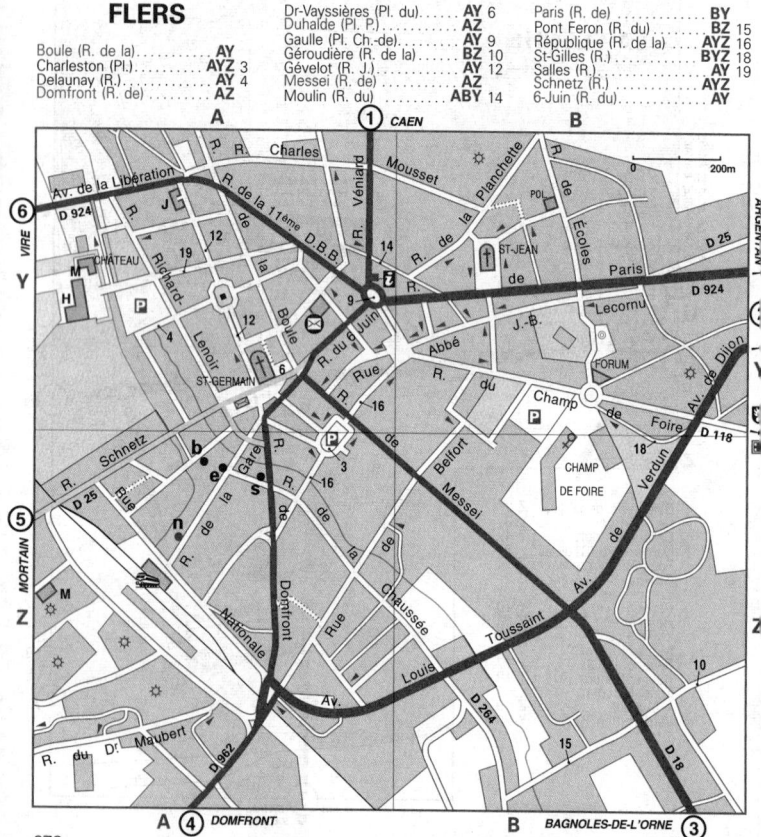

## FLERS

Boule (R. de la) . . . . . . . . . . . **AY**
Charleston (Pl.) . . . . . . . . . **AYZ** 3
Delaunay (R.) . . . . . . . . . . . **AY** 4
Domfront (R. de) . . . . . . . . . **AZ**
Dr-Vayssières (Pl. du) . . . . . . **AY** 6
Duhalde (Pl. P.) . . . . . . . . . . **AZ**
Gaulle (Pl. Ch.-de) . . . . . . . . **AY** 9
Géroudière (R. de la) . . . . . . **BZ** 10
Gévelot (R. J.) . . . . . . . . . . . **AY** 12
Messei (R. de) . . . . . . . . . . . **AZ**
Moulin (R. du) . . . . . . . . . **ABY** 14
Paris (R. de) . . . . . . . . . . . . . **BY**
Pont Feron (R. du) . . . . . . . . **BZ** 15
République (R. de la) . . . . . **AYZ** 16
St-Gilles (R.) . . . . . . . . . . . **BYZ** 18
Salles (R.) . . . . . . . . . . . . . . **AY** 19
Schnetz (R.) . . . . . . . . . . . . **AYZ**
6-Juin (R. du) . . . . . . . . . . . . **AY**

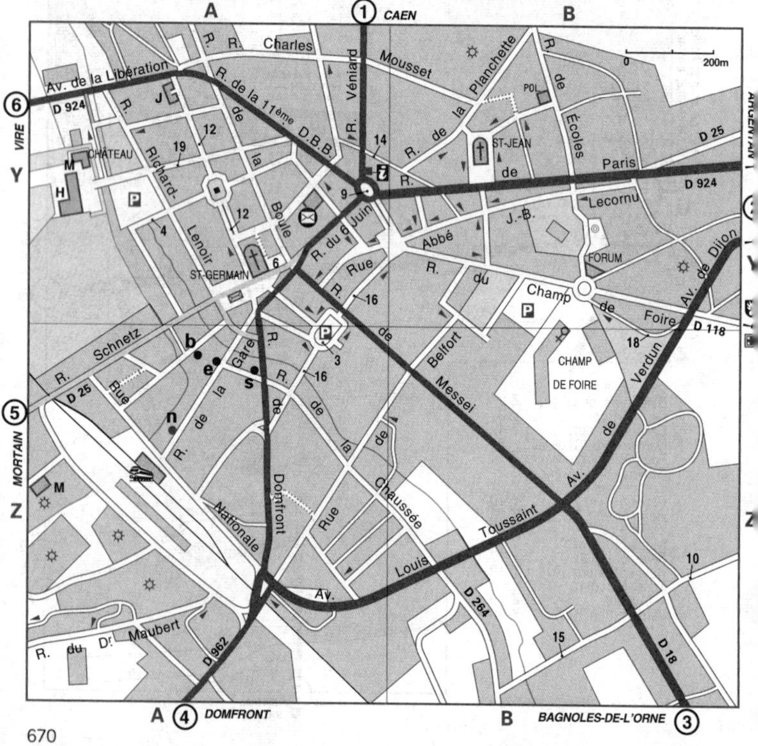
A
B
CAEN
VIRE
ARGENTAN
MORTAIN
DOMFRONT
BAGNOLES-DE-L'ORNE
Y
Z
200m
Av. de la Libération
D 924
R. Charles Mousset
R. de la 11ème D.B.B.
R. Véniard
R. de la Planchette
R. des Écoles
R. de Paris
Richard Lenoir
R. de la Boule
CHÂTEAU
ST-JEAN
ST-GERMAIN
R. du 6 Juin
Rue J.-B. Lecornu
R. Abbé
FORUM
Champ de Foire
CHAMP DE FOIRE
Av. de Dijon
D 118
D 25
R. Schnetz
R. de la Gare
R. de Messei
R. de Belfort
Av. de Verdun
R. de Domfront
Rue de la Chaussée
Nationale
Av. Louis Toussaint
D 264
D 962
D 18
R. du Dr. Maubert

**Hostellerie du Parc des Cèdres,** ✆ 04 79 31 72 37, *Fax 04 79 31 61 66*, ←, ⛱, 🅿 – ℙ. AE ⓓ GB JCB
*hôtel : 14/6-22/9 ; 21/12-06/1 et 8/2-16/3 ; rest. : 05/7-31/8 21/12-06/1 et 08/2-16/3* – **Repas** *(fermé le midi sauf dim.)* 16/30, enf. 9 – ☕ 8 – **20 ch** 43/60 – ½ P 65.
◆ L'hôtel est entouré d'un parc planté de 35 espèces d'arbres différentes. Chambres au charme désuet. Le restaurant, au cadre agréablement provincial, ouvre sur la terrasse fleurie.

**à St-Nicolas-la-Chapelle** *Sud-Ouest : 1,2 km par N 212 – 416 h. alt. 950 – ✉ 73590 :*

**Vivier,** sur N 212 ✆ 04 79 31 73 79, *contact@hotelduvivier.fr, Fax 04 79 31 60 70*, ←, ⛱ – TV ℙ. GB. ✻
*fermé 30 mars au 30 avril, 12 oct. au 8 déc., dim. soir et lundi hors saison* – **Repas** 14/21 – ☕ 6,50 – **20 ch** 44/50 – ½ P 42/45.
◆ Ce chalet bien situé dans la vallée de l'Arly offre des chambres simples et nettes et une restauration de type pension. Un "vivier" de convivialité et de bonne humeur.

## FOIX

ℙ *09000 Ariège* 343 H7 *G. Midi-Pyrénées – 9 964 h alt. 375.*
**Voir** *Site*★ – ✻★ *de la tour du château – Route Verte*★★ *O par D17* **A.**
**Env.** *Rivière souterraine de Labouiche*★ *NO : 6,5 km par D1.*
ℹ *Office de tourisme, 29 rue Delcassé ✆ 05 61 65 12 12, Fax 05 61 65 64 63.*
*Paris 774 ① – Andorra-la-Vella 102 ② – Carcassonne 87 ① – St-Girons 44 ③.*

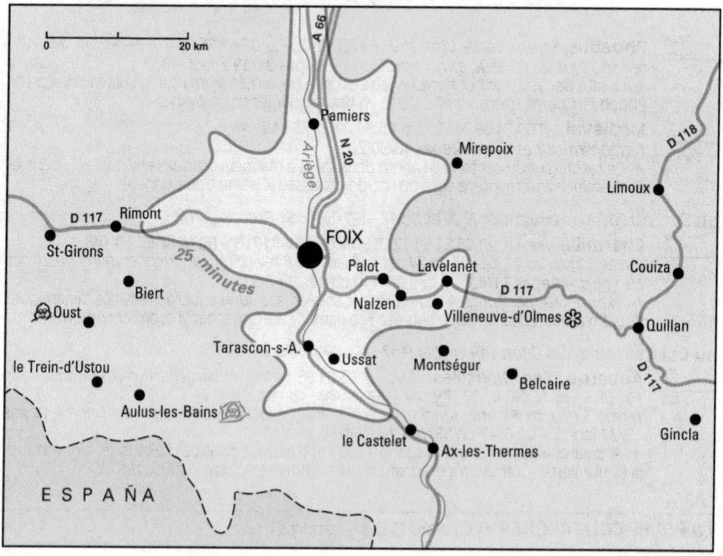
0
20 km
A 66
Pamiers
N 20
Ariège
Mirepoix
D 118
Limoux
D 117
Rimont
St-Girons
FOIX
25 minutes
Palot
Lavelanet
Couiza
Biert
Nalzen
D 117
Oust
Villeneuve-d'Olmes
Quillan
Tarascon-s-A.
Ussat
Montségur
le Trein-d'Ustou
D 117
Belcaire
Aulus-les-Bains
le Castelet
Ax-les-Thermes
Gincla
ESPAÑA

**Pyrène** sans rest, par ② : 2 km ✆ 05 61 65 48 66, *hotel.pyrene@wanadoo.fr, Fax 05 61 65 46 69*, 🏊, 🐎, ✂ – TV ℙ. GB
*fermé 20 déc. au 31 janv. et dim. d' oct. au 10 mars* – ☕ 7 – **20 ch** 47/56.
◆ À la périphérie de la cité, hôtel fonctionnel disposant de bons équipements de loisirs et de chambres spacieuses et insonorisées. Une adresse utile sur la route de l'Andorre.

**Lons,** 6 pl. G. Duthil ✆ 05 61 65 52 44, *hotel-lons-foix@wanadoo.fr, Fax 05 61 02 68 18* – |‡|, ▤ rest, TV – 🏛 25. AE ⓓ GB **B d**
*fermé 21 déc. au 20 janv.* – **Repas** *(fermé vend. soir et sam. midi)* 12,20/30 ♀ - ***Brasserie du XIX siècle*** ✆ 05 61 65 12 10 (déj. seul) *(fermé mai, nov., et dim.)* **Repas** 11/14 ♀, enf. 6,10 – ☕ 7 – **38 ch** 49/61 – ½ P 43/46.
◆ Dans la vieille ville dominée par le château des Comtes de Foix, établissement ancien aux chambres avant tout pratiques. Salle à manger-véranda au bord de l'Ariège.

**Ste-Marthe,** 21 r. N. Peyrévidal ✆ 05 61 02 87 87, *restaurant@le-saintemarthe.fr, Fax 05 61 05 19 00*, ⛱ – AE ⓓ GB JCB **A n**
*fermé 16 au 31 janv., mardi et merc. de sept. à mai* – **Repas** 24/44, enf. 12.
◆ Des détails qui font la différence : salle actuelle agrémentée de tableaux, menus consultables par serveur vocal ou Internet, cigares en fin de repas et boutique gourmande.

## FOIX

| | | |
|---|---|---|
| Alsace-Lorraine (Bd) | B | 2 |
| Bayle (R.) | B | |
| Chapeliers (R. des) | A | 3 |
| Delcassé (R. Th.) | B | 4 |
| Delpech (R. Lt P.) | A | 5 |
| Duthil (Pl.) | B | 6 |
| Fauré (Crs G.) | AB | 7 |
| Labistour (R. de) | B | 8 |
| Lazéma (R.) | A | 9 |
| Lérida (Av. de) | A | 10 |
| Lespinet (R. de) | A | 13 |
| Marchands (R. des) | B | 12 |
| Préfecture (R. de la) | A | 14 |
| Rocher (R. du) | A | 20 |
| St-Jammes (R.) | A | 22 |
| St-Volusien (Pl.) | A | 23 |
| Salenques (R. des) | A | 24 |

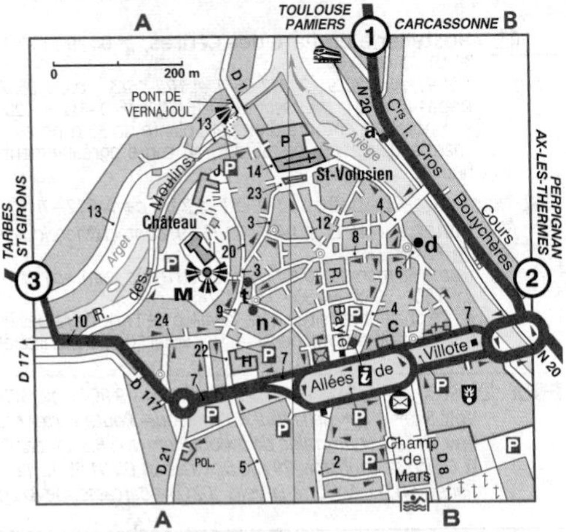

TOULOUSE
PAMIERS
CARCASSONNE
200 m
PONT DE VERNAJOUL
St-Volusien
Château
Ariège
Arget
Crs I. Cros
Cours Bouychères
Allées de Villote
Champ de Mars
TARBES ST-GIRONS
PERPIGNAN AX-LES-THERMES
POL.


**XX Phoebus,** 3 cours Irénée Cros ✆ 05 61 65 10 42, *Fax 05 61 65 10 42*, ← – ▤. GB — B a
*fermé 20 juil. au 20 août, sam. midi et lundi* – **Repas** 21/39 ♀, enf. 10.
◆ La salle de restaurant domine l'Ariège et offre un joli panorama sur le château de Gaston Phoebus. Cuisine traditionnelle. Carte en braille pour les non-voyants.

**X Médiéval,** ✆ 05 34 09 01 72, *Fax 05 34 09 01 73* – AE GB — A t
*fermé dim. soir et lundi* – **Repas** 18/50 ♀.
◆ Ce restaurant du centre-ville abrite deux salles à manger rustiques en "duplex" : poutres et cheminée agrémentent celle du rez-de-chaussée. Cuisine traditionnelle.

**au Sud** *par ② : 7 km bifurcation N 20 et D 117 – ✉ 09000 St-Paul-de-Jarrat :*

**X Charmille** avec ch, ✆ 05 61 64 17 03, *Fax 05 61 64 10 05* – TV ✆ P. AE GB
*fermé 30 juin au 11 juil., 13 au 24 oct., 19 janv. au 6 fév., dim. soir, lundi et mardi du 24 oct. au 11 juil.* – **Repas** 21/43 ♀ – ☕ 5,80 – **10 ch** 44 – ½ P 37.
◆ Expositions (peintures et sculptures) et soirées jazz : une auberge familiale dynamique ! Repas rapides au bar et carte plus étoffée dans la salle à manger d'esprit champêtre.

**au Col des Marrous** *Ouest : 19 km par D 17 – ✉ 09000 Foix :*

**Auberge Les Myrtilles** ⚘, ✆ 05 61 65 16 46, *aubergelesmyrtilles@wanadoo.fr, Fax 05 61 65 16 46*, ←, ⛆, ⛶, – TV P. GB. ✻ rest
*fermé 3 nov. au 31 janv., lundi et mardi de mars à juin et de fin sept. au 3 nov.* – **Repas** 15/24, enf. 7 – ☕ 6 – **7 ch** 55/70 – ½ P 44/56,50.
◆ Accueil chaleureux et grand calme à 1000 m d'altitude dans ce chalet isolé, bienvenu sur la Route Verte. Intérieur montagnard simple. Sauna et jacuzzi. Plats du terroir.

---

**La FOLIE-COUVRECHEF** *14 Calvados* 303 J4 – *rattaché à Caen.*

---

**FONDAMENTE** *12540 Aveyron* 338 K7 – *316 h alt. 430.*
*Paris 681 – Montpellier 101 – Albi 110 – Millau 42 – Rodez 110 – St-Affrique 28.*

**X Baldy** avec ch, ✆ 05 65 99 37 38, *Fax 05 65 99 37 38* – TV. GB. ✻ ch
*hôtel : avril-sept.* – **Repas** *(fermé 20 déc. au 12 janv., 6 au 23 fév., le soir d'oct. à mars et sam. midi)* 13 bc (déj.), 19 bc/34 bc, enf. 9 – ☕ 6 – **10 ch** 34/43 – ½ P 40/44.
◆ Sympathique auberge au rugueux accent du terroir : la cuisine régionale vous est servie dans une salle à manger ornée de fresques évoquant les paysages des Causses.

*Dans ce guide*
*un même symbole, un même mot,*
*imprimé en* ***rouge*** *ou en* ***noir,*** *en maigre ou en* ***gras,***
*n'ont pas tout à fait la même signification.*
*Lisez attentivement les pages explicatives.*

**FONTAINEBLEAU** 77300 S.-et-M. 312 F5 *G. Île de France – 15 714 h alt. 75.*

*Voir Palais★★★ : Grands appartements★★★ (Galerie François 1er★★★, Salle de Bal★★★) – Jardins★ – Musée napoléonien d'Art et d'Histoire militaire : collection de sabres et d'épées★* **M**[1] *– Forêt★★★ – Gorges de Franchard★★ 5 km par ⑥.*

*Office du Tourisme, 4 rue Royale ✆ 01 60 74 99 99, Fax 01 60 74 80 22.*

*Paris 65 ⑦ – Melun 18 ① – Montargis 52 ④ – Orléans 90 ⑤ – Sens 55 ③.*

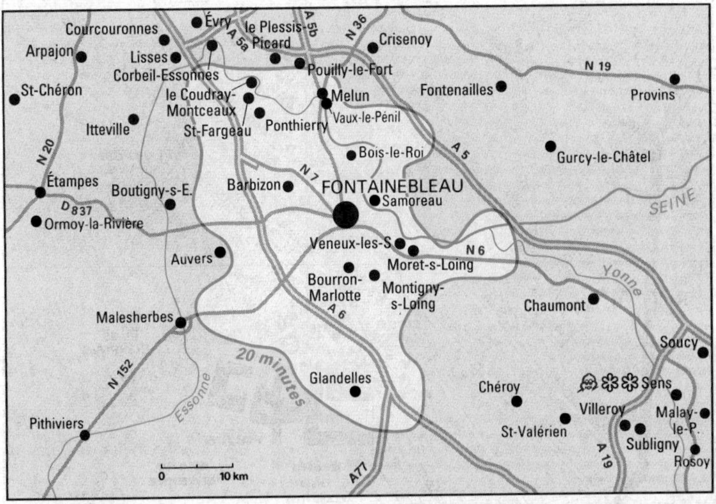

Courcouronnes
Évry
le Plessis-Picard
A 5b
A 5a
N 36
Crisenoy
Arpajon
Lisses
Corbeil-Essonnes
Pouilly-le-Fort
N 19
St-Chéron
le Coudray-Montceaux
Melun
Fontenailles
Provins
Vaux-le-Pénil
Itteville
St-Fargeau
Ponthierry
N 20
Bois-le-Roi
A 5
Gurcy-le-Châtel
Étampes
Boutigny-s-E.
Barbizon
N 7
FONTAINEBLEAU
Samoreau
SEINE
D 837
Ormoy-la-Rivière
Veneux-les-S.
N 6
Auvers
Moret-s-Loing
Yonne
Bourron-Marlotte
Montigny-s-Loing
Chaumont
A 6
Malesherbes
Soucy
20 minutes
Glandelles
Chéroy
Sens
N 152
Villeroy
Malay-le-P.
Essonne
Pithiviers
St-Valérien
Subligny
A 19
Rosoy
0
10 km
A77


**Grand Hôtel de l'Aigle Noir** M, 27 pl. Napoléon Bonaparte ✆ 01 60 74 60 00, *hotel.aigle.noir@wanadoo.fr, Fax 01 60 74 60 01*, – – 50. AE GB JCB AZ a

***Beauharnais*** *(fermé 28/7 au 19/8, 23 au 31/12, lundi, mardi et le midi sauf dim.)* **Repas** 70 – 18 – **53 ch** 202/236, 3 appart.

◆ Ancien hôtel particulier face à l'entrée du château. Ambiance feutrée, chambres personnalisées avec de beaux meubles de style. Décor Directoire et Empire au restaurant.

**Mercure** M, 41 r. Royale ✆ 01 64 69 34 34, *h1627@accor-hotels.com, Fax 01 64 69 34 39*, , , , – – 50. AE GB AZ d

**Repas** *(19)* - 26/30 ♀, enf. 10 – 12 – **97 ch** 115/140.

◆ Un établissement confortable et de qualité proposant des chambres fonctionnelles. Le soir, détendez-vous devant la cheminée du salon ou mêlez-vous à l'animation du bar.

**Napoléon,** 9 r. Grande ✆ 01 60 39 50 50, *info@naposite.com, Fax 01 64 22 20 87*, – – 15 à 40. AE GB BZ n

***Table des Maréchaux :*** **Repas** *(25)* - 32/45 ♀, enf 14 – 13 – **57 ch** 110/140 – ½ P 89/99.

◆ À 100 m du château, ancien relais de poste dont les chambres donnent sur une cour intérieure. La Table des Maréchaux (clin d'oeil à la Malmaison) borde un agréable patio.

**Londres** sans rest, 1 pl. Gén. de Gaulle ✆ 01 64 22 20 21, *Fax 01 60 72 39 16* – . AE GB, AZ v

*fermé 13 au 18 août et 23 déc. au 8 janv.* – 10 – **12 ch** 108/138.

◆ Cette façade du 19e s. abrite des chambres amples et insonorisées, élégamment décorées : beaux tissus, meubles rustiques et de style, gravures de chasse.

**Ibis** M, 18 r. Ferrare ✆ 01 64 23 45 25, *h1028@accor-hotels.com, Fax 01 64 23 42 22*, – . AE GB AZ e

**Repas** *(12)* - 15 ♀, enf. 6 – 6 – **81 ch** 66.

◆ Étape avant tout pratique en plein coeur de Fontainebleau. Chambres bien rénovées, conformes aux normes de la chaîne. Salle à manger claire, simplement meublée.

**Croquembouche,** 43 r. France ✆ 01 64 22 01 57, *Fax 01 60 72 08 73* – . AE GB. AZ b

*fermé août, vacances de Noël, dim. soir, jeudi midi et merc.* – **Repas** *(14)* - 20/32 ♀.

◆ Dans une rue commerçante du centre-ville, restaurant aux multiples séductions : cuisine traditionnelle amoureuse du produit frais, tons pastel, accueil chaleureux.

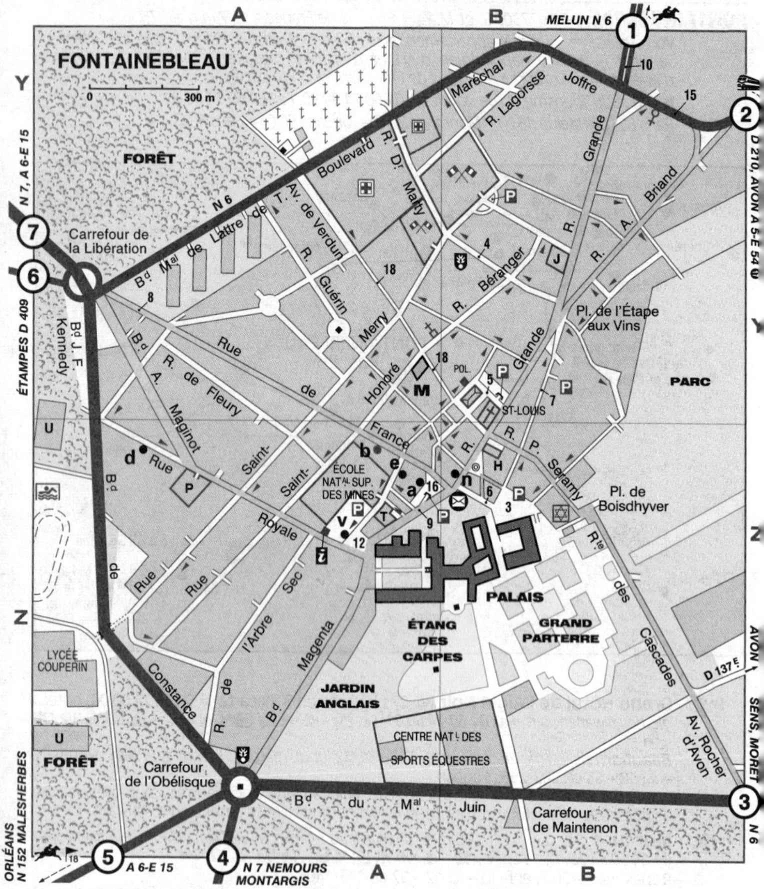

FONTAINEBLEAU
0
300 m
A
B
Y
Z
MELUN N 6
D 210, AVON A 5-E 54
AVON
D 137 E
SENS, MORET
N 6
N 7 NEMOURS
MONTARGIS
A 6-E 15
ORLÉANS
N 152 MALESHERBES
ÉTAMPES D 409
N 7, A 6-E 15
FORÊT
Carrefour de
la Libération
N 6
Bd Mal de Lattre de T.
Boulevard
Maréchal
R. Lagorsse
Joffre
Grande
R. Dr. Matry
Av. de Verdun
R. Guérin
Merry
Honoré
R. Béranger
R. A. Briand
R. Grande
Pl. de l'Étape
aux Vins
PARC
Bd J. F. Kennedy
Bd A. Maginot
R. de Fleury
Rue de France
Rue Saint-
Saint-
Rue Royale
M
POL.
ST-LOUIS
R. P. Seramy
Pl. de
Boisdhyver
H
J
ÉCOLE
NATAL SUP.
DES MINES
Bd de Constance
Rue
Rue
Sec
l'Arbre
R. de
Bd Magenta
PALAIS
ÉTANG
DES
CARPES
GRAND
PARTERRE
Rte des Cascades
JARDIN
ANGLAIS
CENTRE NATL DES
SPORTS ÉQUESTRES
Av. Rocher d'Avon
LYCÉE
COUPERIN
U
FORÊT
Carrefour
de l'Obélisque
Bd du Mal Juin
Carrefour
de Maintenon
1
2
3
4
5
6
7


Armes (Pl. d') .......... BZ 3
Bois (R. des) .......... BY 4
Briand (R. Aristide) .......... BY
Calas (R. du Commissaire) .... BY 5
Chancellerie (R. de la) ..... BZ 6
Château (R. du) .......... BY 7
Churchill (Bd W.) .......... AY 8
Dénecourt (R.) .......... AZ 9
Étape-aux-Vins (Pl. de l') .......... BY
Foch (Bd du Mar.) ........ BY 10
France (R. de) .......... AYZ
Gaulle (Pl. Gén.-de) ....... AZ 12
Grande (R.) .......... BY
Leclerc (Bd du Mar.) .......... BY 15
Napoléon Bonaparte (Pl.) ........ AZ 16
Paroisse (R. de la) ........ AY 18

## FONTAINE-DE-VAUCLUSE *84800 Vaucluse 332 D10 C. Provence – 580 h alt. 75.*

*Voir La Fontaine de Vaucluse★★ – Collection Casteret★ au Monde souterrain de Norbert Casteret – Église St-Véran★.*

*Office du Tourisme, chemin du Gouffre ✆ 04 90 20 32 22, Fax 04 90 20 21 37, officetourisme.vaucluse@wanadoo.fr.*

*Paris 701 – Avignon 33 – Apt 34 – Carpentras 21 – Cavaillon 13 – Orange 42.*

**du Poète** M sans rest, ✆ 04 90 20 34 05, *contact@hotelldupoete.com, Fax 04 90 20 34 08,* – – AE GB
*fermé 5 janv. au 8 fév.* – 15 – **24 ch** 115/228.
◆ Moulin du 19e s. niché dans un verdoyant jardin traversé par la Sorgue. Les chambres, neuves et très coquettes, marient couleurs provençales et beau mobilier.

**Philip,** ✆ 04 90 20 31 81, *Fax 04 90 20 28 63,* <, – GB
*29 mars-28 sept. et fermé le soir sauf juil.-août* – **Repas** 22/30.
◆ Atout majeur de ce restaurant familial datant des années 1920 : sa situation au pied des cascades de la célèbre Fontaine. Terrasse au bord de l'eau. Recettes régionales.

**FONTANGES** *15 Cantal* 330 D4 – *rattaché à Salers.*

**Le FONTANIL** *38 Isère* 333 H6 – *rattaché à Grenoble.*

**FONTENAILLES** *77370 S.-et-M.* 312 G4 – *773 h alt. 102.*

*Paris 67 – Fontainebleau 31 – Coulommiers 35 – Melun 22 – Provins 27.*

**Golf Hôtel de Fontenailles** ⛟, Domaine du Bois Boudran Nord : 1 km ✆ 01 64 60 51 00, *fontenailles@wanadoo.fr, Fax 01 60 67 52 12,* ≤, ⚘, ℔, ✗, ⚲ – ⎈, ▤ rest, ☐ ✆ ♿ P – ⚠ 35. AE ⓓ GB JCB

*fermé 24 déc. au 4 janv.* – **Repas** *(17)* - 20 (déj.), 33/40,50 – ☐ 9,50 – **48 ch** 100/175, 3 appart – ½ P 107,50/168,50.

◆ Proust descendit naguère dans ce château du 19ᵉ s. aujourd'hui doté d'un beau parcours de golf. Chambres spacieuses et bien équipées ; restaurant sobrement élégant.

**Forge,** rte Melun ✆ 01 64 08 44 11, *Fax 01 60 67 56 26,* ⚘ – ☐ ✆ P. GB. ⚮

*fermé août, dim. soir et lundi* – **Repas** 16/23 – ☐ 5,34 – **16 ch** 38,50.

◆ Établissement entièrement rénové il y a quelques années. Chambres assez grandes, plus au calme sur l'arrière ; salle à manger moderne.

**FONTENAI-SUR-ORNE** *61 Orne* 310 I2 – *rattaché à Argentan.*

**FONTENAY-LE-COMTE** ⟨SP⟩ *85200 Vendée* 316 L9 *G. Poitou Vendée Charentes* – *14 456 h alt. 21.*

**Voir** *Clocher★ de l'église N.-Dame* **B** – *Intérieur★ du château de Terre-Neuve.*

🅱 *Office du Tourisme, place de la Bascule ✆ 02 51 69 44 99, Fax 02 51 50 00 90.*

*Paris 438 ① – La Rochelle 51 ④ – La Roche-sur-Yon 63 ⑤ – Cholet 83 ①.*

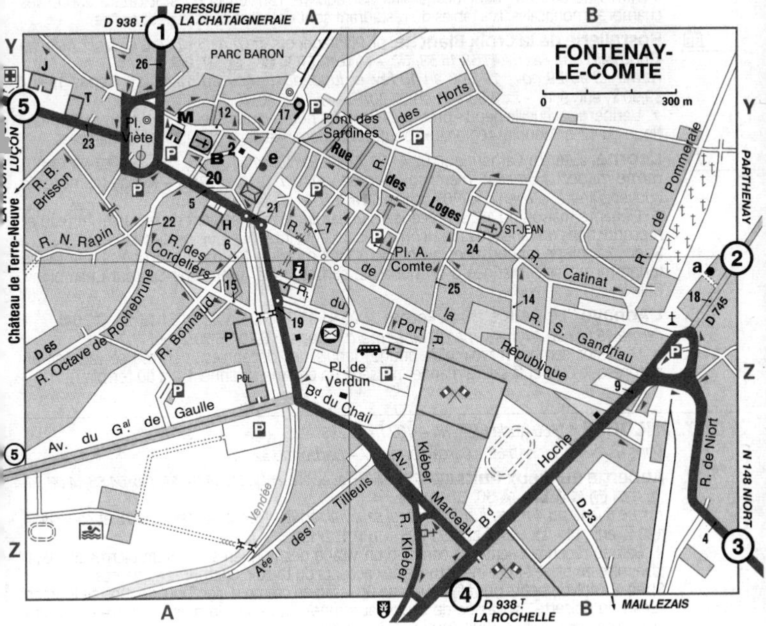

BRESSUIRE
LA CHATAIGNERAIE
D 938
FONTENAY-LE-COMTE
0
300 m
PARC BARON
Pl. Viète
Pont des Sardines
Rue des Loges
R. des Horts
R. B. Brisson
R. N. Rapin
R. des Cordeliers
R. Octave de Rochebrune
R. Bonnaud
R. du Port
Pl. A. Comte
R. de la République
R. Catinat
R. S. Gandriau
R. de Pommeraie
ST-JEAN
PARTHENAY
D 745
Pl. de Verdun
Bd du Chail
Av. du Gal de Gaulle
Av. Kléber
R. Kléber
Marceau
Bd Hoche
Av. des Tilleuls
R. de Niort
N 148 NIORT
D 23
D 65
LUÇON
Château de Terre-Neuve
LA ROCHELLE
MAILLEZAIS
Vendée
POL.

**Rabelais**, rte Parthenay 02 51 69 86 20, *rabelais85@aol.com, Fax 02 51 69 80 45*, – 15 à 50. AE GB BZ a
**Repas** *(10,50)* - 14/26, enf. 7 – 7 – **54 ch** 52/98 – ½ P 53.
◆ L'enseigne évoque le séjour de trois ans que fit l'écrivain dans la ville. Le vôtre sera plus court, mais tout aussi agréable, dans des chambres donnant sur un jardin fleuri.

**Aux Chouans Gourmets,** 6 r. Halles 02 51 69 55 92, *Fax 02 28 13 02 08* – AE GB
*fermé 10 au 24 mars, 26 août au 8 sept. 2 au 13 janv., dim. soir et lundi* – **Repas** 13,50/35.
◆ Dans le vieux Fontenay, ce restaurant attire tous les gourmets - Blancs ou Bleus -, avec sa sympathique cuisine du marché et sa véranda au bord de la rivière. AY e

**à Velluire** *par ④, D 938 ter et D 68 : 11 km – 514 h. alt. 9 – ✉ 85770 :*

**Auberge de la Rivière** avec ch, 02 51 52 32 15, *Fax 02 51 52 37 42* – TV. GB
*fermé 21 déc. au 8 mars, dim. soir (sauf hôtel) et lundi sauf juil.-août* – **Repas** 18 (déj.), 33/44 et carte 42 à 55 – 11 – **11 ch** 70/87 – ½ P 80/87.
◆ Coquette auberge sur les rives de la Vendée. Salle à manger rustique avec poutres et vaisselier où sont rangées de vieilles assiettes. Chambres spacieuses et soignées.

## FONTENAY-SOUS-BOIS *94 Val-de-Marne 312 D2 101 17 – voir à Paris, Environs.*

## FONTEVRAUD-L'ABBAYE *49590 M.-et-L. 317 J5 G. Châteaux de la Loire – 1 108 h alt. 75.*

Voir Abbaye** – Église St-Michel*.

*Office du Tourisme, allée Ste-Catherine 02 41 51 79 45, Fax 02 41 51 79 01, officetourisme-fontevraud@libertysurf.fr.*

*Paris 306 – Angers 78 – Chinon 21 – Loudun 22 – Poitiers 78 – Saumur 15 – Thouars 38.*

**Prieuré St-Lazare**, dans l'Abbaye Royale 02 41 51 73 16, *contact@hotelfp-fontevraud.com, Fax 02 41 51 75 50*, – TV P – 60. AE GB.
*7 avril-3 nov.* – **Repas** 28/37 – 9,50 – **52 ch** 40/86 – ½ P 54,50/75.
◆ Havre de paix au coeur des jardins de l'abbaye, l'ancien prieuré St-Lazare abrite des chambres monacales. Les tables du restaurant sont dressées dans le petit cloître.

**Hostellerie de la Croix Blanche,** pl. Plantagenets 02 41 51 71 11, *la_croix_blanche@hotmail.com, Fax 02 41 38 15 38*, – rest, TV P – 50. GB
*fermé 18 au 29 nov., 13 janv. au 10 fév. et lundi du 1er nov. au 31 mars* – **Repas** 19,10/39,90, enf. 9,15 – 8,80 – **21 ch** 52,20/83 – ½ P 55,30/70,20.
◆ L'auberge accueille depuis près de 300 ans les hôtes venus découvrir l'ensemble monastique du 12e s. Meubles régionaux, poutres et cheminée dans la plupart des chambres.

**Licorne,** allée Ste-Catherine 02 41 51 72 49, *Fax 02 41 51 70 40*, – AE GB
*fermé mi-déc. à fin janv., merc. soir hors saison, dim. soir et lundi* – **Repas** (nombre de couverts limité, prévenir) 26/70 et carte 60 à 78.
◆ Élégante maison du 18e s. précédée d'un jardin de curé servant de terrasse. Tuffeau et reproductions de tapisseries (la Licorne...) habillent l'intérieur. Cuisine classique.
**Spéc.** Ravioli de langoustines au basilic, sauce morilles. Ris d'agneau poêlés à la sauge (printemps). Tarte gratinée à la rhubarbe, sorbet fraise (été). **Vins** Saumur-Champigny, Chinon.

**L'Abbaye "Le Délice",** 8 av. Roches 02 41 51 71 04, *Fax 02 41 51 43 10* – P. GB
*fermé 16 fév. au 14 mars, mardi soir et merc.* – **Repas** 10,70/25,20, enf. 7,70.
◆ Le décor semble n'avoir plus bougé depuis des décennies : l'entrée se fait par un pittoresque café et la salle à manger possède un charme suranné. Plats du terroir.

## FONTJONCOUSE *11360 Aude 344 H4 – 102 h alt. 298.*

*Paris 834 – Perpignan 65 – Carcassonne 57 – Narbonne 32.*

**Auberge du Vieux Puits** (Goujon) avec ch, 04 68 44 07 37, *Fax 04 68 44 08 31*, – TV P – 30. AE GB
*fermé 8 janv. au 4 mars, lundi et mardi sauf juil.-août* – **Repas** 39 (déj.), 59/75 et carte 80 à 100, enf. 14 – 15 – **8 ch** 130/195 – ½ P 132/180.
◆ Bâtisse récente inscrite au centre d'un village des Corbières. Murs en pierres du pays, jolie mise en place et cuisine actuelle aux accents du terroir. Chambres élégantes.
**Spéc.** Ravioli de petits gris et moules de Gruissan en crème d'aïgo boulido. Dos de loup en "peau de noisette", fricassée de cèpes (automne). Suprême de pigeon, cuisse en pastilla aux épices marocaines. **Vins** Corbières, Minervois.

*Si le coût de la vie subit des variations importantes,*
*les prix que nous indiquons peuvent être majorés.*
*Lors de votre réservation à l'hôtel, faites-vous préciser le prix définitif.*

**FONT-ROMEU** *66120 Pyr.-Or.* 344 D7 *G. Languedoc Roussillon – 1 857 h alt. 1800 – Sports d'hiver : 1 900/2 250 m* 1 28 *– Casino.*

Voir *Camaril★★★, retable★ et chapelle★ de l'Ermitage – ★★ Calvaire.*

*Office du tourisme, avenue Emmanuel Brousse ☎ 04 68 30 68 30, Fax 04 68 30 29 70, free@wanadoo.fr.*

*Paris 870 ② – Andorra la Vella 73 ② – Ax-les-Thermes 56 ② – Bourg-Madame 18 ②.*

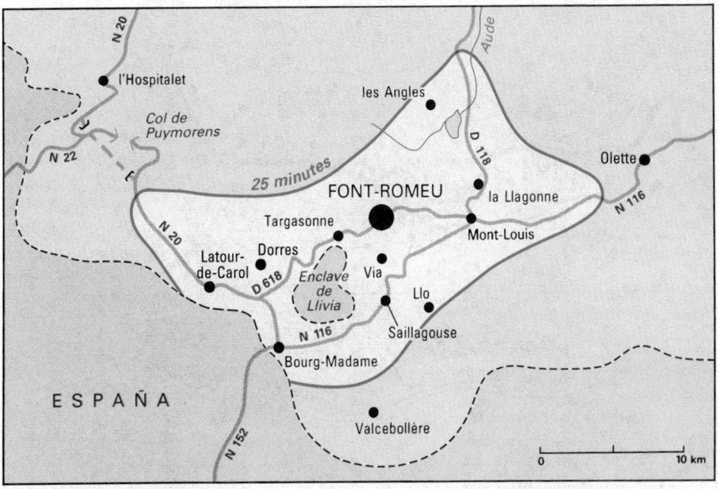

N 20
Aude
l'Hospitalet
les Angles
Col de Puymorens
D 118
Olette
N 22
25 minutes
FONT-ROMEU
la Llagonne
N 116
Targasonne
Mont-Louis
N 20
Dorres
Latour-de-Carol
Via
D 618
Enclave de Llivia
Llo
N 116
Saillagouse
Bourg-Madame
ESPAÑA
Valcebollère
N 152
0
10 km


**Grand Tétras** sans rest, av. E. Brousse ☎ 04 68 30 01 20, *hotelgrandtetras@wanadoo.fr, Fax 04 68 30 35 67* – – 40. AE GB **AX r**
7 – **36 ch** 45/70.
◆ L'atout maître de cette adresse est la vue panoramique offerte par l'espace détente du dernier étage. Chambres de bonne taille, garnies de meubles de style catalan.

**Montagne,** av. Mar. Joffre ☎ 04 68 30 36 44, *Fax 04 68 30 14 14,* – cuisinette – 40. AE GB **AX d**
*fermé 15 nov. au 1er déc.* – ***Chalet à Fondue*** ☎ 04 68 30 26 63 *(fermé mardi sauf vacances scolaires)* **Repas** 12,10(déj.)/21, enf. 8 – 7 – **23 ch** 61/71.
◆ Les chambres de cet hôtel récent sont modernes et la salle de restaurant, sans prétention, offre un sympathique cadre montagnard. Équipement de loisirs complet.

**Carlit,** ☎ 04 68 30 80 30, *carlit.hotel@wanadoo.fr, Fax 04 68 30 80 68,* – cuisinette – 40. AE GB **AX a**
*2 mai-30 sept. et 10 déc.-15 avril* – ***Cerdagne*** *(dîner seul.)* **Repas** *(16)*-18/26, enf. 9,20 – ***El Foc :*** **Repas** carte environ 18 – 7 – **58 ch** 65/75, 12 duplex – ½ P 65/70.
◆ Cet immeuble propose des chambres fonctionnelles, des duplex pour les familles, deux restaurants (traditionnel ou bistrot) et, à 50 m, un agréable jardin en terrasses.

**Sun Valley,** av. Espagne ☎ 04 68 30 21 21, *pierre.mitjaville@wanadoo.fr, Fax 04 68 30 30 38,* – . GB. rest **AX f**
*fermé 10 oct. au 30 nov.* – **Repas** (résidents seul.) 15 – 9 – **41 ch** 59/70 – ½ P 72.
◆ En pleine station, bâtisse où toutes les chambres - vastes et avec balcon orienté au Sud - profitent du soleil. Salon avec cheminée, inséparable des soirées montagnardes.

**L'Orée du Bois** sans rest, av. E. Brousse ☎ 04 68 30 01 40, *Fax 04 68 30 41 60,* – . AE GB **BX e**
6 – **37 ch** 50/53.
◆ Petit immeuble d'allure passe-partout aux portes de la "fontaine du Pèlerin" (fount Romeu). Chambres assez spacieuses, à choisir plutôt côté façade pour la vue dégagée.

**Clair Soleil,** rte Odeillo : 1 km ☎ 04 68 30 13 65, *clairsoleil2@wanadoo.fr, Fax 04 68 30 08 27,* – . AE GB. **AY b**
*fermé 15 avril au 15 mai et 31 oct. au 21 déc.* – **Repas** *(fermé sam. midi hors saison)* 19/30, enf. 9 – 6,50 – **29 ch** 47/54 – ½ P 47/54.
◆ Cette pension de famille bénéficie d'une très bonne exposition face au four solaire d'Odeillo. Chambres modestes, cuisine régionale bien tournée et accueil aux petits soins.

## FONT-ROMEU

Allard (R. Henri) . . . . . . . . . . **BX** 2
Brousse (Av. Emmanuel) . . **BX** 3
Calvet (R.) . . . . . . . . . . . . . . . **BX** 5
Capelle (R. du docteur) . . . . . . . . . . **AX** 6
Cytises (R. des) . . . . . . . . . . . . **AX** 8
Ecureuils (R. des) . . . . . . . . . . **AX** 9
Espagne (Av.d') . . . . . . . . . . . . **AX**
Genêts d'Or (R. des) . . . . . . . **BY** 12
Liberté (R. de la) . . . . . . . . . . . **AY** 13
Maillol (R.) . . . . . . . . . . . . . . . . **BX** 15
République (R. de la) . . . . . . . . . . . . . . . . **AY** 16
Saules (R. des) . . . . . . . . . . . . **AY** 18
Trombe (R. Professeur) . . . . . **AY** 19

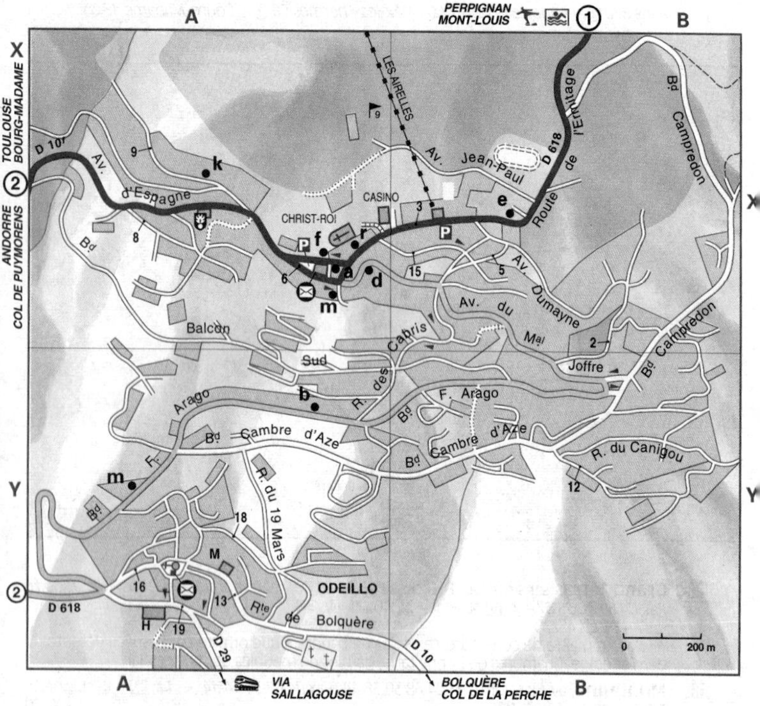

PERPIGNAN
MONT-LOUIS
1
A
B
X
Y
TOULOUSE
BOURG-MADAME
2
ANDORRE
COL DE PUYMORENS
D 10
Av. d'Espagne
LES AIRELLES
Av. Jean-Paul
D 618
Route de l'Ermitage
Bd Campredon
CASINO
CHRIST-ROI
Bd
Balcon
Sud
R. des Cabris
Av. du Mal Joffre
Av. Dumayne
Bd F. Arago
Bd Cambre d'Aze
R. du Canigou
R. du 19 Mars
ODEILLO
Rte de Bolquère
D 618
D 29
D 10
0
200 m
VIA
SAILLAGOUSE
BOLQUÈRE
COL DE LA PERCHE


**Pyrénées,** pl. Pyrénées ✆ 04 68 30 01 49, *Fax 04 68 30 35 98*, ⋞ Cerdagne, 🏞, 🏊 – 🛗 🚭 📺. AE GB. ✗ rest — **AX m**
*fermé 20 avril au 1er juin et 19 oct. au 1er déc.* – **Repas** (dîner seul.)(résidents seul.) 15 ♀ – ☕ 6 – **37 ch** 47/65 – ½ P 41/57.
◆ Belle situation pour cet hôtel des années 1930 : la plupart des chambres (simples et dotées de balcons), le restaurant et la terrasse offrent une superbe vue sur les montagnes.

**Y Sem Bé** 🐴, ✆ 04 68 30 00 54, *Fax 04 68 30 25 42*, ⋞ Cerdagne, 🏞 – 📺. GB — **AX k**
*14 juin-20 sept., 25 oct.-2 nov. et 13 déc.-24 avril* – **Repas** 16 (déj.)/19 ♀, enf. 11 – ☕ 6,50 – **23 ch** 65/72 – ½ P 41/60.
◆ Y sem bé : "on y est bien", en catalan. Il est vrai que l'on se sent à son aise dans ce chalet familial sis en lisière de forêt. Chambres agréables, souvent avec balcon.

**Romarin,** rte d'Odeillo : 2,5 km ✆ 04 68 30 09 66, *hotel.leromarin@libertysurf.fr*, *Fax 04 68 30 18 52*, ⋞ Cerdagne, 🏞 – 📞 P. AE ⓓ GB — **AY m**
**Repas** (dîner seul.) 12,50/15,50 ♀ – ☕ 6 – **14 ch** 50/56 – ½ P 41/48.
◆ Chalet montagnard des années 1960 surplombant le village. Petites chambres sobrement aménagées et bien tenues ; préférez celles exposées plein Sud.

**à Via** *Sud : 5 km par D 29* **AY** – ✉ *66120 Font-Romeu :*

**L'Oustalet,** ✆ 04 68 30 11 32, *Fax 04 68 30 31 89*, ⋞, 🏊, 🌳 – 🛗 📺 📞 P. GB. ✗ rest
*10 mai-20 sept* – **Repas** (dîner seul.)(résidents seul.) – ☕ 6 – **25 ch** 37/45 – ½ P 47.
◆ L'établissement est fréquenté par les chercheurs du CNRS. Quelques chambres meublées dans le style catalan ; la plupart sont pourvues de balcons. Salle à manger campagnarde.

**à Targasonne** *par ② : 4 km – 133 h. alt. 1600 – ✉ 66120 :*

**Tourane** ⛰, ✆ 04 68 30 15 03, *latourane@aol.com, Fax 04 68 30 55 07,* ← – TV P. AE GB
*fermé 30 sept. au 20 déc.* – **Repas** 13,50 bc/27 – ☕ 6 – **28 ch** 31/40 – ½ P 33/39.
◆ Calme petite auberge campagnarde au coeur du village célèbre pour son chaos de blocs granitiques. Aménagements simples, mobilier catalan et ambiance familiale.

**FONTVIEILLE** *13990 B.-du-R.* 340 *D3 G. Provence – 3 642 h alt. 20.*

Voir *Moulin de Daudet* ←*.

Env. *Chapelle St-Gabriel* N : 5 km.*

ℹ *Office du Tourisme, 5 rue Marcel Honorat ✆ 04 90 54 67 49, Fax 04 90 54 69 82, ot.fontvieille@visitprovence.com.*

*Paris 716 – Avignon 30 – Arles 12 – Marseille 92 – St-Rémy-de-Provence 18.*

**Regalido** (Michel) ⛰, r. F. Mistral ✆ 04 90 54 60 22, *la-regalido@wanadoo.fr, Fax 04 90 54 64 29,* ☂, 🌳 – ▤ TV P. AE ⓓ GB JCB
*fermé 3 janv. au 20 fév* – **Repas** *(fermé sam. midi, mardi midi et lundi)* 46/59 et carte 55 à 70 – ☕ 16 – **15 ch** 197/292 – ½ P 141/215.
◆ Ce vieux moulin à huile blotti au coeur d'un exubérant jardin fleuri aurait pu lui aussi inspirer à Daudet quelques "Lettres" chantant son décor provençal. Carte classique.
**Spéc.** Gratinée de moules aux épinards. Panaché d'agneau de Provence rôti à l'ail et au thym. "Aïgo Sau". **Vins** Coteaux d'Aix-en-Provence-les-Baux, Châteauneuf-du-Pape.

**Hostellerie St-Victor** ⛰ sans rest, chemin des Fourques par rte Arles ✆ 04 90 54 66 00, *aps@hotel-saint-victor.com, Fax 04 90 54 67 88,* ⛱, 🌳 – TV ♿ P. AE ⓓ GB JCB
☕ 11 – **13 ch** 88/170.
◆ Cette spacieuse maison régionale tire son originalité de ses chambres, de divers styles (l'une est aménagée dans une roulotte !), et de ses étonnantes salles de bains.

**Val Majour** sans rest, rte Arles ✆ 04 90 54 62 33, *contact@valmajour.com, Fax 04 90 54 61 67,* ⛱, 🎾, 🌳 – ▤ TV P – 🎤 30. AE ⓓ GB JCB
☕ 9,50 – **32 ch** 80/110.
◆ Le "dormeur du val" se reposera dans de spacieuses chambres de style rustique ; les plus agréables sont dotées de balcons donnant sur le grand parc aux essences méridionales.

**Daudet** sans rest, 7 av. Montmajour ✆ 04 90 54 76 06, *Fax 04 90 54 76 95,* ⛱, 🌳 – ♿ P. GB
*29 mars-30 sept.* – ☕ 7,50 – **14 ch** 54/61.
◆ Chambres donnant de plain-pied sur le patio, murs blancs, volets bleu lavande, meubles en fer forgé, terrain de pétanque, lauriers roses : le bonheur à la Daudet !

**Hostellerie de la Tour,** rte Arles ✆ 04 90 54 72 21, *Fax 04 90 54 86 26,* ☂, ⛱ – TV P. GB
*15 mars-31 oct.* – **Repas** 11/17, enf. 8 – ☕ 8 – **10 ch** 37/59 – ½ P 41,50/49.
◆ Un accueil chaleureux et attentif vous attend dans cette auberge plébiscitée par les habitués pour sa bonne tenue. Chambres soignées. Cuisine familiale sous la véranda.

**Table du Meunier,** 42 cours Hyacinthe Bellon ✆ 04 90 54 61 05, *Fax 04 90 54 77 24,* ☂ – ▤ P. GB
*fermé vacances de Toussaint, de fév., 20 au 28 déc., mardi de sept. à juin et merc.* – **Repas** (prévenir) 22,50/29,50 ♀.
◆ Ici, le "meunier" ne dort pas : sa goûteuse cuisine du terroir attire, dans un cadre rustique, nombre de visiteurs. La terrasse recèle un trésor : un poulailler de 1765.

**Cuisine au Planet,** 144 Grand'rue ✆ 04 90 54 63 97, *cuisineplanet@wanadoo.fr, Fax 04 90 54 63 97,* ☂ – ▤. AE GB
*1er mars-31 oct., 20 déc.-15 janv. et fermé lundi sauf le soir en été et mardi midi* – **Repas** 24/30, enf. 11.
◆ Tomettes, poutres et pierres, nappes "Souleiado", cuisine provençale mise au goût du jour : un cadre accueillant, dans une des plus vieilles maisons du village (16e s).

**rte des Baux** *Est : 3 km par D 17 – ✉ 13990 Fontvieille :*

**Ripaille,** ✆ 04 90 54 73 15, *hotel@laripaille.com, Fax 04 90 54 60 69,* ☂, ⛱ – TV P. GB
*1er avril-31 oct. et fermé le midi en oct. et lundi midi sauf juil. août* – **Repas** 16/25 ♀, enf. 8 – ☕ 9 – **19 ch** 55/71 – ½ P 60/65.
◆ Mas moderne isolé dans les fameuses "montagnes" de Tartarin. Les chambres de l'arrière ont vue sur la campagne, les autres ont un balcon ou une terrasse face à la piscine.

**rte de Tarascon** *Nord-Ouest : 5 km par D 33 – ✉ 13150 Tarascon :*

**Mazets des Roches** M, ✆ 04 90 91 34 89, *mazets-roches@wanadoo.fr, Fax 04 90 43 53 29,* – P – 40. AE GB.
*1er avril-31 oct.* – **Repas** *(fermé jeudi midi et sam. midi sauf juil.-août)* 16/32 – 10 – **36 ch** 75/130 – ½ P 59/95.
◆ Dans un parc boisé de 13 ha, établissement récent aux chambres fonctionnelles et confortables. Salle à manger sous charpente, largement ouverte sur la longue piscine (25 m).

---

## FORBACH

57600 Moselle 307 M3 *G. Alsace Lorraine – 27 076 h Agglo. 104 074 h alt. 222.*
*Office du Tourisme, 174 rue Nationale ✆ 03 87 85 02 43, Fax 03 87 85 17 15.*
*Paris 392 ② – Metz 59 ② – St-Avold 20 ② – Sarreguemines 21 ② – Saarbrücken 14 ①.*

### FORBACH

Alliés (R. des) .......... B 2
Arras (R. d') .......... A 3
Briand (Pl A.) .......... A 6
Chapelle (R. de la) .......... A 7
Couturier (R.) .......... B 9
Eglise (R. de l') .......... B 10
Gare (R. de la) .......... B 12
Jardins (R. des) .......... A 13
Moulins (R. des) .......... A 15
Nationale (R.) .......... AB
Ney (R. P.) .......... A 17
Parc (R. du) .......... B 18
Remsing (R. de) .......... A 20
République (Pl. de la) .......... B 21
Schlossberg (R. du) .......... A 23
Schuman (Pl. R.) .......... B 24
St-Remy (Av.) .......... AB
Tuilerie (R. de la) .......... A 26
22-Novembre (R. du) .......... B 27

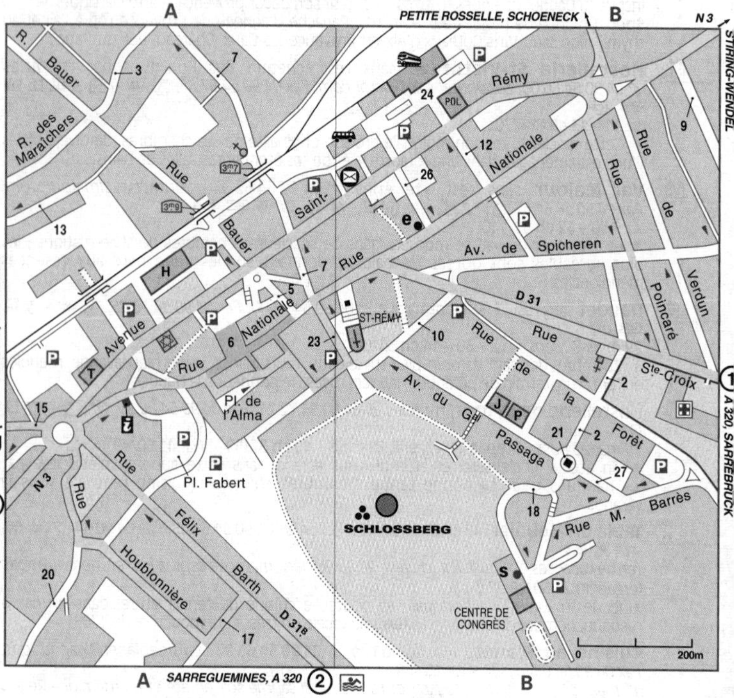
A
B
PETITE ROSSELLE, SCHOENECK
N 3
STIRING-WENDEL
PITE ROSSELLE, SAARLOUIS
A 320, SARREBRUCK
ST-AVOLD, A 320
METZ
SARREGUEMINES, A 320
R. Bauer
R. des Maraîchers
Rue Bauer
Rue Saint-
Rémy
POL
Nationale
Rue de Verdun
Rue Poincaré
Av. de Spicheren
D 31
Avenue
Rue Nationale
ST-RÉMY
Rue de la Forêt
Ste-Croix
Av. du Gal Passaga
Pl. de l'Alma
Pl. Fabert
Rue Félix Barth
Rue Houblonnière
D 318
N 3
SCHLOSSBERG
Rue M. Barrès
CENTRE DE CONGRÈS
0
200m

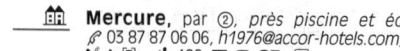

**Mercure,** par ②, *près piscine et échangeur Forbach-Sud Centre de Loisirs ✆ 03 87 87 06 06, h1976@accor-hotels.com, Fax 03 87 84 04 23,* – ch, P – 100. AE GB JCB
**Repas** *(13)* - 16, enf. 9 – 8,50 – **67 ch** 65/90.
◆ Hôtel excentré mais situé à proximité d'un complexe sportif. Les nouvelles chambres sont amples et joliment aménagées ; les autres, plus petites, restent fonctionnelles.

**Poste** sans rest, 57 r. Nationale ✆ 03 87 85 08 80, *Fax 03 87 85 91 91* – P. AE GB
6 – **29 ch** 28/50. B e
◆ Central et pratique, cet hôtel de la "capitale" du bassin houiller lorrain abrite des chambres printanières, meublées simplement. Celles de l'arrière sont plus au calme.

XX **Schlossberg,** 13 r. Parc ☎ 03 87 87 88 26, *Fax 03 87 87 83 86*, ⛱ – ▤. GB — B s
*fermé 15 au 31 août, vacances de fév., mardi soir et merc.* – **Repas** 23/49 ♀.
◆ Bâti en pierres du pays, ce restaurant côtoie le Schlossberg recouvert de forêt et couronné par les ruines du château. Boiseries et plafond marqueté réchauffent la salle.

**à Stiring-Wendel** *Nord-Est : 3 km par N 3 – 13 743 h. alt. 240 – ✉ 57350 :*
*Office du Tourisme, place de Wendel ☎ 03 87 87 07 65, Fax 03 87 87 69 98.*

XXX ✿ **Bonne Auberge** (Mlle Egloff), 15 r. Nationale ☎ 03 87 87 52 78, *Fax 03 87 87 18 19*, ⛱ – ▤ P. GB
*fermé 28 avril au 5 mai, 11 août au 1er sept., 29 déc. au 5 janv., sam. midi, dim. soir et lundi sauf fériés* – **Repas** 37 (déj.), 45/71 et carte 62 à 80 ♀.
◆ Élégante salle contemporaine aménagée autour du jardin d'hiver éclairé par un puits de lumière, cuisine au goût du jour et belle carte des vins : une enseigne-vérité !
**Spéc.** Gros sel de foie d'oie et gambas au fenouil. Semoule de rouget barbet à la cardamome. Gratinée à la violette "Chartreuse de Parme" (avril à oct.). **Vins** Côtes de Toul.

**à Rosbrück** *par ③ : 6 km – 1 014 h. alt. 200 – ✉ 57800 :*

XXX **Auberge Albert Marie,** 1 r. Nationale ☎ 03 87 04 70 76, *Fax 03 87 90 52 55* – ▤ P. GB JCB
*fermé sam. midi, dim. soir et lundi* – **Repas** 24 bc (déj.), 35/58 (midi seul.)et carte 39,50 à 65 ♀.
◆ Belle mise en place, plafond à caissons, boiseries sombres et discrète thématique à la gloire du coq : la tradition est autant à l'honneur dans le cadre que sur la carte.

---

## FORCALQUIER

*04300 Alpes-de-H.-P. 334 C9 G. Alpes du Sud – 3 993 h alt. 550.*
**Voir** *Site★ – Cimetière classé★ – ※★ de la terrasse N.-D. de Provence.*
**Env.** *Mane★ – St-Michel-l'Observatoire★ – Observatoire de Haute-Provence★.*
*Office du Tourisme, 13 place du Bourguet ☎ 04 92 75 10 02, Fax 04 92 75 26 76, oti@forcalquier.com.*
*Paris 749 – Digne-les-Bains 49 – Aix-en-Provence 80 – Apt 42 – Manosque 23 – Sisteron 43.*

**à l'Est** *: 4 km par N 100 et rte secondaire – ✉ 04300 :*

🏠 **Auberge Charembeau** ⛭ sans rest, ☎ 04 92 70 91 70, *contact@charembeau.com, Fax 04 92 70 91 83*, ←, ⛱, ✂, ⛰ – cuisinette TV ♿ P. AE GB
*15 fév.-15 nov.* – ☕ 8 – **24 ch** 54/84,50.
◆ Ferme du 18e s. dans un charmant parc vallonné. Ce cadre avenant et la décoration provençale des vastes chambres (neuf à l'annexe) vous plongeront dans un havre de quiétude.

**au Sud** *: 4 km par D 16 et rte secondaire – ✉ 04300 :*

🏠 **Colombier** ⛭, ☎ 04 92 75 03 71, *Fax 04 92 75 14 30*, ←, ⛱, ⛱, 🌳 – TV P. AE GB
*1er avril-16 nov.* – **Repas** (dîner seul.)(résidents seul.) – ☕ 8,50 – **15 ch** 59/89 – ½ P 65/72.
◆ Ce mas du 18e s. joliment restauré, servait jadis de relais à la garde royale de Louis XV. Les chambres, décorées avec goût, ouvrent sur un grand et beau jardin méridional.

---

## La FORÊT-FOUESNANT

*29940 Finistère 308 H7 G. Bretagne – 2 369 h alt. 19.*
*Office du Tourisme, 2 rue du Vieux Port ☎ 02 98 51 42 07, Fax 02 98 51 44 52, accueil@Foret-Fouesnant.Tourisme.com.*
*Paris 553 – Quimper 16 – Concarneau 8 – Pont-l'Abbé 22 – Quimperlé 36.*

🏠 **Beauséjour,** pl. Baie ☎ 02 98 56 97 18, *contact@h.beauséjour.com, Fax 02 98 51 40 77* – TV ♿ P. ◐ GB
*22 mars-15 oct.* – **Repas** *(fermé lundi midi)* 12,50/35 ♀ – ☕ 6,20 – **22 ch** 34/52 – ½ P 49/52.
◆ Au fond d'une anse de la baie de La Forêt, hôtel familial simple, mais de bonne tenue. Une terrasse couverte devance la façade, à quelques mètres du rivage.

🏠 **L'Espérance** sans rest, pl. Église ☎ 02 98 56 96 58, *hotel.l.esperance@wanadoo.fr, Fax 02 98 51 42 25*, 🌳 – GB
*2 avril-28 sept.* – ☕ 6,50 – **26 ch** 27,20/55.
◆ Une maison qui cultive la tradition, au voisinage de la pittoresque église du 16e s. et de son vénérable enclos paroissial. Sérieux et accueillant.

XX **Auberge St-Laurent,** rte Concarneau par la côte : 2 km ☎ 02 98 56 98 07, *Fax 02 98 56 98 07*, 🌳 – P. GB
*fermé vacances de Toussaint, de fév., mardi soir et merc.* – **Repas** 12 (déj.), 16/32 ♀, enf. 9.
◆ Sympathique auberge sur la route côtière de Concarneau. L'une des deux salles à manger rustiques, à poutres apparentes et cheminée, donne sur le jardin.

## FORÊT-SUR-SÈVRE *79380 Deux-Sèvres 322 C4 – 2 395 h alt. 153.*

*Paris 398 – Bressuire 16 – Nantes 100 – Niort 63 – La Roche-sur-Yon 73.*

**Auberge du Cheval Blanc** avec ch, ☎ 05 49 80 86 35, *auberge.du.cheval.blanc@wanadoo.fr, Fax 05 49 80 66 75* – AE GB
*fermé 8 au 15 sept., 2 au 9 fév., dim. soir et lundi midi* – **Repas** 11,50/34,50 – 5 – **4 ch** 40 – ½ P 35.
◆ La vénérable cheminée en pierre (15e s.) de la salle non-fumeurs révèle l'ancienneté de ce relais de poste sorti comme neuf d'une cure de jouvence. Chambres coquettes.

## La FORGE-DE-L'ILE *36 Indre 323 G6 – rattaché à Châteauroux.*

## FORGES-LES-EAUX *76440 S.-Mar. 304 J4 G. Normandie Vallée de la Seine – 3 376 h alt. 161 – Casino.*

*Office du Tourisme, rue Albert Bochet ☎ 02 35 90 52 10, Fax 02 35 90 34 80.*

*Paris 117 – Amiens 72 – Rouen 45 – Abbeville 72 – Beauvais 52 – Le Havre 124.*

**Folie du Bois des Fontaines** sans rest, rte Dieppe ☎ 02 32 89 50 68, *fbfontaine@free.fr, Fax 02 32 89 50 67*, – AE GB JCB.
20 – **10 ch** 119/350.
◆ Cette demeure anglo-normande centenaire entourée d'un parc arboré héberge un salon "cosy", doté d'une belle cave à cigares, et d'agréables chambres personnalisées.

**Continental** sans rest, av. des Sources (rte Dieppe) ☎ 02 32 89 50 50, *casinoforges@wanadoo.fr, Fax 02 35 90 26 14* – AE GB.
5,30 – **44 ch** 53/64.
◆ Petit immeuble de style régional abritant des chambres assez spacieuses, très sobrement décorées et garnies d'un mobilier de série. Confortable salon.

**Paix,** 15 r. Neufchâtel ☎ 02 35 90 51 22, *contact@hoteldelapaix.com, Fax 02 35 09 83 62*, – 15. AE GB
*fermé 23 juin au 7 juil., 22 déc. au 14 janv., dim. soir hors saison et lundi midi* – **Repas** (11,20) - 14,80/32, enf. 10 – 5,90 – **18** ch 51/59 – ½ P 44,80/46,30.
◆ Au centre de la petite station thermale. Chambres récentes meublées en style rustique et vaste salle à manger agrémentée de faïences et cuivres anciens.

**Colvert** sans rest, 8 r. Rebours Mutel ☎ 02 35 09 70 40, *hotel.le.colvert@wanadoo.fr, Fax 02 35 09 70 49* – GB
5,50 – **9 ch** 50/62.
◆ Une façade en bois et zinc dissimule ce petit hôtel familial tout neuf. Pas de luxe ostentatoire dans les chambres, mais un confort simple et des équipements fonctionnels.

**Auberge du Beau Lieu** avec ch, rte Gournay : 2 km (D 915) ☎ 02 35 90 50 36, *aubeaulieu@aol.com, Fax 02 35 90 35 98*, – AE GB JCB
*fermé 1er au 10 sept., 12 janv. au 5 fév., lundi soir, merc. midi et mardi* – **Repas** 16,50/50, enf. 12,50 – 10,50 – **3 ch** 37/57 – ½ P 54/86,50.
◆ Auberge campagnarde du pays brayon. L'hiver, on se réfugie avec plaisir auprès de l'âtre de la douillette salle de restaurant. Terrasse d'été. Chambres au rez-de-chaussée.

## FORT-MAHON-PLAGE *80790 Somme 301 C5 G. Picardie Flandres Artois – 1 042 h alt. 2 – Casino.*

Env. *Parc ornithologique du Marquenterre** S : 15 km.*

*Office du Tourisme, 1000 avenue de la Plage ☎ 03 22 23 36 00, Fax 03 22 23 93 40.*

*Paris 227 – Calais 93 – Abbeville 41 – Amiens 90 – Berck-sur-Mer 19 – Étaples 36.*

**Terrasse,** ☎ 03 22 23 37 77, *info@hotellaterrasse.com, Fax 03 22 23 36 74*, –, rest, – 25 à 80. AE GB. ch
**Repas** 12,50/50 bc, enf. 6,90 – 8 – **56 ch** 47/79 – ½ P 41/55.
◆ Établissement familial en front de mer. La plupart des chambres sont rénovées et tournées vers le large. Le restaurant panoramique offre un cadre marin ; espace brasserie.

**Auberge Le Fiacre** avec ch, à Routhiauville Sud-Est : 2 km par rte de Rue ✉ 80120 Quend ☎ 03 22 23 47 30, *Fax 03 22 27 19 80*, – GB. ch
*fermé 6 janv. au 6 fév., mardi midi et merc. midi* – **Repas** 25/38 et carte 24 à 52 – 8,50 – **11 ch** 78, 3 appart – ½ P 70/73.
◆ Lieu idéal pour se mettre au vert, cette ancienne ferme du Marquenterre aménagée en restaurant offre un coquet cadre campagnard. Jardin agrémenté d'un colombier.

*Si vous cherchez un hôtel tranquille,*
*consultez d'abord les cartes de l'introduction*
*ou repérez dans le texte les établissements indiqués avec le signe*.

**PLAGE DE LA FOSSETTE** *83 Var* 340 N7 – *rattaché au Lavandou.*

**FOS-SUR-MER** *13270 B.-du-R.* 340 E5 *G. Provence – 11 605 h alt. 11.*

Voir *Village★.*

*Office du Tourisme, place de l'Hôtel de Ville ✆ 04 42 47 71 96, Fax 04 42 05 59 42, tourismefossurmer@visitprovence.com.*

*Paris 755 – Marseille 49 – Aix-en-Provence 55 – Arles 42 – Martigues 12.*

**Provence-Camargue** M, rte d'Istres : 3 km ✆ 04 42 05 00 57, *contact@provence-camargue.net, Fax 04 42 05 51 00,* – 140. AE GB. rest
**Repas** *(fermé week-end)* 22/35 – 10 – **72 ch** 85/123.
◆ Près de l'étang de l'Estomac, cet établissement propose des chambres actuelles (un tiers avec balcon), spacieuses et insonorisées. Bons équipements de loisirs et de séminaires.

**FOUDAY** *67 B.-Rhin* 315 H6 *G. Alsace Lorraine – ✉ 67130 Le Ban-de-la-Roche.*

*Paris 411 – Strasbourg 62 – St-Dié 34 – Saverne 60 – Sélestat 37.*

**Julien,** N 420 ✆ 03 88 97 30 09, *hoteljulien@wanadoo.fr, Fax 03 88 97 36 73,* – 15 à 25. AE GB
*fermé 5 au 22 janv.* – **Repas** *(fermé mardi)* 11 (déj.), 15,20/32 ♀, enf. 10 – 9 – **40 ch** 52/108, 8 duplex – ½ P 52/85.
◆ Les chambres refaites sont agréablement personnalisées, la cuisine du terroir généreuse, l'accueil aimable : ce n'est pas sans raison que l'adresse est aussi prisée.

**FOUDON** *49 M.-et-L.* 317 G4 – *rattaché à Angers.*

**FOUESNANT** *29170 Finistère* 308 G7 *G. Bretagne – 6 524 h alt. 30.*

*Office du Tourisme, 49 rue de Kérourgué ✆ 02 98 56 00 93, Fax 02 98 56 64 02, accueil@ot-fouesnant.fr.*

*Paris 556 – Quimper 16 – Carhaix-Plouguer 69 – Concarneau 11 – Quimperlé 39.*

**L'Orée du Bois** sans rest, 4 r. Kergoadig ✆ 02 98 56 00 06, *Fax 02 98 56 14 17* – GB
6 – **15 ch** 42/48.
◆ Hôtel familial aux petites chambres simples et bien tenues. Salle des petits-déjeuners façon bistrot marin et confortable salon où médite un vieux piano.

**au Cap Coz** *Sud-Est : 2,5 km par rte secondaire – ✉ 29170 Fouesnant :*

**Pointe du Cap Coz** ✆ 02 98 56 01 63, *bienvenue@hotel-capcoz.com, Fax 02 98 56 53 20,* ≤ mer et port, – AE GB.
*fermé 1er janv. au 10 fév., dim. soir du 15 sept. au 15 juin et merc.* – **Repas** 19/39 ♀, enf. 10,50 – 7,20 – **16 ch** 50/84 – ½ P 61/73.
◆ Sur la langue sablonneuse du Cap-Coz. Les chambres, fonctionnelles mais sans luxe, et la salle de restaurant panoramique ont vue sur le port ou le large.

**Belle-Vue,** ✆ 02 98 56 00 33, *hotel-belle-vue@wanadoo.fr, Fax 02 98 51 60 85,* ≤, – GB.
*hôtel : 1er mars-31 oct. ; rest. : 20 mars-31 oct. et fermé lundi* – **Repas** 15/30 ♀ – 6,80 – **16 ch** 65 – ½ P 46/57.
◆ Pension de famille dominant la baie de la Forêt. Petites chambres de facture simple, mais bénéficiant pour la plupart de la vue sur l'océan.

**à la Pointe de Mousterlin** *Sud-Ouest : 6 km par D 145 et D 134 – ✉ 29170 Fouesnant :*

**Pointe de Mousterlin** ✆ 02 98 56 04 12, *hopointe@club-internet.fr, Fax 02 98 56 61 02,* ≤, – 30. AE GB. rest
*Pâques-30 sept.* – **Repas** 13/33 ♀, enf. 9,50 – 7,50 – **44 ch** 82,50/98,50 – ½ P 71,80/79,80.
◆ Complexe balnéaire à l'extrémité de la pointe. Chambres spacieuses et pratiques côté jardin, rénovées et un peu plus personnalisées côté océan. Bons équipements de loisirs.

**FOUGÈRES** SP *35300 I.-et-V.* 309 O4 *G. Bretagne – 22 239 h alt. 115.*

Voir *Château★★ – Église St-Sulpice★ – Jardin public★ : ≤★ – Vitraux★ de l'église St-Léonard – Rue Nationale★.*

*Office du Tourisme, 2 rue Nationale ✆ 02 99 94 12 20, Fax 02 99 94 77 30, ot.fougeres@wanadoo.fr.*

*Paris 326 ③ – Avranches 45 ⑤ – Laval 54 ② – Le Mans 132 ② – Rennes 48 ④ – St-Malo 77 ⑤.*

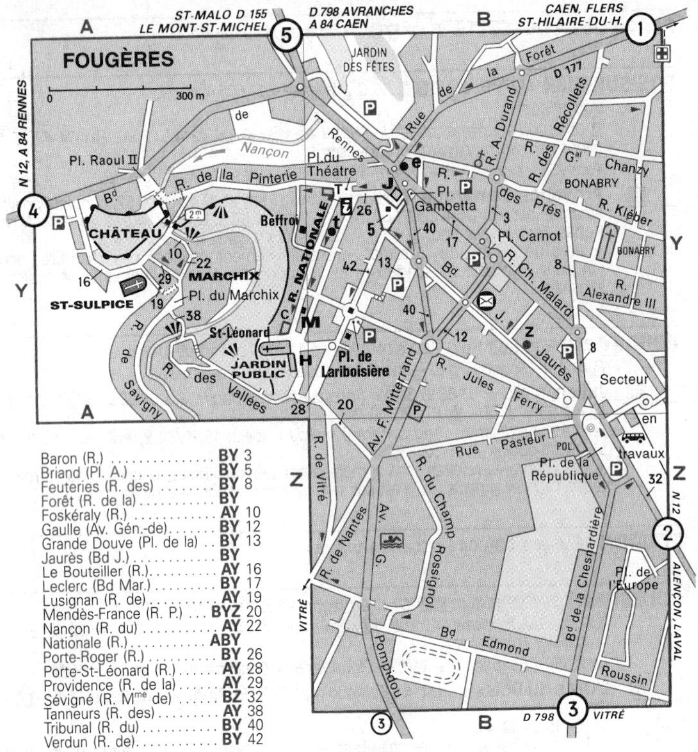
FOUGÈRES
ST-MALO D 155
LE MONT-ST-MICHEL
D 798 AVRANCHES
A 84 CAEN
CAEN, FLERS
ST-HILAIRE-DU-H.
N 12, A 84 RENNES
N 12 ALENÇON, LAVAL
D 798 VITRÉ
VITRÉ
300 m
JARDIN DES FÊTES
Nançon
Pl. Raoul II
R. de la Pinterie
Pl. du Théatre
Pl. Gambetta
Rue de la Forêt
R. A. Durand
R. des Récollets
Gal Chanzy
BONABRY
R. des Prés
R. Kléber
Pl. Carnot
R. Ch. Malard
R. Alexandre III
CHÂTEAU
MARCHIX
Pl. du Marchix
ST-SULPICE
Beffroi
R. NATIONALE
St-Léonard
JARDIN PUBLIC
Pl. de Lariboisière
R. de Savigny
R. des Vallées
Av. F. Mitterrand
R. Jules Ferry
J. Jaurès
Secteur en travaux
Rue Pasteur
Pl. de la République
R. de Vitré
R. de Nantes
Av. G. Pompidou
R. du Champ Rossignol
Bd de la Chesnardière
Pl. de l'Europe
Bd Edmond Roussin
POL.


| | | |
|---|---|---|
| Baron (R.) | BY | 3 |
| Briand (Pl. A.) | BY | 5 |
| Feuteries (R. des) | BY | 8 |
| Forêt (R. de la) | BY | |
| Foskéraly (R.) | AY | 10 |
| Gaulle (Av. Gén.-de) | BY | 12 |
| Grande Douve (Pl. de la) | BY | 13 |
| Jaurès (Bd J.) | BY | |
| Le Bouteiller (R.) | AY | 16 |
| Leclerc (Bd Mar.) | BY | 17 |
| Lusignan (R. de) | AY | 19 |
| Mendès-France (R. P.) | BYZ | 20 |
| Nançon (R. du) | AY | 22 |
| Nationale (R.) | ABY | |
| Porte-Roger (R.) | BY | 26 |
| Porte-St-Léonard (R.) | AY | 28 |
| Providence (R. de la) | AY | 29 |
| Sévigné (R. Mme de) | BZ | 32 |
| Tanneurs (R. des) | AY | 38 |
| Tribunal (R. du) | BY | 40 |
| Verdun (R. de) | BY | 42 |

**H. Voyageurs** sans rest, 10 pl. Gambetta ☎ 02 99 99 08 20, *hotel-voyageurs-fougeres@wanadoo.fr, Fax 02 99 99 99 04* – AE GB — BY e
*fermé 20 déc. au 3 janv.* – ☕ 6 – **37 ch** 37/62.
◆ Établissement centenaire proche de la maison natale du marquis de La Rouërie, instigateur de la chouannerie. Chambres toutes rénovées, actuelles et bien équipées.

**Balzac** sans rest, 15 r. Nationale ☎ 02 99 99 42 46, *Fax 02 99 99 65 43* – AE GB — BY t
☕ 5 – **20 ch** 31/40.
◆ Balzac écrivit Les Chouans à Fougères. Chambres confortables et gaies, salles de bains flambant neuves et prix serrés : une cure de jouvence réussie pour cet hôtel central.

**Haute Sève,** 37 bd J. Jaurès ☎ 02 99 94 23 39 – GB — BY z
*fermé 20 juil. au 16 août, 1er au 28 janv., 9 au 19 fév., dim. soir et lundi* – **Repas** 18,50 (déj.), 20,50/48,70.
◆ La jolie façade jaune pâle abrite une plaisante salle à manger ornée de tableaux peints par un artiste local. Cuisine régionale actualisée, influencée par le marché.

**Rest. Voyageurs,** 10 pl. Gambetta ☎ 02 99 99 14 17, *Fax 02 99 99 28 89* – AE GB — BY e
*fermé sam. midi et dim. soir* – **Repas** 16,50/38 ♀.
◆ Le Restaurant des Voyageurs est indépendant de l'hôtel du même nom. Murs lambrissés à mi-hauteur, cheminée, tables joliment dressées et cuisine au goût du jour.

**à Parigné** *par ①, D 108 rte de Mellé : 11 km – 1 068 h. alt. 162 – ✉ 35133 :*

**Château du Bois Guy** , rte Mellé par D 108 : 2 km ☎ 02 99 97 25 76, *chateau.bois.guy@wanadoo.fr, Fax 02 99 97 27 27,* – 25 à 60. AE GB. rest
*15 avril-15 oct. et fermé sam. midi, dim. soir et lundi* – **Repas** 20/60 ♀, enf. 18,30 – ☕ 9 – **13 ch** 70/200 – ½ P 90.
◆ Ancienne demeure (17e s.) du général du Boisguy - leader chouan - accolée à un édifice Renaissance. Chambres élégantes, salle à manger aux tons ocres. Parc avec étang.

**à Landéan** *par ① : 8 km – 1 199 h. alt. 142 – ✉ 35133 :*

XX **Au Cellier,** D 177 ☎ 02 99 97 20 50, *Fax 02 99 97 20 50* – AE ⓓ GB
*fermé 5 au 26 janv., dim. soir et lundi* – **Repas** (11) - 15,50/37,50 ♀.
◆ Petite maison ancienne où grimpe la vigne vierge. La salle à manger campagnarde est décorée, entre autres, d'un tableau du 19e s. évoquant une fontaine miraculeuse.

**sur N 12 par** ② *rte de Laval : 11 km – ✉ 35133 Fougères :*

XX **Petite Auberge,** ☎ 02 99 95 27 03, *Fax 02 99 95 27 03* – P. ⓓ GB
*fermé 3 au 9 mars, 29 juil. au 14 août, dim. soir, mardi soir et lundi* – **Repas** (nombre de couverts limité, prévenir) (12,20) - 15 (déj.), 21/52 bc ♀, enf. 7.
◆ Discrète auberge aux "marches" de la Bretagne. Façade fraîchement ravalée et fleurie, intérieur rehaussé de notes d'esprit Art nouveau et goûteuses recettes traditionnelles.

---

**FOUGEROLLES** *70220 H.-Saône* 314 G5 *G. Jura – 4 167 h alt. 311.*
**Voir** *Ecomusée du Pays de la Cerise et de la Distillation★.*
ℹ *Office du Tourisme, 1 rue de la Gare ☎ 03 84 49 12 91, Fax 03 84 49 12 91, accueil@otsi-fougerolles.net.*
*Paris 377 – Épinal 49 – Luxeuil-les-Bains 10 – Remiremont 26 – Vesoul 43.*

XX **Au Père Rota,** ☎ 03 84 49 12 11, *jean-pierre-kuentz@wanadoo.fr, Fax 03 84 49 14 51* – P. AE ⓓ GB
*fermé 1er au 5 sept., 2 au 28 janv., mardi soir, dim. soir et lundi sauf fériés* – **Repas** 18 (déj.), 29/58 ♀, enf. 14,50.
◆ La capitale du kirsch abrite ce restaurant au cadre contemporain feutré, où l'on déguste une cuisine classique. Belle carte des vins, riche en vieux millésimes.

---

**La FOUILLOUSE** *42480 Loire* 327 E7 *– rattaché à St-Étienne.*

---

**FOURAS** *17450 Char.-Mar.* 324 D4 *G. Poitou Vendée Charentes – 3 238 h alt. 5 – Casino.*
**Voir** *Donjon ✻★.*
ℹ *Office du Tourisme, avenue du Bois Vert ☎ 05 46 84 60 69, Fax 05 46 84 28 04, otourisme@fouras.net.*
*Paris 487 – La Rochelle 30 – Châtelaillon-Plage 18 – Rochefort 15.*

**Grand Hôtel des Bains,** r. Gén.-Bruncher ☎ 05 46 84 03 44, *hoteldesbains@wanadoo.fr, Fax 05 46 84 58 26,* – TV. AE GB. rest
*15 mars-1er nov.* – **Repas** (dîner seul.)(résidents seul.) 18,20/28,50, enf. 7 – ☕ 6,10 – **34 ch** 70/80 – ½ P 47/57.
◆ Agréables petites chambres agencées autour du jardin intérieur d'un relais de poste du 19e s. Le fort Vauban et la plage sont à deux pas, les îles à quelques brasses.

**Commerce,** r. Gén. Bruncher ☎ 05 46 84 22 62, *fouras.lecommerce@wanadoo.fr, Fax 05 46 84 14 50* – TV. GB
*15 mars-15 nov.* – **Repas** (résidents seul.) – ☕ 4,50 – **12 ch** 34/46 – ½ P 33/40,50.
◆ Chambres modestes à l'entretien scrupuleux ; quelques-unes sont rénovées. Le décor de la salle à manger s'inspire du fort Boyard qu'on aperçoit au large.

---

**FOURGES** *27630 Eure* 304 J7 *– 685 h alt. 14.*
*Paris 74 – Rouen 75 – Les Andelys 26 – Évreux 47 – Mantes-la-Jolie 28 – Vernon 14.*

XX **Moulin de Fourges,** ☎ 02 32 52 12 12, *info@moulin-de-fourges.com, Fax 02 32 52 92 56,* – GB
*1er avril-31 oct. et fermé dim. soir et lundi* – **Repas** 30 ♀, enf. 10.
◆ Ancien moulin au bord de l'Epte, où se serait sans doute plu Monet, hôte de la voisine Giverny ; point de nymphéas, mais un agréable cadre champêtre.

---

**FOURMIES** *59610 Nord* 302 M7 *G. Picardie Flandres Artois – 14 505 h alt. 200.*
**Voir** *Musée du textile et de la vie sociale★.*
ℹ *Office du Tourisme, rue Jean Jaurès ☎ 03 27 59 69 97, Fax 03 27 59 69 83, fourmies@tourisme.norsys.fr.*
*Paris 207 – St-Quentin 65 – Avesnes-sur-Helpe 16 – Charleroi 60 – Hirson 14 – Lille 116.*

**aux Étangs-des-Moines** *Est : 2 km par D 964 et rte secondaire – ✉ 59610 Fourmies :*

**Ibis** sans rest, ☎ 03 27 60 21 54, *xferez@aol.com, Fax 03 27 57 40 44* – TV – 25. AE ⓓ GB
☕ 7 – **31 ch** 50.
◆ Établissement récent en lisière d'une belle forêt de chênes. Parfait pour profiter au mieux du calme et du cadre bucolique des étangs, oeuvre des moines de Liessies.

XX **Auberge des Étangs des Moines,** ☎ 03 27 60 02 62, *Fax 03 27 60 10 25,* 🏠 – GB
*fermé 4 au 25 août, 24 fév. au 8 mars* – **Repas** 15/30,50 ♀.
◆ Cette ancienne guinguette au bord de l'eau réjouit petits et grands qui apprécient son ambiance conviviale, sa plaisante salle rustique et sa terrasse. Plats traditionnels.

**FOURQUES** *30 Gard* 339 M6 – *rattaché à Arles.*

**La FOUX D'ALLOS** *04 Alpes-de H.-P.* 334 H7 – *rattaché à Allos.*

**FRANCESCAS** *47600 L.-et-G.* 336 E5 – *625 h alt. 109.*
*Paris 722 – Agen 29 – Condom 18 – Nérac 14 – Toulouse 136.*

XXX **Relais de la Hire,** ☎ 05 53 65 41 59, *la.hire@wanadoo.fr, Fax 05 53 65 86 42,* 🏠, 🏠 – P. AE ⓓ GB JCB
*fermé 30 oct. au 5 nov., dim. soir, merc. midi et lundi* – **Repas** (prévenir) 23/56 et carte 48 à 64 ♀.
◆ Au coeur du pays d'Albret, maison de maître du 18e s. joliment restaurée. Deux salles à manger, dont une plus contemporaine, et agréable terrasse dans le jardin.

**FRANCHEVILLE** *69 Rhône* 327 H5 – *rattaché à Lyon.*

**FRANQUEVILLE-ST-PIERRE** *76 S.-Mar.* 304 H5 – *rattaché à Rouen.*

**FRÉHEL** *22240 C.-d'Armor* 309 H3 – *1 995 h alt. 72 – Casino.*
Voir ※★★★.
Env. *Fort La Latte★★ : site★★, ※★★ SE : 5 km.*
ℹ *Office de tourisme, le Bourg ☎ 02 96 41 53 81, otfrehel@wanadoo.fr.*
*Paris 433 – St-Malo 39 – Dinan 38 – Lamballe 28 – St-Brieuc 40 – St-Cast-le-Guildo 15.*

XX **Victorine,** pl. Mairie ☎ 02 96 41 55 55, *Fax 02 96 41 55 55,* 🏠 – ⓓ GB JCB
*fermé 10 nov. au 5 déc., mardi et merc. sauf juil.-août* – **Repas** 23/90 ♀.
◆ Fréquenté par des habitués, ce restaurant familial situé sur la place du village vous offre son ambiance sympathique et sa cuisine traditionnelle à l'écoute du marché.

**La FREISSINOUSE** *05 H.-Alpes* 334 E5 – *rattaché à Gap.*

*Dans ce guide*
*un même symbole, un même mot,*
*imprimé en* **rouge** *ou en* **noir,** *en maigre ou en* **gras,**
*n'ont pas tout à fait la même signification.*
*Lisez attentivement les pages explicatives.*

**FRÉJUS** *83600 Var* 340 P5 *G. Côte d'Azur – 41 486 h alt. 20.*

Voir *Groupe épiscopal★★ : baptistère★★, cloître★, cathédrale★ – Ville romaine★* **A** *: arènes★ – Parc zoologique★ N : 5 km par ③.*

*℘ 08 36 35 35 35.*

*Office du Tourisme, 325 rue Jean Jaurès ℘ 04 94 51 83 83, Fax 04 94 51 00 26, frejus.tourisme@wanadoo.fr.*

*Paris 873 ③ – Cannes 40 ④ – Draguignan 31 ③ – Hyères 90 ② – Nice 66 ④.*

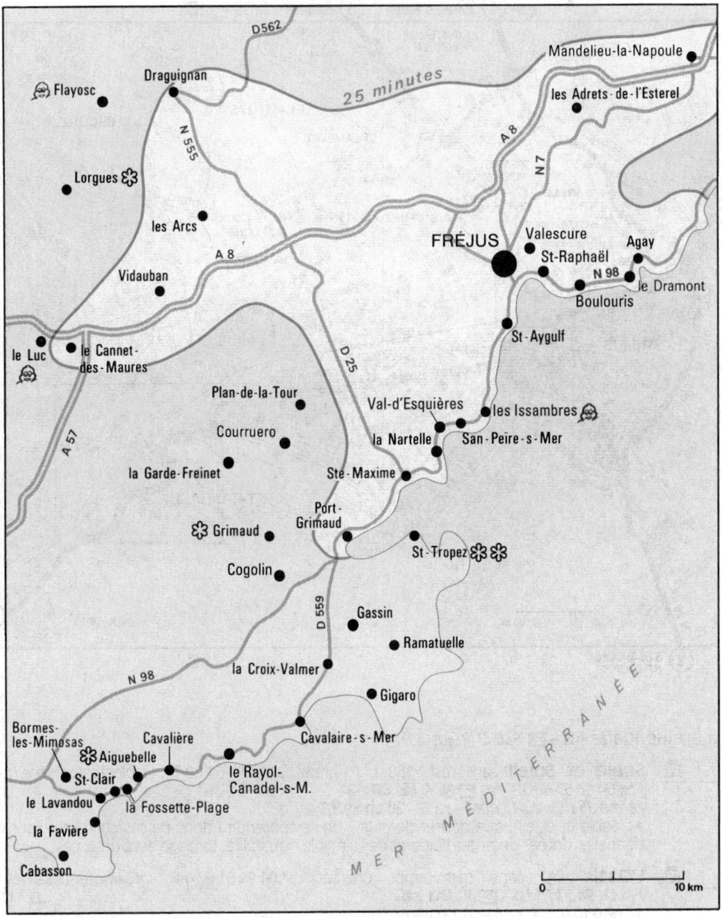
D562
Mandelieu-la-Napoule
Draguignan
25 minutes
Flayosc
les Adrets-de-l'Esterel
N 555
A 8
N 7
Lorgues
les Arcs
FRÉJUS
Valescure
Agay
A 8
St-Raphaël
N 98
le Dramont
Vidauban
Boulouris
St-Aygulf
le Luc
le Cannet-des-Maures
D 25
Plan-de-la-Tour
Val-d'Esquières
les Issambres
Courruero
la Nartelle
San-Peïre-s-Mer
A 57
la Garde-Freinet
Ste-Maxime
Port-Grimaud
Grimaud
St-Tropez
Cogolin
D 559
Gassin
Ramatuelle
N 98
la Croix-Valmer
Gigaro
Bormes-les-Mimosas
Cavalière
Cavalaire-s-Mer
Aiguebelle
St-Clair
le Rayol-Canadel-s-M.
le Lavandou
la Fossette-Plage
la Favière
Cabasson
MER MÉDITERRANÉE
0
10 km

**L'Aréna** Ⓜ, 145 r. Gén. de Gaulle ℘ 04 94 17 09 40, *info@arena-hotel.com,* *Fax 04 94 52 01 52,* – ▤ ▣ ℡ ♿ P. AE ⓓ GB. ch — C r

*fermé 15 déc. au 15 janv. –* **Repas** *(fermé sam. midi et lundi midi)* 23/54 ♀ – ☕ 10 – **36 ch** 95/150 – ½ P 88/110.

◆ Les chambres de cette charmante maison provençale s'ouvrent sur le patio aux essences méridionales. À table, le décor ensoleillé et la carte vous content le pays des cigales.

**Les Potiers,** 135 r. Potiers ℘ 04 94 51 33 74 – ▤. GB — C s

*fermé 1^er au 20 déc., le midi en juil.-août, merc. midi et mardi de sept. à juin –* **Repas** (nombre de couverts limité, prévenir) 22/31.

◆ Dans une ruelle proche de la porte des Gaules, petite affaire à la sympathique ambiance rustique, où l'on ne façonne pas l'argile, mais une généreuse cuisine régionale.

# FRÉJUS-ST-RAPHAËL

Agachon (Av. de l') . . . . . . . . . **A** 2
Alger (Bd) . . . . . . . . . . . . . . . . **B** 5
Brosset (Av. du Gén.) . . . . . **AB** 13
Carrara (R. Jean) . . . . . . . . . . **A** 16
Coty (Prom. René) . . . . . . . . . **B** 20
Decuers (Bd S.) . . . . . . . . . . . **A** 23
Donnadieu (R.) . . . . . . . . . . . . **B** 24
Einaudi (R. Albert) . . . . . . . . . **A** 25
Europe (Av. de l') . . . . . . . . . . **A** 26
Fabre (Av. Hippolyte) . . . . . . . **B** 26
Garros (R. Roland) . . . . . . . . . **B** 32
Gaulle (Av. du Gén.-de) . . . . . **B** 33
Leclerc (Av. Mar.) . . . . . . . . . . **B** 39
Libération (Bd de la) . . . . . . . **B** 40
Mimosas (Bd des) . . . . . . . . . **B** 43
Myrtes (Av. des) . . . . . . . . . . . **B** 45
Papin (R. Denis) . . . . . . . . . . . **B** 46
Poincaré (Av. Raymond) . . . . . . . . . . . **B** 47
Rivière (Av. Théodore) . . . . . . **B** 51
Triberg (R. de) . . . . . . . . . . . . **A** 53
Valescure (Av. de) . . . . . . . . . . **B** 54
Verdun (Av. de) . . . . . . . . . . . . **A** 56
Victor-Hugo (Av.) . . . . . . . . . . **B** 60
XVe-Corps (Av. du) . . . . . . . . . **A** 62

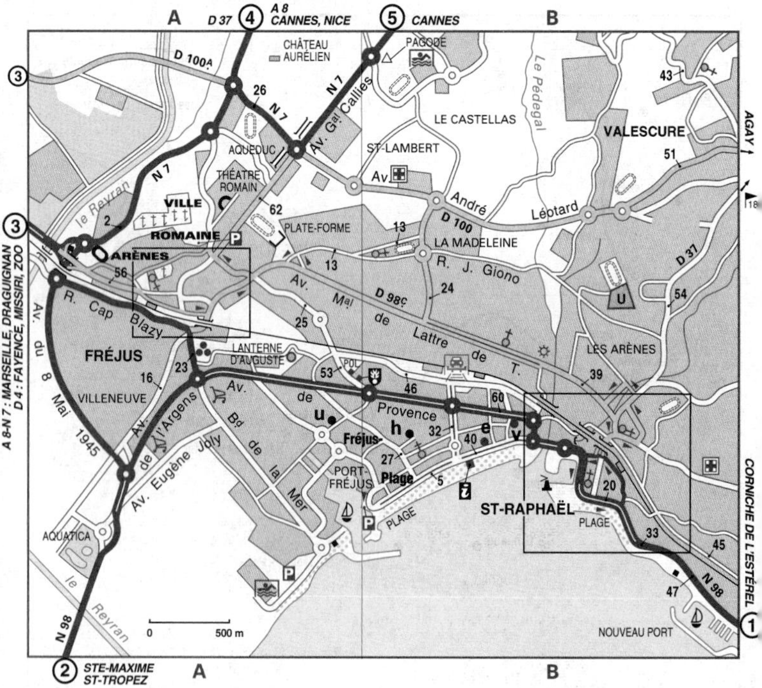

A
B
D 37
A 8 CANNES, NICE
CANNES
D 100A
CHÂTEAU AURÉLIEN
PAGODE
Le Pédegal
LE CASTELLAS
VALESCURE
AGAY
N 7
Av. Gal Callies
AQUEDUC
ST-LAMBERT
THÉATRE ROMAIN
VILLE ROMAINE
ARÈNES
Le Reyran
PLATE-FORME
Av. André Léotard
D 100
LA MADELEINE
R. J. Giono
D 37
Av. Mal de Lattre de T.
D 98C
LES ARÈNES
R. Cap Blazy
FRÉJUS
LANTERNE D'AUGUSTE
VILLENEUVE
Av. du 8 Mai 1945
Av. de l'Argens
Av. Eugène Joly
Bd de la Mer
Av. de Provence
Fréjus-Plage
PORT-FRÉJUS
PLAGE
ST-RAPHAËL
CORNICHE DE L'ESTÉREL
A 8-N 7 : MARSEILLE, DRAGUIGNAN
D 4 : FAYENCE, MISSIRI, ZOO
AQUATICA
Le Reyran
N 98
0
500 m
NOUVEAU PORT
STE-MAXIME ST-TROPEZ


**à Fréjus-Plage AB** – ✉ *83600 Fréjus*

**Sable et Soleil** sans rest, 158 r. P. Arène ☎ 04 94 51 08 70, *sableetsoleil@free.fr, Fax 04 94 53 49 12* – **A u**
*fermé 15 nov. au 15 déc.* – 6 – **20 ch** 39/63.
◆ "Sable et soleil", que désirer de plus ? On se contentera donc de ces chambres fonctionnelles dotées de larges baies, et de l'aimable hospitalité. La plage est à deux pas.

**L'Oasis** sans rest, imp. Charcot ☎ 04 94 51 50 44, *info@hotel-oasis.net, Fax 04 94 53 01 04* – **B h**
*1er fév.-10 nov.* – 6 – **27 ch** 49/63.
◆ En retrait du port de plaisance, cette construction des années 1950 invite au farniente, à l'ombre des pins qui l'entourent ou de sa pergola. Chambres simples, bien tenues.

**Toque Blanche,** 394 av. V. Hugo ☎ 04 94 52 06 14, *Fax 04 94 52 06 14* –
*fermé 16 au 23 juin, 6 au 9 oct., 8 au 23 déc., dim. soir d'oct à juin et lundi* – **Repas** 14,50 (déj.), 22/53. **B v**
◆ Ce restaurant au cadre sobrement bourgeois propose une cuisine assez traditionnelle. Pour les inconditionnels de la terrasse, quelques tables installées sur le trottoir.

**Mérou Ardent,** 157 bd Libération ☎ 04 94 17 30 58, *Fax 04 94 17 33 79*, –
*fermé 26/05-5/06, 17/11-4/12, lundi midi et jeudi midi du 1/07-3/09, dim. soir , merc. soir et jeudi hors saison* – **Repas** 14/22. **B e**
◆ Petit restaurant au décor marin sur le boulevard longeant la plage. Accueil remarquable et spécialités de poisson : une bonne prise !

## FRÉJUS

Aubenas (R. Joseph) ....... **C** 7
Beausset (R. du)........... **D** 9
Clemenceau (R. G.) ........ **D** 19
Craponne (R.).............. **C** 22
Decuers (Bd S.)............ **D** 23
Fleury (R. de)............. **D** 28
Formigé (Pl.).............. **D** 29
Gallus .................... **C** 30
Girardin (R.).............. **C** 35
Glacière (Pl. de la) ...... **D** 36
Grisolle (R.).............. **D** 37
Jaurès (R. Jean) .......... **C**
Liberté (Pl. de la) ....... **C** 42
Montgolfier (R.)........... **C** 44
Portalet (Pge du).......... **D** 48
Potiers (R. des)........... **C** 49
Sieyès (R.)................ **D** 52
Verdun (Av. de)............ **C** 56

C D

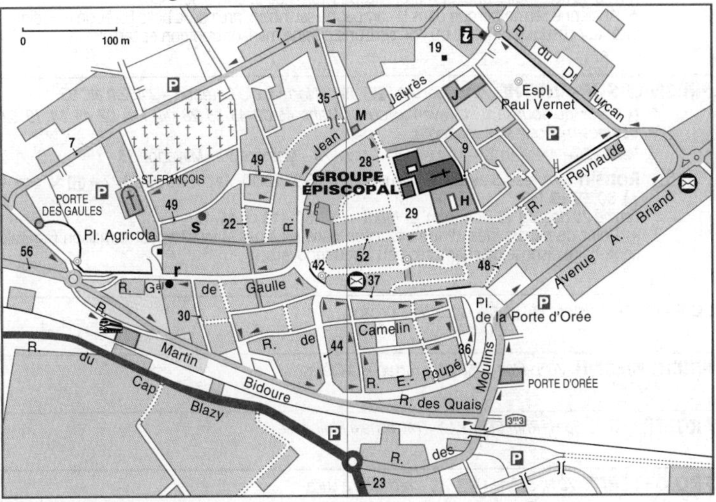

0 100 m
GROUPE ÉPISCOPAL
ST-FRANÇOIS
PORTE DES GAULES
Pl. Agricola
R. Jean Jaurès
Espl. Paul Vernet
R. du Dr Turcan
R. Reynaude
Avenue A. Briand
R. Gal de Gaulle
R. de Camelin
R. E. Poupé
R. des Moulins
Pl. de la Porte d'Orée
PORTE D'ORÉE
R. Martin Bidoure
R. du Cap Blazy
R. des Quais
R. des


C D

Voir plan de St-Raphaël

*Si vous cherchez un hôtel tranquille,*
*consultez d'abord les cartes de l'introduction*
*ou repérez dans le texte les établissements indiqués avec le signe* 🐎.

---

**Le FRENEY-D'OISANS** *38142 Isère* 333 *J7 – 177 h alt. 926.*

Voir *Barrage du Chambon*★★ *SE : 2 km – Gorges de l'Infernet*★ *SO : 2 km, G. Alpes du Nord.*

*Syndicat d'Initiative,* ✆ *04 76 80 05 82.*

*Paris 628 – Bourg-d'Oisans 12 – La Grave 16 – Grenoble 64.*

**Cassini,** ✆ 04 76 80 04 10, *info@hotel-cassini.com, Fax 04 76 80 23 06,* – TV , GB

*1er juin-20 sept. et 26 déc.-20 avril –* **Repas** *(fermé le midi du 26 déc. au 25 avril)* 14/42 ♀, enf. 9 – ☕ 8 – **10 ch** 47/66 – ½ P 48/62.

◆ Au coeur de la vallée de la Romanche, auberge familiale abritant une salle à manger rustique et des chambres toutes rénovées ; celles de l'arrière donnent sur le ruisseau.

**à Mizoën** *Nord-Est : 4 km par N 91 et D 25 – 122 h. alt. 1100 – ✉ 38142 :*

**Panoramique** 🐎, ✆ 04 76 80 06 25, *info@hotel-panoramique.com, Fax 04 76 80 25 12,* ← montagne et vallée, – TV P. AE GB.

*28 mai-24 sept. et 20 déc.-18 avril –* **Repas** 21,50 ♀ – ☕ 7,50 – **9 ch** 57/65 – ½ P 46/50.

◆ Outre son très bel environnement, ce chalet fleuri à la tenue méticuleuse offre de nombreux agréments : terrasse-solarium exposée plein Sud, sauna, etc. Accueil charmant.

---

**FRESNAY-EN-RETZ** *44580 Loire-Atl.* 316 *E5 – 848 h alt. 15.*

*Paris 419 – Nantes 38 – La Roche-sur-Yon 63 – Challans 27 – St-Nazaire 92.*

**Colvert,** ✆ 02 40 21 46 79, *Fax 02 40 21 95 99 –* AE GB

*fermé 19 août au 2 sept., 23 déc. au 6 janv., merc. soir, dim. soir et lundi –* **Repas** 15,50 (déj.), 20/40 ♀, enf. 9,90.

◆ Maison ancienne au coeur d'un village situé à la lisière du Marais breton-vendéen. Poutres apparentes et aquarelles agrémentent la salle à manger. Cuisine traditionnelle.

**La FRESNAYE-SUR-CHÉDOUET** *72600 Sarthe* 310 K4 – *839 h alt. 160.*
*Paris 181 – Alençon 14 – L'Aigle 59 – Argentan 46 – Domfront 76 – Mortagne-au-Perche 30.*

**au Nord-Ouest** : *3 km par D 17 – ✉ 72600 La Fresnaye-sur-Chédouet :*

**Auberge St-Paul,** ✆ 02 43 97 82 76, *p.yenk@libertysurf.fr, Fax 02 43 97 82 84,* – P. AE GB
*fermé 15 au 31 juil., lundi et mardi* – **Repas** 16/37,50 ♀, enf. 9,50.
◆ Ancienne ferme perdue dans la campagne sarthoise, près de la belle forêt de Perseigne. Intérieur rustique rafraîchi où l'on sert une cuisine mariant tradition et terroir.

**FRESNAY-SUR-SARTHE** *72130 Sarthe* 310 J5 *G. Normandie Cotentin – 2 452 h alt. 95.*
*Office du Tourisme, 19 avenue du Dr Riant ✆ 02 43 33 28 04, Fax 02 43 34 19 62, ot.alpes-mancelles@wanadoo.fr.*
*Paris 236 – Alençon 22 – Le Mans 41 – Laval 73 – Mamers 30 – Mayenne 53.*

**Ronsin** sans rest, 5 av. Ch. de Gaulle ✆ 02 43 97 20 10, *Fax 02 43 33 50 47* – TV – 30. AE GB
*fermé 20 déc. au 13 janv., dim. et lundi* – 5,50 – **10 ch** 41/47.
◆ Point de départ idéal d'une excursion dans les Alpes Mancelles, cette maison familiale centenaire dispose de chambres peu à peu rénovées.

**Le FRET** *29 Finistère* 308 D5 – *rattaché à Crozon.*

**FRICHEMESNIL** *76 S.-Mar.* 304 G4 – *rattaché à Clères.*

**FROENINGEN** *68 H.-Rhin* 315 H10 – *rattaché à Mulhouse.*

**FROIDETERRE** *70 H.-Saône* 314 H6 – *rattaché à Lure.*

**FRONTIGNAN** *34110 Hérault* 339 H8 *G. Languedoc Roussillon – 16 245 h alt. 2.*
*Office de tourisme, rue de la Raffinerie ✆ 04 67 48 33 94, Fax 04 67 43 26 34.*
*Paris 779 – Montpellier 26 – Lodève 69 – Sète 10.*

**Jas d'Or,** 2 bd V. Hugo ✆ 04 67 43 07 57, *Fax 04 67 43 07 57* – GB
*fermé mardi soir et merc. hors saison, lundi midi, jeudi midi et sam. midi en juil.-août* – **Repas** 17/33.
◆ Au centre-ville, à deux pas du canal, cet ancien cellier abrite un décor d'inspiration gallo-romaine. Mariez le muscat de Frontignan à la cuisine, très au goût du jour.

**rte de Montpellier** *Nord-Est : 4 km sur N 112 – ✉ 34110 Frontignan :*

**Hostellerie de Balajan,** ✆ 04 67 48 13 99, *balajanvic@aol.com, Fax 04 67 43 06 62,* – TV P. GB. rest
*fermé 24 déc. au 5 janv., fév., dim. soir, lundi midi, sam. midi du 15 oct. au 15 mars* – **Repas** (15) - 19,50/46, enf. 9 – 7,50 – **18 ch** 55/89 – ½ P 56/60.
◆ Le vignoble produisant le fameux muscat entoure cet immeuble aux chambres sobres situé sur la route nationale. En arrière-plan, le massif de la Gardiole.

**FRONTONAS** *38290 Isère* 333 E4 – *1 379 h alt. 260.*
*Paris 496 – Lyon 34 – Ambérieu-en-Bugey 43 – La Tour-du-Pin 27 – Vienne 35.*

**Auberge du Ru,** Le Bergeron-Les Quatre Vies ✆ 04 74 94 25 71, *info@aubergeduru.fr, Fax 04 74 94 25 71,* – P. AE GB
*fermé 17 fév. au 4 mars, 15 juil. au 5 août, dim. soir, mardi soir et lundi* – **Repas** (15) - 22/28 ♀.
◆ Auberge campagnarde au coeur d'un hameau. Pimpante salle à manger décorée d'outils agricoles. Carte et menus, au goût du jour, évoluent au gré du marché.

**FUISSÉ** *71960 S.-et-L.* 320 I12 *G. Bourgogne – 321 h alt. 290.*
*Paris 402 – Mâcon 9 – Charolles 53 – Chauffailles 51 – Villefranche-sur-Saône 47.*

**Pouilly Fuissé,** ✆ 03 85 35 60 68, *Fax 03 85 35 60 68,* – AE GB
*fermé 28 juil. au 8 août, 2 au 28 janv., dim. soir, lundi soir, mardi soir et merc.* – **Repas** (sam. et dim. prévenir) 16/36 ♀.
◆ Cette adresse villageoise portant le nom du cru local ne peut que favoriser les vins régionaux, servis en bouteille ou au verre. Goûteuse cuisine traditionnelle.

**La FUSTE** *04 Alpes-de-H.-P.* 334 D10 – *rattaché à Manosque.*

**FUTEAU** *55 Meuse* 307 B4 – *rattaché à Ste-Menehould (51 Marne).*

**FUTUROSCOPE** *86 Vienne* 322 I4 – *rattaché à Poitiers.*

**FUVEAU** *13710 B.-du-R.* 340 I5 – *6 410 h alt. 283.*

*Syndicat d'Initiative, ✆ 04 42 65 65 78.*

*Paris 769 – Marseille 36 – Brignoles 53 – Manosque 72.*

**Mona Lisa** Ⓜ, D 6, face golf de Château l'Arc ✆ 04 42 68 19 19, *info@francehotelevasion.com, Fax 04 42 68 19 18,* – 20 à 150. AE GB JCB.
Repas 23 – 11 – **81 ch** 80/108.
◆ Architecture contemporaine en demi-lune à proximité d'un golf. Camaïeu de beige, mobilier en bois peint et prise Internet haut débit : des chambres reposantes et bien pensées.

**GABRIAC** *12340 Aveyron* 338 I4 – *403 h alt. 580.*

*Paris 610 – Rodez 27 – Espalion 13 – Mende 94 – Sévérac-le-Château 35.*

**Bouloc** avec ch, ✆ 05 65 44 92 89, *franckbouloc@wanadoo.fr, Fax 05 65 48 86 74,* GB
*fermé 12 au 26 mars, 25 juin au 1er juil., 8 au 22 oct., mardi soir et merc. sauf juil.-août* – **Repas** 14/29, enf. 8 – 5,80 – **11 ch** 36/49,50 – ½ P 43.
◆ Maison régionale officiant depuis six générations : autant dire qu'en matière de spécialités du Rouergue, on s'y connaît ! Grande salle à manger d'inspiration Art déco.

**GACÉ** *61230 Orne* 310 K2 – *2 247 h alt. 210.*

*Office du Tourisme, ✆ 02 33 35 50 24, Fax 02 33 35 92 82, ville-gace@wanadoo.fr.*

*Paris 167 – Alençon 47 – Argentan 28 – Rouen 102.*

**Hostellerie Les Champs** sans rest, rte Alençon ✆ 02 33 39 09 05, *Fax 02 33 36 81 26,* GB
*1er avril-31 oct. et fermé dim. sauf juil.-août* – 7,70 – **11 ch** 47/60.
◆ Gentilhommière du Second Empire en briques, aux aménagements intérieurs cossus. Une adresse de caractère, propice à la découverte du pays d'Auge et des haras.

**GAGNY** *93 Seine-St-Denis* 305 G7 101 ⑱ – *voir à Paris, Environs.*

**GAILLAC** *81600 Tarn* 338 D7 *G. Midi-Pyrénées* – *10 378 h alt. 143.*

*Office du Tourisme, Abbaye St Michel ✆ 05 63 57 14 65, Fax 05 63 57 61 37.*

*Paris 664 – Toulouse 59 – Albi 26 – Cahors 89 – Castres 52 – Montauban 50.*

**Verrerie** Ⓜ, r. Égalité ✆ 05 63 57 32 77, *contact@la-verrerie.com, Fax 05 63 57 32 27,* rest, – 20. AE GB JCB. rest
**Repas** *(fermé dim. soir du 15 oct. au 15 avril)* 13 bc (déj.), 20/33 – 7,50 – **14 ch** 47/62 – ½ P 31,50/39.
◆ Un minimusée évoque le passé de cette bâtisse bicentenaire, jadis verrerie puis fabrique de pâtes. Chambres modernes et pratiques, à choisir côté parc (belle bambouseraie).

**L'Occitan** sans rest, pl. Gare ✆ 05 63 57 11 52, *hotel.occitan@wanadoo.fr, Fax 05 63 57 56 18* – AE GB
*fermé week-ends de nov. à mars* – 5,50 – **13 ch** 23/43.
◆ Hôtel de gare traditionnel aux chambres assez spacieuses, disposant parfois d'un confort sanitaire modeste. L'ancien bar a été aménagé en salle de petit-déjeuner.

**Les Sarments,** 27 r. Cabrol (derrière abbaye St-Michel) ✆ 05 63 57 62 61, *Fax 05 63 57 62 61* – GB.
*fermé 16 déc. au 13 janv., 17 fév. au 10 mars, merc. soir de sept. à juin, dim. soir et lundi* – **Repas** 23/44.
◆ Découvrez le Gaillac viticole avec ce chai médiéval voisin de la maison des Vins. Coquet restaurant voûté égayé de tableaux, carte traditionnelle et dives bouteilles.

**Table du Sommelier,** 34 pl. Thiers ✆ 05 63 81 20 10, *Fax 05 63 81 20 10,* GB
*fermé dim. sauf juil.-août et lundi* – **Repas** 15/30.
◆ Avec une telle enseigne, nul doute, c'est Bacchus que l'on célèbre dans ce "bistrot-boutique" : belle carte des vins, au verre ou en bouteille, et dégustations de crus locaux.

**GAILLAN-EN-MÈDOC** *33 Gironde* 335 F3 – *rattaché à Lesparre-Médoc.*

**GAILLON** *27600 Eure* 304 I7 *G. Normandie Vallée de la Seine – 6 303 h alt. 15.*

*Syndicat d'Initiative, 1 place de l'Eglise ☏ 02 32 53 08 25.*

*Paris 93 – Rouen 47 – Les Andelys 13 – Évreux 25 – Vernon 15.*

XX **Grain de Sel,** 12 r. P. Brossolette ☏ 02 32 53 51 10, – AE GB
*fermé 30 juil. au 15 août, 24 déc. au 3 janv., dim. soir, mardi soir, merc. soir et lundi* – **Repas** 17/36 ♀.
◆ La façade de cette maison située en plein coeur de la petite cité est agrémentée de colombages. Chaleureux cadre rustique et ambiance conviviale ; cuisine traditionnelle.

**à Vieux-Villez** *ouest : 4 km par N 15 – 134 h. alt. 125 – ✉ 27600 :*

**Château Corneille,** ☏ 02 32 77 44 77, *chateau.corneille@wanadoo.fr, Fax 02 32 77 48 79,* – TV P – 35. AE GB
*fermé 18 au 31 août, sam. et dim.* – ***Closerie*** ☏ 02 32 77 42 97 *(fermé 11 août au 1er sept., 2 au 17 fév., sam. midi, dim. soir et lundi)* **Repas** 14,50/33 ♀, enf. 8 – 9,50 – **18 ch** 77/114 – ½ P 58/70.
◆ Cette avenante demeure bourgeoise nichée dans un petit parc abrite des chambres confortables et refaites depuis peu. Quant au restaurant, il occupe une ancienne bergerie.

**GALÉRIA** *2B H.-Corse* 345 A5 – *voir à Corse.*

**GAMBAIS** *78950 Yvelines* 311 G3 – *1 730 h alt. 119.*

*Paris 56 – Dreux 27 – Mantes-la-Jolie 32 – Rambouillet 22 – Versailles 38.*

X **Auberge du Clos St-Pierre,** 2 bis r. Goupigny ☏ 01 34 87 10 55, *Fax 01 34 87 03 88,* – AE GB
*fermé 3 au 25 août, dim. soir, mardi soir et lundi* – **Repas** 22,50/31,50.
◆ La cuisine, bourgeoise, de cette auberge rustique sise dans la rue principale du village satisfera les appétits éveillés par des promenades en forêt de Rambouillet.

**GAN** *64290 Pyr.-Atl.* 342 J5 – *4 724 h alt. 210.*

*Paris 789 – Pau 10 – Arudy 17 – Lourdes 39 – Oloron-Ste-Marie 26.*

XX **Hostellerie L'Horizon** avec ch, chemin Mesplet ☏ 05 59 21 58 93, *eytpierre@aol.com, Fax 05 59 21 71 80,* ≤, , – TV P. GB
*fermé 3 fév. au 3 mars, 24 au 31 déc., dim. soir et lundi* – **Repas** 15/46, enf. 10 – 6 – **7 ch** 60 – ½ P 38,50/54.
◆ La salle à manger-véranda et la belle terrasse sont tournées vers un plaisant jardin planté de palmiers ; par beau temps, les Pyrénées ferment l'horizon. Chambres simples.

**GANGES** *34190 Hérault* 339 H5 *G. Languedoc Roussillon – 3 343 h alt. 175.*

Env. *Gorges de la Vis★★ SO – Grotte des Lauriers★ SE : 3 km – Grotte des Demoiselles★★★ SE : 9 km.*

*Paris 729 – Montpellier 43 – Alès 48 – Nîmes 59 – Le Vigan 19.*

XX **Les Norias** avec ch, à Cazilhac, Est sur D25 ☏ 04 67 73 55 90, *lesnorias@wanadoo.fr, Fax 04 67 73 62 08,* , – TV P. AE GB JCB
*fermé 13 nov. au 3 déc., vacances de fév., lundi soir et mardi hors saison* – **Repas** 19/54 ♀, enf. 10 – 7 – **11 ch** 51/54 – ½ P 48/50.
◆ Deux petites roues à aubes agrémentent le riant jardin de cette ancienne filature de bas au bord de l'Hérault. Salle à manger aux tables bien aérées, terrasse abritée.

**GANNAT** *03800 Allier* 326 G6 *G. Auvergne – 5 919 h alt. 345.*

Voir *Évangéliaire★ au musée municipal (château).*

*Office du Tourisme, place des Anciens d'AFN ☏ 04 70 90 17 78, Fax 04 70 90 19 45.*

*Paris 351 – Clermont-Ferrand 49 – Montluçon 76 – Moulins 57 – Vichy 20.*

XX **Frégénie,** 20 r. Frères Bruneau ☏ 04 70 90 04 65, *Fax 04 70 90 35 90* – GB
*fermé 22 au 29 avril, 18 août au 3 sept., 26 déc. au 6 janv., le soir, sauf vend., sam. et lundi* – **Repas** 14 (déj.), 21/41.
◆ Accueil chaleureux et cadre bourgeois dans cette maison de village proche des halles. Cuisine au goût du jour, belle carte des vins comportant des crus régionaux.

*Si le coût de la vie subit des variations importantes,*
*les prix que nous indiquons peuvent être majorés.*
*Lors de votre réservation à l'hôtel, faites-vous préciser le prix définitif.*

**GAP** P 05000 *H.-Alpes* 334 E5 *G. Alpes du Sud – 33 444 h alt. 735.*
Voir *Vieille ville★ – Musée départemental★.*
*Office du Tourisme, 12 rue Faure du Serre ☎ 04 92 52 56 56, Fax 04 92 52 56 57, office.TourismeGap@wanadoo.fr.*
*Paris 670 ① – Avignon 169 ④ – Grenoble 106 ① – Sisteron 53 ③ – Valence 158 ①.*

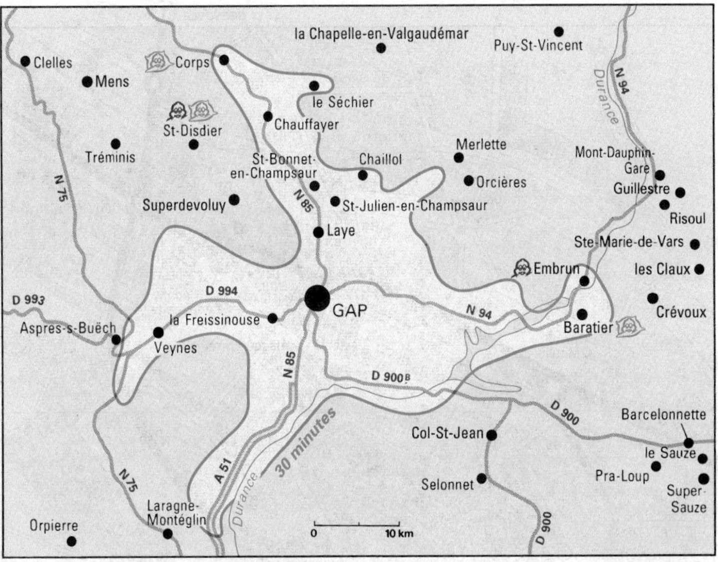

la Chapelle-en-Valgaudémar
Puy-St-Vincent
Clelles
Corps
Mens
le Séchier
Durance
N 94
Chauffayer
St-Disdier
Tréminis
Merlette
Mont-Dauphin-Gare
St-Bonnet-en-Champsaur
Chaillol
Orcières
Guillestre
N 75
Superdevoluy
N 85
St-Julien-en-Champsaur
Risoul
Laye
Ste-Marie-de-Vars
Embrun
les Claux
D 993
D 994
GAP
N 94
Crévoux
Aspres-s-Buëch
la Freissinouse
Baratier
Veynes
N 85
D 900B
D 900
Barcelonnette
30 minutes
Col-St-Jean
le Sauze
A 51
Pra-Loup
N 75
Selonnet
Super-Sauze
Durance
Laragne-Montéglin
0
10 km
D 900
Orpierre


**Porte Colombe,** 4 pl. F. Euzières ☎ 04 92 51 04 13, *Fax 04 92 52 42 50* – AE GB Z n
**Repas** *(fermé 25 avril au 18 mai, 2 au 18 janv., vend., sam. et dim.)* (dîner seul.) 21/26, enf. 10 – 6,50 – **27 ch** 38/60 – ½ P 43/45.
◆ À l'emplacement d'une ancienne porte de la cité, immeuble aux chambres confortables et bien insonorisées. Terrasse panoramique sur le toit, offrant une vue sur la ville.

**Kyriad** sans rest, par ③ : *2,5 km (près piscine), rte Sisteron* ☎ 04 92 51 57 82, *Fax 04 92 51 56 52,* – AE GB
6,50 – **26 ch** 58.
◆ Aux portes de Gap, sur la route Napoléon, hôtel disposant de chambres fraîches et spacieuses, aménagées de part et d'autre du jardin, où l'on petit-déjeune à la belle saison.

**Clos** , par ① *rte Grenoble et chemin privé* ☎ 04 92 51 37 04, *leclos@lemel.fr, Fax 04 92 52 41 06,* – 15. GB
**Repas** *(fermé 27 oct. au 11 nov., dim. soir et lundi hors saison)* 16,50/28,50 , enf. 9,50 – 6 – **29 ch** 42/55,50 – ½ P 44.
◆ Côté hôtel, chambres fonctionnelles, dotées pour moitié d'un balcon ; côté restaurant, salle à manger prolongée d'une véranda. Jardin arboré avec jeux pour les enfants.

**Grille** sans rest, 2 pl. F. Euzières ☎ 04 92 53 84 84, *ecrire@hotel-lagrille.fr, Fax 04 92 52 42 38* – cuisinette AE GB JCB Z r
5,70 – **28 ch** 55.
◆ Régulièrement rénové en terme de confort, cet immeuble des années 1970 conserve en partie son cadre tendance "seventies". Chambres de bonne ampleur ; accueil familial.

**Ibis,** 5 bd G. Pompidou ☎ 04 92 53 57 57, *ibisgap@wanadoo.fr, Fax 04 92 53 38 15,* – – 30 à 50. AE GB Y x
**Repas** *(12)* - 15 , enf. 6 – 5,50 – **61 ch** 55/63.
◆ Vous trouverez ici toutes les prestations habituelles à la chaîne, y compris un double vitrage efficace. Possibilité de restauration en terrasse l'été. Accueil prévenant.

**Ferme Blanche** , par ① *et rte secondaire : 2 km (vers Romette)* ☎ 04 92 51 03 41, *la.ferme.blanche@wanadoo.fr, Fax 04 92 51 35 39,* – AE GB
**Repas** *(fermé nov. et le midi sauf dim. et lundi)* 20/68 , enf. 9 – 7 – **23 ch** 43/74 – ½ P 40/56.
◆ Ferme du 18e s. où les chambres, simples et champêtres, sont plus confortables côté façade. Salon et salle des petits-déjeuners sous de belles voûtes en briques.

# GAP



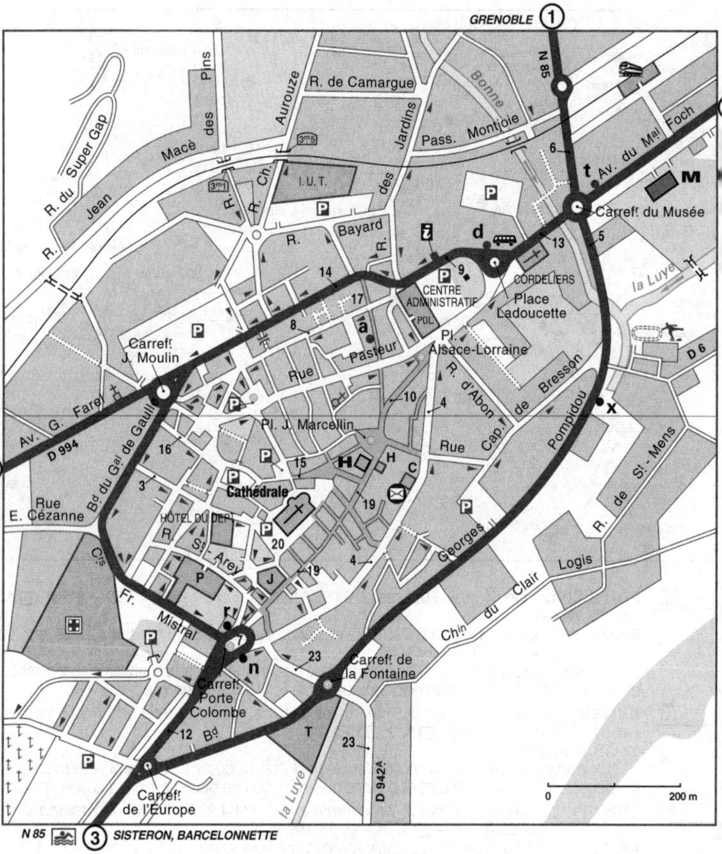

GRENOBLE 1
N 85
R. de Camargue
Bonne
Pass. Montjoie
Av. du Mal Foch
I.U.T.
R. du Super Gap
R. Jean Macé
R. des Pins
Aurouze
R. des Jardins
R. Bayard
Carref. du Musée
CORDELIERS
Place Ladoucette
CENTRE ADMINISTRATIF
POL.
la Luye
Pl. Alsace-Lorraine
Carref. J. Moulin
Rue Pasteur
Pl. J. Marcellin
R. d'Abon
Rue Cap. de Bresson
Pompidou
Av. G. Farel
D 994
Bd du Gal de Gaulle
Cathédrale
HÔTEL DU DEPT
R. St-Arey
Rue E. Cézanne
Crs Fr. Mistral
Georges
R. de St-Mens
Logis
Chin du Clair
Carref. de la Fontaine
Carref. Porte Colombe
Bd
Carref. de l'Europe
la Luye
D 942A
D 6
0
200 m
4 NYONS DIE, VALENCE
N 85 3 SISTERON, BARCELONNETTE
Y
Z


**XXX** **Patalain,** 2 pl. Ladoucette ✆ 04 92 52 30 83, *sarl-le-patalain@wanadoo.fr,* Y d
*Fax 04 92 52 30 83,* ☂, ⛱ – P. AE ⓪ GB JCB
*fermé 20 déc. au 5 janv., dim. et lundi* – **Repas** 32/35, enf. 11,50 - ***Bistro du Patalain :*** **Repas** (14)-16/20 ♀, enf. 11,50.

◆ Belle maison de maître dans un jardin arboré. Au choix : cuisine classique dans les salles à manger confortablement bourgeoises ou plats du terroir au Bistro du Patalain.

**XX** **Pasturier,** 18 r. Pérolière ✆ 04 92 53 69 29, *Fax 04 92 53 30 91,* ☂ – AE GB Y a
*fermé 29 juin au 14 juil., 4 au 19 janv., lundi sauf le soir en juil.-août et dim. sauf fériés* – **Repas** 23/54, enf. 11.

◆ Petit restaurant niché dans une rue piétonne de la vieille ville. Cuisine régionale et carte des vins fournie sont proposées dans un cadre rustique fleuri et en terrasse.

**X** **Grangette,** 1 av. Foch ✆ 04 92 52 39 82 – GB Y t
*fermé 16 au 31 juil., 14 au 31 janv., dim. soir et lundi* – **Repas** 16,50/27,50.

◆ La visite des riches collections du musée départemental vous a ouvert l'appétit ? Rendez-vous dans ce restaurant voisin pour y savourer des plats traditionnels.

**Pique Feu,** par ③ : *2,5 km, (près piscine) rte Sisteron* ✆ 04 92 52 16 06, ☂, – P. GB
*fermé 28 juin au 11 juil., dim. soir et lundi* – **Repas** 17,50/24,50 ♀, enf. 9.
◆ Le tisonnier de l'enseigne annonce le gril à feu de bois qui trône dans la salle à manger rustique. Cuisine simple privilégiant les viandes. Terrasse-jardin sur l'arrière.

**à la Freissinouse** *par ④ : 9 km – 365 h. alt. 965 – ✉ 05000 :*

**Azur,** D 994 ✆ 04 92 57 81 30, *@.hotelazur-fr.com, Fax 04 92 57 92 37,* – TV P. GB
**Repas** 14/24, enf. 8 – 5 – **45 ch** 41/52 – ½ P 44/49.
◆ Hôtel disposant de chambres pratiques et colorées. De l'autre côté de la route, un parc avec étang, piscine, jeux et annexe-chalet comprenant deux duplex pour les familles.

## GARCHES *92 Hauts-de-Seine 311 J2 101 ⑭ – voir à Paris, Environs.*

## La GARDE *04 Alpes-de-H.-P. 334 H10 – rattaché à Castellane.*

## La GARDE *48 Lozère 330 H5 – rattaché à St-Chély-d'Apcher.*

*Donnez-nous votre avis sur les tables que nous recommandons, sur leurs spécialités et leurs vins de pays.*

## La GARDE-ADHÉMAR *26700 Drôme 332 B7 G. Vallée du Rhône – 1 108 h alt. 178.*

**Voir** *Église★ – ≤★ de la terrasse.*
*Syndicat d'Initiative, rue Marquis de la Baume ✆ 04 75 04 40 10, Fax 04 75 04 43 44.*
*Paris 629 – Montélimar 24 – Nyons 42 – Pierrelatte 7.*

**Logis de l'Escalin** M, Nord : 1 km par D 572 ✆ 04 75 04 41 32, *info@lescalin.com, Fax 04 75 04 40 05,* – TV P. AE GB. ch
*fermé 22 au 25 avril, dim. soir, mardi midi et lundi* – **Repas** 20/68 ♀ – 11 – **16 ch** 65/70 – ½ P 56/62.
◆ Cette ferme aurait pu voir naître Escalin, baron de la Garde et ambassadeur de François 1er. Chambres colorées, salle à manger provençale et agréable terrasse ombragée.

## La GARDE-FREINET *83310 Var 340 N6 G. Côte d'Azur – 1 465 h alt. 380.*

*Office du Tourisme, 1 place Neuve ✆ 04 94 43 67 41, Fax 04 94 43 08 69, ot-lgf@club internet.fr.*
*Paris 855 – Fréjus 41 – Brignoles 47 – Hyères 54 – Toulon 71 – St-Tropez 21 – Ste-Maxime 21.*

**Faücado,** ✆ 04 94 43 60 41, – AE GB
*fermé 10 janv. au 10 mars, mardi sauf le soir en juil.-août et fériés* – **Repas** 26 (déj.), 33,60/57,70.
◆ En contrebas de la route, établissement très attrayant avec sa sympathique terrasse fleurie en façade. Intime salle à manger provençale ; cuisine traditionnelle.

## La GARDE-GUÉRIN *48800 Lozère 330 L8 G. Languedoc Roussillon.*

**Voir** *Donjon ★ – Belvédère du Chassezac★★.*
*Paris 614 – Alès 60 – Aubenas 68 – Florac 71 – Langogne 36 – Mende 58.*

**Auberge Régordane**, ✆ 04 66 46 82 88, *Fax 04 66 46 90 29,* – TV. GB
*18 avril-28 sept.* – **Repas** *(fermé mardi midi sauf juil.-août)* 16/29 ♀, enf. 9 – 7 – **15 ch** 47/58 – ½ P 48/53.
◆ Sur l'antique voie Régordane reliant l'Auvergne au Languedoc, demeure du 16e s. au coeur d'un village médiéval fortifié. Un intérieur de caractère dans un site dépaysant.

## La GARENNE-COLOMBES *92 Hauts-de-Seine 311 J2 101 ⑭ – voir à Paris, Environs.*

## GARETTE *79 Deux-Sèvres 322 C7 G. Poitou Vendée Charentes – ✉ 79270 Sansais.*

*Paris 420 – La Rochelle 60 – Fontenay-le Comte 28 – Niort 12 – St-Jean-d'Angély 60.*

**Les Mangeux de Lumas,** (accès piétonnier en été) ✆ 05 49 35 93 42, *Fax 05 49 35 82 89,* – GB
*fermé 4 au 19 janv., lundi soir, merc. soir sauf juil.-août et mardi* – **Repas** *(15)* - 22/46 ♀, enf. 10.
◆ Typique du Marais poitevin, le double accès de la maison guide vos pas vers les terrasses : côté rue ou côté conche. Spécialités de petits-gris ou "lumas". L'été, formule grill.

**GARNACHE** *85 Vendée* 316 F6 – *rattaché à Challans.*

**GARONS** *30 Gard* 339 L6 – *rattaché à Nîmes.*

**GASNY** *27620 Eure* 304 J7 – *2 957 h alt. 36.*

*Paris 76 – Rouen 71 – Évreux 43 – Mantes-la-Jolie 24 – Vernon 10 – Versailles 67.*

XX **Auberge du Prieuré Normand,** 1 pl. République ☎ 02 32 52 10 01, 🏠 – GB
*fermé 1er au 24 août et 21 fév. au 7 mars* – **Repas** 14 (déj.), 22/29 ♀.
◆ Depuis la Roche-Guyon, votre route vous mènera le long des boves crayeuses à cette sympathique auberge villageoise où vous attend une cuisine traditionnelle soignée.

**GASSIN** *83580 Var* 340 O6 *G. Côte d'Azur – 2 622 h alt. 200.*

**Voir** *Terrasse des Barri* ≤★.

**Env.** *Moulins de Paillas* ☀★★ *SE : 3,5 km.*

*Paris 874 – Fréjus 33 – Le Lavandou 31 – St-Tropez 9 – Ste-Maxime 14 – Toulon 69.*

XX **Auberge la Verdoyante,** Nord : 2 km par rte St-Tropez et chemin privé ☎ 04 94 56 16 23, *Fax 04 94 56 43 10*, ≤, 🏠 – P. GB
*1er avril-20 oct. et fermé merc. sauf le soir en juil.-août* – **Repas** 24/31.
◆ Auberge nichée dans un écrin de verdure. Goûtez à sa cuisine régionale, sur la terrasse dominant le golfe de St-Tropez ou dans une salle rustique avec cheminée.

*Nos guides hôteliers, nos guides touristiques et nos cartes routières sont complémentaires. Utilisez-les ensemble.*

**GAURIAC** *33710 Gironde* 335 H4 – *809 h alt. 50.*

*Paris 551 – Bordeaux 41 – Blaye 11 – Jonzac 56 – Libourne 38.*

X **Filadière,** Ouest : 2 km sur D 669E1 ☎ 05 57 64 94 05, *Fax 05 57 64 94 06*, ≤, 🏠 – P. GB
*fermé 1er au 14 déc., mardi soir du 15 sept. au 30 juin et merc.* – **Repas** 14 (déj.), 23/28 ♀, enf. 8.
◆ La terrasse située au bord de l'estuaire de la Gironde est l'atout majeur de ce restaurant aménagé dans un ancien complexe de stockage pétrolier. Salle à manger colorée.

**GAVARNIE** *65120 H.-Pyr.* 342 L8 *G. Midi-Pyrénées – 177 h alt. 1350 – Sports d'hiver : 1 350/2 400 m* 11 .

**Voir** *Village*★ – *Cirque de Gavarnie*★★★ *S : 3 h 30.*

🅸 *Office du tourisme,* ☎ *05 62 92 49 10, Fax 05 62 92 41 00.*

*Paris 912 – Pau 97 – Lourdes 52 – Luz-St-Sauveur 20 – Tarbes 70.*

**Marboré,** ☎ 05 62 92 40 40, *hotel@lemarbore.com, Fax 05 62 92 40 30*, ≤, 🏠, – TV P – 25. AE GB.
*fermé 4 nov. au 20 déc.* – **Repas** 15/25 ♀ – ☕ 6 – **24 ch** 52,50 – 1/2 P 49,50.
◆ Chambres simples mais bien tenues, bar-pub "british" et salle à manger de style bistrot : ambiance conviviale garantie dans cet hôtel du 19e s. situé à l'entrée du cirque.

**GÉMENOS** *13420 B.-du-R.* 340 I6 *G. Provence – 5 025 h alt. 150.*

**Env.** *Parc de St-Pons*★ *E : 3 km.*

🅸 *Office du Tourisme, cours Pasteur* ☎ *04 42 32 18 44, Fax 04 42 32 15 49, contact@gemenos.com.*

*Paris 793 – Marseille 25 – Toulon 51 – Aix-en-Provence 39 – Brignoles 49.*

**Relais de la Magdeleine** , rd-pt de la Madeleine, N 396 ☎ 04 42 32 20 16, *Fax 04 42 32 02 26*, 🏠, , – TV P – 30. AE GB JCB
*15 mars-1er déc.* – **Repas** *(fermé merc. midi hors saison et lundi midi)* 41/53 ♀ – ☕ 13 – **24 ch** 120/152 – 1/2 P 102/123.
◆ C'est toute la Provence qui s'exprime dans cette élégante demeure du 18e s. : mobilier ancien, tomettes, tableaux, tissus... jusqu'au chant des cigales dans le parc !

**Parc** , Vallée St-Pons par D 2 : 1 km ☎ 04 42 32 20 38, *Fax 04 42 32 10 26*, 🏠, – TV P – 20. AE GB
**Repas** 24,90/33,70 ♀ – ☕ 8 – **11 ch** 48,80/81,70 – 1/2 P 49,50/61,30.
◆ Non loin du parc de St-Pons, une sympathique adresse, pleine de gaieté avec ses chambres colorées, sa salle à manger ouverte sur un riant jardin et sa terrasse ombragée.

**GÉNÉRARGUES** *30 Gard* 339 I4 – *rattaché à Anduze.*

**GENESTON** *44140 Loire-Atl.* 316 *G5 – 1 958 h alt. 28.*
*Paris 399 – Nantes 20 – La Roche-sur-Yon 47 – Cholet 60.*

XX **Pélican,** 13 pl. G. Gaudet ✆ 02 40 04 77 88, *Fax 02 40 04 77 88* – ▤. GB. ✂
*fermé 29 juil. au 23 août, vacances de fév., dim. soir, lundi et merc.* – **Repas** 19,50/29,50 ♀, enf. 6,50.
◆ Cette pimpante façade en bois peint dissimule deux petites salles à manger récemment rénovées dans les tons jaune et vert. Cuisine classique habilement mise au goût du jour.

**GENNES** *49350 M.-et-L.* 317 *H4 G. Châteaux de la Loire – 1 867 h alt. 28.*
Voir *Église★★ de Cunault SE : 2,5 km – Église★ de Trèves-Cunault SE : 3 km.*
*Office du Tourisme, square de l'Europe ✆ 02 41 51 84 14, Fax 02 41 51 83 48.*
*Paris 306 – Angers 33 – Bressuire 65 – Cholet 68 – La Flèche 46 – Saumur 20.*

**Aux Naulets d'Anjou** ⛰, 18 r. Croix de Mission ✆ 02 41 51 81 88, *Fax 02 41 38 00 78*, ≤, ☂, ⛱, ⛟ – TV P – 🏛 20. GB
*fermé 1er fév. au 15 mars* – **Repas** *(fermé merc. soir et le midi sauf dim. et fériés)* 16,10/25 ♀ – ☕ 5,50 – **19 ch** 55 – ½ P 45.
◆ Construction des années 1970 dans la partie haute du village où il fait bon se détendre et se ressourcer après une journée de balade entre Anjou et Saumurois.

XX **L'Aubergade,** 7 av. Cadets ✆ 02 41 51 81 07, *Fax 02 41 38 07 85* – GB
*fermé vacances de fév., dim. soir hors saison, mardi soir et merc.* – **Repas** 25,50/44 ♀.
◆ Les "cadets de Saumur" se sont illustrés en 1940 dans les environs. Accueil hospitalier, mobilier rustique et cuisine influencée par le terroir caractérisent ce restaurant.

**GENSAC** *33890 Gironde* 335 *L6 – 752 h alt. 78.*
*Office du Tourisme, 5 place de l'Hôtel de Ville ✆ 05 57 47 42 37, Fax 05 57 47 46 63, gensac@free.fr.*
*Paris 554 – Bergerac 40 – Bordeaux 58 – Libourne 33 – La Réole 35.*

XX **Remparts** M ⛰ avec ch, 16 r. Château ✆ 05 57 47 43 46, *rempartsgensac@aol.com*, *Fax 05 57 47 46 76*, ≤, ⛟ – TV ✆ ♿ P. GB
*fermé 16 nov. au 31 déc. et en semaine en janv. et fév.* – **Repas** *(fermé dim. soir, mardi midi et lundi)* 22,60 (déj.), 28/38 ♀, enf. 11 – ☕ 6,50 – **7 ch** 55 – ½ P 52.
◆ Proche de l'église, agréable salle de restaurant offrant une vue panoramique sur la vallée. Chambres modernes aménagées dans un presbytère médiéval.

**au Nord-Ouest** *: 2 km – ✉ 33890 Juillac :*

XX **Belvédère,** ✆ 05 57 47 40 33, *le-belvedere@wanadoo.fr*, *Fax 05 57 47 48 07*, ≤, ☂ – P. AE ⓓ GB JCB
*fermé oct., mardi sauf le midi en juil.-août et merc.* – **Repas** 18 (déj.), 25/56 ♀.
◆ La bâtisse surplombe un méandre de la Dordogne. Frisette et poutres apportent au restaurant un chaleureux cachet "montagnard". Jolie mise en place et agréable terrasse.

**GENTILLY** *94 Val-de-Marne* 312 *D3* 101 ㉖ *– voir à Paris, Environs.*

**GÉRARDMER** *88400 Vosges* 314 *J4 G. Alsace Lorraine – 8 951 h alt. 669 – Sports d'hiver : 660/1 350 m* ⛷*31* ⛷ *– Casino* **AZ.**
Voir *Lac de Gerardmer★ – Lac de Longemer★ – Saut des Cuves★ E : 3 km par ①.*
*Office du Tourisme, 4 place des Déportés ✆ 03 29 27 27 27, Fax 03 29 27 23 25, info@gerardmer.net.*
*Paris 426 ③ – Colmar 52 ① – Épinal 41 ③ – Belfort 79 ② – St-Dié 28 ① – Thann 50 ②.*

Plan page suivante

**Grand Hôtel,** pl. Tilleul ✆ 03 29 63 06 31, *gerardmer-grandhotel@wanadoo.fr*, *Fax 03 29 63 46 81*, ☂, ⛱, ⛱, 🌲 – 🛗 ⇆ TV ✆ ♿ P – 🏛 20 à 100. AE ⓓ GB AZ f
***Grand Cerf*** *(fermé dim. soir, mardi midi et lundi sauf vacances scolaires)* **Repas** 25/45 ♀ – ***L'Assiette du Coq à l'Âne*** *(fermé merc.)* **Repas** *(10,50)*15,50/20,50 ♀, enf. 8,50 – ☕ 11 – **58 ch** 125/195, 4 appart – ½ P 85/120.
◆ Chambres rénovées dans une bâtisse du 19e s. située au coeur d'un vaste parc. Tradition au Grand Cerf et terroir à L'Assiette du Coq à l'Âne, dans le décor reconstitué d'une ferme régionale.

**Manoir au Lac** ⛰ sans rest, par ③ : *1 km rte d'Épinal* ✆ 03 29 27 10 20, *contact@manoir-au-lac.com*, *Fax 03 29 27 10 27*, ≤ lac, ⛱, 🌲 – TV ♿ 🚗 P – 🏛 20. AE ⓓ GB JCB. ✂
*fermé 12 au 28 nov.* – ☕ 20 – **12 ch** 130/270.
◆ Jadis fréquenté par Maupassant, typique chalet vosgien du 19e s. dans un parc. Ambiance "guesthouse", chambres raffinées, salon avec piano et superbe vue sur le lac.

GÉRARDMER
0
500 m
A
B
Y
Z
D 423 BRUYÈRES
D 417, COL DE LA SCHLUCHT, COLMAR
Rte DES CRÊTES, ST-DIÉ-DES-VOSGES
REMIREMONT, ÉPINAL
D 417
TOUR DU LAC
LA BRESSE, COL DU BALLON D'ALSACE
LURE, BELFORT
LA MAUSELAINE
Rte d'Épinal
BAIGNADE
CASINO
LAC
Square Dr Briffaut
ESPACE L.A.C.
D 69
D 486
Av. du 19 Novembre
Boulevard
Rue de la Haie Griselle
Rue de la Jamagne
Jamagne
R. de Lorraine
d'Alsace
Bd de St-Dié
Boulevard
Bd Kelsch
R. du Levant
R. de la République
Pl. du 8 Mai 1945
Gaulle
de
R. Carnot
Zone Piétonne en été
Garnier
Bd A.
R. du Lac
Pl. du Tilleul
MÉDIATHÈQUE DU TILLEUL
Rue du 152e R.I.
Rte de la Rayée
3m
12
6
8
3
9

Déportés (Pl. des) . **AY** 3
Ferry (Pl. Albert) . . . **AZ** 5
Gaulle (R. Ch.-de) . . . . . **ABZ**
Kelsch (Bd) . . . . . . . **BY**
Leclerc (Pl. Gén.) . . **AY** 6
Mitterrand (R. F.) . . . **AY** 8
Ville-de-Vichy (Av. de la) . . . . . . . **AZ** 9
Xettes (Bd des) . . . . **AY** 12

**Beau Rivage** M, esplanade du Lac ☎ 03 29 63 22 28, *hotel-beau-rivage@wanadoo.fr, Fax 03 29 63 29 83*, ← lac, ..., – ... **P**. AE GB — **AY e**

**Repas** 20 (déj.), 26/56 ♀ – ☕ 10 – **46 ch** 74/105 – ½ P 80/90.

◆ Enseigne sans équivoque : construction des années 1950 idéalement placée au bord du lac. Chambres récemment rajeunies et salle de restaurant panoramique. Accueil familial.

**Jamagne,** 2 bd Jamagne ☎ 03 29 63 36 86, *hotel.jamagne@wanadoo.fr, Fax 03 29 60 05 87*, ..., – ... **P** – 20 à 50. GB. rest — **AY g**

*fermé 9 au 28 mars, 2 nov. au 19 déc.* – **Repas** 13/23 ♀, enf. 8 – ☕ 9 – **48 ch** 55/85 – ½ P 55/60.

◆ Tenu depuis 1905 par la même famille. Chambres rénovées, lambrissées et dotées d'un mobilier de style régional. Spacieuses salles à manger. Belle piscine intérieure.

**Paix,** 6 av. Ville de Vichy ☎ 03 29 63 38 78, *hotel.delapaix@wanadoo.fr, Fax 03 29 63 18 53*, ... – ... **P**. GB. — **AZ s**

*fermé 17 nov. au 8 déc.* – ***Bistrot des Bateliers*** *(fermé merc. soir et jeudi sauf vacances scolaires et fériés)* **Repas** *(15)*- 20/35 ♀ – ☕ 8,50 – **24 ch** 68/87 – ½ P 57/71.

◆ Préférez les chambres refaites (joliment décorées) de cet hôtel familial en cours de rénovation. Cuisine classique, recettes du terroir et plats végétariens.

**Les Reflets du Lac** M sans rest, au bout du lac, par ③ : *2,5 km* ☎ 03 29 60 31 50, *pasc.bontemps@wanadoo.fr, Fax 03 29 60 31 51*, ← – ... **P**. GB

*fermé 3 nov. au 19 déc.* – ☕ 6,10 – **12 ch** 46/76.

◆ Le lieu de tournage des Grandes gueules (Bourvil et Lino Ventura) est situé à deux pas de ce plaisant chalet entièrement rénové. La moitié des chambres regarde le lac.

**Gérard d'Alsace** sans rest, 14 r. 152e R. I. ☎ 03 29 63 02 38, *gerard.dalsace.hotel@libertysurf.fr, Fax 03 29 60 85 21*, ..., – **P**. GB. — **AZ v**

*fermé 9 au 30 nov.* – ☕ 6,90 – **17 ch** 38/55.

◆ L'ensemble de l'établissement vient d'être mis au goût du jour. Colorées et accueillantes, les chambres sont toutefois d'un confort simple. Location de VTT sur place.

**Loges du Parc,** 12 av. Ville de Vichy ✆ 03 29 63 32 43, *les.loges.du.parc@wanadoo.fr, Fax 03 29 63 17 03,* , – . ch AZ u
*5 avril-5 oct. et 20 déc.-7 mars* – **Repas** (dîner seul.) 22/28 – 8 – **30 ch** 58/68 – ½ P 55/59,50.
◆ Petites chambres coquettes à proximité du casino. Accueillant salon de style tyrolien et deux salles à manger : cadre de jardin d'hiver ou décor plus sobre.

**Chalet du Lac,** par ③ : *1 km rte Épinal* ✆ 03 29 63 38 76, *Fax 03 29 60 91 63,* ≤ lac, –
*fermé oct.* – **Repas** 18,30/51,90 – 7,40 – **11 ch** 53,40 – ½ P 51,90.
◆ Fringant chalet vosgien de 1866 surplombant le lac. Chambres discrètement décorées, parfois pourvues de meubles régionaux. Salle de restaurant façon "stube".

**Viry,** pl. Déportés ✆ 03 29 63 02 41, *hotel-viry-aubergade@yahoo.fr, Fax 03 29 63 14 03,* – . AY a
***L'Aubergade*** *(fermé vend. soir hors saison et week-ends fériés)* **Repas** 12/40 ♀, enf. 8 – 7 – **17 ch** 57/60 – ½ P 53/56.
◆ Hôtel familial orné de fresques, comme au Tyrol. Chambres sobres, bien tenues. À l'Aubergade, chaleureuse ambiance paysanne et cuisine inspirée par le terroir.

**Bistrot de la Perle,** 32 r. Ch. de Gaulle ✆ 03 29 60 86 24, *Fax 03 29 60 86 24,* –
*fermé 1er au 24 oct., mardi soir et merc. hors saison* – **Repas** (9,50) - 14,50/20 ♀, enf. 6.
◆ Moderne et discrète petite devanture vitrée. Cuisine régionale actualisée servie dans une salle à manger aménagée façon bistrot ou en terrasse, au calme sur l'arrière. BZ b

**aux Bas Rupts** *par ② : 4 km – ✉ 88400 Gérardmer :*

**Chalet Fleuri** , ✆ 03 29 63 09 25, *bas-rupts@relaischateaux.com, Fax 03 29 63 00 40,* ≤, , , –
voir rest. ***Host. Bas-Rupts*** ci-après – 18 – **13 ch** 130/180 – ½ P 140/185.
◆ Toit pentu, façades de bois sombre et fleurissement en saison : ambiance chalet que renforce le beau décor rustique à l'autrichienne. Chambres personnalisées.

**Hostellerie des Bas-Rupts** (Philippe) avec ch, ✆ 03 29 63 09 25, *bas-rupts@relaischateaux.com, Fax 03 29 63 00 40,* ≤, , , , – rest, .
**Repas** (dim. et fêtes prévenir) 30 (déj.), 40/88 et carte 60 à 90 ♀, enf. 20 – 18 – **11 ch** 110/155 – ½ P 115/175.
◆ Les grandes baies de ce ravissant chalet ouvrent sur la forêt vosgienne. Intérieur raffiné et chaleureux. Cuisine soignée mariant terroir et inventivité. Chambres douillettes.
**Spéc.** Duo de langoustines et saumon fumé. Tripes au riesling à la crème et moutarde. Ruche glacée au miel de montagne. **Vins** Riesling, Tokay-Pinot gris.

**A la Belle Marée,** ✆ 03 29 63 06 83, *Fax 03 29 63 20 76,* ≤, – .
*fermé 23 juin au 4 juil., lundi et mardi* – **Repas** 22/50 ♀, enf. 10.
◆ Hublots et décor "paquebot" en acajou côté salle, vue sur les montagnes côté véranda, ou comment être "mené en bateau"... dans les "fjords" vosgiens ! Produits de la mer.

---

## GERBEROY *60380 Oise 305 C3 – 136 h alt. 180.*

*Syndicat d'initiative - Mairie, ✆ 03 44 82 33 63.*
*Paris 110 – Aumale 30 – Beauvais 22 – Breteuil 37 – Compiègne 82 – Rouen 63.*

**Hostellerie du Vieux Logis,** 25 r. Logis du Roy ✆ 03 44 82 71 66, *levieuxlogis@worldonline.fr, Fax 03 44 82 61 65,* –
*fermé vacances de Noël, de fév., du lundi soir au vend. soir de nov. à fév, mardi soir, dim. soir et merc. en saison* – **Repas** 19,50/42 ♀.
◆ Maison à l'entrée du vieux village fortifié désormais pris d'assaut par les fleurs, les peintres et les touristes. Cheminée et charpente découverte égayent la salle.

---

## GERMAGNY *71430 S.-et-L. 320 H9 – 166 h alt. 265.*

*Paris 362 – Chalon-sur-Saône 27 – Mâcon 54 – Montceau-les-Mines 28 – Paray-le-Monial 52.*

**Auberge La Gourmandière,** ✆ 03 85 49 25 46, *lagourmandiere@wanadoo.fr, Fax 03 85 49 25 73* –
*fermé 28 août au 10 sept., 22 au 31 déc., 26 fév. au 3 mars, mardi et merc.* – **Repas** 11/24,80 ♀, enf. 7,60.
◆ Petite auberge familiale toute simple au coeur du hameau. Intérieur d'esprit rustique, accueil sympathique, cuisine traditionnelle et spécialités bourguignonnes.

---

## GÉTIGNÉ *44 Loire-Atl. 316 I5 – rattaché à Clisson.*

*Donnez-nous votre avis sur les tables que nous recommandons, sur leurs spécialités et leurs vins de pays.*

**Les GETS** *74260 H.-Savoie* 328 N4 *G. Alpes du Nord – 1 287 h alt. 1170 – Sports d'hiver : 1 170/ 2 000 m* 5 47 .

Env. *Mont Chéry* ★★.

*Office du Tourisme,* 04 50 75 80 80, *Fax 04 50 79 76 90, lesgets@lesgets.com.*

*Paris 579 – Thonon-les-Bains 37 – Annecy 74 – Bonneville 33 – Cluses 20 – Morzine 7.*

**Labrador,** rte La Turche 04 50 75 80 00, *info@labrador-hotel.com, Fax 04 50 79 87 03,* ←, , , , , , – TV P. AE GB JCB. rest
*21 juin-7 sept. et 20 déc.-7 avril –* **St-Laurent** (dîner seul.) **Repas** 25/43 , enf. 10 – 10 – **23 ch** 150/230 – ½ P 110/150.
◆ Ce pimpant chalet en bois clair abrite des chambres rénovées, lambrissées et dotées de larges baies vitrées. Coquet restaurant sous charpente, grillades au feu de bois.

**Marmotte** M, 04 50 75 80 33, *info@hotel-marmotte.com, Fax 04 50 75 83 26,* ←, , – TV P. AE GB JCB. rest
*28 juin-7 sept. et 20 déc.-4 avril –* **Repas** (dîner seul.) (résidents seul.) 26/33 , enf. 13 – 10 – **43 ch** 210/245, 5 duplex – ½ P 165/200.
◆ L'hôtel est situé au pied des remontées mécaniques. Chambres refaites et restaurant ouvert sur les pistes. Un souterrain permet de rejoindre l'espace de remise en forme.

**Mont Chéry,** 04 50 75 80 75, *hotel.mont-chery@wanadoo.fr, Fax 04 50 79 70 13,* ←, , , – , rest, TV P. AE GB.
*hôtel : 1er juil.-31 août et 20 déc.-15 avril ; rest. : 20 déc.-15 avril –* **Repas** 31/43 – **25 ch** 100/210 – ½ P 105/210.
◆ Le mont Chéry domine la petite station familiale. Chambres relookées à la mode montagnarde. Confortable restaurant et terrasse ensoleillée face aux pistes. Plats traditionnels.

**Alpina** , par rte La Turche 04 50 75 80 22, *info@hotel-alpina74.com, Fax 04 50 75 83 48,* ←, , – TV P. AE GB. rest
*20 mai-20 sept. et 15 déc.-20 avril –* **Repas** 17 (déj.), 20/31, enf. 9 – 7,20 – **35 ch** 81/99 – ½ P 75.
◆ Ce chalet-hôtel surplombant la station a bénéficié d'une cure de jouvence : chambres rénovées dans le style alpin et nouveau décor tout bois dans la salle des repas.

**Alpages,** rte La Turche 04 50 75 80 88, *info@hotel.alpages.com, Fax 04 50 79 76 98,* ←, , – TV P. GB. rest
*hôtel : 1er juil.-31 août et 15 déc.-31 mars, rest : 15 déc.-31 mars –* **Repas** (dîner seul.) (½ pension seul.) 15/25 – 13 – **22 ch** (½ pens. seul.) – ½ P 148.
◆ Façade avenante, chambres fonctionnelles égayées de tissus colorés et salle de restaurant "montagnarde" : une pension de famille sans fard, à rejoindre "tout schuss".

**Bellevue,** 04 50 75 80 95, *bellevue.gets@wanadoo.fr, Fax 04 50 79 81 81,* ←, , – TV . GB. ch
*30 juin-6 sept. et 21 déc.-6 avril –* **Repas** 14 (déj.), 16,50/20 , enf. 8 – 7 – **16 ch** 130/150 – ½ P 85.
◆ Ce chalet situé au pied des pistes et à côté de l'école de ski vient d'être entièrement redécoré : chambres peu spacieuses mais très soignées et restaurant au cadre savoyard.

**Stella,** 04 50 75 80 40, *jmbaud@stella-galaxy.com, Fax 04 50 75 89 25,* – TV P – 40. AE GB. rest
*12 juil.-24 août et 20 déc.-10 avril –* **Repas** (résidents seul.)(½ pens. seul.) – 6 – **25 ch** 85/95 – ½ P 82/87.
◆ Cette adresse plaira aux internautes : accès au Net dans toutes les chambres, tout juste refaites et bien insonorisées, et Web bar. Douce ambiance dans la salle des repas.

**Bel'Alpe,** 04 50 79 74 11, *belalpe@portesdusoleil.com, Fax 04 50 79 80 99,* ←, , – TV P. GB
*20 juin-10 sept. et 15 déc.-20 avril –* **Repas** 13/23 , enf. 9 – 10 – **35 ch** 45/60 – ½ P 73.
◆ Chalet traditionnel adapté à une clientèle familiale ("club enfant" en hiver). Chambres rénovées avec sérieux et agréable restaurant ménageant le coup d'oeil sur la station.

**Régina,** 04 50 75 80 44, *hotelpla@wanadoo.fr, Fax 04 50 79 87 29* – TV. GB. rest
*hôtel : juil.-août et 22 déc.-15 avril et rest. : 21 déc.-5 avril et fermé mardi midi –* **Repas** 14/32 – 7 – **21 ch** 55/76 – ½ P 72/75.
◆ Dans le centre du village, à deux pas des remontées mécaniques, un mignon chalet de couleur claire aux chambres douillettes et à la salle à manger "tout bois".

**Crychar** sans rest, par rte La Turche 04 50 75 80 50, *info@crychar.com, Fax 04 50 79 83 12,* ←, , – TV P. AE GB.
*20 déc.-17 avril et 1er juil.-31 août –* 12 – **15 ch** 155/160.
◆ Cirque blanc l'hiver, alpages verdoyants l'été : la petite bâtisse propose des chambres simples dotées de balcons, dans un environnement qui séduira les sportifs.

*Les principales voies commerçantes figurent en* ***rouge*** *dans la liste des rues des plans de villes.*

## GEVREY-CHAMBERTIN 21220 Côte-d'Or 320 J6 *G. Bourgogne – 2 825 h alt. 275.*

*Office du Tourisme, 3 rue Gaston Roupnel ✆ 03 80 34 38 40, Fax 03 80 34 15 49, gevrey.info@wanadoo.fr.*
*Paris 315 ① – Beaune 32 ① – Dijon 12 ① – Dole 60 ①.*

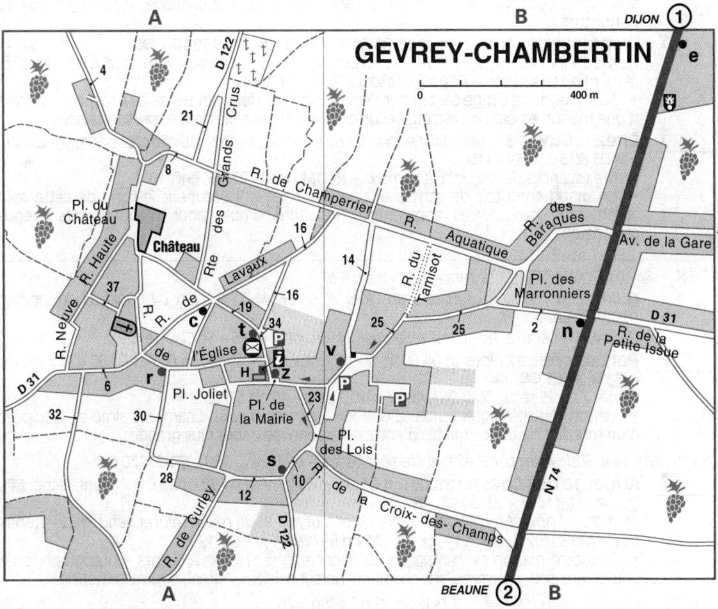

A
B
DIJON ①
GEVREY-CHAMBERTIN
0
400 m
e
D 122
Grands Crus
Rte des
21
4
8
R. de Champerrier
R. Aquatique
R. des Baraques
Av. de la Gare
Pl. du Château
Château
R. Haute
16
14
R. du Tamisot
Lavaux
R. de l'Église
19
34
16
25
25
Pl. des Marronniers
D 31
2
n
R. de la Petite Issue
37
R. Neuve
c
t
v
D 31
6
r
H
Z
Pl. Joliet
Pl. de la Mairie
23
32
30
Pl. des Lois
s
10
28
12
R. de la Croix-des-Champs
N 74
R. de Gurley
D 122
A
BEAUNE ②
B




**Grands Crus** sans rest, ✆ 03 80 34 34 15, *hotel.lesgrandscrus@ipac.fr, Fax 03 80 51 89 07,* – P. GB — A c
*1er mars-30 nov.* – ☐ 8 – **24 ch** 60/75.
◆ Les vignes des "grands crus" voisinent cette chaleureuse maison de village entourée d'un joli jardin fleuri. Chambres bourgeoises et salon de caractère.

**Arts et Terroirs** sans rest, N 74 ✆ 03 80 34 30 76, *arts-et-terroirs@wanadoo.fr, Fax 03 80 34 11 79,* – TV P. AE GB — B e
☐ 8 – **16 ch** 51/82.
◆ L'hôtel borde la nationale mais la plupart des chambres, de style Louis XV ou Empire, donnent sur l'arrière, au calme du jardin. Salon "Chesterfield" où trône un piano.

**Aux Vendanges de Bourgogne,** N 74 ✆ 03 80 34 30 24, *aux-vendanges-de-bourgogne@wanadoo.fr, Fax 03 80 58 55 44,* – TV P. GB — B n
*fermé 21 déc. au 5 janv.* – **Repas** *(fermé dim. et lundi)* (15) - 22/26, enf. 10 – ☐ 7 – **14 ch** 38/52 – ½ P 56/66.
◆ Maison fondée en 1864 abritant de petites chambres meublées simplement, qu'un double vitrage tente d'isoler des bruits de la nationale. Salle à manger rustique.

**Les Millésimes,** 25 r. Église ✆ 03 80 51 84 24, *lesmillesimes@lesmillesimes.fr, Fax 03 80 34 12 73,* – P. AE GB — A r
*fermé 10 déc. au 25 janv., merc. midi, dim. midi et mardi* – **Repas** 54/98 et carte 80 à 100.
◆ Élégante salle à manger aménagée dans les caves voûtées d'un cellier du 18e s. On y marie l'or de la côte à une cuisine au goût du jour inspirée par le terroir.

XXX **Rôtisserie du Chambertin,** ✆ 03 80 34 33 20, *Fax 03 80 34 12 30* – ▤ P. GB JCB A s
*fermé 1er au 15 août, 7 au 28 fév., dim. soir, mardi midi et lundi* – **Repas** 32/66 et carte 33 à 78 ♀, enf. 13 - ***Le Bonbistrot* :** Repas carte 20 à 28 ♀.
♦ Remonter de la salle voûtée peut être une épreuve, car la carte comporte une séduisante sélection de chambertins ! Minimusée de la tonnellerie. Plats régionaux au Bonbistrot.

XX **Sommellerie,** 7 r. Souvert ✆ 03 80 34 31 48, *Fax 03 80 58 52 20* – GB A t
*fermé 29 juin au 10 juil., 21 déc. au 13 janv. et 29 fév. au 8 mars, dim. sauf fériés, lundi et jeudi midi hors saison* – **Repas** 16,80 (déj.), 23/62, enf. 10.
♦ Au coeur de ce village tout entier dédié à Bacchus, deux petites salles à manger à l'étage d'une maison en pierre. Discrète décoration vigneronne et recettes personnalisées.

X **Chez Guy,** 3 pl. Mairie ✆ 03 80 58 51 51, *chez-guy@hotel-bourgogne.com, Fax 03 80 58 50 39* – GB A z
*fermé vacances de fév., mardi et merc.* – **Repas** (18,50) - 22/26, enf. 10.
♦ Un grand comptoir de service et une cheminée-gril occupent le fond de cette salle agrémentée de poutres apparentes. Un cadre simple pour d'appétissants menus régionaux.

---

**GEX** SP *01170 Ain* 328 J3 *G. Jura – 6 615 h alt. 626.*
*Office du Tourisme, square Jean Clerc ✆ 04 50 41 53 85, Fax 04 50 41 81 00, ot.paysdegex@wanadoo.fr.*
*Paris 491 – Genève 18 – Lons-le-Saunier 94 – Pontarlier 96 – St-Claude 42.*

**Parc** sans rest, av. Alpes ✆ 04 50 41 50 18, *hotel.parc@wanadoo.fr, Fax 04 50 42 37 29,* – TV P. AE GB.
*fermé 7 au 15 sept., 3 au 26 janv. et dim.* – ☕ 8 – **15 ch** 52/65.
♦ Maison familiale agrémentée d'une jolie terrasse fleurie. Chambres simples, équipées d'un mobilier rustique ; quatre d'entre elles, rénovées, sont plus grandes.

**à Echenevex** *Sud : 4 km par D 984c et rte secondaire – 997 h. alt. 580 – ✉ 01170 Gex :*

**Auberge des Chasseurs** , ✆ 04 50 41 54 07, *Fax 04 50 41 90 61,* ≤ Mont-Blanc, – TV P – 30. AE GB
*1er mars-11 nov. et fermé dim. soir et lundi sauf juil.-août, mardi midi et vend. midi* – **Repas** (prévenir) 31/52 ♀, enf. 13 – ☕ 10 – **15 ch** 69/130 – ½ P 88/120.
♦ Coquette maison de campagne au décor soigné : plafonds peints, photographies de Cartier-Bresson, oeuvres d'art, chambres personnalisées. Agréable terrasse fleurie.

**à Chevry** *Sud : 7 km par D 984c – 733 h. alt. 500 – ✉ 01170 :*

X **Auberge Gessienne,** ✆ 04 50 41 01 67, *Fax 04 50 41 01 67,* – P. GB
*fermé 30 juil. au 24 août, 4 au 20 fév., mardi soir, dim. soir et lundi* – **Repas** 11,50 (déj.), 21,60/44.
♦ Sur la traversée du village, ferme jurassienne assidûment fréquentée par les habitants de la "zone franche" qui apprécient sa cuisine régionale et son cadre rustique.

---

**GICOURT** *60 Oise* 305 F4 – *rattaché à Clermont.*

---

**GIEN** *45500 Loiret* 318 M5 *G. Châteaux de la Loire – 16 477 h alt. 162.*
Voir *Château★ : musée de la Chasse★★, terrasse du château ≤★* **M** – *Pont ≤★.*
Env. *Pont-canal★★ de Briare : 10 km par ②.*
*Office de tourisme, place Jean-Jaurès ✆ 02 38 67 25 28, Fax 02 38 38 23 16.*
*Paris 150 ① – Orléans 69 ④ – Auxerre 85 ② – Bourges 78 ③ – Cosne-sur-Loire 45 ②.*

Plan page ci-contre

**Axotel** M sans rest, 14 r. Bosserie, par ① *: 3 km* ✆ 02 38 67 11 99, *axotelgien.com@wanadoo.fr, Fax 02 38 38 16 61,* – ▤ TV P – 30. AE GB
☕ 10 – **48 ch** 51/60,50.
♦ À l'entrée Nord de la ville, hôtel récent à la façade passe-partout. Chambres spacieuses et confortables, équipées de meubles cérusés et égayées de tissus colorés.

**Anne de Beaujeu** sans rest, 10 rte Bourges par ③ ✆ 02 38 29 39 39, *hotel.a.beaujeu@wanadoo.fr, Fax 02 38 38 27 29* – TV P. AE GB JCB
*fermé 22 déc. au 7 janv.* – ☕ 8 – **30 ch** 43/60.
♦ Cette imposante construction de la rive gauche porte le nom de la célèbre comtesse de Gien. Cadre contemporain. Préférez les chambres situées sur l'arrière.

XX **Poularde** avec ch, 13 quai Nice ✆ 02 38 67 36 05, *Fax 02 38 38 18 78* – ▤ rest, TV. AE GB Z e
*fermé 1er au 15 janv., dim. soir et lundi midi* – **Repas** 24/51 ♀, enf. 9 – ☕ 8 – **9 ch** 41,50/53 – ½ P 44.
♦ En bordure du fleuve, cuisine traditionnelle servie dans une élégante salle à manger. Tableaux, chaises Louis XVI, vaisselle de Gien et argenterie. Chambres rénovées.

## GIEN

Anne-de-Beaujeu (R.) ...... Z 2
Bildstein (R. du Lt.) ....... Y 3
Briqueteries (R. des) ...... Y
Château (Pl. du) ........... Z
Clemenceau (R. G.) ........ Z 5
Curie (Place) ............... Y
Gambetta (R.) .............. Z 6
Hôtel-de-Ville (R. de l') ..... Z 7
Jean-Jaurès (Pl.) ........... Z 9
Jeanne-d'Arc (R.) .......... YZ
Joffre (Q. du Mar.) ......... Z
Leclerc (Av. du Mar.) ...... Z 12
Lenoir (Quai) ............... Z
Louis-Blanc (R.) ............ Z 13
Marienne
(R. de l'Adj.-Chef) ......... Z 15
Montbricon (R. de) ......... YZ
Noé (R. de) ................. Y
Paris (R. de) ............... YZ
Paul-Bert (R.) .............. Z 16
Président-Wilson (Av.) ..... Y 17
République (Av. de la) ..... Y 19
Thiers (R.) .................. Z 23
Verdun (R. de) .............. Y
Victor-Hugo (R.) ............ Z 24
Vieille-Boucherie (R.) ...... Z 25
Villejean (Av. J.) ........... Y

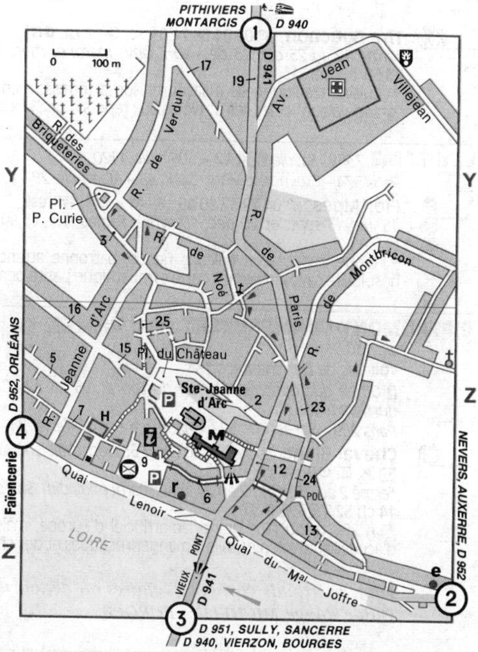

PITHIVIERS
MONTARGIS
D 940
1
0 100 m
R. des Briqueteries
R. de Verdun
D 941
Av. Jean Villejean
Pl. P. Curie
R. de Noé
R. de Paris
R. de Montbricon
R. Jeanne d'Arc
Pl. du Château
Ste-Jeanne d'Arc
M
H
P
r
e
Quai Lenoir
LOIRE
VIEUX PONT
D 941
Quai du Mal Joffre
D 952, ORLÉANS
Faïencerie
4
NEVERS, AUXERRE, D 952
2
3
D 951, SULLY, SANCERRE
D 940, VIERZON, BOURGES
Y
Z
POL


XX **Côté Jardin,** 14 rte Bourges par ③ ✆ 02 38 38 24 67, *Fax 02 38 38 24 67,* – . GB
*fermé 30 juin au 10 juil., vacances de fév., sam. midi, dim. soir et lundi* – **Repas** (nombre de couverts limité, prévenir) 18/44 ♀, enf. 13.
◆ Sympathique petit restaurant situé de l'autre côté... de la Loire. Aux murs de la salle à manger sont accrochées des natures mortes. Terrasse d'été. Cuisine au goût du jour.

X **Loire,** 18 quai Lenoir ✆ 02 38 67 00 75 – GB Z r
*fermé 24 fév. au 12 mars et lundi sauf fériés* – **Repas** 17/36 ♀.
◆ Sur les quais au pied du château (musée de la chasse), deux salles accueillantes : l'une est ornée de tableaux d'artistes locaux et l'autre, à l'étage, a vue sur la Loire.

X **P'tit Bouchon,** 66 r. B. Palissy (par r. Hôtel de Ville **Z**) ✆ 02 38 67 84 40, *Fax 02 38 67 84 40* – GB
*fermé 3 au 24 août, 21 déc. au 4 janv., sam. midi et dim.* – **Repas** 16 (déj.), 18/20 ♀.
◆ Ce p'tit bistrot-là n'a de lyonnais que le nom. On y sert des plats tout simples, suggérés à l'ardoise, et servis dans un cadre sans chichi. Accueil sympathique.

**au Sud par** ③ , *D 940 et rte secondaire : 3 km* – ✉ *45500 Poilly-lez-Gien :*

**Villa Hôtel** , ✆ 02 38 27 03 30, *Fax 02 38 27 03 43* – . GB
*fermé vacances de fév.* – **Repas** *(fermé vend., sam. et dim.)* (dîner seul.) (11) - 13 – ☕ 5 – **24 ch** 30 – ½ P 29.
◆ Hôtel pratique où l'on privilégie l'accueil et la convivialité. Chambres simples et bien tenues, salle à manger décorée d'assiettes de la faïencerie de Gien.

**GIENS** *83 Var* **340** L7 *G. Côte d'Azur* – ✉ *83400 Hyères.*
**Voir** *Ruines du château des Pontevès* ✱★★.
*Paris 867 – Toulon 29 – Carqueiranne 11 – Draguignan 88 – Hyères 10.*

Voir plan de Giens à Hyères..

**Provençal,** ✆ 04 98 04 54 54, *leprovencal@wanadoo.fr, Fax 04 98 04 54 40,* ←, , , , , – – 50. AE GB. rest X s
*12 avril-19 oct.* – **Repas** 23/45 ♀, enf. 12 – ☕ 14 – **41 ch** 75/116 – ½ P 90/110.
◆ Cet hôtel à flanc de colline vous offre l'agrément de son parc ombragé et fleuri, descendant en terrasses jusqu'à la mer. Chambres provençales, salle à manger panoramique.

XX **Tire Bouchon,** ☎ 04 94 58 24 61, ←, terrasse – ▤. GB — X a
*fermé 12 au 25 oct., 13 déc. au 7 janv., mardi et merc. sauf le soir en juil.-août* – **Repas** 23,50/30, enf. 13.
◆ Cuisine traditionnelle à savourer sur la terrasse - couverte en hiver - surplombant la "grande bleue" et les îles d'Hyères aux reflets d'or. Sympathique carte des vins.

---

**La GIETTAZ** *73590 Savoie* 333 L2 – *506 h alt. 1120.*
*Paris 574 – Chamonix-Mont-Blanc 48 – Albertville 28 – Chambéry 80 – Megève 16.*

**Flor'Alpes,** ☎ 04 79 32 90 88, ←, – GB. rest
*15 juin-15 sept. et 20 déc.-10 avril* – **Repas** (11) - 13,90/19,50 – ☐ 5,35 – **11 ch** 32/37 – ½ P 41.
◆ Tenue impeccable, balcons fleuris, patronne attentionnée : découvrez l'authentique hospitalité savoyarde dans cette sympathique petite pension jouxtant l'église.

---

**GIFFAUMONT-CHAMPAUBERT** *51290 Marne* 306 K11 *G. Champagne Ardenne – 227 h alt. 130.*
**Voir** *Lac du Der-chantecoq★★.*
*Office du Tourisme, Maison du Lac ☎ 03 26 72 62 80, Fax 03 26 72 64 69, Lac-du-der@wanadoo.fr.*
*Paris 209 – Bar-le-Duc 52 – Chaumont 69 – St-Dizier 24 – Vitry-le-François 29.*

**Cheval Blanc** ⑤, ☎ 03 26 72 62 65, *lechevalblanc6@aol.com, Fax 03 26 73 96 97,* terrasse – TV P. AE GB. ch
*fermé 2 au 23 sept., 2 au 24 janv., mardi midi, dim. soir et lundi* – **Repas** 20,50/55 ♀ – ☐ 7 – **14 ch** 52/75 – ½ P 53.
◆ À 200 m du plus grand lac artificiel d'Europe, maison offrant aux vacanciers "verts" d'accueillants salon et salle à manger rustiques et des chambres modernes et claires.



---

**GIGARO** *83 Var* 340 O6 – *rattaché à La Croix-Valmer.*

---

**GIGNAC** *34150 Hérault* 339 G7 – *3 652 h alt. 53.*
*Office du Tourisme, place du Gal Claparède ☎ 04 67 57 58 83, Fax 04 67 57 67 95.*
*Paris 724 – Montpellier 31 – Béziers 57 – Lodève 25 – Sète 57.*

XX **Les Liaisons Gourmandes - Capion,** 3 bd Esplanade ☎ 04 67 57 50 83, *liaisons-gourmandes.capion@wanadoo.fr, Fax 04 67 57 93 70* – ▤. AE ⓓ GB
*fermé mars, lundi sauf le soir en juil.-août, sam. midi et dim. soir hors saison* – **Repas** 16/45, enf. 9.
◆ Ce village de la vallée de l'Hérault est situé au coeur d'une région riche en curiosités naturelles. Restaurant contemporain. La spécialité "maison" : les croquettes de volaille.

---

**GIGONDAS** *84190 Vaucluse* 332 D9 *G. Provence – 612 h alt. 313.*
*Office du Tourisme, place du Portail ☎ 04 90 65 85 46, Fax 04 90 65 88 42, ot-gigondas@axit.fr.*
*Paris 666 – Avignon 39 – Nyons 31 – Orange 20 – Vaison-la-Romaine 16.*

**Les Florets** ⑤, Est : 2 km par rte secondaire ☎ 04 90 65 85 01, *Fax 04 90 65 83 80,* terrasse, – TV P. AE ⓓ GB
*fermé 1er janv. au 15 mars, lundi soir et mardi de nov. à avril et merc.* – **Repas** (nombre de couverts limités, prévenir) 23/37 – ☐ 11,50 – **15 ch** 85/120 – ½ P 84/101,50.
◆ Au pied des Dentelles de Montmirail, cette hôtellerie isolée dans la campagne séduira par ses chambres colorées, sa goûteuse cuisine du terroir et sa jolie terrasse fleurie.

X **L'Oustalet,** ☎ 04 90 65 85 30, *loustalet-gigondas@libertysurf.fr, Fax 04 90 65 85 30,* terrasse – AE GB
*fermé 15 nov. au 28 déc., dim. sauf le midi de Pâques au 15 sept. et lundi* – **Repas** 30 (déj.), 45/55.
◆ Sur la placette de ce charmant village viticole, dans une maison ancienne, on sert une sobre cuisine du marché arrosée de gigondas en pichet. Terrasse en teck.

---

**GILETTE** *06830 Alpes-Mar.* 341 D4 *G. Côte d'Azur – 1 024 h alt. 420.*
**Voir** ☼★★ *des ruines du château.*
*Syndicat d'Initiative, place du Dr Morani ☎ 04 93 08 57 19, Fax 04 93 08 52 70.*
*Paris 952 – Antibes 43 – Nice 37 – St-Martin-Vésubie 45.*

**à Vescous** *par rte de Rosquesteron (D 17) : 9 km – ✉ 06830 Gilette :*

**Capeline,** ☎ 04 93 08 58 06, *Fax 04 93 08 58 06,* – P. GB
*ouvert mars-oct., week-ends de nov. à fév. et fermé lundi –* **Repas** (prévenir) (déj. seul.) 17/24.
◆ Petite maison isolée au bord d'une route de la vallée de l'Esteron. La goûteuse cuisine du jour, annoncée verbalement, met en valeur les produits de la région. Décor rustique.

---

**GILLY-LÈS-CÎTEAUX** *21 Côte-d'Or* 320 J6 – *rattaché à Vougeot.*

---

**GIMBELHOF** *67 B.-Rhin* 315 K2 – *rattaché à Lembach.*

---

**GINASSERVIS** *83560 Var* 340 K3 – *911 h alt. 407.*
*Paris 786 – Aix-en-Provence 53 – Avignon 110 – Manosque 23 – Marseille 83 – Toulon 92.*

**Chez Marceau** avec ch, pl. G. Péri ☎ 04 94 80 11 21, *Fax 04 94 80 16 82,* – AE GB.
*fermé fév., mardi soir et merc.* – **Repas** 13 bc/45, enf. 7,50 – 6 – **5 ch** 35/46 – 1/2 P 36/42.
◆ Entre Durance et Verdon, cette sympathique auberge et sa terrasse sur la place vous feront plonger au coeur de la vie d'un petit village provençal. Cuisine traditionnelle.

---

**GINCLA** *11140 Aude* 344 E6 – *49 h alt. 570.*
Voir *Commune de la "Méridienne verte".*
*Paris 832 – Foix 88 – Perpignan 66 – Carcassonne 76 – Quillan 25.*

**Hostellerie du Grand Duc** ☎ 04 68 20 55 02, *host-du-grand-duc@ataraxie.fr, Fax 04 68 20 61 22,* – TV P. GB
*30 mars-3 nov.* – **Repas** *(fermé merc. midi sauf juil.-août)* 26/55, enf. 13 – 7 – **12 ch** 45,50/62 – 1/2 P 57/60,50.
◆ En pays cathare, maison de maître de caractère (18e s.) : pierres apparentes, boiseries et meubles anciens. Terrasse dressée face au jardin ombragé et à la fontaine.

---

**GIRMONT-VAL-D'AJOL** *88340 Vosges* 314 H5 – *242 h alt. 650.*
*Paris 393 – Épinal 42 – Colmar 93 – Mulhouse 80 – Vesoul 59.*

**au Nord-Est** *par D 83, D 57 et rte secondaire : 6,5 km – ✉ 88340 Le Girmont-Val d'Ajol :*

**Auberge de la Vigotte** ☎ 03 29 61 06 32, *courrier@lavigotte.com, Fax 03 29 61 07 88,* – P. GB
*fermé 12 nov. au 20 déc.* – **Repas** *(fermé mardi et merc.)* (16,50) - 22/35, enf. 8 – 8 – **18 ch** 51/64 – 1/2 P 52/56.
◆ Décor campagnard "cosy" et cuisine empruntant aux cinq continents : isolée dans un environnement plaisant (forêts, étangs), cette auberge vosgienne est une sympathique étape.

---

**GIROMAGNY** *90200 Ter.-de-Belf.* 315 E10 *G. Jura – 3 226 h alt. 495.*
*Office du Tourisme, Parc du Paradis des Loups ☎ 03 84 29 09 00, Fax 03 84 29 33 80.*
*Paris 420 – Épinal 81 – Mulhouse 47 – Belfort 15 – Lure 30 – Thann 33 – Le Thillot 32.*

**à Auxelles-Bas** *Ouest : 4 km par D 12 – 353 h. alt. 480 – ✉ 90200 :*

**Vieux Relais,** ☎ 03 84 29 31 80, *berthelp@wanadoo.fr, Fax 03 84 29 56 13* – GB
*fermé 1er au 15 sept., sam. midi d'oct. à avril, dim. soir et lundi* – **Repas** (11) - 15/31.
◆ Restaurant familial sur la route du Ballon d'Alsace. Coquette petite salle à manger aux tons pastel égayée d'une cheminée, et véranda récemment créée. Cuisine traditionnelle.

**rte du Ballon d'Alsace** *Nord : 7 km par D 465 – alt. 701 – ✉ 90200 Lepuix-Gy :*

**Saut de la Truite** avec ch, ☎ 03 84 29 32 64, *Fax 03 84 29 57 42,* – TV P. AE GB
*fermé 15 déc. au 1er fév. et vend.* – **Repas** 15/28, enf. 7 – 6 – **5 ch** 42 – 1/2 P 43.
◆ Pension de famille centenaire pour amoureux de la nature. Un joli jardin dégringole jusqu'à la Savoureuse qui forme à deux pas de là la cascade du Saut de la Truite.

---

**GIROUSSENS** *81 Tarn* 338 C8 – *rattaché à Lavaur.*

---

**GISORS** *27140 Eure* 304 K6 *G. Normandie Vallée de la Seine – 9 481 h alt. 60.*
Voir *Château fort★★ – Église St-Gervais et St-Protais★.*
*Office du Tourisme, 3 rue Baléchoux ☎ 02 32 55 14 60, Fax 02 32 27 38 28.*
*Paris 74 – Rouen 58 – Beauvais 33 – Évreux 67 – Mantes-la-Jolie 40 – Pontoise 38.*

**Moderne,** ☎ 02 32 55 23 51, *Fax 02 32 55 08 75* – TV ✆. AE GB
Repas *(fermé 4 au 25 août, 22 déc. au 3 janv., vend. soir, dim. soir et sam.)* 10,80/28 ♀ – ☕ 7,50 – **31 ch** 36/58 – ½ P 36/46.
◆ Cet hôtel familial situé face à la gare conviendra pour une étape. Chambres sobrement aménagées. La formule "table d'hôte" du restaurant garantit la convivialité.

**Cappeville,** 17 r. Cappeville ☎ 02 32 55 11 08, *pierre.potel@worldonline.fr, Fax 02 32 55 93 92* – AE GB JCB
*fermé 1er au 18 sept., 5 au 15 janv., merc. soir et jeudi* – **Repas** 18/36, enf. 10.
◆ Au coeur de la petite capitale du Vexin normand. Rénovée et parée de couleurs vives et fraîches, la salle n'en a pas moins conservé poutres patinées et cheminée.

**à Bazincourt-sur-Epte** *Nord : 6 km par D 14 – 496 h. alt. 55 – ✉ 27140 :*

**Château de la Rapée** ☾, Ouest : 2 km par rte secondaire ☎ 02 32 55 11 61, *infos@hotel-la-rapee.com, Fax 02 32 55 95 65,* ☂, ⛱, ♣ – TV P – 🏛 30. AE GB. ✂
*fermé 15 août au 1er sept. et 20 janv. au 1er mars* – **Repas** 28/37 – ☕ 10 – **14 ch** 79/124,50 – ½ P 69/75.
◆ La vallée de l'Epte, chérie par les peintres, constitue la toile de fond de ce manoir s'élevant dans un parc. Chambres spacieuses, mobilier ancien. Salle à manger bourgeoise.

**à St-Denis-le-Ferment** *Nord-Ouest : 7 km par rte secondaire et D 17 – 405 h. alt. 70 – ✉ 27140 :*

**Auberge de l'Atelier,** ☎ 02 32 55 24 00, *Fax 02 32 55 10 20,* ☂ – P. GB
*fermé 15 au 30 sept., mardi soir, dim. soir et lundi sauf fériés* – **Repas** 23,70/48,10 ♀.
◆ L'on se sent bien dans cette salle à manger : reposantes couleurs pastel, abondante décoration florale, sièges cannés et meubles de style. Cuisine traditionnelle.

---

## GIVET *08600 Ardennes* 306 K2 *G. Champagne Ardenne – 7 775 h alt. 103.*

Voir ≤★ *du fort de Charlemont★.*
ℹ *Office du Tourisme, place de la Tour Victoire ☎ 03 24 42 03 54, Fax 03 24 40 10 70, ot-givet@dial-oleane.com.*
*Paris 287 – Charleville-Mézières 58 – Fumay 24 – Rocroi 41.*

**Les Reflets Jaunes** M sans rest, 2 r. Gén. de Gaulle ☎ 03 24 42 85 85, *reflets-jaunes@wanadoo.fr, Fax 03 24 42 85 86* – ♿ ▤ TV ✆ ♿ P. AE ① GB
☕ 9,20 – **18 ch** 36,60/88,50.
◆ Hôtel récemment ouvert au coeur de la ville natale d'É. Mehul, l'auteur du Chant du départ. Chambres spacieuses et fonctionnelles ; certaines disposent d'un magnétoscope.

**Val St-Hilaire,** 7 quai des Fours ☎ 03 24 42 38 50, *Fax 03 24 42 07 36,* ☂ – TV ♿ P – 🏛 25. AE ① GB. ✂ ch
*Fermé 20 déc. au 15 janv.* – ***Auberge de la Tour :*** **Repas** 15(déj.) 18,30/29,50 ♀, enf. 12 – ☕ 7,70 – **20 ch** 45/53,50 – ½ P 48,80.
◆ Bâtisse moderne postée sur la rive gauche de la Meuse. Choisir entre la vue pittoresque sur le fleuve et le calme des chambres situées à l'arrière. Sobre salle à manger.

**Rivhôtel-Roosevelt** sans rest, 14 quai Remparts ☎ 03 24 42 14 14, *Fax 03 24 42 15 15* – ✂ TV ✆. GB
*fermé vend.* – ☕ 7,70 – **8 ch** 45/60,20.
◆ Maison ancienne convertie en hôtel sur une rive de la Meuse. Petites chambres principalement meublées en rotin. La salle des petits-déjeuners sert aussi de salon de thé.

---

## GIVORS *69700 Rhône* 327 H6 *G. Vallée du Rhône – 19 777 h alt. 156.*

ℹ *Office du Tourisme, 1 place de la Liberté ☎ 04 78 07 41 38, Fax 04 78 07 41 39, office.tourisme.fleuve@wanadoo.fr.*
*Paris 485 – Lyon 25 – Rive-de-Gier 17 – Vienne 12.*

**à Loire-sur-Rhône** *: 5 km par N 86, rte de Condrieu – 1 927 h. alt. 140 – ✉ 69700 :*

**Camerano,** ☎ 04 78 07 96 36, *Fax 04 72 49 99 94,* ☂ – P. GB
*fermé 2 au 25 août, 26 déc. au 4 janv., dim. soir, lundi soir et sam.* – **Repas** *(15)* - 22/51.
◆ La salle à manger habillée de boiseries de ce relais de poste fondé en 1833 a conservé son atmosphère "vieille France". Agréable terrasse ombragée sur l'arrière.

---

## GIVRY *71640 S.-et-L.* 320 I9 *G. Bourgogne – 3 340 h alt. 247.*

*Paris 343 – Chalon-sur-Saône 9 – Autun 47 – Chagny 15 – Mâcon 64.*

**Halle,** pl. Halle ☎ 03 85 44 32 45, *hotelleriedelahalle@wanadoo.fr, Fax 03 85 44 49 45,* ☂ – GB
*fermé 20 déc. au 2 janv., dim. et lundi* – **Repas** 19/50 ♀.
◆ Cet ancien couvent, transformé en auberge, jouxte la célèbre halle ronde du 19e s. Les salles à manger rustiques et la véranda servent de cadre à une cuisine au goût du jour.

**GLAINE-MONTAIGUT** *63160 P.-de-D.* 326 *H8 – 421 h alt. 350.*

*Paris 442 – Clermont-Ferrand 31 – Issoire 36 – Thiers 21.*

**Auberge de la Forge** avec ch, ☎ 04 73 73 41 80, *a.delaforge@wanadoo.fr, Fax 04 73 73 33 83,* – . AE GB

*fermé 1er au 20 sept.* – **Repas** *(fermé dim. soir et mardi)* 10,50 bc (déj.), 14/24 – ☐ 6 – **4 ch** 39/50 – 1/2 P 46.

◆ Face à la belle église romane, sympathique auberge refaite à l'ancienne (murs de pisé) et proposant une reconstitution de la forge du village (foyer, soufflet, enclume).

**GLANDELLES** *77 S.-et-M.* 312 *F6 – rattaché à Nemours.*

**GLUIRAS** *07190 Ardèche* 331 *J4 – 380 h alt. 800.*

*Paris 611 – Valence 47 – Le Cheylard 20 – Lamastre 33 – Privas 33.*

**Relais de Sully** avec ch, ☎ 04 75 66 63 41, *Fax 04 75 64 69 88,* – TV. GB

*fermé 21 au 28 déc., 1er fév. au 15 mars, dim. soir et merc. sauf juil.août* – **Repas** 14/34 ♀, enf. 8 – ☐ 5 – **4 ch** 23/31.

◆ Cette maison en pierre située au centre du village perché aurait été jadis un monastère. Salle à manger simple et véranda. Quatre petites chambres toutes neuves.

**GOLFE DE SANTA-GIULIA** *2A Corse-du-Sud* 345 *E10 – voir à Corse (Porto-Vecchio).*

*Michelin n'accroche pas de panonceau aux hôtels et restaurants qu'il signale.*

**Le GOLFE-JUAN** *06 Alpes-Mar.* 341 *D6 G. Côte d'Azur – ✉ 06220 Vallauris.*

*Office de tourisme, Vieux-Port ☎ 04 93 63 73 12, Fax 04 93 63 95 01.*

*Paris 911 – Cannes 7 – Antibes 5 – Grasse 23 – Nice 29.*

pour **Vallauris** voir plan de **Cannes**.

**Beau Soleil** M, impasse Beau-Soleil par N 7 (dir. Antibes) ☎ 04 93 63 63 63, *contact@hotel-beau-soleil.com, Fax 04 93 63 02 89,* , – TV P. AE GB.

*29 mars-11 oct.* – **Repas** (dîner seul.)(résidents seul.) 19 ♀ – ☐ 9 – **30 ch** 91/106 – 1/2 P 55,50/72.

◆ Cet hôtel récent, sis dans une impasse à 500 m de la plage du Midi et du théâtre de la Mer, vous propose des chambres colorées et bien entretenues (certaines avec balcon).

**Lauvert** sans rest, impasse des Hameaux de Beau-Soleil par N 7 (dir. Antibes) ☎ 04 93 63 46 06, *hotel.lauvert@wanadoo.fr, Fax 04 93 63 28 57,* , , – cuisinette TV P GB

*1er fév.-15 oct.* – ☐ 7 – **28 ch** 79.

◆ Immeuble des années 1980 abritant des chambres-studios fonctionnelles et décorées dans le style de l'époque. Lits d'appoint rabattables, loggia et cuisinette.

**de la Mer** M sans rest, N 7, 226 av. Liberté ☎ 04 93 63 80 83, *Fax 04 93 63 10 83,* – TV. AE GB

*29 mars-3 nov.* – ☐ 7 – **33 ch** 59/109.

◆ Pour pallier la proximité de la N 7, les chambres, sobres et actuelles, sont bien insonorisées et tournées sur l'arrière de l'immeuble ; certaines ont un balcon côté piscine.

**Tétou,** à la plage ☎ 04 93 63 71 16, *Fax 04 93 63 16 77,* < îles de Lérins, – P

*10 mars-31 oct. et fermé lundi midi et merc.* – **Repas** carte 92 à 120.

◆ Cette institution locale fondée en 1920 a gardé son ambiance de restaurant balnéaire de luxe. On y sert la bouillabaisse depuis toujours et une petite carte régionale.

**Spéc.** Bouillabaisse. Langouste grillée. Loup au four. **Vins** Bellet.

**Nounou,** à la plage ☎ 04 93 63 71 73, *Fax 04 93 63 46 91,* < îles de Lérins, , – P. AE GB JCB

*fermé 12 nov. au 25 déc., dim. soir hors saison, mardi en hiver et lundi* – **Repas** 32/56 ♀.

◆ Restaurant à même la plage, dont les baies vitrées s'ouvrent côté rivage. Cuisine de poissons et de coquillages, pour jouir totalement de la mer. Service de voiturier.

**à Vallauris** *Nord-Ouest : 2,5 km par D 135 – 24 325 h. alt. 120 – ✉ 06220.*

**Voir** *Musée national "la Guerre et la Paix" (château) – Musée de l'Automobile★ NO : 4 km.*

*Office du Tourisme, square du 8 mai 1945 ☎ 04 93 63 82 58, Fax 04 93 63 13 66, Tourisme.vgj@wanadoo.fr.*

**Val d'Auréa** sans rest et sans ☐, 11 bis bd M. Rouvier ☎ 04 93 64 64 29 – . GB V k

*1er avril-15 sept.* – **27 ch** 51.

◆ Petit hôtel familial disposant de chambres simples et fonctionnelles ; celles du 1er étage sont rafraîchies. Le petit-déjeuner est servi dans le café voisin.

**Gousse d'Ail,** 11 rte Grasse ✆ 04 93 64 10 71 – ▤. AE GB
*fermé 30 juin au 15 juil., 27 oct. au 12 nov., mardi sauf le midi de sept. à juin, dim. soir et lundi* – **Repas** 21/32 ♀, enf. 12.
◆ Avec une telle enseigne, pas de doute, c'est une cuisine régionale que l'on vous concocte ici. Cadre rustique agrémenté des fameuses céramiques locales.

---

**GORDES** *84220 Vaucluse* 332 E10 *G. Provence – 2 031 h alt. 372.*

*Voir Site★ - Village★ – Château : cheminée★ – Village des Bories★★ SO : 2 km par D 15 puis 15 mn – Abbaye de Sénanque★★ NO : 4 km – Pressoir★ dans le musée des Moulins de Bouillons S : 5 km.*

*Office du Tourisme, Le Château ✆ 04 90 72 02 75, Fax 04 90 72 02 26, office.gordes@wanadoo.fr.*

*Paris 717 – Avignon 38 – Apt 19 – Carpentras 26 – Cavaillon 17 – Sault 35.*

**Les Bories** M, rte Vénasque : 2 km ✆ 04 90 72 00 51, *lesbories@wanadoo.fr, Fax 04 90 72 01 22,* ≤ le Luberon, – 30. AE GB JCB. rest
*1er mars-5 janv.* – **Repas** *(fermé mardi midi et lundi hors saison sauf fériés)* (prévenir) 30 (déj.), 50/80 et carte 75 à 95 – 17 – **28 ch** 230/355 – ½ P 157/259,50.
◆ Luxueuses "bories" perdues dans la garrigue, entre lavande et oliviers. Ex-bergerie en guise de restaurant, terrasse ombragée, jardin aromatique et belle cuisine méridionale.
**Spéc.** Langoustines en kadaïf et oeuf poché vinaigrette. Saint-Pierre de Méditerranée, risotto d'épeautre au potiron. Bugnes aux olives vertes des Baux confites. **Vins** Viognier du Vaucluse, Côtes-du-Rhône villages.

**Bastide de Gordes** M, ✆ 04 90 72 12 12, *mail@bastide-de-gordes.com, Fax 04 90 72 05 20,* ≤ le Luberon, – 30. AE GB. rest
*fermé 2 janv. au 13 fév.* – ***Michel Del Burgo*** *(fermé dim. soir hors saison, mardi midi et lundi sauf fériés)* **Repas** 45-(déj.)85/115 ♀ – 23 – **37 ch** 498.
◆ Demeure du 16e s. à l'élégance toute provençale. Chambres tournées vers la vallée ou le pittoresque village. Auréolé d'un passé prestigieux (Taillevent à Paris), Michel Del Burgo s'installe à Gordes et concocte une prometteuse cuisine inventive. À suivre...

**Gacholle**, rte Murs par D 15 : 1,5 km ✆ 04 90 72 01 36, *la.gacholle.gordes@wanadoo.fr, Fax 04 90 72 01 81,* ≤ vallée, – GB. rest
*fermé 13 janv. au 14 fév.* – **Repas** *(fermé lundi)* 31/40 – 12 – **11 ch** 118/125.
◆ Chatoyants coloris provençaux, ferronneries, terre cuite... La bâtisse vient d'être rénovée dans le respect de la tradition. Atout maître : le panorama sur la vallée.

**Gordos** sans rest, rte Cavaillon : 1,5 km ✆ 04 90 72 00 75, *mail@hotel-le-gordos.com, Fax 04 90 72 07 00,* – AE GB
*15 mars-5 nov.* – 13 – **19 ch** 112/175.
◆ Ce mas récent en pierres sèches est posté à l'entrée du village. Quelques chambres de plain-pied avec le jardin à l'italienne, qu'embaument les plantes aromatiques.

**Les Romarins** sans rest, rte Sénanque ✆ 04 90 72 12 13, *info@romarins.com, Fax 04 90 72 13 13,* ≤ village, – GB
*fermé 23 nov. au 20 déc. et 4 janv. au 13 mars* – 10,50 – **11 ch** 92/145.
◆ Petit-déjeuner aux premiers rayons de soleil sur la terrasse de cette ferme centenaire dominant Gordes. Chambres de style Directoire, ou modernes dans l'annexe.

**rte d'Apt** *Est : par D 2 – ✉ 84220 Gordes :*

**Auberge de Carcarille**, à 4 km ✆ 04 90 72 02 63, *carcaril@club-internet.fr, Fax 04 90 72 05 74,* – GB. ch
*fermé 11 nov. au 28 déc. et vend. sauf le soir d'avril à sept.* – **Repas** 16/38 ♀, enf. 9,50 – 9 – **11 ch** 61/64 – ½ P 64/68.
◆ En contrebas du village. Cette plaisante construction en pierres sèches propose des chambres refaites dans un style provençal ; toutes possèdent un balcon ou une terrasse.

**Ferme de la Huppe**, à 5 km, rte Goult ✆ 04 90 72 12 25, *gerald.konings@wanadoo.fr, Fax 04 90 72 01 83,* – GB.
*28 mars- 30 nov.* – **Repas** *(fermé jeudi et le midi sauf dim.)* 28/45 ♀ – 5 – **9 ch** 115/165 – ½ P 58,50/108,50.
◆ Jolie fermette du 18e s. en pierres sèches, dont les chambres douillettes et fraîches se répartissent autour d'un puits. Salle de restaurant campagnarde.

**rte des Imberts** *Sud-Ouest : par D 2 – ✉ 84220 Gordes :*

**Mas de la Senancole** M, à 4 km ✆ 04 90 76 76 55, *gordes@mas-de-la-senancole.com, Fax 04 90 76 70 44,* – 15. AE GB
*fermé 3 janv. au 15 fév.* – **Repas** 30/60 ♀, enf. 9,90 – 13 – **21 ch** 125/207 – ½ P 93/146,50.
◆ La Sénancole coule à proximité de cet hôtel récent. Chambres insonorisées et agrémentées de meubles peints ; certaines possèdent une terrasse privative.

**aux Beaumettes** *Sud : 5,5 km par D 15 et D 103 – 219 h. alt. 127 – ✉ 84220 :*

**Bastide des 5 Lys**, N 100 ✆ 04 90 72 38 38, *info@bastide-des-5-lys.fr, Fax 04 90 72 29 90*, – GB
**Repas** *(avril-oct. et fermé dim. soir, mardi midi et lundi)* 31 (déj.), 38/81 – ☕ 15 – **18 ch** 139/231 – ½ P 134,50/180,50.
◆ Une allée de cyprès conduit à cette élégante bastide du 16^e^ s. Quelques chambres en rez-de-jardin, avec lits à baldaquin. Idyllique terrasse ombragée.

---

**GORGES DE LA RESTONICA** *2B H.-Corse* 345 *D6 – voir à Corse (Corte).*

---

**GORZE** *57680 Moselle* 307 *H4 G. Alsace Lorraine – 1 389 h alt. 300.*
*Office du Tourisme, 22 rue de l'Église ✆ 03 87 52 04 57, Fax 03 87 52 04 57.*
*Paris 319 – Metz 20 – Jarny 17 – Pont-à-Mousson 22 – St-Mihiel 42 – Verdun 54.*

**Hostellerie du Lion d'Or** avec ch, 105 r. Commerce ✆ 03 87 52 00 90, *Fax 03 87 52 09 62*, – 25. GB
*fermé dim. soir et lundi* – **Repas** 17 (déj.), 24/57 ⅀ – ☕ 7 – **15 ch** 46/56 – ½ P 47.
◆ Poutres, pierres et cheminées d'origine ont été judicieusement conservées dans ce relais de poste du 19^e^ s. On y sert une cuisine traditionnelle.

---

**GOSNAY** *62 P.-de-C.* 301 *I4 – rattaché à Béthune.*

*Dans ce guide*
*un même symbole, un même mot,*
*imprimé en* ***rouge*** *ou en* ***noir****, en maigre ou en* ***gras****,*
*n'ont pas tout à fait la même signification.*
*Lisez attentivement les pages explicatives.*

---

**GOUESNACH** *29950 Finistère* 308 *G7 – 1 769 h alt. 33.*
*Paris 565 – Quimper 14 – Bénodet 7 – Concarneau 20 – Pont-l'Abbé 16 – Rosporden 27.*

**Aux Rives de l'Odet**, ✆ 02 98 54 61 09, *Fax 02 98 54 73 21*, – AE GB
*fermé 22 déc. au 7 janv., dim. soir hors saison* – **Repas** 13,80 bc (déj.), 17,60/20,60 ⅀, enf. 8 – ☕ 4,60 – **30 ch** 45 – ½ P 41.
◆ Petit hôtel modeste voisin des berges de l'Odet. Atmosphère "années 1970" dans les chambres et aimable salle des repas tournée vers le jardin.

---

**La GOUESNIÈRE** *35350 I.-et-V.* 309 *K3 – 942 h alt. 22.*
*Paris 391 – St-Malo 13 – Dinan 26 – Dol-de-Bretagne 13 – Lamballe 57 – Rennes 66.*

**Maison Tirel-Guérin**, à la Gare (rte Cancale) : 1,5 km D 76 ✆ 02 99 89 10 46, *info@tirel-guerin.com, Fax 02 99 89 12 62*, rest, – 25 à 30. AE GB JCB
*fermé 8 déc. au 8 janv.* – **Repas** *(fermé dim. soir d'oct. à mars et lundi midi)* (dim. et fêtes prévenir) 21/75 et carte 50 à 70 ⅀ – ☕ 10,70 – **53 ch** 61/140, 5 appart – ½ P 75/125.
◆ Face à une gare de campagne, maison familiale aux multiples séductions : jardin fleuri, chambres personnalisées, goûteuse cuisine classique et service sans faille.
**Spéc.** Salade de caille poêlée, lames de truffe et foie gras. Homard bleu braisé. Pigeonneau fermier, sauce au thé et vinaigre de framboise.

**Château de Bonaban**, r. Alfred de Folliny ✆ 02 99 58 24 50, *chateau.bonaban@wanadoo.fr, Fax 02 99 58 28 41*, – 30. AE GB
**Repas** *(fermé 3-16/11, 2-22/2, jeudi midi de juin à sept., merc. sauf le soir en saison, lundi midi et mardi midi)* 23/40 ⅀, enf. 14 – ☕ 13 – **33 ch** 80/275 – ½ P 70/167.
◆ Ce château du 17^e^ s. décoré à l'américaine (copies de tableaux, fresques naïves, confrontation des styles) a conservé son escalier de marbre et ses boiseries d'origine.

---

**GOULT** *84220 Vaucluse* 332 *E10 – 1 281 h alt. 258.*
*Paris 719 – Apt 14 – Avignon 41 – Bonnieux 7 – Carpentras 35 – Cavaillon 19 – Sault 38.*

**Bartavelle**, r. Cheval Blanc ✆ 04 90 72 33 72, *Fax 04 90 72 33 72*, – GB
*début mars-mi-nov. et fermé mardi et merc.* – **Repas** (dîner seul. sauf dim. hors saison) 33 ⅀.
◆ Le "petit Marcel" et son chasseur de père auraient apprécié cette salle voûtée (réservée aux non-fumeurs), avec ses tomettes... rouges comme des bartavelles ! Plats régionaux.

**GOUMOIS** *25470 Doubs* 321 *L3 – 136 h alt. 490.*

Voir *Corniche de Goumois★★, G. Jura.*

*Paris 513 – Besançon 93 – Biel 42 – Montbéliard 55 – Morteau 49.*

**Taillard** , alt. 605 ☎ 03 81 44 20 75, *hotel.taillard@wanadoo.fr, Fax 03 81 44 26 15,* ← vallée du Doubs, , , , – TV P – 25. AE GB
*début mars-début nov.* – **Repas** *(fermé merc. sauf le soir d'avril à sept. et lundi midi de sept. à juin)* 20,50 (déj.), 26,50/46,50 ♀, enf. 12 – ☕ 9,40 – **18 ch** 45/83, 4 duplex – ½ P 60/93.
◆ Dans la famille depuis 1874, cette hôtellerie de la Corniche de Goumois se niche dans un écrin de verdure. Préférez les chambres de l'annexe. Salle à manger panoramique.

**Moulin du Plain** , Nord : 5 km par rte secondaire ☎ 03 81 44 41 99, *thomas.choulet@libertysurf.fr, Fax 03 81 44 45 70,* ←, – TV P. GB
*22 fév.-2 nov.* – **Repas** 14,90/31 ♀ – ☕ 6,60 – **22 ch** 37,20/55,80 – ½ P 43,70/50,20.
◆ Cette bâtisse postée au bord du Doubs dans un environnement forestier séduira en priorité les pêcheurs. Détail à leur intention : les chambres sont tournées vers la rivière.

**GOUPILLIÈRES** *14210 Calvados* 303 *J5 – 115 h alt. 162.*

*Paris 254 – Caen 24 – Condé-sur-Noireau 26 – Falaise 30 – Saint-Lô 61.*

**Auberge du Pont de Brie**  avec ch, Halte de Grimbosq, Est : 1,5 km ☎ 02 31 79 37 84, *contact@pontdebrie.com, Fax 02 31 79 87 22* – P. GB
*fermé 15 déc. au 8 fév., en semaine de nov. à déc., dim. soir d'oct. à fév., mardi de sept. à juin et lundi* – **Repas** 15,50/38,50 ♀, enf. 8 – ☕ 5,50 – **7 ch** 36/46 – ½ P 43/45.
◆ Petite auberge familiale isolée dans la vallée de l'Orne, port d'attache idéal pour une découverte de la Suisse normande. Salle à manger rustique et chambres bien tenues.

**GOURDON** *46300 Lot* 337 *E3 G. Périgord Quercy – 4 851 h alt. 250.*

Voir *Rue du Majou★ – Cuve baptismale★ dans l'église des Cordeliers – Esplanade ※★.*

Env. *Grottes de Cougnac★ NO : 3 km.*

*Office du Tourisme, 24 rue du Majou ☎ 05 65 27 52 50, Fax 05 65 27 52 52, gourdon-@wanadoo.fr.*

*Paris 544 – Cahors 44 – Sarlat-la-Canéda 26 – Bergerac 89 – Brive-la-Gaillarde 67 – Figeac 63.*

**Domaine du Berthiol** , Est : 1 km par D 704 ☎ 05 65 41 33 33, *le.berthiol@accesinter.com, Fax 05 65 41 14 52,* , , – , rest, TV P – 25. AE GB. rest
*1er avril-31 déc.* – **Repas** *(fermé dim. soir et lundi)* 23/39 ♀ – ☕ 10 – **29 ch** 73/75 – ½ P 72.
◆ Aux confins du Quercy et du Périgord, cette avenante demeure régionale est nichée dans un parc plaisant. Chambres claires au mobilier fonctionnel.

**Hostellerie de la Bouriane** , pl. Foirail ☎ 05 65 41 16 37, *hotellabouriane@dial.oleane.com, Fax 05 65 41 04 92,* – , rest, TV P. AE GB.
*fermé 15 janv. au 10 mars, dim. soir et lundi du 15 oct. au 30 avril* – **Repas** *(dîner seul. sauf dim.)* 19/45 ♀, enf. 11 – ☕ 9 – **20 ch** 60/95 – ½ P 56,70/63.
◆ Maison centenaire qui a su garder sa tradition d'hospitalité et son savoir-faire culinaire. Chambres soignées au cadre rustique et restaurant orné de tapisseries.

**GOURDON** *06620 Alpes-Mar.* 341 *C5 G. Côte d'Azur – 294 h alt. 800.*

Voir *Site★★ – ←★★ du chevet de l'église – Château : musée de Peintures naïves★.*

*Syndicat d'Initiative, place de l'Eglise ☎ 04 93 09 68 25, Fax 04 93 77 01 97, gourdon@gourdon-france.com.*

*Paris 926 – Cannes 27 – Castellane 62 – Grasse 15 – Nice 39 – Vence 25.*

**Nid d'Aigle,** pl. Victoria ☎ 04 93 77 52 02, *resa@nid-daigle.com, Fax 04 93 77 14 45,* ← gorges du Loup et la Méditerranée, – AE GB
*fermé début janv. à début fév., dim. soir, lundi et mardi de nov. à avril* – **Repas** 35/89 et carte 44 à 83 ♀.
◆ Cette bâtisse perchée dans un vieux village jouit d'une vue imprenable sur la région. Sobres salles à manger et terrasse panoramiques. Cuisine régionale.

**Au Vieux Four,** r. Basse (au village) ☎ 04 93 09 68 60
*fermé lundi et le soir en semaine sauf juil.-août* – **Repas** (prévenir) 17 , enf. 8,50.
◆ Maison ancienne nichée dans une ruelle de Gourdon "la Sarrasine". Son four à bois sert à la préparation de plats provençaux et de grillades. Décor rustique coloré.

**GOURETTE** *64 Pyr.-Atl.* 342 *K7 G. Aquitaine – alt. 1400 – Sports d'hiver : 1 400/2 400 m 1 18 – ✉ 64440 Eaux Bonnes.*

Voir *Col d'Aubisque ※★★ N : 4 km.*

*Office de tourisme, place Sarrières ☎ 05 59 05 12 17, Fax 05 59 05 12 56, office.du.tourisme.eaux.bonnes.gourette@wanadoo.fr.*

*Paris 831 – Pau 53 – Argelès-Gazost 35 – Eaux-Bonnes 9 – Laruns 14 – Lourdes 48.*

**Boule de Neige** , 05 59 05 10 05, *bouledeneige@wanadoo.fr, Fax 05 59 05 11 81,* ≤, , – . GB.
*1er juil.-31 août et 1er déc.-10 avril* – **Repas** 11 bc (déj.), 16/20 , enf. 8 – 7,70 – **20 ch** 69/75 – ½ P 62.
◆ Construction des années 1970 située près des remontées mécaniques, face aux sommets pyrénéens. Chambres fonctionnelles, équipées de lits superposés pour les enfants.

**Pene Blanque,** 05 59 05 11 29, *hotelaupeneblanque@wanadoo.fr, Fax 05 59 05 10 85,* ≤, , , – P. GB. rest
*1er juil.-1er sept. et 21 déc.-1er avril* – **Repas** (dîner seul.) 15/30, enf. 9 – 8 – **24 ch** 58/76 – ½ P 62/63.
◆ "Tout schuss" sur la piste vertigineuse de la Pène Blanque ! En bas, au centre de la station, vous attendent des petites chambres lambrissées et dotées de balcons.

**L'Amoulat** avec ch, 05 59 05 12 06, *chalet.hotel.amoulat@wanadoo.fr, Fax 05 59 05 13 45,* – . AE GB. rest
*20 déc.-21 avril et 15 juin -30 sept.* – **Repas** 15/21 – 7 – **12 ch** 48/62 – ½ P 49/53.
◆ Chalet situé sur la route du col de l'Aubisque, illustre étape du Tour de France. Salle rustique et véranda. Plats régionaux et cuisine au goût du jour.

## GOURNAY-EN-BRAY *76220 S.-Mar.* 304 K5 *G. Normandie Vallée de la Seine – 6 147 h alt. 94.*

*Office du Tourisme, 9 place d'Armes 02 35 90 28 34, Fax 02 35 09 62 07, OT-GOURNAY EN-BRAY@wanadoo.fr.*
*Paris 97 – Rouen 51 – Amiens 79 – Les Andelys 38 – Beauvais 31 – Dieppe 76 – Gisors 25.*

**Saint Aubin** M, rte Dieppe 3 km sur D 915 02 35 09 70 97, *hotel.le.saint.aubin@wanadoo.fr, Fax 02 35 09 30 93* – P – 60. AE GB
**Repas** 17/45 – 6 – **60 ch** 53/65 – ½ P 88/101.
◆ Cette construction, située en léger retrait de la route, propose des chambres neuves et fonctionnelles convenant pour une étape. Restaurant sobrement décoré.

**Cygne** sans rest, 20 r. Notre Dame 02 35 90 27 80, *Fax 02 35 90 59 00* – P. GB JCB
6 – **29 ch** 40/55.
◆ L'hôtel est situé au centre de cette petite cité du pays de Bray. Les chambres sont simples et bien tenues ; celles tournées sur l'arrière assurent des nuits plus calmes.

## GOUSSAINVILLE *95 Val-d'Oise* 305 F6 101 ⑦ – *voir à Paris, Environs.*

## GOUVIEUX *60 Oise* 305 F5 – *rattaché à Chantilly.*

## GOUZON *23230 Creuse* 325 K3 – *1 370 h alt. 378.*

*Syndicat d'Initiative, 16 rue du Cheval Blanc 05 55 62 26 92, Fax 05 55 62 26 92.*
*Paris 360 – Aubusson 30 – La Châtre 57 – Guéret 31 – Montluçon 34.*

**Lion d'Or,** 05 55 62 28 54, *Fax 05 55 62 21 63* – – 20. GB
*fermé 6 janv. au 3 fév., vend. soir et sam.* – **Repas** 14,50/23, enf. 7 – 6 – **11 ch** 28/49 – ½ P 86.
◆ Auberge au décor rustique sur la route traversant le village. Confortables salon (fauteuils en cuir) et salle à manger (chaises Louis XIII) ; chambres spacieuses.

## GRADIGNAN *33 Gironde* 335 H6 – *rattaché à Bordeaux.*

## GRAMAT *46500 Lot* 337 G3 *G. Périgord Quercy – 3 526 h alt. 305.*

*Office du Tourisme, place de la République 05 65 38 73 60, Fax 05 65 33 46 38, gramat@wanadoo.fr.*
*Paris 535 – Cahors 58 – Brive-la-Gaillarde 58 – Figeac 36 – Gourdon 38 – St-Céré 22.*

**Lion d'Or,** pl. République 05 65 38 73 18, *lion.d.or@wanadoo.fr, Fax 05 65 38 84 50,* , – – 15. AE GB JCB
*fermé 15 déc. au 15 janv.* – **Repas** *(fermé jeudi et vend. de nov. à mars)* 22 (déj.), 30/55 – 11,50 – **15 ch** 52/80 – ½ P 85.
◆ Maison régionale de caractère en centre-ville ; vous profiterez de son parc situé à 200 m. Chambres insonorisées, au décor soigné, et salle à manger bourgeoise.

**Relais des Gourmands** M, à la gare 05 65 38 83 92, *gcurtet@aol.com, Fax 05 65 38 70 99,* , , – . GB
*fermé 9 au 29 fév., dim. soir et lundi midi sauf juil-août* – **Repas** 14,50/36 , enf. 7,75 – 6,75 – **16 ch** 52/58 – ½ P 55/63.
◆ Les "gourmands" goûteront une cuisine aux accents du terroir dans ce lumineux établissement de style contemporain. Ensemble de bonne tenue, accueil attentif.

**Centre,** pl. République ✆ 05 65 38 73 37, *le.centre@wanadoo.fr, Fax 05 65 38 73 66,* – TV. AE GB
*fermé 8 au 30 nov., vend. soir et sam. sauf juil.-août et dim. de nov. à Pâques* – **Repas** 14/40 ♀, enf. 7 – ☕ 7 – **14 ch** 40/60 – ½ P 50/70.
◆ Au coeur de cette localité animée par d'importantes foires agricoles, chambres fonctionnelles et salle à manger éclairée de baies vitrées ouvrant sur la terrasse.

**à Lavergne** *Nord-Est : 4 km par D 677 – 387 h. alt. 320 – ✉ 46500 :*

**Limargue,** ✆ 05 65 38 76 02, *jackydambleve5@libertysurf.fr, Fax 05 65 33 68 13* – P. GB
*15 mars-10 nov. et fermé 14 au 22 oct., mardi et merc. hors saison* – **Repas** 11,50/20,60 ♀, enf. 6,10.
◆ En parcourant le causse de Gramat, faites une halte dans cette sympathique maison en pierres de taille pour y goûter la cuisine du Quercy. Vins en pichet.

**rte de Brive** *4,5 km par N 140 et rte secondaire – ✉ 46500 Gramat :*

**Château de Roumégouse** , ✆ 05 65 33 63 81, *roumegouse@relaischateaux.fr, Fax 05 65 33 71 18,* ≤ Causse de Gramat, – TV P. AE GB JCB
*18 avril-26 oct.* – **Repas** *(fermé lundi midi, merc. midi, jeudi midi et mardi)* 31 (déj.), 35/60 bc ♀ – ☕ 13 – **16 ch** 100/195 – ½ P 152/173.
◆ La tour ronde et son bar-bibliothèque, les meubles anciens, les "bories" du parc font de ce château du 19e s. - honoré de la visite du général de Gaulle - un lieu unique.

---

## GRAMBOIS *84240 Vaucluse 332 G11 – 903 h alt. 390.*

*Syndicat d'Initiative, rue de la Mairie ✆ 04 90 77 96 29, Fax 04 90 77 94 68, otsi-grambois@wanadoo.fr.*
*Paris 762 – Digne-les-Bains 82 – Aix-en-Provence 35 – Apt 42 – Manosque 22.*

**Clos des Sources** M , D 122 ✆ 04 90 77 93 55, *le-clos-des-sources@wanadoo.fr, Fax 04 90 77 92 96,* ≤, – TV P. AE GB. rest
**Repas** *(1er mars-30 oct. et fermé dim. et lundi hors saison)* (dîner seul.)(résidents seul.) – ☕ 14 – **12 ch** 115/161 – ½ P 106/123,50.
◆ Sur une colline face à un typique village du Luberon, chambres avec terrasse privative et vue sur la vallée, lumineuse salle à manger sous charpente et agréable patio.

---

## Le GRAND-BORNAND *74450 H.-Savoie 328 L5 G. Alpes du Nord – 1 925 h alt. 934 – Sports d'hiver : 1 000/2 100 m 2 37 .*

*Office du Tourisme, place de l'Eglise ✆ 04 50 02 78 00, Fax 04 50 02 78 01, infos@legrandbornand.com.*
*Paris 563 – Annecy 33 – Chamonix-Mont-Blanc 76 – Albertville 47 – Bonneville 23.*

**Vermont** sans rest, rte du Bouchet ✆ 04 50 02 36 22, *hotel.vermont@wanadoo.fr, Fax 04 50 02 39 36,* ≤, , – TV. GB
*31 mai-14 sept. et 14 déc.-15 avril* – **23 ch** ☕ 94/108.
◆ Près de la télécabine de la Joyère, construction régionale dotée d'un bel espace de détente et de remise en forme. Chambres (non-fumeurs) lambrissées, souvent avec balcon.

**Delta** sans rest, L'Envers de Villeneuve ✆ 04 50 02 26 25, *info@hotel.delta74.com, Fax 04 50 02 32 71* – TV P. GB
*22 juin-8 sept. et 15 déc.-20 avril* – ☕ 6,50 – **15 ch** 56.
◆ Petit chalet récent à la périphérie du village, abritant un magasin de sport (location de skis) et un hôtel aux chambres tout bois bien dimensionnées.

**Glaïeuls,** à la télécabine la Joyère ✆ 04 50 02 20 23, *info@hotel-lesglaieuls.com, Fax 04 50 02 25 00,* ≤ – TV P. GB
*15 juin-15 sept. et 20 déc.-15 avril* – **Repas** 14/23 – ☕ 6,40 – **21 ch** 50/55 – ½ P 58.
◆ Hôtel aux chambres simples et bien tenues, jouxtant la télécabine qui relie le village au Chinaillon. Restauration rapide au rez-de-chaussée ; salle à manger à l'étage.

**Croix St-Maurice,** face église ✆ 04 50 02 20 05, *info@hotel-lacroixstmaurice.com, Fax 04 50 02 35 37,* ≤ – TV. AE GB
*fermé 1er au 20 oct.* – **Repas** *(fermé lundi de nov. à déc.)* 15/26 ♀, enf. 8 – ☕ 6,50 – **21 ch** 50/56 – ½ P 62.
◆ Chalet traditionnel au coeur de la petite capitale... du reblochon. Les chambres, souvent lambrissées et dotées d'un balcon, sont rajeunies par étapes. Restaurant panoramique.

**L'Hysope,** Pont de Suize, rte du Bouchet ✆ 04 50 02 29 87, *Fax 04 50 02 29 87,* – GB JCB
*fermé 6 au 26 oct. et merc. hors saison* – **Repas** 18,50/34 ♀, enf. 9,20.
◆ Petit restaurant aux murs lambrissés, décoré de tableaux évoquant le village et de fleurs séchées. Service familial attentionné. L'hysope embaume quelques plats.

**Traîneau d'Angeline,** ☎ 04 50 63 27 64, *Fax 04 50 63 27 64,* – GB
*1er juil.-30 sept., 1er déc.-31 mai et fermé mardi et lundi sauf vacances scolaires* – **Repas** 12 (déj.)et carte 27 à 35, enf. 6,90.
◆ Sympathique restaurant de la vallée du Borne avec belle salle à manger sous charpente et terrasse tournée vers le torrent. Spécialités régionales et grillades au feu de bois.

**au Chinaillon** *Nord : 5,5 km par D 4 – ✉ 74450 Le Grand-Bornand :*

**Les Cimes** M sans rest, ☎ 04 50 27 00 38, *info@hotel-les-cimes.com, Fax 04 50 27 08 46,* ← – P. GB
*15 juin-15 sept. et 15 nov.-25 avril* – **10 ch** 100/145.
◆ Au sein du hameau sportif du "Grand Bo", chalet-bonbonnière aux chambres pétillantes : décor montagnard contemporain, meubles et bibelots anciens, etc. Une perle rare !

**Crémaillère,** ☎ 04 50 27 02 33, *cremaill@wanadoo.fr, Fax 04 50 27 07 91,* ←, – TV. GB
*22 juin-15 sept. et 21 déc.-15 avril* – **Repas** *(fermé lundi)* 16 (déj.)/27, enf. 7 – 6,50 – **16 ch** 78/82 – 1/2 P 60/64.
◆ Toutes les chambres de ce petit établissement sont orientées plein Sud, face aux pistes ; elles sont progressivement rénovées. Salle à manger actuelle et lumineuse.

**aux Troncs** *Est : 8 km par D 4E – ✉ 74450 Le Grand-Bornand :*

**Chalet des Troncs,** ☎ 04 50 02 28 50, *aubergedestroncs@aol.com, Fax 04 50 63 25 28,* – P. GB
**Repas** *(fermé 15 sept. au 18 déc., 12 au 28 mai, 10 au 26 juin, le midi en semaine et dim. soir)* 27, enf. 10.
◆ Coquet chalet du 18e s. niché au fond de la ravissante vallée du Borne. Chaleureux intérieur "tout bois" à l'authenticité préservée. Terrasse champêtre. Délicieux accueil.

*Une réservation confirmée par écrit ou par fax est toujours plus sûre.*

## GRANDCAMP-MAISY *14450 Calvados* 303 F3 *G. Normandie Cotentin – 1 881 h alt. 5.*

*Office du Tourisme, 118 rue A-Briand* ☎ *02 31 22 62 44, Fax 02 31 22 99 95, grandcamp.maisy@wanadoo.fr.*
*Paris 295 – Cherbourg 74 – St-Lô 40 – Caen 62.*

**Marée,** ☎ 02 31 21 41 00, *Fax 02 31 21 44 55,* – AE GB
*fermé dim. soir et lundi hors saison* – **Repas** 16/38.
◆ Ambiance et décor marins face à la criée ; la salle à manger agrandie d'une véranda invite à se régaler de produits tout frais pêchés dans la Manche ou l'Océan.

## La GRAND-COMBE *30110 Gard* 339 J3 – *7 107 h alt. 185.*

*Paris 681 – Alès 13 – Aubenas 76 – Florac 54 – Nîmes 59 – Villefort 40.*

**au Nord-Ouest** *: 6 km par rte de Florac – ✉ 30110 La Grand-Combe :*

**Lac,** ☎ 04 66 34 12 85, *hoteldulacdescomboux@wanadoo.fr, Fax 04 66 34 38 35,* – P. GB
*fermé 6 au 14 nov., 29 janv. au 27 fév. et merc.* – **Repas** 13/24,10 – 5 – **12 ch** 22,50/41,60 – 1/2 P 28,30/37,40.
◆ Non loin d'une retenue sur le Gardon, sympathique petite affaire familiale créée dans les années 1950. Sobre salle à manger ; chambres modestes mais très bien tenues.

## GRAND'COMBE-CHÂTELEU *25 Doubs* 321 J4 – *rattaché à Morteau.*

## La GRANDE-MOTTE *34280 Hérault* 339 J7 *G. Languedoc Roussillon – 5 016 h alt. 1 – Casino.*

*Office du Tourisme, allée des Parcs* ☎ *04 67 56 42 00, Fax 04 67 29 03 45, infos@otlagrandemotte.fr.*
*Paris 752 – Montpellier 28 – Aigues-Mortes 11 – Lunel 16 – Nîmes 45 – Sète 46.*

**Grand M'Hôtel**, quartier Point Zéro ☎ 04 67 29 13 13, *info@thalasso-grandemotte.com, Fax 04 67 29 14 74,* ← littoral, – TV – 50. AE GB.
*fermé 14 déc. au 18 janv.* – **Repas** 27 (déj.)/30 – 8 – **36 ch** 112/229, 3 appart – 1/2 P 109.
◆ À l'écart du centre, sur le bord de mer, complexe hôtelier récent incluant un centre de thalassothérapie. Chambres avec balcon. Belle piscine et terrasse panoramique.

**Novotel** M, av. Golf ☎ 04 67 29 88 88, *h2190-@accor.hotels.com, Fax 04 67 29 17 01,* ←, – TV P – 60. AE GB
**Repas** *(16,50)* - 16,50 (déj.), 20/23, enf. 8 – 11 – **81 ch** 95/150 – 1/2 P 94/102.
◆ À l'entrée du golf, cet immeuble vous accueille avec un beau hall vitré à l'architecture futuriste. Chambres dans un registre plus standard, spacieuses et fonctionnelles.

**Mercure,** 140 r. du port ✆ 04 67 56 90 81, *h1230@accor-hotels.com, Fax 04 67 56 92 29,* ≤ littoral, 斎, ☒ – |♯| ▤ 🆃🆅 ✆ 🅿 – 🔏 90. AE ⓓ GB
**Repas** *(ouvert 19 juin-31 août)* carte 30 à 43, enf. 11 – ☕ 11 – **117 ch** 105/125 – ½ P 92.
◆ Sa tour domine le port de plaisance, au coeur du centre animé de la station. Les chambres sont toutes dotées d'un balcon. Restauration en terrasse.

**Azur Bord de Mer** ⛵ sans rest, esplanade de la Capitainerie ✆ 04 67 56 56 00, *hotelazur34@.com, Fax 04 67 29 81 26,* ≤, ☒ – ▤ 🆃🆅 ✆ 🅿. AE ⓓ GB JCB. ✂
☕ 8,50 – **20 ch** 107.
◆ Une vigie scrutant la "grande bleue ", par sa situation sur le môle fermant le port au Sud. Chambres bien entretenues, au décor Louis XV ou plus actuel. Abords verdoyants.

**Golf** ⛵ sans rest, 1920 av. Golf ✆ 04 67 29 72 00, *golfhotel.34@wanadoo.fr, Fax 04 67 56 12 44,* ☒ – |♯| 🆃🆅 ♿ 🚗 🅿 – 🔏 20. AE ⓓ GB JCB
☕ 11 – **44 ch** 93/115.
◆ Construction récente aux chambres refaites dans le style contemporain, toutes avec loggia et orientées vers le golf ou le plan d'eau du Ponant. Accueil sympathique.

**Europe** sans rest, près de la poste ✆ 04 67 56 62 60, *hoteleurope@wanadoo.fr, Fax 04 67 56 93 07,* ☒ – ▤ 🆃🆅 🅿. AE ⓓ GB JCB
☕ 8 – **34 ch** 97/117.
◆ Hôtel des années 1970 situé derrière le palais des congrès. Chambres pratiques. Plaisant salon traité en jardin d'hiver et salle des petits-déjeuners ouverte sur la piscine.

**Quetzal** ⛵, allée des Jardins ✆ 04 67 56 61 10, *jgrolleau@wanadoo.fr, Fax 04 67 56 86 34,* 斎, ☒, 🌳 – |♯| ⇆, ▤ ch, 🆃🆅 🅿 – 🔏 20 à 60. AE ⓓ GB
*mi mars-mi oct.* – **Repas** (juin-sept.) (dîner seul.) (résidents seul.) *(11)* - 15/17 🍷, enf. 8 – ☕ 10 – **52 ch** 100/110 – ½ P 78,50.
◆ Le bâtiment date de la construction de la station, mais l'intérieur sort d'une rénovation complète. Chambres contemporaines ou de style provençal, calmes et dotées de loggias.

**Plage,** allée du Levant par av. Grau-du-Roi ✆ 04 67 29 93 00, *hotel.de.la.plage@wanadoo.fr, Fax 04 67 56 00 07,* ≤, 斎 – 🆃🆅 ♿ 🅿. AE ⓓ GB
*hôtel : 12 avril-27 oct. ; rest: fermé le midi du 12 avril au 27 juin, du 15 sept au 27 oct., sauf week-end et fériés* – **Repas** 19 🍷 – ☕ 11 – **39 ch** 105/108 – ½ P 80.
◆ L'établissement se trouve dans un quartier résidentiel, face à la mer et à la plage. Chambres spacieuses et lumineuses, avec terrasse. Entretien rigoureux.

XXX **Alexandre,** esplanade Maurice Justin ✆ 04 67 56 63 63, *Fax 04 67 29 74 69,* ≤ – ▤ 🅿. AE ⓓ GB JCB. ✂
*fermé vacances de Toussaint, 5 janv. au 10 fév., dim. soir sauf juil.-août et lundi* – **Repas** 31/62 et carte 55 à 68 🍷, enf. 13.
◆ Salle panoramique contemporaine à la mise en place soignée, donnant sur le port et le large. Une musique douce accompagne la dégustation de plats ensoleillés.

---

## Le GRAND-PRESSIGNY *37350 I.-et-L.* 317 N7 *G. Châteaux de la Loire – 1 120 h alt. 63.*

Voir Château*.

*Office du Tourisme,* ✆ *02 47 94 96 82, Fax 02 47 94 96 82, tlc.ot@wanadoo.fr.*

*Paris 305 – Poitiers 67 – Le Blanc 45 – Châtellerault 30 – Loches 31 – Tours 70.*

**Auberge Savoie-Villars,** ✆ 02 47 94 96 86, *Fax 02 47 91 07 81,* 斎 – ♿. GB
*fermé 5 au 22 oct., 18 mars au 2 avril* – **Repas** *(fermé mardi midi et lundi)* 14,50/22,50 🍷 – ☕ 5,80 – **10 ch** 43/45 – ½ P 35.
◆ Dans ce fameux site néolithique, une auberge rustique, mais non préhistorique ! Chambres fraîches et plaisante salle à manger campagnarde.

---

## GRANDVILLERS *88600 Vosges* 314 I3 *– 666 h alt. 365.*

*Paris 405 – Épinal 21 – Lunéville 50 – Gérardmer 29 – Remiremont 37 – St-Dié 28.*

**Europe et Commerce** Ⓜ, ✆ 03 29 65 71 17, *Fax 03 29 65 85 23,* 🌳, ✂ – 🆃🆅 ✆ ♿ 🅿 – 🔏 20. AE GB
**Repas** *(fermé vend. soir et dim. soir)* 12/38 🍷, enf. 11 – ☕ 6 – **21 ch** 40/70 – ½ P 40/44.
◆ Établissement réparti dans deux bâtiments : le plus ancien abrite quelques chambres et le restaurant au cadre actuel ; à l'annexe, jardin, calme et meilleur confort.

---

## GRANGES-LÈS-BEAUMONT *26 Drôme* 332 C3 *– rattaché à Romans-sur-Isère.*

---

## Les GRANGES-STE-MARIE *25 Doubs* 321 H6 *– rattaché à Malbuisson.*

*Les pages explicatives de l'introduction*
*vous aideront à mieux profiter de votre* **Guide Rouge Michelin**

**Les GRANGETTES** *25160 Doubs* 321 H6 – *169 h alt. 864.*

*Paris 456 – Besançon 71 – Champagnole 42 – Morez 48 – Pontarlier 12.*

**Bon Repos**, 03 81 69 62 95, *hotel.bon.repos.@wanadoo.fr, Fax 03 81 69 66 61,* – P. AE GB.
*fermé 23 mars au 1er avril, 20 oct. au 20 déc., dim. soir et lundi hors saison* – **Repas** 14/29,70, enf. 7 – 5,20 – **13 ch** 40,80/44,20 – ½ P 41/46.
◆ Dans la traversée du village, maison d'époque 1900 à l'ambiance familiale. Le jardin, derrière l'annexe, descend vers le lac de St-Point situé en contrebas.

**GRANS** *13450 B.-du-R.* 340 F4 – *3 436 h alt. 52.*

*Office de tourisme, boulevard Victor-Jauffret 04 90 55 88 92, Fax 04 90 55 86 27.*

*Paris 734 – Marseille 49 – Arles 43 – Martigues 29 – Salon-de-Provence 6.*

**Planet,** pl. J. Jaurès 04 90 55 83 66, *Fax 04 90 55 70 43,* – GB
*fermé 17 fév. au 11 mars, 22 sept. au 7 oct., 27 oct. au 5 nov., lundi et mardi* – **Repas** 14 (déj.), 20/36, enf. 9,20.
◆ Cet ancien moulin à huile abrite désormais un petit restaurant voûté aux murs crépis. Agréable terrasse à l'ombre des platanes. Accueil sympathique, cuisine du terroir.

*Nos guides hôteliers, nos guides touristiques et nos cartes routières sont complémentaires. Utilisez-les ensemble.*

**GRANVILLE** *50400 Manche* 303 C6 *G. Normandie Cotentin – 12 413 h alt. 10 – Casino* **Z** *et à St-Pair-sur-Mer.*

**Voir** *Le tour des remparts★ : place de l'Isthme ≤★* **Z** *– Pointe du Roc : site★.*

*Office du Tourisme, 4 cours Jonville 02 33 91 30 03, Fax 02 33 91 30 19, office.tourisme@ville-granville.fr.*

*Paris 340 ② – St-Lô 58 ① – St-Malo 93 ③ – Avranches 26 ③ – Cherbourg 106 ①.*

Plans page suivante

**Grand Large** M sans rest, 5 r. Falaise 02 33 91 19 19, *infos@hotel-le-grand-large.com, Fax 02 33 91 19 00,* ≤, – cuisinette TV – 20. AE GB JCB. Z r
7,50 – **34 ch** 88, 13 duplex.
◆ Surplombant la plage du haut de la falaise, cet hôtel récent associé à un centre de thalassothérapie abrite des chambres spacieuses tournées en majorité vers la Manche.

**Bains** sans rest, 19 r. G. Clemenceau 02 33 50 17 31, *Fax 02 33 50 89 22,* ≤ – TV. GB Z v
*fermé 1er au 22 janv.* – 8 – **47 ch** 56/120.
◆ Cet établissement centenaire vient de bénéficier d'une importante cure de rajeunissement. Grandes chambres actuelles, certaines avec balcon et vue sur la mer.

**Michelet** sans rest, 5 r. J. Michelet 02 33 50 06 55, *Fax 02 33 50 12 25* – TV P. AE GB. Z u
5,70 – **20 ch** 22/47.
◆ L'enseigne rend hommage à l'un des hôtes célèbres de la station. Chambres simples et rénovées, appréciées des curistes et de la clientèle d'affaires. Parking pratique.

**Citadelle,** 34 r. Port 02 33 50 34 10, *citadell@club-internet.fr, Fax 02 33 50 15 36,* ≤, – . GB Y d
*fermé vacances de Noël, de fév., mardi d'oct. à mars et merc.* – **Repas** 14/29.
◆ Dégustez homards de Chausey et autres produits de la mer dans un décor marin ou sur la terrasse tournée vers le port d'où s'élançaient corsaires et terre-neuvas.

par ① *rte de Coutances : 4,5 km – 50290 Bréville-sur-Mer :*

**Beaumonderie,** 02 33 50 36 36, *la-beaumonderie@wanadoo.fr, Fax 02 33 50 36 45,* ≤, , , , – TV P – 250. AE GB JCB. rest
***L'Orangerie*** *(fermé dim. soir et lundi d'oct. à mars)* **Repas** 25/68 – 12 – **13 ch** 74/145 – ½ P 66/98,50.
◆ Cette maison des années 1920 fut le Q.G. de Eisenhower lors du débarquement de Normandie. Chambres personnalisées. Coquette salle à manger et rotonde tournée vers le parc.

**à St-Pair-sur-Mer** *par ④ : 4 km – 3 114 h. alt. 30 – 50380 :*

*Office du Tourisme, 3 rue Charles Mathurin 02 33 50 52 77, Fax 02 33 50 00 04, offitour.st.pair.s.mer@wanadoo.fr.*

**Au Pied de Cheval,** au Casino 02 33 91 34 01, *Fax 02 33 50 26 27,* ≤, – . GB
*fermé 12 au 30 oct., 1er au 23 janv., mardi sauf en juil.-août et lundi* – **Repas** 18/25.
◆ Au pied du casino, sur une plage faisant face à Granville. Vaste salle à manger de style brasserie, proposant une cuisine franco-italienne ainsi qu'un banc d'écailler.

## GRANVILLE

Briand (Av. A.) . . . . . . . Y 2
Clemenceau (R. G.) . . . Z 3
Corsaires (Pl. aux) . . . . Z 4
Corsaires (R. aux) . . . . Z 6
Couraye (R.) . . . . . . . . . Z
Desmaisons (R. C.) . . . . . . . Z 7
Granvillais (Bd des Amiraux) Z 8
Hauteserve (Bd d') . . . . . . . Z 9
Juifs (R. des) . . . . . . . . . . . Z
Lecampion (R.) . . . . . . . . . . Z
Leclerc (R. Gén.) . . . . . . . . . Y
Parvis Notre-Dame (Montée du) . . . . . . . . . . . Z 12
Poirier (R. Paul) . . . . . . . . Z 15
St-Sauveur (R.) . . . . . . . . . Z 16
Ste-Geneviève (R.) . . . . . . Z 17
Saintonge (R.) . . . . . . . . . . Z 18
Terreneuviers (Bd) . . . . . . Y 21
Vaufleury (Bd) . . . . . . . . . . Y 22
2e et 202e de Ligne (Bd des) . . . . . . . . . . . . . Z 25

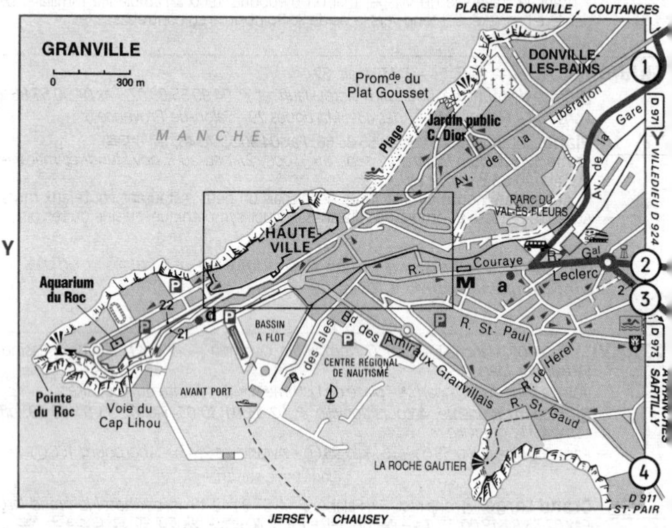

PLAGE DE DONVILLE
COUTANCES
GRANVILLE
0 300 m
MANCHE
Promde du Plat Gousset
Plage
Jardin public C. Dior
DONVILLE-LES-BAINS
Av. de la Libération
Av. de la Gare
PARC DU VAL-ES-FLEURS
HAUTE VILLE
R. Couraye
R. Gal Leclerc
Aquarium du Roc
BASSIN A FLOT
Bd des Amiraux Granvillais
R. des Isles
CENTRE RÉGIONAL DE NAUTISME
R. St-Paul
R. de Hérel
R. St-Gaud
AVANT PORT
Pointe du Roc
Voie du Cap Lihou
LA ROCHE GAUTIER
D 971
VILLEDIEU D 924
D 973
AVRANCHES SARTILLY
D 911
ST-PAIR
JERSEY
CHAUSEY
Y


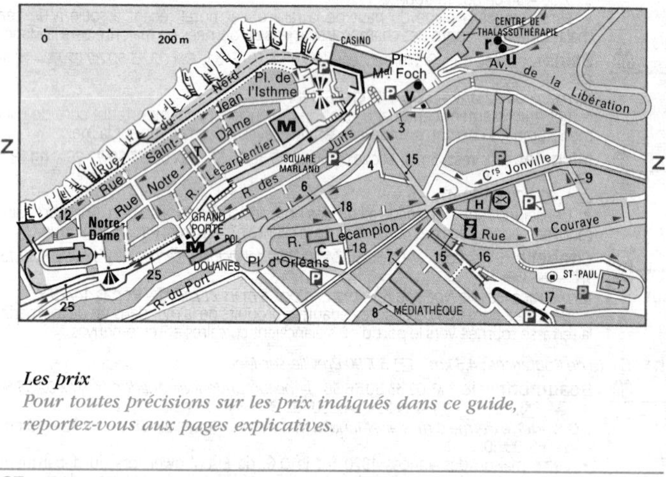

0 200 m
CENTRE DE THALASSOTHÉRAPIE
CASINO
Pl. Mal Foch
Pl. de l'Isthme
Av. de la Libération
Rue du Nord
Rue Saint-Jean
Rue Notre-Dame
R. Lecarpentier
R. des Juifs
SQUARE MARLAND
Crs Jonville
Rue Couraye
R. Lecampion
GRAND PORTE
DOUANES
POL.
Pl. d'Orléans
R. du Port
Notre-Dame
MÉDIATHÈQUE
ST-PAUL
Z


*Les prix*

*Pour toutes précisions sur les prix indiqués dans ce guide, reportez-vous aux pages explicatives.*

**GRASSE** 06130 Alpes-Mar. 341 C6 *G. Côte d'Azur – 41 388 h alt. 250 – Casino.*

**Voir** *Vieille ville★ : Place du Cours★ ≤★* **Z**, *musée d'Art et d'Histoire de Provence★* **Z M**[1] – *Toiles★ de Rubens dans la cathédrale Notre-Dame-du-Puy* **Z B** – *Parc de la Corniche ✲★★ 30 mn* **Z** – *Jardin de la Princesse Pauline ≤★* **X K** – *Musée international de la Parfumerie★* **Z M**[3].

**Env.** *Montée au col du Pilon ≤★★ 9 km par ④.*

*Office du Tourisme, 22 cours Honoré Cresp ☎ 04 93 36 66 66, Fax 04 93 36 86 36, Tourisme.Grasse@wanadoo.fr.*

*Paris 911 ② – Cannes 17 ② – Digne-les-Bains 119 ④ – Draguignan 54 ③ – Nice 37 ②.*

# GRASSE

Barri (Pl. du) . . . . . . . . **Z** 4
Bellevue (Bd) . . . . . . . **X** 5
Charabot (Bd) . . . . . . . **Y** 6
Conte (R. D.) . . . . . . . . **Y** 7
Cresp (Cours H.) . . . . **Z** 8
Crouët (Bd J.) . . . . . . **Z** 10
Droite (R.) . . . . . . . . . . **Y** 12
Duval (Av. M.) . . . . . . **X** 14
Évêché (R. de l') . . . . . **Z** 15
Fontette (R. de) . . . . . **Y** 16
Foux (Pl. de la) . . . . . **Y** 17
Fragonard (Bd) . . . . . . **Z** 18
Gaulle (Av. Gén.-de) . **X** 20
Gazan (R.) . . . . . . . . . . **Z** 22
Herbes (Pl. aux) . . . . . **Y** 23
Jeu-de-Ballon (Bd) . . **YZ**
Journet (R. M.) . . . . . **YZ** 26
Juin (Av. Mar.) . . . . . . **Y** 27
Lattre-de-Tassigny (Av. Mar.-de) . . . . . . . **X** 28
Leclerc (Bd Mar.) . . . **X** 30
Libération (Av.) . . . . . . **X** 32
Mougins-Roquefort (R.) . . . . . . . . . . . . . . . **Z** 33
Moulin des Paroirs (R.) **X** 34
Oratoire (R. de l') . . . **Y** 35
Ossola (R. Jean) . . . . **Z** 38
Petit-Puy (Pl. du) . . . . **Z** 42
Poissonnerie (Pl.) . . . . **Z** 43
Prés.-Kennedy (Bd) . . **X** 45
Reine-Jeanne (Bd) . . **X** 48
Rothschild (Bd de) . . **X** 49
St-Martin (Traverse) . . **Z** 50
Sémard (Av. P.) . . . . . . **X** 53
Thiers (Av.) . . . . . . . . . . **Y**
Touts-Petits (Trav.) . . . **Z** 55
Tracastel (R.) . . . . . . . . **Z** 57
Victor-Hugo (Bd) . . . **XZ** 59
Victoria (Av.) . . . . . . . . . **X** 60
11-Novembre (Av. du) **XY** 63

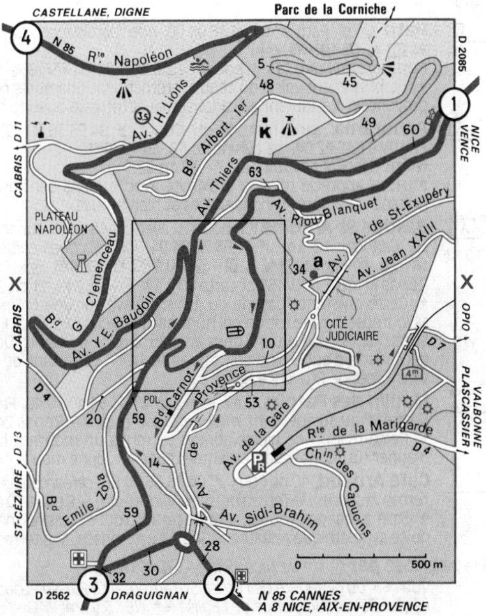

CASTELLANE, DIGNE
Parc de la Corniche
D 2085
NICE VENCE
N 85
Rte Napoléon
Av. H. Lions
Bd Albert 1er
Av. Thiers
PLATEAU NAPOLÉON
Bd G. Clemenceau
Av. Y. E. Baudoin
Av. Riou-Blanquet
Av. A. de St-Exupéry
Av. Jean XXIII
CITÉ JUDICIAIRE
OPIO
D 7
VALBONNE PLASCASSIER
Rte de la Marigarde
D 4
Av. de la Gare
Chin des Capucins
Bd Carnot
Provence
Av. de
Av. Sidi-Brahim
Bd Emile Zola
CABRIS D 11
CABRIS
ST-CÉZAIRE D 13
D 2562
DRAGUIGNAN
N 85 CANNES
A 8 NICE, AIX-EN-PROVENCE
500 m
X


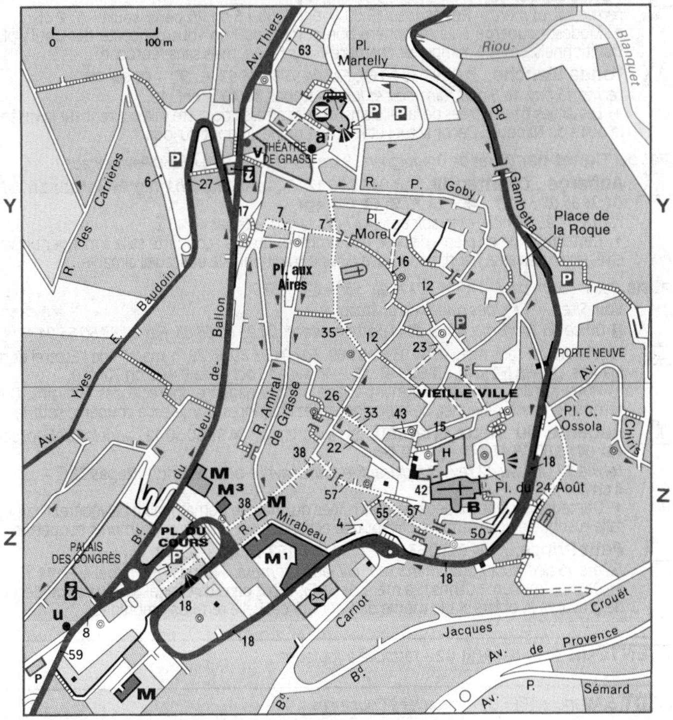

100 m
Av. Thiers
Pl. Martelly
Riou-Blanquet
THÉATRE DE GRASSE
R. P. Goby
Bd Gambetta
Place de la Roque
Pl. Morel
Pl. aux Aires
R. des Carrières
Av. Yves E. Baudoin
Bd du Jeu-de-Ballon
R. Amiral de Grasse
VIEILLE VILLE
PORTE NEUVE
Av. Chiris
Pl. C. Ossola
Pl. du 24 Août
R. Mirabeau
PL. DU COURS
PALAIS DES CONGRÈS
Bd Carnot
Bd Jacques Crouët
Av. de Provence
Av. P. Sémard
Y
Z

**Patti** M, pl. Patti ✆ 04 93 36 01 00, *hotelpatti@libertysurf.fr, Fax 04 93 36 36 40,* – AE GB JCB Y a
Repas *(fermé dim.)* 15, enf. 8 – 6,50 – **73 ch** 77/105 – 1/2 P 51/68.
◆ Établissement voisin du centre international. Chambres rénovées, au décor d'inspiration provençale. Restaurant au cadre actuel et terrasse ouverte sur une placette.

**Panorama** sans rest, 2 pl. Cours ✆ 04 93 36 80 80, *hotelpanorama@wanadoo.fr, Fax 04 93 36 92 04* – cuisinette. AE GB Z u
*fermé 6 janv. au 10 fév.* – 7 – **36 ch** 92.
◆ Hôtel apprécié pour sa proximité avec le palais des congrès et les principaux musées grassois. Chambres fonctionnelles et bien tenues.

**Bastide St-Antoine** (Chibois) avec ch, 48 av. H. Dunant (quartier St-Antoine) par ② *et rte Cannes : 1,5 km* ✆ 04 93 70 94 94, *info@jacques-chibois.com, Fax 04 93 70 94 95,* – P – 20 à 80. AE GB JCB
Repas 47 (déj.), 110/150 et carte 80 à 120 – 21 – **11 ch** 243/295.
◆ Cette ravissante bastide du 18ᵉ s. s'élève sur une colline plantée de vieux oliviers ; sa savoureuse cuisine est un bel hommage à la capitale des parfums. Chambres élégantes.
**Spéc.** Papillon de langoustines en chiffonnade de basilic. Dos de veau de lait du Limousin, déclinaison d'aubergine aux câpres sèches. Croustillant de citron, sorbet à la mandarine.
**Vins** Côtes de Provence,Bellet.

**Moulin des Paroirs,** 7 av. Jean XXIII ✆ 04 93 40 10 40, *Fax 04 93 36 76 00,* – AE GB
*fermé 1ᵉʳ au 30 nov., sam. midi, lundi soir et dim.* – **Repas** 24,40/58. X a
◆ Cette maison de pierre abritait autrefois un moulin à huile d'olive. L'une des salles à manger rustiques est agrémentée d'une ancienne meule. Cuisine classique.

**Café Arnaud,** 10 pl. Foux ✆ 04 93 36 44 88, *cafearnaud@libertysurf.fr* – AE GB
*fermé vacances de Toussaint, sam. midi et dim.* – **Repas** 20 (déj.), 28,50/40. Y v
◆ Salle à manger voûtée, ambiance "bistrot" et cuisine méditerranéenne parfumée font de ce sympathique restaurant une adresse prisée. Miniterrasse sur le trottoir.

**à Magagnosc par** ① *rte de Nice : 5 km* – ✉ *06520*.
**Voir** *★ du cimetière de l'Eglise St-Laurent – Le Bar-sur-Loup : site★, danse macabre★ dans l'église St-Jacques, place de l'Église ★ NE : 3,5 km.*

**Petite Auberge,** ✆ 04 93 42 75 32 – P. GB
*fermé juil. et merc.* – **Repas** 13,50/19,50, enf. 7,50 – **5 ch** (1/2 pens. seul.) – 1/2 P 36.
◆ Modeste auberge à l'atmosphère bon enfant, où l'on vous concocte des petits plats traditionnels. Salles à manger et chambres sans façon, mais sans reproche.

**Toque Blanche,** ✆ 04 93 36 20 64, *Fax 04 93 36 16 67,* – AE GB
*fermé 15 nov. au 8 déc., dim. soir et lundi* – **Repas** 20/40, enf. 16.
◆ Les larges baies vitrées de la salle ainsi que la terrasse de cette villa ouvrent sur la vallée et le golfe de Napoule. Décor actuel et feutré. Cuisine au goût du jour.

**au Val du Tignet par** ③ *rte de Draguignan : 8 km par D 2562* – ✉ *06530 Peymeinade :*

**Auberge Chantegrill,** ✆ 04 93 66 12 33, *restaurantchantegrill@wanadoo.fr, Fax 04 93 66 02 31,* – P. AE GB JCB
*fermé 1ᵉʳ au 30 nov., dim. soir et lundi hors saison* – **Repas** 19/40.
◆ Cette auberge en pierre dispose de nombreux atouts : coquette salle à manger provençale, jardin-terrasse fleuri, généreuse cuisine traditionnelle et accueil aimable.

**à Cabris** *Ouest : 5 km par D 4* **X** – *1 307 h. alt. 550* – ✉ *06530*.
**Voir** *Site★ – ★★ des ruines du château.*
*Office du Tourisme, 4 rue de la porte haute ✆ 04 93 60 55 63, Fax 04 93 60 55 94.*

**Horizon** sans rest, ✆ 04 93 60 51 69, *Fax 04 93 60 56 29,* massifs de l'Esterel et des Maures, – P. AE GB. – *1ᵉʳ avril-15 oct.* – 9 – **22 ch** 70/110.
◆ Hôtel familial dans un charmant village perché naguère apprécié des écrivains. De la terrasse du petit-déjeuner, de la piscine et des chambres, la vue est à couper le souffle.

**Auberge du Vieux Château** avec ch, ✆ 04 93 60 50 12, *anneloncle@aol.com, Fax 04 93 60 58 47,* – AE GB
*fermé 12 janv. au 12 fév., mardi (sauf le soir d' avril à oct.) et lundi* – **Repas** 32 – 10 – **4 ch** 60/100.
◆ Demeure ancienne à deux pas des ruines du château (remarquable belvédère). Plaisante salle rustique et jolie terrasse offrant une échappée sur la nature. Chambres coquettes.

**Petit Prince,** ✆ 04 93 60 63 14, *Fax 04 93 60 62 87,* – AE GB
*fermé 15 déc. au 20 janv., mardi sauf juil.-août et merc.* – **Repas** (15) - 17 (déj.), 27/41.
◆ Dessine-moi un... Cabris ! La mère de St-Ex vécut dans ce village. Salle rustique décorée de gravures et objets sur le thème du Petit Prince. Belle terrasse ombragée.

**GRATENTOUR** *31 H.-Gar.* 343 G2 – *rattaché à Toulouse.*

**GRATOT** *50 Manche* 303 D5 – *rattaché à Coutances.*

**Le GRAU-D'AGDE** *34 Hérault 339 F9 – rattaché à Agde.*

---

**Le GRAU-DU-ROI** *30240 Gard 339 J7 G. Provence – 5 253 h alt. 2 – Casino.*

*Office du Tourisme, 30 rue Michel Rédarès ☎ 04 66 51 67 70, Fax 04 66 51 06 80, ot-legrauduroi-portcamargue@wanadoo.fr.*

*Paris 756 – Montpellier 34 – Aigues-Mortes 7 – Arles 55 – Lunel 22 – Nîmes 49 – Sète 52.*

**à Port Camargue** *Sud : 3 km par D 62B – ✉ 30240 Le Grau-du-Roi.*

*Office de tourisme, Carrefour 2000 ☎ 04 66 51 71 68.*

**Spinaker** (Cazals) Ⓜ, pointe de la Presqu'île ☎ 04 66 53 36 37, *spinaker@wanadoo.fr, Fax 04 66 53 17 47,* ≤, , , – – 40. AE GB JCB
*13 fév.-9 nov.* **- Carré des Gourmets** *(fermé lundi et mardi d'oct. à juin, merc. et jeudi de fév. au 13 avril, et le midi sauf dim. en juil.-août)* **Repas** 29/77 et carte 60 à 80 ♀, enf. 13 – ☕ 12 – **16 ch** 106/128, 5 appart – ½ P 97,50/156,50.
◆ L'hôtel est amarré à un quai de la marina. Jolies chambres personnalisées ("Provence", "Afrique", "Maroc"), de plain-pied avec jardin et terrasses. Les gourmets y ont leur carré.
**Spéc.** Carpaccio de boeuf à l'huile de truffe. Soupe de petits poissons de roche. Filets de rougets rôtis à l'huile d'olive. **Vins** Costières de Nîmes, Vin de Pays des Côtes de Thongue.

**Oustau Camarguen**, 3 rte Marines ☎ 04 66 51 51 65, *oustaucamarguen@wanadoo.fr, Fax 04 66 53 06 65,* , , – – 30. AE GB JCB
*hôtel : 28 mars-13 oct. ; rest : 2 mai-fin sept. et fermé merc.* – **Repas** (dîner seul.) 27/31 – ☕ 9 – **39 ch** 95 – ½ P 77,50.
◆ Sur la route de la plage Sud, ce petit mas camarguais est décoré dans l'esprit provençal. Chambres spacieuses ; certaines sont dotées de jardinets privatifs. Hammam et spa.

**L'Amarette,** centre commercial Camargue 2000 ☎ 04 66 51 47 63, ≤, – GB
*fermé déc., janv. et merc. hors saison* – **Repas** 33/43 ♀.
◆ Au 1er étage du centre commercial, à deux pas de la plage Nord. Intérieur soigné. La terrasse couverte offre un joli coup d'oeil sur le golfe du Lion. Cuisine de la mer.

---

**GRAUFTHAL** *67 B.-Rhin 315 H4 – rattaché à La Petite-Pierre.*

---

**GRAULHET** *81300 Tarn 338 D8 G. Midi-Pyrénées – 13 523 h alt. 166.*

*Office du Tourisme, square Maréchal Foch ☎ 05 63 34 75 09, Fax 05 63 34 75 09.*

*Paris 701 – Toulouse 61 – Albi 34 – Castelnaudary 63 – Castres 32 – Gaillac 21.*

**Rigaudié,** Est : 1,5 km par D 26 (rte St-Julien-du-Puy) ☎ 05 63 34 50 07, *Fax 05 63 34 29 27,* , – GB.
*fermé août, 25 au 31 déc., dim. soir, lundi soir et sam.* – **Repas** 13 (déj.), 19/37 ♀.
◆ Ce restaurant au cadre rustico-bourgeois occupe un étage de cette imposante demeure du 19e s. s'élevant dans un parc. À table, canard et saumon tiennent le haut de l'affiche.

---

**La GRAVE** *05320 H.-Alpes 334 F2 G. Alpes du Nord – 455 h alt. 1526 – Sports d'hiver : 1 450/3 250 m 2 2 .*

**Voir** *Glacier de la Meije★★★ (par téléphérique) – ★★★.*

**Env.** *Oratoire du Chazelet★★★ NO : 6 km.*

*Office du Tourisme, ☎ 04 76 79 90 05, Fax 04 76 79 91 65.*

*Paris 644 – Briançon 38 – Gap 127 – Grenoble 80 – Col du Lautaret 11.*

**Chalets de la Meije** sans rest, ☎ 04 76 79 97 97, *contact@chalet-meije.com, Fax 04 76 79 97 98,* ≤, , – cuisinette . GB
*fermé 6 oct. au 19 déc. et 4 au 19 mai* – ☕ 8 – **12 ch** 57/74, 9 appart, 6 duplex.
◆ Ensemble hôtelier et résidentiel superbement situé face au parc des Écrins. Les jolies chambres (lambris, fer forgé, meubles rustiques) sont réparties entre plusieurs chalets.

**Meijette,** ☎ 04 76 79 90 34, *Fax 04 76 79 94 76,* ≤, – . GB. rest
*1er juin-20 sept., 1er mars-1er mai et fermé mardi sauf juil.-août* – **Repas** 23/30 ♀ – ☕ 7,40 – **18 ch** 53/77 – ½ P 54/72.
◆ Face au grandiose massif de la Meije, le restaurant avec sa terrasse panoramique ; de l'autre côté de la route, un second bâtiment abrite les chambres, meublées en pin.

---

**GRAVELINES** *59820 Nord 302 A2 G. Picardie Flandres Artois – 12 336 h.*

*Office du Tourisme, 11 rue de la République ☎ 03 28 51 94 00, Fax 03 28 65 58 19, gravelines@tourisme.norsys.fr.*

*Paris 288 – Calais 27 – Cassel 37 – Dunkerque 22 – Lille 89 – St-Omer 36.*

**Hostellerie du Beffroi,** pl. Ch. Valentin ☎ 03 28 23 24 25, *Fax 03 28 65 59 71,* – – 30. AE GB
**Repas** *(fermé sam. midi et dim. soir)* 15,10/30 ♀ – ☕ 8 – **40 ch** 61/64.
◆ Bâtisse récente aux murs parementés de briques située au pied du beffroi, dans l'enceinte aménagée par Vauban. Chambres rénovées par étapes. Salle à manger contemporaine.

**GRAVESON** *13690 B.-du-R.* 340 D2 *G. Provence – 2 752 h alt. 14.*

**Voir** *Musée Auguste-chabaud★.*

*Office du Tourisme, cours National ✆ 04 90 95 71 05, Fax 04 90 95 81 75, ot.graveson@visitprovence.com.*

*Paris 700 – Avignon 14 – Carpentras 39 – Cavaillon 28 – Marseille 102 – Nîmes 38.*

**Moulin d'Aure** , rte St-Rémy-de-Provence : 1 km par D 5 ✆ 04 90 95 84 05, *hotel-moulin-d-aure@wanadoo.fr, Fax 04 90 95 73 84,* , , – ch, – 20. GB JCB
**Repas** *(1er avril-15 oct.)* (dîner seul.) 30 – 10 – **19 ch** 110/185 – ½ P 71/118,50.
◆ Dans un grand parc planté d'oliviers, maison aux jolies chambres provençales (fer forgé, tomettes, couleurs du Sud). Cuisine méridionale et italienne. Accueil chaleureux.

**Mas des Amandiers,** rte d'Avignon : 1,5 km ✆ 04 90 95 81 76, *contact@hotel-des-amandiers.com, Fax 04 90 95 85 18,* , , – rest, – 35. AE GB JCB
*15 mars-15 oct.* – **Repas** *(fermé merc. midi)* 16/29 , enf. 10 – 7,50 – **25 ch** 52/58 – ½ P 52.
◆ Réparties autour de la piscine et de sa terrasse, sobres chambres de style rustique aux tons ensoleillés. Parcours botanique, nombreux loisirs, location de vélos et scooters.

**Cadran Solaire** sans rest, r. Cabaret Neuf ✆ 04 90 95 71 79, *cadransolaire@wanadoo.fr, Fax 04 90 90 55 04,* – . GB
7 – **12 ch** 49/74.
◆ La façade de ce charmant relais de poste du 16e s. blotti dans un joli jardin est ornée d'un cadran solaire. Ravissantes chambres (sans TV) et délicieuse terrasse.

**Clos des Cyprès,** rte Châteaurenard ✆ 04 90 90 53 44, *Fax 04 90 90 55 84,* , – . GB
*fermé 2 au 20 janv., dim. soir, merc. soir et lundi sauf fériés* – **Repas** 35/50.
◆ Plaisante salle à manger mi-bourgeoise, mi-provençale et sa terrasse sous auvent, face à un agréable jardin planté d'oliviers et d'abricotiers. Cuisine au goût du jour.

**GRAY** *70100 H.-Saône* 314 B8 *G. Jura – 6 916 h alt. 220.*

**Voir** *Hôtel de ville★ – Collection de pastels et dessins★ de Prud'hon au musée Baron-Martin★ M1.*

*Office du Tourisme, Pavillon du Tourisme ✆ 03 84 65 14 24, Fax 03 84 65 46 26, otsi.gray@wanadoo.fr.*

*Paris 337 ⑤ – Besançon 46 ③ – Dijon 51 ⑤ – Dole 45 ④ – Langres 56 ① – Vesoul 58 ②.*

## GRAY

| | | |
|---|---|---|
| Boichut (Pl.) | Y | 3 |
| Capucins (Av.) | Z | 5 |
| Casernes (R. des) | Z | 6 |
| Couyba (Av. Ch.) | Y | 7 |
| Curie (Rue P.) | Z | 9 |
| Devosge (R. F.) | Y | 10 |
| Eglise (R. de l') | Y | 12 |
| Gambetta (R.) | Y | 13 |
| Gaulle (Av. Général-de) | Z | 14 |
| Gaulle (Pl. Charles-de) | YZ | 15 |
| Grands Moulins (Bd des) | Y | 16 |
| Libération (Av. de la) | Z | 17 |
| Marché (R. du) | Z | 18 |
| Mavia (Quai) | Y | 20 |
| Mavia (Rue) | Y | 21 |
| Neuf (Chemin) | Z | 22 |
| Paris (R. de) | Y | 24 |
| Perrières (R. des) | Z | 25 |
| Perrières (Fg. des) | Z | 26 |
| Perrières (R. du Fg. des) | Y | 27 |
| Pigalle (Rue) | Y | 28 |
| Port (Av. du) | Y | 29 |
| Quatre-Septembre (Place du) | Y | 30 |
| Revon (Av.) | Z | 31 |
| Rossen (R.) | Z | 32 |
| Signard (Rue M.) | Z | 34 |
| Soupirs (R. des) | Z | 35 |
| Sous-Préfecture (Place de la) | Y | 36 |
| Thiers (R.) | Y | 37 |
| Vieille-Tuilerie (Rue de la) | Z | 39 |

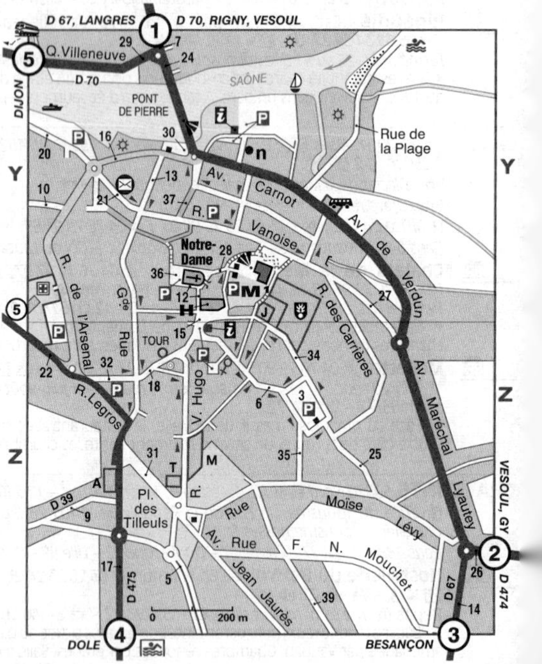

D 67, LANGRES
D 70, RIGNY, VESOUL
Q. Villeneuve
D 70
DIJON
SAÔNE
PONT DE PIERRE
Rue de la Plage
Av. Carnot
Vanoise
Av. de Verdun
Notre-Dame
R. de l'Arsenal
Gde Rue
R. des Carrières
TOUR
R. Legros
V. Hugo
Av. Maréchal Lyautey
Pl. des Tilleuls
Rue Moïse Lévy
Av. Jean Jaurès
Rue F. N. Mouchet
D 475
D 39
D 67
D 474
VESOUL, GY
DOLE
BESANÇON
200 m
Y
Z

**Fer à Cheval** sans rest, 9 av. Carnot ☎ 03 84 65 32 55, *Fax 03 84 65 42 63* – AE GB JCB Y n
*fermé 21 déc. au 4 janv.* – ☐ 6,20 – **46 ch** 33/45.
◆ Bâtisse des années 1970 dans la partie basse de la ville, près du pont de pierre. Le décor des chambres n'a pas changé depuis l'ouverture ; préférez celles de l'arrière.

**à Rigny** *par ① D 70 et D 2 : 5 km – 529 h. alt. 196 – ✉ 70100 :*

**Château de Rigny** ☎ 03 84 65 25 01, *chateau-de-rigny@wanadoo.fr, Fax 03 84 65 44 45,* – AE GB.
**Repas** 29/55 ♀ – ☐ 9,50 – **29 ch** 61/185 – ½ P 70/130.
◆ Les allées du parc de cette demeure du 17e s. serpentent jusqu'à la Saône. Le mobilier des chambres (choisir celles de la magnanerie) a été chiné dans les brocantes.

**à Nantilly** *par ① et D 2 : 5 km – 456 h. alt. 200 – ✉ 70100 :*

**Château de Nantilly** ☎ 03 84 67 78 00, *nantilly@romantik.de, Fax 03 84 67 78 01,* – 25 à 60. AE GB
*15 mars-1er nov.* – **Repas** (dîner seul.) 43/70, enf. 12 – ☐ 13 – **30 ch** 70/140, 4 appart, 7 duplex – ½ P 128/143.
◆ Jolie maison de maître dans un parc traversé par un cours d'eau. Les chambres du bâtiment principal ont plus de cachet que celles des annexes. Salle à manger bourgeoise.

## GRENADE-SUR-L'ADOUR *40270 Landes 335 I12 – 2 187 h alt. 55.*

*Office du Tourisme, 1 place des Déportés ☎ 05 58 45 45 98, Fax 05 58 45 45 55.*
*Paris 723 – Mont-de-Marsan 15 – Aire-sur-l'Adour 18 – Orthez 53 – St-Sever 14 – Tartas 33.*

**Pain Adour et Fantaisie** (Garret) avec ch, 14 pl. Tilleuls ☎ 05 58 45 18 80, *pain.adour.fantaisie@wanadoo.fr, Fax 05 58 45 16 57,* – 25. AE GB
*fermé 24 nov. au 7 déc. et vacances de fév.* – **Repas** *(fermé lundi sauf le soir du 14 juil. au 31 août, dim. soir de sept. à mi-juil.et merc. midi)* 35/85 bc et carte 55 à 70 ♀ – ☐ 11,40 – **11 ch** 64/122 – ½ P 134,50/186,75.
◆ L'enseigne de cette belle maison (17e s.) est un clin d'oeil au glorieux cinéma néoréaliste italien. Élégante salle à manger et délicieuse terrasse au bord de l'Adour.
**Spéc.** Tempura de sardine, croustillant d'olives noires et crème à la brandade de morue. Risotto crémeux de quinoa et gambas grillées. Grosse morille farcie au vert et piccatas de foie gras de canard. **Vins** Côtes de Gascogne, Madiran

## GRENOBLE P *38000 Isère 333 H6 G. Alpes du Nord – 150 758 h Agglo. 419 334 h alt. 213.*

**Voir** *Site*★★★ – *Église-musée St-Laurent*★★ *: crypte St-Oyand*★ **FY** – *Fort de la Bastille* ✻★★ *par téléphérique* **EY** – *Vieille ville*★ **EY** *: Palais de Justice*★ *(boiseries*★*) - escalier*★ *de l'hôtel d'Ornacieux* **EY J** – *Musées : de Grenoble*★★★ **FY**, *de la Résistance et de la Déportation*★ **F** , *de l'ancien Evêché-Patrimoines de l'Isère*★★ – *Musée dauphinois*★ *: chapelle*★★, *exposition thématique*★★ **EY.**

✈ *de Grenoble-St-Geoirs ☎ 04 76 65 48 48, par ⑥ : 45 km.*
*Office du Tourisme, 14 rue de la République ☎ 04 76 42 41 41, Fax 04 76 00 18 98, office-de-tourisme-de-grenoble@wanadoo.fr.*
*Paris 567 ⑥ – Chambéry 56 ② – Genève 144 ② – Lyon 104 ⑥ – Torino 235 ②.*

Plans pages suivantes

**Park Hôtel** M, 10 pl. Paul Mistral ☎ 04 76 85 81 23, *resa@park-hotel-grenoble.fr, Fax 04 76 46 49 88* – 15 à 40. AE GB JCB FZ w
*fermé 31 juil. au 24 août et 24 déc. au 4 janv.* – ***Le Parc*** *(fermé sam. midi, dim. midi et midis fériés)* **Repas** (20)-29/54 ♀ – ☐ 12 – **39 ch** 150/260, 13 appart.
◆ C'est à l'intérieur que ce discret immeuble dévoile le raffinement de ses aménagements. Chambres luxueuses et personnalisées. Centre d'affaires. Carte traditionnelle.

**Grand Hôtel Mercure Président** M, 11 r. Gén. Mangin ✉ 38100 ☎ 04 76 56 26 56, *h2947@accor-hotels.com, Fax 04 76 56 26 82,* – 20 à 120. AE GB JCB AX y
**Repas** (19) - 23/30 ♀ – ☐ 12 – **108 ch** 130/160.
◆ Vaste établissement mariant les styles : original salon-bar au cadre africain, chambres modernes et restaurant d'inspiration Art déco. Jacuzzi ouvert sur une terrasse-jardin.

**Mercure Centre** M, 12 bd Mar. Joffre ☎ 04 76 87 88 41, *H0652@accor-hotels.com, Fax 04 76 47 58 52* – 20 à 150. AE GB EZ d
***Magnolia*** *(fermé sam., dim. et fériés)* **Repas** 21 ♀ – ☐ 11 – **88 ch** 105/121.
◆ Édifice "tout béton" représentatif du style des J.O. de 1968. Chambres rénovées, modernes et joliment colorées. Au Magnolia, belles saveurs du Dauphiné dans un cadre élégant.

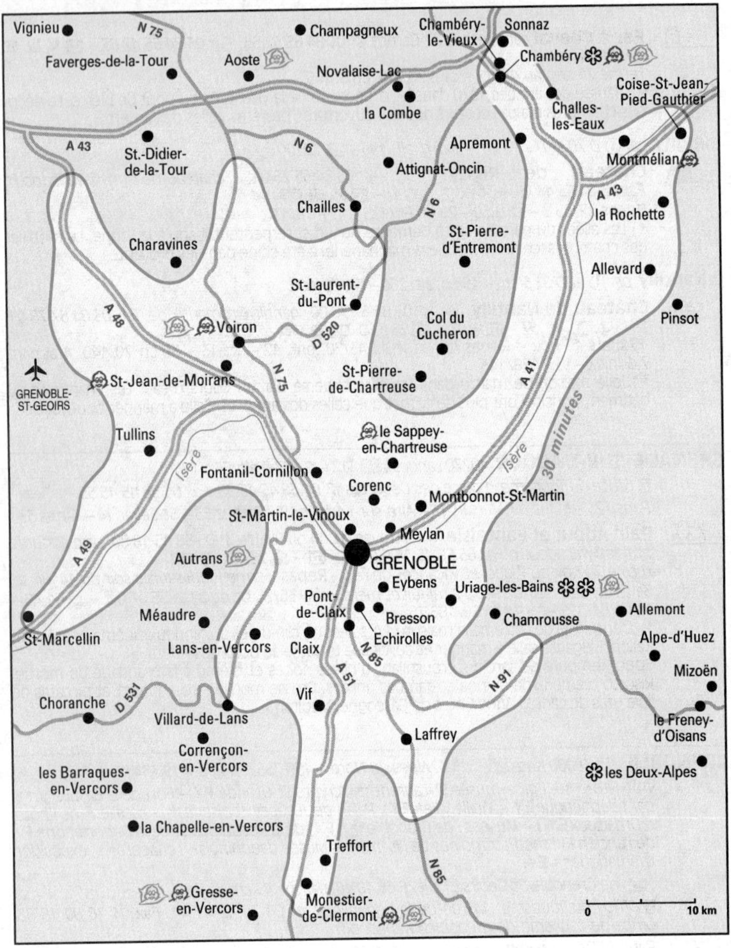
Vignieu
N 75
Champagneux
Chambéry-le-Vieux
Sonnaz
Faverges-de-la-Tour
Aoste
Novalaise-Lac
Chambéry
la Combe
Challes-les-Eaux
Coise-St-Jean-Pied-Gauthier
A 43
St.-Didier-de-la-Tour
N 6
Apremont
Attignat-Oncin
Montmélian
A 43
Chailles
N 6
la Rochette
St-Pierre-d'Entremont
Charavines
Allevard
St-Laurent-du-Pont
A 48
Pinsot
Col du Cucheron
Voiron
D 520
St-Pierre-de-Chartreuse
A 41
GRENOBLE-ST-GEOIRS
St-Jean-de-Moirans
N 75
30 minutes
le Sappey-en-Chartreuse
Tullins
Isère
Isère
Fontanil-Cornillon
Corenc
Montbonnot-St-Martin
St-Martin-le-Vinoux
Meylan
A 49
Autrans
GRENOBLE
Eybens
Uriage-les-Bains
Pont-de-Claix
Bresson
Allemont
Méaudre
Chamrousse
Echirolles
St-Marcellin
Lans-en-Vercors
Claix
Alpe-d'Huez
N 85
Mizoën
A 51
N 91
Choranche
D 531
Vif
le Freney-d'Oisans
Villard-de-Lans
Laffrey
Corrençon-en-Vercors
les Barraques-en-Vercors
les Deux-Alpes
la Chapelle-en-Vercors
Treffort
N 85
Gresse-en-Vercors
Monestier-de-Clermont
0
10 km

**Novotel Centre** Ⓜ, à Europole, pl. R. Schuman ✆ 04 76 70 84 84, *h1624@accor-hotels.com, Fax 04 76 70 24 93* – ⎮♣⎮ ✕ ▤ TV ✆ ♿ P – 🏛 15 à 540. AE ⓓ GB JCB AV r

**Repas** 18 ♀ – ☕ 11 – **118 ch** 93/145.

◆ Intégré à l'architecture futuriste du "World Trade Center", hôtel conçu pour une clientèle d'affaires : suites spacieuses, chambres "club" ou standard et salles de séminaires.

**Ugerel Alpexpo,** 1 av. Innsbruck ✆ 04 76 33 02 02, *reception1@hotel-ugerel-alpexpo.com, Fax 04 76 33 34 44,* ☂, ⛱ – ⎮♣⎮ ✕ ▤ TV ✆ ♿ 🚗 P – 🏛 20 à 150. AE ⓓ GB BX a

**Repas** *(fermé dim. midi et sam. d'oct. à avril)* 15,50 (déj.)/23 ♀ – ☕ 11 – **100 ch** 95/190.

◆ Proche du centre des expositions Alpexpo, immeuble des années 1970 privilégiant l'espace : vastes chambres et ample restaurant ouvert sur la piscine.

**Angleterre** sans rest, 5 pl. V. Hugo ✆ 04 76 87 37 21, *hotel-angleterre@hotel-angleterre.fr, Fax 04 76 50 94 10* – ⎮♣⎮ ✕ ▤ TV ✆. AE ⓓ GB JCB EZ z

☕ 10 – **62 ch** 88/150.

◆ Face à un jardin public, immeuble du début du 20e s. dont les chambres sont meublées en rotin et cannage. Certaines sont mansardées, d'autres équipées de baignoires "balnéo".

**Terminus** sans rest, 10 pl. Gare ✆ 04 76 87 24 33, *terminush@aol.com, Fax 04 76 50 38 28* – 25. AE GB JCB. DY t
8 – **39 ch** 69/122.
◆ Cet hôtel situé devant la gare a entièrement fait peau neuve : chambres actuelles et bien équipées, lumineuse salle des petits-déjeuners sous verrière, bonne insonorisation.

**Quality Hotel** sans rest, 116 cours Libération ✆ 04 76 21 26 63, *info@quality-hotel-grenoble.com, Fax 04 76 48 01 07* – cuisinette – 60. AE GB JCB AX n
9 – **56 ch** 69/76, 4 studios.
◆ Sur un important axe de circulation, bâtiment récent abritant des chambres de bon confort, actuelles et bien insonorisées. Petit bar-salon.

**Gambetta** M, 59 bd Gambetta ✆ 04 76 87 22 25, *hotelgambetta@wanadoo.fr, Fax 04 76 87 40 94* – . AE GB EZ a
**Repas** *(fermé 7 au 22 juil., dim. soir et sam.)* (10,50) - 13,50/24,50, enf. 8,40 – 7,50 – **45 ch** 37,90/62,90 – ½ P 38,50/46,20.
◆ Maison fondée en 1924 dont la façade vient d'être joliment restaurée. Chambres rénovées, pratiques et pourvues de double vitrage. Accueil familial.

**Splendid** sans rest, 22 r. Thiers ✆ 04 76 46 33 12, *info@splendid-hotel.com, Fax 04 76 46 35 24* – AE GB JCB DZ q
5,90 – **45 ch** 49/76.
◆ Près du musée des Rêves mécaniques, prolongez vos songes dans ces chambres refaites : d'un style actuel, elles sont égayées d'originales fresques exécutées au pochoir.

**Patinoires** sans rest, 12 r. Marie Chamoux ✉ 38100 ✆ 04 76 44 43 65, *info@hotel-patinoire.com, Fax 04 76 44 44 77* – . AE GB JCB GZ b
6 – **35 ch** 40/50.
◆ Dans un quartier résidentiel calme, hôtel aux petites chambres pratiques et confortables. Bonne isolation phonique. Salle des petits-déjeuners décorée de trophées de chasse.

**Trianon** sans rest, 3 r. P. Arthaud ✆ 04 76 46 21 62, *info@hotel-trianon.com, Fax 04 76 46 37 56* – . AE GB JCB DZ m
*fermé 3 au 17 août et 28 déc. au 4 janv.* – 12,50 – **38 ch** 38,90/75.
◆ Plusieurs chambres sont originalement aménagées (thèmes "Pompadour", "Bergerie"...) ; les autres sont plus sobres et plus modestes. Salon-boudoir de style Napoléon III.

**Ibis gare** sans rest, 27 quai C. Bernard ✆ 04 76 86 68 68, *Fax 04 76 50 95 03* – . AE GB DY k
6 – **36 ch** 65.
◆ Sur les quais de l'Isère, hôtel entièrement rénové : mobilier moderne, couleurs gaies et bonne isolation phonique. Côté rue, les chambres ont vue sur le fort de la Bastille.

**Gallia** sans rest, 7 bd Mar. Joffre ✆ 04 76 87 39 21, *gallia-hotel@wanadoo.fr, Fax 04 76 87 65 76* – . AE GB. EZ s
*fermé 19 juil. au 18 août* – 5,80 – **35 ch** 26/47.
◆ La majorité des chambres a bénéficié d'une cure de jouvence : pratiques et gaies, elles arborent parfois les couleurs de la Provence. Pimpant hall-salon aux jolis tons pastel.

**Europe** sans rest, 22 pl. Grenette ✆ 04 76 46 16 94, *hotel.europe.gre@wanadoo.fr, Fax 04 76 46 16 94,* – – 70. AE GB JCB. EY t
6,50 – **45 ch** 26/59.
◆ L'Europe, situé au coeur du quartier commerçant et piétonnier, est le plus vieil hôtel de Grenoble. Il abrite des chambres actuelles et insonorisées.

**Alpes** sans rest, 45 av. F. Viallet ✆ 04 76 87 00 71, *hotel-desalpes@wanadoo.fr, Fax 04 76 56 95 45* – . AE GB DY z
6 – **67 ch** 41/49.
◆ Proche de la gare, construction "tout béton" datant des années 1970. Petites chambres fonctionnelles et parties communes ont conservé le style "seventies". Accueil familial.

**Paris-Nice** sans rest, 61 bd J. Vallier ✉ 38100 ✆ 04 76 96 36 18, *hotel.paris.nice@wanadoo.fr, Fax 04 76 48 07 79* – . AE GB AVX t
5,50 – **29 ch** 40/48.
◆ Sur un boulevard passant proche de la sortie de l'autoroute, petites chambres munies, en façade, de doubles fenêtres efficaces. Confort simple, mais tenue irréprochable.

**Auberge Napoléon,** 7 r. Montorge ✆ 04 76 87 53 64, *Fcaby@wanadoo.fr, Fax 04 76 87 80 76* – . AE GB EY b
*fermé 1er au 8 mai, 25 août au 7 sept., 2 au 7 janv., dim. et le midi sauf sam.* – **Repas** (nombre de couverts limité, prévenir) 40 et carte 44 à 55.
◆ La maison entretient le souvenir de Napoléon Bonaparte, son hôte le plus célèbre. Cadre plaisant et soigné de style Empire, où l'on propose une cuisine personnalisée.

### CORENC

Eygala (Av. de l') . . . . . . . . **BCV**
Grésivaudan (Av. du) . . . . **BCV**

### ÉCHIROLLES

États-Généraux (Av. des) . . **AX** 30
Grugliasco (Av. de) . . . . . . . **AX**
Jaurès (Cours J.) . . . . . . . . . **AX**

### EYBENS

Innsbruck (Av. d') . . . . . . . . . **BX** 38
Jaurès (Av. J.) . . . . . . . . . . . **BX**
Mendès-France (R.) . . . . . . . **BX**
Poisat (Av. de) . . . . . . . . . . . **BX** 47

### FONTAINE

Briand (Av. A.) . . . . . . . . . . . . **AV**
Joliot-Curie (Bd) . . . . . . . . . . **AV**
Vercors (Av. du) . . . . . . . . . . **AV**

### GRENOBLE

Alliés (R. des) . . . . . . . . . . . **AX**
Alsace-Lorraine (Av.) . . . . . **DYZ** 3
Ampère (R.) . . . . . . . . . . . . . **AV**
Augereau (R.) . . . . . . . . . . . **DZ**
Barnavel (R.) . . . . . . . . . . . . **EFY** 5
Bayard (R.) . . . . . . . . . . . . . . **FY** 6
Belgique (Av. Albert-Ier de) **EFZ** 7
Belgrade (R. de) . . . . . . . . . . **EY** 9
Berriat (Cours) . . . . . . . . . **AV-DZ**
Bernard (Q. Cl.) . . . . . . . . . . **DY**
Berthelot (Av. M.) . . . . . . . . **BX**
Bistesi (R.) . . . . . . . . . . . . . . . **FZ** 10
Bizanet (R.) . . . . . . . . . . . . . **FGY**
Blanchard (R. P.) . . . . . . . . **EYZ**
Blum (Av. Léon) . . . . . . . . . . **AX**
Boissieux (R. B.-de) . . . . . . . **EZ**
Bonne (R. de) . . . . . . . . . . . . **EZ** 12
Brenier (R. C.) . . . . . . . . . . . **DY** 13
Briand (Pl. A.) . . . . . . . . . . . **DY**
Brocherie (R.) . . . . . . . . . . . . **EY** 15
Casimir-Périer (R.) . . . . . . . . **EZ** 16
Champollion (R.) . . . . . . . . . **FZ** 17
Champon (Av. Gén.) . . . . . . **FZ**
Chanrion (R. J.) . . . . . . . . . **FYZ**
Chenoise (R.) . . . . . . . . . . . . **EFY** 18
Claudel (R. P.) . . . . . . . . . . . **BX** 20
Clemenceau (Bd) . . . . . . . . **FGZ**
Clot-Bey (R.) . . . . . . . . . . . . **EYZ** 21
Condillac (R.) . . . . . . . . . . . . **EZ**
Condorcet (R.) . . . . . . . . . . . **DZ**
Créqui (Q.) . . . . . . . . . . . . . **DEY**
Diables-Bleus (Bd des) . . . . **FZ** 24
Diderot (R.) . . . . . . . . . . . . . . **AV** 25
Dr-Girard (Pl.) . . . . . . . . . . . **FY** 26
Driant (Bd Col.) . . . . . . . . . . **FZ** 27
Dubedout (Pl. H.) . . . . . . . . **DY** 28
Esclangon (R. F.) . . . . . . . . . **AV** 29
Esmonin (Av. E.) . . . . . . . . . **AX**
Europe (Av. de l') . . . . . . . . . **BX** 31
Fantin-Latour (R.) . . . . . . . . **FZ** 32
Faure (R. E.) . . . . . . . . . . . . . **FZ**
Flandrin (R. J.) . . . . . . . . . . . **GZ** 33
Foch (Bd Mar.) . . . . . . . . . . **DEZ**
Fourier (R.) . . . . . . . . . . . . . . **FZ** 34
France (Q. de) . . . . . . . . . . . **DEY**
Gambetta (Bd) . . . . . . . . . . **DEZ**
Graille (Q. de la) . . . . . . . . . . **DY**
Grande-Rue . . . . . . . . . . . . . . **EY** 37
Grenette (Pl.) . . . . . . . . . . . . **EY**
Gueymard (R. E.) . . . . . . . . . **DY**
Haxo (R.) . . . . . . . . . . . . . . . . **FZ**
Hébert (R.) . . . . . . . . . . . . . **FYZ**
Hoche (R.) . . . . . . . . . . . . . . . **EZ**
Jaurès (Cours J.) . . . . . . . . **DYZ**
Jay (Q. S.) . . . . . . . . . . . . . . . **EY**
Jeanne-d'Arc (Av.) . . . . . . . . **GZ**
Joffre (Bd Mar.) . . . . . . . . . . **DEZ**
Jongking (Q.) . . . . . . . . . . . . . **FY**
Jouhaux (R. L.) . . . . . . . . . **BX-GZ**
Jouvin (Q. X.) . . . . . . . . . . . . . **FY**
Lafayette (R.) . . . . . . . . . . . . **EY** 39
La Fontaine (Cours) . . . . . . . **EZ**
Lakanal (R.) . . . . . . . . . . . . . . **EZ**
Lavalette (Pl.) . . . . . . . . . . . . **FY** 40
Leclerc (Av. Mar.) . . . . . . . . . **FY**
Lesdiguières (R.) . . . . . . . . . . **EZ**
L'Herminier (R. Cdt) . . . . . . . **FY** 41
Libération et du Gén.-
de Gaulle (Crs de la) . . . . **AX**
Lyautey (Bd Mar.) . . . . . . . . . **EZ** 42
Lyon (Rte de) . . . . . . . . . . . . . **DY**
Malakoff (R.) . . . . . . . . . . . . **FGZ**
Mallifaud (R.) . . . . . . . . . . . . **EFZ**
Martyrs (R. des) . . . . . . . . . . . **AV**
Mistral (Pl. P.) . . . . . . . . . . . . . **FZ**
Montorge (R.) . . . . . . . . . . . . . **EY** 43
Mortillet (R. de) . . . . . . . . . . **FGY**
Moyrand (R.) . . . . . . . . . . . . . **FGZ**
Notre-Dame (Pl.) . . . . . . . . . . . **FY**
Pain (Bd J.) . . . . . . . . . . . . . . . **FZ**
Palanka (R.) . . . . . . . . . . . . . . . **EY** 44
Pasteur (Pl.) . . . . . . . . . . . . . . **FZ** 45
Perrière (Q.) . . . . . . . . . . . . . . **EY** 46
Perrot (Av. J.) . . . . . . . . . . . **BX-FZ**
Poulat (R. F.) . . . . . . . . . . . . . **EY** 48
Prévost (R. J.) . . . . . . . . . . . . . **DZ**
Randon (Av. Mar.) . . . . . . . . . . **FY**
Rey (Bd Ed.) . . . . . . . . . . . . . . **EY**
Reynier (R. A.) . . . . . . . . . . . . **AX** 49
Reynoard (Av. M.) . . . . . . . . . **BX** 50
Rhin-et-Danube (Av.) . . . . . . . **AX**
Rivet (Pl. G.) . . . . . . . . . . . . . . **EZ** 53
Rousseau (R. J.-J.) . . . . . . . . . **EY** 55
Sablon (Pont du) . . . . . . . . . . . **GY**
St-André (Pl.) . . . . . . . . . . . . . **EY** 56
Ste-Claire (Pl.) . . . . . . . . . . . . **EY** 57
Sembat (Bd A.) . . . . . . . . . . . . **EZ**
Servan (R.) . . . . . . . . . . . . . . . **FY** 59
Stalingrad (R. de) . . . . . . . . . . **AX** 60
Strasbourg (R. de) . . . . . . . . . **EFZ** 62
Thiers (R.) . . . . . . . . . . . . . . . . **DZ**
Très-Cloîtres (R.) . . . . . . . . . . . **FY** 63

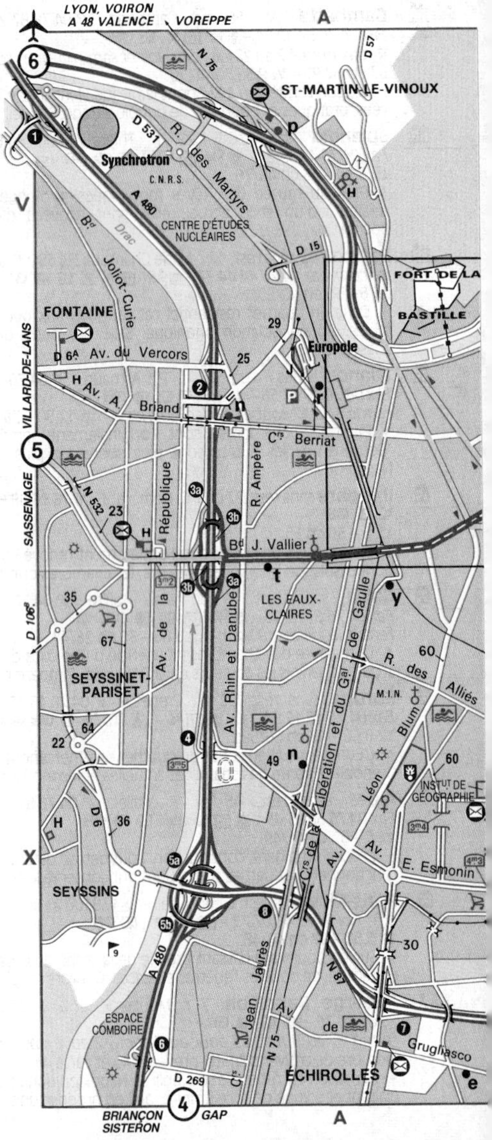

LYON, VOIRON
A 48 VALENCE
VOREPPE
A
ST-MARTIN-LE-VINOUX
Synchrotron
C.N.R.S.
CENTRE D'ÉTUDES NUCLÉAIRES
R. des Martyrs
FORT DE LA BASTILLE
Europole
FONTAINE
Av. du Vercors
Av. A. Briand
Cs Berriat
R. Ampère
Bd J. Vallier
LES EAUX-CLAIRES
SEYSSINET-PARISET
SEYSSINS
R. des Alliés
M.I.N.
INSTUT DE GÉOGRAPHIE
Av. E. Esmonin
Av. Rhin et Danube
Av. de la République
Libération et du Gal de Gaulle
ESPACE COMBOIRE
ÉCHIROLLES
Av. de Grugliasco
VILLARD-DE-LANS
SASSENAGE
V
X
BRIANÇON
SISTERON
GAP

Turenne (R.) ........... DZ
Vallès (Av. J.) .......... BV
Vallier (Bd J.) .......... AVX
Valmy (Av. de) .......... GZ
Verdun (Pl.) .......... FZ
Viallet (Av. F.) .......... DEY
Vicat (R.) .......... EZ 66
Victor-Hugo (Pl.) .......... EZ
Villars (R. D.) .......... FYZ
Voltaire (R.) .......... FY 68

## MEYLAN

Vercors (Av. du) .......... CV
Verdun (Av. de) .......... CV

## SEYSSINET-PARISET

Coubertin (Av. P. de) .... AX 22
Desaire (Bd des Frères) ...... AV 23
Gaulle (Av. Gén.-de) .... AX 35
République (Av. de la) . AVX
Tuilerie (R.) .......... AX 64
Victor-Hugo (Av.) ........ AX 67

## SEYSSINS

Gaulle (Av. Gén.-de) .... AX 36

## ST-MARTIN-D'HÈRES

Antoine (R.) .......... CX
Cachin (Av. M.) .......... BX
Croizat (Av. A.) .......... BCV
Galochère (Av. de la) .......... CX
Jaurès (Av. J.) .......... CX
Péri (Av. G.) .......... BCV
Potié (Av.) .......... BX
Prévert (Av. J.) .......... CX
Romain-Rolland (Av.) .... CX 54

## LA TRONCHE

Chantourne (Bd de la) .......... BV 19
Grande-Rue .......... BV
Maquis-du-Grésivaudan (Av. des) .......... BV

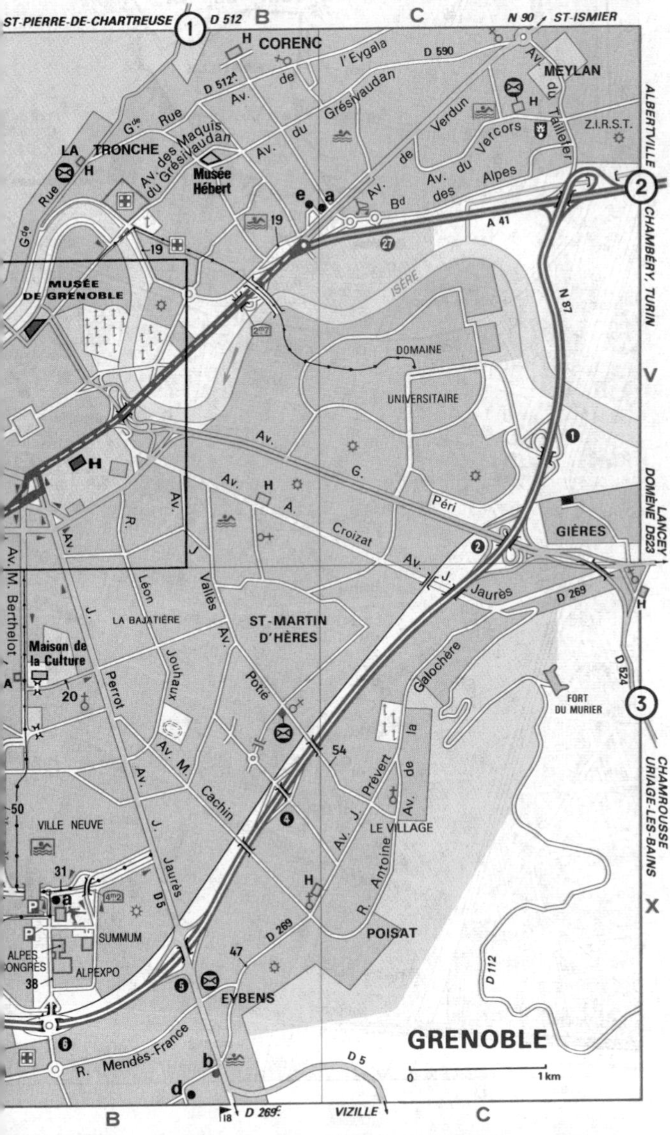

ST-PIERRE-DE-CHARTREUSE
D 512
B
C
N 90
ST-ISMIER
CORENC
MEYLAN
LA TRONCHE
Musée Hébert
MUSÉE DE GRENOBLE
Z.I.R.S.T.
A 41
N 87
ISÈRE
DOMAINE
UNIVERSITAIRE
ALBERTVILLE
CHAMBÉRY, TURIN
V
LANCEY DOMÈNE D523
GIÈRES
LA BAJATIÈRE
ST-MARTIN D'HÈRES
Maison de la Culture
FORT DU MURIER
D 524
CHAMROUSSE URIAGE-LES-BAINS
VILLE NEUVE
LE VILLAGE
SUMMUM
ALPEXPO
POISAT
EYBENS
X
D 112
D 269
D 5
GRENOBLE
0
1 km
VIZILLE
D 269

# GRENOBLE

Alsace-Lorraine (Av.) .... **DYZ** 3
Barnavel (R.) ........... **EFY** 5
Bayard (R.) ............... **FY** 6
Belgique (Av. Albert-Ier-de) ...... **EFZ** 7
Belgrade (R. de) .......... **EY** 9
Bistesi (R.) ........... **FZ** 10
Blanchard (R. P.) .... **EYZ**
Bonne (R. de) ......... **EZ** 12
Brenier (R. C.) ....... **DY** 13
Brocherie (R.) ........ **EY** 15
Casimir-Perier (R.) .... **EZ** 16
Champollion (R.) ...... **FZ** 17
Chenoise (R.) ....... **EFY** 18
Clot-Bey (R.) ....... **EYZ** 21
Diables-Bleus (Bd des) ........... **FZ** 24
Dr-Girard (Pl.) ........ **FY** 26
Driant (Bd Col.) ...... **FZ** 27
Dubedout (Pl. H.) .... **DY** 28
Fantin-Latour (R.) .... **FZ** 32
Flandrin (R. J.) ....... **GZ** 33

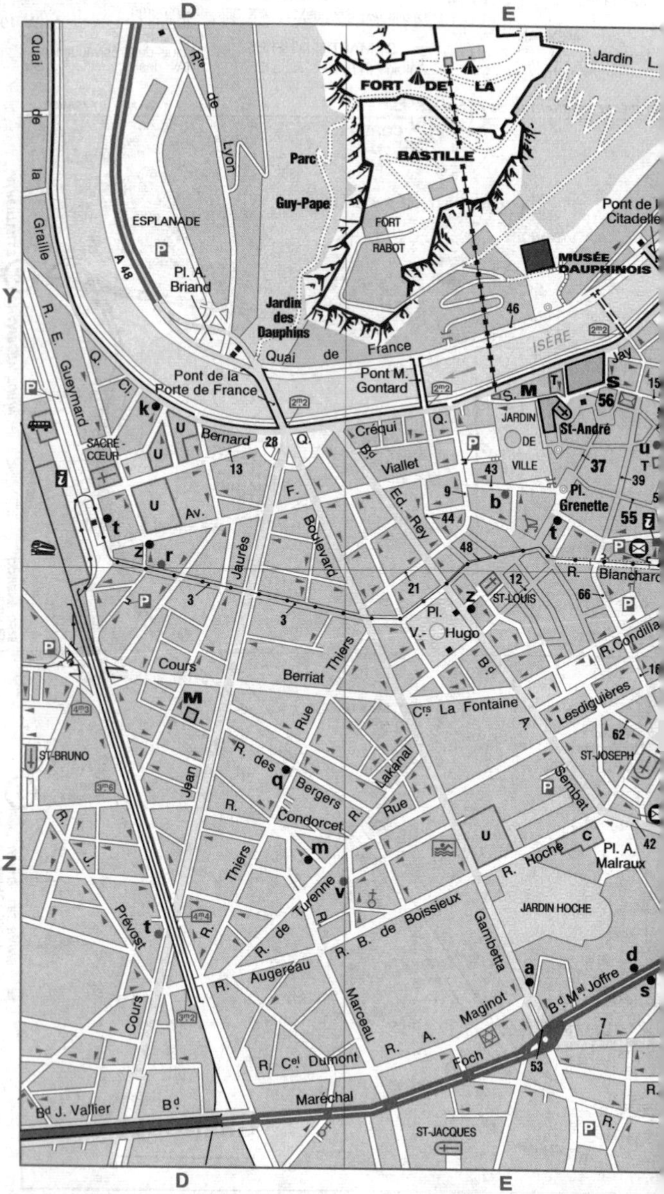

D
E
Y
Z
FORT DE LA BASTILLE
Parc Guy-Pape
ESPLANADE
Pl. A. Briand
Jardin des Dauphins
FORT RABOT
MUSÉE DAUPHINOIS
Pont de la Citadelle
Quai de France
ISÈRE
Pont de la Porte de France
Pont M. Gontard
Quai de la Graille
R. E. Gueymard
SACRÉ-CŒUR
JARDIN DE VILLE
St-André
Pl. Grenette
ST-LOUIS
Pl. V.-Hugo
Cours Berriat
Crs La Fontaine
ST-BRUNO
ST-JOSEPH
Pl. A. Malraux
JARDIN HOCHE
R. Hoche
Gambetta
R. A. Maginot
Bd Mal Joffre
Foch
Maréchal
ST-JACQUES
Bd J. Vallier
Cours Jean Jaurès
Boulevard Gambetta
Rue Thiers
R. Condorcet
R. des Bergers
R. de Turenne
R. B. de Boissieux
R. Augereau
R. Cel Dumont
Marceau
Rue Lakanal
Lesdiguières
R. Blanchard
R. Condillac
Sembat
Bd Ed. Rey
Av. F. Viallet
Bd Créqui
Q. Cl. Bernard
R. J. Prévost
A 48
Rte de Lyon

Foch (Bd Mar.) .......... **DEZ**
Fourier (R.) .............. **FZ** 34
Grande-Rue ............... **EY** 37
Grenette (Pl.) ............ **EY**
Lafayette (R.) ............ **EY** 39
Lavalette (Pl.) ............ **FY** 40
L'Herminier (R. Cdt) ...... **FY** 41
Lyautey (Bd Mar.) ......... **EZ** 42
Montorge (R.) ............ **EY** 43
Palanka (R.) .............. **EY** 44
Pasteur (Pl.) .............. **FZ** 45
Perrière (Q.) .............. **EY** 46
Poulat (R. F.) ............ **EY** 48
Rivet (Pl. G.) ............ **EZ** 53
Rousseau (R. J.-J.) ...... **EY** 55
St-André (Pl.) ............ **EY** 56
Ste-Claire (Pl.) ........... **EY** 57
Servan (R.) ............... **FY** 59
Strasbourg
(R. de) ................... **EFZ** 62
Très-Cloîtres (R.) ........ **FY** 63
Vicat (R.) ................. **EZ** 66
Victor-Hugo (Pl.) ......... **EZ**
Voltaire (R.) .............. **FY** 68

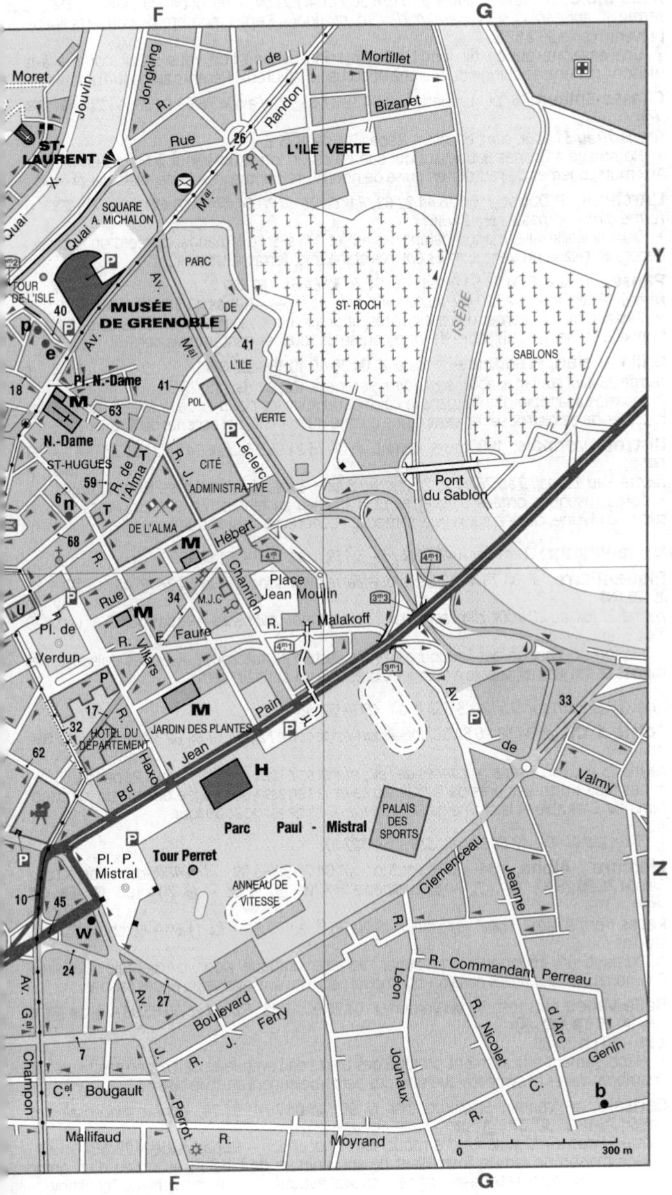
F
G
Y
Z
Moret
Jouvin
Jongking
R.
de
Mortillet
Randon
Bizanet
Rue
26
L'ILE VERTE
ST-LAURENT
Quai
M.al
SQUARE
A. MICHALON
PARC
TOUR DE L'ISLE
40
MUSÉE DE GRENOBLE
Av.
DE
41
L'ILE
ST-ROCH
ISÈRE
SABLONS
Pl. N.-Dame
18
N.-Dame
63
POL.
VERTE
Leclerc
ST-HUGUES
R. de l'Alma
59
R. J.
CITÉ ADMINISTRATIVE
Pont du Sablon
DE L'ALMA
68
Hébert
Chanrion
Place Jean Moulin
M.J.C.
34
Malakoff
Pl. de Verdun
R. Villars
E. Faure
17
32
HÔTEL DU DÉPARTEMENT
JARDIN DES PLANTES
Pain
Jean
62
Haxo
Bd
H
Av.
de
Valmy
33
PALAIS DES SPORTS
Parc Paul - Mistral
Pl. P. Mistral
Tour Perret
ANNEAU DE VITESSE
Clemenceau
Jeanne
10
45
24
27
R. Commandant Perreau
Léon
Jouhaux
R. Nicolet
d'Arc
Genin
Boulevard
J. Ferry
Av. G.al Champon
7
C.el Bougault
Perrot
Mallifaud
Moyrand
0
300 m

XXX **L'Escalier,** pl. Lavalette ✆ 04 76 54 66 16, *Fax 04 76 63 01 58,* 🏕 – ▤. AE ⓓ GB JCB FY p
*fermé sam. midi, lundi midi et dim.* – **Repas** 32/69 et carte 47 à 60.
◆ Près du musée de Grenoble, maison ancienne ayant conservé son attrayant cachet grâce aux poutres et pierres apparentes. Menus originaux : gourmand, minceur ou "cuillère".

XX **A Ma Table,** 92 cours J. Jaurès ✆ 04 76 96 77 04, *Fax 04 76 96 77 04* – ▤. GB DZ t
*fermé 1er août au 1er sept., sam. midi, dim. et lundi* – **Repas** (nombre de couverts limité, prévenir) carte 36 à 57 ♀.
◆ Une enseigne qui en dit long ! Adresse minuscule où l'on vous reçoit comme à la maison : généreuse cuisine du marché et accueil chaleureux. Réservé aux non-fumeurs.

XX **Chasse-Spleen,** 6 pl. Lavalette ✆ 04 38 37 03 52, *Fax 04 76 63 01 58* – AE ⓓ GB JCB FY e
*fermé 10 au 31 août, sam. et dim.* – **Repas** 20 (déj.)/23 ♀.
◆ Hommage à Charles Baudelaire qui baptisa ce vin lors d'un séjour à Moulis-en-Médoc. Aux murs, poèmes de l'auteur en guise de nourriture spirituelle. À table, plats dauphinois.

X **L'Arche,** 4 r. P. Duclot ✆ 04 76 44 22 62, *Fax 04 76 44 70 04,* 🏕 – AE GB EY u
*fermé dim.* – **Repas** *(13 bc)* - 21/36.
◆ Dans la vieille ville, maison datant des 16e et 17e s. Salle à manger parée d'un nouveau décor : carrelage provençal, murs colorés et joli zinc. Terrasse-trottoir.

X **Panse,** 7 r. Paix ✆ 04 76 54 09 54, *Fax 04 76 42 64 54* – AE GB FY n
*fermé 28 avril au 4 mai, 20 juil. au 18 août, dim. et fériés* – **Repas** 12,50 (déj.), 14,70/26.
◆ Restaurant du quartier des antiquaires, apprécié pour ses prix doux et sa cuisine traditionnelle servie dans un sobre décor rehaussé de touches contemporaines.

X **Grill Parisien,** 34 bd Alsace-Lorraine ✆ 04 76 46 10 16 – AE GB DYZ r
*fermé 28 avril au 4 mai, août, sam., dim. et fériés* – **Repas** *(15)* - 15/27 ♀.
◆ Installés à la table d'hôte (dans la cuisine) ou sous les poutres de la salle à manger, les habitués de ce bistrot se régalent d'une cuisine du marché aux accents du Sud.

X **Bistrot Lyonnais,** 168 cours Berriat ✆ 04 76 21 95 33, *Fax 04 76 21 95 33,* 🏕 – AE GB AV n
*fermé 5 au 12 mai, 9 au 26 août, 21 déc. au 6 janv., sam., dim. et fériés* – **Repas** 20/34.
◆ Salles rustiques ornées d'assiettes et d'affiches anciennes. En été, un repas sous la superbe glycine, classée par la ville, s'impose ! Généreuse cuisine traditionnelle.

**à St-Martin-le-Vinoux** : *2 km par A 48 et N 75 – 5 139 h. alt. 250 – ✉ 38950 :*

XXX **Pique-Pierre,** ✆ 04 76 46 12 88, *piquepierre@wanadoo.fr, Fax 04 76 46 43 90,* 🏕 – ▤ P. AE GB AV p
*fermé 27 juil. au 20 août, dim. soir, merc. soir et lundi sauf fériés* – **Repas** 30/55 et carte 29 à 44 ♀, enf. 11.
◆ Maison bourgeoise des faubourgs, entre Bastille et autoroute. Avec ses boiseries, ses miroirs et ses lustres, la salle à manger a préservé un petit air "rétro".

**à Corenc** *par ① : 3,5 km sur D 512 – 3 356 h. alt. 450 – ✉ 38700 :*

XX **Corne d' Or,** ✆ 04 38 86 62 36, *info@cornedor.com, Fax 04 38 86 62 37,* ≤, 🏕 – P. GB.
*fermé 15 août au 3 sept., vacances de fév., mardi soir, dim. soir et merc.* – **Repas** 24/63 ♀.
◆ Les tables dressées près de la baie vitrée et la terrasse ombragée offrent un joli panorama sur Grenoble et la chaîne de Belledonne. Cuisine au goût du jour.

**à Meylan** : *3 km par N 90 – 17 863 h. alt. 331 – ✉ 38240 :*

**Mercure Alpha,** 34 av. Verdun ✆ 04 76 90 63 09, *h2948@accor-hotels.com, Fax 04 76 90 28 27,* 🏕, 🏊 – 🛗 cuisinette ▤ TV ✆ P – 🏛 20 à 100. AE ⓓ GB JCB BV e
**Repas** *(fermé sam.)* *(13,60)* - 15,40 (déj.), 18,20/26 ♀, enf. 7,50 – ☕ 11,50 – **60 ch** 94/106, 23 studios.
◆ Bordant un important axe routier, adresse pratique pour la clientèle d'affaires. Chambres fonctionnelles et salon-bar moderne. La cuisine évolue au fil des saisons.

**Belle Vallée** sans rest, 32 av. Verdun ✆ 04 76 90 42 65, *Fax 04 76 90 65 98* – 🛗 ▤ TV ✆ 🚗 P. AE ⓓ GB JCB CV a
☕ 6 – **30 ch** 53/65.
◆ Hébergement efficacement protégé des bruits de l'avenue et de l'hypermarché voisin. Chambres claires et sympathique salle des petits-déjeuners de style bistrot.

XX **Cerisaie,** 18 chemin St-Martin (par N 90) ✆ 04 76 41 91 29, *contact@lacerisaie.net, Fax 04 76 18 25 30,* 🏕, 🏊, 🌳 – P. AE GB JCB
*fermé 21 déc. au 12 janv., lundi en août, sam. midi et dim.* – **Repas** 23 (déj.), 29/55.
◆ Une maison de famille fourmillant de souvenirs et de bibelots au milieu d'un grand jardin où l'on dresse la terrasse : cette "Cerisaie" évoque la pièce éponyme de Tchekhov.

**à Montbonnot-St-Martin** *Nord-Est : 7 km par av. de Verdun et N 90 – 2 808 h. alt. 310 –* ✉ *38330 .*

**Voir** *Bec de Margain* ←★★ *NE : 13 km puis 30 mn.*

XXX **Les Mésanges-Alain Pic,** ✆ 04 76 90 21 57, *info@restaurant-alain-pic.com, Fax 04 76 90 94 48,* – AE GB
*fermé 11 au 18 août, vacances de fév., dim. soir, sam. midi et lundi* – **Repas** 24/75 et carte 56 à 80 ♀.
◆ Le jardin et sa terrasse ombragée donnant sur la chaîne de Belledonne constituent le joyau de cette maison bourgeoise au décor intérieur chaleureux et fleuri.

**à Eybens** *: 5 km – 8 013 h. alt. 230 –* ✉ *38320 :*

**Château de la Commanderie**, av. Échirolles ✆ 04 76 25 34 58, *resa@commanderie.fr, Fax 04 76 24 07 31,* – TV P – 25. AE GB. BX d
**Repas** *(fermé 2 déc. au 4 janv.)* 29 (déj.), 35/62 ♀ – 12 – **25 ch** 78/145 – ½ P 85/99.
◆ Petit château - ancienne commanderie des Templiers - dans un jardin arboré. Meubles ancestraux, portraits de famille, tapisseries d'Aubusson... Un lieu chargé d'histoire.

XX **Rustique Auberge,** 134 av. J. Jaurès ✆ 04 76 25 24 70, *Fax 04 76 62 39 53* – . AE GB BX b
*fermé 1er au 21 août, 26 déc. au 1er janv., lundi midi, sam. midi et dim.* – **Repas** *(12,20)* - 22,10/34 ♀.
◆ Bâtisse des années 1960 bordant une importante avenue. Salle de restaurant d'esprit rustique où l'on s'attable autour de plats traditionnels.

**à Bresson** *Sud par av. J. Jaurès : 8 km par D 269c – 753 h. alt. 300 –* ✉ *38320 :*

XXXX **Chavant** avec ch, ✆ 04 76 25 25 38, *chavant@chateauxhotels.com, Fax 04 76 62 06 55,* – TV P – 15. AE GB
*fermé 25 au 31 déc.* – **Repas** *(fermé sam. midi, dim. soir et lundi)* 33,50/45 et carte 50 à 72,50 ♀, enf. 13 – 12 – **7 ch** 104/160.
◆ Auberge champêtre tapissée de lierre. La salle, habillée de boiseries, s'ouvre sur un joli jardin ombragé. Cave à vins (vente et dégustation). Chambres personnalisées.

**à Échirolles** *: 4 km – 34 435 h. alt. 237 –* ✉ *38130 :*

**Dauphitel** M, 16 av. Kimberley ✆ 04 76 33 60 60, *info@dauphitel.fr, Fax 04 76 33 60 00,* – TV P – 15 à 50. AE GB JCB. rest AX e
**Repas** *(fermé 9 au 17 août, 24 déc. au 4 janv., sam. et dim.)* *(16,50 bc)* - 23,80 ♀, enf. 10 – 8,30 – **68 ch** 67/75.
◆ Les chambres, confortables et bien insonorisées, disposent d'un accès à Internet par la TV. Nombreux équipements de loisirs et de séminaires. Piscine entourée de verdure.

**par la sortie ④ :**

**à Pont-de-Claix** *8 km par N 75 – 11 871 h. alt. 240 –* ✉ *38800 :*

X **Provençal,** 16 cours St-André ✆ 04 76 98 01 16, *Fax 04 76 98 01 16* – . GB
*fermé 21 au 29 avril, 4 au 26 août, 1er au 7 janv., mardi soir, dim. soir et lundi* – **Repas** *(10)* - 14,50 (déj.), 18,50/36, enf. 8.
◆ Maison familiale située dans la contre-allée d'une grande avenue et abritant une salle de restaurant au décor sage et frais. Adresse prisée à l'heure du déjeuner.

**à Claix** *: 9 km par A 480, sortie 9 – 6 960 h. alt. 300 –* ✉ *38640 :*

**Comfort Inn Primevère,** 2 r. Europe ✆ 04 76 98 84 54, *Fax 04 76 98 66 22,* – TV P – 15 à 30. AE GB.
**Repas** *(12)* - 15/35, enf. 8 – 6,90 – **45 ch** 53.
◆ Dans un secteur d'activités commerciales, bâtiment moderne disposant de chambres fonctionnelles, bien tenues et insonorisées. Terrasse au bord de la piscine.

**par la sortie ⑥ :**

**au Fontanil** *: 8 km par A 48, sortie 14 et N 75 – 2 079 h. alt. 210 –* ✉ *38120 :*

XX **Queue de Cochon,** rte Lyon ✆ 04 76 75 65 54, *qcochon@free.fr, Fax 04 76 75 76 85,* – P. AE GB
*fermé 13 au 27 oct., sam. midi, dim. soir et lundi* – **Repas** *(24)* - 26/38 ♀, enf. 10,40.
◆ L'adresse - bâtisse moderne dans un vaste jardin arboré - est autant appréciée pour ses buffets et grillades que pour sa terrasse abritée entourée de verdure.

**près échangeur A 48** *sortie n° 12/13 : 12 km –* ✉ *38340 Voreppe :*

**Novotel** M, ✆ 04 76 50 55 55, *h0423@accor-hotels.com, Fax 04 76 56 76 26,* – TV P – 15 à 130. AE GB
**Repas** 15/20 ♀ – 11 – **114 ch** 89.
◆ Au pied du Vercors et de la Chartreuse, au milieu des champs, le confort habituel des Novotel. Grill et terrasse face au jardin. Bar décoré sur le thème de la soierie.

**GRÉOUX-LES-BAINS** *04800 Alpes-de-H.-P.* 334 D10 *G. Alpes du Sud – 1 718 h alt. 386 – Stat. therm. (début mars-fin déc.) – Casino.*

*Office du Tourisme, 5 avenue des Marronniers ☎ 04 92 78 01 08, Fax 04 92 78 13 00, tourisme@greoux-les-bains.com.*

*Paris 767 – Digne-les-Bains 68 – Aix-en-Provence 54 – Brignoles 53 – Manosque 15.*

**Crémaillère**, rte Riez ☎ 04 92 70 40 04, *Fax 04 92 78 19 80*, – rest, – 40. AE GB
*23 mars-20 déc.* – **Repas** (16) - 24 (déj.), 29/32 – 11,50 – **51 ch** 75 – ½ P 70.
◆ Un cadre contemporain coloré et lumineux laissant présager un séjour réussi à deux pas des thermes troglodytes. Des meubles en rotin garnissent les chambres.

**Villa Borghèse**, av. Thermes ☎ 04 92 78 00 91, *villa.borghese@wanadoo.fr, Fax 04 92 78 09 55*, – – 30 à 80. AE GB. rest
*23 mars-11 nov.* – **Repas** (18) - 27/38, enf. 12 – 10 – **66 ch** 66/117 – P 95/112.
◆ Pas de collections d'oeuvres d'art dans cette "Villa Borghèse" tapissée d'ampélopsis, mais des chambres spacieuses, sauna, espace beauté, club et cours de bridge.

**Lou San Peyre**, av. Thermes ☎ 04 92 78 01 14, *contact@lousanpeyre.com, Fax 04 92 78 03 85*, – – 40. AE GB. rest
*15 mars-31 oct.* – **Repas** 16,50/30, enf. 13,50 – 10,20 – **38 ch** 88 – P 101.
◆ Ne vous fiez pas à la façade, sans charme particulier. À l'intérieur, vous trouverez des chambres entièrement rénovées, vastes et bien équipées. Salle à manger itou.

**Chêneraie** M, Les Hautes Plaines, par av. Thermes ☎ 04 92 78 03 23, *contact@la-chen eraie.com, Fax 04 92 78 11 72*, – AE GB
*fermé 15 nov. au 28 fév.* – **Repas** 17/35, enf. 9 – 11 – **20 ch** 53/77 – P 62/73.
◆ Immeuble moderne érigé sur les hauteurs de la station, dans la quiétude d'un quartier résidentiel. Chambres fonctionnelles de bonne ampleur, salle à manger actuelle.

**Alpes**, av. Alpes ☎ 04 92 74 24 24, *Fax 04 92 74 24 26*, – AE GB
*mars-nov.* – **Repas** *(fermé dim. soir et lundi)* 17/33 – 7,50 – **30 ch** 43/64 – ½ P 46/53.
◆ Au pied du château des Templiers, façade ancienne abritant un intérieur rajeuni, avec des chambres insonorisées. Cuisine inspirée de la Provence.

**Verdon**, rte Riez ☎ 04 92 70 40 03, *Fax 04 92 70 43 99*, – – 40. AE GB
*2 mars-29 nov.* – **Repas** 19/30 – 9,50 – **64 ch** 57/67 – P 62/69.
◆ Cet hôtel rénové abrite des chambres fraîches, pratiques et dotées de balcons ; elles ont vue sur le village ou sur la garrigue. Agréable jardin avec terrain de pétanque.

**Grand Jardin**, av. Thermes ☎ 04 92 70 45 45, *a.vidal@wanadoo.com, Fax 04 92 74 24 79*, – – 30. AE GB JCB. rest
*1er mars-26 nov.* – **Repas** 15/37 – 7,50 – **85 ch** 50/70 – ½ P 49/61.
◆ Cette grande bâtisse est voisine du parc recelant la source aux vertus curatives. Chambres côté jardin plus claires, avec balcon donnant sur la piscine et son péristyle.

**GRESSE-EN-VERCORS** *38650 Isère* 333 G8 *G. Alpes du Nord – 265 h alt. 1205 – Sports d'hiver : 1 300/1 700 m 16.*

*Voir Col de l'Allimas ≤★ S : 2 km.*

*Syndicat d'Initiative, Le faubourg ☎ 04 76 34 33 40, Fax 04 76 34 31 26.*

*Paris 612 – Grenoble 48 – Clelles 22 – Monestier-de-Clermont 14 – Vizille 43.*

**Chalet**, ☎ 04 76 34 32 08, *lechalet@free.fr, Fax 04 76 34 31 06*, ≤, – – 25. GB.
*10 mai-12 oct. et 20 déc.-16 mars* – **Repas** *(fermé merc. sauf vacances scolaires)* 16/46 – 8 – **25 ch** 39/75 – ½ P 57/64.
◆ Plutôt qu'un chalet, une maison dauphinoise ancienne, qui soigne ses visiteurs. Grandes chambres (parfois avec loggia) et salles à manger actuelles ; plats traditionnels.

**GRESSWILLER** *67190 B.-Rhin* 315 I5 *– 1 181 h alt. 200.*

*Paris 490 – Strasbourg 34 – Obernai 14 – Saverne 33 – Sélestat 40.*

**L'Écu d'Or**, Z.A. : 1 km par D 217 ☎ 03 88 50 16 00, *info@lecudor.fr, Fax 03 88 50 15 11* – rest, GB
**Repas** 10 (déj.), 15/34, enf. 10 – 6,50 – **25 ch** 45/50 – ½ P 43.
◆ Proche de la nationale, imposante construction récente inspirée de l'architecture régionale. Chambres fraîches. Repas dans la salle à manger ou à l'espace brasserie.

**GRESSY** *77 S.-et-M.* 312 F2 101 ⑩ – *voir à Paris, Environs.*

*Le Guide change, changez de guide tous les ans.*

**GRÉSY-SUR-ISÈRE** *73740 Savoie* 333 K4 *– 890 h alt. 350.*

**Env.** *Site★★ – Château de Miolans ←★ : Tour St-Pierre ←★★, souterrain de défense★* **Alpes du Nord.**

*Paris 596 – Albertville 19 – Aiguebelle 12 – Chambéry 35 – St-Jean-de-Maurienne 46.*

XX **Tour de Pacoret** avec ch, Nord-Est : 1,5 km par D 201 ✉ 73460 Frontenex ✆ 04 79 37 91 59, *info@hotel-pacoret-savoie.com, Fax 04 79 37 93 84,* ← vallée et montagnes, – P. GB. rest
*début mai-fin oct.* – **Repas** *(fermé merc. midi sauf juil.-août, lundi en oct. et mardi)* 19/45 ♀ – 9 – **10 ch** (1/2 pens. seul.) – 1/2 P 82/97.
◆ Cette tour de guet édifiée en 1283 garde la Combe de Savoie. Nouvelle salle à manger et agréable terrasse. Un escalier à vis dessert des chambres progressivement rénovées.

**GRÉZIEU-LA-VARENNE** *69290 Rhône* 327 H5 *– 3 256 h alt. 332.*

*Paris 461 – Lyon 16 – L'Arbresle 18 – Villefranche-sur-Saône 35.*

XXX **Hostellerie de la Varenne,** 9 r. É. Evellier ✆ 04 78 57 31 05, *Fax 04 37 22 02 94,* – AE GB
*fermé 4 au 12 août, 21 au 28 fév., dim. soir, merc. soir et lundi* – **Repas** (14) - 19 (déj.), 26/47,50 ♀, enf. 11,50.
◆ Face à la mairie, ce bâtiment moderne abrite une élégante salle à manger aux couleurs "toscanes". Plaisante terrasse côtoyant un joli jardin. Attrayante cuisine de saison.

**La GRIÈRE** *85 Vendée* 316 H9 *– rattaché à La Tranche-sur-Mer.*

*Pas de publicité payée dans ce guide.*

**GRIGNAN** *26230 Drôme* 332 C7 *G. Provence – 1 300 h alt. 198.*

**Voir** *Château★★ – Église St-Sauveur ★.*

*Office du Tourisme, Grande Rue ✆ 04 75 46 56 75, Fax 04 75 46 55 89.*

*Paris 634 – Crest 46 – Montélimar 24 – Nyons 24 – Orange 52 – Pont-St-Esprit 37.*

**Manoir de la Roseraie** , rte Valréas ✆ 04 75 46 58 15, *roseraie.hotel@wanadoo.fr, Fax 04 75 46 91 55,* ←, – , rest, P. AE GB
*fermé 2 au 16 déc., 6 janv. au 13 fév., mardi et merc. hors saison* – **Repas** (prévenir) 32 (déj.), 51/60 ♀ – 17 – **17 ch** 145/190 – 1/2 P 133/155.
◆ "Exquis", aurait pu écrire la Marquise à propos de cet élégant manoir (19e s.) situé au pied du château. Parc, roseraie, chambres "cosy" et jolie salle à manger en rotonde.

**Clair de la Plume** sans rest, pl. Mail ✆ 04 75 91 81 30, *plume2@wanadoo.fr, Fax 04 75 91 81 31,* – . AE GB JCB
*fermé 1er au 15 fév.* – **10 ch** 85/165.
◆ Face à un ancien lavoir, demeure de caractère du 17e s. au décor soigné. Jardin clos ombragé de tonnelles où l'on prend les petits-déjeuners l'été. Chambres provençales.

XX **Relais de Grignan,** rte Montélimar D 541 : 1 km ✆ 04 75 46 57 22, *Fax 04 75 46 92 96,* – P. AE GB
*fermé 3 au 17 nov., 22 déc. au 7 janv., merc. soir, dim. soir et lundi* – **Repas** 16 (déj.), 22/44 ♀, enf. 10.
◆ Sur la route de la grotte de Mme de Sévigné, une cuisine traditionnelle servie dans un cadre actuel ou sous les frondaisons de la terrasse. En hiver, spécialités de truffes.

**GRIMAUD** *83310 Var* 340 O6 *G. Côte d'Azur – 3 322 h alt. 105.*

**Voir** *Château ←★.*

**Env.** *Port Grimaud★ : ←★ 5 km.*

*Office du Tourisme, 1 boulevard des Aliiers ✆ 04 94 43 26 98, Fax 04 94 43 32 40, bureau.du.tourisme.grimaud@wanadoo.fr.*

*Paris 864 – Fréjus 31 – Le Lavandou 32 – St-Tropez 11 – Ste-Maxime 12 – Toulon 64.*

**Boulangerie** sans rest, rte de Collobrières, Ouest : 2 km par D 14 ✆ 04 94 43 23 16, *Fax 04 94 43 38 27,* ←, – P. AE GB.
*Pâques-10 oct.* – 10 – **11 ch** 106/128.
◆ Détente et bien-être sont au rendez-vous de ce petit mas niché dans la verdure d'un parc : chambres au sobre décor provençal, atmosphère conviviale.

**Athénopolis** sans rest, rte La Garde-Freinet, Nord-Ouest : 3,5 km par D 558 ✆ 04 98 12 66 44, *hotel@athenopolis.com, Fax 04 98 12 66 40,* – P. AE GB
*1er avril-31 oct.* – 8 – **11 ch** 91/120.
◆ Dans le paysage méditerranéen - presque grec - du massif des Maures, maison aux volets bleus et chambres colorées avec loggia ou terrasse privative.

**Hostellerie du Coteau Fleuri,** pl. Pénitents ✆ 04 94 43 20 17, *coteaufleuri@wanadoo.fr, Fax 04 94 43 33 42,* ← – AE ⓓ GB. ✻ rest
*fermé 3 nov. au 18 déc. et 5 au 20 janv.* – **Repas** *(fermé le midi en juil.-août, lundi midi, vend. midi et mardi)* 30/68 ♀ – ☕ 7,50 – **14 ch** 76/115 – ½ P 73/92,50.
◆ Ancienne magnaneraie située dans le vieux village, à flanc de colline. Demandez une chambre rénovée. Plaisante salle à manger rustique avec cheminée et balcon-terrasse.

**Les Santons** (Girard), ✆ 04 94 43 21 02, *lessantons@wanadoo.fr, Fax 04 94 43 24 92* – ▤. ⓓ GB
✿ *5 avril-2 nov et fermé le midi sauf week-end en juil.-août* – **Repas** *(fermé merc. sauf le soir en saison, et jeudi midi)* 33 bc (déj.), 43/67 et carte 75 à 110 ♀, enf. 18,50.
◆ Une institution régionale trentenaire que cette auberge de caractère bordant la traversée du village. Cadre provençal soigné : antiquités, santons, cuivres et fleurs.
**Spéc.** Petite bourride. Agneau de Sisteron. Gibier (saison). **Vins** Côtes de Provence, Bandol

**Bretonnière,** pl. Pénitents ✆ 04 94 43 25 26, *Fax 04 94 54 19 43* – ▤. GB
*fermé 17 nov. au 17 déc., dim. soir et lundi* – **Repas** 16 (déj.)/35 ♀.
◆ Dans une ruelle du bourg médiéval, ce restaurant offre l'attrait d'une carte étoffée. Décor coquet, mariant le bois sombre (meubles Louis-Philippe) à divers tons de bleu.

**Mûrier,** Sud-Est : 1,5 km sur D 14 ✆ 04 94 43 34 94, *Fax 04 94 43 32 65,* ☂ – ▤ P. AE GB
*fermé 6 au 31 janv., jeudi de sept. à juin et le midi en juil.-août sauf sam. et dim.* – **Repas** 35/65 ♀.
◆ Plaisante décoration d'inspiration provençale dans ce restaurant "cosy" abritant une salle à manger prolongée d'une véranda tournée vers le jardin. Cuisine inventive.

**Auberge La Cousteline,** Sud-Est : 2,5 km sur D 14 ✆ 04 94 43 29 47, ☂ – P. GB
*fermé 17 nov. au 15 déc., janv. et le midi en semaine* – **Repas** 32,50 ♀.
◆ Ancienne ferme isolée, enfouie dans la verdure. Intérieur dans le style "campagne provençale" et jolie terrasse des plus appréciées en saison. Plats du marché.

## La GRIVE *38 Isère* 333 *E4 – rattaché à Bourgoin-Jallieu.*

## GROISY *74570 H.-Savoie* 328 *K4 – 2 190 h alt. 690.*
*Paris 534 – Annecy 17 – Bellegarde-sur-Valserine 40 – Bonneville 29 – Genève 37.*

**Auberge de Groisy,** ✆ 04 50 68 09 54, *Fax 04 50 68 09 54* – GB
*fermé 15 juil. au 15 août, 22 déc. au 2 janv., dim. soir, lundi midi, mardi soir et merc.* – **Repas** (nombre de couverts limité, prévenir) 17/30 ♀.
◆ Voisine de l'église, ferme du 19e s. habilement restaurée (poutres et pierres apparentes) et cuisine au goût du jour : une sympathique halte champêtre.

## GRUFFY *74540 H.-Savoie* 328 *J6 – 833 h alt. 570.*
*Paris 545 – Annecy 17 – Aix-les-Bains 19 – Chambéry 36 – Genève 60.*

**Gorges du Chéran** ⛰, au Pont de l'Abîme ✆ 04 50 52 51 13, *Fax 04 50 52 57 33,* ←, ☂, ⛰ – TV P. GB. ✻ ch
*23 mars-2 nov.* – **Repas** 19/30 ♀ – ☕ 6,50 – **9 ch** 40/60 – ½ P 41/50.
◆ Chambres spacieuses et calmes, décor rustique au restaurant, et en toile de fond le spectaculaire pont métallique (1887) enjambant les gorges. Terrasse surplombant le torrent.

## GRUISSAN *11430 Aude* 344 *J4 G. Languedoc Roussillon – 2 170 h alt. 2 – Casino.*
ℹ *Office du Tourisme, 1 boulevard du Pech-Maynaud ✆ 04 68 49 09 00, Fax 04 68 49 33 12, office.tourisme@gruissan-mediterranee.com.*
*Paris 802 – Perpignan 77 – Carcassonne 73 – Narbonne 15.*

**Phoebus** M, bd Sagne (au casino) ✆ 04 68 49 03 05, *hotel@phoebus-sa.com, Fax 04 68 49 07 67,* ⛱ – ▤ TV ✆ ♿ P – 🎓 30. GB. ✻ rest
**Repas** 18/38 bc ♀ – ☕ 8,50 – **50 ch** 63/72 – ½ P 57,50/88,50.
◆ À l'entrée de la station et juste à côté du casino, chambres de style motel, décorées sur des thèmes originaux : "Sud", "Nautique", "Pescador", "Us et coutumes"...

**Corail** M, quai Ponant, au port ✆ 04 68 49 04 43, *corail2@wanadoo.fr, Fax 04 68 49 62 89,* ←, ☂ – |‡| ▤ TV ✆ P. AE ⓓ GB
*1er fév.-5 nov.* – **Repas** 16/32 ♀ – ☕ 7,50 – **32 ch** 58/66 – ½ P 66.
◆ Le miroir d'eau du port de plaisance reflète la façade couleur corail de cet hôtel moderne. Chambres fonctionnelles avec loggia. Restaurant-véranda ouvert sur les quais.

**Port,** bd Corderie ✆ 04 68 49 07 33, *Fax 04 68 49 52 41,* ☂, ⛱ – |‡| ⇆ TV ♿ P. AE GB. ✻ rest
*5 avril-30 sept.* – **Repas** (dîner seul.) 20 ♀ – ☕ 7 – **50 ch** 61/92 – ½ P 45,50.
◆ L'extérieur cubique un peu austère contraste avec le nouvel aménagement intérieur, gai et accueillant. Chambres et restaurant aux tons méridionaux, terrasse sous une treille.

**Plage** sans rest, à la plage ☎ 04 68 49 00 75 – P. GB. ✻
*Pâques-mi-sept.* – **17 ch** ☐ 55.
◆ À 2 mn des maisons sur pilotis immortalisées par le film "37°2 le matin", cet immeuble passe-partout recèle des chambres claires et bien tenues. Accueil sympathique.

**L'Estagnol,** au village ☎ 04 68 49 01 27, *Fax 04 68 32 23 38*, ≤, – ▤. GB
*fin mars-30 sept. et fermé lundi* – **Repas** 14 (déj.), 21/28 ♀, enf. 7.
◆ Retrouvez toute la vie du vieux village dans cette ancienne maison de pêcheur faisant face à l'étang : décor provençal, spécialités de poissons, bonhomie méridionale.

**Lamparo,** au village ☎ 04 68 49 93 65, *Fax 04 68 49 93 65*, – ▤. GB
*fermé 17 déc. au 27 janv., dim. soir et lundi* – **Repas** 17/28 ♀.
◆ Sur le quai en arc de cercle du bourg ancien, spacieux et sobre restaurant agrémenté d'un jardin d'hiver central. Cuisine orientée vers les produits de la mer.

## Le GUA *17680 Char.-Mar.* 324 E5 – *1 689 h alt. 3.*
*Paris 493 – Royan 16 – La Rochelle 61 – Bordeaux 127 – Rochefort 26.*

**Moulin de Châlons,** Châlons, Ouest : 1 km rte de Royan ☎ 05 46 22 82 72, *moulin-de-chalons@wanadoo.fr, Fax 05 46 22 91 07*, , – TV P. AE GB
*fermé 6 au 27 janv., dim. soir et lundi du 1er oct. au 30 avril* – **Repas** 20/62 ♀, enf. 10 – ☐ 11 – **10 ch** 95/145 – ½ P 78/105.
◆ Moulin à marée du 18e s. sur l'estuaire de la Seudre. Chambres garnies de meubles anciens et tournées vers le joli parc. Coquette salle à manger campagnarde.

*Donnez-nous votre avis sur les tables que nous recommandons, sur leurs spécialités et leurs vins de pays.*

## GUAGNO-LES-BAINS *2A Corse-du-Sud* 345 C6 – *voir à Corse.*

## GUEBERSCHWIHR *68420 H.-Rhin* 315 H8 *G. Alsace Lorraine* – *703 h alt. 260.*
*Paris 458 – Colmar 12 – Guebwiller 18 – Mulhouse 36 – Strasbourg 85.*

**Relais du Vignoble** , ☎ 03 89 49 22 22, *hotelrelaisduvignoble@wanadoo.fr, Fax 03 89 49 27 82*, ≤, – TV P – 40. GB
*fermé 26 janv. au 6 mars* – ***Belle Vue*** 03 89 49 31 09 *(fermé merc. midi et jeudi)* **Repas** 13-/34 ♀, enf. 8 – ☐ 8 – **30 ch** 49/75 – ½ P 51/53.
◆ Étape "spiritueuse" sur la route des Vins : la jeune bâtisse jouxte la cave familiale et la plupart des chambres (quelques terrasses) sont tournées vers les vignes.

## GUEBWILLER *68500 H.-Rhin* 315 H9 *G. Alsace Lorraine* – *10 942 h alt. 300.*
Voir *Église St-Léger★ : façade Ouest★★ – Intérieur★★ de l'église N.-Dame★ : Maître-Hôtel★★ - Hôtel de ville★ – Musée du Florival★.*
Env. *Vallée de Guebwiller★★ NO.*
*Office du Tourisme, 73 rue de la République ☎ 03 89 76 10 63, Fax 03 89 76 52 72, o.t.guebwiller@wanadoo.fr.*
*Paris 476 – Mulhouse 24 – Belfort 51 – Colmar 26 – Épinal 95 – Strasbourg 99.*

**Château de la Prairie** sans rest, allée Marronniers ☎ 03 89 74 28 57, *info@chateau-prairie.com, Fax 03 89 74 71 88*, – TV P – 30. AE GB
☐ 8,50 – **18 ch** 55/89.
◆ Maison de maître du 19e s. ouverte sur un agréable parc de 2 ha. Chambres assez spacieuses, mi-rustiques, mi-bourgeoises, et nombreux salons ornés de boiseries et moulures.

**L'Ange,** 4 r. Gare ☎ 03 89 76 22 11, *hoteldelange@wanadoo.fr, Fax 03 89 76 50 08* – TV P – 30. AE GB
*fermé en mars* – **Repas** *(fermé le midi sauf dim., dim. soir et lundi)* 15/46,50 ♀ – ☐ 6,80 – **36 ch** 36/57 – ½ P 48,50.
◆ L'enseigne - sauf coïncidence - et un élévateur en guise d'ascenseur témoignent que l'hôtel fut autrefois une maternité. Chambres fonctionnelles autour d'un puits de lumière.

### à Murbach *Nord-Ouest : 5 km par D 40' – 116 h. alt. 420 – ✉ 68530.*
Voir *Église★★.*

**Hostellerie St-Barnabé** , ☎ 03 89 62 14 14, *hostellerie.st.barnabe@wanadoo.fr, Fax 03 89 62 14 15*, , , – ▤ rest, TV P. AE GB JCB
*fermé 22 au 26 déc. et 12 janv. au 8 mars* – **Repas** *(fermé le midi sauf week-end et dim. soir de nov. à avril)* 26/75 ♀ – ☐ 15,50 – **27 ch** 76/183 – ½ P 96/150.
◆ Cette demeure alsacienne et son jardin égayent le pittoresque vallon de Murbach. Les chambres rénovées sont plus actuelles. Ambiance médiévale dans l'une des salles à manger.

**à Rimbach-près-Guebwiller** *Ouest : 11 km par D 5¹ – 223 h. alt. 550 – ✉ 68500 :*

**L'Aigle d'Or** 🔊, ☎ 03 89 76 89 90, *Fax 03 89 74 32 41*, 🍽, 🌳 – 🚗 P. AE ⓓ GB
*fermé 21 au 28 oct., 2 au 6 déc. et 17 fév. au 10 mars* – **Repas** *(fermé lundi de mi-sept. à juin)* 13/32 🍷, enf. 6,50 – ☕ 6 – **20 ch** 22/38 – ½ P 31/43.
◆ Loin du stress de la vie moderne, petite auberge familiale toute simple, idéale pour retrouver quiétude et authenticité. Ravissant jardin ; half-court. Confitures "maison".

---

**GUÉCELARD** *72230 Sarthe* 310 *J7 – 2 261 h alt. 45.*
*Paris 220 – Le Mans 18 – Château-du-Loir 38 – La Flèche 26 – Le Grand-Lucé 38.*

**Botte d'Asperges,** ☎ 02 43 87 29 61, *Fax 02 43 87 29 61* – ⓓ GB
*fermé 10 au 21 mars, 4 au 25 août, dim. soir et lundi sauf fériés* – **Repas** 16/45, enf. 8.
◆ Ancien relais de poste bordant la nationale. Fresques et tableaux à motifs floraux décorent la salle à manger aux tables soigneusement dressées.

---

**GUÉMENÉ-SUR-SCORFF** *56160 Morbihan* 308 *L6 – 1 332 h alt. 180.*
ℹ *Syndicat d'Initiative,* ☎ *02 97 39 33 47, Fax 02 97 51 27 29.*
*Paris 484 – Vannes 71 – Concarneau 71 – Lorient 50 – Pontivy 21 – Rennes 131.*

**Bretagne,** r. J. Peres ☎ 02 97 51 20 08, *hotellebretagne@wanadoo.fr, Fax 02 97 39 30 49,* 🌳 – TV ☎ P – 🏊 40. GB
*fermé 1ᵉʳ au 15 sept., 20 déc. au 10 janv. et sam. hors saison* – **Repas** (7,62) - 10/30,50 🍷 – ☕ 5,20 – **19 ch** 34/44 – ½ P 33,20/37,20.
◆ Modeste hôtel central où l'on choisira une chambre sur l'arrière, plus confortable. Au restaurant, dégustez l'inévitable andouille fumée de Guémené.

*Les prix*
*Pour toutes précisions sur les prix indiqués dans ce guide, reportez-vous aux pages explicatives.*

---

**GUENROUËT** *44530 Loire-Atl.* 316 *E2 – 2 383 h alt. 30.*
*Paris 430 – Nantes 55 – Redon 21 – St-Nazaire 40 – Vannes 71.*

**Relais St-Clair,** rte Nozay ☎ 02 40 87 66 11, *cuisinerie@relais-saint-clair.com, Fax 02 40 87 71 01,* 🍽 – ▤. GB
*fermé 12 au 22 nov., 6 au 17 déc., 15 au 28 fév., mardi sauf juil.-août et lundi* – **Repas** 24/62 🍷.
◆ Bâtisse située à proximité du canal de Nantes à Brest et d'une petite base de loisirs. Cuisine traditionnelle à l'étage et restauration plus simple au rez-de-chaussée.

**Paradis des Pêcheurs,** au Cougou sur D 102 : 5 km ☎ 02 40 87 64 10, *Fax 02 40 87 64 10,* 🌳 – P. GB
*fermé vacances de fév., dim. soir,* – **Repas** 9,50 (déj.), 16/28,20 🍷.
◆ Dans un hameau tranquille de l'Argoat, maison des années 1930 entourée de pins et châtaigniers. Boiseries d'époque dans le bar et la salle à manger.

---

**GUÉRANDE** *44350 Loire-Atl.* 316 *B4 G. Bretagne – 11 665 h alt. 54.*
Voir *Collégiale St-Aubin*★.
ℹ *Office du Tourisme, 1 place du Marché au Bois* ☎ *02 40 24 96 71, Fax 02 40 62 04 24, Office.Tourisme.Guerande@wanadoo.fr.*
*Paris 452 – Nantes 78 – La Baule 6 – St-Nazaire 20 – Vannes 61.*

**Les Voyageurs,** pl. du 8 Mai 1945 ☎ 02 40 24 90 13, *Fax 02 40 62 06 64,* 🍽 – TV ☎. GB
*fermé 23 déc. au 21 janv.* – **Repas** *(fermé dim. soir et lundi de sept. à juin)* 11,30/29,50 🍷 – ☕ 5,70 – **12 ch** 40,20/50,50 – ½ P 46,50/49.
◆ La pimpante petite maison se dresse extra-muros, face aux murailles. Chambres tendance "rétro", bien meublées. Plusieurs salles à manger, dont l'une donne sur le jardin.

**Les Remparts** avec ch, bd Nord ☎ 02 40 24 90 69, *clesremparts@aol.com, Fax 02 40 62 17 99* – TV. GB
*fermé 12 nov. au 22 janv., dim. soir et lundi sauf en août* – **Repas** *(fermé le soir du 1ᵉʳ oct au 15 mars)* 18/28 🍷 – ☕ 5,50 – **8 ch** 42 – ½ P 49.
◆ Au pied des remparts, restaurant au cadre actuel où l'on déguste des spécialités de poissons, saupoudrées, bien sûr, de sel de Guérande. Les chambres pourront dépanner.

**Vieux Logis,** pl. Psalette (intra-muros) ☎ 02 40 62 09 73, 🍽 – GB
*fermé 12 nov. au 12 déc., mardi soir et merc. sauf juil.-août et fériés* – **Repas** 19,50/26,50 🍷, enf. 10.
◆ Prévôté de Guérande, étude notariale et enfin restaurant : cette belle maison en pierre a conservé son cadre du 17ᵉ s. Spécialités de grillades au feu de bois.

**à Saillé** *Sud : 3 km – ✉ 44350 Guérande :*

X **Salorge,** ☎ 02 40 15 14 19, *Fax 02 40 15 14 19,* 🍽, 🍽 – 🅿. GB
*fermé 1er au 30 janv., 24 au 30 juin, jeudi sauf vacances scolaires et merc.* – **Repas** carte 13 à 22.
◆ Typique crêperie bretonne au coeur de la petite capitale du sel : la première salle abrite le fameux bilic ; les murs de la seconde exposent de jolies portes de lits clos.

---

**La GUERCHE-DE-BRETAGNE** *35130 I.-et-V.* 309 O7 *G. Bretagne – 4 123 h alt. 77.*

*Office du Tourisme, place Charles de Gaulle ☎ 02 99 96 30 78, Fax 02 99 96 41 43.*
*Paris 326 – Châteaubriant 30 – Laval 55 – Redon 91 – Rennes 55 – Vitré 23.*

XX **Calèche** avec ch, 16 av. Gén. Leclerc ☎ 02 99 96 21 63, *Fax 02 99 96 49 52,* 🍽 – TV 🅿. GB
*fermé 1er au 20 août, vend. soir, dim. soir et lundi* – **Repas** 11,50/30 ♀ – ☕ 8 – **8 ch** 36/46 – 1/2 P 36.
◆ Du Guesclin fut le seigneur de cette petite cité célèbre pour son marché (le plus ancien de Bretagne). Cadre actuel, accueil familial et généreuse cuisine du terroir.

*Donnez-nous votre avis sur les tables que nous recommandons, sur leurs spécialités et leurs vins de pays.*

## GUÉRET



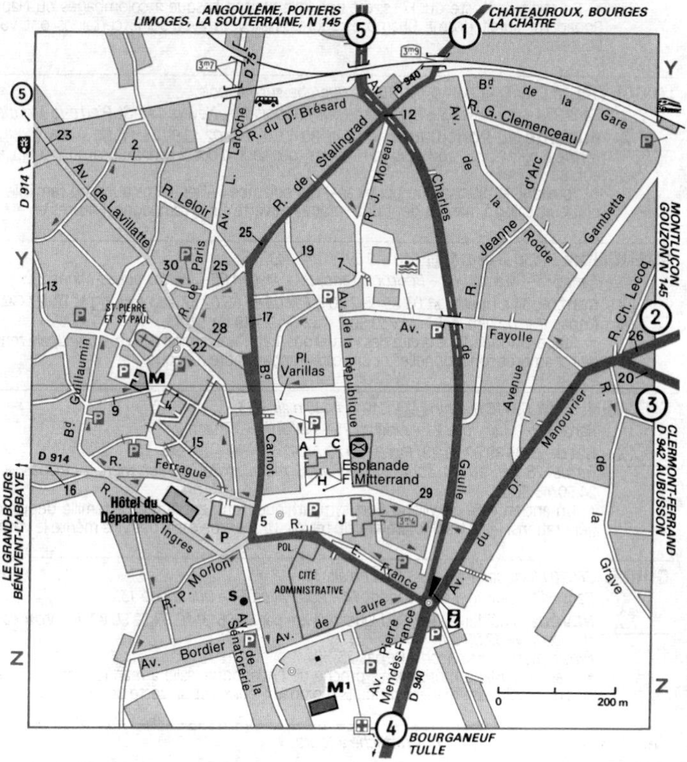

ANGOULÊME, POITIERS
LIMOGES, LA SOUTERRAINE, N 145
CHÂTEAUROUX, BOURGES
LA CHÂTRE
MONTLUÇON
GOUZON N 145
CLERMONT-FERRAND
D 942 AUBUSSON
BOURGANEUF
TULLE
LE GRAND-BOURG
BÉNÉVENT-L'ABBAYE
D 914
D 940
D 75
R. du Dr Brésard
R. de Stalingrad
Av. L. Laroche
Av. de Lavillatte
R. Leloir
R. de Paris
R. J. Moreau
Av. Charles de Gaulle
Bd de la Gare
R. G. Clemenceau
Av. de la Jeanne d'Arc
R. Rodde
Gambetta
R. Ch. Lecoq
Av. Fayolle
Avenue
R. du Dr Manouvrier
R. de la Grave
ST PIERRE ET ST PAUL
Bd Guillaumin
R. Ferrague
Hôtel du Département
Ingres
Bd Carnot
Pl. Varillas
Av. de la République
Esplanade F. Mitterrand
R. E. France
POL.
CITÉ ADMINISTRATIVE
R. P. Morlon
Av. de la Sénatorerie
Av. Bordier
Av. de Laure
Av. Pierre Mendès-France
200 m

**GUÉRET** P *23000 Creuse* 325 I3 *G. Berry Limousin – 14 706 h alt. 457.*

Voir *Émaux Champlevés★ du musée d'art et d'archéologie de la Sénatorerie.*

*Office du Tourisme, 1 avenue Charles de Gaulle ✆ 05 55 52 14 29, Fax 05 55 41 19 38, tourisme.gueret.st.vaury@wanadoo.fr.*

*Paris 351 ① – Limoges 90 ② – Châteauroux 89 ① – Montluçon 65 ③.*

Plan page précédente

**Auclair,** 19 av. Sénatorerie ✆ 05 55 41 22 00, *hotel-auclair@wanadoo.fr, Fax 05 55 52 86 89,* – GB Z s

**Repas** *(fermé dim. soir) (9,20)* - 22 ♀, enf. 11,80 – ☕ 6,60 – **33 ch** 36,60/50,40 – ½ P 49,60.

◆ Proche du musée de la Sénatorerie et de sa magnifique collection d'émaux champlevés. Chambres aux gais coloris, meublées en rotin, et salle à manger feutrée.

**Campanile,** av. R. Cassin par ⑤ ✆ 05 55 51 54 00, *Fax 05 55 52 56 16,* – P – 15 à 30. AE GB JCB

**Repas** *(12)* - 17 ♀ – ☕ 6 – **49 ch** 57.

◆ Chambres pratiques et bien tenues, prestations habituelles de la chaîne et restauration sous forme de buffets : une adresse incitant à faire étape à la périphérie guérétoise.

**à Ste-Feyre** *par ③ : 7 km – 2 250 h. alt. 450 – ✉ 23000 :*

**Les Touristes-Michel Roux,** ✆ 05 55 80 00 07, *Fax 05 55 81 11 04* – GB.

*fermé dim. soir et lundi* – **Repas** 15,50/39,50, enf. 9.

◆ Bâtisse régionale au centre d'un village de la Haute-Marche. Nouveau décor, coloré et fleuri, dans la salle à manger ornée d'une belle armoire à épices. Cuisine du marché.

**GUÉTHARY** *64210 Pyr.-Atl.* 342 C4 *G. Aquitaine – 1 105 h alt. 15.*

*Office du Tourisme, rue du Comte de Swiecinski ✆ 05 59 26 56 60, Fax 05 59 54 92 67, office@guethary-france.com.*

*Paris 784 – Biarritz 9 – Bayonne 19 – Pau 125 – St-Jean-de-Luz 6.*

**Brikéténia** sans rest, r. Église ✆ 05 59 26 51 34, *Fax 05 59 54 71 55,* ← – P. GB

*15 mars-1er nov.* – ☕ 10 – **15 ch** 82/86.

◆ Ce relais de poste du 17e s. est une jolie maison basque à colombages où Napoléon Bonaparte aurait dormi. Chambres sobres, rénovées avec soin ; certaines ont vue sur l'Océan.

**Le GUÉTIN** *18 Cher* 323 O5 – ✉ *18150 La Guerche-sur-l'Aubois.*

*Paris 254 – Bourges 58 – La Guerche-sur-l'Aubois 11 – Nevers 13 – St-Pierre-le-Moutier 29.*

**Auberge du Pont-Canal,** ✆ 02 48 80 40 76, *Fax 02 48 80 45 11,* – GB

*fermé 6 au 14 oct., janv. et lundi* – **Repas** (déj. seul. d'oct. à avril sauf sam.) 12 (déj.), 18/35, enf. 8.

◆ Jouxtant le pittoresque pont-canal qui enjambe l'Allier, cette auberge familiale abrite plusieurs salles à manger dont une véranda ouverte sur la campagne. Fritures en été.

**GUEUGNON** *71130 S.-et-L.* 320 E10 – *9 697 h alt. 243.*

*Paris 335 – Moulins 62 – Bourbon-Lancy 27 – Mâcon 86 – Montceau-les-Mines 29.*

**Centre,** 34 r. Liberté ✆ 03 85 85 21 01, *Fax 03 85 85 02 67* – rest, P. AE GB

**Repas** *(fermé dim. soir)* 12,20/30,50 ♀ – ☕ 6,10 – **19 ch** 34/43.

◆ Étape pratique dans la cité des Forgerons, cet hôtel familial de la rue principale renferme des chambres fonctionnelles et un restaurant au cadre rustique.

**GUEWENHEIM** *68116 H.-Rhin* 315 G10 – *1 140 h alt. 323.*

*Paris 460 – Mulhouse 21 – Altkirch 23 – Belfort 26 – Thann 9.*

**Gare,** ✆ 03 89 82 51 29, *Fax 03 89 82 84 62,* – P. GB

*fermé 28 juil. au 14 août, 15 fév. au 5 mars, mardi soir et merc.* – **Repas** 19 (déj.), 24,50/43,50 ♀.

◆ Un ancien café de village, fort sympathique, tenu par la même famille depuis quatre générations. Plats traditionnels et du terroir. La superbe carte des vins mérite le voyage !

**GUIDEL** *56520 Morbihan* 308 K8 – *8 241 h alt. 38.*

*Paris 511 – Quimper 60 – Lorient 14 – Pont-Aven 31 – Quimperlé 13.*

**Navéos,** à Guidel Plages, Sud-Ouest : 3 km par D 306 ✆ 02 97 32 80 80, *ilmoro@wanadoo.fr, Fax 02 97 32 80 80* – GB

*fermé merc. hors saison* – **Repas** 25/50.

◆ Dans un village morbihanais proche de l'Atlantique, salle à manger contemporaine et cuisine ambitieuse mariant produits régionaux, épices et un zeste de modernité.

**GUIGNIÈRE** *37 I.-et-L.* 317 M4 – *rattaché à Tours.*

**GUILHERAND-GRANGES** *07 Ardèche* 331 *L4 – rattaché à Valence (26 Drôme).*

**GUILLESTRE** *05600 H.-Alpes* 334 *H5 G. Alpes du Sud – 2 000 h alt. 1000.*

Voir *Porche★ de l'église – Pied-la-Viste ≤★ E : 2 km – Peyre-Haute ≤★ S : 4 km puis 15 mn.*

Env. *Combe du Queyras★★ NE : 5,5 km.*

*Office du Tourisme, place Salva ✆ 04 92 45 04 37, Fax 04 95 45 19 09, pays.du.guil @wanadoo.fr.*

*Paris 718 – Briançon 37 – Gap 62 – Barcelonnette 51 – Digne-les-Bains 117.*

**Les Barnières**, ✆ 04 92 45 04 87, *hotel-lesbarnieres@wanadoo.fr, Fax 04 92 45 28 74,* ≤ vallée et montagnes, – GB. ch

*fermé 15 oct. au 20 déc.* – **Repas** 17/32, enf. 10 – 8,50 – **81 ch** 75 – ½ P 72.

◆ Hôtel composé de deux chalets dont un n'ouvrant qu'en été. Chambres spacieuses, souvent dotées de meubles régionaux, agréable jardin et équipements sportifs complets.

**Catinat Fleuri**, ✆ 04 92 45 07 62, *catinat-fleuri@wanadoo.fr, Fax 04 92 45 28 88,* – 15. GB

**Repas** 13,80/29 ♀, enf. 6,80 – 6 – **21 ch** 54,90/69 – ½ P 57,80/61.

◆ Chambres simples mais spacieuses au sein d'une propriété familiale dédiée au tourisme vert. Équipements de loisirs partagés avec un camping.

**à Mont-Dauphin gare** *Nord-Ouest : 4 km par D 902A et N 94 – 73 h. alt. 1050 – ✉ 05600.*

Voir *Charpente★ de la caserne Rochambeau.*

**Lacour et rest. Gare**, ✆ 04 92 45 03 08, *renseignement@hotel-lacour.com, Fax 04 92 45 40 09,* – 30. AE GB. rest

*fermé sam. du 1er mai au 30 juin et du 1er sept. au 20 déc.* – **Repas** 14/33 ♀, enf. 7,50 – 7,50 – **46 ch** 28,50/55 – ½ P 42/49.

◆ En contrebas des fortifications de Mont-Dauphin, ce vieil hôtel familial entièrement restauré et son annexe offrent un hébergement fonctionnel et des menus copieux.

**L'Échauguette**, r. Catinat ✆ 04 92 45 07 13, *Fax 04 92 45 14 22,* ≤, – . AE GB

*fermé 10 au 30 avril, 15 oct. au 20 déc.* – **Repas** *(1er mai-15 oct et fermé dim. soir, mardi, merc. et jeudi sauf juil-août)* 15/30 ♀, enf. 10 – 5,40 – **13 ch** 42,70/45,80 – ½ P 42,70/45,80.

◆ Au coeur du fort édifié par Vauban, charmante maison datant en partie du 17e s. Intérieur chaleureux, décor rustique, objets chinés, paisible jardin et vue sur les sommets.

**GUILLIERS** *56490 Morbihan* 308 *Q6 – 1 207 h alt. 86.*

*Paris 418 – Vannes 60 – Dinan 65 – Lorient 97 – Ploërmel 13 – Rennes 68.*

**Relais du Porhoët**, ✆ 02 97 74 40 17, *Fax 02 97 74 45 65,* – 20. GB.

*fermé 6 au 13 oct., 5 au 26 janv., lundi sauf le soir en saison et dim. soir* – **Repas** 13/33,50 ♀ – 6 – **12 ch** 30,50/43 – ½ P 35/37.

◆ La façade fleurie est avenante en saison. Chambres meublées en style rustique et coquettes salles dont l'une est dotée d'une belle cheminée. Goûteuse cuisine régionale.

**GUILVINEC** *29730 Finistère* 308 *F8 G. Bretagne – 3 365 h alt. 5.*

*Office du Tourisme, 62 rue de la Marine ✆ 02 98 58 29 29, Fax 02 98 58 34 05.*

*Paris 591 – Quimper 30 – Douarnenez 44 – Pont-l'Abbé 11.*

**Centre**, r. Gén. de Gaulle ✆ 02 98 58 10 44, *Fax 02 98 58 31 05,* – GB

*fermé janv.* – **Repas** *(fermé lundi midi)* 12/28 ♀, enf. 8 – 7 – **9 ch** 38/50 – ½ P 46/51.

◆ Au coeur du premier port langoustinier de France. Chambres fonctionnelles et salle des repas façon "pension de famille", éclairée d'un puits de lumière.

**Chandelier**, 16 r. Marine ✆ 02 98 58 91 00, *restaurant.le.chandelier.martin@wanadoo.fr, Fax 02 98 58 08 68* – GB

*fermé vacances de Toussaint, de fév., mardi soir et lundi hors saison et dim. soir* – **Repas** 21/53 ♀.

◆ La façade peinte attire l'oeil. Salle à manger contemporaine sur deux niveaux, aux tables bien espacées et joliment dressées. Produits de la mer à l'honneur.

**GUINGAMP** SP *22200 C.-d'Armor* 309 *D3 G. Bretagne – 7 905 h alt. 81.*

Voir *Basilique N.D.-de-Bon-Secours★* **B.**

*Office du Tourisme, place Champ au Roy ✆ 02 96 43 73 89, Fax 02 96 40 01 95.*

*Paris 483 ③ – St-Brieuc 32 ③ – Carhaix-Plouguer 47 ⑥ – Lannion 31 ⑦ – Morlaix 53 ⑦.*

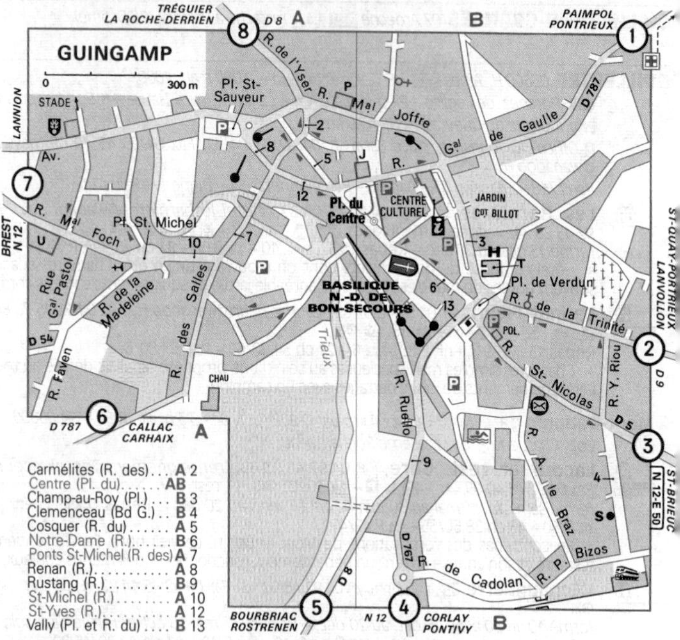
GUINGAMP
0
300 m
TRÉGUIER
LA ROCHE-DERRIEN
D 8
A
B
PAIMPOL
PONTRIEUX
LANNION
BREST
N 12
ST-QUAY-PORTRIEUX
LANVOLLON
D 9
D 5
ST-BRIEUC
N 12-E 50
D 787
CALLAC
CARHAIX
BOURBRIAC
ROSTRENEN
N 12
CORLAY
PONTIVY
STADE
Pl. St-Sauveur
R. de l'Yser
R. Mal Joffre
Gal de Gaulle
D 787
Av.
R. Mal Foch
Pl. St. Michel
Rue Gal Pastol
R. de la Madeleine
R. des Salles
D 54
R. Faven
CHAU
Trieux
Pl. du Centre
CENTRE CULTUREL
JARDIN Cdt BILLOT
BASILIQUE N.-D. DE BON-SECOURS
Pl. de Verdun
R. de la Trinité
POL.
R. St-Nicolas
R. Y. Riou
R. Ruello
R. A. le Braz
Bizos
R. P.
R. de Cadolan
D 767
D 8
H
T
J
S
U
P



**Armor** sans rest, 44 bd Clemenceau ✆ 02 96 43 76 16, *hotelarmor.guingamp@wanadoo.fr, Fax 02 96 43 89 62* – TV ✆. AE ⓓ GB JCB — B s
☕ 6,60 – **23 ch** 44/56.
◆ Cette bâtisse moderne proche de la gare abrite de petites chambres fonctionnelles, dotées d'un solide mobilier en bois. Décor un peu désuet, mais tenue impeccable.

**Boissière,** r. Yser par ⑧ : *1 km* ✆ 02 96 21 06 35, *Fax 02 96 21 13 38,* – P. GB.
*fermé 23 juin au 8 juil., sam. midi et lundi* – **Repas** 19/38.
◆ Maison de maître centenaire nichée dans son parc. Deux plaisantes salles à manger bourgeoises servent de cadre à une cuisine traditionnelle qui évolue au gré des saisons.

---

**GUISE** *02120 Aisne* 306 D3 *G. Picardie Flandres Artois* – *5 976 h alt. 97.*
Voir *Château fort des Ducs de Guise*★.
*Office du Tourisme, 2 rue Chantraine ✆ 03 23 60 45 71, Fax 03 23 05 60 15.*
*Paris 178 – St-Quentin 28 – Avesnes-sur-Helpe 39 – Cambrai 49 – Hirson 38 – Laon 39.*

**Guise** avec ch, 103 pl. Lesur ✆ 03 23 61 17 58 – TV. GB
*fermé 15 au 31 déc.* – **Repas** *(fermé vend. soir, dim. soir et sam.)* (10) - 12/21 – ☕ 6 – **8 ch** 34/40 – ½ P 46.
◆ Dominé par le château fort des ducs de Guise - les célèbres "balafrés" de l'histoire de France - un restaurant familial sans prétention. Petites chambres pour dépanner.

---

**GUJAN-MESTRAS** *33470 Gironde* 335 E7 *G. Aquitaine* – *11 433 h alt. 5.*
Voir *Parc ornithologique du Teich*★ *E : 5 km.*
*Office du Tourisme, 19 avenue de Lattre-de-Tassigny - La Hume ✆ 05 56 66 12 65, Fax 05 56 22 01 41.*
*Paris 640 – Bordeaux 56 – Andernos-les-Bains 26 – Arcachon 10.*

**Guérinière,** à Gujan ✆ 05 56 66 08 78, *laguerinière@wanadoo.fr, Fax 05 56 66 13 39,* – ch, TV P – 20. AE ⓓ GB JCB
**Repas** *(fermé sam. midi et dim. soir d'oct. à juin)* 32 bc/70 – ☕ 10 – **26 ch** 90/150 – ½ P 95/120.
◆ Bâtisse moderne au centre de la capitale de l'huître du bassin d'Arcachon. Chambres spacieuses, refaites par étapes. Salle à manger contemporaine, tournée vers la piscine.

## GUNDERSHOFFEN 67110 B.-Rhin 315 J3 – 3 377 h alt. 180.

*Paris 473 – Strasbourg 48 – Haguenau 16 – Sarreguemines 61 – Wissembourg 33.*

**Au Cygne** (Paul), 35 Gd Rue ☎ 03 88 72 96 43, *Fax 03 88 72 86 47* – ▤. GB
*fermé 4 au 25 août, 16 fév. au 1er mars, jeudi soir, dim. soir et lundi* – **Repas** 35/69 et carte 55 à 72 ♀.
◆ Mon premier est une élégante salle à manger, mon second une cuisine inventive et raffinée, mon tout est une belle maison à colombages appréciée des gourmets.
**Spéc.** Trilogie de foie gras. Jambonnettes de grenouilles sautées aux herbes. Filets de chevreuil, aumonière de légumes oubliés, spaetzele (saison). **Vins** Edelzwicker, Tokay-Pinot gris.

**Chez Gérard,** à la Gare ☎ 03 88 72 91 20, *Fax 03 88 72 89 25*, – GB
*fermé 21 juil. au 12 août, 26 janv. au 10 fév., lundi soir, merc. soir et mardi* – **Repas** 18,30/54 - ***Bahnstuebel :*** **Repas** carte environ 25 ♀.
◆ En face de la gare, façade fleurie abritant deux restaurants : cuisine classique et mobilier de style Louis XV, ou plat du jour et spécialités alsaciennes au Bahnstuebel.

## GURCY-LE-CHÂTEL 77520 S.-et-M. 312 H5 – 352 h alt. 129.

*Paris 88 – Fontainebleau 34 – Coulommiers 48 – Melun 38 – Provins 24.*

**Loiseau,** 21 r. Ampère ☎ 01 60 67 34 00, *Fax 01 60 67 34 00* – GB
*fermé 13 au 21 juil., 5 au 19 janv., le midi du mardi au sam. et dim. soir* – **Repas** (prévenir) 10 (déj.), 14,50/30.
◆ Ce petit restaurant villageois jouxte l'épicerie familiale. Sobre salle à manger d'esprit rustique et plats du terroir servis "à la bonne franquette".

*Ecrivez-nous...*
*Vos louanges comme vos critiques seront examinées avec le plus grand soin.*
*Nous reverrons sur place les informations que vous nous signalez.*
*Par avance merci !*

## GY 70700 H.-Saône 314 C8 G. Jura – 943 h alt. 237.

*Voir Château★.*
*Office du Tourisme, 15 Grande Rue ☎ 03 84 32 93 93, Fax 03 84 32 86 87.*
*Paris 357 – Besançon 32 – Dijon 70 – Dôle 49 – Gray 20 – Langres 75 – Vesoul 39.*

**Pinocchio** M sans rest, ☎ 03 84 32 95 95, *Fax 03 84 32 95 75*, – cuisinette TV P – 30. AE GB
*fermé 25 déc. au 2 janv.* – 5 – **14 ch** 45/76.
◆ Cette jolie maison régionale restaurée avec soin dans le style contemporain offre des chambres personnalisées. Intérieur décoré sur le thème de la célèbre marionnette.

## HABÈRE-POCHE 74420 H.-Savoie 328 L3 – 662 h alt. 945 – Sports d'hiver : 930/1 600 m 9.

*Voir Col de Cou★ NO : 4 km, G. Alpes du Nord.*
*Syndicat d'Initiative, Chef Lieu ☎ 04 50 39 54 46, Fax 04 50 39 56 62, habere@wanadoo.fr.*
*Paris 564 – Thonon-les-Bains 19 – Annecy 63 – Bonneville 33 – Genève 37.*

**Chardet** , à Ramble, Nord : 2,5 km ☎ 04 50 39 51 46, *chardet@wanadoo.fr, Fax 04 50 39 57 18*, ←, – , ▤ rest, TV P. GB
*hôtel : 8 mai-20 oct. et 20 déc.-31 mars* – **Repas** 18/29 ♀, enf. 9 – 7,50 – **32 ch** 55/74 – ½ P 50/60.
◆ À deux pas du col de Cou, pension de famille des années 1970 peu à peu redécorée dans le style alpin. Chambres donnant sur la vallée Verte. Équipements sportifs.

**Tiennolet,** ☎ 04 50 39 51 01, *Fax 04 50 39 58 15*, – GB
*fermé 26 mai au 27 juin, 13 oct. au 14 nov., mardi soir et merc. sauf vacances scolaires* – **Repas** 21,80/34,50, enf. 10,90.
◆ Au centre du village, au-dessus d'un magasin de sport. Salle de restaurant au chaleureux cadre montagnard. Cuisine classique et plats savoyards. Terrasse exposée plein Sud.

## L'HABITARELLE 48 Lozère 330 K7 – ✉ 48170 Châteauneuf-de-Randon.

*Paris 591 – Mende 28 – Le Puy-en-Velay 62 – Langogne 19.*

**Poste,** ☎ 04 66 47 90 05, *contact@hoteldelaposte48.com, Fax 04 66 47 91 41* – TV P. GB
*fermé 24 oct. au 3 nov. et 19 déc. au 31 janv.* – **Repas** *(fermé dim. soir et sam. midi)* 13,50/28 ♀, enf. 5 – 6,20 – **16 ch** 42,50/49 – ½ P 43.
◆ Près du mausolée érigé en l'honneur de Du Guesclin mort ici même, un sympathique relais de poste du 19e s. Plaisante salle à manger aménagée dans une grange à foin.

## HAGENTHAL-LE-HAUT *68220 H.-Rhin 315 I11 – 428 h alt. 400.*

*Paris 484 – Mulhouse 41 – Altkirch 27 – Basel 13 – Colmar 74.*

**Ancienne Forge,** ✆ 03 89 68 56 10, *Fax 03 89 68 17 38* – GB
*fermé 18 au 21 avril, 11 août au 1er sept., 23 déc. au 5 janv., dim. et lundi* – **Repas** 29 (déj.), 46 bc/65 et carte 54 à 70.
◆ Dans un paisible village, maison à pans de bois entourée de verdure. Cuisine au goût du jour soignée, servie dans une salle aux jolies poutres peintes ou dans la véranda.
**Spéc.** Cuisses de grenouilles poêlées, risotto et coulis de cresson. Jarret de veau de lait mijoté en cocotte. Poitrine de pigeon fermier d'alsace.

## HAGETMAU *40700 Landes 335 H13 G. Aquitaine – 4 449 h alt. 96.*

Voir *Chapiteaux★ de la Crypte de St-Girons.*

*Office du Tourisme, place de la République ✆ 05 58 79 38 26, Fax 05 58 79 47 27, tourisme.hagetmau@wanadoo.fr.*

*Paris 740 – Mont-de-Marsan 30 – Aire-sur-l'Adour 34 – Dax 49 – Orthez 25 – Pau 56.*

**Les Lacs d'Halco** M, Sud-Ouest : 3 km sur rte de Cazalis ✆ 05 58 79 30 79, *contact@hotel-des-lacsdhalco.fr, Fax 05 58 79 36 15,* ←, – 30. AE GB. rest
**Repas** 23/30 ♀ – ☕ 8 – **24 ch** 58/90 – ½ P 65/82.
◆ Acier, verre, bois et pierre : esprit "zen" pour cette étonnante architecture design ouverte sur lacs et forêt. Vastes chambres et restaurant-rotonde entouré d'un plan d'eau.

**Jambon** M, r. Carnot ✆ 05 58 79 32 02, *Fax 05 58 79 34 78,* – rest, P. GB. ch
*fermé oct., dim. soir et lundi* – **Repas** 17/30 ♀ – ☕ 5,50 – **9 ch** 45/90.
◆ Cette grande maison du centre-ville abrite des chambres spacieuses et actuelles. Deux salles à manger bourgeoises récemment rénovées. Généreuse cuisine traditionnelle.

*Les pages explicatives de l'introduction vous aideront à mieux profiter de votre* **Guide Rouge Michelin**

## HAGUENAU *67500 B.-Rhin 315 K4 G. Alsace Lorraine – 27 675 h alt. 150.*

Voir *Musée historique★* **BZ M²** – *Retable★ dans l'église St-Georges – Boiseries★ dans l'église St-Nicolas.*

*Office du Tourisme, place de la Gare ✆ 03 88 93 70 00, Fax 03 88 93 69 89, tourisme@ville haguenau.fr.*

*Paris 486 ④ – Strasbourg 34 ④ – Baden-Baden 43 ② – Sarreguemines 76 ⑥.*

Plan page ci-contre

**Europe,** 15 av. Prof. René Leriche par ④ ✆ 03 88 93 58 11, *europe.hotel1@wanadoo.fr, Fax 03 88 06 05 43,* – rest, – 25 à 40. AE GB JCB. rest
**Repas** *(8,50)* - 12/30,50, enf. 8 – ☕ 6,50 – **72 ch** 48/52 – ½ P 41,50.
◆ Construction moderne à l'écart du centre. Petites chambres fonctionnelles parfois meublées en style Régence. Vaste salle à manger et lumineuse véranda face à la piscine.

**Pins,** 112 rte Strasbourg par ④ ✆ 03 88 93 68 40, *hotelrestaurantlespins@wanadoo.fr, Fax 03 88 93 34 14,* – – 20. AE GB JCB
**Repas** *(fermé 28 juil. au 17 août, 24 fév. au 9 mars)* 11,50 (déj.), 20/60 ♀, enf. 8 – ☕ 8 – **23 ch** 55/58 – ½ P 48.
◆ Motel proche de la nationale. Chambres diversement meublées. Salle des repas agrémentée de boiseries claires et d'un décor célébrant une glorieuse marque automobile.

**Jardin,** 16 r. Redoute ✆ 03 88 93 29 39, *Fax 03 88 93 29 39* – P. GB — BZ n
*fermé 21 août au 3 sept., vacances de fév., mardi et merc.* – **Repas** *(22)* - 16 (déj.), 32/46 ♀.
◆ Jolie façade haguenovienne refaite dans le style Renaissance et décor intérieur original composé de chaleureuses boiseries égayées de motifs peints.

**Barberousse,** 8 pl. Barberousse ✆ 03 88 73 31 09, *Fax 03 88 73 45 14,* – GB — AY k
*fermé 25 juil. au 18 août, mardi soir, dim. soir et lundi* – **Repas** 10 (déj.), 10,90/42 ♀, enf. 6,20.
◆ Cuisine régionale et décor alsacien caractérisent ce relais de poste du 17e s. dont la façade à colombages fait honneur à la cité chère aux Hohenstaufen.

**Cuisine des Saveurs,** 2 r. Étoile ✆ 03 88 06 07 73, *Fax 03 88 06 09 22* – GB. — BYZ t
*fermé 18 au 31 août, vacances de fév., sam. midi, dim. soir et lundi* – **Repas** 32/49,50.
◆ Il faut pousser la porte d'un vieil immeuble d'habitation pour gagner cette minuscule et coquette salle à manger à l'atmosphère intime. Cuisine au goût du jour.

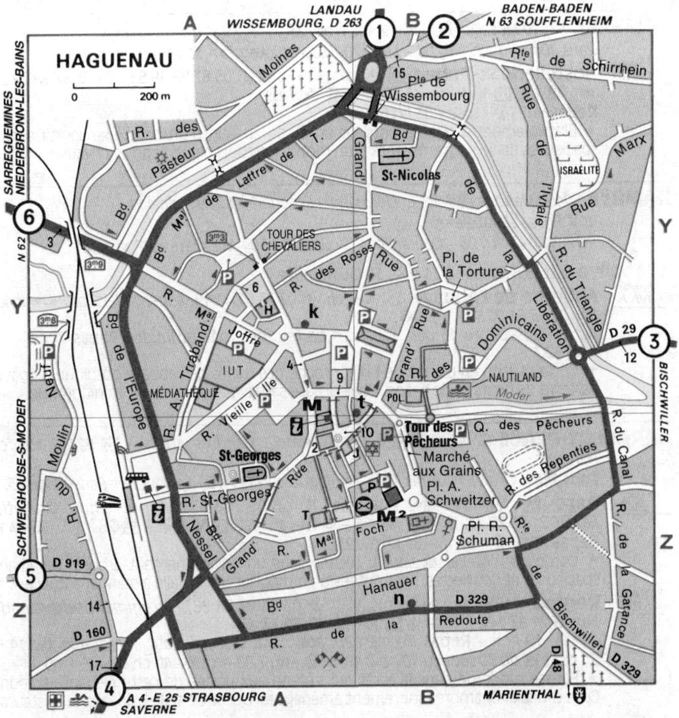
HAGUENAU
0
200 m
LANDAU
WISSEMBOURG, D 263
BADEN-BADEN
N 63 SOUFFLENHEIM
SARREGUEMINES
NIEDERBRONN-LES-BAINS
N 62
SCHWEIGHOUSE-S-MODER
BISCHWILLER
A 4 - E 25 STRASBOURG
SAVERNE
MARIENTHAL
A
B
Y
Z
Pte de Wissembourg
Rte de Schirrhein
Rue de l'Ivraie
Rue Marx
ISRAÉLITE
St-Nicolas
Moines
R. des Pasteur
Bd Mal de Lattre de T.
TOUR DES CHEVALIERS
R. des Roses
Rue
Pl. de la Torture
Bd de la Libération
R. du Triangle
R. des Dominicains
Grand'Rue
R. des
NAUTILAND
Moder
POL.
Tour des Pêcheurs
Q. des Pêcheurs
Marché aux Grains
Pl. A. Schweitzer
R. des Repenties
R. du Canal
Pl. R. Schuman
Rte de Bischwiller
R. de la Garance
D 329
D 48
Hanauer
Bd de la Redoute
R. de
Foch
Mal
Grand' R.
Bd Nessel
R. St-Georges
St-Georges
Rue
R. Vieille Ile
MÉDIATHÈQUE
R. A. Traband
Mal Joffre
IUT
R.
Bd de l'Europe
Neuf
Moulin
R. du
D 919
D 160
D 29
k
n
t
M
M2
J
H
P


Armes (Pl. d') .......... AZ 2
Bitche (Rte de) .......... AY 3
Château (R. du) .......... AY 4
Gaulle (Pl. Ch.-de) ...... AY 6
Grand'Rue .......... ABYZ
Moder (R. de la) .......... AY 9
République (Pl. de la) .. ABZ 10
Rhin (Rte du) .......... BY 12
Schweighouse (Rte de) . AZ 14
Soufflenheim (Rte de) .......... BY 15
Strasbourg (Rte de) ..... AZ 17

**à Schweighouse-sur-Moder** *par ⑤ : 4 km – 4 354 h. alt. 150 – ✉ 67590 :*

XX **Auberge du Cheval Blanc** avec ch, 46 r. Gén. de Gaulle ☎ 03 88 72 76 96, *jml01@hotmail.com, Fax 03 88 72 07 32,* – TV P – 15. GB
*fermé 3 au 25 août, 26 déc. au 4 janv., dim. soir (sauf hôtel) et sam.* – **Repas** 13/35 Ῑ, enf. 9 – 6 – **6 ch** 28/35.
◆ Auberge traditionnelle au centre du village. Fer forgé et bois composent dans la salle à manger un décor rustique chic. Chambres modestes, mais bien tenues.

**au Sud-Est** *par D 329 et rte secondaire : 3 km – ✉ 67500 Haguenau :*

**Champ'Alsace,** 12 r. St-Exupéry ☎ 03 88 93 30 13, *champalsace@aol.fr, Fax 03 88 73 90 04,* – |‡|, rest, TV ♿ P – 15 à 40. AE GB
**Repas** *(sam. midi et dim. soir)* 10,50 (déj.), 15/45 Ῑ – 6 – **40 ch** 47/76 – ½ P 44.
◆ Complexe hôtelier récent dans une zone industrielle. Chambres entretenues, de bonne ampleur, équipées d'un mobilier de série. Restaurant égayé de fresques régionales.

---

**La HAIE FOUASSIÈRE** *44 Loire-Atl.* 316 H5 – *rattaché à Nantes.*

---

**La HAIE-TONDUE** *14130 Calvados* 303 M4.
*Paris 197 – Caen 40 – Le Havre 73 – Deauville 15 – Lisieux 20 – Pont-l'Évêque 8.*

XX **Haie Tondue,** ☎ 02 31 64 85 00, *Fax 02 31 64 34 06,* – P. GB
*fermé 1er au 11/3, 23/6 au 1/7, 29/9 au 7/10, 22 au 30/12, 2 au 17/2, lundi soir et mardi* – **Repas** 20,50/38 Ῑ.
◆ Accueil chaleureux en cette maison régionale tapissée de vigne vierge. Salles rénovées, mais à la rusticité préservée (poutres et cheminée). La table honore le terroir.

---

**HALLINES** *62 P.-de-C.* 301 G3 – *rattaché à St-Omer.*

**HAMBACH** *57910 Moselle* 307 N4 – *2 152 h alt. 230.*
*Paris 404 – Strasbourg 98 – Metz 70 – Saarbrücken 23 – Sarreguemines 8.*

**Hostellerie St-Hubert** M, La Verte Forêt ✆ 03 87 98 39 55, *Fax 03 87 98 39 57*, – TV – 50. AE GB. rest
**Repas** 16/37 – 7 – **53 ch** 53/68,60.
◆ Établissement moderne bordant un étang au sein d'un complexe sportif. Chambres spacieuses parfois agrémentées d'un mobilier en bois peint. Loggias privatives.

**HAMBYE** *50450 Manche* 303 E6 *G. Normandie Cotentin – 1 218 h alt. 111.*
Voir *Église abbatiale*★★.
*Paris 314 – St-Lô 26 – Coutances 20 – Granville 30 – Villedieu-les-Poêles 17.*

à l'Abbaye *Sud : 3,5 km par D 51 – ✉ 50450 Hambye :*

**Auberge de l'Abbaye** avec ch, ✆ 02 33 61 42 19, *aubergedelabbaye@wanadoo.fr, Fax 02 33 61 00 85* – TV. GB
*fermé 28 sept. au 15 oct., vacances de fév., dim. soir et lundi* – **Repas** 20/52 – 8 – **7 ch** 52.
◆ Cette maison en pierres de taille, proche des ruines de l'abbaye gothique, s'égaye d'un parterre de fleurs et de gazon. Chaleureuse salle à manger. Cuisine traditionnelle.

**HARDELOT-PLAGE** *62 P.-de-C.* 301 C4 *G. Picardie Flandres Artois* – ✉ *62152 Neufchâtel-Hardelot.*
*Paris 256 – Calais 51 – Arras 130 – Boulogne-sur-Mer 16 – Le Touquet-Paris-Plage 23.*

**Parc** M, 111 av. Francois 1er ✆ 03 21 33 22 11, *parc.hotel@najeti.com, Fax 03 21 83 29 71*, – , rest, TV – 25 à 100. AE GB
**Repas** 23/60 – 10 – **81 ch** 97/232.
◆ Complexe hôtelier et sportif récent dans un environnement arboré. Les chambres, spacieuses et douillettes, sont dotées d'un mobilier peint. Salle à manger actuelle.

**Régina,** 185 av. François 1er ✆ 03 21 83 81 88, *leregina.hotel@wanadoo.fr, Fax 03 21 87 44 01*, – TV – 40. AE GB
*14 fév.-10 nov.* – **Repas** *(fermé dim. soir, lundi sauf juil. août, mardi midi du 14 fév au 31 mars et du 30 sept au 10 nov.)* 19/36, enf. 7,50 – 7 – **40 ch** 61 – ½ P 49.
◆ Bâtisse moderne dans la forêt qui s'étend aux portes de cette élégante station de la Côte d'Opale. Chambres sobrement aménagées. Décor de style balnéaire au restaurant.

**HASPARREN** *64240 Pyr.-Atl.* 342 E4 *G. Aquitaine – 5 399 h alt. 50.*
Env. *Grottes d'Oxocelhaya et d'Isturits*★★ *SE : 11 km.*
*Office du Tourisme, 2 place Saint-Jean ✆ 05 59 29 62 02, Fax 05 59 29 13 80.*
*Paris 786 – Biarritz 34 – Bayonne 24 – Cambo-les-Bains 9 – Pau 106.*

**Les Tilleuls,** pl. Verdun ✆ 05 59 29 62 20, *Fax 05 59 29 13 58* – TV – 30. GB.
*fermé vacances de fév.* – **Repas** *(fermé dim. soir et sam. d' oct. à juin sauf fériés)* 14/24 – 5,50 – **25 ch** 38/51 – ½ P 38,50/41,50.
◆ La maison qu'habita l'écrivain Francis Jammes est à deux pas de cette construction de style basque. Chambres bien rénovées. Sympathique salle de restaurant rustique.

**HASPRES** *59198 Nord* 302 I6 – *2 715 h alt. 44.*
*Paris 198 – Lille 66 – Avesnes-sur-Helpe 49 – Cambrai 18 – Valenciennes 16.*

**Auberge St-Hubert,** rte Denain (D 955) ✆ 03 27 25 70 97, *auberge.st.hubert.haspres@wanadoo.fr, Fax 03 27 25 76 21*, – . AE GB JCB
*fermé 1er au 25 août, 3 au 12 janv., mardi soir et lundi sauf fériés* – **Repas** 20,60/43 bc.
◆ Cette auberge du Cambrésis, située dans la vallée de la Selle, abrite deux salles à manger rustiques dont une agrémentée d'une jolie cheminée. Cuisine traditionnelle.

**HAUTE-GOULAINE** *44 Loire-Atl.* 316 H4 – *rattaché à Nantes.*

**HAUTERIVES** *26390 Drôme* 332 D2 *G. Vallée du Rhône – 1 202 h alt. 299.*
Voir *Le Palais Idéal*★.
*Office du Tourisme, rue du palais Idéal ✆ 04 75 68 86 82, Fax 04 75 68 92 96.*
*Paris 545 – Valence 45 – Grenoble 73 – Lyon 85 – Vienne 43.*

**Relais,** ✆ 04 75 68 81 12, *Fax 04 75 68 92 42*, – TV. GB
*fermé mi-janv. à fin fév., dim. soir sauf juil.-août et lundi* – **Repas** 13,50/29, enf. 7 – 5,50 – **17 ch** 28/49 – ½ P 43.
◆ L'établissement a fait peau neuve pour accueillir les visiteurs du "Palais idéal" édifié par le facteur Cheval : toutes les chambres et la salle à manger ont été refaites.

## Les HAUTES-RIVIÈRES *08800 Ardennes 306 L3 G. Champagne Ardenne – 2 077 h alt. 175.*

Voir *Croix d'Enfer ≤★ S : 1,5 km par D 13 puis 30 mn – Vallon de Linchamps★ N : 4 km.*

*Paris 261 – Charleville-Mézières 22 – Dinant 57 – Sedan 42.*

**Auberge en Ardenne,** ☎ 03 24 53 41 93, *auberge.ardenne@wanadoo.fr, Fax 03 24 53 60 10,* – TV. GB

*fermé 1er au 15 janv.* – **Repas** *(fermé sam. midi de nov. à mars et dim. soir sauf juil.-août)* 11,50/30 – 6,30 – **14 ch** 45/52 – 1/2 P 44/48.

◆ De part et d'autre de la route qui traverse ce joli village, sympathique affaire familiale proprement tenue, aux chambres spacieuses et claires. Terrasse au bord de la Semoy.

**Les Saisons,** ☎ 03 24 53 40 94, *Fax 03 24 54 57 51* – . GB

*fermé 25 août au 1er sept., le soir en fév., dim. soir, lundi sauf fériés et merc. soir* – **Repas** 14,50/38,50.

◆ Dans un bourg de la vallée de la Semoy, restaurant abritant plusieurs salles à manger rustiques ; l'une d'elles, plus simple, est réservée au service des plats du jour.

## HAUTEVILLE-LÈS-DIJON *21 Côte-d'Or 320 J5 – rattaché à Dijon.*

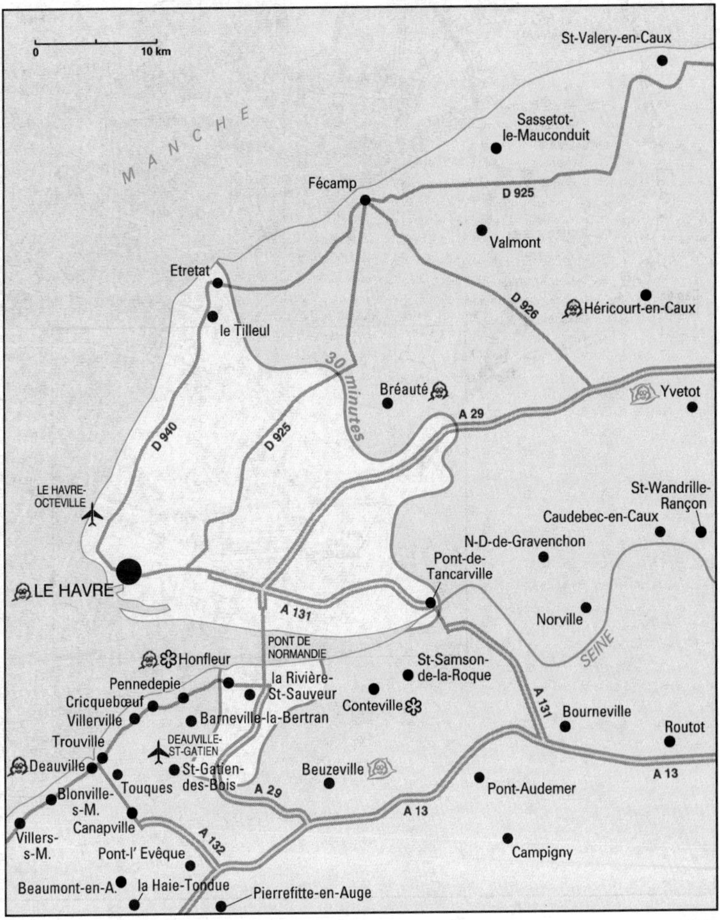
0
10 km
MANCHE
St-Valery-en-Caux
Sassetot-le-Mauconduit
Fécamp
D 925
Valmont
Etretat
le Tilleul
D 926
Héricourt-en-Caux
30 minutes
Bréauté
Yvetot
A 29
D 940
D 925
LE HAVRE-OCTEVILLE
St-Wandrille-Rançon
Caudebec-en-Caux
N-D-de-Gravenchon
Pont-de-Tancarville
LE HAVRE
A 131
Norville
SEINE
PONT DE NORMANDIE
Honfleur
St-Samson-de-la-Roque
Pennedepie
la Rivière-St-Sauveur
Conteville
Cricquebœuf
Villerville
Barneville-la-Bertran
A 131
Bourneville
Routot
Trouville
DEAUVILLE-ST-GATIEN
Deauville
St-Gatien-des-Bois
Beuzeville
A 13
Touques
A 29
Pont-Audemer
Blonville-s-M.
A 13
Canapville
Villers-s-M.
A 132
Campigny
Pont-l'Evêque
Beaumont-en-A.
la Haie-Tondue
Pierrefitte-en-Auge

**Le HAVRE** ⟨SP⟩ *76600 S.-Mar.* **304** *A5 G. Normandie Vallée de la Seine – 195 854 h Agglo. 248 547 h alt. 4.*

**Voir** *Port*★★ **EZ** *– Quartier moderne*★ **EFYZ** *: intérieur*★★ *de l'église St-Joseph*★ **EZ**, *pl. de l'Hôtel-de-Ville*★ **FY** *47, Av. Foch*★ **EFY** *– Musée des Beaux-Arts André-Malraux*★ **EZ.**

**Env.** *Ste-Adresse*★★ *: circuit*★.

✈ *du Havre-Octeville : ☎ 02 35 54 65 00* **A.**

ℹ *Office du Tourisme, 186 boulevard Clemenceau ☎ 02 32 74 04 04, Fax 02 35 42 38 39, office.du.tourisme.havre@wanadoo.fr.*

*Paris 199 ④ – Amiens 184 ③ – Caen 110 ④ – Lille 317 ③ – Nantes 400 ④ – Rouen 88 ③.*

HARFLEUR

Doumer (R. Paul) . . . . . . . . . . . . . . . . **D** 30
Verdun (Av. de) . . . . . . . . . . . . **D** 90
104 (R. des) . . . . . . . . . . . . . . **D** 98

LE HAVRE

Abbaye (R. de l') . . . . . . . . . . . **C** 2
Aplemont (Av. d') . . . . . . . . . . . . . . . . . . **C** 7
Churchill (Bd W.) . . . . . . . . . . . **B** 24
Hermann-du-Pasquier (Quai) . . . . . . . . . . **B** 44
Joannès-Couvert (Quai) . . . . . . . . . . . . . . . . . . . **B** 52
Mouchez (Bd Amiral) . . . . . . . **B** 68
Octeville (Rte d') . . . . . . . . . . . **A** 74

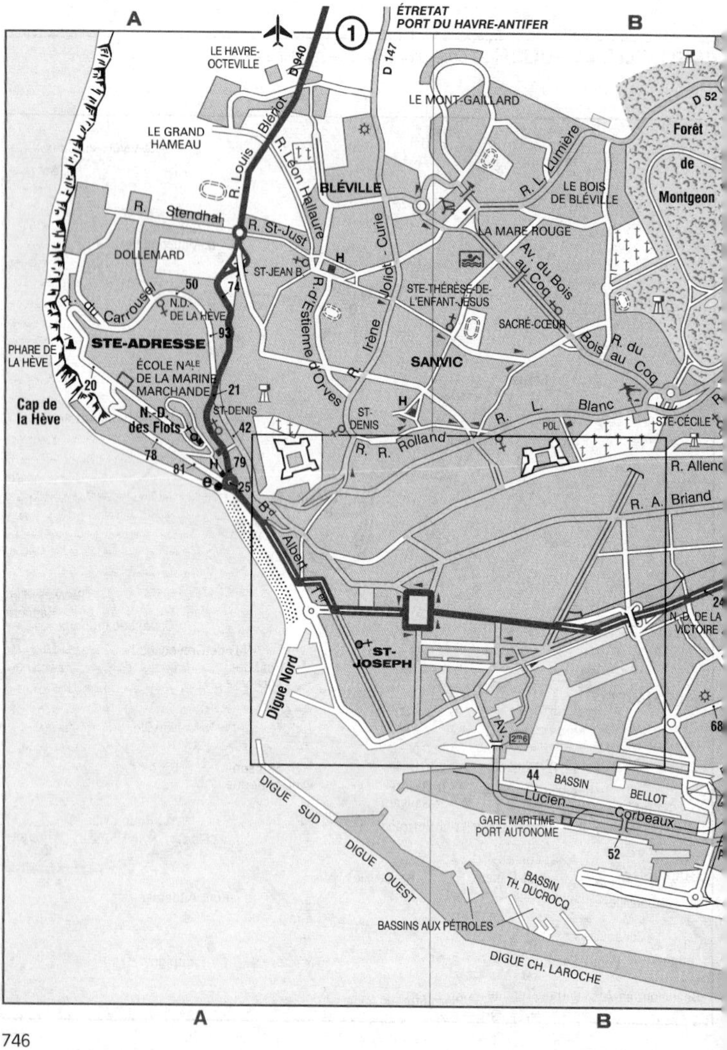

A
B
ÉTRETAT
PORT DU HAVRE-ANTIFER
1
LE HAVRE-OCTEVILLE
D 940
D 147
LE MONT-GAILLARD
D 52
Forêt de Montgeon
LE GRAND HAMEAU
R. Louis Blériot
R. Léon Hallaure
BLÉVILLE
R. L. Lumière
LE BOIS DE BLÉVILLE
R. Stendhal
R. St-Just
LA MARE ROUGE
Av. du Bois au Coq
DOLLEMARD
ST-JEAN B.
R. d'Estienne d'Orves
R. Irène Joliot - Curie
STE-THÉRÈSE-DE-L'ENFANT-JÉSUS
SACRÉ-CŒUR
R. du Carrousel
N.D. DE LA HÈVE
R. du Bois au Coq
PHARE DE LA HÈVE
STE-ADRESSE
SANVIC
ÉCOLE NALE DE LA MARINE MARCHANDE
Cap de la Hève
N.-D. des Flots
ST-DENIS
R. L. Blanc
STE-CÉCILE
POL.
R. R. Rolland
R. Allend
R. A. Briand
Bd Albert 1er
N.D. DE LA VICTOIRE
ST-JOSEPH
Digue Nord
DIGUE SUD
BASSIN BELLOT
Lucien Corbeaux
GARE MARITIME PORT AUTONOME
DIGUE OUEST
BASSIN TH. DUCROCQ
BASSINS AUX PÉTROLES
DIGUE CH. LAROCHE

**Mercure** Ⓜ, chaussée G. Pompidou ✆ 02 35 19 50 50, *h0341@accor-hotels.com*, *Fax 02 35 19 50 99*, – ⇅ ⇄ ▤ TV ✆ ♿ – 🅰 25 à 100. AE ⦿ GB GZ b
**Repas** *(14)* - 17 ♀, enf. 7,50 – ☕ 10,50 – **92 ch** 93/122, 4 appart.
◆ Face au bassin du Commerce et adossé au World Trade Center, un établissement tout confort offrant une gamme de chambres inspirée des saisons : printemps, été, automne.

**Vent d'Ouest** Ⓜ sans rest, 4 r. Caligny ✆ 02 35 42 50 69, *contact@ventdouest.fr*, *Fax 02 35 42 58 00* – ⇅ TV ✆ – 🅰 15. AE GB – ☕ 9 – **35 ch** 80/110. EZ a
◆ Rénovation très réussie pour cet hôtel havrais : chambres agréablement décorées (thèmes "Mer", "Campagne", "Zen" et "Montagne") et accueillant salon-bibliothèque.

Picasso (Av. Pablo) .......... **C** 77
Rouelles (R. de) .......... **C** 82
Sakharov (R. Andrei) .......... **C** 84
Val-aux-Corneilles (Av.) .......... **C** 88

SAINTE-ADRESSE

Cap (Rte du) .......... **A** 20
Cavell (R. E.) .......... **A** 21
Clemenceau (Pl.) .......... **A** 25
Gaulle (R. Gén.-de) .......... **A** 42
Ignauval (R. d') .......... **A** 50
Prés.-F.-Faure (Bd) .......... **A** 78
Reine-Élisabeth (R.) .......... **A** 79
Roi-Albert (R. du) .......... **A** 81
Vitantal (R. de) .......... **A** 93

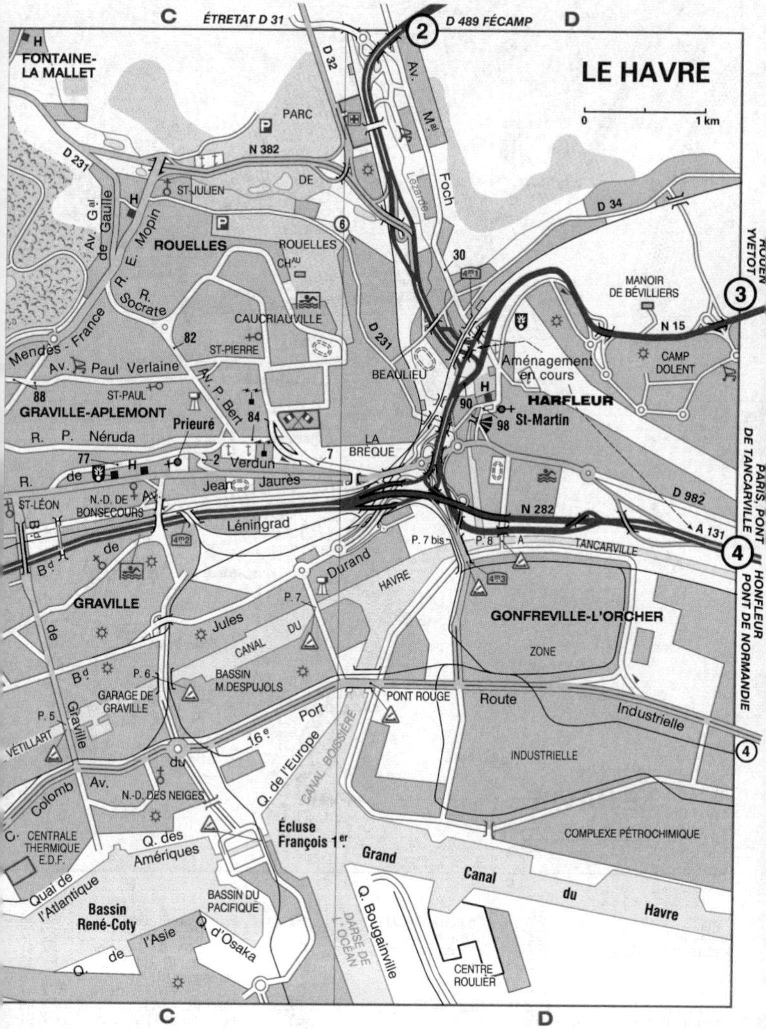
C
ÉTRETAT D 31
D 489 FÉCAMP
D
LE HAVRE
0
1 km
FONTAINE-LA MALLET
PARC
N 382
DE
D 231
D 32
Av. Mal Foch
Lézarde
ST-JULIEN
ROUELLES
CHAU
CAUCRIAUVILLE
ST-PIERRE
Av. Gal de Gaulle
R. E. Mopin
R. Socrate
Mendès - France
Av. Paul Verlaine
ST-PAUL
GRAVILLE-APLEMONT
R. P. Néruda
Prieuré
Av. P. Bert
Verdun
Jean Jaurès
BEAULIEU
LA BRÈQUE
D 34
ROUEN YVETOT
MANOIR DE BÉVILLIERS
N 15
CAMP DOLENT
Aménagement en cours
HARFLEUR
St-Martin
D 982
N 282
A 131
PARIS, PONT DE TANCARVILLE
HONFLEUR PONT DE NORMANDIE
TANCARVILLE
P. 7 bis
P. 8
ST-LÉON
N.-D. DE BONSECOURS
Léningrad
Bd de
GRAVILLE
Durand
HAVRE
P. 7
Jules
CANAL DU
BASSIN M.DESPUJOLS
GONFREVILLE-L'ORCHER
ZONE
PONT ROUGE
Route Industrielle
INDUSTRIELLE
Bd de Graville
GARAGE DE GRAVILLE
P. 6
P. 5
VÉTILLART
16e Port
du
Av. Colomb
N.-D. DES NEIGES
Q. de l'Europe
CANAL BOISSIÈRE
Écluse François 1er
COMPLEXE PÉTROCHIMIQUE
CENTRALE THERMIQUE E.D.F.
Q. des Amériques
Quai de l'Atlantique
Grand Canal du Havre
Bassin René-Coty
BASSIN DU PACIFIQUE
Q. de l'Asie
Q. d'Osaka
DARSE DE L'OCÉAN
Q. Bougainville
CENTRE ROULIER
C
D

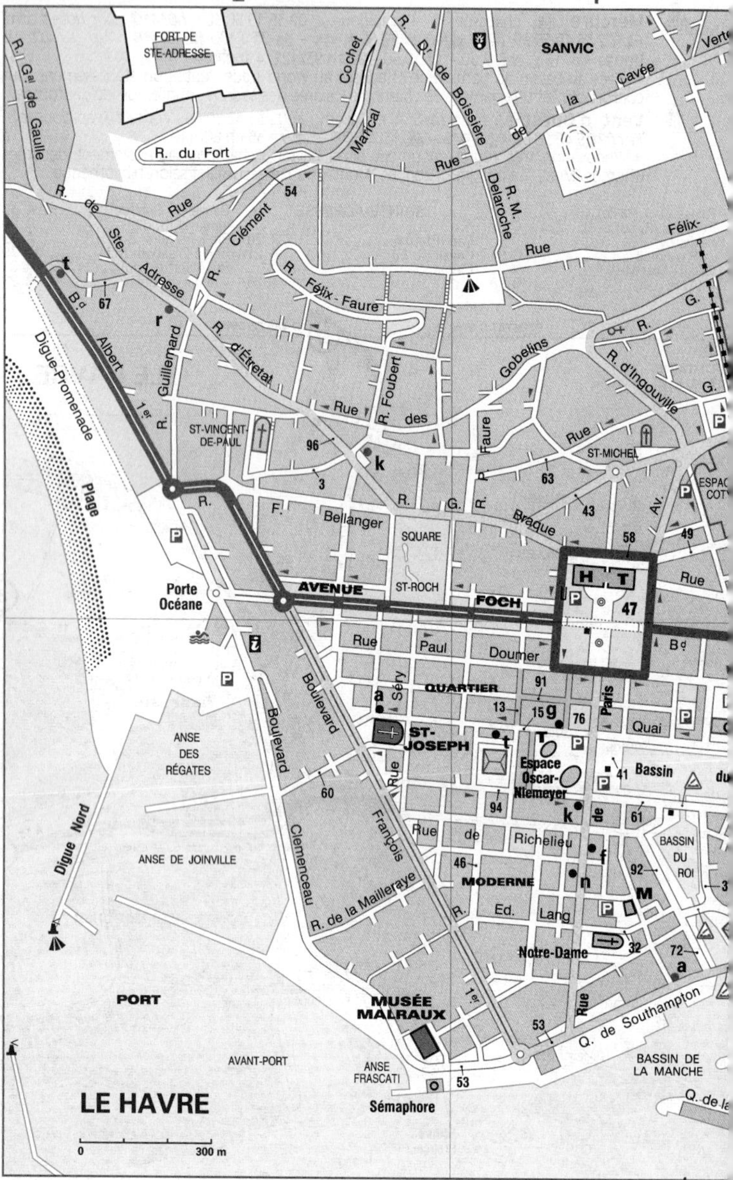
E
F
Y
Z
FORT DE STE-ADRESSE
SANVIC
R. Gal de Gaulle
R. du Fort
Rue
Cochet
Marical
R. Dr de Boissière
de la Cavée
Verte
Rue
R. M. Delaroche
Rue Félix-
54
R. de Ste-Adresse
R. Clément
R. Félix-Faure
Bd Albert 1er
67
t
r
R. Guillemard
R. d'Étretat
Rue des Gobelins
R. Foubert
R. P. Faure
G.
R.
R. d'Ingouville
G.
Digue-Promenade
ST-VINCENT-DE-PAUL
96
k
Rue
ST-MICHEL
3
63
43
ESPACE COTY
Av.
Plage
R. F. Bellanger
R. G. Braque
SQUARE ST-ROCH
58
49
H
T
Rue
Porte Océane
AVENUE
FOCH
47
Rue Paul Doumer
Bd
QUARTIER
91
Séry
13
15
g
76
Paris
Quai
a
ST-JOSEPH
t
T
Espace Oscar-Niemeyer
41
Bassin du
Boulevard
Boulevard
ANSE DES RÉGATES
60
Rue
94
k
de
61
Digue Nord
François
Rue de Richelieu
f
BASSIN DU ROI
ANSE DE JOINVILLE
Clemenceau
46
MODERNE
n
92
M
R. de la Mailleraye
R. Ed. Lang
Notre-Dame
32
72
a
1er
PORT
MUSÉE MALRAUX
Rue
53
Q. de Southampton
AVANT-PORT
ANSE FRASCATI
53
BASSIN DE LA MANCHE
Q. de la
LE HAVRE
Sémaphore
0
300 m
E
F

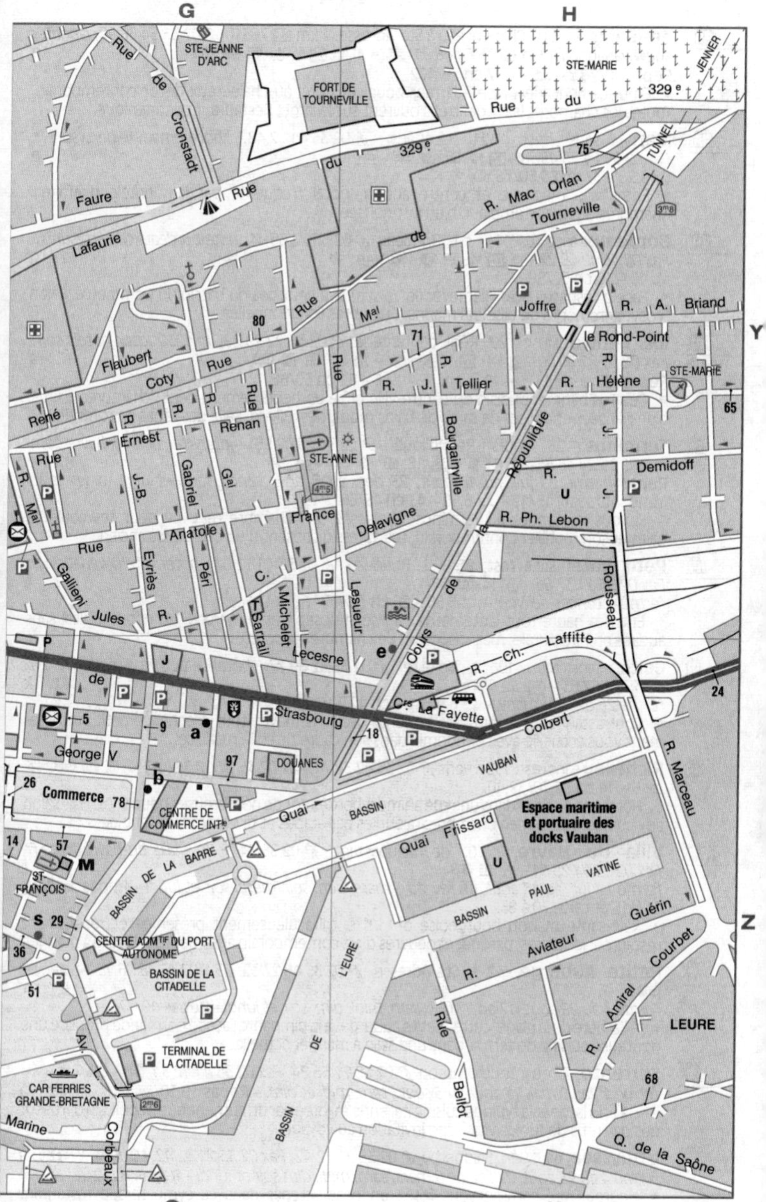
G
H
Y
Z
STE-JEANNE D'ARC
FORT DE TOURNEVILLE
STE-MARIE
JENNER
329 e
Rue du 329 e
Rue de Cronstadt
Faure
Lafaurie
TUNNEL
75
R. Mac Orlan
Tourneville
Rue de
Joffre
R. A. Briand
Rue Mal
80
71
le Rond-Point
Flaubert
Coty
Rue
René
R. J. Tellier
R. Hélène
STE-MARIE
65
R. Ernest
Renan
Rue
STE-ANNE
Bougainville
République
R. Demidoff
J.
Rue
R. Mal
J.-B.
Gabriel
Gal
France
Delavigne
U
R. Ph. Lebon
Rue
Anatole
Eyriès
Péri
C.
Lesueur
de la
Rousseau
Gallieni
Jules
R.
Sarrail
Michelet
Cours
Lecesne
e
R. Ch. Laffitte
P
J
de
Strasbourg
Crs La Fayette
18
Colbert
24
5
9
a
George V
97
DOUANES
VAUBAN
R. Marceau
26
Commerce
78
b
CENTRE DE COMMERCE INTl
Quai
BASSIN
Espace maritime et portuaire des docks Vauban
Quai Frissard
14
57
M
ST-FRANÇOIS
BASSIN DE LA BARRE
U
VATINE
PAUL
BASSIN
Guérin
S
29
36
CENTRE ADMTIF DU PORT AUTONOME
L'EURE
R.
Aviateur
Courbet
51
BASSIN DE LA CITADELLE
Rue
Amiral
LEURE
Av.
L.
TERMINAL DE LA CITADELLE
DE
R.
CAR FERRIES GRANDE-BRETAGNE
Bellot
68
Marine
Corbeaux
BASSIN
Q. de la Saône
G
H

Joffre (R. Maréchal) ..... GHY
Kennedy (Chée J.) ....... EFZ 53
La Bourdonnais (R.) ....... EY 54
Lamblardie (Quai) ....... FGZ 57
Leclerc (Av. Gén.) ......... FY 58
Lemaître (R. F.) ........... EZ 60
Le Testu (Quai G.) ........ FZ 61
Louer (R. J.) ............... FY 63

Massillon (R.) ............. HY 65
Maupassant (R. G.-de) .... EY 67
Neustrie (R. de) ........... HY 71
Notre-Dame (Quai) ........ FZ 72
Paris (R. de) ............... FZ
Pasteur (R.) ................ HY 75
Perret (Pl. Auguste) ....... FZ 76
Pompidou (Chée G.) ....... GZ 78

République (Cours de la) .. HY
Risson (R. F.) .............. GY 80
Victor-Hugo (R.) ........... FZ 91
Videcoq (Quai) ............ FZ 92
Voltaire (R.) .............. EFZ 94
Wilson (R. Président) ...... EY 96
24e-Territorial (Chée du) ............... GZ 97

**des Bains** Ⓜ, 3 pl. Clemenceau à Ste-Adresse, 2 km ✉ 76310 ☎ 02 35 54 68 90, *lapetiterade@wanadoo.fr, Fax 02 35 54 68 91,* – |♦| TV ♿. AE ⓓ GB A e
**Repas** 20/26 ♀ – ☕ 7 – **17 ch** 76/102.
◆ Emplacement idéal face à la mer pour cet hôtel au chaleureux décor contemporain. Toutes les chambres (sauf quatre) s'ouvrent sur le large. Restaurant panoramique.

**Marly** sans rest, 121 r. Paris ☎ 02 35 41 72 48, *hotellemarly@libertysurf.fr, Fax 02 35 21 50 45* – |♦| TV. AE ⓓ GB JCB FZ n
☕ 9,20 – **37 ch** 63,50/78,50.
◆ Entre ville moderne et centre ancien, hôtel fréquenté par la clientèle d'affaires. Chambres de bonne ampleur, bien insonorisées.

**Bordeaux** sans rest, 147 r. L. Brindeau ☎ 02 35 22 69 44, *hotelbordeaux@libertysurf.fr, Fax 02 35 42 09 27* – |♦| TV. AE ⓓ GB JCB. FZ g
☕ 10 – **30 ch** 62/88.
◆ Face à l'espace Oscar Niemeyer (le Volcan) et à deux pas du bassin du Commerce. Salon "cosy" agrémenté de bibelots marins. Chambres fonctionnelles.

**Ibis Centre** Ⓜ, r. 129e Régt d'Infanterie ☎ 02 35 22 29 29, *h1123@accor-hotels.com, Fax 02 35 21 00 00* – |♦| TV ♿ – 50. AE ⓓ GB GZ a
**Repas** (dîner seul.) (12) - 15 ♀, enf. 6 – ☕ 6 – **91 ch** 60/66.
◆ Ce gros bâtiment voisin du centre-ville offre un hébergement neuf : chambres claires, bien pensées et dotées de salles de bains modernes. Billard. Salle des repas en rotonde.

**Terminus,** 23 cours République ☎ 02 35 25 42 98, *inter@terminus-lehavre.com, Fax 02 35 24 46 55* – |♦| TV – 18. AE ⓓ GB JCB. HZ e
**Repas** *(fermé 20 juil. au 18 août, 23 déc. au 5 janv., vend., sam. et dim)* (dîner seul.) (résidents seul.) 15/19 – ☕ 6,50 – **43 ch** 45/69.
◆ Si vous descendez au Terminus, choisissez une chambre rénovée pour ses couleurs gaies et son mobilier contemporain. Les autres disposent d'un cadre plus ancien.

**Petit Vatel** sans rest, 86 r. L.-Brindeau ☎ 02 35 41 72 07, *hoter.vatel@wanadoo.fr, Fax 02 35 21 37 86* – TV. AE GB FZ t
*fermé vacances de Noël* – ☕ 5,50 – **26 ch** 34/46.
◆ Entre la haute tour-lanterne de l'église St-Joseph et le marché, un hôtel familial sans audace architecturale, mais disposant de chambres proprettes.

**Celtic** sans rest, 106 r. Voltaire ☎ 02 35 42 39 77, *hotel-celtic@proximedia.fr, Fax 02 35 21 67 65* – TV. AE GB FZ k
*fermé 26 déc. au 4 janv.* – ☕ 6,90 – **14 ch** 42,70/47,30.
◆ Contrastant avec le futuriste Volcan d'Oscar Niemeyer, tout proche, ce petit établissement vous accueille avec bonhomie dans son cadre de style rustique.

**Richelieu** sans rest, 132 r. Paris ☎ 02 35 42 38 71, *Fax 02 35 21 07 28* – TV. AE ⓓ GB.
☕ 6 – **19 ch** 36,70/39,40. FZ f
◆ Hôtel simple situé dans une rue animée, bordée par de nombreuses boutiques. Hall-salon aux couleurs de la mer. Chambres rajeunies par étapes et diversement meublées.

XXX **Villa du Havre,** r. G. de Maupassant ☎ 02 35 54 78 80, *villa-du-havre@free.fr, Fax 02 35 54 78 81* – P. AE GB EY t
*fermé 27 juil. au 13 août, 16 fév. au 3 mars, dim. soir, merc. soir et lundi* – **Repas** 28 (déj.), 44/115 et carte 70 à 85.
◆ Ravissante maison bourgeoise du 19e s. miraculeusement préservée et récemment restaurée. Moulures, parquet et oeuvres d'art contemporain agrémentent la salle à manger.

XX **Petite Auberge,** 32 r. Ste-Adresse ☎ 02 35 46 27 32, *Fax 02 35 48 26 15* – . AE GB EY r
*fermé 3 au 29 août, 17 au 27 fév., sam. midi, dim. soir et lundi* – **Repas** 19/37.
◆ À l'arrière de la plage, cette "petite auberge" à la pimpante façade normande propose une goûteuse cuisine du terroir dans une salle à manger actuelle.

XX **Sorrento,** 77 quai Southampton ☎ 02 35 22 55 84, *Fax 02 35 41 12 34,* – AE GB
*fermé 1er au 8 mai, 15 août au 5 sept., sam. midi et dim.* – **Repas** 19,50/27 ♀. FZ a
◆ L'air du large et la typique cuisine italienne mijotée par un authentique Napolitain diffusent des parfums de "dolce vita". Une invitation au voyage.

XX **L'Odyssée,** 41 r. Gén. Faidherbe ☎ 02 35 21 32 42, *Fax 02 35 21 32 42* – AE GB GZ s
*fermé 4 au 25 août, 22 fév. au 9 mars, sam. midi, dim soir et lundi* – **Repas** 19/32 ♀.
◆ Heureux qui comme vous ferez un beau... repas dans ce sympathique restaurant du quartier St-François : sa cuisine et son nouveau décor marin semblent inspirés par Poséidon.

X **Wilson,** 98 r. Prés. Wilson ☎ 02 35 41 18 28 – AE GB EY k
*fermé 11 août au 5 sept., 16 fév. au 2 mars, sam. midi, dim. soir, et lundi* – **Repas** 15,25/27,50 ♀, enf. 10.
◆ Sur une placette d'un quartier commerçant, cette discrète façade dissimule une table conviviale : ambiance bistrot et cuisine traditionnelle.

## HAZEBROUCK 59190 Nord 302 D3 *G. Picardie Flandres Artois – 20 567 h alt. 25.*

*Office du Tourisme, place Grand Place ✆ 03 28 49 59 89, Fax 03 28 49 53 04, haebrouck @tourisme.norsys.fr.*

*Paris 240 – Calais 68 – Armentières 29 – Arras 60 – Dunkerque 43 – Ieper 37 – Lille 44.*

**Gambrinus** sans rest, 2 r. Nationale (rue face gare) ✆ 03 28 41 98 79, *Fax 03 28 43 11 06* – TV. GB.
*fermé 11 au 24 août* – 5,50 – **15 ch** 49/52.
◆ Hôtel central dont l'enseigne évoque le joyeux roi de la bière, grande figure des Flandres. Petites chambres simples, insonorisées et bien tenues.

XX **Auberge St-Éloi,** 60 r. Église ✆ 03 28 40 70 23, *yannickchever@wanadoo.fr, Fax 03 28 40 70 44* – GB
*fermé 28 juil. au 18 août, dim. soir, jeudi soir et lundi sauf fériés* – **Repas** *(13)* - 15 (déj.), 19,50/65 ♀.
◆ Au pied de l'église St-Éloi, spacieuse et lumineuse salle à manger prolongée d'un nouvel espace pour les repas commandés. Cuisine traditionnelle. Accueil aimable.

XX **Auberge de la Creule,** 1 r. Creule, Nord : 2 km sur D 916 ✆ 03 28 48 03 03, *la creule@wanadoo.fr* – P
*fermé merc. de mai à sept.* – **Repas** *(11,50)* - 14,50 (déj.), 26/38 ♀, enf. 8,50.
◆ Aux portes de la ville, auberge typiquement flamande construite en briques. On y sert une cuisine originale associant produits régionaux et saveurs plus insolites.

**à la Motte-au-Bois** *Sud-Est : 6 km par D 946 – ✉ 59190 :*

XXX **Auberge de la Forêt** avec ch, ✆ 03 28 48 08 78, *Fax 03 28 40 77 76,* – TV P. GB
*fermé 19 au 25 août, 26 déc. au 19 janv., sam. midi, d'oct. à mars, dim. soir et lundi* – **Repas** *(16)* - 23/47 ♀ – 6,50 – **12 ch** 37/57 – ½ P 41/73.
◆ Dans un village situé au coeur de la forêt de Nieppe. Vaste salle à manger avec cheminée et sièges Louis XIII. Quelques chambres habillées de frisette pourront dépanner.

**rte de Béthune** *Sud : 7 km par D 916 – ✉ 59189 Steenbecque :*

XX **Auberge de la Belle Siska,** ✆ 03 28 43 61 77, *auberge.labellesistra@wanadoo.fr, Fax 03 28 42 10 84,* – P. AE GB
*fermé 1er au 15 août, vacances de fév., dim. soir, mardi soir, merc. soir et lundi* – **Repas** 30,20/77 bc ♀.
◆ En pleine campagne, petite maison entourée d'un jardin arboré et fleuri. Salle de restaurant parementée de briques, aux tables soigneusement dressées. Plats traditionnels.

*Si le coût de la vie subit des variations importantes,*
*les prix que nous indiquons peuvent être majorés.*
*Lors de votre réservation à l'hôtel, faites-vous préciser le prix définitif.*

## HÉDÉ 35630 I.-et-V. 309 L5 *G. Bretagne – 1 500 h alt. 90.*

Env. *Château de Montmuran★ et église des Iffs★ O : 8 km.*

*Syndicat d'initiative - Mairie, ✆ 02 99 45 46 18, Fax 02 99 45 50 48.*

*Paris 372 – Rennes 27 – Avranches 65 – Dinan 32 – Dol-de-Bretagne 31 – Fougères 69.*

XX **Vieille Auberge,** rte de Tinténiac ✆ 02 99 45 46 25, *lavieilleauberge@yahoo.fr, Fax 02 99 45 51 35,* – P. AE GB
*fermé 3 au 12 mars, 25 août au 10 sept., 13 au 29 janv., dim. soir et lundi* – **Repas** 14 (déj.), 23/55 ♀.
◆ Moulin du 17e s. au charme bucolique : chaleureuse salle campagnarde, délicieuse terrasse envahie par la végétation et située au bord d'un étang, joli jardinet fleuri.

XX **Hostellerie du Vieux Moulin** avec ch, rte de Tinténiac ✆ 02 99 45 45 70, *Fax 02 99 45 44 86,* – TV P. AE GB
*fermé 20 oct. au 2 nov., 2 au 29 fév., lundi sauf le soir en juil.-août et dim. soir* – **Repas** 12,50 (déj.), 19/37 ♀, enf. 10 – 6 – **13 ch** 40/45 – ½ P 40/45.
◆ Longue bâtisse en pierre édifiée non loin des ruines d'un moulin. Salle à manger un peu sombre, avec cheminée-rôtissoire et meubles bretons. Quelques chambres pour l'étape.

## HENDAYE 64700 Pyr.-Atl. 342 B4 *G. Aquitaine – 11 578 h alt. 30 – Casino* **AX.**

Voir *Grand crucifix★ dans l'église St-Vincent* **BY B** – *Château d'Antoine-Abbadie★★ (salon★) 3 km par ①.*

*Office du Tourisme, 12 rue des Aubepines ✆ 05 59 20 00 34, Fax 05 59 20 79 17, tourisme.hendaye@wanadoo.fr.*

*Paris 802 ② – Biarritz 31 ② – Pau 143 ② – St-Jean-de-Luz 12 ② – San Sebastián 20 ③.*

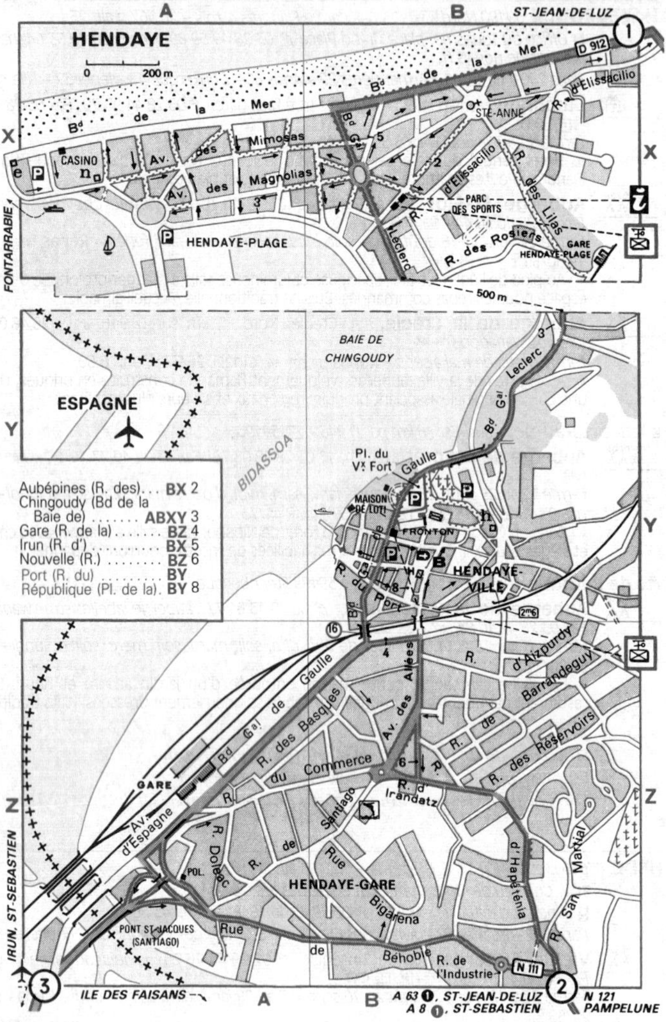
HENDAYE
0
200 m
ST-JEAN-DE-LUZ
D 912
Bd de la Mer
Av. des Mimosas
Av. des Magnolias
CASINO
HENDAYE-PLAGE
STE-ANNE
R. d'Elissacilio
PARC DES SPORTS
R. des Lilas
R. des Rosiers
GARE HENDAYE-PLAGE
Bd Gal Leclerc
FONTARRABIE
500 m
BAIE DE CHINGOUDY
ESPAGNE
BIDASSOA
Pl. du Vx Fort
MAISON DE LOTI
FRONTON
HENDAYE-VILLE
R. du Port
Bd Gal de Gaulle
Aubépines (R. des) . . . BX 2
Chingoudy (Bd de la Baie de) . . . . . . . ABXY 3
Gare (R. de la) . . . . . . . BZ 4
Irun (R. d') . . . . . . . . . . BX 5
Nouvelle (R.) . . . . . . . . BZ 6
Port (R. du) . . . . . . . . . BY
République (Pl. de la). BY 8
R. d'Aizourdy
R. de Barrandeguy
R. des Réservoirs
Av. des Allées
R. des Basques
R. du Commerce
R. d'Irandatz
R. de Santiago
GARE
Av. d'Espagne
R. Dolhéac
PÓL.
HENDAYE-GARE
Rue Bigarena
R. d'Hapétenia
R. San Martial
PONT ST-JACQUES (SANTIAGO)
Rue de Béhobie
R. de l'Industrie
N 111
IRUN, ST-SEBASTIEN
ILE DES FAISANS
A 63 1, ST-JEAN-DE-LUZ
A 8 1, ST-SEBASTIEN
N 121 PAMPELUNE

**à Hendaye Plage :**

**Ibaïa** Ⓜ, 76 av. Mimosas ✆ 05 59 48 88 88, *info@thalassoblanco.com, Fax 05 59 48 88 89*, ←, ≋, ⛱ – |¤| ▤ TV ♿ 🚗. AE ⓓ GB AX n
*fermé 6 au 27 déc.* – ***Enbata* :** Repas 19/29 ♀, enf. 9 – ☕ 12 – **61 ch** 144/178 – ½ P 106/176.

◆ Architecture d'inspiration basque située face au port de plaisance. Chambres fonctionnelles pourvues de balcons, plusieurs formules de restauration et bar marin en acajou.

**Serge Blanco** Ⓜ, bd Mer ✆ 05 59 51 35 35, *info@thalassoblanco.com, Fax 05 59 51 36 00*, ←, ≋, 🏋, ⛱ – |¤| ▤ TV 📞 ♿ 🚗 – 🏛 30 à 100. AE ⓓ GB AX e
*fermé 6 au 27 déc.* – **Repas** 28/42 ♀ – ☕ 12 – **90 ch** 138/194 – ½ P 114/134.

◆ Le célèbre rugbyman est le propriétaire de ce complexe récent bâti entre plage et marina, avec centre de thalassothérapie intégré. Chambres et restaurant de style contemporain.

**à Hendaye Ville :**

Campanile, 102 rte Béhobie par ② ✆ 05 59 48 06 48, *Fax 05 59 48 05 83* – 25. AE GB
**Repas** *(12)* - 19, enf. 6 – 6 – **47 ch** 55.
◆ Chambres un peu bruyantes, mais pratiques et bien tenues, et restauration sous forme de buffets : commode pour une étape à proximité de la frontière franco-espagnole.

**à Biriatou** *par ② et D 258 : 4 km – 694 h. alt. 60 – ✉ 64700 :*

**Les Jardins de Bakéa,** ✆ 05 59 20 02 01, *bakea@fr.st, Fax 05 59 20 58 21,* – 30. AE GB.
*Pâques-fin sept.* – **Repas** voir rest ***Bakéa*** – 7,93 – **23 ch** 42/61 – 1/2 P 66,50.
◆ La plupart des chambres de l'annexe du Bakéa, une maison régionale du début du 20e s. peu à peu rénovée, sont tournées vers la vallée ou le vaste jardin.

**Bakéa** (Duval) avec ch, ✆ 05 59 20 76 36, *bakea@fr.st, Fax 05 59 20 58 21,* – . AE GB
*fermé 26 janv. au 12 fév., lundi midi et mardi midi de Pâques à fin sept., dim. soir et lundi d'oct. à Pâques* – **Repas** 28/39 et carte 43 à 60 – 8 – **7 ch** 58/61 – 1/2 P 62,50/66,50.
◆ Typique auberge basque au coeur d'un charmant village. Délicieuse salle à manger campagnarde et terrasse ombragée surplombant la vallée de la Bidassoa. Carte au goût du jour.
**Spéc.** Salade gourmande au homard. Foie chaud des soeurs Tatin en aigre-doux. Râble de lièvre sauce poivrade (mi-oct. à fin janv.) **Vins** Jurançon sec, Irouléguy.

*Une réservation confirmée par écrit ou par fax est toujours plus sûre.*

---

**HÉNIN-BEAUMONT** *62110 P.-de-C.* 301 K5 *G. Picardie Flandres Artois – 26 257 h alt. 30.*
*Paris 194 – Lille 34 – Arras 25 – Béthune 30 – Douai 13 – Lens 11.*

**Novotel** M, près échangeur Autoroute A1, par N 43 ✉ 62950 Noyelles-Godault ✆ 03 21 08 58 08, *H0426@accor-hotels.com, Fax 03 21 08 58 00,* – , ch, – 30 à 80. AE GB
**Repas** *(17,60)* - 21,90, enf. 8 – 9,90 – **81 ch** 81/86.
◆ Novotel proche d'un noeud autoroutier. Les chambres ont adopté le dernier style de la chaîne. Salle à manger actuelle et patio-terrasse au bord de la piscine.

---

**HENNEBONT** *56700 Morbihan* 308 L8 *G. Bretagne – 13 624 h alt. 15.*
Voir *Tour-clocher★ de la basilique N.-D.-de-Paradis.*
Env. *Port-Louis : citadelle★★ (musée de la Compagnie des Indes★★, musée de l'Arsenal★) S : 13 km.*
*Office du Tourisme, 9 place Maréchal Foch ✆ 02 97 36 24 52, Fax 02 97 36 21 91.*
*Paris 492 – Vannes 50 – Concarneau 56 – Lorient 17 – Pontivy 48 – Quimperlé 27.*

**rte de Port-Louis** *Sud : 4 km par D 781 – ✉ 56700 Hennebont :*

**Château de Locguénolé** , ✆ 02 97 76 76 76, *contact@chateau-de-locguenole.com, Fax 02 97 76 82 35,* – – 50. AE GB JCB. rest
*fermé 4 janv. au 12 fév.* – **Repas** *(fermé lundi sauf le soir de mai à sept. et le midi sauf dim.)* 67/92 et carte 66 à 106 – 23 – **18 ch** 135/270, 4 appart – 1/2 P 153/220.
◆ Deux demeures historiques dans un parc de 120 ha qui descend jusqu'à la ria du Blavet. Chambres élégantes, trois salons-salles à manger où l'on sert une cuisine raffinée.
**Spéc.** Carpaccio de homard bleu fumé. Cassant de céleri au tourteau et fenouil. Blanc de poularde à l'ail confit.

**Chaumières de Kerniaven** sans rest, à 3 km ✆ 02 97 76 91 90, *chaumieres@chateau-de-locguenole.com, Fax 02 97 76 82 35,* – . AE GB
*18 avril-30 sept.* – 14 – **5 ch** 105/112, 4 duplex.
◆ Présentez-vous à l'accueil au Château de Locguénolé ; vous serez conduit jusqu'à ces deux chaumières du 17e s. perdues dans la nature, idéales pour se ressourcer.

---

**L'HERBAUDIÈRE** *85 Vendée* 316 C5 – *voir à Île de Noirmoutier.*

---

**HERBAULT** *41190 L.-et-Ch.* 318 D6 – *926 h alt. 138.*
*Paris 197 – Tours 46 – Blois 16 – Château-Renault 18 – Montrichard 38 – Vendôme 28.*

**Auberge des Trois Marchands,** ✆ 02 54 46 12 18, *Fax 02 54 46 12 18* – GB
*fermé janv., dim. soir, lundi soir et mardi* – **Repas** *(13,50)* - 18,50/35.
◆ L'auberge est sur la place principale de ce village du Blésois. Par la vitre, jetez un coup d'oeil aux cuisines avant de rejoindre la salle à manger campagnarde.

**Les HERBIERS** *85500 Vendée* 316 J6 *G. Poitou Vendée Charentes – 13 413 h alt. 110.*

Voir *Mont des Alouettes★ : moulin ≤★★ N : 2 km – Chemin de fer de la Vendée★.*
Env. *Route des Moulins★.*

*Office du Tourisme, 10 rue Nationale ✆ 02 51 92 92 92, Fax 02 51 92 93 70.*

*Paris 381 – La Roche-sur-Yon 41 – Bressuire 48 – Chantonnay 25 – Cholet 26 – Clisson 35.*

**Relais,** 18 r. Saumur ✆ 02 51 91 01 64, *Fax 02 51 67 36 50* – TV. AE GB
*fermé 29 juil. au 12 août* – ***Cotriade*** *(fermé dim. soir et lundi)* **Repas** 18,30/51,8 ♀, enf.8,30 – ***Brasserie*** *(fermé dim. soir, vend. soir, sam. midi et lundi)* **Repas** 10,70/15 – ☕ 6 – **26 ch** 42/46 – ½ P 45,70.

◆ Chambres petites mais fonctionnelles au centre de la localité. Cuisine rapide à la Brasserie, traditionnelle à la Cotriade. Une étape au coeur du haut bocage vendéen.

**Chez Camille,** rte de Mouchamps Sud : 2 km ✆ 02 51 91 07 57, *chez.camille@online.fr, Fax 02 51 67 19 28* – rest, TV ✆ ♿ P. AE GB
**Repas** *(fermé dim. soir du 15 sept. au 15 juin)* (11) - 14/27 ♀, enf. 9,50 – ☕ 6 – **13 ch** 51/58 – ½ P 42/44.

◆ Proche du vieux donjon d'Ardelay, un établissement à l'atmosphère agréablement provinciale (le bar attenant est le siège du club de football local). Chambres simples.

**rte de Cholet** *Nord : 3 km sur N 160 – ✉ 85500 Les Herbiers :*

**Mont des Alouettes,** ✆ 02 51 67 02 18, *Fax 02 51 67 03 22,* ≤ – P. GB
*fermé 29 sept. au 15 oct., 9 au 25 fév. et lundi* – **Repas** 12,90 (déj.), 15/29,80 ♀.

◆ Sur la colline aux fameux moulins, d'où la vue s'étend sur l'immensité du bocage vendéen, restaurant familial proposant une cuisine simple.

---

**HÈRICOURT-EN-CAUX** *76560 S.-Mar.* 304 E3 *– 730 h alt. 65.*

*Paris 183 – Le Havre 60 – Rouen 47 – Bolbec 30 – Dieppe 49 – Fécamp 31 – Yvetot 11.*

**Saint-Denis,** ✆ 02 35 96 55 23, *Fax 02 35 96 55 23* – P. GB
*fermé mardi et merc.* – **Repas** 12,80/31 ♀.

◆ Au coeur du village, maison normande mariant pierres et colombages. Vaste salle à manger feutrée où vous dégusterez une cuisine du marché fleurant bon le terroir.

---

**Les HERMAUX** *48340 Lozère* 330 G7 *– 111 h alt. 1045.*

*Paris 597 – Mende 50 – Espalion 56 – Florac 74 – Millau 67 – Rodez 75 – St-Flour 88.*

**Vergnet** , ✆ 04 66 32 60 78, *Fax 04 66 32 68 13,* – TV. GB
**Repas** *(fermé dim. soir)* 10/25, enf. 10 – ☕ 4 – **12 ch** 33/43 – ½ P 35.

◆ Dans un hameau pittoresque de l'Aubrac, hôtel familial avec chambres de style rustique et salle de restaurant simple où l'on sert l'aligot "à la bonne franquette".

---

**HERMENT** *63470 P.-de-D.* 326 C8 *– 350 h alt. 824.*

*Syndicat d'Initiative, ✆ 04 73 22 13 92.*

*Paris 408 – Clermont-Ferrand 54 – Aubusson 50 – Le Mont-Dore 38 – Montluçon 80.*

**Souchal,** ✆ 04 73 22 10 55, *Fax 04 73 22 13 63* – TV P. AE GB
**Repas** 10 (déj.), 13,80/28 ♀ – ☕ 5,30 – **26 ch** 35/40 – ½ P 42.

◆ Petit hôtel datant des années 1960. Les chambres de l'annexe sont plus modernes que celles du bâtiment principal. La simplicité prévaut dans la salle des repas.

---

**HÉROUVILLE** *95 Val-d'Oise* 305 D6 *– voir à Paris, Environs (Cergy-Pontoise).*

---

**HÉROUVILLE-ST-CLAIR** *14 Calvados* 303 J4 *– rattaché à Caen.*

---

**HERRERE** *64 Pyr.-Atl.* 342 I5 *– rattaché à Oloron-Ste-Marie.*

---

**HESDIN** *62140 P.-de-C.* 301 F5 *G. Picardie Flandres Artois – 2 713 h alt. 27.*

*Office du Tourisme, place d' Armes ✆ 03 21 86 19 19, Fax 03 21 86 04 05, officetourismedes7vallees@wanadoo.fr.*

*Paris 226 – Calais 89 – Abbeville 37 – Arras 57 – Boulogne-sur-Mer 73 – Lille 92.*

**Trois Fontaines** , 16 rte Abbeville à Marconne ✆ 03 21 86 81 65, *hotel.3fontaines@wanadoo.fr, Fax 03 21 86 33 34,* – TV ♿ P. GB
*fermé 15 au 31 déc., le midi en août, lundi midi et sam. midi* – **Repas** 14,50/29 ♀ – ☕ 6,50 – **16 ch** 47/67 – ½ P 43/48.

◆ Le bâtiment côté rue abrite la sobre salle rustique. Les chambres ouvrent toutes de plain-pied sur le jardin ; choisir celles de l'extension récente bâtie "à la scandinave".

**Flandres,** r. Arras ✆ 03 21 86 80 21, *Fax 03 21 86 28 01* – TV P – 15. GB
*fermé 17 déc. au 7 janv.* – **Repas** (13) - 16/23 ♀, enf. 7,50 – ☕ 8 – **14 ch** 46/56 – 1/2 P 56.
◆ Dans le centre historique, à deux pas du pont sur la Canche. Chambres nettes (celles du deuxième étage sont plus récentes), salle à manger équipée d'une rôtissoire.

XX **L'Écurie,** 17 rue Jacquemont ✆ 03 21 86 86 86, *Fax 03 21 86 86 86* – GB
*fermé 24 fév. au 3 mars, 30 juin au 21 juil., dim. soir, lundi et mardi* – **Repas** 15 bc/26 ♀, enf. 8.
◆ Ce sympathique restaurant est situé à deux pas du bel hôtel de ville hesdinois. Lumineuse salle à manger aux murs décorés de faïences. Cuisine traditionnelle.

**HESDIN L'ABBÉ** *62 P.-de-C.* 301 *D3 – rattaché à Boulogne-sur-Mer.*

**HÉSINGUE** *68 H.-Rhin* 315 *J11 – rattaché à St-Louis.*

**HEUDICOURT-SOUS-LES-CÔTES** *55 Meuse* 307 *F5 – rattaché à St-Mihiel.*

**HEUGUEVILLE-SUR-SIENNE** *50200 Manche* 303 *C5 – 476 h alt. 15.*
*Paris 340 – St-Lô 36 – Avranches 52 – Cherbourg 80 – Coutances 7 – Vire 63.*

XX **Mascaret,** ✆ 02 33 45 86 09, *le.mascaret@wanadoo.fr, Fax 02 33 07 90 01,* , – P. GB
*fermé 3 au 31 janv., merc. soir et dim. soir de sept. à juin, mardi midi en juil.-août et lundi* – **Repas** 29/58 ♀, enf. 14.
◆ Tout concourt à se sentir chez soi dans l'ancien presbytère du village : atmosphère chaleureuse, intimité des salles et accueil prévenant. Cuisine au goût du jour.

**HEYRIEUX** *38540 Isère* 333 *D4 – 3 872 h alt. 220.*
*Paris 488 – Lyon 30 – Pont-de-Chéruy 22 – La Tour-du-Pin 34 – Vienne 25.*

XXX **L'Alouette,** rte St-Jean-de-Bournay : 3 km ✆ 04 78 40 06 08, *alouette@jc.marlhins.com, Fax 04 78 40 54 74,* – P. AE GB JCB
*fermé 2 au 9 mai, 11 au 31 août, sam. midi, dim. soir et lundi* – **Repas** 20 (déj.), 30/49 et carte 35 à 50 ♀.
◆ Salle de restaurant tripartite avec poutres apparentes, agrémentée de tableaux et de sculptures d'un artiste régional. Jolie mise en place et cuisine traditionnelle.

**HINSINGEN** *67260 B.-Rhin* 315 *F3 – 82 h alt. 220.*
*Paris 416 – St-Avold 35 – Sarrebourg 37 – Sarreguemines 22 – Strasbourg 92.*

X **Grange du Paysan,** ✆ 03 88 00 91 83, *Fax 03 88 00 93 23* – P. GB
*fermé lundi* – **Repas** 10/50 ♀.
◆ Vieilles poutres, licous et autres objets du monde agricole : on appréciera dans cette salle au cadre champêtre une cuisine du terroir généreuse.

**HIRMENTAZ** *74 H.-Savoie* 328 *M3 – rattaché à Bellevaux.*

**HOERDT** *67720 B.-Rhin* 315 *K4 – 3 836 h alt. 135.*
*Paris 491 – Strasbourg 17 – Haguenau 21 – Molsheim 44 – Saverne 46.*

X **A la Charrue,** 30 r. République ✆ 03 88 51 31 11, *lacharrue@wanadoo.fr, Fax 03 88 51 32 55,* – P. GB
*fermé 30 juin au 14 juil., 23 déc. au 1er janv. et lundi sauf fériés* – **Repas** (spéc. d'asperges d'avril à juin) 24/48 ♀.
◆ La grande spécialité de la maison, c'est l'asperge (en saison) ! Alors toute la région - membres du Conseil de l'Europe compris - accourt ici pour la célébrer.

**HOHRODBERG** *68 H.-Rhin* 315 *G8 G. Alsace Lorraine – alt. 750 – ✉ 68140 Munster.*
Voir ≤★★.
*Paris 463 – Colmar 27 – Gérardmer 37 – Guebwiller 47 – Munster 8 – Le Thillot 59.*

**Panorama** , ✆ 03 89 77 36 53, *info@hotel-panorama-alsace.com, Fax 03 89 77 03 93,* ≤ vallée et montagnes, – TV P. AE GB
*fermé 12 au 28 nov. et 5 au 29 janv.* – **Repas** 16/36 ♀, enf. 9 – ☕ 9 – **30 ch** 49/69 – 1/2 P 47/62.
◆ Bâtiment ancien et son annexe moderne, face à la vallée de Munster et aux ballons vosgiens. Chambres confortables. Cuisine régionale ; confitures "maison" au petit-déjeuner.

**Roess** ⚲, ☎ 03 89 77 36 00, *info@hotel-roess.fr, Fax 03 89 77 01 95,* ≤ les Hautes Vosges, 🌳, 🍽 – |‡| TV P. GB. ✻ ch
*fermé 10 au 28 mars et 3 au 28 nov.* – **Repas** 17,40/29,40 ♀, enf. 8,50 – ☕ 7 – **26 ch** 37,50/60,50 – ½ P 46,50/52,50.
◆ Cette maison du 19ᵉ s. agrandie au cours des années 1960 vous accueille dans une ambiance familiale et un cadre montagnard. Le vieux billard du salon mérite le coup d'oeil.

**Le HOHWALD** *67140 B.-Rhin* 315 H6 *G. Alsace Lorraine – 360 h alt. 570 – Sports d'hiver : 600/1 100 m* 1 .
Env. *Le Neuntelstein★★ ≤★★ N : 6 km puis 30 mn.*
ℹ *Office du Tourisme, square Kunt ☎ 03 88 08 33 92, Fax 03 88 08 32 05, ot.lehohwald@wanadoo.fr.*
*Paris 428 – Strasbourg 53 – Lunéville 88 – Molsheim 33 – St-Dié 46 – Sélestat 26.*

**Clos Ermitage** M ⚲ sans rest, à 1,5 km par rte secondaire ☎ 03 88 08 31 31, *Fax 03 88 08 34 99,* Fɚ, ⛰, 🌳 – cuisinette TV ☎ ♿ P. GB
*fermé 2 nov. au 15 fév. et mardi* – ☕ 8,50 – **12 ch** 53/73, 7 studios.
◆ Un "ermitage" qui offre l'agrément de son isolement en lisière de forêt et d'un confort douillet dans de beaux murs anciens.

**Petite Auberge,** ☎ 03 88 08 33 05, *Fax 03 88 08 34 62,* 🌳 – P. GB
*fermé 1ᵉʳ au 10 juil., 1ᵉʳ janv. au 5 fév., mardi soir et merc.* – **Repas** 13,50/24 ♀, enf. 7
***Caveau Le Relais*** *(fermé le soir en juil.-août sauf lundi, sam. soir et dim. soir)* **Repas** carte 16,20 à 30 ♀.
◆ Au coeur du petit village, modeste auberge à l'accueil chaleureux. Outre la salle des repas, le caveau de style rustique vous attend pour les tartes flambées.

*Le Guide change, changez de guide tous les ans.*

**HOLNON** *02 Aisne* 306 B3 – *rattaché à St-Quentin.*

**Le HÔME** *14 Calvados* 303 L4 – *rattaché à Cabourg.*

**L'HOMME d'ARMES** *26 Drôme* 332 B6 – *rattaché à Montélimar.*

**HOMPS** *11200 Aude* 344 H3 – *611 h alt. 48.*
*Paris 813 – Carcassonne 33 – Lézignan-Corbières 11 – Narbonne 29 – Perpignan 87.*

**Auberge l'Arbousier** ⚲ avec ch, av. Carcassonne ☎ 04 68 91 11 24, *Fax 04 68 91 12 61,* ≤, 🌳 – TV ☎ P. GB. ✻ ch
*fermé 25 oct. au 30 nov., 23 déc. au 5 janv. et 15 fév. au 15 mars* – **Repas** *(fermé mardi midi et lundi en juil.-août, dim. soir et merc. de sept. à juin)* 13 (déj.), 20/34 ♀ – ☕ 6 – **11 ch** 40/70 – ½ P 40/50.
◆ Ancien chai situé dans un village jadis siège d'une commanderie des chevaliers de Malte. Chambres récentes, vaste salle à manger et terrasse au bord du canal du Midi.

**HONFLEUR** *14600 Calvados* 303 N3 *G. Normandie Vallée de la Seine – 8 272 h alt. 5.*
Voir *le vieux Honfleur★★ : Vieux bassin★★* **AZ**, *église Ste-Catherine★* **AY** *et clocher★* **AY B** – *Côte de Grâce★★* **AY** *: calvaire★★.*
Env. *Pont de Normandie★★ par ① : 4 km (péage)..*
ℹ *Office du Tourisme, quai Lepaulmier ☎ 02 31 89 23 30, Fax 02 31 89 31 82.*
*Paris 194 ① – Caen 69 ② – Le Havre 60 ① – Lisieux 38 ② – Rouen 83 ①.*

Plan page ci-contre

**Ferme St-Siméon** ⚲, r. A. Marais par ③ ☎ 02 31 81 78 00, *simeon@relaischateaux.fr, Fax 02 31 89 48 48,* ≤, 🌳, Fɚ, ⛰, 🌳 – |‡| TV P – 🏠 50. AE GB JCB. ✻ ch
**Repas** *(fermé mardi midi et lundi sauf fériés)* 52/98 ♀ – ☕ 20 – **30 ch** 250/450, 4 appart – ½ P 235/335.
◆ Haut lieu de l'histoire de la peinture, l'auberge que fréquentaient les impressionnistes est devenue un magnifique ensemble hôtelier. Son parc ombragé domine l'estuaire.

**Manoir du Butin** ⚲, r. A. Marais par ③ ☎ 02 31 81 63 00, *Fax 02 31 89 59 23,* ≤, 🌳, 🌳 – TV ☎ P. AE GB JCB
*fermé 12 nov. au 5 déc. et 4 au 23 janv.* – **Repas** *(fermé jeudi midi, vend. midi et merc. sauf fériés)* 35/48 ♀ – ☕ 10 – **9 ch** 120/350 – ½ P 116/235.
◆ Colombages peints, fenêtres à croisillons, jeu de toitures asymétriques et parc : un manoir du 18ᵉ s. pétri de charme. Chambres douillettes, élégante salle de restaurant.

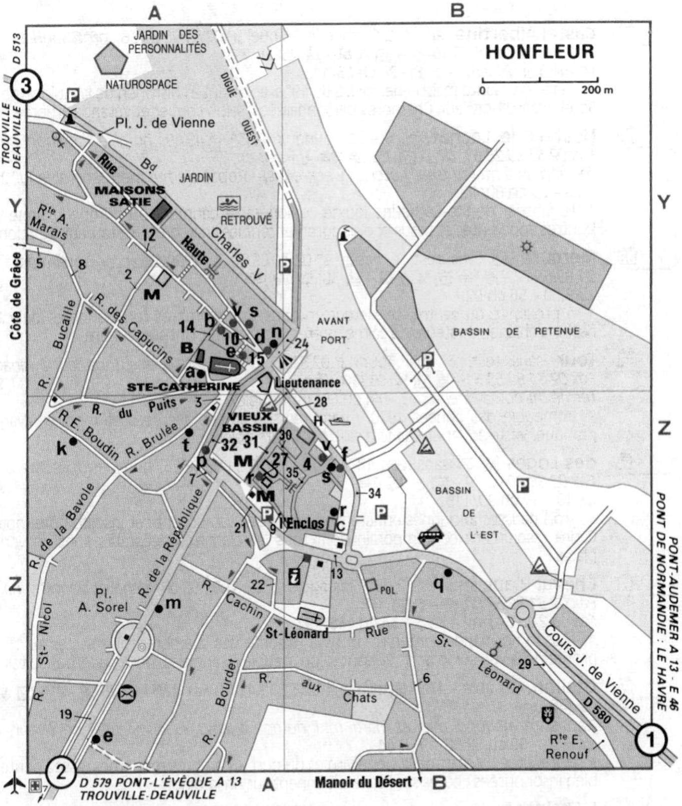
A
B
HONFLEUR
0
200 m
JARDIN DES PERSONNALITÉS
NATUROSPACE
D 513
TROUVILLE DEAUVILLE
Pl. J. de Vienne
DIGUE OUEST
Rue Haute
Bd Charles V
JARDIN RETROUVÉ
MAISONS SATIE
Rte A. Marais
Côte de Grâce
R. Bucaille
R. des Capucins
STE-CATHERINE
Lieutenance
AVANT PORT
BASSIN DE RETENUE
R. du Puits
R. E. Boudin
R. Brulée
VIEUX BASSIN
l'Enclos
BASSIN DE L'EST
R. de la Bavole
R. de la République
Pl. A. Sorel
R. St-Nicol
R. Cachin
St-Léonard
Rue St-Léonard
R. Bourdet
R. aux Chats
Cours J. de Vienne
D 580
Rte E. Renouf
PONT-AUDEMER A 13 - E 46
PONT DE NORMANDIE : LE HAVRE
D 579 PONT-L'ÉVÊQUE A 13
TROUVILLE-DEAUVILLE
Manoir du Désert
POL
Y
Z

Albert-Ier (R.) .......... AY 2
Berthelot (Pl. P.) ....... AZ 3
Boudin (Pl. A.) .......... BZ 4
Cachin (R.) ............. AZ
Charrière-de-Grâce ...... AY 5
Charrière-St-Léonard (R.) ........ BZ 6
Dauphin (R. du) ......... AZ 7
Delarue-Mardrus (R. L.) AY 8
Fossés (Cours des) ....... AZ 9
Hamelin (Pl.) ............ AY 10
Homme-de-Bois (R.) .. AY 12
Le-Paulmier (Q.) ...... BZ 13
Lingots (R. des) ....... AY 14
Logettes (R. des) ...... AY 15
Manuel (Cours A.) ... AZ 19
Montpensier (R.) ...... AZ 21
Notre-Dame (R.) ...... AZ 22
Passagers (Q. des) ......... ABY 24
Porte-de-Rouen (Pl. de la) ......... AZ 25
Prison (R. de la) ....... AZ 27
Quarantaine (Q. de la) ........... BZ 28
République (R. de la) .. AZ
Revel (R. J.) ............ BZ 29
St-Antoine (R.) ........... 30
St-Étienne (Quai) ....... AZ 31
Ste-Catherine (Quai) ............ AZ 32
Tour (Quai de la) ...... BZ 34
Ville (R. de la) ......... BZ 35

**L'Écrin** sans rest, 19 r. E. Boudin ✆ 02 31 14 43 45, *hotel.ecrin@honfleur.com, Fax 02 31 89 24 41,* – TV P. AE GB, AZ k
11 – **27 ch** 85/155.
◆ Chambres et salons de cette demeure du 18e s. font penser à un cabinet de curiosités. On y trouve à profusion meubles normands, tableaux, riches lambris et stucs rococo.

**L'Absinthe** sans rest, 1 r. de la Ville ✆ 02 31 89 23 23, *reservation@absinthe.fr, Fax 02 31 89 53 60* – TV. AE GB BZ s
*fermé 13 nov. au 13 déc.* – 10 – **7 ch** 122.
◆ Chambres soignées, aux couleurs vives et d'un luxe discret, aménagées dans un ancien presbytère du 16e s. Chaleureux salon rustique doté d'une belle cheminée en pierre.

**Diligence et la Résidence** sans rest, 53 r. République ✆ 02 31 14 47 47, *hotel.diligence@honfleur.com, Fax 02 31 98 83 87,* – TV P. AE GB JCB AZ m
10 – **28 ch** 80/145.
◆ À la Diligence, portail thaïlandais, bibelots et ciels de lit procurent une discrète note asiatique. À la Résidence, plaisantes chambres garnies d'un mobilier de style.

**Castel Albertine** sans rest, 19 cours A. Manuel ✆ 02 31 98 85 56, *info@honfleurhotels.com, Fax 02 31 98 83 18,* – TV ♿ P – 🏛 25. AE GB AZ e
*fermé 5 au 20 janv.* – ☕ 8 – **26 ch** 65/115.
◆ Cette ravissante maison de maître du 19e s. appartint à l'historien de la diplomatie Albert Sorel, natif d'Honfleur. Chambres personnalisées, salon coquet et véranda arborée.

**Hostellerie Lechat,** pl. Ste-Catherine ✆ 02 31 14 49 49, *hotel.lechat@honfleur.com Fax 02 31 89 28 61,* – TV. AE GB JCB. ch AY a
*fermé janv. à mi-fév. (sauf hôtel les week-ends)* – **Repas** *(fermé merc. soir et jeudi)* 25/40 – ☕ 9 – **23 ch** 80/100.
◆ Le clocher de Ste-Catherine jouxte ce vénérable bâtiment où grimpe la vigne vierge. Poutres apparentes et tissus choisis agrémentent les chambres. Restaurant traditionnel.

**Mercure** M sans rest, r. Vases ✆ 02 31 89 50 50, *H0986@accor-hotels.com, Fax 02 31 89 58 77* – TV ♿ P – 🏛 30. AE GB BZ c
☕ 9,20 – **56 ch** 92.
◆ À proximité du centre, ce Mercure propose les chambres fonctionnelles qui caractérisent la chaîne. Amateurs de calme, préférez celles donnant sur l'arrière.

**Tour** sans rest, 3 quai Tour ✆ 02 31 89 21 22, *hoteldelatourhonfleur@wanadoo.fr Fax 02 31 89 53 51* – TV. AE GB JCB BZ r
*fermé mi-nov. à Noël* – ☕ 7 – **44 ch** 65/76, 4 duplex.
◆ Immeuble des années 1970. Chambres sobrement décorées et mobilier avant tout pratique. Vaste aquarium dans la salle des petits-déjeuners.

**des Loges** M sans rest, 18 r. Brûlée ✆ 02 31 89 38 26, *hoteldesloges@wanadoo.fr Fax 02 31 89 42 79* – TV ♿. AE GB AZ t
☕ 10 – **14 ch** 90/115.
◆ Trois bâtisses anciennes entièrement rénovées composent cet insolite hôtel-boutique. Cadre résolument contemporain dont tous les éléments décoratifs sont en vente sur place.

**Cheval Blanc** sans rest, 2 quai Passagers ✆ 02 31 81 65 00, *lecheval.blanc@wanadoo.fr Fax 02 31 89 52 80,* ← – TV. GB AY n
*fermé 2 au 31 janv.* – ☕ 3 – **34 ch** 135/191.
◆ Maison normande centenaire dont la majorité des chambres, plus vastes au 1er étage, profite de la vue sur le port. Plaisant salon meublé à l'anglaise. Deux superbes suites.

**Otelinn,** 62 cours A. Manuel par ② ✆ 02 31 89 41 77, *Fax 02 31 89 48 09,* – TV ♿ P. AE GB JCB
**Repas** *(fermé lundi midi et mardi midi de nov. à janv.)* (11,50) - 14,50/22 bc, enf. 7,80 – ☕ 6,10 – **50 ch** 52,90 – ½ P 44.
◆ Hôtel situé à l'écart de la vieille ville et du port. Chambres modernes, assez petites mais bien insonorisées ; celles sur l'arrière donnent sur un jardinet.

**L'Absinthe,** 10 quai Quarantaine ✆ 02 31 89 39 00, *reservation@absinthe.fr, Fax 02 31 89 53 60,* – AE GB BZ v
*fermé 13 nov. au 13 déc.* – **Repas** 28/61 et carte 50 à 100.
◆ Respectueuse de la loi, la carte ne mentionne pas la dangereuse boisson du 19e s. Le cadre 15e et 17e s. est rustique à souhait, mais la cuisine est bien actuelle.

**La Terrasse et l'Assiette** (Bonnefoy), 8 pl. Ste-Catherine ✆ 02 31 89 31 33, *Fax 02 31 89 90 17,* – GB AY e
*fermé 15 nov. au 15 déc., 5 au 15 janv., mardi sauf juil.-août et lundi* – **Repas** 25/45.
◆ Colombages et murs parementés de briques donnent un cachet certain à ce restaurant qui a pour atout supplémentaire sa terrasse face à la surprenante église de bois.
**Spéc.** Nage glacée d'huîtres d'Isigny. Omelette de homard au gratin léger. Petit gâteau chaud au chocolat.

**Auberge du Vieux Clocher,** 9 r. de l'Homme de Bois ✆ 02 31 89 12 06, *Fax 02 31 89 44 75* – GB AY b
*fermé janv., lundi et mardi sauf juil.-août* – **Repas** 19,90/31,90.
◆ Dans une rue du pittoresque quartier Ste-Catherine. Petites salles à manger aux couleurs pastel et jolie collection d'assiettes anciennes.

**Entre Terre et Mer,** 12 pl. Hamelin ✆ 02 31 89 70 60, *sterreetmer@aol.fr, Fax 02 31 89 40 55,* – AE GB AY d
*fermé 20 janv. au 15 fév. et merc. de nov. à avril* – **Repas** (16) - 20/25.
◆ Deux agréables salles à manger actuelles ; celle agrémentée de poutres et pierres apparentes et d'un sol en jonc de mer a beaucoup de cachet. Cuisine "terre et océan".

**Au Vieux Honfleur,** 13 quai St-Étienne ✆ 02 31 89 15 31, *Fax 02 31 89 92 04,* – GB AZ r
**Repas** 27/46,50.
◆ Au rez-de-chaussée ou à l'étage, l'agrément principal du restaurant est la fascinante vue sur le Vieux Bassin. Spécialités de produits de la mer et tripes "maison".

**Fleur de Sel,** 17 r. Haute ✆ 02 31 89 01 92, *Fax 02 31 89 01 92* – AE GB AY v
*fermé 23 juin au 2 juil., 5 au 25 janv., mardi et merc.* – **Repas** 22/39.
◆ Une balade dans le joli jardin public voisin vous ouvrira l'appétit. Sympathique restaurant de style rustique, où l'on prépare une cuisine au goût du jour.

**Au P'tit Mareyeur,** 4 r. Haute ✆ 02 31 98 84 23, *jule.rastacoop@freesbee.fr, Fax 02 31 89 99 32* – AE GB AY s
*fermé 5 janv. au 5 fév., lundi et mardi* – **Repas** (nombre de couverts limité, prévenir) 19/37,50.
◆ Poutres, colombages, chaises drapées et discrète décoration maritime participent de l'atmosphère intime du restaurant. La carte met à l'honneur poissons et fruits de mer.

**Grenouille,** 16 quai Quarantaine ✆ 02 31 89 04 24, *reservation@absinthe.fr, Fax 02 31 89 53 60,* – AE GB BZ f
*fermé 13 nov. au 13 déc.* – **Repas** 15/22 ♀, enf. 7,50.
◆ Collections de batraciens et de Guides Michelin agrémentent l'une des salles de cette brasserie animée. À la carte, produits du terroir et cuisses de grenouilles !

**Ascot,** 76 quai Ste-Catherine ✆ 02 31 98 87 91, *Fax 02 31 89 38 72,* – GB AZ p
*fermé 13 janv. au 15 fév., merc. et jeudi* – **Repas** 21,50/28 ♀.
◆ Salle au cadre "minimaliste" un tantinet "rétro" ou terrasse bordant le Vieux Bassin : deux ambiances contrastées pour déguster une carte orientée poisson.

**à la Rivière-St-Sauveur** *par ① : 2 km – 1 584 h. alt. 1 – ✉ 14600 :*

**Antarès** M sans rest, ✆ 02 31 89 10 10, *antares.honfleur@wanadoo.fr, Fax 02 31 89 58 57,* – – 60. AE GB
9 – **66 ch** 89/111, 10 duplex.
◆ Complexe hôtelier récent aux équipements pratiques. La moitié des chambres regarde vers le pont de Normandie ; duplex familiaux bien pensés. Piscine intérieure chauffée.

**Les Bleuets** M sans rest, ✆ 02 31 81 63 90, *contact@motel-les-bleuets.com, Fax 02 31 89 92 12* – AE GB.
*fermé 15 nov. au 6 déc. et 15 au 31 janv.* – **16 ch** 80.
◆ Deux constructions récentes de type motel dans le village natal de l'économiste Frédéric Le Play. Chambres simples où l'on a privilégié le côté pratique.

**à Barneville-la-Bertran** *par ②, D 62 et D 279 : 5 km – 124 h. alt. 48 – ✉ 14600 :*

**Auberge de la Source** sans rest, ✆ 02 31 89 25 02, *Fax 02 31 89 44 40,* – GB.
*15 fév.-15 nov.* – 8 – **16 ch** 62/106.
◆ En pleine campagne, fermette à colombages et maison de briques s'élèvent au beau milieu d'un agréable jardin fleuri où se disséminent bassins à truites et pommiers.

**par** ③ *rte de Trouville : 3 km – ✉ 14600 Vasouy :*

**Chaumière** , rte du Littoral, Vasouy ✆ 02 31 81 63 20, *chaumiere@relaischateaux.fr, Fax 02 31 89 59 23,* – AE GB JCB
*fermé 2 au 19 déc. et 13 janv. au 6 fév.* – **Repas** *(fermé merc. midi, jeudi midi et mardi sauf fériés)* (nombre de couverts limité, prévenir) 29 (déj.), 40/58 – 15 – **8 ch** 180/400 – ½ P 145/225.
◆ Cette vénérable ferme normande du 17e s. se dresse face à l'estuaire de la Seine dans un parc dégringolant jusqu'à la mer. Chambres "cosy", garnies de beaux meubles anciens.

**à Pennedepie** *par ③ : 5 km – 234 h. alt. 20 – ✉ 14600 :*

**Moulin St-Georges,** ✆ 02 31 81 48 48, – GB
*fermé mi-fév. à mi-mars, mardi soir et merc.* – **Repas** 14/23 ♀, enf. 7.
◆ On accède à ce restaurant bordant la route côtière par le bar-tabac, puis par... les cuisines, où trône un vieux fourneau à charbon. Cadre simple, repas copieux.

**par** ③ *rte de Trouville et rte secondaire : 8 km – ✉ 14600 Honfleur :*

**Romantica** , chemin Petit Paris ✆ 02 31 81 14 00, *Fax 02 31 81 54 78,* – – 25. AE GB
**Repas** *(fermé 3 au 21 déc., 3 au 25 janv., jeudi midi et merc. sauf vacances scolaires)* 23,50/33,50 ♀ – 7,50 – **34 ch** 59/114 – ½ P 57,50/85,50.
◆ Maison récente dont la façade à colombages s'inspire de l'architecture régionale. Chambres spacieuses ; mobilier rustique. Coup d'oeil sur la Manche depuis le restaurant.

**à Cricqueboeuf** *par ③, rte de Trouville : 9 km – 186 h. alt. 25 – ✉ 14113 :*

**Manoir de la Poterie** M , ✆ 02 31 88 10 40, *info@honfleur-hotel.com, Fax 02 31 88 10 90,* – AE GB JCB
**Repas** *(fermé lundi midi et mardi)* 30/52 ♀ – 12,20 – **18 ch** 127/192.
◆ Cette bâtisse récente d'allure normande se dresse face à la mer. Belles chambres de style Louis XVI ou Directoire (vue "maritime" ou "campagnarde"). Salle à manger soignée.

**à Villerville** *par ③, rte de Trouville : 10 km – 686 h. alt. 10 – ✉ 14113 :*

*Office du Tourisme, rue Général Leclerc ✆ 02 31 87 21 49, Fax 02 31 98 30 65, villervilleot @free.fr.*

**Bellevue** ⑤, rte Honfleur ✆ 02 31 87 20 22, *resa@bellevue-hotel.fr, Fax 02 31 87 20 56,* ≤, 🏨, – TV P. AE GB
*fermé 5 janv. au 5 fév.* – **Repas** *(fermé mardi midi, merc. midi et jeudi midi)* 19/39, enf. 12 – ☕ 8 – **21 ch** 58/115 – ½ P 56/84.
◆ Cette demeure dominant la mer fut à la fin du 19e s. la villégiature d'un directeur de l'Opéra de Paris. Chambres rustiques ; cadre actuel et terrasses privatives à l'annexe.

---

**L'HÔPITAL-CAMFROUT** *29460 Finistère* 308 F5 – *1 505 h alt. 20.*

Voir *Daoulas : enclos paroissial★ et cloître★ de l'abbaye N : 4,5 km,* **G. Bretagne.**

*Paris 593 – Brest 25 – Morlaix 57 – Quimper 50.*

**Auberge du Camfrout,** ✆ 02 98 20 01 01, *Fax 02 98 20 06 91* – AE GB
**Repas** 10,10/35 – ☕ 5,75 – **14 ch** 27/44,50 – ½ P 27,40/31,50.
◆ L'hôtel est installé au fond d'une anse. Petites chambres simples mais bien tenues, au confort sanitaire variable. Salle à manger décorée de photographies maritimes.

---

**L'HÔPITAL-ST-BLAISE** *64130 Pyr.-Atl.* 342 H5 *G. Aquitaine – 76 h alt. 145.*

Voir *Église★.*

*Paris 811 – Pau 51 – Oloron-Ste-Marie 18 – Orthez 32 – St-Jean-Pied-de-Port 52.*

**Auberge du Lausset** ⑤ avec ch, ✆ 05 59 66 53 03, *Fax 05 59 66 21 78,* – TV. AE GB.
*fermé 13 oct. au 3 nov., 5 au 26 janv., dim. soir et lundi hors saison* – **Repas** 11 (déj.), 14,50/29 ♀, enf. 6,50 – ☕ 5,60 – **7 ch** 41 – ½ P 39/41.
◆ Au coeur de la Basse Soule, le pays des Mousquetaires d'Alexandre Dumas. L'auberge jouxte la charmante église romane. Salle de restaurant et chambres fonctionnelles.

---

**HORBOURG** *68 H.-Rhin* 315 I8 – *rattaché à Colmar.*

---

**L'HORME** *42 Loire* 327 G7 – *rattaché à St-Chamond.*

---

**L'HOSPITALET-PRÈS-L'ANDORRE** *09390 Ariège* 343 I9 – *146 h alt. 1446.*

*Paris 834 – Font-Romeu-Odeillo-Via 37 – Ax-les-Thermes 19 – Foix 62.*

**Puymorens,** ✆ 05 61 05 20 03 – GB
**Repas** 15,50/19,50 – ☕ 5 – **12 ch** 29/35.
◆ Modeste pension de famille à deux tours de roue du tunnel de Puymorens et du domaine skiable du col. Chambres simples, un brin désuètes. Cuisine familiale.

---

**HOSSEGOR** *40150 Landes* 335 C13 *G. Aquitaine – alt. 4 – Casino.*

Voir *Le lac★ – Les villas basco-landaises★.*

*Office du Tourisme, place des Halles ✆ 05 58 41 79 00, Fax 05 58 41 79 09, hossegor.tou risme@wanadoo.fr.*

*Paris 756 – Biarritz 32 – Mont-de-Marsan 93 – Bayonne 25 – Bordeaux 172 – Dax 40.*

**Les Hortensias du Lac** ⑤ sans rest, av. Tour du Lac ✆ 05 58 43 99 00, *reception@hortensias-du-lac.com, Fax 05 58 43 42 81,* ≤, – TV P. AE GB JCB
*4 avril-2 nov.* – ☕ 15 – **11 ch** 135/155, 5 appart, 8 duplex.
◆ Belle bâtisse des années 1930 entourée d'une pinède et bordant le "lac marin". Les chambres, décorées avec goût, possèdent un balcon ou une terrasse. Salon panoramique.

**Pavillon Bleu** M, av. Touring Club de France ✆ 05 58 41 99 50, *pavillon.bleu@wanadoo.fr, Fax 05 58 41 99 59,* ≤, – TV P – 25. AE GB
**Repas** *(fermé 22 déc. au 27 janv., dim. soir et lundi de sept. à juin)* 28/49 – ☕ 10 – **20 ch** 127/158 – ½ P 103.
◆ Un établissement tout neuf où vous réserverez une chambre dotée d'un balcon tourné vers le lac. Le restaurant dispose d'un intérieur contemporain ; terrasse à fleur d'eau.

**Cottage,** av. J. Moulin, rte Seignosse par bords du lac (D 79) ✉ 40510 Seignosse ✆ 05 58 43 31 39, – P. AE GB
*fermé 6 janv. au 6 fév., lundi et mardi hors saison* – **Repas** 17/28 ♀.
◆ Une fraîche salle à manger égayée par du linge basque, une coquette terrasse recevant les effluves de la pinède et des recettes "terre et mer" : un "cottage" apprécié !

**La HOUBE** *57 Moselle* 307 *07* – ✉ *57850 Dabo.*

*Paris 461 – Strasbourg 44 – Lunéville 87 – Phalsbourg 19 – Sarrebourg 25 – Saverne 17.*

**Vosges** ⑤, ☎ 03 87 08 80 44, *info@hotel-restaurant-vosges.com, Fax 03 87 08 85 96*, ←, – P. GB. ch

*fermé 1er fév. au 6 mars, mardi soir et merc. hors saison* – **Repas** 9,50 (déj.), 14,50/25 ♀, enf. 7 – ☐ 5,50 – **9 ch** 29/45 – ½ P 41.

◆ Cette paisible petite auberge est le point de ralliement de nombreux randonneurs. Chambres bien rénovées et cuisine du terroir servie face au rocher de Dabo et à sa chapelle.

**Les HOUCHES** *74310 H.-Savoie* 328 N5 *G. Alpes du Nord – 1 947 h alt. 1004 – Sports d'hiver : 1 010/1 900 m* 2 16 .

Voir *Le Prarion*★★.

☐ *Office du Tourisme, place de l'église* ☎ *04 50 55 50 62, Fax 04 50 55 53 16, ot.les.houches@wanadoo.fr.*

*Paris 602 – Chamonix-Mont-Blanc 9 – Annecy 88 – Bonneville 47 – Megève 26.*

**du Bois,** La Griaz ☎ 04 50 54 50 35, *reception@hotel-du-bois.com, Fax 04 50 55 50 87*, ←, , – – 40. GB

**Repas** *(fermé 22 avril au 5 mai et 3 au 24 nov.)* (21,50) - 27/28 , enf. 8 – ☐ 10 – **43 ch** 122 – ½ P 61,50/86.

◆ Vaste chalet en bois clair où l'on choisira plutôt les chambres côté mont Blanc, plus calmes ; toutes possèdent un balcon. Au restaurant, murs lambrissés et cheminée.

**Auberge Beau Site,** près Église ☎ 04 50 55 51 16, *hotelbeausite@wanadoo.fr, Fax 04 50 54 53 11*, ←, , – P. AE GB. rest

*20 mai-10 oct. et 20 déc.-20 avril* – ***Le Pèle*** *(fermé merc. hors saison)* **Repas** 19,20 ♀ – ☐ 7 – **18 ch** 69/77 – ½ P 63.

◆ Pimpante maison familiale située au pied du clocher. Chambres de bonne ampleur, meublées simplement. Belle décoration rustique au Pèle, et terrasse fleurie.

**Auberge Le Montagny** M sans rest, Le Pont ☎ 04 50 54 57 37, *hotel.montagny@wanadoo.fr, Fax 04 50 54 52 97*, ← – . GB.

*fermé 22 avril au 28 mai, 21 au 28 juin et 3 nov. au 20 déc.* – ☐ 6,50 – **8 ch** 68.

◆ De la ferme de 1876 ne subsistent que la porte et quelques poutres : ce chaleureux petit chalet où le bois est roi a été entièrement refait dans un plaisant style actuel.

**Chris-Tal,** 242, av des Alpages ☎ 04 50 54 50 55, *info@chris-tal.fr, Fax 04 50 54 45 77*, ←, , – cuisinette P. GB

*25 mai-10 oct. et 20 déc.-15 avril* – **Repas** (dîner seul.) 20/29, enf. 8,50 – ☐ 7,50 – **19 ch** 76, 4 appart – ½ P 60/68.

◆ Au coeur de la petite station, bâtisse locale où les chambres privilégient l'espace et la fonctionnalité ; la plupart ouvrent sur la célèbre "piste Verte : Kandahar".

**au Prarion** *par télécabine* – ✉ *74170 St-Gervais-les-Bains.*

Voir ★★ *30 mn.*

**Prarion** , alt.1 860 ☎ 04 50 54 40 07, *info@prarion.com, Fax 04 50 54 40 03*, sommets, glaciers et vallées, – GB. ch

*28 juin-7 sept. et 21 déc.-mi-avril* – **Repas** (self au déj. en hiver) carte 23 à 34 ♀ – ☐ 8 – **12 ch** 40/80 – ½ P 90.

◆ Posé au milieu des pistes, cet ancien refuge vous offre une superbe vue sur les cimes et leurs neiges éternelles, la quiétude de ses chambres simples et sa terrasse plein Sud.

**HOUDAN** *78550 Yvelines* 311 F3 *G. Île de France – 2 912 h alt. 104.*

☐ *Syndicat d'Initiative, 69 Grande Rue* ☎ *01 30 59 61 41, Fax 01 30 59 61 41.*

*Paris 61 – Chartres 54 – Dreux 20 – Évreux 52 – Mantes-la-Jolie 28 – Versailles 43.*

**Poularde,** 24 av. République (rte Maulette) ☎ 01 30 59 60 50, *alapoul@wanadoo.com, Fax 01 30 59 79 71*, , – P. AE GB

*fermé 4 au 20 août, 17 fév. au 3 mars, dim. soir, mardi soir et merc.* – **Repas** 30/44 et carte 50 à 68 ♀.

◆ Dans le jardin de cette belle maison bourgeoise folâtrent les fameuses poules de Houdan... avant de rejoindre votre assiette ? Élégante salle feutrée, carte classique.

**Donjon,** 14 r. Epernon (près église) ☎ 01 30 59 79 14, *eric.deserville@wanadoo.fr, Fax 01 30 88 12 31* – . AE GB

*fermé 5 au 21 août, jeudi soir, dim. soir et lundi* – **Repas** 26 (déj.), 37/51.

◆ Du château médiéval ne subsiste que le donjon, proche voisin de ce restaurant qui en a pris le nom. Cuisine classique servie dans un joli cadre contemporain et coloré.

**à Berchères-sur-Vesgre** *Nord-Ouest : 7 km par D 933 – 684 h. alt. 86 – ✉ 28560 :*

**Château de Berchères** sans rest, ✆ 02 37 82 28 22, *chateau-de-bercheres@wanadoo.fr, Fax 02 37 82 28 23*, – 50. AE GB
*fermé dim.* – ☕ 14 – **17 ch** 135/185, 4 appart.
◆ Dans un vaste parc avec étang, majestueux château du 18e s. bien conservé et entièrement redécoré sur le thème des fruits et légumes. La chapelle est restée intacte.

**HOUDEMONT** *54 M.-et-M.* 307 H7 – *rattaché à Nancy.*

**HOULGATE** *14510 Calvados* 303 L4 *G. Normandie Vallée de la Seine – 1 654 h alt. 11 – Casino.*
**Voir** *Falaise des Vaches Noires★ au NE.*
*Office du Tourisme, boulevard des Belges ✆ 02 31 24 34 79, Fax 02 31 24 42 27, houlgate@wanadoo.fr.*
*Paris 214 – Caen 35 – Deauville 14 – Lisieux 33 – Pont-l'Évêque 25.*

**1900,** 17 r. Bains ✆ 02 31 28 77 77, *Fax 02 31 28 08 07* – rest, . AE GB
*fermé 8 janv. au 1er fév. et 18 nov. au 7 déc.* – **Repas** 10/45 – ☕ 8 – **14** ch 60/92 – ½ P 44,50/72,50.
◆ L'hôtel borde la rue principale de cette charmante station de la Côte Fleurie. Chambres rénovées dans le style de la Belle Époque et bistrot "rétro" agrémenté d'un joli zinc.

**Mon Castel** avec ch, 1 bd Belges ✆ 02 31 24 83 47, *Fax 02 31 28 50 36* – GB. ch
*fermé oct. et vacances de fév.* – **Repas** *(fermé lundi soir, jeudi soir et dim. soir du 15 nov. au 15 fév., mardi soir et merc. en saison)* 13/32, enf. 9 – ☕ 6,50 – **9 ch** 44 – ½ P 36,50/44.
◆ L'une des nombreuses villas de style cottage qui ont fleuri à Houlgate à partir des années 1850. Touche campagnarde dans la salle à manger. Petites chambres simples.

**HUISMES** *37420 I.-et-L.* 317 K5 – *1 397 h alt. 94.*
*Paris 285 – Tours 46 – Angers 89 – Chinon 9 – Saumur 29.*

**Auberge de la Lanterne,** ✆ 02 47 95 43 46 – GB
*fermé 1er au 18 nov., dim. soir et mardi hors saison* – **Repas** 10 (déj.), 13/22 ♀, enf. 5,40.
◆ Au coeur du plantureux Véron s'immisçant entre Loire et Vienne, cette sympathique auberge de village propose une cuisine traditionnelle et des spécialités de poissons.

**HUNINGUE** *68 H.-Rhin* 315 J11 – *rattaché à St-Louis.*

**HUSSEREN-LES-CHÂTEAUX** *68420 H.-Rhin* 315 H8 *G. Alsace Lorraine – 377 h alt. 380.*
*Paris 454 – Colmar 10 – Belfort 68 – Gérardmer 55 – Guebwiller 22 – Mulhouse 39.*

**Husseren-les-Châteaux** , r. Schlossberg ✆ 03 89 49 22 93, *hotel@husseren@calixo.net, Fax 03 89 49 24 84*, ≤, – 20 à 100. AE GB JCB
**Repas** 25/51,50 ♀ – ☕ 12,50 – **2 ch** 81, 36 duplex 123 – ½ P 101.
◆ Construction moderne étagée à flanc de colline dans une clairière. Duplex équipés de mobilier scandinave ; salle de restaurant offrant une belle échappée sur la vallée.

**HYÈRES** *83400 Var* 340 L7 *G. Côte d'Azur – 48 043 h alt. 40 – Casino des Palmiers* **Z.**
**Voir** *≤★ de la place St-Paul* **Y 49** – *≤★ du parc St-Bernard* **Y** – *≤★ de l'esplanade de la Chapelle N.-D. de Consolation* **V B** – *★ des Ruines du Château des aires – Presqu'île de Giens★★.*
*de Toulon-Hyères : ✆ 04 94 00 83 83, SE : 4 km* **V.**
*Office du Tourisme, 3 avenue Ambroise Thomas ✆ 04 94 01 84 50, Fax 04 94 01 84 51, ot.hyeres@libertysurf.fr.*
*Paris 857 ③ – Toulon 20 ③ – Aix-en-Provence 103 ③ – Cannes 123 ③ – Draguignan 78 ③.*

Plans page ci-contre

**Mercure,** 19 av. A. Thomas ✆ 04 94 65 03 04, *h1055@accor-hotels.com, Fax 04 94 35 58 20*, – 20 à 100. AE GB **V x**
**Repas** 14,80/19,50 ♀, enf. 6,50 – ☕ 9,50 – **84 ch** 102.
◆ Hôtel moderne intégré à un centre d'affaires, en bordure de la voie rapide Olbia qui traverse la ville. Chambres aux normes de la chaîne. Restauration de type grill.

**L'Europe** sans rest, 45 av. E. Cavell ✆ 04 94 00 67 77, *hotel.europe@net-up.com, Fax 04 94 00 68 48* – . AE GB **V r**
☕ 7 – **24 ch** 70/95.
◆ Vous cherchez un hôtel à deux pas de la gare ? Voici un immeuble du 19e s. entièrement rénové, abritant des chambres claires, fonctionnelles et correctement insonorisées.

# HYÈRES GIENS

Almanarre (Route de l') ..... X 2
Barbacane (R.) ..... Y 3
Barruc (R.) ..... Y 4
Belgique (Av. de) ... Y 5
Bourgneuf (R.) ..... Y 6
Chateaubriand (Bd). Y 7
Clemenceau (Pl.) ... Y 9
Clotis (Av. J.) ...... Z 10
Costebelle (Mtée).. V 12
Degioanni Route (R.) ............ X 13
Denis (Av. A.) ..... Y
Dr-Perron (Av.) ..... Z 14
Foch (Av. Mar.) .... Z 15
Gambetta (Av.) ..... Z
Gaulle (Av. de) ..... Y 16
Geoffroy St-Hilaire (Av.) ... V 17
Godillot (Av. A.) .... V 18
Herriot (Bd E.) ..... X 20
Iles-d'Or (Av. des) .. Z
Lattre-de-T. (Av. de) V 22
Lefebvre (Pl. Th.) .. Z 23
Macri (Ch. Soldat).. V 25
Madrague (Rte) ..... X 26
Mangin (Av. Gén.) .. Y 28
Massillon (Pl. et R.) Y 29
Millet (Av. E.) ...... Z 32
Moulin-Premier- (Ch. du) ......... V 33
Noailles (Mtée de) . Y 34
Nocard (Bd.) ....... Y 35
Palyvestre (Ch. du). V 36
Paradis (R.) ........ Y 37
Plaine-de-Bouisson (Ch.) .... X 38
Provence (R. de) ... Z 40
Rabaton (R.) ....... Y 41
République (Pl. et R.) ....... Y 42
Riondet (Av.) ..... YZ 43
Riquier (Av. O.) .... V 44
Roubaud (Ch.) ..... V 45
St-Bernard (R.) ..... Y 46
St-Esprit (R.) ...... Y 47
St-Paul (Pl., R.) .... Y 49
Ste-Catherine (R.) .. Y 50
Ste-Claire (R.) ..... Y 51
Strasbourg (Crs) ... Y 52
Versin (Pl. L.) ...... Z 53
Victoria (Av.) ...... Z 54
11-Novembre (Pl.) .. V 56
15e-Corps (Av. du) .. V 57

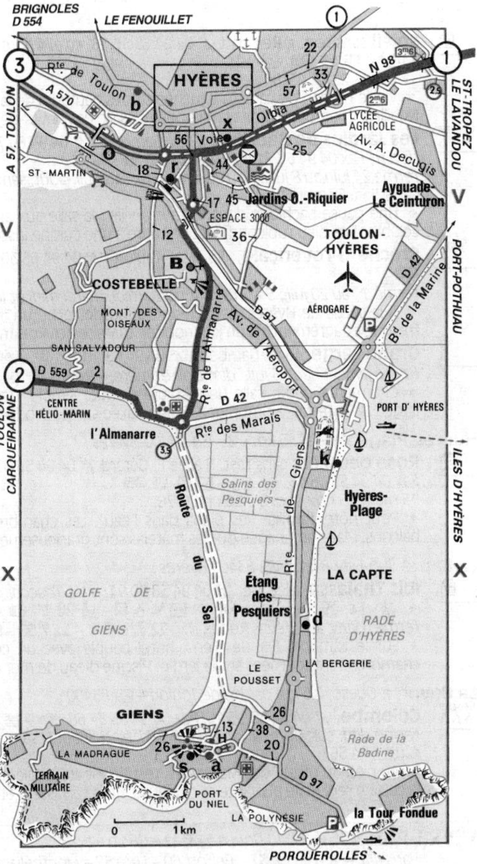

BRIGNOLES D 554
LE FENOUILLET
HYÈRES
Rte de Toulon
A 570
N 98
Olbia
LYCÉE AGRICOLE
Av. A. Decugis
ST-TROPEZ LE LAVANDOU
A 57 TOULON
ST-MARTIN
Voie
Jardins O.-Riquier
Ayguade-Le Ceinturon
ESPACE 3000
TOULON-HYÈRES
AÉROGARE
COSTEBELLE
MONT-DES-OISEAUX
SAN SALVADOUR
Av. de l'Aéroport
Bd de la Marine
PORT-POTHUAU
D 559
D 42
D 97
CENTRE HÉLIO-MARIN
l'Almanarre
Rte des Marais
Rte de l'Almanarre
PORT D' HYÈRES
ILES D'HYÈRES
TOULON CARQUEIRANNE
Salins des Pesquiers
Hyères-Plage
Route du Sel
Rte de Giens
LA CAPTE
GOLFE DE GIENS
Étang des Pesquiers
RADE D'HYÈRES
LA BERGERIE
LE POUSSET
GIENS
Rade de la Badine
LA MADRAGUE
TERRAIN MILITAIRE
PORT DU NIEL
LA POLYNÉSIE
la Tour Fondue
PORQUEROLLES
0 1 km


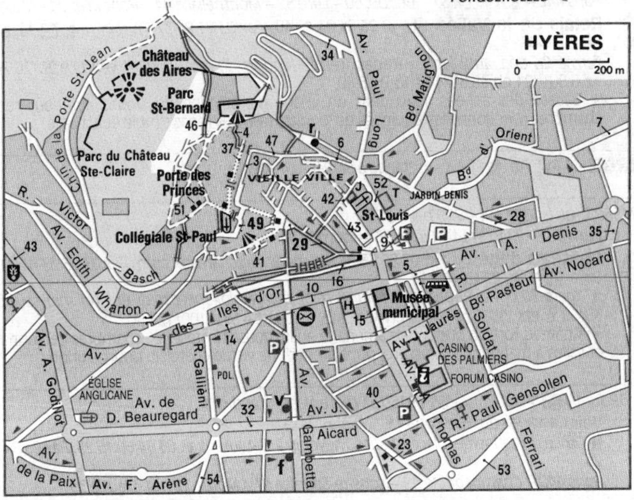

HYÈRES
0 200 m
Château des Aires
Parc St-Bernard
Ch. de la Porte St-Jean
Parc du Château Ste-Claire
Porte des Princes
VIEILLE VILLE
Collégiale St-Paul
Av. Paul Long
Bd Matignon
Bd d' Orient
JARDIN DENIS
St-Louis
Av. A. Denis
Av. Nocard
Bd Pasteur
R. Victor
Av. Edith Wharton
Basch
Av. des Iles d'Or
Musée municipal
R. Soldat
Av. J. Jaurès
CASINO DES PALMIERS
FORUM CASINO
R. Galliéni
ÉGLISE ANGLICANE
Av. de D. Beauregard
Av. A. Godillot
Av. J. Aicard
Av. Gambetta
R. Paul Gensollen
Ferrari
Thomas
Av. de la Paix
Av. F. Arène

**Soleil** sans rest, r. Rempart ✆ 04 94 65 16 26, *soleil@hotel-du-soleil.fr, Fax 04 94 35 46 00* – TV. AE GB JCB. Y r
6,50 – **22 ch** 43/84.
◆ Vieille maison de caractère juchée sur les hauteurs de la cité, près de la villa-musée des Noailles. Chambres étroites mais nettes ; salle des petits-déjeuners provençale.

**Les Jardins de Bacchus,** 32 av. Gambetta ✆ 04 94 65 77 63, *santionijeanclaude@wanadoo.fr, Fax 04 94 65 71 19,* – . AE GB Z v
*fermé 24 juin au 8 juil., 6 au 20 janv., dim. sauf juil.-août, sam. midi et lundi* – **Repas** 31/48 et carte 55 à 68, enf. 10.
◆ Une pause bachique dans le centre-ville : la salle aux airs d'atrium, ornée de fresques célébrant ce dieu rubicond, sert de cadre à une cuisine inspirée... du terroir.

**Crèche Provençale,** 15 rte Toulon ✆ 04 94 65 30 28, *Fax 04 94 14 35 70* – . GB V b
*fermé 1er au 20 juil., 5 au 18 janv., sam. midi, mardi midi et lundi* – **Repas** 27/60 ♀.
◆ À la sortie de Hyères, cette discrète façade cache un intérieur rustique décoré d'une fresque et agrémenté d'un joli mobilier. La visite des Rois mages serait imminente...

**Grand Large,** 46 av. Gambetta ✆ 04 94 65 18 22, – . GB Z f
*fermé janv., 1er au 15 juil., dim. soir et merc.* – **Repas** 21 ♀.
◆ Charmante petite salle de restaurant toute simple, décorée sur le thème du "grand large". Belle terrasse ombragée. Cuisine axée sur les produits de la mer.

**à Hyères-Plage** *Sud-Est : 5 km - X – ✉ 83400 Hyères :*

**Rose des Mers** sans rest, 3 allée E. Gérard ✆ 04 94 58 02 73, *rosemer@club-internet.fr, Fax 04 94 58 06 16,* ≤, – TV P. AE GB X k
*15 mars-15 nov.* – 8 – **20 ch** 68/78.
◆ Petit hôtel familial "les pieds dans l'eau". Les chambres, simples, sont pourvues de balcons. Plage aménagée où des matelas sont gracieusement mis à disposition.

**à La Capte** *Sud-Est : 8 km – ✉ 83400 Hyères :*

**Ibis Thalassa,** allée Mer ✆ 04 94 58 00 94, *h1559@accor-hotels.com, Fax 04 94 58 09 35,* ≤, , , , , – TV P – 20. AE GB. rest X d
*fermé 6 janv. au 2 fév.* – **Repas** (17) - 22 ♀, enf. 9 – 7,50 – **95 ch** 108 – 1/2 P 70,50/75.
◆ Sur le tombolo Est de Giens, hôtel couplé avec un centre de thalassothérapie. Les chambres sont tournées sur le jardin. Piscine d'eau de mer chauffée. Repas diététiques.

**à La Bayorre** *Ouest : 2,5 km par rte de Toulon – ✉ 83400 :*

**Colombe,** ✆ 04 94 35 35 16, *Fax 04 94 35 37 68,* – . GB
*fermé dim. soir hors saison, mardi midi en juil.-août, sam. midi et lundi* – **Repas** 24/32 et carte 41 à 56.
◆ Au pied du massif des Maurettes, restaurant aux couleurs du Sud en parfait accord avec la cuisine régionale plaisante et copieuse. Belle terrasse d'été à l'arrière.

---

## HYÈVRE-PAROISSE *25110 Doubs 321 I2 – 183 h alt. 288.*

*Paris 446 – Besançon 37 – Belfort 60 – Lure 52 – Montbéliard 44 – Pontarlier 71 – Vesoul 51.*

**Relais de la Vallée** M, ✆ 03 81 84 46 46, *Fax 03 81 84 37 52,* – TV P – 20. GB
*fermé 24 déc. au 2 janv.* – **Repas** *(fermé lundi midi, sam. midi et vend.)* 9,20/26,70 ♀ – 6,90 – **21 ch** 38,50/44 – 1/2 P 36,60.
◆ Bâtisse des années 1970 dans un village de la vallée du Doubs. Intérieur rénové : chambres fonctionnelles équipées de loggias, salle des repas simple et actuelle.

---

## IBARRON *64 Pyr.-Atl. 342 C4 – rattaché à St-Pée-sur-Nivelle.*

---

## IGÉ *71960 S.-et-L. 320 I11 – 729 h alt. 265.*

*Paris 397 – Mâcon 14 – Cluny 13 – Tournus 34.*

**Château d'Igé** , ✆ 03 85 33 33 99, *ige@relaischateaux.com, Fax 03 85 33 41 41,* , – TV P. AE GB
*1er mars-30 nov.* – **Repas** *(fermé lundi midi, mardi midi, merc midi. et jeudi midi sauf fériés)* 35/69 ♀, enf. 13 – 14 – **8 ch** 139/142, 6 appart – 1/2 P 100/125,50.
◆ Château fort du Mâconnais aménagé en luxueuse hostellerie : chambres personnalisées et salles à manger de caractère, pour mener une vie de châtelain bourguignon.

---

## ILAY *39 Jura 321 F7 G. Jura – ✉ 39150 St-Laurent-en-Grandvaux.*

Voir *Cascades du Hérisson★★★.*

*Office du tourisme, place Charles Thevenin à St-Laurent ✆ 03 84 60 15 25, Fax 03 84 60 15 25.*

*Paris 440 – Champagnole 19 – Lons-le-Saunier 37 – Morez 22 – St-Claude 39.*

**Auberge du Hérisson,** carrefour D 75-D 39 ✆ 03 84 25 58 18, *auberge@herisson.com, Fax 03 84 25 51 11,* – ▣ P. GB
*5 fév.-2 nov.* – **Repas** 15/30 ♀ – ☕ 7 – **16 ch** 35/55 – ½ P 40/50.
◆ Cette petite auberge familiale jouxte les pittoresques cascades du Hérisson. Chambres souvent rénovées. Salle de restaurant campagnarde. Menus pour tous les budgets.

---

**ÎLE-AUX-MOINES** *56780 Morbihan* 308 N9 *G. Bretagne – 617 h alt. 16.*
*Paris 474 – Vannes 14 – Auray 15 – Quiberon 46.*

**Les Embruns,** r. Commerce ✆ 02 97 26 30 86, *Fax 02 97 26 31 94,* – GB
*fermé 1ᵉʳ au 15 oct., janv., fév. et merc.* – **Repas** 15/23 ♀, enf. 7.
◆ Le pittoresque bourg de la plus grande île du golfe du Morbihan abrite ce sympathique bar-restaurant au cadre sans chichi. Cuisine simple influencée par le marché.

---

**L'ÎLE BOUCHARD** *37220 I.-et-L.* 317 L6 *G. Châteaux de la Loire – 1 800 h alt. 41.*
Voir *Chapiteaux★ et Cathèdre★ dans le prieuré St-Léonard.*
Env. *Champigny-sur-Veude : vitraux★★ de la Ste-Chapelle★ SO : 10,5 km.*
ℹ *Office du Tourisme, 16 place Bouchard ✆ 02 47 58 67 75, Fax 02 47 58 67 75.*
*Paris 285 – Tours 51 – Châteauroux 120 – Chinon 16 – Châtellerault 50 – Saumur 43.*

XXX **Auberge de l'Ile,** ✆ 02 47 58 51 07, *aubergedelile@wanadoo.fr, Fax 02 47 58 51 07,* – GB
*fermé janv., fév., mardi et merc.* – **Repas** 23/37 et carte 39 à 54, enf. 9.
◆ Plaisante maison située sur une île ayant appartenu à Richelieu. Salle à manger décorée de toiles contemporaines, terrasse surplombant la Vienne. Cuisine classique.

*Dans ce guide*
*un même symbole, un même mot,*
*imprimé en* **rouge** *ou en* **noir**, *en maigre ou en* **gras**,
*n'ont pas tout à fait la même signification.*
*Lisez attentivement les pages explicatives.*

---

**ÎLE-D'AIX** ★ *17123 Char.-Mar.* 324 C3 *G. Poitou Vendée Charentes – 199 h alt. 10.*
Accès *par transports maritimes.*
⛴ *depuis la* **Pointe de la Fumée** *(2,5 km NO de Fouras) - Traversée 25 mn - Renseignements et Tarifs à Société Fouras-Aix ✆ 05 46 41 76 24, Fax 05 46 84 69 88.*
⛴ *depuis* **La Rochelle** - *Service saisonnier - Traversée 1h 15 mn - Renseignements : Croisières Inter Iles, ✆ 05 46 50 51 88 (La Rochelle)* ⛴ *depuis* **Boyardville** *(Ile d'Oléron) - Service saisonnier - Traversée 30 mn - Renseignements Inter Iles ✆ 05 46 47 01 45, Fax 05 46 75 05 55 (Boyardville)* – ⛴ *depuis* **La Tranche-sur-Mer** - *Service saisonnier - Traversée.*
*depuis* **Sablanceaux** - *Service saisonnier - Agences Inter Iles de Sablonceaux - Renseignements et tarifs ✆ 05 46 09 87 27, Fax 05 46 09 35 28* ⛴ *depuis* **Fouras** - *Service permanent - Traversée 30 mn - Renseignements et tarifs ✆ 05 46 84 60 50, Fax 05 46 84 53 83.*

---

**ÎLE-D'ARZ** *56840 Morbihan* 308 O9 *G. Bretagne – 256 h alt. 25.*
Accès *par transports maritimes.*
⛴ *depuis* **Barrarach et Conleau** - *Traversée 20 mn - Renseignements : le passeur de l'Ile-d'Arz ✆ 06 08 32 81 14, Fax 02 97 50 88 89* - ⛴ *depuis* **Vannes** *Service saisonnier - Traversée 30 mn - Renseignements : Navix S.A. Gare Maritime (Vannes) ✆ 02 97 46 60 00, Fax 02 97 46 60 29.*

---

**ÎLE-DE-BATZ** *29253 Finistère* 308 G2 *G. Bretagne – 746 h alt. 30.*
Accès *par transports maritimes.*
⛴ *depuis* **Roscoff** - *Traversée 15 mn - Renseignements et tarifs : Cie Finistérienne de transports maritimes BP 10 - 29253 Ile de Batz ✆ 02 98 61 78 87, Fax 02 98 61 75 94.*
ℹ *Syndicat d'Initiative, ✆ 02 98 61 75 70, Fax 02 98 61 75 85.*

---

**ÎLE DE BENDOR** *83 Var* 340 J7 – *rattaché à Bandol.*

## ÎLE-DE-BRÉHAT ★ 22870 C.-d'Armor 309 D1 *G. Bretagne* – 461 h alt. 7.

Voir *Tour de l'île★★ – Phare du Paon★ – Croix de Maudez ≤★ – Chapelle St-Michel ✻★★ – Bois de la citadelle ≤★.*

Accès *par transports maritimes, pour* **Port-Clos.**

*depuis la* **Pointe de l'Arcouest** - *Traversée 10 mn - Renseignements et tarifs : Vedettes de Bréhat ☏ 02 96 20 00 11, Fax 02 96 55 79 55* - *depuis* **St-Quay-Portrieux** *- Service saisonnier - Traversée 1 h 15 mn - Renseignements et tarifs : ☏ 02 96 70 40 64 - –* *depuis* **Binic** *- Service saisonnier - Traversée 1 h 30 mn -Renseignements et tarifs : ☏ 02 96 73 60 12.*

*depuis* **Erquy** *- Service saisonnier - Traversée 1 h 30 mn - Renseignements et tarifs : ☏ 02 96 72 30 12.*

*Syndicat d'Initiative, Le Bourg ☏ 02 96 20 04 15, Fax 02 96 20 06 94, syndicatinitiative.brehat@wanadoo.fr.*

**Bellevue**, Port-Clos ☏ 02 96 20 00 05, *hotelbellevue.brehat@wanadoo.fr, Fax 02 96 20 06 06,* ≤, – TV. GB
*fermé 18 nov. au 13 déc. et 5 janv. au 6 fév.* – **Repas** 21,80/31,50 ♀, enf. 12,50 – ☕ 10 – **17 ch** 79/95 – ½ P 75/83.
◆ Pimpante façade blanche voisine du débarcadère. Chambres simples et bien tenues. Salle à manger panoramique décorée de tableaux d'un artiste îlien. Location de vélos.

**Vieille Auberge**, au bourg ☏ 02 96 20 00 24, *vieille-auberge.brehat@wanadoo.fr, Fax 02 96 20 05 12* – GB
*Pâques-nov.* – **Repas** 15,50/40 ♀, enf. 9 – ☕ 8,50 – **14 ch** 85/120 – ½ P 70,50.
◆ Ici, pas de voitures : le patrimoine écologique de l'île méritait bien cela ! On rejoint à pied cette ancienne maison de corsaires du bourg. Chambres fonctionnelles.

*Les pages explicatives de l'introduction vous aideront à mieux profiter de votre* ***Guide Rouge Michelin***

## ÎLE DE GROIX ★ 56590 Morbihan 308 K9 *G. Bretagne.*

Voir *Site★ de Port-Lay – Trou de l'Enfer★.*

Accès *par transports maritimes pour* **Port-Tudy** *(en été* **réservation recommandée** *pour le passage des véhicules).*

*depuis* **Lorient.**- *Traversée 45 mn - Tarifs, se renseigner : Cie Morbihannaise et Nantaise de Navigation, bd A.-Pierre ☏ 0820 056 000, Fax 02 97 64 77 69.*

*depuis* **Doëlan** *servive saisonnier - Traversée 1h - Renseignements et tarifs : Vedettes Glenn ☏ 02 98 97 10 31.*

**Marine,** au Bourg ☏ 02 97 86 80 05, *hotel.dela.marine@wanadoo.fr, Fax 02 97 86 56 37,* – AE GB
*fermé janv., dim. soir et lundi hors saison sauf vacances scolaires* – **Repas** 15/23 ♀, enf. 8 – ☕ 8 – **22 ch** 34,50/75 – ½ P 45/62,50.
◆ Attablez-vous dans un intérieur rustique après la petite promenade apéritive menant de l'embarcadère à cette maison bourgeoise îlienne. Chambres simples et bien tenues.

**Ty Mad,** au port ☏ 02 97 86 80 19, *Fax 02 97 86 50 79,* – P. AE GB.
*hôtel : fermé janv. ; rest. : ouvert Pâques-nov.* – **Repas** 15/32, enf. 8,50 – ☕ 6,50 – **32 ch** 45/68 – ½ P 46/63.
◆ Une "bonne maison" (ty mad en breton) pour un séjour tonique : piscine au calme et location de vélos. Chambres de différents styles. La terrasse offre la vue sur le port.

## ÎLE DE NOIRMOUTIER 85 Vendée *G. Poitou Vendée Charentes.*

**Accès - par le pont routier au départ de Fromentine : passage gratuit.**

*- par le passage du Gois★★ : 4,5 km.*

*- pendant le premier ou le dernier quartier de la lune par beau temps (vebts hauts) d'une heure et demie avant la basse mer, à une heure et demie environ après la basse mer.*

*- pendant la pleine lune ou la nouvelle lune par temps normal : deux heures avant la basse mer à deux heures après la basse mer..*

*- en toutes périodes par mauvais temps (vents bas) ne pas s'écarter de l'heure de basse mer..*

### Barbâtre 85630 – 1 269 h alt. 5.

*Paris 461 – Nantes 77 – La Roche-sur-Yon 75 – Cholet 130.*

XX **Bistrot des Iles,** Pointe de la Fosse, au pied du pont de Noirmoutier ☏ 02 51 39 68 95, *Fax 02 51 35 80 64,* ≤, – P. AE GB
*mars-oct. et fermé lundi et mardi sauf juil.-août* – **Repas** 18 (déj.), 26/40 ♀.
◆ Restaurant de bord de mer. Repas traditionnels servis dans la coquette salle à manger. Service décontracté en terrasse et menu unique dans l'espace bistrot.

**L'Épine** – *1 653 h alt. 2 – ✉ 85740.*

*Paris 471 – Nantes 86 – La Roche-sur-Yon 84 – Cholet 139 – Noirmoutier-en-l'Ile 4.*

**Punta Lara** ⚐, Sud : 2 km par D 95 et rte secondaire ✉ 85680 La Guérinière ☎ 02 51 39 11 58, *puntalara@leshotelsparticuliers.com, Fax 02 51 39 69 12,* ≤ l'Océan, –, 100. AE ⓓ GB JCB

*12 avril-1er oct.* – **Repas** 15,50 (déj.), 18,60/31 ♀ – ☐ 15,50 – **61 ch** 140/171 – ½ P 109/124.

◆ Dans une pinède entre océan et marais salants, bungalows d'aspect vendéen abritant des chambres fraîches, toutes avec balcon ou terrasse face à l'Atlantique.

**L'Herbaudière** – *✉ 85330 Noirmoutier-en-l'Île.*

*Paris 477 – Nantes 92 – La Roche-sur-Yon 90 – Cholet 145.*

**Marine,** sur le port ☎ 02 51 39 23 09, *Fax 02 51 39 23 09,* – GB

*fermé 1er au 24 oct., mardi soir et merc. sauf juil.- août* – **Repas** 13/46 ♀.

◆ Maison de pays située face au petit port de pêche. Barre, lanternes, cuivres, bibelots et tableaux affirment l'ancrage maritime du décor. Beaux produits de la mer.

**Noirmoutier-en-l'Ile** – *4 846 h alt. 8 – ✉ 85330.*

Voir *Collection de faïences anglaises* au château.*

*Office du Tourisme, 1 rue du Général Passaga ☎ 02 51 39 80 71, Fax 02 51 39 53 16, info@ile-noirmoutier.com.*

*Paris 471 – Nantes 87 – La Roche-sur-Yon 85 – Cholet 140.*

**Fleur de Sel** Ⓜ ⚐, ☎ 02 51 39 09 07, *contact@fleurdesel.fr, Fax 02 51 39 09 76,* – 25. AE GB

*29 mars-2 nov.* – **Repas** *(fermé lundi midi et mardi midi sauf vacances scolaires)* (19) - 24 (déj.), 31,50/42 ♀, enf. 15 – ☐ 10 – **35 ch** 110/130 – ½ P 91/106.

◆ Maison régionale aux chambres de style bateau (bois d'if, décor marin) ou "cosy" (pin ciré et tissus à rayures), en rez-de-jardin fleuri ou tournées vers le château.

**Général d'Elbée** sans rest, pl. Château ☎ 02 51 39 10 29, *general-delbee@wanadoo.fr, Fax 02 51 39 08 23,* – AE ⓓ GB JCB

*1er avril-30 sept.* – ☐ 12 – **27 ch** 108/140.

◆ Demeure historique du 18e s. Les chambres, aménagées comme autrefois, ont vue sur le port ; certaines jouissent du spectacle du château éclairé le soir.

**Les Douves** sans rest, 11 r. Douves (face au Château) ☎ 02 51 39 02 72, *hotel-les-douves @wanadoo.fr, Fax 02 51 39 73 09,* – – 25. GB

*fermé janv.* – ☐ 7 – **22 ch** 75/85.

◆ Place d'Armes, port et château sont à deux pas de ces chambres de conception moderne équipées de meubles en bois stratifié. Piscine aménagée sur l'arrière de la maison.

**Grand Four,** 1 r. Cure (derrière le château) ☎ 02 51 39 61 97, *Fax 02 51 39 61 97* – AE GB

*fermé déc., janv., dim. soir et lundi hors saison* – **Repas** 16,50 bc/35 ♀, enf. 12,20.

◆ Bâtisse tapissée de vigne vierge. Cuisine de la mer servie au rez-de-chaussée décoré de fresques, tableaux et bibelots, ou à l'étage joliment rénové dans l'esprit marin.

**L'Étier,** rte L'Épine, Sud-Ouest : 1 km ☎ 02 51 39 10 28, *Fax 02 51 39 23 00* – P. AE GB

*vacances de fév.-vacances de Toussaint et fermé lundi* – **Repas** 13/31 ♀, enf. 9.

◆ Construction récente bordant l'étier de l'Arceau. Salle à manger sobrement rustique (le coin cheminée est réservé aux non-fumeurs) et agréable terrasse-véranda.

**Côté Jardin,** 1 bis r. Grand Four (derrière le château) ☎ 02 51 39 03 02, *Fax 02 51 39 24 46* – GB

*fermé 15 nov. au 15 fév., dim. soir, jeudi soir et lundi* – **Repas** (12) - 15/34 ♀, enf. 8.

◆ Restaurant au cadre champêtre - poutres, pierres apparentes et sol carrelé - gaiement coloré. À l'étage, salle dans le même esprit, parquetée et plus claire.

**Manoir,** 11A r. Douves ☎ 02 51 35 77 73, *Fax 02 51 35 77 73* – GB

*fermé 24 nov. au 9 déc., 13 janv. au 4 fév., dim. soir et jeudi soir hors saison et lundi* – **Repas** 17/35.

◆ Cette agréable salle de restaurant aux murs habillés de boiseries offre une vue sur le château médiéval. Cuisine traditionnelle utilisant les produits de la mer et du terroir.

**au Bois de la Chaize** *Est : 2 km – ✉ 85330 Noirmoutier.*

Voir *Bois*.*

**Les Prateaux** ⚐, ☎ 02 51 39 12 52, *les-prateaux@wanadoo.fr, Fax 02 51 39 46 28,* – P. ⓓ GB. ch

*mi-fév.-mi-oct.* – **Repas** 22/52 – ☐ 12 – **19 ch** 96/140 – ½ P 93/112.

◆ Proximité de la plage des Dames, calme de la pinède voisine et jardin fleuri sont les atouts de cet hôtel. Chambres au mobilier de style ou plus actuelles dans l'aile rénovée.

**St-Paul**, ✆ 02 51 39 05 63, *christian.buron@wanadoo.fr, Fax 02 51 39 73 98*, – – 20 à 25. AE GB. rest
*15 mars-2 nov.* – **Repas** *(fermé dim. soir et lundi de mi-sept. à mai)* 21/59,50 – 8,40 – **37 ch** 115/125, (en été : ½ pens. seul.) – ½ P 107/117.
◆ Bâtiment entouré d'un petit parc agrémenté d'arbustes et de massifs de fleurs. Chambres de style rustique et vaste hall-bar avec coin-salon chaleureux.

**Les Capucines** (annexe -11 ch), ✆ 02 51 39 06 82, *capucineshotel@aol.com, Fax 02 51 39 33 10*, – P. GB
*10 fév.-11 nov. et fermé merc. et jeudi en fév.-mars et oct.-nov.* – **Repas** 14,50 (déj.), 20/34, enf. 9 – 7 – **21 ch** 78/85 – ½ P 56/72.
◆ Vers la plage des Dames, complexe hôtelier en constante évolution. Chambres pratiques et nettes ; celles de l'annexe offrent plus de confort et d'espace.

## ÎLE DE PORQUEROLLES – ✉ *83400*.

Accès *par transports maritimes.*

*depuis* **La Tour Fondue** *(presqu'île de Giens) - Traversée 40 mn - Renseignements et tarifs : Transport et Vision Sous-Marine ✆ 04 94 58 95 14, Fax 04 94 58 91 73 (La Tour Fondue) - Transports Maritimes et Terrestres du Littoral Varois (TVL) ✆ 04 94 58 21 81 (La Tour Fondue), Fax 04 94 58 91 78 –* *depuis* **Cavalaire -** *service saisonnier - Traversée 1h 40 mn ou* **Le Lavandou** *service saisonnier - Traversée 50mn ou* **La Croix Valmer** *service saisonnier - Traverséé 1h 40 mn - Renseignements et tarifs :*
*Vedettes Iles d'Or 15 q. Gabriel-Péri ✆ 04 94 71 02 (Le Lavandou), Fax 04 94 71 78 95* *depuis* **Toulon -** *service saisonnier - Traversée 1h - Renseignements et tarifs : Transmed 2000 quai Kronstad ✆ 04 94 92 96 82 (Toulon), Fax 04 94 91 98 57.*

**Mas du Langoustier**, Ouest : 3,5 km du port ✆ 04 94 58 30 09, *langoustier@wanadoo.fr, Fax 04 94 58 36 02*, – – 20 à 50. AE GB
*fin avril-début oct.* – **Repas** 55/80 et carte 71 à 93, enf. 20 – 19 – **46 ch** (½ pens. seul.), 4 appart – ½ P 207,50/281.
◆ Site sauvage dominant la mer, transfert possible en hélicoptère, chambres lumineuses et, à l'heure du repas, cuisine méditerranéenne revisitée : vous avez dit paradisiaque ?
**Spéc.** Escalope de foie gras chaud, confiture de tomate verte, sorbet tomate rouge. Filet de Saint-Pierre rôti, jus de poissons de roche. Pigeon rôti au miel d'eucalyptus et réglisse.
**Vins** Ile de Porquerolles.

## ÎLE DE PORT-CROS ★★★ *83400 Var* 340 N7 *G. Côte d'Azur.*

Accès *par transports maritimes.*

*depuis* **Le Lavandou -** *Traversée 35 mn - Renseignements et tarifs : Vedettes Iles d'Or 15 quai Gabriel-Péri ✆ 04 94 71 01 02 (Le Lavandou), Fax 04 94 71 78 95* *depuis* **Cavalaire -** *Traversée 45 mn - Renseignements et tarifs : voir ci-dessus –* *depuis le* **Port de la Plage d'Yères -** *Traversée 1 h - Renseignements et tarifs : Transports et Vision Sous-Marine ✆ 04 94 58 95 14, Fax 04 94 58 91 73.*

**Manoir**, ✆ 04 94 05 90 52, *Fax 04 94 05 90 89*, – – 15. GB. ch
*hôtel : 19 avril-5 oct. ; rest : 3 mai-5 oct.* – **Repas** 43/55 – 12 – **19 ch** (½ pens. seul.), 4 duplex – ½ P 150/180.
◆ Cette jolie maison du 19e s. entourée d'un parc jouit d'une situation idyllique dans une île totalement préservée. Pour les amoureux de calme et de nature.

## ÎLE DE RÉ ★ *17 Char.-Mar.* 324 B2 *G. Poitou Vendée Charentes.*

Accès par le pont routier (voir à La Rochelle).

### Ars-en-Ré – *1 165 h alt. 4* – ✉ *17590*.

*Office du Tourisme, place Carnot ✆ 05 46 29 46 09, Fax 05 46 29 68 30, ot-arsenre@wanadoo.fr.*
*Paris 507 – La Rochelle 34 – Fontenay-le-Comte 84 – Luçon 74.*

**Sénéchal** sans rest, 6 r. Gambetta ✆ 05 46 29 40 42, *hotel.le.senechal@wanadoo.fr, Fax 05 46 29 21 25* – . GB
*15 fév.-12 nov. et 20 déc.-2 janv.* – 7 – **19 ch** 55/150.
◆ Ce vieil hôtel rétais vient de s'offrir une cure de rajeunissement. Pierres blanches, boiseries claires et tissus de couleur dans les chambres rénovées. Agréable patio.

**Martray,** Le Martray, Est : 3 km par D 735 ✆ 05 46 29 40 04, *hotellemartray@aol.com, Fax 05 46 29 41 19*, – rest, P. AE GB JCB
*30 mars-3 nov.* – **Repas** carte 27 à 40, enf. 10 – 7 – **14 ch** 58/80 – ½ P 68.
◆ Construction de style régional à deux pas de la plage. Chambres meublées sans luxe, mais fort bien tenues. Salle à manger carrelée, sobre et lumineuse.

**Parasol,** Nord-Ouest : 1 km par rte phare des Baleines ✆ 05 46 29 46 17, *Fax 05 46 29 05 09*, – cuisinette TV P. GB
*mi-mars-4 nov.* – **Repas** 12 bc/38 ♀, enf. 7 – 7 – **9 ch** 66, 20 studios – ½ P 62.
◆ Cinq petits bâtiments récents dans un environnement verdoyant. Chambres sobrement décorées, mais rajeunies et dotées d'une literie neuve. Studios avec cuisinette.

**Bistrot de Bernard,** 1 quai Criée ✆ 05 46 29 40 26, *Fax 05 46 29 28 99*, – GB
*fermé 11 nov. au 20 déc., 6 janv. au 15 fév., lundi et mardi d'oct. à mars* – **Repas** 22/30 ♀.
◆ La cour fleurie donne un air colonial à ce restaurant rénové, sis dans une demeure rétaise ancienne. Sculptures en bronze et cadres en mosaïque agrémentent la salle à manger.

**Cabane du Fier,** Le Martray, Est : 3 km par D 735 ✆ 05 46 29 64 84, *Fax 05 46 29 64 84*, ≤, – P. GB
*15 mars-début nov. et fermé mardi soir et merc. hors saison* – **Repas** carte 18 à 35 ♀.
◆ Construction en bois adossée à une cabane d'ostréiculteur. Salle au décor marin et terrasse orientée vers le Fier d'Ars. Produits de la mer suggérés sur l'ardoise du jour.

**Côté Quai,** ✆ 05 46 29 94 94, *cotequai@wanadoo.fr, Fax 05 46 29 08 20*, – . GB
*fermé 15 nov. au 15 déc. et janv.* – **Repas** 22 ♀.
◆ Ce sympathique bistrot au plaisant décor marin offre une vue sur les cuisines où se mitonnent d'appétissants plats traditionnels. Agréable "terrassette" dressée face au port.

## Le Bois-Plage-en-Ré – *2 014 h alt. 5 – ✉ 17580.*

*Office du Tourisme, 87 rue des Barjottes ✆ 05 46 09 23 26, Fax 05 46 09 13 15, office-de-tourisme.le.bois.plage@wanadoo.fr.*
*Paris 494 – La Rochelle 22 – Fontenay-le-Comte 72 – Luçon 62.*

**Les Bois Flottais** M sans rest, ✆ 05 46 09 27 00, *lesboisflottais@wanadoo.fr, Fax 05 46 09 28 00*, – TV P
*fermé 17 au 30 nov.* – 10 – **10 ch** 91,50.
◆ Hôtel neuf, dans le style insulaire. Chambres de plain-pied avec la piscine. Murs blancs, sol en tomettes, lambris et bibelots marins y composent un charmant décor.

**L'Océan,** 172 r. St-Martin ✆ 05 46 09 23 07, *ocean@iledere.com, Fax 05 46 09 05 40*, , – TV P. AE GB. ch
*fermé 5 janv. au 5 fév.* – **Repas** *(fermé merc. sauf vacances scolaires)* 23/32 ♀, enf. 10 – 10 – **24 ch** 61/120 – ½ P 61,50/91.
◆ Maisons aux murs chaulés disposées autour d'une cour intérieure. Bois blond, courtepointes et tissus brodés recréent le charme si particulier des habitations rétaises.

**Gollandières,** av. Plage ✆ 05 46 09 23 99, *hotel-les-gollandieres@wanadoo.fr, Fax 05 46 09 09 84*, , , – TV P – 15 à 60. AE GB
*1^er mars-12 nov. et 21 déc.-5 janv.* – **Repas** 16,50 (déj.), 24/65 ♀ – 11 – **35 ch** 85/100 – ½ P 77/85.
◆ Derrière les dunes, établissement disposant de petites chambres réparties autour de deux patios. Agréable piscine. Grande salle à manger simple et conviviale. Belle terrasse.

## La Couarde-sur-Mer – *1 029 h alt. 1 – ✉ 17670.*

*Office du Tourisme, rue Pasteur ✆ 05 46 29 82 93, Fax 05 46 29 63 02, office-de-tourisme-la-couarde@wanadoo.fr.*
*Paris 497 – La Rochelle 25 – Fontenay-le-Comte 75 – Luçon 65.*

**Vieux Gréement** sans rest, 13 pl. Carnot ✆ 05 46 29 82 18, *hotelvieuxgreement@wanadoo.fr, Fax 05 46 29 50 79* – TV . GB
*fermé 1^er au 29 mars et 5 janv. au 14 fév.* – 8 – **16 ch** 61/96.
◆ Sur la place du village, vénérable pension de famille rénovée disposant de chambres personnalisées. Huîtres et tartines gourmandes pour une petite pause repas sans chichi.

## La Flotte – *2 452 h alt. 4 – ✉ 17630.*

*Office du Tourisme, quai de Sénac ✆ 05 46 09 60 38, Fax 05 46 09 64 88, ot.la.flotte@wanadoo.fr.*
*Paris 488 – La Rochelle 16 – Fontenay-le-Comte 66 – Luçon 56.*

**Richelieu** M , av. Plage ✆ 05 46 09 60 70, *info@hotel-le-richelieu.com, Fax 05 46 09 50 59*, ≤, , , , , – TV P – 60. AE GB
*fermé 5 janv. au 5 fév.* – **Repas** 50/65 et carte 65 à 85 ♀ – 25 – **37 ch** 160/390, 3 appart – ½ P 180/350.
◆ Luxueuses chambres dotées de meubles de style au bord de l'océan. Les plus agréables disposent d'une vaste terrasse face au large. Cuisine soignée. Centre de thalassothérapie.
**Spéc.** Homard grillé au beurre de corail. Médaillons de lotte en pétales de tomate confite. Langoustines grillées à la laque d'épices. **Vins** Blanc et rouge de l'Ile de Ré.

**Hippocampe** sans rest, r. Château des Mauléons ✆ 05 46 09 60 68 – GB
☕ 5 – **12 ch** 31/43.
◆ Maison régionale construite en 1927. Les chambres, petites et un brin monocales, viennent d'être rénovées : literie neuve, peintures et papiers peints refaits.

**L'Écailler,** 3 quai Sénac ✆ 05 46 09 56 40 – GB
*Pâques-Toussaint et fermé lundi* – **Repas** carte 42 à 50 ♀.
◆ Sur le charmant petit port, relais de poste du 17e s. où l'on savoure au coude à coude des produits de la mer annoncés sur ardoise. Salle-bistrot et joli patio pavé.

## Les Portes-en-Ré – *660 h alt. 4 – ✉ 17880 .*

*Office du Tourisme, 52 rue de Trousse-Chemise ✆ 05 46 29 52 71, Fax 05 46 29 52 81, office-tourisme-lesportesenre@wanadoo.fr.*
*Paris 515 – La Rochelle 43 – Fontenay-le-Comte 92 – Luçon 82.*

**Auberge de la Rivière,** Ouest : 1 km sur D 101 ✆ 05 46 29 54 55, *Fax 05 46 29 40 32,* – P. AE GB
*fermé 20 nov. au 15 déc., janv., mardi et merc. hors saison, merc. midi et lundi en juil.-Août* – **Repas** 23/52 ♀, enf. 10.
◆ Maison contemporaine d'allure traditionnelle proche du bois de Trousse-Chemise joliment chanté par Aznavour. Salle à manger élégante et lumineuse ; menus soignés.

**Chasse-Marée,** 1 r. J. David ✆ 05 46 29 52 03, *restaurant.le.chasse-maree@wanadoo.fr, Fax 05 46 28 00 91,* – GB
*fermé 13 nov. au 26 déc. et 3 janv. au 27 mars* – **Repas** 22,50/35 ♀.
◆ Murs de pierre, poutres apparentes, cheminée, tableaux aux couleurs vives et mobilier ancien caractérisent ce restaurant installé au coeur du village. Carte dédiée au poisson.

## Rivedoux-Plage – *1 163 h alt. 2 – ✉ 17940 .*

*Office du Tourisme, place de la République ✆ 05 46 09 80 62, Fax 05 46 09 80 62, office-de-tourisme-rivedoux@wanadoo.fr.*
*Paris 484 – La Rochelle 12 – Fontenay-le-Comte 61 – Luçon 51.*

**Auberge de la Marée** sans rest, rte St-Martin ✆ 05 46 09 80 02, *auberge.delamaree@wanadoo.fr, Fax 05 46 09 88 25,* , – TV ♿ P – 20. GB
*12 avril-11 nov.* – ☕ 10 – **30 ch** 60/160.
◆ Les chambres les plus agréables bénéficient de terrasses et s'ouvrent sur la roseraie et la piscine. Les autres sont rajeunies et offrent parfois une vue sur le petit port.

**Auberge de la Marée,** rte St-Martin ✆ 05 46 35 39 44, *Fax 05 46 09 15 81* – GB
*fermé 12 au 31/01, dim. soir, mardi soir et merc. du 1/11 au 13/04 et mardi midi du 14/04 au 1/11* – **Repas** (15) - 25/37,50, enf. 10.
◆ Réservez de préférence une table près des baies de ce restaurant au décor "seventies" pour profiter du panorama sur les flots, le pont et le continent. Vivier à homards.

## St-Clément-des-Baleines – *607 h alt. 2 – ✉ 17590 .*

**Voir** *L'Arche de Noé (parc d'attractions) : Naturama★ (collection d'animaux naturalisés) – Phare des Baleines ✳★ N : 2,5 km.*
*Office du Tourisme, 200 rue du Centre ✆ 05 46 29 24 19, Fax 05 46 29 08 14, off-detourisme.saintclementdesbaleines@wanadoo.fr.*
*Paris 510 – La Rochelle 38 – Fontenay-le-Comte 88 – Luçon 78.*

**Chat Botté** sans rest, 2 pl. Église ✆ 05 46 29 21 93, *Fax 05 46 29 29 97,* – TV P. GB
*fermé 24 nov. au 19 déc. et 5 janv. au 10 fév.* – ☕ 11 – **19 ch** 75/102.
◆ Charmant hôtel dont le décor intérieur privilégie le bois, de jolis tons pastel et des meubles anciens. Plaisante salle des petits-déjeuners ; l'été, on sert en terrasse.

**Chat Botté,** r. Mairie ✆ 05 46 29 42 09, *Fax 05 46 29 29 77,* , – AE GB
*fermé 1er déc. au 1er fév. et lundi du 15 sept. au 15 juin* – **Repas** 21/59 et carte 34 à 58 ♀.
◆ L'enseigne tire son nom du "Chabot", l'un des cinq hameaux qui composent le village. Confortable salle à manger au décor marin, largement ouverte sur un agréable jardin.

## St-Martin-de-Ré – *2 512 h alt. 14 – ✉ 17410 .*

**Voir** *Fortifications★.*
*Office du Tourisme, quai Nicolas Baudin ✆ 05 46 09 20 06, Fax 05 46 09 06 18, ot.st-.martin@wanadoo.fr.*
*Paris 494 – La Rochelle 22 – Fontenay-le-Comte 72 – Luçon 62.*

**Clos St-Martin** M sans rest, ✆ 05 46 01 10 62, *hotelclos-saintmartin@wanadoo.fr, Fax 05 46 01 99 89,* – TV ♿ P. AE GB
*fermé 1er au 11 déc. et 13 janv. au 5 fév.* – ☕ 9 – **28 ch** 88/115.
◆ Bâtisse neuve à une encablure du port. Les chambres, parfois de plain-pied avec la piscine, sont sobrement décorées : mobilier blanc, murs clairs, tomettes ou moquette au sol.

**Jetée** sans rest, quai G. Clemenceau ✆ 05 46 09 36 36, *Fax 05 46 09 36 06* – 25. AE GB
7,50 – **31 ch** 99,25/133,50.
◆ Face au port, construction récente bien intégrée au site. Toutes les chambres, égayées de tons chaleureux, s'ordonnent autour d'un patio baigné de lumière.

**Galion** sans rest, allée Guyane ✆ 05 46 09 03 19, *hotel.le.galion@wanadoo.fr, Fax 05 46 09 13 26*, ≤ – . AE GB JCB
8 – **30 ch** 72/95.
◆ Les remparts de Vauban protègent l'hôtel des humeurs de l'océan. Chambres actuelles et bien tenues, donnant presque toutes sur le large ou sur le patio.

**Maison Douce** sans rest, 25 r. Mérindot ✆ 05 46 09 20 20, *lamaisondouce@wanadoo.fr, Fax 05 46 09 90 90*, – . AE GB
*fermé 12 nov. au 20 déc. et 6 janv. au 7 fév.* – 10 – **11 ch** 105/165.
◆ Typique maison rétaise (19e s.), avec sa cour-jardin où l'on sert le petit-déjeuner, au coeur de la cité fortifiée. Ravissantes chambres pastel ; salles de bains "rétro".

**Port** sans rest, 29 quai Poithevinière ✆ 05 46 09 21 21, *annic.pla@wanadoo.fr, Fax 05 46 09 06 85* – . GB
5,80 – **35 ch** 65/75.
◆ C'est le quartier animé de St-Martin-de-Ré. Établissement proposant des chambres colorées, meublées simplement. Certaines bénéficient de la vue sur le port.

**Colonnes,** 19 quai Job-Foran ✆ 05 46 09 21 58, *Fax 05 46 09 21 49*, ≤, – P. AE GB
*fermé 15 déc. au 1er fév.* – **Repas** *(fermé merc.)* 24/37,50 ♀ – 7,20 – **30 ch** 85/110 – ½ P 75/83.
◆ Cette construction de style régional possède en façade une terrasse où règne une chaleureuse ambiance. Chambres nettes, un brin provençales, côté port ou côté cour.

## Ste-Marie-de-Ré – *1 806 h alt. 9 – ✉ 17740 .*

*Office du Tourisme, place d'Antioche ✆ 05 46 30 22 92, Fax 05 46 30 01 68, tourisme-sainte-mairie.de.re@wanadoo.fr.*
*Paris 487 – La Rochelle 15 – Fontenay-le-Comte 64 – Luçon 54.*

**Atalante** , ✆ 05 46 30 22 44, *neptune@thalasso.net, Fax 05 46 30 13 49*, ≤, , , , – P – 80. AE GB
*fermé 30 nov. au 14 déc.* – **Repas** 19/30 ♀ – 8 – **65 ch** 74/176 – ½ P 73/110,50.
◆ Face à l'océan, hôtel disposant de chambres actuelles mais dotées de meubles "seventies". Accès direct au centre de thalassothérapie voisin. Agréable salle à manger-véranda.

## ÎLE DE SEIN *29990 Finistère 308 B6 G. Bretagne – 348 h alt. 14.*

*Transports uniquement piétons - depuis **Brest** (saisonnier) - Traversée 1 h 30 mn - Renseignementset tarifs : Cie Maritime Penn Ar Bed (Brest) ✆ 02 98 80 80 80, Fax 02 98 44 75 43 – depuis **Audierne** (toute l'année) Traversée 1 h - Renseignements et tarifs : voir ci-dessus.*
*depuis **Camaret** (saisonnier) Traversée 1 h - Renseignements et tarifs : voir ci-dessus.*

**Ar Men** , rte Phare ✆ 02 98 70 90 77, *hotel.armen@wanadoo.fr, Fax 02 98 70 93 25*, ≤ – . GB
*fermé 6 au 20 oct.* – **Repas** *(fermé dim. soir)* 18/24 – 6 – **10 ch** 47/62 – ½ P 44,50/52,50.
◆ Les chambres, joliment rénovées, regardent toutes l'océan. Le salon-bibliothèque, bien documenté sur l'île et la région, est très apprécié. Une charmante étape insulaire.

## ÎLE D'HOUAT *56 Morbihan 308 N10 G. Bretagne – 390 h alt. 31 – ✉ 56170 Quiberon.*

Voir *Le Bourg* ≤★.
Accès *par transports maritimes.*
*depuis **Quiberon** - Traversée 40 mn - Renseignements et tarifs : Cie Morbihannaise et Nantaise de Navigation ✆ 0820 056 000 (Quiberon), Fax 02 97 50 11 40.*

**Sirène** , ✆ 02 97 30 66 73, *Fax 02 97 30 66 94*, – . AE GB.
*avril-oct.* – **Repas** 18/30 – **23 ch** (½ pens. seul.) – ½ P 72/78.
◆ Au centre du bourg, un hôtel familial où l'amabilité de l'accueil, les plats régionaux et les chambres pratiques et insonorisées vous promettent un agréable séjour.

*Ecrivez-nous...*
*Vos louanges comme vos critiques seront examinées avec le plus grand soin.*
*Nous reverrons sur place les informations que vous nous signalez.*
*Par avance merci !*

## ÎLE D'OLÉRON ★ *17 Char.-Mar.* 324 C4 *G. Poitou Vendée Charentes.*

Accès par le pont viaduc : passage gratuit.

### Boyardville – *17190 St-Georges-d'Oléron.*

*Paris 522 – La Rochelle 82 – Marennes 24 – Rochefort 45 – Saintes 64.*

**Bains** avec ch, au port 05 46 47 01 02, *hotel.des.bains@net-up.com, Fax 05 46 47 16 90,* – . AE GB JCB
*29 mai-21 sept.* – **Repas** *(fermé merc. du 4 juin au 9 juil.)* 16/30, enf. 9,50 – 5,80 – **11 ch** 30/47 – ½ P 45/51.
◆ Pierre apparente, cuivre et mobilier rustique composent un décor de caractère dans cette petite salle à manger dont les fenêtres ouvrent sur le quai du port.

### La Brée-les-Bains – *644 h alt. 5 – 17840 .*

*Office du Tourisme, 20 rue des Ardillières 05 46 47 96 73, Fax 05 46 75 96 73.*
*Paris 522 – La Rochelle 90 – Marennes 32 – Rochefort 53 – Royan 61.*

**Chaudrée,** 05 46 47 81 85, *alvalere@free.fr, Fax 05 46 75 73 99,* , , – . GB
*28 mars-3 oct.* – **Repas** *(fermé mardi sauf vacances scolaires)* 11 (déj.), 16,50/21,50, enf. 7 – 6,60 – **17 ch** 66/78 – ½ P 54/60.
◆ Proche de la plage, maison centenaire entièrement rénovée. Dans les chambres : harmonie de couleurs et mobilier actuel.

### Château d'Oléron – *3 544 h alt. 9 – 17480 .*

*Office du Tourisme, place de la République 05 46 47 60 51, Fax 55 46 47 73 65, chatolero@ot-chateau-oleron.*
*Paris 508 – La Rochelle 70 – Royan 41 – Marennes 12 – Rochefort 33.*

**France,** 11 av. Mar. Foch 05 46 47 60 07, *Fax 05 46 75 21 55,* – . AE GB
*fermé 15 déc. au 15 janv.* – **Repas** *(fermé dim. soir et lundi sauf juil.-août)* (12) - 15/25, enf. 7 – 6,50 – **11 ch** 34/44 – ½ P 35/70.
◆ Petites chambres au décor déjà ancien mais bien tenues, salles à manger modeste et tables dressées sans chichi : cet établissement a opté pour la simplicité.

### La Cotinière – *17310 St-Pierre-d'Oléron.*

*Paris 513 – La Rochelle 81 – Royan 52 – Marennes 22 – Rochefort 44 – Saintes 63.*

**Motel Ile de Lumière** sans rest, av. Pins 05 46 47 10 80, *ile.de.lumiere@wanadoo.fr, Fax 05 46 47 30 87,* , , , , – cuisinette . GB
*début avril - fin sept* – **45 ch** 91/106.
◆ Près du port animé, hôtel composé de plusieurs pavillons disséminés parmi les dunes, face à l'océan. Certaines chambres sont équipées d'une cuisinette.

**Face aux Flots,** 05 46 47 10 05, *face.aux.flots@wanadoo.fr, Fax 05 46 47 45 95,* , , – . AE GB
*fermé 12 nov. au 10 fév. sauf vacances de Noël* – **Repas** (dîner seul.)(résidents seul.) – **21 ch** 75 – ½ P 54/69.
◆ Sur le rivage, construction des années 1960 ravalée depuis peu. Les chambres, claires meublées simplement et bien insonorisées sont rénovées par étapes.

### St-Georges-d'Oléron – *3 144 h alt. 10 – 17190 .*

*Office du Tourisme, 28 rue des Dames 05 46 76 63 75, Fax 05 46 76 86 49.*
*Paris 517 – La Rochelle 85 – Marennes 27 – Rochefort 48 – Saintes 68.*

#### aux Sables Vignier *Sud-Ouest : 6 km par rte de Chéray et rte secondaire – 17190 St-Georges-d'Oléron :*

**Hermitage** , 05 46 76 52 56, *lhermitage@wanadoo.fr, Fax 05 46 76 67 76,* , – rest, – 40. GB. rest
*hôtel : 5 avril-5 oct. ; rest. : 8 avril-30 sept.* – **Repas** 17/31,50, enf. 7 – 6,50 – **34 ch** 47,50/75 – ½ P 61.
◆ Adresse pour séjours familiaux, à 800 m de la plage. Le bâtiment principal est réservé aux repas et les pavillons de plain-pied abritent des chambres au mobilier en pin.

### St-Pierre-d'Oléron – *5 365 h alt. 8 – 17310 .*

Voir *Église* ★.
*Office du Tourisme, place Gambetta 05 46 47 11 39, Fax 05 46 47 10 41, office-tourisme-saint-pierre-oleron@wanadoo.fr.*
*Paris 520 – La Rochelle 81 – Royan 52 – Marennes 22 – Rochefort 44 – Saintes 63.*

**Auberge de la Campagne,** D 734 05 46 47 25 42, *Fax 05 46 75 16 04,* , – . AE GB.
*15 avril-Toussaint et fermé dim. soir et lundi* – **Repas** 26 (déj.), 30/45 et carte 48 à 69, enf. 16.
◆ Dépendances d'une ancienne ferme transformées en restaurant et aménagées dans le goût rustique. Aux beaux jours, vous profiterez du jardin et de l'agréable terrasse.

**Petit Coivre,** D 734 ✆ 05 46 47 44 23, *Fax 05 46 47 33 57*, – P. GB
*fermé dim. soir., lundi hors saison et mardi soir* – **Repas** 22/25 ♀.
◆ Ce restaurant occupe le logis du meunier dans un moulin à grain du début du 19e s. Nouveau décor intérieur façon bistrot de la mer et dominance du bois. Cuisine régionale.

**Les Alizés,** 4 r. Dubois-Aubry ✆ 05 46 47 20 20 – GB
*fermé mi-nov. à mi-déc., mi-janv. à début mars, mardi et merc. sauf juil.-août et fériés* – **Repas** 14/29 ♀, enf. 8.
◆ Petite construction traditionnelle aux volets bleus en lisière du village. Salle de restaurant printanière avec ses rideaux imprimés de motifs fruitiers. Cuisine de la mer.

## St-Trojan-les-Bains – *1 490 h alt. 5 – ✉ 17370.*

*Office du Tourisme, Carrefour du Port ✆ 05 46 76 00 86, Fax 05 46 76 17 64.*
*Paris 514 – La Rochelle 74 – Royan 45 – Marennes 16 – Rochefort 37 – Saintes 57.*

**Novotel** M, plage de Gatseau, Sud : 2,5 km ✆ 05 46 76 02 46, *h0417@accor-hotels.com, Fax 05 46 76 09 33*, ←, – ch, TV P – 25. AE GB
*fermé 30 nov. au 21 déc.* – **Repas** 25,50 ♀ – ☐ 11 – **80 ch** 131/151 – ½ P 102,80/112,30.
◆ À Gatseau, quand le soleil illumine plages et forêts, on se croirait sous les tropiques ! Établissement moderne et confortable, équipé d'un centre de thalassothérapie.

**Forêt** M, bd P. Wiehn ✆ 05 46 76 00 15, *laforet.oleron@wanadoo.fr, Fax 05 46 76 14 67*, ←, – rest, TV P. GB
*19 avril-30 sept.* – **Repas** 15/23 ♀ – ☐ 7 – **43 ch** 53,40/94,50 – ½ P 48,80/73,20.
◆ Belle situation isolée. Chambres contemporaines bénéficiant de la vue sur la forêt de pins ou sur l'océan et la côte saintongeaise. Grand restaurant panoramique.

**L'Albatros**, 11 bd Dr Pineau ✆ 05 46 76 00 08, *Fax 05 46 76 03 58*, ←, – rest, TV P. GB
*14 fév.-4 nov.* – **Repas** 32 – ☐ 7,50 – **13 ch** 52/64 – ½ P 56,50/62,50.
◆ Adresse familiale aux petites chambres simples et plaisantes. Salle de restaurant décorée sur le thème de la piraterie et grande terrasse dominant les vagues.

**Homard Bleu,** 10 bd Félix Faure ✆ 05 46 76 00 22, *Fax 05 46 76 14 95*, ←, – TV. AE GB
*fermé 1er nov. au 22 déc., 2 janv. au 15 fév., mardi et merc. du 25 sept. à Pâques* – **Repas** 16/45, enf. 10 – ☐ 7 – **20 ch** 62 – ½ P 53/63.
◆ Sur la route côtière, chambres au mobilier en bois peint dans un bâtiment rénové. Avis aux sommeils légers : l'insonorisation supprime le bruit du sac et du ressac.

**Belle Cordière,** 76 r. République ✆ 05 46 76 12 87, *Fax 05 46 75 24 74*, – GB
*fermé 14 au 31 oct., lundi et mardi sauf juil.-août* – **Repas** 11,50/24 ♀.
◆ Maison régionale située dans une petite rue près de l'église et de la mairie. Accueil familial dans un cadre simple : salle à manger-véranda, terrasse sur le côté.

---

## ÎLE D'OUESSANT *29242 Finistère* 308 *A4 G. Bretagne.*

*Transports uniquement piétons - depuis* **Brest** *- Traversée 2 h 15 mn - Renseignements et tarifs : Cie Maritime Penn Ar Bed (Brest) ✆ 02 98 80 80 80, Fax 02 98 44 75 43 - depuis* **Le Conquet** *- Traversée 1 h - Renseignements et tarifs : voir ci-dessus – depuis* **Camaret** *(uniquement mi juillet-mi août)- Traversée 1 h 15 mn - Renseignements et tarifs : voir ci-dessus.*

**Roc'h-Ar-Mor** M, au bourg de Lampaul ✆ 02 98 48 80 19, *roch.armor@wanadoo.fr, Fax 02 98 48 87 51*, ←, – TV. GB
*fermé 24 nov. au 7 déc.* – **Repas** *(fermé dim. soir et lundi)* 12/29 ♀, enf. 6,50 – ☐ 7,60 – **15 ch** 48/75 – ½ P 47/58.
◆ Le dernier hôtel avant l'Amérique ! Chambres rénovées, modernes et pimpantes, bénéficiant presque toutes de la vue sur la baie de Lampaul. À table, cuisine bretonne.

---

## ÎLE D'YEU ★★ *85 Vendée* 361 *BC7 G. Poitou Vendée Charentes – 4 941 h.*

**Accès** *par transports maritimes, pour* **Port-Joinville.**

*depuis Fromentine : traversée 40 ou 70 mn - Renseignements à Cie d'Yeu Continent BP 16-85550 La Barre-de-Monts ✆ 02 51 49 59 69, Fax 02 51 49 59 70.*

*depuis Fromentine (de mi-mars à mi-oct.) - Traversée 45 mn - Renseignements et tarifs : Vedettes Inter-Îles Vendéennes 85630 Barbâtre ✆ 02 51 39 00 00, Fax 02 51 39 54 26 depuis Barbâtre (La Fosse) et St-Gilles-Croix-de-Vie : Service Saisonnier - Renseignements et tarifs : voir ci-dessus.*

**Port-de-la-Meule** – ✉ 85350 L'Ile d'Yeu.

**Voir** *Côte Sauvage★★ : ≤★★ E et O – Pointe de la Tranche★ SE.*

**Port-Joinville** – ✉ 85350 L'Ile d'Yeu.

**Voir** *Vieux Château★ : ≤★★ SO : 3,5 km – Grand Phare ≤★ SO : 3 km.*

**Atlantic Hôtel** M sans rest, quai Carnot ☎ 02 51 58 38 80, *atlantic-hotel-yeu@club-internet.fr, Fax 02 51 58 35 92* – TV. AE GB
*fermé 4 au 27 janv.* – ☕ 6 – **15 ch** 38/60,50.
◆ Face à l'embarcadère, au-dessus de la poissonnerie familiale, chambres fonctionnelles ouvrant sur la mer ou sur les jardinets des pêcheurs. Petit salon panoramique.

**Escale** sans rest, La Croix de port ☎ 02 51 58 50 28, *yeu.escale@voila.fr, Fax 02 51 59 33 55* – TV ♿. GB
*fermé 18 nov. au 15 déc.* – ☕ 5,80 – **28 ch** 33/54,40.
◆ En retrait du port, façade blanche égayée de volets colorés. Préférez les chambres du bâtiment principal. Salle des petits-déjeuners au décor marin.

---

**L'ILE-ROUSSE** *2B H.-Corse* 345 C4 – *voir à Corse.*

---

**ÎLE SAINT-HONORAT** ★★ *06 Alpes-Mar.* 341 D6 *G. Côte d'Azur.*

**Voir** *Ancien monastère fortifié★ : ≤★★ – Tour de l'île★★.*

---

**ÎLE SAINTE-MARGUERITE** ★★ *06 Alpes-Mar.* 341 D6 *G. Côte d'Azur* – ✉ 06400 Cannes.

**Voir** *Forêt★★ – ≤★ de la terrasse du Fort-Royal.*

**Accès** *par transports maritimes.*

⛴ *depuis* **Cannes** *Traversée 15 mn par Cie Esterel Chanteclair-Gare Maritime des Iles ☎ 04 93 39 11 82, Fax 04 92 98 80 32.*

*Ecrivez-nous...*

*Vos louanges comme vos critiques seront examinées avec le plus grand soin. Nous reverrons sur place les informations que vous nous signalez.*

*Par avance merci !*

---

**ÎLES CHAUSEY** *50 Manche* 303 B6 *G. Normandie Cotentin.*

**Voir** *Grande Ile★.*

**Accès** *par transports maritimes.*

⛴ *depuis* **Granville** *-Traversée 50 mn - Renseignements à : Vedette "Jolie France II" Gare Maritime ☎ 02 33 50 31 81 (Granville), Fax 02 33 50 39 90, ou en saison, à Émeraudes Lines Gare Maritime ☎ 02 33 50 16 36 (Granville), F ax 02 33 50 87 80* – ⛴ *depuis* **St-Malo** *-Service saisonnier - Traversée 1 h 10 mn - Renseignements à Émeraude Lines B.P. 35401 St-Malo Cedex ☎ 02 23 18 01 80, Fax 02 23 18 15 00.*

**Fort et des Iles** 🐚, ☎ 02 33 50 25 02, *Fax 02 33 50 25 02,* ≤ archipel, ☂, 🌳 – GB. ✗
*19 avril-28 sept.* – **Repas** *(fermé lundi sauf fériés)* (en saison, prévenir) 16/76 ♀, enf. 11 – ☕ 7 – **8 ch** (1/2 pens. seul.) – 1/2 P 51.
◆ Idéal pour se ressourcer loin de l'agitation continentale. Chambres très simples, sans télévision pour une tranquillité absolue. À table, produits de la mer.

---

**Las ILLAS** *66 Pyr.-Or.* 344 H8 – *rattaché à Maureillas-las-Illas.*

---

**ILLHAEUSERN** *68970 H.-Rhin* 315 I7 – *578 h alt. 173.*

*Paris 451 – Colmar 18 – Artzenheim 15 – St-Dié 55 – Sélestat 14 – Strasbourg 65.*

**Clairière** 🐚 sans rest, rte Guémar ☎ 03 89 71 80 80, *hotel.la.clairiere@wanadoo.fr, Fax 03 89 71 86 22,* ⛱, 🌳, ✗ – 🛗 ⇔ TV P. GB
*fermé janv. et fév.* – ☕ 13 – **27 ch** 77/200.
◆ À l'orée de la forêt de l'Ill, vaste bâtisse inspirée de l'architecture alsacienne. Chambres personnalisées, calmes et spacieuses ; certaines sont dotées de balcons.

**Les Hirondelles** sans rest, au village ☎ 03 89 71 83 76, *hotelleshirondelles@wanadoo.fr, Fax 03 89 71 86 40,* ⛱, 🌳 – ▤ TV 📞 P. GB
*fermé 22 au 27 déc. et 2 fév. au 5 mars* – ☕ 7 – **19 ch** 51/58.
◆ Le cadre rustique des chambres, réparties autour d'une jolie cour, rappelle qu'à l'origine le bâtiment était une ferme. Salle des petits-déjeuners égayée de boiseries peintes.

XXXXX ✿✿✿ **Auberge de l'Ill** (Haeberlin), ✆ 03 89 71 89 00, *auberge-de-l-ill@auberge-de-l-ill.com, Fax 03 89 71 82 83,* ≤ jardins fleuris, – ▤ P. AE ⓓ GB
*fermé 1er au 8 janv., 2 fév. au 6 mars, lundi et mardi* – **Repas** (prévenir) 90 (déj.), 106/129 et carte 90 à 130 ♀.
◆ Saules pleureurs et ravissants jardins fleurissant les berges de l'Ill composent un tableau bucolique, à contempler de l'élégante salle à manger. Cuisine alsacienne sublimée.
**Spéc.** Millefeuille croquant de bricelets et d'oeuf poché sur tartare de saumon. Mousseline de grenouilles "Paul Haeberlin". Côtelette de perdreau Romanoff (1er oct. au 15 nov.). **Vins** Sylvaner, Pinot noir.

**Hôtel des Berges** M, ✆ 03 89 71 87 87, *hotel-des-berges@wanadoo.fr, Fax 03 89 71 87 88,* ≤, – |‡|, ▤ ch, TV ✆ ♿. AE ⓓ GB
*fermé 1er au 8 janv., 2 fév. au 6 mars et mardi* - voir rest. ***Aub. de l'Ill*** – ☕ 26 – **9 ch** 225/305, 4 appart.
◆ Belle reconstitution d'un séchoir à tabac du Ried, au fond du jardin de l'Auberge de l'Ill. Chambres très raffinées, jacuzzi extérieur et petit-déjeuner servi... sur une barque !

---

## ILLIERS-COMBRAY *28120 E.-et-L.* 311 *D6 G. Châteaux de la Loire – 3 329 h alt. 160.*

*Office du Tourisme, 5 rue Henri Germond ✆ 02 37 24 24 00, Fax 02 37 24 21 79.*
*Paris 116 – Chartres 26 – Châteaudun 29 – Le Mans 98 – Nogent-le-Rotrou 37.*

XX **Florent,** pl. Église ✆ 02 37 24 10 43, *leflorent@aol.com, Fax 02 37 24 11 78* – AE GB
*fermé dim. soir, lundi, mardi et merc. sauf fériés* – **Repas** 19/50 ♀, enf. 8,50.
◆ Dans ce village cher à Proust, on se tournera du côté de chez Florent pour aller à la recherche du temps perdu : l'ancienne quincaillerie est devenue un coquet restaurant.

---

## ILLKIRCH-GRAFFENSTADEN *67 B.-Rhin* 315 *K5 – rattaché à Strasbourg.*

---

## INGERSHEIM *68 H.-Rhin* 315 *H8 – rattaché à Colmar.*

---

## INGWILLER *67340 B.-Rhin* 315 *I3 – 3 753 h alt. 185.*

*Office du Tourisme, 68 rue du Gal Goureau ✆ 03 88 89 23 45, Fax 03 88 89 60 27, tourisme@pays-de-hanau.com.*
*Paris 453 – Strasbourg 47 – Haguenau 28 – Sarrebourg 44 – Sarreguemines 51 – Saverne 24.*

XX **Aux Comtes de Hanau** avec ch, 139 r. Gén. de Gaulle ✆ 03 88 89 42 27, *aux.comtes.de.Hanau@wanadoo.fr, Fax 03 88 89 51 18,* – TV ✆ P – 🏛 25. AE ⓓ GB JCB
*fermé 30 juin au 14 juil., 10 fév. au 2 mars, merc. soir et lundi* – **Repas** 10,50 (déj.), 15,20/48,30 ♀, enf. 9,50 – ☕ 10,50 – **11 ch** 53,50/65 – ½ P 42,50.
◆ Petite adresse villageoise du pays de Hanau, tenue par la même famille depuis 1848. Salle à manger chaleureuse agrémentée d'un poêle en faïence.

---

## INNENHEIM *67880 B.-Rhin* 315 *J6 – 840 h alt. 150.*

*Paris 498 – Strasbourg 24 – Molsheim 14 – Obernai 10 – Sélestat 34.*

**Au Cep de Vigne,** N 422 ✆ 03 88 95 75 45, *Fax 03 88 95 79 73,* – |‡| TV ✆ ♿ P – 🏛 40. GB
*fermé 15 au 28 fév., lundi (sauf hôtel) et dim. soir* – **Repas** 15/39 ♀, enf. 8,50 – ☕ 7,20 – **37 ch** 40/62 – ½ P 51/69.
◆ Une auberge dans la pure tradition alsacienne : façades à colombages, chambres confortables et cuisine régionale servie dans un cadre rustique.

---

## INXENT *62 P.-de-C.* 301 *D4 – rattaché à Montreuil.*

---

## ISBERGUES *62 P.-de-C.* 301 *H4 – rattaché à Aire-sur-la-Lys.*

---

## ISIGNY-SUR-MER *14230 Calvados* 303 *F4 G. Normandie Cotentin – 3 018 h alt. 4.*

*Office du Tourisme, 1 rue Victor Hugo ✆ 02 31 21 46 00, Fax 02 31 22 90 21.*
*Paris 297 – Cherbourg 64 – St-Lô 29 – Bayeux 34 – Caen 64 – Carentan 13.*

**France,** 13 r. E. Demagny ✆ 02 31 22 00 33, *hotel.france.isigny@wanadoo.fr, Fax 02 31 22 79 19* – TV P – 🏛 25. AE GB
*19 fév.-15 nov. et fermé vend. soir, dim. soir et sam. hors saison et week-ends fériés* – **Repas** *(10)* - 12/20, enf. 7,50 – ☕ 5,50 – **18 ch** 34/46 – ½ P 43/49.
◆ Sur la rue principale de la petite cité laitière et beurrière, établissement ancien bâti autour d'une cour intérieure. Chambres simples, parfois de plain-pied.

## L'ISLE-ADAM *95290 Val-d'Oise 305 E6 G. Île de France – 9 979 h alt. 28.*

Voir *Chaire★ de l'église St-Martin.*

*Office du Tourisme, 46 Grande Rue ✆ 01 34 69 41 99, Fax 01 34 08 09 79.*

*Paris 40 – Compiègne 67 – Beauvais 49 – Chantilly 29 – Pontoise 17 – Taverny 13.*

XX **Gai Rivage,** 11 r. Conti ✆ 01 34 69 01 09, *Fax 01 34 69 30 37,* – AE GB.
*fermé 25 août au 8 sept., vacances de Toussaint, 23 fév. au 8 mars, dim. soir et lundi* – **Repas** 32/36.
◆ Le restaurant est situé sur une île : ses larges baies et sa charmante terrasse permettent de contempler le spectacle de la navigation sur l'Oise. Cuisine traditionnelle.

X **Relais Fleuri,** 61 bis r. St-Lazare ✆ 01 34 69 01 85, – AE GB
*fermé 28 juil. au 22 août, dim. soir, lundi soir, merc. soir et mardi* – **Repas** 24,50.
◆ Cette auberge familiale à deux pas du parc "anglo-chinois" de Cassan héberge une salle à manger rustique, un salon Régence et une véranda plus actuelle.

## L'ISLE-D'ABEAU *38080 Isère 333 E4 – 5 554 h alt. 265.*

*Paris 500 – Lyon 38 – Bourgoin-Jallieu 06 – Grenoble 72 – La Tour du Pin 22.*

XX **Relais du Çatey** avec ch, r. Didier ✆ 04 74 18 26 50, *relaiscatey@aol.com, Fax 04 74 18 26 59,* , – TV P. AE GB
*fermé 3 au 9 mars, 4 au 26 août, lundi midi et dim.* – **Repas** 18,50 (déj.), 25,50/40 ♀ – 5,50 – **7 ch** 50/58 – ½ P 44,50/48.
◆ La décoration et l'éclairage contemporains soulignent le cachet préservé de cette maison dauphinoise bâtie en 1760. Terrasse calme et verdoyante. Table au goût du jour.

**à l'Isle-d'Abeau-Ville-Nouvelle** *Ouest : 4 km par N 6 – ✉ 38080 L'Isle-d'Abeau :*

**Mercure** M, ✆ 04 74 96 80 00, *H1132@accor-hotels.com, Fax 04 74 96 80 99,* , , , , – TV P – 25 à 150. AE GB JCB
***Belle Époque*** *(fermé sam. et dim. de sept. à mai)* **Repas** 16/21 – ***New Sunset*** - brasserie *(fermé sam. et dim. de sept. à mai)* **Repas** carte environ 15 ♀ – 10,50 – **116 ch** 100/110.
◆ Dans un parc jouxtant l'A 43, cet hôtel incite à la détente : centre de remise en forme, spacieuses chambres insonorisées et restaurants (classique ou brasserie-pizzeria).

## L'ISLE-JOURDAIN *32600 Gers 336 I8 G. Midi-Pyrénées – 5 029 h alt. 116.*

Voir *Centre-musée européen d'art campanaire★.*

*Office du Tourisme, Au bord du Lac ✆ 05 62 07 25 57, Fax 05 62 07 24 81, ot-islejourdain@wanadoo.fr.*

*Paris 693 – Auch 43 – Toulouse 37 – Montauban 57.*

**à Pujaudran** *Est : 8 km par N 124 – 816 h. alt. 302 – ✉ 32600 :*

XXX **Puits St-Jacques** (Bach), ✆ 05 62 07 41 11, *Fax 05 62 07 44 09,* – AE GB
*fermé 17 août au 4 sept., vacances de fév., mardi sauf le soir en nov.-déc. et de juin à août, dim. soir et lundi* – **Repas** (week-ends prévenir) 20 (déj.), 28/65 et carte 50 à 68.
◆ Sur la route de Compostelle, cette maison régionale en briques rosées vous accueille dans une élégante salle à manger ou dans une cour à l'atmosphère méridionale.
**Spéc.** Tatin de foie de canard aux griottines. Petit boudin et sauté de homard, crème de pacherenc au gingembre. Filet de sandre bardé de lard paysan, jus concentré au madiran.
**Vins** Madiran, Côtes de Gascogne.

## L'ISLE-JOURDAIN *86150 Vienne 322 K7 G. Poitou Vendée Charentes – 1 269 h alt. 142.*

*Office du Tourisme, place de l'Ancienne Gare ✆ 05 49 48 80 36, Fax 05 49 48 80 36.*

*Paris 376 – Poitiers 53 – Confolens 29 – Niort 103.*

**à Port de Salles** *Sud : 7 km par D 8 et rte secondaire – ✉ 86150 Le Vigeant :*

**Val de Vienne** M sans rest, ✆ 05 49 48 27 27, *info@hotel-valdevienne.com, Fax 05 49 48 47 47,* <, , – TV P – 20. AE GB
9 – **22 ch** 80.
◆ En pleine campagne, au bord de la Vienne, établissement de type motel dont les chambres s'ouvrent sur des terrasses. Avenant salon-bar dans la véranda côté piscine.

XXX **La Grimolée,** ✆ 05 49 48 75 22, *info@hotel-valdevienne.com, Fax 05 49 48 59 99,* , – GB.
*fermé 2 janv. au 1er fév. et merc.* – **Repas** 17/38 et carte 38 à 48 ♀, enf. 10.
◆ Les grandes baies de cette pimpante salle à manger donnent sur un jardin-terrasse au bord de la Vienne. Belle vaisselle et cuisine classique aux accents du terroir.

## L'ISLE-SUR-LA-SORGUE 84800 Vaucluse 332 D10 *G. Provence* – 15 564 h alt. 57.

**Voir** *Décoration★ de la collégiale de Notre-Dame des Anges.*

**Env.** *Église★ du Thor O : 5 km.*

*Office du Tourisme, place de la Liberté ✆ 04 90 38 04 78, Fax 04 90 38 35 43, office tourisme.islesur-sorgue@wanadoo.fr.*

*Paris 697 – Avignon 23 – Apt 34 – Carpentras 18 – Cavaillon 11 – Orange 35.*

**Araxe** M, rte Apt : 1,5 km ✆ 04 90 38 40 00, *araxe2@wanadoo.fr, Fax 04 90 20 84 74,* – cuisinette – 40. GB. rest
**Repas** *(15)* - 21/27 ♀, enf. 8 – ☕ 10 – **50 ch** 55/180, 4 duplex – ½ P 57/117.
◆ En léger retrait de la route, ensemble hôtelier aux aménagements récents, dont les bâtiments se répartissent autour d'un beau jardin bordant la Sorgue. Deux piscines.

**Névons** sans rest, chemin des Névons (derrière Poste) ✆ 04 90 20 72 00, *info@hotel-les-nevons.com, Fax 04 90 20 56 20,* – . GB.
*fermé 11 déc. au 20 janv.* – ☕ 6 – **26 ch** 60/63.
◆ Cet immeuble moderne propose des chambres fonctionnelles et fraîches à la sortie de la ville. Sur le toit, moments de détente offerts par le solarium-piscine.

**Prévôté** (Mercier), 4 bis r. J.-J. Rousseau (derrière l'église) ✆ 04 90 38 57 29, *Fax 04 90 38 57 29,* – GB
*fermé 3 au 28 nov., 23 fév. au 10 mars, mardi sauf juil-août et merc.* – **Repas** 25 (déj.), 42/60 ♀.
◆ Discret restaurant installé dans l'ancienne prévôté bordée par un bras de la Sorgue. Décor rustique soigné. Cuisine parfumée, respectueuse des traditions mais parfois créative.
**Spéc.** Foie gras poêlé au pain d'épices. Gâteau d'agneau à la provençale. Millefeuille chocolat et ganache café. **Vins** Côtes du Luberon, Côtes du Ventoux.

**L'Oustau de l'Isle,** 21 av. 4 Otages ✆ 04 90 38 54 84, *contact@restaurant-oustau.com, Fax 04 90 38 54 84,* – . GB JCB
*fermé 15 nov. au 15 déc., 15 janv. au 15 fév., jeudi sauf le soir de Pâques à oct. et merc.* – **Repas** *(17)* - 25/35, enf. 12.
◆ À quelques pas de la vieille ville, une adresse aux couleurs et saveurs de la Provence : meubles peints, nappes aux tons ensoleillés et plats à l'accent occitan.

**Vivier de la Sorgue,** 800 cours F. Peyre (rte Carpentras) ✆ 04 90 38 52 80, *Fax 04 90 95 45 24,* – . GB
*fermé 5 au 31 janv., dim. soir hors saison, sam. midi et lundi* – **Repas** 23/35.
◆ Au rez-de-chaussée d'un complexe accueillant bureaux et hôtel, ce restaurant s'ouvre sur la Sorgue. Sobre décor coloré ou balcon-terrasse pour observer les ébats des canards.

**au Nord** *par D 938 et rte secondaire* – ✉ *84740 Velleron :*

**Hostellerie La Grangette**, à 6 km ✆ 04 90 20 00 77, *hostellerie-la-grangette@club-internet.fr, Fax 04 90 20 07 06,* – – 80. GB. rest
*1er fév.-2 nov.* – **Repas** *(fermé le midi sauf juil.-août, mardi et merc.)* 40/49 ♀ – **16 ch** ☕ 147/208 – ½ P 94,50/144.
◆ Gaieté et art de vivre règnent en maîtres dans cette ferme provençale entourée d'un parc avec piscine. Décoration stylée, belle literie : un vrai "coucoun".

**rte d'Apt** *Sud-Est : 6 km par N 100* – ✉ *84800 L'Isle-sur-la-Sorgue :*

**Mas des Grès,** ✆ 04 90 20 32 85, *info@masdesgres.com, Fax 04 90 20 21 45,* – . GB.
*15 mars-15 nov.* – **Repas** (dîner seul. sauf juil.-août) (prévenir) 18 (déj.)/30 – ☕ 10 – **14 ch** 89/189 – ½ P 79/125.
◆ Plus qu'un hôtel, une maison de caractère. Accueil, chambres simples, cuisine du marché, tables sous la treille ou les platanes : tout respire les joies de l'été.

**au Sud-Ouest** *: 3 km par rte de Caumont sur D 25 et rte secondaire* – ✉ *84800 L'isle-sur-la-Sorgue :*

**Mas de Cure Bourse**, ✆ 04 90 38 16 58, *Fax 04 90 38 52 31,* – – 60. GB. ch
**Repas** *(fermé 5 au 26 nov., 1er au 14 janv., mardi midi et lundi)* 26/48 – ☕ 10 – **13 ch** 100/115 – ½ P 79,50/99,50.
◆ Mas du 18e s. perdu dans les vergers. Cadre rustique, chambres impeccables, quiétude de la terrasse, piscine et cuisine du terroir y procurent détente et bien-être.

*Ecrivez-nous...*
*Vos louanges comme vos critiques seront examinées avec le plus grand soin. Nous reverrons sur place les informations que vous nous signalez.*
*Par avance merci !*

## L'ISLE-SUR-SEREIN *89440 Yonne 319 H6 – 533 h alt. 190.*

*Paris 210 – Auxerre 50 – Avallon 17 – Montbard 35 – Tonnerre 36.*

**Auberge du Pot d'Étain** avec ch, ☎ 03 86 33 88 10, *potdetain@ipoint.fr, Fax 03 86 33 90 93,* – TV. GB
*fermé 21 au 28 oct., fév., dim. soir et lundi sauf juil.-août* – **Repas** 16,50 (déj.), 23/49 – 7 – **9 ch** 53/69 – ½ P 56.
◆ Cuisine d'inspiration bourguignonne, belle carte des vins et chambres feutrées : une plaisante auberge de la bucolique vallée du Serein... à deux tours de roue de l'A 6 !

## ISOLA 2000 *06420 Alpes-Mar. 341 D2 G. Alpes du Sud – alt. 2000 – Sports d'hiver : 1 800/2 600 m 2 22*

**Voir** *Vallon de Chastillon* ★ O.*

*Office du Tourisme, Immeuble Le Pelevos ☎ 04 93 23 15 15, Fax 04 93 23 14 25.*

*Paris 821 – Barcelonnette 83 – Nice 90 – St-Martin-Vésubie 56.*

**Chastillon**, ☎ 04 93 23 26 00, *chastillon@dial.oleane.com, Fax 04 93 23 26 12,* ←, – TV P – 40. AE GB JCB. rest
*déc.-avril* – **Repas** 20 (déj.), 25/40 – 12 – **45 ch** 175/230, 3 appart – ½ P 137,50.
◆ Au pied des pistes et au coeur du village, architecture et décor des années 1970. Chambres ouvrant sur le patio couvert aménagé en salon ; salle à manger campagnarde.

## ISPE *40 Landes 335 D8 – rattaché à Biscarrosse.*

## Les ISSAMBRES *83380 Var 340 P5 G. Côte d'Azur.*

*Paris 882 – Fréjus 11 – Draguignan 40 – St-Raphaël 14 – Ste-Maxime 9 – Toulon 101.*

### à San-Peire-sur-Mer – ✉ *83380 Les Issambres :*

**Provençal,** N 98 ☎ 04 94 55 32 33, *info@hotel-le-provencal.com, Fax 04 94 55 32 34,* ←, – ch, TV P. AE GB
*6 fév.-4 nov.* – **Repas** *(fermé mardi midi et merc. midi en juil.-août)* 24/40,50 – 9,40 – **27 ch** 77,60/101,10 – ½ P 75/83,50.
◆ Ce bâtiment ocre en forme de U est séparé de la plage par la route nationale. Modernes ou rustiques, les chambres sont bien tenues. Terrasse ombragée dans la cour intérieure.

### au parc des Issambres – ✉ *83380 Les Issambres :*

**Villa-St-Elme** M, N 98 ☎ 04 94 49 52 52, *info@saintelme.com, Fax 04 94 49 63 18,* ←, , , , – TV P AE GB JCB
**Repas** 43,50/67 ***Le Café :*** **Repas** 23/37 – 17,50 – **17 ch** 332/599 – ½ P 187/260.
◆ Face à la "grande bleue", trois demeures dont une élégante villa 1930 naguère fréquentée par Édith Piaf. Grandes chambres personnalisées. Décor d'esprit colonial au Café.

**Quiétude,** N 98 ☎ 04 94 96 94 34, *laquietude@hotmail.com, Fax 04 94 49 67 82,* ←, , , – ch, TV P. GB
*23 fév.-9 oct.* – **Repas** 15,60/29, enf. 8,50 – 6 – **19 ch** 58/63 – ½ P 58,80/61,20.
◆ Maison des années 1960 dans un petit jardin. Chambres fonctionnelles et colorées ; quelques-unes offrent une échappée sur le large. Repas en terrasse face à la piscine.

**Réserve,** N 98 ☎ 04 94 96 90 41, *reserverestaurant@club-internet.fr, Fax 04 94 96 96 11,* ←, – P. AE GB
*fév.-oct. et fermé mardi soir et merc. de sept. à mai* – **Repas** 25/32, enf. 12.
◆ L'agréable terrasse surplombant le golfe constitue l'atout maître de ce restaurant de bord de mer proposant des petits plats méditerranéens.

### à la calanque des Issambres – ✉ *83380 Les Issambres :*

**Les Calanques** M, N 98 ☎ 04 98 11 36 36, *contact@french-riviera-hotel.com, Fax 04 98 11 36 37,* – TV GB. ch
*1er mars-2 nov., 20 déc.-4 janv. et 7 au 20 fév.* – **Repas** *(fermé midi en juil.-août et lundi)* carte 20 à 30 – 11 – **12 ch** 74/136 – ½ P 54/92.
◆ Construction récente d'allure régionale disposant d'un accès direct à la plage. Chambres provençales à thème ; au 2e étage, elles possèdent une terrasse avec vue sur la mer.

**Chante-Mer,** au village ☎ 04 94 96 93 23, *Fax 04 94 96 81 79,* – GB
*fermé 15 déc. au 31 janv., dim. soir de sept. à Pâques, mardi midi de Pâques à sept. et lundi* – **Repas** 20/33.
◆ Menue salle à manger accueillante aux murs habillés de bois clair. Tables joliment dressées et carte alléchante ouvrent l'appétit. Terrasse d'été en façade.

**ISSIGEAC** *24560 Dordogne* 329 E7 *G. Périgord Quercy – 638 h alt. 106.*

*Syndicat d'Initiative, place du Château ✆ 05 53 58 79 62, Fax 05 53 58 79 62, si.issigeac @perigord.tm.fr.*

*Paris 553 – Périgueux 67 – Bergerac 20 – Villeneuve-sur-Lot 45.*

XX **Chez Alain,** ✆ 05 53 58 77 88, *info@chez-alain.com, Fax 05 53 57 88 64,* – GB

**Repas** 19/36 ♀, enf. 9.

◆ Jolie maison régionale située aux portes du village médiéval. Chaleureuse salle avec pierres, poutres apparentes et cheminée. Agréable terrasse face au château des Évêques.

---

**ISSOIRE** *63500 P.-de-D.* 326 G9 *G. Auvergne – 13 559 h alt. 400.*

**Voir** *Anc. abbatiale St-Austremoine★★* **Z.**

*Office du Tourisme, place Charles de Gaulle ✆ 04 73 89 15 90, Fax 04 73 89 96 13, ot.issoire.pays@wanadoo.fr.*

*Paris 450 ① – Clermont-Ferrand 37 ① – Le Puy-en-Velay 94 ③ – Thiers 55 ①.*

# ISSOIRE

Altaroche (Pl.) . . . . Z 2
Ambert (R. d') . . . . Y
Ancienne-Caserne (R. de l') . . . . Z 3
Berbiziale (R. de la) . . . . Y
Buisson (Bd A.) . . . . Y
Cerf-Volant (R. du) . . . . Y 4
Châteaudun (R. de) . . . . Z 5
Cibrand (Bd J.) . . . . Y
Dr Sauvat (R.) . . . . Z
Duprat (Pl. Ch.) . . . . Y
Espagnon (R. d') . . . . Z
Foirail (Pl. du) . . . . Y
Fours (R. des) . . . . Z
Gambetta (R.) . . . . Z 6
Gare (Av. de la) . . . . Z 9
Gaulle (Pl. du Gén.-de) . . . . Y
Gauttier (R. E.) . . . . Y
Haïnl (Bd G.) . . . . Z
Hauterive (R. E. d') . . . . Z
Libération (Av. de la) . . . . Z 10
Manlière (Bd de la) . . . . Z
Mas (R. du) . . . . Y
Montagne (Pl. de la) . . . . Y
Notre-Dame-des-Filles (R.) . . . . Z 12
Palais (R. du) . . . . Y
Pomel (Pl. N.) . . . . Z 13
Pont (R. du) . . . . Z 14
Ponteil (R. du) . . . . Y 16
Postillon (R. du) . . . . Z
République (Pl. de la) . . . . Z
St-Avit (Pl.) . . . . Y 22
Sous-Préfecture (Bd de la) . . . . Z
Terraille (R. de la) . . . . Z 24
Triozon-Bayle (Bd) . . . . YZ 25
Verdun (Pl. de) . . . . Z 26
8-Mai (Av. du) . . . . Y 30

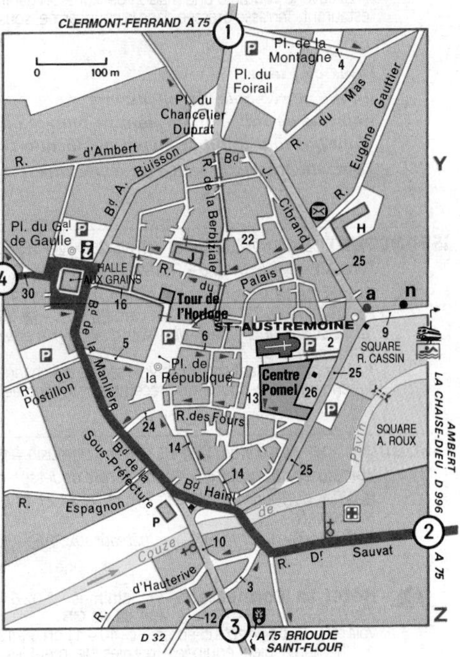

CLERMONT-FERRAND A 75
LE MONT-DORE BESSE-EN-CHANDESSE
D 996
AMBERT LA CHAISE-DIEU, D 996
A 75
A 75 BRIOUDE SAINT-FLOUR
D 32
Pl. de la Montagne
Pl. du Foirail
Pl. du Chancelier Duprat
R. d'Ambert
Bd A. Buisson
R. de la Berbiziale
Bd J. Cibrand
R. du Mas
R. Eugène Gauttier
Pl. du Gal de Gaulle
HALLE AUX GRAINS
Tour de l'Horloge
R. du Palais
ST-AUSTREMOINE
SQUARE R. CASSIN
Bd de la Manlière
Pl. de la République
Centre Pomel
R. du Postillon
R. des Fours
SQUARE A. ROUX
Pavin
Bd de la Sous-Préfecture
Bd Haïnl
R. Espagnon
Couze
R. d'Hauterive
R. Dr Sauvat

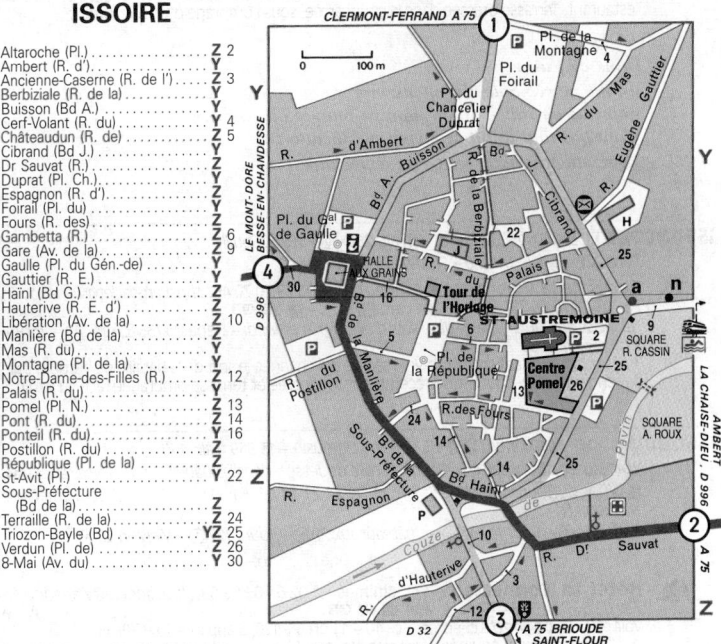

**Pariou** sans rest, 18 bd Kennedy par ① : *1 km* ✆ 04 73 55 90 37, *info@hotel-pariou.com, Fax 04 73 55 96 16* – 20. AE GB

*fermé 20 déc. au 5 janv.* – ☕ 8,50 – **33** ch 52/56.

◆ Bâtisse des années 1950 au bord d'un axe passant. À l'instar de la façade, les chambres sont rénovées ; celles côté boulevard sont plus spacieuses et bien insonorisées.

**Tourisme** sans rest, 13 av. Gare ✆ 04 73 89 23 68, *Fax 04 73 89 65 28* – . GB **YZ n**

*fermé 11 au 19 oct. et 23 déc. au 18 janv.* – ☕ 6 – **13 ch** 40/46.

◆ Pavillon du début du 20e s. proche de la gare. Chambres simples et fonctionnelles aux murs crépis ou habillés de lambris. Petit-déjeuner servi au bar.

**Grilotel,** ZAC des Prés (centre commercial), Nord-Est : 1,5 km par D 716 ou D 9 ✆ 04 73 89 60 76, *Fax 04 73 89 41 83,* – AE GB

**Repas** *(fermé sam. midi et dim. d'oct. à mai)* *(10,90)* - 13,50/24 ♀ – ☕ 6 – **36 ch** 42 – ½ P 39.

◆ Proche de l'autoroute, établissement récent revêtu de bois clair, pratique pour l'étape. Chambres de taille modeste. Cuisine traditionnelle servie dans un cadre actuel.

X **Relais** avec ch, 1 av. Gare ✆ 04 73 89 16 61, *Fax 04 73 89 55 62* – TV. GB YZ a
*fermé 25 oct. au 5 nov., vacances de fév., lundi (sauf hôtel) et dim. soir* – **Repas** 10/34 ♀ – ☕ 5,40 – **6 ch** 31/46 – ½ P 36,50/39,50.
◆ Ancien relais de poste à deux pas de l'abbatiale St-Austremoine. Salle à manger spacieuse et campagnarde. Cuisine traditionnelle, quelques spécialités régionales.

**à Sarpoil** *par ② et D 999 : 10 km* – ✉ *63490 St-Jean-en-Val :*

XXX **Bergerie,** ✆ *04 73 71 02 54, Fax 04 73 71 01 99,* – P. AE GB
*fermé vacances de Toussaint, janv., lundi soir, mardi et merc. de sept. à juin* – **Repas** (nombre de couverts limité, prévenir) 22/60 et carte 43 à 69 ♀.
◆ Cuisine au goût du jour proposée dans trois décors différents : "retour de chasse" et belle cheminée, petite salle voûtée et climatisée, ou jolie véranda face à la terrasse.

**à Perrier** *par ④ et D 996 : 5 km* – *727 h. alt. 415* – ✉ *63500 :*

X **Cour Carrée,** ✆ 04 73 55 15 55, – P. GB
*fermé 31/08 au 06/09, vac. de Noël et de fév., dim. soir, merc. soir, sam. midi de sept. à juin et lundi* – **Repas** (nombre de couverts limité, prévenir) 24,50/33,50 ♀, enf. 13.
◆ La cuverie voûtée d'une maison de vigneron datant de 1830 a été aménagée en salle de restaurant. Terrasse dressée dans la cour carrée, sous l'ombrage d'un marronnier.

*Dans ce guide*
*un même symbole, un même mot,*
*imprimé en* ***rouge*** *ou en* ***noir****, en maigre ou en* ***gras****,*
*n'ont pas tout à fait la même signification.*
*Lisez attentivement les pages explicatives.*

---

**ISSONCOURT** *55 Meuse* 307 *C5* – *119 h alt. 260* – ✉ *55220 Souilly.*
*Paris 272* – *Bar-le-Duc 29* – *St-Mihiel 28* – *Verdun 28.*

XX **Relais de la Voie Sacrée** avec ch, ✆ 03 29 70 70 46, *christian-caillet@wanadoo.fr, Fax 03 29 70 75 75,* – ▤ rest, TV P – 20. GB
*fermé 2 janv. au 1er mars, dim. soir d'oct. à mai et lundi* – **Repas** 16/55 ♀, enf. 12 – ☕ 8 – **7 ch** 45 – ½ P 60.
◆ Auberge bordant la célèbre Voie sacrée qui changea le sort de la bataille de Verdun. Salle à manger rustico-bourgeoise récemment redécorée et terrasse ombragée face au jardin.

---

**ISSOUDUN** *36100 Indre* 323 *H5 G. Berry Limousin* – *13 859 h alt. 130.*
**Voir** *Musée de l'hospice St-Roch★ : arbre de Jessé★ dans la chapelle et apothicairerie★* **AB.**
*Office du Tourisme, place St Cyr ✆ 02 54 21 74 02, Fax 02 54 03 03 36, tourisme@ville issoudun.fr.*
*Paris 244 ①* – *Bourges 37 ②* – *Châteauroux 29 ⑤* – *Tours 127 ①* – *Vierzon 35 ①.*

Plan page ci-contre

**Hôtel La Cognette** , r. Minimes ✆ 02 54 03 59 59, *lacognette@wanadoo.fr, Fax 02 54 03 13 03* – TV. AE GB A e
voir rest. ***La Cognette*** ci-après – ☕ 10 – **11 ch** 66/120, 3 appart – ½ P 76/96.
◆ Chambres bien équipées, garnies de meubles de style et baptisées de noms de personnes célèbres. La plupart sont de plain-pied avec un jardinet où l'on petit-déjeune l'été.

XXX **Rest. La Cognette** -Hôtel La Cognette- (Daumy), bd Stalingrad ✆ 02 54 03 59 59, *lacognette@wanadoo.fr, Fax 02 54 03 13 03,* – ▤. AE GB A z
✿ *fermé janv., mardi midi, dim. soir et lundi d'oct. à mai sauf fériés* – **Repas** (prévenir) 30/90 et carte 55 à 85 ♀.
◆ Plongez dans l'univers balzacien de La Rabouilleuse : cette auberge, qui inspira l'écrivain, vous accueille chaleureusement dans un riche décor bourgeois d'esprit 19e s.
**Spéc.** Crème de lentilles vertes du Berry aux truffes. Cappuccino de langoustines au fumet de cèpes. Foie de veau au miel et citron. **Vins** Reuilly.

XX **Les Trois Rois et Hôtel de France** avec ch, 3 r. P. Brossolette ✆ 02 54 21 00 65, *Fax 02 54 21 50 61* – TV P. AE GB A s
*fermé 8 sept. au 7 oct., 26 janv. au 11 fév., dim. soir et lundi* – **Repas** 14/22 ♀, enf. 9,20 – ☕ 7 – **17 ch** 32/45 – ½ P 42.
◆ Philippe Auguste, Richard Coeur de Lion et Frédéric Barberousse, en route pour la croisade, auraient fait ripaille en ces lieux qui ont conservé un cadre médiéval.

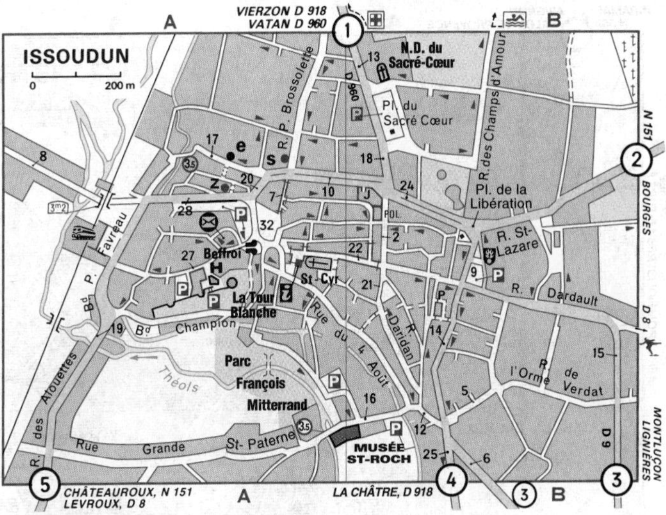

ISSOUDUN
0
200 m
VIERZON D 918
VATAN D 960
A
B
N.D. du Sacré-Cœur
Pl. du Sacré Cœur
R. des Champs d'Amour
R. P. Brossolette
Pl. de la Libération
R. St-Lazare
R. Dardault
N 151
BOURGES
D 8
MONTLUÇON
LIGNIÈRES
D 9
POL
Beffroi
St-Cyr
La Tour Blanche
Parc François Mitterrand
Rue du 4 Août
R. Daridan
Bd Champion
Bd P. Favreau
R. des Alouettes
Théols
Rue Grande
St- Paterne
R. l'Orme de Verdat
MUSÉE ST-ROCH
CHÂTEAUROUX, N 151
LEVROUX, D 8
LA CHÂTRE, D 918




**à Diou** *par ① : 12 km sur D 918 – 212 h. alt. 130 – ✉ 36260 :*

XX **L'Aubergeade,** rte Issoudun ✆ 02 54 49 22 28, *Fax 02 54 49 22 28,* , – **P**. GB
*fermé merc. soir et dim. soir* – **Repas** 15,25/33.
◆ Une adresse bien sympathique dans un joli village fleuri traversé par la Théols. Salle à manger simple et fraîche, terrasse tournée vers un jardin et cuisine au goût du jour.

---

**ISSY-LES-MOULINEAUX** *92 Hauts-de-Seine* 311 J3 101 ㉕ – *voir à Paris, Environs.*

---

**ISTRES** *13800 B.-du-R.* 340 E5 *G. Provence – 35 163 h alt. 32.*
*Office du Tourisme, 30 allée Jean Jaurès ✆ 04 42 55 51 15, Fax 04 42 56 59 50, otistres@visitprovence.com.*
*Paris 749 ③ – Marseille 54 ② – Arles 46 ③ – Martigues 14 ② – Salon-de-Provence 25 ②.*

Plan page suivante

**Castellan** sans rest, pl. Ste-Catherine ✆ 04 42 55 13 09, *Fax 04 42 56 91 36,* – TV **P**. AE GB. AX a
6,50 – **17 ch** 45/53.
◆ Près de la place forte gréco-ligure du Castellan. Chambres spacieuses et claires ; certaines sont décorées dans le style provençal. Accueil aimable et tenue sans reproche.

XX **St-Martin,** Port des Heures Claires, Sud-Est : 3 km ✆ 04 42 56 07 12, *restaurant-le-saint-martin@voila.fr, Fax 04 42 56 04 59,* <, – . GB BZ e
*fermé 3 au 10 sept., 1er au 8 janv., mardi soir et merc.* – **Repas** *(15)* - 23/40 .
◆ Ici l'on se mettrait en quatre pour vous être agréable ! Mais vous serez déjà comblés par la vue sur l'étang, la terrasse sur le toit et les vins régionaux à petits prix.

XX **Les Deux Toques,** 7 av. H. Boucher ✆ 04 42 55 16 01, *lesdeuxtoques@aol.com, Fax 04 42 55 95 02,* – . AE GB. AX n
*fermé 24 août au 8 sept., 21 déc. au 5 janv., dim. sauf midi fériés et lundi* – **Repas** *(20)* - 28/55 ♀, enf. 12.
◆ "Deux toques" pour deux espaces : salle rustique à poutres et pierres apparentes ou courette-terrasse à l'ombre des platanes. Cuisine régionale évoluant au fil des saisons.

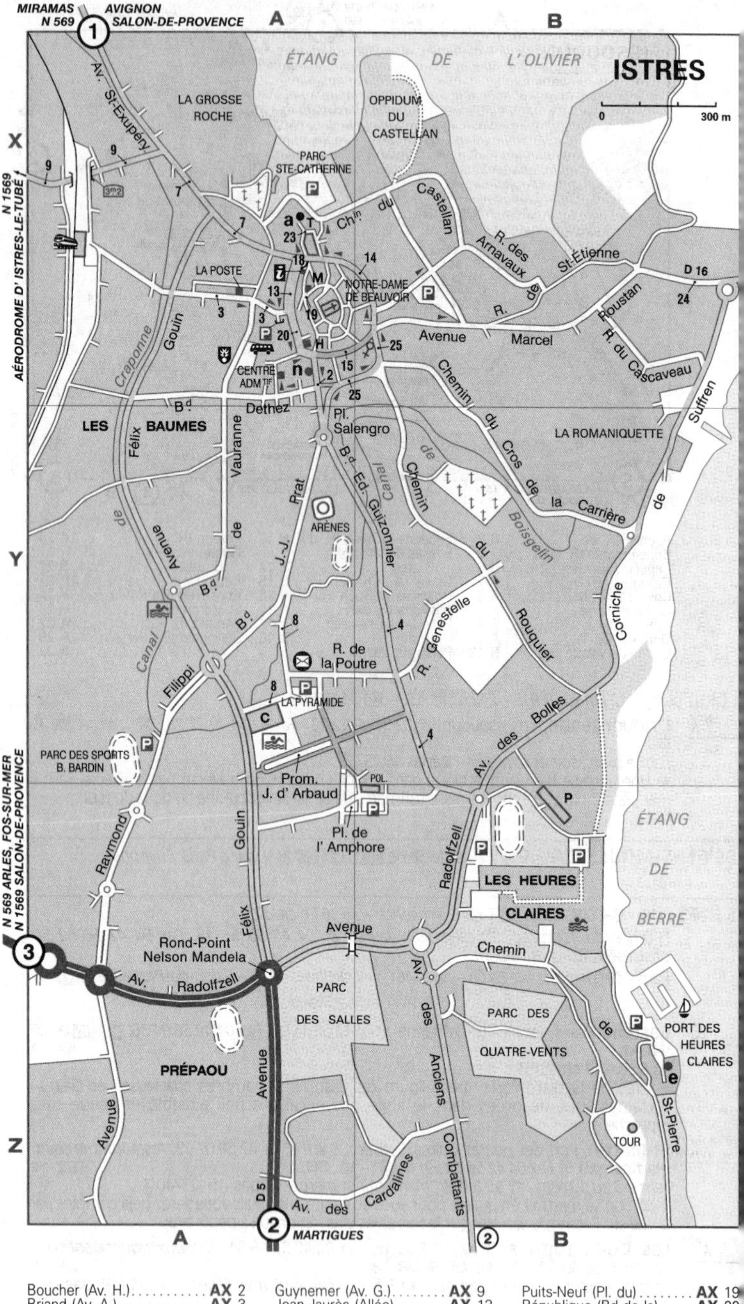
MIRAMAS
N 569
AVIGNON
SALON-DE-PROVENCE
1
A
B
ISTRES
0
300 m
ÉTANG DE L'OLIVIER
LA GROSSE ROCHE
OPPIDUM DU CASTELLAN
PARC STE-CATHERINE
X
Y
Z
N 1569
AÉRODROME D' ISTRES-LE-TUBÉ
Av. St-Exupéry
Chin du Castellan
R. des Arnavaux
R. de St-Étienne
D 16
Roustan
R. du Cascaveau
LA POSTE
NOTRE-DAME DE BEAUVOIR
Avenue Marcel
CENTRE ADM TIF
Bd Dethez
Pl. Salengro
LES BAUMES
Félix
Gouin
Craponne
Vaurane
Chemin du Cros de la Carrière
LA ROMANIQUETTE
Suffren
Bd Ed. Guizonnier
Canal
Chemin de Boisgelin
J.-J. Prat
ARÈNES
Avenue de
Bd de Vauranne
Bd Filippi
Canal
R. de la Poutre
R. Genestelle
Rouquier
Corniche de
LA PYRAMIDE
PARC DES SPORTS B. BARDIN
Prom. J. d' Arbaud
POL.
Pl. de l' Amphore
Av. des Bolles
Radolfzell
LES HEURES CLAIRES
ÉTANG DE BERRE
Raymond
Félix Gouin
Avenue
Rond-Point Nelson Mandela
3
N 569 ARLES, FOS-SUR-MER
N 1569 SALON-DE-PROVENCE
Av. Radolfzell
PARC DES SALLES
Chemin
Av. des Anciens Combattants
PARC DES QUATRE-VENTS
de St-Pierre
PORT DES HEURES CLAIRES
PRÉPAOU
Avenue
Avenue
TOUR
D 5
Av. des Cardalines
2
MARTIGUES

Boucher (Av. H.) . . . . . . . . . . . **AX** 2
Briand (Av. A.) . . . . . . . . . . . **AX** 3
Chave (Av. Alderic) . . . . . . . . . **BY** 4
Craponne (Av. A. de) . . . . . . . **AX** 7
Equerre (R. de l') . . . . . . . . . . **AY** 8
Guynemer (Av. G.) . . . . . . . . **AX** 9
Jean-Jaurès (Allée) . . . . . . . **AX** 13
Mistral (Bd F.) . . . . . . . . . . **ABX** 14
Painlevé (Bd P.) . . . . . . . . . **ABX** 15
Porte d'Arles (Pl. de la) . . . **AX** 18
Puits-Neuf (Pl. du) . . . . . . . . **AX** 19
République (Bd de la) . . . . . **AX** 20
Ste-Catherine (R.) . . . . . . . . **AX** 23
St-Chamas (Rte de) . . . . . . . **BX** 24
Victor-Hugo (Bd) . . . . . . . . **ABX** 25

## ITTERSWILLER 67140 B.-Rhin 315 I6 *G. Alsace Lorraine – 248 h alt. 235.*

*Syndicat d'Initiative, route du Vin ☎ 03 88 85 50 12, Fax 03 88 85 56 09.*

*Paris 450 – Strasbourg 47 – Erstein 26 – Mittelbergheim 5 – Molsheim 27 – Sélestat 16.*

**Arnold** M, ☎ 03 88 85 50 58, *arnold-hotel@wanadoo.fr, Fax 03 88 85 55 54*, ≤, – P – 25. AE GB
***- Winstub Arnold** (fermé vacances de Noël, de fév, dim. soir de nov. à mai et lundi)* **Repas** 21/45 ♀, enf.10 – 8 – **29 ch** 87/109 – 1/2 P 79/91.
◆ Deux belles maisons à colombages dans un village de la route des Vins. Chambres feutrées bien équipées, pour la plupart rénovées. Plats régionaux à la Winstub Arnold.

## ITTEVILLE 91760 Essonne 312 D4 – *4 685 h alt. 72.*

*Paris 45 – Fontainebleau 36 – Arpajon 14 – Corbeil-Essonnes 20 – Étampes 20 – Melun 30.*

**Auberge de l'Épine,** Nord : 3 km, au domaine de l'Épine (29 r. Gén.-Leclerc) ☎ 01 64 93 10 75, *auberge.epine@wanadoo.fr, Fax 01 64 93 09 89*, – AE GB
*fermé 1er au 24 août, 5 au 14 janv., lundi soir, mardi soir et merc.* – **Repas** 26/35.
◆ Ancien relais de poste abritant une salle à manger rustique. Après un safari au parc de St-Vrain, un cadre chaleureux pour reprendre contact avec la Civilisation.

## ITXASSOU 64250 Pyr.-Atl. 342 D5 *G. Aquitaine – 1 563 h alt. 39.*

Voir *Église*★.

*Paris 790 – Biarritz 25 – Bayonne 23 – Cambo-les-Bains 5 – Pau 119 – St-Jean-de-Luz 34.*

**Fronton,** ☎ 05 59 29 75 10, *Fax 05 59 29 23 50*, ≤, – rest, P. AE GB. rest
*fermé 12 au 17 nov., 1er janv. au 17 fév. et merc.* – **Repas** 16/37, enf. 8,50 – 8 – **25 ch** 41/52 – 1/2 P 47/52.
◆ Maison basque adossée au fronton du village. Les chambres, rajeunies, sont plus fonctionnelles dans l'aile récente. Salle à manger campagnarde face aux montagnes d'Itxassou.

**Txistulari**, ☎ 05 59 29 75 09, *Fax 05 59 29 80 07*, – P. AE GB JCB.
*fermé 15 déc. au 8 janv. et dim. soir hors saison* – **Repas** *(fermé le soir hors saison)* 10,20 (déj.), 12,60/27 ♀ – 5 – **20 ch** 39/42 – 1/2 P 36.
◆ L'hôtel vous apparaîtra peu après la petite route conduisant au Pas de Roland. Chambres simples et bien tenues, cuisine régionale à prix doux et environnement verdoyant.

**Chêne**, près église ☎ 05 59 29 75 01, *Fax 05 59 29 27 39*, ≤, – P. GB. rest
*fermé janv., fév., mardi d'oct. à juin et lundi* – **Repas** 15/28, enf. 7,50 – 5,50 – **16 ch** 32/40 – 1/2 P 44.
◆ Les clients sont accueillis dans cette jolie auberge rustique depuis 1696. L'on y sert toujours la fameuse confiture de cerises noires qui a fait la renommée d'Itxassou.

## IVRY-LA-BATAILLE 27540 Eure 304 I8 *G. Normandie Vallée de la Seine – 2 563 h alt. 54.*

*Paris 76 – Anet 6 – Dreux 21 – Évreux 36 – Mantes-la-Jolie 25 – Pacy-sur-Eure 17.*

**Moulin d'Ivry,** ☎ 02 32 36 40 51, *Fax 02 32 26 05 15*, – P. AE GB
*fermé 6 au 21 oct., 16 fév. au 9 mars, lundi soir et mardi sauf fériés* – **Repas** 26/40 ♀.
◆ Ancien moulin abritant plusieurs petites salles champêtres, au charme volontiers désuet. Jardin et terrasse s'étalent agréablement au bord de l'Eure. Recettes classiques.

## IVRY-SUR-SEINE 94 *Val-de-Marne* 312 D3 101 ㉖ *– voir à Paris, Environs.*

## IZERNORE 01580 Ain 328 G3 *– 1 170 h alt. 452.*

*Office du Tourisme, place de l'église ☎ 04 74 76 51 30, Fax 04 74 76 51 39, ot.iernore @wanadoo.fr.*

*Paris 476 – Bourg-en-Bresse 52 – Lyon 93 – Nantua 10 – Oyonnax 12.*

**Michaillard,** ☎ 04 74 76 96 46, *Fax 04 74 76 96 46* – P. GB. ch
*fermé 11 août au 1er sept., 25 déc. au 1er janv., dim. soir (sauf hôtel) et lundi soir* – **Repas** (7) - 11,50/23 ♀, enf. 7 – 7 – **14 ch** 30/53,50 – 1/2 P 30,50.
◆ Relais de campagne rénové dans ses moindres recoins : chambres et salles de bains flambant neuf, salle à manger aux tons jaune et orangé et accueil des plus aimables.

## JARNAC 16200 Charente 324 I5 *G. Poitou Vendée Charentes – 4 786 h alt. 26.*

Voir *Donation François-Mitterrand – Maison Courvoisier – Maison Louis-Royer.*

*Office du Tourisme, place du Château ☎ 05 45 81 09 30, Fax 05 45 36 52 45, office tourisme-pays-de-jarnac@wanadoo.fr.*

*Paris 474 – Angoulême 30 – Barbezieux 31 – Bordeaux 115 – Cognac 15 – Jonzac 40.*

XX **Château,** pl. Château ✆ 05 45 81 07 17, *Fax 05 45 35 35 71* – ▤. AE GB
*fermé 6 au 27 août, 15 au 29 janv., dim. soir, merc. soir et lundi* – **Repas** 16,70 (déj.), 25,40/38 ♀.
◆ Le château évoqué par l'enseigne, détruit au 19e s., a fait place aux chais de la Maison Courvoisier, voisins de ce sympathique restaurant à l'intérieur jaune et bleu.

**à Bourg-Charente** *Ouest : 6 km par N 141 et rte secondaire – 722 h. alt. 14 – ✉ 16200 :*

XXX **Ribaudière** (Verrat), ✆ 05 45 81 30 54, *la.ribaudiere@wanadoo.fr, Fax 05 45 81 28 05*, 🏞, 🛏 – P. AE ⓓ GB
✿ *fermé 15 oct. au 1er nov., vacances de fév., mardi midi, dim. soir et lundi* – **Repas** 27/60 et carte 53 à 73 ♀.
◆ Sur la rive gauche de la Charente, cet agréable restaurant vous reçoit en terrasse face à la rivière, ou dans l'élégante salle à manger contemporaine. Cuisine personnalisée.
**Spéc.** Soupe de cèpes et foie gras de canard (sept. à fév.). Rouelles de rognons de veau, crème de homard au cognac. Soupe de fraises à l'huile d'olive. (mai à sept.). **Vins** Vins de Pays Charentais.

**à Vibrac** *Sud-Est : 11 km par N 141 et D 22 – 223 h. alt. 25 – ✉ 16120 :*

🏠 **Les Ombrages** 🐌, rte Angeac ✆ 05 45 97 32 33, *Fax 05 45 97 32 05*, 🏞, 🏊, 🛏, 🎾 – 📺 📞 P – 🏛 15. GB. ✂ ch
*fermé 23 déc. au 12 janv., dim. soir et lundi* – **Repas** 11,50 (déj.), 18,30/30,20 ♀ – ☕ 7,20 – **9 ch** 46,20/52,50 – ½ P 39/42,20.
◆ Construction moderne dans un village tranquille. Pas de "coup de Jarnac" à craindre ici : l'accueil est aimable, les chambres, en rez-de-chaussée, viennent d'être revues.

*Ecrivez-nous...*
*Vos louanges comme vos critiques seront examinées avec le plus grand soin. Nous reverrons sur place les informations que vous nous signalez.*
*Par avance merci !*

---

**JARVILLE-LA-MALGRANGE** *54 M.-et-M.* 307 I6 – *rattaché à Nancy.*

---

**JAUSIERS** *04 Alpes de H.-P.* 334 I6 – *rattaché à Barcelonnette.*

---

**JAVRON** *53 Mayenne* 310 G4 – *1 400 h alt. 176 – ✉ 53250 Javron-les-Chapelles.*
ℹ *Syndicat d'Initiative,* ✆ *02 43 03 40 67, Fax 02 43 03 43 43.*
*Paris 224 – Alençon 35 – Bagnoles-de-l'Orne 22 – Le Mans 68 – Mayenne 26.*

XXX **Terrasse,** 30 Grande Rue ✆ 02 43 03 41 91, *l@terrasse.fr, Fax 02 43 04 49 48* – GB
*fermé 23 juin au 10 juil., 23 fév. au 6 mars, mardi et merc. sauf feriés* – **Repas** 18/50 et carte 35 à 44, enf. 10.
◆ Cette demeure villageoise ancienne vous reçoit dans une salle à manger contemporaine et feutrée. Une étape gastronomique à l'orée des pittoresques Alpes Mancelles.

---

**JERSEY** ★★ 309 J1 *G. Normandie Cotentin – 85 150 h.*
Accès *par transports maritimes pour* **St-Hélier (réservation indispensable).**
⛴ *depuis* **St-Malo** *(réservation obligatoire) : par* **car-ferry** *-Traversée 70 mn. Renseignements et tarifs à Émeraude Lines, Terminal Ferry du Naye (St-Malo)* ✆ *02 23 18 01 80, Fax 02 23 18 15 00, par* **Hydroglisseur** *( Condor Ferries) - Traversée 1 h - Renseignements et tarifs : gare maritime de la bourse (St-Malo)* ✆ *02 99 20 03 00, Fax 02 99 56 39 27 -.*
⛴ *depuis* **Carteret :** *Catamaran -service saisonnier (traversée 50 mn -Gorey) par Émeraude Lines - Renseignements et tarifs : voir Granville -.*
⛴ *depuis* **Granville -** *Catamaran rapide - service saisonnier - traversée 60 mn (St-Hélier) par Émeraude Lines* ✆ *02 33 50 16 36, Fax 02 33 50 87 80 depuis* **Carteret -** *Catamaran - service saisonnier - traversée 50 mn (Gorey) par Émeraude Lines - Renseignements et tarifs : voir Granville.*

**Ressources hôtelières :** *voir Guide Rouge Michelin :* **Great Britain and Ireland**

---

**JOIGNY** *89300 Yonne* 319 D4 *G. Bourgogne – 9 697 h alt. 79.*
**Voir** *Vierge au sourire★ dans l'église St-Thibault* **A E** – *Côte St-Jacques★ ≤★ 1,5 km par D 20* **A.**
ℹ *Office du Tourisme, 4 quai Ragobert* ✆ *03 86 62 11 05, Fax 03 86 91 76 38, ot-joigny@libertysurf.fr.*
*Paris 144 ④ – Auxerre 28 ② – Gien 74 ④ – Montargis 59 ④ – Sens 33 ⑤ – Troyes 76 ③.*

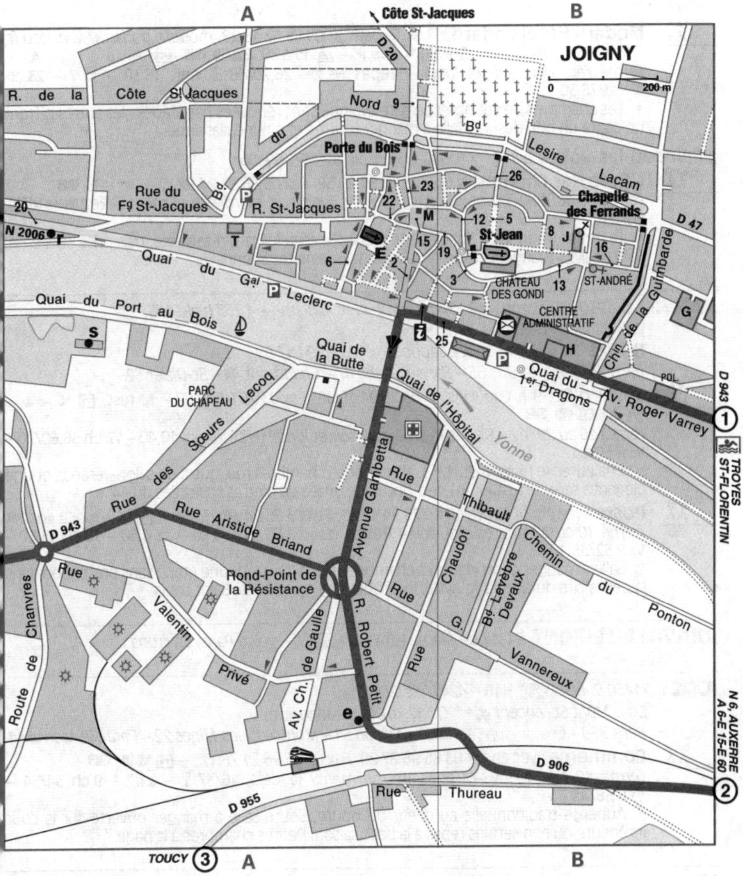
A
B
Côte St-Jacques
JOIGNY
0
200 m
D 20
R. de la Côte St-Jacques
Bd du Nord
Porte du Bois
Lesire
Lacam
Chapelle des Ferrands
Rue du Fg St-Jacques
R. St-Jacques
N 2006
St-Jean
CHÂTEAU DES GONDI
ST-ANDRÉ
D 47
Chin de la Guimbarde
Quai du Gal Leclerc
Quai du Port au Bois
CENTRE ADMINISTRATIF
POL.
Quai de la Butte
PARC DU CHAPEAU
Rue des Sœurs Lecoq
Quai de l'Hôpital
Quai du 1er Dragons
Av. Roger Varrey
D 943
TROYES ST-FLORENTIN
Yonne
Avenue Gambetta
Rue Thibault
Rue Aristide Briand
Rond-Point de la Résistance
Chemin du Ponton
Rue Chaudot
Bd Lefebvre Devaux
Rue G. Vannereux
R. Robert Petit
Av. Ch. de Gaulle
Rue Valentin
Privé
Route de Chanvres
N 6, AUXERRE
A 6-E 15-E 60
D 906
D 955
Rue Thureau
TOUCY

Cortel (R. Gabriel) .......... **A** 2
Couturat (R.) .......... **B** 3
Dans-le-Château (R.) .......... **B** 5
Étape (R. de l') .......... **A** 6
Ferrand (R. Jacques) .......... **B** 8
Forêt d'Othe (Av. de la) .......... **A** 9
Fossés-St-Jean (R. des) .......... **B** 12
Gambetta (Av.) .......... **A**
Grenet (R. Dominique) .......... **B** 13
Joigny (Pl. Jean de) .......... **A** 15
Moines (R. des) .......... **B** 16
Montant-au-Palais (R.) .......... **B** 19
Paris (Faubourg de) .......... **A** 20
Pilori (Pl. du) .......... **A** 22
Porte-du-Bois (R. de la) .......... **A** 23
Ragobert (Quai Henri) .......... **AB** 25
Tour-Carrée (R. de la) .......... **B** 26

**Côte St-Jacques** (Lorain) M, 14 fg Paris 03 86 62 09 70, *lorain@relaischateaux.com, Fax 03 86 91 49 70*, – rest, – 30. **A r**
*fermé 5 janv. au 5 fév.* – **Repas** (dim. prévenir) 68 bc (déj.), 134/160 et carte 110 à 160, enf. 25 – 26 – **27 ch** 131/320, 5 appart – 1/2 P 192,50/248.
◆ L'Yonne, "si loin de toutes choses" (Colette)... et pourtant si près de l'équation parfaite avec ce fleuron de la gastronomie française ! Plats inventifs et feu roulant de grands crus.
**Spéc.** Genèse d'un plat sur le thème de l'huître. Tronçon de turbot cuit en croûte de sel, émulsion au lait d'amande. Poularde de Bresse à la vapeur de champagne. **Vins** Chardonnay de Bourgogne, Irancy.

**Rive Gauche** M, r. Port au Bois 03 86 91 46 66, *clorain@dial.oleane.com, Fax 03 86 91 46 93*, – rest, – 25 à 50. **A s**
**Repas** *(fermé dim. soir de nov. à fév.)* 16/34 – 8 – **42 ch** 60/105 – 1/2 P 55/66.
◆ Architecture contemporaine dans un parc sur la rive gauche de l'Yonne. Chambres refaites et bien pensées. L'agréable salle à manger-véranda est tournée vers la rivière.

**Modern'Hôtel Godard,** 17 av. R. Petit ✆ 03 86 62 16 28, *modern.godard@wanadoo.fr, Fax 03 86 62 44 33,* – P – 15 à 30. AE GB JCB **A e**
*fermé fév., dim. soir et lundi* – **Repas** (15,30) - 26,70/58 ♀, enf. 15,30 – ☐ 7 – **23 ch** 45,80/76,30.
◆ Les chambres de cet hôtel de gare typique sont rénovées par étapes ; les autres offrent un cadre un brin désuet. Salle à manger feutrée et cuisine classique.

**à Épineau-les-Voves** *par ③ : 7,5 km – 659 h. alt. 92 – ✉ 89400 :*

**L'Orée des Champs,** N 6 ✆ 03 86 91 20 39, *Fax 03 86 91 24 92,* – P. GB
*fermé 25 août au 7 sept., vacances de fév., lundi soir, mardi soir et merc.* – **Repas** 13 (déj.), 20/29 ♀.
◆ La petite véranda de l'entrée est précédée d'un joli jardin-terrasse, très prisé en saison. Sobre salle à manger où l'on propose une cuisine traditionnelle.

---

## JOINVILLE *52300 H.-Marne 313 K3 G. Champagne Ardenne – 4 755 h alt. 195.*

**Voir** *Château du Grand Jardin★.*
*Office du Tourisme, place Saunoise ✆ 03 25 94 17 90.*
*Paris 242 – Bar-le-Duc 53 – Bar-sur-Aube 47 – Chaumont 44 – St-Dizier 32.*

**Soleil d'Or,** 9 r. Capucins ✆ 03 25 94 15 66, *Fax 03 25 94 39 02* – rest, – 20. AE GB
*fermé 16 au 29 fév.* – **Repas** *(fermé dim. soir et lundi)* 19/35 ♀ – ☐ 10,40 – **17 ch** 36,60/70 – ½ P 50/61.
◆ Chaleureuse maison du 17^e s. abritant des chambres rustiques, un salon-véranda et une élégante salle de restaurant néo-gothique ornée de pierres sculptées du 14^e s.

**Poste** avec ch, pl. Grève ✆ 03 25 94 12 63, *Fax 03 25 94 36 23,* – . AE GB
*fermé 10 au 27 janv. et dim. soir* – **Repas** 12,20/33,60, enf. 6,90 – ☐ 4,60 – **10 ch** 33,60 – ½ P 32/35,10.
◆ Salle à manger confortable et chambres modestes pour une étape sans prétention dans la petite cité du sire de Joinville, le célèbre hagiographe de Saint Louis.

---

## JOINVILLE-LE-PONT *94 Val-de-Marne 312 D3 101 ㉗ – voir à Paris, Environs.*

---

## JONCY *71460 S.-et-L. 320 H10 – 424 h alt. 236.*

**Env.** *Mont St-Vincent ✻★★ O : 12 km,* **G. Bourgogne.**
*Paris 369 – Chalon-sur-Saône 34 – Mâcon 51 – Montceau-les-Mines 22 – Paray-le-Monial 44.*

**Commerce** avec ch, ✆ 03 85 96 27 20, *Fax 03 85 96 21 76,* – P. GB
*fermé 10 au 25 janv.* – **Repas** *(fermé merc.)* 10 (déj.), 16/37 ♀ – ☐ 7 – **9 ch** 34/54 – ½ P 38/45.
◆ Auberge traditionnelle au coeur du bourg. Sobre salle à manger ouverte sur la cour intérieure où l'on sert les repas à la belle saison. Petites chambres à la page.

---

## JONS *69330 Rhône 327 J5 – 1 001 h alt. 205.*

*Paris 474 – Lyon 27 – Meyzieu 9 – Montluel 8 – Pont-de-Chéruy 12.*

**Auberge de Jons** M sans rest, rte Pont ✆ 04 78 31 29 85, *hotel.de.jons@wanadoo.fr, Fax 04 72 02 48 24,* – P – 20 à 50. AE GB
*fermé 20 déc. au 4 janv.* – ☐ 9 – **25 ch** 120.
◆ Complexe hôtelier moderne ancré sur une rive du Rhône, à deux tours de roue de l'aéroport lyonnais. Chambres gaies et bien équipées ; deux originaux duplex. Plaisante piscine.

**Auberge de Jons,** rte Pont ✆ 04 72 93 20 63, *fredericnavez@wanadoo.fr, Fax 04 72 93 20 64,* – P. AE GB
*fermé 4 au 10 août et dim. soir* – **Repas** 21,50/53 ♀.
◆ Les mélomanes apprécieront le beau piano blanc trônant dans l'une des salles à manger et les gourmets profiteront de la partition interprétée sur le "piano" de la cuisine.

---

## JONZAC *17500 Char.-Mar. 324 H7 G. Poitou Vendée Charentes – 3 998 h alt. 40 – Stat. therm. (mi fév.-début déc.).*

*Office du Tourisme, 25 place du Château ✆ 05 46 48 49 29, Fax 05 46 48 51 07, Tourisme.Jonzac@wanadoo.fr.*
*Paris 512 – Angoulême 58 – Bordeaux 86 – Cognac 36 – Royan 59 – Saintes 44.*

**Bistro 108,** face gare ✆ 05 46 48 02 95, *Fax 05 46 48 02 95,* – P. GB.
*fermé dim. soir et lundi* – **Repas** 11/30 ♀, enf. 8,40.
◆ Deux salles à manger sous le même toit : l'une propose une cuisine traditionnelle dans un sobre cadre actuel ; dans l'autre, de style bistrot, on sert le plat du jour.

**à Clam** *Nord : 6 km par D 142 – 237 h. alt. 67 – ✉ 17500 :*

**Vieux Logis**, 05 46 70 20 13, *info@vieuxlogis.com, Fax 05 46 70 20 64*, – rest, – 20. ch
*fermé 12 janv. au 1er fév., dim. soir et lundi midi d'oct. à Pâques* – **Repas** 14/32, enf. 10 – 7,50 – **10 ch** 42/52 – 1/2 P 39/43.
◆ Naguère épicerie, une élégante salle de restaurant égayée de tableaux contemporains et de photographies. Chambres meublées en pin, de plain-pied avec le jardin.

**JOSSELIN** *56120 Morbihan* 308 P7 *G. Bretagne – 2 338 h alt. 58.*

Voir *Château★★ : façade★★ – Basilique N.-D.-du-Roncier★ – ≤★ du Pont Ste-Croix.*

*Office du Tourisme, place de la Congrégation 02 97 22 36 43, Fax 02 97 22 20 44, OT.JOSSELIN@wanadoo.fr.*

*Paris 428 – Vannes 44 – Dinan 85 – Lorient 80 – Rennes 80 – St-Brieuc 75.*

**Château,** 1 r. Gén. de Gaulle 02 97 22 20 11, *contact@hotel-chateau.com, Fax 02 97 22 34 09*, ≤, – 30.
*fermé 23 au 31 déc. et fév.* – **Repas** *(fermé vend. soir de nov. à mars)* 14/40, enf. 8 – 6,50 – **36 ch** 53,50/63 – 1/2 P 44,50.
◆ Face au château des Rohan, mais sur l'autre rive de l'Oust. Chambres sobrement décorées et salle à manger de style "médiéval" offrent une vue sur l'à-pic des murailles.

**JOUARRE** *77 S.-et-M.* 312 H2 – *rattaché à La Ferté-sous-Jouarre.*

**JOUCAS** *84220 Vaucluse* 332 E10 – *258 h alt. 263.*

*Paris 721 – Apt 15 – Avignon 42 – Carpentras 31 – Cavaillon 21.*

**Mas des Herbes Blanches**, rte Murs : 2,5 km 04 90 05 79 79, *masherbes@relaischateaux.com, Fax 04 90 05 71 96*, ≤ le Luberon, – ch,
*fermé 3 janv. au 7 mars* – **Repas** 42/74 – 18 – **16 ch** 158/349, 3 appart – 1/2 P 161/250.
◆ Ce superbe mas dominant la vallée abrite des chambres toutes différentes avec balcon ou jardin privatif. De l'agréable terrasse, fabuleux panorama. Cuisine au goût du jour.

**Hostellerie Le Phébus** (Mathieu), rte Murs 04 90 05 78 83, *resphebus@wanadoo.fr, Fax 04 90 05 73 61*, ≤ le Luberon, – ch,
*1er avril-31 oct.* – **Repas** (dîner seul. sauf week-ends) 38/90 et carte 60 à 105, enf. 20 – 18 – **21 ch** 180/229, 5 appart – 1/2 P 149/198.
◆ Cette demeure contemporaine isolée dans la garrigue dore ses murs de pierres sèches sous le soleil provençal. Élégantes chambres, salle à manger raffinée et cuisine inventive.
**Spéc.** Minestrone de céphalopodes en vinaigrette d'herbes pilées. Nage de filet de rouget barbet et consommé de crustacés. Pigeonneau rôti en cocotte. **Vins** Côtes du Ventoux, Côtes du Lubéron.

**Mas du Loriot**, rte Murs : 4 km 04 90 72 62 62, *mas.du.loriot@wanadoo.fr, Fax 04 90 72 62 54*, ≤ le Luberon, –
*6 mars-30 nov.* – **Repas** *(fermé mardi, jeudi, sam. et dim.)* (dîner seul.) (résidents seul.) 23 – 11 – **8 ch** 86/115.
◆ Maison de famille perdue dans la garrigue, avec le Luberon pour toile de fond. Petites chambres actuelles, en rez-de-jardin. Agréable piscine que la lavande parfume.

**JOUÉ-LÈS-TOURS** *37 I.-et-L.* 317 M4 – *rattaché à Tours.*

**JOUGNE** *25370 Doubs* 321 I6 *G. Jura – 1 162 h alt. 1001 – Sports d'hiver : à Métabief 880/1 450 m 22.*

*Paris 466 – Besançon 80 – Champagnole 51 – Lausanne 48 – Morez 50 – Pontarlier 20.*

**Couronne,** 03 81 49 10 50, *Fax 03 81 49 19 77*, – rest
*fermé 26 oct. au 30 nov., dim. soir et lundi soir hors vacances scolaires et fériés* – **Repas** 16/40, enf. 8 – 5,50 – **10 ch** 35/52 – 1/2 P 40/50.
◆ Dans la patrie du VTT, une adresse pleine de ressort, au confort simple, mais d'une parfaite tenue. Du jardin, perspective sur l'église voisine et les monts du Jura.

**à Entre-lès-Fourgs** *Sud-Est : 4,5 km par D 423 – ✉ 25370 Les Hôpitaux-Neufs :*

**Les Petits Gris**, 03 81 49 12 93, *Fax 03 81 49 13 93*, ≤, –
*fermé 21 sept. au 11 oct.* – **Repas** *(fermé merc.)* 15/28,50, enf. 9 – 8,50 – **13 ch** 37/43 – 1/2 P 46/49,50.
◆ Hébergement montagnard dans un hameau proche de la frontière suisse et au pied de remontées mécaniques. Chambres calmes et bien tenues. Sympathique accueil familial.

**La JOUVENTE** *35 I.-et-V.* 309 J3 – *rattaché à Dinard.*

**JOYEUSE** *07260 Ardèche* 331 H7 *G. Vallée du Rhône – 1 411 h alt. 180.*

Voir *Corniche du Vivarais Cévenol*★★ O.

*Office du Tourisme, ✆ 04 75 39 56 76, Fax 04 75 39 58 87.*

*Paris 663 – Alès 55 – Mende 96 – Privas 53.*

**Cèdres,** ✆ 04 75 39 40 60, *hotelcedres@wanadoo.fr, Fax 04 75 39 90 16,* – AE GB. rest
*15 avril-15 oct.* – **Repas** 12,50/28 ♀, enf. 7 – 7 – **40 ch** 48/57, 5 duplex – ½ P 54.
◆ Le village fut le berceau des Joyeuse, une illustre famille des 16e et 17e s. L'hôtel est aménagé dans une ancienne usine textile surplombant les gorges de la Beaume.

---

**JUAN-LES-PINS** *06160 Alpes-Mar.* 341 D6 *G. Côte d'Azur – alt. 2 – Casino Eden Beach* **FZ.**

Env. *Massif de l'Esterel*★★★ – *Massif de Tanneron*★.

*Office de tourisme, 51 boulevard Ch.-Guillaumont ✆ 04 92 90 53 05.*

*Paris 915 ③ – Cannes 10 ② – Aix-en-Provence 161 ③ – Nice 22 ①.*

## JUAN-LES-PINS

| | | | | | | | |
|---|---|---|---|---|---|---|---|
| Ardisson (Bd B.) | **FZ** 5 | Gallet (Av. Louis) | **EZ** 27 | Oratoire (R. de l') | **FZ** 56 |
| Courbet (Av. Amiral) | **EZ** 18 | Gallice (Av. G.) | **FZ** 29 | Palmiers (Av. des) | **FZ** 59 |
| Docteur Dautheville (Av.) | **FZ** 22 | Hôtel des Postes (R. de l') | **FZ** 44 | Paul (R. M.) | **EZ** 60 |
| Docteur Hochet (Av. du) | **FZ** 23 | Iles (R. des) | **EZ** 46 | Printemps (R. du) | **FZ** 63 |
| | | Joffre (Av. Maréchal) | **EFZ** 47 | St-Honorat (R.) | **EZ** 71 |
| | | Lauriers (Av. des) | **FZ** 48 | Ste-Marguerite (R.) | **EZ** 74 |
| | | Maupassant (Av. Guy de) | **EFZ** 53 | Vilmorin (Av.) | **EZ** 88 |

Accès et sorties : voir à Antibes

E
ANTIBES
F
ANTIBES
N7 CANNES
CANNES, GOLFE-JUAN
Z
Sqre Dulys
Chin. des Iles
de la Colle
R. Pauline
R. Emilie
Pl. Vilmorin
Bd des Nations
Raymond
Poincaré
Bricka
l'Esterel
Ch. Guillaumont
PLAGE
Bd Ed. Baudoin
CASINO EDEN BEACH
GOLFE JUAN
Sqre Fr. Jay Gould
JARDIN LA PINÈDE
N. D. DE LA PINÈDE
PALAIS DES CONGRÈS
Sqre Bechet
S. la Pinède
Av. des Orangers
Av. de la Rostagne
Chin de Tanit
Av. Mal de Lattre de T.
Président Wilson
N 98
D 2559
Saramartel
d'Esclevin
des Sables
0
200 m
E
F
CAP D'ANTIBES

**Juana** , la Pinède, av. G. Gallice ✆ 04 93 61 08 70, *info@hotel-juana.com, Fax 04 93 61 76 60,* – ch, – 25. AE GB JCB **FZ f**
***Terrasse-Christian Morisset*** ✆04 93 61 20 37-(dîner seul.en juil.-août) *(fermé 10 nov. au 18 déc., mardi et merc. hors saison)* **Repas** 52(déj), 95/125 et carte 100 à 150 ♀ – 32 – **40 ch** 295/600, 5 appart.
◆ Luxueux hôtel des années 1930, où l'on cultive l'art de recevoir. Chambres bourgeoises. À la Terrasse, cuisine ensoleillée servie sous les palmiers face à la pinède.
**Spéc.** Cannelloni de supions et palourdes à l'encre de seiche. Selle d'agneau de Pauillac cuite en terre d'argile de Vallauris. Millefeuille de fraises des bois à la crème de mascarpone.
**Vins** Bellet, Côtes de Provence.

**Belles Rives,** bd E. Baudoin ✆ 04 93 61 02 79, *info@bellesrives.com, Fax 04 93 67 43 51,* ≤ mer et massif de l'Estérel, – ▤ TV ✆. AE GB JCB. rest FZ d
*3 mars-10 nov.* – ***La Passagère*** (dîner seul.) **Repas** 64/89 – ***Plage Belles Rives*** (déj. seul.) **Repas** carte 50 à 60 ♀ – ☕ 25 – **40 ch** 350/660, 5 appart.
◆ Ce petit joyau Art déco ancré au bord de la Méditerranée semble guetter le retour de Scott Fitzgerald. Salle à manger agrémentée de fresques "cubistes", plage aménagée, ponton.

**Méridien Garden Beach** M, 15 bd E. Baudoin ✆ 04 92 93 57 57, *contact@lemeridien-juanlespins.com, Fax 04 92 93 57 56,* ≤, – ▤ TV ✆ & – 140. AE GB JCB. FZ w
***Plage*** ✆ 04 92 93 57 83 *(1er avril-31 oct.)* **Repas** carte 40 à 50 ♀ – ☕ 20 – **167 ch** 280/420, 4 appart.
◆ Immeuble "verre et béton" jouxtant le casino et ouvrant sur la "grande bleue". Chambres spacieuses et feutrées ; préférez celles côté mer. Équipements sportifs complets.

**Ambassadeur** M, 50 chemin des Sables ✆ 04 92 93 74 10, *manager@hotel-ambassadeur.com, Fax 04 93 67 79 85,* – ▤ ch, TV ✆ & – 250. AE GB JCB FZ s
**Repas** ***Le Gauguin*** ✆ 04 92 93 74 52 *(fermé 10 au 27 déc. et le midi en juil.-août)* **Repas** 27 ♀, enf. 12 – ***Grill Les Palmiers*** (déj. seul.) *(20 juin-10 sept.)* **Repas** *(18)* et carte 32 à 41 ♀ – ☕ 17 – **221 ch** 302/530, 4 appart – ½ P 127.
◆ Ce vaste complexe hôtelier adossé au palais des congrès accueille séminaires et vacanciers. Les chambres sont parées de couleurs du sud. Belle piscine bordée de palmiers.

**annexe La Villa de l'Ambassadeur** sans rest, av. Saramartel ✆ 04 92 93 48 00, *manager@hotel-ambassadeur.com, Fax 04 93 61 86 78,* – ▤ TV ✆ P – 15. AE GB FZ n
*31 mars-30 oct.* – ☕ 17 – **25 ch** 176/250.
◆ Cèdres et oliviers ombragent le joli jardin de cette villa (1960). Cure de jouvence à la mode provençale pour la majorité des chambres ; celles côté piscine sont plus sobres.

**Ste-Valérie** , r. Oratoire ✆ 04 93 61 07 15, *saintevalerie@juanlespins.net, Fax 04 93 61 47 52,* – ▤ ch, TV P. FZ p
*9 avril-15 oct.* – **Repas** *(fermé jeudi)* 30,50 ♀ – ☕ 14 – **30 ch** 135/200 – ½ P 130/145.
◆ Hôtel blotti dans un petit écrin de verdure et de fleurs. La majorité des chambres, plus au calme côté jardin, a été redécorée dans un esprit méridional. Accueil charmant.

**Mimosas** sans rest, r. Pauline ✆ 04 93 61 04 16, *hotelmimosas@libertysurf.fr, Fax 04 92 93 06 46,* – TV P. AE GB. EZ q
*1er mai-30 sept.* – ☕ 10 – **31 ch** 80/115, 3 appart.
◆ Hôtel centenaire dont la façade immaculée se dresse au coeur d'un parc planté de palmiers. Préférez les chambres en rez-de-jardin ou avec balcon situées côté piscine.

**Astoria** M sans rest, 15 av. Mar. Joffre ✆ 04 93 61 23 65, *astoria@dial.oleane.com, Fax 04 93 67 10 40* – cuisinette ▤ TV P. AE GB. FZ a
☕ 11 – **49 ch** 105/230.
◆ Ce petit immeuble aux aménagements fonctionnels constitue une étape pratique entre gare et plage. Les chambres sur l'arrière sont plus calmes.

**Eden Hôtel** sans rest, 16 av. L. Gallet ✆ 04 93 61 05 20, *Fax 04 92 93 05 31* – TV . GB. EZ z
*mars-oct.* – ☕ 5,50 – **17 ch** 58/82.
◆ Atouts majeurs de cet édifice 1930 : petit-déjeuner en terrasse, proximité de la plage et ambiance conviviale. Chambres simples ; certaines offrent une échappée sur la mer.

**Astor** sans rest, 61 chemin Fournel Badine ✆ 04 92 93 34 00, *info@residencehotelastor.com, Fax 04 92 93 34 01* – cuisinette ▤ TV ✆ P. AE GB FZ k
☕ 6,10 – **19 ch** 76/84.
◆ Bâtisse régionale située dans un quartier résidentiel. Les chambres, progressivement rénovées, abandonnent leur décor "seventies" ; la plupart sont équipées de cuisinettes.

**Juan Beach,** r. Oratoire ✆ 04 93 61 02 89, *juan.beach@atsat.com, Fax 04 93 61 16 63,* – ▤ ch, TV P. GB. rest FZ e
*1er avril-2 nov.* – **Repas** (dîner seul.) 27 – ☕ 7 – **22 ch** 73/100 – ½ P 65/80.
◆ Gentille maison centenaire où règne un esprit de pension de famille. Chambres sobres, mais bien tenues. En saison, repas sous la tonnelle ouverte sur un jardinet fleuri.

XX **Bijou Plage,** bd Guillaumont ✆ 04 93 61 39 07, *Fax 04 93 67 81 78,* ≤ îles de Lérins, – ▤. AE GB voir plan d'Antibes AU d
**Repas** 18,50 (déj.), 27/45 ♀.
◆ Un restaurant de plage sur la plus grande étendue de sable fin des Alpes-Maritimes. Réservez en terrasse ou sous la véranda au décor marin ; produits de la mer.

XX **L'Amiral,** 7 av. Amiral Courbet ✆ 04 93 67 34 61 – ▤. AE GB EZ h
*fermé 20 nov. au 10 déc. et lundi* – **Repas** 22/32.
◆ Ce sympathique restaurant familial propose une cuisine traditionnelle et des recettes de la mer, dans une salle à manger intime agrémentée de tableaux.

XX **Perroquet,** La Pinède, av. G. Gallice ✆ 04 93 61 02 20, *Fax 04 93 61 02 20*, 斎 – ▤. GB FZ r
*fermé 3 nov. au 26 déc.* – **Repas** 25/30 ♀.
◆ Face à la pinède où se déroule "Jazz in Juan", restaurant ouvert sur l'animation extérieure. Plaisant décor provençal égayé de bibelots et de fleurs. Cuisine traditionnelle.

---

**JULIÉNAS** *69840 Rhône* 327 H2 *G. Vallée du Rhône – 703 h alt. 276.*
*Paris 405 – Mâcon 15 – Bourg-en-Bresse 51 – Lyon 66 – Villefranche-sur-Saône 31.*

**Vignes** sans rest, rte St-Amour : 0,5 km ✆ 04 74 04 43 70, *hoteldesvignes@wanadoo.fr, Fax 04 74 04 41 95* – TV ♿ P. AE GB
*fermé 21 au 28 déc., 7 au 22 fév. et dim. de déc. à mars* – ☕ 7 – **22 ch** 43/65.
◆ À flanc de coteau et entouré de vignes, cet hôtel abrite des chambres rénovées, fraîches et gaies. Mention spéciale pour le petit-déjeuner beaujolais (charcuteries locales).

XX **Le Coq à Juliénas,** pl. Marché ✆ 04 74 04 41 98, *leon@relaischateaux.fr, Fax 04 74 04 41 44*, 斎 – AE GB
*fermé 22 déc. au 22 janv. et merc.* – **Repas** 20/29, enf. 10.
◆ Volets bleu lavande, intérieur résolument "rétro" égayé de bibelots à la gloire du coq et de fresques bachiques, terrasse très prisée l'été : un coquet "bistrot de chef".

XX **Chez la Rose** avec ch, pl. Marché ✆ 04 74 04 41 20, *info@chez-la-rose.fr, Fax 04 74 04 49 29*, 斎 – TV ✆. AE ⓓ GB JCB
*fermé 15 au 25 déc., 8 au 28 fév., lundi (sauf hôtel en été),mardi midi , jeudi midi et vend. midi* – **Repas** 24/44 ♀, enf. 12 – ☕ 9 – **10 ch** 42/60 – ½ P 53/81.
◆ Cuisine régionale servie dans un décor rustique ou sur la terrasse envahie de fleurs. Chambres plus cossues et spacieuses à l'annexe, bien meublées dans le bâtiment principal.

---

**JUMIÈGES** *76480 S.-Mar.* 304 E5 *G. Normandie Vallée de la Seine – 1 641 h alt. 25.*
**Voir** *Ruines de l'abbaye★★★.*
**Bac:** *de Jumièges - renseignements ✆ 02 35 95 94 74.*
*Office du Tourisme, rue Guillaume le Conquérant ✆ 02 35 37 28 97, Fax 02 35 37 07 07.*
*Paris 159 – Rouen 28 – Caudebec-en-Caux 16.*

XX **Auberge des Ruines,** ✆ 02 35 37 24 05, *Fax 02 35 37 87 34*, 斎 – GB
*fermé 18 au 28/08, 20/12 au 10/01, lundi soir, jeudi soir de nov. au 15 mars, dim. soir, mardi soir et merc.* – **Repas** 16 (déj.), 22/50.
◆ Plaisante étape gourmande face aux ruines de l'abbaye bénédictine : colombages et cheminée ornent la salle prolongée d'une agréable véranda ; cuisine personnalisée.

---

**JURANÇON** *64 Pyr.-Atl.* 342 J5 – *rattaché à Pau.*

---

**JUVIGNAC** *34 Hérault* 339 H7 – *rattaché à Montpellier.*

---

**JUVIGNY-SOUS-ANDAINE** *61140 Orne* 310 F3 – *1 105 h alt. 200.*
*Paris 239 – Alençon 50 – Argentan 47 – Domfront 12 – Mayenne 34.*

XX **Au Bon Accueil** avec ch, ✆ 02 33 38 10 04, *Fax 02 33 37 44 92* – ▤ rest, TV 🚗. GB
*fermé 15 fév. au 15 mars, dim. soir et lundi* – **Repas** (12,50) - 14 (déj.), 18/38 ♀ – ☕ 7,50 – **8 ch** 44/58 – ½ P 49.
◆ Au centre du pittoresque village, maison accueillante servant une cuisine généreuse. L'une des deux salles à manger s'agrémente d'une verrière et d'un petit jardin d'hiver.

X **Forêt** avec ch, ✆ 02 33 38 11 77 – GB
*fermé 26 déc. au 15 janv.* – **Repas** 14/24 ♀, enf. 8 – ☕ 6 – **7 ch** 30/42 – ½ P 40.
◆ Avant ou après une balade en forêt des Andaines, faites halte dans ce petit établissement au cadre rustique et à l'atmosphère délicieusement provinciale. Cuisine simple.

---

**KATZENTHAL** *68230 H.-Rhin* 315 H8 – *505 h alt. 280.*
*Paris 444 – Colmar 8 – Gérardmer 51 – Munster 18 – St-Dié 48.*

XX **A l'Agneau** avec ch, ✆ 03 89 80 90 25, *hotel-restaurant.agneau@wanadoo.fr, Fax 03 89 27 59 58*, 斎 – TV P. GB. ⅹ ch
*fermé 23 juin au 2 juil., 10 au 19 nov. et 5 janv. au 4 fév.* – **Repas** *(fermé lundi et mardi sauf le soir de juil. à mi-oct.)* 12 (déj.), 15/43 ♀, enf. 8 – ☕ 7 – **12 ch** 43/55 – ½ P 43/54.
◆ Attenante à l'exploitation viticole familiale, maison régionale abritant une plaisante salle à manger typiquement alsacienne. Cuisine du terroir et vins de la propriété.

**KAYSERSBERG** *68240 H.-Rhin* 315 H8 *G. Alsace Lorraine – 2 755 h alt. 242.*

**Voir** *Église Ste-Croix ★ : retable★★ – Hôtel de ville★ - Vieilles maisons★ – Pont fortifié★ – Maison Brief★.*

*Office du Tourisme, 39 rue du Gal de Gaulle ✆ 03 89 78 22 78, Fax 03 89 78 27 44, ot.kaysersberg@calixo.net.*

*Paris 437 – Colmar 12 – Gérardmer 47 – Guebwiller 35 – Munster 22 – St-Dié 41 – Sélestat 29.*

**Chambard et sa Résidence** , r. Gén. de Gaulle ✆ 03 89 47 10 17, *hotelrestaurantchambard@wanadoo.fr, Fax 03 89 47 35 03,* – – 20. GB
**Repas** *(fermé lundi sauf soir de mai à oct., merc. midi d'oct à mai et mardi midi)* 29 (déj.), 40/65 ♀, enf. 15 - ***Winstub :*** **Repas** 15/24♀, enf.7,50 – 10,50 – **20 ch** 85/115 – ½ P 79,50/125,50.
◆ Grande hôtellerie à l'entrée de la ville natale du docteur Schweitzer. Chambres confortables ; salle de restaurant feutrée sous véranda. Cuisine au goût du jour soignée.

**Les Remparts** sans rest (annexe Les Terrasses 15 ch), 4 r. Flieh ✆ 03 89 47 12 12, *hotel@lesremparts.com, Fax 03 89 47 37 24* – cuisinette – 25. GB
*fermé 1er fév. au 6 mars* – 6,50 – **40 ch** 60/75.
◆ Dans un quartier résidentiel calme aux portes de la cité. Chambres actuelles, pratiques et bien tenues ; elles sont plus grandes et dotées de balcons à l'annexe les Terrasses.

**A l'Arbre Vert** (annexe Belle Promenade 14 ch), 1 r. Haute du Rempart ✆ 03 89 47 11 51, *Fax 03 89 78 13 40* – . GB
*fermé 5 janv. au 15 fév.* – **Repas** *(fermé mardi midi et lundi)* 22,55/40 ♀, enf. 8 – 7 – **35 ch** 55/68 – ½ P 63.
◆ Maisons de style alsacien de part et d'autre d'une place verdoyante. Préférez les chambres de l'annexe, plus agréables avec leurs meubles peints. Plaisant restaurant rustique.

**Constantin** sans rest, 10 r. Père Kohlman ✆ 03 89 47 19 90, *reservation@hotelconstantin.com, Fax 03 89 47 37 82* – – 25. GB.
6,50 – **20 ch** 55/65.
◆ La rénovation de cette vieille maison de vigneron a donné naissance à des chambres actuelles ou de style régional (mobilier peint). Salle des petits-déjeuners sous verrière.

**Vieille Forge,** 1 r. Écoles ✆ 03 89 47 17 51, *Fax 03 89 78 13 53* – . GB
*fermé 1er au 21 juil., vacances de fév., mardi, merc. et jeudi* – **Repas** 18,40/34,50 ♀.
◆ La façade discrète se remarque à peine, le décor rustique est sans fioritures : point d'excentricité dans le cadre, mais une cuisine généreuse qui fleure bon le terroir.

**Au Lion d'Or,** 66 r. Gén. de Gaulle ✆ 03 89 47 11 16, *auliond.or@wanadoo.fr, Fax 03 89 47 19 02,* – GB
*fermé janv., vacances de fév., mardi sauf le midi du 1er mai au 31 oct. et merc.* – **Repas** 14/35 ♀.
◆ Belle maison bâtie en 1521 et tenue par la même famille depuis 1764 ! Plaisantes salles à manger dont une réchauffée par une monumentale cheminée d'époque. Cour-terrasse.

**à Kientzheim** *Est : 3 km par D 28 – 933 h. alt. 225 – ✉ 68240.*

**Voir** *Pierres tombales★ dans l'église.*

**Hostellerie Schwendi,** ✆ 03 89 47 30 50, *hostellerie.schwendi@wanadoo.fr, Fax 03 89 49 04 49,* – . GB
*fermé 20 déc. au 15 mars* – **Repas** *(fermé jeudi midi et merc.)* 21,50/50 ♀, enf. 10 – 7,50 – **17 ch** 60/75 – ½ P 62/69,50.
◆ La belle façade à colombages se dresse sur une placette pavée (terrasse d'été) du village viticole. Intérieur mi-rustique, mi-bourgeois soigné. Chambres peu à peu refaites.

**Hostellerie de l'Abbaye d'Alspach** sans rest, ✆ 03 89 47 16 00, *hotel@abbayealspach.com, Fax 03 89 78 29 73,* – . GB
*fermé 5 janv. au 14 mars* – 8,70 – **28 ch** 55/94, 4 appart.
◆ Hôtel en partie aménagé dans les dépendances d'un couvent du 13e s. Un escalier en colimaçon mène aux chambres, souvent agrémentées de meubles anciens. Jolie cour intérieure.

**KEMBS-LOÉCHLÉ** *68680 H.-Rhin* 315 J11 – *alt. 245.*

*Paris 495 – Mulhouse 25 – Altkirch 26 – Basel 16 – Belfort 69 – Colmar 57.*

**Les Écluses,** 8 r. Rosenau ✆ 03 89 48 37 77, *restaurant.les.ecluses@freesbee.fr, Fax 03 89 48 49 31,* – . GB
*fermé vacances de Toussaint, de fév., merc. soir d'oct. à avril, dim. soir et lundi* – **Repas** 14,50/29 ♀, enf. 8,50.
◆ À proximité du canal de Huningue et de la petite Camargue alsacienne, cette sympathique adresse propose des spécialités de poissons dans une sobre salle à manger.

**KIENTZHEIM** *68 H.-Rhin* 315 H8 – *rattaché à Kaysersberg.*

**KILSTETT** *67840 B.-Rhin* 315 *L4 – 1 406 h alt. 130.*
*Paris 496 – Strasbourg 14 – Haguenau 23 – Saverne 52 – Wissembourg 60.*

**Oberlé,** 11 rte Nationale ✆ 03 88 96 21 17, *oberle@hotel-oberle.fr, Fax 03 88 96 62 29,* – TV ♿ P. GB
*fermé 12 au 31 août et 19 fév. au 6 mars* – **Repas** *(fermé vend. midi et jeudi)* 9,50 (déj.), 18,50/36 ♀ – ☕ 5 – **31 ch** 29/51 – ½ P 33/38.
◆ À l'entrée du village, cet établissement familial est en train de changer de "look", passant du style rustique à un cadre plus actuel. Huit chambres nouvellement créées.

**Cheval Noir,** ✆ 03 88 96 22 01, *Fax 03 88 96 61 30* – P. GB
*fermé 20 juil. au 15 août, 15 au 31 janv., lundi et mardi* – **Repas** 15 (déj.), 22/40 ♀, enf. 10.
◆ Depuis cinq générations, la même famille vous reçoit en cette belle maison à colombages du 18e s. Intérieur chaleureux avec fresque (scène de chasse) et carte traditionnelle.

**Le KREMLIN-BICÊTRE** *94 Val-de-Marne* 312 D3 101 ㉖ – *voir à Paris, Environs.*

**KRUTH** *68820 H.-Rhin* 315 *F9 – 976 h alt. 498.*
Voir *Cascade St-Nicolas★ SO : 3 km par D 13b1 – Musée du textile et des costumes de Haute-Alsace à Husseren-Wesserling SE : 6 km,* **G. Alsace Lorraine.**
*Paris 452 – Épinal 67 – Mulhouse 40 – Colmar 61 – Gérardmer 31 – Thann 20 – Le Thillot 26.*

**Auberge de France,** rte Oderen ✆ 03 89 82 28 02, *aubergedefrance@wanadoo.fr, Fax 03 89 82 24 05,* – TV P. GB
*fermé 16 au 28 juin et 5 janv. au 7 fév.* – **Repas** *(fermé merc. soir et jeudi)* 9,20 (déj.), 15/37 ♀, enf. 7,50 – ☕ 6 – **16 ch** 34/46 – ½ P 36.
◆ Dans la traversée de ce village de la haute vallée de la Thur, auberge bien tenue abritant des chambres et des salles à manger au décor rustique. Billard, boulodrome.

*Dans ce guide*
*un même symbole, un même mot,*
*imprimé en* ***rouge*** *ou en* ***noir****, en maigre ou en* ***gras****,*
*n'ont pas tout à fait la même signification.*
*Lisez attentivement les pages explicatives.*

**LAÁS** *64390 Pyr.-Atl.* 342 *G4 – 135 h alt. 75.*
*Paris 793 – Pau 53 – Orthez 18 – Peyrehorade 37 – Salies-de-Béarn 17.*

**Auberge de la Fontaine,** ✆ 05 59 38 59 33, *Fax 05 59 38 59 33,*
*fermé en semaine hors vacances scolaires, lundi et mardi sauf juil.-août* – **Repas** 15/27.
◆ C'est coiffé de son béret basque que le patron de cette sympathique auberge champêtre viendra vous saluer. Il y mitonne avec passion les produits du terroir et de son potager.

**LABAROCHE** *68910 H.-Rhin* 315 *H8 – 1 676 h alt. 750.*
*Paris 440 – Colmar 17 – Gérardmer 49 – Munster 25 – St-Dié 44.*

**Au Tilleul** , ✆ 03 89 49 84 46, *au-tilleul@wanadoo.fr, Fax 03 89 78 91 88,* – TV P. GB. rest
*fermé 6 janv. au 6 fév.* – **Repas** 13,50/21 ♀ – ☕ 7 – **30 ch** 45 – ½ P 44.
◆ Pension de famille dans un bourg vosgien dominant la plaine d'Alsace. Chambres plus actuelles à l'annexe. Sobre salle des repas.

**Rochette** avec ch, ✆ 03 89 49 80 40, *hotel-la-rochette@wanadoo.fr, Fax 03 89 78 94 82,* – TV P. GB
*fermé 12 au 22 nov., 23 fév. au 17 mars,* – **Repas** *(fermé lundi soir d'oct. à mars et mardi)* 16/50 ♀, enf. 9 – ☕ 7 – **7 ch** 52 – ½ P 50/52.
◆ Attrayante maison régionale dans un jardin verdoyant. Jolie salle à manger colorée à dominantes jaune et rouge. Chambres fonctionnelles, claires et bien insonorisées.

**LABARTHE-INARD** *31800 H.-Gar.* 343 *D6 – 762 h alt. 330.*
*Paris 768 – Bagnères-de-Luchon 56 – St-Gaudens 11 – Toulouse 84.*

**Hostellerie du Parc,** N 117 ✆ 05 61 89 08 21, *Fax 05 61 95 99 14,* – TV ♿ P. GB
*fermé fév., dim. soir et lundi* – **Repas** 12/39 , enf. 7,65 – **16 ch** 38,20/46 – ½ P 35,90/40.
◆ Au coeur du Comminges, hôtel familial bordant la nationale. Les chambres, qui donnent sur l'arrière-cour, sont toutes rénovées ; le restaurant est côté route.

**LABARTHE-SUR-LÈZE** *31860 H.-Gar.* 343 *G4 – 3 772 h alt. 162.*

*Paris 706 – Toulouse 21 – Auch 90 – Pamiers 45 – St-Gaudens 81.*

XX **Poêlon,** ✆ 05 61 08 68 49, *Fax 05 61 08 78 48,* – GB
*fermé 22 déc. au 6 janv., dim. et lundi* – **Repas** 21/37.
◆ Demeure bourgeoise transformée en restaurant composé de deux salles à manger de forme allongée, à l'ambiance rustique. Cuisine traditionnelle et belle carte des vins.

XX **Rose des Vents,** carrefour D 19-D 4 ✆ 05 61 08 67 01, *Fax 05 61 08 85 84,* , – P. AE GB
*fermé 18 août au 5 sept., 23 fév. au 7 mars, dim. soir, lundi et mardi* – **Repas** 14 (déj.), 21/34.
◆ Restaurant installé dans une confortable maison de pays tenue à l'écart du bruit de la route par son écrin de verdure et sa véranda où grimpe la vigne vierge.

**LABASTIDE-MURAT** *46240 Lot* 337 *F4 G. Périgord Quercy – 610 h alt. 447.*

*Office du Tourisme, Grand' Rue ✆ 05 65 21 11 39, Fax 05 65 24 57 66.*
*Paris 545 – Cahors 32 – Sarlat-la-Canéda 48 – Brive-la-Gaillarde 68 – Figeac 47 – Gourdon 25.*

**Kyriad** M, ✆ 05 65 21 18 80, *kyriad.labastide@wanadoo.fr, Fax 05 65 21 10 97,* – , ch, TV. AE GB
*fermé 20 déc. au 20 janv.* – **Repas** 11,50 (déj.)/17, enf. 7,50 – 6,50 – **20 ch** 52/56 – ½ P 42,50.
◆ Ce castel du 13ᵉ s. fait miroiter sa succession de toits au soleil du Quercy. Chambres sobres, au mobilier en bois peint. Cuisine régionale servie dans une salle campagnarde.

***Michelin n'accroche pas de panonceau aux hôtels et restaurants qu'il signale.***

**LACABARÈDE** *81240 Tarn* 338 *H10 – 304 h alt. 325.*

*Paris 765 – Béziers 70 – Carcassonne 53 – Castres 36 – Mazamet 18 – Narbonne 61.*

**Demeure de Flore** , ✆ 05 63 98 32 32, *demeure.de.flore@hotelrama.com, Fax 05 63 98 47 56,* , , – TV P. GB JCB. rest
*fermé 6 janv. au 4 fév. et lundi hors saison* – **Repas** (menu unique) 23,50 (déj.)/30 (dîner) ♀ – 9,50 – **11 ch** 60/85 – ½ P 80/84.
◆ La déesse romaine a doté cette maison de maître du 19ᵉ s. d'un bel écrin de verdure face à la Montagne Noire. Intérieur coquet, mobilier ancien, accueil attentif.

**LACANAU-OCÉAN** *33680 Gironde* 335 *D4 G. Aquitaine.*

Voir *Lac de Lacanau* ★ *E : 5 km.*
*Office du Tourisme, place de L'Europe ✆ 05 56 03 21 01, Fax 05 56 03 11 89.*
*Paris 636 – Bordeaux 63 – Andernos-les-Bains 38 – Arcachon 87 – Lesparre-Médoc 52.*

**Aplus** M , rte Baganais ✆ 05 56 03 91 00, *aplus.lacanau@wanadoo.fr, Fax 05 56 03 91 10,* , , , , – TV P – 15 à 70. AE GB
*fermé déc.* – **Repas** 20 ♀, enf. 10 – 9,50 – **57 ch** 96/112 – ½ P 84.
◆ Au coeur d'une pinède, ensemble hôtelier avec centre équestre parrainé par un ex-champion olympique. Chambres modernes ou studios. Bel espace de remise en forme.

**LACAPELLE-MARIVAL** *46120 Lot* 337 *H3 G. Périgord Quercy – 1 201 h alt. 375.*

*Office du Tourisme, place de la Halle ✆ 05 65 40 81 11, Fax 05 65 40 81 11.*
*Paris 556 – Cahors 63 – Aurillac 68 – Figeac 21 – Gramat 21 – Rocamadour 32 – Tulle 77.*

**Terrasse,** près château ✆ 05 65 40 80 07, *terrasse2@wanadoo.fr, Fax 05 65 40 99 45,* – TV. GB
*fermé 2 janv. à début mars, dim. soir et lundi hors saison* – **Repas** *(fermé mardi midi, dim. soir et lundi sauf juil.-août, lundi midi en juil.-août)* 12,50 (déj.), 18/34, enf. 9 – 6,25 – **13 ch** 42/62,50 – ½ P 41,50/47,50.
◆ À côté du massif donjon carré du château, chambres fonctionnelles et salle à manger bien éclairée dominant un joli jardin bordé d'un ruisseau. Cuisine au goût du jour.

**LACAPELLE-VIESCAMP** *15150 Cantal* 330 *B5 – 438 h alt. 550.*

*Paris 548 – Aurillac 19 – Figeac 57 – Laroquebrou 11 – St-Céré 48.*

**Lac** , ✆ 04 71 46 31 57, *hoteldulac@wanadoo.fr, Fax 04 71 46 31 64,* , , – TV P. GB
*fermé janv., fév., dim. soir et vend. du 1ᵉʳ nov. au 15 avril* – **Repas** *(10,50)* - 18,50/30,50 ♀, enf. 7,50 – 6 – **23 ch** 53,50/58 – ½ P 47/50.
◆ À 500 m du lac de St-Étienne-Cantalès propice à la pêche, établissement des années 1950 agrandi au fil des ans. Chambres claires et insonorisées, accueil convivial.

**LACAUNE** *81230 Tarn* 338 I8 *G. Midi-Pyrénées – 3 117 h alt. 793 – Casino.*

*Office du Tourisme, place Général de Gaulle* 05 63 37 04 98, *Fax 05 63 37 03 01.*

*Paris 711 – Albi 68 – Béziers 90 – Castres 47 – Lodève 72 – Millau 70 – Montpellier 131.*

**Fusiès,** r. République 05 63 37 02 03, *espoutis@infonie.fr, Fax 05 63 37 10 98,* GB JCB

*fermé 3 au 21 janv., vend. soir et dim. soir du 15 nov. au 15 mars* – **Repas** 13,80/57, enf. 10,50 – 8 – **52 ch** 45/65 – ½ P 58/60.

◆ Ce relais de diligences fut construit en 1685. Boiseries patinées, restaurant orné de fresques des années 1930 et chambres (plus calmes sur l'arrière) au décor "seventies".

**Calas** avec ch, pl. Vierge 05 63 37 03 28, *hotelcalas@wanadoo.fr, Fax 05 63 37 09 19,* GB JCB

*fermé 15 déc. au 15 janv., dim. soir d'oct. à mars, vend. soir et sam. midi* – **Repas** (10) 14/39, enf. 10 – 4,70 – **16 ch** 40/46 – ½ P 45.

◆ Les Calas, depuis quatre générations, nous mijotent une solide cuisine du terroir. La salle à manger a été décorée par des artistes du pays ; chambres rajeunies.

**LACAVE** *46200 Lot* 337 F2 *G. Périgord Quercy – 241 h alt. 130.*

**Voir** Grottes★.

*Paris 528 – Brive-La-Gaillarde 51 – Sarlat-La-Canéda 41 – Cahors 61 – Gourdon 26.*

**Château de la Treyne**, Ouest : 3 km par D 23, D 43 et voie privée 05 65 27 60 60, *treyne@relaischateaux.com, Fax 05 65 27 60 70,* GB JCB

*5 avril-11 nov. et 27 déc.-2 janv.* – **Repas** *(fermé le midi du mardi au vendredi)* 45 (déj.), 70/120 et carte 75 à 95 – 17 – **16 ch** 240/320 – ½ P 167/247.

◆ Château du 17e s. dominant la Dordogne, dans un parc avec jardin à la française et chapelle romane (concerts). Cadre idyllique, chambres somptueuses. Cuisine régionale soignée.

**Spéc.** Risotto de langoustines au jus de crustacés. Pot-au-feu de foie d'oie aux haricots tarbais (sept. à nov.). Tournedos de ris et filet d'agneau du Quercy aux truffes. **Vins** Bergerac, Cahors.

**Pont de l'Ouysse** (Chambon) avec ch, 05 65 37 87 04, *pont.ouysse@wanadoo.fr, Fax 05 65 32 77 41,* ch, GB JCB

*début mars-11 nov. et fermé lundi sauf le soir en saison et mardi midi* – **Repas** 32/120 et carte 58 à 78 – 14 – **14 ch** 135/160 – ½ P 145.

◆ Maison du 19e s. adossée à une petite falaise. Jolie salle à manger, terrasse ombragée et promenade aménagée au bord de l'Ouysse. Cuisine du Sud-Ouest personnalisée.

**Spéc.** Foie de canard "Bonne Maman". Cassolette d'écrevisses aux parfums de l'Ouysse (juin à nov.). Daube de pied de porc truffé, aligot au lard paysan. **Vins** Cahors.

**LAC CHAMBON** ★★ *63 P.-de-D.* 326 E9 *G. Auvergne – alt. 877 – Sports d'hiver : 1 150/1 760 m 9* – *63790 Chambon-sur-Lac.*

*Paris 459 – Clermont-Ferrand 37 – Condat 39 – Issoire 32 – Le Mont-Dore 19.*

**Grillon,** 04 73 88 60 66, *Fax 04 73 88 65 55,* GB

*6 fév.-2 nov.* – **Repas** *(fermé mardi midi en mars, avril, et oct. sauf vacances scolaires)* 12/30 – 7 – **22 ch** 34/42 – ½ P 40/43.

◆ Sur un axe fréquenté, immeuble des années 1950 régulièrement rafraîchi. Chambres rustiques et bien tenues. À table, cuisine traditionnelle et régionale.

**Beau Site,** 04 73 88 61 29, *Fax 04 73 88 66 73,* GB

*vacances de fév.-15 oct.* – **Repas** 15/25, enf. 8 – 6,50 – **17 ch** 43/45 – ½ P 42/45.

◆ Établissement familial aménagé dans deux bâtiments mitoyens et très fleuris en surplomb du lac. Chambres claires, tournées vers le plan d'eau et la plage. Cuisine régionale.

**LAC DE GUÉRY** *63 P.-de-D.* 326 D9 – *rattaché au Mont-Dore.*

**LAC DE LA LIEZ** *52 H.-Marne* 313 M6 – *rattaché à Langres.*

**LAC DE PONT** *21 Côte-d'Or* 320 G5 – *rattaché à Semur-en-Auxois.*

**LAC DE VASSIVIÈRE** *23 Creuse* 325 I6 – *rattaché à Peyrat-le-Château (87 H.-Vienne).*

**LAC GÉNIN** *01 Ain* 328 H3 – *rattaché à Oyonnax.*

**LACHASSAGNE** *69 Rhône* 327 H4 – *rattaché à Anse.*

**LACROIX-FALGARDE** *31 H.-Gar.* 343 G3 – *rattaché à Toulouse.*

**LACROST** *71 S.-et-L.* 320 J10 – *rattaché à Tournus.*

**LADOIX-SERRIGNY** *21 Côte-d'Or* 320 J7 – *rattaché à Beaune.*

**LAFARE** *84190 Vaucluse* 332 D9 – *73 h alt. 220.*

*Paris 674 – Avignon 36 – Carpentras 13 – Nyons 34 – Orange 26.*

**Grand Jardin** M, ☎ 04 90 62 97 93, *Fax 04 90 65 03 74*, ≤ vignobles et Dentelles de Montmirail, – AE GB
*20 mars-19 oct.* – **Repas** *(fermé mardi midi et lundi)* (18) - 26/35 ♀, enf. 12 – ☕ 10 – **8 ch** 83 – ½ P 68.
◆ Construction récente cernée par les vignes des Côtes du Rhône. Chambres décorées dans le style provençal. Terrasse fleurie protégée par des canisses. Accueil chaleureux.

**LAFFREY** *38220 Isère* 333 H7 *G. Alpes du Nord* – *249 h alt. 910.*

**Voir** *Prairie de la Rencontre★.*

*Office du Tourisme, Le village ☎ 04 76 73 16 36, Fax 04 76 73 10 21.*

*Paris 592 – Grenoble 28 – Le Bourg-d'Oisans 37 – La Mure 15 – Villard-de-Lans 56.*

**Pacodière** avec ch, rte du Lac ☎ 04 76 73 16 22, *Fax 04 76 73 16 22*, – P. AE GB
*1er mai-1er nov., week-ends de nov. à avril (sauf janv.) et fermé dim. soir et lundi du 7 sept. au 1er nov.* – **Repas** 21/32 ♀, enf. 10 – ☕ 7 – **3 ch** 49.
◆ Sur la Route Napoléon jalonnée de lacs. Prolongez votre pèlerinage à la prairie de la "Rencontre" par la dégustation de plats traditionnels dans un pimpant cadre rustique.

*Pas de publicité payée dans ce guide.*

**LAGARDE-ENVAL** *19150 Corrèze* 329 L4 – *766 h alt. 480.*

*Paris 488 – Brive-la-Gaillarde 36 – Aurillac 70 – Mauriac 67 – St-Céré 51 – Tulle 14.*

**Central** avec ch, ☎ 05 55 27 16 12, *Fax 05 55 27 13 79* – TV. GB. ch
*fermé 1er au 20 sept., sam. et dim.* – **Repas** 12 (déj.), 16/23 – ☕ 5,50 – **7 ch** 35 – ½ P 42.
◆ Ambiance familiale au coeur du pays vert corrézien, dans cette sympathique maison voisine de l'église du village. Chambres fraîches, cuisine aux accents du terroir.

**LAGARRIGUE** *81 Tarn* 338 F9 – *rattaché à Castres.*

**LAGUÉPIE** *82250 T.-et-G.* 337 H7 – *787 h alt. 149.*

*Office du Tourisme, place de Foirail ☎ 05 63 30 20 34, Fax 05 63 30 20 34.*

*Paris 656 – Rodez 71 – Albi 38 – Montauban 68 – Villefranche-de-Rouergue 33.*

**Les Deux Rivières**, ☎ 05 63 31 41 41, *Fax 05 63 30 20 91* – TV. GB
*fermé vacances de fév.* – **Repas** *(fermé vend. soir, sam. midi, dim. soir et lundi)* 10 (déj.), 14,50/28,50, enf. 8 – ☕ 6 – **8 ch** 31/34 – ½ P 34.
◆ Au confluent de l'Aveyron et du Viaur, petit hôtel aux chambres modestes mais bien tenues. Une étape conviviale aux confins du Rouergue et de l'Albigeois.

**LAGUIOLE** *12210 Aveyron* 338 J2 *G. Midi-Pyrénées* – *1 264 h alt. 1004 – Sports d'hiver : 1 100/1 400 m 12.*

*Office du Tourisme, place du Foirail ☎ 05 65 44 35 94, Fax 05 65 44 35 76, ot-laguiole@wanadoo.fr.*

*Paris 575 – Aurillac 79 – Rodez 52 – Espalion 22 – Mende 78 – St-Flour 60.*

**Grand Hôtel Auguy** (Mme Muylaert), ☎ 05 65 44 31 11, *grand.hotel-auguy@wanadoo.fr, Fax 05 65 51 50 81*, – TV. AE GB
*28 mars-11 nov. et fermé lundi sauf le soir en juil-août, dim. soir et mardi midi* – **Repas** (nombre de couverts limité, prévenir) 28 (déj.), 38/65 et carte 45 à 58 ♀, enf. 13 – ☕ 9,50 – **22 ch** 48/82 – ½ P 65/74.
◆ Cette maison de tradition a retrouvé tout son éclat : chambres contemporaines et salle à manger confortable où l'on appréciera les spécialités de l'Aubrac savamment mitonnées.
**Spéc.** Pavés de boudin noir, pomme en l'air et foie gras poêlé. Fricassée de grosses langoustines à l'émulsion de thym-citron (avril à août). Poitrine de pigeon rôti au vinaigre balsamique, rissoles aux herbes. **Vins** Marcillac

**Relais de Laguiole,** espace Les Cayres ✆ 05 65 54 19 66, *relais-de-laguiole@wanadoo.fr, Fax 05 65 54 19 49,* – AE GB
*1er avril-2 nov. et fermé lundi sauf juil.-août* – **Repas** 15/28, enf. 9 – 8,50 – **33 ch** 69/119 – ½ P 61/86.
◆ Face à un petit centre commercial, construction moderne dont la belle toiture pentue est revêtue d'ardoise. Grandes chambres contemporaines. Belle piscine couverte.

**Régis,** ✆ 05 65 44 30 05, *Fax 05 65 48 46 44,* – AE GB
*fermé 24 au 29 mars, 23 au 28 juin et 11 nov. au 26 déc.* – **Repas** (11,15) - 16/23 – 5,30 – **24 ch** 39,80/64,50 – ½ P 39,80/48.
◆ Relais de diligences du 19e s. abritant des chambres actuelles. Beau plafond peint au restaurant ; on dresse le couvert avec des laguioles, le couteau inventé en 1829.

**à l'Est** *: 6 km par rte d'Aubrac (D 15) – ✉ 12210 Laguiole :*

**Michel Bras** M, ✆ 05 65 51 18 20, *michel.bras@wanadoo.fr, Fax 05 65 48 47 02,* paysages de l'Aubrac – rest, AE GB JCB.
*avril-oct. et fermé lundi sauf juil.-août* – **Repas** *(fermé mardi midi, merc. midi sauf juil.-août et lundi)* (nombre de couverts limité, prévenir) 48 (déj.), 86/138 et carte 125 à 140 – 20 – **15 ch** 187/315.
◆ Cette abbaye de Thélème futuriste semble égarée parmi les rudes paysages de l'Aubrac. On y médite sur la nature... en se régalant d'une cuisine du terroir hautement inspirée.
**Spéc.** "Gargouillou" de jeunes légumes. Pièce de boeuf Aubrac rôtie à la braise. Biscuit tiède de chocolat "coulant". **Vins** Gaillac, Marcillac

**à Soulages-Bonneval** *Ouest : 5 km par D 541 – 259 h. alt. 830 – ✉ 12210 :*

**Auberge du Moulin**, ✆ 05 65 44 32 36, *Fax 05 65 54 11 01,* – GB
*fermé vend. soir d'oct. à juin sauf vacances scolaires* – **Repas** 10/20 – 4,50 – **12 ch** 22/28 – ½ P 26/29.
◆ Champêtre et d'un confort modeste, l'établissement occupe un vieux moulin haut perché. Petites chambres sobres. Baignade aménagée à proximité.

*Si le coût de la vie subit des variations importantes,*
*les prix que nous indiquons peuvent être majorés.*
*Lors de votre réservation à l'hôtel, faites-vous préciser le prix définitif.*

---

**LAJOUX** *39 Jura* 321 F8 – *rattaché à Lamoura.*

---

**LALACELLE** *61320 Orne* 310 I4 – *251 h alt. 300.*

Env. *Château de Carrouges*★ *N : 11 km,* G. Normandie Cotentin.

*Paris 209 – Alençon 19 – Argentan 35 – Domfront 42 – Falaise 57 – Mayenne 41.*

**Lentillère,** rte d'Alençon : 1,5 km sur N 12 ✆ 02 33 27 38 48, *Fax 02 33 27 38 30,* – GB
*fermé 15 janv. au 15 fév., dim. soir et lundi* – **Repas** 14/29, enf. 7,60.
◆ Prenez l'apéritif dans le joli jardin, puis rejoignez la salle à manger campagnarde, au charme un brin désuet, de cette auberge de bord de la route.

---

**LALANDE** *31 H.-Gar.* 343 G3 – *rattaché à Toulouse.*

---

**LALINDE** *24150 Dordogne* 329 F6 – *3 029 h alt. 46.*

*Office du Tourisme, Jardin Public ✆ 05 53 61 08 55, Fax 05 53 61 00 64, ot.lalinde@perigord.tm.fr.*

*Paris 537 – Périgueux 50 – Bergerac 23 – Brive-La-Gaillarde 102 – Villeneuve-sur-Lot 61.*

**Périgord,** pl. 14-Juillet ✆ 05 53 61 19 86, *philippe.amagat@wanadoo.fr, Fax 05 53 61 27 49,* – AE GB JCB
*fermé 20 déc. au 10 janv.* – **Repas** *(fermé dim. soir et lundi sauf juil.-août)* 16 (déj.), 20/55 – 7 – **16 ch** 47/86 – ½ P 47/60.
◆ Cette belle maison en calcaire doré abrite des chambres aux tons clairs. Agréable et confortable salle à manger ornée de tableaux du maître des lieux, peintre à ses heures.

**à St-Capraise-de-Lalinde** *Ouest, rte de Bergerac : 7 km – 584 h. alt. 42 – ✉ 24150 :*

**Relais St-Jacques** avec ch, ✆ 05 53 63 47 54, *Fax 05 53 73 33 52* – rest, GB. rest
*fermé 15 au 30 nov. et merc.* – **Repas** 14,50/35, enf. 9,20 – 7,50 – **7 ch** 38/46 – ½ P 39/44.
◆ À côté de l'église, ancien relais sur la route de Compostelle, dont l'origine remonterait au 13e s. Intérieur rustique, hospitalité toute périgourdine, plats du terroir.

**LALLEYRIAT** *01130 Ain* 328 H4 – *191 h alt. 850.*

*Paris 484 – Bourg-en-Bresse 60 – Genève 61 – Nantua 13 – Oyonnax 24.*

XX **Auberge Les Gentianes**, ✆ 04 74 75 31 80, *bgebalth@aol.com, Fax 04 74 75 30 60,* – GB

*fermé 8 au 31 janv., dim. soir, mardi et merc.* – **Repas** 22/38 ♀, enf. 11.

◆ Cheminée de pierre et chaises paillées : cette sympathique maison à la façade fleurie sait soigner son cadre campagnard. Préparations au léger accent régional.

**LALOUVESC** *07520 Ardèche* 331 J3 – *514 h alt. 1050.*

*Office du Tourisme, rue St Régis ✆ 04 75 67 84 20, Fax 04 75 67 80 09.*

*Paris 559 – Valence 56 – Annonay 24 – Lamastre 25 – Tournon-sur-Rhône 39.*

**Relais du Monarque**, ✆ 04 75 67 80 44, *relais.monarque@wanadoo.fr, Fax 04 75 67 83 65,* ←, , – TV

*12 avril-19 oct. et fermé mardi soir et merc. hors saison* – **Repas** 16/26, enf. 9 – ☕ 9 – **16 ch** 50/54 – ½ P 47/50.

◆ Relais de poste du 17e s. entièrement rénové. Chambres agréables, à choisir côté Est avec vue sur la vallée de l'Ay et les Alpes par temps clair. Jardin et jeu d'échecs géant.

**LAMAGDELAINE** *46 Lot* 337 E5 – *rattaché à Cahors.*

**LAMALOU-LES-BAINS** *34240 Hérault* 339 D7 *G. Languedoc Roussillon* – *2 194 h alt. 200* – *Stat. therm. (début fév.-mi déc.)* – *Casino.*

Voir *Église de St-Pierre-de-Rhèdes★ SO : 1,5 km.*

Env. *St-Pierre-de-Rhèdes★ SO : 1,5 km.*

*Office du Tourisme, 1 avenue Capus ✆ 04 67 95 70 91, Fax 04 67 95 64 52, omt.Lamalou@wanadoo.fr.*

*Paris 735 – Montpellier 79 – Béziers 39 – Lodève 37 – St-Pons-de-Thomières 38.*

**L'Arbousier et Paix**, ✆ 04 67 95 63 11, *arbousier.hotel@wanadoo.fr, Fax 04 67 95 67 78,* – TV P. AE GB

**Repas** *(9,50)* - 14/40 ♀, enf. 9 – ☕ 7,20 – **31 ch** 48/55 – P 52/57.

◆ Charmant établissement du début du 20e s. voisin des thermes, où des arbousiers ornent... les murs de la salle à manger ! Chambres claires, belle terrasse ombragée.

XX **Les Marronniers**, 8 av. Capus ✆ 04 67 95 76 00, *Fax 04 67 95 76 00,* – . AE GB

*fermé 2 au 22 janv., dim. soir et lundi* – **Repas** *(13)* - 16,50/39 ♀.

◆ Une halte revigorante après de saines excursions dans le Caroux ou sur le parcours du chemin de fer touristique Bédarieux-Mons. Cuisine du marché, choix de vins régionaux.

**LAMARCHE-SUR-SAÔNE** *21 Côte-d'Or* 320 M6 – *rattaché à Auxonne.*

**LAMASTRE** *07270 Ardèche* 331 J4 *G. Vallée du Rhône* – *2 717 h alt. 375.*

*Office du Tourisme, place Montgolfier ✆ 04 75 06 48 99, Fax 04 75 06 37 53.*

*Paris 577 – Valence 39 – Privas 52 – Le Puy-en-Velay 72 – St-Étienne 87 – Vienne 87.*

**Château d'Urbilhac**, Sud-Est : 2 km par rte Vernoux-en-Vivarais ✆ 04 75 06 42 11, *Fax 04 75 06 52 75,* ← montagnes, , , , – P. AE GB

*31 mai-15 sept. et fermé mardi* – **Repas** *(dîner seul. en semaine)* 38 ♀ – ☕ 10 – **12 ch** 84/107 – ½ P 100.

◆ Joli petit château du 19e s., de style Renaissance, au coeur d'un parc de 60 ha dominant la vallée. Élégants intérieurs, mobilier ancien, terrasse et piscine panoramiques.

**Midi** (Perrier), pl. Seignobos ✆ 04 75 06 41 50, *Fax 04 75 06 49 75,* – TV . AE GB JCB

*fermé fin déc. à mi-fév., vend. soir, dim. soir et lundi* – **Repas** 32/74 ♀, enf. 15 – ☕ 12 – **11 ch** 62/91 – ½ P 84.

◆ L'historien C. Seignobos est né à Lamastre. Chambres agréablement provinciales et restaurant au cadre un brin désuet dans ces deux maisons centrales. Belle cuisine classique.

**Spéc.** Salade tiède de foie gras de canard. Pain d'écrevisses sauce cardinal. Soufflé glacé aux marrons de l'Ardèche. **Vins** Saint-Péray, Saint-Joseph.

**LAMBALLE** *22400 C.-d'Armor* 309 G4 *G. Bretagne* – *9 894 h alt. 55.*

Voir *Haras national★.*

*Office du Tourisme, place du Martray ✆ 02 96 31 05 38, Fax 02 96 50 01 96, otsi.lamballe@netcourrier.com.*

*Paris 432 ② – St-Brieuc 20 ④ – Dinan 43 ② – Rennes 81 ② – St-Malo 53 ① – Vannes 131 ③.*

## LAMBALLE

Augustins (R. des) . . . . . . . **A** 2
Bario (R.) . . . . . . . . . . . . . . . **A** 3
Blois (R. Ch. de) . . . . . . . . . **B** 5
Boucouets (R. des) . . . . . . **B** 7
Cartel (R. Ch.) . . . . . . . . . . . **A** 8
Charpentier (R. Y.) . . . . . . . **B** 14
Dr-A.-Calmette (R. du) . . . . **A** 15
Dr-Lavergne (R. du) . . . . . **A** 16
Foch (R. Mar.) . . . . . . . . . . **B** 19
Gesle (Ch. de la) . . . . . . . . **A** 23
Grand Boulevard (R. du) . **A** 24
Hurel (R. du Bg) . . . . . . . . **B** 25
Jeu-de-Paume (R. du) . . . **A** 26
Leclerc (R. Gén.) . . . . . . . **B** 29
Marché (Pl. du) . . . . . . . . . **A** 30
Martray (Pl. du) . . . . . . . **AB**
Mouëxigné (R.) . . . . . . . . . **B** 31
Poincaré (R.) . . . . . . . . . . . **B** 34
Préville (R.) . . . . . . . . . . . . **B** 35
St-Jean (R.) . . . . . . . . . . . . **A** 37
St-Lazare (R.) . . . . . . . . . . **A** 38
Tery (R. G.) . . . . . . . . . . . . **A** 39
Tour-aux-Chouettes (R.) . **B** 42
Val (R. du) . . . . . . . . . . . . **AB**
Villedeneu (R.) . . . . . . . . . **A** 45

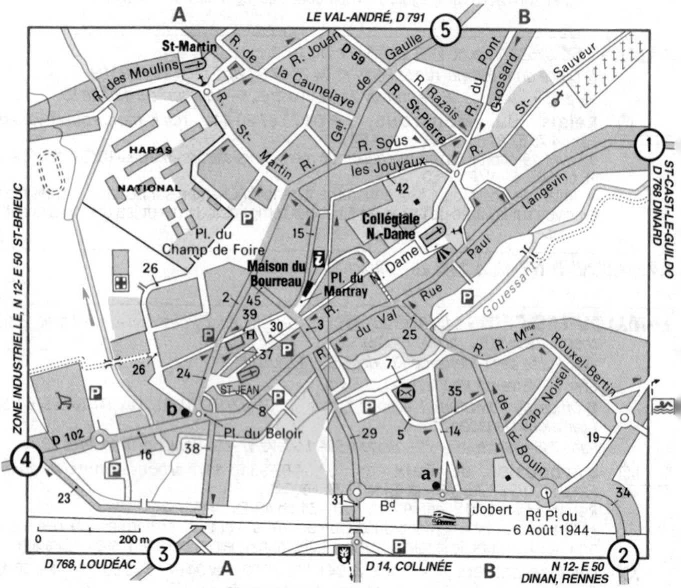

A
B
LE VAL-ANDRÉ, D 791
5
St-Martin
R. des Moulins
R. de la Caunelaye
R. Jouan
D 59
Gaulle
de
Gal
R. St-Martin
R. St-Pierre
R. Razais
R. du Pont
Grossard
St-Sauveur
R. Sous les Jouyaux
HARAS NATIONAL
42
Collégiale N.-Dame
1
ST-CAST-LE-GUILDO D 768 DINARD
Langevin
Paul
Rue
N. Dame
Pl. du Champ de Foire
15
Maison du Bourreau
Pl. du Martray
Gouessant
26
2
45
39
30
3
R. du Val
25
R. R. Mme Rouxel-Bertin
R. Cap. Noisel
37
26
24
ST-JEAN
7
35
8
b
Pl. du Beloir
29
5
14
R. de Bouin
19
D 102
4
16
38
a
23
31
Bd Jobert
Rd Pt du 6 Août 1944
34
0
200 m
3
2
D 768, LOUDÉAC
D 14, COLLINÉE
N 12- E 50 DINAN, RENNES
ZONE INDUSTRIELLE, N 12- E 50 ST-BRIEUC


**Alizés,** Z.I., par ④ : 2 km ☎ 02 96 31 16 37, *alizes.hotel.rest.@wanadoo.fr, Fax 02 96 31 23 89,* – TV ☎ ♿ P – 60. AE ⓓ GB. ✗
*fermé 20 déc. au 10 janv.* – **Repas** *(fermé dim. sauf juil.-août)* 12 (déj.), 15/28 ♀, enf. 9 – ☕ 11 – **32 ch** 46/51 – ½ P 45.
♦ Établissement de type motel, aux chambres fonctionnelles. Salle à manger tournée vers le jardin. Salons spacieux, avec coin billard.

**Angleterre** sans rest, 29 bd Jobert ☎ 02 96 31 00 16, *hotel-dangleterre@wanadoo.fr, Fax 02 96 31 91 54* – TV ☎ . AE ⓓ GB JCB **B a**
☕ 6,50 – **19 ch** 60/70.
♦ Cet hôtel situé juste en face de la gare abrite des chambres bien insonorisées et peu à peu refaites. Accueil sympathique, confortable salon-bibliothèque.

**Tour d'Argent,** 2 r. Dr Lavergne ☎ 02 96 31 01 37, *latourdargent@wanadoo.fr, Fax 02 96 31 37 59* – rest, TV ♿ – 50. AE ⓓ GB **A b**
**Repas** *(fermé sam. de nov. à mars)* *(10)* - 15/43 ♀, enf. 8 – ☕ 10 – **31 ch** 55/60 – ½ P 45/50.
♦ Loin du luxe de son homonyme parisien, cette maison offre un cadre mariant le moderne à l'ancien. Imposante cheminée dans une salle, oeuvres d'artistes locaux dans l'autre.

---

## LAMOTTE-BEUVRON *41600 L.-et-Ch.* 318 *J6 – 4 247 h alt. 114.*

*Syndicat d'Initiative, Hôtel de Ville ☎ 02 54 88 84 85, Fax 02 54 88 84 83.*

*Paris 172 – Orléans 37 – Blois 60 – Gien 58 – Romorantin-Lanthenay 39 – Salbris 21.*

**Tatin,** face gare ☎ 02 54 88 00 03, *hoteltatin@wanadoo.fr, Fax 02 54 88 96 73,* , – rest, TV ☎ P – 15. AE GB
*fermé 28 juil. au 11 août, 21 déc. au 7 janv., 23 fév. au 12 mars, dim. soir et lundi.* – **Repas** *(18)* - 25/49 – ☕ 9 – **14 ch** 49/72.
♦ Hôtellerie familiale où fut créée, pour le bonheur de tous les gourmets, la fameuse tarte aux pommes caramélisées. Tradition toujours vivante ! Chambres et restaurant rénovés.

**LAMOURA** *39310 Jura* 321 F8 – *388 h alt. 1156 – Sports d'hiver : voir aux Rousses.*
*Paris 478 – Genève 55 – Gex 29 – Lons-le-Saunier 74 – St-Claude 16.*

**Spatule,** ✆ 03 84 41 20 23, *laspatule.hotel.restaurant@wanadoo.fr, Fax 03 84 41 24 16,* ≤, 🏞 – TV ✆ P. GB
*1er mai-3 nov., 1er déc.-1er avril* – **Repas** *(fermé lundi soir et mardi)* 10,70 (déj.), 15/24 ♀ – ☕ 6,50 – **25 ch** 49,50 – ½ P 46,50.
◆ Chalet au pied des pistes de ski de fond, dans un hameau aux environs de la station des Rousses. Choisir une chambre côté sommets. Restaurant panoramique.

**à Lajoux** *Sud : 6 km par D 292 – 197 h. alt. 1180 – ✉ 39310 :*

**Haute Montagne,** ✆ 03 84 41 20 47, *hotel-haute-montagne@wanadoo.fr, Fax 03 84 41 24 20,* 🏞, 🌳 – |‡| TV ♿ P. GB
*fermé 29 mars au 19 avril et 29 sept. au 6 déc.* – **Repas** 12/15,30, enf. 7,30 – ☕ 5,80 – **20 ch** 30,80/44 – ½ P 47.
◆ Cet hôtel situé au centre d'un bourg de montagne renaît de ses cendres : façade rafraîchie, chambres refaites à neuf et bien insonorisées, cuisine familiale.

**LAMURE-SUR-AZERGUES** *69870 Rhône* 327 F3 – *782 h alt. 383.*
ℹ *Office du Tourisme, rue du vieux pont* ✆ *04 74 03 13 26, Fax 04 74 03 13 26.*
*Paris 445 – Mâcon 59 – Roanne 49 – Lyon 55 – Tarare 37 – Villefranche-sur-Saône 28.*

**Ravel,** ✆ 04 74 03 04 72, *Fax 04 74 03 05 26,* 🏞, 🌳 – TV. GB
*fermé 2 au 30 nov. et vend. de sept. à mai* – **Repas** 12,50/36 🍷 – ☕ 5 – **8 ch** 25/42 – ½ P 38,90/41,50.
◆ Petit établissement offrant des chambres simples, mais très bien tenues ; quelques-unes ménagent une perspective sur la vallée de l'Azergues. Salle des repas campagnarde.

*Un automobiliste averti utilise le* ***Guide Rouge Michelin*** *de l'année.*

**LANARCE** *07660 Ardèche* 331 G5 – *248 h alt. 1180.*
*Paris 583 – Le Puy-en-Velay 48 – Aubenas 44 – Langogne 18 – Privas 72.*

**Provence,** N 102 ✆ 04 66 69 46 06, *leprovence@voila.fr, Fax 04 66 69 41 56,* 🏞, 🌳 – |‡| TV ♿ 🚗 P. GB
*5 fév.-15 nov.* – **Repas** 11,50 (déj.), 15,50/27 ♀, enf. 7 – ☕ 6,20 – **14 ch** 32/46 – ½ P 35/44.
◆ Bâtisse récente longeant un axe fréquenté. Les chambres, insonorisées et majoritairement tournées sur l'arrière, bénéficient d'un coquet décor. Plats du terroir.

**LANAU** *15 Cantal* 330 F5 – *rattaché à Chaudes-Aigues.*

**LANCIEUX** *22 C.-d'Armor* 309 J3 – *rattaché à St-Briac-sur-Mer.*

**LANCRANS** *01 Ain* 328 I4 – *rattaché à Bellegarde-sur-Valserine.*

**LANDÉAN** *35 I.-et-V.* 309 P4 – *rattaché à Fougères.*

**LANDERNEAU** *29800 Finistère* 308 F4 *G. Bretagne – 14 269 h alt. 10.*
Voir *Enclos paroissial★ de Pencran S : 3,5 km* **Z** – *Enclos paroissial★ de la Roche-Maurice : 5 km par* ①.
ℹ *Office du Tourisme, Pont de Rohan* ✆ *02 98 85 13 09, Fax 02 98 21 39 27, otpayslanderneau-daoulas@wanadoo.fr.*
*Paris 576 ③ – Brest 27 ③ – Carhaix-Plouguer 59 ② – Morlaix 39 ③ – Quimper 64 ③.*

Plan page suivante

**Ibis** M, Nord : 1,5 km par ③ *et rte Lesneven* ✆ 02 98 21 85 00, *ibis-landerneau@mescoat.com, Fax 02 98 21 67 61* – ⇔ TV ✆ ♿ P. AE ⓓ GB
*fermé 21 déc. au 2 janv.* – ***Trois Rouleaux*** *(fermé sam. et dim.)* **Repas** 16/25 🍷, enf. 11,50 – ☕ 6 – **42 ch** 52.
◆ Au sein du parc de Mescoat, unité moderne aux chambres peu spacieuses mais rénovées ; confort actuel et décoration particulièrement soignée. Parcours santé et minigolf.

**L'Amandier** avec ch, 55 r. Brest ✆ 02 98 85 10 89, *Fax 02 98 85 34 14* – TV. GB. ✻ rest
Y n
**Repas** *(fermé sam. midi, dim. soir et lundi)* (14) - 17/28 ♀ – ☕ 6,50 – **8 ch** 48 – ½ P 40.
◆ Ce petit restaurant est installé dans une discrète maison bretonne. Quelques chambres démontreront qu'il y a aujourd'hui bien peu de "bruit dans Landerneau".

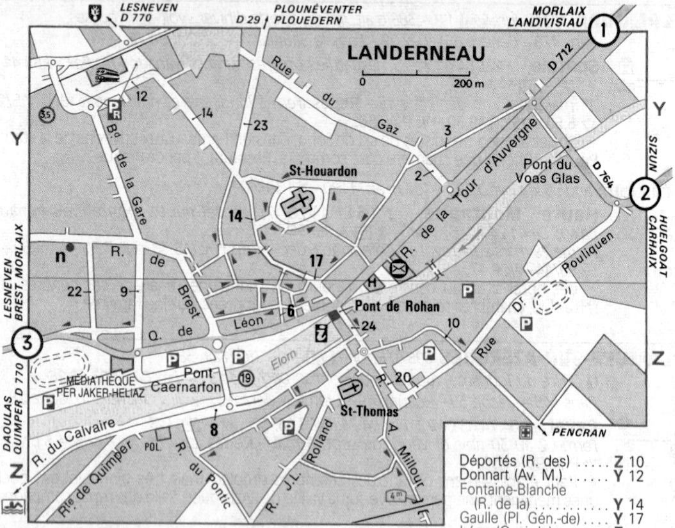

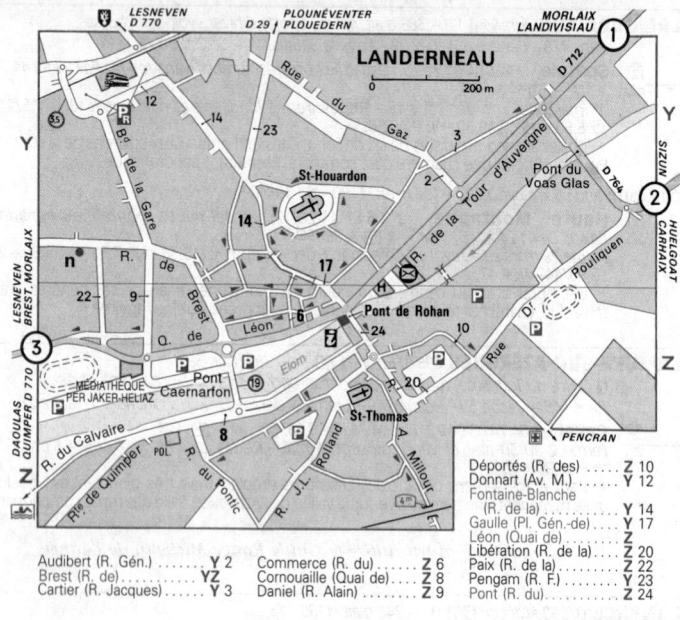

LANDERNEAU
0
200 m
LESNEVEN D 770
D 29
PLOUNÉVENTER PLOUEDERN
MORLAIX LANDIVISIAU
1
D 712
Y
SIZUN
D 764
2
HUELGOAT CARHAIX
Z
PENCRAN
Z
DAOULAS QUIMPER D 770
3
LESNEVEN BREST, MORLAIX
Y
Rue du Gaz
Bd de la Gare
St-Houardon
R. de la Tour d'Auvergne
Pont du Voas Glas
R. de Brest
n
Q. de Léon
Pont de Rohan
Rue Dr. Pouliquen
Elorn
MÉDIATHÈQUE PER JAKER-HELIAZ
Pont Caernarfon
R. du Calvaire
Rte de Quimper
POL.
R. du Pontic
R. J.L. Rolland
St-Thomas
A. Millour
12
14
23
3
2
14
17
22
9
6
24
10
20
8


Audibert (R. Gén.) . . . . . . . Y 2
Brest (R. de) . . . . . . . . . . . YZ
Cartier (R. Jacques) . . . . . . Y 3
Commerce (R. du) . . . . . . . Z 6
Cornouaille (Quai de) . . . . Z 8
Daniel (R. Alain) . . . . . . . . . Z 9
Déportés (R. des) . . . . . . Z 10
Donnart (Av. M.) . . . . . . . Y 12
Fontaine-Blanche (R. de la) . . . . . . . . . . . Y 14
Gaulle (Pl. Gén.-de) . . . . Y 17
Léon (Quai de) . . . . . . . . Z
Libération (R. de la) . . . . Z 20
Paix (R. de la) . . . . . . . . . Z 22
Pengam (R. F.) . . . . . . . . Y 23
Pont (R. du) . . . . . . . . . . Z 24

*Donnez-nous votre avis sur les tables que nous recommandons, sur leurs spécialités et leurs vins de pays.*

---

**LANDES-LE-GAULOIS** *41190 L.-et-Ch.* 318 *E6 – 589 h alt. 105.*

*Paris 195 – Tours 53 – Blois 17 – Château-Renault 25 – Vendôme 21.*

**Château de Moulins** sans rest, Nord-Est : 2 km par D 26 ☎ 02 54 20 17 93, *Fax 02 54 20 17 99,* – – 25. AE GB JCB
11 – **22 ch** 153/183.
◆ Au coeur d'un vaste domaine arboré (étang), élégant château bâti entre le 12e et le 17e s. Grandes chambres souvent garnies de meubles chinés chez les antiquaires. Héliport.

---

**LANDEVANT** *56690 Morbihan* 308 *M8 – 2 083 h alt. 29.*

*Paris 486 – Vannes 37 – Auray 18 – Lorient 29 – Pontivy 41.*

**Forestière,** 1,5 km par rte Nostang (D 33) ☎ 02 97 56 90 55, *karine.et.erik@free.fr, Fax 02 97 56 90 55,* – . GB
*fermé 30 janv. au 13 fév., dim. soir et lundi sauf fériés* – **Repas** 13,80/40 ♀.
◆ Pavillon de style régional dans un environnement forestier. Cuisine au goût du jour servie dans une confortable salle à manger ou sur la terrasse dallée.

---

**LANDIVISIAU** *29400 Finistère* 308 *G3 G. Bretagne – 8 254 h alt. 75.*

Voir *Porche★ de l'église St-Thivisiau – Jubé★ de la Chapelle Ste-Anne.*

Env. *Église★ de Bodilis – St-Thégonnec★★ – Guimiliau★★.*

*Office du Tourisme, 14 avenue du Maréchal Foch ☎ 02 98 68 33 33.*

*Paris 559 – Brest 38 – Landerneau 17 – Morlaix 23 – Quimper 73 – St-Pol-de-Léon 23.*

**Kyriad,** Z.A. Le Vern par rte Roscoff : 2 km ☎ 02 98 24 42 42, *kyriad.landi@gofornet.com, Fax 02 98 24 42 00,* – – 15 à 30. AE GB
*fermé 20 déc. au 12 janv.* – **Repas** *(fermé dim. soir et sam. hors saison)* (11,50) - 14,50 ♀, enf. 6,80 – 7 – **52 ch** 60.
◆ Complexe hôtelier situé aux portes de la ville et à proximité de la nationale. Grandes chambres pratiques, sobre salle à manger et pelouse avec aire de jeux pour les enfants.

---

**LANDSER** *68 H.-Rhin* 315 *I10 – rattaché à Mulhouse.*

**LANGEAC** *43300 H.-Loire* 331 *C3 G. Auvergne – 4 195 h alt. 505.*

*Office du Tourisme, place Aristide Briand ✆ 04 71 77 05 41, Fax 04 71 77 19 93.*

*Paris 512 – Le Puy-en-Velay 45 – Brioude 30 – Mende 93 – St-Flour 54.*

**à Reilhac** *Nord : 3 km par D 585 – ✉ 43300 Mazeyrat-d'Allier :*

**Val d'Allier** Ⓜ, ✆ 04 71 77 02 11, *Fax 04 71 77 19 20* – TV ✆ P. GB. rest

*1er avril-15 nov. et fermé dim. soir et lundi hors saison* – **Repas** *(dîner seul. sauf dim. et fériés)* (prévenir) *(17)* - 21 (dîner), 23/45 ♀ – ☕ 8 – **22 ch** 45/55 – ½ P 48.

◆ Dans un village de caractère des gorges de l'Allier, ce pied-à-terre confortable conviendra aux randonneurs et adeptes d'activités sportives. Cuisine traditionnelle.

**LANGEAIS** *37130 I.-et-L.* 317 *L5 G. Châteaux de la Loire – 3 960 h alt. 41.*

Voir *Château★★ : appartements★★★.*

Env. *Parc★ du château de Cinq-Mars-la-Pile NE : 5 km par N 152.*

*Office du Tourisme, place du 14 Juillet ✆ 02 47 96 58 22, Fax 02 47 96 83 41, otsi@neuronnexion.fr.*

*Paris 269 – Tours 26 – Angers 101 – Château-la-Vallière 28 – Chinon 26 – Saumur 41.*

**Errard Hosten** avec ch, 2 r. Gambetta ✆ 02 47 96 82 12, *info@errard.com, Fax 02 47 96 56 72,* – TV ✆. AE ① GB JCB

*fermé 17 fév. au 4 avril, mardi midi, dim. soir et lundi hors saison* – **Repas** 26/42 bc et carte 44 à 62 ♀ – ☕ 14 – **10 ch** 71/88.

◆ À proximité du superbe château édifié par Louis XI, hostellerie régionale précédée d'une cour-terrasse. Chambres bourgeoises et salle de restaurant habillée de boiseries.

**à St-Patrice** *Ouest : 10 km par rte de Bourgueil – 593 h. alt. 39 – ✉ 37130 Langeais :*

**Château de Rochecotte** ✆ 02 47 96 16 16, *chateau.rochecotte@wanadoo.fr, Fax 02 47 96 90 59,* ≤, ☰, – |‡| TV ✆ P – 40. AE GB. rest

*fermé 13 janv. au 27 fév.* – **Repas** 37,50/58,50 ♀, enf. 15 – ☕ 21,10 – **31 ch** 148/198, 3 appart – ½ P 112/146,50.

◆ Le château du prince de Talleyrand est devenu un hôtel aux chambres spacieuses et ravissantes. Parc, jardin à la française, colonnade à l'antique... Aristocratique !

**LANGON** ⟨SP⟩ *33210 Gironde* 335 *J7 G. Aquitaine – 5 842 h alt. 10.*

Env. *Château de Roquetaillade★★ S : 7 km.*

*Office du Tourisme, allée Jean-Jaurès ✆ 05 56 63 68 00, Fax 05 56 63 68 09, office-du-tourisme-langon@wanadoo.fr.*

*Paris 627 – Bordeaux 50 – Bergerac 82 – Libourne 54 – Marmande 47 – Mont-de-Marsan 86.*

**Claude Darroze** avec ch, 95 cours Gén. Leclerc ✆ 05 56 63 00 48, *restaurant.darroze@wanadoo.fr, Fax 05 56 63 41 15,* – TV ✆ P – 40. AE ① GB JCB.

*fermé 15 oct. au 10 nov., 6 au 25 janv., dim. soir et lundi midi d'oct. à juin* – **Repas** 38/68 et carte 58 à 75 ♀ – ☕ 12 – **16 ch** 58/90 – ½ P 82/100.

◆ Salle de restaurant à l'antique, terrasse aux platanes séculaires, savoureuse cuisine classique et carte des vins étoffée : cette demeure de tradition invite à la gourmandise.

**Spéc.** Lamproie de la Gironde à la fondue de poireaux (mars à juin). Foie gras de canard chaud aux pommes caramélisées. Gibier (saison). **Vins** Graves.

**à St-Macaire** *Nord : 2 km – 1 459 h. alt. 15 – ✉ 33490.*

Voir *Verdelais : calvaire ≤★ N : 3 km – Château de Malromé★ N : 6 km – Ste-Croix-du-Mont : ≤★, grottes★ NO : 5 km.*

**Abricotier** avec ch, N 113 ✆ 05 56 76 83 63, *Fax 05 56 76 28 51,* – cuisinette P. GB. ch

*fermé 12 nov. au 12 déc., mardi soir et lundi* – **Repas** 20/38 – ☕ 6 – **3 ch** 48.

◆ Maison régionale à deux pas de la cité médiévale. Petites salles au cadre actuel, jardin-terrasse ombragé par un abricotier et chambres accueillantes. Plats classiques.

**LANGRES** ⟨SP⟩ *52200 H.-Marne* 313 *L6 G. Champagne Ardenne – 9 987 h alt. 466.*

Voir *Site★★ – Promenade des remparts★★ – Cathédrale St-Mammès★* **Y** *– Section gallo-romaine★ au musée d'art et d'histoire* **Y M**¹.

*Office du Tourisme, place Bel Air ✆ 03 25 87 67 67, Fax 03 25 87 73 33, office.tourisme.pays.de.langres@wanadoo.fr.*

*Paris 286 ① – Chaumont 34 ① – Dijon 79 ③ – Nancy 142 ① – Vesoul 77 ②.*

Plan page suivante

**Cheval Blanc,** 4 r. Estres ✆ 03 25 87 07 00, *info@hotel-langres.com, Fax 03 25 87 23 13* – TV ✆ ♿. AE GB. rest **Z a**

*fermé 15 au 30 nov.* – **Repas** *(fermé merc. midi)* 20 (déj.), 25/70 ♀ – ☕ 8,50 – **22 ch** 50/90.

◆ Église paroissiale devenue auberge à la Révolution. Les murs de pierre témoignent d'un passé chargé d'histoire : Bossuet y reçut le sous-diaconat. Chambres de caractère.

## LANGRES

Barbier-d'Aucourt (R.) . . . . . . . . Y 3
Beligné (R. Ch.) . . . . . . . . . . . . . Y 4
Belle-Allée (La) . . . . . . . . . . . . . Y 5
Boillot (R.) . . . . . . . . . . . . . . . . Y 6
Boulière (R.) . . . . . . . . . . . . . . . Y 7
Canon (R.) . . . . . . . . . . . . . . . . . Y 8
Centenaire (Pl. du) . . . . . . . . . . Y 10
Chambrûlard (R.) . . . . . . . . . . . . Y 12
Chavannes (R. des) . . . . . . . . . . Z 13
Crémaillère (R. de la) . . . . . . . . Y 14
Croc (R. du) . . . . . . . . . . . . . . . Y 15
Denfert-Rochereau (R.) . . . . . . . Z 16
Diderot (R.) . . . . . . . . . . . . . . . YZ
Durand (R. Pierre) . . . . . . . . . . . Y 17
Gambetta (R.) . . . . . . . . . . . . . . Y 18
Grand-Bie (R. du) . . . . . . . . . . . . Y 19
Grand-Cloître (R. du) . . . . . . . . . Y 20
Grouchy (Pl. Col.-de) . . . . . . . . . Z 21
Lambert-Payen (R.) . . . . . . . . . . Y 24
Leclerc (R. Général) . . . . . . . . . . Y 25
Lescornel (R.) . . . . . . . . . . . . . . Y 26
Longe-Porte (R.) . . . . . . . . . . . . X 27
Mance (Square J.) . . . . . . . . . . . Y 28
Minot (R.) . . . . . . . . . . . . . . . . . Z 31
Morlot (R. Card.) . . . . . . . . . . . . Y 32
Roger (R.) . . . . . . . . . . . . . . . . . Y 33
Roussat (R. Jean) . . . . . . . . . . . Y 35
St-Didier (R.) . . . . . . . . . . . . . . . Y 36
Terreaux (R. des) . . . . . . . . . . . . Y 37
Tournelle (R. de la) . . . . . . . . . . Y 39
Turenne (R. de) . . . . . . . . . . . . . Y 41
Ursulines (R. des) . . . . . . . . . . . Y 43
Walferdin (R.) . . . . . . . . . . . . . . Y 44
Ziegler (Pl.) . . . . . . . . . . . . . . . . Y 45

### PORTES

Boulière . . . . . . . . . . . . . . . . . . . Y
Gallo-Romaine . . . . . . . . . . . . . . Y
Henri-IV . . . . . . . . . . . . . . . . . . . Y
Hôtel-de-Ville (de l') . . . . . . . . . . Y
Longe-Porte . . . . . . . . . . . . . . . . X
Moulins (des) . . . . . . . . . . . . . . . Z
Neuve . . . . . . . . . . . . . . . . . . . . . Y

### TOURS

Navarre et d'Orval (de) . . . . . . . Z
Petit-Sault (du) . . . . . . . . . . . . . X
Piquante . . . . . . . . . . . . . . . . . . X
St-Ferjeux . . . . . . . . . . . . . . . . . Z
St-Jean . . . . . . . . . . . . . . . . . . . X
Sous-Murs (de) . . . . . . . . . . . . . . Y
Virot . . . . . . . . . . . . . . . . . . . . . Y

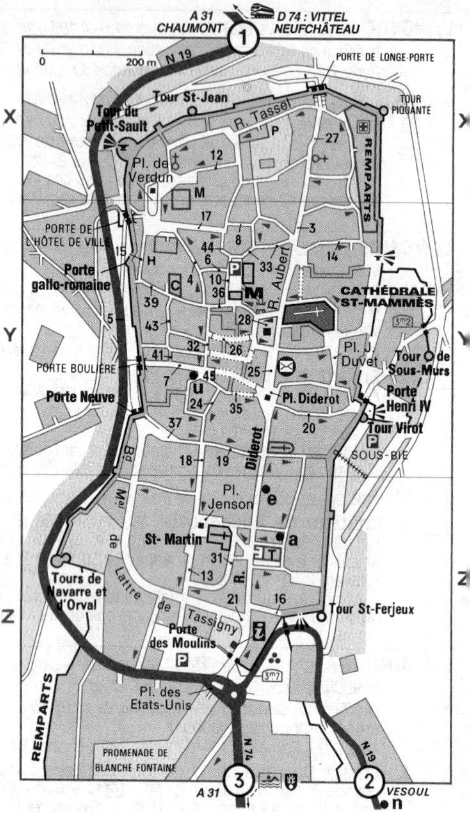

A 31
CHAUMONT
D 74 : VITTEL
NEUFCHÂTEAU
1
2
3
0
200 m
N 19
N 74
A 31
VESOUL
X
Y
Z
PORTE DE LONGE-PORTE
TOUR PIQUANTE
Tour St-Jean
Tour du Petit-Sault
R. Tassel
REMPARTS
Pl. de Verdun
PORTE DE L'HÔTEL DE VILLE
Porte gallo-romaine
R. Aubert
CATHÉDRALE ST-MAMMÈS
Pl. J. Duvet
Tour de Sous-Murs
Porte Henri IV
Tour Virot
PORTE BOULIÈRE
Porte Neuve
Pl. Diderot
Diderot
SOUS-BIE
Bd Mal de Lattre de Tassigny
Pl. Jenson
St- Martin
Tours de Navarre et d'Orval
Tour St-Ferjeux
Porte des Moulins
Pl. des Etats-Unis
PROMENADE DE BLANCHE FONTAINE


**Grand Hôtel de L'Europe,** 23 r. Diderot ✆ 03 25 87 10 88, *hotel-europe.langres@wanadoo.fr, Fax 03 25 87 60 65* – TV ✆ P. GB — Z e
*fermé dim. soir en hiver* – **Repas** 15/46 ♀, enf. 10 – ☕ 7 – **26 ch** 41/62 – ½ P 58.
◆ Ex-relais de poste situé sur l'artère principale de la ville ancienne. Pimpantes chambres rénovées, plus calmes sur l'arrière. Salle à manger d'inspiration rustique.

**Lion d'Or,** rte Vesoul ✆ 03 25 87 03 30, *relais.sud.terminus@wanadoo.fr, Fax 03 25 87 60 67,* ⛱ – TV P – 🚣 15. GB — Z n
*fermé 15 janv. au 15 fév. et dim. soir de nov. à avril* – **Repas** 13/32,50 ♀ – ☕ 7,10 – **14 ch** 45/60 – ½ P 45/50.
◆ À proximité d'un lac-réservoir (plage, pêche, voile), petit établissement judicieusement relooké : chambres et salle à manger actuelles, et bar-salon "africain".

**Poste** sans rest, 10 pl. Ziegler ✆ 03 25 87 10 51, *Fax 03 25 88 46 18* – TV P. GB — Y u
☕ 6 – **35 ch** 35/39.
◆ Confort rudimentaire ? Mais, que voulez-vous, les murs datent du 16e s... Prenez donc la vie avec philosophie dans la ville natale de Diderot !

**au Lac de la Liez** *par ②, N 19 et D 284 : 4 km –* ✉ *52200 Langres :*

**Auberge des Voiliers** avec ch, au bord du Lac ✆ 03 25 87 05 74, *auberge.voiliers@wanadoo.fr, Fax 03 25 87 24 22,* ←, – ▤ rest, TV ✆. GB.
*fermé 1 déc. au 2 mars et lundi* – **Repas** *(12)* - 15,50/45 ♀, enf. 7 – ☕ 7 – **8 ch** 50/100 – ½ P 55/95.
◆ La façade vitrée, très années 1970, miroite au soleil face aux 270 ha du lac. Salle de restaurant redécorée et chambres pour dépanner. Ponton et miniplage à proximité.

**LANGRUNE-SUR-MER** *14830 Calvados 303 J4 – 1 539 h.*

*Office du Tourisme, place du 6 Juin ☎ 02 31 97 32 77, Fax 02 31 97 00 77.*

*Paris 249 – Caen 17 – Bayeux 27 – Ouistreham 10.*

**Mer,** ☎ 02 31 96 03 37, *hoteldelamer@wanadoo.fr, Fax 02 31 97 57 94,* ≤, – TV. AE GB

*fermé 9 déc. au 2 janv.* – **Repas** 11/40 ♀, enf. 9 – ☕ 5,40 – **12 ch** 32/41 – ½ P 48.

◆ Façade toute blanche contrastant avec le bleu de la mer que l'on contemple depuis la plupart des chambres, petites mais proprettes, et de la salle à manger au décor marin.

**LANGUIMBERG** *57810 Moselle 307 M6 – 189 h alt. 290.*

*Paris 419 – Nancy 65 – Lunéville 43 – Metz 79 – Sarrebourg 18 – Saverne 47.*

XX **Chez Michèle,** ☎ 03 87 03 92 25, *Fax 03 87 03 93 47* – AE GB

*fermé 22 déc. au 10 janv., mardi et merc.* – **Repas** 28/60 ♀, enf. 10.

◆ Ancien café de village devenu plaisante petite auberge au cachet rustique. Sur l'arrière, vaste véranda rénovée et agréablement entourée par la végétation.

**LANNEPAX** *32190 Gers 336 D7 – 610 h alt. 168.*

*Paris 753 – Auch 41 – Aire-sur-l'Adour 48 – Barbotan-les-Termes 34 – Condom 27.*

X **Hostellerie Gasconne,** ☎ 05 62 58 02 00

*fermé janv. et lundi* – **Repas** nombre de couverts limité, prévenir) 13/46 bc ♀.

◆ Cette belle demeure gasconne était naguère la propriété d'un notaire. Coquette salle campagnarde avec colombages, cheminée et poutres apparentes. Goûteuse cuisine du terroir.

**LANNILIS** *29870 Finistère 308 D3 – 4 272 h alt. 48.*

*Office du Tourisme, 1 place de l'Eglise ☎ 02 98 04 05 43, Fax 02 98 04 12 47, office@abers-tourisme.com.*

*Paris 600 – Brest 23 – Landerneau 31 – Morlaix 63 – Quimper 88.*

XX **Auberge des Abers,** pl. Gén. Leclerc (près église) ☎ 02 98 04 00 29 – AE GB

*fermé 3 au 17 mars, 22 sept. au 13 oct., dim. soir, mardi soir et lundi* – **Repas** (1er étage) (nombre de couverts limité, prévenir)(dîner seul. sauf dim) 48/80 ***- Rez-de-chaussée :*** (déj. seul.) *(fermé dim. et lundi)* **Repas** 8,50 bc ♀.

◆ Jolie maison de granit où la table conviviale de midi, au rez-de-chaussée, fait place le soir à l'atmosphère plus feutrée de la salle située à l'étage. Cuisine du marché.

**LANNION** SP *22300 C.-d'Armor 309 B2 G. Bretagne – 16 958 h alt. 12.*

**Voir** *Maisons anciennes★ (pl.Général Leclerc* **Y17)** *– Église de Brélévenez★ : mise au tombeau★* **Y.**

*de Lannion : ☎ 02 96 05 82 00, N par ① : 2 km.*

*Office du Tourisme, 2 quai d'Aiguillon ☎ 02 96 46 41 00, Fax 02 96 37 19 64, Tourisme.lannion@wanadoo.fr.*

*Paris 516 ③ – St-Brieuc 64 ③ – Brest 96 ⑤ – Morlaix 42 ⑤.*

Plan page suivante

**Ibis** sans rest, 30 av. Gén. de Gaulle ☎ 02 96 37 03 67, *H3401@accor-hotels.com, Fax 02 96 46 45 83* – TV – 15 à 30. AE GB **Z a**

☕ 6,30 – **70 ch** 51/61.

◆ Cet hôtel, récemment passé sous l'enseigne Ibis, est situé face à la gare. Chambres entièrement refaites, de tailles variées, plus calmes côté jardin ou parking.

**rte de Perros-Guirec** *par ① D 788 : 5 km – ✉ 22300 Lannion :*

**Arcadia** M sans rest, ☎ 02 96 48 45 65, *hotel-arcadia@wanadoo.fr, Fax 02 96 48 15 68,* – TV P – 25. AE GB

*fermé 20 déc. au 8 janv.* – ☕ 6,20 – **14 ch** 56, 6 duplex.

◆ À proximité du C.N.E.T., hôtel moderne abritant des chambres fonctionnelles et bien tenues, meublées en rotin. Petite restauration pour les résidents. Bar avec billard.

**à La Ville-Blanche** *par ②, rte de Tréguier : 5 km sur D 786 – ✉ 22300 Lannion :*

XXX **Ville Blanche** (Jaguin), ☎ 02 96 37 04 28, *jaguin@la-ville-blanche.com, Fax 02 96 46 57 82* – P. AE GB JCB

*fermé 13 au 20 oct.,.15 déc. au 6 fév., dim. soir, merc. soir et lundi* – **Repas** (week-end prévenir) 26/68 et carte 48 à 70 ♀, enf. 15.

◆ Élégante salle à manger et son jardin potager où l'on cueille les fines herbes relevant subtilement la cuisine très personnalisée de cette délicieuse "maison de famille".

**Spéc.** Homard rôti au beurre salé, ses pinces en ragoût (avril à oct.). Saint-Jacques des Côtes d'Armor (oct. à mars). Millefeuille aux fraises de Plougastel (avril à sept.)

## LANNION

Aiguillon (Quai d') . . . . . . . Z 2
Augustins (R. des) . . . . . . Z 3
Buzulzo (R. de) . . . . . . . . . Z 4
Chapeliers (R. des) . . . . . Y 6
Cie-Roger-de-Barbé (R.) . Y 7
Clemenceau (Allée) . . . . . Z 8
Du Guesclin (R.) . . . . . . . . Z 9
Frères-Lagadec (R. des) . . . . . . . . . . . . . Z 12
Keriavily (R. de) . . . . . . . . . Z 14
Kermaria (R. et Pont) . . . . Z 16
Leclerc (Pl. Gén.) . . . . . . . Y 17
Le-Dantec (R. F.) . . . . . . . Y 18
Le-Taillandier (R. E.) . . . . . Z 20
Mairie (R. de la) . . . . . . . . Y 21
Palais-de-Justice (Allée du) . . . . . . . . . . . . Z 24
Pont-Blanc (R. Geoffroy-de) . . . . . . Z 25
Pors an Prat (R. de) . . . . . Y 26
Roud Ar Roc'h (R. de) . . . Z 28
St-Malo (R. de) . . . . . . . . . Z 29
St-Nicolas (R.) . . . . . . . . . . Z 30
Trinité (R. de la) . . . . . . . . Y 32

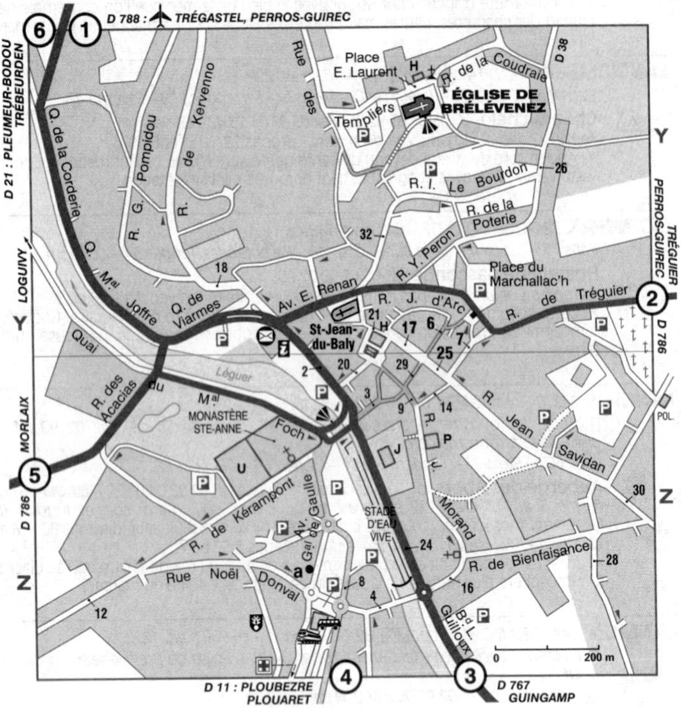

D 788 : TRÉGASTEL, PERROS-GUIREC
D 21 : PLEUMEUR-BODOU TRÉBEURDEN
LOGUIVY
MORLAIX
D 786
TRÉGUIER PERROS-GUIREC
D 786
D 11 : PLOUBEZRE PLOUARET
D 767 GUINGAMP
Place E. Laurent
ÉGLISE DE BRÉLÉVENEZ
R. de la Coudraie
Templiers
Rue des
R. I. Le Bourdon
R. de la Poterie
R. Y. Peron
Place du Marchallac'h
R. de Tréguier
R. J. d'Arc
Av. E. Renan
St-Jean-du-Baly
Q. de la Corderie
Q. Mal Joffre
Q. de Viarmes
R. G. Pompidou
R. de Kervenno
Quai du Mal Foch
R. des Acacias
Léguer
MONASTÈRE STE-ANNE
R. Jean Savidan
R. J. Morand
R. de Kérampont
Av. Gal de Gaulle
Rue Noël Donval
STADE D'EAU VIVE
R. de Bienfaisance
Bd L. Guilloux
POL.
0 200 m


*Ecrivez-nous...*
*Vos louanges comme vos critiques seront examinées avec le plus grand soin. Nous reverrons sur place les informations que vous nous signalez.*
*Par avance merci !*

**LANS-EN-VERCORS** *38250 Isère* 333 *G7 – 1 451 h alt. 1120 – Sports d'hiver : 1 020/1 980 m* 16 .

*Office du Tourisme, place de la Mairie ✆ 04 76 95 42 62, Fax 04 76 95 49 70, tourisme@ot-lans-en-vercors.fr.*

*Paris 578 – Grenoble 27 – Villard-de-Lans 8 – Voiron 36.*

**Val Fleuri,** ✆ 04 76 95 41 09, *levalfleuri@aol.com, Fax 04 76 94 34 69,* ←, , – TV , P, GB. rest
*20 mai-10 sept. et 20 déc.-20 mars* – **Repas** (résidents seul. ou sur réservation) 18,50/28 – 6,50 – **14 ch** 29/52,50 – ½ P 39/50.
◆ Le temps semble s'être arrêté dans cette attachante demeure 1928 au cachet "rétro" parfaitement conservé (belle salle à manger d'origine). Chambres méticuleusement tenues.

**Au Bon Accueil,** D 531 ✆ 04 76 95 42 02, *aubonaccueil@wanadoo.fr, Fax 04 76 94 63 22,* , – P, GB
*fermé 28 avril au 5 mai, 27 oct. au 8 nov., vend. soir, et sam. hors saison* – **Repas** *(12)* - 18/38 – 6 – **17 ch** 36/45 – ½ P 40/43.
◆ L'hôtel est situé à l'entrée de ce bourg du Parc régional du Vercors. Sobres chambres campagnardes ; salle à manger agréablement provinciale et terrasse ombragée.

**au col de la Croix Perrin** *Sud-Ouest : 4 km par D 106 – ✉ 38250 Lans-en-Vercors :*

**Auberge de la Croix Perrin** avec ch, ☎ 04 76 95 40 02, *Fax 04 76 94 33 10*, ←, – TV P. GB

*fermé avril, 1er nov. au 20 déc., dim. soir et lundi* – **Repas** 14 (déj.), 19/37 – 6 – **9 ch** 40,50/44 – ½ P 44.

◆ Sympathique ex-maison forestière cernée par les sapins. Intérieur rénové où domine le bois, coquettes chambres, restaurant avec vue dégagée et copieux plats traditionnels.

---

**LANSLEBOURG-MONT-CENIS** *73480 Savoie* 333 O6 *G. Alpes du Nord – 647 h alt. 1399 – Sports d'hiver : 1 400/2 800 m 1 21 .*

*Office du Tourisme, 89 rue du Mont Cenis à Val-Cenis ☎ 04 79 05 23 66, Fax 04 79 05 82 17, info@valcenis.com.*

*Paris 686 – Albertville 112 – Chambéry 125 – St-Jean-de-Maurienne 53 – Torino 94.*

**Vieille Poste,** ☎ 04 79 05 93 47, *info@lavieilleposte.com, Fax 04 79 05 86 85* – TV. AE GB

*11 juin-26 oct. et 26 déc.-14 avril* – **Repas** 12,50 bc/23 , enf. 7 – 6,10 – **17 ch** 47/54 – ½ P 54.

◆ Au centre de cette station de la Haute-Maurienne, accueillante pension de famille récemment rajeunie. Petites chambres actuelles, à la tenue irréprochable. Cuisine régionale.

**Relais des Deux Cols,** ☎ 04 79 05 92 83, *hotel@relais-des-2-cols.fr, Fax 04 79 05 83 74*, , – TV. AE GB

*4 mai-6 oct. et 18 déc.-7 avril* – **Repas** 15/30 – 6,50 – **28 ch** 36/48 – ½ P 48/55.

◆ Hôtel d'étape sur la route des cols du Mont-Cenis et de l'Iseran. Chambres refaites depuis peu, mansardées au dernier étage. Lumineuse salle à manger familiale.

*Ecrivez-nous...*
*Vos louanges comme vos critiques seront examinées avec le plus grand soin. Nous reverrons sur place les informations que vous nous signalez.*
*Par avance merci !*

---

**LANSLEVILLARD** *73480 Savoie* 333 O6 *G. Alpes du Nord – 392 h alt. 1500 – Sports d'hiver (voir à Lanslebourg-Mont-Cenis).*

**Voir** *Peintures murales★ dans la chapelle St-Sébastien.*

*Office du tourisme, Grande Rue ☎ 04 79 05 23 66, Fax 04 79 05 82 17, info@valcenis.com.*

*Paris 690 – Albertville 116 – Briançon 113 – Chambéry 129 – Val-d'Isère 47.*

**Les Mélèzes,** ☎ 04 79 05 93 82, *Fax 04 79 05 93 82*, ←, – P. AE GB.

*20 juin-10 sept. et 20 déc.-20 avril* – **Repas** (dîner seul.)(résidents seul.) 14,50 (déj.)/18 – 6,50 – **14 ch** 45/48 – ½ P 60/66.

◆ Architecture des années 1980 idéalement située au pied des pistes. Chambres lambrissées, pour la plupart tournées vers la Dent Parrachée (3684 m). Cuisine familiale.

---

**LANVOLLON** *22290 C.-d'Armor* 309 E3 – *1 427 h alt. 90.*

*Syndicat d'Initiative, place du marché au blé ☎ 02 96 70 12 47, Fax 02 96 70 27 34.*

*Paris 475 – St-Brieuc 28 – Guingamp 16 – Lannion 50 – Paimpol 19.*

**Lucotel,** rte de St-Quay-Portrieux (par D 9 : 1 km) ☎ 02 96 70 01 17, *lucotel@wanadoo.fr, Fax 02 96 70 08 84*, – rest, TV P – 25. AE GB

*fermé 27 oct. au 15 nov. et 23 fév. au 6 mars* – **Repas** *(fermé dim. soir et lundi midi d'oct. à mars)* 12,40 (déj.), 17,50/29,80 , enf. 7,60 – 7,70 – **25 ch** 45,80/58,20 – ½ P 51,50/53,50.

◆ Les chambres de cet hôtel bâti à l'écart du village sont simples, mais fonctionnelles et bien tenues. Boiseries et meubles en hêtre agrémentent la salle à manger. Minigolf.

---

**LAON** P *02000 Aisne* 306 D5 *G. Picardie Flandres Artois – 26 490 h alt. 181.*

**Voir** *Site★★ – Cathédrale Notre-Dame★★ : nef★★★ – Rempart du Midi et porte d'Ardon★* **CZ** *– Abbaye St-Martin★* **BZ** *– Porte de Soissons★* **ABZ** *– Rue Thibesard ←★* **BZ** *– Musée★ et chapelle des Templiers★* **CZ.**

*Office du Tourisme, place du Parvis de la Cathédrale ☎ 03 23 20 28 62, Fax 03 23 20 68 11, tourisme.info.laon@wanadoo.fr.*

*Paris 142 ③ – Reims 62 ② – St-Quentin 48 ② – Soissons 38 ③.*

## LAON

Arquebuse (R. de l') . . . . . . . **CZ** 2
Aubry (Pl.) . . . . . . . . . . . . . . . **CZ** 3
Berthelot (R. Marcelin) . . . . **AZ** 5
Bossus (R. del'Abbé) . . . . . **DY** 6
Bourg (R. du) . . . . . . . . . . **BCZ** 8
Carnot (Av.) . . . . . . . . . . . . . . **CY**
Change (R. au) . . . . . . . . . . . **CZ** 9
Charles de Gaulle (Av.) . . . . . . . . . . . . . . **DY** 12
Châtelaine (R.) . . . . . . . . . . . **CZ** 13
Cloître (R. du) . . . . . . . . . . . **CZ** 15
Combattants d'Afrique du Nord (Pl. des) . . . . . **DZ** 16
Cordeliers (R. des) . . . . . . . **CZ** 18
Doumer (R. Paul) . . . . . . . . . **CZ** 19

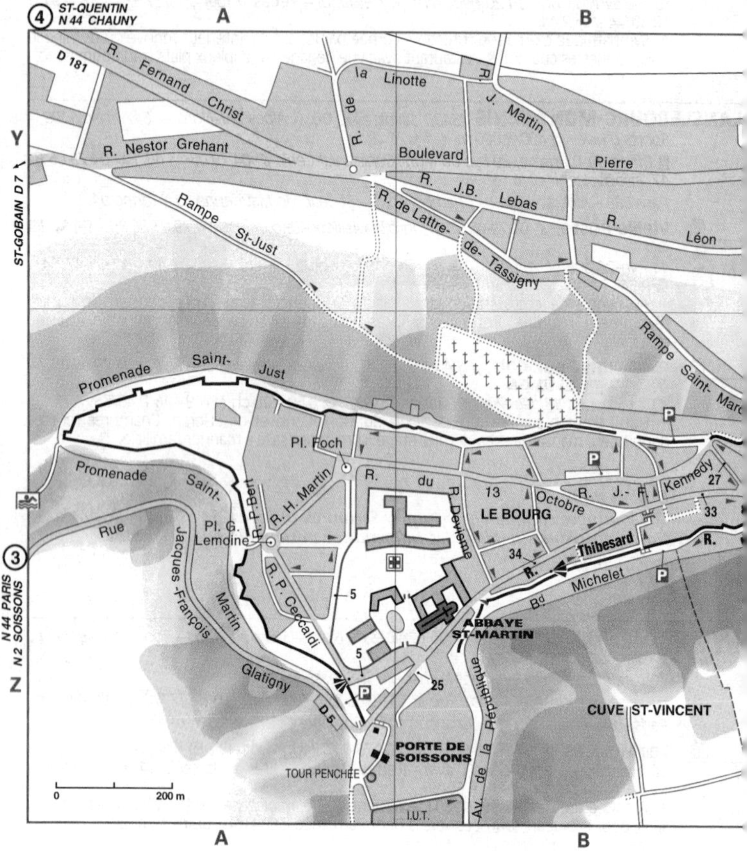

ST-QUENTIN
N 44 CHAUNY
A
B
Y
Z
ST-GOBAIN D 7
N 44 PARIS
N 2 SOISSONS
D 181
R. Fernand Christ
R. Nestor Grehant
R. de la Linotte
R. J. Martin
Boulevard Pierre
R. J.B. Lebas
R. de Lattre-de-Tassigny
R. Léon
Rampe St-Just
Rampe Saint-Marc
Promenade Saint-Just
Promenade Saint-Martin
Pl. Foch
R. H. Martin
R. P. Bert
Pl. G. Lemoine
R. P. Ceccaldi
R. du 13 Octobre
R. Devisme
LE BOURG
R. J.-F. Kennedy
R. Thibesard
Bd Michelet
ABBAYE ST-MARTIN
Av. de la République
CUVE ST-VINCENT
Rue Jacques-François Martin
Glatigny
D 5
PORTE DE SOISSONS
TOUR PENCHÉE
I.U.T.
0
200 m


**Bannière de France,** 11 r. F. Roosevelt ✆ 03 23 23 21 44, *hotel.banniere.de.france@wanadoo.fr, Fax 03 23 23 31 56* – TV ✆ – 🚗 – 60. AE ⓓ GB JCB. ✂ **BCZ t**
*fermé 20 déc. au 19 janv.* – **Repas** *(15,50)* - 20,50/52,50 ♀, enf. 8,50 – ☕ 7 – **18 ch** 52/62 – ½ P 47,50/53,50.
◆ Relais de poste édifié en 1685 au coeur de la ville haute. Réservez l'une des pimpantes chambres rénovées. Salle à manger parquetée, au charme "vieille France".

**Hostellerie St-Vincent,** av. Ch. de Gaulle par ② ✆ 03 23 23 42 43, *hotel.st.vincent@wanadoo.fr, Fax 03 23 79 22 55,* – TV ✆ ♿ P – 25. AE ⓓ GB
**Repas** *(fermé sam. midi et dim. soir) (11)* - 15,30/19,80 ♀, enf. 8 – ☕ 6,20 – **47 ch** 50,50/59 – ½ P 41,30/45,30.
◆ Construction contemporaine de type motel à la périphérie de l'ancienne capitale carolingienne. Chambres fonctionnelles. Salle à manger sobrement aménagée.

**Petite Auberge,** 45 bd Brossolette ✆ 03 23 23 02 38, *w.marc.zorn@wanadoo.fr, Fax 03 23 23 31 01* – AE GB **CY a**
*fermé 21 au 28 avril, 4 au 17 août, 23 au 29 fév., sam. midi, lundi soir et dim. sauf fériés* – **Repas** *(19,60)* - 24,40/39,30 ♀ - ***Bistrot St-Amour*** ✆ 03 23 23 31 01 **Repas** 12,90/15,50 ♀.
◆ Ce restaurant de la ville basse propose deux formules : cuisine au goût du jour dans une confortable salle à manger aux douces tonalités et repas plus simples au bistrot.

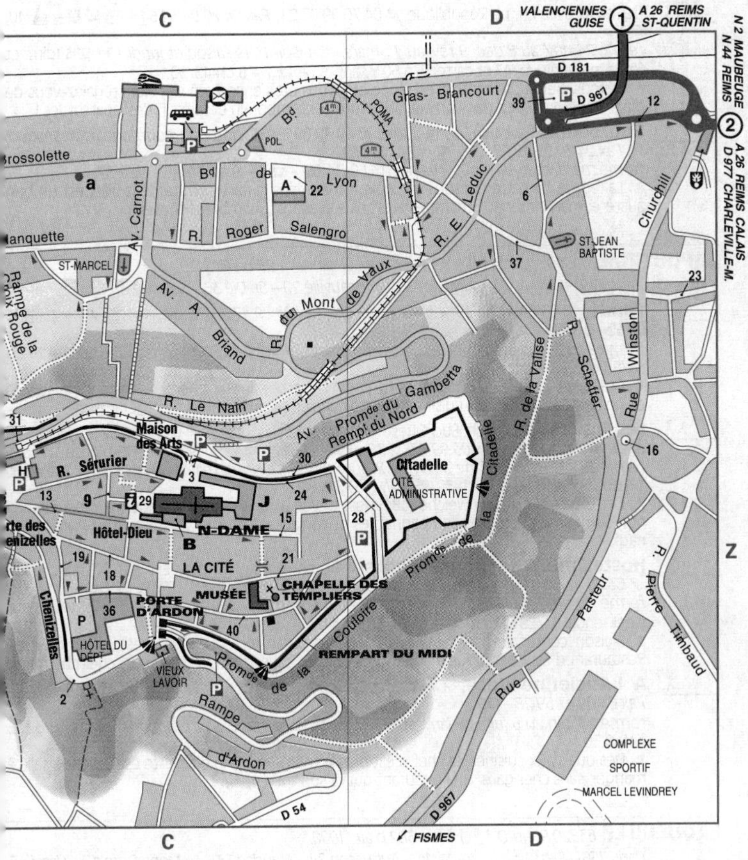
C
D
VALENCIENNES GUISE
A 26 REIMS ST-QUENTIN
N 2 MAUBEUGE N 44 REIMS
A 26 REIMS CALAIS D 977 CHARLEVILLE-M.
D 181
D 967
Gras- Brancourt
POMA
Bd de Lyon
POL.
Brossolette
Av. Carnot
R. Roger Salengro
R. E. Leduc
Churchill
ST-JEAN BAPTISTE
ST-MARCEL
Rampe de la Croix Rouge
Av. A. Briand
R. du Mont de Vaux
Gambetta
R. Le Nain
Av. Promde du Rempt du Nord
Maison des Arts
R. Sérurier
Citadelle
CITÉ ADMINISTRATIVE
R. de la Valise
R. Scheffer
Rue Winston
Hôtel-Dieu
N-DAME
LA CITÉ
Porte des Chenizelles
Chenizelles
MUSÉE
CHAPELLE DES TEMPLIERS
PORTE D'ARDON
HÔTEL DU DÉPT
VIEUX LAVOIR
Promde de la Citadelle
Couloire
REMPART DU MIDI
Promde de la
Rampe d'Ardon
Rue Pasteur
R. Pierre Timbaud
COMPLEXE SPORTIF MARCEL LEVINDREY
D 54
D 967
FISMES
Z

**à Samoussy** *par ② et D 977 : 13 km – 410 h. alt. 84 – ✉ 02840 :*

XXX **Relais Charlemagne,** ✆ 03 23 22 21 50, *relais.charlemagne@wanadoo.fr, Fax 03 23 22 18 75,* 斎, 🐕 – AE ⓓ GB
*fermé 4 au 24 août, 19 au 29 fév., merc. soir, dim. soir et lundi* – **Repas** 25/50 et carte 51 à 58.
◆ Berte, la mère de Charlemagne, était originaire de ce village. La maison abrite deux salles à manger feutrées ; l'une d'elles s'ouvre sur le jardin. Cuisine classique.

**à Chamouille** *par D 967* **DZ** *: 13 km – 147 h. alt. 112 – ✉ 02860 :*

🏨 **Mercure** Ⓜ ⛳, parc nautique de l'Ailette, Sud 0,5 km par D 967 ✆ 03 23 24 84 85, *hotel-mercure@ailette.fr, Fax 03 23 24 81 20,* ≤, 斎, 🏊 – |≑| ⇔, ▤ rest, 📺 📞 ♿ 🅿 – 🎪 40. AE ⓓ GB JCB
**Repas** *(16,50)* - 22, enf. 11 – ☕ 10 – **58 ch** 79/98.
◆ Bâtiment moderne isolé sur la rive d'un vaste plan d'eau équipé pour les sports nautiques. Chambres spacieuses dotées de loggias. Salle de restaurant panoramique. Golf.

*Les plans de villes sont orientés le Nord en haut.*

**LAPALISSE** *03120 Allier* 326 I5 *G. Auvergne – 3 603 h alt. 280.*

Voir Château★★.

*Office du Tourisme, 3 rue du Pdt Roosevelt ✆ 04 70 99 08 39, Fax 04 70 99 28 09.*

*Paris 348 – Moulins 50 – Digoin 45 – Mâcon 122 – Roanne 49 – St-Pourçain-sur-Sioule 30.*

XXX **Galland** avec ch, pl. République ✆ 04 70 99 07 21, *Fax 04 70 99 34 64* – TV P – 40. GB

*fermé 24 nov. au 8 déc, 9 fév. au 1er mars, dim. soir hors saison et lundi* – **Repas** (dim. et fêtes, prévenir) 23/47 et carte 35 à 50 ♀, enf. 15 – ☕ 7 – **8 ch** 45/50.

◆ Si vous n'êtes pas mort, c'est donc que vous êtes encore en vie, alors régalez-vous de plats au goût du jour dans un élégant cadre contemporain et faites fi des lapalissades !

X **Bourbonnais** avec ch, pl. 14-Juillet ✆ 04 70 99 29 23, *hotel-du-bourbonnais@wanadoo.fr, Fax 04 70 99 19 79*, – TV. AE GB

*fermé mardi sauf juil.-août* – **Repas** 13,50/31,50 – ☕ 5 – **9 ch** 30/46 – ½ P 37.

◆ La façade de cette maison régionale, située dans la partie haute de la ville, est un brin austère, mais l'intérieur champêtre est plus avenant. Chambres rénovées.

**LAPOUTROIE** *68650 H.-Rhin* 315 H8 *G. Alsace Lorraine – 1 981 h alt. 420.*

*Paris 429 – Colmar 21 – Munster 31 – Ribeauvillé 20 – St-Dié 33 – Sélestat 38.*

**Faudé**, ✆ 03 89 47 50 35, *info@faude.com, Fax 03 89 47 24 82*, – TV P. AE GB

*fermé 9 au 29 mars, 2 au 29 nov., mardi et merc.* – **Repas** 18,80/66 ♀, enf. 7 – ☕ 12 – **29 ch** 55/85 – ½ P 63/91.

◆ Grandes chambres modernes et joli jardin traversé par une rivière. Au restaurant, service en costume traditionnel ; cuisine du terroir, gibier en saison et carte végétarienne.

XX **Les Alisiers** avec ch, Sud-Ouest : 3 km par rte secondaire ✆ 03 89 47 52 82, *jacques.degouy@wanadoo.fr, Fax 03 89 47 22 38*, ≤ vallon, – P. GB. ch

*fermé 22 au 26 déc., 5 janv. au 5 fév., 27 juin au 3 juil. lundi et mardi* – **Repas** (dim., prévenir) 18,35/35 – ☕ 8,60 – **18 ch** 32/96 – ½ P 57,70/88.

◆ Cette ferme du pays welche (1819) est devenue une coquette auberge (réservée aux non-fumeurs). Chambres campagnardes et restaurant tourné vers le vallon. Plats régionaux.

X **Hostellerie A La Bonne Truite** avec ch, à Hachimette, Est par N 415 : 1 km ✆ 03 89 47 50 07, *bonne.truite@wanadoo.fr, Fax 03 89 47 25 35* – TV P. AE GB

*fermé 16 au 28 juin, nov., janv., mardi et merc. d'oct. à juin* – **Repas** (dîner seul. sauf week-ends) 13/29 ♀, enf. 10 – ☕ 7 – **10 ch** 41/45 – ½ P 46/48.

◆ Maison centenaire bordant la N 415 dans sa traversée du pittoresque val d'Orbey. Restaurant d'esprit rustique et chambres simples, plus calmes à l'arrière. Accueil charmant.

X **A l'Ancienne Gare**, à Hachimette, Est : 1 km par N 415 ✆ 03 89 47 56 69, *Fax 03 89 47 59 28* – GB

*fermé 23 juin au 6 juil., 26 janv. au 8 fév., sam. midi, merc. soir et jeudi* – **Repas** 18/32 ♀, enf. 8,50.

◆ Des quais aux cuisines, le chef n'est plus le même : la salle d'attente est devenue salle à manger, sans crier gare. Un restaurant qui va son train !

**LAQUEUILLE** *63820 P.-de-D.* 326 D9 *– 382 h alt. 1000.*

*Paris 458 – Clermont-Ferrand 41 – Aubusson 74 – Mauriac 73 – Le Mont-Dore 15 – Ussel 43.*

**au Nord-Est** *2 km par D 922 et rte secondaire – ✉ 63820 Laqueuille :*

**Auberge de Fondain**, ✆ 04 73 22 01 35, *auberge.de.fondain@wanadoo.fr, Fax 04 73 22 06 13*, ≤, – P. GB

*fermé 3 au 11 mars, 3 au 30 nov., dim. soir et lundi sauf vacances scolaires* – **Repas** *(fermé le midi de mardi à jeudi d'oct. à mars)* 10 (déj.), 13/21, enf. 8 – ☕ 6,50 – **6 ch** 29/39 – ½ P 46.

◆ Une demeure bourgeoise ancienne perdue dans les champs, des chambres printanières, une salle à manger campagnarde, quelques VTT, un fitness... Une vraie mise au vert !

**à la gare** *Ouest : 3 km par D 922 et D 82 :*

**Les Clarines**, ✆ 04 73 22 00 43, *Fax 04 73 22 06 10*, – TV – 25. AE GB

*2 mai-2 nov.* – **Repas** (dîner seul.) 18 ♀ – ☕ 5,80 – **12 ch** 35/50 – ½ P 39,50/46,50.

◆ L'arrivée du chemin de fer transforma cette ferme en hôtel. Chambres spacieuses, un brin désuètes mais bien tenues. Salle à manger tournée vers le plaisant jardin arboré.

*Si vous êtes retardé sur la route, dès 18 h, confirmez votre réservation par téléphone, c'est plus sûr... et c'est l'usage.*

**LARAGNE-MONTÉGLIN** *05300 H.-Alpes* 334 *C7 – 3 371 h alt. 571.*

*Office du Tourisme, place des Aires ✆ 04 92 65 09 38, Fax 04 92 65 28 41.*

*Paris 689 – Digne-les-Bains 57 – Gap 40 – Sault 61 – Serres 17 – Sisteron 18.*

**Chrisma** sans rest, rte de Grenoble ✆ 04 92 65 09 36, *Fax 04 92 65 08 12*, – P. GB

*fermé 11 nov. au 10 déc. et fév.* – 6 – **17 ch** 42,50/48,50.

◆ L'agréable jardin et sa terrasse sont les atouts de cet hôtel bâti au pied de la montagne de Chabre, célèbre pour son site de vol libre. Chambres spacieuses, bien rénovées.

**Terrasses**, av. Provence (N 75) ✆ 04 92 65 08 54, *hotellesterrasses@free.fr, Fax 04 92 65 21 08*, – P. AE GB. rest

*1er avril-1er nov.* – **Repas** (dîner seul.) *(14)* - 18/23 ♀, enf. 9 – 6,50 – **15 ch** 28/48 – ½ P 42/45.

◆ Pension de famille traditionnelle aux chambres simples et bien tenues ; côté jardin, elles possèdent une terrasse offrant un joli coup d'oeil sur le village. Accueil charmant.

**LARÇAY** *37270 I.-et-L.* 317 *N4 – 1 751 h alt. 82.*

*Paris 244 – Tours 10 – Angers 120 – Blois 55 – Poitiers 103 – Vierzon 107.*

XX **Chandelles Gourmandes**, ✆ 02 47 50 50 02, *charret@chandelles-gourmandes.fr, Fax 02 47 50 55 94* – AE GB

*fermé 4 au 10 août, 1er au 7 sept., dim. soir, lundi et mardi* – **Repas** 29/65 ♀, enf. 11.

◆ Poutres, tuffeau et cheminée agrémentent la salle à manger de cet ancien relais de poste situé sur une rive du Cher. Spécialités de fritures et poissons de Loire.

*Si vous cherchez un hôtel tranquille,*
*consultez d'abord les cartes de l'introduction*
*ou repérez dans le texte les établissements indiqués avec le signe* .

**Le LARDIN-ST-LAZARE** *24570 Dordogne* 329 *I5 – 2 047 h alt. 86.*

*Paris 503 – Brive-la-Gaillarde 28 – Lanouaille 38 – Périgueux 47 – Sarlat-la-Canéda 34.*

**Sautet**, ✆ 05 53 51 45 00, *contact@hotelsautet-dordogne.com, Fax 05 53 51 45 09*, – P – 25. AE GB

*fermé mi-déc. au 4 janv.* – **Repas** *(fermé week-ends d'oct. à mars, vend. midi, sam. midi d'avril à sept. et le midi en juil.-août)* 25/39 ♀ – 9,50 – **26 ch** 71/75 – ½ P 69.

◆ Hôtel de tradition tout entier tourné vers son beau parc arboré. Trois chambres ont été rénovées ; les autres possèdent un charme désuet. Cuisine périgourdine.

**au Sud** : *4 km par D 704, D 62 et rte secondaire – ✉ 24570 Condat-sur-Vézère :*

**Château de la Fleunie** , ✆ 05 53 51 32 74, *Fax 05 53 50 58 98*, – P – 80. AE GB

*fermé janv. et fév.* – **Repas** 22/43 ♀ – 10 – **33 ch** 63/128 – ½ P 58/93.

◆ Château féodal au milieu d'un parc de 100 ha avec enclos animalier. Salle à manger et chambres "châtelaines" ; certaines vous offrent de dormir sous une forêt de poutres.

**à Coly** *Sud-Est : 6 km par D 74 et D 62 – 193 h. alt. 113 – ✉ 24120 :*

Voir *Église★★ de St-Amand-de-Coly SO : 3 km,* **G. Périgord Quercy.**

**Manoir d'Hautegente** , ✆ 05 53 51 68 03, *hotel@manoir-hautegente.com, Fax 05 53 50 38 52*, – P. AE GB

*début avril-début nov.* – **Repas** *(fermé le midi du lundi au jeudi)* 41 – 12 – **11 ch** 116/191, 4 duplex – ½ P 107/1450.

◆ Dans un parc où coule une rivière, moulin à draps du 14e s. devenu une élégante hôtellerie où grimpe la vigne vierge. Intérieur "cosy" agrémenté de meubles anciens.

**LARGENTIÈRE** *07110 Ardèche* 331 *H6 G. Vallée du Rhône – 1 990 h alt. 240.*

Voir *Le vieux Largentière★.*

*Office du Tourisme, 41 avenue de la république ✆ 04 75 39 14 28, Fax 04 75 39 23 66, otardeche@free.fr.*

*Paris 658 – Alès 65 – Aubenas 17 – Privas 48.*

**à Rocher** *Nord : 4 km par D 5 – 260 h. alt. 353 – ✉ 07110 Largentière :*

**Chêne Vert** , ✆ 04 75 88 34 02, *contact@hotellechenevert.com, Fax 04 75 88 33 85*, – P. GB

*1er avril-1er nov. et fermé lundi et mardi en oct.* – **Repas** 16/34 – 7,50 – **25 ch** 54/65 – ½ P 50/56.

◆ Aux confins du Vivarais et des Cévennes, adresse conviviale disposant de chambres pratiques ; certaines, dotées d'un balcon, offrent le coup d'oeil sur la jolie piscine.

**LARMOR-BADEN** *56870 Morbihan 308 N9 – 816 h alt. 10.*

*Voir Cairn ★★ de l'île Gavrinis : 15 mn en bateau.*

*Paris 475 – Vannes 15 – Auray 15 – Lorient 59 – Pontivy 67.*

**Centre,** ☏ 02 97 57 04 68, *Fax 02 97 57 20 94* – TV ☎ P
*fermé janv. et lundi du 1er oct. au 15 avril* – **Repas** 13 (déj.), 18/25 ♀ – ☕ 5,50 – **13 ch** 53/58 – ½ P 46.

◆ Les navettes pour le surprenant cairn de Gavrinis partent de ce pittoresque village. Chambres un brin surannées, mais bien tenues. Restaurant au décor marin. Bar-P.M.U.

**LARMOR-PLAGE** *56260 Morbihan 308 K8 G. Bretagne – 8 078 h alt. 4.*

*Voir ≤★ du Pont St-Maurice.*

*Paris 510 – Vannes 65 – Lorient 7 – Quimper 73.*

**Les Mouettes** M ⛵, Anse de Kerguélen, Ouest : 1,5 km ☏ 02 97 65 50 30, *info@lesmouettes.com, Fax 02 97 33 65 33,* ≤, 🌳 – ▤ rest, TV ☎ ♿ P – 🎤 15. AE ① GB. ✂ rest
**Repas** 17,50/43 ♀, enf. 9 – ☕ 7,80 – **21 ch** 63/73 – ½ P 68.

◆ Une douce quiétude (hors saison !), à peine troublée par le cri des mouettes, règne dans cet hôtel moderne baigné par les flots de l'anse de Kerguelen. Restaurant panoramique.

**LARRAU** *64560 Pyr.-Atl. 342 G6 – 241 h alt. 636.*

*Paris 836 – Pau 76 – Oloron-Ste-Marie 42 – St-Jean-Pied-de-Port 64.*

**Etchemaïté** ⛵, ☏ 05 59 28 61 45, *hotel-etchemaite@wanadoo.fr, Fax 05 59 28 72 71,* ≤, 🌳, 🌳 – TV ☎. GB. ✂ ch
*fermé 16 au 23 nov., 4 janv. au 3 fév., dim. soir et lundi sauf du 1er juil. au 11 nov.* – **Repas** 15/22 ♀, enf. 8 – ☕ 7,30 – **16 ch** 41/49 – ½ P 43/48.

◆ Auberge de montagne dans un hameau de la pittoresque haute Soule. Chambres fonctionnelles. Restaurant panoramique, avec pierres et poutres apparentes. Plats du terroir.

**LATOUR-DE-CAROL** *66760 Pyr.-Or. 344 C8 – 364 h alt. 1260.*

*Paris 851 – Font-Romeu-Odeillo-Via 20 – Ax-les-Thermes 37 – Perpignan 109.*

**Auberge Catalane,** ☏ 04 68 04 80 66, *carolee@club-internet.fr, Fax 04 68 04 95 25,* 🌳 – TV P. GB
*fermé 12 au 26 mai, 3 nov. au 20 déc., dim. soir et lundi sauf vacances scolaires* – **Repas** 14,50/27,50 ♀ – ☕ 5,80 – **10 ch** 38/47 – ½ P 39.

◆ Au coeur de la Cerdagne, auberge catalane tenue par la même famille depuis sa création en 1929. Chambres coquettes, tout juste rénovées. Cuisine traditionnelle.

**LATTES** *34 Hérault 339 I7 – rattaché à Montpellier.*

**LAUTERBOURG** *67630 B.-Rhin 315 N3 – 2 372 h alt. 115.*

*ℹ Office du Tourisme, 21 rue de la 1re Armée ☏ 03 88 94 66 10, Fax 03 88 54 61 33, tourisme.lauterbourg@wanadoo.fr.*

*Paris 537 – Strasbourg 59 – Haguenau 41 – Karlsruhe 22 – Wissembourg 20.*

XXX **Poêle d'Or,** 35 r. Gén. Mittelhauser ☏ 03 88 94 84 16, *info@poeledor.com, Fax 03 88 54 62 30,* 🌳 – ▤. AE ① GB
*fermé 24 juil. au 8 août, 2 au 24 janv., merc. et jeudi* – **Repas** 26 (déj.), 40/73,50 et carte 44 à 76 ♀, enf. 13.

◆ Maison à colombages bordant la rue principale de la ville. Élégante salle à manger dotée d'un mobilier de style Louis XIII, plaisante véranda et terrasse fleurie pour l'été.

**LAUTREC** *81440 Tarn 338 E8 G. Midi-Pyrénées – 1 527 h alt. 294.*

*ℹ Office du Tourisme, rue du Mercadial ☏ 05 63 75 31 40, Fax 05 63 75 32 90.*

*Paris 715 – Toulouse 76 – Albi 31 – Castelnaudary 55 – Castres 17 – Gaillac 35.*

X **Moulin Gourmand,** rte Castres ☏ 05 63 75 30 13, *Fax 05 63 75 30 13* – ▤ P. ① GB
*fermé 14 sept. au 5 oct., merc. soir et jeudi soir d'oct. à juin, lundi soir et mardi soir* – **Repas** 10,40 bc (déj.), 13,80/32,80, enf. 7,35.

◆ Architecture contemporaine de forme circulaire voisine d'un vieux moulin à vent, au pied du calvaire de la Salette. Sobre salle à manger et cuisine traditionnelle à prix doux.

**LAUZERTE** *82110 T.-et-G. 337 C6 – 1 529 h alt. 224.*

*ℹ Office du Tourisme, place des Cornières ☏ 05 63 94 61 94, Fax 05 63 94 61 93, lauerte.tourisme@quercy-blanc.net.*

*Paris 615 – Cahors 39 – Agen 53 – Auch 99 – Montauban 38.*

**Quercy,** fg d'Auriac ✆ 05 63 94 66 36 – GB
*fermé dim. soir et lundi sauf juil.-août* – **Repas** 9,50 (déj.), 23,50/40 ♀ – ☕ 5,50 – **10 ch** 30/40 – ½ P 28/35.
◆ Au coeur de la "Tolède du Quercy", maison de pays de la fin du 19e s. coquettement restaurée. Quelques chambres et le restaurant ouvrent sur la vallée. Produits du terroir.

## LAVAL

*53000 Mayenne 310 E6 G. Normandie Cotentin – 50 473 h alt. 65.*

*Voir Vieux château★ **Z** : charpente★★ du donjon, musée d'Art naïf★, ≤★ des remparts – Vieille ville★ **YZ** : – Les quais★ ≤★ – Jardin de la Perrine★ **Z** – Chevet★ de la basilique N.-D. d'Avesnières **X** – Église N.-D. des Cordeliers★ : retables★★ **X** – Lactopôle★★.*

*Office du Tourisme, 1 allée du Vieux St-Louis ✆ 02 43 49 46 46, Fax 02 43 49 46 21, office.tourisme.laval@wanadoo.fr.*

*Paris 281 ① – Angers 80 ④ – Le Mans 87 ① – Rennes 76 ⑦ – St-Nazaire 153 ⑤.*

Plans page suivante

**Grand Hôtel de Paris** sans rest, 22 r. Paix ✆ 02 43 53 76 20, *Fax 02 43 56 91 83* – AE GB JCB Y a
☕ 6,50 – **39 ch** 46/75.
◆ En plein quartier commerçant, bâtiment ancien entièrement rénové. Les chambres sont actuelles et fonctionnelles, égayées d'expositions de tableaux.

**Ibis,** rte Mayenne par ① : *3 km* ✆ 02 43 53 81 82, *H0613@accor-hotels.com, Fax 02 43 53 11 19*, – 45. AE GB
**Repas** *(12)* - 15 ♀, enf. 6 – ☕ 6 – **51 ch** 56.
◆ Hôtel des années 1970 situé dans une zone industrielle. Les chambres, toutes refaites, répondent aux dernières normes "Ibis". Salle à manger simple et terrasse d'été.

**Marin'Hôtel** sans rest, 102 av. R. Buron ✆ 02 43 53 09 68, *decouacon@wanadoo.fr, Fax 02 43 56 95 35* – AE GB X d
☕ 5,70 – **25 ch** 36/48.
◆ Les mascarons de la façade indiquent l'ancienneté des murs, mais les chambres, sans luxe, sont modernes, pratiques et insonorisées. On petit-déjeune dans un cadre marin.

**Bistro de Paris** (Lemercier), 67 r. Val de Mayenne ✆ 02 43 56 98 29, *bistro.de.paris@wanadoo.fr, Fax 02 43 56 52 85* – AE GB. Y k
*fermé 3 au 26 août, sam. midi, dim. soir et lundi* – **Repas** 22/40 et carte environ 45 ♀, enf. 13.
◆ Cette vieille maison abrite un bistrot cossu dont le décor Art nouveau chaleureux et bien pensé est particulièrement séduisant. Cuisine de caractère, au goût du jour.
**Spéc.** Boudin de homard et turbot. Brandade de bar aux champignons des bois. Macaron moelleux au chocolat guanaja. **Vins** Savennières, Saumur-Champigny

**Capucin Gourmand,** 66 r. Vaufleury ✆ 02 43 66 02 02, *capucingourmand@free.fr, Fax 02 43 66 13 50*, – AE GB X s
*fermé 28 juil. au 20 août, dim. soir, merc. midi et lundi* – **Repas** *(16 bc)* - 19,50/45 et carte 35 à 49 ♀.
◆ Une parure de lierre recouvre la bâtisse. Boiseries, poutres et sièges en osier teinté bleu, papier peint jaune : un cadre jeune et accueillant pour une cuisine au goût du jour.

**Gerbe de Blé** avec ch, 83 r. V.-Boissel ✆ 02 43 53 14 10, *gerbedeble@wanadoo.fr, Fax 02 43 49 02 84* – AE GB X n
*fermé 26 juil. au 19 août, 2 au 13 janv., lundi midi et dim. sauf fériés* – **Repas** 15,50 (déj.), 21,50/43 ♀, enf. 9 – ☕ 8,50 – **8 ch** 55/76 – ½ P 53/68.
◆ Poutres, cheminée et décoration "blonde comme les blés" : la salle à manger de cet établissement familial est chaleureuse et soignée. Chambres spacieuses et confortables.

**Hostellerie à la Bonne Auberge** avec ch, 170 r. Bretagne par ⑥ ✆ 02 43 69 07 81, *la bonneauberge@free.fr, Fax 02 43 91 15 02* – AE GB
*fermé 1er au 24 août, 22 déc. au 4 janv., 15 au 22 fév., vend.soir, dim. soir et sam.* – **Repas** 15/32 ♀, enf. 10 – ☕ 7 – **12 ch** 46/69.
◆ À l'écart du centre-ville, maison régionale tapissée de vigne vierge. La salle à manger, agrandie d'une véranda, est claire et moderne. Goûteuse cuisine traditionnelle.

**L'Antiquaire,** 5 r. Béliers ✆ 02 43 53 66 76, *Fax 02 43 56 92 18* – GB Y e
*fermé 9 au 31 juil., vacances de fév., sam. midi, dim. soir et merc.* – **Repas** 16/35,50 ♀, enf. 8,40.
◆ Cette maison est située au coeur de la vieille ville. Le cadre de la salle à manger, récemment refaite, s'inspire de styles anglais. Cuisine classique.

**Edelweiss,** 99 av. R. Buron ✆ 02 43 53 11 00, *Fax 02 43 53 36 51* – GB X v
*fermé 5 au 30 août, vacances de fév., dim. soir et lundi* – **Repas** 13,50/27,30 ♀.
◆ À côté de la gare, plaisante salle de restaurant redécorée depuis peu dans un style actuel (tons pastel). On y mange "à la bonne franquette" dans une ambiance conviviale.

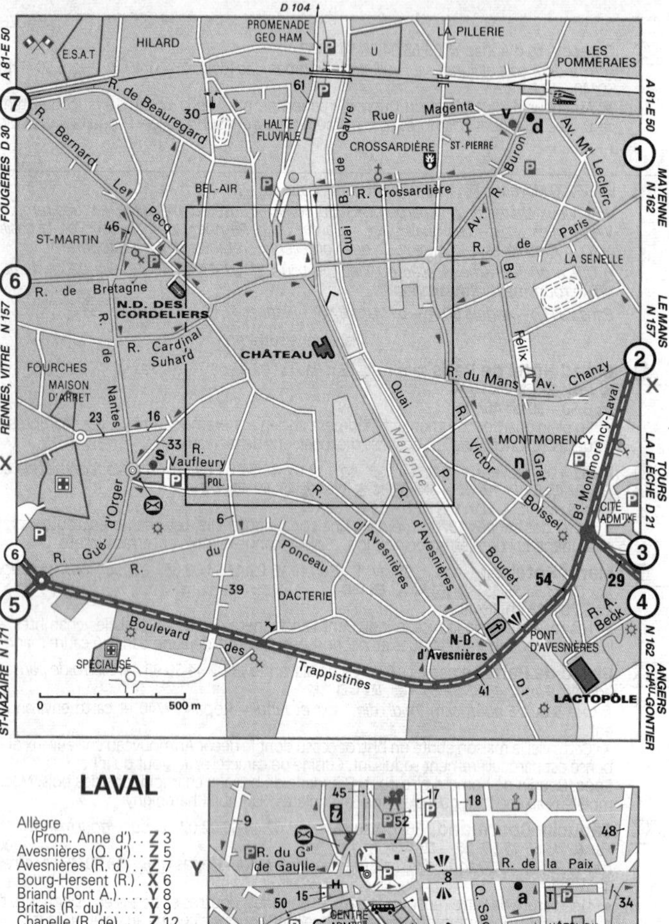
D 104
PROMENADE
GEO HAM
LA PILLERIE
HILARD
E.S.A.T
LES
POMMERAIES
A 81-E 50
R. de Beauregard
61
30
HALTE
FLUVIALE
Rue
Magenta
CROSSARDIÈRE
ST-PIERRE
R. Bernard Le Pecq
BEL-AIR
R. Crossardière
B. de Gavre
Quai
Av. R. Buron
Av. Mal Leclerc
MAYENNE
N 162
ST-MALO
FOUGÈRES D 30
46
ST-MARTIN
R. de Paris
LA SENELLE
R. de Bretagne
N.D. DES
CORDELIERS
Bd Félix
LE MANS
N 157
R. Cardinal
Suhard
CHÂTEAU
FOURCHES
MAISON
D'ARRET
R. de Nantes
R. du Mans
Av. Chanzy
X
RENNES, VITRÉ N 157
23
16
33
R.
Vaufleury
POL.
MONTMORENCY
Bd Montmorency-Laval
R. Victor Boissel
Grat
Quai
Mayenne
P.
Q. d'Avesnières
TOURS
LA FLÈCHE D 21
CITÉ
ADMTIVE
R. Gué d'Orger
6
R. du Ponceau
R. d'Avesnières
Boudet
54
29
DACTERIE
39
Boulevard des Trappistines
N.-D.
d'Avesnières
PONT
D'AVESNIÈRES
R. A. Beck
ANGERS
CHÂU-GONTIER
N 162
SPÉCIALISÉ
ST-NAZAIRE N 171
0
500 m
41
D 1
LACTOPÔLE

# LAVAL

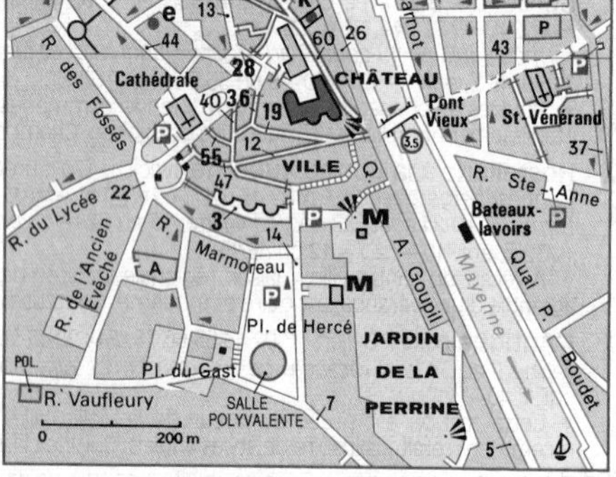
45
17
18
9
52
48
R. du Gal
de Gaulle
8
R. de la Paix
15
50
CENTRE
ADMTIF
60
C
VIEILLE
13
k
e
44
Q. Sadi Carnot
a
34
HÔTEL DU
DÉPt
Y
R. des Fossés
Cathédrale
28
40
36
19
CHÂTEAU
60
26
43
Pont
Vieux
St-Vénérand
Z
12
55
VILLE
47
3
22
R. du Lycée
R. Ste-Anne
37
Bateaux-
lavoirs
Q. A. Goupil
Mayenne
Quai P. Boudet
R. Marmoreau
14
M
R. de l'Ancien Évêché
A
Pl. de Hercé
JARDIN
DE LA
PERRINE
POL.
R. Vaufleury
Pl. du Gast
SALLE
POLYVALENTE
7
5
0
200 m

Allègre (Prom. Anne d') . . Z 3
Avesnières (Q. d') . . Z 5
Avesnières (R. d') . . Z 7
Bourg-Hersent (R.) . . X 6
Briand (Pont A.) . . . . Y 8
Britais (R. du) . . . . . . Y 9
Chapelle (R. de) . . . . . Z 12
Déportés (R. des) . . Y 13
Douanier-Rousseau (R.) . . . Z 14
Droits de l'homme (Parvis des) . . . . . Y 15
Étaux (R. des) . . . . . X 16
Gambetta (Quai) . . . Y 17
Gaulle (R. Gén.-de) . . Y
Gavre (Q. B. de) . . . Y 18
Grande-Rue . . . . . . . Z 19
Hardy-de-Lévaré (Pl.) Z 22
Haut-Rocher (R.) . . . X 23
Jean-Fouquet (Q.) . . Y 26
La Trémoille (Pl. de) Z 28
Le Basser (Bd F.) . . . X 29
Macé (R. J.) . . . . . . . X 30
Messager (R.) . . . . . . X 33
Moulin (Pl. J.) . . . . . Y 34
Orfèvres (R. des) . . . Z 36
Paix (R. de la) . . . . . . Y
Paradis (R. de) . . . . . Z 37
Picardie (R. de) . . . . X 39
Pin-Doré (R. du) . . . . Z 40
Pont-d'Avesnières (Bd du) . . . . . . . . . X 41
Pont-de-Mayenne (R. du) . . . . . . . . Z 43
Renaise (R.) . . . . . . . Y 44
Résistance (Crs de la) Y 45
St-Martin (R.) . . . . . . X 46
Serruriers (R. des) . . . . . . . . . Z 47
Solferino (R.) . . . . . . . . . . . . . . Y 48
Souchu-Servinière (R.) . . . . . Y 50
Strasbourg (R. de) . . . . . . . . . Y 52
Tisserands (Bd des) . . . . . . . . X 54
Trinité (R. de la) . . . . . . . . . . . Z 55
Val-de-Mayenne (R. du) . . . YZ 60
Vieux-St-Louis (R. du) . . . . . . X 61

**à Changé** *au Nord : 4 km – 4 323 h. alt. 55 – ✉ 53810 :*

XX **Domaine des Saveurs,** rte Louverné par D 561 : 2 km ☎ 02 43 67 16 66, *domainedessaveurs@wanadoo.fr, Fax 02 43 67 19 39,* 🌳, 🚗 – P. AE GB. ✗
*fermé 4 au 22 août, 14 au 28 fév., dim. soir, sam. midi et lundi* – **Repas** *(13,50)* - 18 (déj.), 23/29.
◆ De la ferme du 19^e^ s. subsistent les poutres patinées, les carreaux de terre cuite et la cheminée en brique. Terrasse ombragée d'un tilleul et jardin ouvert sur la campagne.

XX **Table Ronde,** pl. Mairie ☎ 02 43 53 43 33, *Fax 02 43 49 05 60,* 🌳 – GB
*fermé 19 au 28 août, dim. soir, mardi soir, merc. soir, jeudi soir et lundi* – **Repas** 20,50/37 ♀ - ***Bistrot :*** Repas *(13)*-15/37 ♀.
◆ L'établissement fait face au château. À l'étage, le restaurant gastronomique : chaises de style Louis XVI et tables soigneusement dressées. Au rez-de-chaussée, le Bistrot.

---

**Le LAVANCHER** *74 H.-Savoie* 328 O5 – *rattaché à Chamonix.*

---

**Le LAVANDOU** *83980 Var* 340 N7 *G. Côte d'Azur – 5 212 h alt. 1.*

Env. *Ile d'Hyères★★★.*

🅘 *Office du Tourisme, quai Gabriel-Péri ☎ 04 94 00 40 50, Fax 04 94 00 40 59, info@lelavandou.com.*

*Paris 879 ② – Fréjus 63 ① – Cannes 103 ① – Draguignan 76 ① – Toulon 42 ②.*

## LE LAVANDOU

Bois Notre-Dame (R. du) .... **A** 2
Bouvet (Bd. Gén. G.) ....... **A** 3
Cazin (R. Charles) ........... **A** 4
Gaulle (Av. Gén. de) ....... **AB**
Lattre-de-Tassigny (Bd. de) ... **A** 7
Martyrs de-la-Résistance (Av. des) .............. **A** 8
Patron Ravello (R.) .......... **B** 10
Péri (Quai Gabriel) .......... **B** 12
Port (R. du) .................. **B** 13
Port Cros (R.) ............... **A** 15
Vincent Auriol (Av. Prés.) ..... **A** 16

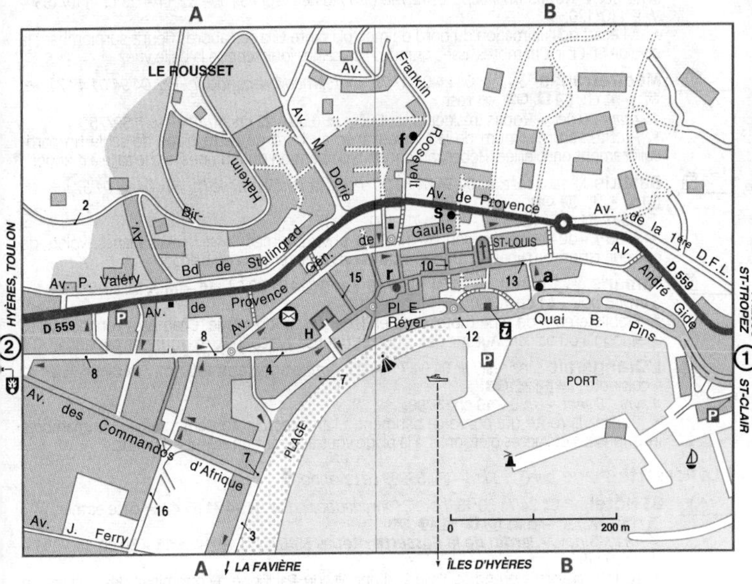
A
B
LE ROUSSET
Av. Franklin Roosevelt
Av. M. Dorie
Hakeim
Bir-
Av. de Provence
Av. de la 1ère D.F.L.
D 559
Av. Gén. de Gaulle
ST-LOUIS
Av. André Gide
Bd de Stalingrad
Av. P. Valéry
Av. de Provence
D 559
Pl. E. Réyer
Quai B. Pins
PORT
PLAGE
Av. des Commandos d'Afrique
Av. J. Ferry
HYÈRES, TOULON
FRÉJUS ST-TROPEZ
ST-CLAIR
LA FAVIÈRE
ÎLES D'HYÈRES
0
200 m

🏠 **Petite Bohème** 🐎, av. F.-Roosevelt ☎ 04 94 71 10 30, *hotelpetiteboheme@wanadoo.fr, Fax 04 94 64 73 92,* 🌳, 🚗 – ▤ TV 🚗. AE GB — **B f**
*fermé 31 oct. au 1^er^ janv.* – **Repas** 21/32 ♀, enf. 9,50 – ☕ 7,70 – **18 ch** 53,40/61, (en été : 1/2 pens. seul.) – 1/2 P 62,50/66,40.
◆ Grasses matinées dans des chambres sobrement provençales, siestes en chaise longue sous la treille, repas sur la terrasse ombragée et jardin reposant : à vous la vie de "bohème" !

**Rabelais** sans rest, face Vieux Port ☎ 04 94 71 00 56, *hotel.le rabelais@wanadoo.fr, Fax 04 94 71 82 55,* ← – TV. GB B a
*fermé 20 déc. au 20 janv.* – ☕ 6,50 – **19 ch** 52/69.
◆ Bien situé sur le front de mer, cet hôtel rénové propose des petites chambres fraîches et colorées à prix sages. L'été, petits-déjeuners en terrasse face au port.

**L'Escapade** sans rest, chemin du Vannier ☎ 04 94 71 11 52, *hotelescapa@wanadoo.fr, Fax 04 94 71 22 14* – ▤ TV. GB B s
☕ 6,90 – **16 ch** 45,70/53,80.
◆ Lors d'une escapade au Lavandou, pensez à cette maison familiale voisine du centre-ville. Les chambres, bien tenues, attendent une rénovation. Accueil aimable.

**Krill,** r. Patron Ravello ☎ 04 94 71 06 43, *Fax 04 94 15 10 56,* – ▤. AE ⓓ GB B r
*fermé 1er nov. au 31 déc. et lundi hors saison* – **Repas** 26/34.
◆ Restaurant du secteur piétonnier proposant une cuisine à touche provençale, servie dans une salle à manger avec vue sur le port, ou sur la terrasse côté rue.

**à la Favière** *Sud : 2 km* - **A** – ✉ *83230 Bormes-les-Mimosas :*

**Plage,** ☎ 04 94 71 02 74, *hotel.sarl@wanadoo.fr, Fax 04 94 71 77 22,* – ▤ TV P. GB. rest
*1er avril-30 sept.* – **Repas** 17/35 – ☕ 7 – **45 ch** 56/70 – ½ P 55/62.
◆ À quelques encablures du cap Bénat et du fort de Brégançon, hôtel aux chambres simples bien insonorisées. Décor rustique agrémenté de tableaux et de bibelots anciens.

**à St-Clair** *par ① : 2 km* – ✉ *83980 Le Lavandou :*

**Roc Hôtel** sans rest, ☎ 04 94 01 33 66, *Fax 04 94 01 33 67,* ← – ▤ TV ☎ ♿ P. GB.
*22 mars-18 oct.* – ☕ 7 – **29 ch** 94/145.
◆ Hôtel moderne bâti sur un roc léché par les flots. Chambres lumineuses ; préférez celles donnant sur le large et dotées de terrasses. Séjour assurément tonique.

**Belle Vue** , ☎ 04 94 00 45 00, *hotelbellevue@wanadoo.fr, Fax 04 94 00 45 25,* ←, – TV P. AE ⓓ GB.
*avril.-oct.* – **Repas** *(mai-sept. et fermé dim.)* (dîner seul.) 31 – ☕ 11 – **19 ch** 110/155 – ½ P 110/120.
◆ À l'écart de l'animation du bord de mer, plaisante villa aux abords fleuris surplombant la baie de St-Clair. Chambres assez grandes ; certaines jouissent de la belle vue.

**Méditerranée** , ☎ 04 94 01 47 70, *hotel.med@wanadoo.fr, Fax 04 94 01 47 71,* ←, – ▤ ch, TV P. GB. rest
*15 mars-20 oct.* – **Repas** (résidents seul.) – ☕ 6,50 – **22 ch** 74/101 – ½ P 59/75.
◆ Profitez au maximum de la Méditerranée au bord de cette plage de sable fin particulièrement ensoleillée. Hébergement de type pension doté d'une fraîche salle à manger.

**Bastide** M sans rest, ☎ 04 94 01 57 00, *hôtel-la-bastide@free.fr., Fax 04 94 01 57 13* – ▤ TV ☎ ♿ P. ⓓ GB
*1er mars-31 oct.* – ☕ 8,50 – **18 ch** 75/100.
◆ À 50 m du rivage, maison de 1920 au physique méridional : murs blancs, volets de couleur, tuiles romaines. Chambres spacieuses avec terrasse ou balcon.

**Tamaris** sans rest, ☎ 04 94 71 79 19, *Fax 04 94 71 88 64,* – TV ♿ P. AE GB
*5 avril-3 nov.* – **41 ch** 70/80.
◆ Établissement de type motel situé en léger retrait du rivage. Chambres fonctionnelles avec loggia ou balcon. Autour, des arbustes fleuris : y reconnaîtrez-vous des tamaris ?

**L'Orangeraie** sans rest, ☎ 04 94 71 04 25, *hotelorangeraie@aol.com, Fax 04 94 15 24 42* – cuisinette ▤ TV P. GB
*4 avril-28 sept.* – ☕ 8 – **19 ch** 65/98.
◆ Oubliez la route qui borde ce bâtiment à l'architecture contemporaine : les chambres insonorisées et l'accès piétonnier à la plage vous assurent un séjour attrayant.

**à La Fossette-Plage** *par ① : 3 km* – ✉ *83980 Le Lavandou :*

**83 Hôtel,** ☎ 04 94 71 20 15, *hotel83@wanadoo.fr, Fax 04 94 71 63 42,* ← côte et mer, , , , – ▤ TV P. AE ⓓ GB
*1er mars-3 nov.* – ***Jardin de la Fossette :*** **Repas** 35/57, enf. 19 – ☕ 15 – **30 ch** 160/295 – ½ P 127/195.
◆ Le littoral varois prend ici l'allure d'une île du Pacifique. Économisez des milliers de kilomètres en séjournant dans cet hôtel conçu pour le farniente ! Chambres spacieuses.

**Auberge de la Fossette** avec ch, ☎ 04 94 71 08 76, *Fax 04 94 05 97 55,* – ▤ ch, TV. GB
*fin mai-fin sept. et fermé le midi sauf dim. et fériés* – **Repas** 25/35, enf. 10 – ☕ 10 – **15 ch** 60/80 – ½ P 65/75.
◆ À deux pas de la plage, mais préservée de son animation, cette auberge familiale vous invite à goûter sa cuisine régionale simple et ses grillades. Terrasse sous une glycine.

**à Aiguebelle** *par ① : 4,5 km – ✉ 83980 Le Lavandou :*

**Les Roches** Ⓜ, ✆ 04 94 71 05 07, *info@hotelesroches.com, Fax 04 94 71 08 40,* ≤ mer et les îles, , , – ▤ TV ✆ P – 15 à 35. AE ⓓ GB
*5 avril-3 janv.* – **Repas** 50/88, enf. 19 - ***Pirate*** *15 mai-30 sept.* **Repas** carte 56 à 82 ♀ enf. 19 – ☕ 25 – **32 ch** 370/590, 7 appart – ½ P 260/370.
◆ L'agréable restaurant panoramique, les chambres cossues et leurs terrasses étagées à flanc de crique font de cet hôtel un petit paradis sur mer. Table plus simple sur la plage.

**Les Alcyons** sans rest, ✆ 04 94 05 84 18, *alcyons@net-up.com, Fax 04 94 05 70 89* – ▤ TV P. AE ⓓ GB.
*5 avril-15 oct.* – ☕ 6,50 – **24 ch** 83/102.
◆ La rencontre des alcyons serait un présage de calme et de paix : l'accueil attentionné et la bonne tenue de cet établissement tendraient à accréditer la légende.

**Hydra** sans rest, ✆ 04 94 71 65 46, *Fax 04 94 15 08 07,* , – ▤ TV ✆ ♿ . AE ⓓ GB JCB.
☕ 10 – **26 ch** 78/95, 4 studios.
◆ De l'île grecque qui lui a donné son nom, cet hôtel moderne a hérité la luminosité et le dépouillement du décor intérieur. Passage souterrain menant directement à la mer.

**Beau Soleil,** ✆ 04 94 05 84 55, *beausoleil@beausoleil-alcyons.com, Fax 04 94 05 70 89,* – ▤ TV P – 20. AE GB
*hôtel: Pâques-30 sept. ; rest.: mi-mai-30 sept.* – **Repas** (snack le midi) (12) - 22/29 ♀ – ☕ 6 – **15 ch** 48/58, (en été : ½ pens. seul.) – ½ P 63/67.
◆ Aiguebelle ("belle eau") et beau soleil : tout semble réuni pour des vacances réussies ! Séances de bronzage sur les balcons des chambres et repas à l'ombre d'un platane.

**Le Sud** (Pétra), ✆ 04 94 05 76 98, – GB
*fermé 2 au 31 janv., le midi en sem. du 15 juin au 15 sept., dim. soir et lundi hors saison* – **Repas** (menu unique) 54.
◆ La salle à manger provençale ne manque pas de caractère, avec ses cuivres et autres objets de brocante. Un cadre adéquat pour déguster une sympathique cuisine du marché.
**Spéc.** Cappuccino de pétoncles, cèpes et truffes. Légumes confits "ratatouille", huile de menthe (15 juin au 15 sept.). Lapin confit de quatre heures, polenta aux pignons (15 avril au 15 oct.). **Vins** Côtes de Provence.

---

**LAVARDIN** *41 L.-et-Ch.* 318 *C5 – rattaché à Montoire-sur-le-Loir.*

---

**LAVAUDIEU** *43100 H.-Loire* 331 *C2 G. Auvergne – 238 h alt. 465.*
**Voir** *Fresques★ de l'église abbatiale - Cloître★ – Carrefour du vitrail★.*
*Paris 492 – Le Puy-en-Velay 56 – Brioude 10 – Clermont-Ferrand 79 – St-Flour 63.*

**Auberge de l'Abbaye,** ✆ 04 71 76 44 44 – GB
*fermé 3 au 9 fév., dim. soir sauf en été et lundi* – **Repas** 17/28 ♀.
◆ Au centre du village, près de l'abbaye et de ses belles fresques, salle à manger rustique avec poutres apparentes et cheminée. Cuisine régionale.

**Court La Vigne,** ✆ 04 71 76 45 79, *Fax 04 71 76 45 79,* – ⓓ GB
*fermé déc., janv., mardi et merc.* – **Repas** (nombre de couverts limité, prévenir) 12,50/21,50.
◆ Cette bergerie joliment meublée et disposant d'une agréable cour intérieure offre un charme certain. Galerie d'expositions temporaires. Savoureuse cuisine du terroir.

---

**Les LAVAULTS** *89 Yonne* 319 *H8 – rattaché à Quarré-les-Tombes.*

---

**LAVAUR** *81500 Tarn* 338 *C8 G. Midi-Pyrénées – 8 148 h alt. 140.*
**Voir** *Cathédrale St-Alain★.*
*Office du Tourisme, Tour des Rondes ✆ 05 63 58 02 00, Fax 05 63 41 42 89.*
*Paris 696 – Toulouse 44 – Albi 51 – Castelnaudary 56 – Castres 40 – Montauban 59.*

**Jardin** avec ch, 10 allées Ferréol-Mazas ✆ 05 63 41 40 30, *Fax 05 63 41 47 74* – ▤ rest, TV ✆. AE ⓓ GB JCB
*fermé 28 avril au 5 mai, 18 août au 1er sept. et 22 déc. au 5 janv.* – **Repas** *(fermé dim. et lundi)* 14 (déj.), 19/28 – ☕ 5 – **9 ch** 37/40.
◆ À côté du jardin de l'évêché et de la cathédrale, cette maison régionale ancienne propose une cuisine traditionnelle. Chambres fonctionnelles dans un bâtiment séparé.

**à Giroussens** *Nord-Ouest : 10 km par D 87 – 1 051 h. alt. 204 – ✉ 81500 :*

**L'Échauguette** avec ch, ✆ 05 63 41 63 65, *Fax 05 63 41 63 13,* ≤, – AE ⓓ GB
*fermé 15 au 30 sept., 2 au 23 fév., dim. soir et lundi* – **Repas** 21/43 ♀ – ☕ 4,50 – **4 ch** 23/44.
◆ Cette construction des 13e et 19e s. au cadre rustique très affirmé a beaucoup de cachet. Cuisine aux accents du terroir, terrasse panoramique, exposition de poteries.

**LAVELANET** *09300 Ariège* 343 *J7 – 7 740 h alt. 512.*

*Office du Tourisme, Maison de Lavelanet ✆ 05 61 01 22 20, Fax 05 61 03 06 39, lavelanet.tourisme@wanadoo.fr.*

*Paris 796 – Foix 28 – Carcassonne 71 – Castelnaudary 53 – Limoux 48 – Pamiers 42.*

**à Villeneuve-d'Olmes** *Sud-Ouest : 3 km par D 109 – 1 574 h. alt. 595 – ✉ 09300 :*

XXX ✿ **Castrum** M avec ch, ✆ 05 61 01 35 24, *lecastrum@lecastrum.fr, Fax 05 61 01 22 85,* <, – rest, P. AE GB JCB

*fermé 1er au 22 janv., dim. soir, mardi midi et lundi d'oct. à avril* – **Repas** 23/93 bc et carte 50 à 70 ♀, enf. 11 – ☕ 11 – **8 ch** 69/122 – ½ P 88/108.

◆ Grande villa récente abritant une belle salle à manger aux couleurs méridionales et des chambres soignées. Séduisante cuisine au goût du jour et carte des vins étoffée.

**Spéc.** Foie gras de canard poêlé et figue rôtie. Filet de bar et navets aux zestes d'orange. Désossé de pigeon rôti, sauce aux quatre épices. **Vins** Limoux, Corbières.

**à Nalzen** *Ouest : 6 km sur D 117 – 148 h. alt. 632 – ✉ 09300 :*

X **Les Sapins,** ✆ 05 61 03 03 85, *Fax 05 61 03 03 85,* – P. AE GB

*fermé 13 au 27 nov., 2 au 22 janv., dim. soir, merc. soir et lundi* – **Repas** 12 bc (déj.), 19,50/44,30, enf. 7,65.

◆ Maison traditionnelle des montagnes du Plantaurel aux versants couverts de sapins. Cuisine régionale, servie dans un sobre intérieur campagnard.

**à Palot** *Ouest : 10 km sur D 117 – ✉ 09300 Roquefixade :*

XX **Relais des Trois Châteaux** avec ch, ✆ 05 61 01 33 99, *Fax 05 61 01 73 73,* <, – P – 15. GB

*fermé 16 nov. au 9 déc., 19 janv. au 12 fév., vend. soir, dim. soir et mardi* – **Repas** 13 (déj.), 24/44 – ☕ 8 – **7 ch** 50/60 – ½ P 40/45.

◆ Vous dégusterez une cuisine personnalisée dans cette ancienne ferme située sur la route des châteaux de Foix, Montségur et Roquefixade. Chambres plus calmes sur l'arrière.

**à Montségur** *Sud : 13 km par D 109 et D 9 – 124 h. alt. 900 – ✉ 09300 Lavelanet :*

*Office du Tourisme, village ✆ 05 61 03 03 03, Fax 05 61 03 03 03, info.tourisme@montsegur.org.*

**Costes** , ✆ 05 61 01 10 24, *Fax 05 61 03 06 28,* – GB

*1er avril-11 nov. et fermé dim. soir et lundi* – **Repas** 16/27 – ☕ 6,20 – **9 ch** 37/46 – ½ P 41.

◆ Au pied du "pog" et de sa célèbre forteresse ruinée, auberge sympathique qui servit autrefois de grange puis d'école. Cadre rustique, petites recettes "maison".

**LAVENTIE** *62840 P.-de-C.* 301 *J4 – 4 410 h alt. 18.*

*Paris 230 – Lille 29 – Armentières 13 – Arras 45 – Béthune 18 – Dunkerque 63 – Ieper 30.*

XX ✿ **Cerisier** (Delerue), 3 r. Gare ✆ 03 21 27 60 59, *Fax 03 21 27 60 87* – GB.

*fermé août, vacances de fév., sam. midi, dim. soir et lundi* – **Repas** 29/61 et carte 60 à 73.

◆ Maison bourgeoise en briques rouges abritant d'agréables petites salles au décor contemporain agrémenté de compositions florales. Savoureuse cuisine au goût du jour.

**Spéc.** Saint-Jacques rôties et fondue d'endives au pain d'épices. Pigeonneau en cocotte parfumé à la vanille. Parfait glacé aux spéculos, marmelade d'orange au Grand Marnier.

**LAVERGNE** *46 Lot* 337 *G3 – rattaché à Gramat.*

**LAVIOLLE** *07530 Ardèche* 331 *I5 – 119 h alt. 650.*

*Paris 614 – Le Puy-en-Velay 68 – Aubenas 20 – Lamastre 52 – Mézilhac 9 – Privas 41.*

**Les Plantades** , rte Antraigues Sud : 2 km sur D 578 ✆ 04 75 38 71 58, <, – P. GB

*fermé 12 nov. au 20 déc., mardi soir et merc. d'oct. à mai* – **Repas** 11/24 ♀, enf. 6,10 – ☕ 5 – **8 ch** 37/40 – ½ P 30/33.

◆ Tout ici respire l'authenticité : la situation isolée dans la montagne, les meubles en châtaignier, oeuvre d'un artisan local et les spécialités ardéchoises. Chaleureux.

**LAXOU** *54 M.-et-M.* 307 *H6 – rattaché à Nancy.*

**LAYE** *05 H.-Alpes* 334 *E5 – rattaché à Col Bayard.*

*Donnez-nous votre avis sur les tables que nous recommandons, sur leurs spécialités et leurs vins de pays.*

**La LÉCHÈRE** *73260 Savoie* 333 L4 *G. Alpes du Nord – 1 936 h alt. 461 – Stat. therm. (fin mars-fin oct.).*

*Office du Tourisme, Les Eaux Claires ☎ 04 79 22 51 60, Fax 04 79 22 57 10, info@la-lechere.com.*

*Paris 632 – Albertville 22 – Celliers 16 – Chambéry 71 – Moûtiers 6.*

**Radiana** M, ☎ 04 79 22 61 61, *hotelradiana@ifrance.com, Fax 04 79 22 65 25*, ←, – , rest, – 30. AE GB. rest
*hôtel : avril-mi-oct. et fin déc.-début mars –* **Repas** *(avril-mi-oct.)* 17/24 – 8 – **87 ch** 59/122 – ½ P 66,50/82.
◆ Belle bâtisse 1930 avec accès direct aux thermes. Les chambres, fonctionnelles, donnent en partie sur le parc thermal. Salon et restaurant rénovés dans le style Art déco.

**Les LECQUES** *83 Var* 340 J6 *– rattaché à St-Cyr-sur-Mer.*

**LECTOURE** *32700 Gers* 336 F6 *G. Midi-Pyrénées – 4 034 h alt. 155.*

**Voir** *Site★ – Promenade du bastion ←★ – Musée municipal★.*

*Office du Tourisme, place de l'Hôtel de Ville ☎ 05 62 68 76 98, Fax 05 62 68 79 30, ot.lectoure@wanadoo.fr.*

*Paris 681 – Agen 39 – Auch 35 – Condom 26 – Montauban 84 – Toulouse 96.*

**de Bastard**, r. Lagrange ☎ 05 62 68 82 44, *hoteldebastard@wanadoo.fr, Fax 05 62 68 76 81*, , , – – 15 à 30. AE GB
*fermé 20 déc. au 1ᵉʳ fév. –* **Repas** *(fermé lundi sauf le soir du 15 juil. au 15 sept. et dim. soir du 15 sept. au 15 juil.)* 15 (déj.), 26/54 – 9 – **29 ch** 45/65 – ½ P 52/68.
◆ Élégant hôtel particulier du 18ᵉ s. abritant des chambres progressivement refaites et de petits salons bourgeois en guise de restaurant. Cuisine au goût du jour.

**L'Auberge des Bouviers**, ☎ 05 62 68 95 13, *Fax 05 62 68 75 33* – AE GB
*fermé 27 avril au 5 mai, 21 au 29 sept., dim. et lundi –* **Repas** 12,50 (déj.), 20/22 .
◆ Les habitués apprécient le chaleureux cadre rustique de cette avenante maison du 18ᵉ s. dressée face aux halles couvertes. Table simple et copieuse, fidèle au terroir.

**LEIGNÉ-LES-BOIS** *86450 Vienne* 322 K4 *– 500 h alt. 125.*

*Paris 319 – Poitiers 54 – Le Blanc 36 – Châtellerault 16 – Loches 53 – La Roche-Posay 10.*

**Bernard Gautier**, ☎ 05 49 86 53 82, *Fax 05 49 86 58 05* – GB
*fermé 11 au 30 nov., 16 fév. au 7 mars, dim. soir et lundi –* **Repas** 21/41.
◆ Sur la place de l'église, la façade pimpante et la sympathique salle à manger campagnarde (flambées dans la cheminée) ajoutent à l'agrément d'une cuisine classique généreuse.

**LELEX** *01410 Ain* 328 I3 *G. Jura – 232 h alt. 900 – Sports d'hiver : voir au Col de la Faucille.*

*Office du tourisme, Monts-Jura ☎ 04 50 20 91 43, Fax 04 50 20 93 95, otmtjura@cc-pays-de-gex.fr.*

*Paris 492 – Bourg-en-Bresse 91 – Gex 27 – Morez 39 – Nantua 44 – St-Claude 31.*

**Crêt de la Neige**, ☎ 04 50 20 90 15, *maryline.grospiron@wanadoo.fr, Fax 04 50 20 94 46*, – . AE GB. rest
*21 juin-7 sept. et 20 déc.-3 avril –* **Repas** 14/21 , enf. 8 – 5,50 – **25 ch** 32/55 – ½ P 40,50/52,50.
◆ Accueil chaleureux dans cette grande maison villageoise dominée par le plus haut sommet du massif du Jura. Choisir une chambre rénovée. Spécialités culinaires locales.

**Centre**, ☎ 04 50 20 90 81, *lecentrelelex@wanadoo.fr, Fax 04 50 20 93 97*, – . GB.
*12 juil.-30 sept., 20 déc.-30 avril et le midi en semaine –* **Repas** 15,50/27 – 6,70 – **19 ch** 46,50/55,50 – ½ P 50,50/53,50.
◆ Face aux remontées mécaniques, gros chalet des années 1960 offrant des chambres simples d'ampleur variée. À remarquer, la curieuse cheminée de la salle à manger.

**LEMBACH** *67510 B.-Rhin* 315 K2 *G. Alsace Lorraine – 1 710 h alt. 190.*

**Env.** *Château de Fleckenstein★★ NO : 7 km.*

*Office du Tourisme, 23 route de Bitche ☎ 03 88 94 43 16, Fax 03 88 94 20 04, info@ot.lembach.com.*

*Paris 477 – Strasbourg 59 – Bitche 32 – Haguenau 24 – Wissembourg 15.*

**Heimbach** sans rest, 15 rte Wissembourg ☎ 03 88 94 43 46, *contact@hotel-au-heimbach.fr, Fax 03 88 94 20 85* – . GB.
9 – **18 ch** 53/67.
◆ Au coeur d'une petite ville où perdurent les traditions de l'Alsace, bâtisse régionale à colombages abritant des chambres de style rustique.

**Vosges du Nord** sans rest, 59 rte Bitche ✆ 03 88 94 43 41, *Fax 03 88 94 23 08*, – P.
*fermé fév. et lundi* – 4,70 – **7 ch** 45/48.
◆ Un petit hôtel où l'on se sent vraiment chez soi. Chambres peu spacieuses, mais parfaitement tenues et coin petit-déjeuner chaleureux.

XXXX **Auberge du Cheval Blanc** (Mischler) avec ch, 4 rte Wissembourg ✆ 03 88 94 41 86, *info@au-cheval-blanc.fr, Fax 03 88 94 20 74*, – TV P – 25. AE GB
✿✿ *fermé 30 juin au 18 juil. et 2 au 20 fév.* – **Repas** *(fermé vend. midi, lundi et mardi)* 33/85,40 et carte 58 à 80 ♀ ***D'Rössel Stub*** *(fermé 2 au 20 fév., merc. et jeudi)* **Repas** carte environ 26 ♀ – **4 ch** 107/138, 3 appart.
◆ Élégant relais de poste du 18e s. abritant une salle sous plafond à caissons ; cuisine alsacienne revisitée. Dans une maison voisine, coquet bistrot et belles chambres récentes.
**Spéc.** Farandole de quatre foies d'oie chauds. Filet de sandre aux escargots et quenelles, sauce aux herbes du jardin. Médaillons de chevreuil à la moutarde de fruits rouges. **Vins** Tokay-Pinot gris, Sylvaner.

**à Gimbelhof** *Nord : 10 km par D 3, D 925 et rte forestière* – ✉ *67510 Lembach :*

X **Gimbelhof** avec ch, ✆ 03 88 94 43 58, *Fax 03 88 94 23 30*, ←, – P. GB
*fermé 20 nov. au 26 déc. et vacances de fév.* – **Repas** *(fermé lundi et mardi)* 10,20/28 ♀, enf. 5,50 – 4,80 – **8 ch** 38/46 – ½ P 37/43.
◆ Cette auberge forestière du "pays des trois frontières", isolée dans le massif vosgien, séduira les amoureux de la nature. Chambres et salle des repas très sobres.

***Les prix***
***Pour toutes précisions sur les prix indiqués dans ce guide, reportez-vous aux pages explicatives.***

---

**LEMPDES** *63370 P.-de-D.* 326 G8 – *8 591 h alt. 330.*
*Paris 422 – Clermont-Ferrand 11 – Issoire 38 – Thiers 36 – Vichy 50.*

X **Poids de Ville,** 6 r. Caire ✆ 04 73 61 74 71, *Fax 04 73 61 66 21* – . GB
*fermé 1er au 7 janv., dim. sauf le midi de sept. à juin et lundi* – **Repas** 13,60/35.
◆ La balance communale était située sur la place du village, face à ce chaleureux restaurant aux tons ocre et rouge où l'on propose une cuisine d'inspiration méditerranéenne.

---

**LENCLOITRE** *86140 Vienne* 322 H4 *G. Poitou Vendée Charentes* – *2 222 h alt. 71.*
*Office du Tourisme, place du Champ de Foire ✆ 05 49 19 70 75, Fax 05 49 19 70 75.*
*Paris 319 – Poitiers 30 – Châtellerault 18 – Mirebeau 12 – Richelieu 24.*

XX **Champ de Foire,** pl. Champ de foire ✆ 05 49 90 74 91, *Fax 05 49 93 33 76* – GB.
*fermé 19 août au 1er sept., 22 au 27 déc., 16 au 23 fév., dim. soir et lundi* – **Repas** *(12,50)* - 16,50/35 ♀.
◆ Le bâtiment fait face au foirail médiéval. Salle de restaurant simplement aménagée, réchauffée par une cheminée. Goûteuse cuisine du marché. Accueil sympathique.

---

**LENS** *62300 P.-de-C.* 301 J5 *G. Picardie Flandres Artois* – *35 017 h Agglo. 323 174 h alt. 38.*
*Syndicat d'Initiative, 26 rue de laPaix ✆ 03 21 67 66 66, Fax 03 21 67 65 66, lensoftour@aol.com.*
*Paris 199 ③ – Lille 37 ① – Arras 18 ③ – Béthune 19 ④ – Douai 24 ② – St-Omer 69 ④.*

Plan page ci-contre

**Lensotel,** centre commercial Lens 2 par ⑤ : *3,5 km* ✉ 62880 Vendin-le-Vieil ✆ 03 21 79 36 36, *lnsotel@wanadoo.fr, Fax 03 21 79 36 00*, , – TV P – 120. AE GB. rest
Repas 15/28 ♀ – 8 – **70 ch** 56/64 – ½ P 52.
◆ Îlot hôtelier de style provençal au coeur d'une zone commerciale. Plaisantes chambres récemment refaites. Salle à manger-véranda rustique tournée sur le jardin intérieur.

**Espace Bollaert,** 13C rte Béthune ✆ 03 21 78 30 30, *hotelbollaert@nordnet.fr, Fax 03 21 78 24 83* – , rest, TV P – 150. AE GB **AX e**
**Repas** *(fermé août et dim. soir)* 18/28 ♀ – 9,50 – **54 ch** 54.
◆ Devant le mythique stade des "sang et or", un hôtel récent aux chambres fonctionnelles. Les soirs de match, profitez de la formule "entrée au stade-repas-chambre".

XX **L'Arcadie,** 13 r. Decrombecque ✆ 03 21 70 32 22, *Fax 03 21 70 32 22* – GB
*fermé 4 au 24 août, dim. soir, mardi soir, merc. soir, sam. midi et lundi* – **Repas** 13 (déj.), 17/34 ♀. **BY r**
◆ En plein centre-ville, une atmosphère feutrée baignée d'une douce lumière : un (mini) clin d'oeil à l'Arcadie des poètes. Cuisine traditionnelle.

## LENS

Anatole-France (R.) ...... **BXY** 2
Basly (Bd Emile) ........ **ABY**
Berthelot (R. Marcelin) .... **BY** 3
Combes (R. Emile) ....... **CX** 4
Decrombecque
(R. Guilsain) ........... **BXY** 6
Diderot (R. Denis) ........ **CY** 7
Faidherbe (R. Louis) ...... **BY** 8
Flament (R. Etienne) ...... **BX** 10
Freycinet (R. Louis de) ..... **CX** 12
Gare (R. de la) ........... **BCY**
Gauthier (R. François) ...... **BY** 13
Havre (R. du) ............. **BY** 14
Hospice (R. de l') ......... **CY** 15
Huleux (R. François) ...... **BXY** 16
Jean Jaurès (Pl) .......... **BY** 18
Jean Moulin (R.) .......... **BX** 19
Lamendin (R. Arthur) ..... **CXY** 20
Lanoy (R. René) .......... **BXY** 21
Leclerc (R. du Mar.) ........ **BY** 22
Paix (R. de la) ............ **BY** 23
Paris (R. de) .............. **BY** 24
Pasteur (R. Louis) ......... **BX** 25
Pourquoi-Pas (R. du) ...... **ABX** 26
Pressense
(R. Francis de) .......... **CX** 27
République (Pl. de la) ...... **BY** 28
Reumaux (Av. Elie) ....... **ABX** 29
Sorriaux (R. Uriane) ....... **BCX** 30
Varsovie (Av de) .......... **CY** 31
Wetz (R. du) ............. **BX** 32
8 Mai 1945 (R.) ........... **CY** 33
11 Novembre (R. du) ..... **ABX** 36

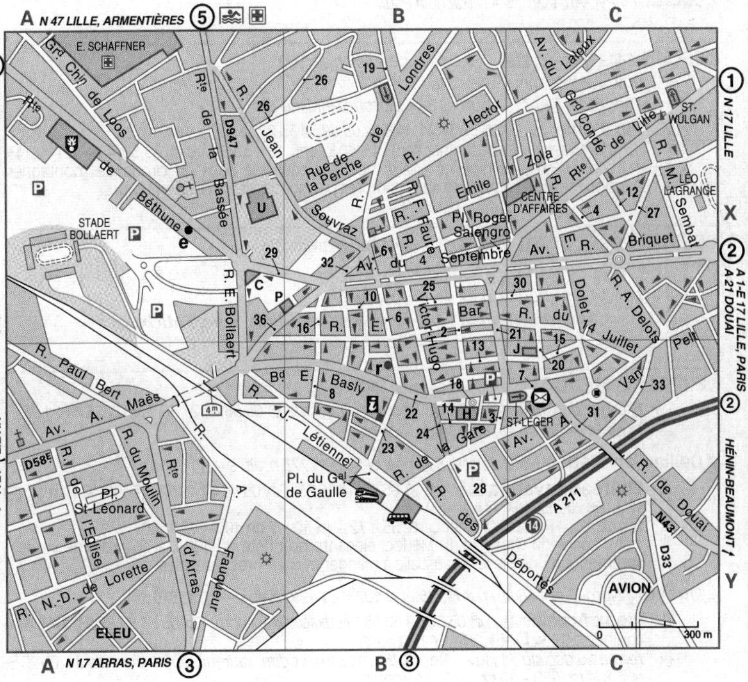

A N 47 LILLE, ARMENTIÈRES 5
B
C
E. SCHAFFNER
Grd Chin de Loos
Rte de Béthune
Rte de la Bassée
D947
R. Jean
Rue de la Perche
R. Souvraz
R. de Londres
R. Hector
Av. du Lateux
Grd Condé de Lille
ST-WULGAN
N 17 LILLE
LÉO LAGRANGE
R. M. Sembat
R. Emile Zola
CENTRE D'AFFAIRES
Pl. Roger Salengro
Av. du 4 Septembre
R. Briquet
STADE BOLLAERT
R. E. Bollaert
R. A. Delots
R. du 14 Juillet
R. Dolet
R. Pelt
R. Van
Bar
R. Victor-Hugo
R. F. Faure
Bd E. Basly
R. Paul Bert
Av. A. Maës
R. J. Létienne
Pl. du Gal de Gaulle
R. de la Gare
Av. A.
ST-LÉGER
R. des Déportés
A 211
R. de Douai
N43
D33
AVION
HÉNIN-BEAUMONT
A 1-E 17 LILLE, PARIS
A 21 DOUAI
D58E
R. du Moulin
Pl. St-Léonard
R. de l'Eglise
R. N.-D. de Lorette
Rte d'Arras
R. Fauqueur
ELEU
0 300 m
A N 17 ARRAS, PARIS 3
B 3
C
X
Y


*Dans ce guide*
*un même symbole, un même mot,*
*imprimé en* **rouge** *ou en* ***noir****, en maigre ou en* ***gras****,*
*n'ont pas tout à fait la même signification.*
*Lisez attentivement les pages explicatives.*

---

**LÉON** *40550 Landes* 335 D11 – *1 330 h alt. 9.*

Voir Courant d'Huchet★ *en barque NO : 1,5 km,* **G. Aquitaine.**

*Office du Tourisme, 65 place Jean Baptiste Courtiau ✆ 05 58 48 76 03, Fax 05 58 48 70 38, ot.leon@wanadoo.fr.*

*Paris 728 – Mont-de-Marsan 82 – Castets 14 – Dax 30.*

**Lac** ⑤, 2 r. des Berges du Lac ✆ 05 58 48 73 11, *hotel.du.lac.leon@wanadoo.fr*, ←, – **GB**.
*mi-mars-mi-oct.* – **Repas** 11,20/27,50 – 4,60 – **14 ch** 42/58,50.
◆ Petites chambres simples, tournées pour la plupart vers le plan d'eau (sports nautiques et excursions en barque sur le courant d'Huchet). Restaurant et terrasse panoramiques.

**LÉRÉ** *18240 Cher* 323 N2 *G. Berry Limousin – 1 161 h alt. 145.*

*Office du Tourisme, Le Lavoir Saint-Germain ☎ 02 48 72 54 32, Fax 02 48 72 17 48.*
*Paris 180 – Auxerre 73 – Bourges 65 – Montargis 65 – Nevers 63 – Orléans 105.*

XX **Lion d'Or,** ☎ 02 48 72 60 12, *Fax 02 48 72 56 18* – GB
*fermé 15 au 28 fév. et dim. soir* – **Repas** 16/46,50 ♀.
◆ Relais de poste du 18e s. dans un village du Pays Fort. Confortable salle à manger néo-rustique où l'on déguste cuisine classique et vins choisis du Sancerrois.

**LESCAR** *64 Pyr.-Atl.* 342 J5 – *rattaché à Pau.*

**LESCUN** *64490 Pyr.-Atl.* 342 I7 *G. Aquitaine – 198 h alt. 900.*
Voir ✻★★ *30 mn.*
*Paris 861 – Pau 71 – Lourdes 89 – Oloron-Ste-Marie 37.*

**Pic d'Anie**, ☎ 05 59 34 71 54, *Fax 05 59 34 53 22*, ←, – GB. ch
*15 juin-15 sept.* – **Repas** (dîner seul.) 15/30 ♀, enf. 10 – 5 – **10 ch** 33,50/43 – ½ P 40/43.
◆ Le pic d'Anie domine ce village béarnais enchâssé dans un cirque de montagnes. Pension familiale centenaire aux chambres peu spacieuses, mais bien tenues.

**LÉSIGNY** *77 S.-et-M.* 312 E3 101 ㉙ – *voir à Paris, Environs.*

*Les pages explicatives de l'introduction vous aideront à mieux profiter de votre* ***Guide Rouge Michelin***

**LESPARRE-MÉDOC** *33340 Gironde* 335 F3 – *4 661 h alt. 12.*
*Office du Tourisme, place du Docteur Lapeyrade ☎ 05 56 41 21 96, Fax 05 56 41 21 96.*
*Paris 541 – Bordeaux 68 – Soulac-sur-Mer 31.*

**à Gaillan-en-Médoc** *Nord-Ouest : 5 km par N 215 – 1 773 h. alt. 9 – ✉ 33340 :*

XXX **Château Layauga** avec ch, ☎ 05 56 41 26 83, *Fax 05 56 41 19 52*, – rest, AE GB JCB
*fermé fév.* – **Repas** 30/70 et carte 55 à 72 – 10 – **7 ch** 100 – ½ P 100.
◆ Au coeur du vignoble du Médoc, élégante propriété du 19e s. avec jardin de verdure agrémenté d'une pièce d'eau. Salle à manger et chambres agréables.

**à Queyrac** *Nord-Ouest : 8 km par N 215 et D 102E2 – 1 129 h. alt. 4 – ✉ 33340 :*

**Vieux Acacias**, ☎ 05 56 59 80 63, *vieuxacaci@aol.com, Fax 05 56 59 85 93*, – cuisinette GB. rest
*fermé 20 déc. au 31 janv.* – **Repas** *(fermé sam. et dim. sauf juil.-août)* (dîner seul.) 17/25 ♀, enf. 8 – 7,50 – **10 ch** 48/51, 4 appart.
◆ Dans un jardin fleuri à 10 mn de l'océan. L'affaire a trouvé un nouveau souffle : les chambres, entièrement refaites, forment un ensemble plaisant et confortable. Minipiscine.

**LESPIGNAN** *34710 Hérault* 339 E9 – *2 360 h alt. 61.*
*Paris 777 – Montpellier 81 – Béziers 11 – Capestang 20 – Narbonne 20.*

X **Hostellerie du Château,** 4 r. Figuiers ☎ 04 67 37 67 71, *Fax 04 67 37 67 71*, – AE GB
*fermé 6 au 25 janv., dim. soir, mardi soir et merc.* – **Repas** 18/40.
◆ Cet ancien château juché au sommet du village héberge une fraîche salle à manger au mobilier campagnard. De la petite terrasse, on ne se lasse pas de contempler la région.

**LESTELLE-BÉTHARRAM** *64800 Pyr.-Atl.* 342 K6 *G. Aquitaine – 865 h alt. 299.*
Voir *Grottes★ de Bétharram S : 5 km.*
*Office de tourisme, Mairie ☎ 05 59 61 93 59, Fax 05 59 61 99 19, comlestelle@cdg64.fr.*
*Paris 806 – Pau 28 – Laruns 35 – Lourdes 17 – Nay 8 – Oloron-Ste-Marie 43.*

**Vieux Logis**, rte des Grottes de Bétharram : 2 km ☎ 05 59 71 94 87, *hotel.levieuxlogis@wanadoo.fr, Fax 05 59 71 96 75*, ←, – – 15 à 25. AE GB
*fermé 25 oct. au 8 nov., 25 janv. au 4 mars, dim. soir et lundi hors saison* – **Repas** 22/40 ♀, enf. 9 – 9 – **35 ch** 41/55 – ½ P 50/58.
◆ L'ancienne ferme (restaurant d'esprit rustique) jouxte l'aile récente (chambres fonctionnelles) dans un vaste parc (cinq amusants chalets) proche des grottes de Bétharram.

**LEUCATE** *11370 Aude* 344 *J5 G. Languedoc Roussillon – 2 177 h alt. 21.*

Voir *<★ du sémaphore du Cap E : 2 km.*

*Office du Tourisme, Espace Culturel ✆ 04 68 40 91 31, Fax 04 68 40 24 76, tourisme.leucate@wanadoo.fr.*

*Paris 826 – Perpignan 35 – Carcassonne 88 – Narbonne 38 – Port-la-Nouvelle 18.*

XX **Jouve** avec ch, sur la plage ✆ 04 68 40 02 77, *jouveleucate@ifrance.com, Fax 04 68 40 03 60, <,* – TV. AE GB. ch

*1er avril-30 sept.* – **Repas** *(fermé lundi sauf le soir en juil.-août et dim. soir)* 20/38 – ☕ 7 – **7 ch** 63/74 – ½ P 61/66.

◆ Sur la plage, établissement centenaire reconstruit après-guerre. Salle à manger récente et agréable terrasse-jardin. Chambres sobres tournées vers la Méditerranée.

X **Village,** au village, 129 av. J. Jaurès ✆ 04 68 40 06 91, *andrieu.eric@free.fr, Fax 04 68 40 06 91* – ▤. GB

*fermé mardi et merc.* – **Repas** 12,50 (déj.), 16,50/25 ♀, enf. 7.

◆ Coloris bleu et blanc, murs égayés de tableaux d'artistes régionaux et cuisine faisant la part belle au poisson : l'ancienne bergerie est devenue petit restaurant marin.

**à Port-Leucate** *Sud : 7 km par D 627 – ✉ 11370 :*

**Deux Golfs** sans rest, sur le port ✆ 04 68 40 99 42, *Fax 04 68 40 79 79* – TV P. AE GB

*1er mars-31 oct.* – ☕ 6 – **30 ch** 45/60,50.

◆ Dans la marina bâtie entre l'étang et la mer, immeuble récent aux chambres fonctionnelles dotées de loggias privatives tournées vers le port de plaisance.

---

**LEUTENHEIM** *67480 B.-Rhin* 315 *M3 – 669 h alt. 119.*

*Paris 511 – Strasbourg 41 – Haguenau 23 – Karlsruhe 43.*

XX **Auberge Au Vieux Couvent,** à Koenigsbruck, Nord-Ouest : 2 km par D 163 ✆ 03 88 86 39 86, *Fax 03 88 05 28 58,* – P. GB

*fermé 1er au 18 sept., 27 déc. au 2 janv., lundi et mardi* – **Repas** *(7,50)* - 23/34 ♀.

◆ Pimpante demeure alsacienne à colombages de la fin du 17e s. Des maximes écrites en lettres gothiques ornent les murs de la salle à manger rustique (boiseries, poutres).

---

**LEVALLOIS-PERRET** *92 Hauts-de-Seine* 311 *J2* 101 ⑮ *– voir à Paris, Environs.*

---

**LEVENS** *06670 Alpes-Mar.* 341 *E4 G. Côte d'Azur – 2 686 h alt. 600.*

Voir *<★ – Saut des Français★★ N : 8 km.*

*Office du Tourisme, place de la République ✆ 04 93 79 71 00, Fax 04 93 79 75 64, ot.levens@free.fr.*

*Paris 951 – Antibes 43 – Cannes 52 – Nice 25 – Puget-Théniers 51 – St-Martin-Vésubie 40.*

**Vigneraie** , rte St-Blaise 1,5 km ✆ 04 93 79 70 46, *Fax 04 93 79 84 35,* – TV P. GB

*1er fév.-7 oct.* – **Repas** (dîner pour résidents seul.) 16,50/22,50 – ☕ 6 – **18 ch** 32/38 – ½ P 41/44.

◆ Ambiance familiale et table généreuse caractérisent cette maison aux abords verdoyants. Chambres campagnardes ; certaines ont un balcon. Larges baies dans la salle à manger.

X **Les Santons,** au village ✆ 04 93 79 72 47, *f.lequerre@wanadoo.fr,* – GB

*fermé lundi et mardi* – **Repas** (prévenir) 24 (déj.), 30/55.

◆ Au coeur de la cité des Masséna, sympathique restaurant comprenant une salle à manger rustique et une quiète terrasse ombragée. Cuisine traditionnelle aux accents du Sud.

---

**LEVERNOIS** *21 Côte-d'Or* 320 *J8 – rattaché à Beaune.*

---

**LEVIE** *2A Corse-du-Sud* 345 *D9 – voir à Corse.*

---

**LEVROUX** *36110 Indre* 323 *F5 G. Berry Limousin – 3 045 h alt. 142.*

Voir *Collégiale St-Sylvain★.*

Env. *Château de Bouges★★, parc★ NE : 9,5 km.*

*Office du Tourisme, place Ernest Nivet ✆ 02 54 35 63 39, Fax 02 54 35 63 39, otlevroux wanadoo.fr.*

*Paris 262 – Blois 81 – Châteauroux 20 – Châtellerault 96 – Loches 55 – Vierzon 55.*

XX **Relais St-Jean,** 34 r. Nationale ✆ 02 54 35 81 56, *relais.saint.jean@free.fr, Fax 02 54 35 36 09,* – AE GB
*fermé 23 sept. au 6 oct., vacances de fév., mardi soir sauf juin à sept., dim. soir et merc.* – **Repas** 14,50/36 ♀, enf. 11.
◆ Un joli porche du 19e s. mène à la cour intérieure où est installée la terrasse. Plaisante salle à manger aux tons pastel jaune et vert. Cuisine au goût du jour.

---

**LEYNES** *71570 S.-et-L.* 320 *I12 – 468 h alt. 340.*
*Paris 403 – Mâcon 15 – Bourg-en-Bresse 51 – Charolles 57 – Villefranche-sur-Saône 35.*

X **Fin Bec,** ✆ 03 85 35 11 77, *Fax 03 85 35 13 71* – GB
*fermé 1er au 15 janv., jeudi soir sauf juil.-août, dim. soir et lundi* – **Repas** 15 (déj.), 22,50/40 ♀.
◆ La façade un rien décrépie de cette maison de village dissimule une chaleureuse salle à manger rustique. Cuisine régionale d'un bon rapport qualité-prix et excellent accueil.

---

**LÉZIGNAN-CORBIÈRES** *11200 Aude* 344 *H3 – 7 881 h alt. 51.*
*Office du Tourisme, 9 cours de la République ✆ 04 68 27 05 42, Fax 04 68 27 05 42, tourisme-leignan@wanadoo.fr.*
*Paris 817 – Perpignan 85 – Carcassonne 39 – Narbonne 23 – Prades 129.*

X **Rest. Tournedos et H. Tassigny** avec ch, pl. de Lattre-de-Tassigny ✆ 04 68 27 11 51, *Fax 04 68 27 67 31* – rest, TV. AE GB
*fermé 28 sept. au 13 oct., 25 janv. au 9 fév., lundi (sauf hôtel) et dim. soir* – **Repas** *(11)* - 13 bc/38,50 bc, enf. 7 – 6 – **19 ch** 30/42 – ½ P 36.
◆ Grillades et tournedos - spécialités du chef - sont servis dans une lumineuse salle à manger aux couleurs du Midi. Ambiance sympathique. Réservez une chambre sur l'arrière.

---

**LEZOUX** *63190 P.-de-D.* 326 *H8 G. Auvergne – 4 819 h alt. 340.*
*Syndicat d'Initiative, impasse Pasteur en saison ✆ 04 73 73 03 13, Fax 04 73 73 04 48.*
*Paris 436 – Clermont-Ferrand 31 – Issoire 42 – Riom 39 – Thiers 16 – Vichy 42.*

XX **Les Voyageurs** avec ch, pl. de la Mairie ✆ 04 73 73 10 49, *Fax 04 73 73 92 60* – TV. GB
*fermé 6 au 17 janv., 25 août au 15 sept., dim. soir et lundi* – **Repas** *(11)* - 14/30,50, enf. 9 – 5,50 – **9 ch** 33/45 – ½ P 38/40.
◆ Dans une bâtisse des années 1960 située face à la mairie, spacieuse salle à manger éclairée par de larges fenêtres ; cuisine traditionnelle. Chambres bien tenues.

**à Bort-l'Étang** *Sud-Est : 8 km par D 223 et D 309 – 409 h. alt. 420 – ✉ 63190.*
**Voir** ✲★ *de la terrasse du château★ à Ravel O : 5 km.*

**Château de Codignat**, Ouest : 1 km ✆ 04 73 68 43 03, *codignat@relaischateaux.com, Fax 04 73 68 93 54,* ←, – TV P – 40. AE GB
*20 mars-2 nov.* – **Repas** *(fermé le midi du lundi au vend. sauf fériés)* (nombre de couverts limité, prévenir) 48/90 et carte 80 à 100 – 14 – **19 ch** 150/310 – ½ P 168/228.
◆ Joli château du 15e s. et son superbe parc. Chambres raffinées, évoquant pour la plupart un personnage historique : Louis XI, Jacques Coeur, Barbe-Bleue... Donjon-salle à manger.
**Spéc.** Haché de langoustines à l'huile de sésame, jus de coquillages au pistou (juil.-août). Agneau du Bourbonnais, ris au basilic et olives de Nyons. Association des chocolats "grand cru". **Vins** Châteaugay, Madargues.

---

**LIBOURNE** SP *33500 Gironde* 335 *J5 G. Aquitaine – 21 012 h alt. 7.*
*Office du Tourisme, 45 allée Robert Boulin ✆ 05 57 51 15 04, Fax 05 57 25 00 58, officedetourismelibourne@wanadoo.fr.*
*Paris 578 ⑤ – Bordeaux 32 ④ – Agen 130 ③ – Bergerac 63 ③ – Périgueux 97 ②.*

Plan page ci-contre

XX **Chez Servais,** 14 pl. Decazes ✆ 05 57 51 83 97, *Fax 05 57 51 83 97* – GB BY n
*fermé 12 au 25 août, dim. soir et lundi* – **Repas** 22 ♀.
◆ Restaurant récemment rénové au centre de la bastide. Dans la salle à manger colorée, des sièges cannés sont disposés autour de tables joliment dressées. Menus attrayants.

XX **Bord d'Eau,** par ⑤ : *1,5 km* ✉ 33126 Fronsac ✆ 05 57 51 99 91, *Fax 05 57 25 11 56,* ← – P. GB
*fermé en sept., en nov., vacances de fév., merc. soir, dim. soir et lundi* – **Repas** 16 (déj.), 26/42 ♀, enf. 10.
◆ Construction sur pilotis au bord de la Dordogne. Les tables proches des baies profitent de la vue sur la rivière et sur Libourne. Expositions de tableaux ou de photographies.

## LIBOURNE

Amade (Q. du Gén. d') .... **AZ** 4
Clemenceau (Av. G.) ...... **BY** 5
Decazes (Pl.) ............. **BY** 6
Ferry (R. J.) .............. **AZ** 7
Foch (Av. du Mar.) ........ **BY** 8
Gambetta (R.) .......... **ABY**
Jaurès (R. J.) ........... **ABZ**
J.-J.-Rousseau (R.) ...... **ABZ** 10
Lattre-de-Tassigny (Pl. du Mar.-de) ......... **AZ** 14
Montaigne (R. M.) ........ **BZ** 21
Montesquieu (R.) ......... **BY** 23
Prés.-Carnot (R. du) ..... **ABY**
Prés.-Doumer (R. du) .... **ABY** 28
Prés.-Wilson (R. du) ....... **BY** 29
Princeteau (Pl.) .......... **ABY** 30
Salinières (Quai des) ............. **AY** 35
Surchamp (Pl. A.) .......... **AZ**
Thiers (R.) ................ **AZ**
Waldeck-Rousseau (R.) .... **AY** 45

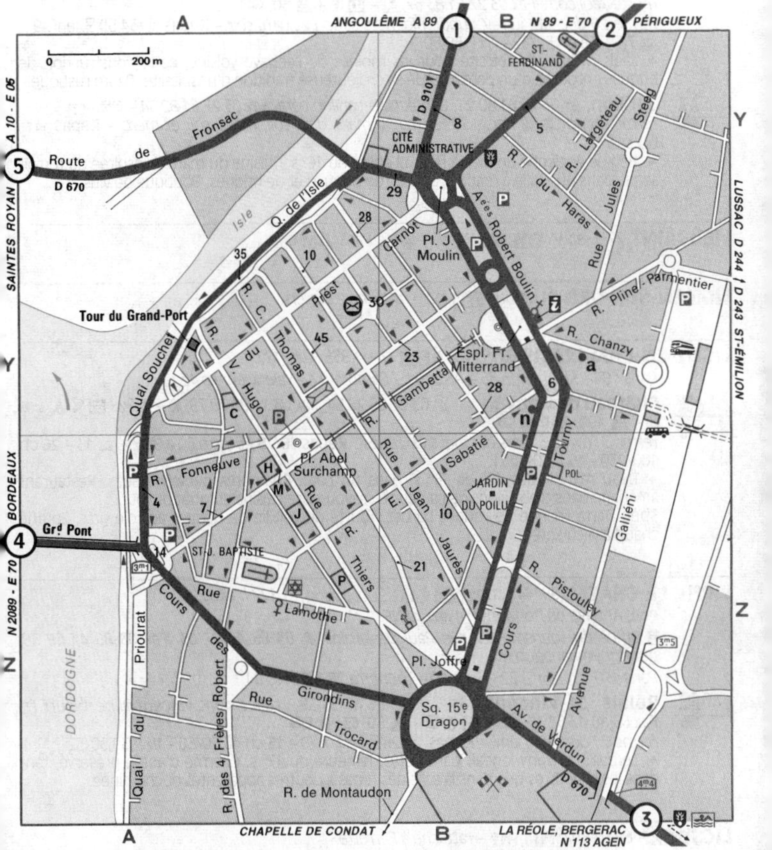

ANGOULÊME A 89
N 89 - E 70
PÉRIGUEUX
SAINTES ROYAN A 10 - E 05
LUSSAC D 244 D 243 ST-ÉMILION
BORDEAUX N 2089 - E 70
CHAPELLE DE CONDAT
LA RÉOLE, BERGERAC N 113 AGEN
Route de Fronsac
D 670
Isle
Q. de l'Isle
CITÉ ADMINISTRATIVE
ST-FERDINAND
Pl. J. Moulin
Aées Robert Boulin
R. du Haras
R. Largeteau
Steeg
Rue Jules
R. Pline Parmentier
R. Chanzy
Tour du Grand-Port
Quai Souchet
Espl. Fr. Mitterrand
Gambetta
Carnot
Prést
Thomas
R. C. du V. Hugo
Pl. Abel Surchamp
Fonneuve
Grd Pont
ST-J. BAPTISTE
Rue Lamothe
R. Thiers
Rue E. Jean Jaurès
Sabatié
JARDIN DU POILU
Tourny
POL.
Gallieni
R. Pistouley
Cours
Pl. Joffre
Sq. 15e Dragon
Av. de Verdun
Avenue
Cours des Girondins
Rue Trocard
R. de Montaudon
R. des 4 Frères Robert
Quai du Priourat
DORDOGNE


X **Bistrot Chanzy,** 16 r. Chanzy ✆ 05 57 51 84 26, *Fax 05 57 51 84 89,* – GB **BY a**
*fermé 11 au 25 août, 16 au 23 fév., sam. midi, lundi soir et dim.* – **Repas** 15 (déj.)et carte 18 à 31 ♀.
◆ À proximité de la gare, façade modeste dissimulant une pimpante salle à manger au cadre de bistrot moderne lambrissé. Cuisine traditionnelle et menu du jour.

**LIÈPVRE** *68660 H.-Rhin* 315 *H7 – 1 558 h alt. 272.*
*Paris 427 – Colmar 34 – Ribeauvillé 27 – St-Dié 31 – Sélestat 15.*

XX **Auberge Frankenbourg** avec ch, à La Vancelle Nord-Est : 2,5 km par rte secondaire ✉ 67730 ✆ 03 88 57 93 90, *hrfrankenbourg@wanadoo.com, Fax 03 88 57 91 31,* , – TV GB
*fermé 1er au 10 mars, 30 juin au 12 juil., 15 au 28 fév.* – **Repas** *(fermé mardi soir et merc.)* 27/49 ♀, enf. 13 – ☕ 7 – **11 ch** 40/50 – ½ P 50.
◆ Dans un hameau entouré de forêts, établissement familial disposant d'un restaurant à l'esprit campagnard et de petites chambres fonctionnelles bien tenues. Cuisine régionale.

**LIESSIES** *59740 Nord* 302 M7 *G. Picardie Flandres Artois – 531 h alt. 165.*

Voir *Parc départemental du Val Joly★ E : 5 km.*

*Syndicat d'Initiative, ☎ 03 27 61 82 54, Fax 03 27 57 91 11.*

*Paris 224 – St-Quentin 74 – Avesnes-sur-Helpe 14 – Charleroi 48 – Hirson 24 – Maubeuge 24.*

**Château de la Motte** ⑤, Sud : 1 km par rte secondaire ☎ 03 27 61 81 94, *chateaudelamotte@aol.com, Fax 03 27 61 83 57,* – TV P – 50. GB

*fermé 20 déc. au 10 fév., lundi midi hors saison et dim. soir* – **Repas** 19/34,50 ♀, enf. 9 – ☕ 7,50 – **9 ch** 52/62 – ½ P 59,50.

◆ Jadis maison de retraite pour les moines de l'abbaye voisine, cette construction de briques entourée d'un parc a gardé sa chaleureuse tradition d'hospitalité. Cadre rustique.

**Carillon,** ☎ 03 27 61 80 21, *contact@le-carillon.com, Fax 03 27 61 82 34* – GB JCB

*fermé 18 nov. au 2 déc. , 18 fév. au 10 mars, dim. soir, mardi soir et merc.* – **Repas** 14,50 bc/34 ♀.

◆ Bâtisse ancienne en pierre face à l'église du 16e s. Cuisine du marché inspirée du terroir servie dans une salle à manger égayée de poutres et de briques. Boutique de vins.

---

**LIEUSAINT** *77 S.-et-M.* 312 E4 101 ㊳ – *voir à Paris, Environs.*

---

**LIGNAN-SUR-ORB** *34 Hérault* 339 D8 – *rattaché à Béziers.*

---

**LIGNY-EN-CAMBRÉSIS** *59191 Nord* 302 I7 – *1 835 h alt. 127.*

*Paris 194 – St-Quentin 35 – Arras 51 – Cambrai 17 – Valenciennes 42.*

**Château de Ligny** M ⑤, ☎ 03 27 85 25 84, *Fax 03 27 85 79 79,* – TV P – 100. AE GB.

*fermé 3 fév. au 3 mars et lundi sauf fériés* – **Repas** 46/78 et carte 60 à 85 ♀ – ☕ 13 – **26 ch** 100/230 – ½ P 109/231.

◆ Beau manoir des 12e et 15e s. dans un parc. Chambres personnalisées. Restaurant aménagé dans trois salons de caractère ; savoureuse cuisine au goût du jour.

**Spéc.** Tarte friande de rouget barbet. Tourte de volaille de Licques au foie gras. Soufflé chaud à la chicorée.

---

**LIGNY-LE-CHÂTEL** *89144 Yonne* 319 F4 *G. Bourgogne – 1 122 h alt. 130.*

Env. *Abbaye de Pontigny★ 4 km au NE.*

*Office du tourisme, 22 rue Paul Desjardins ☎ 03 86 47 47 03, Fax 03 86 47 58 38, pontigny@wanadoo.fr.*

*Paris 179 – Auxerre 22 – Sens 60 – Tonnerre 28 – Troyes 64.*

**Relais St-Vincent** ⑤, ☎ 03 86 47 53 38, *relais.saint.vincent@libertysurf.fr, Fax 03 86 47 54 16,* – TV P – 50. AE GB

*fermé 21 déc. au 6 janv.* – **Repas** 13/26 ♀ – ☕ 7,20 – **15 ch** 40,50/66 – ½ P 39,50/52.

◆ Le bailli de Ligny logeait dans cette demeure du 17e s. Charme d'antan préservé, tant dans les chambres que dans la salle des repas à poutres apparentes et cheminée.

---

**LIGSDORF** *68 H.-Rhin* 315 H12 – *rattaché à Ferrette.*

---

**LIGUEIL** *37240 I.-et-L.* 317 N6 *G. Châteaux de la Loire – 2 201 h alt. 85.*

*Office du Tourisme, 49 rue Aristide Briand ☎ 02 47 92 06 88, Fax 02 47 59 94 97, ligueil@free.fr.*

*Paris 275 – Tours 45 – Le Blanc 55 – Châteauroux 81 – Châtellerault 37 – Loches 19.*

**Colombier,** pl. Gén. Leclerc ☎ 02 47 59 60 83, *Fax 02 47 59 61 12* – GB

*fermé 1er au 15 sept., 2 janv. au 6 fév., lundi et mardi hors saison* – **Repas** 10,50/26 ♀ – ☕ 5 – **11 ch** 31/35 – ½ P 35.

◆ Une adresse utile pour les "pigeons voyageurs" de passage sur le plateau de Ste-Maure : chambres simples (préférer celles sur cour) et salon égayé d'un aquarium.

**à Cussay** *Sud-Ouest : 3,5 km par D 31 – 551 h. alt. 105 – ✉ 37240 :*

**Auberge du Pont Neuf** avec ch, ☎ 02 47 59 66 37, *Fax 02 47 59 67 53,* – TV P. AE GB

*fermé vacances de Toussaint, de fév., mardi soir et dim. soir en hiver et merc.* – **Repas** 16/60 ♀ – ☕ 7,60 – **5 ch** 43 – ½ P 51.

◆ Plaisante auberge située sur la traversée du village. Salle à manger rénovée où l'on sert une généreuse cuisine traditionnelle. Petites chambres modestes, bien tenues.

# LILLE

P 59000 Nord 302 G4 *G. Picardie Flandres Artois*
*184 657 h. - Agglo. 1 000 900 h - alt. 10.*
*Paris 223 ⑩ – Bruxelles 115 ⑧ – Gent 76 ② – Luxembourg 310 ⑧ – Strasbourg 529 ⑧*



## OFFICE DE TOURISME

*Palais Rihour ☎ 03 20 21 94 21, Fax 03 20 21 94 20, info@lilletourisme.com*

## RENSEIGNEMENTS PRATIQUES

### TRANSPORTS

*Auto-train ☎ 08 36 35 35 35.*

### AÉROPORTS

*Lille-Lesquin ☎ 03 20 49 68 68 par A1 : 8 km* **HT**

## DÉCOUVRIR

### AUTOUR DU BEFFROI DE L'HÔTEL DE VILLE

*Quartier St-Sauveur* **FZ** *: porte de Paris★, ≤★ du beffroi - Palais des Beaux-Arts★★★* **EZ**

### AUTOUR DU BEFFROI DE LA CHAMBRE DE COMMERCE

*Le Vieux-Lille★★* **EY** *: Vieille Bourse★★, Demeure de Gilles de la Boé★(29 place Louise-de-Bettignies) - rue de la Monnaie★ - Hospice Comtesse★ - Maison natale du Général de Gaulle* **EY** *- Église St-Maurice★* **EFY**, *La Citadelle★* **BV**

### LES QUARTIERS QUI BOUGENT

*Place du Général-de-Gaulle (Grand'Place)★* **EY** *- Place Rihour* **EY** *- Rue de Béthune (cinémas)* **EYZ** *- Euralille (tour du Crédit Lyonnais★).*

*Et autour de la gare Lille-Flandres* **FY**.

### ...ET AUX ENVIRONS

*Villeneuve d'Ascq : musée d'Art moderne★★* **HS M**

*Bondues : château du Vert-Bois★* **HR**

*Bouvines : vitraux de l'église et évocation de la bataille* **JT**

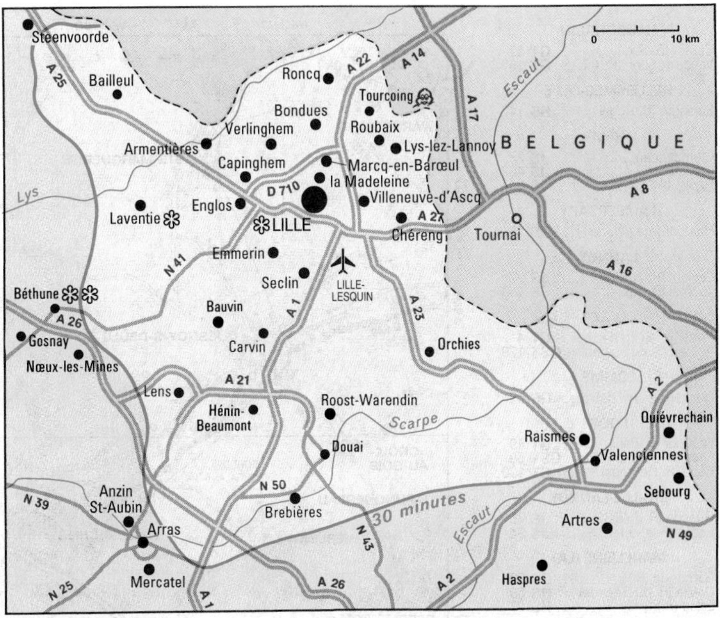
Steenvoorde
Bailleul
Roncq
Tourcoing
Bondues
Verlinghem
Roubaix
Armentières
Lys-lez-Lannoy
BELGIQUE
Capinghem
Marcq-en-Barœul
la Madeleine
Villeneuve-d'Ascq
Lys
Englos
Laventie
LILLE
Chéreng
Tournai
Emmerin
Seclin
LILLE-LESQUIN
Béthune
Bauvin
Gosnay
Carvin
Orchies
Nœux-les-Mines
Lens
Hénin-Beaumont
Roost-Warendin
Scarpe
Quiévrechain
Raismes
Douai
Valenciennes
Anzin St-Aubin
Sebourg
Brebières
30 minutes
Arras
Artres
Mercatel
Haspres
Escaut
0
10 km

**Alliance** Ⓜ, 17 quai du Wault ✉ 59800 ☎ 03 20 30 62 62, *alliancelille@alliance-hospitality.com, Fax 03 20 42 94 25* – ⇅ ⇋ TV ☎ ♿ P – 🔔 35 à 100. AE ◑ GB JCB p.6 **BV d**
**Repas** *(fermé lundi du 15 juil. au 31 août) (13)* - 27/31 bc 🍷 – ☕ 15 – **80 ch** 199, 3 appart.
◆ Ancien couvent du 17ᵉ s. en briques rouges. Décor contemporain dans les chambres. Une vaste verrière pyramidale coiffe le cloître où sont aménagés restaurant et piano-bar.

**Carlton** sans rest, 3 r. Paris ✉ 59800 ☎ 03 20 13 33 13, *carlton@carltonlille.com, Fax 03 20 51 48 17,* 🏋 – ⇅ ⇋ ▤ TV ☎ ♿ 🚗 – 🔔 15 à 170. AE ◑ GB JCB p. 8 **EY u**
☕ 16 – **59 ch** 160/233.
◆ Petit palace du début du 20ᵉ s. situé face à la vieille Bourse. Chambres de style Louis XV et Louis XVI à la décoration soignée, régulièrement rajeunies. Bar anglais.

**Novotel Flandres** Ⓜ, 49 r. Tournai ✉ 59800 ☎ 03 28 38 67 00, *H3165@accor-hotels.com, Fax 03 28 38 67 10,* 🍽 – ⇅ ⇋ ▤ TV ☎ ♿ – 🔔 80. AE ◑ GB JCB p. 8 **FZ w**
**Repas** *(17,60)* - 22 🍷 – ☕ 11 – **88 ch** 127/186, 5 appart.
◆ L'hôtel, voisin de la gare Lille-Flandres, ne déroge pas aux nouvelles normes de la chaîne : vaste hall-salon, chambres modernes et bien équipées, et restaurant pratique.

**Grand Hôtel Bellevue** sans rest, 5 r. J. Roisin ☎ 03 20 57 45 64, *grand.hotel.bellevue@wanadoo.fr, Fax 03 20 40 07 93* – ⇅ ⇋ TV ☎ – 🔔 50. AE ◑ GB JCB p. 8 **EY a**
☕ 11 – **60 ch** 135/183.
◆ Bel immeuble en pierres de taille au coeur de la capitale des Flandres. Chambres de caractère, joliment rénovées et meublées ; certaines s'ouvrent sur la Grand'Place.

**Novotel Centre** Ⓜ, 116 r. Hôpital Militaire ✉ 59800 ☎ 03 28 38 53 53, *h0918-gm@accor-hotels.com, Fax 03 28 38 53 54* – ⇅ ⇋ ▤ TV ☎ ♿ – 🔔 50. AE ◑ GB JCB p. 8 **EY s**
**Repas** *(17,60)* - 21,90 🍷, enf. 8 – ☕ 11 – **104 ch** 122/132.
◆ Emplacement central à proximité du palais des congrès et du vieux Lille. Ce Novotel propose des chambres spacieuses, fonctionnelles et bien insonorisées.

**Mercure Royal** Ⓜ sans rest, 2 bd Carnot ✉ 59800 ☎ 03 20 14 71 47, *h0802@accor-hotels.com, Fax 03 20 14 71 48* – ⇅ ⇋ ▤ TV ☎ – 🔔 25. AE ◑ GB JCB p. 8 **EY h**
☕ 11 – **101 ch** 119/290.
◆ Poutres et briques, tant à la réception que dans les salons, révèlent tout le charme de cet immeuble centenaire en pierres de taille. Chambres actuelles, refaites avec soin.

**HAUBOURDIN**

Carnot (R. Sadi) .......... **GT** 22
Vanderhaghen (R. A.) .... **GT** 157

**HELLEMMES-LILLE**

Salengro (R. Roger) ..... **HS** 142

**HEM**

Clemenceau .............. **JS** 28
Croix (R. de) ............ **JS** 40
Gaulle (Av. Ch. de) ....... **JS** 64

**LAMBERSART**

Hippodrome (Av. de l') ... **GS** 76

**LANNOY**

Leclerc (R. du Gén.) ..... **JS** 97
Tournai (R. de) .......... **JS** 153

**LILLE**

Arras (R. du Fg-d') ....... **GT** 4
Postes (R. du Fg-des) .. **GST** 129

**LOMME**

Dunkerque (Av. de) ..... **GS** 52

**LOOS**

Doumer (R. Paul) ........ **GT** 49
Foch (R. du Mar.) ...... **GST** 58
Potié (R. Georges) ...... **GT** 130

**LYS-LEZ-LANNOY**

Guesde (R. Jules) ....... **JS** 75
Lebas (R. J.-B.) ......... **JS** 94

**MADELEINE (LA)**

Gambetta (R.) ........... **GS** 63
Gaulle (R. du Gén.-de) ... **HS** 69
Lalau (R.) ............... **HS** 87

**MARCQ-EN-BARŒUL**

Clemenceau ............. **HS** 30
Couture (R. de la) ....... **HS** 39
Foch (Av. Mar.) .......... **HS** 57
Nationale (Rue) ......... **HS** 122

**MARQUETTE-LEZ-LILLE**

Lille (R. de) ............ **GS** 103
Menin (R. de) ............ **HS** 117

**MONS-EN-BARŒUL**

Gaulle (R. du Gén.-de) ... **HS** 70

**MOUVAUX**

Carnot (Bd) ............ **HR** 21

**ST-ANDRE**

Lattre-de-Tassigny
(Av. du Mar. de) ....... **GS** 91
Leclerc (R. du Gén.) ..... **GS** 99

**TOUFFLERS**

Déportés (R. des) ....... **JS** 48

**TOURCOING**

Yser (R. de l') ........... **JR** 165
3 Pierres (R. des) ........ **JR** 166

**VILLENEUVE-D'ASCQ**

Ouest (Bd de l') .......... **HS** 124
Ronsse (R. Ch.) .......... **JT** 136
Tournai (Bd de) .......... **JT** 151

**WAMBRECHIES**

Marquette (R. de) ....... **GS** 108

**WATTIGNIES**

Clemenceau (R.) ......... **GT** 31
Gaulle
(R. du Gén.-de) ....... **GT** 72
Victor-Hugo (R.) ........ **GT** 160

**WATTRELOS**

Carnot (R.) ............ **JRS** 24
Jaurès (R. J.) ........... **JR** 82
Lebas (R. J.-B.) .......... **JR** 96
Mont-à-Leux (R. du) ..... **JR** 121

HALLUIN
G
VERVICQ
COMINES
WARNETON
IEPER
STE-MARGUERITE
R
ARMENTIÈRES
QUESNOY-S-DEÛLE
CROIX-AU-BOIS
FUNQUEREAU
FORT DE VERT GALANT
VERLINGHEM
WAMBRECHIES
PÉRENCHIES
LOMPRET
ST-ANDRÉ LEZ-LILLE
S
PRÉMESQUES
St-Philibert
Maison des Enfants
Mitterie
LAMBERSART
CAPINGHEM
Bourg
LOMME-DÉLIVRANCE
Pt Supérieur Lomme - Lambersart
Z.A.M.I.N.
M.I.N.
LOMME
LE MARAIS
PORT
LILLE
DUNKERQUE
SEQUEDIN
ENGLOS
HALLENNES LEZ HAUBOURDIN
LOOS
EURASANTÉ
CHR. O. Lambret
CHR. B. Calmette
HAUBOURDIN
BÉTHUNE
SANTES
EMMERIN
WATTIGNIES
T
ANCOISNE
TEMPLEMARS
NOYELLES
SECLIN

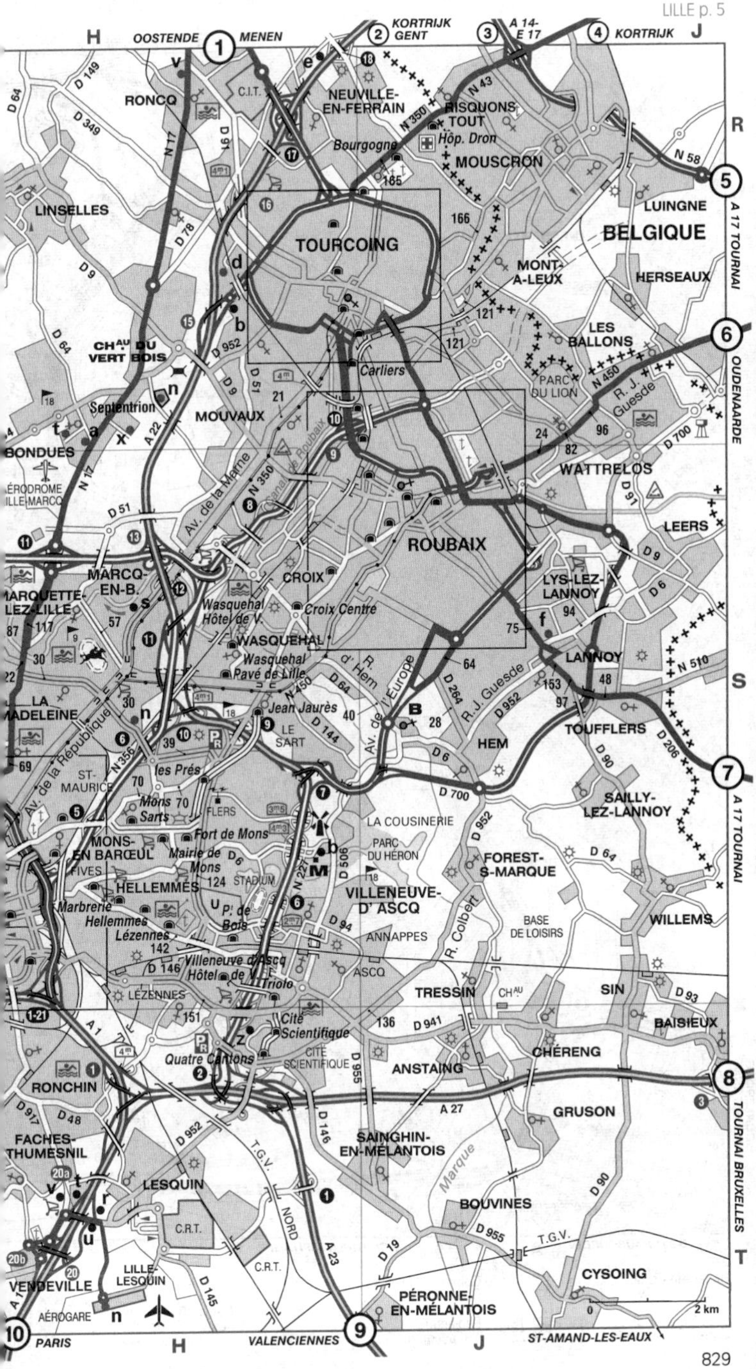
OOSTENDE
MENEN
KORTRIJK
GENT
A 14-E 17
KORTRIJK
RONCQ
NEUVILLE-EN-FERRAIN
RISQUONS TOUT
Hôp. Dron
MOUSCRON
LINSELLES
LUIGNE
TOURCOING
BELGIQUE
MONT-A-LEUX
HERSEAUX
CHAU DU VERT BOIS
LES BALLONS
PARC DU LION
Carliers
Septentrion
MOUVAUX
BONDUES
WATTRELOS
AÉRODROME LILLE-MARCQ
LEERS
ROUBAIX
MARCQ-EN-B.
CROIX
LYS-LEZ-LANNOY
MARQUETTE-LEZ-LILLE
Wasquehal Hôtel de V.
Croix Centre
WASQUEHAL
Wasquehal Pavé de Lille
LANNOY
LA MADELEINE
Jean Jaurès
LE SART
TOUFFLERS
HEM
les Prés
ST-MAURICE
FLERS
SAILLY-LEZ-LANNOY
LA COUSINERIE
Mons Sarts
Fort de Mons
MONS-EN BARŒUL
Mairie de Mons
PARC DU HÉRON
FOREST-S-MARQUE
FIVES
HELLEMMES
STADIUM
VILLENEUVE-D'ASCQ
Marbrerie
Hellemmes
Lézennes
P. de Bois
BASE DE LOISIRS
ANNAPPES
WILLEMS
Villeneuve d'Ascq Hôtel de V.
Triolo
ASCQ
TRESSIN
SIN
LÉZENNES
Cité Scientifique
BAISIEUX
CHÉRENG
Quatre Cantons
CITÉ SCIENTIFIQUE
ANSTAING
RONCHIN
GRUSON
FACHES-THUMESNIL
SAINGHIN-EN-MÉLANTOIS
LESQUIN
BOUVINES
C.R.T.
CYSOING
VENDEVILLE
LILLE-LESQUIN
AÉROGARE
PÉRONNE-EN-MÉLANTOIS
PARIS
VALENCIENNES
ST-AMAND-LES-EAUX
A 17 TOURNAI
OUDENAARDE
TOURNAI BRUXELLES
0
2 km

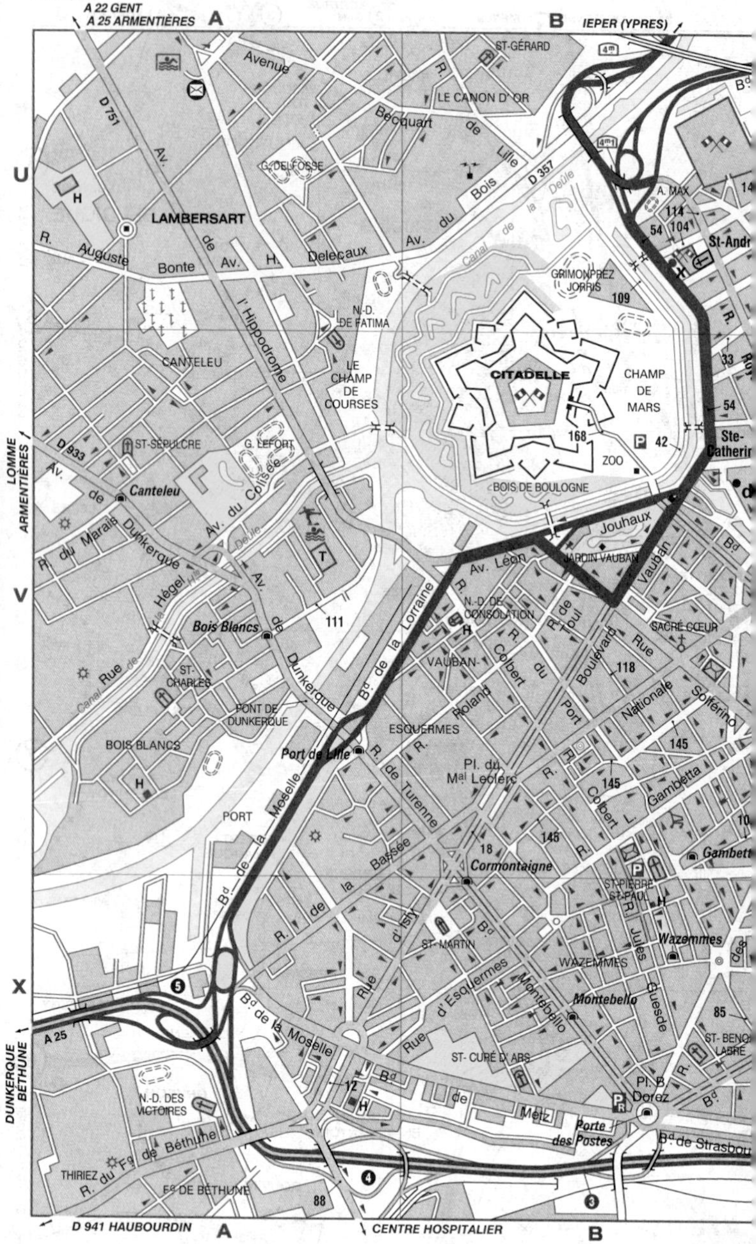
A 22 GENT
A 25 ARMENTIÈRES
A
B
IEPER (YPRES)
U
V
X
LOMME
ARMENTIÈRES
DUNKERQUE
BÉTHUNE
D 941 HAUBOURDIN
CENTRE HOSPITALIER
ST-GÉRARD
LE CANON D'OR
Avenue
Becquart
de
Lille
R.
D 751
Av.
G. DELFOSSE
D 357
Bois
du
Av.
Canal de la Deûle
LAMBERSART
R. Auguste Bonte
Av. H. Delecaux
de
l'Hippodrome
N.-D. DE FATIMA
GRIMONPREZ JORRIS
109
A. MAX
114
104
54
St-André
CITADELLE
CHAMP DE MARS
LE CHAMP DE COURSES
CANTELEU
168
42
ZOO
BOIS DE BOULOGNE
33
54
Ste-Catherine
D 933
ST-SÉPULCRE
G. LEFORT
Av. du Colisée
Canteleu
Av. de Dunkerque
R. du Marais
Hégel
Deûle
Jouhaux
JARDIN VAUBAN
Av. Léon
Vauban
Bd
Av. de Dunkerque
111
Bois Blancs
N.-D. DE CONSOLATION
R. de Toul
SACRÉ CŒUR
H
VAUBAN
Colbert
du Port
Boulevard
Rue Solférino
118
Bd de la Lorraine
ST-CHARLES
Rue
Canal
PONT DE DUNKERQUE
Roland
ESQUERMES
Nationale
145
BOIS BLANCS
Port de Lille
R. de Turenne
Pl. du Mal Leclerc
R.
145
Colbert
Gambetta
L.
PORT
145
18
Cormontaigne
Bd de la Moselle
R. de la Bassée
ST-PIERRE ST-PAUL
R. Jules Guesde
Gambetta
R. d'Isly
ST-MARTIN
Wazemmes
Rue
WAZEMMES
Rue d'Esquermes
Montebello
Montebello
85
5
A 25
ST- BENOÎT LABRE
Bd de la Moselle
ST- CURÉ D'ARS
12
Bd de Metz
N.-D. DES VICTOIRES
Pl. B. Dorez
Porte des Postes
Bd de Strasbourg
R. du Fg de Béthune
THIRIEZ
Fg DE BÉTHUNE
4
88
3

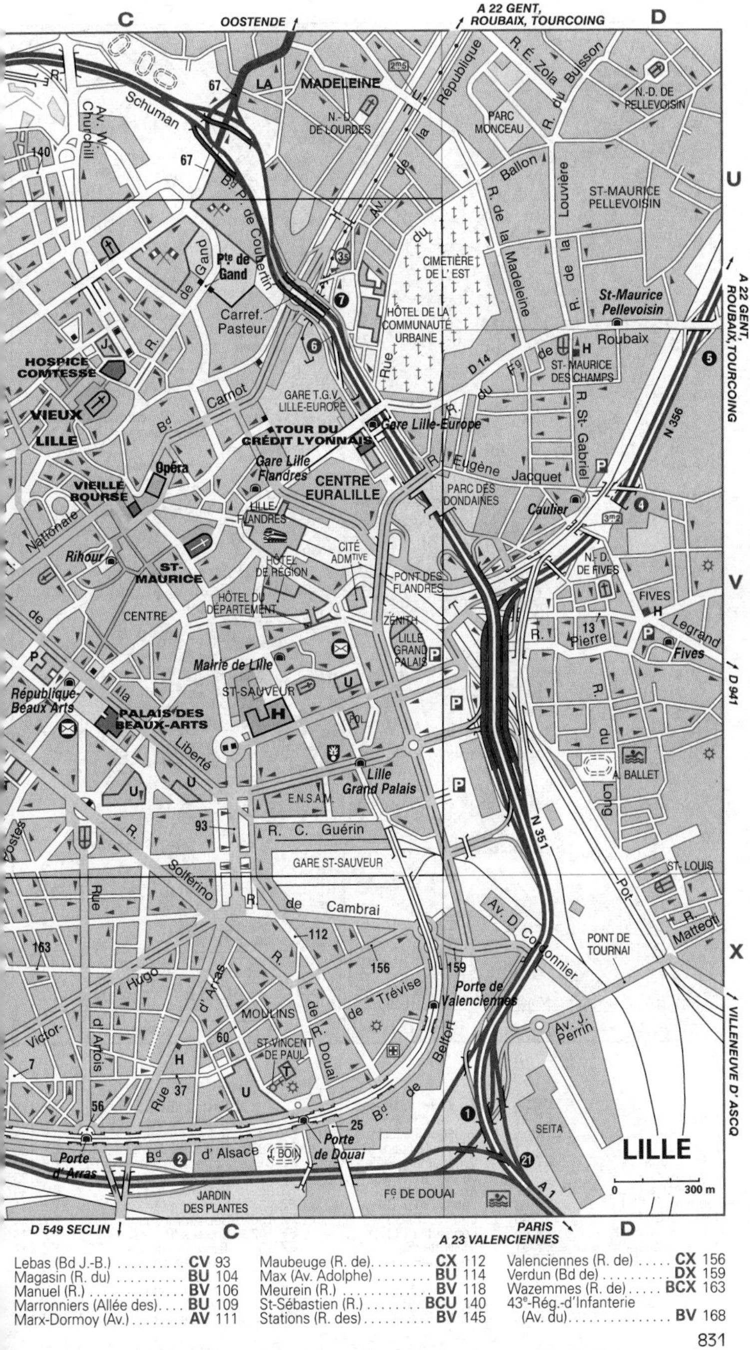
C
OOSTENDE
A 22 GENT, ROUBAIX, TOURCOING
D
U
V
X
LA MADELEINE
N.-D. DE LOURDES
PARC MONCEAU
N.-D. DE PELLEVOISIN
ST-MAURICE PELLEVOISIN
CIMETIÈRE DE L' EST
HÔTEL DE LA COMMUNAUTÉ URBAINE
St-Maurice Pellevoisin
ST-MAURICE DES CHAMPS
A 22 GENT, ROUBAIX, TOURCOING
N 356
Pte de Gand
Carref. Pasteur
HOSPICE COMTESSE
VIEUX LILLE
GARE T.G.V. LILLE-EUROPE
Gare Lille-Europe
TOUR DU CRÉDIT LYONNAIS
Gare Lille Flandres
CENTRE EURALILLE
Opéra
VIEILLE BOURSE
LILLE FLANDRES
PARC DES DONDAINES
Caulier
Rihour
ST-MAURICE
HÔTEL DE RÉGION
CITÉ ADMTIVE
PONT DES FLANDRES
N.-D. DE FIVES
FIVES
Fives
D 941
CENTRE
HÔTEL DU DÉPARTEMENT
ZÉNITH
LILLE GRAND PALAIS
Mairie de Lille
ST-SAUVEUR
République-Beaux Arts
PALAIS DES BEAUX-ARTS
Lille Grand Palais
E.N.S.A.M.
A. BALLET
R. C. Guérin
GARE ST-SAUVEUR
N 351
ST- LOUIS
PONT DE TOURNAI
Porte de Valenciennes
MOULINS
ST-VINCENT DE PAUL
SEITA
Porte d'Arras
Porte de Douai
JARDIN DES PLANTES
Fg DE DOUAI
LILLE
0
300 m
VILLENEUVE D'ASCQ
D 549 SECLIN
PARIS A 23 VALENCIENNES
C
D

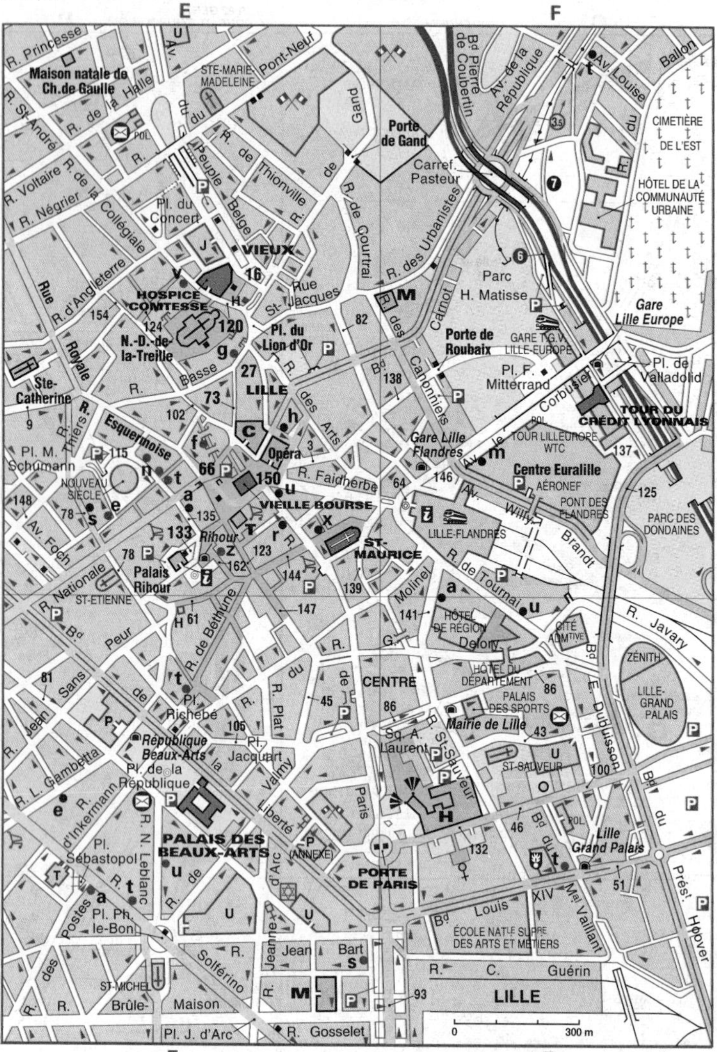
E
F
Y
Z
R. Princesse
Maison natale de Ch.de Gaulle
R. St-André
R. de la Halle
R. Voltaire
R. de la Collégiale
R. Négrier
STE-MARIE-MADELEINE
Pont-Neuf
R. du Peuple Belge
Pl. du Concert
R. de Thionville
R. de Gand
Porte de Gand
Carref. Pasteur
Bd Pierre de Coubertin
Av. de la République
Av. Louise
Ballon
CIMETIÈRE DE L'EST
HÔTEL DE LA COMMUNAUTÉ URBAINE
R. de Gourtrai
R. des Urbanistes
VIEUX
16
Rue St-Jacques
HOSPICE COMTESSE
Rue Royale
R. d'Angleterre
154
124
120
N.-D.-de-la-Treille
Pl. du Lion d'Or
82
R. des Canonniers
Carnot
Parc H. Matisse
Gare Lille Europe
Porte de Roubaix
GARE T.G.V. LILLE-EUROPE
Pl. de Valladolid
Ste-Catherine
Basse
27
LILLE
Bd 138
Pl. F. Mitterrand
Le Corbusier
TOUR DU CRÉDIT LYONNAIS
73
102
R. Thiers
Esquermoise
R. des Arts
Opéra
Gare Lille Flandres
TOUR LILLEUROPE WTC
Centre Euralille
137
9
Pl. M. Schumann
115
66
150
R. Faidherbe
64
146
AÉRONEF
PONT DES FLANDRES
125
PARC DES DONDAINES
NOUVEAU SIÈCLE
148
78
135
VIEILLE BOURSE
Av. Foch
133
Rihour
123
ST-MAURICE
LILLE-FLANDRES
Av. Willy Brandt
78
Palais Rihour
162
144
139
R. de Tournai
R. Nationale
ST-ETIENNE
147
Molinel
141
HÔTEL DE RÉGION
Delory
R. Javary
Bd
61
R. de Béthune
CITÉ ADMTIVE
ZÉNITH
Peur
Sans
R. Jean
81
R. du Plat
CENTRE
45
HÔTEL DU DÉPARTEMENT
86
PALAIS DES SPORTS
LILLE-GRAND PALAIS
Pl. Richebé
105
86
Mairie de Lille
E. Dubuisson
République Beaux-Arts
Pl. Jacquart
Sq. A. Laurent
R. St-Sauveur
43
R. L. Gambetta
Pl. de la République
R. de la Liberté
Valmy
R. de Paris
ST-SAUVEUR
100
Bd du
R. d'Inkermann
R. N. Leblanc
PALAIS DES BEAUX-ARTS
P (ANNEXE)
46
Bd du
Lille Grand Palais
132
Pl. Sébastopol
R. de
R. Jeanne d'Arc
PORTE DE PARIS
51
Prést. Hoover
R. des Postes
Pl. Ph. le-Bon
Bd Louis XIV
Mal Vaillant
ÉCOLE NATLE SUPRE DES ARTS ET MÉTIERS
Solférino
R. Jean Bart
R. C. Guérin
ST-MICHEL
R. Brûle-Maison
93
LILLE
Pl. J. d'Arc
R. Gosselet
0
300 m
E
F

**Express by Holiday Inn** sans rest, 75 bis r. Gambetta 03 20 42 90 90, *expresslille@alliance-hotellerie.fr, Fax 03 20 57 14 24* – 15 à 100. AE GB JCB p. 8 EZ e
97 ch 90.
◆ Les atouts de cet hôtel ? Des chambres donnant côté cour, garantie d'une certaine quiétude, des aménagements récents et chaleureux, et un garage bien commode.

**Paix** sans rest, 46 bis r. Paris 59800 03 20 54 63 93, *hotelpaixlille@aol.com, Fax 03 20 63 98 97* – AE GB JCB p. 8 EY r
8,50 – **35 ch** 64/89.
◆ Hôtel bâti en 1782. Passionnée de peinture, la propriétaire des lieux expose des reproductions de tableaux et a réalisé la fresque qui égaie la salle des petits-déjeuners.

**Ibis Gare**, 29 av. Ch. St-Venant 59800 03 28 36 30 40, *h0901@accor-hotels.com, Fax 03 28 36 30 99*, – 20 à 60. AE GB p. 8 FYZ a
**Repas** *(12)* - carte 15 à 30, enf. 6 – 6 – **151 ch** 57/79.
◆ Complexe hôtelier occupant une construction moderne proche de la gare Lille-Flandres. Chambres fonctionnelles judicieusement rénovées. Décor et cuisine de type bistrot.

**Brueghel** sans rest, parvis St-Maurice 03 20 06 06 69, *hotel.brueghel@wanadoo.fr, Fax 03 20 63 25 27* – AE GB p. 8 EY x
7,50 – **66 ch** 62/77,50.
◆ Façade typiquement flamande, charme "rétro" du hall et de l'ascenseur, petites chambres fraîches aux tons pastel et situation centrale font de cet hôtel une adresse prisée.

**Lille Europe** sans rest, av. Le Corbusier 03 28 36 76 76, *lilleeurope@citadines.com, Fax 03 28 36 77 77* – AE GB p. 8 FY m
8 – **97 ch** 76.
◆ Entre les deux gares, immeuble moderne intégré au centre Euralille (commerces et restaurants). Chambres pratiques et bien insonorisées. Salle des petits-déjeuners panoramique.

**A L'Huîtrière,** 3 r. Chats Bossus 59800 03 20 55 43 41, *contact@huitriere.fr, Fax 03 20 55 23 10* – AE GB JCB p. 8 EY g
*fermé 22 juil. au 24 août, dim. soir et soirs fériés* – **Repas** 43/110 et carte 75 à 100.
◆ Le décor de céramique de la poissonnerie vaut le coup d'oeil et met en appétit. Suivent trois luxueuses salles à manger bourgeoises. Un haut lieu de la gastronomie lilloise.
**Spéc.** Huîtres. Langoustines rôties sur tartare de tomates. Gros turbot rôti à la bière et aux endives.

**Sébastopol** (Germond), 1 pl. Sébastopol 03 20 57 05 05, *n.germond@restaurant-sebastopol.fr, Fax 03 20 40 11 31* – AE GB JCB p. 8 EZ a
*fermé 3 au 25 août, dim. soir, sam. midi et lundi midi* – **Repas** 27 (déj.)/44 et carte 55 à 70, enf. 14.
◆ Un rideau de verdure ainsi qu'une originale petite marquise habillent cette gracieuse façade. Chaleureuse salle feutrée, discrètement Art déco. Cuisine classique soignée.
**Spéc.** Crépinette de pieds de porc et foie gras aux cèpes (automne). Filet de boeuf aux jets de houblon, jus à la bière (printemps). Vaporeux glacé à la chicorée.

**Cour des Grands,** 61 r. Monnaie 59800 03 20 06 83 61, *Fax 03 20 14 03 75* – AE GB p. 8 EY v
*fermé 1er au 19 août, 15 fév. au 2 mars, sam. midi, lundi midi et dim.* – **Repas** (nombre de couverts limité, prévenir) 35/55 et carte 55 à 60.
◆ Aménagé dans l'ancien hôtel des Monnaies (17e s.), ce restaurant propose une cuisine au goût du jour dans un cadre élégant (dorures, boiseries, belle hauteur sous plafond).

**Varbet,** 2 r. Pas 59800 03 20 54 81 40, *levarbet@aol.com, Fax 03 20 57 55 18* – AE GB p. 8 EY t
*fermé 19 juil. au 23 août, 24 déc. au 3 janv., dim., lundi et fériés* – **Repas** 28/74.
◆ Décoration de bon goût pour cette salle à manger feutrée, habillée de boiseries. À l'étage, salon pour repas commandés. Cuisine traditionnelle.

**L'Esplanade,** 84 façade Esplanade 59800 03 20 06 58 58 – AE GB
*fermé dim.* – **Repas** 30 (déj.), 43/62. p. 6 BU x
◆ Salle à manger contemporaine et cossue à l'étage de cette maison de briques voisine de la "reine des citadelles". Cuisine au goût du jour escortée par une belle carte des vins.

**Baan Thaï,** 22 bd J.-B. Lebas 03 20 86 06 01, *Fax 03 20 86 03 23* – AE GB
*fermé 26 juil. au 24 août, sam. midi et dim. soir* – **Repas** *(15)* - 23 (déj.)/36. p. 8 EZ s
◆ Ce restaurant installé à l'étage d'une demeure bourgeoise est une véritable invite à un voyage au royaume de Siam : décor exotique et cuisine thaïlandaise traditionnelle.

**Clément Marot,** 16 r. Pas 59800 03 20 57 01 10, *marot.clement4@wanadoo.fr, Fax 03 20 57 39 69* – AE GB JCB p. 8 EY n
*fermé dim. sauf le midi hors saison* – **Repas** *(15)* - 22 (déj.), 31/45.
◆ Atmosphère conviviale dans cette petite maison de briques tenue par les descendants du poète cadurcien Clément Marot. Cadre rustique ou moderne, murs ornés de tableaux.

XX **Lanathaï,** 189 r. Solférino ✆ 03 20 57 20 20, – AE GB. p. 8 **EZ** t
*fermé dim.* – **Repas** 23/34.
◆ Côté décor : cadre élégant avec parquet, meubles en rotin, nappes en lin et plaisante terrasse en teck. Côté assiette, cuisine thaïlandaise goûteuse et soignée.

XX **L'Écume des Mers,** 10 r. Pas ✉ 59800 ✆ 03 20 54 95 40, *aproye@nordnet.com, Fax 03 20 54 96 66* – ▤. AE ⓓ GB JCB p. 8 **EY** n
*fermé dim. soir* – **Repas** 15/20 et carte 25 à 30 ♀.
◆ Ambiance animée, carte journalière de poissons, joli banc d'écailler et quelques viandes pour les "accros" : cette vaste brasserie a le vent en poupe.

XX **Brasserie de la Paix,** 25 pl. Rihour ✆ 03 20 54 70 41, *contact@brasserielapaix.com, Fax 03 20 40 15 52* – ▤. AE GB p. 8 **EY** z
*fermé dim.* – **Repas** 15,50 (déj.)/23 ♀.
◆ Céramiques, boiseries, banquettes et tables serrées composent le décor de cette sympathique brasserie située à deux pas du palais Rihour (Office de tourisme).

XX **Bistrot Tourangeau,** 61 bd Louis XIV ✉ 59800 ✆ 03 20 52 74 64, *hehochart@nordnet.fr, Fax 03 20 85 06 39* – ▤. AE GB p. 8 **FZ** t
*fermé sam. midi et dim.* – **Repas** *(20)* - 25 ♀.
◆ Mignonne façade de bois peinte en rouge, dont l'originale enseigne est faite d'ustensiles de cuisine. Recettes traditionnelles escortées de quelques spécialités tourangelles.

XX **Champlain,** 13 r. N. Leblanc ✆ 03 20 54 01 38, *le.champlain@wanadoo.fr, Fax 03 20 40 07 28,* – AE GB. p. 8 **EZ** u
*fermé 3 au 23 août, sam. midi et dim. soir* – **Repas** 24 bc (déj.), 26/65 bc ♀.
◆ Maison bourgeoise de la seconde moitié du 19e s. Salle à manger cossue - haut plafond mouluré, cheminées - et terrasse d'été dressée dans la cour intérieure, au calme.

X **Coquille,** 60 r. St-Étienne ✉ 59800 ✆ 03 20 54 29 82, *dadeleval@nordet.fr, Fax 03 20 54 29 82* – GB p. 8 **EY** e
*fermé 1 au 15 août, sam. midi et dim.* – **Repas** *(18)* - 28/44 ♀.
◆ La façade en briques de cette maison du 18e s. attire le regard. L'intérieur associe harmonieusement vieilles poutres et vénérables murs à un aménagement moderne.

X **Alcide,** 5 r. Débris St-Étienne ✉ 59800 ✆ 03 20 12 06 95, *bigarade@easynet.fr, Fax 03 20 55 93 83* – ▤. AE ⓓ GB p. 8 **EY** f
**Repas** 20/32 ♀.
◆ Cette brasserie fondée en 1830 dans une ruelle proche de la célèbre Grand'Place a préservé son cachet : banquettes, tables serrées, boiseries patinées et cuisine ad hoc.

X **Bistrot de Pierrot,** 6 pl. Béthune ✆ 03 20 57 14 09, *pierrot@bistrot-de-pierrot.com, Fax 03 20 30 93 13,* – ▤. GB p. 8 **EZ** t
*fermé dim. et fériés* – **Repas** carte 26 à 35 ♀, enf. 10,50.
◆ Pierrot, jovial et médiatique patron du lieu, propose un bon choix de plats "canailles" à apprécier dans un cadre bistrot où règne une atmosphère conviviale et sans chichi.

**à Bondues** – *10 281 h. alt. 37* – ✉ *59910 :*
*Syndicat d'Initiative, 266 Domaine de la vigne ✆ 03 20 25 94 94.*

XXX **Auberge de l'Harmonie,** pl. Église ✆ 03 20 23 17 02, *contact@aubergeharmonie.fr, Fax 03 20 23 05 99* – ▤. AE GB p. 5 **HR** t
*fermé 15 juil. au 10 août, dim. soir, mardi soir, jeudi soir et lundi* – **Repas** *(23 bc)* - 33/65 bc et carte 41 à 64 ♀.
◆ Couleurs chaleureuses, mobilier rustique, poutres apparentes et cuisine traditionnelle soigneusement interprétée : décor et mets vivent effectivement en harmonie.

XX **Val d'Auge,** 805 av. Gén. de Gaulle ✆ 03 20 46 26 87, *valdauge@nornet.fr, Fax 03 20 37 43 78* – ▤ P. AE ⓓ GB p. 5 **HR** a
*fermé 1er au 7 sept., 2 au 8 fév., dim. soir, mardi et merc.* – **Repas** 32/60 ♀.
◆ La maison borde la nationale. À l'intérieur, nouveau cadre sagement moderne : murs clairs et collection de tableaux. Cuisine traditionnelle ; beau choix de whiskies.

**à Roncq** – *12 035 h. alt. 37* – ✉ *59223 :*

X **Hexagone,** 463 r. Lille (N 17) ✆ 03 20 94 03 79 – GB **HR** v
*fermé 10 au 25 août, sam. midi, dim. soir et lundi* – **Repas** 25.
◆ La brique rouge domine le décor de cet ancien relais de poste converti en restaurant familial où l'on s'applique à mijoter une cuisine traditionnelle.

**à La Madeleine** – *21 601 h. alt. 48* – ✉ *59110 :*
*Syndicat d'Initiative, 177 rue du Général de Gaulle ✆ 03 20 74 32 35, Fax 03 20 06 04 39.*

**Arts Déco Romarin** M sans rest, 110 r. République ✆ 03 20 14 81 81, *Fax 03 20 14 81 80* – ▤ TV P. AE GB JCB
☕ 10 – **56 ch** 114/127.
◆ Cet hôtel tout neuf borde une avenue passante, mais bénéficie d'une insonorisation efficace. Intérieur de style Art déco, chambres de bonne ampleur et salon-bar feutré.

**à Marcq-en-Baroeul** – *36 601 h. alt. 15 – ✉ 59700 :*

*Office du Tourisme, 111 avenue Foch ✆ 03 20 72 60 87, Fax 03 20 72 56 65.*

**Sofitel** Ⓜ, av. Marne, par N 350 : 5 km ✆ 03 28 33 12 12, *h1099@accor-hotels.com, Fax 03 28 33 12 24* – 15 à 150. AE GB p. 5 **HS** s
***Europe** (fermé sam. midi et dim. soir)* **Repas** (17)-22 ♀, enf. 8 – ☕ 16 – **125 ch** 159/199.
◆ Construction des années 1970 entourée de verdure, à proximité d'un noeud autoroutier. Réservez l'une des coquettes chambres rénovées. Brasserie et piano-bar.

**L'Auberge de Didier Beckaert,** 287 bd Clemenceau ✆ 03 20 45 90 00, *Fax 03 20 45 90 45*, – AE GB JCB p. 5 **HS** n
*fermé 15 au 31 août, sam., dim. et le soir en semaine sauf vend.* – **Repas** 25/53 bc et carte 37 à 60 ♀.
◆ Cette maison moderne en briques située dans un quartier pavillonnaire abrite une élégante salle à manger au décor contemporain. Agréable terrasse en saison.

**Septentrion,** parc du château Vert-Bois, par N 17 : 9 km ✆ 03 20 46 26 98, *leseptentrion @nordnet.fr, Fax 03 20 46 38 33*, – AE GB p. 5 **HR** n
*fermé 19 juil. au 14 août, 17 au 24 fév., mardi soir, merc. soir, jeudi soir et lundi* – **Repas** 23 (déj.), 30/52 et carte 41 à 60 ♀.
◆ Au sein de la fondation Prouvost-Septentrion, dépendance du château du Vert-Bois aménagée en restaurant. La confortable salle à manger offre une vue bucolique sur le parc.

**Auberge de la Garenne,** 17 chemin de Ghesles ✆ 03 20 46 20 20, *contact@aubergegarenne.fr, Fax 03 20 46 32 33*, – AE GB JCB p. 5 **HR** x
*fermé 29 juil. au 22 août, mardi d'oct. à avril, dim. soir et lundi* – **Repas** 30 bc/68 bc, enf. 15.
◆ Restaurant au cadre campagnard simple, tout entier tourné vers une foisonnante garenne où s'aventurent d'intrépides lapins... qui finiront peut-être dans votre assiette !

**à Villeneuve d'Ascq** – *65 320 h. alt. 26 – ✉ 59650 :*

*Office du Tourisme, chemin du Chat Botté ✆ 03 20 43 55 75, Fax 03 20 91 28 28, ot-vdascq@nordnet.fr.*

**Campanile,** 48 av. Canteleu, La Cousinerie ✆ 03 20 91 83 10, *Fax 03 20 67 21 18*, – AE GB p. 5 **HS** b
**Repas** (12) - 17 ♀, enf. 6 – ☕ 6 – **46 ch** 54.
◆ Ce Campanile situé dans un parc d'activités tertiaires abrite de petites chambres relookées selon les dernières normes de la chaîne. Repas servis sous forme de buffets.

**Ascotel,** av. P. Langevin-Cité Scientifique ✆ 03 20 67 34 34, *Fax 03 20 91 39 28*, – – 25 à 400. AE GB **HT** z
**Repas** *(fermé sam. et dim.)* (déj. seul. en août) 19,80/25, enf. 7 – ☕ 9,80 – **83 ch** 61/83,50 – ½ P 61,80/67,90.
◆ Au coeur de la cité scientifique, complexe récent adapté pour les séjours d'affaires : vaste salle de congrès, chambres fonctionnelles et formules buffets.

**à l'aéroport de Lille-Lesquin** – *✉ 59810 Lesquin :*

**Mercure Aéroport,** ✆ 03 20 87 46 46, *h1098@accor-hotels.com, Fax 03 20 87 46 47*, – – 900. AE GB JCB p. 5 **HT** r
***Flamme :*** **Repas** 22/36bc ♀, enf. 7,70 – ***Poêlon*** (déj. seul.) *(fermé sam. et dim.)* **Repas** carte environ 20 ♀, enf. 6,90 – ☕ 10 – **215 ch** 86/94.
◆ Imposante architecture face à l'aéroport. Chambres spacieuses au confort actuel ; évitez celles côté autoroute. Restauration classique à La Flamme et formule rapide au Poêlon.

**Suite Hôtel** Ⓜ sans rest, ✆ 03 28 54 24 24, *H2855@accor-hotels.com, Fax 03 28 54 24 99* – cuisinette AE GB **HT** u
☕ 10 – **73 ch** 75.
◆ Nouvelle génération d'hôtel privilégiant l'espace : 30 mètres carrés comprenant un salon-bureau avec coin bar et, cloisonnable, une chambre habilement agencée.

**Novotel Aéroport,** ✆ 03 20 62 53 53, *H0427@accor-hotels.com, Fax 03 20 97 36 12*, – – 25 à 140. AE GB JCB p. 5 **HT** t
**Repas** (18) - 23/25 ♀, enf. 8 – ☕ 10,50 – **92 ch** 86/91.
◆ Cette construction basse est la plus ancienne unité de la chaîne (1967). Chambres fonctionnelles refaites dans le style des Novotels récents. Jardin arboré.

**Agena** sans rest, ✉ 59155 Faches-Thumesnil ✆ 03 20 60 13 14, *hotelagena@nordnet.fr, Fax 03 20 97 31 79* – AE GB JCB p. 5 **HT** v
☕ 9 – **40 ch** 56,50/61,50.
◆ Les chambres de ce bâtiment en arc de cercle sont en rez-de-jardin ; préférez celles tournées vers le patio, plus calmes. Cadre sobre, murs crépis et mobilier simple.

**Septième Ciel,** niveau supérieur de l'aérogare ✆ 03 20 49 67 77, *Fax 03 20 49 67 75*, ← – AE GB p. 5 **HT** n
**Repas** 25,20 - ***Zingue :*** brasserie **Repas** carte environ 25 ♀, enf. 7,10.
◆ Architecture et décor contemporains pour un "aéro-voyage" culinaire. Au Septième Ciel, réservez une table avec vue panoramique sur le tarmac. Décor épuré au Zingue (bistrot).

**à Emmerin** – *2 997 h. alt. 24 – ✉ 59320 :*

**Howarderie** Ⓜ sans rest, 1 r. Fusillés ✆ 03 20 10 31 00, *howarderie@howarderie.com, Fax 03 20 10 31 09* – TV ✆ ♿. AE ⓓ GB JCB. p. 4 **GT e**
*fermé 20 déc. au 4 janv.* – ☕ 15 – **8 ch** 120/155.
◆ Une aile de cette cense (ferme) du 17ᵉ s. en briques, située face à l'église, propose un choix de chambres personnalisées, élégantes "bonbonnières" au mobilier choisi.

**à Englos** – *510 h. alt. 46 – ✉ 59320 :*

**Novotel Englos** Ⓜ, ✆ 03 20 10 58 58, *h0429@accor-hotels.com, Fax 03 20 10 58 59,* – TV ✆ ♿ P – 130. AE ⓓ GB p. 4 **GS s**
**Repas** *(17,60)* - 21,90 ♀, enf. 8 – ☕ 10 – **124 ch** 81/85.
◆ Établissement de la première génération Novotel disposant d'un vaste jardin. La majorité des chambres a été rénovée. Proximité de l'autoroute, mais bonne isolation phonique.

**à Capinghem** – *1 170 h. alt. 50 – ✉ 59160 :*

**Marmite,** 93 r. Poincaré ✆ 03 20 92 12 41, *Fax 03 20 92 72 51* – P. AE GB
*fermé 15 juil. au 15 août, dim. soir, mardi soir, merc. soir et lundi* – **Repas** carte 24 à 43 ♀.
◆ Du grouin jusqu'à la queue, dans le cochon tout est bon : vérifiez-le dans cet ex-café de village proposant un intérieur rustique orné de licous et d'outils paysans.
p. 4 **GS v**

**à Verlinghem** – *2 182 h. alt. 27 – ✉ 59237 :*

**Château Blanc** avec ch, 20 rte Lambersart ✆ 03 20 21 81 41, *chateaublanc@wanado.fr, Fax 03 20 21 81 40,* – TV P – 15. AE GB p. 4 **GS r**
*fermé 11 au 17 août* – **Repas** *(fermé dim. soir)* 35/60 et carte environ 60 – ☕ 10 – **4 ch** 145.
◆ Gracieuse maison de maître du début du 20ᵉ s. nichée au coeur d'un jardin arboré. Salle parquetée, garnie de meubles Louis XV. Cuisine classique. Chambres personnalisées.

---

**LIMERAY** *37530 I.-et-L.* 317 P4 – *972 h alt. 70.*
*Paris 220 – Tours 32 – Amboise 9 – Blois 31 – Loches 47 – Vendôme 47.*

**Auberge de Launay,** N 152 ✆ 02 47 30 16 82, *auberge.de.launay@wanadoo.fr, Fax 02 47 30 15 16,* – TV ✆ ♿ P. GB. ch
*fermé 15 déc. au 2 fév., lundi et mardi midi hors saison* – **Repas** *(15,50)* - 20/31 ♀ – ☕ 7 – **15 ch** 52/68 – ½ P 53/61.
◆ Cette auberge campagnarde placée en contrebas d'une levée de la Loire vient de s'agrandir de nouvelles chambres côté jardin. Restaurant rustique, terrasse sous le tilleul.

---

**LIMEUIL** *24510 Dordogne* 329 G6 *G. Périgord Quercy – 335 h alt. 65.*
**Voir** *Site*★.
ℹ *Syndicat d'Initiative, Le Bourg ✆ 05 53 63 38 90, Fax 05 53 63 30 31.*
*Paris 528 – Périgueux 49 – Sarlat-la-Canéda 42 – Bergerac 43 – Brive-la-Gaillarde 79.*

**Les Terrasses de Beauregard** , rte de Trémolat : 1,5 km ✆ 05 53 63 30 85, *contact@terrasses-beauregard.com, Fax 05 53 24 53 55,* ←, – TV ✆ P. AE ⓓ GB
*1ᵉʳ avril-30 oct.* – **Repas** 13,80/42,70 ♀ – ☕ 6,10 – **8 ch** 48,80 – ½ P 50,50.
◆ Sur les hauteurs du vieux bourg, imposante bâtisse dont la terrasse offre un "beau regard" sur le cingle de Limeuil. Petites chambres sagement rénovées. Salle à manger rustique.

---

**LIMOGES** P *87000 H.-Vienne* 325 E6 *G. Berry Limousin – 133 464 h Agglo. 173 299 h alt. 300.*
**Voir** *Cathédrale St-Etienne*★ – *Église St-Michel-des-Lions*★ – *Cour du temple*★ **CZ** 115 – *Jardins de l'évêché*★ – *Musée A. Dubouché*★★ *(porcelaines)* **BY** – *Rue de Boucherie*★ – *Musée de l'évêché*★ : *les émaux*★ – *Chapelle St-Aurélien*★ - *Gare des Bénédictins*★.
✈ *Limoges : ✆ 05 55 43 30 30, par ⑦ : 10 km.*
ℹ *Office du Tourisme, 12 boulevard de Fleurus ✆ 05 55 34 46 87, Fax 05 55 34 19 12, ot.limoges.haute-vienne@en-france.com.*
*Paris 391 ① – Angoulême 105 ⑦ – Brive-la-Gaillarde 92 ④ – Châteauroux 125 ①.*

Plans pages suivantes

**Royal Limousin** Ⓜ sans rest, 1 pl. République ✆ 05 55 34 65 30, *contact@royal-limousin.com, Fax 05 55 34 55 21* – TV ✆ – 150. AE ⓓ GB **CY u**
☕ 9,50 – **70 ch** 75/105, 5 appart.
◆ La modernité caractérise cet hôtel dont une partie des chambres, harmonie de bois clair et de tons pastel, donnent sur une vaste place piétonnière au coeur de la ville.

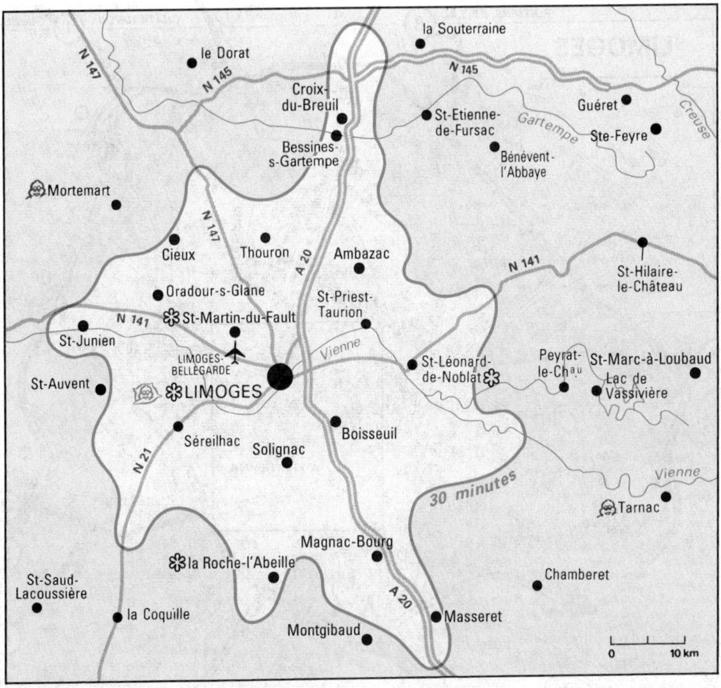

N 147
le Dorat
N 145
la Souterraine
N 145
Croix-du-Breuil
St-Etienne-de-Fursac
Gartempe
Guéret
Creuse
Ste-Feyre
Bessines-s-Gartempe
Bénévent-l'Abbaye
Mortemart
N 147
Cieux
Thouron
A 20
Ambazac
N 141
St-Hilaire-le-Château
Oradour-s-Glane
St-Priest-Taurion
N 141
St-Martin-du-Fault
St-Junien
Vienne
LIMOGES-BELLEGARDE
St-Léonard-de-Noblat
Peyrat-le-Chau
St-Marc-à-Loubaud
Lac de Vassivière
St-Auvent
LIMOGES
Boisseuil
Séreilhac
Solignac
N 21
Vienne
30 minutes
Tarnac
Magnac-Bourg
la Roche-l'Abeille
Chamberet
St-Saud-Lacoussière
A 20
la Coquille
Masseret
Montgibaud
0
10 km


**Richelieu** sans rest, 40 av. Baudin ☎ 05 55 34 22 82, *info@hotel-richelieu.com, Fax 05 55 34 35 36* – ▮ TV ☎ P. AE ⓓ GB JCB — CZ k
8 – **32 ch** 55/89.
◆ Jeune façade d'esprit "post-moderne" bordant un axe fréquenté, tout près de la nouvelle Médiathèque. Chambres fraîches et insonorisées, privilégiant le côté pratique.

**St-Martial** sans rest, 21 r. A. Barbès ☎ 05 55 77 75 29, *Fax 05 55 79 27 60* – ▮ TV ☎. AE GB — AX x
7 – **30 ch** 55/61.
◆ Dans une rue relativement calme, hôtel aux chambres correctement équipées et progressivement rénovées. Confortable salon.

**Boni** sans rest, 48 bis av. Garibaldi ☎ 05 55 77 39 82, *petit.paris@wanadoo.fr, Fax 05 55 77 23 99* – ▮ TV ☎. GB — CY n
*fermé 10 au 17 août, 20 déc. au 4 janv., vend., sam. et dim. hors saison* – 7 – **35 ch** 42/53.
◆ À deux pas des boutiques du centre St-Martial, chambres de plusieurs types dont neuf "prestige" dans le nouveau bâtiment ; la plupart donnent sur des cours intérieures.

**Jeanne-d'Arc** sans rest, 17 av. Gén. de Gaulle ☎ 05 55 77 67 77, *hoteljeanned'arc.limoges@wanadoo.fr, Fax 05 55 79 86 75* – ▮ TV P – 30. AE ⓓ GB — DY s
*fermé 21 déc. au 7 janv.* – 7,50 – **50 ch** 50,50/74.
◆ Non loin de la gare, hôtel tourné sur une cour intérieure, attrayant par sa décoration de bon goût et son mobilier choisi. Plaisante salle des petits-déjeuners.

**Paix** sans rest, 25 pl. Jourdan ☎ 05 55 34 36 00, *Fax 05 55 32 37 06* – TV. GB — DY r
5 – **31 ch** 35/57.
◆ Face à un square, immeuble fin 19e s. aux salons agrémentés d'une impressionnante collection de phonographes. Chambres diverses en taille et en mobilier.

XXX **Philippe Redon,** 3 r. d'Aguesseau ☎ 05 55 34 66 22, *Fax 05 55 34 18 05* – ▤. AE ⓓ GB — BZ t
✿ *fermé sam. midi, lundi midi et dim.* – **Repas** carte 35 à 65 ♀.
◆ Pierres apparentes et décoration contemporaine président au cadre confortable et élégant de ce restaurant voisin des halles. Cuisine au goût du jour soignée.
**Spéc.** Marbré d'oreilles et pieds de cochon, foie gras et cèpes. Jambonnette de canard farcie de foie gras (automne-hiver). Côte de veau fermier poêlée au sautoir (printemps).

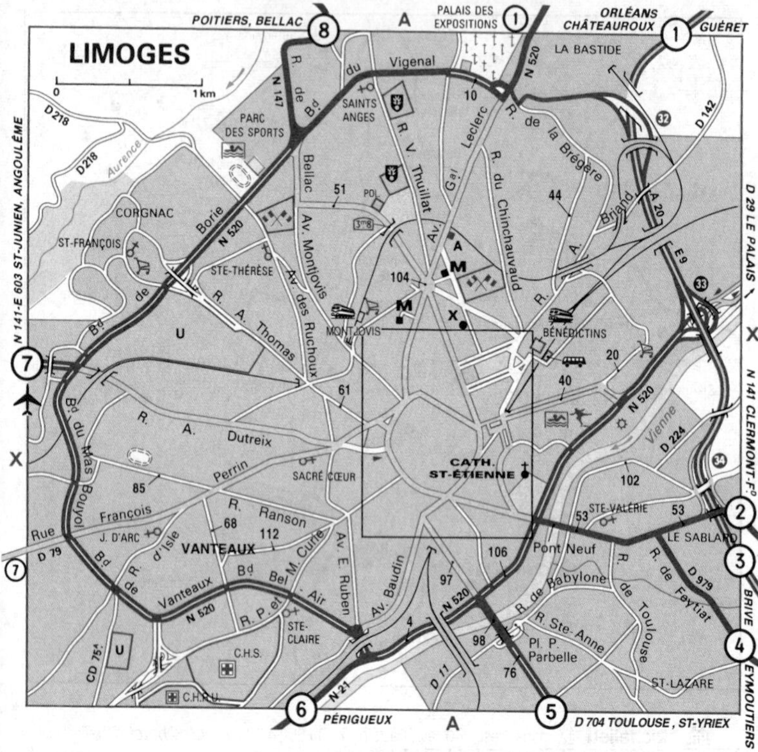

LIMOGES
0
1 km
POITIERS, BELLAC
8
A
PALAIS DES EXPOSITIONS
1
ORLÉANS CHÂTEAUROUX
GUÉRET
LA BASTIDE
N 520
N 147
D 218
D 142
Aurence
PARC DES SPORTS
SAINTS ANGES
Vigenal
R. V. Thuillat
R. du Chinchauvaud
R. de la Brégère
CORGNAC
ST-FRANÇOIS
STE-THÉRÈSE
R. A. Thomas
Av. Montjovis
Av. des Ruchoux
MONTJOVIS
BÉNÉDICTINS
A 20
E 9
D 29 LE PALAIS
N 141-E 603 ST-JUNIEN, ANGOULÊME
7
U
R. A. Dutreix
Perrin
SACRÉ CŒUR
CATH. ST-ÉTIENNE
Vienne
D 224
N 141 CLERMONT-F
Rue François
J. D'ARC
D 79
VANTEAUX
R. Ranson
STE-VALÉRIE
LE SABLARD
2
3
Pont Neuf
R. de Babylone
R. de Toulouse
R. de Feytiat
D 979
BRIVE
4
EYMOUTIERS
R. Ste-Anne
Pl. P. Parbelle
ST-LAZARE
Av. E. Ruben
Av. Baudin
STE-CLAIRE
C.H.S.
C.H.R.U.
CD 75
N 21
6
PÉRIGUEUX
5
D 704 TOULOUSE, ST-YRIEX


Allende (Quai Salvador) . . . **AX** 4
Arcade (Bd des). . . . . . . . . **AX** 10
Casseaux (Av. des) . . . . . . . **AX** 20
Gagnant (Av. J.) . . . . . . . . . **AX** 40
Grand-Treuil (R. du) . . . . . . . **AX** 44
Labussière (Av. E.). . . . . . . . **AX** 51
Lattre-de-Tassigny (Av. Mar. de). . . . . . . . . . **AX** 53
Mauvendière (R. de la). . . . **AX** 61
Naugeat (Av. de) . . . . . . . . **AX** 68
Pompidou (Av. G.) . . . . . . . . **AX** 76
Puy-Las-Rodas (R. du) . . . . **AX** 85
Révolution (Av. de la). . . . . **AX** 97
Révolution (Pont de la) . . . **AX** 98
Sablard (Av. du) . . . . . . . . . **AX** 102
Sadi-Carnot (Pl.). . . . . . . . . . **AX** 104
St-Martial (Quai) . . . . . . . . . **AX** 106
Ste-Claire (R.). . . . . . . . . . . . **AX** 112

**L'Escapade du Gourmet,** 5 r. 71e Mobiles ℘ 05 55 32 40 26, *Fax 05 55 32 11 95* – P. GB — **DZ a**
*fermé 10 au 26 août, sam. midi, dim. soir et lundi* – **Repas** 22,10/45,50 ♀.
◆ Proche de la cathédrale et des jardins de l'évêché, brasserie dont le cadre Belle Époque (jolies fresques et verrières) a été préservé. Cuisine classique.

**Amphitryon,** 26 r. Boucherie ℘ 05 55 33 36 39, *amphitryon@inext.fr, Fax 05 55 32 98 50,* – AE GB. — **CZ u**
*fermé 18 août au 7 sept., sam. midi, lundi midi et dim.* – **Repas** *(17)* - 21 (déj.), 25/55 ♀.
◆ Maison à pans de bois inscrite, avec son agréable terrasse d'été, au coeur du pittoresque "village" des Bouchers. Intérieur chaleureux, couleurs gaies et tableaux.

**Trou Normand,** 1 r. François Chénieux ℘ 05 55 77 53 24, *Fax 05 55 77 30 00* – GB — **BY b**
*fermé dim. et lundi en juil.-août* – **Repas** 11/29 ♀.
◆ Salle à manger colorée où l'on propose une cuisine traditionnelle soignée qui, contrairement à ce que suggère l'enseigne, n'a rien de normande. Accueil familial.

**Pré St-Germain,** 26 r. Loi ℘ 05 55 32 71 84 – ▤. AE ⓓ GB — **CZ r**
*fermé 3 au 24 août, dim. soir et lundi* – **Repas** 17/30,50 ♀.
◆ Toutes les préparations proposées ici sont "maison". Le cadre, lui, est sobrement contemporain : façade vitrée donnant sur la rue, tons pastel et bois laqué.

**Versailles,** 20 pl. Aine ℘ 05 55 34 13 39, *Fax 05 55 32 84 73* – ▤. GB — **BZ a**
**Repas** *(10,50)* - 13/22 ♀, enf. 5,40.
◆ Avec le palais de justice en toile de fond, salle à manger ornée de miroirs et de boiseries, agrandie d'une mezzanine circulaire sobrement agencée. Repas orienté brasserie.

# LIMOGES

Aine (Pl. d') .... **BZ** 2
Allois (R. des) .... **DZ** 6
Amphithéâtre (R. de l') .... **BY** 8
Barreyrrette (Pl. de la) .... **CZ** 12
Bénédictins (Av. des) .... **DY** 14
Betoulle (Pl. L.) .... **CZ** 16
Boucherie (R. de la) .... **CZ** 18
Cathédrale (R. de la) .... **DZ** 23
Clocher (R. du) .... **CZ** 25
Collège (R. du) .... **CZ** 26
Consulat (R. du) .... **CZ**
Coopérateurs (R. des) .... **BY** 27
Dupuytren (R.) .... **CZ** 30
Ferrerie (R.) .... **CZ** 33
Fonderie (R. de la) .... **BY** 35
Fontaine-des-Barres (Pl.) .... **CY** 37
Gambetta (Bd) .... **BCZ**
Giraudoux (Sq. J.) .... **CY** 42
Haute-Cité (R.) .... **DZ** 46
Jacobins (Pl. des) .... **CZ** 49
Jean-Jaurès (R.) .... **CYZ**
Louis-Blanc (Bd) .... **CZ**
Louvrier-de-Lajolais (R.) .... **BY** 55
Manigne (Pl.) .... **CZ** 57
Maupas (R. du) .... **DY** 59
Michels (R. Charles) .... **CZ** 63
Motte (Pl. de la) .... **CZ** 66
Périn (Bd G.) .... **CY** 71
Préfecture (R. de la) .... **CY** 83
Raspail (R.) .... **DZ** 89
Réforme (R. de la) .... **CY** 91
République (Pl. de la) .... **CY** 95
St-Martial (R.) .... **CY** 107
St-Maurice (Bd) .... **DZ** 109
St-Pierre (Pl.) .... **CZ** 110
Stalingrad (Pl.) .... **CY** 113
Temple (Cour du) .... **CZ** 115
Temple (R. du) .... **CZ** 116
Tourny (Carr.) .... **CY** 118
Victor-Hugo (Bd) .... **BY** 120
Vigne-de-Fer (R.) .... **CZ** 122
71e-Mobile (R. du) .... **DZ** 125

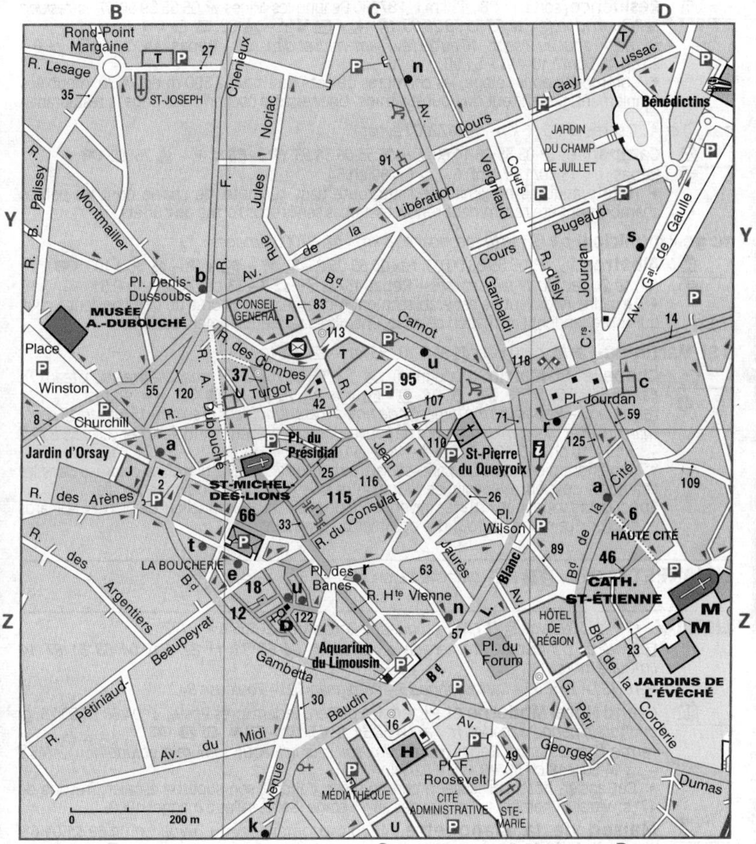
B
C
D
Y
Z
Rond-Point Margaine
R. Lesage
ST-JOSEPH
Chenieux
Noriac
Jules
Rue
Av.
Cours
Gay-Lussac
Bénédictins
JARDIN DU CHAMP DE JUILLET
Libération
de la
Vergniaud
Cours Bugeaud
Gal de Gaulle
R. B. Palissy
Montmailler
R. F.
Pl. Denis-Dussoubs
MUSÉE A.-DUBOUCHÉ
CONSEIL GÉNÉRAL
Bd Carnot
Cours Garibaldi
R. d'Isly
Jourdan
Place Winston Churchill
R. des Combes
Turgot
R. A. Dubouché
Pl. Jourdan
Jardin d'Orsay
Pl. du Présidial
St-Pierre du Queyroix
ST-MICHEL-DES-LIONS
R. des Arènes
R. du Consulat
Jean
Jaurès
Pl. Wilson
Cité
HAUTE CITÉ
LA BOUCHERIE
R. des Argentiers
Pl. des Bancs
R. Hte Vienne
CATH. ST-ÉTIENNE
HÔTEL DE RÉGION
Beaupeyrat
Gambetta
Aquarium du Limousin
Pl. du Forum
L. Blanc
JARDINS DE L'ÉVÊCHÉ
Bd de la Corderie
R. Pétiniaud-
Av. du Midi
Baudin
G. Péri
Av. Georges Dumas
Avenue
MÉDIATHÈQUE
Pl. F. Roosevelt
CITÉ ADMINISTRATIVE
STE-MARIE
0
200 m

**Les Petits Ventres,** 20 r. Boucherie ✆ 05 55 34 22 90, *Fax 05 55 32 41 04*, – AE GB CZ u
*fermé 29 avril au 13 mai, 7 au 24 sept., dim. et lundi* – **Repas** *(11,50)* - 17/30,50 ♀.
◆ Les petits ventres (et autres) viennent dans cette maison à colombages du 15e s. pour se rassasier de plats "canailles" (spécialité de tripes). Sympathique cadre rustique.

**Chez Alphonse,** 5 pl. Motte ✆ 05 55 34 34 14, *Fax 05 55 34 34 14* – ▤. GB CZ e
*fermé 3 au 24 août, 22 fév. au 1er mars, dim. et fériés* – **Repas** 13 bc (déj.) 32.
◆ Face aux halles, adresse décontractée et animée où se mitonnent de petits plats tendance bistrot. Dans la première salle, ancien café, trône un vénérable comptoir.

**Grillon,** 18 r. Charles Michels ✆ 05 55 34 64 36 – ▤. GB CZ n
*fermé 15 au 26 mars, 14 au 30 juil., merc. midi, lundi et mardi* – **Repas** 16 ♀.
◆ Petit restaurant du vieux Limoges. La salle à manger, de style rustique, est décorée de natures mortes. Mise en place simple ; cuisine traditionnelle.

**par** ① *et A 20 – ✉ 87280 Limoges :*

**Novotel** Ⓜ, sortie n° 30 : 5 km ✆ 05 44 20 20 00, *h0431@accor-hotels.com, Fax 05 44 20 20 10,* 🏠, 🏊, 🌳, 🎾 – |♦| ⊬ ▤ TV ✆ ♿ P – 🏛 30 à 100. AE ⓓ GB JCB
**Repas** (17,60) - 21,90 ♀, enf. 8 – ☕ 10 – **90 ch** 84/95.
◆ En zone industrielle, hôtel dont la silhouette "années 1970" se mire dans un lac, au sein d'un parc de 3 ha. Parcours de jogging, pour clients attentifs à leur forme.

**Résidence,** sortie n° 28 : 12 km ✉ 87280 Beaune-les-Mines ✆ 05 55 39 90 47, *la-residence2@wanadoo.fr, Fax 05 55 39 28 85,* 🏠, 🐴 – TV ✆ P – 🏛 50. AE ⓓ GB JCB
*fermé 16 août au 2 sept., 16 au 29 fév., sam. midi et dim. soir* – **Repas** 18,90/23,60 ♀ – ☕ 6 – **20 ch** 42,50/47,10 – ½ P 51,90.
◆ Commodes pour l'étape, les chambres de cet hôtel situé à 500 m de l'A 20, meublées simplement, bénéficient du double vitrage. Une terrasse couverte prolonge le restaurant.

**par** ③ *et A 20 sortie n° 36 : 6 km – ✉ 87220 Feytiat :*

**Campanile,** ✆ 05 55 06 14 60, *Fax 05 55 06 38 93,* 🏠 – TV ✆ P – 🏛 25. AE GB
**Repas** (12) - 13,50/17 ♀, enf. 6 – ☕ 6 – **50 ch** 54.
◆ Halte pratique à proximité de l'autoroute dans cet hôtel de chaîne dont les petites chambres ont été récemment rénovées. Repas servis sous forme de buffets.

**au golf municipal** *par ⑤ et rte secondaire : 3 km – ✉ 87000 Limoges :*

**Albatros** 🔇, ✆ 05 55 06 00 00, *Fax 05 55 06 23 49,* 🏠 – TV ✆ P – 🏛 30 à 100. GB
*fermé 24 déc. au 1er janv. et dim.* – **Repas** 13/22 ♀ – ☕ 7 – **33 ch** 50/62 – ½ P 51.
◆ Le cadre verdoyant de cet établissement moderne situé à l'orée du golf convient à ceux qui appréhendent l'animation citadine. Chambres sans équipement superflu.

**à St-Martin-du-Fault** *par ⑦, N 141 et D 20 : 13 km – ✉ 87510 Nieul :*

**Chapelle St-Martin** (Dudognon) 🔇, ✆ 05 55 75 80 17, *chapelle@relaischateaux.fr, Fax 05 55 75 89 50,* ←, 🏠, 🏊, 🎾, 🐴 – TV 🚗 P – 🏛 25. AE ⓓ GB JCB. ⊬ rest
✿ *fermé janv.* – **Repas** *(fermé dim. soir de nov. à mars, lundi sauf le soir du 15 juin au 15 sept., mardi midi et merc. midi)* (nombre de couverts limité, prévenir) 30 (déj.)/67 et carte 58 à 72 ♀ – ☕ 13 – **10 ch** 105/198, 3 appart – ½ P 151/191.
◆ Gentilhommière dans un parc, en lisière d'un bois. Festival d'étoffes colorées dans les chambres, spacieuses et soignées. Pimpantes salles à manger. Cuisine régionale.
**Spéc.** Oeufs vapeur aux truffes (hiver). Côte de veau de lait, cannelloni de blettes, épinards et girolles. "Le monde autour des pommes du Limousin".

---

**LIMONEST** *69 Rhône* 327 H4 – *rattaché à Lyon.*

---

**LIMOUX** ⟨SP⟩ *11300 Aude* 344 E4 *G. Languedoc Roussillon – 9 665 h alt. 172.*
ℹ *Syndicat d'Initiative, Promenade du Tivoli ✆ 04 68 31 11 82, Fax 04 68 31 87 14, limoux@fnotsi.net.*
*Paris 781 – Foix 69 – Carcassonne 25 – Perpignan 103 – Toulouse 94.*

**Grand Hôtel Moderne et Pigeon,** 1 pl. Gén. Leclerc (près Poste) ✆ 04 68 31 00 25, *grandhotelpigeon@wanadoo.fr, Fax 04 68 31 12 43,* 🏠 – TV ✆. AE ⓓ GB
*fermé 15 au 20 janv.* – **Repas** *(fermé dim. soir sauf juil.-août, sam. midi et lundi)* (21) - 28/45 ♀ – ☕ 14,50 – **18 ch** 50/98 – ½ P 62/74.
◆ Cet ancien hôtel particulier a conservé son patio et son superbe escalier (fresque du 17e s., vitrail). Chambres plus grandes au 1er étage. Belles salles à manger 1900.

**Maison de la Blanquette,** 46 bis promenade du Tivoli ✆ 04 68 31 01 63, *Fax 04 68 31 20 59,* 🏠 – ▤. GB
**Repas** 14,95 bc/30 bc, enf. 7,50.
◆ Ce restaurant propose des menus "boissons comprises" pour escorter comme il se doit la fameuse blanquette de Limoux ! Boutique de vins régionaux.

---

**LINGOLSHEIM** *67 B.-Rhin* 315 K5 – *rattaché à Strasbourg.*

---

**Le LIOUQUET** *13 B.-du-R.* 340 I6 – *rattaché à La Ciotat.*

*Les prix*
*Pour toutes précisions sur les prix indiqués dans ce guide, reportez-vous aux pages explicatives.*

**LIPSHEIM** *67 B.-Rhin* 315 *J6 – rattaché à Strasbourg.*

**LISIEUX** *14100 Calvados* 303 *N5 G. Normandie Vallée de la Seine – 23 703 h alt. 51 Pèlerinage (fin septembre).*

**Voir** *Cathédrale St-Pierre★* **BY.**

**Env.** *Château★ de St-Germain-de-Livet 7 km par ④.*

*Office du Tourisme, 11 rue d'Alençon ℘ 02 31 48 18 10, Fax 02 31 48 18 11, officelx@club internet.fr.*

*Paris 178 ② – Caen 64 ⑥ – Alençon 93 ④ – Évreux 73 ② – Le Havre 80 ① – Rouen 93 ②.*

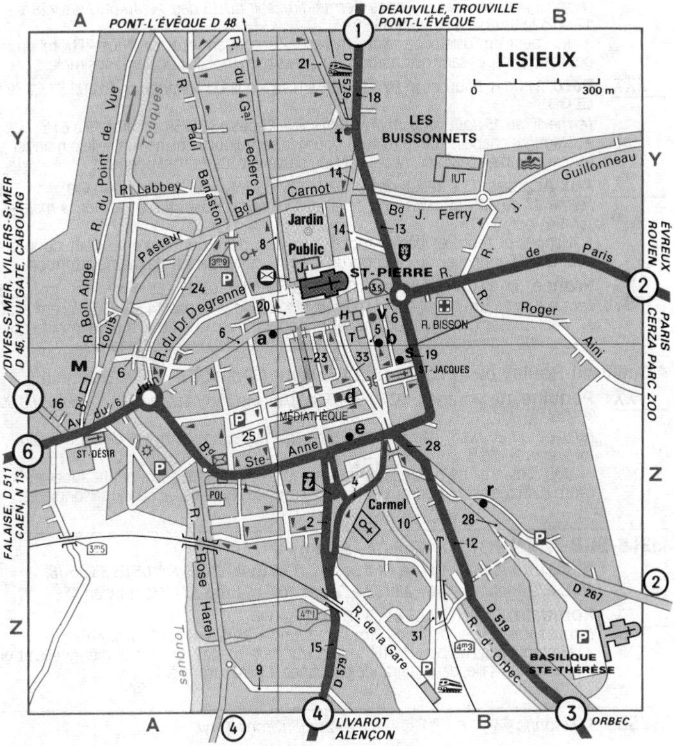

LISIEUX
DEAUVILLE, TROUVILLE
PONT-L'ÉVÊQUE
PONT-L'ÉVÊQUE D 48
300 m
LES BUISSONNETS
IUT
Guillonneau
Carnot
Jardin
Public
ST-PIERRE
R. de Paris
Roger Aini
R. BISSON
ST-JACQUES
MÉDIATHÈQUE
Ste-Anne
Carmel
ST-DÉSIR
R. Labbey
Pasteur
R. du Dr Degrenne
R. Bon Ange
Touques
R. du Point de Vue
R. Paul Banaston
R. du Gal Leclerc
Bd J. Ferry
Av. du 6 Juin
R. de la Gare
R. d'Orbec
D 519
D 267
D 579
BASILIQUE STE-THÉRÈSE
Rose Harel
LIVAROT
ALENÇON
ORBEC
ÉVREUX
ROUEN
PARIS
CERZA PARC ZOO
DIVES-S-MER, VILLERS-S-MER
D 45, HOULGATE, CABOURG
FALAISE, D 511
CAEN, N 13


| | | |
|---|---|---|
| Alençon (R. d') ........ **BZ** 2 | Duchesne-Fournet (Bd) ........ **BY** 13 | Oresme (Bd N.) ....... **BY** 21 |
| Carmel (R. du) ........ **BZ** 4 | Foch (R. Mar.) ........ **BY** 14 | Pont-Mortain (R.) ...... **BZ** 23 |
| Char (R. au) .......... **BY** 5 | Fournet (R.) .......... **BZ** 15 | Remparts (Quai des)... **AY** 24 |
| Chéron (R. Henry) ... **ABY** 6 | Guizot (R.)............ **AZ** 16 | République (Pl. de la) ......... **ABZ** 25 |
| Condorcet (R.) ........ **AY** 8 | Herbet-Fournet (Bd) ... **BY** 18 | Ste-Thérèse (Av.)...... **BZ** 28 |
| Creton (R.).......... **ABZ** 9 | Jeanne-d'Arc (Bd) ..... **BZ** 19 | Verdun (R. de) ........ **BZ** 31 |
| Dr-Lesigne (R.)........ **BZ** 10 | Mitterrand (Pl. F.) .... **ABY** 20 | Victor-Hugo (Av.) ...... **BZ** 33 |
| Dr-Ouvry (R.) ......... **BZ** 12 | | |

**Mercure** M, par ② *: 2,5 km (rte de Paris)* ℘ 02 31 61 17 17, *h1725@accor-hotels.com, Fax 02 31 32 33 43*, , – | – 80. AE GB
**Repas** *(16)* - 18,60/20, enf. 9 – 9,15 – **69 ch** 88/93.
◆ Périphérique, hôtel à l'architecture contemporaine. Chambres bien agencées et insonorisées ; celles du dernier étage sont mansardées. Restaurant tourné vers la piscine.

**Azur** M sans rest, 15 r. au Char ℘ 02 31 62 09 14, *resa@azur-hotel.com, Fax 02 31 62 16 06* – . AE GB. **BYZ b**
8,40 – **15 ch** 65/85.
◆ Hôtel rénové occupant un immeuble d'une cinquantaine d'années. Chambres printanières et confortables. Salle des petits-déjeuners façon jardin d'hiver.

**Place** sans rest, 67 r. H. Chéron ✆ 02 31 48 27 27, *hoteldelaplacebw@wanadoo.fr, Fax 02 31 48 27 20* – ABY a
7 – **34 ch** 66/75.
◆ La taille des chambres est très variable, mais toutes viennent de bénéficier d'un programme complet de rénovation qui les a rendues gaies et actuelles.

**St-Louis** sans rest, 4 r. St-Jacques ✆ 02 31 62 06 50 – GB BZ s
6 – **17 ch** 29/46.
◆ Papier peint plus gai, vieux mobilier remplacé, sanitaire amélioré : les chambres subissent peu à peu une cure de jouvence. Jardinet devant l'hôtel.

**Terrasse Hôtel,** 25 av. Ste-Thérèse ✆ 02 31 62 17 65, *Fax 02 31 62 20 25,* – AE GB BZ r
*fermé 3 janv. au 8 fév.* – **Repas** *(fermé dim. soir du 15 déc. au 10 fév.)* 15,50/28 – 6 – **17 ch** 32,50/48 – ½ P 37,80/45,50.
◆ Au coeur du "Lisieux de sainte Thérèse" - entre Carmel et basilique - l'hôtel propose de petites chambres sans ostentation, équipées d'un mobilier également simple.

**Parc,** 21 bd H. Fournet ✆ 02 31 62 08 11, *sarl-leparc@wanadoo.fr, Fax 02 31 62 79 55* – AE GB BY t
*fermé 1er au 15 août, sam. midi et dim soir* – **Repas** 15,30/55 et carte 39 à 61.
◆ Naguère chapelle d'une maison bourgeoise, aujourd'hui insolite salle à manger néogothique meublée Louis XIII. Accès par une passerelle. Carte traditionnelle.

**Aux Acacias,** 13 r. Résistance ✆ 02 31 62 10 95, *Fax 02 31 32 59 06* – GB BZ d
*fermé 17 au 30 nov., dim. soir et lundi sauf fériés et jeudi soir de nov. à mars* – **Repas** 15/45, enf. 8,50.
◆ Nappes et tentures pastel, mobilier en bois peint : un cadre au goût du jour et une cuisine traditionnelle - aux accents du terroir - bénéficiant de la même attention.

**France,** 5 r. au Char ✆ 02 31 62 03 37, *Fax 02 31 62 03 37* – AE GB BY v
*fermé 4 au 26 janv., dim. soir de sept. à juin et lundi* – **Repas** 14,50/25,50, enf. 9,50.
◆ Vieux pressoir, cuivres rutilants et phonographes : une atmosphère insolite qui donne un charme indéniable à cette salle de restaurant proche de la cathédrale.

**À Ouilly-du-Houley** *par ②, D 510 et D 262 : 10 km – 183 h. alt. 55 – ✉ 14590 Moyaux :*

**Paquine,** rte Moyaux ✆ 02 31 63 63 80, *paquine@hotmail.com, Fax 02 31 63 63 80,* – GB
*fermé 3 au 26 nov., 2 au 12 mars, dim. soir, mardi soir et merc. de sept. à juin* – **Repas** (prévenir) 28/55.
◆ Vous cesserez de battre la campagne après avoir testé cette petite auberge fleurie : le cadre rustique est chaleureux et la carte corrigée selon les variations saisonnières.

---

## LISLE-SUR-TARN *81310 Tarn 338 C7 – 3 588 h alt. 127.*

*Office du Tourisme, place Paul Saissac ✆ 05 63 40 31 85, Fax 05 63 33 36 18.*
*Paris 679 – Toulouse 51 – Albi 32 – Cahors 104 – Castres 57 – Montauban 45.*

**Romuald,** 6 r. Port ✆ 05 63 33 38 85, – GB
*fermé vacances de Toussaint, dim soir et lundi* – **Repas** 10 bc (déj.), 13/26.
◆ Maison à pans de bois du 16e s. au coeur de la bastide. Cuisine traditionnelle et grillades préparées en salle, dans la grande cheminée. Cadre rustique.

---

## LISSES *91 Essonne 312 D4 106 ㉜ – voir à Paris, Environs (Évry).*

---

## LIVRY-GARGAN *93 Seine-St-Denis 305 G7 101 ⑱ – voir à Paris, Environs.*

---

## La LLAGONNE *66 Pyr.-Or. 344 D7 – rattaché à Mont-Louis.*

---

## LLO *66 Pyr.-Or. 344 D8 – rattaché à Saillagouse.*

---

## LOCHES *37600 I.-et-L. 317 O6 G. Châteaux de la Loire – 6 544 h alt. 80.*

**Voir** *Cité médiévale★★ : donjon★★, église St-Ours★, Porte Royale★, porte des cordeliers★, hôtel de ville★* **Y H** – *Chateaux★★ : gisant d'Agnès Sorel★, triptyque★ – Carrières troglodytiques de Vignemont★.*
**Env.** *Portail★ de la Chartreuse du Liget E : 10 km par ②.*
*Office du Tourisme, place de la Marne ✆ 02 47 91 82 82, Fax 02 47 91 61 50, loches.en-.touraine@wanadoo.fr.*
*Paris 262 ① – Tours 42 ① – Blois 75 ① – Châteauroux 73 ③ – Châtellerault 56 ④.*

# LOCHES

Anciens A.F.N. (Pl. des) . Z
Auguste (Bd Ph.) . . . . . . Z
Balzac (R.) . . . . . . . . . . . . YZ
Bas-Clos (Av. des) . . . . . . Y 2
Blé (Pl. au) . . . . . . . . . . . . Y 3
Château (R. du) . . . . . . . YZ 5
Descartes (R.) . . . . . . . . . . Y 7
Donjon (Mail du) . . . . . . . . Z
Droulin (Mail) . . . . . . . . . . . Z
Filature (Q. de la) . . . . . . . Y 8
Foulques-Nerra (R.) . . . . . . . . . . . . . . . Z 9
Gaulle (Av. Gén.-de) . . . . . Y 10
Grand Mail (Pl. du) . . . . . . Y 12
Grande-Rue . . . . . . . . . . . . Y 13
Lansyer (R.) . . . . . . . . . . . . Z 14
Marne (Pl. de la) . . . . . . . Y
Mazerolles (Pl.) . . . . . . . . . Y 15
Moulins (R. des) . . . . . . . . Y 16
Pactius (R. T.) . . . . . . . . . . Z 17
Picois (R.) . . . . . . . . . . . . . Y
Poterie (Mail de la) . . . . . Z
Ponts (R. des) . . . . . . . . . . Y 18
Porte-Poitevine (R. de la) . . . . . . . . . . . . . Z 19
Quintefol (R.) . . . . . . . . . . YZ
République (R. de la) . . . . Y
Ruisseaux (R. des) . . . . . . Z 20
St-Antoine (R.) . . . . . . . . . Y 21
St-Ours (R.) . . . . . . . . . . . . Z 22
Tours (R. de) . . . . . . . . . . . Y
Verdun (Pl. de) . . . . . . . . . Y
Victor-Hugo (R.) . . . . . . . . Y
Vigny (R. A.-de) . . . . . . . . Y
Wermelskirchen (Pl. de) . . . . . . . . . . . . . . . Y 29

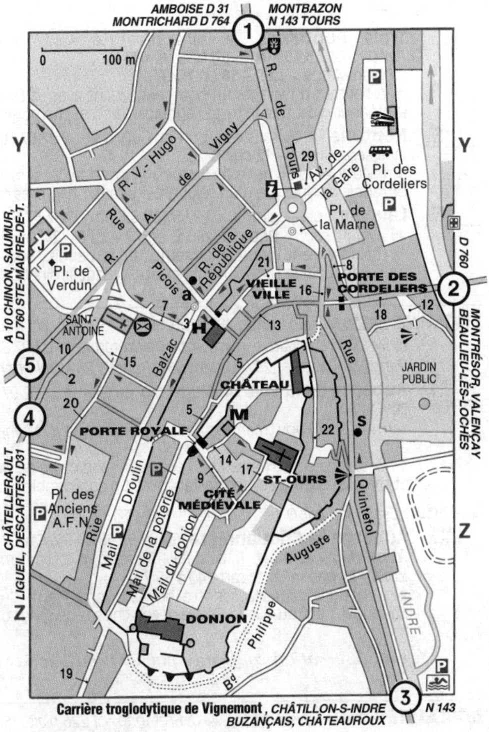

AMBOISE D 31
MONTRICHARD D 764
MONTBAZON
N 143 TOURS
0 100 m
R. de Tours
R. V.-Hugo
R. A. de Vigny
Rue Picois
R. de la République
Av. de la Gare
Pl. des Cordeliers
Pl. de la Marne
Pl. de Verdun
SAINT-ANTOINE
VIEILLE VILLE
PORTE DES CORDELIERS
D 760
MONTRÉSOR, VALENÇAY
BEAULIEU-LÈS-LOCHES
JARDIN PUBLIC
Rue
Balzac
CHÂTEAU
PORTE ROYALE
ST-OURS
CITÉ MÉDIÉVALE
Pl. des Anciens A.F.N.
Rue Droulin
Mail de la poterie
Mail du donjon
Quintefol
Bd Philippe Auguste
DONJON
INDRE
A 10 CHINON, SAUMUR,
D 760 STE-MAURE-DE-T.
CHÂTELLERAULT
LIGUEIL, DESCARTES, D31
Carrière troglodytique de Vignemont, CHÂTILLON-S-INDRE
BUZANÇAIS, CHÂTEAUROUX
N 143


**George Sand,** 39 r. Quintefol ✆ 02 47 59 39 74, *grandhotel@compuserve.com, Fax 02 47 91 55 75,* – TV ✆. GB Z s
**Repas** 16/38 ♀ – ☕ 7,70 – **20 ch** 48,50/110 – ½ P 41,30/72,80.
◆ Terrasse sur l'Indre, salle à manger avec poutres et cheminée, chambres desservies par un escalier à vis en pierre : cette demeure du 15ᵉ s. ne manque pas d'atouts.

**Luccotel**, r. Lézards, par ⑤ : *1 km* ✆ 02 47 91 30 30, *luccotel@wanadoo.fr, Fax 02 47 91 30 35,* ←, , , , – ▤ rest, TV ✆ ♿ P – 🏃 15 à 100. AE GB
*fermé 21 déc. au 8 janv.* – **Repas** *(fermé sam. midi)* 15 bc (déj.), 17/25 ♀ – ☕ 6 – **69 ch** 43/55 – ½ P 36/45.
◆ Construction récente surplombant la cité médiévale et son château. Petites chambres rénovées par étapes. Restaurant et terrasse panoramiques. Équipements sportifs complets.

**France,** 6 r. Picois ✆ 02 47 59 00 32, *Fax 02 47 59 28 66,* – TV ✆ . GB
*fermé 5 janv. au 11 fév., lundi sauf le soir en juil.-août, dim. soir de sept. à juin et mardi midi* – **Repas** 15/46 ♀, enf. 9,50 – ☕ 6,50 – **13 ch** 42/63, 4 duplex – ½ P 47. Y a
◆ Belle façade près des remparts. Chambres rustiques et salle à manger meublée Louis XV disposées autour d'une cour intérieure où l'on installe la terrasse en saison.

**LOCMARIAQUER** *56740 Morbihan* 308 N9 *G. Bretagne – 1 309 h alt. 5.*

**Voir** *Ensemble mégalithique ★★ - dolmens de Mané Lud★ et de Mané Rethual★ – Tumulus de Mané-er-Hroech★ S : 1 km – Dolmen des Pierres Plates★ SO : 2 km – Pointe de Kerpenhir ←★ SE : 2 km.*

*Office du Tourisme, rue de la Victoire ✆ 02 97 57 33 05, Fax 02 97 57 44 30, ot.locmariaquer@wanadoo.fr.*

*Paris 489 – Vannes 31 – Auray 13 – Quiberon 31 – La Trinité-sur-Mer 10.*

**Trois Fontaines** sans rest, rte Auray ☎ 02 97 57 42 70, *hot3f@aol.com, Fax 02 97 57 30 59,* – GB
*23 mars-4 nov.* – 9 – **18 ch** 75/97.
◆ À l'entrée du village, un hôtel engageant avec sa façade galbée et ses abords fleuris. L'intérieur n'est pas en reste : agréable salon et chambres dotées de meubles en acajou.

**Neptune** sans rest, port du Guilvin ☎ 02 97 57 30 56, ← –
*avril-sept.* – 6 – **12 ch** 50/70.
◆ Face aux îles du golfe du Morbihan, hôtel familial aussi solidement planté qu'un dolmen, offrant la perspective d'un séjour revigorant. Chambres récentes et bien aménagées.

**Lautram,** près église ☎ 02 97 57 31 32, *Fax 02 97 57 37 87,* – . GB
*1er avril-30 sept.* – **Repas** 13/30 ♀, enf. 7 – 6 – **24 ch** 44/56 – ½ P 40/52.
◆ Établissement tenu par la même famille depuis 1900. Aménagements simples, un peu mûrissants. Chambres plus calmes et ravissant jardinet à l'annexe. Accueil aimable.

---

**LOCMINÉ** *56500 Morbihan* 308 N7 *G. Bretagne – 3 346 h alt. 108.*
*Syndicat d'Initiative, place Anne de Bretagne ☎ 02 97 60 00 37.*
*Paris 454 – Vannes 29 – Lorient 56 – Pontivy 26 – Quimper 113 – Rennes 105.*

**Auberge de la Ville au Vent,** r. O. de Clisson ☎ 02 97 60 08 40, *Fax 02 97 60 56 24* – .
AE GB
*fermé 3 au 24 nov., mardi soir et merc. soir de sept. à juin, dim. et lundi* – **Repas** 14/53,50 ♀, enf. 11.
◆ Cette ancienne ferme vous reçoit dans son cadre de vieilles poutres, pierres apparentes et massive cheminée, contrastant avec un confortable mobilier contemporain.

**à Bignan** *Est : 5 km par D 1 – 2 567 h. alt. 148 – ✉ 56500 :*

**Auberge La Chouannière,** ☎ 02 97 60 00 96, *Fax 02 97 44 24 58* – GB
*fermé 10 au 23 mars, 1er au 6 juil., 29 sept. au 12 oct., merc. soir hors saison, dim. soir et lundi* – **Repas** 19/31 et carte 40 à 65 ♀.
◆ L'enseigne rappelle à notre bon souvenir Pierre Guillemot, farouche lieutenant de Cadoudal, natif du village. Sobre décor, chaises de style Louis XVI et cuisine classique.

*Une réservation confirmée par écrit ou par fax est toujours plus sûre.*

---

**LOCQUIREC** *29241 Finistère* 308 J2 *G. Bretagne – 1 226 h alt. 15.*
**Voir** *Église★ – Pointe de Locquirec★ 30 mn – Table d'orientation de Marc'h Sammet ←★ O : 3 km.*
*Office du Tourisme, place du Port ☎ 02 98 67 40 83, Fax 02 98 79 32 50.*
*Paris 535 – Brest 80 – Guingamp 51 – Lannion 22 – Morlaix 26.*

**Grand Hôtel des Bains** , ☎ 02 98 67 41 02, *hotel.des.bains@wanadoo.fr, Fax 02 98 67 44 60,* ← la baie, , , , – AE GB.
*fermé 6 janv. au 6 fév.* – **Repas** *(fermé le midi en semaine hors saison)* 34/50 ♀, enf. 13 – 11 – **36 ch** 121/191 – ½ P 100/128.
◆ L'Hôtel de la plage fut tourné dans cette élégante demeure postée sur une pointe et entourée d'un jardin à fleur d'eau. Chambres dans le style "balnéaire" contemporain.

---

**LOCRONAN** *29180 Finistère* 308 F6 *G. Bretagne – 796 h alt. 105.*
**Voir** *Place★★ – Église St-Ronan et chapelle du Pénity★★ – Montagne de Locronan ✻★ E : 2 km.*
*Office du Tourisme, place de la Mairie ☎ 02 98 91 70 14, Fax 02 98 51 81 20, locronan.Tourisme@wanadoo.fr.*
*Paris 577 – Quimper 16 – Brest 66 – Briec 21 – Châteaulin 18 – Crozon 32 – Douarnenez 11.*

**Prieuré,** ☎ 02 98 91 70 89, *leprieure1@aol.com, Fax 02 98 91 77 60,* , –
GB. ch
*hôtel : 17 mars-11 nov. ; rest. : 17 mars-15 déc. et fermé lundi hors saison et hors vacances scolaires* – **Repas** (11) - 16/35,50 ♀ – 6 – **15 ch** 50/64 – ½ P 51,50/55.
◆ Hôtel familial situé à l'entrée du pittoresque village breton. Les chambres côté rue ont été rénovées. Au restaurant, murs de pierres apparentes et meubles régionaux.

**au Nord-Ouest** *: 3 km par rte secondaire – ✉ 29550 Plonévez-Porzay :*

**Manoir de Moëllien** , ☎ 02 98 92 50 40, *manmoel@aol.com, Fax 02 98 92 55 21,* ←, , – AE GB
*29 mars-2 nov.* – **Repas** *(fermé mardi midi, jeudi midi et merc.)* 22,50/30 ♀, enf. 9 – 9 – **18 ch** 64/114 – ½ P 63/88.
◆ Chambres au grand calme aménagées dans une dépendance de ce joli manoir du 17e s. isolé dans la campagne et abritant une salle à manger de caractère (imposante cheminée).

**LODÈVE** ⟨SP⟩ 34700 Hérault 339 E6 *G. Languedoc Roussillon – 7 602 h alt. 165.*

**Voir** *Anc. cathédrale St-Fulcran★ – Musée de Lodève★.*

*Office du Tourisme, 7 place de la République ✆ 04 67 88 86 44, Fax 04 67 44 07 56, Ot34lodevois@lodeve.com.*

*Paris 699 ② – Montpellier 55 ② – Alès 97 ① – Béziers 64 ② – Millau 60 ① – Pézenas 39 ②.*

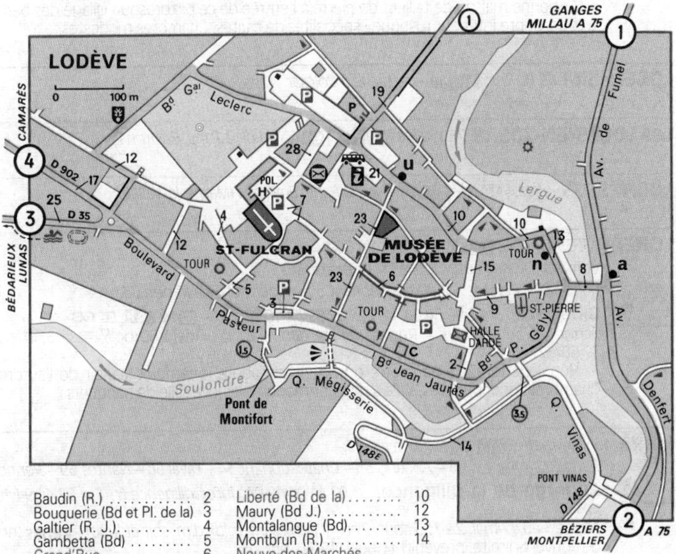

LODÈVE
0
100 m
GANGES
MILLAU A 75
CAMARÈS
BÉDARIEUX
LUNAS
BÉZIERS
MONTPELLIER
A 75
D 902
D 35
D 148
D 148E
Bd Gal Leclerc
Boulevard Pasteur
Bd Jean Jaurès
Av. de Fumel
Av. Denfert
Q. Vinas
Q. Mégisserie
Bd P. Gély
Lergue
Soulondre
ST-FULCRAN
MUSÉE DE LODÈVE
TOUR
ST-PIERRE
HALLE DARDÉ
POL.
Pont de Montifort
PONT VINAS


| | | | | | |
|---|---|---|---|---|---|
| Baudin (R.) | 2 | Liberté (Bd de la) | 10 | | |
| Bouquerie (Bd et Pl. de la) | 3 | Maury (Bd J.) | 12 | | |
| Galtier (R. J.) | 4 | Montalangue (Bd) | 13 | | |
| Gambetta (Bd) | 5 | Montbrun (R.) | 14 | | |
| Grand'Rue | 6 | Neuve-des-Marchés (R.) | 15 | | |
| Hôtel-de-Ville (Pl. et R. de l') | 7 | Railhac (Bd J.) | 17 | République (R.) | 23 |
| Lergue (Pont de) | 8 | République (Av. de la) | 19 | Vallot (Av. J.) | 25 |
| Lergue (R. de) | 9 | République (Pl.) | 21 | 4-Septembre (R. du) | 28 |

**Paix,** 11 bd Montalangue **(n)** ✆ 04 67 44 07 46, *hotel-de-la-paix@wanadoo.fr, Fax 04 67 44 30 47,* 🍽, 🏊 – 📺 📞 – 🏛 20. GB
*fermé dim. soir et lundi d'oct. à mars* – **Repas** 18/25 ♀ – ☕ 6,80 – **22 ch** 45/56 – ½ P 53/56.
◆ Ancien relais de poste aux portes des Grands Causses. Les chambres rénovées offrent un pimpant décor provençal. Plaisant patio-terrasse à l'andalouse (grill l'été).

**Nord** sans rest, 18 bd Liberté **(u)** ✆ 04 67 44 10 08, *hoteldunord.lodeve@wanadoo.fr, Fax 04 67 44 10 08* – 🛗 cuisinette ⇆ 📺 ♿. GB. ✗
☕ 6,50 – **28 ch** 37/65.
◆ Le compositeur Georges Auric est né en 1899 dans ce vieil hôtel du centre. Aujourd'hui entièrement rénové, il abrite des chambres sobres et insonorisées.

**Croix Blanche,** 6 av. Fumel **(a)** ✆ 04 67 44 10 87, *hotel-croix-blanche@wanadoo.fr, Fax 04 67 44 38 33,* 🍽 – 🅿. GB. ✗ rest
*1er avril-30 nov.* – **Repas** *(fermé vend. midi)* 12/26 ♀, enf. 7 – ☕ 6 – **32 ch** 25/40 – ½ P 32/36.
◆ Ambiance familiale dans cet établissement au cadre rustique pieusement conservé. Chambres simples, d'ampleur diverse. Cuivres et cheminée dans la salle de restaurant.

**à Poujols** *Nord : 6,5 km par N 9 et D 149 – 127 h. alt. 250 – ✉ 34700 Soubès :*

**Temps de Vivre,** rte Pegairolles ✆ 04 67 44 03 78, *Fax 04 67 44 03 78,* ≤, 🍽 – 🅿. GB
*fermé janv., merc. en nov., déc. et fév., mardi sauf de juil. à sept. et lundi* – **Repas** 18 (déj.), 26/54.
◆ Agrippé à une colline dominant la vallée de l'Escalette, ce restaurant abrite deux salles dont une véranda ouverte sur la nature. Recettes personnalisées et vins régionaux.

*Ecrivez-nous...*
*Vos louanges comme vos critiques seront examinées avec le plus grand soin.*
*Nous reverrons sur place les informations que vous nous signalez.*
*Par avance merci !*

**LODS** *25930 Doubs* 321 H4 *G. Jura – 284 h alt. 361.*

*Paris 441 – Besançon 37 – Baume-les-Dames 51 – Levier 22 – Pontarlier 24 – Vuillafans 5.*

**Truite d'Or,** ✆ 03 81 60 95 48, *la-truite-dor@wanadoo.fr, Fax 03 81 60 95 73,* – TV P. AE GB

*fermé 15 déc. au 30 janv., dim. soir et lundi d'oct. à avril –* **Repas** 15,30/41,50 ♀, enf. 8,50 – ☕ 6 – **11 ch** 43 – ½ P 46.

◆ Ancienne maison de tailleur de pierre à l'entrée de ce pittoresque village des berges de la Loue. Sobre intérieur rustique ; spécialités de truites. Chambres modestes.

**LOGELHEIM** *68 H.-Rhin* 315 I8 – *rattaché à Colmar.*

**Les LOGES-EN-JOSAS** *78 Yvelines* 311 I3 101 ㉓ – *voir à Paris, Environs.*

**LOGNES** *77 S.-et-M.* 312 E2 101 ㉙ – *voir à Paris, Environs (Marne-la-Vallée).*

**LOHÉAC** *35550 I.-et-V.* 309 K7 – *508 h alt. 50.*

Voir *Manoir de l'automobile*★★, **G. Bretagne.**

*Paris 380 – Rennes 35 – Châteaubriant 50 – Ploërmel 46 – Redon 33.*

**Gibecière,** ✆ 02 99 34 06 14, *Fax 02 99 34 10 37,* – TV P. AE GB

*fermé 1er au 16 mars –* **Repas** *(fermé dim. soir)* 10,50 (déj.)/50 bc ♀ – ☕ 5,40 – **24 ch** 32,50/57.

◆ Hôtellerie familiale au centre du bourg qui abrite le fameux Manoir de l'automobile. Chambres fonctionnelles, salle à manger moderne et jolie salle de banquets.

**LOIRÉ** *49440 M.-et-L.* 317 D3 – *747 h alt. 39.*

*Paris 322 – Angers 45 – Ancenis 35 – Châteaubriant 34 – Laval 66 – Nantes 69 – Rennes 84.*

**Auberge de la Diligence,** ✆ 02 41 94 10 04, *info@diligence.fr, Fax 02 41 94 10 04* – GB

*fermé 5 au 12 mai, 2 au 25 août, 2 au 12 janv., sam. midi, dim. soir et lundi –* **Repas** (nombre de couverts limité, prévenir) 14 (déj.), 19/60, enf. 11.

◆ Cette auberge rustique du 18e s. a de quoi inspirer la sympathie : poutres et pierres apparentes, grande cheminée, cuisine soignée et généreuse. Une bonne halte.

**LOIRE-SUR-RHÔNE** *69 Rhône* 327 H6 – *rattaché à Givors.*

**LOMENER** *56 Morbihan* 308 K8 – *rattaché à Ploemeur.*

**LONDINIÈRES** *76660 S.-Mar.* 304 I3 – *1 119 h alt. 78.*

*Syndicat d'Initiative,* ✆ *02 35 93 80 08, Fax 02 35 94 42 75.*

*Paris 148 – Amiens 78 – Dieppe 28 – Neufchâtel-en-Bray 14 – Le Tréport 30.*

**Auberge du Pont** avec ch, ✆ 02 35 93 80 47, *Fax 02 32 97 00 57,* – P. GB

*fermé 1er au 15 fév. et lundi –* **Repas** 8,80 (déj.), 25/32 ♀, enf. 6 – ☕ 4,60 – **10 ch** 28/33 – ½ P 37,40/46,40.

◆ Petite auberge des bords de l'Eaulne où l'on propose une cuisine régionale simple, servie dans une salle à manger rustique au milieu de laquelle trône un gril.

**LONGJUMEAU** *91 Essonne* 312 C3 101 ㉟ – *voir à Paris, Environs.*

**LONGNY-AU-PERCHE** *61290 Orne* 310 N3 *G. Normandie Vallée de la Seine – 1 575 h alt. 165.*

*Office du Tourisme, place de l'Hôtel de Ville* ✆ *02 33 73 66 23, Fax 02 33 73 47 75.*

*Paris 132 – Alençon 63 – Rennes 220 – Rouen 137 – Tours 159.*

**Moulin de la Fenderie,** rte Rémalard-Bizou ✆ 02 33 83 66 98, *Fax 02 33 73 16 71,* – P. GB

*fermé fév., lundi et mardi –* **Repas** 20/40 ♀, enf. 10.

◆ Maisons dispersées dans un jardin fleuri traversé par la rivière qui alimentait l'ancien moulin. L'été, s'attabler en terrasse sous le saule pleureur est un vrai bonheur !

**LONGUES** *63 P.-de-D.* 326 G9 – *rattaché à Vic-le-Comte.*

**LONGUEVILLE-SUR-SCIE** *76590 S.-Mar.* 304 *G3 – 820 h alt. 61.*

*Paris 182 – Dieppe 20 – Le Havre 96 – Rouen 51.*

XX **Cheval Blanc,** ✆ 02 35 83 30 03, *Fax 02 35 83 30 03,* – GB

*fermé 15 au 30 août, vacances de fév., dim. soir et merc.* – **Repas** 17/40.

◆ Aimable auberge située au centre du bourg. Une cuisine traditionnelle vous sera servie sous les poutres d'une salle à manger rustique aux tons frais et lumineux.

**LONGUYON** *54260 M.-et-M.* 307 *E2 – 6 064 h alt. 213.*

*Office du Tourisme, place S. Allende ✆ 03 82 39 21 21, Fax 03 82 26 44 37.*

*Paris 321 – Metz 81 – Nancy 136 – Sedan 71 – Thionville 57 – Verdun 48.*

XXX **Mas et H. Lorraine** avec ch, face gare ✆ 03 82 26 50 07, *mas.lorraine@wanadoo.fr, Fax 03 82 39 26 09,* – – 40. AE GB JCB – *fermé 5 au 30 janv.* – **Repas** *(fermé lundi)* 19/60 et carte 38,50 à 64,50 – 7 – **14 ch** 45/55 – 1/2 P 54.

◆ La bâtisse, reconstruite après la Grande Guerre, abrite une chaleureuse salle de restaurant et des chambres pratiques. La terrasse surplombe le potager et la rivière.

**à Rouvrois-sur-Othain** *(Meuse) Sud : 7,5 km par N 18 – 201 h. alt. 223 – ✉ 55230 :*

XX **Marmite,** 11 rte Nationale ✆ 03 29 85 90 79, *Fax 03 29 85 99 23* – . GB.

*fermé 17 au 25 août, 2 au 10 janv., mardi de sept. à mi-mars, dim. soir et lundi* – **Repas** (11) - 20/48, enf. 8.

◆ Les petits plats mijotés, inspirés par le terroir, sont généreusement servis dans la salle à manger de cet ancien café de village. En saison, épanouissement floral en façade.

# LONGWY

| | | |
|---|---|---|
| Aviation (Av. de l') | A | |
| Banque (R. de la) | AB | |
| Boismont (R. de) | AB | |
| Briand (R. A.) | A | 2 |
| Carnot (R.) | B | 3 |
| Chiers (R. de la) | B | |
| Darche (Pl. du Col.) | A | 5 |
| Faïencerie (R. de la) | B | |
| Foch (Av. du Mar.) | A | |
| Friclot (R. Abbé) | A | 6 |
| Gaulle (Av. Ch. de) | AB | |
| Giraud (Pl.) | B | 8 |
| Huart (R. Hippolyte d') | B | |
| Labro (R. Albert) | B | |
| Lattre-de-Tassigny (Av. Mar. de) | B | 9 |
| Leclerc (Pl. du Gén.) | B | 12 |
| Legendre (R.) | A | |
| Malraux (Av. André) | A | |
| Margaine (R.) | A | 13 |
| Mercy (R.) | A | |
| Merlin (R. du Col.) | B | 15 |
| Metz (R. de) | B | |
| Pershing (R. du Gén.) | B | 16 |
| Poincaré (Av. Raymond) | A | |
| République (Av. de la) | A | |
| Saintignon (Av. de) | AB | |
| Saint-Louis (R.) | B | |
| Stanislas (R.) | A | |
| Tanneries (R. des) | B | 18 |
| 11 Nov. 1918 (Pl. du) | A | 19 |

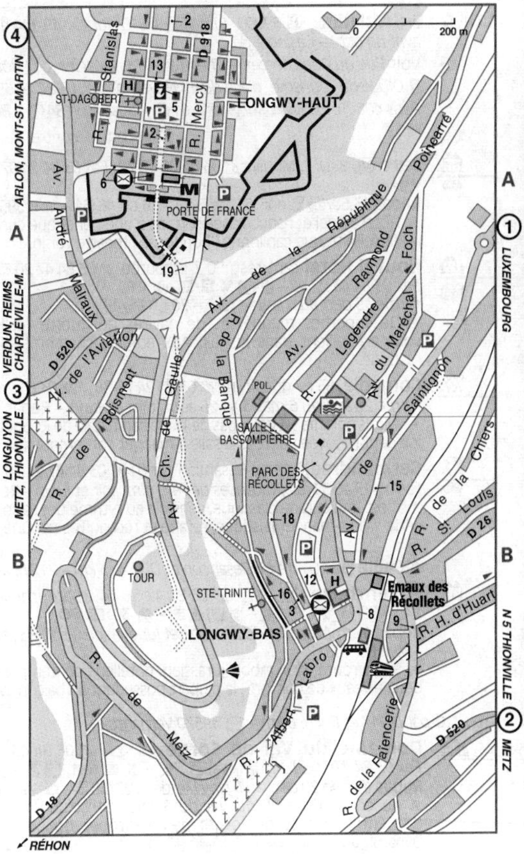
ARLON, MONT-ST-MARTIN
VERDUN, REIMS CHARLEVILLE-M.
LONGUYON METZ, THIONVILLE
LUXEMBOURG
N 5 THIONVILLE
METZ
RÉHON
LONGWY-HAUT
PORTE DE FRANCE
ST-DAGOBERT
LONGWY-BAS
STE-TRINITÉ
TOUR
SALLE L. BASSOMPIERRE
PARC DES RÉCOLLETS
POL.
Emaux des Récollets
D 520
D 918
D 26
D 18
200 m

**LONGWY** *54400 M.-et-M.* **307** F1 *G. Alsace Lorraine – 15 439 h alt. 262.*

**Voir** *Musée municipal : collection de fers à repasser*★ **M.**

*Office du Tourisme, place Darche ✆ 03 82 24 27 17, Fax 03 82 24 77 75, ot-longwy@wanadoo.fr.*

*Paris 336 ③ – Luxembourg 37 ① – Metz 65 ② – Thionville 41 ②.*

Plan page précédente

**à Méxy** *Sud : 3 km par ② (N 52) – 1 959 h. alt. 369 – ✉ 54400 :*

**Mercure** M, r. Château d'Eau ✆ 03 82 23 14 19, *Fax 03 82 25 61 06*, – – 25. AE GB JCB

**Repas** *(13)* - 19 ♀, enf. 9 – ☕ 7 – **42 ch** 55/61.

♦ Établissement récemment ouvert, à proximité d'un axe passant. Les installations sont spacieuses, l'équipement complet et le mobilier contemporain. Chambres actuelles.

***Dans ce guide***
*un même symbole, un même mot,*
*imprimé en* ***rouge*** *ou en* ***noir****, en maigre ou en* ***gras****,*
*n'ont pas tout à fait la même signification.*
*Lisez attentivement les pages explicatives.*

**LONS-LE-SAUNIER** P *39000 Jura* **321** D6 *G. Jura – 19 144 h alt. 255 – Stat. therm. (début avril-fin oct.) – Casino.*

**Voir** *Rue du Commerce*★ *– Théâtre*★ *– Pharmacie*★ *de l'Hôtel-Dieu.*

*Office du Tourisme, place du 11 Novembre ✆ 03 84 24 65 01, Fax 03 84 43 22 59.*

*Paris 408 ③ – Chalon-sur-Saône 61 ③ – Besançon 84 ① – Bourg-en-Bresse 73 ③.*

Plan page ci-contre

**Parc** M, 9 av. J. Moulin ✆ 03 84 86 10 20, *Fax 03 84 24 97 28* – . AE GB JCB Y s

**Repas** 13,50/25 ♀, enf. 6 – ☕ 5,50 – **16 ch** 46/51 – ½ P 39,70.

♦ Hôtel actuel et fonctionnel, sortant d'une bénéfique cure de jouvence. Réveil au son de la Marseillaise que carillonne l'horloge du théâtre voisin.

**Nouvel Hôtel** sans rest, 50 r. Lecourbe ✆ 03 84 47 20 67, *nouvel.hotel39@wanadoo.fr, Fax 03 84 43 27 49* – P. AE GB Y r

*fermé 19 déc. au 4 janv.* – ☕ 7 – **26 ch** 35/49.

♦ De superbes maquettes de navires de guerre réalisées par le maître des lieux vous accueillent dans le hall. Aux étages, chambres d'ampleur diverse, au mobilier rustique.

**Comédie,** 65 r. Agriculture ✆ 03 84 24 20 66, *Fax 03 84 24 12 64*, – . GB Y e

*fermé 22 avril au 6 mai, 3 au 26 août, dim. et lundi* – **Repas** 16/26 ♀.

♦ Allons enfants ! À deux pas de la maison natale de Rouget de Lisle, cette façade ancienne joliment rénovée abrite une salle à manger contemporaine. Terrasse tranquille.

**Germandrée,** 740 rte Besançon par ① ✆ 03 84 47 24 70, – P. GB

*fermé 15 au 31 juil., vacances de fév., dim. soir et lundi* – **Repas** 15/40 ♀.

♦ C'est une cuisine classique, sensible au rythme des saisons, que l'on vous propose dans cette salle à manger rustique, refaite et réchauffée par une cheminée.

**à Chille par** ① *rte de Besançon et D 157 : 3 km – 217 h. alt. 330 – ✉ 39570 :*

**Parenthèse** M, ✆ 03 84 47 55 44, *parenthese.hotel@wanadoo.fr, Fax 03 84 24 92 13*, , , – P – 30. AE GB

**Repas** *(fermé sam. midi, dim. soir et lundi midi)* 17,50/58 ♀, enf. 10 – ☕ 8,50 – **28 ch** 89/130 – ½ P 80/100.

♦ Sur la route du vignoble jurassien, hôtellerie contemporaine dont les chambres offrent deux niveaux de confort ; la plupart possèdent un balcon avec vue sur le parc boisé.

**au Sud** *par D 117 et D 41 : 6 km – ✉ 39570 Vernantois :*

**Domaine du Val de Sorne** M, ✆ 03 84 43 04 80, *info@valdesorne.com, Fax 03 84 47 31 21*, , , , , – , rest, P – 50. AE GB

**Repas** *(fermé 20 déc. au 5 janv.)* 16 (déj.), 25/48 ♀ – ☕ 11 – **36 ch** 89/120.

♦ Au coeur du golf du Val de Sorne, construction régionale moderne proposant des équipements de loisirs de qualité et de confortables chambres colorées. Dynamique.

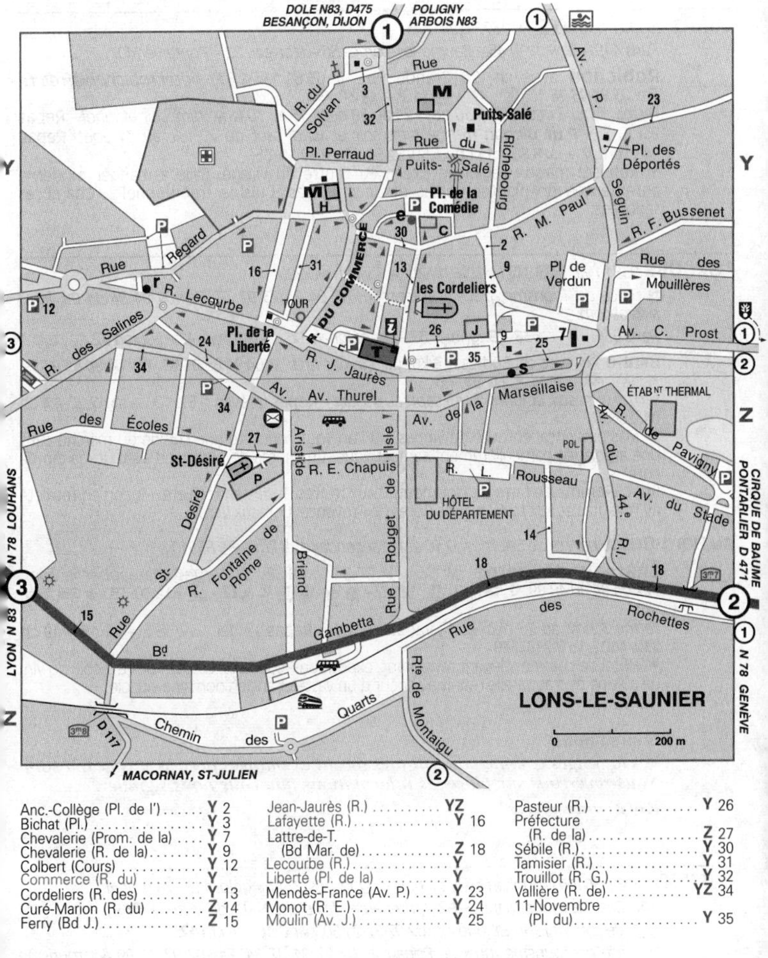
DOLE N83, D475
BESANÇON, DIJON
POLIGNY
ARBOIS N83
Rue
R. du Solvan
Puits-Salé
Pl. Perraud
Rue du Puits-Salé
Pl. de la Comédie
Richebourg
Av. P. Seguin
Pl. des Déportés
R. M. Paul
R. F. Bussenet
Rue des Mouillères
Pl. de Verdun
Regard
Rue
R. Lecourbe
R. du Commerce
les Cordeliers
TOUR
Pl. de la Liberté
R. des Salines
R. J. Jaurès
Av. C. Prost
Av. Thurel
Av. de la Marseillaise
ÉTABᴺᵀ THERMAL
Rue des Écoles
St-Désiré
Aristide Briand
R. E. Chapuis
Rouget de l'Isle
R. L. Rousseau
HÔTEL DU DÉPARTEMENT
R. de Pavigny
Av. du Stade
44ᵉ R.I.
Av. du
Désiré
Rue St-Désiré
R. Fontaine de Rome
Gambetta
Bd
Rue des Rochettes
Rte de Montaigu
Rue des Quarts
Chemin des Quarts
D 117
MACORNAY, ST-JULIEN
LYON N 83 N 78 LOUHANS
CIRQUE DE BAUME PONTARLIER D 471
N 78 GENÈVE
LONS-LE-SAUNIER
0
200 m
Y
Z

| | | |
|---|---|---|
| Anc.-Collège (Pl. de l') . . . . . . Y 2 | Jean-Jaurès (R.) . . . . . . . . . . YZ | Pasteur (R.) . . . . . . . . . . . . . . Y 26 |
| Bichat (Pl.) . . . . . . . . . . . . . . Y 3 | Lafayette (R.) . . . . . . . . . . . . . Y 16 | Préfecture (R. de la) . . . . . . . . . . Z 27 |
| Chevalerie (Prom. de la) . . . . Y 7 | Lattre-de-T. (Bd Mar. de) . . . . . . . . . . . . Z 18 | Sébile (R.) . . . . . . . . . . . . . . . Y 30 |
| Chevalerie (R. de la) . . . . . . . . Y 9 | Lecourbe (R.) . . . . . . . . . . . . . Y | Tamisier (R.) . . . . . . . . . . . . . . Y 31 |
| Colbert (Cours) . . . . . . . . . . . Y 12 | Liberté (Pl. de la) . . . . . . . . . . Y | Trouillot (R. G.) . . . . . . . . . . . . Y 32 |
| Commerce (R. du) . . . . . . . . . Y | Mendès-France (Av. P.) . . . . . Y 23 | Vallière (R. de) . . . . . . . . . . . YZ 34 |
| Cordeliers (R. des) . . . . . . . . . Y 13 | Monot (R. E.) . . . . . . . . . . . . . . Y 24 | 11-Novembre (Pl. du) . . . . . . . . . . . . . . Y 35 |
| Curé-Marion (R. du) . . . . . . . . Z 14 | Moulin (Av. J.) . . . . . . . . . . . . . Y 25 | |
| Ferry (Bd J.) . . . . . . . . . . . . . . Z 15 | | |

**à Courlans par** ③ *rte de Chalon, N 78 : 6 km – 640 h. alt. 227 – ✉ 39570 :*

XXX ✿ **Auberge de Chavannes** (Carpentier), ✆ 03 84 47 05 52, *contact@auberge-de-chavannes.com, Fax 03 84 43 26 53,* – **P.** GB
*fermé 22 juin au 4 juil., janv., dim. soir, mardi midi et lundi* – **Repas** (nombre de couverts limité, prévenir) 29/46 et carte 57 à 70 ♀.
◆ Cette auberge bourgeoise sait tirer le meilleur parti de sa situation aux confins de deux régions : la Bresse pour les volailles, le Revermont jurassien pour les vins.
**Spéc.** Suprême de poularde de Bresse en rouelles. Filets de pigeon rôtis et cuisses en caillette. Filet de canette au gingembre. **Vins** L'Etoile, Arbois.

*Dans ce guide*
*un même symbole, un même mot,*
*imprimé en **rouge** ou en **noir**, en maigre ou en **gras**,*
*n'ont pas tout à fait la même signification.*
*Lisez attentivement les pages explicatives.*

**LORAY** *25390 Doubs* 321 *I4 – 372 h alt. 745.*

*Paris 449 – Besançon 45 – Baume-les-Dames 36 – Morteau 22 – Pontarlier 40.*

XX **Robichon** avec ch, 22 Grande Rue ✆ 03 81 43 21 67, *hotel.robichon@free.fr, Fax 03 81 43 26 10,* – 30. GB

*fermé 1er au 8 oct., 20 au 30 nov., 21 au 28 déc., 15 au 30 janv., dim. soir et lundi* – **Repas** 25/70 ♀ - ***P'tit Bichon*** *(fermé dim. soir et lundi sauf du 20 juil. au 31 août)* **Repas** 14 ♀, enf. 7 – 8,80 – **11 ch** 46,50/52,50 – ½ P 52,50/55.

◆ Robuste maison régionale située au centre du village. Salle à manger moderne agrémentée de plantes vertes et de claustras. Cuisine traditionnelle. Chambres rénovées.

**LORGUES** *83510 Var* 340 N5 *G. Côte d'Azur – 6 340 h alt. 200.*

*Office du Tourisme, place d'Entrechaus ✆ 04 94 73 92 37, Fax 04 94 84 34 09, lorotsi@aol.com.*

*Paris 856 – Fréjus 38 – Brignoles 33 – Draguignan 12 – St-Raphaël 42 – Toulon 72.*

XXX ✿ **Bruno** avec ch, Sud-Est : 3 km par rte des Arcs ✆ 04 94 85 93 93, *Fax 04 94 85 93 99,* ←, AE GB

*fermé dim. soir et lundi du 15 sept. au 15 juin* – **Repas** (prévenir) 52/100 – 12,20 – **4 ch** 84/206.

◆ Mas provençal entouré de vignes, où l'on vous concocte une cuisine du marché dans une ambiance particulièrement sympathique. Chambres de plain-pied avec un "jardin de curé".

**Spéc.** Pomme de terre de Noirmoutier aux truffes. Truffe en feuilleté. Pigeon en feuilleté au foie gras et aux truffes. **Vins** Côtes de Provence, Coteaux Varois.

**au Nord-Ouest** *par rte de Salernes, D 10 et rte secondaire : 8 km – ✉ 83510 :*

**Château de Berne** M, ✆ 04 94 60 48 88, *auberge@chateauberne.com, Fax 04 94 60 48 89,* ←, – 20 à 30. AE GB JCB.

*fermé 3 nov. au 25 déc. et 5 janv. au 13 fév.* – **Repas** 29 (déj.), 39/58 ♀ – 18 – **19 ch** 270/440 – ½ P 213/349.

◆ Hôtel de charme, élégant restaurant, expositions, concerts, espace forme, école du vin, de cuisine et d'aquarelle réunis au coeur d'un vaste et ancien domaine viticole.

*Ecrivez-nous...*

*Vos louanges comme vos critiques seront examinées avec le plus grand soin. Nous reverrons sur place les informations que vous nous signalez.*

*Par avance merci !*

**LORIENT** *56100 Morbihan* 308 K8 *G. Bretagne – 59 271 h Agglo. 116 174 h alt. 4.*

**Voir** *Base des sous-marins*★ **AZ** – *Intérieur*★ *de l'église N.-D.-de-Victoire* **BY E.**

*de Lorient Lann-Bihoué : ✆ 02 97 87 21 50, par D 162 : 8 km* **AZ.**

*Office du Tourisme, quai de Rohan ✆ 02 97 21 07 84, Fax 02 97 21 99 44, tourismelorient@aimail.com.*

*Paris 504 ② – Vannes 60 ② – Quimper 68 ② – St-Brieuc 115 ② – St-Nazaire 146 ②.*

Plan page ci-contre

**Mercure** M sans rest, 31 pl. J. Ferry ✆ 02 97 21 35 73, *H0873@accor-hotels.com, Fax 02 97 64 48 62* – – 50. AE GB JCB **BZ m**

10 – **58 ch** 87/97.

◆ Situation très pratique : commerces, palais des congrès et bassin à flot sont à proximité. Réception et salons rénovés, chambres fonctionnelles aux murs crépis.

**Cléria** sans rest, 27 bd Mar. Franchet d'Esperey ✆ 02 97 21 04 59, *info@hotel-cleria.com, Fax 02 97 64 19 10* – – 15. AE GB JCB **AY f**

7 – **33 ch** 68/76.

◆ Une rénovation rondement menée a transformé cet établissement lorientais : chambres claires avec mobilier actuel et literie neuve, salles de bains refaites.

**Victor-Hugo** sans rest, 36 r. L. Carnot ✆ 02 97 21 16 24, *hotelvictorhugolaurent@wanadoo.fr, Fax 02 97 84 95 13* – . AE GB **BZ f**

6 – **29 ch** 40/62.

◆ Petites chambres bien équipées, bonne isolation phonique et accueil attentionné sont les principales caractéristiques de cet hôtel situé dans le quartier de Nouvelle Ville.

# LORIENT

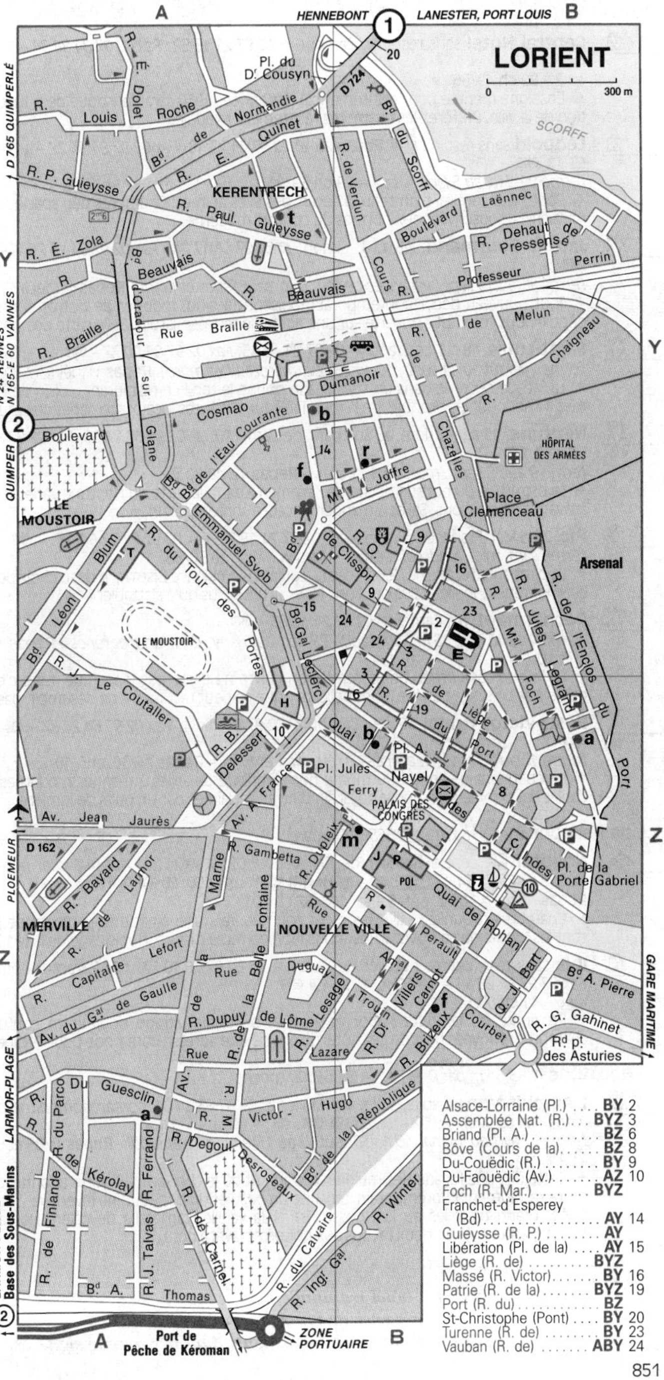

LORIENT
0
300 m
HENNEBONT
LANESTER, PORT LOUIS
A
B
Y
Z
1
2
20
D 724
D 765 QUIMPERLÉ
N 24 RENNES
N 165-E 60 VANNES
QUIMPER
PLOEMEUR
D 162
LARMOR-PLAGE
LARMOR-PLAGE
Base des Sous-Marins
GARE MARITIME
ZONE PORTUAIRE
Port de Pêche de Kéroman
SCORFF
Pl. du Dr Cousyn
R. É. Dolet
R. Louis Roche
Normandie
Bd de E. Quinet
R. de Verdun
Bd du Scorff
R. P. Guieysse
KERENTRECH
R. Paul Guieysse
R. É. Zola
Bd d'Oradour-sur-Glane
Beauvais
R. Beauvais
Cours de Chazelles
Boulevard Laënnec
R. Dehaut de Pressensé
Perrin
Professeur
R. de Melun
Chaigneau
R. Braille
Rue Braille
Dumanoir
Cosmao
Bd de l'Eau Courante
Boulevard
LE MOUSTOIR
HÔPITAL DES ARMÉES
Place Clemenceau
Joffre
Bd Franchet-d'Esperey
Emmanuel Svob
R. du Tour des Portes
Blum
Léon
Bd
R. J. Le Coutaller
LE MOUSTOIR
R. de Clisson
R. O.
Arsenal
R. de l'Enclos du Port
R. Jules Legrand
R. Mal Foch
R. de Liège
R. du Port
Bd Gal Leclerc
R. B. Delessert
Quai
Pl. A.
Pl. Jules Ferry
Nayel
PALAIS DES CONGRÈS
Av. A. France
Av. Jean Jaurès
des Indes
Pl. de la Porte Gabriel
POL
Quai de Rohan
R. Gambetta
R. Dupleix
Marne
Fontaine
Rue
NOUVELLE VILLE
MERVILLE
R. Bayard
Larmor
R. de Lefort
R. Capitaine
R.
Av. du Gal de Gaulle
R. de la Belle
R. Dupuy de Lôme
R. Lesage
Duguay-Trouin
Amal Villers
R. Dr
Carnot
R. Brizeux
Perault
J. Bart
Courbet
Bd A. Pierre
R. G. Gahinet
Rd pt des Asturies
Rue Lazare
Hugo
Victor
Bd de la République
R. M.
R. Du Guesclin
R. du Parco
R. de Kérolay
R. Ferrand
R. Degoul
Desroseaux
R. de Carnel
R. de Finlande
R. J. Talvas
Bd A. Thomas
R. du Calvaire
R. Ingr Gal
R. Winter


Alsace-Lorraine (Pl.) . . . . **BY** 2
Assemblée Nat. (R.) . . . **BYZ** 3
Briand (Pl. A.) . . . . . . . . **BZ** 6
Bôve (Cours de la) . . . . . . **BZ** 8
Du-Couëdic (R.) . . . . . . . . **BY** 9
Du-Faouëdic (Av.) . . . . . . . **AZ** 10
Foch (R. Mar.) . . . . . . . . **BYZ**
Franchet-d'Esperey (Bd) . . . . . . . . . . . . . . . . **AY** 14
Guieysse (R. P.) . . . . . . . . **AY**
Libération (Pl. de la) . . . . **AY** 15
Liège (R. de) . . . . . . . . . . **BYZ**
Massé (R. Victor) . . . . . . . **BY** 16
Patrie (R. de la) . . . . . . . **BYZ** 19
Port (R. du) . . . . . . . . . . **BZ**
St-Christophe (Pont) . . . . **BY** 20
Turenne (R. de) . . . . . . . . **BY** 23
Vauban (R. de) . . . . . . . **ABY** 24

**Central Hôtel** sans rest, 1 r. Cambry ☎ 02 97 21 16 52, *Fax 02 97 84 88 94* – ✆. AE ⓞ GB BZ b
⊡ 7 – **22 ch** 49/56.
◆ Enseigne méritée pour cet immeuble des années 1950 caractéristique de la reconstruction de la ville. Préférez les chambres récemment rajeunies.

**Léopold** sans rest, 11 r. W. Rousseau ☎ 02 97 21 23 16, *Fax 02 97 84 93 27* – |‡| ⇔ TV ✆. AE ⓞ GB BY r
*fermé 22 déc. au 5 janv.* – ⊡ 7 – **29 ch** 39/61.
◆ Petit hôtel familial bien tenu, à l'écart des axes animés. Chambres peu spacieuses mais rafraîchies, souscrivant aux normes du confort moderne.

**Jardin Gourmand,** 46 r. J. Simon ☎ 02 97 64 17 24, *Fax 02 97 64 15 75,* ☂ – ▤. GB AY t
*fermé 1er au 15 sept., vacances de fév., dim. sauf fériés et lundi* – **Repas** 21 (déj.)/32 ♀.
◆ Tout nouveau décor contemporain (boiseries acajou, mobilier de bistrot épuré, verre dépoli) pour cette salle ouverte sur une agréable terrasse-jardin. Belle carte des vins.

**Saint-Louis,** 48 r. J. Le Grand ☎ 02 97 21 50 45, *Fax 02 97 84 00 77* – GB BZ a
*fermé 20 août au 11 sept., 10 au 26 fév., mardi soir et merc* – **Repas** 11 (déj.), 17,50/36 ♀.
◆ La façade décorée dans un style marin donne le ton : ce restaurant, voisin de l'arsenal, met à l'honneur les produits de la mer. Tableaux d'artistes locaux accrochés aux murs.

**Neptune,** 15 av. Perrière, au Sud par r. de Carnel **AZ** ☎ 02 97 37 04 56, *Fax 02 97 87 07 54* – AE ⓞ GB
*fermé 9 au 30 sept., merc. soir et dim.* – **Repas** 12/48,80 ♀.
◆ La proximité du port de pêche de Keroman aidant, la carte du Neptune varie au gré des arrivages de poissons. Salles à manger au cadre contemporain.

**Pic,** 2 bd Mar. Franchet d'Esperey ☎ 02 97 21 18 29, *Fax 02 97 21 92 64,* ☂ – GB AY b
*fermé sam. midi, lundi soir et dim.* – **Repas** *(14,50)* - 18,50/38.
◆ La pimpante façade, le décor "rétro" rutilant, l'ambiance bistrot, le beau choix de vins, la cuisine traditionnelle et ses poissons frais... il n'y a plus qu'à s'attabler !

**Pécharmant,** 5 r. Carnel ☎ 02 97 21 33 86 – GB AZ a
*fermé 4 au 13 mai, 13 juil. au 4 août, 28 déc. au 6 janv., dim. lundi et fériés* – **Repas** 16/38 ♀, enf. 10.
◆ La façade rose ornée de casseroles en cuivre ne passe pas inaperçue, mais c'est bien grâce à sa cuisine - généreuse et délicate - que ce petit restaurant ne désemplit pas.

**Rest. Victor-Hugo,** 36 r. L. Carnot ☎ 02 97 64 26 54, *Fax 02 97 64 24 87* – AE ⓞ GB JCB BZ f
*fermé 1er au 15 sept., vacances de fév., dim. et lundi* – **Repas** 14/36, enf. 10.
◆ Indépendant de l'hôtel du même nom. Enfilade de salles à manger modernes - l'une d'elles est égayée d'un décor de jardin d'hiver - éclairées par un puits de lumière.

**Z.I. de Kerpont** *par ① : 6 km* – ✉ *56850 Caudan :*

**Novotel** Ⓜ, centre hôtelier de Bellevue ☎ 02 97 89 21 21, *H0434@accor-hotels.com, Fax 02 97 89 21 24,* ☂, 🏊, ⛰ – |‡| ⇔ TV ✆ P – 🏛 100. AE ⓞ GB JCB
**Repas** *(17,60)* - 21,90 ♀, enf. 8 – ⊡ 11 – **87 ch** 103.
◆ Chambres rajeunies, salle des repas tournée vers une pinède et parcours de jogging sont les atouts de ce Novotel. Insonorisation correcte malgré le voisinage de la N 165.

**Ibis** sans rest, centre hôtelier de Bellevue ☎ 02 97 76 40 22, *h0616@accor-hotels.com, Fax 02 97 81 28 56* – ⇔ TV ✆ P. AE ⓞ GB
⊡ 6 – **41 ch** 60/68.
◆ Proximité de la route nationale - efficace double vitrage pour votre confort - et chambres rénovées font de cet hôtel de chaîne une adresse commode pour l'étape.

**au Nord-Ouest** *: 3,5 km par D 765* **AY** – ✉ *56100 Lorient :*

**L'Amphitryon** (Abadie), 127 r. Col. Müller ☎ 02 97 83 34 04, *contact@amphitryon.abadie.com, Fax 02 97 37 25 02* – ▤. AE ⓞ GB. ✗
*fermé 27 avril au 13 mai, 13 au 30 sept., 2 au 13 janv., dim. et lundi* – **Repas** 33/85 et carte 71 à 89 ♀, enf. 14.
◆ Cette discrète façade dissimule un restaurant où le chef-amphitryon s'adonne, dans un cadre résolument contemporain, au culte du beau et du bon. Cuisine inventive.
**Spéc.** Gratin d'étrilles au kari-gosse. Bar à la vanille, tagliatelle de céleri. Homard cuit minute, artichauts en deux façons aux noisettes (avril à oct.).

*Si vous cherchez un hôtel tranquille,*
*consultez d'abord les cartes de l'introduction*
*ou repérez dans le texte les établissements indiqués avec le signe* 🐎.

**LORMES** *58140 Nièvre* 319 F8 *G. Bourgogne – 1 464 h alt. 420.*

*Voir Terrasse du cimetière* ✻★ – *Mont de la Justice* ✻★ *NO : 1,5 km.*

*Office du Tourisme, 5 route d'Avallon ✆ 03 86 22 82 74, Fax 03 86 22 88 21, ot.morvandeslacs@wanadoo.fr.*

*Paris 250 – Autun 63 – Avallon 29 – Clamecy 34 – Nevers 75.*

**Perreau,** 8 rte Avallon ✆ 03 86 22 53 21, *Fax 03 86 22 82 15* – TV P. GB

*fermé 22 déc. au 3 fév., dim. soir et lundi d'oct. à mai* – **Repas** *(11 bc)* - 14/32 ♀ – ☕ 5,50 – **17 ch** 43/57 – 1/2 P 41/48.

◆ Sympathique auberge sur la traversée de la cité morvandelle. Chambres colorées (préférez l'annexe) et plaisante salle à manger rustique (poutres, pierres, lampes-vitraux).

**LORRIS** *45260 Loiret* 318 M4 *G. Châteaux de la Loire – 2 620 h alt. 126.*

*Voir Église N.-Dame★.*

*Office du Tourisme, 2 rue des Halles ✆ 02 38 94 81 42, Fax 02 38 94 88 00.*

*Paris 132 – Orléans 55 – Gien 27 – Montargis 23 – Pithiviers 44 – Sully-sur-Loire 19.*

XX **Guillaume de Lorris,** 8 Grande Rue ✆ 02 38 94 83 55, *guillaumedelorris@club-internet.fr, Fax 02 38 94 83 55* – AE GB

*fermé 18 août au 2 sept., 5 au 13 janv., 23 fév. au 2 mars, lundi et mardi* – **Repas** (nombre de couverts limité, prévenir) 21/46 ♀.

◆ L'enseigne évoque l'auteur du Roman de la Rose, natif de Lorris. Cheminée, poutres et pierres : un plaisant intérieur rustique où l'on régale d'une cuisine au goût du jour.

XX **Sauvage** avec ch, pl. Martroi ✆ 02 38 92 43 79, *Fax 02 38 94 82 46* – rest, TV. AE GB

*fermé 1er au 20 oct., fév., dim. soir et vend.* – **Repas** 21/48, enf. 9 – ☕ 6 – **8 ch** 45/57,50 – 1/2 P 48/53.

◆ Vous trouverez ce "sauvage" bien civilisé : accueil familial, salle à manger aménagée sous une verrière, autour d'un jardin d'hiver, et chambres fraîches et bien tenues.

*Si le coût de la vie subit des variations importantes,*
*les prix que nous indiquons peuvent être majorés.*
*Lors de votre réservation à l'hôtel, faites-vous préciser le prix définitif.*

**LOUBRESSAC** *46130 Lot* 337 G2 *G. Périgord Quercy – 449 h alt. 320.*

*Voir Site★ du château.*

*Office de tourisme, ✆ 05 65 10 82 18, saint-cere@wanadoo.fr.*

*Paris 531 – Brive-la-Gaillarde 47 – Cahors 73 – Figeac 44 – Gramat 16 – St-Céré 10.*

**Relais de Castelnau** M, ✆ 05 65 10 80 90, *rdc@wanadoo.fr, Fax 05 65 38 22 02,* ← vallée, – TV P – 25 à 50. GB. rest

*1er avril-1er nov. et fermé dim. soir et lundi en avril et oct.* – **Repas** *(15)* - 23/39 – ☕ 9 – **40 ch** 80/100 – 1/2 P 69/75.

◆ Cette construction moderne est tournée vers l'imposant château de Castelnau-Bretenoux, qui domine la vallée. Chambres pratiques. Salle à manger et terrasse panoramiques.

**Lou Cantou**, ✆ 05 65 38 20 58, *Fax 05 65 38 25 37,* ←, – rest, TV P. AE GB

*fermé 25 oct. au 15 nov. et 15 au 28 fév., dim. soir et lundi hors saison* – **Repas** 12/28,40 ♀ – ☕ 6 – **12 ch** 49/55 – 1/2 P 50/55.

◆ Au coeur du village fortifié, chambres proprettes, plus grandes à l'annexe ; certaines profitent de la vue sur la vallée de la Bave. Vaste restaurant rustique.

**LOUDÉAC** *22600 C.-d'Armor* 309 F5 *G. Bretagne – 9 820 h alt. 155.*

*Syndicat d'Initiative, 1 rue Saint Joseph ✆ 02 96 28 25 17, Fax 02 96 28 25 33.*

*Paris 438 – St-Brieuc 40 – Carhaix-Plouguer 68 – Dinan 76 – Pontivy 25 – Rennes 87.*

**Voyageurs,** 10 r. Cadélac ✆ 02 96 28 00 47, *hoteldesvoyageurs@wanadoo.fr, Fax 02 96 28 22 30* – TV – 40. AE GB

*fermé 24 déc. au 3 janv.* – **Repas** *(fermé dim. soir hors saison, vend. soir et sam.)* 14/39 ♀ – ☕ 7 – **28 ch** 26/55 – 1/2 P 38/55.

◆ Cet établissement d'une rue commerçante animée du centre-ville vous accueille dans des chambres récemment rénovées et pourvues d'un efficace double vitrage.

**France,** 1 r. Cadélac ✆ 02 96 66 00 15, *jflb@wanadoo.fr, Fax 02 96 28 61 94* – TV P – 100. AE GB

*fermé 20 déc. au 11 janv.* – **Repas** *(fermé 20 déc.au 11 janv., sam. soir d'oct. à juin et dim.)* *(10)* - 13,50/28 ♀ – ☕ 6,20 – **35 ch** 32/57 – 1/2 P 35/45.

◆ Hôtel familial séculaire situé face à l'église. Chambres à la mode des années 1970 ; celles du 4e sont rajeunies. Restaurant d'esprit rustique, doté de sièges Louis XIII.

**LOUDUN** *86200 Vienne* 322 G2 *G. Poitou Vendée Charentes – 7 854 h alt. 120.*
Voir *Tour carrée* ※★ **AY.**
*Office du Tourisme, 2 rue des Marchands ✆ 05 49 98 15 96, Fax 05 49 98 69 49.*
*Paris 311 ① – Angers 80 ④ – Châtellerault 47 ① – Poitiers 56 ④ – Tours 73 ①.*

## LOUDUN

Anjou (Av. d') .............. **BY** 2
Château (R. du) .............. **AY** 3
Chevreau (R. U.) .............. **BZ** 4
Collège (R. du) .............. **BZ** 6
Corderie (R. de la) ........ **ABY** 7
Croix-Bruneau (R. de la) .... **AY** 9
Grand-Cour .............. **BY** 10
Jeu de Paume (R. du) ... **BYZ** 12
Leuze (Av. de) .............. **BY** 13
Meures (R. des) .............. **BY** 15
Palais (R. du) .............. **BYZ** 16
Petit Château (R. du) .... **AYZ** 17
Portail-Chaussé (R. du) .... **BY** 18
Porte-de-Chinon (R.) ...... **BY**
Poitou (Av. du) .............. **BZ** 20
Porte de Chinon (Pl.) ...... **BY** 22
Porte Mirebeau (Pl.) ...... **BZ** 23
Porte Mirebeau (R.) ...... **BZ** 24
Porte St-Nicolas (R.) .............. **AY** 27
Renaudot (R.) .............. **BY** 28
Touraine (Av. de) .............. **BY** 29
Vieille Charité (R.) .......... **BZ** 31
Vieille porte du Martray .... **AY** 32

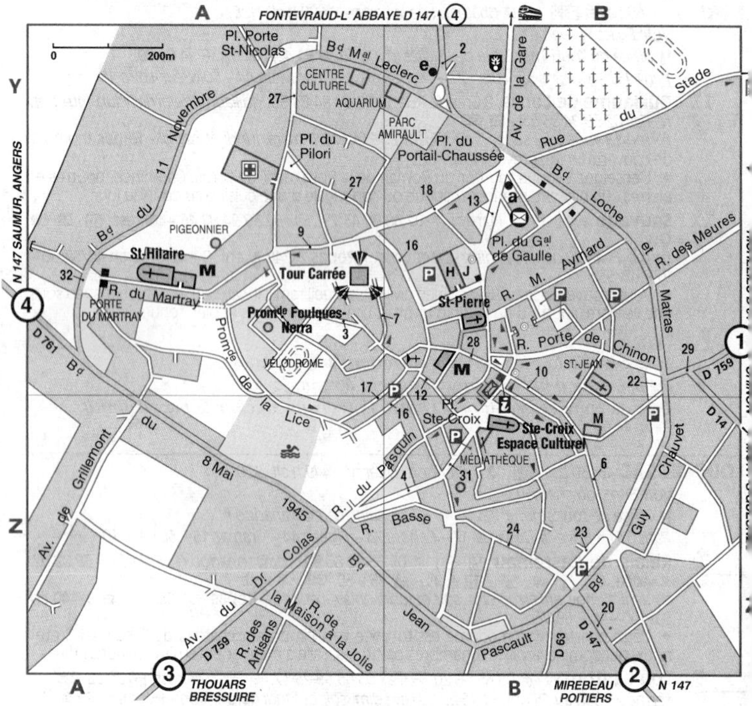

A
B
FONTEVRAUD-L'ABBAYE D 147
Y
Z
N 147 SAUMUR, ANGERS
THOUARS BRESSUIRE
MIREBEAU POITIERS
N 147
0
200m
Pl. Porte St-Nicolas
Bd Mal Leclerc
CENTRE CULTUREL
AQUARIUM
PARC AMIRAULT
Pl. du Pilori
Pl. du Portail-Chaussée
Av. de la Gare
Rue du Stade
Bd Loche et R. des Meures
Bd du 11 Novembre
PIGEONNIER
St-Hilaire
R. du Martray
PORTE DU MARTRAY
Tour Carrée
Promde Foulques-Nerra
Promde de la Lice
VÉLODROME
Pl. du Gal de Gaulle
R. M. Aymard
St-Pierre
R. Porte de Chinon
ST-JEAN
Matras
Pl. Ste-Croix
Ste-Croix Espace Culturel
MÉDIATHÈQUE
R. du Pasquin
R. Basse
Guy Chauvet
Bd du 8 Mai 1945
Av. de Grillemont
Av. du Dr. Colas
R. des Artisans
R. de la Maison à la Jolie
Bd Jean Pascault
D 761
D 759
D 14
D 63
D 147


**Hostellerie de la Roue d'Or,** 1 av. Anjou ✆ 05 49 98 01 23, *Fax 05 49 98 85 45,* – **BY** e
*fermé dim. soir et sam. d'oct. au 15 avril* – **Repas** 13/34,50 ♀, enf. 9,20 – 5,80 – **14 ch** 38,20/50,30 – ½ P 42,70/50.
◆ Cet ancien relais de poste abrite des chambres simples, meublées dans le style Louis-Philippe et mansardées au 2e étage. Salle à manger bourgeoise ; cuisine traditionnelle.

**Renaudot** sans rest, 40 av. de Leuze ✆ 05 49 98 19 22, *Fax 05 49 98 94 22* – **BY** a
7 – **29 ch** 36.
◆ L'enseigne rend hommage au Loudunais fondateur de la presse française et du Mont-de-Piété parisien. Spacieuses chambres fonctionnelles, bénéficiant d'une literie neuve.

**LOUÉ** *72540 Sarthe* 310 I7 – *1 929 h alt. 112.*
*Paris 231 – Le Mans 29 – Laval 59 – Rennes 127 – Sillé-le-Guillaume 26.*

**Ricordeau** Ⓜ, 13 r. Libération ✆ 02 43 88 40 03, *hotel-ricordeau@wanadoo.fr, Fax 02 43 88 62 08,* – 25. ch
**Repas** *(fermé dim. soir et lundi)* 21/65 ♀, enf. 13 – 10 – **14 ch** 50/108, 4 appart.
◆ Dans la patrie des volailles fermières, un relais de poste du 19e s. au bord de la Vègre. Chambres personnalisées, salle à manger soignée, terrasse et jardin au ras de l'eau.

**LOUHANS** 71500 S.-et-L. 320 L10 *G. Bourgogne – 6 140 h alt. 179.*

Voir *Grande-Rue★.*

*Office du Tourisme, 1 Arcades St-Jean ☎ 03 85 75 05 02, Fax 03 85 75 48 70, otlouhans @wanadoo.fr.*

*Paris 373 – Chalon-sur-Saône 37 – Bourg-en-Bresse 61 – Dijon 85 – Dole 76 – Tournus 31.*

**Moulin de Bourgchâteau**, r. Guidon (rte Chalon) ☎ 03 85 75 37 12, *bourgchateau @netcourrier.com, Fax 03 85 75 45 11,* – 15. GB. rest

*fermé 10 au 20 janv.* – **Repas** *(fermé lundi)* (nombre de couverts limités, prévenir) 20 (déj.), 26/32, enf. 10 – 10 – **17 ch** 39/58 – ½ P 48,50/83,50.

◆ Moulin de 1778 transformé en auberge champêtre des bords de la Seille. Chambres rénovées, salle des repas de caractère et insolite salon aménagé parmi les engrenages.

**Hostellerie du Cheval Rouge,** 5 r. Alsace ☎ 03 85 75 21 42, *hotel-chevalrouge@wana doo.fr, Fax 03 85 75 44 48,* – . GB

*fermé 16 au 26 juin, 22 déc. au 12 janv., dim. soir du 24 nov. au 30 mars, mardi midi et lundi* – **Repas** 16/37 – 6,10 – **9 ch** 32/43 – ½ P 40.

◆ Dans une rue commerçante, ancien relais de poste aux chambres campagnardes. La table est dressée dans la salle à manger habillée de boiseries ou dans la cour intérieure.

**annexe La Buge** sans rest, – – 20. GB.

*fermé 16 au 26 juin, 22 déc. au 12 janv. et dim. du 24 nov. au 30 mars* – 6,10 – **14 ch** 40/56.

◆ Face à un jardin potager, cette plaisante construction neuve tout en longueur offre des chambres claires égayées de tissus colorés.

**LOURDES** 65100 H.-Pyr. 342 L6 *G. Midi-Pyrénées – 16 300 h alt. 420 Grand centre de pèlerinage.*

Voir *Château fort★* **DZ** *: musée pyrénéen★ – Musée Grévin de Lourdes★* **DZ M¹** *– Basilique souterraine St-Pie X* **CZ** *– Pic du Jer★.*

*de Tarbes-Lourdes-Pyrénées : ☎ 05 62 32 92 22, par ① : 1m.*

*Office du Tourisme, place Peyramale ☎ 05 62 42 77 40, Fax 05 62 94 60 95, lourdes @sudfr.com.*

*Paris 861 ① – Pau 46 ④ – Bayonne 147 ④ – St-Gaudens 85 ② – Tarbes 18 ①.*

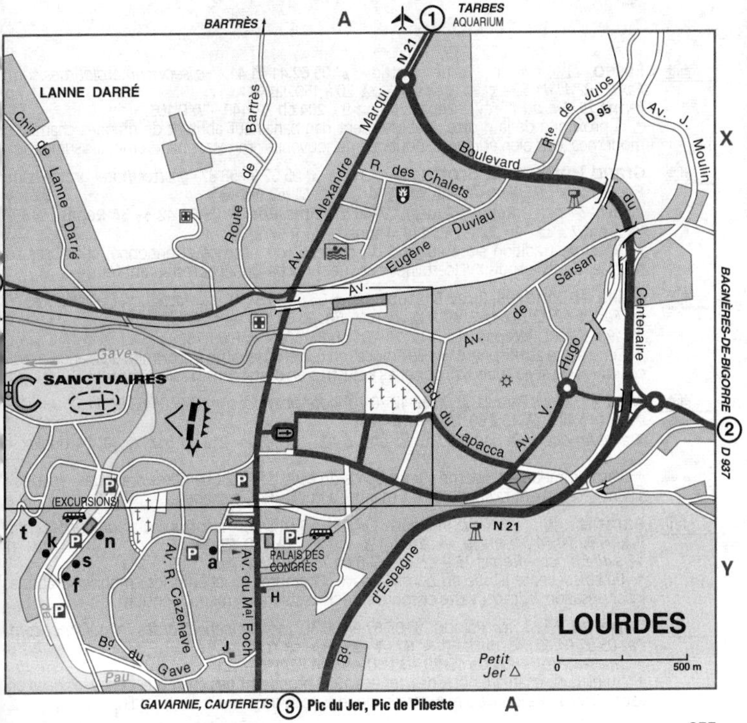

BARTRÈS
A
1
TARBES
AQUARIUM
N 21
LANNE DARRÉ
Ch. de Lanne Darré
Route de Bartrès
Av. Alexandre Marqui
R. des Chalets
Boulevard du Centenaire
Rte de Julos
D 95
Av. J. Moulin
X
Av. Eugène Duviau
Av. de Sarsan
Av. V. Hugo
BAGNÈRES-DE-BIGORRE
2
D 937
Gave
SANCTUAIRES
Bd du Lapacca
P
(EXCURSIONS)
t
k
n
s
f
a
Av. R. Cazenave
Av. du Mal Foch
PALAIS DES CONGRÈS
H
J
N 21
Av. d'Espagne
Y
Bd du Gave
Pau
Bd
Petit Jer
LOURDES
0
500 m
GAVARNIE, CAUTERETS
3
Pic du Jer, Pic de Pibeste
A

## LOURDES



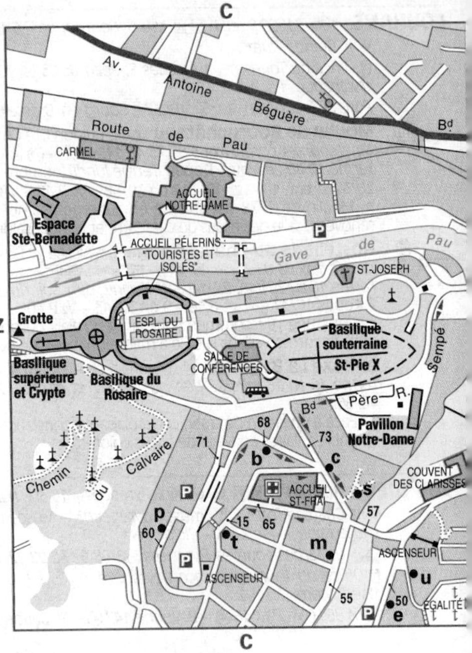

C
Av. Antoine Béguère
Route de Pau
Bd
CARMEL
ACCUEIL NOTRE-DAME
Espace Ste-Bernadette
ACCUEIL PÈLERINS : "TOURISTES ET ISOLÉS"
Gave de Pau
ST-JOSEPH
Z
Grotte
ESPL. DU ROSAIRE
Basilique souterraine St-Pie X
Sempé
SALLE DE CONFÉRENCES
Basilique supérieure et Crypte
Basilique du Rosaire
Bd Père R.
Pavillon Notre-Dame
Chemin du Calvaire
68
71
73
b
c
s
COUVENT DES CLARISSES
ACCUEIL ST-FRAI
57
p
60
15
65
t
m
ASCENSEUR
u
ASCENSEUR
55
50
e
ÉGALITÉ
C

**Éliseo** M, 4 r. Reine Astrid ☎ 05 62 41 41 41, *eliseo@cometolourdes.com,* CZ p
*Fax 05 62 41 41 50* – P – 20 à 150. AE GB
*fermé 15 déc. au 1er fév.* – **Repas** 26 – 9 – **204 ch** 79/149 – ½ P 103.
◆ À proximité de la grotte, établissement flambant neuf abritant de grandes chambres modernes, très bien équipées. Boutique de souvenirs ; terrasses panoramiques sur le toit.

**Grand Hôtel de la Grotte,** 66 r. Grotte ☎ 05 62 94 58 87, *grotte@hotel-grotte.com,* DZ y
*Fax 05 62 94 20 50,* ← – TV P. AE GB JCB
*10 avril-31 oct.* – **Repas** 22 (déj.), 27/45 ♀ - ***Brasserie*** ☎ 05 62 42 39 34 **Repas** *(12)* 15/23 ♀, enf.7 – 12 – **72 ch** 62/128, 4 appart – ½ P 67/96.
◆ Hôtel de tradition situé au pied du château fort : service attentionné, chambres au mobilier de style Louis XVI (certaines ont vue sur la basilique) et restaurant feutré.

**Gallia et Londres,** 26 av. B. Soubirous ☎ 05 62 94 35 44, *contact@hotelgallialondres.com, Fax 05 62 42 24 64,* ← – rest, TV. AE GB JCB. rest CZ c
*1er avril-31 oct.* – **Repas** 21 ♀ – 11 – **91 ch** 86/105 – ½ P 68/75.
◆ Séduisante atmosphère "vieille France" en ce bel hôtel situé à proximité des sanctuaires : chambres de style Louis XVI, boiseries et lustres en cristal dans la salle à manger.

**Alba** M, 27 av. Paradis ☎ 05 62 42 70 70, *hotelalba@aol.com, Fax 05 62 94 54 52,* – P – 15 à 60. AE GB. rest AY f
*3 avril-fin oct.* – **Repas** 9,80/15 ♀, enf. 5,40 – 7,60 – **213 ch** 81/122,50, 24 duplex – ½ P 60.
◆ Vaste immeuble moderne sur les bords du gave de Pau. Chambres pratiques ; spacieux salons récemment rajeunis ; salle à manger actuelle. Petite chapelle.

**Paradis** M, 15 av. Paradis ☎ 05 62 42 14 14, *info@hotelparadislourdes.com,* AY n
*Fax 05 62 94 64 04,* ← – rest, TV P – 150. AE GB
*12 avril-fin oct.* – **Repas** 23 – 10 – **300 ch** 75/90 – ½ P 70.
◆ Bâtisse récente située au bord du gave. Chambres fonctionnelles : mobilier pratique, insonorisation efficace. Vaste et sobre salle de restaurant ; menu "pension".

**Impérial** M, 3 av. Paradis ☎ 05 62 94 06 30, *hotelimperial.lourdes.fr@gofornet.com,* CZ u
*Fax 05 62 94 48 04* – TV. AE GB JCB. rest
*1er mars-15 déc.* – **Repas** 16/20 – 10 – **93 ch** 82/116 – ½ P 79.
◆ Au pied du château, hôtel des années 1930 proposant des chambres rénovées dans un esprit "rétro". Belle salle à manger classique avec salon ouvrant sur le jardin.

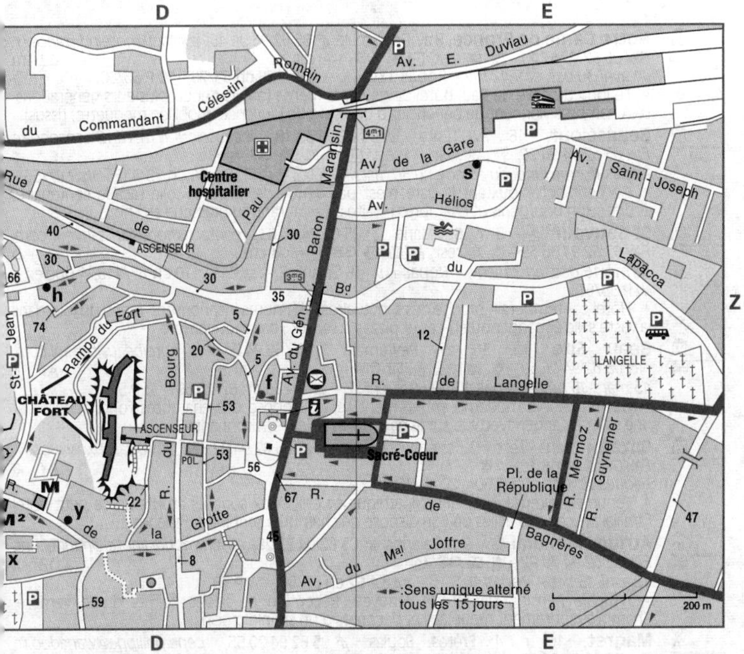
D
E
Av. E. Duviau
Romain
Célestin
du Commandant
Rue de
Centre hospitalier
Pau
Maransin
Baron
Av. du Gén
Av. de la Gare
Av. Hélios
Av. Saint-Joseph
Lapacca
du
Bd
ASCENSEUR
Rampe du Fort
CHÂTEAU FORT
St-Jean
Bourg
R. du
R. de Langelle
LANGELLE
Sacré-Coeur
Mermoz
Guynemer
Pl. de la République
R. de la Grotte
R. de Bagnères
Av. du Mal Joffre
POL
Z
:Sens unique alterné tous les 15 jours
0
200 m

**Méditerranée** M, 23 av. Paradis ✆ 05 62 94 72 15, *hotelmed@aol.com, Fax 05 62 94 10 54* – |$|, ▤ ♿ P – 20 à 60. AE GB — AY s
*15 mars-10 nov.* – **Repas** 15/19,50 ♀, enf. 7 – ☕ 7 – **171 ch** 65,50/81 – ½ P 60.
◆ L'établissement bénéficie d'une cure de rajeunissement : chambres bien pensées, petit solarium et chapelle pour se recueillir. Clientèle internationale.

**Christ-Roi,** 9 r. Mgr Rodhain ✆ 05 62 94 24 98, *Fax 05 62 94 17 65* – |$|, ▤ rest, ♿ – 30. AE GB. ✗ rest — AY t
*Pâques-15 oct.* – **Repas** 16 – ☕ 6,10 – **172 ch** 65, 8 duplex – ½ P 54.
◆ Les pèlerins peuvent prendre un ascenseur situé à deux pas de l'hôtel pour rejoindre la cité religieuse. Chambres actuelles dans un édifice récent. Bar anglais.

**Solitude** M, 3 passage St-Louis ✆ 05 62 42 71 71, *contact@hotelsolitude.com, Fax 05 62 94 40 65,* ← – |$|, ▤ rest, ♿ – 15 à 100. AE ◑ GB JCB. ✗ — CZ s
*1er avril-5 nov.* – **Repas** 16 ♀ – ☕ 11 – **281 ch** 67/114, 4 appart, 8 duplex – ½ P 55/63.
◆ Le long du gave de Pau, ce bâtiment abrite de plaisantes chambres à la page. Immense salle à manger tournée vers la rivière ou espace brasserie plus intime.

**Espagne,** 9 av. Paradis ✆ 05 62 94 50 02, *hoteldespagne@wanadoo.fr, Fax 05 62 94 58 15,* ← – |$|, ▤ rest, P – 35. AE GB. ✗ — CZ e
*19 avril-20 oct.* – **Repas** 18,30 – ☕ 6,60 – **129 ch** 68/81,50 – ½ P 56,50.
◆ L'enseigne et la discrète décoration hispano-mauresque du salon et de la salle à manger rappellent la proximité de l'Espagne. Sobres petites chambres fonctionnelles.

**Excelsior,** 83 bd Grotte ✆ 05 62 94 02 05, *hotel.excelsior@wanadoo.fr, Fax 05 62 94 82 88* – |$|, ▤ rest, TV. AE ◑ GB JCB. ✗ rest — DZ h
*17 avril-fin oct.* – **Repas** 17,50/20 – ☕ 9,80 – **67 ch** 57/102 – ½ P 55,50.
◆ Les pèlerins ont ici le choix entre plusieurs types de chambres, mais toutes sont rénovées ; certaines ont vue sur la basilique, d'autres sur le château fort.

**Florida,** 3 r. Carrières Peyramale ✆ 05 62 94 51 15, *flo_aca_mira_hotels@hotmail.com, Fax 05 62 94 69 49* – |$| ▤ TV ♿ P. AE ◑ GB. ✗ rest — CZ t
*4 avril-31 oct. et 8 au 12 fév.* – **Repas** 12 – ☕ 8,50 – **117 ch** 46,70/76,40 – ½ P 46,70.
◆ L'intérieur du Florida a été entièrement refait. Chambres confortables et terrasse panoramique. À noter : l'hôtel est bien équipé pour l'accueil des personnes handicapées.

**Notre Dame de France,** 8 av. Peyramale ☎ 05 62 94 91 45, *contact@hotelnd.france.fr, Fax 05 62 94 57 21* – |♦|, ▤ rest, TV ♿. GB. ✗ rest CZ m
*1er avril-30 oct. et 9-12 fév.* – **Repas** 12/15 – ☕ 7 – **76 ch** 55/75 – ½ P 55/60.
◆ Le long du gave de Pau, hôtel dirigé par la même famille depuis plusieurs générations. Les chambres viennent de bénéficier d'une cure de jouvence (mobilier, moquette, tissus).

**Beauséjour,** 16 av. Gare ☎ 05 62 94 38 18, *beausejour.p.martin@wanadoo.fr, Fax 05 62 94 96 20,* , – |♦|, ▤ rest, TV P. AE ⓓ GB JCB EZ s
**Repas** *(fermé lundi du 15 nov. au 30 mars)* 17/60 ♀ – ☕ 7,50 – **45 ch** 58/115 – ½ P 47/53.
◆ Ce petit hôtel jouxtant la gare n'est pas dénué de charme : jolie façade centenaire, jardin, salon bourgeois et chambres refaites. Restaurant ou brasserie au choix.

**St-Sauveur** M, 9 r. Ste-Marie ☎ 05 62 94 25 03, *contact@hotelsaintsauveur.com, Fax 05 62 94 36 52* – |♦|, ▤ rest, ♿. AE ⓓ GB JCB. ✗ ch CZ b
*fermé 16 déc. au 31 janv.* – **Repas** (11) - 16 ♀, enf. 7 – ☕ 11 – **170 ch** 67/115, 4 duplex – ½ P 55/63.
◆ Hôtel contemporain proche des sanctuaires. Chambres insonorisées. Menu du jour dans la vaste salle à manger ou en-cas et pizzas au snack ; bar sous verrière.

**Beau Site** M, 36 av. Peyramale ☎ 05 62 94 04 08, *hotelbeausite@aol.com, Fax 05 62 94 06 59* – |♦|, ▤ rest, ♿. AE GB AY k
*15 mars-15 nov.* – **Repas** 15/19,50 ♀, enf. 7 – ☕ 7 – **66 ch** 62/76,50 – ½ P 57.
◆ Cet immeuble moderne entièrement refait propose des chambres fonctionnelles et une salle à manger avec vue sur le gave et les reliefs environnants.

**Cazaux** sans rest, 2 chemin Rochers ☎ 05 62 94 22 65, *hotelcazaux@yahoo.fr, Fax 05 62 94 48 32* – GB AY a
*Pâques-fin oct.* – ☕ 5,50 – **20 ch** 26/45.
◆ Tenue rigoureuse, accueil sympathique et prix doux sont les atouts de ce petit hôtel familial proche des halles où l'on dispose de chambres simples et fraîches.

**Atrium Mondial** , 9 r. Pélerins ☎ 05 62 94 27 28, *atriummondialhotel@minitel.net, Fax 05 62 94 70 92* – |♦|. AE GB JCB DZ x
*12 avril-15 oct.* – **Repas** 10,50 ♀ – ☕ 8 – **52 ch** 35/50 – ½ P 38.
◆ Aimable pension de famille rénovée. Réception et salons coiffés d'une verrière. Chambres sobrement meublées et décorées d'un simple crucifix.

**Magret,** 10 r. 4 Frères Soulas ☎ 05 62 94 20 55, *pene.philippe@wanadoo.fr, Fax 05 62 94 20 55* – ▤. ⓓ GB JCB DZ f
*fermé 5 au 26 janv. et lundi* – **Repas** 13 (déj.), 23/38 ♀.
◆ Ce petit restaurant vous recevra dans une salle à manger d'esprit campagnard, avec poutres apparentes et chaises paillées. Cuisine du Sud-Ouest sans prétention.

**à Saux** *par ① : 3 km – ✉ 65100 Lourdes :*

**Relais de Saux** avec ch, ☎ 05 62 94 29 61, *relais.de.saux@sudfr.com, Fax 05 62 42 12 64,* <, , – TV P. AE ⓓ GB. ✗
*fermé 15 au 30 nov.* – **Repas** 28/48 et carte 56 à 60 – ☕ 8 – **7 ch** 75/90 – ½ P 66/72.
◆ Au coeur d'un ravissant jardin, auberge du 18e s. tapissée de vigne vierge. Coquette salle à manger agreste et amples chambres garnies de meubles anciens.

**à Poueyferré** *par ④, rte de Pau : 4 km – 675 h. alt. 360 – ✉ 65100 :*

**Verger des Saveurs,** ☎ 05 62 94 58 57
*fermé 5 au 25 janv. et lundi d'oct. à mai* – **Repas** 20/30 ♀, enf. 9.
◆ Ce "verger des saveurs" a investi un ancien café de village : à l'instar de la cuisine, au goût du jour, le décor de la salle à manger est d'inspiration marine.

---

## LOURMARIN *84160 Vaucluse* 332 F11 *G. Provence – 1 108 h alt. 224.*

Voir *Château★.*

ℹ *Office du Tourisme, 9 avenue Philippe de Girard ☎ 04 90 68 10 77, Fax 04 90 68 11 01, ot-lourmarin@axit.fr.*

*Paris 739 – Digne-les-Bains 112 – Apt 19 – Aix-en-Provence 37 – Cavaillon 34.*

**Moulin de Lourmarin** (Loubet) M , r. Temple ☎ 04 90 68 06 69, *info@moulindelourmarin.com, Fax 04 90 68 31 76,* – |♦| ▤ TV . AE ⓓ GB JCB
*fermé 15 nov. au 15 déc. et 15 janv. au 15 fév.* – **Repas** *(fermé jeudi midi en saison, merc sauf le soir en saison et mardi)* 91/152 et carte 118 à 195 – ☕ 19 – **17 ch** 190/490 – ½ P 263/398.
◆ Près du château, moulin à huile du 18e s. pétri de charme. Chambres délicieuses et salle à manger aménagée dans l'ancien pressoir. Cuisine provençale habilement revisitée.
**Spéc.** Complicité de foie gras. Loup de ligne à l'unilatérale, infusion de sauge et orange. Carré d'agneau au serpolet, jus au thym citronné. **Vins** Côtes du Luberon.

**de Guilles** , rte Vaugines : 2 km ☎ 04 90 68 30 55, *hotel@guilles.com, Fax 04 90 68 37 41,* <, , , , – TV P – 25. AE ⓓ GB. ✗ rest
*21 fév.-fin nov.* – **Repas** (dîner seul.) 38 ♀ – ☕ 12 – **29 ch** 74/110 – ½ P 87/119.
◆ Un chemin cahoteux mène à ce joli mas provençal niché au milieu des vignes et des vergers. Plaisantes chambres actuelles, agrémentées de belles armoires anciennes.

XXX **Auberge La Fenière** (Mme Sammut) M avec ch, Sud, rte de Cadenet par D 943 : 2 km ✆ 04 90 68 11 79, *reine@wanadoo.fr, Fax 04 90 68 18 60*, ≤ plaine de la Durance, , , – rest, TV ♿ P. AE GB JCB
*fermé 11 nov. au 4 fév.* – **Repas** *(fermé mardi midi et lundi)* 43/100 et carte 85 à 105 – 13 – **9 ch** 125/178 – 1/2 P 137/171.
◆ Havre de grâce... culinaire, face au Grand Luberon. Jolie salle à manger, élégantes chambres décorées sur le thème des métiers d'arts et deux roulottes pour vivre en bohème !
**Spéc.** "Voyage" autour de l'artichaud violet. Pieds et paquets marseillais. Risotto aux herbes et citron vert, Saint-Pierre rôti **Vins** Côtes de Provence, Côtes du Luberon.

XX **L'Antiquaire,** 9 r. Grand Pré ✆ 04 90 68 17 29, *Fax 04 90 68 17 29* – . GB
*fermé 24 nov. au 18 déc., 19 janv. au 9 fév., dim. soir d'oct. à mai, mardi midi et lundi* – **Repas** 16 (déj.), 26/37.
◆ L'enseigne de cette jolie maison en pierre évoque une oeuvre d'Henri Bosco, l'un des chantres de Lourmarin. À l'étage, salles à manger aux couleurs de la Provence.

## LOUVIERS *27400 Eure 304 H6 G. Normandie Vallée de la Seine – 18 658 h alt. 15.*

**Voir** *Église N.-Dame★ : oeuvres d'art★, porche★* **BY.**
**Env.** *Vironvay ≤★.*
*Office du Tourisme, 10 rue du Maréchal Foch ✆ 02 32 40 04 41, Fax 02 32 40 04 41.*
*Paris 103 ③ – Rouen 32 ② – Les Andelys 22 ③ – Lisieux 75 ⑤ – Mantes-la-Jolie 51 ③.*

### LOUVIERS

| | | |
|---|---|---|
| Anc.-Combattants-d'Afrique-du-N. (R.) . **BY** 2 | Dr-Postel (Bd du) . . . . . **BZ** 6 | Mendès-France (R. P.) **ABY** 15 |
| Beaulieu (R. de) . . . . . **AZ** 3 | Flavigny (R.) . . . . . **AZ** 7 | Pénitents (R. des) . . . . . **BY** 16 |
| Coq (R. au) . . . . . **ABY** 5 | Foch (R. Mar.) . . . . . **BZ** 8 | Poste (R. de la) . . . . . **BY** 18 |
| | Gaulle (R. Gén.-de) . . . . . **AZ** 9 | Quai (R. du) . . . . . **BY** |
| | Halle-aux-Drapiers (Pl.) . **AZ** 10 | Quatre-Moulins (R. des) **BY** 21 |
| | Huet (R. J.) . . . . . **AZ** 12 | Thorel (Pl. E.) . . . . . **AY** 22 |
| | Matrey (R. du) . . . . . **AZ** 14 | Vexin (Chaussée du) . . . **BY** 24 |

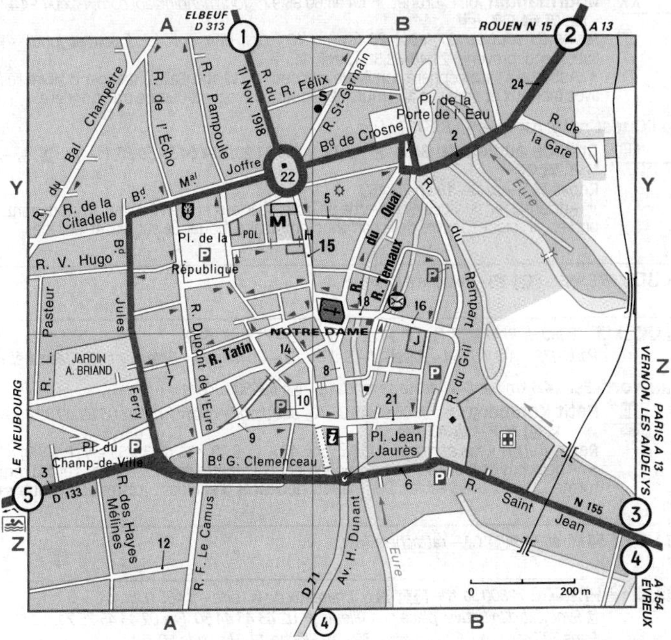

ELBEUF D 313
ROUEN N 15
A 13
A
B
Y
Z
R. Champêtre
R. du Bal
R. de l'Écho
R. Pampoule
R. du 11 Nov. 1918
R. Félix
R. St-Germain
Bd de Crosne
Pl. de la Porte de l'Eau
R. de la Gare
Eure
Bd Mal Joffre
R. de la Citadelle
R. V. Hugo
Bd Jules Ferry
Pl. de la République
POL
M
H
R. du Quai
R. Ternaux
R. du Rempart
NOTRE-DAME
R. Pasteur
R. L. Pasteur
JARDIN A. BRIAND
R. Dupont de l'Eure
R. Tatin
R. du Gril
Pl. du Champ-de-Ville
Bd G. Clemenceau
Pl. Jean Jaurès
R. Saint Jean
N 155
D 133
R. des Hayes Mélines
R. F. Le Camus
Av. H. Dunant
D 71
LE NEUBOURG
PARIS A 13
VERNON, LES ANDELYS
A 154
ÉVREUX
0
200 m


**Pré-St-Germain** M , 7 r. St-Germain ✆ 02 32 40 48 48, *le.pre.saint.germain@wanadoo.fr, Fax 02 32 50 75 60,* – TV ♿ P – 70. AE GB. rest **BY s**
**Repas** *(fermé 27 juil. au 26 août, 21 fév. au 9 mars, sam. midi et dim.)* 26 – 10 – **31 ch** 66/93 – 1/2 P 70/80.
◆ Centrale et néanmoins au calme, demeure imposante proposant chambres actuelles et fonctionnelles et salle de restaurant contemporaine ouverte sur un verdoyant espace.

**à Vironvay** *par ③ : 5 km – 276 h. alt. 119 – ✉ 27400.*

*Voir Église★.*

XXX **Les Saisons** (Portier) avec ch, ✆ 02 32 40 02 56, *Fax 02 32 25 05 26*, – P – 25. AE GB.
*fermé 18 au 28 août, 19 au 30 déc., 17 fév. au 4 mars, dim. soir, merc. soir et lundi* – **Repas** 38,20/53,40 et carte 61 à 84 – 12,20 – **9 ch** 115/138, 4 appart.
◆ Élégante hostellerie nichée dans la campagne normande. Les baies de la salle à manger s'ouvrent sur le joli jardin. Pavillons-cottages abritant des chambres au charme "british".
**Spéc.** Raviole de foie gras de canard (oct. à avril). Ris de veau braisé aux légumes de saison. Tarte fine aux pommes caramélisées.

---

**LOUVIGNY** *14 Calvados* 303 J5 – *rattaché à Caen.*

---

**LUBBON** *40240 Landes* 335 K10 – *99 h alt. 140.*

*Paris 689 – Mont-de-Marsan 49 – Aire-sur-l'Adour 61 – Condom 42 – Nérac 36.*

**du Bon Coin "Chez Jeanne"**, D 933 ✆ 05 58 93 60 43, *Fax 05 58 93 61 42*, – P. GB. ch
*fermé 27 juin au 20 juil., 3 au 18 janv., vend. soir et sam. de sept. à juin, sam. soir et dim. soir en juil.-août* – **Repas** (8,40) - 10,70/36,60, enf. 6,10 – 4,60 – **4 ch** 28/34 – ½ P 31.
◆ Petite affaire bien tenue, dans la pinède du Gabardan landais. Salle à manger-véranda et chambres simples ; préférez celles de l'annexe, face à la piscine.

---

**Le LUC** *83340 Var* 340 M5 *G. Côte d' Azur – 6 929 h alt. 160.*

*Office de tourisme, le Château des Vintimilles ✆ 04 94 60 74 51.*

*Paris 840 – Fréjus 41 – Cannes 75 – Draguignan 29 – St-Raphaël 46 – Toulon 53.*

XX **Gourmandin**, pl. L. Brunet ✆ 04 94 60 85 92, *gourmandin@aol.com*, *Fax 04 94 47 91 10* – AE GB JCB
*fermé 23 août au 23 sept., 20 fév. au 10 mars, dim. soir, jeudi soir et lundi* – **Repas** (week-end, prévenir) 21,40/38,50, enf. 11.
◆ Auberge à l'atmosphère conviviale au coeur du village. Salle à manger d'allure rustique, avec tableaux et gravures aux murs et nappes au crochet. Cuisine traditionnelle.

**à l'Ouest** *: 4 km par N 7 – ✉ 83340 Le Luc :*

**Grillade au Feu de Bois**, ✆ 04 94 69 71 20, *Fax 04 94 59 66 11*, – TV P. AE GB
**Repas** 33 – 8 – **16 ch** 70/160.
◆ Ancienne ferme viticole convertie en hôtel spacieux et bien équipé. Au restaurant, cadre provençal soigné, oeuvre de la patronne-antiquaire (boutique sur place). Grillades.

---

**LUCÉ** *28 E.-et-L.* 311 E5 – *ratache à Chartres.*

---

**LUCELLE** *68480 H.-Rhin* 315 H12 *G. Alsace Lorraine – 71 h alt. 640.*

*Paris 479 – Altkirch 34 – Basel 41 – Belfort 62 – Colmar 99 – Delémont 17 – Montbéliard 58.*

**au Nord-Est** *: 4,5 km par D 41 et rte secondaire – ✉ 68480 Lucelle :*

**Petit Kohlberg**, ✆ 03 89 40 85 30, *petitkohlberg@fr.fm*, *Fax 03 89 40 89 40*, – TV P – 40. GB
**Repas** *(fermé lundi et mardi)* 13/36, enf. 10 – 9,20 – **33 ch** 39/53 – ½ P 50/54.
◆ À deux pas de la Suisse, un environnement champêtre propice au repos et à la remise en forme. Chambres agréables. Des maillots dédicacés d'équipes cyclistes décorent le salon.

---

**LUCEY** *54 M.-et-M.* 307 G6 – *rattaché à Toul.*

---

**LUCHÉ-PRINGÉ** *72800 Sarthe* 310 J8 *G. Châteaux de la Loire – 1 486 h alt. 34.*

*Syndicat d'Initiative, place des Tilleuls ✆ 02 43 45 44 50, Fax 02 43 45 75 71.*

*Paris 245 – Angers 68 – Le Mans 39 – La Flèche 14 – Le Lude 10.*

XX **Auberge du Port des Roches** avec ch, au Port des Roches Est : 2,5 km par D 13 et D 214 ✆ 02 43 45 44 48, *Fax 02 43 45 39 61*, – TV P. GB
*fermé 28 janv. au 10 mars, dim. soir, mardi midi et lundi* – **Repas** 20/40 – 6 – **12 ch** 40/50 – ½ P 44/49.
◆ Jardin-terrasse au fil de l'eau, plaisante salle à manger bourgeoise, chambres fraîches et colorées : faites fi de la morosité dans cette auberge "cosy" des bords du Loir !

**LUCHON** *31 H.-Gar.* 85 *20 – voir Bagnères-de-Luchon.*

**LUÇON** *85400 Vendée* 316 *I9 G. Poitou Vendée Charentes – 9 099 h alt. 8.*

Voir *Cathédrale Notre-Dame★ – Jardin Dumaine★.*

*Office du Tourisme, square Edouard Herriot ☎ 02 51 56 36 52, Fax 02 51 56 03 56, tourisme.tourisme-lucon@mageos.com.*

*Paris 442 – La Rochelle 43 – La Roche-sur-Yon 33 – Cholet 88 – Fontenay-le-Comte 32.*

XXX **Mirabelle,** 89 bis r. de Gaulle, rte des Sables d'Olonne ☎ 02 51 56 93 02, *Fax 02 51 56 35 92,* – . GB

*fermé 27 au 31 oct., 16 au 22 fév., dim. soir en hiver, sam. midi et mardi sauf du 12 juil. au 26 août* – **Repas** 14/55 et carte 40 à 64, enf. 8,50.

◆ Pimpante façade située à deux pas de la cathédrale où Richelieu fut nommé évêque en 1608. Salle à manger actuelle et plaisante terrasse. Cuisine régionale.

XX **Boeuf Couronné** avec ch, rte de la Roche-sur-Yon : 2 km ☎ 02 51 56 11 32, *boeufcouronne@wanadoo.fr, Fax 02 51 56 98 25,* – TV & P. AE GB

*fermé mi-sept. à début oct., dim. soir et lundi* – **Repas** 11,90/29,30, enf. 7 – 5,20 – **4 ch** 39,70/47,30.

◆ Aux confins du Marais poitevin et de la Plaine, auberge dotée de deux salles à manger : l'une contemporaine, l'autre installée dans une véranda. Cuisine traditionnelle.

**LUC-SUR-MER** *14530 Calvados* 303 *J4 G. Normandie Cotentin – 2 902 h – Casino.*

Voir *Parc municipal★.*

*Office du Tourisme, rue du Docteur Charcot ☎ 02 31 97 33 25, Fax 02 31 96 65 09, luc.sur.mer@wanadoo.fr.*

*Paris 249 – Caen 18 – Arromanches-les-Bains 23 – Bayeux 29 – Cabourg 28.*

**Des Thermes et du Casino,** ☎ 02 31 97 32 37, *hotelresto@hotelresto.lesthermes.com, Fax 02 31 96 72 57,* ←, , , , – TV & P. AE GB

*12 avril-12 oct.* – **Repas** 22/60 ♀, enf. 11 – 9 – **48 ch** 96/104 – ½ P 72/76.

◆ Adresse tonique postée sur la digue-promenade, à proximité des thermes et du casino. Les chambres dotées d'un balcon offrent la vue sur la mer. Vaste salle à manger-véranda.

*Si vous cherchez un hôtel tranquille,*
*consultez d'abord les cartes de l'introduction*
*ou repérez dans le texte les établissements indiqués avec le signe .*

**Le LUDE** *72800 Sarthe* 310 *J9 G. Châteaux de la Loire – 4 424 h alt. 48.*

Voir *Château★★.*

*Office du Tourisme, place François de Nicolay ☎ 02 43 94 62 20, Fax 02 43 94 48 46.*

*Paris 248 – Le Mans 45 – Angers 65 – Chinon 63 – La Flèche 20 – Saumur 51 – Tours 50.*

XX **Renaissance** avec ch, 2 av. Libération ☎ 02 43 94 63 10, *le lude.renaissance@wanadoo.fr, Fax 02 43 94 21 05* – AE GB JCB

*fermé vacances de Toussaint, de fév., dim. soir et lundi* – **Repas** *(10)* - 13/35 ♀, enf. 8,40 – 5,40 – **8 ch** 44,50/53 – ½ P 36/40.

◆ À deux pas du château et de son parc dominant le Loir, faites halte dans cet ancien café joliment aménagé en restaurant. Terrasse-jardin. Cuisine traditionnelle.

**LUGON ET L'ILE-DU-CARNEY** *33 Gironde* 335 *I5 – 1 026 h alt. 36 – ✉ 33240 St-André-de-Cubzac.*

*Paris 567 – Bordeaux 32 – Libourne 11 – St-André-de-Cubzac 10.*

XX **Auberge de la Vieille Chapelle,** Sud-Ouest : 3 km par D 670 et rte secondaire ☎ 05 57 84 48 65, *Fax 05 57 84 40 28,* ←, – P. GB

*fermé 15 sept. au 15 oct., 5 au 21 janv., dim. soir, mardi et merc.* – **Repas** 17 (déj.), 33/36, enf. 12,20.

◆ Cette étonnante chapelle du 12e s., récemment restaurée, semble égarée entre vignes et Dordogne. Cadre de pierre et de bois ou terrasse au bord de l'eau. Cuisine régionale.

**LUGOS** *33830 Gironde* 335 *F8 – 476 h alt. 40.*

*Paris 644 – Bordeaux 60 – Arcachon 44 – Bayonne 138.*

X **Bonne Auberge** avec ch, ☎ 05 57 71 95 28, *Fax 05 57 71 94 32,* , – TV P. GB

*fermé nov., dim. soir et lundi hors saison* – **Repas** 9,20/23 ♀ – 5 – **12 ch** 36 – ½ P 38,50.

◆ Au coeur du Parc des Landes de Gascogne, cuisine de tradition servie dans la salle à manger décorée d'assiettes anciennes et de casseroles en cuivre ou à l'ombre des platanes.

**LUMBRES** *62380 P.-de-C.* 301 *F3 – 3 944 h alt. 45.*

*Office du Tourisme, rue François Cousin ℰ 03 21 93 45 46, Fax 03 21 12 44 87.*

*Paris 258 – Calais 44 – Arras 78 – Boulogne-sur-Mer 42 – Dunkerque 52 – St-Omer 11.*

**Moulin de Mombreux** M, Ouest : 2 km par rte Boulogne, D 225 et rte secondaire ℰ 03 21 39 13 13, *Fax 03 21 93 61 34,* – TV – 25. AE GB

*fermé 20 déc. au 20 janv.* – **Repas** 37 bc/58 bc – 9,90 – **24 ch** 77/107 – ½ P 86.

◆ Laissez-vous prendre au charme romantique de ce moulin du 18e s. niché dans un parc sur les rives du Bléquin. Nuits douillettes, avec une cascade pour berceuse...

**LUNEL** *34400 Hérault* 339 *J6 G. Languedoc Roussillon – 18 404 h alt. 6.*

*Office du Tourisme, ℰ 04 67 87 83 97, Fax 04 67 71 26 67, otlunel@capline.fr.*

*Paris 739 – Montpellier 31 – Aigues-Mortes 16 – Alès 58 – Arles 58 – Nîmes 33.*

**Chodoreille,** 140 r. Lakanal ℰ 04 67 71 55 77, *chodoreille@wanadoo.fr, Fax 04 67 83 19 97,* – . AE GB

*fermé 13 au 31 août, lundi soir et dim. sauf fériés* – **Repas** 20/51.

◆ Cette maison vous concocte une cuisine au goût du jour, servie dans le décor contemporain de la salle à manger ou sur la terrasse ombragée. Le taureau camarguais est à l'honneur.

**L'Authentic,** 9 av. Gén. de Gaulle (rte Nîmes) ℰ 04 67 83 91 12, *Fax 04 67 91 07 93* – . GB

*fermé 28 juil. au 24 août, 8 au 23 fév., dim., lundi et fériés* – **Repas** 42.

◆ Poutres restaurées, murs colorés (tons ocre) et exposition de tableaux composent le décor de ce restaurant situé en retrait de la nationale. La cuisine cultive "l'authentic" !

*Ecrivez-nous...*
*Vos louanges comme vos critiques seront examinées avec le plus grand soin.*
*Nous reverrons sur place les informations que vous nous signalez.*
*Par avance merci !*

**LUNÉVILLE** SP *54300 M.-et-M.* 307 *J7 G. Alsace Lorraine – 20 711 h alt. 224.*

**Voir** *Château★* **A** – *Parc des Bosquets★* **AB** – *Boiseries★ de l'église St-Jacques* **A.**

*Office du Tourisme, Aile Sud du Château ℰ 03 83 74 06 55, Fax 03 83 73 57 95.*

*Paris 346 ⑤ – Nancy 37 ⑤ – Épinal 65 ④ – Metz 95 ① – St-Dié 56 ③ – Strasbourg 134 ②.*

## LUNÉVILLE

Banaudon (R.) ........... **A** 2
Basset (R. R.) ........... **B** 3
Bosquets (R. des) ....... **B** 4
Brèche (R. de la) ........ **A** 5
Carnot (R.) ............... **B** 7
Castara (R.) .............. **A** 9
Chanzy (R.) .............. **A** 10
Charier (R. G.) ........... **A** 13
Charité (R. de la) ........ **A** 15
Château (R. du) .......... **A** 16
Erckmann (R.) ............ **B** 18
Gaillardot (R.) ........... **A** 20
Gambetta (R.) ............ **B** 21
Haxo (R.) ................. **B** 23
Lebrun (R.) ............... **B** 25
Leclerc (R. Gén.) ......... **A** 27
Léopold (Pl.) ............ **AB** 28
République (R.) .......... **A** 30
St-Jacques (Pl.) .......... **A** 32
St-Rémy (Pl.) ............ **A** 36
Ste-Marie (R.) ............ **A** 37
Sarrebourg (R. de) ....... **A** 39
Templiers (R. des) ....... **A** 41
Thiers (R.) ............... **A** 43
Viller (R. de) ............. **A** 48
2e-Div.-de-Cavalerie (Pl. de la) ............ **A** 50

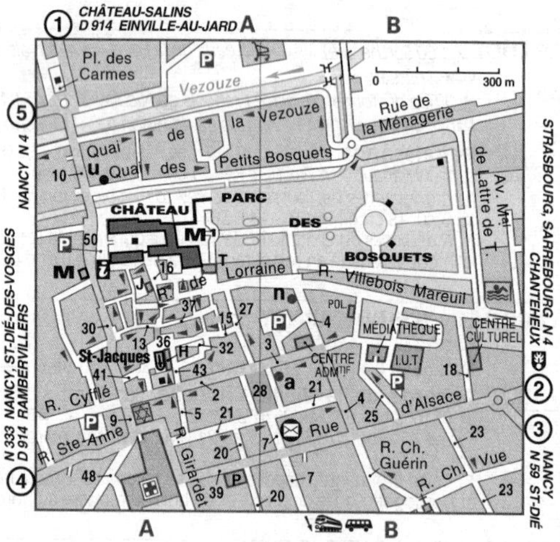

CHÂTEAU-SALINS
D 914 EINVILLE-AU-JARD
A
B
Pl. des Carmes
Vezouze
Quai de la Vezouze
Quai des Petits Bosquets
Rue de la Ménagerie
CHÂTEAU
PARC DES BOSQUETS
Av. Mal de Lattre de T.
Lorraine
R. Villebois Mareuil
MÉDIATHÈQUE
CENTRE CULTUREL
CENTRE ADMIF
I.U.T.
St-Jacques
R. Cyfflé
R. Ste-Anne
R. Girardet
Rue d'Alsace
R. Ch. Guérin
R. Ch. Vue
NANCY N 4
N 333 NANCY, ST-DIÉ-DES-VOSGES D 914 RAMBERVILLERS
STRASBOURG, SARREBOURG N 4 CHANTEHEUX
NANCY N 59 ST-DIÉ
0 300 m


**des Pages,** 5 quai Petits Bosquets ℰ 03 83 74 11 42, *Fax 03 83 73 46 63,* – TV – 40. AE GB **A u**

***Petit Comptoir*** ℰ 03 83 73 14 55 *(fermé sam. midi et dim. soir)* **Repas** 15/26 ♀, enf. 11 – 6 – **36 ch** 45/95 – ½ P 45/68.

◆ Importants corps de bâtiments faisant face au château. Les chambres rénovées adoptent un style moderne assez original compensant un certain manque d'ampleur.

XX **Floréal,** 1 pl. Léopold (1er étage) ☎ 03 83 73 39 80, *Fax 03 83 73 29 89* – AE GB B a
*fermé dim. soir et lundi* – **Repas** 13/34 ♁, enf. 8.
◆ L'entrée de ce restaurant proche de la baroque église St-Jacques se remarque à peine. À l'étage la spacieuse salle à manger au décor moderne domine la place. Plats classiques.

X **Les Bosquets,** 2 r. Bosquets ☎ 03 83 74 00 14, *Fax 03 83 74 16 93* – AE ⓓ GB. ✈
*fermé 15 au 30 août, dim. soir, merc. soir et jeudi soir* – **Repas** 14/31 ♀. B n
◆ Restaurant de quartier situé face au parc des Bosquets tracé au début du 18e s. Grande salle à manger colorée au rez-de-chaussée, rustique à l'étage. Cuisine traditionnelle.

**à Moncel-lès-Lunéville** *rte de St-Dié par ③ : 3 km – 364 h. alt. 234 – ✉ 54300 :*

XX **Relais St-Jean,** sur N 59 ☎ 03 83 74 08 65, *Fax 03 83 73 34 15* – ▤ P. AE GB
*fermé 10 juil. au 10 août, dim soir, merc. soir et lundi* – **Repas** 14/48 ♀.
◆ La salle à manger principale de ce restaurant de la vallée de la Meurthe est chaleureuse et équipée d'un mobilier en fer forgé. Cuisine classique.

**au Sud par** ④ *puis av. G. Pompidou et cités Ste-Anne : 5 km – ✉ 54300 Lunéville :*

**Château d'Adoménil** (Million) M ⟡, ☎ 03 83 74 04 81, *adomenil@relaischateaux.com, Fax 03 83 74 21 78,* ☂, ⛱, ⚘ – ▤ TV ✆ P – 🏛 20. AE ⓓ GB JCB. ✈ rest
*fermé 2 janv. au 7 fév., dim. soir du 1er nov. au 15 avril, mardi midi et lundi* – **Repas** (nombre de couverts limité, prévenir) 41/80 et carte 72 à 92, enf. 17 – ☕ 15 – **10 ch** 145/170, 4 duplex – ½ P 150/170.
◆ Belle demeure du 18e s. nichée dans un joli parc. Chambres bourgeoises (château) ou d'inspiration provençale (dépendances). Quatre élégants salons abritent le restaurant.
**Spéc.** Nougat de foie gras d'oie. Dos de sandre au pinot noir (mai à oct.). Cornets craquants pavot bleu et mirabelles. **Vins** Côtes de Toul blanc et rouge.

*Une réservation confirmée par écrit ou par fax est toujours plus sûre.*

---

**LURBE-ST-CHRISTAU** *64660 Pyr.-Atl.* 342 I6 – *214 h alt. 260 – Stat. therm. en travaux : fermés en 2002.*
*Paris 834 – Pau 45 – Laruns 32 – Lourdes 61 – Oloron-Ste-Marie 10 – Tardets-Sorholus 29.*

**Au Bon Coin** ⟡, rte des Thermes ☎ 05 59 34 40 12, *thierrylassala@wanadoo.fr, Fax 05 59 34 46 40,* ⛱, ☂ – TV ✆ P – 🏛 25. AE GB
*fermé dim. soir,* – **Repas** 15 (déj.), 23/51 ♀ – ☕ 8 – **18 ch** 46/74 – ½ P 50/57,50.
◆ Sympathique et confortable hôtellerie familiale en lisière de forêt. Préférez les chambres côté jardin. Chaleureuse salle à manger aux murs de pierres apparentes.

---

**LURE** ◈ *70200 H.-Saône* 314 G6 *G. Jura – 8 843 h alt. 290.*
ℹ *Office du Tourisme, 35 avenue Carnot ☎ 03 84 62 80 52, Fax 03 84 62 74 61, Office.Tourisme.Lure@wanadoo.fr.*
*Paris 388 – Besançon 79 – Belfort 34 – Épinal 77 – Montbéliard 36 – Vesoul 30.*

**Luron** M, 92 av. République par rte Vesoul ☎ 03 84 30 03 03, *leluron@leluron.fr, Fax 03 84 62 76 62,* ☂ – ⧉ TV ✆ ♿ P – 🏛 40. AE ⓓ GB
**Repas** *(fermé vend. soir, dim. soir et sam. midi)* (7,60) - 10/27,50 ♁ – ☕ 5,50 – **40 ch** 36/43,50 – ½ P 31.
◆ À la sortie de la ville, hôtel d'aspect passe-partout, aux chambres insonorisées et fonctionnelles. Une adresse commode pour l'étape dans la ville du Sapeur Camember.

**à Roye** *Est : 2 km par rte de Belfort – 1 176 h. alt. 301 – ✉ 70200 :*

XX **Saisonnier,** La Verrerie (sur N 19) ☎ 03 84 30 46 00, *Fax 03 84 30 46 00,* ☂ – P. GB
*fermé 6 au 26 août, vacances de fév., dim. soir, lundi soir et merc.* – **Repas** 17,50/43, enf. 8.
◆ Ancienne ferme aux épais murs de pierre. Trois salles à manger campagnardes en enfilade et jardinet-terrasse à l'arrière. Cuisine au goût du jour.

**à Froideterre** *Nord-Est : 3 km par D 486 et D 99 – 278 h. alt. 306 – ✉ 70200 :*

XX **Hostellerie des Sources** (Brocard), ☎ 03 84 30 34 72, *Fax 03 84 30 29 87,* ☂ – ▤ P. AE GB JCB. ✈
*fermé 4 au 24 janv., dim. soir, lundi et mardi sauf fériés* – **Repas** (nombre de couverts limité, prévenir) 35/80 et carte 50 à 65 ♀, enf. 12.
◆ Coquette ferme en pierre située à la lisière du plateau des Mille Étangs. Élégant intérieur rustique. Cuisine personnalisée ; belle carte des vins (caveau de dégustation).
**Spéc.** Foie gras de canard mariné au jurançon moelleux. Carré d'agneau rôti aux primeurs. Griottines de Fougerolles dans ganache au chocolat "hacienda". **Vins** Charcenne blanc et rouge.

---

**LURI** *2b H.-Corse* 345 F2 – *voir à Corse.*

**LURS** *04700 Alpes-de-H.P.* 334 D9 *G. Alpes du Sud – 320 h alt. 600.*

Voir *Site*★.

*Syndicat d'Initiative, ✆ 04 92 79 10 20.*

*Paris 739 – Digne-les-Bains 39 – Forcalquier 11 – Manosque 23 – Sisteron 33.*

**Séminaire** ✆ 04 92 79 94 19, *info@hotel-leseminaire.com, Fax 04 92 79 11 18,* ←, – P – 25. GB

*fermé 1er déc. au 31 janv. et lundi midi* – **Repas** 15 (déj.), 22/55 ♀, enf. 10,50 – ☕ 12,50 – **16 ch** 65,60/103 – ½ P 74/84.

◆ Hôtel aménagé dans l'ex-séminaire de la résidence d'été des évêques de Sisteron. Grandes chambres pratiques, joli restaurant voûté et terrasse dominant les reliefs alentour.

**Bello Visto,** ✆ 04 92 79 95 09, *Fax 04 92 79 11 34,* ← – GB

*fermé 1er oct. au 6 nov., mardi du 1er avril au 30 sept., le soir du 7 nov. au 30 mars et merc.* – **Repas** 14/35.

◆ L'enseigne définit parfaitement cette adresse située au coeur du pittoresque village. Salle à manger panoramique donnant sur la vallée de la Durance, cuisine provençale.

**LUSIGNAN** *86600 Vienne* 322 G6 *G. Poitou Vendée Charentes – 2 749 h alt. 134.*

*Office du Tourisme, place du Bail ✆ 05 49 43 61 21, Fax 05 49 43 75 64.*

*Paris 361 – Poitiers 27 – Angoulême 95 – Confolens 74 – Niort 54.*

**Chapeau Rouge,** 1 r. Chypre ✆ 05 49 43 31 10, *Fax 05 49 43 31 20,* – P. GB

*fermé 15 au 31 oct., 24 déc. au 2 janv., vacances de fév., dim. soir et lundi* – **Repas** 13/26 ♀ – ☕ 5,40 – **8 ch** 38/42 – ½ P 38.

◆ Relais de poste du 17e s. dans la cité de la fée Mélusine. À voir, la cheminée de la salle à manger campagnarde, avec devise en ancien français et tourne-broche à poids.

**LUSSAC-LES-CHÂTEAUX** *86320 Vienne* 322 K6 *G. Poitou Vendée Charentes – 2 297 h alt. 104.*

Env. *Nécropole mérovingienne*★ *de Civaux NO : 6 km sur D 749.*

*Office du Tourisme, place du Champ de Foire ✆ 05 49 84 57 73, Fax 05 49 84 57 73, otsilussac@wanadoo.fr.*

*Paris 356 – Poitiers 39 – Bellac 42 – Châtellerault 52 – Montmorillon 12 – Ruffec 52.*

**Les Orangeries** sans rest, ✆ 05 49 84 07 07, *orangeries@wanadoo.fr, Fax 05 49 84 98 82,* – P – 30. GB.

*fermé 15 déc. au 15 janv.* – ☕ 12 – **7 ch** 85/100, 3 appart.

◆ Maison du 18e s. joliment rénovée : boiseries au naturel, décor rustique de caractère, longue piscine design. À l'arrière, présence inattendue d'un ravissant jardin.

**Montespan** sans rest, ✆ 05 49 48 41 42, *Fax 05 49 84 96 10* – P. GB

☕ 4,60 – **22 ch** 37,35/41,20.

◆ L'enseigne évoque la maîtresse de Louis XIV, originaire de Lussac, dont la maison natale abrite le musée de préhistoire. Préférez les chambres côté cour intérieure.

**Roche de Fonsalive,** Les Bordes, Sud-Ouest : 5 km par N 147 et D 25 ✉ 86320 Gouëx ✆ 05 49 84 50 26, *Fax 05 49 84 06 95,* – P. GB

*fermé fév., mardi soir, merc. soir d'oct. à mars , dim. soir et lundi* – **Repas** 17,50/39.

◆ Sortez des sentiers battus pour vous rendre dans cette plaisante maison de maître située au coeur d'un petit village perdu dans la campagne poitevine. Carte classique.

**LUTTER** *68 H.-Rhin* 315 I12 – *rattaché à Ferrette.*

**LUTZELBOURG** *57820 Moselle* 307 O6 *G. Alsace Lorraine – 705 h alt. 212.*

Voir *Plan-incliné*★ *de St-Louis-Arzviller SO : 3,5 km.*

*Syndicat d'Initiative, ✆ 03 87 25 30 19, Fax 03 87 25 33 76, lutelbourg@wanadoo.fr.*

*Paris 446 – Strasbourg 62 – Metz 113 – Obernai 50 – Sarrebourg 20 – Sarreguemines 53.*

**Des Vosges** avec ch, ✆ 03 87 25 30 09, *info@hotelvosges.com, Fax 03 87 25 42 22,* – P. AE GB

*fermé 12 au 26 nov., 26 janv. au 11 fév., dim. soir et merc.* – **Repas** 16/29,50 ♀, enf. 9 – ☕ 6,50 – **10 ch** 48/55 – ½ P 40/48.

◆ L'auberge, proche de l'insolite "ascenseur à bateaux", cultive la tradition régionale dans le décor (vitrines exposant des objets du patrimoine local) et dans la cuisine.

**LUX** *71 S.-et-L.* 320 J9 – *rattaché à Chalon-sur-Saône.*

**LUXÉ** *16 Charente* 324 K4 – *rattaché à Mansle.*

## LUXEUIL-LES-BAINS *70300 H.-Saône* 314 *G6 G. Jura – 8 790 h alt. 305 – Stat. therm. (début avril-fin nov.) – Casino.*

**Voir** *Hôtel du Cardinal Jouffroy★* **B** *– Musée de la tour des Échevins : stèle★* **M**[1] *– Anc. Abbaye St-Colomban★ – Maison François1er★* **K.**

*Office du Tourisme, 1 avenue des Thermes ✆ 03 84 40 06 41, Fax 03 84 93 74 47, office.tourisme.luxeuil@wanadoo.fr.*

*Paris 381 ④ – Épinal 58 ① – Vesoul 31 ③ – Vittel 72 ④.*

**Beau Site,** 18 r. G. Moulimard **(u)** ✆ 03 84 40 14 67, *Fax 03 84 40 50 25,* … – … **P.** GB

**Repas** *(fermé vend. soir, sam. midi et dim. soir du 1er nov. au 31 mars)* *(10)* - 13/28 ♀, enf. 6,10 – ☕ 7,50 – **33 ch** 52/65 – ½ P 42/47.

◆ À proximité des thermes et du moderne centre d'aquathérapie, maison à l'accueil familial, qu'agrémente un jardin fleuri. Chambres rénovées. Restaurant décoré de boiseries.

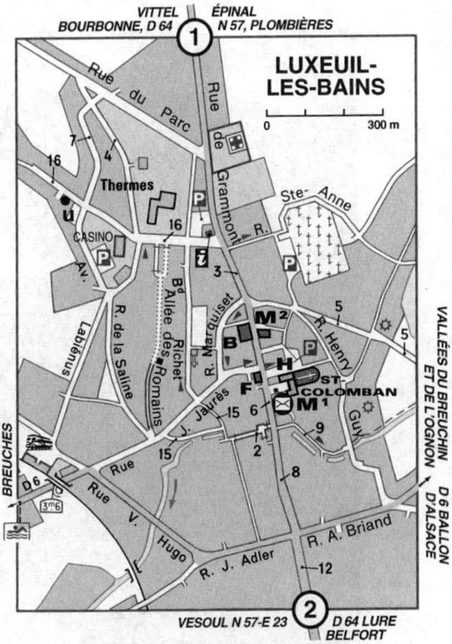

VITTEL
BOURBONNE, D 64
ÉPINAL
N 57, PLOMBIÈRES
1
LUXEUIL-LES-BAINS
0
300 m
Rue du Parc
Rue de Grammont
Thermes
CASINO
Ste-Anne
R.
Bd Allée des Romains
R. Marquiset
R. Henry
M2
B
H
F
ST-COLOMBAN
M1
R. de la Saline
Labiénus
Av.
Richet
J. Jaurès
Guy
Rue V. Hugo
BREUCHES
D6
R. A. Briand
R. J. Adler
2
VESOUL N 57-E 23
D 64 LURE
BELFORT
VALLÉES DU BREUCHIN ET DE L'OGNON
D 6 BALLON D'ALSACE


| | | | |
|---|---|---|---|
| Cannes (R. des) | 2 | Jeanneney (R. J.) | 8 |
| Carnot (R.) | 3 | Lavoirs (R. des) | 9 |
| Clemenceau (R. G.) | 4 | Maroselli (Allées A.) | 12 |
| Gambetta (R.) | 5 | Morbief (R. du) | 15 |
| Genoux (R. V.) | 6 | Thermes (Av. des) | 16 |
| Hoche (R.) | 7 | | |

## LUYNES *37230 I.-et-L.* 317 *M4 G. Châteaux de la Loire – 4 128 h alt. 60.*

**Voir** *Église★ au Vieux-Bourg de St-Etienne de Chigny O : 3 km.*

*Office du Tourisme, 9 rue Alfred Baugé ✆ 02 47 55 77 14, Fax 02 47 55 77 14, OTSI-luynes@wanadoo.fr.*

*Paris 248 – Tours 12 – Angers 117 – Chinon 41 – Langeais 16 – Saumur 57.*

**Domaine de Beauvois** ⊗, Nord-Ouest : 4 km par D 49 ✆ 02 47 55 50 11, *beauvois@grandesetapes.fr, Fax 02 47 55 59 62,* ≤, … – …, rest, … – … 40. AE ⓓ GB JCB. ⊗ rest

*fermé 25 janv. au 8 mars* – **Repas** 43/68 et carte 64 à 75 ♀, enf. 21 – ☕ 15 – **36 ch** 173/267 – ½ P 163/210.

◆ Quelle est belle, la vie de manoir ! Parc arboré avec étang (pêche, canotage), salle à manger cossue et chambres personnalisées, dotées de salles de bains en marbre.

**Spéc.** Lasagne ouverte de petits gris au vin de chinon (automne-hiver). Dos de sandre doré sur peau. Filet d'agneau cuit au sautoir. **Vins** Vouvray, Chinon.

## LUZ-ST-SAUVEUR *65120 H.-Pyr.* 342 *L7 G. Midi-Pyrénées – 1 173 h alt. 710 – Stat. therm. (début mai-fin oct.) – Sports d'hiver : 1 800/2 450 m 14.*

**Voir** *Église fortifiée★.*

*Office du Tourisme, place du 8 mai ✆ 05 62 92 81 60, Fax 05 62 92 87 19, ot@lu.org.*

*Paris 893 – Pau 77 – Argelès-Gazost 19 – Cauterets 24 – Lourdes 32 – Tarbes 50.*

**à Esquièze-Sère :** *au Nord – 500 h. alt. 710 – ✉ 65120 :*

**Montaigu** ⊗, rte Vizos ✆ 05 62 92 81 71, *hotelmontaigu@wanadoo.fr, Fax 05 62 92 94 11,* ≤, … – … 25. AE ⓓ GB. ⊗ rest

*fermé oct. et nov.* – **Repas** (dîner seul.) 15/20 ♀ – ☕ 8 – **35 ch** 60/75 – ½ P 48/60.

◆ Établissement récent situé au pied d'un château en ruine. Vous séjournerez dans des chambres spacieuses et fonctionnelles, à quelques minutes des thermes ou des pistes.

*Dans ce guide*
*un même symbole, un même mot,*
*imprimé en* **rouge** *ou en* **noir**, *en maigre ou en* **gras**,
*n'ont pas tout à fait la même signification.*
*Lisez attentivement les pages explicatives.*

# LYON

**P** *69000 Rhône* 327 I5 110 ⑭ *G. Vallée du Rhône - 445 452 h.*
*Agglo. 1 348 832 h - alt. 175.*
*Paris 462 ⑩ – Genève 152 ② – Grenoble 107 ④ – Marseille 318 ⑥ – St-Étienne 61 ⑥*



## OFFICES DE TOURISME

*Pl. Bellecour ☎ 04 72 77 69 69, Fax 04 78 42 04 32, info@lyon-france.com*

## RENSEIGNEMENTS PRATIQUES

### TRANSPORTS

*Auto-train ☎ 08 36 35 35 35*

### AÉROPORT

*Lyon-Saint-Exupéry : ☎ 04 72 22 72 21 par ④ : 27 km*

## DÉCOUVRIR

### LE SITE

*←★★★ de la basilique Notre-Dame de Fourvière* EX
*Montée du Garillan★* EX
*←★ sur la Saône et la presqu'île depuis la place Rouville* EV

### LYON ROMAIN ET GALLO-ROMAIN

*Théâtres romains et l'Odéon* EY *- Aqueducs romains* EY *- Musée de la Civilisation gallo-romaine★★ : table claudienne★★★* EY $M^{10}$

### LE VIEUX LYON

*Quartiers St-Jean, St-Paul et St-Georges★★★* EFXY *- Rue Saint-Jean :Cour★★ au n°28 et cour★ de l'hôtel du Gouvernement au n°2 - Couloir voûté★ au n°18 rue Lainerie - galerie★★ de l'hôtel Bullioud au n°8 rue Juiverie - Hôtel Gadagne★* FX $M^4$ *: musée historique de Lyon★, musée lapidaire★, musée international de la Marionnette★ - Primitiale St-Jean★ (Choeur★★)* EFY *- Maison du Crible★ au n°16 rue du Boeuf - Théâtre "le Guignol de Lyon"* FX **T**

## LA PRESQU'ILE

*Place Bellecour* **FY** - *Fontaine★ de la place des Terreaux* **FX** - *Palais St-Pierre★* **FX M⁹**

*Musée des Beaux-Arts★★★* **FX M⁹** - *Musée historique des tissus★★★* **FY M¹7** - *Musée de l'Imprimerie★★* **FX M¹6** - *Musées des Arts décoratifs★★* **FY M⁷**

## LA CROIX ROUSSE

### Aux origines de la soierie lyonnaise

*Mur des Canuts* **FV R** - *Maison des Canuts* **FV M⁵** - *Ateliers de Soierie vivante★* **FV E**

## RIVE GAUCHE DU RHÔNE

*Quartiers : les Brotteaux, la Guillotière, Gerland, la Part-Dieu*

*Parc de la Tête d'Or★ : Roseraie★* **GHV** - *Musée d'Histoire naturelle★★* **GV M²0** - *Centre d'Histoire de la Résistance et de la Déportation★* **FZ M¹**

*Musée d'Art contemporain★* **GU** - *Musée urbain Tony-Garnier* **CQ** - *Halle Tony-Garnier* **BQR** - *Château Lumière* **CQ M²**

## ENVIRONS

*Musée de l'automobile Henri-Malartre★★ à Rochetaillée-sur-Saône 12 km par* ⑪

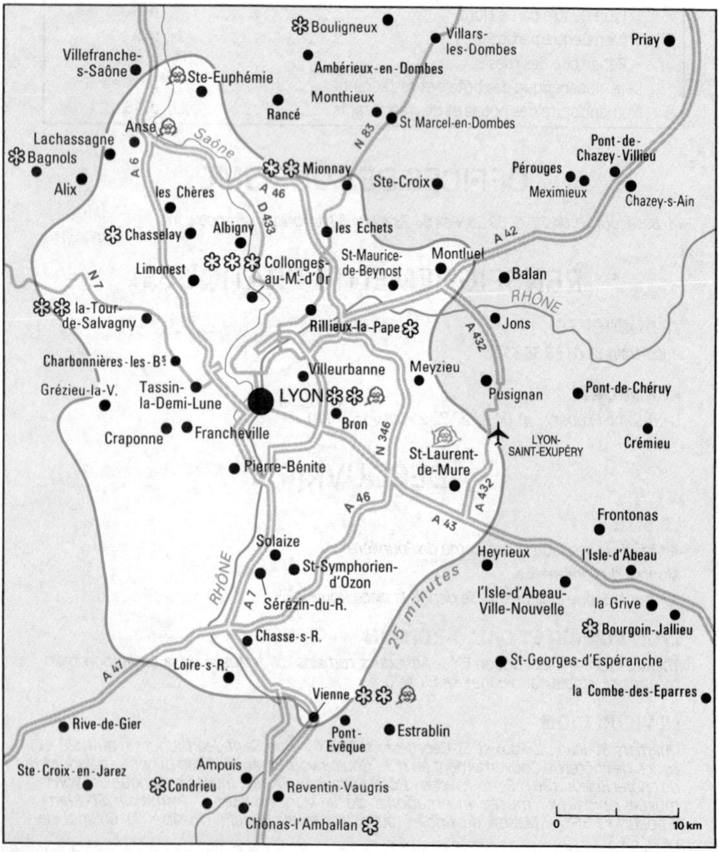
Bouligneux
Villars-les-Dombes
Priay
Villefranche-s-Saône
Ste-Euphémie
Ambérieux-en-Dombes
Monthieux
Rancé
St Marcel-en-Dombes
Anse
Saône
Lachassagne
Bagnols
Alix
A 6
Mionnay
N 83
A 46
Ste-Croix
Pont-de-Chazey-Villieu
Pérouges
Meximieux
Chazey-s-Ain
les Chères
D 433
Chasselay
Albigny
les Echets
A 42
Limonest
Collonges-au-M.-d'Or
St-Maurice-de-Beynost
Montluel
Balan
N 7
la-Tour-de-Salvagny
RHÔNE
Jons
Rillieux-la-Pape
A 432
Charbonnières-les-B.
Villeurbanne
Meyzieu
Grézieu-la-V.
Tassin-la-Demi-Lune
LYON
Pusignan
Pont-de-Chéruy
Bron
Craponne
Francheville
N 346
LYON-SAINT-EXUPÉRY
Crémieu
St-Laurent-de-Mure
Pierre-Bénite
A 46
A 432
A 43
Frontonas
Solaize
Heyrieux
l'Isle-d'Abeau
St-Symphorien-d'Ozon
25 minutes
RHÔNE
A 7
Sérézin-du-R.
l'Isle-d'Abeau-Ville-Nouvelle
la Grive
Bourgoin-Jallieu
Chasse-s-R.
St-Georges-d'Espéranche
A 47
Loire-s-R.
Vienne
la Combe-des-Eparres
Rive-de-Gier
Pont-Evêque
Estrablin
Ampuis
Ste-Croix-en-Jarez
Condrieu
Reventin-Vaugris
Chonas-l'Amballan
0
10 km

## Hôtels

### Centre-ville (Bellecour-Terreaux) :

**Sofitel** Ⓜ, 20 quai Gailleton ✉ 69002 ☎ 04 72 41 20 20, *h0553@accor-hotels.com, Fax 04 72 40 05 50,* ← – |‡| ⇆ ≡ TV ☎ ♿ 🚗 – 🏛 15 à 200. AE ⓓ GB JCB p. 8 **FY p**
***Les Trois Dômes*** (au 8e étage) ☎ 04 72 41 20 97 *(fermé 2 août au 2 sept., 15 au 26 fév.)*
**Repas** 47(déj.), 63/114bc ♀ – ***Sofishop*** (rez-de-chaussée) ☎ *04 72 41 20 80* **Repas** *(19)* bc-23bc/26bc♀ – ☕ 23 – **138 ch** 260/292, 29 appart.
◆ L'extérieur cubique un brin austère contraste avec un luxueux aménagement intérieur. Préférez les chambres rénovées, dotées de meubles en acajou ou en bois blond. Les Trois Dômes offrent une vue panoramique sur le Rhône et les toits de Lyon.

**Boscolo Grand Hôtel,** 11 r. Grolée ✉ 69002 ☎ 04 72 40 45 45, *reservation@lyon.boscolo.com, Fax 04 78 37 52 55* – |‡| ⇆, ≡ ch, TV ☎ – 🏛 15 à 60. AE ⓓ GB JCB. ✗ rest p. 8 **FX y**
**Repas** *(fermé 8 au 27 août, sam., dim. et fériés) (16)* - 19/27,50 – ☕ 15 – **137 ch** 170/310, 3 appart.
◆ La façade fin 19e s. borde le Rhône. Les chambres, spacieuses et claires, sont diversement meublées : Empire, Art déco ou contemporain. Salon cossu et bar feutré.

**Sofitel Royal** sans rest, 20 pl. Bellecour ✉ 69002 ☎ 04 78 37 57 31, *h2952@accor-hotels.com, Fax 04 78 37 01 36* – |‡| ⇆ ≡ TV ☎. AE ⓓ GB JCB p. 8 **FY g**
☕ 16 – **80 ch** 144/330.
◆ Bâtisse du 19e s. face à la plus célèbre place lyonnaise. Au choix : petites chambres "clipper" mariant acajou et laiton, grandes pièces de style Louis XV ou cadre fonctionnel.

**Carlton** sans rest, 4 r. Jussieu ✉ 69002 ☎ 04 78 42 56 51, *h2950@accor-hotels.com, Fax 04 78 42 10 71* – |‡| ⇆ ≡ TV ☎. AE ⓓ GB JCB p. 8 **FX b**
☕ 11 – **83 ch** 72/144.
◆ Pourpre et or : deux couleurs qui habillent cet hôtel de tradition aménagé à la façon d'un petit palace "rétro". La vénérable cage d'ascenseur ne manque pas de charme.

**Mercure Plaza République** Ⓜ sans rest, 5 r. Stella ✉ 69002 ☎ 04 78 37 50 50, *h2951-gm@accor-hotels.com, Fax 04 78 42 33 34* – |‡| ⇆ ≡ TV ☎ ♿ – 🏛 20 à 35. AE ⓓ GB JCB p. 8 **FY k**
☕ 11,50 – **78 ch** 98/148.
◆ Un mascaron couronne chaque fenêtre de cet immeuble du 19e s. dont l'architecture extérieure contraste de manière surprenante avec un intérieur résolument moderne.

**Globe et Cécil** sans rest, 21 r. Gasparin ✉ 69002 ☎ 04 78 42 58 95, *globe.et.cecil@wanadoo.fr, Fax 04 72 41 99 06* – |‡| ≡ TV ☎ – 🏛 25. AE ⓓ GB JCB p. 8 **FY b**
**60 ch** ☕ 110/130.
◆ Ces murs du 19e s. accueillent un élégant salon et des chambres de différents styles, agrémentées de jolis meubles chinés chez les antiquaires.

**Beaux-Arts** sans rest, 75 r. Prés. E. Herriot ✉ 69002 ☎ 04 78 38 09 50, *h2949@accor-hotels.com, Fax 04 78 42 19 19* – |‡| ⇆ ≡ TV ☎ – 🏛 15. AE ⓓ GB JCB p. 8 **FX t**
☕ 11 – **75 ch** 115/149.
◆ Bel immeuble d'époque 1900 où la plupart des chambres sont meublées en style Art déco. Quatre d'entre elles, plus insolites, sont décorées par des artistes contemporains.

**Artistes** sans rest, 8 r. G. André ✉ 69002 ☎ 04 78 42 04 88, *hartiste@club-internet.fr, Fax 04 78 42 93 76* – |‡| ≡ TV ☎. AE ⓓ GB. ✗ p. 8 **FY r**
☕ 8,40 – **45 ch** 66/103.
◆ L'enseigne évoque les artistes du théâtre des Célestins voisin. Chambres claires et coquettes. Une fresque à la manière de Cocteau orne la salle des petits-déjeuners.

**Résidence** sans rest, 18 r. V. Hugo ✉ 69002 ☎ 04 78 42 63 28, *hotel-la-residence@wanadoo.fr, Fax 04 78 42 85 76* – |‡| ≡ TV ☎. AE ⓓ GB JCB p. 8 **FY s**
☕ 6,50 – **67 ch** 60/65.
◆ Établissement situé dans une rue piétonne proche de la place Bellecour. Salon et chambres à l'aspect "seventies" ; couleurs plus chatoyantes dans celles récemment rénovées.

**Élysée Hôtel** sans rest, 92 r. Prés. E. Herriot ✉ 69002 ☎ 04 78 42 03 15, *elysee-hotel@wanadoo.fr, Fax 04 78 37 76 49* – |‡| TV. AE ⓓ GB JCB p. 8 **FY z**
☕ 7,60 – **29 ch** 44/67.
◆ Petites chambres gaies équipées d'un mobilier simple. Les personnes de grande taille éviteront celles du dernier étage, mansardées.

**Colbert** sans rest, 4 r. Archers ✉ 69002 ☎ 04 72 56 08 98, *reception@hotel-le-colbert.com, Fax 04 72 56 08 65* – |‡| TV ☎. AE ⓓ GB JCB. ✗ p. 8 **FY a**
☕ 7 – **20 ch** 55/65.
◆ Hôtel aménagé dans un immeuble d'habitation. Chambres blanches, meublées sans fioriture ; celles de la façade offrent une échappée sur la colline de Fourvière.

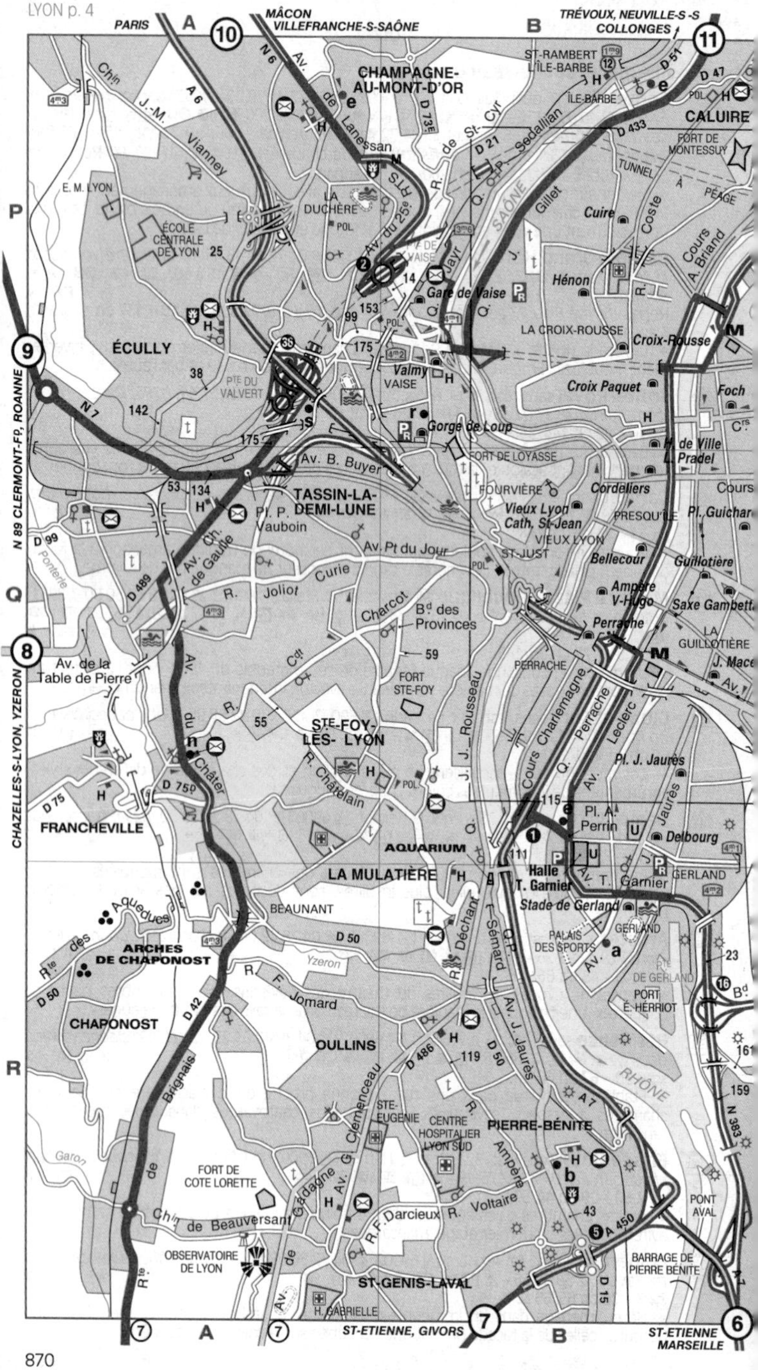
PARIS
A
10
MÂCON
VILLEFRANCHE-S-SAÔNE
B
TRÉVOUX, NEUVILLE-S-S
COLLONGES
11
P
Q
R
9
8
7
6
N 89 CLERMONT-FD, ROANNE
CHAZELLES-S-LYON, YZERON
ST-ETIENNE, GIVORS
ST-ETIENNE
MARSEILLE
A 6
N 6
Av. de Lanessan
CHAMPAGNE-AU-MONT-D'OR
D 73E
R. de St-Cyr
ST-RAMBERT L'ÎLE-BARBE
ÎLE-BARBE
D 51
D 47
CALUIRE
D 433
FORT DE MONTESSUY
TUNNEL À PÉAGE
Chin J.-M. Vianney
E. M. LYON
ÉCOLE CENTRALE DE LYON
25
LA DUCHÈRE
POL.
Av. du 25e RTS
D 21
P. Sedallian
Q. Gillet
SAÔNE
Cuire
Coste
Cours A. Briand
Pte DE VAISE
14
Q. Jayr
Gare de Vaise
Hénon
99
153
175
LA CROIX-ROUSSE
Croix-Rousse
ÉCULLY
38
Pte DU VALVERT
142
N 7
Valmy
VAISE
Croix Paquet
Foch
Gorge de Loup
FORT DE LOYASSE
FOURVIÈRE
H. de Ville L. Pradel
Cordeliers
Cours
53
134
Av. B. Buyer
TASSIN-LA-DEMI-LUNE
Pl. P. Vauboin
Vieux Lyon Cath. St-Jean
VIEUX LYON
PRESQU'ÎLE
Pl. Guichard
D 99
Ponterie
D 489
Av. Ch. de Gaulle
Av. Pt du Jour
ST-JUST
Bellecour
Guillotière
R. Joliot Curie
Charcot
Bd des Provinces
Ampère V-Hugo
Saxe Gambetta
Perrache
LA GUILLOTIÈRE
Av. de la Table de Pierre
Cdt
59
FORT STE-FOY
PERRACHE
J. Macé
Av.
Cours Charlemagne
Q. Perrache
Av. Leclerc
55
STE-FOY-LÈS-LYON
R. Châtelain
J. Rousseau
Pl. J. Jaurès
Av. du Châter
D 75D
D 75
FRANCHEVILLE
115
Pl. A. Perrin
Jaurès
Delbourg
AQUARIUM
111
Halle T. Garnier
Av. T. Garnier
GERLAND
LA MULATIÈRE
Stade de Gerland
BEAUNANT
Rte des Aqueducs
ARCHES DE CHAPONOST
D 50
Yzeron
PALAIS DES SPORTS
GERLAND
Pte DE GERLAND
PORT É. HERRIOT
23
Bd
R. F. Jomard
R. Déchant
Sémard
Av. J. Jaurès
CHAPONOST
D 42
OULLINS
D 486
119
161
159
RHÔNE
N 383
Brignais
Clemenceau
STE-EUGÉNIE
CENTRE HOSPITALIER LYON SUD
R. Ampère
PIERRE-BÉNITE
A 7
Garon
FORT DE COTE LORETTE
Gadagne
Av. G.
R. F. Darcieux
R. Voltaire
43
A 450
PONT AVAL
Chin de Beauversant
OBSERVATOIRE DE LYON
BARRAGE DE PIERRE BÉNITE
Rte de
Av. de
ST-GENIS-LAVAL
H. GABRIELLE
D 15

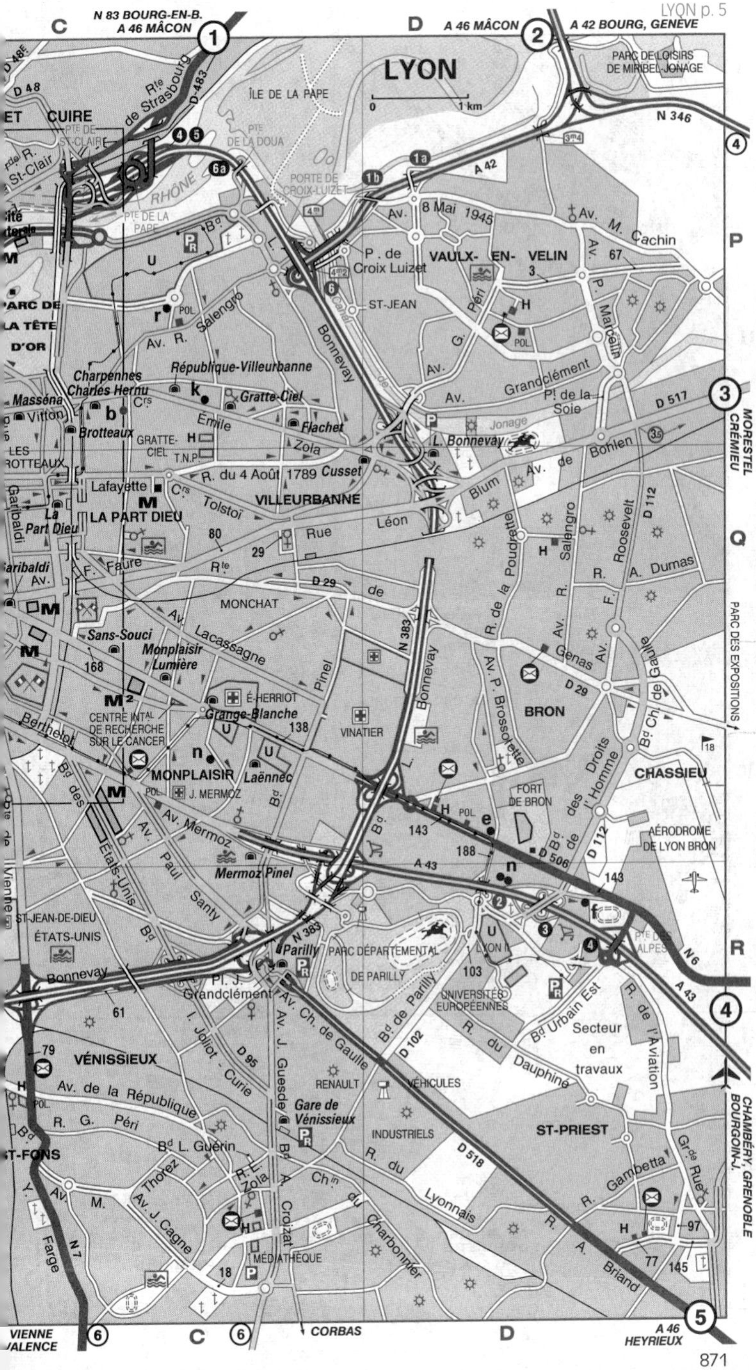
N 83 BOURG-EN-B.
A 46 MÂCON
A 46 MÂCON
A 42 BOURG, GENÈVE
LYON
0
1 km
PARC DE LOISIRS DE MIRIBEL-JONAGE
ÎLE DE LA PAPE
N 346
A 42
CUIRE
Rte de Strasbourg
Pte DE LA DOUA
PORTE DE CROIX-LUIZET
Pte DE LA PAPE
RHÔNE
Av. 8 Mai 1945
Av. M. Cachin
VAULX- EN- VELIN
P. de Croix Luizet
ST-JEAN
Canal
Bonnevay
Av. G. Péri
Av. P. Marcellin
Av. R. Salengro
République-Villeurbanne
Charpennes Charles Hernu
Gratte-Ciel
Flachet
Masséna
Vitton
Brotteaux
LES BROTTEAUX
GRATTE-CIEL
T.N.P.
Crs Émile Zola
Av. Grandclément
Pl. de la Soie
Jonage
L. Bonnevay
D 517
MORESTEL CRÉMIEU
Av. de Bohlen
R. du 4 Août 1789
Cusset
Lafayette
LA PART DIEU
Crs Tolstoï
VILLEURBANNE
Blum
Rue Léon
Garibaldi
La Part Dieu
F. Faure
Rte de
D 29
MONCHAT
R. de la Poudrette
R. Salengro
Roosevelt
D 112
R. A. Dumas
Av. F.
Av. R.
PARC DES EXPOSITIONS
Av. Lacassagne
Sans-Souci
Monplaisir Lumière
N 383
Bonnevay
Pinel
Genas
D 29
Av. P. Brossolette
BRON
Bd Ch. de Gaulle
É-HERRIOT
Grange-Blanche
CENTRE INTAL DE RECHERCHE SUR LE CANCER
VINATIER
Berthelot
MONPLAISIR
Laënnec
J. MERMOZ
Bd des États-Unis
CHASSIEU
FORT DE BRON
Bd des Droits de l'Homme
AÉRODROME DE LYON BRON
Av. Mermoz
Av. Paul Santy
Mermoz Pinel
A 43
D 506
D 112
ST-JEAN-DE-DIEU
ÉTATS-UNIS
Bonnevay
Parilly
PARC DÉPARTEMENTAL DE PARILLY
LYON II
Pte DES ALPES
N 6
A 43
Pl. J. Grandclément
Av. Ch. de Gaulle
Av. J. Guesde
Bd de Parilly
UNIVERSITÉS EUROPÉENNES
Bd Urbain Est
Secteur en travaux
R. de l'Aviation
VÉNISSIEUX
Av. J. Joliot-Curie
D 95
D 102
R. du Dauphiné
Av. de la République
RENAULT
VÉHICULES
Gare de Vénissieux
INDUSTRIELS
CHAMBÉRY, GRENOBLE BOURGOIN-J.
R. G. Péri
Bd L. Guérin
ST-PRIEST
D 518
ST-FONS
R. E. Zola
Bd A. Croizat
R. du Lyonnais
Chin du Charbonnier
R. Gambetta
Grde Rue
Av. Y. Farge
Av. M. Thorez
Av. J. Cagne
MÉDIATHÈQUE
R. A. Briand
N 7
VIENNE VALENCE
CORBAS
A 46 HEYRIEUX
C
D
P
Q
R

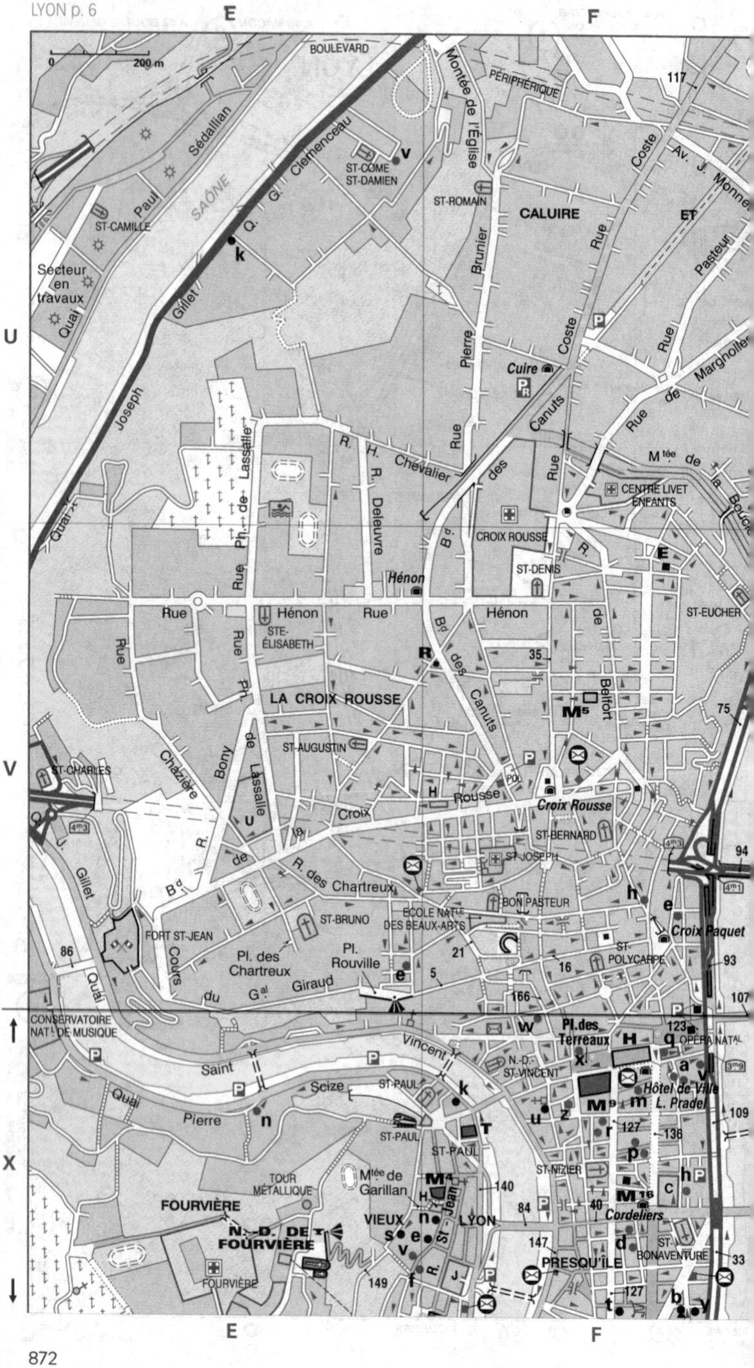
E
F
0
200 m
BOULEVARD
PÉRIPHÉRIQUE
117
Montée de l'Église
Quai Paul Sédallian
SAÔNE
Q. G. Clemenceau
ST-COME
ST-DAMIEN
v
ST-ROMAIN
CALUIRE
ET
Coste
Rue Coste
Av. J. Monnet
Rue Pasteur
ST-CAMILLE
k
Secteur
en
travaux
Quai Joseph Gillet
Rue Pierre Brunier
Rue
Rue de Margnolles
Cuire
U
Canuts
Rue des Canuts
Mtée de la Boucle
R. H. Chevalier
R. Deleuvre
Bd
CENTRE LIVET
ENFANTS
Rue Ph. de Lassalle
CROIX ROUSSE
ST-DENIS
R.
E
Hénon
Rue Hénon
Rue Hénon
Hénon
ST-EUCHER
STE-ÉLISABETH
Rue
Rue Ph.
Bd des Canuts
R
35
de Belfort
LA CROIX ROUSSE
M5
75
ST-AUGUSTIN
Bony
de Lassalle
R. Chazière
V
ST-CHARLES
P
POL
H
Rousse
Croix Rousse
Croix
de la
Bd de la Croix Rousse
u
ST-BERNARD
ST-JOSEPH
94
4m3
4m1
Gillet
R. des Chartreux
h
e
BON PASTEUR
FORT ST-JEAN
ST-BRUNO
ECOLE NATLE
DES BEAUX-ARTS
Croix Paquet
86
Quai
Cours
Pl. des
Chartreux
Pl.
Rouville
21
ST-POLYCARPE
16
93
e
5
du Gal Giraud
166
107
CONSERVATOIRE
NATL DE MUSIQUE
w
Pl. des
Terreaux
H
q
123
OPÉRA NATAL
Vincent
Saint
N.-D.
ST-VINCENT
x
a
v
3m9
Quai Pierre Scize
ST-PAUL
k
Hôtel de Ville
L. Pradel
n
M9
m
109
u
z
r
127
136
ST-PAUL
T
ST-PAUL
p
X
ST-NIZIER
h
TOUR
MÉTALLIQUE
Mtée de
Garillan
M4
140
M16
c
FOURVIÈRE
H
40
Cordeliers
VIEUX
n
LYON
84
N.-D. DE
FOURVIÈRE
s
e
St-Jean
d
v
147
ST-
BONAVENTURE
33
PRESQU'ÎLE
FOURVIÈRE
149
f
R.
J
127
b
t
z
y
E
F

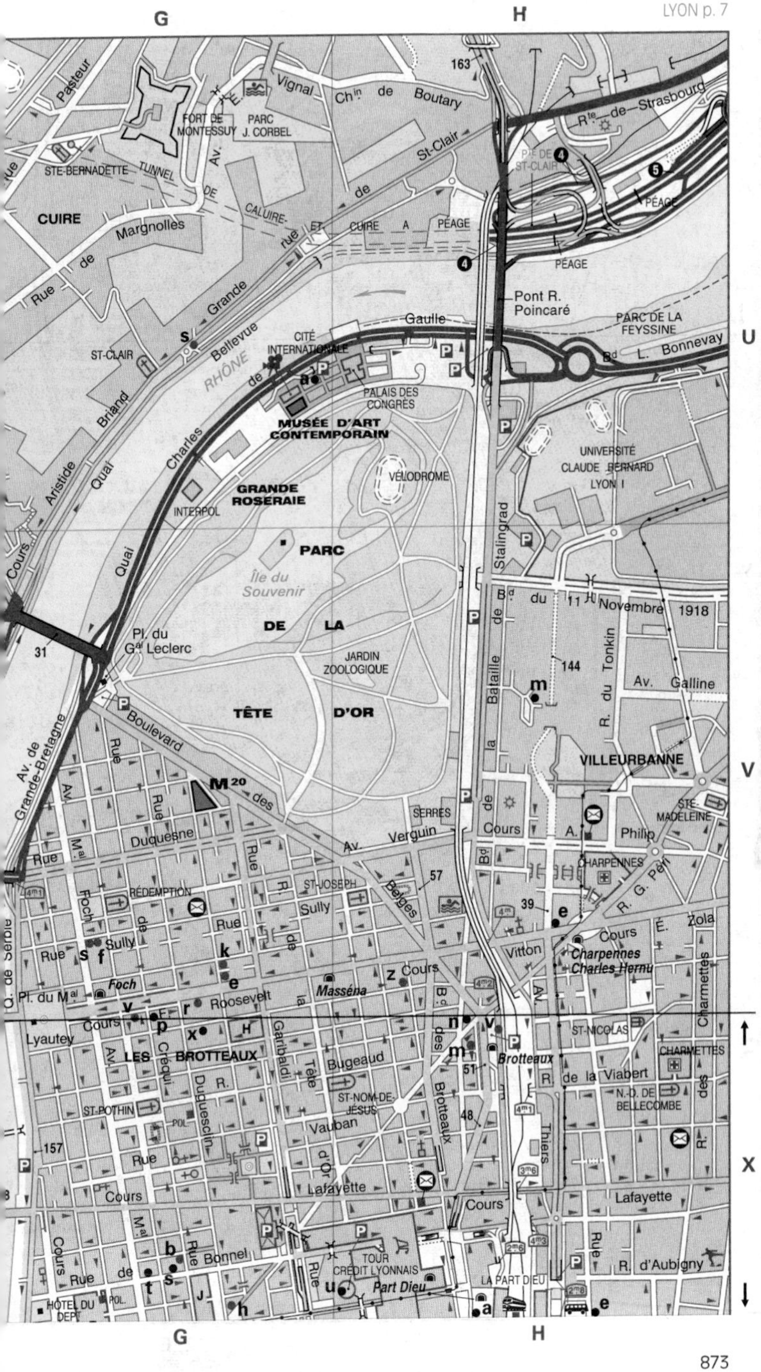
G
H
U
V
X
FORT DE MONTESSUY
PARC J. CORBEL
Vignal
Chin de Boutary
Rte de Strasbourg
Pasteur
STE-BERNADETTE
TUNNEL DE CALUIRE-ET-CUIRE A PÉAGE
CUIRE
Rue de Margnolles
rue de St-Clair
Grande rue
PTE DE ST-CLAIR
PÉAGE
Pont R. Poincaré
PARC DE LA FEYSSINE
Bd L. Bonnevay
Gaulle
ST-CLAIR
Bellevue
RHÔNE
CITÉ INTERNATIONALE
PALAIS DES CONGRÈS
MUSÉE D'ART CONTEMPORAIN
Quai Charles de
Quai Aristide Briand
Cours
VÉLODROME
UNIVERSITÉ CLAUDE BERNARD LYON I
GRANDE ROSERAIE
INTERPOL
PARC DE LA TÊTE D'OR
Île du Souvenir
JARDIN ZOOLOGIQUE
Stalingrad
Bd de la Bataille de
Bd du 11 Novembre 1918
R. du Tonkin
Av. Galline
144
163
31
Pl. du Gal Leclerc
Av. de Grande-Bretagne
Boulevard des Belges
M20
VILLEURBANNE
SERRES
Av. Verguin
Cours A. Philip
STE-MADELEINE
CHARPENNES
R. G. Péri
Cours É. Zola
57
39
Rue Duquesne
Av. Mal Foch
RÉDEMPTION
ST-JOSEPH
Rue Sully
Rue Garibaldi
Cours Vitton
Charpennes Charles Hernu
Pl. du Mal Foch
Cours Roosevelt
Masséna
Cours Lyautey
LES BROTTEAUX
Av. Créqui
R. Duguesclin
Rue Tête d'Or
Bugeaud
Bd des Brotteaux
ST-NICOLAS
Brotteaux
R. de la Viabert
CHARMETTES
Rue des Charmettes
51
48
ST-POTHIN
ST-NOM-DE-JÉSUS
Vauban
N.-D. DE BELLECOMBE
157
Cours Lafayette
Thiers
Q. de Serbie
Rue Bonnel
Rue de
TOUR CRÉDIT LYONNAIS
Part Dieu
LA PART DIEU
R. d'Aubigny
HÔTEL DU DÉPT
POL.

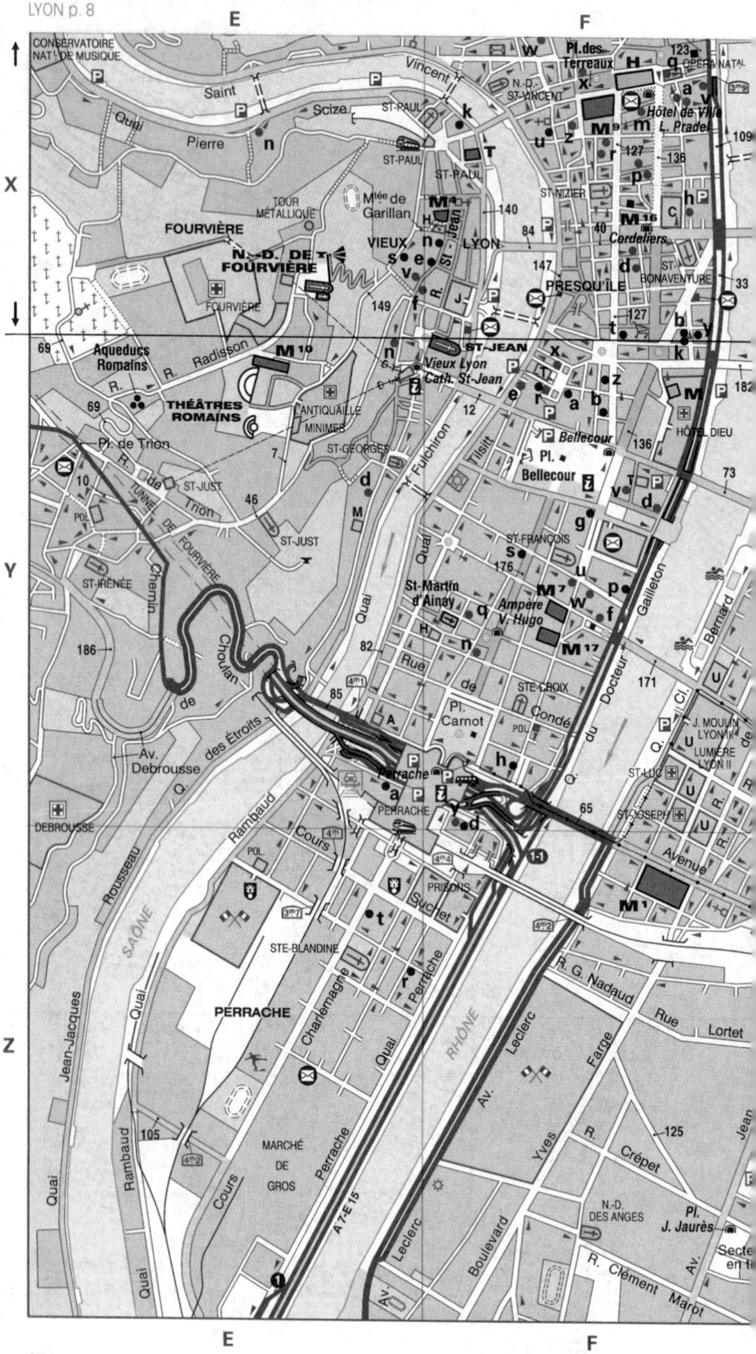
E
F
X
Y
Z
CONSERVATOIRE NAT. DE MUSIQUE
Quai
Saint
Pierre
Scize
Vincent
ST-PAUL
N.-D. ST-VINCENT
Pl. des Terreaux
OPÉRA NATAL
Hôtel de Ville L. Pradel
TOUR MÉTALLIQUE
Mtée de Garillan
FOURVIÈRE
N.-D. DE FOURVIÈRE
VIEUX LYON
R. St-Jean
ST-NIZIER
Cordeliers
ST-BONAVENTURE
PRESQU'ÎLE
ST-JEAN
Vieux Lyon Cath. St-Jean
Aqueducs Romains
R. Radisson
THÉÂTRES ROMAINS
L'ANTIQUAILLE
MINIMES
ST-GEORGES
Pl. de Trion
R. de Trion
TUNNEL DE FOURVIÈRE
ST-JUST
ST-IRÉNÉE
Chemin de Choulan
Quai Fulchiron
Quai Tilsitt
Bellecour
Pl. Bellecour
HÔTEL DIEU
ST-FRANÇOIS
St-Martin d'Ainay
Ampère V. Hugo
Rue de Condé
STE-CROIX
Pl. Carnot
Q. des Étroits
Av. Debrousse
DEBROUSSE
Perrache
PERRACHE
Cours Suchet
Rambaud
PRISONS
Rue du Docteur Gailleton
Q. Cl. Bernard
J. MOULIN LYON III
LUMIÈRE LYON II
ST-LUC
ST-JOSEPH
Avenue
SAÔNE
RHÔNE
STE-BLANDINE
Quai Rousseau
Quai Jean-Jacques Rousseau
Quai Rambaud
Cours Charlemagne
Quai Perrache
Cours Perrache
MARCHÉ DE GROS
A 7-E 15
Av. Leclerc
R. G. Nadaud
Rue Lortet
Av. Yves Farge
R. Crépet
N.-D. DES ANGES
Pl. J. Jaurès
Boulevard
R. Clément Marot
Av. Jean
POL.

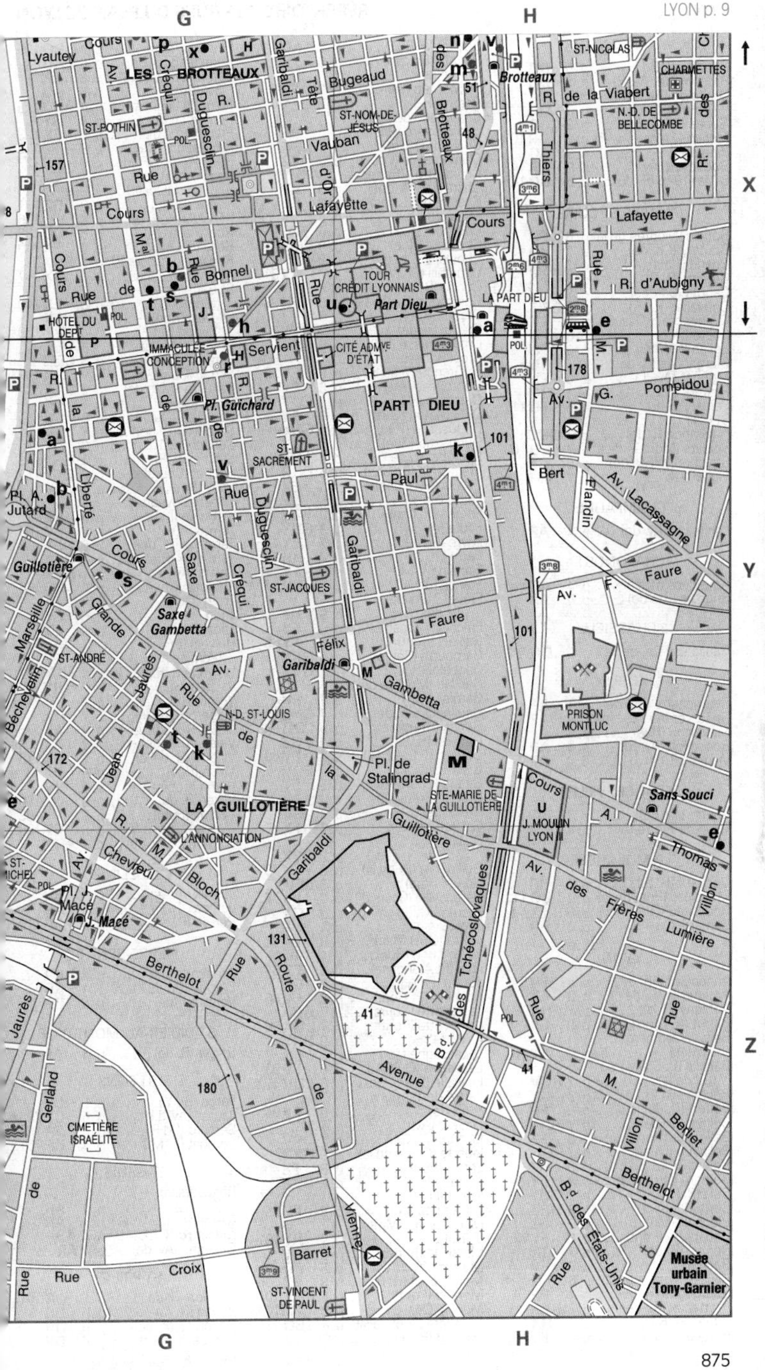
G
H
X
Y
Z
LES BROTTEAUX
Cours Lyautey
Av.
Créqui
Duguesclin
R.
Rue
Garibaldi
Tête d'Or
Bugeaud
ST-NOM-DE-JÉSUS
Vauban
des Brotteaux
Brotteaux
ST-NICOLAS
CHARMETTES
R. de la Viabert
N.D. DE BELLECOMBE
Thiers
ST-POTHIN
POL.
157
Cours Lafayette
Lafayette
51
48
Cours
M.al
Bonnel
Rue de
TOUR CRÉDIT LYONNAIS
Part Dieu
LA PART DIEU
R. d'Aubigny
HÔTEL DU DEPT
IMMACULÉE CONCEPTION
Servient
CITÉ ADM.VE D'ÉTAT
PART DIEU
M.
178
Av. G. Pompidou
Pl. Guichard
ST-SACREMENT
101
Paul Bert
Flandin
Av. Lacassagne
Pl. A. Jutard
Liberté
Cours
Guillotière
Grande
Saxe Gambetta
Saxe
Créqui
Duguesclin
ST-JACQUES
Garibaldi
Faure
Av. F. Faure
Félix
Garibaldi
Gambetta
Av.
ST-ANDRÉ
Jaurès
Marseille
Bechevelin
N-D. ST-LOUIS
Rue de la
PRISON MONTLUC
172
Jean
Pl. de Stalingrad
STE-MARIE DE LA GUILLOTIÈRE
Cours
J. MOULIN LYON III
Sans Souci
LA GUILLOTIÈRE
Guillotière
A. Thomas
L'ANNONCIATION
R. M. Bloch
Chevreul
ST-MICHEL
POL.
Pl. J. Macé
J. Macé
Tchécoslovaques
Av. des Frères Lumière
Villon
131
Berthelot
Rue
Route
41
B.d des
POL.
Rue
Jaurès
Gerland
180
de
Avenue
M. Berliet
CIMETIÈRE ISRAÉLITE
Villon
Berthelot
B.d des États-Unis
Vienne
Barret
Rue Croix
ST-VINCENT DE PAUL
Rue
Musée urbain Tony-Garnier

# RÉPERTOIRE DES RUES DU PLAN DE LYON

## BRON

Bonnevay (Bd L.) .... p. 5 **DQ**
Brossolette (Av. P.) .. p. 5 **DQ**
Droits-de-l'Homme (Bd des) .......... p. 5 **DQ**
Genas (Rte de) ...... p. 3 **CDQ**
Mendès-France (Av. P.) p. 5 **DR** 103
Pinel (Bd) ............ p. 5 **CQ**
Roosevelt (Av. F.) .... p. 5 **DQR** 143
8-Mai-1945 (R. du) ... p. 5 **DQ** 188

## CALUIRE ET CUIRE

Boucle (Montée de la) p. 6 **FU**
Boutary (Ch. de) ..... p. 7 **HU**
Briand (Cours A.) .... p. 7 **GUV**
Brunier (R. P.) ....... p. 6 **FU**
Canuts (Bd des) ..... p. 6 **FUV**
Chevalier (R. H.) ..... p. 6 **EFU**
Clemenceau (Quai G.) p. 6 **EU**
Coste (Rue) ........ p. 6 **FU**
Église (Montée de l') . p. 6 **FU**
Margnolles (R. de) ....... **FGU**
Monnet (Av. J.) ..... p. 6 **FU**
Pasteur (R.) ............ **FGU**
Peissel (R. F.) ....... p. 6 **FU** 117
St-Clair (Grande R. de) .... p. 7 **GHU**
Soldats (Montée des) p. 7 **HU** 163
Strasbourg (Rte de) .. p. 5 **CP**
Vignal (Av. E.) ....... p. 7 **GU**

## CHAMPAGNE

Lanessan (Av. de) ... p. 4 **AP**

## CHAPONOST

Aqueducs (Rte des) . p. 4 **AR**
Brignais (Rte de) .... p. 4 **AR**

## CHASSIEU

Gaulle (Bd Ch.-de) ... p. 5 **DQ**

## ÉCULLY

Champagne (Rte de) . p. 4 **AP** 25
Dr-Terver (Av.) ....... p. 4 **AP** 38
Marietton (Rue) ..... p. 4 **AP** 99
Roosevelt (Av. F.) .... p. 4 **AP** 142
Vianney (Chin J.-M.) . p. 4 **AP**

## FRANCHEVILLE

Chater (Av. du) ....... p. 4 **AQ**
Table-de-Pierre (Av.) . p. 4 **AQ**

## LA MULATIÈRE

Dechant (R. S.) ...... p. 4 **BR**
Mulatière (Pont de la) p. 4 **BQ** 111
Rousseau (Quai J.-J.) p. 8 **EZ**
Semard (Quai P.) .... p. 4 **BR**

## LYON

Annonciade (R. de l') . p. 6 **FV** 5
Antiquaille (R. de l') .. p. 8 **EY** 7
Aubigny (R. d') ....... p. 7 **HX**
Barret (R. Croix) ..... p. 9 **GZ**
Basses-Vercheres (R. des) ........... p. 8 **EY** 10
Bataille de Stalingrad (Bd de la) .......... p. 7 **HUV**
Béchevelin (R.) ....... p. 9 **GY**
Belfort (R. de) ....... p. 6 **FV**
Belges (Bd des) ..... p. 7 **GHV**
Bellecour (Place) .... p. 8 **FY**
Bellevue (Quai) ..... p. 7 **GU**
Berliet (R. M.) ....... p. 9 **HZ**
Bernard (Quai Cl.) ... p. 8 **FY**
Bert (R. P.) .......... p. 9 **GHY**
Berthelot (Av.) ....... p. 9 **GHZ**
Bloch (R. M.) ....... p. 9 **GZ**
Bonaparte (Pont) .... p. 8 **FY** 12
Bonnel (R. de) ....... p. 7 **GX**
Bony (R.) ............ p. 6 **EV**
Boucle (Montée de la) . p. 6 **FU**
Bourgogne (R. de) ... p. 4 **BP** 14
Brotteaux (Bd des) .. p. 7 **HVX**
Bugeaud (R.) ....... p. 7 **HX**
Burdeau (Rue) ....... p. 6 **FV** 16
Buyer (Av. B.) ....... p. 4 **AQ**
Canuts (Bd des) ..... p. 6 **FUV**
Carmélites (Montée des) ..... p. 6 **FV** 21
Carnot (Pl.) .......... p. 8 **FY**
Chambaud de la Bruyère (Bd) .... p. 4 **BR** 23
Charcot (R. Cdt) ..... p. 4 **ABQ**
Charlemagne (Cours) . p. 8 **EZ**
Charmettes (R. des) . p. 7 **HVX**
Chartreux (Pl. des) ... p. 6 **EV**
Chartreux (R. des) ... p. 6 **EV**
Chazière (Rue) ...... p. 6 **EV**
Chevalier (R. H.) ..... p. 6 **EFU**
Chevreul (Rue) ...... p. 9 **GYZ**
Choulans (Ch. de) ... p. 8 **EY**
Churchill (Pt W.) ..... p. 7 **GV** 31
Condé (R. de) ....... p. 8 **FY**
Courmont (Quai J.) .. p. 6 **FX** 33
Crepet (Rue) ........ p. 8 **FZ**
Créqui (R. de) .............. **GVY**
Croix-Rousse (Bd) ... p. 6 **EFV**
Croix-Rousse (Grande R. de la) .. p. 6 **FV** 35
Debrousse (Av.) ...... p. 8 **EY**
Deleuvre (R.) ....... p. 6 **EUV**
Dr-Gailleton (Quai) ... p. 8 **FY**
Duguesclin (Rue) .... p. 7 **GVY**
Duquesne (Rue) ..... p. 7 **GV**
Épargne (R. de l') .... p. 9 **HZ** 41
États-Unis (Bd des) .. p. 5 **CQR**
Étroits (Quai des) .... p. 8 **EY**
Farge (Bd Y.) ........ p. 8 **FZ**
Farges (R. des) ...... p. 8 **EY** 46
Faure (Av. F.) ........ p. 9 **GHY**
Favre (Bd J.) ........ p. 7 **HX** 48
Ferry (Pl. J.) ........ p. 7 **HX** 51
Flandin (R. M.) ...... p. 9 **HXY**
France (Bd A.) ...... p. 7 **HV** 57
Frères-Lumière (Av. des) .......... p. 9 **HZ**
Fulchiron (Quai) ..... p. 8 **EY**
Gallieni (Pont) ....... p. 8 **FY** 65
Gambetta (Cours) ... p. 9 **GHY**
Garibaldi (Rue) .......... **GVZ**
Garillan (Montée de) . p. 6 **EFX**
Garnier (Av. T.) ...... p. 4 **BR**
Gaulle (Q. Ch.-de) ... p. 7 **GHU**
Genas (Rte de) ...... p. 5 **CDQ**
Gerland (R. de) ...... p. 9 **GZ**
Gerlier (R. Cardinal) . p. 8 **EY** 69
Gillet (Quai J.) ...... p. 6 **EUV**
Giraud (Cours Gén.) . p. 6 **EV**
Grande-Bretagne (Av. de) .......... p. 7 **GV**
Grenette (Rue) ...... p. 6 **FX** 71
Guillotière (Grande R. de la) .. p. 9 **GYZ**
Guillotière (Pt de la) .. p. 8 **FY** 73
Hénon (Rue) ......... p. 6 **EFV**
Herbouville (Cours d') . p. 6 **FV** 75
Jaurès (Av. J.) ....... p. 9 **GY**
Jayr (Quai) .......... p. 4 **BP**
Joffre (Quai Mar.) ... p. 8 **EY** 82
Joliot-Curie (Rue) .... p. 4 **AQ**
Juin (Pt Alphonse) ... p. 6 **FX** 84
Jutard (Pl. A.) ....... p. 9 **GY**
Koening (Pt Gén.) ... p. 6 **EV** 86
La Fayette (Cours) ... p. 7 **GHX**
La Fayette (Pont) .... p. 7 **GX** 88
La Part Dieu ......... p. 9 **HXY**
Lacassagne (Av.) .... p. 5 **CQ**
Lassagne (Quai A.) .. p. 6 **FV** 93
Lassalle (R. Ph. de) .. p. 6 **EUV**
Lattre-de-Tassigny (Pt de) .......... p. 6 **FV** 94
Leclerc (Av.) ......... p. 8 **EFZ**
Leclerc (Pl. Gén.) .... p. 7 **GV**
Liberté (Cours de la) . p. 9 **GXY**
Lortet (Rue) ......... p. 8 **FZ**
Lyautey (Pl. Mar.) .... p. 7 **GVX**
Marchand (Pt Kitchener) ..... p. 8 **EY** 85
Marius-Vivier-Merle (Bd) ............ p. 9 **HY** 101
Marseille (R. de) .... p. 9 **GY**
Mermoz (Av.) ....... p. 5 **CQ**
Montrochet (R. P.) ... p. 8 **EZ** 105
Morand (Pont) ...... p. 6 **FVX** 107
Moulin (Quai J.) ..... p. 6 **FX** 109
Mulatière (Pont de la) . p. 4 **BQ** 111
Nadaud (R. G.) ...... p. 8 **FZ**
Pasteur (Pont) ...... p. 4 **BQ** 115
Périphérique (Bd) .. p. 6 **EHU**
Perrache (Quai) ..... p. 8 **EZ**
Pinel (Bd) ........... p. 5 **CQ**
Point-du-Jour (Av.) .. p. 4 **ABQ**
Pompidou (Av. G.) .. p. 9 **HY**
Pradel (Pl. L.) ....... p. 6 **FX** 123
Pré-Gaudry (Rue) ... p. 8 **FZ** 125
Prés.-Herriot (R. du) p. 6 **FX** 127
Radisson (R. R.) .... p. 8 **EY**
Rambaud (Quai) .... p. 8 **EYZ**
Repos (R. du) ....... p. 9 **GZ** 131
République (R. de la) p. 8 **FXY** 136
Rockefeller (Av.) .... p. 5 **CQ** 138
Rolland (Quai R.) ... p. 6 **FX** 140
Roosevelt (Cours F.) p. 7 **GVX**
St-Antoine (Quai) ... p. 6 **FX** 147
St-Bartélemy (Montée) ........ p. 6 **EX** 149
St-Jean (Rue) ....... p. 6 **FX**
St-Simon (R.) ....... p. 4 **ABP** 153
St-Vincent (Quai) ... p. 6 **EFX**
Santy (Av. Paul) .... p. 5 **CQR**
Sarrail (Quai Gén.) .. p. 7 **GX** 157
Saxe (Av. Mar. de) .. p. 9 **GXY**
Scize (Quai P.) ...... p. 6 **EX**
Sedallian (Quai P.) .. p. 6 **EU**
Serbie (Quai de) .... p. 7 **GV**
Servient (R.) ........ p. 9 **GY**
Stalingrad (Pl. de) .. p. 9 **GHY**
Suchet (Cours) ..... p. 8 **EFZ**
Sully (Rue) ......... p. 7 **GV**
Tchécoslovaques (Bd des) ......... p. 9 **HZ**
Terme (Rue) ........ p. 6 **FV** 166
Terreaux (Pl. des) ... p. 6 **FX**
Tête d'Or (Rue) ..... p. 7 **GVX**
Thiers (Av.) ......... p. 7 **HVX**
Thomas (Crs A.) .... p. 5 **CQ** 168
Tilsitt (Quai) ....... p. 8 **FY**
Trion (Pl. de) ....... p. 8 **EY**
Trion (R. de) ....... p. 8 **EY**
Université (Pont de l') ....... p. 8 **FY** 171
Université (R. de l') . p. 9 **GY** 172
Vauban (Rue) ...... p. 7 **GHX**
Verguin (Av.) ....... p. 7 **HV**
Viabert (R. de la) ... p. 7 **HX**
Victor-Hugo (Rue) .. p. 8 **FY** 176
Vienne (Rte de) .... p. 9 **GZ**
Villette (R. de la) ... p. 9 **HY** 178
Villon (Rue) ........ p. 9 **HZ**
Vitton (Cours) ...... p. 7 **HV**
Vivier (R. du) ....... p. 9 **GZ** 180
Wilson (Pont) ...... p. 8 **FY** 182
Ire-Div.-Fr.-Libre (Av.) p. 8 **EY** 186
25e-R.T.S. (Av. du) .. p. 4 **ABP**

## OULLINS

Jaurès (Av. J.) ..... p. 4 **BR**
Jomard (R. F.) ...... p. 4 **AR**
Perron (R. du) ...... p. 4 **BR** 119

## PIERRE-BÉNITE

Ampère (Rue) ...... p. 4 **BR**
Europe (Bd de l') ... p. 4 **BR** 43
Voltaire (Rue) ...... p. 4 **BR**

## ST-DIDIER-AU-MONT-D'OR

St-Cyr (R. de) ...... p. 4 **BP**

## ST-FONS

Farge (Bd Y.) ....... p. 5 **CR**
Jaurès (Av. J.) ..... p. 5 **CR** 79
Semard (Bd P.) ..... p. 4 **BR** 159
Sembat (R. M.) .... p. 4 **BR** 161

## ST-GENIS-L.

Beauversant (Ch. de) ......... p. 4 **AR**
Clemenceau (Av. G.) p. 4 **AR**
Darcieux (R. F.) ..... p. 4 **ABR**
Gadagne (Av. de) ... p. 4 **AR**

## ST-PRIEST

Aviation (R. de l') ... p. 5 **DR**
Briand (R. A.) ...... p. 5 **DR**
Dauphiné (R. du) ... p. 5 **DR**
Gambetta (Rue) .... p. 5 **DR**

## *Liste alphabétique des hôtels et restaurants*

# Michelin en un coup d'œil

### Notre mission :

Contribuer au progrès de la mobilité des biens et des personnes en facilitant la liberté, la sécurité, l'efficacité et le plaisir de se déplacer

### Notre métier : acteur clé de l'innovation dans 3 domaines majeurs

- les pneumatiques
- les services d'aide au voyage
- les systèmes d'aide à la mobilité

### Leader mondial des pneumatiques avec 19,6 % du marché

### Une présence commerciale dans plus de 170 pays

### Une implantation industrielle au cœur des marchés

Près de 75 sites dans 19 pays produisent chaque année :

- 190 millions de pneumatiques
- 22 millions de cartes et guides

### Des équipes hautement qualifiées

Plus de 125 000 employés de toutes cultures, dont 4 000 chercheurs.

MICHELIN

**Perrache :**

**Grand Hôtel Mercure Château Perrache,** 12 cours Verdun ✉ 69002 ✆ 04 72 77 15 00, *h1292@accor-hotels.com, Fax 04 78 37 06 56* – 🅿 – 20 à 200. AE ⓓ GB JCB p. 8 **EY** a
***Les Belles Saisons*** *(fermé 2 au 24 août)* **Repas** 23,50/32 et carte 31 à 43 ♀, enf. 14,50 – 13 – **111 ch** 140/170.
◆ L'ancien hôtel de la compagnie PLM a conservé une partie de son cadre Art nouveau, dont les superbes boiseries sculptées et les fresques du restaurant Les Belles Saisons.

**Charlemagne** Ⓜ, 23 cours Charlemagne ✉ 69002 ✆ 04 72 77 70 00, *charlemagne@hotel-lyon.fr, Fax 04 78 42 94 84,* – 120. AE ⓓ GB p. 8 **EZ** t
**Repas** *(fermé 4 au 25 août, 20 déc. au 5 janv., sam. et dim.)* 18/21 – 9 – **116 ch** 86/110.
◆ Le Charlemagne est composé de deux bâtiments séparés par une cour-jardin ; dans l'un des deux, les chambres sont plus agréables et vastes. En saison, repas en terrasse.

**Axotel** Ⓜ, 12 r. Marc-Antoine Petit ✉ 69002 ✆ 04 72 77 70 70, *axotel.perrache@hotel-lyon.fr, Fax 04 72 40 00 65,* – rest, – 25 à 100. AE ⓓ GB. rest
***Chalut*** *(fermé 28 juil. au 24 août, 21 déc. au 1er janv., vend. soir, sam. midi et dim)* **Repas** 24,50/47 ♀ – 8 – **130 ch** 71/89. p. 8 **EZ** r
◆ Cet hôtel bénéficie d'équipements adaptés pour accueillir des séminaires. Chaleureuses petites chambres garnies de meubles cérusés. Cuisine de la mer au Chalut.

**Ibis Perrache** Ⓜ sans rest, 28 cours de Verdun ✉ 69002 ✆ 04 78 37 56 55, *H2751@accor-hotels.com, Fax 04 78 37 02 58* – – 40. AE ⓓ GB JCB p. 6 **FY** d
6 – **109 ch** 70/91.
◆ Immeuble des années 1920 situé à deux pas du vieux Lyon. L'hôtel vient d'être rénové : un escalier de marbre, éclairé de vitraux, conduit à des chambres bien équipées.

**Savoies** sans rest, 80 r. Charité ✉ 69002 ✆ 04 78 37 66 94, *hotel.des.savoies@wanadoo.fr, Fax 04 72 40 27 84* – . AE ⓓ GB JCB P. 8 **FY** h
5 – **46 ch** 63/67.
◆ Façade refaite et rehaussée de blasons savoyards. Les chambres sont petites mais viennent de bénéficier d'une cure de jouvence. Garage très apprécié de la clientèle.

**à Vaise :**

**Tulip Inn Saphir** Ⓜ, 18 r. L. Loucheur ✉ 69009 ✆ 04 78 83 48 75, *com-hotel-saphir@wanadoo.fr, Fax 04 78 83 30 81* – – 50. AE ⓓ GB p. 4 **BP** r
**Repas** (12,10) - 15,90/22,90 – 10 – **111 ch** 108/146.
◆ Architecture récente et équipements contemporains sans luxe, mais d'un agencement efficace. Salle de restaurant moderne, avec banquettes disposées en arc de cercle.

**Vieux-Lyon :**

**Villa Florentine** Ⓜ, 25 montée St-Barthélémy ✉ 69005 ✆ 04 72 56 56 56, *florentine@relaischateaux.com, Fax 04 72 40 90 56,* ← Lyon, – – 15. AE ⓓ GB JCB. p. 6 **EFX** s
✿ ***Les Terrasses de Lyon*** (dîner seul. sauf dim.) **Repas** 53(déj.),69/130 et carte 80 à 100 – 20 – **16 ch** 230/460, 3 appart.
◆ Sur "la colline qui prie" (Michelet), l'ex-couvent et sa parure Renaissance égalent les plus somptueuses villas toscanes. Chambres lumineuses et raffinées. Élégant restaurant.
**Spéc.** Saint-Jacques rôties en bouchon d'abricot (oct. à avril). Moelleux d'anchois marinés aux épices (avril à oct.). Caneton de Challans en deux services. **Vins** Beaujolais blanc.

**Cour des Loges** Ⓜ, 6 r. Boeuf ✉ 69005 ✆ 04 72 77 44 44, *contact@courdesloges.com, Fax 04 72 40 93 61,* – – 15 à 50. AE ⓓ GB JCB p. 6 **FX** n
✿ ***Les Loges*** ✆ 04 72 77 44 40 (diner seul sauf sam.) *(fermé 4 au 25 août, dim. et lundi)* **Repas** 65/120 et carte 75 à 95 – ***Café-Épicerie Les Loges*** ✆ 04 72 77 44 40 *(fermé mardi et merc.)* **Repas** carte 40 à 50 ♀ – 25 – **58 ch** 210/440, 4 appart.
◆ Ensemble de maisons du 15e au 17e s. regroupées autour d'une splendide cour à galeries. Les superbes chambres marient style Renaissance et touches contemporaines. Élégants salons feutrés pour une cuisine inventive.
**Spéc.** Tranche de foie gras de canard grillée au sureau. Turbot à la vapeur d'herbes de garrigue. Poitrine de caneton laquée au jus de gentiane.

**Tour Rose** Ⓜ, 22 r. Boeuf ✉ 69005 ✆ 04 78 92 69 10, *latourrose@free.fr, Fax 04 78 42 26 02* – – 25. AE ⓓ GB JCB p. 6 **EFX** e
**Repas** *(fermé le midi en août et dim.)* 53/91 ♀ – 18 – **8 ch** 249/325, 4 duplex.
◆ Maisons du Vieux Lyon, leur caractéristique tour d'escalier et leurs jardins étagés. Étonnantes chambres décorées par les meilleurs soyeux lyonnais. Cuisine créative.

**Phénix Hôtel** sans rest, 7 quai Bondy ✉ 69005 ✆ 04 78 28 24 24, *phenix-hotel@wanadoo.fr, Fax 04 78 28 62 86* – – 30. AE ⓓ GB JCB p. 6 **FX** k
10 – **36 ch** 125/168.
◆ Immeuble ancien sur les quais de la Saône. Grandes chambres au décor actuel ; quelques-unes disposent d'une cheminée. Agréable salle des petits-déjeuners sous verrière.

## La Croix-Rousse (bord de Saône) :

**Lyon Métropole** M, 85 quai J. Gillet ✉ 69004 ☎ 04 72 10 44 44, *metropole@wanadoo.fr, Fax 04 72 10 44 42*, , , – ... – 15 à 300. AE GB JCB p. 6 **EU** k
*fermé 19 déc. au 5 janv.* – ***Brasserie Lyon Plage :*** Repas 27/38 – ☕ 16 – **118 ch** 157/217.
◆ La livrée jaune et blanche de l'architecture "années 1980" se mire dans la piscine olympique. Séjour sportif : 15 courts de tennis, 4 de squash, practices. Chambres rénovées.

## Les Brotteaux :

**Hilton** M, 70 quai Ch. de Gaulle ✉ 69006 ☎ 04 78 17 50 50, *rm-lyon@hilton.com, Fax 04 78 17 52 52*, – ... – 15 à 400. AE GB JCB
***Blue Elephant*** ☎ 04 78 17 50 00 *(fermé 20 juil. au 20 août, sam. midi et dim.)* Repas 26(déj.), 39/52 ♀ – ***Brasserie Belge*** ☎ 04 78 17 51 00 Repas *(17)*-23bc (déj.) et carte 34 à 45 ♀, enf. 8 – ☕ 24 – **196 ch** 310/385, 5 appart. p. 7 **GU** a
◆ Hôtel contemporain de la Cité internationale. Spacieuses chambres ; certaines sont tournées vers le parc de la Tête d'Or. Cadre exotique et cuisine thaïlandaise au Blue Elephant.

**Roosevelt** M sans rest, 48 r. Sèze ✉ 69006 ☎ 04 78 52 35 67, *hotel.roosevelt@wanadoo.fr, Fax 04 78 52 39 82* – ... – 15 à 40. AE GB p. 7 **GX** x
☕ 10 – **48 ch** 107/126.
◆ Cet établissement revu de pied en cap propose un plaisant salon-bibliothèque et des chambres confortables - plus petites en façade - de style contemporain.

**Holiday Inn Garden Court** M sans rest, 114 bd Belges ✉ 69006 ☎ 04 78 24 44 68, *holilyon@imaginet.fr, Fax 04 78 24 82 36* – ... AE GB p. 7 **HX** n
☕ 10 – **55 ch** 96/110.
◆ Belle façade Art nouveau agrémentée d'une marquise. Un curieux ascenseur octogonal d'époque 1900 dessert des chambres fraîches et fonctionnelles.

**Patio Morand** sans rest, 99 r. Créqui ✉ 69006 ☎ 04 78 52 62 62, *accueil@hotel-morand.fr, Fax 04 78 24 87 88* – ... AE GB JCB p. 7**GVX** p
☕ 8 – **31 ch** 60/80.
◆ Ce petit hôtel proche de l'Opéra propose des chambres au décor varié. Quelques-unes, plus calmes, ouvrent sur le patio fleuri et coloré où l'on sert les petits-déjeuners.

## La Part-Dieu :

**Méridien Part-Dieu** M, 129 r. Servient (32e étage) ✉ 69003 ☎ 04 78 63 55 00, *info@lemeridien-lyon.com, Fax 04 78 63 55 20*, ≤ Lyon et vallée du Rhône – ... – 110. AE GB JCB p. 7 **GX** u
***L'Arc-en-Ciel*** *(fermé 15 juil. au 24 août, sam. midi et dim.)* Repas *(28)*-34/44 ♀, enf. 18 – ***Bistrot de la Tour*** (rez-de-chaussée) *(fermé vend. soir , dim. midi et sam.)* Repas *(15)* 18,50 ♀, enf. 10,50 – ☕ 19 – **245 ch** 185/275.
◆ Au sommet du "crayon" (à plus de 100 m de hauteur), vue panoramique et agencement intérieur inspiré des maisons du Vieux Lyon : cour intérieure, galeries superposées.

**Grand Hôtel Mercure Saxe-Lafayette,** 29 r. Bonnel ✉ 69003 ☎ 04 72 61 90 90, *h2057@accor-hotels.com, Fax 04 72 61 17 54*, – ... – 20 à 120. AE GB JCB p. 7 **GX** t
Repas *(fermé 3 au 17 août)* 21/28 ♀ – ☕ 14 – **156 ch** 145/175.
◆ Garage du début du 20e s. transformé en hôtel à l'imposante façade de verre. Grandes chambres au cadre actuel. Au restaurant, décor original à la gloire de l'automobile.

**Novotel La Part-Dieu** M, 47 bd Vivier-Merle ✉ 69003 ☎ 04 72 13 51 51, *h0735@accor-hotels.com, Fax 04 72 13 51 99* – ... – 15 à 70. AE GB JCB p. 9 **HX** a
Repas *(16,20)* - 19,70 ♀, enf. 8 – ☕ 11 – **124 ch** 128/141.
◆ Vaste bar-salon équipé d'un espace Internet, chambres mises aux dernières normes de la chaîne et restaurant-brasserie : une étape pratique à deux pas de la gare.

**Créqui Part-Dieu** sans rest, 37 r. Bonnel ✉ 69003 ☎ 04 78 60 20 47, *infosa@hotel-crequi.com, Fax 04 78 62 21 12* – ... – 30. AE GB p. 7 **GX** s
☕ 10 – **46 ch** 85/105, 3 appart.
◆ L'établissement est situé en face de la cité judiciaire. La mise des chambres s'inspire des coloris et tissus provençaux, tandis qu'une aile neuve propose un cadre moderne.

**Ibis La Part-Dieu Gare,** pl. Renaudel ✉ 69003 ☎ 04 78 95 42 11, *Fax 04 78 60 42 85*, – ... – 20. AE GB p. 9 **HY** k
Repas *(13)* - 16,70 ♀, enf. 6,50 – ☕ 6 – **144 ch** 50/78.
◆ Architecture cubique proche de la gare de La Part-Dieu. Chambres refaites suivant le nouveau concept Ibis. Restauration sans prétention (grillades).

**Campanile Forum Part-Dieu,** 31 r. Maurice Flandin ✉ 69003 ✆ 04 72 36 31 00, *campanilepartdieu@wanadoo.fr, Fax 04 72 34 02 80,* – |‡|, ≡ ch, TV ✆ ♿ 🚗 – 🏛 20 à 50. AE ◐ GB p. 9 **HX** e
**Repas** *(12,50)* - 15,50 ♀, enf. 6 – ☕ 6,50 – **168 ch** 78.
◆ Occupant en partie un immeuble moderne de bureaux - le "Forum" -, un Campanile classiquement conçu : chambres simples et restauration sous forme de buffets.

**La Guillotière :**

**Libertel Wilson** M sans rest, 6 r. Mazenod ✉ 69003 ✆ 04 78 60 94 94, *h2780-gm@accor-hotels.com, Fax 04 78 62 72 01* – |‡| ≡ TV ✆ 🚗. AE ◐ GB JCB P. 9 **GY** a
☕ 11 – **54 ch** 107/150.
◆ Mobilier contemporain inspiré du style Art déco et tissus chatoyants - cité des canuts oblige ! - personnalisent les chambres de cet hôtel récent proche des quais du Rhône.

**Bleu Marine** M sans rest, 4 r. Mortier ✉ 69003 ✆ 04 78 60 03 09, *hotelbleumarine-lyon@wanadoo.fr, Fax 04 78 60 01 95,* – |‡| ≡ TV ✆ ♿ 🚗 – 🏛 15 à 40. AE ◐ GB p. 9 **GY** b
☕ 10 – **126 ch** 85/102.
◆ Dans une rue tranquille du quartier de la Guillotière. Chaleureux salon-bibliothèque ; chambres actuelles et bien insonorisées. Petit-déjeuner servi sous forme de buffet.

**Noailles** sans rest, 30 cours Gambetta ✉ 69007 ✆ 04 78 72 40 72, *accueil@hotel-de-noailles-lyon.com, Fax 04 72 71 09 10* – ≡ TV ✆ 🚗. GB p. 9 **GY** s
*fermé 1er au 24 août* – ☕ 7 – **24 ch** 65/105.
◆ Les chambres, simplement décorées, sont tournées sur la cour intérieure ou sur un jardin. Le garage et la proximité des stations de métro en font une adresse pratique.

**Gerland :**

**Novotel Gerland** M, 70 av. Leclerc ✉ 69007 ✆ 04 72 71 11 11, *h0736@accor-hotels.com, Fax 04 72 71 11 00,* – |‡| ≡ TV ✆ ♿ 🚗 – 🏛 90 à 150. AE ◐ GB JCB
**Repas** *(19,50)* - 24 ♀, enf. 8 – ☕ 11 – **187 ch** 130/150. p. 4 **BQ** e
◆ Bâtisse moderne proche de la halle Tony-Garnier et du stade de football. Suite au récent changement d'enseigne, de nouveaux aménagements sont apparus en 2002.

**Montchat-Monplaisir :**

**Mercure Lumière** M, 69 cours A. Thomas ✆ 04 78 53 76 76, *h1535@accor-hotels.com, Fax 04 72 36 97 65* – |‡| ≡ TV ✆ ♿ 🚗 – 🏛 25 à 50. AE ◐ GB JCB p. 9 **HZ** e
**Repas** *(fermé dim. midi, sam. et fériés)* 18/25 ♀, enf. 10 – ☕ 12 – **78 ch** 113/116.
◆ Silence, on tourne ! Fin 19e s., à Lyon : les frères Lumière inventent le cinématographe. 1991, zoom, même lieu : ce Mercure reçoit un décor inspiré du cinéma. Clap de fin.

**Laënnec** sans rest, 36 r. Seignemartin ✉ 69008 ✆ 04 78 74 55 22, *Fax 04 78 01 00 24* – TV 🚗. AE GB JCB p. 5 **CQ** n
*fermé 10 au 18 août* – ☕ 6 – **14 ch** 66/73.
◆ Cure de jouvence pour les petites chambres de cet hôtel familial du quartier hospitalo-universitaire : parquet flottant, couleurs vives et nouveaux éclairages. Tenue rigoureuse.

**à Villeurbanne** – *116 872 h. alt. 168 – ✉ 69100 :*

**Mercure Charpennes** M, 7 pl. Ch. Hernu ✆ 04 72 44 46 46, *H1625@accor-hotels.com, Fax 04 78 89 10 14* – |‡| ≡ TV ✆ ♿ 🚗 – 🏛 20 à 80. AE ◐ GB p. 7 **HV** e
**Repas** *(fermé 26 juil. au 17 août, dim. midi et sam.)* 17,50/22 🍷, enf. 8 – ☕ 11 – **96 ch** 125/140.
◆ Façade moderne, caractéristique de ce secteur en cours de rénovation. L'intérieur est chaleureux, avec des teintes pastel et un décor contemporain. Chambres spacieuses.

**Congrès,** pl. Cdt Rivière ✆ 04 72 69 16 16, *hotelcongres@wanadoo.fr, Fax 04 78 94 64 86* – |‡| ≡ TV 🚗 – 🏛 65. AE ◐ GB. ✂ rest p. 7 **HV** m
*hôtel : fermé 25 juil. au 24 août, 19 déc. au 4 janv., vend. et sam.* – **Repas** *(fermé 20 juil. au 19 août, vend. soir, sam. et dim.)* 32/58 ♀ – ☕ 12 – **134 ch** 76/100.
◆ Architecture de béton proche du parc de la Tête d'Or (105 ha). Décor conforme au standard des années 1980. Les chambres "prestige", rénovées, sont plus chaleureuses.

**Holiday Inn Garden Court** M, 130 bd 11 Nov. 1918 ✆ 04 78 89 95 95, *higcvilleurbanne@alliance-hospitality.com, Fax 04 72 43 91 55* – |‡| ≡ TV ✆ ♿ 🚗 – 🏛 25 à 100. AE ◐ GB JCB p. 5 **CP** r
**Repas** *(fermé sam. midi et dim. midi)* 16,80/20 ♀, enf. 7,40 – ☕ 11 – **79 ch** 145.
◆ Une adresse particulièrement appréciée par la clientèle d'affaires : chambres confortables et bien agencées, espaces de réunions modulables et sobre salle à manger.

**Ariana** sans rest, 163 cours É. Zola ✆ 04 78 85 32 33, *ariana@ariana-hotel.fr, Fax 04 72 65 78 55* – |‡| ≡ TV ✆ 🚗. AE GB p. 5 **CP** k
☕ 8 – **102 ch** 48/70.
◆ Immeuble récent situé face à la "cité des Gratte-Ciel" édifiée dans les années 1930. Chambres fonctionnelles. Vous gagnerez rapidement le centre de Lyon grâce au métro.

**à Bron** – *39 683 h. alt. 204* – ✉ *69500 :*

**Novotel Bron** Ⓜ, 260 av. J. Monnet ✆ 04 72 15 65 65, *h0436@accor-hotels.com, Fax 04 72 15 09 09,* – – 15 à 500. AE ⓓ GB
**Repas** *(17,50)* - 21,50 ♀, enf. 8 – ☕ 10,50 – **190 ch** 125/135. p. 5 **DR** f
◆ Entre A 43 et N 6, cet hôtel de chaîne constitue une étape avant tout pratique. Chambres de bonne ampleur et salle à manger simple, tournée vers la piscine.

**Dau Ly** sans rest, 28 r. Prévieux ✆ 04 78 26 04 37, *hotel@dauly-lyon.com, Fax 04 78 26 62 47* – AE ⓓ GB JCB p. 5 **DQ** e
☕ 7,65 – **22 ch** 68/76,20.
◆ Construction cubique des années 1970 dans un quartier calme. Les chambres, régulièrement entretenues, ont néanmoins conservé leur mobilier d'origine. La tenue est rigoureuse.

**Ibis Bron Eurexpo,** r. M. Bastié ✆ 04 72 37 01 46, *h0854-gm@accor-hotels.com, Fax 04 78 26 65 43,* – – 80. AE ⓓ GB p. 5 **DR** n
**Repas** *(12)* - 15 , enf. 6 – ☕ 6 – **79 ch** 72.
◆ Bâtisse moderne proche du parc des expositions. Chambres aux nouvelles normes de la chaîne. Une large baie vitrée illumine la salle de restaurant. Parking surveillé.

**Relais Porte des Alpes,** r. Col. Chambonnet ✆ 04 72 37 00 14, *relais.alpes@frgateway.net, Fax 04 78 26 95 05,* – AE GB p. 5 **DR** n
**Repas** *(fermé sam. et dim.)* 19,50/25 ♀ – ☕ 7,40 – **45 ch** 52/58.
◆ Contemporaines mais d'un confort simple, les chambres sont réparties autour d'un puits de lumière ; éviter celles donnant sur l'autoroute. Salle des repas sous charpente.

**à Pierre-Bénite** – *9 574 h. alt. 167* – ✉ *69310 :*

**Europe** sans rest, 67 bd Europe ✆ 04 78 50 55 55, *hoteldeleurope@aol.com, Fax 04 78 50 16 01* – AE ⓓ GB p. 4 **BR** b
☕ 5,50 – **34 ch** 35/45.
◆ Petit immeuble moderne de la périphérie industrielle de Lyon : chambres insonorisées, au décor de style années 1970. Tenue sans reproche et accueil familial.

## Restaurants

XXXXX ✿✿✿ **Paul Bocuse,** au pont de Collonges Nord : 12 km par bords Saône (D 433, D 51) ✉ 69660 Collonges-au-Mont-d'Or ✆ 04 72 42 90 90, *paul.bocuse@bocuse.fr, Fax 04 72 27 85 87* – AE ⓓ GB JCB p. 4 **BP**
**Repas** 104/139 et carte 90 à 140, enf. 19.
◆ Le monde entier défile dans le palais-auberge coloré et cossu de "Monsieur Paul", le primat des "gueules". Plats "historiques" et fresque "des grands chefs" dans la cour.
**Spéc.** Soupe aux truffes. Rouget en écailles de pommes de terre. Volaille de Bresse. **Vins** Saint-Véran, Brouilly.

XXXX ✿✿ **Léon de Lyon** (Lacombe), 1 r. Pleney ✉ 69001 ✆ 04 72 10 11 12, *leon@relaischateaux.fr, Fax 04 72 10 11 13* – AE GB JCB p. 8 **FX** r
*fermé 3 au 25 août, 27 avril au 5 mai, dim. et lundi* – **Repas** 60 (déj.), 100/145 et carte 85 à 105 ♀, enf. 14.
◆ La tradition de la grande cuisine lyonnaise demeure bien vivante en ces salons et cabinets habillés de boiseries et décorés de tableaux à la gloire du marmiton. Épatant !
**Spéc.** Cochon fermier du Cantal, foie gras et oignons confits. Quenelles de brochet sauce Nantua. Cinq petits desserts à la praline de Saint-Genix. **Vins** Saint-Véran, Chiroubles.

XXXX ✿ **Pierre Orsi,** 3 pl. Kléber ✉ 69006 ✆ 04 78 89 57 68, *orsi@relaischateaux.com, Fax 04 72 44 93 34,* – AE GB JCB p. 7 **GV** e
*fermé dim. et lundi sauf fériés* – **Repas** 43 (déj.), 77/107 et carte 75 à 100 ♀, enf. 23.
◆ Cette maison ancienne abrite une élégante salle de restaurant et une terrasse-roseraie où l'on déguste une cuisine lyonnaise soignée. Belle cave voûtée bicentenaire.
**Spéc.** Ravioles de foie gras au jus de porto et truffes. Homard en carapace. Pigeonneau en cocotte aux gousses d'ail confites. **Vins** Saint-Joseph, Mâcon-Villages.

XXX ✿ **Christian Têtedoie,** 54 quai Pierre Scize ✉ 69005 ✆ 04 78 29 40 10, *restaurant@tetedoie.com, Fax 04 72 07 05 65* – AE GB p. 6 **EX** n
*fermé 1er au 28 mai, 28 juil. au 24 août, 16 au 22 fév., sam. midi et dim.* – **Repas** 27/52 et carte 47 à 70 ♀.
◆ Derrière la gracieuse façade, un décor contemporain raffiné déclinant un camaïeu de jaunes. Quelques tables ont vue sur la Saône. Cuisine au goût du jour ; cave-vitrine.
**Spéc.** Salade de homard rôti au beurre d'orange. Quenelle de brochet au coulis d'écrevisse. Tête de veau confite et pieds braisés à la sauge.

XXX ✿ **L'Auberge de Fond Rose** (Vignat), 23 quai G. Clemenceau ✉ 69300 Caluire-et-Cuire ☎ 04 78 29 34 61, *contact@aubergedefondrose.com, Fax 04 72 00 28 67*, 🏠, 🅿 – ▤ 🅿. AE ⓓ GB
p. 6 EU v
*fermé vacances de Toussaint, 17 fév. au 7 mars, dim. soir de juin à août, mardi de sept. à mai et lundi sauf fériés* – **Repas** 36/63 et carte 67 à 89 ♀.
◆ Maison bourgeoise des années 1920 nichée dans son jardin ombragé et fleuri. Salle rénovée et agrémentée d'une cheminée ou agréable terrasse pour savourer une cuisine classique.
**Spéc.** Ravioles de queue de boeuf et morilles. Pigeon cuit à la rôtissoire aux olives noires. Entremets tiède au chocolat guanaja. **Vins** Mâcon-Villages, Crozes-Hermitage

XXX **Garioud,** 14 r. Palais Grillet ✉ 69002 ☎ 04 78 37 04 71, *palais.grillet@wanadoo.fr, Fax 04 72 40 98 07* – ▤. AE GB
p. 8 FX d
*fermé 5 au 20 août, sam. midi et dim.* – **Repas** 40/55 et carte 51 à 57.
◆ Le décor de ce chaleureux restaurant occupant le rez-de-chaussée d'un bel immeuble du 17e s. marie meubles anciens et contemporains. Fresque champêtre. Cuisine classique.

XXX **Mère Brazier,** 12 r. Royale ✉ 69001 ☎ 04 78 28 15 49, *Fax 04 78 28 63 63* – AE ⓓ GB
*fermé 27 avril au 4 mai, 25 juil. au 26 août, sam. midi, dim. et mardi* – **Repas** 46/55 et carte 43 à 65.
p. 6 FV e
◆ Au pied de la Croix-Rousse, vénérable conservatoire de la tradition lyonnaise et de la cuisine de la légendaire Mère. Les spécialités de la maison sont immuables.

XXX **St-Alban,** 2 quai J. Moulin ✉ 69001 ☎ 04 78 30 14 89, *Fax 04 72 00 88 82* – ▤. AE ⓓ GB JCB
p. 6 FX v
*fermé 19 juil. au 18 août, 1er au 6 janv., sam. midi, dim. et fériés* – **Repas** 26 (déj.), 34/58 et carte 35 à 60 ♀.
◆ Des carrés de soie représentant les monuments lyonnais égayent depuis peu l'intérieur chic de cette salle à manger voûtée proche de l'Opéra. Cuisine classique actualisée.

XXX **Fernand Duthion,** 18 r. D. Vincent ✉ 69410 Champagne-au-Mont-d'Or ☎ 04 78 35 04 78, *Fax 04 78 35 59 58*, 🏠, 🌳 – 🅿. GB
p. 4 AP e
*fermé 12 au 29 août, 23 déc. au 3 janv., dim. soir, lundi et merc.* – **Repas** 26/49 et carte 46 à 66 ♀.
◆ Maison bourgeoise 1900 dans un joli jardin planté d'arbres centenaires. Salles au charme désuet, décorées de moulures et d'une cheminée ancienne. Terrasse ombragée.

XX ✿✿ **Auberge de l'Ile** (Ansanay-Alex), sur l'Ile Barbe ✉ 69009 ☎ 04 78 83 99 49, *info@aubergedelile.com, Fax 04 78 47 80 46* – 🅿. AE ⓓ GB JCB
p. 4 BP e
*fermé 3 au 26 août, dim. et lundi* – **Repas** 70/90 ♀.
◆ Intérieur de caractère et cuisine au goût du jour subtile font de cette maison du 17e s., nichée dans un paisible hameau d'une île de la Saône, une adresse attachante.
**Spéc.** Foie gras de canard "mi-figue-mi-raisin" en brioche mousseline (automne). Omble chevalier en peau croustillante au beurre de mousserons (printemps). Crème glacée à la réglisse et cornet de pain d'épices. **Vins** Saint-Véran, Morgon.

XX ✿ **L'Alexandrin** (Alexanian), 83 r. Moncey ✉ 69003 ☎ 04 72 61 15 69, *Fax 04 78 62 75 57*, 🏠 – ▤. AE GB
p. 7 GX h
*fermé 1er au 12 mai, 29 mai au 2 juin, 3 au 25 août, 21 déc. au 5 janv., dim. et lundi* – **Repas** 26 (déj.), 38/50 et carte 60 à 80.
◆ Décor contemporain chic, service tout sourire et cuisine originale rajeunissant les plats du terroir : le "Tout-Lyon" accourt dans ce restaurant proche du "crayon".
**Spéc.** Foie gras de canard en terrine. Mousseline de brochet en quenelle et son crémeux d'écrevisses. Madeleines guanaja et entremets chocolat amer, sorbet cacao. **Vins** Crozes-Hermitage, Saint-Joseph.

XX **Cazenove,** 75 r. Boileau ✉ 69006 ☎ 04 78 89 82 92, *orsi@relaischateaux.com, Fax 04 72 44 93 34* – ▤. AE GB JCB
p. 7 GV k
*fermé août, sam. et dim.* – **Repas** 33/43 ♀.
◆ Évocation Belle Époque réussie : banquettes capitonnées, glaces murales, appliques "rétro" et bronzes d'art. Convivialité assurée et petits plats régionaux.

XX **Passage,** 8 r. Plâtre ✉ 69001 ☎ 04 78 28 11 16, *Fax 04 72 00 84 34* – ▤. AE ⓓ GB JCB
p. 8 FX r
*fermé 10 au 25 août, dim., lundi, et fériés* – **Repas** 29/38 ♀.
◆ Sièges de cinéma récupérés et trompe-l'oeil façon rideau de scène au bistrot, fauteuils "club" et décor feutré dans la salle principale : deux ambiances séduisantes.

XX **Fleur de Sel,** 3 r. Remparts d'Ainay ✉ 69002 ☎ 04 78 37 40 37, *Fax 04 78 37 26 37* – GB
p. 8 FY q
*fermé 26 juil. au 26 août, dim. et lundi* – **Repas** (15) - 24 (déj.)/38 ♀.
◆ Des voilages vert et jaune tamisent la lumière de cette vaste salle à manger bourgeoise. Tables espacées et sièges modernes. Cuisine personnalisée, d'inspiration provençale.

XX 🙂 **Chez Alex,** 40 r. Sergent Blandan ✉ 69001 ☎ 04 78 28 19 83, *Fax 04 78 29 42 32* – AE GB. ✂
p. 6 FX w
*fermé 27 juil. au 26 août, mardi midi, dim. soir et lundi* – **Repas** (10) - 14,50 (déj.), 19/36 ♀.
◆ La jolie façade attire l'oeil. Salle fraîche, demi-lambrissée et agrémentée d'une bibliothèque enrichie de quelques vieux Guides Michelin. Cuisine traditionnelle soignée.

XX **J.-C. Pequet,** 59 pl. Voltaire ✉ 69003 ✆ 04 78 95 49 70, *Fax 04 78 62 85 26* – ▤. AE ⓓ GB JCB
p. 9 **GY** v
*fermé août, sam. et dim.* – **Repas** 26/30.
♦ Décor sans excentricité et sage cuisine classique évoluant au gré des saisons : un établissement sérieux et une clientèle d'habitués.

XX **Gourmet de Sèze** (Mariller), 129 r. Sèze ✉ 69006 ✆ 04 78 24 23 42, *Fax 04 78 24 66 81* – ▤. AE GB
✿ p. 7 **HV** z
*fermé 1er au 5 mai, 26 juil. au 25 août, 1er au 5 janv., 15 au 18 fév., dim., lundi et fériés* – **Repas** (nombre de couverts limité, prévenir) (23) - 31/52 ♀.
♦ Coquette petite salle de restaurant et cuisine classique intelligemment actualisée : les gourmets de la rue de Sèze ne sont pas les seuls à être séduits.
**Spéc.** Croustillants de pieds de cochon. Saint-Jacques grillées à la crème de brocoli, jus truffé (oct. à mars). Le "Grand dessert". **Vins** Saint-Joseph blanc, Crozes-Hermitage.

XX **Mathieu Viannay,** 47 av. Foch ✉ 69006 ✆ 04 78 89 55 19, *Fax 04 78 89 08 39* – ▤. AE GB
p. 7 **GV** s
*fermé 2 au 25 août, 29 déc. au 5 janv., sam. et dim.* – **Repas** (20) - 23/43 ♀.
♦ Restaurant au cadre résolument contemporain - parquet, sièges colorés et éclairage original - en harmonie avec la cuisine au goût du jour de cette nouvelle adresse lyonnaise.

XX **Brunoise,** 4 r. A. Boutin ✉ 69100 Villeurbanne ✆ 04 78 52 07 77, *Fax 04 72 83 54 96* – ▤. GB
p. 5 **CP** b
*fermé 3 au 25 août, 1er au 6 janv., lundi soir, mardi soir, sam., dim. et fériés* – **Repas** 19,50/45 ♀.
♦ Les spécialités de la maison, peintes par les artistes de la Cité de la Création, décorent la façade. Salle à manger actuelle. Belle carte des vins et cuisine classique.

XX **Romanée,** 19 r. Rivet ✉ 69001 ✆ 04 72 00 80 87, *Fax 04 72 07 88 44* – ▤. AE GB JCB
p. 6 **EV** e
*fermé août, 1er au 6 janv., sam. midi, dim. soir et lundi* – **Repas** (prévenir) 20/36 ♀.
♦ Cet établissement de la Croix-Rousse est un hymne à Bacchus : riche carte des vins, conseils avisés et jolie verrerie. Le cadre, quant à lui, cultive l'esprit "bistrot chic".

XX **Chez Jean-François,** 2 pl. Célestins ✉ 69002 ✆ 04 78 42 08 26, *Fax 04 72 40 04 51* – ▤. AE GB JCB
p. 8 **FY** x
*fermé 17 au 21 avril, 26 juil. au 26 août, dim. et fériés* – **Repas** (10) - 16,80/29,80 ♀.
♦ Ce restaurant au décor contemporain fait souvent salle comble avec les clients et les artistes du théâtre des Célestins tout proche. Généreuse cuisine du terroir.

XX **Tassée,** 20 r. Charité ✉ 69002 ✆ 04 72 77 79 00, *jpborgeot@latassee.fr, Fax 04 72 40 05 91* – ▤. AE GB
p. 8 **FY** u
*fermé dim.* – **Repas** 26/45 ♀.
♦ Peinte dans les années 1950, la fresque bachique d'inspiration médiévale donne du cachet à ce bistrot proche de la place Bellecour. Cuisine classique et lyonnaise.

XX **Vivarais,** 1 pl. Gailleton ✉ 69002 ✆ 04 78 37 85 15, *Fax 04 78 37 59 49* – ▤. AE ⓓ GB JCB
p. 8 **FY** f
*fermé 27 juil. au 19 août, 25 déc. au 1er janv., sam. midi et dim.* – **Repas** 19 (déj.), 24/32 ♀.
♦ Boiseries, tableaux anciens... Un cadre assez soigné pour déguster une cuisine au goût du jour escortée des inévitables et goûteuses "lyonnaiseries".

XX **Grenier des Lyres,** 21 r. Creuzet ✉ 69007 ✆ 04 78 72 81 77, *Fax 04 78 72 01 75* – ▤. AE GB
p. 9 **GY** t
*fermé 11 au 27 août, lundi soir, sam. midi et dim.* – **Repas** 18 (déj.), 25,50/37,90.
♦ "Grenier délire" plutôt, avec cette toute petite salle à manger au décor boisé aussi original que la cuisine "lyrique" que l'on y déguste.

XX **Splendid,** pl. J. Ferry ✉ 69006 ✆ 04 37 24 85 85, *lesplendid@georgesblanc.com, Fax 04 37 24 85 86* – AE ⓓ GB JCB
p. 7 **HX** m
**Repas** 18,50 (déj.), 26/40 ♀, enf. 11.
♦ Les plats simples et généreux rendent hommage aux "Mères" lyonnaises dont on retrouve les photos sur une "fresque" originale placée au-dessus des cuisines.

XX **Machonnerie,** 36 r. Tramassac ✉ 69005 ✆ 04 78 42 24 62, *felix@lamachonnerie.com, Fax 04 72 40 23 32* – ▤. AE ⓓ GB. ✂
p. 8 **EY** n
*fermé le midi sauf sam. et dim.* – **Repas** (prévenir) 18/40 bc ♀.
♦ La tradition du "mâchon" lyonnais est respectée dans ce restaurant : service "à la bonne franquette", ambiance conviviale et cuisine authentique.

XX **La Voûte - Chez Léa,** 11 pl. A. Gourju ✉ 69002 ✆ 04 78 42 01 33, *Fax 04 78 37 36 41* – ▤. AE GB
p. 8 **FY** e
*fermé dim.* – **Repas** 23/32,50 ♀.
♦ L'immuable carte nous ramène à l'époque, pas si lointaine, où les Mères régnaient sur le Lyon gastronomique. Cadre "rétro" au rez-de-chaussée, plus cossu à l'étage.

XX **Brasserie Georges,** 30 cours Verdun ✉ 69002 ☎ 04 72 56 54 54, *brasserie.georges@wanadoo.fr, Fax 04 78 42 51 65* – AE ⓓ GB JCB p. 8 **FZ** b
**Repas** 18/24 ♀, enf. 7,60.
◆ "Bonne bière et bonne chère depuis 1836", cadre résolument Art déco depuis 1925 : "la Georges", où s'attablèrent tant de célébrités, n'a rien perdu de son charme.

XX **Mère Vittet,** 26 cours de Verdun ✉ 69002 ☎ 04 78 37 20 17, *merevittet@wanadoo.fr, Fax 04 78 42 40 70* – ▤. AE GB p. 8 **FY** y
**Repas** *(15)* - 20/37 ♀, enf. 10.
◆ Les noctambules apprécient ce restaurant voisin de la gare de Perrache : carte traditionnelle, banc d'écailler et cadre provincial, le tout ouvert jusqu'à 1 heure du matin.

XX **Boeuf d'Argent,** 29 r. Boeuf ✉ 69005 ☎ 04 78 42 21 12, *Fax 04 72 40 24 65* – GB p. 8 **EFX** f
**Repas** 25/80 ♀.
◆ La plus longue traboule du Vieux Lyon est voisine (au n° 27) de ce restaurant. En salle : voûtes immaculées, meubles chinés, sol en tomettes et mise en place soignée.

X **Argenson,** 40 allée P. de Coubertin à Gerland ✉ 69007 ☎ 04 72 73 72 73, *Fax 04 72 73 72 74*, 🏠 – P. AE GB JCB p. 4 **BR** a
**Repas** *(18)* - 20,40/25,60 ♀, enf. 9,20.
◆ Salle rénovée de style brasserie, agréable terrasse : hommes d'affaires à midi et fanas de ballon rond le soir se retrouvent dans ce restaurant voisin du stade de Gerland.

X **Le Nord,** 18 r. Neuve ✉ 69002 ☎ 04 72 10 69 69, *Fax 04 72 10 69 68*, 🏠 – ▤. AE ⓓ GB JCB p. 8 **FX** p
**Repas** *(18)* - 20,40/25,60 ♀.
◆ Le Nord s'orienterait plutôt à l'Est par sa cuisine et son authentique décor de brasserie 1900 : banquettes bordeaux, pavement de mosaïque, boiseries et lampes boule.

X **L'Est,** Gare des Brotteaux, 14 pl. J. Ferry ✉ 69006 ☎ 04 37 24 25 26, *Fax 04 37 24 25 25*, 🏠 – ▤. AE ⓓ GB JCB p. 7 **HX** v
**Repas** *(18)* - 20,40/25,60 ♀.
◆ Ancienne gare convertie en brasserie "tendance". Rondes de trains électriques et cuisine des cinq continents : globe-trotters gourmands, en voiture !

X **Le Sud,** 11 pl. Antonin Poncet ✉ 69002 ☎ 04 72 77 80 00, *Fax 04 72 77 80 01*, 🏠 – ▤. AE ⓓ GB JCB p. 8 **FY** d
**Repas** *(18)* - 20,40/25,60 ♀.
◆ Point cardinal de la géographie bocusienne, cette brasserie évoque le bassin méditerranéen par son décor jeune et coloré et par sa "cuisine du soleil". On dirait le Sud...

X **Francotte,** 8 pl. Célestins ✉ 69002 ☎ 04 78 37 38 64, *Fax 04 78 38 20 35* – ▤. AE GB p. 8 **FY** r
*fermé dim. et lundi* – **Repas** 16 (déj.) et carte 29 à 35 ♀.
◆ Ce restaurant jouxtant le théâtre des Célestins cultive le souvenir des "Mères" lyonnaises, mais dans un cadre très actuel et en proposant une carte au goût du jour.

X **Terrasse St-Clair,** 2 Grande r. St-Clair ✉ 69300 Caluire-et-Cuire ☎ 04 72 27 37 37, *leon@relaischateaux.fr, Fax 04 72 27 37 38*, 🏠 – AE GB p. 7 **GU** s
*fermé 2 au 15 janv., lundi soir, mardi soir du 1er oct. au 30 mars et dim.* – **Repas** 20 ♀, enf. 10.
◆ On a voulu donner un petit air de guinguette à la salle de restaurant et surtout à la terrasse ombragée de platanes. Le Rhône, il est vrai, est à deux pas.

X **Les Adrets,** 30 r. Boeuf ✉ 69005 ☎ 04 78 38 24 30, *Fax 04 78 42 79 52* – GB p. 6 **EX** v
*fermé août, 29 déc. au 4 janv., sam. et dim.* – **Repas** 12,50 (déj.), 19/38, enf. 8,50.
◆ Cette maison ancienne du Vieux Lyon abrite une salle à manger rustique - poutres apparentes et sol en tomettes - partiellement ouverte sur les cuisines. Plats traditionnels.

X **Assiette et Marée,** 49 r. Bourse ✉ 69002 ☎ 04 78 37 36 58, *jsimon@tiscali.fr, Fax 04 78 37 98 52* – ▤. AE GB p. 6 **FX** h
**Repas** carte 25 à 32 ♀, enf. 8,50.
◆ Salle à manger à la pimpante décoration jaune : un sympathique bistrot "marin" proposant poissons, coquillages et crustacés à la carte et sur ardoise.

X **Théodore,** 34 cours Franklin Roosevelt ✉ 69006 ☎ 04 78 24 08 52, *Fax 04 72 74 41 21*, 🏠 – ▤. AE ⓓ GB JCB p. 9 **GVX** v
*fermé 1er au 4 mai, 11 au 17 août, dim. et fériés* – **Repas** 16 (déj.), 18/38,50 ♀, enf. 12.
◆ Derrière une discrète façade peinte, ambiance bistrot et cadre Belle Époque auront tôt fait de vous séduire. Agréable terrasse estivale. Cuisine traditionnelle.

X **Grenadin,** 27 r. Franklin ✉ 69002 ☎ 04 78 37 80 94, *Fax 04 72 41 81 06* – ▤. AE ⓓ GB p. 8 **FY** n
*fermé août, dim. et lundi* – **Repas** 16/30 ♀.
◆ Cuisine traditionnelle et spécialités lyonnaises à déguster dans cette discrète salle d'esprit rustique proche de l'incontournable musée des Tissus.

**Petit Léon,** 3 r. Pleney ✉ 69001 ✆ 04 72 10 11 11, *leon@relaischateaux.fr, Fax 04 72 10 11 13* – AE GB p. 8 **FX r**
*fermé 4 au 26 août, dim. et lundi* – **Repas** (déj. seul.) 16 ♀, enf. 10.
◆ Sympathique annexe de Léon de Lyon, où l'on mange au coude à coude des plats très "terroir" dans un décor de vieilles plaques publicitaires.

**Les Oliviers,** 20 r. Sully ✉ 69006 ✆ 04 78 89 07 09, *Fax 04 78 89 08 39* – ▤. GB p. 7 **GV f**
*fermé 4 au 25 août, 24 au 28 déc., sam. et dim.* – **Repas** (13) - 26.
◆ "Sous le soleil exactement" : chaleureuse décoration aux couleurs du pays des oliviers et notes méridionales également bien présentes dans la cuisine, au goût du jour.

**Comptoir des Marronniers,** 8 r. Marronniers ✉ 69002 ✆ 04 72 77 10 00, *leon@relaischateaux.fr, Fax 04 72 77 10 01,* – ▤. AE GB p. 8 **FY v**
*fermé 3 au 17 août, lundi midi et dim.* – **Repas** 20 ♀, enf. 10.
◆ Dans une ruelle piétonne proche de la place Bellecour, un "bistrot de chef" récent avec, comme il se doit, un cadre actuel réussi et une carte à prix doux.

**Bernachon Passion,** 42 cours Franklin-Roosevelt ✉ 69006 ✆ 04 78 52 23 65, *Fax 04 78 52 67 77* – ▤. AE GB p. 7 **GV r**
*fermé 27 juil. au 26 août, dim., lundi et fériés* – **Repas** (nombre de couverts limité, prévenir)(déj. seul.) 19,90 et carte environ 32.
◆ La petite carte attrayante proposée ici permet de se restaurer entre deux achats dans la boutique voisine du célèbre chocolatier. Salon de thé l'après-midi.

**Les Muses de l'Opéra,** pl. Comédie, au 7e étage de l'Opéra ✉ 69001 ✆ 04 72 00 45 58, *Fax 04 78 29 34 01,* ← Fourvière, – |♦| ▤. AE GB p. 8 **FX q**
**Repas** 18 (déj.), 24/29.
◆ Dans la verrière surmontant l'opéra, restaurant panoramique au décor résolument contemporain imaginé par Jean Nouvel. Les huit muses du fronton vous tournent le dos.

**Maison Villemanzy,** 25 montée St-Sébastien ✉ 69001 ✆ 04 72 98 21 21, *leon@relaischateaux.fr, Fax 04 72 98 21 22,* ← Lyon, – AE GB p. 6 **FV h**
*fermé 2 au 15 janv., lundi midi et dim.* – **Repas** (prévenir) 21 ♀, enf. 10.
◆ L'ex-résidence du colonel de l'hôpital militaire est devenue un sympathique bistrot "rétro". Les cinq galons ne sont plus requis pour commander sur la terrasse panoramique.

**Bistrot du Palais,** 220 r. Duguesclin ✉ 69003 ✆ 04 78 14 21 21, *leon@relaischateaux.fr, Fax 04 78 14 21 22,* – AE GB p. 9 **GY r**
*fermé 4 au 18 août, lundi soir et dim.* – **Repas** 20 ♀, enf. 10.
◆ La Robe a élu domicile dans ce bistrot sympathique situé face au nouveau palais de justice. Décor jeune et chaleureux ; cuisine traditionnelle variant au gré des saisons.

**L'Étage,** 4 pl. Terreaux (2e étage) ✉ 69001 ✆ 04 78 28 19 59, *Fax 04 78 28 19 59* – ▤. GB. p. 8 **FX x**
*fermé 26 avril au 5 mai, 27 juil. au 26 août, dim. et lundi* – **Repas** (prévenir) 18/26 ♀.
◆ Au second étage d'un immeuble sans ascenseur, cet ancien atelier de "canut", au cadre revu dans un esprit coquet et très actuel, a la cote auprès des Lyonnais.

**Daniel et Denise,** 156 r. Créqui ✉ 69003 ✆ 04 78 60 66 53, *Fax 04 78 60 66 53* – ▤. GB p. 7 **GX b**
*fermé août, sam., dim. et fériés* – **Repas** carte 25 à 43.
◆ Cadre d'une ancienne charcuterie et fameuses "lyonnaiseries" : avec un peu de "bouteille", l'adresse pourrait devenir un "bouchon" patenté.

**En mets fait ce qu'il te plaît,** 43 r. Chevreul ✉ 69007 ✆ 04 78 72 46 58, *Fax 04 78 71 06 08* – GB. p. 9 **GY e**
*fermé août, sam. et dim.* – **Repas** (prévenir)(déj. seul.) 17/23 ♀.
◆ La petite salle et la véranda offrent, certes, un confort un brin spartiate, mais les mets - d'incroyables mets vrais - plaisent, et pas seulement au mois de mai.

**Tablier de Sapeur,** 16 r. Madeleine ✉ 69007 ✆ 04 78 72 22 40, *Fax 04 78 72 22 40* – ▤. AE ⓓ GB p. 9 **GY k**
*fermé août, 25 déc. au 2 janv., lundi d'oct. à juin, sam. de juil. à sept. et dim.* – **Repas** 19, enf. 10,70.
◆ Accueil familial, cadre frais, plats traditionnels soignés - dont le fameux tablier de sapeur, spécialité lyonnaise à base de gras-double - et choix de vins en pots.

**Pavé St-Georges,** 86 r. St-Georges ✉ 69005 ✆ 04 72 56 05 67, *Fax 04 72 56 05 67* – ▤. AE GB. p. 8 **EY d**
*fermé vacances de printemps, 1er au 20 août, vacances de Noël, sam. midi, dim. et lundi* – **Repas** (8,50) - 10 (déj.), 20/25 ♀.
◆ Gentille adresse du Vieux Lyon, proche du pavé de l'église St-Georges. Sobre salle à manger décorée de poutres. Cuisine au goût du jour ; le soir, menus plus étoffés.

**Thomas**, 6 r. Laurencin ✉ 69002 ✆ 04 72 56 04 76, *info@restaurant-thomas.com* – GB — p. 8 **FY w**

*fermé dim. et lundi* – **Repas** 15 (déj.)/26 ♀.

◆ Avenante façade rouge vif dans un quartier commerçant. Sobre mobilier de type bistrot, murs ocre et expositions de tableaux. Cuisine au goût du jour ; formule rapide à midi.

LES BOUCHONS : *dégustation de vins régionaux et cuisine locale dans une ambiance typiquement lyonnaise*

**Garet**, 7 r. Garet ✉ 69001 ✆ 04 78 28 16 94, *Fax 04 72 00 06 84* – ▤. AE GB — p. 6 **FX a**

*fermé 26 juil. au 24 août, sam. et dim.* – **Repas** (prévenir) 17 (déj.), 20/28 ♀.

◆ Le Lyon en bras de chemise et salopette y croise le P.D.G. venu se délecter de petits plats immuables ne s'embarrassant guère de considérations diététiques.

**Chez Hugon**, 12 rue Pizay ✉ 69001 ✆ 04 78 28 10 94, *Fax 04 78 28 10 94* – GB — p. 6 **FX m**

*fermé août, sam. et dim.* – **Repas** (prévenir) 21,50/23 ♀.

◆ La cuisinière surveille sous vos yeux la cuisson de sa blanquette, dans une ambiance chaleureuse et conviviale : on s'y tire-bouchonne de plaisir !

**Au Petit Bouchon "Chez Georges"**, 8 r. Garet ✉ 69001 ✆ 04 78 28 30 46 – GB — p. 6 **FX a**

*fermé août, sam. et dim.* – **Repas** 15/20 (midi seul.) carte le soir 28.

◆ C'est "à la bonne franquette" que l'on déguste les spécialités du "bouchon" : tablier de sapeur, quenelle soufflée, etc. arrosées d'un "pot" de Beaujolais.

**Café des Fédérations**, 8 r. Major Martin ✉ 69001 ✆ 04 78 28 26 00, *yr@lesfedeslyon.com, Fax 04 72 07 74 52* – ▤. GB JCB — p. 6 **FX z**

*fermé 26 juil. au 24 août, sam. et dim.* – **Repas** (prévenir) 19 (déj.)/23,50.

◆ Nappes à petits carreaux, tables et convives accolés, saucissons géants suspendus au-dessus du comptoir et cuisine du terroir copieuse : un bouchon, un vrai !

**Jura**, 25 r. Tupin ✉ 69002 ✆ 04 78 42 20 57 – GB — p. 8 **FX d**

*fermé 28 juil. au 28 août, lundi de sept. à avril, sam. de mai à sept. et dim.* – **Repas** (prévenir) 17,50 ♀.

◆ Ne soyez pas déroutés par l'enseigne : c'est bien à un authentique bouchon que l'on a affaire, avec un cadre 1930 pieusement conservé et les typiques "lyonnaiseries".

**Meunière**, 11 r. Neuve ✉ 69001 ✆ 04 78 28 62 91 – GB — p. 8 **FX p**

*fermé 13 juil. au 17 août, dim. et lundi* – **Repas** (prévenir) 16 (déj.), 19,50/26.

◆ On signale un "bouchon" dans la rue Neuve : le décor des années 1920 n'a pas bougé d'un iota et la carte est appétissante, alors forcément, aux heures de pointe...

## Environs

**à Francheville** – *10 863 h. alt. 240 – ✉ 69340 :*

**Auberge de la Vallée** avec ch, 39 av. Chater ✆ 04 78 59 11 88, *Fax 04 78 59 47 16*, – TV P. GB — p. 4 **AQ n**

**Repas** *(fermé 4 au 24 aout, vacances de fév., dim. soir et lundi) (16)* - 23/49 ♀ – ☕ 5 – **12 ch** 45/55 – ½ P 40/55.

◆ Restaurant familial au voisinage des arches de Chaponost, vestiges d'un aqueduc gallo-romain. Salle contemporaine ; mise en place soignée. Petites chambres pour l'étape.

**à Tassin-la-Demi-Lune** : *5 km par D 407 – 15 460 h. alt. 220 – ✉ 69160 :*

**Novotel Tassin** M, 13 D av. V. Hugo ✆ 04 78 64 68 69, *h1201@accor-hotels.com, Fax 04 78 64 61 11*, , – ▤ TV P – 25 à 80. AE GB

**Repas** *(15)* - carte 15 à 22 ♀, enf. 7,70 – ☕ 11 – **103 ch** 115/120. — p. 4 **AP n**

◆ Architecture contemporaine jouxtant un important noeud routier. Chambres fonctionnelles. Salle à manger actuelle, ouverte sur une piscine enchâssée au coeur du Novotel.

**Campanile Tassin**, 12 r. Montribloud ✆ 04 78 36 69 69, *Fax 04 78 36 02 68* – , ▤ rest, TV P – 15 à 35. AE GB — p. 4 **AP s**

**Repas** *(12,50)* - 15,50/18,50 ♀, enf. 6 – ☕ 6,50 – **101 ch** 65/72.

◆ Campanile récent, adossé à la colline de Fourvière. Chambres aménagées selon l'habitude avec sas d'entrée et mobilier pratique. Repas servis sous forme de buffets.

**à Collonges-au-Mont-d'Or** *Nord : 12 km par bords de Saône (D 433, D 51) – 3 165 h. alt. 176 – ✉ 69660 :*

*voir* XXXXX ✿✿✿ **Paul Bocuse** *à Lyon*

### par la sortie ① :

**à Rillieux-la-Pape** : *7 km par N 83 et N 84 – 30 791 h. alt. 269 – ✉ 69140 :*

XXX **Larivoire** (Constantin), chemin des Iles ☎ 04 78 88 50 92, *bernard.constantin@larivoire.com, Fax 04 78 88 35 22,* – P. AE GB JCB
✿ *fermé 16 au 28 août, 24 au 28 fév., dim. soir, lundi soir et mardi* – **Repas** 30/73 et carte 58 à 80.
◆ Jolie maison rose abritant une salle à manger bourgeoise agrémentée de meubles anciens. Agréable terrasse ombragée. Cuisine classique actualisée.
**Spéc.** Brochettes de Saint-Jacques à la réglisse (oct. à avril). Gratin de queues d'écrevisses (mai à sept.). Crépinettes de pied de veau au jus de truffes. **Vins** Saint-Joseph blanc, Fleurie.

### par la sortie ② :

**à St-Maurice-de-Beynost** *par A 42 sortie n° 5 : 16 km – 3 468 h. alt. 200 – ✉ 01700 :*

**Lyon Est,** ☎ 04 78 55 90 90, *hotel-lyon-est@wanadoo.fr, Fax 04 78 55 90 05* – P – 260. AE GB JCB
**Repas** *(fermé sam. midi et dim. midi)* (15,20) - 19,80/32,10, enf. 10,70 – 9,50 – **82 ch** 82,30/112,80.
◆ Bâtisse moderne proche de l'autoroute abritant des chambres spacieuses et rajeunies par des couleurs gaies. Salle de restaurant contemporaine.

### par la sortie ④ :

**à l'aérogare de Lyon St-Exupéry** : *27 km par A 43 – ✉ 69125 Lyon St-Exupéry-Aéroport :*

**Sofitel Lyon Aéroport** M sans rest, 3ᵉ étage aérogare centrale ☎ 04 72 23 38 00, *h913@accor-hotels.com, Fax 04 72 23 98 00* – AE GB JCB
17 – **120 ch** 185/234.
◆ Dans le hall central de l'aérogare, hôtel de chaîne pratique pour l'escale : chambres fonctionnelles (quelques-unes offrent une vue sur les pistes) et bar "tropical".

**Kyriad,** zone de fret ☎ 04 72 23 90 90, *kyriad.lyon-saintexupery@wanadoo.fr, Fax 04 72 23 80 32* – rest, P – 30. AE GB
**Repas** *(fermé sam. midi , dim. midi et fériés le midi)* (11) - 16 ♀, enf. 6 – 7 – **83 ch** 61/64.
◆ Les petites chambres de ce bâtiment moderne sont crépies et égayées par de nouveaux tissus. Salle des repas dressée simplement et salon-bar plus plaisant.

XXX **Les Canuts,** 1ᵉʳ étage de l'aérogare ☎ 04 72 22 71 76, *Fax 04 72 22 71 72* – AE GB
*fermé 2 au 24 août, sam. et dim.* – **Repas** 17/30 et carte 30 à 38.
◆ Le décor du restaurant rend hommage aux canuts (ouvriers de la soierie lyonnaise) et à leur travail. Quant à la cuisine, elle met en valeur les recettes régionales.

X **Bouchon,** 1ᵉʳ étage de l'aérogare ☎ 04 72 22 71 86, *Fax 04 72 22 71 72* – AE GB
**Repas** 15,20/22,80 bc ♀.
◆ Aménagée dans l'esprit d'un bouchon lyonnais, cette brasserie sans prétention propose des plats du terroir. Service rapide convenant à la clientèle aéroportuaire.

### par la sortie ⑨ :

**à Charbonnières-les-Bains** : *8 km par N 7 – 4 033 h. alt. 233 – ✉ 69260 .*
*Voir Parc Lacroix Laval : château de la Poupée★.*

**Mercure Charbonnières** M, 78 bis rte Paris N 7 ☎ 04 78 34 72 79, *h0345@accor-hotels.com, Fax 04 78 34 88 94,* – P – 25. AE GB JCB
**Repas** *(fermé sam. et dim.)* (15) - 21 ♀ – 10 – **60 ch** 95/125.
◆ La salle de restaurant design éclairée par une baie vitrée façon paquebot fait l'originalité de ce Mercure. Chaleureuses chambres rénovées (couleurs chatoyantes).

**Beaulieu** sans rest, 19 av. Gén. de Gaulle ☎ 04 78 87 12 04, *Fax 04 78 87 00 62* – P – 20. AE GB JCB
5,80 – **44 ch** 55/61.
◆ Construction traditionnelle au centre de la petite cité appréciée des Lyonnais. Les chambres sont modestes, mais offrent une isolation phonique efficace et une bonne tenue.

XX **L'Orée du Parc,** 8 av. Victoire ☎ 04 78 87 14 51, *Fax 04 78 87 63 62,* – GB
*fermé 1ᵉʳ au 20 août, vacances de fév., merc.soir, dim. soir et lundi* – **Repas** 15/32 ♀.
◆ Salle à manger colorée égayée de tableaux contemporains et plaisante terrasse d'été vous attendent à proximité du domaine de Lacroix-Laval. Cuisine traditionnelle.

XX **L'Orangerie de Sébastien,** domaine de Lacroix Laval ✉ 69280 Marcy-L'Étoile ☎ 04 78 87 45 95, *orangerie-de-sebastien@wanadoo.fr, Fax 04 71 87 45 96,* – GB
*fermé vacances de fév., 3 au 26 août, dim. soir et lundi* – **Repas** 21 (déj.), 30/50.
◆ L'orangerie du château accueille un élégant restaurant où l'on sert une cuisine au goût du jour soignée. Profitez aussi des nombreuses activités proposées sur le domaine.

**à La Tour-de-Salvagny** : *11 km par N 7 – 3 226 h. alt. 356 – ✉ 69890 :*

**Golf** M, allée du Levant ☎ 04 78 87 29 87, *hoteldugolf@wanadoo.fr, Fax 04 78 87 29 89,* – P – 15 à 180. AE GB JCB
**Repas** 19/22 ♀ – 10,50 – **73 ch** 88/98.
◆ Sous le signe du golf (parcours de 18 trous à 3 km), cet établissement récent dispose de chambres pratiques et très confortables. La salle des repas donne sur la piscine.

XXXX ✿✿ **Rotonde,** au Casino Le Lyon Vert ✆ 04 78 87 00 97, *rotonde@g-partouche.fr, Fax 04 78 87 81 39* – ▤. AE ⓓ GB JCB
*fermé 20 juil. au 21 août, dim. soir, mardi midi et lundi* – **Repas** 38 (déj.), 75/108 et carte 77 à 100, enf. 28.
◆ Étape gastronomique renommée au premier étage du célèbre casino, soumis aux caprices de dame fortune depuis 1882. Élégante salle Art déco face à une bondissante cascade.
**Spéc.** Quatre foies pressés et salade de fonds d'artichauts. Tajine de homard entier aux petits farcis. Cannelloni de chocolat amer à la glace de crème brûlée. **Vins** Condrieu, Côte-Rôtie.

**par la sortie ⑩ :**

**Porte de Lyon** - *Échangeur A6-N 6 : 10 km* – ✉ *69570 Dardilly :*

**Novotel Lyon Nord** Ⓜ, ✆ 04 72 17 29 29, *h0437@accor-hotels.com, Fax 04 78 35 08 45,* 🏖, 🏊, 🌳 – 🛗 ⅍ ▤ 📺 📞 🅿 – 🏛 100. AE ⓓ GB JCB
**Repas** (15) - 20,20 🍷, enf. 7,70 – ☕ 11 – **107 ch** 115/120.
◆ Novotel des années 1970 dont les chambres ont été rénovées et mises aux derniers standards de la chaîne. Le plaisant restaurant, décoré façon bistrot, est tourné sur le jardin.

**Ibis Lyon Nord,** ✆ 04 78 66 02 20, *ibis.lyon.nord@wanadoo.fr, Fax 04 78 47 47 93,* 🏖, 🏊, 🌳 – 🛗 ⅍ ▤ 📺 📞 ♿ 🅿 – 🏛 20. AE ⓓ GB
**Repas** (13) - 15,50/24,50 🍷, enf. 6,50 – ☕ 6,50 – **82 ch** 70/80.
◆ Plus chaleureux qu'à l'accoutumée grâce à son architecture originale, ses chambres relookées et sa salle des repas lambrissée, cet Ibis joue la carte de la personnalisation.

**à Limonest** : *13 km par A 6 et D 42 – 2 459 h. alt. 390* – ✉ *69760 :*

XX **Gentil'Hordière,** rte Mont Verdun ✆ 04 78 35 94 97, *Fax 04 78 43 85 48,* 🏖 – AE GB
*fermé 4 au 25 août, dim. soir, sam. midi et lundi* – **Repas** 24/37 🍷.
◆ Tout le charme d'une auberge de village : salle à manger rustique, nappes en dentelle, flambées hivernales ou terrasse d'été sous les platanes. Belle carte des vins.

XX **Puy d'Or,** carrefour N 6 et D 42 ✆ 04 78 35 12 20, *Fax 04 78 64 55 15* – 🅿. AE GB
*fermé 27 juil. au 25 août, dim. soir, mardi soir et lundi* – **Repas** (16) - 19/62.
◆ La bâtisse borde la N 6, à proximité d'un noeud routier. Salle à manger sobrement décorée, éclairée par de grandes baies. La cuisine est sagement classique.

---

## LYS-LEZ-LANNOY *59 Nord* 302 H3 – *rattaché à Roubaix.*

---

## LYS-ST-GEORGES *36230 Indre* 323 G7 – *180 h alt. 200.*

*Paris 288 – Argenton-sur-Creuse 29 – Bourges 79 – Châteauroux 29 – La Châtre 22.*

X **Auberge La Forge,** Le Bourg ✆ 02 54 30 81 68, *restaurantlaforgelys@club-internet.fr, Fax 02 54 30 94 96,* 🏖 – GB
*fermé 24 sept. au 10 oct., 2 au 21 janv., dim. soir, lundi et mardi* – **Repas** 16/38 🍷, enf. 8.
◆ Petite auberge en pierre recouverte d'ampélopsis dans un charmant village. Poutres, tomettes, cheminée et tableaux : décor rustique en harmonie avec la cuisine du terroir.

---

## MACÉ *61 Orne* 310 J3 – *rattaché à Sées.*

---

## MACHILLY *74140 H.-Savoie* 328 K3 – *829 h alt. 525.*

*Paris 548 – Thonon-les-Bains 20 – Annemasse 12 – Genève 21.*

XXX **Refuge des Gourmets,** ✆ 04 50 43 53 87, *chanove@refugedesgourmets.com, Fax 04 50 43 53 76,* 🏖 – ▤ 🅿. AE ⓓ GB
*fermé 21 juil. au 3 août, 16 au 23 fév., dim. soir et lundi* – **Repas** (22) - 28/60 et carte 41 à 67 🍷.
◆ Élégant cadre d'inspiration Belle Époque à l'intérieur de ce "refuge" savoyard dont les gourmets apprécient la cuisine au goût du jour, mi-régionale, mi-provençale.

---

## MACINAGGIO *2B H.-Corse* 345 F2 – *voir à Corse.*

---

## MÂCON 🅿 *71000 S.-et-L.* 320 I12 *G. Bourgogne* – *37 275 h alt. 175.*

Voir *Musée des Ursulines★* **BY M**[1] – *Musée Lamartine* **BZ M**[2] – *Apothicairerie★ de l'Hôtel-Dieu* **BY** – ⋞★ *du Pont St-Laurent.*

Env. *Roche de Solutré★★ O : 9 km – Clocher★ de l'église de St-André de Bagé E : 8,5 km.*

ℹ *Office du Tourisme, 1 place St Pierre ✆ 03 85 21 07 07, Fax 03 85 40 96 00, macon.tourisme@wanadoo.fr.*

*Paris 392 ① – Bourg-en-Bresse 38 ② – Chalon-sur-Saône 59 ① – Lyon 74 ③ – Roanne 96 ③.*

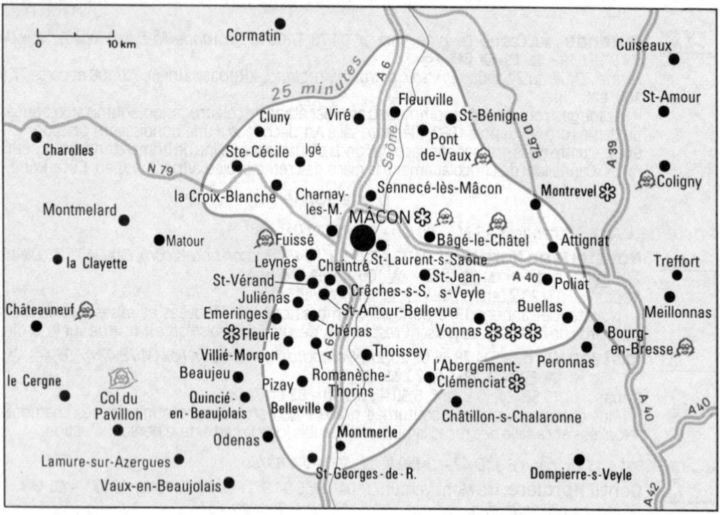
0 10 km
25 minutes
Cormatin
Cuiseaux
St-Amour
Charolles
Cluny
Viré
Fleurville
St-Bénigne
Pont de-Vaux
Ste-Cécile
Igé
Saône
A 6
D 975
A 39
N 79
Coligny
la Croix-Blanche
Charnay-les-M.
Sennecé-lès-Mâcon
Montrevel
Montmelard
MÂCON
Matour
Fuissé
Bâgé-le-Châtel
Attignat
la Clayette
Leynes
Chaintré
St-Laurent-s-Saône
Treffort
St-Vérand
St-Jean-s-Veyle
A 40
Poliat
Juliénas
Crêches-s-S.
Châteauneuf
Emeringes
St-Amour-Bellevue
Buellas
Meillonnas
Fleurie
Chénas
Vonnas
Bourg-en-Bresse
Villié-Morgon
Thoissey
Peronnas
Beaujeu
Romanèche-Thorins
l'Abergement-Clémenciat
le Cergne
Pizay
Col du Pavillon
Quincié-en-Beaujolais
Belleville
Châtillon-s-Chalaronne
Montmerle
Odenas
Lamure-sur-Azergues
St-Georges-de-R.
Dompierre-s-Veyle
Vaux-en-Beaujolais
A 42

# MÂCON



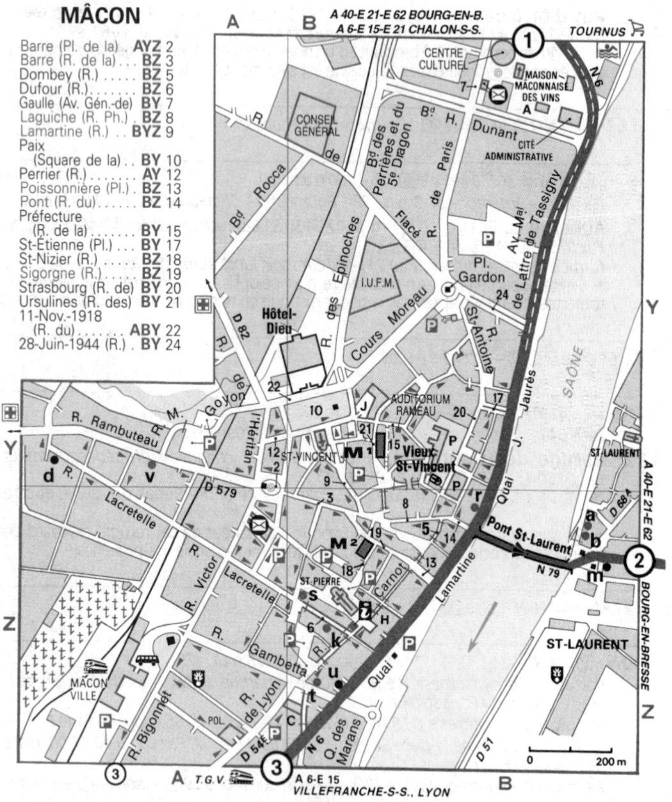
A
B
A 40-E 21-E 62 BOURG-EN-B.
A 6-E 15-E 21 CHALON-S-S.
TOURNUS
1
CENTRE CULTUREL
MAISON MÂCONNAISE DES VINS
CONSEIL GÉNÉRAL
Bd H. Dunant
CITÉ ADMINISTRATIVE
R. de Rocca
Bd des Perrières et du 5e Dragon
R. de Paris
Av. Mal de Lattre de Tassigny
Flacé
R. des Epinoches
I.U.F.M.
Pl. Gardon
Cours Moreau
R. St-Antoine
Hôtel-Dieu
D 82
Y
SAÔNE
R. M. de Goyon
R. Rambuteau
AUDITORIUM RAMEAU
Vieux St-Vincent
ST-VINCENT
l'Héritan
J. Jaurès
Quai
ST-LAURENT
R. Lacretelle
D 579
Pont St-Laurent
N 79
2
D 68 A
A 40-E 21-E 62
Z
R. Victor Lacretelle
ST-PIERRE
Carnot
Lamartine
R. Gambetta
R. de Lyon
Quai
ST-LAURENT
BOURG-EN-BRESSE
MACON VILLE
R. Bigonnet
POL.
N 6
Q. des Marans
D 54E
D 51
0 200 m
3
A
T.G.V.
A 6-E 15
VILLEFRANCHE-S-S., LYON
B

**Bellevue,** 416 quai Lamartine ☎ 03 85 21 04 04, *Bellevue.Macon@wanadoo.fr, Fax 03 85 21 04 02* – 🛗, ▤ rest, 📺 📞 🚗 🅿 – 🏛 25. AE GB JCB BZ u
*fermé 23 nov. au 17 déc.* – **Repas** *(fermé dim. sauf en saison, merc. midi et mardi)* carte 30 à 51 🍷 – ☕ 10,50 – **24 ch** 78/140.
◆ Hôtel de tradition sur les bords de Saône, le long de la N 6 : bel escalier en colimaçon conduisant aux chambres feutrées et salle à manger meublée en style Louis XIII.

**Mercure Bord de Saône,** 26 r. Coubertin par ① : *0,5 km* ☎ 03 85 21 93 93, *mercbds@clubinternet.fr, Fax 03 85 39 11 45,* ←, 🌳, 🏊, 🌲 – 🛗 🚭, ▤ ch, 📺 📞 🅿 – 🏛 60. AE ⓓ GB JCB
**Repas** *(17)* - 20/26 🍷, enf. 9 – ☕ 11 – **64 ch** 89/102.
◆ Au calme, dans la verdure, les prestations habituelles de la chaîne avec un "plus" agréable : la plupart des chambres offrent une vue sur la Saône. Salle à manger rénovée.

**Concorde** sans rest, 73 r. Lacretelle ☎ 03 85 34 21 47, *hotel.concorde.71@wanadoo.fr, Fax 03 85 29 21 79,* 🌲 – 📺 📞 🚗. GB AY d
*fermé 20 déc. au 12 janv. et dim. du 15 oct. au 15 avril* – ☕ 6 – **13 ch** 35/44.
◆ Chambres simples mais bien tenues - choisir celles donnant sur le jardin fleuri - et petit-déjeuner servi dans une salle toute neuve : un sympathique hôtel familial.

**Pierre** (Gaulin), 7 r. Dufour ☎ 03 85 38 14 23, *Fax 03 85 39 84 04* – ▤. AE ⓓ GB BZ k
*fermé 1er au 22 juil., vacances de fév., dim. soir et lundi* – **Repas** 22/62 et carte 54 à 67 🍷, enf. 12.
◆ Pierres, poutres apparentes et cheminée : à l'agrément d'un cadre néo-rustique chaleureux et soigné s'ajoute une cuisine mariant habilement terroir et modernité.
**Spéc.** Escalope de foie gras de canard. Tournedos charolais. Soufflé aux griottines et kirsch.
**Vins** Mâcon-Uchizy, Mâcon-Viré.

**Poisson d'Or,** allée Parc par ① *et bords de Saône : 1 km* ☎ 03 85 38 00 88, *Fax 03 85 38 82 55,* ←, 🌳 – 🅿. AE GB
*fermé 20 au 31 oct., vacances de fév., mardi soir d'oct. à avril et merc.* – **Repas** 17,50/40 🍷, enf. 10.
◆ La Saône coule le long du jardin de cette paisible auberge. Salle à manger surplombant la rivière ou terrasse au bord de l'eau ? Le temps décidera ! Fritures de poissons.

**Les Tuileries,** quai Marans BZ ☎ 03 85 38 43 30, *Fax 03 85 39 35 10,* 🌳 – ▤ 🅿. AE GB
*fermé sam. midi et dim.soir* – **Repas** 18/37 🍷, enf. 10.
◆ Cette fringante villa se dresse au bord de la Saône dans une zone industrielle de la périphérie mâconnaise. Salle à manger feutrée, garnie de mobilier contemporain.

**Rocher de Cancale,** 393 quai J. Jaurès ☎ 03 85 38 07 50, *Fax 03 85 38 70 47* – ▤. AE GB BZ r
*fermé dim. soir et lundi sauf fériés* – **Repas** 17/40 🍷, enf. 10.
◆ Deux salles à manger : moderne ou rustique, à l'étage de cette maison en pierres de pays située sur le quai voisin du vénérable pont St-Laurent. Cuisine traditionnelle.

**L'Amandier,** 74 r. Dufour ☎ 03 85 39 82 00, *Fax 03 85 38 92 21,* 🌳 – AE ⓓ GB BZ s
*fermé dim. soir et lundi* – **Repas** 19,50/46 🍷, enf. 9.
◆ Située en centre-ville, cette maison mâconnaise abrite un restaurant au décor contemporain. On y sert une cuisine au goût du jour. Terrasse ombragée bordant une rue piétonne.

**Charolais,** 71 r. Rambuteau ☎ 03 85 38 36 23 – GB AY v
*fermé 8 au 23 août, dim. soir et lundi* – **Repas** 12,50/30.
◆ Un peu excentrée, cette longue façade à pans de bois abrite un intérieur campagnard où l'on déguste une cuisine régionale mettant à l'honneur la belle race charolaise.

**Au P'tit Pierre,** 10 r. Gambetta ☎ 03 85 39 48 84, *Fax 03 85 39 48 84* – GB BZ t
*fermé 15 juil. au 14 août, mardi soir, merc. de sept. à juin, lundi midi et dim. en juil.-août* – **Repas** 15,50/28,50 🍷, enf. 8.
◆ Les Mâconnais fréquentent déjà avec assiduité ce bistrot récemment créé. Frais décor, tables joliment dressées et carte bien tournée assurent son succès.

**à St-Laurent-sur-Saône** *(Ain)* – *1 710 h. alt. 176* – ✉ *01750 St-Laurent :*

**Beaujolais** sans rest, 88 pl. République ☎ 03 85 38 42 06, *Fax 03 85 38 78 02* – 📺 📞. ⓓ GB BZ m
*fermé 5 au 19 oct., 4 au 18 janv. et dim. d'oct. à mars* – ☕ 7 – **15 ch** 36/50.
◆ Sur la rive gauche de la Saône, face au pont St-Laurent, hôtel au confort simple dont la plupart des chambres, tout juste rafraîchies, offrent une jolie vue sur la ville.

**L'Autre Rive,** 143 quai Bouchacourt ☎ 03 85 39 01 02, *Fax 03 85 38 16 92* – AE GB BZ a
*fermé 4 au 19 fév., jeudi midi et merc.* – **Repas** 16/42 🍷, enf. 8,40.
◆ Rien ne manque dans ce restaurant situé face à Mâcon, sur "l'autre rive" : jolie salle à manger-véranda, sympathique terrasse au bord de la Saône et copieux plats du terroir.

XX **Saint-Laurent,** 1 quai Bouchacourt ☎ 03 85 39 29 19, *saintlaurent@georgesblanc.com, Fax 03 85 38 29 77*, ←, 余 – AE ⓓ GB **BZ b**
**Repas** 17 (déj.), 19/40 ♀, enf. 11.
◆ Terrasse avec vue sur Mâcon et plats mijotés : franchissez le pont St-Laurent pour rejoindre ce bistrot "rétro" rendu célèbre par la visite de Mitterrand et Gorbatchev.

**à l'échangeur A6-N6 de Mâcon-Nord** *par ① : 7 km – ✉ 71000 Mâcon :*

**Novotel** Ⓜ, ☎ 03 85 20 40 00, *H0438@accor-hotels.com, Fax 03 85 20 40 33*, 余, ☡, ☞ – ⇌ ▤ TV ✆ ♿ P – 🏛 25 à 100. AE ⓓ GB
**Repas** *(15)* - 20 ♀, enf. 8 – ☕ 10,50 – **114 ch** 88/160.
◆ Architecture passe-partout dans la zone hôtelière de l'échangeur de Mâcon-Nord. Chambres rénovées de bon confort. Pour les enfants, coin jeu dans le salon.

**au Nord** *par ① : 3 km sur N 6 – ✉ 71000 Mâcon :*

**Vieille Ferme,** ☎ 03 85 21 95 15, *vieil.ferme@wanadoo.fr, Fax 03 85 21 95 16*, ←, 余, ☡, ♣ – cuisinette TV ✆ ♿ P – 🏛 70. GB
*fermé 25 nov. au 14 déc.* – **Repas** 11/26 ♀, enf. 7 – ☕ 5,50 – **24 ch** 45.
◆ Halte champêtre dans un parc au bord de la Saône. L'hébergement fonctionnel de type motel contraste avec le restaurant qui a conservé ses vieux murs de pierres et sa cheminée.

**à Sennecé-lès-Mâcon** *par ① : 7,5 km – ✉ 71000 Mâcon :*

**Auberge de la Tour,** ☎ 03 85 36 02 70, *Fax 03 85 36 03 47*, 余 – ⇌ TV P – 🏛 25. GB. ✻ rest
*fermé 27 oct. au 11 nov., 16 fév. au 7 mars, mardi midi, dim. soir et lundi* – **Repas** 16 (déj.), 19/44 ♀, enf. 8,50 – ☕ 7 – **24 ch** 33/61 – ½ P 57,50.
◆ La tour de guet, curiosité du village, voisine avec cette auberge familiale. Quelques chambres refaites ; pimpante salle à manger au décor rustique. Belle sélection de vins.

**par** ② *rte de Bourg-en-Bresse – ✉ 01750 Replonges :*

**Huchette,** à 4,5 km près accès sortie n°3 de l'A40 ☎ 03 85 31 03 55, *lahuchette@wanadoo.fr, Fax 03 85 31 10 24*, 余, ☡, ♣ – TV ✆ P. AE ⓓ GB JCB
*fermé 27 oct. au 24 nov.* – **Repas** *(fermé mardi midi et lundi)* 27/45 ♀ – ☕ 10 – **14 ch** 80/110 – ½ P 90.
◆ Cette demeure nichée au coeur d'un joli parc est une étape plaisante. Ses chambres, un brin "seventies", ouvrent sur le jardin. Salle à manger agrémentée d'une fresque.

**Oréon,** à 5 km près accès sortie n°3 de l'A40 ☎ 03 85 31 00 10, *hotel.oreon@wanadoo.fr, Fax 03 85 31 00 90*, 余, ☡, ☞ – ▤ TV ✆ ♿ P – 🏛 20 à 70. AE GB
**Repas** *(fermé 21 déc. au 4 janv., sam. midi, dim. et fériés)* 13,50/33 ♀ – ☕ 7 – **36 ch** 55/61 – ½ P 50,50.
◆ Architecture contemporaine proche de la sortie de l'A 40. L'amabilité de l'accueil et les chambres simples et fonctionnelles font de cette adresse une étape pratique.

**à Crèches-sur-Saône** *au Sud, par ③ : 8 km par N 6 – 2 531 h. alt. 180 – ✉ 71000 :*

**Ibis,** espace commercial Les Bouchardes ☎ 03 85 36 51 60, *h0670@accor-hotels.com, Fax 03 85 37 42 40*, 余, ☡ – ▤ TV ✆ ♿ P – 🏛 80. AE ⓓ GB. ✻ rest
**Repas** *(12,70)* - 15,70 ♀, enf. 6 – ☕ 6 – **62 ch** 56/64.
◆ Ibis des années 1980 construit en U autour d'un espace vert, avec jeu de toitures de tuiles asymétriques. Les chambres ont été récemment rénovées.

**à Charnay-lès-Mâcon** *Ouest : 2,5 km – 6 102 h. alt. 217 – ✉ 71850 :*

*Syndicat d'Initiative, 2727 route de Davayé ☎ 03 85 20 53 90, Fax 03 85 20 53 91, SI-CHARNAY-LES-MACON@wanadoo.fr.*

XXX **Moulin du Gastronome** avec ch, D 17, rte Cluny ☎ 03 85 34 16 68, *Fax 03 85 34 37 25*, 余, ☞ – ▤ rest, P. AE GB
*fermé 17 au 23 fév., dim. soir et lundi sauf fériés* – **Repas** 19/52 et carte 27 à 52 ♀ – ☕ 8 – **7 ch** 68.
◆ La façade aux volets bleu lavande donne un petit air méridional à cette maison du Mâconnais. Salle à manger néoclassique, jardin-terrasse et belle carte des vins.

---

**La MADELAINE-SOUS-MONTREUIL** *62 P.-de-C.* 301 D5 – *rattaché à Montreuil.*

---

**La MADELEINE** *59 Nord* 302 G4 – *rattaché à Lille.*

*Ecrivez-nous...*
*Vos louanges comme vos critiques seront examinées avec le plus grand soin. Nous reverrons sur place les informations que vous nous signalez.*
*Par avance merci !*

**MADIÈRES** *34 Hérault* 339 G5 – ✉ *34190 Ganges.*
*Paris 708 – Montpellier 63 – Lodève 31 – Nîmes 78 – Le Vigan 20.*

**Château de Madières**, ☎ 04 67 73 84 03, *madieres@wanadoo.fr, Fax 04 67 73 55 71*, – AE GB
*5 avril-15 oct.* – **Repas** 38/55 – 15 – **12 ch** 135/233 – ½ P 115,50/164,50.
◆ Au coeur d'un parc escaladant le causse, château fort du 12e s. - agrandi à la Renaissance - surplombant les gorges de la Vis. Un cadre grandiose, authentique... et "cosy".

**MAFFLIERS** *95560 Val-d'Oise* 305 E6 – *1 168 h alt. 145.*
*Paris 29 – Compiègne 73 – Beaumont-sur-Oise 10 – Beauvais 53 – Senlis 45.*

**Novotel** M, ☎ 01 34 08 35 35, *h0383@accor-hotels.com, Fax 01 34 69 97 49*, – 60. AE GB
**Repas** (16) - 23/34, enf. 8 – 12 – **80 ch** 105/112.
◆ Tennis, parcours santé, piscine et terrain de volley-ball dans un parc : un Novotel placé sous le signe du sport ! Espace restauration dans une demeure du 19e s.

**MAGAGNOSC** *06 Alpes-Mar.* 341 C5 – *rattaché à Grasse.*

**MAGESCQ** *40140 Landes* 335 D12 – *1 218 h alt. 28.*
*Office du Tourisme, 1 place de l'Église ☎ 05 58 47 76 24, Fax 05 58 47 75 81.*
*Paris 725 – Biarritz 52 – Mont-de-Marsan 68 – Bayonne 45 – Castets 17 – Dax 16.*

**Relais de la Poste** (Coussau) M, ☎ 05 58 47 70 25, *poste@relaischateaux.com, Fax 05 58 47 76 17*, – AE GB
*fermé 12 nov. au 20 déc., lundi et mardi d'oct. à avril* – **Repas** *(fermé mardi midi et jeudi midi de mai à sept. sauf août et lundi)* (week-ends, prévenir) 50/80 et carte 65 à 90 – 14 – **10 ch** 150/210, 3 appart – ½ P 139/180.
◆ Castel landais entouré d'un parc arboré. Chambres bourgeoises dotées de balcons et élégant restaurant ouvrant sur une terrasse. Belle cuisine régionale ; carte des vins étoffée.
**Spéc.** Variation de foie gras. Saumon de l'Adour simplement grillé (avril à juin). Gibier (saison). **Vins** Tursan, Madiran.

**Cabanon et Grange au Canard,** Nord : 1 km sur ancienne N 10 ☎ 05 58 47 71 51, *le.cabanon@mageos.com, Fax 05 58 47 75 19*, – GB
*fermé 23 sept. au 20 oct., dim. soir sauf du 14 juil. au 15 août et lundi sauf fériés* – **Repas** 24/54.
◆ Deux salles rustiques servant une même cuisine régionale : d'un côté, une typique maison landaise décorée de nombreux bibelots ; de l'autre, une authentique grange.

**MAGNAC-BOURG** *87380 H.-Vienne* 325 F7 – *857 h alt. 444.*
*Office du Tourisme, 2 place de la Bascule ☎ 05 55 00 89 91, Fax 05 55 00 78 38, ot.magnac.bourg@wanadoo.fr.*
*Paris 419 – Limoges 31 – St-Yrieix-la-Perche 27 – Uzerche 28.*

**Midi,** ☎ 05 55 00 80 13, *Fax 05 55 48 70 96*, – AE GB JCB
*fermé 15 au 30 nov., 15 janv. au 15 fév., mardi midi et lundi hors saison sauf fêtes* – **Repas** 14/38 – 6,50 – **13 ch** 40/55 – ½ P 43.
◆ Auberge rustique sur la traversée du bourg. La collection de mignonnettes exposée au bar mérite un coup d'oeil. Jolie cour fleurie. Chambres pratiques pour l'étape.

**Auberge de l'Étang,** ☎ 05 55 00 81 37, *Fax 05 55 48 70 74*, – GB
*fermé 12 nov. au 11 déc., 16 fév. au 1er mars, dim. soir et lundi sauf juil.-août* – **Repas** 12,50/36,50, enf. 9,90 – 6 – **14 ch** 40/45 – ½ P 44.
◆ Établissement sans prétention surplombant un étang. Intérieur un brin désuet, mais bien tenu. Réservez de préférence une chambre tournée vers la piscine et le plan d'eau.

**Voyageurs** avec ch, ☎ 05 55 00 80 36, *Fax 05 55 00 56 37* – GB
*fermé 8 au 24 juin, 10 au 26 sept., 2 au 24 janv., dim. soir et sam. de sept. à juin et mardi soir* – **Repas** 16/28, enf. 9 – 7 – **7 ch** 36/55 – ½ P 45.
◆ Cette maison du 17e s. à la façade fraîchement toilettée abrite une salle à manger rustique ornée d'armes anciennes. Chambres modestes et accueil sympathique.

**MAGNY-COURS** *58 Nièvre* 319 B10 – *rattaché à Nevers.*

**MAILLANE** *13 B.-du-R.* 340 D3 – *rattaché à St-Rémy-de-Provence.*

*Une réservation confirmée par écrit ou par fax est toujours plus sûre.*

**MAILLEZAIS** *85420 Vendée* 316 L9 *G. Poitou Vendée Charentes – 930 h alt. 6.*

Voir *Abbaye*★.

*Office du Tourisme, rue du Dr Daroux* ✆ *02 51 87 23 01, Fax 02 51 00 72 51.*

*Paris 433 – La Rochelle 48 – Fontenay-le-Comte 15 – Niort 27 – La Roche-sur-Yon 71.*

**St-Nicolas** sans rest, ✆ 02 51 00 74 45, *Fax 02 51 87 29 10* – TV. GB

*15 fév.-15 nov.* – 6,90 – **16 ch** 36,60/52,60.

◆ Avant ou après une nuit dans des chambres simples réparties autour d'une cour intérieure, possibilité de balade avec un batelier au coeur du marais mouillé poitevin.

---

**Les MAILLYS** *21 Côte-d'Or* 320 M7 – *rattaché à Auxonne.*

---

**MAISON NEUVE** *16 Charente* 324 M6 – *rattaché à Angoulême.*

---

**MAISONNEUVE** *15 Cantal* 330 F6 – *rattaché à Chaudes-Aigues.*

---

**MAISONS-ALFORT** *94 Val-de-Marne* 312 D3 101 ㉗ – *voir à Paris, Environs.*

---

**MAISONS-DU-BOIS** *25 Doubs* 321 I5 – *rattaché à Montbenoit.*

---

**MAISONS-LAFFITTE** *78 Yvelines* 311 I2 101 ⑬ – *voir à Paris, Environs.*

---

**MAISONS-LÈS-CHAOURCE** *10 Aube* 313 F5 – *rattaché à Chaource.*

---

**MALAUCÈNE** *84340 Vaucluse* 332 D8 *G. Provence – 2 172 h alt. 333.*

*Office du Tourisme, place de la Mairie* ✆ *04 90 65 22 59, Fax 04 90 65 22 59.*

*Paris 677 – Avignon 43 – Carpentras 18 – Vaison-la-Romaine 10.*

**Domaine des Tilleuls** M sans rest, rte Mont-Ventoux ✆ 04 90 65 22 31, *info@domainedestilleuls.com, Fax 04 90 65 16 77,* – TV P. GB

7 – **20 ch** 70/85.

◆ Cette magnanerie du 18e s. accueille un charmant hôtel rénové dans le style provençal. Préférez les chambres tournées vers l'agréable parc planté de tilleuls et platanes.

---

**MALAY** *71460 S.-et-L.* 320 I10 *G. Bourgogne – 200 h alt. 242.*

Voir *Château de Cormatin*★★ *: cabinet de Ste-Cécile*★★★ *S : 3 km.*

*Paris 369 – Chalon-sur-Saône 34 – Mâcon 39 – Montceau-les-Mines 38 – Paray-le-Monial 53.*

**Place** M, sur D 981 ✆ 03 85 50 15 08, *contact@hotel-comartin.com, Fax 03 85 50 13 23,* – TV P – 30. GB

*mars- mi-nov.* – **Repas** 15/34 – 8 – **30 ch** 43/47 – ½ P 44.

◆ Chambres fonctionnelles, bons équipements de loisirs (salle de musculation, minigolf, location de VTT) : cet hôtel vous ménage une étape de détente sur la route de Cluny.

---

**MALAY-LE-PETIT** *89 Yonne* 319 D2 – *rattaché à Sens.*

---

**MALBUISSON** *25160 Doubs* 321 H6 *G. Jura – 366 h alt. 900.*

Voir *Lac de St-Point*★.

*Syndicat d'Initiative, 69 Grande Rue* ✆ *03 81 69 31 21, Fax 03 81 69 71 94, ot.malbuison-@worldonline.fr.*

*Paris 458 – Besançon 75 – Champagnole 43 – Pontarlier 16 – St-Claude 72.*

**Lac,** ✆ 03 81 69 34 80, *hotellelac@wanadoo.fr, Fax 03 81 69 35 44,* – TV P. GB

*fermé 13 nov. au 12 déc. sauf week-ends* – **Repas** 16/40, enf. 8 - ***Rest. du Fromage*** - cuisine fromagère **Repas** 16/18,50, enf. 7 – 10 – **49 ch** 37/84, 5 appart – ½ P 40/74,50.

◆ Grande maison familiale bordant la rue principale du village, mais face au lac côté jardin. Intérieur cossu à l'atmosphère "rétro". Réserver en priorité une chambre rénovée.

**annexe Beau Site** M sans rest, ✆ 03 81 69 70 70 – cuisinette TV P. GB

*fermé 13 nov. au 12 déc. sauf week-ends* – 8 – **14 ch** 26/31, 3 duplex.

◆ Cet édifice du début du 19e s. dont l'entrée est rehaussée de colonnes abrite des chambres aménagées dans un esprit fonctionnel.

**Poste,** ☎ 03 81 69 79 34, *Fax 03 81 69 35 44* – TV. GB
*fermé 3 au 15 janv., dim. soir et lundi sauf juil.-août* – **Repas** 6,90/18,50 – 7 – **10 ch** 31/46 – ½ P 35/39.
◆ Petit hôtel bien rénové abritant des chambres égayées d'un mobilier coloré ; celles tournées vers le lac sont plus calmes. Au restaurant, spécialité de pierrades.

**Bon Accueil** (Faivre) avec ch, ☎ 03 81 69 30 58, *lebonaccueilfaivre@wanadoo.fr*, *Fax 03 81 69 37 60*, – TV P. AE GB.
*fermé 21 avril au 1er mai, 27 oct. au 5 nov., 15 déc. au 14 janv, dim. soir sauf juil.-août, mardi midi et lundi* – **Repas** (22) - 26/45 et carte 46 à 60 ♀, enf. 15 – 9 – **12 ch** 45/68 – ½ P 57/61.
◆ Pimpante maison où l'on cultive l'art de recevoir : accueil attentif, nouvelle salle à manger mariant boiseries et sol en pierre, et brillante cuisine au goût du jour.
**Spéc.** Gaudes "façon gnocchi" au vieux comté dans jus de viande (automne-hiver). Râble de lapin au savagnin et cuisse en daube (15 juin au 15 sept.). Sorbet à la gentiane, macaronade au pamplemousse. **Vins** Arbois-Chardonnay, Côtes du Jura

**Jean-Michel Tannières** avec ch, ☎ 03 81 69 30 89, *contact@restaurant-tannières.com*, *Fax 03 81 69 39 16*, – TV P. GB
*fermé 22 avril au 1er mai, 7 janv. au 7 fév., dim. soir d'oct. à mai, lundi et mardi* – **Repas** 23/65 et carte 43 à 68 ♀, enf. 12 – 8 – **4 ch** 68/114.
◆ Cuisine classique accompagnée d'un large choix de vins, servie dans une salle à manger bourgeoise tournée vers un jardin où murmure un ruisseau. Accueil chaleureux.

**aux Granges-Ste-Marie** *Sud-Ouest : 2 km* – ✉ *25160 Labergement-Ste-Marie* :

**Auberge du Coude,** ☎ 03 81 69 31 57, *Fax 03 81 69 33 90*, – TV P. GB
*fermé 12 nov. au 18 déc., dim. soir et merc. hors saison* – **Repas** 15/45 ♀, enf. 7 – 6 – **11 ch** 42/45 – ½ P 42/45.
◆ Bâtie en 1826, cette maison est située entre les lacs de Saint-Point et Remoray. Chambres actuelles et sympathique restaurant campagnard. Cuisine régionale. Jardin et étang.

***Dans ce guide***
*un même symbole, un même mot,*
*imprimé en* ***rouge*** *ou en* ***noir****, en maigre ou en* ***gras****,*
*n'ont pas tout à fait la même signification.*
*Lisez attentivement les pages explicatives.*

---

## La MALÈNE 48210 Lozère 330 H9 *G. Languedoc Roussillon – 188 h alt. 450.*

*Voir O : les Détroits★★ et cirque des Baumes★★ (en barque).*
*Syndicat d'initiative, ☎ 04 66 48 50 77.*
*Paris 612 – Mende 41 – Florac 41 – Millau 44 – Sévérac-le-Château 33 – Le Vigan 77.*

**Manoir de Montesquiou,** ☎ 04 66 48 51 12, *montesquiou@demeures-de-lozere.com*, *Fax 04 66 48 50 47*, – TV P. GB
*fin mars-fin oct.* – **Repas** 21,50/40,40 ♀, enf. 10,70 – 12 – **12 ch** 70/132 – ½ P 88,50/104,20.
◆ Ce beau manoir en pierre du 15e s. élance ses tourelles au coeur du village : une charmante base de découverte des splendides paysages des gorges du Tarn.

**au Nord-Est** *5,5 km sur D 907bis* – ✉ *48210 Ste-Énimie* :

**Château de la Caze**, ☎ 04 66 48 51 01, *chateau.de.la.caze@wanadoo.fr*, *Fax 04 66 48 55 75*, – TV P. AE GB. rest
*4 avril-11 nov. et fermé merc. du 4 au 30 avril et du 17 sept. au 11 nov. sauf jeudi midi* – **Repas** 30/76 ♀, enf. 14 – 12 – **10 ch** 118/220, 6 appart – ½ P 104/155.
◆ Majestueux château du 15e s. surgissant au milieu des arbres dans un parc au bord du Tarn : la promesse d'un séjour confortable et tranquille.

---

## MALESHERBES 45330 Loiret 318 L2 *G. Châteaux de la Loire – 5 778 h alt. 108.*

*Office du Tourisme, 2 rue de la Pilonne ☎ 02 38 34 81 94, Fax 02 38 34 81 94.*
*Paris 75 – Fontainebleau 27 – Étampes 27 – Montargis 63 – Orléans 62 – Pithiviers 19.*

**Écu de France,** 10 pl. Martroi ☎ 02 38 34 87 25, *ecudefrance@wanadoo.fr*, *Fax 02 38 34 68 99*, – TV P. AE GB
**Repas** *(fermé 8 au 21 août, jeudi soir et dim. soir)* 16,50/26,50 ♀, enf. 6,30 - ***Brasserie de l'Écu*** *(fermé 8 au 21 août, jeudi soir et dim. soir)* **Repas** carte environ 20 ♀, enf. 6,30 – 6 – **16 ch** 44,50/55,50 – ½ P 36,50/41,70.
◆ Cet ancien relais de poste a conservé son décor de poutres et pierres apparentes. Chambres rénovées. Cuisine traditionnelle ; plat du jour à la Brasserie de l'Écu.

**MALICORNE-SUR-SARTHE** *72270 Sarthe* 310 I8 *G. Châteaux de la Loire – 1 659 h alt. 39.*

*Office du Tourisme, 3 place Duguesclin ✆ 02 43 94 74 45, Fax 02 43 94 59 61.*

*Paris 238 – Le Mans 33 – Château-Gontier 52 – La Flèche 16.*

XX **Petite Auberge,** au pont ✆ 02 43 94 80 52, *Fax 02 43 94 31 37,* – GB

*fermé 16 déc. au 7 janv., 19 fév. au 15 mars, le soir de sept. à juin sauf sam. et lundi* – **Repas** 15 (déj.), 23/45 ♀, enf. 9.

◆ L'été, s'attarder longuement sur la terrasse au ras de l'eau à contempler bateaux de plaisance et rives boisées ; l'hiver, se réfugier auprès de la belle cheminée médiévale.

**MALO-LES-BAINS** *59 Nord* 302 C1 – *rattaché à Dunkerque.*

**MALROY** *57 Moselle* 307 I3 – *rattaché à Metz.*

**Le MALZIEU-VILLE** *48140 Lozère* 330 I5 – *947 h alt. 860.*

*Office du Tourisme, place du Souvenir ✆ 04 66 31 82 73, office.tourisme@freesbee.fr.*

*Paris 545 – Le Puy-en-Velay 75 – Mende 51 – Millau 107 – Rodez 124 – St-Flour 37.*

**Voyageurs,** rte Saugues ✆ 04 66 31 70 08, *pagesc@wanadoo.fr, Fax 04 66 31 80 36* – GB

*fermé 15 déc. au 28 fév. et dim. soir sauf juil.-août* – **Repas** 13/25, enf. 8 – 8 – **19 ch** 38/49 – 1/2 P 45.

◆ Dans un joli village de la Margeride, bâtisse des années 1970 aux chambres fonctionnelles. Une étape pratique si vous avez entrepris la découverte de la région.

**MAMERS** *72600 Sarthe* 310 L4 *G. Normandie Vallée de la Seine – 6 071 h alt. 128.*

*Office du Tourisme, 29 place Carnot ✆ 02 43 97 60 63, Fax 02 43 97 42 87, tourisme-mamers-saosnois@wanadoo.fr.*

*Paris 186 – Alençon 25 – Le Mans 51 – Mortagne-au-Perche 25 – Nogent-le-Rotrou 39.*

**Dauphin,** 54 r. Fort ✆ 02 43 34 24 24, *Fax 02 43 34 44 05* – 30. AE GB

*fermé vend. soir et dim. soir* – **Repas** 10/29 ♀ – 5,50 – **12 ch** 27/40 – 1/2 P 24/29.

◆ Hôtel familial sans prétention situé sur l'artère principale de la ville. Le général de Gaulle honora la maison de sa présence au cours de l'année 1958. Accueil aimable.

**au Pérou** *(61 Orne) Est : 7 km par rte de Bellême – ✉ 61360 Chemilly :*

X **Petite Auberge,** ✆ 02 33 73 11 34, *lapetiteauberge@free.fr, Fax 02 33 25 59 50,* – GB

*fermé vacances de Noël, de fév., lundi soir, merc. soir et mardi* – **Repas** 12,20/46, enf. 9.

◆ Une "petite auberge" isolée en bord de route. Attablez-vous dans la salle à manger rustique, réchauffée par une cheminée, ou sur la terrasse donnant sur un jardin fleuri.

**MANCIET** *32 Gers* 336 C7 – *rattaché à Nogaro.*

**MANDELIEU** *06210 Alpes-Mar.* 341 C6 *G. Côte d'Azur – 16 493 h alt. 4 – Casino.*

Voir ≤★ *de la colline de San Peyré – Site★ du château-musée.*

*Office du Tourisme, ✆ 04 93 93 64 65, Fax 04 93 93 64 66, ota@ot-mandelieu.fr.*

*Paris 895 ⑥ – Cannes 10 ③ – Fréjus 30 ⑤ – Brignoles 88 ⑥ – Draguignan 53 ⑥ – Nice 38 ③.*

Plans page ci-contre

**Domaine d'Olival** sans rest, 778 av. Mer ✆ 04 93 49 31 00, *Fax 04 92 97 69 28,* – cuisinette AE GB Y b

*20 janv.-31 oct.* – 10 – **7 ch** 155, 11 appart 285.

◆ Cette longue bâtisse provençale se prélasse au sein d'un magnifique jardin, sur un îlot au milieu de la Siagne. Chambres très confortables. Promenade en bateau possible.

**Les Bruyères** M sans rest, 1400 av. Fréjus ✆ 04 93 49 92 01, *Fax 04 93 49 21 55,* – cuisinette AE GB Y h

8 – **14 ch** 75.

◆ Sur la N 7, des chambres fonctionnelles et correctement insonorisées s'abritent derrière une grande façade moderne rehaussée d'un quatuor de colonnes. Tenue rigoureuse.

**Hostellerie du Golf** , 780 av. Mer ✆ 04 93 49 11 66, *Fax 04 92 97 04 01,* – ch, – 30. AE GB Y n

**Repas** *(18)* - 24 ♀ – 7,40 – **45 ch** 88,40/105,70, 10 appart – 1/2 P 78,90/88,40.

◆ L'établissement est construit au bord de la rivière, face au célèbre "Old Course" fondé par le grand duc de Russie en 1891. Sobre décoration néo-classique aux pâles tonalités.

## MANDELIEU-LA NAPOULE

Bon-Puits (Bd du) .......... Y 6
Cannes (Av. de) .......... Y 8
Ecureuils (Bd des) .......... Y 13
Esterel-Parc (Bd) .......... Y 14
Europe (Av. de l') .......... Y 16
Fontmichel (Av. G. de) .......... Y 17
Frejus (Av. de) .......... Y
Gaulle (Av. Gén. de) .......... Y 19
Juin (Av. Mar.) .......... Y
Marine-Royale
(Allée de la) .......... Y 23
Mer (Av. de la) .......... Y
Princes (Bd des) .......... Y 25
République (Av. de la) .......... Y 27
Ricard (Av. P.) .......... Y
Siagne (R. de la) .......... Y
Tavernière (Bd de la) .......... Y 28

## LA NAPOULE

Abaguiers (R. des) .......... Z 2
Argentière (R. de l') .......... Z 3
Balcon-d'Azur
(Rd-Pt) .......... Z 5
Carle (R. J.H.) .......... Z 10
Chantier-Naval (R. du) .......... Z 12
Clews (Av. H.) .......... Z
Fanfarigoule (Bd) .......... Z
Gaulle (Av. Gén. de) .......... Z
Hautes-Roches
(R. des) .......... Z 20
Mancha (Av. de la) .......... Z 22
Petit-Port (R. du) .......... Z
Plage (R. de la) .......... Z
Riou (Av. du) .......... Z
San-Peyré (Bd du) .......... Z
Soustelle (Bd J.) .......... Z
23-Août (Av. du) .......... Z

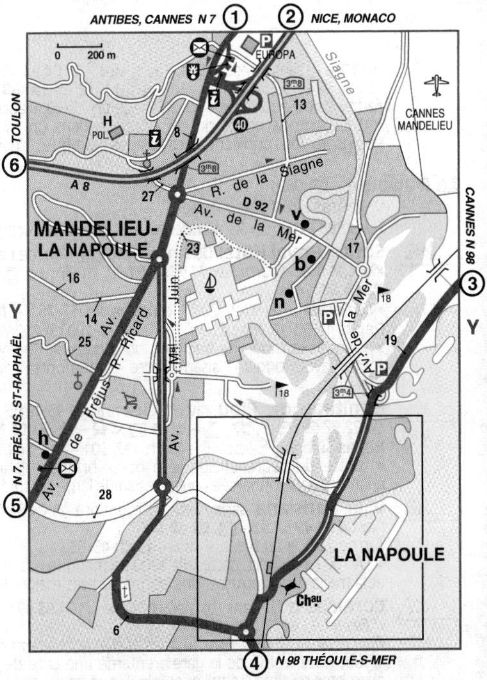
ANTIBES, CANNES N 7
NICE, MONACO
0 200 m
EUROPA
Siagne
CANNES MANDELIEU
TOULON
POL
A 8
R. de la Siagne
D 92
Av. de la Mer
MANDELIEU-LA NAPOULE
Av. P. Ricard
Av. de Fréjus
Av. Mal Juin
CANNES N 98
Y
N 7, FRÉJUS, ST-RAPHAËL
LA NAPOULE
Chau
N 98 THÉOULE-S-MER

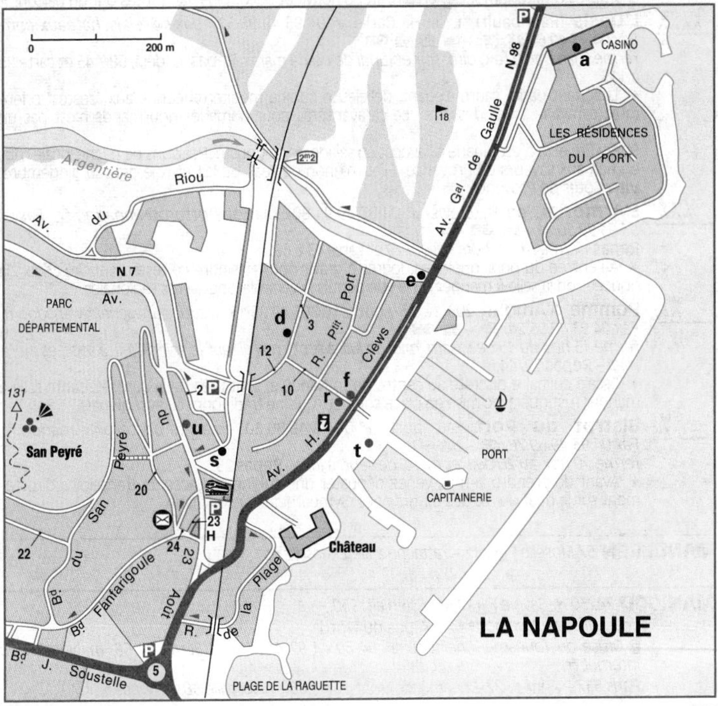
0 200 m
CASINO
N 98
Av. Gal de Gaulle
LES RÉSIDENCES DU PORT
Argentière
Riou
Av. du
N 7
Av.
PARC DÉPARTEMENTAL
R. Pitit Port
Clews
Av. H.
Z
San Peyré
Bd du San Peyré
PORT
CAPITAINERIE
Château
Bd Fanfarigoule
Août
R. de la Plage
LA NAPOULE
Bd J. Soustelle
PLAGE DE LA RAGUETTE

**Acadia** sans rest, 681 av. Mer ✆ 04 93 49 28 23, *acadia.revotel@wanadoo.fr, Fax 04 92 97 55 54*, ... – AE GB Y v
*fermé 9 nov. au 27 déc.* – ☐ 9,50 – **29 ch** 72/79, 6 appart.
◆ Les pontons privés de cet hôtel sis dans un méandre de la Siagne, face à l'île de Robinson, vous convient à des balades nautiques. Chambres progressivement rénovées.

**La Napoule** – ✉ *06210*.
Voir *Site★ du château-musée.*
*Paris 898 – Cannes 9 – Mandelieu-la-Napoule 4 – Nice 41 – St-Raphaël 35.*

**Sofitel Royal Hôtel Casino** M, 605 av. Gén. de Gaulle (N 98) ✆ 04 92 97 70 00, *h-1168 @accor-hotels.com, Fax 04 93 49 51 50*, ≤, ... – 500. AE GB JCB Z a
**- *Le Féréol*** ✆04 92 97 70 20 **Repas** 28(déj.)37/75 ♀ – ***Terrasse du Casino*** ✆04 92 97 70 21 **Repas** 17,60/18,30bc ♀, enf.10 – ☐ 19 – **200 ch** 299/399, 13 appart – ½ P 207,50/257,50.
◆ Complexe moderne édifié en bord de mer. Chambres fonctionnelles et confortables, toutes avec loggia. Plaisant cadre contemporain au Féréol (boiseries, céramiques de Vallauris).

**Ermitage du Riou,** av. H.-Clews ✆ 04 93 49 95 56, *hotel@ermitage-du-riou.fr, Fax 04 92 97 69 05*, ≤, ... – 60. AE GB JCB. ch Z e
**Repas** 39 bc/85 ♀ – ☐ 16 – **41 ch** 192/301 – ½ P 160,50/184,50.
◆ Cette demeure ancienne ocre et brique, restaurée avec raffinement, offre des chambres personnalisées ouvertes sur le large ou sur le golf. Agréable ponton-terrasse.

**Villa Parisiana** sans rest, r. Argentière ✆ 04 93 49 93 02, *villa.parisiana@wanadoo.fr, Fax 04 93 49 62 32* – TV. AE GB Z d
*fermé 23 nov. au 9 déc.* – ☐ 6 – **13 ch** 45/63.
◆ À 100 m du port, cette villa 1900 ne manque pas de charme avec ses balcons ensoleillés et la treille de sa terrasse. Une bonne adresse malgré la proximité de la voie ferrée.

**Corniche d'Or** sans rest, pl. Fontaine ✆ 04 93 49 92 51, *mocquant.philippe@wanadoo.fr, Fax 04 93 49 71 95* – TV. GB. Z s
*fermé 16 au 30 nov., 2 au 16 mars et dim hors saison* – ☐ 6 – **12 ch** 56/68.
◆ Cet hôtel voisin de la gare a entamé une cure de jouvence, vous préférerez donc les chambres refaites : mobilier en pin, literie neuve et décor plus gai. Toutes ont un balcon.

**L'Oasis** (Raimbault), r. J. H. Carle ✆ 04 93 49 95 52, *oasis@relaischateaux.com, Fax 04 93 49 64 13*, ... – AE GB Z r
*fermé 5 janv. au 9 fév., dim. soir et lundi de nov. à mars* – **Repas** 45 (déj.), 58/145 et carte 95 à 115.
◆ Luxuriant patio, cadre élégant, délicieuse cuisine méditerranéenne aux "zestes" orientaux, caravane... des desserts : ce caravansérail pour nomades-gourmands n'est pas un mirage !
**Spéc.** Émietté d'esquinade à l'avocat en salade de langouste. Poissons de pêche locale rôtis en tian aux saveurs de Provence. Filet mignon de veau de lait et foie gras au gingembre.
**Vins** Côtes de Provence.

**L'Armorial,** bd H. Clews ✆ 04 93 49 91 80, *maryse.bottero@wanadoo.fr, Fax 04 93 93 28 50*, ≤ – GB JCB Z f
**Repas** *(fermé merc. hors saison)* 29 et carte 43 à 66.
◆ À l'entrée du port, quelques degrés à gravir pour atteindre ce restaurant. Au choix : la douceur de la salle à manger ou la vue depuis la véranda. Spécialités régionales.

**Pomme d'Amour,** 209 av. 23-Août ✆ 04 93 49 95 19, *jacques.arwacher@wanadoo.fr, Fax 04 93 49 95 24*, ... – GB Z u
*fermé 15 nov. au 15 déc., sam. midi de juil. à sept., mardi sauf le soir de juil. à sept. et merc. midi* – **Repas** 29/34.
◆ Escale culinaire discrète au centre de La Napoule, tout près de la gare. Plaisante salle à manger rustique avec mise en place soignée. Cuisine traditionnelle et régionale.

**Bistrot du Port,** au port ✆ 04 93 49 80 60, *maryse.bottero@wanadoo.fr, Fax 04 93 49 69 76*, ... – GB Z t
*fermé 20 nov. au 20 déc. et merc. de sept. à juin* – **Repas** 25.
◆ Avant de prendre la mer, venez déguster une cuisine aux accents transalpins directement sur le quai, au ras des bastingages. Sympathique décor marin.

---

**MANDEREN** *57 Moselle* 307 *J2 – rattaché à Sierck-les-Bains.*

---

**MANIGOD** *74230 H.-Savoie* 328 *L5 – 636 h alt. 950.*
Voir *Vallée de Manigod★★*, **G. Alpes du Nord.**
*Office du Tourisme, Chef Lieu ✆ 04 50 44 92 44, Fax 04 50 44 94 68, manigod@club internet.fr.*
*Paris 557 – Annecy 27 – Chamonix-Mont-Blanc 66 – Albertville 38 – Thônes 6.*

**rte du col de la Croix-Fry** *: 5,5 km :*

**Chalet Hôtel Croix-Fry**, ✆ 04 50 44 90 16, *hotelchaletcroixfry@wanadoo.fr, Fax 04 50 44 94 87,* < montagnes, – TV P. AE GB
*mi-juin-mi-sept. et mi-déc.-mi-avril* – **Repas** *(fermé 14 juin au 14 juil., mardi midi, merc. midi, lundi hors saison et mardi en janv. et mars)* 25 (déj.), 40/70 – 16 – **6 ch** 145/315, 4 duplex – ½ P 125/195.
◆ Chalet au chaleureux décor intérieur, tout en bois et agrémenté de peaux de moutons. Chambres personnalisées par de vieux meubles savoyards, salle à manger panoramique.

**au col de la Croix-Fry** *Nord-Est : 7 km – alt. 1467 – ✉ 74230 Thônes :*

**Les Sapins** avec ch, ✆ 04 50 44 90 29, *les-sapins@wanadoo.fr, Fax 04 50 44 94 96,* <, – TV P. AE GB
*fermé 28 avril au 6 mai, 21 oct. au 20 nov., dim. soir et merc. hors saison* – **Repas** 23/33, enf. 7,70 – 6,10 – **10 ch** 32/55 – ½ P 42/52.
◆ Au pied des pistes, ce sympathique chalet familial en cours de rénovation accueille les amoureux de la montagne depuis plusieurs décennies. Cuisine savoyarde.

---

**MANOSQUE** *04100 Alpes-de-H.-P.* 334 C10 *G. Alpes du Sud – 19 107 h alt. 387.*

**Voir** *Le vieux Manosque★ : Porte Saunerie★, façade★ de l'hôtel de ville – Sarcophage★ et Vierge noire★ dans l'église N.-D. de Romigier – Fondation Carzou★* **M** – *<★ du Mont d'Or NE : 1,5 km.*

*Office du Tourisme, place du Docteur Joubert ✆ 04 92 72 16 00, Fax 04 92 72 58 98, otsi@ville-manosque.fr.*

*Paris 759 ③ – Digne-les-Bains 60 ① – Aix-en-Provence 56 ② – Avignon 91 ③.*

## MANOSQUE

Arthur-Robert (R.) .... 2
Aubette (R. d') ....... 3
Bret (Bd M.) ......... 5
Chacundier (R.) ...... 6
Dauphine (R.) ........ 8
Giono (Av. J.) ........ 9
Grande (R.) .......... 10
Guilhempierre (R.) .... 12
Hôtel-de-Ville (Pl. de l') ......... 13
J.-J. Rousseau (R.) ... 14
Marchands (R. des) ........ 15
Mirabeau (Bd) ....... 16
Mont d'Or (R. du) .... 17
Observantins (Pl. des) .......... 19
Ormeaux (Pl. des) .... 20
Pelloutier (Bd C.) ..... 22
Plaine (Bd de la) ..... 23
République (R. de la) ......... 26
St-Lazare (Av.) ....... 28
Saunerie (R. de la) ... 30
Soubeyran (R.) ....... 32
Tanneurs (R. des) .... 33
Tourelles (R. des) .... 34
Voland (R.) .......... 35
Vraies-Richesses (Montée des) ...... 36

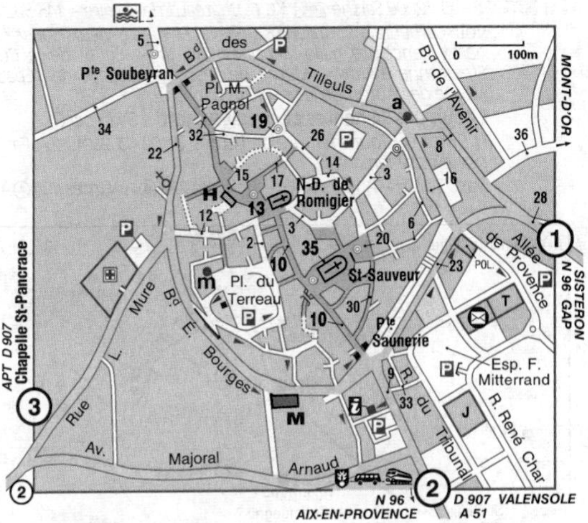
Pte Soubeyran
Bd des Tilleuls
Pl. M. Pagnol
N.-D. de Romigier
Bd de l'Avenir
MONT-D'OR
0 100m
Allée de Provence
SISTERON N 96 GAP
St-Sauveur
Pl. du Terreau
Pte Saunerie
Bd E. Bourges
Mure
Esp. F. Mitterrand
R. René Char
R. du Tribunal
Rue L.
Av. Majoral Arnaud
APT D 907 Chapelle St-Pancrace
N 96 AIX-EN-PROVENCE
D 907 VALENSOLE A 51
POL.

**Pré St-Michel** sans rest, Nord : 1,5 km par bd M. Bret et rte Dauphin ✆ 04 92 72 14 27, *pre.st.michel@wanadoo.fr, Fax 04 92 72 53 04,* – TV P – 25. GB
7,50 – **24 ch** 78/90.
◆ Récente bâtisse régionale aux chambres spacieuses. Vue sur les collines et les toitures de Manosque "agencées les unes aux autres comme les plaques d'une armure" (Giono).

**Mercure** M, av. Gén. de Gaulle ✆ 04 92 87 78 58, *relais.manosque@wanadoo.fr, Fax 04 92 72 66 60,* – ch, TV P. AE GB
**Repas** 17,50/28,50 – 7 – **36 ch** 64/75 – ½ P 60/70.
◆ Aux portes du vieux Manosque, cet hôtel vient de bénéficier d'une rénovation complète : chambres, salons et restaurant arborent un chaleureux décor de style provençal.

**Campanile**, par ① ✆ 04 92 71 73 50, *Fax 04 92 71 73 89,* – TV P – 15. AE GB
**Repas** 15,50/17 – 6 – **31 ch** 58 – ½ P 48/52.
◆ Ce Campanile situé sur un axe passant sort bonifié d'une cure de jouvence. Chambres rénovées, fonctionnelles et simples (préférer celles de l'arrière). Restauration réduite.

XX **Dominique Bucaille,** 43 bd Tilleuls **(a)** ✆ 04 92 72 32 28, *dbucaille@aol.com, Fax 04 92 72 32 28* – AE ⓓ GB JCB
*fermé mi-juil. à mi-août, vacances de fév., merc. soir et dim. sauf fériés* – **Repas** *(16)* - 23 (déj.), 40/61 ♀, enf. 10.
◆ Ancienne filature (17e s.) aménagée en restaurant : salle à manger aux couleurs de la Provence, voûtée et ouverte sur les cuisines. Carte au goût du jour.

X **Luberon,** pl. Terreau **(m)** ✆ 04 92 72 03 09, *Fax 04 92 72 03 09,* – GB.
*fermé 6 au 20 oct., dim. soir et lundi sauf de mi-juil. au 31 août* – **Repas** 17,50/41.
◆ Petite adresse du centre-ville et sa salle rustique rehaussée de couleurs ensoleillées. Terrasse d'été installée sur la place. Carte aux accents du Sud proposée à l'ardoise.

**à La Fuste** *Sud-Est : 6,5 km par rte de Valensole* – ✉ *04210 Valensole :*

**Hostellerie de la Fuste** (Jourdan) , ✆ 04 92 72 05 95, *lafuste@aol.com, Fax 04 92 72 92 93,* <, , , – ▤ rest, TV ♿ P – 70. AE ⓓ GB JCB
*fermé 3 au 17 mars, 12 nov. au 1er déc., 5 janv. au 9 fév., dim. soir et lundi d'oct. à juin sauf fériés* – **Repas** (nombre de couverts limité, prévenir) 53/84 et carte 55 à 85, enf. 20 – ☕ 16 – **14 ch** 130/200 – ½ P 135/170.
◆ Élégante hostellerie campagnarde dans un parc (beau potager). Chambres douillettes, salle à manger face au jardin et superbe terrasse ombragée par de majestueux platanes.
**Spéc.** Agneau des Alpes de Haute Provence. Truffes noires et gibier (nov. à mars). Truffes blanches estivum (mai à août). **Vins** Palette, Côtes du Luberon.

*Donnez-nous votre avis sur les tables que nous recommandons, sur leurs spécialités et leurs vins de pays.*

## Le MANS

P *72000 Sarthe* 310 K6 *G. Châteaux de la Loire* – *145 502 h Agglo. 194 825 h alt. 80.*
**Voir** *Cathédrale St-Julien★★ : chevet★★★ – Le Vieux Mans★★ : maison de la Reine Bérengère★, enceinte gallo-romaine★* **DV M²** *– Église de la Couture★ : Vierge★★ – Église Ste-Jeanne-d'Arc★ – Musée de Tessé★ – Abbaye de l'Épau★* **BZ** *, 4 km par D 152 – Musée de l'Automobile★★ : 5 km par ④.*
**Circuit des 24 heures et circuit Bugatti** *: 5 km par ④.*
*Office du Tourisme, rue de l'Etoile ✆ 02 43 28 17 22, Fax 02 43 28 12 14, officedutourisme@ville-lemans.fr.*
*Paris 207 ② – Angers 97 ④ – Le Havre 228 ⑥ – Nantes 184 ④ – Rennes 154 ⑤ – Tours 82 ③.*

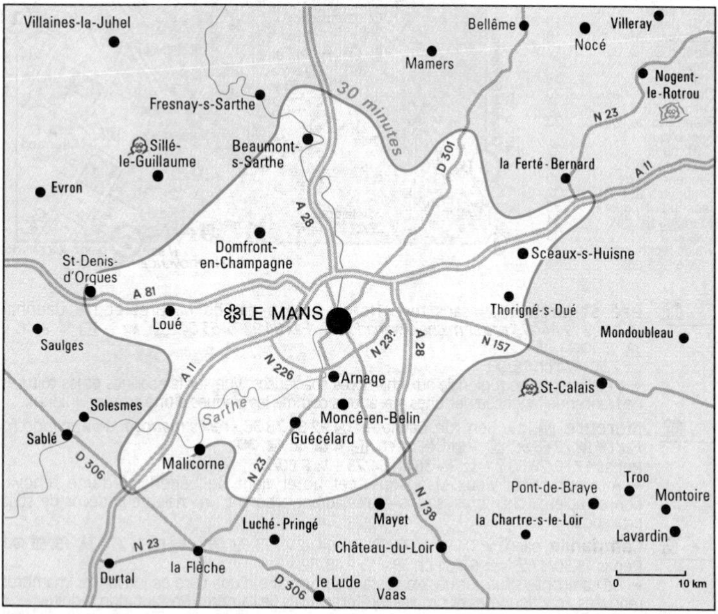
Villaines-la-Juhel
Bellême
Villeray
Nocé
Mamers
Nogent-le-Rotrou
30 minutes
Fresnay-s-Sarthe
N 23
Sillé-le-Guillaume
Beaumont-s-Sarthe
D 301
la Ferté-Bernard
A 11
Evron
A 28
Domfront-en-Champagne
Sceaux-s-Huisne
St-Denis-d'Orques
A 81
Thorigné-s-Dué
LE MANS
Loué
Mondoubleau
Saulges
N 23
A 28
N 157
N 226
A 11
Arnage
St-Calais
Solesmes
Sarthe
Moncé-en-Belin
Sablé
Guécélard
D 306
Malicorne
N 23
Troo
Pont-de-Braye
N 138
Montoire
Mayet
la Chartre-s-le-Loir
Luché-Pringé
Lavardin
N 23
Château-du-Loir
la Flèche
Durtal
D 306
le Lude
Vaas
0
10 km

# LE MANS

Ambroise Paré (R.) . . . . . . . **AZ** 4
Ballon (R. de) . . . . . . . . . . . . **AZ** 6
Bertinière (R. de la) . . . . . . . **BZ** 10
Brossolette (Bd P.) . . . . . . . . **AZ** 15
Carnot (Bd) . . . . . . . . . . . . . . **AZ** 16
Churchill (Bd W.) . . . . . . . . . **BZ** 17
Clemenceau (Bd G.) . . . . . . **BZ** 18
Douce-Amie
(R. de) . . . . . . . . . . . . . . . . **BZ** 22
Durand (Av. G.) . . . . . . . . . . . **BZ** 26
Esterel (R. de l') . . . . . . . . . . **BZ** 30
Flore (R. de) . . . . . . . . . . . . . **BZ** 31
Gaulle (R.du Gén.-de) . . . . **ABZ** 36
Géneslay (Av. F.) . . . . . . . . **ABZ** 37
Grande-Maison
(R. de la) . . . . . . . . . . . . . . **AZ** 39
Heuzé (Av. O.) . . . . . . . . . . . **AZ** 42
Jean-Jaurès (Av.) . . . . . . . . **BZ** 43
Lefeuvre (Av. H.) . . . . . . . . . **AZ** 44
Maillets (R. des) . . . . . . . . . . **BZ** 46
Mare (Ch. de la) . . . . . . . . . . **BZ** 49
Mariette (R. de la) . . . . . . . . **BZ** 51
Monthéard (Av. de) . . . . . . . **BZ** 55
Moulin (Av. J.) . . . . . . . . . . . . **BZ** 57
Négrier (Bd du Gén.) . . . . . . **BZ** 58
Néruda (R. Pablo) . . . . . . . . . **BZ** 60
Pied-Sec (R. de) . . . . . . . . . . **AZ** 63
Pointe (R. de la) . . . . . . . . . . **AZ** 64
Prémartine (Rte de) . . . . . . . **BZ** 67
Riffaudières (Bd des) . . . . . . **AZ** 73
Rondeau (R. J.) . . . . . . . . . . . **AZ** 74
Rubillard (Av.) . . . . . . . . . . . . **AZ** 78
Schuman (Bd R.) . . . . . . . . . . **BZ** 80
Victimes du Nazisme
(R. des) . . . . . . . . . . . . . . . . **BZ** 82
Yvré-Levêque (Ch. d') . . . . . **BZ** 87

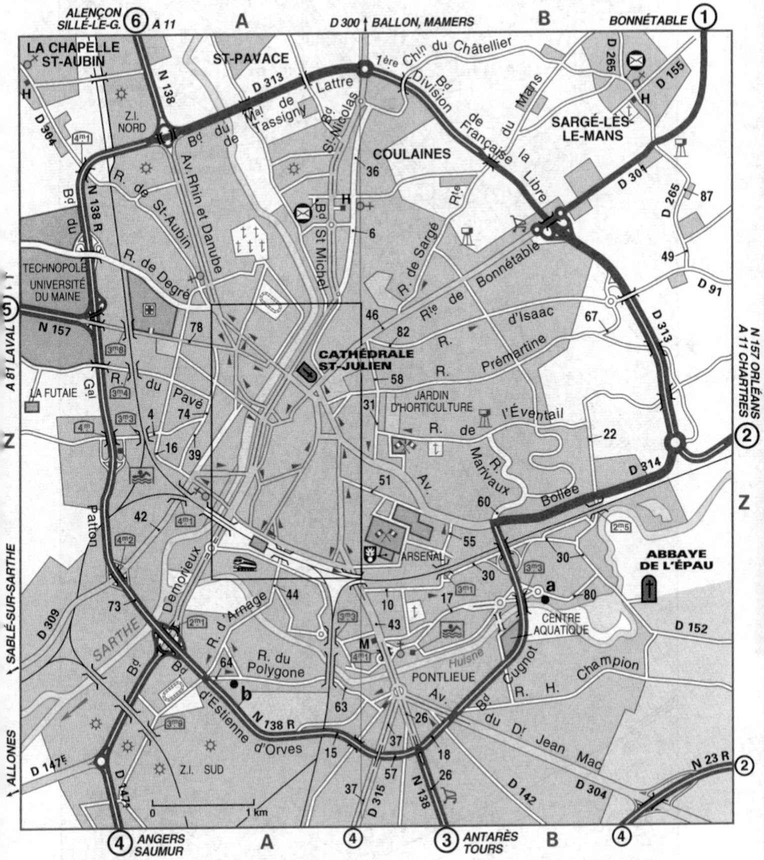

ALENÇON SILLÉ-LE-G. 6 A 11
A
D 300 BALLON, MAMERS
B
BONNÉTABLE 1
LA CHAPELLE ST-AUBIN
ST-PAVACE
COULAINES
SARGÉ-LÈS-LE-MANS
Z.I. NORD
TECHNOPOLE UNIVERSITÉ DU MAINE
LA FUTAIE
CATHÉDRALE ST-JULIEN
JARDIN D'HORTICULTURE
ARSENAL
ABBAYE DE L'ÉPAU
CENTRE AQUATIQUE
PONTLIEUE
Z.I. SUD
SARTHE
Huisne
5 A 81 LAVAL
N 157 ORLÉANS A 11 CHARTRES 2
SABLÉ-SUR-SARTHE
ALLONES
4 ANGERS SAUMUR
A
4
3 ANTARÈS TOURS
B
4
N 23 R 2
1 km


**Concorde,** 16 av. Gén. Leclerc ✆ 02 43 24 12 30, *lemans@concorde-hotels.com, Fax 02 43 24 85 74,* – 50. AE GB JCB CX b
***L'Amphitryon*** *(fermé sam. midi et dim.soir)* **Repas** *(19)*-35/45 ♀, enf.11 – ☕ 10 – **56 ch** 88/165.
◆ Hôtel en briques (1905) ayant judicieusement préservé son cachet malgré des rénovations régulières. Chambres dotées de meubles de style. Élégante salle à manger.

**Novotel** Ⓜ, bd R. Schuman (Z.A.C. Sablons) ✉ 72100 ✆ 02 43 85 26 80, *h0440@accor-hotels.com, Fax 02 43 75 31 76,* – 15 à 120. AE GB BZ a
**Repas** *(17,60)* - carte environ 25 ♀, enf. 8 – ☕ 10 – **94 ch** 81/91.
◆ L'intérieur contraste avec l'architecture extérieure : chambres gaies et salle des repas dont les baies vitrées s'ouvrent sur un jardin s'étendant jusqu'à l'Huisne.

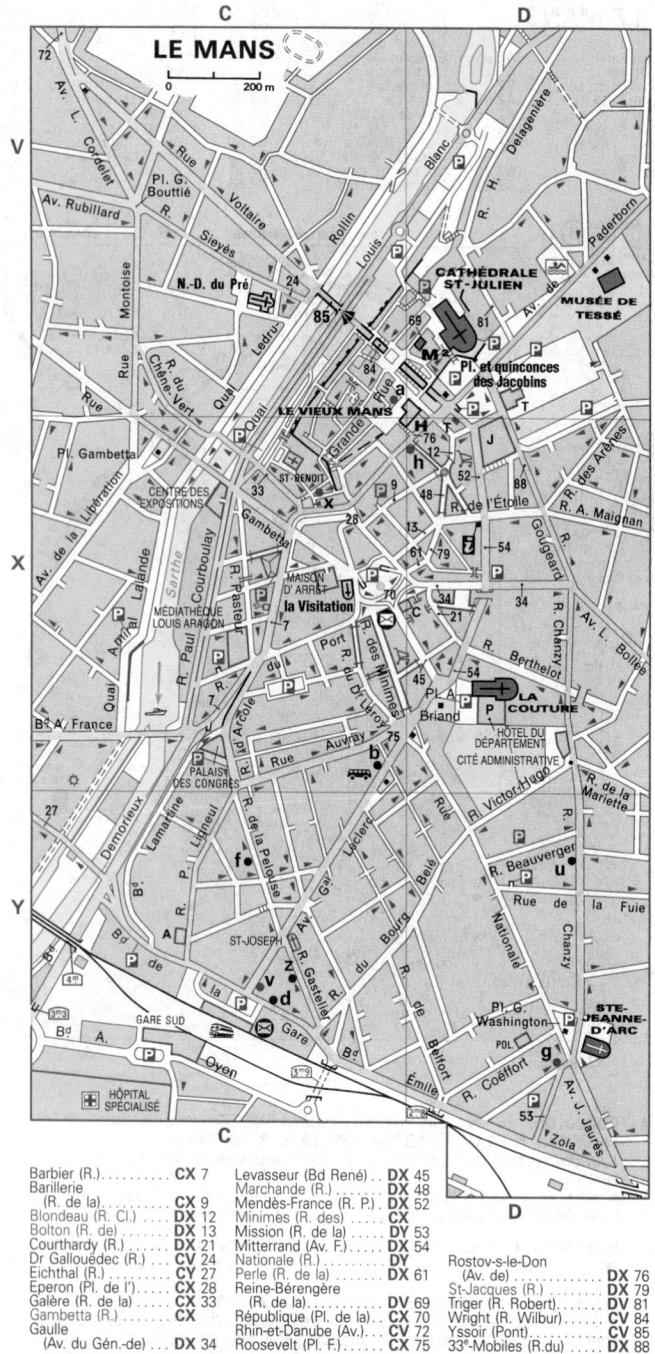

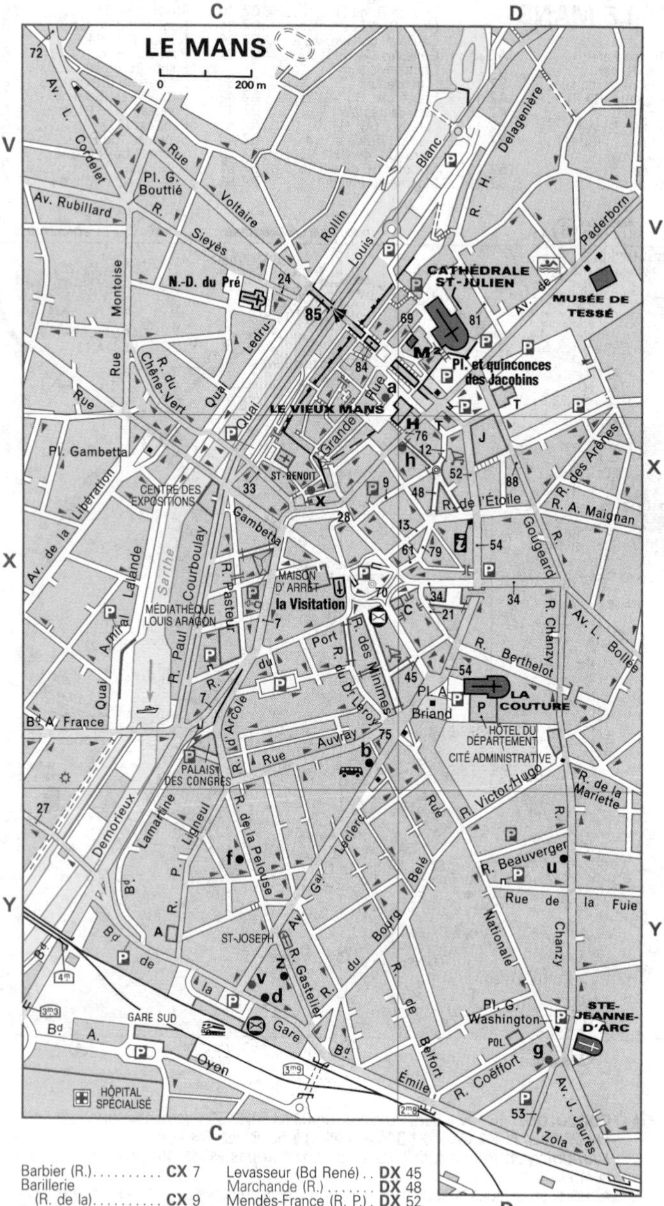
LE MANS
0
200 m
C
D
V
X
Y
CATHÉDRALE ST-JULIEN
MUSÉE DE TESSÉ
Pl. et quinconces des Jacobins
LE VIEUX MANS
N.-D. du Pré
ST-BENOIT
CENTRE DES EXPOSITIONS
MAISON D'ARRÊT
la Visitation
MÉDIATHÈQUE LOUIS ARAGON
Pl. Gambetta
Pl. G. Bouttié
Pl. A. Briand
LA COUTURE
HÔTEL DU DÉPARTEMENT
CITÉ ADMINISTRATIVE
PALAIS DES CONGRÈS
ST-JOSEPH
GARE SUD
HÔPITAL SPÉCIALISÉ
Pl. G. Washington
POL.
STE-JEANNE-D'ARC
Sarthe
Av. L. Cordelet
Rue Voltaire
Av. Rubillard
R. Sieyès
Rue Montoise
R. du Chêne-Vert
Quai Ledru-Rollin
Quai Louis Blanc
R. H. Delagenière
Av. de Paderborn
Grande Rue
R. de l'Étoile
R. des Arènes
R. A. Maignan
R. Gougeard
Av. de la Libération
Quai Amiral Lalande
R. Paul Courboulay
R. Pasteur
Gambetta
R. du Port
R. des Minimes
R. du Dr Leroy
Rue Auvray
R. d'Arcole
R. Chanzy
R. Berthelot
Av. L. Bollée
Bd A. France
Bd Demorieux
R. Lamartine
R. P. Ligneul
R. de la Pelouse
Av. Gal Leclerc
Rue Belé
R. Victor-Hugo
R. de la Mariette
R. Beauverger
Rue de la Fuie
Rue Chanzy
Nationale
R. du Bourg
R. de Belfort
Émile Zola
R. Coëffort
Av. J. Jaurès
R. Gastelier
Bd de la Gare
Bd A. Oyen
R. Lionel

**Chantecler** sans rest, 50 r. Pelouse ☎ 02 43 14 40 00, *contact@hotel-chantecler.com*, *Fax 02 43 77 16 28* – AE GB CY f
7,70 – **32 ch** 64/109, 3 appart.
◆ Mobilier en rotin et plantes vertes agrémentent la salle des petits-déjeuners, véritable jardin d'hiver sous véranda. Tons pastel reposants dans les chambres.

**Mercure,** 17 r. Pointe ✉ 72100 ☎ 02 43 72 27 20, *h0344@accor-hotels.com*, *Fax 02 43 85 96 06*, – – 25. AE GB JCB AZ b
**Repas** *(fermé vend. soir, sam. et dim. d'oct. à mai)* 19 ♀, enf. 7,50 – 9,50 – **68 ch** 72/80.
◆ Bâtisse des années 1970 à la périphérie de la capitale du Maine. Petites chambres fonctionnelles et bien tenues, plus calmes sur l'arrière. Jardin avec minigolf.

**Emeraude** sans rest, 18 r. Gastelier ☎ 02 43 24 87 46, *Fax 02 43 24 60 64* – . GB. CY z
*fermé 26 juil. au 17 août et 21 déc. au 5 janv.* – 9,50 – **33 ch** 62,50/75.
◆ Hôtel proche de la gare. Chambres rénovées, égayées de tons pastel. Aux beaux jours, petit-déjeuner proposé dans la cour intérieure fleurie. Accueil chaleureux.

**Commerce** sans rest, 41 bd Gare ☎ 02 43 83 20 20, *commerce.hotel@wanadoo.fr*, *Fax 02 43 83 20 21* – . AE GB. CY d
6 – **31 ch** 40/55.
◆ L'isolation phonique est efficace côté gare, mais les nuits sont tout de même plus paisibles dans la bâtisse arrière. Petites chambres pratiques et bien tenues.

**L'Escale** sans rest, 72 r. Chanzy ☎ 02 43 50 40 00, *Fax 02 43 84 76 82* – . AE GB DY u
*fermé 20 déc. au 7 janv. et dim.* – 6 – **46 ch** 44/52.
◆ Le confort de cet hôtel traditionnel reste modeste, cependant la plupart des chambres - à la tenue méticuleuse - ont subi une petite cure de jouvence.

XXX **Beaulieu** (Boussard), 24 r. Ponts Neufs ☎ 02 43 87 78 37, *Fax 02 43 87 78 27*, – . AE GB. DX h
*fermé 1er août au 1er sept., 1er au 10 mars, sam. et dim.* – **Repas** 25 (déj.), 34/43 et carte 55 à 77, enf. 20.
◆ Poutres patinées et jolies tentures dans une maison du 15e s. au coeur du vieux Mans : un cadre élégant et chaleureux pour une appétissante cuisine au goût du jour.
**Spéc.** Saint-Jacques rôties aux cèpes (oct. à déc.). Volaille de Loué aux deux cuissons (mai-juin). Ris d'agneau de lait des Pyrénées aux truffes (avril-mai).

XX **Fontainebleau,** 12 pl. St-Pierre ☎ 02 43 14 25 74, *Fax 02 43 14 25 74*, – GB CV a
*fermé 15 sept. au 5 oct., 9 au 19 fév., lundi soir et mardi* – **Repas** 15/36 ♀, enf. 8,50.
◆ Maisons à pans de bois et hôtels particuliers sont aux portes de ce restaurant sis dans de vieux murs (1720). Intérieur rustique et terrasse fleurie. Plats traditionnels.

XX **St-Lô,** 97 av. Gén. Leclerc ☎ 02 43 24 71 85, *Fax 02 43 23 32 52* – . GB CY v
*fermé 30 juil. au 18 août, dim. soir et sam.* – **Repas** 13,50/27 ♀, enf. 9,50.
◆ Lumineuse salle à manger aménagée derrière la devanture vitrée de ce restaurant du quartier de la gare. À l'étage, salons feutrés pour repas commandés. Cuisine traditionnelle.

XX **Rascasse,** 6 r. Mission ☎ 02 43 84 45 91, *raoulj@club-internet.fr*, *Fax 02 43 85 01 89* – . AE GB DY g
*fermé 1er au 26 août, sam. midi, dim. soir et lundi* – **Repas** 14/37 ♀, enf. 11.
◆ Deux salles à manger voisines de l'église Ste-Jeanne d'Arc : l'une garnie d'un mobilier de style Art déco ; l'autre, agrémentée d'une cheminée, vient d'être refaite.

X **Ciboulette,** 14 r. Vieille Porte ☎ 02 43 24 65 67, *Fax 02 43 87 51 18* – . GB CX x
*fermé 1er au 10 mai, 4 au 18 août, 1er au 7 janv., lundi midi, sam. midi et dim.* – **Repas** 30,20 ♀.
◆ Cadre intime façon bistrot dans une maison médiévale : chaudes boiseries, velours rouge et laque noire de style fin 19e s. Carte privilégiant les produits de la mer.

**par** ③ *sur N 138 : 4 km* – ✉ *72100 Le Mans* :

**Green 7** M, 447 av. G. Durand (rte de Tours) ☎ 02 43 40 30 30, *le-green-7@wanadoo.fr*, *Fax 02 43 40 30 00*, , – rest, – 15 à 35. AE GB. rest
**Repas** *(fermé 11 au 14 août, vend. soir et dim. soir)* 14/32, enf. 8 – 7 – **75 ch** 49/68 – ½ P 38/44.
◆ À deux "putts" des parcours de Mulsanne et Sargé, adresse résolument placée sous le signe du golf célébré par l'enseigne et par le décor à dominante verte. Handicap ? Aucun !

**à Arnage** *par ④ : 10 km – 5 600 h. alt. 42 – ✉ 72230 :*

XXX **Auberge des Matfeux,** Sud sur D 147 ☎ 02 43 21 10 71, *matfeux@wanadoo.fr*, *Fax 02 43 21 25 23* – AE GB JCB
*fermé 22 juil. au 19 août, 2 au 13 janv., dim. soir, mardi soir, merc. soir et lundi* – **Repas** 31/58 et carte 59 à 75 ♀.
◆ Originale architecture en briques, verre et bois au milieu d'un parc proche du fameux circuit des 24 heures. Agréables salles à manger et salons. Cuisine au goût du jour.

**par** ⑤ *et N 157 : 4 km – ✉ 72000 Le Mans :*

**Auberge de la Foresterie** Ⓜ, rte de Laval ✆ 02 43 51 25 12, *aubergedelaforesterie@wanadoo.fr, Fax 02 43 28 54 58,* 余, ⛱, 🛋 – ✈, ▤ rest, TV ✆ ♿ P – 🔑 60. AE ⓓ GB
*fermé 4 au 17 août et 22 déc. au 2 janv.* – **Repas** (15,20) - 19,90/39,50 ♀, enf. 10 – ☕ 8,50 – **40 ch** 190/265.
◆ Spacieuses chambres bien équipées, room-service, salle à manger feutrée, salons de réception, salles de séminaires et grand jardin pour la détente : un hôtel à la page.

---

## MANSLE *16230 Charente* 324 *L4 – 1 601 h alt. 65.*

ℹ *Office du Tourisme, place du Gardoire ✆ 05 45 20 39 91, Fax 05 45 22 46 93, ot.pays.manslois@wanadoo.fr.*

*Paris 422 – Angoulême 26 – Cognac 52 – Limoges 92 – Poitiers 87 – St-Jean-d'Angély 62.*

**Beau Rivage,** pl. Gardoire ✆ 05 45 20 31 26, *Fax 05 45 22 24 24,* 余, 🛋 – TV ✆ P. GB
*fermé 1er au 15 mars, 15 nov. au 5 déc. et dim. soir de nov. à mars* – **Repas** 12/30 ♂, enf. 6 – ☕ 6 – **32 ch** 26/45 – ½ P 30/42.
◆ Ne vous fiez pas à la façade un peu austère : cet établissement abrite des chambres pimpantes et offre l'agrément d'un jardin au bord de la Charente (location de canots).

**à St-Groux** *Nord-Ouest : 3 km par D 361 – 114 h. alt. 57 – ✉ 16230 :*

**Trois Saules** 🐦, ✆ 05 45 20 31 40, *les3saules.faure@voila.fr, Fax 05 45 22 73 81,* 🛋 – TV P. GB
*fermé 26 oct. au 12 nov., dim. soir et lundi midi de fin sept. à mai* – **Repas** 10/26 ♂, enf. 5,50 – ☕ 5,50 – **10 ch** 31/42 – ½ P 37/40.
◆ L'auberge est longée par la rivière. Affaire familiale composée de deux bâtiments : l'un abrite les chambres, simples et pratiques, l'autre le restaurant.

**à Luxé** *Ouest : 6 km par D 739 – 733 h. alt. 70 – ✉ 16230 :*

**Auberge du Cheval Blanc,** à la gare ✆ 05 45 22 23 62, *Fax 05 45 39 94 75* – GB
*fermé fév., dim. soir, mardi soir et lundi* – **Repas** 12 bc (déj.), 18,50/32 ♀.
◆ À l'avenante façade de cette maison régionale répond une salle à manger tout aussi plaisante avec son décor rustique et ses tables fleuries. Cuisine régionale soignée.

---

## MANTES-LA-JOLIE SP *78200 Yvelines* 311 *G2 G. Île de France – 45 087 h alt. 34.*

**Voir** *Collégiale Notre-Dame*★★ **BB.**

ℹ *Office du Tourisme, 4 place Saint Maclou ✆ 01 34 77 10 30, Fax 01 30 98 61 49.*

*Paris 55 ③ – Beauvais 69 ① – Chartres 81 ④ – Évreux 47 ④ – Rouen 80 ④ – Versailles 46 ③.*

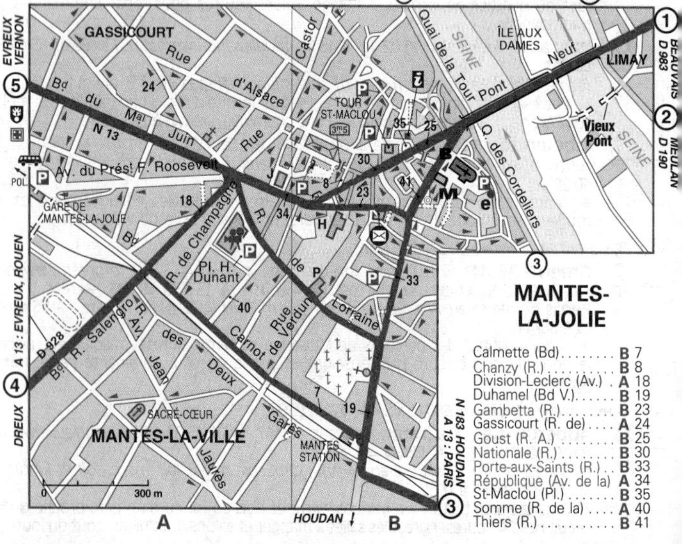

LA ROCHE-GUYON D 147
GASSICOURT
ÎLE AUX DAMES
LIMAY
SEINE
Quai de la Tour
Pont Neuf
Vieux Pont
Q. des Cordeliers
BEAUVAIS D 983
MEULAN D 190
EVREUX VERNON
Bd du Mal Juin
N 13
Rue d'Alsace
Castor
TOUR ST-MACLOU
Av. du Prést F. Roosevelt
GARE DE MANTES-LA-JOLIE
R. de Champagne
Pl. H. Dunant
R. de Lorraine
Rue de Verdun
Carnot
Bd R. Salengro
Av. Jean Jaurès
des Deux Gares
A 13 : EVREUX, ROUEN
D 928
DREUX
SACRÉ-CŒUR
MANTES-LA-VILLE
MANTES STATION
N 183 HOUDAN A 13 : PARIS
HOUDAN
0 300 m
MANTES-LA-JOLIE

**à Mantes-la-Ville** *par ③ : 2 km – 19 081 h. alt. 36 – ✉ 78200 :*

XXX **Moulin de la Reillère,** 171 rte Houdan ✆ 01 30 92 22 00, *Fax 01 30 92 22 00,* – P. AE GB
*fermé 19 août au 25 sept., 28 oct. au 4 nov., sam. midi, dim. soir et lundi* – **Repas** 29,80/40,40 et carte 43 à 63.
◆ Agréable salle bourgeoise aménagée dans un ancien moulin (poutres apparentes). La terrasse s'ouvre sur un joli jardin fleuri. Cuisine classique ; belle sélection de fromages.

**à Rosay** *par ③ : 10 km – 348 h. alt. 98 – ✉ 78790 :*

XX **Auberge de la Truite,** 1 r. Boinvilliers ✆ 01 34 76 30 52, *Fax 01 34 76 30 65,* – P
*fermé 18 sept. au 8 oct., 23 déc. au 5 janv., dim. soir, mardi midi et lundi* – **Repas** 30/55 ♀.
◆ Intérieur coquet et terrasse ouverte sur la campagne mantoise : cette pimpante auberge en pierre constitue une charmante étape champêtre. Plats classiques et vins choisis.

**à St-Martin-la-Garenne** *par ⑥ et D 147 : 7 km – 654 h. alt. 125 – ✉ 78520 Limay :*

X **Auberge St-Martin,** ✆ 01 34 77 58 45 – P. GB
*fermé 28 juil. au 29 août, lundi, mardi, merc. et jeudi* – **Repas** 22/25.
◆ Ouvert uniquement en fin de semaine, ce restaurant dispose de deux salles à manger : l'une rustique, près du bar, l'autre offrant un cadre plus actuel. Cuisine traditionnelle.

---

## MANTES-LA-VILLE *78 Yvelines* 311 *G2 – rattaché à Mantes-la-Jolie.*

---

## MANZAC-SUR-VERN *24110 Dordogne* 329 *E5 – 488 h alt. 80.*

*Paris 501 – Périgueux 19 – Bergerac 34 – Bordeaux 113.*

XX **Lion d'Or** avec ch, ✆ 05 53 54 28 09, *Fax 05 53 54 25 50,* – TV – 25. GB
*fermé fév., dim. soir sauf juil.-août et lundi* – **Repas** 17,50/42 ♀, enf. 8,80 – 6,50 – **7 ch** 24/38 – ½ P 45.
◆ Lumineuse salle à manger agrémentée de bibelots où l'on savoure une copieuse cuisine au goût du jour axée sur le terroir. Quelques chambres dépanneront.

---

## MARANS *17230 Char.-Mar.* 324 *E2 G. Poitou Vendée Charentes – 4 170 h alt. 1.*

*Office du Tourisme, 62 rue d'Aligre ✆ 05 46 01 12 87, Fax 05 46 35 97 36.*
*Paris 462 – La Rochelle 24 – La Roche-sur-Yon 59 – Fontenay-le-Comte 27 – Niort 56.*

X **Porte Verte,** 20 quai Foch ✆ 05 46 01 09 45, – GB
*mars-nov. et fermé merc.* – **Repas** (nombre de couverts limité, prévenir) 15/32.
◆ Cette coquette maison du 19e s. située aux confins du marais mouillé borde le canal reliant le port - jadis animé - à l'océan. Cuisine régionale.

---

## MARAUSSAN *34 Hérault* 339 *D8 – rattaché à Béziers.*

---

## MARBOUÉ *28 E.-et-L.* 311 *D7 – rattaché à Châteaudun.*

---

## MARÇAY *37 I.-et-L.* 317 *K6 – rattaché à Chinon.*

---

## MARCILLAC-LA-CROISILLE *19320 Corrèze* 329 *N4 G. Berry Limousin – 787 h alt. 550.*

*Paris 506 – Aurillac 80 – Argentat 26 – Égletons 17 – Mauriac 41 – Tulle 27.*

**au Pont du Chambon** *Sud-Est : 15 km, dir. Mauriac par D 60 et D 13 – ✉ 19320 St-Merd-de-Lapleau :*

XX **Fabry** *(Au Rendez-vous des Pêcheurs)* avec ch, ✆ 05 55 27 88 39, *fabry@medianet.fr, Fax 05 55 27 83 19,* ←, – TV P. GB
*14 fév.-11 nov. et fermé dim. soir et lundi du 2 sept. au 30 mars* – **Repas** 13,50/35 – 6 – **8 ch** 38/45 – ½ P 41/43.
◆ Étape "verte" garantie dans cette maison régionale isolée en pleine campagne sur les bords de la Dordogne. Cuisine inspirée du terroir, chambres claires, accueil aimable.

---

## MARCILLY-EN-VILLETTE *45240 Loiret* 318 *J5 – 1 714 h alt. 124.*

*Paris 154 – Orléans 23 – Blois 83 – Romorantin-Lanthenay 55 – Salbris 45.*

X **Auberge de la Croix Blanche** avec ch, 118 pl. Église ✆ 02 38 76 10 14, *Fax 02 38 76 10 67* – TV GB
**Repas** *(fermé dim. soir du 15 oct. au 1er mars)* (15) - 20/42 – 5,50 – **7 ch** 26/42 – ½ P 36/41,50.
◆ Sympathique auberge abritant le café du village et, bien séparée, une salle à manger rustique ornée de belles poutres. Cuisine traditionnelle. Chambres simples.

**MARCKOLSHEIM** *67390 B.-Rhin* 315 *J8 – 3 306 h alt. 178.*

*Office du Tourisme, 13 rue du Maréchal Foch ☎ 03 88 92 56 98, Fax 03 88 92 56 07, Grandried.otMarcko@wanadoo.fr.*

*Paris 457 – Colmar 21 – Gérardmer 72 – St-Dié 61 – Sélestat 16 – Strasbourg 70.*

XX **Restaurant** avec ch, 28 r. Mar. Foch ☎ 03 88 92 56 56, *info@le-restaurant.com.fr, Fax 03 88 92 77 99,* – TV. AE GB

*fermé 17 au 29 août, 24 déc. au 4 janv., vacances de fév., mardi soir, sam. midi et merc.* – **Repas** 15 (déj.), 30/59 – 7 – **14 ch** 31/46 – ½ P 46.

◆ Joli restaurant à la pimpante façade jaune, cuisine italo-alsacienne, vins transalpins et chambres modestes pour une étape proche de la Ligne Maginot du Rhin (musée-mémorial).

**MARCOUSSIS** *91 Essonne* 312 *C4* 101 *34 – voir à Paris, Environs.*

**MARCQ-EN-BAROEUL** *59 Nord* 302 *G3 – rattaché à Lille.*

**MAREUIL-CAUBERT** *80 Somme* 301 *D7 – rattaché à Abbeville.*

**MARGAUX** *33460 Gironde* 335 *G4 – 1 387 h alt. 16.*

*Paris 602 – Bordeaux 29 – Lesparre-Médoc 42.*

**Relais de Margaux**, chemin de l'Ile Vincent - au Nord-Est : 2,5 km ☎ 05 57 88 38 30, *relais-margaux@relais-margaux.fr, Fax 05 57 88 31 73,* – TV P – 100. AE GB JCB

**Repas** 35/70 (menu unique dim. soir, lundi), enf. 15 – 20 – **61 ch** 152/205, 3 appart – ½ P 144/216,50.

◆ À la lisière du célèbre vignoble de Margaux, dans un parc de 55 ha, ancienne demeure de viticulteur agrandie et rénovée. Chambres spacieuses, élégant restaurant.

**Pavillon de Margaux,** 3 r. G. Mandel ☎ 05 57 88 77 54, *le-pavillon-margaux@wanadoo.fr, Fax 05 57 88 77 73,* – TV P. AE GB

**Repas** *(fermé 22 déc. au 12 janv. et mardi hors saison)* (12) - 16 (déj.), 24/51, enf. 10 – 10 – **14 ch** 79/108 – ½ P 76/90.

◆ À l'emplacement de l'ancienne école communale, une "leçon de choses"... sur les crus ! Jolies chambres, coquet restaurant et terrasse tournée vers les vignes margalaises.

XX **Savoie,** ☎ 05 57 88 31 76, *Fax 05 57 88 31 76,* – GB

*fermé vacances de Noël, de fév. et dim. soir* – **Repas** 21 (déj.), 28/39.

◆ Cette maison villageoise du 19e s. soigne son cadre : dessins de scènes campagnardes et belle fontaine sur la terrasse. Goûteuse cuisine préparée sur un fourneau à charbon.

**à Arcins** *Nord-Ouest : 6 km sur D 2 – 304 h. alt. 10 – ✉ 33460 :*

X **Lion d'Or,** ☎ 05 56 58 96 79, – . AE GB

*fermé juil., 24 déc. au 1er janv., dim., lundi et fériés* – **Repas** (nombre de couverts limité, prévenir) 10,70, enf. 7.

◆ Sympathique bistrot campagnard avec boiseries claires et décor de casiers à bouteilles. Copieuse cuisine du terroir, bien mitonnée. Convivialité de rigueur !

**MARGÈS** *26260 Drôme* 332 *D3 – 532 h alt. 282.*

*Paris 556 – Valence 36 – Grenoble 91 – Hauterives 14 – Romans-sur-Isère 13.*

**Auberge Le Pont du Chalon,** 3 km par rte Romans ☎ 04 75 45 62 13, *Fax 04 75 45 60 19,* – TV P. GB

*fermé 28 avril au 4 mai, 15 sept. au 1er oct., 2 au 14 janv., dim. hors saison et lundi* – **Repas** *(fermé merc. soir et jeudi soir d'oct. à avril, dim. soir, mardi soir et lundi* 15/31 – 5 – **9 ch** 34/50 – ½ P 37/45.

◆ Auberge de 1900 nichée derrière un rideau de platanes, à la croisée de deux routes. Décoration actuelle et colorée partout. La cour comporte un terrain de pétanque.

**MARGON** *34320 Hérault* 339 *E8 – 209 h alt. 90.*

*Paris 749 – Montpellier 66 – Agde 30 – Béziers 20 – Lodève 51 – Sète 48.*

**Auberge du Château**, ☎ 04 67 24 85 65, *charles.kress@wanadoo.fr, Fax 04 67 24 75 99,* – rest, TV P. GB

*fermé 4 au 12 mars et 4 au 26 nov.* – **Repas** 15/38, enf. 7 – 7 – **12 ch** 44/82 – ½ P 50,50/56.

◆ Construction de style régional située sur un ancien domaine viticole proche du château du 13e s. Chambres simples, meublées diversement. Piscine entourée d'un jardinet.

## MARGUERITTES *30 Gard 339 L5 – rattaché à Nîmes.*

## MARIENTHAL *67500 B.-Rhin 315 K4.*

*Paris 486 – Strasbourg 29 – Haguenau 5 – Saverne 42.*

XXX **Relais Princesse Maria Leczinska,** 1 r. Rothbach ✆ 03 88 93 43 48, *contact@relais-leczinska.com, Fax 03 88 93 40 35,* – AE GB
*fermé 3 au 17 mars, 18 août au 1er sept., dim soir, sam midi et lundi* – **Repas** 18,50 (déj.), 29/55 et carte 46 à 60 ♀.
◆ La fille du roi de Pologne trouva refuge dans cette belle maison alsacienne avant son mariage avec Louis XV. Salle à manger cossue. Cuisine personnalisée et menus à thèmes.

## MARIGNANE *13700 B.-du-R. 340 G5 G. Provence – 32 325 h alt. 10.*

Voir *Canal souterrain du Rove★ SE : 3 km.*
✈ *de Marseille-Provence : ✆ 04 42 14 14 14.*
*Office du Tourisme, 4 boulevard Frédéric Mistral ✆ 04 42 77 04 90, Fax 04 42 31 49 39, otmarignane@visitprovence.com.*
*Paris 757 – Marseille 26 – Aix-en-Provence 24 – Martigues 16 – Salon-de-Provence 33.*

### à l'aéroport *au Nord – ✉ 13700 :*

**Sofitel** M, ✆ 04 42 78 42 78, *h0541@accor-hotels.com, Fax 04 42 78 42 70,* – 200. AE GB JCB
***Cenadou*** ✆ 04 42 78 42 83 *(fermé août, sam., dim. et feriés)* **Repas** 42 ♀, enf. 8 – ***Café de Provence*** ✆ 04 42 78 42 82 **Repas** 27/31 ♀, enf. 8 – 18 – **176 ch** 195/235, 3 appart.
◆ Les chambres récemment rénovées dans le style provençal sont confortables et élégantes. Restaurant et terrasse face à un agréable jardin. Navette gratuite pour l'aéroport.

**Best Western,** ✆ 04 42 15 54 00, *bwmarseille@tiscali.fr, Fax 04 42 89 69 18,* – 100. AE GB JCB
**Repas** *(15)* - 21, enf. 9 – 10 – **120 ch** 80/95.
◆ Cette construction moderne dissimule un intérieur classique : mobilier Louis XVI dans les chambres et la salle à manger, lustre de cristal dans le hall. Inattendu.

**Ibis** M, ✆ 04 42 79 61 61, *h1093@accor-hotels.com, Fax 04 42 89 93 13,* AE GB
**Repas** 13,70/16,70 ♀, enf. 6,30 – 6 – **85 ch** 67.
◆ Cet hôtel a fait peau neuve : les chambres, pratiques et colorées, sont désormais conformes aux dernières normes "Ibis". Bonne insonorisation. Restauration de type grill.

### Z.I. Les Estroublans *Nord-Est : 4 km par D 9 (rte Vitrolles) – ✉ 13127 Vitrolles :*

**Novotel** M, 24 rue de Madrid ✆ 04 42 89 90 44, *h0442@accor-hotels.com, Fax 04 42 79 07 04,* – 200. AE GB JCB
**Repas** 19/22 ♀, enf. 8 – 10 – **117 ch** 97.
◆ Grandes chambres progressivement rafraîchies et dotées d'un double vitrage efficace. Espaces communs décorés sur le thème de l'aviation. Belle roseraie dans le jardin.

## MARIGNY-ST-MARCEL *74150 H.-Savoie 328 I6 – 581 h alt. 404.*

*Paris 536 – Annecy 19 – Aix-les-Bains 22 – Bellegarde-sur-Valserine 43 – Rumilly 6.*

XX **Blanc** avec ch, ✆ 04 50 01 09 50, *hotelblanc@wanadoo.fr, Fax 04 50 64 58 05,* – AE GB
**Repas** *(fermé dim. et sam. sauf juil.-août)* 19/70 – 8 – **8 ch** 70/80 – ½ P 53/61.
◆ Hôtel de l'Albanais aux chambres amples et confortables. Salle à manger actuelle, sous verrière, où l'on sert une cuisine classique. Agréable terrasse ombragée.

## MARINGUES *63350 P.-de-D. 326 G7 G. Auvergne – 2 345 h alt. 315.*

*Paris 411 – Clermont-Ferrand 32 – Lezoux 16 – Riom 21 – Thiers 23 – Vichy 28.*

XX **Clos Fleuri** avec ch, rte Clermont ✆ 04 73 68 70 46, *closfleuri63@wanadoo.fr, Fax 04 73 68 75 58,* – GB, ch
*fermé 16 fév. au 5 mars, dim. soir et lundi sauf juil.-août* – **Repas** 15/35 – 6 – **14 ch** 36/48 – ½ P 38/40.
◆ Maison située à la sortie du village et possédant un joli jardin arboré sur lequel s'ouvrent les baies de la salle à manger. Plats au goût du jour. Chambres fonctionnelles.

*Ecrivez-nous...*
*Vos louanges comme vos critiques seront examinées avec le plus grand soin. Nous reverrons sur place les informations que vous nous signalez.*
*Par avance merci !*

**MARLENHEIM** *67520 B.-Rhin* 315 I5 *G. Alsace Lorraine – 2 956 h alt. 195.*

*Office du Tourisme, place du Kaufhaus ✆ 03 88 87 75 80, Fax 03 88 87 75 80.*

*Paris 476 – Strasbourg 21 – Haguenau 50 – Molsheim 12 – Saverne 18.*

**Cerf** (Husser), ✆ 03 88 87 73 73, *info@lecerf.com, Fax 03 88 87 68 08,* – – 20. AE GB

*fermé mardi et merc.* – **Repas** 50 bc (déj.), 85/95 et carte 65 à 95, enf. 20 – 15 – **14 ch** 90/140.

◆ Ancien relais de poste transformé en élégante hostellerie fleurie : chambres actuelles et salle de restaurant habillée de boiseries. Cuisine alsacienne revisitée avec talent.

**Spéc.** Noisettes de biche poêlées, poivrade aux griottes (15 mai à fin janv.). Brochette d'anguille et escargots à la plancha et quenelles de brochet. Aumônière aux griottes, glace fromage blanc et coulis de framboises. **Vins** Riesling, Pinot noir.

**Hostellerie Reeb,** ✆ 03 88 87 52 70, *hostellerie-reeb@wanadoo.fr, Fax 03 88 87 69 73,* – rest, – 25. AE GB JCB

*fermé dim. soir et lundi* – **Repas** 28 - ***Crémaillère :*** **Repas** 9,50(déj.),15/28, enf.12 – 9 – **29 ch** 50 – ½ P 50.

◆ Vaste bâtisse à colombages au coeur du village où débute la très attractive route des Vins. Chambres confortables, diversement meublées. Salle à manger feutrée ou winstub.

*Ecrivez-nous...*

*Vos louanges comme vos critiques seront examinées avec le plus grand soin.*
*Nous reverrons sur place les informations que vous nous signalez.*
*Par avance merci !*

**MARMANDE** *47200 L.-et-G.* 336 C2 *G. Aquitaine – 17 568 h alt. 30.*

*Office du Tourisme, boulevard Gambetta ✆ 05 53 64 44 44, Fax 05 53 20 17 19.*

*Paris 668 – Agen 67 – Bergerac 57 – Bordeaux 91 – Libourne 66.*

**Capricorne,** rte Agen (N 113) : 2 km ✆ 05 53 64 16 14, *contact@lecapricorne-hotel.com_, Fax 05 53 20 80 18,* , , – – 40. AE GB JCB

*fermé 19 déc. au 4 janv.* – ***Trianon*** ✆ 05 53 20 80 94 *(fermé 6 au 11/5, 17/8 au 31/8, 19/12 au 4/1,lundi midi,sam. midi et dim.)* **Repas** 21/48, enf. 9 – 7 – **34 ch** 49/55 – ½ P 49.

◆ Cette construction moderne abrite des chambres rénovées, claires et insonorisées. La salle à manger du Trianon, actuelle, est prolongée d'une petite terrasse.

**à l'Est, rte de Périgueux** *par D 933, puis D 267 (rte de Birac-sur-Trec) : 7 km – ✉ 47200 Virazeil :*

**Auberge du Moulin d'Ané,** ✆ 05 53 20 18 25, – . AE GB

*fermé merc. sauf juil.-août et mardi* – **Repas** (prévenir) 14 (déj.), 23/35, enf. 8,50.

◆ Il faut sortir des sentiers battus pour trouver cet ancien moulin perdu dans la campagne. Intérieur rustique (cheminée, pierres apparentes) et véranda au bord de l'eau.

**à l'échangeur A 62** *Sud : 9 km par D 933 – ✉ 47430 Sainte-Marthe :*

**Les Rives de l'Avance** M sans rest, ✆ 05 53 20 60 22, *Fax 05 53 20 98 76,* – . GB

5,40 – **16 ch** 33,60/47,30.

◆ Calme et verdure font de cet hôtel jouxtant un moulin à eau une halte inespérée à proximité de l'autoroute. Chambres fonctionnelles et colorées.

**MARNE-LA-VALLÉE** *77 S.-et-M.* 312 E2 101 190 – *voir à Paris, Environs.*

**MARQUAY** *24620 Dordogne* 329 H6 *G. Périgord Quercy – 473 h alt. 175.*

*Paris 525 – Brive-la-Gaillarde 50 – Périgueux 60 – Sarlat-la-Canéda 12.*

**Bories** sans rest, ✆ 05 53 29 67 02, *hotel.des.bories@wanadoo.fr, Fax 05 53 29 64 15,* , – . GB

*1er avril-2 nov.* – 7 – **30 ch** 33/61.

◆ Vous ne logerez pas dans ces typiques cabanes de pierres sèches, mais dans une grande maison familiale au cadre rustique. Salon agrémenté d'une belle cheminée.

**Condamine** , rte Meyrals : 1 km ✆ 05 53 29 64 08, *hotel.lacondamine@wanadoo.fr, Fax 05 53 28 81 59,* , , , – . GB

*28 mars-1er nov.* – **Repas** (dîner seul.)(résidents seuls en juil.-août) 14/26, enf. 8 – 6,20 – **22 ch** 40/46 – ½ P 44/47.

◆ Bâtisse d'allure traditionnelle dominant la campagne périgourdine. Décor, accueil et restauration de type "pension de famille". Minigolf, terrain de pétanque.

XX **L'Esterel,** ☎ 05 53 29 67 10, *restesterel@aol.fr, Fax 05 53 30 43 46* – ▤. AE GB
*1er avril-30 oct. et fermé le midi en semaine sauf de mi-juin à mi-sept.* – **Repas** 13/38 ♀, enf. 8.
◆ Au coeur du village, ce sympathique restaurant mitonne une cuisine valorisant les produits du terroir. Salle à manger rustique (parquet et poutres) et espace véranda.

**MARSANNAY-LA-CÔTE** *21 Côte-d'Or* 320 J6 – *rattaché à Dijon.*

**MARSEILLAN** *34340 Hérault* 339 G8 *G. Languedoc Roussillon* – *4 950 h alt. 3.*
*Paris 759* – *Montpellier 50* – *Agde 7* – *Béziers 31* – *Pézenas 21* – *Sète 24.*

XX **Table d'Emilie,** 8 pl. Couverte ☎ 04 67 77 63 59, *Fax 04 67 01 72 02,* – GB
*fermé 12 nov. au 6 déc., 16 fév. au 8 mars, jeudi midi, lundi sauf soir en saison, dim. soir et merc. hors saison* – **Repas** 16 (déj.), 23/39 ♀.
◆ Une table d'Émilie... jolie ! : maisonnette du 12e s. avec salle à manger à pierres apparentes, voûtée d'ogives, et verdoyant patio. Cuisine au goût du jour.

X **Chez Philippe,** 20 r. Suffren ☎ 04 67 01 70 62, *chezphilippe@club-internet.fr, Fax 04 67 01 70 62,* – ▤. GB
*fermé 21 déc. au 17 fév., mardi sauf juil.-août, dim. et lundi* – **Repas** (prévenir) 23, enf. 16.
◆ Sympathique ambiance méridionale à proximité du bassin de Thau : cuisine gorgée de soleil, servie dans la salle aux couleurs méditerranéennes ou sur la jolie terrasse en teck.

*Les principales voies commerçantes figurent en* ***rouge*** *dans la liste des rues des plans de villes.*

# MARSEILLE

🅿 *13000 B.-du-R.* 340 H6 114 ㉘ *G. Provence 798 430 h. - Agglo. 1 349 772 h.*
*Paris 776④ – Lyon 316 ④ – Nice 198 ② – Torino 374 ② – Toulon 64 ② – Toulouse 405 ④*



## OFFICES DE TOURISME

*La Canebière (1er) ✆ 04 91 13 89 00, Fax 04 91 13 89 20, info@marseille-tourisme.com, Gare St-Charles (1er) ✆ 04 91 50 59 18, Annexe (été) : Le Panier 20 r. des Pistoles ✆ 04 91 90 53 39*

## RENSEIGNEMENTS PRATIQUES

### TRANSPORTS

*Auto-train ✆ 08 36 35 35 35.*

*Tunnel Prado-Carénage : Péage 2002, tarif normal : 2,21*

### TRANSPORTS MARITIMES

*Pour la Corse : SNCM 61 bd des Dames (2e) ✆ 08 36 67 95 00, Fax 04 91 56 95 86 - CMN 4 quai d'Arenc (2e) ✆ 04 91 99 45 00, Fax 04 91 99 45 52 - Pour le Château d'If : G.A.C.M 1 quai des Belges ✆ 04 91 55 50 09, Fax 04 91 55 60 23*

### AÉROPORT

*Marseille-Provence ✆ 04 42 14 14 14 par ① : 28 km.*

# DÉCOUVRIR

## AUTOUR DU VIEUX PORT
*Le vieux port★★ - Quai des Belges (marché aux poissons)* **ET 5** - *Musée d'Histoire de Marseille★* **ET M**$^{3}$ - *Musée du Vieux Marseille* **DET M**$^{7}$ - *Musée des Docks romains ★* **DT M**$^{6}$ - *⩽★ depuis le belvédère St-Laurent* **DT D** - *Musée Cantini★* **FU M**$^{2}$

## QUARTIER DU PANIER
*Centre de la Vieille Charité★★ : Musée d'archéologie méditerranéenne, Musée d'Arts africains, océaniens, amérindiens MAAOA★★* **DS E** - *Ancienne cathédrale de la Major★* **DS B**

## NOTRE-DAME-DE-LA-GARDE
*⩽★★★ du parvis de la basilique de N.-D.-de-la-Garde* **EV**
*Basilique St-Victor★ (crypte★★)* **DU**

## LA CANEBIÈRE
*De la rue Longue-des-Capucins au cours Julien : place du Marché-des-Capucins, rue du Musée, rue Rodolphe-Pollack, rue d'Aubagne, rue St-Ferréol*

## QUARTIER LONGCHAMP
*Musée Grobet-Labadié★★* **GS M**$^{8}$ - *Palais Longchamp★* **GS** : *musée des Beaux-Arts★ et musée d'Histoire naturelle★*

## QUARTIERS SUD
*Corniche Président-J.-F.-Kennedy★★* **AYZ** - *Parc du Pharo* **DU**

## AUTOUR DE MARSEILLE
*Visite du port★ - Château d'If★★ : ✳★★★ sur le site de Marseille - Massif des Calanques★★ - Musée de la faïence★*

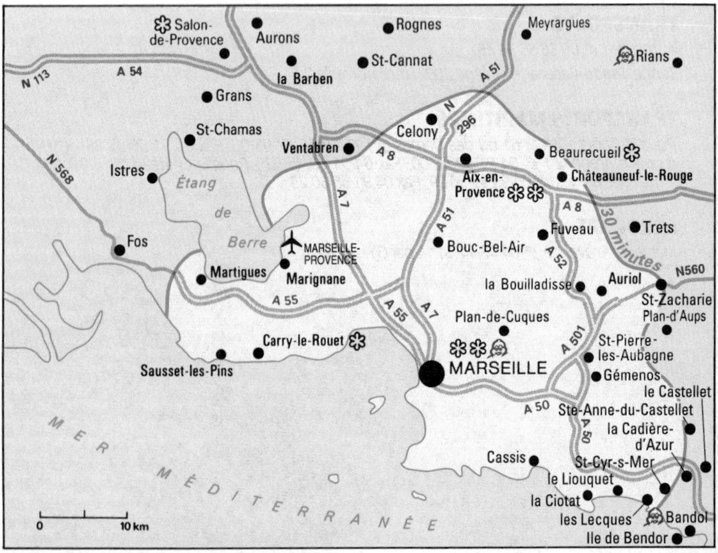
Salon-de-Provence
Aurons
Rognes
Meyrargues
St-Cannat
la Barben
Rians
N 113
A 54
A 51
Grans
N 296
Celony
St-Chamas
Ventabren
A 8
Beaurecueil
N 568
Istres
Étang de Berre
Aix-en-Provence
Châteauneuf-le-Rouge
A 7
A 8
30 minutes
Fos
MARSEILLE-PROVENCE
Fuveau
Trets
Bouc-Bel-Air
A 52
Martigues
Marignane
N560
la Bouilladisse
Auriol
A 55
St-Zacharie
Plan-d'Aups
A 55
A 7
Plan-de-Cuques
A 501
Carry-le-Rouet
St-Pierre-les-Aubagne
Sausset-les-Pins
MARSEILLE
Gémenos
le Castellet
A 50
Ste-Anne-du-Castellet
A 50
la Cadière-d'Azur
MER MÉDITERRANÉE
Cassis
St-Cyr-s-Mer
le Liouquet
la Ciotat
les Lecques
Bandol
Ile de Bendor
0
10 km

**Sofitel Palm Beach** M, 200 Corniche J.-F. Kennedy ✉ 13007 ☎ 04 91 16 19 00, *H3485@accor-hotels.com, Fax 04 91 16 19 39,* ≤ baie du prado, – |‡| ⊟ TV ♿ – 330. AE GB JCB. rest p. 4 **AZ b**
***Réserve :*** **Repas** carte 53 à 67 – ☕ 20 – **150 ch** 199/255, 10 appart.
◆ Architecture cubique et trapue idéalement située face à la célèbre île du château d'If. Bel intérieur entièrement rénové dans un style design. Cadre contemporain à la Réserve.

**Sofitel Vieux Port** M, 36 bd Ch. Livon ✉ 13007 ☎ 04 91 15 59 00, *h0542@accor-hotels.com, Fax 04 91 15 59 50,* ≤ vieux port, – |‡| ⊟ TV ♿ – 130. AE GB JCB p. 6 **DU n**
***Les Trois Forts*** ☎ 04 91 15 59 56 **Repas** 38/58, enf. 24 – ☕ 19 – **127 ch** 230/335, 3 appart.
◆ Dominant la passe du Vieux Port et ses forts historiques, cet hôtel de luxe vous convie à faire escale dans ses vastes chambres provençales et son restaurant panoramique.

**Petit Nice** (Passédat) M, anse de Maldormé (hauteur 160 corniche Kennedy) ✉ 13007 ☎ 04 91 59 25 92, *hotel@petitnice-passedat.com, Fax 04 91 59 28 08,* ≤ mer, – |‡| ⊟ TV P. AE GB JCB p. 4 **AZ d**
**Repas** *(fermé dim. et lundi sauf le soir de mai à sept.)* 59 bc (déj.), 85/170 et carte 150 à 190, enf. 40 – ☕ 25 – **16 ch** 260/490.
◆ Deux villas des années 1910 surplombant la "grande bleue" dans un cadre d'opérette marseillaise. Belles chambres, table phocéenne inventive : un petit coin de paradis.
**Spéc.** Anémones de mer en beignets, nem d'huîtres et onctueux aux moules. Denti au jus et gratons de poulet. Chanvris à l'émulsion de leur carcasse (mai à sept.). **Vins** Coteaux d'Aix-en-Provence, Bandol.

**Holiday Inn** M, 103 av. Prado ✉ 13008 ☎ 04 91 83 10 10, *himarseille@alliance-hospitality.com, Fax 04 91 79 84 12,* – |‡| ⊟ TV ♿ – 150. AE GB JCB
**Repas** *(fermé fériés)* 25 – ☕ 15 – **119 ch** 155/179, 4 appart. p. 5 **BZ u**
◆ À proximité du palais des congrès et du mythique Stade-Vélodrome, établissement actuel pensé pour la clientèle d'affaires. Chambres bien équipées, toutes rajeunies.

**Mercure Prado** M sans rest, 11 av. Mazargues ✉ 13008 ☎ 04 96 20 37 37, *H3004@accor-hotels.com, Fax 04 96 20 37 99,* – |‡| ⊟ TV – 20. AE GB
☕ 10 – **100 ch** 105/140. p. 5 **BZ n**
◆ Les internautes trouveront leur bonheur dans ce "cyberhôtel" totalement relooké dans un esprit design. Chambres spacieuses. Patio-terrasse pour le petit-déjeuner.

**Mercure Euro-Centre** M, r. Neuve St-Martin ✉ 13001 ☎ 04 96 17 22 22, *h1148@accor-hotels.com, Fax 04 96 17 22 33* – |‡| ⊟ TV ♿ – 200. AE GB
**Repas** *(fermé dim. midi)* 14/20 – ☕ 11 – **200 ch** 99/114. p. 6 **EST g**
◆ Grand édifice moderne dominant le Jardin des Vestiges, près du musée d'Histoire de Marseille. Chambres refaites, brasserie provençale et centre d'affaires flambant neuf.

**Novotel Vieux Port** M, 36 bd ch. Livon ✉ 13007 ☎ 04 96 11 42 11, *h0911@accor-hotels.com, Fax 04 96 11 42 20,* – |‡| ⊟ TV ♿ – 250. AE GB JCB
**Repas** (21) - 24/26, enf. 8 – ☕ 12 – **90 ch** 120/150. p. 6 **DU n**
◆ L'hôtel vient de rafraîchir toutes ses chambres, amples et de bon confort. Belle salle de restaurant et terrasse avec vue imprenable sur la passe du Vieux Port.

**New Hôtel Bompard** sans rest, 2 r. Flots Bleus ✉ 13007 ☎ 04 91 99 22 22, *marseillebompard@new-hotel.com, Fax 04 91 31 02 14,* – |‡| cuisinette ⊟ TV ♿ P – 25. AE GB JCB p. 4 **AZ e**
☕ 10 – **50 ch** 95/170.
◆ Hôtel calme et confortable en retrait de la corniche. Des toiles laissées par des artistes de passage ornent les murs. Quatre nouvelles chambres élégantes (demandez le "mas").

**Résidence du Vieux Port** sans rest, 18 quai du Port ✉ 13002 ☎ 04 91 91 91 22, *hotelresidence@wanadoo.fr, Fax 04 91 56 60 88,* ≤ vieux port – |‡| ⊟ TV ♿ – 30. AE GB JCB P. 6 **ET a**
☕ 10,50 – **42 ch** 93,50/190.
◆ Balcons donnant sur le Vieux Port, cadre classique ou provençal, au choix de l'hôte : goûtez à la douceur des nuits massaliotes dans cet établissement bien situé.

**St-Ferréol's** sans rest, 19 r. Pisançon ✉ 13001 ☎ 04 91 33 12 21, *hotelstferreol@hotmail.com, Fax 04 91 54 29 97* – |‡| ⊟ TV. AE GB JCB p. 7 **FU h**
☕ 7 – **19 ch** 70/110.
◆ L'hôtel jouxte une rue piétonne animée. Finitions impeccables et tonalités reposantes en cette petite bonbonnière où chaque chambre rend hommage à un peintre impressionniste.

**Mascotte** sans rest, 5 La Canebière ✉ 13001 ☎ 04 91 90 61 61, *mascotte-marseille@hotel-sofibra.com, Fax 04 91 90 95 61* – |‡| ⊟ TV – 30. AE GB p. 6 **ET s**
☕ 8 – **45 ch** 74/98.
◆ Au bas de la fameuse Canebière, hôtel occupant les trois derniers étages d'un immeuble du début du 20e s. Chambres insonorisées ; certaines offrent une échappée sur le port.

# MARSEILLE

Aix (R. d') ........ BY
Anthoine (R. d') ........ AX
Baille (Bd) ........ BCY
Belsunce (Cours) ........ BY
Blancarde (Bd de la) ........ CY
Bompard (Bd) ........ AYZ
Briançon (Bd de) ........ BX 13
Canebière (La) ........ BY
Cantini (Av. Jules) ........ BCZ
Capelette (Av. de la) ........ CYZ
Castellane (Pl.) ........ BY
Catalans (R. des) ........ AY 16
Chartreux (Av. des) ........ CY 17
Chave (Bd) ........ BCY
Chutes-Lavie (Av.) ........ CX
Dunkerque (Bd de) ........ AX
Duparc (Bd F.) ........ CXY
Endoume (R. d') ........ AY
Estrangin (Bd G.) ........ ABZ
Fleming (Bd A.) ........ CX
Foch (Av. Mar.) ........ CY
Guesde (Pl. Jules) ........ BY 35
Guibal (R.) ........ BX
Guigou (Bd) ........ BX 36
Jean-Jaurès (Pl.) ........ BY
Jeanne-d'Arc (Bd) ........ CY
Lazaret (Quai du) ........ AX
Leclerc (Av. Gén.) ........ BY
Lesseps (Bd F. de) ........ AX 40
Lieutaud (Cours) ........ BY
Livon (Bd Charles) ........ AY
Mazargues (Av. de) ........ BZ
Mermoz (R. Jean) ........ BZ
Michelet (Bd) ........ BCZ
Moulin (Bd Jean) ........ CY 47
National (Bd) ........ BX
Notre-Dame (Bd) ........ BY
Paradis (R.) ........ BYZ
Paris (Bd de) ........ ABX
Pelletan (Av. C.) ........ BXY
Périer (Bd) ........ BZ
Plombières (Bd de) ........ BX
Pologne (Pl. de) ........ CY 51
Pompidou (Prom. G.) ........ BZ 52
Prado (Av. du) ........ BYZ
Président J.-F.-Kennedy (Corniche) ........ AYZ
Pyat (R. Félix) ........ BX
Rabatau (Bd) ........ BCZ
République (R. de la) ........ ABY
Roches (Av. des) ........ AZ
Rolland (R. du Cdt) ........ BZ
Rolland (Bd Romain) ........ CZ
Rome (R. de) ........ BY
Roucas-Blanc (Ch. du) ........ AZ
Rouet (R. du) ........ BYZ
St-Just (Av. de) ........ CX
St-Pierre (R.) ........ BCY
Ste-Marguerite (Bd) ........ CZ
Ste-Marthe (Ch. de) ........ BX
Sakakini (Bd) ........ CY
Salengro (Av. R.) ........ BX
Sartre (Av. J.-P.) ........ CX 59
Schlœsing (Bd) ........ CZ
Sébastopol (Pl.) ........ CY
Strasbourg (Bd) ........ BX 61
Teisseire (Bd R.) ........ CZ
Tellène (Bd) ........ AY
Timone (Av. de la) ........ CY
Toulon (Av. de) ........ BCY
Vallon-l'Oriol (Ch.) ........ AZ
Vauban (Bd) ........ BY
Verdun (R. de) ........ CY 70

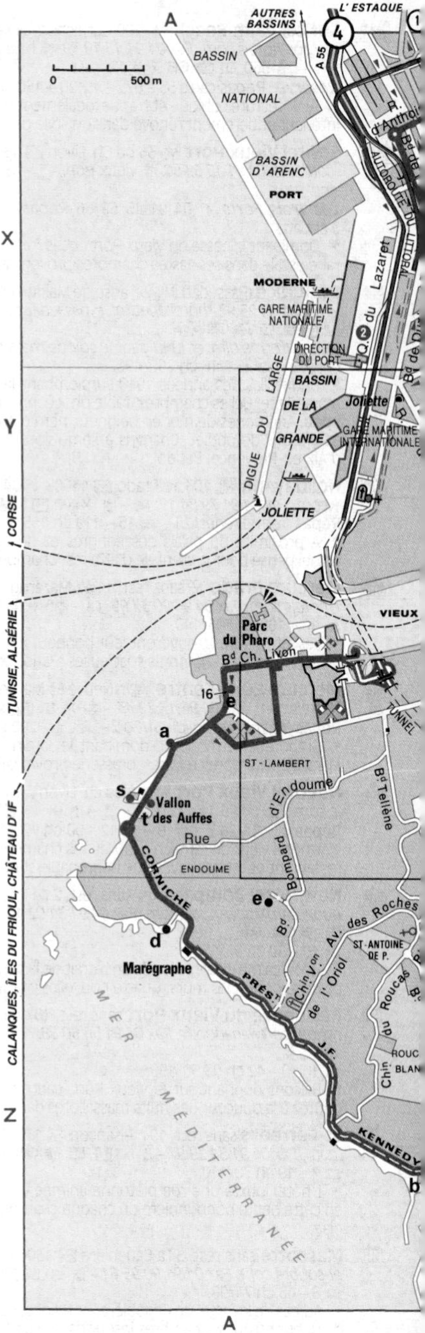
A
AUTRES BASSINS
L' ESTAQUE
BASSIN
NATIONAL
0 500 m
BASSIN D' ARENC
PORT
X
MODERNE
GARE MARITIME NATIONALE
DIRECTION DU PORT
DIGUE DU LARGE
BASSIN DE LA GRANDE JOLIETTE
Joliette
GARE MARITIME INTERNATIONALE
Y
CORSE
TUNISIE, ALGÉRIE
CALANQUES, ÎLES DU FRIOUL, CHÂTEAU D' IF
VIEUX
Parc du Pharo
Bd Ch. Livon
TUNNEL
ST-LAMBERT
Bd d'Endoume
Bd Tellène
Vallon des Auffes
Rue
ENDOUME
CORNICHE
Bd Bompard
Av. des Roches
ST-ANTOINE DE P.
Marégraphe
PRÉST J.F. KENNEDY
Chin Von de l'Oriol
Ch. du Roucas
MER MÉDITERRANÉE
Z
A

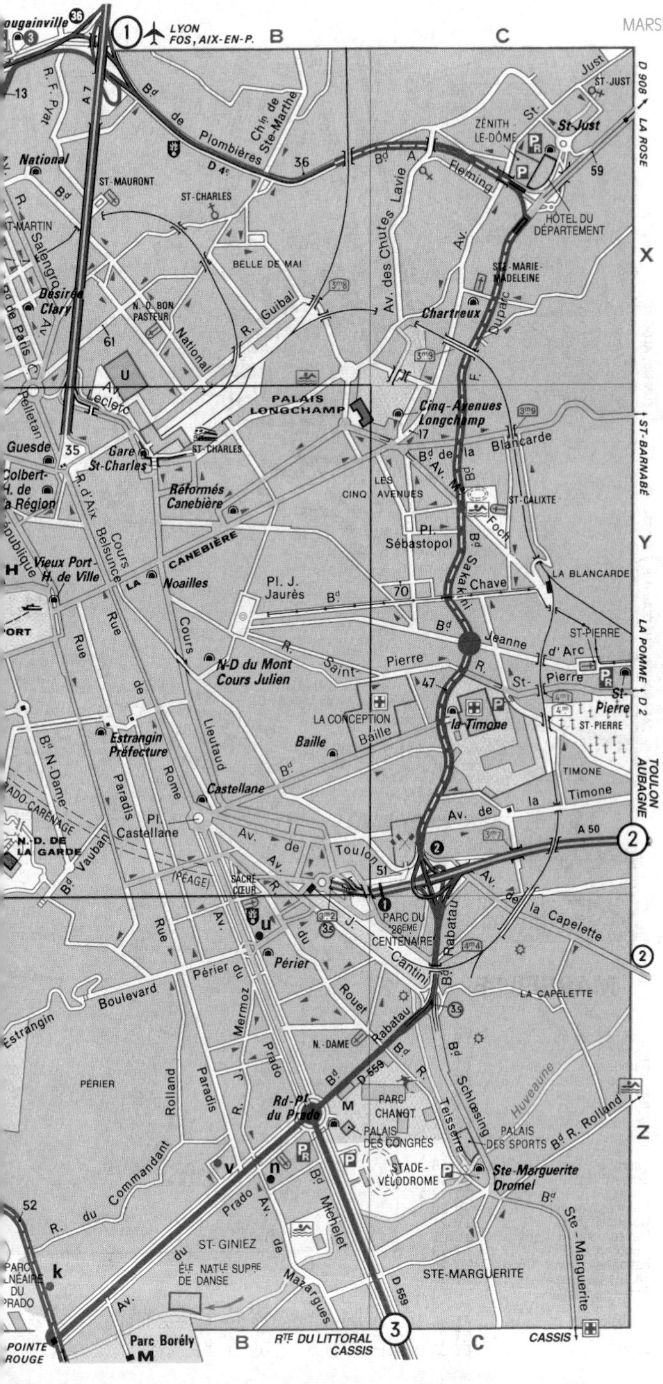
LYON
FOS, AIX-EN-P.
B
C
D 908
LA ROSE
St-Just
ST-JUST
ZÉNITH LE-DÔME
HÔTEL DU DÉPARTEMENT
Bd de Plombières
D 4c
Chin de Ste-Marthe
Bd A. Fleming
ST-MAURONT
ST-CHARLES
National
Désirée Clary
BELLE DE MAI
N.-D. BON PASTEUR
R. Guibal
Av. des Chutes Lavie
STE-MARIE-MADELEINE
Chartreux
Av. Duparc
X
PALAIS LONGCHAMP
Cinq-Avenues Longchamp
Bd de la Blancarde
ST-BARNABÉ
Guesde
Gare St-Charles
ST-CHARLES
Colbert-H. de la Région
Réformés Canebière
LES CINQ AVENUES
ST-CALIXTE
Pl. Sébastopol
Y
LA CANEBIÈRE
Noailles
Vieux Port-H. de Ville
Cours Belsunce
LA BLANCARDE
Pl. J. Jaurès
Bd Chave
Bd Sakakini
Bd Jeanne d'Arc
ST-PIERRE
LA POMME
D 2
N-D du Mont Cours Julien
R. Saint-Pierre
St-Pierre
LA CONCEPTION
Baille
la Timone
Estrangin Préfecture
Castellane
TIMONE
TOULON AUBAGNE
Pl. Castellane
Av. de la Timone
A 50
N.-D. DE LA GARDE
Av. de Toulon
SACRÉ CŒUR
PARC DU 26ÈME CENTENAIRE
Av. de la Capelette
LA CAPELETTE
Périer
Boulevard Périer
Bd Rabatau
R. J. Cantini
Estrangin
N.-DAME
PÉRIER
Rd-Pt du Prado
PARC CHANOT
PALAIS DES CONGRÈS
STADE-VÉLODROME
Bd Schlœsing
Huveaune
PALAIS DES SPORTS
Bd R. Rolland
Ste-Marguerite Dromel
Z
R. du Commandant Rolland
ST-GINIEZ
ÉLE NATLE SUPRE DE DANSE
Av. de Mazargues
Bd Michelet
D 559
STE-MARGUERITE
Bd Ste-Marguerite
PARC BALNÉAIRE DU PRADO
Parc Borély
POINTE ROUGE
RTE DU LITTORAL CASSIS
CASSIS

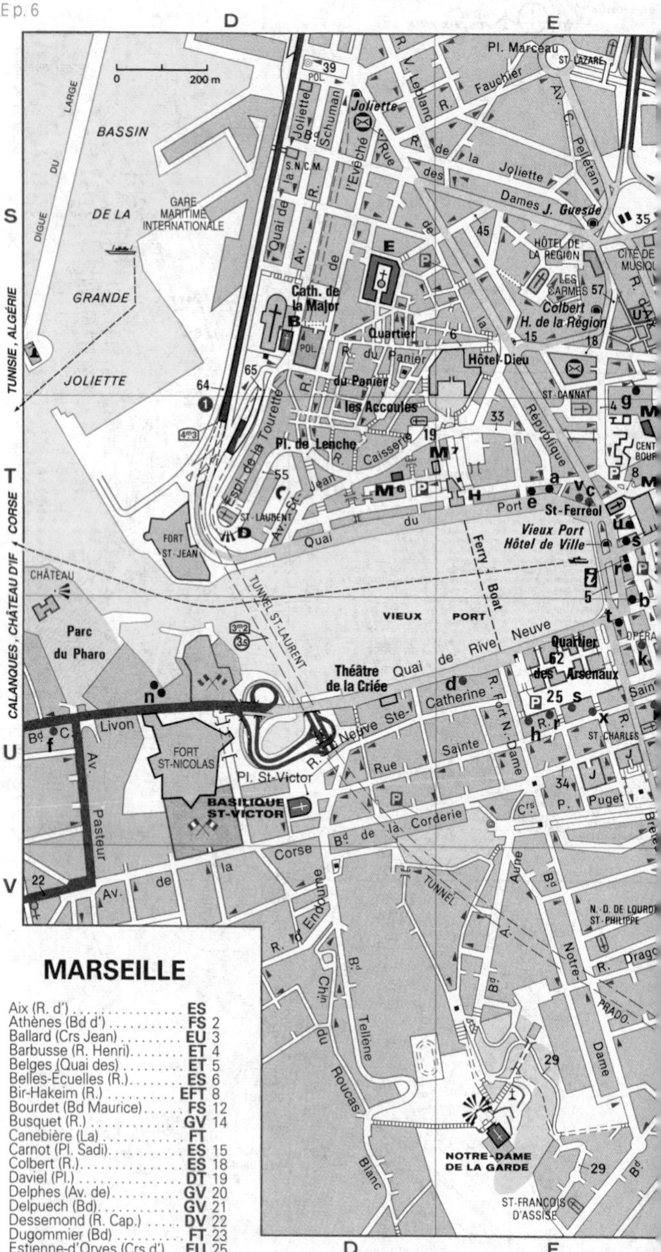
D
E
S
T
U
V
0
200 m
BASSIN
DE LA
GRANDE
JOLIETTE
DIGUE
DU
LARGE
GARE MARITIME INTERNATIONALE
TUNISIE, ALGÉRIE
CALANQUES, CHÂTEAU D'IF, CORSE
Pl. Marceau
ST-LAZARE
Joliette
Quai de la Joliette
Bd Schuman
R. de l'Évêché
R. V. Leblanc
Fauchier
Av. C. Pelletan
R. de la Joliette
des Dames
J. Guesde
HÔTEL DE LA RÉGION
CITÉ DE LA MUSIQUE
LES CARMES
Colbert
H. de la Région
S.N.C.M.
POL
Cath. de la Major
Quartier du Panier
R. du Panier
Hôtel-Dieu
les Accoules
Pl. de Lenche
Caisserie
ST-CANNAT
République
Espl. de la Tourette
Av. St-Jean
ST-LAURENT
FORT ST-JEAN
Quai du Port
St-Ferréol
Vieux Port
Hôtel de Ville
Ferry Boat
VIEUX PORT
TUNNEL ST-LAURENT
CHÂTEAU
Parc du Pharo
Théâtre de la Criée
Quai de Rive Neuve
Quartier des Arsenaux
R. Neuve Ste-Catherine
R. Fort N.-Dame
Rue Sainte
ST-CHARLES
OPÉRA
Livon
Bd C. Livon
Av. Pasteur
FORT ST-NICOLAS
Pl. St-Victor
BASILIQUE ST-VICTOR
P. Puget
Bd de la Corderie
Av. de la Corse
TUNNEL
R. d'Endoume
Bd A. Aune
N.-D. DE LOURDES ST-PHILIPPE
Notre-Dame
PRADO
Chin du Roucas Blanc
Bd Tellène
NOTRE-DAME DE LA GARDE
ST-FRANÇOIS D'ASSISE

# MARSEILLE

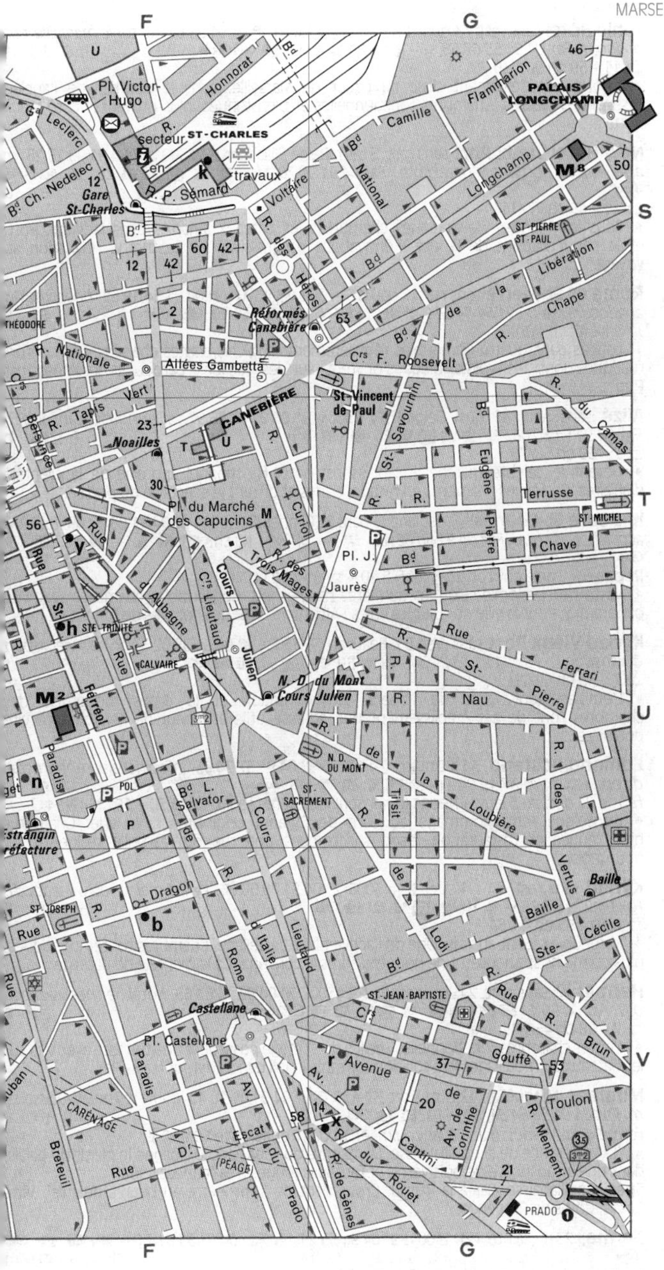
F
G
S
T
U
V
Pl. Victor-Hugo
Bd Ch. Nedelec
Gal Leclerc
12
Gare St-Charles
R. Honnorat
ST-CHARLES
R. P. Sémard
secteur en travaux
k
PALAIS LONGCHAMP
46
50
M8
Flammarion
Camille
Bd National
Longchamp
R. Voltaire
R. des Héros
60
42
2
63
ST-PIERRE ST-PAUL
Bd de la Libération
R. Chape
THÉODORE
R. Nationale
Réformés Canebière
Allées Gambetta
Crs F. Roosevelt
St-Vincent de Paul
R. du Camas
R. Tapis Vert
Crs Belsunce
23
Noailles
CANEBIÈRE
T
U
R. Curiol
R. St-Savournin
Bd Eugène Pierre
R. Terrusse
ST-MICHEL
30
Pl. du Marché des Capucins
M
56
y
Rue d'Aubagne
Crs Lieutaud
Cours Julien
R. des Trois Mages
Pl. J. Jaurès
Bd Chave
Rue St-Ferrari
h
STE-TRINITÉ
CALVAIRE
Rue Ferréol
M2
N.-D. du Mont Cours Julien
R. Nau
R. St-Pierre
R. des Vertus
R. de la Loubière
N. D. DU MONT
R. Paradis
n
POL
Bd L. Salvator
ST-SACREMENT
R. de Tilsit
Estrangin Préfecture
R. Dragon
ST-JOSEPH
b
R. de Rome
Cours d'Italie
Cours Lieutaud
Bd Baille
Baille
Bd Lodi
R. Ste-Cécile
ST-JEAN-BAPTISTE
Castellane
Pl. Castellane
Crs Gouffé
R. Brun
r
Avenue
37
53
Av. J. Cantini
20
Av. de Corinthe
R. Toulon
R. Menpenti
CARÉNAGE
Breteuil
Av. Prado
R. Escat
58
14
x
R. du Rouet
R. de Gênes
(PÉAGE)
Rue
21
PRADO
F
G

**Tonic Hôtel** sans rest, 43 quai des Belges ✉ 13001 ☏ 04 91 55 67 46, *tonic.marseille@wanadoo.fr, Fax 04 91 55 67 56,* ← – |♦| ▤ TV ☏ ♿. AE ⓓ GB JCB p. 6 **EU t**
☕ 11 – **59 ch** 90/130.
◆ L'hôtel est idéalement situé au coeur de Marseille, dans le quartier de l'ancien Arsenal des Galères. Chambres fonctionnelles et bien tenues, plus bruyantes côté Vieux Port.

**New Hôtel Vieux Port** sans rest, 3 bis r. Reine Élisabeth ✉ 13001 ☏ 04 91 99 23 23, *marseillevieux-port@new-hotel.com, Fax 04 91 90 76 24* – |♦| ▤ TV – 🏛 25. AE ⓓ GB JCB p. 6 **ET u**
☕ 11 – **45 ch** 77/140.
◆ Sous les fenêtres de quelques chambres : les bateaux amarrés dans le Vieux Port, et le coeur battant de la cité. Rénovations progressives sur le thème "invitation au voyage".

**Rome et St-Pierre** sans rest, 7 cours St-Louis ✉ 13001 ☏ 04 91 54 19 52, *hderome@wanadoo.fr, Fax 04 91 54 34 56* – |♦| ⇔ ▤ TV ☏ – 🏛 30. AE ⓓ GB JCB p. 7 **FT y**
☕ 11 – **47 ch** 70/85.
◆ Logées dans quatre immeubles régulièrement rafraîchis, vastes chambres au confort rustique dont les volets bleus s'ouvrent sur les façades baroques dessinées par Puget.

**Alizé** sans rest, 35 quai Belges ✉ 13001 ☏ 04 91 33 66 97, *alize-hotel@wanadoo.fr, Fax 04 91 54 80 06,* ← – |♦| ▤ TV ☏. AE ⓓ GB JCB p. 6 **ETU b**
☕ 7 – **39 ch** 58/76.
◆ Devant le célèbre marché aux poissons, hôtel fonctionnel apprécié de la clientèle d'affaires. Choisir les chambres en façade, claires et offrant le spectacle du port.

**Ibis Gare St-Charles** Ⓜ, esplanade Gare St-Charles ✉ 13001 ☏ 04 91 95 62 09, *h1390@accor-hotels.com, Fax 04 91 50 68 42,* 🍽 – |♦| ⇔, ▤ ch, TV ☏ ♿ – 🏛 40. AE ⓓ GB p. 7 **FS k**
**Repas** *(12)* - carte environ 23 ♨, enf. 5,10 – ☕ 6 – **172 ch** 76.
◆ Vaste hôtel relooké selon les dernières normes Ibis. Confortables chambres avec vue panoramique sur la ville ou... sur les voies ! Affichage "live" des horaires de trains.

**Kyriad Vieux Port** sans rest, 6 r. Beauvau ✉ 13001 ☏ 04 91 33 02 33, *kyriad.vieux-port@wanadoo.fr, Fax 04 91 33 21 34* – |♦| ▤ TV ☏ – 🏛 30. AE ⓓ GB JCB p. 6 **ET r**
☕ 7 – **49 ch** 61/70.
◆ L'emplacement, près de l'opéra, l'insonorisation et le cadre modernisé des chambres font de cet établissement une adresse utile au coeur de l'exubérante cité portuaire.

**Edmond Rostand,** 31 r. Dragon ✉ 13006 ☏ 04 91 37 74 95, *info@hoteledmondrostand.com, Fax 04 91 57 19 04* – |♦| ▤ TV ☏. AE ⓓ GB JCB p. 7 **FV b**
*fermé 21 déc. au 5 janv.* – **Repas** (dîner seul.)(résidents seul.) – ☕ 5,50 – **16 ch** 49/54.
◆ L'enseigne rend hommage au père de Cyrano, originaire de la ville. Chambres bien tenues et restauration façon snack, dans une rue du Marseille résidentiel et bourgeois.

**Kyriad** sans rest, 31 r. Rouet ✉ 13006 ☏ 04 91 79 56 66, *kyriad.marseille@wanadoo.fr, Fax 04 91 78 33 85* – |♦| ⇔ ▤ TV ☏. AE ⓓ GB p. 7 **GV x**
☕ 6,50 – **53 ch** 48/64.
◆ Immeuble récent au voisinage de l'active place Castellane. Chambres toutes identiques, plus ou moins spacieuses. Une honnête adresse convenant à la clientèle de passage.

**Hermès** Ⓜ sans rest, 2 r. Bonneterie ✉ 13002 ☏ 04 96 11 63 63, *hotel.hermes@wanadoo.fr, Fax 04 96 11 63 64* – |♦| ⇔ ▤ TV ☏. AE ⓓ GB JCB p. 6 **ET e**
☕ 7 – **28 ch** 45/81.
◆ Petites chambres fonctionnelles ; celles du 5e étage possèdent une terrasse avec vue sur les bateaux au mouillage. Toit-solarium offrant un joli panorama sur Marseille.

XXX ✿ **Miramar** (Minguella), 12 quai Port ✉ 13002 ☏ 04 91 91 10 40, *contact@bouillabaisse.com, Fax 04 91 56 64 31,* 🍽 – ▤. AE ⓓ GB p. 6 **ET v**
*fermé 4 au 26 août, 5 au 20 janv., dim. et lundi* – **Repas** carte 60 à 80 ♀.
◆ "La" référence de la bouillabaisse. La maîtrise du service accompagne le plaisir du palais, dans une atmosphère de bois vernis et fauteuils rouges très "années 1960".
**Spéc.** Bouillabaisse. Sar à la Raimu. Croustillant de Saint-Pierre au beurre de miel. **Vins** Cassis, Côtes de Provence.

XXX **Ferme,** 23 r. Sainte ✉ 13001 ☏ 04 91 33 21 12, *Fax 04 91 33 81 21* – ▤. AE ⓓ GB JCB p. 6 **EU m**
*fermé août, sam. midi et dim.* – **Repas** 37,50.
◆ Trompe-l'oeil et éclairages soignés agrémentent l'intérieur de ce restaurant feutré proche du musée Cantini. L'aménagement en box préserve l'intimité. Plats au goût du jour.

XX ✿ **L'Épuisette,** Vallon des Auffes ✉ 13007 ✆ 04 91 52 17 82, *l'-epuisette@wanadoo.fr, Fax 04 91 59 18 80,* ≤ îles du Frioul et Châtaeu d'If – ▤. AE GB p. 4 **AY** s
*fermé 11 août au 2 sept., vacances de fév., sam. midi, dim. soir et lundi* – **Repas** 35,50/ 63,50 et carte 60 à 85 ♀.
◆ Ancrée sur les rochers de l'enchanteur Vallon des Auffes, cette nef vitrée vous convie à un agréable voyage culinaire dans un lumineux décor en bleu, blanc et bois.
**Spéc.** Bourride du vallon. Morue poêlée, concassé de tomates, fricassée d'artichauts et olives. Tajine de sole et artichauts violets en barigoule. **Vins** Coteaux-d'Aix-en-Provence, Bandol.

XX **Péron,** 56 corniche Kennedy ✉ 13007 ✆ 04 91 52 15 22, *Fax 04 91 52 17 29,* ≤ archipel du Frioul et château d'If, 帀 – AE ⓓ GB p. 4 **AY** a
**Repas** 39/54.
◆ L'élégant cadre contemporain des salles, agrémentées d'oeuvres d'artistes régionaux, tente de rivaliser avec le superbe panorama dont jouit ce restaurant accroché aux rochers.

XX **Une Table au Sud,** 2 quai Port (1er étage) ✉ 13002 ✆ 04 91 90 63 53, *Fax 04 91 90 63 86,* ≤ – ▤. GB p. 6 **ET** c
*fermé 28 juil. au 21 août, 1er au 7 janv., dim. et lundi* – **Repas** 33/49.
◆ Ce restaurant aux couleurs du Sud vous invite au mariage de l'oeil et du goût. Cuisine où pointent les parfums de la Méditerranée et vue sur les forts et la "Bonne Mère".

XX **Chez Fonfon,** 140 Vallon des Auffes ✉ 13007 ✆ 04 91 52 14 38, *chezfonfon@aol.com, Fax 04 91 52 14 16,* ≤ – ▤. AE ⓓ GB JCB p. 4 **AY** t
*fermé 2 au 24 janv., lundi midi et dim.* – **Repas** 31/48 ♀, enf. 13.
◆ Dans le respect d'une longue tradition familiale, des produits de la mer servis en bordure du petit port du Vallon des Auffes. Une maison marseillaise, foi de Marius !

XX ✿ **Michel-Brasserie des Catalans** (Visciano), 6 r. Catalans ✉ 13007 ✆ 04 91 52 30 63, *Fax 04 91 59 23 05* – ▤. AE GB p. 4 **AY** e
**Repas** 39/62 et carte 40 à 70.
◆ Accueil à la Pagnol assuré par un Popeye en marinière et cadre "rétro" : l'autre "conservatoire" de la bouillabaisse à Marseille. La pêche du jour est exposée dans une barque.
**Spéc.** Bouillabaisse. Supions sautés ail et persil. Bourride provençale. **Vins** Cassis, Bandol.

XX **Les Échevins,** 44 r. Sainte ✉ 13001 ✆ 04 96 11 03 11, *echevins@wanadoo.fr, Fax 04 96 11 03 14* – ▤. AE ⓓ GB JCB p. 6 **EU** x
*fermé 14 juil. au 16 août, sam. midi et dim.* – **Repas** 29/43 ♀.
◆ Les murs, qui abritèrent des bagnards au temps des galères, servent aujourd'hui de cadre à cet accueillant restaurant. Carte marseillaise avec escapades dans le Sud-Ouest.

XX **L'Ambassade des Vignobles,** 42 pl. aux Huiles ✉ 13001 ✆ 04 91 33 00 25, *Fax 04 91 54 25 60* – ▤. AE GB JCB p. 6 **EU** h
*fermé août, sam. midi et dim.* – **Repas** 25 bc (déj.), 36 bc/50 bc.
◆ Poutres et pierres apparentes, superbe cave nantie de millésimes précieux dont des vins... de Fernandel ! Mariage subtil des solides et liquides, à goûter sans réserve.

XX **Les Arcenaulx,** 25 cours d'Estienne d'Orves ✉ 13001 ✆ 04 91 59 80 30, *restaurant@les-arcenaulx.com, Fax 04 91 54 76 33,* 帀 – ▤. AE ⓓ GB JCB p. 6 **EU** s
*fermé 11 au 19 août et dim.* – **Repas** 24,50/45 ♀, enf. 9,90.
◆ Sis dans les entrepôts des galères (17e s.), ce lieu original qui associe une librairie, une maison d'édition et un restaurant est l'écrin d'une cuisine gorgée de soleil.

XX **Les Mets de Provence "Chez Maurice Brun",** 18 quai de Rive Neuve (2e étage) ✉ 13007 ✆ 04 91 33 35 38, *Fax 04 91 33 05 69* – ▤. GB p. 6 **EU** d
*fermé 1er au 20 août, lundi midi, sam. midi et dim.* – **Repas** 35 bc (déj.)/49.
◆ Adresse renommée du Vieux Port aménagée sous les combles d'un ancien couvent de religieuses. Très joli cadre rustique provençal. Menu unique, verbal, renouvelé chaque jour.

XX **René Alloin,** 8 pl. Amiral Muselier (par prom. G. Pompidou) ✉ 13008 ✆ 04 91 77 88 25, *al lloinfilipe@aol.com, Fax 04 91 71 82 46,* 帀 – ▤. GB p. 5 **BZ** k
*fermé sam. midi et dim. soir* – **Repas** 21 (déj.), 32/45.
◆ Devant les plages du Prado, dans un décor méridional contemporain, un petit bastion de résistance gastronomique face à la cohorte des bars et des pizzérias.

XX ☺ **Cyprien,** 56 av. Toulon ✉ 13006 ✆ 04 91 25 50 00, *Fax 04 91 25 50 00* – ▤. GB p. 7 **GV** r
*fermé 26 juil. au 27 août, 24 déc. au 5 janv., lundi soir, sam. sauf le soir d'août à juin, dim. et fériés* – **Repas** 22/47.
◆ Cadre feutré ponctué de petites notes florales et goûteuse cuisine : classicisme affirmé dans la cuisine et le décor, non loin de la place Castellane.

X **Côte de Boeuf,** 35 cours d'Estienne d'Orves ✉ 13001 ✆ 04 91 54 89 08, *Fax 04 91 54 25 60* – ▤. AE GB JCB p. 6 **EU** r
*fermé 1er juil. au 1er août* – **Repas** 29/32.
◆ Installée dans un ancien entrepôt des galères, adresse très "terroir" courue pour ses spécialités de viandes, grillées en salle, et pour son exceptionnel choix de vins.

X **Cavalino,** 34 bd É. Sicard ✉ 13008 ✆ 04 91 32 60 14, *Fax 04 91 32 60 14* – ▤. GB p. 4 **AZ** v
*fermé 10 juil. au 30 août, sam. midi et dim.* – **Repas** 22/25.
◆ Le four à bois est le seul vestige de cette ancienne pizzeria transformée en un accueillant restaurant d'inspiration provençale. Cuisine familiale et gibier en saison.

X **Chez Vincent,** 25 r. Glandeves ✉ 13001 ✆ 04 91 33 96 78 p. 6 **EU** k
*fermé 15 juil. au 31 août et lundi* – **Repas** carte environ 30.
◆ Façade modeste, décor simple de style bistrot et Rose, la patronne, aux fourneaux depuis les années 1940 : une institution prisée des Marseillais. Copieuse cuisine régionale.

X **Charles Livon,** 89 bd Ch. Livon ✉ 13007 ✆ 04 91 52 22 41, *Fax 04 91 31 41 63* – ▤. GB p. 6 **DU** f
*fermé 10 au 24 août, 23 au 26 déc., sam. midi, lundi midi et dim.* – **Repas** 21/27 ♀.
◆ Façade avenante, salle à manger fraîche décorée de tableaux à thèmes marins et cuisine régionale revisitée : un petit restaurant convivial à deux pas du palais du Pharo.

**à Plan-de-Cuques** *Nord-Est : 10 km par La Rose et D 908 – 9 847 h. alt. 70 – ✉ 13380 :*

🏨 **Caesar** M ⊗, av. G. Pompidou ✆ 04 91 07 25 25, *Fax 04 91 05 37 16,* 🏖, 🚲, 🏊, 🏞 – 🛗 ▤ 📺 📞 ♿ 🅿 – 🔺 60. AE ⓓ GB JCB
**Repas** *(fermé dim. soir)* 21/28 ♀ – ☕ 8 – **30 ch** 65/74 – ½ P 60,50.
◆ La sérénité méditerranéenne de l'environnement, la bâtisse ocre, les chambres aux coloris méridionaux et la piscine à péristyle incitent au farniente.

***Si le coût de la vie subit des variations importantes,***
***les prix que nous indiquons peuvent être majorés.***
***Lors de votre réservation à l'hôtel, faites-vous préciser le prix définitif.***

---

## MARTEL *46600 Lot* 337 F2 *G. Périgord Quercy – 1 462 h alt. 225.*

Voir *Place des Consuls★ – Façade★ de l'Hotel de la Raymondie★.*
ℹ *Office du Tourisme, Palais de la Raymondie ✆ 05 65 37 43 44, Fax 05 65 37 37 27, martel2@wanadoo.fr.*
*Paris 511 – Brive-la-Gaillarde 34 – Cahors 78 – Figeac 60 – St-Céré 31.*

🏨 **Relais Ste-Anne** M ⊗ sans rest, ✉ u ✆ 05 65 37 40 56, *relais.sainteanne@wanadoo.fr, Fax 05 65 37 42 82,* 🏞 – 📞 ♿. AE ⓓ GB JCB. ✂
*15 mars-15 nov.* – ☕ 11 – **11 ch** 49/135, 4 appart.
◆ La ville de Charles abrite cette ancienne pension de jeunes filles entourée d'un jardin fleuri. Chapelle, élégant salon et chambres douillettes : un hôtel pétri de charme.

X **Auberge des Sept Tours** ⊗ avec ch, ✆ 05 65 37 30 16, *auberge7tours@wanadoo.fr, Fax 05 65 37 41 69,* 🏖 – 📺
*fermé vacances de fév.* – **Repas** *(fermé sam. midi, dim. soir et lundi d'oct. à avril)* 11,70 (déj.)/19,80, enf. 6,90 – ☕ 6 – **8 ch** 33/54 – ½ P 32/35.
◆ Pimpante salle à manger agrandie d'une véranda tournée vers la campagne. Carte traditionnelle, spécialités de canard et carte des vins axée sur la région. Chambres rustiques.

---

## MARTIGUES *13500 B.-du-R.* 340 F5 *G. Provence – 42 678 h alt. 1.*

Voir *Miroir aux oiseaux★ – Étang de Berre★ Z.*
Env. *<★ de la chapelle N.D.-des-Marins, 3,5 km par ④.*
ℹ *Office du Tourisme, Rond Point de l'Hotel de Ville ✆ 04 42 42 31 10, Fax 04 42 42 31 11, ot.martigues.tourisme@visitprovence.com.*
*Paris 774 ② – Marseille 39 ② – Aix-en-Provence 45 ② – Arles 53 ④.*

Plan page ci-contre

🏨 **St-Roch,** av. G. Braque ✆ 04 42 42 36 36, *hotel-st-roch@wanadoo.fr, Fax 04 42 80 01 80,* 🏊, 🏞 – ▤ 📺 ♿ 🅿 – 🔺 40. AE ⓓ GB Y x
**Repas** 19/26 ♀ – ☕ 9 – **63 ch** 79/83 – ½ P 60,50.
◆ Sur les hauteurs de la ville, construction moderne et son annexe abritant des chambres spacieuses et fonctionnelles. De la salle à manger, vue sur le viaduc de Caronte.

XX **Bouchon à la Mer,** 19 quai L. Toulmond ✆ 04 42 49 41 41, *Fax 04 42 80 80 10,* 🏖 – ▤. AE ⓓ GB Y v
*fermé dim. soir hors saison, mardi midi en juil.-août, sam. midi et lundi* – **Repas** 20 bc/30 ♀.
◆ À deux pas du Miroir aux Oiseaux chéri des peintres, venez savourer une sobre cuisine au goût du jour dans cette salle provençale aux tons orangés. Terrasse au bord du canal.

## MARTIGUES

Belges (Esplanade des) . . . . . . . . . . . Z 3
Brescon (Quai) . . . . . . . . . . . . . . Z 4
Cachin (Bd Marcel) . . . . . . . . . . . Z 5
Combes (R. L.) . . . . . . . . . . . . . Z 7
Denfert (R. Colonel) . . . . . . . . Y 8
Dr-Flemming (Av. du) . . . . . . . Y 9
Gambetta (R.) . . . . . . . . . . . . . Z 12
Girondins (Quai des) . . . . . . . . Y 13
Lamartine (Pl.) . . . . . . . . . . . . Z 15
Libération (Pl. de la) . . . . . . . Z 16
Lorto (Av. P.-di) . . . . . . . . . . . Z 17
Marceau (Quai) . . . . . . . . . . . . Z 18
Martyrs (Pl. des) . . . . . . . . . . . Z 19
Prés.-S.-Allende (Av.) . . . . . . . Y 21
Richaud (Bd) . . . . . . . . . . . . . . Z 22
Roques (R. Jean) . . . . . . . . . . . Y 24
Tessé (Quai Marcel) . . . . . . . . . Y 25
4-Septembre (Cours du) . . . . . . Z 27

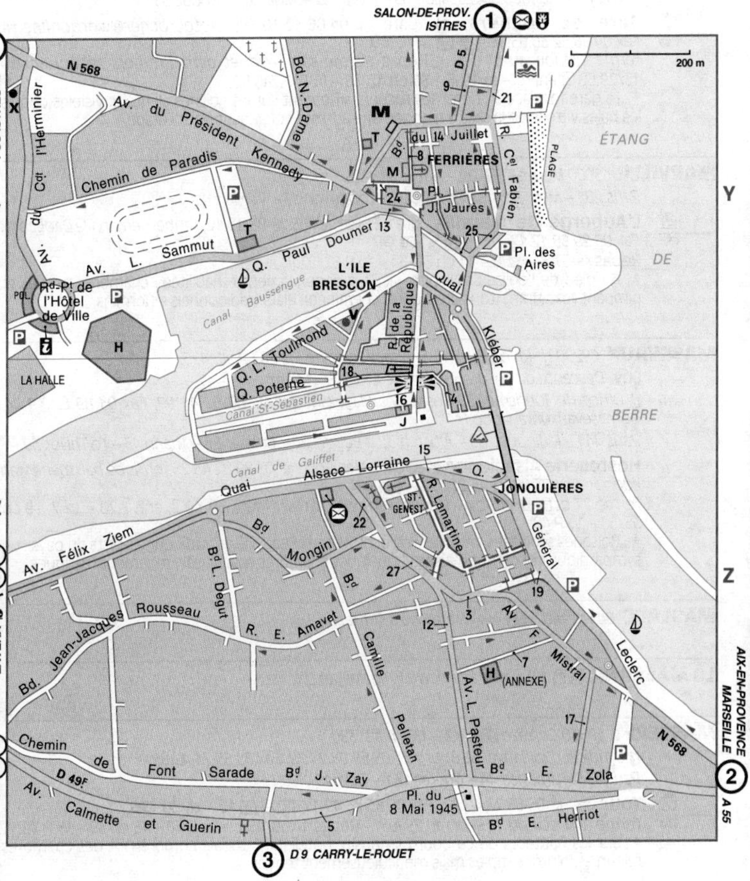

SALON-DE-PROV.
ISTRES
1
0
200 m
N 568
Av. du Président Kennedy
Chemin de Paradis
Av. du Cdt l'Herminier
Bd. N.-Dame
D 5
ÉTANG
DE
BERRE
PLAGE
FERRIÈRES
R. du 14 Juillet
R. Cel Fabien
Pl. J. Jaurès
Pl. des Aires
Av. L. Sammut
Q. Paul Doumer
L'ILE
BRESCON
Canal Baussengue
Quai Kléber
R. de la République
Toulmond
Q. L. Q. Poterne
Canal St-Sébastien
Rd-Pt de l'Hôtel de Ville
LA HALLE
Canal de Galiffet
Quai Alsace - Lorraine
JONQUIÈRES
ST-GENEST
R. Lamartine
Général Leclerc
Av. Félix Ziem
Bd Mongin
Bd L. Dégut
Rousseau
Bd. Jean-Jacques
R. E. Amavet
Bd Camille Pelletan
Av. F. Mistral
(ANNEXE)
Av. L. Pasteur
N 568
AIX-EN-PROVENCE
MARSEILLE
2
A 55
Chemin de Font Sarade
Bd J. Zay
Bd E. Zola
D 49F
Av. Calmette et Guerin
Pl. du 8 Mai 1945
Bd E. Herriot
Y
Z
3
D 9 CARRY-LE-ROUET


*Les pages explicatives de l'introduction vous aideront à mieux profiter de votre* ***Guide Rouge Michelin***

---

**MARTILLAC** *33 Gironde 335 H6 – rattaché à Bordeaux.*

---

**MARTIN-ÉGLISE** *76 S.-Mar. 304 G2 – rattaché à Dieppe.*

---

**La MARTRE** *83240 Var 340 O3 – 85 h alt. 984.*

*Paris 820 – Digne-les-Bains 74 – Castellane 19 – Draguignan 690 – Grasse 51.*

**Château de Taulane** , au golf, Nord-Est : 4 km sur N 85 ✆ 04 93 40 60 80, *chateau-de-taulane@wanadoo.fr, Fax 04 93 60 37 48,* ←, … – … P – 50. AE GB

*1er avril-31 oct.* – **Repas** 33/52 – ☕ 16 – **42 ch** 203/595, 3 appart – ½ P 169/342.

◆ Château du 18e s. entouré de quatre pigeonniers, sur un golf, dans un immense parc de... 340 ha ! Chambres bien équipées, sans luxe ostentatoire. Restaurant très spacieux.

**MARVEJOLS** *48100 Lozère* 330 H7 *G. Languedoc Roussillon – 5 476 h alt. 650.*

**Voir** *Porte de Soubeyran★.*

**Env.** *Parc à loups du Gévaudan★ : N.*

*Office du Tourisme, Porte du Soubeyran ☎ 04 66 32 02 14, Fax 04 66 32 33 50.*

*Paris 576 – Mende 23 – Espalion 63 – Florac 52 – Millau 69 – Rodez 86.*

**Gare et Rochers,** pl. Gare ☎ 04 66 32 10 58, *hotel.rocher@wordonline.fr, Fax 04 66 32 30 63,* ≤ – |‡| TV. GB
*fermé 15 nov. au 1er fév.* – **Repas** *(fermé sam. midi et dim. soir hors saison)* (10,60) - 13/29,50 ♀, enf. 9 – ☕ 8,65 – **30 ch** 42/50 – ½ P 41/46,50.
◆ La gare fait face à l'hôtel, les rochers affleurent sur les collines alentour, visibles depuis les baies vitrées de la salle à manger. Une adresse convenant pour l'étape.

**MARVILLE** *55600 Meuse* 307 D2 *– 518 h alt. 216.*

*Paris 281 – Metz 94 – Bar-le-Duc 97 – Longuyon 13 – Verdun 41.*

**L'Auberge de Marville,** près Église ☎ 03 29 88 10 10, *aubergemarville@aol.com, Fax 03 29 88 12 12,* – TV. AE GB
**Repas** 10/37 ♀ – ☕ 8 – **11 ch** 36/54 – ½ P 67/92.
◆ Au pied de l'église St-Nicolas, vieille grange joliment réhabilitée : chambres neuves et pimpant restaurant (tons ensoleillés, cheminée). Plats traditionnels et lorrains.

**MASEVAUX** *68290 H.-Rhin* 315 F10 *G. Alsace Lorraine – 3 267 h alt. 425.*

**Env.** *Descente du col du Hundsrück* ≤★★ *NE : 13 km.*

*Office du Tourisme, 36 Fossé des Flagellants ☎ 03 89 82 41 99, Fax 03 89 82 49 44, ot.masevaux@wanadoo.fr.*

*Paris 441 – Mulhouse 30 – Altkirch 32 – Belfort 24 – Colmar 56 – Thann 15 – Le Thillot 39.*

**Hostellerie Alsacienne** avec ch, r. Mar. Foch ☎ 03 89 82 45 25, *philippe.battman@wanadoo.fr, Fax 03 89 82 45 25,* – TV. GB
*fermé 27 oct. au 11 nov.* – **Repas** *(fermé lundi)* 10,60 (déj.), 30/40 ♀, enf. 7,20 – ☕ 7 – **9 ch** 35/51 – ½ P 40.
◆ Boiseries sculptées, mobilier régional, nappes Beauvillé et traditionnels plats du pays : un sympathique concentré d'Alsace ! Quelques chambres spacieuses, sagement rustiques.

**MASLACQ** *64 Pyr.-Atl.* 342 H4 – *rattaché à Orthez.*

**La MASSANA** 343 H9 – *voir à Andorre (Principauté d').*

**MASSERET** *19510 Corrèze* 329 K2 *– 669 h alt. 380.*

*Syndicat d'Initiative, Le Bourg ☎ 05 55 98 24 79, Fax 05 55 73 49 69.*

*Paris 433 – Limoges 44 – Guéret 131 – Tulle 48 – Ussel 109.*

**Tour** , ☎ 05 55 73 40 12, *Fax 05 55 73 49 41,* – TV – 30. GB
*fermé dim. soir du 14 sept. au 29 juin* – **Repas** 14,50/45 ♀ – ☕ 5,60 – **15 ch** 39 – ½ P 39.
◆ Sur les hauteurs de ce bourg limousin, hôtellerie familiale comprenant des chambres rajeunies, plutôt simples mais méticuleusement tenues.

**MASSIAC** *15500 Cantal* 330 H3 *G. Auvergne – 1 881 h alt. 534.*

**Voir** *N : Gorges de l'Alagnon★ – Site de la chapelle Ste-Madeleine★ N : 2 km.*

*Office du Tourisme, 24 rue du Docteur Mallet ☎ 04 71 23 07 76, Fax 04 71 23 08 50, ot.massiac@auvergne.net.*

*Paris 487 – Aurillac 85 – Brioude 24 – Issoire 38 – Murat 36 – St-Flour 30.*

**Grand Hôtel de la Poste,** 26 av. Ch. de Gaulle ☎ 04 71 23 02 01, *hotel.massiac@wanadoo.fr, Fax 04 71 23 09 23,* , , – |‡| , rest, TV – 15 à 25. AE GB
*fermé 25 nov. au 8 déc.* – **Repas** 12,20/34 ♀, enf. 6,90 – ☕ 6,50 – **33 ch** 40/52 – ½ P 43/49.
◆ Maison imposante au seuil du bourg, à proximité de la sortie de l'A 75. Établissement bien tenu abritant des chambres rénovées dans un style actuel. Fitness et squash.

**MASSIGNAC** *16310 Charente* 324 N5 *– 451 h alt. 240.*

*Office du Tourisme, Maison des Lacs ☎ 05 45 65 26 69, Fax 05 45 65 26 69, lacshautecharente@wanadoo.fr.*

*Paris 445 – Angoulême 46 – Nontron 36 – Rochechouart 17 – La Rochefoucauld 24.*

**Domaine des Étangs** ⛫, ✆ 05 45 61 85 00, *saupiais@domainedesetangs.fr*, *Fax 05 45 61 85 01*, ☂, ⛱, ⛳ – cuisinette 📺 P – 🚶 30 à 60. GB
*fermé janv., fév. dim. soir (sauf hôtel) et lundi* – **Repas** 26/34 ♀, enf. 7 – ☕ 12 – **29 ch** 90/230 – ½ P 100/170.
◆ Ce vaste domaine comprend un parc constellé d'étangs, un élevage de vaches limousines et un hameau abritant de belles chambres (pierre et bois) et un plaisant restaurant.

---

**MASSY** *91 Essonne* 312 *C3* 101 *25 – voir à Paris, Environs.*

---

**MATOUR** *71520 S.-et-L.* 320 *G12 C. Bourgogne – 1 003 h alt. 500.*

ℹ *Office du Tourisme, Le Bourg ✆ 03 85 59 72 24, Fax 03 85 59 72 24, otmatour@club internet.fr.*

*Paris 407 – Mâcon 37 – Charolles 33 – Cluny 25 – Lapalisse 80 – Lyon 91 – Roanne 59.*

XX **Christophe Clément,** pl. Église ✆ 03 85 59 74 80, *Fax 03 85 59 75 77* – ▤. GB
*fermé 26 sept. au 15 oct., 23 déc. au 5 janv., dim. soir et lundi* – **Repas** 12 (déj.), 16,50/36 ♁, enf. 9,20.
◆ Avenante façade peinte sur la place de l'église. Salle à manger d'esprit rustique agrémentée d'une décoration placée sous le signe du coq. Cuisine traditionnelle.

***Pour visiter une ville ou une région : utilisez les Guides Verts Michelin.***

## MAUBEUGE

Albert-Ier (R.) .......... **B** 2
Concorde (Pl. de la) .......... **B** 4
Coutelle (R.) .......... **A** 5
France (Av. de) .......... **B**
Gare (Av. de la) .......... **A**
Intendance (R. de l') .......... **B** 10
Lurcat (Mail A.) .......... **AB** 12
Mabuse (Av. J.) .......... **B** 14
Musée Henri Bœz (R. du) **B** 18
Nations (Pl. des) .......... **B** 19
Paillot (R. G.) .......... **B** 21
Pasteur (Bd) .......... **A** 23
Pont-Rouge (Av. du) .......... **A** 24
Porte-de-Bavay (Av.) .......... **A** 25
Provinces-Françaises (Av.) **B** 26
Roosevelt (Av. Franklin) .......... **AB** 28
Vauban (Pl.) .......... **B** 29
145e-Régt-d'Inf. (R. du) .......... **B** 31

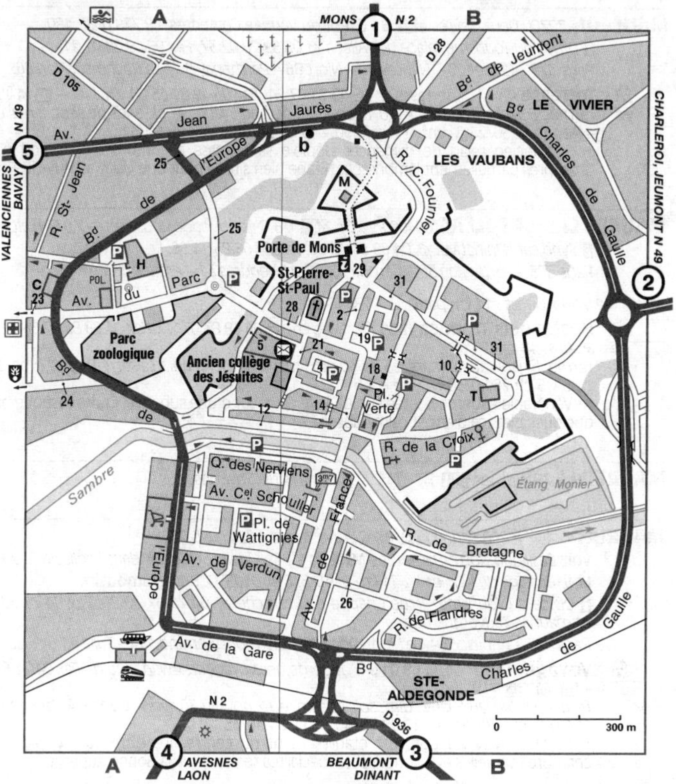
MONS
N 2
A
B
D 28
Bd de Jeumont
LE VIVIER
Bd Charles de Gaulle
LES VAUBANS
R. C. Fournier
CHARLEROI, JEUMONT N 49
D 105
Av. Jean Jaurès
Bd de l'Europe
VALENCIENNES BAVAY N 49
R. St-Jean
Porte de Mons
St-Pierre-St-Paul
Av. du Parc
Parc zoologique
Ancien collège des Jésuites
Pl. Verte
R. de la Croix
Étang Monier
Sambre
Q. des Nerviens
Av. Cel Schouller
Pl. de Wattignies
Av. de France
R. de Bretagne
Av. de Verdun
R. de Flandres
Av. de la Gare
STE-ALDEGONDE
N 2
D 936
0
300 m
AVESNES LAON
BEAUMONT DINANT

**MAUBEUGE** *59600 Nord* 302 L6 *G. Picardie Flandres Artois – 34 989 h Aggl. 117 470 h alt. 134.*

*Office du Tourisme, Site Douanier de Bettignies ✆ 03 27 68 43 46, maubeuge@tourisme.norsys.fr.*

*Paris 243 ⑤ – Mons 22 ① – St-Quentin 114 ④ – Valenciennes 39 ⑤.*

Plan page précédente

**Campanile,** av. J. Jaurès ✆ 03 27 64 00 91, *Fax 03 27 65 34 47,* – 25. AE GB JCB B b

Repas (12) - 17 ♀, enf. 6 – ☕ 6 – **39 ch** 54.

◆ Près des remparts édifiés par Vauban, établissement conforme aux normes de la chaîne. Une étape opportune pour contempler le fameux clair de lune !

**Comfort Inn,** av. J. Jaurès par ⑤ ✆ 03 27 62 15 00, *Fax 03 27 65 64 70* – 30. AE GB JCB

Repas *(fermé dim.soir)* 13,50 bc/18,50, enf. 7,50 – ☕ 5,70 – **42 ch** 50,30.

◆ Bâtiment récent situé en bordure d'un axe passant. Chambres fonctionnelles (plus calmes sur l'arrière) et formules buffets : une halte pratique aux portes de la Belgique.

**rte d'Avesnes-sur-Helpe** *par ④ – ✉ 59330 Beaufort :*

**Auberge de l'Hermitage,** à 6 km sur N 2 ✆ 03 27 67 89 59, *Fax 03 27 39 84 52* – P. AE GB

*fermé 28 juil. au 14 août, dim. soir, mardi soir et lundi* – **Repas** 23/61 ♀.

◆ Avenant pavillon en briques proche de la nationale, à l'orée du Parc naturel régional de l'Avesnois. Salle à manger soignée et cuisine de tradition au pays des fameux maroilles.

**Relais de Beaufort,** à 8 km sur N 2 ✆ 03 27 63 50 36, *relaisdebeaufort@worldonline.fr, Fax 03 27 67 85 11,* – P. GB

*fermé 16 août au 3 sept., vacances de fév., sam. midi, dim. soir et lundi* – **Repas** 19/35 ♀.

◆ Construction de pays accostée d'une tour. Dans la salle à manger, mobilier rustique, bouquets de fleurs et cheminée où sont parfois préparées les grillades.

**MAULÉON** *79700 Deux-Sèvres* 322 B3 *G. Poitou Vendée Charentes – 8 779 h alt. 180.*

*Office du Tourisme, place des Allées ✆ 05 59 28 02 37, Fax 05 59 28 02 21.*

*Paris 378 – Cholet 23 – Nantes 80 – Niort 86 – Parthenay 55 – La Roche-sur-Yon 66.*

**Terrasse**, 7 pl. Terrasse ✆ 05 49 81 47 24, *Fax 05 49 81 65 04,* – P. GB

*fermé 26 avril au 11 mai, 1er au 15 août, 20 déc. au 5 janv., week-ends de sept. à mai et dim.* – **Repas** 12,50/28, enf. 9 – ☕ 5,50 – **13 ch** 36/58 – ½ P 28,50/34.

◆ Cet ancien relais de diligences déploie sa terrasse à l'ombre d'un grand platane. Chambres partiellement lambrissées. Étape bien située pour une visite au Puy-du-Fou.

**MAUREILLAS-LAS-ILLAS** *66400 Pyr.-Or.* 344 H8 *G. Languedoc Roussillon – 2 037 h alt. 130.*

*Syndicat d'Initiative, ✆ 04 68 83 48 00, Fax 04 68 83 14 66.*

*Paris 878 – Perpignan 30 – Gerona 70 – Port-Vendres 31 – Prades 68.*

**à Las Illas** *Sud-Ouest : 11 km par D 13 – ✉ 66480 :*

**Hostal dels Trabucayres** avec ch, ✆ 04 68 83 07 56, *Fax 04 68 83 07 56,* – P. GB. ch

*fermé 1er janv. au 20 mars, 25 au 30 oct., mardi et merc. hors saison* – **Repas** 11 bc/39 bc – ☕ 5 – **5 ch** 26,50/30,50 – ½ P 32.

◆ Vénérable auberge postée sur le GR 10 au coeur d'une suberaie. Cadre rustique originel, quelques plats catalans et calme absolu.

**MAUREPAS** *78 Yvelines* 311 H3 101 21 – *voir à Paris, Environs.*

**MAURIAC** *15200 Cantal* 330 B3 *G. Auvergne – 4 224 h alt. 722.*

**Voir** *Basilique Notre-Dame-des-Miracles★ – Le Vigean : châsse★ dans l'église NE : 2 km.*

**Env.** *Barrage de l'Aigle★★ : 11 km par D 678 et D105, G. Berry Limousin.*

*Office du Tourisme, 1 rue Chappe d'Auteroche ✆ 04 71 67 30 26, Fax 04 71 68 25 08, ot.mauriac@auvergne.net.*

*Paris 492 – Aurillac 53 – Le Mont-Dore 78 – Clermont-Ferrand 114 – Tulle 71.*

**Voyageurs,** ✆ 04 71 68 01 01, *auberge.des.voyageurs@wanadoo.fr, Fax 04 71 68 01 56* – TV. AE GB

*fermé 21 déc. au 5 janv., dim. soir et sam. du 2 nov. au 30 avril* – ***Bonne Auberge :*** Repas 11/30, enf. 7 – ☕ 6 – **19 ch** 28/40 – ½ P 31,50/33.

◆ Suite à sa rénovation, cet établissement du centre-ville offre aux "voyageurs" des chambres actuelles et insonorisées. Spécialités régionales à la Bonne Auberge.

**Serre** sans rest, r. du 11 Novembre ☎ 04 71 68 19 10, *Fax 04 71 68 17 77* – GB.
*fermé 2 au 15 janv. et 1er au 10 mars* – 5,10 – **13 ch** 37/50.
◆ À deux pas de la basilique romane N.-D.-des-Miracles, ce n'est pas un hébergement prodigieux, mais un petit hôtel simple à l'accueil sympathique et attentionné.

**MAUROUX** *46 Lot* 337 C5 – *rattaché à Puy-l'Évêque.*

**MAURS** *15600 Cantal* 330 B6 *G. Auvergne – 2 350 h alt. 290.*
**Voir** *Buste-reliquaire★ et statues★ dans l'église.*
*Office du Tourisme, place de l'Europe ☎ 04 71 46 73 72, Fax 04 71 46 74 81, ot.maurs@auvergne.net.*
*Paris 567 – Aurillac 43 – Rodez 60 – Entraygues-sur-Truyère 48 – Figeac 22 – Tulle 93.*

**Châtelleraie** M, à St-Étienne, Nord-Est : 1,5 km par rte Aurillac ☎ 04 71 49 09 09, *hotel@chatelleraie.com, Fax 04 71 49 07 07,* – GB. rest
*29 mars-11 nov.* – **Repas** (dîner seul.)(résidents seul.) 22 – 7 – **33 ch** 79.
◆ Castel et granges du 16e s. nichés dans un parc aux portes de la "Riviera cantalienne". Cadre bucolique et reposant où domine la sensation d'espace. Accueil aimable.

**MAUSSAC** *19 Corrèze* 329 N3 – *rattaché à Meymac.*

*Une réservation confirmée par écrit ou par fax est toujours plus sûre.*

**MAUSSANE-LES-ALPILLES** *13520 B.-du-R.* 340 D3 – *1 886 h alt. 32.*
*Office du Tourisme, place Laugier de Monblan ☎ 04 90 54 52 04, Fax 04 90 54 39 44, contact@maussane.com.*
*Paris 717 – Avignon 29 – Arles 20 – Marseille 82 – Martigues 44 – St-Rémy-de-Provence 10.*

**Val Baussenc** M, av. Vallée des Baux ☎ 04 90 54 38 90, *information@valbaussenc.com, Fax 04 90 54 33 36,* – AE GB. rest
*3 mars-21 oct.* – **Repas** *(fermé merc.)* (dîner seul.) 30/34, enf. 12 – 11 – **21 ch** 84/106 – ½ P 73/81.
◆ Maison au décor provençal utilisant avec originalité la pierre calcaire des Baux. Chambres donnant sur la campagne ; celles du rez-de-chaussée possèdent une terrasse.

**Pré des Baux** M sans rest, r. Vieux Moulin ☎ 04 90 54 40 40, *Fax 04 90 54 53 07,* – AE GB
*21 mars-3 nov.* – 10 – **10 ch** 95/110.
◆ Les chambres, réparties autour d'un jardin méridional à l'abri des regards et du bruit, ouvrent de plain-pied sur des terrasses privatives où l'on sert le petit-déjeuner.

**Aurelia** M, 124 av. Valléee des Baux ☎ 04 90 54 22 54, *hotel.restaurant.aurelia@wanadoo.fr, Fax 04 90 54 20 75,* – GB.
*15 mars-4 nov. et 20 au 31 déc.* – **Repas** *(fermé merc.)* (dîner seul.)(résidents seul.) carte environ 30 – 12 – **11 ch** 91/110 – ½ P 75/80.
◆ Pimpante décoration ensoleillée pour cet établissement récent d'allure régionale. Les chambres, modernes et bien équipées, sont plus agréables et calmes côté piscine.

**Margaux,** 1 r. P. Revoil ☎ 04 90 54 35 04, *Fax 04 90 54 35 04,* – GB
*fermé 12 nov. au 13 déc., 21 janv. au 7 mars., merc. midi et mardi* – **Repas** 27,50/35,50.
◆ Cachée derrière l'église, petite maison provençale aux volets bleus, décorée avec goût. La courette intérieure ombragée est appréciée en été. Cuisine méridionale.

**au Paradou** *Ouest : 2 km par D 17, rte d'Arles – 926 h. alt. 21 – ✉ 13520 :*

**Du Côté des Olivades** M, lieu dit de Bourgeac ☎ 04 90 54 56 78, *Fax 04 90 54 56 79,* – ch, AE GB.
**Repas** *(fermé lundi)* (résidents seul.) carte 35 à 54 – **10 ch** 117/242.
◆ Cette reposante bâtisse contemporaine isolée au milieu des oliviers vous ouvre grand ses portes : décor méditerranéen soigné, ambiance "guesthouse" et petits plats du marché.

**Petite France** (Maffre-Bogé), av. Vallée des Baux ☎ 04 90 54 41 91, *Fax 04 90 54 52 50* – GB
*fermé 3 nov. au 4 déc., merc. et jeudi* – **Repas** 45 et carte 50 à 65.
◆ Pierres et poutres, toiles contemporaines et carte régionale personnalisée : ce joli mas des Alpilles a bien des attraits. Belle collection de Guides Michelin dans le salon.
**Spéc.** Ravioles d'olives vertes à la ricotte et à la sauge. Crépinette de pieds de cochon aux morilles. Fondant chaud au chocolat, crème vanille. **Vins** Coteaux d'Aix-en-Provence-les Baux.

**Bistrot du Paradou,** ✆ 04 90 54 32 70, *Fax 04 90 54 32 70* – ▤ **P**. GB
*fermé 1er au 18 nov., vacances de fév. et dim.* – **Repas** (dîner seul. de juil. à sept.) (prévenir)(menu unique) 34 (déj.)/39.
◆ Bistrot de caractère dans une maison provençale : pierres et poutres, tables en marbre et large bar où sont exposées des bouteilles de bière. Menu unique présenté sur ardoise.

## MAUZÉ-SUR-LE-MIGNON *79210 Deux-Sèvres 322 B7 – 2 378 h alt. 30.*

*Office du Tourisme, place de la Mairie ✆ 05 49 26 78 33, Fax 05 49 26 71 13, tourisme@ville-maue-mignon.fr.*
*Paris 430 – La Rochelle 43 – Niort 23 – Rochefort 40.*

**France** avec ch, 54 Grande Rue (rte Niort) ✆ 05 49 26 30 15, *hoteldefrance@club-internet.fr, Fax 05 49 26 72 80* – TV **P**. GB.
*fermé 3 au 9 mars, 26 oct. au 3 nov., sam. et dim. de fin sept. à fin mai* – **Repas** 14,30/29 – ☕ 5,50 – **7 ch** 38,50/49,20 – ½ P 38/40.
◆ Aux portes du Marais poitevin, cette bâtisse ancienne vous invite à passer à table dans un décor rustique éclairé par des lampes marines. Sans prétention.

## MAYENNE *53100 Mayenne 310 F5 G. Normandie Cotentin – 13 549 h alt. 124.*

Voir *Ancien château* ≤★.
*Office du Tourisme, quai de Waiblingen ✆ 02 43 04 19 37, Fax 02 43 00 01 99, tourisme@mairie-mayenne.fr.*
*Paris 283 – Alençon 60 – Flers 56 – Fougères 47 – Laval 30 – Le Mans 89.*

**Croix Couverte** avec ch, rte Alençon : 2 km sur N 12 ✆ 02 43 04 32 48, *gicouge@wanadoo.fr, Fax 02 43 04 43 69*, – TV **P**. GB
*fermé 1er au 11 janv., vend. soir et dim.* – **Repas** 11,50/27,50 ♀, enf. 7,50 – ☕ 6,50 – **11 ch** 42/54 – ½ P 43/53.
◆ Maison centenaire au bord de la nationale. La salle à manger de style "rétro" est grande ouverte sur la terrasse et le jardin, au calme. Petites chambres récemment rénovées.

**rte de Laval** *N 162 – ✉ 53100 Mayenne :*

**Marjolaine** M avec ch, à 6,5 km, au domaine du Bas-Mont ✆ 02 43 00 48 42, *lamarjolaine@wanadoo.fr, Fax 02 43 08 10 58*, – TV **P** – 60. GB
*fermé 2 au 4 janv., vacances de fév., lundi midi et dim. soir* – **Repas** 16,50/55 et carte 40 à 53 ♀ – ☕ 8 – **18 ch** 54/72 – ½ P 55/85.
◆ Dans un domaine boisé, vieille ferme restaurée et son annexe récente. Salle à manger actuelle, terrasse face au parc et accès direct à la rivière. Cuisine au goût du jour.

**Beau Rivage** avec ch, à 4 km ✆ 02 43 00 49 13, *Fax 02 43 04 43 69*, ≤, – TV **P** – 30. GB
*fermé vacances de fév., dim. soir et lundi* – **Repas** 11,50/27,50 ♀, enf. 7,40 – ☕ 6,50 – **8 ch** 46/58 – ½ P 45/55.
◆ Un petit air de guinguette pour ce restaurant spécialisé dans les grillades : sa belle terrasse ombragée est aménagée sur une rive de la Mayenne. Intérieur entièrement refait.

## MAYET *72360 Sarthe 310 K8 – 2 877 h alt. 74.*

Env. *Forêt de Bercé*★ *E : 6 km*, G. Châteaux de la Loire.
*Office du Tourisme, place de l'hôtel de Ville ✆ 02 43 46 33 72, Fax 02 43 46 33 72.*
*Paris 227 – Le Mans 31 – Château-la-Vallière 27 – La Flèche 32 – Tours 58 – Vendôme 69.*

**Auberge des Tilleuls,** pl. H. de Ville ✆ 02 43 46 60 12, *Fax 02 43 46 60 12* – GB
*fermé 1er au 15 fév., dim. soir, lundi soir, mardi soir et merc.* – **Repas** 8,40/23 ♀.
◆ Vénérable établissement ? Certes, mais c'est ce qui lui confère tout son charme. Agréable salle campagnarde avec cheminée en pierre, dans le prolongement du café de village.

## Le MAYET-DE-MONTAGNE *03250 Allier 326 J6 G. Auvergne – 1 609 h alt. 535.*

*Office du Tourisme, rue Roger Degoulange ✆ 04 70 59 38 40, Fax 04 70 59 37 24, le-mayet-de-montagne@fnotsi.net.*
*Paris 371 – Clermont-Ferrand 80 – Lapalisse 23 – Moulins 73 – Thiers 44 – Vichy 26.*

**Relais du Lac** avec ch, Sud : 0,5 km sur D 7 ✆ 04 70 59 70 23, *relaisdulac@aol.com, Fax 04 70 59 79 00* – TV **P**. GB. ch
*fermé oct., lundi et mardi* – **Repas** 12,50 (déj.), 20/34, enf. 7,50 – ☕ 6 – **7 ch** 40/50 – ½ P 40/42.
◆ Au coeur de la Montagne bourbonnaise et tout près d'un lac, une adresse qui honore le terroir : décor champêtre et spécialités de fritures. Chambres proprettes.

## MAZAGRAN *57 Moselle 307 J4 – rattaché à Metz.*

**MAZAMET** *81200 Tarn* 338 G10 *G. Midi-Pyrénées – 11 481 h alt. 241.*

Env. <★ des gorges de l'Arnette S : 4 km.

✈ de Castres-Mazamet : ☎ 05 63 70 34 77, par ③ : 14 km.

🅸 Office du Tourisme, rue des Casernes ☎ 05 63 61 27 07, Fax 05 63 61 31 35.

*Paris 749 ④ – Toulouse 91 ③ – Albi 62 ④ – Carcassonne 50 ② – Castres 19 ④.*

## MAZAMET

Arnette (R. de l') .............. 2
Barbey (R. Édouard)
Brenac (R. Paul) .............. 3
Caville (R. du Pont de) .............. 4
Champ-de-la-Ville (R. du) .............. 5
Chamson (Pl. A.) .............. 6
Chevalière (Av. de la) .............. 7
Galibert-Ferret (R.) .............. 8
Gambetta (Pl.) .............. 9
Guynemer (Av. G.) .............. 10
Lattre-de-Tassigny (Bd de) .............. 13
Nouvela (R. du) .............. 14
Olombel (Pl. Ph.) .............. 16
Reille (Cours R.) .............. 17
St-Jacques (R.) .............. 19
Tournier (Pl. G.) .............. 20
Tournier (R. Alphonse) .............. 22

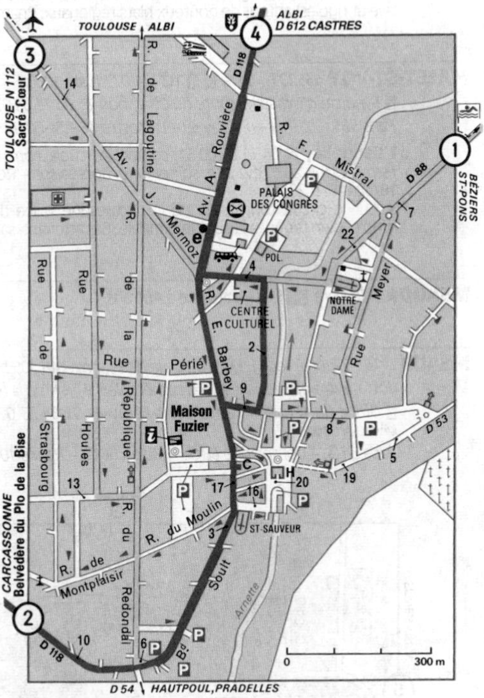

TOULOUSE ALBI
ALBI D 612 CASTRES
TOULOUSE N 112 Sacré-Cœur
BÉZIERS ST-PONS
CARCASSONNE Belvédère du Plo de la Bise
D 54 HAUTPOUL, PRADELLES
R. de Lagoutine
Av. J.
Av. A. Rouvière
R. F. Mistral
Mermoz
PALAIS DES CONGRÈS
POL.
CENTRE CULTUREL
NOTRE DAME
Rue Meyer
R. E. Barbey
Rue Périé
Rue de Strasbourg
Rue Houles
Rue de la République
R. du Moulin
R. de Montplaisir
R. Redondal
Soult
Arnette
Maison Fuzier
ST-SAUVEUR
D 118
D 88
D 53
0
300 m


🏠 **H. Jourdon,** 7 av. A. Rouvière (e) ☎ 05 63 61 56 93, *Fax 05 63 61 83 38* – rest, TV. GB JCB. 
*fermé 13 au 27 août et 2 au 8 janv.* – **Repas** *(fermé dim. soir et lundi)* 14/40 – ☕ 6 – **11 ch** 40/55 – ½ P 46.
◆ Maison de maître du début du 20e s. Chambres nettes et correctement équipées. Agréable salle à manger avec haut plafond mouluré, mobilier de style et tons lumineux.

**à Bout-du-Pont-de-Larn** *par ① et D 54 : 2 km – 1 053 h. alt. 280 – ✉ 81660 :*

**Métairie Neuve** , ☎ 05 63 97 73 50, *metairieneuve@aol.com, Fax 05 63 61 94 75,* TV P – 25. GB
*fermé 15 déc. au 20 janv.* – **Repas** *(fermé dim. soir d'oct. à Pâques et sam. midi)* 15 (déj.), 19/40 ♀, enf. 8 – ☕ 9 – **14 ch** 58/77 – ½ P 55/62,50.
◆ Métairie du 18e s. rénovée avec goût. Cour pavée, salon au coin du feu, chambres portant les noms de grands crus bordelais et terrasse sous une ancienne grange.

**rte de Brassac** *Nord-Est : 5,5 km par ①, D 109 et D 54 – ✉ 81160 Pont-de-l'Arn :*

**Château de Montlédier** , ☎ 05 63 61 20 54, *hotel-montledier@wanadoo.fr, Fax 05 63 98 22 51,* – rest, P – 20. AE GB
*fermé janv.* – **Repas** 25/50 ♀ – ☕ 13 – **20 ch** 95/190 – ½ P 90,50/128.
◆ Cette demeure fortifiée du 12e s. et son parc arboré surplombent les gorges de l'Arn. Chambres personnalisées assez cossues ; salle à manger d'hiver voûtée et véranda d'été.

**MAZAN** *84 Vaucluse* 332 D9 – *rattaché à Carpentras.*

**MAZAYE** *63230 P.-de-D.* 326 *E8 – 537 h alt. 760.*

*Paris 442 – Clermont-Fd 23 – Le Mont-Dore 33 – Pontaumur 28 – Pontgibaud 7.*

**Auberge de Mazayes**, à Mazayes-Basses 04 73 88 93 30, *Fax 04 73 88 93 80*, – GB

*fermé 15 déc. au 23 janv., lundi d'oct. à mai et mardi midi* – **Repas** 13,50/34, enf. 9 – 7 – **15 ch** 42/59 – ½ P 47/50.

◆ Jolie ferme auvergnate où l'on s'attable dans les anciennes écuries (au sol : pierre de lave et rigoles) autour de goûteux plats régionaux. Chambres colorées et actuelles.

**MAZET-ST-VOY** *43520 H.-Loire* 331 *H3 – 1 077 h alt. 1060.*

*Syndicat d'Initiative, route du Chambon 04 71 65 07 32, Fax 04 71 65 07 38.*

*Paris 583 – Le Puy-en-Velay 39 – Lamastre 36 – St-Étienne 66 – Yssingeaux 18.*

**L'Escuelle,** 04 71 65 00 51, *contact@escuelle.com, Fax 04 71 65 09 29* – GB

*fermé 2 janv. au 6 fév., dim. soir et lundi hors saison* – **Repas** 13/22, enf. 8 – 6 – **12 ch** 28/38 – ½ P 28/39.

◆ Sur le circuit touristique de la pittoresque vallée du Lignon, auberge d'étape toute simple, bien tenue, à la cuisine familiale. Bar attenant, salon TV.

**MÉAUDRE** *38 Isère* 333 *G7 – rattaché à Autrans.*

**MEAUX** *77100 S.-et-M.* 312 *G2 G. Île de France – 48 305 h alt. 51.*

**Voir** *Centre épiscopal** **ABY** *: cathédrale** **B**, *<** de la terrasse des remparts.*

*Office du Tourisme, 2 rue Saint-Rémy 01 64 33 02 26, Fax 01 64 33 24 86, tourisme@Ville.Meaux.fr.*

*Paris 54 ③ – Compiègne 68 ⑤ – Melun 56 ③ – Reims 104 ②.*

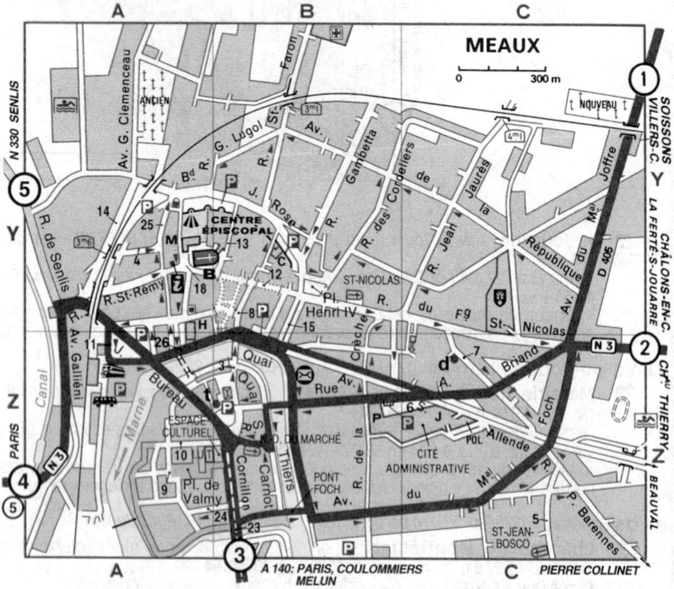
MEAUX
0
300 m
A
B
C
Y
Z
N 330 SENLIS
SOISSONS VILLERS-C.
LA FERTÉ-S-JOUARRE CHÂLONS-EN-C.
CHÂU THIERRY
BEAUVAL
PARIS
A 140: PARIS, COULOMMIERS MELUN
PIERRE COLLINET
CENTRE ÉPISCOPAL
ANCIEN
NOUVEAU
ST-NICOLAS
ESPACE CULTUREL
CITÉ ADMINISTRATIVE
PONT FOCH
ST-JEAN-BOSCO
N.-D. DU MARCHÉ
Marne
Canal
N 3
D 405
Av. G. Clemenceau
Bd R. G. Lugol
R. de Senlis
Av. Galliéni
R. St-Rémy
Bureau
Quai
Pl. Henri IV
Av. Gambetta
R. des Cordeliers
R. Jean Jaurès
de la République
R. du Fg St-Nicolas
Av. Briand
Av. du Mal Joffre
Av. Foch
Allende
Av. du Mal
R. de la Crèche
Rue
Thiers
Carnot
Cornillon
Pl. de Valmy
R. J. Rose
R. Faron
P. Barennes
POL

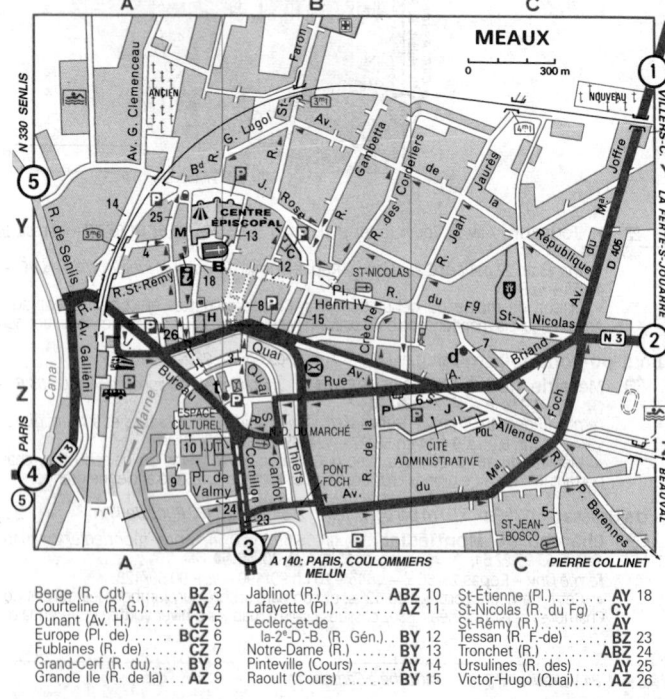

| | | |
|---|---|---|
| Berge (R. Cdt) . . . . . . . **BZ** 3 | Jablinot (R.) . . . . . . . . . **ABZ** 10 | St-Étienne (Pl.) . . . . . . . . **AY** 18 |
| Courteline (R. G.) . . . . . **AY** 4 | Lafayette (Pl.) . . . . . . . . . **AZ** 11 | St-Nicolas (R. du Fg) . . . **CY** |
| Dunant (Av. H.) . . . . . . . **CZ** 5 | Leclerc-et-de la-2e-D.-B. (R. Gén.) . . **BY** 12 | St-Rémy (R.) . . . . . . . . . **AY** |
| Europe (Pl. de) . . . . . . **BCZ** 6 | Notre-Dame (R.) . . . . . . . **BY** 13 | Tessan (R. F.-de) . . . . . . **BZ** 23 |
| Fublaines (R. de) . . . . . . **CZ** 7 | Pinteville (Cours) . . . . . . **AY** 14 | Tronchet (R.) . . . . . . . . . **ABZ** 24 |
| Grand-Cerf (R. du) . . . . . **BY** 8 | Raoult (Cours) . . . . . . . . **BY** 15 | Ursulines (R. des) . . . . . **AY** 25 |
| Grande Ile (R. de la) . . . **AZ** 9 | | Victor-Hugo (Quai) . . . . . **AZ** 26 |

XX **Marinone,** 30 pl. Marché ✆ 01 64 33 57 37, *Fax 01 64 33 57 37* – AE GB ABZ t
*fermé 4 au 31 août, dim. soir et lundi* – **Repas** 21/43 ♀.
◆ La façade design en verre dépoli se remarque bien dans ce quartier ancien. Salle à manger au décor contemporain, tables soigneusement dressées et carte au goût du jour.

XX **Grignotière,** 36 r. Sablonnière ✆ 01 64 34 21 48, *Fax 01 64 33 93 93* – ▤. AE GB
*fermé août, sam. midi, mardi soir et merc.* – **Repas** 21 (déj.), 24/33 ♀. CZ d
◆ À quelques pas du centre épiscopal, petit restaurant repérable à son enseigne en fer forgé. Intérieur d'esprit rustique et sympathique cuisine traditionnelle.

**à Varreddes** *par ① : 6 km – 1 520 h. alt. 53 – ✉ 77910 :*

XXX **Auberge du Cheval Blanc** avec ch, 55 rue V. Clairet ✆ 01 64 33 18 03, *r.cousin2@libertysurf.fr, Fax 01 60 23 29 68,* 🌳, 🌲 – TV ✆ P. AE ① GB
*fermé 4 au 26 août, mardi midi, dim. soir et lundi* – **Repas** 33/49 et carte 49 à 64, enf. 14 – ☕ 9 – **8 ch** 76/95.
◆ Cet ex-relais de poste dispose d'un agréable jardin arboré où l'on dresse des tables aux beaux jours. Salle à manger mi-bourgeoise, mi-campagnarde et chambres bien tenues.

XX **Auberge du Petit Nain,** 7 r. Orsoy ✆ 01 64 33 18 12, *Fax 01 64 34 39 60,* 🌳, 🌲 – AE GB
*fermé 22 juil. au 13 août, 20 janv. au 11 fév., dim. soir, mardi et merc.* – **Repas** 22/33 ♀, enf. 10.
◆ Point de nains dans le jardin de cette maison centenaire mais, au bar d'accueil, une intéressante série de cartes postales anciennes sur la bataille de la Marne.

**à Poincy** *par ② et D 17^A : 5 km – 591 h. alt. 53 – ✉ 77470 :*

XXX **Moulin de Poincy,** ✆ 01 60 23 06 80, *Fax 01 60 23 12 56,* 🌲 – P. GB
*fermé 2 au 25 sept., 6 au 29 janv., lundi soir, mardi et merc.* – **Repas** 27,50/56 et carte 49 à 65 ♀.
◆ Joli moulin du 17^e s. et son jardin en bord de Marne. L'intérieur a du cachet : boiseries, poutres apparentes, meubles patinés, objets chinés et collection de cafetières.

---

## MEGÈVE

**MEGÈVE** *74120 H.-Savoie* 328 M5 *G. Alpes du Nord – 4 750 h alt. 1113 – Sports d'hiver : 1 113/2 350 m* 🚡 9 ⛷ 70 ⛸ – *Casino* **AY.**
*Voir Mont d'Arbois★★.*
*Altiport de Megève-Mont-d'Arbois ✆ 04 50 21 33 67, SE : 7 km* **BZ.**
ℹ *Office du Tourisme, rue Monseigneur Conseil ✆ 04 50 21 27 28, Fax 04 50 93 03 09, megeve@megeve.com.*
*Paris 598 ① – Chamonix-Mont-Blanc 33 ① – Albertville 32 ② – Annecy 60 ②.*

Plan page suivante

🏨 **Les Fermes de Marie** 🔇, chemin de Riante Colline par ② ✆ 04 50 93 03 10, *contact@fermesdemarie.com, Fax 04 50 93 09 84,* ≤, 🌳, Fø, 🏊, 🌲 – TV ✆ ♿ 🚗 P – 🎪 100. AE ① GB. ✂ rest
*hôtel : 1^er juin-15 oct. et 1^er déc.-15 avril ; rest. : 30 juin-1^er sept. et 20 déc.-31 mars* – **Repas** carte 60 à 85 - ***Rôtisserie*** (dîner seul.) **Repas** 48 ♀ – ***Restaurant à Fromages*** (dîner seul) *(fermé lundi)* **Repas** 40 – ☕ 15 – **61 ch** 275/750, 5 appart, 3 duplex – ½ P 200/450.
◆ Ce hameau d'authentiques fermes savoyardes soigneusement reconstitué est un remarquable succès. Chauds salons, boiseries, meubles régionaux... Luxueux et unique.

🏨 **Lodge Park** M, 100 r. Arly ✆ 04 50 93 05 03, *contact@lodgepark.com, Fax 04 50 93 09 52,* Fø, 🏊 – 🛗 TV 🚗 P – 🎪 60. AE ① GB JCB AY s
*15 déc.-30 mars* – **Repas** (dîner seul.) carte 56 à 71 ♀ – ☕ 15 – **28 ch** 213/325, 11 appart – ½ P 323/400.
◆ Décoration très réussie des chambres sur le thème des lacs canadiens et des chercheurs d'or, rondins, cascades, trophées de chasse... Esprit "trappeur", es-tu là ?

🏨 **Chalet du Mont d'Arbois** 🔇 (annexe Chalet de Noémie M 🔇 ≤ 5 appart.), 447 chemin de la Rocaille (par rte Edmond de Rothschild) ✆ 04 50 21 25 03, *montarbois@relaischateaux.fr, Fax 04 50 21 24 79,* ≤, 🌳, Fø, 🏊, 🌲, 🎾 – 🛗 TV ✆ P. AE ① GB BY p
*14 juin-29 sept. et mi-déc.-31 mars* – **Repas** *(fermé le midi en semaine et lundi sauf vacances scolaires)* 53/62 – ☕ 24 – **23 ch** 322/693, 6 appart – ½ P 267/513.
◆ Vue superbe depuis ces chalets raffinés, isolés sur le plateau du mont d'Arbois. "L'esprit" Rothschild (boiseries sombres, décor cynégétique) règne en salle. Terrasse prisée.

🏨 **Fer à Cheval,** 36 rte Crêt d'Arbois ✆ 04 50 21 30 39, *fer-a-cheval@wanadoo.fr, Fax 04 50 93 07 60,* 🌳, Fø, 🏊 – 🛗, ▤ rest, TV ✆ 🚗 P – 🎪 70. AE GB. ✂ rest
*mi-juin-mi-sept. et mi-déc.-mi-avril* – **Repas** *(fermé lundi et mardi)* (dîner seul) carte 50 à 55 ♀ - ***L'Alpage*** (dîner seul.) *(fermé 31 mars au 1^er juil. et 31 août au 31 déc.)* **Repas** carte 37 à 78 ♀ – ☕ 19 – **40 ch** 208/348, 8 appart – ½ P 159/204. BY a
◆ Le chalet bâti en 1938 par le forgeron du village a été transformé et agrandi dans les années 1960. Bel intérieur montagnard, chaleureux et intime. Dîner aux chandelles.

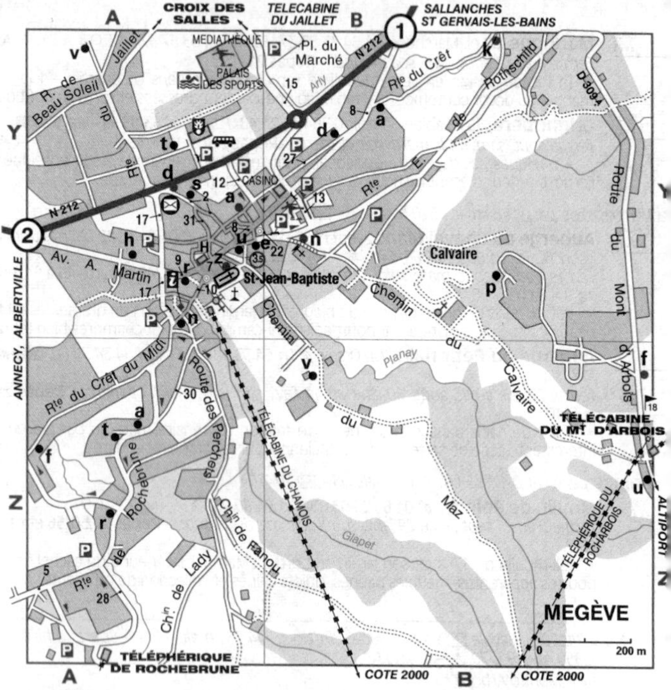
CROIX DES SALLES
TELECABINE DU JAILLET
SALLANCHES ST GERVAIS-LES-BAINS
A
B
Y
Z
MEDIATHÈQUE
PALAIS DES SPORTS
Pl. du Marché
N 212
R. de Beau Soleil
Jaillet
Rte du Crêt
Rothschild
D 3094
CASINO
Calvaire
St-Jean-Baptiste
Av. A. Martin
Chemin
Chemin du Calvaire
Planay
Route du Mont d'Arbois
TÉLÉCABINE DU Mt D'ARBOIS
Rte du Crêt du Midi
Route des Perchets
TÉLÉCABINE DU CHAMOIS
Chin de Fanoux
Chin de Lady
Rochebrune
Maz
Glapet
TÉLÉPHÉRIQUE DU ROCHARBOIS
ALTIPORT
ANNECY, ALBERTVILLE
MEGÈVE
200 m
TÉLÉPHÉRIQUE DE ROCHEBRUNE
COTE 2000
COTE 2000

| | | |
|---|---|---|
| Arly (R. d') ........... **AY** 2 | Muffat-de-St-Amour (R. du Gén.) ........ **AY** 12 | Résistance (Pl. de) .... **AY** 22 |
| Bouchet (Rte du) ...... **AZ** 5 | Oberstdorf (R.) ........ **BY** 13 | St-François (R.) ...... **ABY** 27 |
| Église (Pl. de l') ....... **AY** 7 | Palais des Sports (Rte du) .......... **ABY** 15 | Téléphérique (Rte du) ........... **AZ** 28 |
| Feige (R. Ch.) ....... **ABY** 8 | Poste (R. de la) ....... **AY** 17 | Verte (Allée) ......... **AZ** 30 |
| Martin (R. A.) ......... **AY** 9 | | 5-Rues (Passage des) .. **AY** 31 |
| Monseigneur-Conseil (R.). **AY** 10 | | |

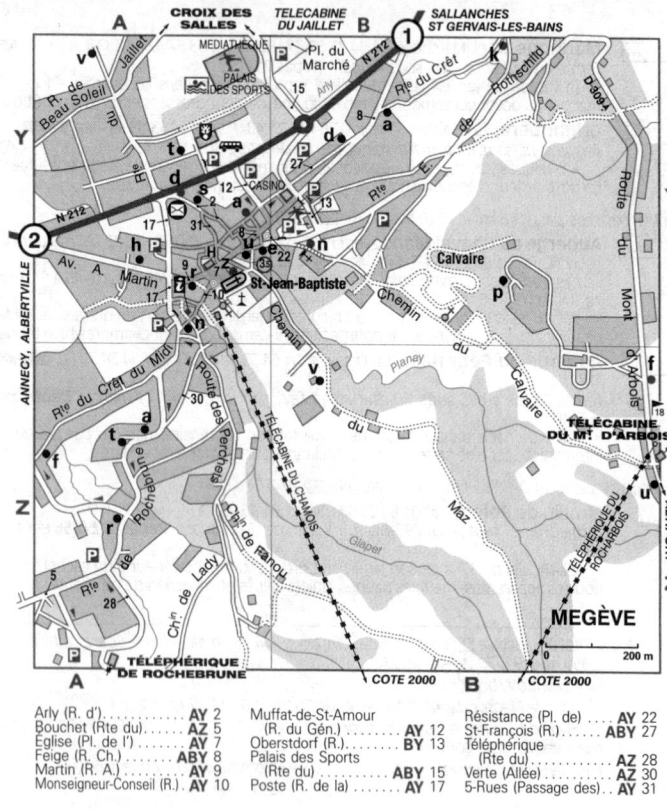

**Mont-Blanc** sans rest, pl. Église ☎ 04 50 21 20 02, *contact@hotelmontblanc.com, Fax 04 50 21 45 28*, – |‡| TV ✆. AE ⓓ GB AY r
*fermé 1er mai au 10 juin* – ☕ 15 – **40 ch** 206/596.
◆ Mythique doyen des hôtels mégévans : "21e arrondissement de Paris" selon Cocteau, théâtre des Liaisons dangereuses version Vadim... Très jolies chambres personnalisées.

**Chalet St-Georges** M, 159 r. Mgr Conseil ☎ 04 50 93 07 15, *chalet-st-georges@wanadoo.fr, Fax 04 50 21 51 18*, – |‡| TV ✆ – 25. AE ⓓ GB. rest AY n
*20 juin-20 sept. et 15 déc.-15 avril* – ***Table du Pêcheur*** (dîner seul) *(20 juin-1er sept. et 20 déc.-31 mars)* **Repas** carte 32 à 38 ♀, enf. 14 – ***Table du Trappeur*** ☎ 04 50 21 15 73 *(20/6-23/9, 25/10-20/4 et fermé lundi, mardi et merc. du 24/10 au 20/12)* **Repas** carte 30 à 36 ♀, enf. 14 – ☕ 15 – **19 ch** 202/280, 5 appart – ½ P 150/200.
◆ Véritable "chalet de poupée" dont les petites chambres et le salon douillettement habillés de bois s'agrémentent de bibelots, livres, meubles savoyards et tissus colorés. Adorable décor marin ou cabane de coureur des bois : les deux "Tables" séduisent.

**Au Coin du Feu,** 252 rte Rochebrune ☎ 04 50 21 04 94, *contact@coindufeu.com, Fax 04 50 21 20 15*, – |‡| TV. AE ⓓ GB AZ t
*12 juil.-2 sept. et 18 déc.-4 avril* – ***Saint Nicolas*** ☎ 04 50 21 41 75 (dîner seul.) *(15 déc.-4 avril)* **Repas** 35/45 ♀, enf. 15 – ☕ 10 – **23 ch** 180/280 – ½ P 117/169.
◆ Le crépitement d'un feu de bois dans une belle cheminée vous y attend. Préférez les chambres avec coin-salon, plus amples. Coquette salle voûtée du Saint-Nicolas au sous-sol.

**Grange d'Arly**, 10 r. Allobroges ☎ 04 50 58 77 88, *contact@grange-darly.com, Fax 04 50 93 07 13*, – |‡| TV ✆ P. AE ⓓ GB JCB. AY t
*fin juin-fin sept. et mi-déc.-mi-avril* – **Repas** *(fin juin-début sept. et mi-déc.-mi-avril)* (dîner seul.) 17/32 – ☕ 8 – **22 ch** 183/258, 3 appart – ½ P 112/161.
◆ Chalet traditionnel entouré de verdure, non loin d'un cours d'eau. Charmant décor mêlant le bois blond et les tissus provençaux. Les chambres mansardées sont les plus agréables.

**Chaumine** sans rest, 36 chemin des Bouleaux par chemin du Maz ✆ 04 50 21 37 05, *Fax 04 50 21 37 21*, ←, – TV. GB. BZ v
*28 juin-31 août et 20 déc.-15 avril* – 7 – **11 ch** 96.
◆ À 300 m du village et de la télécabine du Chamois, une ferme du 19e s. joliment restaurée dans le style montagnard (lambris, mobilier en pin ou campagnard). Accueil familial.

**Coeur de Megève,** 44 av. Ch. Feige ✆ 04 50 21 25 30, *info@hotel-megeve.com, Fax 04 50 91 91 27*, – TV. AE GB AY u
**Repas** (15) - 19 (déj.), 26/28 ♀, enf. 10 – 11,50 – **38 ch** 140/161 – ½ P 100/118,50.
◆ Chambres rénovées dans l'esprit savoyard ; certaines ont vue sur les sommets, d'autres sur un torrent. Brasserie-salon de thé et restaurant de spécialités fromagères.

**Au Vieux Moulin**, 188 r. A. Martin ✆ 04 50 21 22 29, *vieuxmoulin@compuserve.com, Fax 04 50 93 07 91*, – TV P – 20. AE GB. AY h
*1er juin-30 sept. et 15 déc.-15 avril* – **Repas** (dîner seul.) 30 ♀ – 13 – **40 ch** 230/380 – ½ P 130/155.
◆ Deux altiers chalets où l'on préfèrera les chambres tournées vers les cimes. Billard, sauna et espace beauté. Au restaurant, grillades préparées sous vos yeux dans la cheminée.

**Prairie** sans rest, r. Ch. Feige ✆ 04 50 21 48 55, *contact@hotellaprairie.com, Fax 04 50 21 42 13*, – TV P – 25. GB JCB BY d
*13 juin-30 sept. et 12 déc.-30 avril* – 7,80 – **32 ch** 64/266.
◆ À l'entrée de la station, bâtiment de type chalet datant des années 1980. Chambres fonctionnelles souvent dotées de balcons. Belles boiseries dans le salon avec cheminée.

**Ferme Hôtel Duvillard,** 3048 rte Edmond de Rothschild ✆ 04 50 21 14 62, *contact@ferme-hotel.com, Fax 04 50 21 42 82*, ←, – TV P AE GB BZ u
*1er juil.-20 sept. et 1er déc.-1er mai* – **Repas** *(1er juil.-10 sept. et 10 déc.-1er mai)* 22 (déj.)/28,50 ♀ – 10 – **19 ch** 123/216 – ½ P 112/136.
◆ Ancienne ferme convertie en hôtel au pied de la télécabine du mont d'Arbois. Pratiques chambres lambrissées, plus calmes côté vallée. Restaurant type taverne autrichienne.

**Alpina** sans rest, r. St-Jean ✆ 04 50 21 54 77, *ygaiddon@club-internet.fr, Fax 04 50 21 53 79* – TV. AE GB AY e
*fermé juin* – 5 – **14 ch** 85/115.
◆ Au centre de Megève, chambres simples parfois rehaussées de meubles régionaux ; certaines disposent de mezzanines, idéales pour les familles. Solarium en été.

**Gai Soleil,** rte Crêt du Midi ✆ 04 50 21 00 70, *info@le-gai-soleil.fr, Fax 04 50 21 57 63*, ←, – TV P. AE GB AZ f
*15 juin-8 sept. et 14 déc.-15 avril* – **Repas** 15 (déj.)/21 ♀ – 7 – **21 ch** 82,50/90 – ½ P 73.
◆ Ce chalet des années 1920 est fréquenté par une clientèle de fidèles conquise par son cachet et les bienfaits de son minifitness. Chambres plus tranquilles sur l'arrière.

**L'Auguille** sans rest, 71,chemin de l'Auguille ✆ 04 50 21 40 00, *Fax 04 50 21 53 20*, – TV P. GB. AY v
*1er juin-30 sept. et 15 déc.-30 avril* – 6,10 – **11 ch** 58/65.
◆ Un peu à l'écart du Megève animé et noctambule, un hôtel discret et calme, aux chambres fonctionnelles demi-lambrissées. Salon convivial doté d'une cheminée.

**Week-End** sans rest, rte Rochebrune ✆ 04 50 21 26 49, *Fax 04 50 21 26 51*, ← – TV. GB. AZ a
*fermé mai, juin et 15 oct. au 30 nov.* – 7,50 – **16 ch** 90/130.
◆ Partez pour un "Week-End" megévan dans ce petit chalet-hôtel dont les chambres les plus agréables regardent le village ou le mont Blanc ; certaines accueillent les familles.

**Alp'Hôtel,** 434 rte Rochebrune ✆ 04 50 21 07 58, *alp.hotel@wanadoo.fr, Fax 04 50 21 13 82* – TV P. GB. ch AZ r
*1er juil.-15 sept. et 20 déc.-15 avril* – **Repas** 18/19,50 – 6,50 – **20 ch** 81 – ½ P 58,50/64,50.
◆ Avenant chalet à l'ambiance pension de famille, face au téléphérique de Rochebrune qui vous hisse en 4 mn jusqu'à Super-Megève. Chambres confortables, peu à peu rénovées.

**Ferme de mon Père** (Veyrat) avec ch, 367 rte Crêt ✆ 04 50 21 01 01, *contact@marcveyrat.fr, Fax 04 50 21 43 43* – TV P. AE GB BY k
*mi-déc.-fin-avril et fermé lundi et le midi sauf week-ends* – **Repas** 230/310 et carte 210 à 285 – 60 – **6 ch** 500/800, 3 appart.
◆ Restaurant-musée reconstituant une ferme d'alpage et hymne culinaire aux herbes alpestres : superbe hommage rendu à la Savoie par un chef conservateur... du patrimoine ! **Spéc.** Foie gras à la racine de primevère sauvage. Omble chevalier parfumé à la résine de sapin. Agneau cuit dans l'argile, infusion de serpolet. **Vins** Chignin-Bergeron, Mondeuse.

XX **Flocons de Sel** (Renaut), 75 r. St-François ✆ 04 50 21 49 99, *Fax 04 50 21 68 22* – GB AY a
*fermé juin, nov., mardi soir et merc. soir hors vacances scolaires et le midi du lundi au jeud.* – **Repas** 45/69 et carte 63 à 80, enf. 15.
◆ Joli nom pour un joli cadre : dans une ferme du 19e s. au coeur de la station, deux salles rustiques plaisamment décorées d'une myriade d'objets. Cuisine créative.
**Spéc.** Saint-Jacques en croûte aux truffes. Soufflé au Beaufort et noisette (sept. à janv.) Langoustine à l'émulsion de maïs et jus de coriandre (15 mai au 15 sept.). **Vins** Roussette de Savoie, Mondeuse d'Arbin.

XX **Taverne du Mont d'Arbois,** 2811 rte Edmond de Rothschild ✆ 04 50 21 03 53, *monta rbois@relaischateaux.fr, Fax 04 50 58 93 02,* – AE GB BZ f
*fermé 4 mai au 13 juin et 2 nov. au 12 déc.* – **Repas** *(fermé le midi en été, lundi midi, mard midi, merc. midi et jeudi midi en hiver sauf vacances scolaires)* 25 (déj.)/40.
◆ Sympathique atmosphère montagnarde dans ce chalet en vogue : cadre "paysan" et recettes savoyardes dans l'assiette. Le week-end, le bar se transforme en club de jazz.

XX **Jacques Mégean,** 489 rte Nationale par ① ✆ 04 50 21 26 82, *Fax 04 50 21 26 82,* – P. GB
*fermé 28 avril au 21 mai, 17 nov. au 4 déc., dim. soir hors saison, mardi midi et lundi* – **Repas** (prévenir) 25 (déj.), 48/136.
◆ Un décor typique très agréable, une ambiance chaleureuse et les fameuses spécialités de truffes en hiver : les Megévans ont vite été conquis par ce minuscule restaurant.

XX **Michel Gaudin,** carrefour d'Arly (N 212) ✆ 04 50 21 02 18, *Fax 04 50 21 02 18* – GB AY d
*fermé lundi et mardi hors saison* – **Repas** 19/61 ♀.
◆ Au bord de la nationale, engageante façade dissimulant une salle à manger au mobilier de style rustique. Carte développée proposant des plats classiques ou régionaux.

X **Prieuré,** pl. Église ✆ 04 50 21 01 79, – AE ⓓ GB AY z
*fermé 2 au 30 juin, 6 nov. au 19 déc., dim. soir et lundi hors saison* – **Repas** 20/33.
◆ L'atout de cette adresse située en plein centre de la station : la belle terrasse dressée sur la place de l'église. Salle à manger au charme désuet. Clients fidèles.

X **Vieux Megève,** 58 pl. Résistance ✆ 04 50 21 16 44, *vieux-megeve@py-internet.com Fax 04 50 93 06 69* – GB BY r
*10 juil.-10 sept. et 15 déc.-10 avril* – **Repas** carte 30 à 50 ♀.
◆ Ce chalet (1880) cultive la nostalgie du Megève des origines : qualité de l'accueil, boiseries patinées, grande cheminée, linge à l'ancienne et spécialités régionales.

**au sommet du Mont d'Arbois** *par télécabine du Mt d'Arbois ou télécabine de la Princesse* – ✉ *74170 St-Gervais :*

**Igloo** ✆ 04 50 93 05 84, *igloo2@wanadoo.fr, Fax 04 50 21 02 74,* ✻ chaîne du Mont Blanc, – TV – 25. AE GB JCB
*20 juin-10 sept. et 18 déc.-20 avril* – **Repas** 31/45 ♀ – 12 – **12 ch** (1/2 pens. seul.) – 1/2 P 110/185.
◆ Dans le silence du pays de l'or blanc, à peine rompu par quelques iodlers et départs de "snowcats", hôtel-brasserie idéalement situé et offrant une vue exceptionnelle.

X **Idéal,** ✆ 04 50 21 31 26, *Fax 04 50 93 02 63,* ✻ de la chaîne des Aravis au Mont-Blanc, – AE GB
*21 déc.-15 avril* – **Repas** (déj. seul.) carte 30 à 38 ♀.
◆ Une ancienne ferme d'alpage devenue le restaurant d'altitude le plus chic de la station Panorama remarquable, vaste terrasse et plats "montagnards" sont au rendez-vous.

**à la Côte 2000** *Sud-Est : 8 km par rte Edmond de Rothschild* - **BZ** – *alt. 1450* – ✉ *74120 Megève :*

X **Côte 2000,** ✆ 04 50 21 31 84, *Fax 04 50 93 02 63,* <, – AE GB
*5 juil.-31 août et 13 déc.-1er mai* – **Repas** (25) - carte 35 à 40 ♀.
◆ Au pied des pistes, authentique chalet savoyard abritant deux chaleureuses salles à manger habillées de bois et une terrasse orientée plein Sud.

**à Leutaz** *Sud-Ouest : 4 km par rte du Bouchet* **AZ** – ✉ *74120 Megève :*

XX **La Sauvageonne-Chez Nano,** ✆ 04 50 91 90 81, *Fax 04 50 58 75 44,* <, – GB
*28 juin-16 sept. et 15 déc.-20 avril* – **Repas** 28 ♀.
◆ Franc succès pour cette ferme de 1907 dont l'intérieur coquet est agrémenté de tableaux de bois sculptés représentant des paysages alpins. Clientèle tendance "showbiz".

X **Refuge,** ✆ 04 50 21 23 04, *Fax 04 50 91 99 76,* <, – P. GB
*fermé hors saison sauf week-end* – **Repas** *(fermé 10 juin au 10 juil. et 22 sept. au 23 déc.* 22 (déj. seul.)et carte 33 à 43.
◆ "Refuge" récemment ouvert sur les hauteurs de la station lancée par la baronne Noémie de Rothschild. Influences montagnardes tant pour le décor que dans l'assiette.

**MEHUN-SUR-YÈVRE** *18500 Cher* 323 *J4 G. Berry Limousin – 7 227 h alt. 130.*

Voir Spectacle★ du Pôle de la porcelaine.

*Office du Tourisme, place du 14 Juillet ✆ 02 48 57 35 51, Fax 02 48 57 13 40.*

*Paris 223 – Bourges 18 – Cosne-sur-Loire 71 – Gien 77 – Issoudun 32 – Vierzon 16.*

XXX **Les Abiès,** rte Vierzon ✆ 02 48 57 39 31, *Fax 02 48 57 00 70,* – P. AE GB
*fermé 29 juil. au 6 août, 20 au 29 oct., 23 fév. au 17 mars, le soir (sauf vend. et sam.) et lundi* – **Repas** 16,50/35 et carte 29 à 35.
◆ Demeure bourgeoise dans un jardin arboré. Salle à manger spacieuse, au cadre contemporain teinté de touches marines (fresque, vivier à homards). Cuisine traditionnelle.

**MEILLARD** *03500 Allier* 326 *G4 – 280 h alt. 340.*

*Paris 321 – Moulins 27 – Clermont-Fd 86 – Mâcon 149 – Montluçon 65 – Nevers 82.*

X **Auberge Gourmande,** ✆ 04 70 42 06 09, – GB
*fermé 7 au 20 juil., vacances de Noël et dim. soir en hiver* – **Repas** 20/37 ♀, enf. 8.
◆ Cette vieille maison de pays abrite un sobre intérieur champêtre. La terrasse offre la vue sur l'insolite église du village. Petite carte au goût du jour. Aire de jeux.

**MEILLONNAS** *01370 Ain* 328 *F3 – 1 051 h alt. 271.*

*Paris 432 – Mâcon 47 – Clermont-Ferrand 226 – Dijon 159 – Genève 00 – Lyon 90.*

X **Auberge Au Vieux Meillonnas,** ✆ 04 74 51 34 46, *Fax 04 74 51 34 46,* – P. GB
*fermé vacances de Toussaint, dim. soir sauf été, mardi soir et merc.* – **Repas** 15/33, enf. 8.
◆ Adresse toute simple sur la traversée d'un pittoresque village bressan. Atmosphère rustique dans la salle ouverte sur la terrasse ombragée et le jardin. Plats traditionnels.

*Le Guide change, changez de guide tous les ans.*

**MEISENTHAL** *57960 Moselle* 307 *P5 – 793 h alt. 380.*

*Paris 447 – Strasbourg 63 – Haguenau 44 – Sarreguemines 38 – Saverne 40.*

**Auberge des Mésanges** , ✆ 03 87 96 92 28, *hotel-restaurant.auberge-mesanges@wanadoo.fr, Fax 03 87 96 99 14,* – TV P – 20. GB
*fermé 22 au 26 déc. et 7 au 23 fév.* – **Repas** *(fermé dim. soir et lundi)* 9 (déj.), 13,50/20,50 ♀ – 6 – **20 ch** 38,50/51 – ½ P 42.
◆ Auberge familiale logée dans une maison centenaire située à l'orée d'une forêt, au sein du Parc naturel des Vosges du Nord. Chambres bien tenues et grande salle des repas.

**MÉJANNES-LÈS-ALÈS** *30 Gard* 339 *J4 – rattaché à Alès.*

**MÉLISEY** *70270 H.-Saône* 314 *H6 G. Jura – 1 805 h alt. 330.*

*Office du Tourisme, place de la Gare ✆ 03 84 63 22 80, Fax 03 84 63 26 94, office.tourisme.melisey@wanadoo.fr.*

*Paris 399 – Épinal 63 – Belfort 34 – Besançon 92 – Lure 13 – Luxeuil-les-Bains 22.*

X **Bergeraine,** ✆ 03 84 20 82 52, *Fax 03 84 20 04 47,* – P. AE GB JCB
*fermé dim. soir sauf juil.-août, mardi soir et merc. sauf fériés* – **Repas** 15/60.
◆ En bord de route, à la sortie d'un bourg du plateau des Mille Étangs, engageante petite maison aux abords fleuris. Terrasse ombragée par des tilleuls. Plats au goût du jour.

**MELLE** *79500 Deux-Sèvres* 322 *F7 – 4 003 h alt. 138.*

*Office du Tourisme, 3 rue Emilien Traver ✆ 05 49 29 15 10, Fax 05 49 29 19 83, tourisme.pays.mellois@wanadoo.fr.*

*Paris 396 – Poitiers 61 – Niort 29 – St-Jean-d'Angély 45.*

**L'Argentière,** à St-Martin, sur rte Niort : 2 km ✆ 05 49 29 13 74, *hotel-restaurant.largentiere@wanadoo.fr, Fax 05 49 29 06 63,* – cuisinette TV P. GB
*fermé dim. soir et lundi midi* – **Repas** 13/36 ♀, enf. 10 – 6 – **18 ch** 36/41 – ½ P 37,30.
◆ L'enseigne évoque les anciennes mines d'argent melloises. Les pavillons de plain-pied, égayés de colonnes antiquisantes, abritent de petites chambres rénovées et colorées.

XX **Les Glycines** avec ch, 5 pl. R. Groussard ✆ 05 49 27 01 11, *eric.caillon@wanadoo.fr, Fax 05 49 27 93 45* – TV. AE GB
*fermé 12 au 25 janv., dim. soir hors saison et lundi de nov. à mars* – **Repas** 13/34 ♀ – 5,80 – **7 ch** 35/47,50 – ½ P 36,50/39,50.
◆ Restaurant situé au centre de ce bourg autrefois réputé pour l'élevage des "baudets du Poitou". La salle à manger, aveugle, se pare d'un décor printanier.

**MELLES** *31440 H.-Gar.* 343 C7 – *109 h alt. 726.*
*Paris 821 – Bagnères-de-Luchon 31 – St-Gaudens 43 – Tarbes 94 – Toulouse 136.*

X **Auberge du Crabère** avec ch, ☎ 05 61 79 21 99, *patrick.beauchet@wanadoo.fr, Fax 05 61 79 74 71,* – GB
*fermé 20 nov. au 10 déc., mardi soir et merc.* – **Repas** (prévenir) 12 bc/26 – 5,50 – **6 ch** 16/36 – 1/2 P 29,50.
◆ Dans le hameau de montagne où ont été lâchés les fameux ours slovènes, jolie maison ancienne abritant une salle à manger rustique. Cuisine régionale. Chambres modestes.

**MELUN** P *77000 S.-et-M.* 312 E4 *G. Île de France – 35 319 h Agglo. 107 705 h alt. 43.*
Voir *Portail★ de l'église St-Aspais.*
Env. *Vaux-le-Vicomte : château★★ et jardins★★★ 6 km par ②.*
*Syndicat d'Initiative,* ☎ *01 64 10 03 25, Fax 01 64 10 03 25.*
*Paris 48 ⑧ – Fontainebleau 18 ⑤ – Orléans 104 ⑥ – Troyes 126 ③.*
Plans page ci-contre

**Bleu Marine,** par ⑤ : *2,5 km rte Fontainebleau* ☎ 01 64 39 04 40, *bleumarine.melun@wanadoo.fr, Fax 01 64 39 94 10,* – – 150. AE GB
**Repas** 24 – 10 – **49 ch** 71/93.
◆ À l'orée de la forêt de Fontainebleau, architecture en béton des années 1970 disposant de chambres fonctionnelles. La salle à manger offre une vue sur le parc.

**Kyriad** M, Z.A. St-Nicolas : par ②, *rte Meaux* ✉ 77950 Rubelles ☎ 01 64 52 41 41, *kyriadmelun@wanadoo.fr, Fax 01 64 52 26 00,* – – 60. AE GB X n
**Repas** *(fermé sam. et dim.)* (10,50) - 13,50/20, enf. 7 – 6 – **54 ch** 55/59.
◆ À la périphérie melunaise, bâtisse contemporaine aux chambres spacieuses, pratiques et bien équipées. Salle de restaurant ornée d'une fresque bucolique. Billard et piano.

XX **Le Mariette,** 31 r. St-Ambroise ☎ 01 64 37 06 06, *Fax 01 64 37 00 47* – . GB AZ a
*fermé 1er au 29 août, 23 déc. au 1er janv., lundi soir, merc. soir, dim. et fériés* – **Repas** 24/32.
◆ Façade, murs, moquette et vivier à homards : le bleu domine dans l'élégant décor de ce restaurant où la cuisine traditionnelle fait la part belle aux produits de la mer.

XX **Melunoise,** 5 r. Gâtinais ☎ 01 64 39 68 27, *Fax 01 64 39 81 81* – GB X b
*fermé dim. soir, lundi soir, mardi soir, merc. soir et sam. midi* – **Repas** 23 (déj.), 29/38, enf. 12.
◆ Discrète maison en retrait de la circulation. Deux salles à manger sobrement rustiques, séparées par un petit hall égayé de murs à colombages.

**à Crisenoy** *par ② : 10 km – 580 h. alt. 89 – ✉ 77390 :*

XXX **Auberge de Crisenoy,** r. Grande ☎ 01 64 38 83 06, *Fax 01 64 38 89 06,* – AE GB
*fermé 4 au 25 août, vacances de fév., dim. soir, merc. soir et lundi* – **Repas** 21 (déj.), 28/44 et carte 38 à 55.
◆ Plaisant cadre d'auberge au coeur d'un petit village : pierre brute, poutres, cheminée et mobilier campagnard. On y sert une cuisine traditionnelle.

**à Vaux-le-Pénil** *Sud-Est : 3 km – 8 143 h. alt. 60 – ✉ 77000 :*

XXX **Table St-Just,** r. Libération (près Château) ☎ 01 64 52 09 09, *Fax 01 64 52 09 09* – P. AE GB X s
*fermé 1er au 8 mai, août, 22 déc. au 4 janv., sam. midi, lundi soir, dim. et fériés* – **Repas** 34/54 et carte 35 à 57.
◆ Ancienne ferme dépendant du château de Vaux-le-Pénil. C'est aujourd'hui un restaurant aménagé avec goût sous une haute charpente en chêne. Cuisine au goût du jour.

**au Plessis-Picard** *par ⑧ : 8 km – ✉ 77550 :*

XXX **Mare au Diable,** ☎ 01 64 10 20 90, *mareaudiable@wanadoo.fr, Fax 01 64 10 20 91,* – P. AE GB
*fermé 4 au 14 août, mardi soir, dim. soir et lundi* – **Repas** 25/45 et carte 43 à 80, enf. 10.
◆ Cette demeure du 15e s. tapissée d'ampélopsis fut fréquentée par George Sand. L'intérieur, agrémenté de solives patinées et d'une cheminée, ne manque pas de caractère.

**à Pouilly-le-Fort** *par ⑨ : 6 km – ✉ 77240 :*

XXX **Pouilly,** r. Fontaine ☎ 01 64 09 56 64, *Fax 01 64 09 56 64,* – P. AE GB
*fermé 10 août au 3 sept., 22 au 28 déc., dim. soir et lundi* – **Repas** 30/58 et carte 58 à 83.
◆ En cette vieille ferme briarde, pierres apparentes, tapisseries et cheminée composent un décor plein de charme, surplombé d'une mezzanine et de sa balustrade en chêne.

# MELUN

Alsace-Lorr. (Q.) . . . . . . **BZ** 2
Carnot (R.) . . . . . . . . . . **AY** 3
Chartrettes (Rte de) . . . **X** 6
Chasse (R. de la) . . . . . . **X** 7
Corbeil (Av. de) . . . . . . . **X** 8
Courtille (R. de la) . . . . **BZ** 9
Doumer (R. Paul) . . . . **BY** 13
Europe (Rd-Pt de l') . . . **X** 14
Galliéni (Pl.) . . . . . . . . . . **X** 17
Gaulle
(R. du Gén. de) . . **BY, X** 18
Godin (Av. E.) . . . . . . . . **AZ** 19
Jaurès (Av. J.) . . . . . . . . **X** 20
Leclerc (Av. Gén.) . . . . . . **X** 22
Libération (Av. de la) . . . **X** 23
Miroir (R. du) . . . . . . . . **AY** 25
Montagne-du-Mée
(R. de la) . . . . . . . . . **AY** 26
N.-Dame (Pl.) . . . . . . . . **BZ** 32
Pompidou (Av. G.) . . . . . **X** 33
Pouteau (R. René) . . . **BY** 34
Prés.-Despatys (R.) . . . **AY** 35
Rossignol (Q. H.) . . . . . . **X** 39
St-Ambroise (R.) . . . . . . **AZ**
St-Aspais (R.) . . . . . . . . **BY** 41
St-Étienne (R.) . . . . . . . . **AZ** 43
Thiers (Av.) . . . . . . . **AZ, X** 46
Vaux (R. de) . . . . . . . . . . . **X** 49
Voisenon (Rte de) . . . . . **X** 53
13e-Dragons (Av.) . . . . . . **X** 60
31e-d'Inf. (Av. du) . . . . . **X** 65

LE MÉE-SUR-SEINE

Courtilleraies (Av. des) . **X** 10
Dauvergne (Av. M.) . . . . **X** 12

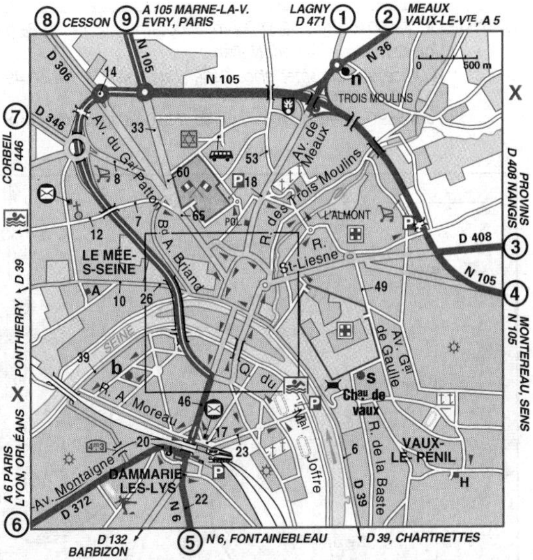

8 CESSON
9 A 105 MARNE-LA-V. EVRY, PARIS
LAGNY D 471 1
2 MEAUX VAUX-LE-VTE, A 5
0 500 m
X
N 36
N 105
D 306
D 346
TROIS MOULINS
7 CORBEIL D 446
Av. du Gal Patton
Av. de Meaux
R. des Trois Moulins
L'ALMONT
PROVINS D 408 NANGIS
D 408 3
N 105 4
Bd A. Briand
R. St-Liesne
LE MÉE-S-SEINE
PONTHIERRY D 39
SEINE
R. A. Moreau
Av. Gal de Gaulle
Q. du Mal Joffre
Chau de vaux
MONTEREAU, SENS N 105
VAUX-LE-PÉNIL
R. de la Baste
DAMMARIE-LES-LYS
Av. Montaigne
A 6 PARIS LYON, ORLÉANS 6
D 372
N 6
D 39
D 132 BARBIZON
5 N 6, FONTAINEBLEAU
D 39, CHARTRETTES


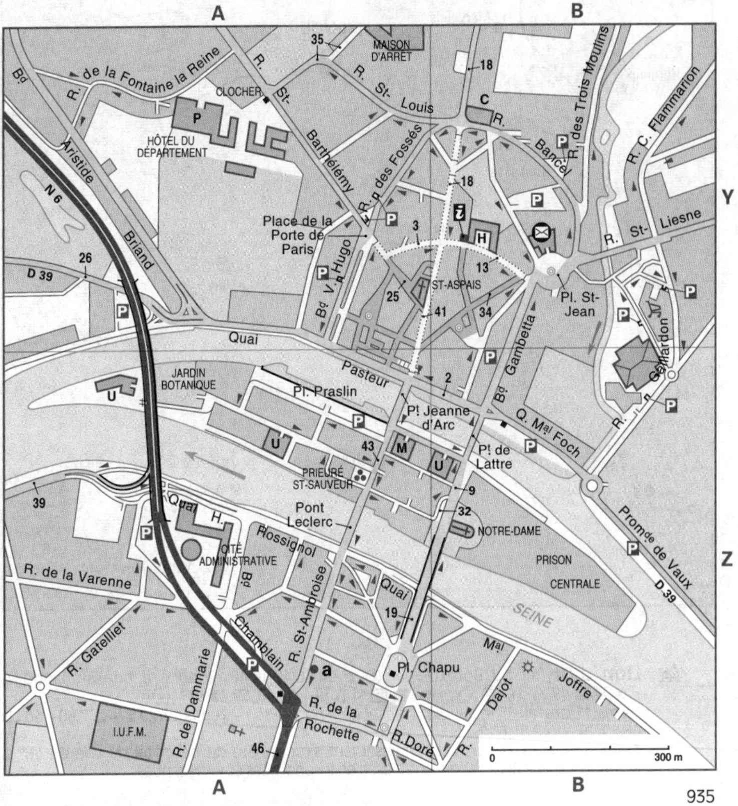

A
B
MAISON D'ARRET
R. de la Fontaine la Reine
CLOCHER
R. St-Barthélémy
R. St-Louis
HÔTEL DU DÉPARTEMENT
R. Bancel
R. des Trois Moulins
R. C. Flammarion
Bd Aristide Briand
N 6
R. des Fossés
Place de la Porte de Paris
Bd V. Hugo
ST-ASPAIS
Pl. St-Jean
R. St-Liesne
R. Gaillardon
D 39
Quai Pasteur
JARDIN BOTANIQUE
Pl. Praslin
Pt Jeanne d'Arc
Bd Gambetta
Q. Mal Foch
Pt de Lattre
PRIEURÉ ST-SAUVEUR
Pont Leclerc
NOTRE-DAME
PRISON CENTRALE
Promde de Vaux
Quai H. Rossignol
CITÉ ADMINISTRATIVE
R. de la Varenne
R. St-Ambroise
Quai Mal Joffre
SEINE
R. Gatelliet
Chamblain
Pl. Chapu
R. de Dammarie
R. de la Rochette
R. Doré
Dajot
I.U.F.M.
0 300 m
Y
Z

**MENDE** P *48000 Lozère* 330 J7 *G. Languedoc Roussillon* – *11 286 h alt. 731.*
**Voir** *Cathédrale★ – Pont N.-Dame★.*
*Office du Tourisme, place Général de Gaulle* ✆ *04 66 49 40 24, Fax 04 66 49 21 10, mende.officedetourism@free.fr.*
*Paris 589 ① – Alès 105 ③ – Aurillac 153 ① – Gap 309 ② – Issoire 140 ① – Millau 95 ③.*

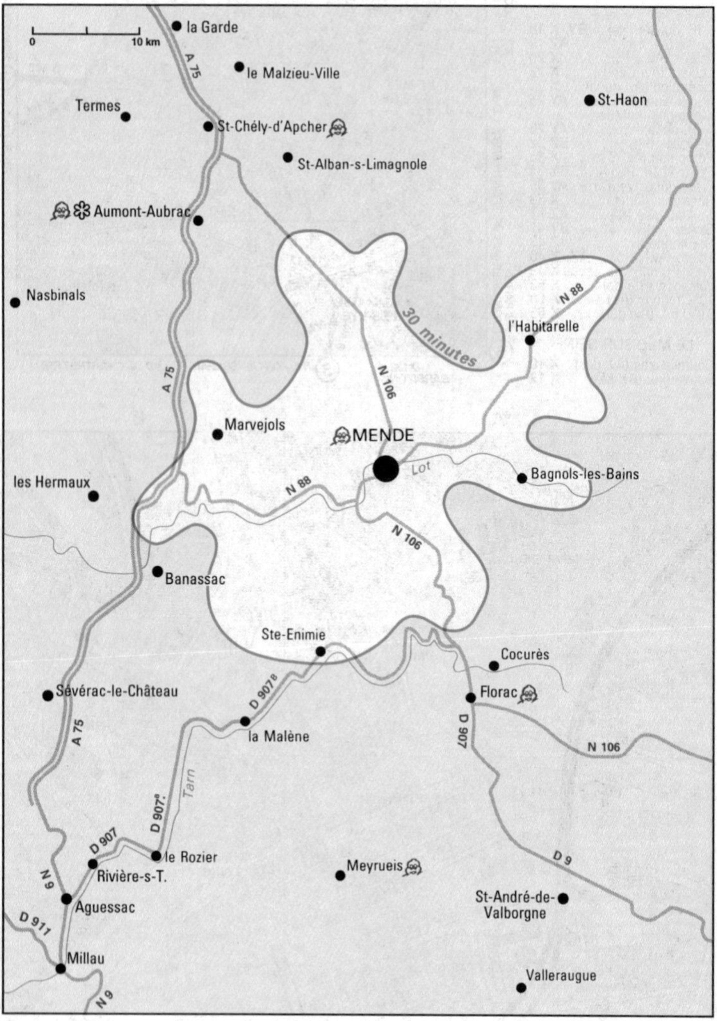

0
10 km
la Garde
A 75
le Malzieu-Ville
St-Haon
Termes
St-Chély-d'Apcher
St-Alban-s-Limagnole
Aumont-Aubrac
N 88
Nasbinals
30 minutes
l'Habitarelle
A 75
N 106
Marvejols
MENDE
Lot
Bagnols-les-Bains
les Hermaux
N 88
N 106
Banassac
Ste-Enimie
Cocurès
Sévérac-le-Château
Florac
D 907B
A 75
la Malène
D 907
N 106
Tarn
D 907B
D 907
le Rozier
D 9
N 9
Rivière-s-T.
Meyrueis
Aguessac
St-André-de-Valborgne
D 911
Millau
Valleraugue
N 9


**Lion d'Or,** 12 bd Britexte par ② ✆ 04 66 49 16 46, *liondor.mende@wanadoo.fr, Fax 04 66 49 23 31,* – 40. AE GB JCB
*fermé 1er janv. au 1er mars, sam. midi et dim. hors saison* – **Repas** 19/29 – 7,60 – **40 ch** 46,50/76 – ½ P 53,60/64,60.
◆ Retenez pour l'étape cet établissement situé à côté du bel hôtel de ville du 18e s. Chambres spacieuses et confortables, bien insonorisées et entretenues.

# MENDE

Aigues-Passes (R. d') ...... 2
Ange (R. de l') ............ 3
Angiran (R. d') ............ 4
Arjal (R. de l') ........... 5
Beurre (Pl. au) ............ 6
Blé (Pl. au) ............... 7
Britexte (Bd) .............. 8
Capucins (Bd des) .......... 9
Carmes (R. des) ............ 10
Chanteronne (R. de) ........ 12
Chaptal (R.) ............... 13
Chastel (R. du) ............ 14
Collège (R. du) ............ 18
Droite (R.) ................ 19
Écoles (R. des) ............ 20
Épine (R. de l') ........... 21
Estoup (Pl. René) .......... 22
Gaulle (Pl. Ch.-de) ........ 23
Montbel (R. du Fg) ......... 24
Piencourt (Allée) .......... 25
Planche (Pont de la) ....... 26
Pont N.-Dame (R. du) ....... 27
République (Pl. et R.) ..... 30
Roussel (Pl. Th.) .......... 32
Soubeyran (Bd du) .......... 33
Soubeyran (R. du) .......... 34
Soupirs (Allée des) ........ 36
Urbain V (Place) ........... 37

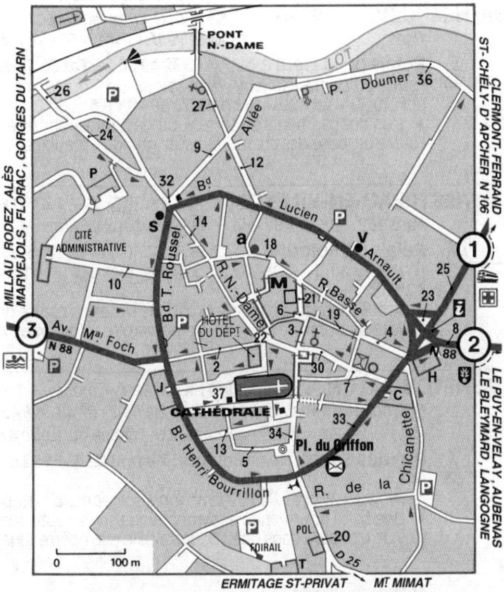

PONT N.-DAME
LOT
P. Doumer
Allée
Bd
Lucien
Arnault
R. Basse
CITÉ ADMINISTRATIVE
Bd T. Roussel
R. N.-Dame
HÔTEL DU DÉPT
Av. Mal Foch
N 88
CATHÉDRALE
Pl. du Griffon
Bd Henri Bourrillon
R. de la Chicanette
FOIRAIL
POL.
D 25
0 100 m
MILLAU, RODEZ, ALÈS MARVEJOLS, FLORAC, GORGES DU TARN
CLERMONT-FERRAND ST-CHÉLY-D'APCHER N 106
LE PUY-EN-VELAY, AUBENAS LE BLEYMARD, LANGOGNE
ERMITAGE ST-PRIVAT
MT MIMAT


**Urbain V** sans rest, 9 bd Th. Roussel **(s)** ✆ 04 66 49 14 49, *urbain-5@urbain-5.com, Fax 04 66 49 20 42* – 30. GB
*fermé dim. hors saison* – 8 – **60 ch** 38/50.
◆ Sur l'enceinte des boulevards, imposant immeuble des années 1970 proposant des chambres toutes identiques et équipées de manière satisfaisante. Cafétéria attenante.

**Pont Roupt,** av. 11-Novembre par ③ ✆ 04 66 65 01 43, *hotel-pont-roupt@wanadoo.fr, Fax 04 66 65 22 96,* – AE GB JCB
*fermé fév., sam. et dim. hors saison* – **Repas** 21/46 bc – 8 – **26 ch** 46/76 – ½ P 59/71.
◆ Cette bâtisse ancienne recèle dans son sous-sol un puits mis en valeur par un joli éclairage. Agréable salon aménagé autour d'une cheminée contemporaine.

**France,** 9 bd L. Arnault **(v)** ✆ 04 66 65 00 04, *Fax 04 66 49 30 47,* – . GB. rest
*fermé 31 déc. au 31 janv.* – **Repas** *(fermé sam. midi, dim. soir et lundi)* 20/23 – 5,80 – **27 ch** 40/63 – ½ P 43.
◆ Cet ex-relais de poste a conservé sa vocation d'hospitalité. Une adresse familiale aux chambres sobres où cohabitent trois générations de mobilier.

**Mazel,** 25 r. Collège **(a)** ✆ 04 66 65 05 33, *Fax 04 66 65 05 33* – GB
*13 mars-12 nov. et fermé lundi soir et mardi* – **Repas** 13/25.
◆ Une fresque en mousse d'argile de Loul Combes, artiste contemporain reconnu, orne le mur de la salle de restaurant : oeuvre de terre célébrant la cuisine du terroir.

**à Chabrits** *Nord-Ouest par ③ et D 42 : 5 km – ✉ 48000 Mende :*

**Safranière,** ✆ 04 66 49 31 54 – GB
*fermé 3 au 31 mars, 8 au 14 sept., dim. soir et lundi* – **Repas** (prévenir) 18/44, enf. 12.
◆ Sur les premières hauteurs du Gévaudan, cette vieille ferme au décor intérieur et au mobilier résolument contemporains sert une cuisine inventive.

---

## MÉNERBES *84560 Vaucluse* 332 E11 *G. Provence – 1 118 h alt. 224.*

**Voir** ≤★ *de la terrasse de l'église.*

*Paris 718 – Avignon 40 – Aix-en-Provence 59 – Apt 24 – Carpentras 35 – Cavaillon 17.*

**Bastide de Marie** , rte Bonnieux par D 103 : 3 km ✆ 04 90 72 30 20, *bastidemarie@c-h-m.com, Fax 04 90 72 54 20,* ≤, – AE GB
*mi-mars-mi-nov.* – **Repas** (menu unique)(dîner seul.) 65 – **14 ch** (½ pens. seul.) – ½ P 420/670.
◆ Superbe bastide d'où le regard s'évade vers les vignes alentour. Mélange subtil de meubles anciens, de bois peints et de nobles tissus dans de jolies et spacieuses chambres.

**MÉNESQUEVILLE** *27850 Eure* 304 I5 *G. Normandie Vallée de la Seine – 358 h alt. 65.*

*Paris 100 – Rouen 29 – Les Andelys 15 – Évreux 53 – Gournay-en-Bray 33 – Lyons-la-Forêt 8.*

**Relais de la Lieure**, ☎ 02 32 49 06 21, *Fax 02 32 49 53 87*, – TV ♿ P. GB
*fermé 20 déc. au 10 janv., dim. soir et lundi du 10 oct. au 30 avril* – **Repas** 14,50/43,50 ♀, enf. 10,50 – 7,20 – **16 ch** 49,50/59 – ½ P 51,50/58.
◆ L'un des bâtiments de cette auberge familiale abrite le restaurant, de style campagnard ; l'autre propose des chambres assez grandes, meublées simplement et bien tenues.

**MENESTREAU-EN-VILETTE** *45240 Loiret* 318 J5 *– 1 296 h alt. 122.*

*Paris 162 – Orléans 31 – La Ferté-St-Aubin 8 – Salbris 34 – Sully-sur-Loire 38.*

**Relais de Sologne,** ☎ 02 38 76 97 40, *Fax 02 38 49 60 43* – AE GB
*fermé 15 au 21 sept., 12 au 31 janv., dim. soir, mardi soir et merc.* – **Repas** 17,50 (déj.), 30/50 ♀.
◆ Accueillante salle à manger rustique située au centre du village. À 2 km, ne manquez pas la visite du domaine du Ciran, conservatoire solognot de la faune sauvage.

**MENETOU-SALON** *18510 Cher* 323 K3 *G. Berry Limousin – 1 600 h alt. 256.*

*Syndicat d'Initiative, 23 rue de la Mairie ☎ 02 48 64 87 57, Fax 02 48 64 87 57.*

*Paris 212 – Bourges 21 – Orléans 109 – Cosne-sur-Loire 47 – Gien 61 – Vierzon 37.*

**Pré des Sèves,** rte de Bourges : 2 km ☎ 02 48 64 82 98, *Fax 02 48 64 18 78*, – P. GB
*fermé 8 au 23 oct., 7 au 22 janv., lundi soir et mardi* – **Repas** 15/32 ♀.
◆ Une halte gourmande et sympathique sur la route Jacques Coeur : cuisine du terroir et vins de Menetou dans une coquette salle champêtre. Une spécialité : la tête de veau.

*Dans ce guide*
*un même symbole, un même mot,*
*imprimé en **rouge** ou en **noir**, en maigre ou en **gras**,*
*n'ont pas tout à fait la même signification.*
*Lisez attentivement les pages explicatives.*

**Le MÉNIL** *88 Vosges* 314 I5 *– rattaché au Thillot.*

**La MÉNITRÉ** *49250 M.-et-L.* 317 H4 *– 1 780 h alt. 21.*

*Office du Tourisme, place Léon Faye ☎ 02 41 45 67 51.*

*Paris 301 – Angers 27 – Baugé 23 – Saumur 26.*

**Auberge de l'Abbaye,** port St-Maur ☎ 02 41 45 64 67, *Fax 02 41 57 69 75* – P. AE GB
*fermé 18 août au 4 sept., 16 au 24 fév., dim. soir, lundi et mardi* – **Repas** 17/49 ♀, enf. 11.
◆ La vue sur le fleuve et sur la campagne angevine est l'atout maître de cette maison établie sur une levée de la Loire. Spécialités régionales.

**MENS** *38710 Isère* 333 H9 *– 1 129 h alt. 780.*

*Office du Tourisme, rue du Breuil ☎ 04 76 34 84 25, Fax 04 76 34 69 01.*

*Paris 618 – Gap 64 – Die 63 – Grenoble 55 – La Mure 16.*

**Auberge de Mens**, ☎ 04 76 34 81 00, *Fax 04 76 34 80 90*, – TV ♿. AE GB
**Repas** *(fermé fév.)* (sur réservation hors saison) 15/23 ♀ – 5,50 – **10 ch** 37/43 – ½ P 40.
◆ Sur la place du village, cette grosse maison dauphinoise vous invite à prolonger l'étape dans des chambres actuelles bien équipées. L'hiver, veillées près du poêle à bois.

**MENTHON-ST-BERNARD** *74290 H.-Savoie* 328 K5 *G. Alpes du Nord – 1 517 h alt. 482.*

*Voir Château de Menthon★ : ≤★ E : 2 km.*

*Office du Tourisme, Chef Lieu ☎ 04 50 60 14 30, Fax 04 50 60 22 19, menthonstbernard-tourism@wanadoo.fr.*

*Paris 548 – Annecy 10 – Albertville 37 – Bonneville 50 – Megève 52 – Talloires 4 – Thônes 14.*

**Beau Séjour** sans rest, ☎ 04 50 60 12 04, *Fax 04 50 60 05 56*, – P.
*21 avril-fin sept.* – 7 – **18 ch** 65/68.
◆ À 100 m du lac, villa entourée d'un joli parc. Chambres au mobilier de style rustique, parfois dotées d'un balcon. Salle à manger éclairée par de grandes baies.

**MENTON** 06500 Alpes-Mar. 341 F5 *G. Côte d'Azur – 29 141 h – Casino du Soleil* **AZ**.

*Voir Site★★ – Vieille ville★★ : Parvis St-Michel★★, Façade★ de la Chapelle de la Conception* **BY B** *– ≤★ du cimetière Anglais* **BX D** *– Promenade du Soleil★★, ≤★ de la jetée Impératrice-Eugénie* **BV** *– Jardin de Menton★ : le Val Rameh★* **BV E** *– Salle des mariages★ de l'hôtel de Ville* **BY H** *– Musée des Beaux-Arts★ (palais Carnolès)* **AX M**[1].

Env. *Jardin Hanbury★★ à Vintimille, O : 2 km.*

*Office du Tourisme, avenue Boyer ✆ 04 92 41 76 76, Fax 04 92 41 76 58, ot@villedementon.com.*

*Paris 961 ③ – Monaco 11 ③ – Cannes 63 ① – Cuneo 102 ① – Nice 29 ①.*

Plans page suivante

**Ambassadeurs** Ⓜ, 3 rue Partouneaux ✆ 04 93 28 75 75, *ambassadeurs-menton@wanadoo.fr, Fax 04 93 35 62 32* – ▮ – 🏋 70. AE ⓓ GB JCB. ✂ AY k
***Café Fiori*** (dîner seul. en juil.-août) *(fermé 15 nov. au 15 déc., 15 au 31 janv. sam. midi, lundi midi et dim.)* **Repas** 32/45 ♀ – ☕ 18 – **47 ch** 122/274.
◆ Près du jardin Biovès, imposante façade rose de la Belle Époque encadrée de palmiers dans le pur style Riviera. Chambres soignées, restaurant provençal, élégant hall 1930.

**Riva** Ⓜ sans rest, 600 prom. du Soleil ✆ 04 92 10 92 10, *contact@rivahotel.com, Fax 04 93 28 87 87,* ≤ – ▮ AE ⓓ GB AZ n
☕ 9,20 – **42 ch** 91/109.
◆ Sur le front de mer, hôtel balnéaire récent avec solarium, jacuzzi et restaurant d'été sur le toit. Chambres toutes rénovées ; quelques balcons face à la "grande bleue".

**Princess et Richmond** sans rest, 617 prom. du Soleil ✆ 04 93 35 80 20, *princess.hotel@wanadoo.fr, Fax 04 93 57 40 20,* ≤ – ▮ P. AE ⓓ GB JCB AZ s
*fermé 4 nov. au 18 déc.* – ☕ 10 – **46 ch** 96,50/112.
◆ Immeuble moderne bordant la plage de galets. Chambres actuelles avec balcon (sauf deux), terrasse où l'on sert brunchs et petits-déjeuners, solarium et jacuzzi sur le toit.

**Aiglon,** 7 av. Madone ✆ 04 93 57 55 55, *aiglon.hotel@wanadoo.fr, Fax 04 93 35 92 39,* – ▮, ch, P. AE ⓓ GB JCB AZ b
*fermé 3 nov. au 14 déc.* ***Riaumont :*** **Repas** *(17)*-29 ♀ – ☕ 9 – **29 ch** 99/142 – ½ P 86/107,50.
◆ Cette belle villa de la fin du 19ᵉ s. allie au charme de son jardin l'agrément d'une terrasse avec piscine. Le salon a conservé son décor mixte de peintures et mosaïque.

**Prince de Galles,** 4 av. Gén. de Gaulle ✆ 04 93 28 21 21, *hotelprincedegalles@net-up.com, Fax 04 93 35 92 91,* ≤, – ▮ P – 🏋 25. AE ⓓ GB JCB. ✂ ch AX e
***Petit Prince*** ✆ 04 93 41 66 05 *(fermé 24 nov. au 15 déc.)* **Repas** 17,50/26,70 – ☕ 8 – **65 ch** 91/104 – ½ P 71/77,50.
◆ Une collection d'affiches anciennes décore l'ensemble de cet hôtel installé dans une caserne de carabiniers des princes de Monaco (1860). Choisir une chambre face à la mer.

**Chambord** sans rest, 6 av. Boyer ✆ 04 93 35 94 19, *hotel-chambord@wanadoo.fr, Fax 04 93 41 30 55* – ▮. AE ⓓ GB JCB AYZ a
*fermé début nov. à début déc.* – ☕ 6 – **40 ch** 84/98.
◆ Hôtel spacieux et confortable aux portes de la vieille ville, près du charmant palais de l'Europe. Les chambres, bien insonorisées, sont progressivement rafraîchies.

**Méditerranée,** 5 r. République ✆ 04 92 41 81 81, *info@hotel-med-menton.com, Fax 04 92 41 81 82* – ▮. AE ⓓ GB JCB. ✂ rest BY m
*fermé 4 nov. au 2 déc.* – **Repas** *(12)* - 21, enf. 12 – ☕ 9 – **90 ch** 75/93 – ½ P 60/63.
◆ Cet établissement récent, très central, abrite des chambres pratiques et actuelles. Accès Internet à disposition ; solarium et bar sur le toit avec vue sur la "grande bleue".

**Dauphin,** 28 av. Gén. de Gaulle ✆ 04 93 35 76 37, *Fax 04 93 35 31 74,* ≤, – ▮, ch, AE ⓓ GB. ✂ rest AZ y
*fermé 12 nov. au 21 déc.* – **Repas** 11/17 ♀ – ☕ 7 – **28 ch** 60/84 – ½ P 53,50/63.
◆ Idéalement situé face à la mer. Chambres avec balcon et studios de répétition bien isolés, avec pianos, à disposition des musiciens. Un programme de rénovation est en cours.

**Kyriad** Ⓜ, 57 av. Sospel ✆ 04 93 28 28 38, *hoteldufresne@aol.com, Fax 04 92 10 00 92* – ▮ P. AE ⓓ GB. ✂ ABV d
**Repas** *(fermé 6 au 31 janv. et dim.)* (dîner seul.) 11/17 – ☕ 6,50 – **40 ch** 60/78 – ½ P 55.
◆ L'avenue est très fréquentée, mais le double vitrage est efficace et la plupart des chambres - fonctionnelles et assez spacieuses - donnent sur un agréable patio-terrasse.

**Paris Rome,** 79 Porte de France ✆ 04 93 35 73 45, *paris-rome@wanadoo.fr, Fax 04 93 35 29 30* – AE ⓓ GB JCB. ✂ BV n
*fermé 1ᵉʳ nov. au 26 déc.* – **Repas** *(fermé lundi)* 25 – ☕ 10 – **22 ch** 61/80 – ½ P 60,50/70.
◆ Sympathique petit "home" familial situé à l'entrée du port de Garavan. Décor mi-rustique, mi-provençal et jolie terrasse verdoyante. Séjours à thème (culturel, pêche, etc.).

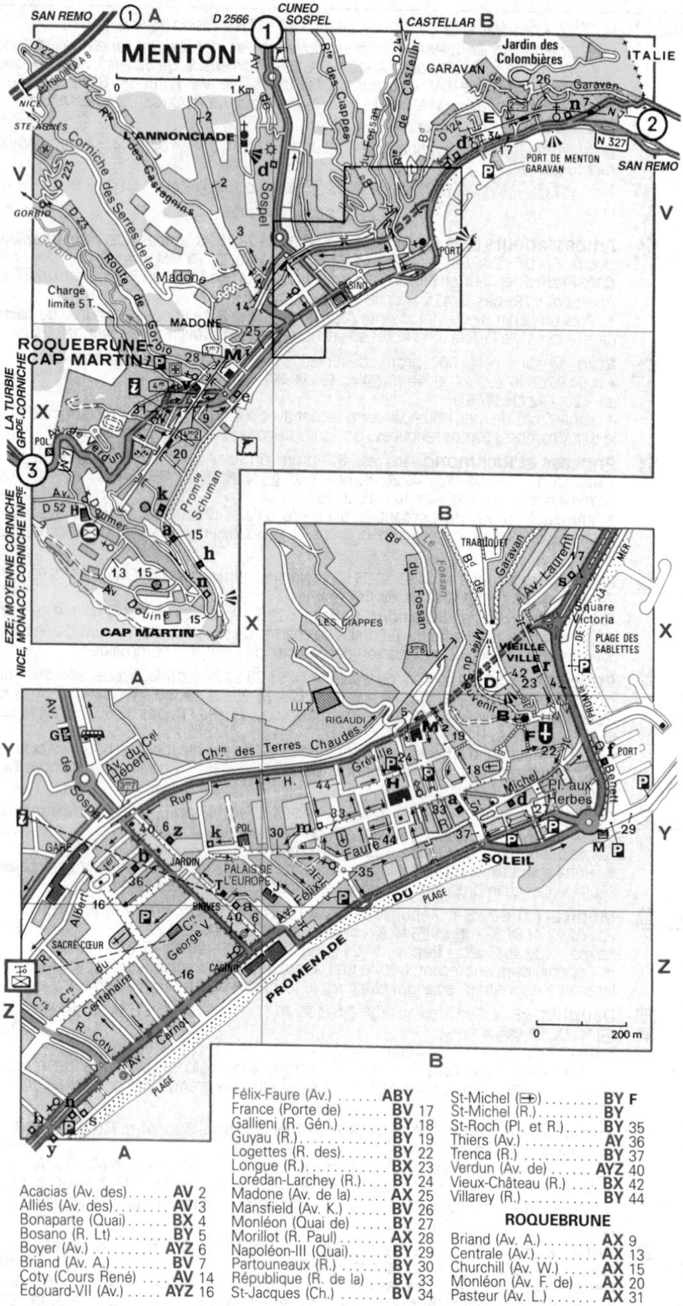
MENTON
SAN REMO
CUNEO
SOSPEL
D 2566
CASTELLAR
Jardin des Colombières
ITALIE
GARAVAN
NICE
STE AGNÈS
L'ANNONCIADE
Corniche des Serres de la Madone
Rte des Castagnins
GORBIO
Charge limite 5 T.
MADONE
ROQUEBRUNE-CAP MARTIN
PORT DE MENTON GARAVAN
CASINO
PORT
LA TURBIE GRDE CORNICHE
EZE; MOYENNE CORNICHE
NICE, MONACO; CORNICHE INFRE
Prom de Schuman
CAP MARTIN
TRABUQUET
LES CIAPPES
VIEILLE VILLE
PLAGE DES SABLETTES
Square Victoria
I.U.T.
RIGAUDI
Chin des Terres Chaudes
GARE
JARDIN
PALAIS DE L'EUROPE
SACRÉ CŒUR
CASINO
PROMENADE DU SOLEIL
PLAGE
Pl. aux Herbes
0 200 m

Acacias (Av. des) ....... **AV** 2
Alliés (Av. des) ....... **AV** 3
Bonaparte (Quai) ....... **BX** 4
Bosano (R. Lt) ....... **BY** 5
Boyer (Av.) ....... **AYZ** 6
Briand (Av. A.) ....... **BV** 7
Coty (Cours René) .... **AV** 14
Édouard-VII (Av.) ..... **AYZ** 16
Félix-Faure (Av.) ...... **ABY**
France (Porte de) ...... **BV** 17
Gallieni (R. Gén.) ...... **BY** 18
Guyau (R.) ............ **BY** 19
Logettes (R. des) ...... **BY** 22
Longue (R.) ........... **BX** 23
Lorédan-Larchey (R.) .... **BY** 24
Madone (Av. de la) ..... **AX** 25
Mansfield (Av. K.) ...... **BV** 26
Monléon (Quai de) ..... **BY** 27
Morillot (R. Paul) ...... **AX** 28
Napoléon-III (Quai) ..... **BY** 29
Partouneaux (R.) ...... **BY** 30
République (R. de la) ... **BY** 33
St-Jacques (Ch.) ....... **BV** 34
St-Michel (⊕) ......... **BY** F
St-Michel (R.) ......... **BY**
St-Roch (Pl. et R.) ...... **BY** 35
Thiers (Av.) ........... **AY** 36
Trenca (R.) ........... **BY** 37
Verdun (Av. de) ...... **AYZ** 40
Vieux-Château (R.) .... **BX** 42
Villarey (R.) .......... **BY** 44

**ROQUEBRUNE**

Briand (Av. A.) ........ **AX** 9
Centrale (Av.) ......... **AX** 13
Churchill (Av. W.) ...... **AX** 15
Monléon (Av. F. de) .... **AX** 20
Pasteur (Av. L.) ........ **AX** 31

*Lisez attentivement l'introduction : c'est la clé du guide.*

**Orly,** 27 Porte de France ✆ 04 93 35 60 81, *hotel.orly@wanadoo.fr, Fax 04 93 35 49 13,* – rest, GB BV d
*fermé 15 nov. au 27 déc.* – **Repas** *(fermé lundi midi, mardi midi, merc. midi et jeudi midi en juil. août)* 18/28 – 6,50 – **29 ch** 59/102 – ½ P 55/75.
◆ Hôtel du front de mer que seule la route sépare des plages de Garavan. Chambres pratiques, plus calmes à l'arrière ; sept ont vue sur la baie. Plaisante salle à manger.

**Amirauté** sans rest, 3 Porte de France ✆ 04 93 35 59 41, *Fax 04 93 57 74 44* – . GB. BX s
*fermé 23 oct. au 15 nov. et 6 au 20 janv.* – 6 – **18 ch** 67/97.
◆ Architecture et mobilier des années 1980 caractérisent cet immeuble bordant la plage des Sablettes. Cadre un peu désuet mais tenue parfaite et accueil familial. Salon de thé.

**Lion d'Or,** 7 r. Marins (pl. Halles) ✆ 04 93 35 74 67, – GB BY d
*fermé 4 nov. au 6 déc., le midi en juil.-août, dim. soir et lundi sauf fériés* – **Repas** 38/54.
◆ Accueil jovial, ambiance décontractée, produits de la mer et grillades au feu de bois d'olivier assurent le succès de ce pittoresque restaurant rustique situé face aux halles.

**Au Pistou,** 9 quai Gordon Bennett ✆ 04 93 57 45 89, *Fax 04 93 57 45 89,* – . GB BY f
*fermé 15 nov. au 15 déc., dim. soir en hiver et lundi* – **Repas** 13,50/25.
◆ Ce restaurant du vieux port, géré en famille, est devenu au fil du temps une institution locale. Sobre décor de type bistrot, terrasse et cuisine aux saveurs méditerranéennes.

**Au Petit Gourmand,** 11 r. Trenca ✆ 04 93 35 79 27, – GB BY a
*fermé 25 juin au 10 juil., 10 au 25 janv., lundi midi et merc.* – **Repas** 25/30.
◆ Au centre-ville, cuisine traditionnelle aux accents provençaux à déguster dans une salle à manger actuelle ornée de tableaux ou en terrasse.

**A Braijade Méridiounale,** 66 r. Longue ✆ 04 93 35 65 65, *Fax 04 93 35 65 65* – GB JCB BX r
*fermé 15 nov. au 8 déc., 6 au 12 janv. et merc.* – **Repas** (dîner seul. en juil.-août) 22 bc (déj.), 25 bc/38 bc.
◆ Dans une jolie ruelle de la vieille ville, plaisante adresse au décor mi-rustique, mi-provençal. Miniterrasse-trottoir. Plats méridionaux et grillades préparées en salle.

**Boudoir,** 14 av. Boyer ✆ 04 93 28 28 09, *Fax 04 93 28 28 09,* – . GB AY z
*fermé dim. soir et lundi* – **Repas** (13) - 18,50/150.
◆ Les jolies petites salles à manger, "cosy" et intimes, ont effectivement des allures de boudoirs. Charmante miniterrasse. Cuisine au goût du jour et suggestions du marché.

**à Monti** *Nord : 5 km par rte de Sospel – ✉ 06500 Menton :*

**Pierrot-Pierrette** avec ch, ✆ 04 93 35 79 76, *pierrotpierrette@aol.com, Fax 04 93 35 79 76,* , , – GB
*fermé 1er déc. au 15 janv. et lundi* – **Repas** 27/38 – 6,50 – **7 ch** 65/75 – ½ P 66/71.
◆ Auberge perchée sur les hauteurs, généreuse par son accueil, sa cuisine régionale et son jardin luxuriant. La fidélité de la clientèle en témoigne. Intérieur campagnard.

---

## Les MENUIRES *73 Savoie* 333 M6 *G. Alpes du Nord – Sports d'hiver : 1 400/3 200 m 8 36*
*– ✉ 73440 St-Martin-de-Belleville.*
*Office de tourisme, ✆ 04 79 00 73 00, Fax 04 79 00 75 06, lesmenuires@lesmenuires.com.*
*Paris 663 – Albertville 52 – Chambéry 101 – Moûtiers 27.*

**L'Ours Blanc** , à Reberty 2000, Sud-Est : 1,5 km ✆ 04 79 00 61 66, *info@hotel-ours-blanc.com, Fax 04 79 00 63 67,* montagnes, , – – 50. GB.
*1er déc.-23 avril* – **Repas** 18 (déj.), 30,50/50, enf. 14 – 12 – **49 ch** 104/122, (½ pension seul. en hiver) – ½ P 84/87.
◆ Dominant la station, grand chalet au décor montagnard contemporain. Chambres claires, équipées de balcons bien orientés ; salle à manger avec vue sur le massif de la Masse.

---

## MERCATEL *62210 P;-de-C.* 301 J6 *– 546 h alt. 88.*
*Paris 171 – Amiens 66 – Lille 61 – Arras 8 – Cambrai 40.*

**Mercator,** ✆ 03 21 73 48 33, *Fax 03 21 22 09 39* – GB
*fermé 2 au 17 août, 25 déc. au 1er janv., le soir en semaine et sam.* – **Repas** 19/29.
◆ Ambiance familiale, sobre salle à manger néo-rustique et cuisine traditionnelle : à deux tours de roue de la capitale artésienne, projetez donc un repas au Mercator...

---

## MERCUÈS *46 Lot* 337 E5 *– rattaché à Cahors.*

*Michelin n'accroche pas de panonceau aux hôtels et restaurants qu'il signale.*

**MERCUREY** *71640 S.-et-L.* 320 I8 – *1 276 h alt. 269.*

*Paris 337 – Beaune 25 – Chalon-sur-Saône 13 – Autun 39 – Chagny 10 – Mâcon 73.*

**Hôtellerie du Val d'Or,** Grande-Rue ☎ 03 85 45 13 70, *contact@le-valdor.com, Fax 03 85 45 18 45,* – ▤ TV P. AE GB. ch

*fermé 21 déc. au 22 janv. et lundi* – **Repas** *(fermé mardi midi)* 23 bc (déj.), 38/55 et carte 45 à 65 – ☕ 10 – **12 ch** 85/110 – ½ P 85.

◆ Ancien relais de poste dans un village vigneron de la Côte chalonnaise. Chambres coquettes. Salle à manger rustique soignée. Savoureuse cuisine traditionnelle et belle cave.

**Spéc.** Pressé d'anguille et silure du Val de Saône (avril à oct.). Pièce de charolais "Maître de chai". Assiette tout chocolat. **Vins** Mercurey, Montagny.

**MÉRÉVILLE** *54 M.-et-M.* 307 H7 – *rattaché à Nancy.*

**MÉRIBEL** *73550 Savoie* 333 M5 *G. Alpes du Nord – Sports d'hiver : 1 450/2 950 m 16 45.*

Voir ✻★★★ *la Saulire,* ✻★★ *Mont du Vallon,* ✻★★ *Roc des Trois marches,* ✻★★ *Tougnète.*

**Altiport** ☎ *04 79 08 61 33, NE.*

ℹ *Office du Tourisme,* ☎ *04 79 08 60 01, Fax 04 79 00 59 61, info@meribel.net.*

*Paris 653 ① – Albertville 43 ① – Annecy 87 ① – Chambéry 92 ① – Moûtiers 17 ①.*

Plans page ci-contre

**Grand Coeur** , **(a)** ☎ 04 79 08 60 03, *grandcoeur@relaischateaux.com, Fax 04 79 08 58 38,* ←, , – TV P. AE GB JCB

*12 déc.-6 avril* – **Repas** (dîner seul.) 40 (déj.), 55/65 – ☕ 16 – **35 ch** 195/405, 5 appart – ½ P 175/270.

◆ L'omniprésence du bois blond, les mignonnes petites chambres et l'élégant restaurant donnent à cet hôtel - l'un des plus anciens de la station - un cachet romantique.

**Allodis** M , au Belvédère **(d)** ☎ 04 79 00 56 00, *allodis@wanadoo.fr, Fax 04 79 00 59 28,* ← montagnes, , , – TV P – 100. GB.

*1^er juil.-31 août et 20 déc.-20 avril* – **Repas** 28 (déj.), 35/60, enf. 15 – ☕ 15 – **38 ch** 265/400, 6 duplex – ½ P 215.

◆ Ce chalet dominant la station vous attend au retour des pistes des Trois Vallées... skis aux pieds ! Chambres spacieuses et douillettes. Agréables piscine et fitness.

**Yéti** M , rd-pt des Pistes **(p)** ☎ 04 79 00 51 15, *welcome@hotel-yeti.com, Fax 04 79 00 51 73,* ←, , – TV – 25. GB.

*1^er juil.-31 août et 15 déc.-25 avril* – **Repas** 25/45 – ☕ 12,20 – **25 ch** 225/339, 5 appart, 3 duplex – ½ P 149/178.

◆ Mobilier "cosy", boiseries cirées, tapis kilims, lits à l'autrichienne, sauna, salon avec cheminée... Abordez sans crainte ce chaleureux "home" des neiges.

**Alba** M , rd-pt des Pistes **(f)** ☎ 04 79 08 55 55, *info@hotelalba.com, Fax 04 79 00 55 63,* ←, – TV – 30. GB. rest

*mi-déc.-mi-avril* – **Repas** 15 (déj.)/50 – ☕ 12 – **20 ch** 105/250 – ½ P 132/165.

◆ "Demain, dès l'aube, à l'heure où blanchit"... la montagne, éveillez-vous dans la douceur de cet élégant intérieur alpin. Plaisant restaurant et belle carte des vins.

**Marie-Blanche** M , rte Renarde **(h)** ☎ 04 79 08 65 55, *info@marie-blanche.com, Fax 04 79 08 57 07,* ←, – TV . GB. rest

*juil.-août et 15 déc.-25 avril* – **Repas** 28 – ☕ 14 – **20 ch** 159/260 – ½ P 152.

◆ Ce sympathique chalet vous héberge dans de coquettes chambres savoyardes, toutes nanties d'un balcon. Accueillant bar-salon agrémenté d'une cheminée.

**L'Orée du Bois** , rd-pt des Pistes **(k)** ☎ 04 79 00 50 30, *contact@meribel-oree.com, Fax 04 79 08 57 52,* ←, , – TV. AE GB JCB.

*juil.-août et Noël-Pâques* – **Repas** 31 (déj.), 40/45 – ☕ 14 – **35 ch** 116/154 – ½ P 117/136.

◆ Chalet familial et cossu abritant des chambres lambrissées, plus amples sur l'avant ; toutes bénéficient d'un balcon. Bar-salon convivial avec tables-échiquiers.

**Tremplin** M sans rest, **(v)** ☎ 04 79 08 89 17, *infos@chaudanne.com, Fax 04 79 08 57 75,* , – TV – 30. GB

*début juin-fin sept. et 1^er déc.-fin avril* – ☕ 15 – **41 ch** 120/242.

◆ Cette façade en bois et pierre dissimule de plaisantes chambres de style montagnard, à choisir côté patinoire ou rue. Un bon "tremplin" pour un séjour dans les Trois-Vallées.

**Chaudanne, (e)** ☎ 04 79 08 61 76, *info@chaudanne.com, Fax 04 79 08 57 75,* , – TV – 30. GB. rest

*début juin-mi-oct. et 1^er déc.-fin avril* – **Repas** (dîner seul.) 32/45 - ***L'Épicuriade*** (dîner seul.) **Repas** carte 34 à 57 – ☕ 15 – **76 ch** 158/278, 6 appart – ½ P 120/192.

◆ Détente et forme au rendez-vous dans ce complexe hôtelier situé au départ des télécabines : chambres simples mais confortables, salle de squash, centre d'esthétique.

**Adray Télébar**, sur les pistes (accès piétonnier) **(n)**
04 79 08 60 26, *adray73@club-internet.fr*,
*Fax 04 79 08 53 85*, < montagnes et pistes, – AE GB
*20 déc.-20 avril* – **Repas** 28 – **25 ch** (1/2 pens. seul.) – 1/2 P 115/130.
◆ L'amabilité de l'accueil - on vient vous chercher en chenillette -, la cuisine familiale et le site font oublier un décor intérieur un brin désuet. Ambiance sportive.

**Blanchot**, rte Altiport : 3,5 km 04 79 00 55 78, *Fax 04 79 00 53 20*, <, – P. AE GB
*14 déc.-21 avril* – **Repas** *(fermé dim. soir et lundi soir)* 27 (déj.), 40/55, enf. 11.
◆ Golf l'été, pistes de ski de fond l'hiver : ce chalet bien entouré offre un cadre "cosy" et une terrasse tournée vers la forêt de sapins. Plats traditionnels et savoyards.

## à l'altiport *Nord-Est : 4,5 km – ✉ 73550 Méribel-les-Allues :*

**Altiport Hôtel**, 04 79 00 52 32, *message@airporthotel.com*,
*Fax 04 79 08 57 54*, < montagnes, , , , – TV – 30. AE GB. rest
*1er juil.-31 août et mi-déc.-mi-avril* – **Repas** 32 (déj.)/50 ♀, enf. 20 – 15 – **41 ch** 185/270 – 1/2 P 108/190.
◆ Voisinage de l'altiport (survol du mont Blanc) et du golf d'été, chambres lambrissées bien insonorisées, table soignée et galerie marchande : un hôtel à la hauteur !

## à Méribel-Mottaret *: 6 km – ✉ 73550 Méribel-les-Allues :*

**Alpen Ruitor**, **(t)** 04 79 00 48 48, *info@alpenruitor.com*,
*Fax 04 79 00 48 31*, <, , – TV – 20. AE GB JCB. rest
*21 déc.-21 avril* – **Repas** 35 (dîner) et carte le midi 35 à 55 ♀ – 20 – **44 ch** 265/570 – 1/2 P 175/190.
◆ Le personnel en tenue tyrolienne vous accueille dans d'agréables salons ornés de fresques alpines et habillés de boiseries sombres. Chambres aménagées avec soin.

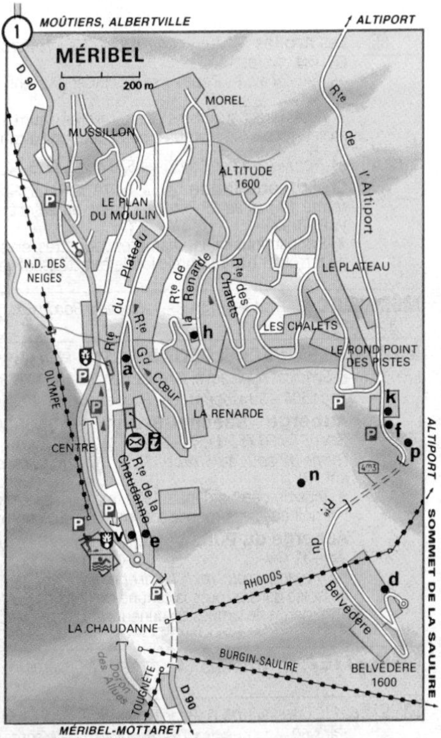

1
MOÛTIERS, ALBERTVILLE
ALTIPORT
MÉRIBEL
0
200 m
D 90
MOREL
MUSSILLON
Rte de l'Altiport
ALTITUDE 1600
LE PLAN DU MOULIN
LE PLATEAU
N.D. DES NEIGES
Rte du Plateau
Rte de la Renarde
Rte des Chalets
LES CHALETS
LE ROND POINT DES PISTES
Rte Gd Cœur
OLYMPE
LA RENARDE
CENTRE
Rte de la Chaudanne
ALTIPORT
SOMMET DE LA SAULIRE
Rte du Belvédère
RHODOS
LA CHAUDANNE
BURGIN-SAULIRE
BELVÉDÈRE 1600
Doron des Allues
TOUGNÈTE
MÉRIBEL-MOTTARET


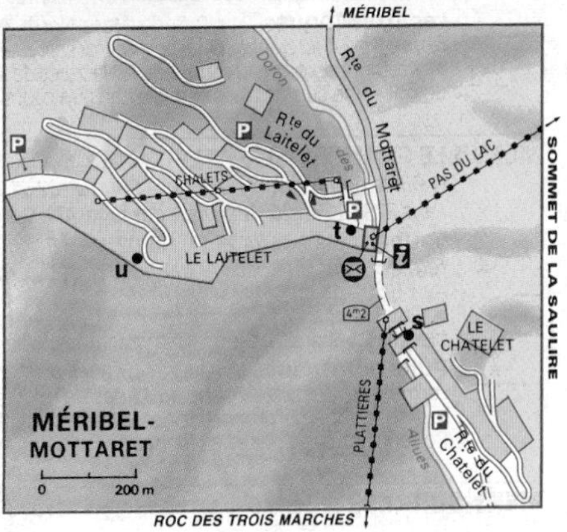

MÉRIBEL
Rte du Mottaret
Doron des Allues
Rte du Laitelet
CHALETS
PAS DU LAC
SOMMET DE LA SAULIRE
LE LAITELET
LE CHATELET
PLATTIÈRES
MÉRIBEL-MOTTARET
0
200 m
Rte du Chatelet
ROC DES TROIS MARCHES


**Mont Vallon** M, **(s)** 04 79 00 44 00, *info@hotel-montvallon.com, Fax 04 79 00 46 93*, <, , , – TV P – 80. AE GB. rest
*20 déc.-mi-avril* – ***Chalet*** (dîner seul.) **Repas** 48/52 – ***Brasserie Le Schuss :*** Repas 20 (déj)/50 – 13 – **86 ch**, 3 appart – 1/2 P 280/660.
◆ Chaleur du bois et couettes de lit créent une douillette atmosphère dans les spacieuses chambres de ce chalet. Cuisine au goût du jour ; spécialités savoyardes à la brasserie.

**Les Arolles** ⚘, (u) ☎ 04 79 00 40 40, *info@arolles, Fax 04 79 00 45 50*, ←, 🏔, Fδ, ☒ – |‡| TV. GB. ⚹ rest
*19 déc.-24 avril* – **Repas** (16,50) - 21 (déj.)/42, enf. 9,50 – ☐ 10 – **60 ch** 168/250 – ½ P 145/168.
◆ Accès direct aux pistes - et aux arolles (l'autre nom des pins cembro) - offert par ce vaste chalet. Toutes les chambres possèdent un balcon. Salle de billard et de jeux.

**aux Allues** *Nord : 7 km par D 915A – 1 570 h. alt. 1125 – ✉ 73550 :*

**Croix Jean-Claude** ⚘, ☎ 04 79 08 61 05, *Fax 04 79 00 32 72*, 🏔 – TV. GB
*fermé 10 mai au 25 juin et 20 sept. au 28 oct.* – **Repas** 20/39 – **16 ch** (½ pens. seul.) – ½ P 70/90.
◆ Sympathique salon, chambres coquettes, plaisante salle à manger montagnarde, cuisine du terroir et bar à clientèle locale caractérisent cette aimable maison bâtie en 1860.

---

## MÉRIGNAC *33 Gironde* 335 H5 – *rattaché à Bordeaux.*

---

## MERKWILLER-PECHELBRONN *67250 B.-Rhin* 315 K3 *G. Alsace Lorraine – 825 h alt. 160.*

*Syndicat d'Initiative, 2 route de Woerth ☎ 03 88 80 72 36, Fax 03 88 80 63 33.*
*Paris 506 – Strasbourg 53 – Haguenau 17 – Wissembourg 18.*

**Auberge Baechel-Brunn**, ☎ 03 88 80 78 61, *baechel-brunn@wanadoo.fr, Fax 03 88 80 75 20*, 🏔 – ▤ P – 🏔 20. GB. ⚹
*fermé 12 août au 3 sept., 13 au 28 janv., dim. soir, lundi soir et mardi* – **Repas** 26/60 ♀, enf. 10.
◆ Plus de pétrole depuis 1970, mais beaucoup d'idées : cette auberge située au pays de l'or noir alsacien propose son intérieur chaleureux et sa cuisine au goût du jour.

**Auberge du Puits VI**, rte Lobsann : 1,5 km ☎ 03 88 80 76 58, *Fax 03 88 80 75 91*, 🏔, 🏔 – P. GB
*fermé janv., merc. midi, lundi et mardi* – **Repas** 33,50/50,30 ♀, enf. 7,60.
◆ Isolée dans la forêt, la cantine du puits de pétrole VI est devenue un ravissant restaurant agrémenté de lampes de mineurs et d'une collection de toiles du patron. Vins choisis.

---

## MERLETTE *05 H.-Alpes* 334 F4 – *rattaché à Orcières.*

---

## MÉRU *60110 Oise* 305 D5 *G. Picardie Flandres Artois – 11 928 h alt. 110.*

*Paris 60 – Compiègne 75 – Beauvais 27 – Mantes-la-Jolie 64 – Pontoise 24.*

**Les Trois Toques**, 21 r. P. Curie (Méru-Nord) ☎ 03 44 52 01 15, *Fax 03 44 52 01 15* – GB
*fermé 7 août au 3 sept., dim. soir, mardi soir, merc. soir et lundi sauf fériés* – **Repas** 20/29.
◆ Restaurant voisin du musée de la Nacre et de la Tabletterie. On y appréciera - à la fortune du pot - une cuisine traditionnelle dans un cadre d'inspiration rustique.

---

## MERVILLE FRANCEVILLE-PALGE *14180 Calvados* 303 K4 – *1 317 h alt. 2.*

*Office du Tourisme, place de la Plage ☎ 02 31 24 23 57, Fax 02 31 24 17 49.*
*Paris 225 – Caen 20 – Beuvron-en-Auge 20 – Cabourg 7 – Lisieux 54.*

**Vauban**, ☎ 02 31 24 23 37, *Fax 02 31 24 54 40* – TV P. AE GB
*fermé 30 sept. au 9 oct., 18 au 27 nov., mardi et merc. sauf juil.-août* – **Repas** 12/39 ♀, enf. 8 – ☐ 6,50 – **15 ch** 44/47 – ½ P 45.
◆ Établissement familial proche de la plage et du musée des Batteries, aménagé dans un blockhaus. Chambres sobrement décorées. Salle à manger de style campagnard.

**Puits Gourmand**, ☎ 02 31 24 07 69, *Fax 02 31 24 07 69* – AE ⓓ GB
*fermé 3 au 12 mars, 27 sept. au 12 oct., le midi sauf sam., dim. et merc.* – **Repas** (16) - 24.
◆ Petite auberge proposant des recettes traditionnelles enrichies de saveurs régionales. Boiseries murales claires et chaises en fer forgé agrémentent la salle à manger.

---

## MÉRY-SUR-OISE *95 Val-d'Oise* 305 E6 106 ③ – *voir à Paris, Environs (Cergy-Pontoise).*

---

## MESCHERS-SUR-GIRONDE *17132 Char.-Mar.* 324 E6 *G. Poitou Vendée Charentes – 1 862 h alt. 5.*

*Office du Tourisme, 4 place de Verdun ☎ 05 46 02 70 39, Fax 05 46 02 51 65.*
*Paris 508 – Royan 11 – Blaye 74 – La Rochelle 85 – Saintes 42.*

**Forêt**, 1 bd Marais ☎ 05 46 02 79 87, *Fax 05 46 02 61 45* – P. ⓓ GB
*fermé 23 sept. au 10 oct., 2 janv. au 10 fév., lundi et mardi sauf juil.-août* – **Repas** 18/28 ♀, enf. 8.
◆ Restaurant "des eaux et forêts" : à l'orée du bois, non loin des plages de la Gironde, de frais produits de la mer s'offrent à vous dans un décor champêtre.

**MESNIÈRES-EN-BRAY** *76 S.-Mar.* 304 *I3 – rattaché à Neufchâtel-en-Bray.*

**Le MESNIL-AMELOT** *77 S.-et-M.* 312 *E1 – voir à Paris, Environs.*

**MESNIL-ST-PÈRE** *10140 Aube* 313 *G4 G. Champagne Ardenne – 287 h alt. 131.*

Voir *Parc naturel régional de la forêt d'Orient★★.*

*Syndicat d'Initiative, ☎ 03 25 41 28 78, Fax 03 25 41 21 08.*

*Paris 201 – Troyes 22 – Bar-sur-Aube 33 – Châtillon-sur-Seine 54 – St-Dizier 76.*

XXX **Auberge du Lac Au Vieux Pressoir** avec ch, ☎ 03 25 41 27 16, *auberge.lac.p.gublin @wanadoo.fr, Fax 03 25 41 57 59,* – rest, TV P – 40. AE GB
*fermé 12 au 30 nov., dim. soir d'oct. au 15 mars et lundi midi* – **Repas** 20 (déj.), 31/60 et carte 46 à 72 – 9,50 – **21 ch** 62/110 – ½ P 70/90.
◆ Maison à colombages typique de la Champagne humide, dans un village situé au bord du lac d'Orient. Sous les poutres de la salle à manger, fine cuisine à tendance régionale.

**Le MESNIL-SUR-OGER** *51190 Marne* 306 *G9 G. Champagne Ardenne – 1 118 h alt. 119.*

Voir *Musée de la vigne et du vin (maison Launois).*

*Paris 145 – Reims 44 – Châlons-en-Champagne 31 – Épernay 16 – Vertus 6.*

XXX **Mesnil,** 2 r. Pasteur ☎ 03 26 57 95 57, *mesnil@chez.com, Fax 03 26 57 78 57* – P. GB
*fermé 17 août au 5 sept., 22 janv. au 7 fév., lundi soir, mardi soir et merc.* – **Repas** 19/64 et carte 32,50 à 59 ♀, enf. 11.
◆ Vieille maison de caractère située au centre d'un bourg viticole. Cuisine classique servie dans une salle à manger sobrement décorée. Belle et éclectique carte des vins.

**MESNIL-VAL** *76 S.-Mar.* 304 *H1 – ✉ 76910 Criel-sur-Mer.*

*Paris 185 – Amiens 83 – Dieppe 28 – Le Tréport 6.*

**Royal Albion** sans rest, ☎ 02 35 86 21 42, *evergreen2@wanadoo.fr, Fax 02 35 86 78 51,* – TV P – 20. GB.
12,10 – **20 ch** 63/114.
◆ "That's right !" : l'architecture et le décor intérieur soigné de cet établissement coiffant une falaise évoquent bien la Blanche Albion... presque voisine. Parc arboré.

**Hostellerie de la Vieille Ferme** , ☎ 02 35 86 72 18, *Fax 02 35 86 12 67,* , – TV P – 15. AE GB
*fermé 8 déc. au 13 janv., dim. soir et lundi hors saison* – **Repas** 17/37 ♀ – 8 – **31 ch** 46/81 – ½ P 51/65,50.
◆ À 300 m de la mer, belle maison normande (1734) abritant un restaurant au cadre rustique. Les trois pavillons nichés côté jardin hébergent des chambres simples.

**MESQUER** *44420 Loire-Atl.* 316 *B3 – 1 372 h alt. 6.*

*Office du Tourisme, place du Marché ☎ 02 40 42 64 37, Fax 02 40 42 64 37.*

*Paris 462 – Nantes 87 – La Baule 16 – St-Nazaire 29 – Vannes 56.*

XX **Vieille Forge,** ☎ 02 40 42 62 68, *keumsun@free.fr, Fax 02 51 73 91 52,* – . GB
*fermé 3 au 28 janv., lundi sauf vacances scolaires, mardi et merc.* – **Repas** 23/37 ♀.
◆ De l'ancienne forge bâtie en 1711, ce restaurant campagnard a conservé four et soufflet. Jardin-terrasse fleuri. Cuisine classique teintée d'insolites saveurs asiatiques.

**METZ** P *57000 Moselle* 307 *I4 G. Alsace Lorraine – 119 594 h Agglo. 322 526 h alt. 173.*

Voir *Cathédrale St-Etienne★★★* **CDV** – *Porte des Allemands★* **DV** – *Esplanade★* **CV** : *église St-Pierre-aux-Nonnains★* **CX V** – *Place St-Louis★* **DVX** – *Église St-Maximin★* **DVX** – *Narthex★ de l'église St-Martin* **DX** – *≤★ du Moyen Pont* **CV** – *Musée de la Cour d'Or★★ (section archéologique★★★)* **M**[1] – *Place du Général de Gaulle★.*

*de Metz-Nancy-Lorraine : ☎ 03 87 56 70 00, par ③ : 23 km.*

*☎ 08 36 35 35 35.*

*Office du Tourisme, place d'Armes ☎ 03 87 55 53 76, Fax 03 87 36 59 43, tourisme@ot.mairie-met.fr.*

*Paris 340 ① – Luxembourg 64 ① – Nancy 58 ④ – Saarbrücken 70 ③ – Strasbourg 163 ②.*

Plans pages suivantes

**Mercure Centre St-Thiébault** M, 29 pl. St-Thiébault ☎ 03 87 38 50 50, *h1233@accor-hotels.com, Fax 03 87 75 48 18* – TV P – 20 à 100. AE GB JCB DX d
**Repas** *(17)* - 21/32 ♀, enf. 8 – 12 – **112 ch** 102/110.
◆ Bâtiment moderne proche du centre historique et de ses rues piétonnes. Chambres rénovées et salle à manger décorée d'après les "saisons" du peintre Giuseppe Arcimboldo.

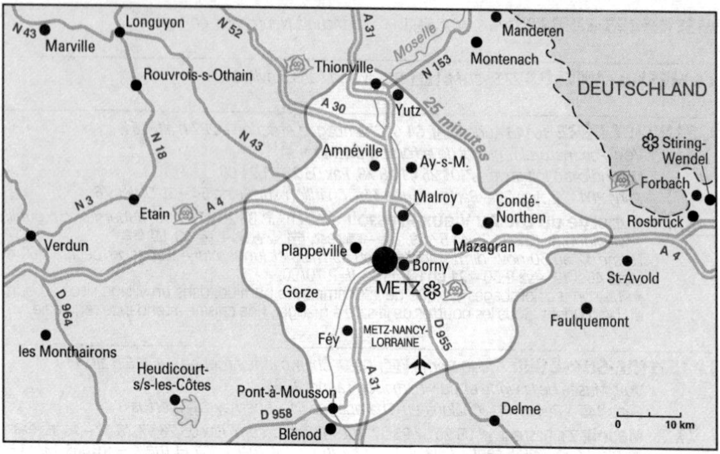
N 43
Marville
Longuyon
N 52
A 31
Moselle
Manderen
Montenach
Rouvrois-s-Othain
Thionville
N 153
DEUTSCHLAND
A 30
Yutz
25 minutes
N 18
N 43
Stiring-Wendel
Amnéville
Ay-s-M.
Forbach
N 3
Malroy
Condé-Northen
Etain
A 4
Rosbruck
Verdun
Mazagran
Plappeville
A 4
Borny
St-Avold
D 964
METZ
Gorze
Faulquemont
METZ-NANCY-LORRAINE
Fey
D 955
les Monthairons
Heudicourt-s/s-les-Côtes
A 31
Pont-à-Mousson
Delme
D 958
Blénod
0
10 km

**Novotel Centre** M, pl. Paraiges ☎ 03 87 37 38 39, *h0589@accor-hotels.com, Fax 03 87 36 10 00*, , – – 80. AE GB DV t
**Repas** (14) - 17 et carte 20 à 23 ♀, enf. 8 – ☕ 11 – **123 ch** 102/108.
◆ Voisin d'un centre commercial situé au coeur de la ville, ce Novotel dispose de chambres fonctionnelles et d'une salle à manger déclinant le thème "montgolfière".

**Bleu Marine,** 23 av. Foch ☎ 03 87 66 81 11, *bleumarine-metz@bplorraine.fr, Fax 03 87 56 13 16*, – – 30. AE GB DX s
**Repas** *(fermé sam. midi)* 15,50/24 – ☕ 9,50 – **62 ch** 75/170.
◆ Ce bel immeuble en pierres de taille égayé d'une marquise date de 1906. Chambres spacieuses et bien insonorisées ; certaines sont meublées en style Louis-Philippe.

**Cathédrale** sans rest, 25 pl. Chambre ☎ 03 87 75 00 02, *hotelcathedrale-metz@wanadoo.fr, Fax 03 87 75 40 75*, – . AE GB JCB CV v
*fermé 1er au 15 août* – ☕ 11 – **20 ch** 73/85.
◆ Maison du 17e s. où séjournèrent, entre autres, Madame de Staël et Chateaubriand. Élégantes chambres (mobilier chiné, tissus chatoyants), souvent tournées sur la cathédrale.

**Cécil** sans rest, 14 r. Pasteur ☎ 03 87 66 66 13, *cecil.hotel@wanadoo.fr, Fax 03 87 56 96 02* – . AE GB JCB. CX x
*fermé 26 déc. au 4 janv.* – ☕ 6 – **39** ch 50/56.
◆ L'immeuble fut construit en 1920 par des Anglais. Il abrite des chambres sagement colorées, pourvues d'un sobre mobilier et impeccablement tenues. Billard.

**Ibis Cathédrale,** 47 r. Chambière, quartier Pontiffroy ☎ 03 87 31 01 73, *h0621@accor-hotels.com, Fax 03 87 31 25 46*, – – 20. AE GB JCB DV e
**Repas** (12) - 15/24 – ☕ 6 – **79 ch** 62.
◆ L'hôtel, au bord d'un bras de la Moselle, jouxte les musées de la Cour d'Or : la situation est idéale pour une étape culturelle. Chambres entièrement refaites.

**Métropole** sans rest, 5 pl. Gén. de Gaulle ☎ 03 87 66 26 22, *hotelmetz@aol.com, Fax 03 87 66 29 91* – . AE GB DX q
☕ 6 – **75 ch** 34/61.
◆ Faisant face à la gare impériale et ses étonnants luminaires design, hôtel installé dans un immeuble en pierres de taille. Demander une chambre rénovée.

**Moderne** sans rest, 1 r. La Fayette ☎ 03 87 66 57 33, *hotelmoderne@wanadoo.fr, Fax 03 87 55 98 59* – . AE GB CX m
☕ 6 – **43 ch** 45/53.
◆ Murs crépis, mobilier cérusé ou canné et efficace double vitrage caractérisent les chambres sagement contemporaines de cet établissement proche de la gare.

XXX **Au Pampre d'Or** (Lamaze), 31 pl. Chambre ☎ 03 87 74 12 46, *Fax 03 87 36 96 92* – . AE GB CV a
*fermé 29 juil. au 6 août, dim. soir, mardi midi et lundi* – **Repas** 35/60 et carte 50 à 70 ♀.
◆ L'enseigne de cet hôtel particulier du 17e s. évoque la vigne qui occupait, jadis, l'emplacement. Intérieur original égayé de couleur jaune. Cuisine classique.
**Spéc.** Pomponnette de choux farcis d'escargots. Pigeonneau fermier rôti, désossé, escalope de foie gras chaud. Soufflé chaud au chocolat noir. **Vins** Gris de Toul, Vins de Moselle.

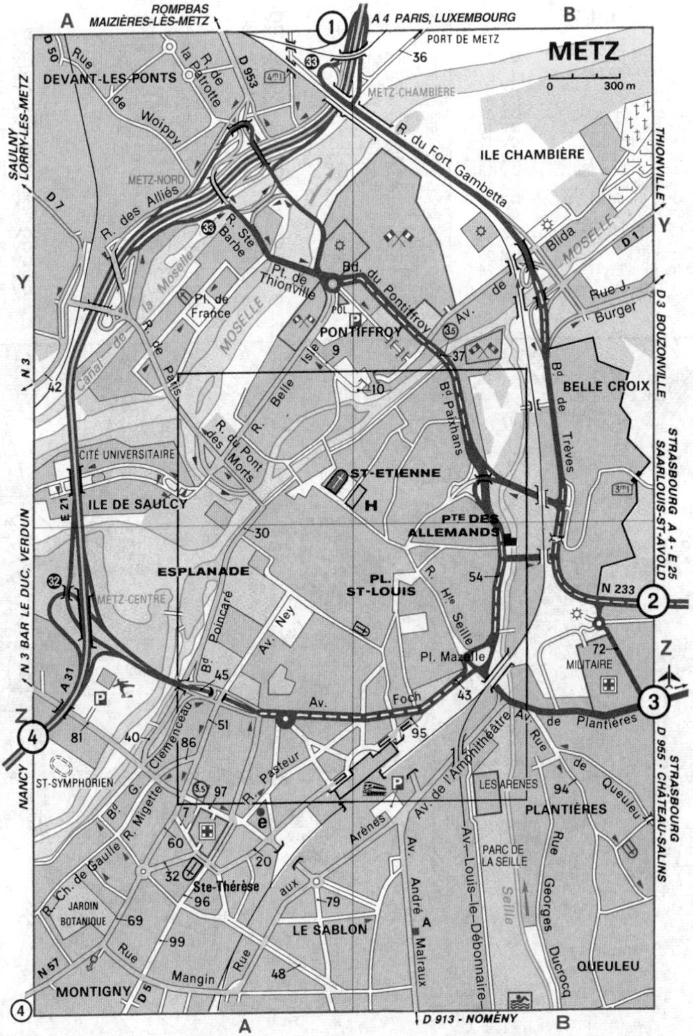
METZ
0
300 m
A 4 PARIS, LUXEMBOURG
ROMPBAS
MAIZIÈRES-LÈS-METZ
PORT DE METZ
METZ-CHAMBIÈRE
DEVANT-LES-PONTS
Rue de Woippy
R. de la Patrotte
D 953
SAULNY
LORRY-LÈS-METZ
ILE CHAMBIÈRE
R. du Fort Gambetta
THIONVILLE
METZ-NORD
R. des Alliés
R. Ste Barbe
Blida
MOSELLE
D 1
Pt. de Thionville
Bd. du Pontiffroy
Pl. de France
POL
PONTIFFROY
Av. de
Rue J. Burger
D 3 BOUZONVILLE
N 3
Canal de la Moselle
R. de Paris
Belle Isle
R. Belle
Bd Paixhans
BELLE CROIX
Bd de Trèves
CITÉ UNIVERSITAIRE
R. du Pont des Morts
ST-ETIENNE
H
ILE DE SAULCY
E 21
PTE DES ALLEMANDS
STRASBOURG A 4 - E 25
SARLOUIS-ST-AVOLD
N 3 BAR LE DUC, VERDUN
ESPLANADE
PL. ST-LOUIS
R. Hte Seille
N 233
METZ-CENTRE
Av. Ney
Bd Poincaré
Pl. Mazelle
MILITAIRE
A 31
Av. Foch
Av. de Plantières
NANCY
Bd Clemenceau
ST-SYMPHORIEN
Rue Pasteur
Av. de l'Amphithéâtre
Rue de Queuleu
LES ARENES
PLANTIÈRES
D 955 - CHÂTEAU-SALINS
STRASBOURG
Bd G.
R. Migette
R. Ch. de Gaulle
Ste-Thérèse
Arènes
R. aux
PARC DE LA SEILLE
Av. Louis-le-Débonnaire
Rue Georges Ducrocq
Seille
JARDIN BOTANIQUE
LE SABLON
Av. André Malraux
Rue Mangin
N 57
MONTIGNY
D 5
QUEULEU
D 913 - NOMÉNY
A
B
Y
Z
1
2
3
4
7
9
10
20
30
32
36
37
40
42
43
45
48
51
54
60
69
72
79
81
86
94
95
96
97
99

Barbé-de-Marbois (R.) . . **AZ** 7
Bénédictins (R. des) . . . **AY** 9
Chambière (R.). . . . . . . . **BY** 10
Clovis (R.) . . . . . . . . . . . . **AZ** 20
Garde (R. de la). . . . . . **AYZ** 30
Goethe (R.) . . . . . . . . . . . **AZ** 32
Grange-aux-Dames (R.) **BY** 36
Grilles (Pont des). . . . . . **BY** 37
Hegly (Allée V.) . . . . . . . **AZ** 40
Henri-II (Av.) . . . . . . . . . . **AY** 42
Jean-XXIII (Av.). . . . . . . . **BZ** 43
Joffre (Av.) . . . . . . . . . . . **AZ** 45
Lagneau (R. Jules) . . . . . **AZ** 48
Lattre-de-T. (Av. de) . . . **AZ** 51
Maginot (Bd André) . . . **BZ** 54
Nancy (Av. de) . . . . . . . . **AZ** 60
Pont-à-Mousson (R.) . . . **AZ** 69
Pont-Rouge (R. du) . . . . **BZ** 72
St-Pierre (R.). . . . . . . . . . **AZ** 79
St-Symphorien (Bd). . . . **AZ** 81
Salis (R. de) . . . . . . . . . . **AZ** 86
Trois-Évêchés (R. des) . **BZ** 94
Vauban (R.) . . . . . . . . . . . **BZ** 95
Verdun (R. de) . . . . . . . . **AZ** 96
Verlaine (R.) . . . . . . . . . . **AZ** 97
20e-Corps-Américain (R. du) . . . **AZ** 99

*Ecrivez-nous...*
*Vos louanges comme vos critiques seront examinées avec le plus grand soin.*
*Nous reverrons sur place les informations que vous nous signalez.*
*Par avance merci !*

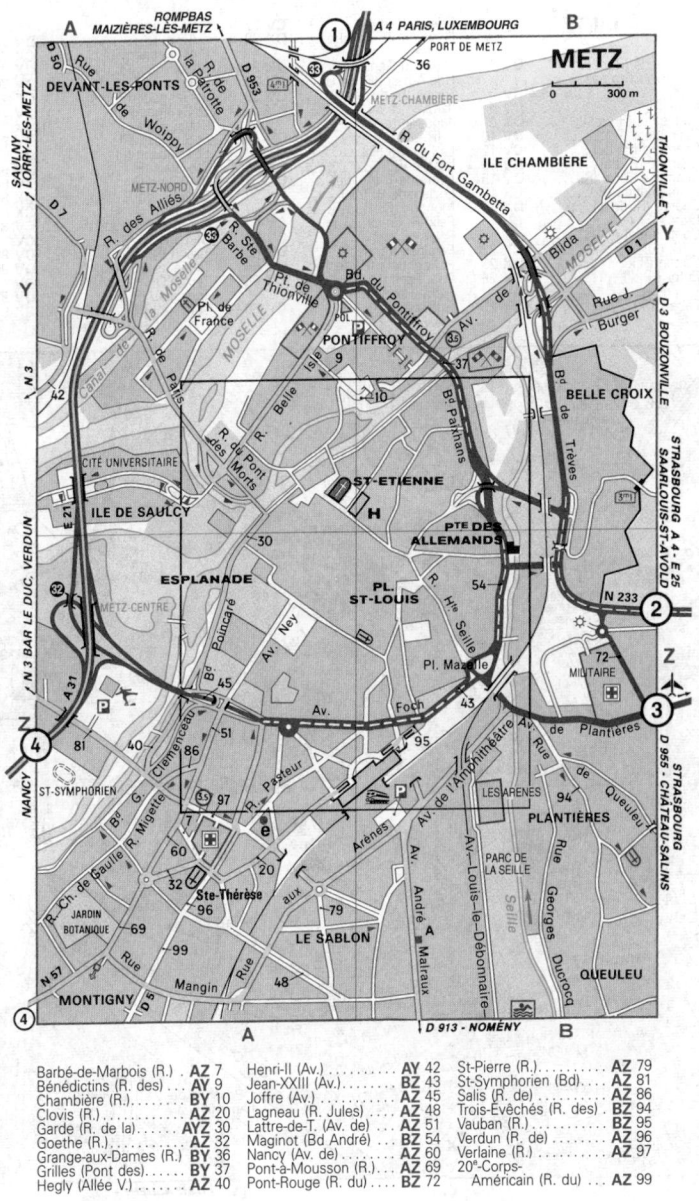

# METZ

Allemands (R. des) . . . . . . . **DV** 2
Ambroise-Thomas
(R.) . . . . . . . . . . . . . . . . . . **CV** 3
Armes (Pl. d') . . . . . . . . . . . . **DV** 5
Augustins (R. des) . . . . . . . . **DX** 6
Chambière (R.) . . . . . . . . . . . **DV** 10
Chambre (Pl. de) . . . . . . . . . **CV** 12
Champé (R. du) . . . . . . . . . . **DV** 13
Chanoine-Collin (R.) . . . . . . . **DV** 15
Charlemagne (R.) . . . . . . . . . **CX** 17
Chèvre (R. de la) . . . . . . . . . **DX** 19
Clercs (R. des) . . . . . . . . . . . **CV**
Coëtlosquet
(R. du) . . . . . . . . . . . . . . . . **CX** 22
Coislin (R.) . . . . . . . . . . . . . . **DX** 23
Enfer (R. d') . . . . . . . . . . . . . **DV** 25
En Fournirue . . . . . . . . . . . . . **DV**
Fabert (R.) . . . . . . . . . . . . . . **CV** 26
Faisan (R. du) . . . . . . . . . . . **CV** 27
Fontaine (R. de la) . . . . . . . . **DX** 29
Gaulle
(Pl. du Gén.-de) . . . . . . . . **DX** 31
Gde-Armée (R. de la) . . . . . **DV** 34
Hache (R. de la) . . . . . . . . . . **DV** 39
Jardins (R. des) . . . . . . . . . . . **DV**
Juge-Pierre-Michel
(R. du) . . . . . . . . . . . . . . . . **CV** 46
La Fayette (R.) . . . . . . . . . . . **CX** 47
Lasalle (R.) . . . . . . . . . . . . . . **DX** 49
Lattre-de-T. (Av. de) . . . . . . **CX** 51
Leclerc-de-H. (Av.) . . . . . . . **CX** 52
Mondon (Pl. R.) . . . . . . . . . . **CX** 57
Paix (R. de la) . . . . . . . . . . . . **CV** 61
Palais (R. du) . . . . . . . . . . . . **CV** 62
Paraiges (Pl. des) . . . . . . . . **DV** 63
Parmentiers (R. des) . . . . . . **DX** 64
Petit-Paris (R. du) . . . . . . . . **CV** 65
Pierre-Hardie
(R. de la) . . . . . . . . . . . . . . **CV** 66
Pont-Moreau
(R. du) . . . . . . . . . . . . . . . . **CDV** 70
Prés.-Kennedy (Av.) . . . . . . . **CX** 73
République (Pl. de la) . . . . . **CX** 75
St-Eucaire (R.) . . . . . . . . . . . **DV** 76
St-Gengoulf (R.) . . . . . . . . . . **CX** 77
St-Georges (R.) . . . . . . . . . . . **CV** 78
St-Louis (Pl.) . . . . . . . . . . . . . **DVX**
St-Simplice (Pl.) . . . . . . . . . . **DV** 80
St-Thiébault (Pl.) . . . . . . . . . **DX** 82
Ste-Croix (Pl.) . . . . . . . . . . . . **DV** 83
Ste-Marie (R.) . . . . . . . . . . . . **CV** 84
Salis (R. de) . . . . . . . . . . . . . **CX** 86
Schuman (Av. R.) . . . . . . . . . **CX**
Sérot (Bd Robert) . . . . . . . . . **CV** 87
Serpenoise (R.) . . . . . . . . . . . **CV**
Taison (R.) . . . . . . . . . . . . . . . **DV** 88
Tanneurs (R. des) . . . . . . . . . **DV** 90
Tête d'Or (R. de la) . . . . . . . . **DV**
Trinitaires (R. des) . . . . . . . . **DV** 93
Verlaine (R.) . . . . . . . . . . . . . **CX** 97

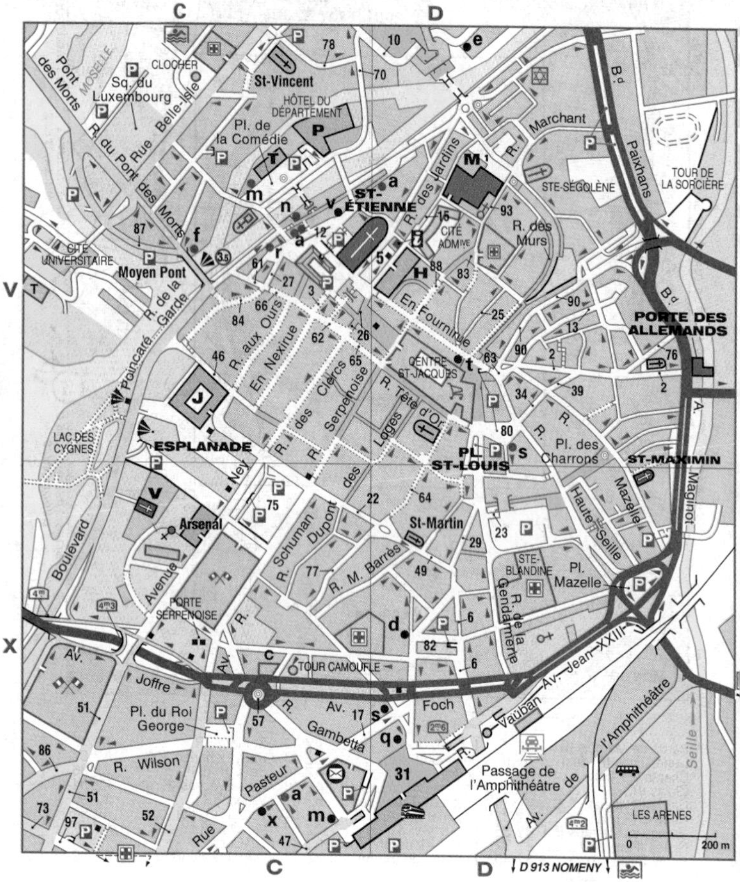

C
D
V
X
St-Vincent
HÔTEL DU DÉPARTEMENT
Pl. de la Comédie
CLOCHER
Sq. du Luxembourg
Pont des Morts
MOSELLE
Rue Belle-Isle
R. du Pont des Morts
CITÉ UNIVERSITAIRE
Moyen Pont
R. de la Garde
ST-ÉTIENNE
R. des Jardins
CITÉ ADMIVE
Marchant
STE-SÉGOLÈNE
TOUR DE LA SORCIÈRE
Bd Paixhans
R. des Murs
En Fournirue
PORTE DES ALLEMANDS
R. aux Ours
En Nexirue
CENTRE ST-JACQUES
R. des Clercs
Serpenoise
R. Tête d'Or
R. des Loges
Poincaré
LAC DES CYGNES
ESPLANADE
Ney
PL. ST-LOUIS
Pl. des Charrons
ST-MAXIMIN
Mazelle
Haute Seille
Maginot
Arsenal
R. Schuman
Dupont des
St-Martin
R. M. Barrès
STE-BLANDINE
Pl. Mazelle
R. de la Gendarmerie
Boulevard
Avenue
PORTE SERPENOISE
TOUR CAMOUFLE
Av. Joffre
Pl. du Roi George
R. Wilson
Av. Foch
R. Gambetta
Pasteur
Rue
Av. Jean-XXIII
Vauban
Passage de l'Amphithéâtre
Av. de l'Amphithéâtre
Seille
LES ARENES
0
200 m
D 913 NOMENY


**Maire,** 1 r. Pont des Morts ✆ 03 87 32 43 12, *restaurant.maire@wanadoo.fr, Fax 03 87 31 16 75,* – . AE GB **CV f**
*fermé merc. midi et mardi*
**Repas** 23 (déj.)/43 et carte 52 à 78 ♀.
◆ Atouts majeurs de ce restaurant : sa salle à manger surplombant la Moselle et sa terrasse au bord de l'eau offrant, toutes deux, un joli panorama sur la ville.

XX **Chat Noir,** 30 r. Pasteur ☎ 03 87 56 99 19, *Fax 03 87 66 67 64,* – AE GB AZ e
*fermé dim. et lundi* – **Repas** 21/41 ♀.
◆ Chaises "léopard", masques africains et couleurs chaleureuses créent l'atmopshère "ethnique" de ce restaurant récemment rénové. Cuisine inspirée par le marché.

XX **A La Ville de Lyon,** 7 r. Piques ☎ 03 87 36 07 01, *Fax 03 87 74 47 17* – P. AE GB DV a
*fermé 24 juil. au 22 août, dim. soir et lundi* – **Repas** 19,50/48 ♀, enf. 7,60.
◆ Salles de restaurant partagées entre dépendances de la cathédrale - une salle est aménagée dans une chapelle du 14e s. - et vieux murs d'un relais de diligences.

XX **Cardex,** 2 pl. Comédie ☎ 03 87 32 27 27, *cardex@wanadoo.fr, Fax 03 87 32 47 27*
*fermé 1er au 15 août, vacances de fév., dim. et lundi* – **Repas** 27/45 ♀. CV m
◆ Décor contemporain - associant ancien et design - soigné, ambiance "branchée", soirées jazz et cuisine au goût du jour : une nouvelle vie pour cet ex-pavillon militaire.

XX **Roches,** 29 r. Roches ☎ 03 87 74 06 51, *Fax 03 87 75 40 04,* – AE GB CV n
*fermé dim. soir et lundi soir* – **Repas** 26/45.
◆ Face au Théâtre, dans un immeuble ancien surplombant la Moselle, salle à manger aux murs de pierres apparentes agrémentés de tableaux. Belle terrasse à fleur d'eau.

XX **Goulue,** 24 pl. St-Simplice ☎ 03 87 75 10 69, *Fax 03 87 36 94 05,* – . AE GB DV s
*fermé dim. et lundi* – **Repas** 30/45 ♀.
◆ Cadre Belle Époque et mobilier de style Art nouveau dans ce bistrot nostalgique de la "Goulue" et du french cancan. Terrasse d'été sur la place. Produits de la mer.

XX **L'Écluse,** 45 pl. Chambre ☎ 03 87 75 42 38, *Fax 03 87 37 30 11* – AE GB CV r
*fermé 5 au 20 août, dim. et lundi* – **Repas** (19) - 30/65 ♀.
◆ Laissez-vous tenter par ce décor marin contemporain : murs jaunes, mobilier peint en bleu, plancher évoquant un pont de navire et raz-de-marée de la clientèle.

X **Thierry,** 5 r. Piques ☎ 03 87 74 01 23, *thierrygourmet@aol.com, Fax 03 87 77 81 03,* – GB CV a
*fermé 28 juil. au 17 août et dim.* – **Repas** 18,50/25,50 ♀.
◆ Cuisine traditionnelle assaisonnée d'un zeste de modernité et joli cadre mêlant la brique et le bois ont assuré un démarrage en fanfare à ce bistrot chic.

X **Bistrot des Sommeliers,** 10 r. Pasteur ☎ 03 87 63 40 20, *Fax 03 87 63 54 46* – . GB CX a
*fermé sam. midi, dim. et fériés* – **Repas** 13 ♀.
◆ Façade colorée et décor célébrant la dive bouteille pour ce bistrot proche de la gare. Belle sélection de vins au verre et suggestions du marché à découvrir sur l'ardoise.

**par** ① *et A 31 sortie Maizières-lès-Metz : 10 km – ✉ 57280 Maizières-lès-Metz :*

**Novotel-Hauconcourt** M, ☎ 03 87 80 18 18, *h0446@accor-hotels.com, Fax 03 87 80 36 00,* , , – , ch, – 60. AE GB
**Repas** (16) - 19,50 ♀, enf. 8 – 11 – **132 ch** 92/101.
◆ Trois décennies après sa construction, ce Novotel vient de bénéficier d'une rénovation totale, constituant ainsi une halte commode à proximité des autoroutes.

**à Malroy** *Nord : 8 km par D 1 – 304 h. alt. 180 – ✉ 57640 :*

XX **Aux 3 Capitaines,** ☎ 03 87 77 77 07, *Fax 03 87 77 89 78,* – AE GB
*fermé lundi* – **Repas** 15/30 ♀, enf. 10.
◆ En passant par la Lorraine, vous apercevrez bien les trois capitaines sur la fresque murale de cette auberge champêtre. Cuisine du terroir et spécialités de grenouilles.

**à Mazagran** *par ② et D 954 : 13 km – ✉ 57530 Courcelles-Chaussy :*

XX **Auberge de Mazagran,** ☎ 03 87 76 62 47, *Fax 03 87 76 79 50* – P. AE GB
*fermé mardi soir, lundi soir et merc.* – **Repas** (13) - 33/58 ♀.
◆ Ferme bâtie au 19e s. pour l'un des soldats qui défendit en 1840 le fortin de Mazagran (Algérie). Salle à manger à l'esprit campagnard. Plats traditionnels et du terroir.

**à Borny** *par ③ et rte Strasbourg : 3 km – ✉ 57070 Metz :*

XXX **Jardin de Bellevue,** 58 r. Claude Bernard (près Technopole Metz 2000) ☎ 03 87 37 10 27, *Fax 03 87 37 15 45,* , – P. AE GB
*fermé 1er au 7 mars, 22 juil. au 13 août, sam.midi, dim. soir et lundi* – **Repas** (24) - 29/53,50 et carte 48 à 70 ♀, enf. 12,50.
◆ Façade chic pour cette maison centenaire d'un quartier résidentiel. Tables joliment dressées dans une plaisante salle à manger jaune. Cuisine au goût du jour.

**à Technopole 2000** *par ③ et rte de Strasbourg : 5 km – ✉ 57070 Metz :*

**Holiday Inn** M , 1 r. F. Savart ☎ 03 87 39 94 50, *reception@holidayinn-metz.com, Fax 03 87 39 94 55,* , – P – 80. AE GB JCB
***Les Alizés*** *(fermé sam. midi et dim. midi)* **Repas** 24/42 ♀ – ***Cos'Club*** ☎ 03 87 20 33 15 (déj. seul.) *(fermé mi-juil. à mi-août,sam. et dim.)* **Repas** 13/19 ♀ – 12 – **90 ch** 119/139.
◆ Architecture design bordant un parcours de golf 18 trous. Chambres pratiques ; mobilier contemporain. Plats traditionnels aux Alizés et formules buffets au Cos'Club.

**à Fey** *par ④, A 31 sortie Fey : 11 km – 487 h. alt. 227 – ✉ 57420 :*

**Tuileries** ⛰, ☎ 03 87 52 03 03, *lestuileries@wanadoo.fr, Fax 03 87 52 84 24,* ☂, – ⇅ ✈, ▤ rest, TV, ♿, P – 🎤 80. AE ◐ GB
**Repas** *(fermé dim. soir)* 19,50/50 ♀, enf. 10 – ☕ 8 – **41 ch** 54/58 – ½ P 58.
◆ Bâtisse récente proche d'un échangeur autoroutier, mais bénéficiant d'une bonne tranquillité. Chambres fonctionnelles et équipées d'un mobilier de qualité.

**à Plappeville** *par av. Henri II -* **AY** *: 7 km – 2 130 h. alt. 280 – ✉ 57050 :*

**Grignotière,** 50 r. Gén. de Gaulle ☎ 03 87 30 36 68, *la-grignotiere2@wanadoo.fr, Fax 03 87 30 79 01* – AE GB
*fermé merc.* – **Repas** 35/50 ♀.
◆ Au coeur du village, vieille maison de vigneron transformée en auberge familiale. Intérieur agréablement refait avec une nouvelle salle à manger ouverte sur la terrasse d'été.

---

**METZERAL** *68380 H.-Rhin* 315 G8 – *1 041 h alt. 480.*
*Paris 464 – Colmar 25 – Gérardmer 39 – Guebwiller 46 – Thann 43.*

**Pont,** ☎ 03 89 77 60 84, *Fax 03 89 77 63 88,* ☂ – TV P. GB
*fermé 13 nov. au 20 déc. et lundi* – **Repas** 15/38 ♀, enf. 8 – ☕ 7 – **8 ch** 39/50, 8 studios 70/90 – ½ P 50.
◆ Cette bâtisse ancienne vient à point pour une étape sur la route touristique de la vallée de la Grande Fecht. Chambres modestes. Vastes studios répartis dans deux annexes.

**Aux Deux Clefs** ⛰, ☎ 03 89 77 61 48, *clarines68@hotmail.com, Fax 03 89 77 63 88,* ≤, – TV P. GB
*fermé 15 janv. au 1er fév. et merc. hors saison* – **Repas** 10 bc/30 bc ♀, enf. 8 – ☕ 8 – **15 ch** 30/50 – ½ P 50/55.
◆ Établissement familial profitant du calme de la campagne. Chambres sobrement aménagées et salle à manger au décor d'inspiration bourgeoise. Fitness flambant neuf.

---

**MEUDON** *92 Hauts-de-Seine* 311 J3 101 ㉔ – *voir à Paris, Environs.*

---

**MEULAN** *78250 Yvelines* 311 H1 – *8 101 h alt. 25.*
*Paris 44 – Beauvais 64 – Mantes-la-Jolie 21 – Pontoise 22 – Rambouillet 60 – Versailles 35.*

**Mercure** M ⛰, l'Ile Belle (dir. Mureaux) ☎ 01 34 74 63 63, *h0834@accor-hotels.com, Fax 01 34 74 00 98,* ≤, ☂, – ⇅ ✈ TV ♿ P – 🎤 70. AE ◐ GB
**Repas** *(fermé nov.-déc., vend. soir, dim. midi et sam.)* (20) - 26/29 ♀, enf. 9,50 – ☕ 12 – **60 ch** 110/122, 9 appart.
◆ Jouez à Robinson dans cet hôtel récent ancré sur une île verdoyante de la Seine et bâti sur les communs d'un château du 18e s. Chambres rénovées, fonctionnelles.

---

**MEURSAULT** *21 Côte-d'Or* 320 I8 – *rattaché à Beaune.*

---

**Le MEUX** *60 Oise* 305 H4 – *rattaché à Compiègne.*

---

**MEXIMIEUX** *01800 Ain* 328 E5 – *6 230 h alt. 245.*
ℹ *Office du Tourisme, 1 rue de Genève ☎ 04 74 61 11 11, Fax 04 74 61 00 50.*
*Paris 457 – Lyon 38 – Bourg-en-Bresse 37 – Chambéry 92 – Genève 118 – Grenoble 124.*

**Claude Lutz** avec ch, 17 r. Lyon ☎ 04 74 61 06 78, *Fax 04 74 34 75 23* – TV P – 🎤 80. AE GB JCB
*fermé 15 au 23 juil., 20 oct. au 8 nov., 2 au 14 janv., dim. soir et lundi* – **Repas** (prévenir) (24) - 35/51 et carte 31 à 55 ♀ – ☕ 6,80 – **12 ch** 43/58.
◆ Auberge traditionnelle au centre de la petite cité. Salle de restaurant feutrée, agrémentée d'une fresque représentant un paysage de la Dombes. Quelques chambres rajeunies.

**au Pont de Chazey-Villieu** *Est : 3 km sur N 84 – ✉ 01800 Meximieux :*

**Mère Jacquet** avec ch, ☎ 04 74 61 94 80, *Fax 04 74 61 92 07,* ☂, – TV ♿ P. GB
*fermé 22 déc. au 14 janv.* – **Repas** *(fermé sam. midi, dim. soir et lundi)* 21/42 et carte 38 à 72 ♀, enf. 13 – ☕ 8 – **19 ch** 61/68 – ½ P 53,50/61.
◆ Maison du 16e s. et extensions récentes tournent le dos à la route nationale. Salle à manger rustique ouvrant sur un joli jardin fleuri. Chambres spacieuses. Carte classique.

---

**MÉXY** *54 M.-et-M.* 307 F2 – *rattaché à Longwy.*

**MEYLAN** *38 Isère* 333 *H6 – rattaché à Grenoble.*

**MEYMAC** *19250 Corrèze* 329 *N2 G. Berry Limousin – 2 796 h alt. 702.*

Voir *Vierge noire★ dans l'église abbatiale.*

*Office du Tourisme, place de l'Hôtel de Ville ☎ 05 55 95 18 43, Fax 05 55 95 66 12.*

*Paris 445 – Aubusson 57 – Limoges 96 – Neuvic 30 – Tulle 49 – Ussel 18.*

**Chez Françoise** avec ch, 24 r. Fontaine du Rat ☎ 05 55 95 10 63, *Fax 05 55 95 40 22*, – AE GB

*fermé 21 déc. au 10 janv. et lundi* – **Repas** 12 (déj.), 31/58 ♀, enf. 8 – ☐ 7,60 – **4 ch** 54/69.

◆ La boutique de produits régionaux attenante donne le ton : on sert ici une cuisine limousine accompagnée d'un beau choix de vins. Cadre rustique avec cheminée du 14$^e$ s.

**à Maussac** *Sud : 9 km par D 36 et N 89 – 397 h. alt. 615 – ✉ 19250 :*

**Europa,** sur N 89 ☎ 05 55 94 25 21, *Fax 05 55 94 26 08*, – rest, – 25. AE GB

*fermé 20 déc. au 5 janv.* – **Repas** 12/19 ♀, enf. 9 – ☐ 5 – **24 ch** 38,50/45,50 – ½ P 35/40.

◆ Cet établissement à la façade lambrissée abrite des chambres fonctionnelles, pourvues de lits "king size" et toutes de plain-pied. Cuisine traditionnelle.

**MEYRARGUES** *13650 B.-du-R.* 340 *I4 G. Provence – 2 814 h alt. 247.*

*Paris 752 – Marseille 47 – Aix-en-Provence 17 – Avignon 77 – Manosque 43.*

**Château de Meyrargues** , ☎ 04 42 63 49 90, *chateaumeyrargues@libertysurf.fr, Fax 04 42 63 49 92*, ←, – , ch, AE GB JCB. rest

*fermé nov.* – **Repas** *(fermé 1$^{er}$ nov. au 15 déc., 15 janv. au 15 mars et le midi en semaine)* 38,20/83,90 – ☐ 16 – **8 ch** 115/200, 3 appart – ½ P 99,50/194,50.

◆ Ce majestueux château fort gardant la vallée est un véritable nid d'aigle. Ses chambres et sa salle à manger rivalisent d'élégance. Parc ravissant et terrasse panoramique.

**MEYRONNE** *46200 Lot* 337 *F2 – 210 h alt. 130.*

*Paris 519 – Brive-la-Gaillarde 41 – Cahors 76 – Figeac 54 – Sarlat-la-Canéda 40.*

**Terrasse** , ☎ 05 65 32 21 60, *terrasse.liebus@wanadoo.fr, Fax 05 65 32 26 93*, ←, , – – 15. AE GB JCB

*15 mars-1$^{er}$ nov.* – **Repas** *(fermé mardi midi)* 17 (déj.), 24/45 ♀, enf. 9 – ☐ 9 – **16 ch** 54/122 – ½ P 55/138.

◆ Cette noble demeure domine la Dordogne et Meyronne, ancienne résidence d'été des évêques de Tulle. Chambres meublées d'ancien. Plaisante terrasse sous une treille.

**MEYRUEIS** *48150 Lozère* 330 *I9 G. Languedoc Roussillon – 907 h alt. 698.*

Voir *NO : Gorges de la Jonte★★.*

Env. *Aven Armand★★★ NO : 11 km – Grotte de Dargilan★★ NO : 8,5 km.*

*Office du Tourisme, Tour de l'Horloge ☎ 04 66 45 60 33, Fax 04 66 45 65 27, office.tourisme.meyrueis@wanadoo.fr.*

*Paris 646 – Mende 57 – Florac 36 – Millau 43 – Rodez 99 – Le Vigan 55.*

**Château d'Ayres** , Est : 1,5 km par D 57 ☎ 04 66 45 60 10, *chateau-d-ayres@wanadoo.fr, Fax 04 66 45 62 26*, ←, , , , – AE GB. rest

*15 mars-15 déc.* – **Repas** 18 (déj.), 26/42 ♀, enf. 15 – ☐ 11,50 – **20 ch** 109/139, 7 appart – ½ P 85/100.

◆ Dans un parc de 6 ha, inébranlables murs du 12$^e$ s. imprégnés de l'histoire cévenole. Chambres "châtelaines" et terrasse ombragée par des séquoïas au bord d'une pièce d'eau.

**Mont Aigoual,** 34 quai Barrière ☎ 04 66 45 65 61, *Fax 04 66 45 64 25*, , – . AE GB. rest

*29 mars-2 nov.* – **Repas** *(fermé mardi midi en avril et oct.)* 16,50/37 ♀ – ☐ 6,50 – **30 ch** 46/71 – ½ P 57.

◆ Le village est au pied du pittoresque massif de l'Aigoual. Choisir une chambre rénovée, côté jardin. Salle à manger au cadre provençal et cuisine traditionnelle.

**Europe,** ☎ 04 66 45 60 05, *Fax 04 66 45 65 31* – . GB

*17 avril-5 nov.* – **Repas** (11) - 13/20 , enf. 8 – ☐ 6 – **29 ch** 38 – ½ P 41.

◆ Cette vieille pension de famille abrite des chambres fonctionnelles et une salle de restaurant d'esprit rustique. Accès gratuit à la piscine de l'hôtel du Mont Aigoual (à 100 m).

**Family Hôtel,** ☎ 04 66 45 60 02, *hotel.family@wanadoo.fr, Fax 04 66 45 66 54*, , – – 30. GB

*1$^{er}$ avril-3 nov.* – **Repas** 12/25 ♀, enf. 8 – ☐ 7 – **48 ch** 34/43 – ½ P 43.

◆ La façade blanche de cet hôtel borde le cours de la Jonte. Chambres pratiques. Piscine et jardin sur la rive, de l'autre côté de la route.

**Grand Hôtel de France,** 04 66 45 60 07, *grandhoteldefrance@wanadoo.fr, Fax 04 66 45 67 62,* – GB
*11 avril-15 oct.* – **Repas** *(1er mai-1er oct.)* 15/28, enf. 8 – 7 – **45 ch** 47 – ½ P 42.
◆ Bâtisse en pierres du pays, aux petites chambres colorées. Restaurant campagnard agrémenté d'une cheminée. Sur l'arrière de l'hôtel, jardin et piscine à flanc de colline.

**St-Sauveur,** 04 66 45 62 12, *saint-sauveur@demeures.de.lozere.com, Fax 04 66 45 65 94,* – . AE GB
*15 mars-15 nov.* – **Repas** 15/28 – 6 – **10 ch** 35/40 – ½ P 37/39.
◆ Hôtel particulier du 18e s. devancé d'une terrasse ombragée par un magnifique sycomore : une halte de caractère avant de découvrir l'aven Armand, merveille souterraine.

---

## MEYZIEU *69330 Rhône* 327 *J5 – 28 077 h alt. 201.*

*Paris 469 – Lyon 19 – Pont-de-Chéruy 15 – St-Priest 14 – Vienne 42.*

**Mont Joyeux** , r. V. Hugo (près lac du Gd Large) 04 78 04 21 32, *monjoyeu@club.internet.fr, Fax 04 72 02 85 72,* – . AE GB
**Repas** 21/43 – 9,50 – **20 ch** 75/111 – ½ P 97,50.
◆ Salle à manger et terrasse ombragée (beau chêne) n'ont d'yeux que pour le lac de Méyzieu. Côté jardin, chambres nettes, équipées d'un balcon ou d'une terrasse.

**Petite Auberge du Pont d'Herbens,** 32 r. V. Hugo 04 78 31 41 09 *Fax 04 78 04 34 93,* – . AE GB JCB
*fermé mars, dim.soir et lundi sauf fériés* – **Repas** 13 (déj.), 17/39 .
◆ Seulement séparée du lac du Grand Large par une prairie, cette sympathique auberge de la banlieue lyonnaise a un petit air de campagne bienvenu. Terrasse en pleine nature.

*Ecrivez-nous...*
*Vos louanges comme vos critiques seront examinées avec le plus grand soin. Nous reverrons sur place les informations que vous nous signalez.*
*Par avance merci !*

---

## MÈZE *34140 Hérault* 339 *G8 G. Languedoc Roussillon – 6 502 h alt. 20.*

**Voir** *Villa gallo-romaine★ de Loupian N : 1,5 km.*
*Office de tourisme, rue A.-Massaloup 04 67 43 93 08.*
*Paris 751 – Montpellier 37 – Agde 20 – Béziers 41 – Lodève 52 – Pézenas 19 – Sète 19.*

**à Bouzigues** *Nord-Est : 4 km par N 113 et rte secondaire – 907 h. alt. 3 – 34140 :*

**Côte Bleue** , 04 67 78 31 42, *Fax 04 67 78 35 49,* – – 40. AE GB.
**Repas** 04 67 78 30 87 *(fermé 20 janv. au 20 fév., dim. soir du 15 oct. au 31 mars, mardi soir et merc. de sept. à juin)* 26/41 – 7 – **32 ch** 54/77.
◆ L'étang de Thau baigne cette construction moderne aux chambres fonctionnelles dotées de balcons. La cuisine de la mer met à l'honneur les fameuses huîtres de Bouzigues.

---

## La MÉZIÈRE *35 I.-et-V.* 309 *L5 – rattaché à Rennes.*

---

## MÉZIÈRES-EN-BRENNE *36290 Indre* 323 *D6 G. Berry Limousin – 1 194 h alt. 88.*

*Office du Tourisme, 1 rue du Nord 02 54 38 12 24, Fax 02 54 38 13 76.*
*Paris 304 – Le Blanc 28 – Châteauroux 41 – Châtellerault 59 – Poitiers 96 – Tours 87.*

**Boeuf Couronné** avec ch, 02 54 38 04 39, *Fax 02 54 38 02 84* – . AE GB. ch
*fermé 20 nov. au 31 janv., dim. soir et lundi sauf fériés* – **Repas** (13) - 18/40 , enf. 8,50 – 6 – **8 ch** 28/37 – ½ P 33.
◆ Ce relais de poste du 17e s. incite à faire étape au coeur du Parc naturel régional de la Brenne : coquette salle à manger champêtre et cuisine traditionnelle.

---

## MIEUSSY *74440 H.-Savoie* 328 *M4 G. Alpes du Nord – 1 346 h alt. 636.*

*Office du Tourisme, Le Pont du Diable 04 50 43 02 72, Fax 04 50 43 01 87.*
*Paris 564 – Chamonix-Mont-Blanc 59 – Thonon-les-Bains 49 – Annecy 62 – Bonneville 21.*

**Accueil Savoyard,** 04 50 43 01 90, *accueil-savoyard@wanadoo.fr, Fax 04 50 43 09 59,* – GB.
*fermé 20 oct. au 9 nov. et dim. soir hors saison* – **Repas** 11 (déj.), 16/25 – 6 – **19 ch** 20/48 – ½ P 30/47.
◆ Hôtel de type "pension de famille" dans la vallée du Giffre. Chambres réparties entre plusieurs chalets et salle à manger panoramique. Un programme de rénovations est en cours.

**MILLAU** 12100 Aveyron 338 K6 *G. Languedoc Roussillon – 21 788 h alt. 372.*

Voir *Musée de Millau : poteries*★, *maison de la Peau et du Gant* ★ *(1er étage)* **M**.

Env. *Canyon de la Dourbie*★★ *8 km par* ②.

*Office du Tourisme, 1 avenue Alfred Merle* ✆ *05 65 60 02 42, Fax 05 65 60 95 08.*

*Paris 640* ① – *Mende 95* ① – *Rodez 67* ⑤ – *Albi 108* ④ – *Montpellier 115* ③.

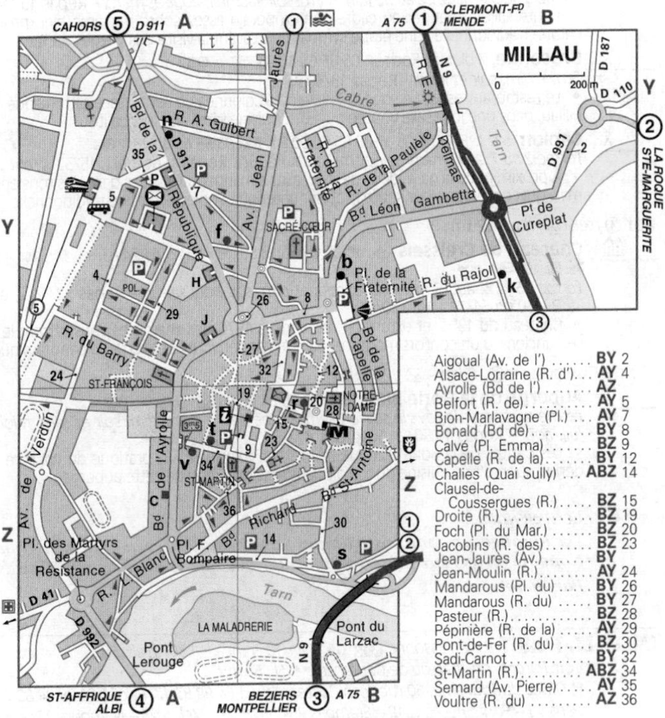

MILLAU
CAHORS 5 D 911 A
A 75 1 CLERMONT-FD MENDE B
D 187
D 110
0 200 m
Y
2 LA ROQUE STE-MARGUERITE
D 991
Cabre
Tarn
R. A. Guibert
Bd de la République
D 911
Av. Jean Jaurès
R. de la Fraternité
R. de la Paulèle
Delmas
Bd Léon Gambetta
Pl. de Cureplat
SACRÉ-CŒUR
Pl. de la Fraternité
R. du Rajol
POL.
R. du Barry
ST-FRANÇOIS
Bd de la Capelle
NOTRE-DAME
Bd de l'Ayrolle
ST-MARTIN
Bd St-Antoine
Bd Richard
Av. de Verdun
Pl. des Martyrs de la Résistance
Pl. F. Bompaire
R. L. Blanc
D 41
D 992
LA MALADRERIE
Pont Lerouge
Pont du Larzac
N 9
Z
ST-AFFRIQUE ALBI 4 A
BEZIERS MONTPELLIER 3 A 75 B


| | | |
|---|---|---|
| Aigoual (Av. de l') | BY | 2 |
| Alsace-Lorraine (R. d') | AY | 4 |
| Ayrolle (Bd de l') | AZ | |
| Belfort (R. de) | AY | 5 |
| Bion-Marlavagne (Pl.) | AY | 7 |
| Bonald (Bd de) | BY | 8 |
| Calvé (Pl. Emma) | BZ | 9 |
| Capelle (R. de la) | BY | 12 |
| Chalies (Quai Sully) | ABZ | 14 |
| Clausel-de-Coussergues (R.) | BZ | 15 |
| Droite (R.) | BZ | 19 |
| Foch (Pl. du Mar.) | BZ | 20 |
| Jacobins (R. des) | BZ | 23 |
| Jean-Jaurès (Av.) | BY | |
| Jean-Moulin (R.) | AY | 24 |
| Mandarous (Pl. du) | BY | 26 |
| Mandarous (R. du) | BY | 27 |
| Pasteur (R.) | BZ | 28 |
| Pépinière (R. de la) | AY | 29 |
| Pont-de-Fer (R. du) | BZ | 30 |
| Sadi-Carnot | BY | 32 |
| St-Martin (R.) | ABZ | 34 |
| Semard (Av. Pierre) | AY | 35 |
| Voultre (R. du) | AZ | 36 |

**Musardière,** 34 av. République ✆ 05 65 60 20 63, *hotel-lamusardiere@wanadoo.fr, Fax 05 65 59 78 13,* – ch, AE GB — AY n

**Repas** *(fermé 11 au 26 mars, 1er au 23 nov., mardi soir, sam. midi et merc.)* 29/61, enf. 13 – 10 – **14 ch** 130/175 – ½ P 66/112.

◆ Élégante maison de maître du 19e s. ouverte sur un jardin. Chambres personnalisées (meubles de style et actuels), salles à manger bourgeoises et cuisine au goût du jour.

**Cévenol Hôtel,** 115 r. Rajol ✆ 05 65 60 74 44, *cenevol@wanadoo.fr, Fax 05 65 60 85 99,* GB — BY k

*17 mars-13 nov.* – ***Pot d'Étain*** *(fermé mardi midi, lundi 1/07 au 15/09, lundi midi, merc. midi et dim. hors saison)* **Repas** (13) 18,50/26 – 7 – **42 ch** 48/57 – ½ P 54/56.

◆ Bâtiment des années 1980 séparé du Tarn par la route nationale. Chambres fonctionnelles assez spacieuses ; sobre salle à manger d'esprit rustique.

**Millau Hôtel Club** M, par ④ *et rte Montpellier* ✆ 05 65 59 71 33, *millauhotelclub@wanadoo.fr, Fax 05 65 59 71 67,* AE GB

*avril-nov.* – **Repas** 12/16 – 8 – **37 ch** 49.

◆ Construction contemporaine à la périphérie de la cité du gant. Chambres pratiques et actuelles, toutes climatisées. Restaurant-grill en rotonde.

**Capelle** sans rest, 7 pl. Fraternité ✆ 05 65 60 14 72 – GB. — BY b

*12 avril-1[er] oct.* – 5,50 – **46 ch** 25/41.

◆ Ancienne tannerie réaménagée en hôtel au cours des années 1960. Chambres modestes ; certaines offrent une vue sur les Grands Causses.

XX **Table d'Albanie,** 23 r. Pont de Fer ✆ 05 65 59 16 87, *Fax 05 65 59 44 92,* – ▤. GB BZ s
*fermé 18 fév. au 12 mars, 24 au 31 oct., mardi soir et merc.* – **Repas** 16,50/26 ♀, enf. 9.
◆ Deux bâtiments accolés dont une mégisserie rénovée. Le mobilier conçu par un ébéniste local, la générosité de l'accueil et les plats régionaux font l'attrait de ce restaurant.

X **Square,** 10 r. St-Martin ✆ 05 65 61 26 00, – GB AZ t
*fermé 3 au 31 mars, 22 au 30 juin, mardi soir sauf juil.-août et merc.* – **Repas** 15,10/28,70.
◆ Petite salle à manger au cadre contemporain assez sobre, terrasse bien protégée et cuisine traditionnelle : une étape sympathique avant la visite des gorges du Tarn.

X **Braconne,** 7 pl. Mar. Foch ✆ 05 65 60 30 93, – GB BZ r
*fermé dim. soir et lundi* – **Repas** 15/30 ♀.
◆ Le restaurant est situé sous le "couvert" à colonnes de cette place pittoresque du vieux Millau, dans une jolie salle voûtée du 13e s. Cuisine familiale, service itou.

X **Capion,** 3 r. J.-F. Alméras ✆ 05 65 60 00 91, *Fax 05 65 60 42 13* – GB AY f
*fermé 2 au 7 janv., mardi soir et merc. sauf août* – **Repas** 11 bc (déj.), 15/32, enf. 6,10.
◆ À proximité de la gare, deux petites salles à manger rafraîchies dans des tons ensoleillés, mais qui conservent leur sobre mobilier antérieur. Copieuse cuisine traditionnelle.

**par** ④ *rte St-Affrique : 2 km :*

**Château de Creissels** , ✆ 05 65 60 16 59, *Fax 05 65 61 24 63,* <, , – P. AE GB JCB
*fermé 15 janv. au 15 mars, lundi midi et dim. soir hors saison* – **Repas** 22/44 ♀, enf. 10 – 8 – **30 ch** 54/77 – 1/2 P 50/66.
◆ Château du 12e s. et extension des années 1970 : les chambres vous offrent le charme de l'ancien ou un confort moderne. Salle à manger voûtée et terrasse panoramique.

**rte de Cahors** *par* ⑤ *: 3 km* – ✉ *12100 Millau :*

X **Auberge de la Borie Blanque,** ✆ 05 65 60 85 88, – P. GB
*fermé vacances de fév., le soir en semaine de nov. à mars, dim. soir et sam. midi sauf en juil.-août* – **Repas** 10,50/21,50, enf. 6.
◆ Les pentes de la Borie Blanque se prêtent volontiers à la pratique du vol libre... et à la dégustation d'une cuisine du terroir dans la salle voûtée de cette auberge.

*Ecrivez-nous...*
*Vos louanges comme vos critiques seront examinées avec le plus grand soin. Nous reverrons sur place les informations que vous nous signalez.*
*Par avance merci !*

---

## MILLY-LA-FORÊT *91490 Essonne* 312 D5 *G. Île de France – 4 307 h alt. 68.*

**Voir** *Parc** du chateau de Courances** N : 5 km.*
*Office du Tourisme, 60 rue Jean Cocteau ✆ 01 64 98 83 17, Fax 01 64 98 94 80.*
*Paris 59 – Fontainebleau 19 – Étampes 26 – Évry 30 – Melun 25 – Nemours 27.*

**à Auvers** *(S.-et-M.) Sud : 4 km par D 948 – ✉ 77123 Noisy-sur-École :*

XX **Auberge d'Auvers Galant,** ✆ 01 64 24 51 02, *Fax 01 64 24 56 40,* – AE GB
*fermé 23 août au 9 sept., 19 janv. au 10 fév., dim. soir, lundi et mardi* – **Repas** 21,50/45,50 ♀.
◆ Rien à redouter de ce Galant-là : posté à l'orée de la forêt de Fontainebleau, c'est en tout bien tout honneur qu'il vous propose une halte dans un intérieur rustique.

---

## MIMIZAN *40200 Landes* 335 D9 *G. Aquitaine – 6 710 h alt. 13 – Casino.*

*Paris 695 – Mont-de-Marsan 77 – Arcachon 66 – Bayonne 109 – Bordeaux 111 – Dax 73.*

**à Mimizan-Bourg :**

XXX **Au Bon Coin du Lac** (Caule) avec ch, au lac : Nord 1,5 km ✆ 05 58 09 01 55, *Fax 05 58 09 40 84,* <, , – ▤ rest, . AE GB.
*fermé fév., dim. soir et lundi sauf juil-août* – **Repas** 28/58 et carte 60 à 75 ♀ – 10 – **4 ch** 76/99, 4 appart – 1/2 P 99.
◆ Atmosphère romantique dans ce pavillon entouré d'un jardin bordant le lac. Collection d'armagnacs et de bordeaux au restaurant. Belle cuisine régionale. Chambres confortables.
**Spéc.** Sole soufflée aux langoustines. Barigoule d'artichaut au foie gras de canard. Grand dessert. **Vins** Jurançon, Madiran.

X **Vauclin,** 2 av. Bayonne (angle r. Abbaye) ✆ 05 58 09 15 09, *restaurant.le.vauclin@wanado o.fr, Fax 05 58 09 15 09* – AE GB
*fermé 15 au 22 mars, oct., dim. soir et lundi de sept. à juin* – **Repas** 11 (déj.), 14/24 ♀.
◆ L'enseigne pourrait faire penser à une adresse martiniquaise. Mais il n'en est rien : vous goûterez ici des préparations au goût du jour. Salle à manger habillée de boiseries.

**Plage Sud :**

**Émeraude des Bois,** 68 av. Courant ✆ 05 58 09 05 28, *emeraudedesbois@wanadoo.fr, Fax 05 58 09 35 73,* – GB. rest
*1er avril-fin sept.* – **Repas** *(fin mai-mi-sept.)* (dîner seul.) 15,30/25, enf. 8,50 – 6 – **15 ch** 56,50/58 – 1/2 P 46/50.
◆ Sympathique hôtellerie à 3 mn des plages de la Côte d'Argent. Chambres sobrement décorées et petites salles de bains rénovées. Salle à manger avec véranda et terrasse ombragée.

**L'Airial** sans rest, 6 r. Papeterie ✆ 05 58 09 46 54, *Fax 05 58 09 32 10,* – . GB
*1er mai-31 oct.* – 5,50 – **16 ch** 48.
◆ Accueil chaleureux, chambres de bonne tenue meublées en pin, salons de détente, petit-déjeuner dans le jardin : voici un séjour océanique qui s'annonce bien !

---

**MINERVE** *34210 Hérault* 339 B8 *G. Languedoc Roussillon – 104 h alt. 227.*
Voir *Site*★★.
*Syndicat d'Initiative, 9 rue des Martyrs ✆ 04 68 91 81 43.*
*Paris 814 – Béziers 46 – Carcassonne 44 – Narbonne 32 – St-Pons 29.*

**Relais Chantovent** avec ch, ✆ 04 68 91 14 18, *Fax 04 68 91 81 99,* <, – GB
*fermé 18 déc. au 18 mars, dim. soir et lundi* – **Repas** 15/35 – 5,50 – **10 ch** 31/50 – 1/2 P 50.
◆ Au coeur du village cathare, sympathique auberge familiale proposant son appétissante cuisine régionale. La terrasse offre la vue sur les gorges du Brian. Chambres simples.

*Une réservation confirmée par écrit ou par fax est toujours plus sûre.*

---

**MIONNAY** *01390 Ain* 328 C5 – *1 103 h alt. 276.*
*Paris 458 – Lyon 23 – Bourg-en-Bresse 44 – Meximieux 26 – Villefranche-sur-Saône 32.*

**Alain Chapel** avec ch, ✆ 04 78 91 82 02, *chapel@relaischateaux.fr, Fax 04 78 91 82 37,* , – . AE GB JCB
*fermé janv., vend. midi, lundi et mardi* – **Repas** 60 (déj.), 96/130 et carte 85 à 110 – 15 – **12 ch** 103/130.
◆ Le souvenir du maître de Mionnay est omniprésent dans cette élégante hostellerie de la Dombes. Coquette salle à manger et terrasse tournée vers le ravissant jardin fleuri.
**Spéc.** Petit ragoût d'encornets à l'encre en paupiette d'aile de raie (printemps-été). Poulette de Bresse en vessie. Crème de Saint-Jacques aux châtaignes confites et oeufs à la neige (automne) **Vins** Mâcon-Clessé, Saint-Joseph.

---

**MIRABEL-AUX-BARONNIES** *26 Drôme* 332 D8 – *rattaché à Nyons.*

---

**MIRAMAR** *06 Alpes-Mar.* 341 C7 – *rattaché à Théoule-sur-Mer.*

---

**MIRANDE** *32300 Gers* 336 E8 *G. Midi-Pyrénées – 3 565 h alt. 173.*
Voir *Musée des Beaux-Arts*★.
*Office du Tourisme, 13 rue de l'Evêché ✆ 05 62 66 68 10, Fax 05 62 66 87 09, bienvenue@ot-mirande.com.*
*Paris 748 – Auch 25 – Mont-de-Marsan 99 – Tarbes 48 – Toulouse 102.*

**Pyrénées,** av. d'Etigny ✆ 05 62 66 51 16, *hotel-des-pyrenees@wanadoo.fr, Fax 05 62 66 79 96,* , – – 30. GB
*fermé 10 au 31 mars, dim. soir hors saison et lundi* – **Repas** 20/48 – 9 – **28 ch** 46/100 – 1/2 P 54/77.
◆ Étape bienvenue à l'entrée de la ville, sur la route des bastides gersoises : chambres fraîches - préférez celles de l'annexe, plus agréables - et cuisine régionale.

---

**MIRANDOL-BOURGNOUNAC** *81190 Tarn* 338 E6 – *1 110 h alt. 393.*
*Office du Tourisme, 2 place de la Liberté ✆ 05 63 76 97 65, Fax 05 63 76 90 11.*
*Paris 654 – Rodez 51 – Albi 30 – St-Affrique 78 – Villefranche-de-Rouergue 39.*

**Hostellerie des Voyageurs** avec ch, ✆ 05 63 76 90 10, – GB
*fermé vacances de printemps, 21 août au 7 sept. et le soir du 1er oct. au 15 avril* – **Repas** 11,50 bc/26 – 6 – **8 ch** 32/49 – 1/2 P 34/38.
◆ Cette maison d'aspect traditionnel héberge également le café du village. Sobre salle de restaurant campagnarde avec poutres apparentes. Généreux accueil familial.

**MIREBEAU-SUR-BÈZE** *21310 Côte-d'Or* 320 L5 – *1 464 h alt. 202.*

*Syndicat d'Initiative, rue du Moulin ☎ 03 80 36 76 17, Fax 03 80 47 75 64.*

*Paris 338 – Dijon 27 – Châtillon-sur-Seine 94 – Dole 44 – Gray 25 – Langres 67.*

XX **Auberge des Marronniers** avec ch, ☎ 03 80 36 71 05, *Fax 03 80 36 75 92*, – TV. AE GB. 

*fermé 20 déc. au 6 janv., dim. soir et lundi* – **Repas** 11,50 (déj.), 17,50/28 ♀, enf. 8,50 – ☕ 4,50 – **15 ch** 30/43 – ½ P 41,50/42,50.

◆ Tranquille auberge à l'avenante façade. Cuisine régionale servie dans la salle de restaurant ou sur la terrasse-jardin au bord de la rivière. Chambres pratiques.

**à Bèze** *Nord : 9 km par D 959 G. Bourgogne – 569 h. alt. 217 – ✉ 21310 :*

*Syndicat d'Initiative, place de Verdun ☎ 03 80 75 37 55, Fax 03 80 75 30 84, maisondutourismebees@wanadoo.fr.*

**Bourguignon,** ☎ 03 80 75 34 51, *hotel-le-bourguignon@wanadoo.fr, Fax 03 80 75 37 06*, – rest, TV P. AE GB

**Repas** 16/40 ♀, enf. 10 – ☕ 6,50 – **25 ch** 35/50 – ½ P 50/55.

◆ Chambres d'esprit contemporain dans une construction récente à pans de bois. La salle à manger rustique (poutres, cheminée) occupe une maison ancienne à façade Renaissance.

**MIREBEL** *39570 Jura* 321 E6 – *185 h alt. 580.*

*Paris 419 – Champagnole 17 – Lons-le-Saunier 17.*

XX **Mirabilis,** 41 Grande rue ☎ 03 84 48 24 36, *le.mirabilis@free.fr, Fax 03 84 48 22 25*, – P. GB

*fermé 2 au 10 janv., lundi, mardi et merc. midi hors saison* – **Repas** 13/30 ♀, enf. 8.

◆ Cette bâtisse régionale est entourée par un jardin équipé de jeux pour les enfants et où l'on dresse la terrasse aux beaux jours. À l'intérieur, cadre champêtre soigné.

**MIRECOURT** *88500 Vosges* 314 E3 *G. Alsace Lorraine – 6 900 h alt. 285.*

*Office du Tourisme, 40 rue Général Leclerc ☎ 03 29 37 01 01, Fax 03 29 37 52 24.*

*Paris 365 – Épinal 34 – Luxeuil-les-Bains 74 – Nancy 48 – Neufchâteau 41 – Vittel 24.*

**Luth** , rte Neufchâteau ☎ 03 29 37 12 12, *hotelleluth@leluth.fr, Fax 03 29 37 23 44*, – TV P – 25. AE GB

*hôtel : fermé vend. et sam. hors saison* – **Repas** *(fermé 27 avril au 6 mai, 26 juil. au 14 août, 30 déc. au 5 janv., dim. soir de nov. à fév., vend. soir et sam.)* 12,50/25 ♀, enf. 7 – ☕ 8 – **30 ch** 37/49 – ½ P 40.

◆ L'enseigne de cet hôtel rend hommage aux artisans luthiers qui ont fait la renommée de la petite ville. Chambres fonctionnelles, plus au calme sur l'arrière. Restaurant actuel.

**MIREPOIX** *09500 Ariège* 343 J6 *G. Midi-Pyrénées – 2 993 h alt. 308.*

Voir *Place principale*★★.

*Office du Tourisme, place Maréchal Leclerc ☎ 05 61 68 83 76, Fax 05 61 68 89 48.*

*Paris 779 – Foix 37 – Carcassonne 52 – Castelnaudary 34 – Limoux 33 – Pamiers 25.*

**Maison des Consuls** sans rest, 6 pl. Mar. Leclerc ☎ 05 61 68 81 81, *pyrene@afatvoyages.fr, Fax 05 61 68 81 15* – TV . AE GB

☕ 12 – **8 ch** 78/125.

◆ Cette ancienne maison de justice du 14e s. offre un hébergement privilégié, sous les fameux "couverts" de la place médiévale. Chambres personnalisées, meubles d'époque.

XX **Les Remparts,** 6 cours L. Pons Tande ☎ 05 61 68 12 15 – AE GB

*fermé 14 juil. au 3 août, 22 au 28 déc., lundi soir et mardi* – **Repas** 11 (déj.), 15/27 ♀, enf. 6,90.

◆ Ce restaurant dispose de deux salles à manger : l'une égayée de poutres et de murs aux tons chaleureux, l'autre aménagée dans une jolie cave voûtée. Cuisine traditionnelle.

**MIRMANDE** *26 Drôme* 332 C5 – *rattaché à Saulce-sur-Rhône.*

**MISSILLAC** *44780 Loire-Atl.* 316 D3 *G. Bretagne – 3 915 h alt. 44.*

Voir *Retable*★ *dans l'église – Site*★ *du château de la Bretesche O : 1 km.*

*Paris 437 – Nantes 62 – Redon 23 – St-Nazaire 37 – Vannes 54.*

**Domaine de la Bretesche** , rte La Baule : 1 km ☎ 02 51 76 86 96, *hotel@bretesche.com, Fax 02 40 66 99 47*, ≤, – TV P – 25. AE GB JCB. rest

*fermé 17 janv. au 6 mars* – **Repas** *(fermé dim. soir du 15 oct. au 15 avril, lundi sauf le soir du 14 juil. au 25 août et mardi midi)* 28 (déj.), 60 bc/70 ♀ – ☕ 15 – **29 ch** 150/230 – ½ P 130/202,50.

◆ Un univers de conte de fée au coeur de la Brière... Face au château crénelé entouré de ses douves, les anciennes dépendances réaménagées s'ouvrent à vous. Plaisante terrasse.

**MITTELBERGHEIM** *67140 B.-Rhin* 315 I6 *G. Alsace Lorraine – 628 h alt. 220.*

*Syndicat d'Initiative, 2 rue Principale ☎ 03 88 08 01 66, Fax 03 88 08 01 66.*

*Paris 507 – Strasbourg 43 – Barr 2 – Erstein 20 – Molsheim 23 – Sélestat 20.*

XX **Winstub Gilg** avec ch, ☎ 03 88 08 91 37, *gilg@reperes.com, Fax 03 88 08 45 17* – TV P. AE O GB

*fermé 23 juin au 9 juil., 5 au 28 janv., mardi et merc.* – **Repas** 18/65 ♀ – ☕ 6,50 – **15 ch** 38/66.

◆ Belle maison de style bas-rhénan (1614) au cœur du bourg. La winstub d'origine, où fut créé, dit-on, le pâté vigneron, a été transformée en restaurant au cadre alsacien.

XX **Am Lindeplatzel,** ☎ 03 88 08 10 69, *Fax 03 88 08 45 08,* – AE GB

*fermé 20 au 31 août, vacances de fév., lundi midi, merc. soir et jeudi* – **Repas** 23/59 ♀, enf. 10.

◆ Dans le bas de ce village réputé pour ses vins, discrète maison de pays au décor sagement rustique. Adresse appréciée pour sa cuisine au goût du jour soignée.

**MITTELHAUSBERGEN** *67 B.-Rhin* 315 K5 – *rattaché à Strasbourg.*

**MITTELHAUSEN** *67170 B.-Rhin* 315 J4 – *490 h alt. 185.*

*Paris 485 – Strasbourg 24 – Haguenau 21 – Saverne 22.*

**A l'Étoile,** 12 r. La Hey ☎ 03 88 51 28 44, *hotelrestaurant.etoile@wanadoo.fr, Fax 03 88 51 24 79,* – rest, TV P – 15 à 30. AE GB

**Repas** *(fermé 6 au 31 juil., 1er au 12 janv., dim. soir et lundi)* 10/40 ♀, enf. 9 – ☕ 6,50 – **24 ch** 39/50 – ½ P 46/48.

◆ Construction récente d'aspect régional, éloignée des axes fréquentés. Chambres fonctionnelles et fraîches, rénovées par étapes. Salles à manger décorées de boiseries.

**MITTELWIHR** *68630 H.-Rhin* 315 H8 – *732 h alt. 210.*

*Paris 443 – Colmar 9 – Kaysersberg 6 – Ribeauvillé 410 – Sélestat 20.*

**Mandelberg** M sans rest, chemin du Mandelberg ☎ 03 89 49 09 49, *hotelmandelberg@wanadoo.fr, Fax 03 89 49 09 48* – TV P – 15. AE GB

☕ 9 – **18 ch** 76/100.

◆ Établissement actuel au coeur d'une région viticole surnommée le "Midi de l'Alsace" en raison de son microclimat. Chambres confortables et de bonne ampleur.

**MITTERSHEIM** *57930 Moselle* 307 M5 – *627 h alt. 230.*

*Syndicat d'Initiative, 10 Grand' rue ☎ 03 87 07 54 46, Fax 03 87 07 51 22, mutche@wanadoo.fr.*

*Paris 422 – Nancy 67 – Metz 81 – Sarrebourg 22 – Sarre-Union 17 – Saverne 39.*

X **L'Escale** avec ch, rte Dieuze ☎ 03 87 07 67 01, *Fax 03 87 07 54 57,* – TV P. AE GB

*fermé 15 fév. au 13 mars* – **Repas** 10/31 ♀ – ☕ 6 – **13 ch** 31/43 – ½ P 38,20/42,80.

◆ Architecture caractéristique des années 1960, plantée dans un décor champêtre. Salle à manger donnant sur un plan d'eau, comme la plupart des chambres.

**MIZOËN** *38 Isère* 333 J7 – *rattaché au Freney-d'Oisans.*

**MOËLAN-SUR-MER** *29350 Finistère* 308 J8 *G. Bretagne – 6 596 h alt. 58.*

*Office du Tourisme, rue des Moulins ☎ 02 98 39 67 28, Fax 02 98 39 63 93, otsi.moelan.sur.mer@wanadoo.fr.*

*Paris 524 – Quimper 49 – Carhaix-Plouguer 66 – Concarneau 27 – Lorient 27 – Quimperlé 10.*

**Les Moulins du Duc**, Nord-Ouest : 2 km ☎ 02 98 96 52 52, *tqad29@aol.com, Fax 02 98 96 52 53,* – TV P – 25. AE O GB.

*1er mars-31 oct. et 21 au 31 déc.* – **Repas** *(fermé lundi midi et mardi midi de mai au 15 sept., dim. soir et lundi hors saison)* 22 (déj.), 32/64 ♀, enf. 10 – ☕ 10 – **25 ch** 81/126 – ½ P 72/106.

◆ Le temps s'écoule paisiblement dans ce parc verdoyant où paressent un moulin du 16e s. (salles à manger) et de jolies maisonnettes (chambres) longées par la rivière. Idyllique.

**Manoir de Kertalg** sans rest, rte Riec-sur-Belon, Ouest : 3 km par D 24 et chemin privé ☎ 02 98 39 77 77, *kertalg@free.fr, Fax 02 98 39 72 07* – TV P. GB

*12 avril-12 nov.* – ☕ 11 – **9 ch** 80/170.

◆ Nichée dans un vaste domaine forestier, à côté d'un château, cette bâtisse centenaire attire, avec ses expositions de peintures, une clientèle éprise d'art. Chambres soignées.

**MOERNACH** *68 H.-Rhin* 315 H11 – *rattaché à Ferrette.*

**MOISSAC** *82200 T.-et-G.* 337 *C7 G. Midi-Pyrénées – 11 971 h alt. 76.*
Voir *Église St-Pierre★ : portail méridional★★★, cloître★★, christ★.*
Env. *Boudou ※★ 7 km par ③.*
*Office du Tourisme, 6 place Durand de Bredon ✆ 05 63 04 01 85, Fax 05 63 04 27 10.*
*Paris 639 ① – Agen 58 ③ – Cahors 64 ① – Auch 89 ② – Montauban 31 ① – Toulouse 71 ②.*

**MOISSAC**

Alsace-Lorraine (Bd d') . . . . . . . . . . . 2
Cayrou (Av. H.) . . . . . . . . 3
Gascogne (Av. de) . . . . . . . . . . . 4
Guilerand (R.) . . . . . . . . . 5
Lakanal (Bd) . . . . . . . . . . 6
Récollets (Pl. des) . . . . . 8
République (R. de la) . . . . . . . . . . 9

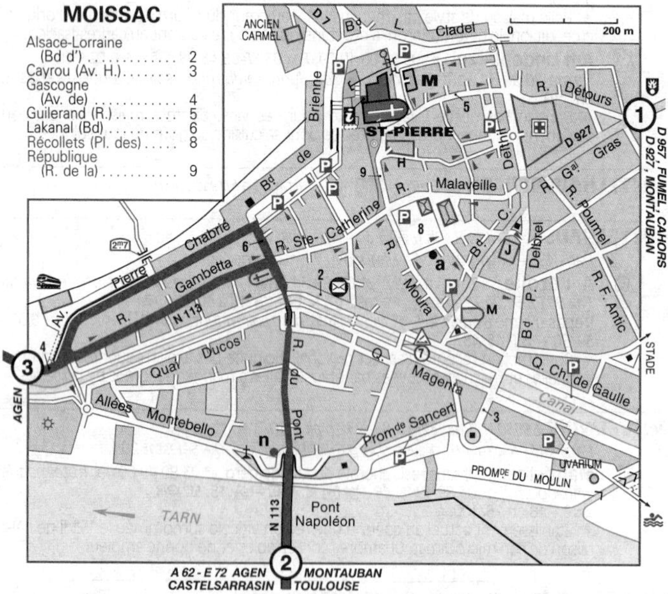

ANCIEN CARMEL
D 7
Bd L. Cladel
0
200 m
R. Détours
M
ST-PIERRE
Bd de Brienne
D 927
Delthil
Gal Gras
H
R. Malaveille
R. Poumel
D 957, FUMEL, CAHORS
D 927, MONTAUBAN
Chabrié
R. Ste-Catherine
Pierre
R. Gambetta
N 113
Moura
a
Delbrel
Bd P. Delbrel
R. F. Antic
STADE
Av.
Quai Ducos
R. du Pont
Q. Magenta
Q. Ch. de Gaulle
Canal
AGEN
Allées Montebello
n
Promde Sancert
PROMDE DU MOULIN
UVARIUM
TARN
Pont Napoléon
N 113
A 62 - E 72 AGEN
CASTELSARRASIN
MONTAUBAN
TOULOUSE


**Chapon Fin,** pl. Récollets **(a)** ✆ 05 63 04 04 22, *Fax 05 63 04 58 44* – ▤ rest, TV – 🏅 20. GB
*fermé 10 nov. au 7 déc. et lundi de nov. à Pâques* – **Repas** 18 (déj.), 25/35 ♀ – ☕ 8,50 – **30 ch** 36/92 – ½ P 44/50,50.
◆ À deux pas de l'abbaye romane. Vous serez traité ici comme des "coqs en pâte" : chambres en partie rénovées, accueillante salle à manger actuelle et cuisine classique.

**Pont Napoléon** avec ch, 2 allées Montebello **(n)** ✆ 05 63 04 01 55, *dussau.lenapoleon@wanadoo.fr, Fax 05 63 04 34 44* – ▤ TV ✆ 🚗 – 🏅 15. AE ⓓ GB. ✂ rest
*fermé 1er au 7 janv., dim. soir, lundi midi et merc.* – **Repas** 20/60 ♀ – ☕ 7 – **12 ch** 29/52 – ½ P 48/56.
◆ La façade curviligne en briques roses se dresse face au pont Napoléon. Salle bourgeoise habillée de boiseries et plats classiques mitonnés avec les produits du terroir.

**MOISSAC-BELLEVUE** *83630 Var* 340 *M4 – 148 h alt. 599.*
*Paris 817 – Digne-les-Bains 71 – Aix-en-Provence 84 – Draguignan 35 – Manosque 55.*

**Bastide du Calalou** ⛰, rte d'Aups ✆ 04 94 70 17 91, *bastide.du.calalou@wanadoo.fr, Fax 04 94 70 50 11,* ←, 🍴, 🏊, 🌳, 🎾 – TV P. AE GB JCB
*1er avril-31 oct. et 27 déc.-4 janv.* – **Repas** 30,50/53,50 ♀, enf. 12 – ☕ 13 – **34 ch** 107/192 – ½ P 94/136.
◆ Goûtez à la douceur de vivre en Haute-Provence : trois salons (piano, vidéo ou bibliothèque), salle à manger rustique avec vue sur la vallée, chambres meublées avec goût.

**MOLINES-EN-QUEYRAS** *05350 H.-Alpes* 334 *J4 G. Alpes du Sud – 336 h alt. 1750 – Sports d'hiver : 1 750/2 900 m ⛷ 15 ⛷.*
Env. *Château-Queyras : site★★, fort Queyras★, espace géologique★, NO : 8 km.*
*Office du Tourisme, ✆ 04 92 45 83 22, Fax 04 92 45 80 79.*
*Paris 725 – Briançon 44 – Gap 88 – Guillestre 27 – St-Véran 6.*

**Chamois,** ✆ 04 92 45 83 71, *hotel@lechamois.fr, Fax 04 92 45 80 58,* ≤, – P. AE ⓓ GB
*fermé 1er avril au 1er mai et 3 nov. au 20 déc.* – **Repas** *(fermé dim soir et lundi)* 17/27, enf. 8,50 – ☕ 7,20 – **17 ch** 53 – ½ P 52.
◆ Tout évoque ici la montagne environnante : la construction, le style rustique de la salle à manger panoramique et des chambres, la chaleureuse simplicité de l'accueil.

**L'Équipe** ⟡, rte St-Véran ✆ 04 92 45 83 20, *lequipe@infonie.fr, Fax 04 92 45 81 85,* ≤, , – P. AE ⓓ GB
*13 avril-26 mai, 27 août-4 sept., 28 sept.-20 déc.* – **Repas** *(fermé dim.soir et lundi sauf vacances scolaires)* 13,20/22 ♀, enf. 7 – ☕ 6,50 – **22 ch** 50/55 – ½ P 53.
◆ Enseigne on ne peut plus sportive pour cet hôtel situé au bord des pistes de ski alpin et de fond. Chambres bien tenues, souvent avec balcon côté forêt et champs de neige.

**Cognarel** ⟡, au Coin, Est : 3 km par D 205 et rte secondaire ✆ 04 92 45 81 03, *cognarel@imaginet.fr, Fax 04 92 45 81 17,* ≤, , – AE ⓓ GB JCB
*1er juin-21 sept. et 21 déc.-14 avril* – **Repas** *(fermé lundi)* (prévenir) (dîner seul.) 20 – ☕ 7 – **21 ch** 51/65 – ½ P 61.
◆ Hôtel composé de deux chalets récents à la sortie d'un hameau dans la montée du col Agnel. Chambres montagnardes simples. Formules d'hébergement incluant un stage sportif.

---

**MOLINEUF** *41 L.-et-Ch.* 318 E6 – *rattaché à Blois.*

---

**MOLITG-LES-BAINS** *66500 Pyr.-Or.* 344 F7 *G. Languedoc Roussillon – 185 h alt. 607 – Stat. therm. (début avril-fin nov.).*
*Syndicat d'Initiative, route des Bains ✆ 04 68 05 03 28, Fax 04 68 05 02 40.*
*Paris 901 – Perpignan 49 – Prades 7 – Quillan 55.*

**Château de Riell** ⟡, ✆ 04 68 05 04 40, *riell@relaischateaux.fr, Fax 04 68 05 04 37,* ≤, , , , – |‡| TV ✆ P – 15 à 120. AE ⓓ GB JCB. ✻ rest
*1er avril-3 nov.* – **Repas** 32 bc (déj.)/62 ♀ – ☕ 16 – **19 ch** 140/267 – ½ P 134/226 P 190/274.
◆ D'esprit baroque, cette "folie" catalane du 19e s. érigée au sein d'un parc boisé abrite de douillettes chambres personnalisées. Bar colonial en "peau de tigre".

**Grand Hôtel Thermal** ⟡, ✆ 04 68 05 00 50, *Fax 04 68 05 02 91,* ≤, , , , , – |‡| TV P – 15 à 120. AE ⓓ GB. ✻ rest
*1er avril-30 nov.* – **Repas** 21 bc/31, enf. 11,50 – ☕ 8,50 – **32 ch** 52/106 – P 63/78.
◆ Élégant établissement thermal dans un parc bordant un petit lac. Chambres fonctionnelles et fraîches ; les nouvelles suites sont spacieuses, contemporaines et très agréables.

---

**MOLLANS-SUR-OUVÈZE** *26170 Drôme* 332 E8 *G. Alpes du Sud – 782 h alt. 280.*
*Paris 681 – Carpentras 30 – Nyons 20 – Vaison-la-Romaine 12.*

**St-Marc** ⟡, av. de l'Ancienne Gare ✆ 04 75 28 70 01, *le-saint-marc@club-internet.fr, Fax 04 75 28 78 63,* , , , – GB. ✻ rest
*15 mars-3 nov.* – **Repas** *(fermé le midi sauf week-ends et fériés) (19,60 bc)* - 21,20/32 ♀, enf. 9,90 – ☕ 7,40 – **32 ch** 50,50/58,50 – ½ P 55,80.
◆ Au pied du mont Ventoux, cette maison provençale précédée d'un jardin-terrasse vous reçoit dans des chambres aux tissus colorés. Salle à manger rustique, accueil aimable.

---

**MOLLKIRCH** *67190 B.-Rhin* 315 I5 – *552 h alt. 320.*
*Paris 427 – Strasbourg 41 – Molsheim 12 – Saverne 39.*

**Fischhutte** ⟡, rte Grendelbruch : 3,5 km ✆ 03 88 97 42 03, *fischhutte@wanadoo.fr, Fax 03 88 97 51 85,* ≤, , – TV ✆ P – 15 à 30. AE GB. ✻
*fermé 18 fév. au 26 mars* – **Repas** *(fermé lundi soir et mardi)* 35/48 ♀ – ☕ 8,90 – **16 ch** 52,50/86 – ½ P 59,30/73,50.
◆ Adresse champêtre de la vallée de la Magel. Chambres lambrissées et insonorisées, plus confortables au premier étage ; certaines offrent une vue sur la forêt vosgienne.

---

**MOLSHEIM** ◈ *67120 B.-Rhin* 315 I5 *G. Alsace Lorraine – 7 973 h alt. 180.*
**Voir** *La Metzig★ – Église des Jésuites★.*
**Env.** *Fresques★ de la chapelle St-Ulrich N : 3,5 km.*
*Office du Tourisme, 19 place de l'Hôtel Ville ✆ 03 88 38 11 61, Fax 03 88 49 80 40, infos@ot-molsheim-mutig.com.*
*Paris 485 – Strasbourg 32 – Lunéville 94 – St-Dié 80 – Saverne 27 – Sélestat 37.*

**Diana** Ⓜ, pont de la Bruche ☎ 03 88 38 51 59, *hotel.diana@wanadoo.fr, Fax 03 88 38 87 11,* ... – ch, ... – 25 à 150. AE GB JCB
**Repas** *(fermé 21 au 31 déc. et dim. soir)* 37 bc/57 bc, enf. 13 - ***Taverne*** *(fermé 19 juil. au 16 août, 19 déc. au 1er janv.)* **Repas** 9(déj.)/14, enf. 9 – 9 – **60 ch** 76/81 – ½ P 65.
◆ Hôtel fonctionnel en constante évolution. Tons pastel et mobilier de style dans certaines chambres. Élégante salle à manger. Cadre alsacien à la Taverne.

**Bugatti** Ⓜ sans rest, r. Commanderie ☎ 03 88 49 89 00, *hotel-le-bugatti@wanadoo.fr, Fax 03 88 38 36 00* – ... – 40. AE GB JCB
*fermé 24 au 31 déc.* – 6 – **45 ch** 42/47.
◆ L'architecture contemporaine du Bugatti, proche des usines de la marque légendaire, abrite des chambres sobres et pratiques, équipées de meubles en bois stratifié.

---

**Les MOLUNES** *39310 Jura* 321 *F8 – 93 h alt. 1274.*
*Paris 487 – Genève 48 – Gex 30 – Lons-le-Saunier 74 – St-Claude 16.*

**Pré Fillet**, rte Moussières ☎ 03 84 41 62 89, *Fax 03 84 41 64 75*, ... – 30. GB
*fermé 28 avril au 5 mai, 20 oct. au 8 déc. et dim. soir* – **Repas** 11 (déj.), 15,50/28 ♀, enf. 5 – 5 – **16 ch** 42 – ½ P 39,50.
◆ Goûtez au calme de la nature jurassienne dans cette hôtellerie de moyenne montagne, simple et sympathique. Copieuse cuisine de famille et bon choix de vins.

---

**MOMMENHEIM** *67 B.-Rhin* 315 J4 – *rattaché à Brumath.*

***Dans ce guide***
*un même symbole, un même mot,*
*imprimé en* ***rouge*** *ou en* ***noir****, en maigre ou en* ***gras****,*
*n'ont pas tout à fait la même signification.*
*Lisez attentivement les pages explicatives.*

# MONACO (Principauté de)

341 F5 115 ㉗ ㉘ *G. Côte d'Azur - 29 972 h. - alt. 65*

## OFFICE DE TOURISME

*2 bd des Moulins, Monte-Carlo ✆ (00-377) 92 16 61 16, Fax (00-377) 92 16 60 00 dtc@monaco-tourisme.com*

## RENSEIGNEMENTS PRATIQUES

*État souverain, enclavé dans le département français des Alpes-Maritimes et bordant la Méditerranée. Il s'étend sur 1,5 km² et comprend : le Rocher de Monaco (la vieille ville) et Monte-Carlo (la ville neuve) réunis par la Condamine (le port), Fontvieille à l'Ouest (l'industrie) et le Larvotto à l'Est (la plage). Depuis 1993 la Principauté est membre de l'O.N.U.*

*Depuis l'héliport de Monaco-Fontvieille, liaisons quotidiennes avec l'aéroport de Nice-Côte d'Azur. Renseignements : Héli Air Monaco ✆ (00-377) 92 05 00 50*

# MONACO (Principauté de).

## Beausoleil *06240 Alpes-Mar. – 12 326 h alt. 589.*

*Office du Tourisme, 32 boulevard de la République ✆ 04 93 78 01 55, Fax 04 93 78 79 87*

**Olympia** Ⓜ sans rest, 17 bis bd Gén. Leclerc ✆ 04 93 78 12 70, *olympiahotel@hotmail.com, Fax 04 93 41 85 04* – GB. DX t

8 – **32 ch** 100/140.

◆ Sur la frontière franco-monégasque, belle façade en pierres de taille égayée de balcons et d'une corniche ouvragés. Chambres sobres et de bon goût, tout juste refaites.

## Cap d'Ail *06320 Alpes-Mar. – 4 859 h alt. 51.*

*Office du Tourisme, 87 bis avenue du 3 Septembre.*

**Marriott** Ⓜ, au port ✆ 04 92 10 67 67, *Fax 04 92 10 67 00*, ≤, – 150. AE GB JCB. AV n

Repas 39/41 déj. à la carte – 23 – **174 ch** 165/260, 12 appart.

◆ Immeuble moderne face au port de plaisance du cap d'Ail. Chambres très confortables, conformes aux normes de la chaîne ; la plupart sont dotées de loggias avec vue sur la mer.

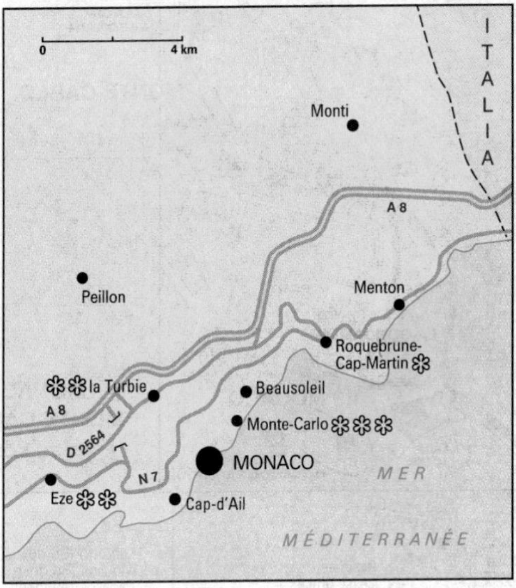

0
4 km
ITALIA
Monti
A 8
Peillon
Menton
Roquebrune-Cap-Martin
la Turbie
Beausoleil
A 8
Monte-Carlo
D 2564
MONACO
MER
N 7
Eze
Cap-d'Ail
MÉDITERRANÉE


## Monaco Capitale de la Principauté – ✉ *98000*.

Voir *Jardin exotique*★★ **CZ** : ≤★ – *Grotte de l'Observatoire*★ **CZ D** – *Jardins St-Martin*★ **DZ** – *Ensemble de primitifs niçois*★★ *dans la cathédrale* **DZ** – *Christ gisant*★ *dans la chapelle de la Miséricorde* **D B** – *Place du Palais*★ **CZ** – *Palais du Prince*★ : *musée napoléonien et des Archives du palais*★ **CZ** – *Musées : océanographique*★★ **DZ** *(aquarium*★★, ≤★★ *de la terrasse), d'anthropologie préhistorique*★ **CZ M**³, – *Collection des voitures anciennes*★ **CZ M**¹.

**Circuit automobile urbain-A.C.M. 23 bd Albert-1er.**

*Paris 953 ⑤ – Menton 11 ② – Nice 21 ③ – San Remo 43 ①.*

**Rascasse-Café Grand Prix,** 1 quai Antoine 1er ✆ (00-377) 93 25 56 90, *simon.gale@cafegrandprix.com, Fax (00-377) 97 70 33 83*, ≤ – AE GB. DZ g

*fermé 2 fév. au 3 mars, sam. midi et dim.* – **Repas** 21/27 (déj.)et carte 39 à 61.

◆ Le restaurant est situé dans le mythique virage du "circuit" de formule 1. Aménagée au 1er étage, la salle à manger contemporaine offre une plaisante vue sur le port.

**Castelroc,** pl. Palais ✆ (00-377) 93 30 36 68, *castelroc@monaco.377.com, Fax (00-377) 93 30 59 88*, ≤, – AE GB JCB CZ p

*fermé déc., janv., le soir d'oct. à mai, sam. et dim.* – **Repas** 20 (déj.)/39.

◆ Double attrait d'une salle à manger aux murs ornés de fresques et, surtout, d'une terrasse ombragée d'où vous pourrez observer à loisir le Palais. Cuisine régionale.

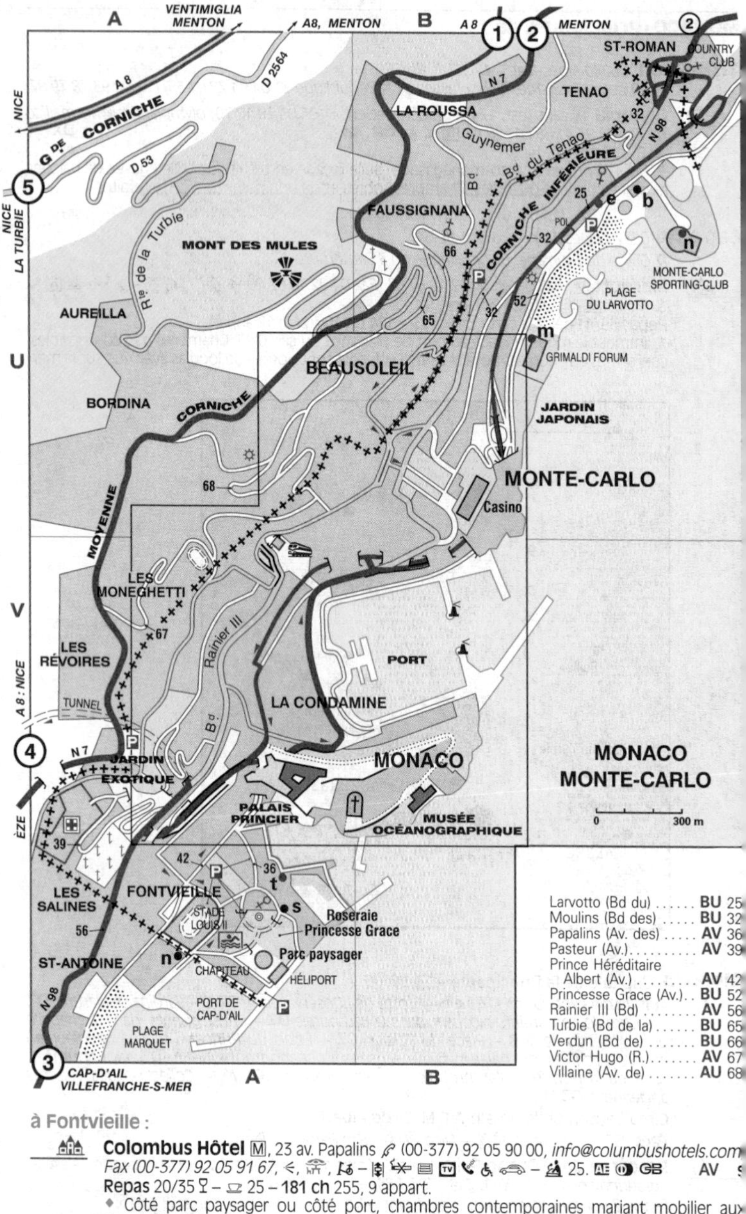

VENTIMIGLIA MENTON
A8, MENTON
A 8
MENTON
A
B
NICE
A 8
G DE CORNICHE
D 2564
D 53
NICE LA TURBIE
ST-ROMAN
COUNTRY CLUB
TENAO
N 7
LA ROUSSA
Guynemer
Bd du Tenao
CORNICHE INFÉRIEURE
N 98
FAUSSIGNANA
Rte de la Turbie
MONT DES MULES
AUREILLA
MONTE-CARLO SPORTING-CLUB
PLAGE DU LARVOTTO
GRIMALDI FORUM
BEAUSOLEIL
BORDINA
CORNICHE
JARDIN JAPONAIS
MONTE-CARLO
Casino
U
MOYENNE
LES MONEGHETTI
V
LES RÉVOIRES
Rainier III
PORT
A 8 : NICE
TUNNEL
LA CONDAMINE
N 7
JARDIN EXOTIQUE
MONACO
MONACO MONTE-CARLO
ÈZE
PALAIS PRINCIER
MUSÉE OCÉANOGRAPHIQUE
0 300 m
LES SALINES
FONTVIEILLE
STADE LOUIS II
Roseraie Princesse Grace
Parc paysager
ST-ANTOINE
CHAPITEAU
HÉLIPORT
PORT DE CAP-D'AIL
N 98
PLAGE MARQUET
CAP-D'AIL VILLEFRANCHE-S-MER


| | | |
|---|---|---|
| Larvotto (Bd du) | BU | 25 |
| Moulins (Bd des) | BU | 32 |
| Papalins (Av. des) | AV | 36 |
| Pasteur (Av.) | AV | 39 |
| Prince Héréditaire Albert (Av.) | AV | 42 |
| Princesse Grace (Av.) | BU | 52 |
| Rainier III (Bd) | AV | 56 |
| Turbie (Bd de la) | BU | 65 |
| Verdun (Bd de) | BU | 66 |
| Victor Hugo (R.) | AV | 67 |
| Villaine (Av. de) | AU | 68 |

**à Fontvieille :**

**Colombus Hôtel** Ⓜ, 23 av. Papalins ✆ (00-377) 92 05 90 00, *info@columbushotels.com*
*Fax (00-377) 92 05 91 67*, ≤, – ⊟ ⊞ ♿ – 🅿 25. AE ⓓ GB AV
**Repas** 20/35 ♀ – ☕ 25 – **181 ch** 255, 9 appart.
◆ Côté parc paysager ou côté port, chambres contemporaines mariant mobilier aux lignes épurées et couleurs apaisantes. Restaurant moderne dans le style des brasseries italiennes.

**Amici Miei,** 16 quai J.-C. Rey ✆ (00-377) 92 05 92 14, *amici-miei@monte-carlo.mc*
*Fax (00-377) 92 05 31 74*, ≤, – ⊟. AE GB JCB AV
**Repas** 26 et carte 36 à 48 ♀.
◆ Les amateurs de cuisine italienne trouveront leur bonheur dans ce restaurant décoré de tableaux naïfs. En été, préférez la terrasse dominant le port de Fontvieille.

Albert-Ier (Bd) . . . . . . . . . **CYZ**
Armes (Pl. d') . . . . . . . . . . **CZ** 2
Basse (R.). . . . . . . . . . . . **CDZ** 3
Castro (R. Col.-de) . . . . . . **CZ** 7
Comte-Félix-Gastaldi (R.) **DZ** 10
Crovetto-Frères (Av.) . . . . **CZ** 12
Gaulle (Av. du Gén.-de) . **DX** 14
Grimaldi (R.) . . . . . . . . . . **CYZ**
Kennedy (Av. J.-F.) . . . . . . **DY** 23
Larvotto (Bd du) . . . . . . . . **DX** 25
Leclerc (Bd du Gén.) . . . **DX** 26
Libération (Pl. de la) . . . . **DX** 27
Madone (Av. de la) . . . . . **DX** 28
Major (Rampe) . . . . . . . . . **CZ** 29
Monte-Carlo (Av. de) . . . . **DY** 30
Moulins (Bd des) . . . . . . . **DX** 32
Notari (R. L.) . . . . . . . . . **CYZ** 33
Ostende (Av. d') . . . . . . . . **DY** 34
Palais (Pl. du) . . . . . . . . . **CZ** 35
Papalins (Av. des) . . . . . . **CZ** 36
Pêcheurs (Ch. des) . . . . . **DZ** 40
Porte-Neuve (Av. de la) . **DZ** 41
Prince-Héréditaire-
Albert (Av.) . . . . . . . . . . **CZ** 42
Prince-Pierre (Av.) . . . . . . **CZ** 44
Princesse-
Antoinette (Av.) . . . . . . . **CY** 46
Pcesse-Caroline (R.) . . . . . . . . **CZ** 48
Pcesse-Charlotte
(Bd) . . . . . . . . . . . . . . . . . **DXY**
Pcesse-Marie-
de-Lorraine (R.) . . . . . . . . . . **DZ** 54
République (Bd de la) . . . . . . **DX** 58
Spélugues (Av. des) . . . . . . . . **DX** 62
Ste-Dévote (Pl.) . . . . . . . . . . . . **CY** 63
Suffren-
Reymond (R.) . . . . . . . . . . . . **CZ** 64

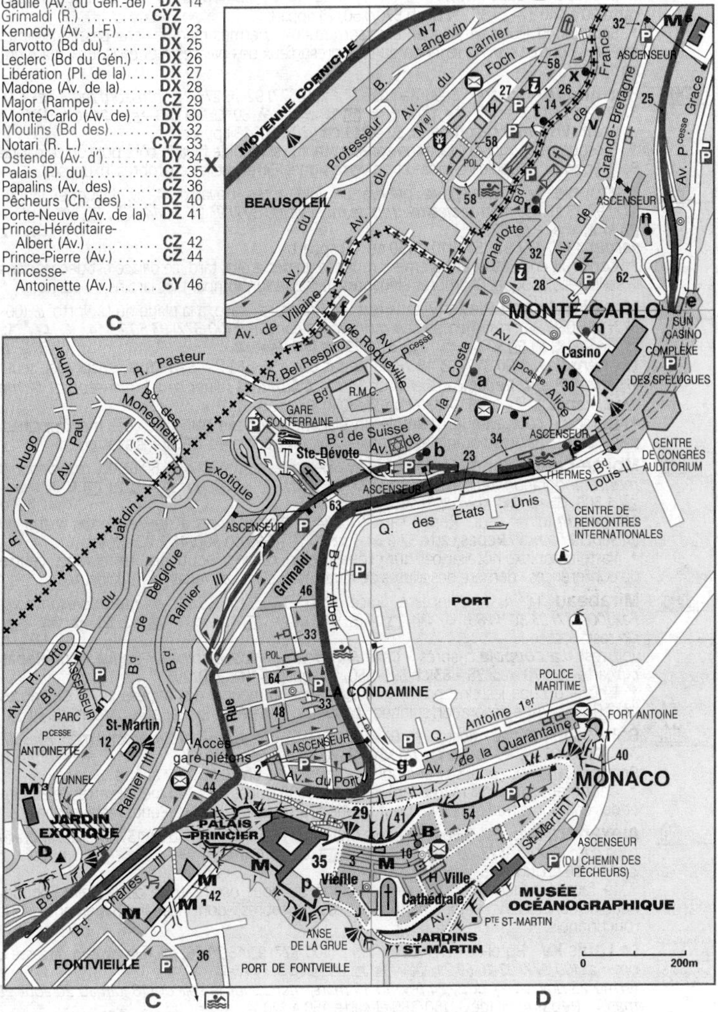

MOYENNE CORNICHE
BEAUSOLEIL
MONTE-CARLO
Casino
SUN CASINO
COMPLEXE DES SPÉLUGUES
CENTRE DE CONGRÈS AUDITORIUM
THERMES
CENTRE DE RENCONTRES INTERNATIONALES
GARE SOUTERRAINE
Ste-Dévote
ASCENSEUR
PORT
LA CONDAMINE
POLICE MARITIME
FORT ANTOINE
MONACO
JARDIN EXOTIQUE
PALAIS PRINCIER
Vieille Ville
Cathédrale
MUSÉE OCÉANOGRAPHIQUE
JARDINS ST-MARTIN
ANSE DE LA GRUE
PORT DE FONTVIEILLE
FONTVIEILLE
Accès gare piétons
PARC Pcesse ANTOINETTE
St-Martin
TUNNEL
PTE ST-MARTIN
0 200m


**Monte-Carlo** Centre mondain de la Principauté – *Casinos : Grand Casino* **DY**, *Monte-Carlo Sporting Club* **BU**, *Sun Casino* **DX** – ✉ *98000*.

**Voir** *Terrasse★★ du Grand casino* **DXY** – *Musée de poupées et automates★* **DX M5** – *Jardin japonais★* **U.**

*Office de Tourisme 2 bd des Moulins*
*☎ (00-377) 92 16 61 16,*
*Fax (00-377) 92 16 60 00, dtc@monaco-congres.com.*

*Paris 952 ⑤ – Monaco 2 ② – Menton 9 ② – Nice 20 ③ – San Remo 41 ①.*

**Paris,** pl. Casino (00-377) 92 16 30 00, *hp@sbm.mc, Fax (00-377) 92 16 38 50,* <, – AE GB JCB. rest DY y
voir rest. ***Le Louis XV*** et ***Grill*** ci-après - ***Côté Jardin*** (00-377) 92 16 68 44 (déj. seul.) **Repas** 50 – ***Salle Empire*** (00-377) 92 16 29 52 *(ouvert 5 juil.-24 août)* **Repas** carte 90 à 140 – 35 – **117 ch** 570/750, 73 appart.
◆ Situation idyllique, aménagements somptueux, thermes marins, riche passé et clients célèbres : entrez dans la légende du plus prestigieux des palaces monégasques, inauguré en 1864.

**Hermitage,** square Beaumarchais (00-377) 92 16 27 72, *hh@sbm.mc, Fax (00-377) 92 16 38 43,* <, – – 80. AE GB JCB. rest DY r
voir rest. ***Vistamar*** ci-après – 32 – **211 ch** 480/860, 18 appart.
◆ Fresques et loggias à l'italienne agrémentent la splendide façade côté port de ce palace Belle Époque. Coupole de fonte et de verre signée Eiffel ; belles chambres luxueuses.

Métropole M (réouverture prévue en juin après travaux), 4 av. Madone (00-377) 93 15 15 15, *metropole@metropole.mc, Fax (00-377) 93 25 24 44,* – – 220 DX z
***Jardin*** (00-377)93 15 15 10 – **150 ch**, 10 appart.
◆ Construit en 1889 et entièrement repensé un siècle plus tard, ce palace est décoré dans le style Belle Époque. Chambres élégantes. Terrasse surplombant les jardins du casino.

**Méridien Beach Plaza** M sans rest, av. Princesse Grace, à la plage du Larvotto (00-377) 93 30 98 80, *resa@lemeridien-montecarlo.com, Fax (00-377) 93 50 23 14,* <, – – 300. AE GB JCB. BU b
***Les Pergolas*** (00-377) 93 15 78 88 **Repas** carte 52 à 61 – ***Sea Club*** - snack (déj. seul.) *(1er mai-30 sept)* **Repas** carte environ 53 – ***L'Albatros*** (dîner seul.) *(mai-sept. et fermé lundi)* **Repas** 92 – 31 – **330 ch** 335/1070, 8 appart.
◆ La façade côté avenue dissimule un plaisant complexe balnéaire côté mer : piscines, plage privée, bar, restaurants et terrasse. Chambres actuelles, décorées avec goût.

**Monte-Carlo Grand Hôtel** M, 12 av. Spélugues (00-377) 93 50 65 00, *reservation@montecarlograndhotel.com, Fax (00-377) 93 30 01 57,* <, – – 1 500. AE GB JCB. rest DX e
***L'Argentin*** (dîner seul.) **Repas** carte 61 à 84 – ***Pistou*** *(mars à nov. et fermé mardi du 24 sept. à fin nov.)* **Repas** carte 37 à 64 – 20,50 – **599 ch** 300/465, 20 appart.
◆ Vaste complexe hôtelier bâti sur pilotis. Casino, cabaret, boutiques, restaurants, centre de conférences : derrière des allures de forteresse, c'est Las Vegas en Principauté !

**Mirabeau** M, 1 av. Princesse Grace (00-377) 92 16 65 65, *montecarloresort.com, Fax (00-377) 93 50 84 85,* <, – ch, – 40. AE GB JCB. rest DX n
voir rest. ***La Coupole*** ci-après - ***Café Mirabeau*** *(fermé le soir sauf en juil.-août)* **Repas** *(21)*-carte 50 à 70 – 25 – **83 ch** 320/550, 10 appart – ½ P 240/295.
◆ L'hôtel occupe les cinq premiers étages d'un immeuble des années 1970. Chambres bénéficiant d'une décoration soignée ; certaines ont vue sur la mer et le "circuit" de F1.

**Balmoral,** 12 av. Costa (00-377) 93 50 62 37, *resa@hotel-balmoral.mc, Fax (00-377) 93 15 08 69,* < – ch, – 20. AE GB JCB. DY b
**Repas** *(fermé nov., dim. soir et lundi)* 23 – 15 – **53 ch** 160/200, 7 appart.
◆ Cet hôtel, tenu par la même famille depuis 1896, abrite un salon meublé en style Empire et des chambres traditionnelles pour moitié tournées vers le port. Petite restauration.

**Alexandra** sans rest, 35 bd Princesse Charlotte (00-377) 93 50 63 13, *hotelalexandra@imcn.com, Fax (00-377) 92 16 06 48* – AE GB JCB. DX r
13 – **56 ch** 117/145.
◆ La façade richement ouvragée témoigne du goût ostentatoire de la Belle Époque. Petit-déjeuner servi uniquement dans les chambres, dont les aménagements sont fonctionnels.

XXXXX ✿✿✿ **Le Louis XV** - Hôtel de Paris, pl. Casino (00-377) 92 16 29 76, *lelouisxv@alain-ducasse.com, Fax (00-377) 92 16 69 21,* – AE GB JCB. DY y
*fermé 25 nov. au 27 déc., 24 fév. au 10 mars, merc. sauf le soir du 18 juin au 20 août et mardi* – **Repas** 90 bc (déj.), 150/180 et carte 150 à 220.
◆ Éblouissante salle à manger de style 18e s. habillée de lambris dorés et cuisine méditerranéenne raffinée : un écrin princier pour une fête du palais.
**Spéc.** Légumes des jardins de Provence à la truffe noire écrasée. Poitrine de pigeonneau, foie gras de canard sur la braise, polenta et jus aux abats (15 oct. au 15 mars). Le "Louis XV" au croustillant de pralin. **Vins** Côtes-de-Provence, Cassis.

XXXX ✿ **Grill de l'Hôtel de Paris,** pl. Casino (00-377) 92 16 29 66, *hp@sbm.mc, Fax (00-377) 92 16 38 40,* < la Principauté – AE GB JCB. DY y
*fermé 5 au 22 janv. et le midi du 7 juil. au 28 août* – **Repas** carte 100 à 145.
◆ Au 8e étage de l'hôtel, sur fond de "grande bleue", vous serez aux premières loges pour assister au spectacle de la Principauté. Toit ouvrant sur le ciel azuréen.
**Spéc.** Langoustines sautées, bouquet d'automne du potager. Carré d'agneau en croûte d'herbes. Soufflé "tradition du grill". **Vins** Côtes de Provence.

XXXX ✿ **La Coupole** - Hôtel Mirabeau, 1 av. Princesse Grace ✆ (00-377) 92 16 65 65, *mi@sbm.mc, Fax (00-377) 93 50 84 85* – ▤ 🚗. AE ⓓ GB JCB. ⚔ DX n
**Repas** (dîner seul en juil.-août) 55/77 et carte 78 à 115.
◆ Dans l'immeuble du Mirabeau, salle à manger spacieuse et feutrée, aux murs revêtus de boiseries ou égayés de fresques murales. Cuisine au goût du jour.
**Spéc.** Risotto crémeux, artichauts barigoule et jus de poulet. Minestrone de rouget au basilic. Fines crêpes croquantes, crème au citron et sorbet. **Vins** Côtes de Provence blanc et rouge.

XXXX ✿ **Vistamar** - Hôtel Hermitage (réouverture prévue fin mai après travaux), pl. Beaumarchais ✆ (00-377) 92 16 27 72, *hh@sbm.mc, Fax (00-377) 92 16 38 52*, ≤ port et Principauté, 🏠 – ▤. AE ⓓ GB JCB DY r
*fermé 29 déc. au 2 janv.* – **Repas** 55 et carte 75 à 105.
◆ Décor marin contemporain mariant chaleureuses boiseries et transparence du verre, vue époustouflante sur le large et pêche miraculeuse dans l'assiette : un hymne à la mer !
**Spéc.** Risotto moelleux de palourdes, petite grillade de thon (été). Saint-Pierre rôti au jus de volaille (été). Quatuor de daurade royale. **Vins** Palette, Coteaux Varois.

XXX ✿ **Bar et Boeuf,** av. Princesse Grace, au Sporting-Monte-Carlo ✆ (00-377) 92 16 60 60, *b.b @sbm.mc, Fax (00-377) 92 16 60 61*, ≤, 🏠 – ▤ P. AE ⓓ GB JCB BU n
*29 mai-27 sept.* – **Repas** *(fermé lundi en sept.)* (dîner seul.) carte 70 à 100.
◆ Cadre design signé Philippe Starck et carte déclinant le bar et le boeuf sous toutes les formes : le lieu, bien connu des noctambules, l'est aussi des fins gourmets.
**Spéc.** "Tomate et tomates", sorbet tomate et bloody Mary. Pavé de bar en feuille de figuier, fruits rôtis, tomates et artichauts. Cheesecake, compotée de fruits rouges, sorbet fromage blanc. **Vins** Palette, Côtes de Provence.

XXX **Maxim's,** 20 av. Costa ✆ (00-377) 97 97 84 60, *vip@maxims-mc.com, Fax (00-377) 97 97 84 61*, 🏠 – ▤. AE ⓓ GB DY a
*fermé août ,15 fév. au 1er mars ,dim. et lundi* – **Repas** 38,20 bc (déj.), 69/138 et carte 87 à 133 ♀.
◆ La saga Maxim's continue sous le soleil de la Principauté. Comme chez son grand frère parisien, le décor Art nouveau déploie toute sa magie : les "beautiful people" adorent !

XXX **L'Hirondelle,** 2 av. Monte-Carlo (aux Thermes Marins) ✆ (00-377) 92 16 49 30, *Fax (00-377) 92 16 49 02*, ≤ le port et le Rocher, 🏠 – ▤. AE ⓓ GB JCB. ⚔ DY s
*fermé 15 au 22 déc.* – **Repas** (déj. seul.) 48 et carte 55 à 85 ♀.
◆ Intégrées aux prestigieux Thermes Marins, cette lumineuse salle à manger et sa terrasse jouissent d'une vue sur le port et le Rocher. Cuisine diététique et classique.

XXX **Saint Benoit,** 10 ter av. Costa ✆ (00-377) 93 25 02 34, *lesaintbenoit@montecarlo.mc, Fax (00-377) 93 30 52 64*, ≤ le port et le Rocher, 🏠 – ▤. AE ⓓ GB JCB DY b
*fermé 2 au 16 déc., dim. soir de nov. à mars, sam. midi en juil. août et lundi* – **Repas** 27/38 et carte 37 à 72 ♀.
◆ Trouver ce restaurant n'est pas aisé, mais la vue panoramique que l'on découvre de la terrasse récompensera votre peine. Spacieuse salle à manger.

XX **Café de Paris,** pl. Casino ✆ (00-377) 92 16 25 54, *cp@sbm.mc, Fax (00-377) 92 16 38 58*, 🏠 – ▤. AE ⓓ GB JCB. ⚔ DY n
**Repas** carte 34 à 80,50 ♀.
◆ En 1897, Édouard Michelin y fit une entrée remarquée... au volant de sa voiture ! Décor d'une brasserie de la Belle Époque. Terrasse très recherchée, pour voir et être vu.

XX **Maison du Caviar,** 1 av. St-Charles ✆ (00-377) 93 30 80 06, *Fax (00-377) 93 30 23 90*, 🏠 – AE GB DX r
*fermé août, sam. midi et dim.* – **Repas** 24 (déj.), 30/45 ♀.
◆ Prisé des Monégasques, ce discret restaurant familial propose depuis 1954 une cuisine classique dans un décor mariant ferronneries, casiers à bouteilles et meubles rustiques.

XX **Chez Gianni,** 39 av. Princesse Grace ✆ (00-377) 93 30 46 33, *Fax (00-377) 93 30 54 86*, 🏠 – ▤. AE ⓓ GB BU e
*fermé sam. midi et dim. midi* – **Repas** 48/60.
◆ Ce petit restaurant donne un avant-goût de l'Italie toute proche : inspiration transalpine tant dans le décor que dans la cuisine. Ambiance conviviale en soirée.

XX **Zébra Square,** 10 av. Princesse Grâce (Grimaldi Forum : 2e étage, par ascenseur) ✆ (00-377) 99 99 25 50, *Fax (00-377) 99 99 25 60*, ≤, 🏠 – ▤. AE ⓓ GB JCB BU m
**Repas** *(27)* - carte 37 à 57 ♀.
◆ Décor design zébré, ambiance "branchée", cuisine au goût du jour : les mêmes ingrédients que son grand frère parisien ! Le petit plus : la belle terrasse avec vue sur mer.

**Loga,** 25 bd des Moulins ✆ (00-377) 93 30 87 72, *Fax (00-377) 93 25 06 41,* – ▤. AE GB DX v
*fermé 9 au 24 août, et vacances de fév.* – **Repas** 36,60 (dîner)et carte 33 à 67 ♀.
◆ Plaisant restaurant à la devanture vitrée sur le boulevard le plus commerçant de Monte-Carlo. On y déguste une cuisine régionale et des pâtes fraîches.

**Polpetta,** 2 r. Paradis ✆ (00-377) 93 50 67 84 – ▤. AE GB CY f
*fermé 5 au 25 juin, sam. midi et mardi* – **Repas** 23.
◆ Trois cadres différents dans ce petit restaurant italien : la véranda côté rue ; la salle à manger rustique ; enfin, un espace plus intime et cossu à l'arrière.

**à Monte-Carlo-Beach** *(06 Alpes-Mar.) Nord-Est* **BU** *: 2,5 km – ✉ 06190 Roquebrune-Cap-Martin :*

**Monte-Carlo Beach Hôtel** M, av. Princesse Grace ✆ 04 93 28 66 66, *bh@sbm.mc, Fax 04 93 78 14 18,* ≤ mer et Monaco, – ▤, ▤ ch, TV ♿ P – 30. AE GB JCB. rest
*2 mars-22 nov.* – ***Salle à Manger :*** Repas carte 58 à 95 ♀ – ***Potinière*** ✆ 04 93 28 66 43 (déj. seul.) *(14 juin-4 sept.)* **Repas** carte 50 à 90 ♀ – ***Rivage*** ✆ 04 93 28 66 42 (déj. seul.) *(18 avril-19 oct.)* **Repas** carte 33 à 88 – ***Vigie*** ✆ 04 93 28 66 44 *(27 juin-31 août)* **Repas** 48(déj.)/55(dîner) ♀ – ☕ 31 – **44 ch** 600/750.
◆ Créé en 1929, ce beau complexe de loisirs balnéaires à l'âme monégasque accueillit Nijinski, Cocteau, Morand, etc. Agréables chambres à l'italienne. La Potinière borde la piscine et la Vigie, arrimée aux rochers d'un petit cap, domine la "grande bleue".

## MONCÉ-EN-BELIN *72230 Sarthe 310 K7 – 2 257 h alt. 60.*

*Paris 216 – Le Mans 14 – La Flèche 33 – Le Grand-Lucé 23.*

**Belinois,** bd Avocats ✆ 02 43 42 01 18, *Fax 02 43 42 22 16* – P. GB
*fermé 15 juil. au 13 août, vacances de fév., lundi et le soir sauf vend. et sam.* – **Repas** 13,80 (déj.), 22,60/40.
◆ Sympathique restaurant de campagne niché au centre du village. Plafond lambrissé et sièges actuels en bois cérusé dans une salle à manger feutrée. Cuisine traditionnelle.

## MONCEL-LÈS-LUNÉVILLE *54 M.-et-M. 307 K7 – rattaché à Lunéville.*

## MONCOUTANT *79320 Deux-Sèvres 322 C4 – 3 102 h alt. 180.*

*Syndicat d'Initiative, 18 avenue du Maréchal Juin ✆ 05 49 72 78 83, Fax 05 49 72 84 76, sicm@terre-de-sevre.org.*
*Paris 381 – Bressuire 16 – Cholet 50 – Niort 55 – La Roche-sur-Yon 82.*

**St-Pierre** avec ch, rte Niort ✆ 05 49 72 88 88, *Fax 05 49 72 88 89,* – ▤ rest, TV ♿ P. GB
**Repas** *(fermé dim. soir, sam. midi et lundi midi)* (18) - 22,50/64,05 ♀ – ☕ 6,75 – **23 ch** 42,70/49,55 – ½ P 43,10.
◆ La salle à manger de cette maison récente à façade de bois offre orientation plein Sud, charpente apparente et vue sur le jardin. Chambres fonctionnelles.

## MONCRABEAU *47600 L.-et-G. 336 E5 – 789 h alt. 150.*

*Syndicat d'Initiative, ✆ 05 53 97 24 50, Fax 05 53 65 67 74.*
*Paris 722 – Agen 36 – Condom 11 – Mont-de-Marsan 86 – Nérac 13.*

**Phare** avec ch, ✆ 05 53 65 42 08, *le.phare@worldonline.fr, Fax 05 53 97 04 87,* – TV. AE GB
*fermé mars, oct., dim. soir et lundi* – **Repas** 19/33, enf. 8 – ☕ 6 – **8 ch** 36/65 – ½ P 43/53.
◆ Ce n'est pas une "menterie " - même si le village s'en est fait une spécialité - : cette auberge à l'atmosphère familiale propose une cuisine régionale, foi de Gascon !

## MONDEVILLE *14 Calvados 303 K5 – rattaché à Caen.*

## MONDOUBLEAU *41170 L.-et-Ch. 318 C4 G. Châteaux de la Loire – 1 557 h alt. 170.*

*Syndicat d'Initiative, 2 rue de Bieux ✆ 02 54 80 77 08, Fax 02 54 80 77 08.*
*Paris 169 – Le Mans 63 – Blois 63 – Chartres 82 – Châteaudun 40 – Orléans 90.*

**Grand Monarque,** pl. Marché ✆ 02 54 80 92 10, *leGrandMonarque@wanadoo.fr, Fax 02 54 80 77 40,* – TV P. AE GB
*fermé, dim. (sauf le midi de Pâques à nov.) et lundi* – **Repas** 10 (déj.)/15,30 ♀ – ☕ 6,60 – **13 ch** 40,40/42,70 – ½ P 45.
◆ À l'orée d'une région chère aux rois de France, ancien relais de poste à l'accueil... princier ! Chambres fraîches, salle à manger actuelle, terrasse sous les glycines.

**MONDRAGON** *84430 Vaucluse* 332 B8 – *3 118 h alt. 40.*

*Paris 644 – Avignon 45 – Montélimar 40 – Nyons 41 – Orange 17.*

XX **Beaugravière** avec ch, N 7 ☎ 04 90 40 82 54, *Fax 04 90 40 91 01,* – TV P. GB
*fermé 16 au 30 sept., dim. soir et lundi* – **Repas** 23/75 bc ♀ – ☕ 7 – **3 ch** 45/60.
◆ Cette maison provençale vous reçoit dans une salle rustique ou sur la terrasse ombragée. Cuisine classique, spécialités de truffes en saison et superbe carte des vins.

**MONEIN** *64360 Pyr.-Atl.* 342 I5 – *4 032 h alt. 154.*

*Paris 798 – Pau 27 – Navarrenx 19 – Oloron-Ste-Marie 23 – Orthez 30.*

**Château Lamothe** , rte Oloron ☎ 05 59 21 20 80, *chateau-lamothe@wanadoo.fr, Fax 05 59 21 20 81,* , , , – TV P. GB
*fermé 4 au 18 nov., dim. soir et lundi en janv. et mars* – **Repas** 38/58 – ☕ 12 – **10 ch** 86/200 – ½ P 92/140.
◆ Belle demeure du 15e s. nichée dans un parc. Entièrement restauré, l'intérieur offre charme et confort : chambres feutrées, élégantes salles à manger, bar, salon et billard.

**MONESTIER** *03140 Allier* 326 F5 – *282 h alt. 323.*

*Paris 365 – Moulins 49 – Bourges 135 – Clermont-Fd 66 – Montluçon 56 – Vichy 34.*

X **Prieuré de Monestier,** ☎ 04 70 56 32 96, *prieuremonestier@wanadoo.fr, Fax 04 70 56 69 75,* – GB
*fermé 12 nov. au 5 déc., mardi soir et merc. sauf juil.-août* – **Repas** 15/38, enf. 10.
◆ Vieux presbytère transformé en restaurant et seulement séparé de la jolie petite église du village par un jardin potager. Ambiance familiale et large éventail de menus.

**MONESTIER-DE-CLERMONT** *38650 Isère* 333 G8 *G. Alpes du Nord* – *905 h alt. 825.*

*Syndicat d'Initiative, Parc Municipal ☎ 04 76 34 15 99, Fax 04 76 34 06 20.*

*Paris 600 – Grenoble 36 – La Mure 29 – Serres 73 – Sisteron 107.*

**Au Sans Souci** , à St-Paul-lès-Monestier, Nord-Ouest : 2 km sur D 8 - alt. 800 ☎ 04 76 34 03 60, *au.sans.souci@wanadoo.fr, Fax 04 76 34 17 38,* , , , – TV P. AE GB JCB
*fermé 20 déc. à fin janv., dim. soir et lundi sauf juil.-août* – **Repas** 15,50/38 ♀, enf. 11 – ☕ 6,50 – **16 ch** 32/54 – ½ P 50.
◆ Contrairement à "La passante", vous aimerez vous attarder dans cette ancienne scierie tapissée de vigne vierge. Cuisine du marché, salle des repas et chambres campagnardes.

**Piot,** ☎ 04 76 34 07 35, *hotepiot@club-internet.fr, Fax 04 76 34 12 74,* , – TV P. GB
*fermé 1er déc. au 1er fév., dim. soir, mardi midi et lundi hors saison* – **Repas** 15/30 ♀, enf. 9,50 – ☕ 7 – **16 ch** 31/47 – ½ P 40/48.
◆ Imposante villa bourgeoise de 1912 dans un petit parc planté de sapins centenaires. Chambres simples bien tenues, salle à manger de style "rétro", atmosphère conviviale.

**Le MONETIER-LES-BAINS** *05 H.-Alpes* 334 H3 – *rattaché à Serre-Chevalier.*

**MONFLANQUIN** *47150 L.-et-G.* 336 G2 – *2 431 h alt. 180.*

*Office du Tourisme, place des Arcades ☎ 05 53 36 40 19, Fax 05 53 36 42 91, office.de.tourisme.monflanquin@wanadoo.fr.*

*Paris 578 – Agen 49 – Bergerac 49 – Fumel 20 – Villeneuve-sur-Lot 18.*

**Monform** , rte Cancon ☎ 05 53 49 85 85, *Fax 05 53 36 40 29,* , , , – TV P – 30. GB. ch
*fermé 14 au 29 fév.* – **Repas** *(fermé dim. soir et lundi midi du 1er oct. au 30 mars)* 12/25 ♀ – **35 ch** 40/47 – ½ P 39,50/41,50.
◆ Sur une aire de loisirs (lac, parcours santé, minigolf), hôtel composé de pavillons disséminés dans un jardin. Chambres fonctionnelles rénovées. Bel espace de remise en forme.

**La MONGIE** *65 H.-Pyr.* 342 N7 *G. Midi-Pyrénées* – *Sports d'hiver : 1 800/2 500 m 3 41* –
✉ *65200 Bagnères-de-Bigorre.*

Voir *Le Taoulet* ≤★★ *N par téléphérique – Col du Tourmalet*★★ *O : 4 km.*

Env. *Pic du Midi de Bigorre*★★★*, accès par le col du Tourmalet puis par route à péage ouverte en été NO : 10 km.*

*Office de tourisme, ☎ 05 62 91 94 15, Fax 05 62 95 33 13.*

*Paris 865 – Bagnères-de-Luchon 72 – Pau 89 – Bagnères-de-Bigorre 25 – Tarbes 47.*

**Pourteilh,** av. Tourmalet ✆ 05 62 91 93 33, *hotel.lepourteilh@wanadoo.fr, Fax 05 62 91 90 88*, ≤ – 🛗 TV 🚗 – 🏔 20. AE GB. ✗ rest
*début déc.-début avril* – **Repas** 17/27, enf. 8 – ☕ 8 – **42 ch** 78/90 – ½ P 59/65.
◆ Hôtel des années 1970 au pied des pistes de cette station de sports d'hiver appréciée des surfeurs des neiges. Chambres et restaurant aménagés dans un esprit rustique.

## MONNAIE *37380 I.-et-L. 317 N4 – 2 829 h alt. 113.*

*Paris 228 – Tours 16 – Château-Renault 15 – Vouvray 11.*

XX **Soleil Levant,** 53 r.Nationale ✆ 02 47 56 10 34, *Fax 02 47 56 45 22* – ▤. GB
*fermé 5 au 25 août, 12 au 26 janv., jeudi soir., dim. soir et lundi* – **Repas** 16,80/35 🍷, enf. 8,50.
◆ Dans la traversée du bourg, cette auberge vous mitonne une cuisine traditionnelle copieuse : une halte roborative au "levant" de la Gâtine tourangelle.

## La-MONNERIE-LE-MONTEL *63 P.-de-D. 326 I7 – rattaché à Thiers.*

## MONPAZIER *24540 Dordogne 329 G7 G. Périgord Quercy – 531 h alt. 180.*

Voir *Place des Cornières★.*

🅘 *Office du Tourisme, place des Cornières ✆ 05 53 22 68 59, Fax 05 53 74 30 08, ot.monpaier@perigord.tm.fr.*

*Paris 577 – Périgueux 83 – Sarlat-la-Canéda 50 – Bergerac 46 – Villeneuve-sur-Lot 46.*

**Edward 1er** 🐦, ✆ 05 53 22 44 00, *info@hoteledward1er.com, Fax 05 53 22 57 99*, ≤, 🏊 – TV 📞 ♿ 🅿. AE ⓓ GB
*1er mars-31 déc.* – **Repas** (diner seul.) 24,40 – ☕ 9,90 – **13 ch** 58/168 – ½ P 69/112.
◆ Édouard 1er fonda la fameuse bastide en 1284. Cette gentilhommière date, quant à elle, du 19e s. Tourelles, mobilier de divers styles et décor "cosy"... à l'anglaise.

*Les pages explicatives de l'introduction*
*vous aideront à mieux profiter de votre* **Guide Rouge Michelin**

## MONTAGNE DU SEMNOZ *74 H.-Savoie 328 J6 G. Alpes du Nord – ✉ 74000 Annecy.*

Voir *Crêt de Châtillon* ✳★★★ *(accès par D 41 : d'Annecy 20 km ou du col de Leschaux 14 km, puis 15 mn).*

*Paris 551 – Annecy 17 – Aix-les-Bains 42 – Albertville 59 – Chambéry 58.*

**sur D 41** – ✉ *74000 Annecy :*

**Rochers Blancs** 🐦, près du sommet, alt. 1 650 ✆ 04 50 01 23 60, *Fax 04 50 01 40 68*, ≤ montagnes, 🏖 – TV 📞 🅿. GB
*hôtel : fermé 15 sept. au 15 déc.; rest.: fermé nov.* – **Repas** 17/19 🍷, enf. 8 – ☕ 6 – **15 ch** 40/55 – ½ P 48/52.
◆ Superbe situation pour ce chalet érigé au beau milieu des alpages. Chambres régulièrement rafraîchies. Deux salles à manger plutôt coquettes. Grande terrasse panoramique.

**Semnoz Alpes** 🐦, au sommet, alt. 1 704 ✆ 04 50 01 23 17, *hotelcouttet@semnoz.com, Fax 04 50 64 53 05*, ≤ Mont-Blanc, 🏖 – 🅿. GB. ✗ rest
*1er juin-30 sept. et 25 déc.-vacances de Pâques* – **Repas** 14,50/26, enf. 7 – ☕ 6,50 – **12 ch** 23/46 – ½ P 34/42.
◆ Isolé dans un paysage de bout du monde, cet hôtel d'altitude fondé en 1872 s'avère idéal pour se ressourcer. Chaleureuses boiseries, chambres au confort modeste.

## MONTAGNY *42840 Loire 327 E3 – 1 124 h alt. 530.*

*Paris 410 – Roanne 15 – Lyon 73 – Montbrison 78 – St-Étienne 96 – Thizy 8.*

XX **Philippe Degoulange,** ✆ 04 77 66 11 31, *Fax 04 77 66 15 63* – ▤. GB
*fermé 17 mars au 1er avril, 3 au 27 août, dim. soir, lundi et mardi* – **Repas** 14,50/46 🍷.
◆ Tons pastel, décor contemporain et tables rondes espacées dans la salle à manger de ce restaurant aménagé à l'étage d'un ancien café. Cuisine au goût du jour.

## MONTAGNY-LÈS-BEAUNE *21 Côte-d'Or 320 J8 – rattaché à Beaune.*

## MONTAIGU *85600 Vendée 316 I6 – 4 323 h alt. 40.*

Env. *Mémorial de vendée ★★ : le logis de la Chabotterie★ (salles historiques★★) SO : 14 km, le chemin de la Mémoire des Lucs★ SO : 24 km* G. Poitou Vendée Charentes.

🅘 *Office du Tourisme, 6 rue Georges Clemenceau ✆ 02 51 06 39 17, Fax 02 51 06 39 17.*

*Paris 391 – Nantes 37 – La Roche-sur-Yon 39 – Cholet 36 – Fontenay-le-Comte 87.*

**au Pont de Sénard** *Nord : 7 km par N 137 et D 77 – ✉ 85600 St-Hilaire-de-Loulay :*

**Pont de Sénard** Ⓜ, ☎ 02 51 46 49 50, *hotel.pont.senard@wanadoo.fr, Fax 02 51 94 11 11,* – TV ☎ ♿ P – 30. AE ◑ GB. rest
*fermé 28 juil. au 12 août, 26 déc. au 5 janv.* – **Repas** *(fermé vend. soir en hiver et dim. soir)* 15/46 ♀, enf. 10 – ☕ 6,50 – **25 ch** 43/58 – ½ P 50.
◆ Près du vieux pont de pierre sur la Maine, hôtel au cadre délicieusement campagnard. Balcons des chambres et salle à manger-véranda ont vue sur l'eau ou sur la nature.

## MONTARGIS

*45200 Loiret 318 N4 G. Bourgogne – 15 020 h alt. 95.*

**Voir** *Collection Girodet★ du musée* **M**[1].

*Office du Tourisme, boulevard Paul Baudin ☎ 02 38 98 00 87, Fax 02 38 98 82 01, OFFTOURISME-DISTRICT.MONTARGIS@wanadoo.fr.*

*Paris 110 ① – Auxerre 81 ② – Bourges 118 ④ – Orléans 73 ⑤ – Sens 50 ②.*

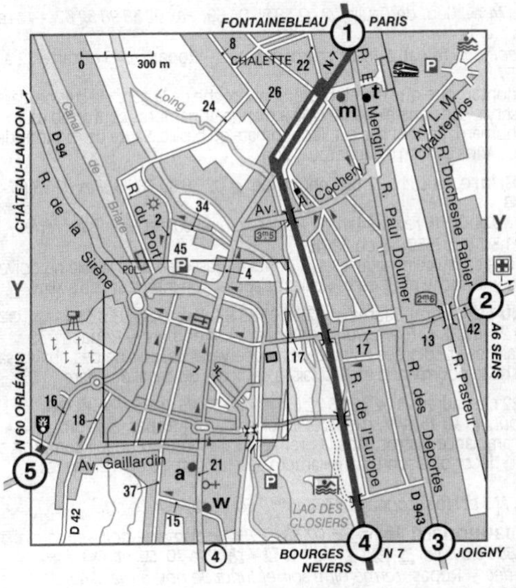
FONTAINEBLEAU
PARIS
CHALETTE
300 m
Loing
Canal de Briare
CHÂTEAU-LANDON
D 94
R. de la Sirène
R. du Port
Av. A. Cochery
R. E. Mengin
Av. L. M. Chautemps
R. Duchesne Rabier
R. Paul Doumer
R. de l'Europe
R. des Déportés
R. Pasteur
A6 SENS
N 60 ORLÉANS
Av. Gaillardin
LAC DES CLOSIERS
D 943
D 42
BOURGES
NEVERS
N 7
JOIGNY
Y

### MONTARGIS

| | | |
|---|---|---|
| Anatole-France (Bd) | Y | 2 |
| Ancien-Palais (R.) | Z | 3 |
| Baudin (Bd Paul) | YZ | 4 |
| Belles-Manières (Bd) | Z | 5 |
| Bon-Guillaume (R. du) | Z | 6 |
| Carnot (R. Lazare) | Y | 8 |
| Cormenin (R.) | Z | 12 |
| Decourt (R. E.) | Y | 13 |
| Dr-Roux (R. du) | Y | 15 |
| Dr-Szigeti (Av. du) | Y | 16 |
| Dorée (R.) | Z | |
| Fg de la Chaussée (R. du) | YZ | 17 |
| Fg d'Orléans (R. du) | YZ | 18 |
| Ferry (Pl. Jules) | Z | 20 |
| Jaurès (R. Jean) | Y | 21 |
| Kléber (R.) | Y | 22 |
| Laforge (R. R.) | Z | 23 |
| Lamy (R. Jean) | Y | 24 |
| Longeard (R. du) | Y | 26 |
| Moulin-à-Tan (R. du) | Z | 28 |
| Pêcherie (R. de la) | Z | 30 |
| Poterne (R. de la) | Z | 32 |
| Pougin-de-la-Maisonneuve (R.) | Z | 33 |
| Prés.-Roosevelt (R.) | Y | 34 |
| République (Pl. de la) | Z | 36 |
| Sédillot (R.) | Y | 37 |
| Tellier (R. R.) | Z | 39 |
| Vaublanc (R. de) | Z | 41 |
| Verdun (Av. de) | Y | 42 |
| 18-Juin-1940 (Pl. du) | Z | 45 |

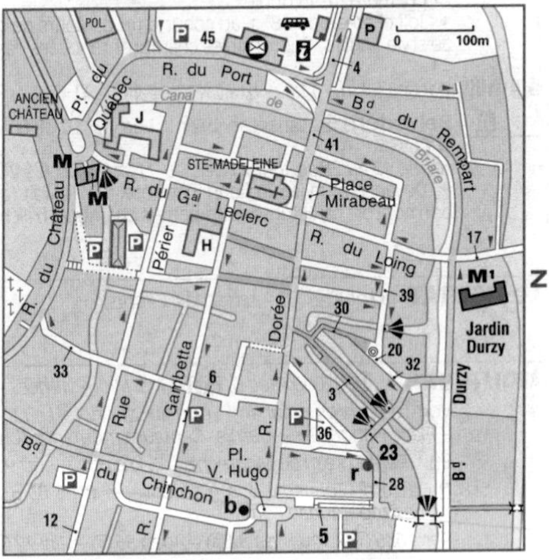
POL.
100m
R. du Port
Canal de Briare
Bd du Rempart
ANCIEN CHÂTEAU
Pl. du Québec
STE-MADELEINE
Place Mirabeau
R. du Gal Leclerc
R. du Loing
R. du Château
Périer
Dorée
Jardin Durzy
Durzy
Rue Gambetta
Pl. V. Hugo
Bd du Chinchon
Z

**Dorèle** M sans rest, 222 r. Émile Mengin ✆ 02 38 07 18 18, *les-hotels-dorele@wanadoo.fr, Fax 02 38 07 18 19* – 15. GB Y t
6 – **52 ch** 45.
◆ Construction cubique récente dans le quartier de la gare. Les chambres, pas très spacieuses, sont très bien insonorisées et agencées. Confortable salon.

**Ibis,** 2 pl. V. Hugo ✆ 02 38 98 00 68, *Fax 02 38 89 14 37*, – ch, – 25. AE GB JCB Z b
***Brasserie de la Poste :*** Repas (11)-19/25,50 ♀, enf.10 – 6 – **59 ch** 55.
◆ Côté chambres ("familiales" au 3e étage), les prestations habituelles de la chaîne. Plus inattendu : le plaisant cadre "rétro" de la Brasserie de la Poste.

**Kyriad,** 1250 av. Antibes (centre commercial), Sud : 3 km par r. J. Jaurès ✆ 02 38 98 20 21, *kyriad-montargis@wanadoo.fr, Fax 02 38 89 19 16*, – P. GB
Repas *(fermé dim. soir)* (11) - 10,80/20 ♀ – 6 – **40 ch** 52.
◆ Suite à son changement d'enseigne, ce bâtiment a été entièrement rénové. Une étape pratique à la périphérie de la "Venise du Gâtinais".

**Gloire** avec ch, 74 av. Gén. de Gaulle ✆ 02 38 85 04 69, *Fax 02 38 98 52 32* – rest, . AE GB Y m
*fermé 11 au 29 août, 10 fév. au 5 mars, mardi et merc.* – **Repas** 29/45 et carte 52 à 72 ♀ – 7 – **12 ch** 55/57.
◆ Une "gloire" montargoise que cet établissement proche de la gare : la cuisine classique y est à l'honneur, servie dans une élégante salle à manger. Chambres confortables.
**Spéc.** Salade de homard. Rouget rôti sur lit de tomate au basilic. Sauté de rognons de veau, ragoût d'artichaut. **Vins** Sancerre, Menetou-Salon.

**Le Coche de Briare** avec ch, 72 pl. République ✆ 02 38 85 30 75, *Fax 02 38 93 44 68* – rest, . GB Z r
*fermé 28 juil. au 19 août, 16 fév. au 4 mars, jeudi soir, dim. soir et lundi sauf fériés* – **Repas** 16,50/46 ♀, enf. 11,50 – 5,50 – **9 ch** 29/43.
◆ Les entrelacs des canaux ainsi que les 127 ponts et passerelles de la ville ne doivent pas vous faire manquer le coche pour cette vieille maison et son intérieur Louis XIII.

**L'Orangerie du Lac,** 57 r. J. Jaurès ✆ 02 38 93 33 83, *Fax 02 38 93 33 83* – . GB
*fermé 30 juin au 23 juil., 2 au 8 janv., lundi soir, mardi soir et merc.* – **Repas** 17/39.
◆ Deux salles fraîches et colorées complétées d'une véranda, cuisine des quatre saisons : faites une petite halte gourmande en Gâtinais, à deux pas du canal de Briare. Y w

**Chez Pierre,** 22 r. J. Jaurès ✆ 02 38 85 22 65, *Fax 02 38 85 30 78* – P. GB Y a
*fermé 3 au 26 août, 1er au 15 janv., dim. soir, lundi et mardi* – **Repas** 15,50/38.
◆ Sympathique ambiance bistrot dans la première salle ornée d'un joli comptoir en bois des années 1930 ; décor plus sobre dans l'arrière-salle aux tables bien espacées.

**rte de Ferrières** *par ①, N 7 et rte secondaire – ✉ 45210 Fontenay-sur-Loing :*

**Domaine de Vaugouard** M , ✆ 02 38 89 79 00, *domaine-golf-vaugouard@wanadoo.fr, Fax 02 38 89 79 01*, , , , – – 15 à 70. AE GB JCB
*fermé 22 au 30 déc.* – **Repas** *(fermé dim. soir et lundi de nov. à mars)* 40/60 ♀ – 20 – **27 ch** 160/320, 15 duplex.
◆ Joli château du 18e s. au coeur d'un parcours de golf vallonné. Salles à manger cossues de style anglais. Confortables chambres rénovées dans une ancienne ferme gâtinaise.

**à Amilly** *par ③ : 5 km – 11 029 h. alt. 110 – ✉ 45200 :*

**Belvédère** sans rest, 192 r. J. Ferry ✆ 02 38 85 41 09, *Fax 02 38 98 75 63*, – . GB
*fermé 15 au 28 août et 21 déc. au 11 janv.* – 8 – **24 ch** 54.
◆ Devancé d'un jardin fleuri, cet hôtel familial fait face à l'école du village. Grand calme et bon confort caractérisent les petites chambres fraîches et nettes.

---

## Le MONTAT *46 Lot* 337 *E5 – rattaché à Cahors.*

---

## MONTAUBAN P *82000 T.-et-G.* 337 *E7 G. Midi-Pyrénées – 51 224 h alt. 98.*

**Voir** *Le vieux Montauban★ : portail★ de l'hôtel Lefranc-de-Pompignan* **Z E** *– Musée Ingres★ – Place Nationale★ – Dernier Centaure mourant★ (bronze de Bourdelle)* **B.**

**Env.** *Pente d'eau de Montech★ : 15 km par ③ et D 928.*

*Office du Tourisme, 2 rue du Collège ✆ 05 63 63 60 60, Fax 05 63 63 65 12, officetourisme@montauban.com.*

*Paris 636 ① – Toulouse 52 ③ – Agen 86 ④ – Albi 72 ② – Auch 85 ③ – Cahors 60 ①.*

# MONTAUBAN

Abbaye (R. de l') . . . . . . . . Z
Alsace-Lorraine (Bd) . . . . . . X 3
Arago (R.) . . . . . . . . . . . . . Z
Banque (R. de la) . . . . . . . . Z
Barbazan (R.) . . . . . . . . . . . Z
Bourdelle (Pl.) . . . . . . . . . . Z 4
Bourjade (Pl. L.) . . . . . . . . Z 6
Briand (Av. A.) . . . . . . . . . . Y 7
Cambon (R.) . . . . . . . . . . . . Z 9
Carmes (R. des) . . . . . . . . . Z 10
Chamier (Av.) . . . . . . . . . . . Y 12
Cladel (R. L.) . . . . . . . . . . . X
Comédie (R. de la) . . . . . . . Z 13
Consul-Dupuy (Allée du) . . Z 14
Coq (Pl. du) . . . . . . . . . . . . Z 16
Dr-Alibert (R.) . . . . . . . . . . X
Dr-Lacaze (R. du) . . . . . . . . Z 19
Doumerc (Bd B.) . . . . . . . . . X
Foch (Pl. du Mar.) . . . . . . . . Z
Fort (R. du) . . . . . . . . . . . . Z
Gambetta (Av.) . . . . . . . . . YZ
Garrisson (Bd G.) . . . . . . . YZ
Gaulle (Av. Ch.-de) . . . . . . . Y 25
Grand'Rue Sapiac . . . . . . . . Z
Grand'Rue Villenouvelle . . X 28
Guibert (Pl.) . . . . . . . . . . . . Z 29
Herriot (Av. E.) . . . . . . . . . . Y 30
Hôtel-de-Ville (R. de l') . . . . Z 31
Ingres (R. D.) . . . . . . . . . . . X
Jourdain (R. A.) . . . . . . . . . . Z
Lacapelle (Fg) . . . . . . . . . . YZ
Lafon (R. Mary) . . . . . . . . . . Z 32
Lafon (R. du Pasteur L.) . . . Y 34
Lagrange (R. L.) . . . . . . . . YZ 35
Leclerc (Pl. du Gén.) . . . . . . Z
Libération (Pl. de la) . . . . . . X
Lycée (R. du) . . . . . . . . . . . . Z
Malcousinat (R.) . . . . . . . . . Z 36
Mandoune (R. de la) . . . . . . Z
Marceau-Hamecher (Av.) . . Y 37
Marre (R. H.) . . . . . . . . . . . . Z
Marty (Pl. A.) . . . . . . . . . . XY
Martyrs (Carrefour des) . . . Z 46
Mayenne (Av.) . . . . . . . . . . . Y 50
Michelet (R.) . . . . . . . . . . . . Z 51
Midi-Pyrénées (Bd) . . . . . . . Z 52
Monet (R. J.) . . . . . . . . . . . . Z 53
Montauriol (Bd) . . . . . . . . . . Y
Montmurat (Q. de) . . . . . . . Z 54
Mortarieu (Allées de) . . . . . Z 56
Moustier (Fg du) . . . . . . . . . Z
Nationale (Pl.) . . . . . . . . . . . Z
Notre-Dame (R.) . . . . . . . . . Z 60
Piquard (Sq. Gén.) . . . . . . . Z 62
Pouvillon (R. E.) . . . . . . . . . Z
Prax-Paris (Pl.) . . . . . . . . . . Z
République (R. de la) . . . . . Z 63
Résistance (R. de la) . . . . . Z 64
Roosevelt (Pl. F.) . . . . . . . . Z 66
St-Jean (R.) . . . . . . . . . . . . . X 67
Ste-Claire (R.) . . . . . . . . . . . Z
Sapiac (Pont de) . . . . . . . . YZ 68
Sarrail (R. Gén.) . . . . . . . . . Y 70
Verdun (Q. de) . . . . . . . . . . . Z 71
10e-Dragons (Av. du) . . . . . . X
IIe-Rég.-d'Infanterie
(Av. du) . . . . . . . . . . . . . . . X 73
19-Août-1944 (Av. du) . . . . X 75
22-Septembre (Pl.du) . . . . . Z 76

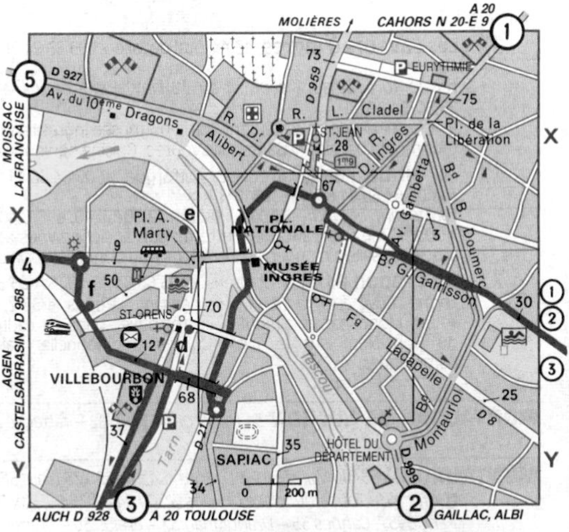
A 20
MOLIÈRES
CAHORS N 20-E 9
EURYTHMIE
Cladel
Pl. de la Libération
Av. du 10ème Dragons
R. Dr Alibert
ST-JEAN
R. D. Ingres
MOISSAC LAFRANCAISE
PL. NATIONALE
MUSÉE INGRES
Pl. A. Marty
Av. Gambetta
Bd B. Doumerc
Bd G. Garrisson
ST-ORENS
VILLEBOURBON
Fg Lacapelle
Bd Montauriol
AGEN CASTELSARRASIN, D 958
Tarn
Tescou
SAPIAC
HÔTEL DU DÉPARTEMENT
AUCH D 928
A 20 TOULOUSE
GAILLAC, ALBI
N 20
200 m

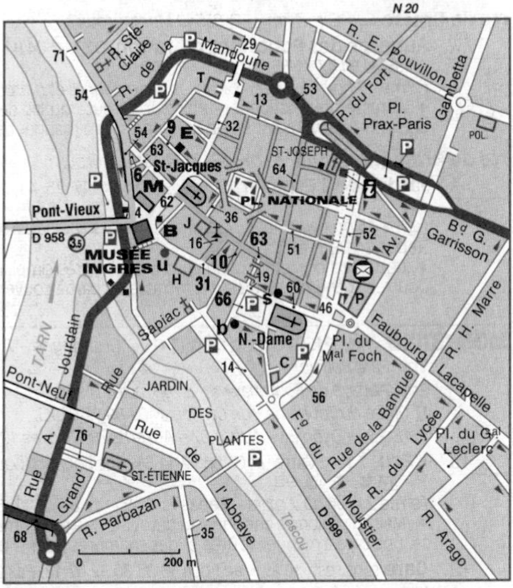
R. Ste-Claire
R. de la Mandoune
R. E. Pouvillon
R. du Fort
Pl. Prax-Paris
Gambetta
POL.
ST-JOSEPH
St-Jacques
PL. NATIONALE
Pont-Vieux
D 958
MUSÉE INGRES
Bd G. Garrisson
Av.
Sapiac
N.-Dame
Pl. du Mal Foch
Faubourg Lacapelle
R. H. Marre
TARN
Jourdain
Pont-Neuf
JARDIN DES PLANTES
Rue de l'Abbaye
ST-ÉTIENNE
Rue A. Grand'
R. Barbazan
Tescou
Fg du Moustier
Rue de la Banque
R. du Lycée
Pl. du Gal Leclerc
R. Arago
D 999
200 m

**Mercure** [M], 12 r. Notre-Dame ☎ 05 63 63 17 23, *mercure.montauban@wanadoo;fr, Fax 05 63 66 43 66* – ascenseur, climatisation, TV, accès handicapés – salle 15 à 30. AE, Diners, GB — Z s
**Repas** 14/35 ♀, enf. 7 – ☕ 10 – **44 ch** 80/90.
♦ Cet hôtel particulier du 18e s. a bénéficié en 1999 d'une complète cure de jouvence : grandes chambres contemporaines et élégant restaurant aménagé sous une verrière.

**Commerce** [M] sans rest, 9 pl. Roosevelt ☎ 05 63 66 31 32 – ascenseur, TV, accès handicapés – salle 20. GB — Z b
☕ 6 – **27 ch** 40/60.
♦ Hôtel bâti au début du 20e s. à deux pas de la cathédrale. Hall et salon garnis de beaux meubles anciens, chambres sobres, rénovées, et salles de bains colorées.

**Cuisine d'Alain et Hôtel Orsay** avec ch, face gare ☎ 05 63 66 06 66, *cuisinedalain@wanadoo.fr, Fax 05 63 66 19 39,* terrasse – ascenseur, TV, garage – salle 20. AE, Diners, GB. — Y f
*fermé 24 déc. au 7 janv., lundi midi, sam. midi, dim. et fériés* – **Repas** 22/52 ♀, enf. 11 – ☕ 8 – **20 ch** 46/56 – ½ P 50.
♦ La cuisine d'Alain est traditionnelle et agrémentée d'un grand choix de desserts. Natures mortes, faïences et compositions florales ornent la salle à manger et le salon.

XX **Les Saveurs d'Ingres,** 13 r. Hôtel de Ville ✆ 05 63 91 26 42, *Fax 05 63 66 28 92* – ▤. AE GB Z u
*fermé 10 août au 2 sept., 4 au 12 janv., lundi en juil.-août et dim.* – **Repas** 16 (déj.), 25,50/51,90 ♀.
♦ L'enseigne de ce restaurant voisin du musée Ingres rend hommage au peintre-dessinateur montalbanais. Plaisante salle voûtée. Cuisine personnalisée, inspirée du terroir.

XX **Au Fil de l'Eau,** 14 quai Dr Lafforgue ✆ 05 63 66 11 85, *aufildeleau82@wanadoo.fr, Fax 05 63 66 11 85* – ▤. ⓓ GB JCB X e
*fermé dim. et lundi* – **Repas** *(15,30 bc)* - 22,50/53,40, enf. 8,40.
♦ Dans une rue tranquille, cette maison ancienne vous accueille sous les poutres d'une spacieuse salle à manger. Préparations traditionnelles, bon choix de vins régionaux.

XX **Au Chapon Fin,** 1 pl. St-Orens ✆ 05 63 63 12 10, *Fax 05 63 20 47 43* – ▤. GB
*fermé 26 juil. au 17 août, dim. soir et sam.* – **Repas** 16/30 ♀, enf. 9,50. Y d
♦ Les Montalbanais aiment à se retrouver dans ce cadre actuel et lumineux sis près du Pont-Neuf sur le Tarn. Cuisine traditionnelle. Salons intimes pour les repas commandés.

---

**MONTAUBAN-DE-LUCHON** *31 H.-Garonne* 343 B8 – *rattaché à Bagnères-de-Luchon.*

---

**MONTAUROUX** *83440 Var* 340 P4 *G. Côte d'Azur – 2 773 h alt. 364.*
*Office du Tourisme, place du Clos ✆ 04 94 47 75 90, Fax 04 94 47 61 97.*
*Paris 895 – Cannes 35 – Draguignan 37 – Fréjus 30 – Grasse 21.*

**rte de Grasse** *Sud-Est : 3 km – ✉ 83340 Montauroux :*

XX **Auberge des Fontaines d'Aragon,** D 37 ✆ 04 94 47 71 65, *ericmaio@club-internet.fr, Fax 04 94 47 71 65,* 🏵, 🌳 – P. GB
*fermé 15 nov. au 6 déc., vacances de fév., lundi et mardi* – **Repas** 34/52 ♀.
♦ Adresse gourmande à retenir, sur la route du lac de St-Cassien : une cuisine classique personnalisée vous est servie dans une salle à manger de style provençal.

**rte de Draguignan** *Sud : 3 km – ✉ 83440 Montauroux :*

X **Jardin de l'Espicier,** D 562 ✆ 04 94 47 75 41, *Fax 04 94 47 75 41,* 🏵 – ▤ P. GB
*fermé 15 nov. au 15 déc., mardi soir, merc. soir et jeudi soir du 15 déc. au 30 mars et lundi* – **Repas** 24/29 ♀, enf. 10.
♦ Cette villa contemporaine vous accueille très simplement dans une salle rustique avec poutres et cheminée, ou sur la terrasse en partie couverte. Cuisine traditionnelle.

---

**MONTBARD** SP *21500 Côte-d'Or* 320 G4 *G. Bourgogne – 7 108 h alt. 221.*
Voir *Parc Buffon★.*
Env. *Abbaye de Fontenay★★★ E : 6 km par D 905.*
*Office du Tourisme, rue Carnot ✆ 03 80 92 03 75.*
*Paris 238 – Dijon 81 – Autun 87 – Auxerre 78 – Troyes 100.*

**L'Écu,** 7 r. A. Carré ✆ 03 80 92 11 66, *snc.coupat@wanadoo.fr, Fax 03 80 92 14 13,* 🏵 – ⇔ TV ✆. AE ⓓ GB
*fermé 21 fév. au 7 mars* – **Repas** 16/51 ♀ – ☕ 8 – **23 ch** 59/79 – ½ P 62/74.
♦ Maison régionale ancienne au détour d'une rue calme. Ses atouts : le sens de l'hospitalité, une salle à manger voûtée et des chambres pour la plupart rénovées.

**Gare** sans rest, 10 av. Mar. Foch ✆ 03 80 92 02 12, *Fax 03 80 92 41 72,* – ⇔ TV ✆ P. AE GB
☕ 7 – **34 ch** 30/70.
♦ À la descente du train, deux bâtiments de style classique, reliés entre eux, proposent des chambres sans artifices de diverses tailles, équipées d'un double vitrage.

**à Fain-lès-Montbard** *Sud-Est : 6 km par N 905 – 341 h. alt. 220 – ✉ 21500 :*

**Château de Malaisy** ✆ 03 80 89 46 54, *ch-malaisy@club-internet.com, Fax 03 80 92 30 16,* – TV ✆ ♿ P – 25 à 150. GB.
**Repas** 24/54 bc ♀ – ☕ 10 – **24 ch** 61/108 – ½ P 60,50/81.
♦ Gentilhommière au coeur d'un parc arboré de 15 ha. Chambres simples d'esprit rustique. Salon bourgeois égayé d'une cheminée en bois sculpté.

*Ecrivez-nous...*
*Vos louanges comme vos critiques seront examinées avec le plus grand soin. Nous reverrons sur place les informations que vous nous signalez.*
*Par avance merci !*

## MONTBAZON 37250 I.-et-L. 317 N5 *G. Châteaux de la Loire* – 3 354 h alt. 59.

*Office du Tourisme, 11 avenue de la Gare ✆ 02 47 26 97 87, Fax 02 47 26 22 40.*

*Paris 249 – Tours 15 – Châtellerault 59 – Chinon 41 – Loches 33 – Saumur 74.*

**Château d'Artigny**, Sud-Ouest : 2 km par D 17 ✆ 02 47 34 30 30, *artigny@grandesetapes.fr, Fax 02 47 34 30 39,* ≤ l'Indre, – 20 à 120. AE GB

*fermé 14 déc. au 24 janv.* – **Repas** 47/80 – 23 – **52 ch** 150/385, 4 – 1/2 P 151/268,50.

◆ Ce château dont le parc boisé et les jardins à la française surplombent l'Indre fut conçu au début du 20e s. dans le pur style classique. Faste omniprésent.

**Port Moulin au Fil de l'Eau,** – AE GB

*fermé 14 déc. au 24 janv.* – Repas voir ***Château d'Artigny*** – 23 – **7 ch** 150 – 1/2 P 151.

◆ Hébergement plus simple, mais toujours confortable, à l'annexe installée dans un joli pavillon au bord de la rivière, à 800 m du château.

**Domaine de la Tortinière**, Nord : 2 km par N 10 et D 287 ✆ 02 47 34 35 00, *domaine.tortiniere@wanadoo.fr, Fax 02 47 65 95 70,* ≤ vallée de l'Indre, – 20. GB.

*fermé 20 déc. au 1er mars* – **Repas** *(fermé dim. soir de nov. à mars)* (prévenir) 38 bc (déj.), 48/69 – 14 – **22 ch** 125/215, 7 appart – 1/2 P 104/161.

◆ Beaucoup de charme en cette demeure du Second Empire entourée d'un parc. Chambres soignées. La salle à manger panoramique offre une vue splendide sur la vallée de l'Indre.

**Chancelière "Jeu de Cartes",** 1 pl. Marronniers ✆ 02 47 26 00 67, *Fax 02 47 73 14 82* – GB

*fermé 22 août au 5 sept., 8 fév. au 3 mars, dim. et lundi sauf fériés* – **Repas** 25/35.

◆ Cette vieille maison tourangelle élégamment aménagée vous propose une savoureuse cuisine empreinte de simplicité. Ici, on joue cartes sur table !

**Spéc.** Ravioles d'huîtres au champagne (sept. à juin). Coquetiers surprises aux morilles à la crème de foie gras. Escalopes de foie gras poêlées à la croque-au-sel. **Vins** Vouvray, Bourgueil.

**Auberge de la Courtille,** 13 av. Gare ✆ 02 47 26 28 26, *j-mauny@club-internet.fr, Fax 02 47 26 14 34* – GB

*fermé 15 juil. au 12 août, dim. soir, mardi soir et merc.* – **Repas** 17/35.

◆ Aux portes de la localité, cette auberge présente une pimpante façade. La salle à manger, sobre et fraîche, accueille des expositions de tableaux. Cuisine familiale.

## MONTBÉLIARD SP 25200 Doubs 321 K1 *G. Jura* – 29 005 h Aggl. 113 059 h alt. 325.

Voir *Le Vieux Montbéliard★ : hôtel Beurnier-Rossel★ – Sochaux : Musée de l'aventure Peugeot★.*

*Office du Tourisme, 1 rue Henri-Mouhot ✆ 03 81 94 45 60, Fax 03 81 94 14 04, office.de.tourisme.montbeliard@wanadoo.fr.*

*Paris 478 ④ – Besançon 76 ④ – Mulhouse 59 ② – Belfort 21 ② – Vesoul 62 ①.*

Plans page suivante

**Bristol** sans rest, 2 r. Velotte ✆ 03 81 94 43 17, *hotel.bristol@wanadoo.fr, Fax 03 81 94 15 29* – – 50. AE GB. Z b

*fermé 28 juil. au 24 août et 24 au 30 déc.* – 6 – **43 ch** 46/69,59.

◆ Hôtel familial des années 1930 dans une rue semi-piétonne. Quelques chambres actualisées présentent un décor moderne ; les autres conservent le charme de l'ancien.

**Balance,** 40 r. Belfort ✆ 03 81 96 77 41, *hotelbalance@wanadoo.fr, Fax 03 81 91 47 16,* – – 15. AE GB Z s

**Repas** *(fermé 24 déc. au 4 janv., sam., dim. et le midi en août)* 10,50/32 – 7,50 – **44 ch** 66/80 – 1/2 P 52.

◆ Maison du 16e s. qui hébergea le Q.G. de De Lattre de Tassigny en 1944. Restaurant aux boiseries claires et bel escalier en bois sculpté menant à des chambres rénovées.

**Kyriad,** 34 bis av. Mar. Joffre ✆ 03 81 94 44 64, *kyriadmontbeliard@9online.fr, Fax 03 81 94 37 40* – – 20. AE GB X a

**Repas** *(fermé août, 24 déc. au 1er janv., vend., sam. et dim.)* (dîner seul.) 14, enf. 6 – 8 – **62 ch** 51/57.

◆ Dans un immeuble moderne proche des usines et du beau musée automobile Peugeot. Chambres offrant une insonorisation et un niveau de confort corrects.

**Les Relais Verts,** le Pied des Gouttes ✆ 03 81 90 10 69, *hotelrelaisvert@wanadoo.fr, Fax 03 81 90 15 18,* – , rest, – 25. AE GB JCB X v

***Tire-Bouchon*** 03 81 90 11 56 *(fermé sam. midi et dim.)* **Repas** 15,50/60, enf. 7 – 6 – **62 ch** 55/73 – 1/2 P 45/55.

◆ Hôtel actuel au coeur d'une Z.A.C. Petites chambres fonctionnelles distribuées autour d'un patio ou, dans une aile récente, hébergement plus spacieux et chaleureux.

# MONTBÉLIARD

Albert-Thomas (Pl.) ..... Z 2
Audincourt (R. d') ..... XY 4
Belchamp (R. de) ....... Y 5
Besançon (Fg de) ....... X 7
Blancheries (R. des) ..... Z 8
Chabaud-Latour (Av.) .... X 9
Cuvier (R.) ............ Z
Denfert-Rochereau (Pl.) .. Z 10
Dorian (Pl.) ............ Z 12
Epinal (R. d') .......... X 13
Febvres (R. des) ........ Z 14
Gambetta (Av.) .......... X 15
Helvétie (Av. d') ....... XZ 18
Jean-Jaurès (Av.) ....... Y 20
Joffre (Av. du Mar.) .... XZ 22
Lattre-de-Tassigny (Av. du Mar.) ......... Z 23
Leclerc (R. Gén.) ....... Z 24
Ludwigsburg (Av. de) .... X 26
Petite-Hollande (R.) .... XY 28
St-Georges (Pl.) ........ Z 29
Schliffre (R. de) ....... Z 32
Toussain (R. P.) ........ X 36
Valentigney (R. de) ..... Y 40

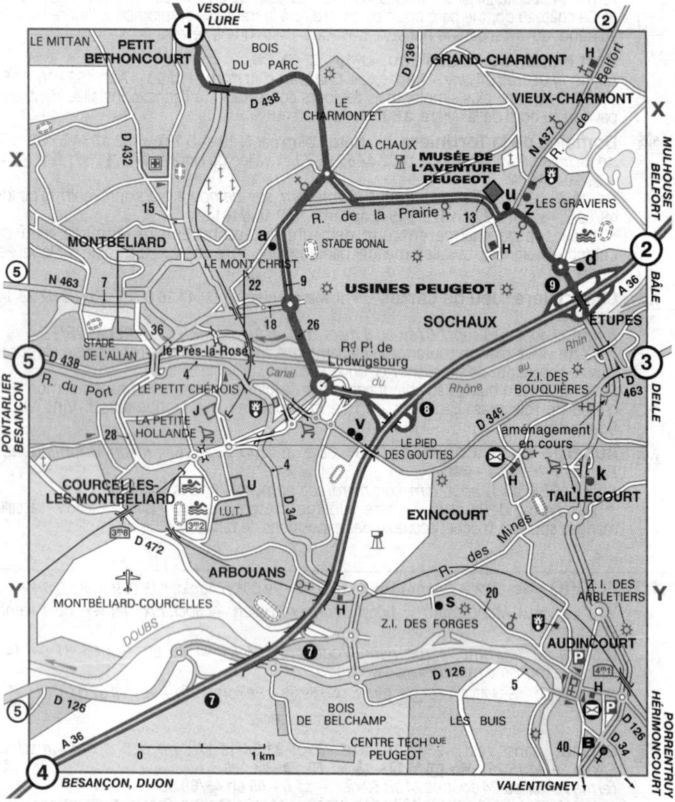

VESOUL
LURE
1
2
3
4
5
X
Y
LE MITTAN
PETIT BETHONCOURT
BOIS DU PARC
D 438
D 136
GRAND-CHARMONT
R. de Belfort
VIEUX-CHARMONT
LE CHARMONTET
LA CHAUX
MUSÉE DE L'AVENTURE PEUGEOT
N 437
D 432
R. de la Prairie
LES GRAVIERS
MULHOUSE BELFORT
MONTBÉLIARD
STADE BONAL
LE MONT CHRIST
N 463
USINES PEUGEOT
SOCHAUX
ÉTUPES
A 36
BÂLE
STADE DE L'ALLAN
le Près-la-Rose
Rd Pt de Ludwigsburg
Canal du Rhône au Rhin
Z.I. DES BOUQUIÈRES
D 463
DELLE
PONTARLIER BESANÇON
R. du Port
LE PETIT CHÉNOIS
LA PETITE HOLLANDE
LE PIED DES GOUTTES
D 34
aménagement en cours
COURCELLES-LES-MONTBÉLIARD
I.U.T.
TAILLECOURT
EXINCOURT
D 472
R. des Mines
ARBOUANS
Z. I. DES ARBLETIERS
MONTBÉLIARD-COURCELLES
Z.I. DES FORGES
AUDINCOURT
DOUBS
D 126
BOIS DE BELCHAMP
LES BUIS
CENTRE TECHQUE PEUGEOT
0
1 km
PORRENTRUY HÉRIMONCOURT
BESANÇON, DIJON
VALENTIGNEY


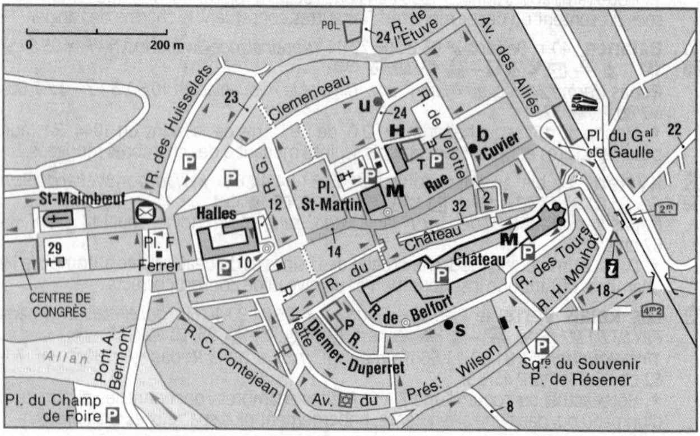

0
200 m
POL.
R. de l'Etuve
Av. des Alliés
Clemenceau
R. des Huisselets
R. de Velotte
Cuvier
Rue
Pl. du Gal de Gaulle
St-Maimbœuf
Halles
Pl. St-Martin
Château
Pl. F Ferrer
R. du Château
R. des Tours
R. H. Mouhot
CENTRE DE CONGRÈS
R. de Belfort
R. Viette
R. Diemer-Duperret
R. C. Contejean
Allan
Pont A. Bermont
Prést Wilson
Sqre du Souvenir P. de Résener
Pl. du Champ de Foire
Av. du
Z

Ibis, le Pied des Gouttes ✆ 03 81 90 21 58, *Fax 03 81 90 44 37*, – ⇔ ▤ TV & P – 🏛 30. AE ① GB JCB X v
**Repas** *(12,50)* - 16, enf. 6 – ☕ 6 – **62 ch** 59.
◆ Autre hôtel de la Z.A.C. du Pied des Gouttes, à proximité de l'autoroute. Vous bénéficierez d'aménagements récents, conformes au nouveau "look" de la chaîne.

XX **St-Martin,** 1 r. Gén. Leclerc ✆ 03 81 91 18 37, *Fax 03 81 91 18 37* – AE ① GB
*fermé 2 au 24 août, 21 fév. au 1er mars, sam., dim. et fériés* – **Repas** 29/49. Z u
◆ Vieille maison proche de la place Saint-Martin. Petite salle intime équipée de chaises de bistrot. Cuisine classique et un menu composé selon le marché.

## MONTBENOIT *25650 Doubs* 321 I5 *G. Jura – 238 h alt. 804.*

Voir *Ancienne abbaye★ : stalles★★, niche abbatiale★★.*
*Office du Tourisme, 8 rue du Val Saugeais ✆ 03 81 38 10 32, Fax 03 81 38 12 97.*
*Paris 465 – Besançon 61 – Morteau 17 – Pontarlier 15.*

**à Maisons-du-Bois** *Sud-Ouest : 4 km sur D 437 – 461 h. alt. 810 – ✉ 25650 :*

X **Saugeais** avec ch, ✆ 03 81 38 14 65, *Fax 03 81 38 11 27*, – TV ✆ P. GB. ⇔ ch
*fermé janv., dim. soir et lundi* – **Repas** 12,50/35, enf. 7,40 – ☕ 6,50 – **7 ch** 38/53,50 – ½ P 40,50/45.
◆ "Chèvre qui bêle perd une bouchée" affirme un dicton du val de Saugeais : il serait dommage de gaspiller les spécialités régionales concoctées ici dans un cadre rustique.

## MONTBONNOT-ST-MARTIN *38 Isère* 333 H6 – *rattaché à Grenoble.*

## MONTBOUCHER-SUR-JABRON *26 Drôme* 332 B6 – *rattaché à Montélimar.*

## MONTBRISON SP *42600 Loire* 327 D6 *G. Vallée du Rhône – 14 064 h alt. 391.*

Voir *Intérieur★ de la Collégiale N.-D.-d'Espérance.*
*Office du Tourisme, Galerie du Cloître des Cordeliers ✆ 04 77 96 08 69, Fax 04 77 96 20 88, officedutourimemontbrison@wanadoo.fr.*
*Paris 448 – St-Étienne 38 – Lyon 96 – Le Puy-en-Velay 102 – Roanne 68 – Thiers 68.*

**à Savigneux** *Est : 2 km par D 496 – 2 391 h. alt. 382 – ✉ 42600 :*

**Marytel** sans rest, 95 rte Lyon ✆ 04 77 58 72 00, *Fax 04 77 58 42 81* – TV ✆ P. AE ① GB
☕ 6,50 – **33 ch** 42/47.
◆ Construction actuelle en bord de route. Les chambres, simples et fonctionnelles, sont bien tenues et protégées des bruits de la circulation par un double vitrage.

XX **Yves Thollot,** 93 rte Lyon ✆ 04 77 96 10 40, *Fax 04 77 58 31 92*, – P. AE GB
*fermé 4 au 24 août, 7 au 22 fév., dim. soir, mardi soir et lundi* – **Repas** 19,10/48,80.
◆ Cette maison récente, entourée d'espaces verts, abrite une salle à manger au cadre contemporain ponctué de discrètes touches agrestes. Cuisine simple et généreuse.

## MONTCEAU-LES-MINES *71300 S.-et-L.* 320 G9 *G. Bourgogne – 22 999 h alt. 285.*

Env. *Mont-St-Vincent : tour ✻★★ 12 km par ②.*
*Office du Tourisme, 16 rue Carnot ✆ 03 85 69 00 00, Fax 03 85 69 00 01, office.du.tourisme.montceau@wanadoo.fr.*
*Paris 332 ① – Chalon-sur-Saône 46 ① – Autun 46 ① – Mâcon 69 ② – Moulins 90 ③.*

Plan page suivante

**Grilhôtel,** av. Mar. Leclerc (proche centre commercial) ✆ 03 85 57 49 49, *grilhotel@wanadoo.fr, Fax 03 85 57 72 23* – TV ✆ & P. GB BY a
**Repas** *(fermé dim. soir)* 11,50/23 – ☕ 6 – **30 ch** 43/46 – ½ P 35.
◆ Situé dans une zone commerciale, au bord du canal du Centre, cet ex-hôtel de chaîne a conservé ses chambres standardisées et propose une restauration traditionnelle.

XX **France** avec ch, 7 pl. Beaubernard ✆ 03 85 67 95 30, *hotel.restaurant.lefrance@wanadoo.fr, Fax 03 85 67 95 44* – ▤ rest, TV ✆. GB AZ k
*fermé 29 juil. au 19 août et 6 au 20 janv.* – **Repas** *(fermé sam. midi, dim. soir et lundi)* 18 bc/63 ♀, enf. 9 – ☕ 6,10 – **10 ch** 36,60/60 – ½ P 38,40/45.
◆ L'établissement se trouve dans la partie haute de la ville industrielle. Cadre accueillant, à la fois campagnard et bourgeois, avec cheminée ; préparations traditionnelles.

**par** *② et D 980 : 4 km – ✉ 71300 Gourdon :*

X **Auberge Plain-Joly** avec ch, ✆ 03 85 57 24 74, *auberge.plainjoly@wanadoo.fr, Fax 03 85 57 24 74*, – TV P. GB
**Repas** 13/22 ♀ – ☕ 6,50 – **8 ch** 28/46 – ½ P 34.
◆ Sympathique maison au milieu des prairies, sur la petite route pentue qui mène au village perché. Salle à manger rustique, chambres bourgeoises personnalisées.

# MONTCEAU-LES-MINES

André-Malraux (R.) AY 3
Barbès (R.) ABZ
Bel-Air (R. de) BY 4
Carnot (R.) AZ 6
Champ-du-Moulin (R. du) BYZ 7
Chausson (R. Henri) BZ 9
Emorine (R. Antoine) BZ 10
Gauthey (Quai) AZ 12
Génelard (R. de) BZ 13
Guesde (Quai Jules) AY 14
Hospice (R. de l') AZ 15
Jean-Jacques-Rousseau (R.) BZ 16
Jean-Jaurès (R.) AZ
Lamartine (R.) AZ 19
Merzet (R. Etienne) BY 21
Palinges (R. de) BZ 22
Paul-Bert (R.) AZ 24
Pépinière (R. de la) AY 25
République (R. de la) AY 26
Sablière (R. de la) ABY 27
St-Vallier (R. de) BZ 28
Semard (R. de) BZ 30
Strasbourg (R. de) BZ 31
Tournus (R. de) BZ 33
8-Mai-1945 (R. du) BY 34
11-Nov.-1918 (R. du) AY 36

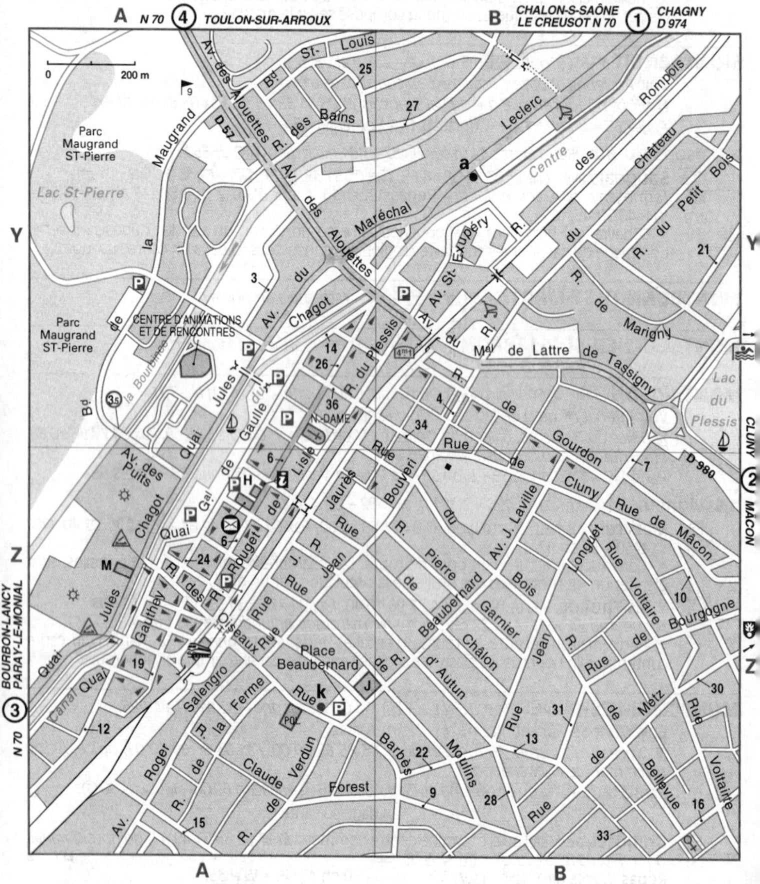

A
N 70
4
TOULON-SUR-ARROUX
B
CHALON-S-SAÔNE
LE CREUSOT N 70
1
CHAGNY
D 974
0
200 m
Parc Maugrand ST-Pierre
Lac St-Pierre
Maugrand
Av. des Alouettes
R. des Bains
St-Louis
Leclerc
Rompois
Centre
des
Château
Maréchal
Av. St-Exupéry
R. du Petit Bois
R. de Marigny
Mal de Lattre de Tassigny
Lac du Plessis
CENTRE D'ANIMATIONS ET DE RENCONTRES
la Bourbince
Chagot
R. du Plessis
N-DAME
Av. des Puits
Quai Jules Chagot
Gal de Gaulle
de Lisle
Rue de Gourdon
Rue de Cluny
Rue de Mâcon
D 980
CLUNY
2
MACON
Rue Bouveri
Rue Jean Jaurès
R. Rougeot
R. des Oiseaux
Place Beaubernard
Salengro
R. la Ferme
R. de Claude Verdun
Roger
R. Pierre de Beaubernard
Garnier
Châlon
d'Autun
Av. J. Laville
Bois
Longuet
Rue Voltaire
Bourgogne
Rue de Metz
Rue de Bellevue
Barbès
Moulins
Forest
Rue Jean
Canal
BOURBON-LANCY
PARAY-LE-MONIAL
3
N 70
Y
Z


**à Galuzot** *Sud-Ouest : 5 km par ③ et D 974 – ✉ 71230 St-Vallier :*

**Moulin de Galuzot,** ☎ 03 85 57 18 85 – P. AE GB
*fermé 17 juil. au 9 août, mardi soir, dim. soir et merc.* – **Repas** 14,50/37 ♁.
◆ Restauration au fil de l'eau dans cette auberge fleurie bordant l'attrayant canal du Centre. Une salle à manger simple et rustique et une autre plus contemporaine.

**MONTCENIS** *71 S.-et-L.* 320 G9 – *rattaché au Creusot.*

*Nos guides hôteliers, nos guides touristiques et nos cartes routières sont complémentaires. Utilisez-les ensemble.*

**MONTCHAUVET** *78790 Yvelines* 311 F2 – *236 h alt. 100.*

*Paris 66 – Dreux 33 – Évreux 46 – Mantes-la-Jolie 16 – Rambouillet 39 – Versailles 50.*

X **Jument Verte,** pl.Église ✆ 01 30 93 43 60, *Fax 01 30 93 49 20* – AE GB

*fermé 1er au 14 sept. et 9 fév. au 1er mars* – **Repas** 23,80/34,50.

◆ Un cadre digne du célèbre roman de Marcel Aymé : maison à pans de bois dont l'intérieur campagnard comporte pierres apparentes, poutres et cheminée.

**MONTCHAUVROT** *39 Jura* 321 D6 – *rattaché à Poligny.*

**MONTCHENOT** *51 Marne* 306 G8 – *rattaché à Reims.*

**MONTCLUS** *30630 Gard* 339 L3 – *135 h alt. 94.*

*Paris 662 – Alès 46 – Avignon 58 – Bagnols-sur-Cèze 25 – Pont-St-Esprit 25.*

**Magnanerie de Bernas** ⑤, à Bernas, Est : 2 km ✆ 04 66 82 37 36, *lamagnanerie@wanadoo.fr, Fax 04 66 82 37 41,* ←, ⛱, ⛱, – TV ♿ P. GB

*27 mars-2 nov.* – **Repas** *(fermé lundi midi et mardi midi du 22 avril au 20 sept., mardi et merc. d'oct. à Pâques)* 18/45 ♀, enf. 9 – ☕ 9 – **13 ch** 60/120 – ½ P 55/85.

◆ Agréable situation isolée pour cette magnanerie des 12e s. et 13e s. surplombant la vallée de la Cèze. Bel intérieur rénové où domine la pierre. Cuisine au goût du jour.

**MONT-DAUPHIN GARE** *05 H.-Alpes* 334 H4 – *rattaché à Guillestre.*

**MONT-DE-MARSAN** P *40000 Landes* 335 H11 *G. Aquitaine – 28 328 h alt. 43.*

Voir *Musée Despiau-Wlérick*★.

ℹ *Office du Tourisme, 6 place du Général Leclerc* ✆ *05 58 05 87 37, Fax 05 58 05 87 36, tourisme@mont-de-marsan.org.*

*Paris 709 ① – Agen 121 ① – Bayonne 105 ⑥ – Bordeaux 132 ① – Pau 85 ③ – Tarbes 103 ③.*

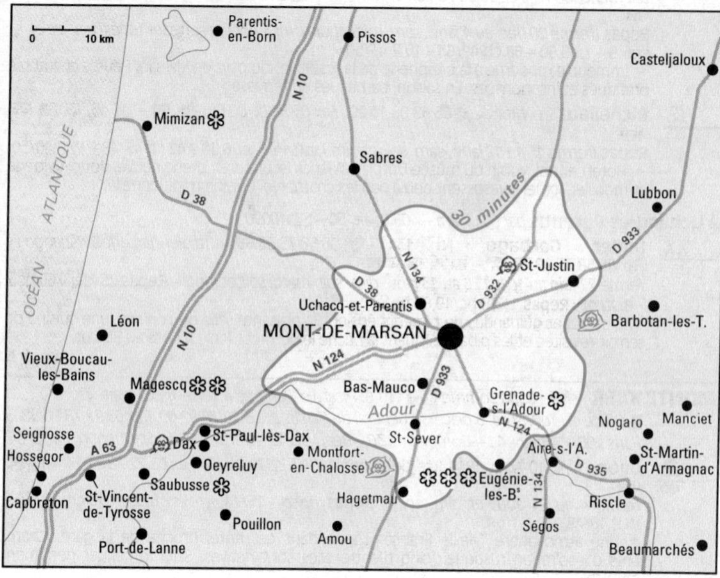
0
10 km
Parentis-en-Born
Pissos
Casteljaloux
N 10
OCÉAN ATLANTIQUE
Mimizan
Sabres
D 38
30 minutes
Lubbon
D 933
St-Justin
N 134
D 38
D 932
Uchacq-et-Parentis
Barbotan-les-T.
Léon
MONT-DE-MARSAN
N 10
Vieux-Boucau-les-Bains
N 124
Magescq
Bas-Mauco
D 933
Grenade-s-l'Adour
Adour
N 124
Nogaro
Manciet
Seignosse
St-Paul-lès-Dax
St-Sever
A 63
Dax
Aire-s-l'A.
Hossegor
Montfort-en-Chalosse
St-Martin-d'Armagnac
Oeyreluy
D 935
Saubusse
Eugénie-les-Bs
Capbreton
St-Vincent-de-Tyrosse
Hagetmau
N 134
Riscle
Pouillon
Amou
Ségos
Port-de-Lanne
Beaumarchés

**Renaissance,** rte Villeneuve par ② *: 2 km* ✆ 05 58 51 51 51, *Fax 05 58 75 29 07,* ⛱, ⛱, ⛱ – TV ✆ ♿ P – 🏛 20 à 50. AE GB

**Repas** *(fermé vend. soir et dim. soir)* 22/32 ♀ – ☕ 8 – **28 ch** 59/85 – ½ P 57/75.

◆ Situé un peu à l'écart de la ville, hôtel contemporain apprécié de la clientèle d'affaires. Les chambres, fonctionnelles, sont plus calmes côté jardin.

## MONT-DE-MARSAN

Alsace-Lorraine (R. d') ..... AZ 2
Auribeau (Bd d') .......... AZ 3
Bastiat (R. F.) ............ ABZ
Bosquet (R. Mar.) .......... AZ 3
Briand (R. A.) ............. BY 4
Brouchet (Allées) .......... BZ 5
Carnot (Av. Sadi) .......... BZ 6
Delamarre (Bd) ............. BZ 8
Despiau (R. Ch.) ........... AZ 9
Farbos (Allée Raymond) ... BZ 10
Gambetta (R. L.) ........... BZ 12
Gaulle (Pl. Ch.-de) ........ BY 13
Gourgues (R. D.-de) ........ BY 14
Landes (R. L. des) ......... BZ 15
Lasserre (R. Gén.) ......... AZ 16
Lattre-de-Tassigny (Bd de) . BY 17
Leclerc (Pl. du Gén.) ...... BZ 18
Lesbazeilles (R. A.) ....... BZ 19
Martinon (R.) .............. BZ 20
Pancaut (Pl. J.) ........... AZ 21
Poincaré (Pl. R.) .......... AY 22
Président-Kennedy
(Av. du) ................... BZ 23
Ruisseau (R. du) ........... AZ 24
St-Jean-d'Août (R.) ........ AY 25
St-Roch (Pl.) .............. BZ 26
Victor-Hugo (R.) ........... BY 27
8-Mai-1945 (R. du) ......... BY 28
34e-d'Inf. (Av. du) ........ BZ 29

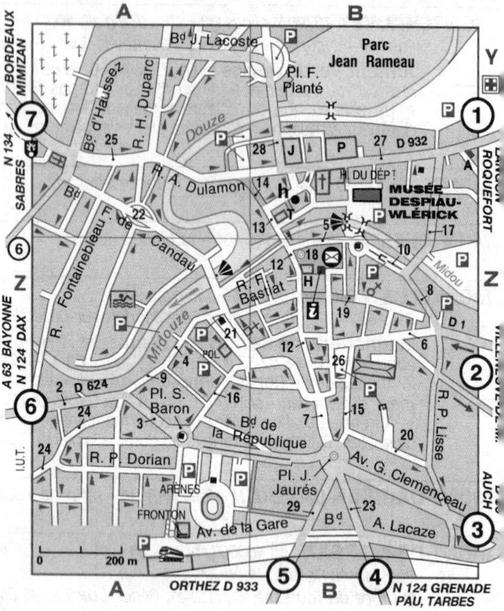

A
B
Y
Z
BORDEAUX MIMIZAN
N 134 SABRES
A 63 BAYONNE N 124 DAX
I.U.T.
Bd J. Lacoste
Parc Jean Rameau
Pl. F. Planté
Bd d'Haussez
R. H. Duparc
Douze
R. A. Dulamon
H. DU DÉPT
MUSÉE DESPIAU-WLÉRICK
Bd de Candau
R. Fontainebleau F.
Midouze
R. F. Bastiat
Midou
Pl. S. Baron
Bd de la République
R. P. Dorian
ARÈNES
FRONTON
Av. de la Gare
Pl. J. Jaurès
Av. G. Clemenceau
A. Lacaze
R. P. Lisse
D 932
D 624
D 1
200 m
ORTHEZ D 933
N 124 GRENADE PAU, TARBES
ROQUEFORT
AUCH


**Abor** M, rte Grenade par ④ : *3 km* ✉ 40280 St-Pierre-du-Mont ☎ 05 58 51 58 00, *abor.hotel@wanadoo.fr, Fax 05 58 75 78 78,* – – 15 à 50. AE GB
**Repas** *(fermé 20 déc. au 4 janv., sam. midi et dim. midi hors saison sauf fériés)* (11) - 16/24, enf. 9 – 9,50 – **68 ch** 49/63 – ½ P 45/50.
◆ Immeuble moderne à la périphérie de la "capitale" du pays de Marsan. Petites chambres pratiques et insonorisées. En saison, barbecues en terrasse.

**Richelieu,** 3 r. Wlérick ☎ 05 58 06 10 20, *Fax 05 58 06 00 68* – – 15. AE GB JCB BY
**Repas** *(fermé 1er au 12 janv., sam. soir et dim.)* 15/34 – 6,50 – **42 ch** 45/48 – ½ P 40/50.
◆ Hôtel central, voisin du musée Despiau-Wlérick (sculpture). Literie neuve, double vitrage et mobilier actuel investissent peu à peu les chambres. Cuisine traditionnelle.

**à Uchacq-et-Parentis** *par ⑦ : 7 km – 403 h. alt. 50 – ✉ 40090 :*

**Didier Garbage,** N 134 ☎ 05 58 75 33 66, *didier.garbage@wanadoo.fr, Fax 05 58 75 22 77,* – GB
*fermé 27 juin au 10 juil., 6 au 13 janv., dim. soir, mardi soir et lundi* – **Repas** 25 (déj.)/60 bc – ***Bistrot :*** Repas 11,50 bc/19,85 bc.
◆ Bibelots et guirlandes de piments égaient la plaisante salle où l'on sert une cuisine du terroir revisitée et les pibales... quant la pêche le permet ! Table d'hôte au Bistrot.

---

## MONTDIDIER

SP *80500 Somme* 301 I10 *G. Picardie Flandres Artois – 6 262 h alt. 82.*
*Office du Tourisme, 5 place du Général de Gaulle ☎ 03 22 78 92 00, Fax 03 22 78 00 88.*
*Paris 108 – Amiens 41 – Compiègne 36 – Beauvais 49 – Péronne 48 – St-Quentin 65.*

**Dijon,** 1 pl. 10-Août-1918 (rte de Rouen) ☎ 03 22 78 01 35, *Fax 03 22 78 27 24* – GB
*fermé 4 au 24 août et dim. soir* – **Repas** (12,50) - 15/24 – 6,50 – **19 ch** 38/53 – ½ P 46/48.
◆ Une atmosphère "vieille France" règne dans cet hôtel proche de la gare. Chambres d'inspiration rustique ; cinq d'entre elles sont neuves. Salle à manger gentiment rafraîchie.

*Ecrivez-nous...*
*Vos louanges comme vos critiques seront examinées avec le plus grand soin. Nous reverrons sur place les informations que vous nous signalez.*
*Par avance merci !*

**Le MONT-DORE** *63240 P.-de-D.* 326 D9 *G. Auvergne – 1 975 h alt. 1050 – Stat. therm. (début mai-fin oct.) – Sports d'hiver : 1 050/1 850 m* 2 18 *–* Casino **Z**.

**Voir** *Etablissement thermal : galerie César★, salle des pas perdus ★ – Puy de Sancy* ※★★★ *5 km par ② puis 1 h. AR de téléphérique et de marche – Funiculaire du capucin★.*

**Env.** *Col de la Croix-St-Robert* ※★★ *6,5 km par ②.*

*OMT, avenue de la Libération* ✆ *04 73 65 20 21, Fax 04 73 65 05 71, ot.info@mont-dore.com.*

*Paris 464 ① – Clermont-Ferrand 44 ① – Aubusson 87 ⑤ – Issoire 49 ① – Ussel 56 ④.*

## LE MONT-DORE

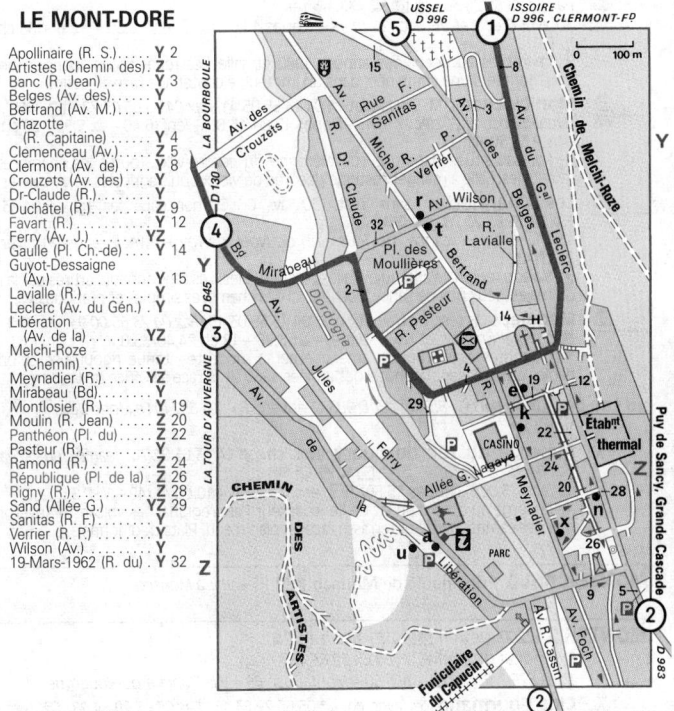

Apollinaire (R. S.) . . . . . Y 2
Artistes (Chemin des) . Z
Banc (R. Jean) . . . . . . . Y 3
Belges (Av. des) . . . . . . Y
Bertrand (Av. M.) . . . . . Y
Chazotte (R. Capitaine) . . . . . . Y 4
Clemenceau (Av.) . . . . . Z 5
Clermont (Av. de) . . . . Y 8
Crouzets (Av. des) . . . . Y
Dr-Claude (R.) . . . . . . . Y
Duchâtel (R.) . . . . . . . . Z 9
Favart (R.) . . . . . . . . . . Y 12
Ferry (Av. J.) . . . . . . . YZ
Gaulle (Pl. Ch.-de) . . . . Y 14
Guyot-Dessaigne (Av.) . . . . . . . . . . Y 15
Lavialle (R.) . . . . . . . . . Y
Leclerc (Av. du Gén.) . Y
Libération (Av. de la) . . . . . . . . YZ
Melchi-Roze (Chemin) . . . . . . . . . Y
Meynadier (R.) . . . . . . YZ
Mirabeau (Bd) . . . . . . . . Y
Montlosier (R.) . . . . . . . Y 19
Moulin (R. Jean) . . . . . Z 20
Panthéon (Pl. du) . . . . . Z 22
Pasteur (R.) . . . . . . . . . Y
Ramond (R.) . . . . . . . . . Z 24
République (Pl. de la) . Z 26
Rigny (R.) . . . . . . . . . . . Z 28
Sand (Allée G.) . . . . . YZ 29
Sanitas (R. F.) . . . . . . . . Y
Verrier (R. P.) . . . . . . . . Y
Wilson (Av.) . . . . . . . . . . Y
19-Mars-1962 (R. du) . Y 32

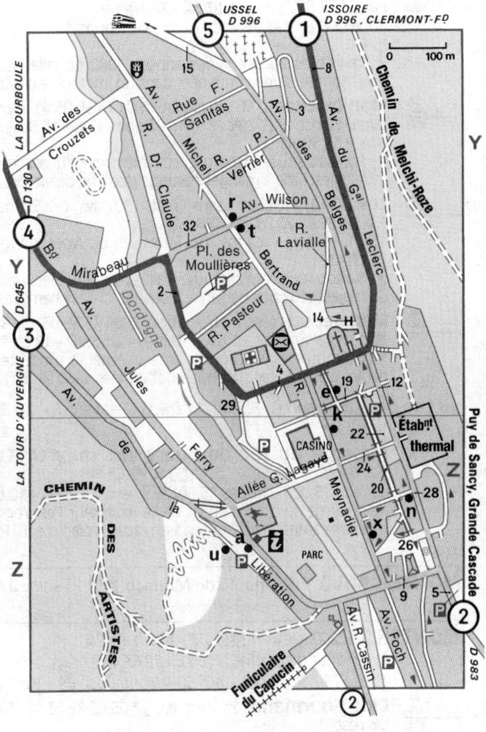

USSEL D 996
ISSOIRE D 996, CLERMONT-FD
0 100 m
LA BOURBOULE
D 130
LA TOUR D'AUVERGNE
D 645
Av. des Crouzets
Chemin de Melchi-Roze
Av. du Gal Leclerc
Av. des Belges
R. Dr Claude
Rue F. Sanitas
Michel
R. P. Verrier
Av. Wilson
R. Lavialle
Pl. des Moullières
Bertrand
Bd Mirabeau
Av. Dordogne
R. Pasteur
Av. Jules Ferry
Allée G. Sand
CASINO
Établnt thermal
Meynadier
PARC
Libération
CHEMIN DES ARTISTES
Av. R. Cassin
Av. Foch
Funiculaire du Capucin
Puy de Sancy, Grande Cascade
D 983


**Panorama** , av. Libération ✆ 04 73 65 11 12, *panorama@nat.fr, Fax 04 73 65 20 80*, ←, ⅃, , – | , GB. rest **Z u**
*début mai-7 oct. et 25 déc.-15 mars* – **Repas** 24/33 – ☕ 9,70 – **39 ch** 67/79,50 – ½ P 66/70,50.
◆ Construction des années 1960 surplombant la station, au voisinage du "chemin des Artistes". Chambres lambrissées. Piscine couverte et salle à manger panoramiques.

**Castelet,** av. M. Bertrand ✆ 04 73 65 05 29, *castelet@compuserve.com, Fax 04 73 65 27 95*, , , – | , AE GB. rest **Y t**
*18 mai-30 sept., 20 déc.-6 janv. et 23 janv.-30 mars* – **Repas** 16/24,50 – ☕ 7,50 – **35 ch** 49/62 – ½ P 51/54.
◆ Chambres confortables dans un quartier résidentiel ; certaines bénéficient d'une vue sur le grand jardin. L'une des salles à manger possède un insolite décor asiatique.

**Annexe Wilson** Ⓜ sans rest, ✆ 04 73 65 00 06, *Fax 04 73 65 27 95*, – | cuisinette , GB **Y r**
*18 mai-30 sept. et 20 déc.-30 mars* – ☕ 8,50 – **4 ch** 60, 12 studios 60/78.
◆ Bâtiment des années 1930 dont seul le bel escalier en bois a été préservé. Il dessert des studios fonctionnels, loués aussi bien pour la nuit que pour des séjours prolongés.

**Londres** sans rest, r. Meynadier ✆ 04 73 65 01 12 – |‡|. GB Z x
*fermé 16 mars au 30 avril et 16 nov. au 24 déc.* – ☐ 5,35 – **23 ch** 32,80/38,50.
◆ L'établissement fonctionne sous la même enseigne depuis 1850. Petites chambres simples, mais à la tenue scrupuleuse, donnant pour la plupart sur le parc du casino.

**Paix,** r. Rigny ✆ 04 73 65 00 17, *contact@hotel-de-la-paix.info, Fax 04 73 65 00 31* – |‡| TV ✆. GB Z n
**Repas** *(fermé 20 oct. au 25 déc.)* 19/49 ♀, enf. 9 – ☐ 7,50 – **36 ch** 33/50 – ½ P 39,80/41,20.
◆ Les curistes apprécient cet hôtel (1880) pour sa proximité avec l'établissement thermal. Chambres sobres, bien tenues. L'ample salle à manger "rétro" ne manque pas de cachet.

**Parc,** r. Meynadier ✆ 04 73 65 02 92, *webmaster@hotelduparc-montdore.com, Fax 04 73 65 28 36* – |‡| TV ✆. GB. ✂ rest Z k
*30 avril-6 oct. et 26 déc.-20 mars* – **Repas** 14,50/17 ♀, enf. 6,50 – ☐ 6 – **33 ch** 39/45 – ½ P 41.
◆ Chambres au décor des années 1980 et salle des repas façon "pension de famille", agrémentée d'une cheminée, dans un immeuble centenaire face au casino.

**Mon Clocher,** r. M. Sauvagnat ✆ 04 73 65 05 41, *Fax 04 73 65 03 72* – TV. GB Y e
*8 mai-12 oct. et 20 déc.-7 mars* – **Repas** 12,80/15,80 ♨, enf. 6,40 – ☐ 5,50 – **30 ch** 37,50/43 – ½ P 35,50/41,30.
◆ Adresse située dans une rue piétonne du centre-ville. Toutes les chambres ont été rafraîchies. Salle à manger rustique décorée de vieux outils agricoles et de cuivres.

**Les Charmettes** sans rest, 30 av. G. Clemenceau par ② ✆ 04 73 65 05 49, *Fax 04 73 65 20 28* – P. GB. ✂
*15 mai-6 oct., vacances de Toussaint, de Noël, de fév. et week- ends en hiver* – ☐ 5 – **21 ch** 41.
◆ Maison régionale agrandie d'ailes plus actuelles. Les randonneurs attirés par la proximité du majestueux puy de Sancy trouvent ici des chambres simples et pratiques.

**Madalet** sans rest, av. Libération ✆ 04 73 65 03 13, *Fax 04 73 65 00 93* – ✆. GB Z a
*début mai-fin sept. et Noël-Pâques* – ☐ 3,96 – **18 ch** 24,40/35,85.
◆ Chambres sans ampleur, aménagements modestes, tenue rigoureuse et prix raisonnables caractérisent cet hôtel des années 1960 situé face à l'Office de tourisme.

**au Lac de Guéry** *par ① : 8,5 km sur D 983 G. Auvergne* – ✉ *63240 Le Mont-Dore :*
**Voir** Lac★.

**Auberge du Lac de Guéry** avec ch, ✆ 04 73 65 02 76, *jean.leclerc2@wanadoo.fr, Fax 04 73 65 08 78,* ≤, ☂ – TV ✆ P. AE GB
*15 janv.-15 oct.* – **Repas** 15,50/29 ♀, enf. 7 – ☐ 6 – **10 ch** 43/49 – ½ P 51.
◆ Auberge au bord d'un lac de l'enchanteur Parc régional des volcans d'Auvergne. Salle à manger campagnarde et terrasse face au plan d'eau. Plats traditionnels.

---

## MONTE-CARLO Principauté de Monaco 341 F5 – *voir à Monaco.*

---

## MONTEILS *12200 Aveyron 338 D5 – 490 h alt. 240.*

*Syndicat d'Initiative, ✆ 05 65 29 63 48.*
*Paris 626 – Rodez 64 – Albi 60 – Montauban 69 – Villefranche-de-Rouergue 11.*

**Clos Gourmand** ♨ avec ch, ✆ 05 65 29 63 15, *Fax 05 65 29 64 98,* ☂, ⛱ – AE GB. ✂ rest
*15 mars-15 oct.* – **Repas** 11/32 ♨, enf. 7 – ☐ 5,50 – **4 ch** 45 – ½ P 44.
◆ Dans l'ancienne étude du notaire du village - une digne maison de maître comme il se doit -, vous recevrez l'assurance... d'une bonne cuisine régionale et de chambres "cosy".

---

## MONTEILS *82 T.-et-G. 337 F6 – rattaché à Caussade.*

---

## MONTÉLIER *26120 Drôme 332 D4 – 2 738 h alt. 219.*

*Paris 571 – Valence 12 – Crest 26 – Romans-sur-Isère 13.*

**Martinière,** rte Chabeuil ✆ 04 75 59 60 65, *Fax 04 75 59 69 20,* ☂, ⛱ – TV ✆ P – 🕴 25 à 40. AE GB
**Repas** 13/50 ♀, enf. 11 – ☐ 8 – **30 ch** 35/45 – ½ P 41.
◆ Architecture contemporaine abritant de petites chambres fonctionnelles et une salle à manger vivement colorée. Parmi les "plus" : carte des vins étoffée et belle piscine.

*Si le coût de la vie subit des variations importantes,*
*les prix que nous indiquons peuvent être majorés.*
*Lors de votre réservation à l'hôtel, faites-vous préciser le prix définitif.*

**MONTÉLIMAR** *26200 Drôme* 332 **B6** *G. Vallée du Rhône – 29 982 h alt. 90.*

Voir *Allées provençales*★ – *Musée de la Miniature*★ **M.**

Env. *Site*★★ *du Château de Rochemaure*★, *7 km par* ④.

ℹ *Office du Tourisme, Les Allées Provençales* ☎ *04 75 01 00 20, Fax 04 75 52 33 69, montelimar.tourisme@wanadoo.fr.*

*Paris 607* ① – *Valence 47* ① – *Avignon 83* ② – *Nîmes 108* ② – *Le Puy-en-Velay 132* ③.

## MONTÉLIMAR

Adhémar (R.) . . . . . . . . Z 2
Aygu (Av.) . . . . . . . . . . Z 4
Baudina (R.) . . . . . . . . . Y 5
Blanc (Pl. L.) . . . . . . . . Z 6
Bourgneuf (R.) . . . . . . . Y 8
Carmes (Pl. des) . . . . . . Y 9
Chemin-Neuf (R. du) . . Z 10
Clercs (Pl. des). . . . . . . Y 12
Corneroche (R.) . . . . . . Y 14
Cuiraterie (R.) . . . . . . . Z 15
Desmarais (Bd Marre). . . . . . . . Y 17
Dormoy (Pl. M.) . . . . . . Z 18
Espoulette (Av. d') . . . . . . . . Z 19
Europe (Pl. de l') . . . . . Z 21
Fust (Pl. du) . . . . . . . . Y 23
Gaulle (Bd Gén.-de) . . . . . . . Z 25
Julien (R. Pierre) . . . . YZ
Juiverie (R.). . . . . . . . . Y 28
Loubet (Pl. Émile) . . . . Z 29
Loubet (R. Émile). . . . . Z 30
Meyer (R. M.) . . . . . . . Y 32
Monnaie-Vieille (R.) . . . . . . . . . . . Y 34
Montant-au-Château (R.) . . . . . . . Y 35
Planel (Pl. A.) . . . . . . . Z 37
Poitiers (R. Diane de) . . . . . . Z 38
Porte-Neuve (R.) . . . . . Z 39
Prado (Pl. du) . . . . . . . . Y 41
Puits-Neuf (R. du) . . . . Y 42
Rochemaure (Av. de) . . . . . . . . . . Y 47
St-Martin (Montée) . . . . . . . . . . Y 50
St-Pierre (R.). . . . . . . . . Y 51
Villeneuve (Av. de) . . . . . . . . . . Y 54

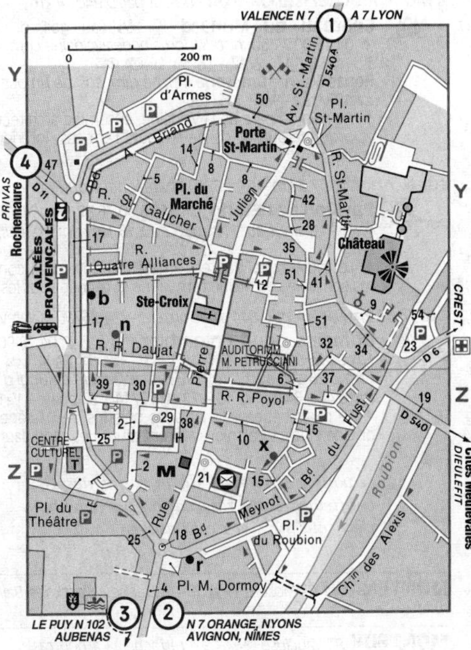

VALENCE N 7
A 7 LYON
0
200 m
Pl. d'Armes
Porte St-Martin
Pl. St-Martin
Av. St.-Martin
D 540A
R. St-Martin
Pl. du Marché
R. St Gaucher
Julien
R. Quatre Alliances
Château
Ste-Croix
R. R. Daujat
AUDITORIUM M. PETRUCCIANI
R. R. Poyol
Pierre
CENTRE CULTUREL
Pl. du Théâtre
Rue
18 Bd
Bd Meynot
Pl. du Roubion
Pl. M. Dormoy
Roubion
Chin des Alexis
Bd du Fust
ALLÉES PROVENÇALES
PRIVAS
Rochemaure
D 11
CREST
D 6
D 540
Cités Médiévales
DIEULEFIT
LE PUY N 102
AUBENAS
N 7 ORANGE, NYONS
AVIGNON, NÎMES
Y
Z


**Sphinx** sans rest, 19 bd Desmarais ☎ 04 75 01 86 64, *reception@sphinx-hotel.fr, Fax 04 75 52 34 21* – ▤ TV ☏ P. GB Y b
*fermé 19 déc. au 5 janv.* – ☕ 5,70 – **24 ch** 51/60.
◆ La jolie cour, la chaleur des parquets et boiseries confèrent un charme indéniable à cet hôtel particulier du 17e s. situé face aux allées provençales. Chambres assez calmes.

**Relais de l'Empereur,** pl. Marx Dormoy ☎ 04 75 01 29 00, *relais.empereur@wanadoo.fr, Fax 04 75 01 32 21,* 🏖 – TV P. AE ① GB JCB Z r
*fermé mi-nov. à mi-déc.* – **Repas** 19,80/38,90 ♀ – ☕ 6,40 – **31 ch** 55/88 – ½ P 58/68.
◆ Napoléon 1er fit souvent étape dans ce relais de poste de 1758. Chambres spacieuses, meubles anciens et décoration à la gloire de l'Empereur. Terrasse sous les platanes.

**Provence** sans rest, 118 av. J. Jaurès par ② ☎ 04 75 01 11 67 – 🚗 P. GB
*fermé 15 janv. au 15 fév. et sam. de nov. à mars* – ☕ 5,50 – **16 ch** 28/43.
◆ Tenue irréprochable pour ce pavillon à l'ambiance familiale, personnalisé par une belle collection d'aquarelles. Chambres spacieuses et sobres. Jardinet-terrasse en façade.

**Francis "Les Senteurs de Provence"**, 202 rte Marseille (direction Orange par ②) ☎ 04 75 01 43 82, *Fax 04 75 51 08 47* – ▤ P. GB
*fermé dim. soir et merc. sauf fériés* – **Repas** 15/26 ♀, enf. 10.
◆ Nouvelle décoration provençale (tons jaune et vert, mobilier en fer forgé) pour ce restaurant proposant une cuisine traditionnelle mâtinée de saveurs méridionales.

**Petite France,** 34 impasse Raymond Daujat ☎ 04 75 46 07 94 – ▤. GB Y n
*fermé 14 juil. au 18 août, 24 au 28 déc., dim., lundi et fériés* – **Repas** (11,50) - 18,50/26.
◆ L'enseigne évoque un quartier du vieux Strasbourg et la fresque de la salle voûtée représente une place de village alsacien. Petits plats traditionnels soignés.

**Grillon,** 40 r. Cuiraterie ☎ 04 75 01 79 02, *Fax 04 75 01 79 02,* 🏖 – AE GB Z x
*fermé 16 juil. au 4 août, dim. soir et lundi* – **Repas** 11,50 (déj.), 13,50/27,50 ♀.
◆ Vous n'entendrez pas forcément les grillons, mais vous goûterez aux saveurs de la cuisine régionale dans la salle, toute simple, ou dans la courette intérieure ombragée.

**à L'Homme d'Armes** *Nord : 4 km par N 7 – ✉ 26740 :*

**Lou Mas,** ☎ 04 75 01 90 83, *Fax 04 75 01 24 56* – AE GB
*fermé 11 au 26 août et merc.* – **Repas** 11 (déj.), 15/28, enf. 8,50.
◆ Cet ancien relais de diligences recèle, sous les voûtes de sa salle à manger, un puits toujours alimenté et une reproduction des peintures rupestres de la grotte Chauvet.

**à Montboucher-sur-Jabron** *Sud-Est par D 940 : 4 km – 1 278 h. alt. 124 – ✉ 26740 :*

**Château du Monard** M, au golf de la Valdaine, sortie Montélimar-Sud ☎ 04 75 00 71 30, *hotel@domainedelavaldaine.com, Fax 04 75 00 71 31*, ≤, – 30. AE GB
Repas 30/41 - ***Brasserie*** *(fermé dim. soir de fin oct. à début avril)* **Repas** 15/21 – **35 ch** 128/192 – ½ P 105/158.
◆ Au sein du parc de la Valdaine, ensemble architectural hérité d'un château Renaissance et ordonné autour de deux cours fermées. Intérieur modernisé. Bons équipements de loisirs.

**sur N 7 par** ② *: 7,5 km – ✉ 26780 Chateauneuf-du-Rhône :*

**Pavillon de l'Étang,** ☎ 04 75 90 76 82, *Fax 04 75 90 72 39*, – P. AE GB
*fermé 25 août au 11 sept., 2 au 15 janv., merc. soir, dim. soir et lundi* – **Repas** 23/46 ♀, enf. 11.
◆ Le cadre bucolique et l'amabilité de l'accueil constituent les atouts majeurs de cette maison isolée en pleine campagne et cachée sous les arbres. Menu "truffe" en saison.

**par** ② *: 9 km par N 7 et D 844, rte Donzère – ✉ 26780 Malataverne :*

**Domaine du Colombier**, ☎ 04 75 90 86 86, *domainecolombier@voila.fr, Fax 04 75 90 79 40*, ≤, – ch, P – 25. AE GB
*fermé 26 oct. au 11 nov., 16 fév. au 2 mars et lundi d'oct. à mars* – **Repas** 24 (déj.), 31/57 et carte 44 à 64 ♀ – 13 – **22 ch** 77/140, 3 appart – ½ P 81,50/145.
◆ Le relais hébergeait jadis les pèlerins de passage. Aujourd'hui le jardin fleuri, la belle piscine et le cadre coloré attirent plutôt les candidats à la "décompression".

*Si vous êtes retardé sur la route, dès 18 h, confirmez votre réservation par téléphone, c'est plus sûr... et c'est l'usage.*

---

**MONTENACH** *57 Moselle* 307 J2 – *rattaché à Sierck-les-Bains.*

---

**MONTEUX** *84 Vaucluse* 332 C9 – *rattaché à Carpentras.*

---

**MONTFAUCON** *25 Doubs* 321 G3 – *rattaché à Besançon.*

---

**MONTFAVET** *84 Vaucluse* 332 C10 – *rattaché à Avignon.*

---

**MONTFORT-EN-CHALOSSE** *40380 Landes* 335 F12 *G. Aquitaine – 1 116 h alt. 110.*

**Voir** *Musée de la Chalosse★.*

*Syndicat d'Initiative, 25 place Foch ☎ 05 58 98 58 50, Fax 05 58 98 58 01.*

*Paris 741 – Mont-de-Marsan 43 – Aire-sur-l'Adour 58 – Dax 19 – Hagetmau 27 – Orthez 29.*

**Aux Tauzins**, rte Hagetmau ☎ 05 58 98 60 22, *Fax 05 58 98 45 79*, ≤, – P – 25. GB
*fermé 1er au 15 oct., 15 janv. au 15 fév., dim. soir et lundi sauf juil.-août et fériés* – **Repas** 18/34,50 ♀ – 6,50 – **15 ch** 40/54 – ½ P 46/47,50.
◆ Grande bâtisse aux chambres simples et bien tenues ; la plupart disposent d'un balcon avec vue sur les vallons de la Chalosse. Restaurant panoramique, beau jardin et minigolf.

---

**MONTFORT-L'AMAURY** *78490 Yvelines* 311 G3 *G. Ile de France – 2 651 h alt. 185.*

**Voir** *Église★ – Ancien cimetière★ – Ruines du château ≤★.*

*Office du Tourisme, 6 rue Amaury ☎ 01 34 86 87 96, Fax 01 34 86 87 96.*

*Paris 47 – Dreux 35 – Houdan 17 – Mantes-la-Jolie 31 – Rambouillet 19 – Versailles 29.*

**Chez Nous,** 22 r. Paris ☎ 01 34 86 01 62, *Fax 01 34 86 84 87* – GB
*fermé 15 oct. au 9 nov., dim. soir et lundi sauf fériés* – **Repas** 22/28 ♀.
◆ Maison de caractère au centre de Montfort. La salle des repas, aveugle, a conservé de belles poutres. Cuisine traditionnelle et spécialités de poissons.

**MONTGIBAUD** *19240 Corrèze* 329 *J2 – 216 h alt. 460.*
*Paris 436 – Limoges 46 – Arnac-Pompadour 15 – St-Yrieix-la-Perche 27 – Tulle 57 – Uzerche 25.*

**Tilleul de Sully,** ☎ 05 55 98 01 96, *Fax 05 55 98 01 96,* – GB
*fermé vacances de fév., dim. soir et lundi* – **Repas** 13/28.
◆ Auberge de campagne située au pied de l'église de ce petit village limousin. Décor rustique agrémenté d'une imposante cheminée, cuisine traditionnelle et accueil sympathique.

**MONTGRÉSIN** *60 Oise* 305 *G6 – rattaché à Chantilly.*

**Les MONTHAIRONS** *55 Meuse* 307 *D4 – rattaché à Verdun.*

**MONTHERMÉ** *08800 Ardennes* 306 *K3 G. Champagne Ardenne – 2 866 h alt. 180.*
Voir *Roche aux Sept Villages* ≤★★ *S : 3 km – Roc de la Tour* ≤★★ *E : 3,5 km puis 20 mn – Longue Roche* ≤★★ *NO : 2,5 km puis 30 mn – Roche à Sept Heures* ≤★ *N : 2 km – Roche de Roma* ≤★ *S : 4 km – Vallée de la Semoy★ : Croix d'enfer* ≤★ *E.*
Env. *Roches de Laifour★ NO : 6 km.*
*Office du Tourisme, place Jean Baptiste Clément* ☎ *03 24 54 46 73, Fax 03 24 54 87 88.*
*Paris 256 – Charleville-Mézières 18 – Fumay 21.*

**Franco-Belge,** 2 r. Pasteur ☎ 03 24 53 01 20, *le.franco.belge@wanadoo.fr, Fax 03 24 53 54 49,* – rest, TV – 20. GB
*fermé 16 au 29 sept., 24 déc. au 4 janv.* – **Repas** *(fermé dim. soir, vend. soir et sam.)* (12) - 13/20,50 – 6 – **15 ch** 41/52 – ½ P 42/50.
◆ Hôtel familial situé face à la vieille ville. Modestes chambres d'une tenue méticuleuse, progressivement rénovées. Salle de restaurant "rétro" et terrasse sous la treille.

*Donnez-nous votre avis sur les tables que nous recommandons, sur leurs spécialités et leurs vins de pays.*

**MONTHIEUX** *01390 Ain* 328 *C5 – 344 h alt. 295.*
*Paris 444 – Lyon 31 – Bourg-en-Bresse 38 – Meximieux 25 – Villefranche-sur-Saône 20.*

**Gouverneur** M, ☎ 04 72 26 42 00, *info@golfgouverneur.fr, Fax 04 72 26 42 20,* – TV P – 70. AE GB
*fermé 23 déc. au 1er janv. et fév.* – **Repas** 31/38 ♀ – 12 – **45 ch** 85/90, 8 appart – ½ P 75/98.
◆ Le golf est roi sur l'ex-domaine (233 ha) du gouverneur de la Dombes : parcours 9 et 18 trous, club-house dans une bâtisse du 14e s. Chambres et restaurant dans une aile moderne.

**MONTI** *06 Alpes-Mar.* 341 *F5 – rattaché à Menton.*

**MONTICELLO** *2B H.-Corse* 345 *C4 – voir à Corse.*

**MONTIGNAC** *24290 Dordogne* 329 *H5 G. Périgord Quercy – 2 938 h alt. 77.*
Voir *Grottes de Lascaux★★ SE : 2 km.*
Env. *Le Thot, espace cro-magnon★ S : 7 km – Église★★ de St-Amand de Coly E : 7 km.*
*Office du Tourisme, place Bertran-de-Born* ☎ *05 53 51 82 60, Fax 05 53 50 49 72.*
*Paris 492 – Brive-la-Gaillarde 39 – Périgueux 48 – Sarlat-la-Canéda 25 – Limoges 101.*

**Château de Puy Robert**, Sud-Ouest : 1,5 km par D 65 ☎ 05 53 51 92 13, *puyrobert@relaischateaux.com, Fax 05 53 51 80 11,* ≤, – TV P. AE GB JCB
*début mai-mi-oct.* – **Repas** *(fermé le midi sauf sam. et dim.)* 37/122 et carte 65 à 80 ♀, enf. 15 – 15 – **34 ch** 120/275, 4 duplex (en été: ½ pens. seul.) – ½ P 135/212,50.
◆ Élégant petit château du 19e s. isolé dans un parc, à 10 mn à pied de la grotte de Lascaux. Intérieur "cosy", agrémenté de meubles anciens. Cuisine raffinée.
**Spéc.** Foie gras de canard poêlé. Sandre juste saisi, tomate confite à la figue séchée et aux pêches (juin à août). Suprême de pigeon en croûte de noix. **Vins** Bergerac blanc et rouge.

**Hostellerie la Roseraie**, pl. d'Armes ☎ 05 53 50 53 92, *laroseraie@fr.st, Fax 05 53 51 02 23,* – TV. AE GB
*15 avril-10 nov. et fermé le midi en semaine de juin à sept.* – **Repas** (20 bc) - 22/39 ♀, enf. 13 – 10 – **14 ch** 95/120 – ½ P 88/98.
◆ Demeure bourgeoise sur les bords de la Vézère. Douillettes chambres personnalisées, coquette salle à manger et agréable terrasse ombragée. Luxuriant jardin avec roseraie.

**Relais du Soleil d'Or**, r. 4-Septembre ✆ 05 53 51 80 22, *lessoleildor@le-soleil-dor.com, Fax 05 53 50 27 54*, – 60. AE GB
*fermé 12 janv. au 17 fév.* – **Repas** *(fermé dim. soir et lundi midi de nov. à mars)* 27,30/48,50 ♀
- ***Bistrot*** (déj. seul.) *(fermé dim. soir et lundi midi de nov. à mars)* **Repas** 11,30 ♀ – ☕ 9,50 – **32 ch** 62/88,50 – ½ P 66,80/84,50.
◆ Ancien relais de poste au centre de la petite cité périgourdine. Réservez plutôt l'une des chambres côté jardin. Salle à manger-véranda tournée vers la piscine.

**MONTIGNY** *76 S.-Mar.* 304 F5 – *rattaché à Rouen.*

**MONTIGNY-LA-RESLE** *89230 Yonne* 319 F4 – *548 h alt. 155.*
*Paris 171 – Auxerre 14 – St-Florentin 19 – Tonnerre 32.*

**Soleil d'Or** M, ✆ 03 86 41 81 21, *Fax 03 86 41 86 88* – – 20. AE GB JCB
**Repas** *(12 bc)* - 16/60 ♀, enf. 9 – ☕ 7 – **16 ch** 49/52 – ½ P 48.
◆ Au centre du village, en bordure de nationale. Des chambres sont aménagées sur l'arrière dans d'anciennes granges. Plaisante salle à manger en rotonde.

**MONTIGNY-LE-BRETONNEUX** *78 Yvelines* 311 I3 101 22 – *voir à Paris, Environs (St-Quentin-en-Yvelines).*

**MONTIGNY-LE-ROI** *52140 H.-Marne* 313 M6 – *2 167 h alt. 404.*
*Paris 297 – Chaumont 35 – Bourbonne-les-Bains 21 – Langres 23 – Neufchâteau 48.*

**Moderne,** carrefour D74 et D417 ✆ 03 25 90 30 18, *hotel.moderne52@wanadoo.fr, Fax 03 25 90 71 80* – rest, – 25. AE
*fermé janv. et le midi en août sauf dim.* – **Repas** 15,50/39,50 ♀ – ☕ 8 – **26 ch** 55/70 – ½ P 54.
◆ Situé sur un carrefour, bâtiment abritant des chambres fonctionnelles, bien tenues et insonorisées. Ambiance familiale. Bar-P.M.U.

*Les principales voies commerçantes figurent en* ***rouge*** *dans la liste des rues des plans de villes.*

**MONTIGNY-SUR-AVRE** *28270 E.-et-L.* 311 C3 – *276 h alt. 140.*
*Paris 112 – Alençon 85 – Argentan 86 – Chartres 50 – Dreux 35 – Verneuil-sur-Avre 8.*

**Moulin des Planches**, Nord-Est : 1,5 km par D 102 ✆ 02 37 48 25 97, *moulin.des.planches@wanadoo.fr, Fax 02 37 48 35 63*, – 15 à 80. GB. ch
*fermé janv., dim. soir et lundi* – **Repas** *(15)* - 26/49 ♀, enf. 12 – ☕ 8 – **18 ch** 41/79 – ½ P 54,50/74.
◆ Moulin séculaire sur l'Avre abritant des chambres garnies de meubles de style, avec vue sur la rivière ou sur le parc, une chaleureuse salle à manger et un salon feutré.

**MONTIGNY-SUR-LOING** *77690 S.-et-M.* 312 F5 *G. Île de France* – *2 553 h alt. 82.*
*Syndicat d'Initiative, 45 rue du Loing ✆ 01 64 78 33 44.*
*Paris 76 – Fontainebleau 12 – Melun 29 – Montargis 419 – Orléans 91 – Troyes 112.*

XX **Vanne Rouge,** ✆ 01 64 78 52 30, *Fax 01 64 78 52 49*, – GB
*fermé dim. soir, lundi et mardi de sept. à Pâques* – **Repas** 33,60.
◆ Imposante maison à colombages à proximité d'un moulin. Salle à manger rustique avec cheminée. Plaisante terrasse ombragée par de beaux tilleuls et située au bord du Loing.

**MONTLIOT** *21 Côte-d'Or* 320 H2 – *rattaché à Châtillon-sur-Seine.*

**MONT-LOUIS** *66210 Pyr.-Or.* 344 D7 *G. Languedoc Roussillon* – *200 h alt. 1565.*
Voir *Remparts★ – Lac des Bouillaises★.*
*Office de tourisme, rue du marché ✆ 04 68 04 21 97.*
*Paris 878 – Font-Romeu-Odeillo-Via 10 – Andorra-la-Vella 88 – Perpignan 81.*

**Taverne-Bernagie,** 10 r. V. Hugo ✆ 04 68 04 23 67, *info@bernagie.fr, Fax 04 68 04 13 35* – AE GB
*fermé 24 mars au 3 avril, 12 au 27 nov., 15 au 25 déc., dim. soir et lundi hors saison* – **Repas** 15 (déj.), 18/41, enf. 9 – ☕ 6,30 – **8 ch** 49/58 – ½ P 48/54.
◆ L'une des nombreuses maisons anciennes de la citadelle créée par Vauban. Les chambres empruntent leurs noms aux lacs et montagnes de la région. Cuisine traditionnelle et pizzas.

**à la Llagonne** *Nord : 3 km par D 118 – 243 h. alt. 1600 – ✉ 66210 Mont-Louis :*

**Corrieu** ⛰, ☎ 04 68 04 22 04, *hotel.corrieu@wanadoo.fr, Fax 04 68 04 16 63,* ← – P. AE ⓓ GB. ✗ rest
*7 juin-23 sept. et 20 déc.-24 mars* – **Repas** *(12,50)* - 18,80/29,50 ♀, enf. 8,90 – ☕ 7 – **27 ch** 28/70 – ½ P 38/57.
◆ Depuis 1882 la même famille vous accueille dans cet ancien relais de diligences dont les chambres, plutôt menues, offrent une agréable vue sur les Pyrénées.

---

**MONTLOUIS-SUR-LOIRE** *37270 I.-et-L.* 317 N4 *G. Châteaux de la Loire – 8 309 h alt. 60.*

*Office du Tourisme, place François Mitterand ☎ 02 47 45 00 16, Fax 02 47 45 10 87, tourisme-montlouis@wanadoo.fr.*

*Paris 236 – Tours 11 – Amboise 14 – Blois 50 – Château-Renault 32 – Loches 38.*

**Ville,** pl. Mairie ☎ 02 47 50 84 84, *Fax 02 47 45 08 43,* ☂ – TV P – 🎓 15. GB
**Repas** *(fermé vend. soir, dim. soir et sam.)* 17/35 ♀, enf. 9 – ☕ 8 – **29 ch** 36/69 – ½ P 40/44.
◆ Étape sur la route des Vins de Loire, cet hôtel propose de petites chambres meublées simplement, donnant parfois sur le fleuve. L'été, profitez de la terrasse ombragée.

XX **Tourangelle,** 47 quai Albert Baillet ☎ 02 47 50 97 35, *Fax 02 47 50 88 57,* ☂ – GB
*fermé 30/6 au 7/7,17 au 23/11,23 au 29/2,lundi soir,mardi soir en hiver,lundi midi,mardi midi en été et dim. soir* – **Repas** 22/45 ♀, enf. 11.
◆ Adossée à la roche, maison en tuffeau abritant deux salles, dont une avec vue sur la Loire. Jolie terrasse arborée. Cuisine au goût du jour et vins de Montlouis.

---

**MONTLUÇON** SP *03100 Allier* 326 C4 *G. Auvergne – 44 248 h alt. 220.*

*Voir Intérieur★ de l'église St-Pierre (Sainte Madeleine★★)* **CYZ** *- Esplanade du château ←★ - Musée des musiques populaires★.*

*Office du Tourisme, 5 place Piquand ☎ 04 70 05 11 44, Fax 04 70 03 89 91 – Automobile Club 10 r. Michelet ☎ 04 70 64 70 38, Fax 04 70 03 71 04.*

*Paris 330 ① – Moulins 82 ② – Bourges 100 ① – Clermont-Ferrand 112 ① – Limoges 153 ⑤.*

Plans page suivante

**Château St-Jean** ⛰, près hippodrome par ③ ☎ 04 70 02 71 71, *chateau.st.jean@wanadoo.fr, Fax 04 70 02 71 70,* ☂, ▣, 🌳 – 🛗 TV ☎ ♿ P – 🎓 25 à 100. AE ⓓ GB
**Repas** 20 (déj.), 30/50 ♀ – ☕ 10 – **20 ch** 65/115, 5 appart – ½ P 77,50/82,50.
◆ Jouxtant un parc public, demeure du 15e s. aux chambres spacieuses dotées de meubles de style. La salle à manger est aménagée dans une chapelle datant du 12e s.

**Bourbons,** 47 av. Marx Dormoy ☎ 04 70 05 28 93, *Fax 04 70 05 16 92* – 🛗 ⇔, ▤ rest, TV ☎ – 🎓 20. AE ⓓ GB **BZ a**
**Repas** *(fermé 22 juil. au 10 août, dim. soir et lundi)* 22/33 ♀ - ***Brasserie Pub 47*** *(fermé 22 juil. au 10 août, dim. soir et lundi)* **Repas** *(13)*-et carte 22 à 28♀ – ☕ 5,40 – **43 ch** 42/50.
◆ Face à la gare, bel immeuble de la fin du 19e s. abritant des chambres habilement rénovées. Deux espaces de restauration : cuisine traditionnelle ou plats de brasserie.

**Ibis** M, quai Favières ☎ 04 70 28 48 42, *h1112@accor-hotels.com, Fax 04 70 28 58 62* – 🛗 ⇔ ▤ TV ☎ ♿ 🚗 – 🎓 30. AE ⓓ GB **BY b**
**Repas** *(12)* - 15 (dîner seul.) 🍷, enf. 5,95 – ☕ 6 – **63 ch** 55/60.
◆ Situé sur un quai passager, établissement entièrement refait selon les nouvelles normes de la chaîne. Chambres modernes et bien aménagées.

XXX **Grenier à Sel** avec ch, pl. des Toiles ☎ 04 70 05 53 79, *contact@le grenierasel.fr, Fax 04 70 05 87 91,* ☂, 🌳 – TV ☎. GB **CZ n**
*fermé 27 oct. au 2 nov., vacances de fév., sam. midi en hiver lundi midi en juil.-août, dim. soir et lundi sauf fériés* – **Repas** 20/64 et carte 50 à 69 ♀ – ☕ 9 – **7 ch** 72/115.
◆ Restaurant installé dans un hôtel particulier du vieux Montluçon. Toiles du chef-artiste et bibelots composent le décor raffiné des salles à manger. Cuisine au goût du jour.

X **Safran d'Or,** 12 pl. des Toiles ☎ 04 70 05 09 18, *Fax 04 70 05 55 60,* ☂ – AE GB **CZ u**
*fermé 12 août au 9 sept., 5 au 18 janv., lundi et mardi* – **Repas** *(16)* - 19/23 ♀.
◆ Derrière une riante devanture imitant le marbre, petit restaurant comprenant une salle principale de type bistrot et au sous-sol, une pièce voûtée plus rustique.

X **Plaisir des Marais,** 152 av. Albert Thomas, par ⑥ : *1,5 km* ☎ 04 70 03 49 74, *Fax 04 70 03 49 74,* ☂
*fermé 12 août au 9 sept., 5 au 18 janv., sam. midi, mardi soir et lundi* – **Repas** *(10)* - 14,50/21 🍷.
◆ Cuisine du marché et décor campagnard ont assuré le succès immédiat de ce nouveau restaurant situé à la périphérie montluçonnaise, dans le quartier des Marais.

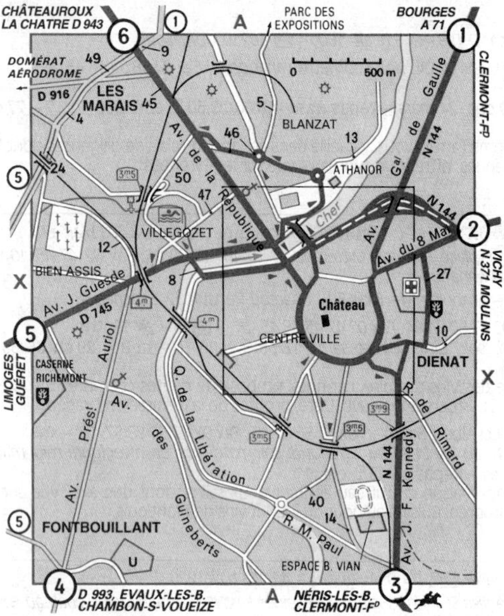
CHÂTEAUROUX
LA CHATRE D 943
PARC DES EXPOSITIONS
BOURGES
A 71
A
DOMÉRAT
AÉRODROME
D 916
LES MARAIS
BLANZAT
ATHANOR
Cher
Av. de la République
Av. Gal de Gaulle
N 144
CLERMONT-Fd
VILLEGOZET
BIEN ASSIS
Av. J. Guesde
D 745
Av. du 8 Mai
Château
CENTRE VILLE
DIENAT
VICHY
N 371 MOULINS
X
LIMOGES
GUÉRET
CASERNE RICHEMONT
Auriol
Av. Prést
Q. de la Libération
Av. des Guineberts
R. de Rimard
Av. J. F. Kennedy
R. M. Paul
ESPACE B. VIAN
FONTBOUILLANT
D 993, EVAUX-LES-B.
CHAMBON-S-VOUEIZE
NÉRIS-LES-B.
CLERMONT-Fd
0 500 m

# MONTLUÇON

Barathon (R.) ..... CZ 2
Beaulieu (R. de) .. AX 4
Blanzat (R. de) ... AX 5
Château (R. du) .. CZ 6
Châtelet (Pont du) ...... AX 8
Courtais (Bd de) BCZ
Desmoulins (R. C.) AX 9
Dienat (R. du) .... AX 10
Egalité (R. de l') .. AX 12
Einstein (R. A.) ... AX 13
Faucheroux (R.) .. AX 14
Favières (Q.) ..... BY 15
Fontaine (R. de la) ..... CZ 16
Forges (R. Porte) . CZ 17
Jaurès (Pl. Jean) .. CZ 18
Menut (R. L.) .... CY 22
Nègre (Av. J.) .... AX 24
Notre-Dame (Pl.) .. CZ 25
Notre-Dame (R.) .. CZ 26
Pamparoux (R.) .. AX 27
Petit (R. P.) ...... CY 30
Picasso (R. P.) .... CY 31
Piquand (R. E.) ... BZ 32
République (Av.) .. BY
St-Pierre (Pl.) .... BCZ 35
St-Pierre (R. Fg) .. BY 36
St-Roch (R.) ..... BCZ 38
Semard (R. P.) ... AX 40
Serruriers (R.) ... BCZ 42
Thomas (Av. A.) .. AX 45
Verrerie (R. et Pl. de la). AX 46
Victor-Hugo (R.) .. AX 47
Villon (R. P.) ..... AX 49
Voltaire (R.) ..... AX 50
5-Piliers (R. des) .. CZ 52

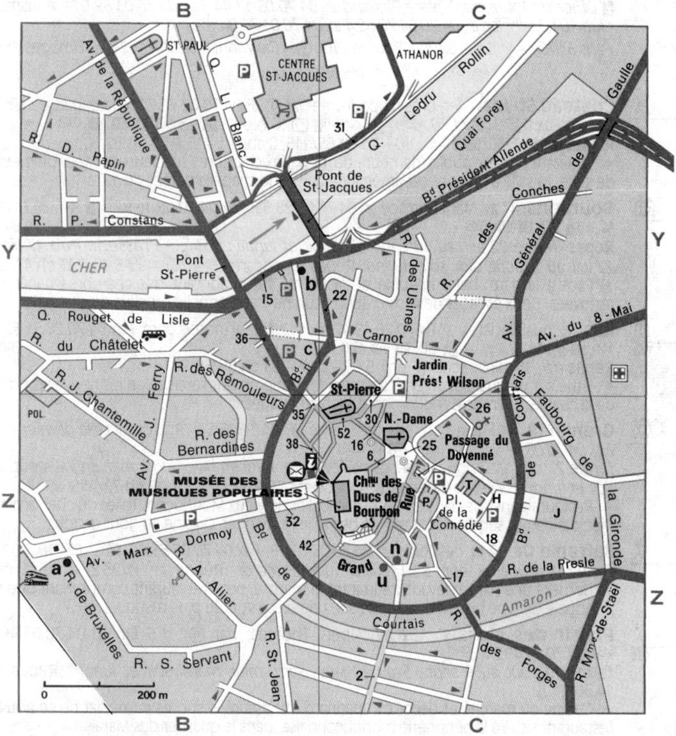
B
C
ST-PAUL
CENTRE ST-JACQUES
ATHANOR
Q. L. Blanc
Q. Ledru Rollin
Av. de la République
R. D. Papin
Pont de St-Jacques
Quai Forey
Bd Président Allende
Conches
R. P. Constans
Y
CHER
Pont St-Pierre
R. des Usines
R. des
Av. Général de Gaulle
Q. Rouget de Lisle
R. du Châtelet
Carnot
Av. du 8-Mai
R. des Rémouleurs
Jardin Prést Wilson
R. J. Chantemille
POL.
St-Pierre
N.-Dame
Passage du Doyenné
R. des Bernardines
Av. J. Ferry
MUSÉE DES MUSIQUES POPULAIRES
Chau des Ducs de Bourbon
Rue
Pl. de la Comédie
Bd de Courtais
Faubourg de la Gironde
Z
Av. Marx Dormoy
R. A. Allier
Grand
R. de la Presle
R. de Bruxelles
R. S. Servant
R. St. Jean
Courtais
Amaron
R. des Forges
R. Mme-de-Staël
0 200 m

**à St-Victor** *par ① : 5 km sur N 144 – 1 752 h. alt. 212 – ✉ 03410 :*

**Comfort Inn Primevère,** ✆ 04 70 28 88 88, *comfort.hotel.montlucon@wanadoo.fr, Fax 04 70 28 87 73,* – TV ✆ ♿ P – 30. AE ◑ GB JCB
**Repas** 11 (déj.), 13,50/20, enf. 6,50 – 6,10 – **40 ch** 53.
◆ Proche de la sortie de l'A 71, adresse pratique pour les automobilistes : chambres fonctionnelles et repas simples et rapides servis sous forme de buffets.

---

**MONTLUEL** *01120 Ain* 328 D5 *– 5 954 h alt. 190.*
*Office du Tourisme, 150 cours de la Portelle ✆ 04 72 25 78 54, Fax 04 72 25 78 54.*
*Paris 468 – Lyon 26 – Bourg-en-Bresse 59 – Chalamont 21 – Villefranche-sur-Saône 43.*

**Petit Casset** sans rest, à La Boisse Sud-Ouest : 2 km ✆ 04 78 06 21 33, *lepetitcasset@yahoo.fr, Fax 04 78 06 55 20* – TV P. AE GB
6,50 – **15 ch** 50/53.
◆ En retrait de la chaussée, hôtel familial à la façade toute simple. L'atmosphère y est accueillante et les chambres, au cachet rustique, sont bien tenues.

**à Ste-Croix** *Nord : 5 km par D 61 – 365 h. alt. 263 – ✉ 01120 :*

**Chez Nous,** ✆ 04 78 06 61 20, *Fax 04 78 06 63 26,* – TV ♿ P – 25 à 40. AE GB
**Repas** *(fermé 28 juil. au 4 août, 25 nov. au 3 déc., mardi du 1er oct. au 31 mars, dim. soir et lundi)* 16 (déj.), 20/45 – 6,50 – **30 ch** 32/46 – ½ P 34/39,50.
◆ D'un côté de la route, la majorité des chambres actuelles et nettes ; de l'autre, le restaurant décoré de tableaux et un nouveau bistrot servant une formule simple à midi.

---

**MONTMARAULT** *03390 Allier* 326 E5 *– 1 597 h alt. 480.*
*Paris 348 – Moulins 46 – Gannat 41 – Montluçon 31 – St-Pourçain-sur-Sioule 28.*

**France** avec ch, 1 r. Marx Dormoy ✆ 04 70 07 60 26, *Fax 04 70 07 68 45* – TV ✆ P – 15. GB. rest
*fermé 21 au 28 avril, 10 nov. au 5 déc., dim. soir et lundi* – **Repas** 14,50/40,40 ♀ – 7,20 – **8 ch** 41/46 – ½ P 42,20/44,70.
◆ Atmosphère conviviale dans cet établissement situé au centre du village. Spacieuse salle à manger récemment rafraîchie. Chambres rénovées et meublées en style Louis-Philippe.

---

**MONTMÉDY** *55600 Meuse* 307 D1 *G. Alsace Lorraine – 1 943 h alt. 193.*
Voir *Citadelle*★.
*Office du Tourisme, ✆ 03 29 80 15 90, Fax 03 29 80 15 90, montmedy@wanadoo.fr.*
*Paris 272 – Charleville-Mézières 68 – Longwy 45 – Metz 108 – Verdun 49 – Vouziers 60.*

**Mâdy,** ✆ 03 29 80 10 87, *noel.l@wanadoo.fr, Fax 03 29 80 02 40,* – AE ◑ GB
*fermé janv., dim. soir et lundi* – **Repas** 11,50/28 ♀, enf. 7.
◆ Le restaurant est aménagé dans un relais de poste du 19e s. Salle à manger gentiment champêtre et terrasse tournée vers la place du village. Cuisine traditionnelle.

---

**MONTMÉLARD** *71520 S.-et-L.* 320 G12 *– 320 h alt. 522.*
*Paris 383 – Mâcon 43 – Paray-le-Monial 34 – Montceau-les-Mines 56 – Roanne 52.*

**St-Cyr** avec ch, ✆ 03 85 50 20 76, *postmaster@lesaintcyr.fr, Fax 03 85 50 36 98,* ≤, – rest, P. GB
*fermé 6 au 27 janv., lundi soir et mardi* – **Repas** 11 bc (déj.), 15/30,30 ♀, enf. 8 – 5,50 – **7 ch** 38/52 – ½ P 43.
◆ Adossé à la montagne de St-Cyr (771 m), ce modeste petit établissement profite d'une vue étendue sur les monts du Charolais. Chambres toutes neuves portant des noms de fleurs.

---

**MONTMÉLIAN** *73800 Savoie* 333 J4 *G. Alpes du Nord – 3 930 h alt. 307.*
Voir ✲★★ *du rocher.*
*Syndicat d'Initiative, ✆ 04 79 84 07 31, Fax 04 79 84 08 20, mairie@montmelian.com.*
*Paris 575 – Grenoble 50 – Albertville 40 – Allevard 23 – Chambéry 14.*

**Comfort Inn Primevère,** N 6 ✆ 04 79 84 12 01, *hotelcomfort73@wanadoo.fr, Fax 04 79 84 23 01,* – TV ♿ P. AE ◑ GB
**Repas** 14/23 ♀ – 6 – **42 ch** 47.
◆ Proche de l'autoroute, construction récente sur les bords de l'Isère. Chambres fonctionnelles sobres et bien insonorisées. Buffets et restauration traditionnelle.

**George,** N 6 ✆ 04 79 84 05 87, *infos@hotelgeorge.fr, Fax 04 79 84 40 14* – P. GB
**Repas** (dîner seul.)(snack) 12 ♀ – 5 – **11 ch** 27/40 – ½ P 29.
◆ Les couloirs de cet hôtel de bord de route méritent une halte ; décorés d'outils anciens, ils mènent à des chambres peu à peu rénovées, donnant sur la cité et la montagne.

XXX **Hostellerie des Cinq Voûtes,** N 6 ✆ 04 79 84 05 78, *5routes@nwc.fr, Fax 04 79 84 28 85,* – P. AE GB JCB
*fermé 22 au 28 avril, 17 au 29 août et le soir sauf vend., lundi et sam.* – **Repas** 22 (déj.), 30/62 ♀.
◆ Un salon d'esprit 18e s. précède la salle à manger aux voûtes moyenâgeuses. Décor cossu, sièges de style Louis XIII et élégante cheminée en pierre. Terrasse au calme.

XX **L'Arlequin** (Centre technique hôtelier), N 6 ✆ 04 79 84 33 14, *Fax 04 79 84 25 77* – P. AE GB
*fermé 4 juil. au 21 août, 23 déc. au 5 janv. et sam.* – **Repas** 13/25 ♀, enf. 7.
◆ En bordure d'une route passante, ce restaurant d'application d'une école hôtelière vous fera partager son intérêt pour la cuisine traditionnelle.

X **Viboud** avec ch, Vieux Montmélian ✆ 04 79 84 07 24, *Fax 04 79 84 44 07* – TV P. AE GB
*fermé 22 juin au 15 juil., 30 déc. au 13 janv., dim. soir, lundi et mardi* – **Repas** (dîner sur réservation) *(13)* - 19 (déj.)/25, enf. 8 – 8 – **8 ch** 27/36 – 1/2 P 39.
◆ Cuisine traditionnelle de caractère servie dans un établissement familial au cadre modeste et un brin suranné, offrant une vue sur le clocher du village.

## MONTMERLE-SUR-SAÔNE *01090 Ain 328 B4 – 2 596 h alt. 170.*

*Paris 419 – Mâcon 33 – Bourg-en-Bresse 44 – Lyon 51 – Villefranche-sur-Saône 13.*

**Emile Job,** au pont ✆ 04 74 69 33 92, *hotel.du.rivage@wanadoo.fr, Fax 04 74 69 49 21,* – TV. AE GB
*fermé 1er au 15 mars, 22 oct au 14 nov., dim. soir d'oct. à mai, mardi midi de juin à sept. et lundi* – **Repas** 19/48 ♀, enf. 11 – 6,90 – **22 ch** 48/63 – 1/2 P 46,50.
◆ Sur les bords de Saône, maison régionale abritant des chambres dotées de meubles de style ; cadre plus actuel à l'annexe. En été, terrasse à l'ombre des tilleuls.

## MONTMIRAIL *84 Vaucluse 332 D9 – rattaché à Vacqueyras.*

## MONTMOREAU-ST-CYBARD *16190 Charente 324 K7 G. Poitou Vendée Charentes – 1 120 h alt. 90.*

*Office du Tourisme, 29 avenue de l'Aquitaine ✆ 05 45 24 04 07, Fax 05 45 24 04 07.*
*Paris 478 – Angoulême 31 – Bordeaux 104 – Chalais 16 – Périgueux 67.*

XX **Plaisir d'Automne,** pl. Église ✆ 05 45 60 39 40, *Fax 05 45 60 39 40,* – GB
*fermé 24 au 30 nov., 5 au 19 janv., mardi soir d'oct. à mars, dim. soir et lundi* – **Repas** 14 bc (déj.), 21/39, enf. 10.
◆ Salle de restaurant redécorée (murs anciens mis à nu, belles tables en bois), agréable vue sur l'église romane du 12e s. et son portail ouvragé, et assiette fort goûteuse.

## MONTMORENCY *95 Val-d'Oise 305 E7 101 ⑤ – voir Paris, Environs.*

## MONTMORILLON *86500 Vienne 322 L6 G. Poitou Vendée Charentes – 6 667 h alt. 100.*

**Voir** *Église Notre-Dame : fresques★ dans la crypte Ste-Catherine.*
*Office du Tourisme, 2 place du Maréchal Leclerc ✆ 05 49 91 11 96, Fax 05 49 91 11 96, office.de.tourisme@worldonline.fr.*
*Paris 355 – Poitiers 50 – Bellac 43 – Châtellerault 56 – Limoges 88 – Niort 123.*

XX **Lucullus et Hôtel de France** avec ch, ✆ 05 49 84 09 09, *Fax 05 49 84 58 68* – TV GB
*fermé 12 au 18 nov.* – **Repas** *(fermé dim. soir et lundi sauf fériés)* 18/28 ♀, enf. 10,50 - ***Bistrot de Lucullus*** *(fermé dim. sauf le soir de mai à sept. et sam. soir)* **Repas** *(13)bc*-17 ♀ – 6,50 – **10 ch** 40/53.
◆ Près du pont sur la Gartempe, restaurant aux tons ensoleillés servant une cuisine soignée renouvelée au fil des saisons. Chambres spacieuses. Repas rapides au Bistrot.

## MONTMORT *51270 Marne 306 E9 G. Champagne Ardenne – 583 h alt. 210.*

**Env.** *Fromentières : retable★★ de l'église SO : 11 km.*
*Paris 125 – Reims 47 – Châlons-en-Champagne 50 – Épernay 19 – Sézanne 26.*

**Cheval Blanc,** ✆ 03 26 59 10 03, *Fax 03 26 59 15 88* – TV P. AE GB
**Repas** 18/60 ♀ – 6,50 – **19 ch** 29/57 – 1/2 P 58.
◆ Légèrement à l'écart de la route du Champagne, auberge au cadre chaleureux, proposant des chambres simples, spacieuses et modernes dans l'aile récente.

## MONTOIRE-SUR-LE-LOIR 41800 L.-et-Ch. 318 C5 *G. Châteaux de la Loire* – 4 065 h alt. 65.

Voir *Chapelle St-Gilles★ : fresques★★ – Pont ≤★.*

*Office du Tourisme, 16 place Clémenceau ✆ 02 54 85 23 30, Fax 02 54 85 23 87.*

*Paris 189 – Le Mans 69 – Blois 44 – La Flèche 82 – Vendôme 19.*

XX **Cheval Rouge** avec ch, pl. Foch ✆ 02 54 85 07 05, *Fax 02 54 85 17 42,* – AE GB
*fermé 11/11 au 3/12, 18/01 au 4/02, merc. sauf le soir en juil.-août , mardi soir de sept. à juin et vend. midi* – **Repas** (dim. prévenir) *(11,90)* - 15,60 (déj.), 22,40/46 ♀, enf. 8 – ☕ 5,60 – **15 ch** 25,80/46,10 – ½ P 39,30/49.
◆ Le temps semble s'être arrêté dans cet ancien relais de poste montoirien. Salles à manger au cadre patiné et terrasse sous des platanes séculaires. Carte traditionnelle.

**à Lavardin** *Sud-Est : 2 km par D 108 – 245 h. alt. 78 – ✉ 41800 :*

XX **Relais d'Antan,** ✆ 02 54 86 61 33, *Fax 02 54 85 06 46,* – GB
*fermé 29 sept. au 22 oct., 16 fév. au 4 mars, lundi soir et mardi* – **Repas** 25/33 ♀.
◆ Dans un pittoresque village, auberge rustique dont l'une des salles à manger est ornée de fresques d'inspiration médiévale. Terrasse au bord du Loir. Cuisine au goût du jour.

## MONTPELLIER P 34000 Hérault 339 I7 *G. Languedoc Roussillon* – 207 996 h Agglo. 287 981 h alt. 27.

Voir *Vieux Montpellier★★ : hôtel de Varennes★* **FY M²**, *hôtel des Trésoriers de la Bourse★* **FY Q**, *rue de l'Ancien Courrier★* **EFY 4** – *Promenade du Peyrou★★ : ≤★ de la terrasse supérieure – Quartier Antigone★ – Musée Fabre★★* **FY** – *Musée Atger★ (dans la faculté de médecine)* **EX** – *Musée languedocien★ (dans l'hôtel des trésoriers de France)* **FY M¹**.

Env. *Château de Flaugergues★ E : 3 km – Château de la Mogère★ E : 5 km par D 24* **DU.**

✈ *de Montpellier-Méditerranée ✆ 04 67 20 85 00 SE par ③ : 7 km.*

*Office du Tourisme, 30 allée Jean de Lattre de Tassigny ✆ 04 67 60 60 60, Fax 04 67 60 60 61, contact@ot-montpellier.fr.*

*Paris 759 ② – Marseille 171 ② – Nice 328 ② – Nîmes 53 ② – Toulouse 241 ⑤.*

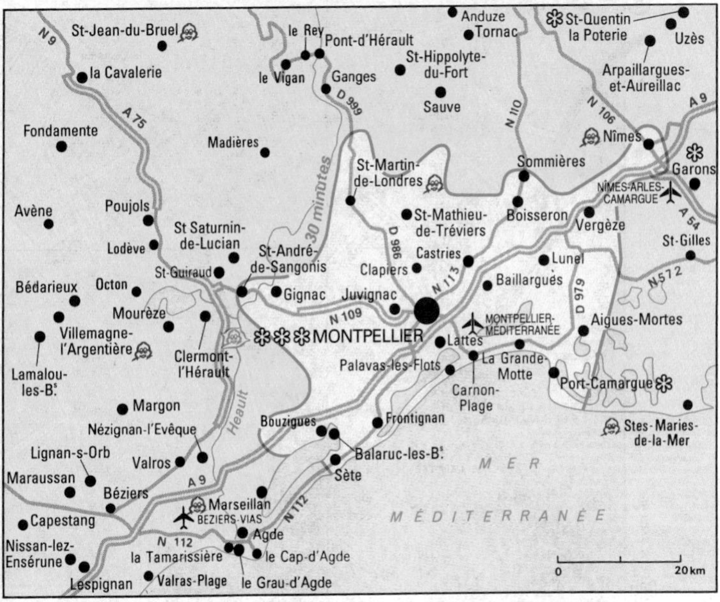
N 9
St-Jean-du-Bruel
le Rey
Pont-d'Hérault
Anduze
Tornac
St-Quentin la Poterie
Uzès
la Cavalerie
le Vigan
Ganges
St-Hippolyte-du-Fort
Arpaillargues-et-Aureillac
D 999
Sauve
A 75
N 110
N 106
A 9
Fondamente
Madières
Nîmes
30 minutes
St-Martin-de-Londres
Sommières
Garons
NÎMES-ARLES-CAMARGUE
Avène
Poujols
St-Mathieu-de-Tréviers
Boisseron
Vergèze
A 54
St Saturnin-de-Lucian
D 986
St-Gilles
Lodève
St-André-de-Sangonis
Castries
Lunel
St-Guiraud
Clapiers
N 113
D 979
N 572
Bédarieux
Octon
Gignac
Juvignac
Baillargues
Mourèze
N 109
MONTPELLIER-MÉDITERRANÉE
Aigues-Mortes
Villemagne-l'Argentière
MONTPELLIER
Lattes
Lamalou-les-B.
Clermont-l'Hérault
Palavas-les-Flots
La Grande-Motte
Carnon-Plage
Port-Camargue
Margon
Hérault
Bouzigues
Frontignan
Stes-Maries-de-la-Mer
Nézignan-l'Evêque
Balaruc-les-B.
Lignan-s-Orb
Valros
Sète
M E R
Maraussan
A 9
Béziers
Marseillan
N 112
BEZIERS-VIAS
M É D I T E R R A N É E
Capestang
Agde
N 112
Nissan-lez-Ensérune
la Tamarissière
le Cap-d'Agde
0
20 km
Lespignan
Valras-Plage
le Grau-d'Agde

**Sofitel Antigone** M sans rest, 1 r. Pertuisanes ✆ 04 67 99 72 72, *sofitel.montpellier@wanadoo.fr, Fax 04 67 65 17 50,* – – 20 à 100. AE GB JCB
☕ 18 – **89 ch** 182/228. CU V
◆ Découvrez le quartier dessiné par Ricardo Bofill depuis le toit-terrasse (salle des petits-déjeuners, bar, piscine) de cet hôtel de chaîne. Chambres contemporaines "cosy".

# MONTPELLIER



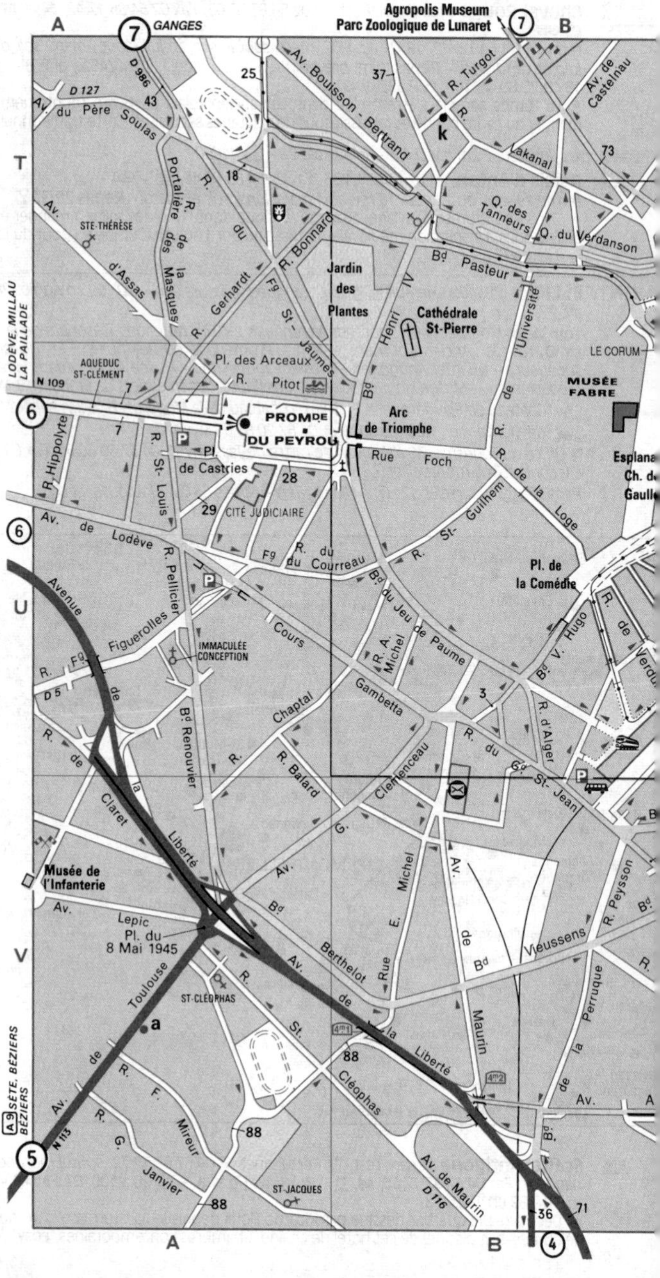

A
B
T
U
V
GANGES
Agropolis Museum
Parc Zoologique de Lunaret
LODÈVE, MILLAU
LA PAILLADE
SÈTE, BÉZIERS
BÉZIERS
Av. du Père Soulas
R. Portalière des Masques
R. du Fg St-Jaumes
R. Bonnard
R. Gerhardt
Av. d'Assas
STE-THÉRÈSE
Av. Bouisson-Bertrand
R. Turgot
R. Lakanal
Av. de Castelnau
Q. des Tanneurs
Q. du Verdanson
Bd Pasteur
Jardin des Plantes
Bd Henri IV
Cathédrale St-Pierre
R. de l'Université
LE CORUM
MUSÉE FABRE
AQUEDUC ST-CLÉMENT
Pl. des Arceaux
R. Pitot
PROMDE DU PEYROU
Arc de Triomphe
Rue Foch
R. de la Loge
R. St-Guilhem
Pl. de Castries
CITÉ JUDICIAIRE
R. Hippolyte
R. St-Louis
Av. de Lodève
R. Pellicier
R. du Fg du Courreau
Bd du Jeu de Paume
Pl. de la Comédie
Bd V. Hugo
Avenue de Figuerolles
R. Fg de Figuerolles
IMMACULÉE CONCEPTION
Cours Gambetta
R. A. Michel
R. Chaptal
Bd Renouvier
R. Balard
R. Clemenceau
R. d'Alger
R. du Gd St-Jean
R. de Claret
R. de la Liberté
Musée de l'Infanterie
Av. Lepic
Pl. du 8 Mai 1945
Av. G. Clemenceau
Rue E. Michel
Av. de Maurin
Bd Berthelot
Bd Vieussens
R. Peysson
R. de la Perruque
Av. de Toulouse
ST-CLÉOPHAS
R. St. Cléophas
Av. de la Liberté
R. F. Mireur
R. G. Janvier
ST-JACQUES
Av. de Maurin
D 116
D 127
D 986
D 5
N 109
N 113

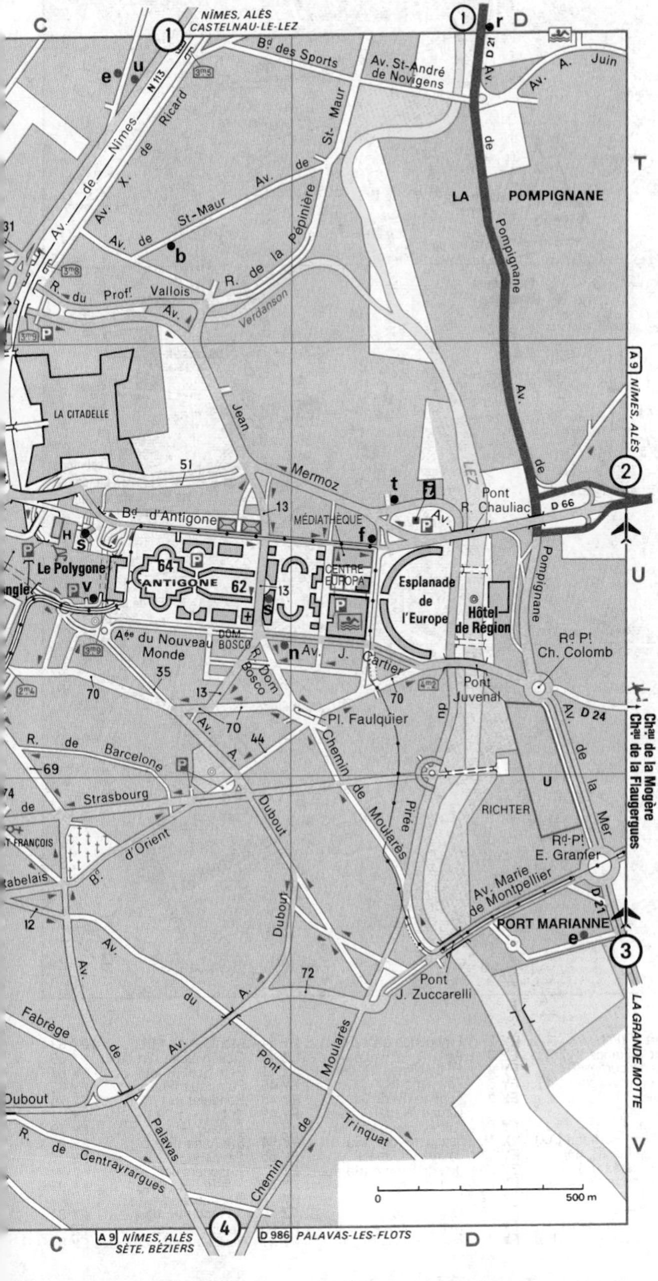
NÎMES, ALÈS
CASTELNAU-LE-LEZ
LA POMPIGNANE
Bd des Sports
Av. St-André de Novigens
Av. A. Juin
Av. de Nîmes
Av. X. de Ricard
Av. de St-Maur
R. de la Pépinière
R. du Profr Vallois
Verdanson
LA CITADELLE
Av. de Pompignane
Av. Jean Mermoz
Bd d'Antigone
MÉDIATHÈQUE
Le Polygone
ANTIGONE
CENTRE EUROPA
Esplanade de l'Europe
Hôtel de Région
Pont R. Chauliac
D 66
A 9 NÎMES, ALÈS
LEZ
Rd Pt Ch. Colomb
Pont Juvenal
Aée du Nouveau Monde
DOM BOSCO
R. Dom Bosco
Av. J. Cartier
Pl. Faulquier
R. de Barcelone
Av. de Strasbourg
Bd d'Orient
Av. A. Dubout
Chemin de Moularès
Pirée
RICHTER
Av. de la Mer
D 24
Chau de la Mogère
Chau de la Flaugergues
Rd-Pt E. Granier
Av. Marie de Montpellier
PORT MARIANNE
D 21
Pont J. Zuccarelli
LA GRANDE MOTTE
Av. de Palavas
Av. du Pont de Trinquat
Av. de Fabrège
R. de Centrayrargues
Chemin de Moularès
0
500 m
A 9 NÎMES, ALÈS SÈTE, BÉZIERS
D 986 PALAVAS-LES-FLOTS
C
D
T
U
V

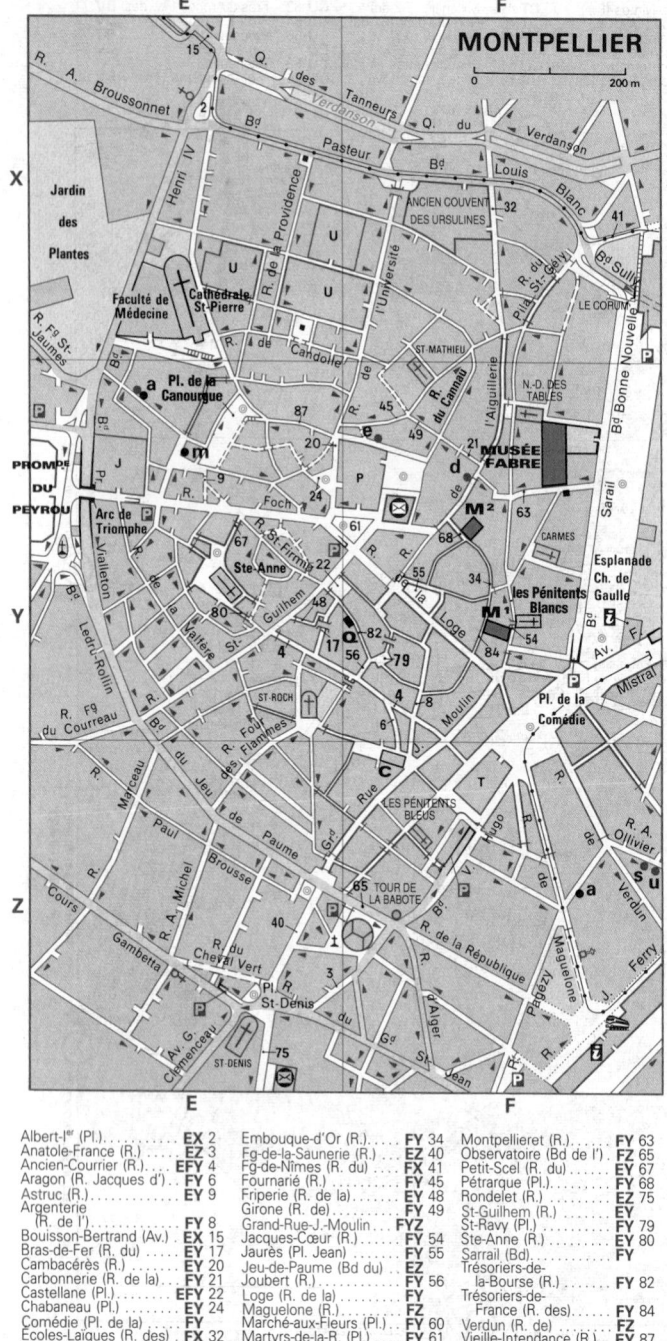

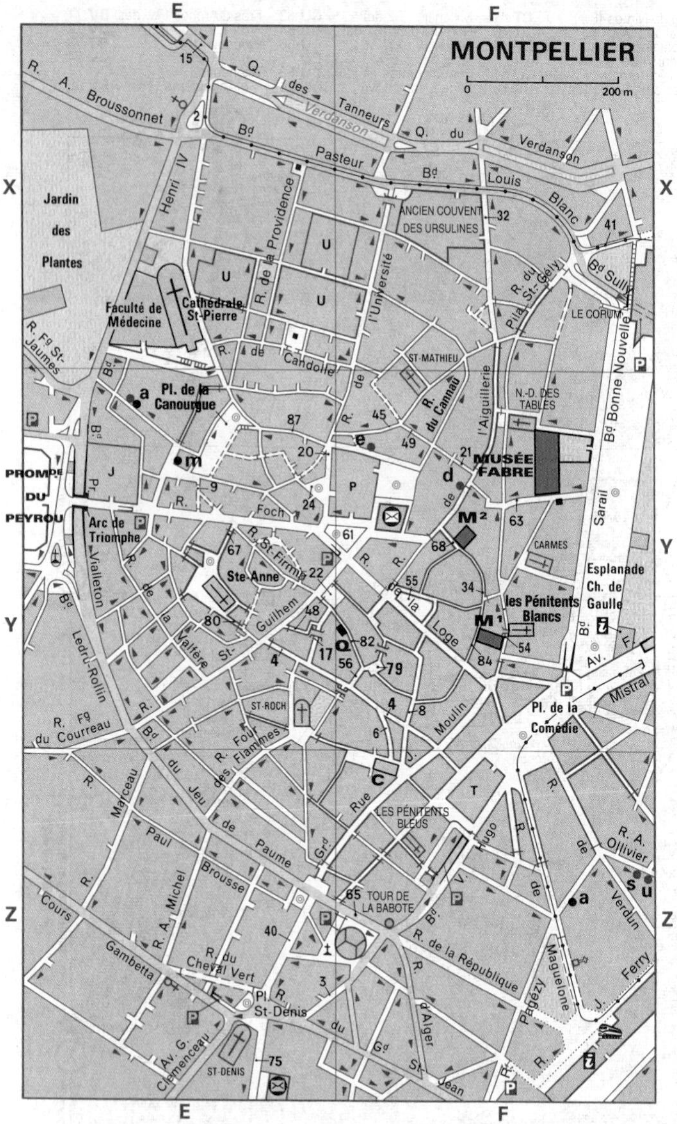
MONTPELLIER
0
200 m
E
F
X
Y
Z
R. A. Broussonnet
Q. des Tanneurs
Verdanson
Q. du Verdanson
Bd Pasteur
Bd Louis Blanc
Bd Sully
Bd Henri IV
Jardin des Plantes
Faculté de Médecine
Cathédrale St-Pierre
R. Fg St-Jaumes
R. de la Providence
l'Université
ANCIEN COUVENT DES URSULINES
R. du Pila-St-Gély
LE CORUM
Bd Bonne Nouvelle
R. de Candolle
ST-MATHIEU
R. du Cannau
l'Aiguillerie
N.-D. DES TABLES
MUSÉE FABRE
Pl. de la Canourgue
PROMde DU PEYROU
Arc de Triomphe
R. Foch
R. St-Firmin
Ste-Anne
R. de la Loge
CARMES
Esplanade Ch. de Gaulle
Bd Sarrail
Les Pénitents Blancs
Av. F. Mistral
Pl. de la Comédie
Bd Vialleton
Bd Ledru-Rollin
R. de la Valfère
R. St-Guilhem
ST-ROCH
R. Four des Flammes
R. Fg du Courreau
Bd du Jeu de Paume
R. Marceau
R. Paul Brousse
Grd Rue J. Moulin
LES PÉNITENTS BLEUS
Bd V. Hugo
R. A. Ollivier
R. de Verdun
R. Maguelone
R. J. Ferry
TOUR DE LA BABOTE
R. de la République
R. d'Alger
R. Pagézy
Cours Gambetta
R. A. Michel
R. du Cheval Vert
Pl. St-Denis
R. du Gd St-Jean
Av. G. Clemenceau
ST-DENIS

Albert-Ier (Pl.) . . . . . . . . . . . **EX** 2
Anatole-France (R.) . . . . . **EZ** 3
Ancien-Courrier (R.) . . . . **EFY** 4
Aragon (R. Jacques d') . . **FY** 6
Astruc (R.) . . . . . . . . . . . . . **EY** 9
Argenterie (R. de l') . . . . . . . . . . . . . **FY** 8
Bouisson-Bertrand (Av.) . **EX** 15
Bras-de-Fer (R. du) . . . . . **EY** 17
Cambacérès (R.) . . . . . . . . **EY** 20
Carbonnerie (R. de la) . . . **FY** 21
Castellane (Pl.) . . . . . . . . **EFY** 22
Chabaneau (Pl.) . . . . . . . . **EY** 24
Comédie (Pl. de la) . . . . . **FY**
Écoles-Laïques (R. des) . **FX** 32
Embouque-d'Or (R.) . . . . . **FY** 34
Fg-de-la-Saunerie (R.) . . . **EZ** 40
Fg-de-Nîmes (R. du) . . . . **FX** 41
Fournarié (R.) . . . . . . . . . . **FY** 45
Friperie (R. de la) . . . . . . . **EY** 48
Girone (R. de) . . . . . . . . . . **FY** 49
Grand-Rue-J.-Moulin . . . . **FYZ**
Jacques-Cœur (R.) . . . . . . **FY** 54
Jaurès (Pl. Jean) . . . . . . . **FY** 55
Jeu-de-Paume (Bd du) . . **EZ**
Joubert (R.) . . . . . . . . . . . . **FY** 56
Loge (R. de la) . . . . . . . . . **FY**
Maguelone (R.) . . . . . . . . . **FZ**
Marché-aux-Fleurs (Pl.) . . **FY** 60
Martyrs-de-la-R. (Pl.) . . . . **FY** 61
Montpellieret (R.) . . . . . . **FY** 63
Observatoire (Bd de l') . **FZ** 65
Petit-Scel (R. du) . . . . . . . **EY** 67
Pétrarque (Pl.) . . . . . . . . . **FY** 68
Rondelet (R.) . . . . . . . . . . **EZ** 75
St-Guilhem (R.) . . . . . . . . **EY**
St-Ravy (Pl.) . . . . . . . . . . . **FY** 79
Ste-Anne (R.) . . . . . . . . . . **EY** 80
Sarrail (Bd) . . . . . . . . . . . . **FY**
Trésoriers-de-la-Bourse (R.) . . . . . . . **FY** 82
Trésoriers-de-France (R. des) . . . . . . . **FY** 84
Verdun (R. de) . . . . . . . . . . **FZ**
Vieille-Intendance (R.) . . **EY** 87

**Mercure Antigone** M, 285 bd Aéroport International ☎ 04 67 20 63 63, *mercure@hotel-centre-ville.fr, Fax 04 67 20 63 64* – |$| ≡ TV ☎ & – 25 à 75. AE ① GB JCB. rest DU f
**Repas** *(fermé dim.)* 22/30 ♀ – ☕ 10,25 – **108 ch** 83/92, 6 appart.
◆ L'hôtel longe le quartier néo-classique Antigone. Chambres joliment rénovées, la plupart pourvues de lits "king size". Décor colonial au restaurant. Espace multimédia.

**Mercure Centre** M, 218 r. Bastien Ventadour ☎ 04 67 99 89 89, *h3043@accor-hotels.com, Fax 04 67 99 89 88* – |$| ≡ TV ☎ – 25. AE ① GB JCB CU s
**Repas** *(fermé sam., dim. et vend. soir)* (12,20) - carte 26 à 31 ♀ – ☕ 11 – **120 ch** 87/95.
◆ Intérieur résolument design, coloris "tendance", lithographies d'un artiste local dans les chambres et saveurs méridionales au restaurant : un Mercure rénové de fond en comble !

**Holiday Inn Métropole,** 3 r. Clos René ☎ 04 67 12 32 32, *himontpellier@alliance-hospitality.com, Fax 04 67 92 13 02,* – |$| ≡ TV ☎ & P – 20 à 60. AE ① GB JCB FZ a
**Repas** *(fermé sam. et dim.)* 14 (déj.)/23,50, enf. 7,70 – ☕ 15 – **76 ch** 170/230, 4 appart.
◆ Cet établissement de 1898 aurait été la résidence de la reine Hélène d'Italie. Chambres fonctionnelles. Bar anglais. Jardin-terrasse ombragé par des palmiers.

**Astron Suite Hôtel** sans rest, 45 av. Pirée ☎ 04 67 20 57 57, *Fax 04 67 20 58 58* – |$| ≡ TV ☎ & P. AE ① GB JCB DU t
☕ 13 – **23 ch** 108, 115 appart 128/150.
◆ Convenant particulièrement à la clientèle d'affaires, cet hôtel récent propose en majorité des "suites" avec coin travail et salon séparés de la chambre. Pratique et spacieux.

**Maison Blanche,** 1796 av. Pompignane ☎ 04 99 58 20 70, *hotelmaisonblanche@wanadoo.fr, Fax 04 67 79 53 39,* – ≡ ch, TV ☎ & P – 15 à 25. AE ① GB JCB. rest DT r
**Repas** *(fermé 23 déc. au 3 janv., sam. midi et dim.)* 21/28 ♀ – ☕ 7,70 – **37 ch** 56/87.
◆ Étonnante maison de style Louisiane nichée au coeur d'un joli jardin arboré (palmiers, cèdres, etc.) où l'on sert le petit-déjeuner l'été. Spacieuses chambres. Clients célèbres.

**Guilhem** sans rest, 18 r. J.-J. Rousseau ☎ 04 67 52 90 90, *hotel-le-guilhem@mnet.fr, Fax 04 67 60 67 67* – |$| ≡ TV ☎. AE ① GB JCB EY a
☕ 10 – **36 ch** 75,60/124.
◆ Maisons des 16e et 17e s. abritant des chambres "cosy" ; celles du dernier étage offrent une vue sur la cathédrale St-Pierre. Balcon-terrasse tourné sur un jardin luxuriant.

**Parc** sans rest, 8 r. A. Bège ☎ 04 67 41 16 49, *hotelduparc@ifrance.com, Fax 04 67 54 10 05* – ≡ TV P. AE GB JCB BT k
☕ 7,50 – **19 ch** 36/61.
◆ Ancienne demeure seigneuriale (18e s.) située dans une rue calme. Plaisantes chambres personnalisées ; cour-terrasse où l'on petit-déjeune l'été. Accueil aimable.

**Palais** sans rest, 3 r. Palais ☎ 04 67 60 47 38, *Fax 04 67 60 40 23* – |$| ≡ TV ☎. GB EY m
☕ 9 – **26 ch** 52/69.
◆ Bel immeuble centenaire proche du palais de justice. Les petites chambres bénéficient de délicates attentions (fleurs fraîches, chocolats, etc.). Insonorisation efficace.

**Ulysse** sans rest, 338 av. St-Maur ☎ 04 67 02 02 30, *contact@hotelulysse.com, Fax 04 67 02 16 50* – TV ☎. ① GB JCB CT b
*fermé 22 déc. au 2 janv.* – ☕ 6,60 – **24 ch** 49/61.
◆ De coquettes chambres meublées en fer forgé vous attendent dans cet hôtel prisé des habitués pour son atmosphère sympathique. Quartier résidentiel calme. Tenue rigoureuse.

**Les Troënes** sans rest, 17 av. É. Bertin-Sans par av. Bouisson-Bertrand, dir. Hôpitaux-Facultés ✉ 34090 ☎ 04 67 04 07 76, *hotel-les-troenes@wanadoo.fr, Fax 04 67 61 04 43* – TV ☎. GB
☕ 7 – **14 ch** 42/52.
◆ Reliée au centre-ville par le tramway, modeste maison des années 1960 rénovée, où l'on se sent comme chez soi. Chambres agréables, sans équipement superflu. Clientèle fidèle.

**Jardin des Sens** (Jacques et Laurent Pourcel) M avec ch, 11 av. St-Lazare ☎ 04 99 58 38 38, *contact@jardindessens.com, Fax 04 99 58 38 39,* – |$| ≡ TV ☎ & P – 25. AE ① GB JCB CT e
**Repas** *(fermé 2 au 20 janv., lundi midi, merc.midi et dim.)* (nombre de couverts limité, prévenir) 46 (déj.), 95/135 et carte 100 à 150 ♀ – ☕ 18 – **14 ch** 250.
◆ La magistrale salle en gradins, à l'élégant décor design, s'ouvre sur le jardin en spirales : un espace où les cinq sens s'émerveillent, dans l'assiette comme dans le décor.
**Spéc.** Filet de loup au citron confit. Pigeon au cacao, pastilla aux épices. Pressé de homard aux jeunes légumes. **Vins** Picpoul de Pinet, Coteaux du Languedoc.

**Chandelier,** 39 pl. Zeus (6e étage) ☎ 04 67 15 34 38, *Fax 04 67 15 34 33,* < – |$| ≡. AE ① GB JCB CU s
*fermé lundi midi et dim.* – **Repas** 24/62,50 et carte 44 à 69.
◆ Restaurant panoramique coiffé d'une coupole et perché au sommet d'un immeuble en forme d'arche du quartier Antigone. Cadre moderne et original, cuisine apprêtée.

XX **Cellier Morel,** Maison de la Lozère 27 r. Aiguillerie ✆ 04 67 66 46 36, *morel.pie@voila.fr Fax 04 67 66 23 61,* ☂ – ▤. AE ⓓ GB JCB FY c
*fermé 13 au 19 août, 1er au 6 janv., lundi midi, merc. midi et dim.* – **Repas** 28 (déj.), 44/75 ♀.
◆ Joli décor design dans une salle voûtée du 13e s. et délicieuse cour-terrasse d'un hôtel particulier du 18e s. La cuisine, inventive, fait parler le terroir lozérien.

XX **Castel Ronceray,** 130 r. Castel Ronceray par ⑤ ✉ 34070 ✆ 04 67 42 46 30, *castel-ronceray@wanadoo.fr, Fax 04 67 27 41 96,* ☂ – P. AE ⓓ GB
*fermé 9 août au 2 sept., 16 au 22 fév., dim. sauf d'avril à juin et lundi* – **Repas** 24 (déj.), 34/63 ♀, enf. 13.
◆ Maison de maître du 19e s., inattendue derrière ce rideau d'immeubles modernes. Intérieur bourgeois avec cheminée en marbre et statues à l'antique. Plats traditionnels.

XX **Les Vignes,** 2 r. Bonnier d'Alco ✆ 04 67 60 48 42 – ▤. AE GB. ⚘ FY e
*fermé 20 au 27 avril, 3 au 24 août, merc. soir, sam. midi et dim.* – **Repas** 21,50 (déj.), 30/55 ♀, enf. 11.
◆ Petite adresse discrète derrière la préfecture. Il vous faudra descendre quelques marches pour rejoindre l'élégante salle à manger voûtée. Cuisine au goût du jour.

XX **Fabrice Guilleux,** 36 av. J. Cartier ✆ 04 67 22 26 20, *fabrice.guilleux@wanadoo.fr* – ▤ AE ⓓ GB CDU r
*fermé août, sam. midi, lundi soir, mardi soir, merc. soir et dim.* – **Repas** 25 (déj.), 33/46, enf. 11.
◆ Salle à manger aux tons pastel jaune et vert et cuisine au goût du jour : l'adresse est appréciée, surtout au déjeuner, par la clientèle d'affaires du quartier Antigone.

XX **Petit Jardin,** 20 r. J.-J. Rousseau ✆ 04 67 60 78 78, *contact@petit-jardin.com, Fax 04 67 66 16 79,* ☂ – AE ⓓ GB JCB EY
*fermé janv. et lundi* – **Repas** 13 (déj.), 20/28 ♀, enf. 8.
◆ Au coeur du vieux Montpellier, sympathique restaurant dont les baies vitrées s'ouvrent largement sur un joyau caché : un jardin-terrasse aux essences rares. Cuisine régionale.

XX ✿ **L'Olivier** (Breton), 12 r. A. Ollivier ✆ 04 67 92 86 28, *Fax 04 67 92 10 65* – ▤. AE ⓓ GB ⚘ FZ u
*fermé 29 juil. au 1er sept., 24 déc. au 2 janv., dim. et lundi* – **Repas** (prévenir) 26 (déj.)/43 et carte 48 à 63.
◆ Étroite salle agrandie par un jeu de miroirs, cadre un brin "rétro" et cuisine très classique : une maison fidèle à ses convictions... pour le plus grand plaisir des habitués !
**Spéc.** Fricassée de petites seiches aux artichauts et safran. Aiguillettes de Saint-Pierre et risotto aux fruits de mer. Arlette croustillante de fraises à la rhubarbe (printemps-été). **Vin** Coteaux du Languedoc.

XX **Séquoïa,** à Port Marianne, 148 r. de Galata ✆ 04 67 65 07 07, *Fax 04 67 64 50 23,* ≤, ☂ – ▤. AE ⓓ GB DV e
*fermé sam. midi et dim. soir* – **Repas** 23 (déj.)/35 ♀.
◆ Cadre contemporain, terrasse bordant le port de plaisance, cuisine "d'ici et d'ailleurs" : une adresse "branchée" du nouveau quartier qui se dessine sur la rive gauche du Lez.

X **La Compagnie des Comptoirs,** 51 av. Nîmes ✆ 04 99 58 39 29, *contact@jardindesss-ns.com, Fax 04 99 58 39 28,* ☂ – ▤ P. AE GB CT
*(fermé dim. midi en juil.-août)* – **Repas** 30/50 bc.
◆ Sobre décor s'inspirant des comptoirs français des Indes ; table d'hôte au rez-de-chaussée. La carte dévoile les saveurs de l'Orient, mais n'oublie pas celles du Sud.

X **Anis et Canisses,** 47 av. Toulouse ✆ 04 67 42 54 48, ☂ – GB AV
*fermé 1er au 6 mai, août, 1er au 6 fév., sam. midi, mardi midi, dim. et lundi* – **Repas** carte 27 à 34.
◆ Un havre de paix sur cette avenue très animée. Aménagement intérieur soigné et charmant patio à l'ombre d'un abricotier. La cuisine honore le Languedoc et la Catalogne.

X **Verdi,** 10 r. A. Ollivier ✆ 04 67 58 68 55, *enoteca-leverdi@wanadoo.fr, Fax 04 67 58 28 47* – ▤. AE ⓓ GB JCB FZ
*fermé 1er au 21 août et dim.* – **Repas** 20/30 ♀.
◆ Proche de la gare, petit restaurant italien, simple et décontracté, agrémenté d'affiches sur Verdi et l'opéra. Spécialités transalpines et poissons. Boutique de vins.

**rte de Nîmes** *par ① et N 113 : 9,5 km – ✉ 34130 St-Aunès :*

🏨 **Cetus,** N 113 ✆ 04 67 70 38 40, *hotelcetus@aol.com, Fax 04 67 87 38 04,* ☂, Fø, ⛱ – ▤ TV ✆ ♿ P – 🏛 35. AE ⓓ GB. ⚘ rest
**Repas** *(fermé dim. midi hors saison et sam. midi)* 14 ♀ – ☕ 8,50 – **50 ch** 69/84 – ½ P 67.
◆ Le jardin de cet hôtel cubique proche d'un supermarché abrite les vestiges d'une ancienne noria. Chambres spacieuses, claires et bien insonorisées.

**à Baillargues** – *4 375 h. alt. 23 – ✉ 34670 :*

🏨 **Golf Hôtel de Massane** Ⓜ ⛳, au golf de Massane Sud : 1,5 km par D 26 ✆ 04 67 87 87 87, *contact@massane.com, Fax 04 67 87 87 90,* ☂, Fø, ⛱, ✂ – ▤ TV ✆ ♿ P – 🏛 20 à 150. AE ⓓ GB
**Repas** 21,30/29,50 ♀, enf. 11,50 – ☕ 9,50 – **32 ch** 88/116 – ½ P 83/89,50.
◆ Vaste complexe hôtelier doté de nombreux équipements pour les loisirs et la détente. Réservez une chambre rénovée. Restaurant panoramique tourné vers le golf.

**par** ②, *A 9 sortie n° 29 et D 172E : 5 km – ✉ 34000 Montpellier :*

XXX **Mas des Brousses,** 450 r. Mas des Brousses ✆ 04 67 64 18 91, *mas-des-brousses@wanadoo.fr, Fax 04 67 64 18 89,* – P. AE GB
*fermé 17 au 27 août, 15 au 22 fév., dim. et lundi sauf dim. midi en juil.-août* – **Repas** 23 (déj.), 30/70 et carte 66 à 108 ♀.
◆ En pleine campagne, au milieu d'un jardin arboré, corps de ferme du 16e s. transformé en restaurant joliment décoré. La cuisine, inventive, fleure bon l'huile d'olive.

**près échangeur A9-Montpellier-Sud** *par ④ : 2 km – ✉ 34000 Montpellier :*

**Novotel** M, 125 bis av. Palavas ✆ 04 99 52 34 34, *h0450@accor-hotels.com, Fax 04 99 52 34 33,* – – P – 30 à 130. AE GB
**Repas** *(16)* - 20/35 ♀, enf. 8 – 10 – **162 ch** 88/110.
◆ Située à proximité d'un échangeur, cette halte autoroutière type abrite des chambres entièrement rénovées, conformes aux standards de la chaîne. Cyberespace.

**Ibis,** 164 av. Palavas ✆ 04 67 58 82 30, *h0624gm@accord-hotels.com, Fax 04 67 92 17 76,* – P – 15 à 30. AE GB
**Repas** *(12)* - 15, enf. 6 – 6 – **100 ch** 61.
◆ Hôtel de chaîne à deux pas de la médiathèque. Chambres fonctionnelles efficacement insonorisées et récemment refaites : elles sont désormais aux dernières normes "Ibis".

**à Lattes** *par ④ : 5 km – 10 203 h. alt. 3 – ✉ 34970 :*

*Office du Tourisme, 679 avenue de Montpellier ✆ 04 67 22 52 91, Fax 04 67 22 52 91, lattes@fnotsi.net.*

XXX **Domaine de Soriech,** face Z.A.C. Soriech, près rd-pt D 189 et D 21 ✆ 04 67 15 19 15, *michel.loustau@domaine-de-soriech.fr, Fax 04 67 15 58 21,* – P. GB
*fermé 2 au 6 janv., 15 au 29 fév., dim. soir et lundi* – **Repas** 29 (déj.), 40/68 et carte 53 à 79 ♀.
◆ Belle villa des années 1970 : décor design et oeuvres contemporaines, palmiers et pins géants dans un ravissant parc, fief des écureuils. Cuisine au goût du jour.

XXX **Mazerand,** rte Fréjorgues CD 172 ✆ 04 67 64 82 10, *Fax 04 67 20 10 73,* – P. AE GB
*fermé dim. soir hors saison, sam. midi et lundi* – **Repas** 26/52,50 et carte 40 à 58 ♀.
◆ Dominant la plaine de Lattes, cette ex-propriété viticole réunit un mas du 19e s. rénové, une chapelle du 16e s. et de jolies terrasses étagées ombragées par des platanes.

X **Bistrot d'Ariane,** à Port Ariane ✆ 04 67 20 01 27, *Fax 04 67 15 03 25,* – . AE GB
*fermé 28 avril au 4 mai, 21 déc. au 4 janv. et dim. sauf fériés* – **Repas** 15,50 (déj.), 23/32 ♀, enf. 7,50.
◆ Cadre discrètement Art déco, beau zinc de service et ambiance "brasserie" séduisent la clientèle du quartier. Terrasse dressée au bord du port de plaisance.

**à Juvignac** *par ⑥, rte de Millau : 6 km – 4 221 h. alt. 32 – ✉ 34990 :*

**Golf Hôtel de Fontcaude** M, au golf international, Nord-Ouest : 3 km ✆ 04 67 45 90 00, *hotel@golfhotel-fontcaude.com, Fax 04 67 45 90 20,* – P – 30 à 60. AE GB JCB
*fermé 27 janv. au 15 fév.* – **Repas** *(17,50 bc)* - 22 (déj.)/27 ♀ – 9 – **46 ch** 73/96 – ½ P 77.
◆ Mobilier actuel aux couleurs toniques, salle de restaurant éclairée de baies vitrées, chambres relookées : un hôtel estimé des golfeurs qui testent leur swing à Juvignac.

**à Clapiers** *par ⑦ et D 65 : 8 km – 3 478 h. alt. 25 – ✉ 34830 :*

**Les Pins** M, chemin Romarins ✆ 04 67 59 33 00, *hotel.lespins@wanadoo.fr, Fax 04 67 59 33 99,* – P – 80. AE GB
**Repas** 20/30 ♀ – 9,50 – **68 ch** 79/112 – ½ P 79.
◆ Installé dans une pinède, hôtel possédant de grandes chambres sagement contemporaines et dotées de loggias. Terrasse panoramique. Installations sportives très complètes.

---

## MONT-PRÈS-CHAMBORD *41250 L.-et-Ch.* 318 F6 – *2 786 h alt. 108.*

*Paris 185 – Orléans 63 – Blois 12 – Bracieux 8 – Romorantin-Lanthenay 34.*

**St-Florent,** 14 r. Chabardière ✆ 02 54 70 81 00, *Fax 02 54 70 78 53,* – rest, P. GB JCB. ch
*fermé 1er janv. au 13 fév., dim. soir et lundi d'oct. à Pâques* – **Repas** *(13)* - 19/42 ♀ – 7 – **18 ch** 56/72 – ½ P 48/58.
◆ Vaste maison régionale abritant de sobres chambres claires, une fraîche salle des petits-déjeuners et un plaisant restaurant s'ouvrant à l'opposé de la route.

*Si vous cherchez un hôtel tranquille, consultez d'abord les cartes de l'introduction ou repérez dans le texte les établissements indiqués avec le signe .*

**MONTRÉAL** *32250 Gers* 336 D6 *G. Midi-Pyrénées – 1 221 h alt. 131.*
*Paris 728 – Agen 57 – Auch 60 – Condom 16 – Mont-de-Marsan 65 – Nérac 27.*

**Chez Simone,** face église ☎ 05 62 29 44 40, *Fax 05 62 29 49 94* – AE GB
*fermé vacances de fév., dim. soir, lundi et mardi* – **Repas** 15 (déj.), 25/45 ♀.
◆ Maison ancienne de la bastide aménagée en restaurant. À l'intérieur, fresques, sol carrelé et originales chaises en ferronnerie et rotin. Le bar du village est à côté.

**MONTREDON** *11 Aude* 344 F3 – *rattaché à Carcassonne.*

**MONTREUIL** *62170 P.-de-C.* 301 D5 *G. Picardie Flandres Artois – 2 450 h alt. 54.*
Voir *Site★ – Citadelle★ : ≤★★ – Remparts★ – Église St-Saulve★.*
*Office du Tourisme, 21 rue Carnot ☎ 03 21 06 04 27, Fax 03 21 06 07 85, otmontreuilsurmer@nordnet.fr.*
*Paris 233 – Calais 72 – Abbeville 48 – Arras 85 – Boulogne-sur-Mer 42 – Lille 116.*

**Château de Montreuil** (Germain), chaussée Capucins ☎ 03 21 81 53 04, *chateau.de.montreuil@wanadoo.fr, Fax 03 21 81 36 43,* – P. AE GB JCB
*fermé 14 déc. au 6 fév., mardi midi, jeudi midi et lundi sauf fériés* – **Repas** 35 (déj.), 58/80 – 14 – **17 ch** 185/250 – ½ P 165/185.
◆ Élégante demeure située à l'intérieur des remparts. Chambres raffinées donnant sur un ravissant jardin à l'anglaise. Salle à manger "cosy" ; cuisine au goût du jour.
**Spéc.** Terrine de foie gras de canard au chèvre frais. Côte de veau double poêlée aux légumes niçois. Grouse d'Ecosse rôtie (mi-août-fin oct.).

**Hermitage** M sans rest, pl. Gambetta ☎ 03 21 06 74 74, *contact@hermitage-montreuil.com, Fax 03 21 06 74 75* – P – 25 à 40. AE GB
11 – **57 ch** 100/180.
◆ Cette belle bâtisse, construite sous Napoléon III, vient d'être restaurée. Bar feutré et amples chambres garnies de tissus jaunes et d'un sobre mobilier contemporain.

**Darnétal** avec ch, pl. Poissonnerie ☎ 03 21 06 04 87, *Fax 03 21 86 64 67* – AE GB. ch
*fermé 22 juin au 10 juil., 22 au 31 déc., lundi et mardi* – **Repas** 16/30 – 5 – **4 ch** 35/50.
◆ Sur l'une des places de la ville basse, auberge rustique décorée d'une profusion de tableaux, bibelots anciens et cuivres. Ambiance conviviale et cuisine traditionnelle.

**à La Madelaine-sous-Montreuil** *Ouest : 3 km par D 139 et rte secondaire – 147 h. alt. 7 – ✉ 62170 Madelaine-sous-Montreuil :*

**Auberge La Grenouillère** avec ch, ☎ 03 21 06 07 22, *auberge.de.la.grenouillere@wanadoo.fr, Fax 03 21 86 36 36,* – P. AE GB JCB
*fermé 24 au 27 juin, 2 au 6 sept., 2 au 31 janv., merc. sauf juil.-août et mardi* – **Repas** 28/65 – 10 – **4 ch** 75/95.
◆ Buffets anciens, fresques des années 1920 représentant des grenouilles à table et cuivres décorent cette jolie ferme picarde nichée dans la verdure au bord de la Canche.

**à Attin** *Nord-Ouest : 4 km par N 39 – 560 h. alt. 11 – ✉ 62170 :*

**Auberge du Bon Accueil,** ☎ 03 21 06 04 21, *Fax 03 21 06 04 21* – GB
*fermé 18 août au 8 sept., 23 fév. au 8 mars, merc. soir, dim. soir et lundi* – **Repas** 14 bc/29 ♀, enf. 8,80.
◆ Accueillante auberge de bord de route abritant une grande salle à manger de style rustique. On y sert une cuisine traditionnelle simple.

**au Moulinel** *Ouest : 9 km par D 139 – ✉ 62170 St-Josse :*

**Auberge du Moulinel,** ☎ 03 21 94 79 03, *Fax 03 21 09 37 14* – P. GB
*fermé 23 juin au 3 juil., 5 au 21 janv., dim. soir, lundi et mardi sauf juil.-août* – **Repas** 25/45 ♀.
◆ À l'écart des axes fréquentés. Murs aux tons pastel, boiseries et cheminée président au cadre champêtre de cette salle de restaurant. Cuisine du marché.

**à Inxent** *Nord : 9 km sur D 127 – 157 h. alt. 28 – ✉ 62170 :*

**Auberge d'Inxent** avec ch, ☎ 03 21 90 71 19, *auberge.inxent@wanadoo.fr, Fax 03 21 86 31 67,* – P. GB. ch
*fermé 30/06 au 10/07, 22/12 au 29/01, mardi midi et lundi du 21/07 au 24/08, mardi et merc. du 26/08 au 5/07* – **Repas** 13/35 ♀, enf. 7 – 7,50 – **6 ch** 51/59,50 – ½ P 51.
◆ Beaux meubles et chaleureuse atmosphère familiale en ce restaurant aménagé dans un ancien presbytère ; le duc de Windsor y fit une halte. Spécialités artésiennes.

**MONTREUIL** *93 Seine-St-Denis* 305 ⑰ F7 101 ⑰ – *voir à Paris, Environs.*

*Une réservation confirmée par écrit ou par fax est toujours plus sûre.*

**MONTREUIL-AUX-LIONS** *02310 Aisne* **306** B8 – *1 001 h alt. 150.*

*Paris 76 – Château-Thierry 17 – Laon 95 – Meaux 29 – Reims 74 – Soissons 57.*

XX **Auberge des Templiers** avec ch, 82 av. de Paris ☎ 03 23 70 40 65, *a.templiers@quidinf o.fr, Fax 03 23 70 18 93,* , – GB

*fermé 14 oct. au 12 nov., mardi soir et merc.* – **Repas** 13,50/30,50 – 6,50 – **3 ch** 46/55.

◆ L'auberge est au bord de la route nationale. Ambiance conviviale dans la salle à manger sagement rustique. À la belle saison, optez pour la terrasse donnant sur le jardin.

**MONTREUIL-BELLAY** *49260 M.-et-L.* **317** I6 *G. Châteaux de la Loire – 4 041 h alt. 50.*

Voir *Château★★ – Site★.*

*Office du Tourisme, place du Concorde ☎ 02 41 52 32 39, Fax 02 41 52 32 35, sirm@club internet.fr.*

*Paris 336 – Angers 54 – Châtellerault 70 – Chinon 39 – Cholet 61 – Poitiers 80 – Saumur 16.*

X **Hostellerie St-Jean,** 432 r. Nationale ☎ 02 41 52 30 41, *Fax 02 41 52 89 02* – P. GB

*fermé vacances de fév., dim. soir et lundi* – **Repas** 14/36 ♀, enf. 8,40.

◆ Au centre de la petite cité fortifiée médiévale. Amabilité et simplicité au rendez-vous, dans la salle principale, intime et champêtre, ou le salon, d'un style plus actuel.

**MONTREUIL-L'ARGILLÉ** *27390 Eure* **304** C8 – *706 h alt. 170.*

*Paris 177 – L'Aigle 26 – Argentan 51 – Bernay 22 – Évreux 56 – Lisieux 33 – Vimoutiers 27.*

**Courteilles** sans rest, N 138, rte d'Orbec ☎ 02 32 47 41 41, *Fax 02 32 47 41 51* – cuisinette TV ☎ ♿ P. AE GB

5,30 – **20 ch** 43.

◆ Séjour sans cérémonie dans cet hôtel récent bâti en retrait de la route. Chambres fonctionnelles équipées d'un mobilier en bois verni.

X **Auberge de la Truite,** ☎ 02 32 44 50 47, *Fax 02 32 44 00 66* – GB

*fermé 25 juin au 5 juil., 15 janv. au 15 fév., lundi soir, mardi soir et merc.* – **Repas** 16/32, enf. 8.

◆ Authentique cadre normand au charme "rétro", belle collection d'orgues de Barbarie, ambiance joyeuse et cuisine généreuse font le succès de cette auberge familiale.

*Michelin n'accroche pas de panonceau aux hôtels et restaurants qu'il signale.*

**MONTREVEL-EN-BRESSE** *01340 Ain* **328** D2 – *1 973 h alt. 215.*

*Office du Tourisme, place de la Grenette ☎ 04 74 25 48 74, Fax 04 74 25 48 74.*

*Paris 396 – Mâcon 25 – Bourg-en-Bresse 19 – Pont-de-Vaux 22 – St-Amour 24 – Tournus 36.*

XX ✿ **Léa** (Monnier), ☎ 04 74 30 80 84, *lea.montrevel@free.fr, Fax 04 74 30 85 66* – ▤. AE GB

*fermé 20 juin au 5 juil., 19 déc. au 10 janv., dim. soir, lundi soir et merc.* – **Repas** (nombre de couverts limité, prévenir) 23/54 et carte 50 à 66.

◆ Sous forme de bibelots ou dans l'assiette, cette pimpante auberge villageoise est tout entière vouée à la "star" locale : la fameuse volaille de Bresse !

**Spéc.** Coquilles Saint-Jacques (15 oct. au 15 avril). Gâteau de foies de volailles. Poulet de Bresse à la crème aux morilles. **Vins** Seyssel, Montagnieu.

X **Comptoir,** ☎ 04 74 25 45 53, *lea.montrevel@free.fr, Fax 04 74 30 85 66* – ▤. GB

*fermé 21 juin au 5 juil., 19 déc. au 10 janv., mardi soir et dim. soir de sept. à juin et merc.* – **Repas** 16,50/26,50 ♀.

◆ Sympathique reconstitution d'un café traditionnel : vieux zinc, tables serrées invitant à la convivialité et service enjoué. Au "piano", partition "bistrotière".

**rte de Bourg-en-Bresse** *Sud : 2 km sur D 975 – ✉ 01340 Montrevel-en-Bresse :*

**Pillebois** M, ☎ 04 74 25 48 44, *lepillebois@wanadoo.fr, Fax 04 74 25 48 79,* , , – TV ☎ ♿ P – 30. GB

*fermé dim. d'oct. à avril* – ***L'Aventure*** *(fermé sam. midi, dim. soir et lundi)* **Repas** 14,50/35 ♀, enf. 11 – 7,50 – **30 ch** 52/58 – ½ P 49.

◆ D'allure moderne et d'un charme assurément bressan, l'hôtel propose des chambres actuelles et bien tenues. Clin d'oeil aux voyages avec sa pirogue et ses bibelots : l'Aventure veut surprendre.

**MONTRICHARD** *41400 L.-et-Ch.* **318** E7 *G. Châteaux de la Loire – 3 786 h alt. 62.*

Voir *Donjon★ : ✻★★.*

*Office du Tourisme, 1 rue du Pont ☎ 02 54 32 05 10, Fax 02 54 32 28 80.*

*Paris 220 – Tours 43 – Blois 38 – Châteauroux 85 – Châtellerault 95 – Loches 34 – Vierzon 74.*

**Château de la Menaudière**, Nord Ouest : 2,5 km par rte Amboise D 115 ✆ 02 54 71 23 45, *chat-menaudiere@wanadoo.fr, Fax 02 54 71 34 58*, – P – 25. AE GB JCB. rest
*1er mars-16 nov. et fermé dim. soir et lundi en mars-avril et oct.-nov.* – **Repas** 23 (déj.), 38/53 ♀, enf. 12 – 12 – **27 ch** 69/146 – ½ P 108/123.
◆ L'austère noblesse d'un château dont les origines remontent à 1443, égayée par des plafonds à la française et un mobilier de style Louis XV. Parc joliment boisé.

**Bellevue,** 24 quai République ✆ 02 54 32 06 17, *Fax 02 54 32 48 06*, ← – rest, . AE GB
**Repas** *(fermé 24 nov. au 14 déc. et vend. de nov. à mars)* 15/52 ♀, enf. 8 – 8,50 – **29 ch** 67/76 – ½ P 55/61.
◆ L'hôtel porte bien son nom : la plupart des chambres et la salle à manger offrent une vue panoramique sur le Cher. Cadre rénové, simple et fonctionnel. Accueil aimable.

**Tête Noire,** 24 r. Tours ✆ 02 54 32 05 55, *Fax 02 54 32 78 37* – P. GB
*fermé 6 janv. au 3 fév.* – **Repas** (13) - 16/37 ♀, enf. 9,50 – 6,20 – **35 ch** 39/57 – ½ P 45/56,40.
◆ Cette hostellerie familiale fondée en 1812 borde les rives du Cher. Chambres assez spacieuses, sagement bourgeoises et salles à manger de style rustique.

**à Chissay-en-Touraine** *Ouest : 4 km par D 176 – 871 h. alt. 63 – ✉ 41400 :*

**Château de Chissay**, ✆ 02 54 32 32 01, *chissay@leshotelsparticuliers.com, Fax 02 54 32 43 80*, ←, – P – 30 à 100. AE GB. rest
*15 mars-15 nov.* – **Repas** 18 (déj.), 33/51 ♀ – 12 – **21 ch** 140/175, 11 appart – ½ P 111/127.
◆ Chargé d'histoire, ce château du 15e s. entouré d'un parc a été restauré avec goût et originalité. La chambre troglodytique et le duplex du donjon valent le coup d'oeil.

## MONTRICOUX *82800 T.-et-G. 337 F7 – 909 h alt. 113.*

*Paris 626 – Cahors 51 – Gaillac 39 – Montauban 24 – Villefranche-de-Rouergue 58.*

XXX **Les Gorges de l'Aveyron,** Le Bugarel ✆ 05 63 24 50 50, *Fax 05 63 24 50 52*, – P. GB
*1er fév.-2 nov. et fermé dim. soir, lundi et mardi sauf du 15 juin au 15 sept.* – **Repas** 23/38,10 et carte 50 à 55.
◆ Villa contemporaine dont une partie est aménagée en restaurant. La salle à manger, confortable et lumineuse, ouvre sur un parc surplombant l'Aveyron. Table classique.

## MONTROC-LE-PLANET *74 H.-Savoie 328 O5 – rattaché à Argentière.*

## MONTROND-LES-BAINS *42210 Loire 327 E6 G. Vallée du Rhône – 3 627 h alt. 356 – Stat. therm. (fin mars-fin nov.) – Casino.*

*Syndicat d'Initiative, avenue des Sources ✆ 04 77 94 64 74, Fax 04 77 94 59 59.*
*Paris 451 – St-Étienne 31 – Lyon 65 – Montbrison 15 – Roanne 49 – Thiers 80.*

**Hostellerie La Poularde** (Etéocle), ✆ 04 77 54 40 06, *la-poularde@wanadoo.fr, Fax 04 77 54 53 14*, – – 30. AE GB JCB
*fermé 2 au 19 août, 1er au 21 janv., dim. soir de nov. à avril, mardi midi et lundi sauf fériés* – **Repas** (dim. prévenir) 45/108 et carte 85 à 115 – 16 – **7 ch** 62/116, 6 appart, 3 duplex.
◆ Dégustez une cuisine classique et personnalisée dans l'élégante salle à manger de cet ancien relais de poste forézien. Carte des vins exceptionnelle. Chambres personnalisées.
**Spéc.** Les deux foies gras. Langoustines minute et huîtres d'Isigny. Pigeonneau du Forez
**Vins** Côtes du Forez, Condrieu.

**Motel du Forez** sans rest, 37 rte Roanne ✆ 04 77 54 42 28, *Fax 04 77 94 66 58* – P. AE GB.
5,50 – **18 ch** 39/47.
◆ Bâtiment des années 1950 abritant des chambres de bon confort, garnies de meubles en pin et protégées des bruits de la route. Accueil familial. Tenue méticuleuse.

XX **Vieux Logis,** 4 rte Lyon ✆ 04 77 54 42 71, *Fax 04 77 54 42 71*, – GB
*fermé 1er au 15 mars, 1er au 15 sept., dim. soir et lundi* – **Repas** 20/38 ♀.
◆ Affaire familiale occupant un pavillon aux abords fleuris. Salle à manger en deux parties aménagées à la façon d'un jardin d'hiver. Cuisine traditionnelle.

**rte de Feurs** *Nord : 5 km par N 82 et rte secondaire – ✉ 42210 St-Laurent-la-Conche :*

XX **Auberge Cheval Blanc,** ✆ 04 77 28 98 90, *Fax 04 77 28 98 90*, ←, – P. GB
*fermé 2 au 6 avril, 1er au 12 oct., 2 au 11 janv., dim. soir, lundi et mardi sauf fériés* – **Repas** 18/22.
◆ Cette maison particulière, située au coeur de la plaine du Forez, abrite un restaurant Spacieux intérieur contemporain où l'on sert une cuisine régionale.

**MONTROUGE** *92 Hauts-de-Seine* 311 J3 101 ㉕ – *voir à Paris, Environs.*

**MONTS** *37260 I.-et-L.* 317 M5 – *6 221 h alt. 50.*

*Paris 254 – Tours 20 – Azay-le-Rideau 13 – Chenonceaux 42 – Chinon 33.*

XX **Auberge du Moulin** avec ch, Le Vieux Bourg, rte Azay-le-Rideau ✆ 02 47 26 76 86, *Fax 02 47 26 76 86* – TV P. GB.
*fermé 20 juil. au 6 août, 9 au 17 fév., lundi et mardi* – **Repas** 16/36,10 – ☕ 5 – **3 ch** 34.
◆ Face à la rivière, maison régionale dont la façade et la salle à manger viennent d'être refaites : tons clairs, nouveau mobilier et tables dressées avec soin.

**Le MONT-ST-MICHEL** *50116 Manche* 303 C8 *G. Normandie Cotentin, G. Bretagne* – *72 h alt. 10.*

Voir *Abbaye★★★ : La Merveille★★★, Cloître★★★ – Remparts★★ – Grande-Rue★ – Jardins de l'abbaye★ – Baie du Mont-St-Michel★★.*

*Office du Tourisme, ✆ 02 33 60 14 30, Fax 02 33 60 06 75, ot.mont.saint.michel @wanadoo.fr.*

*Paris 358 – St-Malo 54 – Alençon 134 – Avranches 23 – Dinan 59 – Fougères 44 – Rennes 68.*

**Auberge St-Pierre**, ✆ 02 33 60 14 03, *auberge.saint-pierre@gofornet.com, Fax 02 33 48 59 82,* – TV. AE GB JCB. ch
**Repas** 22/30 ♀, enf. 8 – ☕ 10 – **21 ch** 85/125 – ½ P 86/96.
◆ La demeure à pans de bois du 15e s. abrite le restaurant et des chambres agréablement décorées. À l'annexe, elles sont plus grandes et ménagent des échappées vers la mer.

**Croix Blanche**, ✆ 02 33 60 14 04, *hotel.croix-blanche@gofornet.com, Fax 02 33 48 59 82,* – TV. GB
*fermé 15 nov. au 20 déc.* – **Repas** 19/30 ♀, enf. 8 – ☕ 10 – **9 ch** 85/120 – ½ P 86/90.
◆ Haut bâtiment renfermant des chambres petites mais bien meublées ; certaines offrent la vue sur la mer. Quelques tables du restaurant jouissent du même spectacle.

**à la Digue** *Sud : 2 km sur D 976 :*

**Relais St-Michel** M, ✆ 02 33 89 32 00, *mere.poulard.mtst.michel@wanadoo.fr, Fax 02 33 89 32 01,* ≤ Mont-St-Michel, – TV P – 30. AE GB JCB
**Repas** 22/34 ♀, enf. 9 – ☕ 10 – **32 ch** 99/266, 3 appart, 4 duplex – ½ P 175/243.
◆ L'abbaye en toile de fond et l'élégant mobilier de style anglais contribuent au charme de cet établissement. Toutes les chambres, sauf deux, sont dotées d'un balcon.

**Relais du Roy**, ✆ 02 33 60 14 25, *le.relais.du.roy@wanadoo.fr, Fax 02 33 60 37 69* – TV P. AE GB. ch
**Repas** 14,90/32,50 ♀, enf. 8,30 – ☕ 8,30 – **27 ch** 68/77,50 – ½ P 62.
◆ L'aménagement joue la carte de l'originalité, associant cadre médiéval et décor kitsch. La fantaisie ne franchit pourtant pas le seuil des chambres, bien fonctionnelles.

**Mercure** M, ✆ 02 33 60 14 18, *contact@hotelmercure-montsaintmichel.com, Fax 02 33 60 39 28,* – TV P – 80. AE GB
*8 fév.-11 nov.* – ***Pré Salé :*** **Repas** 15,70/41,50 ♀, enf. 10 – ☕ 9,20 – **100 ch** 66/102.
◆ Bordant le Couesnon à l'amorce de la digue, complexe hôtelier dont la plupart des chambres, spacieuses et pratiques, ont adopté le nouveau design de la chaîne.

**Digue**, ✆ 02 33 60 14 02, *hotel-de-la-digue@wanadoo.fr, Fax 02 33 60 37 59,* ≤ – rest, TV P. AE GB. ch
*29 mars-3 nov.* – **Repas** 17/35 – ☕ 8,60 – **36 ch** 60/80 – ½ P 60/70.
◆ Hôtel littoral tout en longueur, proposant des chambres fonctionnelles de tailles variées. Salles à manger largement ouvertes sur le Mont et la Merveille.

**à Beauvoir** *Sud : 4 km par D 976 – 426 h. – ✉ 50170 Pontorson :*

**Beauvoir**, ✆ 02 33 60 09 39, *beauvoir.hotel@wanadoo.fr, Fax 02 33 48 59 65* – TV P. GB
*15 mars-15 nov.* – **Repas** 49 ♀ – ☕ 7 – **18 ch** 26/56.
◆ Sur un carrefour fréquenté, bâtisse en pierre tapissée de vigne vierge, où vous serez hébergé dans des chambres modestement meublées, mais convenablement tenues.

**MONTSALVY** *15120 Cantal* 330 C6 *G. Auvergne* – *970 h alt. 800.*

Voir *Puy-de-l'Arbre ✹★ NE : 1,5 km.*

*Office du Tourisme, rue du Tour-de-Ville ✆ 04 71 49 21 43, Fax 04 71 49 65 56, ot.montsalvy@auvergne.net.*

*Paris 586 – Aurillac 31 – Rodez 54 – Entraygues-sur-Truyère 13 – Figeac 57.*

**Nord**, ✆ 04 71 49 20 03, *hotel@hotel-du-nord.com, Fax 04 71 49 29 00,* – TV P. AE GB JCB
*17 avril-31 déc.* – **Repas** 16/40 ♀, enf. 8 – ☕ 7,50 – **18 ch** 50/55 – ½ P 50/56.
◆ Maison de pays abritant des chambres pratiques et nettes. Élégants salon-bar et salle à manger actuels. Cuisine traditionnelle et spécialités auvergnates.

XX **L'Auberge Fleurie** avec ch, ✆ 04 71 49 20 02, *info@auberge-fleurie.com, Fax 04 71 49 29 65* – TV. GB
*fermé 2 janv. au 13 fév.* – **Repas** 11 (déj.), 16/29 ♀, enf. 6 – ☕ 6 – **7 ch** 47/51 – ½ P 38/48.
◆ Mobilier ancien et contemporain, tableaux modernes et oeuvres d'artistes locaux : un nouveau décor, soigné et chaleureux, pour cette auberge. Jolies chambres personnalisées.

---

**MONTSAUCHE-LES-SETTONS** *58230 Nièvre* 319 H8 *G. Bourgogne – 714 h alt. 574.*
Voir *Lac des Settons★ SE : 5 km.*
*Office du Tourisme, place de l'Ancienne Gare ✆ 03 86 84 55 90, Fax 03 86 84 55 90, ot.lac-des-settons@wanadoo.fr.*
*Paris 255 – Autun 43 – Avallon 41 – Clamecy 56 – Nevers 89 – Saulieu 25.*

**Idéal,** ✆ 03 86 84 51 26, *Fax 03 86 84 57 46,* – P. GB
*fermé janv. et lundi de sept. à avril* – **Repas** 11 ♀ – ☕ 6 – **15 ch** 35/45 – ½ P 72.
◆ Dans la sérénité du Morvan profond, cet hôtel familial vous accueille avec simplicité. Les chambres, sobres et nettes, sont rénovées peu à peu.

---

**MONT-SAXONNEX** *74130 H.-Savoie* 328 L4 *G. Alpes du Nord – 880 h alt. 1000 – Sports d'hiver : 1 100/2 500 m 8.*
Voir *Église ✻★★ 15 mn.*
*Office du Tourisme, Le Bourgeal ✆ 04 50 96 97 27, Fax 04 50 96 92 08.*
*Paris 564 – Chamonix-Mont-Blanc 50 – Thonon-les-Bains 54 – Annecy 50 – Bonneville 9.*

**Jalouvre**, ✆ 04 50 96 90 67, ←, – P. GB. rest
*fermé 1er au 31 mai, 15 sept. au 1er nov. et merc. hors saison* – **Repas** (9,90) - 17,30/23, enf. 8,30 – ☕ 8,30 – **14 ch** 21,50/30 – ½ P 39/44.
◆ Depuis 1948, la même patronne "chouchoute" ses clients dans cette avenante auberge nichée dans un petit village isolé. Chambres modestes et terrasse à l'ombre d'un tilleul.

---

**Les MONTS-DE-VAUX** *39 Jura* 321 E6 – *rattaché à Poligny.*

---

**MONTSÉGUR** *09 Ariège* 343 I7 – *rattaché à Lavelanet.*

---

**MONTSOREAU** *49730 M.-et-L.* 317 J5 *G. Châteaux de la Loire – 561 h alt. 77.*
Voir *✻★★ du belvédère.*
Env. *Candes St-Martin★ : Collégiales★.*
*Office du tourisme, avenue de la Loire ✆ 02 41 51 70 22, Fax 02 41 51 75 66, montsoreau@libertysurf.fr.*
*Paris 302 – Angers 75 – Châtellerault 66 – Chinon 18 – Poitiers 82 – Saumur 11 – Tours 59.*

**Bussy** sans rest, 4 r. Jehanne d'Arc ✆ 02 41 38 11 11, *hotel.lebussy@wanadoo.fr, Fax 02 41 38 18 10,* ← – TV P. GB
*fermé janv. et mardi sauf du 1er avril au 15 oct.* – ☕ 7,20 – **12 ch** 54/59.
◆ La plupart des chambres de cette maison du 18e s. regardent le joli château de la Dame de Montsoreau, dont Bussy était l'amant. Salle des petits-déjeuners "troglodytique".

XX **Diane de Méridor,** 12 quai Ph. de Commines ✆ 02 41 51 71 76, *Fax 02 41 51 17 17,* ← – GB
*fermé 2 janv. au 8 fév., mardi sauf en juil.-août et merc.* – **Repas** (12) - 17,50/35,50 ♀, enf. 8,50.
◆ Construction en tuffeau abritant une salle à manger campagnarde (cheminée et vieilles poutres), tournée vers la Loire. Côté cuisine, les poissons du fleuve sont à l'honneur.

---

**MORANGIS** *91 Essonne* 312 D3 101 ㉟ – *voir à Paris, Environs.*

---

**MORESTEL** *38510 Isère* 333 F3 *G. Vallée du Rhône – 2 972 h alt. 220.*
*Office du Tourisme, 100 place des Halles ✆ 04 74 80 19 59, Fax 04 74 80 56 71, infos@morestel.com.*
*Paris 495 – Bourg-en-Bresse 71 – Chambéry 49 – Grenoble 67 – Lyon 63 – La Tour-du-Pin 16.*

XX **France** avec ch, 319 Gde rue ✆ 04 74 80 04 77, *Fax 04 74 33 07 47* – TV – 20. AE GB
**Repas** *(fermé dim. soir et lundi)* (15) - 22/29 ♀ – ☕ 7 – **10 ch** 46/73 – ½ P 57/62.
◆ L'ancienne "cité des peintres" abrite ce relais de diligences (1763) à la pimpante façade rose. Cuisine personnalisée servie dans une salle à manger rustique.

**MORET-SUR-LOING** *77250 S.-et-M.* 312 F5 *G. Ile de France – 4 174 h alt. 50.*
Voir *Site*★.
*Office du Tourisme, 4bis place de Samois ✆ 01 60 70 41 66, Fax 01 60 70 82 52.*
*Paris 75 – Fontainebleau 12 – Melun 28 – Nemours 17 – Sens 44.*

**Auberge de la Terrasse,** 40 r. Pêcherie ✆ 01 60 70 51 03, *aubergedelaterrasse@wanadoo.fr, Fax 01 60 70 51 69,* ← – TV. AE ① GB JCB
*fermé 12 oct. au 4 nov.* – **Repas** *(fermé vacances de fév., vend. soir, dim. soir et lundi sauf fériés)* 15,40/39,60 – ☕ 7,50 – **17 ch** 32,50 – ½ P 44,30/51,80.
◆ Bâtisse ancienne longeant le Loing. Sobriété et simplicité caractérisent les chambres. Restaurant et terrasse regardent la rivière plusieurs fois peinte par Alfred Sisley.

XX **Relais de Pont-Loup,** 14 r. Peintre Sisley ✆ 01 60 70 43 05, *Fax 01 60 70 22 54,* ,  – P. AE GB
**Repas** *(fermé dim. soir et lundi)* (week-end, prévenir) *(30)* - 38.
◆ Briques, poutres, cheminée et rôtissoire composent le décor de cette salle à laquelle on accède par la cuisine. Terrasse tournée vers le jardin dégringolant jusqu'au Loing.

XX **Hostellerie du Cheval Noir** avec ch, 47 av. J. Jaurès ✆ 01 60 70 80 20, *chevalnoir@chateauxhotel.com, Fax 01 60 70 80 21,*  – TV ✆. AE GB
**Repas** *(fermé 28 juil. au 10 août, lundi et jeudi)* 26/68 ♀ – ☕ 10 – **8 ch** 61/110 – ½ P 79/115.
◆ Des tableaux décorent la salle à manger de ce relais de poste du 18e s. bâti face à une des portes de l'ancienne place forte. Cuisine inventive jouant du sucre et des épices.

**à Veneux-les-Sablons** *Ouest : 3,5 km – 4 298 h. alt. 76 – ✉ 77250 :*

XX **Rôtisserie du Bon Abri,** av. Fontainebleau ✆ 01 60 70 55 40, *Fax 01 64 31 12 27,*  – AE ① GB
*fermé 26 juil. au 13 août, 26 au 30 déc., 16 au 24 fév.,mardi soir, dim. soir et lundi* – **Repas** 22,20/50,30 ♀, enf. 12,20.
◆ Auberge située au centre du village. Une rôtissoire anime la salle à manger aménagée dans un style contemporain. En façade, formule brasserie-bistrot.

*Michelin n'accroche pas de panonceau aux hôtels et restaurants qu'il signale.*

**MOREY-ST-DENIS** *21220 C.-d'Or* 320 J6 *– 639 h alt. 275.*
*Paris 318 – Beaune 29 – Dijon 16.*

**Castel de Très Girard** M, 7 r. Très Girard ✆ 03 80 34 33 09, *info@castel-tres-girard.com, Fax 03 80 51 81 92,* ,  – TV ✆ P – 15. AE ① GB JCB
*fermé 17 fév. au 28 fév.* – **Repas** *(fermé sam. midi)* 19,50 (déj.), 34/90 bc ♀, enf. 13 – ☕ 11 – **9 ch** 120/160.
◆ Jolie maison de maître du 18e s. cernée par "l'or" de la Côte. Chambres personnalisées (lit à baldaquin, charpente apparente). Belle carte des vins et plats traditionnels.

**MORGAT** *29 Finistère* 308 E5 *G. Bretagne – ✉ 29160 Crozon.*
Voir *Grandes Grottes*★.
*Office de tourisme, boulevard de la Plage ✆ 02 98 27 29 49.*
*Paris 591 – Quimper 52 – Brest 62 – Châteaulin 38 – Douarnenez 41 – Morlaix 84.*

**Grand Hôtel de la Mer** M, ✆ 02 98 27 02 09, *Fax 02 98 27 02 39,* ←, , – TV ✆ ♿ P – 20 à 30. GB. 
*5 avril-12 oct.* – **Repas** *(fermé lundi midi, mardi midi et sam. midi)* *(18)* - 32 ♀, enf. 12 – ☕ 11 – **78 ch** 84/106.
◆ Le souvenir de la Belle Époque hante cet hôtel construit par la famille Peugeot. Chambres fonctionnelles, côté parc (planté de palmiers) ou océan. Restaurant panoramique.

**Julia** , ✆ 02 98 27 05 89, *Fax 02 98 27 23 10,*  – TV ✆ P. AE GB.  rest
*1er mars-5 nov., 20 déc.-5 janv. et fermé mardi midi et lundi* – **Repas** 14,50/46, enf. 8,50 – ☕ 7 – **19 ch** 36/56 – ½ P 46/56.
◆ Dans un quartier résidentiel de la petite station balnéaire, immeuble disposant de chambres pratiques, progressivement rénovées. Tenue minutieuse.

**Baie** sans rest, 46 bd Plage ✆ 02 98 27 07 51, *hotel.de.la.baie@club-internet.fr, Fax 02 98 26 29 65* – TV. GB JCB
☕ 5,10 – **26 ch** 45.
◆ Petit hôtel tout simple donnant sur le port et la plage. Cure de jouvence dans les chambres : literie neuve, murs colorés et double vitrage, mais pas de téléphone.

**MORILLON** *74 H.-Savoie* 328 N4 *– rattaché à Samoëns.*

**MORLAAS** *64160 Pyr.-Atl.* 342 K4 *G. Aquitaine – 3 094 h alt. 287.*

**Voir** *Portail★ de l'église Sainte-Foy.*

*Office du Tourisme, place Sainte-Foy ℘ 05 59 33 62 25, Fax 05 59 33 62 25.*

*Paris 770 – Pau 13 – Tarbes 37.*

**Bourgneuf** avec ch, 3 r. Bourg Neuf ℘ 05 59 33 44 02, *Fax 05 59 33 07 74* – TV ℡ ♿ P. GB

*fermé 14 oct. au 5 nov., dim. soir et sam.* – **Repas** 9,50 bc (déj.), 14 bc/40 – ☕ 4 – **12 ch** 36/50 – 1/2 P 34.

◆ Cuisine régionale servie dans un décor simple d'esprit rustique ; on propose également le plat du jour au bar. Un bâtiment récent abrite des chambres avant tout pratiques.

**MORLAIX** SP *29600 Finistère* 308 H3 *G. Bretagne – 16 701 h alt. 7.*

**Voir** *Vieux Morlaix★ : Viaduc★ – Grand'Rue★ – Intérieur★ de la maison de "la Reine Anne" – Vierge★ dans l'église St-Mathieu – Rosace★ dans le musée des Jacobins★.*

**Env.** *Calvaire★★ de Plougonven★ 12 km par D 9.*

*Office du Tourisme, place des Otages ℘ 02 98 62 14 94, Fax 02 98 63 84 87.*

*Paris 538 ② – Brest 61 ② – Quimper 78 ② – St-Brieuc 87 ②.*

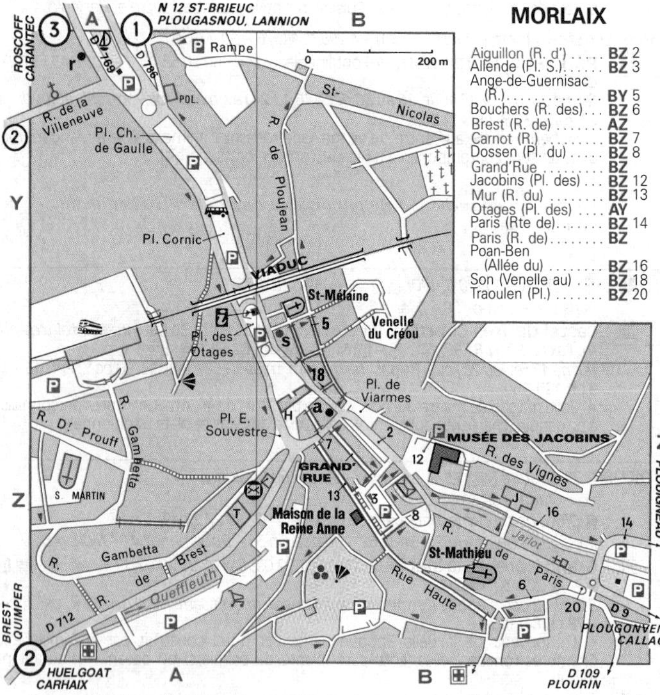
MORLAIX
Aiguillon (R. d') BZ 2
Allende (Pl. S.) BZ 3
Ange-de-Guernisac (R.) BY 5
Bouchers (R. des) BZ 6
Brest (R. de) AZ
Carnot (R.) BZ 7
Dossen (Pl. du) BZ 8
Grand'Rue BZ
Jacobins (Pl. des) BZ 12
Mur (R. du) BZ 13
Otages (Pl. des) AY
Paris (Rte de) BZ 14
Paris (R. de) BZ
Poan-Ben (Allée du) BZ 16
Son (Venelle au) BZ 18
Traoulen (Pl.) BZ 20
N 12 ST-BRIEUC
PLOUGASNOU, LANNION
ROSCOFF CARANTEC
BREST QUIMPER
HUELGOAT CARHAIX
D 109 PLOURIN
PLOUGONVEN CALLAC
PLOUGNEAU
VIADUC
St-Mélaine
Venelle du Créou
Pl. des Otages
Pl. Cornic
Pl. Ch. de Gaulle
R. de la Villeneuve
R. de Ploujean
St-Nicolas
Pl. de Viarmes
Pl. E. Souvestre
GRAND' RUE
MUSÉE DES JACOBINS
R. des Vignes
Maison de la Reine Anne
St-Mathieu
R. de Paris
Rue Haute
R. Gambetta
R. de Brest
Queffleuth
R. Dr Prouff
S. MARTIN
D 712
D 786
D 9
Rampe
POL.
200 m

**Europe** sans rest, 1 r. Aiguillon ℘ 02 98 62 11 99, *reservations@hotel-europe-com.f*

*Fax 02 98 88 83 38* – TV ℡ – 25. AE GB BZ

*fermé vacances de Noël* – ☕ 8 – **58 ch** 54/110.

◆ De belles boiseries sculptées du 17e s. ornent le hall et l'escalier de cet édifice bicente naire. Les chambres sont actuelles et très diversement meublées.

**Fontaine,** ZA la Boissière par ① *et rte Lannion : 3 km* ℘ 02 98 62 09 55

*Fax 02 98 63 82 51* – TV ℡ P – 20. AE GB. rest

*fermé 14 déc. au 4 janv.* – **Repas** *(fermé sam. et dim.)* 11/28 – ☕ 6 – **38 ch** 43/58 – 1/2 P 36

◆ Commodes pour l'étape, les chambres de ce bâtiment moderne situé en léger retrait d'une route passante sont sobres, un peu désuètes, mais bien tenues. Bonne insonorisation.

**Les Bruyères** sans rest, par rte de Plouigneau Est sur D 712 : 3 km ✉ 29610 Plouigneau
*℘ 02 98 88 08 68, Fax 02 98 88 66 54,* – 📺 📞 🅿 – 🅰 20. GB
*fermé mi-déc. à mi-janv.* – ☕ 6,50 – **32 ch** 35/53.
◆ Construction basse au style caractéristique des années 1970. Chambres rénovées avec soin au rez-de-chaussée, plus modestes et plus anciennes à l'étage, mais bien entretenues.

**Port** sans rest, 3 quai de Léon ℘ 02 98 88 07 54, *info@hotelduport.com, Fax 02 98 88 43 80* – 📺 📞. AE GB AY r
*fermé 23 déc. au 2 janv.* – ☕ 7 – **25 ch** 40/60.
◆ Maison bretonne du 19e s. face au port de plaisance. Les chambres, simples, adoptent peu à peu un décor plus personnalisé ; certaines ont vue sur les quais et sur le viaduc.

**Campanile,** Z.A. du Launay par r. de la Villeneuve **AY** *Ouest : 3 km* ℘ 02 98 63 34 63, *Fax 02 98 63 35 66,* – 📺 📞 ♿ 🅿 – 🅰 20. AE ⓓ GB
**Repas** (12) - 15,50/17 ⅀, enf. 5,95 – ☕ 6 – **50 ch** 50.
◆ En léger retrait de la route, établissement récent aux chambres fonctionnelles conformes aux standards de la chaîne ; elles sont progressivement rafraîchies. Tenue rigoureuse.

**Marée Bleue,** 3 rampe St-Mélaine ℘ 02 98 63 24 21 – GB BY s
*fermé 1er au 25 oct., dim. soir et lundi* – **Repas** 13,50/36 ⅀.
◆ Restaurant aménagé dans l'une des plus vieilles maisons du secteur de l'église St-Mélaine. Intérieur rustique, mobilier régional et tons jaune et bleu. Cuisine traditionnelle.

**L'Hermine,** 35 r. Ange de Guernisac ℘ 02 98 88 10 91 – GB
*fermé 15 nov. au 5 déc., 6 au 20 janv., dim. midi et merc. sauf juil.-août* – **Repas** carte environ 16.
◆ Poutres, tables en bois ciré et objets campagnards composent le cadre de cette sympathique crêperie bordant une rue piétonne. Spécialités de galettes aux algues fraîches.

## MORNAS *84550 Vaucluse 332 B8 G. Provence – 2 087 h alt. 37.*

*Paris 651 – Avignon 40 – Bollène 12 – Montélimar 47 – Nyons 46 – Orange 12.*

**Manoir,** N 7 ℘ 04 90 37 00 79, *lemanoir@ifrance.com, Fax 04 90 37 10 34,* – rest, 📺 📞 🅿 – 🅰 15. AE GB
*fermé janv., fév., dim. soir et lundi de sept. à mai, lundi midi et mardi midi de juin à août* – **Repas** 17 (déj.), 24/43 – ☕ 7 – **25 ch** 46/54 – ½ P 51,50/55,50.
◆ Au pied d'une vertigineuse falaise portant la célèbre forteresse, belle demeure bourgeoise (18e s.) au charme "rétro". Salle à manger provençale, cuisine traditionnelle.

## MORSBRONN-LES-BAINS *67360 B.-Rhin 315 K3 – 585 h alt. 200.*

*ℹ Syndicat d'Initiative, Mairie ℘ 03 88 09 30 18, Fax 03 88 09 48 25.*
*Paris 499 – Strasbourg 46 – Haguenau 11 – Sarreguemines 70 – Wissembourg 28.*

**Marne,** 19 rte Haguenau ℘ 03 88 09 30 53, *info@hoteldelamarne.com, Fax 03 88 09 35 65,* – 📺 ♿ 🅿 – 🅰 15. AE GB
*fermé 14 au 20 juil., début janv. à mi-fév., dim soir et mardi* – **Repas** (10) - 21/46 ⅀, enf. 11 – ☕ 8 – **22 ch** 40/53 – ½ P 43/48.
◆ Hôtellerie familiale située au coeur de la station thermale. Chambres progressivement rénovées dans des tons pastel. Spacieux restaurant où l'on sert une cuisine inventive.

## MORTAGNE-AU-PERCHE *SP 61400 Orne 310 M3 G. Normandie Vallée de la Seine – 4 584 h alt. 260.*

*Voir Boiseries★ de l'église N.-Dame.*
*ℹ Office du Tourisme, place Gal de Gaulle ℘ 02 33 85 11 18, Fax 02 33 83 76 76, office-mortagne@wanadoo.fr.*
*Paris 154 – Alençon 40 – Chartres 81 – Lisieux 88 – Le Mans 73 – Verneuil-sur-Avre 40.*

**Tribunal** , 4 pl. Palais ℘ 02 33 25 04 77, *hotel.du.tribunal@wanadoo.fr, Fax 02 33 83 60 83,* – 📺 📞. AE GB. ch
**Repas** 16/32 ⅀ – ☕ 7 – **21 ch** 46/98 – ½ P 45.
◆ Cette ravissante maison (13e et 18e s.) du vieux Mortagne est proche du musée Alain. Chambres colorées et calmes. Dégustez au restaurant la spécialité locale : le boudin noir.

**au Pin-la-Garenne** *Sud : 9 km par rte Bellême sur D 938 – 620 h. alt. 158 – ✉ 61400 Mortagne-au-Perche :*

**Croix d'Or,** ℘ 02 33 83 80 33, *Fax 02 33 83 06 03* – 🅿. GB
*fermé 26 janv. au 1er mars, dim. soir et mardi soir de sept. à juin et merc.* – **Repas** 11/40 ⅀, enf. 7.
◆ Accueillante auberge bordant la traversée du village. En hiver, la cheminée réchauffe la salle à manger sobrement rustique. Cuisine simple et généreuse.

**MORTAGNE-SUR-GIRONDE** *17120 Char.-Mar.* **324** F7 *G. Poitou Vendée Charentes – 972 h alt. 51.*

Voir Chapelle* de l'Ermitage St-Martial S : 1,5 km.

*Office du Tourisme, 1 place des Halles ☎ 05 46 90 52 90, Fax 05 46 90 52 90, mortagne.s g.otsi@wanadoo.fr.*

*Paris 509 – Royan 33 – Blaye 55 – Jonzac 30 – Pons 25 – La Rochelle 113 – Saintes 36.*

**Auberge de la Garenne**, ☎ 05 46 90 63 69, *Fax 05 46 90 50 93*, – GB

*fermé 6 au 19 oct, 22 déc. au 18 janv., dim. soir et lundi du 15 sept. au 15 mai* – **Repas** 11/35 ♀, enf. 6,50 – 6,10 – **11 ch** 39,70/50 – 1/2 P 41,50/44.

◆ À l'écart de la circulation, ancienne gare convertie en auberge. Chambres récemment refaites. Celles de l'annexe, en rez-de-jardin, attendent leur tour.

**MORTAGNE-SUR-SÈVRE** *85290 Vendée* **316** K6 *G. Poitou Vendée Charentes – 5 724 h alt. 115.*

*Office du Tourisme, avenue de la Gare ☎ 02 51 65 11 32, Fax 02 51 65 56 68, tourisme@cc-canton-mortagne-sur-sevre.fr.*

*Paris 364 – Angers 74 – La Roche-sur-Yon 57 – Bressuire 42 – Cholet 10 – Nantes 64.*

**France,** pl. Dr Pichat ☎ 02 51 65 03 37, *hmortagne@aol.com, Fax 02 51 65 27 83*, – rest, – 15 à 40. AE GB. rest

*fermé le week-end du 15 oct. au 1^er^ mai* – ***Taverne*** *(fermé sam. midi et dim. soir du 15 oct. au 1^er^ mai)* **Repas** 26,70/49,70 ♀, enf. 9,50 – ***Petite Auberge*** *(fermé sam. midi et dim. soir du 15 oct. au 1^er^ mai)* **Repas** 13(déj)/16 ♀, enf. 9,50 – 7,50 – **23 ch** 53,40 – 1/2 P 50/69.

◆ Relais de poste dont l'origine remonterait au 17e s. Chambres dotées de meubles de style. Décor "haute époque" à la Taverne, service simplifié à la Petite Auberge.

**MORTEAU** *25500 Doubs* **321** J4 *G. Jura – 6 458 h alt. 780.*

*Office du Tourisme, place de la Halle ☎ 03 81 67 18 53, Fax 03 81 67 62 34, o.val.de.morteau@freesbee.fr.*

*Paris 468 – Besançon 65 – Basel 121 – Belfort 88 – Neuchâtel 41 – Pontarlier 31.*

**Auberge de la Roche** (Feuvrier), au Pont de la Roche Sud-Ouest : 3 km par D 437 ✉ 25570 Gd Combe Chateleu ☎ 03 81 68 80 05, *pfeuvrier@wanadoo.fr, Fax 03 81 68 87 64*, – . GB

*fermé 8 au 18 juil., 6 au 23 janv., dim. soir, mardi soir et lundi* – **Repas** 23/67 et carte 55 à 66 ♀, enf. 15.

◆ Accueil chaleureux et cuisine franc-comtoise actualisée ont fait la renommée de ce restaurant situé dans la verte campagne du Haut-Doubs. Apéritif et café servis en terrasse. **Spéc.** Escalope de foie d'oie rôti. Goujonnettes de corégone, infusion de beurre d'herbes. Médaillon de volaille de Bresse farci aux morilles, crème de vin jaune. **Vins** Côtes du Jura, Château Chalon.

**à Grand'Combe-Châteleu** *Sud-Ouest : 5 km par D 437 et D 47 – 1 301 h. alt. 760 – ✉ 25570.*

Voir *Fermes anciennes**.

**Faivre,** ☎ 03 81 68 84 63, *Fax 03 81 68 87 80* – GB

*fermé août, dim. soir et lundi* – **Repas** 17 (déj.), 20/61 ♀.

◆ Grande maison comtoise dans un hameau pittoresque aux belles fermes anciennes. Frais intérieur rustique où l'on déguste, par exemple, le célèbre "Jésus" de Morteau.

**MORTEMART** *87330 H.-Vienne* **325** C4 *G. Berry Limousin – 152 h alt. 300.*

*Syndicat d'Initiative, Château des Ducs ☎ 05 55 68 98 98.*

*Paris 389 – Limoges 40 – Bellac 14 – Confolens 31 – St-Junien 20.*

**Relais** avec ch, ☎ 05 55 68 12 09, – . GB

*fermé fév., mardi sauf 15 juil. au 31 août et merc.* – **Repas** 15,80/33,50 ♀, enf. 9 – 6,90 – **5 ch** 46/60.

◆ Face aux jolies halles en bois, petit restaurant à l'atmosphère agréablement provinciale. Chambres simples mais coquettes. Goûteuse cuisine traditionnelle.

**MORZINE** *74110 H.-Savoie* **328** N3 *G. Alpes du Nord – 2 967 h alt. 960 – Sports d'hiver : 1 000/2 100 m 6 61 .*

Voir *le Pléney* par téléphérique, pointe du Nyon* par téléphérique – Télésiège de Chamossière**.*

*Office du Tourisme, ☎ 04 50 74 72 72, Fax 04 50 79 03 48, touristoffice@morzine-avoriaz.com.*

*Paris 586 ② – Thonon-les-Bains 33 ① – Annecy 81 ② – Cluses 26 ② – Genève 59 ②.*

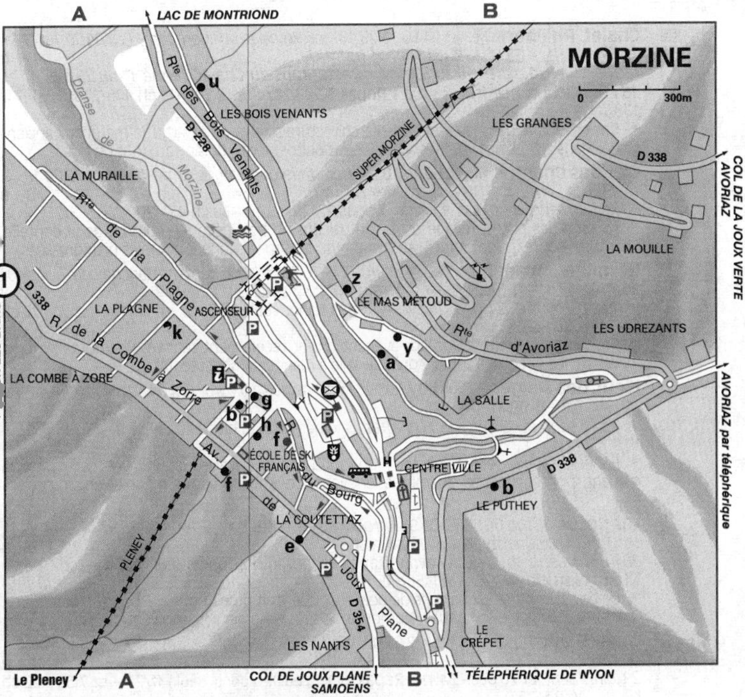
A
B
LAC DE MONTRIOND
MORZINE
0
300m
Rte des Bois Venants
D 228
LES BOIS VENANTS
Dranse de Morzine
LES GRANGES
SUPER MORZINE
D 338
COL DE LA JOUX VERTE AVORIAZ
LA MURAILLE
Rte de la Plagne
LA MOUILLE
1
D 338
R. de la Combe à Zorre
LA PLAGNE
ASCENSEUR
LE MAS MÉTOUD
Rte d'Avoriaz
LES UDREZANTS
LA COMBE À ZORE
LA SALLE
AVORIAZ par téléphérique
ÉCOLE DE SKI FRANÇAIS
CENTRE VILLE
D 338
R. du Bourg
LE PUTHEY
Av. de Joux Plane
LA COUTETTAZ
PLENEY
D 354
LES NANTS
LE CRÉPET
Le Pleney
COL DE JOUX PLANE SAMOËNS
TÉLÉPHÉRIQUE DE NYON
u
z
y
a
k
g
b
h
f
f
e
b

**Dahu**, 04 50 75 92 92, *info@dahu.com, Fax 04 50 75 92 50*, – GB. ~~rest~~ B z

*20 juin-10 sept. et 20 déc.-10 avril* – **Repas** *(fermé mardi en hiver)* (dîner seul. en hiver) 26/45 – 11 – **32 ch** 95/200, 4 appart, 4 duplex – ½ P 111/150.

◆ Cet hôtel dominant la vallée fut le premier à s'installer sur la rive droite de la Dranse où l'on chasse encore, dit-on, le dahu. Chambres "cosy", restaurant panoramique.

**Samoyède**, 04 50 79 00 79, *info@hotel-lesamoyede.com, Fax 04 50 79 07 91*, – GB. ~~rest~~ B g

*mi-juin-fin sept. et 15 déc.-fin avril* – **Repas** 22/50, enf. 10 – 10 – **26 ch** 65/142 – ½ P 110/137.

◆ Grand chalet dont la façade, très réussie, s'inspire de l'architecture alpine. Lambris blonds et jolis tissus dans les chambres rénovées. Belles salle à manger et véranda.

**Champs Fleuris**, 04 50 79 14 44, *info@hotel-champsfleuris.fr, Fax 04 50 79 27 75*, – 30. GB. ~~rest~~ A f

*23 juin-7 sept. et 21 déc.-15 avril* – **Repas** (résidents seul.) 23 (déj.), 27/29 – 9 – **47 ch** 110/190 – ½ P 100/145.

◆ Vaste chalet en bois sombre idéalement placé au pied du téléphérique du Pléney. Chambres souvent amples, offrant différents niveaux de confort. Salon avec cheminée.

**Les Airelles**, 04 50 74 71 21, *infos@les-airelles.com, Fax 04 50 79 17 49*, – cuisinette – 30. GB. ~~rest~~ A b

*15 mai-30 sept. et 17 déc.-16 avril* – ***Les Jardins d'Ulysse*** *(fermé 15 oct. au 1er déc. et 16 avril au 15 mai)* **Repas** (12)-16/70, enf. 7,50 – 14 – **38 ch** 130/195, 9 studios – ½ P 120/138.

◆ Cet imposant chalet aux balcons finement ouvragés réactualise peu à peu ses chambres. Aux Jardins d'Ulysse, il est possible de se restaurer au bord de la piscine couverte.

**Bergerie** sans rest, 04 50 79 13 69, *info@hotel-bergerie.com, Fax 04 50 75 95 71*, – cuisinette. GB B h

*27 juin-21 sept. et 13 déc.-22 avril* – 10 – **5 ch** 80/110, 22 studios 132/183.

◆ Un chalet engageant à l'ambiance jeune et familiale ; on s'y sent "comme à la maison" ! Décoration dans la meilleure tradition alpine. Table d'hôte une fois par semaine.

**Chalet Philibert** Ⓜ, ✆ 04 50 79 25 18, *info@chalet-philibert.com, Fax 04 50 79 25 81*, ←, , , – TV ✆ ♿ P. AE GB. ✂ rest B b
*fermé 1er au 20 mai et 15 au 30 nov.* – ***Restaurant du Chalet*** *(fermé 1er au 20 mai, 1er au 15 nov., lundi et mardi hors saison)* **Repas** 30/48,20 – 9,20 – **18 ch** 105/275 – ½ P 74/138.
♦ Chalet rénové dans le respect de l'architecture savoyarde à partir de matériaux anciens glanés dans les fermes voisines. Chambres-bonbonnières. Cuisine au goût du jour.

**Clef des Champs**, ✆ 04 50 79 10 13, *hotel@clefdeschamps.com, Fax 04 50 79 08 18*, ←, , , , – | TV P. – 20. GB. ✂ rest B e
*30 juin-10 sept. et 20 déc.-15 avril* – **Repas** 22/25 – 8 – **30 ch** 45/120 – ½ P 68/75.
♦ Au pied des pistes, façade ornée de balcons en bois découpé comme de la dentelle. Chambres sobres, bien tenues. Au restaurant, boiseries patinées et tables bien dressées.

**Hermine Blanche** , ✆ 04 50 75 76 55, *info@hermineblanche.com, Fax 04 50 74 72 47*, ←, , , , – | TV P. GB. ✂ rest B y
*1er juil.-31 août et 21 déc.-21 avril* – **Repas** (dîner seul.)(½ pens. seul.) 16 – 7 – **25 ch** 52/74 – ½ P 55/61.
♦ Proche de la route d'Avoriaz, avenant chalet récemment rénové. Chambres simples, mais fraîches et accueillantes. Agréable salle à manger lambrissée. Billard.

**Fleur des Neiges**, ✆ 04 50 79 01 23, *fleurneige@aol.com, Fax 04 50 75 95 75*, , , , , – | TV P. GB. ✂ A k
*1er juil.-7 sept. et 15 déc. -15 avril* – **Repas** (dîner seul. en hiver) 20 – 9 – **34 ch** 51/92 – ½ P 75.
♦ Fitness, sauna, tennis, piscine : un hôtel-chalet en adéquation avec cette station mariant sport et détente. Chambres rénovées, "cosy" et dotées de meubles en pin couleur miel.

**Les Côtes** , ✆ 04 50 79 09 96, *info@hotel-lescotes.com, Fax 04 50 75 97 38*, ←, , , , – | cuisinette TV P. ✂ rest B a
*28 juin-1er sept. et 20 déc.-7 avril* – **Repas** (dîner seul.)(résidents seul.) 16/20 – 7 – **4 ch** 53/56, 19 studios 66/95 – ½ P 56/60.
♦ Ce double chalet aux balcons de bois découpé jouit d'une bonne exposition côté adret. Chambres-studios bien tenues. Nombreux loisirs ; belle piscine sous verrière.

**Ours Blanc** , ✆ 04 50 79 04 02, *Fax 04 50 75 97 82*, ←, , – TV P. GB. ✂ rest B u
*29 juin-7 sept. et 20 déc.-3 avril* – **Repas** (dîner seul.)(½ pens. seul.) 17/21 – 7,50 – **22 ch** 32/58 – ½ P 52/57.
♦ Chalet standard situé à l'écart du centre, face au Sud. Ambiance familiale. Chambres de style montagnard, simples mais agréables.

**Grange**, ✆ 04 50 75 96 40, *Fax 04 50 75 96 40* – GB B f
*fermé 1er au 28 mai, 28 sept. au 9 oct. et 20 oct. au 27 nov.* – **Repas** (dîner seul.) 33/53 , enf. 11,50.
♦ Ce restaurant cultive l'esprit savoyard : réception en rondins, meubles et objets dégotés dans les fermes alentour et service en costume traditionnel. Cuisine au goût du jour.

**à Ardent** *Nord-Est : 8 km par rte du lac de Montriond* – ✉ *74110 Montriond :*

**Chalande**, ✆ 04 50 79 19 69 – GB. ✂
*15 juin-15 sept., 15 déc.-20 avril et fermé lundi* – **Repas** (nombre de couverts limité, prévenir) 19/42.
♦ Lac de Montriond, cascade d'Ardent, etc. : de riches balades en perspective et un repas au goût du jour en récompense dans le charmant intérieur de ce vieux chalet d'alpage.

**à Avoriaz** *Est : 14 km par D 338* – ✉ *74110 :*

*Office du Tourisme, place Centrale* ✆ *04 50 74 02 11, Fax 04 50 74 24 29, info@avoriaski.com.*

**Les Dromonts** Ⓜ , accès piétonnier ✆ 04 50 74 08 11, *leroych83@aol.com, Fax 04 50 74 02 79*, ←, – | TV ✆. AE GB
*15 déc.-21 avril* – ***Christophe Leroy*** (dîner seul) **Repas** 64 – ***Table du Marché :*** **Repas** 29 – **31 ch** 161/458.
♦ Chambres contemporaines et "cosy", salons intimes, bar et cheminée design : le mythique hôtel (1965) du "Brasilia des neiges", rénové, est de nouveau une bonne adresse !

**MOSNAC** *17 Char.-Mar.* 324 G6 – *rattaché à Pons.*

*Si le coût de la vie subit des variations importantes,*
*les prix que nous indiquons peuvent être majorés.*
*Lors de votre réservation à l'hôtel, faites-vous préciser le prix définitif.*

**MOTHERN** *67470 B.-Rhin 315 M3 – 1 721 h alt. 115.*

*Office du Tourisme, 7 rue du Kabach ☎ 03 88 94 86 67, Fax 03 88 94 84 75, office.tourisme.mothern@wanadoo.fr.*

*Paris 530 – Strasbourg 52 – Haguenau 34 – Karlsruhe 28 – Wissembourg 23.*

**A L'Ancre,** 2 rte Lauterbourg ☎ 03 88 94 81 99, *irenepaul2@libertysurf.fr, Fax 03 88 54 67 74,* – TV. P – 15. GB.
*fermé 1er au 15 mars et 1er au 15 nov.* – **Repas** *(fermé jeudi et vend.)* 18/26 – 6 – **14 ch** 38/46 – ½ P 37.
◆ Le bâtiment le plus récent abrite les chambres, fraîches et pratiques, et la salle à manger. Dans le plus ancien, un bar propose des tartes flambées.

**La MOTTE-AU-BOIS** *59 Nord 302 D3 – rattaché à Hazebrouck.*

**MOTTEVILLE** *76 S.-Mar. 304 F4 – rattaché à Yvetot.*

**MOUANS-SARTOUX** *06370 Alpes-Mar. 341 C6 – 7 989 h alt. 120.*

*Office du Tourisme, 258 avenue de Cannes ☎ 04 93 75 75 16, Fax 04 92 92 09 16, tourisme@mouans-sartoux.com.*

*Paris 909 – Cannes 10 – Antibes 15 – Grasse 8 – Mougins 4 – Nice 33.*

**Gavroche,** 1 pl. Gén. de Gaulle ☎ 04 93 75 69 72, – AE GB
**Repas** (11) - 14,50/37,40.
◆ Face à la mairie et à deux pas du château qui abrite l'Espace de l'Art concret, chaleureux restaurant aux couleurs de la Provence, proposant une cuisine régionale.

**Relais de la Pinède,** rte La Roquette-sur-Siagne 1,5 km par D 409 ☎ 04 93 75 28 29, – P. GB
*fermé 15 au 30 nov., 15 au 30 juin, lundi soir, mardi soir et merc.* – **Repas** (prévenir) 16/26.
◆ Construction de style chalet où l'on vous servira "à la bonne franquette" des portions généreuses dans l'agreste salle des repas ou sur l'agréable terrasse à l'ombre des pins.

**MOUCHARD** *39330 Jura 321 E5 – 997 h alt. 285.*

*Paris 399 – Besançon 38 – Arbois 10 – Dole 36 – Lons-le-Saunier 48 – Salins-les-Bains 9.*

**Chalet Bel'Air** avec ch, ☎ 03 84 37 80 34, *tourisme@waldalmour.com, Fax 03 84 73 81 18,* – rest, TV P. AE GB
*fermé 18 au 26 juin, 19 nov. au 10 déc., dim. soir, lundi midi et merc. sauf juil. à mi-sept.* – **Repas** 21/61 ***Rôtisserie*** *fermé 19 au 26 mars, 18 au 26 juin, 19 nov. au 10 déc., dim. soir, lundi midi et merc.* – **Repas** carte 30 à 35 – 7,50 – **9 ch** 43/83 – ½ P 52/72.
◆ La confortable salle à manger et l'accueil attentionné font de cet établissement situé au coeur de la Franche-Comté une étape agréable. L'annexe abrite de petites chambres.

**MOUDEYRES** *43150 H.-Loire 331 G4 – 111 h alt. 1177.*

*Paris 568 – Le Puy-en-Velay 26 – Aubenas 64 – Langogne 59.*

**Pré Bossu**, ☎ 04 71 05 10 70, *Fax 04 71 05 10 21,* – P. GB.
*19 avril-31 oct. et fermé le midi sauf dim. et feriés* – **Repas** 38/58 – 12 – **10 ch** 88/110 – ½ P 96/110.
◆ Chaumière en pierre de pays à l'entrée d'un pittoresque village montagnard. Belle cheminée et mobilier campagnard agrémentent le restaurant (non-fumeur). Produits du terroir.

**MOUGINS** *06250 Alpes-Mar. 341 C6 G. Côte d'Azur – 13 014 h alt. 260.*

*Voir Site★ – Ermitage N.-D. de Vie : site★, <★ SE : 3,5 km – Musée de l'Automobiliste★ NO : 5 km.*

*Office du Tourisme, 15 avenue Jean-Charles Mallet ☎ 04 93 75 87 67, Fax 04 92 92 04 03, tourisme@mougins-coteaur.org.*

*Paris 907 – Cannes 7 – Antibes 13 – Grasse 12 – Nice 31 – Vallauris 8.*

**Mas Candille** M, bld C. Rebuffel ☎ 04 92 28 43 43, *info@lemascandille.com, Fax 04 92 28 43 40,* <, – TV P – 40. AE GB JCB.
**Repas** 38 (déj.), 53/74 – 23 – **40 ch** 319/457.
◆ Superbe bastide du 18e s. et son mas plus récent au coeur d'un parc (4 ha) aux essences méridionales. Chambres "cosy" raffinées, spa, exquises terrasses et calme garanti.

**Mougins** M, 205 av. Golf (rte Antibes) 2,5 km ☎ 04 92 92 17 07, *info@hotel-de-mougins.com, Fax 04 92 92 17 08,* – TV P – 30. AE GB
**Repas** *(fermé 27 nov. au 27 déc. et dim. de nov. à mars)* 26 (déj.)/32 – 17 – **51 ch** 232 – ½ P 152.
◆ Délicieuses chambres provençales occupant des mas (à choisir éloignés de la route) dispersés dans un jardin fleurant bon la lavande et le romarin. Plaisante terrasse.

**Manoir de l'Étang**, Bois de Font-Merle (rte Antibes) - allée du Manoir : 2 km
04 92 28 36 00, *manoir.etang@wanadoo.fr, Fax 04 92 28 36 10*, ←, – AE GB.
*mars-fin oct.* – **Repas** *(fermé lundi)* 25 (déj.), 30/52 ♀, enf. 16 – 10 – **20 ch** 92/153.
♦ Dans un parc aux arbres centenaires, bastide familiale dominant l'étang de Font Merle. Élégantes chambres dans le goût rustique. Au loin, l'Ermitage N.-D.-de-Vie.

**Arc Hôtel,** rte Valbonne : 2 km 04 93 75 77 33, *infos@arc-hotel.com, Fax 04 92 92 20 57*, – 40. AE GB. rest
**Repas** 19/32 ♀ – 7 – **44 ch** 106/300 – 1/2 P 88.
♦ Bâtisse des années 1980 à la tenue rigoureuse. Les chambres, fonctionnelles et dotées de balcon ou terrasse, sont plus calmes côté jardin. Équipements sportifs complets.

**Moulin de Mougins** (Vergé) avec ch, à Notre-Dame-de-Vie, Sud-Est : 2,5 km par D 3 04 93 75 78 24, *moulins@relaischateaux.fr, Fax 04 93 90 18 55*, – AE GB
*fermé 1er déc. au 9 janv.* – **Repas** *(fermé lundi)* 48 (déj.), 100/132 et carte 95 à 145 ♀ – 14 – **3 ch** 140/190, 4 appart.
♦ "Cuisine du soleil" à savourer dans un moulin à huile du 16e s. Le restaurant s'ouvre sur un jardin parfumé agrémenté de sculptures modernes, oeuvres d'artistes célèbres.
**Spéc.** Poêlée de homard breton, crevettes et langoustines. Croûte de Saint-Jacques aux cèpes (automne-hiver). Fines aiguillettes de canard de Bresse, sauce fruitée au vin de Bourgogne. **Vins** Côtes de Provence.

**Ferme de Mougins,** à St-Basile (rte de Valbonne) 04 93 90 03 74, *accueil@lafermedemougins.fr, Fax 04 92 92 21 48*, – AE GB
*fermé 15 déc. au 15 janv. et lundi* – **Repas** 30 (déj.), 43/65 et carte 73 à 83.
♦ Ancien corps de ferme entouré d'un luxuriant jardin traversé par le canal de la Siagne. Belles salles à manger rustiques, véranda et agréable terrasse. Cuisine traditionnelle.

**Terrasse et Hôtel du Village** avec ch, 31 bd Courteline 04 92 28 36 20, *laterrasseamougins@lemel.fr, Fax 04 92 28 36 21*, ←, – rest, AE GB
**Repas** *(fermé mardi midi, jeudi midi et lundi)* 25 (déj.), 42/59 ♀ – 15,50 – **4 ch** 137/200.
♦ Sur la terrasse ombragée d'un palmier ou de l'élégante salle à manger provençale, vous jouirez d'une vue unique sur la campagne mouginoise, sur Cannes et sur le Mercantour.

**Broche de Fer,** à St-Basile (rte Valbonne) 04 92 92 08 08, *Fax 04 92 92 88 54*, – AE GB
*fermé 22 oct. au 6 nov., 14 au 29 fév. et merc.* – **Repas** 15,50 (déj.), 19/30 ♀, enf. 8,50.
♦ Restaurant de grande capacité dont la salle à manger, agencée sur quatre niveaux, est joliment décorée dans le style provençal. Grillades et cuisson à la broche.

**Feu Follet,** au village, pl. Mairie 04 93 90 15 78, *battaglia@feu-follet.fr, Fax 04 92 92 92 62*, – AE GB JCB
*fermé 9 déc. au 12 janv., mardi midi, vend. midi, le midi sauf dim. du 15 juil. au 30 août et lundi* – **Repas** 23 (déj.), 30/46.
♦ Maison avenante avec son agréable terrasse-trottoir dressée dans la rue piétonne. Plaisant décor actuel et tableaux contemporains. Quelques tables installées sur les balcons.

**Clos St-Basile,** à St-Basile (rte de Valbonne) 04 92 92 93 03, *an.muscat@wanadoo.fr, Fax 04 92 92 19 34*, – AE GB
*fermé jeudi midi et merc. sauf juil.-août* – **Repas** 20 (déj.), 30/55 ♀.
♦ Pimpant cadre provençal et exposition-vente de tableaux et sculptures modernes ; ce plaisant "restaurant-galerie" dispose aussi d'une belle terrasse ombragée de cyprès.

**L'Amandier de Mougins,** au village 04 93 90 00 91, *Fax 04 92 92 89 95*, – AE GB
**Repas** 28/34.
♦ Pressoir du 14e s. (mécanisme) établi aux portes du vieux village cher à Picasso et Man Ray. Intérieur provençal agrémenté de mosaïques et de tableaux contemporains.

**Brasserie de la Méditerranée,** au village 04 93 90 03 47, *Fax 04 93 75 72 83*, – AE GB JCB
*fermé 10 janv. au 10 fév. et mardi de nov. à fin mars* – **Repas** (prévenir) 22,60/40.
♦ Sur la pittoresque place centrale, sympathique restaurant au décor de style bistrot. Vous y goûterez une cuisine au goût du jour d'inspiration méditerranéenne.

**Bistrot de Mougins,** au village 04 93 75 78 34, *Fax 04 93 75 25 52* – AE GB JCB
*fermé 1er au 28 déc., jeudi midi, sam. midi et merc.* – **Repas** (prévenir)(dîner seul. en juil.-août) 20 (déj.), 29/40,50.
♦ Fraîche alternative aux incontournables terrasses mouginoises que ce petit restaurant-bistrot aménagé dans une agréable cave voûtée. Cuisine provençale.

## MOULIN-DU-PONT *29 Finistère* 308 G6 – *rattaché à Quimper.*

*Pas de publicité payée dans ce guide.*

**MOULINS** P 03000 *Allier* 326 H3 *G. Auvergne – 22 799 h alt. 240.*

Voir *Cathédrale Notre-Dame★ : triptyque★★★, vitraux★★ – Statue Jacquemart★ – Mausolée du duc de Montmorency★ (chapelle de la visitation) – Musée d'Art et d'Archéologie★★.*

*Office du Tourisme, 11 rue François Péron* ✆ *04 70 44 14 14, Fax 04 70 34 00 21, o.t. moulins@wanadoo.fr.*

*Paris 295 ① – Bourges 101 ① – Clermont-Ferrand 104 ⑤ – Nevers 56 ① – Roanne 98 ④.*

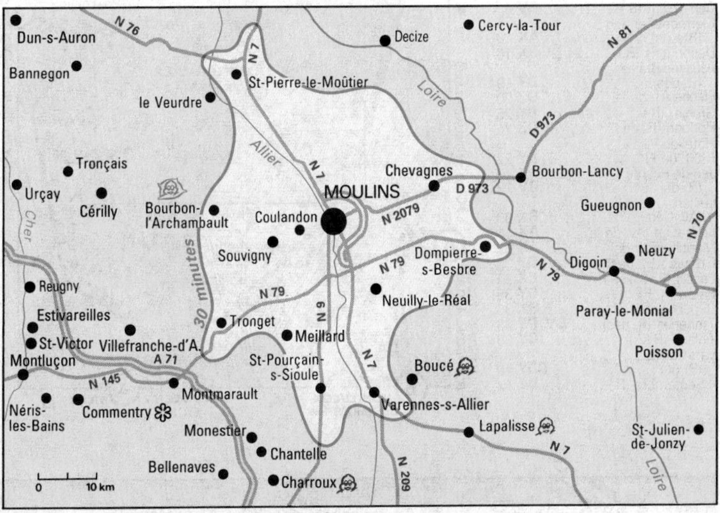

Dun-s-Auron
N 76
Decize
Cercy-la-Tour
N 81
Bannegon
N 7
St-Pierre-le-Moûtier
Loire
le Veurdre
D 973
Allier
Tronçais
Chevagnes
Bourbon-Lancy
Urçay
Cérilly
Bourbon-l'Archambault
MOULINS
D 973
Gueugnon
Cher
Coulandon
N 2079
N 70
30 minutes
Souvigny
Dompierre-s-Besbre
N 79
Digoin
Neuzy
Reugny
N 79
Neuilly-le-Réal
Paray-le-Monial
Estivareilles
Tronget
N 9
St-Victor
Villefranche-d'A.
Meillard
Poisson
Montluçon
A 71
St-Pourçain-s-Sioule
N 7
Boucé
N 145
Montmarault
Varennes-s-Allier
Néris-les-Bains
Commentry
Monestier
Lapalisse
St-Julien-de-Jonzy
N 7
Chantelle
Loire
Bellenaves
Charroux
N 209
0
10 km


**Paris-Jacquemart,** 21 r. Paris ✆ 04 70 44 00 58, *hotel-de-paris.moulins@wanadoo.fr, Fax 04 70 34 05 39,* – |♦|, ▤ rest, TV ✆ P. AE ⓓ GB DY p

**Repas** *(fermé 3 au 23 août, 2 au 17 janv., sam. midi, dim. soir et lundi)* 25 (déj.), 32,50/74 ♀ – ☕ 9 – **27 ch** 54/122 – ½ P 63,50/96,50.

◆ Proche de la cathédrale, hôtel dont les chambres bourgeoises adoptent progressivement mobilier moderne et couleurs "mode". Élégante salle à manger et agréable terrasse.

**Kyriad** M, 9 pl. J. Moulin ✆ 04 70 35 50 50, *kyriad.moulins@free.fr, Fax 04 70 35 50 60,* – |♦| ▤ TV ✆ P – 🚶 15 à 100. AE ⓓ GB CY a

**Repas** *(12)* - 15/17 ♀ – ☕ 6 – **42 ch** 47/56 – ½ P 79.

◆ Hôtel entièrement rénové proposant des chambres gaiement colorées ; celles sur l'arrière sont plus tranquilles. Cuisine traditionnelle au restaurant, bar à vins.

**Ibis,** rte Lyon, par ④ *: 2 km* ✆ 04 70 46 71 12, *Fax 04 70 44 53 34* – ▤ TV ✆ & P. AE ⓓ GB

**Repas** *(12)* - 15 ♁, enf. 6 – ☕ 6 – **43 ch** 59/64.

◆ Moderne et pratique, cette adresse rendra service aux automobilistes parcourant la nationale 7. Petites chambres bien refaites et formules buffets.

**Parc,** 31 av. Gén. Leclerc ✆ 04 70 44 12 25, *hotelrestaurant.leparc03@wanadoo.fr, Fax 04 70 46 79 35* – ▤ rest, TV ✆ P. GB BX a

*fermé 11 au 26 juil., 26 sept. au 4 oct. et 23 déc. au 4 janv.* – **Repas** *(fermé dim. soir et sam.)* 15/35 ♁ – ☕ 7 – **28 ch** 24/58 – ½ P 42/45.

◆ À deux pas d'un parc verdoyant et de la gare, établissement où toute une famille se met en quatre pour rendre votre séjour agréable. Chambres simples et bien tenues.

**Cours,** 36 cours J. Jaurès ✆ 04 70 44 25 66, *patrick.bourhy@wanadoo.fr, Fax 04 70 20 58 45* – ▤. AE GB DY x

*fermé 14 au 31 juil., 9 au 18 fév. et merc.* – **Repas** 17/44 et carte 39 à 55 ♀, enf. 9,50.

◆ Dans le quartier des administrations, cette demeure tapissée de vigne vierge abrite deux élégantes salles à manger bourgeoises. Cuisine du terroir mise au goût du jour.

**Toquée,** 97 r. Allier ✆ 04 70 35 01 60 – ▤. GB DY a

*fermé 24 déc. au 2 janv., sam. midi, dim. et lundi* – **Repas** 24,70/32 ♀.

◆ Petite adresse tout en couleurs : façade pimpante, intérieur joliment repeint, exposition de tableaux et napperons façon toile de Jouy. Saveurs provençales dans l'assiette.

# MOULINS

Allier (Pl. d') ............ **CDZ**
Allier (R. d') ............ **DYZ**
Alsace-Lorraine (Av. d') ............ **BX** 3
Ancien-Palais (R.) ............ **DY** 4
Bourgogne (R. de) ............ **BV, DY** 6
Bréchimbault (R.) ............ **DZ** 7
Cerf-Volant (R.) ............ **BV** 8
Clermont-Ferrand (Rte de) ............ **AX** 10
Desboutins (R.) ............ **BX** 16
Fausses-Braies (R. des) ............ **DY** 19
Flèche (R. de la) ............ **DZ** 20
Grenier (R.) ............ **DY** 25
Horloge (R. de l') ............ **DZ** 26
Hôtel-de-Ville (Pl. de l') ............ **DY** 27
Jeu-de-Paume (R. du) ............ **BV** 28
Leclerc (Av. Gén.) ............ **BX** 30
Libération (Av. de la) ............ **AX** 31
Montilly (Rte de) ............ **AX** 32
Orfèvres (R. des) ............ **DY** 33
Pascal (R. Blaise-) ............ **CZ** 34
Péron (R. F.) ............ **DY** 35
République (Av.) ............ **BX** 36
Tanneries (R. des) ............ **BV, DY** 38
Tinland (R.M.) ............ **CY** 39
Vert-Galant (R. du) ............ **CDY** 40
4-Septembre (R.) ............ **DZ** 42

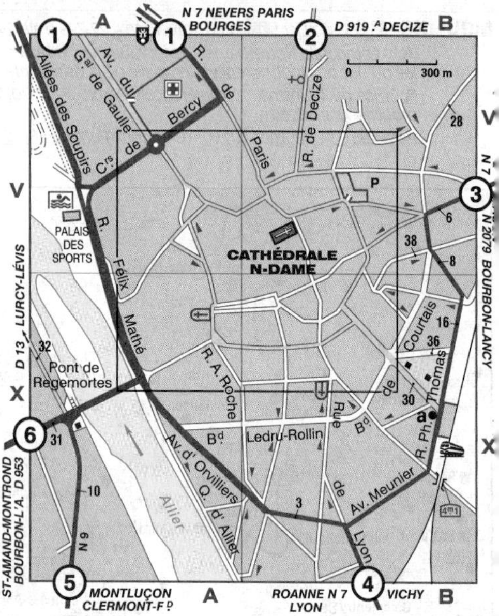

N 7 NEVERS PARIS BOURGES
D 919 DECIZE
A
B
V
X
0 300 m
Allées des Soupirs
Av. du Gal de Gaulle
R. de Paris
R. de Decize
Cours de Bercy
R. Félix Mathé
PALAIS DES SPORTS
CATHÉDRALE N-DAME
D 13 LURCY-LÉVIS
Pont de Regemortes
R. A. Roche
Bd Ledru-Rollin
Rue de Lyon
Av. d' Orvilliers
Q. d' Allier
Allier
Av. Meunier
R. Ph. Thomas
Bd de Courtais
N 7 N 2079 BOURBON-LANCY
ST-AMAND-MONTROND BOURBON-L'A. D 953
N 9
MONTLUÇON CLERMONT-FD
ROANNE N 7 LYON
VICHY


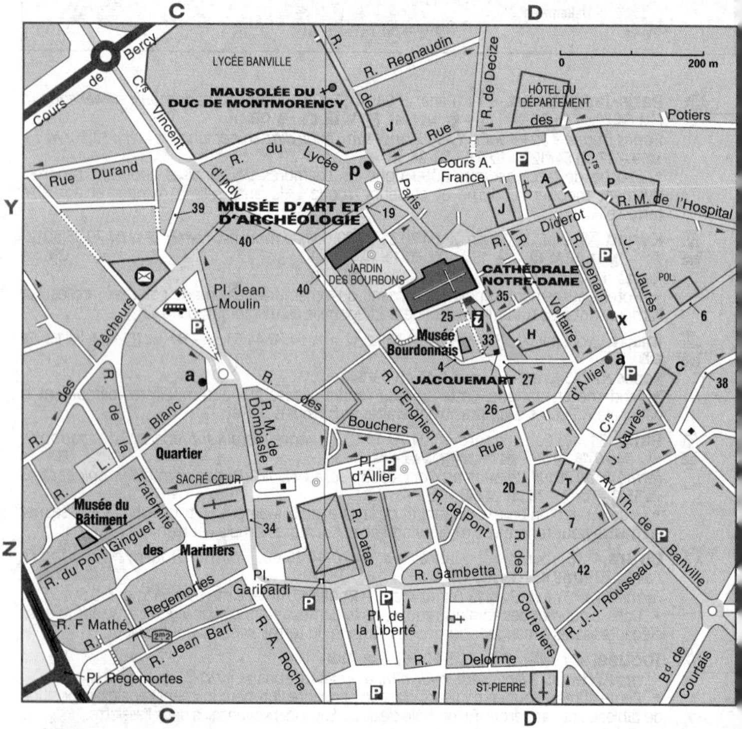

C
D
Y
Z
0 200 m
Cours de Bercy
Crs Vincent d'Indy
LYCÉE BANVILLE
MAUSOLÉE DU DUC DE MONTMORENCY
R. Regnaudin
R. de Paris
R. de Decize
HÔTEL DU DÉPARTEMENT
Rue des Potiers
R. du Lycée
Cours A. France
R. M. de l'Hospital
Rue Durand
MUSÉE D'ART ET D'ARCHÉOLOGIE
JARDIN DES BOURBONS
CATHÉDRALE NOTRE-DAME
R. Diderot
R. Denain
R. Voltaire
J. Jaurès
POL.
Pl. Jean Moulin
Pécheurs
Musée Bourdonnais
JACQUEMART
R. des Bouchers
R. d'Enghien
R. M. de Dombasle
Rue d'Allier
Crs J. Jaurès
R. de Blanc
Quartier SACRÉ CŒUR
Pl. d'Allier
R. de la Fraternité
Musée du Bâtiment
R. du Pont Ginguet
des Mariniers
R. Datas
R. de Pont
R. des Couteliers
Av. Th. de Banville
R. Gambetta
Regemortes
Pl. Garibaldi
R. F Mathé
R. Jean Bart
Pl. Regemortes
R. A. Roche
Pl. de la Liberté
R. Delorme
ST-PIERRE
R. J.-J. Rousseau
Bd de Courtais

**rte de Paris** *par ①: 8 km – ✉ 03460 Trevol :*

**Relais Mercure,** ✆ 04 70 46 84 84, *H0827-GM@accor-hotels.com, Fax 04 70 46 84 80,* – 25 à 200. AE GB
**Repas** *(11,50)* - 16/35, enf. 8 – 8,50 – **41 ch** 63/75 – ½ P 61,50/64.
◆ Sur un axe passant. Chambres fonctionnelles, judicieusement tournées vers la piscine ou le parc. L'été, des soirées "barbecue" animent le restaurant et sa terrasse.

**à Coulandon** *par ⑥, D 945 et rte secondaire : 7 km – 554 h. alt. 250 – ✉ 03000 :*

**Chalet**, ✆ 04 70 46 00 66, *hotel-chalet@cs3i.fr, Fax 04 70 44 07 09,* – AE GB
*fermé 1ᵉʳ déc. au 1ᵉʳ fév.* – ***Montégut :*** **Repas** 18/39 – 8 – **28 ch** 48/74 – ½ P 55/65.
◆ En pleine campagne bourbonnaise, rendez-vous avec la détente dans cette maison entourée d'un parc centenaire avec étang. Chambres au calme. Terrasse tournée vers la piscine.

## MOULINS-ENGILBERT *58290 Nièvre 319 F10 G. Bourgogne – 1 711 h alt. 215.*

*Paris 294 – Autun 50 – Château-Chinon 17 – Corbigny 40 – Moulins 73 – Nevers 57.*

**Bon Laboureur,** ✆ 03 86 84 20 55, *Fax 03 86 84 35 52* – GB
*fermé 1ᵉʳ au 15 janv.* – **Repas** 11,55/39,50 – 5,60 – **23 ch** 43/55 – ½ P 31,50/46,50.
◆ Le marché au cadran (foire aux bovins charolais) anime hebdomadairement le bourg. Chambres "rétro", plus calmes sur l'arrière. Salle à manger rustique ; plats traditionnels.

## MOULINS-LA-MARCHE *61380 Orne 310 L3 – 816 h alt. 257.*

*Syndicat d'Initiative, ✆ 02 33 34 53 11, Fax 02 33 34 48 68.*

*Paris 156 – Alençon 50 – L'Aigle 19 – Argentan 45 – Mortagne-au-Perche 17.*

**Dauphin,** ✆ 02 33 34 50 55, *Fax 02 33 34 25 35* – AE GB JCB
*fermé 1ᵉʳ au 24 sept., 19 janv. au 4 fév., mardi soir, dim. soir et lundi* – **Repas** 13,60 bc (déj.), 19/31, enf. 6,30.
◆ Le décor d'une des salles à manger et les spécialités glissées dans les menus nous entraînent vers l'Alsace : c'est la province d'origine du patron !

## Le MOULLEAU *33 Gironde 335 D7 – rattaché à Arcachon.*

## MOURÈZE *34800 Hérault 339 F7 G. Languedoc Roussillon – 100 h alt. 200.*

Voir *Cirque*★★.

*Paris 726 – Montpellier 50 – Bédarieux 23 – Clermont-l'Hérault 8.*

**Navas "Les Hauts de Mourèze"** sans rest, ✆ 04 67 96 04 84, *Fax 04 67 96 25 85,* – GB
*25 mars-1ᵉʳ nov.* – 5 – **16 ch** 40/55.
◆ Spacieuses chambres rustiques, sans téléphone ni T.V. pour plus de tranquillité, parc, et le superbe cirque dolomitique à deux pas : adresse pour épris de calme et de nature.

## MOURIÈS *13890 B.-du-R. 340 E3 – 2 505 h alt. 13.*

*Office du Tourisme, 2 rue du Temple ✆ 04 90 47 56 58, Fax 04 90 47 67 33, office@mouries.com.*

*Paris 717 – Avignon 35 – Arles 29 – Marseille 76 – Martigues 38.*

**Vallon du Gayet** M, rte Servannes ✆ 04 90 47 50 63, *wcarre@aol.com, Fax 04 90 47 64 31,* – ch, GB
**Repas** *(fermé lundi)* 23/26 et carte le soir, enf. 11 – 9,50 – **20 ch** 84/96.
◆ Les grandes chambres rustiques de ce mas récent possèdent une petite loggia de plain-pied avec le jardin. Grillades au feu de bois. Terrasse à l'ombre d'un pin séculaire.

## POINTE DE MOUSTERLIN *29 Finistère 308 G7 – rattaché à Fouesnant.*

## MOUSTIERS-STE-MARIE *04360 Alpes-de-H.-P. 334 F9 G. Alpes du Sud – 580 h alt. 631.*

Voir *Site*★★ – *Église*★ – *Musée de la Faïence*★.

Excurs. *Grand Canyon du Verdon*★★★ – *Lac de Ste-Croix*★★.

*Office du Tourisme, rue de la Bourgade ✆ 04 92 74 67 84, Fax 04 92 74 60 65, moustiers@wanadoo.fr.*

*Paris 779 – Digne-les-Bains 48 – Aix-en-Provence 91 – Draguignan 61 – Manosque 52.*

**Bastide de Moustiers**, au sud du village, par D 952 et rte secondair
04 92 70 47 47, *contact@bastide-moustiers.com, Fax 04 92 70 47 48*, ≤,
ch,
**Repas** *(fermé merc. et jeudi du 1er déc. au 29 fév.)* (nombre de couverts limité, préveni (menu unique) 40/54 – 15 – **12 ch** 230/275.
◆ Bastide (17e s.) d'un maître-faïencier convertie en auberge. Belles chambres proven çales, équipées high-tech, ravissant restaurant et parc (élevage de daims et joli potager).
**Spéc.** Truffe noire de Riez (hiver). Chevreau de "La Palud" (Pâques). Légumes nouveau (printemps). **Vins** Côteaux varois, Côteaux d'Aix-en-Provence.

**Ferme Rose** sans rest, au sud du village, par rte Ste-Croix-du-Verdo
04 92 74 69 47, *Fax 04 92 74 60 76*, ≤, –
*fermé 1er nov. au 20 déc. et 5 janv. au 15 mars* – 9 – **12 ch** 60/135.
◆ Sympathique ambiance "guesthouse" dans cette ancienne ferme bâtie au pied d village. Meubles chinés, bibelots et collections diverses en font un lieu attachant.

**Colombier** sans rest, rte Castellane : 0,5 km 04 92 74 66 02, *infos@le-colombier.com Fax 04 92 74 66 70*, ≤, –
*fermé 2 nov. au 14 fév.* – 8 – **22 ch** 47/64.
◆ Hôtel tout simple, idéalement situé à l'entrée du Grand Canyon du Verdon. Chambres u peu désuètes ; la plupart ont une terrasse avec vue sur la campagne. Deux jacuzzis.

**Bonne Auberge** sans rest, 04 92 74 66 18, *Fax 04 92 74 65 11*, –
*28 mars-3 nov.* – 7,50 – **19 ch** 56/80.
◆ À deux tours de roues des gorges du Verdon, hôtel disposant de chambres claires e pratiques, rénovées par étapes et d'une piscine à débordements.

**Clos des Iris** sans rest, au sud du village, par D 952 et rte secondair
04 92 74 63 46, *closdesiris@wanadoo.fr, Fax 04 92 74 63 59*, –
*fermé 1er au 26 déc. et mardi soir du 15 nov. au 15 mars* – 9 – **8 ch** 65/105.
◆ Coquettes chambres provençales (sans TV), terrasses privatives, agréable jardin méridio nal, accueil charmant et convivialité : cette paisible maison ne manque pas d'atouts.

**Les Santons,** pl. Église 04 92 74 66 48, *restaurant.les.santons@wanadoo.f Fax 04 92 74 63 67*, –
*fermé 15 nov. au 20 déc., 3 janv. au 9 fév., lundi soir et mardi sauf juil.-août* – **Repa** (nombre de couverts limité, prévenir) 39/53.
◆ Dominé par l'imposante falaise calcaire, ce restaurant propose une cuisine au goût d jour, une ravissante salle aux couleurs du Sud et une idyllique terrasse côté village.

**Ferme Ste-Cécile,** rte de Castellane : 1,5 km 04 92 74 64 18, *restaurant@ferme-ste-ecile.com, Fax 04 92 74 63 51*, –
*fermé 18 nov. au 30 déc., vacances de fév., dim. soir hors saison et lundi* – **Repas** 20,50 (déj. 30/41 bc.
◆ Une halte après la visite du musée de la Faïence ? Ce restaurant aménagé dans un ancienne ferme s'agrémente de deux petites terrasses ombragées ouvertes sur la nature.

**Blacas,** au sud du village, par D 952 et rte secondaire 04 92 74 65 5 *Fax 04 92 74 63 52*, –
*fermé 16 nov; au 14 déc., 16 fév. au 16 mars, sam. midi et vend.* – **Repas** (prévenir) 31.
◆ Une silhouette bien méridionale pour ce pavillon récemment construit aux abords d Moustiers. Intérieur décoré dans le style du pays et agréable terrasse face à la campagne.

**Treille Muscate,** 04 92 74 64 31, –
*fév.-déc. et fermé le soir en fév., merc. soir et jeudi hors saison et merc. en saison* – **Repa** 23 (déj.), 29/37.
◆ Sympathique petit bistrot provençal sur la place de l'église. Une passerelle protégée pa une "treille muscate" relie la salle à la jolie terrasse bordant une rue piétonne.

## MOUTHIER-HAUTE-PIERRE *25920 Doubs* 321 H4 *G. Jura – 356 h alt. 450.*

Voir *Belvédère de Mouthier* ≤★★ *SE : 2,5 km – Gorges de Nouailles★ SE : 3,5 km – Belvéder du moine de la vallée★★.*

*Paris 443 – Besançon 39 – Baume-les-Dames 56 – Pontarlier 22 – Salins-les-Bains 42.*

**Cascade**, 03 81 60 95 30, *hotellacascade@wanadoo.fr, Fax 03 81 60 94 55*, ≤ vallé –
*3 mars-11 nov.* – **Repas** 18,50 (déj.), 26/40 – 8 – **19 ch** 47/60 – ½ P 55/57.
◆ Chambres actuelles (demandez-en une rénovée) et bien tenues tournées vers la vallé de la Loue. Restaurant panoramique réservé aux non-fumeurs ; goûteuse cuisine familiale

## MOÛTIERS *73600 Savoie* 333 M5 *G. Alpes du Nord – 4 295 h alt. 480.*

*Office du Tourisme, place Saint Pierre 04 79 24 04 23, Fax 04 79 24 56 05, Ot.Moutiers @wanadoo.fr.*

*Paris 638 – Albertville 27 – Chambéry 76 – St-Jean-de-Maurienne 85.*

X **Coq Rouge,** 115 pl. A. Briand ✆ 04 79 24 11 33, 🏠 – GB
*fermé 1er au 21 juil., 15 au 30 nov., dim. et lundi* – **Repas** 23/34 ♀.
◆ Cette maison de 1735 proche des quais de l'Isère héberge une coquette salle aux tons pastel, agrémentée de sculptures du maître des lieux. Plats au goût du jour.

X **Voûte,** 172 Grande rue ✆ 04 79 24 23 23, *Fax 04 79 24 23 23* – ▤. GB
*fermé 3 au 16 juin, 30 sept. au 6 oct., 23 déc. au 12 janv., mardi soir sauf juil.-août, dim. soir et lundi* – **Repas** 15,50/65 ♀.
◆ Derrière une devanture vitrée, restaurant au cadre de style rustique, s'ouvrant sur une rue piétonne à 50 m de la cathédrale St-Pierre. Cuisine au goût du jour.

## MOUX-EN-MORVAN *58230 Nièvre* 319 *H8 – 744 h alt. 502.*

*Paris 263 – Autun 30 – Château-Chinon 29 – Clamecy 71 – Nevers 91 – Saulieu 16.*

**Beau Site,** ✆ 03 86 76 11 75, *Fax 03 86 76 15 84*, 🏠, 🌳 – P. GB. ✂ rest
*hôtel : fermé 9 déc. au 21 fév., dim. et lundi du 12 nov. au 7 fév.* – **Repas** *(fermé 20 déc. au 7 fév., dim. soir et lundi du 12 nov. au 7 fév.)* 11,50/25,50 ♀, enf. 8,50 – ☕ 6 – **20 ch** 24,50/46 – ½ P 33/40.
◆ Le point fort de cet établissement est sa cuisine régionale, dont le choix des produits fait tout le sel. Belle salle à manger campagnarde. Parc avec étang (pêche possible).

## MOUZON *08210 Ardennes* 306 *M5 G. Champagne Ardenne – 2 637 h alt. 160.*

Voir Église Notre-Dame★.

*Paris 271 – Charleville-Mézières 40 – Carignan 8 – Longwy 72 – Sedan 17 – Verdun 65.*

XX **Les Échevins,** 33 r. Ch. de Gaulle ✆ 03 24 26 10 90, *Fax 03 24 29 05 95* – AE GB
*fermé 4 au 28 août, 5 au 29 janv., sam. midi, dim. soir et lundi* – **Repas** *(16,50)* - 23/35.
◆ Accueillante salle de restaurant au décor rustique, aménagée à l'étage d'une maison à colombages du 17e s. Ambiance décontractée et cuisine au goût du jour.

## MUHLBACH-SUR-MUNSTER *68380 H.-Rhin* 315 *G8 G. Alsace Lorraine – 631 h alt. 460.*

*Paris 463 – Colmar 24 – Gérardmer 37 – Guebwiller 44.*

**Perle des Vosges** 🐌, ✆ 03 89 77 61 34, *perledesvoges@wanadoo.fr, Fax 03 89 77 74 40*, ≤, 🏠, Fø – 🛗 TV P – 🏛 100. ⓓ GB. ✂ rest
*fermé 3 janv. au 3 fév.* – **Repas** 13/35 ♀ – ☕ 7 – **45 ch** 41/110 – ½ P 41/75.
◆ Au pied du Hohneck, hôtel doté d'un bel espace de remise en forme. Chambres actuelles ou de style alsacien ; certaines offrent une jolie vue sur les Vosges. Cuisine régionale.

## MUIDES-SUR-LOIRE *41500 L.-et-Ch.* 318 *G5 – 1 115 h alt. 82.*

ℹ *Syndicat d'Initiative, place de la Libération ✆ 02 54 87 58 36, Fax 02 54 87 58 36.*

*Paris 170 – Orléans 48 – Blois 20 – Châteauroux 108.*

XX **Chanterelle,** 21 av. Loire ✆ 02 54 87 50 19, *Fax 02 54 87 50 19*, 🏠 – GB
*fermé 10 au 20 mars, 28 sept. au 14 oct., 5 au 21 janv., dim. soir, mardi midi et lundi* – **Repas** 13/32, enf. 8,50.
◆ Plaisante maison des bords de Loire à la façade tapissée de vigne vierge. Intérieur sobrement actuel, orné d'une fresque représentant le pont de Blois. Plats de saison.

XX **Auberge du Bon Terroir,** 20 r. 8-Mai ✆ 02 54 87 59 24, *Fax 02 54 87 59 19*, 🏠 – P. AE ⓓ GB
*Pâques -toussaint, fermé dim. soir, lundi et mardi* – **Repas** 24/34 ♀.
◆ Répertoire traditionnel et spécialités du Val de Loire à savourer dans l'une des salles à manger ou sur la terrasse à l'ombre d'un tilleul.

## MULHOUSE ⟨SP⟩ *68100 H.-Rhin* 315 *I10 G. Alsace Lorraine – 108 357 h Agglo. 234 445 h alt. 240.*

Voir *Parc zoologique et botanique★★ – Hôtel de Ville★★* **FY H**1, *musée historique★★ – Vitraux★ du temple St-Étienne – Musée de l'automobile-collection Schlumpf★★★* **BU** *– Musée français du chemin de fer★★★* **AV** *– Musée de l'Impression sur étoffes★* **FZ M**6 *– Electropolis : musée de l'énergie électrique★* **AV M**2.

Env. *Musée du Papier peint★ : collection★★ à Rixheim E : 6 km* **DV M**7.

✈ *de Bâle-Mulhouse (Euro-Airport) par ③ : 27 km, ✆ 03 89 90 31 11 à St-Louis et ✪ 061 ✆ (00 41 61) 325 31 11 à Bâle (Suisse).*

🚗 *✆ 08 36 35 35 35.*

ℹ *Office du Tourisme, 9 avenue du Maréchal Foch ✆ 03 89 35 48 48, Fax 03 89 45 66 16, ot@ville-mulhouse.fr.*

*Paris 467 ⑤ – Basel 40 ③ – Belfort 42 ⑤ – Freiburg-im-Breisgau 59 ② – Strasbourg 118 ①.*

Plans pages suivantes

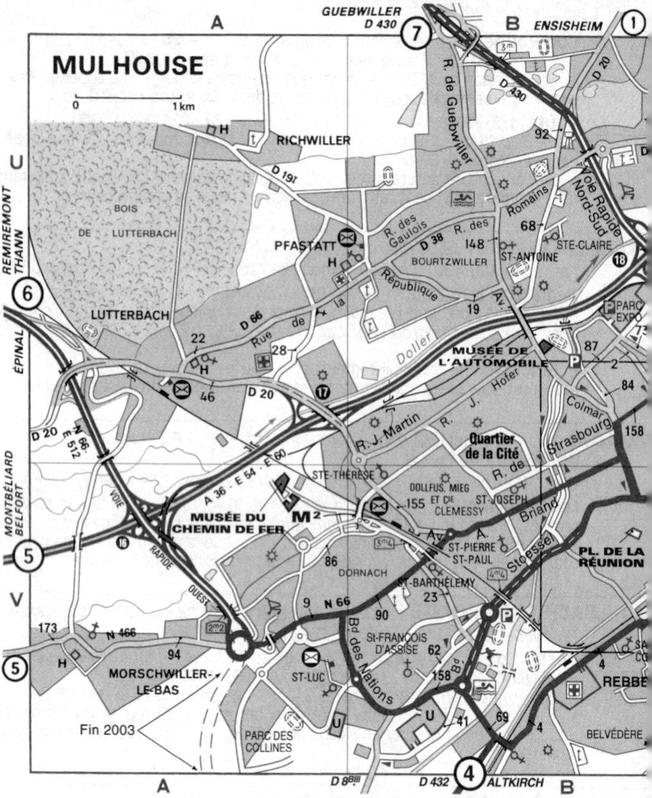
MULHOUSE
0
1 km
GUEBWILLER
D 430
7
B
ENSISHEIM
1
A
U
V
REMIREMONT
THANN
6
ÉPINAL
MONTBÉLIARD
BELFORT
5
BOIS
DE LUTTERBACH
RICHWILLER
D 19I
PFASTATT
R. des Gaulois
D 38
R. des Romains
148
68
BOURTZWILLER
ST-ANTOINE
STE-CLAIRE
Voie Rapide Nord-Sud
R. de Guebwiller
D 430
92
D 20
République
19
Av.
PARC EXPO
LUTTERBACH
D 66
Rue de la
22
28
46
D 20
Doller
MUSÉE DE L'AUTOMOBILE
87
2
84
Colmar
158
R. J. Hofer
R. J. Martin
Quartier de la Cité
R. de Strasbourg
STE-THÉRÈSE
DOLLFUS, MIEG ET CIE
CLEMESSY
155
ST-JOSEPH
Briand
A 36 - E 54 - E 60
D 20
N 66
E 512
VOIE RAPIDE OUEST
MUSÉE DU CHEMIN DE FER
M2
Av. A. Stoessel
ST-PIERRE ST-PAUL
PL. DE LA RÉUNION
86
DORNACH
ST-BARTHÉLEMY
23
9
N 66
90
173
N 466
94
MORSCHWILLER-LE-BAS
ST-LUC
Bd des Nations
St-FRANÇOIS D'ASSISE
62
158
4
REBBE
Fin 2003
PARC DES COLLINES
41
69
4
BELVÉDÈRE
D 8BIII
D 432
4
ALTKIRCH
A
B



**Parc** Ⓜ, 26 r. Sinne ☎ 03 89 66 12 22, *hotelcontact@hotelduparc-mulhouse.com* *Fax 03 89 66 42 44* – 80. AE GB JCB FZ
**Repas** *(fermé août, sam. midi et dim. soir)* 27,50 (déj.), 44,50/60 ♀ – ☕ 18 – **76 ch** 140/165.
◆ Cet ancien palace édifié par les frères Schlumpf restitue l'élégante atmosphère des années 1930. Spacieuses chambres au mobilier Art déco et salles de bains en marbre blanc.

**Mercure Centre** Ⓜ, 4 pl. Gén. de Gaulle ☎ 03 89 36 29 39, *h1264@accor-hotels.com* *Fax 03 89 36 29 49*, – 120. AE GB JCB FZ
**Repas** *(14)* - 18 ♀, enf. 10 – ☕ 11,80 – **96 ch** 99/104.
◆ Hôtel des années 1970 proche du musée de l'Impression sur étoffes. Préférez les chambres rénovées, pourvues de lits "king size" et de TV grand écran. Bar feutré.

**Bristol** sans rest, 18 av. Colmar ☎ 03 89 42 12 31, *hbristol@club-internet.fr*, *Fax 03 89 42 50 57* – 30. AE GB JCB FY
☕ 8,50 – **80 ch** 50/150.
◆ À deux pas du centre historique. Vous logerez dans de grandes chambres au mobilier sobre et actuel, bien tenues et rénovées. Salon dans le style Art déco.

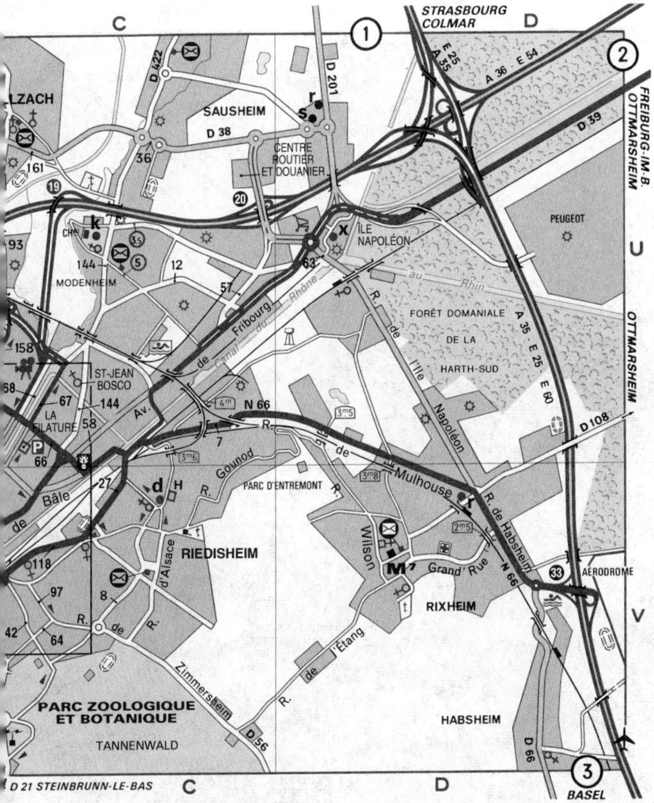

STRASBOURG
COLMAR
C
D
1
2
3
FREIBURG-IM-B.
OTTMARSHEIM
LZACH
SAUSHEIM
D 38
D 422
D 201
CENTRE ROUTIER ET DOUANIER
A 36 - E 54
E 25
A 35
D 39
PEUGEOT
ILE NAPOLÉON
MODENHEIM
au Rhin
Canal du Rhône
Av. de Fribourg
FORÊT DOMANIALE DE LA HARTH-SUD
A 35 - E 25 - E 60
OTTMARSHEIM
U
R. de l'Ile Napoléon
D 108
ST-JEAN BOSCO
LA FILATURE
N 66
R. de Mulhouse
PARC D'ENTREMONT
R. Gounod
Av. de Bâle
RIEDISHEIM
R. d'Alsace
R. Wilson
Grand' Rue
R. de Habsheim
AERODROME
RIXHEIM
V
R. de l'Étang
R. de Zimmersheim
PARC ZOOLOGIQUE ET BOTANIQUE
TANNENWALD
HABSHEIM
D 56
D 66
D 21 STEINBRUNN-LE-BAS
BASEL

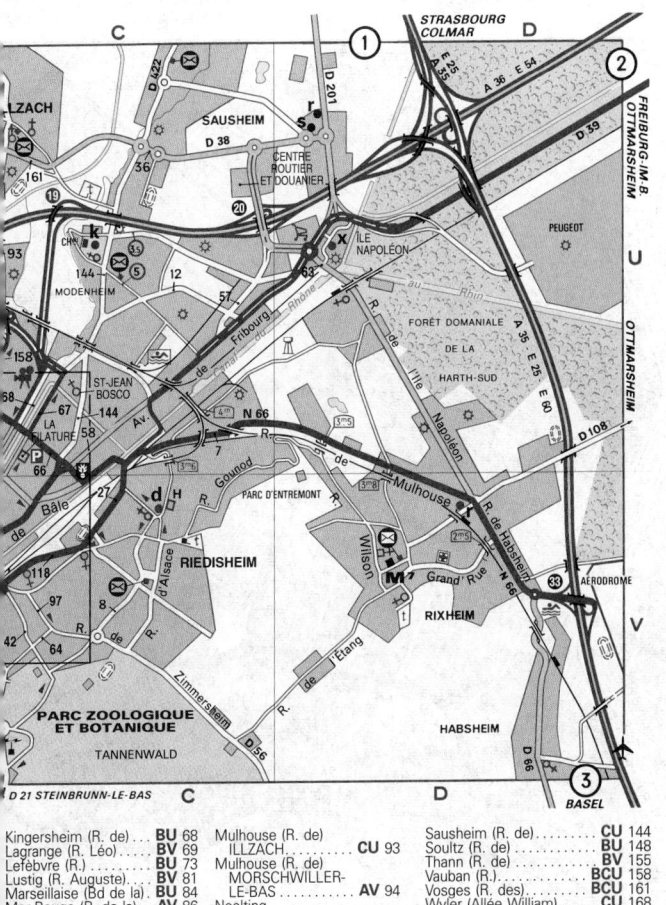

**Tulip Inn** sans rest, 15 r. Lambert ✆ 03 89 66 44 77, *mc@hotel-mulhouse.com, Fax 03 89 46 30 66,* – 🛗 TV 📞 ♿ P – 🏛 40. AE ⓓ GB — FY a
☕ 9 – **60 ch** 97/145.
◆ Idéal pour la clientèle d'affaires, l'hôtel abrite des chambres pratiques récemment revues dans un esprit contemporain. L'été, le petit-déjeuner est à prendre en terrasse.

**Ibis Centre Filature** Ⓜ, 34 allée Nathan Katz ✆ 03 89 56 09 56, *H1640@accor-hotels.com, Fax 03 89 45 53 57* – 🛗 TV 📞 ♿ – 🏛 25. AE ⓓ GB — GX f
**Repas** *(fermé sam. midi et dim. midi)* 15,30 ♀, enf. 6 – ☕ 6 – **70 ch** 85.
◆ Immeuble moderne s'abritant derrière une façade de verre. Chambres refaites par étapes. Bien agencés, accueil et restaurant partagent le même espace.

**Ibis Centre Gare,** 53 r. Bâle ✆ 03 89 46 41 41, *h1392@accor-hotels.com, Fax 03 89 56 24 26* – 🛗 TV 📞 ♿ P – 🏛 30. AE ⓓ GB JCB — GY n
***A l'Étoile*** ✆ 03 89 45 21 00 *(fermé dim.)* **Repas** 13/25 ♀ – ☕ 6 – **67 ch** 59.
◆ Les chambres de cet Ibis fraîchement rénové respectent les nouveaux standards de la chaîne. Le restaurant À l'Étoile est un souriant clin d'oeil au pittoresque régional.

**Bâle** sans rest, 19 passage Central ✆ 03 89 46 19 87, *Fax 03 89 66 07 06* – TV. ⓓ GB
☕ 6 – **32 ch** 29/51. — FY p
◆ Petit hôtel d'allure modeste, situé à proximité des rues piétonnes du centre-ville. Les chambres, d'une tenue sans reproche, bénéficient d'une bonne literie.

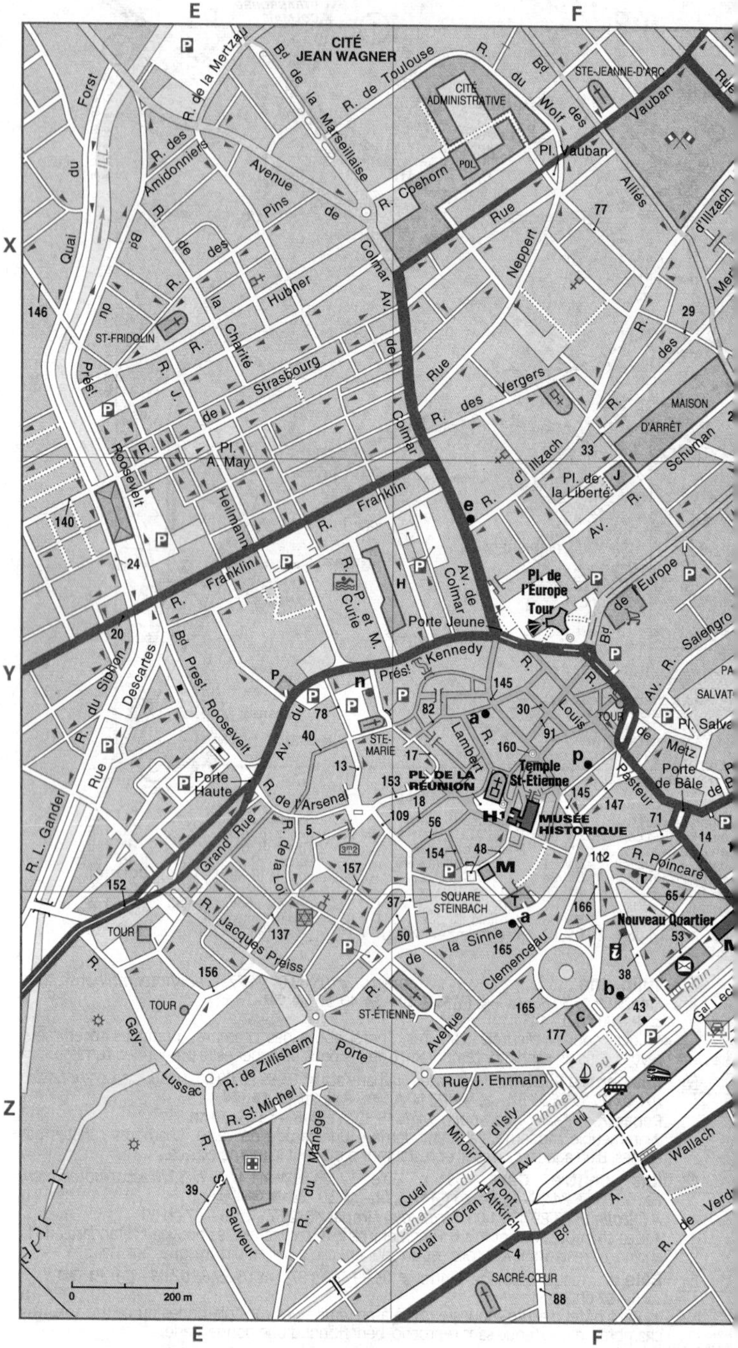

E
F
X
Y
Z
CITÉ JEAN WAGNER
CITÉ ADMINISTRATIVE
POL
STE-JEANNE-D'ARC
Pl. Vauban
Vauban
Alliés
R. de la Mertzau
Bd de la Marseillaise
R. de Toulouse
R. Coehorn
Rue Neppert
Bd du Wolf
Quai du Forst
ILL
R. des Amidonniers
Avenue de Colmar
Av. de Colmar
R. des Pins
Bd du Prest Roosevelt
R. des Hubner
R. de la Charité
ST-FRIDOLIN
R. J. Heilmann
R. de Strasbourg
Rue des Vergers
R. des Vergers
R. d'Illzach
MAISON D'ARRÊT
Av. R. Schuman
Pl. A. May
Pl. de la Liberté
R. Franklin
Pl. de l'Europe
Tour
Porte Jeune
Bd de l'Europe
R. P. et M. Curie
H
R. du Siphon
Rue Descartes
Bd Prest. Roosevelt
Av. du Prest Kennedy
R. Louis Pasteur
R. Lambert
Av. R. Salengro
SALVATOR
Pl. Salvator
R. de Metz
Porte de Bâle
R. L. Gander
Porte Haute
Grand' Rue
R. de l'Arsenal
R. de la Loi
STE-MARIE
PL. DE LA RÉUNION
Temple St-Étienne
MUSÉE HISTORIQUE
H¹
M
R. Poincaré
Nouveau Quartier
SQUARE STEINBACH
R. Jacques Preiss
R. de la Sinne
Av. Clemenceau
TOUR
ST-ÉTIENNE
C
Rhin
Gal Leclerc
R. Gay-Lussac
R. de Zillisheim
Porte du Miroir
Rue J. Ehrmann
R. St Michel
R. du Manège
R. S. Sauveur
Quai du Canal du Rhône au Rhin
Av. d'Isly
Quai d'Oran
Pont d'Altkirch
Bd Wallach
R. de Verdun
A.
SACRÉ-CŒUR
0
200 m
146
140
24
20
152
156
39
137
157
37
50
5
109
153
18
56
154
48
17
40
78
82
145
30
91
160
147
71
14
112
65
166
165
53
38
43
177
77
29
33
88
4
P
J
T
e
n
a
p
r
b

# MULHOUSE

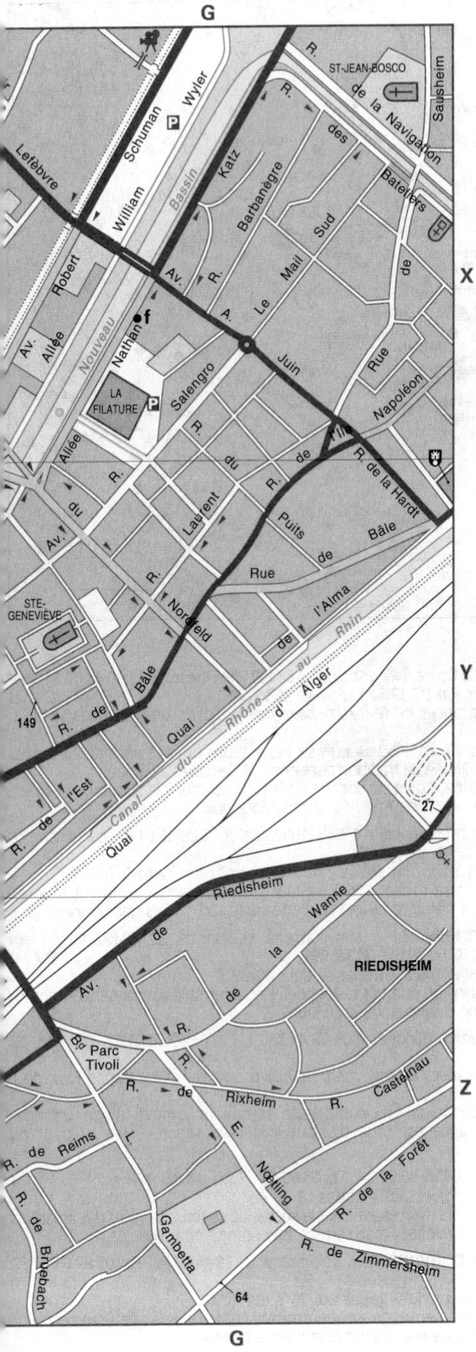
G
X
Y
Z
G
ST-JEAN-BOSCO
Sausheim
R. de la Navigation
R. des Bateliers
Wyler
Schuman
William
Lefèbvre
Bassin
Katz
Barbanègre
Sud
Le Mail
Av. R. A.
Av. Robert
Allée
Nouveau
Nathan
f
LA FILATURE
Salengro
Juin
Rue
Napoléon
de l'Ile
R. de la Hardt
R. du Laurent
R. Puits de Bâle
Av. du
Allée
R.
Rue de l'Alma
Nordfeld
STE-GENEVIÈVE
149
R. de Bâle
Quai
d'Alger
Rhin
au
Rhône
du
Canal
l'Est
R. de
Quai
27
Riedisheim
Wanne
de la
Av. de
RIEDISHEIM
R. de
Bd Parc Tivoli
R.
R. de Rixheim
R. Castelnau
E. Noetling
R. de la Forêt
R. de Reims
L.
R. de Bruebach
Gambetta
R. de Zimmersheim
64

Altkirch (Av. d') .......... **FZ** 4
Augustins
(Passage des) .......... **EY** 5
Bonbonnière (R.) .......... **EY** 13
Bonnes-Gens
(R. des) .......... **FY** 14
Bons-Enfants
(R. des) .......... **FY** 17
Boulangers (R. des) .......... **FY** 18
Briand (Av. Aristide) .......... **EY** 20
Cloche (Quai de la) .......... **EY** 24
Colmar (Av. de) .......... **EXFY**
Dollfus (Av. Gustave) .......... **GY** 27
Dreyfus (R. du Capit.) .......... **FX** 29
Engelmann (Rue) .......... **FY** 30
Ensisheim (R. d') .......... **FX** 33
Fleurs (R. des) .......... **FYZ** 37
Foch (Av. du Mar.) .......... **FZ** 38
Fonderie (R. de la) .......... **EZ** 39
Franciscains (R. des) .......... **EY** 40
Gaulle (Pl. Gén.-de) .......... **FZ** 43
Guillaume-Tell
(Pl. et R.) .......... **FY** 48
Halles (R. des) .......... **FZ** 50
Henner (R. J.-J.) .......... **FZ** 53
Henriette (R.) .......... **FY** 56
Jardin-Zoologique
(R. du) .......... **GZ** 64
Joffre (Av. du Mar.) .......... **FYZ** 65
Jura (R. du) .......... **FZ** 67
Lambert (Rue) .......... **FY**
Lattre-de-Tassigny
(Av. Mar. de) .......... **FY** 71
Loisy (R. du Lt de) .......... **FX** 77
Lorraine (R. de) .......... **EY** 78
Maréchaux (R. des) .......... **FY** 82
Montagne (R. de la) .......... **FZ** 88
Moselle (R. de la) .......... **FY** 91
Président-Kennedy
(Av. du) .......... **EFY**
Raisin (R. du) .......... **EFY** 109
République (Pl. de la) .......... **FY** 112
Riedisheim (Pont de) .......... **FZ** 119
Ste-Claire (R.) .......... **EZ** 137
Ste-Thérèse (R.) .......... **EY** 140
Sauvage (R. du) .......... **FY** 145
Schœn (R. Anna) .......... **EX** 146
Somme (R. de la) .......... **FY** 147
Stalingrad (R. de) .......... **FGY** 149
Stoessel (Bd Charles) .......... **EYZ** 152
Tanneurs (R. des) .......... **EFY** 153
Teutonique (Passage) .......... **FY** 154
Tour-du-Diable
(R.) .......... **EZ** 156
Trois-Rois (R. des) .......... **EY** 157
Victoires (Pl. des) .......... **FY** 160
Wicky (Av. Auguste) .......... **FZ** 165
Wilson (R.) .......... **FYZ** 166
Zuber (R.) .......... **FY** 172
17-Novembre (R. du) .......... **FZ** 177

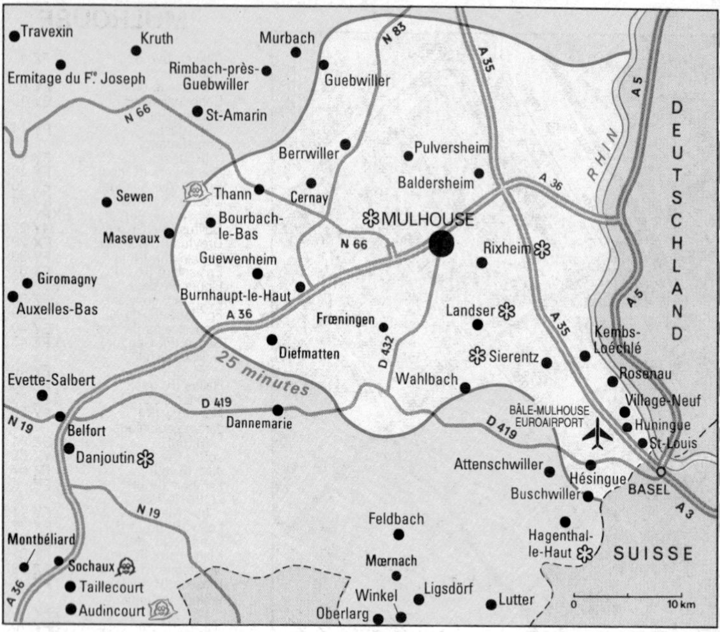

Travexin
Kruth
Murbach
Ermitage du Fᵉ Joseph
Rimbach-près-Guebwiller
Guebwiller
N 83
A 35
A 5
DEUTSCHLAND
N 66
St-Amarin
Berrwiller
Pulversheim
RHIN
Baldersheim
A 36
Sewen
Thann
Cernay
MULHOUSE
Bourbach-le-Bas
Masevaux
N 66
Rixheim
Guewenheim
Giromagny
Burnhaupt-le-Haut
Auxelles-Bas
A 36
Frœningen
Landser
A 35
Kembs-Loéchlé
Diefmatten
D 432
Sierentz
25 minutes
Evette-Salbert
Wahlbach
Rosenau
D 419
Village-Neuf
N 19
Belfort
Dannemarie
BÂLE-MULHOUSE EUROAIRPORT
D 419
Huningue
St-Louis
Danjoutin
Attenschwiller
Hésingue
BASEL
Buschwiller
A 3
N 19
Feldbach
Hagenthal-le-Haut
Montbéliard
SUISSE
Sochaux
Mœrnach
A 36
Taillecourt
Ligsdörf
Winkel
Lutter
Audincourt
Oberlarg
0
10 km


XXX **Poste** (Kieny), 7 r. Gén. de Gaulle à Riedisheim ✉ 68400 Riedisheim ☏ 03 89 44 07 71, *restaurant.kieny@wanadoo.fr, Fax 03 89 64 32 79* – 🅿. AE GB **CV d**
✿
*fermé 1er au 22 août, vacances de fév., dim. soir, mardi midi et lundi* – **Repas** 25 (déj.), 34/70 et carte 55 à 70 🍷.
◆ Relais de diligences fondé en 1850. Depuis six générations on s'y transmet les secrets d'une cuisine classique mâtinée de tradition alsacienne. Belles salles à manger.
**Spéc.** Déclinaison alsacienne. Côtes de cochon de lait, fin strudel à la choucroute. Divertissement autour du chocolat. **Vins** Tokay-Pinot gris, Pinot noir.

XXX **Parc,** 8 r. V. Hugo à Illzach-Modenheim ✉ 68110 Illzach ☏ 03 89 56 61 67, *parc@sehh.com, Fax 03 89 56 13 85*, – 🅿. AE GB **CU k**
*fermé 15 au 31 août, sam. midi, dim. soir et lundi* – **Repas** 43,50 et carte 56 à 74 🍷.
◆ Élégant pavillon de chasse ("folie" 1850) abritant un restaurant récemment rénové : cadre bourgeois en salle et plaisante véranda ouverte sur le jardin. Plats traditionnels.

XX **Auberge de la Tonnelle,** 61 r. Mar.-Joffre à Riedisheim ✉ 68400 Riedisheim ☏ 03 89 54 25 77, *Fax 03 89 64 29 85* – 🅿. AE GB **CV u**
*fermé sam. midi, dim. soir et merc.* – **Repas** 25 (déj.), 40/58 🍷.
◆ L'auberge est située dans un quartier résidentiel. Élégantes salles à manger contemporaines où l'on propose une cuisine au goût du jour.

X **L'Estérel,** 83 av. 1e Division Blindée ☏ 03 89 44 23 24, *Fax 03 89 64 05 63*, – 🅿. AE GB
*fermé 15 au 30 août, vacances de fév., merc. soir, dim. soir et lundi* – **Repas** 10,52 (déj.), 22/37.
◆ À proximité du parc zoologique, confortable restaurant agrandi d'une véranda ; l'agréable terrasse ombragée est prise d'assaut à la belle saison. Carte au goût du jour.

X **Bistrot,** 11 r. Poincaré ☏ 03 89 46 00 24, *Fax 03 89 56 33 15* – . AE GB **FY r**
*fermé 27 juil. au 18 août, sam. et dim.* – **Repas** 19/30 🍷.
◆ Charcuteries, abats et plats mijotés assurent le succès de ce bistrot auprès des amateurs de bonne chère. Les tables, nappées mais serrées, favorisent la convivialité.

X **Aux Caves du Vieux Couvent,** 23 r. Couvent ☏ 03 89 46 28 79, *Fax 03 89 66 47 87*, – . GB **EY n**
*fermé dim. soir, merc. soir et lundi* – **Repas** 9,50/25 🍷, enf. 6,50.
◆ Restaurant aux murs agrémentés de scènes retraçant l'histoire de la ville. Grand choix de spécialités régionales, vins locaux en pichet et ambiance taverne.

**au Nord-Est : Ile Napoléon** – ✉ *68110 Illzach :*

XXX **Closerie,** 6 r. H. de Crousaz ✆ 03 89 61 88 00, *hubert.beyrath@wanadoo.fr, Fax 03 89 61 95 49* – ▤ P. GB DU x
*fermé 13 juil. au 4 août, 22 déc. au 5 janv., sam. midi, lundi soir et dim.* – **Repas** 40/53,50 et carte 45 à 65.
◆ Magique surprise que de dénicher cette gracieuse demeure égarée au coeur d'une zone commerciale ! La salle à manger vous accueille en son cadre raffiné. Cave bien fournie.

**au Nord-Est par D 201** – ✉ *68390 Sausheim :*

**Mercure** M, N 422 ✆ 03 89 61 87 87, *h0556@accor-hotels.com, Fax 03 89 61 88 40*, – ▤ TV ✆ ♿ P – 60. AE ⓓ GB JCB DU r
**Repas** *(14,10)* - 22,50 ♀, enf. 10 – ☕ 11,50 – **100 ch** 96/111.
◆ Hôtel voisin d'un centre commercial. Toutes les chambres sont refaites dans un style contemporain égayé d'une petite touche régionale. Au restaurant, spécialités alsaciennes.

**Novotel** M, r. Ile Napoléon ✆ 03 89 61 84 84, *h0452@accor-hotels.com, Fax 03 89 61 77 99*, – ▤ TV ✆ P – 50. AE ⓓ GB DU s
**Repas** *(16)* - 35 ♀, enf. 8 – ☕ 11 – **77 ch** 91/101.
◆ Étape à vocation pratique, cet hôtel bénéficie d'efforts constants de rénovation, dans le respect des nouvelles normes de la chaîne. Terrasse tournée vers la piscine.

**à Baldersheim** *par ① : 8 km – 2 238 h. alt. 226* – ✉ *68390 :*

**Cheval Blanc,** ✆ 03 89 45 45 44, *cheval-blanc@wanadoo.fr, Fax 03 89 56 28 93*, – , ▤ rest, TV ✆ ♿ P – 30. GB
*fermé 21 déc. au 4 janv.* – **Repas** *(fermé dim. soir) (9,50)* - 15,30/42 ♀ – ☕ 7,60 – **83 ch** 45/64 – ½ P 47,50/50.
◆ Hôtel d'allure alsacienne exploité de père en fils depuis plus d'un siècle. Les chambres offrent un confort homogène et un cadre rustique. Terroir et tradition côté cuisine.

**Annexe Au Vieux Marronnier** sans rest, à 300 m. ✆ 03 89 36 87 60, *vieux-marronnier@wanadoo.fr, Fax 03 89 56 28 93* – GB
☕ 7,60 – **6 ch** 78, 6 appart, 8 studios 74/82.
◆ Studios et appartements, récemment rénovés, conviendront aux longs séjours ou aux familles de passage : espace, cuisinettes bien équipées et chambres de style contemporain.

**à Rixheim** *Sud-Est par N 66 – 11 669 h. alt. 240* – ✉ *68170 :*

XXX ✿ **Manoir** (Runser), 65 av. Gén. de Gaulle ✆ 03 89 31 88 88, *info@runser.fr, Fax 03 89 31 88 89*, – ▤ P. AE GB JCB DV r
*fermé sam. midi, dim. soir et lundi* – **Repas** 33 (déj.), 54/82 et carte 75 à 100 ♀.
◆ Belle demeure 1900 nichée dans un jardin clos. L'intérieur, décoré dans un style actuel, est élégant et raffiné. Cuisine régionale saisonnière, mise au goût du jour.
**Spéc.** Menu "truffe" (janv. à mars). Loup de mer en croûte de sel. Dorade royale à l'effiloché de palette, choucroute nouvelle aux zestes d'orange (été). **Vins** Sylvaner, Riesling.

**à Landser** *Sud-Est : 11 km par rte parc zoologique, Bruebach, D 21 et D 6B – 1 941 h. alt. 230* – ✉ *68440 :*

XXX ✿ **Hostellerie Paulus,** 4 pl. Paix ✆ 03 89 81 33 30, *Fax 03 89 26 81 85*, – P. AE GB
*fermé 4 au 18 août, 22 déc. au 5 janv., sam. midi, dim. soir et lundi* – **Repas** (nombre de couverts limité, prévenir) 35 bc (déj.), 42/70 et carte 60 à 75, enf. 13.
◆ Aménagée avec sobriété, cette maison à colombages assortie d'un oriel n'a rien perdu de son charme en gagnant en modernité. Cuisine du terroir habilement actualisée.
**Spéc.** Escalopes de foie d'oie grillées à l'unilatérale (automne). Parmentier d'escargots à la crème d'ail des ours (printemps). Dos de féra rôti aux fenouils confits. **Vins** Riesling, Sylvaner.

**à Froeningen** *Sud-Ouest : 9 km par D 8BIII* - **BV** – *467 h. alt. 256* – ✉ *68720 :*

XX **Auberge de Froeningen** avec ch, ✆ 03 89 25 48 48, *Fax 03 89 25 57 33*, – ✆ P. GB. ch
*fermé 19 août au 2 sept., 6 au 28 janv., mardi de nov. à avril, dim. soir et lundi* – **Repas** 13 (déj.), 24/55 ♀, enf. 10,50 – ☕ 7,50 – **7 ch** 62 – ½ P 64.
◆ Auberge contemporaine fleurie bâtie dans le respect de la tradition alsacienne. Salles à manger de caractère, dont une agrémentée d'un poêle en faïence. Cuisine régionale.

*Les pages explicatives de l'introduction*
*vous aideront à mieux profiter de votre* ***Guide Rouge Michelin***

**MUNSTER** *68140 H.-Rhin* 315 G8 *G. Alsace Lorraine – 4 657 h alt. 400.*

Env. *Soultzbach-les-Bains : autels★★ dans l'église E : 7 km.*

*Office du Tourisme, 1 rue du Couvent ☎ 03 89 77 31 80, Fax 03 89 77 07 17, tourisme munster@wanadoo.fr.*

*Paris 459 – Colmar 20 – Guebwiller 40 – Mulhouse 60 – St-Dié 55 – Strasbourg 91.*

**Verte Vallée** M, 10 r. A. Hartmann, parc de la Fecht ☎ 03 89 77 15 15, *verte.vallee@wanadoo.fr, Fax 03 89 77 17 40,* – rest, – 25 à 100. AE GB.

*fermé 5 au 30 janv.* – **Repas** 20/45 – 11,50 – **107 ch** 84/107 – 1/2 P 72,50.

◆ Grand hôtel moderne avec centre de balnéothérapie et nombreux équipements de loisirs. Les chambres rénovées sont fonctionnelles et colorées. Agréable jardin bordé par la Fecht.

**Deybach** sans rest, rte Colmar, D 417 : 1 km ☎ 03 89 77 32 71, *Fax 03 89 77 52 41* – GB

*fermé 1er au 12 juin, 10 au 30 oct. et lundi* – 5,50 – **16 ch** 34/47.

◆ Accueil souriant et ambiance chaleureuse sont les atouts de cet hôtel qui abrite des chambres au décor déjà ancien, mais très bien tenues.

**Nouvelle Auberge,** rte Colmar, sur D 417, Est : 6 km ☎ 03 89 71 07 70 – GB

*fermé 30 juin au 8 juil., vacances de Toussaint, de fév., lundi et mardi* – **Repas** 8,50 (déj.), 28/50, enf. 8.

◆ Ce relais de poste à la façade jaune sert une cuisine régionale : au rez-de-chaussée (à midi et en semaine) ou à l'étage dans un joli cadre alsacien (le soir et le week-end).

**MURAT** *15300 Cantal* 330 F4 *G. Auvergne – 2 409 h alt. 930.*

Voir *Site★★ – Église★ d'Albepierre-Bredons S : 2 km.*

*Office du Tourisme, 2 rue du fauboug Notre-Dame ☎ 04 71 20 09 47, Fax 04 71 20 21 94 ot.murat@auvergne.net.*

*Paris 523 – Aurillac 50 – Brioude 60 – Issoire 73 – Le Puy-en-Velay 121 – St-Flour 24.*

**Hostellerie Les Breuils** sans rest, ☎ 04 71 20 01 25, *info@hostellerie-les-breuils.com, Fax 04 71 20 33 20,* – – 15. GB.

*1er mai-11 nov., vacances de Noël et de fév.* – 6,40 – **10 ch** 55/76,30.

◆ Demeure centenaire dont les chambres, égayées de couleurs "mode" et bénéficiant d'un confort actuel, renferment parfois un mobilier de style Louis XVI.

**à l'Est** *par N 122, rte de Clermont-Ferrand : 4 km – ✉ 15300 Murat :*

**Jarrousset,** ☎ 04 71 20 10 69, *Fax 04 71 20 15 26,* – GB

*fermé 12 nov. au 15 janv., mardi sauf juil.-août et lundi* – **Repas** 22/45.

◆ Coquette auberge : salle à manger principale flirtant avec le style contemporain, salle plus intime ouverte sur la campagne et salon moderne agrémenté d'un piano.

**MURBACH** *68 H.-Rhin* 315 G9 – *rattaché à Guebwiller.*

**MUR-DE-BARREZ** *12600 Aveyron* 338 H1 *G. Midi-Pyrénées – 1 109 h alt. 790.*

*Office du Tourisme, 12 Grand' Rue ☎ 05 65 66 10 16, Fax 05 65 66 31 90, otmurdebarrez @wannadoo.fr.*

*Paris 570 – Aurillac 39 – Rodez 72 – St-Flour 56.*

**Auberge du Barrez** M, ☎ 05 65 66 00 76, *auberge.du.barrez@wanadoo.fr, Fax 05 65 66 07 98,* – AE GB

*fermé 6 janv. au 16 fév.* – **Repas** *(fermé dim. soir de nov. à Pâques et lundi de sept. à Pâques sauf fériés)* 11,50/33, enf. 8 – 6,60 – **18 ch** 32/77 – 1/2 P 46/57,50.

◆ À l'écart du centre, grande maison où vous choisirez l'une des spacieuses chambres garnies de beaux meubles contemporains. Au restaurant, cuisine traditionnelle.

**MUR-DE-BRETAGNE** *22530 C.-d'Armor* 309 E5 *G. Bretagne – 2 049 h alt. 225.*

Voir *Rond-Point du lac ←★ – Lac de Guerlédan★★ O : 2 km.*

*Office du Tourisme, place de l'église ☎ 02 96 28 51 41, Fax 02 96 28 59 44.*

*Paris 458 – St-Brieuc 43 – Carhaix-Plouguer 50 – Guingamp 46 – Loudéac 20 – Pontivy 17.*

**Auberge Grand'Maison** (Guillo) avec ch, ☎ 02 96 28 51 10, *grandmaison@armornet.com.fr, Fax 02 96 28 52 30* – AE GB JCB

*fermé 2 au 15 mars, 1er au 25 oct., mardi sauf en juil-août, dim. soir et lundi* – **Repas** (nombre de couverts limité, prévenir) 26 (déj.), 36/70 et carte 58 à 78 – 11 – **9 ch** 54/104 – 1/2 P 77/103.

◆ Murs en pierre, tentures, tableaux, bibelots, sièges de style Louis XV et nombreux bouquets de fleurs séchées composent le décor exubérant de cette auberge de tradition.

**Spéc.** Profiteroles de foie gras au coulis de truffe. Tournedos de pied de porc. Salade de homard.

## Les MUREAUX 78130 *Yvelines* 311 H2 – *33 089 h alt. 28.*

*Paris 41 – Mantes-la-Jolie 19 – Pontoise 24 – Rambouillet 57 – Versailles 32.*

**Comfort Hôtel La Chaumière,** quartier Grand Ouest (près échangeur A 13 par rte Bouafle) ✆ 01 34 74 72 50, *comfort.lesmureaux@libertysurf.fr, Fax 01 30 99 39 04,* – GB
**Repas** *(fermé 5 au 25 août, 24 déc. au 2 janv. et dim. soir)* (11,15) - 18, enf. 5,95 – 6,50 – **41 ch** 53.
◆ Construction des années 1980 située à proximité d'un centre commercial. Les chambres, équipées de leur mobilier d'origine, sont régulièrement rafraîchies.

## MUSSIDAN 24400 *Dordogne* 329 D5 *G. Périgord Quercy – 2 985 h alt. 50.*

*Syndicat d'Initiative, place de la République ✆ 05 53 81 73 87, Fax 05 53 81 73 87, si.mussidan@perigord.tm.fr.*
*Paris 526 – Périgueux 39 – Angoulême 85 – Bergerac 26 – Libourne 59.*

**Midi**, à la gare ✆ 05 53 81 01 77, *Fax 05 53 82 90 14,* – GB. ch
*fermé 25/4 au 11/5, 24/10 au 9/11, vend. soir, dim. midi et sam. de nov. à avril* – **Repas** (dîner seul.)(résidents seul.) 13/25 – 6 – **9 ch** 45/70 – 1/2 P 49/55.
◆ Amabilité de l'accueil et chambres simples (un brin désuètes) caractérisent ce petit hôtel familial situé à proximité de la gare. Jardin et piscine pour la détente.

**Relais de Gabillou,** rte de Périgueux : 1,5 km ✆ 05 53 81 01 42, *Fax 05 53 81 01 42,* GB
*fermé 12 au 25 nov., le soir du 6 au 31 janv. et lundi* – **Repas** 14/46, enf. 8.
◆ Atmosphère rustique pour cette auberge de bord de route dont la salle à manger s'agrémente d'une vaste cheminée en pierre. Terrasse ombragée au calme. Plats régionaux.

**à Sourzac** *Est : 4 km par N 89 – 1 011 h. alt. 50 – ✉ 24400 :*

**Chaufourg en Périgord,** ✆ 05 53 81 01 56, *chaufourg.hotel@wanadoo.fr, Fax 05 53 82 94 87,* GB.
*15 mars-15 nov.* – **Repas** (dîner seul.) (résidents seul.) carte 40 à 65 – 15 – **9 ch** 142/290.
◆ Cette demeure du 17e s. au charme follement romantique apporte un soin tout particulier à son décor. Chambres au luxe discret, ambiance "guesthouse", jardin hors du temps.

## MUTZIG 67190 *B.-Rhin* 315 I5 *G. Alsace Lorraine – 4 552 h alt. 190.*

*Paris 487 – Strasbourg 33 – Obernai 13 – Saverne 30 – Sélestat 38.*

**L'Ours de Mutzig,** pl. Fontaine ✆ 03 88 47 85 55, *hotel@loursdemutzig.com, Fax 03 88 47 85 56,* 40. GB
**Repas** 18/24 – 5,50 – **32 ch** 42/45.
◆ Cette maison à la jolie façade bleue (1900) appartenait à la brasserie de Mutzig. Chambres fonctionnelles et chaleureux restaurant agrémenté d'ours... en peluche.

**Hostellerie de la Poste,** pl. Fontaine ✆ 03 88 38 38 38, *hostellerie.pfeiffer@wanadoo.fr, Fax 03 88 49 82 05,* rest, GB
*Fermé 5 au 27 janv.* – **Repas** *(fermé lundi)* 12,50 (déj.), 18,50/33 – 6,40 – **16 ch** 40/53,50 – 1/2 P 49,30/56.
◆ Hôtel de style régional abritant des chambres déjà anciennes, mais bien tenues. Recettes alsaciennes en harmonie avec le cadre de la plaisante salle à manger.

## NAINTRÉ 86 *Vienne* 322 I4 – *rattaché à Châtellerault.*

## NAJAC 12270 *Aveyron* 338 D5 *G. Midi-Pyrénées – 766 h alt. 315.*

**Voir** *La Forteresse★ : ≤★.*
*Office du Tourisme, place du Faubourg ✆ 05 65 29 72 05, Fax 05 65 29 72 29, otsi.najac@wanadoo.fr.*
*Paris 635 – Rodez 71 – Albi 50 – Cahors 85 – Gaillac 50 – Villefranche-de-Rouergue 20.*

**Belle Rive**, Nord-Ouest : 3 km par D 39 ✆ 05 65 29 73 90, *hotel.bellerive.najac@wanadoo.fr, Fax 05 65 29 76 88,* ≤, GB
*avril-oct. et fermé dim. soir et lundi midi en oct.* – **Repas** 15/42, enf. 8 – 7,50 – **29 ch** 48/52 – 1/2 P 48/51.
◆ La même famille dirige depuis cinq générations cet hôtel agréablement situé au bord de l'Aveyron. Les chambres sont décorées l'une après l'autre avec soin. Cuisine régionale.

XXX **Oustal del Barry** avec ch, ✆ 05 65 29 74 32, *oustal@caramail.com, Fax 05 65 29 75 32*
<, ☂, ⇌ – |‡| TV. AE ◑ GB
*1er avril-15 nov. –* **Repas** *(fermé lundi midi et mardi midi d'avril à juin et de sept. à nov.)* 22,30/46,50 bc ♀, enf. 15 – ☕ 8,50 – **20 ch** 41,50/69 – ½ P 49/64.
◆ Auberge au cadre rustique dans un beau village perché. De la salle à manger, vous apercevrez l'orgueilleuse forteresse. Cuisine au goût du jour.

**NALZEN** *09 Ariège* 343 *I7 – rattaché à Lavelanet.*

**NANCY** P *54000 M.-et-M.* 307 *I6 G. Alsace Lorraine – 99 351 h Agglo. 331 363 h alt. 206.*
**Voir** *Place Stanislas★★★, Arc de Triomphe★* **BY B** *– Place de la Carrière★ et Palais du Gouverneur★* **BX R** *– Palais ducal★★ : musée historique lorrain★★★ – Église et Couvent des Cordeliers★ : gisant de Philippe de Gueldre★★ – Porte de la Craffe★ – Église N.-D.-de-Bon Secours★* **EX** *– Façade★ de l'église St-Sébastien – Musées : Beaux-Arts★★* **BY M³***, Ecole de Nancy★★* **DX M⁴***, aquarium tropical★ du muséum-aquarium* **CY M⁸** *– Jardin botanique du Montet★* **DY.**
**Env.** *Basilique★★ de St-Nicolas-de-Port par ② : 12 km.*
✈ *de Metz-Nancy-Lorraine : ✆ 03 87 56 70 00, par ⑥ : 43 km.*
🚗 *✆ 08 36 35 35 35.*
ℹ *Office du Tourisme, place Stanislas ✆ 03 83 35 22 41, Fax 03 83 35 90 10, tourisme@ot-nancy.fr – Automobile Club Lorrain bd. Barthou ✆ 03 83 50 12 12, Fax 03 83 50 12 19.*
*Paris 313 ⑤ – Dijon 212 ⑤ – Metz 57 ⑥ – Reims 209 ⑤ – Strasbourg 154 ①.*

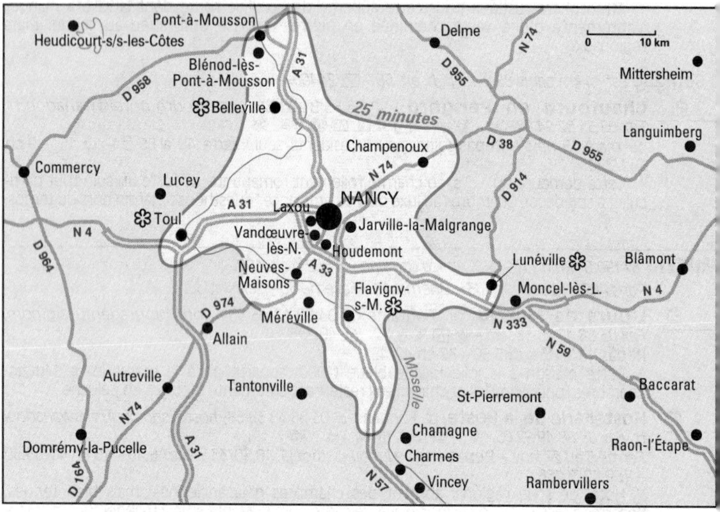
Pont-à-Mousson
Heudicourt-s/s-les-Côtes
Delme
N 74
0
10 km
Mittersheim
A 31
Blénod-lès-Pont-à-Mousson
D 958
D 955
Belleville
25 minutes
Languimberg
D 38
D 955
Champenoux
Commercy
N 74
D 914
Lucey
NANCY
A 31
Laxou
Toul
Jarville-la-Malgrange
N 4
Vandœuvre-lès-N.
Houdemont
D 964
Lunéville
Blâmont
Neuves-Maisons
A 33
Flavigny-s-M.
Moncel-lès-L.
N 4
D 974
Méréville
N 333
Allain
N 59
Moselle
Autreville
Tantonville
Baccarat
St-Pierremont
N 74
Chamagne
Raon-l'Étape
Domrémy-la-Pucelle
A 31
Charmes
D 164
N 57
Vincey
Rambervillers

**Grand Hôtel de la Reine,** 2 pl. Stanislas ✆ 03 83 35 03 01, *sales-nancy@concorde-hotels.com, Fax 03 83 32 86 04,* ☂ – |‡| ⇌ ▤ TV ✆ ♿ – 🏛 40 à 60. AE ◑ GB JCB — **BY d**
***Stanislas*** *(fermé dim. de nov. à mars et sam. midi)* **Repas** 29/54♀, enf. 15 – ☕ 13 – **35 ch** 130/145, 7 appart.
◆ Marie-Antoinette logea dans ce pavillon du 18e s. abritant de belles chambres meublées en style Louis XV. Le restaurant, raffiné, est tourné sur la célèbre place Stanislas.

**Mercure Centre Thiers,** 11 r. R. Poincaré ✆ 03 83 39 75 75, *H1265@accor-hotels.com, Fax 03 83 32 78 17* – |‡| ⇌ ▤ TV – 🏛 30 à 150. AE ◑ GB JCB — **AY r**
***Rendez-Vous*** *(fermé sam. midi, dim. midi et fériés le midi)* **Repas** (11)-20 ♀ – ☕ 11 – **192 ch** 93/153.
◆ Hôtel bénéficiant d'une situation privilégiée, au coeur du quartier des affaires et à proximité immédiate du centre historique. Chambres progressivement rénovées.

**Mercure Centre Stanislas** sans rest, 5 r. Carmes ✆ 03 83 30 92 60, *H1068@accor-hotels.com, Fax 03 83 30 92 92* – |‡| ⇌ ▤ TV ✆ 🚗 – 🏛 18. AE ◑ GB — **BY m**
☕ 12 – **80 ch** 93/104.
◆ Idéalement situé dans le centre-ville commerçant, cet hôtel offre des installations complètes et très bien tenues. Chambres garnies d'un mobilier inspiré de l'Art nouveau.

**Crystal** sans rest, 5 r. Chanzy ☎ 03 83 17 54 00, *hotelcrystal.nancy@wanadoo.fr, Fax 03 83 17 54 30* – AE GB JCB — AY a
*fermé 24 déc. au 2 janv.* – ☐ 8,50 – **58 ch** 75/92,50.
◆ Bâtiment entièrement rénové proposant des chambres très soignées, spacieuses et colorées, agrémentées d'un mobilier actuel. Salon-bar feutré.

**Albert 1er-Astoria** sans rest, 3 r. Armée Patton ☎ 03 83 40 31 24, *Fax 03 83 28 47 78* – P – 20. AE GB JCB — AY e
☐ 7 – **83 ch** 49/65.
◆ Cet immeuble voisin de la gare dispose de chambres simples et pratiques qui, comme la salle des petits-déjeuners, donnent sur une paisible cour ombragée d'un saule pleureur.

**Résidence** sans rest, 30 bd J. Jaurès ☎ 03 83 40 33 56, *hotel.la.residence.nancy@wanadoo.fr, Fax 03 83 90 16 28* – AE GB JCB — DEX h
*fermé 30 déc. au 2 janv.* – ☐ 7 – **22 ch** 56/64.
◆ Chambres fonctionnelles et bien insonorisées. Couloirs et hall sont décorés d'affiches et publicités anciennes évoquant l'univers ferroviaire. Accueil aimable.

**St-Georges** sans rest, 7 ter r. Tapis Vert ☎ 03 83 35 16 72, *hotel.saintgeorges@wanadoo.fr, Fax 03 83 37 99 25* – cuisinette P. AE GB — CY s
*fermé 23 déc. au 2 janv.* – ☐ 5,80 – **27 ch** 43,30/53.
◆ En bordure d'un axe passant, adresse familiale où les chambres, sobres et de bonne ampleur, devraient prochainement bénéficier d'une rénovation.

**Portes d'Or** sans rest, 21 r. Stanislas ☎ 03 83 35 42 34, *contact@hotel-lesportesdor.com, Fax 03 83 32 51 41* – GB. — BY b
☐ 6 – **20 ch** 45/60.
◆ Les chambres aux tons pastel de ce petit établissement ne sont pas très grandes, mais possèdent un mobilier moderne et un équipement correct.

XXX **Capucin Gourmand,** 31 r. Gambetta ☎ 03 83 35 26 98, *Fax 03 83 35 99 29* – . AE GB — BY m
*fermé 17 au 25 août, dim. sauf le midi de sept. à juin, sam. midi et lundi* – **Repas** 22/56 et carte 56 à 69 ♀.
◆ L'audacieux décor contemporain, les expositions de tableaux et le lustre (oeuvre unique de l'école de Nancy) illuminant la salle font le charme de cette institution locale.

XXX **Mirabelle,** 24 r. Héré ☎ 03 83 30 49 69, *Fax 03 83 32 78 93* – . AE GB — BY f
*fermé 29 juil. au 19 août, vacances de fév., sam. midi, dim. soir et lundi* – **Repas** 17 (déj.), 23/61 et carte 48 à 70.
◆ Deux salles à manger habillées de neuf dissimulées derrière une discrète façade. Cadre feutré et soigné, tables rondes et éclairage plaisant. Cuisine au goût du jour.

XX **Mignardise,** 28 r. Stanislas ☎ 03 83 32 20 22, *didier.metzelard@wanadoo.fr, Fax 03 83 32 19 20,* – AE GB JCB — BY n
*fermé 14 au 27 juil. et dim. soir* – **Repas** *(13,80)* - 21/48 bc ♀.
◆ Murs couleur brique, sobre mobilier moderne, bel éclairage étudié : un décor contemporain épuré et élégant, réalisé par un designer nancéien. Cuisine créative à base d'épices.

XX **Grenier à Sel,** 28 r. Gustave Simon ☎ 03 83 32 31 98, *patrick.frechin@free.fr, Fax 03 83 35 32 88* – GB — BY x
*fermé 23 juil. au 15 août, dim. et lundi* – **Repas** 27 (déj.), 32/45 ♀.
◆ Dans une rue commerçante, restaurant installé à l'étage de l'une des plus vieilles maisons de la ville. Volume appréciable de la salle à manger au joli cadre rustique.

XX **Les Agaves,** 2 r. Carmes ☎ 03 83 32 14 14, *Fax 03 83 37 13 31* – AE GB — BY u
*fermé 28 juil. au 11 août, 23 fév. au 2 mars, lundi soir, merc. soir et dim.* – **Repas** 21 ♀.
◆ Deux salles, deux "looks" : cadre feutré et actuel ou décor un brin provençal égayé de photos des années 1950. La cuisine marie inspiration italienne et saveurs du Sud.

XX **Petits Gobelins,** 18 r. Primatiale ☎ 03 83 35 49 03, *Fax 03 83 37 41 49,* – . AE GB — CY z
*fermé 1er au 20 août, 1er au 5 janv., dim. et lundi* – **Repas** 14 (déj.), 18,50/55 ♀.
◆ Chaleureux restaurant de poche aménagé dans une maison du 18e s. bordant une rue piétonne. Cadre moderne et plutôt soigné, expositions de tableaux et agréable salon feutré.

XX **Toque Blanche,** 1 r. Mgr Trouillet ☎ 03 83 30 17 20, *Fax 03 83 32 60 24* – AE GB — ABY z
*fermé 27 juil. au 13 août, 2 au 8 janv., 29 fév. au 8 mars, sam. midi, dim. soir et lundi* – **Repas** *(16)* - 21/52 ♀.
◆ Au coeur de la vieille ville, restaurant familial abritant deux salles à manger à l'ambiance intime, dont une égayée par une fresque représentant Arlequin.

XX **Chine,** 31 r. Ponts ☎ 03 83 30 13 89, – . AE GB JCB — BY r
*fermé 12 août au 1er sept., dim. soir, mardi midi et lundi* – **Repas** 23/29.
◆ Cuisine chinoise à découvrir dans une salle laquée rouge et noir, agrémentée de miroirs et de bibelots. Discrétion dans le décor comme dans l'assiette.

# NANCY

Adam (R. Sigisbert) . **BX** 2
Albert-Ier (Bd) . . . . . . . **DV** 3
Anatole-France (Av.). **DV** 6
Armée-Patton (R.) . . **DV** 7
Auxonne (R. d') . . . . **DV** 8
Barrès (R. Maurice) . **CY** 10
Bazin (R. H.) . . . . . . . **CY** 13
Benit (R.) . . . . . . . . . . **BY** 14
Blandan
(R. du Sergent) . . . **DX** 15
Braconnot (R.) . . . . . . **BX** 19
Carmes (R. des) . . . . . **BY** 20
Chanoine-Jacob (R.). **AX** 23
Chanzy (R.) . . . . . . . . . **AY** 24
Cheval-Blanc (R. du). **BY** 25
Clemenceau (Bd G.). **EX** 26
Craffe (R. de la) . . . . **AX** 27
Croix de Bourgogne
(Espl.) . . . . . . . . . . . . **AZ** 28
Dominicains (R. des) **BY** 29
Erignac (R. C.) . . . . . . **BY** 31
Foch (Av.) . . . . . . . . . . **DV** 34
Gambetta (R.) . . . . . . . **BY** 36
Gaulle (Pl. Gén.-de) . **BX** 37
Grande-Rue . . . . . . . . **BXY**
Haussonville (Bd d'). **DX** 38
Haut-Bourgeois (R.). **AX** 39
Héré (R.) . . . . . . . . . . . **BY** 40
Ile de Corse
(R. de l') . . . . . . . . . **CY** 41
Jaurès (Bd Jean) . . . . **EX** 43
Jeanne-d'Arc (R.) . . **DEX** 44
Keller (R. Ch.) . . . . . . **AX** 46
La Fayette (Pl. de) . . **BY** 47
Linnois (R.) . . . . . . . . . **EX** 49
Louis (R. Baron) . . . . **AXY** 50
Loups (R. des) . . . . . . **AX** 51
Majorelle (R. Louis) . **DX** 52
Maréchaux (R. des) . **BY** 53
Mazagran (R.) . . . . . . **AY** 54
Mengin (Pl. Henri) . . **BY** 55
Molitor (R.) . . . . . . . . . **CZ** 60
Mon-Désert (R. de) **ABZ** 61
Monnaie (R. de la) . . **BY** 62
Mgr-Ruch (Pl.) . . . . . . **CY** 63
Mouja (R. du Pont) . . **BY** 64
Nabécor (R. de) . . . . . **EX** 65
Oudinot
(R. Maréchal) . . . . . **EX** 68
Poincaré (R. H.) . . . . . **AY** 69
Poincaré (R. R.) . . . . . **AY** 70
Point-Central . . . . . . . **BY** 72
Ponts (R. des) . . . . . **BYZ** 73
Primatiale
(R. de la) . . . . . . . . . **CY** 74
Raugraff (R.) . . . . . . . **BY** 75
St-Dizier (R.) . . . . . . . **BY**
St-Epvre (Pl.) . . . . . . . **BY** 82
St-Georges (R.) . . . . . **CY**
St-Jean (R.) . . . . . . . . **BY**
St-Lambert (R.) . . . . **DV** 84
St-Léon (R.) . . . . . . . . **AY** 85
Source (R. de la) . . . . **AY** 99

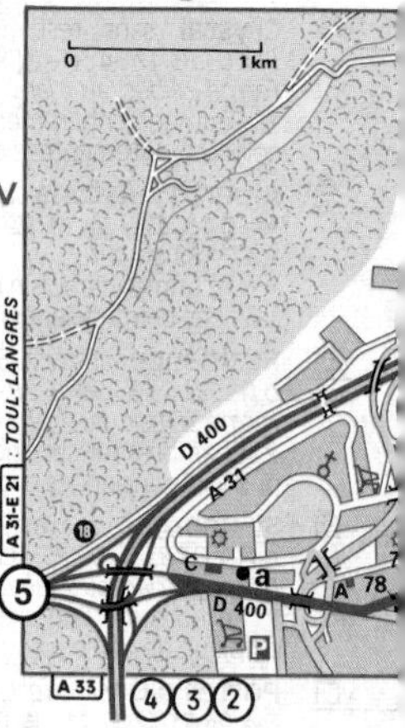

C
V
0
1 km
TOUL-LANGRES
A 31-E 21
D 400
A 31
18
5
a
A 78
D 400
A 33
4
3
2
C


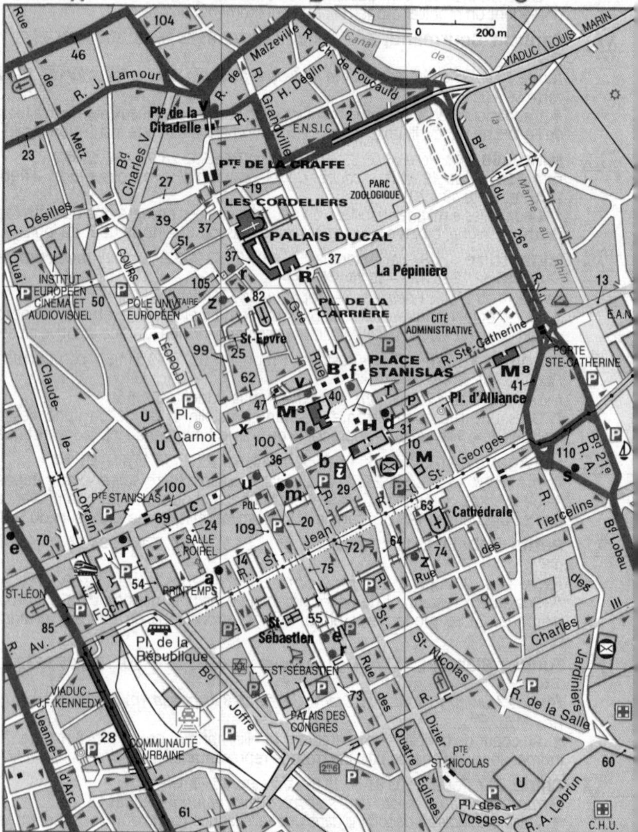

A
B
C
X
Y
Z
0
200 m
104
46
R. J. Lamour
Rue de Metz
Pte de la Citadelle
R. de Malzéville
R. Ch. de Foucauld
Canal de
VIADUC LOUIS MARIN
R. Grandville
R. H. Déglin
E.N.S.I.C.
23
Bd Charles V
PTE DE LA CRAFFE
PARC ZOOLOGIQUE
27
19
LES CORDELIERS
R. Désilles
39
37
51
PALAIS DUCAL
37
La Pépinière
Quai
COURS
Bd du 26e R.I.
Marne au Rhin
INSTITUT EUROPÉEN CINÉMA ET AUDIOVISUEL
50
PÔLE UNIVERSITAIRE EUROPÉEN
105
82
PL. DE LA CARRIÈRE
13
E.A.N.
CITÉ ADMINISTRATIVE
St-Epvre
Claude-le-Lorrain
LEOPOLD
99
25
PLACE STANISLAS
R. Ste-Catherine
PORTE STE-CATHERINE
M8
41
62
Pl. d'Alliance
47
40
M3
Pl. Carnot
31
100
10
M
110
36
Georges
29
Bd 21e R.A.
PTE STANISLAS
100
Cathédrale
63
69
24
20
Tiercelins
70
SALLE POIREL
109
72
64
74
e
r
R. St Jean
75
des
Bd Lobau
ST-LÉON
54
PRINTEMPS
Rue
des
85
Foch
St-Sébastien
55
St
Charles III
Av.
Pl. de la République
ST-SÉBASTIEN
St-Nicolas
Jardiniers
VIADUC J.F. KENNEDY
Bd Joffre
73
R. de la Salle
PALAIS DES CONGRÈS
Rue des Ponts
28
COMMUNAUTÉ URBAINE
R. Jeanne-d'Arc
Dizier
Quatre Eglises
PTE ST-NICOLAS
60
U
61
Pl. des Vosges
R. A. Lebrun
C.H.U.
A
B
C

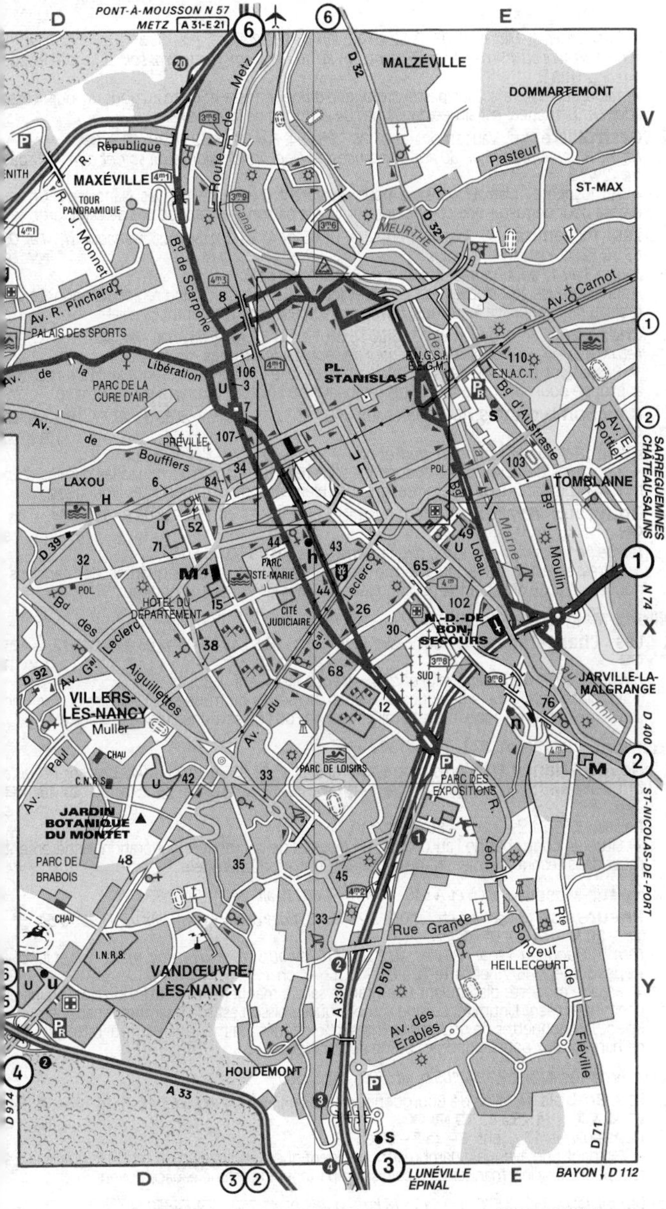
PONT-À-MOUSSON N 57
METZ A 31-E 21
D
E
MALZÉVILLE
DOMMARTEMONT
V
R. République
MAXÉVILLE
TOUR PANORAMIQUE
R. J. Monnet
Route de Metz
Canal
Pasteur
ST-MAX
MEURTHE
Bd de Scarpone
Av. R. Pinchard
PALAIS DES SPORTS
Av. Carnot
Av. de la Libération
PARC DE LA CURE D'AIR
PL. STANISLAS
E.N.G.S.I.
E.E.G.M.
E.N.A.C.T.
Bd d'Austrasie
Av. de Boufflers
PRÉVILLE
LAXOU
TOMBLAINE
SARREGUEMINES
CHÂTEAU-SALINS
Bd J. Moulin
Marne
Lobau
PARC STE-MARIE
HÔTEL DU DÉPARTEMENT
CITÉ JUDICIAIRE
Leclerc
N.-D.-DE BON-SECOURS
N 74
X
Bd des Aiguillettes
Av. Gal Leclerc
VILLERS-LÈS-NANCY
Muller
Av. du Gal
SUD
JARVILLE-LA-MALGRANGE
Rhin
D 400
Av. Paul
CHAU
C.N.R.S.
PARC DE LOISIRS
PARC DES EXPOSITIONS
ST-NICOLAS-DE-PORT
JARDIN BOTANIQUE DU MONTET
PARC DE BRABOIS
R. Léon
Rue Grande
Rte Songeur de Fléville
HEILLECOURT
I.N.R.S.
VANDŒUVRE-LÈS-NANCY
Y
A 330
D 570
Av. des Erables
HOUDEMONT
A 33
D 974
D 71
LUNÉVILLE
ÉPINAL
BAYON D 112

Stanislas (R.) ........ BY 100
Strasbourg (Av. de) ... EX 102
Tomblaine (R. de) .... EV 103
Trois-Maisons
(R. du Fg des) ..... AX 104
Trouillet (R.) ........ AXY 105
Verdun (R. de) ....... DV 106
Victor-Hugo (R.) ..... DV 107
Visitation (R. de la) ... BY 109
XXe-Corps (Av. du) ... EV 110

JARVILLE

République (R. de la) .. EX 76

LAXOU

Europe (Av. de l') ..... DX 32
Poincaré (R. R.) ....... DX 71
Résistance
(Av. de la) .......... CV 78
Rhin (Av. du) ......... CV 79

VANDŒUVRE

Barthou (Bd L.) ....... EX 12
Doumer (Av. P.) ....... EX 30
Europe (Bd de l') .... DEY 33
Frère (R. Gén.) ........ DY 35
Jaurès
(Av. Jean) ......... DXY 42
Jeanne-d'Arc (Av.) ... DEY 45
Leclerc (Av. Gén.) ..... DY 48

**V Four,** 10 r. St-Michel ☎ 03 83 32 49 48, *Fax 03 83 32 49 48,* – GB BX
*fermé 28 avril au 1er mai, 22 au 28 sept., 1er au 10 fév., sam. midi, dim. soir et lundi* – **Repas** (14,50) - 21/29 ♀.
◆ Minuscule salle aux tons pastel prolongée d'une terrasse et carte au goût du jour : cette adresse "branchée" est située dans une rue piétonne de la vieille ville.

**Gastrolâtre,** 1 pl. Vaudémont ☎ 03 83 35 51 94, *Fax 03 83 32 96 79,* – GB BY
*fermé 1er au 6 mai, 15 au 30 août, vacances de Noël, lundi midi, jeudi soir et dim.* – **Repas** (18) - 29/39.
◆ Atmosphère "bistrot" dans ce petit restaurant fréquenté par les Nancéiens. On s'y presse pour déguster une cuisine qui, comme le patron, ne manque pas de caractère.

**Les Pissenlits,** 25 bis r. Ponts ☎ 03 83 37 43 97, *pissenlits@wanadoo.fr, Fax 03 83 35 72 49* – ▤. GB BY
*fermé 3 au 17 août, dim. et lundi* – **Repas** 16/31,50 bc ♀.
◆ Chaleureuse ambiance, vieux meubles lorrains, copieuse cuisine régionale énoncée sur tableau noir et service à guichets fermés caractérisent ce restaurant familial.

**Chez Lize,** 52 r. H. Déglin ☎ 03 83 30 36 26, *Fax 03 83 30 18 93* – ▤. GB. AX
*fermé 3 au 17 août et dim. sauf le midi de sept. à juin* – **Repas** (14) - 18/21,50.
◆ Restaurant aménagé dans un ancien bar. La salle à manger présente le cadre rustique approprié pour servir des spécialités régionales où l'Alsace l'emporte sur la Lorraine.

**Bouchon Lyonnais,** 15 r. Maréchaux ☎ 03 83 37 55 77, *Fax 03 83 35 28 71,* – ▤. AE GB BY
*fermé 18 déc. au 7 janv., sam. midi et dim.* – **Repas** 12,60/17 ♀, enf. 8,70.
◆ Les tables de ce modeste "bouchon" sont réparties dans trois minisalles garnies d'un mobilier "bistrot". La carte, étoffée, propose bien entendu des spécialités lyonnaises.

**Nouveaux Abattoirs,** 4 bd Austrasie ☎ 03 83 35 46 25, *Fax 03 83 35 13 64* – ▤ GB EV
*fermé fin juil. à mi-août, sam., dim. et fériés* – **Repas** 15,50/25,50 ♀.
◆ Adresse restée fidèle au charme des années 1960 dans le quartier des "anciens-nouveaux" abattoirs. Cuisine traditionnelle mettant les viandes à l'honneur.

## à Jarville-la-Malgrange – *9 992 h. alt. 210 – ✉ 54140 :*

**Les Chanterelles,** 27 av. Malgrange ☎ 03 83 51 43 17, *Fax 03 83 51 43 17* – AE GB EX
*fermé 15 au 31 août, sam. midi et dim.* – **Repas** 16/34, enf. 7,50.
◆ Établissement situé à quelques centaines de mètres du musée de l'Histoire du fer. Une sculpture moderne égaie la petite salle à manger où l'on sert une cuisine régionale.

## à Houdemont – *1 836 h. alt. 270 – ✉ 54180 :*

**Novotel Nancy Sud,** près centre commercial ☎ 03 83 56 10 25, *h0408@accor-hotels.com, Fax 03 83 57 62 20,* – ▤ TV & P – 25 à 120. AE GB JCB EY
**Repas** 15,90/31 ♀ – ☕ 11 – **86 ch** 99/110.
◆ Situé en contrebas de l'autoroute, un Novotel de la première génération, entièrement refait dans l'esprit "dernier cri" de la chaîne. Confort, modernité et espace.

## à Flavigny-sur-Moselle *par ③ et A 330 : 16 km – 1 609 h. alt. 240 – ✉ 54630 :*

**Prieuré** (Roy) M avec ch, ☎ 03 83 26 70 45, *rjoelroy@aol.com, Fax 03 83 26 75 51,* – TV – 20. AE GB
*fermé 18 août au 3 sept., 26 déc. au 2 janv., 16 fév. au 3 mars, dim. soir, merc. soir et lundi* – **Repas** 30 (déj.), 46/75 et carte 72 à 88 – ☕ 12 – **4 ch** 117.
◆ Façade modeste dissimulant une grande salle à manger où meubles lorrains, étains et cheminée créent l'intimité. Cuisine actuelle où le poisson est roi. Chambres spacieuses.
**Spéc.** Jambonnettes de grenouilles frites, chèvre frais à la menthe. Bar rôti, rattes et filets de harengs aux petits oignons. Soufflé de mirabelles.

## à Vandoeuvre-lès-Nancy – *34 105 h. alt. 300 – ✉ 54500 :*

**Ibis Brabois** M, allée de Bourgogne ☎ 03 83 44 55 77, *Fax 03 83 44 21 44,* – TV & P – 25 à 40. AE GB DY
**Repas** (12) - 15/17, enf. 6 – ☕ 6 – **68 ch** 58.
◆ Bordant une avenue, chambres toutes identiques, équipées d'un mobilier pratique. La réception, la salle à manger et le coin salon partagent le même espace ouvert.

## à Méréville *par ③, A 330, D 570 et D 115 : 16 km – 1 289 h. alt. 250 – ✉ 54850 :*

**Maison Carrée** (rest. à 100 m.), ☎ 03 83 47 09 23 / rest. 03 83 47 08 02, *hotel@maisoncarree.com, Fax 03 83 47 50 75 / rest. 03 83 47 66 08,* <, – TV P – 25 à 80. AE GB
*fermé 20 déc. au 5 janv. et dim. soir de nov. à mars* – **Repas** *(fermé dim. soir et lundi)* 25/56 – ☕ 7,50 – **23 ch** 55/75 – ½ P 55/58.
◆ L'hôtel (1968) abrite des chambres un tantinet "rétro", mais agréablement tournées vers la piscine et la Moselle. Le restaurant occupe l'ancienne maison du passeur.

**à Neuves-Maisons** *par ④ : 14 km – 6 432 h. alt. 230 – ✉ 54230 :*

XX **L'Union,** 1 impasse A. Briand ✆ 03 83 47 30 46, *Fax 03 83 47 33 42* – GB
*fermé 4 au 17 août, dim. soir, lundi et mardi* – **Repas** 14/45 ♀.
◆ Restaurant installé dans une jolie petite maison colorée, autrefois café du village. Les deux salles à manger, dont une terrasse couverte, sont d'une agréable simplicité.

**à Laxou** – *15 490 h. alt. 258 – ✉ 54520 :*

**Novotel Nancy Ouest** M, ✆ 03 83 93 45 45, *h0407@accor-hotels.com, Fax 03 83 98 57 07,* – 25 à 200. AE ① GB JCB
**Repas** *(15)* - 23,80 ♀, enf. 8 – 11 – **119 ch** 93/104. **CV a**
◆ Hôtel des années 1980 rénové depuis peu. Bar feutré d'inspiration Art nouveau, chambres relookées, restaurant prolongé d'une terrasse et espace jeu pour les enfants.

---

**NANS-LES-PINS** *83860 Var* 340 J5 – *2 485 h alt. 380.*

*Office du Tourisme, 2 cours Général de Gaulle ✆ 04 94 78 95 91, Fax 04 94 78 60 07, nanslespins-tourisme@wanadoo.fr.*
*Paris 798 – Aix-en-Provence 44 – Brignoles 26 – Marseille 42 – Toulon 71.*

**Domaine de Châteauneuf**, Nord : 3 km sur N 560 ✆ 04 94 78 90 06, *info@domaine-de-chateauneuf.com, Fax 04 94 78 63 30,* – ch, – 20 à 30. AE ① GB JCB. rest
*fermé 3 nov. au 21 déc. et 2 janv. au 1er mars* – **Repas** *(fermé le midi en semaine)* 48/76 – 17 – **26 ch** 127/329, 4 appart – ½ P 140/230.
◆ Napoléon 1er aurait séjourné dans cette demeure du 18e s. entourée d'un parc situé au coeur d'un golf. Chambres de style décorées avec goût. Fresques dans l'un des salons.

**Château de Nans,** sur N 560 à 3 km (rte d'Auriol) ✆ 04 94 78 92 06, *Fax 04 94 78 60 46,* – . AE GB
*fermé 25 au 30 nov., 17 fév. au 16 mars, lundi et mardi d'oct. à mars* – **Repas** *(fermé mardi sauf juil.-août et lundi)* 37/51 ♀ – 12,20 – **8 ch** 138/183 – ½ P 98/106.
◆ Face au golf de la Ste-Baume, petit château habilement restauré disposant d'agréables chambres personnalisées ; celles de la tour sont originales. Cuisine régionale.

*Dans ce guide*
*un même symbole, un même mot,*
*imprimé en* ***rouge*** *ou en* ***noir****, en maigre ou en* ***gras****,*
*n'ont pas tout à fait la même signification.*
*Lisez attentivement les pages explicatives.*

---

**NANTERRE** *92 Hauts-de-Seine* 311 J2 101 140 – *voir Paris, Environs.*

*Si vous cherchez un hôtel tranquille,*
*consultez d'abord les cartes de l'introduction*
*ou repérez dans le texte les établissements indiqués avec le signe .*

# NANTES

P 44000 Loire-Atl. 316 G4 *G. Bretagne - 270 251 h. - Agglo. 544 932 h - alt. 8.*
*Paris 384 ② – Angers 91 ② – Bordeaux 325 ④ – Quimper 232 ⑥ – Rennes 110 ⑦*



## OFFICES DE TOURISME

*7 rue de Valmy ☎ 02 40 20 60 00, Fax 02 40 89 11 99, office@nantes-tourisme.com et Châteaux des ducs de Bretagnes (dim.)*

## RENSEIGNEMENTS PRATIQUES

### TRANSPORTS

*Auto-train ☎ 08 36 35 35 35.*

### AÉROPORT

*International Nantes-Atlantique ☎ 02 40 84 80 00 par D 85 : 8,5 km* **BX**

## DÉCOUVRIR

### SOUVENIRS DES DUCS DE BRETAGNE

*Château★★ : tour de la Couronne d'Or★★, puits★★* **HY** - *Intérieur★★ de la cathédrale St-Pierre-et-St-Paul : tombeau de Francois II★★, cénotaphe de Lamoricière★* **HY**

### NANTES DU 18e S.

*Ancienne île Feydeau★* **GZ**

### LA VILLE DU 19e S.

*Passage Pommeraye★* **GZ 150** - *Quartier Graslin★* **FZ** *-Cours Cambronne★* **FZ** - *Jardin des Plantes★* **HY**

### MUSÉES

*Musée des Beaux-Arts★★* **HY** - *Muséum d'histoire naturelle★★* **FZM4** - *Musée Dobrée★* **FZ** - *Musée archéologique★* **M3** - *Musée Jules-Verne★* **BX M1**

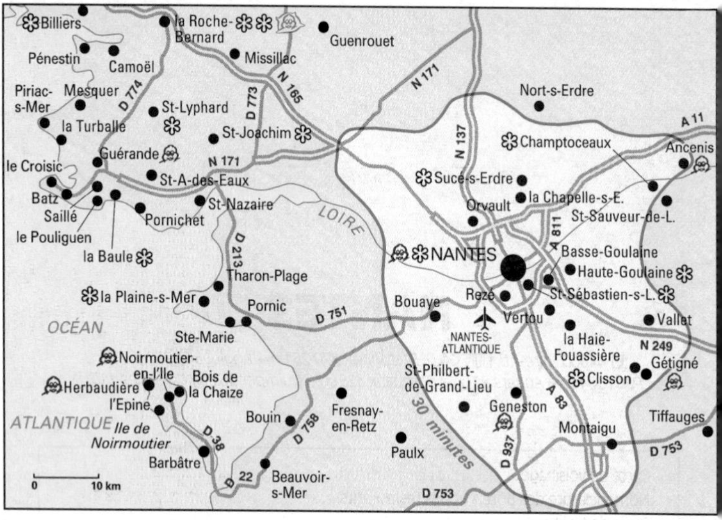
Billiers
la Roche-Bernard
Guenrouet
Pénestin
Camoël
Missillac
Piriac-s-Mer
Mesquer
St-Lyphard
la Turballe
St-Joachim
Nort-s-Erdre
Guérande
Champtoceaux
Ancenis
le Croisic
St-A-des-Eaux
Sucé-s-Erdre
Batz
Saillé
St-Nazaire
la Chapelle-s-E.
Orvault
St-Sauveur-de-L.
le Pouliguen
Pornichet
la Baule
NANTES
Basse-Goulaine
Haute-Goulaine
Tharon-Plage
la Plaine-s-Mer
Rezé
St-Sébastien-s-L.
Pornic
Bouaye
Vertou
Vallet
OCÉAN
Ste-Marie
NANTES-ATLANTIQUE
la Haie-Fouassière
Noirmoutier-en-l'Ile
Gétigné
Herbaudière
Bois de la Chaize
St-Philbert-de-Grand-Lieu
Clisson
l'Epine
Fresnay-en-Retz
Geneston
ATLANTIQUE
Ile de Noirmoutier
Bouin
Montaigu
Tiffauges
Paulx
Barbâtre
Beauvoir-s-Mer
30 minutes
0
10 km
LOIRE
N 171
N 165
D 774
D 773
N 137
A 11
A 811
D 213
D 751
N 249
A 83
D 758
D 38
D 22
D 937
D 753

**Grand Hôtel Mercure** M, 4 r. Couëdic ☎ 02 51 82 10 00, *h1985@accor-hotels.com, Fax 02 51 82 10 10* – cuisinette – 100. AE GB p. 7 **GZ m**
**Repas** *(17,50)* - 22,50 – 12 – **162 ch** 118/351, 10 appart.
• Belle façade (19e s.), hall sous verrière, vastes chambres de style Art déco, piano-bar "cosy" et décor théâtral (tentures, projecteurs) au restaurant : un hôtel de caractère.

**Holiday Inn Garden Court** M, 1 bd Martyrs Nantais ✉ 44200 ☎ 02 40 47 77 77, *holiday.inn.nantes@wanadoo.fr, Fax 02 40 47 36 52*, – rest, – 45. AE GB p. 7 **HZ v**
**Repas** *(fermé sam. midi et dim. midi) (14)* - 17/22,40, enf. 8 – 11 – **108 ch** 99/125.
• Hôtel récent situé sur l'île de Nantes, au pied du tramway. La moitié des chambres donne sur la Loire ; toutes disposent de lits "king size". Salle à manger contemporaine.

**La Pérouse** M sans rest, 3 allée Duquesne ☎ 02 40 89 75 00, *Fax 02 40 89 76 00* – . AE GB JCB p. 7 **GY k**
8,25 – **47 ch** 83/93.
• Architecture d'avant-garde, décor contemporain, mobilier design volontairement "minimaliste" : cet hôtel au style très épuré ne vous laissera pas indifférent.

**Novotel Cité des Congrès** M, 3 r. Valmy ☎ 02 51 82 00 00, *h1571@accor-hotels.com, Fax 02 51 82 07 40*, – – 18. AE GB JCB p. 7 **HZ t**
**Repas** *(17,60)* - 21,90, enf. 8 – 11 – **105 ch** 100/140.
• Hôtel idéalement situé au coeur de la Cité des Congrès. Grandes chambres fonctionnelles ; certaines offrent un joli coup d'oeil sur le canal St-Félix. Restaurant avec gril.

**Mercure Ile de Nantes** M, 15 bd A. Millerand ✉ 44200 ☎ 02 40 95 95 95, *H0555@accor-hotels.com, Fax 02 40 48 23 83*, , – – 50. AE GB JCB
*fermé 24 au 31 déc.* – **Repas** *(fermé sam., dim. et fériés) (16)* - 18,50 – 11 – **100 ch** 87/115. p. 5 **CX a**
• Gravures, tableaux et esprit "Nautilus" au restaurant : la nouvelle décoration de l'hôtel rend hommage à Jules Verne, né à Nantes en 1828. Chambres spacieuses.

**Jules Verne** M sans rest, 3 r. Couëdic ☎ 02 40 35 74 50, *hoteljulesverne@wanadoo.fr, Fax 02 40 20 09 35* – . AE GB JCB p. 7 **GZ h**
8,25 – **65 ch** 77/88.
• À deux pas de la place Royale, établissement récent disposant de chambres contemporaines, sobres et soignées ; au dernier étage, elles ménagent une vue sur les toits nantais.

**France,** 24 r. Crébillon ☎ 02 40 73 57 91, *hoteldefrance-nantes@wanadoo.fr, Fax 02 40 69 75 75* – – 15. AE GB. rest p. 6 **FZ b**
**Repas** *(fermé 17 juil. au 18 août, 26 déc. au 2 janv., sam. et dim.)* 13/25 – 8 – **74 ch** 58/99.
• Hôtel particulier du 18e s. situé dans une prestigieuse rue commerçante. Préférez les chambres meublées Louis XVI, plus spacieuses que celles de style Régence.

**Graslin** sans rest, 1 r. Piron ☎ 02 40 69 72 91, *resagraslin@ifrance.com, Fax 02 40 69 04 44* – AE GB JCB p. 6 **FZ v**
*fermé 1er au 17 août* – 6,50 – **47 ch** 55/65.
◆ Dans le coeur animé de la ville, cet hôtel bénéficie d'une bonne insonorisation. Les chambres, au mobilier en pin, sont fonctionnelles. Formule buffet pour le petit-déjeuner.

**L'Hôtel** sans rest, 6 r. Henri IV ☎ 02 40 29 30 31, *lhotel@mageos.com, Fax 02 40 29 00 95* – AE GB p. 7 **HY z**
*fermé 26 déc. au 6 janv.* – 8 – **31 ch** 60/74.
◆ Quelques chambres offrent une vue sur le château des ducs de Bretagne. On pourra préférer celles tournées sur le jardin, plus au calme et dotées, pour certaines, de terrasses.

**Grand Hôtel** sans rest, 2 bis r. Santeuil ☎ 02 40 73 46 68, *grandhotel@caramail.com, Fax 02 40 69 65 98* – AE GB JCB p. 7 **GZ p**
*fermé 24 déc. au 6 janv.* – 6,50 – **41 ch** 47/58.
◆ En plein quartier commerçant. Adresse proposant des chambres pratiques ; elles sont plus calmes sur l'arrière et le patio, mais plus lumineuses côté façade principale.

**Kyriad Centre** sans rest, 8 allée Cdt Charcot ☎ 02 40 74 14 54, *kyriad-nantescentre@wanadoo.fr, Fax 02 40 74 77 68* – – 15. AE GB p. 7 **HY n**
7 – **94 ch** 59/99.
◆ En face de la gare, immeuble en angle de rue abritant un hôtel dont les chambres, chaleureuses et confortables, bénéficient d'une rénovation réussie.

**Ibis Gare Sud** M, 3 allée Baco ☎ 02 40 20 21 20, *h0892@accor-hotels.com, Fax 02 40 48 24 64,* – – 30. AE GB p. 7 **HZ q**
**Repas** 12/19, enf. 6 – 5,50 – **104 ch** 48/64.
◆ Chambres redécorées selon les dernières normes de la chaîne ; quelques-unes offrent une échappée sur le château. Reproductions de publicités anciennes au restaurant.

**Amiral** sans rest, 26 bis r. Scribe ☎ 02 40 69 20 21, *amiral@hotel-nantes.fr, Fax 02 40 73 98 13* – AE GB JCB p. 6 **FZ a**
6,70 – **49 ch** 56,25/62.
◆ Cinémas, théatre Graslin, passage Pommeraye : aux portes de cet hôtel aux sobres chambres actuelles une suite de plans-séquences digne de Jacques Demy, l'enfant du quartier.

**Ibis Tour Bretagne** M, 19 r. Jean Jaurès ☎ 02 40 35 39 00, *Fax 02 40 89 07 74* – – 40. AE GB p. 7 **GY e**
**Repas** *(fermé sam. midi et dim. midi)* (12,50) - 16, enf. 6 – 6 – **140 ch** 49/58.
◆ Cet hôtel de chaîne des années 1980 a été récemment relooké. Les chambres sont bien tenues et leur aménagement judicieux compense le manque d'espace.

**Cholet** sans rest, 10 r. Gresset ☎ 02 40 73 31 04, *hotelcholet@wanadoo.fr, Fax 02 40 73 78 82* – AE GB p. 6 **FZ n**
6,10 – **38 ch** 40/55.
◆ Cet hôtel familial proche de la place Graslin occupe un immeuble du 18e s. Chambres rénovées par étapes ; elles sont plus au calme côté cour. Idéal pour les petits budgets.

**Fourcroy** sans rest, 11 r. Fourcroy ☎ 02 40 44 68 00, *Fax 02 40 44 68 21* –
*fermé 20 déc. au 6 janv.* – 4,50 – **19 ch** 30. p. 6 **FZ k**
◆ Adresse modeste nichée dans une rue voisine du cours Cambronne, bordé de ses belles maisons à pilastres. Chambres au mobilier éclectique, plus récent au dernier étage.

XXX **L'Atlantide** (Guého), 16 quai E. Renaud (4e étage) ✉ 44100 ☎ 02 40 73 23 23, *jygueho@club-intrenet.fr, Fax 02 40 73 76 46,* ← – AE GB p. 6 **EZ a**
*fermé 1er au 4 mai, 26 juil. au 25 août, 24 au 28 déc., sam. midi, dim. et fériés* – **Repas** 25 (déj.), 33/61 et carte 54 à 72.
◆ "Plein cadre" sur la Loire et la ville depuis les baies de cette salle à manger contemporaine située au sommet d'un immeuble moderne, et "plan serré" sur une cuisine inventive.
**Spéc.** Chair d'araignée de mer et artichaut au croustillant de blé noir (mai à juil.). Saint-Jacques sautées, paupiette de foie d'oie au chou et truffe (déc. à mars). Epaule d'agneau de lait aux épices orientales (avril à juin). **Vins** Muscadet, Coteaux d'Ancenis

XXX **San Francisco,** 3 chemin Bateliers ✉ 44300 ☎ 02 40 49 59 42, *informations@sanfrancisco.fr, Fax 02 40 68 99 16,* – AE GB p. 5 **CX s**
*fermé 5 au 20 août, dim. soir et lundi* – **Repas** 24/48 et carte 38 à 48.
◆ San Francisco s'éveille... sur les quais de la Loire ! Élégants salons, tableaux d'artistes locaux, agréable terrasse dominant le fleuve et carte inspirée par la région.

XXX **Chiwawa,** 17 r. Voltaire ☎ 02 40 69 01 65, *Fax 02 40 69 54 24* – AE GB
*fermé vacances de printemps, sam. midi, lundi midi et dim.* – **Repas** 14 (déj.), 22,50/42 et carte 30 à 43, enf. 11,50. p. 6 **FZ e**
◆ Pause gourmande face au musée Dobrée dans ce restaurant proposant une cuisine personnalisée et des vins judicieusement choisis. L'esprit Art nouveau souffle sur le décor.

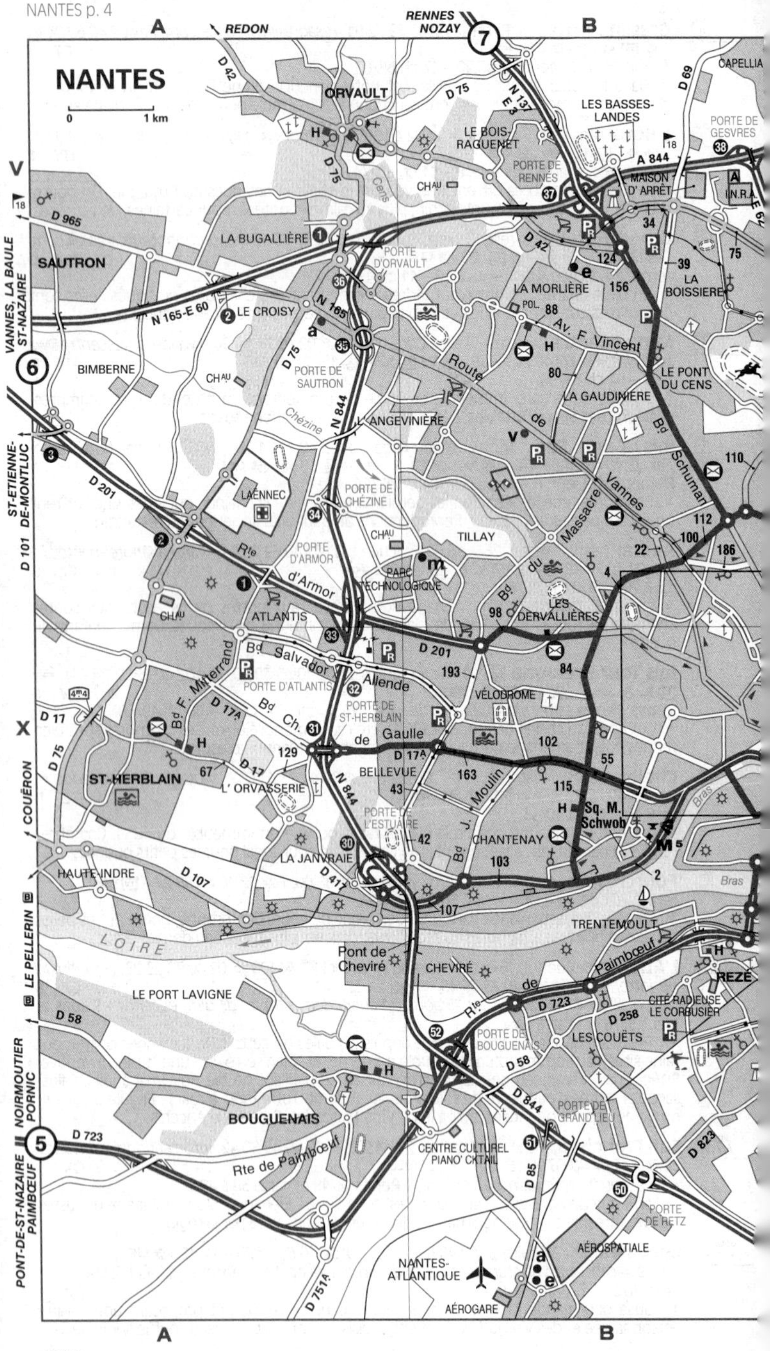
NANTES
0
1 km
A
B
V
X
REDON
RENNES
NOZAY
7
6
5
VANNES, LA BAULE
ST-NAZAIRE
ST-ETIENNE-DE-MONTLUC
D 101
COUËRON
LE PELLERIN
NOIRMOUTIER
PORNIC
PONT-DE-ST-NAZAIRE
PAIMBŒUF
ORVAULT
LE BOIS-RAGUENET
LES BASSES-LANDES
CAPELLIA
PORTE DE GESVRES
PORTE DE RENNES
MAISON D' ARRÊT
I.N.R.A.
A 844
N 137
E 3
D 42
D 69
D 75
D 965
Cens
SAUTRON
LA BUGALLIÈRE
PORTE D'ORVAULT
LE CROISY
N 165-E 60
N 165
LA MORLIÈRE
LA BOISSIÈRE
POL.
Av. F. Vincent
Route de Vannes
LE PONT DU CENS
BIMBERNE
PORTE DE SAUTRON
L'ANGEVINIÈRE
LA GAUDINIÈRE
Chézine
N 844
Bd Schuman
D 201
LAËNNEC
PORTE DE CHÉZINE
TILLAY
Bd du Massacre
PORTE D'ARMOR
PARC TECHNOLOGIQUE
Rte d'Armor
ATLANTIS
LES DERVALLIÈRES
Bd Salvador Allende
PORTE D'ATLANTIS
D 17A
D 17
Bd F. Mitterrand
Bd Ch. de Gaulle
PORTE DE ST-HERBLAIN
VÉLODROME
ST-HERBLAIN
L' ORVASSERIE
BELLEVUE
Bd J. Moulin
Sq. M. Schwob
PORTE DE L'ESTUAIRE
CHANTENAY
LA JANVRAIE
HAUTE-INDRE
D 107
D 411
Bras
TRENTEMOULT
LOIRE
Pont de Cheviré
CHEVIRÉ
Rte de Paimbœuf
LE PORT LAVIGNE
D 58
D 723
REZÉ
CITÉ RADIEUSE LE CORBUSIER
D 258
LES COUËTS
PORTE DE BOUGUENAIS
BOUGUENAIS
D 844
PORTE DE GRAND LIEU
D 823
CENTRE CULTUREL PIANO' CKTAIL
Rte de Paimbœuf
D 85
PORTE DE RETZ
AÉROSPATIALE
NANTES-ATLANTIQUE
AÉROGARE
D 751A

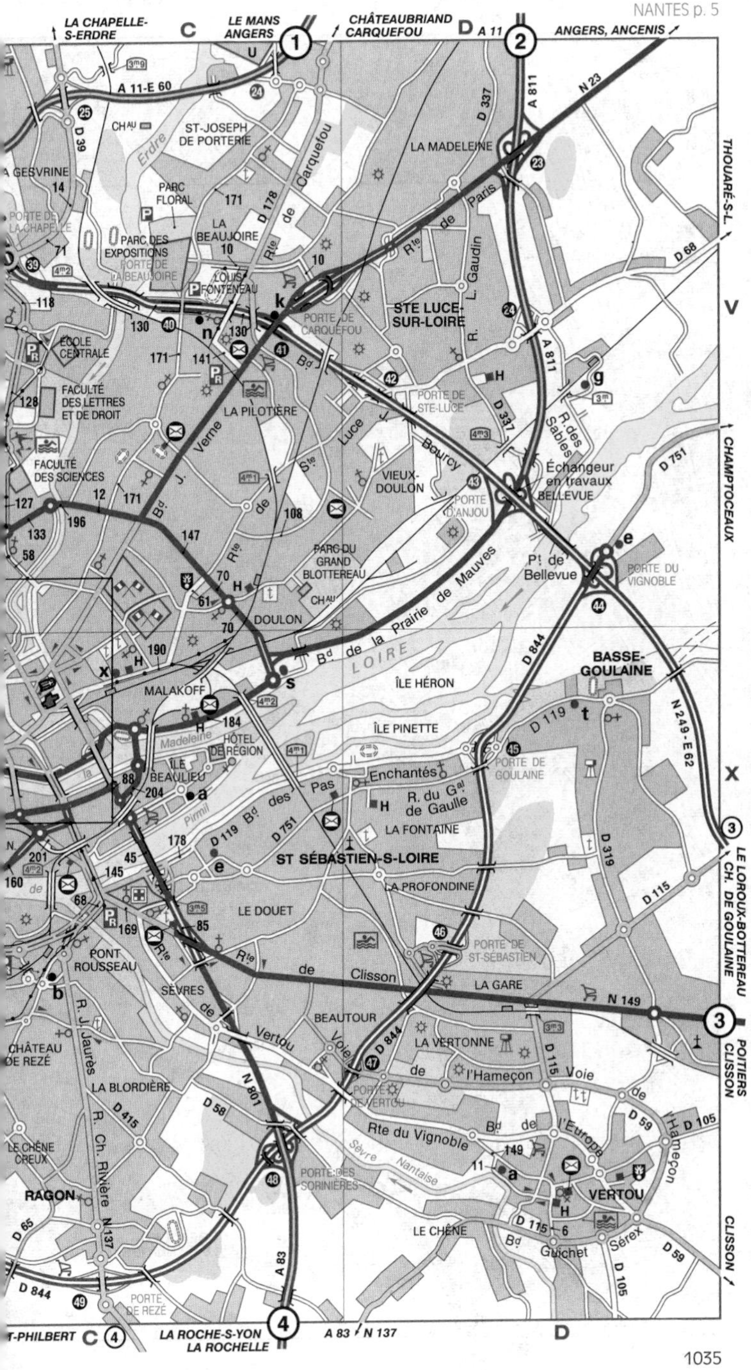

LA CHAPELLE-S-ERDRE
LE MANS ANGERS
CHÂTEAUBRIAND CARQUEFOU
A 11
ANGERS, ANCENIS
C
D
A 11-E 60
CHAU
ST-JOSEPH DE PORTERIE
LA GESVRINE
D 39
Erdre
PARC FLORAL
PORTE DE LA CHAPELLE
PARC DES EXPOSITIONS
PORTE DE LA BEAUJOIRE
LA BEAUJOIRE
LOUIS FONTENEAU
Rte de Carquefou
D 178
D 337
A 811
N 23
LA MADELEINE
Rte de Paris
R. L. Gaudin
STE LUCE-SUR-LOIRE
PORTE DE CARQUEFOU
ÉCOLE CENTRALE
FACULTÉ DES LETTRES ET DE DROIT
FACULTÉ DES SCIENCES
LA PILOTIÈRE
Bd J. Verne
Rte de Ste Luce
PORTE DE STE-LUCE
Bd J. Bourcy
VIEUX-DOULON
PORTE D'ANJOU
Échangeur en travaux
BELLEVUE
R. des Sables
THOUARÉ-S-L.
D 68
V
D 751
CHAMPTOCEAUX
PARC DU GRAND BLOTTEREAU
CHAU
DOULON
Pt de Bellevue
PORTE DU VIGNOBLE
Bd de la Prairie de Mauves
LOIRE
ÎLE HÉRON
BASSE-GOULAINE
MALAKOFF
ÎLE PINETTE
D 844
D 119
N 249 - E 62
Madeleine
HÔTEL DE RÉGION
ÎLE BEAULIEU
PORTE DE GOULAINE
Enchantés
Bd des Pas
R. du Gal de Gaulle
LA FONTAINE
Pirmil
D 119
D 751
ST SÉBASTIEN-S-LOIRE
LA PROFONDINE
D 319
D 115
X
LE DOUET
PONT ROUSSEAU
PORTE DE ST-SÉBASTIEN
Rte de Clisson
LA GARE
N 149
LE LOROUX-BOTTEREAU CH. DE GOULAINE
SÈVRES
Rte de Vertou
BEAUTOUR
LA VERTONNE
CHÂTEAU DE REZÉ
R. J. Jaurès
LA BLORDIÈRE
D 415
Voie de l'Hameçon
D 115
POITIERS CLISSON
PORTE DE VERTOU
D 58
N 801
Bd de l'Europa
D 59
D 105
R. de l'Hameçon
LE CHÊNE CREUX
R. Ch. Rivière
Rte du Vignoble
Sèvre Nantaise
PORTE DES SORINIÈRES
VERTOU
RAGON
N 137
LE CHÊNE
D 115
Bd Guichet
Sérex
D 59
CLISSON
D 65
A 83
D 105
D 844
PORTE DE REZÉ
ST-PHILBERT
LA ROCHE-S-YON LA ROCHELLE
A 83 N 137

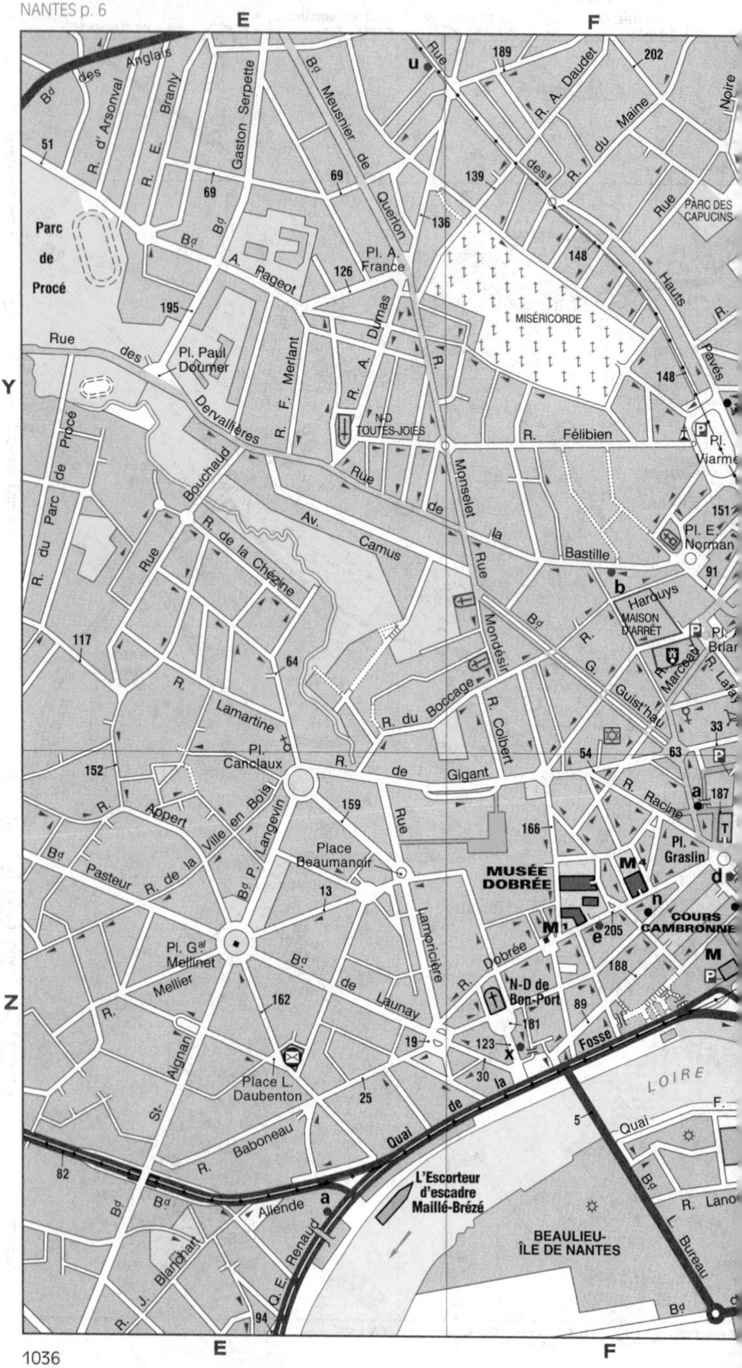
E
F
Y
Z
Bd des Anglais
R. d'Arsonval
R. E. Branly
Gaston Serpette
Bd Meusnier de Querlon
Rue
R. A. Daudet
R. du Maine
R. des Hauts Pavés
Rue Noire
PARC DES CAPUCINS
Parc de Procé
Bd A. Pageot
Pl. A. France
MISÉRICORDE
R. A. Dumas
Rue des Dervallières
Pl. Paul Doumer
R. F. Merlant
N-D TOUTES-JOIES
R. Félibien
Pl. Viarme
R. du Parc de Procé
Bouchaud
Rue de la Bastille
Av. Camus
Monselet
Rue Mondésir
Pl. E. Normand
R. de la Chézine
Harouys
MAISON D'ARRÊT
Bd G. Guist'hau
R. Marceau
R. Lafayette
Pl. Briand
Rue
R. Lamartine
R. du Boccage
R. Colbert
Pl. Canclaux
R. de Gigant
R. Racine
R. Appert
R. de la Ville en Bois
Bd P. Langevin
Place Beaumanoir
Rue Lamoricière
Pl. Graslin
MUSÉE DOBRÉE
COURS CAMBRONNE
Bd Pasteur
Pl. Gal Mellinet
Mellier
Bd de Launay
R. Dobrée
N-D de Bon-Port
R. St-Aignan
Place L. Daubenton
Fosse
Quai de la Fosse
LOIRE
Quai F.
R. Baboneau
Bd Allende
Q. E. Renaud
L'Escorteur d'escadre Maillé-Brézé
BEAULIEU-ÎLE DE NANTES
Bd L. Bureau
R. Lanoue
Bd
Bd J. Blanchart
R.
u
b
a
d
n
e
x
M
M1
M4
189
202
51
69
69
139
136
148
148
126
195
151
91
117
64
33
63
54
187
152
159
166
13
205
188
162
89
181
19
123
30
25
5
82
94

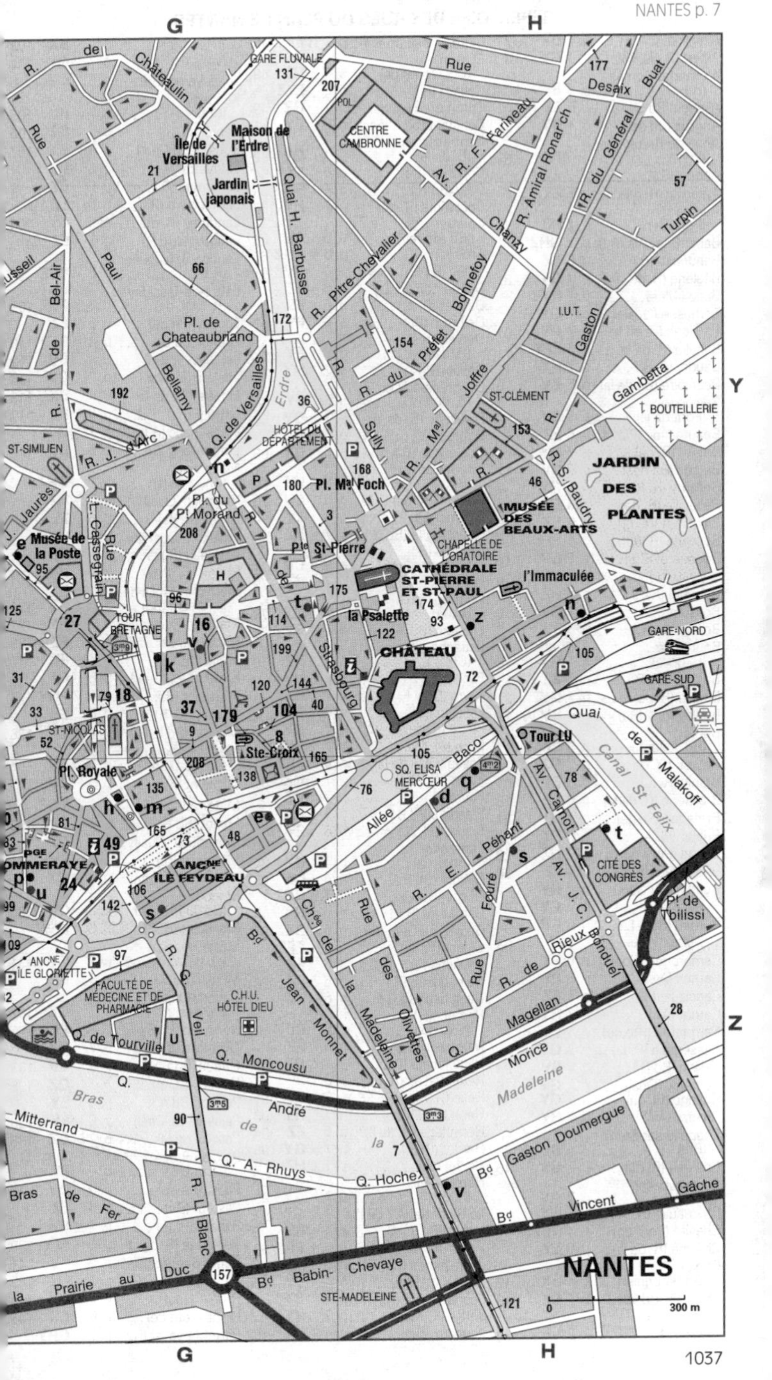
NANTES
GARE FLUVIALE
CENTRE CAMBRONNE
Maison de l'Erdre
Île de Versailles
Jardin japonais
Quai H. Barbusse
R. Pitre-Chevalier
Av. R. F. Farineau
Chanzy
R. Amiral Ronar'ch
R. du Général Buat
Rue Desaix
Turpin
I.U.T.
Gaston
Gambetta
BOUTEILLERIE
Pl. de Chateaubriand
Q. de Versailles
Erdre
HÔTEL DU DÉPARTEMENT
Pl. Mal Foch
Pte St-Pierre
CATHÉDRALE ST-PIERRE ET ST-PAUL
la Psalette
CHÂTEAU
MUSÉE DES BEAUX-ARTS
CHAPELLE DE L'ORATOIRE
l'Immaculée
JARDIN DES PLANTES
ST-CLÉMENT
R. du Préfet Bonnefoy
R. Mal Joffre
R. S. Baudry
ST-SIMILIEN
R. J. Jaurès
Musée de la Poste
Pl. du Pl. Morand
TOUR BRETAGNE
ST-NICOLAS
Pl. Royale
Ste-Croix
R. de Strasbourg
SQ. ELISA MERCŒUR
Allée Baco
Tour LU
GARE-NORD
GARE-SUD
Quai de Malakoff
Canal St Felix
CITÉ DES CONGRÈS
Pl. de Tbilissi
PGE POMMERAYE
ANCNE ÎLE FEYDEAU
ANCNE ÎLE GLORIETTE
FACULTÉ DE MÉDECINE ET DE PHARMACIE
C.H.U. HÔTEL DIEU
Bd Jean Monnet
Chée de la Madeleine
Rue des Olivettes
Rue Fouré
R. E. Péhant
Av. Carnot
Av. J. C. Bonduel
R. de Rieux
Q. Magellan
Q. de Tourville
Q. Moncousu
Q. André
Q. Morice
Bras de Madeleine
Mitterrand
Q. A. Rhuys
Q. Hoche
Bd Gaston Doumergue
Bd Vincent Gâche
Bras de la Fer
R. L. Blanc
R. G. Veil
Bd Babin-Chevaye
la Prairie au Duc
STE-MADELEINE
0
300 m
G
H
Y
Z

# RÉPERTOIRE DES RUES DU PLAN DE NANTES

| | | | |
|---|---|---|---|
| Aiguillon (Q. d') | p. 4 | **BX** | 2 |
| Albert (R. du Roi) | p. 7 | **GY** | 3 |
| Alexandre-Dumas (R.) | p. 6 | **EY** | |
| Allende (Bd S.) | p. 6 | **EZ** | |
| Anglais (Bd des) | p. 4 | **BV** | 4 |
| Anne-de-Bretagne (Pont) | p. 6 | **FZ** | 5 |
| Appert (R.) | p. 6 | **EZ** | |
| Arsonval (R. d') | p. 6 | **EY** | |
| Audibert (Pont Gén.) | p. 7 | **HZ** | 7 |
| Babin-Chevaye (Bd) | p. 7 | **GHZ** | |
| Baboneau (R.) | p. 6 | **EZ** | |
| Bâclerie (R. de la) | p. 7 | **GY** | 8 |
| Baco (Allée) | p. 7 | **HYZ** | |
| Barbusse (Quai H.) | p. 7 | **GY** | |
| Barillerie (R. de la) | p. 7 | **GY** | 9 |
| Bastille (R. de la) | p. 6 | **EFY** | |
| Baudry (R. S.) | p. 7 | **HY** | |
| Beaujoire (Bd de la) | p. 5 | **CV** | 10 |
| Beaujoire (Pont de la) | p. 5 | **CV** | |
| Beaumanoir (Pl.) | p. 6 | **EZ** | |
| Bel-Air (R. de) | p. 7 | **GY** | |
| Belges (Bd des) | p. 5 | **CV** | 12 |
| Bellamy (R. P.) | p. 7 | **GY** | |
| Belleville (R. de) | p. 6 | **EZ** | 13 |
| Blanchart (R. J.) | p. 6 | **EZ** | |
| Boccage (R. du) | p. 6 | **EFY** | |
| Bocquerel (Bd H.) | p. 5 | **CV** | 14 |
| Boileau (R.) | p. 7 | **GZ** | 15 |
| Bonduel (Av. J.C.) | p. 7 | **HZ** | |
| Bossuet (R.) | p. 7 | **GY** | 16 |
| Bouchaud (R.) | p. 6 | **EY** | |
| Boucherie (R. de la) | p. 7 | **GY** | 18 |
| Bouhier (Pl. R.) | p. 6 | **EZ** | 19 |
| Bouille (R. de) | p. 7 | **GY** | 21 |
| Boulay Paty (Bd) | p. 4 | **BV** | 22 |
| Bourcy (Bd Joseph) | p. 5 | **CDV** | |
| Bourse (Pl. de la) | p. 7 | **GZ** | 24 |
| Branly (R. É.) | p. 6 | **EY** | |
| Brasserie (R. de la) | p. 6 | **EZ** | 25 |
| Bretagne (Pl. de) | p. 7 | **GY** | 27 |
| Briand (Pl. A.) | p. 6 | **FY** | |
| Briand (Pont A.) | p. 7 | **HZ** | 28 |
| Brunellière (R. Ch.) | p. 6 | **FZ** | 30 |
| Buat (R. du Gén.) | p. 7 | **HY** | |
| Budapest (R. de) | p. 7 | **GY** | 31 |
| Bureau (Bd L.) | p. 6 | **FZ** | |
| Calvaire (R. du) | p. 6 | **FY** | 33 |
| Cambronne (Cours) | p. 6 | **FZ** | |
| Camus (Av.) | p. 6 | **EY** | |
| Canclaux (Pl.) | p. 6 | **EZ** | |
| Carnot (Av.) | p. 7 | **HYZ** | |
| Carquefou (Rte de) | p. 5 | **CV** | |
| Cassegrain (R. L.) | p. 7 | **GY** | |
| Cassin (Bd R.) | p. 4 | **BV** | 34 |
| Ceineray (Quai) | p. 7 | **GY** | 36 |
| Change (Pl. du) | p. 7 | **GY** | 37 |
| Chanzy (Av.) | p. 7 | **HY** | |
| Chapelle-sur-Erdre (Rte) | p. 4 | **BV** | 39 |
| Château (R. du) | p. 7 | **GY** | 40 |
| Chateaubriand (Pl. de) | p. 7 | **GY** | |
| Châteaulin (R. de) | p. 7 | **GY** | |
| Cheviré (Pont de) | p. 4 | **ABX** | |
| Chézine (R. de la) | p. 6 | **EY** | |
| Cholet (Bd Bâtonnier) | p. 4 | **BX** | 42 |
| Churchill (Bd W.) | p. 4 | **BX** | 43 |
| Clemenceau (Pont G.) | p. 5 | **CX** | 45 |
| Clemenceau (R. G.) | p. 7 | **HY** | 46 |
| Clisson (Crs Olivier de) | p. 7 | **GZ** | 48 |
| Colbert (R.) | p. 6 | **FYZ** | |
| Commerce (Pl. du) | p. 7 | **GZ** | 49 |
| Constant (Bd Clovis) | p. 6 | **EY** | 51 |
| Contrescarpe (R. de la) | p. 7 | **GY** | 52 |
| Copernic (R.) | p. 6 | **FZ** | 54 |
| Coty (Bd R.) | p. 4 | **BX** | 55 |
| Coulmiers (R. de) | p. 7 | **HY** | 57 |
| Courbet (Bd Amiral) | p. 5 | **CV** | 58 |
| Crébillon (R.) | p. 6, 7 | **FGZ** | 60 |
| Dalby (Bd E.) | p. 5 | **CV** | 61 |
| Daubenton (Pl. L.) | p. 6 | **EZ** | |
| Daudet (R. A.) | p. 6 | **FY** | |
| Delorme (Pl.) | p. 6 | **FY** | 63 |
| Dervallières (R. des) | p. 6 | **EY** | |
| Desaix (R.) | p. 7 | **HY** | |
| Desgrées-du-Lou (R. du Col.) | p. 6 | **EY** | 64 |
| Distillerie (R. de la) | p. 7 | **GY** | 66 |
| Dobrée (R.) | p. 6 | **FZ** | |
| Dos-d'Ane (R.) | p. 5 | **CX** | 68 |
| Douet Garnier (R. du) | p. 6 | **EY** | 69 |
| Doulon (Bd de) | p. 5 | **CV** | 70 |
| Doumer (Pl. P.) | p. 6 | **EY** | |
| Doumergue (Bd G.) | p. 7 | **HZ** | |
| Dreyfus (R. Commandant A.) | p. 5 | **CV** | 71 |
| Duchesse-Anne (Pl.) | p. 7 | **HY** | 72 |
| Duguay-Trouin (Allée) | p. 7 | **GZ** | 73 |
| Einstein (Bd A.) | p. 4 | **BV** | 75 |
| Estienne-d'Orves (Crs d') | p. 7 | **HZ** | 76 |
| Farineau (R. F.) | p. 7 | **HY** | |
| Favre (Quai F.) | p. 7 | **HYZ** | 78 |
| Félibien (R.) | p. 6 | **FY** | |
| Feltre (R. de) | p. 7 | **GY** | 79 |
| Foch (Pl. Mar.) | p. 7 | **HY** | |
| Fosse (Quai de la) | p. 6 | **EFZ** | |
| Fosse (R. de la) | p. 7 | **GZ** | 81 |
| Fouré (R.) | p. 7 | **HZ** | |
| Frachon (Bd B.) | p. 6 | **EZ** | 82 |
| France (Pl. A.) | p. 6 | **EY** | |
| Fraternité (Bd de la) | p. 4 | **BX** | 84 |
| Gabory (Bd E.) | p. 5 | **CX** | 85 |
| Gâche (Bd V.) | p. 7 | **HZ** | |
| Gambetta (R.) | p. 7 | **HY** | |
| Gaulle (Bd Gén.-de) | p. 5 | **CX** | 87 |
| Gigant (R. de) | p. 6 | **EFZ** | |
| Graslin (Pl.) | p. 6 | **FZ** | |
| Guinaudeau (R.) | p. 6 | **FZ** | 89 |
| Guist'hau (Bd G.) | p. 6 | **FY** | |
| Hameçon (Voie de l') | p. 5 | **CDX** | |
| Harouys (R.) | p. 6 | **FY** | |
| Haudaudine (Pont) | p. 7 | **GZ** | 90 |
| Hauts-Pavés (R. des) | p. 6 | **FY** | |
| Hélie (R. F.) | p. 6 | **FY** | 91 |
| Henri IV (R.) | p. 7 | **HY** | 93 |
| Hermitage (R. de l') | p. 6 | **EZ** | 94 |
| Herriot (R. E.) | p. 7 | **GY** | 95 |
| Hoche (Q.) | p. 7 | **HZ** | |
| Hôtel-de-Ville (R. de l') | p. 7 | **GY** | 96 |
| Ile Gloriette (Aée de l') | p. 7 | **GZ** | 97 |
| Ingres (Bd J.) | p. 4 | **BX** | 98 |
| J.-J.-Rousseau (R.) | p. 6, 7 | **FGZ** | 99 |
| Jean-Jaurès (R.) | p. 6, 7 | **FGY** | |
| Jean XXIII (Bd) | p. 4 | **BV** | 100 |
| Jeanne-d'Arc (R.) | p. 7 | **GY** | |
| Joffre (R. Mar.) | p. 7 | **HY** | |
| Jouhaux (Bd L.) | p. 4 | **BX** | 102 |
| Juin (Bd Mar.) | p. 4 | **BX** | 103 |
| Juiverie (R. de la) | p. 7 | **GY** | 104 |
| Jules-Verne (Bd) | p. 5 | **CV** | |
| Kennedy (Cours J.-F.) | p. 7 | **HY** | 105 |
| Kervégan (R.) | p. 7 | **GZ** | 106 |
| Koenig (Bd Gén.) | p. 4 | **BX** | 107 |
| Lafayette (R.) | p. 6 | **FY** | |
| Lamartine (R.) | p. 6 | **EY** | |
| Lamoricière (R.) | p. 6 | **EZ** | |
| Landreau (R. du) | p. 5 | **CV** | 108 |
| Langevin (Bd P.) | p. 6 | **EZ** | |
| Lanoue Bras-de-Fer (R.) | p. 6, 7 | **FGZ** | |
| Lattre-de-Tassigny (R. Mar.-de) | p. 6, 7 | **FGZ** | 109 |
| Launay (Bd de) | p. 6 | **EZ** | |
| Lauriol (Bd G.) | p. 4 | **BV** | 110 |
| Le Lasseur (Bd) | p. 4 | **BV** | 112 |
| Leclerc (R. Mar.) | p. 7 | **GY** | 114 |
| Liberté (Bd de la) | p. 4 | **BX** | 115 |
| Littré (R.) | p. 6 | **EY** | 117 |
| Louis-Blanc (R.) | p. 7 | **GZ** | |
| Luther-King (Bd M.) | p. 5 | **CV** | 118 |
| Madeleine (Chée de la) | p. 7 | **GHZ** | |
| Magellan (Quai) | p. 7 | **HZ** | |
| Maine (R. du) | p. 6 | **FY** | |
| Malakoff (Quai de) | p. 7 | **HZ** | |
| Marceau (R.) | p. 6 | **FY** | |
| Marne (R. de la) | p. 7 | **GY** | 120 |
| Martyrs-Nantais-de-la-Résist. (Bd) | p. 7 | **HZ** | 121 |
| Mathelin-Rodier (R.) | p. 7 | **HY** | 122 |
| Mazagran (R.) | p. 6 | **FZ** | 123 |
| Mellier (R.) | p. 6 | **EZ** | |
| Mellinet (Pl. Gén.) | p. 6 | **EZ** | |
| Mercœur (R.) | p. 6, 7 | **FGY** | 125 |
| Merlant (R. F.) | p. 6 | **EY** | |
| Merson (Bd L.-O.) | p. 6 | **EY** | 126 |
| Meusnier-de-Querlon (Bd) | p. 6 | **EY** | |
| Michelet (Bd) | p. 5 | **CV** | 127 |
| Mitterrand (Q. F.) | p. 6, 7 | **FGZ** | |
| Mollet (Bd G.) | p. 5 | **CV** | 128 |
| Moncousu (Quai) | p. 7 | **GZ** | |
| Mondésir (R.) | p. 6 | **FY** | |
| Monnet (Bd Jean) | p. 7 | **GZ** | |
| Monod (Bd du Prof.-J.) | p. 5 | **CV** | 130 |
| Monselet (R. Ch.) | p. 6 | **EFY** | |
| Motte Rouge (Q. de la) | p. 7 | **GY** | 131 |
| Moulin (Bd J.) | p. 4 | **BX** | |
| Nations-Unies (Bd des) | p. 7 | **GZ** | 132 |
| Normand (Pl. E.) | p. 6 | **FY** | |
| Olivettes (R. des) | p. 7 | **HZ** | |
| Orieux (Bd E.) | p. 5 | **CV** | 133 |
| Orléans (R. d') | p. 7 | **GZ** | 135 |
| Pageot (Bd A.) | p. 6 | **EY** | |
| Painlevé (R. Paul) | p. 6 | **EY** | 136 |
| Paix (R. de la) | p. 7 | **GZ** | 138 |
| Parc de Procé (R. du) | p. 6 | **EY** | |
| Paris (Rte de) | p. 5 | **DV** | |
| Pasteur (Bd) | p. 6 | **EZ** | |
| Péhant (R. E.) | p. 7 | **HZ** | |
| Pelleterie (R. de la) | p. 6 | **EFY** | 139 |
| Petite Baratte (R.) | p. 5 | **CV** | 141 |
| Petite-Hollande (Pl.) | p. 7 | **GZ** | 142 |
| Pilori (Pl. du) | p. 7 | **GY** | 144 |
| Pirmil (Pont de) | p. 5 | **CX** | 145 |
| Pitre-Chevalier (R.) | p. 7 | **GHY** | |

Poilus (Bd des) .... p. 5 **CV** 147
Poitou (R. du) ..... p. 6 **FY** 148
Pommeraye (Pas.). p. 7 **GZ**
Pont-Morand (Pl. du) ......... p. 7 **GY**
Porte-Neuve (R.) .. p. 6 **FGY** 151
Prairie-au-Duc (Bd). p. 6, 7 **FGZ**
Prairie de Mauves (Bd de la) ....... p. 5 **DV**
Préfet Bonnefoy (R. du) ......... p. 7 **HY**
Racine (R.) ....... p. 6 **FZ**
Raspail (R.) ....... p. 6 **EYZ** 152
Refoulais (R. L. de la) ..... p. 7 **HY** 153
Reine Margot (Allée de la) ..... p. 7 **HY** 154
Renaud (Quai E.) .. p. 6 **EZ**
République (Pl. de la) ....... p. 7 **GZ** 157
Rhuys (Quai A.) ... p. 7 **GZ**
Rieux (R. de) ...... p. 7 **HZ**
Riom (R. Alfred) ... p. 6 **EZ** 159
Roch (Bd Gustave) .... p. 5 **CX** 160
Rollin (R.) ......... p. 6 **EZ** 162
Romanet (Bd E.) .. p. 4 **BX** 163
Ronar'ch (R. Amiral) ...... p. 7 **HY**
Roosevelt (Crs F.) .. p. 7 **GZ** 165
Rosière d'Artois (R.) ............ p. 6 **FZ** 166
Royale (Pl.) ........ p. 7 **GZ**
Rue Noire (R.) ..... p. 6 **FY**
Russeil (R.) ........ p. 6, 7 **FGY**
St-Aignan (Bd) .... p. 6 **EZ**
St-André (Cours) .. p. 7 **HY** 168
St-Jacques (R.) .... p. 5 **CX** 169
St-Joseph (Rte de). p. 5 **CV** 171
St-Mihiel (Pont) .... p. 7 **GY** 172
St-Pierre (Cours) .. p. 7 **HY** 174
St-Pierre (Pl.) ...... p. 7 **GY** 175
St-Rogatien (R.) ... p. 7 **HY** 177
St-Sébastien (Côte) p. 5 **CX** 178
Ste-Croix (R.) ..... p. 7 **GY** 179
Ste-Luce (Rte de) .. p. 5 **CV**
Salengro (Pl. R.) ... p. 7 **GY** 180
Sanitat (Pl. du) .... p. 6 **FZ** 181
Santeuil (R.) ....... p. 7 **GZ** 183
Sarrebrück (Bd de). p. 5 **CX** 184
Say (R. L.) ......... p. 4 **BV** 186
Schuman (Bd R.) .. p. 4 **BV**
Scribe (R.) ......... p. 6 **FZ** 187
Serpette (Bd G.) ... p. 6 **EY**
Sibille (R. M.) ...... p. 6 **FZ** 188
Simon (R. Jules) ... p. 6 **EY** 189
Stalingrad (Bd de) . p. 5 **CX** 190
Strasbourg (R. de) . p. 7 **GY**
Sully (R.) .......... p. 7 **HY**
Talensac (R.) ...... p. 7 **GY** 192
Tbilissi (Pt. de) .... p. 7 **ZH**
Tertre (Bd du) ..... p. 4 **BX** 193
Thomas (Bd A.) ... p. 6 **EY** 195
Tortière (Pont de la) ..... p. 5 **CV** 196
Tourville (Quai de) p. 7 **GZ**
Turpin (R. Gaston). p. 6 **HY**
Vannes (Rte de) ... p. 4 **BV**
Veil (R. G.) ........ p. 7 **GZ**
Verdun (R. de) .... p. 7 **GY** 199
Versailles (Quai de) p. 7 **GY**
Vertou (Rte de) .... p. 5 **CX**
Viarme (Pl.) ....... p. 6 **FY**
Victor-Hugo (Bd) .. p. 5 **CX** 201
Ville-en-Bois (R. de la) ....... p. 6 **EZ**
Villebois-Mareuil (R.) ............ p. 6 **FY** 202
Viviani (R. René) ... p. 5 **CX** 204
Voltaire (R.) ....... p. 6 **FZ** 205
Waldeck-Rousseau (Pl.) ........... p. 7 **GHY** 207
50-Otages (Crs des) ....... p. 7 **GYZ** 208

BOUGUENAIS

Paimbœuf (Rte de) p. 4 **BX**

ORVAULT

Ferrière (Av. de la) . p. 4 **BV** 80
Goupil (Av. A.) ..... p. 4 **BV** 88

Mendès-France (Bd) p. 4 **BV** 124
Rennes (Rte de) ... p. 4 **BV** 156
Vannes (Rte de) .... p. 4 **BV**
Vincent (Av. F.) ..... p. 4 **BV**

REZE

Gaulle (Bd Gén.-de). p. 5 **CX** 87
J.-Jaurès (R.) ...... p. 5 **CX**
Rivière (R. Ch.) ..... p. 5 **CX**

ST-HERBLAIN

Allende (Bd S.) ..... p. 4 **ABX**
Armor (Rte d') ...... p. 4 **AV**
Dr Boubée (R. du) .. p. 4 **AX** 67
Gaulle (Av. Ch. de) .. p. 4 **AX**
Massacre (Bd du) ... p. 4 **BV**
Mitterrand (Bd F.) .. p. 4 **AX**
Monnet (R. J.) ..... p. 4 **AX** 129

St-SÉBASTIEN-S-LOIRE

Clisson (Rte de) .... p. 5 **CDX**
Gaulle (R. du Gén.-de) .. p. 5 **DX**
Pas-Enchantés (Bd des) ......... p. 5 **CDX**

STE-LUCE-S-LOIRE

Bellevue (Pont de) .. p. 5 **DV**
Gaudin (R. L.) ...... p. 5 **DV**
Sables (R. des) ..... p. 5 **DV**

VERTOU

Arnaud (R. A.) ..... p. 5 **DX** 6
Beauséjour (R.) .... p. 5 **DX** 11
Europe (Bd de l') ... p. 5 **DX**
Guichet Sérex (Bd) . p. 5 **DX**
Pont de l'Arche (R. du) ......... p. 5 **DX** 149
Vignoble (Rte du) ... p. 5 **DX**

XX **Gavroche,** 139 r. Hauts Pavés ✆ 02 40 76 22 49, *Fax 02 40 76 37 80* – ▤ P. AE GB
*fermé 27 juil. au 26 août, dim. soir et lundi* – **Repas** 19,50/39,50, enf. 9. p. 6 **EY** **u**
◆ Dans un quartier excentré desservi par le tramway, adresse familiale au cadre bourgeois plaisant et confortable. Cuisine traditionnelle subtilement actualisée.

XX **Poissonnerie,** 8 r. Léon Maître ✆ 02 40 47 79 50, *Fax 02 51 80 57 77* – ▤. AE GB
*fermé vacances de printemps, août, vacances de Noël, sam. midi, lundi et dim.* – **Repas** *(13)* - carte 24 à 40 ♀. p. 7 **GZ** **e**
◆ L'enseigne annonce la couleur : ce restaurant honore l'océan tant dans le décor - tons bleus, objets marins - que pour la cuisine, vouée au poisson. Ambiance conviviale.

XX **L'Océanide,** 2 r. P. Bellamy ✆ 02 40 20 32 28, *Fax 02 40 48 08 55* – AE GB. ✂
*fermé 28 juil. au 18 aout, dim. soir et lundi* – **Repas** 17,60/49 ♀. p. 7 **GY** **n**
◆ Salle de restaurant style brasserie des années 1930. Cuisine de la mer, sensible au rythme des marées et des saisons. Belle carte de muscadets (choix de millésimes anciens).

XX **Cigale,** 4 pl. Graslin ✆ 02 51 84 94 94, *lacigale@lacigale.com, Fax 02 51 84 94 95,* 🏠 – GB p. 6 **FZ** **d**
**Repas** 15,20/23,80 ♀.
◆ Inaugurée en 1895, l'incontournable brasserie ne compte plus ses clients célèbres. Le superbe cadre (mosaïques, boiseries...) témoigne de l'ivresse ornementale du Modern Style.

XX **L'Esquinade,** 7 r. St-Denis ✆ 02 40 48 17 22, *Fax 02 40 48 49 36* – AE ⓓ GB JCB
*fermé août, 24 déc. au 4 janv., dim. et lundi* – **Repas** 15/35 ♀. p. 7 **GY** **t**
◆ Enseigne ensoleillée (esquinade est le nom provençal de l'araignée de mer) pour ce restaurant du vieux Nantes, au cadre rustique rehaussé de tons pastel.

XX **Lou Pescadou,** 8 allée Baco ✆ 02 40 35 29 50, *info@pescadou.fr, Fax 02 51 82 46 34* – AE GB JCB p. 7 **HZ** **d**
*fermé 1er au 25 août, lundi soir, sam. midi et dim.* – **Repas** 20/43 ♀, enf. 11.
◆ Le quartier des anciennes biscuiteries abrite ce sympathique restaurant de poissons. Bois, pierre, coco et bibelots marins composent un cadre chaleureux. Dîner aux chandelles.

X **Paludier,** 2 r. Santeuil ✆ 02 40 69 44 06, *Fax 02 40 71 76 69* – AE GB p. 7 **GZ** **u**
*fermé 28 juil. au 18 août, 1er au 11 janv., merc. soir, lundi midi et dim.* – **Repas** (14) - 20/30 ♀.
◆ Derrière une discrète vitrine, salle à manger colorée de style 1930 et dotée d'un mobilier bistrot. Au sous-sol, plaisante salle voûtée.

X **Christophe Bonnet,** 6 r. Mazagran ✆ 02 40 69 03 39, *info@christophebonnet.com, Fax 02 40 69 04 10* – GB p. 6 **FZ** **x**
*fermé août, 1er au 6 janv., dim. et lundi sauf fériés* – **Repas** (14,94) - 30/120.
◆ À deux pas de l'église N.-D.-de-Bon-Port, petit restaurant sobre et avenant, fréquenté par une clientèle d'habitués. À table, belle porcelaine colorée.

X **Palombière,** 13 bd Stalingrad ✆ 02 40 74 05 15, *Fax 02 40 74 05 15* – AE GB
*fermé 1er au 25 août, dim. de mai à sept. et sam. midi* – **Repas** 14,50/26. p. 5 **CX** **x**
◆ Près du jardin des Plantes et de la gare, restaurant familial proposant une cuisine traditionnelle mitonnée avec les produits de la région. Cadre rustique et simple.

X **Coin du Champ de Mars,** 11 r. Fouré ✆ 02 40 47 01 18 – GB p. 7 **HZ** **s**
*fermé 4 au 25 août, 22 déc. au 4 janv., sam. et dim.* – **Repas** (déj. seul.) 23.
◆ Nostalgiques du petit-beurre Nantais, sachez que ce bistrot jouxte les anciennes usines Lu. Vieilles photos du quartier, affiches "rétro" et cuisine du marché.

X **Les Capucines,** 11 bis r. Bastille ✆ 02 40 20 41 58, *Fax 02 51 72 02 96* – AE GB
*fermé 28 juil. au 26 août, sam. midi, lundi soir et dim.* – **Repas** 10,50/28,50 ♀. p. 6 **FY** **b**
◆ Pimpante façade boisée pour ce restaurant de quartier. Salle à manger "rétro" et deux salons ouverts sur un patio. La copieuse cuisine évolue au gré du marché.

X **Pressoir,** 11 quai Turenne ✆ 02 40 35 31 10 – AE GB p. 7 **GZ** **s**
*fermé 20 juil. au 31 août, lundi soir, sam. midi et dim.* – **Repas** (nombre de couverts limité, prévenir) carte 25 à 30.
◆ Petit bistrot tout simple dans un bel immeuble du 18e s. de l'ancienne île Feydeau. Les suggestions du jour sont notées sur un tableau noir. Attrayante carte des vins.

## Environs

### au Nord

**à la Chapelle-sur-Erdre** *9 km par D 39* - **CV** – *14 830 h. alt. 29* – ✉ *44240 :*

**Westotel** M, ✆ 02 51 81 36 36, *westotel@wanadoo.fr, Fax 02 51 12 35 99*, , , , – |‡| cuisinette ▤ TV ✆ ♿ P – 🏛 500. AE ⓓ GB. ✗
**Repas** 28/38 ♀ – ☐ 14 – **233 ch** 140/183, 16 appart, 66 duplex.
◆ Vaste complexe hôtelier incluant un centre de congrès et une salle de spectacle. Chambres modernes et restaurant tourné vers la piscine et ses jardins "tropicaux".

**à Sucé-sur-Erdre** : *16 km par D 69* - **BV** – *4 806 h. alt. 14* – ✉ *44240 :*

ℹ *Office du Tourisme, quai de Cricklade ✆ 02 40 77 70 66, Fax 02 40 77 70 66.*

XXX **Châtaigneraie** (Delphin), 156 rte Carquefou ✆ 02 40 77 90 95, *contact@delphin.fr, Fax 02 40 77 90 08*, ≤, , – P. AE ⓓ GB JCB
✿ *fermé 28 juil. au 12 août, 5 au 27 janv., dim. soir, lundi et mardi* – **Repas** 29/70 et carte 55 à 70 ♀, enf. 16,50.
◆ Confrontation classique-contemporain brillamment conduite dans ce manoir du 19e s. s'élevant dans un beau parc. Agréable terrasse au bord de l'Erdre. Cuisine au goût du jour.
**Spéc.** Sandre au beurre blanc nantais. Filet de pigeon en croûte, compotée de choux et foie gras. Tarte de fraises à l'estragon (été). **Vins** Muscadet de Sèvre et Maine, Chinon.

### au Nord-Est

**à La Beaujoire** – ✉ *44300 Nantes :*

**Otelinn,** 45 bd Batignolles ✆ 02 40 50 07 07, *otelinn@otelinn.com, Fax 02 40 49 41 40*, – |‡|, ▤ rest, TV ✆ ♿ P – 🏛 200. AE ⓓ GB JCB. ✗ rest p. 5 **CV** **n**
**Repas** 12,50/26,70 ♀, enf. 9 – ☐ 8,50 – **60 ch** 58,70.
◆ Face au stade de la Beaujoire. Chambres fonctionnelles et bien tenues ; pour un long séjour, demandez un studio. Au restaurant, ambiance animée les soirs de match.

**rte de Paris** – ✉ *44300 Nantes :*

**Ibis Beaujoire,** allée Champ de Tir ✆ 02 40 93 22 22, *h0855-gm@accor-hotels.com, Fax 02 40 52 17 73* – 35. AE GB p. 5 **CV k**
**Repas** (12) - 15, enf. 6 – 6 – **64 ch** 63.
◆ À proximité du mythique stade des "canaris" et d'un carrefour fréquenté. Chambres contemporaines, récemment rénovées et dotées d'un double vitrage efficace.

**par D 178** *et rte de la Chantrerie : 11 km* - **CV :**

**Manoir de la Régate,** 155 rte Gachet ✉ 44300 Nantes ✆ 02 40 18 02 97, *lemanoirdelar egate@free.fr, Fax 02 40 25 23 36,* – P. AE GB
*fermé dim. soir et lundi* – **Repas** 16 (déj.), 23/60,25 et carte 45 à 54 ♀, enf. 13.
◆ Hall ouvrant sur une série de salles à manger au confort bourgeois, dans un beau bâtiment du 19e s. La terrasse offre une vue sur le château de la Gascherie et le parc.

**Auberge du Vieux Gachet,** rte Gachet ✉ 44470 Carquefou ✆ 02 40 25 10 92, *Fax 02 40 18 03 92,* – P. AE GB
*fermé dim. soir, merc. soir et lundi* – **Repas** 16 (déj.), 26/43 ♀.
◆ Une sympathique auberge rustique où l'on se croit à la campagne à deux pas de la ville. La terrasse borde l'Erdre, animé à cet endroit par des bateaux de plaisance.

**rte d'Angers** *par N 23* - **DV** – ✉ *44470 Carquefou :*

**Novotel Carquefou**, Z.I. Belle Étoile-Antarès : 12 km ✆ 02 28 09 44 44, *H0410@acco r-hotels.com, Fax 02 28 09 44 54,* – 15. AE GB JCB
**Repas** (17,60) - 21,90 ♀, enf. 8 – 10 – **79 ch** 82/88.
◆ Proche des axes routiers, hôtel des années 1970 rajeuni depuis peu. Espace, couleurs gaies et mobilier contemporain. Les chambres se répartissent autour d'un petit jardin.

**Belle Étoile,** à la Belle Étoile : 11,5 km ✆ 02 40 68 01 69, *hotel.belleetoile@free.fr, Fax 02 40 68 07 27,* – 30. GB
*hôtel : fermé 1er au 17 août ; rest. : fermé 28 juil. au 24 août, 22 au 31 déc., sam., dim. et fêtes* – **Repas** 13,50/26 ♀ – 5,50 – **37 ch** 47/50 – ½ P 46,50.
◆ Dormir à la "Belle Étoile" se fait... sous un toit et dans un lit douillet ! Les sobres chambres sont plutôt calmes, malgré la proximité de la route. Salle à manger colorée.

**vers** ② *, sortie Bellevue puis r. des Sables : 11 km* – ✉ *44980 Ste-Luce-sur-Loire :*

**Manoir du Petit Plessis,** ✆ 02 28 01 41 38, *Fax 02 28 01 41 39,* – AE GB **DV g**
*fermé 11 au 24 août, dim. soir et lundi* – **Repas** 15,50/35.
◆ Petite folie de 1850 et ses dépendances dans un parc agrémenté de pièces d'eau. Salles à manger à l'étonnant décor mi-baroque, mi-exotique. Cuisine classique plus sage.

## à l'Est

**rte de Champtoceaux** *par D 751 (rte des Bords de Loire)* **DV** *:*

**Villa Mon Rêve,** à 10 km, près sortie Porte du Vignoble ✉ 44115 Basse-Goulaine ✆ 02 40 03 55 50, *contact@villa-mon-reve.com, Fax 02 40 06 05 41,* – P. AE GB JCB **DV e**
*fermé 18 au 30 nov. et vacances de fév.* – **Repas** 26,50/39 ♀, enf. 11.
◆ Entre la Loire et les cultures maraîchères, maison 1900 devancée par une terrasse ombragée. Atmosphère intemporelle et cuisine du terroir, dont des poissons au beurre blanc.

**Divate,** à 11 km, à Boire-Courant ✉ 44450 St-Julien-de-Concelles ✆ 02 40 54 19 66, *Fax 02 40 36 58 39,* – AE GB
*fermé 25 août au 11 sept., 27 janv. au 6 fév., dim. soir, lundi soir, mardi soir, et merc.* – **Repas** 12,50/33,50 ♀, enf. 8,50.
◆ Spécialités des bords de Loire à déguster dans cette petite maison de pays postée sur la digue du fleuve. Pierre et bois créent un joli cadre rustique.

**Auberge Nantaise,** à 13 km, au Bout des Ponts ✉ 44450 St-Julien-de-Concelles ✆ 02 40 54 10 73, *Fax 02 40 36 83 28,* – AE GB
*fermé 1er au 15 sept., sam. midi, dim. soir et lundi* – **Repas** 16/42, enf. 10.
◆ À l'étage, salle à manger au mobilier actuel dont les larges baies vitrées surplombent la Loire. Au rez-de-chaussée, le décor est plus rustique.

**Pierre Percée,** à 17 km, à la Pierre Percée ✉ 44450 La Chapelle-Basse-Mer ✆ 02 40 06 33 09, *Fax 02 40 33 32 29,* – GB
*fermé 2 au 21 janv., dim. soir et lundi* – **Repas** 21,50/47,25.
◆ Choisissez la salle à manger du 1er étage qui s'offre l'agrément d'une jolie vue sur la Loire. Cuisine du marché privilégiant les produits régionaux.

**à Basse-Goulaine** *: 10 km – 5 910 h. alt. 22 – ✉ 44115 :*

XX **Pont,** 147 r. Grignon (D 119) ✆ 02 40 03 58 62, *Fax 02 40 06 20 80* – P. AE GB DX t
*fermé 31 juil. au 21 août, vacances de fév., dim. soir, lundi soir et merc.* – **Repas** 14 (déj.), 21/33 ♀.
◆ Dans un quartier résidentiel, ce restaurant à la façade verdoyante abrite deux salles à manger campagnardes : l'une parée de couleurs vives, l'autre plus sobre.

## au Sud-Est

**à St-Sébastien-sur-Loire** *: 4 km – 22 202 h. alt. 24 – ✉ 44230 :*

XXX ✿ **Manoir de la Comète** (Thomas-Trophime), 21 av. Libération ✆ 02 40 34 15 93, *manoir-comete@wanadoo.fr, Fax 02 40 34 46 23* – ▤ P. AE GB p. 5 CX e
*fermé 30 avril au 8 mai, 21 juil. au 19 août, sam. midi et dim.* – **Repas** 30/64 et carte 50 à 75 ♀.
◆ Élégant cadre contemporain dans un manoir du 19e s. : sol en marbre poli, sièges en tubes d'acier et originale coupole de verre ouverte... sur la voie lactée.
**Spéc.** Vinaigrette tiède de langoustines royales, asperges et cresson (mai à août). Civet de lamproie à l'anjou rouge (janv. à mars). Aumonière de homard breton, cèpes, beurre rouge (juil. à oct.). **Vins** Malvoisie des Coteaux d'Ancenis, Anjou rouge.

**à Haute-Goulaine** *par ③ et D 119 : 14 km – 3 823 h. alt. 41 – ✉ 44115 :*

XXX ✿ **Manoir de la Boulaie** (Saudeau), ✆ 02 40 06 15 91, *Fax 02 40 54 56 83*, 🌳 – P. AE GB
*fermé 28 juil. au 21 août, 22 au 31 déc., 9 au 18 fév., dim. soir, lundi et merc.* – **Repas** 20 (déj.), 31/64 et carte 54 à 66, enf. 14.
◆ Cette demeure bourgeoise des années 1920, située au coeur du vignoble, est très prisée des Nantais pour sa cuisine inventive et son joli cadre rénové. Bon choix de muscadets.
**Spéc.** Cataplana d'agneau et cannelloni d'épaule façon moussaka. Pot-au-feu de foie gras (automne-hiver). Sushis d'ananas au lait de coco. **Vins** Muscadet de Sèvre et Maine

**à La Haie-Fouassière** *par ③, N 149 et D 74 : 15 km – 2 911 h. alt. 25 – ✉ 44690 :*

XX **Cep de Vigne,** à la Gare Nord : 1 km par D 74 ✆ 02 40 36 93 90, *Fax 02 51 71 60 69*, 🏠 – GB
*fermé 16 au 31 juil., vacances de fév., dim. soir, lundi soir, mardi soir et merc.* – **Repas** 20 bc/48 ♀, enf. 10.
◆ Devant la petite gare, façade agrémentée de céramiques illustrant le thème de la vigne Sobres et confortables salles à manger, terrasse et sélection de muscadets.

**à Vertou** *: 10 km par D 59 – 18 235 h. alt. 32 – ✉ 44120 :*

*Office du Tourisme, place du Beau Verger ✆ 02 40 34 12 22, Fax 02 40 34 06 86, otsivertou@oceanet.fr.*

XX **Monte-Cristo,** Chaussée des Moines ✆ 02 40 34 40 36, *restel3@wanadoo.fr, Fax 02 40 03 26 20*, ≤, 🏠 – AE ⓓ GB p. 5 DX a
*fermé 2 au 12 août, 25 oct. au 12 nov., mardi soir du 1er oct au 30 avril, dim. soir et lundi* – **Repas** 21 (déj.), 24/76,50 ♀.
◆ Les premières lignes du Comte de Monte-Cristo ont été écrites par Alexandre Dumas en ces lieux. L'agréable salle à manger et la terrasse s'ouvrent largement sur la Sèvre.

## au Sud

**rte de La Roche-sur-Yon** *par ④ et D 178 : 12 km – ✉ 44840 Les Sorinières :*

🏨 **Abbaye de Villeneuve** 🌿, ✆ 02 40 04 40 25, *villeneuve@leshotelsparticuliers.com, Fax 02 40 31 28 45*, 🏠, 🏊, 🌳 – ▤ ch, TV P – 🎤 80. AE ⓓ GB JCB
**Repas** 24/74 bc ♀, enf. 13 – ☕ 12 – **17 ch** 80/145, 3 appart – ½ P 70/125.
◆ En cette demeure du 18e s. née d'une abbaye médiévale, le chemin du restaurant passe par le cloître et un hall d'accueil dallé... de pierres tombales. Chambres de caractère.

**à Rézé** *: 6 km – 33 262 h. alt. 8 – ✉ 44400 :*

🏠 **Cheval Blanc** sans rest, 50 r. Commune de 1871 ✆ 02 40 75 65 07, *Fax 02 40 75 92 48* – ⚡ TV ✆ P. GB p. 5 CX b
*fermé 9 au 15 août, 21 au 29 déc.* – ☕ 5,50 – **19 ch** 39/47.
◆ Situé dans un quartier commerçant, petit hôtel répondant aux attentes de la clientèle d'affaires. Chambres simples, bien tenues et équipées d'un sobre mobilier actuel.

## au Sud-Ouest

**à l'aéroport Nantes-Atlantique** – *✉ 44340 Bouguenais :*

🏨 **Océania** M, ✆ 02 40 05 05 66, *oceania-nantes@hotel-sofibra.com, Fax 02 40 05 12 03*, 🏠, 🏊, 🎾 – |‡| ⚡ ▤ TV ✆ ♿ P – 🎤 100. AE ⓓ GB JCB p. 4 BX e
**Repas** *(fermé sam. midi et dim. midi)* 18,30/29 ♀ – ☕ 10 – **87 ch** 88/109.
◆ Imposante façade contemporaine rythmée de pilastres. Les chambres, modernes et pratiques, sont relookées progressivement. Une navette relie l'hôtel à l'aéroport.

**Mascotte** sans rest, 02 40 32 14 14, *mascotte-nantes@hotel-sofibra.com, Fax 02 40 32 14 13* – – 50. AE GB p. 4 **BX** a
7 – **73 ch** 61/72.
◆ Trajet avion-hôtel en un clin d'oeil et chambres fonctionnelles récemment rénovées et rehaussées de chauds coloris ; quatre d'entre elles possèdent un petit salon.

**à Bouaye** *par D 751 : 13 km -* **AX** *– 4 815 h. alt. 16 – 44830 :*

*Office du Tourisme, 2 place du Bois Jacques 02 40 65 53 55, Fax 02 51 70 59 84.*

**Kyriad,** sur D 751A 02 40 65 43 50, *informations@champs-d-avaux.com, Fax 02 40 32 64 83,* , , , – rest, – 80. AE GB
*fermé 22 déc. au 4 janv.* – ***Les Champs d'Avaux*** *(fermé 22 déc. au 4 janv., vend. soir, dim. soir et sam.)* **Repas** 19/55, enf. 11 – 9 – **42 ch** 53/85.
◆ Toutes les chambres de ce bâtiment moderne ont été revues dans un style actuel. Les Champs d'Avaux occupent une salle en rotonde ouverte sur le jardin et son étang.

**au Nord-Ouest**

**rte de Vannes**

**Marine** , Porte de Chézine, esplanade de la Bégraisière à St-Herblain 44800 02 40 95 26 66, *Fax 02 40 46 85 70,* , – – 15. GB p.4 **BV** m
**Repas** *(fermé dim. soir)* (dîner pour résidents seul.) 11,50/30,50 – 5,50 – **23 ch** 40/45 – ½ P 39.
◆ L'ancienne maison de retraite au milieu d'un grand et paisible jardin abrite désormais de vastes chambres sobrement meublées. Salle à manger-véranda. Accueil charmant.

**Pavillon,** à 7 km sur N 165 44800 St-Herblain 02 40 94 99 99, *Fax 02 40 94 96 07,* – . GB p. 4 **AV** a
*fermé 29 juil. au 19 août, vacances de fév., sam. midi, lundi soir et dim* – **Repas** 23 bc/28 et carte 40 à 57, enf. 14.
◆ L'urbanisation a gagné le quartier, mais cette petite folie bâtie en 1904 pour un armateur sardinier a conservé son charme : parquet à chevron, moulures, colonnes et cheminées.

**Les Caudalies,** N 165 44800 St-Herblain 02 40 94 35 35, *Fax 02 40 40 89 90* – AE GB p. 4 **BV** v
*fermé 25 juil. au 19 août, 7 au 17 fév., merc. soir, dim. soir et lundi* – **Repas** 15/32, enf. 7.
◆ Au bord de la route, villa des années 1960 accueillant deux petites salles à manger empreintes de sobriété. La cuisine du marché vagabonde à travers les régions françaises.

**rte de Vannes** *par ⑥ et N 165 : 17 km – 44360 Vigneux-de-Bretagne :*

**Brit Hôtel Atlantel** , 02 40 57 10 80, *atlantel.resa.brit-hotel@wanadoo.fr, Fax 02 40 57 13 30,* , , , – , rest, – 150. AE GB JCB
**Repas** *(fermé vend. soir, sam. et dim.)* 17/25 – 8 – **86 ch** 68/76.
◆ Bordant un axe à grande circulation, ce vaste hôtel constitue une étape plaisante pour la clientèle d'affaires. Chambres fonctionnelles. Bar et restaurant rénovés.

**à Orvault** *– 23 115 h. alt. 45 – 44700 :*

**Domaine d'Orvault** , par N 137 et voie pavillonnaire : 6 km 02 40 76 84 02, *contact@domaine-orvault.com, Fax 02 40 76 04 21,* , , , , – , rest, – 30. AE GB JCB p. 4 **BV** e
**Repas** *(fermé dim. soir de sept. à juin et sam. midi)* (17) - 22/36, enf. 14,50 – 12 – **29 ch** 78/132 – ½ P 73/88.
◆ Cette villa nichée dans un parc boisé ne date, malgré les apparences, que des années 1970. Chambres spacieuses, chaleureux restaurant et terrasse ombragée par des tilleuls.

**par** *⑦, rte de Rennes sortie Ragon-Tourneuve – 44119 Treillères :*

**Mercure,** Parc d'Activité Treillères 02 40 72 87 88, *h1833-gm@accor-hotels.com, Fax 02 40 72 85 07,* , , – – 40. AE GB JCB
**Repas** *(fermé sam., dim. et fériés)* (12) - 15, enf. 8 – 7,50 – **48 ch** 57/65.
◆ En retrait de la route, hôtel pratique aux chambres simples et fonctionnelles. Salle à manger tout en rondeur, au décor actuel. Petit bar aux allures de patio.

---

**NANTILLY** *70 H.-Saône* 314 B8 *– rattaché à Gray.*

---

**NANTUA** 01130 *Ain* 328 G4 *G. Jura – 3 602 h alt. 479.*

**Voir** *Église St-Michel★ : Martyre de St-Sébastien★★ par E.Delacroix – Lac★.*

**Env.** *La cuivrerie★ de Cerdon.*

*Office du Tourisme, place de la Déportation 04 74 75 00 05, Fax 04 74 75 06 83, NANTUA.tourisme@wanadoo.fr.*

*Paris 476 – Aix-les-Bains 79 – Annecy 67 – Bourg-en-Bresse 52 – Genève 66 – Lyon 93.*

**L'Embarcadère**, av. Lac ✆ 04 74 75 22 88, *hotelembarcadere@wanadoo.fr, Fax 04 74 75 22 25*, ≤ – ch, – 35. GB
*fermé 20 déc. au 5 janv.* – **Repas** 21,50/51,50 ♀, enf. 12,50 – ☐ 8 – **49 ch** 48/62 – ½ P 53,50/60,50.
◆ L'atout majeur de la maison ? La vue panoramique sur le lac depuis son restaurant en rotonde. Les chambres devraient prochainement bénéficier d'une rénovation.

**à Brion** *Nord-Ouest : 5 km par N 84 et D 979 – 587 h. alt. 475 – ✉ 01460 :*

XX **Bernard Charpy**, 1 r. Croix-Chalon ✆ 04 74 76 24 15, *Fax 04 74 76 22 36*, – P. GB
*fermé 25 mai au 2 juin, 3 au 25 août, 26 déc. au 5 janv., dim., lundi et soirs fériés* – **Repas** 16 (déj.), 21/39 ♀.
◆ Utilement situé près de l'échangeur de l'autoroute, ce restaurant propose d'attrayants menus d'inspiration régionale servis dans un cadre de style chalet.

**à La Cluse** *Nord-Ouest : 3,5 km par N 84 – ✉ 01460 Montréal-la-Cluse :*

**Lac Hôtel** sans rest, 22 av. Bresse ✆ 04 74 76 29 68, *alblanc@club-internet.fr, Fax 04 74 76 13 70* – P. GB.
☐ 5 – **28 ch** 30/35.
◆ Dormez économique dans ce bâtiment récent construit au voisinage d'un noeud routier. Environnement bruyant, certes, mais bonne insonorisation. Accès Internet à disposition.

---

**La NAPOULE** *06 Alpes-Mar.* 341 C6 – *voir à Mandelieu.*

---

**NARBONNE** *11100 Aude* 344 J3 *G. Languedoc Roussillon – 45 849 h alt. 13.*
**Voir** *Cathédrale St-Just-et-St-Pasteur*★★ *(Trésor : tapisserie représentant la Création*★★*) – Donjon Gilles Aycelin*★ ★ **H** – *Choeur*★ *de la basilique St-Paul – Palais des Archevêques*★ **BY** *: musée d'Art et d'Histoire*★ *- Musée archéologique*★ *– Musée lapidaire*★ **BZ** *– Pont des marchands*★.
✆ *08 36 35 35 35.*
*Office du Tourisme, place Salengro ✆ 04 68 65 15 60, Fax 04 68 65 59 12, office.tourisme.narbonne@wanadoo.fr.*
*Paris 792 ② – Perpignan 64 ③ – Béziers 34 ① – Carcassonne 61 ③ – Montpellier 96 ②.*

Plan page ci-contre

**Novotel** M, par ③, *rte Perpignan : 3 km* ✆ 04 68 42 72 00, *H0412@accor-hotels.com, Fax 04 68 42 72 10*, – P – 15 à 80. AE GB JCB
**Repas** 18/19 ♀ – ☐ 10,50 – **96 ch** 87/105.
◆ Cet hôtel de chaîne offre une halte pratique sur la route de l'Espagne. Nouveaux coloris dans la moitié des chambres. L'été, profitez de la terrasse sous pergola.

**Résidence** sans rest, 6 r. 1er-Mai ✆ 04 68 32 19 41, *Fax 04 68 65 51 82* – . AE GB AY r
*fermé 15 janv. au 15 fév.* – ☐ 7,40 – **25 ch** 51,50/80,90.
◆ Jean Marais, Louis de Funès, Georges Brassens, Michel Serrault : prestigieux livre d'or, gage de qualité pour cet hôtel de tradition aménagé dans une demeure du 19e s.

**Motel d'Occitanie** M, av. Mer par ② *: 2 km* ✆ 04 68 65 47 60, *motel.occitanie@wanado o.fr, Fax 04 68 65 09 17*, – P – 20 à 100. AE GB JCB
***Silène :*** **Repas** 18/33,50 ♀, enf. 8 – ☐ 9 – **31 ch** 39/67.
◆ Les chambres, réparties dans plusieurs bâtiments, sont d'allure un brin monacale. Au restaurant, clientèle d'affaires en semaine et mariages les week-ends.

**France** sans rest, 6 r. Rossini ✆ 04 68 32 09 75, *hotelfrance@worldonline.fr, Fax 04 68 65 50 30* – . GB BZ s
☐ 6 – **15 ch** 30/49.
◆ Bâtiment de la fin du 19e s. situé dans une rue peu animée. Chambres régulièrement rafraîchies. À 500 m, visitez le musée archéologique (collection de peintures romaines).

XXX ✿ **Table St-Crescent** (Giraud), au Palais du Vin par ③ ✆ 04 68 41 37 37, *saint-crescent@wanadoo.fr, Fax 04 68 41 01 22*, – P. AE GB
*fermé 3 au 17 mars, 1er au 15 septembre, sam. midi, dim. soir et lundi* – **Repas** (17) - 28/45 et carte 50 à 90 ♀.
◆ L'esprit de Bacchus veille dans cette noble salle à manger contemporaine où carte des vins et cuisine inspirée honorent le Languedoc. Terrasse entourée de vignes.
**Spéc.** Escalope de foie gras de canard, crème de cocos à la châtaigne. Grosses langoustines juste raidies et semoule de blé dur au jus. Filet de boeuf en chausson, foie gras et crème de truffe. **Vins** Minervois, Corbières.

XX **L'Alsace**, 2 av. P. Sémard ✆ 04 68 65 10 24, *Fax 04 68 90 79 45* – . AE GB BY a
*fermé mardi et merc.* – **Repas** 15,30 bc (déj.), 16,80/29 ♀.
◆ Le banc d'écailler placé à l'entrée annonce la couleur : les produits de la mer sont ici à l'honneur. Murs ensoleillés joliment travaillés à l'éponge, ambiance animée.

# NARBONNE

Anatole France (Av.) . . . . . **AYZ** 2
Ancien Courrier (R. de l') . . . . . . . . . . . . . . . **BY** 3
Ancienne Porte de Béziers (R.de l') . . . . . **BY** 4
Blum (Sq. Th.-Léon). . . . . . . **BY** 6
Cabirol (R.). . . . . . . . . . . . . . . **AZ** 7
Chennebier (R.). . . . . . . . . . . **AY** 9
Concorde (Pont de la) . . . . . . . . . . . **AY** 10
Condorcet (Bd.) . . . . . . . . . . **BY** 12
Courier (R.P.-L.) . . . . . . . . . . **BZ** 13
Crémieux (R. B.). . . . . . . . **BZ** 15
Deymes (R. du Lt.-Col.) . . . . . . . . . **BY** 16
Droite (R.) . . . . . . . . . . . . . . . . . **BY**
Escoute (Pont de l') . . . . . . . **AY** 17
Fabre (R. Gustave) . . . . . . . . **AY** 18
Foch (Av. Mar.) . . . . . . . . . . . **BY** 19
Garibaldi (R.) . . . . . . . . . . . . . **BY** 20
Gaulle (Bd. Gén.de) . . . . . . . **BY** 21
Gauthier (R. Armand) . . . . . **BY** 22
Hôtel de Ville (Pl. de l') . . . . . . . . . . . . **BYZ**
Jacobins (R. des) . . . . . . . . . **BZ** 23
Jaurès (R. Jean) . . . . . . . . . . **AY** 24
Joffre (Bd. Mar.). . . . . . . . . . **AYZ** 25
Liberté (Pont de la) . . . . . . . **BZ** 27
Lion d'Or (R. du). . . . . . . . . . **AY** 28
Louis-Blanc (R.) . . . . . . . . . . **BY** 29
Luxembourg (R.du) . . . . . . . **AZ** 30
Major (R. de la). . . . . . . . . . . **BZ** 31
Maraussan (R.) . . . . . . . . . . . **AZ** 32
Michelet (R.) . . . . . . . . . . . . . **BY** 33
Mirabeau (Cours) . . . . . . . . . **BZ** 35
Pont-des-Marchands (R. du). . . . . . . . . . . . . . . **BZ** 36
Pyrénées (Av. des). . . . . . . . **AY** 37
Pyrénées (Pl. des) . . . . . . . . **AZ** 39
Rabelais (R.) . . . . . . . . . . . . . **AZ** 40
République (Crs de la). . . . . **BZ** 41
Salengro (Pl. R.) . . . . . . . . . . **BY** 43
Sermet (Av. E.). . . . . . . . . . . . **BY** 44
Toulouse (Av. de) . . . . . . . . . **AZ** 45
Voltaire (Pont) . . . . . . . . . . . **AY** 47

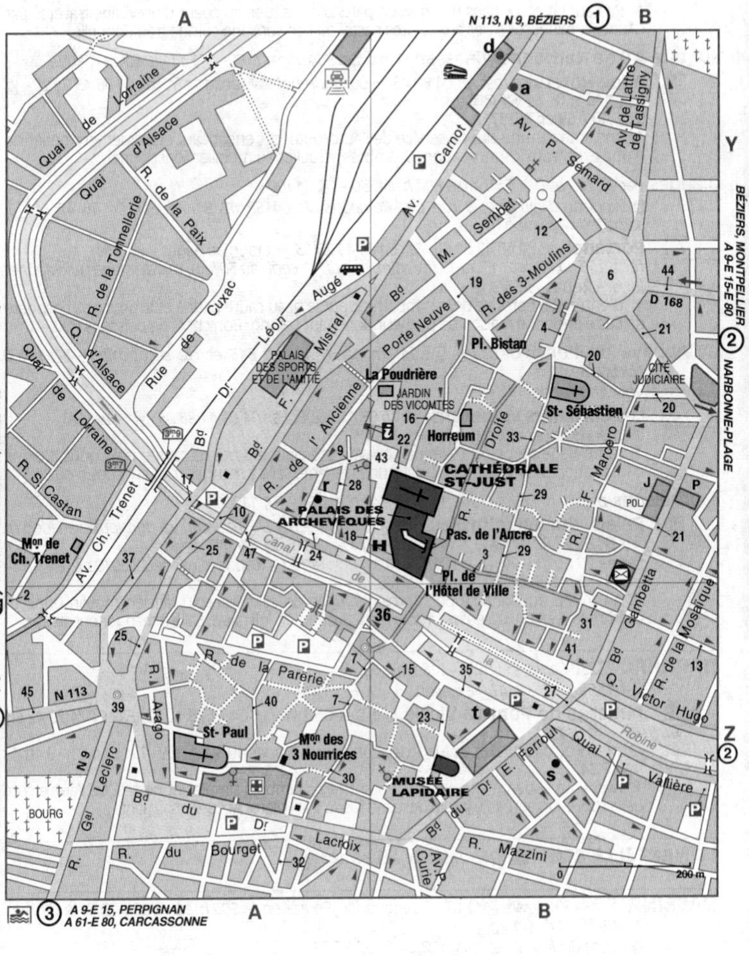

N 113, N 9, BÉZIERS
BÉZIERS, MONTPELLIER A 9-E 15-E 80
NARBONNE-PLAGE
A 9-E 15, PERPIGNAN
A 61-E 80, CARCASSONNE
Quai de Lorraine
Quai d'Alsace
R. de la Paix
R. de la Tonnellerie
Rue de Cuxac
Bd Dr Léon Augé
Av. Carnot
Av. P. Sémard
Av. de Lattre de Tassigny
Bd M. Sembat
R. des 3-Moulins
Porte Neuve
Bd F. Mistral
R. de l'Ancienne
PALAIS DES SPORTS ET DE L'AMITIÉ
La Poudrière
JARDIN DES VICOMTES
Horreum
Pl. Bistan
St-Sébastien
CITÉ JUDICIAIRE
CATHÉDRALE ST-JUST
PALAIS DES ARCHEVÊQUES
Pas. de l'Ancre
Pl. de l'Hôtel de Ville
R. F. Marcero
Bd Gambetta
R. de la Mosaïque
Q. Victor Hugo
Canal de la Robine
Mon de Ch. Trenet
Av. Ch. Trenet
R. S. Castan
R. de la Parerie
R. Arago
St-Paul
Mon des 3 Nourrices
MUSÉE LAPIDAIRE
Bd du Dr E. Ferroul
Quai Vallière
Bd du Dr Lacroix
R. du Bourget
R. Mazzini
Av. P. Curie
Gal Leclerc
BOURG
N 113
N 9
D 168
POL
200 m


X **L'Estagnol,** 5 bis cours Mirabeau ✆ 04 68 65 09 27, *lestagnol@net-up.com, Fax 04 68 32 23 38,* – ▤. GB BZ t
*fermé 16 au 24 nov., lundi soir et dim.*
**Repas** *(10)* - 16/20 ♀, enf. 6,50.
◆ Brasserie au mobilier de style bistrot, proposant une cuisine d'inspiration régionale. L'été, la terrasse est dressée sur une placette située à proximité du marché couvert.

X **Bistrot du Chef...en gare,** 1 av. Carnot ✆ 04 68 32 14 52, *media.restauration@wanadoo.fr, Fax 04 68 32 29 94,* – . GB BY d
*fermé 6 au 19 janvier, mardi soir et merc.* – **Repas** 20.
◆ C'est un bistrot extraordinaire situé dans l'ex-buffet de la gare du cher pays de l'enfance de Charles Trenet. Décor et fond musical dédiés au "fou chantant". Y'a d'la joie !

**à Coursan** *par ①: 7 km – 5 137 h. alt. 6 – ✉ 11110.*
*Office du Tourisme, 10 bis avenue Jean Jaurès ✆ 04 68 33 60 86, Fax 04 68 33 60 86, coursan@fnotsi.net.*

XX **L'Os à Moelle,** rte Salles d'Aude ✆ 04 68 33 55 72, *Fax 04 68 33 35 39,* , – P. AE GB
*fermé 8 au 22 sept., vacances de fév., dim. soir et lundi* – **Repas** 20/40 ♀.
◆ Restaurant établi dans une maison particulière située au coeur d'un village traversé par l'Aude. Lumineuses salles aux teintes pastel où l'on sert une cuisine traditionnelle.

**sur aire A 9 de Narbonne-Vinassan Nord** *Est : 6 km par D 68 – ✉ 11110 Salles d'Aude :*

**Aude Hôtel** sans rest, ✆ 04 68 45 25 00, *aude-hotel@wanadoo.fr, Fax 04 68 45 25 20* – TV ♿ P. AE GB
☕ 6,40 – **59 ch** 45/57.
◆ Implanté sur une aire de service de l'autoroute, cet engageant établissement bénéficie d'une excellente insonorisation. Chambres actuelles au mobilier fonctionnel.

**à Bages** *par ③, N 9 et D 105 : 8 km – 694 h. alt. 30 – ✉ 11100 :*
*Syndicat d'Initiative, 8 rue des Remparts ✆ 04 68 42 81 76, Fax 04 68 42 81 76, s.i.bages@wanadoo.fr.*

XX **Portanel,** ✆ 04 68 42 81 66, *Fax 04 68 41 75 93,* ≤ étang de Bages – . GB
*fermé 15 au 30 oct., 1er au 15 fév., dim. soir du 1er sept. au 30 juin, mardi midi en juil.-août et lundi* – **Repas** 20/35 ♀, enf. 10.
◆ D'entrée on éprouve de la sympathie pour le beau cadre patiné et la douce atmosphère de cette ancienne maison de pêcheur dominant l'étang. Bon choix de poissons frais.

**à l'Abbaye de Fontfroide** *par ④, 14 km par N 113, D 613 et rte secondaire – ✉ 11100 Narbonne :*
Voir *Abbaye*★★.

X **Les Cuisiniers Vignerons,** ✆ 04 68 41 86 06, *Fax 04 68 41 86 05,* – . GB
*1er mars-31 nov.* – **Repas** (déj. seul.) 13/23.
◆ La bergerie de cette ancienne abbaye cistercienne a été restaurée avec goût. Cuisine d'inspiration provençale servie dans une élégante salle à manger sous croisées d'ogives.

**à Ornaisons** *par ④, N 113 et D 24 : 14 km – 943 h. alt. 34 – ✉ 11200 :*

**Relais du Val d'Orbieu** , ✆ 04 68 27 10 27, *relais.du.val.dorbieu@wanadoo.fr, Fax 04 68 27 52 44,* , , , – TV P – 15. AE GB JCB
*fermé 20 nov. au 20 janv. et dim. soir en nov. et fév.* – **Repas** (dîner seul.) 39/59 ♀, enf. 20 – ☕ 14 – **20 ch** 100/140 – ½ P 120/135.
◆ Au milieu du vignoble des Corbières, gage de calme absolu, ancien moulin dont les chambres, personnalisées, s'ordonnent autour d'un joli patio. Salle à manger ensoleillée.

---

## NARNHAC *15230 Cantal 330 E5 – 118 h alt. 1000.*
*Paris 559 – Aurillac 42 – Espalion 74 – St-Flour 44.*

**Auberge de Pont La Vieille,** par D 990 : 2 km ✆ 04 71 73 42 60, *Fax 04 71 73 42 60,* – P. GB
*fermé 15 oct. au 15 déc. et lundi de sept. à avril* – **Repas** 10/23, enf. 7 – ☕ 4,60 – **8 ch** 38 – ½ P 34.
◆ Avenante auberge champêtre abritant des chambres simples et nettes. De l'autre côté de la route, un agréable jardin descend jusqu'à la rivière. Accueil charmant.

---

## La NARTELLE *83 Var 340 O6 – rattaché à Ste-Maxime.*

---

## NASBINALS *48260 Lozère 330 G7 G. Languedoc Roussillon – 503 h alt. 1180 – Sports d'hiver : 1 240/1 320 m 1.*
*Office du Tourisme, village ✆ 04 66 32 55 73.*
*Paris 576 – Aurillac 104 – Mende 52 – Rodez 64 – Aumont-Aubrac 24 – St-Flour 55.*

**Relais de l'Aubrac** , au Pont de Gournier (carrefour D 12 - D 112), Nord : 4 km par D 12 ✆ 04 66 32 52 06, *Fax 04 66 32 56 58,* – TV ♿ P. GB
*1er mars-30 nov.* – **Repas** *(fermé dim.soir sauf feriés et juil.-août)* 15 (déj.)/30, enf. 7 – ☕ 7,50 – **27 ch** 45/55 – ½ P 45/55.
◆ En pleine nature, grande maison abritant des chambres de tailles variées ; les plus récemment aménagées sont modernes et fonctionnelles.

**NATZWILLER** *67130 B.-Rhin* 315 H6 – *634 h alt. 500.*

*Paris 420 – Strasbourg 60 – Barr 25 – Molsheim 32 – St-Dié 43.*

XX **Auberge Metzger** avec ch, ☎ 03 88 97 02 42, *auberge.metzger@wanadoo.fr, Fax 03 88 97 93 59,* – 15. GB

*fermé 23 juin au 6 juil., 20 au 26 déc., 4 au 26 janv., dim. soir et lundi* – **Repas** 11 (déj.), 17/54 – 8 – **16** ch 47/68 – ½ P 62/72.

◆ Cette façade fleurie abrite une sympathique auberge familiale plébiscitée pour sa goûteuse cuisine régionale. Une cour pavée accueille la terrasse. Confortables chambres.

**NAVARRENX** *64190 Pyr.-Atl.* 342 H5 – *1 036 h alt. 125.*

*Office du Tourisme, Porte St-Antoine ☎ 05 59 66 14 93, Fax 05 59 66 54 80.*

*Paris 800 – Pau 42 – Mourenx 15 – Oloron-Ste-Marie 23 – Orthez 22 – Peyrehorade 44.*

**Commerce,** pl. Casernes ☎ 05 59 66 50 16, *hotel.du.commerce@wanadoo.fr, Fax 05 59 66 52 67* – 30. AE GB

*fermé janv.* – **Repas** 10,50 (déj.), 15/25, enf. 7 – 6 – **28 ch** 39/45 – ½ P 37,50.

◆ Hôtel traditionnel situé au coeur d'une bastide fondée en 1316. Belle cheminée à la réception, chambres en majorité rénovées et restaurant au cachet rustique préservé.

**NÉANT-SUR-YVEL** *56430 Morbihan* 308 R6 – *882 h alt. 54.*

*Paris 415 – Rennes 65 – Dinan 62 – Loudéac 45 – Ploërmel 11 – Vannes 58.*

**Auberge de la Table Ronde,** ☎ 02 97 93 03 96, *Fax 02 97 93 05 26* – GB

*fermé 14 au 24 sept., 4 janv. au 4 fév., dim. soir et lundi* – **Repas** 7,90 (déj.), 9,50/24, enf. 5,50 – 4,80 – **9 ch** 23/32 – ½ P 23/29.

◆ Cette modeste auberge tenue par la même famille depuis quatre générations est voisine du site enchanteur de la forêt de Paimpont. Décor mûrissant, mais tenue sans reproche.

**NEAUPHLE-LE-CHÂTEAU** *78640 Yvelines* 311 H3 *G. Ile de France* – *2 499 h alt. 185.*

*Syndicat d'Initiative, 14 place du Marché ☎ 01 34 89 78 00, Fax 01 34 89 78 00.*

*Paris 38 – Dreux 42 – Mantes-la-Jolie 30 – Rambouillet 23 – Versailles 20.*

**Domaine du Verbois**, 38 av. République ☎ 01 34 89 11 78, *verbois@hotelverbois, Fax 01 34 89 57 33,* – 15 à 60. AE GB JCB

*fermé 11 au 23 août et 21 au 27 déc.* – **Repas** *(fermé dim. soir)* 30/45 – 11 – **20 ch** 95/120 – ½ P 88,50/101.

◆ Cette demeure bourgeoise de la fin du 19e s. isolée dans un parc vous propose de ravissantes chambres personnalisées, meublées en différents styles du 18e s.

XX **Griotte,** 58 av. République ☎ 01 34 89 19 98, *Fax 01 34 89 68 86,* – AE GB

*fermé 11 au 31 août, dim. et lundi* – **Repas** 26.

◆ Maison ancienne et salle à manger au cadre contemporain donnant sur un joli jardin fleuri. À la belle saison, la pergola s'ombrage de chèvrefeuille et de glycine.

**NEMOURS** *77140 S.-et-M.* 312 F6 *G. Ile de France* – *12 072 h alt. 60.*

Voir *Musée de Préhistoire de l'Ile de France★ à l'Est.*

*Office du Tourisme, 41 quai Victor Hugo ☎ 01 64 28 03 95, Fax 01 64 45 09 67, officetourismenemours-stpierre@wanadoo.fr.*

*Paris 79 – Fontainebleau 17 – Melun 34 – Montargis 37 – Orléans 90 – Sens 48.*

**à Glandelles** *au Sud : 7 km par N 7 – ✉ 77167 Bagneaux-sur-Loing :*

XX **Les Marronniers,** N 7 ☎ 01 64 28 07 04, *frederic.condomines@wrikas.com, Fax 01 64 29 29 91,* – AE GB

*fermé 29 mai au 5 juin, 10 août au 4 sept., lundi soir, mardi soir et merc.* – **Repas** *(14,20)* - 17,20/39,20, enf. 7,70.

◆ Maison régionale en pierre. Petit hall ouvrant sur deux salles : sol carrelé, charpente apparente et cheminée dans l'une ; cadre plus sobrement rustique dans l'autre.

**NÉRAC** *47600 L.-et-G.* 336 D5 *G. Aquitaine* – *7 015 h alt. 65.*

*Office du Tourisme, 7 avenue Mondenard ☎ 05 53 65 27 75, Fax 05 53 65 97 48.*

*Paris 705 – Agen 28 – Bordeaux 128 – Condom 22 – Marmande 53.*

**Château,** 7 av. Mondenard ☎ 05 53 65 09 05, *Fax 05 53 65 89 78* – . GB. rest

*fermé 2 au 18 janv.* – **Repas** *(fermé vend. soir, sam. midi et dim. soir d'oct. à mai)* 11 (déj.), 16,50/37,40 – 5,34 – **16 ch** 39 – ½ P 34,50.

◆ Au coeur de la pimpante capitale du pays d'Albret, demeure ancienne en pierres blanches, dont les chambres sont régulièrement entretenues. À table, plats traditionnels.

**Aux Délices du Roy,** 7 r. Château ✆ 05 53 65 81 12, *Fax 05 53 65 81 12* – GB
*fermé merc.* – **Repas** 16/50 ♀, enf. 9,20.
◆ Voisinage du château, ruelles de la vieille ville et charme rustique caractérisent ce restaurant aux murs colorés. Cuisine traditionnelle où le poisson est roi.

---

**NÉRIS-LES-BAINS** *03310 Allier* 326 C5 *G. Auvergne – 2 831 h alt. 364 – Stat. therm. (avril-mi oct.) – Casino.*
*Office du Tourisme, Carrefour des Arènes ✆ 04 70 03 11 03, Fax 04 70 03 11 03.*
*Paris 339 ③ – Moulins 72 ① – Clermont-Ferrand 83 ② – Montluçon 9 ③.*

**NÉRIS-LES-BAINS**

| | |
|---|---|
| Arènes (Bd des) | 2 |
| Boisrot-Desserviers (R.) | 3 |
| Constans (R.) | 5 |
| Cuvier (R.) | 7 |
| Dormoy (Av. Marx) | 8 |
| Gaulle (R. du Gén.-de) | 9 |
| Kars (R. des) | 10 |
| Marceau (R.) | 12 |
| Migat (R. du Capitaine) | 14 |
| Molière (R.) | 15 |
| Parmentier (R.) | 18 |
| Reignier (Av.) | 19 |
| République (Pl. de la) | 21 |
| Rieckötter (R.) | 23 |
| St-Joseph (R.) | 25 |
| Thermes (Pl. des) | 27 |
| Voltaire (R.) | 29 |

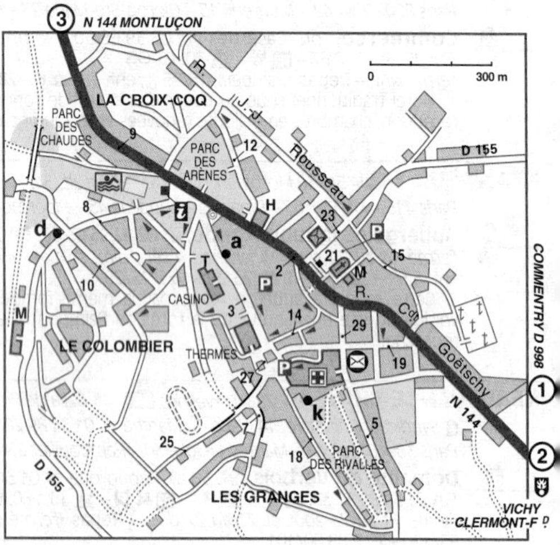
N 144 MONTLUÇON
LA CROIX-COQ
PARC DES CHAUDES
PARC DES ARÈNES
R. J.-J. Rousseau
D 155
CASINO
LE COLOMBIER
THERMES
R. Cdt Goëtschy
N 144
COMMENTRY D 998
PARC DES RIVALLES
LES GRANGES
D 155
VICHY
CLERMONT-F D
300 m

**Garden,** 12 av. Marx Dormoy **(d)** ✆ 04 70 03 21 16, *Fax 04 70 03 10 67*, – TV P – 25. AE GB. ch
*fermé 27 janv. au 8 mars* – **Repas** *(fermé dim. soir et lundi de nov. à mars)* 12,50/40 ♀, enf. 8 – 5,20 – **19 ch** 39/57 – ½ P 40,50/45,50.
◆ Près du centre de la station, grande villa dans un jardin fleuri, transformée en hôtel. Chambres contemporaines régulièrement rénovées et lumineuse salle à manger.

**Parc des Rivalles** , r. Parmentier **(k)** ✆ 04 70 03 10 50, *rivalleshotel@wanadoo.fr, Fax 04 70 03 11 05*, – TV P. GB. rest
*15 avril-30 sept.* – **Repas** 13,80/25,20 – 5,70 – **22 ch** 33,60/50,40 – P 46/48.
◆ Situé dans un jardin au sein d'un quartier calme, établissement traditionnel bien entretenu abritant des chambres assez grandes et agréablement aménagées.

**Terrasse,** 52 r. Boisrot-Desserviers **(a)** ✆ 04 70 03 10 42, *terrasse-neris@wanadoo.fr, Fax 04 70 03 15 41* – TV. GB. rest
*6 avril-10 oct.* – **Repas** 13,60/16,80 – 5,50 – **20 ch** 31/43 – P 42,70/47,30.
◆ Aménagé dans une maison ancienne, cet hôtel offre des chambres simples mais convenablement équipées. Adresse qui vaut par son accueil chaleureux.

---

**NÉRONDES** *18350 Cher* 323 M5 – *1 521 h alt. 200.*
*Paris 242 – Bourges 36 – Montluçon 84 – Nevers 34 – St-Amand-Montrond 44.*

**Lion d'Or** avec ch, pl. Mairie ✆ 02 48 74 87 81, *Fax 02 48 74 92 63* – rest, TV P. GB
*fermé 15 au 30 oct., 5 fév. au 7 mars, dim. soir et soirs fériés de sept. à juin et merc.* – **Repas** 15/42 ♀ – 7 – **10 ch** 36/50 – ½ P 42,20/57,20.
◆ Au centre du bourg, cette auberge traditionnelle vous accueille dans sa coquette salle à manger rustique ; cuisine au goût du jour. Chambres progressivement rénovées.

*Si le coût de la vie subit des variations importantes,*
*les prix que nous indiquons peuvent être majorés.*
*Lors de votre réservation à l'hôtel, faites-vous préciser le prix définitif.*

**NESTIER** *65150 H.-Pyr.* 342 O6 – *196 h alt. 500.*

*Paris 801 – Bagnères-de-Luchon 44 – Auch 75 – Lannemezan 14 – St-Gaudens 24.*

XX **Relais du Castéra** avec ch, ✆ 05 62 39 77 37, *Fax 05 62 39 77 29,* – TV – 20. GB. 

*fermé 1er au 8 juin, 4 au 26 janv., dim. soir, mardi soir hors saison et lundi* – **Repas** 17 (déj.), 24/45, enf. 9 – ☕ 10 – **7 ch** 42/46 – ½ P 46.

◆ Auberge de style rustique où l'aménagement soigné rend l'atmosphère des plus agréables. La cuisine, saisonnière, puise son inspiration dans le terroir. Chambres simples.

---

**NEUF-BRISACH** *68600 H.-Rhin* 315 J8 *G. Alsace Lorraine* – *2 092 h alt. 197.*

*Office du Tourisme, place d'Armes ✆ 03 89 72 56 66, Fax 03 89 72 91 73.*

*Paris 475 – Colmar 16 – Basel 63 – Belfort 79 – Freiburg-im-Breisgau 35 – Mulhouse 39.*

XX **Petite Palette,** ✆ 03 89 72 73 50, *ppalette@caramail.com, Fax 03 89 72 61 93* – . AE GB

*fermé 4 au 24 août, 23 au 29 fév, dim. soir mardi soir et lundi* – **Repas** 24/55 ♀.

◆ Tons jaune, cop en faïence et tableaux du maître des lieux égayent cette salle à manger où l'on propose les meilleurs morceaux de la boucherie familiale voisine.

X **Les Remparts,** 9 r. Hôtel de Ville ✆ 03 89 72 76 47, *Fax 03 89 72 76 47* – GB

*fermé lundi soir* – **Repas** 10 (déj.)/27,50 ♀, enf. 8,40.

◆ Restaurant familial au coeur de la ville-forteresse construite par Vauban au 17e s. D'un côté une petite winstub et, de l'autre, une salle à manger aux allures bourgeoises.

**à Biesheim** *Nord : 3 km par D 468* – *2 125 h. alt. 189* – ✉ *68600 :*

**Aux Deux Clefs,** ✆ 03 89 72 51 20, *hostellerie-groff@calixo.net, Fax 03 89 72 92 94,* , – rest, TV P – 25. AE GB

*fermé 3 au 9 mars, 4 au 10 août* – **Repas** *(fermé dim. soir)* 21/40 ♀, enf. 7,70 – ☕ 10,50 – **28 ch** 54/77 – ½ P 57.

◆ Discrète maison régionale ouverte sur un agréable jardin. Chambres actuelles, agencées avec originalité, et salle à manger bourgeoise. Accueil familial aux petits soins.

**à Vogelgrün** *Est : 5 km par N 415* – *415 h. alt. 192* – ✉ *68600 .*

Voir *Bief hydro-électrique★* – *<★ du pont-frontière.*

**L'Européen** M, à la frontière, sur l'île du Rhin ✆ 03 89 72 51 57, *rene.daegele@wanadoo.fr, Fax 03 89 72 74 54,* , , , – TV P – 20 à 60. GB JCB

*fermé 12 janv. au 10 fév.* – **Repas** 21/82 bc ♀ – ☕ 10,50 – **40 ch** 80/210 – ½ P 82/100.

◆ Établissement abritant des chambres modernes et colorées. Celles du motel d'origine, plus simples, ont été refaites récemment. Belles salles rustiques. Location de VTT.

---

**NEUFCHÂTEAU** *88300 Vosges* 314 C2 *G. Alsace Lorraine* – *7 803 h alt. 300.*

Voir *Escalier★ de l'hôtel de ville* **H** – *Groupe en pierre★ dans l'église St-Nicolas* **K.**

*Office du Tourisme, 3 Parking des Grandes Ecuries ✆ 03 29 94 10 95, Fax 03 29 94 10 89, ot.neufchateau@wanadoo.fr.*

*Paris 323 – Chaumont 58 – Belfort 154 – Épinal 75 – Langres 78 – Verdun 106.*

**L'Eden** M, r. 1ere Armée Française ✆ 03 29 95 61 30, *hotel-eden@wanadoo.fr, Fax 03 29 94 03 42* – TV P – 25. AE GB

**Repas** *(fermé dim. soir et lundi midi d'oct. à mars sauf fériés)* 21/41 ♀, enf. 10 – ☕ 7,50 – **27 ch** 50/67 – ½ P 42,50/57,50.

◆ Construction récente proposant des chambres confortables de différentes tailles, certaines équipées de baignoires à remous. Le bar accueille aussi la clientèle locale.

**St-Christophe,** 1 av. Grande-Fontaine ✆ 03 29 94 38 71, *saint.christophe@relais-sud-champagne.com, Fax 03 29 06 02 09* – , rest, TV P – 25. GB

*fermé 6 janv. au 2 fév.* – **Repas** *(fermé dim. soir de déc. à mars)* *(13,70)* - 17,90/31,05 ♀, enf. 8,85 – ☕ 7 – **34 ch** 45,85/63,15 – ½ P 44,70/52,30.

◆ La bâtisse, bordée par une rivière, jouxte le centre-ville. Chambres sobrement décorées et bien tenues. Salle à manger agrémentée de poutres ou espace brasserie plus simple.

XX **Romain,** rte de Chaumont ✆ 03 29 06 18 80, *Fax 03 29 06 18 80,* – P. AE GB

*fermé 28 juil. au 10 août, 16 au 29 fév., dim. soir et lundi* – **Repas** 12,50 (déj.), 19,50/31,50 ♀, enf. 7.

◆ Restaurant situé au bord de la route. Salle à manger vaste, claire et actuelle. Carte traditionnelle où se glissent quelques spécialités lyonnaises.

**à Rouvres-la-Chétive** *Sud-Est : 10 km par D 166* – *378 h. alt. 390* – ✉ *88170 :*

**Frezelle** , ✆ 03 29 94 51 51, *Fax 03 29 94 69 10* – TV . AE GB. ch

*fermé 22 déc. au 4 janv.* – **Repas** *(fermé sam.)* 13,50 (déj.), 19,50/44 ♀ – ☕ 9 – **7 ch** 38/55 – ½ P 37/47.

◆ Pressé de quitter l'autoroute ? Pour une étape sans chichi, cet hôtel familial modeste mais bien tenu vous offre le calme de son environnement villageois.

**NEUFCHÂTEL-EN-BRAY** *76270 S.-Mar.* **304** I3 *G. Normandie Vallée de la Seine – 5 322 h alt. 99.*
Env. *Forêt d'Eawy★★ 10 km au SO.*
*Office du Tourisme, 6 place Notre Dame ✆ 02 35 93 22 96, Fax 02 35 97 00 62.*
*Paris 134 – Amiens 72 – Rouen 50 – Abbeville 56 – Dieppe 40 – Gournay-en-Bray 38.*

XX **Les Airelles** avec ch, 2 passage Michu (près Église) ✆ 02 35 93 14 60, *Fax 02 35 93 89 03,* – TV ✆ – 20. AE GB
*fermé dim. soir et lundi* – **Repas** 15/30 ♀, enf. 10 – ☕ 6,40 – **14 ch** 45/60 – ½ P 51/58,40.
◆ Avenante demeure tapissée de vigne vierge. Au choix : cadre moderne et chaleureux de la salle à manger ou tables dressées sous kiosque de toile, dans l'agréable petit jardin.

**à Mesnières-en-Bray** *Nord-Ouest : 5,5 km par D 1 – 609 h. alt. 65 – ✉ 76270 :*
Voir *Château★.*

XX **Auberge du Bec Fin,** ✆ 02 35 94 15 15, *Fax 02 35 94 42 14,* – GB
*fermé oct., lundi et mardi* – **Repas** 12,20/28,50 ♀.
◆ Poutres, tableaux, tons ocre et tables joliment dressées composent le cadre chaleureux de ce restaurant aménagé dans une maison de pays. La carte évolue au gré des saisons.

**NEUFCHATEL-SUR-AISNE** *02190 Aisne* **306** G6 *– 483 h alt. 59.*
*Paris 171 – Reims 22 – Laon 46 – Rethel 32 – Soissons 60.*

XX **Jardin,** 22 r. Principale ✆ 03 23 23 82 00, *Fax 03 23 23 84 05,* , – . AE GB
*fermé 1er au 9 sept., 12 janv. au 5 fév., dim. soir, lundi et mardi* – **Repas** *(14)* - 16 (déj.), 22/45 ♀.
◆ Sol "gazon", murs fleuris, plantes vertes, véranda tournée vers les massifs de fleurs : tout ici n'est que jardin ! Menus composés selon le marché.

**NEUF-MARCHÉ** *76220 S.-Mar.* **304** K5 *– 568 h alt. 86.*
*Paris 90 – Rouen 52 – Les Andelys 34 – Beauvais 32 – Gisors 18 – Gournay-en-Bray 7.*

XX **Auberge du Puits de Corval,** ✆ 02 35 09 12 25, *Fax 02 35 09 24 17* – GB
*fermé 26 août au 4 sept., 23 déc. au 2 janv., 22 fév. au 2 mars, merc. soir et mardi* – **Repas** 15/39,40, enf. 9,20.
◆ Dans cette auberge de campagne, poutres, cheminée et mobilier normand composent le cadre de caractère d'une salle à manger où l'on sert des plats traditionnels.

X **André de Lyon,** D 915 ✆ 02 35 90 10 01, *Fax 02 35 90 10 01* – AE GB
*fermé 23 juil. au 12 août, 1er au 19 janv., merc. et le soir sauf vend. et sam.* – **Repas** *(11,60)* - 16,50 et carte le week-end, enf. 6,90.
◆ André est venu en 1933 de son Lyon natal pour créer ce restaurant ; depuis, la carte est toujours restée fidèle aux "lyonnaiseries". Cadre rustique simple.

**NEUILLÉ-LE-LIERRE** *37380 I.-et-L.* **317** O3 *– 514 h alt. 92.*
*Paris 217 – Tours 27 – Amboise 16 – Château-Renault 10 – Montrichard 35 – Reugny 5.*

XX **Auberge de la Brenne** (chambres prévues), ✆ 02 47 52 95 05, *admin@ivo.com, Fax 02 47 52 29 43,* – P. GB JCB
*fermé 29 janv. au 5 mars, dim. soir d'oct. à mai, mardi soir et merc.* – **Repas** (dim. prévenir) 16/38,50 ♀, enf. 9,50.
◆ Envie d'un repas à la fois copieux et équilibré dans la tradition régionale ? Essayez cette engageante auberge de village abritant une salle à manger toute neuve.

**NEUILLY-LE-REAL** *03340 Allier* **326** H4 *– 1 287 h alt. 260.*
*Paris 315 – Moulins 16 – Mâcon 128 – Roanne 82 – Vichy 47.*

XX **Logis Henri IV,** ✆ 04 70 43 87 64 – GB
*fermé 2 au 5 sept., 17 fév. au 7 mars, dim. soir et lundi* – **Repas** 17,30 (déj.), 25,80/42,20.
◆ Cheminée, tomettes et colombages donnent du caractère à la salle à manger de cet ancien relais de chasse du 16e s. Cuisine traditionnelle.

**NEUILLY-SUR-SEINE** *92 Hauts-de-Seine* **311** J2 **101** ⑮ *– voir à Paris, Environs.*

**NEUNG-SUR-BEUVRON** *41210 L.-et-Ch.* **318** H6 *– 1 152 h alt. 102.*
*Paris 184 – Orléans 49 – Blois 40 – Bracieux 21 – Romorantin-Lanthenay 21 – Salbris 26.*

X **Les Tilleuls** avec ch, 5 pl. A. Prudhomme ✆ 02 54 83 63 30, *Fax 02 54 83 74 91,* – AE GB, ch
*fermé mi-fév. mi-mars, mardi soir et merc.* – **Repas** 12/70 ♀ – ☕ 6,50 – **7 ch** 32,50/45,50.
◆ Poutres, mobilier de style rustique, tableaux et cuivres composent le décor de ce restaurant situé au coeur du bourg. Petite terrasse fleurie. Plats traditionnels.

**NEUVÉGLISE** *15260 Cantal* 330 F5 – *1 078 h alt. 938.*

Env. *Château d'Alleuze*** : *site*** *NE : 14 km*, G. Auvergne.

*Office du Tourisme, Le Bourg* ✆ *04 71 23 85 43, Fax 04 71 23 85 43, neuveglise@wanadoo.fr.*

*Paris 532 – Aurillac 74 – Espalion 68 – St-Chély-d'Apcher 43 – St-Flour 18.*

**à Cordesse** *Est : 1,5 km sur D 921 – ✉ 15260 Neuvéglise :*

XX **Relais de la Poste** avec ch, ✆ 04 71 23 82 32, *relais.poste@wanadoo.fr, Fax 04 71 23 86 23,* – TV AE GB

*20 mars-15 nov.* – **Repas** (10) - 13/35 ♀, enf. 7,80 – ☕ 6,80 – **9 ch** 45/60 – 1/2 P 45/52.

◆ Maison récente de style régional postée à un carrefour. Salle campagnarde agrémentée d'une cheminée et d'un pan de mur habillé de belles boiseries. Aire de jeux pour enfants.

**NEUVES-MAISONS** *54 M.-et-M.* 307 H7 – *rattaché à Nancy.*

**NEUVILLE-AUX-BOIS** *45170 Loiret* 318 J3 – *3 870 h alt. 127.*

*Paris 94 – Orléans 28 – Chartres 65 – Étampes 45 – Pithiviers 21.*

**L'Hostellerie** , 50 pl. Gén. Leclerc ✆ 02 38 75 50 00, *contact@hostellerie.neuville.com, Fax 02 38 91 86 81,* – TV P – 25 à 60. AE GB

**Repas** 13/21 ♀ – ☕ 7 – **32 ch** 52/59 – 1/2 P 38.

◆ Au centre du bourg, hôtel contemporain où le sérieux est de mise. Les chambres, de taille correcte, sont bien entretenues. Salle à manger fraîche et accueillante.

*Ecrivez-nous...*

*Vos louanges comme vos critiques seront examinées avec le plus grand soin. Nous reverrons sur place les informations que vous nous signalez.*

*Par avance merci !*

**NEUVILLE-DE-POITOU** *86170 Vienne* 322 H4 – *3 840 h alt. 116.*

*Office du Tourisme, 28 place Joffre* ✆ *05 49 54 47 80, Fax 05 49 54 18 66, ot.neuville@free.fr.*

*Paris 336 – Poitiers 16 – Châtellerault 36 – Parthenay 40 – Saumur 79 – Thouars 51.*

XX **St-Fortunat,** 4 r. Bangoura-Moridé ✆ 05 49 54 56 74 – AE GB

*fermé 19 août au 3 sept., 5 au 27 janv., dim. soir, mardi soir et lundi* – **Repas** 16/30.

◆ Ancienne ferme transformée en auberge de village, dont la salle à manger se double d'une véranda côté cour. Goûteuse cuisine traditionnelle ; formule bistrot à l'étage.

**NEUVILLE-ST-AMAND** *02 Aisne* 306 B4 – *rattaché à St-Quentin.*

**NEUVILLE-SUR-SAONE** *69250 Rhône* 327 I4 G. *Vallée du Rhône* – *6 762 h alt. 177.*

*Paris 446 – Lyon 16 – Bourg-en-Bresse 52 – Villefranche-sur-Saône 20.*

**à Albigny-sur-Saône** *par rive droite : 2,5 km – 2 836 h. alt. 170 – ✉ 69250 :*

XXX **Cellier,** quai de Saône-14 av. H. Barbusse ✆ 04 78 98 26 16, *Fax 04 72 08 90 10,* – P. AE GB

*fermé 16 au 22 août, 2 au 15 janv., dim. soir, mardi soir et lundi* – **Repas** (15) - 23/47 et carte 32 à 45.

◆ Boiseries et sièges de style agrémentent l'intérieur de ce restaurant situé dans un hameau des bords de Saône. Belle terrasse ombragée par une douzaine de platanes.

**NEUZY** *71 S.-et-L.* 320 E11 – *rattaché à Digoin.*

**NÉVACHE** *05100 H.-Alpes* 334 H2 – *245 h alt. 1640.*

*Syndicat d'Initiative,* ✆ *04 92 21 38 19, Fax 04 92 20 51 72.*

*Paris 702 – Briançon 21 – Le Monêtier-les-Bains 36 – Montgenèvre 25.*

**Chalet d'En Ho** M , hameau des Chazals ✆ 04 92 20 12 29, *chaletenho@aol.com, Fax 04 92 20 59 70,* – TV GB. rest

*7 juin-21 sept., vacances de Toussaint et 20 déc.-15 avril* – **Repas** (dîner seul.) 18 – ☕ 13 – **13 ch** 67/111 – 1/2 P 68/80.

◆ Lambris, mobilier en mélèze et tissus provençaux créent une douillette atmosphère dans les chambres (non-fumeurs) de ce chalet entouré par une paisible et séduisante nature.

**NEVERS** 🅿 58000 Nièvre 319 B10 *G. Bourgogne – 41 968 h Agglo. 100 556 h alt. 194 Pèlerinage de Ste Bernadette d'Avril à Octobre : couvent St-Gildard.*

**Voir** *Cathédrale St-Cyr-et-Ste-Julitte★★ – Palais ducal★ – Église St-Étienne★ - Façade★ de la Chapelle Ste-Marie – Porte du Croux★ – Faïences de Nevers★ du musée municipal Frédéric Blandin* **M**[1].

**Env.** *Circuit de Nevers-Magny-Cours : musée Ligier F1★.*

**Circuit Automobile permanent à Magny-Cours par** ④ *: 12 km.*

*Office du Tourisme, rue Sabatier ☎ 03 86 68 46 00, Fax 03 86 68 45 98.*

*Paris 237 ① – Bourges 70 ④ – Clermont-Ferrand 160 ④ – Orléans 166 ①.*

Plans page ci-contre

**Mercure Pont de Loire** Ⓜ, quai Médine ☎ 03 86 93 93 86, *Fax 03 86 59 43 29,* ← – |≑| ✕, TV, ♿, 🅿 – 80. AE ⓓ GB — Z a
Repas 18/45 ♀, enf. 8 – ☕ 11 – **59 ch** 75/89.
◆ Construction cubique plaisamment située au bord de la Loire. Chambres rénovées avec soin ; certaines ont vue sur le fleuve. Salle à manger et terrasse panoramiques.

**Kyriad** Ⓜ, 35 bd V. Hugo ☎ 03 86 71 95 95, *kyriadnevers@wanadoo.fr, Fax 03 86 36 08 16* – |≑| ▤ TV ♿ 🅿 – 15 à 40. AE ⓓ GB JCB — V f
**Repas** *(10,90)* - 16 ♁, enf. 6 – ☕ 6,50 – **54 ch** 52/55.
◆ Petit hôtel moderne fréquenté par les pèlerins venus se recueillir auprès de la châsse de Ste-Bernadette. Chambres actuelles et fonctionnelles. Agréable salon-bar sous véranda.

**Clos Ste-Marie** sans rest, 25 r. Petit Mouësse ☎ 03 86 71 94 50, *Fax 03 86 71 94 69* – TV 🅿. AE ⓓ GB — X n
☕ 7,50 – **17 ch** 59/79,50.
◆ Cette discrète bâtisse abritait jadis un relais de poste ; aujourd'hui, vous serez hébergés dans de vastes chambres rustiques, bien insonorisées en façade. Terrasse-jardin.

**Ibis,** rte de Moulins par ④ ☎ 03 86 37 56 00, *h0947@accor-hotels.com, Fax 03 86 37 64 48,* – ✕, ▤ ch, TV ♿ 🅿 – 20 à 40. AE ⓓ GB
**Repas** *(12)* - 15/25 ♁, enf. 6 – ☕ 6 – **56 ch** 63/68.
◆ Près du pont de Loire. Les chambres, claires et fonctionnelles, sont dotées de nouvelles salles de bains. Le petit "plus" : la salle à manger assez coquette.

**Molière** sans rest, 25 r. Molière ☎ 03 86 57 29 96, *Fax 03 86 36 00 13* – ✕ TV 🅿. ⓓ GB. ✻ — V k
*fermé 31 juil. au 18 août et 19 déc. au 4 janv.* – ☕ 5,50 – **18 ch** 40/45.
◆ Accueil chaleureux, simplicité et propreté caractérisent cet hôtel situé dans un quartier résidentiel. Chambres rustiques ou contemporaines, plus quiètes sur l'arrière.

**Clèves** sans rest, 8 r. St-Didier ☎ 03 86 61 15 87, *Fax 03 86 57 13 80* – TV. AE GB
*fermé 26 déc. au 5 janv.* – ☕ 5,50 – **15 ch** 31/47. — Z x
◆ Pratique pour découvrir le centre historique à pied, cet hôtel à la façade fraîchement ravalée propose de petites chambres simples et bien tenues. Insonorisation efficace.

XX **Jean-Michel Couron,** 21 r. St-Etienne ☎ 03 86 61 19 28, *Fax 03 86 36 02 96* – GB — Y r
*fermé 28 avril au 1er mai, 15 juil. au 5 août, 2 au 16 janv., mardi sauf le soir en août, dim. soir et lundi* – **Repas** (nombre de couverts limité, prévenir) 19,50/42 et carte 45 à 60 ♀.
◆ Dans le vieux Nevers. L'une des trois minuscules salles à manger est aménagée sous les voûtes (14e s.) d'une ancienne dépendance de l'église St-Étienne. Cuisine inventive.
**Spéc.** Tarte de tomates au chèvre frais et jambon du Morvan. Pièce de boeuf charolais rôtie. Soupe tiède de chocolat aux épices chaudes. **Vins** Sancerre, Pouilly-Fumé.

XX **Cour St-Étienne,** 33 r. St-Étienne ☎ 03 86 36 74 57, *Fax 03 86 61 14 95,* – GB
*fermé 3 au 26 août, 2 au 5 janv., 22 fév. au 3 mars, dim. et lundi* – **Repas** (nombre de couverts limité, prévenir) 14,50/26 ♀. — Y s
◆ On se bouscule pour savourer une appétissante cuisine au goût du jour. L'une des pimpantes salles à manger ainsi que la petite terrasse offrent la vue sur l'église St-Étienne.

XX **Puits de St-Pierre,** 21 r. Mirangron ☎ 03 86 59 28 88, *Fax 03 86 61 29 81* – AE GB
*fermé 16 juil. au 12 août, 17 fév. au 5 mars, mardi midi, dim. soir et lundi* – **Repas** 15,50/34 ♀, enf. 8. — Y v
◆ Maison ancienne abritant une coquette salle à manger et un vieux puits où, selon la légende, les jeunes filles jettent leur obole en faisant voeu d'un mariage dans l'année.

XX **Morvan,** 28 r. Petit Mouësse ☎ 03 86 61 14 16, *Fax 03 86 21 47 75* – ▤ 🅿. AE GB — X b
*fermé 16 juil. au 5 août, 24 déc. au 8 janv., sam. midi et dim. soir* – **Repas** *(12)* - 17/38 ♀, enf. 10.
◆ Tons verts et pastel, tableaux et fresques évoquant le Morvan, et plafond azuré composent le décor bucolique de ce restaurant familial. Cuisine traditionnelle et régionale.

XX **Botte de Nevers,** r. Petit Château ☎ 03 86 61 16 93, *labottedenevers@wanadoo.fr, Fax 03 86 36 42 22* – AE GB — Y n
*fermé 8 au 31 août, sam. midi, dim. soir et lundi* – **Repas** 18/32 ♀.
◆ La jolie enseigne en fer forgé, le cadre d'inspiration médiévale et les quelques épées ornant l'escalier accentuent la référence à la célèbre estocade du duc de Nevers.

# NEVERS



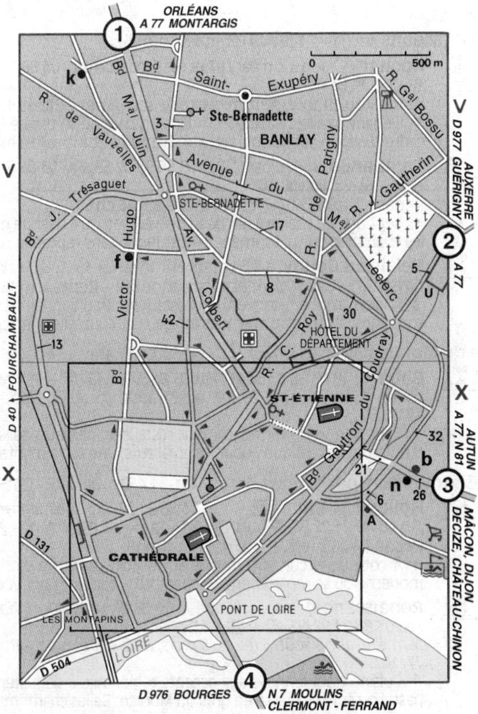

ORLÉANS
A 77 MONTARGIS
Bd Saint-Exupéry
Ste-Bernadette
BANLAY
R. Gal Bossu
AUXERRE D 977 GUÉRIGNY
A 77
R. de Vauzelles
Bd Mal Juin
Avenue du Mal Leclerc
R. de Parigny
R. J. Gautherin
Bd J. Trésaguet
STE-BERNADETTE
Bd Victor Hugo
Av. Colbert
R. C. Roy
HÔTEL DU DÉPARTEMENT
Bd Gautron du Coudray
ST-ÉTIENNE
AUTUN A 77, N 81
MÂCON, DIJON DECIZE, CHÂTEAU-CHINON
D 40 FOURCHAMBAULT
D 131
CATHÉDRALE
PONT DE LOIRE
LES MONTAPINS
LOIRE
D 504
D 976 BOURGES
N 7 MOULINS CLERMONT-FERRAND
0 500 m


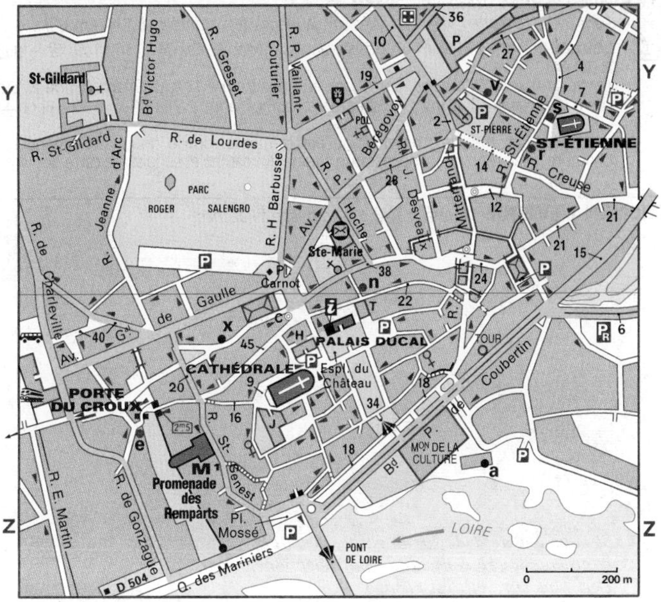

St-Gildard
R. St-Gildard
Bd Victor Hugo
R. Gresset
Couturier
R. P. Vaillant-
R. de Lourdes
R. Jeanne d'Arc
PARC
ROGER SALENGRO
R. H Barbusse
Av. Bérégovoy
R. P. Hoche
J. Desveaux
Mitterrand
R. St-Étienne
R. Creuse
ST-PIERRE
ST-ÉTIENNE
Ste-Marie
Carnot
Av. de Gaulle
R. de Charleville
PALAIS DUCAL
CATHÉDRALE
Espl. du Château
TOUR
R. de Coubertin
PORTE DU CROUX
M1
Promenade des Remparts
R. St-Genest
Pl. Mossé
Bd P. de
Mon DE LA CULTURE
R. E. Martin
R. de Gonzague
D 504
Q. des Mariniers
PONT DE LOIRE
LOIRE
0 200 m

**rte d'Orléans** *par ① – ✉ 58640 Varennes-Vauzelles :*

**Rocherie** ⛰, à 5 km par N 7 et rte secondaire ☎ 03 86 38 07 21, *Fax 03 86 38 23 01*, ☂, – TV P. AE GB
*fermé 4 au 19 août, sam. midi et dim. sauf fériés* – **Repas** 19/45 ♀ – ☕ 6,60 – **12 ch** 40/66.
♦ Élégant pavillon Napoléon III dans un parc où se dresse un cèdre du Liban séculaire. Le cadre rustique patiné confère aux chambres et à la salle à manger un charme certain.

**Campanile,** à 3 km par N 7 ☎ 03 86 93 02 58, *Fax 03 86 57 73 33*, ☂ – ⇔, ▤ rest, TV ☎ ♿ P – 🏛 25. AE ⓓ GB
**Repas** *(12,04)* - 15,50/17 ♀, enf. 6 – ☕ 6 – **46 ch** 54.
♦ Cet hôtel de chaîne a fait peau neuve. Bien qu'il se situe un peu à l'écart de la N 7, choisir les chambres qui lui tournent le dos. Tenue sans reproche ; accueil aimable.

**Relais du Bengy,** à 4,5 km sur N 7 ☎ 03 86 38 02 84, *Fax 03 86 38 29 00*, ☂ – GB
*fermé 20 juil. au 10 août et vacances de fév.* – **Repas** *(13)* - 16,50/38 ♀.
♦ Ancien "routier" converti en restaurant traditionnel. Les deux sobres salles à manger sont agrémentées de quelques tableaux et aquarelles. Terrasse d'été spacieuse et calme.

**rte de Moulins** *par ④ : 3 km sur N 7 – ✉ 58000 Challuy :*

**Gabare,** ☎ 03 86 37 54 23, *Fax 03 86 37 64 49*, ☂ – P. GB
*fermé 15 au 22 avril, 29 juil. au 21 août, 23 au 30 déc., dim., lundi et fériés* – **Repas** 16/36,50.
♦ Dans une vieille ferme joliment restaurée, plusieurs salles aux murs jaunes rehaussées d'une touche rustique ; pour les amateurs, une table d'hôte dans la partie bar.

**à Magny-Cours** *par ④ rte Moulins : 12 km – 1 483 h. alt. 205 – ✉ 58470 :*

**Holiday Inn** M, ☎ 03 86 21 22 33, *himagnycours@alliance-hospitality.com*, *Fax 03 86 21 22 03*, ☂, Ⅎ6, 🏊, 🎾 – |‡| ⇔ ▤ TV ☎ ♿ P – 🏛 20 à 110. AE ⓓ GB JCB
**Repas** 17/26 ♀, enf. 9 – ☕ 10 – **70 ch** 115.
♦ À côté du circuit automobile et du golf. La ferme d'origine a été agrandie d'une aile moderne où se répartissent les chambres ; certaines ont vue sur la piscine ou les greens.

**Renaissance,** au village ☎ 03 86 58 10 40, *hotel.la.renaissance@wanadoo.fr*, *Fax 03 86 21 22 60*, ☂ – TV ☎. AE GB
*fermé 10 au 18 août, 3 fév. au 5 mars, dim. soir et lundi* – **Repas** 39 bc/71 – ☕ 12,20 – **9 ch** 77/107.
♦ Cuisine traditionnelle aux accents régionaux, à déguster dans l'élégante salle aux tons pastel ou sur la terrasse en grès du Morvan. Belles chambres contemporaines.

## NEYRAC-LES-BAINS *07380 Ardèche 331 H5.*

*Paris 610 – Le Puy-en-Velay 76 – Alès 91 – Aubenas 16 – Montélimar 57 – Privas 44.*

**Levant** ⛰, ☎ 04 75 36 41 07, *hotellevant@wanadoo.fr*, *Fax 04 75 36 48 09*, ☂ – |‡| TV ☎ P. AE GB
*fermé 11 nov. au 31 déc. et 2 au 15 janv.* – **Repas** *(fermé 17 au 30 mars, 12 nov. au 6 déc., merc. du 1er janv. au 31 mars, lundi et mardi sauf juil.-août)* 27/60 ♀ – ☕ 6,50 – **18 ch** 44/52 – ½ P 50/53.
♦ Proche des thermes, hôtel dirigé par la même famille depuis cinq générations. Chambres bien rénovées. Appétissante cuisine du marché et séduisante carte des vins.

## NÉZIGNAN-L'ÉVÊQUE *34 Hérault 339 F8 – rattaché à Pézenas.*

*Si vous êtes retardé sur la route, dès 18 h, confirmez votre réservation par téléphone, c'est plus sûr... et c'est l'usage.*

# NICE

🅿 06000 Alpes-Mar. 341 E5 115 26-27 G. Côte d'Azur
342 738 h. - Agglo. 888 784 h - alt. 6.
Paris 933 ⑥ – Cannes 32 ⑥ – Genova 198 ① – Lyon 473 ⑥ – Marseille 190 ⑥ – Torino 211 ①



## OFFICES DE TOURISME

*5 prom. des Anglais ✆ 08 92 70 74 07, Fax 04 93 92 82 98, info@nicetourisme.com, Gare SNCF ✆ 08 92 70 74 07, Aéroport de Nice (T.1) ✆ 08 92 70 74 07*

*Nice Ferber (près aéroport) prom. des Anglais ✆ 04 93 83 32 64*

## RENSEIGNEMENTS PRATIQUES

### TRANSPORTS

*Auto-train ✆ 08 36 35 35 35.*

### TRANSPORTS MARITIMES

*Pour la Corse : SNCM - Ferryterranée quai du Commerce ✆ 04 93 13 66 99, Fax 04 93 13 66 81* **JZ** - *CORSICA FERRIES quai Amiral Infernet ✆ 04 92 00 42 93, Fax 04 92 00 42 94*

### AÉROPORT

*Nice-Côte-d'Azur ✆ 08 20 42 33 33, 7 km* **AU.**

## DÉCOUVRIR

### LE FRONT DE MER ET LE VIEUX NICE

*Site★★ - Promenade des Anglais★★ - ≤★★ du château - Intérieur★ de l'église St-Martin-St-Augustin* **HY** - *Église St Jacques★* **HZ** - *Escalier monumental★ du palais Lascaris* **HZ V** - *Intérieur★ de la cathédrale Ste-Réparate* **HZ** - *Décors★ de la chapelle de l'Annonciation* **HZ B** - *Retables★ de la chapelle de la Miséricorde★* **HZ D**

### CIMIEZ

*Musée Marc-Chagall★★* **GX** - *Musée Matisse★★* **HV M⁴** - *Monastère franciscain★ : primitifs niçois★★ dans l'église* **HV K** *Site archéologique gallo-romain★*

### LES QUARTIERS OUEST

*Musée des Beaux-Arts (Jules Chéret)★★* **DZ** - *Musée d'Art naïf A. Jakovsky★* **AU M¹⁰** - *Serre géante★ du Parc Phoenix★* **AU** - *Musée des Arts asiatiques★★*

### PROMENADE DU PAILLON

*Musée d'Art moderne et d'Art contemporain★★* **HY M²** - *Palais des Arts, du Tourisme et des Congrès (Acropolis)★* **HJX.**

### AUTRES CURIOSITÉS

*Cathédrale orthodoxe russe St-Nicolas★* **EXY** - *Mosaïque★ de Chagall dans la faculté de Droit* **DZ U** - *Musée Masséna★* **FZ M³.**

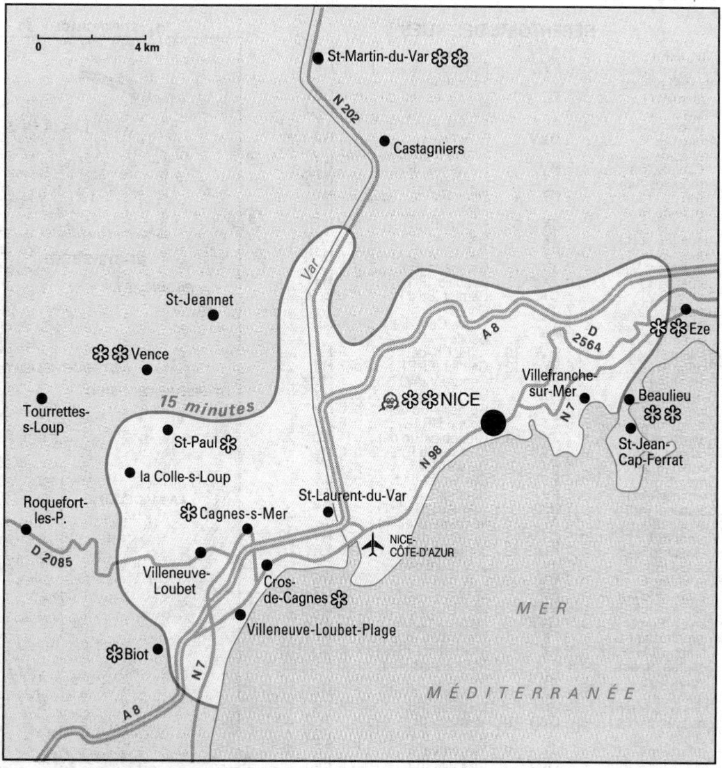
0
4 km
St-Martin-du-Var
N 202
Castagniers
Var
St-Jeannet
Vence
Tourrettes-s-Loup
15 minutes
St-Paul
la Colle-s-Loup
Roquefort-les-P.
Cagnes-s-Mer
D 2085
Villeneuve-Loubet
Cros-de-Cagnes
Villeneuve-Loubet-Plage
Biot
N 7
A 8
St-Laurent-du-Var
NICE-CÔTE-D'AZUR
N 98
NICE
A 8
D 2564
Eze
Villefranche-sur-Mer
N 7
Beaulieu
St-Jean-Cap-Ferrat
MER
MÉDITERRANÉE

**Négresco,** 37 promenade des Anglais ✆ 04 93 16 64 00, *direction@hotel-negresco.com, Fax 04 93 88 35 68,* ≤, 🏛, Fø – |‡| ▤ TV ✆ 🚗 – 🏂 200. AE ⓓ GB JCB p. 6 **FZ** k
voir rest. ***Chantecler*** ci-après - ***Rotonde :*** **Repas** 29 ♀ – ☕ 25 – **119 ch** 267/480, 22 appart.
◆ Un palace ? Plutôt un "hôtel-musée" majestueux, mythique et inclassable, regorgeant d'oeuvres d'art et cultivant la démesure. La Rotonde : étonnante brasserie dans un décor de manège de chevaux de bois.

**Palais Maeterlinck** Ⓜ 🐌, 30 bd Maeterlinck (Basse Corniche) ✉ 06300 ✆ 04 92 00 72 00, *info@palais-maeterlinck.com, Fax 04 92 04 18 10,* ≤ littoral, 🏛, Fø, 🏊, 🏞, 🌳 – |‡| cuisinette ▤ TV 🚗 P – 🏂 80. AE ⓓ GB JCB p. 5 **CU** t
***Mélisande :*** **Repas** 40/73 ♀ – ☕ 28 – **16 ch** 300/720, 13 appart, 11 duplex.
◆ Dans l'ancienne demeure du poète flamand s'unissent les styles baroque et néo-classique florentin. Piscine, jardin et terrasses sont agencés en balcon au-dessus de la mer.

**Méridien** Ⓜ, 1 promenade des Anglais ✆ 04 97 03 44 44, *mail@lemeridien-nice.com, Fax 04 97 03 44 45,* Fø, 🏊 – |‡| ⇔ ▤ TV ✆ – 🏂 300. AE ⓓ GB p. 6 **FZ** d
***Colonial Café*** ✆04 97 03 40 36 **Repas** carte 38 à 53 ♀, enf. 15 – ***Terrasse du Colonial*** *(1er avril-4 déc.)* **Repas** carte 38 à 53 ♀, enf. 15 – ☕ 20 – **305 ch** 260/420, 9 appart.
◆ Palace contemporain où vous pourrez nager et bronzer sur le toit, tout en admirant la baie des Anges. Chambres aux couleurs du Sud et restaurant dans l'esprit colonial.

**Élysée Palace** Ⓜ, 2, r. Sauvan ✆ 04 93 97 90 90, *reservations@elysee-palace.fr, Fax 04 93 44 50 40,* 🏊 – |‡| ⇔ ▤ TV ✆ ♿ 🚗 – 🏂 70. AE ⓓ GB JCB. ⚘ rest
**Repas** *(fermé sam. et dim.)* *(24,50)* - 30,50 ♀ – ☕ 19 – **143 ch** 225/290. p. 6 **EZ** d
◆ Point d'orgue de cette architecture futuriste : une immense Vénus de bronze ; cadre d'inspiration Art déco, grand confort, piscine panoramique et terrasse sur le toit.

## RÉPERTOIRE DES RUES

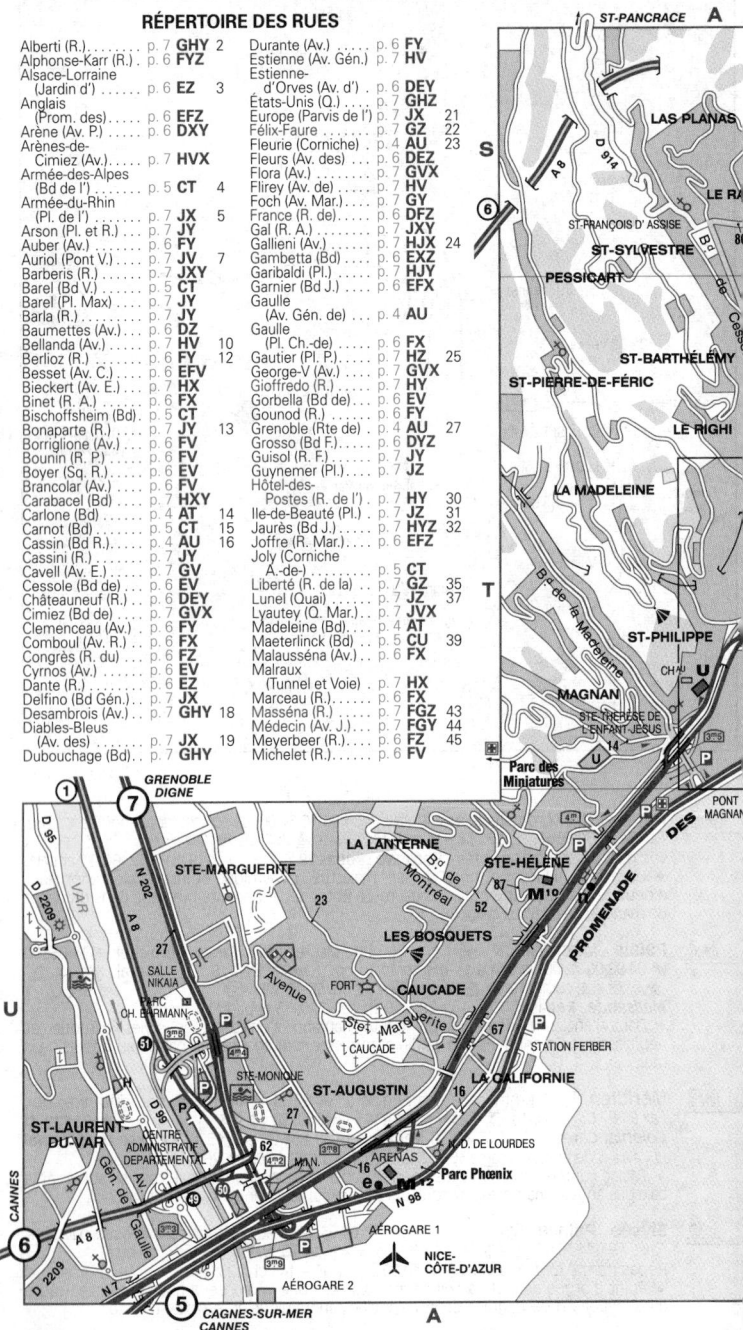

| | | | |
|---|---|---|---|
| Alberti (R.) | p. 7 | **GHY** | 2 |
| Alphonse-Karr (R.) | p. 6 | **FYZ** | |
| Alsace-Lorraine (Jardin d') | p. 6 | **EZ** | 3 |
| Anglais (Prom. des) | p. 6 | **EFZ** | |
| Arène (Av. P.) | p. 6 | **DXY** | |
| Arènes-de-Cimiez (Av.) | p. 7 | **HVX** | |
| Armée-des-Alpes (Bd de l') | p. 5 | **CT** | 4 |
| Armée-du-Rhin (Pl. de l') | p. 7 | **JX** | 5 |
| Arson (Pl. et R.) | p. 7 | **JY** | |
| Auber (Av.) | p. 6 | **FY** | |
| Auriol (Pont V.) | p. 7 | **JV** | 7 |
| Barberis (R.) | p. 7 | **JXY** | |
| Barel (Bd V.) | p. 5 | **CT** | |
| Barel (Pl. Max) | p. 7 | **JY** | |
| Barla (R.) | p. 7 | **JY** | |
| Baumettes (Av.) | p. 6 | **DZ** | |
| Bellanda (Av.) | p. 7 | **HV** | 10 |
| Berlioz (R.) | p. 6 | **FY** | 12 |
| Besset (Av. C.) | p. 6 | **EFV** | |
| Bieckert (Av. E.) | p. 7 | **HX** | |
| Binet (R. A.) | p. 6 | **FX** | |
| Bischoffsheim (Bd) | p. 5 | **CT** | |
| Bonaparte (R.) | p. 7 | **JY** | 13 |
| Borriglione (Av.) | p. 6 | **FV** | |
| Bounin (R. P.) | p. 6 | **FV** | |
| Boyer (Sq. R.) | p. 6 | **EV** | |
| Brancolar (Av.) | p. 6 | **FV** | |
| Carabacel (Bd) | p. 7 | **HXY** | |
| Carlone (Bd) | p. 4 | **AT** | 14 |
| Carnot (Bd) | p. 5 | **CT** | 15 |
| Cassin (Bd R.) | p. 4 | **AU** | 16 |
| Cassini (R.) | p. 7 | **JY** | |
| Cavell (Av. E.) | p. 7 | **GV** | |
| Cessole (Bd de) | p. 6 | **EV** | |
| Châteauneuf (R.) | p. 6 | **DEY** | |
| Cimiez (Bd de) | p. 7 | **GVX** | |
| Clemenceau (Av.) | p. 6 | **FY** | |
| Comboul (Av. R.) | p. 6 | **FX** | |
| Congrès (R. du) | p. 6 | **FZ** | |
| Cyrnos (Av.) | p. 6 | **EV** | |
| Dante (R.) | p. 6 | **EZ** | |
| Delfino (Bd Gén.) | p. 7 | **JX** | |
| Desambrois (Av.) | p. 7 | **GHY** | 18 |
| Diables-Bleus (Av. des) | p. 7 | **JX** | 19 |
| Dubouchage (Bd) | p. 7 | **GHY** | |
| Durante (Av.) | p. 6 | **FY** | |
| Estienne (Av. Gén.) | p. 7 | **HV** | |
| Estienne-d'Orves (Av. d') | p. 6 | **DEY** | |
| États-Unis (Q.) | p. 7 | **GHZ** | |
| Europe (Parvis de l') | p. 7 | **JX** | 21 |
| Félix-Faure | p. 7 | **GZ** | 22 |
| Fleurie (Corniche) | p. 4 | **AU** | 23 |
| Fleurs (Av. des) | p. 6 | **DEZ** | |
| Flora (Av.) | p. 7 | **GVX** | |
| Flirey (Av. de) | p. 7 | **HV** | |
| Foch (Av. Mar.) | p. 7 | **GY** | |
| France (R. de) | p. 6 | **DFZ** | |
| Gal (R. A.) | p. 7 | **JXY** | |
| Gallieni (Av.) | p. 7 | **HJX** | 24 |
| Gambetta (Bd) | p. 6 | **EXZ** | |
| Garibaldi (Pl.) | p. 7 | **HJY** | |
| Garnier (Bd J.) | p. 6 | **EFX** | |
| Gaulle (Av. Gén. de) | p. 4 | **AU** | |
| Gaulle (Pl. Ch.-de) | p. 6 | **FX** | |
| Gautier (Pl. P.) | p. 7 | **HZ** | 25 |
| George-V (Av.) | p. 7 | **GVX** | |
| Gioffredo (R.) | p. 7 | **HY** | |
| Gorbella (Bd de) | p. 6 | **EV** | |
| Gounod (R.) | p. 6 | **FY** | |
| Grenoble (Rte de) | p. 4 | **AU** | 27 |
| Grosso (Bd F.) | p. 6 | **DYZ** | |
| Guisol (R. F.) | p. 7 | **JY** | |
| Guynemer (Pl.) | p. 7 | **JZ** | |
| Hôtel-des-Postes (R. de l') | p. 7 | **HY** | 30 |
| Ile-de-Beauté (Pl.) | p. 7 | **JZ** | 31 |
| Jaurès (Bd J.) | p. 7 | **HYZ** | 32 |
| Joffre (R. Mar.) | p. 6 | **EFZ** | |
| Joly (Corniche A.-de-) | p. 5 | **CT** | |
| Liberté (R. de la) | p. 7 | **GZ** | 35 |
| Lunel (Quai) | p. 7 | **JZ** | 37 |
| Lyautey (Q. Mar.) | p. 7 | **JVX** | |
| Madeleine (Bd) | p. 4 | **AT** | |
| Maeterlinck (Bd) | p. 5 | **CU** | 39 |
| Malausséna (Av.) | p. 6 | **FX** | |
| Malraux (Tunnel et Voie) | p. 7 | **HX** | |
| Marceau (R.) | p. 6 | **FX** | |
| Masséna (R.) | p. 7 | **FGZ** | 43 |
| Médecin (Av. J.) | p. 7 | **FGY** | 44 |
| Meyerbeer (R.) | p. 6 | **FZ** | 45 |
| Michelet (R.) | p. 6 | **FV** | |

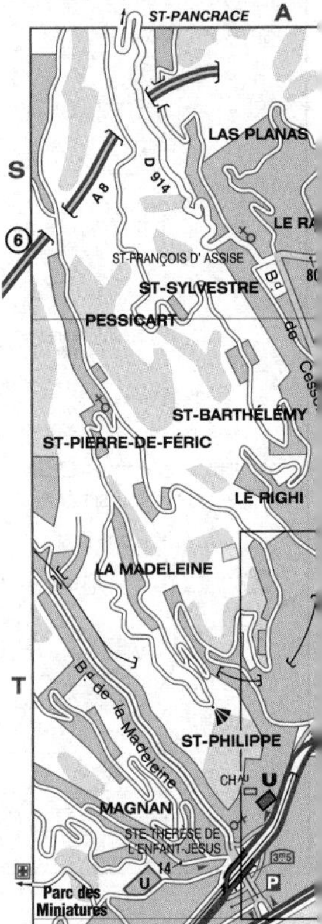
ST-PANCRACE
A
S
T
LAS PLANAS
D 914
A 8
LE RA
ST-FRANÇOIS D' ASSISE
ST-SYLVESTRE
PESSICART
ST-BARTHÉLÉMY
ST-PIERRE-DE-FÉRIC
LE RIGHI
LA MADELEINE
Bd de la Madeleine
ST-PHILIPPE
MAGNAN
STE-THÉRÈSE DE L'ENFANT-JÉSUS
Parc des Miniatures

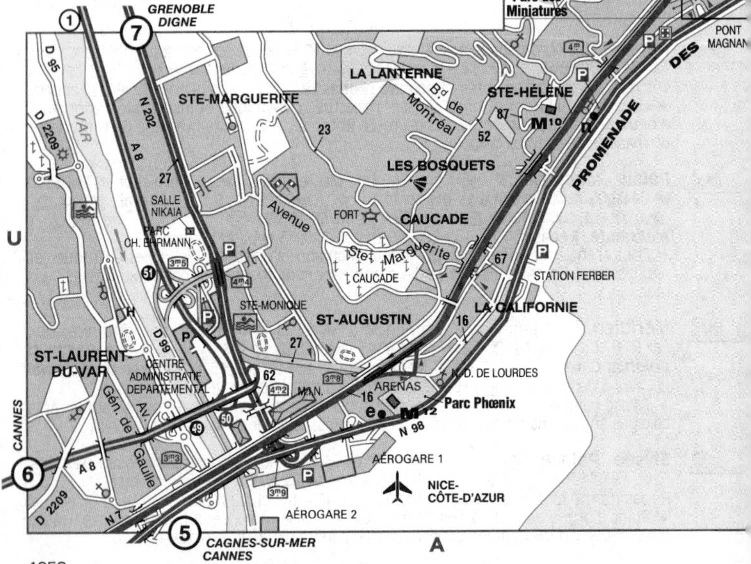
GRENOBLE
DIGNE
U
D 95
VAR
D 2209
N 202
A 8
STE-MARGUERITE
LA LANTERNE
Bd de Montréal
STE-HÉLÈNE
PONT MAGNAN
PROMENADE DES
LES BOSQUETS
SALLE NIKAIA
PARC CH. EHRMANN
FORT
CAUCADE
Avenue Ste Marguerite
STATION FERBER
STE-MONIQUE
ST-AUGUSTIN
LA CALIFORNIE
ST-LAURENT-DU-VAR
D 99
CENTRE ADMINISTRATIF DEPARTEMENTAL
M.I.N.
ARENAS
N.-D. DE LOURDES
Parc Phœnix
Av. Gén. de Gaulle
N 98
CANNES
AÉROGARE 1
NICE-CÔTE-D'AZUR
AÉROGARE 2
N 7
CAGNES-SUR-MER
CANNES
A

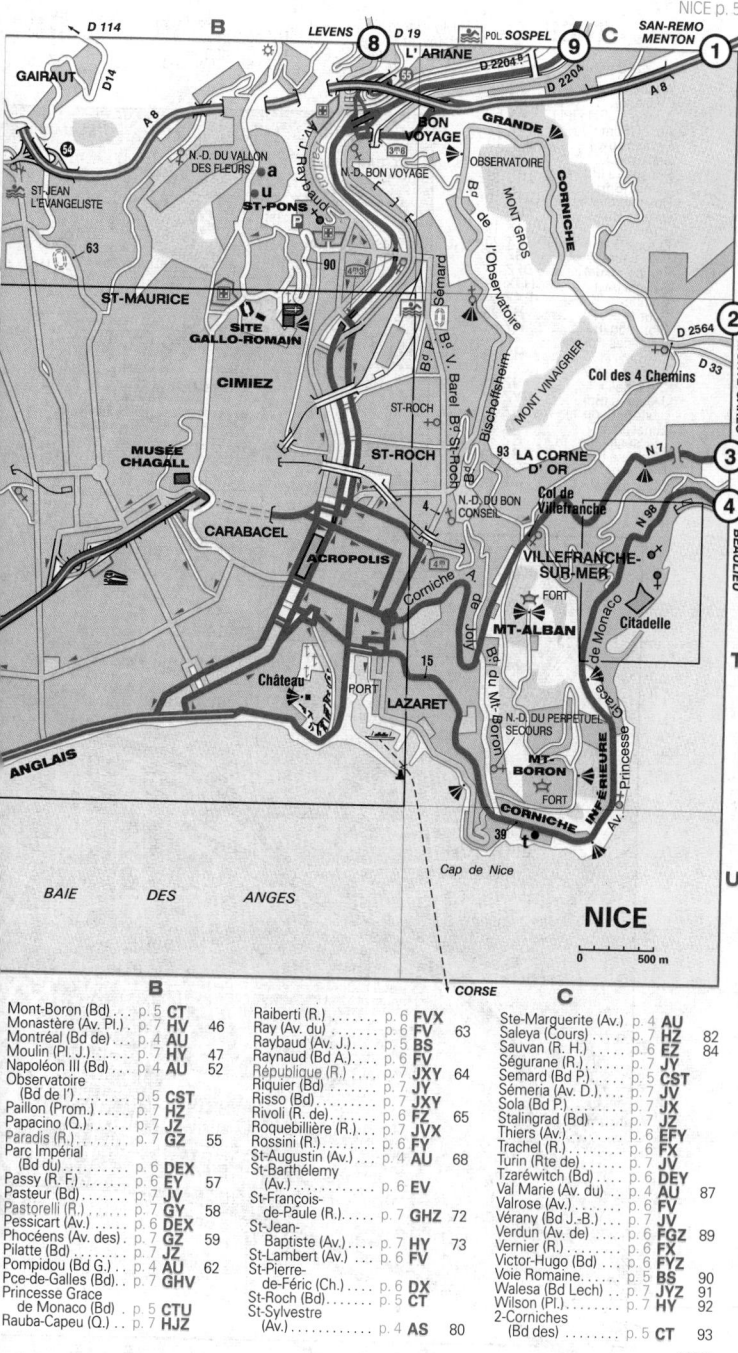

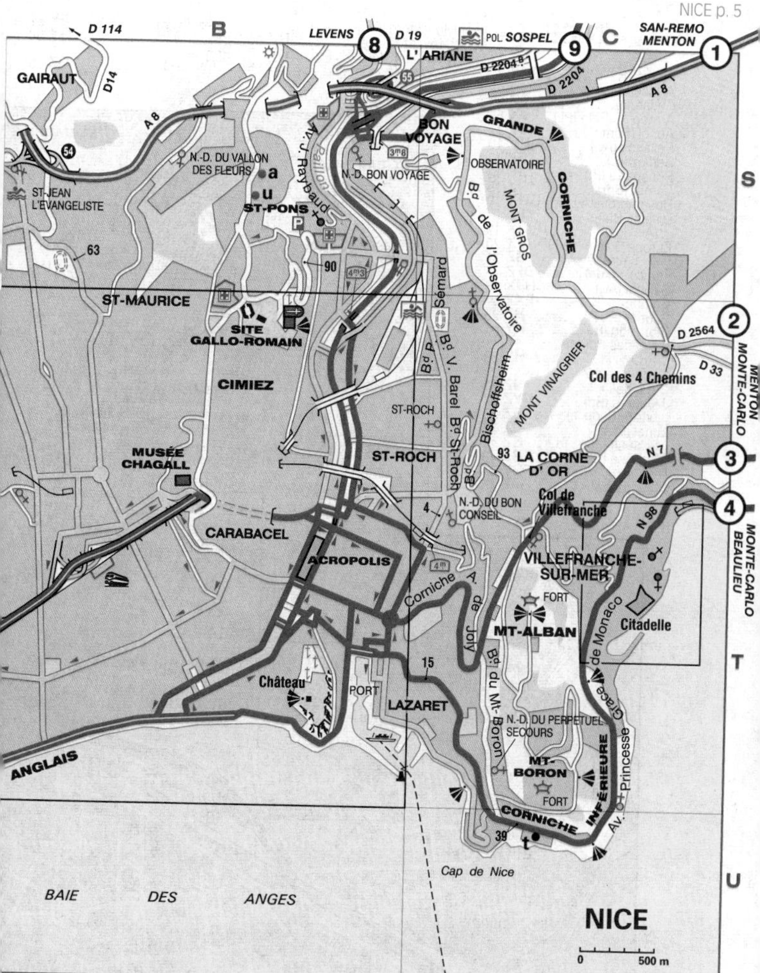
D 114
B
LEVENS
8
D 19
POL. SOSPEL
9
C
SAN-REMO
MENTON
1
GAIRAUT
D14
L' ARIANE
D 2204 B
D 2204
A 8
A 8
54
BON
VOYAGE
GRANDE
N.-D. DU VALLON
DES FLEURS
a
u
Av. J. Raybaud
Paillon
N.-D. BON VOYAGE
OBSERVATOIRE
ST-JEAN
L'EVANGELISTE
ST-PONS
Bd de l'Observatoire
MONT GROS
CORNICHE
S
63
90
ST-MAURICE
SITE
GALLO-ROMAIN
Sémard
Bd P.
Bd V. Barel
Bd St-Roch
2
D 2564
MONT VINAIGRIER
Bischoffsheim
D 33
Col des 4 Chemins
MENTON
MONTE-CARLO
CIMIEZ
ST-ROCH
ST-ROCH
MUSÉE
CHAGALL
93
LA CORNE
D' OR
N 7
3
Col de
Villefranche
N 98
4
N.-D. DU BON
CONSEIL
MONTE-CARLO
BEAULIEU
CARABACEL
ACROPOLIS
VILLEFRANCHE-
SUR-MER
Corniche
Av. de Joly
FORT
MT-ALBAN
Citadelle
Av. de Monaco
Château
PORT
LAZARET
15
Bd du Mt-Boron
T
N.-D. DU PERPETUEL
SECOURS
Grace
Princesse
ANGLAIS
MT-
BORON
INFÉRIEURE
FORT
CORNICHE
Av.
39
t
Cap de Nice
U
BAIE
DES
ANGES
NICE
0
500 m
B
CORSE
C

# NICE



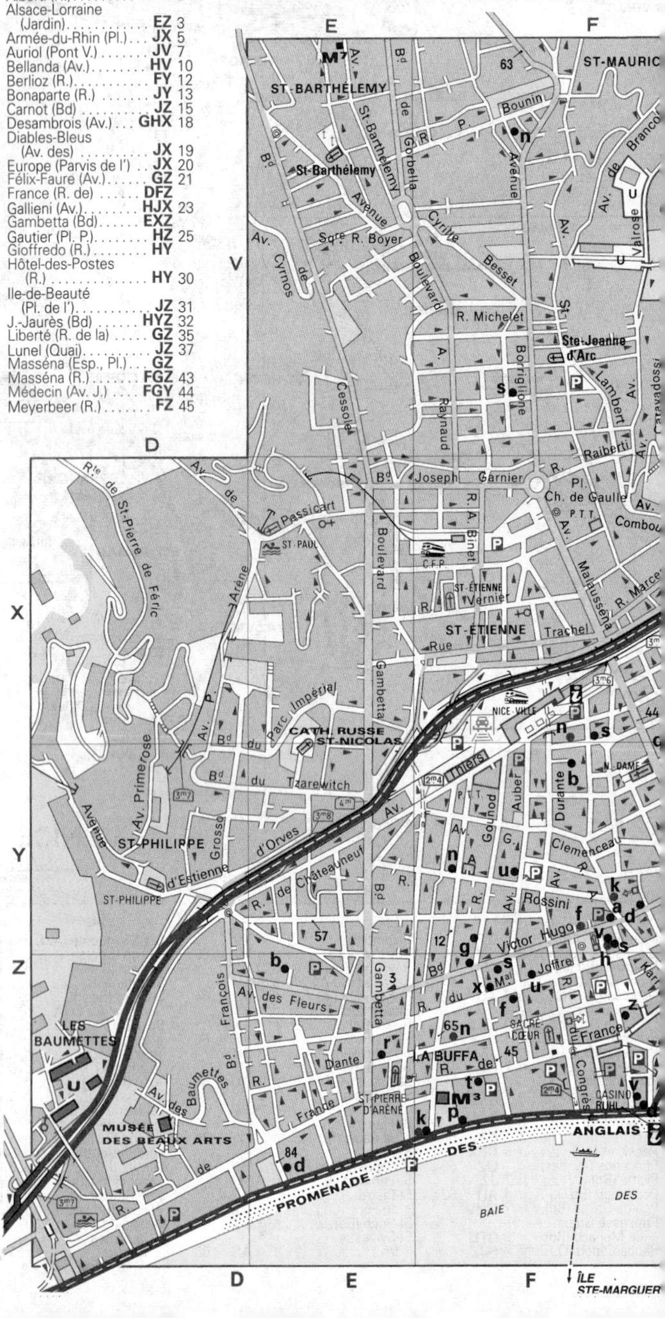

D
E
F
V
X
Y
Z
ST-BARTHÉLEMY
St-Barthélemy
ST-MAURIC
Sq<sup>re</sup> R. Boyer
Av. Cyrnos
Bd de Gorbella
Av. St-Barthélemy
Boulevard Cyrille Besset
R. Michelet
Ste-Jeanne d'Arc
Av. Borriglione
Bd Raynaud
Cessole
Av. de Valrose
Av. de Brancolar
Bd Joseph Garnier
Pl. Ch. de Gaulle
Av. Malausséna
R. Raiberti
Av. Lambert
R. A. Binet
C.F.P.
ST-ÉTIENNE
R. Vernier
Trachel
Rue
Rte de St-Pierre de Féric
Av. de Passicart
ST-PAUL
Av. P. Arène
Bd du Parc Impérial
CATH. RUSSE ST-NICOLAS
Bd du Tzarewitch
Boulevard Gambetta
NICE-VILLE
Thiers
Av. Primerose
Avenue
ST-PHILIPPE
Grosso
d'Estienne d'Orves
R. de Châteauneuf
Av. Auber
Av. Durante
N.-DAME
Clemenceau
Rossini
Victor Hugo
Joffre
R. Gounod
Av. des Fleurs
Bd François
R. Dante
LA BUFFA
R. de France
SACRÉ-CŒUR
Congrès
CASINO RUHL
ST-PIERRE-D'ARÊNE
LES BAUMETTES
MUSÉE DES BEAUX ARTS
Av. des Baumettes
PROMENADE DES ANGLAIS
BAIE DES
ÎLE STE-MARGUER

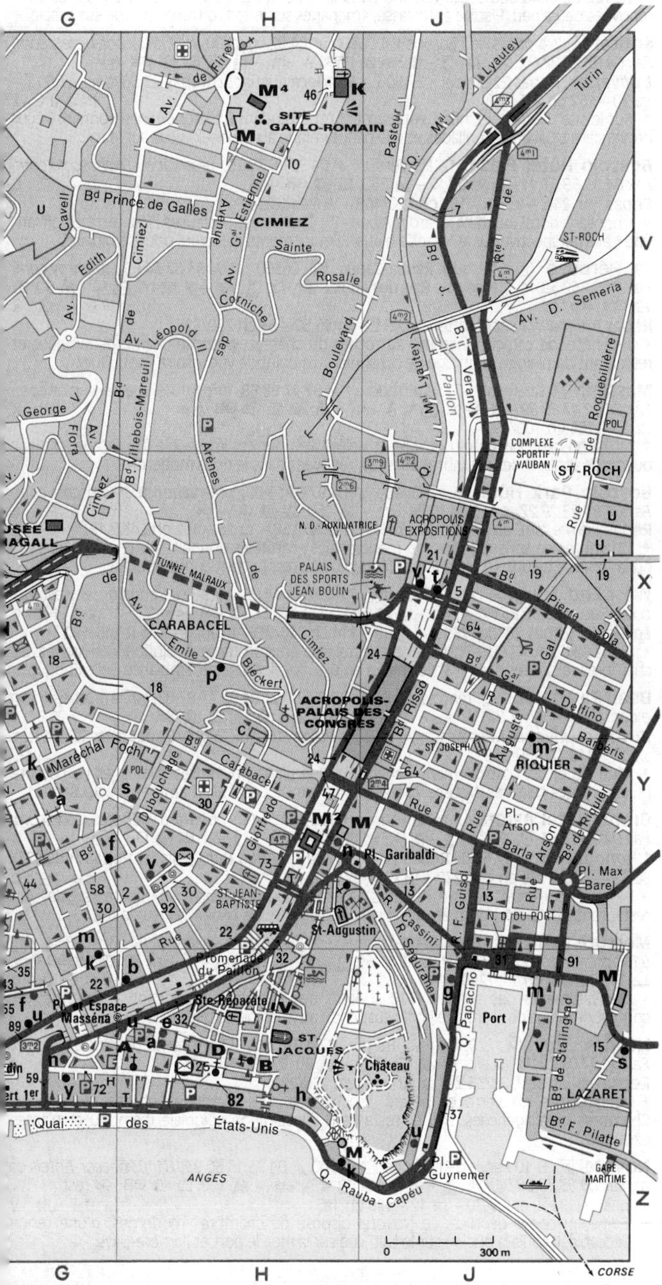

G
H
J
V
X
Y
Z
M⁴
K
SITE GALLO-ROMAIN
M
Bd Prince de Galles
CIMIEZ
Sainte Rosalie
Corniche
Av. Léopold II
Bd de Cimiez
Av. Edith Cavell
Av. George V
Av. Flora
Bd Villebois-Mareuil
Arènes de Cimiez
Boulevard Pasteur
Q. Mal Lyautey
Turin
ST-ROCH
Av. D. Semeria
Paillon
Bd J. B. Verany
Roquebillière
COMPLEXE SPORTIF VAUBAN
ST-ROCH
POL.
USÉE CHAGALL
TUNNEL MALRAUX
N. D. AUXILIATRICE
ACROPOLIS EXPOSITIONS
PALAIS DES SPORTS JEAN BOUIN
CARABACEL
Av. Émile Bieckert
ACROPOLIS-PALAIS DES CONGRÈS
Bd Risso
Bd Pierre Sola
Bd Gal L. Delfino
Barbéris
ST JOSEPH
RIQUIER
Maréchal Foch
Bd Carabacel
Dubouchage
Gioffredo
M²
Pl. Garibaldi
Pl. Arson
Rue Arson
Barla
Bd de Riquier
Pl. Max Barel
ST-JEAN-BAPTISTE
N. D. DU PORT
R. F. Guisol
R. Cassini
R. Ségurane
St-Augustin
Promenade du Paillon
Pl. et Espace Masséna
Ste-Réparate
ST. JACQUES
Château
Q. Papacino
Port
Bd de Stalingrad
LAZARET
Bd F. Pilatte
GARE MARITIME
Quai des États-Unis
ANGES
Q. Rauba-Capéu
Pl. Guynemer
300 m
CORSE

**Radisson Sas** [M], 223 Promenade des Anglais ℘ 04 93 37 17 17, *reservations.nice@radissonsas.com, Fax 04 93 71 21 71*, ≤, – – 260. AE ① GB JCB
***Bleu Citron :*** **Repas** 40/44 – 20 – **318 ch** 310/490, 11 appart. p. 4 **AU n**
◆ Le rez-de-chaussée a été relooké dans le style contemporain et les chambres sont rénovées peu à peu. Piscine et terrasse, aménagés sur le toit, offrent une vue sur la baie.

**Sofitel** [M], 2-4 parvis de l'Europe ✉ 06300 ℘ 04 92 00 80 00, *h1119@accor-hotels.com, Fax 04 93 26 27 00*, – – 35. AE ① GB JCB
***L'Oliveraie :*** **Repas** 22,50 (déj.), 27,50 – ***Sundeck*** *(juin-août)* **Repas** 22,50 (déj.), 27,50 – 20 – **152 ch** 213. p. 7 **JX t**
◆ Sur le site d'Acropolis, hôtel entièrement repensé dans un esprit contemporain. Décor provençal à L'Oliveraie ; grillades et vue panoramique au Sundeck, situé sur le toit.

**Boscolo Hôtel Plaza**, 12 av. Verdun ℘ 04 93 16 75 75, *reservation.fr@boscolo.com, Fax 04 93 88 61 11* – – 250. AE ① GB JCB p. 7 **GZ u**
**Repas** *(19)* - 24 – 15 – **180 ch** 320/468 – ½ P 213/258.
◆ Imposant hôtel jouxtant le jardin Albert-1er. Chambres spacieuses. Toit-terrasse offrant une belle perspective sur la "grande bleue". Équipements complets pour séminaires.

**La Pérouse**, 11 quai Rauba-Capéu ✉ 06300 ℘ 04 93 62 34 63, *lp@hroy.com, Fax 04 93 62 59 41*, ≤ Nice et la Baie des Anges, – ch, – 30. AE ① GB JCB. p. 7 **HZ k**
**Repas** *(mi-mai-mi-sept.)* carte 31 à 49 – 16,50 – **63 ch** 220/395.
◆ Cet hôtel de caractère, arrimé au rocher du château, propose chambres raffinées et restaurant de plein air ombragé de citronniers. Le point de vue inspira Raoul Dufy.

**Masséna** [M] sans rest, 58 r. Gioffredo ℘ 04 92 47 88 88, *info@hotel-massena-nice.com, Fax 04 92 47 88 89* – – 20. AE ① GB JCB p. 7 **GZ k**
15 – **106 ch** 100/190.
◆ Situation de choix entre nouvelle et vieille ville pour cet immeuble à la façade joliment ouvragée abritant des chambres cossues, rénovées dans le goût moderne.

**Boscolo Park Hôtel**, 6 av. Suède ℘ 04 97 03 19 00, *reservation@park.boscolo.com, Fax 04 93 82 29 27*, ≤ – – 150. AE ① GB JCB p. 6 **FZ a**
**Repas** *(fermé dim. du 1er oct. au 28 fév.)* carte 38 à 58 – 15 – **102 ch** 243/319.
◆ Chambres de style Art déco ou méridionales ; certaines donnent sur le jardin Albert-Ier ou la "grande bleue". Le restaurant offre un cadre résolument contemporain.

**West End**, 31 promenade des Anglais ℘ 04 92 14 44 00, *hotel-westend@hotel-westend.com, Fax 04 93 88 85 07*, ≤, – – 60. AE ① GB JCB p. 6 **FZ p**
***Le Siècle :*** **Repas** 28 (déj.)/35 – 16 – **114 ch** 206/298, 10 appart – ½ P 146/192.
◆ Construit sous Louis-Philippe, cet hôtel est en constante évolution ; choisissez les chambres relookées dans le style anglais ou provençal. Au Siècle, ambiance Belle Époque.

**Beau Rivage**, 24 r. St-François-de-Paule ✉ 06300 ℘ 04 92 47 82 82, *info@nicebeaurivage.com, Fax 04 92 47 82 83*, – – 50. AE ① GB p. 7 **GZ y**
***Bistrot du Rivage :*** **Repas** carte 29 à 40 – ***Plage*** *(16 avril-15 oct.)* **Repas** carte 28 à 44 – 16 – **118 ch** 180/350.
◆ Bien situé, cet établissement bénéficie d'une plage privée (restaurant) et ne compte plus ses hôtes célèbres (Matisse, Nietzsche, Tchekhov, César...). Chambres spacieuses.

**Grand Hôtel Aston**, 12 av. F. Faure ℘ 04 92 17 53 00, *hotel-aston@hotel-aston.com, Fax 04 92 17 53 11*, ≤, – – 20 à 160. AE ① GB JCB
***L'Horloge*** ℘ 04 92 17 53 09 **Repas** 21 (déj.)27/80 – ***Aqua Bar*** - grillades **Repas** 21(déj.)27/80 – 16 – **155 ch** 197/278 – ½ P 141,50/182. p. 7 **HZ b**
◆ Hôtel entièrement rénové où vous attendent des chambres aux couleurs gaies, un restaurant de style Art déco et une vue inoubliable depuis l'Aqua Bar (sur le toit).

**Mercure Centre Notre Dame** [M] sans rest, 28 av. Notre-Dame ℘ 04 93 13 36 36, *h1291@accor-hotels.com, Fax 04 93 62 61 69*, – – 90. AE ① GB JCB
14,50 – **201 ch** 135/250. p. 6 **FXY q**
◆ Ces bâtiments des années 1970 abritent des chambres répondant aux normes de confort de la chaîne. Agréable jardin suspendu au 2e étage et piscine sur le toit.

**Holiday Inn** [M], 20 bd V. Hugo ℘ 04 97 03 22 22, *reservations@holinice.com, Fax 04 97 03 22 23*, – – 90. AE ① GB JCB p. 6 **FY a**
**Repas** *(18)* - 24 (déj.), 28/35 – 18 – **131 ch** 225/280.
◆ Architecture en verre et béton, proche des rues piétonnes et des commerces. Chambres bien agencées. Hall et restaurant d'inspiration coloniale (bambou et plantes exotiques).

**Novotel** [M], 8-10 Parvis de l'Europe ✉ 06300 ℘ 04 93 13 30 93, *H1103@accor-hotels.com, Fax 04 93 13 09 04*, – – 100. AE ① GB. rest
**Repas** *(15)* - 21, enf. 7,70 – 12 – **180 ch** 195. p. 7 **JX v**
◆ Édifié au coeur de Nice, ce Novotel dispose de chambres modernes, d'une tenue impeccable. Depuis la piscine sur le toit, vue sur la mer, le port et l'arrière-pays.

**Atlantic,** 12 bd V. Hugo ✆ 04 97 03 89 89, *info@atlantic-hotel.com, Fax 04 93 88 68 60* – 200. p. 6 **FY d**
**Repas** 27/40 – **122 ch** 171/258 – ½ P 135/154.
◆ La Nuit américaine (Truffaut) fut en partie tournée dans cet hôtel de la fin du 19e s. dont le hall majestueux et quelques chambres ont conservé des attributs Belle Époque.

**Splendid,** 50 bd V. Hugo ✆ 04 93 16 41 00, *info@splendid-nice.com, Fax 04 93 16 42 70,* – 15 à 60. rest p. 6 **FYZ g**
**Repas** *(15)* - 19 (déj.), 25/59,50 – 16 – **113 ch** 210/240, 14 appart – ½ P 130/145.
◆ Minipiscine et solarium sur le toit offrent une vue sur "Nissa la bella" et sont les atouts maîtres de cet hôtel des années 1960 aux chambres de taille disparate.

**Windsor,** 11 r. Dalpozzo ✆ 04 93 88 59 35, *contact@hotelwindsornice.com, Fax 04 93 88 94 57,* rest p. 6 **FZ f**
**Repas** *(fermé les midis et dim.)* carte environ 31 – 8 – **57 ch** 100/145.
◆ L'hôtel séduit par ses 20 "chambres d'artistes", hymne à l'art contemporain, dont une signée du peintre niçois Ben. Autour de la piscine, jardin exotique et oiseaux tropicaux.

**Grimaldi** sans rest, 15 r. Grimaldi ✆ 04 93 16 00 24, *zedde@le-grimaldi.com, Fax 04 93 87 00 24* – p. 6 **FY s**
17 – **46 ch** 140/160.
◆ Bel immeuble du début du 20e s. dans un quartier commerçant. Les chambres, joliment personnalisées, sont égayées de tissus Souleïado et garnies de meubles en fer forgé.

**Villa Victoria** sans rest, 33 bd V. Hugo ✆ 04 93 88 39 60, *contact@villa-victoria.com, Fax 04 93 88 07 98,* – p. 6 **FZ s**
*fermé 21 au 28 déc.* – 10 – **38 ch** 130/230.
◆ Bel immeuble ancien rénové dans un esprit contemporain coloré. Préférez les chambres avec balcon ouvrant sur le joli jardin méditerranéen. Double vitrage en façade.

**Petit Palais** sans rest, 17 av. E. Bieckert ✆ 04 93 62 19 11, *petitpalais@provence-riviera.com, Fax 04 93 62 53 60,* ≤ Nice et la mer –
10 – **25 ch** 105/140. p. 7 **HX p**
◆ Sacha Guitry habita cette villa 1900 perchée sur la colline de Cimiez. La majorité des chambres offre une vue plongeante sur les toits du vieux Nice et la baie des Anges.

**Durante** M sans rest, 16 av. Durante ✆ 04 93 88 84 40, *info@hotel-durante.com, Fax 04 93 87 77 76,* – cuisinette p. 6 **FY b**
8,40 – **24 ch** 68,60/106,80.
◆ Le calme de l'impasse permet de dormir fenêtres ouvertes, dans de coquettes chambres tournées vers un jardin embaumant l'oranger. L'hôtel vient d'être entièrement refait.

**Flore** M sans rest, 2 r. Maccarani ✆ 04 92 14 40 20, *info@hoteldeflore-nice.com, Fax 04 92 14 40 21* – p. 6 **FZ z**
9,50 – **64 ch** 89,80/140,80.
◆ Chambres fonctionnelles, dans la note régionale (meubles en fer forgé, sièges en osier), et patio pour prendre son petit-déjeuner dans un cadre typiquement azuréen.

**Nautica** M, 38 r. Barbéris ✉ 06300 ✆ 04 92 00 21 21, *Fax 04 92 00 21 22,* – 20. rest p. 7 **JXY m**
**Repas** (dîner seul.) 15/19,10, enf. 8,90 – 9 – **87 ch** 95/110.
◆ Cet établissement entièrement refait et ancré à quelques encablures du port a opté pour un décor maritime. Chambres pratiques ; agréable patio-terrasse fleuri.

**Busby** sans rest, 38 r. Mar. Joffre ✆ 04 93 88 19 41, *busbyhotel@wanadoo.fr, Fax 04 93 87 73 53* – p. 6 **FZ u**
*fermé 15 nov. au 20 déc.* – 15 – **76 ch** 100/150.
◆ Une atmosphère Belle Époque règne dans cet établissement. Les chambres garnies de mobilier standard, sont insonorisées ; préférez toutefois celles tournant le dos à la rue.

**Brice,** 44 r. Mar. Joffre ✆ 04 93 88 14 44, *info@nice-hotel-brice.com, Fax 04 93 87 38 54,* ch, – 15. rest p. 6 **FZ x**
**Repas** *(fermé 1er nov. au 14 déc.)* (dîner seul.)(résidents seul.) 19 – 9 – **58 ch** 110/130 – ½ P 84.
◆ Séparé de l'avenue par un jardin-terrasse fleuri, hôtel dont les chambres, protégées des bruits de la circulation, se dotent progressivement d'un mobilier contemporain.

**Vendôme** sans rest, 26 r. Pastorelli ✆ 04 93 62 00 77, *contact@vendome-hotel-nice.com, Fax 04 93 13 40 78* – p. 7 **GY f**
10 – **51 ch** 100/110, 5 duplex.
◆ Élégante marquise, rampe d'escalier ouvragée et salon de style (fresques et moulures) témoignent du prestigieux passé de cet ex-hôtel particulier. Réservez une chambre rénovée.

**Fontaine** sans rest, 49 r. France ✆ 04 93 88 30 38, *hotel-fontaine@webstore.fr, Fax 04 93 88 98 11* – . AE GB p. 6 **FZ** t
*fermé 8 au 18 janv.* – ☕ 10 – **29 ch** 120/135.
♦ Dans une rue commerçante, hôtel dont les chambres, assez petites, présentent un frais décor moderne. Quelques-unes donnent sur un mini patio où murmure une fontaine.

**Nouvel Hôtel** sans rest, 19 bis bd V. Hugo ✆ 04 93 87 15 00, *info@nouvel-hotel.com, Fax 04 93 16 00 67* – . AE GB. p. 6 **FY** v
*fermé 5 janv. au 6 fév.* – ☕ 5,50 – **56 ch** 84/98.
♦ Bel édifice post-haussmannien et sa rotonde couronnée d'un dôme. Chambres fonctionnelles ; demandez-en une au calme, sur l'arrière. Petits-déjeuners copieux.

**Kyriad Nice Centre Les Musiciens** sans rest, 36 r. Rossini ✆ 04 93 88 85 94, *info@nice-hotel-kyriad.com, Fax 04 93 88 15 88* – . GB p. 6 **FY** n
*fermé 13 au 25 déc.* – ☕ 6,70 – **35 ch** 68/100,50.
♦ Dans le quartier des musiciens, immeuble ancien dont l'intérieur a été entièrement rénové sur un mode actuel et coloré. Chambres de taille moyenne bien insonorisées.

**Buffa** sans rest, 56 r. Buffa ✆ 04 93 88 77 35, *nice@hotel-buffa.com, Fax 04 93 88 83 39* – . AE GB JCB p. 6 **EZ** r
☕ 7 – **13 ch** 65/70.
♦ Accueil chaleureux, plaisante décoration actuelle et chambres dotées d'un double vitrage sont les atouts de cet hôtel situé sur une avenue passante.

**Armenonville** sans rest, 20 av. Fleurs ✆ 04 93 96 86 00, *nice@hotel-armenonville.com, Fax 04 93 44 66 53,* – . AE GB JCB. p. 6 **EZ** b
☕ 7 – **13 ch** 78/92.
♦ Au bout d'une impasse de l'ex-quartier des émigrés russes, villa 1900 aux chambres "rétro" (le mobilier provient du Négresco), assez spacieuses et bien tenues.

**Agata** sans rest, 46 bd. Carnot ✉ 06300 ✆ 04 93 55 97 13, *info@agatahotel.com, Fax 04 93 55 67 38* – . AE GB JCB p. 7 **JZ** s
☕ 8,50 – **45 ch** 74/93.
♦ Immeuble abritant des chambres rajeunies peu à peu insonorisées et à la tenue impeccable. Préférez celles qui tournent le dos au boulevard ou offrent une vue sur la mer.

**Villa St-Hubert** sans rest, 26 r. Michel-Ange ✆ 04 93 84 66 51, *hotel-villa-st-hubert@wanadoo.fr, Fax 04 93 84 70 96* – cuisinette . AE GB. p. 6 **FV** s
*fermé 15 nov. au 15 déc.* – ☕ 6 – **13 ch** 52/68.
♦ À proximité des universités, villa 1900 donnant sur une rue calme. Chambres pas très grandes, mais bien équipées. Courette fleurie où l'on sert les petits-déjeuners.

**Star Hôtel** sans rest, 14 r. Biscarra ✆ 04 93 85 19 03, *star-hotel@wanadoo.fr, Fax 04 93 13 04 23* – . AE GB p. 7 **GY** k
*fermé nov.* – ☕ 5 – **24 ch** 45/60.
♦ Au-dessus d'un bistrot du quartier Ste-Réparate, tout près de la place Rossetti populaire et animée, hôtel proposant des chambres sobrement meublées et bien tenues.

**Aria** sans rest, 15 av. Auber ✆ 04 93 88 30 69, *Fax 04 93 88 11 35* – . AE GB p. 6 **FY** u
☕ 9 – **30 ch** 80/110.
♦ Petit hôtel abritant des chambres de tailles variées, simples et rigoureusement tenues ; préférez celles donnant sur le petit square. Accueil aimable.

XXXXX ✿✿ **Chantecler** - Hôtel Négresco, 37 promenade des Anglais ✆ 04 93 16 64 00, *direction@hotel-negresco.com, Fax 04 93 88 35 68* – . AE GB JCB p. 6 **FZ** k
*fermé mi-nov. à mi-déc.* – **Repas** 45 (déj.), 90/130 et carte 90 à 130.
♦ Somptueuses boiseries, tapisserie d'Aubusson, tableaux de maîtres et rideaux en damas ou en lampas de soie magnifient ce décor Régence. Délicieuse cuisine personnalisée.
**Spéc.** Salade Riviera. Morue de Bilbao et bolognaise de piperade. Selle d'agneau rôtie à la broche, gratin de macaroni aux courgettes (juil. à sept.). **Vins** Bellet,Côtes-de-Provence.

XXX ✿ **L'Ane Rouge** (Devillers), 7 quai Deux-Emmanuel ✉ 06300 ✆ 04 93 89 49 63, *anerouge@free.fr, Fax 04 93 89 49 63* – . AE GB p. 7 **JZ** m
*fermé 9 au 23 juil., vacances de fév., jeudi midi et merc.* – **Repas** 24 (déj.), 42/56 et carte 50 à 70 🍷.
♦ Ce restaurant situé face au port de plaisance et au Château propose une savoureuse cuisine terre et mer servie dans un cadre bourgeois feutré.
**Spéc.** Fleur de courgette farcie (printemps-été). Poissons de pêche locale. Tarte au chocolat. **Vins** Vin de pays de Saint-Jeannet, Côtes de Provence.

XXX **Don Camillo,** 5 r. Ponchettes ✉ 06300 ✆ 04 93 85 67 95, *vianostephane@wanadoo.fr, Fax 04 93 13 97 43* – . AE GB p. 7 **HZ** h
*fermé 21 au 26 déc., lundi midi, jeudi midi et dim.* – **Repas** 29 et carte 32 à 63 🍷.
♦ Décoration harmonieuse, doux coloris et atmosphère sympathique font l'agrément de ce restaurant situé dans une rue calme. Goûteuse cuisine niçoise et italienne.

XXX **Les Viviers,** 22 r. A. Karr ✆ 04 93 16 00 48, *Fax 04 93 16 04 06* – ▤. AE GB p. 6 **FY** k
*fermé 28 juil. au 28 août et dim.* – **Repas** 29/85 et carte 40 à 72 ♁.
◆ Élégantes boiseries blondes au restaurant ou cadre plus simple au bistrot : deux décors, mais une seule cuisine proposant poissons, crustacés et suggestions du jour.

XX **L'Univers-Christian Plumail,** 54 bd J. Jaurès ✉ 06300 ✆ 04 93 62 32 22, *plumailuniv ers@aol.com, Fax 04 93 62 55 69* – ▤. AE ⓓ GB p. 7 **HZ** u
✿ *fermé sam. midi, lundi midi et dim.* – **Repas** (prévenir) 38/65 et carte 45 à 73 ♀.
◆ Tableaux et sculptures modernes agrémentent l'intérieur de ce restaurant prisé des Niçois : on y savoure - souvent à guichets fermés - une cuisine régionale personnalisée.
**Spéc.** Entrées autour d'une ratatouille (été). Chapon de mer rôti aux feuilles de figuier. Soufflé aux citrons du pays. **Vins** Vin de Pays de Saint-Jeannet, Ile de Porquerolles.

XX **Aphrodite,** 10 bd Dubouchage ✆ 04 93 85 63 53, *reception@restaurant-aphrodite.com, Fax 04 93 80 10 41,* 🏠 – ▤. AE ⓓ GB JCB **HY** s
*fermé dim. et lundi* – **Repas** 24 (déj.), 32/55 ♀, enf. 19.
◆ C'est un dessert imaginé par le chef qui a donné son nom à ce restaurant. Intérieur aux couleurs méridionales, terrasse verdoyante et ombragée ; cuisine régionale revisitée.

XX **L'Effeuillant,** 26 bd V. Hugo ✆ 04 93 82 48 63, *cjme@wanadoo.fr, Fax 04 93 88 35 64,* 🏠 – ▤. AE GB p. 6 **FY** f
*fermé 10 au 20 janv., dim. soir et lundi sauf le soir du 15 juin au 15 sept.* – **Repas** 32/48 ♀.
◆ Au coeur de la capitale de la Riviera, ce petit restaurant apprécié de la clientèle du quartier s'est doté d'un sobre décor provençal, en parfaite harmonie avec la cuisine.

XX **Boccaccio,** 7 r. Masséna ✆ 04 93 87 71 76, *infos@boccaccio-nice.com, Fax 04 93 82 09 06,* 🏠 – ▤. AE ⓓ GB JCB p. 7 **GZ** f
**Repas** carte 35 à 64 ♀.
◆ Rue piétonne et animée. L'étonnant décor du Boccaccio reproduit, sur plusieurs niveaux et non sans fantaisie, l'intérieur d'un navire ancien. Cuisine de la Méditerranée.

XX **Brasserie Flo,** 4 r. S. Guitry ✆ 04 93 13 38 38, *Fax 04 93 13 38 39* – ▤. AE ⓓ GB
**Repas** 29 bc. p. 7 **GYZ** m
◆ Parterre de tables et troupe de serveurs fin prêts : les trois coups frappés, le rideau grenat se lève sur les cuisines de cette brasserie aménagée dans un théâtre 1930.

XX **L'Allegro,** 6 pl. Guynemer ✉ 06300 ✆ 04 93 56 62 06, *Fax 04 93 56 38 28* – ▤. AE GB p. 7 **JZ** u
*fermé sam. midi et dim.* – **Repas** 18,50 bc/30,50 bc et dîner à la carte 28 à 39.
◆ La façade discrète cache un décor exubérant : trompe-l'oeil de colonnes et de fresques représentant les personnages de la "Commedia dell'arte". Cuisine italienne.

XX **Les Pêcheurs,** 18 quai des Docks ✆ 04 93 89 59 61, *barbate.jean-michel@wanadoo.fr, Fax 04 93 55 47 50,* 🏠 – ▤. AE GB p. 7 **JZ** v
*fermé nov. à mi-déc., merc. et jeudi midi de mai à oct., mardi soir et merc. de déc. à avril* – **Repas** 27 ♀.
◆ Sur le port de plaisance : décor marin dans la salle à manger, mouvement des bateaux en terrasse, produits de la mer dans l'assiette... De l'Azur plein les yeux !

XX **Les Épicuriens,** 6 pl. Wilson ✆ 04 93 80 85 00, *Fax 04 93 85 65 00,* 🏠 – ▤. AE GB
*fermé 6 août au 2 sept., sam. midi et dim.* – **Repas** carte 30 à 38 ♀. p. 7 **HY** v
◆ Décoration recherchée de style bistrot, terrasse fleurie, cuisine "tendance" et suggestions sur ardoise attirent, entre autres, la clientèle d'affaires.

XX **Auberge de Théo,** 52 av. Cap de Croix ✆ 04 93 81 26 19, *Fax 04 93 81 51 73* – ▤. GB
*fermé 19 août au 11 sept., 23 déc. au 3 janv., dim. soir de sept. à avril et lundi* – **Repas** 19 (déj.), 28,50/47,50 ♀. p. 5 **BS** u
◆ Sur les hauts de Nice, trattoria ressemblant à ces auberges du "Trastevere" à Rome. Intérieur rustique avec poutres et authentique crèche napolitaine. Plats italiens.

X **Dominiqe Nicol,** 14 r. Maccarani ✆ 04 93 82 24 12, *Fax 04 93 82 93 68* – ▤. GB **FY** h
*fermé août, dim. soir et lundi* – **Repas** 22/48.
◆ Tons méditerranéens, fresque abstraite colorée et mobilier asiatique font le cachet de cette petite salle à manger. Recettes traditionnelles mâtinées d'influences provençales.

X **Chez Rolando,** 3 r. Desboutins ✉ 06300 ✆ 04 93 85 76 79 – ▤. AE GB p. 7 **GZ** n
*fermé août, le midi en juil., dim. et fériés* – **Repas** carte 27,50 à 45 ♀.
◆ Restaurant au cadre discrètement italien. La carte, présentée sur ardoise, propose des spécialités de la "Botte" et quelques plats traditionnels français.

X **Bông-Laï,** 14 r. Alsace-Lorraine ✆ 04 93 88 75 36 – ▤. AE GB p. 6 **FX** n
**Repas** carte 40 à 60.
◆ Longue salle à manger au décor asiatique sans surprise où règne une atmosphère intime. Cuisine vietnamienne escortée de quelques plats chinois.

X **Mireille,** 19 bd Raimbaldi ✆ 04 93 85 27 23 – ▤. AE GB p. 7 **GX** d
*fermé 9 juin au 3 juil., 29 sept. au 7 oct., lundi et mardi* – **Repas** 27.
◆ En plein coeur de "Nissa" l'italienne, restaurant au décor hispanique et au prénom provençal. Paella (plat unique) présentée dans une rutilante vaisselle en cuivre.

**Casbah,** 3 r. Dr Balestre ✆ 04 93 85 58 81 – ▤. GB p. 7 **GY a**
*fermé 30 juin au 1er sept., dim. soir et lundi* – **Repas** carte environ 25.
◆ Cadre style "Alger la Blanche", couscous servi en costume "de là-bas", cuisine et ambiance nord-africaines. C'est le lieu de rendez-vous des pieds-noirs.

**Merenda,** 4 r. Terrasse ✉ 06300 – ▤ p. 7 **HZ a**
*fermé 19 au 27 avril, 27 juil. au 18 août, 1er au 10 déc., 28 fév. au 2 mars, sam. et dim.* – **Repas** (nombre de couverts limité) carte 30 à 38.
◆ Tabourets inconfortables, pas de téléphone et règlement en espèces... Que dire de plus ? Que l'on fait salle comble tous les jours avec une savoureuse cuisine niçoise !

**Lou Pistou,** 4 r. Terrasse ✉ 06300 ✆ 04 93 62 21 82 – ▤. GB p. 7 **HZ a**
*fermé sam. et dim.* – **Repas** carte 27 à 35,50.
◆ Officiant à côté du palais de Justice, cette "cantine" des hommes de loi sert une goûteuse cuisine régionale dans une modeste salle à manger. Accueil tout sourire.

**L'Olivier,** 2 pl. Garibaldi ✆ 04 93 26 89 09, *Fax 04 93 26 89 09* – GB p. 7 **HY n**
*fermé août, 1er au 7 janv., merc. soir, sam. midi, dim. et fériés* – **Repas** carte 22 à 35.
◆ Ambiance conviviale, service souriant et cuisine du marché annoncée à l'ardoise en ce petit restaurant situé sous les arcades animées de la place Garibaldi.

**Gaité-Nallino,** 72 av. Cap de Croix à Cimiez ✉ 06100 ✆ 04 93 81 91 86, – ▤. AE GB p. 5 **BS a**
*fermé août et dim.* – **Repas** (déj. seul.) carte 20 à 35.
◆ Depuis 1872, la même famille se transmet les secrets de la cuisine niçoise dans ce restaurant fréquenté par une foule d'habitués. Cadre simple et ambiance chaleureuse.

**Zucca Magica,** 4 bis quai Papacino ✆ 04 93 56 25 27, *rossbol@club-internet.fr* – ▤ p. 7 **JZ g**
*fermé dim. et lundi* – **Repas** (menu unique)(prévenir) 16 (déj.)/25 (dîner).
◆ Entièrement décoré de citrouilles, ce restaurant végétarien "à l'italienne" propose chaque jour un copieux menu (sans choix) préparé sous vos yeux. Accueil jovial.

**à l'Aire St-Michel** *Nord : 9 km par av. de Cimiez* – ✉ *06100 Nice :*

**Au Rendez-vous des Amis,** 176 av. Rimiez ✆ 04 93 84 49 66, *Fax 04 93 52 62 09,*
*fermé 27 oct. au 20 nov., vacances de fév., mardi hors saison et mercredi* – **Repas** 20,90.
◆ La chaleur de l'accueil et de l'ambiance ne font pas mentir l'enseigne ! Intérieur orné d'une fresque évoquant le village voisin de Falicon. Délicieuse cuisine méridionale.

**à l'aéroport** *: 7 km* – ✉ *06200 Nice :*

**Novotel Arenas** Ⓜ, 455 promenade des Anglais ✆ 04 93 21 22 50, *h0478@accor-hotels.com, Fax 04 93 21 63 50* – ▤ TV ♿ – 150. AE GB
**Repas** 16, enf. 7,70 – 12 – **131 ch** 115/120. p. 4 **AV e**
◆ Espace, mobilier fonctionnel, bonne insonorisation et multiples salles de conférences font de ce Novotel une étape appréciée par la clientèle d'affaires. Tenue impeccable.

## NIEDERBRONN-LES-BAINS *67110 B.-Rhin* 315 J3 *G. Alsace Lorraine – 4 372 h alt. 190 – Stat therm. – Casino.*

*Office du Tourisme, 6 place de l'Hôtel de Ville ✆ 03 88 80 89 70, Fax 03 88 80 37 01 office@niederbronn.com.*

*Paris 467 – Strasbourg 54 – Haguenau 22 – Sarreguemines 55 – Saverne 40.*

**Muller** Ⓜ, av. Libération ✆ 03 88 63 38 38, *hotel-muller@wanadoo.fr, Fax 03 88 63 38 39*, – , ▤ rest, TV ♿ P – 20 à 50. AE GB JCB. rest
*fermé 6 au 31 janv.* – **Repas** *(fermé lundi)* (dim. prévenir) 9,50 (déj.), 28,20/36,40, enf. 8,10 – 8 – **43 ch** 45,60/66,60 – ½ P 43,50/49,30.
◆ Côté hôtel : esprit moderne privilégiant le bois massif et les éclairages discrets. Coté restaurant, salle à manger classique ou véranda coiffée d'une coupole.

**Grand Hôtel** sans rest, av. Foch ✆ 03 88 80 84 48, *casino-niederbronn-OM@accor-casinos.com, Fax 03 88 80 84 40,* – TV P. AE GB
11 – **64 ch** 90/101.
◆ Cet établissement abrite de grandes chambres qui devraient être totalement rénovées cette année dans la perspective d'un changement d'enseigne (Mercure).

**Cully,** r. République ✆ 03 88 09 01 42, *hotel-cully@wanadoo.fr, Fax 03 88 09 05 80,* – TV P. AE GB. ch
*fermé 15 fév. au 6 mars et 21 déc. au 6 janv.* – **Repas** *(fermé dim. soir et lundi)* (9,80) - 19/35 enf. 8 – 8,20 – **37 ch** 40/56 – ½ P 40,20/47,40.
◆ Dans une rue passagère, ensemble hôtelier composé de deux bâtiments. Préférez les chambres de l'annexe : récemment rafraîchies, elles offrent un confort plus moderne.

**Bristol,** pl. H. de Ville ✆ 03 88 09 61 44, *hotel.lebristol@wanadoo.fr, Fax 03 88 09 01 20* – rest, TV P. AE GB.
*fermé 27 janv. au 12 fév.* – **Repas** *(fermé merc.)* 19/25,50 ♀ – ☕ 7 – **27 ch** 49/52 – ½ P 42/46.
◆ Cure de jouvence pour cet aimable hôtel situé au centre de la station thermale : les chambres viennent de bénéficier d'une rénovation complète.

XXX **Parc,** pl. Thermes ✆ 03 88 80 84 84, *casino_niederbronn_FB@accor-casinos.com, Fax 03 88 80 84 80,* – AE GB
*fermé fév., sam. midi, dim. soir et lundi* – **Repas** 24,90 ♀ - ***Bierstubel :*** **Repas** carte environ 27 ♀.
◆ Dans les murs du casino, mais avec entrée séparée. Salle à manger de style ethnique, tendance "retour d'Afrique et d'Asie". Ambiance musicale le week-end.

XX **Les Acacias,** 35 r. Acacias ✆ 03 88 09 00 47, *acacias@free.fr, Fax 03 88 80 83 33,* ←, – P. AE GB
*fermé 16 au 30 août, 27 déc. au 17 janv., dim. soir de sept. à avril, sam. midi et vend.* – **Repas** 11,50 (déj.), 16/39 ♀, enf. 8,50.
◆ Auberge au cadre rustique sobre perchée sur une colline. Fréquentation d'habitués, ambiance décontractée et cuisine d'inspiration régionale.

## NIEDERSCHAEFFOLSHEIM *67500 B.-Rhin* 315 *K4 – 1 267 h alt. 185.*

*Paris 480 – Strasbourg 27 – Haguenau 7 – Saverne 36.*

XXX **Au Boeuf Rouge** avec ch, ✆ 03 88 73 81 00, *info@boeufrouge.com, Fax 03 88 73 89 71,* – rest, TV P – 30. AE GB
*fermé 15 juil. au 5 août et 24 fév. au 9 mars* – **Repas** *(fermé dim. soir, mardi midi et lundi)* 22,50/61 et carte 47 à 67 ♀, enf. 9,50 – ☕ 7,50 – **13 ch** 57/61 – ½ P 55.
◆ Depuis 1880, la même famille vous accueille dans cette institution alsacienne qui sait se moderniser. Grande et sobre salle à manger où l'on sert des plats fidèles au terroir.

*Dans ce guide*
*un même symbole, un même mot,*
*imprimé en **rouge** ou en **noir**, en maigre ou en **gras**,*
*n'ont pas tout à fait la même signification.*
*Lisez attentivement les pages explicatives.*

## NIEDERSTEINBACH *67510 B.-Rhin* 315 *K2 G. Alsace Lorraine – 161 h alt. 225.*

*Paris 469 – Strasbourg 67 – Bitche 24 – Haguenau 32 – Lembach 8 – Wissembourg 23.*

**Cheval Blanc** , ✆ 03 88 09 55 31, *contact@hotel-cheval-blanc.fr, Fax 03 88 09 50 24,* – rest, TV P – 30. GB. rest
*fermé 23 juin au 9 juil., 24 nov. au 11 déc. et 27 janv. au 7 mars* – **Repas** *(fermé jeudi)* 16,50/50 ♀, enf. 7,60 – ☕ 7,50 – **26 ch** 42/65 – ½ P 46/54.
◆ Belle auberge traditionnelle : cuisine généreuse à déguster dans des "stubes" boisées, et chambres coquettes d'une tenue impeccable ; préférez celles à l'opposé de la route.

**à Wengelsbach** *Nord-Ouest : 5 km par D 190 – ✉ 67510 :*

X **Au Wasigenstein,** ✆ 03 88 09 50 54, *Fax 03 88 09 50 54,* – GB
*fermé mi-janv. à fin fév., lundi et mardi sauf fériés* – **Repas** 12 (déj.), 20/29 ♀.
◆ Petite adresse familiale dans un paisible et charmant village. L'une des salles à manger, au cadre gentiment champêtre, s'agrémente d'un poêle en faïence.

## NIEUIL *16270 Charente* 324 *N4 – 954 h alt. 150.*

*Paris 435 – Angoulême 42 – Confolens 24 – Limoges 65 – Nontron 55 – Ruffec 36.*

**à l'Est** *par D 739 et rte secondaire : 2 km*

**Château de Nieuil** sans rest, ✆ 05 45 71 36 38, *chateaunieuilhotel@wanadoo.fr, Fax 05 45 71 46 45,* ←, – TV P – 30. AE GB JCB
*Pâques-Toussaint et fermé dim. sauf mai, juin, sept. et oct.* – ☕ 12 – **11 ch** 90/180, 3 appart.
◆ Ce château Renaissance, ancien rendez-vous de chasse de François Ier, se dresse fièrement dans un vaste parc. Agréables chambres garnies de boiseries et de meubles de style.

X **Grange aux Oies,** dans le parc du château ✆ 05 45 71 36 38, – . AE GB JCB
*fermé 31 mars au 10 avril, nov., lundi, mardi sauf le soir de Pâques au 1er nov. et dim. soir sauf juil.-août* – **Repas** 33 bc.
◆ Plaisante atmosphère campagnarde en ce restaurant installé dans les anciennes écuries du château de Nieuil. Cuisine inspirée du terroir charentais, à déguster au coin du feu.

**NÎMES** P *30000 Gard* 339 L5 *G. Provence – 128 471 h Aggl. 148 889 h alt. 39.*

Voir *Arènes*★★★ *– Maison Carrée*★★★ *– Jardin de la Fontaine*★★ *: Tour Magne*★, ←★ *– Intérieur*★ *de la chapelle des Jésuites* **DU B** *– Carré d'Art*★ *– Musée d'Archéologie*★ **M¹** *– Musée du Vieux Nîmes* **M³** *– Musée des Beaux-Arts*★ **M²**.

✈ *de Nîmes-Arles-Camargue : ☎ 04 66 70 49 49, par ⑤ : 8 km.*

*Office du Tourisme, 6 rue Auguste ☎ 04 66 58 38 00, Fax 04 66 58 38 01, info@ot nimes.fr.*

*Paris 711 ② – Montpellier 58 ⑤ – Lyon 251 ② – Marseille 125 ④.*

## NÎMES

Briçonnet (R.) ............ **BY** 8
Cirque-Romain (R. du) ..... **AY** 13
Fontaine (Q. de la) ....... **AX** 20
Gambetta (Bd) ........... **ABX**
Gamel (Av. P.) ............ **BZ** 22
Générac (R. de) .......... **AYZ** 23
Mallarmé (R. Steph.) ...... **AX** 34
Martyrs-de-la-R. (Pl.) ...... **AZ** 36
Mendès-France (Av. P.) .... **BZ** 39
République (R. de la) ..... **AYZ**
Ste-Anne (R.) ............ **AY** 46
Verdun (R. de) ........... **AY** 47

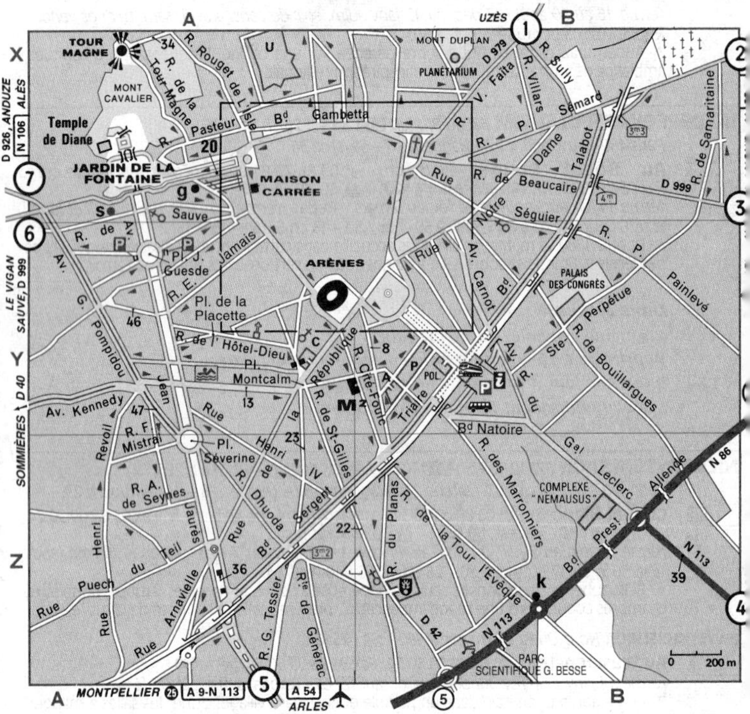

A
B
UZÈS
TOUR MAGNE
MONT CAVALIER
Temple de Diane
JARDIN DE LA FONTAINE
MONT DUPLAN
PLANÉTARIUM
MAISON CARRÉE
ARÈNES
PALAIS DES CONGRÈS
COMPLEXE "NEMAUSUS"
PARC SCIENTIFIQUE G. BESSE
Bd Gambetta
R. de Beaucaire
R. Séguier
Bd Natoire
Av. Kennedy
R. de Bouillargues
D 926, ANDUZE
N 106 ALÈS
LE VIGAN SAUVE, D 999
SOMMIÈRES D 40
MONTPELLIER A 9-N 113
A 54 ARLES
N 86
N 113
D 999
D 979
D 42
0 200 m


**Imperator Concorde,** quai de la Fontaine ✉ 30900 ☎ 04 66 21 90 30, *hotel.imperator @wanadoo.fr, Fax 04 66 67 70 25,* 🏞, 🌳 – 🛗 🚭 ▤ TV ☎ 🚗 – 🏛 40. AE ⓓ GB JCB
**Repas** 28,20/60 – ☕ 15,30 – **63 ch** 99/183 – ½ P 127,20/211,20. **AX g**
◆ Cette demeure de 1929, jadis fréquentée par Ava Gardner, Hemingway, etc. s'ouvre sur une cour arborée pétrie de charme. Chambres raffinées. Élégant restaurant en galerie.

**Novotel Atria Nîmes Centre** M, 5 bd Prague ☎ 04 66 76 56 56, *H0985@accor-hotels. com, Fax 04 66 76 56 59* – 🛗 🚭 ▤ TV ☎ 🚗 – 🏛 25 à 480. AE ⓓ GB **DV f**
**Repas** *(15)* - 19,50/21 🍷, enf. 8 – ☕ 11 – **119 ch** 92/106.
◆ Adresse estimée de la clientèle d'affaires pour ses chambres fonctionnelles (jolie vue sur Nîmes au dernier étage) et son centre de congrès avec auditorium "dernier cri".

**Vatel** (École hôtelière), 140 r. Vatel par av. Kennedy **AY** ☎ 04 66 62 57 57, *hotel@vatel.fr, Fax 04 66 62 57 50,* 🏞, 🏋, 🏊 – 🛗 ▤ TV ☎ P – 🏛 160. AE ⓓ GB. ✂ rest
***Les Palmiers*** (6ᵉ étage) *(fermé 20 juil. au 1ᵉʳ sept., dim. soir et lundi)* **Repas** 24,50/33,50 🍷 – ***Provençal :*** **Repas** *(16)*-19/24,50 🌡, enf. 7,50 – ☕ 10 – **46 ch** 105/116,30.
◆ Chambres spacieuses et confortables, dotées de salles de bains en marbre. Vue dégagée sur la périphérie nîmoise aux Palmiers, et buffets à volonté au Provençal.

## NÎMES

Arènes (Bd des) .......... **CV** 2
Aspic (R. de l') .......... **CUV**
Auguste (R.) .......... **CU** 4
Bernis (R. de) .......... **CV** 6
Chapitre (R. du) .......... **CU** 12
Courbet (Bd Amiral) .......... **DUV** 14
Crémieux (Rue) .......... **DU** 16
Curaterie (R.) .......... **DU** 17
Daudet (Bd A.) .......... **CU** 18
Ducros (R. A.) .......... **CV** 19
Fontaine (Q. de la) .......... **CU** 20
Gambetta (Bd) .......... **CDU**
Grand'Rue .......... **DU** 24
Guizot (R.) .......... **CU** 26
Halles (R. des) .......... **CU** 27
Horloge (R. de l') .......... **CU** 28
Libération (Bd de la) .......... **DV** 30
Madeleine (R. de la) .......... **CU** 32
Maison Carrée (Pl. de la) .......... **CU** 33
Marchands (R. des) .......... **CU** 35
Nationale (R.) .......... **CDU**
Perrier (R. Gén.) .......... **CU**
Prague (Bd de) .......... **DV** 42
République (R. de la) .......... **CV** 43
Saintenac (Bd E.) .......... **DU** 45
Victor-Hugo (Bd) .......... **CUV**
Violettes (R.) .......... **CV** 49

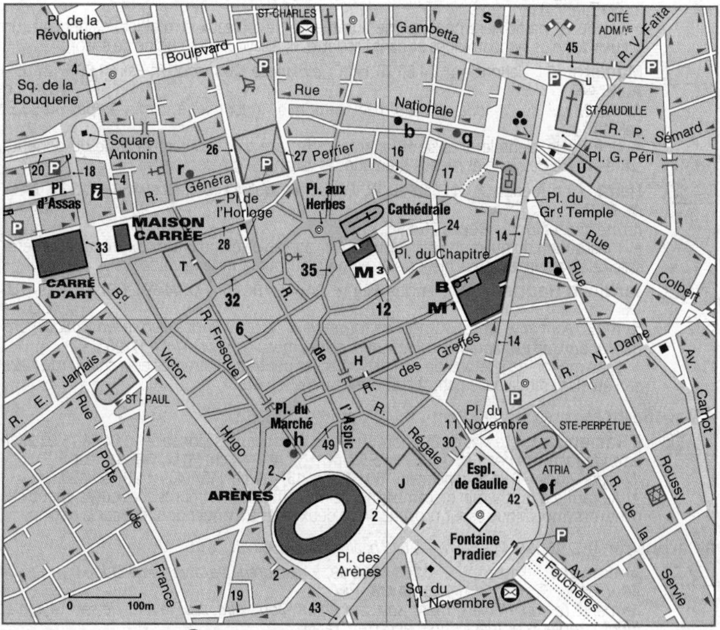

C
D
U
V
Pl. de la Révolution
ST-CHARLES
Gambetta
Boulevard
CITÉ ADMVE
R. V. Faïta
Sq. de la Bouquerie
Rue
Nationale
ST-BAUDILLE
R. P. Sémard
Square Antonin
Perrier
Pl. G. Péri
Général
Pl. d'Assas
R.
Pl. de l'Horloge
Pl. aux Herbes
Cathédrale
Pl. du Gr^d Temple
MAISON CARRÉE
Pl. du Chapitre
Rue
Colbert
CARRÉ D'ART
Bd
R. Fresque
Victor
Hugo
Jamais
R. E.
Rue
Porte
de
France
ST-PAUL
des Greffes
R. N.-Dame
Av. Carnot
Pl. du Marché
l'Aspic
R. Régale
Pl. du 11 Novembre
STE-PERPÉTUE
ARÈNES
Espl. de Gaulle
ATRIA
R. de la Servie
Roussy
Fontaine Pradier
Pl. des Arènes
Sq. du 11 Novembre
Av. Feuchères
0 100m


**New Hôtel la Baume** sans rest, 21 r. Nationale ✆ 04 66 76 28 42, *nimeslabaume@new-hotel.com, Fax 04 66 76 28 45* – AE GB JCB **DU b**
10 – **34 ch** 95/130.
◆ Hôtel particulier du Vieux Nîmes dont le magnifique escalier est une curiosité à visiter. Vastes chambres où se marient ancien et design.

**L'Orangerie**, 755 r. Tour de l'Évêque ✆ 04 66 84 50 57, *hrorang@aol.com, Fax 04 66 29 44 55*, – 30. AE GB JCB **BZ k**
*fermé 23 au 28 déc.* – **Repas** 18 (déj.), 28/34, enf. 13 – 9 – **31 ch** 66/109 – ½ P 63.
◆ Maison récente aux allures de mas. Les chambres, spacieuses et personnalisées, portent les couleurs de la Provence ; certaines possèdent une terrasse. Piscine ronde.

**Kyriad** sans rest, 10 r. Roussy ✆ 04 66 76 16 20, *kyriad.nimescentre@wanadoo.fr, Fax 04 66 67 65 99* – AE GB JCB **DU n**
8 – **28 ch** 57/74.
◆ Rénovation réussie : façade ravalée, petites chambres pratiques et gaies (deux avec terrasse et vue sur les toits de Nîmes), hall-bar décoré d'affiches évoquant la tauromachie.

**Amphithéâtre** sans rest, 4 r. Arènes ✆ 04 66 67 28 51, *hotel-amphitheatre@wanadoo.fr, Fax 04 66 67 07 79* – AE GB **CV h**
*fermé 1er au 31 janv.* – 5,70 – **16 ch** 34,50/52,50.
◆ À côté des arènes, façade un peu austère vieille de trois siècles. Demandez l'une des spacieuses chambres avec coup d'oeil sur le magnifique palmier de la place du marché.

XX **Aux Plaisirs des Halles,** 4 r. Littré ✆ 04 66 36 01 02, *Fax 04 66 36 08 00,* – AE GB CU r
*fermé 25 oct. au 2 nov, 7 au 22 fév, dim et lundi* – **Repas** 16 (déj.), 22/45 ₰, enf. 11.
◆ Coquette salle à manger, joli patio agrémenté d'une fontaine pour les repas d'été, généreuse cuisine traditionnelle et belle carte de vins régionaux : les Nîmois sont conquis.

XX **Le Bouchon et L'Assiette,** 5 bis r. Sauve ✆ 04 66 62 02 93, *Fax 04 66 62 03 57* – GB AX s
*fermé 29 avril au 2 mai, 29 juil. au 23 août, 2 au 17 janv., mardi et merc.* – **Repas** 15 (déj.), 24/39 ₰, enf. 11.
◆ Un décor particulièrement soigné agrémenté de tableaux et d'objets d'antiquité, un accueil des plus sympathiques et dans l'assiette, une savoureuse cuisine de saison.

XX **Magister,** 5 r. Nationale ✆ 04 66 76 11 00, *le.magister@wanadoo.fr, Fax 04 66 67 21 05* – AE GB DU q
*fermé 27 juil. au 24 août, 1er au 9 mars, sam. midi, lundi midi et dim.* – **Repas** 30/50 ₰, enf. 11.
◆ Une fidèle clientèle nîmoise fréquente cette salle de restaurant revêtue de boiseries claires. Carte classique et menus thématiques variant au gré des saisons.

XX **Lisita,** 2 bd Arènes ✆ 04 66 67 29 15, *Restaurant@lelisita.com, Fax 04 66 67 25 32,* – AE GB CV h
*fermé dim. et lundi* – **Repas** 26/55 ₰.
◆ L'institution du quartier a fait peau neuve : agréable véranda face aux arènes et arrière-salle célébrant la tauromachie. Cuisine au goût du jour et belle carte des vins.

XX **Jardin d'Hadrien,** 11 r. Enclos Rey ✆ 04 66 21 86 65, *Fax 04 66 21 54 42,* – AE GB DU s
*fermé 20 août au 3 sept., vacances de Toussaint et de fév.* – **Repas** (fermé lundi midi, merc. midi et dim. en juil.-août, mardi soir, dim. soir et merc. de sept. à juin) 17/26 ₰.
◆ Sage maison de ville où l'on choisit, l'hiver, les poutres apparentes et la chaleur de l'âtre et, l'été, la véranda ou le patio à l'ombre d'un majestueux if.

**à Marguerittes** *par ② et N 86 : 8 km – 7 548 h. alt. 60 – ✉ 30320 :*

**L'Hacienda** ⑤, Le Mas de Brignon, Sud-Est : 2 km par rte secondaire ✆ 04 66 75 02 25, *hacienda@altavista.net, Fax 04 66 75 45 58,* – ch, TV P. GB. rest
*17 mars-2 nov.* – **Repas** (dîner seul.) 30/55 – ☕ 15 – **12 ch** 110/140 – ½ P 100/120.
◆ Au terme d'un chemin de campagne, ce mas offre des chambres spacieuses, meublées dans un sympathique esprit provençal. Les deux salles à manger donnent sur la piscine.

**à Garons** *par ⑤, D 42 et D 442 : 9 km – 3 648 h. alt. 90 – ✉ 30128 :*

XXX **Alexandre** (Kayser), ✆ 04 66 70 08 99, *restaurant.alexandre@wanadoo.fr, Fax 04 66 70 01 75,* – P. AE GB JCB
*fermé 16 fév. au 1er mars, merc. soir sauf en juil.-août, dim. sauf le midi de sept. à juin et lundi* – **Repas** 35 bc (déj.), 50/90 et carte 70 à 90.
◆ Cuisine provençale inventive, à déguster dans l'une des deux confortables salles aux tons pastel ou dans la véranda pimpante et fleurie, ouverte sur un jardin arboré.
**Spéc.** Iles flottantes aux truffes de Provence sur velouté de cèpes (nov. à mars). Brandade de Nîmes. Taureau de Camargue. **Vins** Costières de Nîmes.

**près échangeur A9 - A54** *parc hôtelier Ville Active par ⑤ : 3 km – ✉ 30900 Nîmes :*

**Mercure Nîmes-Ouest,** ✆ 04 66 70 48 00, *h0558@accor-hotels.com, Fax 04 66 70 48 01,* – TV P – 25 à 80. AE GB JCB
**Repas** *(14,50)* - 19,30 ₰, enf. 7,70 – ☕ 11 – **100 ch** 81/106.
◆ Optez pour les chambres rénovées de cet hôtel Mercure qui constitue une étape commode sur la route de l'Espagne. Au restaurant, décor provençal soigné.

**Holiday Inn,** ✆ 04 66 29 86 87, *contact@holidayinn-nimes.com, Fax 04 66 84 72 76,* – TV P – 40. AE GB JCB
**Repas** 15/31, enf. 7 – ☕ 9,50 – **54 ch** 92/102.
◆ Au coeur d'une zone commerciale, architecture contemporaine abritant de vastes chambres tout juste rafraîchies. Spacieux restaurant ; bar moderne et sympathique.

**Nimotel,** ✆ 04 66 38 13 84, *contact@nimotel.com, Fax 04 66 38 14 06,* – TV P – 80. AE GB JCB
**Repas** 13,70/31 ₰, enf. 7,50 – ☕ 7,50 – **180 ch** 63/85 – ½ P 40,80.
◆ Composé de deux bâtiments, cet hôtel dispose de grandes chambres à vocation fonctionnelle. La salle des repas se double d'une véranda ouverte sur la piscine.

*Ecrivez-nous...*
*Vos louanges comme vos critiques seront examinées avec le plus grand soin. Nous reverrons sur place les informations que vous nous signalez.*
*Par avance merci !*

**NIORT** 🅿 *79000 Deux-Sèvres* 322 D7 *G. Poitou Vendée Charentes – 57 012 h Agglo. 125 594 h alt. 24.*

Voir *Donjon★ : salle de la chamoiserie et de la ganterie★ – Le Pilori★.*

Env. *Le Marais Poitevin★★.*

ℹ *Office du Tourisme, place Martin Bastard* ✆ *05 49 24 18 79, Fax 05 49 24 98 90, info@ot-niort-paysniortaispoitevin.fr.*

*Paris 410 ② – La Rochelle 66 ⑤ – Bordeaux 184 ④ – Nantes 142 ⑥ – Poitiers 77 ②.*

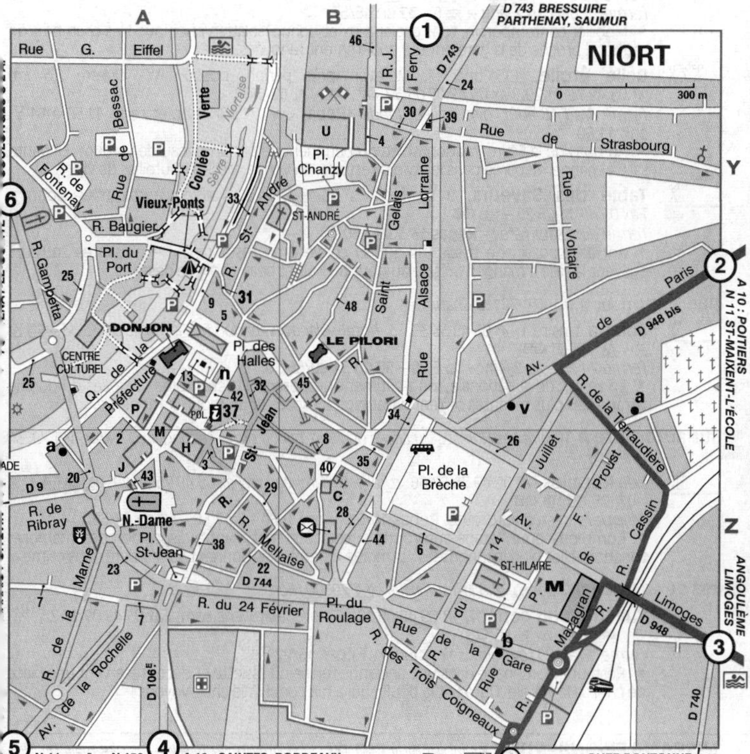

NIORT
0
300 m
D 743 BRESSUIRE
PARTHENAY, SAUMUR
A 10 : POITIERS
N 11 ST-MAIXENT-L'ÉCOLE
ANGOULÊME
LIMOGES
CHEF-BOUTONNE
A 10 : SAINTES, BORDEAUX
ST-JEAN-D'ANGÉLY
N 11
N 150
Rue G. Eiffel
Rue de Strasbourg
Pl. Chanzy
ST-ANDRÉ
Vieux-Ponts
Coulée Verte
Sèvre Niortaise
R. Baugier
Pl. du Port
R. Gambetta
R. de Fontenay
DONJON
CENTRE CULTUREL
Q. de la Préfecture
Pl. des Halles
LE PILORI
N.-Dame
Pl. St-Jean
R. de Ribray
R. du 24 Février
Pl. du Roulage
Pl. de la Brèche
ST-HILAIRE
R. Mellaise
R. des Trois Coigneaux
Rue de la Gare
Av. de Paris
R. de la Terraudière
Av. de Limoges
Rue Voltaire
Rue Alsace Lorraine
Rue Saint Gelais
R. de Cassin
R. Mazagran
Av. de la Rochelle
D 106E
D 744
D 948
D 948 bis
D 740
D 743
D 9


Abreuvoir (R. de l') . . . . . . AYZ 2
Ancien-Oratoire (R. de l') . . . . . . AZ 3
Boutteville (R. Th.-de) . . . . . BY 4
Brisson (R.) . . . . . . . . . . . AY 5
Bujault (Av. J.) . . . . . . . . . . BZ 6
Chabaudy (R.) . . . . . . . . . . AZ 7
Commerce (Passage du) . . . . BZ 8
Cronstadt (Quai) . . . . . . . . AY 9
Donjon (Pl. du) . . . . . . . . . AY 13
Espingole (R. de l') . . . . . . . AZ 20
Huilerie (R. de l') . . . . . . . . AZ 22
Largeau (R. Gén.) . . . . . . . . AZ 23
Leclerc (R. Mar.) . . . . . . . . . BY 24
Main (Bd) . . . . . . . . . . . . . AY 25
Martyrs-Résistance (Av.) . . . . . . . . . BZ 26
Pérochon (R. Ernest) . . . . . . BZ 28
Petit-Banc (R. du) . . . . . . . . AZ 29
Pluviault (R. de) . . . . . . . . . BY 30
Pont (R. du) . . . . . . . . . . . . AY 31
Rabot (R. du) . . . . . . . . . . . AY 32
Regratterie (R. de la) . . . . . . AY 33
République (Av. de la) . . . . . BY 34
Ricard (R.) . . . . . . . . . . . . . BZ 35
St-Jean (R.) . . . . . . . . . . . . AYZ
St-Jean (R. du Petit) . . . . . . AY 37
St-Jean (R. de la Porte) . . . . AZ 38
Strasbourg (Pl. de) . . . . . . . BY 39
Temple (Pl. du) . . . . . . . . . . BZ 40
Thiers (R.) . . . . . . . . . . . . . AY 42
Tourniquet (R. du) . . . . . . . . AZ 43
Verdun (Av. de) . . . . . . . . . . BZ 44
Victor-Hugo (R.) . . . . . . . . . BY 45
Vieux-Fourneau (R. du) . . . . BY 46
Yvers (R.) . . . . . . . . . . . . . BY 48

**Mercure** Ⓜ, 80 bis av. Paris ✆ 05 49 24 29 29, *hotel.mercure@mercure-niort.fr, Fax 05 49 28 00 90,* – ch, – 60. AE GB BY a

**Repas** *(16)* - 22/25 ♀, enf. 10 – ☕ 10 – **79 ch** 94/150.

◆ Architecture moderne dans un environnement verdoyant. Chambres spacieuses et bien équipées. Petits "plus" : pimpante salle à manger et service en terrasse l'été.

**Grand Hôtel** sans rest, 32 av. Paris ✆ 05 49 24 22 21, *Fax 05 49 24 42 41,* – – 25. GB BY v

☕ 8 – **37 ch** 58/80.

◆ Bâtiment des années 1960 aux chambres fonctionnelles et bien tenues. Celles tournées sur la terrasse où l'on sert le petit-déjeuner en été sont plus calmes. Agréable salon.

**Moulin** sans rest, 27 r. Espingole ✆ 05 49 09 07 07, *Fax 05 49 09 19 40* – GB AZ a
5 – **34 ch** 42/46.
◆ Cet immeuble récent voisine avec la Sèvre et d'anciens bassins qui alimentaient jadis en eau les locomotives à vapeur. Chambres spacieuses ; plus tranquilles sur l'arrière.

**Ambassadeur** sans rest, 82 r. Gare ✆ 05 49 24 00 38, *hotel-ambassadeur2@wanadoo.fr, Fax 05 49 24 94 38* – – 50. AE GB BZ b
*fermé 23 déc. au 2 janv.* – 6 – **32 ch** 38/57.
◆ Mobilier contemporain, tons chaleureux et bonne isolation phonique : les chambres de cet hôtel proche de la gare ont été entièrement rénovées.

**Belle Étoile,** 115 quai M. Métayer (près périph. ouest) -AY- *Ouest : 2,5 km* ✆ 05 49 73 31 29, *Fax 05 49 09 05 59*, – . AE GB
*fermé 4 au 18 août, dim. soir et lundi* – **Repas** (20) - 27,50/72 bc et carte 41,50 à 61, enf. 11,60.
◆ Au bord de la Sèvre, maison isolée du périphérique par un rideau de verdure. Élégante salle à manger décorée dans le style Directoire. En vitrine, vieilles bouteilles de vin.

**Table des Saveurs,** 9 r. Thiers ✆ 05 49 77 44 35, *tablesaveurniort@wanadoo.fr, Fax 05 49 16 06 29* – . GB AY n
*fermé dim. sauf fêtes* – **Repas** 13,50/37,50.
◆ Ancien magasin de tissus (fin 19e s.) converti en restaurant. De plaisantes couleurs égayent la salle à manger. Cuisine au goût du jour et beau choix de desserts.

**par** ② *: 5 km sur N 11 – ✉ 79180 Chauray :*

**Solana** sans rest, ✆ 05 49 33 33 33, *hotel-solana@wanadoo.fr, Fax 05 49 33 33 33* – – 20. AE GB
*fermé 24 déc. au 2 janv.* – 6,70 – **50 ch** 51,90/56,50.
◆ En retrait de la nationale, long bâtiment proposant des chambres équipées du double vitrage ; les plus récentes offrent davantage d'espace et un mobilier moderne.

**sur autoroute A 10** *aire Les Ruralies ou accès de Niort par* ③ *et rte secondaire : 9 km – ✉ 79230 Prahecq :*

**Les Ruralies,** ✆ 05 49 75 67 66, *ruralies@marcireau.fr, Fax 05 49 75 80 29* – – 25. AE GB
***Mijotière*** (rest. d'autoroute) **Repas** 16/24, enf. 8,60 – 7,50 – **50 ch** 49/59.
◆ Commode pour l'étape autoroutière, cet hôtel met à votre disposition des chambres fonctionnelles bien insonorisées ; la moitié d'entre elles donnent sur l'arrière, plus calme.

**rte de La Rochelle** *par* ⑤ *: 4,5 km sur N 11 – ✉ 79000 Niort :*

**Tuilerie (Coq'corico),** ✆ 05 49 09 12 45, *tuilerie@tuilerie.com, Fax 05 49 09 16 22*, , , – . AE GB
*fermé 16 au 29 fév., dim. soir et lundi* – **Repas** 16/22.
◆ Restaurant aménagé dans une ancienne ferme où assiette et décor réservent une place de choix à la volaille. Qui a fait la poule, qui a fait l'oeuf ? Le chef, voyons !

---

## NISSAN-LEZ-ENSÉRUNE *34440 Hérault* 339 D9 *G. Languedoc Roussillon – 2 835 h alt. 21.*

Voir *Oppidum d'Ensérune★ : musée★, ≤★ NO : 5 km.*
*Office du Tourisme, square Rene Dez ✆ 04 67 37 14 12.*
*Paris 779 – Montpellier 83 – Béziers 12 – Capestang 9 – Narbonne 17.*

**Résidence,** ✆ 04 67 37 00 63, *contact@hotel-residence.com, Fax 04 67 37 68 63*, – . GB
**Repas** (dîner seul.) (résidents seul.) 16/25 – 6,50 – **18 ch** 56/62 – ½ P 48/59.
◆ Cette ancienne demeure bourgeoise est une escale bienvenue après la visite de l'oppidum. Chambres bien tenues. Sympathique terrasse fleurie et ombragée de tilleuls.

---

## NITRY *89310 Yonne* 319 G5 *– 336 h alt. 240.*

*Paris 195 – Auxerre 36 – Avallon 23 – Vézelay 31.*

**Auberge la Beursaudière** , ✆ 03 86 33 69 69, *auberge.beursaudiere@wanadoo.fr, Fax 03 86 33 69 60*, – – 20 à 30. AE GB
*fermé 5 au 17 janv.* – **Repas** 16/50, enf. 8 – 8 – **11 ch** 60/99.
◆ Ancienne ferme d'un prieuré convertie en élégante hôtellerie au décor campagnard soigné. Belles chambres de caractère. Service en costume régional. Pigeonnier médiéval.

*Le Guide change, changez de guide tous les ans.*

**NOAILHAC** *81490 Tarn* 338 G9 – *650 h alt. 222.*

*Paris 741 – Toulouse 91 – Albi 54 – Béziers 99 – Carcassonne 61 – Castres 12.*

**Hostellerie d'Oc,** ✆ 05 63 50 50 37, *Fax 05 63 50 50 37,* – GB
*fermé mi-janv. à mi-fév., 9 au 15 sept., merc. soir d'oct. à mai et lundi* – **Repas** 10/34 ♀, enf. 7.
◆ Ancien relais de poste aménagé en restaurant, abritant deux salles à manger rustiques. Cuisine régionale réservant une place de choix aux produits du terroir.

**NOCÉ** *61 Orne* 310 N4 – *rattaché à Bellême.*

**NOEUX-LES-MINES** *62290 P.-de-C.* 301 I5 *G. Picardie Flandres Artois* – *12 351 h alt. 29.*

*Paris 208 – Lille 39 – Arras 28 – Béthune 5 – Bully-les-Mines 8 – Doullens 49 – Lens 17.*

**Les Tourterelles** avec ch, 374 r. Nationale ✆ 03 21 61 65 65, *Fax 03 21 61 65 75,* , – TV P. AE GB. ch
**Repas** *(fermé sam. midi, dim. soir et soirs fériés)* 17 (déj.), 32/45 ♀ – ☕ 8 – **20 ch** 30/70 – ½ P 45,50/53.
◆ Demeure bourgeoise centenaire, jadis siège d'une entreprise. L'ex-salle du conseil d'administration abrite un élégant restaurant : boiseries, sièges cannés de style Louis XVI.

**Carrefour des Saveurs,** 94 rte Nationale ✆ 03 21 26 74 74, *Fax 03 21 27 12 14* – P. GB
*fermé 28 juil. au 18 août, 2 au 11 janv., merc. soir, dim. soir et lundi* – **Repas** 18/48.
◆ Au pays des "gueules noires", sobre salle à manger aux murs en pierres et briques, et cuisine au goût du jour. Le terril-piste de ski est à deux "plantés de bâton" !

*Une réservation confirmée par écrit ou par fax est toujours plus sûre.*

**NOGARO** *32110 Gers* 336 B7 – *2 008 h alt. 98.*

*Office du Tourisme, 81 rue Nationale ✆ 05 62 09 13 30, Fax 05 62 08 88 21, mairie.nogaro@wanadoo.fr.*

*Paris 732 – Mont-de-Marsan 45 – Agen 88 – Auch 63 – Pau 74 – Tarbes 69.*

**Solenca,** rte d'Auch : 1 km ✆ 05 62 09 09 08, *info@solenca.com, Fax 05 62 09 09 07,* , , , , – TV P – 50. AE GB
Repas 14/34, enf. 7 – ☕ 7 – **48 ch** 51/56 – ½ P 48.
◆ Cet hôtel, situé en léger retrait de la route, est proche de l'aéroclub et du circuit automobile. Chambres pratiques, de taille standard. Jardin arboré avec piscine.

**à Manciet** *Nord-Est : 9 km par N 124 – 784 h. alt. 131 – ✉ 32370 :*

**Bonne Auberge** avec ch, ✆ 05 62 08 50 04, *Fax 05 62 08 58 84,* – TV – 25. GB.
*fermé 3 au 19 janv., dim. soir et lundi sauf fériés* – **Repas** 14 bc (déj.), 23/45 – ☕ 6 – **14 ch** 40/64 – ½ P 44.
◆ Maison centenaire avec double salle à manger agréablement feutrée, fraîche véranda et terrasse fleurie. À l'entrée, intéressante collection d'armagnacs.

**à St-Martin-d'Armagnac** *Sud-Ouest : 8 km par D 25 et rte secondaire – 205 h. alt. 115 – ✉ 32110 :*

**Auberge du Bergerayre** , ✆ 05 62 09 08 72, *Fax 05 62 09 09 74,* , , – TV P. GB
*fermé janv. et fév.* – **Repas** *(fermé lundi et jeudi de nov. à mars, mardi et merc.)* (nombre de couverts limité, prévenir) 19/34 – ☕ 7 – **13 ch** 53,50/107 – ½ P 59,50/76,50.
◆ Engageante auberge gasconne au coeur du vignoble du bas Armagnac. Réservez en priorité l'une des belles chambres récemment aménagées. Restaurant rustique ; cuisine du terroir.

**NOGENT** *52800 H.-Marne* 313 M5 *G. Champagne Ardenne* – *4 754 h alt. 410.*

**Voir** *Musée de la coutellerie de l'espace Pelletier – Musée du patrimoine coutelier.*

*Syndicat d'Initiative, place du Général-de-Gaulle ✆ 03 25 03 69 18, Fax 03 25 31 44 70.*

*Paris 290 – Chaumont 24 – Bourbonne-les-Bains 36 – Langres 25 – Neufchâteau 63.*

**Commerce,** pl. Gén. de Gaulle (face Mairie) ✆ 03 25 31 81 14, *relais.sud.terminus@wanadoo.fr, Fax 03 25 31 74 00* – TV . GB JCB
*fermé 24 déc. au 2 janv. et dim. de sept. à juin* – **Repas** 16/25 ♀, enf. 9,20 – ☕ 7 – **19 ch** 45/60 – ½ P 45/50.
◆ Hôtel voisin du musée de la Coutellerie de l'Espace Pelletier. Chambres simplement meublées. Charmante salle à manger égayée d'une fresque en trompe-l'oeil.

**NOGENT-LE-ROI** *28210 E.-et-L.* 311 F4 *G. Ile de France – 3 832 h alt. 93.*

*Syndicat d'Initiative, ℘ 02 37 51 23 20.*

*Paris 78 – Chartres 27 – Ablis 35 – Dreux 20 – Maintenon 10 – Rambouillet 27.*

XX **Relais des Remparts,** 2 pl. Marché aux Légumes ℘ 02 37 51 40 47, *Fax 02 37 51 40 47,* – AE GB
*fermé 5 au 27 août, vacances de fév., dim. soir, mardi soir et merc. –* **Repas** 15/35 ♀.
◆ Les clés du succès de ce restaurant ? Une cuisine simple et goûteuse, un service aimable et efficace, et une salle à manger où s'harmonisent tons jaune et meubles rustiques.

X **Capucin Gourmand,** 1 r. Volaille ℘ 02 37 51 96 00, *capucingourmand-nogent@wanadoo.fr, Fax 02 37 82 67 19* – . AE GB
*fermé 25 août au 9 sept. et 5 au 12 janv. –* **Repas** *(fermé mardi midi en juil.-août, dim. soir de sept. à juin, jeudi soir d'oct. à avril et lundi)* 15 (déj.), 24/39.
◆ Coquette salle à manger logée dans une étroite maison à colombages du 15e s. Décor en bleu et jaune, agrémenté de tableaux de peintres régionaux. Cuisine traditionnelle.

**NOGENT-LE-ROTROU** SP *28400 E.-et-L.* 311 A6 *G. Normandie Vallée de la Seine – 11 591 h alt. 116.*

*Office du Tourisme, 44 rue Villette-Gaté ℘ 02 37 29 68 86, Fax 02 37 29 68 86, nogent28tour@infonie.fr.*

*Paris 148 ① – Alençon 65 ⑤ – Le Mans 75 ④ – Chartres 56 ① – Châteaudun 54 ③.*

**NOGENT-LE-ROTROU**

Bouchers (R. des) Z 2
Bourg-le-Comte (R.) Z 3
Bretonnerie (R.) Z
Château-St-Jean (R.) Z
Croix-la-Comtesse (R.) Y
Deschanel (R.) YZ
Dr-Desplantes (R.) Z 8
Foch (Av. Mar.) Y 9
Fuye (R. de la) YZ 10
Giroust (R.) Y 12
Gouverneur (R.) YZ 13
Marches-St-Jean (R. des) Z 14
Paty (R. du) Z 15
Poupardières (R. des) Z 16
Prés (Av. des) Y
République (Pl. de la) Z 17
Rhone (R. de) Z 18
St-Hilaire (R.) Y
St-Laurent (R.) Z 20
St-Martin (R.) Y
Sully (R. de) YZ 23
Villette-Gaté (R.) Y 25

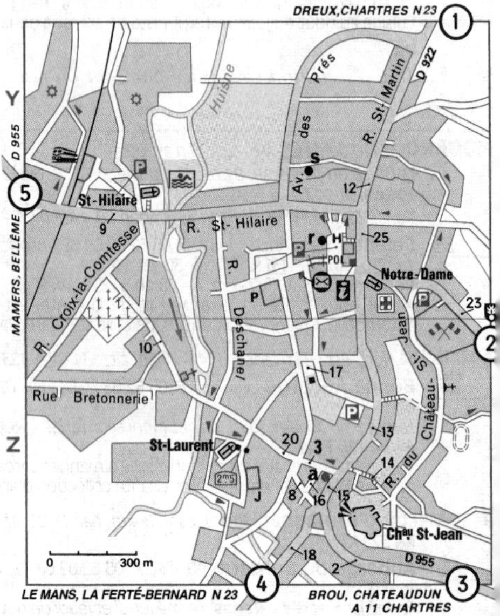

DREUX, CHARTRES N 23
D 922
D 955
MAMERS, BELLÊME
Huisne
Av. des Prés
R. St-Martin
St-Hilaire
R. St-Hilaire
Notre-Dame
R. Croix-la-Comtesse
R. Deschanel
Rue Bretonnerie
St-Laurent
R. du Château-St-Jean
Chau St-Jean
D 955
0 300 m
LE MANS, LA FERTÉ-BERNARD N 23
BROU, CHATEAUDUN A 11 CHARTRES


🏠 **Sully** M sans rest, 51 rue Viennes ℘ 02 37 52 15 14, *hotel.sully@wanadoo.fr, Fax 02 37 52 15 20* – 20 à 25. AE GB Y s
*fermé 21 déc. au 6 janv. –* 7 – **42 ch** 48/65.
◆ L'hôtel-Dieu abrite le cénotaphe du duc de Sully. Chambres sobres et fonctionnelles dans cette construction récente implantée dans un quartier nogentais calme.

🏠 **Lion d'Or** sans rest, 28 pl. St-Pol ℘ 02 37 52 01 60, *hotelauliondor@wanadoo.fr, Fax 02 37 52 23 82* – . GB. Y r
6 – **14 ch** 46/69.
◆ Hôtel de tradition aux petites chambres simples, idéalement situé pour parcourir la ville à pied et apprécier ses édifices de style flamboyant et Renaissance.

XX **Hostellerie de la Papotière,** 3 r. Bourg le Comte ℘ 02 37 52 18 41, *Fax 02 37 52 94 71* – GB Z a
*fermé dim. soir et lundi –* **Repas** 26/35 *- **Bistrot :*** **Repas** 12,50 .
◆ Porte en bois sculpté, pierres apparentes, poutres et belle cheminée : cette maison du 16e s. a préservé son cachet. Cuisine traditionnelle et formule bistrot.

à **Villeray** *(61 Orne) par ① D 918 et D 10 : 11 km – ✉ 61110 Condeau :*

**Moulin et Château de Villeray**, ✆ 02 33 73 30 22, *moulin.de.villeray@wanadoo.fr, Fax 02 33 73 38 28*, ←, – 🅿 – 35 à 50. AE ⓓ GB JCB
**Repas** 23/64 ♀, enf. 14 – ☕ 13 – **34 ch** 90/290, 5 appart – ½ P 112/222.
◆ Charme d'un ancien moulin au bord de l'Huisne ou cadre plus solennel dans un château des 16ᵉ et 18ᵉ s. : un choix cornélien, mais un plaisir certain. Agréable parc.

---

**NOGENT-SUR-AUBE** *10240 Aube* 313 F3 – *311 h alt. 99.*
*Paris 176 – Troyes 34 – Châlons-en-Champagne 65 – Romilly-sur-Seine 47.*

**Assiette Champenoise "Vallée de l'Aube"**, D 441 ✆ 03 25 37 66 74, *Fax 03 25 37 51 08*, – 🅿. AE ⓓ GB JCB
*fermé dim. soir* – **Repas** (dîner sur réservation) 14,50/38,50.
◆ Maison à colombages du 18ᵉ s., jadis presbytère. Cuisine simple et généreuse à savourer dans la salle à manger rustique ou dans le jardin fleuri ouvert sur la campagne.

---

**NOGENT-SUR-MARNE** *94 Val-de-Marne* 312 D2 101 ㉗ – *voir Paris, Environs.*

---

**NOGENT-SUR-SEINE** *10400 Aube* 313 B3 *G. Champagne Ardenne – 5 505 h alt. 67.*
*Paris 111 – Troyes 57 – Épernay 83 – Fontainebleau 65 – Provins 18 – Sens 43.*

**Loisirotel,** 19 r. Fossés (pl. Église) ✆ 03 25 39 71 46, *Fax 03 25 39 67 00*, – 20 à 40. AE ⓓ GB
**Repas** *(fermé août, sam. et dim.)* 12/25 , enf. 6,80 – ☕ 7,60 – **40 ch** 46/48 – ½ P 67,50.
◆ Gustave Flaubert s'est inspiré de Nogent pour tracer son Éducation sentimentale. Chambres fonctionnelles, insonorisées et bien tenues. Sobre salle à manger.

**Beau Rivage** avec ch, r. Villiers-aux-Choux, près piscine ✆ 03 25 39 84 22, *aubeaurivage@wanadoo.fr, Fax 03 25 39 18 32*, – . GB. ch
*fermé 18 août au 4 sept., 15 fév. au 5 mars, dim. soir et lundi* – **Repas** 16/35, enf. 15 – ☕ 7 – **10 ch** 45/50 – ½ P 52.
◆ Nouvelle salle à manger au cadre moderne, terrasse bucolique dressée sur une berge de la Seine et chambres refaites : trois bonnes raisons de faire étape au Beau Rivage.

**Auberge du Cygne de la Croix,** 22 r. Ponts ✆ 03 25 39 91 26, *cygnedelacroix@wanadoo.fr, Fax 03 25 39 81 79*, – GB
*fermé vacances de fév., mardi de nov. à mars, dim. soir et lundi soir* – **Repas** 15 (déj.), 20/41 ♀, enf. 11.
◆ Dans ce relais de poste du 16ᵉ s., choisissez le cadre chaleureux de la salle à manger, la fraîcheur du jardin d'hiver ou le calme de la terrasse. Cuisine traditionnelle.

---

**NOHANT-VIC** *36 Indre* 323 H7 – *rattaché à La Châtre.*

---

**NOIRÉTABLE** *42440 Loire* 327 B5 *G. Auvergne – 1 719 h alt. 720.*
*Office du Tourisme, 8 rue des Tilleuls ✆ 04 77 24 93 04, Fax 04 77 24 94 78.*
*Paris 424 – Roanne 44 – Ambert 46 – Lyon 116 – Montbrison 45 – St-Étienne 91 – Thiers 25.*

**Rendez-vous des Chasseurs,** Ouest : 2 km par D 53 ✆ 04 77 24 72 51, *Fax 04 77 24 93 40*, ← – 🅿. GB
*fermé 12 sept. au 7 oct., 7 au 24 fév., dim. soir et lundi sauf hôtel de juil. à sept.* – **Repas** 9,50/31 – ☕ 5 – **13 ch** 24,50/44,30 – ½ P 26/34,40.
◆ Adresse familiale sur la route du monastère de l'Hermitage. Préférez les chambres pratiques de la partie récente. La salle à manger, rustique, offre une vue sur la vallée.

---

**NOISY-LE-GRAND** *93 Seine-St-Denis* 305 G7 101 ⑱ – *voir à Paris, Environs.*

---

**NOIZAY** *37210 I.-et-L.* 317 O4 – *1 037 h alt. 56.*
*Paris 231 – Tours 19 – Amboise 11 – Blois 44 – Vendôme 50.*

**Château de Noizay** , ✆ 02 47 52 11 01, *noizay@relaischateaux.com, Fax 02 47 52 04 64*, – 🅿 – 20. AE ⓓ GB JCB
*fermé 18 janv. au 13 mars* – **Repas** *(fermé le midi du lundi au jeudi)* 40/65 ♀ – ☕ 17 – **19 ch** 130/260 – ½ P 142/207.
◆ Ce château du 16ᵉ s. niché dans un parc domine le village et son vignoble. Témoin en 1560 de la conjuration d'Amboise, il ne respire aujourd'hui qu'élégance et sérénité.

*Le Guide change, changez de guide tous les ans.*

**NOLAY** *21340 Côte-d'Or* 320 H8 *G. Bourgogne – 1 551 h alt. 299.*

*Voir site★ du Château de la Rochepot E : 5 km – Site★ du Cirque du Bout-du-Monde NE : 5 km.*

*Office du Tourisme, 24 rue de la République ✆ 03 80 21 80 73, Fax 03 80 21 80 73, ot@nolay.com.*

*Paris 317 – Beaune 20 – Chalon-sur-Saône 34 – Autun 29 – Dijon 65.*

**Parc,** 3 pl. Hôtel-de-Ville ✆ 03 80 21 78 88, *Fax 03 80 21 86 39,* – TV. P. GB. rest
*hôtel : 15 mars-30 nov., rest. : 1er avril-30 nov.* – **Repas** 15/56 – 8,80 – **14 ch** 49,50/80 – ½ P 51/68.
◆ Relais de poste du 16e s. Petites chambres simplement meublées, fraîches et bien insonorisées ; au deuxième étage, elles bénéficient de l'agrément de la charpente.

**Halle** sans rest, ✆ 03 80 21 76 37, *la-halle@terroirs-b.com, Fax 03 80 21 76 37* – GB
5,50 – **13 ch** 37/44.
◆ Face aux halles du 14e s., deux corps de bâtiments de part et d'autre d'une cour intérieure fleurie. Chambres assez modestes mais bien tenues, plus spacieuses sur l'arrière.

**Burgonde,** 35 r. République ✆ 03 80 21 71 25, *burgonde.resto@wanadoo.fr, Fax 03 80 21 88 06* – AE GB
*fermé janv., fév., mardi et merc.* – **Repas** 16,50/54, enf. 11,40.
◆ Ancien bazar du bourg (vitrines exposant encore toutes sortes d'objets de pacotille) réaménagé en restaurant : une étonnante étape au coeur de la petite patrie des Carnot.

**Les NONIÈRES** *26410 Drôme* 332 G5 *– alt. 282.*

*Paris 637 – Die 25 – Gap 83 – Grenoble 73 – Valence 92.*

**Mont-Barral** , ✆ 04 75 21 12 21, *mtbarral@aol.com, Fax 04 75 21 12 70,* , , , – P. GB
*fermé 15 nov. au 15 fév., mardi soir et merc. sauf hôtel en saison* – **Repas** (12,50) - 18/33, enf. 7 – 7 – **20 ch** 38/47 – ½ P 45/48.
◆ Halte montagnarde fréquentée par les randonneurs de la Haute-Drôme. Les chambres aménagées dans l'extension récente sont plus spacieuses.

**NONTRON** *24300 Dordogne* 329 E2 *G. Berry Limousin – 3 558 h alt. 260.*

*Office du Tourisme, avenue du Général Leclerc ✆ 05 53 56 25 50, Fax 05 53 60 34 13.*

*Paris 454 – Angoulême 45 – Libourne 134 – Limoges 66 – Périgueux 50 – Rochechouart 42.*

**Grand Hôtel,** 3 pl. A. Agard ✆ 05 53 56 11 22, *grand-hotel-pelisson@wanadoo.fr, Fax 05 53 56 59 94,* , , – TV P. GB
*fermé dim. soir d'oct. à mai* – **Repas** 15,50/46 – 6 – **23 ch** 37/52 – ½ P 48.
◆ Dans la cité connue pour son célèbre couteau en buis. Ancien relais de poste à l'atmosphère "vieille France" ; les chambres, rustiques, sont régulièrement entretenues.

**NORT-SUR-ERDRE** *44390 Loire-Atl.* 316 G3 *– 5 362 h alt. 13.*

*Office du Tourisme, 12 place du Bassin ✆ 02 51 12 60 74, Fax 02 40 72 17 03.*

*Paris 373 – Nantes 32 – Ancenis 26 – Châteaubriant 36 – Rennes 82 – St-Nazaire 65.*

**Bretagne** avec ch, 41 r. A. Briand ✆ 02 40 72 21 95, *hotel-de-bretagne@wanadoo.fr, Fax 02 40 72 25 07,* , – TV P. GB
*fermé vend. soir d'oct. à avril (sauf hôtel)* – **Repas** 15/28, enf. 8 – 7 – **7 ch** 35/53 – ½ P 50.
◆ Au coeur d'une bourgade du Jardin de la France, deux chaleureuses salles à manger aux tons pastel et une terrasse fleurie. Chambres claires et sobres, au mobilier moderne.

**NORVILLE** *76330 S.-Mar.* 304 D5 *– 827 h alt. 50.*

*Voir Château d'Etelan★ S : 1 km,* **G. Normandie Vallée de la Seine.**

*Paris 171 – Le Havre 46 – Rouen 46 – Bolbec 19 – Honfleur 52 – Lisieux 71.*

**Auberge de Norville** avec ch, ✆ 02 35 39 91 14, *Fax 02 35 38 47 08* – TV. GB
**Repas** *(fermé dim. soir et lundi)* 10,70/30, enf. 7,60 – 4,30 – **10 ch** 32/37.
◆ Maison régionale bordant la route. Sol carrelé, poutres et cuivres composent le cadre sagement rustique de la salle à manger. Chambres simples et nettes.

**NOTRE-DAME-DE-BELLECOMBE** *73590 Savoie* 333 M3 *G. Alpes du Nord – 459 h alt. 1150 – Sports d'hiver : 1 150/2 070 19.*

*Office du Tourisme, ✆ 04 79 31 61 40, Fax 04 79 31 67 09, info@notredamedebellecombe.com.*

*Paris 584 – Chamonix-Mont-Blanc 43 – Albertville 25 – Annecy 54 – Chambéry 76.*

**Ferme de Victorine,** Le Planay, Est : 3 km par rte des Saisies ✆ 04 79 31 63 46, *Fax 04 79 31 79 91,* – P. AE O GB
*fermé 16 juin au 4 juil., 11 nov. au 19 déc., dim. soir et lundi du 15 avril au 15 juin et de sept. à nov.* – **Repas** 19/37, enf. 10,50.
◆ La ferme de Victorine, la grand-mère, a été étonnamment réaménagée : bar plus vrai que nature et, par une baie vitrée, vue directe sur l'étable et ses laitières !

## NOTRE-DAME-DE-BONDEVILLE *76 S.-Mar.* 304 G5 – *rattaché à Rouen.*

## NOTRE-DAME-DE-GRAVENCHON *76330 S.-Mar.* 304 D5 *G. Normandie Vallée de la Seine – 8 901 h alt. 35.*

*Paris 176 – Le Havre 41 – Rouen 51 – Bolbec 15 – Yvetot 25.*

**Pascal Saunier,** 1 r. Amiral Grasset ✆ 02 35 38 60 67, *saunierpascal@yahoo.fr, Fax 02 35 38 30 64,* – TV P – 20. AE GB
**Repas** *(fermé 28 juil. au 11 août et 23 déc. au 2 janv.)* (17) - 28 – 7,50 – **29 ch** 54/90 – ½ P 79.
◆ Entourée d'un jardin, grande demeure à colombages (1930) abritant des chambres vastes, lumineuses et simplement meublées. Au restaurant, vue sur le complexe de Port-Jérôme.

## NOTRE-DAME-DE-MONTS *85690 Vendée* 316 D6 – *1 333 h alt. 6.*

Voir *La Barre-de-Monts : Centre de découverte du Marais breton-vendéen N : 6 km* G. Poitou Vendée Charentes.
*Office du Tourisme, 6 rue de la Barre ✆ 02 51 58 84 97, Fax 02 51 58 15 56.*
*Paris 458 – La Roche-sur-Yon 64 – Challans 22 – Nantes 72 – Noirmoutier-en-l'Ile 26.*

**Centre,** pl. Église ✆ 02 51 58 83 05, *Fax 02 51 59 16 62,* – TV P. GB
**Repas** *(fermé dim. soir et lundi soir hors saison)* 11,50/26 ♀, enf. 7,70 – 6,70 – **19 ch** 37,50/54 – ½ P 46/54.
◆ Longue bâtisse hébergeant aussi un bar. Les chambres, équipées de meubles en stratifié, sont fraîches et régulièrement refaites. Parc de vélos à disposition des clients.

**L'Orée du Bois** , 14 r. Frisot ✆ 02 51 58 84 04, *hoteloreedubois@aol.com, Fax 02 51 58 81 78,* – TV P. GB
*Pâques-fin sept.* – **Repas** (dîner seul.)(résidents seul.) 15,20 – 6,10 – **30 ch** 55 – ½ P 51.
◆ Réparties dans trois bâtiments d'un quartier résidentiel, chambres où règne le bois cérusé. Celles du rez-de-chaussée possèdent une terrasse.

## NOTRE-DAME-DU-HAMEL *27390 Eure* 304 D8 – *186 h alt. 200.*

*Paris 159 – L'Aigle 21 – Argentan 48 – Bernay 29 – Évreux 55 – Lisieux 40 – Vimoutiers 28.*

**Moulin de la Marigotière,** D 45 ✆ 02 32 44 58 11, *Fax 02 32 44 40 12,* – P. GB
*fermé 22 fév. au 5 mars, dim. soir, lundi soir sauf juil.-août, mardi soir et merc.* – **Repas** 21 (déj.), 31/56 et carte 57 à 64.
◆ Dans les murs d'un ancien moulin, salle à manger à l'atmosphère rustico-bourgeoise. Agréable parc bordant une rivière et belle vue sur la campagne. Cuisine traditionnelle.

## NOUAN-LE-FUZELIER *41600 L.-et-Ch.* 318 J6 – *2 274 h alt. 113.*

*Office du Tourisme, place de la Gare ✆ 02 54 88 76 75, Fax 02 54 88 19 91, nouan.otsi@wanadoo.fr.*
*Paris 178 – Orléans 45 – Blois 59 – Cosne-sur-Loire 75 – Gien 56 – Lamotte-Beuvron 8.*

**Les Charmilles** sans rest, D 122-rte Pierrefitte-sur-Sauldre ✆ 02 54 88 73 55, *Fax 02 54 88 74 55,* – TV P. GB.
*fermé fév.* – 7 – **13 ch** 38/62.
◆ Maison bourgeoise du début du 20e s. nichée dans un parc agrémenté d'un étang (pêche). Les chambres, au calme, sont assez spacieuses et bien tenues. Accueil familial.

**Dahu,** 14 r. H. Chapron ✆ 02 54 88 72 88, *Fax 02 54 88 21 28,* , – P. GB
*fermé 2 au 10 juin, 2 janv. au 12 fév., mardi et merc.* – **Repas** (17) - 21/35 ♀, enf. 12.
◆ Au milieu d'un exubérant jardin (terrasse en été), ancienne bergerie transformée en restaurant. On se sent vraiment à la campagne dans la salle rustique à charpente apparente.

## Le NOUVION-EN-THIÉRACHE *02170 Aisne* 306 E2 – *2 905 h alt. 185.*

*Syndicat d'Initiative, Hôtel de Ville ✆ 03 23 97 53 00, Fax 03 23 97 53 01, mairie.nouvion@wanadoo.fr.*
*Paris 198 – St-Quentin 49 – Avesnes-sur-Helpe 20 – Guise 21 – Hirson 26 – Vervins 28.*

**Paix,** r. J. Vimont-Vicary ✆ 03 23 97 04 55, *la.paix.pierrart@wanadoo.fr*, *Fax 03 23 98 98 39*, – TV ✆ P. GB
*fermé 16 août au 3 sept., 16 fév. au 2 mars, sam. midi et dim. soir* – **Repas** 15,50/32 ♀, enf. 9 – ☕ 6 – **15 ch** 46/57 – ½ P 43/56.
◆ Hôtel bien tenu dont les chambres sont diversement aménagées ; quelques-unes ont été rénovées dans un style plus moderne. Boiseries colorées au restaurant. Accueil familial

---

**NOUZONVILLE** *08700 Ardennes* 306 K4 *G. Champagne Ardenne – 6 970 h alt. 120.*
*Paris 246 – Charleville-Mézières 8 – Givet 53 – Rocroi 26.*

**Potinière,** Nord : 1 km rte Hautes-Rivières ✆ 03 24 53 13 88, *Fax 03 24 53 36 19*, – P. GB
*fermé 16 août au 5 sept., vac. de fév., dim. soir et lundi d'avril à sept., le soir de dim. à merc d'oct. à mars* – **Repas** 18 (déj.), 26/41, enf. 13.
◆ En pleine campagne, avenante auberge entourée d'un jardin fleuri et arboré. Salle à manger rustique agrémentée d'une cheminée en pierre. Accueil tout sourire.

---

**NOVALAISE** *73 Savoie* 333 H4 – *rattaché à Aiguebelette-le-Lac.*

---

**NOVES** *13550 B.-du-R.* 340 E2 *G. Provence – 4 021 h alt. 97.*
*Paris 692 – Avignon 14 – Arles 37 – Carpentras 33 – Cavaillon 17 – Marseille 87 – Orange 36.*

**Auberge de Noves**, rte Châteaurenard, 2 km par D 28 ✆ 04 90 24 28 28, *resa@aubergedenoves.com*, *Fax 04 90 24 28 00*, ←, – TV ✆ P – 30. AE O GB JCB
*fermé mi-nov. à mi-déc.* – **Repas** *(fermé mardi midi, lundi hors saison et sam. midi)* 39 (déj.) 74/94 et carte 65 à 90 ♀ – ☕ 28 – **19 ch** 199/282, 4 appart – ½ P 191/233.
◆ Séduisante alliance de l'esprit familial et du luxe en cette noble demeure nichée dans un superbe parc. Décor soigné et meubles de style dans les chambres. Cuisine provençale.
**Spéc.** Soufflé d'ail doux sur "gros gris" de Provence. Ris de veau rôti, gnocchi à la truffe Soufflé à la verveine fraîche. **Vins** Châteauneuf-du-Pape blanc, Lirac.

---

**NOYAL-MUZILLAC** *56190 Morbihan* 308 Q9 – *1 864 h alt. 52.*
*Paris 456 – Vannes 30 – La Baule 46 – St-Nazaire 66.*

**Manoir de Bodrevan**, au Nord-Est : 2 km par D 153 et rte secondaire ✆ 02 97 45 62 26, *Fax 02 97 45 61 40*, – TV ✆ P. GB. rest
*fermé 7 janv. au 17 fév. et 5 nov. au 15 déc.* – **Repas** (dîner seul.)(résidents seul.)(menu unique) 21 – ☕ 9,20 – **6 ch** 62,50/94 – ½ P 61/73,20.
◆ Accueil cordial, atmosphère décontractée et chambres personnalisées offrant confort et raffinement font le charme de cet hôtel aménagé dans un ancien pavillon de chasse.

---

**NOYAL-SUR-VILAINE** *35 I.-et-V.* 309 M6 – *rattaché à Rennes.*

---

**NOYANT-DE-TOURAINE** *37 I.-et-L.* 317 M6 – *rattaché à Ste-Maure-de-Touraine.*

---

**NOYON** *60400 Oise* 305 J3 *G. Picardie Flandres Artois – 14 426 h alt. 52.*
*Voir Cathédrale Notre-Dame★★ – Abbaye d'Ourscamps★ 5 km par N 32.*
*Office du Tourisme, place de l'Hôtel de Ville ✆ 03 44 44 21 88, Fax 03 44 93 36 39 tourisme@noyon.com.*
*Paris 108 – Compiègne 29 – St-Quentin 48 – Amiens 70 – Laon 54 – Soissons 40.*

**Cèdre** sans rest, 8 r. Évêché ✆ 03 44 44 23 24, *reservation@hotel-lecedre.com*, *Fax 03 44 09 53 79* – TV ✆ P – 40. AE O GB JCB
☕ 6,50 – **35 ch** 46,50/66,50.
◆ En parfaite harmonie avec la cité, hôtel construit en briques rouges, disposant de chambres au mobilier avant tout pratique. La plupart offrent une vue sur la cathédrale.

**Saint-Eloi** avec ch, 81 bd Carnot ✆ 03 44 44 01 49, *Fax 03 44 09 20 90* – TV ✆ P – 60. AE O GB JCB
*fermé dim. soir* – **Repas** 20/38 et carte 32 à 50 ♀ – ☕ 7 – **18 ch** 40/80 – ½ P 52/62.
◆ Restaurant aménagé avec élégance dans une belle demeure du 19e s. En salle : moulures, luminosité et confortables sièges de style Louis XV. Chambres logées dans une annexe.

**Dame Journe,** 2 bd Mony ✆ 03 44 44 01 33, *Fax 03 44 09 59 68* – . AE GB
*fermé 17 au 23 mars, 18 au 27 août, 10 au 17 nov., 25 au 31 déc., mardi soir, dim. soir et lundi* – **Repas** 19/45 ♀.
◆ Fréquenté par des habitués, ce restaurant dispose d'un cadre chaleureux et soigné : fauteuils de style Louis XVI et boiseries. Vous y savourerez une cuisine traditionnelle.

**à Pont l'Évêque** *Sud : 3 km par N 32 et D 165 – 659 h. alt. 35 – ✉ 60400 :*

**L'Auberge,** ☎ 03 44 44 05 17, *auberge60@hotmail.com, Fax 03 44 44 39 50,* – AE ⓓ GB

*fermé 16 au 30 août, dim. soir, mardi soir et merc.* – **Repas** 15 (déj.), 23/33 ♀.

◆ Située au centre du bourg, cette maison tapissée de vigne vierge abrite une salle rustique agrémentée d'une cheminée décorative. Plats traditionnels et clins d'oeil au terroir.

**NUAILLÉ** *49 M.-et-L.* 317 E6 – *rattaché à Cholet.*

**NUITS-ST-GEORGES** *21700 Côte-d'Or* 320 J7 *G. Bourgogne – 5 569 h alt. 243.*

*Office du Tourisme, rue Sonoys ☎ 03 80 62 01 38, Fax 03 80 61 30 98, ot-Nuits-St-Georges@wanadoo.fr.*

*Paris 321 – Beaune 21 – Dijon 22 – Chalon-sur-Saône 45 – Dole 67.*

**Gentilhommière** ⑤, rte Meuilley, Ouest : 1,5 km ☎ 03 80 61 12 06, *Fax 03 80 61 30 33,* – 30. AE ⓓ GB JCB

*fermé mi-déc. à mi-janv. –* ***Chef Coq*** *(fermé merc. midi, sam. midi et mardi)* **Repas** 22,50 (déj.), 42/57,50 ♀, enf. 15 – 12,50 – **30 ch** 85/200.

◆ Pavillon de chasse du 16e s. et sa belle toiture bourguignonne. Chambres de différents standings ; certaines donnent sur le parc traversé par une rivière à truites.

**Hostellerie St-Vincent** Ⓜ, r. Gén. de Gaulle ☎ 03 80 61 14 91, *hostellerie.stvincent@wanadoo.fr, Fax 03 80 61 24 65* – – 25 à 40. AE ⓓ GB JCB

*fermé 18 fév. au 3 mars –* ***L'Alambic*** ☎ 03 80 61 35 00 *(fermé dim. soir hors saison et lundi midi)* **Repas** *(13)*-16,50/42 ♀, enf. 8 – 8,50 – **24 ch** 62/110 – ½ P 60.

◆ Maison récente abritant des chambres pratiques et bien insonorisées. Un superbe alambic trône au centre du caveau bâti avec les pierres de l'ancienne prison de Beaune.

**à Curtil-Vergy** *Nord-Ouest : 7 km par D 25, D 35 et rte secondaire – 78 h. alt. 350 – ✉ 21220 :*

**Manassès** Ⓜ ⑤ sans rest, ☎ 03 80 61 43 81, *Fax 03 80 61 42 79,* – AE ⓓ GB.

*mars- nov.* – 9,50 – **12 ch** 70/95.

◆ Cette belle maison régionale renfermant une collection de meubles rustiques abrite aussi un musée de la vigne. Le prince de Galles en personne y a séjourné !

**NYONS** *26110 Drôme* 332 D7 *G. Provence – 6 353 h alt. 271.*

**Voir** *Vieux Nyons★ : Rue des Grands Forts★ – Pont Roman (vieux Pont)★.*

*Office du Tourisme, place de la Libération ☎ 04 75 26 10 35, Fax 04 75 26 01 57, ot.nyons@wanadoo.fr.*

*Paris 658 ④ – Alès 109 ③ – Gap 104 ① – Orange 43 ③ – Sisteron 99 ① – Valence 98 ④.*

Plan page suivante

**Caravelle** ⑤ sans rest, r. Antignans par prom. Digue ☎ 04 75 26 07 44, *Fax 04 75 26 23 79,* – GB.

*avril-oct.* – 8,50 – **11 ch** 70/85.

◆ Villa 1900 d'une surprenante architecture et jardin planté de catalpas. Chambres soignées (non-fumeurs), parfois décorées de hublots provenant d'un ancien navire de guerre.

**Picholine** ⑤, prom. Perrière par prom. des Anglais, Nord : 1 km ☎ 04 75 26 06 21, *Fax 04 75 26 40 72,* ←, – rest, – 15. GB

*fermé 12 oct. au 4 nov. et 8 fév. au 2 mars –* **Repas** *(fermé lundi d'oct. à avril et mardi)* 21,50/37, enf. 10 – 7 – **16 ch** 52/66 – ½ P 55/62.

◆ Parmi oliviers et pavillons résidentiels, chambres tout en couleurs, parfois avec terrasse. Les larges baies vitrées de la salle à manger s'ouvrent sur le jardin.

**Une Autre Maison** avec ch, pl. République, par ④ ☎ 04 75 26 43 09, *nyons@uneautremaison.com, Fax 04 75 26 93 69,* – ch, AE GB. ch

*fermé 3 nov. au 26 déc. et 5 janv. au 13 fév. –* **Repas** *(fermé dim. soir et lundi)* (dîner seul. en semaine) 42 – 12 – **6 ch** 135/155 – ½ P 110.

◆ Charmante maison du 19e s. blottie au coeur du village. Joli décor d'objets chinés au restaurant, agréable terrasse et appétissantes recettes. Belles chambres colorées.

**Petit Caveau,** 9 r. V. Hugo **(u)** ☎ 04 75 26 20 21, *Fax 04 75 26 07 28* – . GB

*fermé 30 nov. au 3 janv., jeudi soir hors saison, lundi sauf fériés et dim. soir –* **Repas** 29/45, enf. 22.

◆ Derrière une façade discrète, longue salle voûtée aux murs peints où règne une ambiance typiquement "haut-provençale", frugale et intimiste. Bon choix de vins au verre.

## NYONS



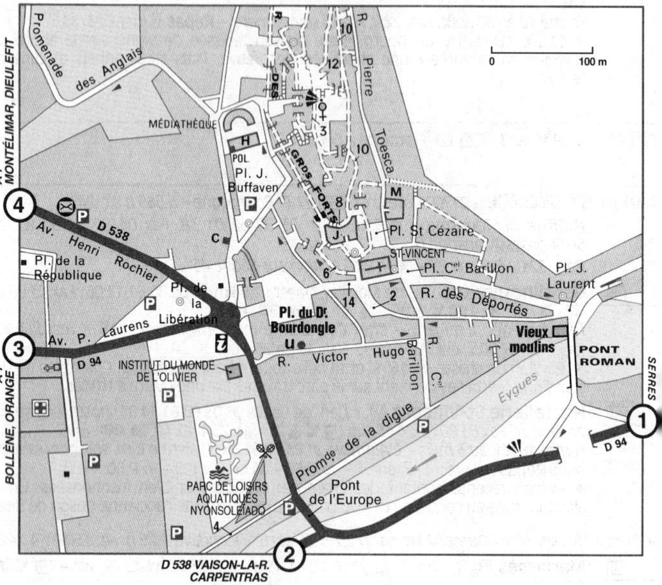

Promenade des Anglais
A 7 MONTÉLIMAR, DIEULEFIT
MÉDIATHÈQUE
POL.
Pl. J. Buffaven
R. des Grds Forts
R. Pierre Toesca
0
100 m
Av. Henri Rochier
D 538
Pl. de la République
Pl. de la Libération
Pl. St Césaire
ST-VINCENT
Pl. Cel Barillon
Pl. J. Laurent
R. des Déportés
Pl. du Dr Bourdongle
Vieux moulins
PONT ROMAN
SERRES
Av. P. Laurens
D 94
R. Victor Hugo
R. Cel Barillon
INSTITUT DU MONDE DE L'OLIVIER
A 7 BOLLÈNE, ORANGE
Eygues
Promde de la digue
PARC DE LOISIRS AQUATIQUES NYONSOLÉIADO
Pont de l'Europe
D 538 VAISON-LA-R. CARPENTRAS


**rte de Gap** *par ① : 7 km sur D 94 – ✉ 26110 Nyons :*

**Charrette Bleue,** ✆ 04 75 27 72 33, *Fax 04 75 27 76 14,* – P. GB
*fermé 27 oct. au 5 nov., 15 déc. au 28 janv., dim. soir de mi-sept. à mars, mardi de sept. à juin et merc.* – **Repas** 16 (déj.), 21/32 ♀, enf. 8,50.
◆ L'enseigne de cette ancienne ferme en pierre calcaire évoque l'autobiographie de René Barjavel, l'enfant du pays. Joli cadre rustique, cuisine régionale et vins choisis.

**à Mirabel-aux-Baronnies** *par ② et D 538 : 7 km – 1 276 h. alt. 263 – ✉ 26110 :*

Voir *Office de Tourisme* ✆ *04 75 27 13 93, Fax 04 75 27 13 93.*

*Office du Tourisme, avenue de la Résistance* ✆ *04 75 27 13 93, Fax 04 75 27 13 93.*

**Coloquinte,** av. Résistance ✆ 04 75 27 19 89, *Fax 04 75 27 19 99,* – GB
*fermé 22 déc. au 3 janv et merc. d'oct. à mars* – **Repas** 20/32,50 ♀.
◆ À proximité de Nyons, ce "paradis terrestre" célébré par Giono, profitez de la douceur du climat sur la courette-terrasse fleurie et ombragée d'un tilleul. Cuisine du marché.

**rte d'Orange** *par ③ : 6 km sur D 94 – ✉ 26110 Nyons :*

**Croisée des Chemins,** ✆ 04 75 27 61 19, *Fax 04 75 27 68 55,* – P. GB
*fermé 23 au 30 juin, 1er au 7 sept., 24 nov. au 14 déc., 21 au29 fév., mardi soir, dim. soir hors saison et merc* – **Repas** 20,50 (déj.), 23,60/41,15, enf. 9,60.
◆ Maison crépie surgissant du vignoble. La salle à manger au cadre rustique voisine avec une pièce plus petite, réservée aux non-fumeurs. Cuisine traditionnelle.

---

**OBERHASLACH** *67280 B.-Rhin* 315 H5 *G. Alsace Lorraine – 1 333 h alt. 270.*

*Syndicat d'Initiative, 22 rue du Nideck* ✆ *03 88 50 90 15, Fax 03 88 48 75 24.*

*Paris 489 – Strasbourg 45 – Molsheim 16 – Saverne 32 – St-Dié 58.*

**Hostellerie St-Florent** M, ✆ 03 88 50 94 10, *hotel.stflorent@wanadoo.fr, Fax 03 88 50 99 61* – , rest, – P – 15. AE GB. ch
*fermé 28 déc. au 1er fév.* – **Repas** *(fermé dim. soir et lundi)* 10 (déj.), 15/45 ♀, enf. 12 – 8 – **24 ch** 40/45 – ½ P 47.
◆ Maison alsacienne proposant des chambres lumineuses au mobilier d'inspiration Louis-Philippe. Élégante salle à manger de style rhénan : plafond à caissons et boiseries.

**OBERLARG** *68480 H.-Rhin* 315 *H12 – 146 h alt. 525.*

*Paris 469 – Mulhouse 45 – Belfort 51 – Montbéliard 48.*

**Auberge de la Source de la Largue,** 19 r. Principale ✆ 03 89 40 85 10, *Fax 03 89 08 19 86,* ⛱, – P. GB
*fermé 16 juin au 10 juil., mardi, merc. et jeudi* – **Repas** 19,80/27,50 ♀.
◆ Maison du 18^e^ s. tenue par la même famille depuis quatre générations. Poutres et boiseries décorent les salles à manger. À la carte, friture de carpes, tête de veau, tripes.

**OBERNAI** *67210 B.-Rhin* 315 I6 *G. Alsace Lorraine – 9 610 h alt. 185.*

**Voir** *Place du Marché*★★ – *Hôtel de ville*★ **H** – *Tour de la Chapelle*★ **L** – *Ancienne halle aux blés*★ **D** – *Maisons anciennes*★.

ℹ *Office du Tourisme, place du Beffroi* ✆ *03 88 95 64 13, Fax 03 88 49 90 84, otobernai@sdv.fr.*

*Paris 495 ① – Strasbourg 35 ① – Colmar 49 ② – Molsheim 12 ① – Sélestat 27 ②.*

## OBERNAI

Acacias (R. des) .......... AB
Altav (R. de l') .......... A
Bernardswiller (R. de) .......... A
Bœrsch (Rte de) .......... A
Caspar (Rempart Mgr.) .......... A
Chamoine Gyss (R. du) .......... A 2
Chapelle (R. de la) .......... A 3
Dietrich (R.) .......... A 4
Étoile (Pl. de l') .......... A 5
Fines Herbes (Pl. des) .......... AB 6
Foch (Rempart Mar.) .......... B
Freppel (Rempart Mgr.) .......... AB
Gouraud (R. du Gén.) .......... AB
Joffre (Rempart Mar.) .......... A
Juifs (Ruelle des) .......... A 8
Leclerc (Rue du Gén.) .......... B
Marché (Place du) .......... AB
Marché (R. du) .......... B 12
Montagne (R. de la) .......... B
Paix (R. de la) .......... A
Pèlerins (Rue des) .......... A
Sainte-Odile (Rue) .......... A 16
Sélestat (R. de) .......... B
Victoire (R. de la) .......... B

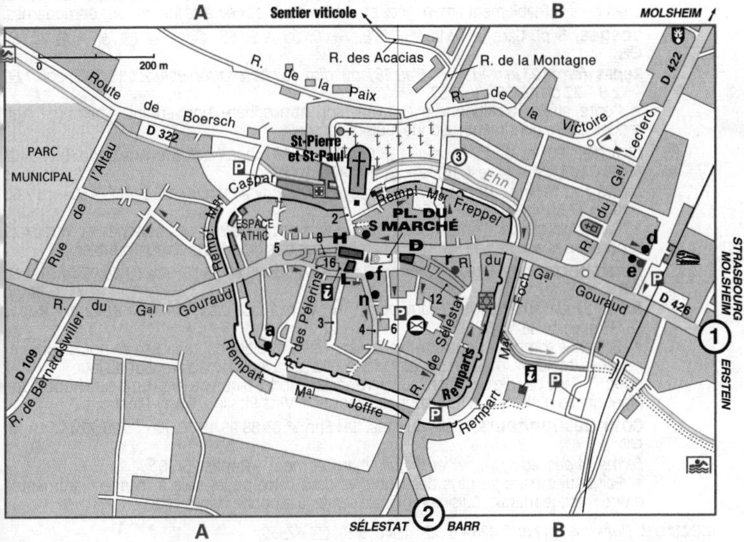
A
Sentier viticole
B
MOLSHEIM
0
200 m
R. des Acacias
R. de la Montagne
R. de la Paix
D 422
Route de Boersch
D 322
R. de la Victoire
R. Leclerc
PARC
MUNICIPAL
St-Pierre et St-Paul
Ehn
Caspar
Rempt. Mgr Freppel
PL. DU MARCHÉ
ESPACE ATHIC
Rue de l'Altau
Remp. Mgr
H
D
L
R. du Gal Gouraud
R. des Pèlerins
R. de Sélestat
Remparts
Foch
Mal
Rempart Mal Joffre
Rempart
D 426
STRASBOURG MOLSHEIM
ERSTEIN
R. de Bernardswiller
D 109
SÉLESTAT
BARR
A
B

**Parc** Ⓜ, 169 rte Ottrott, à l'Ouest par D 426 ✆ 03 88 95 50 08, *info@hotel-du-parc.com, Fax 03 88 95 37 29,* – 🅿 – 60 à 120. AE GB
*fermé 1^er^ au 12 juil. et 8 déc. au 15 janv.* – **Repas** *(fermé dim. soir, lundi et le midi sauf dim.)* 40/68 - ***La Table*** *(fermé dim. soir et lundi)* **Repas** 42/65 ♀, enf. 17 – - ***Stub*** (déj. seul.) *(fermé lundi midi et dim.)* **Repas** carte 29 à 38 ♀ – ☕ 14 – **54 ch** 118/185, 6 appart – 1/2 P 140/170.
◆ Les chambres de cette grande demeure offrent une gamme étendue de niveaux de confort. Les salles du restaurant gastronomique s'agrémentent de meubles régionaux.

**A la Cour d'Alsace** Ⓜ, 3 r. Gail ✆ 03 88 95 07 00, *info@cour-alsace.com, Fax 03 88 95 19 21,* – 🅿 – 25 à 60. AE GB. A a
*fermé 24 déc. au 24 janv.* – ***Jardin des Remparts*** *(fermé 1^er^ au 28/08, 25/12 au 7/03, jeudi midi, dim. soir, lundi, mardi et merc.)* **Repas** 45/75 ♀, enf. 13,70 – ***Caveau de Gail*** *(fermé 24 déc. au 25 janv. et jeudi soir)* **Repas** 28,80/45 ♀, enf. 13,70 – ☕ 14 – **43 ch** 132/149 – 1/2 P 108/116.
◆ Construction alsacienne typique proposant des chambres confortables, meublées avec recherche. Le Jardin des Remparts possède une agréable terrasse.

**Colombier** sans rest, 6 r. Dietrich ✆ 03 88 47 63 33, *hotel.colombier@wanadoo.fr, Fax 03 88 47 63 39* – AE GB A n
9 – **40 ch** 72/78, 4 appart.
◆ Cet établissement vient de s'offrir une cure de jouvence. Il affiche désormais un "look" contemporain, tout en conservant la simplicité de son accueil.

**Les Jardins d'Adalric** M sans rest, 19 r. Mar. Koenig par ① ✆ 03 88 47 64 47, *jardins.adalric@wanadoo.fr, Fax 03 88 49 91 80*, – – 25 à 30. AE GB
9 – **46 ch** 53/80.
◆ Dans un quartier résidentiel, bâtiment moderne abritant des chambres fonctionnelles. Hall d'accueil, bar et salle des petits-déjeuners actuels, nets et plaisants.

**Diligence** sans rest, 23 pl. Mairie ✆ 03 88 95 55 69, *hotel.la.diligence@wanadoo.fr, Fax 03 88 95 42 46* – AE GB JCB A f
8,80 – **25 ch** 46/71.
◆ L'hôtel donne sur une des plus pittoresques places d'Alsace. Dans les chambres insonorisées, meubles de style ou en bois cérusé. Petits-déjeuners en blond et rose.

**Annexe Résidence Bel Air** sans rest, à 1 km, 2 r. Haute Corniche ✆ 03 88 95 55 69, *Fax 03 88 95 42 46*, – AE GB JCB
8,80 – **15 ch** 47,50/78.
◆ Sur la haute corniche, à l'écart de la joyeuse agitation du centre, belle demeure de caractère disposant de chambres confortables et coquettes.

**Hostellerie Duc d'Alsace** sans rest, 6 r. Gare ✆ 03 88 95 55 34, *reservation@hotelduc-3brasseurs.com.fr, Fax 03 88 95 00 92* – – 30. GB B e
9 – **19 ch** 56/93.
◆ Cet établissement en constante évolution occupe deux maisons bâties au 17e s. Chambres agréablement aménagées et dotées de salles de bains lumineuses et modernes.

**Vosges,** 5 pl. Gare ✆ 03 88 95 53 78, *Fax 03 88 49 92 65*, – – 20. AE GB B d
**Repas** *(fermé 23 juin au 7 juil., 5 au 26 janv., dim. soir hors saison et lundi)* 19/23 ♀, enf. 7,50 – 8 – **22 ch** 46/56 – ½ P 52.
◆ Petite affaire traditionnelle cultivant son atmosphère bon enfant. Chambres bien tenues, cadre gentiment rustique. Cuisine familiale.

**Cloche,** 90 r. Gén. Gouraud ✆ 03 88 95 52 89, *hotel.lacloche@wanadoo.fr, Fax 03 88 95 07 63*, – rest, – 20. GB. ch A s
*fermé 4 au 19 janv.* – **Repas** *(fermé dim. soir de mi-nov. à mars)* 13/26 ♀, enf. 7,50 – 7,60 – **20 ch** 37,50/49,50 – ½ P 42,50/44,50.
◆ Cadre historique d'une maison du 14e s. ayant conservé ses boiseries et vitraux et exposant des oeuvres de Spindler. Chambres pas très grandes mais confortables.

XXX **Fourchette des Ducs** (Stamm), 6 r. Gare ✆ 03 88 48 33 38, *Fax 03 88 95 44 39* – AE GB B e
*fermé 21 juil. au 21 août, 26 janv. au 10 fév., le midi sauf dim., dim. soir et lundi* – **Repas** 55/75 et carte 66 à 86 ♀.
◆ Boiseries sombres, poutres et vaisselier : cadre traditionnel rehaussé de notes contemporaines (tableaux, mise en place). Cuisine itou : alsacienne, mais au goût du jour.
**Spéc.** Grillade de foie de canard au baerewecke. Sandre piqué de lard fumé sur choucroute. Pigeonneau d'Alsace à la réduction de pinot noir. **Vins** Riesling, Tokay-Pinot gris.

XX **Cour des Tanneurs,** ruelle du canal de l'Ehn ✆ 03 88 95 15 70, *Fax 03 88 95 43 84* – . GB B r
*fermé 21 déc. au 3 janv., 1er au 14 juil., mardi et merc.* – **Repas** 20/30 ♀.
◆ Faites une halte au pays des cigognes dans cette petite salle à manger agrémentée d'une fresque murale. Cuisine régionale servie "à la bonne franquette".

**à Ottrott** *Ouest : 4 km par D 426 – 1 501 h. alt. 268 – ✉ 67530.*
**Voir** *Couvent de Ste-Odile : ✻★★ de la terrasse, chapelle de la Croix★ SO : 11 km - pèlerinage 13 décembre.*
*Syndicat d'Initiative, 46 rue Principale ✆ 03 88 95 83 84, Fax 03 88 95 90 59.*

**Hostellerie des Châteaux** M, Ottrott-le-Haut ✆ 03 88 48 14 14, *hostellerie-chateaux@wanadoo.fr, Fax 03 88 48 14 18*, ←, , , – – 30 à 100. AE GB
*fermé 23 juil. au 8 août et fév.* – **Repas** *(fermé dim. soir et lundi hors saison)* 39 bc (déj.), 55/80, enf. 16 – 13 – **61 ch** 110/205, 5 appart – ½ P 114/257.
◆ Cette hostellerie honore l'Alsace et son art décoratif si dévoué au bois, depuis le confort douillet des chambres jusqu'à l'atmosphère raffinée des salons.

**Beau Site** M, Ottrott-le-Haut ✆ 03 88 95 80 61, *hostellerie-chateaux@wanadoo.fr, Fax 03 88 48 14 18*, – AE GB
*fermé 23 juil. au 8 août et fév.* – **Repas** *(fermé lundi et mardi)* (14), 31 (déj.)/52 ♀, enf. 10 – 10 – **18 ch** 78/160 – ½ P 86/121.
◆ Grande maison de style alsacien à oriel et colombages. Intérieur très soigné : mobilier de style, salle à manger décorée par Spindler et trois nouvelles chambres superbes.

**A l'Ami Fritz** M, Ottrott-le-Haut ☎ 03 88 95 80 81, *ami-fritz@wanadoo.fr, Fax 03 88 95 84 85,* – AE GB
*fermé 26 juin au 10 juil. (sauf hôtel) et 12 au 31 janv.* – **Repas** *(fermé mardi midi et merc.)* 21/58 ♀ – 10 – **22 ch** 65/106 – ½ P 65/92.
◆ Maison régionale abritant des chambres fraîches et confortables. À la table "d'amis", on vous servira une cuisine régionale dans une ambiance "winstub".

**Clos des Délices,** rte Klingenthal, Nord-Ouest : 1 km par D 426 ☎ 03 88 95 81 00, *le-clos-des-delices@wanadoo.fr, Fax 03 88 95 97 71,* – 15 à 35. AE GB. rest
**Repas** *(fermé dim. soir sauf fériés et merc.)* 24/56 – 11 – **22 ch** 89/104 – ½ P 80.
◆ Adossé à la forêt vosgienne, au pied du domaine skiable, établissement dont les chambres sont plutôt bien équipées. Accueil simple et familial.

**Domaine Le Moulin,** rte Klingenthal, Nord-Ouest : 1 km par D 426 ☎ 03 88 95 87 33, *domaine.le.moulin@wanadoo.fr, Fax 03 88 95 98 03,* – 15. GB
*fermé 30 juin au 10 juil., 21 déc. au 20 janv.* – **Repas** *(fermé sam. midi, dim. soir et lundi midi)* 29 bc/55 ♀, enf. 9 – 12 – **17 ch** 55/75, 3 duplex – ½ P 60/73.
◆ La route des Vins passe par cet hôtel derrière lequel s'étend un parc boisé de 40 ha incluant rivière et étang. Chambres joliment décorées, appartements de grand confort.

**Aux Chants des Oiseaux** sans rest, Ottrott-le-Haut ☎ 03 88 95 87 39, *ami-fritz@wanadoo.fr, Fax 03 88 95 84 85,* – AE GB
*fermé 26 juin au 10 juil. et 12 au 31 janv.* – 10 – **17 ch** 52/75 – ½ P 65/85.
◆ À la périphérie résidentielle du village, construction des années 1960 abritant de petites chambres meublées simplement dans un esprit campagnard.

**à Boersch** *Ouest : 4 km par D 322 – 1 892 h. alt. 225 – ✉ 67530 :*
*Syndicat d'Initiative, 1 place de l'Hôtel de ville ☎ 03 88 95 93 41, Fax 03 88 95 93 41.*

XX **Chatelain,** ☎ 03 88 95 83 33, *Fax 03 88 95 80 63,* – P. AE GB
*fermé 19 janv. au 12 fév., jeudi midi, mardi midi et lundi* – **Repas** 23 bc (déj.), 30/55 ♀ - ***Winstub :*** Repas carte environ 30 ♀, enf. 9,20.
◆ Propriété de viticulteurs convertie en restaurant au décor rustique. Dans les caves du 18e s., la "cerise sur le gâteau" : dégustation de vins et petit musée du tonnelier.

*Les pages explicatives de l'introduction*
*vous aideront à mieux profiter de votre* ***Guide Rouge Michelin***

**OBERSTEIGEN** *67 B.-Rhin* 315 H5 *G. Alsace Lorraine – ✉ 67710 Wangenbourg.*
Voir *Vallée de la Mossig★ E : 2 km.*
*Paris 474 – Strasbourg 38 – Molsheim 27 – Sarrebourg 32 – Saverne 16 – Wasselonne 13.*

**Hostellerie Belle Vue** , ☎ 03 88 87 32 39, *hostellerie.belle-vue@wanadoo.fr, Fax 03 88 87 37 77,* ←, – rest, – 20 à 40. AE GB JCB. rest
*12 avril-5 janv. et fermé dim. soir et lundi hors saison* – **Repas** 19/40 ♀, enf. 9,50 – 8 – **32 ch** 62/69, 6 appart – ½ P 63.
◆ Cette hostellerie familiale abrite des chambres confortables, diversement meublées, et une salle à manger agrémentée de boiseries et de poutres. Terrasse d'été bien fleurie.

**OBERSTEINBACH** *67510 B.-Rhin* 315 K2 *G. Alsace Lorraine – 199 h alt. 239.*
*Paris 464 – Strasbourg 69 – Bitche 22 – Haguenau 34 – Wissembourg 25.*

XXX **Anthon** avec ch, ☎ 03 88 09 55 01, *anthon2@wanadoo.fr, Fax 03 88 09 50 52,* – P. GB
*fermé janv., mardi et merc.* – **Repas** 24/61 et carte 37 à 65 ♀, enf. 11 – 9 – **9 ch** 46/56 – ½ P 72.
◆ Maison à colombages (1860) aux murs couleur sang-de-boeuf. Plaisante salle à manger rustique en rotonde. Deux chambres possèdent une boiserie d'alcôve intégrant les lits.

**OBJAT** *19130 Corrèze* 329 J4 *– 3 163 h alt. 131.*
*Office du Tourisme, place Charles de Gaulle ☎ 05 55 25 96 73, Fax 05 55 25 97 45, tourisme.objat@cc-bassinobjat.com.*
*Paris 466 – Brive-la-Gaillarde 21 – Limoges 78 – Tulle 40 – Uzerche 30.*

**France,** av. G. Clemenceau (vers la gare) ☎ 05 55 25 80 38, *hoteldefrance.objat@wanadoo.fr, Fax 05 55 25 91 87* – rest, P. GB
*fermé 20 sept. au 5 oct. et 24 déc. au 3 janv.* – **Repas** *(fermé dim. soir et sam. hors saison)* 12/38 ♀, enf. 7,62 – 6 – **27 ch** 23/34 – ½ P 31/34.
◆ Deux bâtiments reliés par un patio où l'on sert les apéritifs. Chambres simples et fonctionnelles ; certaines sont plus récentes. Cuisine classique et régionale.

**à St-Aulaire** *par rte des 4 Chemins : 3 km – 707 h. alt. 251 – ✉ 19130 :*

**Bellevue** avec ch, ✆ 05 55 25 81 39, *contact@auberge.bellevue.com, Fax 05 55 84 12 01,* ←, – **AE** **GB**. ch
*fermé 2 au 31 janv., dim. soir et lundi hors saison* – **Repas** (6,10) - 10 (déj.), 14/26,50, enf. 7 – 5,50 – **9 ch** 33,50/44,20 – ½ P 39,70.
◆ Maison de style régional comportant deux petites salles rustiques. En saison, profitez de la terrasse ombragée face à la nature. Cuisine du terroir.

**OCHIAZ** *01 Ain* 328 H4 – *rattaché à Bellegarde-sur-Valserine.*

**ODENAS** *69460 Rhône* 327 G3 – *750 h alt. 300.*
*Paris 427 – Mâcon 32 – Bourg-en-Bresse 53 – Lyon 50 – Villefranche-sur-Saône 14.*

**Christian Mabeau,** ✆ 04 74 03 41 79, *christian.mabeau@france-beaujolais.com, Fax 04 74 03 49 40,* – **GB**
*fermé 29 août au 23 sept., 2 au 21 janv., dim. soir et lundi sauf fériés* – **Repas** 23,50/59, enf. 15.
◆ Cette façade discrète dissimule un charmant restaurant où se confrontent styles rustique et contemporain. En été, installez-vous sur la terrasse tournée vers le vignoble.

**OEYRELUY** *40 Landes* 335 E12 – *rattaché à Dax.*

*Pas de publicité payée dans ce guide.*

**OFFRANVILLE** *76 S.-Mar.* 304 G2 – *rattaché à Dieppe.*

**OGNES** *02 Aisne* 306 B5 – *rattaché à Chauny.*

**L'OIE** *85140 Vendée* 316 J7 – *852 h alt. 102.*
*Paris 394 – La Roche-sur-Yon 30 – Cholet 40 – Nantes 62 – Niort 93.*

**Grand Turc** M, 33 rue Nationale ✆ 02 51 66 08 74, *Fax 02 51 66 14 13,* – TV **P**. **AE** **GB**
*fermé vacances de printemps, de Noël et dim.* – **Repas** 15,60/30 ♀, enf. 7,20 – 6,50 – **19 ch** 45,40/57 – ½ P 52,80.
◆ L'enseigne évoque le mamelouk Amakuc, chef de la garde de Napoléon Ier lors du passage de l'Empereur à l'auberge. À l'arrière, chambres fonctionnelles et bien tenues.

**OINGT** *69620 Rhône* 327 G4 – *445 h alt. 550.*
*Paris 447 – Roanne 62 – Lyon 38 – Tarare 21 – Villefranche-sur-Saône 16.*

**Donjon,** ✆ 04 74 71 20 24, *Fax 04 74 71 10 91,* ←, – **GB**
*fermé 21 fév. au 8 mars, 2 au 20 janv., mardi soir et merc.* – **Repas** 18,50/43 ♀.
◆ Deux salles à manger actuelles et colorées où l'on s'attable près des fenêtres pour jouir de la vue sur les monts du Lyonnais et du Beaujolais. Cuisine traditionnelle.

**OIRON** *79100 Deux-Sèvres* 322 F3 *G. Poitou Vendée Charentes – 1 009 h alt. 95.*
Voir Château★★.
*Paris 327 – Poitiers 56 – Loudun 15 – Parthenay 41 – Thouars 12.*

**Relais du Château** avec ch, 17 pl. Marroniers ✆ 05 49 96 54 96, *relaisduchateau@aol.fr, Fax 05 49 96 54 45,* – TV ♿. **GB**
*fermé vacances de fév., lundi (sauf hôtel), dim. soir et soirs fériés* – **Repas** 12,20/35,10 ♀ – 4,60 – **14 ch** 26/35,10 – ½ P 29,80/34,30.
◆ Le village abrite le château de Madame de Montespan. Sur la place, salle à manger rustique assez lumineuse, ouverte sur une cour-terrasse. Cuisine traditionnelle.

**OISLY** *41700 L.-et-Ch.* 318 F7 – *319 h alt. 120.*
*Paris 208 – Tours 60 – Blois 27 – Châteauroux 79 – Romorantin-Lanthenay 32.*

**St-Vincent,** ✆ 02 54 79 50 04, *Fax 02 54 79 50 04,* – **GB**
*fermé mi-déc. à fin janv., mardi et merc.* – **Repas** 21/50 ♀, enf. 13.
◆ La cuisine au goût du jour, subtilement épicée, attire les gourmets en ce restaurant rustique dont l'enseigne célèbre le patron des vignerons. Dégustations de vins du pays.

**OIZON** *18700 Cher* 323 L2 – *776 h alt. 230.*

*Paris 180 – Bourges 55 – Orléans 72 – Cosne-sur-Loire 36 – Gien 29 – Salbris 38 – Vierzon 50.*

**Les Rives de l'Oizenotte,** à l'étang de Nohant, Est : 1 km ☎ 02 48 58 06 20, *Fax 02 48 58 28 97,* ←, – P. GB
*fermé vacances de fév., lundi soir, mardi et merc.* – **Repas** (nombre de couverts limité, prévenir) 16/23.
◆ Ambiance bucolique dans ce sympathique restaurant installé au bord d'un étang. Amusante décoration sur le thème de la pêche. Cuisine toute simple.

**OLARGUES** *34390 Hérault* 339 C7 – *512 h alt. 183.*

*Office du Tourisme, avenue de la Gare ☎ 04 67 97 71 26, Fax 04 67 97 71 28.*
*Paris 752 – Béziers 55 – Carcassonne 83 – Castres 73 – Lodève 54 – Narbonne 66.*

**Domaine de Rieumégé**, rte St-Pons : 3 km ☎ 04 67 97 73 99, *rieumege@wanadoo.fr, Fax 04 67 97 78 52,* – P. AE GB
*1er avril-31 oct.* – **Repas** *(fermé le midi en semaine sauf fériés)* 25 (déj.), 32/48 ♀, enf. 10 – 19 – **12 ch** 92/122 – ½ P 74/99.
◆ Bel ensemble de bâtisses en pierres de pays au milieu des vignobles. Quelques chambres entièrement rénovées. L'ancienne grange abrite désormais le restaurant.

**OLEMPS** *12 Aveyron* 338 H4 – *rattaché à Rodez.*

**OLETTE** *66360 Pyr.-Or.* 344 E7 – *447 h alt. 616.*

*Syndicat d'Initiative, rue Fusterie ☎ 04 68 97 08 62, Fax 04 68 97 08 62.*
*Paris 913 – Font-Romeu-Odeillo-Via 29 – Perpignan 61 – Prades 16.*

**Fontaine,** ☎ 04 68 97 03 67, *Fax 04 68 97 09 18,* – TV. AE GB
*fermé janv., mardi soir et merc.* – **Repas** 13/32 – 7 – **6 ch** 40 – ½ P 61.
◆ Pimpante façade couleur saumon sur la place du village. Intérieur entièrement rénové avec chambres crépies équipées de meubles en pin et deux fraîches salles à manger.

**OLIVET** *45 Loiret* 318 I4 – *rattaché à Orléans.*

**Les OLLIÈRES-SUR-EYRIEUX** *07360 Ardèche* 331 J5 – *769 h alt. 200.*

*Office du Tourisme, Grande Rue ☎ 04 75 66 30 21, Fax 04 75 66 20 31.*
*Paris 597 – Valence 34 – Le Cheylard 28 – Lamastre 33 – Montélimar 54 – Privas 20.*

**Truffolier** avec ch, D 120 ☎ 04 75 66 20 32, *Fax 04 75 66 20 63* – rest, TV P. GB. ch
*fermé 10 au 17 juin, 30 sept. au 13 oct., 20 janv. au 2 fév., dim.soir et lundi sauf fériés hors saison* – **Repas** 16/36 ♀ – 7 – **7 ch** 40/56 – ½ P 42/49.
◆ Salle à manger d'esprit rustique, cuisine traditionnelle sans prétention : cette auberge familiale de la vallée de l'Eyrieux vous accueille en toute simplicité.

**OLLIOULES** *83190 Var* 340 K7 *G. Côte d'Azur – 10 398 h alt. 52.*

Voir *Gorges d'Ollioules★.*
*Office du Tourisme, 116 rue Philippe de Hauteclocque ☎ 04 94 63 11 74, Fax 04 94 63 33 72.*
*Paris 833 – Toulon 9 – Aix-en-Provence 79 – Marseille 59.*

**L'Assiette Gourmande,** pl. H. Duprat (parvis de l'église) ☎ 04 94 63 04 61, – GB
*fermé mardi et merc. de sept. à juin et le midi en juil.-août* – **Repas** (nombre de couverts limité, prévenir) 22/32, enf. 10.
◆ Vous apprécierez la cuisine de caractère de cette maison, sur la terrasse s'il fait beau, ou bien à l'intérieur : petite salle colorée de style bistrot et mezzanine.

**Table du Vigneron,** Domaine de Terrebrune, par rte Gros Cerveau ☎ 04 94 88 36 19, *pat.darras@wanadoo.fr, Fax 04 94 25 24 90,* – P
*fermé 20 déc. au 15 janv., dim. soir hors saison et lundi* – **Repas** 30 (déj.), 39/42, enf. 12.
◆ Restaurant aménagé dans un domaine viticole produisant du bandol. Cadre rustique, expositions de tableaux et agréable terrasse. Recettes régionales et vins de la propriété.

**OLMETO** *2A Corse-du-Sud* 345 C9 – *voir à Corse.*

**OLONNE-SUR-MER** *85340 Vendée* 316 F8 – *8 546 h alt. 40.*

*Office du Tourisme, place de la Mairie ☎ 02 51 90 75 45, Fax 02 51 90 77 30, mairieolonne@altern.org.*
*Paris 456 – La Roche-sur-Yon 33 – Les Sables-d'Olonne 6 – St-Gilles-Croix-de-Vie 26.*

**au Nord-Ouest** *sur D 80 : 7 km – ✉ 85340 Olonne-sur-Mer :*

XX **Auberge de la Forêt,** ☎ 02 51 90 52 29, *mguery@aol.com, Fax 02 51 20 11 89,* – P. AE ⓓ GB

*fermé 14 janv. à mi-mars, lundi et mardi* – **Repas** *(13,70)* - 21,35 bc/46,50 ♀, enf. 9,15.

♦ Auberge de bord de route à la lisière de la forêt d'Olonne. Deux coquettes salles, dont une terrasse-véranda, au cadre rustique soigné où dominent les tons ocre.

---

## OLORON-STE-MARIE

SP 64400 Pyr.-Atl. 342 I5 *G. Aquitaine – 11 067 h alt. 224.*

Voir *Portail*★★ *de l'église Ste-Marie.*

ℹ *Office du Tourisme, place de la Résistance* ☎ *05 59 39 98 00, Fax 05 59 39 43 97, oloron-ste-marie@fnotsi.net.*

*Paris 823 ⑤ – Pau 35 ② – Bayonne 106 ⑤ – Mont-de-Marsan 101 ①.*

### OLORON-STE-MARIE

- Barthou (R. Louis) . . . . . . B
- Bellevue (Promenade) . . . . . . . . . B 2
- Biscondau . . . . . . . . . . . . . B 3
- Bordelongue (R. A.) . . . . . B 4
- Camou (R.) . . . . . . . . . . . . B
- Casamayor-Dufaur (R.) . . A 5
- Cathédrale (R.) . . . . . . . . . A 6
- Dalmais (R.) . . . . . . . . . . . B 7
- Derème (Av. Tristan) . . . . . . . . . . A 8
- Despourins (R.) . . . . . . . . . A 9
- Gabe (Pl. Amédée) . . . . . B 10
- Gambetta (Pl.) . . . . . . . . . . B 12
- Jaca (Pl. de) . . . . . . . . . . . A 13
- Jeliotte (R.) . . . . . . . . . . . . B 14
- Mendiondou (Pl.) . . . . . . . B 15
- Moureu (Av. Charles et Henri) . A 16
- Oustalots (Pl. des) . . . . . . A 18
- Pyrénées (Bd. des) . . . . . A 19
- Résistance (Pl. de la) . . . . . . . . . . . B 20
- St-Grat (Rue) . . . . . . . . . . . A 22
- Tassigny (Av. de Lattre de) . . . . . A 23
- Toulet (R. Paul-Jean) . . . . A 24
- Vigny (Av. Alfred de) . . . . A 26
- 4-Septembre (Av. du) . . . A 28
- 14-Juillet (Av. du) . . . . . . . A 30

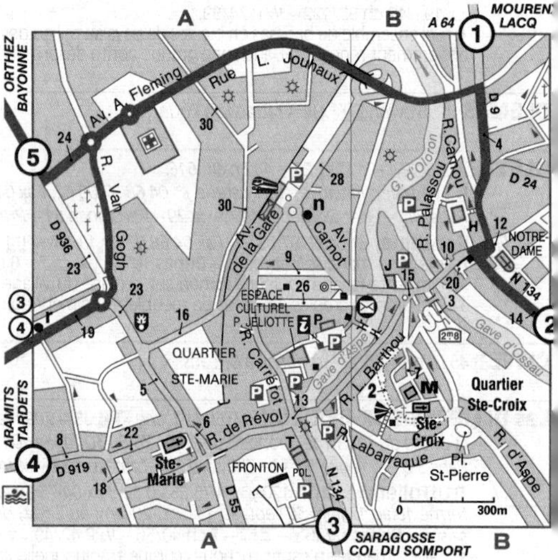
MOURENX LACQ
A 64
ORTHEZ BAYONNE
Av. A. Fleming
Rue L. Jouhaux
R. Van Gogh
D 936
Av. de la Gare
Av. Carnot
R. Camou
R. Palassou
G. d'Oloron
D 9
D 24
NOTRE-DAME
N 134
Gave d'Ossau
ESPACE CULTUREL P. JELIOTTE
QUARTIER STE-MARIE
R. Carrérot
Gave d'Aspe
R. L. Barthou
Quartier Ste-Croix
Ste-Croix
R. d'Aspe
R. de Révol
R. Labarraque
Pl. St-Pierre
Ste-Marie
FRONTON
D 919
D 55
ARAMITS TARDETS
SARAGOSSE COL DU SOMPORT
0
300m
A
B

🏨 **Alysson** Ⓜ, bd Pyrénées ☎ 05 59 39 70 70, *alysson.hotel@wanadoo.fr, Fax 05 59 39 24 47,* – 15 à 35. AE ⓓ GB A r

**Repas** *(fermé 26 déc. au 18 janv.)* 21/33, enf. 9,90 – ☕ 8,50 – **32 ch** 80/88 – ½ P 68,50/75.

♦ Sur la route des Pyrénées, cette construction moderne abrite des chambres spacieuses, dotées d'une literie neuve, et une lumineuse salle à manger récemment rénovée.

**Paix** sans rest, 24 av. Sadi-Carnot ☎ 05 59 39 02 63, *Fax 05 59 39 98 20* – P. GB.

*fermé 8 au 16 mars, 4 au 15 oct. et dim. du 15 sept. au 30 juin* – ☕ 5 – **24 ch** 34/41.

♦ Dans le quartier de la gare, adresse familiale bénéficiant de rénovations périodiques. Les chambres, modestes, sont de bonne ampleur et fort bien tenues. A n

**à Herrere** *par ② : 8 km – 374 h. alt. 283 – ✉ 64680 :*

**Domaine de l'Aragon,** rte Pau ☎ 05 59 39 24 63, *domaine.aragon@wanadoo.fr, Fax 05 59 39 24 84,* – P. GB

**Repas** (dîner seul.)(résidents seul.) 23 – ☕ 7,70 – **9 ch** 53,40/76,30.

♦ Accueillante maison bourgeoise entourée d'un agréable jardin planté d'arbres centenaires. Décoration soignée, meubles de style et literie neuve caractérisent les chambres.

---

## OMONVILLE-LA-PETITE

*50440 Manche* 303 A1 – *137 h alt. 33.*

*Paris 381 – Cherbourg 26 – Barneville-Carteret 45 – Nez de Jobourg 7 – St-Lô 102.*

**Fossardière** sans rest, au hameau de la Fosse ☎ 02 33 52 19 83, *Fax 02 33 52 73 49* – P. GB

*15 mars-15 nov.* – ☕ 7 – **10 ch** 40/60.

♦ Petites chambres bien meublées et réparties dans plusieurs maisons constituant un paisible hameau proche d'Omonville, le village où repose Jacques Prévert. Sauna.

**ONZAIN** *41150 L.-et-Ch.* 318 *E6 – 3 080 h alt. 69.*

*Syndicat d'initiative - Mairie, ✆ 02 54 20 72 59, Fax 02 54 20 74 34.*

*Paris 202 – Tours 44 – Amboise 21 – Blois 20 – Château-Renault 24 – Montrichard 23.*

**Domaine des Hauts de Loire** M, Nord-Ouest : 3 km par D 1 et voie privée ✆ 02 54 20 72 57, *hauts.loire@relaischateaux.fr, Fax 02 54 20 77 32,* – ch, – 70. AE GB JCB.

*fermé 1er déc. au 20 fév.* – **Repas** *(fermé lundi et mardi)* (nombre de couverts limité, prévenir) 60 (déj.), 80/121 et carte 77 à 115 – 20 – **25 ch** 110/265, 10 appart – 1/2 P 225.

◆ Castel et ravissant pavillon de chasse du 19e s. dans un vaste parc arboré (étang). Cadre de grand caractère, vol en montgolfière, pêche, etc. Belle cuisine au goût du jour.

**Spéc.** Tartare de bar à l'huile de noix et mousseux d'huîtres (mai à oct. ). Canard challandais à l'ananas et aux épices. Cannelloni de mangue au riz condé (juin à oct.) **Vins** Sauvignon de Touraine, Touraine-Mesland.

**Château des Tertres** sans rest, Ouest : 1,5 km par D 58 ✆ 02 54 20 83 88, *chateau.des.tertres@wanadoo.fr, Fax 02 54 20 89 21,* – AE GB.

*11 avril-12 oct.* – 8 – **18 ch** 70/105.

◆ Gentilhommière du Second Empire entourée d'un magnifique parc de 5 ha. Chambres de style Napoléon III ou Louis-Philippe, originales et contemporaines dans un cottage attenant.

**Golf Hôtel de la Carte** sans rest, au golf de la Carte, Sud-Est : 4,5 km sur N 152 ✆ 02 54 20 49 00, *infos@lacarte.com, Fax 02 54 20 43 78,* – – 40. AE GB

8 – **10 ch** 75, 10 duplex 80/90.

◆ Au coeur d'un golf (9 trous), ancienne ferme aux chambres spacieuses et sobres. Un pavillon indépendant abrite les duplex. Ambiance "british" au bar.

**OPIO** *06650 Alpes-Mar.* 341 *C5 – 1 792 h alt. 300.*

*Syndicat d'Initiative, Espace Commercial ✆ 04 93 77 70 11, Fax 04 93 77 70 11.*

*Paris 917 – Cannes 17 – Digne-les-Bains 126 – Draguignan 74 – Grasse 9 – Nice 31.*

**Mas des Géraniums,** à San Peyre, Est : 1 km sur D 7 ✆ 04 93 77 23 23, *creusot@le_mas_des_geraniums.com, Fax 04 93 77 76 05,* – AE GB

*fermé 18 déc. au 8 janv., jeudi midi en juil.-août, mardi et merc.* – **Repas** 26 (déj.), 32/40 , enf. 12.

◆ Dès l'arrivée des beaux jours, attablez-vous sur la terrasse ombragée et fleurie où vous bénéficierez d'une vue sur le vieux village. Intérieur rustique. Carte classique.

**ORADOUR-SUR-GLANE** *87520 H.-Vienne* 325 *D5 G. Berry Limousin – 1 998 h alt. 275.*

Voir *"Village martyr" dont la population a été massacrée en juin 1944.*

*Office du Tourisme, place du Champ de Foire ✆ 05 55 03 13 73, Fax 05 55 03 24 92.*

*Paris 405 – Limoges 23 – Angoulême 84 – Bellac 26 – Confolens 33 – Nontron 67.*

**Glane,** 8 pl. Gén. de Gaulle ✆ 05 55 03 10 43, *Fax 05 55 03 15 42* – GB

**Repas** *(fermé 15 déc. au 31 janv. et lundi)* (8) - 20 , enf. 6,40 – 6 – **10 ch** 39/45 – 1/2 P 37.

◆ Sur la place centrale du village reconstruit, petites chambres modestes mais bien tenues, et salle à manger d'aspect rustique. Buffets et grillades au restaurant.

**Milord,** 10 av. du 10-Juin ✆ 05 55 03 10 35, *Fax 05 55 03 21 76* – GB

*fermé nov., dim. soir et merc. soir* – **Repas** 12/34 .

◆ Salle à manger de type brasserie : banquettes en velours rouge, lampes "rétro", tables simplement dressées et assez serrées. À l'entrée, un bar accueillant.

**ORANGE** *84100 Vaucluse* 332 *B9 G. Provence – 26 964 h alt. 97.*

Voir *Théâtre antique★★★ – Arc de Triomphe★★ – Colline St-Eutrope ≤★.*

*Office du Tourisme, 5 cours Aristide Briand ✆ 04 90 34 70 88, Fax 04 90 34 99 62, officetourisme@infonie.fr.*

*Paris 659 ⑤ – Avignon 31 ⑤ – Alès 85 ⑤ – Carpentras 24 ③ – Nîmes 56 ⑤.*

Plan page suivante

**Mercure** M, rte Caderousse par ⑤ ✆ 04 90 34 24 10, *H1270-accor-hotels.com, Fax 04 90 34 85 48,* – – 20 à 100. AE GB JCB

**Repas** *(fermé sam. midi et dim. midi de nov. à fév.)* (18) - 23,50/28,50, enf. 10 – 10,50 – **99 ch** 94/118.

◆ Établissement proposant des chambres au décor provençal soigné. Joyeux salon et service très attentionné séduiront aussi bien la clientèle d'affaires que les touristes.

**Arène** sans rest, pl. Langes ✆ 04 90 11 40 40, *hotel-arene@wanadoo.fr, Fax 04 90 11 40 45* – . AE GB JCB AY a

*fermé 8 au 30 nov.* – 8 – **30 ch** 67/92.

◆ Située sur une place piétonne, à l'ombre des platanes, grande maison ancienne dont les chambres, personnalisées, renferment un mobilier de style. Réception ornée de vitraux.

# ORANGE

Arc-de-Triomphe
(Av. de l') .............. AY
Artaud (Av. A.).......... ABY
Blanc (R. A.) ............... BZ
Briand (Crs A.) .......... AYZ
Caristie (R.) ............... BY 2
Châteauneuf (R. de)....... BZ 3
Clemenceau (Pl. G.)....... BY 4
Concorde (R. de la) ....... BY
Contrescarpe
(R. de la) ............... BY
Daladier (Bd E.)......... ABY
Fabre (Av. H.) ............ BY
Frères-Mounet
(Pl. des) ................ BY 5
Guillaume-le
Taciturne (Av.).......... BY
Herbes (Pl. aux) ......... BY 7
Lacour (R.)................ AY
Leclerc (Av. Gén.).......... BZ
Levade (R. de la) ......... BY
Mistral (Av. F.)............. BY 9
Noble (R. du) ........... ABY
Pourtoules (Cours) ........ BZ
Pourtoules (R.) ........... BZ 12
Princes d'Orange-
Nassau (Mtée des) ..... AZ
République (Pl. de la) ..... BY 14
République (R. de la)...... BY 16
Roch (R. Madeleine) ....... BZ 18
St-Clement (Rue) .......... AZ
St-Florent (R.) ............ BY 20
St-Jean (Rue)............... AY
St-Martin (R.)............. AY 22
Tanneurs (R. des) ......... AY 24
Thermes (Av. des) ......... AZ
Tourre (R. de) ............ AZ 26
Victor-Hugo (Rue).......... AY

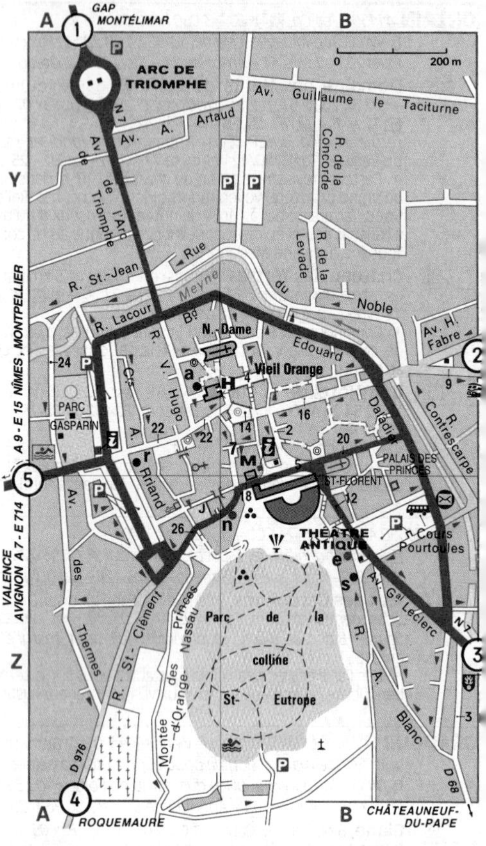

GAP
MONTÉLIMAR
ARC DE TRIOMPHE
Av. Guillaume le Taciturne
Av. A. Artaud
Av. de l'Arc de Triomphe
R. de la Concorde
R. de la Levade
R. St-Jean
Rue
Meyne
R. Lacour
Bd Edouard Daladier
du Noble
Av. H. Fabre
N.-Dame
Vieil Orange
R. V. Hugo
Crs A. Briand
R. Contrescarpe
PARC GASPARIN
PALAIS DES PRINCES
ST-FLORENT
THÉATRE ANTIQUE
Cours Pourtoules
Av. Gal Leclerc
Parc de la colline St-Eutrope
Montée des Princes d'Orange-Nassau
R. St-Clément
Av. des Thermes
R. A. Blanc
D 976
D 68
N 7
A 9 - E 15 NÎMES, MONTPELLIER
VALENCE AVIGNON A 7 - E 714
ROQUEMAURE
CHÂTEAUNEUF-DU-PAPE
0
200 m


**Glacier** sans rest, 46 cours A. Briand ✆ 04 90 34 02 01, *hotelgla@aol.com, Fax 04 90 51 13 80* – TV. AE GB — AY r
*fermé 19 déc. au 5 janv., dim. du 9 nov. au 7 mars et sam. en janv. et fév.* – ☕ 6 – **28 ch** 45/70.
◆ La pimpante façade rose abrite un hôtel chaleureusement tenu par la même famille depuis trois générations. Petites chambres peu à peu rénovées dans le style provençal.

**Ibis Orange-Sud** M sans rest, à l'échangeur A 7 Orange-Sud, par ③ : *2 km* ✆ 04 90 51 40 40, *Fax 04 90 51 40 44*, – TV P. AE GB
☕ 5,50 – **77 ch** 68.
◆ Tout nouveau, tout beau : cet Ibis constitue une étape pratique sur la route des vacances. Côté parking ou côté piscine, les chambres sont aux dernières normes de la chaîne.

**Ibis Orange-Centre,** rte Caderousse par ⑤ ✆ 04 90 34 35 35, *h0925@accor-hotels.com, Fax 04 90 34 96 47*, – ch, TV P – 20. AE GB
**Repas** *(12)* - 15 ⅀, enf. 6 – ☕ 6 – **72 ch** 64.
◆ Chambres peu spacieuses et équipées simplement, mais bien tenues ; celles de l'aile récente offrent un aménagement plus frais. Salle à manger au décor actuel.

**St-Jean** sans rest, 1 cours Pourtoules ✆ 04 90 51 15 16, *hotel.saint-jean@wanadoo.fr, Fax 04 90 11 05 45* – TV P. GB — BZ s
*fermé 1er janv. au 15 fév.* – ☕ 6 – **23 ch** 47/70.
◆ Ancien relais de poste adossé à la colline St-Eutrope et voisin du théâtre antique. Original salon taillé dans la roche et chambres d'ampleur variée, meublées diversement.

XX **Parvis,** 55 cours Pourtoules ✆ 04 90 34 82 00, *Fax 04 90 51 18 19,* – . AE GB **BZ e**
*fermé 4 nov. au 2 déc., 18 janv. au 3 fév., dim. et lundi* – **Repas** 16/41 ♀, enf. 9,50.
◆ Parquet ciré, cadre sans fausse note et tableaux contemporains confèrent une atmosphère élégante à ce restaurant. Cuisine au goût du jour rehaussée de touches provençales.

X **Yaca,** 24 pl. Silvain ✆ 04 90 34 70 03, – GB JCB **BZ n**
*fermé 6 au 27 nov., mardi soir et merc.* – **Repas** 11/21 ♀.
◆ À côté du théâtre antique, petite adresse où l'on propose une cuisine simple et copieuse dans une salle à manger colorée et en partie voûtée : Yaca... s'attabler !

**par** ① *N 7 et rte secondaire : 4 km* – ✉ *84100 Orange :*

**Mas des Aigras** , ✆ 04 90 34 81 01, *masdesaigras@free.fr, Fax 04 90 34 05 66,* , , – TV P. GB
*fermé 20 déc. au 20 janv., mardi soir et merc. d'oct. à mars* – **Repas** *(fermé merc. midi et sam. midi du 1er avril au 30 sept., mardi et merc. d'oct. à mars)* 16 (déj.), 24/50 ♀, enf. 15 – ☕ 10 – **12 ch** 75/106 – ½ P 66/87.
◆ Joli mas en pierres niché au milieu des vignes et des champs. Tissus et peintures aux couleurs de la Provence habillent les chambres. Coquet restaurant ; produits "bio".

**à Sérignan-du-Comtat** *par* ①*, N 7 et D 976 : 8 km* – *2 069 h. alt. 80* – ✉ *84830 :*

**Hostellerie du Vieux Château** , rte Ste-Cécile-les-Vignes ✆ 04 90 70 05 58, *hve@france.com, Fax 04 90 70 05 62,* , – TV P. AE GB JCB. ch
*fermé 26 oct. au 3 nov., 21 au 30 déc., 29 fév. au 7 mars, dim. et lundi d'oct. à avril* voir rest. ***Pré du Moulin*** ci-après ♀ – ☕ 9,50 – **8 ch** 65/210 – ½ P 77/123.
◆ Successivement ferme, moulin, puis école du village, la bâtisse abrite aujourd'hui des chambres campagnardes ou provençales ; certaines s'ouvrent sur le joli jardin fleuri.

XX ✿ **Pré du Moulin** (Alonso), rte Ste-Cécile les Vignes ✆ 04 90 70 14 55, – AE GB JCB
*fermé vacances de Toussaint et fév.* – **Repas** *(fermé lundi sauf le soir en juil.-août, jeudi soir de nov. à mars, jeudi midi en juil.-août et dim.soir)* 26/80 et carte 52 à 70, enf. 13.
◆ Le préau de l'ex-école du village réunit premiers de la classe et bonnets d'âne autour d'une délicieuse cuisine mitonnée suivant les opportunités du marché. Terrasse ombragée.
**Spéc.** Foie gras de canard au Beaumes de Venise. Aiguillette de charolais à la réduction de rasteau. Poire panée fourrée à la vanille.

---

**ORBEC** *14290 Calvados* 303 O5 *G. Normandie Vallée de la Seine* – *2 642 h alt. 110.*
**Voir** *Vieux manoir★.*
*Syndicat d'Initiative, 2 rue Guillonière ✆ 02 31 61 12 35, Fax 02 31 61 22 09, omact.orbec @wanadoo.fr.*
*Paris 173 – L'Aigle 38 – Alençon 79 – Argentan 52 – Bernay 18 – Caen 85 – Lisieux 21.*

XXX **Au Caneton,** 32 r. Grande ✆ 02 31 32 73 32, *Fax 02 31 62 48 91* – AE GB JCB
*fermé 1er au 17 sept., 5 au 19 janv., mardi du 12 nov. à Pâques, dim. soir et lundi sauf fériés* – **Repas** (nombre de couverts limité, prévenir) 18/65 et carte 30 à 68.
◆ Au centre du village, maison du 17e s. abritant deux salles à manger feutrées, décorées de cuivres et, enseigne palmipède oblige, d'une collection de canetons en faïence.

X **L'Orbecquoise,** 60 r. Grande ✆ 02 31 62 44 99, *Fax 02 31 62 44 99* – GB.
*fermé 30 juin au 12 juil., 9 au 19 fév., merc. sauf le midi en saison et jeudi* – **Repas** 15/35, enf. 8.
◆ Située dans la rue où ont résonné les premières notes du Jardin sous la pluie (Claude Debussy), agreste auberge aménagée dans une demeure du 17e s.

---

**ORBEY** *68370 H.-Rhin* 315 G8 *G. Alsace Lorraine* – *3 282 h alt. 550* – *Sports d'hiver Voir "Le Bonhomme".*
*Office du Tourisme, ✆ 03 89 71 30 11, Fax 03 89 71 34 11.*
*Paris 433 – Colmar 23 – Gérardmer 42 – Munster 21 – St-Dié 37 – Sélestat 40.*

**Bois Le Sire et son Motel,** r. Ch. de Gaulle ✆ 03 89 71 25 25, *boislesire@bois-le-sire.fr, Fax 03 89 71 30 75,* – TV P – 25. AE GB JCB
*fermé 2 janv. au 5 fév., dim. soir d'oct. à avril et lundi d'oct. à mai* – **Repas** 8,90 (déj.), 14/40 ♀ – ☕ 8 – **36 ch** 63 – ½ P 50/58.
◆ Dans cet établissement composé de deux bâtiments, choisissez les chambres du motel, en retrait de la route passante ; certaines d'entre elles ont été rénovées. Sauna, jacuzzi.

**Aux Bruyères,** r. Ch. de Gaulle ✆ 03 89 71 20 36, *beaulieu@auxbruyeres.com, Fax 03 89 71 35 30,* – TV P. AE GB
*5 avril-26 oct., 20 au 31 déc. et vacances de fév.* – **Repas** *(fermé merc. midi)* 12,50/24,50 ♀, enf. 8 – ☕ 6,50 – **29 ch** 42/63 – ½ P 38/50.
◆ Au centre du village, maison aux chambres fonctionnelles, plus calmes et spacieuses côté jardin ; quelques-unes possèdent un balcon. Agréable terrasse d'été, salon de thé.

**à Basses-Huttes** *Sud : 4 km par D 48 – ✉ 68370 Orbey :*

**Wetterer** ⛰, ✆ 03 89 71 20 28, *info@hotel-wetterer.com, Fax 03 89 71 36 50* – 🛗 TV P. GB
*fermé 9 au 30 mars, 3 au 29 nov., lundi et mardi en janv.-fév et merc.* – **Repas** (13) - 15/29 ♀, enf. 7,50 – ☕ 6,50 – **15 ch** 32/48 – ½ P 40/44.
◆ Érigé au coeur d'un superbe paysage de montagnes et de forêts, cet hôtel des années 1960 propose des chambres modestes, mais bien tenues. Salles de bains modernes. Sauna.

**à Pairis** *Sud-Ouest : 3 km sur D 48ᴵᴵ – ✉ 68370 Orbey.*
*Voir Lac Noir★ : ←★ 30 mn 0 : 5 km.*

**Bon Repos** ⛰, ✆ 03 89 71 21 92, *au-bon-repos@wanadoo.fr, Fax 03 89 71 24 51,* 🌳 – TV P. GB
*avril-oct., week-ends et vacances scolaires et fermé merc.* – **Repas** 13,50/28 🍷 – ☕ 6,50 – **18 ch** 40/44 – ½ P 42,50/46.
◆ Sur la route des lacs, sympathique adresse ouverte sur un paisible jardin. Préférez les chambres de l'annexe, rénovées et calmes, toutes orientées vers une forêt de sapins.

---

**ORCHIES** *59310 Nord* 302 H5 – *6 945 h alt. 40.*
ℹ *Syndicat d'Initiative, 42 rue Jules Roch ✆ 03 20 64 86 32, Fax 03 20 64 86 32.*
*Paris 216 – Lille 29 – Denain 28 – Douai 20 – Tournai 20 – Valenciennes 30.*

**Manoir** M, Ouest par rte Seclin ✆ 03 20 64 68 68, *contact@manoir.net, Fax 03 20 64 68 69,* 🏡 – 🛗 ⇆ TV ✆ ♿ P – 🎤 15 à 30. AE ⓓ GB
**Repas** *(fermé sam. midi, dim. soir et soirs fériés)* (16) - 23/52 ♀ – ☕ 10 – **34 ch** 70/100 – ½ P 55/70.
◆ Pris entre l'autoroute et une route passante, cet hôtel abrite des chambres actuelles bénéficiant d'une bonne insonorisation. Restaurant à l'atmosphère intime.

**Chaumière,** Sud : 3 km D 957, rte Marchiennes ✆ 03 20 71 86 38, *Fax 03 20 61 65 91,* 🏡, 🌳 – P. AE ⓓ GB
*fermé 1ᵉʳ au 10 sept, fév., dim. soir et lundi* – **Repas** 12,50 (déj.), 25/62,50 bc.
◆ De nombreux bibelots animaliers, dont une intéressante collection de chevaux, agrémentent le cadre rustique de ce restaurant aménagé dans une maison régionale.

---

**ORCIÈRES** *05170 H.-Alpes* 334 F4 *G. Alpes du Sud – 841 h alt. 1446 – Sports d'hiver à Orcières-Merlette : 1 850/2 650 m* 🚡 2 ⛷ 26 ⛷.
Env. *Vallée du Drac Blanc★★ NO : 14 km.*
ℹ *Office du Tourisme, Maison du Tourisme ✆ 04 92 55 89 89, Fax 04 92 55 89 75, orcieres@telepost.fr.*
*Paris 681 – Briançon 110 – Gap 32 – Grenoble 117 – La Mure 75.*

**à Merlette** *Nord : 5 km par D 76 – ✉ 05170 Orcières :*

**Les Gardettes** ⛰, ✆ 04 92 55 71 11, *info@gardettes.com, Fax 04 92 55 77 26,* ← – TV 🚗 P. GB. ✗ ch
*15 juin-15 sept. et 1ᵉʳ déc.-1ᵉʳ mai* – **Repas** 19/24 🍷, enf. 8,50 – ☕ 6,70 – **15 ch** 66/85 – ½ P 56/63.
◆ Proche des pistes, hôtel familial à la salle à manger de style typiquement montagnard. Chambres très sobrement meublées, mansardées à l'étage supérieur.

---

**ORCINES** *63 P.-de-D.* 326 F8 – *rattaché à Clermont-Ferrand.*

---

**ORCIVAL** *63210 P.-de-D.* 326 E8 *G. Auvergne – 283 h alt. 840.*
*Voir Basilique Notre-Dame★★.*
ℹ *Office du Tourisme, Le bourg mairie ✆ 04 73 65 89 77, Fax 04 73 65 89 78.*
*Paris 444 – Clermont-Ferrand 27 – Aubusson 83 – Le Mont-Dore 17 – Ussel 55.*

**Roche** ⛰ sans rest, ✆ 04 73 65 82 31, 🌳 – GB. ✗
*fermé 11 nov. au 21 déc. et vend. hors saison* – ☕ 5 – **9 ch** 30/40.
◆ Cet établissement situé face à la basilique fait aussi bar-tabac. Les chambres, petites et bien tenues, sont assez simples mais progressivement rafraîchies.

**Les Bourelles** ⛰ sans rest, ✆ 04 73 65 82 28, *Fax 04 73 65 82 28,* ←, 🌳
*1ᵉʳ fév.-31 oct. et fermé jeudi hors saison* – ☕ 5,50 – **7 ch** 23/26.
◆ Accueillante maison régionale où vous trouverez des chambres assez exiguës et modestement meublées, mais d'un entretien exemplaire. Jardin joliment fleuri en saison.

---

**ORDINO** 343 H9 – *voir à Andorre (Principauté d').*

**ORGEVAL** *78 Yvelines* 311 H2 101 ⑪ – *voir à Paris, Environs.*

**ORGNAC-L'AVEN** *07150 Ardèche* 331 I8 – *327 h alt. 190.*

Voir *Aven d'Orgnac*** NO : 2 km,* **G. Vallée du Rhône.**

*Paris 660 – Alès 44 – Aubenas 51 – Pont-St-Esprit 23.*

**Stalagmites,** ☎ 04 75 38 60 67, *Fax 04 75 38 66 02,* – P. GB

*1er mars-15 nov.* – **Repas** 12,50/23,50 – 5 – **24 ch** 29/39 – 1/2 P 32/37.

◆ Chambres modestes, plus récentes à l'annexe où certaines disposent d'une kitchenette. Cuisine simple et copieuse, avec quelques spécialités du terroir. Accueil charmant.

**ORLÉANS** P *45000 Loiret* 318 I4 *G. Châteaux de la Loire* – *105 111 h Agglo. 263 292 h alt. 100.*

Voir *Cathédrale Ste-Croix* : boiseries*** – *Maison de Jeanne d'Arc** **V** – *Quai Fort-des-Tourelles* ≤* **EZ 60** – *Musée des Beaux-Arts*** **M¹** – *Musée Historique et Archéologique** **M²** – *Muséum*.*

Env. *Olivet : parc floral de la Source** SE : 8 km* **CZ.**

*Office du Tourisme, 6 rue Albert 1er* ☎ *02 38 24 05 05, Fax 02 38 54 49 84, office-de-tourisme.orleans@wanadoo.fr.*

*Paris 133 ⑪ – Caen 310 ⑪ – Clermont-Ferrand 297 ⑥ – Le Mans 143 ⑩ – Tours 118 ⑨.*

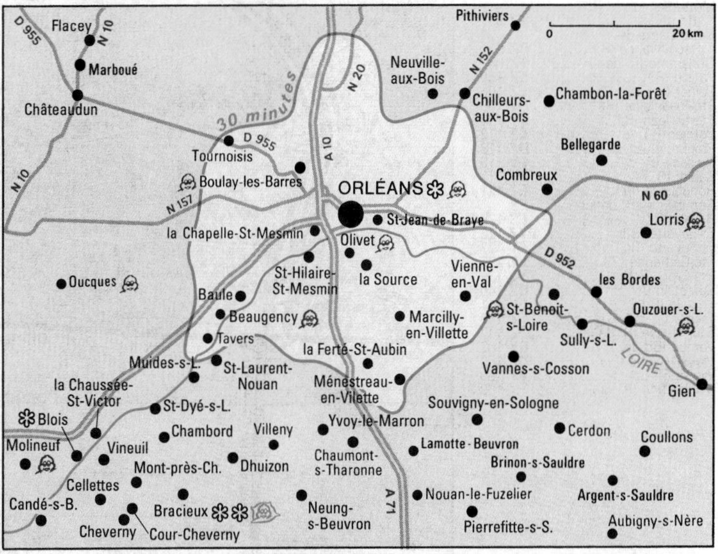

Pithiviers
0
20 km
D 955
Flacey
N 10
Marboué
Châteaudun
Neuville-aux-Bois
N 20
N 152
Chilleurs-aux-Bois
Chambon-la-Forêt
30 minutes
D 955
Tournoisis
A 10
Bellegarde
N 10
Boulay-les-Barres
ORLÉANS
Combreux
N 157
N 60
St-Jean-de-Braye
Lorris
la Chapelle-St-Mesmin
Olivet
D 952
Oucques
St-Hilaire-St-Mesmin
la Source
Vienne-en-Val
les Bordes
Baule
St-Benoit-s-Loire
Ouzouer-s-L.
Beaugency
Marcilly-en-Villette
Sully-s-L.
Tavers
la Ferté-St-Aubin
LOIRE
Muides-s-L.
St-Laurent-Nouan
Vannes-s-Cosson
la Chaussée-St-Victor
Ménestreau-en-Villette
Gien
Souvigny-en-Sologne
Blois
St-Dyé-s-L.
Yvoy-le-Marron
Chambord
Villeny
Cerdon
Coullons
Molineuf
Vineuil
Lamotte-Beuvron
Chaumont-s-Tharonne
Mont-près-Ch.
Dhuizon
Brinon-s-Sauldre
Cellettes
A 71
Nouan-le-Fuzelier
Argent-s-Sauldre
Candé-s-B.
Bracieux
Neung-s-Beuvron
Aubigny-s-Nère
Cheverny
Cour-Cheverny
Pierrefitte-s-S.


**Mercure** M, 44 quai Barentin ☎ 02 38 62 17 39, *h0581@accor-hotels.com, Fax 02 38 53 95 34,* ≤, – – 25 à 75. AE GB **DZ t**

**Repas** *(fermé dim. midi et sam. de nov. à fév.)* 15/20 bc, enf. 10 – 10 – **109 ch** 93/113.

◆ Voisinage de la Loire oblige, hall et restaurant sont décorés sur le thème de la batellerie. Grandes chambres insonorisées ; vue sur le fleuve depuis les étages supérieurs.

**d'Arc** sans rest, 37 r. République ☎ 02 38 53 10 94, *hotel.darc@wanadoo.fr, Fax 02 38 81 77 47* – . AE GB **EY g**

8 – **35 ch** 70/80.

◆ Originale façade - et son arche inspirée du style Art nouveau - abritant des chambres simples et bien tenues, desservies par un bel ascenseur digne de figurer dans un musée.

**Terminus** sans rest, 40 r. République ☎ 02 38 53 24 64, *terminus.orleans@wanadoo.fr, Fax 02 38 53 24 18* – – 25. AE GB. **EY z**

*fermé 24 déc. au 1er janv.* – 7 – **47 ch** 59/74.

◆ Hôtel apprécié pour sa situation centrale. Petites chambres égayées de meubles de style et salle des petits-déjeuners claire, offrant une vue sur la place d'Arc.

# ORLEANS

Antigna (R.) . . . . . . . . . . . . . . . DY 4
Bannier (R.) . . . . . . . . . . . . . . . DY
Bothereau (R. R.) . . . . . . . . . . FY 14
Bourgogne (R. Fg-de) . . . . . . . FZ 15
Brésil (R. du) . . . . . . . . . . . . . FY 16
Bretonnerie (R. de la) . . . . . DEY 17
Briand (Bd A.) . . . . . . . . . . . . FY 19
Champ-de-Mars (Av.) . . . . . . . DZ 25
Châtelet (Square du) . . . . . . . EZ 32
Charpenterie (R. de la) . . . . . . EZ 34
Chollet (R. Théophile) . . . . . . EY 36
Claye (R. de la) . . . . . . . . . . . FY 38
Coligny (R.) . . . . . . . . . . . . . . FZ 39
Croix-de-la-Pucelle (R.) . . . . . . EZ 43
Dauphine (Av.) . . . . . . . . . . . . EZ 47
Dolet (R. Étienne) . . . . . . . . . . EZ 49
Ducerceau (R.) . . . . . . . . . . . . EZ 51
Dunois (Pl.) . . . . . . . . . . . . . . DY 52
Dupanloup (R.) . . . . . . . . . . . EFY 53
Escures (R. d') . . . . . . . . . . . . EY 55
Étape (Pl. de l') . . . . . . . . . . . EY 56
Ételon (R. de l') . . . . . . . . . . . FY 57
Folie (R. de la) . . . . . . . . . . . . FZ 58
Fort-des-Tourelles (Q.) . . . . . . EZ 60
Gaulle (Pl. du Gén.-de) . . . . . DZ 65
Hallebarde (R. de la) . . . . . . . DY 70
Jeanne-d'Arc (R.) . . . . . . . . . . EY
Madeleine (R. Fg) . . . . . . . . . . DZ 88
Manufacture (R. de la) . . . . . . FY 89
Motte-Sanguin
(Bd de la) . . . . . . . . . . . . . . . FZ 95
Notre-Dame-de-
Recouvrance (R.) . . . . . . . . . DZ 97
Oriflamme (R. de l') . . . . . . . . FZ 98
Parisie (R.) . . . . . . . . . . . . . . . EZ 100
Poirier (R. du) . . . . . . . . . . . . . EZ 106
Pte-Madeleine (R.) . . . . . . . . . DY 108
Pte-St-Jean (R.) . . . . . . . . . . . DY 109
Pothier (R.) . . . . . . . . . . . . . . . EZ 112
Prague (Quai) . . . . . . . . . . . . . DZ 113
Pressoir (R. du) . . . . . . . . . . . . FY 115
Rabier (R. F.) . . . . . . . . . . . . . . EY 117
République (Pl.) . . . . . . . . . . . . EZ 121
République (R. de la) . . . . . . . EY
Royale (R.) . . . . . . . . . . . . . . . . EZ 125
St-Euverte (Bd) . . . . . . . . . . . FYZ 126
St-Euverte (R.) . . . . . . . . . . . . FY 127
Ste-Catherine (R.) . . . . . . . . . . EZ 135
Ste-Croix (Pl.) . . . . . . . . . . . . EYZ 139
Secrétain (Av. R.) . . . . . . . . . . DZ 140
Segellé (Bd P.) . . . . . . . . . . . . FY 141
Tabour (R. du) . . . . . . . . . . . . . EZ 145
Tour Neuve (R. de la) . . . . . . . FZ 147
Verdun (Bd de) . . . . . . . . . . . . DY 152
Vieux-Marché (Pl.) . . . . . . . . . DZ 159
Weiss (R. L.) . . . . . . . . . . . . . . FY 160
6-Juin-1944 (Pl. du) . . . . . . . . FY 162

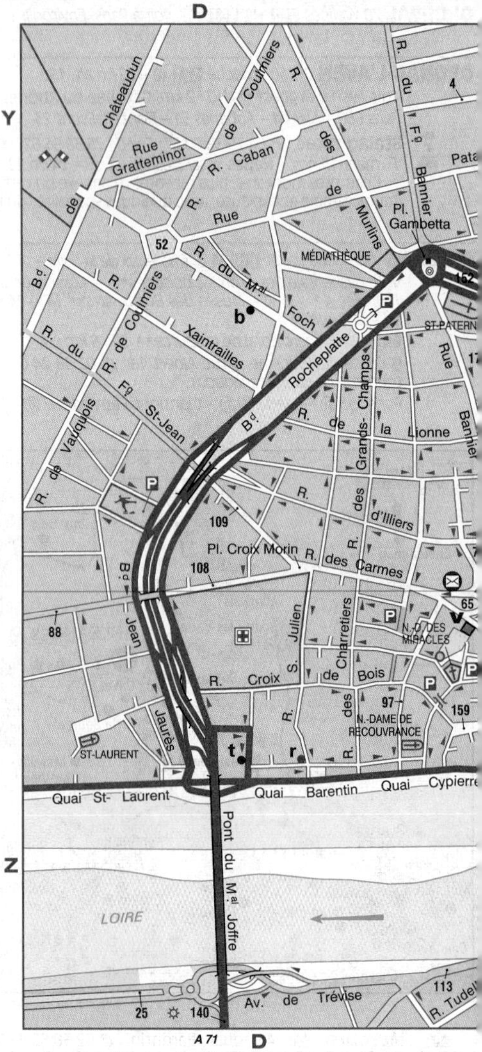
D
Y
Z
Châteaudun
Rue Gratteminot
R. de Coulmiers
R. Caban
Rue de Murlins
R. du Fg Bannier
Pl. Gambetta
MÉDIATHÈQUE
R. du Mal Foch
Xaintrailles
Bd Rocheplatte
ST-PATERN
Rue Bannier
R. de Grands-Champs
la Lionne
R. des d'Illiers
R. des Carmes
Pl. Croix Morin
Bd de Châteaudun
R. du Fg St-Jean
R. de Vauquois
Bd Jean Jaurès
S. Julien
R. Croix de Bois
R. des Charretiers
N.-D. DES MIRACLES
N.-DAME DE RECOUVRANCE
ST-LAURENT
Quai St-Laurent
Quai Barentin
Quai Cypierre
Pont du Mal Joffre
LOIRE
Av. de Trévise
R. Tudell
A 71
52
109
108
88
97
159
65
152
113
25
140
4
b
t
r
v

**Cèdres** sans rest, 17 r. Mar. Foch ✆ 02 38 62 22 92, *contact@hoteldescedres.com, Fax 02 38 81 76 46,* – |‡| ⇸ TV ✆. AE ⓓ GB JCB DY b
*fermé 20 déc. au 4 janv.* – ☕ 7
**34 ch** 58/64.
♦ Situation paisible pour cet hôtel qui dispose de chambres plus ou moins grandes, rénovées par étapes. La véranda des petits-déjeuners ouvre sur le jardin planté de cèdres.

**d'Orléans** sans rest, 6 r. A. Crespin ✆ 02 38 53 35 34, *Fax 02 38 53 68 20* – |‡| ⇸ TV ✆ ⇔. AE ⓓ GB EY t
☕ 6,50 – **18 ch** 44/64.
♦ Deux bâtiments ordonnés autour d'une cour et reliés entre eux par la salle des petits-déjeuners. Les chambres, de taille moyenne, sont sobres et pratiques.

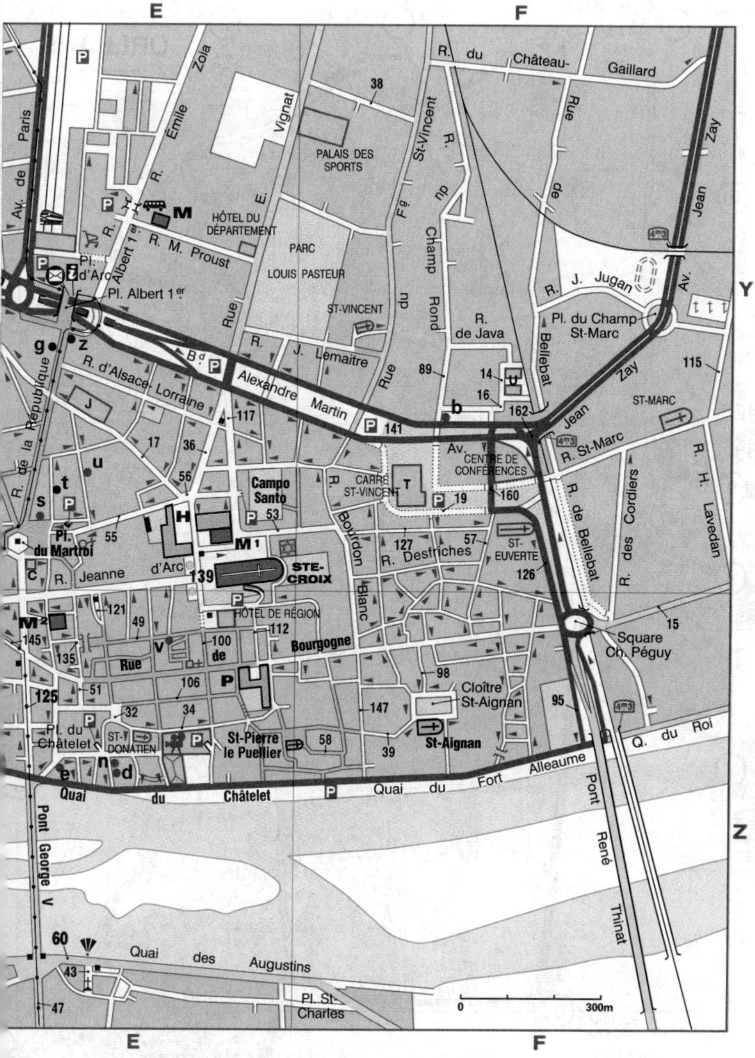

E
F
Y
Z
R. du Château-Gaillard
Rue de Paris
Av. de Paris
R. Émile Zola
Rue E. Vignat
PALAIS DES SPORTS
Fg. St-Vincent
R. du Champ Rond
Rue de Bellebat
Av. Jean Zay
HÔTEL DU DÉPARTEMENT
PARC LOUIS PASTEUR
ST-VINCENT
R. Albert 1er
R. M. Proust
Pl. d'Arc
Pl. Albert 1er
R. J. Jugan
Pl. du Champ St-Marc
R. de Java
R. J. Lemaitre
Rue du Champ Rond
Bd Alexandre Martin
R. d'Alsace-Lorraine
R. de la République
Av. Jean Zay
ST-MARC
R. St-Marc
R. H. Lavedan
R. des Cordiers
R. de Bellebat
Av. CENTRE DE CONFÉRENCES
CARRÉ ST-VINCENT
Campo Santo
R. Bourdon Blanc
R. Desfriches
ST-EUVERTE
Pl. du Martroi
R. Jeanne d'Arc
STE-CROIX
HÔTEL DE RÉGION
Rue de Bourgogne
Square Ch. Péguy
Cloître St-Aignan
St-Aignan
Pl. du Châtelet
ST-DONATIEN
St-Pierre le Puellier
Q. du Roi
Quai du Fort Alleaume
Quai du Châtelet
Pont René Thinat
Pont George V
Quai des Augustins
Pl. St-Charles
0
300m


**Marguerite** sans rest, 14 pl. Vieux Marché ✆ 02 38 53 74 32, *hotel.marguerite@wanadoo.fr, Fax 02 38 53 31 56* – 🛗 📺 📞. GB. ⚡ DZ f

☕ 5,50 – **25 ch** 31/52.

◆ Entrée rénovée, couloirs refaits, insonorisation renforcée et literie neuve : cet hôtel central améliore progressivement son confort. Chambres spacieuses et simples.

XXX ✿ **Les Antiquaires** (Bardau), 2 r. au Lin ✆ 02 38 53 52 35, *contact@restaurantlesantiquaires.com, Fax 02 38 62 06 95* – ▤. AE GB EZ d

*fermé dim. sauf le midi de sept. à juin et lundi* – **Repas** 34 bc/55 et carte 54 à 73 ♀.

◆ Meubles rustiques, couleurs chaudes et éclairages tamisés créent le cadre harmonieux et l'atmosphère cossue de ce restaurant situé dans une ruelle proche des quais.

**Spéc.** Poêlée d'asperges et croustillant de morilles (avril à juin). Minute de chevreuil de Sologne et galette d'abattis (oct. à janv.). Millefeuille de foie chaud à l'artichaut. **Vins** Sancerre rouge.

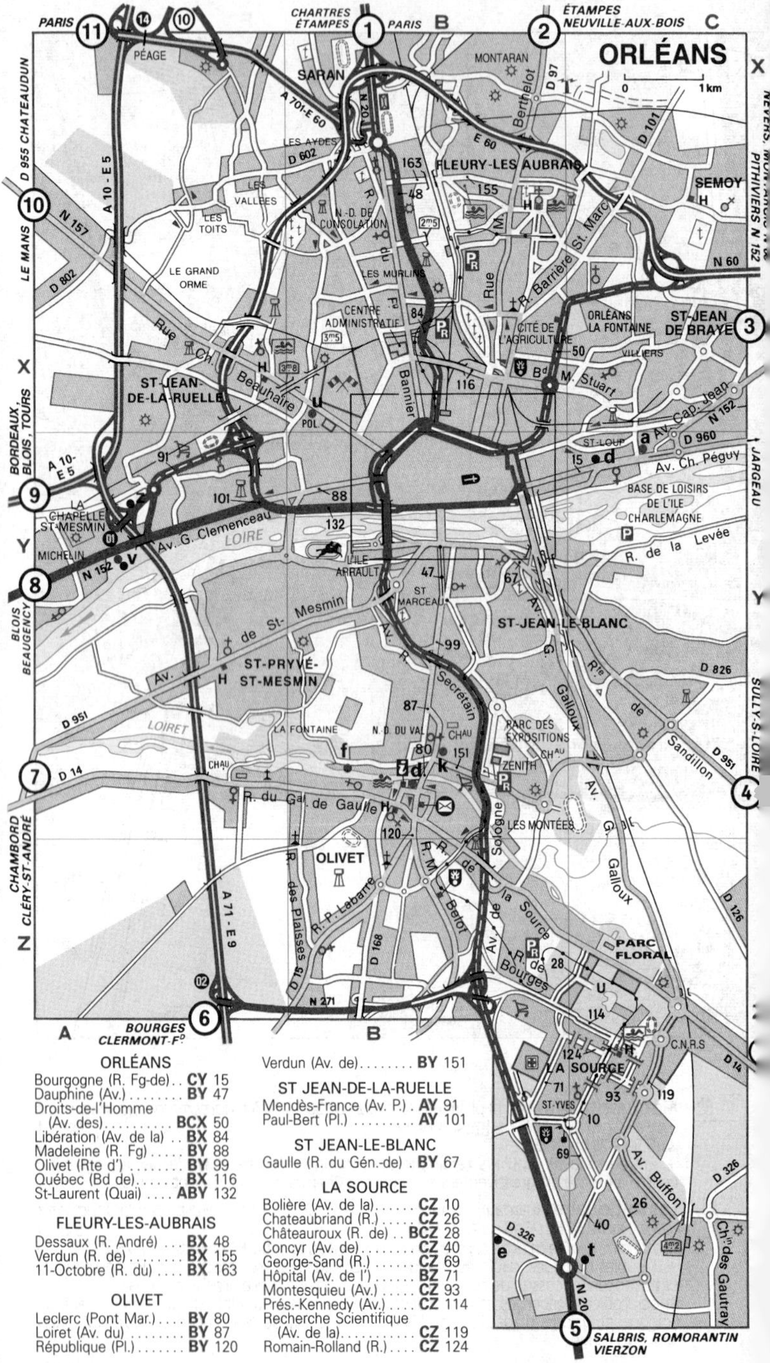

ORLÉANS
0
1 km
PARIS
11
14
10
PÉAGE
CHARTRES
ÉTAMPES
1
PARIS
B
ÉTAMPES
NEUVILLE-AUX-BOIS
2
C
X
SARAN
MONTARAN
A 701-E 60
N 20
D 97
D 101
LES AYDES
D 602
E 60
163
FLEURY-LES-AUBRAIS
PITHIVIERS N 152
SEMOY
D 955 CHATEAUDUN
A 10 - E 5
LES VALLÉES
48
155
10
LE MANS
N 157
LES TOITS
N.-D. DE CONSOLATION
St. Marc
N 60
LES MURLINS
LE GRAND ORME
D 802
R. Barrière
CENTRE ADMINISTRATIF
84
Rue
ORLÉANS LA FONTAINE
ST-JEAN DE BRAYE
3
Rue Ch. Beauhaire
CITÉ DE L'AGRICULTURE
50
VILLIERS
X
ST-JEAN-DE-LA-RUELLE
116
Bd M. Stuart
Bannier
Av. Cap. Jean
N 152
u
POL.
ST-LOUP
a
D 960
BORDEAUX, BLOIS, TOURS
91
15
d
Av. Ch. Péguy
JARGEAU
A 10-E 5
101
88
BASE DE LOISIRS DE L'ILE CHARLEMAGNE
9
LA CHAPELLE ST-MESMIN
Av. G. Clemenceau
132
Y
MICHELIN
LOIRE
R. de la Levée
N 152
v
8
L'ILE ARRAULT
47
ST MARCEAU
67
Y
BLOIS BEAUGENCY
Av. de St-Mesmin
ST-JEAN-LE-BLANC
Av. G. Galloux
99
ST-PRYVÉ-ST-MESMIN
Av. R. Secrétain
D 826
Rte de Sandillon
D 951
87
LOIRET
LA FONTAINE
N.-D. DU VAL
PARC DES EXPOSITIONS
SULLY-S-LOIRE
f
80
151
k
D 951
7
D 14
d
ZENITH
4
R. du Gal de Gaulle
Av. G. Galloux
CHAMBORD CLÉRY-ST-ANDRÉ
120
LES MONTÉES
OLIVET
Sologne
Av. de la Source
R. M. Belot
R. des Plaisses
R. P. Labarre
D 126
Z
PARC FLORAL
D 15
D 168
R. de Bourges
28
A 71-E 9
02
U
N 271
114
6
BOURGES CLERMONT-FD
A
B
C.N.R.S
D 14
124
LA SOURCE
71
93
119
ST-YVES
10
69
Av. Buffon
D 326
26
40
D 326
e
t
Chin des Gautray
N 20
5
SALBRIS, ROMORANTIN VIERZON


## ORLÉANS

Bourgogne (R. Fg-de) .. **CY** 15
Dauphine (Av.) ........ **BY** 47
Droits-de-l'Homme (Av. des) .......... **BCX** 50
Libération (Av. de la) .. **BX** 84
Madeleine (R. Fg) ..... **BY** 88
Olivet (Rte d') ........ **BY** 99
Québec (Bd de) ....... **BX** 116
St-Laurent (Quai) .... **ABY** 132

## FLEURY-LES-AUBRAIS

Dessaux (R. André) ... **BX** 48
Verdun (R. de) ......... **BX** 155
11-Octobre (R. du) .... **BX** 163

## OLIVET

Leclerc (Pont Mar.) .... **BY** 80
Loiret (Av. du) ......... **BY** 87
République (Pl.) ....... **BY** 120
Verdun (Av. de) ........ **BY** 151

## ST JEAN-DE-LA-RUELLE

Mendès-France (Av. P.) . **AY** 91
Paul-Bert (Pl.) .......... **AY** 101

## ST JEAN-LE-BLANC

Gaulle (R. du Gén.-de) . **BY** 67

## LA SOURCE

Bolière (Av. de la) ...... **CZ** 10
Chateaubriand (R.) ...... **CZ** 26
Châteauroux (R. de) .. **BCZ** 28
Concyr (Av. de) ......... **CZ** 40
George-Sand (R.) ....... **CZ** 69
Hôpital (Av. de l') ...... **BZ** 71
Montesquieu (Av.) ...... **CZ** 93
Prés.-Kennedy (Av.) .... **CZ** 114
Recherche Scientifique (Av. de la) ............ **CZ** 119
Romain-Rolland (R.) .... **CZ** 124

XXX **Redina,** 1 av. Jean Zay ✆ 02 38 77 72 51, *Fax 02 38 81 01 14* – AE GB FY b
*fermé 16 au 22 août, 5 au 11 janv., dim. soir et lundi* – **Repas** 22/39 et carte 48 à 64.
◆ Nombreux tableaux, tables joliment dressées : les salles à manger colorées de ce restaurant aménagé dans une belle demeure ne manquent pas de charme. Plats classiques.

XX **L'Épicurien,** 54 r. Turcies ✆ 02 38 68 01 10, *Fax 02 38 68 19 02* – ▤. AE GB DZ r
*fermé 7 au 28 août, dim. et lundi* – **Repas** 22/47,30 ♀.
◆ Les épicuriens se retrouvent près des quais de la Loire, dans cette maison ancienne abritant deux salles à manger fraîches et rustiques dont une égayée de poutres apparentes.

XX **Eugène,** 24 r. Ste-Anne ✆ 02 38 53 82 64, *Fax 02 38 54 31 89* – ▤. AE ◑ GB EY u
*fermé 4 au 12 mai, 3 au 19 août, 26 déc. au 5 janv., sam. midi, lundi midi et dim.* – **Repas** 21,50/30,50, enf. 14.
◆ L'adresse, assez exiguë, est prisée des Orléanais qui s'y pressent pour goûter une cuisine aux saveurs méridionales. Le cadre est, quant à lui, un peu moins ensoleillé.

XX **Auberge du Quai,** 6 r. au Lin ✆ 02 38 62 40 00, *Fax 02 38 53 41 00* – AE GB EZ n
*fermé 29 juil. au 18 août, vacances de fév.,dim. soir et lundi* – **Repas** *(16)* - 22,50/42,50 ♀, enf. 12.
◆ Profonde salle aveugle au décor contemporain : murs clairs égayés de pilastres en bois et petite note ibérique apportée par les chaises en laque noire à haut dossier.

XX **Promenade,** 1 r. A. Crespin (1er étage) ✆ 02 38 42 78 10, *Fax 02 38 42 78 20* – AE GB EY s
**Repas** *(fermé dim. et lundi) (16,80)* - 19,60/30,50 bc ♀ - ***Martroi*** brasserie - ✆ 02 38 42 15 00 **Repas** *(15,20)*-et carte environ 23 ♀.
◆ Sympathique adresse : au premier étage, le Promenade, cadre coloré d'inspiration Art déco ; au rez-de-chaussée, le Martroi, "bistrot rétro" orienté brasserie.

XX **Mosaïque,** 109 r. Fg St-Jean ✆ 02 38 72 11 10, *mosaifissa@wanadoo.fr, Fax 02 38 43 47 75* – GB BX u
*fermé 20 juil. au 20 août, mardi midi, dim. soir et lundi* – **Repas** 19,30/32 ♁, enf. 8,80.
◆ Embarquement immédiat pour le Maroc : beau décor mauresque (murs en mosaïque bleue, stucs ouvragés et lampes diffusant une lumière tamisée) et goûteuse cuisine du Maghreb.

X **Dariole,** 25 r. Etienne Dolet ✆ 02 38 77 26 67, *Fax 02 38 77 26 67*, ☂ – GB EZ v
*fermé 12 au 20 avril, 2 au 25 août, 24 au 28 déc., merc. midi, sam. et dim.* – **Repas** (nombre de couverts limité, prévenir) 18/30,50 ♀.
◆ Cuisine personnalisée servie dans la pimpante salle à manger rustique de cette maison à colombages (15e s.) et sur la petite terrasse d'été, ouverte sur une placette.

X **Jardin de Neptune,** 6 r. Jean Hupeau ✆ 02 38 62 45 64, *Fax 02 38 52 90 96* – GB
*fermé 10 au 24 août, dim. et lundi* – **Repas** *(15,50)* - 23,50 bc, enf. 7. EZ e
◆ Une carte à la gloire du divin Neptune : poissons, coquillages et crustacés y jouent les vedettes. Décor marin ad hoc pour cette "brasserie" récemment ouverte.

**à St-Jean-de-Braye** *Est : 4 km -* **CXY** *– 16 387 h. alt. 108 –* ✉ *45800 :*

**Novotel Orléans Charbonnière** Ⓜ, N 152 ✆ 02 38 84 65 65, *H1075@accor-hotels.com, Fax 02 38 84 66 61*, ☂, ⛱, ⚘ – |☰| ⇹ ▤ TV ✆ ♿ P – ⛺ 20 à 100. AE ◑ GB
**Repas** *(17,60)* - 21,90 ♀, enf. 8 – ☕ 10 – **107 ch** 95/113.
◆ Grandes chambres fonctionnelles, sympathique bar contemporain et piscine entourée de verdure (jeux d'enfants) : tels sont les atouts de cet hôtel établi en lisière de forêt.

**Promotel** sans rest, 117 fg Bourgogne ✆ 02 38 53 64 09, *Fax 02 38 53 13 22*, ⚘ – |☰| ⇹ TV ✆ P. ◑ GB JCB. ✂ CY d
*fermé 3 au 25 août* – ☕ 7 – **83 ch** 50/68.
◆ Le bâtiment le plus récent, bien insonorisé, donne sur un axe fréquenté ; l'autre bénéficie de l'agrément d'un jardin ombragé. Chambres pratiques et de bonne ampleur.

XX **Grange,** 205 fg Bourgogne ✆ 02 38 86 43 36, *Fax 02 38 61 52 15* – AE ◑ GB CY a
*fermé sam. midi, dim. soir et lundi* – **Repas** *(15)* - 19,90/39,70 ♁.
◆ Proche de la base de loisirs de l'île Charlemagne, vieille grange convertie en restaurant. Décor rustique et poutres apparentes ; en hiver, repas servis au coin du feu.

**à La Source** *Sud-Est : 11 km carrefour N 20-D 326 –* ✉ *45100 Orléans :*

**Novotel Orléans La Source** Ⓜ, r. H. de Balzac ✆ 02 38 63 04 28, *h0419@accor-hotels.com, Fax 02 38 69 24 04*, ☂, ⛱, ⚘, ✂ – ⇹ ▤ TV ✆ ♿ P – ⛺ 20 à 100. AE ◑ GB. ✂ rest CZ u
**Repas** *(17,60)* - 21,90, enf. 8 – ☕ 10 – **116 ch** 85/100.
◆ Ce Novotel proche de la N 20 a fait peau neuve. Chambres spacieuses et bien équipées. La salle à manger (avec gril) ouvre directement sur la piscine.

**au parc de Limère** *Sud-Est : 13 km par N 20 et D 326 – ✉ 45160 Ardon :*

**Domaine des Portes de Sologne** M, ✆ 02 38 49 99 99, *resa@portes-de-sologne.com, Fax 02 38 49 99 00*, – cuisinette – 20 à 220. AE GB
Repas (15) - 20, enf. 9 – 10 – **117 ch** 87/115, 30 duplex – ½ P 74/79. BZ e
◆ Niché dans un îlot de verdure, complexe hôtelier aux nombreux atouts : chambres modernes, cottages idéaux pour les familles, golf et centre de balnéothérapie à proximité.

**à Olivet** *Sud : 5 km par av. Loiret et bords du Loiret G. Châteaux de la Loire – 17 572 h. alt. 100 – ✉ 45160 .*

*Office du Tourisme, 236 rue Paul Genain ✆ 02 38 63 49 68, Fax 02 38 63 50 45.*

**Rivage** M avec ch, 635 r. Reine Blanche ✆ 02 38 66 02 93, *hotel-le-rivage.jpb@wanadoo.fr, Fax 02 38 56 31 11*, – ch, AE GB BY f
*fermé 26 déc. au 18 janv.* – **Repas** *(fermé dim. soir de nov. à mars et sam. midi)* 26/54 et carte 49 à 68 – 11 – **17 ch** 65/80 – ½ P 85/100.
◆ Belles villas, vieux moulins : profitez pleinement du spectacle bucolique des berges du Loiret depuis cette lumineuse salle à manger-véranda ou de la terrasse à fleur d'eau.

**Laurendière,** 68 av. Loiret ✆ 02 38 51 06 78, *laurendiere@net-up.com, Fax 02 38 56 36 20* – . AE GB BY k
*fermé 6 au 30 juil., 22 fév. au 10 mars, mardi soir, jeudi midi et merc.* – **Repas** 21/45 ♀, enf. 10.
◆ Cuisine traditionnelle inspirée et superbe carte des vins incitent les gourmets à s'attabler dans la salle à manger colorée de cette maison régionale.

**L'Eldorado,** 10 r. M. Belot ✆ 02 38 64 29 74, *Fax 02 38 69 14 33*, – . GB BY d
*fermé 28 juil. au 19 août, vacances de fév., lundi et mardi* – **Repas** (déj. seul.) 18 (déj.), 25/38.
◆ Ancienne guinguette dont le joli jardin descend jusqu'au Loiret. Les deux salles à manger sont ornées de fresques (paysages de rivières) peintes par un artiste local.

**à St-Hilaire-St-Mesmin** *par ⑦ : 7 km – 2 025 h. alt. 101 – ✉ 45160 :*

**L'Escale du Port-Arthur,** 205 r. Église ✆ 02 38 76 30 36, *escaleportarthur@aol.com, Fax 02 38 76 37 67*, – AE GB JCB
*fermé 12 au 26 nov.* – **Repas** 21/50,60 – 7,50 – **17 ch** 46,40/56,40 – ½ P 62,30/65,60.
◆ Sur une rive du Loiret, maison appréciée à la belle saison pour ses frondaisons et son agréable terrasse au bord de l'eau. Chambres simples.

**à la Chapelle-St-Mesmin** *Ouest : 4 km -* **AY** *– 8 207 h. alt. 101 – ✉ 45380 :*

**Orléans Parc Hôtel** sans rest, 55 rte Orléans ✆ 02 38 43 26 26, *lucmar@aol.com, Fax 02 38 72 00 99*, – – 40. AE GB AY v
*fermé 20 déc. au 6 janv. et les week-ends de déc. à mars* – 8 – **33 ch** 58/120.
◆ Chambres sobres et de bon confort, salon accueillant et salle des petits-déjeuners coquettement aménagée. Le beau parc ombragé qui longe la Loire invite à la flânerie.

**Express by Holiday Inn** M, Z.A.Les Portes de Micy ✆ 02 38 22 23 24, *expressorleans@alliance-hospitality.com, Fax 02 38 22 39 51* – – 20. AE GB JCB AY z
**Repas** *(fermé sam., dim. et fériés)* (dîner seul.) (11) - carte 14 à 30 ♀, enf. 7 – **42 ch** 74.
◆ Cette bâtisse cubique située près d'un échangeur autoroutier constitue une étape avant tout pratique. Chambres et salle des repas fonctionnelles.

**Ciel de Loire,** 5 rte Orléans ✆ 02 38 72 29 51, *Fax 02 38 72 29 67*, – . AE GB AY v
*fermé 28 juil. au 21 août, sam. midi, dim. soir et lundi* – **Repas** 22/41 et carte 45 à 52 ♀.
◆ Maison bourgeoise du 19e s. entourée d'un parc aux cèdres bicentenaires. Plafonds peints, lustres à pendeloques et fauteuils de style Louis XVI égaient les salles à manger.

**à Boulay-les-Barres** *par ⑩ : 12 km – 466 h. alt. 126 – ✉ 45140 St-Jean-de-la-Ruelle :*

**Auberge du Relais de la Beauce,** Les Barres (D 955) ✆ 02 38 75 36 04, *relais.beauce@wanadoo.fr, Fax 02 38 75 33 39* – AE GB JCB
*fermé 24 juil. au 31 août, dim. soir et lundi* – **Repas** (nombre de couverts limité, prévenir) 17,50/55 ♀, enf. 10.
◆ Au bord de la nationale, cette auberge propose une goûteuse cuisine privilégiant produits de la mer et recettes traditionnelles. Préférez la salle à manger à colombages.

---

**ORLY (Aéroports de Paris)** *94 Val-de-Marne* 312 D3 101 ㉖ *– voir à Paris, Environs.*

---

**ORMOY-LA-RIVIÈRE** *91 Essonne* 312 B5 *– rattaché à Étampes.*

---

**ORNAISONS** *11 Aude* 344 I3 *– rattaché à Narbonne.*

**ORNANS** *25290 Doubs 321 G4 G. Jura – 4 016 h alt. 355.*

Voir *Grand Pont* ≤★ *– O : Vallée de la Loue*★★ *– Le Château* ≤★ *N : 2,5 km – Dino-Zoo*★ *N : 12 km.*

*Office du Tourisme, 7 rue Pierre Vernier ☎ 03 81 62 21 50, Fax 03 81 62 02 63.*

*Paris 429 – Besançon 25 – Baume-les-Dames 42 – Morteau 48 – Pontarlier 35.*

**France,** r. P. Vernier ☎ 03 81 62 24 44, *hoteldefrance@europost.org, Fax 03 81 62 12 03,* – TV P. AE O GB. rest

*fermé 3 au 16 nov. et 22 déc. au 11 janv.* – **Repas** *(fermé vend. soir, sam. midi, dim. soir du 17 nov. au 12 avril et lundi midi)* 23/43 ♀ – 8 – **26 ch** 60/85 – ½ P 75.

◆ Hôtel traditionnel au coeur de la "perle de la Loue" (vieilles maisons sur pilotis). Chambres de tailles variées, peu à peu rénovées, et parcours privé de pêche à la mouche.

**Courbet,** 34 r. P. Vernier ☎ 03 81 62 10 15, *Fax 03 81 62 13 34,* – GB

*fermé 17 fév. au 14 mars, dim. soir de nov. à mars, lundi soir sauf juil. août et mardi* – **Repas** 15,50/32 ♀, enf. 9.

◆ Tons pastel et copies de tableaux du "maître" en salle, belle terrasse bordant la Loue, cuisine selon le marché : sympathique adresse à deux pas de la maison natale de Courbet.

**OROUET** *85 Vendée 316 E7 – rattaché à St-Jean-de-Monts.*

*Michelin n'accroche pas de panonceau aux hôtels et restaurants qu'il signale.*

**ORPIERRE** *05700 H.-Alpes 334 C7 G. Alpes du Sud – 335 h alt. 682.*

*Office du Tourisme, Le Village ☎ 04 92 66 30 45, Fax 04 92 66 32 52.*

*Paris 692 – Digne-les-Bains 71 – Gap 54 – Château-Arnoux 47 – Serres 20 – Sisteron 32.*

**aux Bégües** *Sud-Ouest : 4,5 km – ✉ 05700 Orpierre :*

**Céans** , ☎ 04 92 66 24 22, *le.ceans@infonie.fr, Fax 04 92 66 28 29,* ≤, , , , – TV P. AE GB

*15 mars-1er nov.* – **Repas** *(fermé oct. et merc. du 15 mars au 15 avril)* 14/31 ♀ – 5,80 – **19 ch** 42/50 – ½ P 42.

◆ Dans une vallée connue pour ses sites d'escalade, au coeur d'un joli hameau, hôtel disposant de petites chambres progressivement rénovées. Parc tourné vers les montagnes.

**ORSAN** *18 Cher 323 J6 – rattaché au Châtelet.*

**ORSCHWILLER** *67600 B.-Rhin 315 I7 – 562 h alt. 240.*

*Office de tourisme, route de Sélestat ☎ 03 88 82 90 90, Fax 03 88 82 79 70.*

*Paris 440 – Colmar 21 – St-Dié 44 – Sélestat 7 – Strasbourg 57.*

**Fief du Château,** ☎ 03 88 82 56 25, *info@fief-chateau.com, Fax 03 88 82 26 24,* , – TV P – 15. GB

*fermé 30 juin au 5 juil., 3 au 8 nov., 17 fév. au 3 mars et merc* – **Repas** 18/31 ♀, enf. 7 – 7 – **8 ch** 45 – ½ P 43.

◆ Maison régionale de la fin du 19e s. à la façade fleurie dans un village typique de la route des Vins d'Alsace. Chambres simples et nettes. Restaurant d'esprit rustique.

**ORTHEZ** *64300 Pyr.-Atl. 342 H4 G. Aquitaine – 10 159 h alt. 55.*

Voir *Pont Vieux*★.

*Office du Tourisme, rue Bourg-Vieux ☎ 05 59 69 02 75, Fax 05 59 69 12 00.*

*Paris 769 ⑤ – Pau 47 ② – Bayonne 74 ④ – Dax 39 ⑤ – Mont-de-Marsan 57 ①.*

Plan page suivante

**Au Temps de la Reine Jeanne** , 44 r. Bourg-Vieux ☎ 05 59 67 00 76, *reinejeanne.orthez@wanadoo.fr, Fax 05 59 69 09 63* – TV . AE GB BZ r

*fermé 17 fév. au 2 mars* – **Repas** 15/34 ♀, enf. 7 – 5,50 – **20 ch** 38,50/49 – ½ P 42/83.

◆ Ces demeures des 18e et 19e s. proches de la maison de Jeanne d'Albret abritent des petites chambres disposées autour d'un patio couvert. Restaurant rustique. Soirées jazz.

**Auberge St-Loup,** 20 r. Pont Vieux ☎ 05 59 69 15 40, *Fax 05 59 67 13 19,* – GB AZ e

*fermé dim. soir et lundi* – **Repas** 15 (déj.), 21/38 ♀.

◆ Relais du 15e s. sur le chemin de St-Jacques-de-Compostelle. Intéressante architecture béarnaise associant la pierre apparente, la brique et le bois. Cuisine régionale.

## ORTHEZ

Albret (R. Jeanne-d') ........ BZ 2
Aquitaine (Av. d') ........ AY 3
Argote (R. Daniel) ........ AZ 4
Armes (Pl. d') ........ BZ 5
Baillères (R. Paul) ........ BZ 6
Bourg-Vieux (R.) ........ AZ 7
Briand (R. Aristide) ........ BY 8
Brossers (Pl.) ........ BZ 9
Corps-Franc-Pommiès (Av. du) ........ AY 12
Darget (R. Xavier) ........ BZ 13
Foy (R. du Gén.) ........ BY 14
Frères-Reclus (R. des) ........ AZ 16
Horloge (R. de l') ........ BY 21
Jacobins (R. des) ........ BZ 22
Jammes (Av. Francis) ........ BZ 23
Lasserre (R. Pierre) ........ ABZ 26
Moncade (R.) ........ BY 28
Moulin (R. du) ........ BZ 29
Moutète (Pl. de la) ........ AZ 30
Pont-Neuf (Av. du) ........ ABZ 32
Poustelle (Pl. de la) ........ BY 33
St-Gilles (R.) ........ BZ
St-Pierre (Pl. et ⇒) ........ AY 35
St-Pierre (R.) ........ AY 36
Tilleuls (Av. des) ........ BY 38
Viaduc (R. du) ........ AY 40

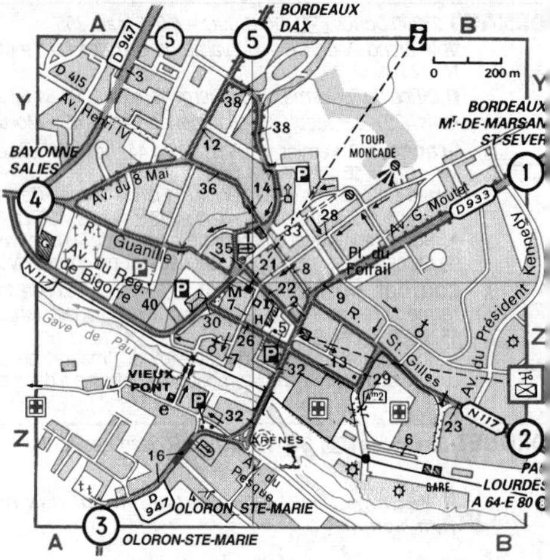
BORDEAUX
DAX
BORDEAUX
Mt-DE-MARSAN
ST-SEVER
BAYONNE
SALIES
TOUR MONCADE
Av. Henri IV
Av. du 8 Mai
Guanille
Av. du Reg. de Bigorre
Av. G. Moutet
Pl. du Foirail
R. St. Gilles
Av. du Président Kennedy
Gave de Pau
VIEUX PONT
ARÈNES
Av. du Pesqué
GARE
OLORON-STE-MARIE
PAU
LOURDES
A 64-E 80
OLORON-STE-MARIE

**à Maslacq** *par ② : 9 km – 738 h. alt. 74 – ✉ 64300 Orthez :*

**Maugouber** ⛰, ✆ 05 59 38 78 00, *christine.maugouber@wanadoo.fr, Fax 05 59 38 78 29,* 🏊, 🌳 – ▤ rest, 📺 📞 ♿. GB. ⛔ rest
*fermé 20 déc. au 2 janv.* – **Repas** *(fermé vend. soir, sam. et fériés d'oct. à avril)* 10/27,50 🍷, enf. 8 – ☕ 5,50 – **22 ch** 40/58 – ½ P 37,50/40,50.
◆ Maison de 1684 à l'atmosphère rustique. Salle à manger campagnarde (fumeurs) ou véranda (non-fumeurs) ouverte sur le jardin et la piscine. Chambres plus calmes à l'arrière.

---

**ORVAULT** *44 Loire-Atl.* 316 G4 – *rattaché à Nantes.*

---

**OSNY** *95 Val-d'Oise* 305 D6 106 ② 101 ② – *voir à Paris, Environs (Cergy-Pontoise).*

---

**OSTHOUSE** *67150 B.-Rhin* 315 J6 – *884 h alt. 155.*
*Paris 461 – Strasbourg 30 – Obernai 18 – Offenburg 37 – Sélestat 23.*

**A La Ferme** sans rest, ✆ 03 90 29 92 50, *hotelalaferme@wanadoo.fr, Fax 03 90 29 92 51,* 🌳 – 📺 📞 ♿. GB
☕ 13,50 – **7 ch** 110/130.
◆ Pimpantes chambres décorées dans le style alsacien réparties entre une ferme du 18^e s. et un ancien séchoir à tabac (où elles sont plus spacieuses et lumineuses).

**Aigle d'Or,** ✆ 03 88 98 06 82, *Fax 03 88 98 81 75* – ▤ 🅿. AE GB
*fermé en août, vacances de noël, de fév., lundi et mardi* – **Repas** 28 🍷, enf. 11,50 – ***Winstub :*** Repas *(8)* et carte 28 à 40.
◆ Toute une famille se met en quatre pour vous accueillir dans ce restaurant bourgeois, élégant et chaleureux (boiseries, beau plafond à caissons peints). Table traditionnelle.

---

**OSTWALD** *67 B.-Rhin* 315 K5 – *rattaché à Strasbourg.*

---

**OTTROTT** *67 B.-Rhin* 315 I6 – *rattaché à Obernai.*

---

**OUCHAMPS** *41120 L.-et-Ch.* 318 E7 – *648 h alt. 92.*
Voir *Château de Fougères-sur-Bièvre★ NO : 5 km,* **G. Châteaux de la Loire.**
*Paris 200 – Tours 57 – Blois 19 – Montrichard 19 – Romorantin-Lanthenay 40.*

**Relais des Landes** ⛰, Nord : 1,5 km ✆ 02 54 44 40 40, *info@relaisdeslandes.com, Fax 02 54 44 03 89,* 🏊, 🎾, 🌳 – 📺 📞 🅿 – 🏛 25. AE ⓓ GB
*5 avril-11 nov.* – **Repas** *(fermé le midi en semaine)* (26) - 33/39 🍷, enf. 12 – ☕ 12 – **28 ch** 82/131 – ½ P 92/116,50.
◆ Belle gentilhommière du 17^e s. entourée d'un vaste parc (plan d'eau). Grandes chambres personnalisées, salle avec cheminée en pierre et véranda. Bar d'esprit anglais.

**OUCQUES** *41290 L.-et-Ch.* 318 *E5 – 1 473 h alt. 127.*

*Syndicat d'Initiative, ☎ 02 54 23 11 00, Fax 02 54 23 11 04.*

*Paris 161 – Orléans 61 – Beaugency 30 – Blois 28 – Châteaudun 30 – Vendôme 20.*

XX **Commerce** avec ch, ☎ 02 54 23 20 41, *Fax 02 54 23 02 88* – rest, TV. AE GB

*fermé 20 déc. au 15 janv., dim. soir et lundi sauf fêtes* – **Repas** (dim. prévenir) 16,30/50,50 – 7,20 – **11 ch** 49/55,60 – ½ P 52.

◆ La longue et sobre façade dissimule une salle à manger tendance "seventies" et des chambres plus actuelles, très colorées et toutes différentes. Cuisine traditionnelle.

**OUHANS** *25520 Doubs* 321 *H5 – 287 h alt. 600.*

Voir *Source de la Loue*★★★ *N : 2,5 km puis 30 mn – Belvédère du Moine de la Vallée* ★★ *NO : 5 km – Belvédère de Renédale* ★ *NO : 4 km puis 15 mn, G. Jura.*

*Paris 451 – Besançon 47 – Pontarlier 17 – Salins-les-Bains 40.*

**Sources de la Loue,** au village ☎ 03 81 69 90 06, *hotel-des-sources-loue@wanadoo.fr, Fax 03 81 69 93 17,* – TV. GB

*fermé 20 déc. au 15 janv., vend. soir et sam. midi hors saison* – **Repas** 11 (déj.), 14/38, enf. 7 – 7 – **15 ch** 43/47 – ½ P 46/50.

◆ Dans le centre du village, grande bâtisse carrée abritant des chambres plutôt grandes, meublées simplement, bien tenues et bénéficiant d'un double vitrage.

**OUILLY-DU-HOULEY** *14 Calvados* 303 *N4 – rattaché à Lisieux.*

*Si le coût de la vie subit des variations importantes,*
*les prix que nous indiquons peuvent être majorés.*
*Lors de votre réservation à l'hôtel, faites-vous préciser le prix définitif.*

**OUISTREHAM** *14150 Calvados* 303 *K4 G. Normandie Cotentin – 6 709 h – Casino (Riva Bella).*

Voir *Église St-Samson*★.

*Office du Tourisme, Pavillon du Tourisme ☎ 02 31 97 18 63, Fax 02 31 96 87 33, office.ouistreham@wanadoo.fr.*

*Paris 233 – Caen 18 – Arromanches-les-Bains 33 – Bayeux 43 – Cabourg 20.*

XXX **Normandie** avec ch, 71 av. M. Cabieu, au port d'Ouistreham ☎ 02 31 97 19 57, *hotel@lenormandie.com, Fax 02 31 97 20 07* – TV P. AE GB JCB

*fermé 20 déc. au 15 janv., dim. soir et lundi de nov. à mars* – **Repas** 16/57 et carte 35 à 53 – 8 – **22 ch** 58/62 – ½ P 60.

◆ Restaurant installé dans une maison régionale proche du port. Choisissez votre table dans la salle à manger colorée et lumineuse ou sous l'élégante véranda.

**à Riva-Bella :**

**Thalazur** M, av. Cdt Kieffer ☎ 02 31 96 40 40, *ouistreham@thalassofrance.com, Fax 02 31 96 45 45,* – TV P – 50. AE GB. rest

*fermé 1er au 15 déc.* – **Repas** *(11,20)* - 18/26,70, enf. 9,20 – 10 – **89 ch** 100/155 – ½ P 79/95.

◆ En bordure de la magnifique plage de sable fin, hôtel couplé à un centre de thalasso-thérapie. Grandes chambres récemment revues. Salle de restaurant tournée vers la mer.

**Plage** sans rest, 39 av. Pasteur ☎ 02 31 96 85 16, *hoteldelaplage@aol.com, Fax 02 31 97 37 46,* – TV P. AE GB

*15 fév.-3 nov.* – 6,50 – **16 ch** 62/85.

◆ Villa anglo-normande du début du 20e s. dans une rue calme proche de la plage. Chambres rénovées ; quelques-unes, plus spacieuses, accueillent les familles. Joli jardin.

X **Métropolitain,** 1 rte Lion ☎ 02 31 97 18 61, *Fax 02 31 97 18 61* – AE GB

*fermé 26 nov. au 9 déc., lundi soir et mardi d'oct. à mai* – **Repas** 10,70/30,50.

◆ Banquettes en bois, porte-bagages, etc. Le décor évoque un wagon du métropolitain parisien (vers 1910), mais votre "voyage immobile" sera avant tout culinaire.

**à Colleville-Montgomery bourg** *Ouest : 3,5 km par D 35A – 1 926 h. alt. 10 – ✉ 14880 :*

*Office du Tourisme, avenue de Bruxelles ☎ 02 31 96 04 64, colleville-montgomery@marianne-village.com.*

XX **Ferme St-Hubert,** ☎ 02 31 96 35 41, *Fax 02 31 97 45 79,* – P. AE GB

*fermé 24 déc. au 15 janv., dim. soir et lundi sauf juil.-août et fériés* – **Repas** 15/40.

◆ Maison régionale dont la salle à manger est ornée de trophées de chasse. Véranda ouverte sur la campagne et parc animalier pour distraire les enfants.

**Les OURSINIÈRES** *83 Var* 340 *L7 – rattaché au Pradet.*

**OUST** *09140 Ariège* 343 *F7 – 449 h alt. 500.*
*Paris 804 – Foix 61 – Tarascon-sur-Ariège 50 – St-Girons 18.*

**Hostellerie de la Poste,** ✆ 05 61 66 86 33, *Fax 05 61 66 77 08,* – P. GB
*17 avril-3 nov.* – **Repas** *(fermé lundi et mardi sauf août)* 19/38 ♀, enf. 9 – ☐ 6,50 – **23 ch** 48/58 – ½ P 49/54.
◆ Établissement familial au coeur du village. Choisir une chambre donnant sur le jardin. Spacieux restaurant rustique et terrasse où vous dégusterez une cuisine traditionnelle.

**OUZOUER-SUR-LOIRE** *45570 Loiret* 318 *L5 – 2 310 h alt. 140.*
*Paris 152 – Orléans 53 – Gien 16 – Montargis 44 – Pithiviers 55 – Sully-sur-Loire 9.*

**L'Abricotier,** 106 r. Gien ✆ 02 38 35 07 11, *Fax 02 38 35 63 63,* – GB
*fermé 16 août au 4 sept., 22 déc., au 2 janv., dim. soir, merc. soir et lundi* – **Repas** (nombre de couverts limité, prévenir) 21,50/49 bc ♀, enf. 8,50.
◆ Accueil courtois, atmosphère provinciale feutrée et goûteuse cuisine traditionnelle inspirée par le marché sont les atouts de cette auberge située au centre du village.

**OYE-ET-PALLET** *25160 Doubs* 321 *I5 – 467 h alt. 853.*
*Paris 459 – Besançon 66 – Champagnole 44 – Morez 53 – Pontarlier 7.*

**Parnet,** ✆ 03 81 89 42 03, *Fax 03 81 89 41 47,* ←, – P. AE GB. ch
*fermé lundi (sauf hôtel) et dim. soir de sept. à juin* – **Repas** 15,50/45 – ☐ 7 – **16 ch** 48 – ½ P 53/60.
◆ Hostellerie familiale (4ᵉ génération) située en bord de route. Chambres anciennes, mais d'une tenue sans défaut ; préférez celles, plus au calme, qui ouvrent sur le parc.

*Dans ce guide*
*un même symbole, un même mot,*
*imprimé en **rouge** ou en **noir**, en maigre ou en **gras**,*
*n'ont pas tout à fait la même signification.*
*Lisez attentivement les pages explicatives.*

**OYONNAX** *01100 Ain* 328 *G3 G. Jura – 23 869 h alt. 540.*
*Office du Tourisme, 1 rue Bichat ✆ 04 74 77 94 46, Fax 04 74 77 68 27.*
*Paris 484 ② – Bourg-en-Bresse 60 ③ – Nantua 19 ②.*

Plan page ci-contre

**Grandes Roches,** par ④, *sortie autoroute n° 11 : 1,5 km* ✆ 04 74 77 27 60, *grandesroches-hotel@wanadoo.fr, Fax 04 74 73 89 87,* ←, – TV P – 60. AE GB
*fermé 1ᵉʳ au 24 août* – ***Les Feuillantines*** (dîner seul.) *(fermé vend., sam. et dim.)* **Repas** 21 – ☐ 7,50 – **38 ch** 53/70.
◆ Sur les hauteurs de la ville, chambres peu à peu rénovées convenant pour une étape. Les Feuillantines offrent, depuis leur terrasse, une vue agréable sur les montagnes.

**Toque Blanche,** 11 pl. Église St-Léger ✆ 04 74 73 42 63, *Fax 04 74 73 76 48* – AE GB **Z a**
*fermé 26 juil. au 18 août, 2 au 10 janv., sam. midi, dim. soir et lundi* – **Repas** (15,50) - 23/58 ♀, enf. 11.
◆ Salle de restaurant au décor soigné, égayé de chaudes tonalités. Confluences géographiques obligent, la table marie la Bresse, le Jura et le Lyonnais.

**au Lac Genin** *Sud-Est : 10 km par D 13 – ✉ 01130 Charix.*
*Voir Site★ du lac.*

**Auberge du Lac Genin** avec ch, ✆ 04 74 75 52 50, *denis.godet@wanadoo.fr, Fax 04 74 75 51 15,* ←, – TV P. AE GB
*fermé 13 oct. au 28 nov., dim. soir et lundi* – **Repas** 11/18 ♀, enf. 5,50 – ☐ 4,50 – **5 ch** 20/40.
◆ Cette auberge située au bord du lac est fréquentée par les "accros" de nature et de calme. Grillades au feu de bois préparées sous vos yeux. Terrasse prisée aux beaux jours.

**à Bellignat** *par ② : 2,5 km – 3 233 h. alt. 530 – ✉ 01100 :*

**Mélodie,** av. V. Hugo ✆ 04 74 73 45 26, *hotel-melodie@wanadoo.fr, Fax 04 74 73 04 56,* – TV P – 20. GB
*fermé 2 au 16 août* – **Repas** *(fermé sam. et dim.)* 14/20 – ☐ 5 – **35 ch** 38/42,50 – ½ P 72.
◆ Près d'un accès autoroutier, aux portes de la capitale de la plasturgie, chambres pratiques convenant à la clientèle d'affaires. Petite restauration sans prétention.

## OYONNAX

Anatole-France (R.) . . . . . . . . **YZ**
Bichat (R.) . . . . . . . . . . . . . . . **YZ** 2
Brunet (R.) . . . . . . . . . . . . . . . . **Y** 3
Château (R. du) . . . . . . . . . . . . **Z** 4
Jean-Jaurès (Av.) . . . . . . . . . . . **Z** 10
Michelet (R. Jules) . . . . . . . . . **Y**
Muret (R. du) . . . . . . . . . . . . . . **Z** 12
Paix (R. de la) . . . . . . . . . . . . . **Z** 14
Renan (R.) . . . . . . . . . . . . . . . . **Z** 15
Roosevelt (Av. Prés.) . . . . . . . . . . . . . . . **Y** 16
Sonthonnax (R. J.) . . . . . . . . . **Y** 18
Vaillant-Couturier (Pl.) . . . . . . **Y** 20
Vandel (R.) . . . . . . . . . . . . . . . . **Y** 22
Victoire (R. de la) . . . . . . . . . . **Z** 23
Voltaire (R.) . . . . . . . . . . . . . . . **Z**
Zola (Pl. Émile) . . . . . . . . . . . . **Z** 25
8-Mai-1945 (R. du) . . . . . . . . . **Z** 26

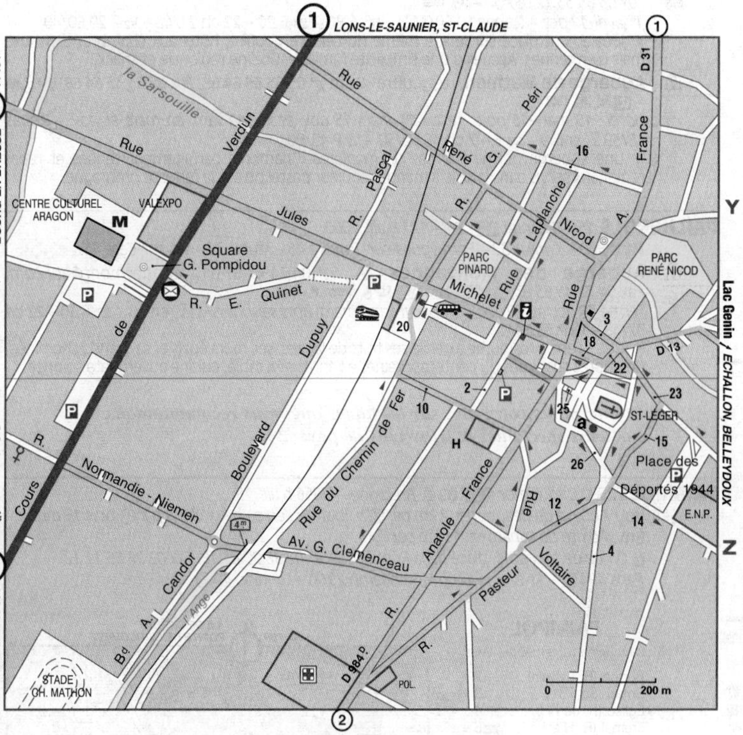

LONS-LE-SAUNIER, ST-CLAUDE
la Sarsouille
Rue Jules Michelet
Cours de Verdun
Rue René G. Péri
R. Pascal
R. Laplanche
Nicod
A. France
D 31
CENTRE CULTUREL ARAGON
VALEXPO
M
Square G. Pompidou
R. E. Quinet
Dupuy
Boulevard
PARC PINARD
PARC RENÉ NICOD
Rue
Rue
Lac Genin / ECHALLON, BELLEYDOUX
D 13
ST-LÉGER
Place des Déportés 1944
E.N.P.
R. Normandie - Niemen
Rue du Chemin de Fer
Av. G. Clemenceau
Anatole France
Rue Voltaire
R. Pasteur
Bd A. Candor
l'Ange
STADE CH. MATHON
D 984 P.
POL.
H
Y
Z
0
200 m




---

**OZOIR-LA-FERRIÈRE** *77 S.-et-M.* 312 F3 106 ㉝ 101 ㉚ – *voir à Paris, Environs.*

---

**PACY-SUR-EURE** *27120 Eure* 304 I7 *G. Normandie Vallée de la Seine – 4 295 h alt. 40.*

*Office du Tourisme, place Dufay ✆ 02 32 26 18 21, Fax 02 32 36 96 67.*

*Paris 81 – Rouen 62 – Dreux 38 – Évreux 19 – Louviers 33 – Mantes-la-Jolie 28 – Vernon 14.*

**Altina** [M], rte Paris ✆ 02 32 36 13 18, *altinasa@aol.com, Fax 02 32 26 05 11,* – TV ☎ ♿ P – 25. AE GB

**Repas** *(fermé 3 au 31 août, 25 au 31 déc., sam.et dim.)* 12,50/25,50 ♀ – ☕ 6 – **29 ch** 47 – ½ P 39.

◆ Récemment construit dans une zone commerciale, établissement fréquenté par une clientèle d'affaires. Chambres fonctionnelles, bar-salon fleuri et cuisine traditionnelle.

**à Cocherel** *Nord-Ouest : 6,5 km par D 836 – ✉ 27120 Pacy-sur-Eure :*

XXX **Ferme de Cocherel** avec ch, ✆ 02 32 36 68 27, *Fax 02 32 26 28 18,* – TV P. AE GB

*fermé 1er au 19 sept., 5 au 28 janv., mardi et merc.* – **Repas** (nombre de couverts limité, prévenir) 35 (sauf dim.)et carte 46 à 90 ♀ – ☕ 10 – **3 ch** 95 – ½ P 92,50/107,50.

◆ Ancienne ferme au sein du hameau chéri par Aristide Briand. Plaisante salle en rotonde tournée vers un ravissant jardin. Les dépendances abritent de coquettes chambres.

**PADIRAC** *46500 Lot* 337 *G2 – 160 h alt. 360.*

*Voir Gouffre de Padirac*** *N : 2,5 km,* **G. Périgord Quercy.**

*Office du Tourisme, Le Bourg* ✆ *05 65 33 47 17, Fax 05 65 33 47 18,.*

*Paris 531 – Brive-la-Gaillarde 50 – Cahors 68 – Figeac 40 – Gramat 10 – St-Céré 17.*

**Padirac Hôtel,** au Gouffre : 2,5 km ✆ 05 65 33 64 23, *padirac-hotel@wanadoo.fr, Fax 05 65 33 72 03,* – P. GB

*1er avril-12 oct.* – **Repas** 10,50/34 ♀, enf. 6,80 – ☕ 6,20 – **22 ch** 21/42 – ½ P 29,80/40.

◆ Idéalement placé sur le site même du célèbre gouffre, hôtel aux chambres sans luxe mais bien tenues. Accueil d'une simplicité familiale. Cuisine régionale et snack.

**Auberge de Mathieu,** rte gouffre : 2 km ✆ 05 65 33 64 68, *Fax 05 65 33 64 68,* – TV ✆ P. GB

*hôtel : 15 mars-15 nov. ; rest. : 1er mars-15 nov. et fermé sam. en mars et nov.* – **Repas** 18/39 ♀, enf. 9 – ☕ 6 – **7 ch** 36,50/50 – ½ P 45/50.

◆ Une auberge qui ne fait pas de manières. Chambres parfaitement tenues et repas régionaux servis dans la salle à manger couleur pastel ou sur la terrasse ombragée.

**PAILHEROLS** *15800 Cantal* 330 *E5 – 171 h alt. 1000.*

*Paris 560 – Aurillac 32 – Entraygues-sur-Truyère 45 – Murat 38 – Vic-sur-Cère 13.*

**Auberge des Montagnes** ✆ 04 71 47 57 01, *aubdesmont@aol.com, Fax 04 71 49 63 83,* – TV ✆ P. GB

*fermé 10 oct. au 20 déc.* – **Repas** *(fermé mardi hors saison)* 13/21 ♀, enf. 8 – ☕ 6,30 – **22 ch** 37/48 – ½ P 38,50/47.

◆ Cette ferme restaurée a gardé ses toits de lauzes, ses murs épais et sa grande cheminée. Chambres rustiques ou contemporaines à l'annexe. À table, cuisine auvergnate soignée.

*Donnez-nous votre avis sur les tables que nous recommandons, sur leurs spécialités et leurs vins de pays.*

**PAIMPOL** *22500 C.-d'Armor* 309 *D2 G. Bretagne – 7 856 h alt. 15.*

*Voir Abbaye de Beauport** *2 km par ② – Tour de Kerroc'h* ≤* *3 km par ① puis 15 mn.*

*Env. Pointe de Minard*** *11 km par ②.*

*Office de tourisme, place de la République* ✆ *02 96 20 83 16, Fax 02 96 55 11 12.*

*Paris 494 ② – St-Brieuc 47 ② – Guingamp 29 ④ – Lannion 42 ⑤.*

**PAIMPOL**

Circulation réglementée l'été

| | |
|---|---|
| Bertho (R. Sylvain) | 2 |
| Botrel (Sq. T.) | 3 |
| Église (R. de l') | 4 |
| Fromal (R. H.) | 5 |
| Gaulle (Av. Gén.-de) | 7 |
| Islandais (R. des) | 8 |
| Labenne (R. de) | 9 |
| Leclerc (R. Gén.) | 10 |
| Marne (R. de la) | 12 |
| Martray (Pl. du) | 13 |
| Morand (Quai) | 14 |
| Pasteur (R.) | 15 |
| République (Pl. de la) | 16 |
| St-Vincent (R.) | 17 |
| Verdun (Pl. de) | 19 |
| 18-Juin (R. du) | 22 |

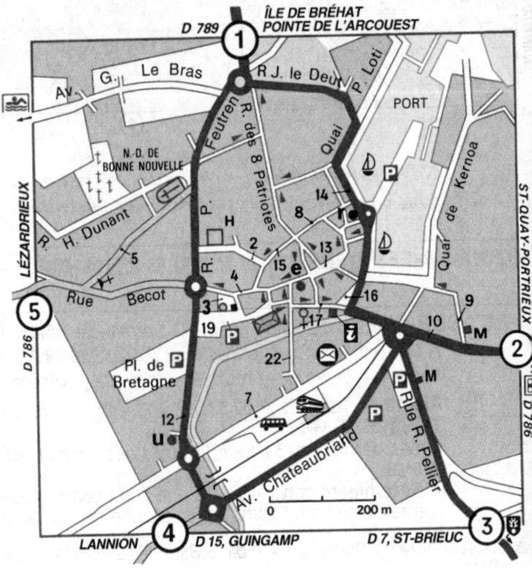
D 789
ÎLE DE BRÉHAT
POINTE DE L'ARCOUEST
Av. G. Le Bras
R J. le Deüt
P. Loti
PORT
Feutren
R. des 8 Patriotes
Quai
N.-D. DE BONNE NOUVELLE
Quai de Kernoa
LÉZARDRIEUX
ST-QUAY-PORTRIEUX
R. H. Dunant
Rue Becot
Pl. de Bretagne
Av. Chateaubriand
Rue R. Pellier
D 786
200 m
LANNION
D 15, GUINGAMP
D 7, ST-BRIEUC

**K'Loys** sans rest, 21 quai Morand **(r)** ✆ 02 96 20 40 01, *Fax 02 96 20 72 68,* ≤ – TV ✆ GB

☕ 8 – **15 ch** 80/110.

◆ Face au port, demeure d'armateur dont l'intérieur est garni de mobilier de style ou breton. L'ambiance "cosy" du bar (bois sombre) évoque le Paimpol du "Pêcheur d'Islande".

**Motel Nuit et Jour** sans rest, rte Ile-de-Bréhat par ① : *2 km* ✉ 22620 Ploubazlanec ✆ 02 96 20 97 97, – cuisinette TV ♿ P. GB
☕ 7 – **38 ch** 50/65.
◆ Réparties dans des bungalows, chambres simples et bien tenues, accessibles 24 h sur 24 ; certaines sont plus récentes. Jeu d'échecs géant pour les amateurs.

**Paimpol-Eurotel,** par ③ : *1 km* ✆ 02 96 20 81 85, *info@paimpol-eurotel.com, Fax 02 96 20 48 24* – TV ♿ P – 25. AE GB. rest
*1er avril-2 nov.* – **Repas** (1/2 pens. seul.)(dîner seul.) – ☕ 6,80 – **30 ch** 38,80/45 – 1/2 P 43,40.
◆ Hôtel de type chaîne à la périphérie de Paimpol. Les chambres, simples et fonctionnelles, conviennent davantage pour l'étape que pour le séjour. Vente de produits locaux.

**Marne** avec ch, 30 r. Marne **(u)** ✆ 02 96 20 82 16, *restaurant.hotel.marne@wanadoo.fr, Fax 02 96 20 92 07* – rest, TV P. AE GB JCB. ch
*fermé 28 sept. au 15 oct., 24 fév. au 10 mars, dim. soir et lundi* – **Repas** 22/80 ♀, enf. 13 – ☕ 7,50 – **12 ch** 54/74 – 1/2 P 53/63.
◆ Ce restaurant occupe une maison en pierre proche de la gare. Jolie petite salle à manger, service attentionné et cuisine au goût du jour. Quelques chambres fonctionnelles.

**Vieille Tour,** 13 r. Église **(e)** ✆ 02 96 20 83 18, *Fax 02 96 20 90 41* – GB
*fermé 23 juin au 1er juil., lundi midi en juil.-août, dim. soir et merc. hors saison* – **Repas** 22/70 ♀.
◆ Au coeur de la vieille ville, auberge dont la salle à manger est joliment décorée dans les tons jaune et bleu. Cuisine traditionnelle variant au rythme des saisons.

**Cotriade,** ✆ 02 96 20 81 08, *Fax 02 96 20 81 08,* ≤, – AE GB
*fermé 20 juin au 11 juil., 25 oct. au 2 nov., 7 au 22 fév., vend. soir, sam. midi et lundi sauf juil.-août* – **Repas** 18/90.
◆ Lumineuse salle à manger agrémentée de marines, terrasse dressée à même le port, accueil charmant et goûteuse cuisine de la mer mitonnée en fonction des arrivages.

**à la Pointe de l'Arcouest** *par ① : 6 km – ✉ 22620 Ploubazlanec.*
Voir ≤★★.

**Barbu** , ✆ 02 96 55 86 98, *hotel.lebarbu@wanadoo.fr, Fax 02 96 55 73 87,* ≤ Ile de Bréhat, – TV ♿ P. AE GB JCB
*1er mars-15 nov. et fermé dim. soir et lundi d'oct. à mars* – **Repas** 15,30 (déj.), 25/99 – ☕ 9,15 – **19 ch** 69/122 – 1/2 P 55/100.
◆ Cette imposante maison jouxte l'embarcadère pour "l'île des fleurs et des corsaires". Chambres tournées sur la mer ou en rez-de-jardin. Coquillages et crustacés côté table.

**près du pont de Lézardrieux** *par ⑤ : 5 km – ✉ 22500 Paimpol :*

**Relais Brenner** sans rest, r. St-Julien ✆ 02 96 22 29 95, *Fax 02 96 22 22 72,* ≤, – TV ♿ P. AE GB JCB
*1er avril-30 oct.* – ☕ 7,50 – **16 ch** 60/105, 3 duplex.
◆ Les chambres du Relais sont spacieuses et décorées avec soin ; certaines bénéficient de la vue sur l'estuaire du Trieux. Vous profiterez aussi d'un parc arboré et fleuri.

---

**PAIRIS** *68 H.-Rhin* 315 G8 – *rattaché à Orbey.*

---

**PAJAY (Roches de)** *38 Isère* 333 D5 – *rattaché à Beaurepaire.*

---

**PALAGACCIO** *2B H.-Corse* 345 F3 – *voir à Corse (Bastia).*

---

**LE PALAIS** *56 Morbihan* 308 M10 – *voir à Belle-Ile-en-Mer.*

---

**PALAISEAU** *91 Essonne* 312 C3 101 ㉞ – *voir à Paris, Environs.*

---

**PALAVAS-LES-FLOTS** *34250 Hérault* 339 I7 *G. Languedoc Roussillon – 4 748 h alt. 1 – Casino.*
Voir *Ancienne cathédrale★ de Maguelone SO : 4 km.*
*Office du Tourisme, place de la Méditerranée ✆ 04 67 07 73 34, Fax 04 67 07 73 58.*
*Paris 767 – Montpellier 17 – Aigues-Mortes 26 – Nîmes 61 – Sète 32.*

**Amérique Hôtel** sans rest, av. F. Fabrège ✆ 04 67 68 04 39, *hotel.amerique@wanadoo.fr, Fax 04 67 68 07 83,* – TV ♿. AE GB
☕ 7 – **49 ch** 54/65.
◆ Établissement des années 1970 efficacement modernisé. L'un des bâtiments propose des chambres en rez-de-jardin, toutes identiques : spacieuses et actuelles.

**Brasilia** sans rest, bd Joffre ✆ 04 67 68 00 68, *hotel@brasilia-palavas.com, Fax 04 67 68 40 41* – AE GB JCB
5 – **22 ch** 69/99.
◆ Cet hôtel situé sur le front de mer met à votre disposition des chambres sobres et bien tenues, toutes avec balcon donnant sur la "grande bleue" ou sur le phare.

XXX **L'Escale,** 5 bd Sarrail (rive gauche) ✆ 04 67 68 24 17, *Fax 04 67 68 24 17* – AE GB
**Repas** 25/58 et carte 54 à 75 ♀, enf. 10.
◆ L'élégante salle de restaurant et la véranda ménagent une large perspective sur la côte. Collection familiale de sculptures (bronze et pierre) et pastels. Produits de la mer.

## La PALMYRE *17570 Char.-Mar. 324 C5.*

*Office de tourisme, avenue de Royan, les Mathes ✆ 05 46 22 41 07, Fax 05 46 22 52 69, contact@la-palmyre-les-mathes.com.*
*Paris 518 – Royan 16 – La Rochelle 78.*

**Palmyrotel,** ✆ 05 46 23 65 65, *palmyrotel.m.c.@wanadoo.fr, Fax 05 46 22 44 13,* – GB
*hôtel : 1er avril-31 oct. ; rest. : 1er avril-15 oct.* – ***Flamant Rose :*** **Repas** 21/38 ♀, enf. 11 – 7 – **30 ch** 84/86, 16 duplex – ½ P 70.
◆ À mi-chemin entre la forêt et la plage, complexe hôtelier proposant des chambres fonctionnelles, presque toutes avec balcon. Le Flamant Rose sert une cuisine de la mer.



## La PALUD-SUR-VERDON *04120 Alpes-de-H.-P. 334 G10 G. Alpes du Sud – 243 h alt. 930.*

**Env.** *Belvédères : Trescaïre★★, 5 km, l'Escalès★★★, 7 km par D952puis D 23 – Point Sublime★★★, ≤ sur le Grand Canyon du Verdon NE : 7,5 km puis 15 mn.*
*Syndicat d'Initiative, Le Château ✆ 04 92 77 32 02, Fax 04 92 77 32 02.*
*Paris 796 – Digne-les-Bains 66 – Castellane 25 – Draguignan 60 – Manosque 69.*

**Gorges du Verdon**, Sud : 1 km ✆ 04 92 77 38 26, *bog@worldonline.fr, Fax 04 92 77 35 00,* ≤, – 25. GB
*12 avril-31 oct.* – **Repas** (dîner seul.) 18/30 ♀, enf. 12 – **28 ch** 122/145.
◆ Perché sur une colline, hôtel au calme dont les chambres crépies s'égayent de tissus colorés. Vue sur la nature méditerranéenne depuis la salle à manger.

**Auberge des Crêtes,** Est : 1 km sur D 952 ✆ 04 92 77 38 47, *aubergedescretes@wanadoo.fr, Fax 04 92 77 30 40,* – GB
*13 avril-30 sept.* – **Repas** *(fermé dim. soir et lundi sauf vacances scolaires et juil.-août)* 14/23,50 ♀, enf. 8,50 – 7 – **12 ch** 48/53,50 – ½ P 46,50/48,50.
◆ Les varappeurs apprécieront cette étape où ils se remettront de leurs émotions dans des chambres simples et bien tenues, mansardées à l'étage.

## PAMIERS *09100 Ariège 343 H6 G. Midi-Pyrénées – 12 965 h alt. 280.*

*Office du Tourisme, boulevard Delcassé ✆ 05 61 67 52 52, Fax 05 61 67 22 40, officedetourisme.pamiers@libertysurf.fr.*
*Paris 757 – Foix 20 – Auch 146 – Carcassonne 75 – Castres 106 – Toulouse 69.*

**France,** 5 cours Rambaud ✆ 05 61 60 20 88, *Fax 05 61 67 29 48* – 35. AE GB JCB
*fermé vacances de Noël* – **Repas** *(fermé vend. soir et dim. du 1er sept. au 30 avril)* 12,50 (déj.), 16/35 ♀ – 8 – **29 ch** 44/50 – ½ P 47/57.
◆ Au coeur de la ville natale du compositeur Gabriel Fauré, hôtel proposant des chambres équipées d'un mobilier de style ou dotées d'un cadre plus actuel.

**Paix,** 4 pl. A. Tournier ✆ 05 61 67 12 71, *Fax 05 61 60 61 02* – rest, GB
**Repas** 16/35, enf. 10 – 6 – **14 ch** 46/48 – ½ P 45.
◆ Chambres rustiques colorées dans cet ex-relais de poste qui vient de bénéficier d'une cure de jouvence. Le cadre originel (1760) du restaurant est élégamment mis en valeur.

## PANTIN *93 Seine-St-Denis 305 F7 101 ⑯ – voir à Paris, Environs.*

## Le PARADOU *13 B.-du-R. 340 D3 – rattaché à Maussane-les-Alpilles.*

## PARAMÉ *35 I.-et-V. 59 06 – voir à St-Malo.*

**PARAY-LE-MONIAL** *71600 S.-et-L.* **320** E11 *G. Bourgogne – 9 859 h alt. 245.*

Voir *Basilique du Sacré-Coeur*★★ – *Hôtel de ville*★ **H**.

*Office du Tourisme, 25 avenue Jean-Paul II ✆ 03 85 81 10 92, Fax 03 85 81 36 61, mi-rocher@wanadoo.fr.*

*Paris 349 ⑤ – Moulins 68 ⑤ – Mâcon 66 ② – Montceau-les-Mines 37 ① – Roanne 55 ④.*

## PARAY-LE-MONIAL

| | |
|---|---|
| Alsace-Lorraine (Pl.) | 2 |
| Billet (R.) | 3 |
| Chapelains (Allée des) | 5 |
| Charolles (av. de) | 6 |
| Commerce (Quai du) | 7 |
| Dauphin-Louis (Bd) | 8 |
| Desrichard (R. Louis) | 9 |
| Deux-Ponts (R.) | 12 |
| Dr. Griveaud (R.) | 13 |
| Four (R. du) | 14 |
| Gaulle (Av. Ch.-de) | 15 |
| Guignault (Pl.) | 17 |
| Industrie (Quai de l') | 18 |
| Jaurès (Cours Jean) | 20 |
| Lamartine (Pl.) | 21 |
| Paix (R. de la) | 23 |
| Regnier (Bd H. de) | 26 |
| République (R.) | 27 |
| St-Vincent (R.) | 28 |
| Victor-Hugo (R.) | 29 |
| Visitation (R.) | 30 |

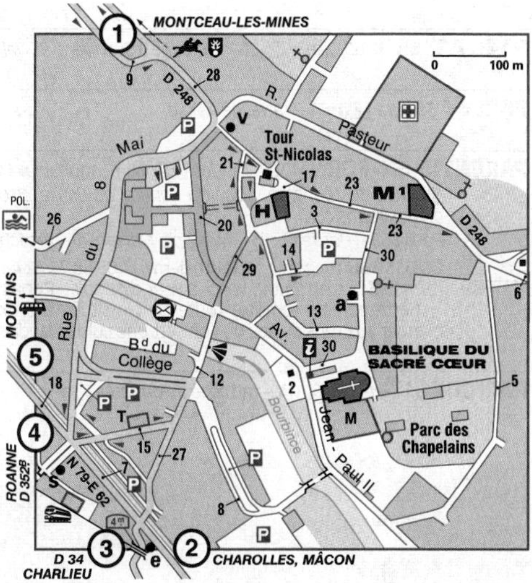
MONTCEAU-LES-MINES
0
100 m
D 248
R.
Pasteur
Tour St-Nicolas
Mai
du
Rue
MOULINS
POL.
Bd du Collège
Av.
BASILIQUE DU SACRÉ CŒUR
Bourbince
Jean - Paul II
Parc des Chapelains
ROANNE D 352B
N 79-E 62
D 34 CHARLIEU
CHAROLLES, MÂCON

**Parada** sans rest, Z.A.C. Champ Bossu par ①, *rte Montceau* ✆ 03 85 81 91 71, *leparada @wanadoo.fr, Fax 03 85 81 91 70* – 30. GB
6,40 – **30 ch** 40,50/62.
◆ Situé aux portes de la ville, hôtel flambant neuf entouré d'un vaste terrain clos. Chambres spacieuses et bien insonorisées, équipées de TV grand écran.

**Terminus,** 27 av. Gare **(s)** ✆ 03 85 81 59 31, *terminus.paray@club-internet.fr, Fax 03 85 81 38 31,* GB. ch
*fermé 1ᵉʳ au 15 nov., 25 déc. au 2 janv., vend. et sam. (sauf hôtel) et dim. hors saison* – **Repas** (dîner seul.) 14/20 – 6,50 – **16 ch** 43/54,60 – ½ P 49/62.
◆ Une décoration de bon ton et un ameublement de style caractérisent les chambres de ce typique hôtel de gare 1900 bien rénové. Salle de restaurant au cadre "rétro".

**Trois Pigeons,** 2 r. Dargaud **(v)** ✆ 03 85 81 03 77, *hotel3pigeons@wanadoo.fr, Fax 03 85 81 58 59,* AE GB
*6 mars-30 nov.* – **Repas** *(12,40)* - 13,90/38 – 6,20 – **44 ch** 49/58 – ½ P 39,60/48,30.
◆ Depuis 1952 la même famille vous accueille dans cet établissement traditionnel situé en plein centre-ville. Chambres actuelles. Jolie courette-terrasse sous les glycines.

**Grand Hôtel de la Basilique,** 18 r. Visitation **(a)** ✆ 03 85 81 11 13, *resa@hotelbasilique .com, Fax 03 85 88 83 70* – AE GB
*1ᵉʳ avril-31 oct.* – **Repas** *(11)* - 14/36, enf. 7 – 10 – **56 ch** 31/49 – ½ P 36/55.
◆ Cinq générations de la même famille se sont succédé à la tête de cet établissement qui présente aujourd'hui des chambres simples et propres ; certaines donnent sur la basilique.

**Vendanges de Bourgogne,** 5 r. D. Papin **(e)** ✆ 03 85 81 13 43, *hotel.vendanges.de.bourgogne@wanadoo.fr, Fax 03 85 88 87 59,* AE GB
*fermé 18 janv. au 16 fév. et dim. soir sauf juil.-août* – **Repas** *(fermé dim. soir et lundi sauf juil.-août)* 13/25,50, enf. 7,70 – 6 – **15 ch** 35/43 – ½ P 42.
◆ Hôtel bordant un axe passant. Les chambres, de tailles variées et dotées d'un mobilier fonctionnel, sont régulièrement rafraîchies et correctement insonorisées.

**à Poisson** *par ③ : 8 km sur D 34 – 578 h. alt. 300 – ✉ 71600 :*

XX **Poste et Hôtel La Reconce** avec ch, ✆ 03 85 81 10 72, *Fax 03 85 81 64 34,* – rest, AE GB JCB
*fermé 29 sept. au 15 oct., fév., lundi et mardi sauf le soir en juil.-août* – **Repas** 20/76 bc, enf. 12 – 11 – **7 ch** 53/80.
◆ Belle et confortable demeure charolaise où vous goûterez une cuisine privilégiant les produits du terroir. Dans une maison indépendante, chambres joliment aménagées.

**par** ⑤ *: 4 km sur N 79 – ✉ 71600 Paray-le-Monial :*

**Charollais** Ⓜ, ✆ 03 85 81 03 35, *Fax 03 85 81 50 31*, ☂, ⛱, 🏞 – TV ☎ P – 🏃 15. AE GB
**Repas** *(10)* - 15 🍷, enf. 5 – ☕ 8,50 – **20 ch** 41/79 – ½ P 37/47.
◆ Le bâtiment le plus près de la route abrite le restaurant (grillades et pizzas au feu de bois) ; le second, à l'arrière, offre des chambres rénovées ouvrant sur le parc.

---

**PARC ASTÉRIX** *60 Oise* 305 G6 – *rattaché à Survilliers (95 Val-d'Oise).*

---

**PARCEY** *39 Jura* 321 C4 – *rattaché à Dole.*

---

**PARENTIS-EN-BORN** *40160 Landes* 335 E8 *G. Aquitaine – 4 056 h alt. 32.*

*Office du Tourisme, place du Général de Gaulle ✆ 05 58 78 43 60, Fax 05 58 78 43 60, oft@parentis.com.*

*Paris 659 – Bordeaux 75 – Mont-de-Marsan 76 – Arcachon 42 – Mimizan 25.*

**Cousseau** avec ch, r. St-Barthélemy ✆ 05 58 78 42 46, *Fax 05 58 78 42 46*, ☂ – TV P. GB
*fermé 13 oct. au 2 nov., vend. soir et dim. soir* – **Repas** 10,50/39 – ☕ 5 – **9 ch** 29/32.
◆ Cette adresse familiale toute simple située à proximité de l'église abrite une salle à manger aux tons pastel, où l'on sert une cuisine landaise, et des chambres bien tenues.

---

**PARIGNÉ** *35 I.-et-V.* 309 O4 – *rattaché à Fougères.*

***Dans ce guide***
*un même symbole, un même mot,*
*imprimé en* ***rouge*** *ou en* ***noir****, en maigre ou en* ***gras****,*
*n'ont pas tout à fait la même signification.*
*Lisez attentivement les pages explicatives.*

# PARIS et ENVIRONS

*P 75 Plans : 10, 11, 12 et 16 G. Paris – 2 147 857 h.*
*Région d'Ile-de-France 10 952 011 h. – alt. Observatoire 60 m*
*Place de la Concorde 34 m.*

# ARRONDISSEMENTS

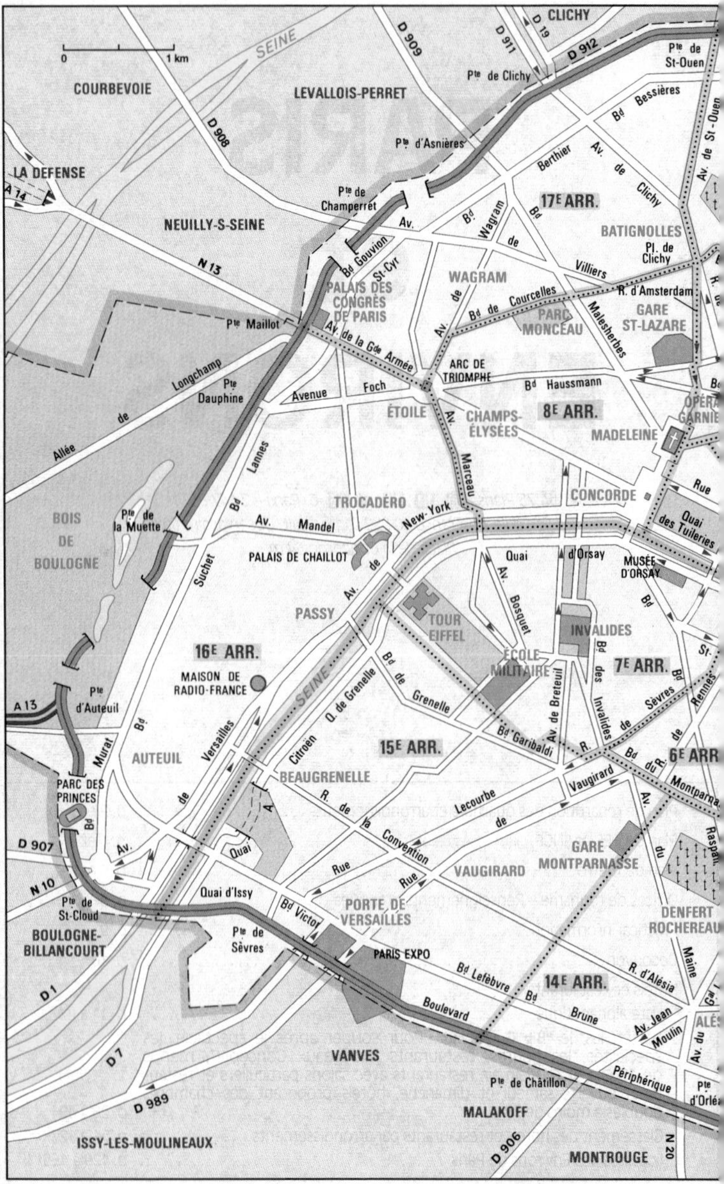
0
1 km
SEINE
COURBEVOIE
LEVALLOIS-PERRET
CLICHY
D 909
D 911
D 19
D 912
Pte de Clichy
Pte de St-Ouen
D 908
LA DEFENSE
A 14
Pte d'Asnières
Bd Bessières
Av. de St-Ouen
Berthier
Av. de Clichy
Pte de Champerret
NEUILLY-S-SEINE
17E ARR.
BATIGNOLLES
Av.
Bd Wagram
Bd de Villiers
Pl. de Clichy
Bd Gouvion St-Cyr
N 13
WAGRAM
PALAIS DES CONGRÈS DE PARIS
Bd de Courcelles
R. d'Amsterdam
PARC MONCEAU
Malesherbes
GARE ST-LAZARE
Pte Maillot
Av. de la Gde Armée
Av. de
ARC DE TRIOMPHE
Bd Haussmann
Longchamp
Pte Dauphine
Avenue Foch
ÉTOILE
CHAMPS-ÉLYSÉES
8E ARR.
OPÉRA GARNIER
MADELEINE
Allée de
Bd Lannes
Av. Marceau
CONCORDE
Rue
TROCADÉRO
New-York
Quai des Tuileries
BOIS DE BOULOGNE
Pte de la Muette
Av. Mandel
PALAIS DE CHAILLOT
Av. de
Quai d'Orsay
Av. Bosquet
MUSÉE D'ORSAY
Suchet
PASSY
TOUR EIFFEL
INVALIDES
Bd
16E ARR.
ÉCOLE MILITAIRE
Bd des Invalides
7E ARR.
MAISON DE RADIO-FRANCE
SEINE
Bd de Grenelle
Q. de Grenelle
Av. de Breteuil
de Sèvres
Bd Raspail
Rennes
A 13
Pte d'Auteuil
Bd Garibaldi
R.
Bd du Montparnasse
6E ARR.
Murat
Bd
Versailles
Citroën
15E ARR.
AUTEUIL
PARC DES PRINCES
BEAUGRENELLE
Vaugirard
Av. du Maine
Bd
de
R. de la Convention
Lecourbe
de
D 907
Av.
Quai
Rue
GARE MONTPARNASSE
N 10
VAUGIRARD
Rue
Pte de St-Cloud
Quai d'Issy
Bd Victor
PORTE DE VERSAILLES
DENFERT ROCHEREAU
BOULOGNE-BILLANCOURT
Pte de Sèvres
PARIS EXPO
Bd Lefèbvre
R. d'Alésia
D 1
14E ARR.
Boulevard
Bd Brune
Av. Jean Moulin
VANVES
D 7
Périphérique
Pte de Châtillon
Pte d'Orléans
D 989
MALAKOFF
ISSY-LES-MOULINEAUX
D 906
MONTROUGE
N 20

# ET QUARTIERS

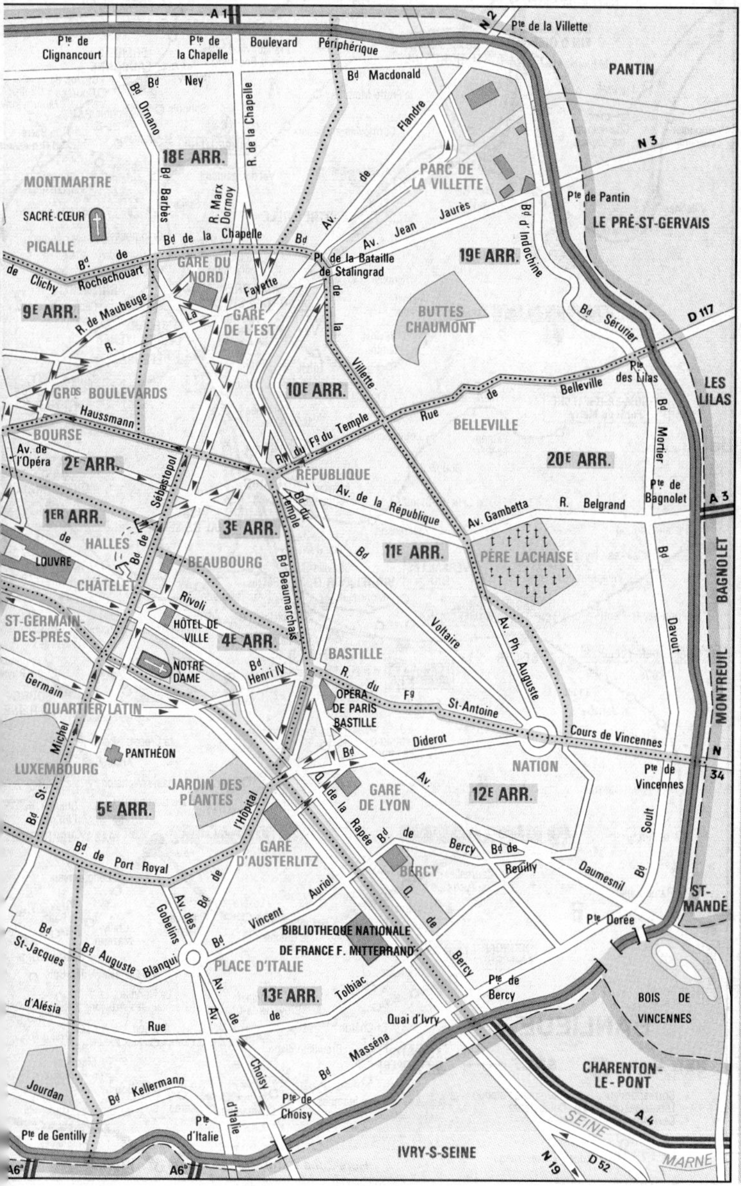
A 1
N 2
Pte de la Villette
Pte de Clignancourt
Pte de la Chapelle
Boulevard Périphérique
PANTIN
Bd Macdonald
Bd Ney
Bd Ornano
R. de la Chapelle
Av. de Flandre
N 3
18E ARR.
PARC DE LA VILLETTE
MONTMARTRE
Bd Barbès
R. Marx Dormoy
Av. Jean Jaurès
Bd d'Indochine
Pte de Pantin
LE PRÉ-ST-GERVAIS
SACRÉ-CŒUR
PIGALLE
Bd de la Chapelle
Bd de Rochechouart
Bd de Clichy
GARE DU NORD
Pl. de la Bataille de Stalingrad
19E ARR.
La Fayette
GARE DE L'EST
9E ARR.
R. de Maubeuge
BUTTES CHAUMONT
Bd Sérurier
D 117
R. de la Villette
10E ARR.
GRDS BOULEVARDS
Haussmann
Rue de Belleville
Pte des Lilas
LES LILAS
BOURSE
R. du Fg du Temple
BELLEVILLE
Bd Mortier
Av. de l'Opéra
2E ARR.
Sébastopol
RÉPUBLIQUE
20E ARR.
Bd du Temple
Av. de la République
Pte de Bagnolet
1ER ARR.
3E ARR.
Av. Gambetta
R. Belgrand
A 3
HALLES
LOUVRE
BEAUBOURG
Bd Beaumarchais
11E ARR.
Bd Voltaire
PÈRE LACHAISE
BAGNOLET
CHÂTELET
Rivoli
ST-GERMAIN-DES-PRÉS
HÔTEL DE VILLE
4E ARR.
Av. Ph. Auguste
Bd Davout
NOTRE DAME
Bd Henri IV
BASTILLE
R. du Fg St-Antoine
MONTREUIL
Bd St-Germain
QUARTIER LATIN
OPÉRA DE PARIS BASTILLE
Cours de Vincennes
Bd St-Michel
PANTHÉON
Diderot
NATION
N 34
Pte de Vincennes
LUXEMBOURG
JARDIN DES PLANTES
Bd de l'Hôpital
Q. de la Rapée
GARE DE LYON
Av. Daumesnil
12E ARR.
5E ARR.
Bd Soult
Bd de Port Royal
GARE D'AUSTERLITZ
Bd de Bercy
Bd de Reuilly
BERCY
Auriol
Av. des Gobelins
Vincent
Q. de Bercy
ST-MANDÉ
Pte Dorée
BIBLIOTHÈQUE NATIONALE DE FRANCE F. MITTERRAND
Bd St-Jacques
Bd Auguste Blanqui
PLACE D'ITALIE
Rue de Tolbiac
Pte de Bercy
BOIS DE VINCENNES
Rue d'Alésia
13E ARR.
Av. de Choisy
Quai d'Ivry
Bd Masséna
CHARENTON-LE-PONT
Bd Jourdan
Bd Kellermann
Pte de Choisy
Av. d'Italie
A 4
SEINE
Pte de Gentilly
Pte d'Italie
IVRY-S-SEINE
N 19
D 52
MARNE
A6a
A6b

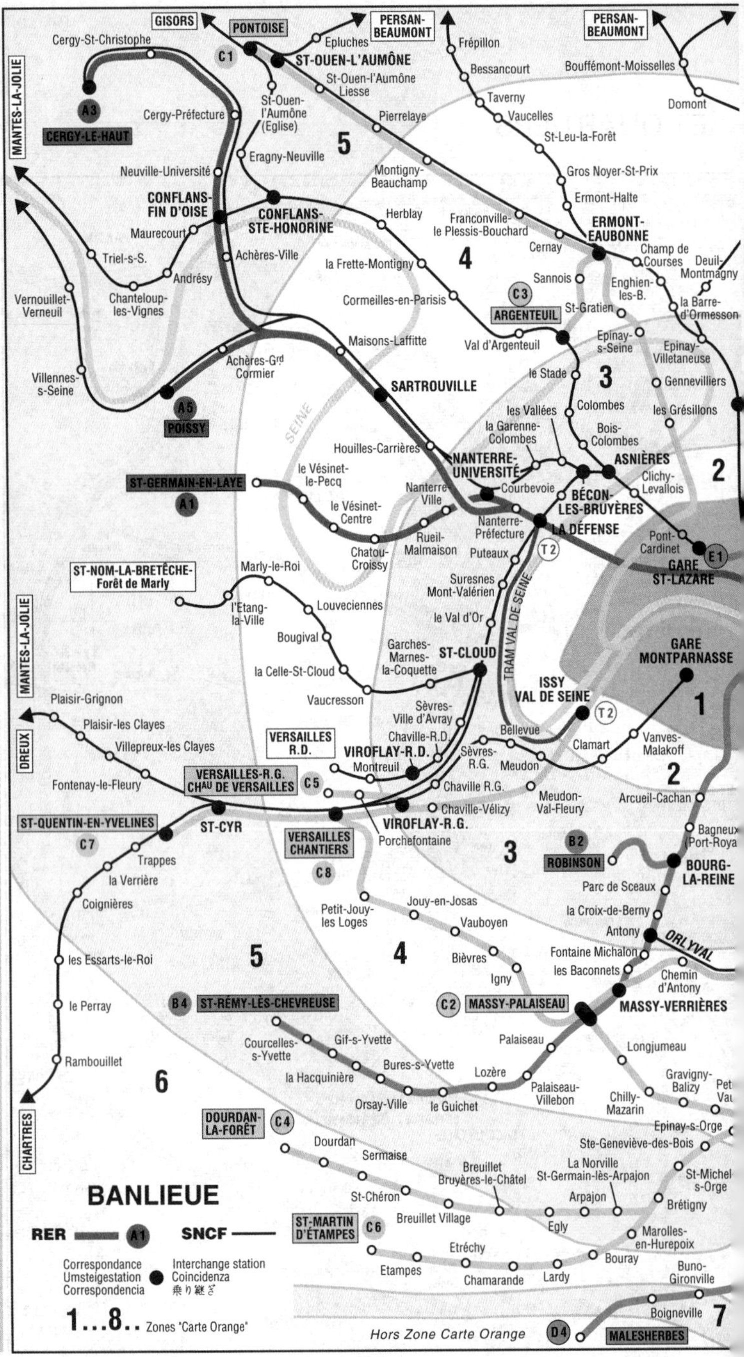

GISORS
PONTOISE
PERSAN-BEAUMONT
PERSAN-BEAUMONT
MANTES-LA-JOLIE
Cergy-St-Christophe
C1
Epluches
ST-OUEN-L'AUMÔNE
St-Ouen-l'Aumône Liesse
Frépillon
Bessancourt
Bouffémont-Moisselles
Domont
Taverny
Vaucelles
St-Leu-la-Forêt
Gros Noyer-St-Prix
Ermont-Halte
A3
CERGY-LE-HAUT
Cergy-Préfecture
St-Ouen-l'Aumône (Eglise)
Pierrelaye
Eragny-Neuville
Neuville-Université
Montigny-Beauchamp
CONFLANS-FIN D'OISE
CONFLANS-STE-HONORINE
Herblay
Franconville-le Plessis-Bouchard
ERMONT-EAUBONNE
Maurecourt
Cernay
Champ de Courses
Deuil-Montmagny
Triel-s-S.
Achères-Ville
la Frette-Montigny
Sannois
Enghien-les-B.
Andrésy
Vernouillet-Verneuil
Chanteloup-les-Vignes
Cormeilles-en-Parisis
C3
ARGENTEUIL
St-Gratien
la Barre-d'Ormesson
Epinay-s-Seine
Epinay-Villetaneuse
Maisons-Laffitte
Val d'Argenteuil
Achères-Grd Cormier
le Stade
Gennevilliers
Villennes-s-Seine
SARTROUVILLE
A5
POISSY
SEINE
Colombes
les Vallées
les Grésillons
la Garenne-Colombes
Bois-Colombes
Houilles-Carrières
NANTERRE-UNIVERSITÉ
ASNIÈRES
le Vésinet-le-Pecq
ST-GERMAIN-EN-LAYE
A1
Courbevoie
Clichy-Levallois
Nanterre-Ville
BÉCON-LES-BRUYÈRES
le Vésinet-Centre
Nanterre-Préfecture
LA DÉFENSE
Rueil-Malmaison
Chatou-Croissy
Puteaux
T2
Pont-Cardinet
E1
GARE ST-LAZARE
ST-NOM-LA-BRETÈCHE-Forêt de Marly
Marly-le-Roi
Suresnes Mont-Valérien
l'Etang-la-Ville
Louveciennes
le Val d'Or
TRAM VAL DE SEINE
Bougival
Garches-Marnes-la-Coquette
ST-CLOUD
GARE MONTPARNASSE
la Celle-St-Cloud
ISSY VAL DE SEINE
Vaucresson
Plaisir-Grignon
Sèvres-Ville d'Avray
T2
Plaisir-les Clayes
DREUX
VERSAILLES R.D.
Chaville-R.D.
Bellevue
Clamart
Vanves-Malakoff
Villepreux-les Clayes
VIROFLAY-R.D.
Sèvres-R.G.
Meudon
Montreuil
VERSAILLES-R.G. CHAU DE VERSAILLES
C5
Fontenay-le-Fleury
Chaville R.G.
Meudon-Val-Fleury
Arcueil-Cachan
Chaville-Vélizy
ST-QUENTIN-EN-YVELINES
ST-CYR
VIROFLAY-R.G.
Bagneux (Port-Royal)
C7
VERSAILLES CHANTIERS
Porchefontaine
B2
Trappes
ROBINSON
BOURG-LA-REINE
la Verrière
C8
Parc de Sceaux
Coignières
Jouy-en-Josas
la Croix-de-Berny
Petit-Jouy-les Loges
Vauboyen
Antony
ORLYVAL
Fontaine Michalon
les Essarts-le-Roi
Bièvres
les Baconnets
Chemin d'Antony
Igny
B4
ST-RÉMY-LÈS-CHEVREUSE
C2
MASSY-PALAISEAU
MASSY-VERRIÈRES
le Perray
Palaiseau
Courcelles-s-Yvette
Gif-s-Yvette
Longjumeau
Bures-s-Yvette
Lozère
la Hacquinière
Gravigny-Balizy
Rambouillet
Palaiseau-Villebon
Chilly-Mazarin
Orsay-Ville
le Guichet
CHARTRES
DOURDAN-LA-FORÊT
C4
Epinay-s-Orge
Dourdan
Ste-Geneviève-des-Bois
Sermaise
Breuillet Bruyères-le-Châtel
La Norville St-Germain-lès-Arpajon
St-Michel-s-Orge
St-Chéron
Arpajon
Brétigny
Breuillet Village
ST-MARTIN D'ÉTAMPES
C6
Egly
Marolles-en-Hurepoix
Etréchy
Bouray
Etampes
Chamarande
Lardy
Buno-Gironville
Boigneville
Hors Zone Carte Orange
D4
MALESHERBES
5
4
3
2
1
2
3
4
5
6
7
BANLIEUE
RER
A1
SNCF
Correspondance
Umsteigestation
Correspondencia
Interchange station
Coincidenza
乗り継ぎ
1...8.. Zones "Carte Orange"

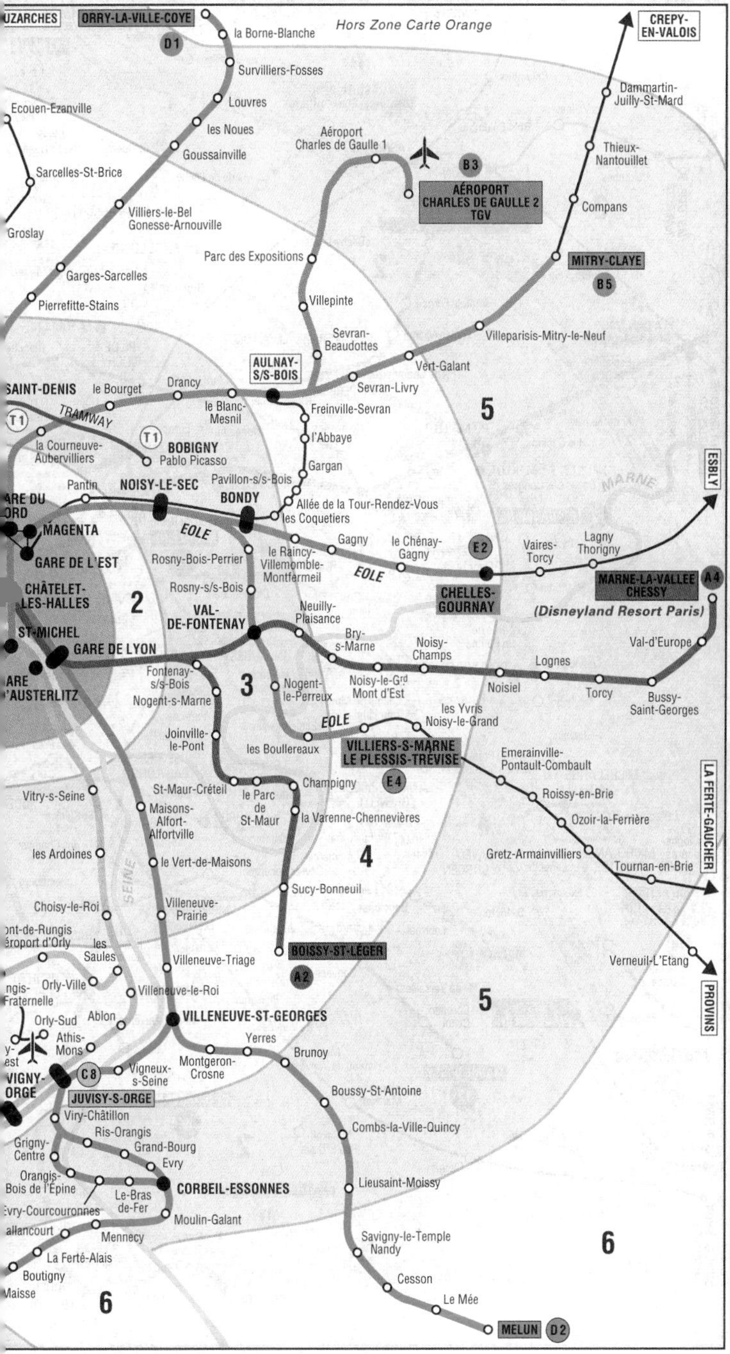
UZARCHES
ORRY-LA-VILLE-COYE
D1
Hors Zone Carte Orange
CREPY-EN-VALOIS
la Borne-Blanche
Survilliers-Fosses
Louvres
les Noues
Goussainville
Ecouen-Ezanville
Sarcelles-St-Brice
Groslay
Villiers-le-Bel Gonesse-Arnouville
Garges-Sarcelles
Pierrefitte-Stains
Aéroport Charles de Gaulle 1
B3
AÉROPORT CHARLES DE GAULLE 2 TGV
Dammartin-Juilly-St-Mard
Thieux-Nantouillet
Compans
MITRY-CLAYE
B5
Parc des Expositions
Villepinte
Sevran-Beaudottes
Villeparisis-Mitry-le-Neuf
Vert-Galant
Sevran-Livry
AULNAY-S/S-BOIS
SAINT-DENIS
le Bourget
Drancy
le Blanc-Mesnil
TRAMWAY
T1
la Courneuve-Aubervilliers
BOBIGNY Pablo Picasso
Freinville-Sevran
l'Abbaye
Gargan
5
ESBLY
MARNE
Pantin
NOISY-LE-SEC
Pavillon-s/s-Bois
BONDY
Allée de la Tour-Rendez-Vous
les Coquetiers
GARE DU NORD
MAGENTA
GARE DE L'EST
EOLE
Rosny-Bois-Perrier
le Raincy-Villemomble-Montfermeil
Gagny
le Chénay-Gagny
E2
Vaires-Torcy
Lagny Thorigny
MARNE-LA-VALLEE CHESSY
A4
(Disneyland Resort Paris)
CHÂTELET-LES-HALLES
2
Rosny-s/s-Bois
VAL-DE-FONTENAY
CHELLES-GOURNAY
Neuilly-Plaisance
Bry-s-Marne
Noisy-Champs
Val-d'Europe
ST-MICHEL
GARE DE LYON
GARE D'AUSTERLITZ
Fontenay-s/s-Bois
Nogent-s-Marne
3
Nogent-le-Perreux
Noisy-le-Grd Mont d'Est
Noisiel
Lognes
Torcy
Bussy-Saint-Georges
les Yvris Noisy-le-Grand
Joinville-le-Pont
les Boullereaux
VILLIERS-S-MARNE LE PLESSIS-TRÉVISE
E4
Emerainville-Pontault-Combault
Roissy-en-Brie
Ozoir-la-Ferrière
LA FERTE-GAUCHER
Vitry-s-Seine
St-Maur-Créteil
le Parc de St-Maur
Champigny
la Varenne-Chennevières
Maisons-Alfort-Alfortville
les Ardoines
le Vert-de-Maisons
4
Gretz-Armainvilliers
Tournan-en-Brie
SEINE
Choisy-le-Roi
Villeneuve-Prairie
Sucy-Bonneuil
BOISSY-ST-LÉGER
A2
Pont-de-Rungis Aéroport d'Orly
les Saules
Villeneuve-Triage
Verneuil-L'Etang
PROVINS
Orly-Ville
Villeneuve-le-Roi
Fraternelle
Orly-Sud
Ablon
VILLENEUVE-ST-GEORGES
5
Athis-Mons
Yerres
Brunoy
SAVIGNY-S-ORGE
C8
Vigneux-s-Seine
Montgeron-Crosne
JUVISY-S-ORGE
Boussy-St-Antoine
Viry-Châtillon
Combs-la-Ville-Quincy
Grigny-Centre
Ris-Orangis
Grand-Bourg
Evry
Orangis-Bois de l'Epine
Le-Bras de-Fer
CORBEIL-ESSONNES
Lieusaint-Moissy
Evry-Courcouronnes
Moulin-Galant
Mennecy
Ballancourt
La Ferté-Alais
Savigny-le-Temple Nandy
6
Boutigny
Maisse
Cesson
6
Le Mée
MELUN
D2

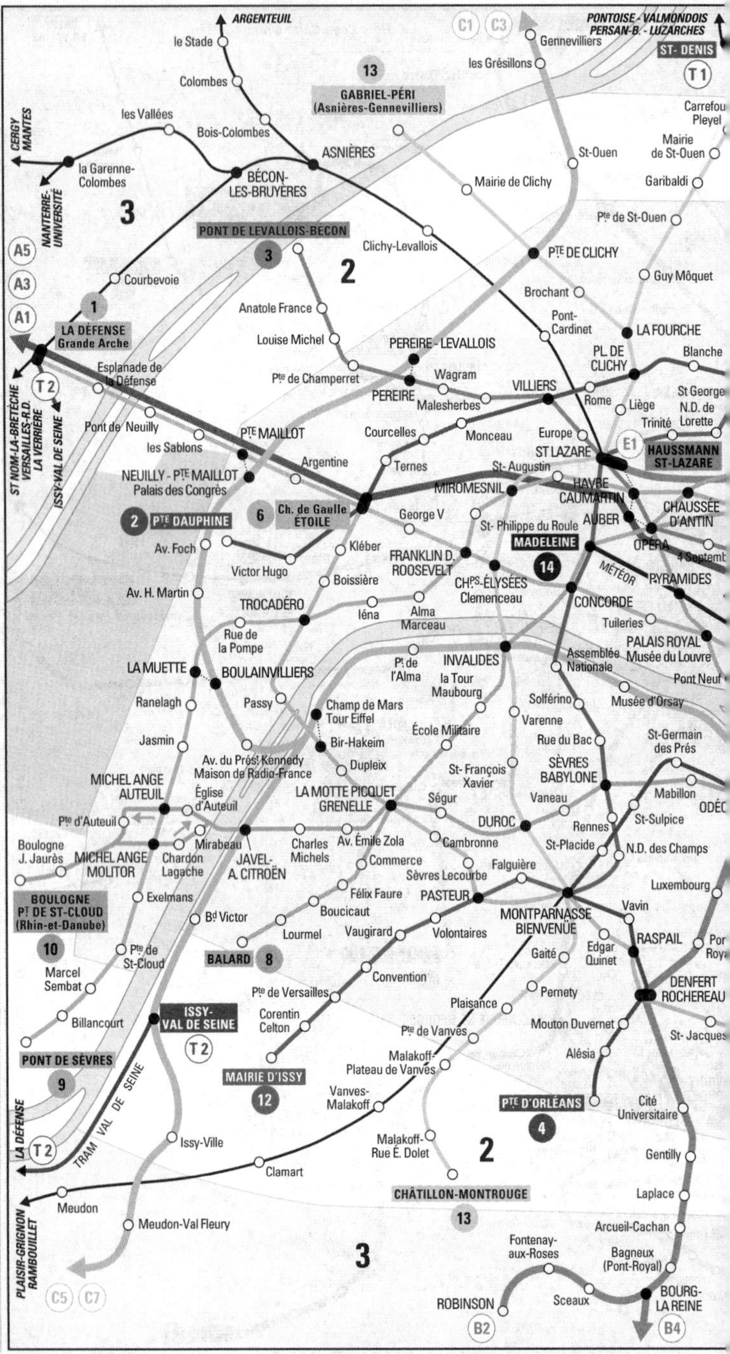
ARGENTEUIL
le Stade
Colombes
les Vallées
Bois-Colombes
CERGY
MANTES
la Garenne-Colombes
NANTERRE-UNIVERSITÉ
BÉCON-LES-BRUYÈRES
ASNIÈRES
3
A5
A3
A1
Courbevoie
1
LA DÉFENSE
Grande Arche
T 2
Esplanade de la Défense
Pont de Neuilly
les Sablons
ST NOM-LA-BRETÈCHE
VERSAILLES-R.D.
LA VERRIÈRE
ISSY-VAL DE SEINE
PONT DE LEVALLOIS-BÉCON
3
2
13
GABRIEL-PÉRI
(Asnières-Gennevilliers)
C1
C3
Gennevilliers
les Grésillons
PONTOISE - VALMONDOIS
PERSAN-B. - LUZARCHES
ST- DENIS
T 1
Carrefour Pleyel
Mairie de St-Ouen
Garibaldi
St-Ouen
Mairie de Clichy
Pte de St-Ouen
Clichy-Levallois
PTE DE CLICHY
Guy Môquet
Brochant
Pont-Cardinet
LA FOURCHE
Anatole France
Louise Michel
Pte de Champerret
PEREIRE - LEVALLOIS
PEREIRE
Wagram
Malesherbes
VILLIERS
PL. DE CLICHY
Blanche
Rome
Liège
St George
N.D. de Lorette
Trinité
PTE MAILLOT
NEUILLY - PTE MAILLOT
Palais des Congrès
Argentine
Courcelles
Ternes
Monceau
Europe
ST LAZARE
E1
HAUSSMANN ST-LAZARE
St- Augustin
MIROMESNIL
HAVRE CAUMARTIN
CHAUSSÉE D'ANTIN
AUBER
OPÉRA
4 Septembre
2
PTE DAUPHINE
6
Ch. de Gaulle ÉTOILE
George V
St- Philippe du Roule
MADELEINE
14
MÉTÉOR
PYRAMIDES
Av. Foch
Kléber
Victor Hugo
FRANKLIN D. ROOSEVELT
CHPS-ÉLYSÉES Clemenceau
Boissière
Av. H. Martin
TROCADÉRO
Iéna
Alma Marceau
CONCORDE
Tuileries
PALAIS ROYAL Musée du Louvre
Rue de la Pompe
Pt de l'Alma
INVALIDES
la Tour Maubourg
Assemblée Nationale
Pont Neuf
LA MUETTE
BOULAINVILLIERS
Ranelagh
Passy
Champ de Mars Tour Eiffel
Bir-Hakeim
Solférino
Musée d'Orsay
Varenne
École Militaire
Rue du Bac
St-Germain des Prés
Jasmin
Av. du Prést Kennedy Maison de Radio-France
Dupleix
St- François Xavier
SÈVRES BABYLONE
Mabillon
MICHEL ANGE AUTEUIL
Église d'Auteuil
LA MOTTE PICQUET GRENELLE
Ségur
Vaneau
ODÉON
Pte d'Auteuil
DUROC
Rennes
St-Sulpice
Mirabeau
Charles Michels
Av. Émile Zola
Cambronne
St-Placide
N.D. des Champs
Boulogne J. Jaurès
MICHEL ANGE MOLITOR
Chardon Lagache
JAVEL-A. CITROËN
Commerce
Sèvres Lecourbe
Falguière
Luxembourg
BOULOGNE Pt DE ST-CLOUD (Rhin-et-Danube)
Exelmans
Félix Faure
PASTEUR
MONTPARNASSE BIENVENÜE
Vavin
Bd Victor
Boucicaut
Lourmel
Vaugirard
Volontaires
RASPAIL
Port Royal
10
Pte de St-Cloud
BALARD
8
Gaîté
Edgar Quinet
Marcel Sembat
Convention
DENFERT ROCHEREAU
Pte de Versailles
Pernety
Plaisance
Billancourt
ISSY-VAL DE SEINE
T 2
Corentin Celton
Pte de Vanves
Mouton Duvernet
St- Jacques
PONT DE SÈVRES
9
MAIRIE D'ISSY
12
Malakoff-Plateau de Vanves
Alésia
LA DÉFENSE
TRAM VAL DE SEINE
Vanves-Malakoff
PTE D'ORLÉANS
4
Cité Universitaire
Issy-Ville
Malakoff-Rue É. Dolet
2
Gentilly
Clamart
CHÂTILLON-MONTROUGE
13
Laplace
Meudon
Meudon-Val Fleury
Arcueil-Cachan
PLAISIR-GRIGNON
RAMBOUILLET
3
Fontenay-aux-Roses
Bagneux (Pont-Royal)
ROBINSON
Sceaux
BOURG-LA REINE
C5
C7
B2
B4

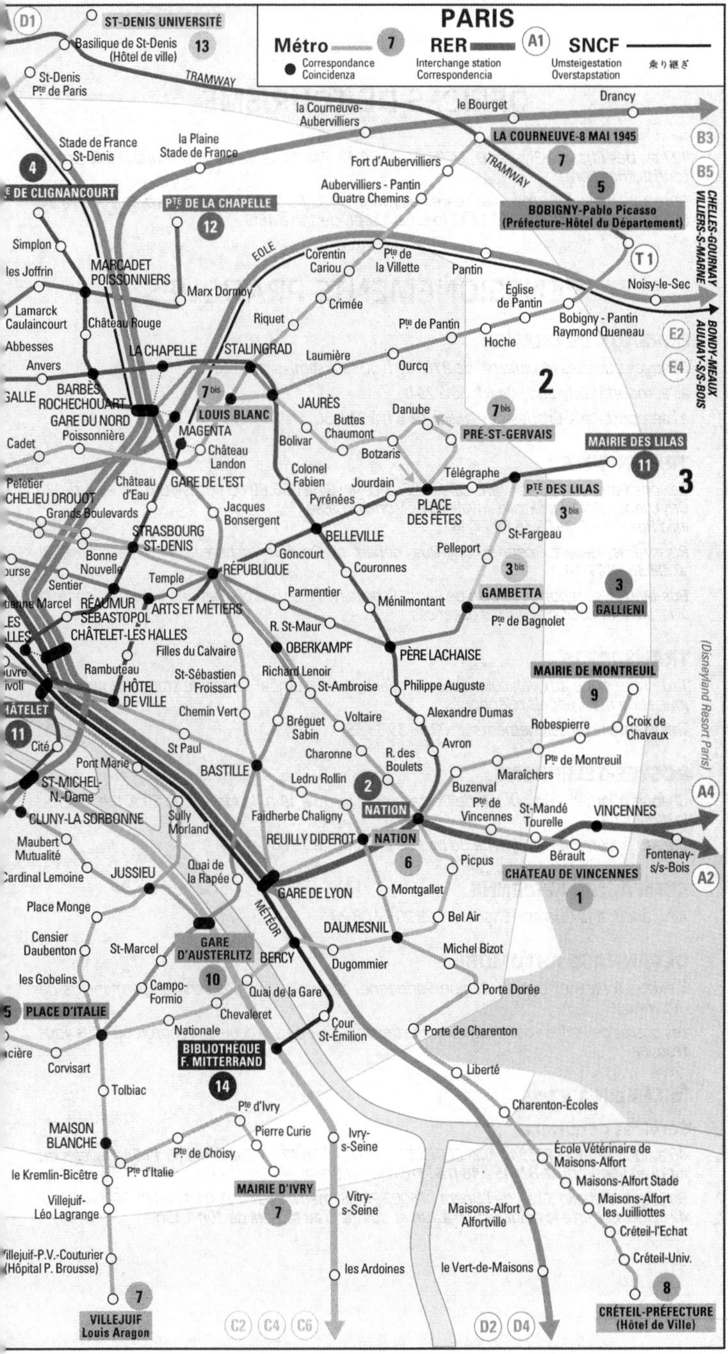
PARIS
Métro 7
RER A1
SNCF
Correspondance
Coincidenza
Interchange station
Correspondencia
Umsteigestation
Overstapstation
乗り継ぎ
D1
ST-DENIS UNIVERSITÉ
Basilique de St-Denis
(Hôtel de ville)
13
St-Denis
Pte de Paris
TRAMWAY
la Courneuve-
Aubervilliers
le Bourget
Drancy
Stade de France
St-Denis
la Plaine
Stade de France
LA COURNEUVE-8 MAI 1945
B3
B5
4
DE CLIGNANCOURT
Fort d'Aubervilliers
7
Aubervilliers - Pantin
Quatre Chemins
5
BOBIGNY-Pablo Picasso
(Préfecture-Hôtel du Département)
CHELLES-GOURNAY
VILLIERS-S-MARNE
Pte DE LA CHAPELLE
12
Simplon
EOLE
Corentin
Cariou
Pte de
la Villette
Pantin
T1
les Joffrin
MARCADET
POISSONNIERS
Marx Dormoy
Crimée
Église
de Pantin
Noisy-le-Sec
Lamarck
Caulaincourt
Château Rouge
Riquet
Pte de Pantin
Bobigny - Pantin
Raymond Queneau
E2
Abbesses
LA CHAPELLE
STALINGRAD
Laumière
Hoche
BONDY-MEAUX
AULNAY-S/S-BOIS
Anvers
Ourcq
E4
BARBÈS
ROCHECHOUART
7 bis
2
GARE DU NORD
LOUIS BLANC
JAURÈS
Danube
7 bis
Poissonnière
MAGENTA
Buttes
Chaumont
PRÉ-ST-GERVAIS
Cadet
Château
Landon
Bolivar
Botzaris
MAIRIE DES LILAS
11
Peletier
Château
d'Eau
GARE DE L'EST
Colonel
Fabien
Télégraphe
3
CHELIEU DROUOT
Jourdain
Pte DES LILAS
Grands Boulevards
Jacques
Bonsergent
Pyrénées
PLACE
DES FÊTES
3 bis
STRASBOURG
ST-DENIS
BELLEVILLE
St-Fargeau
Bonne
Nouvelle
Goncourt
Pelleport
Sentier
Temple
RÉPUBLIQUE
Couronnes
3 bis
RÉAUMUR
SÉBASTOPOL
ARTS ET MÉTIERS
Parmentier
GAMBETTA
3
Ménilmontant
Pte de Bagnolet
GALLIENI
CHÂTELET-LES HALLES
R. St-Maur
Filles du Calvaire
OBERKAMPF
PÈRE LACHAISE
(Disneyland Resort Paris)
Rambuteau
St-Sébastien
Froissart
Richard Lenoir
St-Ambroise
Philippe Auguste
MAIRIE DE MONTREUIL
HÔTEL
DE VILLE
9
Chemin Vert
Alexandre Dumas
Robespierre
Croix de
Chavaux
11
Cité
Bréguet
Sabin
Voltaire
Avron
St Paul
Pte de Montreuil
Pont Marie
BASTILLE
Charonne
R. des
Boulets
Maraîchers
ST-MICHEL-
N.-Dame
Ledru Rollin
2
Buzenval
A4
CLUNY-LA SORBONNE
Sully
Morland
Faidherbe Chaligny
NATION
Pte de
Vincennes
St-Mandé
Tourelle
VINCENNES
Maubert
Mutualité
REUILLY DIDEROT
NATION
Bérault
Fontenay-
s/s-Bois
Cardinal Lemoine
JUSSIEU
Quai de
la Rapée
6
Picpus
CHÂTEAU DE VINCENNES
A2
GARE DE LYON
Montgallet
1
Place Monge
MÉTÉOR
Bel Air
DAUMESNIL
Censier
Daubenton
St-Marcel
GARE
D'AUSTERLITZ
BERCY
Michel Bizot
Dugommier
les Gobelins
Campo-
Formio
10
Quai de la Gare
Porte Dorée
PLACE D'ITALIE
Chevaleret
Cour
St-Émilion
Nationale
Porte de Charenton
Corvisart
BIBLIOTHÈQUE
F. MITTERRAND
Liberté
14
Tolbiac
Pte d'Ivry
Charenton-Écoles
MAISON
BLANCHE
Pierre Curie
Ivry-
s-Seine
Pte de Choisy
École Vétérinaire de
Maisons-Alfort
le Kremlin-Bicêtre
Pte d'Italie
Maisons-Alfort Stade
MAIRIE D'IVRY
Villejuif-
Léo Lagrange
Vitry-
s-Seine
Maisons-Alfort
Alfortville
Maisons-Alfort
les Juilliottes
7
Créteil-l'Echat
Villejuif-P.V.-Couturier
(Hôpital P. Brousse)
Créteil-Univ.
les Ardoines
le Vert-de-Maisons
7
8
VILLEJUIF
Louis Aragon
C2
C4
C6
D2
D4
CRÉTEIL-PRÉFECTURE
(Hôtel de Ville)

# OFFICES DE TOURISME

*127 av. des Champs-Élysées 8e ✆ 08 36 68 31 12, Fax 01 49 52 53 00 (7 jours/7) info@paris touristoffice.com*

*Bureaux Annexes (fermés dim.) Gare de Lyon ✆ 08 92 68 31 12, Gare du Nord ✆ 01 45 26 94 82 et Tour Eiffel ✆ 08 92 68 31 12 (de mai à sept. de 11h à 18h)*

# RENSEIGNEMENTS PRATIQUES

## BUREAUX DE CHANGE

*Banques ouvertes (la plupart), de 9 h à 16 h 30 sauf sam., dim. et fêtes.*

*à l'aéroport d'Orly-Sud : de 6 h 30 à 23 h*

*à l'aéroport Paris-Charles-de-Gaulle : de 6 h à 23 h 30*

## TRANSPORTS

*Liaisons Paris Aéroports : Info cars Air France ✆ 01 41 56 89 00 (Roissy-C-d-G1 et C-d-G2/ Orly) départ Terminal Étoile, Invalides et Montparnasse.*
*Info Bus R.A.T.P ✆ 08 36 68 77 14.*

*Roissy-Bus, départ Opéra 9e Orly-Bus, départ pl. Denfert-Rochereau 14e : par rail (RER) ✆ 08 36 68 77 14*

*Bus-Métro : se reporter au plan de Paris Michelin no 11. Le bus permet une bonne vision de la ville, surtout pour de courtes distances.*

## TRANSPORTS

*Taxi : faire signe aux véhicules libres (lumière jaune allumée) - Aires de stationnement - de jour et de nuit : appels téléphonés*

*Trains-autos : renseignements ✆ 08 36 35 35 35*

## POSTES-TÉLÉPHONE

*Chaque quartier a un bureau de Poste ouvert jusqu'à 19 h, le samedi de 8h à 12h - fermé le dimanche*

*Bureau ouvert 24h/24 : 52 rue du Louvre ✆ 01 40 28 76 00*

## COMPAGNIE AÉRIENNE

*Air France : 119 Champs-Élysées ✆ 08 20 82 08 20*

## DÉPANNAGE AUTOMOBILE

*Il existe, à Paris et dans la Région Parisienne, des ateliers et des services permanents de dépannage.*

*Les postes de Police vous indiqueront le dépanneur le plus proche de l'endroit où vous vous trouvez*

## MICHELIN à Paris

### Services généraux

*46 av. de Breteuil - 75324 PARIS CEDEX 07 - ✆ 01 45 66 12 34, Fax 01 45 66 11 63. Ouverts du lundi au vendredi de 8 h 45 à 16 h 30 (16 h le vendredi)*

*Boutique Michelin 32 av. de l'Opéra - 75002 PARIS (métro Opéra) ✆ 01 42 68 05 20, Fax 01 47 42 10 50. Ouverte le lundi de 13h à 19h et du mardi au samedi de 10h à 19h*

# PRACTICAL INFORMATION

## TOURIST INFORMATION

*Paris "Welcome" Office (Office de Tourisme de Paris) : 127 Champs-Élysées, 8th ✆ 08 36 68 31 12, Fax 01 49 52 53 00 info@paris-touristoffice.com*

*American Express 9 rue Auber, 9 th ✆ 01 47 77 72 00, Fax 01 42 68 17 17*

## FOREIGN EXCHANGE OFFICES

*Banks : close at 4.30 pm and at week-end*

*Orly Sud Airport : daily 6.30 am to 11 pm*

*Charles-de-Gaulle Airport : daily 6.am to 11.30 pm*

## TRANSPORT

*Airports-Roissy-Charles-de-Gaulle ✆ 01 48 62 12 12 - Orly Aérogare ✆ 01 49 75 15 15*

*Bus-Underground : for full details see the Michelin Plan de Paris n° 11. The Underground is quicker but the bus is better for sightseeing and more practical for short distances*

*Taxis : may be hailed in the street when showing the illuminated sign-available, day and night al taxi ranks or called by telephone*

## POSTAL SERVICES

*Local post offices : open Mondays to Fridays 8 am to 7 pm ; Saturdays 8 am to noon*

*General Post Office, 52 rue du Louvre, 1st : open 24 hours, ✆ 01 40 28 76 00*

## AIRLINES

*AMERICAN AIRLINES : 109 r. du Fg St-Honoré, 8th, ✆ 08 10 87 28 72 .*

*DELTA AIRLINES : 119 av. des Champs-Élysées, ✆ 08 00 35 40 80*

*UNITED AIRLINES : 55 r. Raspail, Levallois (92) ✆ 08 01 72 72 72*

*BRITISH AIRWAYS : 18 bd Malesherbes, 8th, ✆ 01 53 43 25 27*

*AIR FRANCE : 119 Champes-Élysées, 8 th, ✆ 08 20 82 08 20*

## BREAKDOWN SERVICE

*Some garages in central and outer Paris operate a 24-hour breakdown service. If you breakdown the police are usually able to help by indicating the nearest one.*

## TIPPING

*In France, in addition to the usual people who are tipped (the barber or ladies'hairdresser, hat-check girl, taxi-driver, doorman, porter, et al.), the ushers in Paris theaters and cinemas, as well as the custodians of the "men's" and "ladies" in all kinds of establishments, expect a small gratuity.*

*In restaurants, the tip ("service") is always included in the bill to the tune of 15 %. However you may choose to leave in addition the small change in your plate, especially if it is a place you would like to come back to, but there is no obligation to do so.*

# DÉCOUVRIR

## PERSPECTIVES CÉLÈBRES ET PARIS VU D'EN HAUT

*⩽★★★ depuis l'Obélisque de la place de la Concorde : Champs-Elysées, Arc de Triomphe, Grande Arche de la Défense. - ⩽★★ depuis l'Obélisque de la place de la Concorde : La Madeleine, Assemblée nationale. - ⩽★★★ depuis la terrasse du Palais de Chaillot : Tour Eiffel, Ecole Militaire, Trocadéro. - ⩽★★ depuis le pont Alexandre III : Invalides, Grand et Petit Palais - Tour Eiffel★★★ - Tour Montparnasse★★★ - Tour Notre-Dame★★★ - Dôme du Sacré-Coeur★★★ - Plate-forme de l'Arc de Triomphe★★★*

## QUELQUES MONUMENTS HISTORIQUES

*Le Louvre★★★ (cour carrée, colonnade de Perrault, la pyramide) - Tour Eiffel★★★ - Notre-Dame★★★ - Sainte-Chapelle★★★ - Arc de Triomphe★★★ - Invalides ★★★ (Tombeau de Napoléon) - Palais-Royal★★ - Opéra★★ - Conciergerie★★ - Panthéon★★ - Luxembourg ★★ (Palais et Jardins)*

### Églises :

*Notre-Dame★★★ - La Madeleine★★ - Sacré-Coeur★★ - St-Germain-des-Prés★★ - St-Étienne-du-Mont★★ - St-Germain-l'Auxerrois★★*

### Dans le Marais :

*Place des Vosges★★★ - Hôtel Lamoignon★★ - Hôtel Guénégaud★★ - Palais Soubise★★*

## QUELQUES MUSÉES

*Le Louvre★★★ - Orsay★★★ (milieu du 19e s. jusqu'au début du 20e s.) - Art moderne ★★★ (au Centre Pompidou) - Armée★★★ (aux Invalides) - Arts décoratifs★★ (107, rue de Rivoli) - Musée National du Moyen Âge et Thermes de Cluny★★ - Rodin★★ (Hôtel de Biron) - Carnavalet★★ (Histoire de Paris) - Picasso★★ - Cité des Sciences et de l'Industrie★★★ (La Villette) - Marmottan★★ (collection de peintres impressionnistes) - Orangerie★★ (des Impressionnistes à 1930) - Jacquemart-André★★ - Musée national des Arts asiatiques - Guimet★★★*

## MONUMENTS CONTEMPORAINS

*La Défense★★ (C.N.I.T., la Grande Arche) - Centre Georges-Pompidou★★★ - Forum des Halles - Institut du Monde Arabe★ - Opéra-Bastille - Bercy★ (palais Omnisports, Ministère des Finances) - Bibliothèque Nationale de France - Site François-Mitterrand★*

## QUARTIERS PITTORESQUES

*Montmartre★★★ - Le marais★★★ - Île St-Louis★★ - les Quais★★ (entre le Pont des Arts et le Pont de Sully) - St-Germain-des-Prés★★ - Quartier St-Séverin★★*

## LE SHOPPING

### Grands magasins :

*Printemps, Galeries Lafayette (boulevard Haussmann), Samaritaine, B.H.V. (rue de Rivoli), Bon Marché (rue de Sèvres)*

### Commerce de luxe :

*Au Faubourg St-Honoré (mode), Rue de la Paix et place Vendôme (joaillerie), rue Royale (faïencerie et cristallerie), avenue Montaigne ((mode)*

### Occasions et antiquités :

*Marché aux Puces★ (Porte de Clignancourt), Village Suisse (av. de la Motte-Picquet) - Louvre des Antiquaires.*

## Liste alphabétique des hôtels et restaurants

## F



## G

## H - I

## Q



## R

S

# *Restaurants de Paris et environs*

## *Les bonnes tables... à étoiles*

### ✿✿✿

| | | |
|---|---|---|
| 86 | XXXXX | Le "Cinq" - 8e |
| 86 | XXXXX | Ledoyen - 8e |
| 87 | XXXXX | Lucas Carton *(Senderens)* - 8e |
| 86 | XXXXX | Plaza Athénée - 8e |
| 87 | XXXXX | Taillevent *(Vrinat)* - 8e |
| 62 | XXXX | Ambroisie (L') *(Pacaud)* - 4e |
| 77 | XXXX | Arpège *(Passard)* - 7e |
| 56 | XXXX | Grand Vefour - 1er |
| 122 | XXXX | Guy Savoy - 17e |
| 87 | XXXX | Pierre Gagnaire - 8e |

### ✿✿

| | | |
|---|---|---|
| 87 | XXXXX | Bristol - 8e |
| 87 | XXXXX | Lasserre - 8e |
| 87 | XXXXX | Laurent - 8e |
| 70 | XXXXX | Tour d'Argent - 5e |
| 56 | XXXX | Carré des Feuillants - 1er |
| 87 | XXXX | Élysées (Les) - 8e |
| 77 | XXXX | Le Divellec - 7e |
| 122 | XXXX | Michel Rostang - 17e |
| 97 | XXXX | Muses (Les) - 9e |
| 118 | XXXX | Pré Catelan - 16e |
| 122 | XXX | Apicius - 17e |
| 71 | XXX | Hélène Darroze - 6e |
| 115 | XXX | Jamin - 16e |
| 116 | XXX | Relais d'Auteuil - 16e |
| 70 | XXX | Relais Louis XIII - 6e |
| 139 | XXX | Relais Ste-Jeanne Cergy-Pontoise |

✿

| | | |
|---|---|---|
| 86 | XXXXX | Ambassadeurs (Les) - 8e |
| 55 | XXXXX | Espadon (L') - 1er |
| 55 | XXXXX | Meurice (Le) - 1er |
| 88 | XXXX | Chiberta - 8e |
| 88 | XXXX | Clovis - 8e |
| 56 | XXXX | Drouant - 2e |
| 115 | XXXX | Faugeron - 16e |
| 56 | XXXX | Gérard Besson - 1er |
| 56 | XXXX | Goumard - 1er |
| 118 | XXXX | Grande Cascade - 16e |
| 88 | XXXX | Marée (La) - 8e |
| 108 | XXXX | Montparnasse 25 - 14e |
| 108 | XXXX | Relais de Sèvres - 15e |
| 167 | XXXX | Trois Marches (Les) Versailles |
| 89 | XXX | Bath's - 8e |
| 78 | XXX | Cantine des Gourmets - 7e |
| 56 | XXX | Céladon - 2e |
| 108 | XXX | Chen-Soleil d'Est - 15e |
| 139 | XXX | Chiquito Cergy-Pontoise |
| 136 | XXX | Comte de Gascogne (Au) Boulogne-Billancourt |
| 89 | XXX | Copenhague - 8e |
| 108 | XXX | Duc (Le) - 14e |
| 122 | XXX | Faucher - 17e |
| 56 | XXX | Gualtiero Marchesi pour le Lotti - 1er |
| 62 | XXX | Hiramatsu - 4e |
| 56 | XXX | Il Cortile - 1er |
| 70 | XXX | Jacques Cagna - 6e |
| 88 | XXX | Jardin - 8e |
| 77 | XXX | Jules Verne - 7e |
| 153 | XXX | Magnolias (Les) Le Perreux-sur-Marne |
| 70 | XXX | Paris - 6e |
| 116 | XXX | Passiflore - 16e |
| 116 | XXX | Pergolèse - 16e |
| 78 | XXX | Pétrossian - 7e |
| 102 | XXX | Pressoir (Au) - 12e |
| 122 | XXX | Sormani - 17e |
| 116 | XXX | Table du Baltimore - 16e |
| 148 | XXX | Tastevin Maisons-Laffitte |
| 77 | XXX | Violon d'Ingres - 7e |
| 88 | XXX | W (Le) - 8e |
| 91 | XX | Angle du Faubourg (L') - 8e |
| 116 | XX | Astrance - 16e |
| 142 | XX | Auberge du Château "Table des Blot" Dampierre-en-Yvelines |
| 122 | XX | Béatilles (Les) - 17e |
| 78 | XX | Bellecour - 7e |
| 63 | XX | Benoît - 4e |
| 135 | XX | Camélia Bougival |
| 89 | XX | Carpaccio - 8e |
| 78 | XX | Chamarré - 7e |
| 89 | XX | Luna - 8e |
| 108 | XX | Maison Courtine - 14e |
| 90 | XX | Marius et Janette - 8e |
| 78 | XX | Récamier - 7e |
| 117 | XX | Tang - 16e |
| 102 | XX | Trou Gascon (Au) - 12e |
| 151 | XX | Truffe Noire Neuilly-sur-Seine |
| 117 | X | Ormes (Les) - 16e |

# *Le* "Bib Gourmand"

## *Pour souper après le spectacle*

***(Nous indiquons entre parenthèses l'heure limite d'arrivée)***

| | | |
|---|---|---|
| 108 | XXX | Dôme (Le) - 14e (0 h 30) |
| 88 | XXX | Fouquet's - 8e (0 h) |
| 57 | XXX | Pierre " A la Fontaine Gaillon " - 2e (0 h) |
| 71 | XXX | Procope - 6e (1 h) |
| 89 | XXX | Yvan - 8e (0 h) |
| 91 | XX | Al Ajami - 8e (0 h) |
| 71 | XX | Alcazar - 6e (0 h) |
| 123 | XX | Ballon des Ternes - 17e (0 h) |
| 90 | XX | Berkeley - 8e (0 h) |
| 63 | XX | Bofinger - 4e (1 h) |
| 98 | XX | Brasserie Flo - 10e (1 h 30) |
| 57 | XX | Café Drouant - 2e (0 h) |
| 108 | XX | Coupole (La) - 14e (1 h) |
| 79 | XX | Esplanade (L') - 7e (1 h) |
| 79 | XX | Françoise (Chez) - 7e (0 h) |
| 57 | XX | Gallopin - 2e (0 h) |
| 123 | XX | Georges (Chez) - 17e (0 h) |
| 57 | XX | Grand Colbert - 2e (1 h) |
| 145 | XX | Ile (L') Issy-les-Moulineaux (0 h) |
| 98 | XX | Julien - 10e (1 h) |
| 71 | XX | Marty - 5e (0 h) |
| 91 | XX | Nirvana - 8e (2 h) |
| 91 | XX | Nobu - 8e (0 h) |
| 98 | XX | Petit Riche (Au) - 9e (0 h 15) |
| 57 | XX | Pied de Cochon (Au) - 1er (jour et nuit) |
| 98 | XX | Terminus Nord - 10e (1 h) |
| 58 | XX | Vaudeville - 2e (1 h) |
| 91 | XX | Village d'Ung et Li Lam - 8e (0 h 30) |
| 109 | XX | Vin et Marée - 14e (0 h) |
| 73 | X | Balzar - 5e (0 h) |
| 124 | X | Bellagio - 17e (0 h) |
| 118 | X | Bistrot de l'Étoile Lauriston - 16e (0 h) |
| 79 | X | Bistrot de Paris - 7e (0 h) |
| 72 | X | Brasserie Lipp - 6e (0 h 45) |
| 80 | X | Café de l'Alma - 7e (0 h) |
| 73 | X | Coco de Mer - 5e (0 h) |
| 99 | X | Dell Orto - 9e (0 h) |
| 72 | X | Dominique - 6e (1 h) |
| 80 | X | Fontaine de Mars - 7e (0 h) |
| 99 | X | Michel (Chez) - 10e (0 h) |
| 72 | X | Rotonde - 6e (1 h) |
| 80 | X | Thoumieux - 7e (0 h) |
| 92 | X | Zo - 8e (1 h) |

# Le plat que vous recherchez

## Une andouillette

| | | |
|---|---|---|
| 108 | XX | Coupole (La) - 14e |
| 63 | X | Auberge Pyrénées Cévennes - 11e |
| 58 | X | Bistrot St-Honoré - 1er |
| 111 | X | Château Poivre - 14e |
| 92 | X | Ferme des Mathurins - 8e |
| 80 | X | Fontaine de Mars - 7e |
| 58 | X | Georges (Chez) - 2e |
| 58 | X | Mellifère - 2e |
| 73 | X | Moissonnier - 5e |
| 58 | X | Relais Chablisien - 1er |

## Du boudin

| | | |
|---|---|---|
| 79 | XX | Chez Eux (D') - 7e |
| 103 | X | Auberge Aveyronnaise (L') - 12e |
| 64 | X | Bascou (Au) - 3e |
| 80 | X | Fontaine de Mars - 7e |
| 58 | X | Mellifère - 2e |
| 73 | X | Moissonnier - 5e |
| 154 | X | Pouilly Reuilly (Au) à Le Pré St-Gervais |
| 110 | X | St-Vincent - 15e |

## Une bouillabaisse

| | | |
|---|---|---|
| 56 | XXXX | Goumard - 1er |
| 108 | XXX | Dôme (Le) - 14e |
| 103 | XX | Frégate - 12e |
| 117 | XX | Marius - 16e |

## Un cassoulet

| | | |
|---|---|---|
| 63 | XX | Benoît - 4e |
| 79 | XX | Chez Eux (D') - 7e |
| 98 | XX | Julien - 10e |
| 123 | XX | Léon (Chez) - 17e |
| 57 | XX | Pays de Cocagne - 2e |
| 90 | XX | Sarladais - 8e |
| 147 | XX | St-Pierre à Longjumeau |
| 162 | XX | Table d'Antan à Ste-Geneviève-des-Bois |
| 102 | XX | Trou Gascon (Au) - 12e |
| 63 | X | Auberge Pyrénées Cévennes - 11e |
| 59 | X | Dauphin - 1er |
| 110 | X | Gastroquet - 15e |
| 111 | X | Marché (du) - 15e |
| 103 | X | Quincy - 12e |
| 80 | X | Thoumieux - 7e |

## Une choucroute

| | | |
|---|---|---|
| 63 | XX | Bofinger - 4e |
| 53 | XX | Brasserie Le Louvre (H. Louvre) - 1er |
| 108 | XX | Coupole (La) - 14e |
| 98 | XX | Terminus Nord - 10e |
| 73 | X | Balzar - 5e |
| 72 | X | Brasserie Lipp - 6e |
| 58 | X | Café Runtz - 2e |
| 58 | X | Mellifère - 2e |

## Un confit

| | | |
|---|---|---|
| 160 | XXX | Cazaudehore à St-Germain-en-Laye |
| 79 | XX | Chez Eux (D') - 7e |
| 117 | XX | Paul Chêne - 16e |
| 57 | XX | Pays de Cocagne - 2e |
| 90 | XX | Sarladais - 8e |
| 102 | XX | Trou Gascon (Au) - 12e |
| 64 | X | Bascou (Au) - 3e |
| 99 | X | Deux Canards (Aux) - 10e |
| 110 | X | Gastroquet - 15e |
| 59 | X | Lescure - 1er |
| 111 | X | Marché (du) - 15e |
| 64 | X | Monde des Chimères - 4e |
| 58 | X | Pierrot - 2e |

## Un coq au vin

| | | |
|---|---|---|
| 147 | XX | Bourgogne à Maisons-Alfor |
| 161 | XX | Coq de la Maison Blanche à St-Ouen |
| 103 | X | Biche au Bois - 12e |

| | | |
|---|---|---|
| 74 | X | Marcel (Chez) - 6e |
| 63 | X | Repaire de Cartouche - 11e |
| 110 | X | St-Vincent - 15e |

## Des coquillages, crustacés, poissons

| | | |
|---|---|---|
| 56 | XXXX | Goumard - 1er |
| 77 | XXXX | Le Divellec - 7e |
| 88 | XXXX | Marée (La) - 8e |
| 70 | XXX | Closerie des Lilas - 6e |
| 108 | XXX | Dôme (Le) - 14e |
| 108 | XXX | Duc (Le) - 14e |
| 122 | XXX | Pétrus - 17e |
| 116 | XXX | Port Alma - 16e |
| 123 | XX | Ballon des Ternes - 17e |
| 63 | XX | Bofinger - 4e |
| 98 | XX | Brasserie Flo - 10e |
| 108 | XX | Coupole (La) - 14e |
| 122 | XX | Dessirier - 17e |
| 103 | XX | Frégate - 12e |
| 57 | XX | Gallopin - 2e |
| 79 | XX | Gaya Rive Gauche - 7e |
| 79 | XX | Glénan (Les) - 7e |
| 98 | XX | Julien - 10e |
| 89 | XX | Luna - 8e |
| 167 | XX | Marée de Versailles à Versailles |
| 90 | XX | Marius et Janette - 8e |
| 71 | XX | Marty - 5e |
| 57 | XX | Pied de Cochon (Au) - 1er |
| 90 | XX | Stella Maris - 8e |
| 123 | XX | Taïra - 17e |
| 98 | XX | Terminus Nord - 10e |
| 63 | XX | Vin et Marée - 11e |
| 92 | X | Bistrot de Marius - 8e |
| 63 | X | Bistrot du Dôme - 4e |
| 91 | X | Cap Vernet - 8e |
| 72 | X | Espadon Bleu (L') - 6e |
| 124 | X | Presqu'île - 17e |

## Des escargots

| | | |
|---|---|---|
| 63 | XX | Benoît - 4e |
| 134 | XX | Escargot (A l') à Aulnay-sous-Bois |
| 123 | XX | Léon (Chez) - 17e |
| 71 | XX | Maître Paul (Chez) - 6e |
| 63 | X | Auberge Pyrénées Cévennes - 11e |
| 58 | X | Bistrot St-Honoré - 1er |
| 92 | X | Ferme des Mathurins - 8e |
| 73 | X | Moissonnier - 5e |
| 73 | X | Moulin à Vent (Au) - 5e |
| 103 | X | Quincy - 12e |

## Une paëlla

| | | |
|---|---|---|
| 118 | X | Rosimar - 16e |

## Une grillade

| | | |
|---|---|---|
| 102 | XXX | Train Bleu - 12e |
| 98 | XX | Brasserie Flo - 10e |
| 161 | XX | Coq de la Maison Blanche à St-Ouen |
| 108 | XX | Coupole (La) - 14e |
| 90 | XX | Fermette Marbeuf 1900 - 8e |
| 57 | XX | Gallopin - 2e |
| 98 | XX | Julien - 10e |
| 57 | XX | Pied de Cochon (Au) - 1er |
| 98 | XX | Terminus Nord - 10e |
| 58 | XX | Vaudeville - 2e |
| 123 | X | Rôtisserie d'Armaillé - 17e |
| 73 | X | Rôtisserie d'en Face - 6e |

## De la tête de veau

| | | |
|---|---|---|
| 122 | XXX | Apicius - 17e |
| 63 | XX | Benoît - 4e |
| 123 | XX | Léon (Chez) - 17e |
| 109 | XX | les Frères Gaudet (Chez) - 15e |
| 133 | XX | Petite Auberge à Asnières-sur-Seine |
| 117 | XX | Petite Tour - 16e |
| 103 | X | Bistrot de la Porte Dorée - 12e |
| 124 | X | Caves Petrissans - 17e |
| 111 | X | Coteaux (Les) - 15e |
| 99 | X | Pré Cadet - 9e |
| 58 | X | Relais Chablisien - 1er |
| 80 | X | Thoumieux - 7e |

## Des tripes

| | | |
|---|---|---|
| 123 | XX | Georges (Chez) - 17e |
| 103 | X | Auberge Aveyronnaise (L') - 12e |
| 111 | X | Château Poivre - 14e |
| 111 | X | Coteaux (Les) - 15e |

## Des fromages

| | | |
|---|---|---|
| 108 | XXXX | Montparnasse 25 - 14e |
| 134 | XX | Escargot (A l') à Aulnay-sous-Bois |

## Des soufflées

| | | |
|---|---|---|
| 58 | XX | Soufflé - 1er |
| 79 | X | Cigale - 7e |

# Cuisines d'Ailleurs

# *Dans la tradition : bistrots et brasseries*

## *Les bistrots*

# Les brasseries

## Restaurants "Nouveaux Concepts"

# Restaurants proposant des menus à moins 27 €

### 1er arrondissement

| | | |
|---|---|---|
| 58 | X | Bistrot St-Honoré |
| 59 | X | La Vieille "Adrienne" (Chez) |
| 59 | X | Lescure |

### 2e arrondissement

| | | |
|---|---|---|
| 57 | XX | Gallopin |
| 57 | XX | Grand Colbert |
| 57 | XX | Pays de Cocagne |
| 58 | X | Café Runtz |
| 58 | X | Mellifère |

### 3e arrondissement

| | | |
|---|---|---|
| 62 | XX | Ambassade d'Auvergne |
| 63 | XX | Pamphlet |
| 64 | X | Clos du Vert Bois |

### 5e arrondissement

| | | |
|---|---|---|
| 74 | X | Lhassa |

### 6e arrondissement

| | | |
|---|---|---|
| 71 | XX | Maître Paul (Chez) |
| 74 | X | Marmite et Cassolette |
| 74 | X | Palanquin |
| 72 | X | Rotonde |

### 7e arrondissement

| | | |
|---|---|---|
| 79 | XX | Françoise (Chez) |
| 79 | XX | New Jawad |
| 80 | X | Apollon |
| 80 | X | Calèche |
| 80 | X | Collinot (Chez) |
| 80 | X | Maupertu |
| 80 | X | Miyako |
| 79 | X | P'tit Troquet |

### 8e arrondissement

| | | |
|---|---|---|
| 91 | XX | Al Ajami |
| 91 | XX | Village d'Ung et Li Lam |
| 92 | X | Cô Ba Saigon |
| 92 | X | Daru |
| 92 | X | Shin Jung |

### 9e arrondissement

| | | |
|---|---|---|
| 98 | XX | Bistrot Papillon |
| 99 | X | Dell Orto |
| 99 | X | Excuse Mogador (L') |
| 99 | X | Pré Cadet |

### 10e arrondissement

| | | |
|---|---|---|
| 99 | X | Deux Canards (Aux) |

### 11e arrondissement

| | | |
|---|---|---|
| 63 | XX | Aiguière (L') |
| 63 | X | Astier |
| 63 | X | Auberge Pyrénées Cévennes |
| 64 | X | Dame Jeanne |
| 63 | X | Péché Mignon |

### 12e arrondissement

| | | |
|---|---|---|
| 102 | XX | Janissaire |
| 103 | X | Auberge Aveyronnaise (L') |
| 103 | X | Biche au Bois |
| 103 | X | Pataquès |
| 103 | X | Temps des Cerises |

### 13e arrondissement

| | | |
|---|---|---|
| 103 | X | Auberge Etchegorry |
| 103 | X | Avant Goût (L') |
| 103 | X | Sukhothaï |

### 14e arrondissement

| | | |
|---|---|---|
| 109 | XX | Vendanges (Les) |
| 111 | X | Cerisaie |
| 111 | X | Château Poivre |
| 110 | X | Gourmands (Les) |
| 110 | X | La Bonne Table (A) |
| 110 | X | Pascal Champ |

### 15e arrondissement

| | | |
|---|---|---|
| 109 | XX | Caroubier |
| 109 | XX | Copreaux |
| 109 | XX | Dînée (La) |
| 109 | XX | Erawan |
| 109 | XX | Étape (L') |
| 109 | XX | Gauloise |
| 111 | X | Beurre Noisette |
| 111 | X | Coteaux (Les) |
| 111 | X | Folletterie |
| 110 | X | Gastroquet |

# *Plein air*

**1er arrondissement**

57 XX Palais Royal

**5e arrondissement**

71 XX Ziryab

**7e arrondissement**

78 XX Maison de l'Amérique Latine

**8e arrondissement**

87 XXXXX Laurent

**16e arrondissement**

118 XXXX Grande Cascade
118 XXXX Pré Catelan

**19e arrondissement**

126 XXX Pavillon Puebla

## ENVIRONS

**Asnières-sur-Seine**

133 XXX Van Gogh

**Aulnay-sous-Bois**

134 XX Escargot (A l')

**Cergy-Pontoise**

139 XX Moulin de la Renardière

**Gagny**

144 XX Vilgacy

**Livry-Gargan**

147 XX Petite Marmite

**Maisons-Laffitte**

148 XXX Tastevin

**Montreuil**

150 XXX Gaillard

**St-Germain-en-Laye**

160 XXX Cazaudehore

**Vaucresson**

164 XXX Auberge de la Poularde

# Restaurants avec salons particuliers

## 1er arrondissement

| | | |
|---|---|---|
| 56 | XXXX | Carré des Feuillants |
| 56 | XXXX | Goumard |
| 56 | XXXX | Grand Vefour |
| 56 | XXX | Macéo |
| 57 | XX | Kinugawa |
| 57 | XX | Palais Royal |
| 57 | XX | Pauline (Chez) |
| 57 | XX | Pied de Cochon (Au) |

## 2e arrondissement

| | | |
|---|---|---|
| 56 | XXXX | Drouant |
| 56 | XXX | Céladon |
| 57 | XXX | Pierre " A la Fontaine Gaillon " |

## 3e arrondissement

| | | |
|---|---|---|
| 62 | XX | Ambassade d'Auvergne |

## 4e arrondissement

| | | |
|---|---|---|
| 62 | XXXX | Ambroisie (L') |
| 63 | XX | Benoît |
| 63 | XX | Bofinger |

## 5e arrondissement

| | | |
|---|---|---|
| 70 | XXXXX | Tour d'Argent |
| 71 | XX | Marty |
| 71 | XX | Ziryab |
| 73 | X | Moissonnier |

## 6e arrondissement

| | | |
|---|---|---|
| 71 | XXX | Lapérouse |
| 71 | XXX | Procope |
| 70 | XXX | Relais Louis XIII |
| 71 | XX | Alcazar |
| 71 | XX | Bastide Odéon |
| 71 | XX | Maître Paul (Chez) |
| 71 | XX | Maxence |

## 7e arrondissement

| | | |
|---|---|---|
| 77 | XXXX | Arpège |
| 78 | XXX | Cantine des Gourmets |
| 78 | XXX | Maison des Polytechniciens |
| 79 | XX | Françoise (Chez) |
| 78 | XX | Maison de l'Amérique Latine |
| 78 | XX | Récamier |
| 78 | XX | Tante Marguerite |
| 80 | X | Thoumieux |

## 8e arrondissement

| | | |
|---|---|---|
| 86 | XXXXX | Ambassadeurs (Les) |
| 86 | XXXXX | Le "Cinq" |
| 87 | XXXXX | Lasserre |
| 87 | XXXXX | Laurent |
| 86 | XXXXX | Ledoyen |
| 87 | XXXXX | Lucas Carton |
| 87 | XXXXX | Taillevent |
| 88 | XXX | Fouquet's |
| 90 | XX | Bistrot du Sommelier |
| 90 | XX | Marius et Janette |

## 9e arrondissement

| | | |
|---|---|---|
| 97 | XXX | Table d'Anvers |
| 98 | XX | Petit Riche (Au) |

## 11e arrondissement

| | | |
|---|---|---|
| 63 | XX | Aiguière (L') |

## 12e arrondissement

| | | |
|---|---|---|
| 102 | XXX | Pressoir (Au) |

## 14e arrondissement

| | | |
|---|---|---|
| 108 | XX | Coupole (La) |
| 110 | X | Pascal Champ |

## 15e arrondissement

| | | |
|---|---|---|
| 108 | XXX | Benkay |
| 108 | XXX | Chen-Soleil d'Est |
| 109 | XX | Gauloise |
| 111 | X | Marché (du) |

## 16e arrondissement

| | | |
|---|---|---|
| 115 | XXXX | Faugeron |
| 118 | XXXX | Grande Cascade |
| 118 | XXXX | Pré Catelan |
| 115 | XXX | Jamin |
| 116 | XXX | Tsé-Yang |

## 17e arrondissement



## 18e arrondissement



## 19e arrondissement

# Restaurants ouverts samedi et dimanche

## 1er arrondissement

| | | |
|---|---|---|
| 55 | XXXXX | Espadon (L') |
| 55 | XXXXX | Meurice (Le) |
| 56 | XXXX | Goumard |
| 57 | XX | Pied de Cochon (Au) |
| 59 | X | Dauphin |

## 2e arrondissement

| | | |
|---|---|---|
| 57 | XX | Grand Colbert |
| 58 | XX | Vaudeville |
| 58 | X | L'Ardoise |
| 58 | X | Mellifère |

## 3e arrondissement

| | | |
|---|---|---|
| 62 | XX | Ambassade d'Auvergne |

## 4e arrondissement

| | | |
|---|---|---|
| 63 | XX | Benoît |
| 63 | XX | Bofinger |
| 63 | X | Bistrot du Dôme |

## 5e arrondissement

| | | |
|---|---|---|
| 70 | XXXXX | Tour d'Argent |
| 71 | XX | Marty |
| 71 | XX | Mavrommatis |
| 73 | X | Balzar |
| 74 | X | Lhassa |
| 73 | X | Ma Cuisine |
| 73 | X | Rôtisserie du Beaujolais |
| 74 | X | Reminet |

## 6e arrondissement

| | | |
|---|---|---|
| 70 | XXX | Closerie des Lilas |
| 71 | XXX | Procope |
| 71 | XX | Alcazar |
| 71 | XX | Yugaraj |
| 72 | X | Brasserie Lipp |
| 72 | X | Rotonde |

## 7e arrondissement

| | | |
|---|---|---|
| 77 | XXX | Jules Verne |
| 78 | XXX | Cantine des Gourmets |
| 79 | XX | Esplanade (L') |
| 79 | XX | Françoise (Chez) |
| 79 | XX | New Jawad |
| 80 | X | Café de l'Alma |
| 80 | X | Fontaine de Mars |
| 80 | X | Thoumieux |
| 80 | X | Vin et Marée |

## 8e arrondissement

| | | |
|---|---|---|
| 86 | XXXXX | Ambassadeurs (Les) |
| 87 | XXXXX | Bristol |
| 86 | XXXXX | Le "Cinq" |
| 89 | XXX | El Mansour |
| 88 | XXX | Fouquet's |
| 88 | XXX | Obélisque (L') |
| 91 | XX | Al Ajami |
| 90 | XX | Berkeley |
| 91 | XX | Bistro de l'Olivier |
| 89 | XX | Carpaccio |
| 90 | XX | Fermette Marbeuf 1900 |
| 90 | XX | Marius et Janette |
| 91 | XX | Market |
| 91 | XX | Nirvana |
| 89 | XX | Relais Plaza |
| 91 | X | Appart' (L') |
| 92 | X | Bistrot de Marius |
| 92 | X | Café Indigo |

## 10e arrondissement

| | | |
|---|---|---|
| 98 | XX | Brasserie Flo |
| 98 | XX | Julien |
| 98 | XX | Terminus Nord |

## 11e arrondissement

| | | |
|---|---|---|
| 63 | XX | Vin et Marée |

## 12e arrondissement

| | | |
|---|---|---|
| 102 | XXX | Train Bleu |
| 103 | X | Bistrot de la Porte Dorée |
| 103 | X | Temps des Cerises |

## 14e arrondissement

| | | |
|---|---|---|
| 108 | XX | Coupole (La) |
| 109 | XX | Monsieur Lapin |
| 109 | XX | Vin et Marée |

## 15e arrondissement

| | | |
|---|---|---|
| 108 | XXX | Benkay |
| 108 | XXX | Ciel de Paris |
| 109 | XX | Caroubier |
| 109 | XX | Fontanarosa |
| 109 | XX | Gauloise |

# Hôtels proposant des chambres doubles à moins de 78 €

**Levallois-Perret**

146 Espace Champerret
146 ABC Champerret

**Lieusaint**

147 Flamboyant

**Longjumeau**

147 St-Georges

**Lésigny**

146 Golf

**Maisons-Laffitte**

147 Ibis

**Marne-la-Vallée**

149 St-Rémy

**Nogent-sur-Marne**

152 Campanile

**Orly (Aéroports de Paris)**

153 Kyriad - Air Plus

**Queue-en-Brie (La)**

155 Relais de Pincevent

**St-Quentin-en-Yvelines**

162 Port Royal
162 Relais de Voisins

**Sucy-en-Brie**

162 Tartarin

**Suresnes**

163 Astor

**Versailles**

167 Ibis

**Villeparisis**

168 Relais du Parisis

**Vincennes**

169 Donjon

METROPOLITAIN

# PARIS

# Hôtels - Restaurants

## par arrondissements

**(Liste alphabétique des Hôtels et Restaurants, voir p. 11 à 27)**

**G 12** : Ces lettres et chiffres correspondent au carroyage du **Plan de Paris** Michelin n° 10, **Paris Atlas** n° 11 et n° 15, **et Plan avec répertoire** n° 12.

En consultant ces quatre publications vous trouverez également les parkings les plus proches des établissements cités.

# Opéra - Palais-Royal Halles - Bourse

## 1^er^ et 2^e^ arrondissements

*1^er^ : 75001 - 2^e^ : 75002*

**Ritz,** 15 pl. Vendôme (1^er^) 01 43 16 30 30, *resa@ritzparis.com, Fax 01 43 16 36 68,* – 30 à 80. AE GB JCB. **G 12**
voir rest. ***L'Espadon*** ci-après - ***Ritz Club*** (dîner seul.) *(fermé 13 juil. au 1^er^ sept., dim. et lundi)* **Repas** carte 72 à 100 – - ***Bar Vendôme*** (déj. seul.) **Repas** carte 80 à 100 – 33 – **107 ch** 640/750, 55 appart.

◆ César Ritz inaugura en 1898 "l'hôtel parfait" dont il rêvait. R. Valentino, Proust, Hemingway, Coco Chanel en furent les hôtes. Chambres d'un raffinement incomparable. Luxueux centre de remise en forme.

**Meurice,** 228 r. Rivoli (1^er^) 01 44 58 10 10, *reservations@meuricehotel.com, Fax 01 44 58 10 15,* – 40 à 70. AE GB JCB. **G 12**
voir rest. ***Le Meurice*** ci-après - ***Jardin d'Hiver*** 01 44 58 10 44 **Repas** *(34)* 42 (déj.) et carte 46 à 70 – 42 – **135 ch** 600/760, 25 appart.

◆ Ce haut lieu de l'élégance entame le 3^e^ millénaire entièrement rénové, toujours plus fastueux. Somptueuses chambres, bel espace fitness et jolie verrière au Jardin d'Hiver.

**Inter-Continental,** 3 r. Castiglione (1^er^) 01 44 77 11 11, *paris@interconti.com, Fax 01 44 77 14 60,* – 15 à 350. AE GB JCB. rest **G 12**
***234 Rivoli*** 01 44 77 10 40 **Repas** 35(déj)/48 – ***Terrasse Fleurie*** 01 44 77 16 59 *(mai-sept.)* **Repas** 35(déj)/48 – 34 – **410 ch** 500/970, 33 appart.

◆ Glorieux hôtel édifié en 1878. Les chambres déclinent les styles du 19^e^ s. ; certaines offrent la vue sur les Tuileries. Superbes salons Napoléon III. Plaisante terrasse d'été.

**Costes** M, 239 r. St-Honoré (1^er^) 01 42 44 50 00, *Fax 01 42 44 50 01,* AE GB JCB **G 12**
**Repas** 50/70 – 26 – **80 ch** 380/620, 3 duplex.

◆ Style Napoléon III revisité dans des chambres pourpre et or, ravissante cour à l'italienne et restaurant-bar "branché" : un palace extravagant, adulé par la jet-set.

**Vendôme** M sans rest, 1 pl. Vendôme (1er) ℘ 01 55 04 55 00, *reservations@hoteldevendome.com, Fax 01 49 27 97 89* – AE GB JCB. G 12
28 – **24 ch** 490/650, 5 appart.
◆ La place Vendôme forme le superbe écrin de ce bel hôtel particulier du 18e s. devenu palace. Meubles anciens, marbre et équipements "dernier cri".

**Park Hyatt** M, 5 r. Paix ℘ 01 58 71 12 34, *vendome@paris.hyatt.com, Fax 01 58 71 12 35,* – 15 à 50. AE GB. G 12
***Le Park*** ℘ 01 58 71 10 60 *(fermé sam. midi, dim. et fériés)* **Repas** Carte 61 à 96 – 42 – **177 ch** 650/840, 9 appart.
◆ Décor contemporain signé Ed Tuttle, collection d'art moderne et équipements high-tech : une nouvelle vie pour ces cinq immeubles haussmanniens transformés en palace "design".

**Sofitel Castille** M, 37 r. Cambon (1er) ℘ 01 44 58 44 58, *reservations@castille.com, Fax 01 44 58 44 00* – 30. AE GB JCB G 12
voir rest. ***Il Cortile*** ci-après – 28 – **86 ch** 520/680, 7 appart, 14 duplex.
◆ Côté "Opéra", chaleureux décor inspiré de l'Italie et de la Renaissance ; côté "Rivoli", cadre chic et sobre à la française, agrémenté de photos du Paris de Doisneau.

**Louvre,** pl. A. Malraux (1er) ℘ 01 44 58 38 38, *hoteldulouvre-dg@concorde-hotels, Fax 01 44 58 38 01,* – 20 à 80. AE GB JCB. H 13
***Brasserie Le Louvre*** ℘ 01 42 96 27 98 **Repas** 26/31 – 21 – **195 ch** 450/1800.
◆ Un des premiers grands hôtels parisiens, où logea le peintre Pissarro. Chambres cossues et colorées offrant la vue sur l'avenue de l'Opéra ou le musée du Louvre.

**Westminster,** 13 r. Paix (2e) ℘ 01 42 61 57 46, *resa.westminster@warwickhotels.com, Fax 01 42 60 30 66,* – 15 à 40. AE GB JCB G 12
voir rest. ***Céladon*** ci-après - ***Petit Céladon*** (week-end seul.) *(fermé août)* **Repas** 42 bc – 28 – **80 ch** 420/570, 22 appart.
◆ C'est en 1846 que cet élégant hôtel, jadis couvent puis relais de poste, adopta le nom de son plus fidèle client, le duc de Westminster. Chambres cossues, appartements luxueux.

**Lotti,** 7 r. Castiglione (1er) ℘ 01 42 60 37 34, *hotel.lotti@wanadoo.fr, Fax 01 40 15 93 56* – ch, AE GB JCB G 12
voir rest. ***Gualtiero Marchesi pour le Lotti*** ci-après – 24 – **129 ch** 245/550.
◆ Non loin des joailliers de la place Vendôme, un petit "bijou" de l'hôtellerie : chambres douillettes ornées de meubles de divers styles, confortable salon sous verrière.

**Royal St-Honoré** M sans rest, 221 r. St-Honoré (1er) ℘ 01 42 60 32 79, *rsh@hotel-royal-st-honore.com, Fax 01 42 60 47 44* – 15. AE GB JCB. G 12
19 – **67 ch** 280/350, 5 appart.
◆ Immeuble bâti au 19e s. sur l'emplacement de l'ancien hôtel de Noailles. Chambres personnalisées, très raffinées. Décor Louis XVI dans la salle des petits-déjeuners.

**Meliá Vendôme** M sans rest, 8 r. Cambon (1er) ℘ 01 44 77 54 00, *melia.vendome@solmelia.com, Fax 01 44 77 54 01* – 20. AE GB JCB. G 12
24 – **83 ch** 320/503.
◆ Décoration cossue et soignée, mobilier de style et atmosphère feutrée dans les chambres récemment refaites. Élégant salon coiffé d'une verrière de style Belle Époque.

**Edouard VII** sans rest, 39 av. Opéra (2e) ℘ 01 42 61 56 90, *info@edouard7hotel.com, Fax 01 42 61 47 73* – 15 à 25. AE GB JCB G 13
20 – **65 ch** 350/460, 4 appart.
◆ Le prince de Galles Édouard VII aimait séjourner ici lors de ses passages à Paris. Chambres spacieuses et feutrées. Boiseries sombres et vitraux décorent le bar.

**Normandy,** 7 r. Échelle (1er) ℘ 01 42 60 30 21, *Fax 01 42 60 45 81* – 15 à 30. AE GB JCB H 13
***Il Palazzo*** ℘ 01 42 60 91 20 - cuisine italienne - **Repas** (31-41)/83,50 et carte 55 à 90 – 25 – **117 ch** 280/423, 4 appart.
◆ Les nostalgiques des palaces d'antan seront séduits par le cachet "rétro" des chambres et agréablement surpris par le nouveau restaurant italien Il Palazzo, mariant design et baroque.

**Regina,** 2 pl. Pyramides (1er) ℘ 01 42 60 31 10, *reservation@regina-hotel.com, Fax 01 40 15 95 16,* – 20 à 60. AE GB JCB H 13
**Repas** *(fermé août, sam., dim. et fériés)* 31 – 25 – **116 ch** 314/427, 14 appart.
◆ De sa création en 1900, cet hôtel a conservé son superbe hall Art nouveau. Chambres riches en mobilier ancien, plus calmes côté patio. Jolie cheminée "Majorelle" au restaurant.

**Washington Opéra** M sans rest, 50 r. Richelieu (1er) ☎ 01 42 96 68 06, *hotel@washingtonopera.com, Fax 01 40 15 01 12* – AE GB JCB. **G 13**
15 – **36 ch** 215/275.
◆ Ancien hôtel particulier de la marquise de Pompadour. Chambres de style Directoire ou gustavien. La terrasse du 6e étage offre une belle vue sur le jardin du Palais-Royal.

**Opéra Richepanse** sans rest, 14 r. Chevalier de St-George ☎ 01 42 60 36 00, *richepansehotel@wanadoo.fr, Fax 01 42 60 13 03* – AE GB JCB **G 12**
19 – **35 ch** 270/315, 3 appart.
◆ Hôtel entièrement rénové et meublé dans le style Art déco. Chambres aux tons jaune et bleu, parfois avec poutres apparentes. Au sous-sol, sauna et salle des petits-déjeuners.

**Cambon** M sans rest, 3 r. Cambon (1er) ☎ 01 44 58 93 93, *cambon@cybercable.fr, Fax 01 42 60 30 59* – AE GB JCB. **G 12**
13 – **40 ch** 256/315.
◆ Entre jardin des Tuileries et rue St-Honoré, plaisantes chambres où cohabitent mobilier contemporain, jolies gravures et tableaux anciens. Clientèle fidèle.

**Stendhal** sans rest, 22 r. D. Casanova (2e) ☎ 01 44 58 52 52, *H1610@accor-hotels.com, Fax 01 44 58 52 00* – AE GB JCB. **G 12**
16,50 – **20 ch** 292/364.
◆ Sur les traces du célèbre écrivain, séjournez dans la suite "Rouge et Noir" de cette demeure de caractère. Les chambres, raffinées, déclinent toute une symphonie de couleurs.

**Mansart** sans rest, 5 r. Capucines (1er) ☎ 01 42 61 50 28, *hotel.mansart@wanadoo.fr, Fax 01 49 27 97 44* – AE GB JCB. **G 12**
10 – **57 ch** 158/290.
◆ Hôtel dont la rénovation rend hommage à Mansart, architecte de Louis XIV. Dans le hall, fresques inspirées des jardins de Le Nôtre. Chambres personnalisées.

**L'Horset Opéra** M sans rest, 18 r. d'Antin (2e) ☎ 01 44 71 87 00, *lopera@paris-hotels-charm.com, Fax 01 42 66 55 54* – AE GB JCB **G 13**
**55 ch** 230/260.
◆ Tons chauds, mobilier en bois blond et espace caractérisent les chambres de cet hôtel de tradition situé à deux pas du palais Garnier. Atmosphère "cosy" au salon.

**Novotel Les Halles** M, 8 pl. M.-de-Navarre (1er) ☎ 01 42 21 31 31, *H0785@accor-hotels.com, Fax 01 40 26 05 79* – – 15 à 20. AE GB JCB **H 14**
Repas 23, enf. 9,20 – 14 – **285 ch** 240/460.
◆ Près du Forum des Halles, établissement bien insonorisé, conforme aux normes de la chaîne. Quelques chambres ont vue sur l'église St-Eustache.

**États-Unis Opéra** sans rest, 16 r. d'Antin (2e) ☎ 01 42 65 05 05, *us-opera@wanadoo.fr, Fax 01 42 65 93 70* – – 25. AE GB JCB. **G 13**
10 – **45 ch** 146/230.
◆ Cet immeuble des années 1930 propose des chambres rénovées, confortables et feutrées. Petits-déjeuners servis dans un décor Louis XIII. Le bar a des allures de club anglais.

**Noailles** M sans rest, 9 r. Michodière (2e) ☎ 01 47 42 92 90, *goldentulip.denoailles@wanadoo.fr, Fax 01 49 24 92 71*, – – 20. AE GB JCB **G 13**
15 – **61 ch** 230/250.
◆ Élégance résolument contemporaine derrière une sobre façade ancienne. Décor japonisant dans des chambres de bonne ampleur ; la plupart donnent sur un agréable patio.

**Britannique** sans rest, 20 av. Victoria (1er) ☎ 01 42 33 74 59, *mailbox@hotel-britannique.fr, Fax 01 42 33 82 65* – AE GB JCB. **J 14**
12 – **40 ch** 130/180.
◆ Créé au 19e s. par une famille anglaise, cet hôtel voisin du Châtelet a conservé son atmosphère "british". Chambres contemporaines agrémentées de reproductions de W. Turner.

**Relais du Louvre** sans rest, 19 r. Prêtres-St-Germain-L'Auxerrois (1er) ☎ 01 40 41 96 42, *contact@relaisdulouvre.com, Fax 01 40 41 96 44* – AE GB JCB **H 14**
10 – **21 ch** 99/244.
◆ Étroite façade du 18e s. abritant un hôtel de caractère. Mobilier de style, couleurs gaies et accessoires de la vie moderne dans des chambres douillettes et raffinées.

**Thérèse** M sans rest, 5-7 r. Thérèse (1er) ☎ 01 42 96 10 01, *hoteltherese@wanadoo.fr, Fax 01 42 96 15 22* – AE GB JCB. **G 13**
12 – **43 ch** 125/190.
◆ Décoration contemporaine sobre et raffinée, rehaussée de touches d'exotisme dans cet hôtel entièrement rénové. Chambres de caractère et salle des petits-déjeuners voûtée.

**Place du Louvre** sans rest, 21 r. Prêtres-St-Germain-L'Auxerrois (1er) ☎ 01 42 33 78 68, *hotel.place.louvre@wanadoo.fr, Fax 01 42 33 09 95* – AE GB JCB **H 14**
9,50 – **20 ch** 92/148.
◆ Plaisantes petites chambres modernes ; certaines bénéficient d'une vue sur le Louvre et St-Germain-l'Auxerrois. Jolie voûte du 14e s. dans la salle des petits-déjeuners.

**Victoires Opéra** Ⓜ sans rest, 56 r. Montorgueil (2e) ✆ 01 42 36 41 08, *hotel@victoiresopera.com, Fax 01 45 08 08 79* – AE GB JCB. G 14
18 – **24 ch** 230/305.
◆ Dans une rue piétonne, commerçante et souvent animée qui fut jadis au coeur de la Cour des Miracles. Chambres rénovées, contemporaines et dotées de salles de bains en marbre.

**Grand Hôtel de Champagne** sans rest, 17 r. J.-Lantier (1er) ✆ 01 42 36 60 00, *champaigne@hotelchampaigneparis.com, Fax 01 45 08 43 33* – AE GB JCB J 14
12,50 – **43 ch** 145/195.
◆ Poutres et vieilles pierres mises à nu : les chambres, aménagées dans le plus vieil immeuble (1562) de la rue, ne manquent pas de caractère. Joli hall de style Louis XIII.

**Malte Opéra** sans rest, 63 r. Richelieu (2e) ✆ 01 44 58 94 94, *hotel.malte@astotel.com, Fax 01 42 86 88 19* – AE GB JCB G 13
14 – **54 ch** 152/212, 5 duplex.
◆ Face à la Bibliothèque nationale, belle façade ouvragée abritant des chambres de tailles variées, meublées dans le style Louis XV. Salon cossu prolongé d'une verrière.

**Molière** sans rest, 21 r. Molière (1er) ✆ 01 42 96 22 01, *info@hotel-moliere.fr, Fax 01 42 60 48 68* – AE GB JCB. G 13
12 – **32 ch** 135/175.
◆ L'enseigne rend hommage au célèbre auteur de théâtre qui serait né dans cette rue en 1622. Mobilier de style et charme "provincial" dans des chambres assez spacieuses.

**Favart** sans rest, 5 r. Marivaux (2e) ✆ 01 42 97 59 83, *favart.hotel@wanadoo.fr, Fax 01 40 15 95 58* – AE GB JCB F 13
4 – **37 ch** 88/115.
◆ Le peintre Goya séjourna dans ce charmant hôtel. Les chambres de la façade principale, tournées vers l'Opéra-Comique (autrefois salle Favart) sont les plus agréables.

**Pavillon Louvre Rivoli** sans rest, 20 r. Molière (1er) ✆ 01 42 60 31 20, *louvre@leshotelsdeparis.com, Fax 01 42 60 32 06* – AE GB JCB. G 13
15 – **29 ch** 166/182.
◆ Cet hôtel entièrement refait bénéficie d'un voisinage apprécié : musée du Louvre, Comédie-Française et Palais-Royal. Chambres menues, mais fraîches et colorées.

**Ducs de Bourgogne** sans rest, 19 r. Pont-Neuf (1er) ✆ 01 42 33 95 64, *mail@hotel-paris-bourgogne.com, Fax 01 40 39 01 25* – 15. AE GB JCB H 14
12 – **50 ch** 98/195.
◆ Entre Forum des Halles et Samaritaine : une adresse idéale pour le shopping. En façade, chambres au mobilier de style ; sur l'arrière, cadre fonctionnel. Salon bourgeois.

**Baudelaire Opéra** sans rest, 61 r. Ste Anne (2e) ✆ 01 42 97 50 62, *hotel@noos.fr, Fax 01 42 86 85 85* – AE GB JCB. G 13
7,50 – **24 ch** 110/140, 5 duplex.
◆ Dans la "rue japonaise" de Paris, établissement disposant de chambres que l'on vient tout juste de rénover : bon équipement et insonorisation étudiée.

**Louvre Ste-Anne** sans rest, 32 r. Ste-Anne (1er) ✆ 01 40 20 02 35, *contact@louvre-ste-anne.fr, Fax 01 40 15 91 13* – AE GB JCB G 13
9 – **20 ch** 122/184.
◆ Chambres un peu petites, mais bien agencées et plaisamment décorées dans des tons pastel. Petits-déjeuners sous forme de buffet, servis dans une jolie salle voûtée.

**Vivienne** sans rest, 40 r. Vivienne (2e) ✆ 01 42 33 13 26, *paris@hotel-vivienne.com, Fax 01 40 41 98 19* – GB F 14
6 – **44 ch** 65/86.
◆ Les chambres, de bonne ampleur, dotées d'un mobilier de style ou simplement pratique, sont mansardées au dernier étage ; quelques-unes possèdent un balcon.

XXXXX ✿ **L'Espadon** - Hôtel Ritz, 15 pl. Vendôme (1er) ✆ 01 43 16 30 80, *food-bev@ritzparis.com, Fax 01 43 16 33 75*, – . AE GB JCB. G 12
**Repas** 56,50 (déj.)/160 et carte 125 à 175.
◆ Salle à manger submergée d'ors et de drapés, décor éblouissant conservant le souvenir de ses célèbres convives, et plaisante terrasse dans un jardin fleuri. Tellement "ritzy" !
**Spéc.** Mousseux de homard et royale de coques coraillée. Saint-Jacques au beurre demi-sel, endives et carottes au miel d'orange amère (avril à oct.). Rosettes d'agneau en habit de truffe noire.

XXXXX ✿ **Le Meurice** - Hôtel Meurice, 228 r. Rivoli (1er) ✆ 01 44 58 10 55, *restauration@meuricehotel.com, Fax 01 44 58 10 15* – . AE GB JCB. G 12
*fermé 27 juil. au 25 août et 15 au 29 fév.* – **Repas** 55 (déj.), 95/150 et carte 85 à 125.
◆ Une pure merveille que cette salle à manger de style Grand Siècle, directement inspirée des Grands Appartements du château de Versailles. Belle cuisine personnalisée.
**Spéc.** Langoustines caramélisées à l'ail doux. Tourte de gibier. Soufflé du moment.

XXXX ✿✿✿ **Grand Vefour,** 17 r. Beaujolais (1er) ✆ 01 42 96 56 27, *grand.vefour@wanadoo.fr, Fax 01 42 86 80 71* – ▤. AE ⦿ GB JCB. ⚟ **G 13**
*fermé 21 au 27 avril, 28 juil. au 25 août, 22 déc. au 1er janv., vend. soir, sam. et dim.* – **Repas** 75 (déj.)/227 et carte 160 à 210 ♀.
◆ Dans les jardins du Palais-Royal, les somptueux salons Directoire, décorés de splendides "fixés sous verre", sont mondialement connus. Cuisine inspirée, digne de ce monument historique.
**Spéc.** Ravioles de foie gras à l'émulsion de crème truffée. Pigeon Prince Rainier III. Tourte d'artichaut et légumes confits, sorbet aux amandes amères.

XXXX ✿✿ **Carré des Feuillants** (Dutournier), 14 r. Castiglione (1er) ✆ 01 42 86 82 82, *carre.des.feuillants@wanadoo.fr, Fax 01 42 86 07 71* – ▤. AE ⦿ GB JCB **G 12**
*fermé août, sam. et dim.* – **Repas** 58 (déj.)/138 et carte 105 à 135.
◆ Ce restaurant occupe le site de l'ancien couvent des Feuillants où David peignit le fameux Serment du Jeu de Paume. Cuisine inventive à l'accent gascon et superbe carte des vins.
**Spéc.** Homard, fenouil et amandes fraîches en escabèche (été). Suprême de faisan en cocotte lutée façon souvarov. Jubilé de cerises "forêt verte" (printemps-été).

XXXX ✿ **Drouant** voir aussi rest. ***Café Drouant***, pl. Gaillon (2e) ✆ 01 42 65 15 16, *drouantrv@elior.com, Fax 01 49 24 02 15* – ▤. AE ⦿ GB JCB **G 13**
*fermé août, sam. et dim.* – **Repas** 53 (déj.)/104 (dîner)et carte 100 à 160 ♀.
◆ Petites salles Art déco groupées autour d'un majestueux escalier signé Ruhlmann. Le salon Louis XVI, à l'étage, accueille le jury du "Goncourt" depuis le 31 octobre 1914.
**Spéc.** Raviole d'oeuf au coulis de truffe. Petit homard rôti au feu d'enfer. Entrecôte de veau en barbouille de pied de veau.

XXXX ✿ **Gérard Besson,** 5 r. Coq Héron (1er) ✆ 01 42 33 14 74, *gerard.besson4@libertysurf.fr, Fax 01 42 33 85 71* – ▤. AE ⦿ GB JCB **H 14**
*fermé 2 au 24 août, lundi midi sauf juil.-août, sam. sauf le soir de sept à juin et dim.* – **Repas** *(40)* - 49 (déj.)/96 (dîner)et carte 96 à 136 ♀.
◆ À deux pas des Halles, restaurant au cadre feutré et élégant, agrémenté de collections d'aiguières anciennes et de coqs en faïence. Cuisine classique subtilement revisitée.
**Spéc.** Homard chaud ou froid. Gibier (1er oct. au 15 déc.). Truffes (15 déc. au 15 mars).

XXXX ✿ **Goumard,** 9 r. Duphot (1er) ✆ 01 42 60 36 07, *goumard.philippe@wanadoo.fr, Fax 01 42 60 04 54* – |⇕| ▤. AE ⦿ GB JCB **G 12**
*fermé 3 au 18 août* – **Repas** 40 (déj.)et carte 72 à 127 ♀.
◆ Élégant cadre Art déco rehaussé de marines et de luminaires Lalique. Les toilettes, vestige de l'ancien décor signé Majorelle, méritent la visite. Belle cuisine de la mer.
**Spéc.** Filets de rougets de roche et foie gras grillé (oct. à avril). Gros turbot de ligne en cocotte. Millefeuille croquant au chocolat au lait.

XXX ✿ **Céladon** - Hôtel Westminster, 15 r. Daunou (2e) ✆ 01 47 03 40 42, *christophemoisand@leceladon.com, Fax 01 42 61 33 78* – ▤. AE ⦿ GB JCB **G 12**
*fermé août, sam., dim. et fériés* – **Repas** 45 bc (déj.)/59 (dîner)et carte 75 à 105.
◆ Ravissantes salles à manger où mobilier de style Régence, murs vert "céladon" et collection de porcelaines chinoises composent un décor au goût très sûr. Cuisine classique.
**Spéc.** Pâté de foie de lapin de garenne en gelée (saison). Mitonnée de joue de veau aux câpres. Soufflé aux pommes.

XXX ✿ **Gualtiero Marchesi pour le Lotti** - Hôtel Lotti, 9 r. Castiglione (1er) ✆ 01 42 60 40 62, *paris@marchesi.it, Fax 01 42 60 55 03* – ▤. AE ⦿ GB JCB. ⚟ **G 11**
*fermé dim.* – **Repas** *(26)* - 36 (déj.), 86/113 et carte 65 à 100.
◆ Le grand chef lombard supervise la cuisine transalpine de ce restaurant d'hôtel dont le décor a été refait : tons pastel, fresques façon "Cinquecento" et calligraphies japonaises.
**Spéc.** Salade d'esturgeon et caviar (nov. à avril). Raviolo aperto (nov. à avril). Turbot en croûte de sel (avril à sept.)

XXX **Macéo,** 15 r. Petits-Champs (1er) ✆ 01 42 97 53 85, *info@maceorestaurant.com, Fax 01 47 03 36 93* – ▤. GB. ⚟ **G 13**
*fermé sam. midi et dim.* – **Repas** 29 (déj.), 35/38 et carte 50 à 64 ♀.
◆ Étonnant mariage d'un décor Second Empire et d'un mobilier contemporain. Cuisine inventive, quelques plats végétariens et une carte de vins du monde. Salon-bar convivial.

XXX ✿ **Il Cortile** - Hôtel Sofitel Castille, 37 r. Cambon (1er) ✆ 01 44 58 45 67, *ilcortile@castille.com, Fax 01 44 58 45 69,* ☂ – ▤. AE ⦿ GB JCB **G 12**
*fermé sam., dim. et fériés* – **Repas** 42 (déj.)et carte 62 à 90.
◆ La salle façon "villa d'Este", l'activité fébrile de la brigade au "piano", le très beau patio en azulejos et sa fontaine : un joli cadre pour une cuisine italienne raffinée.
**Spéc.** Cannelloni à l'encre de seiche, chair de tourteau et homard. Piccata de veau au citron vert. Palet or moelleux au chocolat, noisettes et amandes.

XXX **Pierre " A la Fontaine Gaillon ",** pl. Gaillon (2e) ☎ 01 47 42 63 22, *Fax 01 47 42 82 84,* 🌳 – ▤. AE ⓓ GB JCB G 13
*fermé août, sam. midi et dim.* – **Repas** 32 et carte 40 à 70 ♀.
◆ Hôtel particulier du 17e s., jadis demeure du prince de Conti, et sa belle fontaine restaurée par Visconti. Décor assez fastueux avec boiseries, tableaux et meubles anciens.

XX **Pierre au Palais Royal,** 10 r. Richelieu (1er) ☎ 01 42 96 09 17, *Fax 01 42 96 26 40* – ▤. AE ⓓ GB H 13
*fermé 2 au 24 août, sam. midi et dim.* – **Repas** *(25)* - 30.
◆ À nouvelle équipe, nouvelle carte : celle-ci propose des recettes qui varient au gré du marché. Les salles à manger, au charme délicieusement provincial, ont été préservées.

XX **Palais Royal,** 110 Galerie de Valois - Jardin du Palais Royal (1er) ☎ 01 40 20 00 27, *palaisrest@aol.com, Fax 01 40 20 00 82,* 🌳 – AE ⓓ GB G 13
*fermé 15 déc. au 30 janv., sam. d'oct. à mai et dim.* – **Repas** carte 44 à 81 ♀.
◆ Sous les fenêtres de l'appartement de Colette, salle de restaurant inspirée du style Art déco et son idyllique terrasse "grande ouverte" sur le jardin du Palais-Royal.

XX **Chez Pauline,** 5 r. Villédo (1er) ☎ 01 42 96 20 70, *chezpauline@wanadoo.fr, Fax 01 49 27 99 89* – ▤. AE ⓓ GB JCB G 13
*fermé sam.sauf le soir en hiver et dim.* – **Repas** *(25)* - 35 (déj.)/40 et carte 44 à 64 🍷.
◆ Dans une petite rue tranquille, adresse feutrée aménagée à la façon d'un bistrot du début du 20e s. La salle du premier étage est plus intime. Cuisine classique.

XX **Café Drouant,** pl. Gaillon (2e) ☎ 01 42 65 15 16, *Fax 01 49 24 02 15,* 🌳 – ▤. AE ⓓ GB JCB G 13
*fermé août, sam. et dim.* – **Repas** *(28)* - 36 ♀.
◆ Le "petit frère" du restaurant Drouant propose fruits de mer et plats "canailles" sous un original plafond en staff argenté orné de poissons, coquillages et crustacés.

XX **Cabaret,** 2 pl. Palais Royal (1er) ☎ 01 58 62 56 25, *Fax 01 58 62 56 40* – ▤. AE GB H 13
*fermé 10 au 19 août, sam. midi et dim* – **Repas** carte 45 à 70 ♀.
◆ La salle du sous-sol offre un insolite décor (voilages indiens, bar africain). À minuit et demi, le restaurant se transforme en club, les convives en... "beautiful people" !

XX **Au Pied de Cochon** (ouvert jour et nuit), 6 r. Coquillière (1er) ☎ 01 40 13 77 00, *de.pied-de-cochon@.net, Fax 01 40 13 77 09,* 🌳 – |◊| ▤. AE ⓓ GB H 14
**Repas** carte 35 à 58.
◆ Le pied de cochon a fait la célébrité de cette brasserie qui, depuis son ouverture en 1946, régale aussi les noctambules. Fresques originales et lustres à motifs fruitiers.

XX **Aristippe,** 8 r. J. J. Rousseau (1er) ☎ 01 42 60 08 80, *aristippe@wanadoo.fr, Fax 01 42 60 11 13* – AE GB JCB H 14
*fermé 1er au 21 août, sam. midi et dim.* – **Repas** 30 (déj.)/42 et carte 43 à 57.
◆ Vieilles poutres peintes en blanc, murs de briques, tomettes, maquettes de bateaux et expositions de peintures : cette salle de restaurant a du cachet. Cuisine de la mer.

XX **Pays de Cocagne,** -Espace Tarn- 111 r. Réaumur (2e) ☎ 01 40 13 81 81, *Fax 01 40 13 87 70* – ▤. AE ⓓ GB JCB G 14
*fermé 2 au 24 août, sam., dim. et fériés* – **Repas** 21 bc/28,50 et carte 30 à 55 ♀.
◆ Situé à l'étage de la maison du Tarn, restaurant au cadre contemporain rehaussé de tableaux d'artistes régionaux. Cuisine du Sud-Ouest et vins de Gaillac exclusivement.

XX **Kinugawa,** 9 r. Mont Thabor (1er) ☎ 01 42 60 65 07, *Fax 01 42 60 45 21* – ▤. AE ⓓ GB JCB, ⚡ G 12
*fermé 24 déc. au 6 janv. et dim.* – **Repas** 26 (déj.), 86/108 et carte 80 à 110 ♀.
◆ À l'étage, cuisine japonaise servie dans une salle à manger contemporaine très "nippone" : tableaux, lignes épurées et sobres tonalités. Bar à sushis au rez-de-chaussée.

XX **Gallopin,** 40 r. N.-D.-des-Victoires (2e) ☎ 01 42 36 45 38, *administration@brasseriegallopin.com, Fax 01 42 36 10 32* – ▤. AE ⓓ GB G 14
*fermé dim.* – **Repas** 25,50/30,50 bc et carte 30 à 58 ♀.
◆ Arletty, Raimu et le précieux décor victorien ont fait la renommée de cette brasserie située face au palais Brongniart. Belle verrière dans la salle du fond. Cuisine appétissante.

XX **Delizie d'Uggiano,** 18 r. Duphot (1er) ☎ 01 40 15 06 69, *losapiog@wanadoo.fr, Fax 01 40 15 03 90* – AE ⓓ GB JCB G 12
*fermé sam. midi et dim.* – **Repas** 29 (déj.), 39,50/49,50 et carte 40 à 59 ♀.
◆ Atmosphère décontractée dans ce restaurant italien. À l'étage, salle à manger au joli décor inspiré de la Toscane. Au rez-de-chaussée, bar à vins et épicerie fine.

XX **Grand Colbert,** 2 r. Vivienne (2e) ☎ 01 42 86 87 88, *le.grand.colbert@wanadoo.fr, Fax 01 42 86 82 65* – ▤. AE ⓓ GB JCB G 13
**Repas** *(17,50)* - 25 et carte 32 à 54 ♀.
◆ Belle brasserie parisienne du 19e s. qui, après restauration, a retrouvé son faste d'antan : mosaïques, fresques, lustres, miroirs et cuivres brillent de mille feux !

**Saudade,** 34 r. Bourdonnais (1er) ✆ 01 42 36 30 71, *Fax 01 42 36 27 77* – ▤. AE GB JCB H 1
*fermé dim.* – **Repas** 20 (déj.)et carte 31 à 46.
◆ Pour un repas au Portugal... en plein Paris, rendez-vous dans cette salle de restauran décorée d'azulejos. Plats typiques et vins lusitaniens à déguster au son du fado.

**Soufflé,** 36 r. Mont-Thabor (1er) ✆ 01 42 60 27 19, *c_rigaud@club-internet.f Fax 01 42 60 54 98* – ▤. AE GB JCB G 1
*fermé 4 au 24 août, vacances de fév., dim. et fériés* – **Repas** 28/40 et carte 30 à 50 ♀.
◆ À deux pas des Tuileries, cet accueillant petit restaurant est pour ainsi dire une institu tion en matière de... "soufflé" : un menu lui est entièrement dédié !

**Vaudeville,** 29 r. Vivienne (2e) ✆ 01 40 20 04 62, *Fax 01 49 27 08 78* – AE ⓓ GB JCB G 1
**Repas** *(21,50)* - 30,50 bc et carte 42 à 55, enf. 9,50.
◆ Face à la Bourse, cette grande brasserie au cadre Art déco patiné est la "cantine" d nombreux journalistes et, peut-être, de vaudevillistes des théâtres alentour.

**Chez Georges,** 1 r. Mail (2e) ✆ 01 42 60 07 11 – AE GB G 1
*fermé 29 juil. au 19 août, dim. et fériés* – **Repas** carte 40 à 65.
◆ Derrière la place des Victoires, ce bistrot parisien typique a conservé son décor d'or gine : zinc, banquettes, stucs et miroirs ; on s'immerge dans le Paris des années 1900.

**Willi's Wine Bar,** 13 r. Petits-Champs (1er) ✆ 01 42 61 05 09, *info@williswinebar.con Fax 01 47 03 36 93* – GB. G 1
*fermé dim.* – **Repas** 25 (déj.)/32 et carte 32 à 39 ♀.
◆ Bar à vins convivial composé d'un long comptoir en chêne et d'une petite salle agré mentée de poutres et d'affiches. Cuisine simple et nombreux crus attentivement sélec tionnés.

**L'Atelier Berger,** 49 r. Berger (1er) ✆ 01 40 28 00 00, *atelierberger@wordonline.f Fax 01 40 28 10 65* – AE GB H 1
*fermé dim.* – **Repas** 23 bc (déj.), 32/52 et carte 32 à 45.
◆ Face au jardin des Halles, sobre salle à manger moderne (à l'étage) où la clientèle d quartier apprécie un menu-carte au goût du jour. Bar et fumoir au rez-de-chaussée.

**Aux Lyonnais,** 32 r. St-Marc (2e) ✆ 01 42 96 65 04, *Fax 01 42 97 42 95* – AE ⓓ GB F 1
*fermé août, 22 déc. au 1er janv., sam. midi, dim. et lundi* – **Repas** (prévenir) 28 et carte 34 50.
◆ Ce bistrot fondé en 1890 propose de savoureuses recettes lyonnaises intelligemmer réactualisées. Cadre délicieusement "rétro" : zinc, banquettes, miroirs biseautés, moulures

**Bistrot St-Honoré,** 10 r. Gomboust (1er) ✆ 01 42 61 77 78, *Fax 01 42 61 77 78* – AE GB JCB G 1
*fermé août, 24 déc. au 2 janv., sam. et dim.* – **Repas** 23 et carte 27 à 57.
◆ Atmosphère vivante et décontractée dans ce petit bistrot fleurant bon la Bourgogne fresques en façade, cuisine et vins rendent hommage à la "patrie" du maître des lieux.

**Aki,** 2 bis r. Daunou (2e) ✆ 01 42 61 48 38, *Fax 01 47 03 37 52* – AE GB JCB. G 1
*fermé 4 au 23 août, vacances de fév., sam. midi et dim.* – **Repas** 23,50 (déj.), 36,50/68,50 e carte 36 à 55.
◆ Murs habillés de lettres nipponnes stylisées et mobilier design côté, sashimis, sushis e tempuras côté cuisine : un bonheur ("aki" en japonais) de restaurant !

**Café Runtz,** 16 r. Favart (2e) ✆ 01 42 96 69 86, *Fax 01 40 20 92 95* – AE ⓓ GB F 1
*fermé 2 au 24 août, sam. midi, dim. et fériés* – **Repas** 18/22,50 et carte 25 à 40.
◆ Cette "winstub" parisienne servant une authentique cuisine alsacienne a gardé son jo décor 1900. Une sympathique adresse où souper après un spectacle à l'Opéra-Comique.

**Pierrot,** 18 r. Étienne Marcel (2e) ✆ 01 45 08 00 10 – ▤. AE GB H 1
*fermé août, 1er au 7 janv. et dim.* – **Repas** carte 27 à 50 ♀.
◆ Ce chaleureux bistrot présente, sur l'ardoise de suggestions du jour, saveurs et produit de l'Aveyron. Petite terrasse dressée sur un trottoir animé du quartier du Sentier.

**Mellifère,** 8 r. Monsigny (2e) ✆ 01 42 61 21 71, *Fax 01 42 61 31 71* – AE GB G 1
**Repas** *(21)* - 26 et carte 29 à 47,50.
◆ Une colonie d'abeilles fréquente avec assiduité cette ruche aussi animée que le théâtr des Bouffes Parisiens voisin. Cuisine "bistrotière" sans esbroufe et plats basques.

**L'Ardoise,** 28 r. Mont-Thabor (1er) ✆ 01 42 96 28 18 – GB G 1
*fermé août, lundi et mardi* – **Repas** 30 ♀.
◆ Une ardoise présente le menu du jour et d'autres recouvrent les originales tables d cette salle à manger toute jaune, égayée de vieilles photos de la Bresse.

**Relais Chablisien,** 4 r. B. Poirée (1er) ✆ 01 45 08 53 73, *Fax 01 45 08 53 73* – ▤. GB J 1
*fermé 1er au 21 août, sam. et dim.* – **Repas** carte 32 à 42 ♀.
◆ Cette maison de tanneur du 17e s. proche des quais mijote une cuisine traditionnelle a léger accent bourguignon. Boiseries et pierres d'époque ; ambiance conviviale.

**Chez La Vieille "Adrienne"**, 1 r. Bailleul (1er) ✆ 01 42 60 15 78, *Fax 01 42 33 85 71* – AE GB JCB H 14
*fermé 1er au 24 août, sam., dim. et le soir sauf jeudi* – **Repas** (prévenir) 27 (déj.) et carte 32 à 56.
◆ Maison du 16e s. abritant un bistrot patiné : zinc, poutres et vieilles photos. Généreuse cuisine traditionnelle, spécialités de rognons et foies de veau. Ambiance bon enfant.

**Lescure**, 7 r. Mondovi (1er) ✆ 01 42 60 18 91 – ▤. GB G 11
*fermé 1er au 30 août, 23 déc. au 1er janv., sam. et dim.* – **Repas** 20 et carte 25 à 45.
◆ Auberge rustique voisine de la place de la Concorde. On y déguste au coude à coude, à la table commune, une cuisine "bistrotière" et de copieuses spécialités limousines.

**Dauphin**, 167 r. St-Honoré (1er) ✆ 01 42 60 40 11, *Fax 01 42 60 01 18* – AE ① GB JCB H 13
**Repas** 24 (déj.)/35 et carte environ 45.
◆ Cuisine du Sud-Ouest mise au goût du jour, avec des spécialités préparées "à la plancha" : levez le rideau sur ce bistrot parisien "pur jus" voisin de la Comédie-Française.

**Issé**, 56 r. Ste-Anne (2e) ✆ 01 42 96 67 76, *Fax 01 42 96 82 63* – ▤. GB G 13
*fermé 4 au 25 août, 25 déc. au 12 janv., lundi midi, sam. midi et dim.* – **Repas** 24,50 (déj.)/33,60 et carte 55 à 80.
◆ Entourée de restaurants asiatiques, cette adresse se distingue par sa cuisine japonaise mêlant finesse et savoir-faire. Sushis et sashimis sont servis dans un décor épuré.

# Bastille - République
# Hôtel de Ville

## *3e, 4e et 11e arrondissements*

*3e : ✉ 75003 - 4e : ✉ 75004 - 11e : ✉ 75011*

**Pavillon de la Reine** sans rest, 28 pl. Vosges (3e) ✆ 01 40 29 19 19, *pavillon@club-internet.fr, Fax 01 40 29 19 20* – AE GB JCB **J17**
25 – **31 ch** 335/395, 14 appart, 10 duplex.
◆ Derrière l'un des 36 pavillons en brique de la place des Vosges, deux bâtisses, dont une du 17e s., abritant des chambres raffinées (lits à baldaquin, colombages) côté cour ou jardin (privé).

**Holiday Inn** M, 10 pl. République (11e) ✆ 01 43 14 43 50, *holiday.inn.paris.republique@wanadoo.fr, Fax 01 47 00 32 34,* – – 25 à 150. AE GB JCB. rest **G 17**
***Au 10 de la République*** ✆ 01 43 14 44 08 **Repas** (17)-30 – 23 – **318 ch** 385/445.
◆ Ce bel édifice du 19e s. abrite des chambres fonctionnelles ; réservez-en une s'ouvrant sur la vaste cour intérieure de style Napoléon III. Restaurant Belle Époque.

**Villa Beaumarchais** , 5 r. Arquebusiers (3e) ✆ 01 40 29 14 00, *beaumarchais@leshotelsdeparis.com, Fax 01 40 29 14 01* – – 15. AE GB JCB **H 17**
***L'Orangeraie*** *(fermé en août, sam. midi, dim. et lundi)* **Repas** 28(déj.)35/68 – 24 – **50 ch** 310/430.
◆ Discrète adresse en retrait de l'animation du boulevard Beaumarchais. Chambres raffinées, garnies de meubles en bois doré. Joli jardin d'hiver aménagé en restaurant.

**Jeu de Paume** sans rest, 54 r. St-Louis-en-l'Ile (4e) ✆ 01 43 26 14 18, *info@jeudepaumehotel.com, Fax 01 40 46 02 76,* – – 25. AE GB JCB **K 16**
14 – **30 ch** 152/275.
◆ Au coeur de l'île St-Louis, cette halle du 17e s., jadis vouée au jeu de paume, est devenue un hôtel de caractère utilisant malicieusement les volumes. Original et calme.

**Bourg Tibourg** M sans rest, 19 r. Bourg Tibourg (4e) 01 42 78 47 39, *hotel.du.bourg.tibourg@wanadoo.fr, Fax 01 40 29 07 00* – AE GB JCB. J 16
12 – **30 ch** 150/250.
◆ Ce charmant hôtel propose d'agréables chambres rénovées et personnalisées par différents styles : néogothique, baroque ou orientaliste. Une petite perle au coeur du Marais.

**Axial Beaubourg** M sans rest, 11 r. Temple (4e) 01 42 72 72 22, *axial@axialbeaubourg.com, Fax 01 42 72 03 53* – AE GB JCB. J 15
10 – **39 ch** 105/175.
◆ Près de l'hôtel de ville et de son célèbre Bazar. Hall contemporain, jolies chambres neuves aux tons beige, ocre et aubergine. Petit-déjeuner servi dans un caveau du 15e s.

**Bretonnerie** sans rest, 22 r. Ste-Croix-de-la-Bretonnerie (4e) 01 48 87 77 63, *hotel@bretonnerie.com, Fax 01 42 77 26 78* – GB. J 16
*fermé 27 juil. au 25 août* – 9,50 – **22 ch** 110/145, 4 appart, 3 duplex.
◆ Élégant hôtel particulier (17e s.) au coeur du Marais. Poutres apparentes, lits à baldaquin, mobilier de style Louis XIII ou actuel agrémentent diversement les chambres.

**Little Palace** M, 4 r. Salomon de Caus (3e) 01 42 72 08 15, *littlepalacehotel@compuserve.com, Fax 01 42 72 45 81* – AE GB JCB. G 15
Repas *(fermé 25 juil. au 17 août, vend. soir, sam. et dim.)* carte environ 30 – 11 – **57 ch** 165/198.
◆ Ce bel immeuble 1900 s'élève sur un joli square au coeur du Sentier des affaires. Préférer les chambres des 5e et 6e étages côté façade, avec balcon et vue sur Paris.

**Caron de Beaumarchais** sans rest, 12 r. Vieille-du-Temple (4e) 01 42 72 34 12, *hotel@carondebeaumarchais.com, Fax 01 42 72 34 63* – AE GB. J 16
9,80 – **19 ch** 137/152.
◆ Le père de Figaro vécut dans cette rue du Marais historique ; la décoration bourgeoise de ce charmant établissement lui rend un hommage fidèle. Petites chambres douillettes.

**Austin's** M sans rest, 6 r. Montgolfier (3e) 01 42 77 17 61, *austins.amhotel@wanadoo.fr, Fax 01 42 77 55 43* – AE GB JCB. G 16
7 – **29 ch** 88/110.
◆ Dans une rue calme, face au musée des Arts et Métiers. Les chambres, toutes rénovées, sont chaleureuses et gaies ; certaines ont conservé leurs poutres apparentes d'origine.

**Marais Bastille** sans rest, 36 bd Richard Lenoir (11e) 01 48 05 75 00, *maraisbastille@wanadoo.fr, Fax 01 43 57 42 85* – AE GB JCB J18
9 – **36 ch** 130.
◆ L'hôtel longe le boulevard (squares) qui couvre le canal St-Martin depuis 1860. Intérieur refait : hall-salon avec fauteuils de cuir et meubles en chêne cérusé dans les chambres.

**Beaubourg** sans rest, 11 r. S. Le Franc (4e) 01 42 74 34 24, *hltbeaubourg@hotellerie.net, Fax 01 42 78 68 11* – AE GB JCB H 15
6 – **28 ch** 110/130.
◆ Dans une ruelle nichée derrière le Centre Georges-Pompidou. Les chambres, accueillantes et bien insonorisées, sont parfois assorties de poutres et de pierres apparentes.

**Meslay République** sans rest, 3 r. Meslay (3e) 01 42 72 79 79, *hotel.meslay@wanadoo.fr, Fax 01 42 72 76 94* – AE GB JCB. G 16
7,20 – **39 ch** 115/131.
◆ À deux pas de la place de la République, belle façade ouvragée abritant des chambres au confort actuel et bien insonorisées. Cave voûtée pour les petits-déjeuners.

**Lutèce** sans rest, 65 r. St-Louis-en-l'Ile (4e) 01 43 26 23 52, *hotel.lutece@free.fr, Fax 01 43 29 60 25* – AE GB. K 16
11 – **23 ch** 126/152.
◆ La clientèle américaine apprécie particulièrement le charme rustique de cette hostellerie ancrée sur l'île St-Louis. Chambres plaisantes et assez calmes.

**Deux Iles** sans rest, 59 r. St-Louis-en-l'Ile (4e) 01 43 26 13 35, *Fax 01 43 29 60 25* – AE GB. K 16
12 – **17 ch** 133/150.
◆ À quelques pas du glacier le plus couru de la capitale, chambres confortables, salons très "cosy" et patio fleuri : aurez-vous seulement l'envie de vous éloigner d'ici ?

**Croix de Malte** sans rest, 5 r. Malte (11e) 01 48 05 09 36, *H2752-gm@accor-hotels.com, Fax 01 43 57 02 54* – AE GB JCB H 17
8 – **29 ch** 117/130.
◆ Ambiance un brin tropicale dans cet établissement au nom chevaleresque : mobilier actuel et coloré, (faux) perroquet et salle des petits-déjeuners façon jardin d'hiver.

**Ibis Bastille Trousseau** sans rest, 13 r. Trousseau (11e) ☎ 01 48 05 55 55, *h3577@accor-hotels.com, Fax 01 48 05 83 97* – AE GB K 19
6 – **66 ch** 92/104, 5 duplex.
◆ Coup de jeune pour cet hôtel situé à proximité du quartier animé de la Bastille. La moitié des chambres donnent sur un jardin, mais toutes profitent du nouveau "look" Ibis.

**Grand Hôtel Français** sans rest, 223 bd Voltaire (11e) ☎ 01 43 71 27 57, *grand-hotel-francais@wanadoo.fr, Fax 01 43 48 40 05* – AE GB JCB K 20
7 – **36 ch** 100/115.
◆ Immeuble d'angle de style haussmannien dans un quartier populaire typiquement parisien. Chambres fonctionnelles, sans fioriture, mais récemment rénovées.

**Beaumarchais** sans rest, 3 r. Oberkampf (11e) ☎ 01 53 36 86 86, *reservation@hotelbeaumarchais.com, Fax 01 43 38 32 86* – AE GB JCB H 17
9 – **31 ch** 69/99.
◆ Les petites chambres, peintes dans des couleurs éclatantes et dotées de meubles contemporains, ne manquent pas de charme. Verdoyante courette intérieure, bienvenue l'été.

**Prince Eugène** sans rest, 247 bd Voltaire (11e) ☎ 01 43 71 22 81, *hotelprinceeugene@wanadoo.fr, Fax 01 43 71 24 71* – AE GB JCB K 21
5,35 – **35 ch** 57/67.
◆ L'enseigne rend honneur au fils adoptif de Napoléon I. Chambres actuelles, munies d'un double vitrage efficace ; celles du 6e étage, mansardées, sont plus grandes.

**Nord et Est** sans rest, 49 r. Malte (11e) ☎ 01 47 00 71 70, *Fax 01 43 57 51 16* – GB. G 17
*fermé août et 24 déc. au 2 janv.* – 5,34 – **45 ch** 58/70.
◆ Ni luxe inutile, ni aménagements dernier cri, mais une ambiance véritablement familiale et chaleureuse qui fidélise les clients de cet hôtel proche de la République.

**Grand Prieuré** sans rest, 20 r. Grand Prieuré (11e) ☎ 01 47 00 74 14, *Fax 01 49 23 06 64* – AE GB JCB. G 17
5,40 – **32 ch** 55/65.
◆ Vous passerez des nuits sans histoire dans cette rue assez tranquille parallèle au canal St-Martin. Accueil aimable et chambres un brin démodées, mais bien tenues.

**Lyon-Mulhouse** sans rest, 8 bd Beaumarchais (11e) ☎ 01 47 00 91 50, *hotelyonmulhouse@wanadoo.fr, Fax 01 47 00 06 31* – AE GB JCB J17
5 – **40 ch** 83/100.
◆ Établissement apprécié pour son emplacement à deux pas de la place de la Bastille et du Marais. Chambres rénovées par étapes ; préférez celles sur l'arrière, plus calmes.

**Nice** sans rest, 42bis r. Rivoli (4e) ☎ 01 42 78 55 29, *Fax 01 42 78 36 07* – GB J 16
6 – **23 ch** 60/100.
◆ Bibelots, gravures, tapis kilims et meubles anciens tant dans les chambres que dans les salons : une atmosphère particulière pour compenser les nuisances sonores de la rue.

XXXX ✿✿✿ **L'Ambroisie** (Pacaud), 9 pl. des Vosges (4e) ☎ 01 42 78 51 45 – AE GB. J 17
*fermé août, vacances de fév., dim. et lundi* – **Repas** carte 162 à 210.
◆ Sous les arcades de la place des Vosges, un décor royal et une cuisine enchanteresse touchant à la perfection : l'ambroisie n'est-elle pas l'exquise nourriture des dieux de l'Olympe ?
**Spéc.** Feuillantine de queues de langoustines aux graines de sésame, sauce au curry. Carré d'agneau de Lozère rôti en nougatine d'ail. Tarte fine sablée au chocolat, glace à la vanille.

XXX ✿ **Hiramatsu,** 7 quai Bourbon (4e) ☎ 01 56 81 08 80, *paris@hiramatsu.co.jp, Fax 01 56 81 08 81* – AE GB. K 16
*fermé 5 au 25 août, 21 déc. au 5 janv., dim. et lundi* – **Repas** (nombre de couverts limité, prévenir) 50 (déj.)/92 et carte 100 à 120.
◆ Raffinement à la japonaise au service d'une talentueuse cuisine française. Élégante minisalle mariant poutres, pierres et mobilier contemporain. Superbe carte des vins.
**Spéc.** Salade de homard aux noix, glace au miel. Lamelles de selle d'agneau sur lit de petits oignons confits aux truffes. Ailes de pigeonneau rosées au champagne, crème d'ail au cerfeuil.

XX **Ambassade d'Auvergne,** 22 r. Grenier St-Lazare (3e) ☎ 01 42 72 31 22, *info@ambassade-auvergne.com, Fax 01 42 78 85 47* – AE GB JCB H 15
**Repas** 27 et carte 30 à 45 ♀.
◆ De vrais ambassadeurs d'une province riche de traditions et de saveurs : cadre et meubles auvergnats, produits, recettes et vins du "pays", fouchtra !

XXX **Bofinger,** 5 r. Bastille (4e) ✆ 01 42 72 87 82, *Fax 01 42 72 97 68* – ▤. AE ⓞ GB JCB **J 17**
**Repas** *(20)* - 30,50 bc et carte 30 à 50.
◆ Illustres clients et remarquable décor font de cette brasserie créée en 1864 un lieu de mémoire consacré. Coupole délicatement ouvragée et, à l'étage, salle décorée par Hansi.

XX **L'Aiguière,** 37 bis r. Montreuil (11e) ✆ 01 43 72 42 32, *patrick-masbatin1@libertysurf.com, Fax 01 43 72 96 36* – ▤. AE ⓞ GB JCB **K 20**
*fermé sam. midi et dim.* – **Repas** 23 bc/48 bc et carte 45 à 66.
◆ Camaïeu de jaunes et tissus chatoyants composent un joli cadre d'inspiration gustavienne. Collection d'aiguières. Cuisine évoluant au gré des saisons. Belle carte des vins.

XX **Benoît,** 20 r. St-Martin (4e) ✆ 01 42 72 25 76, *Fax 01 42 72 45 68* – ▤. AE **J 15**
✿ *fermé août* – **Repas** 38 (déj.)et carte 55 à 87 ♀.
◆ Fi des fast-foods du quartier ! Poussez la porte de ce bistrot chic et animé, tenu par la même famille depuis 1912, pour savourer une cuisine "à l'ancienne" soignée.
**Spéc.** Tête de veau sauce ravigote. Cassoulet. Gibier (saison)

XX **Pamphlet,** 38 r. Debelleyme (3e) ✆ 01 42 72 39 24, *Fax 01 42 72 12 53* – ▤. GB **H 17**
*fermé 8 au 27 août, 1er au 15 janv., sam. midi, lundi midi et dim.* – **Repas** 27/45 ♀.
◆ Séduisante adresse en plein Marais : décor rustique rajeuni par de jolies couleurs, affiches tauromachiques, cuisine traditionnelle soignée et quelques plats du Sud-Ouest.

XX **Dôme du Marais,** 53bis r. Francs-Bourgeois (4e) ✆ 01 42 74 54 17, *Fax 01 42 77 78 17* – AE GB **H16 J16**
*fermé 17 août au 7 sept., 28 déc. au 5 janv., dim. et lundi* – **Repas** 29 et carte 35 à 59 ♀.
◆ On dresse les tables sous le joli dôme de l'ancienne salle des ventes du Crédit municipal et dans une seconde salle d'esprit jardin d'hiver. Cuisine au goût du jour.

XX **Vin et Marée,** 276 bd Voltaire (11e) ✆ 01 43 72 31 23, *vin.maree@wanadoo.fr, Fax 01 40 24 00 23* – ▤. AE GB **K 21**
**Repas** carte 31 à 45 ♀.
◆ Comme pour les autres "Vin et Marée", les produits de la mer sont à découvrir chaque jour sur l'ardoise. L'arrière-salle au décor marin offre une échappée sur les cuisines.

XX **Mansouria,** 11 r. Faidherbe (11e) ✆ 01 43 71 00 16, *Fax 01 40 24 21 97* – ▤. GB. ✂ **K 19**
*fermé 12 au 19 août, lundi midi, mardi midi et dim.* – **Repas** 29/44 bc et carte 32 à 48.
◆ Tenu par une ancienne ethnologue, figure parisienne de la cuisine marocaine. Fins et parfumés, les plats sont préparés par des femmes et servis dans un décor mauresque.

XX **Les Jumeaux,** 73 r. Amelot (11e) ✆ 01 43 14 27 00 – GB **H 17**
*fermé en août, sam. midi, dim. et lundi* – **Repas** *(24)* - 30 ♀.
◆ Jumeaux et flamands, les patrons de ce restaurant proche du Cirque d'Hiver concoctent une cuisine du marché. La salle à manger est égayée de tableaux contemporains.

XX **Les Amognes,** 243 r. Fg St-Antoine (11e) ✆ 01 43 72 73 05, *Fax 01 43 28 77 23* – GB **K 20**
*fermé 1er au 21 août, 24 déc. au 2 janv., lundi midi, sam. midi et dim.* – **Repas** 30 ♀.
◆ Cuisine au goût du jour jouant la carte de la simplicité et touche rustique dans la salle à manger ; pour un total bien-être, évitez les tables du milieu.

X **Bistrot du Dôme,** 2 r. Bastille (4e) ✆ 01 48 04 88 44, *Fax 01 48 04 00 59* – ▤. AE GB **J 17**
*fermé 4 au 24 août* – **Repas** carte 34 à 45.
◆ Décor de Slavik et rez-de-chaussée éclairé par les grappes de raisin d'une simili-treille, ce restaurant, jadis voué au caviar, propose aujourd'hui des produits de la mer.

X **Repaire de Cartouche,** 99 r. Amelot (11e) ✆ 01 47 00 25 86, *Fax 01 43 38 85 91* – GB **H 17**
*fermé août, dim. et lundi* – **Repas** 23 (déj.)et carte 29 à 44.
◆ Cartouche, l'impétueux bandit d'honneur, se réfugia près d'ici entre deux mauvais coups : les fresques du restaurant retracent son épopée. Séduisante carte des vins.

X **Péché Mignon,** 5 r. Guillaume Bertrand (11e) ✆ 01 43 57 68 68, *Fax 01 49 83 91 62* – AE ⓞ GB **H 19**
*fermé août, dim. soir et lundi* – **Repas** *(18,30)* - 26 et carte 30 à 38, enf. 15.
◆ Le restaurant aurait pu s'appeler "Aux Deux Frères" : l'un est aux fourneaux et mitonne une cuisine au goût du jour, l'autre vous accueille dans une salle sobrement aménagée.

X **Auberge Pyrénées Cévennes,** 106 r. Folie-Méricourt (11e) ✆ 01 43 57 33 78 – ▤. AE GB **G 17**
*fermé 29 juil. au 22 août, 1er au 7 janv., sam. midi et dim.* – **Repas** 26 et carte 25,50 à 50.
◆ Files de jambons et saucissons suspendus, nappes à petits carreaux, tables accolées, cuisine "canaille" et ambiance chaleureuse : pisse-vinaigre s'abstenir !

X **Astier,** 44 r. J.-P. Timbaud (11e) ✆ 01 43 57 16 35 – GB **G 18**
*fermé vacances de Pâques, août, 24 déc. au 4 janv., sam. et dim.* – **Repas** (prévenir) 20 (déj.)/24,50.
◆ Une sympathique ambiance règne dans ce typique bistrot. Tables en formica, service débordé et atmosphère bruyante. Cuisine du marché, richissime carte des vins.

X **L'Osteria,** 10 r. Sévigné (4e) ✆ 01 42 71 37 08, *osteria@noos.fr* – GB J 16
*fermé 1er au 11 mai, août, sam., dim. et lundi midi* – **Repas** prévenir carte 42 à 70.
◆ Ni enseigne, ni menu sur la façade de ce restaurant italien apprécié par une clientèle fidèle... et "people" à en juger par les autographes et dessins accrochés aux murs !

X **Au Bascou,** 38 r. Réaumur (3e) ✆ 01 42 72 69 25, *Fax 01 42 72 69 25* – AE GB G 16
*fermé 2 au 31 août, 24 déc. au 4 janv., sam. et dim.* – **Repas** carte 31 à 37 ♀.
◆ Venez découvrir dans ce bistrot aux murs joliment patinés les chauds accents de la cuisine basque. Produits du terroir reçus en direct du pays. Accueil enthousiaste.

X **C'Amelot,** 50 r. Amelot (11e) ✆ 01 43 55 54 04, *Fax 01 43 14 77 05* – AE GB H 17
*fermé août, sam. midi, dim. et lundi* – **Repas** 30 ♀.
◆ Au C'amelot de la rue Amelot, on ne débite pas de boniments pour séduire le client. On se contente de mitonner de bons p'tits plats et l'succès est là...

X **Monde des Chimères,** 69 r. St-Louis-en-l'Ile (4e) ✆ 01 43 54 45 27, *Fax 01 43 29 84 88* – GB K 16
*fermé dim. et lundi* – **Repas** *(10)* - 15 (déj.)/28 et carte 40 à 60.
◆ Charmant cadre "17e s. campagnard" et gentillesse de l'accueil font le succès de cette adresse de l'île St-Louis. La cuisine est loin d'être chimérique !

X **Dame Jeanne,** 60 r. Charonne (11e) ✆ 01 47 00 37 40, *restaurant@damejeanne.fr, Fax 01 47 00 37 45* – AE GB K 19
*fermé 5 au 11 mai, 11 août au 1er sept., sam. midi, lundi midi et dim.* – **Repas** 20/36,60.
◆ Ce sympathique restaurant au cadre de bistrot et aux murs ensoleillés propose une appétissante cuisine du marché et une courte sélection de vins. Service sans chichi.

X **Villaret,** 13 r. Ternaux (11e) ✆ 01 43 57 75 56 – GB. ✻ H 18
*fermé 27 avril au 12 mai, 27 juil. au 25 août, 21 déc. au 5 janv., sam. midi et dim.* – **Repas** 25 (déj.)/46 et carte 34 à 50 ♀.
◆ Ambiance conviviale, carte composée de plats "canailles", beau choix de bourgognes et de côtes-du-rhône : ce bistrot au cadre sans prétention a tout pour séduire !

X **Clos du Vert Bois,** 13 r. Vert Bois (3e) ✆ 01 42 77 14 85 – AE GB JCB G 16
*fermé 27 juil. au 25 août, sam. midi et lundi* – **Repas** *(17,60)* - 21,50/29,80 bc.
◆ Petite adresse toute simple derrière le conservatoire des Arts et Métiers, dans l'ancien clos du Temple. Décor sans fioriture et carte classique.

# Quartier Latin - Luxembourg St-Germain-des-Prés

## *5e et 6e arrondissements*

*5e : ✉ 75005 - 6e : ✉ 75006*

**Lutétia,** 45 bd Raspail (6e) ✆ 01 49 54 46 46, *lutetia-paris@lutetia-paris.com, Fax 01 49 54 46 00* – ⎮≡⎮ ⇆ ▤ TV ✆ – 🏫 300. AE ⓞ GB JCB K 12
voir rest. ***Paris*** ci-après - ***Brasserie Lutétia*** ✆01 49 54 46 76 **Repas** 19,50/32 ♀, enf. 10 – ☕ 19 – **204 ch** 530/750, 26 appart.
◆ Édifié en 1907, ce célèbre palace de la rive gauche n'a rien perdu de son éclat : raffinement "rétro", lustres Lalique, sculptures de César, Arman, etc. Chambres rénovées.

**Victoria Palace** sans rest, 6 r. Blaise-Desgoffe (6e) ✆ 01 45 49 70 00, *victoria@club-internet.fr, Fax 01 45 49 23 75* – ⎮≡⎮ ⇆ ▤ TV ✆ ♿ 🚗 – 🏫 20. AE ⓞ GB JCB L 11
☕ 16 – **60 ch** 285/355.
◆ Petit palace au charme indéniable : tissus choisis, mobilier de style et salles de bains en marbre dans les chambres, tableaux, velours rouge et porcelaines dans les salons.

**d'Aubusson** sans rest, 33 r. Dauphine (6e) ✆ 01 43 29 43 43, *reservationmichael@hoteldaubusson.com, Fax 01 43 29 12 62* – ⎮≡⎮ ⇆ ▤ TV ✆ ♿ 🚗. AE ⓞ GB JCB J 13
☕ 20 – **47 ch** 260/410, 3 studios.
◆ Hôtel particulier du 17e s. restauré : chambres personnalisées, parquets Versailles, tapisseries d'Aubusson... et premier café littéraire de Paris, converti en bar.

**Relais Christine** 🐌 sans rest, 3 r. Christine (6e) ✆ 01 40 51 60 80, *contact@relais-christine.com, Fax 01 40 51 60 81* – ⎮≡⎮ ⇆ ▤ TV ✆ 🚗 – 🏫 20. AE ⓞ GB JCB J 14
☕ 25 – **35 ch** 325/425, 16 duplex.
◆ Bel hôtel particulier bâti sur le site d'un couvent du 13e s. (la salle des petits-déjeuners occupe l'ancienne cuisine voûtée). Jolies chambres "cosy" et très soignées.

**Bel Ami St-Germain-des-Prés** M sans rest, 7 r. St-Benoit (6e) ☎ 01 42 61 53 53, *contact@hotel-bel-ami.com, Fax 01 49 27 09 33* – J 13
18 – **115 ch** 270/430.
◆ Bel immeuble du 19e s. voisin des cafés de Flore et des Deux Magots. Aménagement résolument contemporain à tendance "zen" et équipements high-tech : design et très "in".

**Buci** M sans rest, 22 r. Buci (6e) ☎ 01 55 42 74 74, *hotelbuci@wanadoo.fr, Fax 01 55 42 74 44* – J 13
20 – **24 ch** 267/350.
◆ L'hôtel a vue sur le marché animé de cette rue pittoresque. Ciels de lit, meubles de style anglais... Des chambres rénovées et parfaitement insonorisées. Piano-bar.

**L'Abbaye** sans rest, 10 r. Cassette (6e) ☎ 01 45 44 38 11, *hotel.abbaye@wanadoo.fr, Fax 01 45 48 07 86* – K 12
**40 ch** 201/292, 4 duplex.
◆ Le charme d'hier, le confort d'aujourd'hui : installées dans un ancien couvent du 18e s., coquettes chambres tournées ou non vers le patio. Les duplex possèdent une terrasse.

**Littré** sans rest, 9 r. Littré (6e) ☎ 01 53 63 07 07, *hotellittre@hotellitreparis.com, Fax 01 45 44 88 13* – 20. L 11
14 – **79 ch** 230/321, 11 appart.
◆ À mi-chemin de Saint-Germain-des-Prés et de Montparnasse, immeuble classique dont les chambres, assez spacieuses, sont toutes élégamment refaites. Confortable bar anglais.

**L'Hôtel,** 13 r. Beaux Arts (6e) ☎ 01 44 41 99 00, *reservation@l-hotel.com, Fax 01 43 25 64 81,* – J 13
Repas *(fermé août, dim. et lundi)* *(20,58)* - carte 30 à 54 – 16,80 – **16 ch** 272/625, 4 appart.
◆ Vertigineux "puits de lumière", décor exubérant - entre baroque et Empire - signé Garcia : l'Hôtel, unique, cultive la nostalgie avec bonheur. Oscar Wilde s'éteignit le 9 novembre 1900 dans la chambre n° 13.

**Relais St-Germain** M sans rest, 9 carrefour de l'Odéon (6e) ☎ 01 43 29 12 05, *Fax 01 46 33 45 30* – cuisinette K 13
**18 ch** 200/280, 4 studios.
◆ Trois immeubles du 17e s. abritent cet hôtel raffiné où poutres patinées, étoffes chatoyantes et meubles anciens participent au plaisant cachet des chambres.

**Madison** M sans rest, 143 bd St-Germain (6e) ☎ 01 40 51 60 00, *resa@hotel-madison.com, Fax 01 40 51 60 01* – J 13
**54 ch** 190/305.
◆ Camus aimait fréquenter cet établissement dont la moitié des chambres offrent une perspective sur l'église St-Germain-des Prés. Élégant salon Louis-Philippe.

**Relais Médicis** M sans rest, 23 r. Racine (6e) ☎ 01 43 26 00 60, *relaismedicis@wanadoo.fr, Fax 01 40 46 83 39* – K 13
**16 ch** 188/258.
◆ Une touche provençale égaye les chambres de cet hôtel proche du théâtre de l'Odéon ; celles donnant sur le patio sont plus au calme. Meubles chinés chez les antiquaires.

**Villa Panthéon** M sans rest, 41 r. Écoles (5e) ☎ 01 53 10 95 95, *pantheon@leshotelsdeparis.com, Fax 01 53 10 95 96* – K 14
25 – **59 ch** 280/730.
◆ Parquet, tentures colorées, mobilier en bois exotique et lampes d'inspiration Liberty : réception, chambres et bar (bon choix de whiskys) sont décorés dans l'esprit "british".

**Left Bank St-Germain** sans rest, 9 r. Ancienne Comédie (6e) ☎ 01 43 54 01 70, *lb@paris-hotels-charm.com, Fax 01 43 26 17 14* – K 13
**31 ch** 206/240.
◆ Damas, toile de Jouy, meubles de style Louis XIII et colombages président au cadre de cet immeuble du 17e s. Quelques chambres offrent une échappée sur Notre-Dame.

**Angleterre** sans rest, 44 r. Jacob (6e) ☎ 01 42 60 34 72, *anglotel@wanadoo.fr, Fax 01 42 60 16 93* – J 13
9,20 – **23 ch** 130/220, 4 appart.
◆ Hemingway fut séduit par cet hôtel aménagé dans l'ancienne ambassade d'Angleterre (18e s.). Chambres au charme désuet ; petits-déjeuners servis dans un patio fleuri.

**Villa** M sans rest, 29 r. Jacob (6e) ☎ 01 43 26 60 00, *hotel@villa-saintgermain.com, Fax 01 46 34 63 63* – J 13
14 – **31 ch** 260/440.
◆ Au coeur du quartier des galeries. Les murs datent du 19e s., mais l'intérieur est résolument contemporain : meubles design, couleurs vives ou tons pastel plus reposants.

**St-Grégoire** sans rest, 43 r. Abbé Grégoire (6e) ☎ 01 45 48 23 23, *hotel@saintgregoire.com, Fax 01 45 48 33 95* – L 12
12 – **20 ch** 175/248.
◆ Cet établissement vaut pour son accueillant décor bourgeois. Deux chambres bénéficient d'une petite terrasse verdoyante. Sympathique salle des petits-déjeuners voûtée.

**Millésime Hôtel** sans rest, 15 r. Jacob (6e) 01 44 07 97 97, *reservation@millesimehotel.com, Fax 01 46 34 55 97* – AE GB J 13
15 – **22 ch** 175/215.
♦ Tons ensoleillés, mobilier et tissus choisis apportent une note chaleureuse aux ravissantes chambres de cet hôtel particulier rénové. Bel escalier du 17e s. et joli patio.

**Résidence Henri IV** M sans rest, 50 r. Bernardins (5e) 01 44 41 31 81, *reservation@residencehenri4.com, Fax 01 46 33 93 22* – cuisinette AE GB JCB K 15
9 – **8 ch** 145, 5 appart.
♦ Immeuble de 1879 dont les chambres, refaites, conservent leur charme d'antan : moulures, frises et cheminées en marbre. Toutes donnent sur un square ombragé.

**Rives de Notre-Dame** M sans rest, 15 quai St-Michel (5e) 01 43 54 81 16, *hotel@rivesdenotredame.com, Fax 01 43 26 27 09*, – – 15. AE GB JCB J 14
13,70 – **10 ch** 213/381.
♦ Maison du 16e s. superbement conservée, dont les spacieuses chambres de style provençal s'ouvrent sur la Seine et Notre-Dame. Agréable salon sous verrière.

**Au Manoir St-Germain-des-Prés** sans rest, 153 bd St-Germain (6e) 01 42 22 21 65, *msg@paris-hotels-charm.com, Fax 01 45 48 22 25* – AE GB JCB J 12
**32 ch** 168/222.
♦ Chambres bourgeoises habillées de toile de Jouy et de boiseries peintes. Au pied de l'hôtel : le Flore et les Deux Magots, les deux célèbres cafés germanopratins.

**Ste-Beuve** sans rest, 9 r. Ste-Beuve (6e) 01 45 48 20 07, *saintebeuve@wanadoo.fr, Fax 01 45 48 67 52* – AE GB JCB. L 12
13,50 – **22 ch** 126/265.
♦ L'endroit ressemble à une maison particulière : ambiance intime, sofas moelleux, flambées dans la cheminée... Les chambres mêlent avec goût l'ancien et le contemporain.

**Panthéon** sans rest, 19 pl. Panthéon (5e) 01 43 54 32 95, *reservation@hoteldupanteon.com, Fax 01 43 26 64 65*, – . AE GB JCB L 14
10 – **36 ch** 198/244.
♦ Réservez l'une des chambres rénovées - de style "cosy" ou d'inspiration Louis XVI - avec vue sur le dôme du "temple de la Renommée". Petits-déjeuners dans une salle voûtée.

**Jardins du Luxembourg** M sans rest, 5 imp. Royer-Collard (5e) 01 40 46 08 88, *jardinslux@wanadoo.fr, Fax 01 40 46 02 28* – . AE GB JCB. L 14
10 – **26 ch** 135/145.
♦ Sigmund Freud séjourna dans cet hôtel situé dans une impasse voisine du Luxembourg. Élégantes chambres contemporaines. Un comptoir de brasserie 1900 décore la réception.

**Tour Notre-Dame** sans rest, 20 r. Sommerard (5e) 01 43 54 47 60, *tour-notre-dame@magic.fr, Fax 01 43 26 42 34* – . AE GB JCB K 14
11 – **48 ch** 155/229.
♦ Très bel emplacement pour cet hôtel quasiment accolé au musée de Cluny. Chambres refaites, habillées de toiles de Jouy. Préférez celles donnant sur l'arrière, plus calmes.

**Villa des Artistes** M sans rest, 9 r. Grande Chaumière (6e) 01 43 26 60 86, *hotel@villa-artistes.com, Fax 01 43 54 73 70* – . AE GB JCB. L 12
9 – **59 ch** 170.
♦ L'enseigne rend hommage aux artistes qui ont fait l'histoire du quartier Montparnasse. Chambres agréables, donnant souvent sur la cour. Verrière pour les petits-déjeuners.

**Relais St-Sulpice** M sans rest, 3 r. Garancière (6e) 01 46 33 99 00, *relaisstsulpice@wanadoo.fr, Fax 01 46 33 00 10* – . AE GB JCB. K 13
12 – **26 ch** 160/195.
♦ Tendance "ethnique" d'une décoration très actuelle mêlant esprit africain et asiatique : ce séduisant hôtel dont la façade date du 19e s. penche résolument pour l'exotisme.

**Grand Hôtel St-Michel** sans rest, 19 r. Cujas (5e) 01 46 33 33 02, *grand.hotel@st.michel.com, Fax 01 40 46 96 33* – . AE GB K 14
10 – **45 ch** 120/160, 7 appart.
♦ Cet immeuble haussmannien récemment rénové abrite des chambres feutrées, garnies de meubles peints. Salon de style Napoléon III ; salle voûtée pour les petits-déjeuners.

**Fleurie** sans rest, 32 r. Grégoire de Tours (6e) 01 53 73 70 00, *bonjour@hotel-de-fleurie.tm.fr, Fax 01 53 73 70 20* – . AE GB. K 13
9 – **29 ch** 145/274.
♦ Pimpante façade du 18e s. agrémentée de "statues nichées". Chambres bourgeoises aux tonalités douces, agrémentées de quelques boiseries. Sympathique accueil familial.

**St-Germain-des-Prés** sans rest, 36 r. Bonaparte (6e) 01 43 26 00 19, *hotel-saint-germain-des-pres@wanadoo.fr, Fax 01 40 46 83 63* – . AE GB J 13
8 – **30 ch** 160/245.
♦ Tissus à motif floral et poutres apparentes égayent la plupart des chambres, plus au calme côté cour. La salle des petits-déjeuners s'ouvre sur un petit massif de fleurs.

**Saints-Pères** sans rest, 65 r. des Sts-Pères (6e) 01 45 44 50 00, *hotelsts.peres@wanadoo.fr, Fax 01 45 44 90 83* – AE GB. **J 12**
12 – **36 ch** 195/290, 3 appart.
◆ Hôtel particulier édifié au temps de Louis XIV et bâtisses du 19e s. autour d'une verdoyante cour intérieure. Le joyau caché : la "chambre à la fresque" (1658).

**Royal St-Michel** M sans rest, 3 bd St-Michel (5e) 01 44 07 06 06, *hotel.royal.st.michel@wanadoo.fr, Fax 01 44 07 36 25* – AE GB JCB **K 14**
12 – **39 ch** 200/230.
◆ Sur le "Boul' Mich", face à la fontaine Saint-Michel, c'est toute l'ambiance du Quartier latin que l'on découvre aux portes de cet hôtel rénovant progressivement ses chambres.

**Notre Dame** sans rest, 1 quai St-Michel (5e) 01 43 54 20 43, *hotel.lenotredame@libertysurf.fr, Fax 01 43 26 61 75*, – AE GB. **K 14**
7 – **23 ch** 150/199, 3 duplex.
◆ Les douillettes petites chambres de cet hôtel sont toutes refaites, climatisées et bien équipées ; la majorité bénéficie d'une vue sur la cathédrale Notre-Dame.

**Relais St-Jacques** sans rest, 3 r. Abbé de l'Épée (5e) 01 53 73 26 00, *nevers.luxembourg@wanadoo.fr, Fax 01 43 26 17 81* – – 20. AE GB JCB. **L 14**
13 – **23 ch** 195/300.
◆ Chambres de style Directoire ou d'inspiration lusitanienne, salle des petits-déjeuners sous verrière, salon Louis XV et bar 1925... Un inventaire (chic) à la Prévert !

**St-Christophe** sans rest, 17 r. Lacépède (5e) 01 43 31 81 54, *saintchristophe@wanadoo.fr, Fax 01 43 31 12 54* – AE GB **L 15**
8 – **31 ch** 113/125.
◆ Le naturaliste Lacépède a donné son nom à la rue, rappelant la proximité du Jardin des Plantes. Petites chambres d'esprit rustique ; toutes sont non-fumeurs.

**Sully St-Germain** M sans rest, 31 r. Écoles (5e) 01 43 26 56 02, *sully@sequanahotels.com, Fax 01 43 29 74 42*, – AE GB JCB. **K 15**
12 – **61 ch** 150/240.
◆ Est-ce le voisinage du musée du Moyen Âge ? Toujours est-il que l'établissement présente un décor d'inspiration médiévale. Salon sous verrière ; fitness.

**Parc St-Séverin** sans rest, 22 r. Parcheminerie (5e) 01 43 54 32 17, *hotel.parc.severin@wanadoo.fr, Fax 01 43 54 70 71* – AE GB JCB. **K 14**
9,50 – **27 ch** 95/180.
◆ L'hôtel est au coeur du Quartier latin. Les chambres des derniers étages bénéficient d'une terrasse, parfois très spacieuse, avec vue sur l'église St-Séverin.

**Jardin de Cluny** sans rest, 9 r. Sommerard (5e) 01 43 54 22 66, *hotel.decluny@wanadoo.fr, Fax 01 40 51 03 36* – AE GB JCB. **K 14**
11 – **40 ch** 128/187.
◆ Chambres fonctionnelles, garnies de meubles en rotin. Salle des petits-déjeuners voûtée, agrémentée d'une "Dame à la Licorne" (l'originale est à deux pas, au musée de Cluny).

**Libertel Quartier Latin** M sans rest, 9 r. Écoles (5e) 01 44 27 06 45, *H2782@accor-hotels.com, Fax 01 43 25 36 70* – AE GB JCB **L 15**
13 – **29 ch** 195/218.
◆ Hommage à l'érudition en cet hôtel sis en plein Quartier latin : chambres d'une agréable sobriété, ornées de portraits et citations de Colette, Gide ou Prévert ; bibliothèque.

**Jardin de l'Odéon** M sans rest, 7 r. Casimir Delavigne (6e) 01 53 10 28 50, *hotel@jardindelodeon.com, Fax 01 43 25 28 12* – AE GB **K 13**
10 – **41 ch** 153/195.
◆ En façade, les chambres offrent une échappée sur le théâtre de l'Odéon ; cinq sont dotées d'une terrasse. Petits-déjeuners servis dans le patio en été. Joli salon Art déco.

**Prince de Conti** sans rest, 8 r. Guénégaud (6e) 01 44 07 30 40, *Fax 01 44 07 36 34* – AE GB JCB. **J 13**
13 – **26 ch** 165/280.
◆ Immeuble du 18e s. jouxtant l'hôtel de la Monnaie : un emplacement idéal pour courir les fameuses galeries d'art germanopratines. Chambres et salons décorés à l'anglaise.

**Clos Médicis** M sans rest, 56 r. Monsieur Le Prince (6e) 01 43 29 10 80, *message@closmedicis.com, Fax 01 43 54 26 90* – AE GB JCB. **K 14**
11 – **37 ch** 135/240.
◆ L'hôtel est entouré par les magnifiques demeures de cette rue "princière". Son intérieur aux couleurs vives ne laisse guère supposer que les murs datent de 1773.

**Odéon Hôtel** M sans rest, 3 r. Odéon (6e) 01 43 25 90 67, *odeon@odeonhotel.fr, Fax 01 43 25 55 98* – AE GB JCB. **K 13**
10 – **33 ch** 130/260.
◆ La façade ainsi que les poutres et murs en pierres apparentes des chambres témoignent de l'ancienneté de la maison (17e s.). Salles de bains égayées d'azulejos.

**Grands Hommes** sans rest, 17 pl. Panthéon (5e) ✆ 01 46 34 19 60, *reservation@hoteldesgrandshommes.com, Fax 01 43 26 67 32,* ≤ – |‡| ▤ TV – 20. AE ⓓ GB JCB L 14
10 – **32 ch** 198/244.
◆ Posté face au Panthéon, plaisant hôtel rénové dans le style Directoire (meubles chinés). Plus de la moitié des chambres a vue sur la dernière demeure des "grands hommes".

**de l'Odéon** sans rest, 13 r. St-Sulpice (6e) ✆ 01 43 25 70 11, *hotelodeon@wanadoo.fr, Fax 01 43 29 97 34* – |‡| ▤ TV ☎. AE ⓓ GB JCB K 13
11 – **29 ch** 145/237.
◆ L'intérieur de cette maison du 16e s. est pour le moins éclectique : lits anciens en cuivre ou à baldaquin, bibelots chinés dans les brocantes, etc. Minijardin luxuriant.

**Prince de Condé** sans rest, 39 r. Seine (6e) ✆ 01 43 26 71 56, *Fax 01 46 34 27 95* – |‡| ▤ TV. AE ⓓ GB JCB. J 13
13 – **12 ch** 195/310.
◆ Chambres "cosy" récemment rajeunies et cave-salon voûtée élégamment décorée. Les esthètes apprécieront les nombreuses galeries de peintures installées dans la rue.

**Régent** sans rest, 61 r. Dauphine (6e) ✆ 01 46 34 59 80, *hotel.leregent@wanadoo.fr, Fax 01 40 51 05 07* – |‡| ▤ TV. AE ⓓ GB JCB. J 13
11 – **25 ch** 130/200.
◆ Façade longiligne datant de 1769. Les chambres sont feutrées et bien équipées. Salle des petits-déjeuners en sous-sol, avec murs en pierres apparentes.

**Select** M sans rest, 1 pl. Sorbonne (5e) ✆ 01 46 34 14 80, *info@selecthotel.fr, Fax 01 46 34 51 79* – |‡| ▤ TV ☎. AE ⓓ GB JCB K 14
6 – **68 ch** 155/170.
◆ Hôtel résolument contemporain au coeur du Paris estudiantin. Salon aménagé autour d'un verdoyant patio sous verrière. Quelques vues sur les toits depuis certaines chambres.

**du Levant** sans rest, 18 r. Harpe (5e) ✆ 01 46 34 11 00, *hlevant@club-internet.fr, Fax 01 46 34 25 87* – |‡| ▤ TV ☎. AE ⓓ GB JCB K 14
8 – **47 ch** 69/150.
◆ Photos anciennes et fresque dans la salle des petits-déjeuners, chambres peu à peu refaites : l'hôtel, bâti en 1875 au coeur du Quartier latin, poursuit sa rénovation.

**d'Albe** sans rest, 1 r. Harpe (5e) ✆ 01 46 34 09 70, *albehotel@wanadoo.fr, Fax 01 40 46 85 70* – |‡| ▤ TV ☎. AE ⓓ GB JCB. K 14
10 – **45 ch** 110/156.
◆ Plaisante décoration moderne dans cet hôtel proposant des chambres un peu petites, mais bien agencées et gaies. Quartier latin, île de la Cité... Paris est à vos pieds !

**Agora St-Germain** sans rest, 42 r. Bernardins (5e) ✆ 01 46 34 13 00, *agorastg@club-internet.fr, Fax 01 46 34 75 05* – |‡| ▤ TV ☎. AE ⓓ GB JCB. K 15
8 – **39 ch** 109/146.
◆ Le décor de cet hôtel voisin de l'église St-Nicolas-du-Chardonnet date des années 1980. Chambres plus calmes côté cour. Salle des petits-déjeuners de style Louis XIII.

**Bréa** sans rest, 14 r. Bréa (6e) ✆ 01 43 25 44 41, *brea.hotel@wanadoo.fr, Fax 01 44 07 19 25* – |‡| TV ☎. AE ⓓ GB. L 12
*fermé 20 au 26 déc.* – 12 – **23 ch** 135/157.
◆ Deux bâtiments reliés par une verrière aménagée en un plaisant salon-jardin d'hiver. Ambiance méditerranéenne dans les chambres, plutôt spacieuses et bien équipées.

**Ferrandi** sans rest, 92 r. Cherche-Midi (6e) ✆ 01 42 22 97 40, *hotel.ferrandi@wanadoo.fr, Fax 01 45 44 89 97* – |‡| ▤ TV ☎. AE ⓓ GB JCB L 11
10 – **42 ch** 105/220.
◆ Face au charmant musée Hébert, demeure cossue du 19e s. abritant des chambres bourgeoisement décorées et bien insonorisées. Salons de style Restauration.

**Dacia-Luxembourg** sans rest, 41 bd St-Michel (5e) ✆ 01 53 10 27 77, *info@hoteldacia.com, Fax 01 44 07 10 33* – |‡| ▤ TV ☎. AE ⓓ GB JCB. K 14
8 – **38 ch** 120/140.
◆ Nombreuses rénovations dans cet établissement chaleureux du Quartier latin. Beaux jetés de lit en piqué blanc dans des chambres bien équipées (deux avec baldaquin).

**Marronniers** sans rest, 21 r. Jacob (6e) ✆ 01 43 25 30 60, *Fax 01 40 46 83 56* – |‡| ▤ TV ☎. GB. J 13
12 – **37 ch** 180/245.
◆ Tapi au fond d'une verdoyante cour de la belle rue Jacob, l'hôtel propose de ravissantes petites chambres. Salle des petits-déjeuners en rez-de-jardin, sous une véranda.

**Pierre Nicole** sans rest, 39 r. Pierre Nicole (5e) ✆ 01 43 54 76 86, *hotelpierre-nicole@voila.fr, Fax 01 43 54 22 45* – |‡| TV ☎. AE ⓓ GB. M 13
6 – **33 ch** 60/84.
◆ L'enseigne rend hommage au moraliste de Port-Royal. Chambres pratiques, plus ou moins spacieuses. Vous pourrez jogger dans les jardins de l'Observatoire, tout proches.

**St-Jacques** sans rest, 35 r. Écoles (5e) ✆ 01 44 07 45 45, *hotelsaintjacques@wanadoo.fr, Fax 01 43 25 65 50* – |♦| TV ✆. AE ⓓ GB JCB. ✂ K 15
☕ 7 – **35 ch** 80,50/107.
◆ La rénovation progressive des chambres préserve le cachet ancien de l'établissement : moulures, cheminées et meubles de style. Salle des petits-déjeuners ornée d'une fresque.

**Maxim** sans rest, 28 r. Censier (5e) ✆ 01 43 31 16 15, *H2810-GM@accor-hotels.com, Fax 01 43 31 93 87* – |♦| ✂ TV. AE ⓓ GB JCB M 15
☕ 8 – **36 ch** 108/118.
◆ La Mosquée, le Jardin des Plantes, le marché de la "Mouffe" : un Paris insolite s'offre à vous à deux pas de ces petites "bonbonnières" tapissées de toile de Jouy.

**Familia** sans rest, 11 r. Écoles (5e) ✆ 01 43 54 55 27, *familia.hotel@libertysurf.fr, Fax 01 43 29 61 77* – |♦| TV. AE ⓓ GB JCB. ✂ L-K 15
☕ 6,50 – **30 ch** 70/110.
◆ Des "sépias" représentant des monuments de Paris ornent les petites chambres. Salle des petits-déjeuners familiale, agrémentée d'une bibliothèque d'ouvrages anciens.

**Dauphine St-Germain** sans rest, 36 r. Dauphine (6e) ✆ 01 43 26 74 34, *hotel@dauphine-st-germain.com, Fax 01 43 26 49 09* – |♦| ✂ ▤ TV ✆. AE ⓓ GB JCB J 13
**30 ch** ☕ 194/260.
◆ Les grands couturiers tiennent boutique dans le lacis de ruelles voisinant cet immeuble du 17e s. Atmosphère d'autrefois, mais confort actuel. Salles de bains en marbre.

**Sèvres Azur** sans rest, 22 r. Abbé-Grégoire (6e) ✆ 01 45 48 84 07, *sevres.azur@wanadoo.fr, Fax 01 42 84 01 55* – |♦| TV. AE ⓓ GB JCB K 11-12
☕ 7 – **31 ch** 75/85.
◆ Près du Bon Marché, hôtel aux chambres colorées, parfois pourvues de lits en cuivre. Rue calme et insonorisation efficace : Morphée vous tend les bras !

XXXXX ✿✿ **Tour d'Argent** (Terrail), 15 quai Tournelle (5e) ✆ 01 43 54 23 31, *Fax 01 44 07 12 04* ≤ Notre-Dame – ▤. AE ⓓ GB JCB K 16
*fermé mardi midi et lundi* – **Repas** 65 (déj.)/195 et carte 140 à 220.
◆ On régale ici les têtes couronnées, et les autres, depuis le 16e s. ! Salle à manger "en plein ciel", au 6e étage : vue unique sur Notre-Dame et la Seine. Un lieu mythique !
**Spéc.** Quenelles de brochet "André Terrail". Canard "Tour d'Argent". Poire "Vie parisienne".

XXX ✿ **Jacques Cagna,** 14 r. Grands Augustins (6e) ✆ 01 43 26 49 39, *jacquescagna@hotmail.com, Fax 01 43 54 54 48* – ▤. AE ⓓ GB JCB J 14
*fermé 1er au 26 août, sam. midi, lundi midi et dim.* – **Repas** 40 (déj.)/80 et carte 80 à 145.
◆ Dans l'une des plus anciennes maisons du vieux Paris, confortable salle à manger ornée de poutres massives, boiseries du 16e s. et tableaux flamands. Cuisine raffinée.
**Spéc.** Foie gras poêlé aux fruits de saison caramélisés. Pigeon à la chartreuse verte. Gibier (saison).

XXX ✿ **Paris** - Hôtel Lutétia, 45 bd Raspail (6e) ✆ 01 49 54 46 90, *lutetia-paris@lutetia-paris.com, Fax 01 49 54 46 00* – ▤. AE ⓓ GB JCB K 12
*fermé août, sam., dim. et fériés* – **Repas** 45 (déj.), 60/95 et carte 66 à 96.
◆ Fidèle au style de l'hôtel, la salle de restaurant Art déco, signée Sonia Rykiel, reproduit l'un des salons du paquebot Normandie. Talentueuse cuisine au goût du jour.
**Spéc.** Cannelloni de foie gras à la truffe. Turbot cuit sur sel de Guérande. Côte épaisse de cochon aux girolles.

XXX ✿✿ **Relais Louis XIII** (Martinez), 8 r. Grands Augustins (6e) ✆ 01 43 26 75 96, *rl13@free.fr, Fax 01 44 07 07 80* – ▤. AE GB JCB. ✂ J 14
*fermé 5 au 26 août, dim. et lundi* – **Repas** 45 (déj.)/70 et carte 105 à 135.
◆ Maison (16e s.) aménagée dans les murs de l'ancien couvent des Grands-Augustins. Trois salles intimes de style Louis XIII (tableaux, balustres, tissus rayés). Belle cuisine au goût du jour.
**Spéc.** Ravioli de homard, foie gras, et crème de cèpes. Caneton challandais rôti aux épices, pommes de terre soufflées. Millefeuille à la vanille.

XXX **Closerie des Lilas,** 171 bd Montparnasse (6e) ✆ 01 40 51 34 50, *closerie@club-internet.fr, Fax 01 43 29 99 94,* 🍽 – AE ⓓ GB JCB M 13
**Repas** 43 bc (déj.)et carte 79 à 95 - ***Brasserie :*** **Repas** carte 38 à 60 ♀.
◆ Le Tout-Paris artistique et littéraire a fait la renommée de la maison. La terrasse du restaurant est agréable, et le bar désaltère toujours quelques plumes bien trempées.

XXX ✿✿ **Hélène Darroze,** 4 r. d'Assas (6e) ✆ 01 42 22 00 11, *helene.darroze@wanadoo.fr, Fax 01 42 22 25 40* – ▤. AE GB **K 12**
*fermé dim. et lundi* – **Repas** *(fermé le dim. et le midi du 14 juil. au 31 août)* 58/110 et carte 72 à 105 ***Salon*** *(fermé 20 juil. au 20 août, dim. et lundi)* **Repas** (26)(déj.) bc/53 et carte 35 à 45 ♀.
◆ Près du Bon Marché, décor contemporain haut en couleur, délicieuse et féminine cuisine du Sud-Ouest, et, au rez-de-chaussée, un Salon où l'on régale de "tapas" très terroir.
**Spéc.** Soupe de lièvre, quenelles, râble rôti et crème glacée au foie gras (automne). Variation autour de la tomate (juin-octobre). Baba au vieil armagnac.

XXX **Procope,** 13 r. Ancienne Comédie (6e) ✆ 01 40 46 79 00, *de.procope@blanc.net, Fax 01 40 46 79 09* – ▤. AE ⓓ GB **K 13**
**Repas** carte 44 à 63.
◆ Un monument historique ! Le plus vieux café littéraire de Paris accueille, dans ses salons de caractère, gens de théâtre, artistes et touristes. Cuisine traditionnelle.

XXX **Lapérouse,** 51 quai Grands Augustins (6e) ✆ 01 43 26 68 04, *Fax 01 43 26 99 39* – ▤. AE ⓓ GB **J 14**
*fermé 25 juil. au 20 août, sam. midi et dim.* – **Repas** 30 (déj.)/106 et carte 70 à 98.
◆ Fondé en 1766, rendez-vous du Tout-Paris dès la fin du 19e s. et réputé pour ses petits salons discrets, ce restaurant bénéficie d'un nouvel élan, mais l'esprit demeure.

XX **Mavrommatis,** 42 r. Daubenton (5e) ✆ 01 43 31 17 17, *andreas@mavrommatis.fr, Fax 01 43 36 13 08* – ▤. AE GB JCB. ✻ **M 15**
*fermé lundi* – **Repas** 28,20 et carte 38 à 52 ♀.
◆ Toutes les saveurs de la Grèce dans votre assiette ! Pas de folklore, mais un cadre sobre, élégant et confortable rehaussé par un éclairage soigné. Terrasse d'été.

XX **Marty,** 20 av. Gobelins (5e) ✆ 01 43 31 39 51, *restaurant.marty@wanadoo.fr, Fax 01 43 37 63 70* – ▤. AE ⓓ GB JCB **M 15**
**Repas** 33 et carte 34 à 56 ♀.
◆ Cette grande brasserie au plaisant cadre des années 1930 est, à midi, la "cantine" des journalistes du Monde, venus en voisin. Produits de la mer, carte des vins fournie.

XX **Maxence,** 9 bis bd Montparnasse (6e) ✆ 01 45 67 24 88, *Fax 01 45 67 10 22* – ▤. AE ⓓ GB JCB **L 11**
*fermé 1er au 17 août, sam. midi et dim.* – **Repas** 35 (déj.)/60 et carte 60 à 80.
◆ Un chaud dégradé de tons brun, orangé et jaune égaye les murs de ce restaurant contemporain. Atmosphère agréable, cuisine de saison personnalisée.

XX **Atelier Maître Albert,** 1 r. Maître Albert (5e) ✆ 01 46 33 13 78, *Fax 01 44 07 01 86* – ▤. AE GB **K 15**
*fermé dim. et fêtes* – **Repas** *(26)* - 47.
◆ Cheminée médiévale, rôtissoire, atmosphère provinciale : une auberge a pris la place de l'atelier où le célèbre Maître s'adonnait, dit-on, à l'alchimie. Ora et... ede !

XX **Ziryab,** à l'Institut du Monde Arabe, 1 r. Fossés-St-Bernard (5e) ✆ 01 53 10 10 20, *f.loymajoux@sodexho-prestige.fr, Fax 01 44 07 30 98,* ≤ Paris, 🏛 – ▤. AE ⓓ GB JCB. ✻ **K 16**
*fermé dim. soir et lundi* – **Repas** 38 et carte 38 à 50 ♀.
◆ Situé au dernier étage de l'IMA, ce lumineux restaurant au cadre design et sa terrasse panoramique offrent une superbe vue sur Notre-Dame et la Seine. Cuisine orientale.

XX **Bastide Odéon,** 7 r. Corneille (6e) ✆ 01 43 26 03 65, *bastide.odeon@wanadoo.fr, Fax 01 44 07 28 93* – ▤. AE GB **K 13**
*fermé 5 au 30 août, 30 déc. au 7 janv., dim. et lundi* – **Repas** 35,50 ♀.
◆ Proche du Luxembourg, agréable et confortable salle de restaurant dont le décor rappelle l'intérieur d'une bastide provençale. Spécialités méditerranéennes.

XX **Yugaraj,** 14 r. Dauphine (6e) ✆ 01 43 26 44 91, *contact@yugaraj.com, Fax 01 46 33 50 77* – ▤. AE ⓓ GB JCB **J 14**
*fermé août, jeudi midi et lundi* – **Repas** 29,70/49,60 et carte 45 à 55.
◆ Boiseries, panneaux décoratifs, soieries et objets d'art anciens donnent à ce haut lieu de la gastronomie indienne des airs de musée. Carte très bien renseignée.

XX **Alcazar,** 62 r. Mazarine (6e) ✆ 01 53 10 19 99, *contact@alcazar.fr, Fax 01 53 10 23 23* – ▤. AE ⓓ GB JCB. ✻ **J 13**
**Repas** *(22)* - 25 bc (déj.)et carte 34 à 64.
◆ Le cabaret froufroutant de J.-M. Rivière s'est converti en vaste restaurant "branché" au cadre design. Tables avec vue sur les fourneaux. Cuisine au goût du jour.

XX **Chez Maître Paul,** 12 r. Monsieur-le-Prince (6e) ✆ 01 43 54 74 59, *chezmaitrepaul@aol.com, Fax 01 43 54 43 74* – ▤. AE ⓓ GB. ✻ **K 13**
*fermé 20 au 27 déc., dim. et lundi en juil.-août* – **Repas** 27/32 bc et carte 29 à 54 ♀.
◆ Façade anodine dans une rue où souffle l'esprit du Quartier latin. La salle est d'une grande sobriété décorative, mais recettes et vins du Jura remportent tous les suffrages.

XX **Inagiku,** 14 r. Pontoise (5e) ☎ 01 43 54 70 07, *Fax 01 40 51 74 44* – ▤. AE GB **K 15**
*fermé 4 au 24 août et dim.* – **Repas** 15 (déj.)/65,40 et carte 35 à 57.
◆ L'étonnant spectacle des chefs-cuisiniers qui préparent et cuisent devant vous les plats traditionnels japonais vaut le coup d'oeil. Cadre typique, service prévenant.

XX **Yen,** 22 r. St-Benoît (6e) ☎ 01 45 44 11 18, *OKFIH@wanadoo.fr, Fax 01 45 44 19 48* – ▤. AE ⓓ GB JCB **J 13**
*fermé lundi midi et dim.* – **Repas** 18,50 (déj.)/30,50 et carte 35 à 58.
◆ Deux salles à manger au décor japonais très épuré, un peu plus chaleureux à l'étage. La carte fait la part belle à la spécialité du chef : le soba (nouilles de sarrasin).

X **Rotonde,** 105 bd Montparnasse (6e) ☎ 01 43 26 68 84, *Fax 01 46 34 52 40* – ▤. AE GB JCB **L 12**
**Repas** 27/58 et carte 32 à 46 ♀.
◆ Pour souper après le spectacle (les théâtres de la rue de la Gaîté sont à deux pas) : cette typique brasserie parisienne du début du 20e s. vous recevra même après minuit !

X **Café des Délices,** 87 r. Assas (6e) ☎ 01 43 54 70 00, *Fax 01 43 26 42 05* – ▤. AE GB JCB **LM 13**
*fermé 28 juil. au 19 août, sam. et dim.* – **Repas** carte 32 à 40.
◆ Ce "café" là n'est pas sur le port de Tunis, mais sa cuisine marie tout de même parfums et épices. Tissus, couleurs et bois décorent cet endroit que l'on fréquente avec délice.

X **Quai V,** 25 quai Tournelle (5e) ☎ 01 43 54 05 17, *contact@quaiV.com, Fax 01 43 29 74 93* – ▤. AE GB **K 15**
*fermé sam. midi, lundi midi et dim.* – **Repas** 22 bc (déj.)/37,50 et carte 42 à 56.
◆ Sur les quais de Seine, ce petit restaurant aux couleurs ensoleillées et au mobilier en bois peint propose une cuisine traditionnelle et méridionale.

X **Marlotte,** 55 r. Cherche-Midi (6e) ☎ 01 45 48 86 79, *infos@lamarlotte, Fax 01 45 44 34 80* – ▤. AE ⓓ GB JCB **K 12**
*fermé 3 au 25 août et dim.* – **Repas** carte 35 à 40.
◆ Près du Bon Marché, sympathique adresse de quartier où l'on croise éditeurs et politiciens. Salle des repas tout en longueur, décor rustique et cuisine traditionnelle.

X **L'Épi Dupin,** 11 r. Dupin (6e) ☎ 01 42 22 64 56, *lepidupin@wanadoo.fr, Fax 01 42 22 30 42*, – GB **K 12**
*fermé 31 juil. au 26 août, lundi midi, sam. et dim.* – **Repas** (nombre de couverts limité, prévenir) *(19,80)* - 29,80.
◆ Poutres et pierres pour le caractère, tables serrées pour la convivialité et délicieux petits plats pour se régaler : ce restaurant de poche a conquis le quartier du Bon Marché.

X **Dominique,** 19 r. Bréa (6e) ☎ 01 43 27 08 80, *restaurant.dominique@mageos.com, Fax 01 43 27 03 76* – ▤. AE ⓓ GB JCB **L 12**
*fermé 27 juil. au 26 août, dim. et lundi* – **Repas** (dîner seul.) 40/55.
◆ À la fois bar à vodkas, épicerie et restaurant : un haut lieu de la cuisine russe à Paris. Dégustations de zakouskis côté bistrot, dîner aux chandelles dans la salle du fond.

X **Brasserie Lipp,** 151 bd St-Germain (6e) ☎ 01 45 48 53 91, *lipp@magic.fr, Fax 01 45 44 33 20* – ▤. AE ⓓ GB **J 13**
**Repas** carte 36 à 50.
◆ Fondée en 1880, cette brasserie est une véritable institution germanopratine. Choisissez la salle du rez-de-chaussée pour admirer céramiques, plafonds peints et... célébrités !

X **Les Bookinistes,** 53 quai Grands Augustins (6e) ☎ 01 43 25 45 94, *bookinistes@wanadoo.fr, Fax 01 43 25 23 07* – ▤. AE ⓓ GB JCB **J 14**
*fermé sam. midi et dim.* – **Repas** *(24)* - 27 (déj.)et carte 46 à 63.
◆ Face aux bouquinistes des quais, une cuisine originale dans un cadre moderniste créé par le jazzman D. Humair : mobilier design, lampes colorées et peintures abstraites.

X **L'Espadon Bleu,** 25 r. Grands Augustins (6e) ☎ 01 46 33 00 85, *Fax 01 43 54 54 48* – ▤. AE ⓓ GB JCB **J 14**
*fermé 2 au 27 août, dim. et lundi* – **Repas** 28 (déj.)/39.
◆ Sympathique maison spécialisée dans les produits de la mer. Les espadons, bien sûr de la fête, ornent les murs de pierres apparentes et les tables en mosaïque.

X **Emporio Armani Caffé,** 149 bd St-Germain (6e) ☎ 01 45 48 62 15, *maximori@aol.com, Fax 01 45 48 53 17* – ▤. AE ⓓ GB JCB **J 13**
*fermé dim.* – **Repas** carte 42 à 67.
◆ Au premier étage de la boutique du grand couturier, un "caffé" chic à l'italienne, sobre et confortable, à la clientèle très "rive gauche". Cuisine transalpine.

X **Les Délices d'Aphrodite,** 4 r. Candolle (5e) ☎ 01 43 31 40 39, *andreas@mavrommatis.fr, Fax 01 43 36 13 08* – ▤. AE GB JCB. **M 15**
*fermé dim.* – **Repas** *(16,50)* - carte 28 à 39.
◆ Bistrot de poche à l'atmosphère "vacances" : photos de paysages helléniques, plafond tapissé de lierre et cuisine grecque embaumant l'huile d'olive.

X **Joséphine "Chez Dumonet",** 117 r. Cherche-Midi (6e) ☎ 01 45 48 52 40, *Fax 01 42 84 06 83* – AE GB L 11
*fermé en août, sam. et dim.* – **Repas** 61/85.
◆ Authentique représentant des années folles avec zinc, banquettes et décor de bistrot patiné. On y propose une belle carte des vins et une cuisine traditionnelle.

X **Moissonnier,** 28 r. Fossés-St-Bernard (5e) ☎ 01 43 29 87 65, *Fax 01 43 29 87 65* – GB K 15
*fermé 1er août au 1er sept., dim. et lundi* – **Repas** 22,90 (déj.)et carte 26 à 45 🍷.
◆ Le décor typique de ce bistrot n'a pas changé depuis des lustres : zinc rutilant, murs patinés, banquettes... Cuisine d'ascendance lyonnaise et "pots" de beaujolais.

X **Bistrot de la Catalogne,** 4 cour du Commerce St-André (6e) ☎ 01 55 42 16 19, *office.tourisme.catalogne@infotourisme.com, Fax 01 55 42 16 33* – AE ⊙ GB. ※ K 13
*fermé août, dim. et lundi* – **Repas** (18) - carte 30 à 36 🍷.
◆ La Maison de la Catalogne occupe cette bâtisse du 18e s. nichée dans une ruelle pavée. Ambiance très décontractée, formules tapas et autres spécialités de la province.

X **Bauta,** 129 bd Montparnasse (6e) ☎ 01 43 22 52 35, *Fax 01 43 22 10 99* – AE ⊙ GB JCB M 12
*fermé août, sam. midi et dim.* – **Repas** 38 (déj. seul.)et carte 45 à 58.
◆ Décoration foisonnante à base de "bautas" (masques), gravures et bibelots évoquant la Cité des Doges et son célèbre carnaval. Cuisine "cent pour cent" vénitienne.

X **Coco de Mer,** 34 bd St-Marcel (5e) ☎ 01 47 07 06 64, *frichot@seychelles-saveurs.com, Fax 01 47 07 41 88* – AE GB M 16
*fermé en août, lundi midi et dim.* – **Repas** (26) - 30 🍷.
◆ Mare de la grisaille ? Direction les Seychelles : ti-punch pieds nus dans le sable fin de la véranda et recettes des îles d'où l'on fait arriver le poisson chaque semaine.

X **Casa Corsa,** 25 r. Mazarine (6e) ☎ 01 44 07 38 98, *Fax 01 43 54 14 79* – ▤. AE ⊙ GB. ※ J 13
*fermé août, lundi midi et dim.* – **Repas** carte 35 à 51.
◆ L'enseigne vous dit l'essentiel ! Dans ce bistrot gorgé de soleil, les produits de l'Île de Beauté sont copieusement servis et les garçons ont l'accent de là-bas !

X **Au Moulin à Vent,** 20 r. Fossés-St-Bernard (5e) ☎ 01 43 54 99 37, *Fax 01 40 46 92 23* – GB. ※ K 15
*fermé 2 au 31 août, 23 déc. au 2 janv., sam. midi, dim. et lundi* – **Repas** carte 30 à 50.
◆ Depuis 1948, rien n'a changé dans ce bistrot parisien ; le joli décor "rétro" s'est patiné avec les ans et la cuisine traditionnelle s'est enrichie de spécialités de viandes.

X **Rôtisserie d'en Face,** 2 r. Christine (6e) ☎ 01 43 26 40 98, *rotisface@aol.com, Fax 01 43 54 22 71* – ▤. AE ⊙ GB JCB J 14
*fermé sam. midi et dim.* – **Repas** 39/67,50.
◆ En face de quoi ? Du restaurant de Jacques Cagna qui a créé ici un sympathique "bistrot de chef". Cadre aux tons ocre, sobrement élégant. Ambiance décontractée.

X **Les Bouchons de François Clerc,** 12 r. Hôtel Colbert (5e) ☎ 01 43 54 15 34, *Fax 01 46 34 68 07* – AE GB JCB K 15
*fermé sam. midi et dim.* – **Repas** 41.
◆ Caves voûtées ou salle du rez-de-chaussée ornée d'une rôtissoire : vins à prix coûtant et bonne humeur à tous les étages dans cette maison du vieux Paris (17e s.) !

X **Rôtisserie du Beaujolais,** 19 quai Tournelle (5e) ☎ 01 43 54 17 47, *Fax 01 56 24 43 71* – ▤. GB K 15
*fermé lundi* – **Repas** carte 34 à 54.
◆ Cette rôtisserie au décor de bistrot offre un plaisant coup d'oeil sur les quais de la Seine. Plats traditionnels, quelquefois lyonnais, et belle sélection de beaujolais.

X **Buisson Ardent,** 25 r. Jussieu (5e) ☎ 01 43 54 93 02, *Fax 01 46 33 34 77*, – AE ⊙ GB L 15
*fermé 1er août au 2 sept., sam. et dim.* – **Repas** 15 (déj.), 28/35 et carte 30 à 35 🍷.
◆ Ambiance bon enfant en ce petit restaurant de quartier fréquenté à midi par les professeurs de la fac de Jussieu située juste en face. Fresques originales datant de 1923.

X **Balzar,** 49 r. Écoles (5e) ☎ 01 43 54 13 67, *Fax 01 44 07 14 91* – ▤. AE GB K 14
**Repas** carte 25 à 55.
◆ Une "institution" à deux pas de la Sorbonne : cette brasserie est devenue, avec son immuable cadre 1930, la "cantine" des universitaires et intellectuels du Quartier latin.

X **Cafetière,** 21 r. Mazarine (6e) ☎ 01 46 33 76 90, *Fax 01 43 25 76 90* – ▤. GB J 13
*fermé août, 25 déc. au 2 janv., dim. et lundi* – **Repas** (20) - carte 33 à 50 🍷.
◆ Cadre de bistrot égayé d'une originale collection de vieilles cafetières émaillées. La salle située à l'étage est plus grande et plus calme. Cuisine à dominante italienne.

X **Ma Cuisine,** 26 bd St-Germain (5e) ☎ 01 40 51 08 27, *Fax 01 40 51 08 52* – GB K 15
*fermé 5 au 31 août* – **Repas** 30 🍷.
◆ L'enseigne revendique une cuisine traditionnelle "maison", mitonnée par le patron. Salle à manger fraîchement égayée de tons pastel et d'un mobilier bistrot.

X **Marmite et Cassolette,** 157 bd Montparnasse (6e) ☏ 01 43 26 26 53, *Fax 01 43 26 43 40* – GB M 13
*fermé sam. midi et dim.* – **Repas** *(15)* - 19 et carte 28 à 45.
◆ Restaurant familial situé entre l'Observatoire et le jardin du Luxembourg. Mobilier bistrot, lambris, tons ensoleillés et véranda. Cuisine traditionnelle et du Sud-Ouest.

X **Reminet,** 3 r. Grands Degrés (5e) ☏ 01 44 07 04 24 – GB K 15
*fermé 1er au 24 août, 15 au 29 fév., mardi et merc.* – **Repas** 13 (déj.)/17 (sauf week-end)et carte 30 à 37.
◆ À deux pas des quais et de Notre-Dame, salle de restaurant tout en longueur, dont le cadre bistrot s'égaye de jeux de lumière créés par lustres, bougies et miroirs.

X **Chez Marcel,** 7 r. Stanislas (6e) ☏ 01 45 48 29 94 – GB L12
*fermé août, sam. et dim.* – **Repas** *(13)* - carte 23 à 38 ♀.
◆ Une vraie adresse de quartier avec son décor patiné par le temps (banquettes, cuivres, vieux bibelots) et son esprit "bouchon". Généreuse cuisine aux accents lyonnais.

X **Ze Kitchen,** 4 r. Grands Augustins (6e) ☏ 01 44 32 00 32, *zekitchen.galerie@wanadoo.fr, Fax 01 44 32 00 33* – ▤. AE ⓓ GB JCB J 14
*fermé sam. midi et dim.* – **Repas** *(21)* - 32 et carte 33 à 43.
◆ Ze Kitchen est "Ze" adresse "tendance" des quais rive gauche : cadre épuré égayé d'oeuvres d'artistes contemporains, mobilier design et cuisine "mode" élaborée sous vos yeux.

X **Palanquin,** 12 r. Princesse (6e) ☏ 01 43 29 77 66, *info@lepalanquin.com* – ▤. GB K 13
*fermé 4 au 24 août, lundi midi et dim.* – **Repas** 12,50 (déj.)/26,90 et carte 23 à 40.
◆ Point de "palanquin", mais quelques notes orientales rappelant que dans ce cadre rustique aux pierres et poutres apparentes, on savoure une cuisine vietnamienne.

X **Table de Fès,** 5 r. Ste-Beuve (6e) ☏ 01 45 48 07 22 – ▤. GB L 12
*fermé 24 juil. au 27 août et dim.* – **Repas** (dîner seul.) carte 33 à 47.
◆ Derrière la discrète devanture, deux petites salles de restaurant au cadre soigné, agrémenté d'objets provenant du Maroc. Authentique cuisine du pays.

X **Petit Pontoise,** 9 r. Pontoise (5e) ☏ 01 43 29 25 20, *Fax 01 43 25 35 93* – ▤. AE GB K 15
*fermé dim. et lundi en juil.-août* – **Repas** carte 33 à 45 ♀.
◆ Sympathique bistrot de quartier voisin des quais de la Seine. Les clients fidèles apprécient le style "années 1950" du décor et l'ardoise de suggestions du jour.

X **Lhassa,** 13 r. Montagne Ste-Geneviève (5e) ☏ 01 43 26 22 19, *Fax 01 42 17 00 08* – GB K 15
*fermé lundi* – **Repas** *(11)* - 13 et carte 25 à 38 ♀.
◆ Comme son nom le laisse deviner, petit restaurant entièrement dédié au Tibet : tissus colorés, objets artisanaux, photos du dalaï-lama et plats typiques du pays.

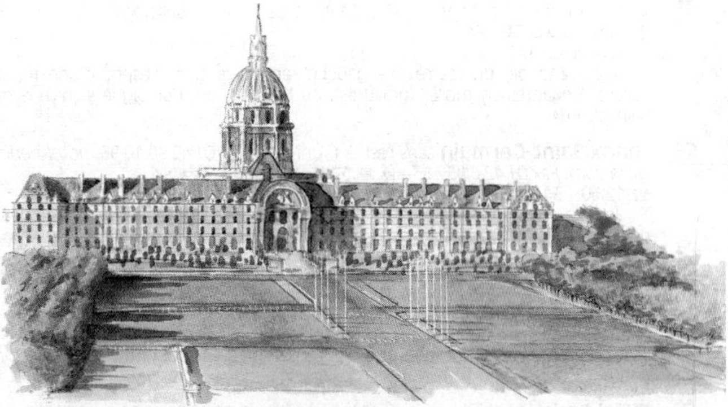

# *Faubourg St-Germain*
# *Invalides - École Militaire*

## *7e arrondissement*

*7e : ✉ 75007*

**Pont Royal** Ⓜ sans rest, 7 r. Montalembert ✆ 01 42 84 70 00, *hpr@hotel-pont-royal.com, Fax 01 42 84 71 00*, – 🏋 – 35. AE ⓓ GB JCB **J 12**
30 – **75 ch** 370/420.
◆ Tons audacieux et boiseries en acajou dans les chambres : on peut vouloir vivre la bohème germanopratine tout en appréciant le confort d'un "hôtel littéraire" raffiné !

**Duc de Saint-Simon** sans rest, 14 r. St-Simon ✆ 01 44 39 20 20, *duc.de.saint.simon@wanadoo.fr, Fax 01 45 48 68 25* – AE GB. **J 11**
15 – **29 ch** 235/270, 5 appart.
◆ Couleurs gaies, boiseries, objets et meubles anciens : l'atmosphère est celle d'une belle demeure d'autrefois. Accueil courtois et quiétude ajoutent à la qualité du lieu.

**Montalembert** Ⓜ, 3 r. Montalembert ✆ 01 45 49 68 68, *welcome@montalembert.com, Fax 01 45 49 69 49*, – – 20. AE ⓓ GB JCB **J 12**
**Repas** carte 45 à 50 – 20 – **48 ch** 360/450, 8 appart.
◆ Bois sombres, cuirs, verre, acier, coloris tabac, prune, lilas, etc. : les chambres réunissent tous les ingrédients de la contemporanéité. Restaurant-bar design et "zen".

**KK Hotel Cayré** Ⓜ sans rest, 4 bd Raspail ✆ 01 45 44 38 88, *reservations@kkhotels.fr, Fax 01 45 44 98 13* – . AE ⓓ GB JCB **J 12**
18 – **125 ch** 321/376.
◆ Belle façade haussmannienne, élégant intérieur contemporain fraîchement remanié, espace et bonne insonorisation sont les atouts de cet hôtel situé sur une avenue passante.

**Bourgogne et Montana** sans rest, 3 r. Bourgogne ✆ 01 45 51 20 22, *bmontana@bourgogne-montana.com, Fax 01 45 56 11 98* – . AE ⓓ GB JCB **H 11**
**28 ch** 150/245, 4 appart.
◆ Raffinement et esthétisme imprègnent chaque pièce de ce discret hôtel daté du 18e s. Les chambres du dernier étage ménagent une superbe perspective sur le Palais-Bourbon.

**Tourville** Ⓜ sans rest, 16 av. Tourville ✆ 01 47 05 62 62, *hotel@tourville.com, Fax 01 47 05 43 90* – . AE ⓓ GB JCB. **J 9**
12 – **30 ch** 145/240.
◆ Couleurs acidulées, heureux mélange de mobilier moderne et de style et tableaux dans des chambres raffinées. Salon décoré par l'atelier David Hicks. Service attentionné.

**Verneuil** sans rest, 8 r. Verneuil ☎ 01 42 60 82 14, *verneuil@noos.fr, Fax 01 42 61 40 38* – TV. AE GB. J 12
12 – **26 ch** 120/185.
♦ Vieil immeuble du "carré rive gauche" aménagé dans l'esprit d'une maison particulière. Élégantes chambres (gravures). Au no 5 bis, un mur tagué signale la maison de Gainsbourg.

**Lenox Saint-Germain** sans rest, 9 r. Université ☎ 01 42 96 10 95, *hotel@lenoxsaintgermain.com, Fax 01 42 61 52 83* – TV. AE GB JCB. J 12
12,50 – **34 ch** 120/200.
♦ Un luxe discret s'est glissé dans ces chambres, pas très grandes mais joliment aménagées. Fresques "égyptiennes" dans la salle des petits-déjeuners. Bar de style Art déco.

**d'Orsay** M sans rest, 93 r. Lille ☎ 01 47 05 85 54, *hotel.orsay@wanadoo.fr, Fax 01 45 55 51 16* – TV. AE GB JCB. H 11
9 – **41 ch** 112/155.
♦ L'hôtel occupe deux beaux immeubles de la fin du 18e s. récemment rénovés. Jolies chambres personnalisées et chaleureux salon avec vue sur un charmant et verdoyant patio.

**Eiffel Park Hôtel** M sans rest, 17 bis r. Amélie ☎ 01 45 55 10 01, *reservation@eiffelpark.com, Fax 01 47 05 28 68* – TV. AE GB. J 9
10 – **36 ch** 155/185.
♦ Les meubles peints "à l'ancienne" et les objets chinois et indiens vous plongeront dans une atmosphère exotique. Terrasse au dernier étage, très agréable l'été.

**Les Jardins d'Eiffel** M sans rest, 8 r. Amélie ☎ 01 47 05 46 21, *paris@hoteljardinseiffel.com, Fax 01 45 55 28 08* – TV. AE GB JCB. H 9
15 – **80 ch** 129/154.
♦ Dans une rue calme, adresse où l'on choisira plutôt les chambres de l'extension récente, gaiement colorées et parfois dotées de balcons ou de terrasses. Jardinet intérieur.

**Relais Bosquet** M sans rest, 19 r. Champ-de-Mars ☎ 01 47 05 25 45, *hotel@relaisbosquet.com, Fax 01 45 55 08 24* – TV. AE GB JCB J 9
10,50 – **40 ch** 125/160.
♦ Cet hôtel discret dissimule un intérieur joliment meublé dans le style Directoire. Chambres rénovées, toutes décorées avec le même souci du détail, et délicates attentions.

**Timhôtel Invalides** M sans rest, 35 bd La Tour Maubourg ☎ 01 45 56 10 78, *invalides@timhotel.fr, Fax 01 47 05 65 08* – TV. AE GB JCB H 10
10 – **30 ch** 185/265.
♦ Dominante de rouge brique et de blanc, meubles de style Louis XVI et reproductions de tableaux impressionnistes caractérisent les chambres de cet immeuble du 19e s.

**Muguet** M sans rest, 11 r. Chevert ☎ 01 47 05 05 93, *muguet@wanadoo.fr, Fax 01 45 50 25 37* – TV. AE GB. J 9
7,20 – **48 ch** 85/103.
♦ Adresse nichée dans une rue tranquille. Teintes pastel et mobilier de style rustique. Chambres mansardées au dernier étage ; trois ont vue sur la tour Eiffel ou les Invalides.

**Splendid** M sans rest, 29 av. Tourville ☎ 01 45 51 29 29, *splendid@club-internet.fr, Fax 01 44 18 94 60* – TV. AE GB J 9
9 – **48 ch** 125/219.
♦ Immeuble haussmannien abritant d'élégantes chambres garnies d'un sobre mobilier contemporain. Aux derniers étages, certaines ont vue sur la tour Eiffel.

**Londres Eiffel** sans rest, 1 r. Augereau ☎ 01 45 51 63 02, *info@londres-eiffel.com, Fax 01 47 05 28 96* – TV. AE GB JCB. J 8
7 – **30 ch** 93/115.
♦ Près des allées du Champ-de-Mars, hôtel aux couleurs ensoleillées et à l'ambiance "cosy". Le second bâtiment, accessible par une courette, dispose de chambres plus calmes.

**Cadran** M sans rest, 10 r. Champ-de-Mars ☎ 01 40 62 67 00, *info@cadranhotel.com, Fax 01 40 62 67 13* – TV. AE GB. J 9
10 – **42 ch** 152/165.
♦ À deux pas du marché animé de la rue Clerc. Chambres modernes rehaussées de quelques touches d'inspiration Louis XVI. Salon en cuir agrémenté d'une cheminée du 17e s.

**St-Germain** sans rest, 88 r. Bac ☎ 01 49 54 70 00, *info@hotel-saint-germain.fr, Fax 01 45 48 26 89* – TV. AE GB. J 11
12 – **29 ch** 170/190.
♦ Empire, Louis-Philippe, design, objets anciens, peintures contemporaines : le charme de la diversité. Confortable bibliothèque, patio agréable en été.

**Derby Eiffel Hôtel** sans rest, 5 av. Duquesne ✆ 01 47 05 12 05, *info@derbyeiffelhotel.com, Fax 01 47 05 43 43* – AE GB. J 9
12 – **43 ch** 160/196.
◆ L'enseigne et le décor soigné évoquent le cheval : le matin vous verrez, côté place, les cavaliers s'entraîner dans la somptueuse cour d'honneur de l'École militaire.

**France** sans rest, 102 bd La Tour Maubourg ✆ 01 47 05 40 49, *hoteldefrance@wanadoo.fr, Fax 01 45 56 96 78* – AE GB JCB. J 9
7 – **60 ch** 69/85.
◆ Établissement composé de deux bâtiments abritant des chambres bien tenues et progressivement revues. Côté rue, elles donnent sur l'Hôtel des Invalides.

**Champ-de-Mars** sans rest, 7 r. Champ-de-Mars ✆ 01 45 51 52 30, *stg@club-internet.fr, Fax 01 45 51 64 36* – GB. J 9
6,50 – **25 ch** 68/78.
◆ Entre Champ-de-Mars et Invalides, petite adresse à l'atmosphère anglaise : façade vert sapin, chambres "cosy", décoration soignée style "Liberty". Un véritable "cocoon" !

**Bersoly's** sans rest, 28 r. Lille ✆ 01 42 60 73 79, *bersolys@wanadoo.fr, Fax 01 49 27 05 55* – AE GB J 13
*fermé août* – 10 – **16 ch** 97/125.
◆ Nuits impressionnistes dans un immeuble du 17e s. : chaque chambre rend hommage à un peintre dont les oeuvres sont exposées au musée d'Orsay voisin (Renoir, Gauguin...).

**L'Empereur** sans rest, 2 r. Chevert ✆ 01 45 55 88 02, *contact@hotelempereur.com, Fax 01 45 51 88 54,* ≤ – AE GB JCB J 9
8 – **38 ch** 80/100.
◆ Oublié, Waterloo ! La postérité a choisi : face au Dôme des Invalides qui abrite le tombeau de Napoléon, chambres rénovées dans le style Empire.

**Lévêque** sans rest, 29 r. Clerc ✆ 01 47 05 49 15, *info@hotel-leveque.com, Fax 01 45 50 49 36* – AE GB. J 9
7 – **50 ch** 53/91.
◆ Dans une pittoresque rue piétonne, petite adresse aux chambres pratiques et claires, idéale pour découvrir le Paris traditionnel. Salle des petits-déjeuners de style bistrot.

XXXX ✿✿✿ **Arpège** (Passard), 84 r. Varenne ✆ 01 45 51 47 33, *arpege.passard@wanadoo.fr, Fax 01 44 18 98 39* – AE GB JCB J 10
*fermé sam. et dim.* – **Repas** 300 et carte 150 à 200.
◆ Élégance contemporaine : bois précieux et décor de verre signé Lalique, assortie à l'éblouisante cuisine "légumière" d'un chef poète du terroir. Le triomphe du potager !
**Spéc.** "Collection légumière". Dragée de pigeonneau à l'hydromel. Tomate confite farcie aux douze saveurs (dessert).

XXXX ✿✿ **Le Divellec,** 107 r. Université ✆ 01 45 51 91 96, *ledivellec@noos.fr, Fax 01 45 51 31 75* – AE GB JCB. H 10
*fermé 20 juil. au 20 août, sam. et dim.* – **Repas** 50 (déj.)/65 et carte 90 à 160.
◆ Cadre nautique chic : décor d'ondes sur verre dépoli, vivier à homards, tonalité bleu-blanc. Belle cuisine de la mer à base de produits venus directement de l'Atlantique.
**Spéc.** Huîtres spéciales à la laitue de mer. Homard breton à la presse avec son corail. Turbot braisé aux truffes.

XXX ✿ **Jules Verne,** 2e étage Tour Eiffel, ascenseur privé pilier sud ✆ 01 45 55 61 44, *Fax 01 47 05 29 41,* ≤ Paris – AE GB JCB. J 7
**Repas** 51 (déj.)/114 et carte 100 à 130.
◆ Le décor de Slavik s'efface humblement devant le spectacle de la Ville lumière. Pour que le voyage soit vraiment extraordinaire, réservez une table près des baies.
**Spéc.** Deux tartares, l'un de langoustines, l'autre de filet de boeuf, caviar de Gironde. Saint-Jacques meunière, pomme de terre farcie, bouillon au foie gras. Crêpes tièdes au Grand Marnier.

XXX ✿ **Violon d'Ingres** (Constant), 135 r. St-Dominique ✆ 01 45 55 15 05, *violondingres@wanadoo.fr, Fax 01 45 55 48 42* – AE GB JCB J 8
*fermé 3 au 24 août, 21 au 28 déc, sam. midi, lundi midi et dim.* – **Repas** 39 (déj.)/110 (dîner) et carte 76 à 95 ♀.
◆ Des boiseries réchauffent l'atmosphère de cette salle devenue le rendez-vous élégant de gourmets attirés par la cuisine très personnelle du virtuose qui officie au "piano".
**Spéc.** Suprême de bar croustillant aux amandes. Tatin de pied de porc caramélisée. Pommes soufflées, mousseline légère à la réglisse.

XXX ✿ **Cantine des Gourmets,** 113 av. La Bourdonnais ✆ 01 47 05 47 96, *la.cantine@le-bourdonnais.com, Fax 01 45 51 09 29* – ▤. AE GB JCB **J 9**
**Repas** 42 (déj.), 64/80 et carte 80 à 110.
◆ Tons paille, fleurs blanches et jeux de miroirs : décor cossu et ambiance feutrée dans deux agréables salles à manger. Accueil charmant. Cuisine au goût du jour.
**Spéc.** Crumble de foie gras poêlé au cumin. Turbot, jus de crustacés au cumin, rattes au beurre demi-sel. Grenadin de veau de lait au genièvre pilé (printemps).

XXX ✿ **Pétrossian,** 144 r. Université ✆ 01 44 11 32 32, *Fax 01 44 11 32 35* – AE ⓓ GB JCB **H 10**
*fermé 12 août au 3 sept., dim. et lundi* – **Repas** 38 (déj.), 49/150 et carte 70 à 115 ♀.
◆ Les Pétrossian régalent les Parisiens du caviar de la Caspienne depuis 1920. À l'étage de la boutique, l'élégant restaurant et sa cuisine inventive ont acquis leur propre identité.
**Spéc.** Les "Coupes du Tsar". Thon poêlé et vinaigrette de banane. Kyscielli (dessert).

XXX **Maison des Polytechniciens,** 12 r. Poitiers ✆ 01 49 54 74 54, *info@maison-des-x.com, Fax 01 49 54 74 84* – AE ⓓ GB JCB **H 12**
*fermé 26 juil. au 27 août, 20 déc. au 4 janv., sam., dim. et fériés* – **Repas** 34/60 et carte 45 à 68.
◆ Même si les "corpsards" l'apprécient, nul besoin de sortir de la botte pour fréquenter la salle à manger du bel hôtel de Poulpry (1703), à deux pas du musée d'Orsay.

XXX **Petit Laurent,** 38 r. Varenne ✆ 01 45 48 79 64, *Fax 01 45 44 15 95* – AE ⓓ GB **J 11**
*fermé août, lundi midi, sam. midi et dim.* – **Repas** 29/43 et carte 40 à 65 ♀.
◆ Ce restaurant feutré et discret est situé dans une rue bordée de magnifiques hôtels particuliers abritant ministères et ambassades. Cuisine au goût du jour.

XX ✿ **Bellecour** (Goutagny), 22 r. Surcouf ✆ 01 45 51 46 93, *Fax 01 45 50 30 11* – ▤. AE ⓓ GB **H 9**
*fermé août, sam. midi et dim.* – **Repas** 40.
◆ On se croirait presque place Bellecour avec les "lyonnaiseries" revisitées d'une carte par ailleurs très au goût du jour. Décor sobre mais élégant ; tables un peu serrées.
**Spéc.** Lièvre à la cuillère (15 oct. au 15 janv.). Lasagne champêtre de gibier (15 oct. au 15 janv.). Quenelle de brochet au coulis de langoustines.

XX ✿ **Récamier,** 4 r. Récamier ✆ 01 45 48 86 58, *le.recamier@wanadoo.fr, Fax 01 42 22 84 76*, 🏠 – ▤. AE ⓓ GB JCB **K 12**
*fermé dim.* – **Repas** carte 60 à 80.
◆ Adresse "littéraire" où se retrouvent auteurs et éditeurs. La terrasse, au calme d'une impasse sans voitures, est très agréable. Cuisine classique à l'accent bourguignon.
**Spéc.** Oeufs en meurette. Canard sauvage aux deux cuissons (nov. à fév.). Chateaubriand et pommes darphin.

XX **Maison de l'Amérique Latine,** 217 bd St-Germain ✆ 01 49 54 75 10, *commercial@mal217.org, Fax 01 40 49 03 94*, 🏠, 🌳 – AE GB. ✂ **J 11**
*fermé août, 20 déc. au 1er janv., sam., dim. et le soir d'oct. à avril* – **Repas** 37 (déj.)et carte 49 à 58.
◆ Cet hôtel particulier du 18e s. est réputé pour son idyllique terrasse ouverte sur un beau jardin. Cuisine au goût du jour et petit choix de vins sud-américains.

XX ✿ **Chamarré,** 13 bd La-Tour-Maubourg ✆ 01 47 05 50 18, *Fax 01 47 05 91 21* – ▤. AE GB JCB **H 10**
*fermé août, sam. midi et dim.* – **Repas** 30 (déj.), 45/80 et carte 49 à 72.
◆ Tout nouveau décor contemporain chic et décontracté et, aux fourneaux, un chef qui associe avec brio saveurs françaises et mauriciennes (le patron est originaire de l'île).
**Spéc.** Marbré de magret et foie gras. Pigeon rôti aux branches de quatre épices. Savarin punché, glace au riz au lait basmati.

XX **Beato,** 8 r. Malar ✆ 01 47 05 94 27, *beato.rest@wanadoo.fr, Fax 01 45 55 64 41* – ▤. AE GB JCB **H 9**
*fermé 20 juil. au 17 août, 24 déc. au 4 janv., sam. midi et dim.* – **Repas** 23 (déj.)et carte 32 à 60 ♀.
◆ Fresques, colonnes pompéiennes et sièges néo-classiques : décor italien version bourgeoise pour un restaurant chic. Plats de Milan, de Rome et d'ailleurs.

XX **Tante Marguerite,** 5 r. Bourgogne ✆ 01 45 51 79 42, *tante.marguerite@wanadoo.fr, Fax 01 47 53 79 56* – ▤. AE ⓓ GB. ✂ **H 11**
*fermé août, sam. et dim.* – **Repas** 32 (déj.), 37/58 et carte 45 à 60 ♀.
◆ Du même cru que le Tante Louise du 8e arrondissement, la deuxième "antenne" parisienne de Bernard Loiseau : cadre feutré, plats bourgeois et beaucoup de succès.

XX **Ferme St-Simon,** 6 r. St-Simon ✆ 01 45 48 35 74, *fermestsimon@wanadoo.fr, Fax 01 40 49 07 31* – ▤. AE ⓓ GB **J 11**
*fermé 3 au 18 août, sam. midi et dim.* – **Repas** 28 (déj.)/31 et carte 40 à 57.
◆ Poutres, boiseries et miroirs forment le cadre de caractère de ce restaurant décoré de "têtes composées" d'Arcimboldo. Ambiance gaie. Cuisine au goût du jour.

XX **Thiou,** 49 quai d'Orsay ✆ 01 40 62 96 50 – ▤. AE GB **H 9**
*fermé août, sam. midi et dim.* – **Repas** carte 55 à 70.
◆ Thiou est le surnom de la médiatique cuisinière de ce restaurant fréquenté par des célébrités. Recettes thaïlandaises servies dans une confortable salle sagement exotique.

XX **Vin sur Vin,** 20 r. Monttessuy ☎ 01 47 05 14 20 – ▤. GB — H 8
*fermé 1er au 26 août, 21 déc. au 6 janv., sam. midi, dim. et lundi* – **Repas** carte 45 à 67.
◆ Lorsque le patron parle de ses "crus" comme d'une femme aimée, allez, on lui donnerait presque vingt sur vingt ! Ambiance intime, service amical et complice.

XX **Bamboche,** 15 r. Babylone ☎ 01 45 49 14 40, *ccolliot@club-internet.fr, Fax 01 45 49 14 44* – ▤. GB — K 11
*fermé sam. et dim.* – **Repas** 32 (déj.)/57 et carte 55 à 72 ♀.
◆ Plaisante adresse gourmande à deux pas du Bon Marché. Le sobre décor contemporain des salles à manger contraste avec la créativité d'une cuisine savoureuse. Service attentif.

XX **Les Glénan,** 54 r. Bourgogne ☎ 01 45 51 61 09, *les-glenan@voila.fr, Fax 01 45 51 27 34* – ▤. GB JCB — J 10
*fermé août, 23 au 28 déc., sam. et dim.* – **Repas** *(24)* - 30/75 et carte 46 à 65 ♀.
◆ L'enseigne rend hommage à l'archipel breton et à sa fameuse école de voile. Produits de la mer et décor tout en bleu pour jolis coups de fourchettes "marins".

XX **Gaya Rive Gauche,** 44 r. Bac ☎ 01 45 44 73 73, *Fax 01 45 44 73 73* – AE GB — J 12
*fermé 26 juil. au 26 août, dim. et lundi* – **Repas** *(31)* - carte 54 à 72 ♀.
◆ Une clientèle très "rive gauche" fréquente ce restaurant de frais produits de la mer. Décoration marine de bon ton et sur la table, vaisselle signée Jean Cocteau.

XX **New Jawad,** 12 av. Rapp ☎ 01 47 05 91 37, *Fax 01 45 50 31 27* – ▤. AE ⓞ GB — H 8
Repas 16/23 et carte 36 à 46 ♁.
◆ Ces murs, jadis "étoilés", offrent toujours un cadre cossu et un service attentif. La cuisine, elle, a changé de continent : direction l'Inde et le Pakistan.

XX **L'Esplanade,** 52 r. Fabert ☎ 01 47 05 38 80, *Fax 01 47 05 23 75* – AE GB — J 9
Repas carte 36 à 55 ♀.
◆ Belle situation face aux Invalides pour l'une des adresses des frères Costes. Chaudes tonalités et décor de boulets et canons inspiré par l'illustre voisinage.

XX **D'Chez Eux,** 2 av. Lowendal ☎ 01 47 05 52 55, *Fax 01 45 55 60 74* – ▤. AE ⓞ GB — J 9
*fermé 1er au 27 août et dim.* – **Repas** *(30)* - 35 (déj.) et carte 40 à 58 ♀.
◆ Les fidèles adorent ces copieuses assiettes inspirées de l'Auvergne ou du Sud-Ouest, et l'ambiance "auberge provinciale", avec nappes à carreaux et serveurs en blouse !

XX **Tan Dinh,** 60 r. Verneuil ☎ 01 45 44 04 84, *Fax 01 45 44 36 93* — J 12
*fermé 1er août au 1er sept. et dim.* – **Repas** carte 38 à 47.
◆ Rencontre surprenante à deux pas du musée d'Orsay : une cuisine vietnamienne au goût du jour alliée à une riche carte de vins français. Hommage à Marguerite Duras ?

XX **Chez Françoise,** Aérogare des Invalides ☎ 01 47 05 49 03, *info@chezfrancoise.com, Fax 01 45 51 96 20,* ☂ – AE ⓞ GB JCB — H 10
Repas 19/28,50 et carte 27 à 55 ♀, enf. 10,50.
◆ Nouveau "look", respectueux du décor d'origine, pour ce restaurant fondé en 1949 et qui est devenu, au fil des législatures, la "cantine" des parlementaires du Palais-Bourbon.

X **Cigale,** 11 bis r. Chomel ☎ 01 45 48 87 87, *Fax 01 45 48 87 87* – GB — K 12
*fermé sam. midi et dim.* – **Repas** carte 35 à 45.
◆ Petit bistrot de quartier réputé pour son choix impressionnant de soufflés salés et sucrés. Les autres plats s'élaborent en fonction du marché. Accueil et ambiance chaleureux.

X **Les Olivades,** 41 av. Ségur ☎ 01 47 83 70 09, *Fax 01 42 73 04 75* – ▤. AE GB JCB — K 9
*fermé 4 au 27 août, sam. midi, lundi midi et dim.* – **Repas** *(27)* - 32/50 et carte 46 à 63.
◆ Un lieu qui fleure bon l'huile d'olive, avec son appétissante cuisine d'inspiration méridionale. La salle à manger, fraîche, est ensoleillée de motifs provençaux.

X **Bistrot de Paris,** 33 r. Lille ☎ 01 42 61 15 83, *Fax 01 49 27 06 09* – AE GB — J 12
*fermé 15 juil. au 15 août, 24 déc. au 1er janv., sam. midi, lundi soir et dim.* – **Repas** carte 30 à 50 ♀.
◆ Cet ancien "bouillon" eut André Gide pour pensionnaire. Le décor 1900 revu par Slavik scintille de cuivres et miroirs. Tables serrées, cuisine "bistrotière".

X **Nabuchodonosor,** 6 av. Bosquet ☎ 01 45 56 97 26, *Fax 01 45 56 98 44* – ▤. AE GB — H 9
*fermé 3 au 24 août, sam. midi, dim. et fériés* – **Repas** *(18,80)* - carte 31 à 47 ♀, enf. 6,90.
◆ L'enseigne célèbre la plus grosse bouteille de champagne existante. Murs terre de Sienne, panneaux de chêne et nabuchodonosors à titre de décor. Cuisine du marché.

X **P'tit Troquet,** 28 r. Exposition ☎ 01 47 05 80 39, *Fax 01 47 05 80 39* – GB. ⚒ — J 9
*fermé 1er au 23 août, sam. midi, lundi midi et dim.* – **Repas** (nombre de couverts limité, prévenir) 27 ♀.
◆ Pour sûr, il est p'tit, ce bistrot ! Mais que d'atouts il renferme : cadre coquet agrémenté de vieilles "réclames", ambiance sympathique, goûteuse cuisine du marché.

**Vin et Marée,** 71 av. Suffren ✆ 01 47 83 27 12, *vin.maree@wanadoo.fr, Fax 01 43 06 62 35* – AE GB **K 8**
**Repas** carte 31 à 45.
♦ Cadre moderne d'inspiration brasserie (banquettes, miroirs et cuivres) aux couleurs marines. La carte, présentée sur ardoise, propose uniquement des produits de la mer.

**Café de l'Alma,** 5 av. Rapp ✆ 01 45 51 56 74, *cafedelalma@wanadoo.fr, Fax 01 45 51 10 08,* – AE GB **H 8**
**Repas** carte 36 à 67.
♦ Salle à manger chic et résolument contemporaine signée François Champsaur, la nouvelle coqueluche de la décoration intérieure. Recettes au goût du jour et bourgeoises.

**Thoumieux** avec ch, 79 r. St-Dominique ✆ 01 47 05 49 75, *bthoumieux@aol.com, Fax 01 47 05 36 96* – rest, TV. AE GB **H 9**
**Repas** 35 bc et carte 35 à 51, enf. 10 – 8 – **10 ch** 115/125.
♦ Authentique brasserie parisienne : vaste salle à manger aux tables alignées, avec banquettes rouges et miroirs. Côté cuisine, les préparations "en pincent" pour le Sud-Ouest.

**Clos des Gourmets,** 16 av. Rapp ✆ 01 45 51 75 61, *Fax 01 47 05 74 20* – GB **H 8**
*fermé 10 au 25 août, dim. et lundi* – **Repas** (23) - 27 (déj.)/30.
♦ Nombre d'habitués apprécient cette adresse discrète, redécorée dans des tons chaleureux. La carte, appétissante, varie en fonction du marché.

**Maupertu,** 94 bd La Tour Maubourg ✆ 01 45 51 37 96, *Fax 01 53 59 94 83* – GB. **J 10**
*fermé sam. midi et dim.* – **Repas** (21) - 27 ♀.
♦ Ce restaurant vous installera face aux Invalides, dans une salle-véranda aux murs ensoleillés ou à l'une des tables disposées sur le trottoir. Cuisine d'inspiration provençale.

**Fontaine de Mars,** 129 r. St-Dominique ✆ 01 47 05 46 44, *Fax 01 47 05 11 13,* – AE GB **J 9**
**Repas** carte 30 à 66.
♦ L'enseigne de ce plaisant bistrot des années 1930 évoque la jolie fontaine voisine dédiée au dieu guerrier. Terrasse sous les arcades ; cuisine traditionnelle et du Sud-Ouest.

**Chez Collinot,** 1 r. P. Leroux ✆ 01 45 67 66 42 – GB **K 11**
*fermé août, sam. et dim.* – **Repas** (19) - 23/30 et carte 23 à 36.
♦ Accueil tout sourire et atmosphère conviviale en cette petite adresse à allure de bistrot, où vous attend une cuisine de ménage "bien de chez nous".

**Au Bon Accueil,** 14 r. Monttessuy ✆ 01 47 05 46 11 – . GB **H 8**
*fermé 10 au 25 août, sam. et dim.* – **Repas** 25 (déj.)/29 (dîner)et carte 45 à 62 ♀.
♦ À l'ombre de la tour Eiffel, salle à manger de style bistrot et petit salon attenant où l'on sert une appétissante cuisine au goût du jour, sensible au rythme des saisons.

**Florimond,** 19 av. La Motte-Picquet ✆ 01 45 55 40 38, *Fax 01 45 55 40 38* – GB **J 9**
*fermé 1er au 24 août, 24 déc. au 4 janv., sam. midi et dim.* – **Repas** 18,50 (déj.)/30 et carte 34 à 43.
♦ Baptisée du nom du jardinier de Monet à Giverny, une adresse placée sous le signe de la simplicité et du naturel. Poutres, zinc et cuisine du marché en font foi.

**Perron,** 6 r. Perronet ✆ 01 45 44 71 51, *Fax 01 45 44 71 51* – AE GB **J 12**
*fermé 4 au 24 août et dim.* – **Repas** carte 30 à 50.
♦ Discrète trattoria au coeur de Saint-Germain-des-Prés. Cadre rustique avec pierres et poutres apparentes. Cuisine italienne à dominante sarde et vénitienne.

**Miyako,** 121 r. Université ✆ 01 47 05 41 83, *Fax 01 45 55 13 18* – . AE GB **H 9**
*fermé 1er au 25 août, sam.midi et dim.* – **Repas** (10) - 15,80 bc/28 bc et carte 20 à 41.
♦ Dans le quartier du Gros-Caillou, un petit voyage culinaire au pays du Soleil Levant, avec des brochettes au charbon de bois et les inévitables - et très prisés - sushis.

**Calèche,** 8 r. Lille ✆ 01 42 60 24 76, *lacaleche@yahoo.fr, Fax 01 47 03 31 10* – . AE GB JCB **J 12**
*fermé 5 au 28 août, 26 déc. au 1er janv., sam et dim.* – **Repas** 15/28 et carte 28 à 42.
♦ Proche du musée d'Orsay, maison du 18e s. à l'atmosphère agréablement surannée, que fréquentent éditeurs et antiquaires du quartier, adeptes de sa cuisine de grand-mère.

**Léo Le Lion,** 23 r. Duvivier ✆ 01 45 51 41 77 – GB **J 9**
*fermé août, 25 déc. au 1er janv., dim. et lundi* – **Repas** carte 31 à 47.
♦ Bistrot des années 1930 avec ses gravures anciennes et son gril à feu de bois. Sur l'ardoise, découvrez les appétissantes suggestions du moment et... rugissez de plaisir !

**Apollon,** 24 r. J. Nicot ✆ 01 45 55 68 47, *Fax 01 47 05 13 60* **H 9**
*fermé 20 déc. au 10 janv et dim.* – **Repas** (14 bc) - 25 et carte 30 à 40 ♀.
♦ L'enseigne ne vous convainc pas de l'hellénisme de ce restaurant ? Voyez la salle à manger, sobrement décorée dans les tons bleus, et goûtez donc à sa cuisine si typique !

# *Champs-Élysées*
# *St-Lazare - Madeleine*

## *8e arrondissement*

*8e : ✉ 75008*

**Plaza Athénée,** 25 av. Montaigne ✆ 01 53 67 66 65, *reservation@plaza-athenee-paris.com, Fax 01 53 67 66 66,* , – |‡|  – 20 à 60. AE GB JCB G 9
voir rest. ***Plaza Athénée*** ci-après ***La Cour Jardin*** (terrasse) ✆ 01 53 67 66 02 *(mi-mai-mi-sept.)* **Repas** carte 67 à 86 ♀ – 33 – **143 ch** 520/980, 45 appart.
◆ Styles classique ou Art déco dans les chambres luxueusement rénovées, thés "musicaux" à la galerie des Gobelins, étonnant bar design : le palace parisien par excellence !

**Four Seasons George V,** 31 av. George V ✆ 01 49 52 70 00, *paris@fourseasons.com, Fax 01 49 52 70 10,* – |‡|  – 30 à 240. AE GB JCB F 8
voir rest. ***Le Cinq*** ci-après – ***Galerie d'Été*** ✆ 01 49 52 70 06 **Repas** carte 60 à 100♀ – 36 – **184 ch** 640/900, 61 appart.
◆ Entièrement refait dans le style du 18e s., le "V" dispose de chambres luxueuses et immenses (pour Paris s'entend), de belles collections d'oeuvres d'art et d'un spa superbe.

**Bristol,** 112 r. Fg St-Honoré ✆ 01 53 43 43 00, *resa@hotel-bristol.com, Fax 01 53 43 43 01,* – |‡|, ch,  – 30 à 100. AE GB JCB. F 10
voir rest. ***Bristol*** ci-après – 46 – **147 ch** 620/730, 28 appart.
◆ Palace de 1925 agencé autour d'un magnifique jardin. Luxueuses chambres, principalement de style Louis XV ou Louis XVI, et exceptionnelle piscine "bateau" au dernier étage.

**Crillon,** 10 pl. Concorde ✆ 01 44 71 15 00, *crillon@crillon.com, Fax 01 44 71 15 02,* – |‡|  – 30 à 60. AE GB JCB G 11
voir rest. ***Les Ambassadeurs*** et ***L'Obélisque*** ci-après – 45 – **104 ch** 575/755, 43 appart.
◆ Les salons de cet hôtel particulier du 18e s. ont conservé leur fastueuse ornementation. Les chambres, habillées de boiseries, sont magnifiques. Le palace à la française !

**Prince de Galles,** 33 av. George-V ☎ 01 53 23 77 77, *hotel_prince_de_galles@sheraton com, Fax 01 53 23 78 78,* ☂ – |♦| ⊁ ▤ TV ☏ – 🏛 25 à 100. AE ⓓ GB JCB. ✂ rest G 8
***Jardin des Cygnes*** ☎ 01 53 23 78 50 **Repas** 46(déj.), 49/68 ♀ – ☕ 33 – **138 ch** 410/770, 30 appart.
♦ C'est à l'intérieur que ce luxueux hôtel de l'entre-deux-guerres dévoile son style Art déco, à l'image du patio en mosaïque. Chambres décorées avec un goût sûr.

**Royal Monceau,** 37 av. Hoche ☎ 01 42 99 88 00, *royalmonceau@jetmultimedia.fr Fax 01 42 99 89 90,* 🏋, ⛆ – |♦| ⊁ ▤ TV ☏ – 🏛 25 à 100. AE ⓓ GB JCB. ✂ E 8
voir rest. ***Le Jardin*** et ***Carpaccio*** ci-après – ☕ 40 – **203 ch** 430/476, 47 appart.
♦ Marbre, cristal, escalier monumental... Le spacieux hall-salon est le joyau de ce palace des années 1920. Chambres raffinées. Centre de remise en forme complet. Squash.

**Lancaster,** 7 r. Berri ☎ 01 40 76 40 76, *reservations@hotel-lancaster.fr, Fax 01 40 76 40 00,* ☂, 🏋 – |♦| ⊁ ▤ TV ☏. AE ⓓ GB. ✂ F 9
**Repas** (résidents seul.) carte 50 à 75 – ☕ 28 – **49 ch** 410/565, 11 appart.
♦ B. Pastoukhoff payait ses séjours en peignant des tableaux, contribuant à enrichir l'élégant décor de cet ancien hôtel particulier qu'appréciait aussi Marlène Dietrich.

**Vernet,** 25 r. Vernet ☎ 01 44 31 98 00, *hotelvernet@jetmultimedia.fr, Fax 01 44 31 85 69* – |♦| ▤ TV ☏. AE ⓓ GB JCB. ✂ rest F 8
voir rest. ***Les Élysées*** ci-après – ☕ 32 – **42 ch** 400/535, 9 appart.
♦ Belle façade en pierres de taille, agrémentée de balcons en fer forgé, d'un immeuble des années folles. Chambres de style Empire ou Louis XVI. Grill-bar "branché".

**Sofitel Astor** Ⓜ, 11 r. d'Astorg ☎ 01 53 05 05 05, *hotelastor@aol.com, Fax 01 53 05 05 30,* 🏋 – |♦| ⊁, ▤ ch, TV ☏ ♿. AE ⓓ GB JCB. ✂ rest F 11
***L'Astor*** ☎ 01 53 05 05 20 *(fermé 4 août au 1er sept., sam. et dim.)* **Repas** 50(déj.)/130 ♀ – ☕ 25 – **129 ch** 470/720, 5 appart.
♦ Styles Regency et Art déco revisités : un mariage pour le meilleur seulement qui a donné naissance à un hôtel "cosy" apprécié d'une clientèle sélecte. Élégante salle à manger.

**San Régis,** 12 r. J. Goujon ☎ 01 44 95 16 16, *message@hotel-sanregis.fr Fax 01 45 61 05 48* – |♦| ▤ TV ☏. AE ⓓ GB JCB. ✂ G 9
**Repas** *(fermé août)* carte 43 à 66 ♀ – ☕ 20 – **33 ch** 300/540, 11 appart.
♦ Bel hôtel particulier de 1857 fraîchement remanié : jolies chambres garnies de meubles chinés ici et là ; petit salon-bibliothèque aménagé en salle à manger feutrée.

**Le Faubourg Sofitel Demeure Hotels** Ⓜ, 15 r. Boissy d'Anglas ☎ 01 44 94 14 14, *h 295@accor-hotels.com, Fax 01 44 94 14 28,* 🏋 – |♦| ⊁ ▤ TV ☏ ♿ 🚗. AE ⓓ GB JCB ✂ G 11
***Café Faubourg*** ☎ 01 44 94 14 24 **Repas** carte 45 à 60 ♀ – ☕ 27 – **174 ch** 525/1213.
♦ Ce Sofitel du "faubourg" occupe deux demeures des 18e et 19e s. Chambres équipées "high-tech", élégant restaurant, bar dans l'esprit des années 1930 et salon sous verrière.

**Sofitel Arc de Triomphe,** 14 r. Beaujon ☎ 01 53 89 50 50, *h1296@accor-hotels.com Fax 01 53 89 50 51* – |♦| ⊁ ▤ TV ☏ ♿ – 🏛 40. AE ⓓ GB JCB F 8
voir rest. ***Clovis*** ci-après – ☕ 27 – **134 ch** 570/960.
♦ L'hôtel a fait peau neuve. L'immeuble est haussmannien, la décoration s'inspire du 18e s et les aménagements sont du 21e s. (réservez l'étonnant "concept room").

**Hyatt Regency** Ⓜ, 24 bd Malhesherbes ☎ 01 55 27 12 34, *madeleine@paris.hyatt.com Fax 01 55 27 12 35,* 🏋 – |♦| ⊁ ▤ TV ☏ ♿ – 🏛 20. AE ⓓ GB JCB. ✂ rest F 11
***Café M :*** **Repas** carte 44 à 48 ♀ – ☕ 25 – **81 ch** 555, 5 appart.
♦ Près de la Madeleine, façade discrète dissimulant un intérieur résolument contemporain, à la fois sobre et chaleureux. Le chic Café M a séduit la clientèle du quartier.

**de Vigny,** 9 r. Balzac ☎ 01 42 99 80 80, *de-vigny@wanadoo.fr, Fax 01 42 99 80 40* – |♦| ⊁ ▤ ch, TV ☏ 🚗. AE ⓓ GB JCB F 8
**Repas** 55 – ☕ 28 – **26 ch** 415/495, 11 appart.
♦ Cet hôtel discret et raffiné, situé près des Champs-Élysées, propose des chambres "cosy" personnalisées. Bureau ancien en guise de réception : on a ici le souci du détail.

**Concorde St-Lazare,** 108 r. St-Lazare ☎ 01 40 08 44 44, *stlazare@concordestlazare-paris.com, Fax 01 42 93 01 20* – |♦| ⊁ ▤ TV ☏ – 🏛 250. AE ⓓ GB JCB E 12
***Café Terminus*** ☎ 01 40 08 43 30 **Repas** 30/42bc ♀ – ☕ 23 – **255 ch** 360/450, 12 appart.
♦ Ce "palace ferroviaire" (il jouxte la gare St-Lazare) inauguré en 1889 vient de faire peau neuve. Son hall majestueux - un joyau de l'école Eiffel - est joliment relooké.

**Marriott** Ⓜ, 70 av. Champs-Élysées ☎ 01 53 93 55 44, *Fax 01 53 93 55 01,* ☂, 🏋 – |♦| ⊁ ▤ TV ☏ ♿ 🚗 – 🏛 15 à 165. AE ⓓ GB JCB. ✂ rest F 9
***Pavillon*** ☎ 01 53 93 55 44 *(fermé dim. soir et sam.)* **Repas** carte 40 à 50 ♀ – ☕ 29 – **177 ch** 540/610, 15 appart.
♦ Un Américain à Paris : efficacité d'outre-Atlantique et confort ouaté de chambres donnant pour partie sur les Champs. Le Pavillon ? Un restaurant français façon Oncle Sam.

**Balzac** M, 6 r. Balzac ✆ 01 44 35 18 00, *hbalzac@cybercable.fr, Fax 01 44 35 18 05* – |‡|, ▤ ch, TV ✆. AE ⓓ GB JCB F 8
voir rest. ***Pierre Gagnaire*** ci-après – ☕ 25 – **56 ch** 320/455, 14 appart.
◆ L'écrivain s'éteignit au n° 22 de la rue. Élégantes chambres, salon sous verrière. Posez vos valises et, comme Eugène de Rastignac, partez à la conquête de Paris !

**Warwick** M, 5 r. Berri ✆ 01 45 63 14 11, *resa.whparis@warwickhotels.com, Fax 01 43 59 00 98* – |‡| ⇸ ▤ TV ✆ – 🔺 30 à 110. AE ⓓ GB JCB. ✗ rest F 9
voir rest. ***Le W*** ci-après – ☕ 28 – **147 ch** 440/850.
◆ Chaleureuses étoffes, mobilier contemporain et murs garnis de tissus tendus participent à la récente métamorphose de cet hôtel qui a ouvert ses portes en 1981.

**Napoléon,** 40 av. Friedland ✆ 01 56 68 43 21, *napoleon@hotelnapoleonparis.com, Fax 01 47 66 82 33* – |‡|, ▤ ch, TV ✆ – 🔺 15 à 80. AE ⓓ GB JCB F 8
Repas *(fermé août, le soir et week-end)* 36/45 ♀ – ☕ 26 – **102 ch** 320/680.
◆ À deux pas de l'Étoile chère à l'Empereur, autographes, figurines et tableaux évoquent sans fausse note l'épopée napoléonienne. Chambres de style Directoire ou Empire.

**California,** 16 r. Berri ✆ 01 43 59 93 00, *cal@hray.com, Fax 01 45 61 03 62,* 🏠 – |‡| ⇸ ▤ TV ✆ – 🔺 20 à 100. AE ⓓ GB JCB. ✗ rest F 9
Repas *(fermé sam. et dim.)* (déj. seul.) *(35)* - 40 ♀ – ☕ 23 – **158 ch** 430/470, 13 duplex.
◆ Les esthètes seront comblés : plusieurs milliers de tableaux ornent les murs de cet ancien palace des années 1920. Autre collection : les 200 whiskies du piano-bar !

**Trémoille** M, 14 r. Trémoille ✆ 01 56 52 14 00, *reservation@hotel-tremoille.com, Fax 01 40 70 01 08,* 🏋 – ⇸ ▤ TV ✆ ♿ – 🔺 15. AE ⓓ GB JCB G 9
Repas 35 (déj.)et carte 44 à 78 ♀ – ☕ 22 – **88 ch** 388/557, 5 appart.
◆ L'hôtel a fait peau neuve et arbore un décor contemporain - associant ancien et design - réussi. Équipements de pointe et salles de bains en marbre et céramiques du Portugal.

**Château Frontenac** sans rest, 54 r. P. Charron ✆ 01 53 23 13 13, *hotel@hfrontenac.com, Fax 01 53 23 13 01* – |‡| ▤ TV ✆ – 🔺 25. AE ⓓ GB G 9
☕ 22 – **98 ch** 250/280, 6 appart.
◆ Bel immeuble au coeur du Triangle d'Or. Chambres de style Louis XV, salles de bains en marbre ou en travertin. Salle des petits-déjeuners revêtue de boiseries claires.

**Mélia Royal Alma** M, 35 r. J. Goujon ✆ 01 53 93 63 00, *melia.royal.alma@solmelia.com, Fax 01 53 93 63 01* – |‡| ⇸ ▤ TV ✆ – 🔺 15. AE ⓓ GB JCB G 9
Repas *(fermé août, sam., dim. et fériés)* (déj.seul) carte 30 à 48 ♀ – ☕ 24 – **64 ch** 320/503.
◆ Décoration raffinée et mobilier ancien - avec une prédilection pour le style Empire - dans les chambres récemment refaites. Suites avec terrasse panoramique au dernier étage.

**Bedford,** 17 r. de l'Arcade ✆ 01 44 94 77 77, *contact@hotel-bedford.com, Fax 01 44 94 77 97* – |‡| ▤ TV ✆ – 🔺 15 à 50. AE GB JCB. ✗ rest F 11
Repas *(fermé 28 juil. au 24 août, sam. et dim.)* (déj. seul.) *(28)* - 35/38 – ☕ 13 – **137 ch** 168/216, 9 appart.
◆ Demandez une chambre rénovée. Au réveil, vous petit-déjeunerez dans une salle 1900 ornée d'une profusion de motifs décoratifs en stuc et d'une belle verrière.

**Montaigne** M sans rest, 6 av. Montaigne ✆ 01 47 20 30 50, *contact@hotel-montaigne.com, Fax 01 47 20 94 12* – |‡| ▤ TV ✆ ♿. AE ⓓ GB JCB G 9
☕ 18 – **29 ch** 330/405.
◆ Grilles en fer forgé, belle façade fleurie et gracieux décor "cosy" font la séduction de cet hôtel. L'avenue est conquise par les boutiques des grands couturiers.

**Amarante Élysées Star** M sans rest, 19 r. Vernet ✆ 01 47 20 41 73, *star@easynet.fr, Fax 01 47 23 32 15* – |‡| ⇸ ▤ TV ✆ – 🔺 30. AE ⓓ GB JCB F8
☕ 25 – **42 ch** 300/670.
◆ Une jolie marquise agrémente la pimpante façade de cet édifice en angle de rue. Meubles de style dans les chambres. Salon feutré, avec piano-bar et cheminée d'ambiance.

**François 1er** M sans rest, 7 r. Magellan ✆ 01 47 23 44 04, *hotel@hotel-francois1er.fr, Fax 01 47 23 93 43* – |‡| ⇸ ▤ TV ✆ – 🔺 15. AE ⓓ GB JCB F 8
☕ 21 – **40 ch** 310/460.
◆ Marbre mexicain, moulures, bibelots chinés, meubles anciens et tableaux à foison : un nouveau décor - luxueux et très réussi - signé Rochon. Copieux petit-déjeuner (buffet).

**Bradford Élysées** sans rest, 10 r. St-Philippe-du-Roule ✆ 01 45 63 20 20, *hotel.bradford@astotel.com, Fax 01 45 63 20 07* – |‡| ⇸ ▤ TV. AE ⓓ GB JCB. ✗ F 9
☕ 21 – **50 ch** 258/304.
◆ Cheminées en marbre, moulures, lits en laiton, décor "rétro" et cage d'ascenseur centenaire mariant acajou et fer forgé : un conservatoire de l'irrésistible charme parisien.

**Royal** M sans rest, 33 av. Friedland ✆ 01 43 59 08 14, *rh@royal-hotel.com, Fax 01 45 63 69 92* – |‡| ▤ TV ✆. AE ⓓ GB JCB F 8
☕ 25 – **58 ch** 270/470.
◆ Les chambres rénovées bénéficient d'une excellente insonorisation et d'un joli décor actuel ; certaines ménagent une perspective sur l'Arc de Triomphe.

**Sofitel Champs-Élysées** M, 8 r. J. Goujon ✆ 01 40 74 64 64, *H1184-RE@accor-hotels.com, Fax 01 40 74 79 66,* – |‡| ⇎ ▤ TV ✆ ⇔ – 🏫 15 à 150. AE ⓓ GB JCB G 9
***Les Signatures*** ✆ 01 40 74 64 94 *(déj. seul.)(fermé 2 au 17 août, 25 déc. au 4 janv., sam. et dim.* **Repas** *(31)*-43 ♀ – ⊏ 23 – **40 ch** 400/625.
◆ Hôtel particulier Second Empire partagé avec la Maison des Centraliens. Chambres revues dans le style contemporain ; équipements "dernier cri". Centre d'affaires.

**Radisson SAS Champs Élysées** M, 78 av. Marceau ✆ 01 53 23 43 43, *reservations.paris@radissonsas.com, Fax 01 53 23 43 44,* – |‡| ⇎ ▤ TV ✆ ♿ ⇔. AE ⓓ GB. ✂ F 8
**Repas** *(fermé dim. et fériés)* carte 46 à 67 – ⊏ 25 – **46 ch** 349/505.
◆ Un hôtel tout neuf aménagé dans un immeuble ayant appartenu à Louis Vuitton. Chambres contemporaines, équipements modernes (TV à écran plasma) et insonorisation performante.

**Powers** sans rest, 52 r. François 1er ✆ 01 47 23 91 05, *contact@hotel-powers.com, Fax 01 49 52 04 63* – |‡| ▤ TV ✆. AE ⓓ GB JCB G 9
⊏ 20 – **55 ch** 110/320.
◆ Les chambres, de différents standings, ont l'âme bourgeoise : moulures, cheminées, horloges en bronze, lustres à pendeloques, etc. Salons "cosy" et bar façon club anglais.

**Résidence du Roy** M sans rest, 8 r. François 1er ✆ 01 42 89 59 59, *rdr@residence-du-roy.com, Fax 01 40 74 07 92* – |‡| cuisinette ▤ TV ✆ ♿ ⇔ – 🏫 25. AE ⓓ GB JCB G 9
⊏ 19, 28 appart 410/655, 4 studios, 3 duplex.
◆ Toutes les chambres, actuelles et plutôt spacieuses, sont équipées de cuisinettes permettant de séjourner à Paris tout en continuant à faire "comme à la maison".

**Chateaubriand** sans rest, 6 r. Chateaubriand ✆ 01 40 76 00 50, *chateaubriand@copatel.com, Fax 01 40 76 09 22* – |‡| ▤ TV ✆. AE ⓓ GB JCB F 9
⊏ 16 – **28 ch** 336.
◆ Près des Champs-Élysées, à deux pas du Lido, cet hôtel abrite des chambres au décor feutré, dotées de salles de bains en marbre. "Tea time" vers 17 heures.

**Résidence Monceau** sans rest, 85 r. Rocher ✆ 01 45 22 75 11, *residencemonceau@wanadoo.fr, Fax 01 45 22 30 88* – |‡| TV ♿. AE ⓓ GB JCB. ✂ E 11
⊏ 10 – **51 ch** 125/165.
◆ Entre parc Monceau et gare St-Lazare, établissement moderne aux chambres peu spacieuses mais fonctionnelles. Bar design ouvrant sur un agréable petit patio.

**Pershing Hall** M, 49 r. P. Charon ✆ 01 58 36 58 00, *info@pershinghall.com, Fax 01 58 36 58 01* – |‡| ▤ TV ✆ ♿ – 🏫 60. AE ⓓ GB JCB G 9
**Repas** *(fermé dim.) (29)* - carte 50 à 80 – ⊏ 26 – **20 ch** 390/720, 6 appart.
◆ Demeure du général Pershing, club de vétérans et enfin hôtel de charme imaginé par Andrée Putman. Insolite jardin vertical, restaurant chic et tendance, soirées "lounge".

**Chambiges Élysées** M sans rest, 8 r. Chambiges ✆ 01 44 31 83 83, *chamb@paris-hotels-charm.com, Fax 01 40 70 95 51* – |‡| ⇎ ▤ TV ✆ ♿. AE ⓓ GB JCB. ✂ G 9
**26 ch** ⊏ 229/305, 8 appart.
◆ Boiseries, tentures et tissus choisis, meubles de style : atmosphère romantique et "cosy" dans cet hôtel entièrement rénové. Chambres douillettes et joli jardinet intérieur.

**L'Arcade** M sans rest, 7 r. de l'Arcade ✆ 01 53 30 60 00, *contact@hotel-arcade.fr, Fax 01 40 07 03 07* – |‡| ▤ TV ✆ – 🏫 25. AE GB JCB F 11
⊏ 9 – **37 ch** 136/175, 4 duplex.
◆ Marbre et boiseries dans le hall et les salons, coloris tendres et mobilier choisi dans les chambres font le charme de cet hôtel élégant et discret, proche de la Madeleine.

**Monna Lisa** M, 97 r. La Boétie ✆ 01 56 43 38 38, *contact@hotelmonnalisa.com, Fax 01 45 62 39 90* – |‡| ▤ TV ✆. AE ⓓ GB JCB. ✂ F 9
***Caffe Ristretto*** - cuisine italienne *(fermé 3 au 25 août, sam. et dim.)* **Repas** 31 ♀ – ⊏ 17 – **22 ch** 220/235.
◆ Récemment ouvert, ce bel hôtel aménagé dans un immeuble de 1860 est une véritable vitrine du design transalpin. Le gracieux Caffe Ristretto propose ses spécialités italiennes.

**Lavoisier** M sans rest, 21 r. Lavoisier ✆ 01 53 30 06 06, *info@hotellavoisier.com, Fax 01 53 30 23 00* – |‡| ▤ TV ✆ ♿. AE ⓓ GB JCB. ✂ F 11
⊏ 12 – **30 ch** 230/385.
◆ Belle façade blanche, chambres contemporaines, petit salon-bibliothèque "cosy" faisant office de bar, salle voûtée pour les petits-déjeuners : un hôtel à fréquenter.

**Élysées Mermoz** sans rest, 30 r. J. Mermoz ✆ 01 42 25 75 30, *elymermoz@worldnet.fr, Fax 01 45 62 87 10* – |‡| ▤ TV ✆ ♿ – 🏫 15. AE ⓓ GB JCB F 10
⊏ 9,70 – **22 ch** 132/163, 5 appart.
◆ Couleurs ensoleillées ou camaïeu de gris dans les chambres, boiseries sombres et lave bleue dans les salles de bains, salon en rotin sous verrière : un hôtel "cosy".

**Franklin Roosevelt** sans rest, 18 r. Clément-Marot ☎ 01 53 57 49 50, *hotel@hroosvevelt.com, Fax 01 53 57 49 59* – AE GB. G 9
22 – **48 ch** 205/250.
◆ Bois précieux et marbre utilisés à profusion pour les rénovations des chambres des 5e et 6e étages et des espaces communs : un hôtel au charme victorien. Agréable bar.

**Queen Mary** M sans rest, 9 r. Greffulhe ☎ 01 42 66 40 50, *hotelqueenmary@wanadoo.fr, Fax 01 42 66 94 92* – AE GB JCB F 12
15 – **36 ch** 129/179.
◆ Établissement raffiné à l'esprit "british", où vous bénéficierez d'un accueil personnalisé : une carafe de Xérès est offerte en cadeau de bienvenue. Agréable patio.

**Vignon** M sans rest, 23 r. Vignon ☎ 01 47 42 93 00, *reservation@hotelvignon.com, Fax 01 47 42 04 60* – AE GB. F 12
15 – **28 ch** 230/340.
◆ À deux pas de la place de la Madeleine et de ses luxueuses épiceries fines. Établissement entièrement refait : chambres actuelles et élégante salle des petits-déjeuners.

**Mercure Opéra Garnier** M sans rest, 4 r. de l'Isly ☎ 01 43 87 35 50, *H1913@accor-hotels.com, Fax 01 43 87 03 29* – AE GB JCB F 12
13,30 – **140 ch** 173/214.
◆ Pratique Mercure situé entre la gare St-Lazare et les grands magasins. Chambres fonctionnelles et petits-déjeuners sous forme de buffet. Jardinet intérieur.

**Étoile Friedland** sans rest, 177 r. Fg St-Honoré ☎ 01 45 63 64 65, *friedlan@paris-honotel.com, Fax 01 45 63 88 96* – AE GB JCB F 9
20 – **40 ch** 221/281.
◆ Près de la salle Pleyel, petites chambres pratiques et correctement insonorisées, dotées de lits en laiton et de salles de bains en marbre ; hall et salon vivement colorés.

**Élysées Céramic** sans rest, 34 av. Wagram ☎ 01 42 27 20 30, *cerotel@aol.com, Fax 01 46 22 95 83* – AE GB JCB E 8
9 – **57 ch** 175/200.
◆ La façade Art nouveau en grès cérame (1904) est une merveille d'architecture. L'intérieur n'est pas en reste, avec des meubles et un décor inspirés du même style.

**Atlantic** sans rest, 44 r. Londres ☎ 01 43 87 45 40, *reserv@atlantic-hotel.fr, Fax 01 42 93 06 26* – AE GB JCB. E 12
10 – **83 ch** 99/160.
◆ Ondulations, tableaux et maquettes de bateaux... Quelques discrètes touches marines animent le décor contemporain de cet hôtel. Salon et bar sous une vaste verrière.

**L'Élysée** sans rest, 12 r. Saussaies ☎ 01 42 65 29 25, *hotel-de-l-elysee@wanadoo.fr, Fax 01 42 65 64 28* – AE GB JCB. F 11
11 – **32 ch** 135/220.
◆ La décoration de cet établissement qui jouxte le ministère de l'Intérieur décline toute une gamme de styles des 18e et 19e s. Chambres bien tenues.

**Astoria** sans rest, 42 r. Moscou ☎ 01 42 93 63 53, *hotel.astoria@astotel.com, Fax 01 42 93 30 30* – AE GB JCB. D 11
14 – **86 ch** 151/166.
◆ Cet hôtel du quartier de l'Europe semble plaire à la clientèle d'affaires. Salon agrémenté de tableaux modernes. Salle des petits-déjeuners sous verrière.

**Flèche d'or** sans rest, 29 rue d'Amsterdam ☎ 01 48 74 06 86, *hotel-de-la-fleche-dor@wanadoo.fr, Fax 01 48 74 06 04* – AE GB E 12
7 – **61 ch** 130/153.
◆ L'enseigne de cet hôtel proche de la gare St-Lazare évoque un célèbre train de luxe. Chambres bien tenues et salon aussi confortable qu'une voiture Pullman de la Flèche d'Or !

**Mayflower** sans rest, 3 r. Chateaubriand ☎ 01 45 62 57 46, *mayflower@escapade-paris.com, Fax 01 42 56 32 38* – AE GB F 9
10 – **24 ch** 123/169.
◆ Chambres aux harmonieux tons pastel et salles de bains en marbre. La salle des petits-déjeuners est égayée d'une fresque évoquant la destinée des Pilgrim Fathers.

**West-End** sans rest, 7 r. Clément-Marot ☎ 01 47 20 30 78, *contact@hotel-west-end.com, Fax 01 47 20 34 42* – AE GB JCB. G 9
18 – **49 ch** 170/270.
◆ Au coeur du Triangle d'Or, hôtel garni en partie de meubles provenant d'un palace de la capitale. Quelques chambres offrent une échappée sur la tour Eiffel ; salon "cosy".

**Cordélia** sans rest, 11 r. Greffulhe ☎ 01 42 65 42 40, *hotelcordelia@wanadoo.fr, Fax 01 42 65 11 81* – AE GB. F 12
12 – **30 ch** 150/168.
◆ Les petites chambres de cet hôtel proche de la Madeleine ont été refaites dans des tons chaleureux (rouge et jaune). Salon intime avec cheminée et boiseries.

**Concorde St-Augustin** sans rest, 9 r. Roy ✆ 01 42 93 32 17, *hotel.staugustin@wanadoo.fr, Fax 01 42 93 19 34* – AE GB JCB. **F 11**
15 – **62 ch** 150/280.
◆ Immeuble haussmannien à proximité de l'église St-Augustin. Les chambres, aux tons pastel, sont peu à peu rénovées. Bar d'inspiration Art déco.

**Pavillon Montaigne** sans rest, 34 r. J. Mermoz ✆ 01 53 89 95 00, *Fax 01 42 89 33 00* – AE GB JCB. **F 10**
8,50 – **18 ch** 130,50/162.
◆ Deux immeubles reliées entre eux par la salle des petits-déjeuners coiffée d'une verrière. Mobilier ancien ou actuel dans les chambres souvent ornées de poutres apparentes.

**New Orient** sans rest, 16 r. Constantinople ✆ 01 45 22 21 64, *new.orient.hotel@wanadoo.fr, Fax 01 42 93 83 23* – AE GB. **E 11**
8 – **30 ch** 72/108.
◆ Façade fleurie, meubles chinés, décor "cosy" des petites chambres et charmant accueil franco-allemand font l'attrait de cette délicieuse maison de poupée.

**Alison** sans rest, 21 r. de Surène ✆ 01 42 65 54 00, *hotel.alison@wanadoo.fr, Fax 01 42 65 08 17* – AE GB JCB. **F 11**
8 – **35 ch** 78/140.
◆ Hôtel familial dans une rue calme proche du théâtre de la Madeleine. Hall agrémenté de tableaux contemporains et chambres fonctionnelles tapissées de papier japonais.

**Newton Opéra** sans rest, 11 bis r. de l'Arcade ✆ 01 42 65 32 13, *newtonopera@easynet.fr, Fax 01 42 65 30 90* – AE GB. **F 11**
13 – **31 ch** 150/183.
◆ Petites chambres égayées de tons vifs, plaisant salon de lecture et accueil personnalisé : une carafe de Mandarine impériale vous attend en cadeau de bienvenue.

**Madeleine Haussmann** sans rest, 10 r. Pasquier ✆ 01 42 65 90 11, *3hotels@hotels.com, Fax 01 42 68 07 93* – AE GB JCB **F 11**
9 – **35 ch** 120/180.
◆ Chambres pas très spacieuses, mais rigoureusement entretenues et garnies d'un mobilier de bonne facture. Salle voûtée pour les petits-déjeuners.

**Comfort Malesherbes** sans rest, 11 pl. St-Augustin ✆ 01 42 93 27 66, *hotelmalesherbes@wanadoo.fr, Fax 01 42 93 27 51* – AE GB JCB. **F 11**
12 – **24 ch** 130/200.
◆ Chambres douillettes aux tons jaune et bleu ou jaune et rouille, pour la plupart tournées vers le dôme de l'église St-Augustin construite par Victor Baltard.

**Le "Cinq"** - Hôtel Four Seasons George V, 31 av. George V ✆ 01 49 52 71 54, *paris@fourseasons.com, Fax 01 49 52 71 81*, – AE GB JCB. **F 8**
**Repas** 60 (déj.), 90/190 et carte 120 à 170.
◆ Superbe salle de restaurant - majestueuse évocation du Grand Trianon - ouverte sur un ravissant jardin intérieur. Ambiance raffinée et talentueuse cuisine classique.
**Spéc.** Blanc-manger au caviar sévruga. Fricassée de langoustines à la coriandre. Poulette de Bresse et homard George V en cocotte lutée.

**Les Ambassadeurs** - Hôtel Crillon, 10 pl. Concorde ✆ 01 44 71 16 16, *restaurants@crillon.com, Fax 01 44 71 15 02* – AE GB JCB. **G 11**
**Repas** 64 (déj.)/140 et carte 140 à 175.
◆ Cette splendide salle à manger dont les ors et les marbres se reflètent dans d'immenses glaces est l'ancienne salle de bal d'un hôtel particulier du 18e s. Cuisine raffinée.
**Spéc.** Saint-Jacques contisées à la truffe (oct. à avril). Bar rôti à l'huile d'olive vanillée. Agneau "de la tête aux pieds", tomate aux légumes niçois.

**Ledoyen,** carré Champs-Élysées (1er étage) ✆ 01 53 05 10 01, *ledoyen@ledoyen.com, Fax 01 47 42 55 01* – AE GB. **G 10**
*fermé 2 au 31 août, lundi midi, sam., dim. et fériés* – **Repas** 178/244 bc (dîner)et carte 130 à 170 ♀.
◆ Pavillon néo-classique édifié en 1848 à la place d'une célèbre guinguette des Champs. Décor Napoléon III classé, vue sur les jardins dessinés par Hittorff et séduisante cuisine "terre et mer".
**Spéc.** Langoustines croustillantes, émulsion d'agrumes à l'huile d'olive. Blanc de turbot, pommes rattes truffées écrasées à la fourchette. Crêpes "krampouz" au citron.

**Plaza Athénée** - Hôtel Plaza Athénée, 25 av. Montaigne ✆ 01 53 67 65 00, *adpa@alain-ducasse.com, Fax 01 53 67 65 12* – AE GB JCB. **G 9**
*fermé 11 juil. au 19 août, 19 au 31 déc., lundi midi, mardi midi, merc. midi, sam., dim. et fériés* – **Repas** 190/280 et carte 170 à 275.
◆ Le somptueux décor Régence cher aux habitués du "Plaza" a été relooké par P. Jouin dans un esprit "design et organza" : insolite mariage de styles, et cuisine... de grand chef !
**Spéc.** Langoustines rafraîchies, nage réduite, caviar osciètre royal. Volaille de Bresse, sauce albuféra aux truffes d'Alba (15 oct. au 31 déc.). Coupe glacée de saison.

XXXXX ✿✿ **Bristol** - Hôtel Bristol, 112 r. Fg St-Honoré ✆ 01 53 43 43 40, *resa@hotel-bristol.com, Fax 01 53 43 43 01,* ☂ – ▤. AE ⓓ GB JCB. ✗ **F 10**
**Repas** 65/130 et carte 110 à 170.
◆ Avec sa forme ovale et ses splendides boiseries, la salle à manger d'hiver ressemble à un petit théâtre. Celle d'été s'ouvre largement sur le magnifique jardin de l'hôtel.
**Spéc.** Macaroni farcis d'artichaut, truffe et foie gras de canard, gratinés au vieux parmesan. Poularde de Bresse parfumée au Vin Jaune. Sabayon au chocolat noir, noisette en nougatine, crème glacée à la vanille.

XXXXX ✿✿✿ **Taillevent** (Vrinat), 15 r. Lamennais ✆ 01 44 95 15 01, *mail@taillevent.com, Fax 01 42 25 95 18* – ▤. AE ⓓ GB JCB. ✗ **F 9**
*fermé 26 juil. au 25 août, sam., dim. et fériés* – **Repas** (nombre de couverts limité, prévenir) carte 110 à 140 ♀.
◆ Le célèbre maître queux médiéval a prêté son nom à ce restaurant sis dans l'hôtel particulier du duc de Morny. Boiseries et oeuvres d'art côté décor, cuisine exquise et cave somptueuse côté table.
**Spéc.** Boudin de homard au fenouil. Foie de canard poêlé au banyuls. Soufflé chaud au miel d'acacia.

XXXXX ✿✿✿ **Lucas Carton** (Senderens), 9 pl. Madeleine ✆ 01 42 65 22 90, *lucas.carton@lucascarton.com, Fax 01 42 65 06 23* – ▤. AE ⓓ GB JCB. ✗ **G 11**
*fermé août, Noël au Jour de l'An, lundi midi, sam. midi et dim.* – **Repas** 73 (déj.)/254 et carte 145 à 265 ♀.
◆ Sycomore, érable, citronnier : les magnifiques boiseries Art nouveau signées Majorelle sont ornées de miroirs et d'appliques à motif végétal. Association mets et vins sublimée.
**Spéc.** Caviar osciètre et oignon blanc cuit dans l'argile, pistaches de Sicile. Canard croisé étouffé, rougail de poireaux, mangue et gingembre mariné au vieux xérès. Monseigneur le coing "nu" poché et poêlé aux épices et agrumes.

XXXXX ✿✿ **Lasserre,** 17 av. F.-D.-Roosevelt ✆ 01 43 59 53 43, *Fax 01 45 63 72 23* – ▤. AE ⓓ GB JCB. ✗ **G 10**
*fermé 3 au 31 août, sam. midi, lundi midi, mardi midi, merc. midi et dim.* – **Repas** 183 et carte 120 à 170.
◆ Ce pavillon édifié en 1945 est une institution du Paris gourmand. Dans la salle à manger néo-classique, étonnant toit ouvrant décoré d'une sarabande de danseuses.
**Spéc.** Gelée et chair d'araignée de mer au caviar osciètre (15 juin au 15 oct.). Homard breton en navarin au miel de châtaignier et romarin. Tarte soufflée au praliné et cacao amer.

XXXXX ✿✿ **Laurent,** 41 av. Gabriel ✆ 01 42 25 00 39, *info@le-laurent.com, Fax 01 45 62 45 21,* ☂ – AE ⓓ GB. ✗ **G 10**
*fermé sam. midi, dim. et fériés* – **Repas** 65/130 et carte 120 à 184.
◆ Le pavillon à l'antique bâti par Hittorff, d'élégantes terrasses ombragées et une cuisine de grande tradition : un petit coin de paradis dans les Jardins des Champs-Élysées.
**Spéc.** Araignée de mer dans ses sucs en gelée, crème de fenouil. Foie gras de canard poêlé, mangue rôtie au gingembre et citron vert. Variation sur le chocolat.

XXXX ✿✿ **Les Élysées** - Hôtel Vernet, 25 r. Vernet ✆ 01 44 31 98 98, *hotelvernet@jetmultimedia.fr, Fax 01 44 31 85 69* – ▤. AE ⓓ GB JCB. ✗ **F 8**
*fermé 28 juil. au 31 août, 22 au 31 déc., lundi midi, sam., et dim.* – **Repas** 45 (déj.)/120 (dîner) et carte 105 à 165.
◆ Cuisine inventive et maîtrisée, aux saveurs subtiles, à déguster sous la splendide verrière Belle Époque signée Eiffel, qui baigne la salle à manger d'une douce lumière.
**Spéc.** Ventrèche de thon rouge en tartare (printemps). Pied de cochon truffé et foie gras en tartine. Citron de Menton confit en biscuit moelleux à la mélisse.

XXXX ✿✿✿ **Pierre Gagnaire** - Hôtel Balzac, 6 r. Balzac ✆ 01 58 36 12 50, *p.gagnaire@wanadoo.fr, Fax 01 58 36 12 51* – ▤. AE ⓓ GB **F 8**
*fermé 5 au 13 avril, 25 oct. au 2 nov., 14 au 22 fév., le midi en août, dim. midi, sam. et fériés.* – **Repas** 85 (déj.), 195/260 et carte 200 à 280.
◆ Le sobre et chic décor contemporain (boiseries blondes, oeuvres d'art moderne) s'efface devant la partition débridée jouée par un chef-jazzman envoûtant. Musique, maestro !
**Spéc.** Déclinaison de langoustines sur différentes cuissons. Bar de ligne cuit entier en papillote, pâte de piment nora. Canard rôti entier à la cannelle, peau laquée et cuisse confite.

XXXX ✿ **La Marée,** 1 r. Daru ✆ 01 43 80 20 00, *lamaree@wanadoo.fr, Fax 01 48 88 04 04* – ▤. AE ⓓ GB **E 8**

*fermé 1er août au 1er sept., sam. midi et dim.* – **Repas** carte 75 à 115 ♀.

◆ Jolie façade à colombages, vitraux, tableaux flamands et boiseries chaleureuses composent le décor raffiné et luxueux de ce restaurant où l'on sert une belle cuisine de la mer.

**Spéc.** Turbotin à la moutarde. Langoustines rôties aux carottes confites. Millefeuille chaud caramélisé aux amandes.

XXXX ✿ **Chiberta,** 3 r. Arsène-Houssaye ✆ 01 53 53 42 00, *info@lechiberta.com, Fax 01 45 62 85 08* – ▤. AE ⓓ GB **F 8**

*fermé août, sam. midi et dim.* – **Repas** 45 (déj.), 99/155 et carte 72 à 115 ♀.

◆ L'esprit des années 1970, conservé, a été rajeuni par un décor japonisant préservant l'intimité : le restaurant idéal pour un repas d'affaires. Cuisine au goût du jour.

**Spéc.** Truffe noire de Provence cuite au champagne (15 nov. au 15 fév.). Canette rôtie à la fleur de rose, sauce aigre-douce. Pavé de bar cuit à l'unilatéral, fumet truffé, purée de céleri.

XXXX ✿ **Clovis** - Hôtel Sofitel Arc de Triomphe, 14 r. Beaujon ✆ 01 53 89 50 53, *h1296@accor-hotels.com, Fax 01 53 89 50 51* – ▤. AE ⓓ GB JCB **F 8**

*fermé 24 juil. au 24 août, 24 déc. au 2 janv., sam., dim. et fériés* – **Repas** 45,50/88,50 et carte 63 à 82 ♀.

◆ Esprit classique revisité (tons beige et brun) pour le décor, service attentif et souriant, cuisine raffinée : les gourmets du quartier en ont fait leur "cantine".

**Spéc.** Duo de foie gras de canard, figues vigneronnes. Tournedos de lotte grillé, tranches de lomo, blettes braisées. Côte de veau épaisse rôtie en vert-pré.

XXX **Maison Blanche,** 15 av. Montaigne (6e étage) ✆ 01 47 23 55 99, *margot-maisonblanche@wanadoo.fr, Fax 01 47 20 09 56*, ≤, 斋 – |‡| ▤. AE ⓓ GB **G 9**

*fermé 4 au 26 août, sam. midi et dim. midi* – **Repas** 80 bc (déj.)et carte 80 à 120.

◆ Sur le toit du théâtre des Champs-Élysées, loft-duplex dont l'immense verrière est tournée sur le dôme doré des Invalides. Design épuré côté décor, influences languedociennes côté cuisine.

XXX ✿ **Jardin** - Hôtel Royal Monceau, 37 av. Hoche ✆ 01 42 99 98 70, *Fax 01 42 99 89 94*, 斋 – ▤. AE ⓓ GB JCB. ⅋ **E 8**

*fermé 14 au 21 avril, 4 au 25 août, 29 au 31 déc., lundi midi, sam. et dim.* – **Repas** 50 (déj.)/99 et carte 105 à 130.

◆ Entourée d'un joli jardin fleuri, la moderne coupole de verre abrite une élégante salle à manger où l'on déguste une subtile cuisine méditerranéenne.

**Spéc.** Fleurs de courgettes farcies à la chair de tourteau (printemps-été). Bar de ligne rôti en feuille de figue, cèpes au jus (automne). Millefeuille à la rhubarbe et aux fraises (été)

XXX **Fouquet's,** 99 av. Champs Élysées ✆ 01 47 23 50 00, *fouquets@lucienbarriere.com, Fax 01 47 23 50 55*, 斋 – AE ⓓ GB JCB **F 8**

**Repas** *(38)* - 54 et carte 65 à 105.

◆ Ce célébrissime établissement centenaire fut le Q.G. des as en biplan avant de devenir celui de stars du 7e art tels Raimu, Guitry et Pagnol.

XXX ✿ **Le W** - Hôtel Warwick, 5 r. Berri ✆ 01 45 61 82 08, *lerestaurantw@warwickhotels.com, Fax 01 43 59 00 98* – ▤. AE ⓓ GB JCB. ⅋ **G 9**

*fermé 31 juil. au 1er sept., 19 déc. au 5 janv., sam. et dim* – **Repas** 40 (déj.), 53 bc/55 et carte 67 à 93.

◆ "W" pour Warwick : dans le chaleureux décor contemporain du restaurant, discrètement installé au sein de l'hôtel, vous dégusterez une belle cuisine ensoleillée.

**Spéc.** Tournedos de bar de ligne (automne-hiver). Cochon mijoté en cocotte lutée (printemps-été). Cromesquis de chocolat (automne-hiver).

XXX **L'Obélisque** - Hôtel Crillon, 6 r. Boissy d'Anglas ✆ 01 44 71 15 15, *restaurants@crillon.com, Fax 01 44 71 15 02* – ▤. AE ⓓ GB JCB **G 11**

*fermé 26 juil. au 24 août et fériés* – **Repas** 48 ♀.

◆ Salle agrémentée de boiseries, glaces et verre gravé, où les mètres carrés seraient presque moins nombreux que les convives : normal, la cuisine est goûteuse et soignée !

XXX **Marcande,** 52 r. Miromesnil ✆ 01 42 65 19 14, *info@marcande.com, Fax 01 42 65 76 85* 斋 – AE GB **F 10**

*fermé 4 au 25 août, 24 déc. au 2 janv., sam. et dim.* – **Repas** 40 et carte 55 à 90.

◆ Discret restaurant fréquenté par une clientèle d'affaires. Salle à manger contemporaine tournée vers l'agréable patio-terrasse, très prisé dès l'arrivée des beaux jours.

XXX ✿ **Copenhague,** 142 av. Champs-Élysées (1er étage) ✆ 01 44 13 86 26, *floricadanica@wanadoo.fr, Fax 01 44 13 89 44,* – ▤. AE GB **F 8**
*fermé 1er au 25 août, sam. midi, dim. et fêtes* – **Repas** 48 (déj.), 66/100 et carte 66 à 100 - ***Flora Danica :*** **Repas** 32 et carte 35 à 62 ♀.
♦ Élégant design danois et grandes baies vitrées offrant une vue sur les Champs-Élysées pour ce restaurant installé dans l'enceinte de la Maison du Danemark. Cuisine scandinave.
**Spéc.** Carpaccio de Saint-Jacques au caviar (oct. à avril). Blinis de saumon sauvage danois fumé. Noisettes de renne rôties, jus acidulé aux baies de sureau.

XXX **El Mansour,** 7 r. Trémoille ✆ 01 47 23 88 18, *Fax 01 40 70 13 53* – ▤. AE ⓓ GB **G 9**
**Repas** *(29)* - carte 50 à 75 ♀.
♦ Salle à manger revêtue de chaleureuses boiseries et égayée de petites notes orientales : un restaurant marocain feutré au coeur du Triangle d'Or.

XXX **Yvan,** 1bis r. J. Mermoz ✆ 01 43 59 18 40, *Fax 01 42 89 30 95* – ▤. AE ⓓ GB JCB **F-G 10**
*fermé sam. midi et dim.* – **Repas** 29,20 (déj.)/32,40 ♁.
♦ Cadre raffiné égayé de belles compositions florales, lumière tamisée et clientèle "B.C.B.G." : un restaurant très "in" à côté du Rond-Point des Champs-Élysées.

XXX ✿ **Bath's,** 9 r. La Trémoille ✆ 01 40 70 01 09, *contact@baths.fr, Fax 01 40 70 01 22* – ▤. AE GB **G 9**
*fermé août, 25 au 28 déc., sam., dim. et fériés* – **Repas** 30 (déj.)/70 (dîner) et carte 70 à 90 ♀.
♦ Maisons de couture, palaces, sièges sociaux... Ce quartier affairé abrite aussi une élégante et délicieuse enclave auvergnate. Belle cuisine escortée de vieux bordeaux rouges.
**Spéc.** Ravioli de cantal, jus de viande et herbes. Colvert rôti, paupiette de foie gras au chou et fricassée de cèpes (automne). "Biscotin" aux fraises des bois, glace basilic (juin-juil.).

XXX **Indra,** 10 r. Cdt-Rivière ✆ 01 43 59 46 40, *Fax 01 42 25 00 32* – ▤. AE ⓓ GB **F 9**
*fermé sam. midi et dim.* – **Repas** 34 (déj.), 38/58 et carte 36 à 49.
♦ Murs en patchwork, boiseries finement ouvragées, belle mise en place... Un lieu ravissant et une carte explorant le patrimoine culinaire de l'Union indienne.

XX **Spoon,** 14 r. Marignan ✆ 01 40 76 34 44, *spoonfood@aol.com, Fax 01 40 76 34 37* – ▤. AE ⓓ GB JCB. ✂ **G 9**
*fermé 25 juil. au 25 août, 24 déc. au 5 janv., sam. et dim.* – **Repas** carte 51 à 68.
♦ Boiseries de wengé, tons pastel, mobilier design et carte modulable offrant une ribambelle de plats et vins venus des quatre coins du monde : entrez dans le temple de la "fusion food".

XX **Rue Balzac,** 3 r. Balzac ✆ 01 53 89 90 91, *bistrotrostang@wanadoo.fr, Fax 01 53 89 90 94* – ▤. AE GB **F 8**
*fermé 11 au 18 août, sam. midi et dim. midi* – **Repas** carte 50 à 60 ♀.
♦ Le décor de cette immense salle de style appartement bourgeois s'inspirerait du Cirque 2000 de New-York. L'adresse est "tendance" puisque promue par Johnny "himself".

XX ✿ **Carpaccio** - Hôtel Royal Monceau, 37 av. Hoche ✆ 01 42 99 98 90, *Fax 01 42 99 89 94* – AE ⓓ GB JCB. ✂ **E 8**
*fermé 7 au 13 avril, 1er au 25 août, 27 au 31 oct., 22 au 26 déc. et 17 au 23 fév..* – **Repas** carte 65 à 91.
♦ Franchissez le hall de l'hôtel Royal Monceau pour vous attabler dans un plaisant décor évoquant la "Sérénissime". Lustres en verre de Murano. Goûteuse cuisine italienne.
**Spéc.** Carpaccio de contre-filet de boeuf. Gnocchi verts au fromage "Castelmagno". Filet de bar de ligne poêlé aux coquillages.

XX ✿ **Luna,** 69 r. Rocher ✆ 01 42 93 77 61, *Fax 01 40 08 02 44* – ▤. AE GB **E 11**
*fermé 4 au 25 août et dim.* – **Repas** carte 60 à 75 ♀.
♦ Sobre cadre Art déco et fine cuisine aux saveurs iodées, nourries des arrivages quotidiens de belles marées du littoral atlantique. Le baba ? Il vous laissera... "baba" !
**Spéc.** Galette de langoustines aux pousses d'épinard. Daurade royale grillée au gingembre en feuille de bananier. Cassolette de homard au lard fumé.

XX **Relais Plaza** - Hôtel Plaza Athénée, 25 av. Montaigne ✆ 01 53 67 64 00 **G 9**
*fermé août* – **Repas** 43 et carte 58 à 70 ♀.
♦ La "cantine" chic et intime des maisons de couture voisines. Une rénovation subtile a redonné tout son lustre au cadre Art déco originel. Cuisine classique épurée.

XX **Tante Louise,** 41 r. Boissy-d'Anglas ✆ 01 42 65 06 85, *tante.louise@wanadoo.fr, Fax 01 42 65 28 19* – ▤. AE ⓓ GB JCB **F 11**
*fermé août, sam., dim. et fériés* – **Repas** 32 (déj.)/38,50 et carte 48 à 61 ♀.
♦ L'enseigne évoque la "Mère" parisienne qui tenait naguère ce restaurant au discret cadre Art déco. Carte traditionnelle agrémentée de spécialités bourguignonnes.

XX **Flora,** 36 av. George V ✆ 01 40 70 10 49, *Fax 01 47 20 52 87* – ▤. AE GB **G 8**
*fermé 3 au 24 août, sam. midi et dim.* – **Repas** *(26)* - 32 (déj.)/60 et carte 45 à 72 ♀.
♦ Oublié le décor "pastis et Provence" de son ex-adresse (Les Olivades), même si Flora, dans ce restaurant chic et feutré, concocte une cuisine toujours aussi ensoleillée.

XX **Shozan,** 11 r. de la Trémoille ✆ 01 47 23 37 32, *Fax 01 47 23 67 30* – ▤. AE ⓓ GB JCB G 9
*fermé 2 au 26 août, sam. et dim.* – **Repas** *(26)* - 30 (déj.), 60,50/75,50 et carte 61 à 72 ♀.
◆ Côté décor : lumière tamisée, boiseries exotiques, cadre contemporain épuré. Côté cuisine : la tradition française alliée aux dernières tendances nipponnes.

XX **Chez Catherine,** 3 r. Berryer ✆ 01 40 76 01 40, *Fax 01 40 76 03 96* – ▤. AE ⓓ GB JCB F 9
*fermé 1er au 10 mai, 4 août au 1er sept., 1er au 12 janv., sam, dim. et fériés* – **Repas** 35 (déj.) et carte 39 à 75 ♀.
◆ Démarrage en fanfare pour le restaurant de "Catherine" : plaisante salle à manger contemporaine, dont une partie éclairée par une verrière, et cuisine traditionnelle.

XX **Grenadin,** 46 r. Naples ✆ 01 45 63 28 92, *Fax 01 45 61 24 76* – ▤. AE GB E 11
*fermé 15 au 18 août, sam. midi, lundi soir et dim.* – **Repas** 35 et carte 56 à 72.
◆ Près du parc Monceau, deux intimes petites salles égayées de tableaux modernes. Cuisine au goût du jour, avec une mention spéciale pour le "millefeuille minute" !

XX **Hédiard,** 21 pl. Madeleine ✆ 01 43 12 88 99, *restaurant@hediard.fr, Fax 01 43 12 88 98* – ▤. AE ⓓ GB. ✂ F 11
*fermé 1er au 15 août et dim.* – **Repas** *(31)* - 39 (déj.), 42/117 et carte 39 à 61 ♀.
◆ Décor un brin exotique et cuisine aux mille épices : vous êtes conviés à un "safari" culinaire... après avoir parcouru les appétissants rayons de la célèbre épicerie de luxe.

XX **Sarladais,** 2 r. Vienne ✆ 01 45 22 23 62, *Fax 01 45 22 23 62* – ▤. AE ⓓ GB JCB E 11
*fermé 1er au 11 mai, 2 août au 2 sept., sam. sauf le soir d'oct. à avril, dim. et fériés* – **Repas** 29/35 et carte 46 à 70.
◆ La façade en partie lambrissée dissimule une salle à manger rafraîchie mais ayant conservé sa sympathique ambiance provinciale. Solides spécialités périgourdines.

XX **Fermette Marbeuf 1900,** 5 r. Marbeuf ✆ 01 53 23 08 00, *Fax 01 53 23 08 09* – ▤. AE ⓓ GB G 9
**Repas** *(25 bc)* - 30 et carte 36 à 62 ♀.
◆ Le sidérant décor Art nouveau de la salle à manger-verrière, où vous réserverez votre table, a été retrouvé par hasard lors de travaux de rénovation.

XX ✿ **Marius et Janette,** 4 av. George-V ✆ 01 47 23 41 88, *Fax 01 47 23 07 19,* 🏖 – ▤. AE ⓓ GB JCB G 8
**Repas** 55 bc (déj.)et carte 85 à 100.
◆ L'enseigne évoque l'Estaque et les films de Robert Guédiguian. Élégant décor façon "yacht", agréable terrasse sur l'avenue, et la "grande bleue" dans vos assiettes.
**Spéc.** Poissons crus. Merlan Colbert. Loup grillé à l'écaille.

XX **Stella Maris,** 4 r. Arsène Houssaye ✆ 01 42 89 16 22, *stella.maris.paris@wanadoo.fr, Fax 01 42 89 16 01* – ▤. AE ⓓ GB JCB. ✂ F 8
*fermé le midi en août, sam. midi, lundi midi et dim.* – **Repas** 43 (déj.), 71/104 et carte 67 à 98.
◆ Cuisine classique actualisée en harmonie avec le plaisant et très épuré décor de ce restaurant situé à deux pas de l'Arc de Triomphe. Accueil charmant.

XX **Il Sardo,** 11 r. Treilhard ✆ 01 45 61 09 46 – ▤. AE GB E 10
*fermé août, 21 au 29 avril, 24 déc. au 5 janv., sam., dim. et fériés* – **Repas** carte 30 à 50.
◆ Le soleil est autant sur les murs que dans les assiettes de cette sympathique trattoria tenue par une famille sarde. Fresque et bibelots évoquent l'île de la mer Tyrrhénienne.

XX **Les Bouchons de François Clerc "Étoile",** 6 r. Arsène Houssaye ✆ 01 42 89 15 51, *siegebouchons@wanadoo.fr, Fax 01 42 89 28 67* – ▤. AE GB JCB. ✂ F 8
*fermé sam. midi et dim.* – **Repas** 40.
◆ Le dernier-né des "Bouchons" de François Clerc met en vedette les produits de la mer, servis dans un décor évoquant le monde marin. Bon choix de vins à prix coûtant.

XX **Stresa,** 7 r. Chambiges ✆ 01 47 23 51 62 – ▤. AE ⓓ GB. ✂ G 9
*fermé août, 20 déc. au 3 janv., sam. et dim.* – **Repas** (prévenir) carte 52 à 80.
◆ Trattoria du Triangle d'Or fréquentée par une clientèle très jet-set. Tableaux de Buffet, compressions de César... les artistes aussi apprécient cette cuisine italienne.

XX **Berkeley,** 7 av. Matignon ✆ 01 42 25 72 25, *Fax 01 45 63 30 06,* 🏖 – ▤. AE ⓓ GB JCB G 10
**Repas** *(21,50)* - 27,50 (déj.)et carte 32 à 53 ♀.
◆ L'incontournable J. Garcia a métamorphosé cette vénérable brasserie en une adresse "mode" : décor de salle des ventes - Christie's est à deux pas - et de bibliothèque feutrée.

XX **Bistrot du Sommelier,** 97 bd Haussmann ✆ 01 42 65 24 85, *bistrot-du-sommelier@noos.fr, Fax 01 53 75 23 23* – ▤. AE GB F 11
*fermé 26 juil. au 24 août, 20 déc. au 4 janv., sam. et dim.* – **Repas** 39 (déj.), 60 bc/100 et carte 44 à 63 ♀, enf. 14.
◆ Le bistrot de P. Faure-Brac, honoré du titre de meilleur sommelier du monde en 1992, compose un hymne à Bacchus, nourri du feu roulant de dives bouteilles.

XX **Nobu,** 15 r. Marbeuf ✆ 01 56 89 53 53, *nobuparis@wanadoo.fr, Fax 01 56 89 53 54* – ▤. AE ⓓ GB JCB. ⊘ G 9
*fermé dim. et lundi* – **Repas** 32 (déj.), 40/150 et carte 95 à 130.
◆ Après New York et Londres, Nobu s'installe à Paris. Fusion d'une cuisine japonisante et sud-américaine tendance "light", décor minimaliste, serveurs "cools" et... prix V.I.P. !

XX **Kinugawa,** 4 r. St-Philippe du Roule ✆ 01 45 63 08 07, *Fax 01 42 60 45 21* – ▤. AE ⓓ GB JCB. ⊘ F 9
*fermé 24 déc. au 6 janv. et dim.* – **Repas** 26 (déj.), 86/108 et carte 65 à 85 ♀.
◆ Cette discrète façade proche de l'église St-Philippe-du-Roule dissimule un intérieur japonisant où l'on vous soumettra une longue carte de spécialités nipponnes.

XX ✿ **L'Angle du Faubourg,** 195 r. Fg St-Honoré ✆ 01 40 74 20 20, *angledufaubourg@cavestaillevent.com, Fax 01 40 74 20 21* – ▤. AE ⓓ GB JCB E 9
*fermé 26 juil. au 26 août, sam. et dim.* – **Repas** 37/60 et carte 48 à 63 ♀.
◆ À l'angle des rues du Faubourg-St-Honoré et Balzac. Ce "bistrot" moderne, qui n'a pas l'âme faubourienne, propose une cuisine classique habilement actualisée. Cadre épuré.
**Spéc.** Gelée de crustacés aux herbes aromatiques. Daube de joue de boeuf au vin du Languedoc. Crème au chocolat en cappuccino.

XX **Les Bouchons de François Clerc,** 7 r. Boccador ✆ 01 47 23 57 80, *Fax 01 47 23 74 54* – AE GB JCB G 9
*fermé sam. midi et dim.* – **Repas** 40 ♀.
◆ Le succès de ces fameux "bouchons" ? Les vins à prix coûtant, permettant d'accompagner son repas de grands crus sans trop bourse délier. Bistrot chic d'esprit Belle Époque.

XX **Al Ajami,** 58 r. François 1er ✆ 01 42 25 38 44, *ajami@free.fr, Fax 01 42 25 38 39* – ▤. AE ⓓ GB JCB. ⊘ G 9
**Repas** 18 (déj.), 21/32 et carte 26 à 53 ♀.
◆ L'ambassade de la cuisine traditionnelle libanaise. Plats mitonnés de père en fils depuis 1920. Décor orientalisant, ambiance familiale et clientèle d'habitués.

XX **Village d'Ung et Li Lam,** 10 r. J. Mermoz ✆ 01 42 25 99 79, *Fax 01 42 25 12 06* – ▤. AE ⓓ GB JCB F 10
*fermé sam. midi et dim. midi* – **Repas** 19/29 et carte 30 à 40 ♀, enf. 12.
◆ Ung et Li vous accueillent dans un cadre asiatique original : aquariums suspendus, sol en pâte de verre et cuisine visible des clients. Recettes sino-thaïlandaises.

XX **Pichet de Paris,** 68 r. P. Charron ✆ 01 43 59 50 34, *Fax 01 42 89 68 91* – ▤. AE ⓓ GB G 9-F 9
*fermé sam. sauf le soir de sept. à avril et dim.* – **Repas** carte 47 à 81.
◆ Hommes politiques et vedettes du spectacle se retrouvent dans l'arrière-salle de cette pseudo-brasserie où poissons, coquillages et crustacés se taillent la part du lion.

XX **Bistro de l'Olivier,** 13 r. Quentin Bauchart ✆ 01 47 20 78 63, *Fax 01 47 20 74 58* – ▤. AE ⓓ GB G 8
**Repas** (nombre de couverts limité, prévenir) *(24,50)* - 32,50 et carte 64 à 84 ♀.
◆ Carrés provençaux et vieilles affiches évoquant le Sud égayent la salle à manger très actuelle de ce restaurant situé près de l'avenue George-V. Cuisine méditerranéenne.

XX **Market,** 15 r. Matignon ✆ 01 56 43 40 90, *prmarketsa@aol.com, Fax 01 43 59 10 87* – ▤. AE GB F 10
**Repas** *(32)* - 39 (déj.)et carte 50 à 71 ♀.
◆ Emplacement prestigieux, décor de bois brut et de pierre, masques africains logés dans des niches et cuisine métissée (française, italienne et asiatique) : une adresse "trendy".

XX **Nirvana,** 3 av. Matignon ✆ 01 53 89 18 91, *nirvana-resa@noos.fr, Fax 01 42 89 64 74* – ▤. AE GB G 10
**Repas** 30 (déj.)/100 et carte 48 à 70 ♀.
◆ Kitsch, néo-indien, psychédélique, pailleté... Atteindrez-vous le nirvana dans ce temple culinaro-musical branché et voluptueux où l'on régale de saveurs franco-orientales ?

X **Cap Vernet,** 82 av. Marceau ✆ 01 47 20 20 40, *capvernet@guysavoy.com, Fax 01 47 20 95 36,* ☂ – ▤. AE ⓓ GB JCB F 8
*fermé sam. midi et dim.* – **Repas** carte 40 à 53 ♀.
◆ Salle à manger "transatlantique" en bleu-blanc-chrome, parcourue de coursives et bastingages, et ambiance feutrée autour d'une cuisine tournée vers l'océan.

X **L'Appart',** 9 r. Colisée ✆ 01 53 75 16 34, *restapart@aol.com, Fax 01 53 76 15 39* – ▤. AE GB JCB F 9
**Repas** *(20)* - 30 et carte 45 à 55.
◆ Salon, bibliothèque ou cuisine ? Choisissez une des pièces de cet "appartement" reconstitué pour déguster une cuisine au goût du jour. Brunch dominical.

X **Saveurs et Salon,** 3 r. Castellane ✆ 01 40 06 97 97, *Fax 01 40 06 98 06* – ▤. AE GB JCB F 12
*fermé sam. midi et dim.* – **Repas** *(19)* - 31.
◆ Les recettes concoctées selon les arrivages du marché sont à déguster dans une minisalle au cadre contemporain ou au sous-sol, dans un caveau en pierres apparentes.

**Cô Ba Saigon,** 181 r. Fg St-Honoré ✆ 01 45 63 70 37, *nguenkha32@aol.com* – ▤. AE GB F 9
*fermé 3 au 17 août et dim.* – **Repas** 16,90 (déj.)/24 et carte 20 à 33 ♀.
◆ La belle Cô Ba fut représentée sur un timbre-poste émis en Indochine coloniale. Intérieur en noir et rouge agrémenté de photos du pays et cuisine vietnamienne.

**Zo,** 13 r. Montalivet ✆ 01 42 65 18 18, *lezo@mangoosta.fr, Fax 01 42 65 10 91* – ▤. AE GB JCB F 11
*fermé 13 au 19 août, sam. midi et dim. midi* – **Repas** carte 32 à 47.
◆ Zoom sur ce Zo pour drôles de zèbres : décor entre le zist et le zest, carte zappant d'une cuisine à l'autre et clientèle de zouaves certainement pas zombies. Et zou !

**Bistrot de Marius,** 6 av. George V ✆ 01 40 70 11 76, 🏠 – AE ⓓ GB. ✂ G 8
**Repas** carte 35 à 50.
◆ Cette sympathique "annexe" de "Marius et Janette" offre un cadre provençal vivement coloré. Petites tables serrées, dressées simplement. Cuisine de la mer.

**Rocher Gourmand,** 89 r. Rocher ✆ 01 40 08 00 36, *Fax 01 40 08 05 29* – GB E 10
*fermé 27 juil. au 25 août, sam. midi et dim.* – **Repas** *(25)* - 30/38.
◆ Rendez-vous des gourmands de la rue du Rocher, ce sympathique petit restaurant au cadre pimpant propose une cuisine au goût du jour relevée de mille épices.

**Daru,** 19 r. Daru ✆ 01 42 27 23 60, *Fax 01 47 54 08 14* – ▤. AE GB E 9
*fermé août, sam. midi, dim. et fériés* – **Repas** 23/38 et carte 50 à 75.
◆ Fondée en 1918, la maison Daru fut la première épicerie russe de Paris. Elle continue de régaler ses hôtes de zakouskis, blinis et caviars, dans un décor en rouge et noir.

**Ferme des Mathurins,** 17 r. Vignon ✆ 01 42 66 46 39, *Fax 01 42 66 00 27* – AE ⓓ GB JCB F 12
*fermé août, dim. et fériés* – **Repas** 27,50/37 et carte 33 à 56.
◆ Une atmosphère très "vieille France"... à côté de la Madeleine. L'avant-salle, avec son antique zinc, est réservée aux non-fumeurs. Plats "bistrotiers" fleurant bon le terroir.

**Café Indigo,** 12 av. George V ✆ 01 47 20 89 56, *Fax 01 47 20 76 16* – ▤. AE ⓓ GB JCB G 8
**Repas** *(21,50)* - 27 (déj.)et carte 32 à 52.
◆ Près du Lido, un café-restaurant jeune et actuel, mariant boiseries sombres et coloris vifs. Courte carte façon "bistrot" et propositions du jour sur ardoise.

**Boucoléon,** 10 r. Constantinople ✆ 01 42 93 73 33, *claval.jeremy@fnac.net, Fax 01 42 93 17 44* – AE GB E 11
*fermé 1er au 4 mai, 8 au 11 mai, 1er au 24 août, 22 au 28 déc., sam. et dim.* – **Repas** (nombre de couverts limité, prévenir) carte 24 à 35 ♀.
◆ Ce plaisant petit bistrot de quartier connaît un franc succès grâce à une cuisine du marché bien troussée et à prix doux. C'est l'ardoise qui annonce les festivités.

**Shin Jung,** 7 r. Clapeyron ✆ 01 45 22 21 06 D 11
*fermé sam. midi, dim. et midi fériés* – **Repas** *(11,90)* - 14,90/35,10 et carte 20 à 35 ♀.
◆ Salle de restaurant un rien "zen", dont les murs sont agrémentés de calligraphies. Cuisine sud-coréenne et spécialités de poissons crus. Accueil sympathique.

# Opéra - Gare du Nord
# Gare de l'Est - Grands Boulevards

## 9ᵉ et 10ᵉ arrondissements

*9ᵉ : ✉ 75009 - 10ᵉ : ✉ 75010*

**Scribe,** 1 r. Scribe (9ᵉ) ✆ 01 44 71 24 24, *reservation@hotelscribe.fr, Fax 01 42 65 39 97* – 50. AE GB JCB **F 12**
voir rest. ***Les Muses*** ci-après - ***Jardin des Muses*** ✆ 01 44 71 24 19 **Repas** 31 ♀, enf.13 – 25 – **206 ch** 370/625, 6 duplex.
◆ Cet immeuble haussmannien abrite un hôtel apprécié pour son luxe discret. En 1895, le public y découvrait en première mondiale le cinématographe des Frères Lumière.

**Millennium Opéra** Ⓜ, 12 bd Haussmann (9ᵉ) ✆ 01 49 49 16 16, *opera@mill-cop.com, Fax 01 49 49 17 00,* – ch, – 80. AE GB JCB **F 13**
***Brasserie Haussmann*** ✆ 01 49 49 16 64 **Repas** 30/54 ♀ – 25 – **150 ch** 400/500, 13 appart.
◆ Cet hôtel de 1927 n'a rien perdu de son lustre des années folles. Chambres garnies de meubles Art déco et décorées avec un goût sûr. Équipements modernes.

**Ambassador,** 16 bd Haussmann (9ᵉ) ✆ 01 44 83 40 40, *ambass@concorde-hotels.com, Fax 01 42 46 19 84* – – 110. AE GB JCB **F 13**
voir rest. ***16 Haussmann*** ci-après – 22 – **292 ch** 360/495, 4 appart.
◆ Panneaux de bois peint, lustres en cristal, meubles et objets anciens décorent cet élégant hôtel des années 1920. Les chambres offrent espace et confort.

**Villa Opéra Drouot** Ⓜ sans rest, 2 r. Geoffroy Marie (9ᵉ) ✆ 01 48 00 08 08, *drouot@leshotelsdeparis.com, Fax 01 48 00 80 60* – AE GB JCB **F 14**
20 – **27 ch** 390/442, 3 duplex.
◆ Laissez-vous surprendre par le subtil mélange d'un décor baroque et du confort "dernière tendance" en ces chambres agrémentées de tentures, velours, soieries et boiseries.

**Terminus Nord** M sans rest, 12 bd Denain (10e) 01 42 80 20 00, *H2761-GM@accor-hot els.com, Fax 01 42 80 63 89* – 25 70. AE GB JCB E 16
13 – **236 ch** 217/275.
◆ Cet hôtel de 1865 a retrouvé son éclat d'antan. Vitraux Art nouveau, décor "british" et atmosphère "cosy" lui donnent un air de belle demeure victorienne.

**Holiday Inn Paris Opéra,** 38 r. Échiquier (10e) 01 42 46 92 75, *information@hi-parisc pera.com, Fax 01 42 47 03 97* – 45. AE GB JCB F 15
**Repas** 32 bc/39 bc – 20 – **92 ch** 197/273.
◆ Grandes chambres rénovées où l'on a conservé quelques petites touches de style Art nouveau. Boiseries, verrières colorées et fresques égayent les salles à manger.

**Pavillon de Paris** M sans rest, 7 r. Parme (9e) 01 55 31 60 00, *mail@pavillondeparis.co m, Fax 01 55 31 60 01* – AE GB D 12
15 – **30 ch** 230/285.
◆ Décor contemporain d'esprit "zen" et technologie de pointe (accès à Internet par la TV fax et boîte vocale) caractérisent les chambres de cet hôtel sobrement luxueux.

**Lafayette** M sans rest, 49 r. Lafayette (9e) 01 42 85 05 44, *h2802-gm@accor-hotels.co m, Fax 01 49 95 06 60* – cuisinette AE GB JCB F 14
13 – **96 ch** 181/380, 7 appart.
◆ Élégance du beige et du bois dans le hall, esprit "rustique 18e s." dans les chambres tendues de toile de Jouy, cadre de jardin d'hiver pour les petits-déjeuners.

**St-Pétersbourg,** 33 r. Caumartin (9e) 01 42 66 60 38, *hotel.st-petersbourg@wanadoo .fr, Fax 01 42 66 53 54* – 25. AE GB JCB. rest F 12
***Relais*** 01 42 66 85 90 *(fermé août, sam. et dim.)* **Repas** *(16)*-23 – **100 ch** 162/202.
◆ Les chambres, meublées dans le style Louis XVI, sont souvent spacieuses et orientées côté cour. Salon assez cossu, éclairé par une verrière colorée.

**Astra Opéra** sans rest, 29 r. Caumartin (9e) 01 42 66 15 15, *hotel.astra@astotel.com Fax 01 42 66 98 05* – AE GB JCB. F 12
21 – **82 ch** 258/340.
◆ Immeuble haussmannien abritant des chambres assez amples et confortables. Le joli salon sous verrière reçoit régulièrement des expositions d'art contemporain.

**Richmond Opéra** sans rest, 11 r. Helder (9e) 01 47 70 53 20, *paris@richmond-hotel.co m, Fax 01 48 00 02 10* – AE GB JCB. F 13
10 – **59 ch** 128/148.
◆ Les chambres, spacieuses et élégantes, donnent presque toutes sur la cour. Le salon est bourgeoisement décoré dans le style Empire.

**Carlton's Hôtel** sans rest, 55 bd Rochechouart (9e) 01 42 81 91 00, *carltons@club-inte rnet.fr, Fax 01 42 81 97 04* – AE GB JCB D 14
9 – **108 ch** 130/138.
◆ Le point fort de cet établissement est sa position dominante offrant un panorama sur tout Paris. Chambres confortables, bien insonorisées côté boulevard.

**Villa Royale** M sans rest, 2 r. Duperré (9e) 01 55 31 78 78, *royale@leshotelsdeparis.co m, Fax 01 55 31 78 70* – AE GB JCB D 13
25 – **31 ch** 270/470.
◆ Mobilier ancien et design, profusion de couleurs chatoyantes et de bibelots : nouveau décor - baroque et "tendance" - et équipements dernier cri pour cet hôtel-bonbonnière.

**Albert 1er** M sans rest, 162 r. Lafayette (10e) 01 40 36 82 40, *paris@albert1erhotel.com Fax 01 40 35 72 52* – AE GB JCB E 16
10 – **55 ch** 94/110.
◆ Immeuble d'angle dont les chambres, bien aménagées et équipées d'un double vitrage bénéficient d'efforts constants de rénovation. Atmosphère conviviale.

**Opéra Cadet** M sans rest, 24 r. Cadet (9e) 01 53 34 50 50, *infos@hotel-opera-cadet.fr Fax 01 53 34 50 60* – 50. AE GB JCB F 14
12 – **82 ch** 160/180, 3 appart.
◆ Laissez votre voiture dans le garage, installez-vous dans cet hôtel contemporain et vivez la capitale à pied. Pour plus de tranquillité, préférez les chambres côté jardin.

**Bergère Opéra** sans rest, 34 r. Bergère (9e) 01 47 70 34 34, *hotel.bergere@astotel.co m, Fax 01 47 70 36 36* – 40. AE GB JCB F 14
14 – **134 ch** 167/182.
◆ Immeuble du 19e s. doté depuis peu d'un ascenseur panoramique. Les chambres rénovées par étapes, adoptent un décor plaisant ; certaines donnent sur une cour-jardin.

**Franklin** sans rest, 19 r. Buffault (9e) 01 42 80 27 27, *H2779@accor-hotels.com, Fax 01 48 78 13 04* – AE GB JCB E 14
13 – **68 ch** 179/224.
◆ Dans une rue paisible, chambres garnies d'un élégant mobilier inspiré des campagnes militaires de l'époque napoléonienne. Insolite trompe-l'oeil naïf à l'accueil.

**Libertel Caumartin** sans rest, 27 r. Caumartin (9e) ✆ 01 47 42 95 95, *h2811@accor-hotels.com, Fax 01 47 42 88 19* – |‡| ⇔ ▤ TV ✆. AE ◑ GB JCB F 12
☕ 13 – **40 ch** 169/181.
◆ Chambres contemporaines meublées en bois blond et joliment décorées. Agréable salle des petits-déjeuners ornée de peintures hautes en couleur.

**Grand Hôtel Haussmann** sans rest, 6 r. Helder (9e) ✆ 01 48 24 76 10, *ghh@club-internet.fr, Fax 01 48 00 97 18* – |‡| ▤ TV ✆. AE ◑ GB JCB. ✻ F 13
☕ 10 – **59 ch** 114/155.
◆ Cette discrète façade dissimule des chambres de tailles variées, douillettes, personnalisées et rénovées par étapes. Presque toutes donnent sur l'arrière.

**Blanche Fontaine** ⛶ sans rest, 34 r. Fontaine (9e) ✆ 01 44 63 54 95, *tryp.blanchefontaine@solmelia.com, Fax 01 42 81 05 52* – |‡| ⇔ TV ✆ ⇔. AE ◑ GB JCB D 13
☕ 15 – **66 ch** 174/259, 4 appart.
◆ À l'écart de l'animation citadine, hôtel dont les chambres, spacieuses, sont régulièrement rafraîchies. Agréable salle des petits-déjeuners.

**Anjou-Lafayette** sans rest, 4 r. Riboutté (9e) ✆ 01 42 46 83 44, *hotel.anjou.lafayette@wanadoo.fr, Fax 01 48 00 08 97* – |‡| TV ✆. AE ◑ GB JCB E 14
☕ 10 – **39 ch** 125/150.
◆ Près du verdoyant square Montholon orné de grilles du Second Empire, chambres de bon confort, insonorisées et entièrement relookées dans un style contemporain.

**Paris-Est** sans rest, 4 r. 8 Mai 1945 (cour d'Honneur gare de l'Est)(10e) ✆ 01 44 89 27 00, *hotelparisest-bestwestern@autogrill.fr, Fax 01 44 89 27 49* – |‡| ▤ TV. AE ◑ GB E 16
☕ 10 – **45 ch** 111/182.
◆ Bien que jouxtant la gare, cet établissement propose des chambres calmes, car tournées vers une arrière-cour ; toutes viennent d'être refaites.

**Trois Poussins** Ⓜ sans rest, 15 r. Clauzel (9e) ✆ 01 53 32 81 81, *h3p@les3poussins.com, Fax 01 53 32 81 82* – |‡| cuisinette ⇔ TV ✆ ♿. AE ◑ GB JCB E 13
☕ 10 – **40 ch** 125/175.
◆ Élégantes chambres offrant plusieurs niveaux de confort. Vue sur Paris depuis les derniers étages. Salle des petits-déjeuners joliment voûtée. Petite cour-terrasse.

**Opéra d'Antin** Ⓜ sans rest, 75 r. Provence (9e) ✆ 01 48 74 12 99, *reservation@hoteloperadantin.com, Fax 01 48 74 16 14* – ⇔ ▤ TV ✆. AE ◑ GB JCB. ✻ F 12
☕ 9 – **29 ch** 155.
◆ Hôtel restauré proche des célèbres Galeries Lafayette. Salle des petits-déjeuners aménagée sous une verrière et plaisantes chambres optant pour le style Art déco.

**Celte La Fayette** sans rest, 25 r. Buffault (9e) ✆ 01 49 95 09 49, *inforesa@hotel-celte-lafayette.com, Fax 01 49 95 01 88* – |‡| ▤ TV. AE ◑ GB JCB E 14
☕ 10 – **50 ch** 115/215.
◆ Dans une rue calme, au coeur du quartier des banques et des assurances. Les chambres, régulièrement rénovées, sobres et modernes, donnent presque toutes sur une cour.

**Langlois** sans rest, 63 r. St-Lazare (9e) ✆ 01 48 74 78 24, *hotel-des-croises@wanadoo.fr, Fax 01 49 95 04 43* – |‡| TV ✆. AE ◑ GB E 12
☕ 7,60 – **24 ch** 88/98, 3 appart.
◆ Bâti en 1870, l'immeuble abrita d'abord une banque puis un hôtel à partir de 1896. Art nouveau, Art déco ou années 1950, toutes les chambres ont un caractère bien marqué.

**Printania** sans rest, 19 r. Château d'Eau (10e) ✆ 01 42 01 84 20, *printania@hotelprintania.fr, Fax 01 42 39 55 12* – |‡| TV ✆. AE ◑ GB JCB. ✻ F 16
☕ 9 – **51 ch** 95/131.
◆ Hôtel situé dans une rue commerçante. La plupart des chambres, pas très grandes mais confortables, s'ouvrent sur un patio ; quelques terrasses au dernier étage.

**Pavillon République Les Halles** sans rest, 9 r. Pierre Chausson (10e) ✆ 01 40 18 11 00, *republique@leshotelsdeparis.com, Fax 01 40 18 11 06* – ⇔ TV ✆ ♿. AE ◑ GB JCB F 16
☕ 11 – **58 ch** 150/200.
◆ Au gré de vos envies, choisissez les chambres de style Art déco ou celles offrant une ambiance romantique ; presque toutes donnent sur une arrière-cour.

**Monterosa** Ⓜ sans rest, 30 r. La Bruyère (9e) ✆ 01 48 74 87 90, *Fax 01 42 81 01 12* – |‡| TV. AE ◑ GB E 13
☕ 8 – **36 ch** 81/105.
◆ Dans une rue paisible de la Nouvelle Athènes, chambres de différentes tailles, fonctionnelles et bien insonorisées ; la majorité d'entre elles vient d'être rénovée.

**Mercure Monty** sans rest, 5 r. Montyon (9e) ✆ 01 47 70 26 10, *hotel@mercuremonty.com, Fax 01 42 46 55 10* – |‡| ⇔ ▤ TV ✆ – 🏫 50. AE ◑ GB JCB F 14
☕ 11,50 – **70 ch** 155/161.
◆ Belle façade des années 1930, cadre Art déco à l'accueil et équipements standard de la chaîne caractérisent ce Mercure situé dans la perspective des Folies Bergère.

**Pré** sans rest, 10 r. P. Sémard (9e) ☎ 01 42 81 37 11, *hoteldupre@wanadoo.fr, Fax 01 40 23 98 28* – |♦| TV ☎. AE ⓓ GB E 15
10 – **41 ch** 88/115.
◆ Chambres modernes joliment colorées, salon garni de canapés Chesterfield, salle des petits-déjeuners et bar de style bistrot.

**Résidence du Pré** sans rest, 15 r. P. Sémard (9e) ☎ 01 48 78 26 72, *residencedupre@wanadoo.fr, Fax 01 42 80 64 83* – |♦| TV ☎. AE ⓓ GB JCB. E 15
10 – **40 ch** 78/92.
◆ Non loin de son frère jumeau, cet hôtel propose des chambres de même confort que celui-ci. Salon, salle des petits-déjeuners et coin bar au cadre contemporain.

**Sudotel Grands Boulevards** sans rest, 42 r. Petites-Écuries (10e) ☎ 01 42 46 91 86, *info@sudotel.com, Fax 01 40 22 90 85* – |♦| TV. AE ⓓ GB JCB F 15
10 – **49 ch** 115/175.
◆ Comme l'indique l'enseigne, les Grands Boulevards sont proches, mais la plupart des chambres donnent sur une cour. Joli mobilier et tonalités harmonieuses.

**Gotty** sans rest, 11 r. Trévise (9e) ☎ 01 47 70 12 90, *hotelgotty@hotelgottyopera.fr, Fax 01 47 70 21 26* – |♦| TV ☎. AE ⓓ GB JCB F 14
9 – **44 ch** 116/136.
◆ Chambres de style rustique, insonorisées ; quelques-unes sont tournées côté cour. Tons chauds et poutres dans la salle des petits-déjeuners.

**Acadia** M sans rest, 4 r. Geoffroy Marie (9e) ☎ 01 40 22 99 99, *astotel@astotel.com, Fax 01 40 22 01 82* – |♦| TV ☎. AE ⓓ GB JCB. F 14
14 – **36 ch** 167/182.
◆ Dans un quartier animé - de nuit comme de jour - ce petit immeuble abrite des chambres bien équipées et bénéficiant d'un double vitrage. Tenue sans reproche.

**Axel** sans rest, 15 r. Montyon (9e) ☎ 01 47 70 92 70, *axelopera@paris-honotel.com, Fax 01 47 70 43 37* – |♦| TV. AE ⓓ GB JCB F 14
13 – **38 ch** 145/189.
◆ Dans cet hôtel situé au coeur d'un quartier très animé le soir, demandez l'une des nombreuses chambres donnant côté cour. Aménagements fonctionnels.

**Paix République** sans rest, 2 bis bd St-Martin (10e) ☎ 01 42 08 96 95, *hotelpaix@wanadoo.fr, Fax 01 42 06 36 30* – |♦| TV. AE ⓓ GB JCB. G 16
7 – **45 ch** 108/197.
◆ Plus calmes côté rue que côté boulevard, chambres aux tons pastel garnies de meubles rustiques ou en bois stratifié. Profonds sièges en cuir dans le coin salon.

**Trinité Plaza** sans rest, 41 r. Pigalle (9e) ☎ 01 42 85 57 00, *trinite.plaza@wanadoo.fr, Fax 01 45 26 41 20* – |♦| TV ☎. AE ⓓ GB JCB E 13
6 – **42 ch** 116/136.
◆ À l'angle d'une impasse et de la rue Pigalle. Les chambres, sobrement décorées dans un style actuel, sont insonorisées.

**Corona** sans rest, 8 cité Bergère (9e) ☎ 01 47 70 52 96, *hotelcoronaopera@regetel.com, Fax 01 42 46 83 49* – |♦| TV ☎. AE ⓓ GB JCB F 14
12 – **56 ch** 150/191, 4 appart.
◆ Dans un calme et pittoresque passage, petit immeuble à la façade ornée d'une élégante marquise. Chambres dotées d'un mobilier en loupe d'orme. Accueillant salon.

**Alba-Opéra** sans rest, 34 ter r. La Tour d'Auvergne (9e) ☎ 01 48 78 80 22, *Fax 01 42 85 23 13* – |♦| cuisinette TV ☎. AE ⓓ GB JCB. E 14
7 – **24 ch** 90/125.
◆ Au fond d'une impasse, hôtel où vécut, dans les années 1930, le trompettiste L. Armstrong. Chambres offrant plusieurs niveaux de confort.

**Peyris** sans rest, 10 r. Conservatoire (9e) ☎ 01 47 70 50 83, *peyris@club-internet.fr, Fax 01 40 22 95 91* – |♦| TV. AE ⓓ GB JCB F 14
12 – **50 ch** 120/130.
◆ Les chambres se dotent peu à peu d'aménagements fonctionnels et de décors aux tons jaune et bleu. Salon garni d'un mobilier Napoléon III. Accueil aimable.

**Comfort Gare du Nord** sans rest, 33 r. St-Quentin (10e) ☎ 01 48 78 02 92, *hgd-nordotel@wanadoo.fr, Fax 01 45 26 88 31* – |♦| TV ☎. AE ⓓ GB. E 16
10 – **47 ch** 116/126.
◆ Établissement proposant des chambres meublées simplement mais spacieuses, très bien tenues et insonorisées. Agréables salles de bains. Coquette salle des petits-déjeuners.

**Amiral Duperré** M sans rest, 32 r. Duperré (9e) ☎ 01 42 81 55 33, *h2756@accor-hotels.com, Fax 01 44 63 04 73* – |♦| TV ☎. AE ⓓ GB JCB D 13
8 – **52 ch** 97/127.
◆ Batailles navales peintes en trompe-l'oeil et reproductions de gravures marines dans le hall. Mobilier de style Art déco dans des chambres pas très grandes.

**Riboutté-Lafayette** sans rest, 5 r. Riboutté (9e) ✆ 01 47 70 62 36, *Fax 01 48 00 91 50* – E 14
6 – **24 ch** 78.
◆ Il règne une atmosphère provinciale dans ces salons décorés de bibelots, de plantes vertes et de fleurs. Chambres simples, agrémentées de meubles chinés dans les brocantes.

**Relais du Pré** sans rest, 16 r. P. Sémard (9e) ✆ 01 42 85 19 59, *relaisdupre@wanadoo.fr, Fax 01 42 85 70 59* – E 15
10 – **34 ch** 80/98.
◆ Proche de ses deux grands frères, cet hôtel propose les mêmes chambres - modernes et pimpantes - que ses aînés. Bar et salon contemporains, assez "cosy".

**Ibis Gare de l'Est** M, 197 r. Lafayette (10e) ✆ 01 44 65 70 00, *Fax 01 44 65 70 07* – ch, E 17
Repas (dîner seul.) *(12)* - carte 21 à 26 ♀, enf. 6 – 6 – **165 ch** 72.
◆ Espace et équipements modernes sont les atouts de cet Ibis. Les chambres du dernier étage, côté rue, offrent une vue sur le Sacré-Coeur. Petite carte façon bistrot.

**Aulivia Opéra** sans rest, 4 r. Petites Écuries (10e) ✆ 01 45 23 88 88, *hotel.aulivia@astotel.com, Fax 01 45 23 88 89* – F 15
11 – **31 ch** 105/136.
◆ Chambres fonctionnelles, bien équipées et toutes identiques dans un quartier animé fleurant bon les épices ; préférez celles sur l'arrière, plus au calme.

**Libertel Strasbourg-Mulhouse** sans rest, 87 bd Strasbourg (10e) ✆ 01 42 09 12 28, *h2753-gm@accor-hotels.com, Fax 01 42 09 48 12* – E 15
8 – **32 ch** 107/130.
◆ Cet hôtel joliment meublé offre peu d'espace, mais bénéficie d'agencements astucieux. Les chambres, à l'atmosphère "cosy", sont plus calmes sur l'arrière.

**Ibis Lafayette** sans rest, 122 r. Lafayette (10e) ✆ 01 45 23 27 27, *Fax 01 42 46 73 79* – E 16
6 – **70 ch** 89.
◆ Établissement où vous séjournerez dans des chambres récemment refaites et correctement insonorisées ; les plus plaisantes ouvrent sur un petit jardin.

**Campanile Gare du Nord** sans rest, 232 r. Fg St-Martin (10e) ✆ 01 40 34 38 38, *Fax 01 40 34 38 50* – DE 17
6,50 – **91 ch** 80/84.
◆ Immeuble moderne abritant des chambres fonctionnelles pourvues d'un double vitrage. Cour verdoyante où l'on sert les petits-déjeuners à la belle saison. Agréable coin bar.

**Suède** sans rest, 106 bd Magenta (10e) ✆ 01 40 36 10 12, *h2743-gm@accor-hotels.com, Fax 01 40 36 11 98* – E 15-16
8 – **52 ch** 107/130.
◆ Sur un boulevard à forte circulation, hôtel dont les petites chambres aux tons pastel, égayées d'un mobilier peint, sont correctement insonorisées.

**Capucines** sans rest, 6 r. Godot de Mauroy (9e) ✆ 01 47 42 25 05, *capucines@pariscityhotel.com, Fax 01 42 68 05 05* – F 12
8 – **45 ch** 110/137.
◆ Ambiance Art déco dans le hall. Chambres joliment colorées, offrant différents niveaux de confort ; la moitié d'entre elles donnent sur une cour. Accueil aimable.

**Gilden Magenta** sans rest, 35 r. Yves Toudic (10e) ✆ 01 42 40 17 72, *hotel.gilden.magenta@multi-micro.com, Fax 01 42 02 59 66* – F 17
6,50 – **32 ch** 56/72.
◆ À deux pas, l'Hôtel du Nord veille toujours sur le canal St-Martin. Optez pour les chambres rajeunies ; les autres sont simples mais bien tenues. Accueil chaleureux.

XXXX ✿✿ **Les Muses** - Hôtel Scribe, 1 r. Scribe (9e) ✆ 01 44 71 24 26, *reservation@hotelscribe.com, Fax 01 44 71 24 64* – F 12
*fermé août, 24 déc. au 2 janv., lundi midi, sam., dim. et fériés* – **Repas** 44 (déj.)/65 (déj.)et carte 80 à 100 ♀.
◆ Au sous-sol de l'hôtel, restaurant agrémenté de lustres en verre de Murano, d'une fresque et de toiles évoquant le quartier de l'Opéra au 19e s. Séduisante table classique.
**Spéc.** Pinces de tourteau décortiquées, fine gelée aux agrumes. Gibier (saison). Feuillantine croustillante glacée à la crème brûlée fraises des bois (été).

XXX **Table d'Anvers,** 2 pl. d'Anvers (9e) ✆ 01 48 78 35 21, *conticini@latabledanvers.fr, Fax 01 45 26 66 67* – D 14
*fermé sam. midi, dim. et lundi* – **Repas** 39/60 bc et carte 68 à 86 ♀.
◆ À quelques volées d'escalier du Sacré-Coeur, ce restaurant contemporain propose une cuisine inventive dans un décor égayé de boiseries claires et de toiles modernes.

XX **Au Chateaubriant,** 23 r. Chabrol (10e) ☎ 01 48 24 58 94, *Fax 01 42 47 09 75* – ▤. AE GB JCB E 15
*fermé août, dim. et lundi* – **Repas** 28 et carte 31 à 50 ♀.
◆ Ambiance feutrée, tables joliment dressées, collection de tableaux contemporains et cuisine d'inspiration italienne font la personnalité de ce restaurant.

XX **16 Haussmann** - Hôtel Ambassador, 16 bd Haussmann (9e) ☎ 01 48 00 06 38, *16haussmann@concorde-hotels.com, Fax 01 44 83 40 57* – ▤. AE ⊙ GB F 13
*fermé 3 au 24 août, sam. midi et dim.* – **Repas** *(30)* - 37 et carte 40 à 60.
◆ Bleu "parisien", jaune doré, bois blond-roux, sièges rouges signés Starck et larges baies vitrées donnant sur le boulevard, dont l'animation fait partie du décor.

XX **Au Petit Riche,** 25 r. Le Peletier (9e) ☎ 01 47 70 68 68, *Fax 01 48 24 10 79* – ▤. AE ⊙ GB JCB F 13
*fermé dim.* – **Repas** carte 30 à 53 ♀.
◆ Gracieux salons-salles à manger de la fin du 19e s., agrémentés de miroirs et chapelières Peut-être serez-vous assis à la place favorite de Chevalier ou de Mistinguett ?

XX **Bistrot Papillon,** 6 r. Papillon (9e) ☎ 01 47 70 90 03, *Fax 01 48 24 05 59* – ▤. AE ⊙ GB JCB E 15
*fermé 1er au 12 mai, 2 au 24 août, sam. soir de mai à sept. et dim.* – **Repas** 27 et carte 36 à 42 ♀.
◆ Il règne une atmosphère provinciale dans ce restaurant aux murs habillés de boiseries ou tendus de tissu. Carte classique complétée de plats choisis selon le marché.

XX **Julien,** 16 r. Fg St-Denis (10e) ☎ 01 47 70 12 06, *Fax 01 42 47 00 65* – ▤. AE ⊙ GB F 15
**Repas** *(21,50 bc)* - 30,50 bc et carte 33 à 45, enf. 9,50.
◆ Cet ancien "bouillon" datant de 1903 présente un éblouissant décor Art nouveau associant courbes, contre-courbes, motifs floraux et figures allégoriques en pâte de verre.

XX **Bubbles,** 6 r. Édouard VII (9e) ☎ 01 47 42 77 95, *Fax 01 47 42 31 32*, ⛱ – ▤. AE ⊙ GB JCB. ✻ F 12
*fermé 14 au 29 fév., sam. midi, lundi soir, dim. et fériés* – **Repas** 38 bc (dîner) et carte 40 à 60.
◆ Dans un passage luxueux et calme où l'on dresse une vaste terrasse, bar à champagne (200 références) au décor design original et coloré. Cuisine goûteuse. Pétillant !

XX **Brasserie Flo,** 7 cour Petites-Écuries (10e) ☎ 01 47 70 13 59, *Fax 01 42 47 00 80* – ▤. AE ⊙ GB JCB F 15
**Repas** *(21,50 bc)* - 28,50 bc (déj.)/30,50 bc et carte 30 à 50 ♀.
◆ Boiseries sombres et panneaux peints évoquant l'Alsace composent l'élégant décor de cette brasserie fondée en 1886. L'imposant banc d'écailler borde la pittoresque impasse.

XX **Chez Jean,** 8 r. St-Lazare (9e) ☎ 01 48 78 62 73, *Fax 01 48 78 66 04* – AE ⊙ GB E 12
*fermé 29 juil. au 27 août, dim. et lundi* – **Repas** 32 (déj.)et carte 47 à 62 ♀.
◆ Porte-"revolver" d'origine, lambris, comptoir, banquettes et cuivres : ce vaste restaurant a conservé son élégant et chaleureux cadre de brasserie. Cuisine au goût du jour.

XX **Terminus Nord,** 23 r. Dunkerque (10e) ☎ 01 42 85 05 15, *Fax 01 40 16 13 98* – ▤. AE ⊙ GB JCB E 16
**Repas** *(21,50 bc)* - 30,50 bc et carte 25 à 50.
◆ Haut plafond, fresques, affiches et sculptures se reflètent dans les miroirs de cette brasserie où Art déco et Art nouveau s'unissent pour le meilleur. Clientèle cosmopolite.

XX **Wally Le Saharien,** 36 r. Rodier (9e) ☎ 01 42 85 51 90, *Fax 01 45 86 08 35* – ▤. GB ✻ E 14
*fermé lundi et dim.* – **Repas** 40,40 et carte 33 à 45.
◆ Cette rue sans charme particulier dissimule une oasis au décor de "Mille et une nuits". Cuisine nord-africaine, dont l'authentique "couscous saharien" (sans légumes).

X **Cotriade,** 62 r. Fg Montmartre (9e) ☎ 01 42 80 39 92, *Fax 01 42 80 53 38* – AE ⊙ GB JCB E 14
*fermé 1er au 25 août, sam. midi et dim.* – **Repas** *(22 bc)* - 29 ♀.
◆ Ce restaurant fait souffler une petite brise de mer sur ce quartier d'affaires animé : cadre sobre et frais et spécialités de poissons dont la fameuse cotriade bretonne.

X **Petite Sirène de Copenhague,** 47 r. N.-D. de Lorette (9e) ☎ 01 45 26 66 66 – GB E 13
*fermé 3 au 25 août, sam. midi, dim. et lundi* – **Repas** (prévenir) 24 (déj.)/29 et carte 42 à 56
◆ Une sobre salle à manger - murs chaulés, éclairage tamisé à la mode danoise - pour des recettes originaires de la patrie d'Andersen. Accueil aux petits soins.

X **L'Oenothèque,** 20 r. St-Lazare (9e) ☎ 01 48 78 08 76, *loenotheque@free.fr, Fax 01 40 16 10 27* – ▤. AE ⊙ GB JCB E 13
*fermé 1er au 11 mai, 9 au 31 août, sam. et dim.* – **Repas** 30 et carte 32 à 60 ♀.
◆ Adresse de quartier associant un restaurant simple et une boutique de vins. Bon choix de bouteilles pour accompagner la cuisine du marché que l'on découvre sur l'ardoise.

**I Golosi,** 6 r. Grange Batelière (9e) ✆ 01 48 24 18 63, *i.golosi@wanadoo.fr, Fax 01 45 23 18 96* – ▤. GB F 14
*fermé 11 au 24 août, sam. soir et dim.* – **Repas** carte 25 à 40 ♀.
◆ Au 1er étage, design italien dont le "minimalisme" est compensé par la jovialité du service. Au rez-de-chaussée, café, boutique et coin dégustation. Cuisine transalpine.

**Pré Cadet,** 10 r. Saulnier (9e) ✆ 01 48 24 99 64, *Fax 01 47 70 55 96* – ▤. AE ⓓ GB JCB F 14
*fermé 1er au 8 mai, 4 au 24 août, Noël au Jour de l'An, sam. midi et dim.* – **Repas** (nombre de couverts limité, prévenir) 26 et carte 35 à 50.
◆ Sympathie, convivialité et plats "canailles" dont la tête de veau sauce gribiche, orgueil de la maison, font le succès de cette petite adresse voisine des Folies Bergère.

**Bistro de Gala,** 45 r. Fg Montmartre (9e) ✆ 01 40 22 90 50, *Fax 01 40 22 98 30* – ▤. AE ⓓ GB F 14
*fermé sam. midi et dim. midi* – **Repas** 30 et carte 30 à 41.
◆ Fou de "cinoche", le patron a décoré sa salle d'affiches de films sur le thème de la "bouffe". La cuisine, qui tient le premier rôle, varie au gré du marché.

**Aux Deux Canards,** 8 r. Fg Poissonnière (10e) ✆ 01 47 70 03 23, *Fax 01 47 70 18 85* – ▤. AE ⓓ GB F 15
*fermé 26 juil. au 26 août, sam. midi, lundi midi et dim.* – **Repas** 24 et carte 23 à 44 ♀.
◆ Il faut sonner pour entrer dans ce "resto" qui cultive le style bistrot. La cuisine suit les caprices du marché, mais le canard à l'orange est toujours de la partie.

**Dell Orto,** 45 r. St-Georges (9e) ✆ 01 48 78 40 30 – AE GB E 13
*fermé dim. et fériés* – **Repas** (dîner seul.) 26/44.
◆ Agréable décor façon trattoria chic, atmosphère chaleureuse, et aux fourneaux, un chef italien qui rehausse délicatement la cuisine de son pays de saveurs venues d'ailleurs.

**Relais Beaujolais,** 3 r. Milton (9e) ✆ 01 48 78 77 91 – GB E 14
*fermé août, sam., dim. et fériés* – **Repas** carte 25 à 40.
◆ Cet authentique bistrot propose spécialités lyonnaises et vins choisis du Beaujolais dans une ambiance conviviale. Rue Milton, le Paradis perdu... retrouvé.

**Georgette,** 29 r. St-Georges (9e) ✆ 01 42 80 39 13 – AE ⓓ GB JCB E 13
*fermé août, sam., dim. et fériés* – **Repas** 32 bc et carte 26 à 39.
◆ Avec ses tables multicolores en formica et ses chaises en skaï, ce restaurant a un petit cachet "rétro" des plus sympathiques. Service familial et cuisine de bistrot.

**Chez Michel,** 10 r. Belzunce (10e) ✆ 01 44 53 06 20, *Fax 01 44 53 61 31* – GB F 15
*fermé août, lundi midi, sam. et dim.* – **Repas** 30 ♀.
◆ Accueil aimable, charmante atmosphère provinciale et cuisine du marché largement influencée par la Bretagne : petite adresse de quartier où seule la place coûte cher.

**L'Excuse Mogador,** 21 r. Joubert (9e) ✆ 01 42 81 98 19 – GB F 12
*fermé août, sam. et dim.* – **Repas** (déj. seul.) 15/19 et carte 20 à 33 ♀.
◆ Le shopping boulevard Haussmann, ça creuse ! Les plats traditionnels servis dans cette salle à manger agrémentée d'un zinc du 19e s. sauront vous requinquer.

# Bastille - Gare de Lyon
# Place d'Italie - Bois de Vincennes

## *$12^e$ et $13^e$ arrondissements*

*$12^e$ : ✉ 75012 - $13^e$ : ✉ 75013*

**Sofitel Paris Bercy** Ⓜ, 1 r. Libourne ($12^e$) ✆ 01 44 67 34 00, *h2192@accor-hotels.com*, *Fax 01 44 67 34 01*, – 250. AE ⓓ GB JCB NP 2
***Café Ké*** ✆ 01 44 67 34 71 **Repas** *(20,50)*- 28 – 22 – **376 ch** 360/400, 10 appart, 1 studios.
◆ Centre de convention "dernier cri", chambres contemporaines (celles des dernier étages ont vue sur Paris) et élégant restaurant : ce Sofitel ne manque pas d'atouts.

**Novotel Gare de Lyon** Ⓜ, 2 r. Hector Malot ($12^e$) ✆ 01 44 67 60 00, *H1735@accor-hotels.com*, *Fax 01 44 67 60 60*, – 75. AE ⓓ GB JCB L 1
**Repas** *(17,60)* - 21,90, enf. 8 – 14 – **253 ch** 180/235.
◆ Bâtiment récent en arc de cercle, donnant sur une place calme. Hall résolument moderne couplant béton brut et acier. Chambres fonctionnelles, parfois avec terrasse.

**Holiday Inn Bastille** Ⓜ sans rest, 11 r. Lyon ($12^e$) ✆ 01 53 02 20 00, *resa.hinn@guichard.fr*, *Fax 01 53 02 20 01* – 75. AE ⓓ GB JCB L 1
15 – **125 ch** 155/250.
◆ Bel immeuble (1913) situé entre la gare de Lyon et la Bastille. Dans les chambres habillée de boiseries et de belles tentures cohabitent meubles de style et modernes.

**Novotel Bercy** Ⓜ, 85 r. Bercy ($12^e$) ✆ 01 43 42 30 00, *h0935@accor-hotels.com*, *Fax 01 43 45 30 60*, – 80. AE ⓓ GB JCB M 1
**Repas** *(17)* - 22, enf. 8 – 13 – **129 ch** 150/218.
◆ Les chambres de ce Novotel ont adopté les nouvelles normes de la chaîne. Agréable salle à manger dont les baies vitrées et la terrasse s'ouvrent sur le parc de Bercy.

**Holiday Inn Bibliothèque de France** M, 21 r. Tolbiac (13e) ✆ 01 45 84 61 61, *tolbiac@club-internet.com, Fax 01 45 84 43 38* – ch, – 25. AE GB JCB. rest **P 18**
**Repas** (dîner seul.) 22 – 13 – **71 ch** 158/190.
◆ Dans une rue passante, à 20 m de la station de métro, immeuble abritant des chambres confortables, meublées en stratifié et équipées d'un double vitrage.

**Mercure Place d'Italie** M sans rest, 25 bd Blanqui (13e) ✆ 01 45 80 82 23, *H1191@accor-hotels.com, Fax 01 45 81 45 84* – – 20. AE GB JCB **P 15**
11 – **50 ch** 150/170.
◆ À proximité de la Manufacture des Gobelins, cet établissement propose des chambres progressivement rajeunies, fonctionnelles, chaleureuses et isolées du bruit.

**Mercure Gare de Lyon** M sans rest, 2 pl. Louis Armand (12e) ✆ 01 43 44 84 84, *H2217@accor-hotels.com, Fax 01 43 47 41 94* – – 15 à 90. AE GB JCB **L 18**
13,50 – **315 ch** 185.
◆ Cet hôtel récent est veillé par le beffroi de la gare de Lyon, construite en 1899. Chambres rénovées, meublées en bois cérusé et bien insonorisées.

**Villa Lutèce Port Royal** M sans rest, 52 r. Jenner (13e) ✆ 01 53 61 90 90, *lutece@leshotelsdeparis.com, Fax 01 53 61 90 91* – . AE GB JCB **N 16**
20 – **39 ch** 255/355, 6 duplex.
◆ Élégante décoration sur le thème de la littérature, mobilier contemporain, couleurs chaudes et atmosphère très "cosy" : mariage réussi de la modernité et de l'intimité.

**Pavillon Bastille** sans rest, 65 r. Lyon (12e) ✆ 01 43 43 65 65, *hotel-pavillon@akamail.com, Fax 01 43 43 96 52* – . AE GB JCB **K 18**
12 – **25 ch** 130/213.
◆ Ancien hôtel particulier devancé d'une petite cour fleurie agrémentée d'une fontaine du 17e s. Hall et chambres portent les couleurs de la Provence.

**Paris Bastille** M sans rest, 67 r. Lyon (12e) ✆ 01 40 01 07 17, *infos@hotelparisbastille.com, Fax 01 40 01 07 27* – – 25. AE GB JCB **K 18**
12 – **37 ch** 143/207.
◆ Confort actuel, camaïeux de gris et meubles en bois clair caractérisent les chambres de cet hôtel situé face à l'Opéra. Vous dormirez plus tranquille côté cour.

**Demeure** sans rest, 51 bd St-Marcel (12e) ✆ 01 43 37 81 25, *la_demeure@netcourrier.com, Fax 01 45 87 05 03* – . AE GB JCB. **M 16**
10 – **37 ch** 105, 6 appart.
◆ Immeuble ancien situé sur un boulevard passant entre la gare d'Austerlitz et la Manufacture des Gobelins. Le hall et les chambres bénéficient d'une récente rénovation.

**Claret,** 44 bd Bercy (12e) ✆ 01 46 28 41 31, *resa@hotel-claret.com, Fax 01 49 28 09 29* – – 20. AE GB **M 19**
**Repas** *(fermé sam. et dim.)* 22 – 10 – **52 ch** 115/135.
◆ Cet ancien relais de poste est l'un des derniers vestiges du Bercy d'antan. L'hôtel, refait de la cave au grenier, abrite des chambres "cosy" et un plaisant restaurant italien.

**Résidence Vert Galant** sans rest, 43 r. Croulebarbe (13e) ✆ 01 44 08 83 50, *Fax 01 44 08 83 69* – . AE GB JCB. **N 15**
7 – **15 ch** 87/90.
◆ Dans un environnement calme, accueillante résidence aux chambres coquettes, donnant toutes sur un jardin bordé de ceps de vignes où l'on petit-déjeune en été.

**Terminus-Lyon** sans rest, 19 bd Diderot (12e) ✆ 01 56 95 00 00, *terminuslyon@free.fr, Fax 01 43 44 09 00* – . AE GB JCB. **L 18**
8 – **60 ch** 92/98.
◆ Terminus, tout le monde descend ! Face à la gare de Lyon, hôtel familial dont les chambres sont sobrement aménagées, bien tenues et pourvues d'un double vitrage.

**Manufacture** M sans rest, 8 r. Philippe de Champagne (13e) ✆ 01 45 35 45 25, *lamanufacture.paris@wanadoo.fr, Fax 01 45 35 45 40* – . AE GB JCB **N 16**
7,50 – **57 ch** 139/239.
◆ Accueil cordial, élégant mobilier contemporain et couleurs chatoyantes compensent le manque d'ampleur des chambres. Ambiance provençale dans la salle des petits-déjeuners.

**Ibis Gare de Lyon Diderot** M sans rest, 31 bis bd Diderot (12e) ✆ 01 43 46 12 72, *h3210@accor-hotels.com, Fax 01 43 41 68 01* – – 25. AE GB **L 18**
6 – **89 ch** 93.
◆ Aménagements flambant neufs et bonne isolation phonique caractérisent cet hôtel situé face au viaduc des Arts (ateliers-boutiques d'artisans) et à la promenade plantée.

**Bercy Gare de Lyon** M sans rest, 209 r. Charenton (12e) ✆ 01 43 40 80 30, *bercy@leshotelsdeparis.com, Fax 01 43 40 81 30* – – 20. AE GB JCB **M 20**
11 – **48 ch** 130/183.
◆ Cet immeuble d'angle construit en 1997 se trouve au pied du métro et à deux pas de la mairie du 12e arrondissement. Petites chambres fonctionnelles et bien tenues.

**Ibis Gare de Lyon** M sans rest, 43 av. Ledru-Rollin (12e) ✆ 01 53 02 30 30, *H1937@accor-hotels.com, Fax 01 53 02 30 31* – 25. AE GB L 18
6 – **119 ch** 93.
◆ Ibis disposant de chambres de bonne taille, meublées dans le nouveau style de la chaîne ; certaines sont de plain-pied avec un jardinet où l'on sert les petits-déjeuners en été.

**Ibis Place d'Italie** M sans rest, 25 av. Stephen Pichon (13e) ✆ 01 44 24 94 85, *H1803-GM@accor-hotels.com, Fax 01 44 24 20 70* – . AE GB N 16
6 – **58 ch** 79.
◆ Architecture contemporaine dans une rue assez calme. Les chambres, meublées selon l'ancien concept Ibis, sont bien tenues et équipées d'un double vitrage.

**Touring Hôtel Magendie** M sans rest, 6 r. Corvisart (13e) ✆ 01 43 36 13 61, *magendie@vvf-vacances.fr, Fax 01 43 36 47 48* – 30. GB N 14
6 – **112 ch** 58/84.
◆ Dans une rue tranquille, hôtel aux petites chambres meublées en bois stratifié, bien insonorisées. Un effort particulier est fait pour les personnes à mobilité réduite.

**Arts** sans rest, 8 r. Coypel (13e) ✆ 01 47 07 76 32, *arts@escapade-paris.com Fax 01 43 31 18 09* – . AE GB. N 16
5 – **37 ch** 49/63.
◆ Cet hôtel fréquenté par une clientèle d'habitués est à deux pas de la place d'Italie Préférez une chambre rénovée ; les autres sont assez modestes. Prix sages... pour Paris !

XXX **Au Pressoir** (Seguin), 257 av. Daumesnil (12e) ✆ 01 43 44 38 21, *Fax 01 43 43 81 77* – AE GB JCB M 22
*fermé 4 au 31 août, sam. et dim.* – **Repas** 70 et carte 70 à 95 ♀.
◆ Ambiance feutrée, service ouaté et cuisine classique : une adresse séduisante pour les nostalgiques des restaurants cossus de province. Terrasse vitrée, agréable à midi.
**Spéc.** Queues de langoustines rôties en nougatine. Coeur de filet de boeuf au coulis de truffe. Lièvre à la royale (oct.-nov.).

XXX **Train Bleu,** Gare de Lyon (12e) ✆ 01 43 43 09 06, *isabelle.car@compass-group.fr Fax 01 43 43 97 96* – AE GB JCB L 18
**Repas** (1er étage) 42 et carte 46 à 74 ♀, enf. 15.
◆ Ce superbe et exceptionnel buffet de gare inauguré en 1901 est à voir absolument profusion de dorures, de stucs et de fresques évoquant la mythique ligne PLM. Plats de brasserie.

XXX **L'Oulette,** 15 pl. Lachambeaudie (12e) ✆ 01 40 02 02 12, *info@l-oulette.com, Fax 01 40 02 04 77,* – AE GB JCB N 2
*fermé sam. et dim.* – **Repas** 28 (déj.)/45 bc et carte 48 à 69.
◆ Dans le quartier du nouveau Bercy, ce restaurant résolument contemporain propose une cuisine inventive aux accents du Sud-Ouest. Terrasse abritée derrière des thuyas.

XX **Au Trou Gascon,** 40 r. Taine (12e) ✆ 01 43 44 34 26, *Fax 01 43 07 80 55* – . AE GB JCB M 21
*fermé août, sam. et dim.* – **Repas** 36 (déj.)et carte 55 à 75.
◆ Le décor de cet ancien bistrot 1900 marie moulures d'époque, mobilier design et ton gris. À la carte, produits des Landes, de la Chalosse et de l'océan. Beau choix de vins.
**Spéc.** Foie gras de canard poivré cuit au torchon. Poularde de Chalosse poêlée. Tourtière chaude, glace aux pruneaux.

XX **Gourmandise,** 271 av. Daumesnil (12e) ✆ 01 43 43 94 41, *Fax 01 43 45 59 78* – . AE GB JCB M 2
*fermé août, dim. soir et lundi* – **Repas** (23) - 28/39 et carte 35,50 à 53.
◆ Murs "blanc cassé", rideaux saumon, lustres d'inspiration Art déco et sièges Restauration : décor apprêté en ce restaurant où le service est prévenant.

XX **Traversière,** 40 r. Traversière (12e) ✆ 01 43 44 02 10, *Fax 01 43 44 64 20* – AE GB JCB K 1
*fermé 2 au 25 août, 25 déc. au 1er janv., dim. soir et lundi* – **Repas** 21 (déj.), 28/39 et carte 2 à 43 ♀, enf. 13.
◆ Ce restaurant de quartier vous accueille dans une aimable atmosphère d'auberge provinciale : décor agreste, tables serrées et chaises paillées. Cuisine traditionnelle soignée.

XX **Janissaire,** 22 allée Vivaldi (12e) ✆ 01 43 40 37 37, *Fax 01 43 40 38 39,* – AE GB M 2
*fermé sam. midi et dim.* – **Repas** 11 (déj.)/23 et carte 23 à 33.
◆ L'ambiance et la cuisine sont placées sous le signe de la Turquie, comme l'indique l'enseigne désignant un soldat d'élite de l'infanterie ottomane.

XX **Frégate,** 30 av. Ledru-Rollin (12e) ✆ 01 43 43 90 32, *Fax 01 43 43 90 32* – ▤. AE GB L 18
*fermé 1er au 25 août, sam. et dim.* – **Repas** 30 ♀.
◆ Ce restaurant vous accueille dans une salle à manger contemporaine réchauffée de belles boiseries blondes. Cuisine vouée aux produits de la mer.

X **L'Avant Goût,** 26 r. Bobillot (13e) ✆ 01 53 80 24 00, *Fax 01 53 80 00 77* – ▤. GB. ✱ P 15
*fermé 1er au 12 mai, 15 août au 8 sept., 1er au 7 janv., sam., dim. et lundi* – **Repas** (nombre de couverts limité, prévenir) *(11)* - 26/40 et carte 29 à 36 ♀.
◆ Ce bistrot moderne est souvent bondé. Les raisons du succès ? Goûteuse cuisine du marché, belle carte des vins et ambiance décontractée vous en donnent un avant-goût.

X **Ô Rebelle,** 24 r. Traversière (12e) ✆ 01 43 40 88 98, *info@o-rebelle.fr, Fax 01 43 40 88 99* – ▤. GB L 18
*fermé 1er au 15 sept, sam. midi et dim.* – **Repas** *(17)* - 29.
◆ Cuisine inventive proposant d'originales associations de saveurs, carte des vins tentant le tour du monde et cadre "australien" coloré : plus globe-trotter que rebelle !

X **Jean-Pierre Frelet,** 25 r. Montgallet (12e) ✆ 01 43 43 76 65, *marie_rene@club-internet.fr* – ▤. GB L 20
*fermé août, vacances de fév., sam. midi et dim.* – **Repas** *(17)* - 24 (dîner)et carte 33 à 50 ♀.
◆ Un décor volontairement dépouillé, des tables serrées invitant à la convivialité et une généreuse cuisine du marché font le charme de ce restaurant de quartier.

X **Pataquès,** 40 bd Bercy (12e) ✆ 01 43 07 37 75, *Fax 01 43 07 36 64* – AE GB M 19
*fermé dim.* – **Repas** *(21)* - 26 ♀.
◆ Ce bistrot est la "cantine" du ministère de l'Économie et des Finances. Plats méditerranéens et cadre coloré font vite oublier le pataquès des énièmes réformes de la fiscalité...

X **Bistrot de la Porte Dorée,** 5 bd Soult (12e) ✆ 01 43 43 80 07, *Fax 01 43 43 80 07* – ▤. GB N 22
**Repas** 32 bc.
◆ Cadre et atmosphère d'un petit restaurant de province "monté" dans la capitale. Miroirs, trombines de vedettes du showbiz et fresque à thème culinaire égayent les murs.

X **Quincy,** 28 av. Ledru-Rollin (12e) ✆ 01 46 28 46 76, *Fax 01 46 28 46 76* – ▤ L 17
*fermé 10 août au 10 sept., sam., dim. et lundi* – **Repas** carte 42 à 62.
◆ Une ambiance chaleureuse règne dans ce bistrot rustique où vous est servie une cuisine roborative qui, comme "Bobosse", le jovial patron, ne manque pas de caractère.

X **Anacréon,** 53 bd St-Marcel (13e) ✆ 01 43 31 71 18, *Fax 01 43 31 94 94* – ▤. AE ① GB JCB M 16
*fermé 1er au 12 mai, août, merc. midi, dim. et lundi* – **Repas** 20 (déj.)/32.
◆ Enseigne à la gloire du poète bachique grec. Salle à manger confortable, service bon enfant et cuisine traditionnelle où pointe une touche d'originalité.

X **Chez Jacky,** 109 r. du Dessous-des-Berges (13e) ✆ 01 45 83 71 55, *Fax 01 45 86 57 73* – ▤. GB P 18
*fermé 28 juil. au 24 août, 21 au 28 déc., sam. et dim.* – **Repas** 30 et carte 50 à 64.
◆ Égaré dans le "chinatown" parisien, ce restaurant affirme son statut d'auberge provinciale bien française. Cuisine traditionnelle servie avec une grande gentillesse.

X **Biche au Bois,** 45 av. Ledru-Rollin (12e) ✆ 01 43 43 34 38 – AE ① GB K 18
*fermé 25 juil. au 25 août, sam. et dim.* – **Repas** 21,60 et carte 22 à 31 ♀.
◆ Salle de restaurant au décor simple et à l'atmosphère bruyante et enfumée, mais service attentionné et copieuse cuisine traditionnelle privilégiant le gibier en saison.

X **Sukhothaï,** 12 r. Père Guérin (13e) ✆ 01 45 81 55 88 – GB P 15
*fermé 3 au 25 août et dim.* – **Repas** 11 (déj.), 15/18 et carte 20 à 25 ♁.
◆ L'enseigne évoque l'ancienne capitale d'un royaume thaïlandais (13 et 14e s.). Cuisine chinoise et thaï servie sous l'oeil bienveillant de Bouddha (sculptures artisanales).

X **Temps des Cerises,** 216 r. Fg St-Antoine (12e) ✆ 01 43 67 52 08, *resto.tdc@free.fr, Fax 01 43 67 60 91* – ▤. AE ① GB JCB K 20
*fermé 11 août au 1er sept, 24 déc. au 21 janv. et lundi* – **Repas** 20/45 et carte 36 à 51 ♀.
◆ Restaurant de quartier dont la salle à manger, intime, accueille régulièrement des expositions de tableaux. À l'étage, deux petits salons. Cuisine traditionnelle.

X **L'Auberge Aveyronnaise,** 40 r. Lamé (12e) ✆ 01 43 40 12 24, *Fax 01 43 40 12 15* – ▤. AE GB N 20
*fermé 14 juil. au 15 août, dim. soir et lundi* – **Repas** *(15,30)* - 16,90/27.
◆ Nappes à carreaux rouges et blancs et tables dressées sans chichi dans ce bistrot-brasserie moderne. Comme le suggère l'enseigne, on y sert des spécialités aveyronnaises.

X **Auberge Etchegorry,** 41 r. Croulebarbe (13e) ✆ 01 44 08 83 51 – AE ① GB JCB N 15
*fermé 8 au 24 août , dim. et lundi* – **Repas** 24/36 et carte 31 à 45.
◆ Une brochure vous contera l'histoire du quartier et de ce restaurant basque. Accrochés au plafond, saucissons, jambons, piments d'Espelette et ails donnent le la.

A LA
DEFENSE NATIONALE
1870 - 1871

# *Vaugirard - Gare Montparnasse Grenelle - Denfert-Rochereau*

## *14^e^ et 15^e^ arrondissements*

*14^e^ : ✉ 75014 - 15^e^ : ✉ 75015*

**Méridien Montparnasse** Ⓜ, 19 r. Cdt Mouchotte (14^e^) ☎ 01 44 36 44 36, *meridien.montparnasse@lemeridien.com, Fax 01 44 36 49 00*, ←, – ⎘ ⎘ ⎘ – 25 à 500. AE ⓓ GB JCB. ⚹ rest **M 11**
voir rest. ***Montparnasse 25*** ci-après **- *Justine*** ☎ 01 44 36 44 00 **Repas** 35/50 ♀ – ☕ 23 – **918 ch** 410/460, 35 appart.
◆ Préférez une chambre relookée, spacieuse et moderne, dans ce building en verre et béton. Les "duos" bénéficient d'équipements high-tech. Belle vue depuis les derniers étages.

**Sofitel Porte de Sèvres** Ⓜ, 8 r. L. Armand (15^e^) ☎ 01 40 60 30 30, *h0572@accor-hotels.com, Fax 01 45 57 04 22*, ←, ⚒, – ⎘ ⎘, rest, – 450. AE ⓓ GB JCB **N 5**
voir rest. ***Relais de Sèvres*** ci-après **- *Brasserie*** ☎ 01 40 60 33 77 **Repas** *(19)*- carte environ 35 ♀, – ☕ 21,50 – **608 ch** 360/405, 12 appart.
◆ Voisin de l'héliport, cet hôtel à la silhouette élancée propose des chambres bien aménagées et insonorisées. Les derniers étages offrent un joli panorama sur l'Ouest parisien.

**Mercure Tour Eiffel Suffren** Ⓜ, 20 r. Jean Rey (15^e^) ☎ 01 45 78 50 00, *H2175@accor-hotels.com, Fax 01 45 78 91 42*, ⚒ – ⎘ ⎘ – 30 à 100. AE ⓓ GB JCB **J 7**
**Repas** *(24,50)* - 32 ♀ – ☕ 19 – **405 ch** 205/235, 11 appart.
◆ Rénovation complète et soignée, et nouvelle décoration sur le thème "nature et jardin" pour cet hôtel parfaitement insonorisé. Certaines chambres regardent la tour Eiffel.

**Novotel Porte d'Orléans** Ⓜ, 15-19 bd R. Rolland (14e) ☎ 01 41 17 26 00, *h1834-GM@accor-hotels.com, Fax 01 41 17 26 26* – 🛗 ⇔ ▤ 📺 📞 ♿ 🚗 – 🧑‍🏫 100. AE ⓓ GB JCB **S 12**
**Repas** *(17)* - 21,50 🍷, enf. 9,20 – ☕ 13 – **150 ch** 190/320.
◆ La sécurité de l'accès et l'excellente isolation phonique sont les points forts de ce Novotel dominant le boulevard périphérique. Quelques chambres ont vue sur la capitale.

**Novotel Vaugirard** Ⓜ, 257 r. Vaugirard (15e) ☎ 01 40 45 10 00, *h1978@accor-hotels.com, Fax 01 40 45 10 10*, 🏖, 🏋 – 🛗 ⇔ ▤ 📺 📞 ♿ 🚗 – 🧑‍🏫 25 à 300. AE ⓓ GB **M 9**
***Transatlantique*** **:** Repas carte 26 à 36 🍷, enf. 6 – ☕ 13 – **187 ch** 190/230.
◆ Au coeur du 15e arrondissement, ce vaste établissement propose de grandes chambres modernes, équipées d'un double vitrage. Agréable terrasse entourée de verdure.

**Mercure Montparnasse** Ⓜ, 20 r. Gaîté (14e) ☎ 01 43 35 28 28, *h0905@accor-hotels.com, Fax 01 43 35 78 00* – 🛗 ⇔ ▤ 📺 📞 ♿ 🚗 – 🧑‍🏫 50 à 250. AE ⓓ GB JCB **M 11**
***Bistrot de la Gaîté*** ☎ 01 43 22 86 46 *(fermé dim. midi)* **Repas** *(17)*-25 🍷, enf. 9 – ☕ 13,50 – **185 ch** 168/234.
◆ L'hôtel est situé dans une rue très animée : théâtres, music-hall, etc., mais les chambres, meublées dans l'esprit Art déco, sont bien insonorisées. Repas façon bistrot.

**L'Aiglon** sans rest, 232 bd Raspail (14e) ☎ 01 43 20 82 42, *hotelaiglon@wanadoo.fr, Fax 01 43 20 98 72* – 🛗 ▤ 📺 📞. AE ⓓ GB JCB **M 12**
☕ 6,50 – **34 ch** 107/142, 4 appart.
◆ La façade discrète cache un bel intérieur de style Empire. Les chambres, plaisantes et pourvues d'un double vitrage efficace, sont d'ampleur diverse.

**Mercure Porte de Versailles** Ⓜ sans rest, 69 bd Victor (15e) ☎ 01 44 19 03 03, *h1131@accor-hotels.com, Fax 01 48 28 22 11* – 🛗 ⇔ ▤ 📺 📞 🚗 – 🧑‍🏫 50 à 250. AE ⓓ GB JCB **N 7**
☕ 14 – **91 ch** 244/260.
◆ Atout majeur de cet immeuble des années 1970 : son emplacement face au parc des Expositions. Le programme de rénovation des chambres (fonctionnelles) se poursuit.

**Mercure Tour Eiffel** Ⓜ sans rest, 64 bd Grenelle (15e) ☎ 01 45 78 90 90, *hotel@mercuretoureiffel.com, Fax 01 45 78 95 55*, 🏋 – 🛗 ⇔ ▤ 📺 📞 ♿ 🚗 – 🧑‍🏫 25 à 40. AE ⓓ GB JCB **K 7**
☕ 16 – **76 ch** 180/270.
◆ Le bâtiment principal abrite des chambres aménagées selon les standards de la chaîne ; dans l'aile récente, elles offrent un confort supérieur et de nombreux petits "plus".

**Villa Royale Montsouris** Ⓜ sans rest, 144 r. Tombe-Issoire (14e) ☎ 01 56 53 89 89, *montsouris@leshotelsdeparis.com, Fax 01 56 53 89 80* – 🛗 ⇔ ▤ 📺 📞 ♿. AE ⓓ GB **R 12**
☕ 20 – **36 ch** 285/400.
◆ Dépaysement garanti dans ce bel hôtel savamment décoré dans les styles andalou et mauresque. Chambres un peu petites, mais très "cosy", baptisées de noms de villes marocaines.

**Holiday Inn Paris Montparnasse** sans rest, 10 r. Gager Gabillot (15e) ☎ 01 44 19 29 29, *reservations@holidayinn-paris.com, Fax 01 44 19 29 39* – 🛗 ▤ 📺 📞 ♿ 🚗 – 🧑‍🏫 30. AE ⓓ GB JCB **M 9**
☕ 13 – **60 ch** 185/215.
◆ Bâtisse moderne située dans une rue calme. Hall refait et salon contemporain sous une pyramide de verre. Préférez les chambres rénovées, joliment décorées.

**Raspail Montparnasse** sans rest, 203 bd Raspail (14e) ☎ 01 43 20 62 86, *raspailm@wanadoo.fr, Fax 01 43 20 50 79* – 🛗 ▤ 📺 📞. AE ⓓ GB JCB. ✂ **M 12**
☕ 9 – **38 ch** 96/199.
◆ Esprit Art déco pour la façade, agrémentée d'une marquise, et dans le salon, garni de confortables fauteuils. Les chambres sont insonorisées et bien aménagées.

**Lenox Montparnasse** sans rest, 15 r. Delambre (14e) ☎ 01 43 35 34 50, *hotel@lenoxmontparnasse.com, Fax 01 43 20 46 64* – 🛗 📺 📞. AE GB JCB. ✂ **M 12**
☕ 10 – **52 ch** 110/250.
◆ Établissement fréquenté par le milieu de la mode et de l'élégance. Chambres de style, mignonnes salles de bains, agréables suites au 6e étage. Bar et salons plaisants.

**Eiffel Cambronne** Ⓜ sans rest,, 46 r. Croix-Nivert (15e) ☎ 01 56 58 56 78, *hotel@eiffelcambronne.com, Fax 01 56 58 56 79* – ▤ 📺 📞 AE GB ⓓ JCB **L 8**
☕ 14,50 – **31 ch** 135/165.
◆ Coloris ensoleillés et fauteuils moelleux au salon, literie neuve et couettes immaculées dans les chambres. On sert le petit-déjeuner dans un patio coiffé d'une verrière.

**Delambre** Ⓜ sans rest, 35 r. Delambre (14e) ☎ 01 43 20 66 31, *hotel@hoteldelambre.com, Fax 01 45 38 91 76* – 🛗 📺 📞 ♿. AE GB. ✂ **M 12**
☕ 8 – **30 ch** 80/95.
◆ Dans une rue tranquille, cet établissement entièrement meublé dans un esprit contemporain propose des chambres sobres et gaies, pour la plupart spacieuses.

**Alizé Grenelle** sans rest, 87 av. É. Zola (15e) ✆ 01 45 78 08 22, *alizegre@micronet.fr*, *Fax 01 40 59 03 06* – |‡| ▤ TV ✆. AE ⓓ GB JCB L
☕ 10 – **50 ch** 91/98.
◆ Cette façade ancienne dissimule un hôtel entièrement rénové : salon et salle des petits déjeuners aux tons chauds, chambres bien équipées et insonorisées.

**Mercure Paris XV** M sans rest, 6 r. St-Lambert (15e) ✆ 01 45 58 61 00, *h0903@accor-hotels.com*, *Fax 01 45 54 10 43* – |‡| ⇔ ▤ TV ✆ ♿ 🚗 – 🏛 30. AE ⓓ GB M
☕ 11 – **56 ch** 133/139.
◆ Adresse située à 800 m de la porte de Versailles. Accueil et salons sont aménagés dans le style contemporain, de même que les chambres, confortables et bien tenues.

**Apollinaire** sans rest, 39 r. Delambre (14e) ✆ 01 43 35 18 40, *infos@hotel.apollinaire.com*, *Fax 01 43 35 30 71* – |‡| ▤ TV ✆. AE ⓓ GB M 1
☕ 7 – **36 ch** 107/145.
◆ L'enseigne rend hommage au poète qui fréquentait écrivains et artistes à Montparnasse. Les chambres, parfois colorées, sont assez grandes et fonctionnelles. Confortable salon.

**Mercure Raspail Montparnasse** sans rest, 207 bd Raspail (14e) ✆ 01 43 20 62 94, *H0351@accor-hotels.com*, *Fax 01 43 27 39 69* – |‡| ⇔ ▤ TV ✆ ♿. AE ⓓ GB M 1
☕ 12,50 – **63 ch** 160.
◆ Faites étape dans cet immeuble haussmannien proche des célèbres brasseries du quartier Montparnasse. Chambres actuelles garnies de meubles contemporains.

**Orléans Palace** sans rest, 185 bd Brune (14e) ✆ 01 45 39 68 50, *orléans.palace@wanadoo.fr*, *Fax 01 45 43 65 64* – |‡| ⇔ ▤ TV ✆ – 🏛 30. AE ⓓ GB R 1
☕ 10 – **92 ch** 109/135.
◆ L'hôtel est situé sur un boulevard fréquenté, mais toutes les chambres, récemment rénovées (sobre décor et mobilier en bois clair), bénéficient d'une bonne isolation phonique.

**Alésia Montparnasse** sans rest, 84 r. R. Losserand (14e) ✆ 01 45 42 16 03, *alesia-m@3nd1hotels.com*, *Fax 01 45 42 11 60* – |‡| ⇔ TV ✆. AE ⓓ GB JCB N 1
☕ 8 – **45 ch** 95/105.
◆ Affaire familiale dont les chambres, meublées à l'identique, sont parées de tissus colorés ; celles qui occupent le petit bâtiment sont particulièrement calmes.

**Beaugrenelle St-Charles** sans rest, 82 r. St-Charles (15e) ✆ 01 45 78 61 63, *beaugre@ancenet.fr*, *Fax 01 45 79 04 38* – |‡| TV ✆. AE ⓓ GB JCB K
☕ 10 – **49 ch** 84/96.
◆ Une rénovation complète est venue réveiller cet hôtel situé au pied du métro St-Charles, à deux pas du centre Beaugrenelle. Chambres fraîches et insonorisées.

**Midi** sans rest, 4 av. René Coty (14e) ✆ 01 43 27 23 25, *resa@hotel-midi.com*, *Fax 01 43 21 24 58* – |‡| ▤ TV ✆ 🚗. AE GB M 1
☕ 7 – **46 ch** 78/108.
◆ Proximité de la place Denfert-Rochereau, chambres refaites, insonorisées et parfois dotées de baignoires hydromassantes : ne cherchez plus Midi... à quatorze heures !

**Arès** sans rest, 7 r. Gén. de Larminat (15e) ✆ 01 47 34 74 04, *aresotel@easynet.fr*, *Fax 01 47 34 48 56* – |‡| TV ✆. AE ⓓ GB JCB K
☕ 8 – **42 ch** 105/180.
◆ Les amateurs d'antiquités choisiront cet hôtel situé près du Village Suisse. Chambres claires et spacieuses. Salons avec meubles de style, miroirs et dessins anciens.

**Terminus Vaugirard** sans rest, 403 r. Vaugirard (15e) ✆ 01 48 28 18 72, *info@terminus-vaugirard.com*, *Fax 01 48 28 56 34* – |‡| TV ✆ – 🏛 25. AE GB. ✻ N
*fermé 15 au 27 déc.* – ☕ 8 – **89 ch** 100/110.
◆ La proximité de la porte de Versailles draine exposants et visiteurs de salons et expositions dans cet hôtel aux chambres fonctionnelles ; certaines disposent d'un balcon.

**Nouvel Orléans** M sans rest, 25 av. Gén. Leclerc (14e) ✆ 01 43 27 80 20, *nouvelorleans@aol.com*, *Fax 01 43 35 36 57* – |‡| ▤. AE ⓓ GB JCB. ✻ P 1
☕ 9 – **46 ch** 110/145.
◆ Décryptage de l'enseigne : hôtel entièrement rénové et situé à 800 m de la porte d'Orléans. Mobilier contemporain et chaleureux tissus colorés décorent les chambres.

**Abaca Messidor** sans rest, 330 r. Vaugirard (15e) ✆ 01 48 28 03 74, *info@abacahotel.com*, *Fax 01 48 28 75 17*, 🌳 – |‡| ⇔ ▤ TV ✆ – 🏛 20. AE ⓓ GB M
☕ 12 – **72 ch** 125/173.
◆ Dans la rue la plus longue de Paris ! Les chambres les plus agréables sont dans l'annexe, certaines donnent sur le jardin. Côté rue, elles sont simples et insonorisées.

**Daguerre** M sans rest, 94 r. Daguerre (14e) ✆ 01 43 22 43 54, *paris@hoteldaguerre.com*, *Fax 01 43 20 66 84* – |‡| TV ✆ ♿. AE ⓓ GB JCB. ✻ N 1
☕ 10 – **30 ch** 72/107.
◆ Immeuble du début du 20e s. et sa jolie fontaine d'époque dans le hall. Chambres assez petites mais bien meublées. Salle des petits-déjeuners aménagée dans l'ancienne cave.

**Lilas Blanc** sans rest, 5 r. Avre (15e) ✆ 01 45 75 30 07, *hotellilasblanc@minitel.net, Fax 01 45 78 66 65* – |‡| TV ✆. AE ⓓ GB K 8
*fermé 25 juil. au 25 août* – ☕ 6 – **32 ch** 61/73.
◆ Dans une rue calme le soir, hôtel proposant des petites chambres colorées, sobrement meublées en stratifié ; celles du rez-de-chaussée sont moins lumineuses.

**Sèvres-Montparnasse** sans rest, 153 r. Vaugirard (15e) ✆ 01 47 34 56 75, *hotel.sevres montparnasse@wanadoo.fr, Fax 01 40 65 01 86* – |‡| TV ✆. AE ⓓ GB. ✂ L 10
☕ 7 – **35 ch** 70/100.
◆ Cet immeuble, situé face à l'hôpital Necker-Enfants Malades, dispose de chambres sobrement aménagées. Coin salon et salle des petits-déjeuners partagent le même espace.

**Istria** sans rest, 29 r. Campagne Première (14e) ✆ 01 43 20 91 82, *hotelistria@wanadoo.fr, Fax 01 43 22 48 45* – |‡| TV ✆. AE ⓓ GB JCB. ✂ M 12
☕ 9 – **26 ch** 95/110.
◆ Aragon immortalisa cet hôtel dans "Il ne m'est Paris que d'Elsa". Petites chambres simples, agréable salon, salle des petits-déjeuners dans une jolie cave voûtée.

**Lion** sans rest, 1 av. Gén. Leclerc (14e) ✆ 01 40 47 04 00, *hotel.du.lion@wanadoo.fr, Fax 01 43 20 38 18* – |‡| TV ✆. AE ⓓ GB JCB N 12
☕ 8 – **33 ch** 68/86.
◆ Sur la place trône le Lion de Belfort, modèle réduit de la sculpture de Bartholdi. Chambres fonctionnelles, munies d'un double vitrage ; celles du 6e profitent d'une belle vue.

**Apollon Montparnasse** sans rest, 91 r. Ouest (14e) ✆ 01 43 95 62 00, *apollonm@wanadoo.fr, Fax 01 43 95 62 10* – |‡| ▤ TV ✆. AE ⓓ GB JCB N 10-11
☕ 6,40 – **33 ch** 67/80.
◆ Proximité de la gare Montparnasse et des navettes Air France, accueil courtois et chambres coquettes sont les atouts de cet hôtel bordant une rue assez calme.

**Ibis Convention** sans rest, 5 r. E. Gibez (15e) ✆ 01 48 28 63 14, *h3267@accor-hotels.com, Fax 01 45 33 45 50* – |‡| ▤ TV ✆. AE ⓓ GB JCB N 8
☕ 6 – **48 ch** 87.
◆ Immeuble abritant de petites chambres rénovées et insonorisées. Salles de bains étroites mais bien agencées. Minicour intérieure où l'on sert les petits-déjeuners en été.

**Ibis Brancion** Ⓜ sans rest, 105 r. Brancion (15e) ✆ 01 56 56 62 30, *Fax 01 56 56 62 31* – |‡| ⇽ ▤ TV ✆ ♿. AE ⓓ GB. ✂ P 8-9
☕ 6 – **71 ch** 79.
◆ Ibis voisin du parc Georges-Brassens : le poète-chanteur avait sa maison à deux pas de là, rue Santos-Dumont. Amusant hall décoré sur le thème du cirque. Chambres actuelles.

**Carladez Cambronne** sans rest, 3 pl. Gén. Beuret (15e) ✆ 01 47 34 07 12, *carladez@club-internet.fr, Fax 01 40 65 95 68* – |‡| TV ✆. AE ⓓ GB JCB M 9
☕ 7 – **28 ch** 69/78.
◆ L'hôtel a pris des couleurs depuis la récente rénovation : bleu, saumon ou vert dans les petites chambres fraîches et bien tenues. Le sourire est compris dans l'addition.

**Parc** sans rest, 60 r. Beaunier (14e) ✆ 01 45 40 77 02, *Fax 01 45 40 81 99* – |‡| TV. AE ⓓ GB JCB R 12
☕ 6,50 – **24 ch** 69/74.
◆ Cette adresse située dans une rue tranquille propose des chambres sans ampleur, mais propres et bien insonorisées ; certaines ont été refaites. Accueil familial.

**Val Girard** sans rest, 14 r. Pétel (15e) ✆ 01 48 28 53 96, *valgirar@club-internet.fr, Fax 01 48 28 69 94* – |‡| TV. AE GB JCB M 8
☕ 9 – **39 ch** 85/110.
◆ Hôtel familial proche de la mairie d'arrondissement. Chambres rafraîchies, sobrement aménagées et parfois dotées de meubles en rotin. Petit-déjeuner servi en véranda.

**Châtillon Hôtel.** sans rest, 11 square Châtillon (14e) ✆ 01 45 42 31 17, *chatillon.hotel@wanadoo.fr, Fax 01 45 42 72 09* – |‡| TV. GB. ✂ P 11
☕ 7 – **31 ch** 58/70.
◆ Adresse fréquentée par des habitués, sensibles au calme du lieu : les chambres, assez spacieuses et bien tenues, donnent sur un square au bout d'une impasse.

**Aberotel** sans rest, 24 r. Blomet (15e) ✆ 01 40 61 70 50, *aberotel@wanadoo.fr, Fax 01 40 61 08 31* – |‡| ⇽ TV ✆ ♿. AE ⓓ GB L 9
☕ 8 – **28 ch** 97/124.
◆ Une adresse prisée : plaisant salon orné de peintures sur bois évoquant les cartes à jouer, coquettes chambres rénovées et cour intérieure où l'on sert le petit-déjeuner en été.

**Paix** sans rest, 225 bd Raspail (14e) ✆ 01 43 20 35 82, *resa@hoteldelapaix.com, Fax 01 43 35 32 63* – |‡| TV ✆. AE GB. ✂ M 12
☕ 5,90 – **39 ch** 39/95.
◆ Hôtel meublé dans le goût des années 1970, où vous trouverez des chambres fonctionnelles, bien tenues et correctement insonorisées. Accueil charmant.

**Pasteur** sans rest, 33 r. Dr Roux (15e) ✆ 01 47 83 53 17, *Fax 01 45 66 62 39* – GB **M 10**
*fermé 2 au 31 août* – ☕ 6 – **19 ch** 58/85.
◆ Les habitués qui fréquentent cet hôtel apprécient la simplicité des petites chambres, l'accueil familial et les petits-déjeuners servis dans l'agréable cour intérieure.

**Montparnasse 25** - Hôtel Méridien Montparnasse, 19 r. Cdt Mouchotte (14e) ✆ 01 44 36 44 25, *meridien.montparnasse@lemeridien.com, Fax 01 44 36 49 03* – AE GB JCB **M 25**
*fermé 1er au 11 mai, 14 juil. au 31 août, 22 déc. au 4 janv., sam., dim. et fériés* – **Repas** 45 (déj.)/95 et carte 80 à 120 ♀.
◆ Le cadre contemporain sur fond de laque noire peut surprendre, mais ce restaurant s'avère confortable et chaleureux. Cuisine au goût du jour, superbes chariots de fromages.
**Spéc.** Compression de bar et de thon (printemps-été). Lièvre à la royale (saison). Saint-Jacques, lasagnes d'endives et pommes vertes, jus de betterave (hiver).

**Relais de Sèvres** - Hôtel Sofitel Porte de Sèvres, 8 r. L. Armand (15e) ✆ 01 40 60 33 66, *h0572@accor-hotels.com, Fax 01 45 57 04 22* – AE GB JCB **N 5**
*fermé 12 juil. au 17 août, 20 déc. au 5 janv., vend. soir, sam., dim. et fériés* – **Repas** 50/65 bc et carte 70 à 90 ♀.
◆ Cuisine classique, plaisant décor contemporain, tables joliment dressées et parking souterrain offert : un restaurant bien séduisant, pour clientèle d'affaires et gourmands.
**Spéc.** Emietté de tourteau et crème de radis noirs. Râble de lièvre aux baies de genièvre (saison). Assiette de chocolats grands crus.

**Ciel de Paris,** Tour Maine Montparnasse, au 56e étage (15e) ✆ 01 40 64 77 64, *ciel-de-paris.rv@elior.com, Fax 01 40 64 59 71,* ≤ Paris – AE GB JCB **M 11**
**Repas** 32 (déj.)/52 et carte 58 à 78.
◆ Pour un repas en plein "ciel de Paris". Confortable salle à manger contemporaine tournée vers les Invalides et la tour Eiffel : vue inoubliable par temps clair !

**Le Duc,** 243 bd Raspail (14e) ✆ 01 43 20 96 30, *Fax 01 43 20 46 73* – AE GB JCB **M 12**
*fermé 2 au 25 août, 21 déc. au 5 janv., sam. midi, dim. et lundi* – **Repas** 46 (déj.)et carte 55 à 85.
◆ Cuisine de la mer alliant qualité et simplicité servie dans un décor de confortable cabine de yacht avec lambris d'acajou, appliques à thème marin et cuivres rutilants.
**Spéc.** Tartare de bar et saumon. Saint-Jacques au naturel (oct. à mai). Langoustines rôties au gingembre.

**Benkay,** 61 quai Grenelle (4e étage) (15e) ✆ 01 40 58 21 26, *Fax 01 40 58 21 30,* ≤ – AE GB JCB **K 6**
**Repas** 26 (déj.), 60/125 et carte 70 à 130.
◆ Au dernier étage d'un petit immeuble, restaurant ménageant une belle vue sur la Seine. Décor emprunt d'une grande sobriété (marbre et bois), comptoir à sushis et teppanyakis.

**Le Dôme,** 108 bd Montparnasse (14e) ✆ 01 43 35 25 81, *Fax 01 42 79 01 19* – AE GB JCB **LM 12**
*fermé août, dim. et lundi* – **Repas** carte 53 à 82.
◆ L'un des temples de la bohème littéraire et artistique des années folles, devenu un restaurant chic tendance "rive gauche", au cadre Art déco préservé. Produits de la mer.

**Chen-Soleil d'Est,** 15 r. Théâtre (15e) ✆ 01 45 79 34 34, *Fax 01 45 79 07 53* – AE GB JCB **K 6**
*fermé août et dim.* – **Repas** 40 (déj.)/75 et carte 65 à 95.
◆ Glissez-vous sous les immeubles du front de Seine pour y découvrir un authentique petit coin d'Asie : cuisine chinoise au "wok", meubles et boiseries importés de Chine.
**Spéc.** Fleurs de courgette au corps de tourteau. Demi-canard pékinois en trois services. Cocotte de chevreau au ginseng.

**Maison Courtine** (Charles), 157 av. Maine (14e) ✆ 01 45 43 08 04, *Fax 01 45 45 91 35* – GB **N 11**
*fermé 4 au 31 août, 25 déc. au 4 janv., sam. midi, lundi midi et dim.* – **Repas** 33 ♀.
◆ Tour de France des terroirs côté cuisine, cadre actuel, mobilier de style Louis-Philippe et mise en place soignée côté décor : la maison compte nombre de fidèles.
**Spéc.** Ravioles de langoustines à la fondue de poireau. Petites escalopes de foie gras de Chalosse. Magret de canard cuit sur peau au gros sel de Guérande.

**La Coupole,** 102 bd Montparnasse (14e) ✆ 01 43 20 14 20, *Fax 01 43 35 46 14* – AE GB **L 12**
**Repas** *(16,50)* - 29 bc (déj.)/30,50 bc et carte 33 à 60, enf. 13,50.
◆ Le coeur de Montparnasse bat encore dans cette immense brasserie Art déco inaugurée en 1927. Les 32 piliers sont décorés d'oeuvres d'artistes de l'époque. Ambiance animée.

XX **La Dînée,** 85 r. Leblanc (15e) ✆ 01 45 54 20 49, *Fax 01 40 60 73 76* – AE GB JCB M 5
*fermé sam. et dim.* – **Repas** *(26)* - 30.
◆ Moins futuriste que le parc André-Citroën voisin, cette salle à manger actuelle agrémentée de tableaux et d'un comptoir de bar propose une cuisine au goût du jour.

XX **Gauloise,** 59 av. La Motte-Picquet (15e) ✆ 01 47 34 11 64, *Fax 01 40 61 09 70,* – AE GB JCB K 8
**Repas** *(21)* - 26,50 et carte 39 à 58 ♀, enf. 12.
◆ Cette brasserie des années 1900 a dû voir passer bon nombre de personnalités, à en juger par les photos dédicacées tapissant les murs. Plaisante terrasse sur le trottoir.

XX **Thierry Burlot,** 8 r. Nicolas Charlet (15e) ✆ 01 42 19 08 59, *Fax 01 45 67 09 13* – AE GB L 10
*fermé août, sam. midi et dim.* – **Repas** 42 (déj.)/76 et carte 52 à 76 ♀.
◆ Atmosphère paisible et feutrée dans un cadre assez sobre, ponctué de photos de galets réalisées par le maître des lieux. La cuisine, au goût du jour, suit le fil des saisons.

XX **Vin et Marée,** 108 av. Maine (14e) ✆ 01 43 20 29 50, *vin.maree@wanadoo.fr, Fax 01 43 27 84 11* – AE GB JCB N 11
**Repas** carte 31 à 45 ♀.
◆ Les produits de la mer, spécialités de la maison, sont dévoilés chaque jour sur l'ardoise, selon le bon plaisir de Neptune. Salles à manger décorées dans le style marin.

XX **Monsieur Lapin,** 11 r. R. Losserand (14e) ✆ 01 43 20 21 39, *Fax 01 43 21 84 86* – GB N 11
*fermé août, lundi et mardi* – **Repas** (nombre de couverts limité, prévenir) 30/47 et carte 41 à 60 ♀.
◆ Tel le personnage d'Alice au pays des merveilles, Monsieur Lapin est partout : dans la décoration de la salle à manger comme sur la carte qui l'accommode à moult sauces.

XX **Caroubier,** 82 bd Lefebvre (15e) ✆ 01 40 43 16 12 – GB P 8
*fermé 15 juil. au 15 août et lundi* – **Repas** 25 et carte 23 à 31 ♀.
◆ Décor contemporain rehaussé de touches orientales, chaleureuse atmosphère familiale et accueil prévenant au service d'une cuisine marocaine gorgée de soleil.

XX **Les Vendanges,** 40 r. Friant (14e) ✆ 01 45 39 59 98, *Fax 01 45 39 74 13* – AE GB JCB R 11
*fermé 25 juil. au 24 août, 21 déc. au 3 janv., sam. et dim.* – **Repas** 25/35 ♀.
◆ La pimpante façade ornée de grappes de raisins annonce la couleur : la cuisine classique, orientée Sud-Ouest, est accompagnée d'une très belle carte des vins.

XX **Clos Morillons,** 50 r. Morillons (15e) ✆ 01 48 28 04 37, *Fax 01 48 28 70 77* – AE GB N 8
*fermé août, vacances de fév., sam. midi, lundi midi et dim.* – **Repas** *(22)* - 28 ♀.
◆ Nouvelle équipe, nouveau décor : murs jaune pâle, mobilier en rotin et bambou, et tables simplement dressées (plaque de verre et argenterie). Cuisine au goût du jour.

XX **Fontanarosa,** 28 bd Garibaldi (15e) ✆ 01 45 66 97 84, *Fax 01 47 83 96 30,* – AE GB JCB L 9
**Repas** *(13,60)* - 18,30 (déj.)et carte 30 à 40 ♀.
◆ Sur le boulevard portant le nom du célèbre homme politique italien, la présence de cette trattoria à la façade "rosa" s'impose comme une évidence. Cuisine sarde.

XX **Erawan,** 76 r. Fédération (15e) ✆ 01 47 83 55 67, *Fax 01 47 34 85 98* – AE GB. K 8
*fermé 3 au 20 août et dim.* – **Repas** *(12,50)* - 19,50/28,50 et carte 25 à 39.
◆ Ne vous fiez pas à l'anonymat de cette devanture, elle abrite une plaisante salle à manger au décor asiatique. Goûteuse cuisine thaïlandaise et service souriant.

XX **L'Épopée,** 89 av. É. Zola (15e) ✆ 01 45 77 71 37, *Fax 01 45 77 71 37* – AE GB JCB L 7
*fermé 28 juil. au 28 août, 24 déc. au 2 janv., sam. midi et dim.* – **Repas** 30 ♀.
◆ Loin de prétendre à des développements épiques, ce petit restaurant favorise la convivialité. Les habitués reviennent pour sa belle carte des vins et sa cuisine traditionnelle.

XX **L'Étape,** 89 r. Convention (15e) ✆ 01 45 54 73 49, *Fax 01 45 58 20 91* – AE GB M 6
*fermé 2 au 31 août, sam. midi et dim.* – **Repas** 20/26 et carte 26 à 32 ♀.
◆ Une "étape" tout à fait classique dans sa cuisine et son décor constitué d'un mobilier de style Louis XVI, de boiseries et de confortables banquettes.

XX **Chez les Frères Gaudet,** 19 r. Duranton (15e) ✆ 01 45 58 43 17, *ff-gaudet@club-internet.fr, Fax 01 45 58 42 65* – AE GB JCB M 6
*fermé sam. midi, lundi midi et dim.* – **Repas** *(20)* - 28/36.
◆ Stores, beaux luminaires en cuivre et pâte de verre, banquettes en similicuir : l'ambiance 1950 - plutôt chic - est digne d'un roman de Simenon ! Plats traditionnels.

XX **Copreaux,** 15 r. Copreaux (15e) ✆ 01 43 06 83 35 – GB M 9
*fermé août, dim. et lundi* – **Repas** *(14,50)* - 21,50 bc.
◆ Petite adresse à la charmante atmosphère provinciale, servant une cuisine familiale dans un cadre rustique et chaleureux. Exposition de tableaux et lithographies.

X **Troquet,** 21 r. F. Bonvin (15e) ✆ 01 45 66 89 00, *Fax 01 45 66 89 83* – GB. L 9
*fermé août, 24 déc. au 2 janv., dim. et lundi* – **Repas** 22 (déj.), 28/30 ♀.
◆ Authentique "troquet" parisien : menu unique à découvrir sur l'ardoise du jour, salle à manger de style "rétro", goûteuse cuisine du marché. Pour les titis... et les autres !

**L'O à la Bouche,** 124 bd Montparnasse (14e) ✆ 01 56 54 01 55, *Fax 01 43 21 07 87* – AE GB JCB M 12
*fermé 6 au 14 avril, 3 au 25 août, 1er au 5 janv., dim. et lundi* – **Repas** 19 (déj.)/29,90 et carte 45 à 56 ♀.
◆ Il règne un esprit "bistrot" et une sympathique ambiance dans ce restaurant au décor discrètement méditerranéen. La lecture de la carte vous mettra... l'eau à la bouche !

**Bistro d'Hubert,** 41 bd Pasteur (15e) ✆ 01 47 34 15 50, *message@bistrodhubert.com, Fax 01 45 67 03 09* – AE GB JCB L 1
*fermé sam. midi* – **Repas** *(26)* 39 et carte 45 à 54 ♀.
◆ Bocaux et bonnes bouteilles sur les étagères, nappes à carreaux, vue directe sur les fourneaux et les cuivres rutilants : le décor de ce bistrot évoque une ferme landaise.

**Stéphane Martin,** 67 r. Entrepreneurs (15e) ✆ 01 45 79 03 31, *resto.stephanemartin@free.fr, Fax 01 45 79 44 69* – . AE GB. L 7
*fermé 3 au 25 août, dim. et lundi* – **Repas** 23 bc (déj.), 29/36,60 et carte 33 à 49 ♀.
◆ Salle à manger récemment rénovée au voisinage de la place Violet (nom de l'entrepreneur de l'ancien village de Grenelle). Le menu du marché est très prisé.

**Contre-Allée,** 83 av. Denfert-Rochereau (14e) ✆ 01 43 54 99 86, *Fax 01 43 25 08 11* – AE GB. N 1
*fermé sam. midi et dim.* – **Repas** 29/35.
◆ Sur une contre-allée proche de l'entrée des catacombes, adresse bien vivante où l'on déguste un menu-carte saisonnier qui vous fera vite oublier vos frayeurs souterraines.

**Villa Corse,** 164 bd Grenelle (15e) ✆ 01 53 86 70 81, *Fax 01 53 86 90 73* – . AE GB K
*fermé dim.* – **Repas** *(20)* et carte 38 à 60.
◆ Chacune des trois charmantes salles de ce restaurant corse offre une atmosphère différente : bibliothèque, bar-salon et "terrasse". Savoureuse cuisine et vins insulaires.

**Gastroquet,** 10 r. Desnouettes (15e) ✆ 01 48 28 60 91, *Fax 01 45 33 23 70* – AE GB N
*fermé août, lundi midi, sam. et dim.* – **Repas** *(21)* - 27 bc et carte 43 à 50.
◆ La cuisine traditionnelle mijotée avec soin séduit gourmands du quartier et visiteurs du parc des Expositions de la porte de Versailles. Bistrot familial au sobre cadre.

**Pascal Champ,** 5 r. Mouton-Duvernet (14e) ✆ 01 45 39 39 61, *Fax 01 45 39 39 61* – GB N 1
*fermé dim. et lundi* – **Repas** *(16)* - 19 (déj.), 22/28 et carte 31 à 42 ♀.
◆ Rue commerçante animée où vous apprécierez l'intimité d'un dîner aux chandelles dans une salle à manger aux murs en pierres de taille. Cuisine au goût du jour.

**St-Vincent,** 26 r. Croix-Nivert (15e) ✆ 01 47 34 14 94, *Fax 01 45 66 46 58* – . AE GB L
*fermé 4 au 24 août, sam. midi et dim.* – **Repas** carte 30 à 42.
◆ Atmosphère conviviale dans ce bistrot orné d'objets ayant trait à la vigne (hommage St-Vincent, patron des vignerons). Plats traditionnels et spécialités lyonnaises.

**Les P'tits Bouchons de François Clerc,** 32 bd Montparnasse (15e) ✆ 01 45 48 52 03, *Fax 01 45 48 52 17* – AE GB JCB L 1
*fermé sam. midi et dim.* – **Repas** *(25)* - 34 (déj.) et carte environ 42 ♀.
◆ Ce bistrot propose un choix étendu de rouges et de blancs servis au verre pour accompagner une cuisine traditionnelle. Aux murs, ardoises et vieilles affiches de publicité.

**Régalade,** 49 av. J. Moulin (14e) ✆ 01 45 45 68 58, *Fax 01 45 40 96 74* – . GB R 1
*fermé août, lundi midi, sam. et dim.* – **Repas** (prévenir) 30.
◆ Un accueil tout sourire, une savoureuse cuisine du terroir, un cadre rustique : voici les atouts de ce petit bistrot voisin de la porte de Châtillon. Tout le monde y court !

**L'Os à Moelle,** 3 r. Vasco de Gama (15e) ✆ 01 45 57 27 27, *Fax 01 45 57 27 27* – GB M
*fermé 3 au 25 août, dim. et lundi* – **Repas** 27 (déj.)/32.
◆ Murs patinés et savoureux menu du marché côté bistrot, ou casse-croûte autour d'une table d'hôte conviviale dans le cadre campagnard de la "Cave" située en face.

**Bistrot du Dôme,** 1 r. Delambre (14e) ✆ 01 43 35 32 00 – . AE GB M 1
*fermé dim. et lundi en août* – **Repas** carte 35 à 45.
◆ "L'annexe" du Dôme, spécialisée elle aussi dans les produits de la mer. Ambiance décontractée dans la salle à manger égayée de feuilles de vignes et de faïences à thème marin.

**Les Gourmands,** 101 r. Ouest (14e) ✆ 01 45 41 40 70, *Fax 01 45 41 17 66* – AE GB N 1
*fermé mi-juil. à mi-août, sam. midi, dim. et lundi* – **Repas** *(18)* - 24 et carte 24 à 30.
◆ Salle décorée d'outils agricoles et cuisine catalane : les gourmands ne seront pas déçus par ce restaurant qui est aussi le siège de l'amicale des Catalans de Paris.

**A La Bonne Table,** 42 r. Friant (14e) ✆ 01 45 39 74 91, *Fax 01 45 43 66 92* – AE GB JCB R 1
*fermé 13 au 27 juil., 15 au 29 fév., sam. midi et dim.* – **Repas** 23 et carte 31 à 53.
◆ Le chef, d'origine japonaise, prépare une cuisine française traditionnelle relevée de son savoir-faire nippon. Confortable salle à manger en longueur, d'esprit "rétro".

**Sept/Quinze,** 29 av. Lowendal (15e) ✆ 01 43 06 23 06, *Fax 01 45 67 14 11* – GB K 9
*fermé 4 au 25 août et dim.* – **Repas** 22 (déj.)/24 et carte 27 à 35.
◆ Ce bistrot "à cheval" sur les 7e et 15e arrondissements offre ses couleurs vives, quelques originales oeuvres d'art moderne et une alléchante cuisine au goût du jour.

**Beurre Noisette,** 68 r. Vasco de Gama (15e) ✆ 01 48 56 82 49, *Fax 01 48 56 82 49* – AE GB. N 6
*fermé 1er au 25 août, dim. et lundi* – **Repas** (22) - 27.
◆ La cuisine au goût du jour est mitonnée avec soin et les suggestions, au gré du marché, sont à découvrir sur l'ardoise. Deux salles, simples et contemporaines.

**Château Poivre,** 145 r. Château (14e) ✆ 01 43 22 03 68, *chateaupoivre@noos.fr* – AE GB N 11
*fermé 10 au 25 août, 21 déc. au 4 janv., dim. et fériés* – **Repas** 15 et carte 23 à 46 ♀.
◆ Luminaire design et chaudes teintes jaune ou orangée rajeunissent cette salle à manger de style "rétro". Copieuse cuisine d'inspiration méridionale.

**Les Petites Sorcières,** 12 r. Liancourt (14e) ✆ 01 43 21 95 68, *Fax 01 43 21 95 68* – GB N 12
*fermé 20 juil. au 19 août, lundi midi, sam. midi et dim.* – **Repas** 22 (déj.)/30 et carte 32 à 40.
◆ C'est, dit-on, le rendez-vous des sorcières parisiennes : elles s'y retrouvent lors de sabbats gourmands, laissent de nombreux bibelots et repartent en enfourchant leur balai.

**du Marché,** 59 r. Dantzig (15e) ✆ 01 48 28 31 55, *restaurant.du.marche@wanadoo.fr, Fax 01 48 28 18 31* – GB JCB. N 8
*fermé 1er au 30 août, dim. et lundi* – **Repas** 18 (déj.)/38 ♀.
◆ Près du parc Georges-Brassens, ce sympathique bistrot au cadre années 1950 propose ses petits plats du Sud-Ouest "à la bonne franquette".

**Au Soleil de Minuit,** 15 r. Desnouettes (15e) ✆ 01 48 28 15 15, *Fax 01 48 28 17 17* – AE GB N 7
*fermé 3 au 25 août, 21 déc. au 1er janv., dim. et lundi* – **Repas** - 20 (déj.)/35 et carte 24 à 48 ♀.
◆ L'ambassade de la cuisine finnoise à Paris. Décor aux couleurs du drapeau finlandais, en bleu et blanc, et spécialités importées du pays arrosées d'un verre d'aquavit.

**Cerisaie,** 70 bd Edgard Quinet (14e) ✆ 01 43 20 98 98, *Fax 01 43 20 98 98* – GB N 13
*fermé 1er au 25 août, sam. midi, dim. et fériés* – **Repas** (prévenir) 27/30 et carte 27 à 35.
◆ Restaurant de poche situé en plein quartier "breton". Le patron écrit sur l'ardoise, chaque jour et à la craie, les plats du Sud-Ouest qu'il a consciencieusement mitonnés.

**Mûrier,** 42 r. Olivier de Serres (15e) ✆ 01 45 32 81 88 – GB. N 8
*fermé 4 au 24 août, sam. midi, lundi midi et dim.* – **Repas** (14) - 17 (déj.), 19,50/23 et carte 25 à 35 ♀.
◆ À deux pas des boutiques de la rue de la Convention, cette sympathique adresse propose une cuisine traditionnelle servie dans une salle à manger ornée de vieilles affiches.

**Folletterie,** 34 r. Letellier (15e) ✆ 01 45 75 55 95 – GB JCB F 8
*fermé 28 juil. au 19 août, dim. et lundi* – **Repas** (18) - 21 (déj.)/25.
◆ Le menu-carte de ce petit restaurant évolue toutes les semaines en fonction du marché et de la saison. Quant au décor, il est sagement dans l'air du temps.

**Autour du Mont,** 58 r. Vasco de Gama (15e) ✆ 01 42 50 55 63, *Fax 01 42 50 55 63* – AE GB JCB N 6
*fermé 8 août au 1er sept., dim. et lundi* – **Repas** (16) - carte 32 à 43 ♀.
◆ Le Mont-St-Michel à Paris ? Décor marin, photos et affiches à la gloire de la Merveille, huîtres de Normandie et agneau des prés-salés : il ne manque plus qu'une brise iodée !

**Flamboyant,** 11 r. Boyer-Barret (14e) ✆ 01 45 41 00 22 – AE GB N 11
*fermé août, dim. soir, mardi midi et lundi* – **Repas** 11,50 (déj.), 33,60 bc/36,50 bc et carte 24 à 35.
◆ Cette modeste mais non moins sympathique adresse de quartier propose une cuisine antillaise dans une minisalle garnie de nappes de madras. Bon accueil et convivialité assurée.

**Les Coteaux,** 26 bd Garibaldi (15e) ✆ 01 47 34 83 48 – GB L 9
*fermé août, sam., dim. et lundi* – **Repas** 24.
◆ Le vin - surtout le beaujolais - est à l'honneur dans ce bistrot tout simple proche de l'UNESCO. Il accompagne une généreuse cuisine lyonnaise.

**Severo,** 8 r. Plantes (14e) ✆ 01 45 40 40 91 – GB N 11
*fermé 26 juil au 25 août, 20 déc. au 5 janv., sam. soir, et dim.* – **Repas** carte 22 à 35 ♀.
◆ Les produits de l'Aubrac et du Rouergue jouent les vedettes sur l'ardoise du jour de ce chaleureux bistrot. Quant à la belle carte des vins, elle fait preuve d'éclectisme.

# *Passy - Auteuil - Chaillot*
# *Bois de Boulogne*

## *16ᵉ arrondissement*

*16ᵉ : ✉ 75016 ou 75116*

**Raphaël,** 17 av. Kléber ✉ 75116 ✆ 01 53 64 32 00, *management@raphael-hotel.com*
*Fax 01 53 64 32 01,* – 50. AE GB JCB F
***Jardins Plein Ciel*** ✆ 01 53 64 32 30 (7ᵉ étage)-buffet *(mai-oct.)* **Repas** 60(déj.)/76 – ***Salle à Manger*** ✆ 01 53 64 32 11 *(fermé août, sam. et dim.)* **Repas** 50bc(déj.) et carte 47 à 71
33 – **48 ch** 315/520, 25 appart.
◆ Superbe galerie habillée de boiseries, chambres raffinées, toit-terrasse avec vue panoramique sur Paris et bar anglais "mondain" sont les trésors du Raphaël, construit en 1925.

**St-James Paris** , 43 av. Bugeaud ✉ 75116 ✆ 01 44 05 81 81, *contact@saint-james-paris.com, Fax 01 44 05 81 82,* – 25. AE GB JCB F
**Repas** *(fermé week-ends et fériés)* (résidents seul.) 46 et carte 49 à 72 – 25 – **12 ch** 340/470, 28 appart 570/730, 8 duplex.
◆ Bel hôtel particulier élevé en 1892 par Mme Thiers au sein d'un jardin arboré. Escalier majestueux, chambres spacieuses et bar-bibliothèque à l'atmosphère de club anglais.

**Costes K.** M sans rest, 81 av. Kléber ✉ 75116 ✆ 01 44 05 75 75, *costes.k@wanadoo.fr*
*Fax 01 44 05 74 74,* . AE GB JCB G
19 – **83 ch** 300/540.
◆ Signé Ricardo Bofill, cet hôtel ultra-moderne est une invite discrète à la sérénité avec ses vastes chambres aux lignes épurées ordonnées autour d'un joli patio japonisant.

**Sofitel Le Parc** , 55 av. R. Poincaré ✉ 75116 ✆ 01 44 05 66 66, *H2797@accor-hotels.com, Fax 01 44 05 66 00,* – 40 à 250. AE GB JCB G
voir ***59 Poincaré*** ci-après ***Terrasse du Parc*** ✆ 01 44 05 66 10 *(mai-sept.)* **Repas** 45/70
26 – **95 ch** 370/1000, 21 appart, 3 duplex.
◆ Chambres élégantes et délicieusement "british" réparties autour d'une terrasse-jardin très prisée du Tout-Paris. Restaurant d'été. Décor du bar en partie signé Arman.

**Sofitel Baltimore,** 88 bis av. Kléber ✉ 75116 ☎ 01 44 34 54 54, *welcome@hotelblatimore.com, Fax 01 44 34 54 44,* – – 50. AE GB JCB G 7
voir rest ***Table du Baltimore*** ci-après – 25 – **105 ch** 500/750.
◆ Mobilier épuré, tissus "tendance", photos anciennes de la ville de Baltimore : le décor contemporain des chambres contraste avec l'architecture de cet immeuble du 19e s.

**Square** Ⓜ, 3 r. Boulainvilliers ✉ 75016 ☎ 01 44 14 91 91, *hotel.square@wanadoo.fr, Fax 01 44 14 91 99* – . AE GB JCB. ⊈ K 5
***Zébra Square*** *Tél. 01 44 14 91 91* – **Repas** carte 45 à 60 – 20 – **22 ch** 245/315.
◆ Fleuron de l'architecture contemporaine face à la Maison de la Radio. Courbes, couleurs, équipements high-tech et toiles abstraites en font un hymne au design et à l'art moderne.

**Trocadero Dokhan's** sans rest, 117 r. Lauriston ✉ 75116 ☎ 01 53 65 66 99, *hotel.trocadero.dokhans@wanadoo.fr, Fax 01 53 65 66 88* – . AE GB JCB. ⊈ G 6
25 – **41 ch** 600/1100, 4 appart.
◆ On ne peut qu'être séduit par cet élégant hôtel particulier (1910) à l'architecture palladienne et au décor intérieur néoclassique. Boiseries céladon du 18e s. au salon.

**Villa Maillot** Ⓜ sans rest, 143 av. Malakoff ✉ 75116 ☎ 01 53 64 52 52, *resa@lavillamaillot.fr, Fax 01 45 00 60 61* – – 25. AE GB JCB F 6
23 – **39 ch** 310/360, 3 appart.
◆ À deux pas de la porte Maillot. Couleurs douces, grand confort et bonne isolation phonique pour les chambres. Verrière ouverte sur la verdure pour les petits-déjeuners.

**Élysées Régencia** Ⓜ sans rest, 41 av. Marceau ✉ 75116 ☎ 01 47 20 42 65, *info@regencia.com, Fax 01 49 52 03 42* – – 20. AE GB JCB. ⊈ G 8
18 – **43 ch** 275/320.
◆ Trois styles de chambres sont proposés derrière cette gracieuse façade : Louis XVI, Napoléon "retour d'Égypte" et contemporain. Salle des petits-déjeuners voûtée.

**Libertel Auteuil** Ⓜ sans rest, 8 r. F. David ✉ 75016 ☎ 01 40 50 57 57, *H2777@accor.hotels.com, Fax 01 40 50 57 50* – – 35. AE GB K 5
14 – **94 ch** 135/290.
◆ La clientèle d'affaires apprécie ce bâtiment quasi neuf proche de la Maison de la Radio. Camaïeu de beige dans les chambres. Piano dans le salon moderne meublé de rotin.

**Pergolèse** Ⓜ sans rest, 3 r. Pergolèse ✉ 75116 ☎ 01 53 64 04 04, *hotel@pergolese.com, Fax 01 53 64 04 40* – . AE GB JCB E 6
18 – **40 ch** 200/350.
◆ Une sage façade du "beau 16e", mais une insolite porte bleue qui donne le ton : l'intérieur est design, mariant acajou, briques de verre, chromes et couleurs vives.

**Argentine** Ⓜ sans rest, 1 r. Argentine ✉ 75116 ☎ 01 45 02 76 76, *H2757@accor-hotels.com, Fax 01 45 02 76 00* – . AE GB JCB F 7
14 – **40 ch** 282/296.
◆ Dans une rue tranquille, immeuble bourgeois orné d'un bas-relief offert par l'ambassadeur d'Argentine. Chambres coquettes et feutrées. Ambiance "cosy" au salon-bar.

**Majestic** sans rest, 29 r. Dumont d'Urville ✉ 75116 ☎ 01 45 00 83 70, *management@majestic-hotel.com, Fax 01 45 00 29 48* – . AE GB JCB F 7
15 – **27 ch** 205/325, 3 appart.
◆ À deux pas des Champs-Élysées, ce discret immeuble des années 1960 abrite des chambres calmes, au confort bourgeois, bien dimensionnées et impeccablement tenues.

**Régina de Passy** sans rest, 6 r. Tour ✉ 75116 ☎ 01 55 74 75 75, *regina@gofornet.com, Fax 01 45 25 23 78* – . AE GB JCB H-J 6
13,80 – **63 ch** 90/142.
◆ Immeuble des années 1930 à deux pas des boutiques de la rue de Passy. Chambres de style Art déco ou contemporaines ; certaines offrent une échappée sur la tour Eiffel.

**Garden Élysée** Ⓜ sans rest, 12 r. St-Didier ✉ 75116 ☎ 01 47 55 01 11, *garden.elysee@wanadoo.fr, Fax 01 47 27 79 24* – . AE GB JCB. ⊈ G 7
18,50 – **48 ch** 220/357.
◆ En retrait de la rue, au calme d'une verdoyante cour intérieure où l'on sert le petit-déjeuner en été, chambres actuelles et joli salon habillé de boiseries.

**Élysées Union** sans rest, 44 r. Hamelin, ✉ 75116 ☎ 01 45 53 14 95, *unionetoil@aol.com, Fax 01 47 55 94 79* – cuisinette . AE GB. ⊈ G 7
9,50 – **47 ch** 171/196, 12 appart.
◆ Le 18 novembre 1922, Proust s'éteignit au cinquième étage de cet immeuble. Chambres de style Directoire ou appartements pratiques pour longs séjours. Courette verdoyante.

**Élysées Bassano** sans rest, 24 r. Bassano ✉ 75116 ☎ 01 47 20 49 03, *H2815-gm@accor-hotels.com, Fax 01 47 23 06 72* – AE GB JCB G 8
14 – **40 ch** 230/307.
◆ Beaux tissus imprimés, gravures anciennes et meubles couleur acajou habillent les chambres "cosy". Toiles contemporaines dans la salle des petits-déjeuners.

**Alexander** sans rest, 102 av. V. Hugo ✉ 75116 ☎ 01 56 90 61 00, *melia.alexander@solmelia.com, Fax 01 56 90 61 01* – AE GB JCB. G 6
24 – **61 ch** 320/381.
◆ Immeuble bourgeois sur une avenue chic. Très classiques, les chambres - plus tranquilles sur l'arrière - ont l'avantage d'être spacieuses. Salons revêtus de boiseries.

**Frémiet** sans rest, 6 av. Frémiet ✉ 75016 ☎ 01 45 24 52 06, *hotel.fremiet@wanadoo.fr, Fax 01 53 92 06 46* – AE GB JCB J 6
12 – **36 ch** 145/220.
◆ Hauts plafonds moulurés, mobilier de style Louis XV ou Louis XVI, tapis... Tout le charme de l'hôtellerie traditionnelle au coeur de Passy. Chambres plus calmes sur l'arrière.

**Résidence Bassano** M sans rest, 15 r. Bassano ✉ 75116 ☎ 01 47 23 78 23, *info@hotel-bassano.com, Fax 01 47 20 41 22* – AE GB JCB. G 8
18 – **28 ch** 275/320, 3 appart.
◆ Sol en tomettes, mobilier en fer forgé, tissus ensoleillés : cette "maison d'ami" évoque la Provence alors que les Champs-Élysées sont à quelques centaines de mètres.

**Victor Hugo** sans rest, 19 r. Copernic ✉ 75116 ☎ 01 45 53 76 01, *resa@hotel-victor-hugo.com, Fax 01 45 53 69 93* – AE GB JCB. G 7
12 – **75 ch** 140/222.
◆ Face aux réservoirs de Passy, hôtel ayant bien évolué : chambres refaites, mobilier de style, salles de bains neuves et, aux derniers étages, balcons offrant une vue dégagée.

**Résidence Impériale** sans rest, 155 av. Malakoff ✉ 75116 ☎ 01 45 00 23 45, *res.imperiale@wanadoo.fr, Fax 01 45 01 88 82* – AE GB E 6
12 – **37 ch** 130/195.
◆ Nombreuses rénovations dans ce bâtiment ancien voisin de la porte Maillot. Chambres insonorisées et bien agencées ; celles du dernier étage sont avec poutres apparentes.

**Passy Eiffel** sans rest, 10 r. Passy ✉ 75016 ☎ 01 45 25 55 66, *passyeiffel@wanadoo.fr, Fax 01 42 88 89 88* – AE GB JCB J 6
10 – **49 ch** 128/140.
◆ Dans une rue animée, hôtel familial peu à peu rénové où l'on choisira plutôt les chambres côté cour, donnant sur un joli patio fleuri ; d'autres regardent la tour Eiffel.

**Élysées Sablons** M sans rest, 32 r. Greuze ✉ 75116 ☎ 01 47 27 10 00, *h2778-gm@accor-hotels.com, Fax 01 47 27 47 10* – AE GB JCB G 6
14 – **41 ch** 220/235.
◆ Établissement récent où les chambres adoptent toutes le style Art déco ; quelques-unes ont un minibalcon. Amusante salle des petits-déjeuners façon cabine de bateau.

**Chambellan Morgane** sans rest, 6 r. Keppler ✉ 75116 ☎ 01 47 20 35 72, *chambellan-morgane@wanadoo.fr, Fax 01 47 20 95 69* – – 20. AE GB JCB. GF 8
10 – **20 ch** 145/160.
◆ Petit hôtel de caractère dont les chambres portent les couleurs de la Provence et profitent toutes du calme ambiant. Agréable salon Louis XVI décoré de boiseries peintes.

**Floride Étoile** sans rest, 14 r. St-Didier ✉ 75116 ☎ 01 47 27 23 36, *floride.etoile@wanadoo.fr, Fax 01 47 27 82 87* – – 30. AE GB JCB. G 7
11 – **63 ch** 138/196.
◆ À quelques pas du Trocadéro. Demandez une chambre rénovée, moderne et spacieuse ; celles côté cour sont plus petites mais aussi plus calmes. Salon fleuri, meublé avec goût.

**Résidence Marceau** sans rest, 37 av. Marceau ✉ 75016 ☎ 01 47 20 43 37, *hotel-marceau@wanadoo.fr, Fax 01 47 20 14 76* – AE GB JCB G 8
12 – **30 ch** 148/155.
◆ Sur une avenue passante, façade classique abritant des chambres rajeunies, équipées de salles de bains en marbre. Espace salon-petits-déjeuners au 1er étage.

**Kléber** sans rest, 7 r. Belloy ✉ 75116 ☎ 01 47 23 80 22, *kleberhotel@aol.com, Fax 01 49 52 07 20* – – 20. AE GB JCB G 7
13 – **22 ch** 212/243.
◆ Les salons de cet hôtel proche de la sélecte place des États-Unis abritent meubles de style Louis XV et toiles anciennes. Murs de pierres apparentes dans les chambres.

**Jardins du Trocadéro** M sans rest, 35 r. Franklin ✉ 75116 ☎ 01 53 70 17 70, *jardintroc@aol.com, Fax 01 53 70 17 80* – AE GB JCB. H 6
14,50 – **24 ch** 275/520.
◆ Cet édifice bâti sous Napoléon III conserve un intérieur de caractère. "Turqueries" sur les portes, tissus choisis et meubles de style dans toutes les petites chambres.

**Résidence Foch** sans rest, 10 r. Marbeau ✉ 75116 ☎ 01 45 00 46 50, *residence@foch.com, Fax 01 45 01 98 68* – 🛗 TV 📞. AE ⓓ GB JCB. ✈ F 6
☕ 11 – **25 ch** 150/190.
◆ Voisin de l'aristocratique avenue Foch et du bois de Boulogne, ce petit hôtel familial héberge des chambres fonctionnelles. Un programme de rénovations est en cours.

**Hameau de Passy** M ⛑ sans rest, 48 r. Passy ✉ 75016 ☎ 01 42 88 47 55, *hameau.passy@wanadoo.fr, Fax 01 42 30 83 72* – 🛗 TV. AE ⓓ GB JCB J 5-6
**32 ch** ☕ 98/112.
◆ Une impasse mène à ce discret hameau et à sa charmante cour intérieure envahie de verdure. Nuits calmes assurées dans des chambres petites, mais actuelles et bien tenues.

**Boileau** sans rest, 81 r. Boileau ✉ 75016 ☎ 01 42 88 83 74, *boileau@noos.fr, Fax 01 45 27 62 98* – TV 📞 – 🏛 15. AE ⓓ GB JCB M 3
☕ 7 – **30 ch** 69/86.
◆ Patio fleuri, toiles et bibelots contant Bretagne et Maghreb, et joyeux accueil d'Oscar le perroquet : une adresse sympathique où l'on réservera une chambre rénovée.

**Bois** sans rest, 11 r. Dôme ✉ 75116 ☎ 01 45 00 31 96, *hoteldubois@wanadoo.fr, Fax 01 45 00 90 05* – TV. AE ⓓ GB JCB F 7
☕ 11 – **41 ch** 99/129.
◆ Cet hôtel "cosy" a élu domicile dans la rue la plus montmartroise du 16e où Baudelaire rendit son dernier soupir. Chambres coquettes et claires, salon de style géorgien.

**Queen's Hôtel** sans rest, 4 r. Bastien Lepage ✉ 75016 ☎ 01 42 88 89 85, *contact@queens-hotel.fr, Fax 01 40 50 67 52* – 🛗 ⇆ TV 📞. AE ⓓ GB JCB K 4
☕ 7,50 – **22 ch** 73/108.
◆ Des tableaux d'artistes contemporains égayent la plupart des chambres ainsi que le joli hall : ces heureuses rénovations font oublier la petitesse des surfaces.

**Nicolo** ⛑ sans rest, 3 r. Nicolo ✉ 75116 ☎ 01 42 88 83 40, *hotel.nicolo@wanadoo.fr, Fax 01 42 24 45 41* – 🛗 TV. AE ⓓ GB JCB J 6
☕ 6 – **28 ch** 91/142.
◆ On accède à ce vénérable établissement par une paisible arrière-cour. Atmosphère "rétro" dans les longs couloirs et les chambres desservis par un minuscule ascenseur.

**Palais de Chaillot** sans rest, 35 av. R. Poincaré ✉ 75116 ☎ 01 53 70 09 09, *hapc@wanadoo.fr, Fax 01 53 70 09 08* – 🛗 TV 📞. AE ⓓ GB JCB. ✈ G 6
☕ 8,50 – **28 ch** 100/135.
◆ Bel emplacement près du Trocadéro pour cet hôtel rénové aux couleurs du Sud. Petites chambres fraîches et fonctionnelles. Salle des petits-déjeuners meublée en rotin.

**Gavarni** sans rest, 5 r. Gavarni ✉ 75116 ☎ 01 45 24 52 82, *reservation@gavarni.com, Fax 01 40 50 16 95* – 🛗 ▤ TV 📞. AE ⓓ GB JCB. ✈ J 6
☕ 12,50 – **25 ch** 92/150.
◆ Cet immeuble de briques rouges fraîchement rénové vous propose des chambres peu spacieuses mais coquettes et bien équipées. Accueil tout sourire.

**Longchamp** sans rest, 68 r. Longchamp ✉ 75116 ☎ 01 44 34 24 14, *hotelonch@wanadoo.fr, Fax 01 44 34 24 24* – 🛗 TV 📞. AE ⓓ GB G 6
☕ 10 – **23 ch** 105/145.
◆ Dans une rue animée, façade toilettée et intérieur refait. Les chambres, qui manquent parfois d'ampleur, sont insonorisées. Salle des petits-déjeuners façon jardin d'hiver.

XXXX ✿ **Faugeron**, 52 r. Longchamp ✉ 75116 ☎ 01 47 04 24 53, *faugeron@wanadoo.fr, Fax 01 47 55 62 90* – ▤. AE GB JCB. ✈ G 7
*fermé août, 23 déc. au 3 janv., sam. et dim.* – **Repas** (47) - 54 (déj.), 114 bc/137 bc (dîner)et carte 100 à 130.
◆ Tentures aux couleurs automnales, boiseries claires et niches fleuries composent l'élégant décor de ce restaurant. Cuisine classique soignée et accueil parfait.
**Spéc.** Oeufs coque à la purée de truffes. Truffes (janv. à mars). Gibier (15 oct. au 10 janv.)

XXX **59 Poincaré** - Hôtel Sofitel Le Parc, 59 av. R. Poincaré ✉ 75116 ☎ 01 47 27 59 59, *le59poincare@tiscali.fr, Fax 01 47 27 59 00* – ▤. AE ⓓ GB JCB. ✈ G 6
*fermé 26 juil. au 26 août, sam. midi, dim. et lundi* – **Repas** (48) - carte 55 à 75.
◆ Séduisant hôtel particulier de la Belle Époque. Au rez-de-chaussée, touches design signées P. Jouin. Légumes, homard, boeuf et fruits : une carte thématique à quatre temps.

XXX ✿✿ **Jamin** (Guichard), 32 r. Longchamp ✉ 75116 ☎ 01 45 53 00 07, *reservation@jamin.fr, Fax 01 45 53 00 15* – ▤. AE ⓓ GB. ✈ G 7
*fermé 25 juil. au 25 août, sam. et dim.* – **Repas** 53 (déj.)/95 et carte 105 à 135.
◆ Derrière la façade délicatement colorée, sobre et élégante salle à manger servant de cadre à une savoureuse cuisine personnalisée attentive à la qualité des produits.
**Spéc.** Ravioli de langoustines et crème de laitue. Fricassée de gros homard, jus relevé. Suprême de pintade de Bresse aux truffes (saison).

XXX ✿✿ **Relais d'Auteuil** (Pignol), 31 bd. Murat ✉ 75016 ✆ 01 46 51 09 54, *pignol-p@wanadoo.fr, Fax 01 40 71 05 03* – ▤. AE ⓓ GB JCB L 3
*fermé 4 au 24 août, lundi midi, sam. midi et dim.* – **Repas** 46 (déj.), 98/125 et carte 85 à 110.
◆ Élégant cadre inspiré des époques Restauration et Louis-Philippe, avec banquettes en satin et chaises gondoles. En cuisine, le raffinement le dispute à la virtuosité.
**Spéc.** Amandine de foie gras de canard. Ravioles ouvertes de truffe noire et céleri rave. Croustillant de ris d'agneau, pistaches éclatées, jus à la truffe.

XXX **Seize au Seize,** 16 av. Bugeaud ✉ 75116 ✆ 01 56 28 16 16, *Fax 01 56 28 16 78* – ▤. AE ⓓ GB JCB F 6
*fermé 1er au 17 août, sam. midi, lundi midi et dim.* – **Repas** carte 60 à 80 ♀.
◆ Ex-épicerie métamorphosée en élégant restaurant : murs tapissés à la feuille d'or et appliques originales. Appétissante cuisine au goût du jour et belle carte des vins.

XXX ✿ **Pergolèse** (Corre), 40 r. Pergolèse ✉ 75116 ✆ 01 45 00 21 40, *le-pergolese@wanadoo.fr, Fax 01 45 00 81 31* – ▤. AE GB JCB F 6
*fermé 2 août au 2 sept., sam. et dim.* – **Repas** 36/70 et carte 56 à 84.
◆ Tentures jaunes, boiseries claires et sculptures insolites jouent avec les miroirs et forment un décor élégant à deux pas de la sélecte avenue Foch. Cuisine classique soignée.
**Spéc.** Ravioli de langoustines à la duxelles de champignons. Couscous de foie gras chaud. Sablé aux fraises des bois, glace yaourt.

XXX ✿ **Table du Baltimore,** hôtel Sofitel Baltimore, 1 r. Léo Delibes ✉ 75016 ✆ 01 44 34 54 34 – ▤ AE ⓓ GB JCB. ✂ G 7
*fermé 26 juil. au 25 août, sam., dim. et fériés* – **Repas** carte 48 à 65.
◆ Le nouveau décor du restaurant associe subtilement boiseries anciennes, mobilier contemporain, couleurs chaleureuses et collection de dessins. Belle cuisine au goût du jour.
**Spéc.** Foie gras de canard au naturel. Selle d'agneau rôtie aux épices. Parfait au chocolat gianduja.

XXX **Tsé-Yang,** 25 av. Pierre 1er de Serbie ✉ 75116 ✆ 01 47 20 70 22, *Fax 01 49 52 03 68* – ▤. AE ⓓ GB JCB. ✂ G 8
**Repas** 42/45 et carte 47 à 64.
◆ Décor digne de la Cité Interdite : sculptures, fresques et objets artisanaux invitent à un voyage raffiné en Chine, près de l'avenue Marceau. Carte très étoffée.

XXX **Pavillon Noura,** 21 av. Marceau ✉ 75116 ✆ 01 47 20 33 33, *Fax 01 47 20 60 31* – ▤. AE ⓓ GB. ✂ G 8
**Repas** 34 (déj.), 52/58 et carte 30 à 55 ♀.
◆ Élégante salle aux murs ornés de fresques levantines. Le Liban se laisse découvrir à travers ses mezzés, ses petits plats chauds ou froids et ses traditionnels verres d'arack.

XXX **Les Arts,** 9 bis av. Iéna ✉ 75116 ✆ 01 40 69 27 53, *maison.des.am@sodexho.prestige.fr, Fax 01 40 69 27 08,* 🏛 – AE ⓓ GB G 7
*fermé août, 24 déc. au 2 janv., sam. et dim.* – **Repas** 36 et carte 50 à 65.
◆ Hôtel particulier bâti en 1892 devenu maison des "gadzarts" depuis 1925. Salle à manger (colonnades, moulures, tableaux) et jardin-terrasse sont désormais ouverts au public.

XXX ✿ **Passiflore** (Durand), 33 r. Longchamp ✉ 75016 ✆ 01 47 04 96 81, *Fax 01 47 04 32 27* – ▤. AE GB JCB G 7
*fermé 4 au 26 août, sam. midi et dim.* – **Repas** 36 et carte 65 à 82 ♀.
◆ Sobre et élégant décor d'inspiration ethnique (camaïeu de jaunes et boiseries), cuisine classique personnalisée : ce "comptoir" du beau Paris fait voyager les papilles.
**Spéc.** Langoustines en mulligatowny au n'go gaï. Tournedos de pied de cochon. Les quatre sorbets verts pimentés.

XXX **Port Alma,** 10 av. New York ✉ 75116 ✆ 01 47 23 75 11, *Fax 01 47 20 42 92* – ▤. AE ⓓ GB JCB H 8
*fermé août, 24 déc. au 2 janv., dim. et lundi* – **Repas** carte 55 à 80 ♀.
◆ Sur les quais de Seine, salle à manger-véranda aux poutres bleues, faisant la part belle aux saveurs de la mer. Fraîcheur des produits et accueil souriant.

XX ✿ **Astrance** (Barbot), 4 r. Beethoven ✉ 75016 ✆ 01 40 50 84 40 – AE ⓓ GB. ✂ J 7
*fermé août, vacances de fév., mardi midi et lundi* – **Repas** (nombre de couverts limité, prévenir) 29 (déj.), 65/80 et carte 66 à 84 ♀.
◆ Décor contemporain gris souris et carte thématique : la cuisine inventive de l'Astrance (une fleur, du latin aster, étoile...) a conquis le quartier du Trocadéro.
**Spéc.** Chair de crabe à l'huile d'amande douce, fines lamelles d'avocat. Anguille braisée, rhubarbe et verveine. Lait "dans tous ses états".

XX **Giulio Rebellato,** 136 r. Pompe ✉ 75116 ✆ 01 47 27 50 26 – ▤. AE GB. ✂ G 6
*fermé août* – **Repas** carte 47 à 62.
◆ Beaux tissus, gravures anciennes et scintillements des miroirs président à un chaleureux décor d'inspiration vénitienne signé Garcia. Cuisine italienne.

XX **Fakhr el Dine,** 30 r. Longchamp ✉ 75016 ✆ 01 47 27 90 00, *resa@fakhreldine.com, Fax 01 53 70 01 81* – ▤. AE ⓓ GB. ✗ G 7
**Repas** 23/26 et carte 27 à 42.
◆ Mezzé, kafta, grillades au feu de bois... Ce restaurant au cadre raffiné vous convie à un voyage culinaire digne de Fakhr el Dine, l'un des plus grands princes libanais.

XX ✿ **Tang,** 125 r. de la Tour ✉ 75116 ✆ 01 45 04 35 35, *Fax 01 45 04 58 19* – ▤. AE GB. ✗ H 5
*fermé 1er au 25 août, 23 déc. au 1er janv., dim. et lundi* – **Repas** 39 (déj.), 65/98 et carte 52 à 96.
◆ Derrière les larges baies vitrées, une salle haute sous plafond, dont le décor classique est rehaussé de touches asiatiques. Spécialités chinoises et thaïlandaises.
**Spéc.** Velouté de taro au caviar osciètre. Croustillants de langoustines en sauce caramélisée. Ginseng de magret de canard aux mangoustans.

XX **Paul Chêne,** 123 r. Lauriston ✉ 75116 ✆ 01 47 27 63 17, *Fax 01 47 27 53 18* – ▤. AE ⓓ GB. ✗ G 6
*fermé août, 23 déc. au 1er janv., sam. midi et dim.* – **Repas** 35/45 et carte 43 à 68.
◆ Cette adresse a gardé son âme des années 1950 : vieux zinc, confortables banquettes, tables serrées... et ambiance animée. Plats traditionnels dont le fameux merlan en colère.

XX **Conti,** 72 r. Lauriston ✉ 75116 ✆ 01 47 27 74 67, *Fax 01 47 27 37 66* – ▤. AE ⓓ GB G 7
*fermé 2 au 24 août, 24 déc. au 1er janv., sam., dim. et fériés* – **Repas** 30 (déj.) et carte 44 à 67.
◆ Les deux couleurs fétiches de Stendhal se retrouvent dans le décor de ce restaurant où brillent miroirs et lustres de cristal. Cuisine italienne ; belle carte des vins.

XX **Bellini,** 28 r. Lesueur ✉ 75116 ✆ 01 45 00 54 20, *Fax 01 45 00 11 74* – ▤. AE GB F 7
*fermé août, sam. et dim.* – **Repas** 28 (déj.)et carte 45 à 58 ♀.
◆ Dans le "beau" 16e, cette petite façade discrète abrite un restaurant italien égayé de chatoyantes couleurs méditerranéennes. Dans l'assiette, recettes transalpines.

XX **Vinci,** 23 r. P. Valéry ✉ 75116 ✆ 01 45 01 68 18, *levinci@wanadoo.fr, Fax 01 45 01 60 37* – ▤. GB F 7
*fermé 1er au 19 août, sam. et dim.* – **Repas** 29 et carte 40 à 55 ♀.
◆ Goûteuse cuisine italienne, sympathique intérieur coloré et service aimable : un petit établissement très prisé à deux pas de la commerçante et huppée avenue Victor-Hugo.

XX **Marius,** 82 bd Murat ✉ 75016 ✆ 01 46 51 67 80, *Fax 01 47 43 10 24,* 🏠 – AE GB M 2
*fermé 2 au 25 août, sam. midi et dim.* – **Repas** carte 40 à 50 ♀.
◆ Chaises de velours jaune, murs clairs, stores en tissus et grands miroirs caractérisent la salle à manger de ce restaurant dédié aux produits de la mer. Vins choisis.

XX **Essaouira,** 135 r. Ranelagh ✆ 01 45 27 99 93, *Fax 01 45 27 56 36* – GB J 4
*fermé 23 juil. au 31 août, dim. soir et lundi* – **Repas** carte 37 à 48.
◆ L'ancienne Modagor a prêté son nom à ce restaurant marocain décoré d'une fontaine en mosaïque, de tapis et d'objets artisanaux. Couscous, tajines et méchoui comme là-bas !

XX ☺ **Chez Géraud,** 31 r. Vital ✉ 75016 ✆ 01 45 20 33 00, *Fax 01 45 20 46 60* – GB H 5
*fermé 25 juil. au 26 août, 7 au 17 fév., sam. et dim.* – **Repas** 30.
◆ La façade, puis la fresque intérieure, toutes deux en faïence de Longwy, attirent l'oeil. Cadre de bistrot chic assorti à une cuisine privilégiant le gibier en saison.

XX **Fontaine d'Auteuil,** 35bis r. La Fontaine ✉ 75016 ✆ 01 42 88 04 47, *Fax 01 42 88 95 12* – ▤. AE ⓓ GB K 5
*fermé 3 août au 1er sept., sam. midi, lundi midi et dim.* – **Repas** 28,50 ♀.
◆ L'enseigne évoque la source thermale d'Auteuil. Habillage de boiseries sombres, murs patinés et plafonds discrètement nervurés : un intérieur victorien, distingué et austère.

XX **Petite Tour,** 11 r. de la Tour ✉ 75116 ✆ 01 45 20 09 31, *Fax 01 45 20 09 31* – AE ⓓ GB JCB H 6
*fermé août et dim.* – **Repas** carte 40 à 78.
◆ Adresse discrète à allure d'auberge. Salle à manger tout en longueur, garnie de banquettes ou fauteuils en velours rouge, et tables bien espacées. Carte classique.

XX **Butte Chaillot,** 110 bis av. Kléber ✉ 75116 ✆ 01 47 27 88 88, *buttechaillot@guysavoy.com, Fax 01 47 27 41 46* – ▤. AE ⓓ GB JCB G 7
*fermé 12 au 27 août et sam. midi* – **Repas** 30 et carte 36 à 55 ♀, enf. 10,98.
◆ Près du palais de Chaillot, restaurant de type bistrot version 21e s. : décor contemporain couleur cuivre, mobilier moderne et cuisine au goût du jour.

X ✿ **Les Ormes** (Molé), 8 r. Chapu ✉ 75016 ✆ 01 46 47 83 98, *Fax 01 46 47 83 98* – ▤. AE GB M 4
*fermé 5 au 12 janv., dim. et lundi* – **Repas** (nombre de couverts limité, prévenir) 25 (déj.), 40,50/44,50 et carte 42 à 52.
◆ Cette façade au vitrage coloré abrite une salle à manger refaite, sobre et de petite taille, à l'atmosphère chaleureuse. Cuisine au goût du jour.
**Spéc.** Coquilles Saint-Jacques (oct. à mars). Lièvre à la royale (hiver). Jarret de veau braisé à la cuiller.

X **Natachef,** 9 r. Duban ✉ 75016 ☎ 01 42 88 10 15, *natachef@noos.fr, Fax 01 45 25 74 71* – AE GB J 5
*fermé août, sam. et dim.* – **Repas** *(25)* - carte 40 à 50.
◆ Vous avez "flashé" sur un verre, une serviette ou une assiette ? Tout l'art de la table est à vendre dans ce bistrot "tendance" du Passy chic ! Minicarte et cours de cuisine.

X **A et M Le Bistrot,** 136 bd Murat ✉ 75016 ☎ 01 45 27 39 60, *am-bistrot-16@wanadoo.fr, Fax 01 45 27 69 71,* ☂ – AE ⓓ GB JCB M 3
*fermé 1er au 20 août, sam. midi et dim.* – **Repas** *(25)* - 30.
◆ Bistrot contemporain dans le vent, situé à deux pas de la Seine : sobriété du décor aux tons crème et havane, éclairage design et cuisine au goût du jour soignée.

X **Bistrot de l'Étoile Lauriston,** 19 r. Lauriston ✉ 75116 ☎ 01 40 67 11 16, *Fax 01 45 00 99 87* – ▤. AE ⓓ GB JCB. ✂ F 7
*fermé sam. midi et dim.* – **Repas** *(21)* - 26 (déj.)et carte 36 à 50 ♀.
◆ Ambiance décontractée près de la place de l'Étoile. La cuisine, inventive, servie dans un cadre contemporain un brin spartiate, attire une clientèle d'inconditionnels.

X **Petit Pergolèse,** 38 r. Pergolèse ☎ 01 45 00 23 66, *Fax 01 45 00 44 03* – GB F 6
*fermé 9 au 24 août, sam. et dim.* – **Repas** carte 30 à 50.
◆ Comme l'enseigne le laisse deviner, ce bistrot affairé est l'annexe chic du restaurant Le Pergolèse. On y mange au coude à coude une sage cuisine dans l'air du temps.

X **Rosimar,** 26 r. Poussin ✉ 75016 ☎ 01 45 27 74 91, *Fax 01 45 20 75 05* – ▤. AE GB K 3
*fermé 2 août au 1er sept., 23 au 27 déc., sam., dim. et fériés* – **Repas** 28,20/29,80 bc et carte 27 à 46.
◆ Cette salle à manger agrandie de miroirs contient toutes les saveurs de l'Espagne traditionnelle. "Hombre" ! Une sympathique petite affaire familiale !

X **Oscar,** 6 r. Chaillot ✉ 75016 ☎ 01 47 20 26 92, *Fax 01 47 20 27 93* – AE GB. ✂ G 8
*fermé 5 au 26 août, sam. midi, dim. et fériés* – **Repas** *(18,50)* - carte 30 à 40.
◆ Discrète façade, tables serrées, ardoise de suggestions du jour : le degré zéro du marketing et pourtant le "coeur de cible" d'Oscar s'étend bien au-delà du quartier !

## au Bois de Boulogne :

XXXX ✿✿ **Pré Catelan,** rte Suresnes ✉ 75016 ☎ 01 44 14 41 14, *Fax 01 45 24 43 25,* ☂, ⛟ – ▤ P. AE ⓓ GB JCB H 2
*fermé vacances de Toussaint, 7 fév. au 2 mars, dim. sauf le midi du 11 mai au 19 oct. et lundi* – **Repas** 55 (déj.), 90/130 et carte 95 à 130.
◆ Élégant pavillon de style Napoléon III situé au coeur du bois, près de l'insolite jardin Shakespeare. Décor signé Caran d'Ache, aile façon jardin d'hiver et délicieuse terrasse.
**Spéc.** L'os à moelle, l'un parfumé de poivre noir et grillé en coque, l'autre farci de champignons des bois. Truffe en fins copeaux à la croque au sel (déc. à mars). Sole cuite au naturel, glacée au jus épicé.

XXXX ✿ **Grande Cascade,** allée de Longchamp (face hippodrome) ✉ 75016 ☎ 01 45 27 33 51, *grandecascade@wanadoo.fr, Fax 01 42 88 99 06,* ☂ – P. AE ⓓ GB JCB
*fermé 22 oct. au 1er nov., 20 déc. au 3 janv. et 14 au 28 fév.* – **Repas** 59 (déj.)/150 et carte 120 à 145.
◆ Un des paradis de la capitale, au pied de la Grande Cascade (10 m !) du bois de Boulogne. Cuisine raffinée, servie dans l'élégant pavillon 1850 ou sur l'exquise terrasse.
**Spéc.** Grosses langoustines en beignets. Sole façon "meunière". Selle, côte et ris d'agneau dorés aux épices.

PALAIS DES CONGRES

# *Batignolles - Ternes Wagram*

## *17^e arrondissement*

*17^e : ✉ 75017*

**Meridien Étoile** Ⓜ, 81 bd Gouvion St-Cyr ✆ 01 40 68 34 34, *guest.etoile@lemeridien-hotels.com, Fax 01 40 68 31 31* – ⊞ ⊠ ▤ TV ✆ ♿ – 🏛 50 à 1 200. AE ⓓ GB JCB E 6
***L'Orenoc*** ✆ 01 40 68 30 40 *(fermé août, 22 au 28 déc., dim. et lundi)* **Repas** *(35)*- et carte 48 à 73 ♀ – ***Terrasse*** ✆ 01 40 68 30 42 *(fermé sam.)* **Repas** *(38)*-et carte 36 à 55 ♀ – ☕ 23 – **1 008 ch** 450/470, 17 appart.
◆ Face au palais des congrès, ce gigantesque hôtel est entièrement rénové. Granit noir et camaïeu de beiges dans les chambres. Bibelots des cinq continents et boiseries tropicales à l'Orenoc.

**Concorde La Fayette** Ⓜ, 3 pl. Gén. Koenig ✆ 01 40 68 50 68, *info@concorde-lafayette.com, Fax 01 40 68 50 43*, ← – ⊞ ⊠ ▤ TV ✆ – 🏛 40 à 2 000. AE ⓓ GB JCB E 6
***La Fayette*** ✆ 01 40 68 51 19 **Repas** 15 ♀, enf.10 – ☕ 21 – **917 ch** 300/450, 33 appart.
◆ Intégrée au palais des congrès, cette tour de 33 étages offre une vue imprenable sur Paris depuis la plupart des chambres, peu à peu rénovées, et le bar panoramique.

**Splendid Étoile** sans rest, 1 bis av. Carnot ✆ 01 45 72 72 00, *hotel@hsplendid.com, Fax 01 45 72 72 01* – ⊞ TV ✆. AE ⓓ GB F 7
☕ 22 – **55 ch** 250/320.
◆ Belle façade d'immeuble classique agrémentée de balcons ouvragés. Chambres spacieuses et de caractère, meublées Louis XV ; certaines s'ouvrent sur l'Arc de Triomphe.

**Regent's Garden** sans rest, 6 r. P. Demours ✆ 01 45 74 07 30, *hotel.regents.garden@wanadoo.fr, Fax 01 40 55 01 42*, ⛱ – ⊞ ▤ TV. AE ⓓ GB JCB. ✻ E 7
☕ 11 – **39 ch** 130,50/268.
◆ Hôtel particulier, commande de Napoléon III pour son médecin, séduisant par son raffinement. Vastes chambres de style, donnant parfois sur le jardin, très agréable l'été.

**Balmoral** sans rest, 6 r. Gén. Lanrezac ✆ 01 43 80 30 50, *balmoral@wanadoo.fr, Fax 01 43 80 51 56* – ⊞ ▤ TV ✆. AE ⓓ GB E 7
☕ 9,50 – **57 ch** 110/165.
◆ Accueil personnalisé et calme ambiant caractérisent cet hôtel ancien (1911) situé à deux pas de l'Étoile. Chambres aux couleurs vives ; belles boiseries dans le salon.

**Ampère** M, 102 av. Villiers ✆ 01 44 29 17 17, *resa@hotelampere.com, Fax 01 44 29 16 50,* – 40 à 100. AE GB D 8
***Jardin d'Ampère*** ✆ *01 44 29 16 54 (fermé 4 au 24 août et dim. soir)* **Repas** *(25)*-31/52 et carte 39 à 65 – 13 – **100 ch** 200/425.
◆ Hall modernisé, élégant piano-bar, connexion Internet sans fil, douillettes chambres contemporaines donnant parfois sur le jardin intérieur : un hôtel en perpétuelle évolution.

**Novotel Porte d'Asnières** M, 34 av. Porte d'Asnières ✆ 01 44 40 52 52, *H4987@accorhotels.com, Fax 01 44 40 44 23* – – 250. AE GB JCB C 9
**Repas** *(21)*-27, enf. 7 – 13 – **138 ch** 150/185.
◆ Architecture moderne proche du périphérique, mais très bien insonorisée. À partir du 7e étage, les chambres, toutes neuves, profitent d'une vue agréable. Restaurant-brasserie.

**Banville** sans rest, 166 bd Berthier ✆ 01 42 67 70 16, *hotelbanville@wanadoo.fr, Fax 01 44 40 42 77* – . AE GB JCB D 8
11 – **38 ch** 155/187.
◆ Immeuble de 1926 aménagé avec goût. Le charme agit dès l'entrée avec les élégants salons, et les chambres rénovées, personnalisées, sont raffinées.

**Quality Pierre** M sans rest, 25 r. Th.-de-Banville ✆ 01 47 63 76 69, *hotel@qualitypierre.com, Fax 01 43 80 63 96* – – 30. AE GB JCB D 8
15 – **50 ch** 180/270.
◆ Cet hôtel récent vous accueille dans des chambres de style Directoire récemment refaites et plébiscitées par la clientèle d'affaires ; certaines s'ouvrent sur le patio.

**Villa Alessandra** M sans rest, 9 pl. Boulnois ✆ 01 56 33 24 24, *alessandra@leshoteldesparis.com, Fax 01 56 33 24 30* – . AE GB JCB E 8
20 – **49 ch** 242/442.
◆ Cet hôtel des Ternes bordant une ravissante placette retirée est apprécié pour sa tranquillité. Chambres aux couleurs du Sud, avec lits en fer forgé et meubles en bois peint.

**Villa Eugénie** sans rest, 167 r. Rome ✆ 01 44 29 06 06, *eugenie@leshotelsdeparis.com, Fax 01 44 29 06 07* – . AE GB JCB C 10
19 – **36 ch** 196/272.
◆ Papier-peint et tissus façon toile de Jouy, et mobilier Empire : l'atmosphère romantique des chambres n'empêche pas la modernité, l'accès Internet étant direct.

**Princesse Caroline** M sans rest, 1 bis r. Troyon ✆ 01 58 05 30 00, *contact@hotelprincessecaroline.fr, Fax 01 42 27 49 53* – . AE GB E 8
11 – **53 ch** 148/211.
◆ Dans une petite rue à deux pas de l'Étoile, cet hôtel entièrement refait propose des chambres bourgeoises, lumineuses et "cosy" ; elles sont très calmes côté cour intérieure.

**Champerret Élysées** sans rest, 129 av. Villiers ✆ 01 47 64 44 00, *champerret-elysees@noos.fr, Fax 01 47 63 10 58* – . AE GB JCB. D 7
11 – **45 ch** 90/138.
◆ Les internautes apprécieront ce "cyberhôtel" installé dans un étroit bâtiment de briques rouges. Chambres bien équipées ; préférez celles donnant sur la cour.

**Mercure Wagram Arc de Triomphe** M sans rest, 3 r. Brey ✆ 01 56 68 00 01, *h2053@accor-hotels.com, Fax 01 56 68 00 02* – . AE GB JCB. E 8
14 – **43 ch** 200/210.
◆ Chaleureuse réception et petites chambres douillettes habillées de boiseries claires et de tissus chatoyants : un Mercure situé entre l'Étoile et les Ternes.

**Villa des Ternes** M sans rest, 97 av. Ternes ✆ 01 53 81 94 94, *hotel@hotelternes.com, Fax 01 53 81 94 95* – . AE GB JCB E 6
12 – **39 ch** 170/256.
◆ À côté du Palais des Congrès, hôtel quasi neuf convenant parfaitement à la clientèle d'affaires. Tons chaleureux dans les chambres, équipées de salles de bains modernes.

**Magellan** sans rest, 17 r. J.B.-Dumas ✆ 01 45 72 44 51, *paris@hotelmagellan.com, Fax 01 40 68 90 36*, – . AE GB. D 7
10 – **72 ch** 122.
◆ Chambres fonctionnelles et spacieuses aménagées dans un bel immeuble 1900 complété d'un petit pavillon niché au fond du jardin. Salon meublé dans le style Art déco.

**Tilsitt Étoile** sans rest, 23 r. Brey ✆ 01 43 80 39 71, *info@tilsitt.com, Fax 01 47 66 37 63* – – 20. AE GB JCB. E 8
11 – **38 ch** 125/162.
◆ L'hôtel est situé dans une discrète rue du quartier de l'Étoile. Ses chambres doivent très prochainement bénéficier d'une rénovation : soyez les premiers à en profiter !

**Mercure Étoile** M sans rest, 27 av. Ternes ✆ 01 47 66 49 18, *h0372@accor-hotels.com, Fax 01 47 63 77 91* – AE GB JCB E 8
14 – **56 ch** 170/180.
◆ Dans un quartier animé, établissement de chaîne efficacement insonorisé. Chambres standardisées, donnant sur la cour ou sur la rue. Salon-bar éclairé par une verrière.

**Étoile St-Ferdinand** sans rest, 36 r. St-Ferdinand ✆ 01 45 72 66 66, *ferdinand@paris-honotel.com, Fax 01 45 74 12 92* – AE GB JCB E 6-7
12 – **42 ch** 199/225.
◆ Près de la porte Maillot, immeuble classique donnant sur deux rues relativement calmes. Chambres régulièrement rénovées et égayées de coloris vifs.

**Jardin de Villiers** sans rest, 18 r. C. Pouillet ✆ 01 42 67 15 60, *jardindevillier@wanadoo.fr, Fax 01 42 67 32 11* – AE GB JCB. D 10
6 – **26 ch** 85/145.
◆ Près du pittoresque marché de la rue de Lévis, une maison appréciée pour sa petite terrasse d'été joliment fleurie ainsi que pour ses chambres chaleureuses et son calme.

**Étoile Park Hôtel** sans rest, 10 av. Mac Mahon ✆ 01 42 67 69 63, *ephot@easynet.fr, Fax 01 43 80 18 99* – AE GB JCB E 8
11 – **28 ch** 89/145.
◆ Bel emplacement à deux pas de l'Étoile pour cet immeuble en pierres de taille. Intérieur joliment rénové dans un style contemporain. Agréable salle des petits-déjeuners.

**Harvey** sans rest, 7 bis r. Débarcadère ✆ 01 55 37 20 00, *info@hotel-harvey.com, Fax 01 40 68 03 56* – AE GB JCB E 6
8 – **32 ch** 100/124.
◆ Cet établissement familial datant de 1880 abrite des chambres d'esprit rustique ; côté cour, elles sont petites mais aussi plus calmes. Salon de lecture pour la détente.

**Étoile Péreire** sans rest, 146 bd Péreire ✆ 01 42 67 60 00, *info@etoile_pereire.com, Fax 01 42 67 02 90* – AE GB. D 7
11 – **22 ch** 130/190, 4 duplex.
◆ Africaine, tropicale, chinoise... Un thème par chambre ; toutes sont au calme. Célèbre petit-déjeuner aux 31 confitures dans une salle rehaussée d'oeuvres de Jean Marais.

**Star Hôtel Étoile** sans rest, 18 r. Arc de Triomphe ✆ 01 43 80 27 69, *star.etoile.hotel@wanadoo.fr, Fax 01 40 54 94 84* – – 18. AE GB E 7
10 – **62 ch** 115/145.
◆ Un décor récent d'inspiration médiévale habille la réception, le salon et la salle des petits-déjeuners. Chambres à dominante jaune, peu spacieuses mais assez calmes.

**Monceau Élysées** sans rest, 108 r. Courcelles ✆ 01 47 63 33 08, *monceau.elysees@wanadoo.fr, Fax 01 46 22 87 39* – . AE GB E 9
10 – **29 ch** 120/145.
◆ Près de l'élégant parc Monceau, ce petit hôtel entièrement rénové propose des chambres couleur saumon, égayées de tissus imprimés. Salle des petits-déjeuners voûtée.

**Astrid** sans rest, 27 av. Carnot ✆ 01 44 09 26 00, *paris@hotel-astrid.com, Fax 01 44 09 26 01* – AE GB JCB E 7
8 – **41 ch** 122/133.
◆ À 100 m de l'Arc de Triomphe, un hôtel tenu par la même famille depuis 1936, où chaque chambre adopte un style différent : Directoire, tyrolien, provençal...

**Flaubert** sans rest, 19 r. Rennequin ✆ 01 46 22 44 35, *paris@hotelflaubert.com, Fax 01 43 80 32 34* – . AE GB D 8
8 – **41 ch** 90/105.
◆ L'atout maître de cet hôtel familial est son calme et verdoyant patio, sur lequel donnent certaines chambres. Salle des petits-déjeuners de style jardin d'hiver.

**Monceau Étoile** sans rest, 64 r. de Levis ✆ 01 42 27 33 10, *hotel@monceauetoile.com, Fax 01 42 27 59 58* – . AE GB D 10
7 – **28 ch** 92/105.
◆ Dans une rue animée par les étals d'un pittoresque marché, ce bâtiment ancien aux airs de demeure familiale abrite des chambres meublées simplement.

**Campanile**, 4 bd Berthier ✆ 01 46 27 10 00, *resa@campanile-berthier.com, Fax 01 46 27 00 57,* – – 15 à 40. AE GB B 10
**Repas** 12,50/18,50 – 6,50 – **246 ch** 79.
◆ Près de la porte de Clichy, établissement fonctionnel de forte capacité dont les chambres se conforment aux standards de la chaîne. Vaste terrasse.

XXXX ✿✿✿ **Guy Savoy,** 18 r. Troyon ✆ 01 43 80 40 61, *reserv@guysavoy.com, Fax 01 46 22 43 09* – ▤. AE ⓓ GB JCB E 8
*fermé août, sam. midi, dim. et lundi* – **Repas** 188/235 et carte 150 à 200.
◆ Verre, cuir et wengé, oeuvres signées des grands noms de l'art contemporain, sculptures africaines, cuisine raffinée et très personnelle : "l'auberge du 21e s." par excellence.
**Spéc.** Soupe d'artichaut à la truffe noire et brioche feuilletée aux champignons. Bar en écailles grillées aux épices douces. Pigeon "poché-grillé", petites salades, abats en millefeuille de betteraves et champignons.

XXXX ✿✿ **Michel Rostang,** 20 r. Rennequin ✆ 01 47 63 40 77, *rostang@relaischateaux.fr, Fax 01 47 63 82 75* – ▤. AE ⓓ GB JCB D 8
*fermé 1er au 15 août, lundi midi, sam. midi et dim.* – **Repas** 59 (déj.)/160 et carte 124 à 175.
◆ Restaurant au cadre élégant et insolite où boiseries, figurines de Robj, oeuvres de Lalique et vitrail Art déco composent un luxueux décor. Belle cuisine maîtrisée.
**Spéc.** "Menu truffe" (15 déc. au 15 mars). Quenelle de brochet soufflée à la crème de homard. Foie chaud de canard rôti au sésame grillé.

XXX ✿✿ **Apicius** (Vigato), 122 av. Villiers ✆ 01 43 80 19 66, *Fax 01 44 40 09 57* – ▤. AE ⓓ GB JCB D 8
*fermé août, sam. et dim.* – **Repas** 104 et carte 86 à 130.
◆ Murs gris perle, boiseries sombres et tableaux composent le cadre raffiné de ce restaurant. Cuisine inventive que n'aurait pas renié Apicius, "le" gastronome romain.
**Spéc.** Foie gras de canard aux radis noirs confits. Milieu de très gros turbot rôti . Soufflé au chocolat.

XXX ✿ **Faucher,** 123 av. Wagram ✆ 01 42 27 61 50, *Fax 01 46 22 25 72*, ☂ – ▤. AE GB D 8
*fermé sam. et dim.* – **Repas** 46 (déj.)/92 et carte 65 à 95.
◆ Cuisine de saison personnalisée à déguster dans une salle à manger sobre et lumineuse, rehaussée de tableaux modernes. Les tables côté rotonde sont très agréables.
**Spéc.** Oeuf au plat, foie gras chaud et coppa grillée. Rouget à l'huile d'olive émulsionnée. Le vrai filet de boeuf au poivre.

XXX ✿ **Sormani** (Fayet), 4 r. Gén. Lanrezac ✆ 01 43 80 13 91, *Fax 01 40 55 07 37* – ▤. GB E 7
*fermé 1er au 24 août, sam., dim. et fériés* – **Repas** 44 (déj.)et carte 72 à 100 ♀.
◆ Ah, le charme latin ! Dans ce restaurant discrètement situé derrière la place de l'Étoile, il opère indiscutablement : cuisine italienne élaborée et ambiance "dolce vita".
**Spéc.** Tagliatelle à la truffe blanche (oct. à déc.). Sauté de coquillages et crustacés. Risotto "primavera" (printemps).

XXX **Pétrus,** 12 pl. Mar. Juin ✆ 01 43 80 15 95, *restaurantpetrus@aol.com, Fax 01 47 66 49 86* – ▤. AE ⓓ GB JCB D 8
*fermé 10 au 25 août* – **Repas** 35 et carte 54 à 88 ♀.
◆ Dans un plaisant cadre feutré, produits de la mer à profusion : véritable pêche miraculeuse qui, venant de l'apôtre Pierre, n'est pas pour surprendre !

XXX **Amphyclès,** 78 av. Ternes ✆ 01 40 68 01 01, *amphycles@aol.com, Fax 01 40 68 91 88* – ▤. AE ⓓ GB JCB E 7
*fermé 3 au 23 août, sam. midi et dim.* – **Repas** 37/99 bc et carte 64 à 92.
◆ Élégante salle à manger de style néo-classique : chaises Louis XVI, treillages, miroirs et gravures anciennes. Service attentif et cuisine au goût du jour.

XX **Petit Colombier,** 42 r. Acacias ✆ 01 43 80 28 54, *Fax 01 44 40 04 29* – ▤. AE GB E 7
*fermé 1er au 27 août, lundi midi de sept. à mars, sam. (sauf le soir de sept. à mars), et dim.* – **Repas** 34 (déj.)/60 et carte 46 à 70 ♀.
◆ Boiseries patinées, horloges anciennes et chaises Louis XV donnent un charme bien provincial à ce restaurant qui conserve le souvenir du passage de grands hommes d'État.

XX ✿ **Les Béatilles** (Bochaton), 11 bis r. Villebois-Mareuil ✆ 01 45 74 43 80, *Fax 01 45 74 43 81* – ▤. AE GB E 7
*fermé 30 juil. au 26 août, 24 au 30 déc., sam. et dim.* – **Repas** 39 (déj.), 45/66 et carte 65 à 80.
◆ Accueil attentionné, cuisine bien ficelée et volontairement épurée, salle à manger sobre et contemporaine : décidément, cette enseigne flirte avec une douce béatitude !
**Spéc.** Nems d'escargots et champignons des bois. Pastilla de pigeon et foie gras aux épices. La "Saint-Cochon" (nov. à mars).

XX **Dessirier,** 9 pl. Mar. Juin ✆ 01 42 27 82 14, *restaurantdessirier@wanadoo.fr, Fax 01 47 66 82 07* – ▤. AE ⓓ GB JCB D 8
*fermé 11 au 17 août, sam. et dim. en juil.-août* – **Repas** 36 et carte 58 à 80 ♀.
◆ Établissement plein de vie, dont le style "brasserie", les fauteuils et banquettes capitonnés et la carte de produits de la mer génèrent une bonne humeur communicative.

XX **Timgad,** 21 r. Brunel ✆ 01 45 74 23 70, *Fax 01 40 68 76 46* – ▤. AE ⓓ GB. ✂ E 7
**Repas** carte 40 à 55.
◆ La splendeur passée de la cité de Timgad revit ici : décor mauresque raffiné des salles à manger et cuisine parfumée du Maghreb.

XX **Graindorge,** 15 r. Arc de Triomphe ✆ 01 47 54 00 28, *Fax 01 47 54 00 28* – AE GB E 7
*fermé sam. midi et dim.* – **Repas** (24) - 28 (déj.)/32 et carte 39 à 53 ♀.
◆ L'orge sert à fabriquer les bières qui accompagnent - outre les vins - cette généreuse cuisine flamande. Toutes les saveurs du Nord à découvrir dans un joli cadre Art déco.

XX **Braisière,** 59 r. Cardinet ✆ 01 47 63 40 37, *labraisiere@free.fr, Fax 01 47 63 04 76* – AE GB D 9
*fermé août, sam. midi et dim.* – **Repas** 30 (déj.) et carte 50 à 70.
◆ Confortable restaurant aux apaisantes couleurs pastel. La carte a la jolie pointe d'accent du Sud-Ouest, même si elle évolue au gré du marché et selon l'inspiration du chef.

XX **Tante Jeanne,** 116 bd Péreire ✆ 01 43 80 88 68, *tantejeanne@bernard.loiseau.com, Fax 01 47 66 53 02* – ▤. AE ⓓ GB D 8
*fermé août, sam. et dim.* – **Repas** 32 (déj.)/39 et carte 52 à 70 ♀.
◆ Après Louise et Marguerite, une nouvelle "Tante" de Bernard Loiseau pose ses valises dans la capitale et propose une cuisine traditionnelle sans fioriture dans un sobre décor.

XX **Balthazar,** 73 av. Niel ✆ 01 44 40 28 15, *Fax 01 44 40 28 30* – ▤. AE ⓓ GB D 8
*fermé dim. de sept. à mars* – **Repas** carte 35 à 54 ♀.
◆ Cadre sagement design, atmosphère conviviale favorisée par la proximité des tables, personnel jeune et plats au goût du jour : quarté gagnant pour ce restaurant "tendance" !

XX **L'Atelier Gourmand,** 20 r. Tocqueville ✆ 01 42 27 03 71, *Fax 01 42 27 03 71* – AE GB JCB D 10
*fermé 25 au 31 mai, 5 au 26 août, sam. sauf le soir du 15 sept. au 15 juin, lundi soir et dim.* – **Repas** 34 et carte 34 à 42 ♀.
◆ Cet atelier de peintre du 19e s. accueille désormais les amateurs d'art classique... culinaire, dans une salle à manger pimpante et colorée, complétée d'un salon-mezzanine.

XX **Beudant,** 97 r. des Dames ✆ 01 43 87 11 20, *lebeudant@wanadoo.fr, Fax 01 43 87 27 35* – ▤. GB. ✂ D 11
*fermé 2 août au 1er sept, dim. et lundi* – **Repas** 29 (déj.)/38 et carte 38 à 49.
◆ Cette maison Second Empire voisine de la rue Beudant vous accueille dans deux chaleureuses salles à manger habillées de boiseries claires. La carte a l'accent marin.

XX **Truite Vagabonde,** 17 r. Batignolles ✆ 01 43 87 77 80, *Fax 01 43 87 31 50*, 斋 – AE GB D 11
*fermé août* – **Repas** 30/50 et carte 40 à 72 ♀.
◆ Nouvelle équipe et chaleureux décor rajeuni pour ce restaurant qui dresse sa terrasse d'été face à la mairie du 17e. Cuisine traditionnelle annoncée sur l'ardoise du jour.

XX **Paolo Petrini,** 6 r. Débarcadère ✆ 01 45 74 25 95, *paolo.petrini@wanadoo.fr, Fax 01 45 74 12 95* – ▤. AE ⓓ GB JCB E 6
*fermé 1er au 21 août, sam. midi et dim.* – **Repas** 20 (déj.), 29,50/34 bc et carte 42 à 67 ♀.
◆ Fi de pizzas, gondoles et macaroni ! À deux pas de la porte Maillot, ce restaurant au sobre décor attire une clientèle avertie, férue d'une cuisine italienne raffinée.

XX **Ballon des Ternes,** 103 av. Ternes ✆ 01 45 74 17 98, *leballondesternes@wanadoo.fr, Fax 01 45 72 18 84* – AE GB JCB E 6
*fermé 28 juil. au 26 août* – **Repas** carte 34 à 49 ♀.
◆ Non, vous n'avez pas trop bu de "ballons" ! La table dressée à l'envers au plafond fait partie du plaisant décor 1900 de cette brasserie voisine du Palais des Congrès.

XX **Taïra,** 10 r. Acacias ✆ 01 47 66 74 14, *tairacuisinedelamer@hotmail.com, Fax 01 47 66 74 14* – ▤. AE ⓓ GB E 7
*fermé 15 au 31 août, sam. midi et dim.* – **Repas** 42/61 et carte 42 à 54.
◆ Le chef, d'origine nippone et prénommé Taïra, prépare les produits de la mer avec finesse et simplicité : double héritage culinaire franco-japonais.

XX **Chez Léon,** 32 r. Legendre ✆ 01 42 27 06 82, *Fax 01 46 22 63 67* – AE GB D 10
*fermé août, vacances de Noël, sam., dim. et fériés* – **Repas** 29 bc et carte 42 à 58.
◆ "Le" bistrot des Batignolles, plébiscité depuis nombre d'années par une cohorte de fidèles. Ses trois salles, dont une à l'étage, servent une cuisine traditionnelle soignée.

XX **Chez Georges,** 273 bd Péreire ✆ 01 45 74 31 00, *Fax 01 45 74 02 56* – GB JCB. ✂ E 6
**Repas** carte 40 à 55.
◆ Créé en 1926, cet authentique bistrot parisien revu par Slavik est une des institutions du quartier de la porte Maillot. Service souriant, copieuse cuisine traditionnelle.

X **Rôtisserie d'Armaillé,** 6 r. Armaillé ✆ 01 42 27 19 20, *rotisserie-armaille@wanadoo.fr, Fax 01 40 55 00 93* – ▤. AE ⓓ GB JCB E 7
*fermé 6 au 19 août, sam. midi et dim.* – **Repas** (28) - 38.
◆ Boiseries chaudes, banquettes et tableaux animaliers : l'atmosphère feutrée incite à ne pas se départir d'un flegme tout britannique. Table traditionnelle, assiette généreuse.

X **Soupière,** 154 av. Wagram ✆ 01 42 27 00 73, *Fax 01 46 22 27 09* – ▤. AE GB D 9
*fermé 4 au 24 août, sam. midi et dim.* – **Repas** 24 (déj.), 27/50 et carte 33 à 55.
◆ L'accueil attentionné et la carte classique - avec menus "champignons" en saison - sur fond de trompe-l'oeil font de cette Soupière une aimable petite adresse de quartier.

**Table des Oliviers,** 38 r. Laugier ☎ 01 47 63 85 51, *Fax 01 47 63 85 81* – ▤. AE ⓓ GB D 7-8
*fermé 4 au 25 août, sam. midi et dim.* – **Repas** (20) - 32/45 et carte 37 à 54.
◆ Enseigne explicite : la cuisine provençale de ce pimpant restaurant a le goût de l'huile d'olive, du thym et du basilic... Peuchère, il ne manque plus que le chant des cigales !

**A et M Marée,** 105 r. Prony ☎ 01 44 40 05 88, *AM.Bistrot.17eme@wanadoo.fr, Fax 01 44 40 05 89,* – ▤. AE ⓓ GB D 8
*fermé août, sam. midi et dim.* – **Repas** 30 et carte 36 à 49.
◆ Espace bistrot ou grande salle sous coupole de verre dans un camaïeux de gris et mauve très "tendance". Le petit frère de l'A et M du 16e fait la part belle à la marée.

**Troyon,** 4 r. Troyon ☎ 01 40 68 99 40, *Fax 01 40 68 99 57* – AE GB. ✂ E 8
*fermé 2 au 24 août, 22 déc. au 4 janv., vend. et sam.* – **Repas** (prévenir) (16) - 33/51.
◆ Ambiance conviviale et plaisante cuisine du marché à découvrir sur l'ardoise du jour : deux bonnes raisons pour fréquenter ce discret établissement des abords de l'Étoile.

**L'Étoile Niel,** 75 av. Niel ☎ 01 42 27 88 44, *Fax 01 42 27 32 12* – AE ⓓ GB D 8
*fermé sam. midi, lundi midi, dim. et fériés* – **Repas** (25) - 29 (déj.)/35.
◆ La cuisine mitonnée dans cette sympathique maison panache influences bourgeoises, touches modernes et pincées d'épices. Quant au chaleureux décor, on envisage de le relooker.

**Les Dolomites,** 38 r. Poncelet ☎ 01 47 66 38 54, *thierry@les-dolomites.com, Fax 01 42 27 39 57* – AE GB JCB E 8
*fermé 12 au 18 août et dim.* – **Repas** (20) - 25/30.
◆ Boiseries, banquettes en velours rose et chaises bistrot : le cadre, inchangé depuis les années 1950, offre un délicieux charme provincial. Registre culinaire traditionnel.

**Café d'Angel,** 16 r. Brey ☎ 01 47 54 03 33, *Fax 01 47 54 03 33* – GB E 8
*fermé 4 au 25 août, 22 déc. au 6 janv., sam., dim. et fériés* – **Repas** (18) - 21 (déj)et carte 32 à 46 ♀.
◆ Cette petite adresse a la nostalgie des bistrots parisiens d'antan : cadre "rétro" avec banquettes en skaï, faïences aux murs et plats traditionnels énoncés sur ardoise.

**Caves Petrissans,** 30 bis av. Niel ☎ 01 42 27 52 03, *cavespetrissans@noos.fr, Fax 01 40 54 87 56,* – AE GB D 8
*fermé 26 juil. au 24 août, sam. et dim.* – **Repas** (prévenir) 31 et carte 36 à 65 ♀.
◆ Céline, Abel Gance, Roland Dorgelès aimaient fréquenter ces caves plus que centenaires, à la fois boutique de vins et restaurant. Cuisine "bistrotière" bien ficelée.

**Presqu'île,** 14 r. Saussier-Leroy ☎ 01 47 66 56 74, *Fax 01 40 54 83 86* – ▤. AE GB E 8
*fermé août, lundi midi et dim.* – **Repas** carte 50 à 60 ***L'Huîtrier*** ☎ 01 40 54 83 44 *(fermé juil., août, dim. en mai-juin et lundi)* **Repas** carte 45 à 60 ♀.
◆ À la Presqu'île, carte de poissons servie dans une salle à manger moderne décorée de boiseries et de marines. Atmosphère bistrot, huîtres et fruits de mer à l'Huîtrier.

**Le Clou,** 132 r. Cardinet ☎ 01 42 27 36 78, *le.clou@wanadoo.fr, Fax 01 42 27 89 96* – AE GB JCB C 10
*fermé 2 au 24 août, 20 déc. au 4 janv., sam. et dim.* – **Repas** 18 (déj. seul.)et carte 27 à 40 ♀.
◆ Les amateurs de viandes trouveront leur bonheur dans ce convivial bistrot de quartier. Tables simplement dressées. Produits du terroir et suggestions du marché.

**Bellagio,** 101 av. Ternes ☎ 01 40 55 55 20, *Fax 01 45 74 96 16* – ▤. AE GB E 6
**Repas** carte 37 à 50 ♀.
◆ Couleurs méditerranéennes, ancienne machine à couper le jambon de Parme et irrésistible table d'antipasti : l'Italie à l'honneur, autant dans le décor que dans l'assiette !

**Bistrot de Théo,** 90 r. Dames ☎ 01 43 87 08 08, *Fax 01 43 87 06 15* – AE GB. ✂ D 11
*fermé 10 au 25 août, dim. et fériés* – **Repas** (12,20) - 22,50/27 bc et carte 28 à 40 ♀.
◆ Avec ses murs en pierre, ses poutres patinées et sa collection d'ustensiles de cuisine, ce charmant bistrot a séduit la clientèle du quartier. Spécialités de foie gras.

**Nagoya,** 16 r. Brey ☎ 01 45 72 61 68, *nagoyaaparis@aol.com, Fax 01 48 98 38 72* – GB E 8
*fermé 15 au 31 août et dim.* – **Repas** 10,50 (déj.)/29 et carte 15 à 35 ♀.
◆ Côté salle, un cadre sobre rehaussé de quelques notes japonisantes. Côté cuisine, un bon choix de menus élaborés autour des traditionnels sushis, sashimis et yakitoris.

# Montmartre La Villette - Belleville

## 18e, 19e et 20e arrondissements

*18e : ✉ 75018 - 19e : ✉ 75019 - 20e : ✉ 75020*

**Terrass'Hôtel** Ⓜ, 12 r. J. de Maistre (18e) ✆ 01 46 06 72 85, *reservation@terrass-hotel.com, Fax 01 42 52 29 11*, – 25 à 100. AE GB JCB C 13
***Terrasse*** ✆01 44 92 34 00 **Repas** 21,50bc/28 et carte 31,50 à 50 – 14 – **85 ch** 194/256, 15 appart.
◆ Au pied du Sacré-Coeur. Intérieur chaleureux ; vue imprenable sur Paris depuis les chambres des derniers étages, côté rue, et la terrasse du restaurant aménagée sur le toit.

**Holiday Inn** Ⓜ, 216 av. J. Jaurès (19e) ✆ 01 44 84 18 18, *hilavillette@alliance-hospitality.com, Fax 01 44 84 18 20*, – 15 à 140. AE GB JCB C 21
**Repas** *(fermé sam. et dim.)* carte 26 à 51 ♀, enf. 6,90 – 15 – **182 ch** 275/360.
◆ Construction moderne face à la Cité de la Musique. Les chambres, spacieuses et insonorisées, offrent un confort actuel. Station de métro à quelques mètres.

**Mercure Montmartre** sans rest, 3 r. Caulaincourt (18e) ✆ 01 44 69 70 70, *h0373@accor-hotels.com, Fax 01 44 69 70 71* – – 20 à 70. AE GB D 12
13 – **305 ch** 165/175.
◆ Retrouvez toutes les prestations habituelles de la chaîne au coeur du Paris festif, à deux pas du célèbre bal du Moulin-Rouge. Plaisant bar feutré couleur acajou.

**Holiday Inn Garden Court Montmartre** Ⓜ sans rest, 23 r. Damrémont (18e) ✆ 01 44 92 33 40, *hiparmm@aol.com, Fax 01 44 92 09 30* – – 20. AE GB JCB C 13
13 – **54 ch** 170.
◆ Dans une rue montmartroise pentue, hôtel de création récente abritant des chambres fraîches et fonctionnelles. Salle des petits-déjeuners ornée d'un joli trompe-l'oeil.

**Suite Hôtel Porte de Montreuil** M sans rest, 22 av. Pr. A. Lemierre (20e) ☎ 01 49 93 88 88, *H3239@accor-hotels.com, Fax 01 49 93 88 99* – AE GB JCB DY 7
10 – **166 ch** 89.
◆ Bâtiment moderne au pied du périphérique et du marché aux puces de Montreuil. Espace (30 mètres carrés), salon-bureau et chambres cloisonnables caractérisent ces "suites".

**Parc des Buttes Chaumont** sans rest, 1 pl. Armand Carrel (19e) ☎ 01 42 08 08 37, *HPB C@wanadoo.fr, Fax 01 42 45 66 91* – AE GB D 19
9 – **45 ch** 96/148.
◆ Cette façade ancienne est tournée vers l'entrée du parc (23 ha) créé par Napoléon III. Chambres douillettes et bien tenues ; lumineux salon-billard meublé de fauteuils "bridge".

**Kyriad** M, 147 av. Flandre (19e) ☎ 01 44 72 46 46, *kyriad.paris.villette@wanadoo.fr, Fax 01 44 72 46 47* – rest, – 70. AE GB JCB B 19
**Repas** *(10,50)* - 11,50/16, enf. 5,50 – 7 – **207 ch** 68.
◆ Non loin de la Cité des Sciences, établissement moderne constituant un hébergement pratique car très bien desservi (métro, boulevard périphérique à proximité).

**Roma Sacré Coeur** sans rest, 101 r. Caulaincourt (18e) ☎ 01 42 62 02 02, *Fax 01 42 54 34 92* – . AE GB JCB C 14
6,10 – **57 ch** 75/86.
◆ Tout le charme de Montmartre : un jardin sur le devant, des escaliers sur le côté, le Sacré-Coeur au-dessus, et en prime, un accueil sympathique !

**Palma** sans rest, 77 av. Gambetta (20e) ☎ 01 46 36 13 65, *hotel.palma@wanadoo.fr, Fax 01 46 36 03 27* – . AE GB JCB G 21
5,70 – **32 ch** 59/74.
◆ Après la visite rituelle au Père-Lachaise, venez vous reposer dans l'accueillant coin salon et dans les chambres de style années 1970-1980.

**Crimée** sans rest, 188 r. Crimée (19e) ☎ 01 40 36 75 29, *hotel.crimee19@wanadoo.fr, Fax 01 40 36 29 57* – . AE GB JCB C 18
6 – **31 ch** 48/60.
◆ Adresse "cosy" à 300 m du canal de l'Ourcq. Les chambres, bien insonorisées, sont équipées d'un mobilier fonctionnel gris ou jaune. Agréable salon en cuir. Métro proche.

**Laumière** sans rest, 4 r. Petit (19e) ☎ 01 42 06 10 77, *le-laumiere@wanadoo.fr, Fax 01 42 06 72 50* – . GB D 19
6,50 – **54 ch** 48/69.
◆ En manque d'espaces verts ? Cet hôtel qui achève une cure de jouvence vous fera profiter de son riant jardinet et du parc des Buttes-Chaumont tout proche.

**Abricôtel** sans rest, 15 r. Lally Tollendal (19e) ☎ 01 42 08 34 49, *abricotel@wanadoo.fr, Fax 01 42 40 83 95* – . AE GB. D 18
6 – **39 ch** 52/59.
◆ Cette petite affaire familiale propose des chambres de faible ampleur, mais fonctionnelles et décorées avec soin. Salle des petits-déjeuners rénovée.

**Damrémont** sans rest, 110 r. Damrémont (18e) ☎ 01 42 64 25 75, *hotel.damremont@easynet.fr, Fax 01 46 06 74 64* – . AE GB JCB. B 13
7 – **35 ch** 60/85.
◆ Près de Montmartre, chambres actuelles plus calmes côté cour, pas très spacieuses, mais équipées d'un plaisant mobilier couleur acajou. Salon toute juste revu.

**Beauvilliers**, 52 r. Lamarck (18e) ☎ 01 42 54 54 42, *beauvilliers@club-internet.fr, Fax 01 42 62 70 30*, – . AE GB JCB C 14
*fermé 11 au 24 août, lundi midi et dim.* – **Repas** 30 (déj.), 45 bc/61 bc et carte 70 à 100.
◆ Sur la Butte, ancienne boulangerie convertie en restaurant-bonbonnière. Magnifique décor Second Empire rehaussé de tableaux et belles compositions florales. C'est la fête !

**Pavillon Puebla**, Parc Buttes-Chaumont, entrée : av Bolivar, r. Botzaris (19e) ☎ 01 42 08 92 62, *puebla@free.fr, Fax 01 42 39 83 16*, – P. AE GB JCB E 19
*fermé dim. et lundi* – **Repas** 33/45 et carte 50 à 75.
◆ Pavillon de chasse d'époque Napoléon III et son exceptionnelle terrasse au coeur du pittoresque parc des Buttes-Chaumont. Intérieur fleuri. Cuisine aux accents catalans.

XX **Cottage Marcadet,** 151 bis r. Marcadet (18e) ✆ 01 42 57 71 22, *Fax 01 42 87 71 22* – ▤. GB. ✗ **C 13**
*fermé 14 au 22 avril, 26 juil. au 24 août et dim.* – **Repas** *(21)* - 27 (déj.)/36 bc bc et carte 31 à 56.
◆ Une ambiance intime vous attend dans cette salle à manger classique dotée d'un confortable mobilier Louis XVI. Cuisine traditionnelle soignée.

XX **Les Allobroges,** 71 r. Grands-Champs (20e) ✆ 01 43 73 40 00, *Fax 01 40 09 23 22* – AE GB **K 22**
*fermé 4 août au 4 sept., dim., lundi et fériés* – **Repas** 16/30 et carte 30 à 40.
◆ Sortez des "quartiers battus" pour découvrir ce sympathique restaurant proche de la porte de Montreuil : joli décor contemporain, recettes "maison" au goût du jour.

XX **Relais des Buttes,** 86 r. Compans (19e) ✆ 01 42 08 24 70, *Fax 01 42 03 20 44,* ☂ – GB **E 20**
*fermé août, sam. midi et dim.* – **Repas** 29 et carte 40 à 60 ♀.
◆ À deux pas du parc des Buttes-Chaumont. L'hiver, on y apprécie la cheminée de la salle à manger actuelle ; l'été, la terrasse au calme d'une petite cour intérieure.

XX **Chaumière,** 46 av. Secrétan (19e) ✆ 01 42 06 54 69, *lachaumiere3@wanadoo.fr, Fax 01 42 06 28 12* – ▤. AE ⓓ GB **E 18**
*fermé 5 au 21 août, sam. midi, dim. soir et lundi* – **Repas** 22/29 et carte 45 à 67 ♀.
◆ Pour déguster cette cuisine traditionnelle, deux salles à manger au choix : l'une classique, agrémentée de grands miroirs ; l'autre d'allure rustique.

XX **Au Clair de la Lune,** 9 r. Poulbot (18e) ✆ 01 42 58 97 03, *Fax 01 42 55 64 74* – AE GB JCB **D 14**
*fermé 20 août au 15 sept., lundi midi et dim.* – **Repas** 26 et carte 29 à 45.
◆ L'ami Pierrot vous ouvre la porte de son auberge située juste derrière la place du Tertre. Ambiance conviviale sur fond de fresques représentant le vieux Montmartre.

X **Poulbot Gourmet,** 39 r. Lamarck (18e) ✆ 01 46 06 86 00, *Fax 01 46 06 86 00* – GB **C 14**
*fermé 12 au 19 août et dim. sauf le midi d'oct. à mai* – **Repas** *(18 bc)* - 33 et carte 40 à 50.
◆ De l'époque des poulbots qui peuplaient la Butte, demeure le style bistrot de cette salle à manger. Cuisine classique apte à réjouir les gourmets... quels qu'ils soient.

X **L'Oriental,** 76 r. Martyrs (18e) ✆ 01 42 64 39 80, *Fax 01 42 64 39 80* – AE GB. ✗ **D 13-D4**
*fermé 22 juil. au 28 août, dim. et lundi* – **Repas** *(14,50)* - 37 bc et carte 25 à 33.
◆ Accueil tout sourire et joli cadre orientalisant (tables garnies de zelliges et moucharabiehs) en ce restaurant nord-africain au coeur de l'animation cosmopolite de Pigalle.

X **Basilic,** 33 r. Lepic (18e) ✆ 01 46 06 78 43, *Fax 01 46 06 39 26* – AE GB **D 13**
*fermé août, mardi midi et lundi* – **Repas** *(12,40)* - 20,20/23,20 et carte 28 à 45 ♀.
◆ Charmante atmosphère rustique dans cette auberge située sur la butte Montmartre : poutres, parquet, cheminée et bibelots. Accueil tout sourire et cuisine traditionnelle.

X **Cave Gourmande,** 10 r. Gén. Brunet (19e) ✆ 01 40 40 03 30, *Fax 01 40 40 03 30* – ▤. AE GB **E 20**
*fermé août, vacances de fév., sam. et dim.* – **Repas** 29 et carte 29 à 34.
◆ Décor de casiers à bouteilles, tables en bois et cuisine du marché font bon ménage dans ce bistrot, halte revigorante après une balade ou un jogging au parc des Buttes-Chaumont.

X **Histoire de ...,** 14 r. Ferdinand Flocon (18e) ✆ 01 42 52 24 60 – AE ⓓ GB **C 14**
*fermé 15 au 19 avril, 5 au 28 août, dim. et lundi* – **Repas** *(27)* - 33.
◆ Petit restaurant de quartier situé derrière la mairie du 18e, où l'accueil est roi et la cuisine bien façonnée et personnalisée. Histoire de... passer un bon moment !

X **Perroquet Vert,** 7 r. Cavalotti (18e) ✆ 01 45 22 49 16, *perroquetvert@noos.fr, Fax 01 42 93 70 29* – AE GB JCB **D 12**
*fermé 1er au 19 août, sam. midi, lundi midi et dim.* – **Repas** *(15)* - 28 et carte 38,50 à 54,50 ♁.
◆ Cette auberge rustique autrefois fréquentée par Gabin, Piaf et autres célébrités continue de régaler ses hôtes d'une saine cuisine de tradition.

X **Bistrot des Soupirs "Chez Raymonde",** 49 r. Chine (20e) ✆ 01 44 62 93 31, *Fax 01 44 62 77 83* – GB **G 21**
*fermé 15 au 30 août, dim. et lundi* – **Repas** 16,50 et carte 28 à 42 ♁, enf. 7.
◆ Jouxtant le passage des Soupirs, cette petite auberge de Ménilmontant met à l'honneur les plats auvergnats et lyonnais dans un cadre rustique. Bonne humeur garantie.

X **Chez Vincent,** 5 r. Tunnel (19e) ✆ 01 42 02 22 45 – ▤. AE GB **E 20**
**Repas** (prévenir) 35/40 et carte environ 50.
◆ Bistrot au cadre rustique simple, mais authentique cuisine italienne et ambiance conviviale garantie ; certains soirs le patron vient en salle pousser la chansonnette !

# ENVIRONS

## Hôtels - Restaurants

### 40 km environ autour de Paris

**F 15** : Ces lettres et ces chiffres correspondent au carroyage des **plans Michelin Banlieue de Paris** n° 18, n° 20, n° 22, n° 24 et 25.

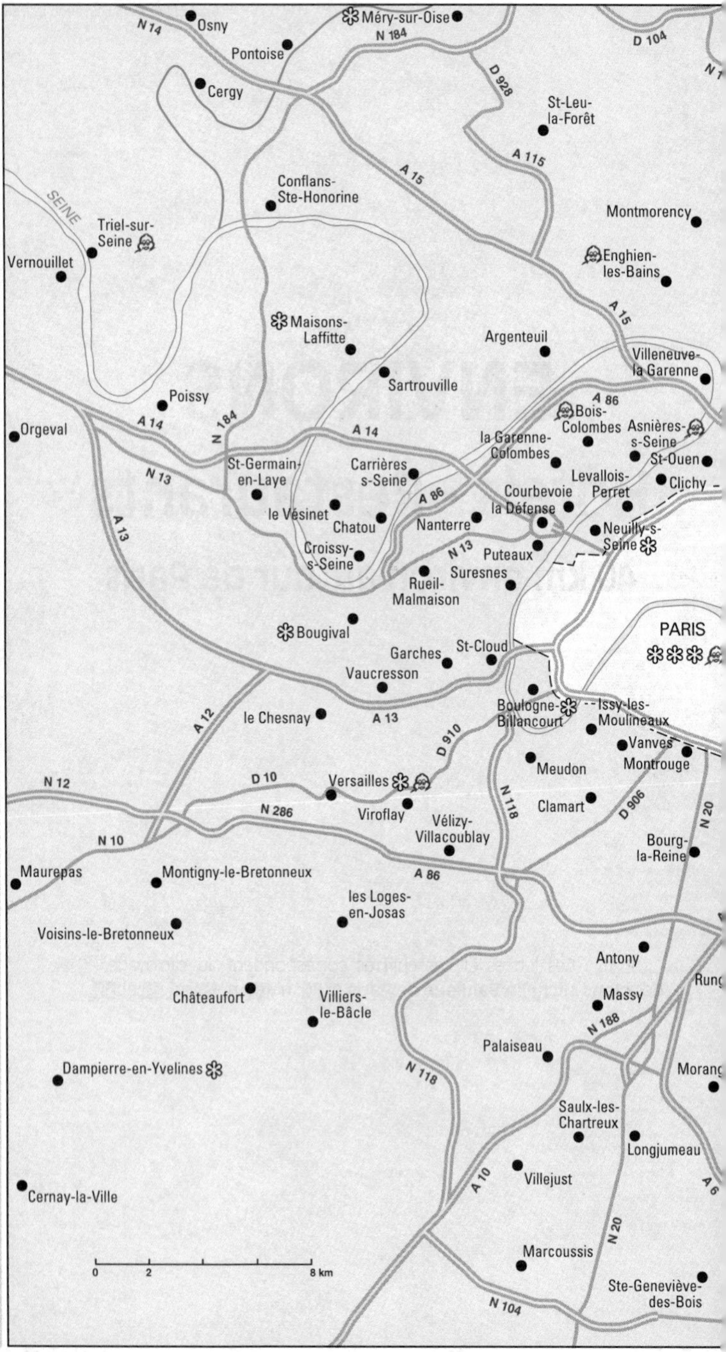
Osny
Méry-sur-Oise
N 14
N 184
D 104
Pontoise
Cergy
D 928
St-Leu-la-Forêt
A 115
A 15
Conflans-Ste-Honorine
SEINE
Triel-sur-Seine
Montmorency
Vernouillet
Enghien-les-Bains
A 15
Maisons-Laffitte
Argenteuil
Villeneuve-la Garenne
Sartrouville
Poissy
A 86
Bois-Colombes
A 14
N 184
A 14
Asnières-s-Seine
Orgeval
la Garenne-Colombes
St-Ouen
St-Germain-en-Laye
Carrières-s-Seine
N 13
Levallois-Perret
Clichy
A 86
Courbevoie
la Défense
le Vésinet
Chatou
Nanterre
Neuilly-s-Seine
A 13
N 13
Croissy-s-Seine
Puteaux
Suresnes
Rueil-Malmaison
PARIS
Bougival
St-Cloud
Garches
Vaucresson
Boulogne-Billancourt
Issy-les-Moulineaux
le Chesnay
A 13
A 12
D 910
Vanves
Montrouge
Meudon
N 12
D 10
Versailles
N 118
Clamart
D 906
N 286
Viroflay
N 20
Vélizy-Villacoublay
N 10
Bourg-la-Reine
A 86
Maurepas
Montigny-le-Bretonneux
les Loges-en-Josas
Voisins-le-Bretonneux
Antony
Châteaufort
Villiers-le-Bâcle
Massy
N 188
Palaiseau
N 118
Dampierre-en-Yvelines
Saulx-les-Chartreux
Longjumeau
Villejust
A 10
A 6
Cernay-la-Ville
N 20
Marcoussis
0
2
8 km
Ste-Geneviève-des-Bois
N 104

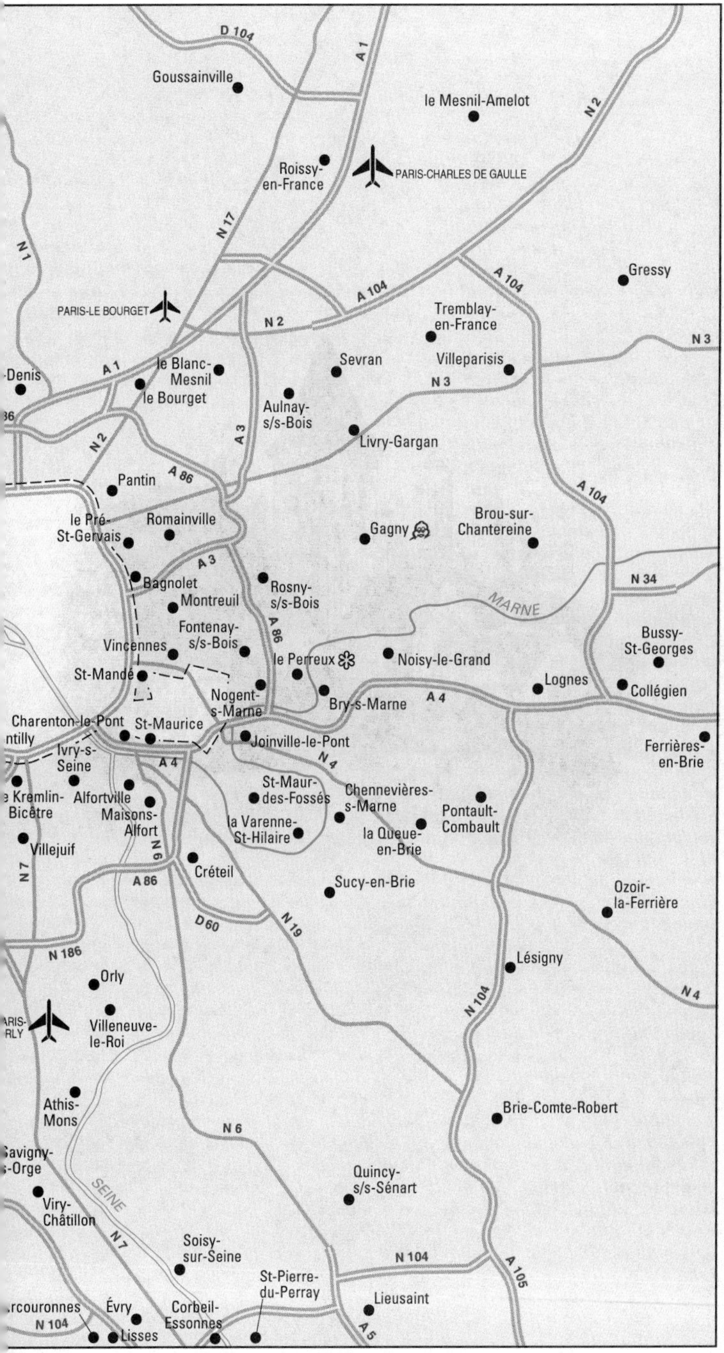
D 104
Goussainville
A 1
le Mesnil-Amelot
N 2
Roissy-en-France
PARIS-CHARLES DE GAULLE
N 17
N 1
Gressy
A 104
PARIS-LE BOURGET
A 104
N 2
Tremblay-en-France
N 3
-Denis
A 1
le Blanc-Mesnil
le Bourget
Sevran
Villeparisis
N 3
Aulnay-s/s-Bois
Livry-Gargan
A 3
N 2
Pantin
A 86
A 104
le Pré-St-Gervais
Romainville
Gagny
Brou-sur-Chantereine
A 3
Bagnolet
Rosny-s/s-Bois
N 34
Montreuil
MARNE
Fontenay-s/s-Bois
A 86
Vincennes
le Perreux
Noisy-le-Grand
Bussy-St-Georges
St-Mandé
Lognes
Collégien
Nogent-s-Marne
Bry-s-Marne
A 4
Charenton-le-Pont
St-Maurice
ntilly
Joinville-le-Pont
Ferrières-en-Brie
Ivry-s-Seine
N 4
A 4
St-Maur-des-Fossés
Chennevières-s-Marne
Kremlin-Bicêtre
Alfortville
Maisons-Alfort
Pontault-Combault
la Varenne-St-Hilaire
la Queue-en-Brie
Villejuif
N 6
N 7
Créteil
A 86
Sucy-en-Brie
Ozoir-la-Ferrière
D 60
N 19
N 186
Lésigny
Orly
N 4
N 104
ARIS-RLY
Villeneuve-le-Roi
Athis-Mons
Brie-Comte-Robert
N 6
Savigny-s-Orge
Quincy-s/s-Sénart
SEINE
Viry-Châtillon
N 7
Soisy-sur-Seine
N 104
A 105
St-Pierre-du-Perray
Lieusaint
rcouronnes
Évry
Corbeil-Essonnes
N 104
Lisses
A 5

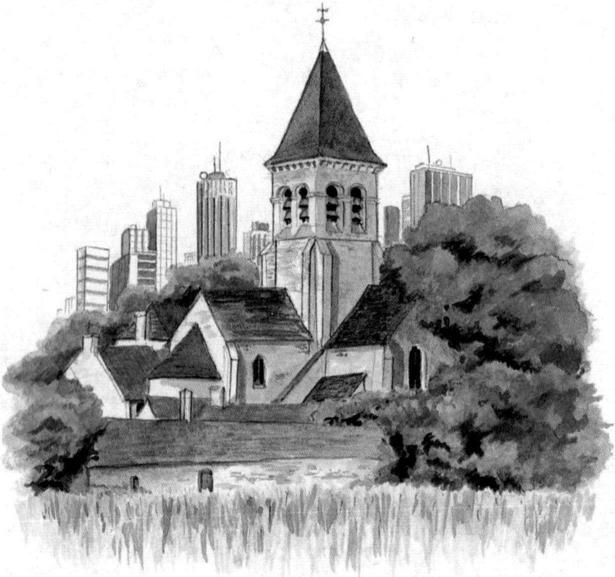

**Alfortville** *94140 Val-de-Marne 101 ㉗, 24, 25 – 36 119 h alt. 32.*

*Paris 9 – Créteil 6 – Maisons-Alfort 2 – Melun 41.*

**Chinagora Hôtel** Ⓜ sans rest, centre Chinagora, 1 pl. Confluent France-Chine ☎ 01 43 53 58 88, *hotel@chinagora.fr, Fax 01 49 77 57 17,* – 15 à 200. GB. **BE 55**
9 – **183 ch** 84/165, 4 appart.
◆ Où confluent la Chine et la France : complexe d'architecture "mandchoue" et chambres de style occidental, ouvrant presque toutes sur un jardin exotique.

**Antony** *92160 Hauts-de-Seine 101 ㉕, 22, 25 – 57 771 h alt. 80.*

**Voir** *Sceaux : parc★★ et musée de l'Île-de-France★ N : 4 km – Châtenay-Malabry : église St-Germain-l'Auxerrois★, Maison de Chateaubriand★ NO : 4 km,* **G. Île de France.**

*Syndicat d'Initiative, place Auguste Mounié ☎ 01 42 37 57 77, Fax 01 46 66 30 80.*

*Paris 13 – Bagneux 6 – Corbeil-Essonnes 26 – Nanterre 23 – Versailles 16.*

**Alixia** Ⓜ sans rest, 1 r. Providence ☎ 01 46 74 92 92, *hotel.alixia@wanadoo.fr, Fax 01 46 74 50 55* – 20. AE GB **BM 46**
9 – **40 ch** 59/99.
◆ Hôtel récent situé dans une rue tranquille. Les chambres sur l'arrière sont très calmes et bénéficient de la climatisation ; toutes sont aménagées avec soin.

**Les Philosophes,** 53 av. Division Leclerc ☎ 01 42 37 23 22 – AE GB **BN 46**
*fermé août, sam. midi, dim. soir et lundi* – **Repas** *(15)* - 21 ♀, enf. 10.
◆ Ce restaurant bordant la nationale propose une cuisine au goût du jour et, de temps à autre, des dîners-débats philosophiques dans un cadre contemporain coloré.

**Tour de Marrakech,** 72 av. Division Leclerc ☎ 01 46 66 00 54 – AE GB. **BN 46**
*fermé août et lundi* – **Repas** *(22)* - carte 29 à 40, enf. 8,50.
◆ Décor mauresque et plats nord-africains pour retrouver la magie du Maroc... au bord de la N 20 ! Restaurant sur deux étages ; la salle à manger du premier est plus claire.

**Argenteuil** *95100 Val-d'Oise 101 ⑭, 18, 25 G. Ile de France – 93 096 h alt. 33.*

*Paris 18 – Chantilly 41 – Pontoise 19 – St-Germain-en-Laye 18.*

**Campanile,** 1 r. Ary Scheffer ☎ 01 39 61 34 34, *Fax 01 39 61 44 20,* ch, – 20. AE GB **AR 41**
**Repas** *(12,50)* - 14/19,50, enf. 6 – 6,50 – **100 ch** 75.
◆ Construction moderne située en léger retrait de la N 311. Les chambres, équipées selon les normes de la chaîne, sont bien tenues et correctement insonorisées.

**Ferme d'Argenteuil,** 2 bis r. Verte ☎ 01 39 61 00 62, *lafermedargenteuil@wanadoo.fr, Fax 01 30 76 32 31* – AE GB JCB **AP 41**
*fermé août, lundi soir, mardi soir et dim.* – **Repas** 46/50 et carte 40 à 53.
◆ Le vin d'Argenteuil, le "picolo", a eu ses heures de gloire. Il souffle encore aujourd'hui un petit air de campagne dans ce restaurant. Accueil aimable, cuisine de tradition.

**Asnières-sur-Seine** *92600 Hauts-de-Seine 101 ⑮, 18, 25 G. Ile de France – 71 850 h alt. 37.*

*Paris 10 – Argenteuil 6 – Nanterre 7 – Pontoise 26 – St-Denis 8 – St-Germain-en-Laye 20.*

**Van Gogh,** 2 quai Aulagnier (accès par Cimetière des Chiens) ☎ 01 47 91 05 10, *accueil@levangogh.com, Fax 01 47 93 00 93,* – AE GB. **AT 46**
*fermé 3 au 27 août, 22 déc. au 2 janv., sam. et dim.* – **Repas** 65,55/68,60 et carte 40 à 68 ♀.
◆ En ce lieu où Van Gogh immortalisa la guinguette La Sirène, restaurant disposant d'une jolie terrasse sur la Seine. Le poisson arrive en direct de l'Atlantique.

**Petite Auberge,** 118 r. Colombes ☎ 01 47 93 33 94, *Fax 01 47 93 33 94* – GB **AT 44**
*fermé 4 au 24 août, merc. soir, dim. soir et lundi* – **Repas** 25,15.
◆ Petite auberge de bord de route à l'ambiance sympathique. Objets anciens, tableaux et collection d'assiettes décorent la salle à manger rustique. Cuisine traditionnelle.

**Athis-Mons** *91200 Essonne 101 ㊱, 25 – 29 123 h alt. 85.*

*Paris 18 – Créteil 14 – Évry 12 – Fontainebleau 48.*

**Rotonde** sans rest, 25 bis r. H. Pinson ☎ 01 69 38 97 78, *Fax 01 69 38 48 02* – GB. **BU 52**
5 – **22 ch** 53/59.
◆ Dans un quartier résidentiel, pavillon des années 1960 abritant des chambres petites et meublées simplement, mais bien tenues. Navettes pour l'aéroport d'Orly.

**Aulnay-sous-Bois** *93600 Seine-St-Denis 101 ⑱, 20, 25 – 82 314 h alt. 46.*
*Paris 19 – Bobigny 9 – Lagny-sur-Marne 23 – Meaux 31 – St-Denis 16 – Senlis 39.*

**Novotel** M, carrefour de l'Europe N 370 ✆ 01 58 03 90 90, *H0387@accor-hotels.com, Fax 01 58 03 90 99*, – 200. AE GB JCB **AM 62**
**Repas** *(fermé sam. midi)* (17,60) - carte environ 25 Ꝗ – 12 – **139 ch** 108/116.
◆ Hôtel dont les chambres spacieuses ont adopté depuis peu les nouvelles harmonies de la chaîne. Pour garder le contact : "cyberterrasse" et branchement Internet.

XXX **Auberge des Saints Pères,** 212 av. Nonneville ✆ 01 48 66 62 11, *info@auberge-des-saints-peres.com, Fax 01 48 66 67 44* – . AE GB **AS 62**
*fermé août, 1er au 7 janv., merc. soir, sam. midi, dim. soir et lundi* – **Repas** 30/55 et carte 51 à 66.
◆ Maison massive au coeur d'un quartier résidentiel. Salon confortable doté de meubles de style et ouvrant sur une salle à manger cossue.

XX **A l'Escargot,** 40 rte Bondy ✆ 01 48 66 88 88, *alescargot@wanadoo.fr, Fax 01 48 68 26 91*, – AE GB **AR 62**
*fermé 1er août au 4 sept., 1er au 10 janv., et le soir sauf vend. et sam.* – **Repas** (dîner, prévenir) 28 Ꝗ.
◆ Cadre d'inspiration rustique où bibelots et poèmes célèbrent l'escargot. Terrasse verdoyante. À table, variations sur les thèmes de la Corse, du fromage et de la tradition.

**Auvers-sur-Oise** *95430 Val-d'Oise 101 ③, 106 ⑥ G. Ile de France – 6 129 h alt. 30.*
Voir *Maison de Van Gogh★ – Parcours-spectacle "voyage au temps des Impressionnistes"★ au château de Léry.*
*Office du Tourisme, rue de la Sansonne ✆ 01 30 36 10 06, Fax 01 34 48 08 47.*
*Paris 35 – Compiègne 84 – Beauvais 52 – Chantilly 35 – L'Isle-Adam 7 – Pontoise 7.*

XX **Hostellerie du Nord** avec ch, r. Gén. de Gaulle ✆ 01 30 36 70 74, *contact@hostelleriedunord.fr, Fax 01 30 36 72 75*, – ch, – 25. AE GB JCB
*hôtel : fermé dim.* – **Repas** *(fermé 16 août au 8 sept., vacances de fév., sam. midi, dim. soir et lundi)* 40 (déj.), 45/58 Ꝗ – 12 – **8 ch** 95/185.
◆ L'église a inspiré nombre d'impressionnistes. À deux pas, ce relais de poste (17e s.) a reçu Daubigny, Cézanne et bien d'autres virtuoses du pinceau. Chambres personnalisées.

X **Auberge Ravoux,** face Mairie ✆ 01 30 36 60 60, *aubergeravoux@maison-de-van-gogh.com, Fax 01 30 36 60 61* – AE GB JCB
*fermé 10 nov. au 10 mars, dim. soir et lundi* – **Repas** (nombre de couverts limité, prévenir) 25/32.
◆ Atmosphère chaleureuse et cuisine simple des cafés d'artistes du 19e s. dans l'auberge où Van Gogh logea au crépuscule de sa vie. Visitez la petite chambre du peintre.

**Bagnolet** *93170 Seine-St-Denis 101 ⑰, 20, 25 – 32 600 h alt. 96.*
*Paris 8 – Bobigny 7 – Lagny-sur-Marne 32 – Meaux 39.*

**Novotel Porte de Bagnolet** M, av. République, échangeur porte de Bagnolet ✆ 01 49 93 63 00, *H03806@accor-hotels.com, Fax 01 43 60 83 95*, – – 500. AE GB JCB **AZ 56**
**Repas** (16) - 21,40 Ꝗ, enf. 8 – 13 – **608 ch** 170/185, 3 appart.
◆ À proximité de l'échangeur de l'autoroute, construction moderne abritant des chambres fonctionnelles équipées d'un double vitrage. Le soir, un piano anime le bar.

**Campanile,** 30 av. Gén. de Gaulle, échangeur Porte de Bagnolet ✆ 01 48 97 36 00, *campanile.bagnolet@wanadoo.fr, Fax 01 48 97 95 60* – – 15 à 200. AE GB **AZ 56**
**Repas** 14/18,50 Ꝗ – 6,50 – **174 ch** 65.
◆ Dans un vaste complexe incluant un supermarché et de nombreux autres commerces, hôtel récent où vous trouverez des petites chambres rajeunies et correctement insonorisées.

**Le Blanc-Mesnil** *93150 Seine-St-Denis 101 ⑰, 20, 25 – 46 956 h alt. 48.*
*Paris 19 – Bobigny 6 – Lagny-sur-Marne 30 – St-Denis 11 – Senlis 38.*

**Bleu Marine** M, 219 av. Descartes ✆ 01 48 65 52 18, *bleumarineblancmesnil@wanadoo.fr, Fax 01 45 91 07 75*, – – 45. AE GB **AN 6**
**Repas** (19,50) - 25,50 Ꝗ – 10 – **126 ch** 115.
◆ À quelques minutes de l'aéroport Charles-de-Gaulle, cet hôtel dispose de grandes chambres joliment meublées et bien insonorisées. Clientèle d'affaires.

*voir aussi* **Le Bourget**

*Nos guides hôteliers, nos guides touristiques et nos cartes routières sont complémentaires. Utilisez-les ensemble.*

**Bois-Colombes** *92270 Hauts-de-Seine* 101 ⑮, 18, 25 – *24 415 h alt. 37.*

*Paris 13 – Nanterre 6 – Pontoise 28 – St-Denis 11 – St-Germain-en-Laye 18.*

**Chefson,** 17 r. Ch. Chefson ✆ 01 42 42 12 05, *Fax 01 47 80 51 68* – GB AT 44
*fermé août, vacances de fév., sam. et dim.* – **Repas** (nombre de couverts limité, prévenir) 12,50 (déj.), 20/28 ♀.
◆ On se bouscule parfois dans ce restaurant dont la salle à manger, il est vrai, est de petite capacité. Ambiance "bistrot" et cuisine traditionnelle simple et copieuse.

**Bougival** *78380 Yvelines* 101 ⑬, 18, 25 *G. Ile de France* – *8 552 h alt. 40.*

*Syndicat d'Initiative, 7 rue du Général Leclerc* ✆ *01 39 69 21 23, Fax 01 39 69 37 65.*

*Paris 20 – Rueil-Malmaison 5 – St-Germain-en-Laye 6 – Versailles 8 – Le Vésinet 5.*

**Holiday Inn** M, 10-12 r. Y. Tourgueneff (N 13) ✆ 01 30 08 18 28, *holidayinn.parvb@wanadoo.fr, Fax 01 30 08 18 38,* – – 15 à 200. AE GB JCB
**Repas** *(15)* - carte 20 à 25 ♀, enf. 8,50 – 12 – **181 ch** 150/175.
◆ Hôtel d'affaires des années 1970 longeant la N 13. Chambres contemporaines ; celles sur l'arrière sont plus calmes, mais perdent la vue sur la Seine. Restaurant relooké.

**Villa des Impressionnistes** M sans rest, 15 quai Rennequin Sualem (N 13) ✆ 01 30 08 40 00, *villa.impression@wanadoo.fr, Fax 01 39 18 58 89,* – – 25 à 50. AE GB
*fermé 26 juil. au 17 août* – 10,50 – **47 ch** 118/303, 3 duplex.
◆ Bibelots et mobilier choisis, couleurs vives et reproductions de toiles : le charmant décor de cet hôtel récent évoque le passé impressionniste des quais bougivalais.

**Camélia** (Conte), 7 quai G. Clemenceau ✆ 01 39 18 36 06, *Fax 01 39 18 00 25* – . AE GB AZ 31
*fermé août, sam. midi, dim. soir et lundi* – **Repas** 33/55 et carte 67 à 87.
◆ Pimpante façade proche de la datcha-musée d'Ivan Tourgueniev. La salle, spacieuse et confortable, présente un cadre coloré et sagement contemporain. Cuisine classique.
**Spéc.** Pressé de foie gras de canard et champignons au chutney de rhubarbe. Noix de veau aux girolles. Millefeuille chaud à la vanille.

**Boulogne-Billancourt** SP *92100 Hauts-de-Seine* 101 ㉔, 22, 25 *G. Île de France* – *101 743 h alt. 35.*

**Voir** *Musée départemental Albert-Kahn★ : jardins★ – Musée Paul Landowski★.*

*Paris 10 – Nanterre 9 – Versailles 11.*

**Golden Tulip** M, 37 pl. René Clair ✆ 01 49 10 49 10, *info@goldentulip-parispscld.com, Fax 01 46 08 27 09,* – – 150. AE GB JCB BC 42
***L'Entracte*** ✆ 01 49 10 49 10 *(fermé vend. soir, sam., dim. et fériés)* **Repas** 21,40/27,50 ♀ – 16 – **180 ch** 224/305.
◆ Immeuble moderne abritant un centre d'affaires (grand auditorium) et des chambres de belle facture. Les fresques du restaurant rendent hommage aux films tournés à Boulogne.

**Acanthe** M sans rest, 9 rd-pt Rhin et Danube ✆ 01 46 99 10 40, *hotel-acanthe@akamail.com, Fax 01 46 99 00 05* – – 15 à 30. AE GB JCB BB 39
13 – **69 ch** 159/181.
◆ Voisin des studios de Boulogne et des insolites jardins du musée Albert-Kahn, hôtel insonorisé disposant de jolies chambres contemporaines. Agréable patio fleuri. Billard.

**Tryp** M, 20 r. Abondances ✆ 01 48 25 80 80, *tryp.paris.boulogne@sohmeha.com, Fax 01 48 25 33 13,* – – 20 à 80. AE GB JCB BB 40
**Repas** *(fermé 4 au 24 août, sam. et dim.) (20,50)* - 27 ♀ – 14 – **75 ch** 168.
◆ Dans un quartier calme de la ville qui faillit devenir le XXI^e arrondissement de Paris, hôtel proposant des chambres actuelles, souvent dotées de balcons. Coin salon-bar.

**Sélect Hôtel** sans rest, 66 av. Gén.-Leclerc ✆ 01 46 04 70 47, *select-hotel@wanadoo.fr, Fax 01 46 04 07 77* – P – 15. AE GB JCB BC 40
8 – **61 ch** 91/110.
◆ Sur la nationale conduisant de Paris à Versailles, établissement bien insonorisé dont les sobres chambres adoptent un mobilier et un décor d'inspiration Art nouveau.

**Paris** sans rest, 104 bis r. Paris ✆ 01 46 05 13 82, *contact@hotel-paris-boulogne.com, Fax 01 48 25 10 43* – . AE GB BB40-41
7 – **31 ch** 67.
◆ Situé à un angle de rue, immeuble ancien en briques abritant de petites chambres avant tout pratiques et bien insonorisées. Accueil familial aimable et tenue méticuleuse.

**Bijou Hôtel** sans rest, 15 r. V. Griffuelhes, pl. Marché ✆ 01 46 21 24 98, *Fax 01 46 21 12 98* – . AE GB JCB BC 41
6 – **50 ch** 54/62.
◆ Ne désespérons pas Billancourt en boudant ce petit "Bijou" à l'ambiance agréablement provinciale : les chambres, rustiques ou plus actuelles, sont propres et bien équipées.

**Olympic Hôtel** sans rest, 69 av. V. Hugo ✆ 01 46 05 20 69, *Fax 01 46 04 04 07* – AE GB BC 41
*fermé 26 juil. au 18 août* – 6 – **36 ch** 57/72.
◆ Immeuble du début du 20e s. proche de l'intéressant musée des Années 30. Chambres peu spacieuses mais fonctionnelles. Petit-déjeuner servi dans une courette l'été.

**Au Comte de Gascogne** (Charvet), 89 av. J.-B. Clément ✆ 01 46 03 47 27, *aucomtedegasc@aol.com, Fax 01 46 04 55 70* – AE GB BB 40
*fermé 11 au 21 août, lundi soir, sam. midi et dim.* – **Repas** 50 (déj.)/90 et carte 85 à 115.
◆ Décorée dans le style des jardins d'hiver, cette salle envahie de plantes exotiques luxuriantes est une oasis de fraîcheur qu'appréciait Lino Ventura. Cuisine au goût du jour.
**Spéc.** Les foies gras de canard. Ragoût de homard et pinces grillées. Pigeon désossé farci et confit (nov. à mai).

**L'Auberge,** 86 av. J.-B. Clément ✆ 01 46 05 67 19, *Fax 01 46 05 14 24* – GB
*Fermé sam. midi et dim. soir* – **Repas** 27/30 ♀.
◆ Maquettes de voiliers, d'automobiles anciennes et hélices d'avions : un concentré de l'histoire boulonnaise et des passions de David Martin, chef de cette coquette auberge.

**Ferme de Boulogne,** 1 r. Billancourt ✆ 01 46 03 61 69, *aucomtedegasc@aol.com, Fax 01 46 04 55 70* – AE GB BB 40
*fermé 4 au 27 août, sam. midi, lundi soir et dim.* – **Repas** 25/30 ♀.
◆ Le superbe Parcours des Années 30 du Boulogne résidentiel vous a ouvert l'appétit ? La cuisine bourgeoise de ce petit restaurant n'attend que votre joli coup de fourchette.

**Grange,** 34 quai Le Gallo ✆ 01 46 05 22 38, *Fax 01 48 25 19 66* – AE GB BC 39
**Repas** *(23)* - 26.
◆ Voisin d'un centre équestre, ce restaurant n'est pas à cheval sur le service et préfère cultiver son ambiance "bonne franquette". Le ticket gagnant ? La belle carte des vins !

## Le Bourget *93350 Seine-St-Denis* 101 ⑰, 20 , 25 *G. Ile de France – 11 699 h alt. 47.*

Voir *Musée de l'Air et de l'Espace★★.*

*Paris 13 – Bobigny 5 – Chantilly 38 – Meaux 40 – St-Denis 7 – Senlis 38.*

**Novotel** M, 2 r. Perrin, ZA pont Yblon au Blanc-Mesnil ✉ 93150 ✆ 01 48 67 48 88, *h0388@accor-hotels.com, Fax 01 45 91 08 27,* – 200. AE GB JCB AM 59
**Repas** 21,60 ♀ – 12 – **143 ch** 108/116.
◆ Construction moderne située sur un important carrefour. Les chambres, spacieuses et dotées d'un vrai plan de travail, sont bien insonorisées.

**Bleu Marine** M, aéroport du Bourget - Zone aviation d'affaires ✆ 01 49 34 10 38, *Fax 01 49 34 10 35* – 15 à 60. AE GB AM 58
**Repas** *(16)* - 25,50 ♀, enf. 7,50 – 10 – **86 ch** 105.
◆ Fréquenté par le personnel des compagnies aériennes, hôtel dont les chambres sont joliment meublées et équipées du double vitrage. Coquette salle à manger.

## Bourg-la-Reine *92340 Hauts-de-Seine* 101 ㉕, 22 , 25 *– 18 499 h alt. 56.*

Voir *L'Hay-les-Roses : roseraie★★ E : 1,5 km,* G. Île de France.

*Office du Tourisme, 1 boulevard Carnot ✆ 01 46 61 36 41, Fax 01 46 61 61 08.*

*Paris 10 – Boulogne-Billancourt 18 – Évry 24 – Versailles 18.*

**Alixia** M sans rest, 82 av. Gén. Leclerc ✆ 01 46 60 56 56, *alixia-bourglareine@wanadoo.fr, Fax 01 46 60 57 34* – cuisinette – 15. AE GB BJ 47
8 – **41 ch** 68/88.
◆ Façade avenante sur la N 20, à deux pas du ravissant parc de Sceaux. Chambres contemporaines, bien équipées et insonorisées. Plateaux-repas sur demande.

## Brie-Comte-Robert *77170 S.-et-M.* 101 ㊴, *G. Ile de France – 11 501 h alt. 90.*

Voir *Verrière★ du chevet de l'église.*

*Syndicat d'Initiative, place Jeanne d'Evreux ✆ 01 64 05 30 09, Fax 01 64 05 68 18.*

*Paris 31 – Brunoy 10 – Évry 22 – Melun 19 – Provins 64.*

**A la Grâce de Dieu,** 79 r. Gén. Leclerc (N 19) ✆ 01 64 05 00 76, *gracedie@wanadoo.fr, Fax 01 64 05 60 57* – GB
**Repas** *(fermé dim. soir)* 17/35 ♀ – 10 – **18 ch** 34/44 – 1/2 P 40.
◆ Au 17e s., ce relais de poste était l'ultime halte avant de possibles rencontres avec les bandits de grands chemins. Enseigne restée, certes, fataliste mais confort moderne.

## Brou-sur-Chantereine *77177 S.-et-M. 101 ⑲, 25 – 4 469 h alt. 120.*

*Paris 35 – Coulommiers 45 – Meaux 26 – Melun 48.*

X **Lotus de Brou,** 2 ter r. Carnot ✆ 01 64 21 01 44 – GB. ✻ **AW 74**
*fermé 25 juil. au 25 août et lundi* – **Repas** carte 55 à 65.
◆ En léger retrait de la route, restaurant au décor extrême-oriental sobre et élégant. Cuisine chinoise et thaï, simple mais authentique, servie avec amabilité.

## Bry-sur-Marne *94360 Val-de-Marne 101 ⑱, 25 – 13 826 h alt. 40.*

*Office du Tourisme, 2 Grande Rue ✆ 01 48 82 30 30, Fax 01 45 16 90 02.*
*Paris 16 – Créteil 12 – Joinville-le-Pont 5 – Nogent-sur-Marne 3 – Vincennes 9.*

XX **Auberge du Pont de Bry,** 3 av. Gén. Leclerc ✆ 01 48 82 27 70 – GB **BC 65**
*fermé août, 6 au 13 janv., merc. soir, dim. soir et lundi* – **Repas** 27.
◆ Discrète auberge située sur un rond-point, face au pont de Bry. La salle à manger, au cadre moderne, est prolongée d'une véranda.

## Carrières-sur-Seine *78420 Yvelines 101 ⑭, 18, 25 – 11 469 h alt. 52.*

*Paris 19 – Argenteuil 8 – Nanterre 7 – Pontoise 22 – St-Germain-en-Laye 7.*

XX **Panoramic de Chine,** 1 r. Fermettes ✆ 01 39 57 64 58, *Fax 01 39 15 17 68,* 🏕 – P. AE ⓓ GB **AT 36**
**Repas** 11 (déj.), 18/30 ♀.
◆ Les anciennes carrières servent aujourd'hui de champignonnières. L'entrée "en pagode" de cette maison (1920) invite à goûter sa copieuse cuisine asiatique ; agréable terrasse.

## Cergy-Pontoise P *95 Val-d'Oise 55 ⑳, 106 ⑤ 101 ② G. Ile de France.*

*Paris 36 ② – Mantes-la-Jolie 41 ④ – Pontoise 3 – Rambouillet 60 ④ – Versailles 33 ③.*

### CERGY-PONTOISE

Bougara (Av. Redouane) . . . **BV** 4
Bouticourt (R. Ch.) . . . . . . . . **BV** 6
Constellation (Av. de la) . . . **AV** 13
Delarue (Av. du Gén.-G.) . . **BV** 15
Genottes (Av. des) . . . . . . . . **AV** 28
Lavoye (R. Pierre) . . . . . . . . **BV** 40
Mendès-France (Mail) . . . . . **AX** 44
Mitterrand (Av. Fr.) . . . . . . **BVX** 45
Moulin-à-Vent (Bd du) . . . . . . . . . . . . . . . **AV** 47
Petit-Albi (R. du) . . . . . . . . . . **AV** 55
Verdun (Av. de) . . . . . . . . . . . **BX** 76
Viosne (Bd de la) . . . . . . . **BVX** 83

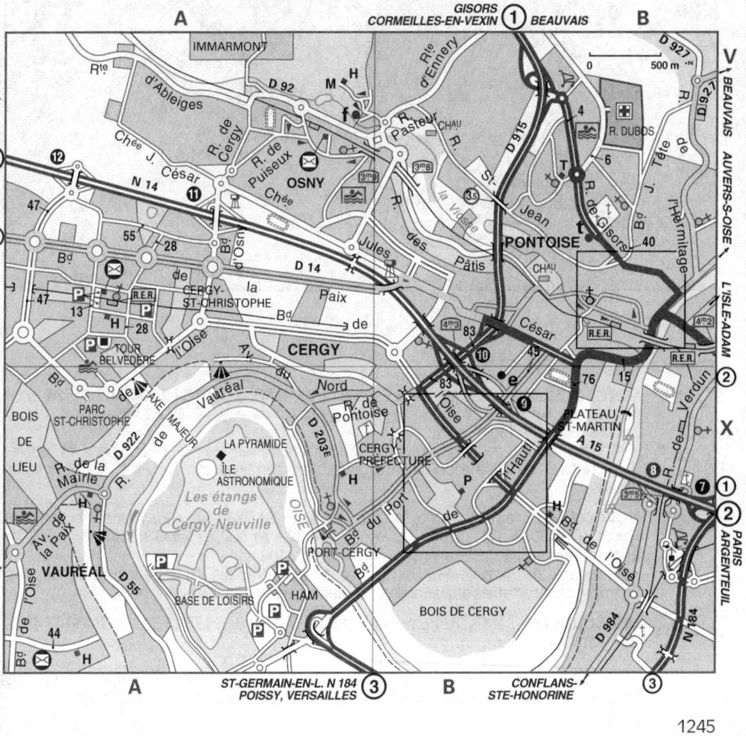
GISORS
CORMEILLES-EN-VEXIN
BEAUVAIS
A
B
IMMARMONT
OSNY
PONTOISE
CERGY-ST-CHRISTOPHE
CERGY
CERGY-PRÉFECTURE
PLATEAU ST-MARTIN
TOUR BELVÉDÈRE
PARC ST-CHRISTOPHE
BOIS DE LIEU
LA PYRAMIDE
ÎLE ASTRONOMIQUE
Les étangs de Cergy-Neuville
PORT-CERGY
BASE DE LOISIRS
HAM
VAURÉAL
BOIS DE CERGY
N 14
D 14
D 92
D 915
D 922
D 203E
D 55
D 984
D 927
A 15
N 184
BEAUVAIS
AUVERS-S-OISE
L'ISLE-ADAM
PARIS ARGENTEUIL
V
X
ST-GERMAIN-EN-L. N 184 POISSY, VERSAILLES
CONFLANS-STE-HONORINE
0
500 m

## CERGY-PRÉFECTURE



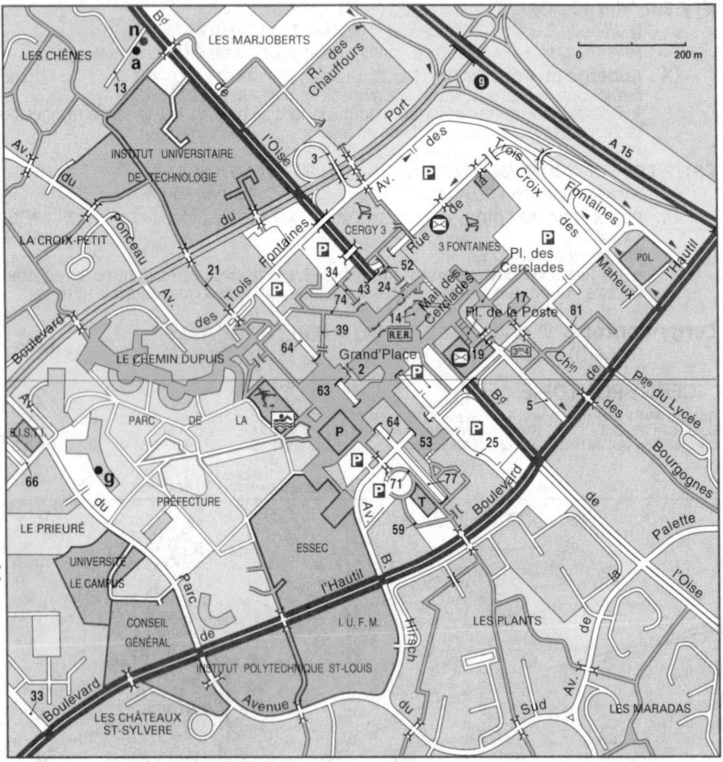
LES CHÊNES
LES MARJOBERTS
Bd de l'Oise
R. des Chauffours
Port
A 15
0
200 m
INSTITUT UNIVERSITAIRE DE TECHNOLOGIE
Av. du Ponceau
LA CROIX-PETIT
Av. des Trois Fontaines
CERGY 3
3 FONTAINES
Rue de Trois Croix
Fontaines
des Maheux
Pl. des Cerclades
POL.
l'Hautil
Mail des Cerclades
Pl. de la Poste
R.E.R.
Grand'Place
LE CHEMIN DUPUIS
Boulevard
Chin de
Pge du Lycée
des Bourgognes
PARC DE LA
E.I.S.T.I.
PRÉFECTURE
LE PRIEURÉ
ESSEC
de Palette
l'Oise
UNIVERSITÉ LE CAMPUS
Parc
CONSEIL GÉNÉRAL
I. U. F. M.
l'Hautil
B. Hirsch
LES PLANTS
INSTITUT POLYTECHNIQUE ST-LOUIS
Avenue du Sud
LES MARADAS
LES CHÂTEAUX ST-SYLVERE
Boulevard
Y
Z

**Cergy** – *48 226 h. alt. 30* – ✉ *95000* :

**Mercure** M sans rest, 3 r. Chênes Émeraude par bd Oise ✆ 01 34 24 94 94, *H3452@accor-hotels.com, Fax 01 34 24 95 15* – 40. **Y a**
12 – **55 ch** 99/150.
◆ Construction récente abritant de vastes chambres très bien équipées et dotées d'un mobilier de style à dominante Directoire ; certaines sont refaites. Bonne insonorisation.

**Novotel** M, 3 av. Parc, près préfecture ✆ 01 30 30 39 47, *h0381@accor-hotels.com, Fax 01 30 30 90 46*, – 100. **Z g**
**Repas** carte environ 28, enf. 8 – 12 – **191 ch** 106/116.
◆ Immeuble des années 1980 situé près du centre administratif et à la lisière du parc. Chambres confortables et tranquilles ; la plupart viennent d'être rénovées.

**Les Coupoles,** 1 r. Chênes Emeraude par bd Oise ✆ 01 30 73 13 30, *Fax 01 30 73 46 90*, **Y n**
*fermé 9 au 23 août, sam. et dim.* – **Repas** 28,90 bc/45,70 bc.
◆ Murs habillés de boiseries, lumineuse verrière colorée, mobilier contemporain et petites touches Belle Époque président au cadre de ce restaurant. Cuisine traditionnelle.

**Cormeilles-en-Vexin** *par ① : 10 km – 802 h. alt. 111 – ✉ 95830 :*

XXX ✿✿ **Relais Ste-Jeanne** (Cagna), sur ancienne D 915 ☎ 01 34 66 61 56, *saintejeanne@hotmail.com, Fax 01 34 66 40 31,* – P. AE ① GB
*fermé 28 juil. au 26 août, 22 au 29 déc., dim. soir, lundi et mardi* – **Repas** 48/95 et carte 90 à 110.
◆ Coquet salon et sa cheminée, décor sagement campagnard, agréable jardin accueillant la terrasse, cuisine raffinée : le bonheur existe, il habite cette jolie maison du Vexin.
**Spéc.** Huîtres chaudes sauce mousseline. Gourmandise de pigeon aux griottes et foie gras. Pavé de boeuf "Waguy" au poivre noir.

**Hérouville** *au Nord-Est par D 927 : 8 km – 439 h. alt. 120 – ✉ 95300 :*

XX **Vignes Rouges,** pl. Église ☎ 01 34 66 54 73, *Fax 01 34 66 20 88,* – ▤. GB
*fermé 1er au 10 mai, 1er au 28 août, 1er au 15 janv., dim soir, lundi et mardi* – **Repas** 38.
◆ Maison francilienne dont l'enseigne fait allusion à une oeuvre de Van Gogh. Terrasse dressée face à l'église. Plats traditionnels. Exposition de tableaux d'un peintre régional.

**Méry-sur-Oise** *– 6 179 h. alt. 29 – ✉ 95540 :*

*Syndicat d'Initiative, 30 avenue Marcel Perrin ☎ 01 34 64 85 15.*

XXX ✿ **Chiquito** (Mihura), rte Pontoise 1,5 km par D922 ☎ 01 30 36 40 23, *lechiquito@free.fr, Fax 01 30 36 42 22,* – ▤ P. AE ① GB
*fermé 2 au 9 janv., sam. midi, dim. soir et lundi* – **Repas** (prévenir) carte environ 60 ♀.
◆ Respect de la tradition - dans l'hospitalité comme dans le confort - et cuisine au goût du jour font le succès de cette adresse : il n'est pas rare qu'on affiche complet !
**Spéc.** Gambas rôties, mousseline de tourteau au céleri. Cabillaud demi-sel, morue séchée en brandade. Agneau du Quercy, barigoule d'artichaut poivrade.

**Osny** *– 12 195 h. alt. 37 – ✉ 95520 :*

XX **Moulin de la Renardière,** r. Gd Moulin ☎ 01 30 30 21 13, *Fax 01 34 25 04 98,* – P. AE ① GB JCB — AV f
*fermé dim. soir et lundi* – **Repas** 28,50.
◆ Ancien moulin niché dans un parc. Attablez-vous dans la salle à grains égayée d'une belle cheminée ou sur la terrasse ombragée, au bord de la rivière.

**Pontoise** P *– 27 150 h. alt. 48 – ✉ 95300 :*

*Office du Tourisme, 6 place du Petit Martroy ☎ 01 30 38 24 45, Fax 01 30 73 54 84.*

**Campanile,** r. P. de Coubertin ☎ 01 30 38 55 44, *Fax 01 30 30 48 87,* – ⇔ ☎ ♿ P – 25. AE ① GB — BVX e
**Repas** *(12)* - 15,50/17 ♀, enf. 6 – ☕ 6 – **81 ch** 57.
◆ Situé dans une ZAC, ce Campanile offre des prestations conformes aux dernières normes de la chaîne : chambres fonctionnelles, restauration sous forme de buffets.

XX **Auberge du Cheval Blanc,** 47 r. Gisors ☎ 01 30 32 25 05, *Fax 01 34 24 12 34* – AE GB — BV t
*fermé 28 juil. au 19 août, mardi soir, sam. midi et dim.* – **Repas** 23,60/32 bc ♀.
◆ Cet ancien relais de poste du Vexin français abrite un restaurant au cadre sagement contemporain où sont exposées des peintures d'artistes régionaux. Cuisine traditionnelle.

## PONTOISE

Bretonnerie (R. de la) ..... D 7
Butin (R. P.) ..... DE 8
Canrobert (Av. du Mar.) ..... D 10
Château (R. du) ..... E 12
Écluse (Quai de l') ..... E 18
Flamel (Pl. N.) ..... E 22
Gisors (R.) ..... D 30
Grand-Martroy (Pl. du) ..... D 32
Hôtel-de-Ville (R.de l') ..... E 36
Hôtel-Dieu (R. de l') ..... E 37
Lavoye (R. Pierre) ..... D 40
Leclerc (R. du Gén.) ..... E 41
Lecomte (R. A.) ..... E 42
Parc-aux-Charrettes (Pl. du) ..... D 50
Petit-Martroy (Pl. du) ..... D 56
Pierre-aux-Poissons (R.) ..... D 57
Pothuis (Quai de) ..... E 62
Roche (R. de la) ..... E 67
Rouen (R. de) ..... D 69
Souvenir (Pl. du) ..... D 70
Thiers (R.) ..... D 72
Vert-Buisson (R. du) ..... E 80

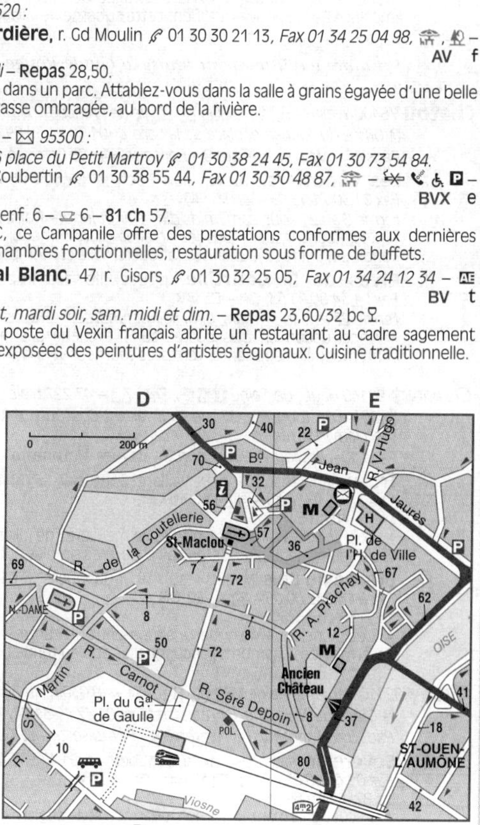
D
E
200 m
Bd Jean Jaurès
R. V.-Hugo
St-Maclou
R. de la Coutellerie
Pl. de l'H. de Ville
R. A. Prachay
N.-DAME
R. Carnot
R. St-Martin
R. Séré Depoin
Pl. du Gal de Gaulle
Ancien Château
POL.
OISE
ST-OUEN-L'AUMÔNE
Viosne

**Cernay-la-Ville** *78720 Yvelines* 101 ㉛, 106 29 – *1 757 h alt. 170.*

Voir *Abbaye* des Vaux-de-Cernay O : 2 km,* G.Île de France.

*Paris 47 – Chartres 51 – Longjumeau 32 – Rambouillet 12 – Versailles 25.*

**Abbaye des Vaux de Cernay**, Ouest : 2,5 km par D 24 ✆ 01 34 85 23 00, *cernay@lesshotelsparticuliers.com, Fax 01 34 85 11 60,* – 25 à 500. AE ⓓ GB JCB

**Repas** 28 (déj.), 44/85 – ☕ 14 – **54 ch** 90/260, 3 appart – ½ P 100/350.

◆ Abbaye cistercienne du 12e s. restaurée au 19e s. par la famille Rothschild. Vastes chambres, salles voûtées, vestiges gothiques et promenades méditatives dans le parc.

**Charenton-le-Pont** *94220 Val-de-Marne* 101 ㉗, 24 , 25 – *21 872 h alt. 45.*

*Paris 7 – Alfortville 3 – Ivry-sur-Seine 4.*

**Novotel Atria** M, 5 pl. Marseillais (r. Paris) ✆ 01 46 76 60 60, *h1549@accor-hotels.com, Fax 01 49 77 68 00,* – 15 à 180. AE ⓓ GB **BD 55**

**Repas** 20,60 et carte le week-end 𝕐 – ☕ 12 – **133 ch** 142/150.

◆ L'enseigne fait allusion à la cour intérieure coiffée d'une coupole translucide. Chambres conformes au dernier style de la chaîne et équipements complets pour réunions.

**Châteaufort** *78117 Yvelines* 101 ㉒ – *1 427 h alt. 153.*

*Paris 28 – Arpajon 29 – Chartres 76 – Versailles 15.*

**Belle Époque,** 10 pl. Mairie ✆ 01 39 56 95 48, *Fax 01 39 56 99 93,* – AE GB JCB **BP 27**

*fermé 3 au 26 août, dim. et lundi* – **Repas** 32/45.

◆ Joli cadre rustique, terrasse ombragée de tilleuls, vue sur la vallée de Chevreuse et ambiance Belle Époque qualifient cette auberge de village.

*Un automobiliste averti utilise le* ***Guide Rouge Michelin*** *de l'année.*

**Chatou** *78400 Yvelines* 101 ⑬, 18 , 25 *G. Île de France* – *27 977 h alt. 30.*

*Office du Tourisme, place de la Gare ✆ 01 30 71 30 89.*

*Paris 17 – Maisons-Laffitte 8 – Pontoise 34 – St-Germain-en-Laye 5 – Versailles 13.*

**Les Canotiers,** 16 av. Mar. Foch ✆ 01 30 71 58 69, *smamarante@wanadoo.fr, Fax 01 30 71 13 09* – AE GB JCB **AW 33**

*fermé 5 au 21 août, sam. midi, dim. soir et lundi* – **Repas** 19,50/24 𝕐.

◆ Restaurant installé sous les arcades d'un immeuble récent, près de l'île sur laquelle Renoir peignit le Déjeuner des canotiers. Salle contemporaine. Plats traditionnels.

**Rives de la Courtille,** r. Bac, Ile des Impressionnistes ✆ 01 34 80 92 62, *Fax 01 34 80 91 53,* – AE GB

*fermé 22 fév. au 1er mars, dim. soir et lundi soir* – **Repas** 29,50 𝕐.

◆ Construction en bois postée sur l'île chérie des impressionnistes. Décor de bistrot contemporain, séduisantes terrasses tournées vers la Seine et plats au goût du jour.

**Clamart** *92140 Hauts-de-Seine* 101 ㉕, 22 , 25 – *47 227 h alt. 102.*

*Office du Tourisme, 22 rue Paul Vaillant Couturier ✆ 01 46 42 17 95, Fax 01 46 42 44 30, otsi.clamart@free.fr.*

*Paris 10 – Boulogne-Billancourt 7 – Issy-les-Moulineaux 4 – Nanterre 15 – Versailles 13.*

**Trosy** sans rest, 41 r. P. Vaillant-Couturier ✆ 01 47 36 37 37, *hoteltrosy@aol.com, Fax 01 47 36 88 38* – AE GB **BG 42**

☕ 7 – **40 ch** 51/56.

◆ Bois et belles villas clamartoises en meulière : de jolies balades en perspective à proximité de cet immeuble moderne aux chambres simples et bien tenues. Ambiance familiale.

**Brèche du Bois** M sans rest, 7 pl. J. Hunebelle ✆ 01 46 42 29 06, *brechebois@aol.com, Fax 01 46 42 00 05* – AE GB **BG 42**

☕ – **30 ch** 55/61.

◆ Cette ancienne guinguette située entre le centre-ville et le bois de Clamart héberge désormais des chambres fonctionnelles et bien tenues, plus calmes sur l'arrière.

**Clichy** *92110 Hauts-de-Seine* 101 ⑮, 18 , 25 – *48 030 h alt. 30.*

*Office du Tourisme, 61 rue Martre ✆ 01 47 15 31 61, Fax 01 47 15 30 45.*

*Paris 9 – Argenteuil 7 – Nanterre 8 – Pontoise 26 – St-Germain-en-Laye 20.*

**Sovereign** sans rest, 14 r. Dagobert ✆ 01 47 37 54 24, *sovereign.clichy@wanadoo.fr, Fax 01 47 30 05 80* – AE ⓓ GB **AU 46**

☕ 8 – **42 ch** 69/95.

◆ Accueil charmant, bar-salon-billard de style anglais, chambres bien équipées et salles de bains rénovées comptent parmi les atouts de cet hôtel.

**des Chasses** sans rest, 49 r. Pierre Bérégovoy ✆ 01 47 37 01 73, *hotel-des-chasses@wanadoo.fr, Fax 01 47 31 40 98* – AE GB **AU 46**
7 – **35 ch** 70/72.
◆ Cet hôtel qui donne dans une rue calme dispose de chambres sobres, pas très grandes mais rajeunies. Plaisante salle des petits-déjeuners.

**Europe** sans rest, 52 bd Gén. Leclerc ✆ 01 47 37 13 10, *europe-hotel@wanadoo.fr, Fax 01 40 87 11 06* – P. AE GB **AU 47**
7 – **43 ch** 88/95.
◆ Immeuble en briques (1920) situé à un angle de rue. Les chambres, fonctionnelles et colorées, sont bien insonorisées ; préférez cependant celles qui donnent sur l'arrière.

**Annexe Résidence Europe** sans rest, 15 r. P. Curie ✆ 01 47 37 12 13, *europe-residence@wanadoo.fr* – AE GB **AU 47**
7 – **28 ch** 95.
◆ Dans une rue tranquille, établissement proposant des chambres rénovées et meublées en bois cérusé. Salles des petits-déjeuners au décor "marin".

**Barrière de Clichy,** 1 r. Paris ✆ 01 47 37 05 18, *Fax 01 47 37 77 05* – AE GB **AV 47**
*fermé 2 au 31 août, sam., dim. et fériés* – **Repas** 29/38 ♀.
◆ La "barrière" fut héroïquement défendue en 1814 contre les cosaques... Ce plaisant restaurant est fréquenté par une clientèle fidèle. Cadre soigné, plats au goût du jour.

*Dans ce guide*
*un même symbole, un même mot,*
*imprimé en* **rouge** *ou en* **noir**, *en maigre ou en* **gras**,
*n'ont pas tout à fait la même signification.*
*Lisez attentivement les pages explicatives.*

## Conflans-Ste-Honorine

*78700 Yvelines 101 ③, G. Île de France – 31 467 h alt. 25 Pardon national de la Batellerie (fin juin).*
Voir ≤★ *de la terrasse du parc du château – Musée de la Batellerie.*
*Office du Tourisme, 1 rue René Albert ✆ 01 34 90 99 09, Fax 01 39 19 80 77.*
*Paris 39 – Mantes-la-Jolie 40 – Poissy 10 – Pontoise 8 – Versailles 27.*

**Au Bord de l'Eau,** 15 quai Martyrs-de-la-Résistance ✆ 01 39 72 86 51 – GB
*fermé 7 au 29 août, 22 déc. au 5 janv., le soir (sauf sam.) et lundi sauf fériés* – **Repas** 28 (déj.), 39/53.
◆ Plaques d'identité de bateaux et appareils de navigation : l'intérieur de ce restaurant familial posté sur les quais de Seine rend hommage à la batellerie conflanaise .

## Corbeil-Essonnes

*91100 Essonne 101 ㊲ – 40 345 h alt. 37.*
*Office du Tourisme, 4 place P.V. Couturier ✆ 01 64 96 23 97, Fax 01 60 88 05 37.*
*Paris 34 – Fontainebleau 33 – Créteil 26 – Évry – Melun 23.*

**Aux Armes de France,** 1 bd J. Jaurès par N 7 ✆ 01 64 96 24 04, *auxarmesdefrance@wanadoo.fr, Fax 01 60 88 04 00* – P. AE GB
**Repas** *(fermé sam. midi et dim.)* 33,60/75,50 bc et carte 54 à 80 ♀.
◆ Bouquets de fleurs, sièges de style Directoire, trophées de chasse et argenterie agrémentent le décor plaisant de cet ancien relais de poste. Cuisine traditionnelle.

### au Coudray-Montceaux *Sud-Est : 5 km par N 7 – 2 494 h. alt. 81 – ✉ 91850 :*

**Mercure** M, rte Milly-la-Forêt sur D 948 : 1 km ✆ 01 64 99 00 00, *h0977@accor-hotels.com, Fax 01 64 93 95 55,* – ch, P – 15 à 200. AE GB JCB
**Repas** *(fermé vend. midi, dim. midi et sam. d'oct. à fév.)* *(22,10)* - carte 31 à 42 ♀, enf. 9,20 – 11,50 – **125 ch** 112/118.
◆ À l'écart de la circulation, hôtel aux chambres spacieuses et contemporaines. Pour les clients attentifs à leur forme : nombreux aménagements sportifs.

**Auberge du Barrage,** par bord de Seine, 40 ch. de Halage ✆ 01 64 93 81 16, *Fax 01 69 90 41 32,* ≤, – AE GB JCB
*fermé 15 oct. au 6 nov., dim. soir et lundi* – **Repas** 24/43 ♀.
◆ Attablez-vous sur la terrasse de cette ancienne guinguette si vous souhaitez bénéficier de la vue sur la Seine. Sinon, essayez la sympathique petite salle à manger.

**Courbevoie** *92400 Hauts-de-Seine* 101 ⑮, 18, 25 *G. Île de France* – 65 389 h alt. 28.
*Paris 10 – Asnières-sur-Seine 4 – Levallois-Perret 4 – Nanterre 5 – St-Germain-en-Laye 17.*

**George Sand** sans rest, 18 av. Marceau ✆ 01 43 33 57 04, *george-sand@wanadoo.fr, Fax 01 47 88 59 38* – |‡| TV ✆. AE ① GB JCB. ✻ AV 41
☐ 8 – **31 ch** 99.
◆ L'hôtel se distingue par son mobilier du 19e s. et son décor raffiné et "cosy" évoquant l'univers de George Sand. Rêverie dans le salon, accompagnée par la musique de Chopin.

**Central** sans rest, 99 r. Cap. Guynemer ✆ 01 47 89 25 25, *Fax 01 46 67 02 21* – |‡| TV P. AE ① GB AV 41
☐ 5 – **55 ch** 52/65.
◆ Près de la Défense, hôtel disposant de chambres récemment rénovées ; toutes sont insonorisées, mais celles côté rue sont plus calmes que celles donnant sur la voie ferrée.

**Quartier Charras :**

**Mercure La Défense 5,** 18 r. Baudin ✆ 01 49 04 75 00, *h1546@accor-hotels.com, Fax 01 47 68 83 32* – |‡| ⇔ ▤ TV ✆ ♿ ⇔ – 🏛 150. AE ① GB JCB. ✻ rest AV 41
***Charleston*** Brasserie ✆ 01 49 04 75 85 **Repas** 17/25 ♀, enf. 9,50 – ☐ 14 – **509 ch** 206/305, 6 appart.
◆ Imposante architecture en arc de cercle abritant des chambres fonctionnelles et bien équipées ; certaines offrent une vue sur Paris. Brasserie au cadre chaleureux.

**au Parc de Bécon :**

**Les Trois Marmites,** 215 bd St-Denis ✆ 01 43 33 25 35, *Fax 01 43 33 25 35* – ▤. AE ① GB AV 43
*fermé 11 au 26 août, sam. et dim.* – **Repas** (déj. seul.) 27/32.
◆ La clientèle d'affaires apprécie ce petit restaurant de quartier proche des quais, face au parc de Bécon et au musée Roybet-Fould (oeuvres de Carpeaux). Cuisine traditionnelle.

**Créteil** P *94000 Val-de-Marne* 101 ㉗, 24, 25 *G. Ile de France* – 82 088 h alt. 48.
Voir *Hôtel de ville★ : parvis★.*
ℹ *Office de tourisme, 1 rue François-Mauriac ✆ 01 48 98 58 18, Fax 01 42 07 09 65.*
*Paris 14 – Bobigny 23 – Évry 32 – Lagny-sur-Marne 29 – Melun 36.*

**Novotel** M ⛵, au lac ✆ 01 56 72 56 72, *h0382@accor-hotels.com, Fax 01 56 72 56 73*, ☂, ⛱ – |‡| ⇔ ▤ TV ✆ P – 🏛 80. AE ① GB JCB BJ 58
**Repas** 16/21,60 ♀ – ☐ 11,50 – **110 ch** 115/148, 5 appart.
◆ L'atout majeur de ce Novotel est son emplacement face au lac (base de loisirs et parcours de jogging). Les chambres, rénovées, donnent pour moitié sur le lac.

**Dampierre-en-Yvelines** *78720 Yvelines* 101 ㉛, – 1 030 h alt. 100.
Voir Château de Dampierre★★, G. Île de France.
ℹ *Office du Tourisme, 9 Grande Rue ✆ 01 30 52 57 30, Fax 01 30 52 52 43.*
*Paris 39 – Chartres 56 – Longjumeau 33 – Rambouillet 16 – Versailles 21.*

**Auberge du Château "Table des Blot"** avec ch, 1 Grande rue ✆ 01 30 47 56 56, *Fax 01 30 47 51 75* – TV. GB. ✻ ch
✿ *fermé 25 août au 5 sept., 22 au 30 déc., 16 fév. au 2 mars, dim. soir, lundi et mardi* – **Repas** 30/45 et carte 45 à 58 – ☐ 8 – **11 ch** 65/105.
◆ Auberge du 17e s. où objets anciens choisis et sièges de style recouverts de tissus modernes s'harmonisent parfaitement. Cuisine traditionnelle personnalisée.
**Spéc.** Tête de veau pressée au gingembre, sauce ravigote. Escalopines de rognons de veau, pommes macaire. Savarin tiède au chocolat.

**Écuries du Château,** au château ✆ 01 30 52 52 99, *Fax 01 30 52 59 90* – P. AE ① GB
*fermé 28 juil. au 20 août, 9 au 25 fév., le soir en semaine, mardi et merc.* – **Repas** 35/50.
◆ Cette petite salle de restaurant bénéficie d'un cadre exceptionnel, dans l'enceinte même du château. On y sert une cuisine des plus traditionnelles.

**Auberge St-Pierre,** 1 r. Chevreuse ✆ 01 30 52 53 53, *Fax 01 30 52 58 57* – GB
*fermé août, dim. soir, mardi soir et lundi* – **Repas** 29.
◆ Maison à colombages située presque en face du château. La salle à manger, gentiment campagnarde, vous accueille dans une atmosphère conviviale.

*Ecrivez-nous...*
*Vos louanges comme vos critiques seront examinées avec le plus grand soin. Nous reverrons sur place les informations que vous nous signalez.*
*Par avance merci !*

**La Défense** *92 Hauts-de-Seine* 101 ⑭, 18, 25 *G. Paris* – ✉ *92400 Courbevoie.*

Voir *Quartier★★ : perspective★ du parvis.*

*Paris 9 – Courbevoie 2 – Nanterre 4 – Puteaux 2.*

**Sofitel Grande Arche** M, 11 av. Arche, sortie Défense 6 ✉ 92081 ☎ 01 71 00 50 00, *h3013@accor-hotels.com, Fax 01 71 00 56 78,* , – – 100. AE GB JCB. rest AW 40

***Avant Seine*** ☎ 01 71 00 59 99 *(fermé 11 au 24 août, vend. soir, sam. et dim.)* **Repas** 26 et carte 40/48 ♀ – ☕ 23 – **368 ch** 395/499, 16 appart.

◆ Belle architecture en proue de navire, toute de verre et de pierre ocre. Chambres amples et élégantes. Restaurant design ; cuisine à la broche. Salons et auditorium bien équipés.

**Renaissance** M, 60 Jardin de Valmy, par bd circulaire, sortie La Défense 7 ✉ 92918 Puteaux ☎ 01 41 97 50 50, *reservations@renaissancehotels.com, Fax 01 41 97 51 51,* – – 160. AE GB JCB AW 40

**Repas** 29 ♀ – ☕ 20 – **311 ch** 450/1350, 20 appart.

◆ Au pied de la Grande Arche en marbre de Carrare, construction contemporaine abritant des chambres bien équipées et décorées avec raffinement. Brasserie. Fitness complet.

**Hilton La Défense** M (réouverture prévue en mai après travaux), 2 pl. Défense ✉ 92053 ☎ 01 46 92 10 10, *parlhicb@hilton.com, Fax 01 46 92 10 50,* – P – 20 à 60. AE GB JCB AV-AW40

***Les Communautés*** ☎ 01 46 92 10 30 (déj. seul.) *(fermé août)* **Repas** 56,30 – ***L'Échiquier*** ☎ 01 46 92 10 35 **Repas** 43(déj)47/70 ♀ – ☕ 22,86 – **141 ch** 285/430, 6 appart.

◆ Cet hôtel, situé dans l'enceinte du CNIT, doit bénéficier prochainement d'une rénovation totale. Au 5e étage, le restaurant Les Communautés offre une belle vue sur l'esplanade.

**Sofitel Centre** M, 34 cours Michelet, par bd circulaire sortie La Défense 4 ✉ 92060 Puteaux ☎ 01 47 76 44 43, *h0912@accor-hotels.com, Fax 01 47 76 72 10,* – – 100. AE GB. rest AW 41

***Les 2 Arcs*** ☎ 01 47 76 72 30 *(fermé vend. soir, sam. et dim.)* **Repas** 54 ♀ – ***Botanic*** ☎ 01 47 76 72 40 **Repas** carte environ 39 ♀ – ☕ 25 – **151 ch** 499.

◆ Architecture en arc de cercle parmi les tours de la cité des affaires. Chambres spacieuses, rénovées par étapes. Cadre chaleureux aux 2 Arcs, ambiance décontractée au Botanic.

**Novotel La Défense** M, 2 bd Neuilly, sortie Défense 1 ☎ 01 41 45 23 23, *H0747@accor-hotels.com, Fax 01 41 45 23 24* – – 130. AE GB JCB AW 42

**Repas** *(fermé dim. midi et sam.)* *(19,50)* - 28 ♀, enf. 8 – ☕ 13 – **280 ch** 230/270.

◆ Sculpture et architecture : la Défense, vrai musée de plein air, est aux portes de l'hôtel. Chambres pratiques ; certaines regardent Paris. Décor contemporain au restaurant.

**Enghien-les-Bains** *95880 Val-d'Oise* 101 ⑤, 18, 25 *G. Île de France* – *10 077 h alt. 45 – Stat. therm. (mi mars-fin oct.) – Casino.*

Voir *Lac★ – Deuil-la-Barre : chapiteaux historiés★ de l'église Notre-Dame NE : 2 km.*

*Office du Tourisme, 81 rue du Général de Gaulle ☎ 01 34 12 41 15, Fax 01 39 34 05 76.*

*Paris 17 – Argenteuil 7 – Chantilly 31 – Pontoise 23 – St-Denis 7 – St-Germain-en-Laye 25.*

Grand Hôtel (réouverture prévue en juin après travaux), 85 r. Gén. de Gaulle ☎ 01 39 34 10 00, *grandhotelenghien@lucienbarriere.com, Fax 01 39 34 10 01,* , – , ch, P AL 46

**44 ch**, 3 appart.

◆ Belle façade blanche face au vaste lac (40 ha). Hall feutré, bar "cosy" et chambres égayées de tissus colorés et garnies de meubles de style Louis XVI.

**Lac** M , 89 r . Gén. de Gaulle ☎ 01 39 34 11 00, *hotelduIac@lucienbarriere.com, Fax 01 39 34 11 01,* , – – 120. AE GB JCB. rest AL 46

**Repas** *(fermé sam. midi)* *(20)* - 27/30 ♀, enf. 10 – ☕ 13 – **109 ch** 165/210, 3 appart – ½ P 189/238.

◆ Cet hôtel récent propose de confortables chambres modernes ; côté lac, elles bénéficient d'une agréable vue, côté jardin, elles sont plus au calme.

**Auberge d'Enghien,** 32 bd d'Ormesson ☎ 01 34 12 78 36, *Fax 01 34 12 78 36* – . AE GB AK 47

*fermé août, dim. soir et lundi* – **Repas** *(21)* - 26 et carte environ 33 ♀.

◆ Ce restaurant situé au centre-ville est apprécié principalement pour sa cuisine au goût du jour mitonnée avec soin. Le décor est sagement rustique. Accueil souriant.

**Évry** 🅿 *91000 Essonne 101 ㊲, G. Ile de France.*

Voir *Cathédrale de la Résurrection ★ – 5 mai-janv. Epiphanies (Exposition).*

*Paris 34 – Fontainebleau 36 – Chartres 81 – Créteil 32 – Étampes 38 – Melun 25.*

**Mercure** Ⓜ, 52 bd Coquibus (face cathédrale) ✆ 01 69 47 30 00, *h1986@accor-hotels.com, Fax 01 69 47 30 10,* – – 15 à 100. AE GB **CE 57**
**Repas** *(fermé fériés le midi, sam. et dim.)* 22,50, enf. 9,20 – ☕ 11,50 – **114 ch** 102/110.
◆ Sur un boulevard passant, face à l'étonnante cathédrale de la Résurrection, hôtel dont les chambres, bien insonorisées, sont équipées d'un mobilier design confortable.

**Novotel** Ⓜ, Z.I. Évry, quartier Bois Briard, 3 r. Mare Neuve ✉ 91000 ✆ 01 69 36 85 00, *H0389@accor-hotels.com, Fax 01 69 36 85 10,* – – 250. AE GB **CE 56**
**Repas** *(fermé dim. midi, les midis fériés et sam.)* 17,60/21,90 ♀, enf. 7,62 – ☕ 11,43 – **174 ch** 100/105.
◆ Hôtel des années 1970 inscrit dans un site verdoyant, mais voisin d'axes routiers. Les chambres, régulièrement rénovées, offrent le confort "dernière tendance" de la chaîne.

**Ibis** Ⓜ, Z.I. Évry, quartier Bois Briard, 1 av. Lac ✆ 01 60 77 74 75, *Fax 01 60 78 06 03,* – – 60. AE GB **CE 56**
**Repas** *(8,69)* - 15,19/19,82 ♀, enf. 5,95 – ☕ 6 – **90 ch** 62.
◆ À l'écart de l'agitation citadine, immeuble moderne dont les chambres fonctionnelles et bien insonorisées répondent aux dernières normes Ibis.

**à Courcouronnes** – *13 262 h. alt. 80 – ✉ 91080 Évry-Courcouronnes :*

**Canal,** 31 r. Pont Amar (près hôpital) ✆ 01 60 78 34 72, *Fax 01 60 79 22 70* – AE GB **CD 55**
*fermé août, sam. et dim.* – **Repas** 19,50/26 ♀.
◆ À dénicher dans le tissu distendu de la ville nouvelle, un restaurant de cuisine traditionnelle mettant à l'honneur le pied de cochon.

**à Lisses** – *6 860 h. alt. 86 – ✉ 91090 :*

**Espace Léonard de Vinci** Ⓜ, av. Parcs ✆ 01 64 97 66 77, *contact@leonard-de-vinci.com, Fax 01 64 97 59 21,* – , rest, – 15 à 100. AE GB **CG 55**
**Repas** 25/41 – ☕ 9 – **74 ch** 90/100 – ½ P 115.
◆ Ce complexe hôtelier qui dispose de chambres pratiques vous ouvre les portes de son centre de balnéothérapie, en pleine campagne mais à deux pas des usines.

**Fontenay-sous-Bois** *94120 Val-de-Marne 101 ⑰, 20, 24 – 51 868 h alt. 70.*

*Office du Tourisme, 4 bis avenue Charles Garcia ✆ 01 43 94 33 48, Fax 01 43 94 02 93, otsi.fontenay@claranet.fr.*

*Paris 17 – Créteil 13 – Lagny-sur-Marne 25 – Villemomble 6 – Vincennes 4.*

**Musardière,** 61 av. Mar. Joffre ✆ 01 48 73 96 13, *Fax 01 48 73 96 13* – . AE GB **BA 62**
*fermé 4 au 24 août, lundi soir, mardi soir sam. midi et dim.* – **Repas** *(17)* - 26.
◆ Ce restaurant qui partage ses murs avec une brasserie sert une cuisine traditionnelle et multiplie les suggestions. Cadre déjà ancien, mais propre.

**Gagny** *93220 Seine-St-Denis 101 ⑱, 20 – 36 059 h alt. 70.*

*Paris 17 – Bobigny 12 – Raincy 3 – St-Denis 18.*

**Vilgacy,** 45 av. H. Barbusse ✆ 01 43 81 23 33, *Fax 01 43 81 23 33,* – AE GB **AW 65**
*fermé 7 au 15 avril, 28 juil. au 23 août, dim. soir, mardi soir et lundi* – **Repas** *(18,30)* - 22,60/28,40.
◆ Vous serez accueilli dans l'agréable décor contemporain des deux salles à manger ou dans le jardin-terrasse en été. Goûteuse cuisine traditionnelle.

**Garches** *92380 Hauts-de-Seine 101 ⑭, 22, 23 – 17 957 h alt. 114.*

*Paris 15 – Courbevoie 9 – Nanterre 8 – St-Germain-en-Laye 11 – Versailles 9.*

**Tardoire,** 136 Grande Rue ✆ 01 47 41 41 59 – GB **BB 36**
*fermé vacances de printemps, 7 au 31 août, dim. soir, lundi et mardi soir* – **Repas** 17 (déj.), 28/31 et carte environ 35 ♀.
◆ La salle à manger de ce restaurant établi dans une petite rue est décorée d'une kyrielle d'objets paysans. Cuisine simple.

**La Garenne-Colombes** *92250 Hauts-de-Seine 101 ⑭, 18, 25 – 21 754 h alt. 40.*

*Syndicat d'Initiative, 24 rue d'Estienne-d'Orves ✆ 01 47 85 09 90, Fax 01 42 42 07 17.*

*Paris 12 – Argenteuil 6 – Asnières-sur-Seine 5 – Courbevoie 2 – Nanterre 4 – Pontoise 27.*

**L'Olivier,** 18 av. Gén. de Gaulle ✆ 01 47 85 81 48, *Fax 01 46 52 15 41* – . GB
*fermé août, sam. midi, dim. soir et lundi* – **Repas** 19,80/27,30, enf. 8,40.
◆ Décor provençal, miniterrasse couverte et cuisine, aux accents méridionaux, vagabondant chaque mois à travers les régions françaises : un séduisant restaurant de poche !

**Gentilly** *94250 Val-de-Marne 101 ㉖, 24 , 25 G. Île de France – 17 093 h alt. 46.*
*Paris 6 – Créteil 14.*

**Mercure** Ⓜ, 51 av. Raspail ✆ 01 47 40 87 87, *h1651@accor-hotels.com, Fax 01 47 40 15 88,* – – 40. AE GB **BE 50**
**Repas** *(fermé 28 juil. au 17 août, 25 déc. au 1er janv. vend. soir, sam., dim. et fériés)* (16) - 21,70/23 ₸, enf. 7,70 – 12 – **88 ch** 112/120.
◆ À deux pas de la Maison Robert-Doisneau, immeuble moderne abritant des chambres fonctionnelles et bien insonorisées, plus petites et mansardées au dernier étage.

**Goussainville** *95190 Val-d'Oise 101 ⑦ – 24 812 h alt. 95.*
*Paris 29 – Chantilly 24 – Pontoise 33 – Senlis 33.*

**Médian** Ⓜ, 2 av. F. de Lesseps (par D 47) ✆ 01 39 88 93 93, *Fax 01 39 88 75 65,* – – 30. AE GB JCB
**Repas** *(fermé août, sam., dim. et fêtes)* (18) - 22 ₸ – 8 – **55 ch** 95/105, 6 appart.
◆ Sur un rond-point au trafic soutenu et à proximité de l'aéroport de Roissy, hôtel bénéficiant d'une bonne isolation phonique. Chambres pratiques bien tenues.

**Gressy** *77410 S.-et-M. 101 ⑩ – 868 h alt. 98.*
*Paris 31 – Meaux 20 – Melun 56 – Senlis 35.*

**Manoir de Gressy** Ⓜ, ✆ 01 60 26 68 00, *gressy77@aol.com, Fax 01 60 26 45 46,* , – , rest, – 100. AE GB JCB
**Repas** 50 et carte 50 à 65 ₸ – 16 – **85 ch** 200/260.
◆ Un "manoir" récent mariant les styles avec bonheur. Chaque chambre possède son propre décor ; toutes s'ouvrent sur le jardin intérieur.

*Dans ce guide*
*un même symbole, un même mot,*
*imprimé en* ***rouge*** *ou en* ***noir****, en maigre ou en* ***gras****,*
*n'ont pas tout à fait la même signification.*
*Lisez attentivement les pages explicatives.*

**Issy-les-Moulineaux** *92130 Hauts-de-Seine 101 ㉕, 22 , 25 G. Île de France – 46 127 h alt. 37.*
**Voir** *Musée de la Carte à jouer★.*
*Office du Tourisme, esplanade de l'Hôtel de Ville ✆ 01 40 95 65 43, Fax 01 40 95 67 33, touristoffice@ville-issy.fr.*
*Paris 8 – Boulogne-Billancourt 3 – Clamart 4 – Nanterre 11 – Versailles 13.*

**Campanile,** 213 r. J.-J. Rousseau ✆ 01 47 36 42 00, *Fax 01 47 36 88 93* – , rest, – 15 à 40. AE GB. rest **BD 42**
**Repas** (12,50) - 14/18,50 ₸, enf. 6 – 6,50 – **164 ch** 75.
◆ Façade vitrée moderne proche du tramway Val-de-Seine (la Défense en 22 mn !). Chambres bien tenues et conformes aux standards de la chaîne : murs crépis et mobilier en pin.

**River Café,** Pont d'Issy, 146 quai Stalingrad ✆ 01 40 93 50 20, *Fax 01 41 46 19 45,* – AE GB **P 3**
*fermé sam. midi* – **Repas** (25) - 26/31 ₸.
◆ Ex-barge amarrée face à l'île St-Germain. Devenue élégante et branchée, elle propose un intérieur colonial et les services d'un voiturier... À l'abordage, mille sabords !

**L'Ile,** Parc Ile St-Germain, 170 quai Stalingrad ✆ 01 41 09 99 99, *n.senecal@restaurant-lile.com, Fax 01 41 09 99 19,* – . AE GB JCB **BD 42**
**Repas** 62 et carte 33 à 55 ₸.
◆ C'est la fleur au fusil que l'on rejoint cette vaste caserne postée sur une île de la Seine : un restaurant "tendance" y a élu domicile, aussitôt investi par une armée de Robinson.

**Manufacture,** 20 espl. Manufacture (face au 30 r. E. Renan) ✆ 01 40 93 08 98, *Fax 01 40 93 57 22,* – . AE GB **BD 44**
*fermé 6 au 19 août, sam. midi et dim.* – **Repas** (25) - 30 ₸.
◆ Reconversion réussie pour l'ancienne manufacture de tabac (1904) qui abrite désormais logements, boutiques et ce restaurant design complété d'une belle terrasse.

**Coquibus,** 16 av. République ✆ 01 46 38 75 80, *Fax 01 41 08 95 80* – AE GB **BD 43**
*fermé 1er au 26 août, sam. et dim.* – **Repas** (20,50) - 27/43 ₸.
◆ Boiseries, tableaux colorés et coqs en terre cuite donnent des airs de brasserie des années 1930 à ce restaurant du centre-ville. Cuisine traditionnelle et fruits de mer.

**Ivry-sur-Seine** *94200 Val-de-Marne* 101 ㉖, 24, 25 – *53 619 h alt. 60.*
*Paris 6 – Créteil 10 – Lagny-sur-Marne 29.*

**L'Oustalou,** 9 bd Brandebourg ☎ 01 46 72 24 71, *Fax 01 46 70 36 86* – AE GB BE 54
*fermé 31 juil. au 25 août, sam. et dim.* – **Repas** *(19)* - 24,25 ♀.
◆ La cuisine à l'accent chantant du Sud-Ouest et le cadre gentiment campagnard font le charme de ce modeste restaurant situé dans le quartier du port.

**Joinville-le-Pont** *94340 Val-de-Marne* 101 ㉗, 24, 25 – *16 657 h alt. 49.*
*Syndicat d'Initiative, 23 rue de Paris ☎ 01 42 83 41 16, Fax 01 49 76 92 98.*
*Paris 12 – Créteil 7 – Lagny-sur-Marne 23 – Maisons-Alfort 5 – Vincennes 6.*

**Bleu Marine** M, 16 av. Gén. Gallieni ☎ 01 48 83 11 99, *bleu.joinville@wanadoo.fr, Fax 01 48 89 51 58,* – – 80. AE GB BE 61
**Repas** *(19,50)* - 25,50 ♀, enf. 7,50 – 10 – **91 ch** 102.
◆ Architecture contemporaine abritant des chambres spacieuses, insonorisées et dotées d'un coin-salon et d'un bureau. Photos et fresques marines décorent le restaurant.

**Cinépole** sans rest, 8 av. Platanes ☎ 01 48 89 99 77, *Fax 01 48 89 43 92* – . AE GB BE 61
5,50 – **34 ch** 50.
◆ L'enseigne de l'hôtel évoque les anciens studios de cinéma de Joinville. Chambres pratiques et bien tenues. Minipatio où l'on sert les petits-déjeuners en été.

**Le Kremlin-Bicêtre** *94270 Val-de-Marne* 101 ㉖, 24, 25 – *19 348 h alt. 60.*
*Paris 5 – Boulogne-Billancourt 11 – Évry 28 – Versailles 23.*

**Campanile,** bd Gén. de Gaulle (pte d'Italie) ☎ 01 46 70 11 86, *parispoi@campanile.fr, Fax 01 46 70 64 47,* – – 100. AE GB BE 51
**Repas** 18,50 ♀, enf. 6 – 6,50 – **150 ch** 70.
◆ La plupart des chambres ont été rénovées dans le style actualisé de la chaîne. Elles sont bien insonorisées ; préférez néanmoins celles tournant le dos au "périphérique".

**Lésigny** *77150 S.-et-M.* 101 ㉙, 25 – *7 865 h alt. 95.*
*Paris 34 – Brie-Comte-Robert 8 – Évry 30 – Melun 27 – Provins 66.*

**au golf** *par rte secondaire, Sud : 2 km ou par Francilienne : sortie n° 19 – ✉ 77150 Lésigny :*

**Golf,** ferme des Hyverneaux ☎ 01 60 02 25 26, *reception@hotel-reveillon.com, Fax 01 60 02 03 84* – – 80. AE GB BR 73
**Repas** *(fermé 20 déc. au 4 janv., dim. soir et sam.)* 26 ♀ – 8,50 – **48 ch** 65/73.
◆ Dans les murs d'une abbaye du 12e s., gâtés par une construction moderne. Chambres actuelles, gaiement colorées et tenues à l'écart des bruits de la route par un golf.

**Levallois-Perret** *92300 Hauts-de-Seine* 101 ⑮, 18, 25 – *47 548 h alt. 30.*
*Paris 9 – Argenteuil 8 – Nanterre 8 – Pontoise 27 – St-Germain-en-Laye 20.*

**Evergreen Laurel** M, 8 pl. G. Pompidou ☎ 01 47 58 88 99, *parsls@evergreen.com.tw, Fax 01 47 58 88 88,* – – 150. AE GB JCB. AV 44
***Canton Palace*** *(fermé dim.)* **Repas** 28(déj.), 46/92 ♀ – ***Café Laurel :*** **Repas** 30 ♀ – 20 – **338 ch** 320/473.
◆ Luxe, élégance et luminosité : un hôtel tout neuf pensé pour la clientèle d'affaires. Chambres dotées de meubles en bois de rose. Cuisine cantonaise au Canton Palace.

**Espace Champerret** sans rest, 26 r. Louise Michel ☎ 01 47 57 20 71, *espace.champerret.hotel@wanadoo.fr, Fax 01 47 57 31 39* – . AE GB JCB AW 45
7 – **39 ch** 59/72,50.
◆ Une cour, où l'on sert le petit-déjeuner en été, sépare les deux bâtiments de cet hôtel ; celui sur l'arrière est plus calme. Chambres rénovées, insonorisées et bien tenues.

**Parc** sans rest, 18 r. Baudin ☎ 01 47 58 61 60, *Fax 01 47 48 07 92* – . AE GB AV 44
8 – **52 ch** 78/94.
◆ Établissement abritant des chambres au mobilier fonctionnel ou de style ; trois d'entre elles sont de plain-pied avec une cour intérieure. Entretien suivi et accueil charmant.

**ABC Champerret** sans rest, 63 r. Danton ☎ 01 47 57 01 55, *Fax 01 47 57 54 23* – . AE GB AW 44
6 – **39 ch** 55/65.
◆ Pratique pour la clientèle d'affaires, hôtel disposant de chambres nettes, garnies de meubles façon "bambou". L'été, le petit-déjeuner est servi dans le patio fleuri.

**Petit Jardin,** 58 r. Kléber ☎ 01 47 48 10 91, *Fax 01 47 48 11 28* – AE GB AV 44
*fermé 1er au 11 mai, 4 au 24 août, 23 au 29 fév., sam. et dim.* – **Repas** 19,90 bc/39,10 ♀.
◆ Ancien garage converti en restaurant. La salle, moderne et verdoyante, est éclairée par une verrière - ouverte aux beaux jours - et équipée d'un mobilier de style "jardin".

**Grain de Sel,** 46 r. Villiers ✆ 01 40 89 09 21 – GB
*fermé 18 juil. au 31 août et dim.* – **Repas** 30/35.
◆ Ce petit restaurant au sobre décor propose une cuisine ensoleillée d'inspiration provençale. Sur les tables, fioles d'huile d'olive de la propriété familiale.

**Lieusaint** *77127 S.-et-M.* 101 ㊳ – *5 200 h alt. 89.*
*Paris 45 – Brie-Comte-Robert 11 – Évry 13 – Melun 15.*

**Flamboyant,** 98 r. Paris (près N 6) ✆ 01 60 60 05 60, *le_flamboyant2@wanadoo.fr, Fax 01 60 60 05 32,* – rest, – 45. AE GB
**Repas** *(fermé dim. soir)* 15,50/30 – 5,80 – **72 ch** 51,50/61.
◆ Construction cubique située en bordure de route. Les chambres, aménagées simplement (murs crépis et mobilier en bois stratifié), sont équipées d'un double vitrage.

**Livry-Gargan** *93190 Seine-St-Denis* 101 ⑱, 20, 25 – *35 387 h alt. 60.*
*Office du Tourisme, 5 place François Mitterrand ✆ 01 43 30 61 60, Fax 01 43 30 48 41.*
*Paris 19 – Aubervilliers 14 – Aulnay-sous-Bois 4 – Bobigny 9 – Meaux 27 – Senlis 43.*

**Petite Marmite,** 8 bd République ✆ 01 43 81 29 15, *Fax 01 43 02 69 59,* – . GB **AU 65**
*fermé 2 au 30 août, dim. soir et merc.* – **Repas** 29, enf. 16.
◆ Ce restaurant sert une cuisine traditionnelle généreuse dans un cadre gentiment rustique. La terrasse installée dans la cour intérieure est prise d'assaut en été.

**Les Loges-en-Josas** *78350 Yvelines* 101 ㉓, 22, 25 – *1 506 h alt. 160.*
*Paris 22 – Bièvres 7 – Chevreuse 13 – Palaiseau 12 – Versailles 6.*

**Relais de Courlande** M, 23 av. Div. Leclerc ✆ 01 30 83 84 00, *relais.de.courlande@wanadoo.fr, Fax 01 39 56 06 72,* – – 100. AE GB JCB **BL 31**
**Repas** 30/58 – 10 – **53 ch** 75/138 – ½ P 79,50/95,50.
◆ Le bâtiment moderne abrite des chambres confortables. Le restaurant occupe les étables d'une ferme datant du 17e s., comme la tour de garde qui se dresse dans le jardin.

**Longjumeau** *91160 Essonne* 101 ㉟, 25 – *19 864 h alt. 78.*
*Paris 21 – Chartres 70 – Dreux 84 – Évry 15 – Melun 42 – Orléans 113 – Versailles 27.*

**St-Pierre,** 42 r. F. Mitterrand ✆ 01 64 48 81 99, *saint-pierre@wanadoo.fr, Fax 01 69 34 25 53* – . AE GB JCB **BV 45**
*fermé 13 au 21 avril, 27 juil. au 20 août, lundi soir, merc. soir, sam. midi et dim.* – **Repas** 28/35 et carte 40 à 56, enf. 15.
◆ Ce restaurant mitonne une cuisine nourrie des saveurs du Sud-Ouest, utilisant des produits en arrivage direct du Gers. Coquette salle à manger rustique.

**à Saulx-les-Chartreux** *Sud-Ouest par D 118 – 4 141 h. alt. 75 – ✉ 91160 :*

**St-Georges**, rte de Montlhéry : 1 km ✆ 01 64 48 36 40, *ducdidier@wanadoo.fr, Fax 01 64 48 89 48,* – – 150. AE GB **BX42-43**
*fermé mi-juil. à mi-août et dim. soir* – **Repas** 26/42 – 7 – **40 ch** 52/66.
◆ Ambiance champêtre à seulement 20 km de Paris, dans cette imposante bâtisse moderne dont les chambres donnent toutes sur le parc et la forêt. Vaste et agréable terrasse.

**Maisons-Alfort** *94700 Val-de-Marne* 101 ㉗, 24, 25 *G. Ile de France – 53 375 h alt. 37.*
*Paris 10 – Créteil 4 – Évry 34 – Melun 40.*

**Bourgogne,** 164 r. J. Jaurès ✆ 01 43 75 12 75, *Fax 01 43 68 05 86* – . AE GB **BG 57**
*fermé 4 au 25 août, sam. et dim.* – **Repas** carte 38 à 53.
◆ Atmosphère d'auberge provinciale et solide cuisine traditionnelle sont les atouts de ce restaurant qui sert, comme le précise l'enseigne, des spécialités bourguignonnes.

**Maisons-Laffitte** *78600 Yvelines* 101 ⑬, 18, 25 000 *G. Île de France – 22 173 h alt. 38.*
Voir Château★.
*Office du Tourisme, 41 avenue de Longueil ✆ 01 39 62 63 64, Fax 01 39 12 02 89.*
*Paris 21 – Mantes-la-Jolie 39 – Poissy 9 – Pontoise 17 – St-Germain-en-Laye 8 – Versailles 19.*

**Ibis,** 2 r. Paris (accès par av. Verdun) ✆ 01 39 12 20 20, *h3437@accor-hotels.com, Fax 01 39 62 45 54,* – – 25. AE GB **AN 33**
**Repas** *(12)* - 15, enf. 6 – 6 – **68 ch** 60.
◆ À proximité du château et du champ de courses, hôtel aux chambres entièrement rénovées, éclairées par des lucarnes au dernier étage. Pour la détente, salon équipé d'un billard.

XXX ✿ **Tastevin** (Blanchet), 9 av. Eglé ☏ 01 39 62 11 67, *Fax 01 39 62 73 09*, ☂, ⛱ – 🅿. AE ① GB JCB AN 32
*fermé 31 juil. au 21 août, lundi et mardi* – **Repas** 38,20 (déj.)/64,10 et carte 58 à 80.
◆ Aménagé dans une accueillante maison de maître du "lotissement Laffitte". Service attentionné, cuisine classique et belle carte des vins : "tastez" donc ce restaurant mansonnin.
**Spéc.** Foie gras chaud au vinaigre de cidre et pommes confites. Gibier (saison). Sanciaux aux pommes (sept. à mars).

## Marcoussis *91460 Essonne* 101 ㉞, *G. Île de France* – *5 680 h alt. 79.*

*🅸 Syndicat d'Initiative, 13 rue Alfred-Dubois ☏ 01 69 01 76 50, Fax 01 69 01 18 54.*
*Paris 29 – Arpajon 10 – Évry 18.*

X **Les Colombes de Bellejame,** 97 r. A. Dubois ☏ 01 69 80 66 47, *Fax 01 69 80 66 47* – GB
*fermé 10 au 30 juil., dim. soir, mardi soir et merc.* – **Repas** *(13,50)* - 22/30.
◆ Après avoir parcouru la vallée maraîchère de la Salmouille, faites halte dans ce petit restaurant au cadre rustique. Cuisine traditionnelle.

## Marne-la-Vallée *77206 S.-et-M.* 101 ⑲, 24 *G. Ile de France.*

*🅸 Office de tourisme, place Disneyland-Paris ☏ 01 60 43 33 33, Fax 01 60 43 74 95.*
*Paris 28 – Meaux 29 – Melun 40.*

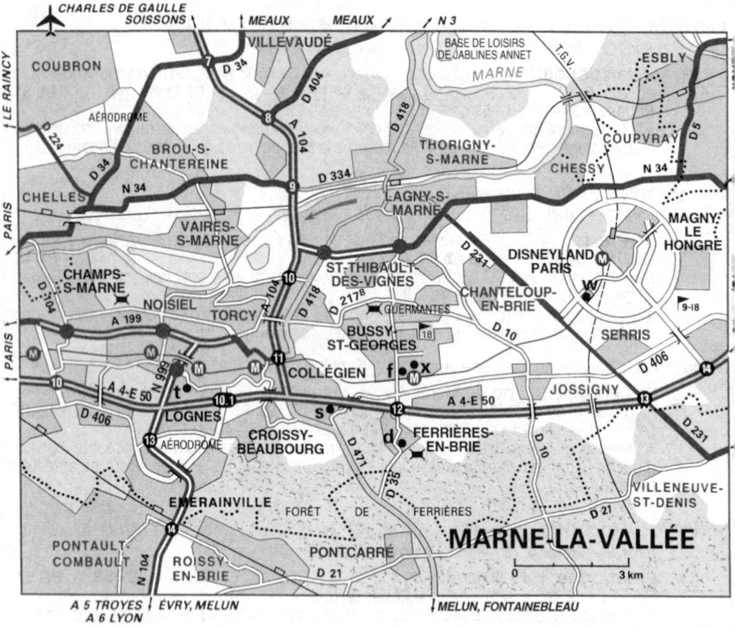
CHARLES DE GAULLE
SOISSONS
MEAUX
MEAUX
N 3
LE RAINCY
PARIS
PARIS
COUBRON
VILLEVAUDÉ
BASE DE LOISIRS DE JABLINES ANNET
MARNE
T.G.V.
ESBLY
D 34
D 404
D 418
D 5
AÉRODROME
D 224
A 104
THORIGNY-S-MARNE
COUPVRAY
BROU-S-CHANTEREINE
D 334
CHESSY
N 34
D 34
N 34
CHELLES
LAGNY-S-MARNE
VAIRES-S-MARNE
MAGNY-LE HONGRE
D 231
DISNEYLAND PARIS
CHAMPS-S-MARNE
ST-THIBAULT-DES-VIGNES
D 104
A 104
D 418
D 217B
CHANTELOUP-EN-BRIE
NOISIEL
GUERMANTES
TORCY
A 199
BUSSY-ST-GEORGES
D 10
SERRIS
COLLÉGIEN
D 406
N 999
A 4-E 50
A 4-E 50
JOSSIGNY
D 406
LOGNES
AÉRODROME
CROISSY-BEAUBOURG
FERRIÈRES-EN-BRIE
D 471
D 10
D 231
D 35
EMERAINVILLE
FORÊT DE FERRIÈRES
VILLENEUVE-ST-DENIS
D 21
PONTAULT-COMBAULT
PONTCARRÉ
MARNE-LA-VALLÉE
ROISSY-EN-BRIE
N 104
D 21
0
3 km
A 5 TROYES
A 6 LYON
ÉVRY, MELUN
MELUN, FONTAINEBLEAU

### à Bussy-St-Georges – *1 545 h. alt. 105* – ✉ *77600* :

🏨 **Holiday Inn** M, 39 bd Lagny **(f)** ☏ 01 64 66 35 65, *reception@hibussy.com, Fax 01 64 66 03 10*, ☂, 🏊 – |♦| ⇔ ▤ TV ☏ ♿ 🚗 – 🎤 30 à 150. AE ① GB
**Repas** 19,80 – ☕ 13 – **120 ch** 173/250.
◆ En bordure d'une large avenue, chambres spacieuses à la tenue sans défaut, équipées d'un double vitrage. Agréable bar.

🏨 **Tulip Inn Paris Bussy** M, 44 bd A. Giroust **(x)** ☏ 01 64 66 11 11, *solinn@wanadoo.fr, Fax 01 64 66 29 05* – |♦| ▤ TV ☏ ♿ 🚗 – 🎤 20 à 40. AE ① GB. ✂
**Repas** *(fermé sam. midi et dim.)* carte 25 à 30 ♀, enf. 10 – ☕ 10 – **87 ch** 99/129.
◆ Intégré à un grand ensemble immobilier, face à la station RER, hôtel aux chambres fonctionnelles et bien insonorisées. Bar décoré dans l'esprit "Louisiane".

**à Collégien** – *2 331 h. alt. 105 – ✉ 77615 /*

**Novotel,** (s) ✆ 01 64 80 53 53, *H0385@accor-hotels.com, Fax 01 64 80 48 37,* – 30 à 250. AE GB
**Repas** 20 – 11,50 – **197 ch** 92/110.
◆ Ce Novotel accueille visiteurs du parc Disneyland et hommes d'affaires en séminaire. Les prestations sont sans surprise : chambres fonctionnelles et cuisine simple.

**à Disneyland Paris** *accès par autoroute A 4 et bretelle Disneyland.*
**Voir** *Disneyland Paris *** (voir Guide Vert Disneyland Paris) – Les hôtels du Parc Disneyland Paris pratiquent des forfaits journaliers comprenant le prix de la chambre et l'entrée aux parcs à thèmes. – Ces prix variant selon la saison, nous vous suggérons de prendre contact avec la centrale de réservation, tél. (00 33) 01 60 30 60 30, Fax (00 33) 01 64 74 57 50.*

**à Ferrières-en-Brie** – *1 445 h. alt. 108 – ✉ 77164 :*

**St-Rémy,** 24 r. J. Jaurès **(d)** ✆ 01 64 76 74 00, *nboussadie@wanadoo.fr, Fax 01 64 76 74 01,* – 25 à 40. AE GB.
**Repas** *(fermé sam. midi et dim. soir)* 32, enf. 8,40 – 8 – **25 ch** 68/76.
◆ Découvrez à l'étage de cette pimpante maison du 19e s. la jolie salle des fêtes créée par la famille Rothschild. Chambres et restaurant relookés dans un style très "tendance".

**à Lognes** – *12 973 h. alt. 97 – ✉ 77185 :*

**Mercure,** 55 bd Mandinet **(t)** ✆ 01 64 80 02 50, *h2210@accor-hotels.com, Fax 01 64 80 02 70,* – 20 à 60. AE GB JCB
**Repas** *(14)* - 19, enf. 10 – 11 – **57 ch** 165/184, 28 duplex.
◆ Dans un quartier résidentiel, établissement fonctionnel et bien tenu proposant des chambres récemment refaites. Duplex pratiques pour les familles.

**à Serris** – *898 h. alt. 129 – ✉ 77700 Serris :*

**L'Élysée Val d'Europe** M, 7 cours Danube (face gare RER) **(w)** ✆ 01 64 63 33 33, *info@hotelelysee.com, Fax 01 64 63 33 30* – 30 à 120. AE GB JCB.
**Repas** *(16)* - 19,50, enf. 8 – 14,50 – **152 ch** 160.
◆ Belle architecture de style haussmannien dans un nouveau quartier. Salon cossu et jardin original coiffé d'une verrière façon Baltard. Chambres spacieuses et bien pensées.

## Massy *91300 Essonne 101 ㉕, 22, 25 – 38 574 h alt. 78.*

*Paris 20 – Arpajon 19 – Évry 20 – Palaiseau 3 – Rambouillet 45.*

XX **Pavillon Européen,** 5 av. Gén. de Gaulle ✆ 01 60 11 17 17, *Fax 01 69 20 05 60* – AE GB **BR 43**
*fermé août et merc.* – **Repas** 29/48,80.
◆ Cadre actuel raffiné, baies vitrées largement ouvertes sur le lac et service tout en gentillesse font le charme de ce restaurant. Cuisine au goût du jour.

## Maurepas *78310 Yvelines 101 ㉑ – 19 718 h alt. 165.*

**Voir** *France Miniature★ NE : 3km,* **G. Île de France.**
*Paris 40 – Houdan 28 – Palaiseau 35 – Rambouillet 17 – Versailles 21.*

**Mercure** M, N 10 ✆ 01 30 51 57 27, *h0378@accor-hotels.com, Fax 01 30 66 70 14,* – 25 à 80. AE GB JCB **BM 15**
**Repas** *(fermé août, vend. soir, dim. midi et sam.) (16)* - 21, enf. 9 – 12 – **91 ch** 95/105.
◆ La petite route qui part de la N 10 vous conduira jusqu'à cet hôtel dont les chambres, spacieuses et bien insonorisées, sont peu à peu rénovées.

## Le Mesnil-Amelot *77990 S.-et-M. 101 ⑨ – 705 h alt. 80.*

*Paris 34 – Bobigny 24 – Goussainville 15 – Meaux 28 – Melun 68.*

**Radisson** M, rte Villeneuve ✆ 01 60 03 63 00, *radisson.sas@hotels-res.com, Fax 01 60 03 74 40,* – 25 à 250. AE GB
**Repas** *(19)* - carte environ 45, enf. 12 – 17 – **240 ch** 200/290.
◆ Escale pratique à proximité de l'aéroport de Roissy : équipements de loisirs et de séminaires, vaste hall, salon-bar, chambres actuelles et repas servis sous forme de buffets.

## Meudon *92190 Hauts-de-Seine 101 ㉔, 22, 25 G. Île de France – 45 339 h alt. 100.*

**Voir** *Terrasse★ : ★ – Forêt de Meudon★.*
*Paris 11 – Boulogne-Billancourt 4 – Clamart 4 – Nanterre 12 – Versailles 9.*

**au sud** *à Meudon-la-Forêt – ✉ 92360 :*

**Mercure Ermitage de Villebon** M, rte Col. Moraine ✆ 01 46 01 46 86, *mercure.meudon@wanadoo.fr, Fax 01 46 01 46 99,* – ch, – 15 à 90. GB **BH 39**
**Repas** *(fermé 11 au 17 août)* 23 (dîner), 35/50 – 11 – **63 ch** 115/140.
◆ À l'orée de la forêt de Meudon et au bord de la voie rapide, hôtel bien insonorisé aux chambres décorées dans un esprit Directoire. Une maison du 19e s. abrite le restaurant.

**Montmorency** SP 95160 Val-d'Oise 101 ⑤, 25 *G. Île de France – 20 920 h alt. 82.*

Voir Collégiale St-Martin★.

Env. *Château d'Écouen★★ : musée de la Renaissance★★ (tenture de David et de Bethsabée★★★).*

*Office du Tourisme, 1 avenue Foch ✆ 01 39 64 42 94, Fax 01 34 12 18 65, otsimcy@club-internet.fr.*

*Paris 19 – Enghien-les-Bains 4 – Pontoise 24 – St-Denis 9.*

XX **Au Coeur de la Forêt,** av. Repos de Diane et accès par chemin forestier ✆ 01 39 64 99 19, *Fax 01 34 28 17 52*, – P. AE GB **AG 48**
*fermé 5 au 29 août, jeudi soir, dim. soir et lundi* – **Repas** 24,50/31.
◆ La romantique avenue du Repos de Diane vous conduira "Au Coeur de la Forêt", restaurant au cadre soigné aménagé dans une maison récente. Cuisine traditionnelle simple.

X **Maison Jaune,** 7 av. Émile ✆ 01 39 64 69 38, *Fax 01 39 64 69 38*, – GB **AH 48**
*fermé 11 au 17 août, 20 déc. au 20 janv., sam. midi, dim. soir, et lundi* – **Repas** *(13)* - 24,10 (déj.)/28,10 ♀.
◆ L'avenue porte le nom de l'ouvrage écrit à Montmorency par J. J. Rousseau. Ardoise de suggestions du jour servies dans un pimpant bistrot tout de jaune vêtu.

**Montreuil** *93100 Seine-St-Denis* 101 ⑰, 20, 25 *G. Ile de France – 94 754 h alt. 70.*

*Office du Tourisme, 1 rue Kléber ✆ 01 42 87 38 09, Fax 01 42 27 27 13.*

*Paris 8 – Bobigny 6 – Lagny-sur-Marne 31 – Meaux 38 – Senlis 47.*

XXX **Gaillard,** 71 r. Hoche ✆ 01 48 58 17 37, *gaillard@free.fr, Fax 01 48 70 09 74*, – P. GB **AZ 57**
*fermé 2 au 26 août, dim. soir et lundi* – **Repas** 26,70/35,80 et carte 51 à 64 ♀.
◆ Demeure de la fin du 19e s. où il fait bon s'attabler l'hiver auprès de la cheminée ; l'été, profitez de la terrasse, de l'ombre des marronniers et du chant des oiseaux.

*Les principales voies commerçantes figurent en* ***rouge***
*dans la liste des rues des plans de villes.*

**Montrouge** *92120 Hauts-de-Seine* 101 ㉕, 22, 25 *– 38 106 h alt. 75.*

*Paris 5 – Boulogne-Billancourt 8 – Longjumeau 19 – Nanterre 16 – Versailles 16.*

**Mercure** M, 13 r. F.-Ory ✆ 01 58 07 11 11, *h0374@accor-hotels.com, Fax 01 58 07 11 21* – rest, P – 15 à 100. AE GB **BE 48**
**Repas** *(fermé dim. midi et sam.)* 27,50 ♀ – 13 – **180 ch** 195/210, 7 appart.
◆ En léger retrait du périphérique, vaste construction abritant des chambres fonctionnelles et bien insonorisées. La plupart, rénovées, présentent une décoration colorée.

**Morangis** *91420 Essonne* 101 ㉟, 25 *– 10 043 h alt. 85.*

*Paris 21 – Évry 13 – Longjumeau 4 – Versailles 24.*

XXX **Sabayon,** 15 r. Lavoisier ✆ 01 69 09 43 80, *Fax 01 64 48 27 28* – . AE GB **BV 49**
*fermé 31 août au 30 sept., sam. midi, lundi soir, mardi soir et dim.* – **Repas** 30/53 et carte 32 à 45 ♀, enf. 18.
◆ Restaurant à dénicher dans une ZI. Dans la salle à manger aux couleurs "mode", oeuvres contemporaines, nombreuses plantes vertes et sièges de style Louis XVI.

**Nanterre** P *92000 Hauts-de-Seine* 101 ⑭, 18, 25 *– 84 565 h alt. 35.*

*Office du Tourisme, 4 rue du Marché ✆ 01 47 21 58 02, Fax 01 47 25 99 02, office-de-tourisme.nanterre@libertysurf.fr.*

*Paris 13 – Beauvais 83 – Rouen 124 – Versailles 15.*

**Mercure La Défense Parc** M, r. des 3 Fontanot ✆ 01 46 69 68 00, *H1982@accor-hotels.com, Fax 01 47 25 46 24* – – 130. AE GB JCB **AV 39**
**Repas** *(fermé le soir du 12 juil. au 17 août et du 20 au 31 déc., dim. midi, vend. soir, sam. et fériés) (21)* - 24/31 ♀ – 14 – **135 ch** 200/220, 25 appart.
◆ Immeuble moderne et son annexe situés à côté du parc André Malraux. Mobilier design, équipement complet : demandez une chambre rénovée. Cuisine du monde au restaurant.

**Quality Inn** M, 2 av. B. Frachon ✆ 01 46 95 08 08, *quality.nanterre@wanadoo.fr, Fax 01 46 95 01 24* – – 30. AE GB JCB. **AV 37**
**Repas** *(fermé août, vend. soir, sam. et dim.)* 24/26 ♀ – 12 – **85 ch** 180/280.
◆ Construction de 1992 dont les chambres, plus ou moins spacieuses, sont joliment meublées et bénéficient d'un double vitrage. Chaleureuse salle à manger d'esprit colonial.

XX **Rôtisserie,** 180 av. G. Clemenceau ✆ 01 46 97 12 11, – AE GB AW 39
*fermé sam. midi et dim.* – **Repas** 26.
◆ Restaurant au cadre soigné coordonant tons ocre et mobilier contemporain. Terrasse agréable et calme sur l'arrière. Cuisine traditionnelle et viandes rôties à la broche.

**Neuilly-sur-Seine** *92200 Hauts-de-Seine* 101 ⑮, 18, 25 *G. Île de France – 61 768 h alt. 34.*
*Paris 8 – Argenteuil 10 – Nanterre 6 – Pontoise 29 – St-Germain-en-Laye 18 – Versailles 17.*

**Courtyard** M, 58 bd V. Hugo ✆ 01 55 63 64 65, *cy.parcy.dom@courtyard.com, Fax 01 55 63 64 66,* – – 140. AE GB JCB. ch AW 44
**Repas** 28 – 17 – **173 ch** 310, 69 appart.
◆ Près de l'hôpital américain, établissement des années 1970 dont les chambres, joliment meublées, répondent aux exigences du confort moderne. Salons confortables et bar "cosy".

**Paris Neuilly** sans rest, 1 av. Madrid ✆ 01 47 47 14 67, *H0883@accor-hotels.com, Fax 01 47 47 97 42* – . AE GB AX 42
13 – **74 ch** 180/230, 6 appart.
◆ Hôtel aux chambres diversement décorées. Petits-déjeuners servis dans le patio couvert orné d'une fresque représentant le château de Madrid bâti par François 1er en 1528.

**Jardin de Neuilly** sans rest, 5 r. P. Déroulède ✆ 01 46 24 51 62, *hotel.jardin.de.neuilly@wanadoo.fr, Fax 01 46 37 14 60,* – . AE GB AX 44
18 – **30 ch** 136/214.
◆ Hôtel particulier du 19e s. à 50 m du bois de Boulogne. Chambres personnalisées, garnies d'un mobilier chiné. Certaines donnent côté jardin : la campagne aux portes de Paris !

**de la Jatte** sans rest, 4 bd Parc ✆ 01 46 24 32 62, *paris@hoteldelajatte.com, Fax 01 46 40 77 31* – . AE GB JCB AV 43
10 – **69 ch** 106/166, 3 appart.
◆ Sur l'île de la Jatte, autrefois plébiscitée par les peintres, aujourd'hui lieu de résidence "branché". Décor design (couleurs "tendance", bois sombre), plaisante véranda.

**Neuilly Park Hôtel** sans rest, 23 r. M. Michelis ✆ 01 46 40 11 15, *Fax 01 46 40 14 78* – . AE GB JCB AX 44
11 – **30 ch** 100/133.
◆ Cet hôtel du quartier des Sablons affiche peu à peu un nouveau visage : meubles de style Art nouveau et tissus tendus personnalisent les menues chambres. Accueil charmant.

XX **Truffe Noire** (Jacquet), 2 pl. Parmentier ✆ 01 46 24 94 14, *Fax 01 46 24 94 60* – AE GB AX 44
*fermé 5 au 12 mai, 1er août au 2 sept.,sam. et dim.* – **Repas** 34 et carte 52 à 68.
◆ Sablonneuses terres, Parmentier... Les premières pommes de terre françaises furent cultivées ici, mais la maison s'est, elle, prise de passion pour un tubercule plus rare !
**Spéc.** Mousseline de brochet au beurre blanc. Truffes d'été et d'hiver (saisons). Gibier (fin sept. à fin déc.)

XX **Riad,** 42 av. Ch. de Gaulle ✆ 01 46 24 42 61, *Fax 01 46 40 19 91* – . AE GB AX 44
*fermé 1er au 20 août* – **Repas** carte 48 à 60.
◆ Discret décor mauresque, fresques murales représentant la ville de Fès et cuisine marocaine (beau choix de tajines) offrent une suave échappée vers "L'île du Couchant".

XX **Foc Ly,** 79 av. Ch. de Gaulle ✆ 01 46 24 43 36, *Fax 01 46 24 48 46* – . AE GB AW 42
*fermé dim.* – **Repas** *(16)* - carte 29 à 40.
◆ Deux lions encadrent l'entrée de ce restaurant qui déploie en façade sa "terrasse-pagode". Intérieur sobrement aménagé, salle plus intime à l'étage. Cuisines thaï et chinoise.

X **Les Feuilles Libres,** 34 r. Perronet ✆ 01 46 24 41 41, *feuilibre@wanadoo.fr, Fax 01 46 40 77 61,* – . AE GB AX 44
*fermé 4 au 24 août, 23 au 31 déc., sam. midi, dim. et lundi* – **Repas** 39.
◆ Ici, tout est mini : terrasse-trottoir, salle à manger principale et salon-bibliothèque (réunions mensuelles d'un cercle littéraire). Décor sobre et chic ; carte au goût du jour.

X **Bistrot d'à Côté Neuilly,** 4 r. Boutard ✆ 01 47 45 34 55, *bistrotrostang@wanadoo.fr, Fax 01 47 45 15 08* – AE GB AX 42
*fermé 11 au 17 août, sam. midi et dim.* – **Repas** 31/39.
◆ Service décontracté, boiseries, collection de moulins à café, ardoises de suggestions du jour et vin servi "à la ficelle" (on paie ce que l'on boit) : un "vrai-faux bistrot".

X **A la Coupole,** 3 r. Chartres ✆ 01 46 24 82 90 – AE GB AX 44
*fermé août, dim. sam. et fériés* – **Repas** 25 bc (dîner)et carte 30 à 45.
◆ Voitures et camions miniatures réalisés à Madagascar à partir de métal de récupération décorent la sobre salle à manger de ce restaurant familial. Cuisine traditionnelle.

**Nogent-sur-Marne** 94130 Val-de-Marne 101 ㉗, 24, 25 *G. Île de France – 25 248 h alt. 59.*

*Office du Tourisme, 5 avenue de Joinville ☎ 01 48 73 73 97, Fax 01 48 73 75 90.*
*Paris 14 – Créteil 10 – Montreuil 6 – Vincennes 6.*

**Mercure Nogentel** M, 8 r. Port ☎ 01 48 72 70 00, *h1710@accor.hotels.com, Fax 01 48 72 86 19,* – ch, – 15 à 200. AE GB JCB BC 62
***Le Canotier** (fermé lundi en août et dim. soir)* **Repas** *(30)*-35 ♀ – 11 – **60 ch** 93/104.
◆ Hôtel des bords de Marne proposant des chambres actuelles. Au Canotier, attablez-vous près des baies vitrées pour jouir du "spectacle" des bateaux.

**Campanile,** quai du port (Pt de Nogent) ☎ 01 48 72 51 98, *Fax 01 48 72 05 09,* – ch, – 40. AE GB BC62-63
**Repas** *(12,50)* - 18,50 ♀, enf. 5,95 – 6,50 – **81 ch** 68.
◆ Immeuble moderne situé sur un quai animé. La moitié des chambres, équipées selon les standards de la chaîne et insonorisées, donnent sur la Marne.

**Noisy-le-Grand** *93160 Seine-St-Denis* 101 ⑱, 24, 25 *G. Île de France – 54 032 h alt. 82.*

*Office du Tourisme, 167 rue Pierre Brossolette ☎ 01 43 04 51 55, Fax 01 43 03 79 48, office.tourisme.nlg@wanadoo.fr.*
*Paris 19 – Bobigny 17 – Lagny-sur-Marne 14 – Meaux 38.*

**Mercure** M, 2 bd Levant ☎ 01 45 92 47 47, *H1984@accor-hotels.com, Fax 01 45 92 47 10,* – – 150. AE GB BB 67
***Les Météores** (fermé sam. midi et dim. midi)* **Repas** 15,30/19,90 ♀ – 11 – **192 ch** 104/138.
◆ Immeuble moderne dont la façade vitrée permet de suivre le ballet des ascenseurs panoramiques. Chambres spacieuses et fonctionnelles, garnies de meubles en bois clair.

**Novotel Atria** M, 2 allée Bienvenüe-quartier Horizon ☎ 01 48 15 60 60, *h1536@accor-hotels.com, Fax 01 43 04 78 83,* , – – 250. AE GB JCB BC 67
**Repas** *(16)* - carte environ 23 ♀, enf. 10 – 11 – **144 ch** 99/108.
◆ Architecture contemporaine à deux pas de la station RER. Chambres bien agencées et équipements complets séduiront familles et clientèle d'affaires.

**Amphitryon,** 56 av. A. Briand ☎ 01 43 04 68 00, *Fax 01 43 04 68 10,* – . AE GB BA 68
*fermé 5 au 28 août, sam. midi et dim. soir* – **Repas** 22/38.
◆ Murs framboise et vaisselle multicolore donnent le ton de cette élégante salle de restaurant. La cuisine, traditionnelle, est servie rapidement et avec le sourire.

*Les pages explicatives de l'introduction*
*vous aideront à mieux profiter de votre* ***Guide Rouge Michelin***

**Orgeval** *78630 Yvelines* 101 ⑪ *– 4 509 h alt. 100.*

*Paris 31 – Mantes-la-Jolie 23 – Pontoise 22 – St-Germain-en-Laye 11 – Versailles 22.*

**Moulin d'Orgeval** , r. Abbaye, Sud : 1,5 km ☎ 01 39 75 85 74, *moulin.orgeval@wanadoo.fr, Fax 01 39 75 48 52,* , , – rest, – 30. AE GB
**Repas** *(fermé 21 déc. au 3 janv. et dim. soir) (27,50)* - 36,75/64 ♀ – 14 – **14 ch** 119/140.
◆ Calme et détente dans cet ancien moulin entouré d'un vaste parc. Les chambres ont le cachet des vieilles demeures. Coquet restaurant rustique et terrasse au bord de l'eau.

**Orly (Aéroports de Paris)** *94310 Val-de-Marne* 101 ㉖, 24, 25 *– 21 646 h alt. 89.*

☎ *01 49 75 15 15.*
*Paris 16 – Corbeil-Essonnes 17 – Créteil 12 – Longjumeau 15 – Villeneuve-St-Georges 9.*

**Hilton Orly** M, près aérogare, Orly Sud ✉ 94544 ☎ 01 45 12 45 12, *fb-orly@hilton.com, Fax 01 45 12 45 00,* – – 280. AE GB JCB BR 51
**Repas** 26/34 ♀ – 18 – **352 ch** 111/196.
◆ Cet hôtel des années 1960 abritant des chambres sobres et élégantes, dispose d'équipements de pointe pour les réunions et de services adaptés à la clientèle d'affaires.

**Mercure** M, N 7, Z.I. Nord, Orlytech ✉ 94547 ☎ 01 49 75 15 50, *h1246@accor-hotels.com, Fax 01 49 75 15 51* – – 40. AE GB JCB BP 51
**Repas** *(fermé dim. midi et sam.) (19)* - 23,50/30,50 ♀, enf. 10 – 11,50 – **192 ch** 128/151.
◆ Adresse convenant particulièrement à la clientèle aéroportuaire qui trouve là un ensemble de services très pratiques entre deux avions. Chambres actualisées.

**à Orly ville** : – *21 646 h. alt. 71.*

**Kyriad - Air Plus** Ⓜ, 58 voie Nouvelle (près Parc G. Méliès) ✆ 01 41 80 75 75, *airplus@club-internet.fr, Fax 01 41 80 12 12,* – AE GB JCB **BN 54**
**Repas** *(fermé sam., dim. et fériés)* 13,50/22,50 – 7,60 – **72 ch** 67.
◆ Non loin de l'aéroport, un hôtel pensé pour votre bien-être. Ambiance "aéronautique" au pub anglais et allées du parc Méliès accueillantes aux adeptes du jogging.

*Voir aussi à* ***Rungis***

## Ozoir-la-Ferrière *77330 S.-et-M. 101 ㉚, 106 33 – 19 031 h alt. 110.*

*Syndicat d'Initiative, 43 avenue du Gal de Gaulle ✆ 01 64 40 10 20, Fax 01 64 40 09 91.*
*Paris 35 – Coulommiers 42 – Lagny-sur-Marne 22 – Melun 31 – Sézanne 84.*

XXX **Gueulardière,** 66 av. Gén. de Gaulle ✆ 01 60 02 94 56, *Fax 01 60 02 98 51,* – AE GB
*fermé 18 août au 5 sept., sam. midi, dim. soir et lundi* – **Repas** *(26)* - 32/62 et carte 53 à 88.
◆ Cette auberge du centre-ville sert une cuisine classique dans une élégante salle à manger ou sur la terrasse d'été, dressée dans une petite cour.

## Palaiseau *91120 Essonne 101 ㉞, 22, 25 – 28 395 h alt. 101.*

*Syndicat d'Initiative, 5 place de la Victoire ✆ 01 69 31 02 67.*
*Paris 23 – Arpajon 20 – Chartres 70 – Évry 21 – Rambouillet 44.*

**Novotel** Ⓜ, 18 r. E. Baudot (Z.I. Massy) ✆ 01 64 53 90 00, *H0386@accor-hotels.com, Fax 01 64 47 17 80,* – 15 à 180. AE GB JCB **BS 43**
**Repas** carte 17 à 31 ♀, enf. 8 – 12 – **147 ch** 107/117.
◆ Ce Novotel proche d'un noeud autoroutier dispose de chambres actuelles et confortables. Aux beaux jours, le restaurant se complète d'une terrasse généralement animée.

## Pantin *93500 Seine-St-Denis 101 ⑯, 20, 25 – 47 303 h alt. 26.*

**Voir** *Centre international de l'Automobile★, G. Île de France.*
*Office du Tourisme, 81 avenue Jean Lolive ✆ 01 48 44 93 72, Fax 01 48 44 18 51.*
*Paris 9 – Bobigny 5 – Montreuil 7 – St-Denis 6.*

**Mercure Porte de Pantin** Ⓜ, 25 r. Scandicci ✆ 01 49 42 85 85, *h0680@accor-hotels.com, Fax 01 48 46 07 90* – – 25 à 100. AE GB JCB **AV-AW54**
**Repas** *(fermé dim. midi, sam. et fériés) (16)* - carte 27 à 35 ♀, enf. 9,20 – 13 – **138 ch** 150/160.
◆ La "Goulue" repose au cimetière de Pantin. Hôtel dont les chambres s'équipent peu à peu d'un mobilier cossu ; quelques-unes, plus spacieuses, accueillent les familles.

*Si vous cherchez un hôtel tranquille,*
*consultez d'abord les cartes de l'introduction*
*ou repérez dans le texte les établissements indiqués avec le signe .*

## Le Perreux-sur-Marne *94170 Val-de-Marne 101 ⑱, 24, 25 – 28 477 h alt. 50.*

*Office du Tourisme, 75 avenue Ledru Rollin ✆ 01 43 24 26 58, Fax 01 43 24 02 10.*
*Paris 16 – Créteil 12 – Lagny-sur-Marne 23 – Villemomble 6 – Vincennes 7.*

XXX **Les Magnolias** (Chauvel), 48 av. Bry ✆ 01 48 72 47 43, *Fax 01 48 72 22 28* – . AE GB **BC 63**
*fermé août, lundi midi, sam. midi et dim.* – **Repas** *(11)* - 42 (déj.)/65.
◆ À deux pas des pittoresques îles du Perreux, plaisant restaurant contemporain abrité des regards de la rue par des stores vénitiens. Cuisine au goût du jour recherchée.
**Spéc.** "Cookies" de lapereau au grué, île flottante de cornichons à la sarriette. "Ré-majeur" de pintade pochée au picon-bière. "Ozonique" de thé à croquer au jasmin, potager de fruits rouges.

XX **Les Lauriers,** 5 av. Neuilly-Plaisance ✆ 01 48 72 45 75, – AE GB **BA 63**
*fermé 10 au 20 août, sam. midi, dim. soir et lundi* – **Repas** *(20)* - 31 bc.
◆ Ce restaurant occupe un pavillon dans un quartier résidentiel. Décor contemporain assez clair et tables joliment dressées où l'on sert une cuisine traditionnelle.

## Poissy *78300 Yvelines 101 ⑫, G. Île de France – 36 745 h alt. 27.*

**Voir** *Collégiale Notre-Dame★ – Villa Savoye★.*
*Office du Tourisme, 132 rue du Général De Gaulle ✆ 01 30 74 60 65, Fax 01 39 65 07 00, ville-poissy@dial.deane.com.*
*Paris 31 ③ – Mantes-la-Jolie 30 ④ – Pontoise 16 ② – St-Germain-en-Laye 6 ③.*

Plan page suivante

XX **Bon Vivant,** 30 av. É. Zola **(e)** ✆ 01 39 65 02 14, *Fax 01 39 65 28 05,* ≤, – GB
*fermé août, 23 fév. au 1er mars, dim. soir et lundi* – **Repas** 35/48.
◆ De la guinguette 1900, ce restaurant a conservé l'ambiance conviviale et la terrasse en bord de Seine. Cadre rustique et repas traditionnels.

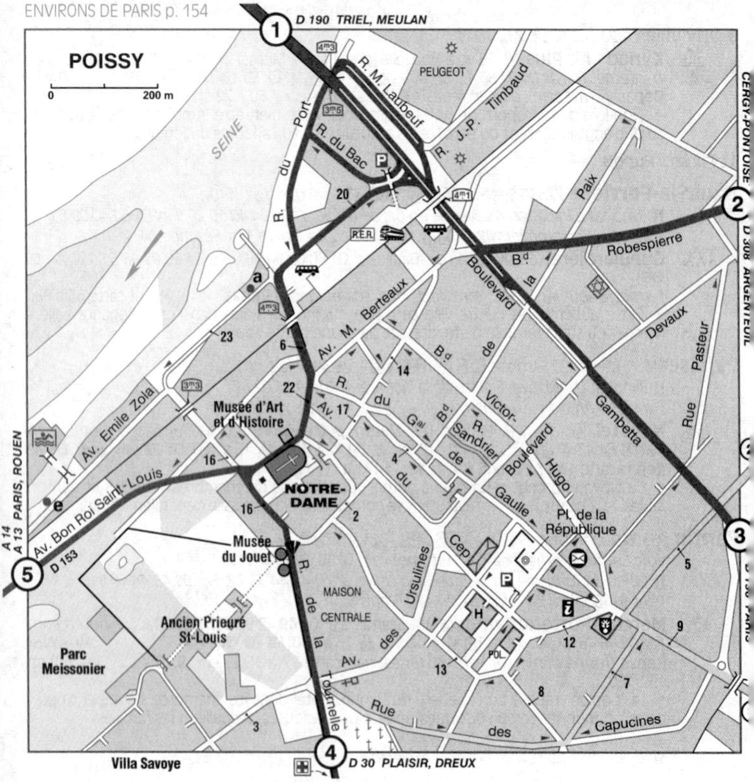
D 190 TRIEL, MEULAN
POISSY
0
200 m
PEUGEOT
R. M. Laubeuf
R. J.-P. Timbaud
SEINE
R. du Port
R. du Bac
Paix
CERGY-PONTOISE
D 308 ARGENTEUIL
Robespierre
Bd de la
Boulevard
R.E.R.
Av. M. Berteaux
Devaux
Pasteur
Rue
Bd de Victor-Hugo
Gambetta
R. du Gal de Gaulle
Bd
R. Sandrier
Boulevard
Hugo
Av. Emile Zola
Musée d'Art et d'Histoire
NOTRE-DAME
Av. Bon Roi Saint-Louis
D 153
A 14
A 13 PARIS, ROUEN
Pl. de la République
Cep
Ursulines
Musée du Jouet
MAISON CENTRALE
R. de la Tournelle
Av. des
Ancien Prieuré St-Louis
Parc Meissonier
POL.
Rue des Capucines
Villa Savoye
D 30 PLAISIR, DREUX

| | | | | | | | |
|---|---|---|---|---|---|---|---|
| Abbaye (R. de l') | 2 | | Gaulle (R. Gén.-de) | | | Meissonier (Av.) | 16 |
| Blanche-de-Castille (Av.) | 3 | | Grands-Champs (R. des) | 7 | | Pain (R. au) | 17 |
| Bœuf (R. du) | 4 | | Joly (Av. A.) | 8 | | Pont-Ancien (R. du) | 20 |
| Cep (Av. du) | | | Lefebvre (Av. F.) | 9 | | St-Louis (R.) | 22 |
| Foch (Av. Mar.) | 5 | | Lemelle (Bd L.) | 12 | | Victor-Hugo (Bd) | |
| Gambetta (Bd) | | | Libération (R. de la) | 13 | | 14-Juillet (Cours du) | 23 |
| Gare (R. de la) | 6 | | Mary (R. J.-Cl.) | 14 | | | |

*Les prix*

*Pour toutes précisions sur les prix indiqués dans ce guide, reportez-vous aux pages explicatives.*

## Pontault-Combault *77340 S.-et-M. 101 ㉙, 24 , 25 – 26 804 h alt. 94.*

*Office du Tourisme, 16 rue de Bellevue ✆ 01 70 05 49 71, Fax 01 70 05 49 48, tourisme@mairie-pontault.clt.fr.*

*Paris 29 – Créteil 25 – Lagny-sur-Marne 17 – Melun 32.*

**Saphir Hôtel,** aire des Berchères sur N 104 ✆ 01 64 43 45 47, *saphirhotel@wanadoo.fr, Fax 01 64 40 52 43,* – 20 à 180. AE GB **BH 74**

**Repas** 14/20, enf. 8,40 – 10 – **158 ch** 84/93, 21 appart.

◆ Architecture contemporaine au bord de la Francilienne. Les chambres, fonctionnelles et bien tenues, bénéficient d'une insonorisation parfaite.

## Le Pré St-Gervais *93310 Seine-St-Denis 101 ⑯, 20 , 25 – 15 373 h alt. 82.*

*Paris 8 – Bobigny 6 – Lagny-sur-Marne 33 – Meaux 38 – Senlis 48.*

**Au Pouilly Reuilly,** 68 r. A. Joineau ✆ 01 48 45 14 59 – AE GB **AW 55**

*fermé sam. midi et dim.* – **Repas** 45/60.

◆ Décor de bistrot d'avant-guerre, joyeuse ambiance et cuisine roborative où les abats sont à l'honneur. Une adresse où se retrouve le "Tout-Paris".

**Puteaux** *92800 Hauts-de-Seine* 101 ⑭, 18 , 25 – *42 756 h alt. 36.*

*Paris 10 – Nanterre 4 – Pontoise 31 – St-Germain-en-Laye 17 – Versailles 15.*

**Syjac** sans rest, 20 quai de Dion-Bouton ✆ 01 42 04 03 04, *h.syjac@wanadoo.fr, Fax 01 45 06 78 69* – ♦ TV ✆ – 30. AE ① GB **AX 41**
☐ 10 – **30 ch** 105/150, 3 duplex.
◆ Les chambres ont vue sur Seine en façade mais sont plus au calme sur l'arrière ; toutes sont personnalisées et joliment meublées. Élégants salons. Navette pour la Défense.

**Vivaldi** sans rest, 5 r. Roque de Fillol ✆ 01 47 76 36 01, *vivaldi@hotelvivaldi.com, Fax 01 47 76 11 45* – ♦ TV ✆. AE ① GB **AX 41**
☐ 8 – **27 ch** 96/102.
◆ Près de l'hôtel de ville où furent tournées des scènes de La Banquière, l'immeuble abrite des chambres rénovées, équipées d'un mobilier fonctionnel. Salon doté d'un piano.

**Princesse Isabelle** sans rest, 72 r. J. Jaurès ✆ 01 47 78 80 06, *princesse.isa@wanadoo.fr, Fax 01 47 75 25 20* – ♦ ☰ TV ✆ ⇔. AE ① GB JCB **AX 41**
☐ 10 – **29 ch** 121/240.
◆ Hôtel proposant des chambres actuelles, habillées de boiseries. Le hall d'accueil abrite un coin salon agrémenté d'une cheminée et un bar animé d'un piano mécanique.

**Chaumière,** 127 av. Prés. Wilson - rd-pt des Bergères ✆ 01 47 75 05 46, *Fax 01 47 75 05 46* – ☰. AE GB **AX 39**
*fermé 9 au 30 août, dim. soir, lundi soir et sam.* – **Repas** (25) - 30 ♀.
◆ La carte de cette auberge familiale met à l'honneur une cuisine de tradition, dont le fameux tournedos Rossini. Salle à manger rustique qu'une vaste véranda rend lumineuse.

**Table d'Alexandre,** 7 bd Richard Wallace ✆ 01 45 06 33 63, *Fax 01 41 38 27 42* – ☰. AE GB **AX 41**
*fermé 3 au 25 août, sam. et dim.* – **Repas** 20 et carte 35 à 50 ♀.
◆ À quelques foulées de la sportive île de Puteaux, cuisine traditionnelle actualisée servie dans un cadre sympathique : tons ocre, éclairage étudié et jolies chaises paillées.

*Pour les grands voyages d'affaires ou de tourisme,*
***Guide Rouge MICHELIN : EUROPE.***

**La Queue-en-Brie** *94510 Val-de-Marne* 101 ㉙, 24 , 25 – *9 897 h alt. 95.*

*Paris 22 – Coulommiers 51 – Créteil 12 – Lagny-sur-Marne 21 – Melun 33 – Provins 67.*

**Relais de Pincevent,** av. Hippodrome ✆ 01 45 94 61 61, *osiris.management@wanadoo.fr, Fax 01 45 93 32 69,* 余 – TV ♿ P – 60. AE ① GB JCB **BH 68**
**Repas** 22/75 ♀, enf. 11 – ☐ 6,50 – **57 ch** 50/65.
◆ En léger retrait de la route, chambres des années 1980 régulièrement rénovées, mais toujours équipées de leur mobilier d'origine. Bonne insonorisation.

**Auberge du Petit Caporal,** 42 r. Gén. de Gaulle (N 4) ✆ 01 45 76 30 06, *Fax 01 45 76 30 06* – ☰. AE GB **BJ 70**
*fermé 28 juil. au 24 août, vacances de fév.,lundi soir, mardi soir,merc. soir et dim.* – **Repas** 39 et carte 40 à 52.
◆ Dans les murs d'un ancien relais de poste, ce restaurant vous invite à découvrir l'ambiance conviviale de ses petites salles à manger et sa cuisine au goût du jour

**Quincy-sous-Sénart** *91480 Essonne* 101 ㊳ – *7 079 h alt. 76.*

*Paris 33 – Brie-Comte-Robert 7 – Évry 13 – Melun 23.*

**Lisière de Sénart,** 33 r. Libération ✆ 01 69 00 87 15, 余 – AE GB
*fermé 15 au 30 août, vacances de fév, dim. soir, mardi soir et merc.* – **Repas** 26/45.
◆ Murs ornés d'objets paysans et tables gentiment dressées : telles sont les principales caractéristiques de ce modeste restaurant aménagé dans une maison de banlieue.

**Roissy-en-France (Aéroports de Paris)** *95700 Val-d'Oise* 101 ⑧ – *2 054 h alt. 85.*

✈ *Charles-de-Gaulle ✆ 01 48 62 22 80.*

*Paris 27 – Chantilly 28 – Meaux 38 – Pontoise 39 – Senlis 28.*

**à Roissy-ville :**

**Millenium** M, allée du Verger ✆ 01 34 29 33 33, *resa.cdg@mill-cop.com, Fax 01 34 29 03 05,* 余, ₺, ⊠ – ♦ ⇆ ☰ TV ✆ ♿ ⇔ – 150. AE ① GB JCB
**Repas** 28 bc/40 bc – ☐ 19 – **239 ch** 280/370.
◆ Bar, pub irlandais, fitness, belle piscine, salles de séminaires, chambres spacieuses et un étage spécialement aménagé pour la clientèle d'affaires : un hôtel fort bien équipé.

**Courtyard Marriott** M, allée du Verger ✆ 01 34 38 53 53, *Fax 01 34 38 53 54*, – 500.
Repas *(22)* - carte 40 à 45 ♀, enf. 9 – 20 – **295 ch** 199, 5 appart.
◆ Dernier né du parc hôtelier de Roissy, cet établissement offre des équipements modernes parfaitement adaptés à une clientèle d'affaires transitant par Paris.

**Mercure** M, allée Verger ✆ 01 34 29 40 00, *h1245@accor-hotels.com, Fax 01 34 29 00 18*, – – 90.
Repas 20,80 ♀ – 11,50 – **203 ch** 180/210.
◆ Cet hôtel a fait peau neuve : cadre provençal dans le hall, zinc à l'ancienne au bar, reconstitution d'une boulangerie au restaurant et spacieuses chambres bien rénovées.

**Bleu Marine** M, Z.A. parc de Roissy ✆ 01 34 29 00 00, *bleu.roissy@wanadoo.fr, Fax 01 34 29 00 11*, – – 80.
Repas 25,50 et carte le dim. ♀ – 10 – **153 ch** 160.
◆ Proximité de l'aéroport et de l'autoroute, chambres parfaitement insonorisées et repas servis sous forme de buffets font de cet hôtel une étape pratique.

**Campanile,** Z.A. parc de Roissy ✆ 01 34 29 80 40, *campanile-roissy@wanadoo.fr, Fax 01 34 29 80 39*, – – 100.
Repas 12,50/18,50 ♀, enf. 6 – 6,50 – **268 ch** 95.
◆ Hôtel dont les chambres, conformes aux normes de la chaîne, sont bien tenues et bénéficient d'un double vitrage. Grande salle à manger dressée autour de buffets.

**Ibis** M, av. Raperie ✆ 01 34 29 34 34, *Fax 01 34 29 34 19* – – 70.
Repas 15 ♀ – 10 – **304 ch** 80.
◆ Cet établissement proche de l'aéroport conviendra pour une escale : chambres aménagées suivant le nouveau concept Ibis, isolation phonique correcte et repas sans chichi.

## à l'aérogare n° 2 :

**Sheraton** M, ✆ 01 49 19 70 70, *Fax 01 49 19 70 71*, – – 110.
***Les Étoiles*** *(fermé 28 juil. au 28 août, 19 déc. au 5 janv., sam., dim. et fériés)* **Repas** 48,50(déj.)/55,50 ♀ – ***Les Saisons :*** **Repas** carte environ 42♀ – 25 – **244 ch** 410/655, 12 appart.
◆ Descendez de l'avion ou du TGV et montez dans ce "paquebot" à l'architecture futuriste. Décor d'Andrée Putman, vue sur le tarmac, calme absolu et chambres raffinées.

## à Roissypole :

**Hilton** M, ✆ 01 49 19 77 77, *CDGHITWSAL@hilton.com, Fax 01 49 19 77 78*, – – 500. rest
***Gourmet*** *(fermé juil.- août, sam. et dim.)* **Repas** *(35)*-38/47 ♀ – ***Aviateurs*** - brasserie **Repas** 18/34 ♀ – ***Oyster bar*** - produits de la mer *(fermé juil.-août, sam. et dim.)* **Repas** 34/50♀ – 24 – **383 ch** 540/690, 4 appart.
◆ Architecture audacieuse, espace et lumière sont les traits principaux de cet hôtel. Ses équipements de pointe en font un lieu propice au travail comme à la détente.

**Sofitel** M, Zone centrale Ouest ✆ 01 49 19 29 29, *H0577@accor-hotels.com, Fax 01 49 19 29 00*, – – 60. rest
***L'Escale*** -produits de la mer **Repas** *(24)*-et carte 36 à 45 – 20 – **344 ch** 370/445, 6 appart.
◆ Accueil personnalisé, atmosphère feutrée, salles de séminaires, plaisant restaurant au thème marin et bar élégant sont les atouts de cet hôtel bâti entre les deux aérogares.

**Novotel** M, ✆ 01 49 19 27 27, *H1014@accor-hotels.com, Fax 01 49 19 27 99* – – 60.
Repas *(16,10)* - carte 23 à 30 ♀, enf. 8 – 11,50 – **201 ch** 145.
◆ Face aux pistes de l'aéroport, Novotel dont la majorité des chambres, bien tenues et équipées d'un double vitrage, a adopté le nouveau style de la chaîne.

**Ibis** M, ✆ 01 49 19 19 19, *Fax 01 49 19 19 21*, – – 80.
Repas *(11,80)* - 14,80 ♀, enf. 6 – 6 – **556 ch** 85/109.
◆ Allure un brin austère pour ces deux bâtiments situés entre la station RER et les aérogares. Les chambres, rénovées peu à peu, sont plus grandes dans l'aile récente.

**Z.I. Paris Nord II** – ✉ *95912 :*

**Hyatt Regency** Ⓜ, 351 av. Bois de la Pie ☎ 01 48 17 12 34, *sales@paris.hyatt.com, Fax 01 48 17 17 17,* – AE ⓓ GB JCB
**Repas** 36 ♀ – ☕ 21 – **383 ch** 385, 5 appart.
◆ Spectaculaire architecture érigée à l'entrée de la zone aéroportuaire : un vaste atrium, aménagé en restaurant, relie les deux ailes qui abritent de grandes chambres feutrées.

## Romainville *93230 Seine-St-Denis 101 ⑰, 20, 25 – 23 563 h alt. 110.*

*Paris 11 – Bobigny 4 – St-Denis 13 – Vincennes 6.*

XXX **Chez Henri,** 72 rte Noisy ☎ 01 48 45 26 65, *Fax 01 48 91 16 74* – AE GB AV 57
*fermé août, dim., lundi et fériés* – **Repas** (20) - 28/40 et carte 48 à 68 ♀.
◆ Mobilier de style Louis XVI et salle joliment dressée, dans une auberge égarée au milieu des usines. Cuisine au goût du jour, carte des vins étoffée (vieux millésimes).

## Rosny-sous-Bois *93110 Seine-St-Denis 101 ⑰, 20, 25 – 37 489 h alt. 80.*

*Paris 14 – Bobigny 8 – Le Perreux-sur-Marne 5 – St-Denis 16.*

**Quality Hôtel** Ⓜ, 4 r. Rome ☎ 01 48 94 33 08, *qualityhotel.rosny@wanadoo.fr, Fax 01 48 94 30 05,* – 15 à 100. AE ⓓ GB AY 61
***Vieux Carré*** *(fermé août, 24 déc. au 4 janv., vend. soir, sam., dim. et fériés)* **Repas** (18)-24/28 ♀ – ☕ 12 – **97 ch** 130/160.
◆ Face au golf, un hôtel dont l'architecture et la décoration intérieure s'inspirent de la Louisiane. Tout comme le Vieux Carré qui est un clin d'oeil à La Nouvelle-Orléans.

**Comfort Inn,** 1 r. Lisbonne ☎ 01 48 12 30 30, *confort.rosny@wanadoo.fr, Fax 01 45 28 83 69* – rest, – 30 à 70. AE ⓓ GB AX 61
**Repas** *(fermé 26 juil. au 24 août, 20 déc. au 5 janv., vend. soir, sam. et dim.)* 20/26 ♀ – ☕ 8,40 – **100 ch** 110/125.
◆ Dans une zone commerciale, petites chambres au mobilier contemporain régulièrement rafraîchies. Insonorisation satisfaisante. Ambiance feutrée au bar.

*Dans ce guide*
*un même symbole, un même mot,*
*imprimé en **rouge** ou en **noir**, en maigre ou en **gras**,*
*n'ont pas tout à fait la même signification.*
*Lisez attentivement les pages explicatives.*

## Rueil-Malmaison *92500 Hauts-de-Seine 101 ⑭, 18, 25 G. Ile de France – 66 401 h alt. 40.*

Voir *Château de Bois-Préau★ – Buffet d'orgues★ de l'église – Malmaison : musée★★ du château.*

*Office du Tourisme, 160 avenue Paul Doumer ☎ 01 47 32 35 75, Fax 01 47 14 04 48, rueil-tourisme@easynet.fr.*

*Paris 15 – Argenteuil 12 – Nanterre 3 – St-Germain-en-Laye 9 – Versailles 12.*

**Novotel Atria** Ⓜ, 21 av. Ed. Belin ☎ 01 47 16 60 60, *H1609@accor-hotels.com, Fax 01 47 51 09 29* – rest, – 20 à 180. AE ⓓ GB JCB AW 34
**Repas** *(fermé dim. midi et sam.)* (16) - 21 ♀, enf. 8 – ☕ 13 – **118 ch** 165/190.
◆ Imposant immeuble moderne du quartier d'affaires Rueil 2000, à deux pas de la gare RER. Chambres fonctionnelles, décor contemporain au restaurant et centre de conférences.

**Cardinal** sans rest, 1 pl. Richelieu ☎ 01 47 08 20 20, *hotelcardinal@wanadoo.fr, Fax 01 47 08 35 84* – 15. AE ⓓ GB AY 35
☕ 12 – **63 ch** 180/190.
◆ Construction récente située à proximité des châteaux et parcs. Chambres actuelles ou de style rustique, certaines avec mezzanine pour les familles. Salon-bar confortable.

XX **Rastignac,** 1 pl. Europe ☎ 01 47 32 92 29, *Fax 01 47 32 93 35* – AE GB AW 34
*fermé 30 juil. au 26 août, sam. et dim.* – **Repas** 30 (déj.)/60 et carte 41 à 66 ♀.
◆ Au sein du nouveau quartier d'affaires, ce restaurant propose une cuisine au goût du jour dans une élégante salle à manger évoquant l'univers balzacien du Père Goriot.

XX **Bonheur de Chine,** 6 allée A. Maillol (face 35 av. J. Jaurès) ☎ 01 47 49 88 88, *Fax 01 47 49 48 68* – AE ⓓ GB AZ 37
*fermé lundi* – **Repas** 18 (déj.), 30/43.
◆ Mobilier et autres éléments de décor en provenance d'Extrême-Orient composent le cadre authentique de ce restaurant où confluent toutes les saveurs de la cuisine chinoise.

**Rungis** *94150 Val-de-Marne* 101 ㉖, 24, 25 *– 2 939 h alt. 80 Marché d'Intérêt National.*
*Paris 14 – Antony 5 – Corbeil-Essonnes 28 – Créteil 10 – Longjumeau 12.*

**à Pondorly** : *accès : de Paris, A6 et bretelle d'Orly ; de province, A6 et sortie Rungis*

**Holiday Inn** M, 4 av. Ch. Lindbergh ☎ 01 49 78 42 00, *hiorly.manager@alliance-hospitality.com, Fax 01 45 60 91 25* – 15 à 150. AE GB JCB. rest **BM 50**
**Repas** 25,10/47,30 – 15 – **170 ch** 191/260.
◆ Au bord de l'autoroute, établissement de grand confort dont les chambres, équipées du double vitrage, sont spacieuses et modernes.

**Novotel** M, Zone du Delta, 1 r. Pont des Halles ☎ 01 45 12 44 12, *h1628@accor-hotels.com, Fax 01 45 12 44 13,* – 15 à 150. AE GB **BM 50**
**Repas** *(16)* - carte 22 à 28 – 12 – **187 ch** 146/206.
◆ Les chambres de ce Novotel sont aménagées selon les normes de la chaîne et équipées d'un double vitrage. Bar décoré sur le thème de la B. D.

**St-Cloud** *92210 Hauts-de-Seine* 101 ⑭, 22, 25 *G. Ile de France – 28 597 h alt. 63.*
**Voir** *Parc★★ (Grandes Eaux★★) – Église Stella Matutina★.*
*Paris 13 – Nanterre 7 – Rueil-Malmaison 6 – St-Germain 16 – Versailles 10.*

**Villa Henri IV,** 43 bd République ☎ 01 46 02 59 30, *villa-henri-4@wanadoo.fr, Fax 01 49 11 11 02* – 25. AE GB **BB 38**
*fermé 1er au 17 août* – ***Bourbon*** *(fermé 25 juil. au 23 août, 26 au 31 déc. et dim. soir)* **Repas** *(14)*-19/30 – 7 – **36 ch** 77/96.
◆ Le charme de l'ancien dans cette villa clodoaldienne aux chambres garnies de meubles de style ; toutes sont bien insonorisées. Cuisine traditionnelle au Bourbon.

**Quorum,** 2 bd République ☎ 01 47 71 22 33, *quorum@multi-micro.com, Fax 01 46 02 75 64* – rest, AE GB **BB 38**
**Repas** *(fermé août, sam. et dim.) (16)* - 21 – 7 – **58 ch** 80/87.
◆ Bâtiment récent abritant des chambres rénovées depuis peu, fonctionnelles et équipées d'un double vitrage. Le beau parc de Saint-Cloud (450 ha) est à deux pas.

**Garde-Manger,** 21 r. Orléans ☎ 01 46 02 03 66, *Fax 01 46 02 11 55* – AE GB **BB 39**
*fermé dim.* – **Repas** *(12)* - carte 26 à 35.
◆ Accueil souriant, service décontracté mais efficace et cuisine généreuse sont les atouts de ce petit bistrot de quartier. On y mange au coude à coude.

*Une réservation confirmée par écrit ou par fax est toujours plus sûre.*

**St-Denis** *93200 Seine-St-Denis* 101 ⑯, 20, 25 *G. Île de France – 89 988 h alt. 33.*
**Voir** *Basilique★★★ – Stade de France★.*
*Office du Tourisme, 1 rue de la République ☎ 01 55 87 08 70, Fax 01 48 20 24 11.*
*Paris 11 – Argenteuil 12 – Beauvais 70 – Bobigny 10 – Chantilly 31 – Pontoise 27 – Senlis 44.*

**Suite Hôtel** M sans rest, 31 av. Jules Rimet ☎ 01 49 46 54 54, *H3325@accor-hotels.com, Fax 01 49 46 54 55* – AE GB **AS 51**
10 – **101 ch** 130.
◆ Votre suite à proximité du célèbre stade de France ? Un salon-bureau avec coin bar et, cloisonnable, une chambre habilement agencée ; le tout sur 30 mètres carrés.

**Ibis Stade de France Sud** M sans rest, r. Coquerie ☎ 01 55 93 36 00, *Fax 01 55 93 36 36* – AE GB JCB **AS 51**
6 – **95 ch** 59/95.
◆ Ibis récent proposant des chambres meublées dans le nouveau style de la chaîne, toutes bien insonorisées et équipées de doubles fenêtres côté boulevard.

**Les Verdiots,** 26 bd M. Sembat ☎ 01 42 43 24 33, *verdiotsperney@wanadoo.fr, Fax 01 42 43 43 44* – AE GB **AR 50**
*fermé août, 1er au 8 janv., dim. et lundi* – **Repas** 11 (déj.)/18.
◆ L'une des salles à manger est conviviale et simplement dressée, l'autre est plus intime et cossue. La cuisine du marché privilégie les produits landais.

**St-Germain-en-Laye** *78100 Yvelines* 101 ⑬, 18, 25 *G. Île de France – 39 926 h alt. 78.*
**Voir** *Terrasse★★ – Jardin anglais★ – Château★ : musée des Antiquités nationales★★ – Musée Maurice Denis★.*
*Office du Tourisme, 38 rue au Pain ☎ 01 34 51 05 12, Fax 01 34 51 36 01, saint.germain.en.laye.tourisme@wanadoo.fr.*
*Paris 24 ③ – Beauvais 81 ① – Dreux 66 ③ – Mantes-la-Jolie 36 ④ – Versailles 13 ③.*

# ST-GERMAIN-EN-LAYE

Bonnenfant (R.A.) . . . . . AZ 3
Coches (R. des). . . . . . . AZ 4
Denis (R. M.) . . . . . . . . . AZ 5
Detaille (Pl.) . . . . . . . . . . AY 6
Giraud-Teulon (R.) . . . . . BZ 9
Gde-Fontaine (R.) . . . . . AZ 10
Loges (Av. des) . . . . . . . AY 14
Malraux (Pl. A.) . . . . . . . BZ 16
Marché-Neuf (Pl. du) . . AZ
Mareil (Pl.) . . . . . . . . . . . AZ 19
Pain (R. au). . . . . . . . . . . AZ 20
Paris (R. de) . . . . . . . . . . . AZ
Poissy (R. de). . . . . . . . . . AZ 22
Pologne (R. de) . . . . . . . . AY 23
Surintendance (R. de la). AY 28
Victoire (Pl. de la). . . . . . . AY 30
Vieil-Abreuvoir (R. du). . . AZ 32
Vieux-Marché (R. du) . . . . . . . . . . . . . . AZ 33

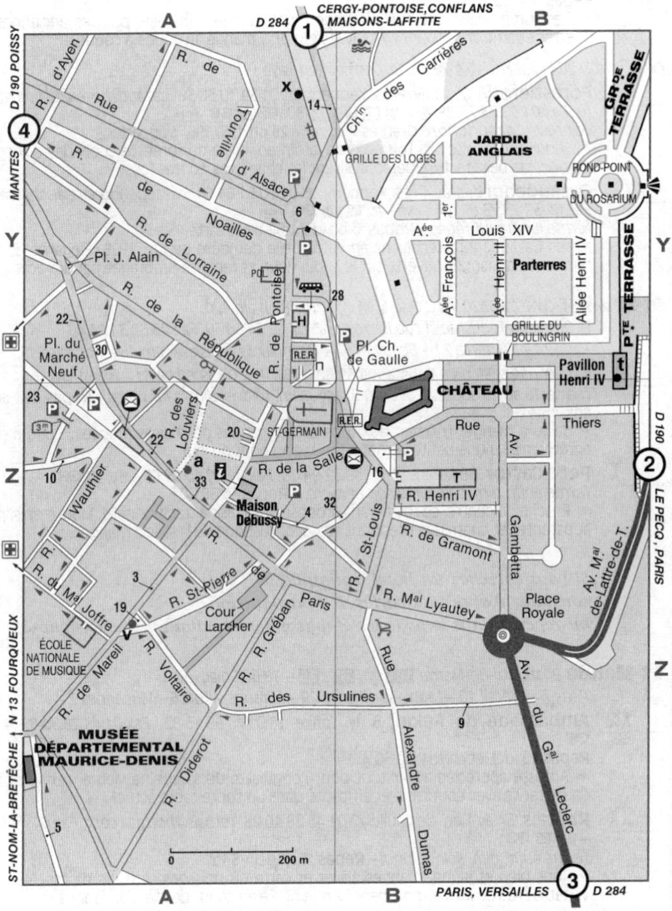
CERGY-PONTOISE, CONFLANS
MAISONS-LAFFITTE
D 284
A
B
Y
Z
D 190 POISSY
MANTES
ST-NOM-LA-BRETÈCHE N 13 FOURQUEUX
D 190
LE PECQ, PARIS
PARIS, VERSAILLES
D 284
JARDIN ANGLAIS
GRILLE DES LOGES
ROND-POINT DU ROSARIUM
GR DE TERRASSE
Pte TERRASSE
Parterres
Allée Henri IV
Aée Louis XIV
Aée François 1er
Aée Henri II
GRILLE DU BOULINGRIN
Pavillon Henri IV
CHÂTEAU
Rue Thiers
R. Henri IV
R. de Gramont
Av. Gambetta
Place Royale
Av. Mal de Lattre-de-T.
Av. du Gal Leclerc
R. Mal Lyautey
Rue Alexandre Dumas
R. des Ursulines
R. Gréban
R. de Paris
Cour Larcher
R. St-Pierre
R. Voltaire
R. Diderot
R. de Mareil
R. du Mal Joffre
R. Wauthier
ÉCOLE NATIONALE DE MUSIQUE
MUSÉE DÉPARTEMENTAL MAURICE-DENIS
Maison Debussy
R. de la Salle
ST-GERMAIN
R.E.R.
R. St-Louis
R. des Louviers
Pl. du Marché Neuf
Pl. J. Alain
R. de la République
R. de Lorraine
R. de Noailles
Rue d'Alsace
R. de Tourville
R. d'Ayen
R. de Pontoise
Pl. Ch. de Gaulle
Ch. des Carrières
0 200 m

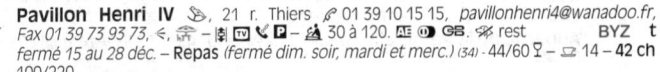

**Pavillon Henri IV** 21 r. Thiers ✆ 01 39 10 15 15, *pavillonhenri4@wanadoo.fr*, *Fax 01 39 73 93 73*, ≤, – |‡| TV ✆ P – 30 à 120. AE ⓞ GB. rest BYZ t
*fermé 15 au 28 déc.* – **Repas** *(fermé dim. soir, mardi et merc.)* (34) - 44/60 ♀ – 14 – **42 ch** 100/220.

◆ Achevée en 1604 sous l'impulsion d'Henri IV, cette belle bâtisse vit naître en 1638 le futur roi Louis XIV. Atmosphère bourgeoise et meubles de style. Panorama sur Paris.

**Ermitage des Loges** M, 11 av. Loges ✆ 01 39 21 50 90, *hotel@ermitagedesloges.com*, *Fax 01 39 21 50 91*, – |‡| TV ✆ P – 30 à 150. AE ⓞ GB. rest AY x
**Repas** 27 ♀ – 13 – **56 ch** 115/147.

◆ Chambres fonctionnelles réparties dans deux bâtiments ; l'annexe, plus récente, bénéficie du calme du jardin. Au restaurant, cadre actuel et cuisine au goût du jour.

**Top Model,** 24 r. St-Pierre ✆ 01 34 51 77 78, *Fax 01 34 51 77 78* – AE GB JCB AZ v
*fermé 15 au 30 nov., dim. soir en hiver et lundi* – **Repas** (nombre de couverts limité, prévenir) 25 (déj.)/24 et carte 55 à 65.
◆ Murs, housses des chaises et nappage : tout est blanc dans ce minirestaurant au cadre contemporain. Cuisine traditionnelle et carte de caviar... pour top models ?

**Feuillantine,** 10 r. Louviers ✆ 01 34 51 04 24, *Fax 01 34 51 49 03* – ▤. AE GB AZ a
**Repas** (18) - 26 ♀.
◆ Restaurant dans une rue piétonne commerçante. En salle, poutres anciennes, banquettes et ambiance "bonne franquette" ; on y mange au coude à coude.

**par** ① *et D 284 : 2,5 km* – ✉ *78100 St-Germain-en-Laye :*

**Forestière** M, 1 av. Prés. Kennedy ✆ 01 39 10 38 38, *cazaudehore@relaischateau.com, Fax 01 39 73 73 88*, – TV P – 30. AE GB JCB
voir rest. ***Cazaudehore*** ci-après – 15 – **25 ch** 155/195, 3 appart.
◆ Séduisante maison entourée d'un jardin en lisière de forêt. Le choix des coloris et un mobilier de belle facture personnalisent les chambres, toutes "cosy".

**Cazaudehore,** 1 av. Prés. Kennedy ✆ 01 30 61 64 64, *cazaudehore@relaischateau.com, Fax 01 39 73 73 88*, – P. AE GB JCB
*fermé lundi sauf fériés* – **Repas** 32 bc (déj.)/62 bc et carte 45 à 79.
◆ Les Cazaudehore reçoivent en cette belle demeure depuis 1928. Élégante et chaleureuse salle à manger ouverte sur le jardin fleuri et terrasse ombragée par des acacias.

## St-Leu-la-Forêt *95320 Val d'Oise* 101 ④ – *14 489 h alt. 120.*

*Office du Tourisme, 1 rue Barrelier ✆ 02 62 34 63 30, Fax 02 62 34 96 45.*
*Paris 27 – Nanterre 21 – Beauvais 62 – Chantilly 32 – L'Isle-Adam 15 – Pontoise 15.*

**Au Lévrier,** 36 bis r. Paris ✆ 01 39 60 00 38, *Fax 01 39 60 08 51* – ▤. AE GB
*fermé 10 au 25 août, 26 déc. au 5 janv., sam. midi et dim. sauf fériés* – **Repas** (22) - 30/46 ♀, enf. 15.
◆ Salles à manger fraîches, aux tons pastel, garnies de chaises drapées ; l'une d'elles est agrémentée d'une petite verrière. Cuisine au goût du jour.

**Petit Castor,** 68 r. Paris ✆ 01 39 32 94 13, *Fax 01 30 40 85 52* – ▤. AE GB
*fermé août, dim. soir, lundi soir et merc.* – **Repas** 16/38,20.
◆ Proche du centre, ce restaurant propose une cuisine traditionnelle. Murs crépis, poutres apparentes et cheminée président au décor rustique de la salle à manger.

***Si vous cherchez un hôtel tranquille,***
***consultez d'abord les cartes de l'introduction***
***ou repérez dans le texte les établissements indiqués avec le signe*** .

## St-Mandé *94160 Val-de-Marne* 101 ㉗, 24, 25 – *18 684 h alt. 50.*

*Paris 7 – Créteil 10 – Lagny-sur-Marne 29 – Maisons-Alfort 6 – Vincennes 2.*

**Ambassade de Pékin,** 6 av. Joffre ✆ 01 43 98 13 82, *Fax 01 43 28 31 93* – ▤. AE GB BA 56
Repas 12 (déj.)et carte 20 à 30 .
◆ Adresse appréciée avant tout pour l'originalité de sa cuisine vietnamienne et thaïlandaise, servie avec courtoisie et efficacité dans un sobre cadre actuel.

**Rhétais,** 34 av. Gén. de Gaulle ✆ 01 43 28 10 28, *rethais@hotmail.com, Fax 01 41 93 73 15* – ▤. AE GB BB 56
*fermé août, dim. soir et lundi* – **Repas** 25,50 (déj.)/33 ♀.
◆ Tons bleu et jaune, marines, vivier et carte où poissons et fruits de mer se volent la vedette : retrouvez l'atmosphère îlienne de Ré au coeur de l'Île... de France !

## St-Maur-des-Fossés *94100 Val-de-Marne* 101 ㉗, 24, 25 – *77 206 h alt. 38.*

*Office de tourisme, 70 avenue de la république ✆ 01 42 83 84 74, Fax 01 42 83 84 74.*
*Paris 12 – Créteil 6 – Nogent-sur-Marne 6.*

**Auberge de la Passerelle,** 37 quai de la Pie ✆ 01 48 83 59 65, *Fax 01 48 89 91 24* – ▤ AE GB BH 61
*fermé août, mardi soir, dim. soir et merc.* – **Repas** 22 (déj.), 29/40 ♀, enf. 10.
◆ Salle à manger aménagée dans une véranda flanquant un pavillon des bords de Marne. Décor sobre et cuisine traditionnelle privilégiant poissons et crustacés.

**Gourmet,** 150 bd Gén. Giraud (quartier de la Pie) ✆ 01 48 86 86 96, *Fax 01 48 86 86 96* – GB BH 62
*fermé 28 août au 10 sept., 3 au 10 janv., dim. soir et lundi* – **Repas** (20) - 25 (déj.), 30/40.
◆ Petite atmosphère Belle Époque en ce restaurant où le chef concocte une cuisine gorgée de soleil. L'été, la terrasse fleurie est très demandée.

**à La Varenne-St-Hilaire** – ✉ *94210 :*

**Winston** sans rest, 119 quai W. Churchill ✆ 01 48 85 00 46, *winston.hotel@online.fr, Fax 01 48 89 98 89* – TV P. AE O GB JCB **BG 65**
☕ 6,50 – **23 ch** 80/95.
◆ Dans un secteur résidentiel, grande chaumière moderne abritant des chambres meublées en bois cérusé, bien tenues et régulièrement rafraîchies.

XXX **Bretèche,** 171 quai Bonneuil ✆ 01 48 83 38 73, *labreteche@cyber-club.org, Fax 01 42 83 63 19,* – AE GB **BJ 64**
*fermé vacances de fév., dim. soir et lundi* – **Repas** 27 et carte 40 à 55 ♀.
◆ Adresse estimée pour son décor élégant et sa cuisine au goût du jour. La terrasse en bord de Marne devient agréable aux heures où les RER se raréfient.

X **Gargamelle,** 23 av. Ch. Péguy ✆ 01 48 86 04 40, *sarl.la.deviniere@wanadoo.fr,* – AE O GB **BG 65**
*fermé 16 août au 1er sept., dim. soir et lundi* – **Repas** 25/31 ♀.
◆ Cuisine simple et goûteuse, service tout sourire et agréable terrasse fleurie sont les atouts de ce restaurant par ailleurs modeste : on s'y bouscule !

## St-Ouen *93400 Seine-St-Denis 101 ⑯, 18 , 25 – 42 343 h alt. 36.*

*Office du Tourisme, place de la République ✆ 01 40 11 77 36, Fax 01 40 11 01 70.*
*Paris 9 – Bobigny 11 – Chantilly 35 – Meaux 48 – Pontoise 27 – St-Denis 5.*

**Sovereign,** 54 quai Seine ✆ 01 40 12 91 29, *sovereign.st.ouen@wanadoo.fr, Fax 01 40 10 89 49* – TV P – 30. AE O GB **AS 49**
**Repas** *(fermé sam. et dim.) (12,34)* - 18,50 ♀ – ☕ 8 – **103 ch** 60/82.
◆ Immeuble récent dominant la Seine. Les petites chambres, équipées d'un mobilier moderne simple, sont égayées de tissus colorés et fleuris.

XX **Coq de la Maison Blanche,** 37 bd J. Jaurès ✆ 01 40 11 01 23, *Fax 01 40 11 67 68,* –. AE O GB JCB **AT 49**
*fermé dim.* – **Repas** 29 et carte 40 à 58 ♀.
◆ Allure de brasserie cossue et cuisine traditionnelle sont les traits principaux de ce restaurant aménagé dans un ancien relais de poste. Service décontracté et efficace.

*Si le coût de la vie subit des variations importantes,*
*les prix que nous indiquons peuvent être majorés.*
*Lors de votre réservation à l'hôtel, faites-vous préciser le prix définitif.*

## St-Pierre-du-Perray *91280 Essonne 101 ㊳ – 3 342 h alt. 88.*

*Paris 39 – Brie-Comte-Robert 18 – Évry 8 – Melun 21.*

**Novotel** M, golf de Greenparc ✆ 01 69 89 75 75, *h1783@accor-hotels.com, Fax 01 69 89 75 50,* , , – TV P – 120. AE O GB JCB
**Repas** *(17)* - 21 ♀, enf. 8 – ☕ 11,50 – **78 ch** 98/115.
◆ De construction récente, cet hôtel dispose de chambres du modèle "dernière génération" de la chaîne ; la moitié d'entre elles offrent une vue sur le golf.

## St-Quentin-en-Yvelines *78 Yvelines 101 ㉑, 25 G. Île de France.*

*Paris 33 – Houdan 32 – Palaiseau 28 – Rambouillet 21 – Versailles 14.*

**Montigny-le-Bretonneux** – *31 687 h. alt. 162* – ✉ *78180 :*

**Mercure** M, 9 pl. Choiseul ✆ 01 39 30 18 00, *h1983@accor-hotels.com, Fax 01 30 57 15 22,* – TV – 20 à 70. AE O GB **BJ 23**
**Repas** *(fermé dim. midi et sam.) (16)* - carte 30 à 34 – ☕ 12 – **74 ch** 112/120.
◆ Intégré à un ensemble immobilier, hôtel dont les chambres, assez grandes, sont d'une discrète élégance : sobriété du décor, harmonie des couleurs et meubles raffinés.

**Auberge du Manet** , 61 av. Manet ✆ 01 30 64 89 00, *mail@aubergedumanet.com, Fax 01 30 64 55 10,* – TV P. AE O GB JCB **BL 21**
**Repas** 23 (dîner), 26/35 ♀ – ☕ 10 – **31 ch** 80/120.
◆ Propriété de l'abbaye de Port-Royal-des-Champs au 17e s., domaine agricole sous la Révolution, et aujourd'hui auberge à l'atmosphère chaleureuse.

**Holiday Inn Garden Court** M, r. J.-P. Timbaud (rte Bois d'Arcy sur D 127) ✆ 01 30 14 42 00, *higcsaintquentin@alliance-hospitality.com, Fax 01 30 14 42 42,* – TV P – 20 à 60. AE O GB JCB **BH 22**
**Repas** *(fermé vend. soir, dim. midi et sam.)* 22 ♀ – ☕ 10 – **81 ch** 135.
◆ Dans le quartier du Pas-du-Lac, établissement moderne dont les chambres, plutôt petites, meublées dans un style actuel, sont bien équipées et rigoureusement tenues.

**Voisins-le-Bretonneux** – *11 220 h. alt. 163 – ✉ 78960 .*

*Voir Vestiges de l'abbaye Port-Royal des Champs★ SO : 4 km.*

🏨 **Novotel St-Quentin Golf National** Ⓜ, au Golf National, Est : 2 km par D 36 ✉ 78114 Magny-lès-Hameaux ✆ 01 30 57 65 65, *h1139@accor-hotels.com, Fax 01 30 57 65 00*, ≤, 🏞, 🏋, 🏊, 🌳, 🎾 – |🛗| ⇔ 🍽 📺 📞 ♿ 🅿 – 🎪 15 à 180. AE ⊙ GB **BN 25**
**Repas** *(16)* - carte 30 à 37 🍷 – ☕ 12 – **131 ch** 107/190.
◆ Environnement calme du golf, chambres confortables, parfois dotées d'un balcon : des atouts pouvant séduire la clientèle, principalement d'affaires, de cet hôtel.

🏨 **Relais de Voisins** 🐦, av. Grand-Pré ✆ 01 30 44 11 55, *Fax 01 30 44 02 04*, 🏞 – 📺 📞 ♿ 🅿 – 🎪 40. GB **BM 23**
*fermé 20 juil. au 18 août* – **Repas** *(fermé dim. soir)* 12,50/25 – ☕ 6 – **53 ch** 56/60.
◆ Dans un quartier résidentiel et juste à côté du jardin botanique, établissement proposant des chambres très simplement meublées, mais fonctionnelles et bien tenues.

🏨 **Port Royal** 🐦 sans rest, 20 r. H. Boucher ✆ 01 30 44 16 27, *Fax 01 30 57 52 11*, 🌳 – 📺 📞 ♿ 🅿. GB **BM 24**
*fermé 8 au 18 août et 26 déc. au 4 janv.* – ☕ 7 – **36 ch** 53/57.
◆ Niché dans une impasse, hôtel dont les chambres, de style rustique ou moderne, sont agréablement lambrissées, mais aussi plus simples, au dernier étage.

**Ste-Geneviève-des-Bois** *91700 Essonne* **101** *㉟, G. Île de France – 31 286 h alt. 78.*

*ℹ Office de tourisme, 8 avenue du Château ✆ 01 60 16 29 33, Fax 01 60 15 56 78.*

*Paris 27 – Arpajon 12 – Corbeil-Essonnes 16 – Étampes 30 – Évry 9 – Longjumeau 10.*

XX **Table d'Antan,** 38 av. Gde Charmille du Parc, près H. de Ville ✆ 01 60 15 71 53, *Fax 01 60 15 71 53* – 🍽. AE GB. ⛔ **CC 48**
*fermé 5 août au 3 sept., mardi soir, merc. soir, dim. soir et lundi* – **Repas** 26/45 🍷.
◆ Nouveau décor, dans les tons bordeaux, pour cet aimable restaurant égaré dans un ensemble résidentiel. Carte traditionnelle agrémentée de spécialités du Sud-Ouest .

**Savigny-sur-Orge** *91600 Essonne* **101** *㊱ – 33 295 h alt. 81.*

*ℹ Office du Tourisme, place Davout ✆ 01 69 24 17 52, Fax 01 69 05 58 28.*

*Paris 23 – Arpajon 20 – Corbeil-Essonnes 16 – Évry 11 – Longjumeau 6.*

XX **Au Ménil,** 24 bd A. Briand ✆ 01 69 05 47 48, *Fax 01 69 44 09 44* – 🍽. AE GB **BX 50**
*fermé 20 juil. au 20 août, 20 au 27 janv., lundi et mardi* – **Repas** *(13,50)* - 26/43 🍷.
◆ Accueil chaleureux, service attentionné et copieuse cuisine sans tralala sont les atouts de ce restaurant au cadre de bistrot. Il n'est pas rare qu'on s'y bouscule !

**Soisy-sur-Seine** *91450 Essonne* **101** *㊲ – 7 145 h alt. 39.*

*Paris 34 – Évry 5 – Fontainebleau 40 – Chartres 84 – Étampes 40 – Melun 26.*

XX **Terrasse des Donjons,** 74 av. République ✆ 01 60 75 66 06, *Fax 01 60 75 66 44*, 🏞 – GB **CB 59**
*fermé sam. midi, dim. soir, lundi et fériés* – **Repas** 25/30.
◆ En 1905, cette maison faisait commerce de vins. Aujourd'hui, la même enseigne signale un restaurant. Salle à manger contemporaine complétée d'une terrasse abritée.

**Sucy-en-Brie** *94370 Val-de-Marne* **101** *㉘,* **24** *,* **25** *– 25 839 h alt. 96.*

*Voir Château de Gros Bois★ : mobilier★★ S : 5 km,* **G. Ile de France.**

*Paris 22 – Créteil 6 – Chennevières-sur-Marne 4.*

**quartier les Bruyères** *Sud-Est : 3 km :*

🏨 **Tartarin** 🐦, carrefour de la Patte d'Oie ✆ 01 45 90 42 61, *tartarin@9online.fr, Fax 01 45 90 52 55*, 🏞 – 📺 📞 – 🎪 30. GB **BM 68**
*fermé août* – **Repas** *(fermé mardi soir , merc. soir , jeudi soir et lundi)* 19,50/44 – ☕ 6 – **12 ch** 45/50.
◆ Depuis trois générations, la même famille vous reçoit dans cet ancien rendez-vous de chasse posté à l'orée de la forêt. Il y règne une chaleureuse atmosphère campagnarde.

XX **Terrasse Fleurie,** 1 r. Marolles ✆ 01 45 90 40 07, *Fax 01 45 90 40 07*, 🏞 – 🅿. AE GB **BM 68**
*fermé 4 au 28 août, le soir (sauf vend. et sam.) et merc.* – **Repas** 18/32, enf. 10.
◆ Aménagé dans un pavillon, restaurant dont la cuisine, simple et généreuse, se savoure dans la salle à manger rustique ou sur l'agréable terrasse fleurie.

**Suresnes** *92150 Hauts-de-Seine* 101 ⑭, 18, 25 *G. Ile de France* – *35 998 h alt. 42.*

Voir *Fort du Mont Valérien (Mémorial National de la France combattante).*

*Office du Tourisme, 50 boulevard Henri Sellier* ☎ *01 41 18 18 76, Fax 01 41 18 18 78.*

*Paris 12 – Nanterre 4 – Pontoise 32 – St-Germain-en-Laye 13 – Versailles 14.*

**Novotel,** 7 r. Port aux Vins ☎ 01 40 99 00 00, *h1143@accor-hotels.com, Fax 01 45 06 60 06* – – 25 à 100. AE GB **AY 40**
**Repas** 25/30 – 12,50 – **107 ch** 95/164, 3 appart.
◆ Hôtel de chaîne construit en 1990 dans une rue calme proche des quais. Chambres fonctionnelles insonorisées et bien tenues. Restaurant actuel ouvert sur un îlot de verdure.

**Astor** sans rest, 19 bis r. Mt Valérien ☎ 01 45 06 15 52, *HOTEL-ASTOR@wanadoo.fr, Fax 01 42 04 65 29* – . AE GB **AY 39**
5 – **50 ch** 63.
◆ À 200 m du Mont Valérien - lieu de mémoire de la Résistance - établissement familial aux petites chambres sans luxe, propres et équipées d'un double vitrage efficace.

**Les Jardins de Camille,** 70 av. Franklin Roosevelt ☎ 01 45 06 22 66, *les-jardins-de-camille@wanadoo.fr, Fax 01 47 72 42 25,* ←, – AE GB JCB **AY 39**
*fermé dim. soir* – **Repas** 31.
◆ Magnifique vue sur Paris et la Défense depuis la salle et l'une des terrasses de cette ancienne ferme transformée en restaurant. Belle carte de vins bourguignons.

**Tremblay-en-France** *93290 Seine-St-Denis* 101 ⑱, 20, 25 – *31 385 h alt. 60.*

*Paris 24 – Aulnay-sous-Bois 7 – Bobigny 14 – Villepinte 4.*

**Relais Gourmand,** 2 rte Petits Ponts ☎ 01 48 60 87 34, *relais9@club-internet.fr, Fax 01 49 63 85 47* – . AE GB **AL 68**
*fermé 1er au 8 mai, 21 juil. au 18 août, sam. midi, dim. soir et lundi* – **Repas** 34 et carte 50 à 66 ♀.
◆ À 10 mn de l'aéroport de Roissy, dégustez une cuisine classique renouvelée chaque saison dans cette salle d'esprit années 1980. Bon choix de gibier en automne.

**au Tremblay-Vieux-Pays :**

**Cénacle,** 1 r. Mairie ✉ 93290 ☎ 01 48 61 32 91, *Fax 01 48 60 43 89* – AE GB **AJ 68**
*fermé août, sam et dim.* – **Repas** 36/52, enf. 16.
◆ Cette façade assez anodine dissimule trois élégantes petites salles à manger : tons ocre, tableaux, sièges cannés et, apanage de l'une d'elles, aquarium à crustacés.

**Triel-sur-Seine** *78510 Yvelines* 101 ①, *G. Île de France* – *9 615 h alt. 20.*

Voir *Église St-Martin★.*

*Paris 38 – Mantes-la-Jolie 27 – Pontoise 17 – Rambouillet 55 – St-Germain-en-Laye 12.*

**St-Martin,** 2 r. Galande (face Poste) ☎ 01 39 70 32 00 – AE GB
*fermé 5 au 29 août, merc. et dim.* – **Repas** (nombre de couverts limité, prévenir) 20/45.
◆ À côté d'une jolie église gothique du 13e s., restaurant proposant une cuisine traditionnelle actualisée dans un coquet décor d'inspiration rustique.

**Vanves** *92170 Hauts-de-Seine* 101 ㉕, 22, 25 – *25 967 h alt. 61.*

*Syndicat d'Initiative, 2 rue Louis Blanc* ☎ *01 47 36 03 26, Fax 01 47 36 06 63.*

*Paris 7 – Boulogne-Billancourt 5 – Nanterre 13.*

**Mercure Porte de la Plaine** Ⓜ, 36 r. Moulin ☎ 01 46 48 55 55, *H0375@accor-hotels.com, Fax 01 46 48 56 56* – – 20 à 180. AE GB JCB **BD 45**
**Repas** *(18)* - 22 ♀, enf. 9,50 – 13 – **384 ch** 195/205, 4 appart.
◆ Face au parc des expositions, bâtiment des années 1980 abritant des chambres bien insonorisées. Peu à peu rénovées, elles adoptent un décor actuel. Restaurant-atrium.

**Ibis** Ⓜ sans rest, 43 r. J. Bleuzen ☎ 01 40 95 80 00, *Fax 01 40 95 96 99* – . AE GB **BD 45**
6 – **71 ch** 79.
◆ Près de la station de métro Malakoff-Plateau de Vanves. L'hôtel est tranquille, les chambres sont fonctionnelles et bien tenues. Préférez celles donnant sur l'arrière.

**Pavillon de la Tourelle,** 10 r. Larmeroux ☎ 01 46 42 15 59, *pavillontourelle@wanadoo.fr, Fax 01 46 42 06 27,* , – P. AE GB JCB **BE 44**
*fermé 28 juil. au 25 août, 16 au 23 fév., dim. soir et lundi* – **Repas** *(25)* - 33/79 bc et carte 55 à 70, enf. 23.
◆ Bordant le parc municipal, ce pavillon surmonté d'une tourelle abrite un élégant restaurant : tons pastel, sièges de style Louis XVI et bouquets de fleurs fraîches.

**Vaucresson** *92420 Hauts-de-Seine* 101 ㉓, 22, 25 – *8 118 h alt. 160.*

**Voir** *Etang de St-Cucufa★ NE : 2,5 km – Institut Pasteur - Musée des Applications de la Recherche★ à Marnes-la-Coquette SO : 4 km,* **G. Ile de France.**

*Paris 18 – Mantes-la-Jolie 44 – Nanterre 10 – St-Germain-en-Laye 11 – Versailles 5.*

Voir plan de Versailles

XXX **Auberge de la Poularde,** 36 bd Jardy (près autoroute) D 182 ✆ 01 47 41 13 47, *Fax 01 47 41 13 47,* – P. AE GB JCB U a
*fermé août, vacances de fév., dim. soir, mardi soir et merc.* – **Repas** 28 et carte 31,50 à 63.
◆ Accueil aimable et service impeccable distinguent cette auberge à la charmante atmosphère provinciale. La carte, classique, met la poularde de Bresse à l'honneur.

**Vélizy-Villacoublay** *78140 Yvelines* 101 ㉔, 22, 25 – *20 725 h alt. 164.*

*Paris 19 – Antony 12 – Chartres 82 – Meudon 8 – Versailles 6.*

**Holiday Inn** M, av. Europe, près centre commercial Vélizy II ✆ 01 39 46 96 98, *hivelizy@alliance-hospitality.com, Fax 01 34 65 95 21,* – – 170. AE GB. rest BJ 39
**Repas** 23/38 – 15 – **182 ch** 250/280.
◆ Les chambres de cet établissement sont confortables et bien tenues, plus actuelles au sixième étage. Préférez celles tournant le dos à l'autoroute.

**Vernouillet** *78540 Yvelines* 101 ① *G. Île de France – 8 676 h alt. 24.*

**Voir** *Clocher★ de l'église.*

*Paris 37 – Mantes-la-Jolie 25 – Pontoise 19 – Rambouillet 53 – Versailles 28.*

XX **Les Charmilles** avec ch, 38 av. P. Doumer ✆ 01 39 71 64 02, *Fax 01 39 65 98 62,* , – – 30. AE GB
*fermé 6 au 29 août* – **Repas** *(fermé dim. soir, mardi midi et lundi)* 26 – 5,50 – **9 ch** 34/54.
◆ Belle résidence de banlieue abritant un restaurant chaleureux et élégant. La terrasse d'été s'avance vers un jardin dont la végétation masque les constructions alentour.

**Versailles** P *78000 Yvelines* 101 ㉓, 22, 25 *G. Île de France – 87 789 h alt. 130.*

**Voir** *Château★★★ – Jardins★★★ (Grandes Eaux★★★ et fêtes de nuit★★★ en été) – Ecuries Royales★ – Trianon★★ – Musée Lambinet★* **Y M.**

**Env.** *Jouy-en-Josas : la "Diège"★ (statue) dans l'église, 7 km par ③.*

*Office du Tourisme, 2 bis avenue de Paris ✆ 01 39 24 88 88, Fax 01 39 24 88 89, tourisme@ot-versailles.fr.*

*Paris 20 ① – Beauvais 94 ⑨ – Dreux 59 ⑥ – Évreux 90 ⑧ – Melun 66 ④ – Orléans 129 ④.*

Plans pages suivantes

**Trianon Palace** M, 1 bd Reine ✆ 01 30 84 50 00, *trian@westin.com, Fax 01 30 84 50 01,* , , , , – , ch, – 15 à 200 X r
Voir rest. ***Les Trois Marches*** ci-après **- *Café Trianon* :** **Repas** carte 50 à 70 , enf. 15 – **166 ch** 450/540, 26 appart.
◆ L'architecture classique de ce luxueux hôtel situé en lisière du parc du château s'accorde avec un élégant décor du début du 20^e^ s. Bel espace de remise en forme.

**Sofitel Château de Versailles** M, 2 bis av. Paris ✆ 01 39 07 46 46, *H1300@accor-hotels.com, Fax 01 39 07 46 47,* , – – 120. AE GB JCB Y a
**Repas** *(fermé 26 juil. au 24 août et sam. midi)* 27 – 19,50 – **146 ch** 360, 6 appart.
◆ Des anciens manèges d'artillerie, il n'a été conservé que le portail. Vastes chambres rénovées, dotées d'un mobilier de style et agrémentées de lithographies.

**Versailles** M sans rest, 7 r. Ste-Anne ✆ 01 39 50 64 65, *info@hotel-le-versailles.fr, Fax 01 39 02 37 85* – – 25. AE GB JCB Y p
10 – **46 ch** 85/108.
◆ Chambres spacieuses, mobilier d'inspiration Art déco, calme, jolie terrasse et accueil attentionné : autant de raisons expliquant le succès de ce plaisant hôtel. Clients fidèles.

**Résidence du Berry** M sans rest, 14 r. Anjou ✆ 01 39 49 07 07, *resa@hotel-berry.com Fax 01 39 50 59 40* – . AE GB JCB – 10 – **39 ch** 105/125. Z s
◆ Entre carrés St-Louis et potager du Roi, immeuble du 18^e^ s. abritant des petites chambres intimes et joliment personnalisées. Certaines s'agrémentent de poutres apparentes.

**Mercure** M sans rest, 19 r. Ph. de Dangeau ✆ 01 39 50 44 10, *hotel@mercure-versaille.com, Fax 01 39 50 65 11* – – 35. AE GB JCB Y r
7,80 – **60 ch** 89/97.
◆ Dans un quartier calme, établissement dont les chambres sont avant tout pratiques. Hall d'accueil bien meublé, ouvrant sur une agréable salle des petits-déjeuners.

# VERSAILLES

Bellevue (Av. de) . . . . . . . U 2
Coste (R.) . . . . . . . . . . . . . V 9
Dr-Schweitzer (Av. du) . . U 12
Franchet-d'Esperey (Av. du Mar.) . . . . . . . . . U 15
Glatigny (Bd de) . . . . . . . U 19
Leclerc (Av. du Gén.) . . . V 22
Marly-le-Roi (R. de) . . . . . U 26
Mermoz (R. Jean) . . . . . . V 27
Moxouris (R.) . . . . . . . . . . U 29
Napoléon-III (Rte). . . . . . . U 30
Pelin (R. L.) . . . . . . . . . . . U 32
Porchefontaine (Av. de). . . . . . . . . . . . . . V 33
Pottier (R.). . . . . . . . . . . . . U 35
Rocquencourt (Av. de) . . . U 39
St-Antoine (Allée) . . . . . . . V 40
Sports (R. des) . . . . . . . . . U 43
Vauban (R.) . . . . . . . . . . . . V 45

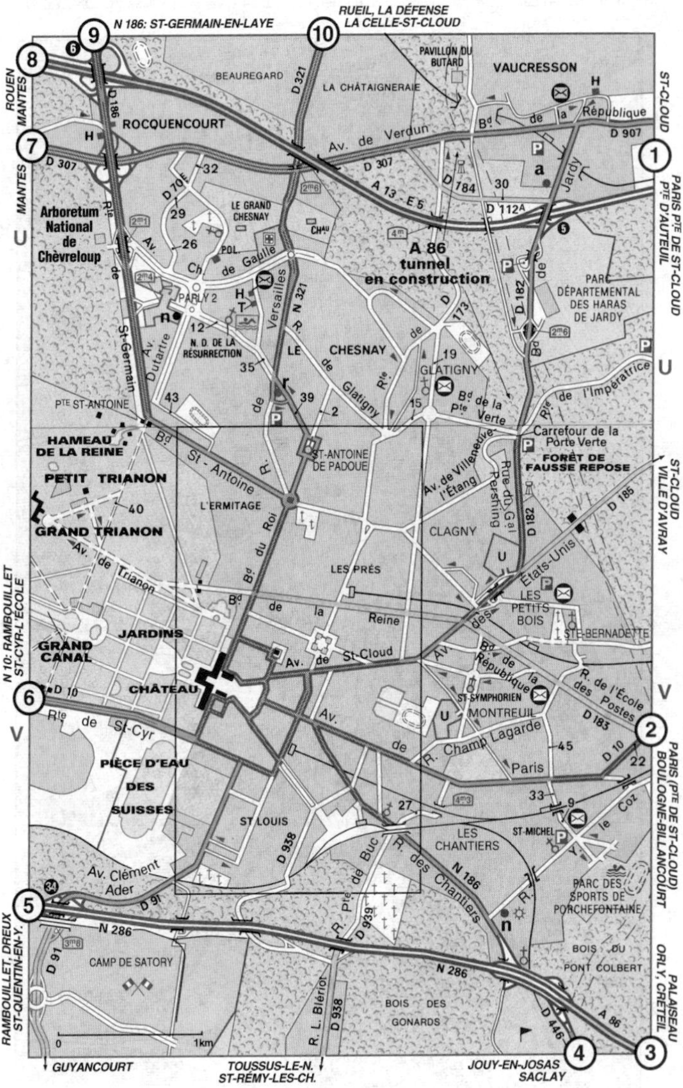
N 186: ST-GERMAIN-EN-LAYE
RUEIL, LA DÉFENSE
LA CELLE-ST-CLOUD
ROUEN
MANTES
ST-CLOUD
PARIS Pte DE ST-CLOUD
Pte D'AUTEUIL
BEAUREGARD
LA CHÂTAIGNERAIE
PAVILLON DU BUTARD
VAUCRESSON
ROCQUENCOURT
Av. de Verdun
Bd de la République
A 13 - E 5
Arboretum National de Chèvreloup
LE GRAND CHESNAY
A 86
tunnel
en construction
PARC DÉPARTEMENTAL DES HARAS DE JARDY
Ch. de Gaulle
PARLY 2
N. D. DE LA RÉSURRECTION
LE CHESNAY
GLATIGNY
Bd de la Pte Verte
Pte de l'Impératrice
Pte ST-ANTOINE
HAMEAU DE LA REINE
PETIT TRIANON
GRAND TRIANON
Bd St-Antoine
ST-ANTOINE DE PADOUE
L'ERMITAGE
Carrefour de la Porte Verte
FORÊT DE FAUSSE REPOSE
Av. de Villeneuve-l'Étang
Rue du Gal Pershing
CLAGNY
LES PRÉS
Av. des États-Unis
Av. de Trianon
Bd de la Reine
LES PETITS BOIS
STE-BERNADETTE
JARDINS
GRAND CANAL
CHÂTEAU
Av. de St-Cloud
Bd de la République
R. de l'École des Postes
ST-SYMPHORIEN
MONTREUIL
Rte de St-Cyr
R. Champ Lagarde
Av. de Paris
PIÈCE D'EAU DES SUISSES
ST LOUIS
LES CHANTIERS
ST-MICHEL
R. des Chantiers
R. le Coz
Av. Clément Ader
PARC DES SPORTS DE PORCHEFONTAINE
N 286
CAMP DE SATORY
BOIS DU PONT COLBERT
BOIS DES GONARDS
R. L. Blériot
N 10: RAMBOUILLET ST-CYR-L'ÉCOLE
RAMBOUILLET, DREUX ST-QUENTIN-EN-Y.
ST-CLOUD VILLE D'AVRAY
PARIS (Pte DE ST-CLOUD) BOULOGNE-BILLANCOURT
PALAISEAU ORLY, CRÉTEIL
GUYANCOURT
TOUSSUS-LE-N.
ST-RÉMY-LES-CH.
JOUY-EN-JOSAS
SACLAY
0
1km

*Si le coût de la vie subit des variations importantes,*
*les prix que nous indiquons peuvent être majorés.*
*Lors de votre réservation à l'hôtel, faites-vous préciser le prix définitif.*

# VERSAILLES

Carnot (R.) . . . . . . . . . . . . . **Y**
Chancellerie (R. de la) . . . **Y** 3
Clemenceau (R. Georges) . . . . . . . . . **Y** 7
Cotte (R. Robert-de) . . . . **Y** 10
États-Généraux (R. des) . **Z**
Europe (Av. de l') . . . . . . . **Y** 14
Foch (R. du Mar.) . . . . . **XY**
Gambetta (Pl.) . . . . . . . . . . **Y** 17
Gaulle (Av. Gén.-de) . . . **YZ** 18
Hoche (R.) . . . . . . . . . . . . . **Y**
Indép. Américaine (R. de l') . . . . . . . . . . . . **Y** 20
Leclerc (R. du Gén.) . . . . **Z** 24
Mermoz (R. Jean) . . . . . . . . **Z** 27
Nolhac (R. Pierre-de) . . . . . **Y** 31
Orangerie (R. de l') . . . . . **YZ**
Paroisse (R. de la) . . . . . . . **Y**
Porte de Buc (R. de la) . . . **Z** 34
Rockefeller (Av.) . . . . . . . . . **Y** 37
Royale (R.) . . . . . . . . . . . . . . **Z**
Satory (R. de) . . . . . . . . . . **YZ** 42
Vieux-Versailles (R. du) . . **YZ** 47

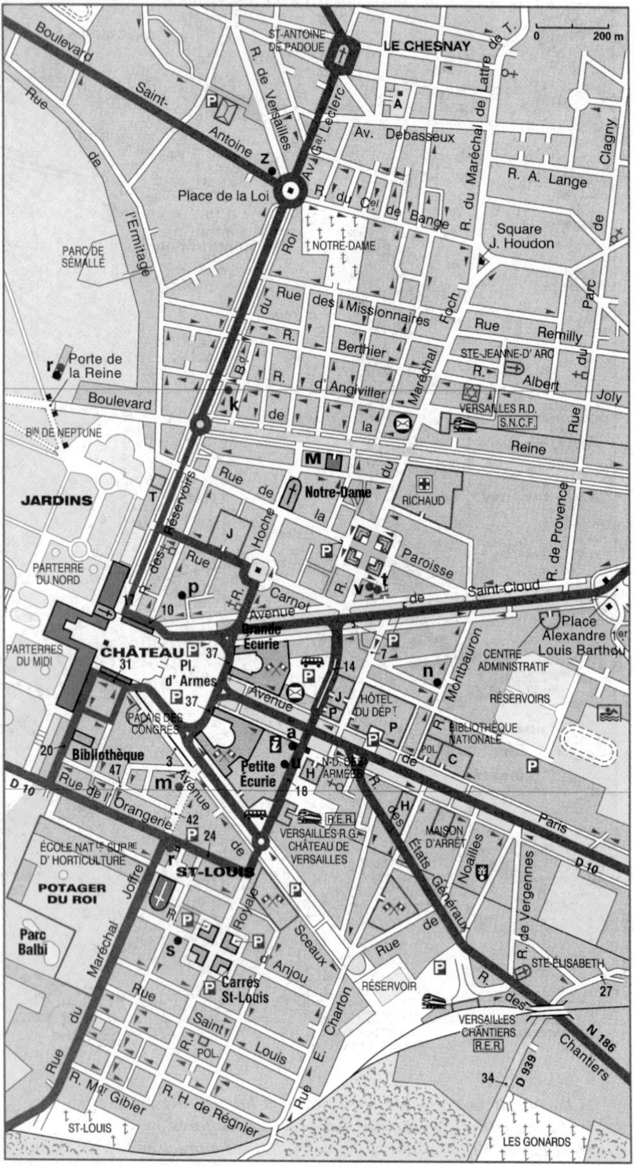
ST-ANTOINE DE PADOUE
LE CHESNAY
0
200 m
Boulevard Saint-Antoine
Rue de l'Ermitage
R. de Versailles
Av. Gal Leclerc
Av. Debasseux
R. du Maréchal de Lattre de T.
Clagny
R. A. Lange
Place de la Loi
R. du Cel de Bange
Square J. Houdon
NOTRE-DAME
PARC DE SÉMALLE
Rue du Parc de Clagny
Rue des Missionnaires
Rue Remilly
R. Berthier
Av. de Paris
R. d'Angiviller
Bd de la Reine
Foch
Maréchal
STE-JEANNE-D'ARC
R. Albert Joly
Porte de la Reine
Boulevard de la Reine
VERSAILLES R.D.
S.N.C.F.
BIN DE NEPTUNE
Rue Hoche
Rue de la Paroisse
Notre-Dame
RICHAUD
JARDINS
R. des Réservoirs
R. de Provence
PARTERRE DU NORD
Rue Carnot
Avenue de Saint-Cloud
Place Alexandre 1er Louis Barthou
Grande Écurie
CHÂTEAU
Pl. d'Armes
PARTERRES DU MIDI
CENTRE ADMINISTRATIF
Montbauron
HÔTEL DU DÉPT
RÉSERVOIRS
PALAIS DES CONGRÈS
BIBLIOTHÈQUE NATIONALE
Bibliothèque
Petite Écurie
N.-D. DES ARMÉES
POL.
D 10
Rue de l'Orangerie
Avenue de Sceaux
VERSAILLES R.G. CHÂTEAU DE VERSAILLES
R.E.R.
MAISON D'ARRÊT
R. des États Généraux
Noailles
ÉCOLE NATLE SUPRE D'HORTICULTURE
ST-LOUIS
POTAGER DU ROI
Joffre
Rue Royale
Rue d'Anjou
R. de Vergennes
Parc Balbi
Rue du Maréchal Joffre
Carrés St-Louis
Rue de Satory
RÉSERVOIR
STE-ÉLISABETH
R. des Chantiers
Rue Saint-Louis
Rue E. Charton
VERSAILLES CHANTIERS
N 186
D 939
R. Mgr Gibier
R. H. de Régnier
ST-LOUIS
LES GONARDS
X
Y
Z

**Ibis** sans rest, 4 av. Gén. de Gaulle ✆ 01 39 53 03 30, *Fax 01 39 50 06 31* – . AE GB Y u
6 – **85 ch** 79.
◆ L'hôtel partage les murs de cet immeuble avec le Sofitel. Aucune chambre ne donne directement sur l'avenue ; réservez-en une relookée dans le nouvel esprit de la chaîne.

**Les Trois Marches** - Hôtel Trianon Palace, 1 bd Reine ✆ 01 39 50 13 21, *gerard.vie@westin.com, Fax 01 30 21 01 25,* ←, – P. AE GB JCB X r
*fermé août, dim. et lundi* – **Repas** 58 (déj.)/145 ♀.
◆ Cuisine raffinée, élégant décor et baies vitrées s'ouvrant sur le parc et le jardin à la française : ah, si Sacha Guitry nous contait Versailles aujourd'hui !
**Spéc.** Saint-Jacques en crème de bouchot (oct. à mars). Lièvre à la royale (nov.-déc.). Velouté café, petite brioche et coulis chocolaté.

**Valmont,** 20 r. au Pain ✆ 01 39 51 39 00, *levalmont@wanadoo.fr, Fax 01 39 49 98 29,* – . AE GB JCB Y v
*fermé dim. soir et lundi* – **Repas** 19 (déj.)/27 ♀.
◆ Façade engageante, sièges de style Louis XVI, peintures de paysages franciliens : une sympathique adresse où vous savourerez une cuisine personnalisée.

**Marée de Versailles,** 22 r. au Pain ✆ 01 30 21 73 73, *mareedeversailles@tiscali.fr, Fax 01 39 49 98 29,* – . AE GB Y t
*fermé dim. et lundi* – **Repas** carte 35 à 50 ♀.
◆ On mange au coude à coude une cuisine orientée "produits de la mer" dans ce restaurant décoré sur le thème nautique. En été, la terrasse est prise d'assaut.

**Potager du Roy,** 1 r. Mar.-Joffre ✆ 01 39 50 35 34, *Fax 01 30 21 69 30* – AE GB Z r
*fermé dim. et lundi* – **Repas** 23 bc (déj.), 30/45.
◆ Cadre gentiment "rétro" et cuisine au goût du jour mettant à l'honneur les légumes : l'enseigne elle-même insiste sur la proximité du potager du Roi !

**Étape Gourmande,** 125 r. Yves Le Coz ✆ 01 30 21 01 63, – GB V n
*fermé août, 22 déc. au 2 janv., dim. soir, mardi soir et merc.* – **Repas** (nombre de couverts limité, prévenir) 38.
◆ L'hiver, attablez-vous près de l'âtre dans la salle rustique. L'été, goûtez au privilège d'un jardin au coeur de la ville. Cuisine personnalisée évoluant au gré des saisons.

**Cuisine Bourgeoise,** 10 bd Roi ✆ 01 39 53 11 38, *la.cuisine.bougeoise@wanadoo.fr, Fax 01 39 53 25 26* – AE GB XY k
*fermé 5 au 25 août, sam. midi, dim. et lundi* – **Repas** 29,50 (déj.), 46/65 bc.
◆ Un nouveau décor est venu égayer ce restaurant versaillais : murs blancs rehaussés de tableaux et boiseries, tissus orangés et chaises drapées. Cuisine au goût du jour.

**Le Falher,** 22 r. Satory ✆ 01 39 50 57 43, *restaurant-le-falher@wanadoo.fr, Fax 01 39 49 04 66* – GB. Y m
*fermé sam. midi, dim. et lundi* – **Repas** *(21)* - 28/34.
◆ Nappes colorées, petites lampes sur les tables et reproductions de tableaux agrémentent cette salle de restaurant au décor rustique. Accueil familial. Cuisine au goût du jour.

**au Chesnay** – *29 542 h. alt. 120 – ✉ 78150 :*

**Novotel** M, 4 bd St-Antoine ✆ 01 39 54 96 96, *h1022@accor-hotels.com, Fax 01 39 54 94 40* – – 90. AE GB X z
**Repas** *(16)* - 21 ♀, enf. 8 – 11,50 – **105 ch** 107/115.
◆ Établissement récent situé sur un rond-point. Un atrium égayé de plantes vertes dessert un restaurant au cadre moderne et des chambres rajeunies et bien insonorisées.

**Ibis** sans rest, av. Dutartre, centre commercial Parly II ✆ 01 39 63 37 93, *H0939-ACT2003@accor-hotels.com, Fax 01 39 55 18 66* – . AE GB U n
6 – **72 ch** 71.
◆ Ibis intégré dans un vaste centre commercial. Deux types de chambres : celles rénovées bénéficient d'un décor "new look" ; moquettes murales et crépis pour les autres.

*Ecrivez-nous...*
*Vos louanges comme vos critiques seront examinées avec le plus grand soin.*
*Nous reverrons sur place les informations que vous nous signalez.*
*Par avance merci !*

## Le Vésinet *78110 Yvelines* 101 ⑬, 18, 25 – *15 945 h alt. 44.*

*Office du Tourisme, 3 avenue des Pages ☎ 01 30 15 47 80, Fax 01 30 15 47 77.*

*Paris 19 – Maisons-Laffitte 9 – Pontoise 23 – St-Germain-en-Laye 4 – Versailles 12.*

**Auberge des Trois Marches,** 15 r. J. Laurent (pl. Église) ☎ 01 39 76 10 30, *Fax 01 39 76 62 58* – 🛗, ▤ rest, 📺 📞. AE ⓓ GB **AW 31**
*fermé 17 au 25 août* – **Repas** *(fermé dim. soir et lundi midi)* (22) - 27 ♀ – ☕ 7,32 – **15 ch** 71/98.
◆ Cette auberge familiale à la sympathique atmosphère provinciale propose des chambres fonctionnelles, refaites par étapes. Fresque évoquant les années 1930 au restaurant.

## Ville d'Avray *92410 Hauts-de-Seine* 101 ㉔ – *11 616 h alt. 130.*

*Paris 14 – Antony 16 – Boulogne-Billancourt 5 – Neuilly-sur-Seine 10 – Versailles 6.*

**Les Étangs de Corot** Ⓜ, 53 r. Versailles ☎ 01 41 15 37 00, *reception.corot@sodexho-prestige.fr, Fax 01 41 15 37 99,* ☂, 🌳 – 🛗 ⛔ ▤ 📺 📞 ♿ 🚗 – 🔔 110. AE ⓓ GB
***Cabassud*** ☎ 01 41 15 37 60 *(fermé 3 août au 1er sept., dim. et lundi)* **Repas** 36(déj.)/58 –
***Café des Artistes et des Pêcheurs*** ☎ 01 41 15 37 90 **Repas** 24/26 ♀ – ***Les Paillotes*** ☎ 01 41 15 37 80 *(mai-oct. et fermé lundi et mardi)* **Repas** 37 ♀, enf. 16 – ☕ 19 – **49 ch** 208/256
◆ Ce ravissant hameau posté au bord d'un étang inspira le peintre Camille Corot. Restauré et agrandi, il abrite aujourd'hui un bel hôtel, trois restaurants et une galerie d'art.

## Villeneuve-la-Garenne *92390 Hauts-de-Seine* 101 ⑮, 20, 25 – *23 824 h alt. 30.*

*Paris 13 – Nanterre 13 – Pontoise 24 – St-Denis 3 – St-Germain-en-Laye 23.*

**Les Chanteraines,** av. 8 Mai 1945 ☎ 01 47 99 31 31, *Fax 01 41 21 31 17,* ←, ☂ – 🅿. AE GB **AP 48**
*fermé 6 au 27 août, sam. et dim.* – **Repas** 28,70 ♀.
◆ Comptoir en marqueterie chiné aux "puces", collection de grenouilles (clin d'oeil à l'enseigne) et vue sur le parc (70 ha) et le plan d'eau font le charme de ce restaurant.

## Villeneuve-le-Roi *94290 Val-de-Marne* 101 ㉖ – *20 325 h alt. 100.*

*Paris 20 – Créteil 9 – Arpajon 29 – Corbeil-Essonnes 22 – Évry 16.*

**Beau Rivage,** 17 quai de Halage ☎ 01 45 97 16 17, *Fax 01 49 61 02 60,* ← – AE ⓓ GB **BS 58**
*fermé 13 au 31 août, merc. soir, mardi soir, dim. soir et lundi* – **Repas** 32.
◆ Comme son nom l'indique, le Beau Rivage borde la rivière ; attablez-vous près des baies vitrées pour jouir de la vue sur la Seine. Cadre moderne et cuisine traditionnelle.

## Villeparisis *77270 S.-et-M.* 101 ⑲, 25 – *18 790 h alt. 72.*

*Paris 25 – Bobigny 15 – Chelles 10 – Tremblay-en-France 5.*

**Relais du Parisis,** 2av. Jean Monnet ☎ 01 64 27 83 83, *Fax 01 64 27 94 49,* ☂ – 📺 📞 🅿 **AN 74**
*fermé 11 au 24 août et 1er au 6 janv.* – **Repas** *(fermé dim. soir)* 13/34 ♀ – ☕ 7 – **44 ch** 48.
◆ Situé dans un quartier affairé, hôtel hébergeant de petites chambres fonctionnelles et meublées simplement. Au restaurant, buffet de hors-d'oeuvre et recettes traditionnelles.

**Bastide,** 15 av. J. Jaurès ☎ 01 60 21 08 99, *Fax 01 60 21 08 99* – GB **AP 73**
*fermé 4 au 26 août, sam. midi, dim. soir et lundi soir* – **Repas** (dim. prévenir) 21/36, enf. 12
◆ Il règne en ce discret restaurant du centre-ville une sympathique ambiance d'auberge provinciale. Cadre rustique avec poutres et cheminée. Cuisine traditionnelle.

## Vincennes *94300 Val-de-Marne* 101 ⑰, 24, 25 – *42 267 h alt. 51.*

Voir *Château★★ – Bois de Vincennes★★ : Zoo★★, Parc floral de Paris★★, Musée des Arts d'Afrique et d'Océanie★*, G. Paris.

*Office du Tourisme, 11 avenue de Nogent ☎ 01 48 08 13 00, Fax 01 43 74 81 01 otsi.vincennes@liberty.fr.*

*Paris 8 – Créteil 11 – Lagny-sur-Marne 26 – Meaux 47 – Melun 52 – Senlis 50.*

**St-Louis** Ⓜ sans rest, 2 bis r. R. Giraudineau ☎ 01 43 74 16 78, *mail@hotel-paris-saintlouis.com, Fax 01 43 74 16 49* – 🛗 📺 📞 ♿ – 🔔 25. AE ⓓ GB JCB **BB 57**
☕ 12 – **25 ch** 98/173.
◆ À deux pas du château, immeuble abritant de plaisantes chambres modernes. Quelques-unes, de plain-pied avec le jardinet, ont leur salle de bains en sous-sol.

**Daumesnil Vincennes** sans rest, 50 av. Paris ✆ 01 48 08 44 10, *info@hotel-daumesnil.com, Fax 01 43 65 10 94* – AE GB JCB **BB 57**
9 – **50 ch** 92/145.
◆ Une plaisante décoration d'inspiration provençale égaye cet hôtel situé sur une avenue passante. Salle des petits-déjeuners aménagée dans une véranda ouverte sur un minipatio.

**Donjon** sans rest, 22 r. Donjon ✆ 01 43 28 19 17, *Fax 01 49 57 02 04* – . GB **BB 57**
*fermé 21 juil. au 24 août* – 6 – **25 ch** 50/68.
◆ Établissement du centre-ville proposant des chambres assez exiguës, mais proprettes. Salle des petits-déjeuners et salon agréablement meublés.

**Rigadelle,** 26 r. Montreuil ✆ 01 43 28 04 23, *Fax 01 43 28 04 23* – AE GB **BB 57**
*fermé août, dim. et lundi* – **Repas** (nombre de couverts limité, prévenir) (19,50) - 27.
◆ Dans une rue commerçante, coquette et minuscule salle à manger agrandie par des miroirs. Vous y découvrirez une cuisine au goût du jour privilégiant les poissons.

## Viry-Châtillon *91170 Essonne 101 (36) – 30 580 h alt. 34.*

*Paris 27 – Corbeil-Essonnes 14 – Évry 8 – Longjumeau 9 – Versailles 33.*

**Dariole de Viry,** 21 r. Pasteur ✆ 01 69 44 22 40, *Fax 01 69 96 88 87* – . GB **BX 52**
*fermé 22 déc. au 5 janv., sam. midi et dim.* – **Repas** 40.
◆ Dans une rue commerçante, discrète façade dissimulant une salle à manger contemporaine dont les tables s'agrémentent de nappes en dentelle. Cuisine au goût du jour.

**Marcigny,** 27 r. D. Casanova ✆ 01 69 44 04 09 – . GB **BY 52**
*fermé 1er au 15 août, sam. midi, dim. soir et lundi* – **Repas** 17 (déj.)/27 ♀.
◆ L'enseigne évoque un petit village bourguignon et la cuisine traditionnelle est escortée de spécialités charolaises. Ambiance conviviale et service attentionné.

**PARTHENAY** ⟨SP⟩ 79200 Deux-Sèvres 322 E5 *G. Poitou Vendée Charentes – 10 809 h. alt. 175.*

**Voir** *≤★ du Pont-Neuf - ≤★ de la terrasse de l'hôtel de ville – Pont et porte St-Jacques★* **Y B** – *Rue de la Vau-St-Jacques★* **Y** – *Église St-Pierre★ de Parthenay-le-Vieux par* ④ *1,5 km.*

*Office de Tourisme, 8rue de le Vau-St-Jacques ☎ 05 49 64 24 24, Fax 05 49 64 52 29 office-tourisme@parthenay.fr.*

*Paris 377 ② – Poitiers 49 ② – Bressuire 32 ① – Niort 42 ④ – Thouars 41 ①.*

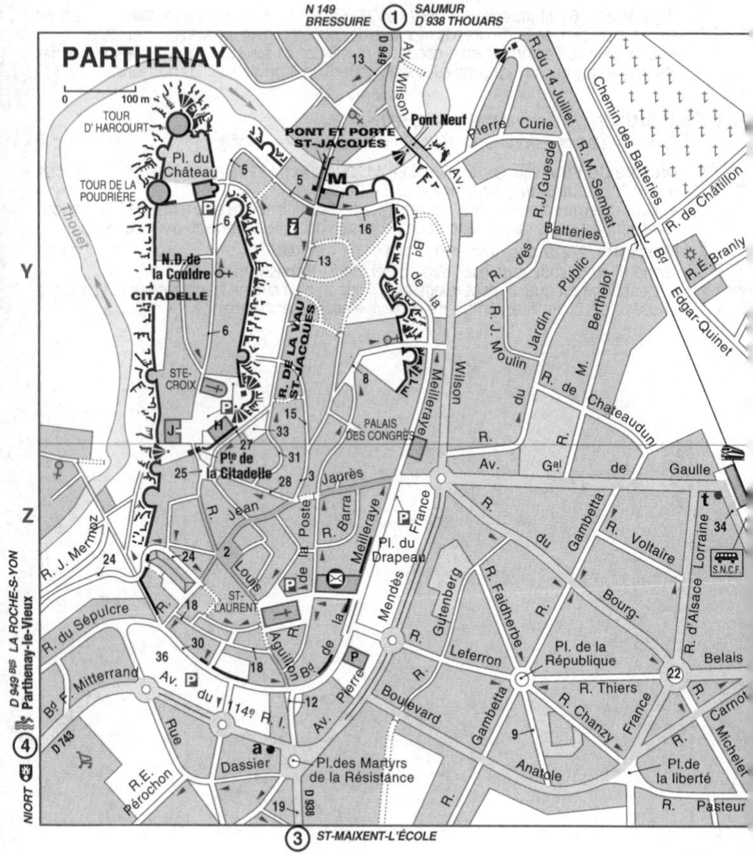

N 149 BRESSUIRE
① SAUMUR D 938 THOUARS
PARTHENAY
0 100 m
TOUR D'HARCOURT
TOUR DE LA POUDRIÈRE
Pl. du Château
Thouet
N.D.de la Couldre
CITADELLE
STE-CROIX
PONT ET PORTE ST-JACQUES
Pont Neuf
Av. Wilson
R. DE LA VAU ST-JACQUES
Pte de la Citadelle
PALAIS DES CONGRÈS
R. Jean Jaurès
R. de la Poste
R. Barra
Pl. du Drapeau
Mendès France
R. Meilleraye
Pierre Curie
R. du 14 Juillet
R. M. Sembat
Chemin des Batteries
R. de Châtillon
R. J. Guesde
R. des Batteries
Jardin Public
R. Berthelot
R. J. Moulin
R. de Chateaudun
Av. Gal de Gaulle
Bd Edgar-Quinet
R. E. Branly
R. Gambetta
R. Voltaire
R. d'Alsace Lorraine
S.N.C.F.
Bourg-Belais
R. Gutenberg
R. Faidherbe
R. Leferron
Pl. de la République
R. Thiers
R. Chanzy
France
Anatole
Boulevard Gambetta
Pl. de la liberté
R. Pasteur
R. Carnot
R. Michelet
R. J. Mermoz
R. du Sépulcre
ST-LAURENT
R. Louis Aguillon
Bd de la Meilleraye
Av. Pierre
Bd F. Mitterrand
Av. du 114e R.I.
Rue R.E. Pérochon
Dassier
Pl.des Martyrs de la Résistance
D 743
D 938
D 949 BIS LA ROCHE-S-YON
Parthenay-le-Vieux
④ NIORT
③ ST-MAIXENT-L'ÉCOLE




**St-Jacques** sans rest, 13 av. 114e R.I. ☎ 05 49 64 33 33, *hotel-st-jacques@districtparthenay.fr, Fax 05 49 94 00 69* – – 25. AE GB JCB Z

*fermé vend. du 15 nov. au 15 mars* – 7,20

**46 ch** 34/59.

♦ En contrebas de la citadelle, ancienne étape des pèlerins de Saint-Jacques-de-Compostelle. Chambres des années 1970 ; celles sur l'arrière sont plus calmes.

XX **Nord** avec ch, 86 av. Gén. de Gaulle ☎ 05 49 94 29 11, *hoteldunord@worldonline.fr*, *Fax 05 49 64 11 72* – ▤ rest, TV ☎. AE ① GB Z t
*fermé 20 déc. au 4 janv.* – **Repas** *(dim. soir et sam. du 1er nov au 30 mars)* (14) - 19/40 ♀, enf. 8,30 – ☕ 6,20 – **10 ch** 45,50/50 – 1/2 P 43,50.
◆ Bâtiment d'angle situé en face de la gare. Salle de restaurant à la mode "seventies" et grand bar à clientèle locale où sont servis les petits-déjeuners. Chambres simples.

**PARVILLE** *27 Eure* 304 G7 – *rattaché à Évreux.*

**PASSENANS** *39 Jura* 321 D6 – *rattaché à Poligny.*

**PATRIMONIO** *2B H.-Corse* 345 F3 – *voir à Corse.*

**PAU** Ⓟ *64000 Pyr.-Atl.* 342 J5 *G. Aquitaine – 82 157 h Agglo. 181 413 h alt. 207 – Casino.*
**Voir** *Boulevard des Pyrénées* ✻*** **DEZ** – *Château** : tapisseries*** – Musée des Beaux-Arts** **EZ M.**
**Circuit automobile urbain.**
✈ *de Pau-Pyrénées : ☎ 05 59 33 33 00, par ① : 12 km.*
ℹ *OMT, place Royale ☎ 05 59 27 27 08, Fax 05 59 27 03 21, smt@ville-pau.fr.*
*Paris 779 ① – Bayonne 112 ⑥ – Bordeaux 202 ① – Toulouse 198 ② – Zaragoza 252 ⑤.*

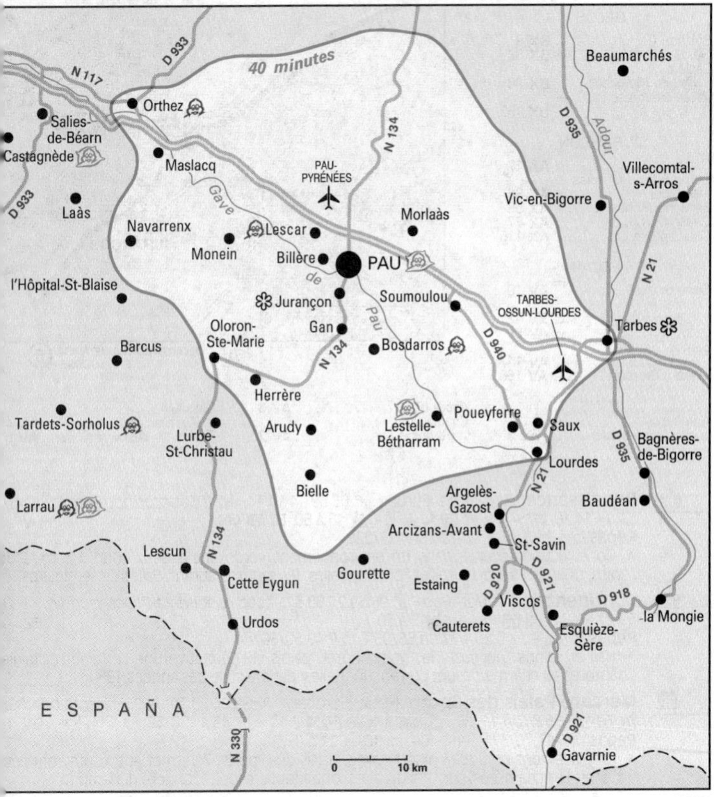
40 minutes
D 933
N 117
Orthez
Salies-de-Béarn
Castagnède
Maslacq
Gave de Pau
PAU-PYRÉNÉES
N 134
D 935
Adour
Beaumarchés
Villecomtal-s-Arros
Vic-en-Bigorre
Laàs
Navarrenx
Monein
Lescar
Billère
Morlaàs
PAU
N 21
l'Hôpital-St-Blaise
Jurançon
Soumoulou
TARBES-OSSUN-LOURDES
Tarbes
Gan
Oloron-Ste-Marie
Barcus
Bosdarros
D 940
Herrère
Tardets-Sorholus
Lurbe-St-Christau
Arudy
Lestelle-Bétharram
Poueyferre
Saux
Lourdes
Bagnères-de-Bigorre
Bielle
Argelès-Gazost
Baudéan
Larrau
Arcizans-Avant
St-Savin
Lescun
Cette Eygun
Gourette
Estaing
D 920
D 921
Viscos
D 918
la Mongie
Urdos
Cauterets
Esquièze-Sère
ESPAÑA
N 330
0
10 km
Gavarnie

## PAU

Bérard (Cours Léon) ..... BV 12
Condorcet (Allée)........ BV 31
Corps Franc Pommiès
  et du 49e R.I. (Bd)..... CX 37
Dufau (Av.)............. BVX 50
Gaulle (Av. Gén. de) ..... BV 75
Lyautey (Cours)......... BVX 101
14 Juillet (R. du) ........ BX 170

### BILLERE

Baron Séguier
  (Av. du) .............. AX 7
Château d'Este
  (Av. du) .............. AX 23
Claverie (R.) ........... AX 24
Entrepreneurs
  (R. des) .............. AX 57
Galas (R. de) ........... BV 70
Golf (R. du)............ AX 81
Lalanne (Av.) ......... AVX 91
Lavoir (R. du).......... AX 95
Lons (Av. de)......... ABV 100
Piedmont (R.)........... AX 129
Pilar (R.)............... BV 130
Plaine (R. de la)........ AX 132
Rousseau (R. J.J.)...... AX 145

### BIZANOS

Albert 1er (Av.)........ BCX 2
Clemenceau (R. G.) .... BX 27
Foch (R. Maréchal) .... BX 64
Larribau (Chemin) ...... CX 93
Pic du Midi (R. du) ..... CX 127
République
  (Av. de la) ........... CX 138

### GELOS

Barthou (R. L.).......... BX 9
Gélos (Av. de) ......... BX 80
Leclerc
  (Av. du Maréchal) ..... BX 96
Vallée Heureuse
  (Av. de la)............ BX 162

### JURANÇON

Cambot (Av. G.) ........ AX 17
Corps Franc Pommiès
  (Av. du).............. AX 36
Espagne (Pont d')....... AX 58
Gaulle (R. Ch. de)....... AX 77
Ollé-Laprune ........... AX 115

### LESCAR

Carrérot (Av.) ........... AV 19
Coustettes
  (Chemin des)......... AV 42
Lacau (R.).............. AV 89
Santos-Dumont
  (Av.) ................ AV 147
Vigné (Côte du) ......... AV 168

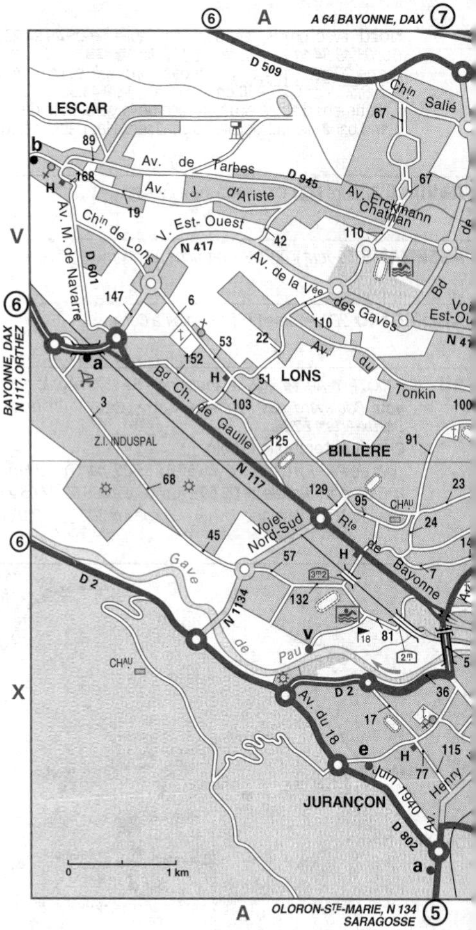

A 64 BAYONNE, DAX
LESCAR
LONS
BILLÈRE
JURANÇON
Z.I. INDUSPAL
BAYONNE, DAX N 117, ORTHEZ
OLORON-STE-MARIE, N 134 SARAGOSSE
Av. de Tarbes
Av. J. d'Ariste
Av. Erckmann Chatrian
V. Est- Ouest
Av. de la Vée des Gaves
Av. du Tonkin
Bd Ch. de Gaulle
Voie Nord-Sud
Rte de Bayonne
Gave de Pau
Av. du 18 Juin 1940
Av. M. de Navarre
Chin de Lons
Chin Salié
0
1 km


### LONS

Ampère
  (Av. André-Marie) ....... AV 3
Ariste (R.)................ AV 6
Château
  (R. du).................. AV 22
Dassault
  (Av. Marcel)............. AX 4
Ecoles (R. des) ........... AV 5

**Renaissance,** 1 passage Europe ✆ 05 59 14 14 14, *H2103@accor-hotels.com, Fax 0 59 14 14 10,* – ✂ ▤ TV ✆ ♿ P – 15 à 50. AE ⓓ GB BV
**Repas** *(20)* - 23 – 12 – **36 ch** 117/228.
◆ Construction récente dans un environnement verdoyant à deux tours de roue d Zénith. Chambres spacieuses et fonctionnelles. Plaisant restaurant. Salles de séminaires.

**Continental,** 2 r. Mar. Foch ✆ 05 59 27 69 31, *hotel.continental@libertysurf.fr, Fax 0 59 27 99 84* – TV – 15 à 30 EZ
**Repas** 20/25 – 9,20 – **77 ch** 55/95 – ½ P 49,50/66.
◆ Hall et salons "pur jus" : le "grand hôtel" palois (1912) cultive une certaine nostalgie Chambres au charme désuet ou fonctionnelles, dans le style des années 1980.

**Mercure Palais des Sports** M, av. Europe ✆ 05 59 84 29 70, *h0952@accor-hotels.com, Fax 05 59 84 56 11,* – ✂ ▤ TV ✆ ♿ P – 15 à 120. AE ⓓ GB JCB BV r
**Repas** *(16)* - 17,70/37 ♀, enf. 10 – 10 – **92 ch** 89/96.
◆ Emplacement pratique : hippodrome, palais des sports, Zénith et autoroute sont tou proches. Les chambres, pas très grandes, ont adopté le look "dernière génération".

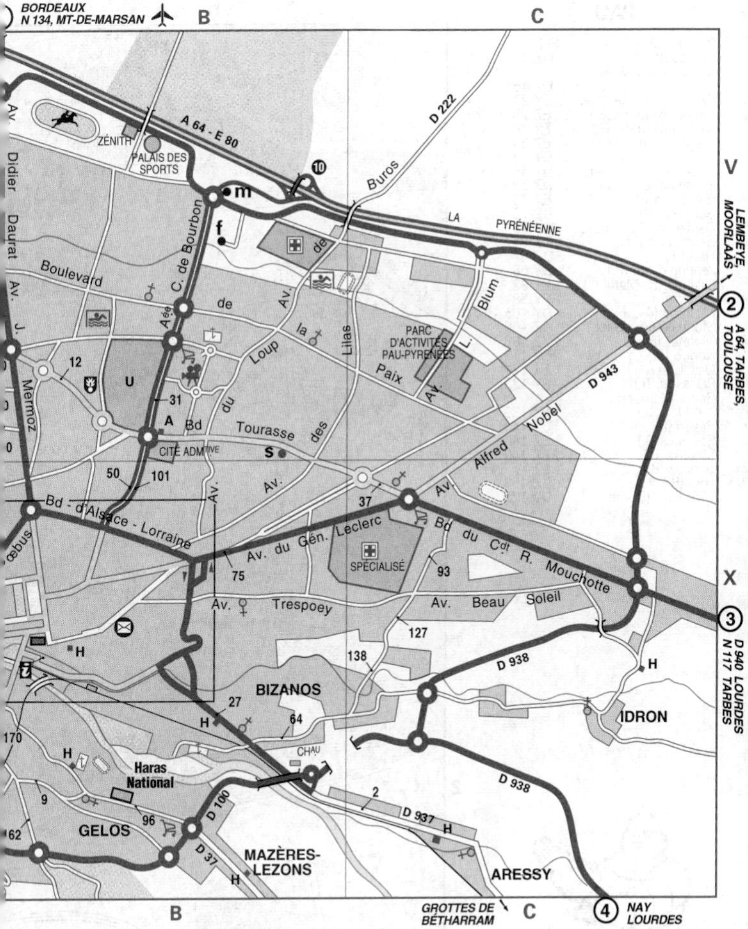
BORDEAUX
N 134, MT-DE-MARSAN
B
C
A 64 - E 80
ZÉNITH
PALAIS DES SPORTS
D 222
Buros
LA PYRÉNÉENNE
LEMBEYE, MORLAÀS
A 64, TARBES, TOULOUSE
Boulevard de la Paix
C. de Bourbon
Av. du Loup
Av. des Lilas
PARC D'ACTIVITÉS PAU-PYRÉNÉES
Av. L. Blum
D 943
Av. Alfred Nobel
Av. Didier Daurat
Av. J. Mermoz
Bd Tourasse
CITÉ ADMTIVE
Bd d'Alsace - Lorraine
Av. du Gén. Leclerc
SPÉCIALISÉ
Bd du Cdt R. Mouchotte
Av. Trespoey
Av. Beau Soleil
D 940 LOURDES
N 117 TARBES
D 938
BIZANOS
IDRON
CHAU
Haras National
GELOS
D 100
D 37
MAZÈRES-LEZONS
D 937
ARESSY
GROTTES DE BÉTHARRAM
NAY
LOURDES
V
X
12
31
50
101
37
75
93
127
138
27
64
170
9
96
62
2



**Kyriad Centre** sans rest, 80 r. E. Garet ✆ 05 59 82 58 00, *kyriad.pau-centre@wanadoo.fr, Fax 05 59 27 30 20* – 🛗 ▤ TV ✆ P – 🏛 15 à 30. AE ⓓ GB JCB EY n
☕ 6,50 – **40 ch** 69.
◆ En centre-ville, hôtel familial dont les chambres, de taille moyenne, fonctionnelles et disposant d'une petite entrée, donnent toutes sur la cour intérieure. Billard.

**Roncevaux** sans rest, 25 r. L. Barthou ✆ 05 59 27 08 44, *contact@hotel-roncevaux.com, Fax 05 59 27 08 01* – 🛗 TV ✆ P. AE ⓓ GB JCB EZ f
☕ 9 – **39 ch** 64/88.
◆ Hôtel particulier du 19e s. agencé autour d'une cour intérieure. Au choix : chambres actuelles ou lambrissées comme à la montagne, et petites suites avec lits à baldaquin.

**de Gramont** sans rest, 3 pl. Gramont ✆ 05 59 27 84 04, *hotelgramont@wanadoo.fr, Fax 05 59 27 62 23* – 🛗 TV ✆. AE ⓓ GB JCB DZ t
*fermé 21 déc. au 4 janv.* – ☕ 8 – **36 ch** 34/76.
◆ Ce relais de poste daterait du 17e s. et serait le plus vieil hôtel de Pau. Chambres personnalisées par des meubles chinés ici et là, plus petites au dernier étage.

Barthou (R. Louis) . . . . . **EFZ**
Bernadotte (R.) . . . . . . . . . **DZ** 14
Bordenave-d'Abère (R.) . . . . . . . . . . . . . . . . **DZ** 15
Cassin (R. René) . . . . . . . **EY** 20
Clemenceau (Pl. G.) . . . . **EZ** 25
Clemenceau (R. G.) . . . . . **FZ** 28
Cordeliers (R. des) . . . . . . **EZ** 33
Despourrins (R.) . . . . . . . . **EY** 47
Ducasse (R. Amiral) . . . . **DY** 48
Espalungue (R. d') . . . . . . **DZ** 59
Gambetta (R.) . . . . . . . . . . **EZ** 72
Gassion (R.) . . . . . . . . . . . **DZ** 73
Gaulle (Av. Gén. de) . . . . **BV** 75
Grammont (Pl.) . . . . . . . . . **DZ** 84
Henri IV (R.) . . . . . . . . . . . **DZ** 87
Jeanne-d'Arc (R.) . . . . . . . **DY** 88
Lalanne (R. Mathieu) . . . . **EZ** 92
Lespy (R.) . . . . . . . . . . . . . **EFY** 98
Mermoz (Av. J.) . . . . . . . . . **DY** 105
Monnaie (Pl. de la) . . . . . . **DZ** 106
Monnet (R. J.) . . . . . . . . . **EYZ** 108
Nogue (R.) . . . . . . . . . . . . . **EY** 113
Ossau (Av. d') . . . . . . . . . . **EZ** 121
Palassou (R.) . . . . . . . . . . . **EY** 123
Reine Marguerite (Pl.) . . . . . . . . . . . . . . . . . **EZ** 135
Réveil (R. J.) . . . . . . . . . . . **EY** 140
St-Louis (R.) . . . . . . . . . . . **EZ** 146
Say (Av. L.) . . . . . . . . . . . **EFZ** 149
Serviez (R.) . . . . . . . . . . . . . **EZ**
Tran (R.) . . . . . . . . . . . . . . . **EZ** 158
218e R. I. (R. du) . . . . . . . **DY** 172

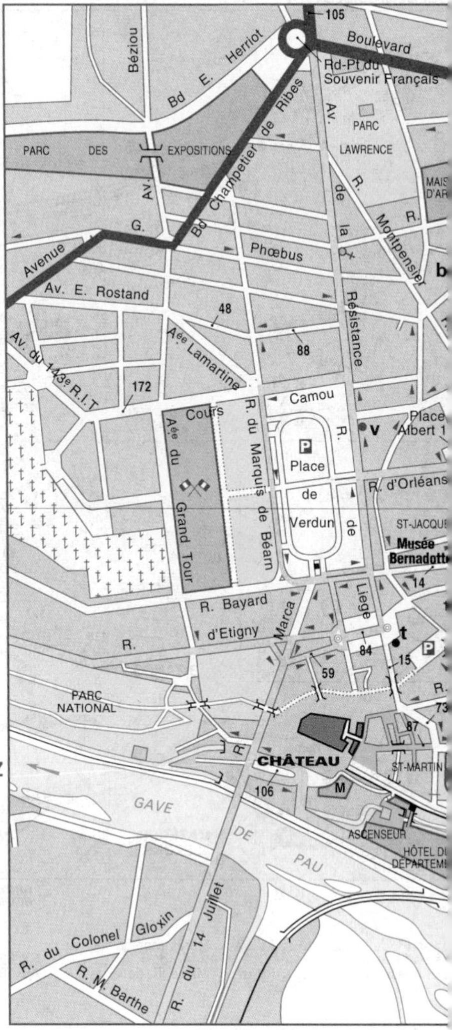

D
Y
Z
105
Boulevard
Rd-Pt du Souvenir Français
Béziou
Bd E. Herriot
Bd Champetier de Ribes
Av. de la Résistance
PARC LAWRENCE
PARC DES EXPOSITIONS
R. Montpensier
Av. G.
Avenue
Phœbus
Av. E. Rostand
48
88
Aée Lamartine
Av. du 143e R.I.T
172
Cours
Camou
Aée du Grand Tour
R. du Marquis de Béarn
Place de Verdun
R. de Liege
Place Albert 1
R. d'Orléans
ST-JACQUES
Musée Bernadotte
14
R. Bayard
R. d'Etigny
Marca
84
59
15
73
87
PARC NATIONAL
CHÂTEAU
106
M
ST-MARTIN
ASCENSEUR
HÔTEL DU DÉPARTEMENT
GAVE DE PAU
R. du Colonel Gloxin
R. M. Barthe
R. du 14 Juillet

**Central** sans rest, 15 r. L. Daran ✆ 05 59 27 72 75, *contact@hotelcentralpau.com*
*Fax 05 59 27 33 28* – EZ
*fermé 21 au 29 déc.* – ☕ 6 – **28** ch 29,90/55,60.
◆ "Central", cet hôtel l'est en effet : visitez donc à pied la ville natale d'Henri IV. Superficie et décors varient suivant les chambres, mais toutes sont fort bien tenues.

**Bourbon** sans rest, 12 pl. Clemenceau ✆ 05 59 27 53 12, *Fax 05 59 82 90 99* – EZ
☕ 6 – **33 ch** 54/57,30.
◆ L'intérêt principal de cet établissement réside dans sa situation : le quartier est animé par de nombreux cafés. Chambres de taille moyenne, avant tout pratiques.

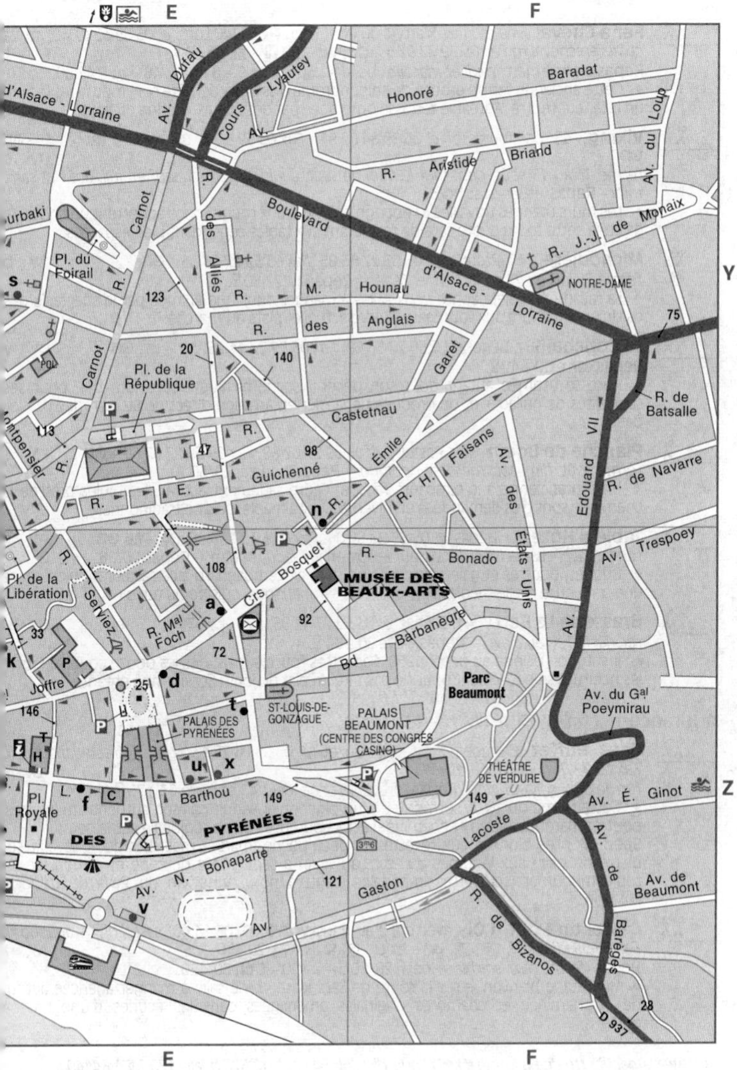
E
F
Y
Z
d'Alsace - Lorraine
Av. Dufau
Cours Lyautey
Av.
Honoré
Baradat
Av. du Loup
R. Aristide Briand
Boulevard d'Alsace - Lorraine
R. J.-J. de Monaix
NOTRE-DAME
Pl. du Foirail
R. Carnot
R. des Alliés
R. M. Hounau
R. des Anglais
R. Garet
75
123
20
140
Pl. de la République
Castetnau
Av. Édouard VII
R. de Batsalle
Montpensier
113
R. Guichenné
47
98
Émile
R. H. Faisans
Av. des États - Unis
R. de Navarre
R. E.
R.
n
R. Bonado
Av. Trespoey
Pl. de la Libération
R. Serviez
108
Crs Bosquet
MUSÉE DES BEAUX-ARTS
a
R. Mal Foch
92
Bd Barbanègre
33
k
Joffre
72
25
d
Parc Beaumont
Av. du Gal Poeymirau
146
t
ST-LOUIS-DE-GONZAGUE
PALAIS BEAUMONT (CENTRE DES CONGRÈS CASINO)
PALAIS DES PYRÉNÉES
u
x
THÉATRE DE VERDURE
Pl. Royale
L.
f
C
Barthou
149
Av. É. Ginot
PYRÉNÉES
DES
Lacoste
Av. de Barèges
3m6
Av. N. Bonaparte
121
Gaston
Av. de Beaumont
v
Av.
R. de Bizanos
28
D 937

XXX **Au Fin Gourmet,** 24 av. G. Lacoste (face gare) ✆ 05 59 27 47 71, *Fax 05 59 82 96 77,* – ▤. AE ⓓ GB EZ v

*fermé 21 juil. au 5 août, vacances de Toussaint, de fév., dim. soir et lundi* – **Repas** *(16)* - 24/53 et carte 49 à 63 ♀.

◆ Un lieu très agréable au pied du funiculaire : pavillon sous verrière évoquant un kiosque à musique et salle plus ancienne revue dans le même esprit. Cuisine au goût du jour.

XXX **Chez Pierre,** 16 r. L. Barthou ✆ 05 59 27 76 86, *Fax 05 59 27 08 14* – ▤. AE ⓓ GB JCB EZ x

*fermé 4 au 18 août, 2 au 9 janv., sam. midi, lundi midi et dim.* – **Repas** 31 et carte 40 à 65 ♀.

◆ L'endroit reflète le climat "british" de Pau, ville de cure au 19e s. : fauteuils club au bar, murs tendus de tissus à motifs cachemire, ambiance feutrée. Plats classiques.

XX **Fer à Cheval** avec ch, 1 av. Martyrs du Pont Long ✉ 64140 Lons ☎ 05 59 32 17 40, *contact@leferacheval.fr, Fax 05 59 72 97 53,* – 15. GB BV
**Repas** *(fermé merc. midi et mardi)* 21 bc (déj.)/30 – 6 – **8 ch** 39/48 – 1/2 P 42,50.
◆ Cette ancienne ferme proche de l'hippodrome dissimule derrière son imposante façade un intérieur feutré. Agréable terrasse ombragée par des tilleuls. Cuisine du pays.

XX **Viking,** 33 bd Tourasse ☎ 05 59 84 02 91, *Fax 05 59 80 21 05,* – AE GB BV
*fermé 1er au 15 août, dim. sauf le midi de sept. à juin, lundi soir sauf en juil.-août et sam. midi* – **Repas** (15,50) - 24,50 bc/37.
◆ Les murs orangés travaillés à l'éponge et les rideaux rouge foncé apportent une note de gaieté à cette toute petite salle de restaurant aux tables cependant bien espacées.

XX **Michodière,** 34 r. Pasteur ☎ 05 59 27 53 85, *Fax 05 59 27 53 85* – GB DY
*fermé 28 juil. au 24 août, dim. et fériés* – **Repas** 13/22,50.
◆ La façade en galets abrite deux salles à manger dont une animée par le spectacle des cuisiniers s'activant aux fourneaux. Cadre actuel et plats du marché.

X **La Concha,** 36 r. Liège ☎ 05 59 27 55 09, *Fax 05 59 27 11 76,* – . GB DY
**Repas** carte 30 à 45.
◆ Adresse estimée autant pour son décor hispano-basque très coloré que pour ses spécialités de grillades et de produits de la mer en arrivage direct de St-Jean-de-Luz. Jo patio.

X **Planche de Boeuf,** 30 r. Pasteur ☎ 05 59 27 62 60, *Fax 05 59 27 62 60* – GB EY
*fermé août, dim. soir, merc. soir et lundi* – **Repas** 11 (déj.), 20/30.
◆ Maison ancienne à la pimpante façade. Cadre sagement actuel ; les tables près de la cheminée sont très demandées en hiver. Accueil aimable, cuisine traditionnelle.

X **Table d'Hôte,** 1 r. Hédas ☎ 05 59 27 56 06, *Fax 05 59 27 56 06,* – AE GB EZ
*fermé vacances de Noël, lundi sauf le soir en juil.-août et dim.* – **Repas** 20/26.
◆ Briques, poutres et galets donnent un petit air campagnard à ce restaurant niché dans une tortueuse ruelle médiévale. Ambiance sympathique, cuisine du terroir.

X **Brasserie Le Berry,** 4 r. Gachet ☎ 05 59 27 42 95, – . GB EZ
*fermé 17 fév. au 3 avril* – **Repas** carte 20 à 30.
◆ Institution paloise au décor 1950. Carte très fournie mais, dès les douze coups de midi les habitués se bousculent pour ne pas rater le plat du jour ! Service bon enfant.

**à Jurançon** *: 2 km – 7 538 h. alt. 177 – ✉ 64110 :*

XXX **Chez Ruffet** (Carrade), 3 av. Ch. Touzet ☎ 05 59 06 25 13, *chez.ruffet@wanadoo.fr, Fax 05 59 06 52 18,* – GB AX
*fermé dim. soir et lundi* – **Repas** (prévenir) 21 bc (déj.)/43 et carte 63 à 75, enf. 12.
◆ Cette ferme du 18e s. surmontée d'un pigeonnier séduit par son authenticité (pierres, poutres, parquet ancien et cheminée) et sa goûteuse cuisine régionale actualisée.
**Spéc.** Morilles blondes aux févettes et oeuf poché (mars à mai). Bar de ligne cuit sur pierre du gave aux légumes du "carreau" (juin à sept.). Tête de cèpe et rémoulade de topinambour aux crevettes impériales (sept. à nov.). **Vins** Vin du Pays de Cabidos, Madiran.

XX **Castel du Pont d'Oly** avec ch, 2 av. Rausky ☎ 05 59 06 13 40, *castel.oly@wanadoo.fr, Fax 05 59 06 10 53,* – ch, – 20. GB AX
**Repas** *(fermé dim. soir)* 18,50 (déj.), 28/56 – 10 – **6 ch** 80/120.
◆ Une étape bienvenue sur la route de Saragosse : belle salle à manger agencée autour de la cheminée et chambres originales aménagées dans les écuries d'une maison du 19e s.

**à Billère** *par ⑥, rte de Bayonne (N 117) puis dir. Golf : 4 km – 12 570 h. alt. 170 – ✉ 64140 :*

XX **Au Bord de l'Eau,** r. Gravière ☎ 05 59 62 15 62, *Fax 05 59 62 50 02,* – GB AX
*fermé 20 déc. au 5 janv. et dim.* – **Repas** carte 35 à 50.
◆ Un oeil sur les cuisines, l'autre sur le gave de Pau, et des guirlandes de piments d'Espelette en guise de décor : ce joli pavillon vitré propose grillades et cuisine basque.

**rte de Bayonne** *par ⑥ et N 117 : 6 km – ✉ 64230 Lescar :*

**Novotel** M, centre commercial ☎ 05 59 13 04 04, *h0421@accor-hotels.com, Fax 05 59 13 04 13,* – 40. AE GB JCB
**Repas** carte environ 30 – 10,50 – **89 ch** 84/95.
◆ Étape sans surprise où vous trouverez des chambres en accord avec l'esprit de la chaîne. Salle à manger moderne et nette. En prime, les Pyrénées en vis à vis.

**à Lescar** *au Nord-Ouest : 7,5 km par N 117 et D 601 – 5 793 h. alt. 179 – ✉ 64230 :*

*Office du Tourisme, place Royale ✆ 05 59 81 15 98, Fax 05 59 81 12 54.*

**Terrasse,** 1 r. Maubec ✆ 05 59 81 02 34, *Fax 05 59 81 08 77,* – TV – 20. AE GB AV b

*fermé 27 juil. au 17 août et 21 déc. au 4 janv.* – **Repas** *(fermé sam. midi et dim.)* 15 (déj.)/21 ♀ – ☕ 6 – **22 ch** 42/46 – ½ P 40.

◆ Une petite halte sympathique au coeur de l'ancienne capitale du Béarn. Chambres simples, restaurant accueillant des expositions de peintures et cuisine traditionnelle.

---

**PAUILLAC** *33250 Gironde* 335 G3 *G. Aquitaine – 5 670 h alt. 20.*

*Voir château Mouton Rothschild★ : musée★★ NO : 2 km.*

*Office du Tourisme, La Verrerie ✆ 05 56 59 03 08, Fax 05 56 59 23 38, Tourismeetvindepauilac@wanadoo.fr.*

*Paris 628 – Bordeaux 55 – Arcachon 117 – Blaye 16 – Lesparre-Médoc 23.*

**Château Cordeillan Bages** M, Sud : 1 km par D 2 ✆ 05 56 59 24 24, *cordeillan@relaischateaux.fr, Fax 05 56 59 01 89,* – TV P. AE GB JCB. rest

*fermé 12 déc. au 31 janv.* – **Repas** *(fermé sam. midi, mardi midi et lundi)* 50 (déj.)/85 et carte 65 à 90 – ☕ 20 – **25 ch** 165/256 – ½ P 142,50/283.

◆ Chambres lumineuses et raffinées, élégante salle à manger tournée vers les vignes et délicieuse cuisine au goût du jour : cette chartreuse du 17ᵉ s. ne manque pas d'atouts.

**Spéc.** Crémeux de concombre semi-pris, caviar de Gironde. Risotto de soja, jus d'huîtres et truffes. Agneau de lait en trois façons, légumes préparés en cocotte. **Vins** Saint-Julien, Saint-Estèphe.

**France et Angleterre,** 3 quai A. Pichon ✆ 05 56 59 01 20, *hotel-de-france-et-angleterre@wanadoo.fr, Fax 05 56 59 02 31,* – TV – 25. AE GB JCB. rest

*fermé 20 déc. au 15 janv.* – **Repas** 22/64 ♀, enf. 8 – ☕ 8 – **29 ch** 56/79 – ½ P 58.

◆ Bâtisse du 19ᵉ s. située sur les quais. Chambres pratiques bien rénovées ; en façade, elles offrent une vue sur la Gironde. Jolie terrasse avec transats, ceps de vigne, etc.

**Annexe Vignoble** M sans rest, – TV P – 20 à 60

*fermé 20 déc. au 15 janv.* – ☕ 8 – **20 ch** 95.

◆ Cette annexe moderne abrite des chambres fonctionnelles, décorées sur le thème du vignoble. Balcon ou terrasse de plain-pied avec un coin de verdure. Espace séminaire complet.

---

**PAULX** *44270 Loire-Atl.* 316 F6 *– 1 311 h alt. 15.*

*Paris 419 – Nantes 40 – La Roche-sur-Yon 47 – Challans 18 – St-Nazaire 99.*

**Les Voyageurs,** pl. Église ✆ 02 40 26 02 76, *rest.les-voyageurs@wanadoo.fr, Fax 02 40 26 02 77* – AE GB JCB

*fermé 3 au 16 mars, 1ᵉʳ au 21 sept., dim. soir, lundi et mardi* – **Repas** 14,50/53 ♀, enf. 14.

◆ Salle à manger tout juste rénovée, accueil si charmant qu'il invite à sympathiser et cuisine du terroir composée selon les arrivages du marché : voyagez en classe gourmande !

---

**PAVILLY** *76570 S.-Mar.* 304 F4 *– 5 729 h alt. 84.*

*Paris 151 – Rouen 20 – Duclair 14 – Neufchâtel-en-Bray 50 – Yvetot 18.*

**Croix d'Or,** face au Château ✆ 02 35 91 20 09, *Fax 02 35 92 24 43* – AE

*fermé 1ᵉʳ au 15 août, merc. soir, dim. soir et lundi* – **Repas** 17/42.

◆ Le restaurant, aménagé dans un vieux relais de poste, est situé face au château d'Esneval. La salle principale, réchauffée par une cheminée, offre un décor actuel et lumineux.

---

**PAYRAC** *46350 Lot* 337 E3 *– 492 h alt. 320.*

*Office du Tourisme, Maison des Associations ✆ 05 65 37 94 27, Fax 05 65 37 94 27, payrac@wanadoo.fr.*

*Paris 531 – Cahors 48 – Sarlat-la-Canéda 29 – Brive-la-Gaillarde 54 – Figeac 61.*

**Hostellerie de la Paix,** ✆ 05 65 37 95 15, *host.la.paix@escalotel.com, Fax 05 65 37 90 37,* – TV P – 20. AE GB

*fermé 2 janv. au 15 fév.* – **Repas** 13/26 ♀, enf. 7 – ☕ 6 – **51 ch** 51/57 – ½ P 53.

◆ Ancien relais de poste dont les chambres, rénovées, tournent presque toutes le dos à la route. Pour les repas, deux salles rustiques et une véranda face à la nature.

*Si le coût de la vie subit des variations importantes,*
*les prix que nous indiquons peuvent être majorés.*
*Lors de votre réservation à l'hôtel, faites-vous préciser le prix définitif.*

**PÉAULE** *56130 Morbihan* 308 Q9 – *2 188 h alt. 82.*

*Paris 436 – Vannes 40 – Ploërmel 44 – Redon 25 – La Roche-Bernard 11.*

**Auberge Armor Vilaine,** pl. Ste-Anne (près église) 02 97 42 91 03 *Fax 02 97 42 82 27* – GB

*fermé 20 au 28 oct., 15 au 30 déc., 21 au 28 fév., dim. soir et lundi* – **Repas** (8,54) - 9 bc (déj.) 11/38,20, enf. 8,40 – 6,10 – **18 ch** 32,10/38,20 – ½ P 36,60.

◆ Maison de style régional située au centre du village. Les petites chambres, meublées simplement, sont bien tenues. Salle à manger d'inspiration rustique (faïences et cuivres).

**PÉGOMAS** *06580 Alpes-Mar.* 341 C6 – *4 618 h alt. 18.*

*Office du Tourisme, 287 avenue de Grasse 04 93 42 85 17, Fax 04 93 42 85 17 officedetourisme@pegomas.com.*

*Paris 902 – Cannes 11 – Draguignan 59 – Grasse 9 – Nice 40 – St-Raphaël 38.*

**Bosquet** sans rest, chemin des Périssols - rte Mouans-Sartoux 04 92 60 21 20 *Fax 04 92 60 21 49*, – cuisinette AE GB.

6 – **16** ch 45/55, 7 studios.

◆ Atmosphère paisible du parc, fraîcheur des frondaisons, tenue méticuleuse, accuei empressé : un hôtel tout simple où l'on se sent bien. Chambres rénovées par étapes.

**L'Écluse,** au bord de la Siagne - Ouest : 1,5 km par rte secondaire 04 93 42 22 55 *Fax 04 93 40 72 65*, – AE GB

*fermé nov., en semaine du 30 sept. au 15 avril et lundi du 16 avril au 30 sept.* – **Repas** 15 (déj.), 21/28, enf. 8.

◆ Restaurant apprécié pour sa simplicité, son ambiance décontractée et sa grande terrasse au bord de l'eau qui lui donne un petit air de guinguette. Cuisine traditionnelle.

**à St-Jean** *Sud-Est : 2 km par D 9 – ✉ 06550 La Roquette-sur-Siagne :*

**Chasseurs** sans rest, 04 92 19 18 00, *Fax 04 92 19 19 61* – cuisinette AE GB.

*fermé 19 oct. au 16 nov.* – 6 – **17** ch 31/40, 3 studios.

◆ Chambres simples, déjà anciennes, mais d'une tenue sans défaut ; celles sur l'arrière sont plus calmes. Une étape à prix doux... à deux tours de roue de Cannes !

**PEILLON** *06440 Alpes-Mar.* 341 F5 *G. Côte d'Azur* – *1 139 h alt. 200.*

Voir *Village*★ – *Fresques*★ *dans la chapelle des Pénitents Blancs.*

*Syndicat d'Initiative, 620 avenue de l'Hôtel de Ville 04 93 91 98 34, Fax 04 93 79 87 65.*

*Paris 952 – Monaco 29 – Contes 15 – L'Escarène 14 – Menton 38 – Nice 19 – Sospel 34.*

**Auberge de la Madone** , 04 93 79 91 17, *madone@chateauxhotels.com* *Fax 04 93 79 99 36*, – GB. ch

*fermé 20 oct. au 20 déc., 7 au 31 janv. et merc.* – **Repas** 40 (déj.), 48/55 – 12 – **18 ch** 95/165 – ½ P 125/140.

◆ Chambres personnalisées, salle à manger provençale et jolie terrasse fleurie offrant une belle vue sur l'étonnant village (12e s.), perché sur son piton rocheux.

**Annexe Lou Pourtail** sans rest,, – GB

11 – **6 ch** 38/65.

◆ Le charme d'une maison ancienne - murs chaulés, voûtes ou hauts plafonds, mobilier campagnard - à l'intérieur du village-crèche. Chambres simples, sans TV.

**PEISEY-NANCROIX** *73210 Savoie* 333 N4 *G. Alpes du Nord* – *521 h alt. 1320.*

*Office du Tourisme, Chalet d'accueil 04 79 07 94 28, Fax 04 79 07 95 34.*

*Paris 667 – Albertville 56 – Bourg-St-Maurice 13.*

**Vanoise** , à Plan Peisey : 4 km 04 79 07 92 19, *hotel-la-vanoise@wanadoo.fr* *Fax 04 79 07 97 48*, – GB.

*28 juin-1er sept. et 20 déc.-22 avril* – **Repas** 17, enf. 9 – 9 – **34 ch** 55/70, (½ pension seul. en hiver) – ½ P 58/68.

◆ Grâce à sa position dominante, ce bâtiment offre une jolie vue sur le dôme de Bellecôte. Les chambres orientées au Sud bénéficient d'un balcon. L'été, VTT à disposition.

**L'Armoise,** à Plan-Peisey, Ouest : 4,5 km 04 79 07 94 24, *Fax 04 79 07 94 24*, – GB

*fermé le soir hors saison et dim. sauf midi en été* – **Repas** 17/26, enf. 7.

◆ Adresse simple et sans prétention en plein coeur de la petite station. Un menu traditionnel et le plat du jour à midi ; beau choix de spécialités savoyardes le soir.

**PÉLUSSIN** *42410 Loire* 327 H7 *G. Vallée du Rhône* – *3 132 h alt. 420.*

*Office du Tourisme, Moulin de Virieu 04 74 87 52 00, Fax 04 74 87 52 02, parc.pila @wanadoo.fr.*

*Paris 513 – St-Étienne 40 – Annonay 30 – Tournon-sur-Rhône 60 – Vienne 24.*

XX **Guy Chenavier** avec ch, ☎ 04 74 87 61 51, *restaurant-chenavier@fr.st, Fax 04 74 87 63 96,* – rest, **P**. GB. rest
*fermé 10 au 17 juil., 1er au 14 déc., dim. soir et soirs fériés* – **Repas** 19/46 – 6,10 – **6 ch** 39,70/57,70 – ½ P 41,20.
◆ Maison de village abritant une salle à manger aux tons saumon, agrémentée de sièges de style Louis XVI. L'été, pergola ombragée de vigne vierge. Chambres modestes.

---

**PELVOUX (Commune de)** *05340 H.-Alpes* 334 G3 *G. Alpes du Sud – 335 h alt. 1260 – Sports d'hiver : 1 250/2 300 m 7.*
**Voir** *Route des Choulières : ≤★★ E.*
*Paris 703 – Briançon 22 – L'Argentière-la-Bessée 11 – Gap 86 – Guillestre 32.*

**Belvédère**, ☎ 04 92 23 56 63, *belvedere.f@wanadoo.fr, Fax 04 92 23 21 00,* – **P**. GB
*fermé 23 oct. au 15 déc.* – **Repas** (9,50) - 12 (déj.), 14/23 ♀, enf. 7 – 6 – **27 ch** 43/52 – ½ P 46.
◆ Ce grand chalet des années 1950 abrite des chambres soigneusement rénovées (toutes avec balcon ou terrasse) ; en façade, elles offrent une très belle vue sur le mont Pelvoux.

**Le Sarret** :

**Condamine**, ☎ 04 92 23 35 48, *lacondamine@wanadoo.fr, Fax 04 92 23 49 71,* ≤, – **P**. AE GB. rest
*1er juin-15 sept. et 20 déc.-31 mars* – **Repas** 12/19 ♀, enf. 9 – 7 – **19 ch** 32/54 – ½ P 47.
◆ Face au massif du Pelvoux, chalet-hôtel proposant des chambres simples et calmes ; elles sont souvent conçues pour recevoir les familles. Salle à manger ouverte sur la nature.

**Ailefroide** – *alt. 1510.*
**Voir** *Pré de Madame Carle : paysage★★ NO : 6 km.*

**Chalet Hôtel d'Ailefroide**, ☎ 04 92 23 32 01, *reglo@net-up.com., Fax 04 92 23 49 97,* ≤, , – **P**. GB
*14 juin-14 sept.* – **Repas** 14,50 (déj.), 17,50/22,90 ♀, enf. 8 – 7,50 – **24 ch** 41/57 – ½ P 42/45.
◆ Petite adresse bien connue des randonneurs. Vous serez hébergé dans des chambres simples et pas très grandes ; certaines sont relookées à la mode montagnarde. Sauna, jacuzzi.

---

**PÉNESTIN** *56760 Morbihan* 308 *Q10 – 1 394 h alt. 20.*
**Voir** *Pointe du Bile ≤★ S : 5 km,* **G. Bretagne.**
*Office du Tourisme, allée du Grand Pré ☎ 02 99 90 37 74, Fax 02 99 90 47 08, information @penestin.com.*
*Paris 459 – Nantes 85 – Vannes 46 – La Baule 29 – La Roche-Bernard 18 – St-Nazaire 43.*

**Loscolo**, Pointe de Loscolo Sud-Ouest : 4 km ☎ 02 99 90 31 90, *Fax 02 99 90 32 14,* ≤, , – **P**. GB
*12 avril-2 nov.* – **Repas** *(fermé merc.)* (dîner seul.) 30 ♀, enf. 20 – 12 – **15 ch** 90/100 – ½ P 71,50/91.
◆ Vous êtes chez l'inventeur de la machine à ouvrir les huîtres. Séjour calme et iodé dans des chambres sobrement aménagées, presque toutes tournées vers l'océan.

---

**PENHORS** *29 Finistère* 308 *E7 – rattaché à Pouldreuzic.*

---

**PENNEDEPIE** *14 Calvados* 303 *N3 – rattaché à Honfleur.*

---

**PENVÉNAN** *22710 C.-d'Armor* 309 *C2 – 2 489 h alt. 70.*
*Syndicat d'Initiative, place de l'Eglise ☎ 02 96 92 81 09.*
*Paris 516 – St-Brieuc 65 – Guingamp 34 – Lannion 16 – Tréguier 8.*

X **Crustacé**, ☎ 02 96 92 67 46 – GB
*fermé 12 au 27 sept., lundi en juil.-août, dim. soir, mardi soir et merc. de sept à juin* – **Repas** 13,60/37,35, enf. 9,15.
◆ Restaurant voisin de l'église, préparant une cuisine simple à base de produits de la mer, servie dans une salle à manger au cadre rustique.

---

**PENVINS** *56 Morbihan* 308 *O9 – rattaché à Sarzeau.*

---

**PERI** *2A Corse-du-Sud* 345 *C7 – voir à Corse.*

---

**PÉRIGNAC** *17 Char.-Mar.* 324 *H6 – rattaché à Pons.*

**PÉRIGNAT-LÈS-SARLIÈVE** *63 P.-de-D.* 326 F8 – *rattaché à Clermont-Ferrand.*

**PÉRIGNY** *86 Vienne* 322 H5 – *rattaché à Poitiers.*

**PÉRIGUEUX** P *24000 Dordogne* 329 F4 *G. Périgord Quercy – 30 280 h alt. 86.*

Voir *Cathédrale St-Front★★, église Saint-Étienne de la Cité★ – Quartier St-Front★★ : rue Limogeanne★* **BY** *, escalier★ Renaissance de l'hôtel de Lestrade (rue de la sagesse* **BY** *- Galerie Daumesnil★ face au n° 3 de la rue Limogeanne – Musée du Périgord★* **CY M²**.

*de Périgueux-Bassillac ☎ 05 53 02 79 795 par ② : 8 km.*

*Office du Tourisme, 26 place Francheville ☎ 05 53 53 10 63, Fax 05 53 09 02 50 tourisme.perigueux@perigord.tm.fr.*

*Paris 482 ① – Agen 139 ③ – Bordeaux 129 ④ – Limoges 94 ① – Poitiers 197 ⑤.*

## PÉRIGUEUX

Abreuvoir (R. de l') .......... **CY** 2
Amphithéâtre (R. de l') .......... **AZ** 3
Arènes (Bd des) .......... **AZ** 6
Aubergerie (R.) .......... **BZ** 9
Barbecane (R.) .......... **CY** 12
Barbusse (Av. Henri) .......... **AY** 13
Bride (R. de la) .......... **BZ** 15
Bugeaud (Pl.) .......... **BZ**
Calvaire (R. du) .......... **BZ** 16
Cavaignac (Av.) .......... **AZ** 18
Cité (R. de la) .......... **ABZ** 23
Clarté (R. de la) .......... **BZ** 24
Claustre (Pl. de la) .......... **BZ** 26
Clos-Chassaing .......... **BY** 27
Coderc (Pl. du) .......... **BYZ** 28
Condé (R.) .......... **BZ** 29
Constitution (R. de la) .......... **CY** 30
Daumesnil (Galerie) .......... **BYZ** 31
Daumesnil (Av. et Pl.) .......... **BCZ** 32
Durand (Rd Pt Charles.) .......... **AZ** 34
Eguillerie (R.) .......... **BY** 35
Fénelon (Cours) .......... **BCZ**
Goudeau (Pl. Emile) .......... **CY** 36
Hôtel de Ville (Pl. de l') .......... **BZ** 37
Lanmary (R.) .......... **BY** 38
Limogeanne (R.) .......... **BY**
Maurois (Pl. André.) .......... **BY** 39
Miséricorde (R. de la) .......... **BY** 40
Mobiles-de-Coulmiers (R.) .......... **AY** 41
Montaigne (Bd, Cours et Pl.) .......... **BY**
Notre-Dame (R.) .......... **CY** 42
Port (Allée du ) .......... **AY** 43
Port-de-Graule (R. du) .......... **CYZ** 44
Président. Wilson (R.) .......... **AY**
République (R. de la) .......... **BYZ** 45
Sagesse (R. de la) .......... **BY** 46
St-Pierre-ès-Liens (R.) .......... **ABZ** 47
St-Roch (R.) .......... **BZ** 48
St-Silain (Pl.) .......... **BY** 49
Ste-Marthe (R.) .......... **CZ** 50
Sully (R. de) .......... **BZ** 53
Taillefer (R.) .......... **BZ**
Talleyrand-Périgord (R.) .......... **CZ** 54
Théâtre (Espl. du) .......... **BY** 55
Turenne (R. de) .......... **AZ** 60
15e Régt de Tirailleurs Algériens (R. du) .......... **AZ** 61
50e Régt d'Infanterie (Av. du) .......... **AZ** 62

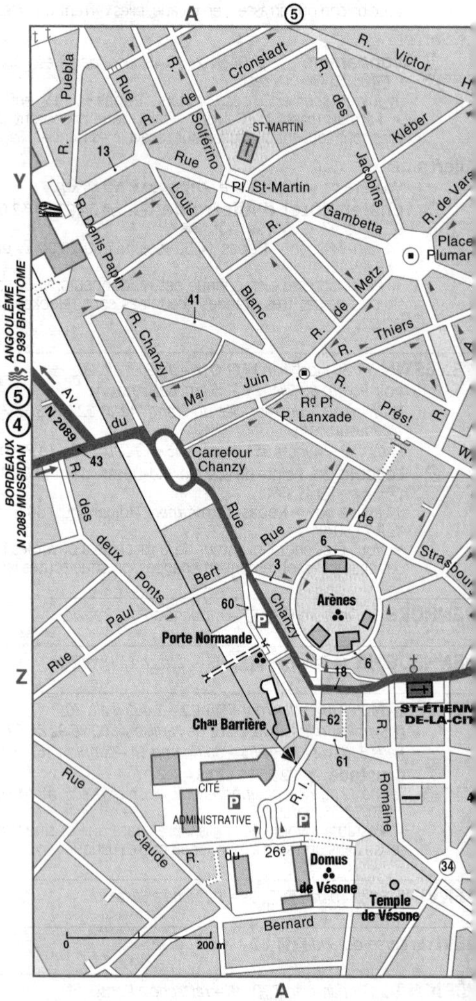

A
⑤
Y
Z
ANGOULÊME D 939 BRANTÔME
BORDEAUX N 2089 MUSSIDAN
Puebla
Rue
R. de Solférino
Cronstadt
R. des Jacobins
R. Victor Hugo
Kléber
ST-MARTIN
Rue Louis Blanc
Pl. St-Martin
Gambetta
R. de Metz
Place Plumar
R. Denis Papin
R. Chanzy
R. Thiers
Mal Juin
Rd Pt P. Lanxade
R. Prést Wilson
Av. du
N 2089
Carrefour Chanzy
Rue Chanzy
R. des deux Ponts
Rue Paul Bert
Rue de Strasbourg
Arènes
Porte Normande
Chau Barrière
ST-ÉTIENNE DE-LA-CITÉ
Rue Claude Bernard
CITÉ ADMINISTRATIVE
R. du 26e
R. Romaine
Domus de Vésone
Temple de Vésone
0
200 m
A

**Bristol** sans rest, 37 r. A. Gadaud ✆ 05 53 08 75 90, *bristol.hotel@wanadoo.fr,* *Fax 05 53 07 00 49* – AE GB — BY u
*fermé vacances de Noël* – 7 – **29 ch** 49/66.
◆ Proche du centre-ville, bâtiment abritant des chambres assez spacieuses et plutôt bien insonorisées. Salle des petits-déjeuners vaste et fraîche.

**Ibis,** 8 bd G. Saumande ✆ 05 53 53 64 58, *Fax 05 53 07 51 79,* – 30. AE GB — CZ a
**Repas** *(12)* - 15, enf. 6 – 5,50 – **89 ch** 52/59.
◆ Immeuble des années 1970 face à l'Isle. Choisissez de préférence une chambre rénovée. Côté boulevard, intéressant coup d'oeil sur le "grenier du chapitre".

**Hercule Poireau,** 2 r. Nation ✆ 05 53 08 90 76 – AE GB. — CZ r
*fermé 24 au 27 déc., 31 déc. au 3 janv., sam. et dim.* – **Repas** 21/45.
◆ La salle à manger, en partie voûtée, de ce restaurant date du 16e s. Sympathique cadre rustique avec pierres apparentes et poutres. Cuisine régionale.

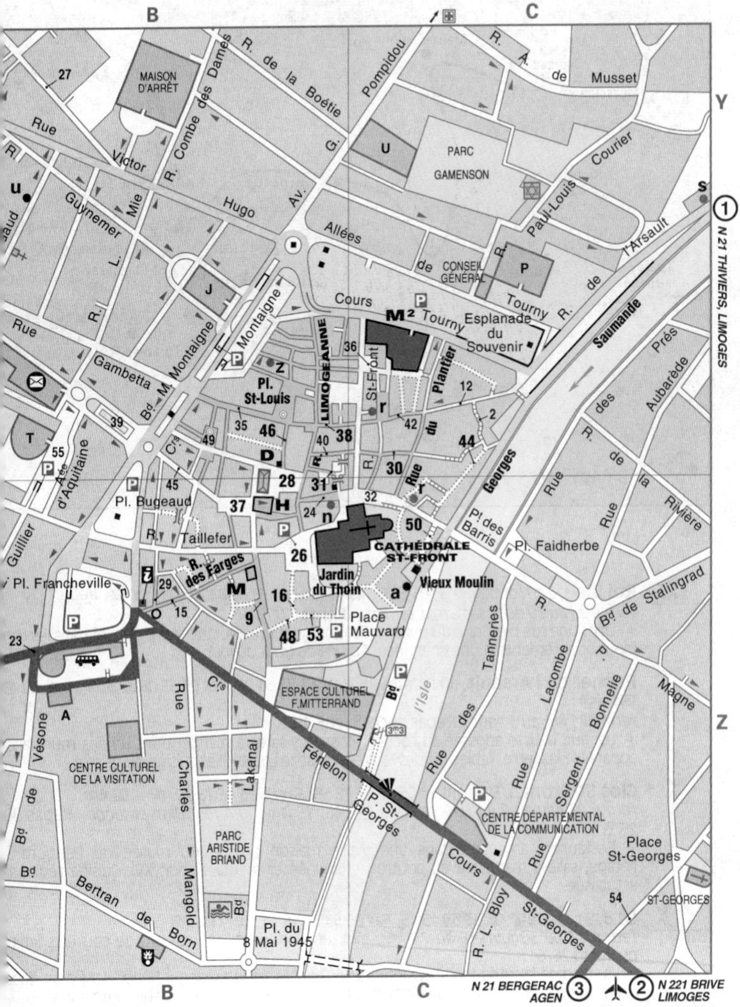
B
C
Y
Z
MAISON D'ARRÊT
R. de la Boétie
R. Combe des Dames
Av. G. Pompidou
R. A. de Musset
PARC GAMENSON
Rue Victor Hugo
Guynemer
R. L. Mie
Allées de Tourny
Cours Tourny
CONSEIL GÉNÉRAL
Paul-Louis Courier
R. de l'Arsault
Saumande
N 21 THIVIERS, LIMOGES
Montaigne
Bd M. Montaigne
Rue Gambetta
Esplanade du Souvenir
Pl. St-Louis
LIMOGEANNE
St-Front
Plantier
Rue du Plantier
Georges
R. des Prés
R. de la Rivière
Aubarède
Pl. Bugeaud
Taillefer
CATHÉDRALE ST-FRONT
Pl des Barris
Pl. Faidherbe
Jardin du Thoin
Vieux Moulin
Bd de Stalingrad
Pl. Francheville
R. des Farges
Place Mauvard
All. d'Aquitaine
Guillier
ESPACE CULTUREL F.MITTERRAND
Tanneries
R. Lacombe
R. P. Magne
Bonnelie
Vésone
CENTRE CULTUREL DE LA VISITATION
Rue Charles Mangold
Lakanal
Crs Fénelon
P. St-Georges
l'Isle
Rue des Tanneries
CENTRE DÉPARTEMENTAL DE LA COMMUNICATION
Rue Sergent
Place St-Georges
ST-GEORGES
PARC ARISTIDE BRIAND
Cours St-Georges
R. L. Bloy
Bd Bertran de Born
Pl. du 8 Mai 1945
N 21 BERGERAC AGEN
N 221 BRIVE LIMOGES

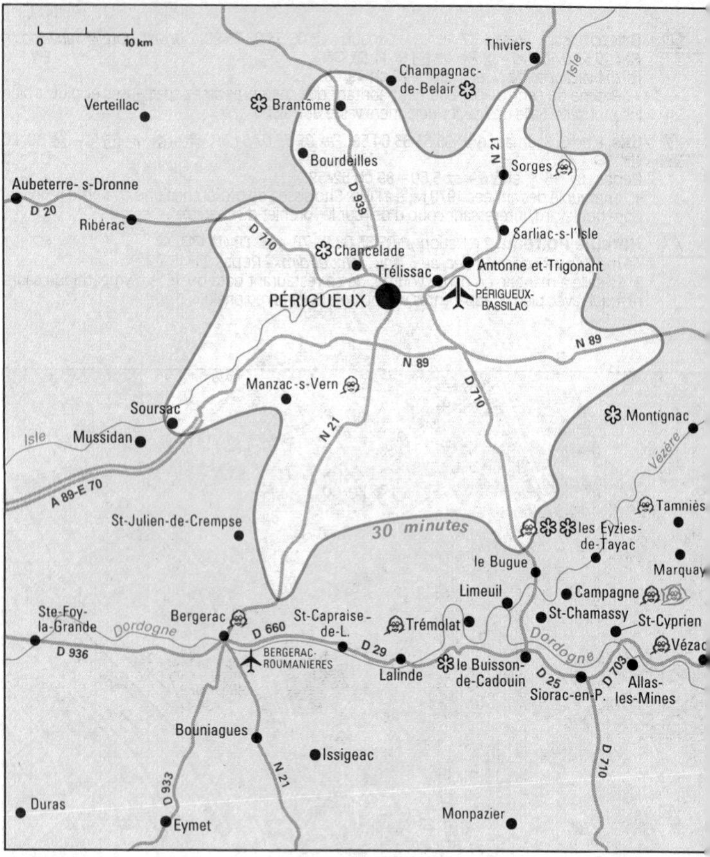

0
10 km
Thiviers
Isle
Champagnac-
de-Belair
Verteillac
Brantôme
N 21
Bourdeilles
Sorges
Aubeterre- s-Dronne
D 20
Ribérac
D 939
Sarliac-s-l'Isle
D 710
Chancelade
Antonne et-Trigonant
Trélissac
PÉRIGUEUX
PÉRIGUEUX-
BASSILAC
N 89
N 89
Manzac-s-Vern
D 710
Soursac
Montignac
Isle
Mussidan
N 21
Vézère
A 89-E 70
Tamniès
St-Julien-de-Crempse
30 minutes
les Eyzies-
de-Tayac
le Bugue
Marquay
Limeuil
Campagne
St-Chamassy
Ste-Foy-
la-Grande
Bergerac
St-Capraise-
de-L.
St-Cyprien
Dordogne
D 660
Trémolat
Vézac
D 936
BERGERAC-
ROUMANIERES
D 29
Dordogne
Lalinde
le Buisson-
de-Cadouin
D 25
D 703
Allas-
les-Mines
Siorac-en-P.
Bouniagues
Issigeac
D 710
N 21
D 933
Duras
Monpazier
Eymet


XX **Roi Bleu,** 2 r. Montaigne ✆ 05 53 09 43 77, *Fax 05 53 09 43 77* – AE ⊕ GB JCB — BY
*fermé 23 au 30 déc., sam. midi et dim.* – **Repas** 27/70 ♀.
◆ Dans une rue piétonne du quartier St-Front, petit restaurant "cosy" décoré dans les tor bleus et agrémenté d'une cheminée. Cuisine au goût du jour.

XX **Rocher de l'Arsault,** 15 r. L'Arsault ✆ 05 53 53 54 06, *Fax 05 53 08 32 32* – ▤ P. AE ⊕ GB JCB — CY
*fermé 21 juil. au 3 août* – **Repas** 19/72 ♀, enf. 10.
◆ Longue bâtisse adossée au rocher. Plaisantes salles à manger dont un des murs laiss apparaître la pierre. Tables rondes, chaises de style Louis XIII et cuisine du terroir.

XX **Clos St-Front,** r. St-Front ✆ 05 53 46 78 58, *Fax 05 53 46 78 20,* 🏠 – AE GB — CY
*fermé 23 juin au 2 juil., 29 sept. au 14 oct., 19 janv. au 4 fév., dim. et lundi* – **Repas** 2( 25 ♀.
◆ Restaurant aménagé dans une vieille maison proche du musée du Périgord. l'étage, salle à manger avec poutres, cheminée et meubles Louis XVI. Cuisine régiona actualisée.

X **Le 8,** 8 r. Clarté ✆ 05 53 35 15 15, *Fax 05 53 35 15 15,* 🏠 – AE GB — BZ
*fermé 23 au 30 juin, 16 au 23 fév., dim. et lundi* – **Repas** (nombre de couverts limit prévenir) 26/61.
◆ Au pied de la cathédrale "byzantine". Les petites salles à manger bénéficient d'un déc gai et soigné. Produits du terroir et authentique pâté de Périgueux sur commande.

**Trélissac** *par ① : 4 km – 6 660 h. alt. 92 – ✉ 24750 :*

**Kyriad,** ✆ 05 53 03 39 70, *kyriad.perigueux@wanadoo.fr, Fax 05 53 03 39 71,* – TV ✆ ♿ P – 🏔 20 à 50. AE ⓓ GB JCB
**Repas** 9,50 (déj.), 11,50/22 🍷, enf. 6 – ☕ 8 – **68 ch** 37/54 – ½ P 44.
◆ Cet hôtel rénové est situé dans une zone commerciale. Chambres colorées et bien insonorisées. En mezzanine, espace billard et bibliothèque (vaste choix de bandes dessinées).

**Antonne-et-Trigonant** *par ① : 11 km – 1 050 h. alt. 106 – ✉ 24420 .*
**Voir** *Architecture intérieure★ du château des Bories NE : 2 km.*

**L'Écluse** 🐦, ✆ 05 53 06 00 04, *contact@ecluse-perigord.com, Fax 05 53 06 06 39,* – TV ✆ ♿ P – 🏔 15 à 120. AE ⓓ GB
**Repas** 18 bc (déj.), 25/40 bc – ☕ 8,75 – **43 ch** 46/62, 4 appart – ½ P 49/54.
◆ Dans un parc au bord de l'Isle, grande maison de caractère abritant des chambres au décor rustique ; certaines ont vue sur la rivière. Vaste salle à manger panoramique.

**Chancelade** *par ⑤, D 710 et D 1 : 5,5 km – 3 718 h. alt. 88 – ✉ 24650 .*
**Voir** *Abbaye★ .*

**Château des Reynats** 🐦, ✆ 05 53 03 53 59, *reynats@chateau.hotel-perigord.com, Fax 05 53 03 44 84,* – TV ♿ P – 🏔 15 à 60. AE ⓓ GB JCB
*fermé 2 janv. au 11 fév. –* **Repas** *(fermé sam. midi, dim. et lundi)* 28 bc (déj.), 42/55 et carte 60 à 76 – ☕ 14 – **33 ch** 87/220, 4 appart – ½ P 119/210.
◆ Château du 19ᵉ s. dans un parc arboré. Les chambres refaites sont jolies et personnalisées ; elles restent modernes dans l'ancienne orangerie. Cuisine créative soignée.
**Spéc.** Lasagne de foie gras pôêlé aux champignons des bois. Foie de canard poêlé au poivre de Séchouan. Croquant framboise à la crème vanille (juin à sept.). **Vins** Bergerac, Pécharmant.

*Si le coût de la vie subit des variations importantes,*
*les prix que nous indiquons peuvent être majorés.*
*Lors de votre réservation à l'hôtel, faites-vous préciser le prix définitif.*

---

## ERNAND-VERGELESSES *21420 Côte-d'Or* 320 *J7 – 320 h alt. 275.*

*Paris 310 – Beaune 7 – Nuits-St-Georges 15 – Pouilly-en-Auxois 44.*

**Charlemagne,** route des Vergelesses ✆ 03 80 21 51 45, *Fax 03 80 21 58 52,* ← – P. ⓓ GB JCB
*fermé mardi et merc. –* **Repas** 19 (déj.), 29/47 🍷.
◆ Ce "sacré" Charlemagne possédait des vignes sur le "massif" de Corton. Ce plaisant restaurant contemporain propose des recettes régionales teintée de touches asiatiques.

---

## ERNES-LES-FONTAINES *84210 Vaucluse* 332 *D10 G. Provence – 8 304 h alt. 75.*

**Voir** *Porte Notre-Dame★ .*
*Office du Tourisme, place Gabriel Moutte ✆ 04 90 61 31 04, Fax 04 90 61 33 23.*
*Paris 689 – Avignon 23 – Apt 43 – Carpentras 6 – Cavaillon 20.*

**L'Hermitage** 🐦 sans rest, rte Carpentras : 2 km ✆ 04 90 66 51 41, *hotel.lhermitage@libertysurf.fr, Fax 04 90 61 36 41,* – TV ✆ P – 🏔 25. AE ⓓ GB
*mars-nov. –* ☕ 9,50 – **20 ch** 72/82.
◆ Belle demeure datant de 1890 au milieu d'un parc. Ambiance méditerranéenne colorée dans les chambres, confort bourgeois et meubles de style dans les salons.

**Au Fil du Temps** (Robert), pl. L. Giraud (face centre culturel) ✆ 04 90 66 48 61, *fildutemp@wanadoo.fr, Fax 04 90 66 48 61* – . GB .
*fermé 29 oct. au 7 nov., 17 déc. au 2 janv., vacances de fév., mardi sauf juil.-août et merc. –* **Repas** (nombre de couverts limité, prévenir) 26 (déj.), 40/60.
◆ Cette auberge toute simple située au coeur de la "perle du Comtat" abrite une salle à manger sagement provençale. Vous y savourerez une cuisine du Sud actualisée.
**Spéc.** Millefeuille de boeuf et foie gras poêlés au vinaigre balsamique (hiver). Saumon mariné à la badiane sauce aigrelette (hiver). Crème brûlée au thym (printemps). **Vins** Châteauneuf-du-Pape, Cornas.

**u Nord-Est** *: 4 km par D 1 et rte secondaire – ✉ 84210 Pernes-les-Fontaines :*

**Mas La Bonoty** 🐦 avec ch, ✆ 04 90 61 61 09, *bonoty@aol.com, Fax 04 90 61 35 14,* – TV P. GB
*fermé nov.et janv. –* **Repas** *(fermé mardi sauf le soir d'avril à sept. et lundi)* 30/40 – **8 ch** ☕ 77/81 – ½ P 62/65.
◆ Près du village aux 36 fontaines, bergerie du 17ᵉ s. au charme préservé : pierres et poutres dans la salle à manger, sol en tomettes et mobilier campagnard dans les chambres.

**PÉRONNAS** *01 Ain* 328 E3 – *rattaché à Bourg-en-Bresse.*

---

**PÉRONNE** 80200 Somme 301 K8 *G. Picardie Flandres Artois* – 8 497 h alt. 52.

**Voir** *Historial de la Grande Guerre*★.

*Office du Tourisme, 1 rue Louis XI ☎ 03 22 84 42 38, Fax 03 22 84 51 25, office.tourisme.peronne@wanadoo.fr.*

*Paris 141 ② – St-Quentin 32 ① – Amiens 58 ② – Arras 48 ① – Doullens 54 ③.*

## PÉRONNE

Ancien Collège (R. de l') .. 2
Anglais (Bd des) ........
Audinot (Pl. A.) .......... 3
Béranger (R.) ...........
Bouchers (R. des) ........ 4
Boulanger (Av. Ch.) .......
Caisse-d'Épargne (R. de la) ............. 5
Chanoines (R. des) ........ 7
Clemenceau (R. G.) ......
Danicourt (Av.) ..........
Daudré (Pl. du Cdt) ....... 9
Gare (Av. de la) .........
Gladimont (R. du) ........ 12
Hugo (R. V.) ............
Mermoz (R. J.) ..........
Noir-Lion (R. du) ........ 14
Pasteur (R.) ............ 17
Poilu (Bd du) ...........
République (Av. de la) ....
St-Fursy (R.) ...........
St-Jean (R.) ............ 18
St-Quentin-Capelle (R.) ............ 21
St-Sauveur (R.) .......... 22
Tourelles (R. des) .......
Verne (R. J.) ...........

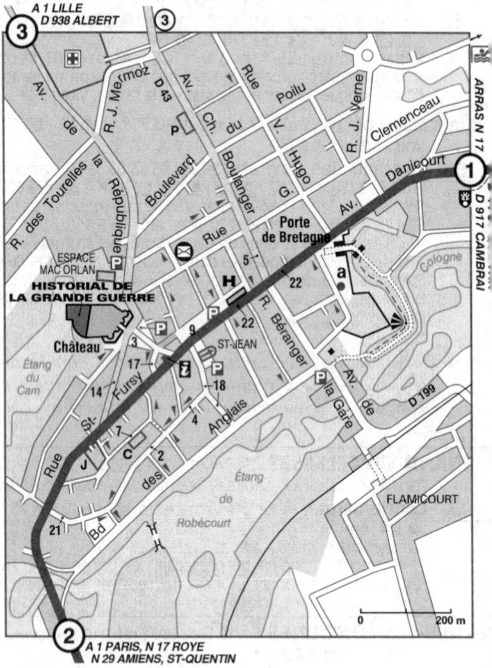
A 1 LILLE
D 938 ALBERT
ARRAS N 17
D 917 CAMBRAI
Porte de Bretagne
HISTORIAL DE LA GRANDE GUERRE
ESPACE MAC ORLAN
Château
ST-JEAN
Étang du Cam
Étang de Robécourt
FLAMICOURT
Cologne
D 199
200 m
A 1 PARIS, N 17 ROYE
N 29 AMIENS, ST-QUENTIN

**XX Quenouille,** 4 av. Australiens, N 17 par ① ☎ 03 22 84 00 62, *laquenouille@free.f*
*Fax 03 22 84 67 50,* – P. GB
*fermé 18 au 31 aout, dim. soir et lundi* – **Repas** *(11,50)* - 15/38 ♀.
◆ Il règne une charmante atmosphère "vieille France" en ce restaurant aménagé dans un maison du début du 20e s. Terrasse en façade et petit jardin sur l'arrière.

**XX Hostellerie des Remparts** avec ch, 23 r. Beaubois (a) ☎ 03 22 84 01 2
*Fax 03 22 84 31 96* – TV. AE GB JCB
**Repas** *(12 bc)* - 20/42 ♀, enf. 12 – 6,50 – **16 ch** 40/77 – ½ P 50/60.
◆ Cette grande bâtisse régionale adossée aux remparts propose ses deux salles à mang au décor délicieusement suranné. Nouvelle aile de chambres en cours d'achèvement.

**à Rancourt** *par ① et N 17 : 10 km – 143 h. alt. 143 – ✉ 80360 :*

**Prieuré,** ☎ 03 22 85 04 43, *Fax 03 22 85 06 69,* – TV P – 50. AE GB JCB
**Repas** 15/25 ♀ – 14 – **27 ch** 60/65 – ½ P 60.
◆ Architecture d'inspiration mauresque abritant des chambres personnalisées, plus spacieuses sur l'arrière. Élegante salle à manger bourgeoise et bar écossais.

**rte de Paris** *par ② : 3 km – ✉ 80200 Péronne :*

**Campanile,** ☎ 03 22 84 22 22, *Fax 03 22 84 16 86,* – TV P – 25. AE GB
**Repas** *(12)* - 15,50/18,30 ♀, enf. 6,50 – 6 – **40 ch** 49.
◆ Utile pour l'étape, construction récente située en bordure de route. Chambres fonctionnelles, équipées du double vitrage. Restauration basée sur des formules buffets.

**Aire d'Assevillers** *sur A 1 par ②, rte d'Amiens (N 29) et rte secondaire : 15 km – ✉ 80200 Péronne :*

**Mercure,** ✆ 03 22 85 78 30, *mercureperonne@wanadoo.fr, Fax 03 22 85 78 31* – 60. AE GB
**Repas** 19/26,30 ♀, enf. 6,40 – ☕ 10,50 – **79 ch** 79/91.
◆ Imposant bâtiment des années 1970 situé sur une aire d'autoroute. Au choix : chambres rénovées et bien agencées ou style "seventies" d'origine. Grill sans prétention.

---

**PÉROUGES** *01800 Ain* 328 E5 *G. Vallée du Rhône – 851 h alt. 290.*
Voir *Cité** : place de la Halle***.*
*Syndicat d'Initiative, ✆ 04 74 61 01 14, Fax 04 72 61 84 60, info@perouges.org.*
*Paris 459 – Lyon 37 – Bourg-en-Bresse 39 – Villefranche-sur-Saône 59.*

**Ostellerie du Vieux Pérouges**, ✆ 04 74 61 00 88, *thibaut@ostellerie.com, Fax 04 74 34 77 90,* – 30. AE GB
**Repas** 30/70 ♀, enf. 16 – ☕ 12 – **15 ch** 110/205.
◆ Jolies façades, intérieur typiquement vieux bressan au restaurant : cette belle auberge du 14e s. a su préserver son authenticité. Dégustez-y la galette pérougienne.

**Pavillon** – . AE GB
voir rest. ci-dessus – ☕ 12 – **13 ch** 66/119.
◆ À deux pas de l'Ostellerie, petites chambres plus simplement meublées et avant tout pratiques, réparties dans deux maisons de caractère du pittoresque village médiéval.

---

**PERPIGNAN** P *66000 Pyr.-Or.* 344 I6 *G. Languedoc Roussillon – 105 983 h Agglo. 162 678 h alt. 60.*
Voir *Le Castillet** – *Loge de mer** **BY K** – *Hôtel de ville** **BY H** – *Cathédrale St-Jean** – *Palais des rois de Majorque** – *Musée numismatique Joseph-Puig** – *Place Arago : maison Julia*.*
✈ *de Perpignan-Rivesaltes : ✆ 04 68 52 60 70, par ① : 6 km.*
*Office du Tourisme, place Armand Lanoux ✆ 04 68 66 30 30, Fax 04 68 66 30 26, office-contact@smi-telecom.fr.*
*Paris 852 ① – Andorra-la-Vella 168 ⑥ – Béziers 94 ① – Montpellier 156 ① – Toulouse 204 ①.*

Plan pages suivantes

**Villa Duflot** M, rd-pt Albert Donnezan, par ④, *dir. autoroute : 3 km* ✆ 04 68 56 67 67, *contact@villa-duflot.com, Fax 04 68 56 54 05,* – 15 à 80. AE GB JCB
**Repas** 31 bc (déj.)/39 bc – ☕ 10 – **24 ch** 105/135 – ½ P 93,50/108,50.
◆ Élégantes chambres au mobilier Art déco donnant, les unes sur le parc méditerranéen, les autres sur le joli patio : un petit coin de paradis... dans une zone commerciale !

**Park Hôtel,** 18 bd J. Bourrat ✆ 04 68 35 14 14, *accueil@parkhotel-fr.com, Fax 04 68 35 48 18* – 50. AE GB JCB **CY y**
***Chapon Fin*** *(fermé 11 au 31 août, 1er au 18 janv. et dim.)* **Repas** 25(déj.), 48bc/100 et carte 55 à 80 ♀ – ☕ 9 – **67 ch** 55/95.
◆ Face au square Bir Hakeim, pimpantes chambres au décor coloré d'inspiration espagnole. Agréable coin bar design. Au Chapon Fin : boiseries, belles faïences et cuisine classique.
**Spéc.** Civet de homard au vieux grenache. Poularde en vessie, sauce velours. Pain d'épice et pommes caramélisées au miel du Roussillon. **Vins** Collioure, Côtes du Roussillon.

**Mas des Arcades,** par ④ : *2 km sur N 9* ✉ 66100 ✆ 04 68 85 11 11, *contact@hotel-mas-des-arcades.fr, Fax 04 68 85 21 41,* – 100. GB.
**Repas** *(20)* - 26/45, enf. 12 – ☕ 8 – **102 ch** 65/85, 3 appart.
◆ Plusieurs bâtiments encadrant une piscine sur laquelle ouvrent une partie des chambres, équipées de balcons. "Bodega" au sous-sol (soirées à thèmes). Bonne insonorisation.

**Mercure** M sans rest, 5 cours Palmarole ✆ 04 68 35 67 66, *h1160@accor-hotels.com, Fax 04 68 35 58 13,* – 40 à 80. AE GB JCB **BY b**
☕ 10 – **55 ch** 82/115, 5 duplex.
◆ Hôtel récent proposant des chambres pratiques et actuelles. Un bel escalier - d'esprit "paquebot" - mène au bar et à la salle des petits-déjeuners.

**New Christina** M, 51 cours Lassus ✆ 04 68 35 12 21, *info@hotel-newchristina.com, Fax 04 68 35 67 01* – . GB **CY w**
**Repas** *(fermé sam. et dim.)* 19 – ☕ 8,50 – **25 ch** 61/75 – ½ P 56/60,50.
◆ Cet établissement dispose de chambres assez grandes, équipées sobrement en mobilier cérusé. Pour la détente : petite piscine sur le toit, jacuzzi, hammam et bar.

## PERPIGNAN

Alsace-Lorraine (R. d') . . **BY** 2
Anciens-Combattants-d'Indochine (Pl. des) . . **BY** 3
Ange (R. de l') . . . . . . . . . **BZ** 4
Arago (Pl.) . . . . . . . . . . . . **BZ** 5
Argenterie (R. de l') . . . . **BY** 6
Barre (R. de la) . . . . . . . . **BY** 7
Bartissol (R. E.) . . . . . . . **BY** 8
Batllo (Quai F.) . . . . . . . . **BY** 9
Castillet (R. du) . . . . . . . . **BY** 21
Clemenceau (Bd G.) . . . . **BY**
Cloche-d'Or (R. de la) . **BYZ** 22
Côte-des-Carmes (R.) . . . **CZ** 23
Fabriques d'En Nabot (R. des) . . **BY** 24
Fabrique d'en Nadal (R. des) . . . . . . . . . . . . . **BY** 25
Fontaine-Neuve (R.) . . . . **CZ** 26
Fontfroide (R.) . . . . . . . . . **BY** 27
Gambetta (Pl.) . . . . . . . . . **BY** 28
Grande-la-Monnaie (R.) . . **BZ** 31
Lattre-de-Tassigny (Quai de) . . . . . . . . . . . . **BZ** 32
Loge (R. et pl. de la) . . . . **BY** 33
Louis-Blanc (R.) . . . . . . . . **BY** 34
Marchands (R. des) . . . . . **BY** 35
Mermoz (Av. J.) . . . . . . . . **CZ** 36
Mirabeau (R.) . . . . . . . . . . **BY** 37
Payra (R. J.) . . . . . . . . . . . **BY** 38
Péri (Pl. Gabriel) . . . . . . . . **BZ** 39
Petite-la-Monnaie (R.) . . . . . . . . . . . . . . . . **BZ** 40
Porte-d'Assaut (R.) . . . . . **BZ** 41
Porte-de-Canet (R.) . . . . . **CZ** 42
Remparts-la-Réal (R. des) **BZ** 43
République (R. de la) . . . **BZ** 44
Résistance (Pl. de la) . . . **BY** 45
Révolution-Française (R. de la) . . . . . . . . . . . . **CY** 46
Rigaud (Pl.) . . . . . . . . . . . . **BZ** 47
Sadi-Carnot (Quai) . . . . . . **BY** 50
St-Jean (R.) . . . . . . . . . . . . **BY** 52
Théâtre (R. du) . . . . . . . . . **BZ** 55
Trois-Journées (R. des) . . **BY** 58
Vauban (Quai) . . . . . . . . . . **BY** 60
Verdun (Pl. de) . . . . . . . . . **BY** 64
Victoire (Pl. de la) . . . . . . **BY** 67
Vielledent (R. J.) . . . . . . . . **CZ** 69
Waldeck-Rousseau (R.) . . . . . . . . . . . . . . . . . **CZ** 72

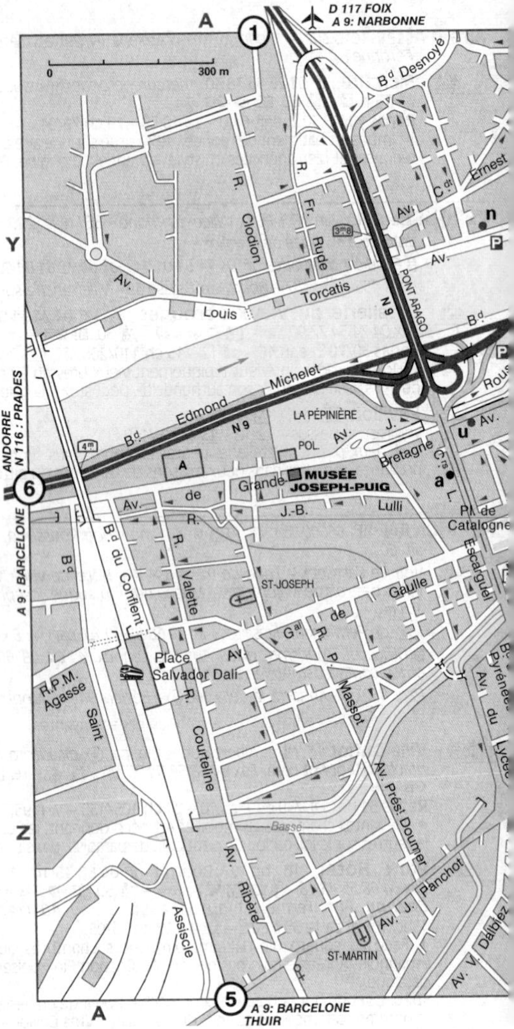
A
D 117 FOIX
A 9: NARBONNE
0
300 m
Bd Desnoyé
R. Clodion
R. Fr. Rude
Av. Torcatis
Louis
PONT ARAGO
N 9
Bd Edmond Michelet
LA PÉPINIÈRE
POL.
MUSÉE JOSEPH-PUIG
Av. de Grande-Bretagne
R. J.-B. Lulli
Pl. de Catalogne
Bd du Conflent
R. Valette
ST-JOSEPH
Av. Gal de Gaulle
R. P. Massot
Place Salvador Dali
R.P.M. Agasse
Saint
R. Courteline
Basse
Av. Prést Doumer
Av. Ribère
Assiscle
Av. J. Panchot
ST-MARTIN
Av. V. Dalbiez
A 9: BARCELONE
THUIR
ANDORRE
N 116 : PRADES
A 9 : BARCELONE
Y
Z

**Ibis,** 16 cours Lazare Escarguel ✆ 04 68 35 62 62, *Fax 04 68 35 13 38* – 🛗 ▤ 📺 📞 ♿ 🅿 – 🏛 100. AE ⓓ GB AY a
**Repas** *(12,50)* - 15 🍷, enf. 6 – ☕ 5,50
**100 ch** 60/77.
◆ Les chambres rénovées de cet immeuble moderne sont bien tenues et insonorisées, et la salle de restaurant présente un décor frais et coloré. Salon-bar assez cossu.

**L'Éolienne,** 170 av. Guynemer par ③ ✆ 04 68 66 00 00, *Fax 04 68 66 02 02* – 🛗 ⚡, ▤ rest, 📺 📞 ♿ 🚗 🅿 – 🏛 20 à 50. AE GB
**Repas** *(11)* - 14,50 🍷, enf. 6,25 – ☕ 6,10
**89 ch** 54 – 1/2 P 40.
◆ À la sortie de Perpignan - en direction des plages - vaste construction moderne abritant des chambres pratiques et pimpantes. Salle des repas lumineuse (carte et buffets).

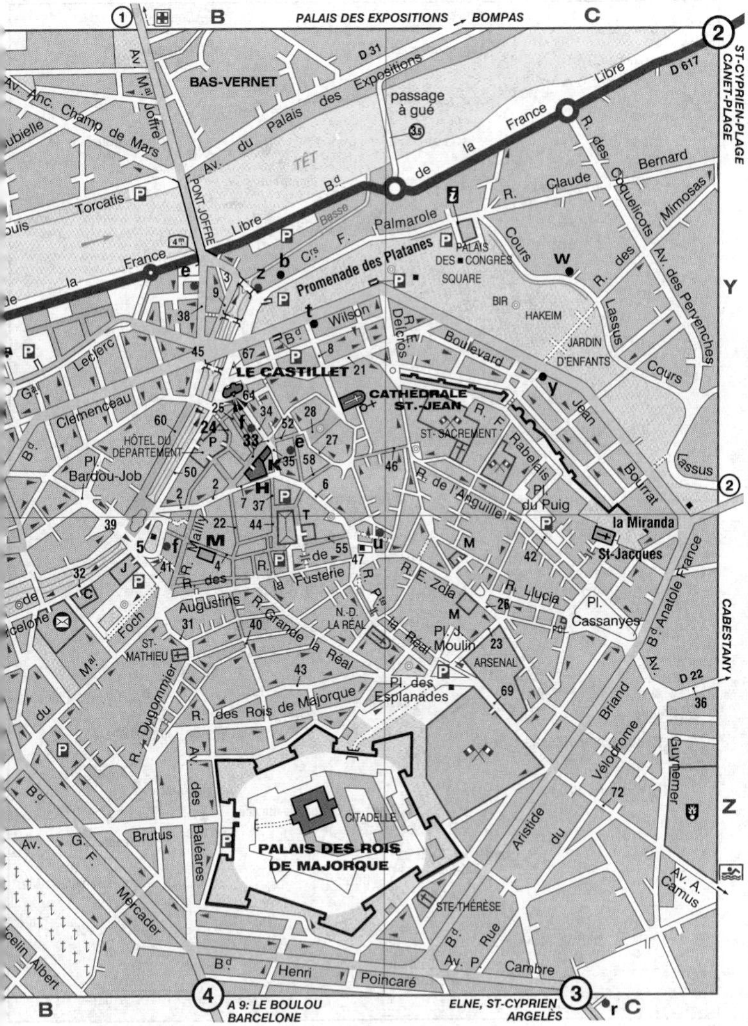

B
C
PALAIS DES EXPOSITIONS
BOMPAS
ST-CYPRIEN-PLAGE CANET-PLAGE
D 31
D 617
BAS-VERNET
Av. du Palais des Expositions
passage à gué
Av. Mal Joffre
Av. Anc. Champ de Mars
TÊT
Bd de la France Libre
R. des Coquelicots
Bernard
R. Claude
Mimosas
Torcatis
PONT JOFFRE
Basse
Palmarole
Crs F.
Promenade des Platanes
PALAIS DES CONGRÈS
SQUARE
BIR HAKEIM
Cours Lassus
R. des Lassus
Av. des Pervenches
JARDIN D'ENFANTS
France
Wilson
R. Delcros
Boulevard
Leclerc
LE CASTILLET
CATHÉDRALE ST-JEAN
ST-SACREMENT
R. F. Rabelais
Clemenceau
HÔTEL DU DÉPARTEMENT
Pl. Bardou-Job
R. de l'Anguille
Pl. du Puig
Bourrat
la Miranda
St-Jacques
R. Mailly
R. des Augustins
de la Fusterie
R. E. Zola
R. Llucia
Pl. Cassanyes
N.-D. LA RÉAL
R. Grande la Réal
R. Petite la Réal
Pl. J. Moulin
ARSENAL
Foch
ST-MATHIEU
R. Dugommier
R. des Rois de Majorque
Pl. des Esplanades
Bd Anatole France
CABESTANY
D 22
Briand
Vélodrome
Guynemer
Av. des Baléares
CITADELLE
PALAIS DES ROIS DE MAJORQUE
Brutus
Av. G. F. Mercader
Aristide du
Av. A. Camus
STE-THÉRÈSE
Rue
Av. P. Cambre
Bd Henri Poincaré
A 9: LE BOULOU BARCELONE
ELNE, ST-CYPRIEN ARGELÈS
Y
Z


**Clos des Lys,** 660 chemin de la Fauceille par ④ *et N 114, dir. Argelès : 4 km* ✉ 66100 ✆ 04 68 56 75 00, *contact@closdeslys.com, Fax 04 68 54 60 60,* – P. AE GB
*fermé merc. soir d'oct. à mai, dim. sauf le midi d'oct. à mai et lundi* – **Repas** (12,50) - 16/46 ♀, enf. 9,50.
◆ Au coeur d'un jardin aux essences méridionales, bâtisse contemporaine animée par l'esprit catalan, dans le cadre comme dans l'assiette. Cheminée pour les grillades.

**Passerelle,** 1 cours Palmarole ✆ 04 68 51 30 65, *Fax 04 68 51 90 58* – AE GB
*fermé 10 au 17 aout, 27 avril au 4 mai, 20 déc. au 4 janv., lundi midi et dim.* – **Repas** carte 28 à 43 ♀. BY z
◆ Le restaurant jouxte une passerelle enjambant la Basse. Service aimable, joli décor marin et grande fraîcheur des produits (spécialités de poissons et crustacés).

**Les Antiquaires,** pl. Desprès ✆ 04 68 34 06 58, *Fax 04 68 35 04 47* – AE GB.
*fermé 1er au 23 juil., dim. soir et lundi* – **Repas** 20/37 ♀. BZ u
◆ Sympathique adresse du vieux Perpignan offrant un cadre rustique soigné ; les nappes aux initiales brodées sont dénichées chez... les antiquaires. Cuisine traditionnelle.

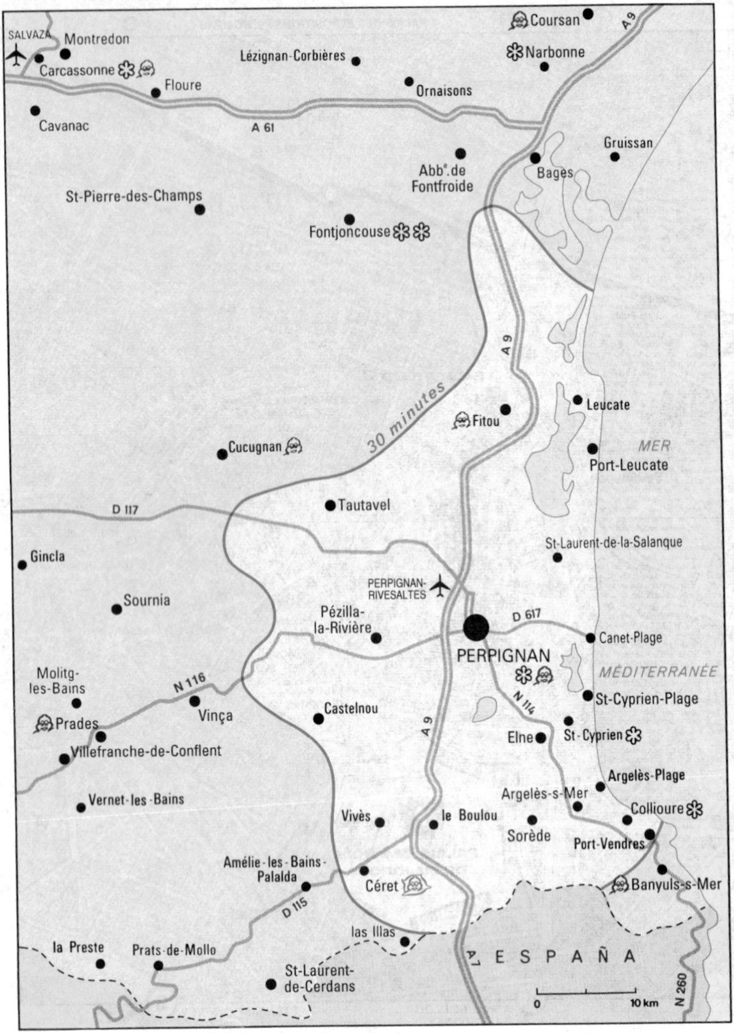
SALVAZA
Montredon
Carcassonne
Floure
Cavanac
Lézignan-Corbières
Ornaisons
Coursan
Narbonne
A 9
A 61
Gruissan
Bages
Abb^e. de Fontfroide
St-Pierre-des-Champs
Fontjoncouse
30 minutes
Leucate
Fitou
Cucugnan
MER
Port-Leucate
Tautavel
D 117
St-Laurent-de-la-Salanque
Gincla
PERPIGNAN-RIVESALTES
Sournia
Pézilla-la-Rivière
D 617
Canet-Plage
PERPIGNAN
MÉDITERRANÉE
Molitg-les-Bains
N 116
Vinça
Prades
Castelnou
N 114
St-Cyprien-Plage
Elne
St-Cyprien
Villefranche-de-Conflent
Argelès-Plage
Argelès-s-Mer
Vernet-les-Bains
Vivès
le Boulou
Collioure
Sorède
Port-Vendres
Amélie-les-Bains-Palalda
Céret
Banyuls-s-Mer
D 115
las Illas
la Preste
Prats-de-Mollo
ESPAÑA
A 7
St-Laurent-de-Cerdans
0
10 km
N 260

XX **Voilier des Saveurs,** 1 bd Kennedy (accès par 1 r. Viète) ✆ 04 68 50 25 25, *vsaveurs@aol.com, Fax 04 68 50 38 73* – ▤. AE ⓓ GB CZ r
*fermé 15 juil. au 13 août, sam. midi, dim. soir et lundi* – **Repas** 16 (déj.), 28/43 ♀.
◆ Au rez-de-chaussée d'un immeuble moderne, cadre marin un brin désuet où l'on propose une carte traditionnelle. Pratique pour la clientèle de ce quartier d'affaires.

XX **Les Casseroles en Folies,** 72 av. L. Torcatis ✆ 04 68 52 48 03 – ▤ AY n
*fermé juin à sept.* – **Repas** (prévenir) 19,90/24,40 ♀.
◆ La façade colorée de ce restaurant cache une salle à manger aménagée simplement, prolongée par un jardin d'hiver où sont servis les repas commandés.

XX **Carlit,** 63 av. Gén. Leclerc ✆ 04 68 51 17 86, *restcarlit@hotmail.com, Fax 04 68 35 36 48* – ▤. AE ⓓ GB AY u
*fermé 3 au 25 août, sam. midi, dim. soir et lundi soir* – **Repas** 14 (déj.)/39 ♀.
◆ En périphérie de la ville chère à Dali, ce discret petit restaurant dispose d'une sympathique salle à manger décorée dans le style méditerranéen.

X **Banyols et Banyols,** 7 r. Cardeurs ✆ 04 68 34 48 40, *Fax 04 68 51 25 99* – GB BY e
*fermé vacances de Noël, dim. et lundi* – **Repas** (nombre de couverts limité, prévenir) *(13)* et carte 25 à 36 ♀.
◆ Décor contemporain simple et chaleureux, ambiance conviviale et goûteuse cuisine du marché assurent le succès de ce restaurant installé dans une ruelle de la vieille ville.

X **Galinette,** 23 r. Jean Payra ✆ 04 68 35 00 90, *Fax 04 68 35 15 20* – ▤. GB BY e
*fermé 26 juil. au 16 août, 23 déc. au 4 janv., dim. et lundi* – **Repas** 12 (déj.), 24/33 ♀.
◆ Expositions de tableaux, mobilier contemporain, moulures : un décor sobre et soigné où les Perpignanais se régalent de plats méridionaux préparés au gré du marché.

X **Café Vienne,** 3 pl. Arago ✆ 04 68 34 80 00, *Fax 04 68 66 13 34*, ⛱ – GB BZ f
**Repas** *(12)* - 18,50 ♀, enf. 6,50.
◆ Boiseries, banquettes, miroirs, mobilier de bistrot... Un cadre qui concourt à recréer l'atmosphère d'une brasserie des années 1930. Jolie verrière dans l'arrière-salle.

X **Casa Sansa,** 4 r. Fabrique Couverte ✆ 04 68 34 21 84, *Fax 04 68 51 20 79* – AE GB BY f
**Repas** 13 (déj.), 15/45 ♀, enf. 10.
◆ Restaurant installé depuis 1846 dans l'ex-quartier des drapiers (13e s.). Dans la salle de style bistrot, exubérant décor, ambiance animée et spécialités catalanes.

**par** ① *près échangeur Perpignan-Nord : 10 km* – ✉ *66600 Rivesaltes :*

**Novotel** M, ✆ 04 68 64 02 22, *h0424-gm@accor-hotels.com, Fax 04 68 64 24 27*, ⛱, ⛱, – ⊁ ▤ TV ✆ ♿ P – 🎭 15 à 100. AE ⓓ GB JCB
**Repas** *(15)* - carte 20 à 30 ♀, enf. 8 – ☕ 10 – **86 ch** 84/115.
◆ Ce Novotel entouré de verdure propose repos et confort à deux pas de l'autoroute. Grandes chambres fonctionnelles, restaurant ouvert sur la piscine et bar "à la catalane".

**Mercure** M, ✆ 04 68 38 55 38, *H3042@accor-hotels.com, Fax 04 68 38 55 66*, ⛱, ⛱ – 🛗 ⊁ ▤ TV ✆ ♿ P – 🎭 15 à 60. AE ⓓ GB JCB
**Repas** *(fermé sam. midi et dim. soir sauf juil.-août)* *(13)* - 16/25, enf. 7 – ☕ 8 – **64 ch** 72/76.
◆ Étape pratique proche de l'autoroute, proposant de petites chambres bien équipées. Agréable salle à manger ouverte sur la piscine et son amusante cascade.

**par** ② , *D 617 et rte secondaire : 5 km* – ✉ *66000 Perpignan :*

XXX **Mas Vermeil,** traverse de Cabestany ✆ 04 68 66 95 96, *contact@masvermeil.com, Fax 04 68 66 89 13*, ⛱, 🌳 – P. AE GB
*fermé janv. à mi-fév., dim. soir et lundi hors saison* – **Repas** 24 bc (déj.), 28 bc/36,50 et carte 39 à 58 ♀, enf. 15,30.
◆ Ce mas ordonné autour d'un patio "andalou" fut un couvent au 16e s., puis un domaine agricole après la Révolution. Pigeonnier du 17e s. ; parc planté de palmiers et oliviers.

---

## Le PERRAY-EN-YVELINES *78610 Yvelines* 311 H3 – *4 645 h alt. 180.*

*Syndicat d'Initiative, 2 rue de l'Eglise ✆ 01 34 84 99 05.*

*Paris 47 – Chartres 47 – Arpajon 37 – Mantes-la-Jolie 44 – Rambouillet 6 – Versailles 28.*

XXX **Auberge des Bréviaires,** aux Bréviaires Ouest : 3,5 km par D 61 ✆ 01 34 84 98 47, *Fax 01 34 84 65 88*, ⛱ – AE GB
*fermé 29 juil. au 20 août, 23 au 26 déc., 17 fév. au 5 mars, dim. soir, lundi et mardi* – **Repas** 29/42 et carte 37 à 65 ♀.
◆ Rustique et contemporain s'unissent pour le meilleur en cette accueillante auberge située à l'orée de la forêt de Rambouillet. Atmosphère provinciale et cuisine classique.

---

## Le PERREUX-SUR-MARNE *94 Val-de-Marne* 312 E2 106 ⑰, 101 ⑱ – *voir à Paris, Environs.*

---

## PERRIER *63 P.-de-D.* 326 G9 – *rattaché à Issoire.*

---

## PERROS-GUIREC *22700 C.-d'Armor* 309 B2 *G. Bretagne* – *7 497 h alt. 60* – *Casino* **A**.

**Voir** *Nef romane★ de l'église* **B** – *Pointe du château* ≤★ – *Table d'orientation* ≤★ **B E** – *Sentier des douaniers★★ – Chapelle N.-D. de la Clarté★ 3 km par* ② – *Sémaphore* ≤★ *3,5 km par* ②.

**Env.** *Ploumanach★★ : parc municipal★★, rochers★★ – Sentier des Douaniers★★.*

*Office du Tourisme, 21 place de l'Hôtel de Ville ✆ 02 96 23 21 15, Fax 02 96 23 04 72, infos@perros-guirec.com.*

*Paris 527 ① – St-Brieuc 76 ① – Lannion 11 ① – Tréguier 19 ①.*

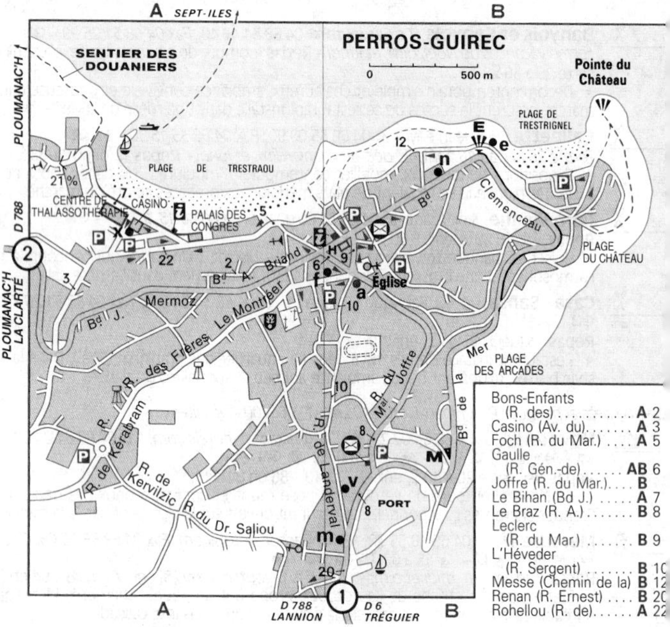
PERROS-GUIREC
A
B
SEPT-ILES
0
500 m
SENTIER DES DOUANIERS
PLOUMANAC'H
PLOUMANAC'H LA CLARTÉ
D 788
Pointe du Château
PLAGE DE TRESTRIGNEL
PLAGE DE TRESTRAOU
CENTRE DE THALASSOTHÉRAPIE
CASINO
PALAIS DES CONGRÈS
PLAGE DU CHÂTEAU
PLAGE DES ARCADES
Bd Clemenceau
Bd A. Briand
Bd J. Mermoz
R. des Frères Le Montréer
R. de Kérabram
R. de Kervilzic
R. du Dr. Saliou
R. de Landerval
R. du Mal Joffre
Bd de la Mer
Église
PORT
D 788 LANNION
D 6 TRÉGUIER
Bons-Enfants (R. des) . . . . . . . . . . A 2
Casino (Av. du) . . . . . . . . A 3
Foch (R. du Mar.) . . . . A 5
Gaulle (R. Gén.-de) . . . . . . AB 6
Joffre (R. du Mar.) . . . . B
Le Bihan (Bd J.) . . . . . A 7
Le Braz (R. A.) . . . . . . . B 8
Leclerc (R. du Mar.) . . . . . . . B 9
L'Héveder (R. Sergent) . . . . . . . B 10
Messe (Chemin de la) B 12
Renan (R. Ernest) . . . . B 20
Rohellou (R. de) . . . . . . A 22

**Manoir du Sphinx**, 67 chemin de la Messe 02 96 23 25 42, *lemanoirdusphinx@wanadoo.fr, Fax 02 96 91 26 13*, mer et les îles, – B e
*fermé 3 janv. au 20 fév.* – **Repas** *(fermé dim. soir d'oct. à mars, lundi midi et vend. midi sauf fériés)* 21 (déj.), 29/46,50 – 8,60 – **20 ch** 98/112 – ½ P 98/112.
◆ La position dominante de cette élégante villa du début du 20e s. permet de contempler la mer et ses îles. Chambres joliment meublées. Charmant jardin les pieds dans l'eau.

**Les Feux des Iles**, 53 bd Clemenceau 02 96 23 22 94, *feuxdesiles2@wanadoo.fr Fax 02 96 91 07 30*, – B r
*fermé 27/9 au 6/10 et hôtel : 20/12 au 4/1, 22/2 au 2/3 et dim. d'oct. à avril ;rest. 20/12 au 14/1 et 22/2 au 7/3* – **Repas** *(fermé sam. midi en saison, le midi en semaine, dim. soir et lundi sauf fériés d'oct. à avril)* 24/60, enf. 13 – 9 – **18 ch** 60/114 – ½ P 80/100.
◆ La maison en pierre, côté mer, abrite le salon, le restaurant et des chambres "cosy" ; d'autres, plus modernes, occupent l'aile récente.

**Au Bon Accueil**, 11 r. Landerval 02 96 23 25 77, *au-bon-accueil@wanadoo.fr Fax 02 96 23 12 66*, – B v
*fermé 24 déc. au 5 janv.* – **Repas** *(fermé dim. soir sauf juil.-août et vend.)* 15,40/39 – 6,40 – **21 ch** 54/64 – ½ P 55.
◆ Le bâtiment principal propose des chambres très bien équipées ; le restaurant se trouve de l'autre côté de la rue. Tenue impeccable et accueil tout sourire.

**Mercure** sans rest, 100 av. Casino 02 96 91 22 11, *RelaisMercurePerrosguirec@wanadoo.fr, Fax 02 96 91 24 78* – 20. A x
8 – **49 ch** 76/86.
◆ Cet hôtel est situé à deux pas de la plage. Les chambres, aménagées selon les normes de la chaîne, changent de couleur à chaque étage ; quelques-unes sont dotées de balcon.

**Sternes** sans rest, rd-pt Perros-Guirec par ① 02 96 91 03 38, *Fax 02 96 23 13 01*, – *fermé 28 déc. au 4 janv.* – 6 – **20 ch** 45/53.
◆ Chambres simples mais spacieuses et bien tenues ; deux d'entre elles, équipées pour les personnes handicapées, occupent une maison de pêcheur. Accueil cordial. Billard.

**Hermitage**, 20 r. Frères Le Montréer 02 96 23 21 22, *hermitage-hotel@wanadoo.fr, Fax 02 96 91 16 56*, – rest B t
*7 mai-20 sept.* – **Repas** (dîner seul.)(résidents seul.) 19 – 5,50 – **23 ch** 42/50 – ½ P 45/50.
◆ Construction ancienne située dans le centre-ville, au milieu d'un jardin. Chambres petites, mais fraîches et propres. Accueil aimable et ambiance conviviale.

**Levant,** 91 r. E. Renan (sur le Port) ☏ 02 96 23 20 15, *Fax 02 96 23 36 31,* ← – 🛗 TV ☎. AE ⊕ GB B m

Repas *(fermé 21 déc. au 14 janv., sam. midi, dim. soir et vend. sauf juil.-août)* 12,80/46 ♀, enf. 7,60 – ☕ 6,10 – **22 ch** 44,20/53,35 – ½ P 45/50,70.

◆ Hôtel récent dont les chambres, fonctionnelles, sont dotées pour la plupart de balcons tournés sur le port. Décor marin dans la salle à manger panoramique.

**Crémaillère,** pl. Église ☏ 02 96 23 22 08, *Fax 02 96 23 22 08* – GB B a

*fermé lundi midi* – **Repas** (12,50) - 14,50/29 ♀.

◆ Restaurant rustique aménagé dans une maison régionale. Ambiance animée autour de la cheminée où l'on prépare les grillades et mezzanine plus feutrée avec sièges Louis XIII.

**route de Pleumeur-Bodou** *par ① : 4 km – ✉ 22700 Perros-Guirec :*

**Closerie de Kervelegan,** ☏ 02 96 49 03 91, 🌳, 🏞 – P. AE GB

*fermé 6 au 12 oct., 7 au 14 janv., mardi, merc. hors vacances scolaires et lundi* – **Repas** (prévenir) carte environ 30.

◆ Cette longère des 16e et 18e s. abrite une jolie crêperie où l'on déguste des galettes aux produits du terroir. Trois chambres d'hôtes confortables etravissant jardin.

**à Ploumanach** *par ② : 6 km – ✉ 22700 Perros-Guirec.*

*Voir Rochers★★ – Parc municipal★★.*

**Europe** M sans rest, ☏ 02 96 91 40 76, *societe-leurope-perros@wanadoo.fr, Fax 02 96 91 49 74* – TV ♿ P. AE ⊕ GB

*fermé 2 au 13 janv.* – ☕ 7,50 – **23 ch** 48/62.

◆ À proximité de la plage St-Guirec, construction de style régional abritant des chambres modernes et bien tenues, meublées en bois stratifié.

**Parc,** ☏ 02 96 91 40 80, *hotel.du.parc@libertysurf.fr, Fax 02 96 91 60 48,* 🌳, 🏞 – TV P. AE GB

*30 mars-11 nov. et fermé dim. soir, mardi midi et lundi en oct.-nov.* – **Repas** 12,50/33 ♀, enf. 7,35 – ☕ 5,05 – **10 ch** 39,65/43,45 – ½ P 48,80.

◆ Au centre du village, maison en granit rose abritant de fraîches petites chambres bien équipées. Cuisine de la mer servie en terrasse ou dans la coquette salle à manger.

*Ecrivez-nous...*
*Vos louanges comme vos critiques seront examinées avec le plus grand soin.*
*Nous reverrons sur place les informations que vous nous signalez.*
*Par avance merci !*

---

**PERTUIS** *84120 Vaucluse* 332 *G11 G. Provence – 15 791 h alt. 246.*

*Office du Tourisme, place Mirabeau ☏ 04 90 79 15 56, Fax 04 90 09 59 06, tourismepertuis@wanadoo.fr.*

*Paris 751 – Digne-les-Bains 96 – Aix-en-Provence 22 – Apt 35 – Avignon 76 – Manosque 35.*

**Sevan,** rte Manosque Est : 1,5 km ☏ 04 90 79 19 30, *hotel-sevan@wanadoo.fr, Fax 04 90 79 35 77,* ←, 🌳, 🏊, 🏞, 🎾 – 🛗 TV ☎ P – 🎪 80. AE ⊕ GB

***L'Olivier*** ☏ 04 90 79 08 19 *(fermé dim. soir, merc. soir et lundi sauf juil.-août)* **Repas** (18)-25/32 ♀, enf. 15 – ☕ 11 – **46 ch** 120/152 – ½ P 85/90.

◆ Complexe hôtelier des années 1970 au pied du Luberon. Préférez les chambres rénovées dans un lumineux style provençal ou celles donnant sur le parc.

**Boulevard,** 50 bd Pecout ☏ 04 90 09 69 31, *Fax 04 90 09 09 48* – ▤. GB

*fermé 30 juin au 11 juil., 25 août au 8 sept., vacances de fév., dim. soir, mardi soir et merc.* – **Repas** (nombre de couverts limité, prévenir) 17/31.

◆ Restaurant du centre-ville aménagé à l'étage d'une jolie maison ancienne aux volets bleus. Salle à manger discrètement rustique et tables soigneusement dressées.

---

**PESMES** *70140 H.-Saône* 314 *B9 G. Jura – 1 006 h alt. 205.*

*Office du Tourisme, chemin des Tuileries ☏ 03 84 31 23 37, Fax 03 84 31 23 37, tourisme-pesmes@wanadoo.fr.*

*Paris 362 – Besançon 45 – Dijon 50 – Dole 26 – Gray 19.*

**France,** ☏ 03 84 31 20 05, *Fax 03 84 31 29 85,* 🏞 – TV P. GB

*fermé 1er au 6 nov.* – **Repas** *(fermé 1er au 15 nov. et dim. soir de nov. au 15 mars)* 17/25 ♀ – ☕ 9 – **10 ch** 32/46 – ½ P 36.

◆ Vieille auberge familiale sur une rive de l'Ognon. Salle à manger campagnarde avec vue sur la rivière et chambres modestes, très bien tenues, dans une annexe située à 200 m.

---

**PESSAC** *33 Gironde* 335 *H6 – rattaché à Bordeaux.*

## La PETITE-FOSSE *88490 Vosges* 314 *K3 – 74 h alt. 490.*

*Paris 401 – Strasbourg 87 – Épinal 65 – St-Dié-des-Vosges 13 – Ste-Marie-aux-Mines 17.*

**Auberge du Spitzemberg**, Ouest : 4 km par D 45 et voie forestière *03 29 51 20 46, Fax 03 29 51 10 12,* <, – TV P. GB

*fermé janv. et mardi –* **Repas** 15/25 ♀, enf. 7 – 7 – **10 ch** 48/61 – ½ P 39/46.

◆ Cette auberge, dissimulée dans la forêt vosgienne, abrite des chambres bien tenues et un chaleureux restaurant rustique : une étape idéale pour les randonneurs. Minigolf.

## La PETITE-PIERRE *67290 B.-Rhin* 315 *H3 G. Alsace Lorraine – 623 h alt. 340.*

*Office du Tourisme, 2a rue du Château 03 88 70 42 30, Fax 03 88 70 41 08, otpayslpp@tourisme-alsace.info.*

*Paris 440 – Strasbourg 55 – Haguenau 41 – Sarreguemines 48 – Sarre-Union 24.*

**Clairière**, 63 rte d'Ingwiller (D 7) : 1,5 km 03 88 71 75 00, *info@la-clairiere.com, Fax 03 88 70 41 05,* – rest, TV P – 70. AE GB

**Repas** 22/44 ♀, enf. 10 – **50 ch** 80/119 – ½ P 70/88.

◆ Chambres claires et spacieuses, meublées en bois blond. Salle à manger contemporaine, ambiance "british" au bar et "parcours du combattant" pour clients endurants.

**Aux Trois Roses**, 03 88 89 89 00, *hotel.3roses@wanadoo.fr, Fax 03 88 70 41 28,* <, – TV – 30. AE GB

*fermé 6 au 17 janv. –* **Repas** *(fermé dim. soir et lundi soir)* 15,50/45 ♀, enf. 9 – 11 – **40 ch** 46/102 – ½ P 59/80.

◆ Belle façade 18e s. abritant des chambres douillettes et bien meublées. À l'heure des repas, élégante salle de restaurant actuelle ou salon au cadre alsacien.

**Des Vosges**, 03 88 70 45 05, *hotel-des-vosges@wanadoo.fr, Fax 03 88 70 41 13,* <, – rest, TV P – 20. AE GB JCB

*fermé 21 juil. au 2 août et 15 fév. au 15 mars –* **Repas** *(fermé mardi)* 26,50/48 ♀, enf. 10 – 9 – **32 ch** 45,50/75 – ½ P 57/74.

◆ Hôtel proposant des chambres personnalisées ; certaines sont décorées et meublées dans un style sagement alsacien. La salle à manger principale offre une vue sur la forêt.

**Lion d'Or**, 03 88 01 47 57, *phil.lion@liondor.com, Fax 03 88 01 47 50,* <, – rest, TV P – 20 à 50. AE GB

*fermé 30 juin au 9 juil. –* **Repas** 19/69 ♀, enf. 10 – 9,50 – **40 ch** 53,60/78,30 – ½ P 63,50/69.

◆ L'adresse est en face de la mairie. Les chambres, équipées d'un mobilier varié, sont progressivement rénovées. Depuis la moderne salle à manger, vue sur le village.

### à l'Étang d'Imsthal *Sud-Est : 3,5 km par D 178 – 67290 La Petite-Pierre :*

**Auberge d'Imsthal**, 03 88 01 49 00, *auberge.imsthal@wanadoo.fr, Fax 03 88 70 40 26,* – TV P – 15 à 30. AE GB JCB. rest

*fermé 1er au 12 sept. et 16 nov. au 13 déc. –* **Repas** *(fermé mardi)* 17 (déj.), 20/42 ♀, enf. 7 – 8,50 – **23 ch** 43/84 – ½ P 51/79.

◆ Entouré par la forêt et bordant un étang, cet établissement conviendra à ceux qui recherchent calme et dépaysement. Chambres simples mais confortables.

### à Graufthal *Sud-Ouest : 11 km par D 178 et D 122 – 67320 :*

**Au Vieux Moulin**, 03 88 70 17 28, *Fax 03 88 70 11 25,* <, – TV P. GB

*fermé 24 juin au 5 juil. et 17 fév. au 18 mars –* **Repas** *(fermé mardi soir)* 6,10 (déj.), 13/27 ♀, enf. 6,10 – 6,20 – **14 ch** 37/63,20 – ½ P 42,30/51,90.

◆ Dans ce hameau dont Erkmann et Chatrian ont vanté la sérénité, petit hôtel proposant des chambres aux couleurs ensoleillées, rafraîchies par étapes. Cuisine alsacienne.

**Cheval Blanc**, 19 r. Principale 03 88 70 17 11, *gilles.stutzmann@worldonline.fr, Fax 03 88 70 12 37,* – P. GB.

*fermé 4 au 19 sept., 3 au 25 janv., lundi soir et mardi –* **Repas** 19/25,50 ♀.

◆ Cette engageante auberge décorée dans un esprit rustique concocte des plats alsaciens, dont la fameuse tarte flambée. Joli poêle en faïence dans l'une des salles à manger.

## Le PETIT-PRESSIGNY *37350 I.-et-L.* 317 *O7 – 394 h alt. 80.*

*Paris 291 – Poitiers 73 – Le Blanc 38 – Châtellerault 36 – Châteauroux 73 – Tours 62.*

**Promenade** (Dallais), 02 47 94 93 52, *Fax 02 47 91 06 03 –* . GB

*fermé 22 sept. au 9 oct., 4 janv. au 4 fév., dim. soir, lundi et mardi sauf fériés. –* **Repas** 34/69 et carte 46 à 66.

◆ Auberge de village au surprenant décor contemporain agrémenté d'oeuvres d'art. Vous y découvrirez les saveurs d'une cuisine actuelle aux accents tourangeaux.

**Spéc.** Bouillon de carottes aux fèves, sarriette et lard. Sanguette aux pois gourmands et géline de Touraine au jus de truffe. Canette persillée rôtie aux navets. **Vins** Touraine, Touraine-Mesland.

**Le PETIT QUEVILLY** *76 S.-Mar.* 304 *G5 – rattaché à Rouen.*

**PETRETO-BICCHISANO** *2A Corse-du-Sud* 345 *C9 – voir à Corse.*

**PEYRAT-LE-CHÂTEAU** *87470 H.-Vienne* 325 *H6 G. Berry Limousin – 1 194 h alt. 426.*

*Office du Tourisme, 1 rue du Lac ☎ 05 55 69 48 75, Fax 05 55 69 47 82, otsi.peyrat.le.chateau@wanadoo.fr.*

*Paris 409 – Limoges 54 – Aubusson 45 – Guéret 52 – Tulle 84 – Ussel 79 – Uzerche 58.*

**Auberge du Bois de l'Étang,** ☎ 05 55 69 40 19, *serge.merle@wanadoo.fr, Fax 05 55 69 42 93,* – rest, – 30. AE GB

*fermé 15 déc. au 20 janv., dim. soir et lundi du 15 oct. au 15 avril* – **Repas** 12,50/33, enf. 7 – 8 – **27 ch** 29/48 – ½ P 29/40.

◆ Le bâtiment principal abrite des chambres simples, d'ampleur variée ; celles de l'annexe, de style motel, sont modernes et neuves. Cuisine traditionnelle.

**Voyageurs,** ☎ 05 55 69 40 02, *Fax 05 55 69 49 69* – . GB.

*1er mars-30 sept.* – **Repas** 12,50/24,50, enf. 6,50 – 5,80 – **11 ch** 30,50/45,80 – ½ P 35,10/41,20.

◆ Cette longue et belle façade en pierres de pays abritait au 18e s. une abbaye. Chambres modestement meublées. Salle à manger campagnarde.

**au Lac de Vassivière** – ✉ *87470 Peyrat-le-Château.*

Voir *Centre d'art contemporain de l'île de Vassivière★★.*

**Golf du Limousin**, ☎ 05 55 69 41 34, *Fax 05 55 69 49 16,* ←, – . GB. rest

*4 avril-30 oct.* – **Repas** 18/25,70 – 6 – **18 ch** 41/48 – ½ P 41/46.

◆ Perché à 650 m d'altitude, cet hôtel offre une vue sur le lac au travers d'un rideau d'arbres. Chambres simples et bien tenues. Pour amateurs de calme et de balades.

*Ecrivez-nous...*

*Vos louanges comme vos critiques seront examinées avec le plus grand soin. Nous reverrons sur place les informations que vous nous signalez. Par avance merci !*

**PÉZENAS** *34120 Hérault* 339 *F8 G. Languedoc Roussillon – 7 613 h alt. 15.*

Voir *Vieux Pézenas★★ : Hôtels de Lacoste★, d'Alfonce★, de Malibran★.*

*Office du Tourisme, place Gambetta ☎ 04 67 98 36 40, Fax 04 67 98 96 80, ot.peenas@wanadoo.fr.*

*Paris 738 – Montpellier 55 – Agde 20 – Béziers 25 – Lodève 40 – Sète 37.*

**à Nézignan-l'Évêque** *Sud : 5 km par N 9 et D 13 – 753 h. alt. 40 – ✉ 34120 Pézenas :*

**Hostellerie de St-Alban** M, 31 rte Agde ☎ 04 67 98 11 38, *info@saintalban.com, Fax 04 67 98 91 63,* – – 50. AE GB. rest

*fermé 1er déc. au 15 fév.* – **Repas** *(fermé jeudi midi et merc. hors saison, mardi midi et merc. midi en saison)* 24,50/26 – 12 – **14 ch** 71/107 – ½ P 86/94.

◆ Jolie maison de maître du 19e s. nichée dans un coquet jardin fleuri. Espace, couleurs et mobilier en fer forgé : les chambres rénovées ont plus de charme. Cuisine régionale.

**PÉZILLA-LA-RIVIÈRE** *66370 Pyr.-Or.* 344 *H6 – 2 349 h alt. 75.*

*Paris 862 – Perpignan 12 – Argelès-sur-Mer 34 – Le Boulou 30 – Prades 36.*

**L'Aramon,** rte Baho, D 614 ☎ 04 68 92 43 59, *laramon.restaurant@wanadoo.fr, Fax 04 68 92 39 88,* – . GB

*fermé 27 août au 10 sept., 2 au 14 janv., mardi soir et merc.* – **Repas** 16 (déj.), 22/34.

◆ Guère engageante, la façade ne laisse en rien présager une aussi charmante salle. Belle harmonie de couleurs ocre et jaune. Cuisine classique et accueil aimable.

**PEZOU** *41100 L.-et-Ch.* 318 *D4 – 861 h alt. 84.*

*Paris 160 – Blois 44 – Chartres 73 – Le Mans 77 – Orléans 67 – Tours 69.*

**à Fontaine** *Nord-Est : 4 km par N 10 – ✉ 41100 Pezou :*

**Auberge de la Sellerie,** ☎ 02 54 23 41 43, *Fax 02 54 23 48 00,* – AE GB

*fermé 5 au 26 janv., merc. soir, dim. soir et lundi* – **Repas** 13,80/43.

◆ Selles, joug, étrier... le décor champêtre de cette petite auberge de campagne célèbre le monde du cheval. Agréable terrasse dressée dans le jardin. Plats traditionnels.

**PFAFFENHOFFEN** *67350 B.-Rhin* 315 *J3 G. Alsace Lorraine – 2 285 h alt. 170.*
Voir *Musée de l'Imagerie peinte et populaire alsacienne★.*
*Paris 464 – Strasbourg 37 – Haguenau 17 – Sarrebourg 49 – Sarre-Union 48 – Saverne 30.*

XX **De l'Agneau** avec ch, ☎ 03 88 07 72 38, *gisele.ernwein@wanadoo.fr, Fax 03 88 72 20 24,* – 15. GB. ch
*fermé 25 août au 10 sept., mardi en juil.-août, sam. midi de sept. à juin et lundi* – **Repas** 22/55 – 6 – **12 ch** 54/68 – ½ P 43/62.
◆ De cette bergerie du 18e s., le restaurant a gardé les épais murs. Salle à manger sagement rustique et petite pièce attenante où l'on sert les tartes flambées.

**PFULGRIESHEIM** *67 B.-Rhin* 315 *K5 – rattaché à Strasbourg.*

**PHALSBOURG** *57370 Moselle* 307 *O6 G. Alsace Lorraine – 4 189 h alt. 365.*
*Office du Tourisme, 30 place d'armes ☎ 03 87 24 42 42, Fax 03 87 24 42 87, tourisme.phalsbourg@libertysurf.fr.*
*Paris 443 – Strasbourg 59 – Metz 110 – Sarrebourg 17 – Sarreguemines 50.*

**Erckmann-Chatrian,** pl. d'Armes ☎ 03 87 24 31 33, *Fax 03 87 24 27 81,* – 25. GB
Repas *(fermé mardi midi et lundi)* 20,60/42, enf. 7,70 – 9,20 – **16 ch** 49/59 – ½ P 42.
◆ Enseigne littéraire pour cet hôtel aux chambres rénovées dans un esprit rustique. Une salle à manger ornée de boiseries brunes, l'autre de style brasserie ; cuisine classique.

XXX **Au Soldat de l'An II** (Schmitt), 1 rte Saverne ☎ 03 87 24 16 16, *info@an2.com, Fax 03 87 24 18 18,* – GB
*fermé 28 oct. au 10 nov., 6 au 26 janv., mardi midi, dim. soir* – **Repas** 34 bc (déj.), 64/79 et carte 67 à 88, enf. 19.
◆ Les objets militaires et le soldat de pierre gardant l'entrée de cette ancienne grange évoquent l'épopée des patriotes au pantalon tricolore. Cuisine au goût du jour.
**Spéc.** Rognon et lingot de foie gras braisés sauce aux truffes (janv. à juin). Vivanot flambé, petites pâtes à l'huile d'olive. Perdreau aigre-doux aux navets confits (sept. à déc.). **Vins** Vins de Moselle, Gewürztraminer

**à Bonne-Fontaine** *Est : 4 km par N 4 et rte secondaire – ✉ 57370 Phalsbourg :*

**Notre-Dame de Bonne Fontaine** , ☎ 03 87 24 34 33, *ndbonnefontaine@aol.com, Fax 03 87 24 24 64,* – 40. AE GB JCB
*fermé 5 au 24 janv. et 15 au 22 fév.* – **Repas** (10) - 15/39 bc, enf. 9 – 7,50 – **34 ch** 43/69 – ½ P 49/59.
◆ Situé à l'orée de la forêt, cet établissement propose des chambres sobrement meublées. Malgré la présence du double vitrage, préférez celles tournant le dos à l'autoroute.

**PHILIPPSBOURG** *57230 Moselle* 307 *Q5 – 504 h alt. 215.*
*Office du Tourisme, 186 rue de Baerenthal ☎ 03 87 06 56 12, Fax 03 87 06 51 48.*
*Paris 458 – Strasbourg 60 – Haguenau 29 – Wissembourg 42.*

XX **Tilleul,** ☎ 03 87 06 50 10, *Fax 03 87 06 58 89,* – GB
*fermé 23 juin au 6 juil., janv., lundi soir, mardi soir et merc.* – **Repas** 11 (déj.), 16/30, enf. 7,70.
◆ L'entrée de cette auberge familiale abrite un bar qui sert des plats du jour, tandis que l'agréable salle à manger de style rustique propose une cuisine traditionnelle.

**à l'étang de Hanau** *Nord-Ouest : 5 km par N 62 et rte secondaire – ✉ 57230 Philippsbourg.*
Voir *Étang★*, G. Alsace Lorraine.

**Beau Rivage** sans rest, ☎ 03 87 06 50 32, *Fax 03 87 06 57 46,* ←, – 25. GB
*fermé fév. et nov.* – 7 – **23 ch** 40/82.
◆ Isolé en pleine campagne, hôtel dont les chambres, bien tenues, donnent sur l'étang ou la forêt. Certaines sont plus typiquement alsaciennes (meubles en bois peint).

**PIANA** *2A Corse-du-Sud* 345 *A6 – voir à Corse.*

**PICHERANDE** *63113 P.-de-D.* 326 *D10 – 491 h alt. 1116.*
*Syndicat d'Initiative, Le Bourg ☎ 04 73 22 30 83, Fax 04 73 22 33 31.*
*Paris 481 – Clermont-Ferrand 64 – Issoire 47 – Le Mont-Dore 31.*

**Central Hôtel,** ☎ 04 73 22 30 79, *Fax 04 73 22 37 02,* ← – GB
*fermé 30 sept. au 1er déc.* – **Repas** (dîner pour résidents seul.) 11 (déj.), 18,30/23 – 5 – **16 ch** 15/30 – ½ P 30.
◆ Le nom l'indique, l'hôtel est situé au centre du village. Chambres très simples, mais d'une tenue exemplaire ; certaines ont vue sur les monts du Cantal. Ambiance familiale.

**PIEDICROCE** *2B H.-Corse* 345 *F5 – voir à Corse.*

**PIERRE-BÉNITE** *69 Rhône* 327 *H5 – rattaché à Lyon.*

**PIERRE-DE-BRESSE** *71270 S.-et-L.* 320 *L8 G. Bourgogne – 1 981 h alt. 202.*

Voir *Ecomusée de la Bresse bourguignonne★.*

*Office de tourisme, place du Château ✆ 03 85 76 24 95.*

*Paris 354 – Beaune 46 – Chalon-sur-Saône 42 – Dole 36 – Lons-le-Saunier 37.*

**à Charette-Varennes** *Nord-Ouest : 6,5 km par D 73 – 316 h. alt. 182 – ✉ 71270 :*

**Doubs Rivage**, ✆ 03 85 76 23 45, *Fax 03 85 72 89 18*, – GB. rest
*fermé 19 au 25 juin, 6 au 17 oct., 20 déc. au 6 janv., 1er fév. au 2 mars, dim. soir sauf juil.-août et lundi* – **Repas** 14/39 – 6,50 – **10 ch** 31/43 – ½ P 42/45.
◆ Cette maison de style bressan bâtie sur les rives du Doubs s'adresse aux visiteurs avides de nature et de silence. Confort simple, ambiance familiale et champêtre.

**PIERREFITTE-EN-AUGE** *14 Calvados* 303 *N4 – rattaché à Pont-L'Évêque.*

**PIERREFITTE-SUR-SAULDRE** *41300 L.-et-Ch.* 318 *J6 – 835 h alt. 125.*

*Syndicat d'Initiative, 10 place de l'Eglise ✆ 02 54 88 67 15, Fax 02 54 88 67 15.*

*Paris 186 – Bourges 55 – Orléans 53 – Aubigny-sur-Nère 23 – Blois 74 – Salbris 13.*

**Lion d'Or**, ✆ 02 54 88 62 14, *Fax 02 54 88 62 14*, – GB
*fermé 1er au 24 sept., 5 au 21 janv., merc. soir en hiver, lundi et mardi sauf fériés* – **Repas** 27/35.
◆ Murs à pans de bois, poutres et collection de faïences anciennes composent l'authentique cadre rustique de cette maison solognote. Jolie terrasse-jardin. Carte traditionnelle.

**PIERREFONDS** *60350 Oise* 305 *I4 G. Picardie Flandres Artois – 1 548 h alt. 81.*

Voir *Château★★ – St-Jean-aux-Bois : église★ O : 6 km.*

*Office du Tourisme, place de l'Hôtel de Ville ✆ 03 44 42 81 44, Fax 03 44 42 37 73, ot.pierrefonds@wanadoo.fr.*

*Paris 83 – Compiègne 15 – Beauvais 79 – Soissons 32 – Villers-Cotterêts 18.*

**Blés d'Or** avec ch, 8 r. J. Michelet ✆ 03 44 42 85 91, *Fax 03 44 42 98 94*, – AE GB
*fermé 15 déc. au 15 janv.* – **Repas** *(fermé mardi et merc.)* 15,30/29 – 8,40 – **6 ch** 42,70/61 – ½ P 48,50.
◆ Cet ancien moulin, dont les belles poutres soulignent l'authenticité, est situé entre le lac et le superbe château. Salle à manger néo-rustique. Accueil prévenant.

**à Chelles** *Est : 4,5 km par D 85 – 334 h. alt. 75 – ✉ 60350 :*

**Relais Brunehaut** avec ch, ✆ 03 44 42 85 05, *Fax 03 44 42 83 30*, – cuisinette . GB. rest
**Repas** *(fermé lundi au jeudi de nov. à avril, mardi midi et lundi de mai à oct.)* 27/45 bc – 7,50 – **7 ch** 42/57 – ½ P 58,50/61.
◆ Le moulin, avec sa roue à aubes, et l'auberge s'ordonnent autour d'une belle cour. Le premier abrite d'agréables chambres, la seconde accueille une salle à manger rustique.

**à St-Jean-aux-Bois** *: 6 km par D 85 – 319 h. alt. 71 – ✉ 60350 :*

**Auberge A la Bonne Idée** avec ch, 3 r. Meuniers ✆ 03 44 42 84 09, *a-la-bonne-idee-auberge@wanadoo.fr, Fax 03 44 42 80 45*, – rest, – 20. AE GB
*fermé mi-janv. à mi-fév.* – **Repas** 24,50 (déj.), 29/64 et carte 46 à 60 – 8,50 – **24 ch** 60/69 – ½ P 80.
◆ Restaurant situé au centre d'un charmant village rebaptisé "La Solitude" en 1794. Longue salle à manger au cadre campagnard et petit parc animalier.

**PIERREFORT** *15230 Cantal* 330 *F5 – 1 017 h alt. 950.*

*Office du Tourisme, 29 avenue Georges Pompidou ✆ 04 71 23 38 04, Fax 04 71 23 94 55, ot.pierrefort@auvergne.net.*

*Paris 544 – Aurillac 58 – Entraygues-sur-Truyère 54 – Espalion 61 – St-Flour 30.*

**Midi** M, ✆ 04 71 23 30 20, *Fax 04 71 23 39 34* – . GB
*fermé 20 déc. au 5 janv.* – **Repas** 12/30 – 6 – **13 ch** 43/46 – ½ P 41.
◆ Vous habiterez, au centre du bourg, de petites chambres printanières aux salles de bains bien équipées. Ensemble "nickel" et ambiance sympathique.

**PIERRELATTE** *26700 Drôme* 332 B7 *G. Vallée du Rhône – 11 770 h alt. 50.*

Voir *Ferme aux crocodiles★, S : 4 km par N 7 jusqu'à l'échangeur avec la D 59.*

*Office du Tourisme, place du Champs de Mars ☎ 04 75 04 07 98, Fax 04 75 98 40 65, ot.pierrelatte@wanadoo.fr.*

*Paris 629 – Bollène 17 – Montélimar 23 – Nyons 45 – Orange 33 – Pont-St-Esprit 17.*

**Tricastin** sans rest, r. Caprais-Favier ☎ 04 75 04 05 82, *Fax 04 75 04 19 36* – TV P. GB
6 – **13 ch** 35,50/43.
◆ Dans une rue calme proche du centre-ville, pimpante façade abritant des chambres correctement équipées. Tenue irréprochable et service attentionné.

**Centre** sans rest, 6 pl. Église ☎ 04 75 04 28 59, *info@hotelducentre26.com, Fax 04 75 96 97 97* – TV P. GB
*fermé 24 déc. au 1er janv.* – 8 – **27 ch** 37/50.
◆ Toutes simples mais de bonne taille, les chambres de cette ancienne abbaye sont progressivement rénovées. Accueillante salle des petits-déjeuners.

XX **Gourmand-Gourmet,** 6 pl. Église ☎ 04 75 96 83 10, *Fax 04 75 96 46 18* – P. AE GB
*fermé 19 août au 3 sept., vend. soir et sam.* – **Repas** 21/55.
◆ Ce restaurant occupe lui aussi les murs de l'abbaye. Plafond mouluré et tons jaunes dans la salle à manger, fraîchement réaménagée et modernisée.

*Les principales voies commerçantes figurent en* ***rouge*** *dans la liste des rues des plans de villes.*

**PIERRE-PERTHUIS** *89 Yonne* 319 F7 – *rattaché à Vézelay.*

**PIETRANERA** *2B H.-Corse* 345 F3 – *voir à Corse (Bastia).*

**PIGNA** *2b H.-Corse* 345 C4 – *voir à Corse (Ile-Rousse).*

**PILAT-PLAGE** *33 Gironde* 335 D7 – *voir à Pyla-sur-Mer.*

**Le PIN-LA-GARENNE** *61 Orne* 310 M4 – *rattaché à Mortagne-au-Perche.*

**PINSOT** *38 Isère* 333 J5 – *rattaché à Allevard.*

**PIOGGIOLA** *2B H.-Corse* 345 C4 – *voir à Corse.*

**PIRIAC-SUR-MER** *44420 Loire-Atl.* 316 A3 *G. Bretagne – 1 442 h alt. 7.*

Voir *Pointe du Castelli ≤★ SO : 1 km.*

*Office du Tourisme, 7 rue des Cap-Horniers ☎ 02 40 23 51 42, Fax 02 40 23 51 19, piriac.otsi@wanadoo.fr.*

*Paris 464 – Nantes 89 – La Baule 17 – La Roche-Bernard 33 – St-Nazaire 31.*

**Poste,** 26 r. Plage ☎ 02 40 23 50 90, *hoteldelaposte@msn.com, Fax 02 40 23 68 96* – TV. GB
*Pâques -Toussaint* – **Repas** *(fermé le midi sauf juil-août et lundi)* 15/32 ♀, enf. 7 – 6,55 – **15 ch** 36,60/60 – ½ P 41/52.
◆ Au centre d'un petit port de pêche, pittoresque avec ses belles maisons du 17e s. Les chambres, spacieuses et fonctionnelles, sont scrupuleusement tenues.

**PISCIATELLO** *2A Corse-du-Sud* 345 C8 – *voir à Corse (Ajaccio).*

**PISSOS** *40410 Landes* 335 G9 *G. Aquitaine – 970 h alt. 46.*

*Paris 660 – Mont-de-Marsan 55 – Biscarrosse 35 – Bordeaux 76 – Castets 69 – Mimizan 43.*

X **Café de Pissos** avec ch, ☎ 05 58 08 90 16, *Fax 05 58 08 96 89,* , – TV P. GB
*fermé 12 nov. au 5 déc., 20 au 27 janv., mardi soir et merc. sauf juil.-août* – **Repas** 12,20 (déj.), 16,50/38 – 5,50 – **5 ch** 35/50 – ½ P 33/41.
◆ Attablez-vous sur la terrasse ombragée de platanes centenaires s'il fait beau, ou dans la salle à manger proprette de cette auberge de village. Vraie cuisine du terroir.

## PITHIVIERS 45300 Loiret 318 K2 G. Châteaux de la Loire – 9 327 h alt. 115.

Office du Tourisme, Mail-Ouest ✆ 02 38 30 50 02, Fax 02 38 30 55 00, pithivierstourisme @wanadoo.fr.

*Paris 83 ① – Fontainebleau 46 ② – Orléans 44 ⑤ – Chartres 74 ⑥ – Montargis 45 ④.*



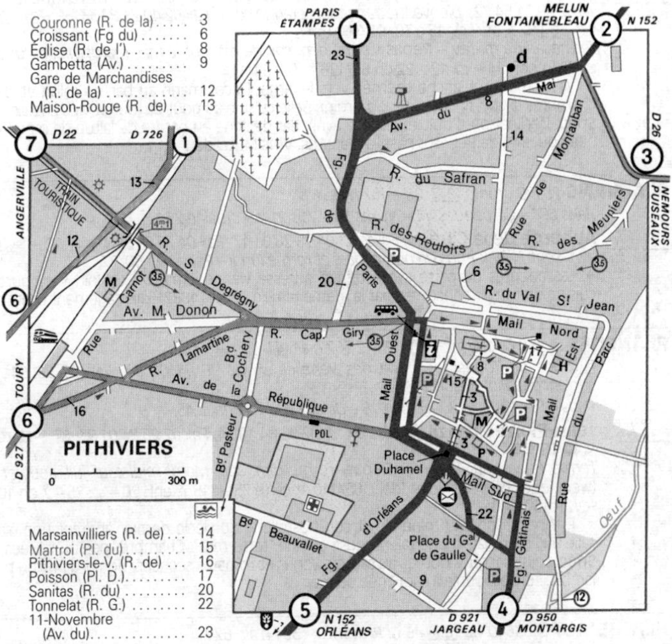

PITHIVIERS
0 300 m
PARIS ÉTAMPES
MELUN FONTAINEBLEAU
N 152
D 26
NEMOURS PUISEAUX
D 22
D 726
ANGERVILLE
TOURY
D 927
N 152 ORLÉANS
D 921 JARGEAU
D 950 MONTARGIS
TRAIN TOURISTIQUE
Av. du 8 Mai
R. du Safran
Rue de Montauban
Rue de Meuniers
R. des Meuniers
R. des Rouloirs
Fg. de Paris
R. du Val St Jean
Mail Nord
Mail Est
Parc
Mail Ouest
R. S. Degrégny
R. Carnot
Av. M. Donon
Rue
R. Lamartine
Av. de la République
Bd Cochery
R. Cap. Giry
Bd Pasteur
POL.
Place Duhamel
Mail Sud
Place du Gal de Gaulle
Fg. d'Orléans
Bd Beauvallet
Fg. Gâtinais
Rue du Mail
Oeuf


**Relais St-Georges**, av. du 8 Mai (d) ✆ 02 38 30 40 25, *relais.saint-georges@wanadoo.fr, Fax 02 38 30 09 05,* – – 20. AE GB

**Repas** *(fermé dim. et soirs fériés)* 14 (déj.), 22/33 ♀, enf. 8 – ☐ 6,50 – **42 ch** 49/60 – ½ P 45/50,50.

◆ L'aile récente dispose de chambres soignées, joliment meublées ; celles du bâtiment principal sont plus fonctionnelles. La salle à manger-véranda s'ouvre sur le parc.

## PIZAY 69 Rhône 327 H3 – *rattaché à Belleville.*

## Le PLA-D'ADET 65 H.-Pyr. 342 N8 – *rattaché à St-Lary-Soulan.*

## PLAGE DE CALALONGA 2A Corse-du-Sud 345 E11 – *voir à Corse (Bonifacio).*

## PLAGE DE LA FAVIÈRE 83 Var 340 N7 – *rattaché au Lavandou.*

## PLAILLY 60128 Oise 305 G6 – 1 636 h alt. 100.

*Paris 39 – Compiègne 46 – Beauvais 70 – Chantilly 16 – Meaux 36 – Pontoise 48 – Senlis 16.*

XX **Gentilhommière**, 25 r. G. Bouchard (derrière église) ✆ 03 44 54 30 20, *Fax 03 44 54 31 27,* – GB

*fermé 4 août au 1er sept., 23 fév. au 8 mars, sam. midi, dim. soir et lundi* – **Repas** 18 (déj.), 26/36,50 ♀.

◆ Restaurant aménagé dans une maison ancienne voisine de l'église. Cheminée, poutres, cuivres et objets agricoles soulignent le caractère rustique de la salle à manger.

**La PLAINE-SUR-MER** *44770 Loire-Atl.* 316 C5 – *2 104 h alt. 26.*

**Voir** *Pointe de St-Gildas★ O : 5 km,* **G. Poitou Vendée Charentes.**

*Office du Tourisme, place du Fort Gentil ☎ 02 40 21 52 52, Fax 02 40 21 05 15.*

*Paris 439 – Nantes 58 – Pornic 9 – St-Michel-Chef-Chef 7 – St-Nazaire 112.*

**Anne de Bretagne** (Vételé) M, au Port de Gravette Nord-Ouest : 3 km ☎ 02 40 21 54 72, *bienvenue@annedebretagne.com, Fax 02 40 21 02 33,* – 15 à 30. AE GB JCB

*fermé janv. à mi-fév.* – **Repas** *(fermé dim. soir de mi-sept. à mai, mardi midi et lundi)* (19) - 22/75 ♀, enf. 14 – ☕ 12 – **22 ch** 63/126 – ½ P 94/114.

◆ Vaste maison blanche tournée vers le large. Décor marin au bar, au salon et dans les chambres (à choisir côté mer ou jardin). Belle cuisine au goût du jour et vins choisis.

**Spéc.** Déclinaison d'huîtres (sept. à avril). Bar de ligne en parure de laitue de mer. Pigeonneau du pays de Retz sur pastilla d'abattis. **Vins** Muscadet.

**PLAISIANS** *26170 Drôme* 332 E8 – *157 h alt. 612.*

*Paris 694 – Carpentras 44 – Nyons 34 – Vaison-la-Romaine 26.*

**Auberge de la Clue,** pl. Église ☎ *04 75 28 01 17, Fax 04 75 28 29 17,* – P

*avril-sept., week-ends de nov. à mars et fermé lundi* – **Repas** 21,50/27.

◆ Les adeptes de cette sympathique adresse viennent parfois de loin y savourer une cuisine du terroir concoctée par la même famille depuis 1882. Salle sagement champêtre.

**PLANCOËT** *22130 C.-d'Armor* 309 I3 – *2 507 h alt. 41.*

*Office du Tourisme, 1 rue des Venelles ☎ 02 96 84 00 57, Fax 02 96 84 18 01, si-plancoet@libertysurf.fr.*

*Paris 418 – St-Malo 28 – Dinan 18 – Dinard 20 – St-Brieuc 45.*

**Jean-Pierre Crouzil** M avec ch, ☎ 02 96 84 10 24, *Fax 02 96 84 01 93,* – rest, P. AE GB

*fermé 6 janv. au 4 mars* – **Repas** *(fermé dim. soir, mardi midi sauf juil.-août et lundi)* (week-ends prévenir) 50 bc (déj.), 65/110 et carte 75 à 115 ♀, enf. 20 – ☕ 25 – **7 ch** 108/160 – ½ P 130/140.

◆ Plancoët, son eau minérale et son hostellerie du siècle dernier abritant une élégante salle où l'on régale d'une talentueuse cuisine "terre-mer". Chambres personnalisées.

**Spéc.** Saint-Jacques dorées au sautoir, verjus et tomates séchées. Homard breton brûlé au lambic. Turbot fourré à l'araignée de mer.

**PLAN-D'AUPS** *83640 Var* 340 J6 *G. Provence* – *361 h alt. 670.*

*Office du Tourisme, place de la Mairie ☎ 04 42 62 57 57, Fax 04 42 62 57 57.*

*Paris 799 – Marseille 44 – Aix-en-Provence 46 – Brignoles 38 – Toulon 73.*

**Lou Pebre d'Aï** avec ch, ☎ 04 42 04 50 42, *lou.pebre.dai@wanadoo.fr, Fax 04 42 04 50 71,* – P. AE GB

*fermé 5 au 31 janv., vacances de fév., mardi soir et merc. sauf du 15 avril au 15 sept.* – **Repas** 19/37 ♀, enf. 10 – ☕ 6 – **12 ch** 45/65 – ½ P 48/58.

◆ Dans un village dominé par l'escarpement de la Ste-Baume. Plaisant décor campagnard au restaurant et terrasse prolongée par un jardin. Cuisine aux parfums du terroir.

**PLAN-DE-CUQUES** *13 B.-du-R.* 340 H5 – *rattaché à Marseille.*

**PLAN-DE-LA-TOUR** *83120 Var* 340 O5 – *1 991 h alt. 69.*

*Paris 863 – Fréjus 28 – Cannes 67 – Draguignan 36 – St-Tropez 24 – Ste-Maxime 10.*

**Mas des Brugassières** sans rest, Sud : 1,5 km par rte Grimaud ☎ 04 94 55 50 55, *mas.brugassieres@free.fr, Fax 04 94 55 50 51,* – P. GB

*20 mars-10 oct.* – ☕ 7 – **11 ch** 87.

◆ Au coeur des Maures, mas dont les chambres renferment un mobilier en rotin, ou rustique d'inspiration provençale ; les non-fumeurs ont droit à des murs tendus de tissu.

**Au Vieux Moulin,** ☎ 04 94 43 02 07, – GB

*fin mars-1er nov. et fermé merc. sauf en juil.-août* – **Repas** 26.

◆ Petite adresse imprégnée du charme coloré de la Provence. L'été, quelques tables sont dressées à même la rue. Suggestions aux accents du pays présentées sur ardoise.

**à Courruero** *Sud : 3,5 km par rte Grimaud – ✉ 83120 Plan de la Tour :*

**Parasolis** sans rest, ☎ 04 94 43 76 05, *Fax 04 94 43 77 09,* – cuisinette P

*25 mars-30 sept.* – ☕ 7,70 – **9 ch** 85, 3 studios.

◆ En pleine nature, constructions récentes de style provençal. Les chambres, toutes en rez-de-jardin, sont sobrement meublées. Bar-salon sagement rustique.

**PLAN-DU-VAR** *06 Alpes-Mar.* 341 E4 – ✉ *06670 Levens.*

Voir *Gorges de la Vésubie*** NE – Défilé du Chaudan** N : 2 km.*

Env. *Bonson : site*, ⩤** de la terrasse de l'église,* G **Côte d'Azur.**

*Paris 947 – Antibes 39 – Cannes 49 – Nice 32 – Puget-Théniers 35 – Vence 27.*

XX **Cassini** avec ch, N 202 ✆ 04 93 08 91 03, *hotel.restaurant.cassini@wanadoo.fr, Fax 04 93 08 45 48,* – . AE GB
*fermé 10 au 23 nov., vacances de fév., mardi soir et dim. soir sauf juil.-août et lundi* – **Repas** (13) - 20/30 ♀ – 5,50 – **10 ch** 38,50/44 – ½ P 39.
◆ Cette auberge située au coeur du village est tenue par la même famille depuis 1927. Salle gentiment "rétro" et terrasse sous tonnelle en bord de route. Chambres modestes.

**PLANPRAZ** *74 H.-Savoie* 328 O5 – *rattaché à Chamonix-Mont-Blanc.*

**PLAPPEVILLE** *57 Moselle* 307 H4 – *rattaché à Metz.*

**PLASCASSIER** *06 Alpes-Mar.* 341 C6 – *rattaché à Valbonne.*

**PLATEAU D'ASSY** *74480 H.-Savoie* 328 N5 *G. Alpes du Nord.*

Voir **** – Église* : décoration** – Pavillon de Charousse ** O : 2,5 km puis 30 mn – Lac Vert* NE : 5 km – Plaine-Joux ⩤** NE : 5,5 km.*

*Office de tourisme, rue Jean-Arnaud ✆ 04 50 58 80 52, Fax 04 50 93 83 74, otpassy@wanadoo.fr.*

*Paris 596 – Chamonix-Mont-Blanc 23 – Annecy 82 – Bonneville 41 – Megève 20.*

**Tourisme** sans rest, ✆ 04 50 58 80 54, *hotel.le.tourisme@wanadoo.fr, Fax 04 50 93 82 11,* ⩤, – P. GB
*fermé 10 au 27 juin, 13 au 31 oct. et lundi* – 5,35 – **15 ch** 19,90/38,50.
◆ Cet hôtel-bar-P.M.U. propose des chambres simples et bien tenues, dont la moitié ouvre sur le mont Blanc. Plaisante terrasse panoramique où l'on petit-déjeune l'été.

**PLÉNEUF-VAL-ANDRÉ** *22370 C.-d'Armor* 309 G3 – *3 600 h alt. 52 – Casino au Val-André.*

*Office du Tourisme, 1 cours Winston Churchill ✆ 02 96 72 20 55, Fax 02 96 63 00 34.*

*Paris 447 – St-Brieuc 28 – Dinan 43 – Erquy 9 – Lamballe 16 – St-Cast 30 – St-Malo 54.*

**au Val-André** *Ouest : 2 km, G. Bretagne* – ✉ *22370 Pléneuf-Val-André.*

Voir *Pointe de Pléneuf* N 15 mn – Le tour de la Pointe de Pléneuf ⩤** N 30 mn.*

**Georges** M sans rest, 131 r. Clemenceau ✆ 02 96 72 23 70, *hotel-georges@casino-val-andre.com, Fax 02 96 72 23 72* – . AE GB
9,15 – **24 ch** 67/100.
◆ Cet hôtel situé au centre de la station balnéaire a été entièrement rénové dans un esprit contemporain chic : boiseries foncées, tons crème et mobilier design.

**Grand Hôtel du Val André**, 80 r. Amiral Charner ✆ 02 96 72 20 56, *accueil@grand-hotel-val-andre.fr, Fax 02 96 63 00 24,* ⩤, – P – 30. AE GB. rest
*fermé 2 janv. au 3 fév.* – **Repas** *(fermé dim. soir, mardi midi et lundi sauf juil.août)* 20 (déj.), 31,50/42, enf. 11,50 – 8,30 – **39 ch** 66/86,50 – ½ P 70,60/80,40.
◆ Hôtel bâti en 1895 en bord de plage. Les chambres, rénovées peu à peu, s'égayent de tissus chatoyants ; celles de la façade offrent une vue sur la mer. Restaurant panoramique.

**Mer,** r. Amiral Charner ✆ 02 96 72 20 44, *hdlm@wanadoo.fr, Fax 02 96 72 85 72,* – . AE GB
*fermé 11 nov. au 15 déc., 7 janv. au 8 fév.* – **Repas** *(fermé mardi midi, merc. midi et jeudi midi)* 22/42 ♀ – 6,50 – **14 ch** 38/63 – ½ P 56/63.
◆ À deux pas de l'une des plus belles plages de la côte Nord de la Bretagne, hôtel proposant des chambres fonctionnelles ; certaines, plus spacieuses, accueillent les familles.

**Annexe Nuit et Jour** sans rest, – cuisinette . GB
6,50 – **8 ch** 52.
◆ À 400 m de l'hôtel, deux bungalows abritent de menues chambres au cadre monacal, possédant parfois une mezzanine.

XX **Au Biniou,** 121 r. Clemenceau ✆ 02 96 72 24 35, *Fax 02 96 63 03 23* – GB.
*fermé fév., mardi soir et merc. sauf juil.-aout* – **Repas** 22,50/27,50 ♀, enf. 10,50.
◆ Façade contemporaine flambant neuve, bel intérieur d'esprit marin mariant boiseries et tissus bleu clair, cuisine créative d'inspiration régionale : ce Biniou-là sonne juste !

**PLESSIS-PICARD** *77 S.-et-M.* 312 E4 – *rattaché à Melun.*

## PLESTIN-LES-GRÈVES *22310 C.-d'Armor* 309 A3 *G. Bretagne – 3 237 h alt. 45.*

**Voir** *Lieue de Grève★ – Corniche de l'Armorique★ N : 2 km.*

*Office du Tourisme, place de la Mairie ☏ 02 96 35 61 93, Fax 02 96 54 12 54.*

*Paris 529 – Brest 78 – Guingamp 45 – Lannion 18 – Morlaix 24 – St-Brieuc 77.*

**Les Panoramas** sans rest, rte Corniche Nord : 5,5 km par D 42 ☏ 02 96 35 63 76, *les panoramas@free.fr, Fax 02 96 35 09 10,* ← – TV ✆ ♿ P. GB

*Pâques-Toussaint et fermé lundi en oct.-nov.* – 6,50 – **13 ch** 38,50/58.

◆ Grand bâtiment rénové abritant des chambres fonctionnelles ; celles en façade ouvrent sur la baie. À proximité, plage de St-Efflam et sentiers de la côte des Bruyères.

## PLEURS *51230 Marne* 306 F10 *– 713 h alt. 90.*

*Paris 129 – Troyes 53 – Châlons-en-Champagne 51 – Épernay 51 – Sézanne 14.*

**Paix** avec ch, ☏ 03 26 80 10 14, *restaurant-de-la-paix-champy-jp@wanadoo.fr, Fax 03 26 80 12 69* – rest, TV ✆ P. GB

*fermé 14 juil. au 5 août, 28 déc. au 12 janv., vend. soir, dim. soir et lundi* – **Repas** 12/43, enf. 8 – 5 – **7 ch** 36 – ½ P 36.

◆ Ambiance familiale dans l'élégante salle à manger principale, plus intime au petit salon où le feu crépite dans la cheminée. Cuisine traditionnelle.

## PLÉVEN *22130 C.-d'Armor* 309 I4 *– 578 h alt. 80.*

**Voir** *Ruines du château de la Hunaudaie★ SO : 4 km,* **G. Bretagne.**

*Paris 429 – St-Malo 37 – Dinan 24 – Dinard 28 – St-Brieuc 38.*

**Manoir de Vaumadeuc** sans rest, ☏ 02 96 84 46 17, *manoir@vaumadeuc.com, Fax 02 96 84 40 16,* – P. AE GB

*5 avril-2 nov.* – 9,50 – **13 ch** 80/190.

◆ Manoir du 15e s. niché dans un parc. Boiseries, cheminée et meubles de style composent dans chaque chambre un décor majestueux, toutefois plus simple au second étage.

## PLEYBER-CHRIST *29410 Finistère* 308 H3 *G. Bretagne – 2 828 h alt. 131.*

*Paris 548 – Brest 55 – Châteaulin 47 – Morlaix 12 – Quimper 67 – St-Pol-de-Léon 29.*

**Gare,** ☏ 02 98 78 43 76, *hotelgare@wanadoo.fr, Fax 02 98 78 49 78,* – TV ✆. AE GB

*fermé 20 déc. au 15 janv., dim. soir sauf juil-août et sam. midi* – **Repas** 11 (déj.), 15,50/28 ♀ – 5,70 – **8 ch** 43/45 – ½ P 42.

◆ Étape familiale pratique située face à la gare et à un petit enclos paroissial. Chambres meublées dans un style actuel, peu spacieuses mais très bien tenues.

## PLOEMEUR *56270 Morbihan* 308 K8 *– 17 637 h alt. 45.*

*Paris 507 – Vannes 63 – Concarneau 50 – Lorient 6 – Quimper 68.*

### à Lomener *Sud : 4 km par D 163 – ✉ 56270 Ploemeur :*

**Vivier** M, ☏ 02 97 82 99 60, *levivier.lomener@wanadoo.fr, Fax 02 97 82 88 89,* ← île de Groix – TV ✆ P. AE GB

*fermé 20 au 30 mars et 25 déc. au 10 janv.* – **Repas** *(fermé dim. soir sauf juil.-août)* 19/56 ♀ – 8 – **14 ch** 61/85 – ½ P 73/81.

◆ Cette maison ancrée sur un rocher semble vouée à Neptune : superbe vue sur l'océan et l'île de Groix depuis ses chambres modernes et du restaurant (agrémenté d'un vivier).

## PLOËRMEL *56800 Morbihan* 308 Q7 *– 6 996 h alt. 93.*

*Office du Tourisme, 5 rue du Val ☏ 02 97 74 02 70, Fax 02 97 73 31 82, ot.ploermel@wanadoo.fr.*

*Paris 416 – Vannes 47 – Lorient 94 – Loudéac 49 – Rennes 67.*

**Roi Arthur** M, au lac au Duc : 1,5 km par D 8 ☏ 02 97 73 64 64, *info@hotelroiarthur.com, Fax 02 97 73 64 50,* ←, – cuisinette, rest, TV ✆ ♿ P – 20 à 100. AE GB JCB

*fermé 7 au 22 fév.* – **Repas** 23/39 ♀ – 10 – **46 ch** 74/115, 12 duplex – ½ P 79/89.

◆ En quête du Graal ? Il se cache peut-être ici, dans ce parc agrémenté d'un lac et d'un golf. Confortables chambres actuelles, salle à manger panoramique, bar "pub".

**Lancelot** M sans rest, au lac au Duc : 1,5 km par D 8 ☏ 02 97 73 58 58 *Fax 02 97 73 58 59* – TV ✆ ♿ P – 70 à 150. AE GB JCB

9 – **28 ch** 63/82.

◆ Chambres récentes et bien équipées dans un cadre enchanteur, à une chevauchée de la forêt de Brocéliande. Golf, plan d'eau et parcours botanique (beaux massifs d'hortensias).

**Thy** sans rest, 19 r. Gare ✆ 02 97 74 05 21, *hotel@le-thy.com, Fax 02 97 74 02 97* – GB.
5 – **7 ch** 55.
◆ Cette adresse atypique abrite un café, un petit cabaret et des chambres originales honorant différents artistes : Van Gogh, Bonnard, Klimt, Hooper, Tàpies, etc.

**PLOEUC-SUR-LIÉ** *22150 C.-d'Armor* 309 *F4 – 2 932 h alt. 207.*
*Paris 456 – St-Brieuc 22 – Lamballe 27 – Loudéac 23.*

**Commerce,** ✆ 02 96 42 10 36, *Fax 02 96 42 85 77,* – GB
*fermé 1er au 15 oct. et 6 au 12 janv.* – **Repas** *(fermé dim. soir et lundi soir)* 9,20 (déj.), 10,40/34, enf. 6,90 – 4,60 – **29 ch** 22,90/33,60 – ½ P 35.
◆ Cette imposante maison en granit abrite, au centre du village, des chambres offrant plusieurs niveaux de confort, mais toutes correctement équipées et bien tenues.

**PLOGOFF** *29770 Finistère* 308 *D6 – 1 902 h alt. 70.*
*Paris 610 – Quimper 47 – Audierne 11 – Douarnenez 31 – Pont-l'Abbé 42.*

**Ker-Moor,** rte Audierne : 2,5 km ✆ 02 98 70 62 06, *kermoor.h.rest@wawnadoo.fr, Fax 02 98 70 32 69,* ← – GB
**Repas** *(fermé 3 au 31 janv., dim. soir et lundi du 15 sept. au 15 mars)* 13/58 ♀, enf. 7,70 – 7 – **16 ch** 71/75 – ½ P 42,50/60.
◆ Hôtel où la plupart des chambres ont été récemment revues et disposent d'une terrasse orientée vers l'océan. L'une d'entre elles est meublée "à la bretonne".

**PLOMBIÈRES-LES-BAINS** *88370 Vosges* 314 *G5 G. Alsace Lorraine – 2 084 h alt. 429 – Stat. therm. (début avril-fin déc.).*
**Voir** *La Feuillée Nouvelle* ←★ *5 km par ② – Vallée de la Semousse★.*
*Office du Tourisme, 1 place Maurice Janot ✆ 03 29 66 01 30, Fax 03 29 66 01 94.*
*Paris 381 ④ – Épinal 38 ④ – Belfort 75 ② – Gérardmer 43 ① – Vesoul 54 ② – Vittel 61 ④.*

**PLOMBIÈRES-LES-BAINS**

Église (Pl. de l') . . . . . . . . . 3
Français (Av. Louis) . . . . . 4
Franche-Comté (Av. de) . . 5
Gaulle (Av. du Gén.-de) . . 8
Hôtel-de-Ville (Rue de l') . 9
Léopold (Av. du Duc) . . . . 10
Liétard (R.) . . . . . . . . . . . . 13
Parc (Av. du) . . . . . . . . . . 14
Stanislas (R.) . . . . . . . . . . 16
Sybilles (R. des) . . . . . . . . 18

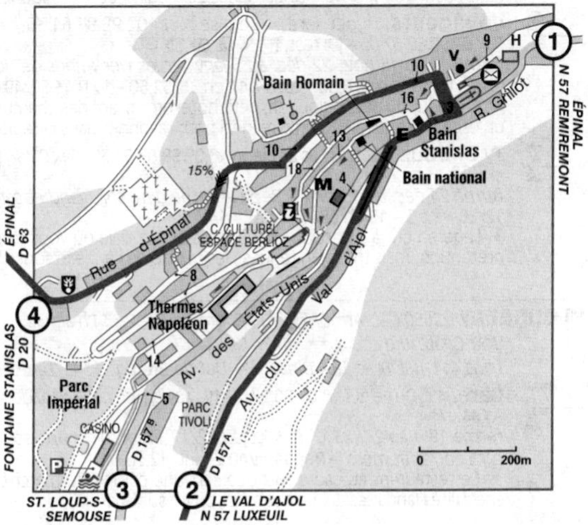
ÉPINAL D 63
N 57 REMIREMONT ÉPINAL
Bain Romain
Bain Stanislas
Bain national
R. Grillot
Rue d'Épinal
C. CULTUREL ESPACE BERLIOZ
Thermes Napoléon
Av. des États-Unis
Av. du Val d'Ajol
Parc Impérial
PARC TIVOLI
CASINO
D 157 B
D 157 A
FONTAINE STANISLAS D 20
ST. LOUP-S-SEMOUSE
LE VAL D'AJOL N 57 LUXEUIL
0 200m

**Commerce,** 16 r. Hôtel de Ville (V) ✆ 03 29 66 00 47, *pratosarl@free.fr, Fax 03 29 30 01 18,* – GB
*25 mars-15 oct.* – **Repas** (11,50) - 14,50/27 ♀, enf. 8,50 – 7 – **24 ch** 36/52 – ½ P 38,50.
◆ Dans une rue devenant piétonne en été, hôtel offrant des chambres sans prétention, plus simples encore dans l'annexe. Piscine-solarium. Tenue sans reproche.

**près de la Fontaine Stanislas** *par ④ et D 20 : 4 km – alt. 600 – ✉ 88370 Plombières-les-B. :*

**Fontaine Stanislas** , ✆ 03 29 66 01 53, *hotel.fontaine.stanislas@wanadoo.fr, Fax 03 29 30 04 31,* ←, – GB. rest
*1er avril-15 oct.* – **Repas** 16/36, enf. 9,50 – 6,30 – **16 ch** 30/46 – ½ P 38/45.
◆ La source jaillit d'un rocher couvert d'inscriptions (18e s.). Agréable jardin, belle vue sur la vallée et magnifique forêt de hêtres compensent les aménagements désuets.

**PLOMEUR** *29120 Finistère* 308 F7 *G. Bretagne – 3 272 h alt. 33.*

*Paris 587 – Quimper 26 – Douarnenez 40 – Pont-l'Abbé 6.*

**Ferme du Relais Bigouden** sans rest, à Pendreff, rte Guilvinec : 2,5 km *02 98 58 01 32, Fax 02 98 82 09 62,* – GB
*fermé en fév. et les week-ends de nov. à mars* – 6 – **16 ch** 45/51.

◆ Ancienne ferme du pays bigouden abritant des chambres sobres et confortables, toutes tournées vers le jardin. La salle des petits-déjeuners a conservé son cachet d'origine.

**PLOMODIERN** *29550 Finistère* 308 F5 *– 1 912 h alt. 60.*

**Voir** *Retables★ de la chapelle Ste-Marie-du-Ménez-Hom N : 3,5 km – Charpente★ de la chapelle St-Côme NO : 4,5 km.*

**Env.** *Ménez-Hom ※★★★ N : 7 km par D 47,* **G. Bretagne.**

*Syndicat d'Initiative, place de l'Eglise 02 98 81 27 37, siplomodiern@wanadoo.fr.*

*Paris 589 – Quimper 28 – Brest 60 – Châteaulin 12 – Crozon 25 – Douarnenez 18.*

**Porz-Morvan** sans rest, Est : 3 km par rte secondaire 02 98 81 53 23, *porzmorvan @libertysurf.fr, Fax 02 98 81 28 61,* – GB
*1er avril-30 sept., week-ends (sauf en janv.-fév.) et vacances scolaires* – 5,50 – **12 ch** 46/49.

◆ Les amoureux de la nature apprécieront cette ferme du 19e s. Chambres récemment rénovées. Crêperie dans le cadre rustique de l'ancienne grange et joli jardin avec étang.

**Auberge des Glazicks,** 02 98 81 52 32, *Fax 02 98 81 57 18* – GB.
*fermé oct., en mars, lundi et mardi* – **Repas** 23 (déj.), 38/74.

◆ Auberge villageoise à deux tours de roue du belvédère du Ménez-Hom (330 m d'altitude, magnifique panorama). Cuisine personnalisée servie dans une coquette salle à manger.

**PLONÉOUR-LANVERN** *29720 Finistère* 308 F7 *– 4 619 h alt. 71.*

*Syndicat d'Initiative, place Charles de Gaulle 02 98 82 70 10, Fax 02 98 82 70 19 office.tourisme.ploneour@wanadoo.fr.*

*Paris 580 – Quimper 19 – Douarnenez 25 – Guilvinec 14 – Plouhinec 21 – Pont-l'Abbé 7.*

**Voyageurs,** derrière l'église 02 98 87 61 35, *hotelvoyageurs@aol.fr Fax 02 98 87 67 05* – rest, AE GB
*fermé 1er au 15 nov., 22 déc. au 5 janv., et les week-ends de nov. à Pâques* – **Repas** 11,20 (déj.), 16/46 ♀, enf. 8,50 – 6 – **12 ch** 36/52,50 – ½ P 43,50/49.

◆ Au coeur du pays bigouden, petit hôtel proposant des chambres simples meublées dans un esprit rustique. Pied-à-terre idéal pour rayonner dans la région.

**Ty Didrouz**, r. Croas ar Bléon 02 98 87 62 30, *Fax 02 98 82 62 43* – GB
*fermé 24 déc. au 15 janv.* – **Repas** *(fermé dim. soir, vend et sam. hors saison)* 10 bc (déj.), 12/26 – 5 – **15 ch** 38/40 – ½ P 43/46.

◆ Légèrement à l'écart du village, adresse familiale où vous trouverez des chambres sans prétention, mais très bien tenues ; les quatre de l'annexe sont plus actuelles.

**PLOUBALAY** *22650 C.-d'Armor* 309 J3 *G. Bretagne – 2 334 h alt. 32.*

**Voir** *Château d'eau ※★★ : 1 km NE.*

*Paris 411 – St-Malo 18 – Dinan 18 – Dol-de-Bretagne 34 – Lamballe 36 – St-Brieuc 55.*

**Gare,** 4 r. Ormelets 02 96 27 25 16, *xavier.termet@wanadoo.fr, Fax 02 96 82 63 22,* – GB.
*fermé 19/1 au 2/2,23/6 au 2/7,6 au 22/10, lundi soir, mardi soir de 9 à 6, lundi midi, mardi midi en 7-8 et merc.* – **Repas** 20/40 ♀, enf. 12,50.

◆ Ce restaurant au cadre rustique sert une cuisine du marché agrémentée de quelques spécialités landaises. L'une des salles ouvre sur le jardin.

**PLOUDALMÉZEAU** *29830 Finistère* 308 D3 *G. Bretagne – 4 874 h alt. 57.*

*Syndicat d'Initiative, 1 rue François Squiban 02 98 48 12 88, Fax 02 98 48 11 88 oct.pouldalmeeau@wanadoo.fr.*

*Paris 612 – Brest 26 – Landerneau 43 – Morlaix 75 – Quimper 95.*

**Voyageurs** avec ch, pl. Église 02 98 48 10 13, *Fax 02 98 48 19 92* – GB
**Repas** *(fermé oct. ,dim. soir et lundi)* 16/33 ♀ – 6 – **9 ch** 30/44 – ½ P 39,65/48,80.

◆ Restaurant aménagé dans une maison régionale située sur un rond-point au centre du bourg. Grande salle à manger gentiment rustique, avec poutres et petite cheminée.

*Une réservation confirmée par écrit ou par fax est toujours plus sûre.*

**PLOUER-SUR-RANCE** *22490 C.-d'Armor* 309 J3 *G. Bretagne – 2 438 h alt. 62.*

*Paris 397 – St-Malo 21 – Dinan 13 – Dol-de-Bretagne 20 – Lamballe 55 – St-Brieuc 72.*

**Manoir de Rigourdaine** sans rest, rte de Langrolay puis rte secondaire : 3 km ☎ 02 96 86 89 96, *hotel.rigourdaine@wanadoo.fr, Fax 02 96 86 92 46,* ←, – TV ☎ ♿ P. AE GB

*4 avril-11 nov.* – ☕ 7 – **14 ch** 60/76, 5 duplex.

◆ Dominant l'estuaire de la Rance, ancienne ferme bien restaurée où poutres ancestrales, grande cheminée et mobilier campagnard composent un décor de caractère.

---

**PLOUESCAT** *29430 Finistère* 308 F3 *G. Bretagne – 3 689 h alt. 30 – Casino.*

*Office du Tourisme, 8 rue de la Mairie ☎ 02 98 69 62 18, Fax 02 98 61 98 92, office.de.tourisme.plouescar@wanadoo.fr.*

*Paris 570 – Brest 49 – Brignogan-Plages 16 – Morlaix 36 – Quimper 93 – St-Pol-de-Léon 16.*

**L'Azou,** r. Gén. Leclerc ☎ 02 98 69 60 16, *hotel.restau.lazou.@wanadoo.fr, Fax 02 98 61 91 26* – AE ◑ GB

*fermé 29 sept. au 23 oct. et 2 au 11 mars* – **Repas** *(fermé mardi sauf le soir en juil.-août, sam. midi de sept. au 15 juil. et merc. midi) (10,30)* - 13/45 ♀, enf. 8.

◆ Sur la traversée d'un village recélant une belle halle du 17e s., vaste salle de restaurant sobrement aménagée dans un esprit champêtre.

---

**PLOUFRAGAN** *22 C.-d'Armor* 309 F4 – *rattaché à St-Brieuc.*

*Le Guide change, changez de guide tous les ans.*

---

**PLOUGASTEL-DAOULAS** *29470 Finistère* 308 E4 *G. Bretagne – 11 139 h alt. 113.*

Voir *Calvaire★★ – Site★ de la chapelle St-Jean NE : 5 km – Kernisi ※★ SO : 4,5 km.*

Env. *Pointe de Kerdéniel ※★★ SO : 8,5 km puis 15 mn.*

*Office du Tourisme, 4 bis place du Calvaire ☎ 02 98 40 34 98, Fax 02 98 40 68 85.*

*Paris 596 – Brest 11 – Morlaix 60 – Quimper 63.*

**Kastel Roc'h,** à l'échangeur de la D 33A ☎ 02 98 40 32 00, *kastel-roch@wanadoo.fr, Fax 02 98 04 25 40,* – |♦| TV P – 20 à 80. AE GB

*fermé 1er au 20 janv. et dim. soir d'oct. à mai* – **Repas** 12/30 – ☕ 7 – **45 ch** 43/55 – ½ P 41/44.

◆ Hôtel dont les chambres, un rien "rétro" mais propres, sont bien insonorisées côté carrefour et tranquilles côté campagne. À l'annexe, restaurant de style rustique.

**Chevalier de l'Auberlac'h,** 5 r. Mathurin Thomas ☎ 02 98 40 54 56, *Fax 02 98 40 65 16,* – AE ◑ GB

*fermé 1er au 14 janv., lundi sauf juil.-août et dim. soir* – **Repas** 12,50 (déj.), 21,50/28,20.

◆ Fenêtres agrémentées de vitraux, poutres, cheminée d'ambiance, lustre en fer forgé et armure soulignent l'orientation "médiévale" du décor de la salle à manger.

---

**PLOUGUERNEAU** *29880 Finistère* 308 D3 *G. Bretagne – 5 255 h alt. 60.*

Env. *Les Abers★★.*

*Office du Tourisme, place de l'Europe ☎ 02 98 04 70 93, Fax 02 98 04 58 75, ot.plouguerneau@wanadoo.fr.*

*Paris 604 – Brest 27 – Landerneau 35 – Morlaix 68 – Quimper 92.*

**à la Plage de Lilia** *Nord-Ouest : 5 km par D 71 :*

**Castel Ac'h,** ☎ 02 98 04 70 11, *la.grand.voile@wanadoo.fr, Fax 02 98 04 58 43,* ← – TV P. GB. ✻ rest

**Repas** 15/40, enf. 8,40 – ☕ 8 – **18 ch** 63 – ½ P 54.

◆ Établissement dont les chambres, de taille moyenne, rénovées par étapes, adoptent un style moderne et fonctionnel. Certaines bénéficient de la vue sur la mer.

---

**PLOUHINEC** *29780 Finistère* 308 E6 – *4 524 h alt. 101.*

*Office du Tourisme, 2 rue du Général de Gaulle ☎ 02 98 70 74 55, Fax 02 98 70 72 76, plouhinec29@wanadoo.fr.*

*Paris 595 – Quimper 33 – Audierne 5 – Douarnenez 18 – Pont-l'Abbé 28.*

**Ty Frapp,** r. de Rozavot ☎ 02 98 70 89 90, *Fax 02 98 70 81 04* – TV ☎ P. GB. ✻ ch

*fermé 29 sept. au 13 oct., 22 déc. au 26 janv., dim. soir et lundi sauf juil.-août* – **Repas** 11/22 – ☕ 5,80 – **16 ch** 43 – ½ P 48,80.

◆ En bordure de route, bâtisse abritant des chambres fraîches équipées d'un mobilier standard. Le cadre de la salle de restaurant évoque les années 1950.

**PLOUHINEC** *56680 Morbihan* 308 L8 – *4 026 h alt. 10.*

*Paris 503 – Vannes 41 – Lorient 26 – Pontivy 59 – Quiberon 30.*

**Kerlon**, Nord-Est : 1,5 km par D 158 et rte secondaire 02 97 36 77 03, *hotel-de-kerlon@wanadoo.fr, Fax 02 97 85 81 14,* – TV P. AE GB.

*hôtel : 22 mars- 3 nov.; rest : avril- fin sept.* – **Repas** (dîner seul.) 14, enf. 8,40 – 7,70 – **16 ch** 41,50/55 – ½ P 48/52,50.

◆ Cette maison en pierres de taille a conservé les attributs rustiques de son passé agricole. Chambres calmes et simples. Quelques produits fermiers proposés dans une salle agreste.

**PLOUMANACH** *22 C.-d'Armor* 309 B2 – *rattaché à Perros-Guirec.*

**PLUGUFFAN** *29 Finistère* 308 F7 – *rattaché à Quimper.*

**Le POËT-LAVAL** *26 Drôme* 332 D6 – *rattaché à Dieulefit.*

**Le POINÇONNET** *36 Indre* 323 G6 – *rattaché à Châteauroux.*

**POINCY** *77 S.-et-M.* 312 G2 – *rattaché à Meaux.*

**POINTE DE L'ARCOUEST** *22 C.-d'Armor* 309 D2 – *rattaché à Paimpol.*

**POINTE DE ST-MATHIEU** *29 Finistère* 308 C5 – *rattaché au Conquet.*

**POINTE DU GROUIN** *35 I.-et-V.* 309 K2 – *rattaché à Cancale.*

**POINTE DU RAZ** ★★★ *29 Finistère* 308 C6 *G. Bretagne.*

Voir ★★.

*Paris 615 – Quimper 52 – Douarnenez 36 – Pont-l'Abbé 47.*

**à La Baie des Trépassés** *par D 784 et rte secondaire : 3,5 km :*

**Baie des Trépassés**, ✉ 29770 Plogoff 02 98 70 61 34, *hoteldelabaie@aol.com, Fax 02 98 70 35 20,* ← – rest, TV P. GB

*9 fév.-14 nov. et fermé le mardi hors vacances scolaires* – **Repas** *(14)* - 18/49 , enf. 8 – 7 – **27 ch** 54/62 – ½ P 46/61,50.

◆ Site très fréquenté le jour par les touristes, mais calme le soir. Chambres fonctionnelles ; choisissez celles qui bénéficient de la vue sur le large.

**Relais de la Pointe du Van** sans rest, ✉ 29770 Cléden-Cap-Sizun 02 98 70 62 79, *pointeduvan@free.fr, Fax 02 98 70 35 20,* ← – P. GB

*10 avril-30 sept.* – 7 – **25 ch** 43/61.

◆ Emplacement privilégié face à la plage de la pittoresque baie des Trépassés. Les chambres, modernes et simples, offrent parfois une vue sur le "spectacle" de l'océan.

**POINT-SUBLIME** *04 Alpes-de-H.-P.* 334 G10 *G. Alpes du Sud* – ✉ *04120 Castellane.*

Voir ←★★★ *sur Grand Canyon du Verdon 15 mn – Couloir Samson★★ S : 1,5 km – Rougon ←★ N : 2,5 km – Clue de Carejuan★ E : 4 km.*

Env. *Belvédères SO : de l'Escalès★★★ 9 km, de Trescaïre★★ 8 km, du Tilleul★★ 10 km, des Glacières★★ 11 km, de l'Imbut★★ 13 km.*

*Paris 804 – Digne-les-Bains 72 – Castellane 18 – Draguignan 52 – Manosque 77.*

**Auberge du Point Sublime** avec ch, 04 92 83 60 35, *point.sublime@wanadoo.fr, Fax 04 92 83 74 31,* ←, – TV P. GB

*15 avril-15 oct. et fermé jeudi midi et merc.* – **Repas** *(13,50)* - 23/37 , enf. 10 – 7 – **13 ch** 44/53 – ½ P 47/50.

◆ À proximité du belvédère, sympathique auberge où vous prendrez vos repas dans la salle à manger rustique ou sur la terrasse ombragée. Ambiance familiale.

**Le POIRÉ-SUR-VIE** *85170 Vendée* 316 G7 – *5 326 h alt. 42.*

*Office du Tourisme, 4bis place du Marché 02 51 31 89 15, Fax 02 51 31 89 14.*

*Paris 439 – La Roche-sur-Yon 16 – Cholet 67 – Nantes 60 – Les Sables-d'Olonne 45.*

**Centre,** 02 51 31 81 20, *hotelducentre2@wanadoo.fr, Fax 02 51 31 88 21,* , – TV – 15. AE GB

*fermé dim. soir* – **Repas** 16,50/50 – 6,90 – **27 ch** 29/64 – ½ P 31,90/48,90.

◆ Sur la place du marché, grande bâtisse proposant de petites chambres modernes, meublées simplement ; à l'annexe, elles sont plus anciennes, mais toujours bien tenues.

**POISSON** *71 S.-et-L.* 320 E11 – *rattaché à Paray-le-Monial.*

**POISSY** *78 Yvelines* 311 I2 106 ⑰, 101 ⑫ – *voir à Paris, Environs.*

**POITIERS** P *86000 Vienne* 322 H5 *G. Poitou Vendée Charentes – 78 894 h Agglo. 119 371 h alt. 116.*

Voir *Église N.-D.-la-Grande★★ : façade★★★ – Église St-Hilaire-le-Grand★★ – Cathédrale St-Pierre★ – Église Ste-Radegonde★* **D** *– Baptistère St-Jean★ – Grande salle★ du Palais de Justice* **J** *– Boulevard Coligny ≤★ – Musée Ste-Croix★★ – Statue N-D-des-Dunes : ≤★.*

Env. *Le Futuroscope★★★ : 12 km par ①.*

*de Poitiers-Biard-Futuroscope : ✆ 05 49 30 04 40* **AV.**

*Office du Tourisme, 45 place Charles de Gaulle ✆ 05 49 41 21 24, Fax 05 49 88 65 84, accueil-tourisme@interpc.fr.*

*Paris 336 ① – Angers 134 ⑥ – Limoges 126 ③ – Nantes 183 ⑥ – Niort 76 ⑤ – Tours 101 ①.*

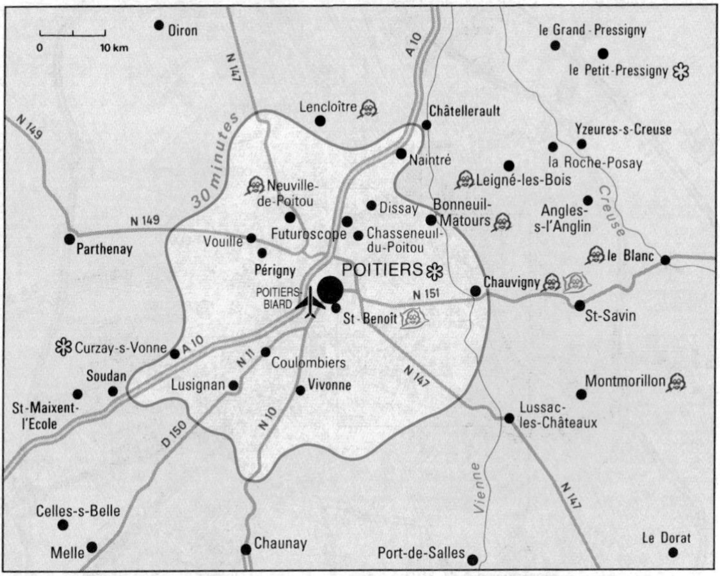

0
10 km
Oiron
le Grand-Pressigny
le Petit-Pressigny
N 147
A 10
N 149
Lencloître
Châtellerault
Yzeures-s-Creuse
30 minutes
Naintré
la Roche-Posay
Leigné-les-Bois
Neuville-de-Poitou
Dissay
Bonneuil-Matours
Angles-s-l'Anglin
Creuse
N 149
Parthenay
Vouillé
Futuroscope
Chasseneuil-du-Poitou
le Blanc
Périgny
POITIERS
POITIERS-BIARD
N 151
Chauvigny
St-Benoît
St-Savin
Curzay-s-Vonne
A 10
N 11
Coulombiers
N 147
Soudan
Lusignan
Vivonne
Montmorillon
St-Maixent-l'Ecole
D 150
N 10
Lussac-les-Châteaux
Vienne
N 147
Celles-s-Belle
Melle
Chaunay
Port-de-Salles
Le Dorat


**Grand Hôtel** M sans rest, 28 r. Carnot ✆ 05 49 60 90 60, *grandhotelpoitiers@wanadoo.fr, Fax 05 49 62 81 89* – 🛗 📺 ✆ ♿ 🚗 – 🎤 20 à 50. AE ⓓ GB JCB CZ k
▭ 8 – **41 ch** 64/79, 6 appart.

◆ Central mais bénéficiant du calme d'une cour, l'hôtel présente un chaleureux décor d'esprit Art déco. Chambres confortables et grande terrasse où l'on petit-déjeune l'été.

**Europe** sans rest, 39 r. Carnot ✆ 05 49 88 12 00, *info@hoteldeleuropepoitiers.com, Fax 05 49 88 97 30,* – 🛗 📺 ✆ ♿ 🚗 P – 🎤 15. AE ⓓ GB JCB CZ n
▭ 6,50 – **88 ch** 47/75.

◆ Trois bâtiments répartis autour d'une cour intérieure, à proximité des restaurants et des rues piétonnes. Chambres de divers styles : contemporain, Louis-Philippe, etc.

**Ibis Beaulieu,** 1 r. Bois-Dousset, quartier Beaulieu ✆ 05 49 61 11 02, *ibis.beaulieu@wanadoo.fr, Fax 05 49 01 72 76* – 🛗 📺 ✆ ♿ P – 🎤 15 à 30. AE ⓓ GB BX t
**Repas** *(fermé sam. midi et dim. sauf le soir d'avril à sept.)* (12,50) - 15 ♀, enf. 6,50 – ▭ 6,10 – **47 ch** 53.

◆ Sur un rond-point au trafic soutenu, bâtisse récente abritant de petites chambres bien insonorisées ; demandez-en une rénovée, plus actuelle et colorée. Coin bar moderne.

**Come Inn,** 13 r. Albin Haller, Z.I. République 2 ✆ 05 49 88 42 42, *come-inn@wanadoo.fr, Fax 05 49 88 42 44,* , – 📺 ♿ P – 🎤 15 à 30. GB AV d
**Repas** *(fermé sam. et dim.)* 13,60/25 ♀ – ▭ 7,50 – **45 ch** 42/48 – ½ P 42,50.

◆ Architecture de béton dans la zone industrielle... Avant tout, un établissement propre et accueillant abritant des chambres pratiques et une sobre salle à manger. Minifitness.

# POITIERS

Aérospatiale (R. de l') ..... **AV** 3
Allende (R. Salvador)...... **BX** 7
Blaiserie (R. de la) ......... **AV** 9
Ceuille-Mirebalaise (R.).... **AV** 19
Coligny (Bd) ................. **BX** 23
Demi-Lune (Carref. de la).. **AV** 27
Fg-Ceuille-Mirebalaise (R. du)...... **AV** 29
Fg-du-Pont-Neuf (R. du) ... **BX** 30
Fg-St-Cyprien (R. du)....... **AX** 31
Fief-de-Grimoire (R.) ....... **AX** 33
Gibauderie (R. de la) ...... **BX** 39
Guynemer (R.) ............... **AX** 43
Liberté (Av. de la) ........ **BV** 51
Maillochon (R. de)......... **AX** 54
Miletrie (R. de la)........... **BX** 57
Montbernage (R. de)...... **BV** 58
Montmidi (R. de) ........... **AX** 62
Pierre-Levée (R.) ........... **BX** 69
Rataudes (R. des) .......... **AX** 70
Schuman (Av. R.)........... **BV** 88
Vasles (Rte de)............. **AX** 93

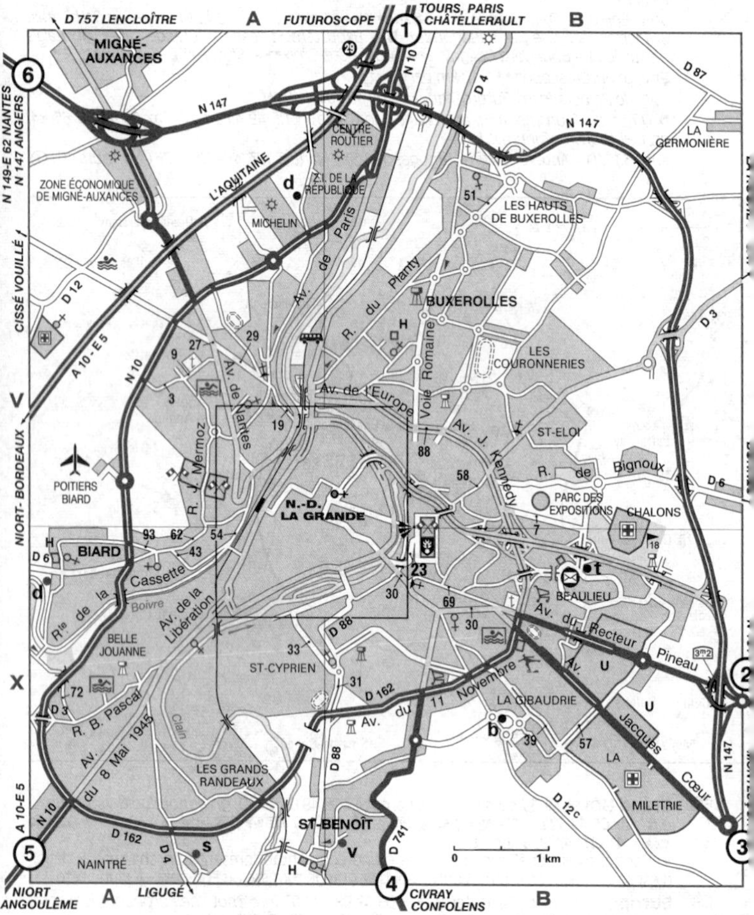
D 757 LENCLOÎTRE
A
FUTUROSCOPE
TOURS, PARIS
CHÂTELLERAULT
B
MIGNÉ-AUXANCES
N 147
D 87
N 10
D 4
CENTRE ROUTIER
LA GERMONIÈRE
N 149-E 62 NANTES
N 147 ANGERS
L'AQUITAINE
ZONE ÉCONOMIQUE DE MIGNÉ-AUXANCES
Z.I. DE LA RÉPUBLIQUE
MICHELIN
Av. de Paris
LES HAUTS DE BUXEROLLES
R. du Planty
CISSÉ VOUILLÉ
D 12
BUXEROLLES
D 3
A 10-E 5
Av. de Nantes
Voie Romaine
LES COURONNERIES
Av. de l'Europe
V
Av. J. Kennedy
ST-ELOI
NIORT-BORDEAUX
R. J. Mermoz
R. de Bignoux
POITIERS BIARD
N.-D. LA GRANDE
PARC DES EXPOSITIONS
CHALONS
D 6
BIARD
R. de la Cassette
BEAULIEU
Rte de la Boivre
Av. de la Libération
Av. du Recteur Pineau
BELLE JOUANNE
D 88
ST-CYPRIEN
X
R. B. Pascal
Av. du 11 Novembre
LA GIBAUDRIE
D 162
Av. Jacques Cœur
Av. du 8 Mai 1945
Clain
LES GRANDS RANDEAUX
LA MILETRIE
N 147
D 12c
ST-BENOÎT
D 741
0
1 km
NAINTRÉ
D 4
NIORT ANGOULÊME
LIGUGÉ
CIVRAY CONFOLENS

Gibautel sans rest, rte Nouaillé ℘ 05 49 46 16 16, *hotel.gibautel@wanadoo.fr, Fax 05 49 46 85 97* – TV ✆ ♿ P – 🏊 25. AE ⓓ GB JCB BX b
☕ 7,50 – **36 ch** 42/50.
◆ Chambres simples, formules buffets pour les petits-déjeuners et prix serrés : une étape utile dans un quartier excentré comptant plusieurs établissements hospitaliers.

**Maxime,** 4 r. St-Nicolas ℘ 05 49 41 09 55, *maxime-86@tiscali.fr, Fax 05 49 41 09 55* – ▤. AE ⓓ GB JCB DZ u
*fermé 13 juil. au 18 août, sam. sauf le soir de nov. à fév. et dim.* – **Repas** 19/68 et carte 45 à 60 🍷.
◆ Dans une rue proche du musée de Chièvres, restaurant tout en couleurs : façade vert pâle, intérieur où dominent le jaune et le rouge, exposition de tableaux. Carte classique.

## POITIERS

Abbé-Frémont (Bd) . . . . . . . **DY** 2
Alexandre (R. J.). . . . . . . . . **DZ** 4
Blossac (R. de) . . . . . . . . . . **CZ** 10
Boncenne (R.) . . . . . . . . . **CDY** 12
Bouchet (R. Jean) . . . . . . . **DY** 14
Bretonnerie (R. de la) . . . . . **DY** 16
Carnot (R.) . . . . . . . . . . . . **CZ** 17
Chaine (Rue de la) . . . . . . . . **DY** 20
Champagne (R. de) . . . . . . . **DY** 21
Clos-des-Carmes (Pl. du) . . **DY** 22
Coligny (Bd). . . . . . . . . . . . **DZ** 23
Cordeliers (R. des) . . . . . . . **DY** 25
Descartes (R. René) . . . . . . **DY** 28
Fg-du-Pont-Neuf . . . . . . . . . . **DZ** 30
Gabillet (R. H.) . . . . . . . . . . **DY** 34
Gambetta (R.) . . . . . . . . . . . **DY** 35
Gaulle (Pl. Ch. de) . . . . . . . . **DY** 36
Grand-Rue . . . . . . . . . . . . . . **DY**
Grignon de Montfort (R.) . . **DY** 40
Hôtel-Dieu (R. de l') . . . . . . **DY** 45
Intendant-le-Nain (R. de l') . **DY** 46
Jean-de-Berry (Pl.) . . . . . . . . **DY** 47
Jeanne-d'Arc (Bd) . . . . . . . . **DY** 48
Leclerc (Pl. du Mar.) . . . . . . **DZ** 49
Libération (Av. de la) . . . . . . **CZ** 50
Liberté (Pl. de la) . . . . . . . . **DY** 52
Macé (R. Jean) . . . . . . . . . . . **DY** 53
Marché-N.-Dame (R. du) . **DYZ** 55
Marne (R. de la) . . . . . . . . . . **CY** 56
Mouton (R. du) . . . . . . . . . . . **DY** 63
Oudin (R. H.) . . . . . . . . . . . . **DY** 67
Puygarreau (R. du) . . . . . . . . **DZ** 70
Rat (R. Pierre) . . . . . . . . . . . **DY** 71
Riffault (R.) . . . . . . . . . . . . . **DY** 74
St-Cyprien (R.) . . . . . . . . . . . **DZ** 76
St-Germain (R.) . . . . . . . . . . **DY** 77
Solférino (Bd) . . . . . . . . . . . **CY** 89
Thezard (R. Léopold) . . . . . . **CZ** 90
Tison (Bd de) . . . . . . . . . . . . **CZ** 92
Verdun (Bd de) . . . . . . . . . . . **CY** 94
3 Rois (R. des) . . . . . . . . . . . **DY** 95
125ᵉ-R.-I. (R. du) . . . . . . . . . **CZ** 97

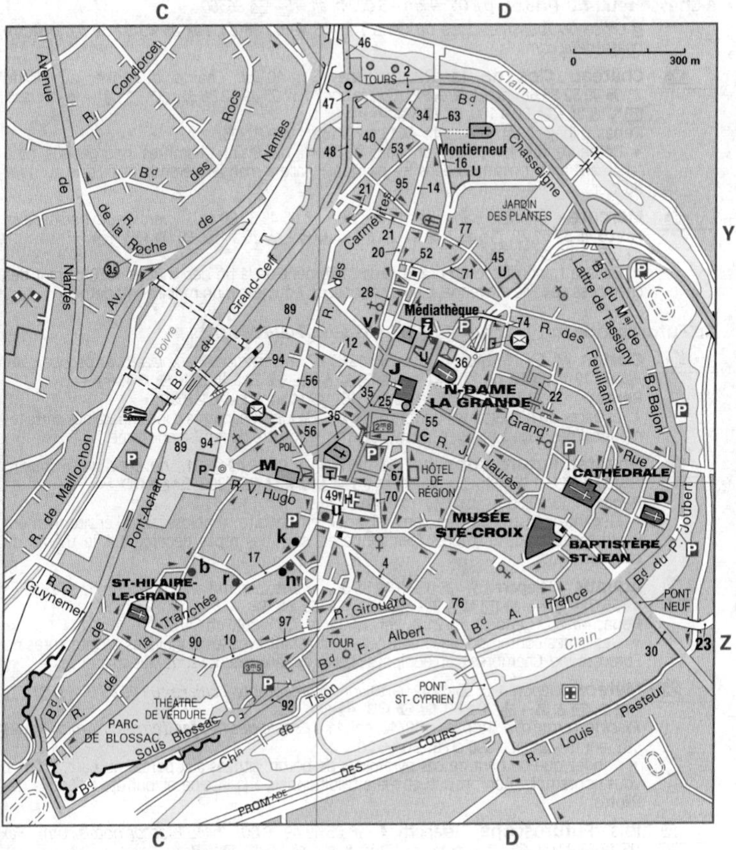

C
D
Y
Z
0
300 m
TOURS
Montierneuf
JARDIN DES PLANTES
Médiathèque
N-DAME LA GRANDE
CATHÉDRALE
HÔTEL DE RÉGION
MUSÉE STE-CROIX
BAPTISTÈRE ST-JEAN
ST-HILAIRE-LE-GRAND
THÉATRE DE VERDURE
PARC DE BLOSSAC
PONT ST-CYPRIEN
PONT NEUF
TOUR
Clain
Boivre
Avenue de Nantes
R. Condorcet
Bd des Rocs
R. de la Roche
Av. de Nantes
Bd du Grand-Cerf
R. des Carmélites
Chasseigne
Bd du Mal de Lattre de Tassigny
R. des Feuillants
Grand' Rue
Bd Bajon
R. J. Jaurès
R. V. Hugo
R. de Maillochon
Pont-Achard
R. G. Guynemer
R. de la Tranchée
Bd de R. de Sous Blossac
R. Girouard
Bd F. Albert
Bd A. France
Bd de Tison
Chin de
PROMADE DES COURS
Bd du P. Joubert
R. Louis Pasteur
POL.


XXX **des 3 Piliers** (Massonnet), 37 r. Carnot ✆ 05 49 55 07 03, *restaurantdes3piliers@wanadoo.fr, Fax 05 49 50 16 03,* – ▤. AE GB CZ n
*fermé 5 au 20 janv., lundi et mardi sauf fériés* – **Repas** 22 (déj.), 30/60 et carte 65 à 80 ♀.
◆ Les "trois piliers" érigés dans la cour-terrasse proviendraient du pilori de justice de l'ancien bourg St-Hilaire. En salle, boiseries et lustres de Murano. Cuisine classique.
**Spéc.** Étuvée d'huîtres au poireau et curry. Lapin farci aux herbes du potager. Pain de Gênes aux pistaches et cacao, glace praliné. **Vins** Haut-Poitou blanc et rouge.

XX **Cellier St-Hilaire,** 65 r. T. Renaudot ✆ 05 49 41 15 45, *Fax 05 49 60 20 32* – ▤. AE ⓓ GB JCB
*fermé 2 au 15 janv., dim. et lundi* – **Repas** 14,50 bc (déj.), 22/45 bc ♀. CZ b
◆ Restaurant aménagé dans l'ancien cellier de l'église St-Hilaire, datant du 12ᵉ s. Salle voûtée à colonnes, atmosphère résolument médiévale et cuisine traditionnelle.

XX **Poitevin,** 76 r. Carnot ☎ 05 49 88 35 04, *Fax 05 49 52 88 05* – ▤. AE ⓓ GB CZ r
*fermé 13 au 27 avril, 13 juil. au 3 août, 21 déc. au 4 janv. et dim.* – **Repas** 17/28 ♀, enf. 11.
◆ Dans une rue comptant de nombreux commerces, restaurant composé de plusieurs petites salles récemment redécorées dans un esprit contemporain. Plats traditionnels et régionaux.

X **L'Aquarium,** 12 r. Croix-Blanche ☎ 05 49 88 92 33, *Fax 05 49 88 92 33,* 🏵 – GB
*fermé lundi soir et dim.* – **Repas** *(11,50)* - 16/41 ♀, enf. 7. DY v
◆ La rue est commerçante, le quartier animé. Vous entrez directement dans une longue salle à manger récemment rafraîchie. Petite terrasse au calme et cuisine traditionnelle.

**à Chasseneuil-du-Poitou** *par ① : 9 km – 3 002 h. alt. 75 – ✉ 86360.*

*Office du Tourisme, place du Centre ☎ 05 49 52 83 64, Fax 05 49 52 59 31, ot@crm chasseneuil.com.*

**Château Clos de la Ribaudière** 🐚, 10 pl. Champ de Foire, au village ☎ 05 49 52 86 66, *ribaudiere@ribaudiere.com, Fax 05 49 52 86 32,* 🏵, 🏊, 🌳 – 🛗, ▤ rest, TV 📞 ♿ P – 🎪 20 à 100. AE ⓓ GB JCB
**Repas** 22 (déj.), 28/47 ♀ – ☕ 11 – **41 ch** 72/139 – ½ P 82/93.
◆ Demeure du 19e s. et son parc au bord du Clain. Chambres bourgeoises côté "château" (plus classiques dans les pavillons), salle à manger-véranda et cuisine au goût du jour.

**Mercure** M 🐚 sans rest, N 10 ☎ 05 49 52 90 41, *mercure@cyberscope.fr, Fax 05 49 52 51 72,* 🏊, 🌳 – 🛗 ⊁ ▤ TV 📞 ♿ P – 🎪 20 à 100. AE ⓓ GB JCB
☕ 8,50 – **89 ch** 75/93.
◆ Dans la tranquillité d'un grand jardin, bâtiment de la fin des années 1970 offrant des chambres de taille moyenne, bien insonorisées, équipées d'un mobilier moderne.

**au Futuroscope** *par ① : 12 km – ✉ 86360 Chasseneuil-du-Poitou :*

**Clarion** M 🐚, Téléport 1 ☎ 05 49 49 07 07, *reservation@parkplaza-futuroscope.com, Fax 05 49 49 55 49,* Fø, 🏊 – 🛗 ⊁ ▤ TV 📞 ♿ P – 🎪 20 à 160. AE ⓓ GB JCB
**Repas** *(19,70)* - 24,30 ♀ – ☕ 17 – **278 ch** 110/142, 4 appart – ½ P 87/93.
◆ Le décor du hall évoque l'univers des trains de luxe. Chambres contemporaines parfaitement calmes, salle à manger "post-moderne" et centre de remise en forme.

**Novotel Futuroscope** M, Téléport 4 ☎ 05 49 49 91 91, *novotel@cyberscope.fr, Fax 05 49 49 91 90,* 🏵, 🏊 – 🛗 ⊁ ▤ TV 📞 ♿ P – 🎪 25 à 200. AE ⓓ GB JCB
**Repas** 14,50/20,50 ♀ – ☕ 9,70 – **110 ch** 93/169.
◆ Élégante construction en verre et acier, en parfaite symbiose avec l'environnement futuriste du parc. Chambres fonctionnelles, salle des repas décorée sur le thème du cinéma.

**Aquatis,** Téléport 3 ☎ 05 49 49 55 00, *frantour.seminaire@wanadoo.fr, Fax 05 49 49 55 01* – 🛗 ⊁ ▤ TV 📞 ♿ P – 🎪 30 à 150. AE ⓓ GB
**Repas** *(10,50)* - 13,70 (déj.), 15/21 🍷, enf. 7,50 – ☕ 7,50 – **140 ch** 54/69.
◆ Des lignes contemporaines épurées, contrastant avec les singulières architectures du Futuroscope. Chambres bien équipées ; celles de l'aile récente sont plus spacieuses.

**Météor,** Téléport 1 ☎ 05 49 49 09 10, *info@meteorhotel.com, Fax 05 49 49 09 11,* 🏵, 🏊 – 🛗 ▤ TV ♿ P – 🎪 20 à 80. AE ⓓ GB JCB. ⊁ rest
***Piscine*** *(fermé dim.)* **Repas** *(10)* 19/40, enf.11 – ***Escale des Pilotes*** *(fermé dim. midi)* **Repas** 18♀, enf. 9 – ☕ 11 – **300 ch** 60,50/90,20.
◆ Songez que du haut de ces pyramides de béton, situées aux portes du parc, le 21e s. vous contemple. Confort actuel. Plats traditionnels à la Piscine et buffets à l'Escale des Pilotes.

**Ibis Futuroscope,** Téléport 4 ☎ 05 49 49 90 00, *h1193@accor-hotels.com, Fax 05 49 49 90 09,* 🏵, 🏊 – 🛗 ⊁ ▤ TV 📞 ♿ P – 🎪 50. AE ⓓ GB
**Repas** *(12)* - 15, enf. 6,10 – ☕ 6 – **140 ch** 60.
◆ Chambres pratiques, restaurant de style "bateau", salles de conférences... Cet Ibis séduira autant la clientèle d'affaires que les amoureux de la quatrième dimension.

**rte de Limoges** *par ③, N 147 et rte secondaire : 10 km – ✉ 86550 Mignaloux :*

**Manoir de Beauvoir** 🐚, ☎ 05 49 55 47 47, *reservation@manoirdebeauvoir.com, Fax 05 49 55 31 95,* €, 🏵, 🏊, 🌳 – 🛗 cuisinette, ▤ ch, TV 📞 ♿ P – 🎪 20 à 75. AE ⓓ GB JCB
*fermé 2 au 11 janv.* – **Repas** *(14,50)* - 19/36, enf. 8,50 – ☕ 10 – **45 ch** 78/170 – ½ P 71/111.
◆ Les chambres sont dans la belle maison de style classique datant du 19e s., les appartements avec kitchenette dans la "résidence". Parc de 90 ha aménagé en golf 18 trous.

**à St-Benoît** *Sud du plan par D 88 : 4 km – 5 843 h. alt. 77 – ✉ 86280.*

*Office du Tourisme, 18 rue Paul Gauvin ✆ 05 49 88 42 12, Fax 05 49 56 08 82.*

XXX **Chalet de Venise** avec ch, 6 r. Square, au village ✆ 05 49 88 45 07, *Fax 05 49 52 95 44*, – TV & P. AE GB JCB BX v
**Repas** *(fermé 25 août au 3 sept., 21 fév. au 7 mars, dim. soir, mardi midi et lundi)* 24/44 et carte 48 à 55 ♀ – ☕ 7 – **12 ch** 53,40/58 – ½ P 114,40.
◆ C'est de l'intérieur que se dévoile ce bel établissement : l'élégante salle à manger ouvre sur un ravissant jardin bordant une rivière. Terrasse à fleur d'eau en saison.

**rte de Ligugé** *(D 4), Sud du plan : 4 km – ✉ 86280 St-Benoît :*

XX **L'Orée des Bois,** r. Naintré ✆ 05 49 57 11 44, *Fax 05 49 43 21 40* – GB AX s
*fermé sam. midi, dim. soir et lundi* – **Repas** 15/43, enf. 10.
◆ Une maison tapissée de vigne vierge au coeur de la vallée du Clain. Deux salles à manger décorées dans le goût rustique, où l'on déguste une cuisine traditionnelle.

**rte d'Angoulême** *par ⑤ : 6 km, sortie Hauts-de-Croutelle – ✉ 86240 Croutelle :*

XXX **Chênaie,** ✆ 05 49 57 11 52, *Fax 05 49 57 11 51*, – P. AE GB
*fermé 25 au 31 janv., dim. soir et lundi sauf fériés* – **Repas** 20/36 et carte 42 à 50 ♀.
◆ Ancienne ferme joliment restaurée, située en léger retrait de la N 10. Salle à manger assez cossue ouvrant sur un jardin planté de chênes séculaires. Cuisine au goût du jour.

**rte de Niort** *par ⑤ : 7 km – ✉ 86240 Ligugé :*

**Bois de la Marche,** intersection N 10-N 11 ✆ 05 49 53 10 10, *boisdelamarche@wanadoo.fr, Fax 05 49 55 32 25*, – TV & P – 20 à 90. AE GB
**Repas** 18/39 – ☕ 9 – **53 ch** 54/87 – ½ P 56/70.
◆ À quelques tours de roue du "plus ancien monastère d'Occident" (Ligugé), vaste bâtiment entouré d'un parc arboré. Chambres souvent meublées dans le style Louis XV.

**aux Grottes de la Norée** *Ouest : 3 km par rte de la Cassette* **AX** *– ✉ 86580 Biard :*

X **Les Saisons de la Norée,** 4 r. Ermitage ✆ 05 49 37 27 16, *Fax 05 49 37 27 16*, – GB
*fermé 18 au 31 août, 2 au 15 fév., mardi et merc.* – **Repas** (nombre de couverts limité, prévenir) (12) - 15/25 ♀. AX d
◆ À peine séparée de la Boivre par une petite route de campagne, coquette maisonnette très champêtre et sa terrasse ouverte sur la nature. Cuisine au goût du jour et prix doux.

**à Périgny** *par ⑥, N 149 et rte secondaire : 17 km – ✉ 86190 Vouillé :*

**Château de Périgny** , ✆ 05 49 51 80 43, *info@chateau-perigny.com, Fax 05 49 51 90 09*, ←, – TV P – 15 à 80. AE GB JCB
**Repas** 22 (déj.), 28,50/53,50 ♀ – ☕ 12 – **40 ch** 67/134, 3 appart – ½ P 82/118.
◆ Château Renaissance s'élevant dans un parc de 35 ha. Jolies chambres meublées d'ancien, plus actuelles dans les dépendances. Agréable patio-terrasse pour les repas d'été.

---

**POLIGNY** *39800 Jura* 321 E5 *G. Jura – 4 714 h alt. 373.*

*Voir Collégiale★ – Culée de Vaux★ S : 2 km – Cirque de Ladoye ←★★ S : 2 km.*

*Office du Tourisme, Cours des Ursulines ✆ 03 84 37 24 21.*

*Paris 398 – Besançon 57 – Dole 45 – Lons-le-Saunier 30 – Pontarlier 65.*

**Domaine Moulin Vallée Heureuse,** rte Genève : 1 km ✆ 03 84 37 12 13, *valleeheureuse@wanadoo.fr, Fax 03 84 37 08 75*, – TV P – 20. AE GB JCB
*fermé 12 nov. au 15 déc., jeudi midi et merc. sauf juil.-août* – **Repas** 23 (déj.), 39/65 ♀, enf. 13 – ☕ 12 – **12 ch** 88/220 – ½ P 130/150.
◆ Ancien moulin dans un agréable parc traversé par une rivière. Les chambres récentes sont élégantes. Plaisante salle à manger dominant le vallon. Belles piscines.

**Paris** sans rest, 7 r. Travot ✆ 03 84 37 13 87, *info@hotel-de-paris.fr, Fax 03 84 37 23 39*, – TV. GB
*fév.-oct.* – ☕ 8 – **22 ch** 55/59.
◆ Hôtel au charme désuet et à la tenue méticuleuse, disposant de chambres meublées dans un esprit "seventies". La piscine entourée de citronniers et d'orangers est un plus.

**aux Monts de Vaux** *Sud-Est : 4,5 km par rte de Genève – ✉ 39800 Poligny.*

Voir ←★.

**Hostellerie des Monts de Vaux** , ✆ 03 84 37 12 50, *mtsvaux@hostellerie.com, Fax 03 84 37 09 07*, ←, – TV P – 15. AE GB JCB
*fermé fin oct. au 28 déc., mardi sauf le soir en juil.-août et merc. midi* – **Repas** 28,50 (déj.)/65 ♀ – ☕ 13 – **10 ch** 110/175 – ½ P 130/155.
◆ Hôtellerie à l'âme d'antan, jadis ferme, puis relais de poste, isolée dans un parc dominant la "reculée" de Vaux. Chambres bourgeoises, dotées d'un mobilier ancien.

**à Passenans** *Sud-Ouest : 11 km par N 83 et D 57 – 281 h. alt. 320 – ✉ 39230 :*

**Revermont** , ✆ 03 84 44 61 02, *schmit-revermont@wanadoo.fr, Fax 03 84 44 64 83,* ←, , , , , – – 25. AE GB
*fermé janv. et fév.* – **Repas** 17/44 ♀ – ☕ 9 – **28 ch** 55/79 – ½ P 60/66.
◆ Construction des années 1970 bâtie à flanc de colline, entre vignes et pâturages. Grandes chambres ouvrant sur le parc. Salle à manger modulable, couleur abricot.

**à Montchauvrot** *Sud-Ouest : 13 km par N 83 – ✉ 39230 Sellières :*

**Fontaine,** ✆ 03 84 85 50 02, *lafontaine3@wanadoo.fr, Fax 03 84 85 56 18,* – – 40. GB
*fermé dim. soir du 1er oct. au 31 janv.* – **Repas** (10,70) - 13,80/31,10 ♀ – ☕ 5,80 – **20 ch** 45,80/48,80 – ½ P 38,50/44.
◆ En bord de route, bâtiment dont les chambres bénéficient d'un équipement complet et d'une bonne insonorisation ; elles sont toutefois plus calmes côté parc.

---

**POLLIAT** *01310 Ain* 328 *D3 – 2 025 h alt. 260.*
*Paris 414 – Mâcon 26 – Bourg-en-Bresse 13 – Lyon 75 – Villefranche-sur-Saône 52.*

**Place** avec ch, ✆ 04 74 30 40 19, *Fax 04 74 30 42 34* – . GB
*fermé 1er au 14 juil., 2 au 16 janv., dim. soir et lundi* – **Repas** 15,50/48,50 ♀, enf. 9,50 – ☕ 6 – **8 ch** 28,50/49,50 – ½ P 41,50/46.
◆ Jouxtant le bar du village, sobre salle à manger prolongée par une terrasse sous auvent. On y sert, avec le sourire, des plats bressans. Chambres simples et bien tenues.

**Coq Bressan,** ✆ 04 74 30 40 16, *Fax 04 74 25 75 91* – GB
*fermé 12 au 28 juin, 16 au 31 oct., 7 au 11 janv., merc. soir et jeudi* – **Repas** 13,30/32 , enf. 9,30.
◆ Petite auberge simple et conviviale située au bord de la nationale. Intérieur rustique et cuisine régionale servie sans chichi.

*Nos guides hôteliers, nos guides touristiques et nos cartes routières sont complémentaires. Utilisez-les ensemble.*

---

**POLMINHAC** *15800 Cantal* 330 *D5 – 1 135 h alt. 650.*
*Syndicat d'Initiative, rue de la Gare ✆ 04 71 47 48 36, Fax 04 71 47 48 36.*
*Paris 557 – Aurillac 15 – Murat 36 – Vic-sur-Cère 5.*

**Bon Accueil,** ✆ 04 71 47 40 21, *Fax 04 71 47 40 13,* ←, , – rest, . GB.
*fermé 15 oct. au 1er déc., dim. soir et lundi sauf vacances scolaires* – **Repas** 10/24 , enf. 6,10 – ☕ 6 – **23 ch** 42,80/49,60 – ½ P 41,10/43,40.
◆ L'adresse mérite bien son nom : sourire et amabilité sont au rendez-vous. Chambres nettes, avant tout pratiques. Salle des repas ouverte sur la campagne. Cuisine régionale.

---

**La POMARÈDE** *11400 Aude* 344 *C2 – 163 h alt. 304.*
*Paris 740 – Toulouse 57 – Auterive 50 – Carcassonne 48 – Castres 38 – Gaillac 72.*

**Hostellerie du Château de la Pomarède** (Garcia) avec ch, ✆ 04 68 60 49 69, *Fax 04 68 60 49 71,* – – 15. AE GB
*fermé 10 au 26 mars, 12 nov. au 4 déc., dim. soir de déc. à avril, lundi et mardi* – **Repas** 15 (déj.), 22/52 et carte 55 à 67 ♀, enf. 12 – ☕ 10 – **7 ch** 75/105 – ½ P 89,50/122.
◆ Établissement installé dans la cour d'un château "cathare" du 11e s. joliment restauré Salle de caractère et savoureuse cuisine au goût du jour. Belles chambres modernes.
**Spéc.** Foie gras et Saint-Jacques aux artichauts (15 oct. au 15 avril). Filet de rouget en ragoût de haricots, croquette de pied de porc. Pigeonneau en croûte de cumin et jeunes légumes. **Vins** Minervois

---

**PONS** *17800 Char.-Mar.* 324 *G6 C. Poitou Vendée Charentes – 4 412 h alt. 39.*
**Voir** *Donjon★ de l'ancien château – Hospice des Pèlerins★ SO par D 732 – Boiseries★ du château d'Usson 1 km par D 249.*
*Syndicat d'Initiative, place de la République ✆ 05 46 96 13 31, Fax 05 46 96 34 52.*
*Paris 493 – Royan 43 – Blaye 60 – Bordeaux 98 – Cognac 24 – La Rochelle 97 – Saintes 23.*

**Bordeaux,** 1 av. Gambetta ✆ 05 46 91 31 12, *hotel-de-bx@hotel-de-bordeaux.com, Fax 05 46 91 22 25,* – . AE GB
*fermé dim. soir d'oct. à Pâques* – **Repas** *(fermé sam. midi, dim. soir et lundi d'oct. à Pâques)* 15/57 bc – ☕ 6,50 – **15 ch** 33/42 – ½ P 41.
◆ Au centre-ville, hôtel centenaire remis au goût du jour et proposant des chambres coquettes et sobrement meublées. Agréable patio-terrasse. Vaste choix de cognacs.

XXX **Auberge Pontoise** avec ch, 23 av. Gambetta ✆ 05 46 94 00 99, *auberge.pontoise@wanadoo.fr, Fax 05 46 91 33 40,* – TV. GB
*fermé dim. soir et lundi d'oct. à Pâques* – **Repas** 15/40 et carte 43 à 57 ♀ – ☕ 6 – **21 ch** 39/61 – ½ P 54.
◆ Cette ex-biscuiterie abrite une accueillante salle à manger décorée façon "jardin d'hiver", un bar-fumoir (cave à cigares et carte de cognacs) et des chambres anciennes.

**à Pérignac** *Nord-Est : 8 km par rte de Cognac – 964 h. alt. 41 – ✉ 17800 :*

XX **Gourmandière,** ✆ 05 46 96 36 01, *Fax 05 46 95 50 71,* – GB
*fermé 10 au 20 mars, 19 oct au 3 nov., 29 fév. au 10 mars, lundi soir et merc. hors saison et dim. soir* – **Repas** 17/46.
◆ Engageante maison située sur l'axe principal de la petite cité. Salle à manger en deux parties, aménagée dans un esprit moderne. Répertoire traditionnel.

**à Mosnac** *Sud : 11 km par rte de Bordeaux et D 134 – 431 h. alt. 23 – ✉ 17240 :*

**Moulin du Val de Seugne** ✆ 05 46 70 46 16, *moulin@valdeseugne.com, Fax 05 46 70 48 14,* – ch, TV P – 25. AE GB
*fermé 2 janv. au 11 fév.* – **Repas** *(fermé sam. midi de sept. à juin, mardi sauf le soir en juil.-août et merc. midi)* 15 (déj.)/59 ♀, enf. 10 – ☕ 9 – **10 ch** 75/90 – ½ P 68/85.
◆ Au bord de la Seugne, élégante hostellerie proposant de vastes chambres raffinées et garnies de beaux meubles anciens. Plaisante salle à manger tournée vers la rivière.

---

**PONTAILLAC** *17 Char.-mar.* 324 D6 – *rattaché à Royan.*

---

**PONT-A-MOUSSON** *54700 M.-et-M.* 307 H5 *G. Alsace Lorraine – 14 645 h alt. 180.*
Voir *Place Duroc★ – Anc. abbaye des Prémontrés★.*
*Office du Tourisme, 52 place Duroc ✆ 03 83 81 06 90, Fax 03 83 82 45 84.*
*Paris 333 – Metz 31 – Nancy 30 – Toul 48 – Verdun 66.*

**Bagatelle** sans rest, 47 r. Gambetta ✆ 03 83 81 03 64, *bagatelle.hotel@wanadoo.fr, Fax 03 83 81 12 63* – TV P. GB JCB
*fermé 24 déc. au 2 janv.* – ☕ 7 – **18 ch** 42/56.
◆ Les chambres, meublées dans le goût des années 1980, sont moins sonores côté cour. La silhouette de la célèbre abbaye des Prémontrés se profile au-dessus du jardin.

X **Fourneau d'Alain,** 64 pl. Duroc (1er étage) ✆ 03 83 82 95 09 – GB
*fermé 29 juil. au 14 août, 5 au 18 janv., dim. soir, merc. soir et lundi* – **Repas** 14 (déj.), 23/43 ♀.
◆ Restaurant sagement contemporain installé sur la place principale, à l'étage d'une des maisons à arcades du 16e s. Tables bien dressées et service sans tralala.

**à Blénod-lès-Pont-à-Mousson** *Sud : 2 km par N 57 – 4 768 h. alt. 189 – ✉ 54700 :*

X **Auberge des Thomas,** 100 av. V. Claude (N 57) ✆ 03 83 81 07 72, *Fax 03 83 82 34 94,* – AE GB
*fermé 1er au 26 août, vacances de fév., merc. soir, dim. soir et lundi* – **Repas** (nombre de couverts limité, prévenir) 16/40 ♀.
◆ Occupant une maison tapissée de lierre, auberge de bord de route au décor exubérant et coloré. Terrasse dans une petite cour-jardin. Accueil convivial et atmosphère détendue.

---

**PONTARLIER** *25300 Doubs* 321 I5 *G. Jura – 18 104 h alt. 838.*
Voir *Portail★ de l'ancienne chapelle des Annonciades.*
Env. *Grand Taureau ※★★ par ② : 11 km.*
*Office du Tourisme, 14 rue de la Gare ✆ 03 81 46 48 33, Fax 03 81 46 83 32, office.de.pontarlier@wanadoo.fr.*
*Paris 462 ③ – Besançon 58 ④ – Dole 109 ③ – Lausanne 68 ② – Lons-le-Saunier 83 ③.*

Plan page suivante

**Villages Hôtel** M, 68 r. Salins par ③ : *1 km* ✆ 03 81 46 71 78, *village-hotel@wanadoo.fr, Fax 03 81 46 67 37* – TV P – 40. AE GB
**Repas** *(11,90)* - 13,80/35,10, enf. 7 – ☕ 7 – **53 ch** 47/48 – ½ P 45/48.
◆ Étape pratique avant d'atteindre le paradis du ski de fond, cet hôtel propose des chambres pimpantes, meublées dans un esprit "montagne", et une cuisine régionale.

**Parc** sans rest, 1 r. Moulin Parnet ✆ 03 81 46 85 92, *Fax 03 81 46 36 15* – TV P. AE GB A S
☕ 6 – **18 ch** 40/60.
◆ Construction des années 1980 proche du centre-ville. Récent coup de jeune dans ses petites chambres bien équipées ; celles sur l'arrière garantissent des nuits plus calmes.

## PONTARLIER

Arçon (Pl. d') .......... **A** 2
Augustins (R. des) ...... **B** 3
Bernardines (Pl. des) ........... **AB** 4
Capucins (R. des) ....... **A** 7
Crétin (Pl.) ............. **B** 8
Ecorces (R. des) ........ **A** 12
Gambetta (R.) .......... **B** 13
Halle (R. de la) ......... **A** 15
Industrie (R. de l') ...... **B** 16
Lattre-de-Tassigny (Pl. Mar.-de) ......... **B** 19
Mathez (R. Jules) ...... **B** 26
Mirabeau (R.) .......... **B** 27
Moulin Parnet (R. du) ............. **A** 29
Pagnier (Pl. J.) ......... **B** 30
République (R. de la) .. **AB**
St-Étienne (R. du Fg) .... **B**
St-Pierre (Pl.) ........... **A**
Ste-Anne (R.) ......... **AB** 35
Salengro (Pl. R.) ........ **A** 36
Tissot (R.) ............ **AB** 37
Vannolles (R. de) ....... **B** 38
Vieux-Château (R. du) ... **A** 39
Villingen-Schwenningen (Pl. de) **A** 40

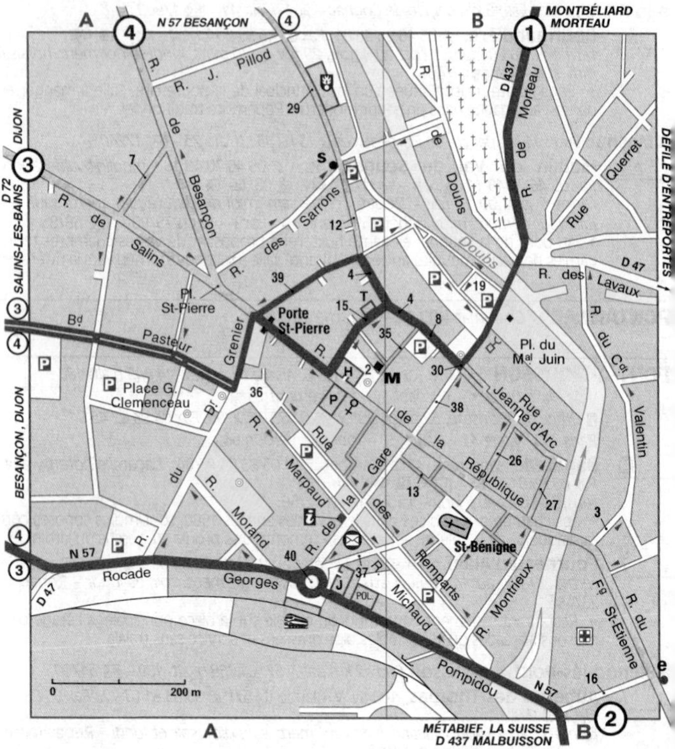

N 57 BESANÇON
MONTBÉLIARD
MORTEAU
DIJON
D 72
SALINS-LES-BAINS
BESANÇON, DIJON
DEFILE D'ENTREPORTES
D 47
D 437
R. J. Pillod
R. de Besançon
R. de Salins
R. des Sarrons
Pl. St-Pierre
Porte St-Pierre
Bd Pasteur
Grenier
Place G. Clemenceau
R. de Morteau
R. de Doubs
Doubs
Rue Querret
R. des Lavaux
R. du Cdt
Valentin
Pl. du Mal Juin
Rue Jeanne d'Arc
R. de la République
Rue de la Gare
R. Marpaud
R. Morand
R. des Remparts
R. Michaud
R. Montrieux
Fg St-Étienne
R. du
St-Bénigne
Rocade
Georges
Pompidou
N 57
POL.
200 m
MÉTABIEF, LA SUISSE
D 437 MALBUISSON


**Campanile,** par ③ : *1 km* ✆ 03 81 46 66 66, *Fax 03 81 39 51 56*, – 20. AE ◑ GB
**Repas** 12/17,50 ♀, enf. 6 – ☐ 6 – **46 ch** 58 – ½ P 69/75.
◆ Face à un petit aérodrome et près de l'Espera-Sbarro (école de design automobile), ce Campanile abrite des chambres fonctionnelles toutes récemment rénovées.

**L'Alchimie,** 1 av. Armée de l'Est ✆ 03 81 46 65 89, *Fax 03 81 39 08 75* – GB — B e
*fermé 1er au 15 juil. et merc.* – **Repas** 19,50/42 ♀, enf. 10.
◆ L'élégante salle à manger de ce restaurant légèrement excentré présente un cadre coloré. La cuisine traditionnelle proposée prend parfois des accents régionaux. Bon accueil.

**à Doubs** *par ④ : 2 km – 1 677 h. alt. 813 – ✉ 25300 :*

**Doubs Passage,** 11 Gde Rue, D 130 ✆ 03 81 39 72 71 – GB
*fermé 19 août au 2 sept., dim. soir et lundi* – **Repas** 15/28 ♀, enf. 8.
◆ Auberge familiale bordant le Doubs. La salle à manger est joliment décorée : parquet verni, éclairage discret, plantes vertes et fleurs à profusion. Cuisine traditionnelle.

*Ecrivez-nous...*
*Vos louanges comme vos critiques seront examinées avec le plus grand soin. Nous reverrons sur place les informations que vous nous signalez.*
*Par avance merci !*

**PONTAUBAULT** *50220 Manche* 303 D8 – *492 h alt. 25.*

*Paris 343 – St-Malo 60 – Avranches 9 – Dol-de-Bretagne 36 – Fougères 39 – Rennes 73.*

**Treize Assiettes,** Nord : 1 km sur D 43$^E$ (ancienne rte d'Avranches) ☎ 02 33 89 03 03, *regine.baudu@wanadoo.fr, Fax 02 33 89 03 06,* – TV P. AE GB

**Repas** 16/22 ♀, enf. 9 – ☕ 9 – **39 ch** 63/112 – ½ P 57.

◆ Les chambres aménagées dans les bungalows sont meublées simplement. Celles du bâtiment principal, plus grandes et d'un confort identique, sont rénovées depuis peu.

**au Sud-Ouest** *: 2,5 km sur D 43 – ✉ 50220 Céaux :*

**Relais du Mont,** ☎ 02 33 70 92 55, *contact@hotel-mont-saint-michel.com, Fax 02 33 70 94 57,* – TV P. – 50. AE GB

**Repas** 16/28 – ☕ 10 – **30 ch** 62 – ½ P 57/74.

◆ Proche de la sortie de l'autoroute, construction récente abritant des chambres de taille moyenne, fonctionnelles, bien tenues et équipées d'un double vitrage.

**à Céaux** *Ouest : 4 km sur D 43 – 397 h. alt. 20 – ✉ 50220 :*

**Au P'tit Quinquin** avec ch, ☎ 02 33 70 97 20, *Fax 02 33 70 97 42* – TV P. GB

*fermé 5 janv. au 15 fév., dim. soir, mardi midi et lundi sauf vacances scolaires et fériés* – **Repas** 12,50/37 ♀, enf. 7,50 – ☕ 5,60 – **18 ch** 23,70/40 – ½ P 31,30/40,50.

◆ La maison borde une route très passagère, mais peu fréquentée la nuit. Salle à manger récemment refaite : cadre actuel et coloré. Chambres modestes mais propres.

**PONTAUBERT** *89 Yonne* 319 G7 – *rattaché à Avallon.*

**PONT-AUDEMER** *27500 Eure* 304 D5 *G. Normandie Vallée de la Seine* – *8 975 h alt. 15.*

Voir *Vitraux* de l'église St-Ouen.*

*Office du Tourisme, place Maubert ☎ 02 32 41 08 21, Fax 02 32 57 11 12, tourisme@ville.pont.audemer.fr.*

*Paris 163 ① – Le Havre 49 ① – Rouen 52 ① – Caen 74 ⑤ – Évreux 68 ② – Lisieux 43 ④.*

## PONT-AUDEMER

Canel (R. Alfred) 2
Carmélites (R. des) 3
Clemencin (R. Paul) 5
Cordeliers (R. des) 6
Delaquaize (R. S.) 7
Déportés (R. des) 8
Épée (R. de l') 9
Félix-Faure (Quai)
Ferry (R. Jules)
Gambetta (R.) 13
Gaulle (Pl. Général de) 14
Gillain (Pl. Louis) 16
Goulley (Pl. J.)
Jaurès (R. Jean) 18
Joffre (R. Mar.) 19
Kennedy (Pl.)
Leblanc (Quai R.) 20
Maquis-Surcouf (R.) 21
Maubert (Pl.) 22
Mitterrand (Quai François) 23
N.-D.-du-Pré (R.)
Pasteur (Bd)
Place-de-la-Ville (R.) 24
Pot-d'Étain (Pl. du) 25
Président-Coty (R. du) 26
Président-Pompidou (Av. du)
République (R. de la) 27
Sadi-Carnot (R.)
St-Ouen (Impasse) 29
Seule (Rue de la) 30
Thiers (R.) 32
Verdun (Pl. de) 34
Victor-Hugo (Pl.) 35

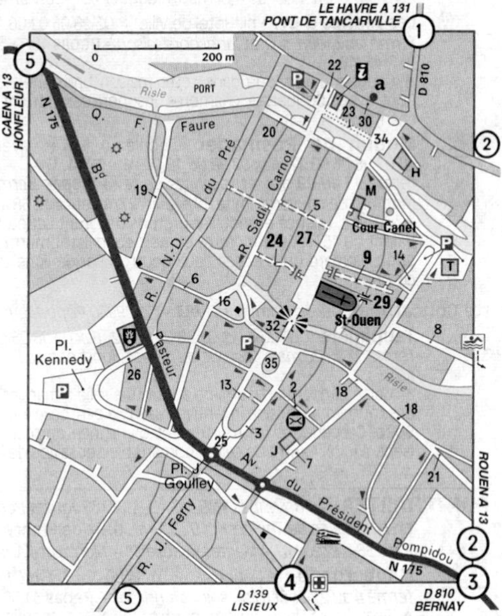
LE HAVRE A 131
PONT DE TANCARVILLE
CAEN A 13
HONFLEUR
0
200 m
PORT
Risle
N 175
Q. F. Faure
du Pré
R. Sadi Carnot
Bd Pasteur
R. N.-D.
Cour Canel
St-Ouen
Pl. Kennedy
Pl. J. Goulley
R. J. Ferry
Av. du Président Pompidou
ROUEN A 13
D 810
D 139
LISIEUX
D 810
BERNAY

**Erawan,** 4 r. Seüle (a) ☎ 02 32 41 12 03, – GB.

*fermé août et merc.* – **Repas** 19,80/30.

◆ Carte "cent pour cent" thaïlandaise et cadre aux trois quarts normand : étonnant contraste, et mariage des cultures réussi en ce charmant restaurant des bords de la Risle.

**à Campigny** *par ③ et D 29 : 6 km – 807 h. alt. 121 – ✉ 27500 :*

XXX **Le Petit Coq aux Champs** avec ch, ☎ 02 32 41 04 19, *le.petit.coq.aux.champs@wanadoo.fr, Fax 02 32 56 06 25,* – TV P. AE GB JCB
*fermé 2 au 23 janv.* – **Repas** 30/37 bc et carte 46 à 67 ♀, enf. 13 – ☕ 10 – **13 ch** 95/141 – ½ P 113/122.
◆ Cette chaumière vous réserve un accueil chaleureux dans un joli décor rustique. L'été, on déjeune en terrasse devant le parc fleuri embaumant le jasmin et le magnolia.

---

## PONTAULT-COMBAULT *77 S.-et-M.* 312 E3 101 ㉙ – *voir à Paris, Environs.*

---

## PONTAUMUR *63380 P.-de-D.* 326 D7 – *859 h alt. 535.*

*Syndicat d'Initiative, avenue du Pont ☎ 04 73 79 73 42, Fax 04 73 79 73 36.*
*Paris 395 – Clermont-Ferrand 42 – Aubusson 50 – Le Mont-Dore 50 – Montluçon 68.*

**Poste,** ☎ 04 73 79 90 15, *hotelposte2@wanadoo.fr, Fax 04 73 79 73 17* – rest, TV – 25. GB
*fermé 20 déc. au 1er fév., lundi sauf juil.-août et dim. soir* – **Repas** 14,50/39 ♀ – ☕ 6 – **15 ch** 37/45 – ½ P 38/40.
◆ Au centre du bourg, bâtiment des années 1970 dont les chambres, fonctionnelles, ont conservé leur mobilier d'origine. Préférez celles de l'arrière, plus au calme.

*Donnez-nous votre avis sur les tables que nous recommandons, sur leurs spécialités et leurs vins de pays.*

---

## PONT-AVEN *29930 Finistère* 308 I7 *G. Bretagne – 3 031 h alt. 18.*

Voir *Promenade au Bois d'Amour★.*
*Office du Tourisme, 5 place de l'Hôtel de Ville ☎ 02 98 06 04 70, Fax 02 98 06 17 25, ot.pont-aven@wanadoo.fr.*
*Paris 537 – Quimper 35 – Carhaix-Plouguer 63 – Concarneau 16 – Quimperlé 20.*

**Les Ajoncs d'Or,** 1 pl. Hôtel de Ville ☎ 02 98 06 02 06, *Fax 02 98 06 18 91,* – TV
*fermé janv., dim. soir et lundi hors saison* – **Repas** 18/36 ♀, enf. 8 – ☕ 6,50 – **20 ch** 48/65 – ½ P 46/48.
◆ Gauguin aurait logé dans cette maison bretonne (1892) lors de son dernier séjour à Pont-Aven. Coquettes chambres insonorisées portant des noms de peintres ; accueil charmant.

XXX **Moulin de Rosmadec** (Sébilleau) M avec ch, près pont centre ville ☎ 02 98 06 00 22, *Fax 02 98 06 18 00,* ← – TV. GB
✿ *fermé 13 au 29 oct. et vacances de fév.* – **Repas** *(fermé dim. soir hors saison et merc.)* (nombre de couverts limité, prévenir) 27/48 et carte 58 à 75 ♀ – ☕ 8 – **5 ch** 78.
◆ Cuivres, faïence et mobilier bretons décorent cet étonnant moulin en pierre et en bois datant du 15e s. Cuisine "terre et mer" et apaisant murmure de l'Aven.
**Spéc.** Homard grillé et ses deux beurres. Bar de ligne aux palourdes. Crêpes soufflées au citron.

**rte Concarneau** *Ouest : 4 km par D 783 – ✉ 29930 Pont-Aven :*

XXX **Taupinière** (Guilloux), ☎ 02 98 06 03 12, *Fax 02 98 06 16 46,* – P. AE GB
✿ *fermé 17 au 26 mars, 22 sept. au 16 oct., lundi et mardi* – **Repas** (prévenir) 42/75 et carte 58 à 78.
◆ Cette pimpante chaumière abrite une salle à manger élégante, animée par le spectacle des fourneaux. Cuisine inventive faisant la part belle aux produits de la mer.
**Spéc.** Crêpenettes de tourteau et d'araignée de mer. Huîtres et Saint-Jacques pochées (sept. à juin). Gaufre de céleri, homard bleu et salade de girolles (juin à oct.).

---

## PONTCHARTRAIN *78 Yvelines* 311 H3 – ✉ *78760 Jouars-Pontchartrain.*

Env. *Domaine de Thoiry★★ NO : 12 km,* G. Ile de France.
*Paris 38 – Dreux 42 – Mantes-la-Jolie 31 – Montfort-l'Amaury 9 – Versailles 20.*

XX **L'Aubergade,** rte Nationale ☎ 01 34 89 02 63, *Fax 01 34 89 85 72,* – P. GB
*fermé 4 au 22 août, dim. soir et lundi soir* – **Repas** 31,30/39,70 ♀.
◆ Beau jardin fleuri, volière, poutres, boiseries, cheminée et cuivres font le charme de ce restaurant aménagé dans un ancien relais de poste.

XX **Bistro Gourmand,** 7 rte Pontel N 12 ☎ 01 34 89 25 36, *Fax 01 34 89 48 31* – GB
*fermé 30 juil. au 20 août, 25 fév. au 3 mars, dim. soir et lundi* – **Repas** 25/30 ♀.
◆ Restaurant de bord de route dont le cadre de style bistrot délibérément "rétro" est chaleureusement éclairé. Au centre de la salle, le pianola s'anime parfois.

**à Ste-Apolline** *Est : 3 km par N 12 et D 134 – ✉ 78370 Plaisir :*

XXX **Maison des Bois,** ✆ 01 30 54 23 17, *Fax 01 30 68 92 26,* , – P. AE GB
*fermé lundi en août, jeudi soir et dim. soir* – **Repas** 32 (sauf dim.)et carte 49 à 65.
◆ Aménagées dans une demeure rustique, deux salles à manger cossues ; la plus vaste, au caractère campagnard un peu moins affirmé, s'ouvre sur le jardin.

---

## PONT-DE-BRAYE *72310 Sarthe 310 N8.*

*Paris 207 – Le Mans 58 – La Ferté-Bernard 52 – Tours 47 – Vendôme 32.*

XX **Petite Auberge,** ✆ 02 43 44 45 08, *Fax 02 43 44 18 57* – GB
*fermé 7 au 22 fév., mardi soir et merc.* – **Repas** 12/33.
◆ Cette maison basse tapissée de vigne vierge borde la rue principale du village. Intérieur rustique agrémenté de fresques figurant des moines "ripailleurs". Ambiance conviviale.

---

## PONT-DE-BRIQUES *62 P.-de-C. 301 C3 – rattaché à Boulogne-sur-Mer.*

---

## PONT-DE-CHAZEY-VILLIEU *01 Ain 328 E5 – rattaché à Meximieux.*

---

## PONT-DE-CHERUY *38230 Isère 333 E3 – 4 700 h alt. 220.*

*Paris 487 – Lyon 36 – Belley 56 – Bourgoin-Jallieu 22 – Grenoble 89 – Meximieux 22.*

**Bergeron** sans rest, près Église ✆ 04 78 32 10 08, *hotel.bergeron@wanadoo.fr, Fax 04 78 32 11 70* – TV. GB
5,50 – **17 ch** 21/69.
◆ Adresse modeste mais bien tenue. Les chambres, d'esprit rustique, sont plus spacieuses dans la maison principale. L'annexe, plus simple, est située à environ 100 m.

---

## PONT-DE-CLAIX *38 Isère 333 H7 – rattaché à Grenoble.*

---

## PONT-DE-DORE *63 P.-de-D. 326 H7 – rattaché à Thiers.*

---

## PONT-DE-FILLINGES *74 H.-Savoie 328 L4 – rattaché à Bonne.*

---

## PONT-DE-LA-CHAUX *39150 Jura 321 F7 – alt. 627.*

*Paris 433 – Champagnole 12 – Lons-le-Saunier 49 – Morez 22 – St-Claude 41.*

**Lacs,** ✆ 03 84 51 50 42, *hotel.des.lacs@free.fr, Fax 03 84 51 54 23,* , , – TV P. GB.
*1er mai-8 nov.* – **Repas** *(fermé le midi sauf week-end et jours fériés)* 15,50/32 ♀, enf. 8 – 6,50 – **30 ch** 36/46 – ½ P 46.
◆ En surplomb de la N 5, imposante bâtisse de style chalet aux volets turquoise et aux balcons ouvragés. La majorité des chambres a été rénovée. Jardin au bord d'une rivière.

---

## PONT-DE-L'ARCHE *27340 Eure 304 G6 G. Normandie Vallée de la Seine – 3 022 h alt. 20.*

*Paris 114 – Rouen 19 – Les Andelys 30 – Elbeuf 15 – Évreux 36 – Louviers 12.*

**Tour** sans rest, 41 quai Foch ✆ 02 35 23 00 99, *hotel-de-la-tour@wanadoo.fr, Fax 02 35 23 46 22,* – TV. AE GB.
6 – **18 ch** 55.
◆ Deux pimpantes maisons mitoyennes adossées aux remparts. Dans les chambres personnalisées, couleurs vives, mobilier de style et tenue sans reproche. Accueil familial.

XX **Pomme,** aux Damps 1,5 km au bord de l'Eure ✆ 02 35 23 00 46, *Fax 02 35 23 52 09,* , – P. GB
*fermé 1er au 21 août, 23 déc. au 2 janv., dim. soir, mardi soir et merc.* – **Repas** 22/50 ♀.
◆ Avenante maison à colombages sur les bords de l'Eure. Salle à manger rustique égayée d'une cheminée. L'été, on s'attable volontiers en terrasse. Service attentionné.

---

## PONT-DE-L'ISÈRE *26 Drôme 332 C3 – rattaché à Valence.*

---

## Le PONT-DE-PACÉ *35 I.-et-V. 309 L6 – rattaché à Rennes.*

*Pas de publicité payée dans ce guide.*

**PONT-DE-PANY** *21410 Côte d'Or* 320 I6.

*Paris 292 – Dijon 23 – Avallon 87 – Beaune 63 – Saulieu 53.*

**Château La Chassagne** , au Nord par D 33 et rte secondaire : 2 km ☎ *03 80 49 76 00, info@chateau-chassagne.com, Fax 03 80 49 76 19,* , , , , – – 25. AE GB JCB. rest

*16 avril-26 oct. –* **Repas** *(fermé lundi et mardi midi)* 35 ♀ – 20 – **7 ch** 150/215, 4 appart – ½ P 132,50/212,50.

◆ Entouré d'un parc, château du 19e s. dont l'aménagement intérieur résolument moderne présente toutes les garanties de confort. Ambiance chinoise dans quelques chambres.

**PONT-DE-POITTE** *39130 Jura* 321 E7 *G. Jura – 638 h alt. 450.*

*Paris 424 – Champagnole 34 – Genève 93 – Lons-le-Saunier 17.*

**Ain** avec ch, ☎ *03 84 48 30 16, Fax 03 84 48 36 95,* – rest, . GB

*fermé 5 janv. au 2 fév., vend. soir et dim. soir hors saison –* **Repas** 10,50 (déj.), 13/38 ♀ – 6 – **9 ch** 35/40 – ½ P 40.

◆ Belle maison bâtie sur une petite place d'un village baigné par l'Ain et situé en amont du lac de Vouglans. Salle à manger au cadre rustique. Chambres rénovées.

**PONT-DE-ROIDE** *25150 Doubs* 321 K2 *G. Jura – 4 983 h alt. 351.*

*Paris 479 – Besançon 77 – Belfort 36 – La Chaux-de-Fonds 54 – Porrentruy 29.*

**Voyageurs** sans rest, 15 pl. Gén. de Gaulle ☎ 03 81 96 92 07, *Fax 03 81 92 27 80* – . GB

*fermé dim. –* 5 – **16 ch** 24/43.

◆ Hôtel modeste situé au coeur du village. Les chambres, refaites peu à peu, adoptent un style actuel. Préférez celles, plus calmes, donnant côté cour.

**Tannerie,** 1 pl. Gén. de Gaulle ☎ 03 81 92 48 21, *Fax 03 81 92 47 79,* – GB

*fermé 21 déc. au 4 janv., dim. soir et merc. –* **Repas** 9,20 (déj.), 14,50/22,90 ♀.

◆ Ce restaurant dispose de deux salles à manger joliment campagnardes dont une à l'étage, plus cossue. Petite terrasse surplombant la rivière.

*Les principales voies commerçantes figurent en* **rouge** *dans la liste des rues des plans de villes.*

**PONT-DE-SALARS** *12290 Aveyron* 338 I5 *– 1 422 h alt. 700.*

*Office du Tourisme, 34 avenue de Rode ☎ 05 65 46 89 90, Fax 05 65 46 81 16, tourisme-leveou@wanadoo.fr.*

*Paris 647 – Rodez 24 – Albi 87 – Millau 47 – St-Affrique 56 – Villefranche-de-Rouergue 70.*

**Voyageurs,** ☎ 05 65 46 82 08, *hotel-des-voyageurs@wanadoo.fr, Fax 05 65 46 89 99* – rest, . AE GB

*fermé 27 oct. au 11 nov., 25 janv. au 1er mars, le soir de nov. à fév., dim. soir et lundi d'oct. à juin –* **Repas** *(10,80)* - 13,50 bc/32,50 ♀, enf. 8,50 – 6,20 – **27 ch** 37/48 – ½ P 37,50/43.

◆ Établissement bien tenu, abritant des chambres en partie rénovées ; les autres conservent un décor des années 1970. Salles à manger rustique ou actuelle et cuisine du terroir.

**PONT DE TANCARVILLE** ★ *76430 S.-Mar.* 304 C5 *G. Normandie Vallée de la Seine – 1 326 h alt. 48.*

Voir ≤★ *sur estuaire.*

**Accès Péage en 2002 :** *auto 2,30, auto et caravane 2,90, camions et autocars 3,50 à 6,10, gratuit pour motos ☎ 02 35 39 65 60.*

*Paris 170 – Le Havre 30 – Caen 81 – Pont-Audemer 19 – Rouen 58.*

**Marine** avec ch, au pied du pont (D 982) ☎ 02 35 39 77 15, *la-marine@wanadoo.fr, Fax 02 35 38 03 30,* ≤ pont suspendu et la Seine, , – – 20. AE GB. ch

*fermé 24 juil. au 24 août, sam. midi, lundi (sauf hôtel) et dim. soir –* **Repas** 29/58 et carte 53 à 72 ♀ – 8,50 – **9 ch** 55/65 – ½ P 54/65.

◆ Hôtellerie de tradition sur les bords de la Seine, au pied du célèbre pont de Tancarville. Au restaurant, optez pour une assiette de poissons ou un plateau de crustacés.

**PONT-DE-VAUX** *01190 Ain* 328 C2 *– 1 913 h alt. 177.*

*Office du Tourisme, 2 rue de Lattre de Tassigny ☎ 03 85 30 30 02, Fax 03 85 30 68 69, pont.de.vaux.tourisme@wanadoo.fr.*

*Paris 381 – Mâcon 25 – Bourg-en-Bresse 40 – Lons-le-Saunier 68.*

XXX **Raisin** avec ch, ☎ 03 85 30 30 97, *hotel.leraisin@wanadoo.fr, Fax 03 85 30 67 89* – TV ☎ ♿ P. AE ⓓ GB
*fermé 6 janv. au 6 fév., dim. soir sauf juil.-août, mardi midi et lundi* – **Repas** 20/54 et carte 42 à 54 ♀, enf. 11,50 – ☕ 7,50 – **18 ch** 50/55.
◆ Maison traditionnelle de la Bresse savoyarde abritant une élégante salle à manger rustique ; goûteuse cuisine régionale. Chambres spacieuses et calmes sur l'arrière.

XX **Commerce** avec ch, ☎ 03 85 30 30 56, *Fax 03 85 30 65 04* – TV. GB
*fermé 26 oct. au 4 nov., 22 fév. au 3 mars, mardi et merc.* – **Repas** 16/32 ♀, enf. 10 – ☕ 6 – **10 ch** 35/42 – 1/2 P 45.
◆ Sur la place du village. Le décor du restaurant joue la carte de la sobriété, mais les tables sont joliment dressées. Petites chambres modestes à l'insonorisation efficace.

X **Les Platanes** avec ch, ☎ 03 85 30 32 84, *hotel-des-platanes@wanadoo.fr, Fax 03 85 30 32 15*, –TV P. GB
*fermé 15 fév. au 15 mars, merc soir de nov. à mi-avril, vend. midi et jeudi* – **Repas** 12,50/39 – ☕ 6 – **7 ch** 38/43 – 1/2 P 39/41.
◆ Salle à manger au cadre rustique, belle terrasse sous les platanes, cuisine bressane généreuse et chambres rénovées font de cette auberge une sympathique étape.

**à St-Bénigne** *Nord-Est : 2 km sur D 2 – 823 h. alt. 208 – ✉ 01190 Pont-de-Vaux :*

X **St-Bénigne**, ☎ 03 85 30 96 48, *Fax 03 85 30 96 48*, – P. GB
*fermé 22 déc. au 12 janv., 16 fév. au 1er mars, le soir sauf sam. et lundi* – **Repas** 11 (déj.), 23/29, enf. 9.
◆ Auberge abritant un café et deux salles à manger : l'une rustique, l'autre plus coquette. Les habitués apprécient sa cuisine régionale et la spécialité maison : les grenouilles.

---

**PONT-D'HÉRAULT** *30 Card* 339 H5 – *rattaché au Vigan.*

---

**PONT-D'OUILLY** *14690 Calvados* 303 J6 *G. Normandie Cotentin – 1 002 h alt. 65.*
Voir *Roche d'Oëtre*★★ *S : 6,5 km.*
*Syndicat d'Initiative, rue de la 5ème République ☎ 02 31 69 29 86.*
*Paris 273 – Caen 46 – Briouze 24 – Falaise 20 – Flers 21 – Villers-Bocage 36 – Vire 40.*

**Commerce**, ☎ 02 31 69 80 16, *Fax 02 31 69 78 08*, , – TV ☎. AE GB
*fermé mi-janv. à mi-fév. et 1er au 7 oct.* – **Repas** *(fermé dim. soir et lundi)* 11/32 ♀ – ☕ 6 – **16 ch** 25/40 – 1/2 P 36/39.
◆ Idéalement située au carrefour de routes touristiques et séduisante pour les petits budgets, cette adresse familiale propose des chambres simples et une cuisine du terroir.

**à St-Christophe** *Nord : 2 km par D 23 – ✉ 14690 Pont d'Ouilly :*

XX **Auberge St-Christophe** avec ch, ☎ 02 31 69 81 23, *Fax 02 31 69 26 58*, <, , – TV P. AE GB.
*fermé 18 août au 2 sept., vacances de Toussaint, de fév., dim. soir et lundi* – **Repas** 19/44 ♀, enf. 10 – ☕ 7 – **7 ch** 44 – 1/2 P 48.
◆ Plaisante maison tapissée de vigne vierge, bénéficiant du calme de la campagne. Salle à manger champêtre (collection de balances), cuisine traditionnelle et accueil familial.

---

**PONT-DU-BOUCHET** *63 P.-de-D.* 326 D7 – ✉ *63380 Pontaumur.*
Env. *Méandre de Queuille*★★ *NE : 11,5 km puis 15 mn,* **G. Auvergne.**
*Paris 387 – Clermont-Ferrand 39 – Pontaumur 14 – Riom 36 – St-Gervais-d'Auvergne 19.*

**Crémaillère**, ☎ 04 73 86 80 07, *Fax 04 73 86 93 17*, <, , – TV ☎ P. GB.
*fermé 17 déc. au 20 janv., vend. soir et sam. hors saison* – **Repas** 11,80/33,60 ♀, enf. 7,20 – ☕ 5,30 – **16 ch** 40/53 – 1/2 P 38/41.
◆ Cette bâtisse joliment fleurie domine le plan d'eau des Fades-Besserve. Chambres simples ; celles en façade donnent côté lac. Terrasse panoramique. Plaisant jardin.

---

**PONT-DU-CHAMBON** *19 Corrèze* 329 N4 – *rattaché à Marcillac-la-Croisille.*

---

**PONT-DU-CHÂTEAU** *63430 P.-de-D.* 326 G8 *G. Auvergne – 8 562 h alt. 365.*
*Syndicat d'Initiative, ☎ 04 73 83 73 70, Fax 04 73 83 73 75.*
*Paris 420 – Clermont-Ferrand 16 – Billom 13 – Riom 21 – Thiers 37.*

**L'Estredelle**, 24 r. Pont ☎ 04 73 83 28 18, *estredelle@worldonline.fr, Fax 04 73 83 55 23*, – TV ☎ ♿ P – 30 à 50. GB
*fermé 22 déc. au 3 janv., dim. soir* – **Repas** *(11,50)* - 15,50/26,50 ♀, enf. 8 – ☕ 5,50 – **44 ch** 36/39 – 1/2 P 37.
◆ Construction récente dans l'ancien quartier de la batellerie. 8 chambres (à réserver en priorité), le restaurant et la terrasse surplombent l'Allier. Aménagements fonctionnels.

**Pierre Villeneuve,** r. Poste ✆ 04 73 83 50 03, *Fax 04 73 83 59 36* – ▤. AE GB
*fermé 2 au 27 août, 31 déc. au 14 janv., dim. et lundi* – **Repas** 16,10 (déj.), 24,50/37 ♀, enf. 9,15.
◆ Cette ancienne maison de marchand de vins abrite un restaurant contemporain prolongé d'une salle d'esprit "jardin d'hiver". Collection d'antiques moulins à café.

**PONT-DU-GARD** *30 Gard* 339 M5 *G. Provence* – ✉ *30210 Remoulins.*
*Voir Pont-aqueduc romain★★★.*
*Paris 693 – Avignon 27 – Alès 49 – Arles 39 – Nîmes 26 – Orange 38 – Pont-St-Esprit 41.*

**Colombier**, Est : 1 km par D 981 (rive droite) ✆ 04 66 37 05 28, *hotelresto.colombier@free.fr, Fax 04 66 37 35 75*, – TV P. AE GB
**Repas** 11 bc (déj.), 16/26 ♀, enf. 8 – ☕ 6,50 – **18 ch** 38/46 – ½ P 42.
◆ Maison centenaire et sa jolie galerie-terrasse où l'on sert les petits-déjeuners. Les chambres, mûrissantes, sont ouvertes sur le jardin. Salle à manger rustique.

**au Nord-Ouest** *: 4 km sur D 981 – ✉ 30210 Vers-Pont-du-Gard :*

**Bégude St-Pierre** M, ✆ 04 66 63 63 63, *begudesaintpierre@wanadoo.fr, Fax 04 66 22 73 73*, – ▤ TV P – 30. AE GB JCB
*fermé dim. soir et lundi de nov. à mars* – **Repas** 29/49 ♀ – ☕ 12 – **30 ch** 70/250 – ½ P 76/166.
◆ Proche du pont du Gard, cette "bégude" (buvette) du 17e s. jouxte un vaste domaine terrien. À l'intérieur, délicieux décor provençal. Agréable patio-terrasse. Vins choisis.

**à Castillon-du-Gard** *Nord-Est : 4 km par D 19 et D 228 – 759 h. alt. 90 – ✉ 30210 :*

**Vieux Castillon**, ✆ 04 66 37 61 61, *vieux.castillon@wanadoo.fr, Fax 04 66 37 28 17*, – ▤ TV P – 30 à 60. AE GB JCB
*fermé 2 janv. à fin fév.* – **Repas** *(fermé lundi midi et mardi midi)* 46 (déj.), 75/99 et carte 77 à 98 – ☕ 15 – **34 ch** 198/283 – ½ P 201/256.
◆ Patios et terrasses étagées font le charme de cet hôtel situé au coeur d'un village médiéval perché. Meubles anciens dans les chambres. Goûteuse cuisine ensoleillée.
**Spéc.** Langoustines en croûte de pomme de terre. Carré d'agneau rôti à la purée d'ail. Dentelle de melon et granité à la cartagène (juil. à sept.). **Vins** Costières de Nîmes, Coteaux du Languedoc.

**L'Amphitryon,** pl. 8 Mai 1945 ✆ 04 66 37 05 04, – GB
*fermé 15 au 30 nov., 15 au 28 fév. et merc. en juil.-août* – **Repas** 29/58 ♀.
◆ Voûtes et pierre brute pour ces salles à manger aménagées dans une ancienne bergerie. Joli patio pour les repas d'été. Cuisine régionale actualisée et ambiance conviviale.

**à Collias** *Ouest : 7 km par D 981, D 112 et D 3 – 756 h. alt. 45 – ✉ 30210 Remoulins :*

**Hostellerie Le Castellas**, Grand'rue ✆ 04 66 22 88 88, *lecastellas@wanadoo.fr, Fax 04 66 22 84 28*, – ▤ ch, TV P. AE GB
*fermé début janv. à début mars* – **Repas** *(fermé merc. sauf le soir d'avril à sept., lundi midi et mardi)* 42/84 – ☕ 14 – **17 ch** 93/140 – ½ P 112,50/139,50.
◆ Maisons gardoises en pierres de taille, réparties autour d'un patio où Art déco, rustique provençal, galets, ocres et sépias composent un hymne à l'imagination.

**PONTEMPEYRAT** *43 H.-Loire* 331 F1 – ✉ *43500 Craponne-sur-Arzon.*
*Paris 482 – Le Puy-en-Velay 45 – Ambert 41 – Montbrison 49 – St-Étienne 54.*

**Mistou** M, ✆ 04 77 50 62 46, *moulin.de.mistou@wanadoo.fr, Fax 04 77 50 66 70*, – TV P – 20. AE GB JCB. rest
*fin avril-fin oct.* – **Repas** *(fermé le midi sauf dim. et fériés)* 27/51 – ☕ 11 – **14 ch** 81/114 – ½ P 84/93.
◆ Édifié au bord de l'Ance vers 1720, cet ancien moulin abrite aujourd'hui des chambres raffinées ; les plus agréables, de plain-pied avec le parc, ont vue sur la rivière.

**Le PONTET** *84 Vaucluse* 332 C10 – *rattaché à Avignon.*

**PONT-ÉVÈQUE** *38 Isère* 333 C4 – *rattaché à Vienne.*

**PONTGIBAUD** *63230 P.-de-D.* 326 E8 *G. Auvergne – 801 h alt. 735.*
*Office du Tourisme, rue du Commerce ✆ 04 73 88 90 99, Fax 04 73 88 90 09.*
*Paris 435 – Clermont-Ferrand 23 – Aubusson 69 – Le Mont-Dore 37 – Riom 25 – Ussel 68.*

**Poste** avec ch, ✆ 04 73 88 70 02, *Fax 04 73 88 79 74* – ▤ rest, . AE GB
*fermé 1er au 15 oct., janv., dim. soir, lundi et mardi sauf juil.-août* – **Repas** 13/45, enf. 7 – ☕ 6 – **10 ch** 35/40 – ½ P 36/38.
◆ Maison régionale séculaire située au coeur d'un bourg tranquille. Parquet bien ciré et chaises de style bistrot dans la salle à manger délicieusement désuète.

**à La Courteix** *Est : 4 km sur D 941^B – ✉ 63230 St-Ours :*

XXX **L'Ours des Roches,** ☏ 04 73 88 92 80, *Fax 04 73 88 75 07* – P. AE ⊙ GB JCB
*fermé 5 au 23 janv., mardi (sauf fériés) d'oct. à mars, dim. soir et lundi sauf fériés* – **Repas** 22/58 et carte 47 à 59 ♀.
♦ Restaurant aménagé sous les voûtes d'une ancienne bergerie. Décor original né de l'insolite mélange du rustique et du contemporain.

---

**PONTHIERRY** *77 S.-et-M.* 312 E4 – ✉ *77310 St-Fargeau-Ponthierry.*
*Paris 45 – Fontainebleau 20 – Corbeil-Essonnes 13 – Étampes 35 – Melun 14.*

XX **Auberge du Bas Pringy,** à Pringy - N 7 ☏ 01 60 65 57 75, *Fax 01 60 65 48 57*, – P. AE ⊙ GB
*fermé août, vacances de fév., lundi soir et mardi sauf fériés* – **Repas** 21/45 ♀, enf. 10.
♦ Auberge de bord de route abritant une salle à manger campagnarde. Aux beaux jours, la terrasse est dressée dans un cadre fleuri et verdoyant. Cuisine traditionnelle.

---

**PONTIVY** SP *56300 Morbihan* 308 N6 *G. Bretagne – 13 140 h alt. 99.*
Voir *Maisons anciennes*★.
🅸 *Office de tourisme, 61 rue du Général-de-Gaulle* ☏ *02 97 25 04 10, Fax 02 97 27 87 09.*
*Paris 463 ① – Vannes 54 ② – Lorient 64 ② – Rennes 114 ① – St-Brieuc 57 ①.*

## PONTIVY

| | | |
|---|---|---|
| Anne-de-Bretagne (Pl.) | Y | 2 |
| Caïnain (R.) | Z | 3 |
| Couvent (Q. du) | Y | 4 |
| Dr-Guépin (R. du) | Y | 5 |
| Fil (R. du) | Y | 6 |
| Friedland (R. de) | Y | 8 |
| Gaulle (R. du Gén.-de) | Y | 9 |
| Jaurès (R. Jean) | Z | 10 |
| Lamennais (R. J.-M.-de) | Z | 13 |
| Le Goff (R.) | Z | 16 |
| Lorois (R.) | Y | 17 |
| Marengo (R.) | Z | 19 |
| Martray (Pl. du) | Y | 20 |
| Mitterrand (R. François) | Z | 24 |
| Nationale (R.) | YZ | |
| Niémen (Q.) | Y | 27 |
| Plessis (Q. du) | YZ | 29 |
| Pont (R. du) | Y | 28 |
| Presbourg (Q.) | Y | 32 |
| Récollets (Q. des) | Y | 33 |
| Viollard (Bd) | Z | 38 |

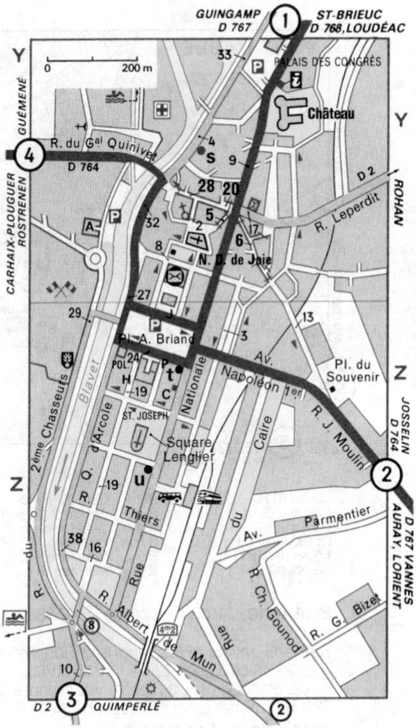
GUINGAMP D 767
ST-BRIEUC D 768, LOUDÉAC
PALAIS DES CONGRÈS
Château
GUÉMENÉ
CARHAIX-PLOUGUER ROSTRENEN
R. du Gal Quinivet
D 764
N. D. de Joie
R. Leperdit
ROHAN
D 2
Pl. A. Briand
Av. Napoléon 1er
Pl. du Souvenir
R. J. Moulin
JOSSELIN D 764
Blavet
2ème Chasseurs
Q. d'Arcole
ST. JOSEPH
Square Lenglier
Nationale
Caire
Thiers
Av. Parmentier
D 767 VANNES AURAY, LORIENT
R. Ch. Gounod
R. G. Bizet
R. Albert de Mun
Rue
D 2
QUIMPERLÉ
200 m

**L'Europe,** 12 r. F. Mitterrand ☏ 02 97 25 11 14, *Fax 02 97 25 48 04*, – ♿ TV ☏ P. GB Z t
*fermé 24 déc. au 1^er janv.* – **Repas** *(fermé sam. hors saison et dim.)* 15/24,50 ♀ – ☕ 8 – **20 ch** 46/58 – ½ P 50,50/52.
♦ Avenante maison bourgeoise située au coeur de la ville géométrique tirée au cordeau sous Napoléon. Chambres au mobilier de style ou plus moderne au dernier étage.

**Rohan Wesseling** sans rest, 90 r. Nationale ✆ 02 97 25 02 01, *Fax 02 97 25 02 85* – TV ✆ & P – 60. AE GB Z u
*fermé 24 déc. au 2 janv.* – ☕ 6,80 – **16 ch** 48/63, 9 studios.
◆ Belle demeure de la fin du 19ᵉ s. sur la rue principale de "Napoléonville". Nouveau décor intérieur actuel et gai ; jolie cour arborée où l'on sert le petit-déjeuner en été.

XX **Pommeraie,** 17 quai Couvent ✆ 02 97 25 60 09, *Fax 02 97 25 75 93* – GB Y s
*fermé 26 mars au 3 juin, 24 août au 9 sept., 21 au 30 déc., dim. et lundi* – **Repas** 18 (déj.), 23/52.
◆ Façade jaune, tons chaleureux dans la pimpante salle et courette fleurie : ce restaurant longeant le Blavet est une vraie symphonie de couleurs. Plats au goût du jour.

**à Quelven** *par ③, D 2 et rte de Guern (D 2ᴮ) : 10 km* – ✉ *56310 Guern :*

**Auberge de Quelven** ⛰, à la Chapelle ✆ 02 97 27 77 50, *Fax 02 97 27 77 50* – TV ✆ P. GB
*fermé merc.* – **Repas** carte 10,70 à 19,90 – ☕ 5,40 – **7 ch** 42,70/47,30.
◆ Longue maison en granit dans un pittoresque hameau ordonné autour d'une chapelle du 15ᵉ s. Chambres sobres et bien tenues. Sympathique crêperie au cadre rustique.

---

**PONT-L'ABBÉ** *29120 Finistère* 308 F7 *G. Bretagne* – *7 374 h alt. 5.*
Env. *Manoir de Kerazan★ 3 km par ② – Calvaire★★ de la chapelle N.-D.-de-Tronoën O : 8 km.*
ℹ *Office du Tourisme, 10 place de la République ✆ 02 98 82 37 99, Fax 02 98 66 10 82, otsi.pontlabbe@altica.com.*
*Paris 580 ① – Quimper 19 ① – Douarnenez 33 ④.*

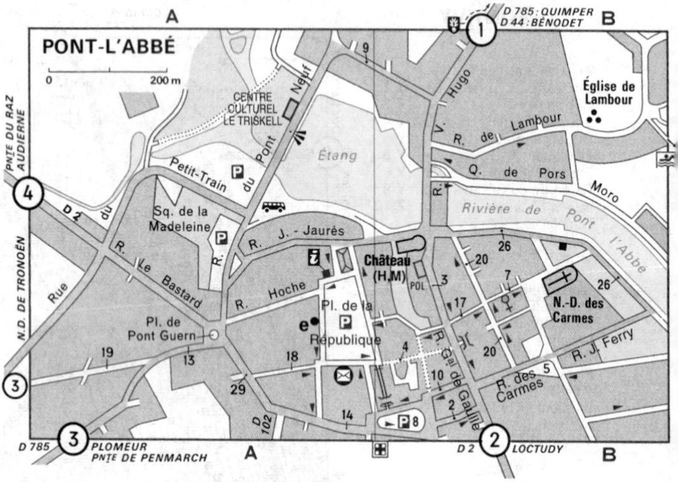
PONT-L'ABBÉ
0
200 m
D 785 : QUIMPER
D 44 : BÉNODET
A
B
CENTRE CULTUREL LE TRISKELL
Église de Lambour
Étang
Petit-Train
R. du Pont Neuf
V. Hugo
R. de Lambour
Q. de Pors
Moro
Rivière de Pont l'Abbé
PNTE DU RAZ AUDIERNE
N.-D. DE TRONOËN
Sq. de la Madeleine
R. J.-Jaurès
R. Le Bastard
Rue du
R. Hoche
Château (H.M)
POL
Pl. de la République
N.-D. des Carmes
R. J. Ferry
Pl. de Pont Guern
R. des Carmes
R. Gal de Gaulle
D 102
D 785
PLOMEUR
PNTE DE PENMARCH
D 2
LOCTUDY

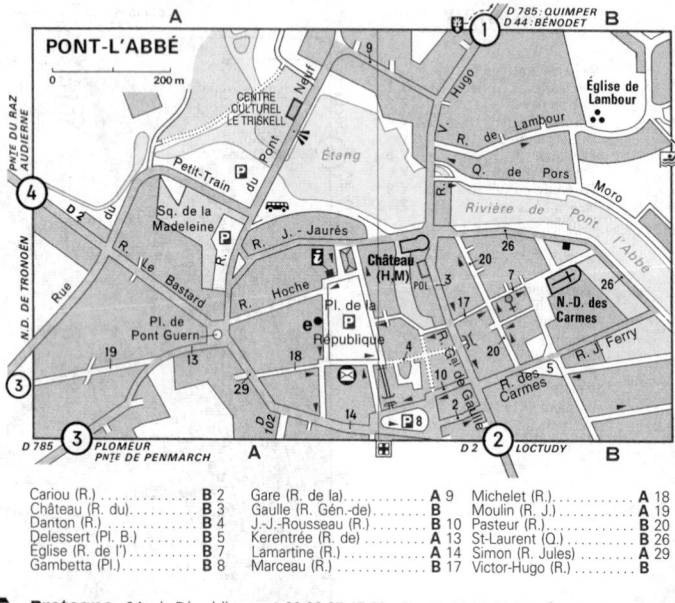

| | | | | | |
|---|---|---|---|---|---|
| Cariou (R.) | B 2 | Gare (R. de la) | A 9 | Michelet (R.) | A 18 |
| Château (R. du) | B 3 | Gaulle (R. Gén.-de) | B | Moulin (R. J.) | A 19 |
| Danton (R.) | B 4 | J.-J.-Rousseau (R.) | B 10 | Pasteur (R.) | B 20 |
| Delessert (Pl. B.) | B 5 | Kerentrée (R. de) | A 13 | St-Laurent (Q.) | B 26 |
| Église (R. de l') | B 7 | Lamartine (R.) | A 14 | Simon (R. Jules) | A 29 |
| Gambetta (Pl.) | B 8 | Marceau (R.) | B 17 | Victor-Hugo (R.) | B |

**Bretagne,** 24 pl. République ✆ 02 98 87 17 22, *Fax 02 98 82 39 31,* 🍽 – TV. AE GB. ⚘ ch A e
*fermé 15 janv. au 15 fév., lundi (sauf hôtel) et dim. soir hors saison* – **Repas** 13 (déj.), 24/44 ♀ – ☕ 7 – **18 ch** 51,90/62,50 – ½ P 55,50/60.
◆ Cet établissement du centre-ville propose des chambres petites (parfois plus grandes en façade), fraîches et meublées simplement. Salle à manger rustique.

X **Relais de Ty-Boutic,** par ③ : *3 km* ✆ 02 98 87 03 90, *info@restaurant-ty-boutic.com, Fax 02 98 87 30 63,* 🍽, 🌳 – P. GB
*fermé 10 au 17 sept., 18 fév. au 25 mars, dim. soir et lundi* – **Repas** *(10)* - 12,50 (déj.), 20/48 ♁.
◆ Restaurant en bord de route, où l'on vous servira des repas "à la bonne franquette" dans une ambiance chaleureuse. Une salle très sobre, l'autre au cadre plus recherché.

---

**PONT-LES-MOULINS** *25 Doubs* 321 I3 – *rattaché à Baume-les-Dames.*

**PONT-L'ÉVÊQUE** *14130 Calvados* 303 N4 *G. Normandie Vallée de la Seine – 3 843 h alt. 12.*

Voir *La belle époque de l'automobile★ au Sud par D 48.*

*Office du Tourisme, 16 bis rue St-Michel ☎ 02 31 64 12 77, Fax 02 31 64 76 96, pont-leveque@fnotsi.net.*

*Paris 191 – Caen 51 – Le Havre 67 – Rouen 80 – Trouville-sur-Mer 12.*

XXX **Auberge de l'Aigle d'Or,** 68 r. Vaucelles ☎ 02 31 65 05 25, *thierryduhamel@wanadoo.fr, Fax 02 31 65 12 03* – P. GB

*fermé 27 juin au 4 juil., 9 au 15 fév., dim. soir de nov. à Pâques, mardi sauf en août et merc.* – **Repas** 26 (déj.), 35/47 et carte 53 à 65.

◆ Ancien relais de poste du 16e s. hébergeant trois petites salles à manger où poutres et cheminée créent une atmosphère "cosy". La cuisine est sensible au rythme des saisons.

XX **Auberge de la Touques,** pl. Église ☎ 02 31 64 01 69, *Fax 02 31 64 89 40,* – AE GB

*fermé 8 déc. au 28 janv., dim. soir hors saison, lundi soir et mardi* – **Repas** 21/33.

◆ Depuis plusieurs générations, la même famille tient cette grande auberge à colombages. Salle à manger rustique, cuisine du terroir et ambiance conviviale.

**à la base de loisirs** *Sud-Est : 2 km par D 48 – ✉ 14130 Pont-l'Évêque :*

**Eden Park,** ☎ 02 31 64 64 00, *edenparkhotel@wanadoo.fr, Fax 02 31 64 12 28,* ←, – TV ☎ & P – 20 à 45. AE GB JCB

Repas 14,50/24 ♀ – ☕ 6 – **50 ch** 60 – ½ P 50.

◆ L'hôtel est idéalement situé au bord du lac, près du musée de l'automobile et de l'école de pilotage BMW. Préférez les chambres récemment rénovées, plus accueillantes.

**à Pierrefitte-en-Auge** *Sud-Est : 5 km par D 48 et D 280A – 122 h. alt. 59 – ✉ 14130 :*

X **Auberge des Deux Tonneaux,** ☎ 02 31 64 09 31, *Fax 02 31 64 69 69,* – GB

*début mars-mi-nov. et fermé dim. soir, mardi soir et lundi hors saison et vacances scolaires* – **Repas** 18,50/36 ♀.

◆ Pittoresque village et ravissante chaumière augeronne. La clientèle, plutôt "branchée", apprécie le service "à la bonne franquette" et le plaisant cadre rustique.

*Un automobiliste averti utilise le* **Guide Rouge Michelin** *de l'année.*

---

**PONT-L'ÉVÊQUE** *60 Oise* 305 I3 – *rattaché à Noyon.*

---

**PONTLEVOY** *41400 L.-et-Ch.* 318 E7 *G. Châteaux de la Loire – 1 423 h alt. 99.*

Voir *Ancienne abbaye★.*

*Syndicat d'Initiative, 5 rue du Collège ☎ 02 54 32 60 80, Fax 02 54 71 60 71.*

*Paris 211 – Tours 51 – Amboise 25 – Blois 28 – Montrichard 9.*

XX **de l'École** avec ch, ☎ 02 54 32 50 30, *Fax 02 54 32 33 58,* – TV ☎ P. GB.

*fermé 17 nov. au 12 déc., 16 fév. au 12 mars, dim. et lundi sauf juil.-août et fériés* – **Repas** (dim. prévenir) 16,35/45,50 ♀, enf. 11 – ☕ 7,80 – **11 ch** 46,80/63,10 – ½ P 55.

◆ Jolie maison ligérienne abritant deux salles rustiques dont une avec cheminée. En été, profitez du jardin fleuri où murmure une fontaine. À table, tradition et terroir.

---

**PONTMAIN** *53220 Mayenne* 310 C4 – *935 h alt. 164.*

*Paris 325 – Domfront 41 – Fougères 18 – Laval 53 – Mayenne 46.*

**Auberge de l'Espérance** (Centre d'Aide par le Travail), 9 r. Grange ☎ 02 43 05 08 10, *pontmain@ladapt.org, Fax 02 43 05 03 19,* – TV &. GB

*fermé 20 déc. au 4 janv.* – **Repas** 9/14,70 ♀ – ☕ 4,70 – **11 ch** 31,30/34,30 – ½ P 38.

◆ En vous arrêtant ici, vous joindrez l'agrément d'une étape pratique à l'utilité d'un geste de solidarité. Efforts particuliers en faveur des personnes handicapées. Tenue soignée.

---

**PONTOISE** *95 Val-d'Oise* 305 D6 106 (50) 101 (30) – *voir à Paris, Environs (Cergy-Pontoise).*

---

**PONTORSON** *50170 Manche* 303 C8 *G. Normandie Cotentin – 4 376 h alt. 15.*

*Office du Tourisme, place de l'Hôtel de Ville ☎ 02 33 60 20 65, Fax 02 33 60 85 67, mont.st.michel.pontorson@wanadoo.fr.*

*Paris 358 – St-Malo 45 – Avranches 23 – Dinan 51 – Fougères 39 – Rennes 59.*

**Bretagne,** r. Couesnon ☎ 02 33 60 10 55, *debretagne@destination-bretagne.com, Fax 02 33 58 20 54* – TV ☎. AE GB JCB

*fermé 5 janv. au 10 fév.* – **Repas** *(fermé lundi)* 14,50/38 ♀ – ☕ 6 – **14 ch** 38/65 – ½ P 45/53.

◆ Maison régionale dont les chambres, assez grandes, sont garnies de meubles de style ou en bois stratifié. Boiseries et cuivres égayent le cadre de la salle à manger.

**PONT-RÉAN** *35170 I.-et-V.* 309 L6.
*Paris 361 – Rennes 15 – Châteaubriant 56 – Fougères 67 – Nozay 61 – Vitré 56.*

**Auberge de Réan** avec ch, ☎ 02 99 42 24 80, *auberge.de.rean@wanadoo.fr*, *Fax 02 99 42 28 66*, – GB.
*fermé vacances de fév., dim. soir et lundi* – **Repas** 15/40, enf. 8 – 7 – **9 ch** 34/43 – 1/2 P 54.
◆ Maison bretonne postée sur une berge de la Vilaine, face au pont de pierre (18e s.). Sobre salle à manger et terrasse couverte offrant une jolie vue sur la rivière.

**PONT-ST-PIERRE** *27360 Eure* 304 H5 *G. Normandie Vallée de la Seine – 882 h alt. 15.*
Voir *Boiseries★ de l'église – Côte des Deux-Amants ≤★★ SO : 4,5 km puis 15 mn – Ruines de l'abbaye de Fontaine-Guérard★ NE : 3 km.*
*Paris 107 – Rouen 22 – Les Andelys 19 – Évreux 48 – Louviers 23 – Pont-de-l'Arche 13.*

**Bonne Marmite** avec ch, ☎ 02 32 49 70 24, *la.bonne.marmite@wanadoo.fr*, *Fax 02 32 48 12 41* – – 30. AE GB. ch
*fermé 22 juil. au 9 août, 24 fév. au 19 mars, dim. soir et lundi sauf fériés* – **Repas** (16) - 23/78 bc – 7,50 – **9 ch** 58/88 – 1/2 P 60,50/74,50.
◆ Ex-relais de poste converti en hostellerie. Plafond à caissons et tapisseries agrémentent le décor de la salle à manger. Très belle carte des vins. Chambres anciennes.

**Auberge de l'Andelle,** ☎ 02 32 49 70 18, *Fax 02 32 49 59 43* – AE GB
*fermé 21 déc. au 3 janv.* – **Repas** 19/50.
◆ La pimpante façade, le cadre rustique égayé d'une cheminée en pierre et l'exiguïté des lieux recélant de multiples recoins font le charme et l'intimité de cette auberge.

**PONT-STE-MARIE** *10 Aube* 313 E4 – *rattaché à Troyes.*

**Les PONTS-NEUFS** *22 C.-d'Armor* 309 G3 – ✉ *22120 Hillion.*
*Paris 442 – St-Brieuc 15 – Dinan 53 – Dinard 52 – Lamballe 10 – St-Malo 61.*

**Cascade,** sur D 786 ☎ 02 96 32 82 20, *la.cascade.jamme@wanadoo.fr*, *Fax 02 96 32 82 20*, ≤ – P. AE GB
*fermé dim. soir, mardi soir et lundi* – **Repas** 13,50 (déj.), 20,50/32.
◆ Attablez-vous près des fenêtres dans ce petit restaurant rustique, afin de bénéficier de la vue sur la rivière. Ambiance familiale. Cuisine traditionnelle simple.

**Le PORGE** *33680 Gironde* 335 E5 – *1 230 h alt. 8.*
*Office du Tourisme, 3 place Saint Seurin ☎ 05 56 26 54 34, Fax 05 56 26 59 48, leporge@wanadoo.fr.*
*Paris 626 – Bordeaux 47 – Andernos-les-Bains 18 – Lacanau-Océan 21 – Lesparre-Médoc 54.*

**Vieille Auberge,** ☎ 05 56 26 50 40, *Fax 05 57 70 91 76*, – P. GB.
*1er avril-5 nov. et fermé mardi et merc.* – **Repas** 20.
◆ Plaisante salle à manger rustique avec cheminée en pierre et tableaux ; terrasse dressée dans le joli jardin ombragé. Goûteuse cuisine traditionnelle et régionale.

**PORNIC** *44210 Loire-Atl.* 316 D5 *G. Poitou Vendée Charentes – 9 815 h alt. 20 – Casino le Môle.*
*Office du Tourisme, place de la Gare BP 1119, ☎ 02 40 82 04 40, Fax 02 40 82 90 12.*
*Paris 431 – Nantes 50 – La Roche-s-Yon 84 – Les Sables-d'Olonne 93 – St-Nazaire 104.*

**Alliance** M, plage de la Source, Sud : 1 km ☎ 02 40 82 21 21, *info.resa@thalassopornic.com*, *Fax 02 40 82 80 89*, ≤, – , rest, – 70. AE GB JCB. rest
**Repas** 26 – 12 – **90 ch** 102/172 – 1/2 P 103/124.
◆ Complexe moderne dont les chambres, grandes et bien équipées, sont dotées de terrasses avec transats ; certaines surplombent la mer. Centre de thalassothérapie.

**Relais St-Gilles** sans rest, 7 r. F. de Mun ☎ 02 40 82 02 25 – . GB
*1er avril-30 sept.* – 6,30 – **25 ch** 55,50/63.
◆ Relais de poste (1850) proche du château pornicais, une des propriétés du sanguinaire Gilles de Rais. Chambres peu à peu rénovées ; certaines sont dotées de meubles de style.

**Beau Soleil** sans rest, 70 quai Leray ☎ 02 40 82 34 58, *Fax 02 40 82 43 00*, ≤ – GB
6,80 – **18 ch** 67/78.
◆ Bâtisse moderne face au port. Chambres peu spacieuses, mais fonctionnelles et bien tenues. Petits-déjeuners servis dans la vaisselle de la faïencerie de Pornic.

**Alizés** sans rest, 44 r. Gén. de Gaulle ☎ 02 40 82 00 51, *Fax 02 40 82 87 32* – P. AE GB.
5,80 – **29 ch** 48,80/58.
◆ Dans une rue passante, construction récente abritant des chambres fonctionnelles et nettes. Préférez celles donnant sur l'arrière, plus au calme.

**Beau Rivage,** plage Birochère, Sud-Est : 2,5 km ✆ 02 40 82 03 08, *info@restaurant-beau rivage.com, Fax 02 51 74 04 24*, ← – ▤. AE GB
*fermé 10 au 26 déc., janv., merc. soir en hiver, dim. soir et lundi* – **Repas** 22/61 ♀.
◆ Maquettes de bateaux, engins et articles de pêche président au décor de ce restaurant ouvert sur l'océan. À l'entrée, petite salle réservée à des repas de type bistrot.

**à Ste-Marie** *Ouest : 3 km – ✉ 44210 Pornic :*

**Les Sablons** ⛌, ✆ 02 40 82 09 14, *noblet.jean-yves@wanadoo.fr, Fax 02 40 82 04 26*, ⛱, 🌳, 🎾 – TV P. GB. ✗
**Repas** *(fermé dim. soir, mardi midi et lundi du 21 sept. au 15 juin)* 17/38, enf. 8 – ☕ 7 – **26 ch** 68/73 – ½ P 58/63.
◆ Construction des années 1970 à mi-chemin du village et de la plage. Chambres rénovées ; celles du 1er étage sont plus spacieuses et bénéficient de terrasses.

**PORNICHET** *44380 Loire-Atl.* 316 B4 *G. Bretagne – 8 133 h alt. 12 – Casino.*
*Office du Tourisme, 3 boulevard de la République ✆ 02 40 61 33 33, Fax 02 40 11 60 88, officedutourisme@pornichet.org.*
*Paris 446 – Nantes 71 – La Baule 6 – St-Nazaire 11.*

**Sud Bretagne,** 42 bd République ✆ 02 40 11 65 00, *sud-bretagne@wanadoo.fr, Fax 02 40 61 73 70*, ⛱, 🏊, 🏊, 🌳 – 🛗 TV 📞 P – 🏛 20 à 40. AE ⓓ GB
**Repas** 38 – ☕ 12 – **27 ch** 92/183, 3 appart – ½ P 106/160.
◆ Cet hôtel pornichetain appartient à la même famille depuis 1912. Coquettes chambres "thématiques". Jolis tableaux et vaisselle en faïence bretonne au restaurant.

**Villa Flornoy** ⛌, 7 av. Flornoy (près Hôtel de Ville) ✆ 02 40 11 60 00, *hotflornoy@aol.com, Fax 02 40 61 86 47*, 🌳 – 🛗 TV 📞 ♿ – 🏛 20. GB. ✗ rest
*hôtel : vacances de fév.-vacances de Toussaint ; rest. : Pâques-fin sept. et fermé lundi hors saison* – **Repas** (dîner seul.)(résidents seul.) 20 ♀ – ☕ 7 – **30 ch** 76/90 – ½ P 61/68.
◆ Dans un quartier résidentiel, grande villa aménagée dans un esprit "cottage" : tons pastel, mobilier de style, porcelaine anglaise. Chambres personnalisées. Joli jardin.

**Ibis** M, 66 bd Océanides ✆ 02 51 73 13 13, *H1171@accor-hotels.com, Fax 02 40 61 74 74*, ⛱ – 🛗 ⇆, ▤ rest, TV 📞 ♿ 🚗 – 🏛 35. AE ⓓ GB
**Repas** *(15)* - 18/21 ♀, enf. 9 – ☕ 7,50 – **88 ch** 97/127 – ½ P 71/86.
◆ Cet Ibis dont les chambres sont presque toutes rénovées offre plus d'espace qu'à l'habitude et un accès direct au centre de thalassothérapie. Salle à manger actuelle.

**Régent,** 150 bd Océanides ✆ 02 40 61 05 68, *hotel@le-regent.fr, Fax 02 40 61 25 53*, ←, ⛱ – ▤ rest, TV. AE ⓓ GB
*fermé 15 nov. au 1er fév.* – **Repas** *(fermé dim. soir et lundi sauf juil.-août)* 18 (déj.), 26/32 ♀, enf. 8 – ☕ 7 – **21 ch** 81/101 – ½ P 71/86.
◆ Maison du début du 20e s. Chambres régulièrement refaites et agréables salles de bains au décor marin. Salle à manger-véranda et terrasse offrent la vue sur l'océan.

**PORT-BRILLET** *53410 Mayenne* 310 D6 – *1 813 h alt. 122.*
*Paris 298 – Fougères 37 – Laval 19 – Mayenne 48 – Rennes 61.*

**Brillet-Pontin** avec ch, r. Forges ✆ 02 43 01 28 00, *Fax 02 43 01 28 01*, ⛱, 🌳 – TV 📞. AE GB. ✗ ch
*fermé 20 déc. au 5 janv., dim. soir, lundi et fériés* – **Repas** 10 (déj.), 15/23 ♀, enf. 8,40 – ☕ 5,40 – **4 ch** 32.
◆ Aménagé avec goût dans le style contemporain, cet ancien presbytère n'a rien perdu de son charme en accédant à la modernité. Accueil aimable. Cuisine traditionnelle.

**PORT-CAMARGUE** *30 Gard* 339 J7 – *rattaché au Grau-du-Roi.*

**PORT-DE-CARHAIX** *29 Finistère* 308 J5 – *rattaché à Carhaix.*

**PORT-DE-GAGNAC** *46 Lot* 337 H2 – *rattaché à Bretenoux.*

**PORT-DE-LA-MEULE** *85 Vendée* 316 B7 – *voir à Île d'Yeu.*

**PORT-DE-LANNE** *40300 Landes* 335 D13 – *665 h alt. 28.*
*Paris 751 – Biarritz 37 – Mont-de-Marsan 77 – Bayonne 29 – Dax 23 – Peyrehorade 7.*

**Vieille Auberge** ⛌ sans rest, ✆ 05 58 89 16 29, *Fax 05 58 89 12 89*, 🏊, 🌳 – TV P
*juin-sept.* – ☕ 7 – **10 ch** 69/92.
◆ Ravissante auberge rustique à l'ambiance familiale. Chambres aménagées dans des cottages disséminés dans le jardin fleuri. Petit musée des traditions locales.

**PORT-DE-SALLES** *86 Vienne* 322 *J7 – rattaché à l'Isle-Jourdain.*

**PORT-DES-BARQUES** *17750 Char.-Mar.* 324 *D4 – 1 455 h alt. 3.*

*Syndicat d'Initiative, ✆ 05 46 84 87 47, Fax 05 46 83 47 01.*

*Paris 484 – La Rochelle 50 – Royan 47 – Rochefort 15 – Saintes 45.*

**Auberge du Labrador,** 49 av. l'Ile Madame ✆ 05 46 83 92 60, *auberge-du-labrador@wanadoo.fr, Fax 05 46 84 43 18,* ←, – TV ✆. GB

*1er avril-1er oct.* – **Repas** *(fermé le midi sauf week-end et fériés)* 19 ♀, enf. 9 – ☕ 8 – **10 ch** 48/75 – ½ P 45/58.

◆ Sur le front de mer, bâtiment des années 1950 entièrement rénové. Chambres pas très grandes mais au cadre soigné. Demandez celles ayant une vue sur le large et les îles.

**PORT-EN-BESSIN** *14 Calvados* 303 *H3 G. Normandie Cotentin – 2 308 h alt. 10 – ✉ 14520 Port-en-Bessin-Huppain.*

*Office du Tourisme, rue du Croiseur-Montcalm ✆ 02 31 21 92 33, Fax 02 31 22 08 40.*

*Paris 273 – Caen 39 – St-Lô 43 – Bayeux 10 – Cherbourg 92.*

**Chenevière** , Sud : 1,5 km par D 6 ✆ 02 31 51 25 25, *la.cheneviere@wanadoo.fr, Fax 02 31 51 25 20,* , – TV ✆ P – 40. AE GB JCB

*15 avril-3 janv.* – **Repas** *(fermé mardi midi et lundi)* 43,50/70, enf. 13 – ☕ 15 – **18 ch** 170/300, 3 appart – ½ P 168,50/193,50.

◆ Noble demeure du 19e s. et sa dépendance entourées d'un beau parc. Chambres décorées sur le thème des fleurs ; suites plus contemporaines. Restaurant au joli cadre bourgeois.

**Mercure** M , sur le Golf, Ouest : 2 km par D 514 ✆ 02 31 22 44 44, *h1215@accorhotels.com, Fax 02 31 22 36 77,* , , , , – TV ✆ P – 80. AE GB

*fermé 22 déc. au 12 janv.* – **Repas** 21/31 ♀, enf. 10 – ☕ 10 – **70 ch** 75/130, 7 duplex – ½ P 76.

◆ Complexe hôtelier idéalement situé à l'orée du golf. Nuits calmes dans des chambres rénovées, pratiques et actuelles. Restaurant traditionnel et brasserie au club-house.

*Si vous êtes retardé sur la route, dès 18 h,*
*confirmez votre réservation par téléphone,*
*c'est plus sûr... et c'est l'usage.*

**Les PORTES-EN-RÉ** *17 Char.-Mar.* 324 *B2 – voir à Ile de Ré.*

**PORTET-SUR-GARONNE** *31 H.-Gar.* 343 *G3 – rattaché à Toulouse.*

**PORT-GOULPHAR** *56 Morbihan* 308 *L11 – voir à Belle-Ile-en-Mer.*

**PORT-GRIMAUD** *83 Var* 340 *O6 G. Côte d'Azur – ✉ 83310 Cogolin.*

Voir ←★ *de la tour de l'Église oecuménique.*

*Paris 869 – Fréjus 28 – Brignoles 62 – Hyères 47 – St-Tropez 9 – Ste-Maxime 8 – Toulon 66.*

**Giraglia** , sur la plage ✆ 04 94 56 31 33, *message@hotelgiraglia.com, Fax 04 94 56 33 77,* ← golfe, , , – TV P – 25. AE GB

*23 mai-début oct.* – **Repas** 48 carte déj.et carte 50 à 70, enf. 23 – ☕ 17 – **49 ch** 265/365 – ½ P 410.

◆ Côté golfe ou côté marina, chambres provençales ou meublées en rotin, souvent dotées de balcons. Terrasse autour de la piscine, en bord de plage.

**PORTICCIO** *2A Corse-du-Sud* 345 *B8 – voir à Corse.*

**PORTIVY** *56 Morbihan* 308 *M9 – rattaché à Quiberon.*

**PORT-JOINVILLE** *85 Vendée* 316 *B7 – voir à Île d'Yeu.*

**PORT-LESNEY** *39600 Jura* 321 *E4 G. Jura – 431 h alt. 251.*

*Syndicat d'initiative, 59 Grande Rue à Chamblay ✆ 03 84 37 74 70, Fax 03 84 37 74 79 tourisme@valdamour.com.*

*Paris 402 – Besançon 36 – Arbois 13 – Dole 34 – Lons-le-Saunier 51 – Salins-les-Bains 10.*

**Château de Germigney** ⓜ, ☎ 03 84 73 85 85, *chateaudegermigney@wanadoo.fr, Fax 03 84 73 88 88,* – ▮ ▣ ✆ ♿ 🅿 – 25. AE ① GB
*fermé janv. et 16 fév. au 6 mars* – **Repas** *(fermé mardi)* (14) - 22 (déj.), 34/84 et carte 46 à 75 ♀ – ☕ 16 – **20 ch** 125/215 – ½ P 133,50/163,50.
◆ Dans un superbe parc englobant une île privée, noble demeure aux aménagements intérieurs raffinés. À table, cuisine mariant pour le meilleur Jura et Provence.
**Spéc.** Grenouilles en jambonnettes poêlées meunière. Volaille cuite en terrine lutée. Moelleux au chocolat praliné. **Vins** Côtes du Jura, Arbois-Savagnin.

## PORT-LEUCATE *11 Aude* 344 J5 – *rattaché à Leucate.*

## PORT-MANECH *29 Finistère* 308 I8 *G. Bretagne* – ✉ *29920 Névez.*

*Paris 547 – Quimper 43 – Carhaix-Plouguer 74 – Concarneau 18 – Quimperlé 30.*

**Port,** ☎ 02 98 06 82 17, *hotel.du.port@wanadoo.fr, Fax 02 98 06 62 70,* – GB
*Pâques-fin sept.* – **Repas** *(fermé le midi sauf juil.-août, sam. midi et lundi)* 20,50/43 ♀ – ☕ 6,50 – **30 ch** 34/60 – ½ P 38/52.
◆ Hôtel dont les chambres, meublées simplement, sont agréables, surtout celles de l'annexe, plus grandes. Salle à manger prolongée d'une véranda dominant le petit port.

## PORT-MORT *27940 Eure* 304 I6 – *839 h alt. 19.*

*Paris 88 – Rouen 56 – Les Andelys 11 – Évreux 33 – Vernon-sur-Eure 12.*

**Auberge des Pêcheurs,** ☎ 02 32 52 60 43, *Fax 02 32 52 07 62,* – GB JCB
*fermé 1er au 22 août, 15 au 30 janv., dim. soir, lundi soir et mardi* – **Repas** 18,60/26,40 ♀.
◆ La Seine méandre à quelques encablures de cette auberge. Grande salle à manger agréablement rénovée et prolongée par une véranda tournée sur le jardin.

## PORT NAVALO *56 Morbihan* 308 N9 – *rattaché à Arzon.*

## PORTO *2A Corse-du-Sud* 345 B6 – *voir à Corse.*

## PORTO-POLLO *2A Corse-du-Sud* 345 B9 – *voir à Corse.*

## PORTO-VECCHIO *2A Corse-du-Sud* 345 E10 – *voir à Corse.*

## PORTS *37800 I.-et-L.* 317 M6 – *343 h alt. 42.*

*Paris 283 – Tours 49 – Châtellerault 26 – Chinon 33 – Loches 45.*

**Grillon,** Le Bec des Deux Eaux, Sud-Est : 2 km ☎ 02 47 65 02 74 – GB
*fermé 27 juin au 7 juil., 19 au 30 sept., jeudi soir et vend.* – **Repas** 13,20 bc (déj.), 14,50/38 ♀, enf. 7.
◆ Auberge de campagne proche du confluent de la Vienne et de la Creuse, où l'on sert des repas simples ; fruits de mer sur commande. Cadre rustique avec poutres et cheminée.

## PORT-SUR-SAÔNE *70170 H.-Saône* 314 E6 – *2 521 h alt. 228.*

*Office du Tourisme, Kiosque du Moulin ☎ 03 84 78 10 66, Fax 03 84 78 18 09.*
*Paris 349 – Besançon 62 – Bourbonne-les-Bains 46 – Épinal 76 – Gray 53 – Vesoul 13.*

**à Vauchoux** *Sud : 3 km par D 6 – 108 h. alt. 210 – ✉ 70170 :*

**Château de Vauchoux** (Turin), ☎ 03 84 91 53 55, *Fax 03 84 91 65 38,* – 🅿. GB
*fermé 16 au 27 fév., lundi midi et mardi midi* – **Repas** (prévenir) 46/76 et carte 64 à 80.
◆ Cet ex-pavillon de chasse abrite une belle salle de style Louis XV, dont une partie voûtée d'ogives. Joli parc agrémenté de massifs d'hortensias. Cuisine classique maîtrisée.
**Spéc.** Sandre rôti au lard fumé. Râble de lapereau "Mère Jeanne". "Vos-choux" amandines. **Vins** Charcenne, Champlitte

## PORT-VENDRES *66660 Pyr.-Or.* 344 J7 *G. Languedoc Roussillon* – *5 370 h alt. 3.*

Env. *Tour Madeloc* ✻★★ *SO : 8 km puis 15 mn.*
*Office du tourisme, 3 quai Pierre Forgas ☎ 04 68 82 07 54, Fax 04 68 82 53 48, tourisme@port-vendres.net.*
*Paris 884 – Perpignan 32.*

XX **Côte Vermeille,** quai Fanal, direction la criée ✆ 04 68 82 05 71, *Fax 04 68 82 05 71*, ≤ – ▤. AE GB
*fermé 5 janv. au 5 fév., dim. et lundi* – **Repas** 25/42 ♀.
◆ Plaisant petit restaurant sur le port de pêche, à proximité de la criée. Décor marin ; pour profiter de l'animation, attablez-vous près des baies vitrées. Produits de la mer.

**La POSTE-DE-BOISSEAUX** *28 E.-et-L.* 311 H6 – *rattaché à Angerville (91 Essonne).*

**POUEYFERRÉ** *65 H.-Pyr.* 342 L6 – *rattaché à Lourdes.*

**POUILLON** *40350 Landes* 335 F13 – *2 596 h alt. 28.*
*Syndicat d'Initiative,* ✆ *05 58 98 38 93, Fax 05 58 98 38 93.*
*Paris 746 – Mont-de-Marsan 69 – Dax 16 – Orthez 28 – Peyrehorade 15.*

X **L'Auberge du Pas de Vent,** ✆ 05 58 98 34 65, *Fax 05 58 98 34 65*, – P. GB
*fermé vacances de Toussaint, Noël, 2 au 14 janv., dim. soir, merc. soir et lundi sauf juil.-août* – **Repas** 10,50 bc (déj.), 18/30,50, enf. 7,50.
◆ Les amateurs de "quilles de Neuf" (sport pratiqué dans le Sud-Ouest) s'exerceront sur le terrain attenant à cette sympathique auberge champêtre servant une cuisine régionale.

**POUILLY-EN-AUXOIS** *21320 Côte-d'Or* 320 H6 *G. Bourgogne – 1 372 h alt. 390.*
*Office du Tourisme, Le Colombier* ✆ *03 80 90 74 24, Fax 03 80 90 74 24, ot.pouilly.en.auxois@wanadoo.fr.*
*Paris 271 – Dijon 44 – Avallon 66 – Beaune 42 – Montbard 60.*

**Poste,** ✆ 03 80 90 86 44, *Fax 03 80 90 75 99* – TV. GB
*fermé 9 au 24 nov., dim. soir, jeudi soir et lundi* – **Repas** 11,50/27,50 ♀, enf. 7 – ☕ 6 – **7 ch** 46/53 – ½ P 40.
◆ Massive maison en pierre abritant des chambres récemment rénovées dans l'esprit rustique. Le restaurant a conservé son style "seventies" mais devrait être refait sous peu.

**à Chailly-sur-Armançon** *Ouest : 6,5 km par D 977bis – 193 h. alt. 387 – ✉ 21320 Pouilly-en-Auxois :*

**Château de Chailly** M, ✆ 03 80 90 30 30, *reservation@chailly.com, Fax 03 80 90 30 00*, – TV P – 40 à 80. AE GB JCB.
*fermé 14 déc. au 16 janv. et 22 fév. au 5 mars* – ***Armançon*** *(fermé de nov. à avril, le midi et lundi)* **Repas** 55/95 ♀, enf. 16 – ***Rubillon*** buffet *(fermé en semaine de nov. à avril et le soir sauf lundi)* **Repas** 25/45 ♀, enf. 16 – ☕ 20 – **37 ch** 255/330, 8 appart.
◆ Une façade Renaissance richement ornée, une autre rappelant son rôle de forteresse médiévale : ce château jouxtant un superbe golf offre à ses hôtes un cadre prestigieux.

**à Ste-Sabine** *Sud-Est : 8 km par N 81, D 977bis et D 970 – 183 h. alt. 365 – ✉ 21320 Pouilly-en-Auxois :*

**Hostellerie du Château Ste-Sabine** , ✆ 03 80 49 22 01, *chateau-ste-sabine@wanadoo.fr, Fax 03 80 49 20 01*, ≤, – TV P – 40. GB.
*fermé 3 janv. au 25 fév.* – **Repas** 24/54 bc, enf. 13 – ☕ 10 – **30 ch** 186 – ½ P 62,30/123.
◆ Élégant château dont la silhouette se mire dans l'étang d'un parc où folâtrent des animaux en liberté. La charpente apparente agrémente le décor de certaines chambres.

**POUILLY-LE-FORT** *77 S.-et-M.* 312 E4 – *rattaché à Melun.*

**POUILLY-SOUS-CHARLIEU** *42720 Loire* 327 D3 – *2 834 h alt. 264.*
*Paris 379 – Roanne 15 – Charlieu 6 – Digoin 42 – Vichy 75.*

XXX **Loire,** ✆ 04 77 60 81 36, *restoloire@wanadoo.fr, Fax 04 77 60 76 06*, – P. AE GB
*fermé 24 au 31 août, vacances de Toussaint, de fév., mardi soir d'oct. à mars, dim. soir, mardi midi et lundi* – **Repas** 18/55 et carte 42 à 54 ♀.
◆ Cette auberge servait jadis fritures et grenouilles ; c'est aujourd'hui un élégant restaurant dotée d'une terrasse tournée vers le jardin. Cuisine au goût du jour.

**POUILLY-SUR-LOIRE** *58150 Nièvre* 319 A8 *G. Bourgogne – 1 708 h alt. 168.*
*Office du Tourisme, 61 rue Waldeck-Rousseau* ✆ *03 86 39 03 75, Fax 03 86 39 18 30, pouillysurloire.officedutourisme@worldonline.fr.*
*Paris 200 – Bourges 58 – Clamecy 54 – Cosne-sur-Loire 17 – Nevers 38 – Vierzon 80.*

**Relais de Pouilly** M, rte Mesves-sur-Loire, Sud : 3 km par D 28A ☎ 03 86 39 03 00, *sarl.relais-de-pouilly@wanadoo.fr, Fax 03 86 39 07 47*, ch, P. GB
**Repas** 16/32 ♀, enf. 8 – ☐ 7,50 – **24 ch** 42/64 – ½ P 56/60.
♦ Adresse incitant à une escale dans la cité viticole : chambres actuelles et insonorisées donnant sur la Loire, aire de jeux, VTT. Accès piétonnier depuis l'aire d'autoroute.

**Coq Hardi-Relais Fleuri** avec ch, 42 av. Tuilerie ☎ 03 86 39 12 99, *le-relais-fleuri-sarl@wanadoo.fr, Fax 03 86 39 14 15*, ←, P. GB
*fermé mi-déc. à mi-janv., mardi et merc. d'oct. à avril* – **Repas** 20/55 et carte 55 à 75 ♀, enf. 12 – ☐ 9 – **11 ch** 45/72 – ½ P 51,50/65.
♦ Hostellerie de tradition dont le charmant jardin s'étend jusqu'à la Loire. Lumineuse véranda où l'on propose une cuisine au goût du jour. Chambres plus actuelles à l'annexe.

**L'Espérance** avec ch, 17 r. R. Couard ☎ 03 86 39 07 69, *hotel.restaurant.lesperance@wanadoo.fr, Fax 03 86 39 09 78*, P. GB
*fermé 3 au 15 janv., dim. soir et lundi d'oct. à mars* – **Repas** 15/41 ♀, enf. 9,50 – ☐ 7 – **3 ch** 45/58 – ½ P 46/61.
♦ Auberge de bord de route, avec les vignes en arrière-plan. Tables dressées avec soin dans une salle à manger habillée de tissus colorés. Plats au goût du jour.

## POUJOLS *34 Hérault* 339 E6 – *rattaché à Lodève.*

## POULDREUZIC *29710 Finistère* 308 E7 – *1 854 h alt. 51.*

*Office du Tourisme, Place C. Hénaff ☎ 02 98 54 49 90, Fax 02 98 54 36 81, tourisme@pouldreuzic.org.*
*Paris 588 – Quimper 25 – Audierne 17 – Douarnenez 17 – Pont-l'Abbé 16.*

**Ker Ansquer** , à Lababan, Nord-Ouest : 2 km par D 2 ☎ 02 98 54 41 83, *françoise.ansquer@wanadoo.fr, Fax 02 98 54 32 24*, – cuisinette P. GB
*1er avril-30 sept.* – **Repas** (sur réservation seul.) 18/53 ♀ – ☐ 6,50 – **11 ch** 62/80, 5 appart – ½ P 58/61.
♦ Maison en granit au pays du Cheval d'orgueil. Proprettes chambres campagnardes. Sculptures régionales, mobilier breton et ambiance "guesthouse".

**à Penhors** *Ouest: 4 km par D 40 – ✉ 29710 Plogastel-St-Germain :*

**Breiz Armor** M , à la plage ☎ 02 98 51 52 53, *breiz-armor@wanadoo.fr, Fax 02 98 51 52 30*, ←, P – 20 à 50. GB
*hôtel : ouvert 30 mars-6 oct. et vacances de Noël ; rest. : fermé vacances de Toussaint et 1er janv. au 15 mars* – **Repas** *(fermé lundi sauf du 9 juil. au 25 août)* 12,90 (déj.), 17,40/44 ♀ – ☐ 7 – **26 ch** 71, 6 studios – ½ P 62/68,50.
♦ En bord de mer, bâtiment moderne abritant des chambres pratiques et fraîches. Nombreux petits "plus", utiles ou plaisants : billard, solarium, buanderie, etc.

## Le POULDU *29 Finistère* 308 J8 *G. Bretagne* – ✉ *29360 Clohars-Carnoët.*

Env. *St-Maurice : site★ et ←★ du pont NE : 7 km.*
*Paris 522 – Quimper 60 – Concarneau 37 – Lorient 25 – Moëlan-sur-Mer 10 – Quimperlé 14.*

**Panoramique** sans rest, au Kérou-plage ☎ 02 98 39 93 49, *Fax 02 98 96 90 16* – P. GB
*5 avril-2 nov.* – ☐ 6 – **25 ch** 45/54.
♦ Cet hôtel propose des chambres nettes, avant tout pratiques. Salon de lecture d'où vous contemplerez la mer, et salon de détente avec bar et télévision.

## POULIGNY-NOTRE-DAME *36 Indre* 323 I8 – *rattaché à La Châtre.*

## Le POULIGUEN *44510 Loire-Atl.* 316 B4 *G. Bretagne* – *4 912 h alt. 4.*

*Office du Tourisme, Port Sterwit ☎ 02 40 42 31 05, Fax 02 40 62 22 27.*
*Paris 455 – Nantes 80 – La Baule 4 – Guérande 8 – St-Nazaire 23.*

Voir plan de La Baule.

**Voile d'Or,** 14 av. Plage ☎ 02 40 42 31 68, *Fax 02 40 42 31 68*, ←, GB AZ x
*fermé 22 déc. au 7 janv., lundi, mardi sauf le soir en juil.-août et merc. midi en juil.-août* – **Repas** 38,50 et carte 52 à 80 ♀.
♦ Le décor contemporain s'inspire d'un intérieur de bateau ; attablez-vous près des baies vitrées ou sur la vaste terrasse pour jouir de la vue sur le large. Cuisine de la mer.

## POURVILLE-SUR-MER *76 S.-Mar.* 304 G2 – *rattaché à Dieppe.*

**POUZAUGES** *85700 Vendée* 316 K7 *G. Poitou Vendée Charentes – 5 473 h alt. 225.*

Voir *Puy Crapaud* ✻★★ *SE : 2,5 km – Moulins du Terrier-Marteau★ : ≤★ sur le bocage O : 1 km par D 752 – Bois de la Folie ≤★ NO : 1 km.*

Env. *St-Michel-Mont-Mercure* ✻★★ *du clocher de l'église NO : 7 km par D 752.*

*Office du Tourisme, 28 place de l'Eglise ☎ 02 51 91 82 46, Fax 02 51 57 01 69.*

*Paris 390 – La Roche-sur-Yon 56 – Bressuire 30 – Chantonnay 21 – Cholet 43 – Nantes 87.*

**Auberge de la Bruyère**, 18 r. Dr Barbanneau ☎ 02 51 91 93 46, *auberge.labruyere @wanadoo.fr, Fax 02 51 57 08 18*, ≤, – – 20 à 50. AE GB

*fermé 20 déc. au 4 janv.* – **Repas** *(fermé vend. soir d'oct. à avril, sam. sauf le soir de mai à sept. et dim. soir)* (10) - 13,50/25, enf. 9 – 7 – **27 ch** 41/56 – ½ P 42/46.

◆ Bâtisse des années 1970 nichée dans un parc ouvert sur les collines vendéennes. Chambres modestes mais nettes ; certaines offrent une vue sur le bois de la Folie.

**POUZAY** *37 I.-et-L.* 317 M6 – *rattaché à Ste-Maure-de-Touraine.*

**PRADES** *66500 Pyr.-Or.* 344 F7 *G. Languedoc Roussillon – 6 009 h alt. 360.*

Voir *Abbaye St-Michel-de-Cuxa★★ S : 3 km – Village d'Eus★ NE : 7 km.*

*Office du Tourisme, 4 rue Victor Hugo ☎ 04 68 05 41 02, Fax 04 68 05 21 79, prades tourisme@prades.com.*

*Paris 898 – Perpignan 46 – Mont-Louis 36 – Olette 16 – Vernet-les-Bains 11.*

**Pradotel** sans rest, av. Festival, sur la rocade ☎ 04 68 05 22 66, *Fax 04 68 05 23 22*, – – 25. GB

6 – **39 ch** 49/57,50.

◆ Construction contemporaine composée de deux ailes symétriques offrant des chambres fonctionnelles avec balcon ; celles côté jardin offrent une vue dégagée sur le Canigou.

**Hexagone** sans rest, rd-pt de Molitg, sur la rocade ☎ 04 68 05 31 31, *reservation@int er-hotel.com, Fax 04 68 05 24 89* – AE GB JCB

6,40 – **30 ch** 63/64.

◆ Chambres simples et petits-déjeuners préparés avec des produits "maison" : une adresse pratique pour l'étape dans la cité courue pour son festival de musique.

**Les Glycines,** 129 av. Gén. de Gaulle ☎ 04 68 96 51 65, *les-glycines2@wanadoo.fr, Fax 04 68 96 45 57* – . GB

*fermé 10 oct. au 15 nov. et 3 au 9 mars* – **Repas** *(fermé sam. midi, dim. soir et vend.)* 13 bc (déj.), 17/25,50 ♀, enf. 7,50 – 5,30 – **19 ch** 44,30/48,80 – ½ P 37,50/43,50.

◆ Ce petit établissement fleuri du centre-ville abrite des chambres simples, mais d'une propreté exemplaire. Vaste restaurant de style rustique rehaussé de tons ensoleillés.

**Jardin d'Aymeric,** 3 av. Gén. de Gaulle ☎ 04 68 96 53 38, *Fax 04 68 96 08 72* – . GB

*fermé 25 juin au 8 juil., vacances de fév., merc. soir du 15 oct. au 15 avril, dim. soir et lundi* – **Repas** (9) - 16,50/29 ♀, enf. 8.

◆ Une sympathique adresse que ce petit restaurant à l'ambiance animée et décontractée. Décor actuel et tableaux d'artistes locaux ; cuisine soignée, fleurant bon le terroir.

**Le PRADET** *83220 Var* 340 L7 *G. Côte d'Azur – 9 704 h alt. 1.*

Voir *Musée de la mine de Cap Garonne : grande salle★, 3 km au Sud par D 86.*

*Office du Tourisme, place Général de Gaulle ☎ 04 94 21 71 69, Fax 04 94 08 56 96, offtourismelepradet@yahoo.fr.*

*Paris 848 – Toulon 11 – Draguignan 75 – Hyères 12.*

**Azur** sans rest, 163 av. Raimu ☎ 04 94 21 68 50, *azur-hotel@wanadoo.fr, Fax 04 94 08 27 00*, – – 30. AE GB

10 – **19 ch** 66/115.

◆ Trois pavillons dont un de 1930 entourés de jardins hébergent les chambres, assez spacieuses et personnalisées, presque toutes dotées d'un balcon. Atmosphère chaleureuse.

**aux Oursinières** *Sud : 3 km par D 86 – ✉ 83220 Le Pradet :*

**L'Escapade** sans rest, ☎ 04 94 08 39 39, *Fax 04 94 08 31 30*, – . AE GB JCB.

*4 avril-12 oct.* – 12 – **14 ch** 115/215.

◆ À 100 m de la mer, dans un beau jardin fleuri, de petites maisons de pays abritent des chambres décorées "à la tyrolienne". Accueil attentionné.

**Chanterelle,** ☎ 04 94 08 52 60, – GB

*fermé 3 au 27 nov., janv., fév. et lundi. de sept. à mai* – **Repas** 32/42, enf. 15.

◆ Un plafond en bois sculpté agrémente la salle à manger ; aux murs, vitraux colorés représentant des natures mortes. Plaisant jardin fleuri. Cuisine régionale actualisée.

**PRALOGNAN-LA-VANOISE** *73710 Savoie* 333 N5 *G. Alpes du Nord – 667 h alt. 1425 – Sports d'hiver : 1 410/2 360 m* 1 13.

Voir *Site*★ – *Parc national de la Vanoise*★★ – *La Chollière*★ *SO : 1,5 km puis 30 mn – Mont Bochor* ≤★ *par téléphérique.*

*Office du Tourisme, ☎ 04 79 08 79 08, Fax 04 79 08 76 74, info@pralognan.com.*

*Paris 666 – Albertville 55 – Chambéry 105 – Moûtiers 30.*

**Les Airelles** , les Darbelays, Nord : 1 km ☎ 04 79 08 70 32, *Fax 04 79 08 73 51*, ≤, , – P. GB. rest

*1er juin-21 sept. et 20 déc.-19 avril* – **Repas** 17/25 – 8 – **22 ch** 60/75 – ½ P 56/65.

◆ Avenant chalet de construction récente, bien situé en lisière de la forêt des Granges. Chambres lambrissées, dotées de balcons offrant une belle vue sur les massifs montagneux.

**Grand Bec,** ☎ 04 79 08 71 10, *grand_bec@wanadoo.fr, Fax 04 79 08 72 22*, ≤, , , , , – . GB. rest

*1er juin-15 sept. et 20 déc.-20 avril* – **Repas** 20/34 – 10 – **39 ch** 80/92 – ½ P 52/70.

◆ A l'entrée de la station dominée, entre autres, par le Grand Bec, maison régionale proposant des chambres au décor savoyard conçu par la maîtresse des lieux. Carte régionale.

**Vanoise** , ☎ 04 79 08 70 34, *hotel@la-vanoise.com, Fax 04 79 08 75 79*, ≤, – P – 30. AE GB

*10 juin-15 sept. et 18 déc.-20 avril* – **Repas** (14) - 16/26 , enf. 7 – 7 – **29 ch** 58,50/92, 3 duplex – ½ P 79.

◆ Sympathique ambiance familiale dans cet hôtel proche des remontées mécaniques. Les chambres, spacieuses et lambrissées, profitent toutes d'un balcon.

---

**PRA-LOUP** *04 Alpes-de-H.-P.* 334 H6 – *rattaché à Barcelonnette.*

---

**Le PRARION** *74 H.-Savoie* 328 N5 – *rattaché aux Houches.*

---

**PRATS-DE-MOLLO-LA-PRESTE** *66230 Pyr.-Or.* 344 F8 *G. Languedoc Roussillon – 1 102 h alt. 740.*

Voir *Ville haute*★.

*Office du Tourisme, Le Foirail ☎ 04 68 39 70 83, Fax 04 68 39 74 51, ot.pratsdemollo lapreste@wanadoo.fr.*

*Paris 910 – Perpignan 63 – Céret 32.*

**Bellevue,** ☎ 04 68 39 72 48, *hotel.lebellevue@wanadoo.fr, Fax 04 68 39 78 04*, – rest, P. GB

*fermé 30 nov. au 15 fév., merc. du 30 oct. au 30 mars et mardi* – **Repas** 17/39 – 7 – **18 ch** 41/46 – ½ P 31/41.

◆ Sur la place du foirail, bâtisse régionale offrant des chambres peu à peu réactualisées ; à l'arrière, elles donnent sur la montagne. Spécialités catalanes.

**Touristes,** ☎ 04 68 39 72 12, *hotel.lestouristes@free.fr, Fax 04 68 39 79 22*, – P. GB

*1er avril-31 oct.* – **Repas** (15) - 18/24 , enf. 8 – 7 – **27 ch** 26/48 – ½ P 42/46,50.

◆ À l'entrée de la ville basse, imposante maison abritant une vaste salle à manger rustique ornée de belles grilles ouvragées. Chambres garnies de meubles régionaux.

**Ausseil,** ☎ 04 68 39 70 36, *hotel.ausseil@free.fr, Fax 04 68 39 70 36*, – GB

*fermé nov. et déc.* – **Repas** 15/25 – 6,50 – **12 ch** 26/38 – ½ P 42/76.

◆ Maison de 1620, à l'origine écurie d'un relais de poste proche de l'enceinte renforcée par Vauban. Agréable intérieur rustique. Sympathique terrasse sur la placette.

**à La Preste** *: 8 km – Stat. therm. (début avril-début nov.) – ✉ 66230 Prats-de-Mollo-La-Preste :*

**Val du Tech,** ☎ 04 68 39 71 12, *val-du-tech@wanadoo.fr, Fax 04 68 39 78 07* – . GB

*1er avril-30 oct.* – **Repas** 14 – 5,70 – **32 ch** 23/42 – ½ P 83.

◆ Curistes et randonneurs apprécient ce petit hôtel situé à flanc de colline et à deux pas des thermes. Mobilier catalan dans les chambres, progressivement améliorées.

**Ribes** , ☎ 04 68 39 71 04, *hotel.ribes@free.fr, Fax 04 68 39 78 02*, ≤ vallée du Tech – P. GB. rest

*1er avril-20 oct.* – **Repas** (9,50) - 13,50/24 , enf. 6,90 – 6 – **24 ch** 26/53 – ½ P 35/39,50.

◆ La ferme, isolée dans les prés, est devenue une petite hôtellerie familiale. Salle de restaurant panoramique, terrasse dressée à la demande. Produits du terroir.

---

**Le PRAZ** *73 Savoie* 333 M5 – *rattaché à Courchevel.*

**Les PRAZ-DE-CHAMONIX** *74 H.-Savoie* 328 *O5 – rattaché à Chamonix.*

**PRAZ-SUR-ARLY** *74120 H.-Savoie* 328 *M5 – 922 h alt. 1036 – Sports d'hiver : 1 036/2 070 m 12*

*Office du Tourisme, 04 50 21 90 57, Fax 04 50 21 98 08, prasurarly@infonie.fr.*
*Paris 602 – Chamonix-Mont-Blanc 37 – Albertville 27 – Chambéry 79 – Megève 5.*

**Griyotire**, rte La Tonnaz 04 50 21 86 36, *hotel@griyotire.com, Fax 04 50 21 86 34,* GB
*21 juin-7 sept. et 20 déc.-9 avril* – **Repas** (dîner seul.) 26, enf. 11 – 8 – **17 ch** 85/125 – ½ P 75/95.
◆ Élégant chalet savoyard placé sous le signe de la tradition, comme l'indique son enseigne désignant les grelots portés autrefois par les chevaux. Intérieur très "cosy". Sauna.

**PRÉCY-SOUS-THIL** *21390 Côte-d'Or* 320 *F5 G. Bourgogne – 603 h alt. 323.*

*Syndicat d'Initiative, Salle Sainte-Auxile 03 80 64 40 97, Fax 03 80 64 43 37.*
*Paris 246 – Dijon 65 – Auxerre 87 – Avallon 36 – Beaune 77 – Montbard 34 – Saulieu 16.*

**Loriot**, 03 80 64 56 33, *Fax 03 80 64 47 50,* GB
*fermé 13 au 21 nov., 5 au 27 janv., dim. soir et lundi midi hors saison sauf fériés* – **Repas** 14/23, enf. 7,80 – 6 – **11 ch** 46/57 – ½ P 49.
◆ Au centre du village que domine une collégiale du 14e s., chambres rustiques pas très grandes mais bien tenues, sobre salle à manger et véranda ouverte sur le jardin.

**PRÉCY-SUR-OISE** *60460 Oise* 305 *F5 – 3 137 h alt. 33.*

Voir *Église★ de St-Leu-d'Esserent NE : 3,5 km.*
*Paris 47 – Compiègne 47 – Beauvais 35 – Chantilly 9 – Creil 12 – Pontoise 37 – Senlis 17.*

**Condor**, 14 r. Wateau (D 92) 03 44 27 60 77, *Fax 03 44 27 62 18* – AE GB
*fermé 1er au 21 août, 23 fév. au 6 mars, mardi soir et merc.* – **Repas** 16,50/31,50, enf. 11.
◆ Élégante auberge dont la salle à manger, agencée autour d'un petit patio, favorise l'intimité. Les draperies du plafond s'intègrent bien au décor d'inspiration Empire.

**PRÉ-EN-PAIL** *53140 Mayenne* 310 *H4 – 2 422 h alt. 230.*

*Office du Tourisme, 79 rue Aristide Briand 02 43 03 06 10, Fax 02 43 03 06 10.*
*Paris 213 – Alençon 24 – Argentan 39 – Domfront 38 – Laval 67 – Mayenne 37.*

**Bretagne**, r. A. Briand (N 12) 02 43 03 13 00, *Fax 02 43 03 16 71* – GB
*fermé janv.* – **Repas** 15/45 – 8 – **14 ch** 31/44 – ½ P 45.
◆ Près du mont des Avaloirs (417 m, point culminant de la France de l'Ouest), cet hôtel centenaire propose des chambres modestes mais bien tenues, plus calmes sur l'arrière.

**PREIGNAC** *33210 Gironde* 335 *J7 – 1 992 h alt. 8.*

*Paris 621 – Bordeaux 44 – Langon 5 – Libourne 47.*

**Le Cap**, 05 56 63 27 38, *lecaphorn@wanadoo.fr, Fax 05 56 76 22 14,* GB
*fermé 24 mars au 9 avril, 15 sept. au 8 oct., 3 au 10 fév., lundi de juin à mi-sept. et dim. soir* – **Repas** 18,30/30.
◆ Maison de passeurs à l'origine, puis demeure de pêcheurs, cette "guinguette" des bords de la Garonne propose plats traditionnels et produits de la pêche locale.

**PRENOIS** *21 Côte-d'Or* 320 *J5 – rattaché à Dijon.*

**Le PRÉ-ST-GERVAIS** *93 Seine-St-Denis* 305 *F7* 101 ⑯ *– voir à Paris, Environs.*

**La PRESTE** *66 Pyr.-Or.* 344 *F8 – rattaché à Prats-de-Mollo.*

**PRIAY** *01160 Ain* 328 *E4 – 948 h alt. 300.*

*Paris 454 – Lyon 57 – Bourg-en-Bresse 27 – Nantua 42.*

**Mère Bourgeois**, 04 74 35 61 81, *Fax 04 74 35 43 49,* AE GB
*fermé 15 août au 4 sept., vacances de fév., dim. soir, merc. et jeudi* – **Repas** 25/69, enf. 12.
◆ Les plats qui ont fait la gloire de la maison dans les années 1950 sont encore servis, mais décor et carte sont bien au goût du jour. De Gaulle séjourna ici en novembre 1944.

**PRIVAS** 🅿 *07000 Ardèche* 331 J5 *G. Vallée du Rhône – 10 080 h alt. 300.*

**Voir** *Site*★.

*Office du Tourisme, 3 place du Général de Gaulle ☏ 04 75 64 33 35, Fax 04 75 64 73 95, ot.privas.ardeche@en-france.com.*

*Paris 603 ② – Valence 40 ② – Montélimar 35 ③ – Le Puy-en-Velay 92 ④.*

## PRIVAS



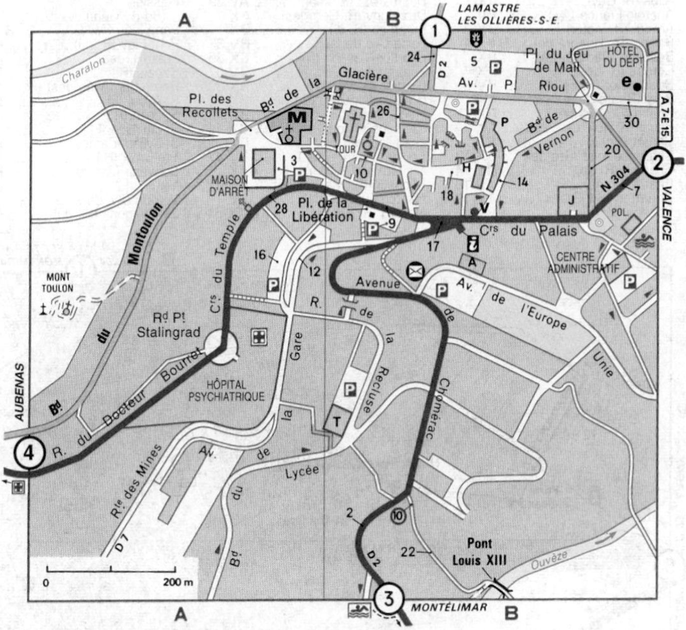

LAMASTRE
LES OLLIÈRES-S-E.
A
B
Charalon
Pl. des Recollets
Bd de la Glacière
Pl. du Jeu de Mail
Av. P. Riou
HÔTEL DU DÉPT
A 7-E 15
Bd de Vernon
MAISON D'ARRÊT
TOUR
Pl. de la Libération
Crs du Palais
N 304
VALENCE
POL.
CENTRE ADMINISTRATIF
Bd du Montoulon
MONT TOULON
Rd Pt Stalingrad
Crs du Temple
Avenue de Chomérac
Av. de l'Europe
Unie
R. de la Recluse
R. de la Gare
HÔPITAL PSYCHIATRIQUE
AUBENAS
R. du Docteur Bourret
Rte des Mines
Av. du Lycée
Bd
D 7
D 2
Pont Louis XIII
Ouvèze
0
200 m
MONTÉLIMAR


🏨 **Chaumette**, av. Vanel ☏ 04 75 64 30 66, *hotelchaumette@wanadoo.fr, Fax 04 75 64 88 25,* 🍽, 🏊 – 🛗 ▤ 📺 📞 🅿 – 🎤 45. AE ⓓ GB JCB **B e**

**Repas** *(fermé sam. midi)* 16 (déj.), 22/38 ⅀ – ☕ 9 – **36 ch** 57,50/72,30 – ½ P 54,60/56.

◆ Dans un quartier calme, hôtel en restructuration où l'on optera pour une chambre rénovée, joliment colorée. Mobilier contemporain et chaleureuses boiseries au restaurant.

🍴🍴 **Gourmandin**, angle r. P. Filliat ☏ 04 75 64 51 52, *Fax 04 75 64 77 83,* 🍽 – ▤. AE GB **B V**

*fermé 16 août au 2 sept., dim. soir et lundi* – **Repas** *(11,50)* - 15/36,50 🍷, enf. 6,40.

◆ Salle contemporaine aux couleurs ensoleillées, fréquentée à midi par la clientèle d'affaires, davantage par les touristes le soir. On y sert une cuisine à l'accent régional.

**PROPRIANO** *2A Corse-du-Sud* 345 C9 – *voir à Corse.*

*Dans ce guide*
*un même symbole, un même mot,*
*imprimé en* ***rouge*** *ou en* ***noir****, en maigre ou en* ***gras****,*
*n'ont pas tout à fait la même signification.*
*Lisez attentivement les pages explicatives.*

**PROVINS** 77160 S.-et-M. 312 I4 *G. Champagne Ardenne – 11 608 h alt. 91.*

**Voir** *Ville Haute*★★ **AV** : *remparts*★★ **AY**, *Tour César*★★ : ≤★, *Grange aux Dîmes*★ **AV E** - *Place du Chatel*★ – *Portail central*★ *et groupe de statues*★★ *dans l'église St-Ayoul* **BV** – *Choeur*★ *de la collégiale St-Quiriace* **AV** – *Musée de Povins et du Provinois : collections de sculptures et de céramiques*★ **M.**

**Env.** *St-Loup-de-Naud : portail*★★ *de l'église*★ *7 km par* ④.

*Office du Tourisme, chemin de Villecran ☎ 01 64 60 26 26, Fax 01 64 60 11 97, info@provins.net.*

*Paris 94* ⑤ *– Fontainebleau 56* ④ *– Châlons-en-Champagne 99* ② *– Sens 46* ④.

## PROVINS



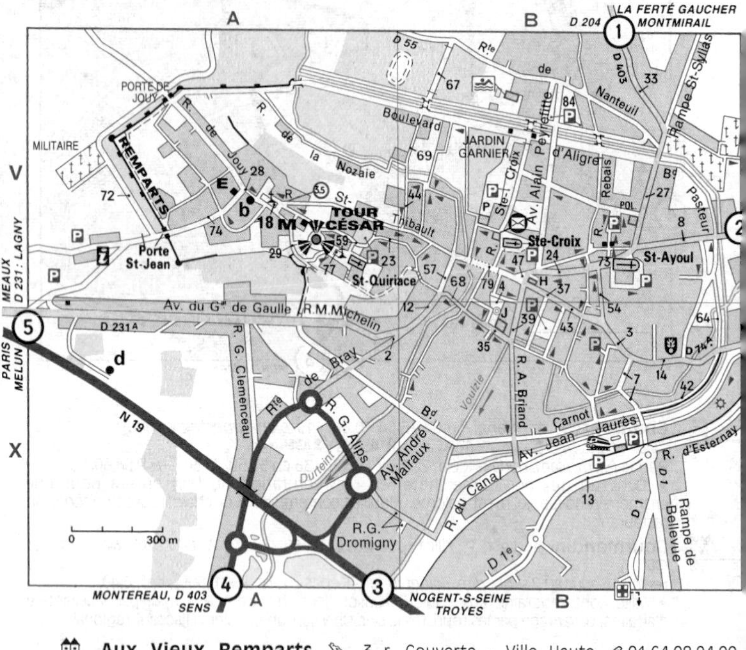

A
B
LA FERTÉ GAUCHER
MONTMIRAIL
D 204
D 403
MEAUX
D 231 : LAGNY
PARIS
MELUN
MONTEREAU, D 403
SENS
NOGENT-S-SEINE
TROYES
V
X
PORTE DE JOUY
MILITAIRE
REMPARTS
Porte St-Jean
TOUR CÉSAR
St-Quiriace
Ste-Croix
St-Ayoul
JARDIN GARNIER
R. de Jouy
R. de la Nozaie
St-Thibault
Boulevard
Rte de Nanteuil
Rampe St-Syllas
d'Aligre
Av. Alain Peyrefitte
Pasteur
Rebais
Av. du Gal de Gaulle
R. M. Michelin
D 231A
N 19
R. G. Clemenceau
Rte de Bray
R. G. Alips
Av. André Malraux
Durteint
Voulzie
R. A. Briand
Carnot
Av. Jean Jaurès
R. d'Esternay
R. du Canal
R.G. Dromigny
Rampe de Bellevue
D 1
D 14A
300 m


**Aux Vieux Remparts**, 3 r. Couverte - Ville Haute ☎ 01 64 08 94 00, *Fax 01 60 67 77 22*, – 25. AE GB **AV b**
**Repas** *(fermé mardi midi et lundi)* 25/60 – 10 – **32 ch** 60/250 – ½ P 90/110.
◆ Situé au coeur de la ville haute, cet établissement propose un hébergement fonctionnel ; les sept chambres récemment créées dans une maison ancienne ont plus de caractère.

**Ibis,** rte de Paris ☎ 01 60 67 66 67, *Fax 01 60 67 86 67*, – 25. AE GB **AX d**
**Repas** *(12)* - 15/17, enf. 6 – 6 – **51 ch** 50.
◆ Dans un quartier calme, architecture évoquant le style médiéval de la ville haute. Chambres rénovées peu à peu dans l'esprit "dernière tendance" de la chaîne.

**PUGET-THÉNIERS** *06260 Alpes-Mar.* 341 *C4 G. Alpes du Sud – 1 703 h alt. 405.*

**Voir** *Vieille ville★ – Retable★ de N.-D.-de-Secours dans l'église – Statue★ de Maillol – Entrevaux : Site★★ - Ville forte★ - Intérieur★ de la cathédrale - ←★ de la Citadelle★ O : 7 km.*

*Office du Tourisme, Maison de Pays - RN 202 ✆ 04 93 05 05 05, Fax 04 93 05 17 22, otpva@club-internet.fr.*

*Paris 835 – Digne-les-Bains 89 – Draguignan 138 – Manosque 129 – Nice 66.*

**Alizé** sans rest, N 202 (face gare) ✆ 04 93 05 06 20, *hotel.alize@wanadoo.fr, Fax 04 93 05 06 20,* – P. GB
6 – **15 ch** 45/51.
◆ En léger retrait de la nationale, construction récente abritant des chambres meublées en pins et équipées d'un double vitrage. Dans le hall, amusante collection de canards.

**L'Amandier,** N 202 (face gare) ✆ 04 93 05 05 13, *Fax 04 93 05 05 13,* – P. GB
*fermé 8 déc. au 12 janv., dim. soir, mardi midi et lundi* – **Repas** 15/23,50 ♀, enf. 10.
◆ "L'Action enchaînée", une statue dédiée à L.-A. Blanqui (né à Puget en 1805), est proche de ce petit restaurant. Accueil aimable et cuisine traditionnelle sans chichi.

**PUGIEU** *01 Ain* 328 *G6 – rattaché à Belley.*

**PUILLY-ET-CHARBEAUX** *08370 Ardennes* 306 *N5 – 258 h alt. 274.*

*Paris 285 – Charleville-Mézières 54 – Carignan 9 – Sedan 31 – Verdun 70.*

**Auberge de Puilly,** à Puilly ✆ 03 24 22 09 58, *Fax 03 24 22 09 58*
*fermé 4 au 12 mars, 22 juil. au 6 août, dim. soir et merc.* – **Repas** 8,50 (déj.), 13,50/33.
◆ Au coeur d'un tranquille village, auberge rustique dont la plaisante salle à manger, aménagée sous charpente, est ornée d'outils de boulanger et d'animaux naturalisés.

**PUJAUDRAN** *32 Gers* 336 *I8 – rattaché à L'Isle-Jourdain.*

**PUJOLS** *47 L.-et-G.* 336 *G3 – rattaché à Villeneuve-sur-Lot.*

**PULIGNY-MONTRACHET** *21 Côte-d'Or* 320 *I8 – rattaché à Beaune.*

**PULVERSHEIM** *68840 H.-Rhin* 315 *H9 – 2 021 h alt. 235.*

*Paris 476 – Mulhouse 12 – Belfort 51 – Colmar 32 – Guebwiller 13 – Thann 18.*

**à l'Écomusée** *Nord-Ouest : 2,5 km – ✉ 68190 Ungersheim :*

**Loges de l'Écomusée** Ⓜ, ✆ 03 89 74 44 95, *hotel.loges@ecoparcs.com, Fax 03 89 74 44 68,* , – cuisinette – 250. GB
***Auberge de Commersdorf*** ✆ 03 89 74 44 55 *(11 avril-3 nov.)* **Repas** carte environ 25, enf. 8,20 – ***Taverne*** ✆ 03 89 74 44 49 **Repas** 16,50/31 ♀, enf. 8,20 – 7 – **30 ch** 74/90, 10 studios – ½ P 61.
◆ Reconstitution d'un village local traditionnel aux portes de l'Écomusée : les chambres, modernes, sont réparties dans des maisons à colombages décorées à l'alsacienne. Tavernes.

**PUSIGNAN** *69330 Rhône* 327 *J5 – 2 720 h alt. 221.*

*Paris 477 – Lyon 27 – Montluel 17 – Meyzieu 6 – Pont-de-Chéruy 10.*

**Closerie,** ✆ 04 78 04 40 50, *Fax 04 78 04 44 05,* – P. AE GB
*fermé 4 au 21 août, 17 au 28 fév. dim. soir, mardi soir et lundi* – **Repas** 21/43 et carte 30 à 50.
◆ Ancien relais de diligences. La touche provençale, présente dans l'assiette comme dans le décor de la salle rénovée, rappelle les origines du patron. Agréable terrasse.

***Dans ce guide***
*un même symbole, un même mot,*
*imprimé en **rouge** ou en **noir**, en maigre ou en **gras**,*
*n'ont pas tout à fait la même signification.*
*Lisez attentivement les pages explicatives.*

**PUTANGES-PONT-ECREPIN** *61210 Orne* 310 H2 *G. Normandie Cotentin – 1 032 h alt. 230.*

*Office du Tourisme, place de la Mairie* ✆ *02 33 35 86 57, Fax 02 33 35 86 57, ot.putanges@libertysurf.fr.*

*Paris 211 – Alençon 57 – Argentan 20 – Briouze 15 – Falaise 17 – La Ferté-Macé 25 – Flers 31.*

**Lion Verd,** ✆ 02 33 35 01 86, *hotel.lionverd@wanadoo.fr, Fax 02 33 39 53 32* – TV P. GB
*fermé 13 déc. au 3 fév., dim. soir, vend. soir et lundi d'oct. à mars* – **Repas** 12,50/35 ♀, enf. 8,50 – ☕ 4 – **18 ch** 28/52 – ½ P 26/37.
◆ Avant ou après la découverte des gorges de St-Aubert, une étape agréablement située au bord de l'Orne. Chambres plus spacieuses et mieux meublées au 1er étage.

**PUTEAUX** *92 Hauts-de-Seine* 311 J2 101 ⑭ – *voir à Paris, Environs.*

**PUYBRUN** *46130 Lot* 337 G2 – *672 h alt. 146.*

*Paris 521 – Brive-la-Gaillarde 40 – Aurillac 65 – Cahors 88.*

**Arts,** ✆ 05 65 10 16 60, *Fax 05 65 10 16 61,* – TV ✆. AE ⓓ GB
*fermé 22 déc. au 6 janv., 25 au 31 mars, 29 sept. au 5 oct., merc. et jeudi hors saison* – **Repas** 12,50 (déj.), 15/40 ♀ – ☕ 6 – **12** ch 50 – ½ P 50.
◆ Cette maison régionale abrite des petites chambres calmes et bien tenues. Au rez-de-chaussée, salle à manger et bar à vins accueillant des expositions d'art contemporain.

**PUYCELCI** *81140 Tarn* 338 C7 – *453 h alt. 258.*

*Office du Tourisme, Chapelle Saint Roch* ✆ *05 63 33 19 25, Fax 05 63 33 19 25.*

*Paris 644 – Toulouse 62 – Albi 44 – Gaillac 25 – Montauban 40 – Rodez 108.*

**L'Ancienne Auberge** , ✆ 05 63 33 65 90, *caddack@aol.com, Fax 05 63 33 21 12,* – ch, TV ✆ – 🏛 25. ⓓ GB
*fermé 5 janv. au 6 fév.* – **Repas** *(fermé dim. soir et lundi)* 18/60 ♀ – ☕ 15 – **8 ch** 65/120.
◆ Auberge de caractère installée dans les murs d'une demeure du 13e s., au coeur d'un vieux village fortifié. Chambres personnalisées. Magnifique cheminée dans le salon.

**Le PUY-DE-DÔME** *63 P-de-D* 326 E8 – *voir à Clermont-Ferrand.*

**Le PUY-EN-VELAY** P *43000 H.-Loire* 331 F3 *G. Vallée du Rhône – 21 743 h alt. 629 Pèlerinage (15 août).*

*Voir Site★★★ – L'île au trésors★★★* **BY** *: cathédrale Notre-Dame★★★, cloître★★ - Trésor d'Art religieux★★ dans la salle des États du Velay – St-Michel d'Aiguilhe★★* **AY** *- Peinture des arts libéraux★ de la chapelle des Reliques – Ancienne cité★ – Rocher Corneille ≤★ – Musée Crozatier : collection lapidaire★, dentelles★.*

*Env. Polignac★ : ✻★ 5 km par ③.*

*Office du Tourisme, place du Breuil* ✆ *04 71 09 38 41, Fax 04 71 05 22 62, info@ot-Lepuyenvelay.fr.*

*Paris 543 ③ – Clermont-Ferrand 131 ③ – Mende 89 ② – St-Étienne 77 ①.*

Plan page suivante

**Regina,** 34 bd Mar. Fayolle ✆ 04 71 09 14 71, *paolo.venosino@wanadoo.fr, Fax 04 71 09 18 57* – , rest, TV ✆ – 🏛 15 à 60. AE ⓓ GB **BZ**
**Repas** *(13,50)* - 20/32 ♀ – ☕ 8 – **24 ch** 45/62, 3 appart – ½ P 57.
◆ Cet immeuble de caractère du début du 20e s. aurait été bâti par l'architecte du Négresco. Chambres actuelles, décorées à l'italienne. Salle à manger contemporaine.

**Parc** sans rest, 4 av. C. Charbonnier ✆ 04 71 02 40 40, *Fax 04 71 02 18 72* – TV ✆ – 🏛 15. AE GB **AZ**
*fermé 1er au 8 janv. voir rest.* ***François Gagnaire*** *ci-après* – ☕ 6,50 – **22 ch** 54/69.
◆ Cure de jouvence pour cet hôtel situé près du jardin Vinay : salon "cosy" avec espace bar doté d'une cave à cigares et chambres spacieuses bénéficiant d'équipements neufs.

**Chris'tel,** 15 bd A.-Clair par D 31 **AZ** ✆ 04 71 09 95 95, *claude.hotel-christel@wanadoo.fr, Fax 04 71 02 71 31* – TV ✆ P. AE GB. rest
*fermé 15 déc. au 15 janv.* – **Repas** *(fermé vend. soir, sam. et dim.)* 15 ♀ – ☕ 9 – **30 ch** 45/80
◆ Hôtel des années 1970 dont toutes les chambres sont dotées de balcons ; quelques-unes ont été rénovées dans un style actuel, d'autres jouissent de la vue sur un agréable parc.

**Brivas** M, à Vals-près-du-Puy par D31 ✉ 43750 ✆ 04 71 05 68 66, *brivas@wanadoo.fr, Fax 04 71 05 65 88,* – TV ✆ P – 🏛 30. GB
*fermé 20 déc. au 14 janv.* – **Repas** *(fermé dim. soir, vend. soir du 15 oct. au 15 avril et sam. midi)* 14 (déj.), 17/32 ♀, enf. 10 – ☕ 8 – **47 ch** 50/77 – ½ P 51/70.
◆ Construction moderne dans une banlieue résidentielle au Sud du Puy. Aménagements fonctionnels dans le style des chaînes hôtelières. Jardin-terrasse au bord d'une rivière.

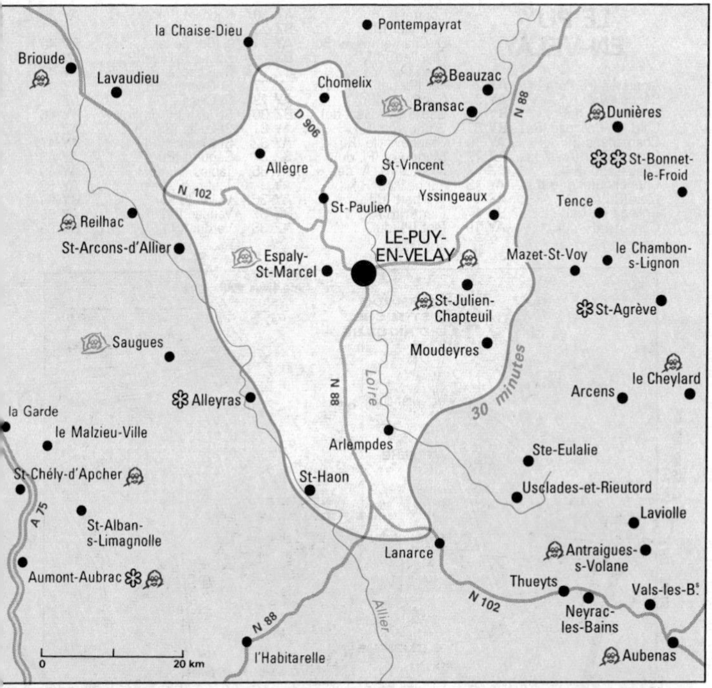

la Chaise-Dieu
Pontempayrat
Brioude
Lavaudieu
Chomelix
Beauzac
Bransac
N 88
Dunières
D 906
Allègre
St-Vincent
St-Bonnet-le-Froid
N 102
Yssingeaux
Tence
St-Paulien
Reilhac
LE-PUY-EN-VELAY
St-Arcons-d'Allier
Espaly-St-Marcel
Mazet-St-Voy
le Chambon-s-Lignon
St-Julien-Chapteuil
St-Agrève
Saugues
Moudeyres
le Cheylard
Loire
Arcens
Alleyras
N 88
30 minutes
la Garde
le Malzieu-Ville
Arlempdes
Ste-Eulalie
St-Chély-d'Apcher
St-Haon
Usclades-et-Rieutord
A 75
Laviolle
St-Alban-s-Limagnolle
Lanarce
Antraigues-s-Volane
Aumont-Aubrac
Thueyts
Vals-les-Bs
N 102
Neyrac-les-Bains
Allier
N 88
0
20 km
l'Habitarelle
Aubenas


**Val Vert,** rte Mende par ② : *1,5 km sur N 88* ☎ 04 71 09 09 30, *info@hotelvalvert.com, Fax 04 71 09 36 49* – AE GB JCB
*fermé 21 au 29 déc.* – **Repas** *(fermé sam. midi d'oct. à avril)* (11) - 18/32 ♀, enf. 10 – ☕ 7,50 – **23 ch** 42/52 – ½ P 47.
◆ Pimpantes chambres colorées ; quelques-unes viennent d'être coquettement rénovées à la mode italienne. Les baies vitrées du restaurant ouvrent sur les monts alentour.

**Dyke Hôtel** sans rest, 37 bd Mar. Fayolle ☎ 04 71 09 05 30, *Fax 04 71 02 58 66* – . GB BZ r
*fermé Noël au Jour de l'An* – ☕ 5,40 – **15 ch** 31/43.
◆ La ville est veillée par ses fameux dykes basaltiques. Chambres simples, repeintes en jaune bouton d'or ; préférez celles tournant le dos à l'avenue. Accueil cordial.

XXX **Tournayre,** 12 r. Chênebouterie ☎ 04 71 09 58 94, *info@restaurant-tournayre.com, Fax 04 71 02 68 38* – AE GB AY f
*fermé janv., 1er au 8 sept., dim. soir, merc. soir et lundi* – **Repas** 19/60 et carte 40 à 67 ♀.
◆ Croisées d'ogives, pierres apparentes, boiseries et fresques composent le décor de cette salle du 16e s. (ancienne chapelle). On y goûte une cuisine auvergnate généreuse.

XX **François Gagnaire,** 4 av. C. Charbonnier ☎ 04 71 02 75 55, *Fax 04 71 02 18 72* – . AE GB AZ a
*fermé 28 oct. au 17 nov., 1er au 8 janv., dim. soir, mardi midi et lundi* – **Repas** 25/60 ♀.
◆ Tout le monde en parle ! Ce restaurant au cadre moderne, égayé de lithographies de Raoul Dufy, propose une séduisante cuisine, personnalisée et inspirée par le terroir.

XX **L'Olympe,** 8 r. Collège ☎ 04 71 05 90 59, *Fax 04 71 05 90 59* – GB BZ x
*fermé 3 au 17 mars, 1er au 7 sept., 17 au 30 nov., sam. midi, dim. soir et lundi* – **Repas** (16) - 18,50/50 ♀.
◆ Coquet petit restaurant dans une ruelle pavée et pentue typique de la pittoresque vieille ville. Les deux salles, dont une à l'étage, sont claires et confortables.

XX **Bateau Ivre,** 5 r. Portail d'Avignon ☎ 04 71 09 67 20, *Fax 04 71 09 67 20* – GB BZ k
*fermé 24 au 28 juin, 11 au 22 nov., dim. et lundi* – **Repas** 18/29.
◆ Abat-jour, sets et serviettes en dentelle du Puy, tables en chêne massif : un intérieur rustique pour une cuisine faisant la part belle aux recettes régionales.

# LE PUY-EN-VELAY

Aiguières (R. Porte) ... **AZ** 2
Becdelièvre (R.) ....... **AY** 3
Bouillon (R. du) ....... **BY** 5
Card.-de-Polignac (R.) .. **BY** 8
Chamarlenc (R. du) .... **AY** 10
Charbonnier (Av. C.) ... **AZ** 12
Chaussade (R.) ......... **BZ**
Chênebouterie (R.) ..... **AY** 13
Clair (Bd A.) .......... **AZ** 14
Collège (R. du) ........ **BZ** 17
Consulat (R. du) ....... **AY** 19
Courrerie (R.) ......... **AZ** 20
Crozatier (R.) ......... **BZ** 23
Dr-Chantemesse (Bd) .. **AY** 24
Fayolle (Bd Mar.) ...... **BZ**
Foch (Av. Mar.) ........ **BZ**
For (Pl. du) ........... **BY** 27
Gambetta (Bd) ......... **AY** 29
Gaulle (Av. Gén.-de) .. **ABZ** 30
Gouteyron (R.) ......... **AY** 31
Grangevieille (R.) ...... **AY** 32
Martouret (Pl. du) .... **ABZ** 34
Monteil (R. A. de) ..... **AY** 35
Pannessac (R.) ......... **AY**
Philibert (R.) .......... **AY** 36
Pierret (R.) ........... **BZ** 37
Plot (Pl. du) .......... **AZ** 38
Raphaël (R.) ........... **AY** 39
République (Bd. de la) .......... **BY** 40
Roche-Taillade (R.) ..... **AY** 42
St-François Régis (R.) .. **BY** 43
St-Georges (R.) ........ **BY** 45
St-Gilles (R.) .......... **AZ**
St-Jean (R. du Fg) ..... **BY** 46
St-Louis (Bd) .......... **AZ**
St-Maurice (Pl.) ....... **AY** 47
Séguret (R.) ........... **AY** 48
Tables (Pl. des) ........ **AY** 49
Tables (R. des) ........ **AY** 52
Vallès (R. J.) .......... **BY** 54
Vaneau (R.) ........... **AY** 55
Verdun (R.) ............ **BY** 58

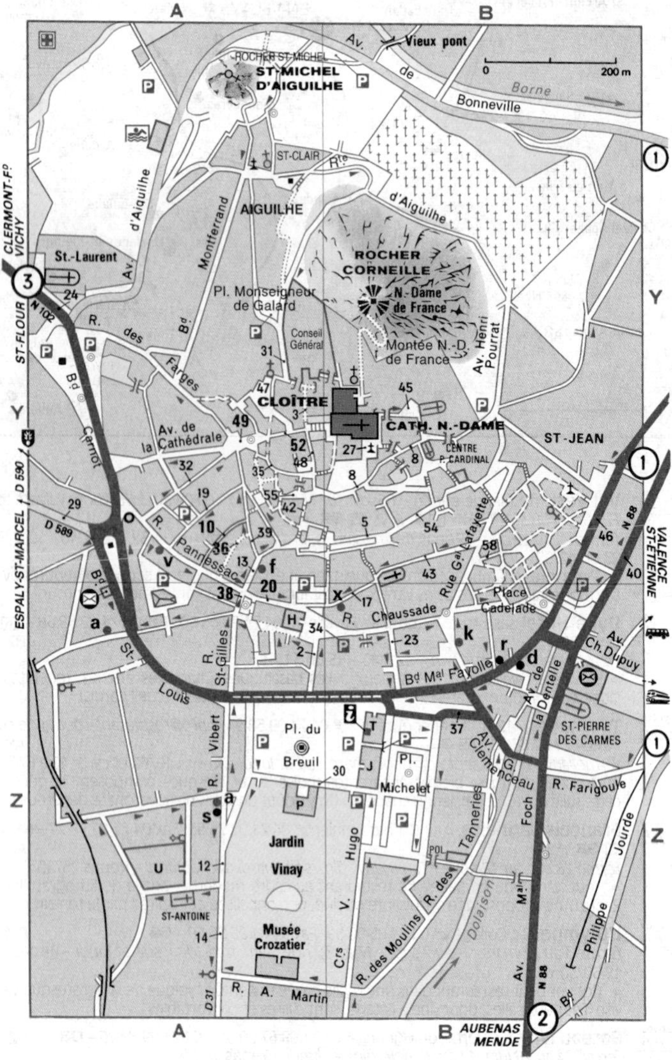
A
B
Y
Z
ROCHER ST-MICHEL
ST-MICHEL D'AIGUILHE
Av. de Bonneville
Vieux pont
Borne
0
200 m
ST-CLAIR
Rte d'Aiguilhe
AIGUILHE
Bd Montferrand
Av. d'Aiguilhe
ROCHER CORNEILLE
N.-Dame de France
Montée N.-D. de France
Av. Henri Pourrat
CLERMONT-Fd VICHY
ST-FLOUR
N 102
St.-Laurent
Pl. Monseigneur de Galard
Conseil Général
R. des Farges
CLOÎTRE
CATH. N.-DAME
CENTRE P. CARDINAL
ST-JEAN
Av. de la Cathédrale
Bd Carnot
ESPALY-ST-MARCEL
D 590
D 589
R. Pannessac
R. Chaussade
Rue Gal Lafayette
Place Cadelade
Av. Ch. Dupuy
VALENCE ST-ETIENNE
N 88
Bd Mal Fayolle
Av. de la Dentelle
Bd St-Louis
R. St-Gilles
R. Vibert
Pl. du Breuil
Pl. Michelet
ST-PIERRE DES CARMES
Av. G. Clemenceau
R. Farigoule
Av. Mal Foch
R. des Tanneries
Dolaison
Bd Philippe Jourde
Jardin Vinay
Musée Crozatier
Crs V. Hugo
R. des Moulins
R. A. Martin
ST-ANTOINE
D 31
AUBENAS MENDE

*Dans la liste des rues des plans de villes, les noms en rouge indiquent les principales voies commerçantes.*

X **Lapierre,** 6 r. Capucins ✆ 04 71 09 08 44 – GB. ✻ AZ a
*fermé juin, 15 déc. au 15 janv., sam., dim. et fériés* – **Repas** 21/35.
◆ Mobilier bistrot, lambris peints et tissus tendus dans les tons gris côté décor, produits "bio" et inévitables lentilles du Puy côté cuisine : une étape gourmande prisée.

X **Poivrier,** 69 r. Pannessac ✆ 04 71 02 41 30, *Fax 04 71 02 59 25* – ▤. GB AY v
*fermé vacances de fév., dim. et lundi sauf juil.-août* – **Repas** 15/26.
◆ Dans une rue bordée de belles demeures des 16e et 17e s., sympathique restaurant à l'ambiance bistrot. Spécialités vellaves préparées au vu de la salle.

**à Espaly-St-Marcel** *par ③ : 3 km – 3 516 h. alt. 650 – ✉ 43000 Le Puy-en-Velay :*

**L'Ermitage,** rte Clermont-Ferrand ✆ 04 71 07 05 05, *hotel.ermitage@free.fr, Fax 04 71 07 05 00,* – TV P – 25. GB
*fermé janv. et fév.* – **Repas** *(fermé sam. midi, dim. soir et lundi)* 16,50/31 – ☕ 8 – **20 ch** 47/65.
◆ Vue sur le joli site du Puy de la terrasse de l'hôtel. Les chambres fonctionnelles sont, quant à elles, tournées vers la campagne. Vieilles poutres et cheminée au restaurant.

---

## PUY-GUILLAUME *63290 P.-de-D.* 326 *H7 – 2 634 h alt. 285.*

*Paris 377 – Clermont-Ferrand 51 – Lezoux 27 – Riom 34 – Thiers 15 – Vichy 22.*

**Relais Hôtel de Marie,** av. E. Vaillant ✆ 04 73 94 18 88, *Fax 04 73 94 73 98,* – TV P. GB
*fermé 20 fév. au 31 mars, dim. soir et lundi* – **Repas** 10 (déj.), 13,80/28, enf. 5 – ☕ 7 – **15 ch** 39/43 – ½ P 34/36.
◆ Construction récente, pratique pour l'étape, abritant des petites chambres actuelles et fonctionnelles, plus calmes côté parking. Sobre salle à manger.

---

## PUY-L'ÉVÊQUE *46700 Lot* 337 *C4 G. Périgord Quercy – 2 209 h alt. 130.*

*Office du Tourisme, place de la Truffière ✆ 05 65 21 37 63, Fax 05 65 21 37 63, office.de.tourisme.puy.l.eveque@wanadoo.fr.*
*Paris 601 – Agen 71 – Cahors 31 – Gourdon 41 – Sarlat-la-Canéda 52 – Villeneuve-sur-Lot 44.*

**Bellevue** M, ✆ 05 65 36 06 60, *Fax 05 65 36 06 61,* ← – ▤ TV P. GB. ✻ rest
*fermé 15 au 30 nov. et 1er au 28 fév.* – ***Côté Lot*** *(fermé dim. et lundi)* **Repas** 30/60 – ***L'Aganit*** - brasserie *(fermé dim. et lundi)* **Repas** 15(déj.) et carte environ 25 ♀ – ☕ 8 – **11 ch** 66/82 – ½ P 61/76.
◆ L'hôtel, bâti sur un éperon dominant le Lot, mérite bien son nom. Chambres spacieuses, contemporaines et personnalisées. Lumineux restaurant panoramique et brasserie.

**à Touzac** *Ouest : 8 km par D 8 – 412 h. alt. 75 – ✉ 46700 :*
*Env. Château de Bonaguil★★ N : 10,5 km.*

**Source Bleue** , ✆ 05 65 36 52 01, *sourcebleue@wanadoo.fr, Fax 05 65 24 65 69,* , , , – TV P – 25. AE GB JCB
*1er avril-30 nov.* – ***Source Enchantée*** ✆ 05 65 30 63 18 *(fermé janv., fév., lundi midi et merc.)* **Repas** 16/37 ♀,enf. 8,50 – ☕ 7,50 – **17 ch** 75/85 – ½ P 75/80.
◆ Dans une jolie bambouseraie au bord du Lot, anciens moulins convertis en hôtel aux élégantes chambres rustiques. Le restaurant est aménagé dans une dépendance du 17e s.

**à Mauroux** *Sud-Ouest : 12 km par D 8 et D 5 – 371 h. alt. 213 – ✉ 46700 :*
*Office du Tourisme, Le Bourg ✆ 05 65 30 66 70, Fax 05 65 36 49 64, o.t.de.mauroux @wanadoo.fr.*

XX **Hostellerie le Vert** avec ch, ✆ 05 65 36 51 36, *hotellevert@aol.com, Fax 05 65 36 56 84,* ←, , , – ▤ ch, TV P. AE GB. ✻ ch
*14 fév.-11 nov.* – **Repas** *(fermé jeudi soir)* (dîner seul. sauf dim.) 40 ♀, enf. 10 – ☕ 7 – **7 ch** 55/90 – ½ P 59,50/77.
◆ En pleine nature, ferme quercynoise abritant une salle à manger de caractère, coiffée d'un beau plafond à la française. Les chambres mêlent mobilier de style et campagnard.

---

## PUYMIROL *47270 L.-et-G.* 336 *G4 G. Aquitaine – 777 h alt. 153.*

*Syndicat d'Initiative, 7 place Maréchal Leclerc ✆ 05 53 67 80 40, Fax 05 53 95 32 38.*
*Paris 650 – Agen 16 – Moissac 34 – Villeneuve-sur-Lot 30.*

✿✿ **Les Loges de l'Aubergade** (Trama) M , 52 r. Royale ✆ 05 53 95 31 46, *trama@aubergade.com, Fax 05 53 95 33 80,* , – ▤ TV – 25. AE GB JCB
*fermé vacances de fév., lundi sauf le soir en saison, dim. soir et mardi midi hors saison* – **Repas** 54/110 et carte 85 à 120 – ☕ 19 – **11 ch** 168/267 – ½ P 214.
◆ Maisons des 13e (résidence des comtes de Toulouse) et 17e s. au coeur d'une bastide. Étonnante salle baroque signée J. Garcia, belle cave à cigares et cuisine inventive.
**Spéc.** Papillote de pomme de terre à la truffe. Rouleau de homard au combawa. Assiette des cinq sens. **Vins** Côtes de Duras, Buzet.

**PUY-ST-VINCENT** *05290 H.-Alpes* 334 G4 *G. Alpes du Sud – 235 h alt. 1325 – Sports d'hiver : 1 400/2 700 m 16.*

*Voir Les Prés ≤★ SE : 2 km – Église★ de Vallouise N : 4 km.*

*Office du Tourisme, Chapelle St-Jacques, Les Alberts ☎ 04 92 23 35 80, Fax 04 92 23 45 23.*

*Paris 702 – Briançon 21 – Gap 84 – L'Argentière-la-Bessée 10 – Guillestre 31.*

**Saint-Roch**, aux Prés, Est : 1 km par D 404 ☎ 04 92 23 32 79, *info@hotel-st-roch.com, Fax 04 92 23 45 11,* ≤ vallée et montagnes, GB.

*20 juin-2 sept. et 20 déc.-6 avril* – **Repas** 22/43 – 8,50 – **15 ch** 72 – 1/2 P 74.

◆ Construction des années 1970 idéalement située au pied des pistes de cette station de la Vallouise. Grandes chambres simplement meublées, parfois dotées d'une terrasse au Sud.

**Pendine**, aux Prés, Est : 1 km par D 404 ☎ 04 92 23 32 62, *Fax 04 92 23 46 63,* ≤, GB.

*20 juin-6 sept. et 13 déc.-10 avril* – **Repas** 13,50 (déj.), 19/28,50, enf. 8,50 – 7,30 – **28 ch** 34/56 – 1/2 P 44/54.

◆ Parc des Écrins ou champs de neige ? L'hôtel, perché sur les hauteurs du village, dispose de chambres lambrissées sobres accueillant tous les amoureux de la montagne.

**PYLA-SUR-MER** *33115 Gironde* 335 D7 *G. Aquitaine.*

*Voir Dune du Pilat★★.*

*Syndicat d'Initiative, Rond point du Figuier ☎ 05 56 54 02 22, Fax 05 56 22 58 84, pyla002@ibm.net.*

*Paris 650 – Bordeaux 66 – Arcachon 8 – Biscarrosse 34.*

Voir plan d'Arcachon agglomération.

**Maminotte** sans rest, allée Acacias ☎ 05 57 72 05 05, *Fax 05 57 72 06 06* – GB
7,50 – **12 ch** 69/80. AY n

◆ Dans un quartier résidentiel proche de la plage. Les chambres sont spacieuses, claires et sobrement meublées ; certaines ont un balcon donnant sur la pinède.

**Gérard Tissier,** bd Océan ☎ 05 56 54 07 94, *Fax 05 56 83 20 98,* AE GB AY e

*fermé 17 nov. au 5 déc., 12 janv. au 5 fév., lundi soir et mardi* – **Repas** 20 (déj.), 29/47,50, carte seul dim. et carte 30 à 40, enf. 11.

◆ Façade avenante avec agréable terrasse, tables dressées avec soin, tableaux et discrète thématique marine : ce restaurant propose une carte classique tournée vers l'océan.

**Côte du Sud** M avec ch, 4 av. Figuier ☎ 05 56 83 25 00, *cote.du.sud@wanadoo.fr, Fax 05 56 83 24 13,* ch, AE GB AY s

*1er fév.-30 nov.* – **Repas** 19,50/26,50, enf. 12 – 5,50 – **8 ch** 89/114.

◆ Restaurant apprécié pour sa jolie décoration à tendance "ethnique", sa vaste terrasse installée presque sur la plage et sa cuisine iodée. Quelques chambres au cadre exotique.

**à Pilat-Plage** *Sud : 3 km par D 218 – ✉ 33115 Pyla-sur-Mer.*

*Voir Dune★★ : ★★.*

**Haïtza** sans rest, pl. L. Gaume ☎ 05 57 52 79 27, *haïtza@wanadoo.fr, Fax 05 56 22 10 23,* AE GB

*15 avril-30 sept.* – 7 – **46 ch** 85/99.

◆ Cet hôtel entouré de pins est situé à deux pas de la dune du Pilat. Chambres actuelles et colorées, ou simplement rafraîchies ; beaucoup possèdent un balcon.

**QUARRÉ-LES-TOMBES** *89630 Yonne* 319 G7 *G. Bourgogne – 735 h alt. 457.*

*Syndicat d'Initiative, 5 place de l'Eglise ☎ 03 86 32 22 20, Fax 03 86 32 23 43.*

*Paris 233 – Auxerre 73 – Avallon 19 – Château-Chinon 49 – Clamecy 49 – Dijon 118.*

**Morvan** M avec ch, 6 rue des Ecoles ☎ 03 86 32 29 29, *Fax 03 86 32 29 28,* AE GB

*fermé 6 au 16 oct., 17 déc. au 26 fév.* – **Repas** *(fermé lundi et mardi)* 17/42, enf. 10 – 7,80 – **8 ch** 41/67 – 1/2 P 49/57.

◆ Cette modeste façade dissimule une sympathique auberge où l'on déguste une cuisine soignée dans le cadre plaisant d'une salle sous poutres apparentes. Chambres confortables.

**aux Lavaults** *Sud-Est : 5 km par D 10 – ✉ 89630 Quarré-les-Tombes :*

**Auberge de l'Âtre** (Salamolard) avec ch, ☎ 03 86 32 20 79, *laubergedelatre@free.fr, Fax 03 86 32 28 25,* 30. AE GB JCB

*fermé 20 juin au 7 juil., 1er fév. au 3 mars, mardi et merc.* – **Repas** (prévenir) 23,50 (déj.), 39,50/47,50 et carte 40 à 67, enf. 11 – 8,50 – **7 ch** 58/91.

◆ Ferme morvandelle en pleine campagne. Attablez-vous près de l'âtre dans un joli cadre rustique ou sur la terrasse-véranda donnant sur le jardin fleuri. Plats classiques.

**Spéc.** Cocktail de champignons des bois (mars à nov.). Eventail d'esturgeon aux champignons. Soufflé chaud au marc de Bourgogne. **Vins** Bourgogne-Vézelay, Coulanges-la-Vineuse.

**aux Brizards** *Sud-Est : 8 km par D 55 et D 355 – ✉ 89630 :*

**Auberge des Brizards** , ✆ 03 86 32 20 12, *lesbrizards@free.fr, Fax 03 86 32 27 40,* – TV P – 50. AE GB
*fermé 6 janv. au 15 fév., lundi et mardi* – **Repas** 23 bc/45,80, enf. 9,20 – ☐ 9 – **16 ch** 38/85, 4 duplex – ½ P 65/80.
◆ Paisible hameau occupé en partie par les différentes maisons de cette charmante auberge rustique. Chambres douillettes, plus simples à l'annexe. Parc, étangs et jardin fleuri.

**QUATRE-ROUTES-D'ALBUSSAC** *19 Corrèze* 329 *L5 – alt. 600 – ✉ 19380 Albussac.*
Voir *Roche de Vic* ✱★ *S : 2 km puis 15 mn,* G. Berry Limousin.
*Paris 492 – Brive-la-Gaillarde 26 – Aurillac 72 – Mauriac 68 – St-Céré 40 – Tulle 18.*

**Roche de Vic,** ✆ 05 55 28 15 87, *roche.vic@wanadoo.fr, Fax 05 55 28 01 09,* – TV P. GB
*fermé 1er au 7 oct., 2 janv. au 15 mars, dim. soir d'oct. à déc. et lundi sauf juil.-août et fériés* – **Repas** (11) - 15/25,30 ♀, enf. 8 – ☐ 6,50 – **11 ch** 35/42 – ½ P 43.
◆ Maison régionale du début du 20e s. Chambres proprettes sobrement meublées dans le goût des années 1950 ; l'orientation côté jardin est plus séduisante.

**QUÉDILLAC** *35290 I.-et-V.* 309 *J5 – 1 018 h alt. 85.*
*Paris 390 – Rennes 40 – Dinan 30 – Lamballe 45 – Loudéac 57 – Ploërmel 45.*

**Relais de la Rance** avec ch, ✆ 02 99 06 20 20, *relaisdelarance@21s.fr, Fax 02 99 06 24 01* – TV P. AE GB
*fermé 20 déc. au 20 janv., vend. soir et dim. soir* – **Repas** (13,50) - 17,70/60 et carte 33 à 61 ♀, enf. 10 – ☐ 7 – **13 ch** 57.
◆ Maison villageoise en granit abritant une élégante salle à manger avec fresques, mobilier de style et tables soignées. Cuisine traditionnelle et un menu dédié au terroir.

**Les QUELLES** *67 B.-Rhin* 315 *G6 – rattaché à Schirmeck.*

**QUELVEN** *56 Morbihan* 308 *M6 – rattaché à Pontivy.*

**QUENZA** *2A Corse-du-Sud* 345 *D9 – voir à Corse.*

**QUESTEMBERT** *56230 Morbihan* 308 *Q9 G. Bretagne – 5 076 h alt. 100.*
*Office du Tourisme, Hôtel Belmont ✆ 02 97 26 56 00, Fax 02 97 26 54 55.*
*Paris 446 – Vannes 27 – Ploërmel 33 – Redon 34 – Rennes 97 – La Roche-Bernard 26.*

**Bretagne** (Paineau) M avec ch, r. St-Michel ✆ 02 97 26 11 12, *lebretagne@wanadoo.fr, Fax 02 97 26 12 37,* – TV P. AE GB
*fermé 8 au 31 janv., lundi (sauf le soir en août), mardi midi et merc. midi* – **Repas** (prévenir) 37/98 et carte 85 à 130 ♀ – ☐ 16,80 – **9 ch** 119/149,50 – ½ P 167,80.
◆ Élégante salle habillée de boiseries, exubérant jardin d'hiver, peintures et sculptures du chef-artiste et originale harmonie de saveurs : que la fête commence !
**Spéc.** Huîtres en paquets. Ragoût de homard aux truffes. Langoustines royales rôties. **Vins** Muscadet sur lie.

**QUETTEHOU** *50630 Manche* 303 *E2 G. Normandie Cotentin – 1 395 h alt. 14.*
*Office du Tourisme, place de la Mairie ✆ 02 33 43 63 21, Fax 02 33 43 63 21.*
*Paris 345 – Cherbourg 29 – Barfleur 10 – St-Lô 66 – Valognes 16.*

**Demeure du Perron** , ✆ 02 33 54 56 09, *demeureduperron@wanadoo.fr, Fax 02 33 43 69 28,* – TV P. GB
*fermé 25 fév. au 20 mars* – **Repas** *(fermé vend. midi, dim. du 1er sept. au 30 juin et lundi midi)* 14,50/21 ♀, enf. 7 – ☐ 7 – **15 ch** 40/53 – ½ P 40/44.
◆ En retrait de la route, pavillons disséminés dans un jardin clos. Trois d'entre eux abritent des chambres nettes ; un pimpant restaurant occupe le quatrième.

**Chaumière** avec ch, ✆ 02 33 54 14 94, *Fax 02 33 44 09 87* – TV. GB
*fermé vacances de Toussaint, de fév., dim. soir et merc.* – **Repas** 9/39 ♀, enf. 6 – ☐ 4,30 – **5 ch** 22/47 – ½ P 23/33.
◆ Discrète maison en granit sur la place centrale du village. Dans la salle à manger, poutres, mobilier rustique simple et ambiance sympathique. Cuisine traditionnelle.

**La QUEUE-EN-BRIE** *94 Val-de-Marne* 312 *E3* 101 *㉙ – voir à Paris, Environs.*

**QUEYRAC** *33 Gironde* 335 F2 – *rattaché à Lesparre-Médoc.*

**QUIBERON** *56170 Morbihan* 308 M10 *G. Bretagne* – *4 623 h alt. 10* – *Casino.*
Voir *Côte sauvage*★★ *NO : 2,5 km.*
*Office du Tourisme, 14 rue de Verdun ☎ 02 97 50 07 84, Fax 02 97 30 58 22, quiberon @quiberon.com.*
*Paris 506 ① – Vannes 47 ① – Auray 28 ① – Concarneau 97 ① – Lorient 55 ①.*

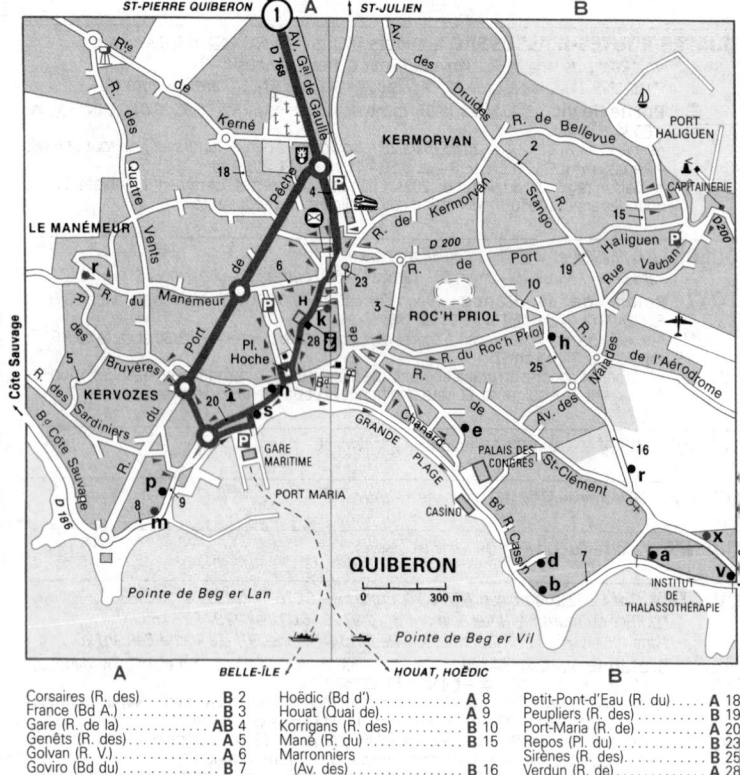

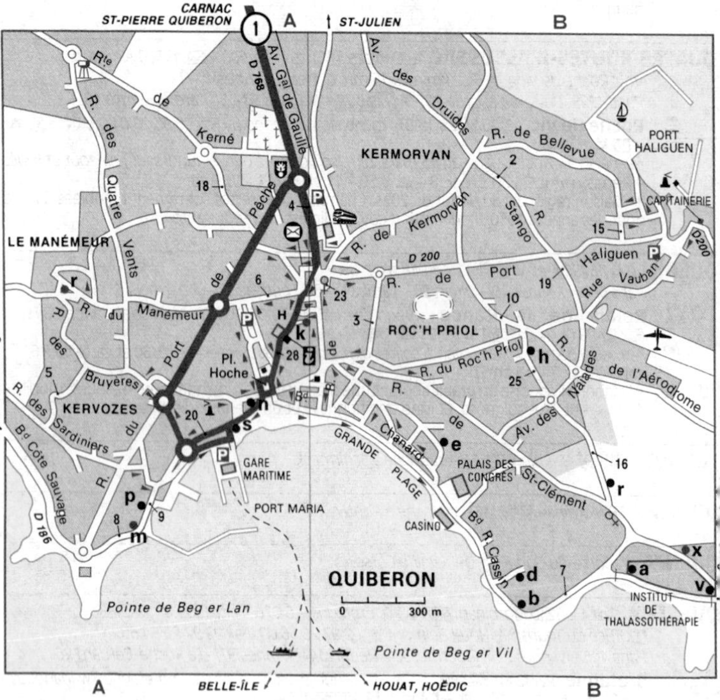

CARNAC
ST-PIERRE QUIBERON
A
ST-JULIEN
B
Av. Gal de Gaulle
D 768
Rte de Kerné
R. des Quatre Vents
Av. des Druides
R. de Bellevue
KERMORVAN
PORT HALIGUEN
CAPITAINERIE
R. de Kermorvan
R. Stango
D 200
Haliguen
Rue Vauban
LE MANÉMEUR
R. du Manémeur
R. de Port Haliguen
ROC'H PRIOL
R. du Roc'h Priol
R. de l'Aérodrome
Av. des Naïades
R. des Bruyères
KERVOZES
R. des Sardiniers
Pl. Hoche
R. de Port Maria
GRANDE PLAGE
R. de Chanard
St-Clément
PALAIS DES CONGRÈS
CASINO
Bd R. Cassin
GARE MARITIME
PORT MARIA
Bd Côte Sauvage
D 186
Côte Sauvage
QUIBERON
0
300 m
INSTITUT DE THALASSOTHÉRAPIE
Pointe de Beg er Lan
Pointe de Beg er Vil
BELLE-ÎLE
HOUAT, HOËDIC




**Sofitel Thalassa** ⚐, pointe de Goulvars ☎ 02 97 50 20 00, *h0557@accor-hotels.com, Fax 02 97 50 46 32,* ←, ⛱, ♂, 🏊, ⛱, ✕ – |♦| ⇔ TV ☎ ♿ P – 🏛 25. AE ◑ GB. ✗ rest
B a

*fermé 5 janv. au 2 fév.* – **Repas** 45 ♀ – ☕ 17 – **133 ch** 148/496 – ½ P 148,50/325.
◆ Séjour iodé dans ce complexe hôtelier agréablement situé face à la plage et directement relié à l'institut de thalassothérapie. Chambres plus spacieuses côté océan.

**Sofitel Diététique** ⚐, pointe de Goulvars ☎ 02 97 50 20 00, *h0562@accor-hotels.com, Fax 02 97 30 47 63,* ←, ⛱, ♂, 🏊, ⛱, ✕ – |♦| ⇔ TV ☎ ♿ P. AE ◑ GB. ✗ rest
B v

*fermé 5 au 26 janv.* – **Repas** (résidents seul.) 50 bc – ☕ 17 – **74 ch** (pension seul.) – P 220/241,50.
◆ Cet hôtel accueille les curistes de l'institut de thalassothérapie (accès direct). Chambres tournées vers le large. Menus diététiques pour une clientèle soucieuse de sa forme.

**Europa** M ⚐, à Port-Haliguen, Est : 2 km par D 200 ☎ 02 97 50 25 00, *europa.hotel@wanadoo.fr, Fax 02 97 50 39 30,* ←, ♂, 🏊, ⛱ – |♦| TV P – 🏛 20. GB. ✗ rest
*1er avril-2 nov.* – **Repas** *(fermé 29 sept. au 24 oct et 2 nov. au 1er avril)* 21/62 ♀, enf. 11 – ☕ 10,50 – **53 ch** 93/124 – ½ P 78,50/94.
◆ Plage à 50 m, vaste jardin, fitness, piscine intérieure, chambres équipées de balcons et pour moitié tournées vers la baie de Quiberon : cet hôtel a de sérieux atouts.

**Bellevue** ⛭, r. Tiviec ✆ 02 97 50 16 28, *Fax 02 97 30 44 34*, – TV P. AE GB. ✻ rest B d
*avril-sept.* – **Repas** (dîner seul.) 15,50/25,50 ♀, enf. 9,90 – ☕ 9 – **38 ch** 89/113 – ½ P 65,50/87.
◆ Intérieur printanier pour cet hôtel familial : gamme étendue de couleurs dans des chambres équipées de terrasses. La salle à manger offre une échappée sur l'océan.

**Roch Priol** ⛭, r. Sirènes ✆ 02 97 50 04 86, *hotelrochpriol@aol.com, Fax 02 97 30 50 09* – TV P. GB B h
*15 fév.-15 nov.* – **Repas** 12/30 ♀, enf. 7 – ☕ 7,50 – **45 ch** 60/77,50 – ½ P 56/62.
◆ Accueil personnalisé et tenue méticuleuse caractérisent cet hôtel situé dans un quartier résidentiel. Chambres équipées simplement, mais fraîches.

**Ker Noyal II** ⛭ sans rest, 43 ch. des Dunes ✆ 02 97 50 55 75, *Fax 02 97 50 55 93* – TV P. AE GB B e
*1er fév.-30 nov.* – ☕ 10 – **14 ch** 80/110.
◆ Hôtel de tradition situé dans un quartier calme proche du palais des congrès et du casino. Chambres confortables, meublées en style Louis XVI et bien insonorisées.

**Petite Sirène** sans rest, 15 bd R. Cassin ✆ 02 97 50 17 34, *Fax 02 97 50 03 73*, ← – cuisinette TV P. GB. ✻ B b
*1er avril-15 oct.* – ☕ 10 – **18 ch** 60/75, 15 studios.
◆ Construction des années 1960 bénéficiant d'un bon emplacement sur le front de mer. Chambres un brin désuètes, mais bien tenues. Petit-déjeuner servi sous forme de buffet.

**Ibis** M, av. Marronniers, pointe de Goulvars ✆ 02 97 30 47 72, *h0909@accor-hotels.com, Fax 02 97 30 55 78*, – TV P – 25. AE GB B r
**Repas** *(15)* - 18/21 ♀, enf. 9 – ☕ 7,50 – **75 ch** 100/132, 20 duplex – ½ P 70/76.
◆ Le décor des chambres de cet hôtel de chaîne a été actualisé. Ses petits "plus" : piscine couverte, fitness, forfait thalassothérapie et cuisine diététique sur demande.

**Albatros,** 19 r. Port-Maria ✆ 02 97 50 15 05, *Fax 02 97 50 27 61*, ←, – TV P. GB A s
*fermé 17 nov. au 14 déc.* – **Repas** 12,80/21 ♀, enf. 6,60 – ☕ 7,20 – **35 ch** 61/78 – ½ P 54/64.
◆ Belle-Île, îles d'Houat et de Hoedic : l'embarcadère est situé juste en face de l'hôtel. Chambres fonctionnelles, équipées de terrasses côté océan. Restauration simple.

**Neptune,** 4 quai de Houat à Port Maria ✆ 02 97 50 09 62, *Fax 02 97 50 41 44*, ←, – TV P. GB A p
*fermé 10 janv. au 10 fév. et mardi hors saison* – **Repas** 16/28 ♀, enf. 7,50 – ☕ 6,60 – **21 ch** 49/69 – ½ P 53,50/60.
◆ Face à la criée, hôtel familial abritant des chambres meublées en style rustique, régulièrement rajeunies ; elles sont plus calmes sur l'arrière. Salle à manger rénovée.

**Druides,** 6 r. Port Maria ✆ 02 97 50 14 74, *contact@hotel-des-druides.com, Fax 02 97 50 35 72* – TV. AE GB A n
*hôtel : mars-oct. ; rest. : avril-sept.* – **Repas** 14/28 ♀, enf. 7,50 – ☕ 8,50 – **31 ch** 65/103 – ½ P 62,50/72,50.
◆ Petit hôtel au décor bleu comme la mer. Les deuxième et troisième étages, dominant la plage, ont été refaits ; aménagements sobres et frais.

**Baie** ⛭ sans rest, à St-Julien, Nord : 2 km ✆ 02 97 50 08 20, *Fax 02 97 50 41 51* – P. AE GB
*1er avril-15 nov.* – ☕ 6 – **19 ch** 38/58.
◆ Accueil tout sourire et tenue impeccable valorisent cette maison des années 1930 où vous trouverez des chambres simples, au décor un brin suranné. Collection de 6000 pin's.

**Jules Verne,** 1 bd d'Hoëdic à Port-Maria ✆ 02 97 30 55 55, *Fax 02 97 30 55 55*, ←, – GB A m
*fermé 9 au 19 déc., 20 janv. au 6 fév., mardi et merc.* – **Repas** 14/22,50 ♀.
◆ Produits de la pêche locale recueillis à 20000 lieues sous les mers par un Nautilus quiberonnais et vue sur Port-Maria et les îles : un voyage extraordinaire, assurément !

**Verger de la Mer,** bd Goulvars ✆ 02 97 50 29 12 – AE GB B x
*fermé 8 janv. au 28 fév., dim. soir de nov. à avril, mardi soir et merc.* – **Repas** 16/30 ♀.
◆ Discrète façade proche de l'institut de thalassothérapie. Cadre un peu sombre, sobrement aménagé dans un style actuel. Agréable petit salon où l'on sert l'apéritif.

**Chaumine,** à Manémeur ✆ 02 97 50 17 67, *Fax 02 97 50 17 67* – GB A r
*fermé 10 au 31 mars, 3 nov. au 16 déc., dim. soir et lundi* – **Repas** 13 (déj.), 22,50/45 ♀, enf. 8,50.
◆ Adorable petite chaumière où l'on savoure au coude à coude des plats régionaux servis dans une sympathique ambiance propre au quartier des pêcheurs.

**à St-Pierre-Quiberon** *Nord : 5 km par D 768 – 2 184 h. alt. 12 – ✉ 56510.*

*Voir Pointe du Percho ≤ ★ au NO : 2,5 km.*

**Plage,** ☎ 02 97 30 92 10, *hotel.plage@wanadoo.fr, Fax 02 97 30 99 61,* ≤, – cuisinette ⇔ TV P – 25. AE GB. rest
*début avril-fin sept.* – **Repas** 20/26 ♀, enf. 8,50 – ☕ 8,50 – **44 ch** 68/99 – ½ P 62/77.
◆ Hôtel tenu par la même famille depuis trois générations. Chambres sobres ; préférez celles dotées d'un balcon tourné vers l'océan. Salle à manger panoramique.

**à Portivy** *Nord : 6 km par D 768 et rte secondaire – ✉ 56170 :*

**Taverne** avec ch, ☎ 02 97 30 91 61, *Fax 02 97 30 72 52,* ≤ – GB. rest
*fév.-12 oct. et fermé mardi sauf juil.-août et lundi soir* – **Repas** 15 (déj.), 20/56 ♀, enf. 7,50 – ☕ 5,50 – **8 ch** 42 – ½ P 43.
◆ Cuisine du bord de mer proposée dans une salle à manger bénéficiant d'une vue sur un pittoresque port de pêche. Joli mobilier breton. Accueil attentionné.

---

**QUIÉVRECHAIN** *59 Nord* 302 K5 – *rattaché à Valenciennes.*

---

**QUILLAN** *11500 Aude* 344 E5 *G. Languedoc Roussillon – 3 818 h alt. 291.*

*Voir Défilé de Pierre Lys★ S : 5 km.*

*Office du Tourisme, square André Tricoire ☎ 04 68 20 07 78, Fax 04 68 20 04 91, tourisme-quillan@wanadoo.fr.*

*Paris 808 – Foix 64 – Andorra la Vella 113 – Carcassonne 52 – Limoux 28 – Perpignan 76.*

**Chaumière,** 25 bd Ch. de Gaulle ☎ 04 68 20 17 90, *Fax 04 68 20 13 55,* – TV. GB
*15 mars-15 nov. et fermé lundi du 15 mars au 15 mai* – **Repas** 15/32, enf. 8 – ☕ 7 – **18 ch** 48/56 – ½ P 60.
◆ Cette vaste bâtisse en rotonde abrite des chambres spacieuses, diversement meublées, et une grande et plaisante salle à manger au cadre campagnard. Carte traditionnelle.

**Cartier,** 31 bd Ch. de Gaulle ☎ 04 68 20 05 14, *hot.cart@wanadoo.fr, Fax 04 68 20 22 57* – , rest, TV. GB
**Repas** *(15 mars-15 déc. et fermé sam. midi en mars-avril et d'oct à déc.)* 13,50/25, enf. 7,50 – ☕ 8 – **28 ch** 31/55 – ½ P 46/50.
◆ Immeuble du début du 20e s. situé sur un boulevard passant. Les chambres, bien insonorisées, offrent un confort complet et un sobre décor. À table, produits du terroir.

**Canal,** 36 bd Ch. de Gaulle ☎ 04 68 20 08 62, *Fax 04 68 20 27 96* – TV. GB.
*fermé 1er au 15 nov., 2 au 15 janv., dim. soir et lundi hors saison* – **Repas** 11,50/26, enf. 6,50 – ☕ 5,50 – **15 ch** 35/41 – ½ P 40.
◆ Construction d'allure régionale bordant l'artère principale de la ville. Chambres rustiques ou récemment refaites dans un esprit fonctionnel. Carte traditionnelle.

**Pierre Lys,** av. Carcassonne ☎ 04 68 20 08 65, *Fax 04 68 20 81 97,* – TV P. GB
*fermé mi-nov. à mi-déc.* – **Repas** 12/40, enf. 9 – ☕ 6 – **16 ch** 32/47 – ½ P 36,50/41,50.
◆ Établissement des années 1960 dont les chambres, assez grandes, plus calmes sur l'arrière, conservent leur aménagement initial. Jardin au bord de la rivière.

---

**QUIMPER** P *29000 Finistère* 308 G7 *G. Bretagne – 59 437 h Agglo. 120 441 h alt. 41.*

*Voir Cathédrale St-Corentin★★ – Le vieux Quimper★ : Rue Kéréon★* **ABY** *– Jardin de l'Évêché ≤★* **BZ K** *– Mont-Frugy ≤★* **ABZ** *– Musée des Beaux-Arts★★* **BY M1** *– Musée départemental breton★* **BZ M2** *– Musée de la faïence★* **AX M3** *– Descente de l'Odet★★ en bateau 1 h 30 – Festival de Cornouaille★ (fin juillet).*

*de Quimper-Cornouaille ☎ 02 98 94 30 30, par D 40 : 8 km* **AX.**

*Office du Tourisme, place de la Résistance ☎ 02 98 53 04 05, Fax 02 98 53 31 33 office.tourisme.quimper@wanadoo.fr.*

*Paris 566 ③ – Brest 72 ① – Lorient 68 ③ – Rennes 217 ③ – St-Brieuc 130 ①.*

Plans pages suivantes

**Gradlon** sans rest, 30 r. Brest ☎ 02 98 95 04 39, *hotelgradlon@wanadoo.fr, Fax 02 98 95 61 25* – TV. AE GB. **BY a**
*fermé 20 déc. au 20 janv.* – ☕ 10 – **22 ch** 81/148.
◆ Chambres rajeunies par étapes, donnant pour la plupart sur une jolie courette fleurie tout comme la véranda où l'on sert les petits-déjeuners. Accueil familial attentionné.

**Mascotte** M, 6 r. Th. Le Hars ☎ 02 98 53 37 37, *mascotte-quimper@hotel-sofibra.com Fax 02 98 90 31 51* – ⇔ TV – 25. AE GB **BZ c**
**Repas** *(fermé sam. et dim. de sept. à juin) (dîner seul.) (12,50)* - carte 19,50 à 36 ♀, enf. 7 – ☕ 7 – **63 ch** 61/85 – ½ P 55.
◆ Cet établissement proche du centre-ville dispose de chambres fonctionnelles au cadre quelque peu désuet ; elles sont plus petites, mais plus calmes sur l'arrière.

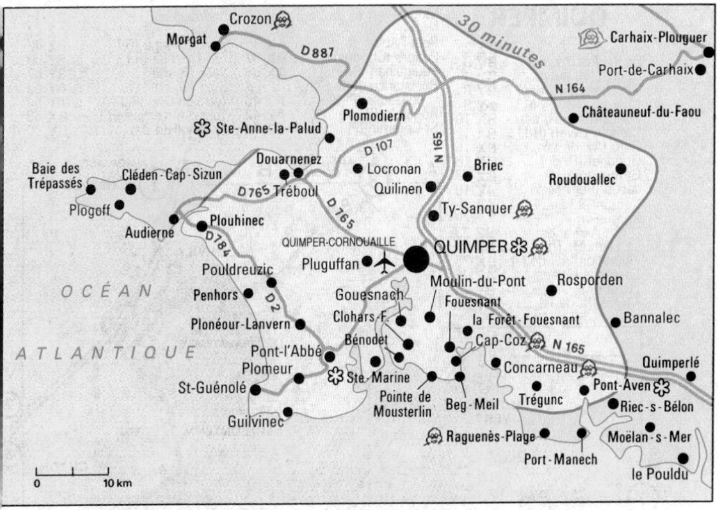
Crozon
Morgat
D 887
30 minutes
Carhaix-Plouguer
Port-de-Carhaix
N 164
Châteauneuf-du-Faou
Plomodiern
Ste-Anne-la-Palud
D 107
N 165
Douarnenez
Locronan
Briec
Baie des Trépassés
Cléden-Cap-Sizun
D 765
Tréboul
Quilinen
Roudouallec
Plogoff
D 765
Ty-Sanquer
Audierne
Plouhinec
D 784
QUIMPER-CORNOUAILLE
QUIMPER
Pouldreuzic
Pluguffan
Moulin-du-Pont
Rosporden
OCÉAN
Penhors
D 2
Gouesnach
Fouesnant
Clohars-F.
la Forêt-Fouesnant
Bannalec
Plonéour-Lanvern
Bénodet
Cap-Coz
N 165
ATLANTIQUE
Pont-l'Abbé
Quimperlé
Plomeur
Ste-Marine
Concarneau
St-Guénolé
Pointe de Mousterlin
Beg-Meil
Trégunc
Pont-Aven
Riec-s-Bélon
Guilvinec
Raguenès-Plage
Moëlan-s-Mer
Port-Manech
le Pouldu
0
10 km

**Mercure** M sans rest, 21 bis av. Gare ☎ 02 98 90 31 71, *H1421@accor-hotels.com, Fax 02 98 53 09 81* – 30. AE GB — BX a

8 – **61 ch** 63,50/93.

◆ Aux portes du vieux Quimper, hôtel traditionnel entièrement rénové ; les chambres, actuelles, ont adopté les dernières normes de la chaîne Mercure. Bons petits-déjeuners.

**Ibis** M, r. G. Eiffel - Z.I. Hippodrome ☎ 02 98 90 53 80, *h0637@accor-hotels.com, Fax 02 98 52 18 41* – 30. AE GB — BV f

**Repas** (12) - 15,50 ♀, enf. 6 – 6 – **72 ch** 64/69.

◆ Plus personnalisé qu'à l'accoutumée, cet hôtel Ibis offre un cadre moderne et soigné : chambres pratiques et colorées, salon et salle à manger revêtus de boiseries.

XXX **Acacias,** 85 bd Creac'h Gwen ☎ 02 98 52 15 20, *acacias-qper@wanadoo.fr, Fax 02 98 10 11 48,* – P. GB — BX b

*fermé 1er au 12 mai, sam. midi, dim. soir et lundi soir* – **Repas** 17/40 et carte 32 à 50.

◆ Restaurant aménagé dans une engageante maison moderne. À l'intérieur, nouveau décor contemporain, de bon goût et chaleureux. Cuisine classique et belle carte des vins.

XX **L'Ambroisie,** 49 r. Elie Fréron ☎ 02 98 95 00 02, *ambroisie@wanadoo.fr, Fax 02 98 95 88 06* – AE GB JCB. — BY u

*fermé 23 juin au 7 juil., vacances de fév., dim. soir sauf en été et lundi* – **Repas** 21/62.

◆ Élégante salle à manger contemporaine ornée d'originales peintures sur bois ; on y savoure une sobre cuisine régionale sensible au rythme des saisons.

XX **Jardin de l'Odet,** 39 bd Kerguelen ☎ 02 98 95 76 76, *Fax 02 98 64 21 35,* – GB — BZ n

**Repas** 19 (déj.), 26/46 ♀.

◆ Bâtisse des années 1930 située sur la rive droite de l'Odet. Salle à manger aux tons ocre, décorée de peintures modernes et largement ouverte sur une agréable cour-terrasse.

XX **Fleur de Sel,** 1 quai Neuf ☎ 02 98 55 04 71, *Fax 02 98 55 04 71* – GB. — AX v

*fermé 29 avril au 13 mai, 23 déc. au 6 janv., sam. midi et dim.* – **Repas** 20/35 ♀.

◆ Dans un quartier pittoresque, cette adresse (réservée aux non-fumeurs) vous invite à découvrir le Yémen à travers les oeuvres d'une artiste locale. Cuisine régionale soignée.

X **L'Assiette,** 5 bis r. J. Jaurès ☎ 02 98 53 03 65 – GB. — BZ s

*fermé 3 au 26 août, merc. soir, jeudi soir et dim.* – **Repas** (10,60) - 12,80/20.

◆ Sympathique adresse familiale entre gare et centre-ville. Décor de bistrot avec banquettes, sol carrelé, chaises en bois et tables joliment dressées. Recettes traditionnelles.

à **Ty-Sanquer** *Nord : 7 km par D 770 – ✉ 29000 Quimper :*

XX **Auberge Ti-Coz,** ☎ 02 98 94 50 02, *contact@aubergetycoz.com, Fax 02 98 94 56 37* – P. GB

*fermé 27 avril au 18 mai, mardi soir et merc. soir de sept. à mi-juin, dim. soir et lundi* – **Repas** 16/40 ♀, enf. 10.

◆ Mignonne petite auberge locale où le chef concocte une cuisine traditionnelle actualisée (épices, produits du Sud, légumes d'antan, etc.). Sélection de vins de propriétaires.

# QUIMPER

Astor (R.) .......... AYZ 2
Bécharles (Av. de) ... BV 3
Beurre (Pl. au) ....... BY 4
Boucheries (R. des) .. BY 6
Chapeau-Rouge (R.) .. AY 9
Concarneau (R. de) .. BX 10
Creac'h Gwen (Bd.) .. BX 12
Gare (Av. de la) ...... BX 15
Guéodet (R. du) ..... BY 16
Gutenberg (Bd) ....... BX 17
Jacob (Pont Max) .... AZ 18
Kéréon (R.) ........... AY
Kerguélen
(Bd Amiral de) ..... BZ 23
Le Hars (R. Th.) ...... BZ 24
Libération (Av. de la) . BX 25
Locmaria (Allées) .... AZ 26
Luzel (R.) ............ BY 28
Mairie (R. de la) ..... BY 29
Moulin-Vert (R. du) .... AV 30
Parc (R. du) ......... ABZ 34
Pont-l'Abbé (R. de) .... AX 35
Potiers (Ch. des) ...... BX 37
Poulguinan (Bd de) .... AX 38
Résistance-et-du-Gén.
de-Gaulle (Pl. de la) . AZ 40
Ronarc'h (R. Amiral) ... AZ 42
St-Corentin (Pl.) ....... BZ 43
St-François (R.) ......... BZ 45
St-Mathieu (R.) .......... AZ 47
Ste-Catherine (R.) ...... BZ 48
Ste-Thérèse (R.) ......... BZ 50
Sallé (R. du) ............ BY 52
Steir (Q. du) ............ AZ 53
Terre-au-Duc (Pl.) ....... AY 54
Tour-d'Auvergne (R.) .... BX 58
Ty-Nay (Rte de) ......... BV 60

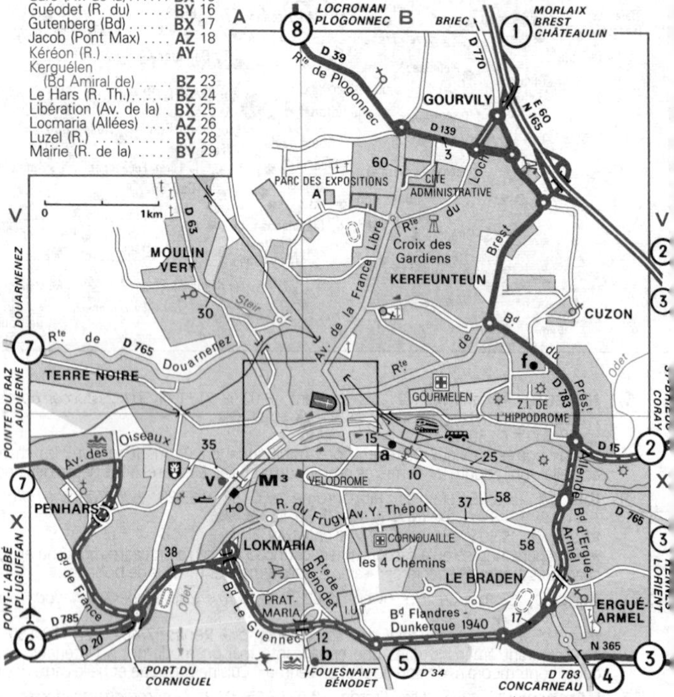

LOCRONAN
PLOGONNEC
BRIEC
MORLAIX
BREST
CHÂTEAULIN
D 39
Rte de Plogonnec
D 770
GOURVILY
E 60
N 165
D 139
PARC DES EXPOSITIONS
CITÉ ADMINISTRATIVE
1 km
D 63
Rte du Loch
Croix des Gardiens
Rte de Brest
MOULIN VERT
KERFEUNTEUN
Av. de la France Libre
Steir
CUZON
DOUARNENEZ
Rte de Douarnenez
D 765
TERRE NOIRE
Bd du Prést.
D 783
Odet
GOURMELEN
Z.I. DE L'HIPPODROME
POINTE DU RAZ
AUDIERNE
ST-BRIEUC
CORAY
Oiseaux
Av. des
D 15
VELODROME
PENHARS
R. du Frugy
Av. Y. Thépot
Allende
Bd d'Ergué-Armel
D 765
CORNOUAILLE
les 4 Chemins
LOKMARIA
Rte de Bénodet
LE BRADEN
RENNES
LORIENT
PONT-L'ABBÉ
PLUGUFFAN
Bd de France
Bd Le Guennec
PRAT-MARIA
Bd Flandres-Dunkerque 1940
ERGUÉ-ARMEL
D 785
D 20
N 365
PORT DU CORNIGUEL
FOUESNANT
BÉNODET
D 34
D 783
CONCARNEAU


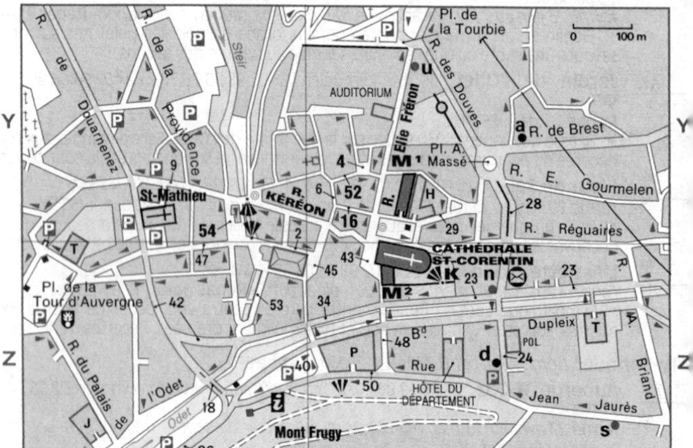

R. de Douarnenez
R. de la Providence
Steir
Pl. de la Tourbie
R. des Douves
0 100 m
AUDITORIUM
Elie Fréron
R. de Brest
Pl. A. Massé
R. E. Gourmelen
St-Mathieu
R. KÉRÉON
R. Réguaires
CATHÉDRALE ST-CORENTIN
Pl. de la Tour d'Auvergne
Bd Dupleix
A. Briand
R. du Palais
POL
Rue Jean Jaurès
HÔTEL DU DÉPARTEMENT
Quai de l'Odet
Odet
Mont Frugy

**à Quilinen** *par ① et D 770 : 11 km – ✉ 29510 Landrevarzec :*

**Auberge de Quilinen,** ✆ 02 98 57 93 63, *Fax 02 98 57 54 99* – GB
*fermé 4 au 31 août, dim. soir, mardi soir, merc. soir et lundi* – **Repas** 14,80/32 ♀, enf. 8.
◆ Maison située dans un charmant hameau connu pour sa chapelle du 15e s. Dans la salle à manger, murs en pierres apparentes et mobilier campagnard.

**à Moulin-du-Pont** *par ⑤, rte de Bénodet : 9 km – ✉ 29000 Quimper :*

**Pins d'Argent,** ✆ 02 98 54 74 24, *Fax 02 98 51 71 47* – P. GB.
*fermé 1er au 15 mai, dim. soir, sam. midi et lundi* – **Repas** 16 (déj.), 22/37 ♀.
◆ Près d'un rond-point, restaurant aménagé dans une bâtisse ancienne restaurée. Salle à manger agrémentée d'une cheminée et agréable terrasse où est servi l'apéritif.

**au Sud-Ouest** *par bd Poulguinan* - **AX** - *et D 20 : 5 km – ✉ 29700 Pluguffan :*

**Roseraie de Bel Air** (Cornec et Henaff), ✆ 02 98 53 50 80, *roseraie-de-bel-air@wanado o.fr, Fax 02 98 53 43 65,* – P. AE GB
*fermé 15 sept. au 9 oct., sam. midi de sept. à Pâques,* – **Repas** 21,65/58 et carte 55 à 70 ♀.
◆ Belle maison bretonne du 19e s. La longue salle à manger, avec ses deux hautes cheminées en granit, offre un cadre chaleureux. Cuisine régionale revisitée.
**Spéc.** Saint-Jacques cuisinées aux légumes du terroir (mi-oct. à fin mars). Agneau de pré-salé. Craquants de berlingots aux fraises (mai à sept.).

**à Pluguffan** *par ⑥ et D 40 : 7 km – 3 238 h. alt. 90 – ✉ 29700 :*

**Coudraie** sans rest, impasse du Stade ✆ 02 98 94 03 69, *Fax 02 98 94 03 69,* – TV P. GB
*fermé 23 sept. au 7 oct., vacances de fév. et dim. en hiver* – ☕ 5,60 – **11 ch** 43,50/50,50.
◆ Malgré la proximité d'une route fréquentée, les chambres de cette sympathique adresse sont calmes. Intérieur d'esprit rustique, joli jardin fleuri et accueil familial.

---

## QUIMPERLÉ *29300 Finistère* 308 *J7 G. Bretagne – 10 748 h alt. 30.*

**Voir** *Église Ste-Croix★★ – Rue Dom-Morice★.*

*Office du Tourisme, Le Bourgneuf ✆ 02 98 96 04 32, Fax 02 98 96 16 12, ot.quimperle @wanadoo.fr.*

*Paris 519 – Quimper 49 – Carhaix-Plouguer 56 – Concarneau 31 – Pontivy 75 – Rennes 170.*

**Vintage,** 20 r. Bremond d'Ars ✆ 02 98 35 09 10, *bistrodelatour@wanadoo.fr, Fax 02 98 35 09 29* – TV AE GB
voir rest. ***Bistrot de la Tour*** ci-après – ☕ 9 – **10 ch** 77/107.
◆ Cette belle façade du 19e s. dissimule un hôtel contemporain voué au culte du vin. Chambres personnalisées par des fresques originales et un mobilier actuel.

**Novalis** Ⓜ, rte Concarneau : 2,5 km ✆ 02 98 39 24 00, *Fax 02 98 39 12 10* – TV P – 25 à 50. AE GB
**Repas** *(fermé sam. midi et dim.)* (11) - 14/25 ♀, enf. 7,80 – ☕ 6,50 – **25 ch** 53,50/58,50 – ½ P 47,50.
◆ Construction récente de la périphérie quimperloise. Choisissez les chambres récemment rénovées, meublées simplement mais pratiques et printanières.

**Kervidanou** Ⓜ, zone commerciale de Kervidanou par rte Concarneau : 4 km ✆ 02 98 39 18 00, *Fax 02 98 96 35 11* – TV P – 15 à 20. AE GB
*fermé 20 déc. au 4 janv.* – **Repas** *(fermé vend., sam. et dim.)* (dîner seul.) 16/24 ♀ – ☕ 10,50 – **44 ch** 53,50/64 – ½ P 51,70/56,70.
◆ Proche de la voie rapide, bâtisse abritant des chambres sans luxe, mais fraîches et bien insonorisées. Salle à manger lumineuse et coin-salon garni de meubles en rotin.

**Bistro de la Tour,** 2 r. Dom Morice ✆ 02 98 39 29 58, *bistrodelatour@wanadoo.fr, Fax 02 98 39 21 77* – GB
*fermé dim. soir de sept. à juin, sam. midi et lundi* – **Repas** 17/51 bc ♀.
◆ Ce bistrot est situé dans une charmante ruelle bordée de vieilles demeures (au n° 7, maison des Archers : 1470). Sympathique décor "rétro" et belle carte des vins.

---

## QUINCIÉ-EN-BEAUJOLAIS *69430 Rhône* 327 *G3 – 1 059 h alt. 325.*

*Paris 428 – Mâcon 33 – Roanne 66 – Beaujeu 5 – Bourg-en-Bresse 53 – Lyon 59.*

**Mont-Brouilly,** Le Pont des Samsons, Est : 2,5 km par D 37 ✆ 04 74 04 33 73, *contact@hotelbrouilly.com, Fax 04 74 04 30 10,* – rest, TV P – 25. AE GB
*fermé 22 au 30 déc., fév., dim. soir d'oct. à mai et lundi* – **Repas** 15 (déj.), 17,50/42 ♀, enf. 9,50 – ☕ 6,50 – **29 ch** 54/58 – ½ P 50.
◆ Au pied du mont Brouilly, hôtel récent entouré de vignes. Chambres pratiques et bien tenues ; restaurant largement ouvert sur le jardin (jeux pour enfants, boulodrome).

---

## QUINCY-SOUS-SÉNART *91 Essonne* 312 *E3* 101 *38 – voir Paris, Environs.*

**QUINÉVILLE** *50310 Manche* 303 *E2 G. Normandie Cotentin – 306 h alt. 29.*
*Syndicat d'Initiative, avenue de la Plage ✆ 02 33 21 36 92.*
*Paris 338 – Cherbourg 36 – Barfleur 21 – Carentan 31 – St-Lô 59.*

**Château de Quinéville**, ✆ 02 33 21 42 67, *Fax 02 33 21 05 79*, – AE GB
*fermé 6 janv. au 15 mars, merc. midi et lundi* – **Repas** (diner seul sauf sam. et dim.) 23/42 – 8 – **24 ch** 85/115 – ½ P 73/89.
◆ Château du 18e s. proposant des chambres plutôt simples en regard d'un tel cadre. Dans le parc : vestiges romains, tour du 14e s., serres et plan d'eau.

**QUINGEY** *25440 Doubs* 321 *F4 – 980 h alt. 275.*
*Paris 398 – Besançon 23 – Dijon 84 – Dole 37 – Gray 56.*

**Truite de la Loue** avec ch, ✆ 03 81 63 60 14, *Fax 03 81 63 84 77* – . GB
*fermé 2 au 27 janv., dim. soir et lundi d'oct. à avril* – **Repas** 15/38 – 7 – **10 ch** 40/46 ½ P 40/46.
◆ Petite salle de restaurant campagnarde dont les fenêtres ouvrent sur la Loue. Cuisine régionale et spécialités de truites directement capturées dans le vivier de la maison.

**QUINSON** *04500 Alpes-de-H.-P.* 334 *E10 – 274 h alt. 370.*
*Syndicat d'Initiative, ✆ 04 92 74 01 12, Fax 04 92 74 00 03.*
*Paris 808 – Digne-les-Bains 63 – Aix-en-Provence 75 – Brignoles 46 – Castellane 72.*

**Relais Notre-Dame**, ✆ 04 92 74 40 01, *Fax 04 92 74 02 10*, , , – P. AE GB ch
*1er avril-1er nov. et fermé lundi soir et mardi* – **Repas** *(ouvert le midi du 1er fév. au 15 déc.)* (½ pens. seul le soir d'avril à nov.) 13,50 (déj.), 14,80/38 – 6,10 – **15 ch** 31/49 ½ P 40,40/48,40.
◆ Sur la route, à la sortie des gorges du Verdon, hôtel familial disposant de chambres meublées pour la plupart en style rustique et bien tenues.

**QUINTIN** *22800 C.-d'Armor* 309 *E4 G. Bretagne – 2 602 h alt. 180.*
*Office du Tourisme, place 1830 ✆ 02 96 74 01 51, Fax 02 96 74 06 82, otsi.pays-de-quintin@wanadoo.fr.*
*Paris 464 – St-Brieuc 18 – Lamballe 34 – Loudéac 31.*

**Commerce**, 2 r. Rochonen ✆ 02 96 74 94 67, *Fax 02 96 74 00 94* – . GB
*fermé 25 au 31 août, 22 déc. au 4 janv., dim. soir, vend. et lundi hors saison* – **Repas** 12,95/38 – 6,10 – **11 ch** 41,90/56,45 – ½ P 45/48.
◆ Maison du 18e s. tapissée de vigne vierge. Chambres soigneusement rénovées et salle à manger campagnarde avec boiseries et belle cheminée d'époque au manteau de bois
sculpté.

**RAGUENÈS-PLAGE** *29 Finistère* 308 *I8 G. Bretagne – ✉ 29920 Névez.*
*Paris 547 – Quimper 38 – Carhaix-Plouguer 74 – Concarneau 17 – Pont-Aven 12.*

**Chez Pierre**, ✆ 02 98 06 81 06, *Fax 02 98 06 62 09*, , – P. GB. rest
*12 avril-22 sept.* – **Repas** *(fermé mardi et merc.)* (14,50) - 18,90/28,90, enf. 12,30 – 6,50 **30 ch** 43,50/72,50 – ½ P 45,50/62,30.
◆ Le bâtiment principal regroupe accueil, chambres (plus confortables à l'annexe) et restaurant. Cuisine inspirée de l'océan. Agréable jardin.

**Ar Men Du**, ✆ 02 98 06 84 22, *men.du@wanadoo.fr, Fax 02 98 06 76 69*, , – AE GB. ch
*3 avril-29 sept. et vacances scolaires* – **Repas** 20/32 – 8 – **15 ch** 70/130 – ½ P 70.
◆ Belle situation en bord de mer pour ce sympathique petit hôtel. Cadre d'esprit bateau, chambres pimpantes, salle à manger-bistrot et échappée sur les Glénan et l'île de Groix.

**RAISMES** *59 Nord* 302 *I5 – rattaché à Valenciennes.*

*Ecrivez-nous...*
*Vos louanges comme vos critiques seront examinées avec le plus grand soin.*
*Nous reverrons sur place les informations que vous nous signalez.*
*Par avance merci !*

## RAMATUELLE *83350 Var* 340 O6 *G. Côte d'Azur – 1 945 h alt. 136.*

Voir *Col de Collebasse* ≤★ *S : 4 km.*

*Office du Tourisme, place de l'Ormeau ☎ 04 98 12 64 00, Fax 04 94 79 12 66, ot.ramatuelle@worldonline.fr.*

*Paris 876 – Fréjus 35 – Le Lavandou 34 – St-Tropez 10 – Ste-Maxime 16 – Toulon 71.*

**Baou**, ☎ 04 98 12 94 20, *hostellerie.lebaou@wanadoo.fr, Fax 04 98 12 94 21,* ≤ village, – ch, P. AE GB
*12 avril-31 oct. –* ***Terrasse :*** **Repas** 40/70 – 21 – **39 ch** 200/300, 8 duplex – 1/2 P 161/211.
◆ Le Baou (sommet, en provençal) porte bien son nom : il domine l'anse de Pampelonne. Chambres spacieuses et contemporaines ; toutes possèdent un balcon et profitent de la vue.

**Ferme d'Hermès** sans rest, Sud-Est : 2,5 km par rte l'Escalet et chemin privé ☎ 04 94 79 27 80, *lafermedhermes@aol.com, Fax 04 94 79 26 86,* – cuisinette P. GB
*1er avril-1er nov. et 27 déc.-10 janv.* – 12 – **8 ch** 130/150.
◆ Grand mas isolé au cœur du vignoble. Tomettes, poutres et jardin planté d'oliviers, de lauriers roses et de lavande : un vrai concentré de Provence ! Délicieux accueil.

**Vigne de Ramatuelle** sans rest, rte La Croix-Valmer : 3 km ☎ 04 94 79 12 50, *vigneramatuelle@aol.com, Fax 04 94 79 13 20,* – P. AE GB JCB
*12 avril-19 oct.* – 12,20 – **14 ch** 225/240.
◆ Au milieu des vignes, villa aux murs ocre conciliant charme, tranquillité et atmosphère de maison privée. Meubles chinés, bibelots et vieux livres personnalisent les chambres.

**Forge,** r. Victor Léon ☎ 04 94 79 25 56, *Fax 04 94 79 25 56* – . AE GB
*15 mars-15 nov. et fermé le midi en juil.-août et merc.* – **Repas** 32 .
◆ L'ancienne forge (témoins : le soufflet et l'enclume) abrite désormais deux salles de restaurant, dont une à l'étage. Cadre méridional soigné et ambiance conviviale.

### à la Bonne Terrasse *Est : 5 km par D 93 et rte de Camarat –* ✉ *83350 Ramatuelle :*

**Chez Camille,** ☎ 04 94 79 80 38, ≤, – P. GB
*3 avril-6 oct. et fermé lundi midi en juil.-août, lundi soir hors saison et mardi* – **Repas** (week-end et saison, prévenir) 32/57.
◆ Depuis 1913, pères et fils se succèdent en cuisine dans ce restaurant agréablement situé "les pieds dans l'eau". On y vient pour la bouillabaisse et les poissons grillés.

## RAMBERVILLERS *88700 Vosges* 314 H2 *– 5 919 h alt. 287.*

*Syndicat d'Initiative, 2 place du 30 Septembre ☎ 03 29 65 49 10, Fax 03 29 65 25 20.*

*Paris 409 – Epinal 27 – Nancy 69 – Lunéville 37 – St-Dié-des-Vosges 29.*

**Mirabelle,** 6 r. Église ☎ 03 29 65 37 37 – GB
*fermé 16 août au 10 sept., 15 janv. au 10 fév., dim. soir et merc. midi* – **Repas** (12) - 17/38 , enf. 8,50.
◆ Tête de veau et desserts à la mirabelle figurent parmi les spécialités de ce restaurant récemment aménagé dans une ancienne maison bourgeoise. Élégantes salles à manger.

## RAMBOUILLET 78120 *Yvelines* 311 G4 *G. Ile de France – 24 343 h alt. 160.*

Voir *Boiseries*★ *du château – Parc*★ *: laiterie de la Reine*★ **Z B** *– Bergerie nationale*★ **Z** *– Forêt de Rambouillet*★.

*Office du Tourisme, place de la Libération ☎ 01 34 83 21 21, Fax 01 34 83 21 31, rambouillet.tourisme@wanadoo.fr.*

*Paris 53 ① – Chartres 41 ③ – Mantes-la-Jolie 50 ① – Orléans 91 ③ – Versailles 35 ①.*

Plan page suivante

**Cheval Rouge,** 78 r. Gén. de Gaulle ☎ 01 30 88 80 61, *cpommier@aol.com, Fax 01 34 83 91 60* – . AE GB — Z n
*fermé mardi soir et merc.* – **Repas** (16) - 21/29 .
◆ Adresse appréciée pour son accueil courtois, son cadre rustique sobre et sa cuisine traditionnelle. Seconde salle plus intime sur l'arrière.

**Poste,** 101 r. Gén. de Gaulle ☎ 01 34 83 03 01, *Fax 01 34 83 03 01* – AE GB — Z e
*fermé 1er au 7 janv., jeudi soir, dim. soir et lundi* – **Repas** 20,50/32 , enf. 12.
◆ Tables serrées favorisant la convivialité, cadre campagnard et cuisine simple caractérisent ce petit restaurant du centre-ville

## RAMBOUILLET

Chasles (R.) . . . . . . . . . . . . . **Z** 2
Commune (R. de la) . . . . **Y** 3
Félix-Faure (Pl.) . . . . . . . . . **Z** 5
Gaulle
(R. du Gén.-de) . . . . . . . **Z** 6
Humbert (R. Gén.) . . . . . . **Z** 7
Libération (Pl. de la) . . . . . **Z** 8
Louvière (R. de la) . . . . . . **Z** 9
Motte (R. de la) . . . . . . . . **Y** 10
Poincaré (R. Raymond) . . **Y** 12
Providence (R. de la) . . . . **Y** 13

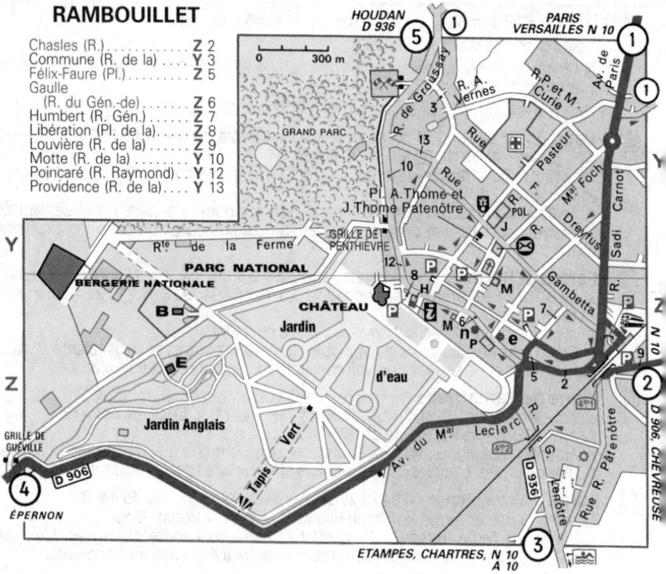

HOUDAN
D 936
PARIS
VERSAILLES N 10
0
300 m
GRAND PARC
R. de Groussay
R. A. Vernes
R.P. et M. Curie
Av. de Paris
Rue Pasteur
Rue F. Dreyfus
Mal Foch
Sadi Carnot
Pl. A.Thome et J.Thome Patenôtre
POL
GRILLE DE PENTHIÈVRE
Rte de la Ferme
PARC NATIONAL
BERGERIE NATIONALE
CHÂTEAU
Jardin
d'eau
R. Gambetta
Jardin Anglais
Tapis Vert
Av. du Mal Leclerc
GRILLE DE GUÉVILLE
D 906
ÉPERNON
D 936
R. G. Lenôtre
Rue R. Patenôtre
N 10
D 906, CHEVREUSE
ETAMPES, CHARTRES, N 10
A 10


*Les plans de villes sont orientés le Nord en haut.*

---

**RANCÉ** *01390 Ain* 328 *C5 – 410 h alt. 282.*
*Paris 436 – Lyon 33 – Bourg-en-Bresse 44 – Villefranche-sur-Saône 14.*

✗ **Rancé**, ✆ 04 74 00 81 83, *Fax 04 74 00 87 08* – ▤. AE GB
*fermé 27 au 31 oct., 5 au 16 janv. et 9 au 13 fév., dim. soir, mardi soir et lundi* – **Rep**
12,50/45,50 ♀, enf. 10.
◆ Dans un hameau situé à proximité de la route des étangs. Vaste salle à manger rustiqu
insensible aux phénomènes de modes où l'on propose une cuisine dombiste.

---

**RANCOURT** *80 Somme* 301 *K7 – rattaché à Péronne.*

---

**RANDAN** *63310 P.-de-D.* 326 *H6 G. Auvergne – 1 429 h alt. 407.*
Voir *Villeneuve-les-Cerfs : pigeonnier★ O : 2 km.*
*Syndicat d'Initiative, 11 place de la Mairie ✆ 04 70 41 50 02, Fax 04 70 56 14 79.*
*Paris 368 – Clermont-Ferrand 41 – Gannat 21 – Riom 25 – Thiers 32 – Vichy 15.*

✗✗ **Centre** avec ch, ✆ 04 70 41 50 23, *Fax 04 70 56 14 78* – TV ✆. GB
*fermé 20 oct. à début déc., mardi soir et merc. sauf juil.-août* – **Repas** 11/35 ♁, enf. 6 –
– **8 ch** 36/40 – ½ P 35/47.
◆ Belle façade en briques et salles à manger agrestes : poutres, cheminée et joli parqu
chez l'une, touche campagnarde moins appuyée chez l'autre. Chambres actuelles.

---

**RÂNES** *61150 Orne* 310 *H3 G. Normandie Cotentin – 1 015 h alt. 237.*
*Syndicat d'Initiative, ✆ 02 33 39 73 87, Fax 02 33 39 79 77.*
*Paris 213 – Alençon 40 – Argentan 20 – Bagnoles-de-l'Orne 19 – Falaise 35.*

**St-Pierre**, ✆ 02 33 39 75 14, *Fax 02 33 35 49 23*, – TV ✆. AE GB JCB
**Repas** *(fermé vend. soir)* 12/32 ♀, enf. 7,50 – 7 – **12** ch 42/55 – ½ P 50.
◆ Maison régionale dont les petites chambres rustiques soignées sont chaleureuseme
colorées. La cuisine, inspirée du terroir, met à l'honneur les tripes.

---

**RAON-L'ÉTAPE** *88110 Vosges* 314 *J2 – 6 780 h alt. 284.*
*Office du Tourisme, rue Jules Ferry ✆ 03 29 41 83 25, Fax 03 29 41 83 25, office.de.t*
*risme.raon.l.etape@wanadoo.fr.*
*Paris 378 – Épinal 45 – Nancy 70 – Neufchâteau 114 – St-Dié 19 – Sarrebourg 55.*

XX **Relais Lorraine Alsace** avec ch, 31 r. J. Ferry ☎ 03 29 41 61 93, *contact@relais-lorraine-alsace.com, Fax 03 29 41 93 09*, – TV. AE GB
**Repas** *(fermé nov. et lundi)* 13/29 ♀ – 5,50 – **10 ch** 49/56 – ½ P 45.
♦ Salle à manger cossue dévolue aux repas traditionnels, café-brasserie et, à l'étage, ambiance orientale et spécialités marocaines (en fin de semaine). Chambres confortables.

**RASTEAU** *84 Vaucluse* 332 C8 – *rattaché à Vaison-la-Romaine.*

**Le RAYOL-CANADEL-SUR-MER** *83820 Var* 340 N7 – *871 h alt. 100.*
*Office du Tourisme, place Michel Goy ☎ 04 94 05 65 69, Fax 04 94 05 51 80.*
*Paris 891 – Fréjus 49 – Hyères 35 – Le Lavandou 14 – St-Tropez 27.*

**Bailli de Suffren**, Le Rayol ☎ 04 98 04 47 00, *infos@lebaillydesuffren.com, Fax 04 98 04 47 99*, ≤ Iles d'Hyères, – ch, TV P – 15 à 30. AE GB
*12 avril-31 oct.* – ***Praya*** *(12 avril-2 nov. et fermé le midi en juil.-août)* **Repas** 47/60 et carte 59/68 ♀ – ***L'Escale*** (déj. seul.) *mai-sept.* **Repas** *(11)* et carte 25/42, ♀ – 18 – **53 ch** 267/305.
♦ La vue sur les îles d'Hyères est à couper le souffle depuis ce bel hôtel dominant sa plage privée. Couleurs douces, joli mobilier et tomettes composent un cadre élégant.

**RÉALMONT** *81120 Tarn* 338 F8 – *2 631 h alt. 212.*
*Office du Tourisme, 8 place de la république ☎ 05 63 79 05 45, Fax 05 63 79 05 36.*
*Paris 701 – Toulouse 79 – Albi 20 – Castres 25 – Graulhet 18 – Lacaune 57 – St-Affrique 85.*

XX **Noël** avec ch, r. H. de Ville ☎ 05 63 55 52 80, *Fax 05 63 55 69 91*, – TV – 25. GB.
*fermé 15 fév. au 15 mars, dim. soir et lundi* – **Repas** 15/39,70 ♀, enf. 9,90 – 4 – **8 ch** 30/44 – ½ P 34,50/40.
♦ Objets anciens, boiseries, cuivres et tableaux ornent la salle à manger de ce relais de poste bicentenaire où règne une aimable atmosphère "vieille France".

XX **Les Secrets Gourmands,** 72 av. Gén. de Gaulle (N 112) ☎ 05 63 79 07 67, *les-secrets-gourmands@wanadoo.fr, Fax 05 63 79 07 69*, – P. AE GB
*fermé 13 au 27 janv., fin août, dim. soir et lundi* – **Repas** 17/44 ♀.
♦ Trois lumineuses petites salles à manger : murs pastel travaillés à l'éponge, parquet et meubles de style rustique. Agréable terrasse sur l'arrière. Cuisine au goût du jour.

**REDON** SP *35600 I.-et-V.* 309 J9 *G. Bretagne – 9 260 h alt. 10.*
**Voir** Tour★ *de l'église St-Sauveur.*
*Office du Tourisme, place de la République ☎ 02 99 71 06 04, Fax 02 99 71 01 59.*
*Paris 411 ① – Nantes 78 ② – Rennes 66 ① – St-Nazaire 53 ② – Vannes 57 ③.*

## REDON

Bonne-Nouvelle (Bd). Y 2
Bretagne (Pl. de) . . . . Y 3
Desmars (R. Joseph) Y 5
Douves (Pont des) . . Z 6
Douves (R. des) . . . YZ
Duchesse-Anne (Pl.). Y 7
Duguay-Trouin (Quai) . . . . . . . . . . . Z 8
Duguesclin (R.) . . . . YZ 9
Enfer (R. d') . . . . . . . Z 13
États (R. des) . . . . . . . Y 14
Foch (R. du Mar.) . . . Y 16
Gare (Av. de la) . . . . . Y 17
Gascon (Av. E.) . . . . . Y 19
Grande-Rue . . . . . . . . Z 23
Jeanne-d'Arc (R.) . . . . Z 25
Jeu-de-Paume (R. du) Z 26
Liberté (Bd de la) . . . Y 30
Martin (R. du Capit.). Y 31
Notre-Dame (R.) . . . . Y 32
Parlement (Pl. du) . . . Y 33
Plessis (R. du) . . . . . . Z 34
Port (R. du) . . . . . . . . Z 36
Poulard (R. Lucien) . . Z 37
Richelieu (R.) . . . . . . . Y 39
St-Nicolas (Pont) . . . . Z 43
Victor-Hugo (R.) . . . . . Y 50

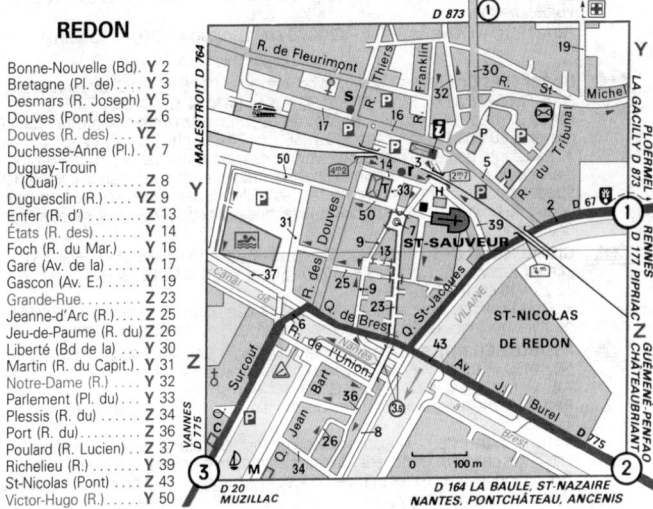

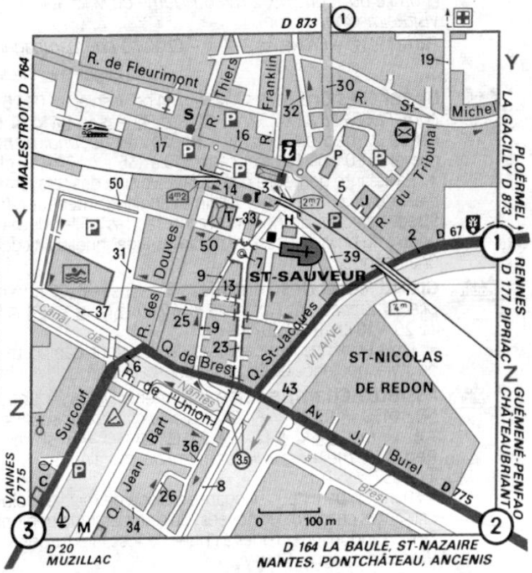
D 873
R. de Fleurimont
Thiers
Franklin
R. St-Michel
R. du Tribunal
MALESTROIT D 764
LA GACILLY D 873
PLOËRMEL
RENNES D 177 PIPRIAC
GUÉMENÉ-PENFAO CHÂTEAUBRIANT
ST-SAUVEUR
R. des Douves
Canal de Nantes à Brest
Q. de Brest
Q. St-Jacques
VILAINE
ST-NICOLAS DE REDON
R. de l'Union
Av. J. Burel
Surcouf
Bart
Q. Jean
Q. Surcouf
VANNES D 775
D 775
D 20 MUZILLAC
D 164 LA BAULE, ST-NAZAIRE
NANTES, PONTCHÂTEAU, ANCENIS
0 100 m

**Bel Hôtel** sans rest, 42 av. J. Burel à St-Nicolas-de-Redon par ② ✉ 44460 St-Nicolas-de-Redon ✆ 02 99 71 10 10, *belhotel@wanadoo.fr, Fax 02 99 72 33 03* – TV ✆ ♿ P. GB
☕ 5,80 – **33 ch** 37,50/48,80.
◆ Ce bâtiment récent situé dans une zone commerciale dispose de chambres fonctionnelles, parfois agrémentées d'un mobilier de style. Petit-déjeuner sous forme de buffet.

**Jean-Marc Chandouineau** avec ch, 10 av. Gare ✆ 02 99 71 02 04, *Fax 02 99 71 08 81* – TV P. AE ⓓ GB Y
*fermé 28 avril au 4 mai, 18 au 24 août , 2 au 11 janv. , dim. soir, lundi midi et sam.* – **Repas** 22/56 et carte 38 à 64 ♀, enf. 13 – ☕ 10 – **7 ch** 61/76 – ½ P 70.
◆ Meubles de style, boiseries et cheminée en pierre côté cadre, plats traditionnels escortés de spécialités régionales côté cuisine. Chambres soignées.

**Bogue,** 3 r. des Etats ✆ 02 99 71 12 95, *Fax 02 99 71 12 95* – AE GB Y
*fermé 25 août au 3 sept., 7 au 15 fév., jeudi de nov. à mars, mardi de mars à nov. et dim. soir* – **Repas** 16/46 ♀.
◆ Face aux halles, cette maison des 16ᵉ et 17ᵉ s. abrita un temps les réunions des États de Bretagne. Chaleureux intérieur rustique ; cuisine traditionnelle et de la mer.

**rte de La Gacilly** *par ① et D 873 : 3 km – ✉ 35600 Redon :*

**Moulin de Via,** ✆ 02 99 71 05 16, *Fax 02 99 71 08 36,* 🏞, 🌳 – P. GB
*fermé 17 au 21 mars, 5 au 21 janv., mardi soir, dim. soir et lundi* – **Repas** 20/37 ♀, enf. 13.
◆ Mobilier champêtre, poutres et cheminée participent au charme campagnard de cet ancien moulin à eau blotti dans la verdure. Terrasse ombragée grande ouverte sur le jardin.

*Nos guides hôteliers, nos guides touristiques et nos cartes routières sont complémentaires. Utilisez-les ensemble.*

---

**REICHSTETT** *67 B.-Rhin* 315 K5 – *rattaché à Strasbourg.*

---

**REILHAC** *43 H.-Loire* 331 C3 – *rattaché à Langeac.*

---

**REIMS** SP *51100 Marne* 306 G7 *G. Champagne – 180 620 h Aggl. 215 581 h alt. 85.*
**Voir** *Cathédrale Notre-Dame★★★ – Basilique St-Remi★★ : intérieur★★★ – Palais du Tau★* **BY V** – *Caves de Champagne★★* **BCX, CZ** – *Place Royale★ – Porte Mars★ – Hôtel de la Salle★* **BY R** – *Chapelle Foujita★ – Bibliothèque★ de l'ancien Collège des Jésuites* **BZ C** – *Musée St-Rémi★★* **CZ M**⁴ – *Musée-hôtel Le Vergeur★* **BX M**³ – *Musée des Beaux-Arts★* **BY M**².
**Env.** *Fort de la Pompelle (casques allemands★) 9 km par ③.*
✈ *Reims-Champagne ✆ 03 26 07 15 15, par ⑩ : 6 km.*
ℹ *Office du Tourisme, 2 rue Guillaume de Machault ✆ 03 26 77 45 25, Fax 03 26 77 45 2... VisitReims@netvia.com.*
*Paris 151 ⑦ – Bruxelles 217 ⑩ – Châlons-en-Champagne 49 ④ – Lille 208 ⑨.*

Plans pages suivantes

**Boyer "Les Crayères"** M 🐕, 64 bd Vasnier ✆ 03 26 82 80 80, *crayeres@relaischateaux.com, Fax 03 26 82 65 52,* ≤, 🏞, 🎾, 🌳 – 🛗 ▤ TV ✆ P. AE ⓓ GB JCB CZ
✿✿✿
*fermé 22 déc. au 13 janv.* – **Repas** *(fermé lundi et mardi)* (nombre de couverts limité, prévenir) 80 bc/210 bc et carte 110 à 135 – ☕ 24 – **16 ch** 255/440, 3 appart.
◆ Ravissante demeure patricienne voisine des "crayères" gallo-romaines des prestigieuses maisons de champagne. Jardin à l'anglaise, intérieur raffiné et grande cuisine classique.
**Spéc.** Beignets de homard façon "accras". Filet de bar "demi-sel" cuit au four, jus iodé, beurre au poivre et zestes d'orange. Pigeonneau aux deux cuissons, sauce au banyuls. **Vins** Champagne.

**Grand Hôtel des Templiers** 🐕 sans rest, 22 r. Templiers ✆ 03 26 88 55 08, *hotel.templiers@wanadoo.fr, Fax 03 26 47 80 60,* 🏊 – 🛗 ▤ TV ♿ P. AE ⓓ GB BX
☕ 20 – **18 ch** 160/250.
◆ Luxe et raffinement sont au rendez-vous dans cette belle demeure du 19ᵉ s. : mobilier de style, opulence des tissus, salon-bar bourgeois et chambres feutrées.

**Assiette Champenoise** (Lallement) M 🐕, à Tinqueux, 40 av. Paul Vaillant-Couturier ✉ 51430 ✆ 03 26 84 64 64, *assiette.champenoise@wanadoo.fr, Fax 03 26 04 15 69,* 🏊, – 🛗, ▤ rest, TV ✆ ♿ P – 🎭 25. AE ⓓ GB JCB. ✂ rest V
✿
**Repas** *(fermé merc. midi et mardi de nov. à mars)* 51/81 bc et carte 69 à 90 – ☕ 13 – **55 ch** 118/237 – ½ P 133/192.
◆ Dans un parc fleuri, élégante maison de maître prolongée d'une aile récente abritant de plaisantes chambres rénovées. Cuisine classique personnalisée. Accueil chaleureux.
**Spéc.** Langoustines rôties à l'huile de Toscane. Turbot rôti à la broche. Côte de veau fermier... **Vins** Champagne, Bouzy

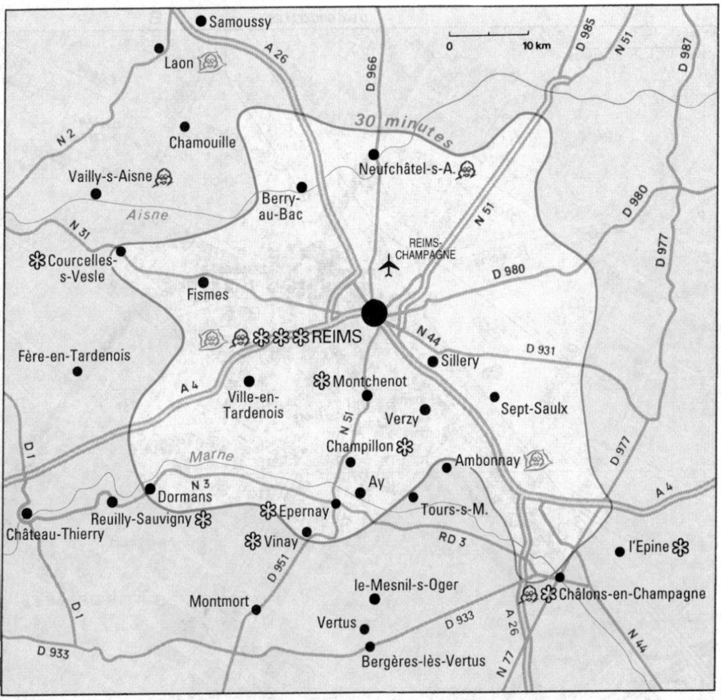
Samoussy
Laon
A 26
D 966
0
10 km
D 985
N 51
D 987
N 2
Chamouille
30 minutes
Vailly-s-Aisne
Neufchâtel-s-A.
Berry-au-Bac
Aisne
N 51
D 980
N 31
REIMS-CHAMPAGNE
D 977
Courcelles-s-Vesle
D 980
Fismes
REIMS
N 44
D 931
Fère-en-Tardenois
Sillery
A 4
Montchenot
Ville-en-Tardenois
Sept-Saulx
N 51
Verzy
D 1
Marne
Champillon
Ambonnay
D 977
N 3
Ay
A 4
Dormans
Tours-s-M.
Reuilly-Sauvigny
Epernay
Château-Thierry
Vinay
RD 3
l'Epine
D 951
le-Mesnil-s-Oger
Montmort
Châlons-en-Champagne
D 1
Vertus
D 933
A 26
N 44
D 933
Bergères-lès-Vertus
N 77

**Mercure-Cathédrale** Ⓜ, 31 bd P. Doumer ✆ 03 26 84 49 49, *h1248@accor-hotels.com, Fax 03 26 84 49 84* – |♦| ⇆ ▤ TV ✆ ⇔ – 🏃 15 à 80. AE ⓓ GB JCB AY v
**Repas** *(fermé sam. midi, dim. midi et les midis du 15 juil. au 25 août)* carte 26 à 34 ♁, enf. 8 – ☕ 10 – **126 ch** 92/129.
◆ Grand bâtiment posté au bord du boulevard longeant le canal. Hall décoré à la gloire du champagne. Chambres spacieuses, bien équipées et insonorisées.

**Paix** Ⓜ, 9 r. Buirette ✆ 03 26 40 04 08, *reservation@hotel-lapaix.fr, Fax 03 26 47 75 04,* ☂, ⛱, ⛱ – |♦| ⇆ ▤ TV ✆ ⇔ – 🏃 60. AE ⓓ GB JCB AY q
**Repas** ✆ 03 26 47 00 45 carte 20 à 30 ♁, enf. 8,50 – ☕ 10 – **99 ch** 75/110.
◆ Hôtel proposant des chambres agréablement meublées dans des tons de bois clairs et mises à l'abri de l'animation citadine par un double vitrage. Cuisine de brasserie.

**Holiday Inn Garden Court** Ⓜ, 46 r. Buirette ✆ 03 26 78 99 99, *higcreims@alliance-hospitality.com, Fax 03 26 78 99 90,* ☂ – |♦| ⇆ ▤ TV ♿ ⇔ – 🏃 30. AE ⓓ GB JCB AY f
**Repas** *(fermé sam. midi, lundi midi et dim.)* (13) - 15 ♁, enf. 7 – ☕ 10 – **82 ch** 95.
◆ Situation pratique entre le centre des congrès et la pétillante place Drouet-d'Erlon. Chambres actuelles et bien isolées. Un ascenseur vitré mène au restaurant panoramique.

**Univers,** 41 bd Foch ✆ 03 26 88 68 08, *hotel-univers@ebc.net, Fax 03 26 40 95 61* – |♦|, ▤ rest, TV ✆ – 🏃 100. AE ⓓ GB JCB AX a
**Repas** *(fermé dim. soir)* 15/30 ♀, enf. 8,50 – ☕ 9,30 – **42 ch** 62/77.
◆ Bordant un boulevard planté de beaux arbres, établissement au cadre d'inspiration Art déco. Chambres confortables équipées du double vitrage. Salon-bar "cosy".

**Continental** sans rest, 93 pl. Drouet-d'Erlon ✆ 03 26 40 39 35, *grand-hotel-continental@wanadoo.fr, Fax 03 26 47 51 12* – |♦| TV ✆. AE ⓓ GB JCB AXY r
*fermé 19 déc. au 5 janv.* – ☕ 10 – **50 ch** 55/104.
◆ Belle façade de la fin du 19e s. abritant un plaisant salon bourgeois sous un haut plafond mouluré et des chambres de divers styles, desservies par un magnifique escalier.

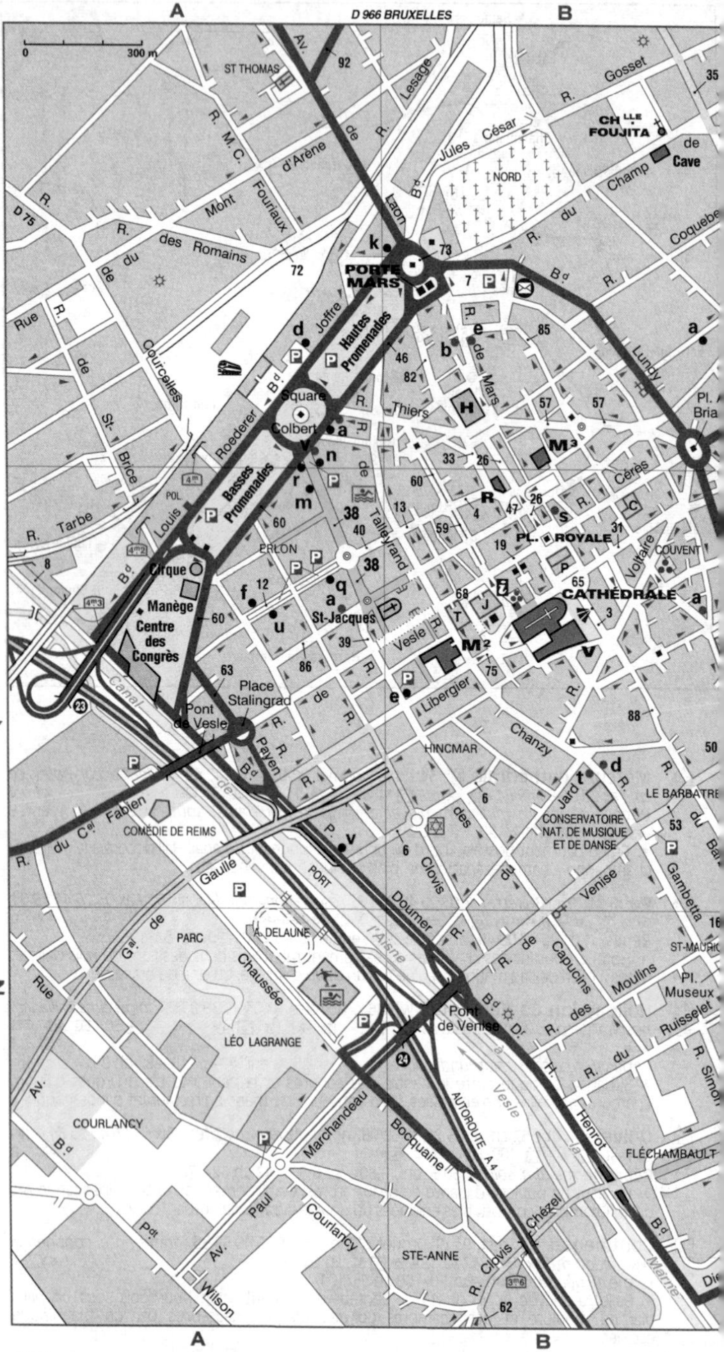
A
D 966 BRUXELLES
B
0
300 m
ST THOMAS
Av.
92
R. Lesage
R. M. C.
R. Gosset
35
CHLLE FOUJITA
Jules César
Bd
R. de Laon
d'Arène
NORD
R. du Champ de Cave
R. Mont
Fouriaux
D 75
R. des Romains
X
R. de Coquebert
PORTE MARS
73
7
72
Bd R. Lundy
R. de Courcelles
Rue de
R. de Mars
85
St-Brice
Joffre
Hautes Promenades
46
82
Bd Roederer
Square Colbert
R. Thiers
57
Pl. Bria
H
M3
Basses Promenades
Tarbe
POL.
R. Louis
60
38
40
R. de Talleyrand
13
33
26
Cérès
R.
ERLON
59
4
47
31
PL. ROYALE
19
COUVENT
8
Bd
Cirque
Manège
Centre des Congrès
12
St-Jacques
CATHÉDRALE
65
68
3
39
Vesle
M2
75
60
63
86
Place Stalingrad
Pont de Vesle
Canal
R. de Payen
R. Libergier
Chanzy
88
Y
HINCMAR
50
Bd
R.
LE BARBATRE
Jard
6
CONSERVATOIRE NAT. DE MUSIQUE ET DE DANSE
du Cel Fabien
COMÉDIE DE REIMS
53
P.
R.
Gaulle
PORT
R. des Clovis
R. du Venise
Gambetta
16
R. de Capucins
Doumer
Gal de
PARC
A. DELAUNE
l'Aisne
ST-MAURICE
Chaussée
R. des Moulins
Pl. Museux
Z
Rue
Pont de Venise
Bd Dr H. Henrot
Ruisselet
R. du
LÉO LAGRANGE
24
Vesle
R. Simon
AUTOROUTE A4
Marchandeau
Bocquaine
COURLANCY
Av.
Bd
FLÉCHAMBAULT
Paul
Courlancy
Pdt
Av.
Wilson
STE-ANNE
R. Clovis Chézel
62
Marne
A
B

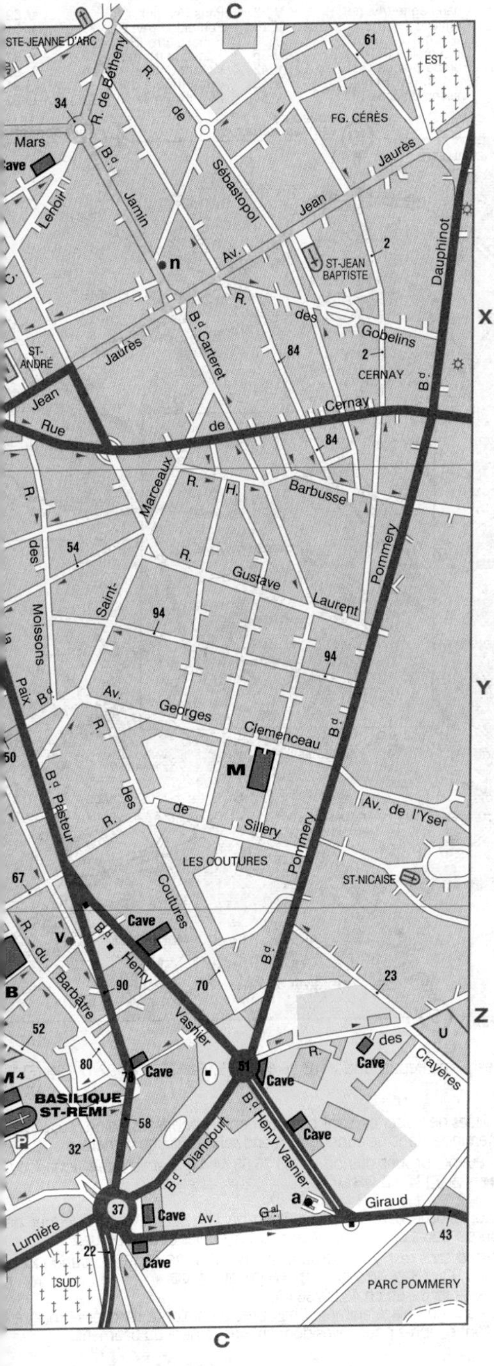

C
STE-JEANNE D'ARC
R. de Bétheny
R. de Sébastopol
61
EST
FG. CÉRÈS
34
Mars
Cave
Bd Jamin
Lenoir
Jean Jaurès
Av. Jean Jaurès
n
2
ST-JEAN BAPTISTE
Dauphinot
X
R. des Gobelins
Bd Carteret
84
2
CERNAY
ST-ANDRÉ
Jaurès
Jean
Rue de Cernay
84
Bd
Marceaux
R. H. Barbusse
R. des Moissons
54
R. Gustave Laurent
Pommery
Saint-
94
94
Y
Paix
Bd
Av. Georges Clemenceau
Bd
50
M
Bd Pasteur
R. des
Av. de l'Yser
R. de Sillery
Pommery
LES COUTURES
Coutures
ST-NICAISE
67
R. du Barbâtre
V
Cave
Bd Henry
Bd
90
70
23
Vasnier
Z
B
52
80
R. des Crayères
U
Cave
76
Cave
51
Cave
BASILIQUE ST-REMI
Bd Henry Vasnier
Cave
58
Bd Diancourt
32
a
Giraud
37
Cave
Av. Gal
43
Lumière
22
Cave
SUD
PARC POMMERY
C


# REIMS

| | | |
|---|---|---|
| Alsace-Lorraine (R. d') | **CX** | 2 |
| Anatole-France (Cours) | **BY** | 3 |
| Arbalète (R. de l') | **BY** | 4 |
| Boulard (R.) | **BY** | 6 |
| Boulingrin (Pl. du) | **BX** | 7 |
| Brébant (Av.) | **AY** | 8 |
| Buirette (R.) | **AY** | 12 |
| Cadran St-Pierre (R.) | **BY** | 13 |
| Carmes (R. des) | **BZ** | 16 |
| Carnégie (Pl.) | **BY** | 17 |
| Carnot (R.) | **BY** | 19 |
| Champagne (Av. de) | **CZ** | 22 |
| Chemin Vert (R. du) | **CZ** | 23 |
| Colbert (R.) | **BXY** | 26 |
| Desteuque (R. E.) | **BY** | 31 |
| Dieu-Lumière (R.) | **CZ** | 32 |
| Dr-Jacquin (R.) | **BXY** | 33 |
| Dr-Knoéri (Pl. du) | **CX** | 34 |
| Dr-Lemoine (R.) | **BX** | 35 |
| Droits-de-l'Homme (Pl. des) | **CZ** | 37 |
| Drouet d'Erlon (Pl.) | **AY** | 38 |
| Dubois (R. Th.) | **AY** | 39 |
| Étape (R. de l') | **AY** | 40 |
| Farman (Av. H.) | **CZ** | 43 |
| Foch (Bd) | **ABX** | 46 |
| Forum (Pl.) | **BY** | 47 |
| Gerbert (R.) | **BCY** | 50 |
| Gouraud (Pl. Gén.) | **CZ** | 51 |
| Grand-Cerf (R. du) | **CZ** | 52 |
| Herduin (R. Lt) | **BY** | 53 |
| Houzeau Muiron (R.) | **CY** | 54 |
| Jamot (R. Paul) | **BY** | 56 |
| J.-J.-Rousseau (R.) | **BX** | 57 |
| Jean-Jaurès (Av.) | **BCX** | |
| Lambert (Bd Victor) | **CZ** | 58 |
| Langlet (Crs J.-B.) | **BY** | 59 |
| Laon (Av. de) | **ABX** | |
| Leclerc (Bd Général) | **AY** | 60 |
| Lefèbvre (R. E.) | **CX** | 61 |
| Louvois (R. de) | **BZ** | 62 |
| Magdeleine (R.) | **AY** | 63 |
| Martyrs-de-la-Résistance (Pl. des) | **BY** | 65 |
| Montlaurent (R.) | **CY** | 67 |
| Myron-Herrick (Pl.) | **BY** | 68 |
| Philipe (R. Gérard) | **CZ** | 70 |
| Prés.-F.-Roosevelt (R.) | **AX** | 72 |
| République (Pl. de la) | **BX** | 73 |
| Rockefeller (R.) | **BY** | 75 |
| St-Nicaise (Pl.) | **CZ** | 78 |
| Salines (R. des) | **CZ** | 80 |
| Sarrail (R. Gén.) | **BX** | 82 |
| Strasbourg (R. de) | **CX** | 84 |
| Talleyrand (R. de) | **ABY** | |
| Temple (R. du) | **BX** | 85 |
| Thillois (R. de) | **AY** | 86 |
| Université (R. de l') | **BY** | 88 |
| Vesle (R. de) | **ABY** | |
| Victor-Hugo (Bd) | **CZ** | 90 |
| Zola (R. Émile) | **AX** | 92 |
| 16e-et-22e-Dragons (R. des) | **CY** | 94 |

## REIMS



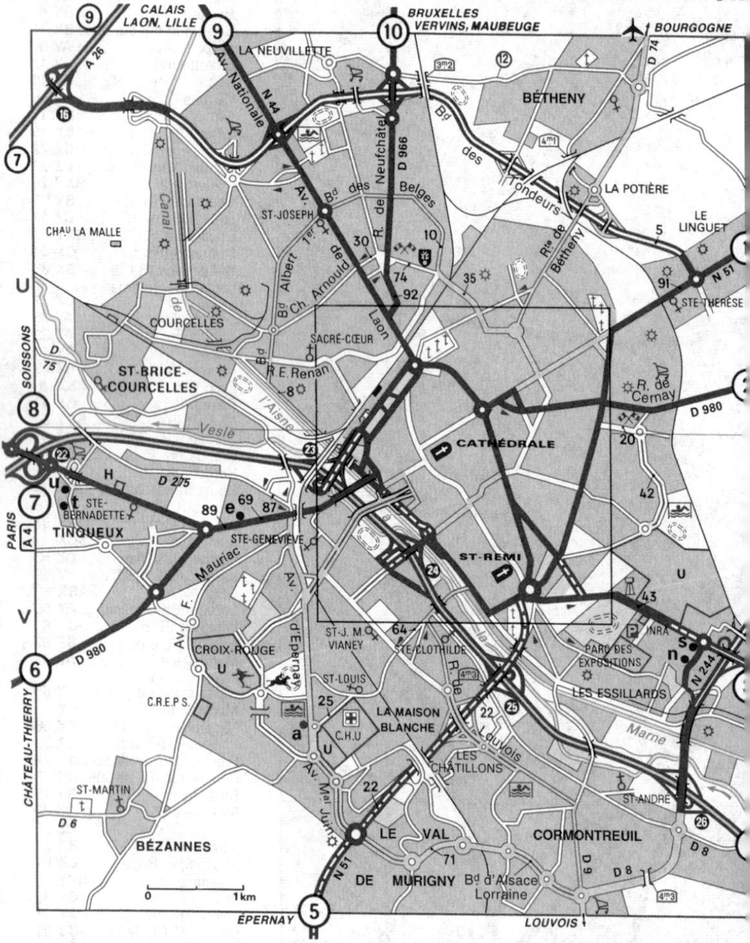

CALAIS
LAON, LILLE
BRUXELLES
VERVINS, MAUBEUGE
BOURGOGNE
A 26
LA NEUVILLETTE
Av. Nationale
N 44
D 966
R. de Neufchâtel
Bd des Belges
Bd des Tondeurs
BÉTHENY
LA POTIÈRE
LE LINGUET
N 51
STE-THÉRÈSE
ST-JOSEPH
CHAU LA MALLE
Canal
Bd Albert 1er
Bd Ch. Arnould
Av. de Laon
Rte de Bétheny
COURCELLES
SACRÉ-CŒUR
R. E. Renan
ST-BRICE-COURCELLES
SOISSONS
D 75
l'Aisne
Vesle
R. de Cernay
D 980
CATHÉDRALE
D 275
STE-BERNADETTE
TINQUEUX
STE-GENEVIÈVE
PARIS
A 4
Av. F. Mauriac
ST-REMI
INRA
PARC DES EXPOSITIONS
LES ESSILLARDS
N 244
Marne
CROIX-ROUGE
Av. d'Épernay
ST-J. M. VIANEY
STE-CLOTILDE
ST-LOUIS
C.R.E.P.S.
C.H.U
LA MAISON BLANCHE
R. de Louvois
LES CHÂTILLONS
ST-ANDRÉ
CHÂTEAU-THIERRY
ST-MARTIN
D 6
Av. Mal Juin
BÉZANNES
LE VAL DE MURIGNY
CORMONTREUIL
Bd d'Alsace Lorraine
D 9
D 8
0
1 km
ÉPERNAY
LOUVOIS
U
V


**Porte Mars** sans rest, 2 pl. République ✆ 03 26 40 28 35, *Fax 03 26 88 92 12* – AE GB
AX
9 – **24 ch** 64/104.
◆ Les chambres, habillées de boiseries, sont parfaitement insonorisées. Salon "cosy" où le feu crépite dans la cheminée. Petit-déjeuner gourmand servi sous une verrière.

**Crystal** sans rest, 86 pl. Drouet-d'Erlon ✆ 03 26 88 44 44, *hotelcrystal@wanadoo.f* *Fax 03 26 47 49 28*, – AE GB JCB
AXY
7 – **31 ch** 49/67.
◆ Sympathique maison blottie dans un jardin fleuri où l'on sert le petit-déjeuner dès l'arrivée des beaux jours. Petites chambres récemment rajeunies et bien tenues.

**Grand Hôtel du Nord** sans rest, 75 pl. Drouet-d'Erlon ✆ 03 26 47 39 03, *grandhotelc nord-reims@wanadoo.fr, Fax 03 26 40 92 26* – AE GB
AY
*fermé vacances de Noël* – 6 – **50 ch** 46,50/56,40.
◆ Fière façade érigée sur une place animée. Chambres en majorité rénovées ; malgré situation en zone piétonne, optez pour celles donnant sur l'arrière du bâtiment.

**Ibis Centre** sans rest, 28 bd Joffre ✆ 03 26 40 03 24, *Fax 03 26 88 33 19* – AE GB AX d
6 – **92 ch** 58/74.
◆ Adresse pratique à la sortie de la gare et à deux pas du centre-ville. Les chambres sont petites, meublées simplement, mais bien insonorisées et régulièrement entretenues.

**Cathédrale** sans rest, 20 r. Libergier ✆ 03 26 47 28 46, *Fax 03 26 88 65 81* – AE GB JCB BY e
6,50 – **17 ch** 48/60.
◆ Immeuble d'angle abritant des chambres de dimensions modestes, mais confortables. Tenue sans défaut. Au bout de la rue apparaît, majestueuse, la cathédrale Notre-Dame.

**Foch** (Louazé), 37 bd Foch ✆ 03 26 47 48 22, *Fax 03 26 88 78 22* – AE GB JCB AX a
*fermé 27 juil. au 18 août, vacances de fév., sam. midi, dim. soir et lundi* – **Repas** 29/61 et carte 45 à 70.
◆ Le restaurant borde les Promenades, ces cours ombragés dessinés au 18e s. Chaleureuse salle à manger habillée de boiseries et salon intime. Cuisine au goût du jour.
**Spéc.** Charlotte de foie gras aux champignons des bois. Tajine de rouget au chorizo. Poitrine de canette aux figues.

**Millénaire,** 4 r. Bertin ✆ 03 26 08 26 62, *lemillenaire2@wanadoo.fr, Fax 03 26 84 24 13,* – AE GB BY s
*fermé sam. midi et dim. sauf fériés* – **Repas** 24/63 et carte 53 à 80.
◆ Cadre contemporain, expositions de tableaux et mezzanine aménagée en salons caractérisent ce restaurant voisin de la place Royale. On y sert une cuisine dans l'air du temps.

**Chardonnay,** 184 av. Épernay ✆ 03 26 06 08 60, *Fax 03 26 05 81 56* – AE GB JCB V a
*fermé 29 juil. au 15 août, sam. midi et dim. soir* – **Repas** 25/64 et carte 38 à 67 ♀.
◆ Maison traditionnelle bordant un axe fréquenté dans un quartier excentré. La salle à manger dispose d'un décor bourgeois un brin suranné. Cuisine classique.

**Vigneraie,** 14 r. Thillois ✆ 03 26 88 67 27, *Fax 03 26 40 26 67* – AE GB AY a
*fermé 4 au 25 août, 23 fév. au 8 mars, merc. midi, dim. soir et lundi* – **Repas** (nombre de couverts limité, prévenir) 15 (déj.), 22/47,50.
◆ Restaurant dont la façade vitrée dissimule une coquette salle à manger de style contemporain aux murs ensoleillés. On y savoure une cuisine classique. Belle carte des vins.

**Au Petit Comptoir,** 17 r. Mars ✆ 03 26 40 58 58, *aupetitcomptoir@wanadoo.fr, Fax 03 26 47 26 19,* – AE GB BX b
*fermé 2 au 18 août, 24 déc. au 5 janv., 1er au 8 mars, sam. midi, lundi midi et dim.* – **Repas** (20) - 26/39 bc ♀.
◆ Sobre intérieur actuel pour ce restaurant rémois décoré sur le thème du champagne. Généreuse cuisine de bistrot mise au goût du jour et plats à la broche.

**Flo,** 96 pl. Drouet d'Erlon ✆ 03 26 91 40 50, *jost@groupeflo.fr, Fax 03 26 91 40 54,* – AE GB JCB AX v
**Repas** 28 bc.
◆ Grande maison ancienne, ex-cercle militaire, et sa terrasse en rotonde prise d'assaut aux beaux jours. Joli cadre d'inspiration Art déco et nombreux havres d'intimité.

**Continental,** 95 pl. Drouet d'Erlon ✆ 03 26 47 01 47, *lecontinental-restaurant@wanadoo.fr, Fax 03 26 40 95 60,* – AE GB AXY r
**Repas** (16) - 19/47 ♀.
◆ Bordant une longue place piétonne, ce restaurant aux salles à manger habillées de boiseries est une institution de la "cité des sacres". Cuisine traditionnelle.

**Vigneron,** pl. P. Jamot ✆ 03 26 79 86 86, *info@restaurant-levigneron.com, Fax 03 26 79 86 87,* – AE GB BY a
*fermé 5 au 19 août, 21 déc. au 3 janv., sam. midi et dim.* – **Repas** (nombre de couverts limité, prévenir) 35 bc/45 ♀.
◆ Décor d'inspiration rustique où belle collection d'affiches de 1850 à 1950 et petit musée dédié à la vigne rendent hommage au champagne. Cuisine du terroir.

**Vonelly-Gambetta,** 13 r. Gambetta ✆ 03 26 47 22 00, *ericarnaud@wanadoo.fr, Fax 03 26 47 22 43,* – AE GB BY d
*fermé 28 juil. au 5 août, dim. soir et lundi* – **Repas** 17/45 ♀.
◆ Confortable salle à manger aménagée dans le goût des années 1970 : grands miroirs et petits panneaux de bois ajourés. Terrasse d'été située à l'arrière de la bâtisse.

**Brasserie Le Boulingrin,** 48 r. Mars ✆ 03 26 40 96 22, *boulingrin@wanadoo.fr*, *Fax 03 26 40 03 92*, – . AE GB BX
*fermé dim.* – **Repas** 16/23 ♀.
◆ Cette brasserie de 1925 a préservé son plaisant cadre Art déco, notamment ses jolies fresques bachiques. C'est l'un des lieux de rendez-vous des Rémois.

**Jamin,** 18 bd Jamin ✆ 03 26 07 37 30, *eurl-jamin@wanadoo.fr*, *Fax 03 26 02 09 64* – GB CX
*fermé 16 au 31 août, 19 au 26 janv., dim. soir et lundi* – **Repas** (12 bc) - 18 bc/27,50, enf. 8,20
◆ Petit restaurant de quartier où vous prendrez vos repas dans un sage décor actuel. Les suggestions du jour sont indiquées sur l'ardoise ; cuisine traditionnelle.

**Les Charmes,** 11 r. Brûlart ✆ 03 26 85 37 63, *lescharmes@netcourrier.com*, *Fax 03 26 36 21 00* – AE GB CZ
*fermé 21 au 27 avril, 21 juil. au 3 août, sam. midi, dim. et fériés* – **Repas** 14,50 (déj.)/30,50 ♀, enf. 8,40.
◆ Proche des grandes caves de champagne et de la basilique St-Remi, sympathique salle de restaurant familiale agrémentée de peintures sur bois. Bon choix de whiskies.

**Table Anna,** 6 r. Gambetta ✆ 03 26 89 12 12, *latableanna@wanadoo.fr*, *Fax 03 26 89 12 12* – . AE GB BY
*fermé 20 juil. au 15 août, 23 déc. au 3 janv., dim. soir et lundi* – **Repas** 12 (déj.), 19/32 ♀.
◆ Le "chef-artiste-étalagiste" est l'auteur de certains tableaux accrochés aux murs et compose lui-même ses vitrines. Confort simple et atmosphère familiale. Menus attrayants.

**rte de Châlons-en-Champagne** *vers ③ : 3 km – ✉ 51100 Reims :*

**Mercure Parc des Expositions** M, ✆ 03 26 05 00 08, *h0363@accor-hotels.com*, *Fax 03 26 85 64 72*, , – – 25 à 100. AE GB JCB V
**Repas** *(fermé sam. midi et dim. midi du 1er sept au 30 avril)* (16) - 22,80 ♀, enf. 9,20 – 10 – **101 ch** 83/90.
◆ Construction des années 1970 abritant deux types de chambres : "Automne", refaites et dotées d'une literie récente, ou "Azur", fonctionnelles et moins chères.

**Reflets Bleus,** 12 r. G. Voisin ✆ 03 26 82 59 79, *Fax 03 26 82 53 92*, – 25. AE GB V
**Repas** *(fermé vend. soir, sam. midi et dim. soir)* 19,50/28 ♀ – 7 – **41 ch** 46 – ½ P 47.
◆ Plusieurs pavillons, en grande majorité éloignés de la route, proposent de petites chambres en rez-de-jardin ; certaines sont rénovées. Cuisine traditionnelle.

**à Sillery** *par ③ et D 8E : 11 km – 1 520 h. alt. 90 – ✉ 51500 :*

**Relais de Sillery,** ✆ 03 26 49 10 11, *Fax 03 26 49 12 07*, , – GB
*fermé 16 août au 5 sept., vacances de fév., dim. soir, mardi soir et lundi* – **Repas** 18/43 ♀.
◆ La salle à manger dispose d'un sobre cadre contemporain tandis que la plaisante véranda offre la vue sur un coquet jardin longé par une rivière. Appétissants plats classiques.

**à Montchenot** *par ⑤ : 11 km – ✉ 51500 Rilly-la-Montagne :*

**Grand Cerf** (Giraudeau), N 51 ✆ 03 26 97 60 07, *Fax 03 26 97 64 24*, , – . AE GB
*fermé 4 au 25 août, 23 fév. au 8 mars, dim. soir, mardi soir et merc.* – **Repas** 34 (déj.), 52/80 et carte 68 à 95 ♀.
◆ L'auberge, située au pied de la Montagne de Reims, héberge deux élégantes salles habillées de boiseries, dont une en véranda ouverte sur le jardin. Belle cuisine classique.
**Spéc.** Homard "melon" (avril à sept.) ou homard "poire" (oct. à mars). Saint-Pierre rôti aux deux céleris. Canard de Challans rôti sur l'os à la pistache. **Vins** Ludes, Cumières.

**par ⑦**, *autoroute A 4 sortie Tinqueux : 6 km – ✉ 51430 Tinqueux :*

**Novotel** M, ✆ 03 26 08 11 61, *h0428@accor-hotels.com*, *Fax 03 26 08 72 05*, , – 30 à 150. AE GB V
**Repas** (17,60) - 21,90 ♀, enf. 8,50 – 11 – **127 ch** 89/96.
◆ À proximité de l'échangeur autoroutier, long bâtiment disposant de chambres spacieuses, actuelles, insonorisées et égayées de tissus jaune d'or ou bleus.

**Tip Top Hôtel** M sans rest, 1 av. A.FN ✆ 03 26 83 84 85, *hotel.tiptop@wanadoo.fr*, *Fax 03 26 49 58 25* – . GB.
6 – **66 ch** 40/61.
◆ Hôtel flambant neuf proche de l'autoroute. Concept à la fois fonctionnel et chaleureux utilisant des matériaux de qualité pour voyageurs à la recherche d'une étape "tip-top".

**Ibis,** ✆ 03 26 04 60 70, *h0811@accor-hotels.com*, *Fax 03 26 84 24 40* – , ch, . AE GB V
**Repas** 14/17 ♀, enf. 11 – 6 – **75 ch** 54/58.
◆ Adresse avant tout pratique proposant des chambres bien insonorisées et rénovées dans l'esprit "dernière tendance" de la chaîne. À table, grillades et plats régionaux.

**REIPERTSWILLER** *67340 B.-Rhin* 315 I3 *G. Alsace Lorraine – 946 h alt. 230.*

*Paris 453 – Strasbourg 55 – Bitche 19 – Haguenau 33 – Sarreguemines 48 – Saverne 32.*

**Couronne** M, 13 r. Wimmenau ✆ 03 88 89 96 21, *Fax 03 88 89 98 22*, – TV ✆ P – 25. GB

*fermé 12 au 28 nov. et 17 fév. au 6 mars –* **Repas** *(fermé merc. soir de nov. à mars, merc. midi et jeudi en janv., fév., lundi et mardi)* 16 (déj.), 26/45 ♀ – ☕ 10 – **16 ch** 53/57 – 1/2 P 52/56.

♦ Derrière les murs de cette maison assez anodine se cache un intérieur moderne décoré avec soin. Chambres personnalisées et salles à manger ouvertes sur la nature.

**REMIREMONT** *88200 Vosges* 314 H4 *G. Alsace Lorraine – 9 068 h alt. 400.*

Voir *Rue Ch.-de-Gaulle★ – Crypte★ de l'abbatiale St-Pierre.*

ℹ *Office du Tourisme, 2 rue Charles de Gaulle ✆ 03 29 62 23 70, Fax 03 29 23 96 79, tourisme.remiremont@wanadoo.fr.*

*Paris 412 ⑤ – Épinal 27 ⑤ – Belfort 71 ② – Colmar 80 ① – Mulhouse 82 ② – Vesoul 67 ④.*

**REMIREMONT**

Abbaye (Pl. de l') ........ **A** 2
Calvaire (Av. du) ........ **A** 3
Courtine (R. de la) ........ **A**
Écoles (R. des) ........ **A** 5
États-Unis (R. des) ........ **A** 6
Franche-Pierre (R.) ........ **A** 7
Gaulle (R. Ch.-de) ........ **AB**
Prêtres (R. des) ........ **B** 14
Utard (Pl. H.) ........ **A** 15
Xavée (R. de la) ........ **A** 16
5e-et-15e-B.C.P. (R. des) ........ **B** 18

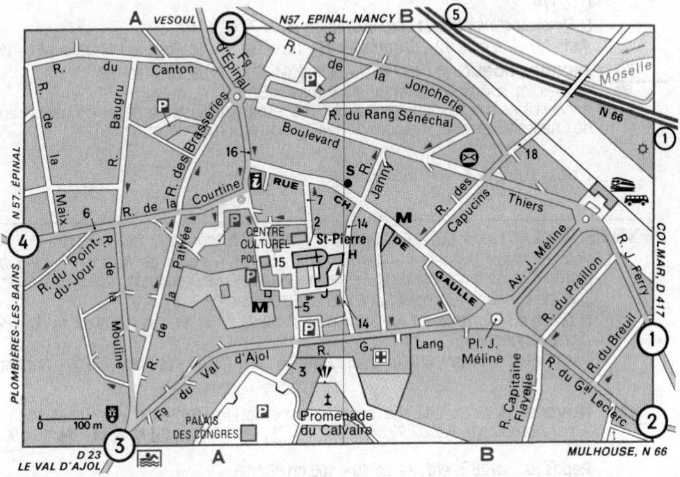
A VESOUL
N57, EPINAL, NANCY B
Moselle
N 66
COLMAR, D 417
MULHOUSE, N 66
LE VAL D'AJOL
D 23
PLOMBIÈRES-LES-BAINS N 57, ÉPINAL
R. de la Joncherie
R. du Rang Sénéchal
Boulevard
Thiers
R. des Capucins
R. Janny
RUE CH. DE GAULLE
Av. J. Méline
R. J. Ferry
R. du Praillon
R. du Breuil
R. du Gal Leclerc
R. Capitaine Flayelle
Pl. J. Méline
Lang
R. d'Ajol
R. du Val
Fg du Val
PALAIS DES CONGRES
Promenade du Calvaire
CENTRE CULTUREL
St-Pierre
R. de la Courtine
R. des Brasseries
Fg d'Épinal
R. du Canton
R. de la Maix
R. Baugru
R. du Point-du-Jour
R. de la Pallée
R. de la Mouline
100 m

**Cheval de Bronze** sans rest, 59 r. Ch. de Gaulle ✆ 03 29 62 52 24, *hotel-du-cheval-de-bronze@wanadoo.fr, Fax 03 29 62 34 90* – TV. AE GB B s

*fermé nov. –* ☕ 6 – **35 ch** 27/55.

♦ Hôtel aménagé dans un ancien relais de poste installé sous les pittoresques arcades du centre-ville. Chambres modestes mais bien tenues ; certaines ont été rafraîchies.

**Clos Heurtebise,** 13 chemin des Capucins par r. Capit. Flayelle **B** ✆ 03 29 62 08 04, *Fax 03 29 62 38 80*, – P. GB.

*fermé 14 au 27 janv., dim. soir, lundi et mardi –* **Repas** 16,50/42,50 ♀.

♦ Aux portes de la cité des chanoinesses, restaurant au cadre rustique, devancé d'une terrasse tournée vers la forêt. Préparations de poissons de mer.

**à St-Étienne-lès-Remiremont** *par ① : 2 km – 4 085 h. alt. 400 – ✉ 88200 :*

**Chalet Blanc** M avec ch, 34 r. Pêcheurs (face centre commercial) ✆ 03 29 26 11 80, *lechaletblanc@hotmail.com, Fax 03 29 26 11 81*, – TV ✆ ♿ P – 30. GB.

*fermé 1er au 20 août et vacances de fév. –* **Repas** *(fermé sam. midi, dim. soir et lundi)* 19/57 ♀ – ☕ 6,50 – **7 ch** 47/68 – 1/2 P 55/59.

♦ Accueil chaleureux, agréable salle lambrissée et cuisine au goût du jour : cette villa située dans une zone commerciale mérite le détour. Chambres modernes d'esprit colonial.

*Michelin n'accroche pas de panonceau aux hôtels et restaurants qu'il signale.*

**REMOULINS** *30210 Gard* 339 M5 *G. Provence – 1 771 h alt. 27.*

*Office du Tourisme, place des Grands Jours ✆ 04 66 37 22 34, Fax 04 66 37 22 34.*

*Paris 689 – Avignon 23 – Alès 51 – Arles 37 – Nîmes 23 – Orange 34 – Pont-St-Esprit 40.*

**Moderne,** 8 av. Geoffroy-Perret ✆ 04 66 37 20 13, *Fax 04 66 37 01 85* – AE GB.

**Repas** *(fermé vend. soir et sam. hors saison)* 12,50 (déj.), 16/19 – 6,70 – **22 ch** 43,50/49,50 – ½ P 43,50.

◆ Au centre de la bourgade (jetez un coup d'oeil au clocher à peigne de l'église), petit hôtel familial proposant des chambres nettes. Chaleureuse salle de restaurant.

**à St-Hilaire-d'Ozilhan** *Nord-Est : 4,5 km par D792 – 618 h. alt. 55 – ✉ 30210 :*

**L'Arceau**, ✆ 04 66 37 34 45, *patricia.brunel@wanadoo.fr, Fax 04 66 37 33 90,* – AE GB

*fermé 20 nov. au 15 fév., dim. soir, mardi midi et lundi du 1er oct. à Pâques* – **Repas** 19,10/50,30 – 7 – **24 ch** 53,40/58 – ½ P 50.

◆ Demeure du 18e s. à belle façade en pierre dans un village entouré par la garrigue. Chambres simples - murs crépis, sol dallé et mobilier standard - assez grandes et bien tenues.

**RENAISON** *42370 Loire* 327 C3 *G. Vallée du Rhône – 2 563 h alt. 387.*

**Voir** *Bourg★ de St-Haon-le-Châtel N : 2 km – Barrage de la Tache : rocher-belvédère★ O : 5 km.*

*Syndicat d'Initiative, la Côte Roannaise ✆ 04 77 62 17 07.*

*Paris 387 – Roanne 12 – Chauffailles 43 – Lapalisse 39 – St-Étienne 91 – Thiers 61 – Vichy 56.*

**Jacques Coeur,** ✆ 04 77 64 25 34, *Fax 04 77 64 43 88,* – AE GB

*fermé dim. soir, jeudi soir et lundi* – **Repas** 15/50 ♀.

◆ "À vaillans coeurs, riens impossible" : ce restaurant illustre la devise du célèbre argentier de Charles VII avec ses fresques de 1946 et son étonnant décor design.

*Utilisez le guide de l'année.*

**RENNES** P *35000 I.-et-V.* 309 L6 *G. Bretagne – 197 536 h Agglo. 272 263 h alt. 40.*

**Voir** *Le Vieux Rennes★★ – Jardin du Thabor★★ – Palais de justice★★ – Retable★★ à l'intérieur★ de la cathédrale St-Pierre* **AY** *– Musées : de Bretagne★, des Beaux-Arts★* **BY M.**

*de Rennes-St-Jacques : ✆ 02 99 29 60 00, par ⑦ : 7 km.*

*Office du Tourisme, 11 rue Saint Yves ✆ 02 99 67 11 11, Fax 02 99 67 11 00, infos@tourisme-rennes.com.*

*Paris 349 ③ – Angers 128 ④ – Brest 246 ⑨ – Caen 183 ② – Le Mans 155 ③ – Nantes 109 ⑥.*

Plans pages suivantes

**Novotel** M, av. Canada, près centre commercial Alma ✉ 35200 ✆ 02 99 86 14 14, *H0430-accor-hotels.com, Fax 02 99 86 14 15,* – – 15 à 90. AE GB — **CV e**

**Repas** *(18)* - 22/26 ♀, enf. 8 – 10 – **100 ch** 90/105.

◆ "Relooké" selon les normes de la toute dernière génération de la chaîne, ce Novotel séduit : espace, mobilier contemporain et cadre chaleureux.

**Mercure Colombier** M, 1 r. Cap. Maignan ✆ 02 99 29 73 73, *h1249@accor-hotels.com, Fax 02 99 29 54 00* – – 15 à 150. AE GB — **ABZ m**

**Repas** carte 18 à 26 ♀, enf. 10 – 11 – **142 ch** 93/160.

◆ Chambres fonctionnelles et décor (hall et restaurant) évoquant les chevaliers de la Table ronde et la forêt de Brocéliande : un - récent - coup de baguette magique ?

**Mercure Pré Botté** M sans rest, r. Paul Louis Courier ✆ 02 99 78 82 20, *h1056@accor-hotels.com, Fax 02 99 78 82 21* – – 20. AE GB — **BZ t**

11 – **104 ch** 93/140.

◆ La décoration intérieure sur le thème de la presse rappelle que cet immeuble hébergeait autrefois l'imprimerie du journal Ouest-France. Les chambres sont grandes et pratiques.

**Lecoq-Gadby,** 156 r. Antrain ✆ 02 99 38 05 55, *lecoq-gadby@wanadoo.fr, Fax 02 99 38 53 40,* – – 150. AE GB JCB — **DU x**

**Repas** *(fermé 11 au 19 août et dim. soir)* 29/65 – 18 – **10 ch** 118/165 – ½ P 113/123.

◆ Imprégnée de l'histoire rennaise, cette vénérable demeure abrite des chambres raffinées et personnalisées. Les dreyfusards firent du restaurant leur "cantine" en 1899.

**Anne de Bretagne** sans rest, 12 r. Tronjolly ✆ 02 99 31 49 49, *hotelannedebretagne@wanadoo.fr, Fax 02 99 30 53 48* – – 20. AE GB JCB — **AZ q**

9 – **43 ch** 76/101.

◆ Construction des années 1970 abritant des chambres bien aménagées, au décor récent ; certaines sont équipées de baignoires à remous. Garage très pratique.

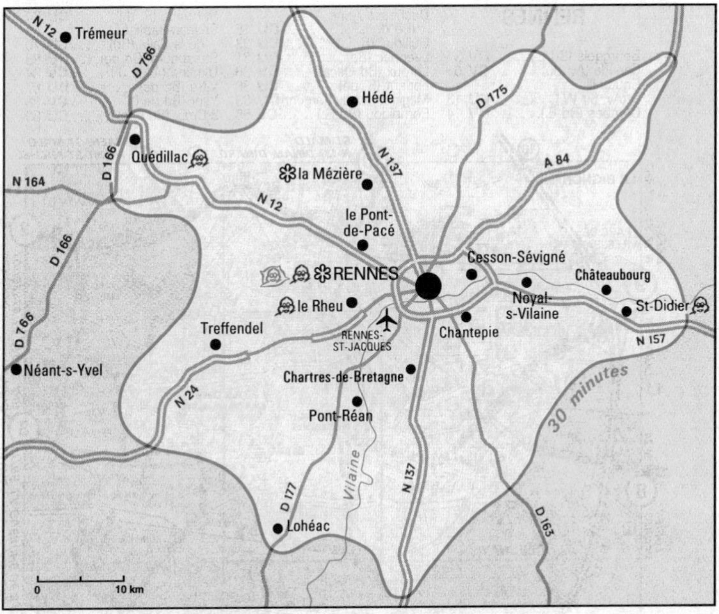

N 12
Trémeur
D 766
Hédé
D 175
Quédillac
D 166
N 164
la Mézière
N 137
A 84
N 12
le Pont-de-Pacé
Cesson-Sévigné
RENNES
Châteaubourg
Noyal-s-Vilaine
le Rheu
St-Didier
Treffendel
RENNES-ST-JACQUES
Chantepie
N 157
D 166
D 766
Néant-s-Yvel
30 minutes
Chartres-de-Bretagne
N 24
Pont-Réan
Vilaine
N 137
D 177
D 163
Lohéac
0
10 km


**Mercure** Ⓜ sans rest, 6 r. Lanjuinais ✆ 02 99 79 12 36, *relaismercure.rennes@libertysurf.fr, Fax 02 99 79 65 76* – AE GB — AY n
10 – **48 ch** 68/88.
◆ Hôtel de conception contemporaine derrière une façade du début du 20e s. Bois blond et chaleureux tissus coordonnés dans les chambres. Salles de bains gaies et modernes.

**Président** sans rest, 27 av. Janvier ✆ 02 99 65 42 22, *hotelpresident@wanadoo.fr, Fax 02 99 65 49 77* – AE GB — BZ n
*fermé 25 juil. au 7 août et 19 déc. au 5 janv.* – 8 – **34 ch** 55/67.
◆ Sur un axe passant, chambres confortables bourgeoisement meublées et bien insonorisées. La salle des petits-déjeuners cultive le mélange des styles.

**Kyriad** Ⓜ sans rest, 6 pl. Gare ✆ 02 99 30 25 80, *Fax 02 99 31 84 88* – AE GB — BZ s
9 – **47 ch** 55/93.
◆ Établissement récent disposant de plusieurs atouts : proximité immédiate de la gare, accueil 24 h sur 24 et chambres à la page agréablement décorées et climatisées.

**Sévigné** sans rest, 47 av. Janvier ✆ 02 99 67 27 55, *hotellesevigne@free.fr, Fax 02 99 30 66 10* – AE GB — BZ a
7 – **44** ch 48/71.
◆ Hôtel entièrement rénové dans un esprit actuel. Les chambres, claires et sobres, sont égayées de tissus choisis. Pimpante salle des petits-déjeuners façon bistrot.

**Astrid** Ⓜ sans rest, 32 av. L. Barthou ✆ 02 99 30 82 38, *hotelastrid@wanadoo.fr, Fax 02 99 31 88 55* – AE GB JCB — BZ u
*fermé 28 déc. au 4 janv.* – 6 – **30 ch** 50,50/60.
◆ Chambres fonctionnelles et fraîches ; certaines possèdent un "espace bureau" adapté à la clientèle d'affaires. Coin petit-déjeuner donnant sur une courette verdoyante.

**Brest** sans rest, 15 pl. Gare ✆ 02 99 30 35 83, *hotel.de.brest@wanadoo.fr, Fax 02 99 30 08 60* – – 15. GB JCB. — BZ e
*fermé 25 déc. au 6 janv.* – 6,95 – **48 ch** 45,70/53,05.
◆ Ce bâtiment ancien perpétue la tradition des hôtels de gare en proposant des chambres aménagées de manière pratique, bien tenues et à prix doux.

**Lanjuinais** sans rest, 11 r. Lanjuinais ✆ 02 99 79 02 03, *Fax 02 99 79 03 97* – AE GB JCB — AZ v
7,50 – **33 ch** 36/56.
◆ Dans une rue plutôt calme, adresse familiale où vous trouverez des chambres bien équipées. Les "singles" sont agréables et gaies : de quoi balayer un éventuel "coup de blues".

# RENNES

Bourgeois (Bd L.) . . . . . **DV** 3
Canada (Av. du) . . . . . . . **CV** 6
Churchill
(Av. Sir W.) . . . . . . . . . **CU** 13
Combes (Bd E.) . . . . . . . **DV** 14
Duchesse Anne
(Bd de la) . . . . . . . . . . **DU** 15
Guilloux (R. L.) . . . . . . . . **CU** 23
Laennec (Bd) . . . . . . . . . **DU** 31
Leroux (Bd Oscar) . . . . **DV** 36
Lorient (R. de) . . . . . . . . **CU** 38
Maginot (Av. du Sergent) **DU** 39
Pompidou (Bd G.) . . . . . **CV** 55
St-Brieuc (R. du) . . . . . . **CU** 64
St-Jean-Baptiste
de la Salle (Bd) . . . . . **CU** 70
Strasbourg (Bd de) . . . . **DU** 83
Ukraine (Allée d') . . . . . **CV** 84
Vitré (Bd de) . . . . . . . . . **DU** 87
Yser (Bd de l') . . . . . . . . **CV** 88
3-Croix (Bd des) . . . . . . **CU** 89

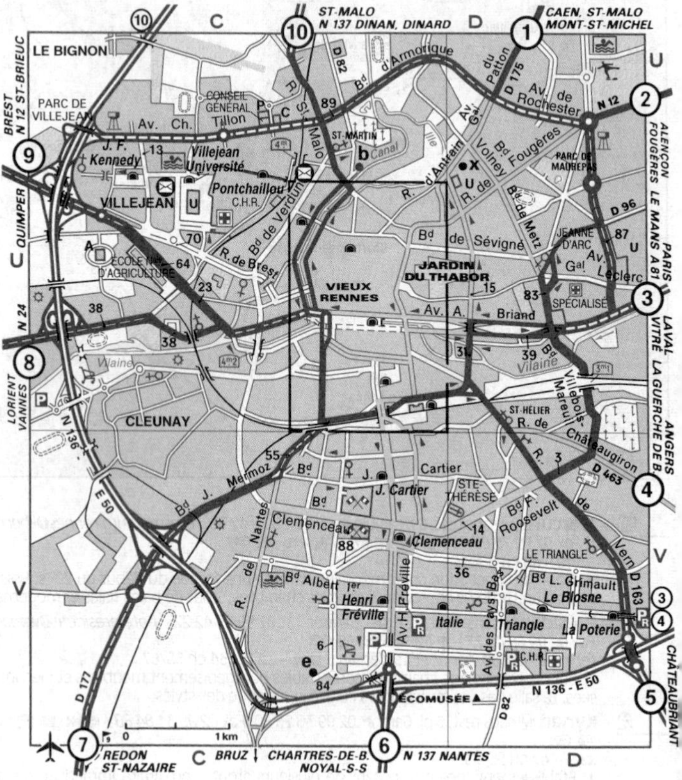

ST-MALO N 137 DINAN, DINARD
CAEN, ST-MALO MONT-ST-MICHEL
BREST N 12 ST-BRIEUC
QUIMPER
LORIENT VANNES
N 24
ALENÇON FOUGÈRES LE MANS A 81 PARIS
LAVAL VITRÉ LA GUERCHE DE B. ANGERS
CHÂTEAUBRIANT
REDON ST-NAZAIRE
BRUZ
CHARTRES-DE-B. NOYAL-S-S
N 137 NANTES
LE BIGNON
PARC DE VILLEJEAN
VILLEJEAN
Villejean Université
Pontchaillou
CONSEIL GÉNÉRAL
ÉCOLE Nale D'AGRICULTURE
CLEUNAY
VIEUX RENNES
JARDIN DU THABOR
PARC DE MAUREPAS
JEANNE D'ARC
ST-HÉLIER
STE-THÉRÈSE
J. Cartier
Clemenceau
Henri Fréville
Italie
Triangle
Le Blosne
La Poterie
LE TRIANGLE
ÉCOMUSÉE
N 136 - E 50
0 1 km


**Garden Hôtel** sans rest, 3 r. Duhamel ✆ 02 99 65 45 06, *Fax 02 99 65 02 62* – AE GB BZ r

6,70 – **26 ch** 42/56.

◆ Les chambres de cet hôtel sont souvent assez simples ; quatre, rénovées et coquettes, ouvrent de plain-pied sur le patio où l'on sert le petit-déjeuner à la belle saison.

**Fontaine aux Perles** (Gesbert), quartier de la Poterie par ④, *96 r. Poterie* ✉ 35200 ✆ 02 99 53 90 90, *lafontaineauxperles@dial.oleane.com, Fax 02 99 53 47 77*, – AE GB JCB

*fermé 4 au 21 août, dim. soir et lundi* – **Repas** 23 (déj.), 31/68 et carte 63 à 72 ♀, enf. 13.

◆ Ce manoir ancien, aux intérieurs raffinés, est prolongé de bungalows modernes plus simplement agencés. Délicieuse terrasse dans un jardin arboré. Cuisine personnalisée.

**Spéc.** Salade gourmande des trois crustacés. Saint-Jacques à l'artichaut et à l'andouille. Homard breton au vin de Layon.

**Escu de Runfao,** 11 r. Chapitre ✆ 02 99 79 13 10, *escuderunfao@wanadoo.fr, Fax 02 99 79 43 80*, – AE GB AY a

*fermé 3 au 22 août, 15 au 22 fév., sam. midi et dim. soir* – **Repas** 26 (déj.), 37/78 et carte 61 à 88 ♀.

◆ Dans une rue pittoresque du vieux Rennes, maison à colombages du 17e s. où hauts plafonds, poutres et cheminées composent un décor de caractère. Cuisine au goût du jour.

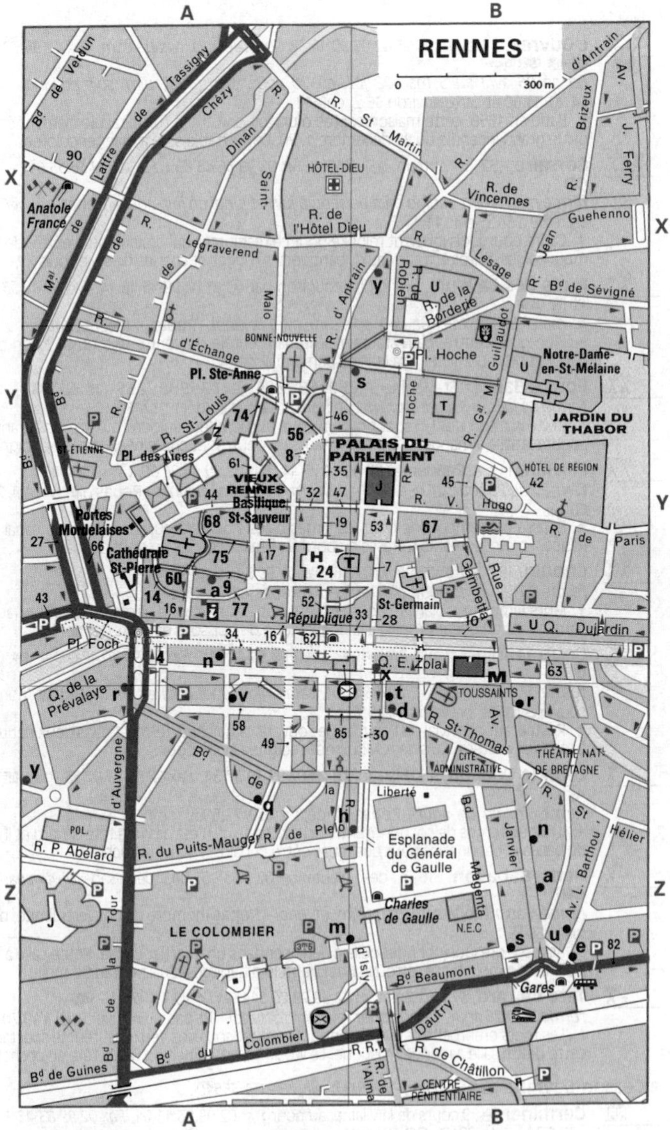
A
B
RENNES
0
300 m
X
Y
Z
Bd de Verdun
de Lattre de Tassigny
Chézy
R. Dinan
R. Saint-Malo
R. St-Martin
HÔTEL-DIEU
R. de l'Hôtel Dieu
R. de Vincennes
R. Brizeux
R. d'Antrain
Av. J. Ferry
Jean Guehenno
R. Lesage
Bd de Sévigné
R. de Robien
R. de la Borderie
R. Guillaudot
Pl. Hoche
R. Hoche
Notre-Dame-en-St-Melaine
JARDIN DU THABOR
90
Anatole France
Mal de Lattre de Tassigny
R. Legraverend
R. d'Échange
BONNE-NOUVELLE
Pl. Ste-Anne
R. St-Louis
ST-ETIENNE
Pl. des Lices
74
46
56
8
61
PALAIS DU PARLEMENT
VIEUX RENNES
Basilique St-Sauveur
32
47
35
J
R. Gal M.
HÔTEL DE REGION
42
45
R. V. Hugo
44
68
19
53
67
R. de Paris
Portes Mordelaises
27
66
Cathédrale St-Pierre
75
17
H
24
7
Gambetta
Rue
60
14
a
9
77
16
St-Germain
52
République
33
28
10
U Q. Dujardin
43
Pl. Foch
34
16
62
Q. E. Zola
M
63
4
n
x
TOUSSAINTS
r
Q. de la Prévalaye
r
v
t
d
R. St-Thomas
58
49
85
30
CITÉ ADMINISTRATIVE
THÉÂTRE NATL DE BRETAGNE
y
Bd de la Liberté
Liberté
R. St-Hélier
q
h
Bd Magenta
Janvier
n
POL.
R. P. Abélard
R. du Puits-Mauger
R. de Plélo
Esplanade du Général de Gaulle
Av. L. Barthou
a
Charles de Gaulle
N.E.C
u
s
e
82
LE COLOMBIER
m
d'Isly
Bd Beaumont
Gares
Dautry
Bd de la Tour d'Auvergne
Bd du Colombier
R. R.
R. de Châtillon
R. de l'Alma
Bd de Guines
CENTRE PÉNITENTIAIRE
A
B

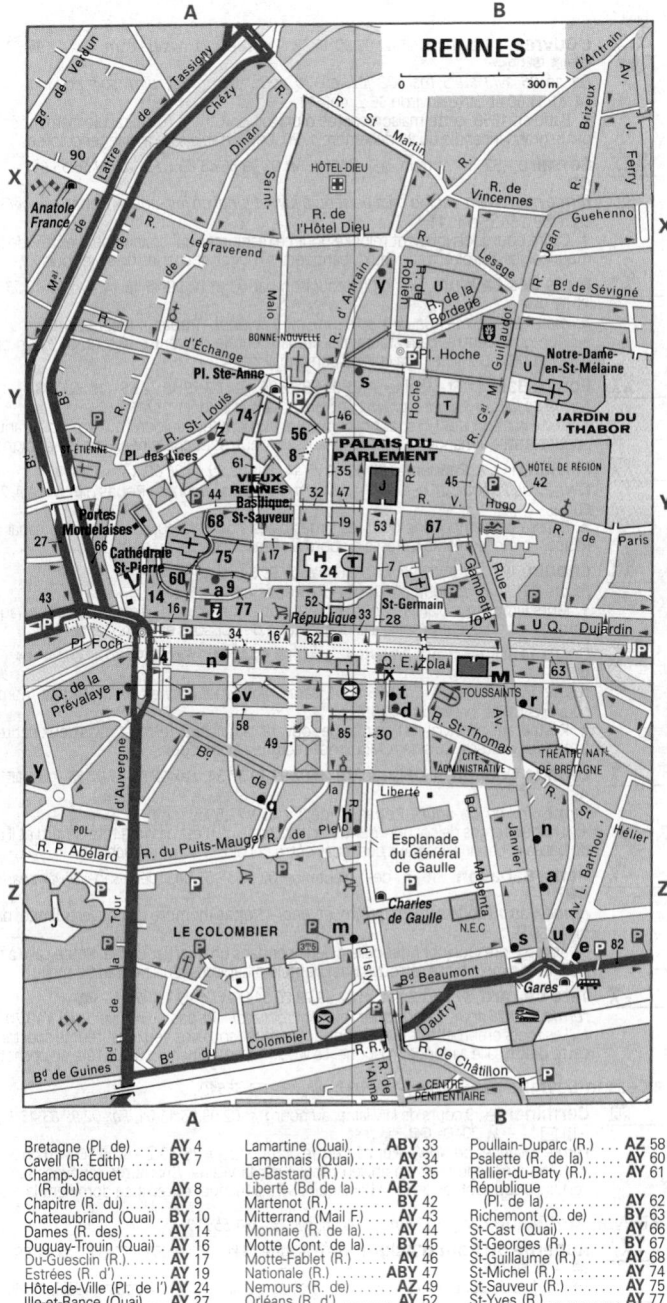

XXX **L'Ouvrée,** 18 pl. Lices ✆ 02 99 30 16 38, *louvree@dial.oleane.com, Fax 02 99 30 16 38* – AE ⓓ GB JCB AY z
*fermé 26 avril au 5 mai, 28 juil. au 20 août, sam. midi, dim. soir et lundi.* – **Repas** 14,20/31,60 et carte environ 36 ♀, enf. 11.
◆ Bâtie en 1659, cette maison coiffée d'un toit en carène fut miraculeusement épargnée par le grand incendie du 22 décembre 1720. Confortable salle à manger colorée.

XXX **Corsaire,** 52 r. Antrain ✉ 35700 ✆ 02 99 36 33 69, *Fax 02 99 36 33 69* – AE ⓓ GB BX y
*fermé merc., dim. sauf le midi de sept. à juin et lundi en juil.-août* – **Repas** *(19)* - 20/30,50 et carte 38 à 63 ♀, enf. 11.
◆ Cadre bourgeois joliment relooké pour ce restaurant qui draine une clientèle de fidèles : murs beiges, miroirs "à carreaux", banquettes rouges et chaises de style Louis XV.

XX **Puits des Saveurs,** 262 r. Chateaugiron par ④ ✆ 02 99 53 18 14, *Fax 02 99 53 16 45* – P. AE GB
*fermé 27 juil. au 21 août, dim. soir, sam. midi et lundi* – **Repas** 17 (déj.), 25/48 ♀.
◆ Bien qu'excentré, ce restaurant attire la clientèle du centre-ville grâce à son pimpant décor contemporain et à sa cuisine personnalisée.

XX **Four à Ban,** 4 r. St-Mélaine ✆ 02 99 38 72 85, *Fax 02 99 38 72 85* – ▤. AE GB BY s
*fermé 11 juil. au 3 août, sam. midi et dim.* – **Repas** 16 (déj.), 23/45 ♀.
◆ Cette maison du 17e s. abritait un four public. C'est aujourd'hui un restaurant prisé : coquette salle à manger au rez-de-chaussée (poutres et cheminée) et cuisine soignée.

XX **Florian,** 11 r. A. Rébillon ✆ 02 99 14 25 14, *Fax 02 99 14 26 00,* 🍽 – AE GB CU b
*fermé 2 au 26 août, 24 déc. au 6 janv., sam. midi, dim. et lundi* – **Repas** *(14)* - 17 (déj.), 24/40 ♀, enf. 9.
◆ Bâtisse contemporaine dont les larges baies s'ouvrent sur les berges du canal d'Ille et Rance. En été, agréable terrasse au bord de l'eau. Recettes au goût du jour.

XX **Chouin,** 12 r. Isly ✆ 02 99 30 87 86, *Fax 02 99 31 39 72* – GB BZ h
*fermé 29 juil. au 15 août, dim. et lundi* – **Repas** *(13 bc)* - 16/21 ♀.
◆ Murs lambrissés blancs, mobilier bleu, hublots en cuivre, filets de pêche et aquarium composent un décor propice à la dégustation de poissons et fruits de mer.

X **Gourmandin,** 4 pl. Bretagne ✆ 02 99 30 42 01, *Fax 02 99 30 42 01* – ▤. AE ⓓ GB AYZ r
*fermé 1er au 11 mars, 2 au 26 août, sam. midi, lundi midi et dim.* – **Repas** (nombre de couverts limité, prévenir) 14/26 ♀.
◆ Restaurant convivial où l'on mange souvent "à guichets fermés" dans deux petites salles à manger voûtées. Cuisine traditionnelle soignée à prix doux.

X **Léon le Cochon,** 1 r. Mar. Joffre ✆ 02 99 79 37 54, *Fax 02 99 79 07 35* – ▤. AE ⓓ GB JCB BY x
*fermé dim. en juil.-août* – **Repas** 14 (déj.), 21,50/27,50 ♀.
◆ Il fait un temps de cochon ? Entrez chez Léon : ce n'est pas une tête de lard et il prépare de belles cochonnailles pour des repas entre copains... comme cochons !

X **Petit Sabayon,** 16 r. des Trente ✆ 02 99 35 02 04, *petit-sabayon@wanadoo.fr* – GB AZ y
*fermé 4 au 18 août, sam. midi, dim. et lundi* – **Repas** (nombre de couverts limité, prévenir) 18/25,50 ♀.
◆ Adresse presque confidentielle à dénicher dans un quartier calme. Petite salle à manger fraîche et simple où se retrouve une clientèle d'habitués. Cuisine traditionnelle.

X **Tête de Lard,** 37 r. Vasselot ✆ 02 99 79 05 91, *Fax 01 99 79 05 91* – GB BZ d
*fermé 3 au 26 août, vacances de fév., dim. et lundi* – **Repas** *(10,70)* - 12,70 (déj.)/19,70 ♀.
◆ Les mets embrochés qui rôtissent doucement sous vos yeux assurent le spectacle dans cette petite salle à manger rustique. Le week-end, au dîner, on fait la fête au cochon.

## à Cesson-Sévigné *par ③ : 6 km – 12 708 h. alt. 28 – ✉ 35510 :*

**Germinal** 🐎, 9 cours de la Vilaine, au bourg ✆ 02 99 83 11 01, *Fax 02 99 83 45 16,* ≤, 🍽 – |≡| TV ✆ – 🏛 20. AE GB. ✗ rest
*fermé vacances de Noël* – **Repas** *(fermé dim.)* 17 (déj.), 25/49 ♀ – ☕ 9,50 – **20 ch** 58/75.
◆ Hôtel aménagé dans un ancien moulin sur la Vilaine. Chambres rénovées par étapes ; certaines sont dotées de lits à baldaquin. Salle à manger et terrasse dominent la rivière.

## à Noyal-sur-Vilaine *par ③ : 12 km – 4 089 h. alt. 75 – ✉ 35530 :*

XXX **Auberge du Pont d'Acigné,** rte d'Acigné : 3 km ✆ 02 99 62 52 55, *Fax 02 99 62 21 70,* 🍽 – P. AE GB
*fermé 4 au 26 août, 2 au 9 janv., sam. midi, dim. soir et lundi* – **Repas** 16 (déj.), 27/40 et carte 46 à 72 ♀, enf. 10.
◆ Cuisine au goût du jour à déguster dans la sobre salle à manger de cette belle maison de pays, ou sur la terrasse dressée au bord de la Vilaine. Accueil prévenant.

XX **Hostellerie Les Forges** avec ch, ✆ 02 99 00 51 08, *Fax 02 99 00 62 02* – TV P – 30. AE GB
*fermé 4 au 25 août, 16 au 22 fév., vend. soir (sauf hôtel)*, – **Repas** 12,50 (déj.), 16/30 – 6 – **11 ch** 36/45 – 1/2 P 36,50/41.
◆ Aux portes du village, engageante auberge de bord de route dont la salle à manger rustique s'agrémente d'une jolie cheminée en pierre. Chambres simples, récemment revues.

**Z.I. Sud-Est de Chantepie** *par ④ : 5 km – 5 898 h. alt. 40 – ✉ 35135 :*

**Relais Bleus,** r. Bignon ✆ 02 99 32 34 34, *Fax 02 99 53 57 26* – TV P – 30. AE GB
Repas *(fermé sam. et dim.)* 13 ♀ – 5,80 – **50 ch** 49.
◆ Emplacement pratique à proximité de la rocade pour ces chambres bien tenues et meublées sobrement ; certaines sont dotées d'une mezzanine. Buffet d'entrées au restaurant.

**à Chartres-de-Bretagne** *par ⑥ : 10 km – 5 543 h. alt. 37 – ✉ 35131 :*

**Chaussairie** sans rest, sur ancienne rte de Nantes ✆ 02 99 41 14 14, *interhoteldelachaussairie@wanadoo.fr, Fax 02 99 41 33 44* – TV P – 15 à 30. AE GB.
*fermé 26 déc. au 2 janv.* – 7 – **35 ch** 44/54.
◆ Commode pour l'étape, petite structure de type motel disposant de chambres fonctionnelles de taille moyenne ; préférez celles situées à l'opposé de la route.

XX **Braise,** 2 av. de la Chaussairie ✆ 02 99 41 21 29, *Fax 02 99 41 33 80*, – P. AE GB
*fermé 3 au 25 août, 14 au 24 janv., sam. midi, dim. soir et lundi* – **Repas** 19/60 ♀.
◆ Salles à manger campagnardes aménagées dans une maison de style régional ; plaisante terrasse. Cuisine traditionnelle et grillades cuites sur les braises de la cheminée.

**Le Rheu** *par ⑧ et D 224 : 8 km – 5 027 h. alt. 30 – ✉ 35650 :*

XX **La Muse Bouche et Relais Fleuri** avec ch, Les Landes d'Apigné ✆ 02 99 14 60 14, *denis.marechal@free.fr, Fax 02 99 14 60 03*, – TV P. AE GB
Repas *(fermé dim.)* 23/38 ♀ – 6,20 – **22 ch** 39/46.
◆ C'est sur des tables en bois et dans un cadre frais que vous apprécierez une cuisine soignée et cent pour cent "maison". Formule plus simple au bar. Chambres pratiques.

**rte de Lorient** *par ⑧, N 24 : 6 km – ✉ 35650 Le Rheu :*

XXX **Manoir du Plessis** avec ch, ✆ 02 99 14 79 79, *info@manoirduplessis.fr, Fax 02 99 14 69 60*, – TV P – 20. AE GB. ch
*fermé 11 au 18 août, 29 déc. au 5 janv. et 9 au 23 fév.* – **Repas** *(fermé dim. soir et lundi)* 17 (déj.), 22/37 et carte 40 à 50 – 9 – **5 ch** 90/95.
◆ Maison de maître entourée d'un parc. Parquets, boiseries, cheminées, sièges de style Louis XVI et belle terrasse créent les meilleures conditions pour apprécier votre repas.

**au Pont-de-Pacé** *par ⑨ : 10 km – ✉ 35740 Pacé :*

XXX **Griotte,** r. Dr Léon ✆ 02 99 60 15 15, *Fax 02 99 60 26 84*, – P. AE GB
*fermé 15 fév. au 15 mars, 25 juil. au 29 août, dim. soir, mardi et merc.* – **Repas** (15) - 18/57 et carte 24 à 47 ♀, enf. 10.
◆ Réparti en plusieurs salons ouverts sur le jardin, le restaurant est installé dans une demeure du 19e s. située en léger retrait d'un axe passant. Belle carte des vins.

**à La Mézière** *par ⑩, sortie Gévezé : 15 km – 2 142 h. alt. 106 – ✉ 35520 :*

XX **Les Agapes** (Etcheverry), 22 pl. Église ✆ 02 99 69 39 27, *Fax 02 99 69 32 42*, – AE GB
*fermé 4 au 25 août, dim. soir et lundi* – **Repas** 14,50 (déj.)/34 et carte 40 à 50 ♀.
◆ De l'ancienne école subsiste le bureau exposé à l'accueil. Agapes assurées avec une savoureuse cuisine au goût du jour servie dans une plaisante salle à manger rustique.
**Spéc.** Foie gras des Landes au torchon. Poitrine de canette mi-sauvage brûlée au vieux rhum. Feuille à feuille au cacao.

**rte de St-Malo** *par ⑩* - sortie St-Grégoire : 6,5 km – *✉ 35760 St-Grégoire :*

**Oceania** M, Espace Performance Alphasis ✆ 02 99 23 78 78, *oceania-rennes@hotel-sofibra.com, Fax 02 99 23 78 33*, – rest, TV P – 20 à 60. AE GB
**Repas** *(fermé vend. soir, sam. et dim.)* 16,50/23, enf. 8 – 8 – **70 ch** 82/92.
◆ Dans un quartier affairé, bâtiment aux lignes épurées proposant des chambres de conception moderne, bien équipées. Billard dans le hall ; espace forme à proximité.

---

**La RÉOLE** *33190 Gironde* 335 K7 – *4 273 h alt. 44.*
*Paris 652 – Bordeaux 75 – Casteljaloux 42 – Duras 24 – Libourne 46 – Marmande 32.*

XX **Les Fontaines,** 8 r. Verdun ✆ 05 56 61 15 25, *Fax 05 56 61 15 25*, – AE GB
*fermé 17 au 1er déc., 23 fév. au 1er mars, dim. soir et lundi* – **Repas** (nombre de couverts limité, prévenir) 15/41 ♀, enf. 7,70.
◆ Grande demeure du centre-ville abritant un restaurant où vous apprécierez une goûteuse cuisine traditionnelle. La terrasse dressée dans le jardin arboré est très agréable.

**RETHONDES** *60 Oise* 305 *I4 – rattaché à Compiègne.*

**REUGNY** *03190 Allier* 326 *C4 – 263 h alt. 204.*

*Paris 314 – Moulins 64 – Bourbon-l'Archambault 43 – Montluçon 15 – Montmarault 45.*

XX **Table de Reugny,** ✆ 04 70 06 70 06, *p.sanguillon@wanadoo.fr, Fax 04 70 06 70 06,* – GB

*fermé 26 août au 11 sept., 2 au 17 janv., dim. soir, lundi et mardi* – **Repas** 13,50/40.

◆ Altière façade en bordure de route. Confortable salle de restaurant contemporaine e terrasse tournée vers le jardin. Tables dressées avec soin et cuisine généreuse.

**REUILLY-SAUVIGNY** *02850 Aisne* 306 *D8 – 189 h alt. 78.*

*Paris 108 – Reims 50 – Épernay 34 – Château-Thierry 16 – Soissons 46 – Troyes 115.*

XXX **Auberge Le Relais** (Berthuit) avec ch, ✆ 03 23 70 35 36, *auberge.relais.de.reuilly@wan doo.fr, Fax 03 23 70 27 76,* – P. AE GB. ch

*fermé 17 août au 4 sept., 1er fév. au 4 mars, mardi et merc.* – **Repas** 27/68 et carte 60 à 100 – 11 – **7 ch** 60/84.

◆ Coquette auberge dans un village bordé par le vignoble de la vallée de la Marne Plaisante salle feutrée et belle véranda. Cuisine mariant habilement tradition et modernité **Spéc.** Foie gras de canard aux pignons de pin. Turbot aux champignons. Quasi de veau, ju à l'arabica. **Vins** Cumières.

**REVEL** *31250 H.-Gar.* 343 *K4 G. Midi-Pyrénées – 7 520 h alt. 210.*

*Office du Tourisme, place Philippe VI de Valois ✆ 05 34 66 67 68, Fax 05 34 66 67 6. tourisme-revel@revel-lauragais.com.*

*Paris 739 – Toulouse 54 – Carcassonne 46 – Castelnaudary 21 – Castres 28 – Gaillac 62.*

**Midi,** 34 bd Gambetta ✆ 05 61 83 50 50, *Fax 05 61 83 34 74,* – . GB

**Repas** *(fermé 12 nov. au 6 déc., dim. soir et lundi midi d'oct. à Pâques)* 19/45 bc, enf. 10 – 7 – **17 ch** 38/61 – ½ P 32/36.

◆ Situé sur un boulevard fréquenté, ce relais de poste du 19e s. améliore régulièremen son confort. Chambres plus calmes sur l'arrière ; lumineuse salle de restaurant.

XX **Lauragais,** 25 av. Castelnaudary ✆ 05 61 83 51 22, *Fax 05 62 18 91 79,* – P. AE GB

**Repas** (14) - 22/55, enf. 10.

◆ Ancien entrepôt dont la façade est tapissée de vigne vierge. Cheminée, cuivres, poutre et pierres apparentes composent le cadre rustique de la vaste salle à manger.

**au Nord** *par rte de Castres : 3 km – ✉ 31250 Revel :*

XX **Auberge des Mazies** avec ch, ✆ 05 61 27 69 70, *bienvenue@mazies.com Fax 05 62 18 06 37,* – P. AE GB JCB.

*fermé 28 oct. au 12 nov. et 26 déc. au 21 janv.* – **Repas** *(fermé dim. soir et lundi)* 12 (déj. 15/42 – 6 – **7 ch** 48/52 – ½ P 44.

◆ Jadis ferme, aujourd'hui sympathique auberge au milieu des champs. Salle à mange campagnarde, chambres agréables, terrasse ouverte sur un jardin bien entretenu.

**à St-Ferréol** *Sud-Est : 3 km par D 629 – ✉ 31250.*

Voir *Bassin de St-Ferréol*★.

**Hôtellerie du Lac** , ✆ 05 62 18 70 80, *contact@hotellerie-du-lac.com Fax 05 62 18 71 13,* – cuisinette P – 50. GB, ch

*fermé 23 déc. au 2 janv.* – **Repas** *(fermé 23 déc. au 15 janv. et dim. soir sauf juil.-aoû* 14/34, enf. 10 – 7 – **25 ch** 52/58 – ½ P 58.

◆ Entourée de verdure, maison de maître entièrement revue dans un plaisant styl moderne. La plupart des chambres profitent de la vue sur le lac. Sauna et minifitness.

**REVENTIN-VAUGRIS** *38 Isère* 333 *C5 – rattaché à Vienne.*

**REVIGNY-SUR-ORNAIN** *55800 Meuse* 307 *A6 – 3 528 h alt. 144.*

*Office du Tourisme, rue du Stade ✆ 03 29 78 73 34, Fax 03 29 78 73 34.*

*Paris 216 – Bar-le-Duc 18 – St-Dizier 30 – Vitry-le-François 36.*

XXX **Les Agapes et Maison Forte** avec ch, pl. Henriot du Coudray ✆ 03 29 70 56 00, *maisonfortelesagapes@minitel.net, Fax 03 29 70 59 30,* – P – 15. AE GB

*fermé 28 juil. au 18 août, 1er au 11 janv., sam. midi, dim. soir et lundi* – **Repas** 27/51 et car 50 à 60 – 10 – **7 ch** 60/76 – ½ P 70/92.

◆ Le bâtiment principal de cette maison forte du 17e s. abrite des salles à manger jolimer décorées dans le style médiéval. Cuisine du terroir revisitée. Chambres élégantes.

**RÉVILLE** *50760 Manche* 303 *E2 – 1 205 h alt. 12.*

Voir *La Pernelle* ✻★★ *du blockhaus O : 3 km – Pointe de Saire : blockhaus* ⋞★ *SE : 2,5 km,* G. Normandie Cotentin.

*Paris 351 – Cherbourg 31 – Carentan 44 – St-Lô 72 – Valognes 22.*

XX **Au Moyne de Saire** avec ch, ✆ 02 33 54 46 06, *au.moyne.de.saire@wanadoo.fr, Fax 02 33 54 14 99* – P. AE GB

*fermé fév. et merc. hors saison* – **Repas** 13 (déj.), 17/39 ♀, enf. 7 – ☕ 5,50 – **11 ch** 42/46 – ½ P 36/43.

◆ Au coeur d'un village proche de la pointe de Saire, auberge faisant également café-tabac. Mobilier rustique et cadre rafraîchi dans la salle à manger. Cuisine normande.

**REY** *30 Gard* 339 *G4 – rattaché au Vigan.*

**REZÉ** *44 Loire-Atl.* 316 *G4 – rattaché à Nantes.*

**Le RHEU** *35 I.-et-V.* 309 *L6 – rattaché à Rennes.*

**Le RHIEN** *70 H.-Saône* 314 *H6 – rattaché à Ronchamp.*

*Si vous cherchez un hôtel tranquille,*
*consultez d'abord les cartes de l'introduction*
*ou repérez dans le texte les établissements indiqués avec le signe* 🐎.

**RHINAU** *67860 B.-Rhin* 315 *K7 – 2 286 h alt. 158.*

ℹ *Office du Tourisme, 35 rue du Rhin ✆ 03 88 74 68 96, Fax 03 88 74 83 28.*

*Paris 465 – Strasbourg 40 – Marckolsheim 27 – Molsheim 38 – Obernai 27 – Sélestat 27.*

XXX ✿ **Au Vieux Couvent** (Albrecht), ✆ 03 88 74 61 15, *Fax 03 88 74 89 19* – AE ⓓ GB

*fermé 30 juin au 23 juil., 23 fév. au 5 mars, mardi et merc.* – **Repas** 27/77 et carte 60 à 80 ♀, enf. 16.

◆ L'enseigne de ce restaurant familial invite au recueillement, le cadre y contribue. Cuisine traditionnelle personnalisée utilisant légumes du potager et herbes aromatiques.

**Spéc.** Carpaccio d'espadon. Foie d'oie poêlé à la réduction de vinaigre balsamique. Le grand dessert. **Vins** Riesling, Pinot gris.

**RIANS** *83560 Var* 340 *J4 – 2 720 h alt. 406.*

ℹ *Office du Tourisme, Le Grenier, ✆ 04 94 80 33 37, Fax 04 94 80 33 37.*

*Paris 775 – Marseille 70 – Aix-en-Provence 40 – Avignon 99 – Manosque 33 – Toulon 79.*

XX **Roquette,** rte Manosque : 1 km ✆ 04 94 80 32 58, 🌳 – P. GB

*fermé 2 janv. au 1er fév., dim. soir, lundi et le soir en hiver sauf vend. et sam.* – **Repas** 22/42 ♀, enf. 8,40.

◆ Demeure familiale convertie en restaurant. Trois salles à manger discrètement provençales disposées en enfilade. Répertoire traditionnel, variant au rythme des saisons.

**RIBEAUVILLÉ** ⟨SP⟩ *68150 H.-Rhin* 315 *H7 G. Alsace Lorraine – 4 774 h alt. 240.*

Voir *Grand'Rue★★ : tour des Bouchers★.*

Env. *Riquewihr★★★ – Château du Haut-Ribeaupierre : ✻★★ – Château de St-Ullrich★ : ✻★★.*

ℹ *Office du tourisme, 1 Grand' Rue ✆ 03 89 73 62 22, Fax 03 89 73 23 62, info@ribeauville riquewihr.com.*

*Paris 437 ⑤ – Colmar 15 ③ – Mulhouse 59 ④ – St-Dié 41 ⑤ – Sélestat 14 ②.*

Plan page suivante

**Clos St-Vincent** 🐎, Nord-Est : 1,5 km par rte secondaire ✆ 03 89 73 67 65, *clovincent@aol.com, Fax 03 89 73 32 20,* ⋞ la plaine d'Alsace, 🌳, 🏊, 🌲 – 🛗 TV ✆ ♿ P. GB **B u**

*mi-mars-mi-nov.* – **Repas** *(fermé mardi et les midis sauf sam. et dim.)* 41 ♀ – ☕ 14 – **12 ch** 128/136, 3 appart.

◆ Maison des années 1960 cernée par les vignes. Chambres personnalisées ; restaurant et terrasse offrent une vue superbe sur la plaine d'Alsace et, au loin, la Forêt-Noire.

**Ménestrel** Ⓜ sans rest, 27 av. Gén. de Gaulle par ④ ✆ 03 89 73 80 52, *menestrel2@wanadoo.fr, Fax 03 89 73 32 39,* 🏋, 🌲 – 🛗 ⚹ TV ♿ P. AE GB

*fermé 15 fév. au 15 mars* – ☕ 12 – **28 ch** 63/94.

◆ Chambres actuelles, avec balcons au 1er étage. Le bâtiment étant disposé perpendiculairement à la route, elles ne sont pas directement exposées au bruit. Salon de thé.

## RIBEAUVILLÉ

Abbé Kremp (R. de l') .......... A 2
Bergheim (Rte de) .......... B
Château (R. du) .......... A 3
Flesch (R.) .......... B 5
Fontaine (R. de la) .......... A 6
Frères-Mertian (R. des) .......... A 7
Gaulle (Av. du Gén.-de) .......... B 9
Gouraud (Pl.) .......... B 10
Grand'Rue .......... AB
Halle-aux-Blés (R.) .......... B 12
Juifs (R. des) .......... B
Klée (R.) .......... B
Klobb (R.) .......... A
Lutzelbach (R. du) .......... A
Mairie (Pl. de la) .......... A 13
Marne (R. de la) .......... A
Rempart-de-la-Streng (R. du) .......... AB
République (Pl. de la) .......... A
Sainte-Marie-aux-Mines (Rte) .......... A 15
Sinne (Pl. de la) .......... A 16
Tanneurs (R. des) .......... B 18
Vignoble (R. du) .......... A
I^re^-Armée (Pl. de la) .......... B
3-Décembre (R. du) .......... AB

« Zone piétonne en saison »

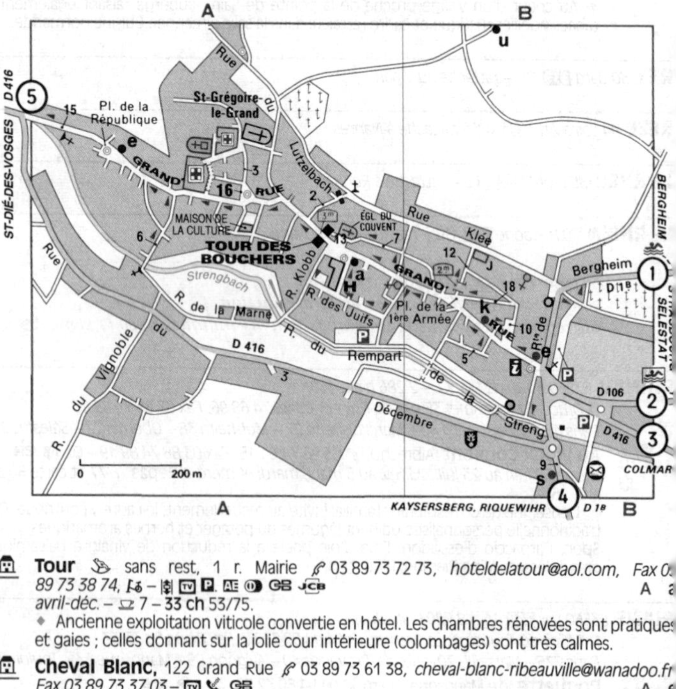

A
B
ST-DIÉ-DES-VOSGES D 416
Pl. de la République
St-Grégoire-le-Grand
Rue du Lutzelbach
GRAND' RUE
MAISON DE LA CULTURE
TOUR DES BOUCHERS
ÉGL. DU COUVENT
Rue Klée
Strengbach
R. de la Marne
R. Klobb
R. des Juifs
Pl. de la 1ère Armée
GRAND' RUE
R. du Rempart de la Streng
Rte de Bergheim
D 416
R. du Vignoble
3 Décembre
D 106
D 416
BERGHEIM
STRASBOURG SÉLESTAT
COLMAR
KAYSERSBERG, RIQUEWIHR
D 1B
0
200 m


**Tour** sans rest, 1 r. Mairie ✆ 03 89 73 72 73, *hoteldelatour@aol.com, Fax 03 89 73 38 74*, – GB JCB A
*avril-déc.* – 7 – **33 ch** 53/75.
◆ Ancienne exploitation viticole convertie en hôtel. Les chambres rénovées sont pratiques et gaies ; celles donnant sur la jolie cour intérieure (colombages) sont très calmes.

**Cheval Blanc,** 122 Grand Rue ✆ 03 89 73 61 38, *cheval-blanc-ribeauville@wanadoo.fr Fax 03 89 73 37 03* – GB A
*fermé 15 nov. au 3 déc. et 20 déc. au 1^er^ fév.* – **Repas** *(fermé mardi midi et merc.)* 24,50/34,50 – 7 – **25 ch** 51/54 – ½ P 40/49.
◆ La façade de cette bâtisse alsacienne se couvre de fleurs en saison. Intérieur d'esprit rustique. Chambres modestes, plus tranquilles sur l'arrière. Cuisine et vins du cru.

**Haut Ribeaupierre** (Frenot), 1 rte Bergheim ✆ 03 89 73 87 63, *Fax 03 89 73 88 15* – GB. B
*fermé 30 juin au 11 juil., 17 au 21 nov.,10 fév. au 3 mars, mardi et merc.* – **Repas** 28 (déj.) 45/57 et carte 50 à 80.
◆ Cette jolie maison à colombages porte le nom du château voisin. Chaleureuse winstub ou deux salles plus cossues habillées de boiseries. Cuisine régionale actualisée.
**Spéc.** Foie gras poêlé au jus de cerises et genièvre (juin à sept.). Gibier de chasse d'Alsace (sept. à janv.). Noix de joues de porc et écrevisses laquées (mars à juin). **Vins** Muscat, Riesling.

**Relais des Ménétriers,** 10 av. Gén. de Gaulle ✆ 03 89 73 64 52, *Fax 03 89 73 69 94* – GB B
*fermé 29 juin au 17 juil., 23 déc. au 2 janv., jeudi soir, dim. soir et lundi* – **Repas** 21/30.
◆ Les ménétriers sont unis à l'histoire de la ville depuis le Moyen Âge. Dégustez ici une vraie cuisine du pays dans une sympathique salle à manger campagnarde.

**Wistub Zum Pfifferhüs,** 14 Grand rue ✆ 03 89 73 62 28, *Fax 03 89 73 80 34* – GB B
*fermé 1^er^ au 6 mars, 25 juin au 17 juil., 31 déc. au 8 janv., 25 fév. au 11 mars, merc. et jeudi* – **Repas** (prévenir) carte 24 à 30,50.
◆ Maison du 14^e^ s. au cadre alsacien typique. Spécialités locales et ambiance conviviale assurée, en particulier lors du Pfifferdaj (jour des fifres). Réservé aux non-fumeurs.

**rte de Ste-Marie-aux-Mines** *par ⑤ sur D 416 : 4 km – ✉ 68150 :*

XX **Au Valet de Coeur et Hostel de la Pépinière** avec ch, ☎ 03 89 73 64 14, *reception @valetdecoeur.fr, Fax 03 89 73 88 78,* – |‡| TV P. AE ① GB
✿ **Repas** *(fermé dim. soir, mardi midi et lundi)* 32/80 et carte 59 à 77 ♀ – ☐ 8,50 – **18 ch** 42/69,50 – 1/2 P 62,50/74.
◆ En lisière de forêt, imposante maison de style régional où l'on cultive le sens de l'accueil. Salle à manger-véranda ; belle cuisine au goût du jour et spécialités du terroir.
**Spéc.** Homard en trois façons. Foie gras d'oie en croûte de sel. Tournedos de boeuf en croûte de moutarde. **Vins** Tokay-Pinot gris, Pinot noir.

---

**RIBÉRAC** *24600 Dordogne 329 D4 G. Périgord Quercy – 4 118 h alt. 68.*
*Office du Tourisme, place Charles de Gaulle ☎ 05 53 90 03 10, Fax 05 53 91 35 13, o.t.riberac@perigord.tm.fr.*
*Paris 506 – Périgueux 39 – Angoulême 58 – Barbezieux 58 – Bergerac 53 – Libourne 66.*

**France,** ☎ 05 53 90 00 61, *info@hoteldefranceriberac.com, Fax 05 53 91 06 05,* – TV GB
*fermé 10 nov. au 15 déc., janv., mardi midi, merc. midi, jeudi midi, sam. midi et lundi sauf juil.-août* – **Repas** 22/38 ♀, enf. 12 – ☐ 8 – **13 ch** 38/50 – 1/2 P 45/48.
◆ Colombages, pierres apparentes et cheminées : l'authenticité d'un relais de poste du 17e s. au cachet rustique préservé. La cour arborée accueille la terrasse en été.

**Rêv'Hôtel** sans rest, rte de Périgueux : 1,5 km ☎ 05 53 91 62 62, *rev.hotel@wanadoo.fr, Fax 05 53 91 48 96* – TV P – 25. GB
*fermé 20 déc. au 5 janv.* – ☐ 5 – **17 ch** 30/37.
◆ Construction récente située dans une Z.A.C. Petites chambres fonctionnelles, toutes en rez-de-chaussée. À 50 m, restauration sous forme de buffets et grillades.

*Donnez-nous votre avis sur les tables que nous recommandons, sur leurs spécialités et leurs vins de pays.*

---

**Les RICEYS** *10340 Aube 313 G6 G. Champagne Ardenne – 1 421 h alt. 180.*
*Office du Tourisme, 3 place des Héros de la Résistance ☎ 03 25 29 15 38, Fax 03 25 29 15 38, ot.lesriceys@wanadoo.fr.*
*Paris 212 – Troyes 47 – Bar-sur-Aube 50 – St-Florentin 58 – Tonnerre 37.*

XX **Magny** avec ch, D 452 ☎ 03 25 29 38 39, *Fax 03 25 29 11 72,* – TV P. GB
*fermé 25 au 28 août, janv., fév., dim. soir, mardi soir d'oct. à avril et merc. sauf le soir de mai à sept.* – **Repas** 12/37, enf. 7 – ☐ 7 – **12 ch** 46/55 – 1/2 P 48/52.
◆ Dans le fief d'un célèbre vin rosé, restaurant campagnard aménagé dans une maison en pierre restaurée avec soin. Accueil aimable. Cuisine simple et généreuse.

---

**RIEC-SUR-BELON** *29340 Finistère 308 I7 – 4 014 h alt. 65.*
*Office du Tourisme, 2 rue des Gentils hommes ☎ 02 98 06 97 65, Fax 02 98 06 93 73, ot.riec.sur.belon@wanadoo.fr.*
*Paris 530 – Quimper 41 – Carhaix-Plouguer 61 – Concarneau 20 – Quimperlé 13.*

**au Port de Belon** *Sud : 4 km par C 3 et C 5 – ✉ 29340 Riec-sur-Belon :*

X **Chez Jacky,** ☎ 02 98 06 90 32, *chez.jacky@wanadoo.fr, Fax 02 98 06 49 72,* – GB
*5 avril-30 sept. et fermé dim. soir hors saison et lundi sauf fériés* – **Repas** (en saison, prévenir) 17 (déj.), 31/69 ♀, enf. 8.
◆ Avenante maison d'ostréiculteur au bord du Belon. Tables et bancs en bois massif dans la salle à manger. On ne sert que des produits de la mer. Bassin d'affinage d'huîtres.

---

**RIEUPEYROUX** *12240 Aveyron 338 F5 – 2 348 h alt. 750.*
*Syndicat d'Initiative, 3 place du Gitat ☎ 05 65 65 60 00, Fax 05 65 65 62 42.*
*Paris 634 – Rodez 36 – Albi 55 – Carmaux 38 – Millau 93 – Villefranche-de-Rouergue 24.*

**Commerce,** ☎ 05 65 65 53 06, *hotel.j.b.delmas@wanadoo.fr, Fax 05 65 65 56 58,* – |‡| TV P – 30. AE ① GB
*fermé 18 déc. au 21 janv., dim. soir et lundi sauf juil.-août* – **Repas** *(fermé vend. soir du 1er oct. au 31 mai)* 15/28 ♀, enf. 8 – ☐ 8 – **22 ch** 38/52 – 1/2 P 39/42.
◆ Hôtel familial en constante évolution, proposant des chambres meublées simplement et bien tenues. Préférez celles qui ont déjà été rénovées. Ambiance bon enfant.

**RIEZ** *04500 Alpes de H.P.* 334 E10 *G. Alpes du Sud – 1 707 h alt. 520.*

**Voir** *Baptistère★ – Echassier fossile★ au musée "Nature en Provence" – Mont St-Maxime ※★ NE : 2 km.*

*Office de tourisme, 4 allée Louis-Gardiol ☎ 04 92 77 82 80, Fax 04 92 77 79 67.*

*Paris 772 – Digne-les-Bains 42 – Brignoles 67 – Castellane 59 – Manosque 35 – Salernes 45.*

**Carina** sans rest, ☎ 04 92 77 85 43, *Fax 04 92 77 85 44* – TV ☎ ♿ P. GB. ✻
*1er avril-31 oct.* – ☕ 6 – **30 ch** 54/60.
◆ Au pays de la lavande, hôtel récent abritant des chambres assez spacieuses, meublées dans le style Louis XVI et dotées de balcons. Salon cossu avec vue sur le village.

**RIGNAC** *12390 Aveyron* 338 F4 – *1 668 h alt. 500.*

*Office du Tourisme, place du Portail Haut ☎ 05 65 80 26 04, Fax 05 65 64 45 45, o.t.rignac@wanadoo.fr.*

*Paris 619 – Rodez 28 – Aurillac 86 – Figeac 40 – Villefranche-de-Rouergue 30.*

**Marre,** rte Belcastel ☎ 05 65 64 51 56, *Fax 05 65 64 51 56*, ⛱, 🌳 – 🚗 P. GB
*fermé vacances de Printemps, de Noël, dim. soir et lundi sauf juil.-août* – **Repas** *(9 bc)* - 12 bc/26 ♀, enf. 8 – ☕ 4,80 – **13 ch** 31/37 – ½ P 33/36.
◆ Accueil tout en gentillesse et tenue méticuleuse sont les atouts de cette affaire familiale offrant des chambres meublées dans le goût des années 1960.

**Delhon,** rte Belcastel ☎ 05 65 64 50 27 – GB
*fermé dim. soir et sam. d'oct. à juin* – **Repas** 9,50 bc/20 bc – ☕ 4,60 – **18 ch** 23/37 – ½ P 29/30,50.
◆ Ce petit hôtel non dénué de charme propose des chambres très simples et propres. Salle à manger de style bistrot et cuisine préparée comme à la maison.

**RIGNY** *70 H.-Saône* 314 B8 – *rattaché à Gray.*

**RILLÉ** *37340 I.-et-L.* 317 K4 – *275 h alt. 82.*

*Paris 275 – Tours 39 – Angers 73 – Chinon 40 – Saumur 41.*

**Logis du Lac** 🐦, Ouest : 2 km sur D 49 ☎ 02 47 24 66 61, *Fax 02 47 24 21 23*, 🌳 – ☎ P. GB
*fermé 12 au 21 nov. et 5 au 19 janv.* – **Repas** *(fermé dim. soir et lundi)* 10/29,50 ♀, enf. 6 – ☕ 6,10 – **7 ch** 39/42 – ½ P 32,50.
◆ Au milieu des arbres, construction de type chalet abritant des chambres petites, fraîches et d'esprit rustique. Plaisante salle de restaurant campagnarde avec cheminée.

**RILLIEUX-LA-PAPE** *69 Rhône* 327 I5 – *rattaché à Lyon.*

**RIMBACH-PRÈS-GUEBWILLER** *68 H.-Rhin* 315 G9 – *rattaché à Guebwiller.*

**RIMONT** *09420 Ariège* 343 F7 – *513 h alt. 525.*

*Paris 777 – Foix 32 – Auch 120 – St-Gaudens 56 – St-Girons 14 – Toulouse 93.*

**Poste,** pl. 8-Mai ☎ 05 61 96 33 23, *Fax 05 61 96 33 23*, ⛱ – GB
*fermé 20 au 30 oct., 8 au 30 janv., lundi soir, mardi soir et merc. soir sauf juil.-août* – **Repas** 10/25 ♀, enf. 7.
◆ Établissement des années 1950 dont la salle à manger cohabite avec un café-bar rendez-vous des habitants du village. Ambiance agréablement provinciale.

**RIOM** SP *63200 P.-de-D.* 326 F7 *G. Auvergne – 18 793 h alt. 363.*

**Voir** *Église N.-D.-du-Marthuret★ : Vierge à l'Oiseau★★★ – Maison des Consuls★* **K** *– Cour★ de l'hôtel Guimoneau* **B** *– Ste-Chapelle★ du palais de justice* **N** *– Cour★ de l'hôtel de ville* **H** *– Tour de l'Horloge★* **R** *– Musées : Régional d'Auvergne★* **M**[1], *Mandet★* **M**[2].

**Env.** *Mozac : chapiteaux★★, trésor★★ de l'église★ 2 km par ④ – Marsat : Vierge noire★ dans l'église SO : 3 km par D 83.*

*Office du Tourisme, 16 rue du Commerce ☎ 04 73 38 59 45, Fax 04 73 38 25 15 ot-riom@micro-assist.fr.*

*Paris 410 ① – Clermont-Ferrand 16 ③ – Montluçon 75 ① – Thiers 50 ② – Vichy 39 ①.*

# RIOM

Bade (Fg de la) .......... 2
Chabrol (R.) .......... 3
Châtelguyon (Av. de) .......... 4
Commerce (R. du) ..........
Croisier (R.) .......... 6
Daurat (R.) .......... 7
Delille (R.) .......... 8
Fédération (Pl. de la) .......... 9
Hellénie (R.) .......... 10
Horloge (R. de l') ..........
Hôtel-des-Monnaies (R. de l') .......... 12
Hôtel-de-Ville (R. de l') .......... 13
Laurent (Pl. J.-B.) .......... 14
Layat (Fg) .......... 15
Libération (Av. de la) .......... 16
Madeline (Av. du Cdt) .......... 17
Marthuret (R. du) .......... 18
Martyrs-de-la-Résistance (Pl. des) .......... 19
Menut (Pl. Marinette) .......... 20
Pré-Madame (Promenade du) .......... 21
République (Bd de la) .......... 22
Reynouard (Av. J.) .......... 23
Romme (R. G.) .......... 26
St-Amable (R.) .......... 27
St-Louis (R.) .......... 29
Soanen (Pl. Jean) .......... 32
Soubrany (R.) .......... 34
Taules (Carrefour des) .......... 36

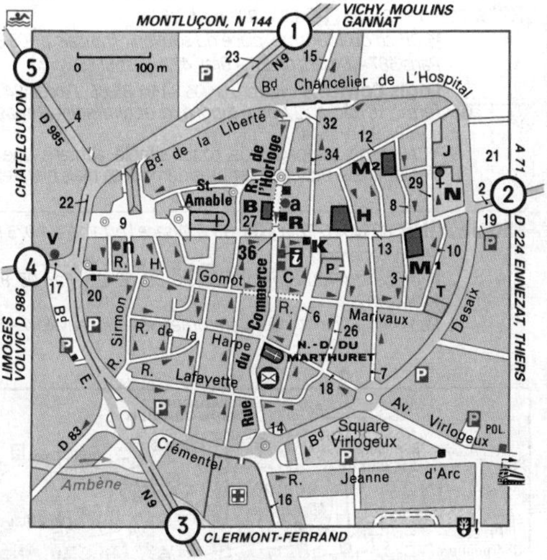

MONTLUÇON, N 144
VICHY, MOULINS GANNAT
CHÂTELGUYON
D 985
Bd Chancelier de L'Hospital
Bd de la Liberté
R. de l'Horloge
St. Amable
A 71
D 224 ENNEZAT, THIERS
Gomot
Commerce
Marivaux
Desaix
R. de la Harpe
R. Sirmon
R. Lafayette
Rue du
N.-D. DU MARTHURET
LIMOGES VOLVIC D 986
Bd E.
Square Virlogeux
Bd Virlogeux
Av. Virlogeux
D 83
Clémentel
Ambène
N9
R. Jeanne d'Arc
CLERMONT-FERRAND
POL.

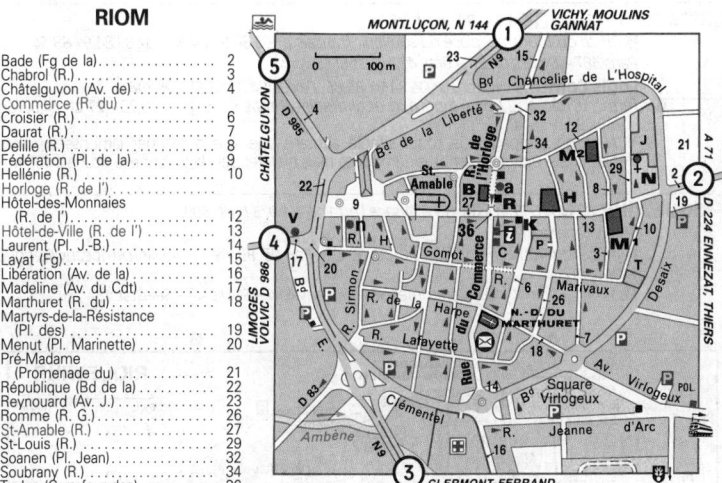

XX **Les Petits Ventres,** 6 r. A. Dubourg **(n)** ☎ 04 73 38 21 65, *Fax 04 73 63 12 21* – ▤. AE GB
*fermé 18 août au 9 sept., 16 au 29 fév., dim. soir, lundi soir et mardi* – **Repas** (15) - 17/40 ♀ - ***Brasserie des Petits Ventres*** ☎ 04 73 64 01 77 **Repas** 11/14 ♀, enf. 6.
◆ Restaurant installé dans un relais de poste du 19e s. La salle à manger, aménagée de façon moderne, a néanmoins conservé quelques vieilles poutres et un bel escalier à vis.

X **Flamboyant,** 21 bis r. Horloge **(a)** ☎ 04 73 63 07 97, *restaurant.leflamboyant@wanadoo.fr, Fax 04 73 63 07 97,* ☂ – AE ⓓ GB JCB
*fermé 15 au 28 sept., lundi et mardi midi* – **Repas** 18 bc (déj.), 21,50/46 bc.
◆ Admirez les cours intérieures des hôtels particuliers qui bordent la rue avant de pénétrer dans ce restaurant sobrement décoré où l'on propose une cuisine au goût du jour.

X **Magnolia,** 11 av. Cdt Madeline **(v)** ☎ 04 73 38 08 25, *magnolia-gastronomie@wanadoo.fr, Fax 04 73 38 08 25* – ▤. GB
*fermé 20 juil. au 12 août, dim. soir, sam. midi et lundi* – **Repas** 18/34,50.
◆ Salle à manger simplement agencée dans une maison récente aux portes de la vieille ville. La proximité des tables incite à la convivialité. Cuisine au goût du jour.

**par** ② *dir. A 71 et Aigueperse : 2 km* – ✉ *63200 Riom :*

**Anémotel** Ⓜ, Z.A.C. Les Portes de Riom ☎ 04 73 33 71 00, *anemotel.rion@wanadoo.fr, Fax 04 73 64 00 60,* ☂, ⛱ – |♦| ▤ TV ☏ ♿ P – 🏛 30. AE GB
**Repas** *(fermé 23 déc. au 2 janv.)* (11) - 15,50/29 ♀, enf. 7 – ☕ 7 – **43 ch** 51.
◆ Pratique pour l'étape, établissement récent disposant de chambres spacieuses et bien équipées ; mobilier en bois clair, avec vaste plan de travail.

**rte de Marsat** *Sud-Ouest : 2,5 km par D 83* – ✉ *63200 Riom :*

XX **Moulin de Villeroze,** ☎ *04 73 38 58 23, Fax 04 73 38 92 26,* ☂ – P. AE GB
*fermé 4 au 22 août, 26 au 30 déc., dim. soir, lundi et merc.* – **Repas** 22,50/45 ♀.
◆ Moulin de la fin du 19e s. converti en restaurant. Dans la salle à manger, plaisant contraste du mobilier contemporain avec le cadre rustique aux poutres peintes.

---

**RIOM-ÈS-MONTAGNES** *15400 Cantal* 330 D3 – *3 225 h alt. 840.*

🛈 *Office du Tourisme, place Charles de Gaulle* ☎ *04 71 78 07 37, Fax 04 71 78 16 87, ot.riomesmontagnes@auvergne.net.*
*Paris 508 – Aurillac 83 – Clermont-Ferrand 91 – Ussel 45.*

**St-Georges** Ⓜ, 5 r. Cap. Chevalier ☎ 04 71 78 00 15, *hotel.saint-georges@wanadoo.fr, Fax 04 71 78 24 37* – |♦| TV ☏ ♿. AE ⓓ GB
*fermé 3 au 30 nov. et dim. soir* – **Repas** 8,40/24 ♀, enf. 7 – ☕ 5 – **14 ch** 33/49 – 1/2 P 38.
◆ Au centre du village, maison en pierre de la fin du 19e s. disposant de petites chambres fonctionnelles, joliment colorées et fort bien tenues. Accueil courtois.

---

**RIORGES** *42 Loire* 327 D3 – *rattaché à Roanne.*

**RIOZ** *70190 H.-Saône* 314 *E8 – 883 h alt. 267.*

*Office du Tourisme, place du souvenir français ✆ 03 84 91 84 98, Fax 03 84 91 88 34.*
*Paris 387 – Besançon 24 – Gray 47 – Vesoul 23.*

**Logis Comtois** avec ch, ✆ 03 84 91 83 83, *Fax 03 84 91 83 83* – P. GB
*fermé 16 déc. au 27 janv., lundi midi et dim. soir* – **Repas** 12/25 – 5,70 – **27 ch** 24,50/38 – ½ P 29,50/36,20.
◆ Auberge campagnarde toute simple abritant une salle à manger lambrissée ; plats traditionnels. Petites chambres démodées mais bien tenues dans l'annexe située à 150 m.

**RIQUEWIHR** *68340 H.-Rhin* 315 *H8 G. Alsace Lorraine – 1 075 h alt. 300.*

Voir *Village★★★.*

*Office du Tourisme, ✆ 08 20 36 09 22, Fax 03 89 49 08 49, info@ribeauville-riquewihr.com.*
*Paris 441 – Colmar 12 – Gérardmer 53 – Ribeauvillé 4 – St-Dié 45 – Sélestat 18.*

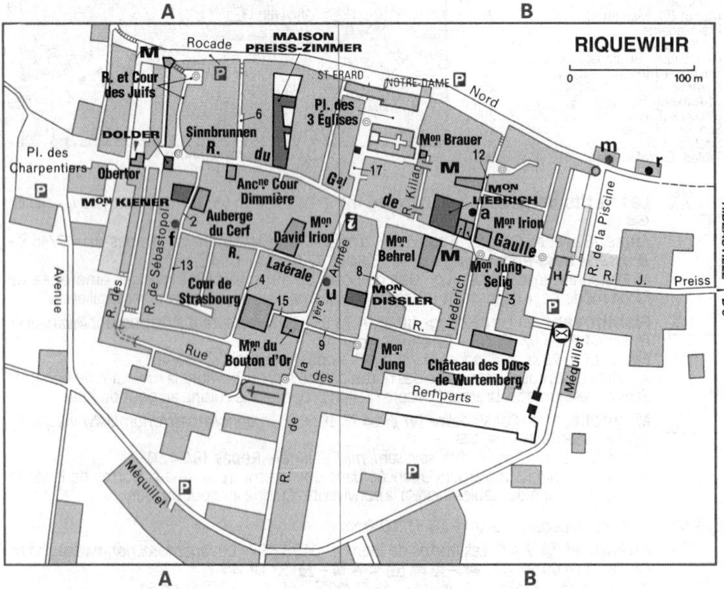

A
B
RIQUEWIHR
0
100 m
MAISON PREISS-ZIMMER
Rocade
R. et Cour des Juifs
DOLDER
Pl. des Charpentiers
Obertor
Sinnbrunnen
R.
du
Gal
de
Gaulle
ST-ERARD
NOTRE-DAME
Nord
Pl. des 3 Églises
Mon Brauer
Mon LIEBRICH
Mon Irion
Mon KIENER
Ancne Cour Dimmière
Auberge du Cerf
Mon David Irion
R. Latérale
Cour de Strasbourg
Mon Behrel
Mon Jung-Selig
Mon DISSLER
Mon du Bouton d'Or
Mon Jung
Château des Ducs de Wurtemberg
R. Kilian
R. Hederich
R. de Sébastopol
R. des
Avenue
Rue
la des
Remparts
R. de la 1ère Armée
R. de la Piscine
R. J. Preiss
RIBEAUVILLE
D 3
Méquillet


| | | | | | | | |
|---|---|---|---|---|---|---|---|
| Cerf (R. du) | A 2 | Cordiers (R. des) | A 6 | St-Nicolas (R.) | A 13 |
| Château (Cour du) | B 3 | Couronne (R. de la) | B 8 | Strasbourg (Cour de) | A 15 |
| Cheval (R. du) | A 4 | Dinzheim (R. de) | A 9 | 3-Églises (R. des) | B 17 |
| | | Écuries (R. des) | B 12 | | |

**Hôtel Le Schoenenbourg** M sans rest, r. Piscine ✆ 03 89 49 01 11, *schoenenbourg@calixo.net, Fax 03 89 47 95 88,* – TV P – 20. AE GB
9 – **58 ch** 65/108. B r
◆ Préférez l'annexe récente de cet hôtel des années 1980 : les chambres y sont modernes, confortables et bien insonorisées. Salle des petits-déjeuners avec vue sur les vignes.

**Riquewihr** sans rest, rte Ribeauvillé ✆ 03 89 86 03 00, *reservation@hotel-riquewihr.fr, Fax 03 89 47 99 76,* – TV P. AE GB B
*fermé janv. et fév.* – 9 – **50 ch** 65/110, 6 duplex.
◆ Grande maison de style alsacien au bord d'une route traversant les vignes. Chambres peu à peu rénovées dans un esprit rustico-bourgeois ; certaines ont un balcon. Sauna.

**L'Oriel** sans rest, 3 r. Ecuries Seigneuriales ✆ 03 89 49 03 13, *hotel.oriel@wanadoo.fr, Fax 03 89 47 92 87* – TV. AE GB JCB B a
9,50 – **19 ch** 65/90, 3 duplex.
◆ Dans une ruelle tranquille, belle façade agrémentée d'un oriel. Un charmant dédale de couloirs et escaliers anciens mène aux chambres, rustiques et progressivement refaites.

XXX **Table du Gourmet** (Brendel), 5 r. 1e Armée ✆ 03 89 49 09 09, *Fax 03 89 49 04 56* – ▤. AE GB. ✻ A u
✿ *fermé 5 janv. au 13 fév., jeudi midi et merc. sauf le soir d'avril à fin nov. et mardi* – **Repas** 37 (déj.), 58/89 et carte 65 à 80 ♀, enf. 19.
◆ L'alliance des vieilles boiseries et d'un décor récent en rouge et noir fait l'originalité et le charme de cette belle maison vigneronne du 16e s. Cuisine au goût du jour.
**Spéc.** Jambonnettes de grenouilles en beignets au massala (printemps). "Mezze" d'été. Rouget barbet, baeckeoffa aux châtaignes et légumes oubliés (automne). **Vins** Muscat, Riesling.

XXX **Auberge du Schoenenbourg** (Kiener), r. Piscine ✆ 03 89 47 92 28, *Fax 03 89 47 89 84*, – ▤ P. AE GB B m
✿ *fermé 4 janv. au 7 fév., merc. soir de nov. à avril et le midi sauf dim.* – **Repas** 32 (déj.)/72 et carte 59 à 79 ♀.
◆ Architecture contemporaine, salle à manger au décor raffiné et terrasse superbement ouverte sur le vignoble et les remparts. Cuisine au goût du jour, ambiance conviviale.
**Spéc.** Foie gras d'oie et de canard cuit au torchon, Suprêmes de pigeonneau aux épices douces. Trilogie de soufflés **Vins** Riesling, Pinot noir.

XX **Sarment d'Or** avec ch, 4 r. Cerf ✆ 03 89 86 02 86, *info@riquewihr-sarment-dor.com, Fax 03 89 47 99 23* – TV. GB. ✻ ch A f
*fermé 29 juin au 8 juil., 5 janv. au 10 fév.* – **Repas** *(fermé dim. soir, mardi midi et lundi)* 20/52 ♀, enf. 9,50 – ☕ 8 – **9 ch** 55/75 – ½ P 60/72.
◆ Dans cette demeure du 17e s., bois blond, poutres apparentes et mobilier choisi composent le plaisant décor de la salle à manger principale. La seconde salle est moderne.

**à Zellenberg** *Est : 1 km par D 3 – 343 h. alt. 300 – ✉ 68340 :*

**Au Riesling,** ✆ 03 89 47 85 85, *info@auriesling.com, Fax 03 89 47 92 08,* ← – TV ♿ P. GB
*fermé 1er janv. au 1er mars* – **Repas** *(fermé dim. soir, mardi midi et lundi)* 16 (déj.)/35 ♀, enf. 8 – ☕ 8 – **36 ch** 46/69 – ½ P 55/66.
◆ En retrait de la route, longue bâtisse abritant des chambres progressivement rajeunies (quelques balcons) qui, comme la salle de restaurant, offrent une vue sur le vignoble.

XXX **Maximilien** (Eblin), ✆ 03 89 47 99 69, *Fax 03 89 47 99 85,* ← – P. AE ⓓ GB
✿ *fermé 19 août au 3 sept., 17 fév. au 4 mars, vend. midi, dim. soir et lundi* – **Repas** 32 (déj.), 39/74 et carte 70 à 88 ♀, enf. 19.
◆ Villa de style alsacien ancrée à flanc de coteau. L'élégante salle à manger ménage de belles échappées sur les vignes et le village en arrière-plan. Cuisine au goût du jour.
**Spéc.** Blanc de poireau tiède, foie gras d'oie à la cuillère. Marmelade d'endives, pavé de sandre et goujonnettes de grenouilles. Noisettes de chevreuil en croûte de cèpes, sauce poivrade (sept. à fév.). **Vins** Pinot blanc, Pinot gris.

X **Caveau du Vigneron,** 5 rte Ostheim ✆ 03 89 47 81 57, *Fax 03 89 47 80 28* – ▤. GB
*fermé 1er au 16 juil., 9 fév. au 5 mars, mardi et merc.* – **Repas** 18,30/35,06 ♀, enf. 7,60.
◆ Petite adresse drainant ses fidèles vers ce village juché sur une colline. Salle à manger-caveau, décor rustique soigné, atmosphère conviviale et cuisine régionale.

---

**RISCLE** *32400 Gers* **336** **B8** – *1 778 h alt. 105.*

*Office du Tourisme, 6 place du foirail ✆ 05 62 69 74 01, Fax 05 62 69 86 07.*

*Paris 741 – Mont-de-Marsan 48 – Aire-sur-l'Adour 17 – Auch 71 – Pau 63 – Tarbes 55.*

XX **Pigeonneau,** 36 av. Adour ✆ 05 62 69 85 64, *Fax 05 62 69 85 64* – GB
*fermé 15 au 30 nov., 15 au 31 janv., dim. soir, mardi soir et lundi* – **Repas** 16 (déj.), 25/32 ♀, enf. 10.
◆ Sol carrelé à l'ancienne et tons ocre renforcent le côté chaleureux de ce restaurant (non-fumeur) de la vallée de l'Adour. Tables bien dressées et sièges de style Louis XIII.

X **Relais du Pont d'Arcole** avec ch, rte Bordeaux : 1,5 km ✆ 05 62 69 71 40, *Fax 05 62 69 84 36,* – TV P. GB
*fermé 6 au 27 janv., 13 au 27 oct., vend. soir et dim. soir* – **Repas** 11,50/25 – ☕ 6 – **11 ch** 31/37.
◆ Restaurant aménagé dans une villa agrémentée d'un jardin. Salle à manger sobrement campagnarde. Quelques chambres claires et nettes.

***Dans ce guide***
*un même symbole, un même mot,*
*imprimé en* ***rouge*** *ou en* ***noir,*** *en maigre ou en* ***gras****,*
*n'ont pas tout à fait la même signification.*
*Lisez attentivement les pages explicatives.*

**RISOUL** *05600 H.-Alpes* 334 H5 – *526 h alt. 1117.*

Env. *Belvédère de l'Homme de Pierre* ** *S : 15 km* G. Alpes du sud.

*Office du Tourisme, 04 96 46 02 60, Fax 04 92 46 01 23, risoul.ot@minitel.net.*

*Paris 718 – Briançon 37 – Gap 62 – Guillestre 4 – St-Véran 35.*

**Bonne Auberge**, au village 04 92 45 02 40, *bonneauberge@yahoo.fr, Fax 04 92 45 13 12,* Massif du Pelvoux, – rest, P. GB. rest

*1er juin-20 sept. et 27 déc.-31 mars et fermé en semaine en janv. et mars* – **Repas** *(fermé le midi en hiver et merc. midi en juin et sept.)* 14/21 – 6 – **25 ch** 44/56 – ½ P 46/49.

◆ Grand chalet en léger retrait du village. Des vastes chambres ou du restaurant, jolie perspective sur la place forte de Mont-Dauphin, créée par Vauban. Accueil charmant.

**RIVA-BELLA** *14 Calvados* 303 K4 – *voir à Ouistreham-Riva-Bella.*

**RIVE-DE-GIER** *42800 Loire* 327 G6 *G. Vallée du Rhône – 15 623 h alt. 225.*

*Paris 498 – Lyon 38 – St-Étienne 23 – Montbrison 59 – Roanne 106 – Thiers 129 – Vienne 27.*

XXX **Hostellerie La Renaissance** avec ch, 41 r. A. Marrel 04 77 75 04 31, *Fax 04 77 83 68 58,* – P. AE GB

*fermé dim. soir, merc. soir, lundi et soirs fériés* – **Repas** (15) - 25/77 et carte 47 à 72 – 9 – **4 ch** 46.

◆ Meubles rustiques choisis, objets contemporains et tableaux colorés composent le décor de cette salle à manger tournée vers le jardin-terrasse. Belle carte des vins.

**à Ste-Croix-en-Jarez** *Sud-Est : 10 km par D 30 – 329 h. alt. 450 – 42800 :*

X **Prieuré** avec ch, 04 77 20 20 09, *Fax 04 77 20 20 80,* – rest, TV. AE GB.

*fermé 2 janv. au 1er mars et lundi* – **Repas** 13/39 – 7 – **4 ch** 40/51 – ½ P 45/48.

◆ Restaurant situé à l'entrée de cet insolite village qui occupe les bâtiments d'une ancienne chartreuse. Salle à manger champêtre. Cuisine régionale et charcuteries "maison".

***Les prix***

***Pour toutes précisions sur les prix indiqués dans ce guide, reportez-vous aux pages explicatives.***

**RIVEDOUX-PLAGE** *17 Char.-Mar.* 324 C3 – *voir à Île de Ré.*

**La-RIVIÈRE-ST-SAUVEUR** *14 Calvados* 303 N3 – *rattaché à Honfleur.*

**RIVIÈRE-SUR-TARN** *12640 Aveyron* 338 K5 – *757 h alt. 380.*

*Office du Tourisme, route des Gorges du Tarn 05 65 59 74 28, Fax 05 65 59 74 28, ot-gorgesdutarn@wanadoo.fr.*

*Paris 631 – Mende 86 – Millau 14 – Rodez 65 – Sévérac-le-Château 26.*

**Clos d'Is,** 05 65 59 81 40, *Fax 05 65 59 84 03,* , – P. GB

**Repas** *(fermé dim. soir d'oct. à fév.)* 12/22 ♀, enf. 7 – 6 – **20 ch** 26/42 – ½ P 34/42.

◆ Hôtel proposant de petites chambres propres, progressivement rénovées ; la moitié d'entre elles donnent sur un agréable jardin. À table, cuisine aveyronnaise simple.

**La RIVIÈRE-THIBOUVILLE** *27 Eure* 304 E7 – *alt. 72 – 27550 Nassandres.*

*Paris 140 – Rouen 51 – Bernay 15 – Évreux 35 – Lisieux 39 – Pont-Audemer 34.*

XX **Soleil d'Or** avec ch, 02 32 45 00 08, *Fax 02 32 46 89 68,* – TV P – 30. AE GB JCB

*fermé 28 juil. au 12 août et 2 au 10 janv.* – **Repas** *(fermé dim. soir et lundi)* 20/45 ♀ – 7 – **12 ch** 50,50/89,50 – ½ P 42,50/61,50.

◆ Enlacée par les paisibles bras de la Risle, grande maison où grimpe la vigne vierge. Salle à manger au décor renouvelé et chambres confortables.

**RIXHEIM** *68 H.-Rhin* 315 I10 – *rattaché à Mulhouse.*

**ROAIX** *84 Vaucluse* 332 D8 – *rattaché à Vaison-la-Romaine.*

**ROANNE** *42300 Loire* 327 *D3 G. Vallée du Rhône – 41 756 h Aggl. 104 892 h alt. 265.*

Voir *Musée Joseph-Déchelette : Faïences révolutionnaires★.*

Env. *Belvédère de Commelle-Vernay ≤★ : 7 km au S par quai Sémard* **BV.**

*Roanne-Renaison : ☎ 04 77 66 83 55, par D 9* **AV** *: 5 km.*

*Office du Tourisme, 1 cours de la République ☎ 04 77 71 51 77, Fax 04 77 71 07 11, contact@leroannais.com.*

*Paris 397 ④ – Clermont-Ferrand 102 ③ – Lyon 89 ② – St-Étienne 86 ②.*

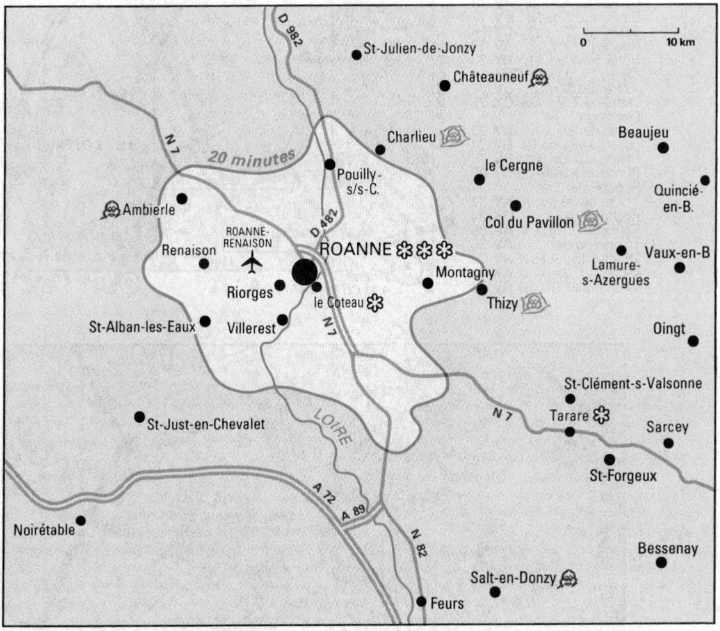
D 982
St-Julien-de-Jonzy
0
10 km
Châteauneuf
Charlieu
Beaujeu
N 7
20 minutes
Pouilly-s/s-C.
le Cergne
Quincié-en-B.
Ambierle
Col du Pavillon
D 482
ROANNE-RENAISON
Renaison
ROANNE
Vaux-en-B
Lamure-s-Azergues
Montagny
Riorges
le Coteau
Thizy
St-Alban-les-Eaux
Villerest
N 7
Oingt
St-Clément-s-Valsonne
LOIRE
N 7
Tarare
Sarcey
St-Just-en-Chevalet
St-Forgeux
A 72
A 89
Noirétable
N 82
Bessenay
Salt-en-Donzy
Feurs

**Troisgros** M, pl. Gare ☎ 04 77 71 66 97, *troisgros@avo.fr, Fax 04 77 70 39 77,* – AE GB JCB **CX r**

*fermé 29 juil. au 13 août, vacances de fév., mardi et merc.* – **Repas** (nombre de couverts limité, prévenir) 130/160 et carte 110 à 160 ♀, enf. 32 – ☕ 20 – **13 ch** 155/280, 5 appart.

◆ Troisgros, trois générations, trois étoiles : une valse à trois temps dansée depuis 1968. Face à la gare, dans un sobre cadre design, l'art culinaire porté à sa perfection.

**Spéc.** Anguille chemisée de noisettes et romarin, émincé de cornichons. Pigeonneau et foie gras croustillants "Café Pouchkine". Contraste à la pêche blanche et verveine (été). **Vins** Saint-Joseph rouge, Santenay.

**Grand Hôtel** sans rest, 18 cours République (face gare) ☎ 04 77 71 48 82, *Fax 04 77 70 42 40* – P – 60. AE GB JCB **CX f**

*fermé 2 au 25 août et 20 déc. au 5 janv.* – ☕ 8 – **31 ch** 50/80.

◆ Façade rénovée et chambres en cours de rafraîchissement : ce bâtiment du début du 20e s. bénéficie d'une cure de jouvence. Hall habillé de boiseries et salon-bar feutré.

**Campanile,** 38 r. Mâtel ☎ 04 77 72 72 73, *Fax 04 77 72 77 61,* – P – 25. AE GB. rest **BV n**

**Repas** *(12)* - 15,50/17 ♀, enf. 5,95 – ☕ 6 – **46 ch** 50.

◆ Cet hôtel propose des chambres claires, meublées en bois stratifié. La moitié d'entre elles, équipées d'un double vitrage, donnent sur la rocade.

**L'Astrée,** 17 bis cours République (face gare) ☎ 04 77 72 74 22, *astree42@club-internet.fr, Fax 04 77 72 72 23* – . GB **CX f**

*fermé 28 juil. au 18 août, 9 au 22 fév., sam. et dim.* – **Repas** *(18)* - 26/61 et carte 48 à 69 ♀, enf. 13.

◆ Confortable et plaisant décor contemporain avec boiseries et oeuvres de peintres de la région, cuisine personnalisée : Astrées et Céladons adorent !

# ROANNE

Alsace-Lor. (R.) .... CY 2
Anatole-France (R.) CY 3
Benoît (Bd C.) ..... AV 5
Cadore (R. de) ..... CX 7
Carnot (R.) ......... BV 8
Clemenceau (Pl. G.) DX 10
Clermont (R. de) ... CY 12
Dourdein (R. A.) ... AV 14
Edgar-Quinet (Bd) . BV 15
Foch (R. Mar.) ..... CDY
Gaulle (Av. Ch.-de) . AV 16
Gaulle (Bd Ch.-de) . BV 17
Gaulle (R. Ch.-de) . CY 18
Hoche (R.) .......... AV 19
Hôtel-de-Ville (Pl.) . DY 20
Jaurès (R. Jean) .. CDY
Joffre (Bd Mar.) ... BV 21
Lattre-de-T. (Pl. de) CX 22
Libération (Av. de la) ....... DY 23
Loire (Levée de la) . DY 24
Marne (Av. de la) .. BV 26
Renaison (Levée du) DY 28
République (Crs de la) ..... CXY 32
Roche (R. A.) ...... DX 34
Semard (Q. P.) .... BV 35
Thiers (Bd de) ..... AV 36
Thomas (Bd A.) ... AV 38
Vachet (R. J.) ...... AV 40
Villemontais (R. de) AV 42

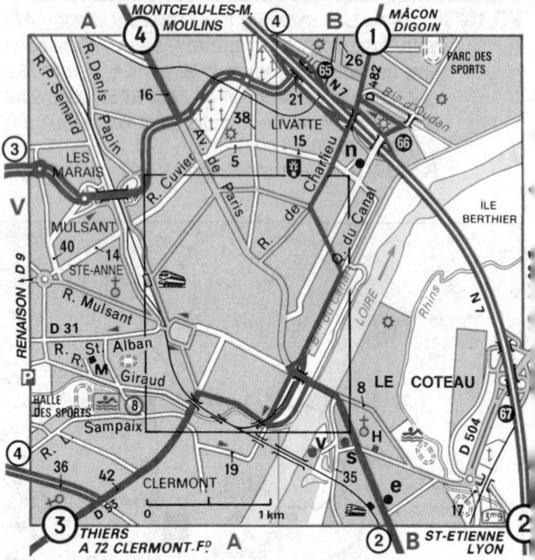

MONTCEAU-LES-M.
MOULINS
MÂCON
DIGOIN
PARC DES SPORTS
LES MARAIS
LIVATTE
MULSANT
STE-ANNE
RENAISON D 9
R. Mulsant
D 31
St Alban
R. Giraud
HALLE DES SPORTS
Sampaix
LE COTEAU
ÎLE BERTHIER
LOIRE
CLERMONT
0 1 km
THIERS
A 72 CLERMONT-FD
ST-ETIENNE
LYON


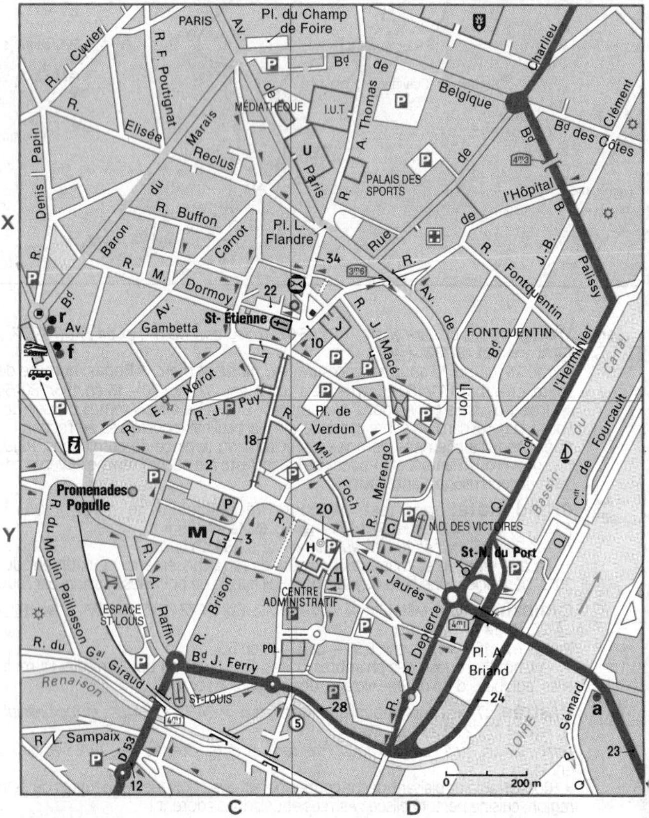

Pl. du Champ de Foire
MÉDIATHÈQUE
I.U.T.
PALAIS DES SPORTS
Pl. L. Flandre
St-Étienne
Pl. de Verdun
FONTQUENTIN
Promenades Populle
ESPACE ST-LOUIS
CENTRE ADMINISTRATIF
N.D. DES VICTOIRES
St-N. du Port
Pl. A. Briand
ST-LOUIS
Bassin du Canal
LOIRE
Renaison
0 200 m

X **Central,** 20 cours République (face gare) ✆ 04 77 67 72 72, *Fax 04 77 72 57 67* – ▤. GB **CX r**
*fermé 3 au 25 août, 25 déc. au 5 janv., dim. et lundi* – **Repas** (prévenir) 22 (déj.)/26.
◆ Des rayonnages de produits gourmands composent le décor original de ce "bistrot-épicerie" où vous découvrirez une cuisine simple et goûteuse. Convivialité assurée !

**au Coteau** *(rive droite de la Loire) – 7 469 h. alt. 350 – ✉ 42120 Le Coteau :*

**Artaud,** 133 av. Libération ✆ 04 77 68 46 44, *hotel.restaurant.artaud@wanadoo.fr, Fax 04 77 72 23 50* – ▤ TV ✆ – 15 à 100. AE ⓓ GB JCB **BV e**
*fermé 27 juil. au 18 août, lundi midi et dim.* – **Repas** 17/48 ♀ – ☐ 8 – **25 ch** 53/75 – ½ P 51/61.
◆ Hôtel géré par la même famille depuis trois générations. Chambres au décor actualisé ou dans le goût des années 1980. Restaurant au cadre contemporain (tableaux).

**Ibis,** 53 bd Ch. de Gaulle, ZI Le Coteau - **BV** ✆ 04 77 68 36 22, *h0708@accor-hotels.com, Fax 04 77 71 24 99*, ⛱, 🏊 – ▤ TV ✆ ♿ P – 60. AE ⓓ GB
**Repas** *(15)* - 18/21 ♀, enf. 7 – ☐ 6 – **67 ch** 55.
◆ Commode pour l'étape et en constante évolution, cet Ibis met à votre disposition des chambres entièrement revues dans le nouveau style de la chaîne.

XXX **Auberge Costelloise** (Souchon), 2 av. Libération ✆ 04 77 68 12 71, *Fax 04 77 72 26 78* – ▤. AE GB **DY a**
✿ *fermé 29 avril au 5 mai, 9 août au 8 sept., 26 déc.au 6 janv., dim. et lundi* – **Repas** *(15)* - 21,30/59 et carte 43 à 63 ♀.
◆ Au bord de la Loire, élégante salle de restaurant d'inspiration Art déco, flanquée d'une minivéranda. Vous y savourerez une généreuse cuisine classique.
**Spéc.** Soupière d'escargots aux herbes potagères. Crépinette de coquillages et lotte à la nage de langoustines. Pavé de charolais sauce porto. **Vins** Côte Roannaise, Vin de pays d'Urfé

XX **Relais Fleuri,** quai P. Sémard ✉ 42300 Roanne ✆ 04 77 67 18 52, *françois-xavier.gatto@wanadoo.fr, Fax 04 77 67 72 07*, ⛱ – P. GB **BV v**
*fermé vacances de Toussaint, dim. soir, mardi soir et merc.* – **Repas** 18/41 ♀.
◆ Coquet restaurant installé dans un bâtiment ancien. Un dôme vitré récemment édifié abrite l'une des deux salles à manger ; l'été, il s'ouvre largement sur le jardin.

X **Ma Chaumière,** 3 r. St-Marc ✆ 04 77 67 25 93, *Fax 04 77 23 35 94* – GB **BV s**
*fermé 29 juil. au 22 août, dim. soir et lundi* – **Repas** 18,15/39 ♀.
◆ Adresse toute simple qui justifie son nom par son atmosphère sympathique, son accueil gracieux et ses petits plats traditionnels adroitement mitonnés.

**à Riorges** *Ouest : 3 km par D 31 -* **AV** *– 9 868 h. alt. 295 – ✉ 42153 :*

XXX **Marcassin** avec ch, rte St-Alban-les-Eaux ✆ 04 77 71 30 18, *Fax 04 77 23 11 22*, ⛱ – TV. AE GB. ✂ ch
*fermé 1er au 26 août, vacances de fév., dim. soir, vend. soir et sam.* – **Repas** *(19)* - 24,50/53,50 et carte 29 à 42 ♀ – ☐ 6,50 – **9 ch** 46/54 – ½ P 59,50.
◆ Restaurant au cadre contemporain raffiné où domine le bois blond : plafond à caissons et murs habillés de lambris. Vitrines décorées d'arbres nains. Cuisine soignée.

**à Villerest** *par ③ : 6 km – 4 104 h. alt. 363 – ✉ 42300 :*

**Domaine de Champlong** 🐦 sans rest, ✆ 04 77 69 78 78, *hotel.champlong@wanado o.fr, Fax 04 77 69 35 45*, 🏊, ✂ – TV ✆ P. GB. ✂
*fermé 15 déc. au 4 janv., fév. et dim. hors saison* – ☐ 7 – **23 ch** 53,50/71,50.
◆ Bâtiment récent bénéficiant du calme de la campagne, à deux pas d'un golf. Les chambres, spacieuses et actuelles, disposent de balcons ou de terrasses privatives.

XXX **Château de Champlong,** près golf ✆ 04 77 69 69 69, *Fax 04 77 69 71 08*, ⛱, ♣ – P. AE GB
*fermé 17 au 30 nov., 7 au 22 fév.,dim. soir, lundi et mardi* – **Repas** 19/54 et carte 40 à 55 ♀.
◆ Belle demeure du 18e s. au sein d'un parc. La "salle des peintures" vaut le coup d'oeil : tableaux d'époque, joli parquet et imposante cheminée. Élégants salons.

---

**ROCAMADOUR** *46500 Lot* 337 F3 *G. Périgord Quercy – 627 h alt. 279.*

**Voir** *Site★★★ – Remparts ※★★★ – Tapisseries★ dans l'hôtel de ville – Vierge noire★ dans la chapelle Notre-Dame – Musée d'Art sacré★* **M¹** *– Musée du Jouet ancien automobile : voitures à pédales★ – L'Hospitalet※★★ : Féerie du rail : maquette★ par ②.*

*Office du Tourisme, Maison du Tourisme ✆ 05 65 33 22 00, Fax 05 65 33 22 01, rocamadour@wanadoo.fr.*

*Paris 532 ① – Cahors 60 ③ – Brive-la-Gaillarde 55 ① – Figeac 47 ② – St-Céré 31 ①.*

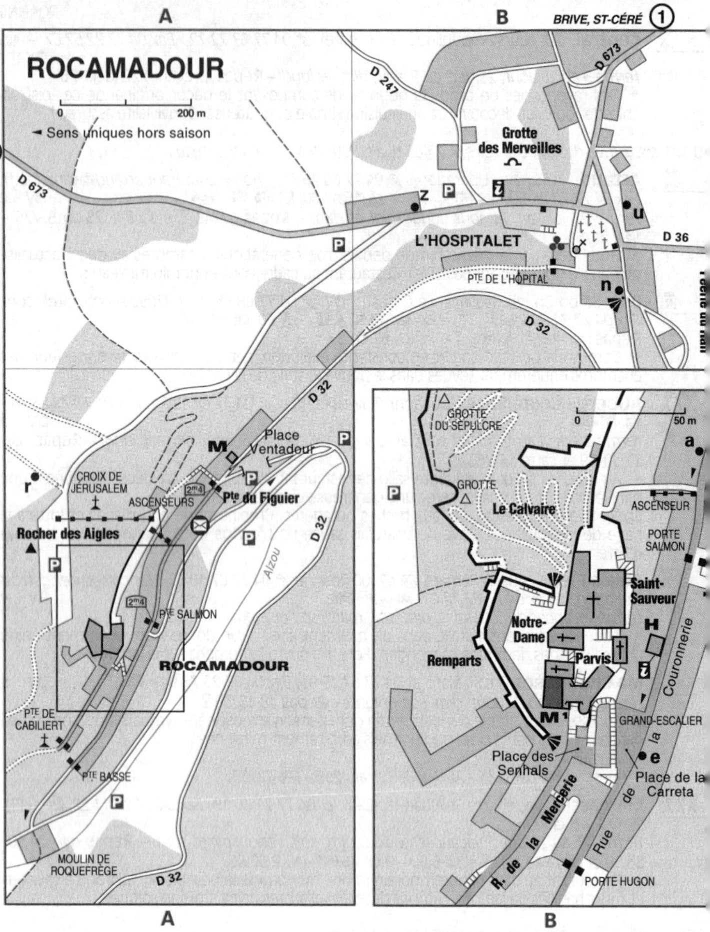
A
B
BRIVE, ST-CÉRÉ
1
ROCAMADOUR
Y
0
200 m
Sens uniques hors saison
3
SOUILLAC, PAYRAC
D 673
D 247
D 673
Grotte des Merveilles
Z
L'HOSPITALET
D 36
u
n
PTE DE L'HÔPITAL
D 32
D 32
M
Place Ventadour
CROIX DE JÉRUSALEM
ASCENSEURS
Pte du Figuier
r
Rocher des Aigles
D 32
Alzou
PTE SALMON
ROCAMADOUR
Z
PTE DE CABILIERT
PTE BASSE
MOULIN DE ROQUEFRÈGE
D 32
A
B
GROTTE DU SÉPULCRE
0
50 m
a
GROTTE
Le Calvaire
ASCENSEUR
PORTE SALMON
Saint-Sauveur
Notre-Dame
H
Remparts
Parvis
Couronnerie
M1
GRAND-ESCALIER
Place des Senhals
e
Place de la Carreta
R. de la Mercerie
Rue de la
PORTE HUGON

**au château :**

**Château** ⚐, ☎ 05 65 33 62 22, *hotelduchateau@gofornet.com, Fax 05 65 33 69 00,* – ▤ ch, – 50. AE ◎ GB — AZ
*22 mars-2 nov.* – **Repas** *(14)* - 18,85/39,60 ♀, enf. 9 – ☕ 8,50 – **59 ch** 63/80 – ½ P 61/73.
◆ Loin de l'agitation touristique, hôtel contemporain aux chambres spacieuses. Le resta rant, à 50 m, propose une cuisine régionale servie à l'ombre de chênes truffiers.

**Relais Amadourien** ⚐, – AE ◎ GB — AZ
*22 mars-2 nov.* – **Repas** voir ***H. du Château*** – ☕ 6,50 – **20 ch** 44/47 – ½ P 54.
◆ L'annexe de l'hôtel du Château, de style motel à la toiture pentue, accueille en saisc principalement les groupes. Chambres simples, bien tenues.

**dans la cité :**

**Beau Site** ⚐, ☎ 05 65 33 63 08, *hotel@bw-beausite.com, Fax 05 65 33 65 23,* ←, – AE ◎ GB JCB — BZ
*8 fév.-11 nov.* – ***Jehan de Valon :*** Repas 21,50/49,50 ♀, enf 9,50 – ☕ 10 – **40 ch** 60/90 ½ P 67.
◆ Au cœur de la cité, maison du 15e s. et son annexe (chambres plus actuelles). Joli h d'inspiration médiévale, plaisante terrasse ombragée tournée vers la vallée.

**Terminus des Pélerins**, ☎ 05 65 33 62 14, *hotelterm.pelerinsroc@wanadoo.fr, Fax 05 65 33 72 10*, ≤, – TV. AE GB JCB BZ e
*5 avril-2 nov.* – **Repas** *(fermé jeudi soir et vend. hors saison)* (10,50) - 15/21 ♀, enf. 7,70 – ☐ 6,20 – **12 ch** 39/56 – ½ P 46,20/52,20.
◆ Au pied de la falaise escarpée, hôtel familial à l'accueil chaleureux ; chambres bien équipées. De la terrasse, profitez du "spectacle" de la vallée. Plats régionaux.

**à l'Hospitalet :**

**Belvédère,** ☎ 05 65 33 63 25, *le.belvere@wanadoo.fr, Fax 05 65 33 69 25*, ≤ site de Rocamadour, – TV P. AE GB BY n
*1er avril-19 oct. et fermé vend. midi et dim. soir hors saison* – **Repas** 17,50/25 ♀, enf. 8,50 – ☐ 6,30 – **18 ch** 43/59 – ½ P 45/52.
◆ Splendide vue panoramique offerte par la grande majorité des chambres. Deux restaurations possibles : gastronomique ou snack. Bar-glacier au rez-de-chaussée.

**Panoramic,** ☎ 05 65 33 63 06, *hotelpanoramic@wanadoo.fr, Fax 05 65 33 69 26*, ≤, – TV P. AE GB BY z
*17 fév.-5 nov. et fermé vend. sauf juil.-août* – **Repas** (dîner seul.)(résidents seul.) 16/28 ♀, enf. 8 – ☐ 6,50 – **20 ch** 45/52 – ½ P 49/52,50.
◆ Jolie perspective sur Rocamadour depuis cet hôtel perché sur une falaise. Chambres fonctionnelles, agréable espace jardin-piscine, bar ouvert à la clientèle de passage.

**Comp'Hostel** sans rest, ☎ 05 65 33 73 50, *Fax 05 65 10 68 21*, – TV P. GB
*1er avril-1er oct.* – ☐ 6,10 – **15 ch** 45,70/49. BY u
◆ Construction récente proche des ruines de l'hôpital qui soignait les pélerins de Compostelle. Petites chambres pratiques. Piscine commune à l'hôtel et au camping attenant.

**rte de Brive** *par ① : 2,5 km par D 673 – ✉ 46500 Rocamadour :*

**Troubadour**, ☎ 05 65 33 70 27, *troubadour@rocamadour.com, Fax 05 65 33 71 99*, ≤, – ▤ rest, TV P. AE GB JCB
*hôtel : 15 fév.-15 nov. ; rest. : 15 fév.-30 avril et 1er oct -15 nov.* – **Repas** (dîner seul.) (résidents seul.) 23 – ☐ 8 – **10 ch** 70/80 – ½ P 70/80.
◆ Le mobilier rustique, spécialement conçu par un ébéniste local, et le jardin ouvert sur la nature font le charme de cette vieille ferme restaurée et au grand calme.

**Roc du Berger,** ☎ 05 65 33 19 99, *berger@crdi.fr, Fax 05 65 33 72 46*, – P. GB
*fin mars-fin sept. et week-ends en oct.* – **Repas** 16/25, enf. 6.
◆ Terrasse sous les chênes truffiers, ambiance animée, service à la bonne franquette et, sur la table, des produits fermiers exclusivement régionaux et préparés au feu de bois.

**à la Rhue** *par ① et rte de Brive : 6 km par D 673, N 140 et rte secondaire – ✉ 46500 Rocamadour :*

**Domaine de la Rhue** sans rest, ☎ 05 65 33 71 50, *domainedelarhue@wanadoo.fr, Fax 05 65 33 72 48*, ≤, – P. GB.
*11 avril-20 oct.* – ☐ 7 – **14 ch** 71/125.
◆ Grandes chambres personnalisées aménagées dans d'élégantes écuries anciennes (19e s.). Sentier balisé menant à Rocamadour. Possibilité de vols en montgolfière.

**rte de Payrac** *par ③ : 4 km par D 673 et rte secondaire – ✉ 46500 Rocamadour :*

**Les Vieilles Tours**, ☎ 05 65 33 68 01, *les.vieillestours@wanadoo.fr, Fax 05 65 33 68 59*, ≤, – TV P – 15. AE GB
*29 mars-16 nov.* – **Repas** *(fermé le midi sauf dim. et fêtes)* 21,50/56 ♀, enf. 8,50 – ☐ 9,70 – **16 ch** 53/79 – ½ P 63/84.
◆ En pleine campagne, ferme rénovée flanquée d'un fauconnier du 13e s. abritant la plus belle chambre. Intérieur campagnard, jardin avec vue sur la vallée, cuisine régionale.

---

**La ROCHE-BERNARD** *56130 Morbihan* 308 R9 *G. Bretagne – 766 h alt. 38.*

**Voir** *Pont du Morbihan★.*

*Syndicat d'Initiative, 14 rue du Docteur-Cornudet ☎ 02 99 90 67 98, Fax 02 99 90 67 99.*

*Paris 445 – Nantes 70 – Vannes 41 – Ploërmel 57 – Redon 27 – St-Nazaire 37.*

**Manoir du Rodoir**, rte Nantes ☎ 02 99 90 82 68, *manoir.rodoir@wanadoo.fr, Fax 02 99 90 76 22*, – ▤ rest, TV P – 80. GB
*fermé 23 déc. au 5 janv.* – **Repas** *(fermé dim. soir, mardi midi et lundi)* 25/55 ♀ – ☐ 11 – **26 ch** 70/87 – ½ P 137.
◆ Un parc de deux hectares entoure cette ancienne fonderie entièrement restaurée. Chambres spacieuses et confortables, mansardées au 2e étage. Coquette salle à manger.

**Auberge des Deux Magots,** pl. Bouffay ☎ 02 99 90 60 75, *aubergelesdeuxmagots.roche-bernard@wanadoo.fr, Fax 02 99 90 87 87* – TV. GB.
*fermé 21 juin au 2 juil., 10 au 21 oct., 20 déc. au 15 janv.* – **Repas** *(fermé dim. soir, mardi midi et lundi)* (13) - 23/60 ♀ – ☐ 6,10 – **15 ch** 43/74.
◆ Jolie auberge de village à la façade fleurie abritant des chambres au charme désuet, deux petites salles à manger et un bar agrémenté d'une collection de mignonnettes.

**Colibri** sans rest, r. Four ✆ 02 99 90 66 01, *Fax 02 99 90 75 94* – GB.
*fermé 23 janv. au 9 fév.* – ☕ 6 – **11** ch 33/50.
◆ Dans une rue assez calme. Chambres actuelles égayées de tissus fleuris, tenue méticuleuse, accueil souriant et prix sages : un petit nid douillet bien sympathique !

**Auberge Bretonne** (Thorel) Ⓜ avec ch, pl. Duguesclin ✆ 02 99 90 60 28, *jacques.thore@wanadoo.fr, Fax 02 99 90 85 00* – – 15. AE GB JCB
*fermé 15 nov. au 15 janv.* – **Repas** *(fermé lundi midi, mardi midi, vend. midi et jeudi)* 90/130 et carte 100 à 125 – ☕ 16 – **8 ch** 175/230 – ½ P 210/240.
◆ Derrière les façades fleuries de trois maisons bretonnes, lumineux restaurant originalement aménagé dans une galerie entourant un potager. Cuisine créative "terre et mer".
**Spéc.** Léger bouillon d'asperges et truffes de Saint-Jacques en surprise (nov. à fév.) Langoustines rôties aux asperges vertes et au café (avril à sept.). Homard rôti au jus, coffre traité comme un parmentier.

## La ROCHE-CHALAIS *24490 Dordogne* 329 B5 – *2 860 h alt. 60.*

*Syndicat d'Initiative, 9 place du Puits qui Chante ✆ 05 53 90 18 95.*
*Paris 510 – Bergerac 63 – Blaye 65 – Bordeaux 72 – Périgueux 69.*

**Soleil d'Or,** 14 r. Apre Côte ✆ 05 53 90 86 71, *Fax 05 53 90 28 21,* – GB
**Repas** *(fermé sam. midi de nov. à mars et lundi midi)* 11,50 – ☕ 8 – **15 ch** 45/55 – ½ P 40
◆ Cet hôtel du centre de la bourgade propose des chambres fonctionnelles, d'ampleur diverse. La terrasse offre une belle vue sur la vallée de la Dronne.

***Michelin n'accroche pas de panonceau aux hôtels et restaurants qu'il signale.***

## ROCHECORBON *37 I.-et-L.* 317 N4 – *rattaché à Tours.*

## ROCHEFORT *17300 Char.-Mar.* 324 E4 *G. Poitou Vendée Charentes – 25 561 h alt. 12 – Stat therm. (début fév.-mi déc.).*

Voir *Quartier de l'Arsenal★ – Corderie royale★★ – Maison de Pierre Loti★* **AZ** *– Musée d'Ar et d'Histoire★* **AZ M²** *– Les Métiers de Mercure★ (musée)* **BZ D.**
**Accès Pont de Martrou.** *Péage en 2002 : auto 3,50 (AR 6,00), voiture et caravane 6,00 (AR 10,00), P.L 7,00 à 9,00 (AR 12,00 à 16,00).*
*Office du Tourisme, avenue Sadi-Carnot ✆ 05 46 99 08 60, Fax 05 46 99 52 64, rochefor .tourisme@wanadoo.fr.*
*Paris 469 ① – La Rochelle 36 ③ – Royan 40 ② – Limoges 191 ① – Niort 62 ① – Saintes 42 ③*

Plan page ci-contre

**Corderie Royale** Ⓜ, r. Audebert (près Corderie Royale) ✆ 05 46 99 35 35, *info@corderieroyale-hotel.com, Fax 05 46 99 78 72,* <, , , , – , rest, – 40 à 150. AE GB JCB BY
*fermé 1er fév. au 6 mars, dim. soir et lundi de nov. à Pâques* – **Repas** *(17,53)* - 25/42 – ☕ 9,50 – **45 ch** 79/156, 3 appart – ½ P 78.
◆ Dans les murs de l'ancienne artillerie royale, au bord de la Charente. Chambres spacieuses et de bon confort. Restaurant-verrière ouvert sur les jardins de la Corderie.

**Les Remparts,** 43 r. C. Pelletan (aux Thermes) ✆ 05 46 87 12 44, *hotel.remparts.rochefort@eurothermes.com, Fax 05 46 83 92 62,* – – 30. AE GB BY
**Repas** 13/23 – ☕ 6,50 – **73 ch** 63 – ½ P 52.
◆ Cette construction des années 1970 régulièrement rafraîchie bénéficie d'un accès direct aux thermes. Chambres fonctionnelles, vaste salle à manger rénovée et terrasse d'été.

**Ibis** Ⓜ, 1 r. Bégon ✆ 05 46 99 31 31, *Fax 05 46 87 24 09* – AE GB JCB, rest BY
**Repas** 15 , enf. 6 – ☕ 6 – **44 ch** 60.
◆ Installé dans une vieille maison à la façade crépie, établissement moderne dont la plupart des chambres ont été redécorées de bois et de tissus aux couleurs plaisantes.

**L'Escale de Bougainville,** quai Louisiane (port de plaisance) ✆ 05 46 99 54 99, *Fax 05 46 99 54 99,* <, – . GB BY
*fermé 10 au 31 janv., dim. soir et lundi* – **Repas** *(16)* - 26/37 bc et carte 50 à 70.
◆ Au rez-de-chaussée d'une résidence récente, deux salles au cadre moderne raffiné. Roses fraîches sur les tables bien espacées. Cuisine au goût du jour et saveurs régionales.

**Tourne-Broche,** 56 av. Ch. de Gaulle ✆ 05 46 99 20 19, *tourne.broche@wanadoo.fr, Fax 05 46 99 72 06* – AE GB JCB. AZ
*fermé 15 juin au 1er juil., 6 au 31 janv., mardi soir, dim. soir et lundi* – **Repas** 25/38.
◆ Au sein d'une maison édifiée pour les officiers de Colbert, restaurant sachant tirer prof de son cadre authentique : cheminée, tournebroche, et vues du Luxembourg.

## ROCHEFORT



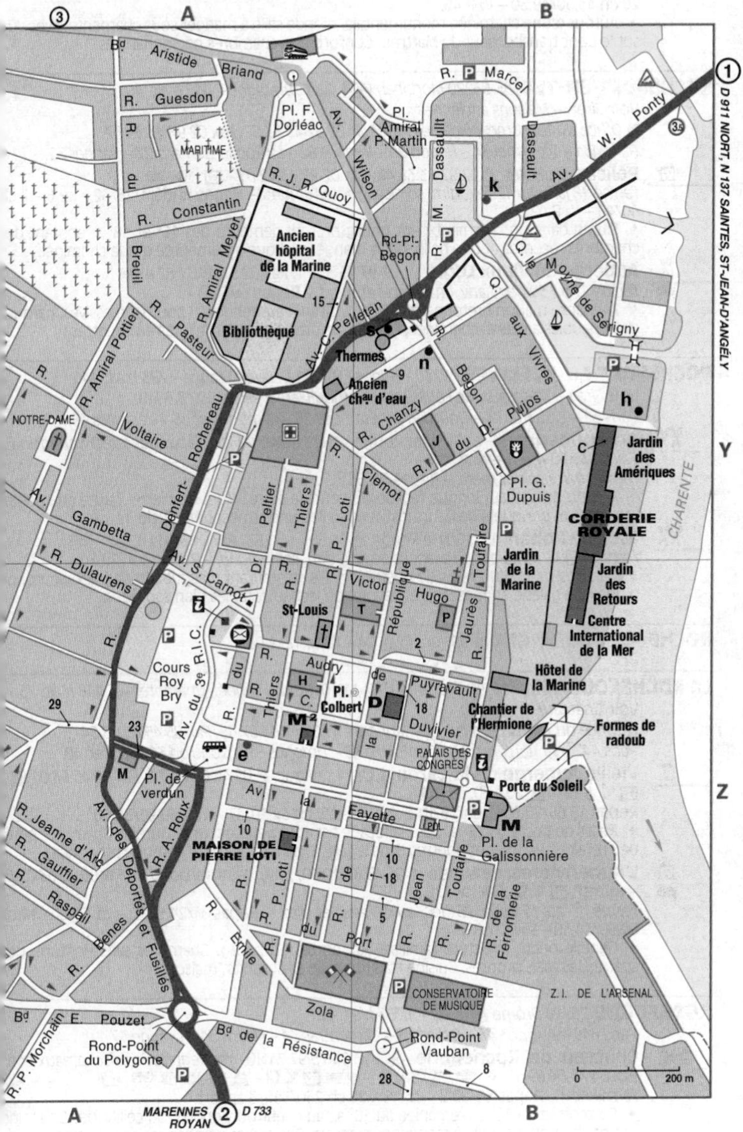

A
B
Y
Z
D 911 NIORT, N 137 SAINTES, ST-JEAN-D'ANGÉLY
MARENNES ROYAN
D 733
Bd Aristide Briand
R. Guesdon
MARITIME
R. du Breuil
R. Constantin
Pl. F. Dorléac
Av. Wilson
Pl. Amiral P.Martin
R. J. R. Quoy
R. M. Dassault
Av. Dassault
R. Marcel
W. Ponty
Ancien hôpital de la Marine
Bibliothèque
R. Amiral Meyer
R. Pasteur
Rd-Pt Begon
Av. C. Pelletan
Thermes
Ancien chau d'eau
Q. le Moyne de Sérigny
Q. aux Vivres
R. Begon
R. du Dr Pujos
R. Chanzy
R. Clemot
Pl. G. Dupuis
Jardin des Amériques
CORDERIE ROYALE
CHARENTE
Jardin de la Marine
Jardin des Retours
Centre International de la Mer
NOTRE-DAME
R. Amiral Pottier
R. Voltaire
R. Denfert-Rochereau
Av. Gambetta
R. Dulaurens
Av. S. Carnot
R. Peltier
R. Thiers
R. P. Loti
R. Victor Hugo
R. République
R. Jaurès
R. Toufaire
St-Louis
Cours Roy Bry
Av. du 3e R.I.C.
R. Audry de Puyravault
Pl. Colbert
R. Duvivier
Hôtel de la Marine
Chantier de l'Hermione
Formes de radoub
PALAIS DES CONGRÈS
Porte du Soleil
Pl. de la Galissonnière
Pl. de Verdun
Av. la Fayette
MAISON DE PIERRE LOTI
R. Jeanne d'Arc
R. Gauffier
R. Raspail
R. Benes
R. A. Roux
Av. des Déportés et Fusillés
R. Émile Zola
R. du Port
R. de la Ferronnerie
CONSERVATOIRE DE MUSIQUE
Z.I. DE L'ARSENAL
Bd E. Pouzet
R. P. Morchain
Rond-Point du Polygone
Bd de la Résistance
Rond-Point Vauban
200 m


*Donnez-nous votre avis sur les tables que nous recommandons, sur leurs spécialités et leurs vins de pays.*

**par** ② : *3 km rte de Royan avant pont de Martrou* – ✉ *17300 Rochefort :*

**Belle Poule,** ✆ 05 46 99 71 87, *belle-poule@wanadoo.fr, Fax 05 46 83 99 77,*

*fermé 3 au 30 nov., dim. soir et vend. hors saison* – **Repas** 18,30/32, enf. 7,60 – ☕ 5,80 – **20 ch** 43,50/49,50 – ½ P 46.

◆ Autour d'une cheminée monumentale, grande salle à manger sous charpente, avec vu sur le pont transbordeur de Martrou. Confortables chambres personnalisées.

---

**ROCHEFORT-EN-TERRE** *56220 Morbihan* 308 Q8 *G. Bretagne – 645 h alt. 40.*

Voir *Site★ – Maisons anciennes★.*

*Office du Tourisme, place des Halles ✆ 02 97 43 33 57, Fax 02 97 43 33 57.*

*Paris 431 – Ploërmel 34 – Redon 25 – Rennes 82 – La Roche-Bernard 27 – Vannes 35.*

**Pélican,** pl. Halles ✆ 02 97 43 38 48, *Fax 02 97 43 42 01* – GB

*fermé 18 janv. au 12 fév., dim. soir (sauf hôtel) et lundi* – **Repas** 12 (déj.), 16/32 – ☕ 6 – **7 ch** 40/46 – ½ P 42,50.

◆ Située dans un charmant petit bourg breton, demeure des 16ᵉ et 18ᵉ s. abritant de chambres récentes et une belle salle à manger rustique agrémentée d'une cheminée.

**Auberge du Vieux Logis,** ✆ 02 97 43 31 71, *Fax 02 97 43 31 62* – GB

*fermé 17 au 30 nov., janv., mardi soir et merc.* – **Repas** 14/50 ♀.

◆ Avenante maison bretonne du 16ᵉ s. cultivant l'authenticité : poutres massives, parque ciré, meubles anciens, cheminée... jusqu'aux plats du terroir mijotés en cocottes !

---

**ROCHEFORT-EN-YVELINES** *78730 Yvelines* 311 H4 *G. Ile de France – 783 h alt. 140.*

Voir *Site★ – Vaisseau★ de l'église de St-Arnoult-en-Yvelines SO : 3,5 km.*

*Paris 51 – Chartres 44 – Dourdan 9 – Étampes 26 – Rambouillet 15 – Versailles 48.*

**Brazoucade,** 51 r. Guy le Rouge ✆ 01 30 41 49 09, *labazoucade@wanadoo.f* *Fax 01 30 88 41 55* – GB

*fermé mardi soir et merc.* – **Repas** 34/55 ♀.

◆ À flanc de coteau, longue façade où court le lierre. Murs de pierre, haute charpente tomettes et bouquets de fleurs instillent au lieu une atmosphère chaleureuse.

**Escu de Rohan,** 15 r. Guy le Rouge ✆ 01 30 41 31 33, *Fax 01 30 41 47 52* – GB

*fermé 15 juil. au 15 août, vacances de fév., dim. soir et lundi* – **Repas** (23) - 29,50.

◆ Dans les murs d'un relais de poste du 16ᵉ s., restaurant d'esprit campagnard couronn d'une jolie galerie en mezzanine. Décoration léchée et tables bien espacées.

---

**ROCHEFORT-SUR-NENON** *39 Jura* 321 D4 – *rattaché à Dôle.*

---

**La ROCHEFOUCAULD** *16110 Charente* 324 M5 *G. Poitou Vendée Charentes – 3 448 h alt. 75.*

Voir *Château★★.*

*Office du Tourisme, 1 rue des Tanneurs ✆ 05 45 63 07 45, Fax 05 45 63 08 54.*

*Paris 447 – Angoulême 23 – Confolens 43 – Limoges 81 – Nontron 39 – Ruffec 40.*

**Vieille Auberge de la Carpe d'Or,** 1 r. Vitrac ✆ 05 45 62 02 72, *Fax 05 45 63 01 88* – 20 à 80. GB

**Repas** 15,05/20,60 ♀, enf. 6,10 – ☕ 5,50 – **25 ch** 34,30/47 – ½ P 30,90/36,60.

◆ Relais de poste du 16ᵉ s. dont la façade est agrémentée d'une tourelle. Chambres peu peu refaites. Parquet et poutres dans la salle à manger au cadre rustique prononcé.

**L'Auberivières,** rte Mansle ✆ 05 45 63 10 10, *philippe9@wanadoo.fr, Fax 05 45 63 02 6* – rest, GB. ch

*fermé 1ᵉʳ au 15 août, 25 déc. au 1ᵉʳ janv. et dim.* – **Repas** 11/24,50 ♀ – ☕ 5,40 – **10 ch** 30,50/34,30 – ½ P 27,85.

◆ Gentille petite structure familiale aux portes du bourg. Chambres sans fioriture, pe spacieuses mais propres. Cuisine traditionnelle et produits "maison".

---

**ROCHEGUDE** *26790 Drôme* 332 B8 – *1 053 h alt. 121.*

*Paris 646 – Avignon 46 – Bollène 8 – Carpentras 34 – Nyons 31 – Orange 17.*

**Château de Rochegude** ✆ 04 75 97 21 10, *rochegude@relaischateaux.com* *Fax 04 75 04 89 87,* – 25. GB JCB

*fermé nov.* – **Repas** 35/99 ♀ – ☕ 18 – **26 ch** 250/350, 3 appart.

◆ Forteresse du 12ᵉ s., remaniée au 18ᵉ s., au coeur du vignoble du cellier des Dauphin. Vastes chambres et salle à manger provençale. Des biches gambadent dans le parc.

---

**La ROCHE-L'ABEILLE** *87 H.-Vienne* 325 E7 – *rattaché à St-Yrieix-la-Perche.*

---

**ROCHE-LEZ-BEAUPRÉ** *25 Doubs* 321 G3 – *rattaché à Besançon.*

**La ROCHELLE** 🅿 17000 *Char.-Mar.* **324** D3 *G. Poitou Vendée Charentes – 71 094 h Agglo. 116 157 h alt. 1 – Casino* **AX.**

Voir *Vieux Port★★ : tour St-Nicolas★, ✲★★ de la tour de la Lanterne★ – Le quartier ancien★★ : hôtel de ville★* **Z H**, *Hôtel de la Bourse★* **Z C**, *Porte de la Grosse Horloge★* **Z N**, *Grande-rue des Merciers★ – Maison Henry II★, arcades★ de la rue du Minage, rue Chaudrier★, rue du Palais★, rue de l'Escale★ – Aquarium★★* **CDZ** *– Musées : Nouveau Monde★* **CDYM**[7], *Beaux-Arts★ P35CDY* **M**[2] *– d'Orbigny-Bernon★ (histoire rochelaise et céramique)* **Y M**[8], *Automates★ (place de Montmartre★★)* **Z M**[1], *maritime★ : Neptunéa* **C M**[5] *– Muséum d'Histoire naturelle★★* **Y.**

**Accès à l'Ile de Ré** *par le pont par* ③.**Péage** *en 2002 : auto (AR) 16,50 (saison) 9,00 (hors saison), auto et caravane 27,00 (saison), 15,00 (hors saison), camion 18,00 à 45,00, moto 2,00, gratuit pour piétons et vélos..*

*Renseignements par Régie d'Exploitation des Ponts : ☎ 05 46 00 51 10, Fax 05 46 43 04 71.*

✈ *de la Rochelle-Île-de-Ré : ☎ 05 46 42 30 26, NO : 4,5 km* **V.**

ⓘ *Office du Tourisme, place de la Petite Sirène ☎ 05 46 41 14 68, Fax 05 46 41 99 85, tourisme.la.rochelle@wanadoo.fr.*

*Paris 473 ① – Angoulême 147 ② – Bordeaux 185 ② – Nantes 141 ① – Niort 66 ①.*

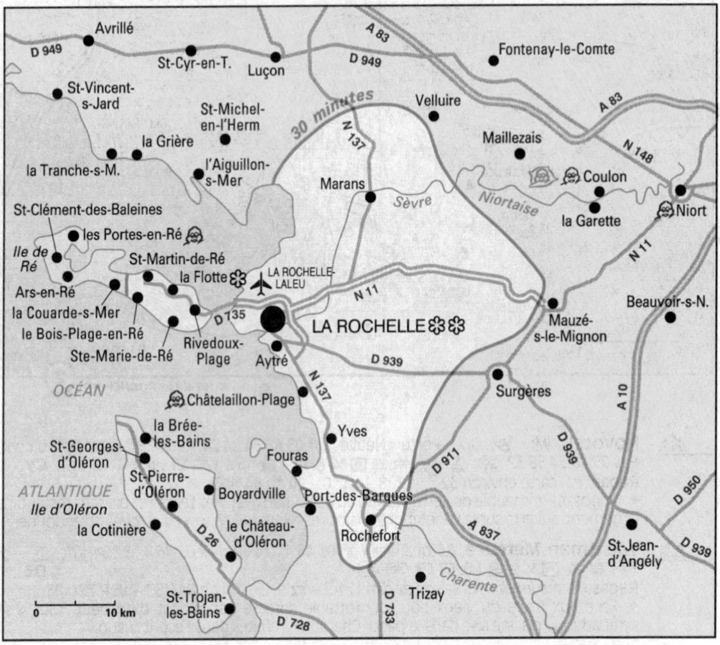

Avrillé
D 949
St-Cyr-en-T.
Luçon
A 83
D 949
Fontenay-le-Comte
St-Vincent-s-Jard
St-Michel-en-l'Herm
30 minutes
N 137
Velluire
A 83
la Grière
Maillezais
N 148
la Tranche-s-M.
l'Aiguillon-s-Mer
Marans
Coulon
Sèvre
Niortaise
St-Clément-des-Baleines
Niort
la Garette
les Portes-en-Ré
Ile de Ré
St-Martin-de-Ré
N 11
la Flotte
LA ROCHELLE-LALEU
Ars-en-Ré
N 11
Beauvoir-s-N.
la Couarde-s-Mer
D 735
Mauzé-s-le-Mignon
LA ROCHELLE
le Bois-Plage-en-Ré
Rivedoux-Plage
Ste-Marie-de-Ré
Aytré
D 939
N 137
Surgères
OCÉAN
Châtelaillon-Plage
A 10
la Brée-les-Bains
Yves
St-Georges-d'Oléron
D 939
Fouras
D 911
St-Pierre-d'Oléron
ATLANTIQUE
Ile d'Oléron
Boyardville
Port-des-Barques
D 950
Rochefort
la Cotinière
D 26
le Château-d'Oléron
A 837
St-Jean-d'Angély
D 939
Charente
Trizay
0
10 km
St-Trojan-les-Bains
D 733
D 728


**France-Angleterre et Champlain** sans rest, 20 r. Rambaud ☎ 05 46 41 23 99, *hotel@france-champlain.com, Fax 05 46 41 15 19,* – |‡| ▤ 📺 📞 🚗 – 🏛 20 à 35. AE ⓓ GB **CY b**
☕ 12 – **36 ch** 58/105, 4 appart.
◆ Cet ancien hôtel particulier est doté d'un bien agréable et romantique jardin. Bel escalier central menant à des chambres spacieuses et superbement meublées.

**Monnaie** sans rest, 3 r. Monnaie ☎ 05 46 50 65 65, *info@hotel-monnaie.com, Fax 05 46 50 63 19* – |‡| ▤ 📺 📞 ♿ 🚗 – 🏛 15. AE ⓓ GB **CZ z**
☕ 10,50 – **31 ch** 78/105, 4 appart.
◆ Près de la tour de la Lanterne, hôtel particulier du 17e s. où l'on frappait la monnaie. Grandes chambres et contemporaines tournées sur la jolie cour intérieure pavée.

**Les Brises** sans rest, chemin digue Richelieu (r. P. Vincent) ☎ 05 46 43 89 37, *Fax 05 46 43 27 97,* ≤ les îles – |‡| 📺 📞 🚗 🅿. AE ⓓ GB **AX q**
☕ 9,50 – **46 ch** 73/108.
◆ Bâtiment cubique dont la terrasse au bord de mer et la vue sur les îles valent, à elles seules, une visite. Les chambres, rénovées avec soin, possèdent parfois un balcon.

## LA ROCHELLE

| | | |
|---|---|---|
| Briand (Av. Aristide) | AV | 13 |
| Cognehors (Bd de) | BV | 23 |
| Coligny (Av.) | AVX | 25 |
| Crépeau (Av. Michel) | ABX | 29 |
| Denfert-Rochereau (Av.) | AV | 33 |
| Fétilly (Av. de) | BV | 47 |
| Joffre (Bd du Mar.) | BV | 61 |
| Juin (Av. Mar.) | AV | 62 |
| Lysiack (Av. Cdt) | BX | 63 |
| Mail (Allées du) | AX | 64 |
| Marillac (Av.) | AX | 65 |
| Missy (R. de) | AV | 72 |
| Moulin (Av. Jean) | BX | 74 |
| République (Bd de la) | BX | 90 |
| Robinet (Av. L.) | BV | 92 |
| Saintonge (R. A.-de) | AV | 103 |
| Salengro (Av. Roger) | BX | 106 |
| Sartre (Av. Jean-Paul) | BX | 109 |
| 8-Mai-1945 (Av. du) | BV | 118 |
| 11-Novembre-1918 (Av. du) | BV | 121 |

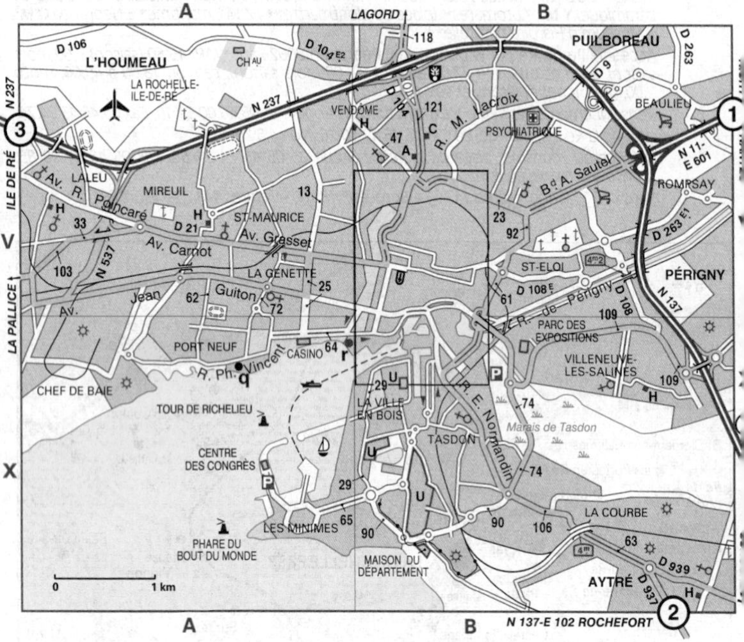

A
LAGORD
B
D 106
L'HOUMEAU
LA ROCHELLE-ILE-DE-RÉ
N 237
PUILBOREAU
D 263
D 9
BEAULIEU
VENDÔME
121
R. M. Lacroix
PSYCHIATRIQUE
N 11-E 601
ROMPSAY
LALEU
MIREUIL
Av. R. Poincaré
D 21
ST-MAURICE
Av. Gresset
Bd A. Sauter
D 263 E1
Av. Carnot
ST-ELOI
PÉRIGNY
LA GENETTE
D 108 E
R. de Périgny
D 108
N 137
ILE DE RÉ
LA PALLICE
N 537
Av. Jean Guiton
PORT NEUF
CASINO
R. Ph. Vincent
PARC DES EXPOSITIONS
VILLENEUVE-LES-SALINES
CHEF DE BAIE
TOUR DE RICHELIEU
LA VILLE EN BOIS
R. E. Normandin
Marais de Tasdon
TASDON
CENTRE DES CONGRÈS
LA COURBE
LES MINIMES
PHARE DU BOUT DU MONDE
MAISON DU DÉPARTEMENT
D 939
AYTRÉ
D 937
1 km
N 137-E 102 ROCHEFORT
V
X


**Novotel** M, av. Porte Neuve ✆ 05 46 34 24 24, *h0965@accor-hotels.com, Fax 05 46 34 58 32,* – 15 à 120. AE GB — CY t

**Repas** *(15)* - carte environ 32, enf. 8 – 10 – **94 ch** 84/113.

◆ Imposant immeuble de verre intégré au parc Charruyer. Hall feutré et plaisant restaurant largement ouverts sur la végétation. Chambres "Novotel" rénovées. Accueil attentionné.

**Yachtman Mercure,** 23 quai Valin ✆ 05 46 41 20 68, *Fax 05 46 41 81 24,* ch, – 80. AE GB JCB — DZ r

**Repas** *(fermé lundi hors saison et dim.)* 21 – 9,15 – **44 ch** 84/153 – ½ P 72/103.

◆ Face aux tours du vieux port, confortable adresse bénéficiant d'un petit "plus" : sa sympathique piscine sise dans le patio. Chambres refaites dans l'esprit marin.

**Mercure Océanide,** quai L. Prunier ✆ 05 46 50 61 50, *h0569@accor-hotels.com, Fax 05 46 41 24 31,* ch, – 15 à 120. AE GB — DZ e

**Repas** *(13)* - 16,80/20, enf. 6,10 – 8,50 – **123 ch** 76/93.

◆ Originale façade mariant bois, verre et acier située à une encablure de l'Aquarium et du musée maritime Neptunéa. Le cadre des chambres évoque les cabines de bateaux.

**Comfort Hôtel St-Nicolas** sans rest, 13 r. Sardinerie ✆ 05 46 41 71 55, *comfort.larochelle@wanadoo.fr, Fax 05 46 41 70 46* – 25. AE GB — DZ d

8 – **79 ch** 75.

◆ Au coeur d'un vieux quartier de pêcheurs, chambres fonctionnelles, mansardées à partir du 3ᵉ étage. Étonnant salon sous verrière où poussent des bananiers !

**Trianon et Plage,** 6 r. Monnaie ✆ 05 46 41 21 35, *trianonlarochelle@wanadoo.fr, Fax 05 46 41 95 78* – rest, – 20. AE GB. rest — CZ b

*fermé 22 déc. au 1ᵉʳ fév.* – **Repas** *(fermé sam. midi et dim. du 15 oct. au 15 mars)* 15,50/31,50, enf. 9,20 – 7,40 – **25 ch** 65/80 – ½ P 65/72.

◆ Ancien hôtel particulier du 19ᵉ s. au confort bourgeois. Salle des petits-déjeuners aménagée à la façon d'un jardin d'hiver. Les chambres sont plus calmes sur l'arrière.

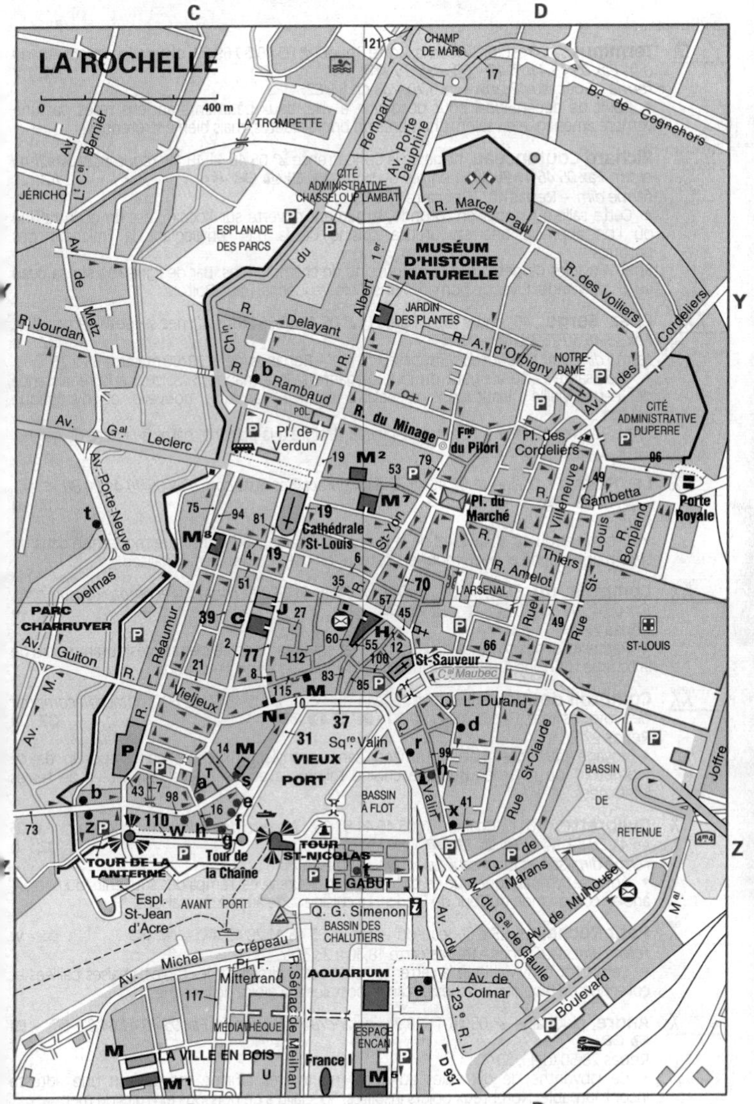

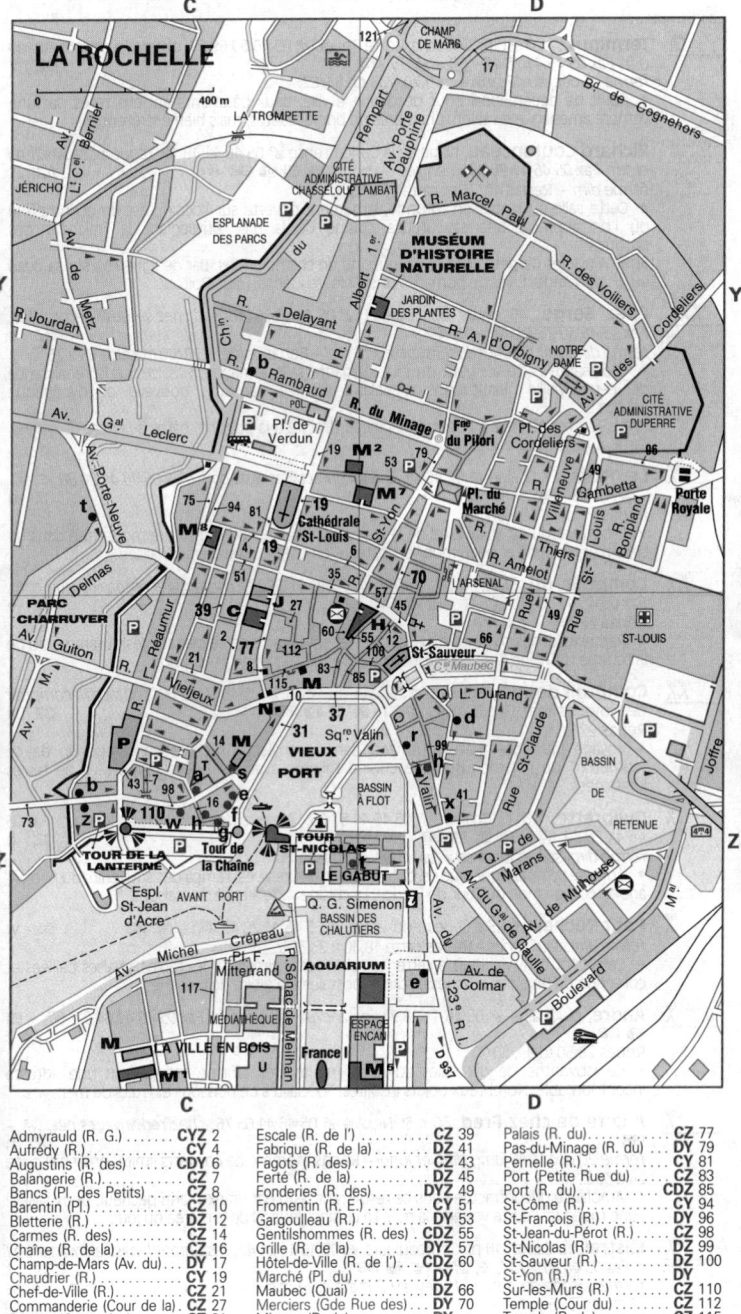

LA ROCHELLE
0
400 m
C
D
Y
Z
CHAMP DE MARS
LA TROMPETTE
Bd de Cognehors
Av. Porte Dauphine
Rempart
CITÉ ADMINISTRATIVE CHASSELOUP LAMBAT
ESPLANADE DES PARCS
JÉRICHO
R. Marcel Paul
MUSÉUM D'HISTOIRE NATURELLE
JARDIN DES PLANTES
R. des Voiliers
R. Jourdan
R. Delayant
R. A. d'Orbigny
NOTRE-DAME
CITÉ ADMINISTRATIVE DUPERRE
R. Rambaud
R. du Minage
Fne du Pilori
Pl. des Cordeliers
Pl. de Verdun
Av. Gal Leclerc
Av. Porte-Neuve
Cathédrale St-Louis
Pl. du Marché
Porte Royale
R. Gambetta
R. Thiers
R. Amelot
L'ARSENAL
PARC CHARRUYER
Av. Guiton
St-Sauveur
Q. L. Durand
ST-LOUIS
Rue St-Claude
BASSIN DE RETENUE
Sqre Valin
VIEUX PORT
BASSIN À FLOT
TOUR DE LA LANTERNE
Tour de la Chaîne
TOUR ST-NICOLAS
LE GABUT
Espl. St-Jean d'Acre
AVANT PORT
Q. G. Simenon
BASSIN DES CHALUTIERS
Av. Michel Crépeau
Pl. F. Mitterrand
AQUARIUM
MÉDIATHÈQUE
LA VILLE EN BOIS
France I
ESPACE ENCAN
Av. de Colmar
Boulevard
Av. du Gal de Gaulle
Av. de Mulhouse
Q. de Marans

🏨 **Terminus** sans rest, pl. Cdt de la Motte Rouge ☎ 05 46 50 69 69, *claude.lecorvic@wanadoo.fr, Fax 05 46 41 73 12* – [TV] – 25. GB DZ x
*fermé 15 déc. au 12 janv.* – ☕ 5,70 – **33 ch** 54/62.
◆ Point de départ idéal pour découvrir la ville, deux bâtiments anciens reliés par une verrière aménagée en salon. Chambres un brin désuètes, mais bien entretenues.

XXXX ✿✿ **Richard Coutanceau,** plage de la Concurrence ☎ 05 46 41 48 19, *rcoutanceau@a2i-micro.fr, Fax 05 46 41 99 45,* ≤ entrée du port – ▤. AE ⓓ GB JCB AX r
*fermé dim.* – **Repas** 40/76 et carte 67 à 89 ♀.
◆ Cette salle à manger en rotonde, largement ouverte sur l'océan, est un écrin raffiné où l'on apprécie une savoureuse cuisine de la mer privilégiant la fraîcheur des produits.
**Spéc.** Ravioles de petits gris et cappuccino de champignons. Bar de ligne rôti sur sa peau au jus de viande. Civet de homard. **Vins** Fiefs Vendéens, Haut-Poitou

XXX ✿ **Chez Serge,** 46 cours des Dames ☎ 05 46 50 25 25, *sarl.chez.serge@libertysurf.fr, Fax 05 46 50 25 34,* ⛱ – AE GB CZ s
*fermé dim. soir et lundi du 15 sept. au 15 mai* – **Repas** 23 (déj.), 29/60 et carte 55 à 75 ♀.
◆ Séduisante carte au goût du jour, élégante salle à manger : assistez à la renaissance de cette vieille "institution" rochelaise animée par une nouvelle et dynamique équipe.
**Spéc.** Huîtres au four au beurre et pineau. Maigre à la plancha, pâtes à l'encre de seiche. Tarte au café et cardamome.

XX **Les Flots,** 1 r. Chaîne ☎ 05 46 41 32 51, *contact@les.flots.com, Fax 05 46 41 90 80,* ≤, ⛱ – ▤. AE ⓓ GB CZ g
**Repas** 21 (déj.), 30/65 ♀.
◆ Estaminet du 18e s. au pied de la tour de la Chaîne. Cadre rustique modernisé dans un style marin soigné et beau mobilier "bateau" en bois. Cuisine personnalisée.

XX **Comptoir du Sud,** 4 pl. Chaîne ☎ 05 46 41 06 08, *contact@lecomptoirdusud.com, Fax 05 46 41 90 80,* ⛱ – ▤. AE ⓓ GB CZ e
**Repas** 22 ♀.
◆ Petites touches basques dans le décor et sur la carte de ce plaisant restaurant voisin de la tour de la Chaîne (une chaîne interdisait la nuit l'accès au vieux port).

XX **Comptoir des Voyages,** 22 r. St-Jean-du-Pérot ☎ 05 46 50 62 60, *contact@lecomptoirdesvoyages.com, Fax 05 46 41 90 80* – ▤. AE ⓓ GB CZ a
**Repas** 22 ♀.
◆ Voyage immobile mais gourmand dans le chaleureux cadre contemporain de ce "comptoir" où l'on déguste une cuisine mijotée avec les épices rapportées de terres lointaines.

X **Guilbrette,** 16 r. Chaîne ☎ 05 46 41 57 05, *lasserre.dominique@wanadoo.fr, Fax 05 46 41 20 39,* ⛱ – ▤. AE ⓓ GB CZ h
*fermé dim. soir et lundi sauf juil.-aout* – **Repas** 20/110 bc ♀.
◆ Adresse sympathique que ce bistrot aux couleurs vives, rempli des souvenirs du patron, ancien compagnon du Tour de France. La cuisine varie au gré des saisons.

X **Petit Rochelais,** 25 r. St-Jean-du-Pérot ☎ 05 46 41 28 43, ⛱ – ▤. GB CZ w
*fermé dim. sauf fériés* – **Repas** carte 18,30 à 23,30 ♀.
◆ Ce bistrot convivial joue la carte "terroir" : toiles cirées sur les tables, chaises paillées et collection de bibelots, affiches et cartes postales à la gloire de la vache.

X **André,** pl. Chaîne ☎ 05 46 41 28 24, *barandre@wanadoo.fr, Fax 05 46 41 64 22,* ⛱ – AE ⓓ GB CZ f
**Repas** 28,50 (déj.), 30/37.
◆ Ce labyrinthe de dix salles au décor marin très affirmé est devenu une adresse incontournable. Nombreux objets insolites. Spécialités de poissons et fruits de mer.

X **A Côté de chez Fred,** 30 r. St-Nicolas ☎ 05 46 41 65 76, *chezfred@rivages.net,* ⛱ – GB DZ h
*fermé 20 déc. au 6 janv., dim. et lundi* – **Repas** (nombre de couverts limité, prévenir) carte 24 à 33 ♀.
◆ Ambiance décontractée dans ce restaurant tenu par un ex-marin pêcheur. Deux salles : l'une rustique, l'autre vouée à la mer. La cuisine dépend de la marée du jour.

X ☺ **Mistral,** au Gabut, 10 pl. Coureauleurs ☎ 05 46 41 24 42, *restaurant.lemistral@wanadoo.fr, Fax 05 46 41 76 14,* ≤, ⛱ – ▤. ⓓ GB CDZ t
*fermé 25 oct. au 3 nov., 15 fév. au 3 mars et le soir du dim. au jeudi sauf août* – **Repas** 10/24,60 ♀, enf. 7.
◆ Grande salle à manger de style "paquebot" au premier étage d'une maison revêtue de bois. Terrasse au même niveau, avec vue sur l'ancien port de pêche.

**à Aytré** *par ② : 5 km – 7 786 h. – ✉ 17440 :*

XXX **Maison des Mouettes,** bd Plage (1er étage) ☎ 05 46 44 29 12, *lesmouettes@clarnet.fr, Fax 05 46 34 66 01,* ≤, – |♦| ▤ P. AE ⓘ GB
*fermé dim. soir et lundi d' oct. à mai* – **Repas** 32 (déj.), 39/75 et carte 41 à 56 ♀ ***Version Original*** *(fermé dim.)* **Repas** 21,40 ♀.
◆ Cette grande villa de bord de mer abrite au 1er étage une salle à manger d'inspiration Art déco offrant un superbe panorama. Formule plus simple au rez-de-chaussée.

---

**La ROCHE-POSAY** *86270 Vienne* 322 K4 *G. Poitou Vendée Charentes – 1 444 h alt. 112 – Stat. therm. – Casino.*
*Office du Tourisme, 14 boulevard Victor Hugo ☎ 05 49 19 13 00, Fax 05 49 86 27 94.*
*Paris 326 – Poitiers 61 – Le Blanc 29 – Châteauroux 77 – Loches 49 – Tours 92.*

**Les Loges du Parc** Ⓜ sans rest, 10 pl. République ☎ 05 49 19 40 50, *loges@larocheposay-shrp.com, Fax 05 49 19 40 51,* – |♦| cuisinette ▤ TV ☏ ♿. GB
*23 mars-18 oct.* – ☕ 8,50 – **33 ch** 86/150.
◆ Jadis fréquenté par nombre d'écrivains et d'artistes, ce grand hôtel 1900 a rouvert ses portes après une totale rénovation : confort actuel, piscine d'eau thermale et parc.

**St-Roch** Ⓜ, ☎ 05 49 19 49 00, *info@larocheposay-shrp.com, Fax 05 49 19 49 40,* – |♦|, ▤ ch, TV ☏ ♿ P. GB
*fermé 21 déc. au 24 janv.* – **Repas** 18,80 – ☕ 7,50 – **36 ch** 52/79 – ½ P 57,70/61,70.
◆ Au coeur du village, hôtel moderne directement relié aux thermes Saint-Roch. Chambres de tailles diverses dont huit "prestige" côté jardin.

**Europe** sans rest, ☎ 05 49 86 21 81, *hotel-de-europe@wanadoo.fr, Fax 05 49 86 66 28* – |♦| TV P. GB
*1er avril-15 oct.* – ☕ 4,80 – **31 ch** 31,50/36,50.
◆ Bâtisse régionale d'allure simple mais engageante, avec petit jardin sur l'arrière. On y vient surtout pour l'ambiance très conviviale, entretenue par les curistes.

*Donnez-nous votre avis sur les tables que nous recommandons, sur leurs spécialités et leurs vins de pays.*

---

**Le ROCHER** *07 Ardèche* 331 H6 – *rattaché à Largentière.*

---

**La ROCHE-SUR-FORON** *74800 H.-Savoie* 328 K4 *G. Alpes du Nord – 7 116 h alt. 548.*
Voir *Vieille ville*★★.
*Office du Tourisme, place Andrevetan ☎ 04 50 03 36 68, Fax 04 50 03 31 38, info@rochesurforon.com.*
*Paris 552 – Annecy 34 – Thonon-les-Bains 42 – Bonneville 8 – Genève 25.*

**Foron** sans rest, Z.I. du Dragiez, N 203 ☎ 04 50 25 82 76, *Fax 04 50 25 81 54,* – TV ☏ ♿ P. AE ⓘ GB
*fermé 15 déc. au 10 janv.* – ☕ 6,50 – **26 ch** 53/60.
◆ Hôtel situé à la périphérie de la Roche-sur-Foron, première cité européenne équipée de l'éclairage électrique public (1885). Chambres fonctionnelles et insonorisées.

**Les Afforets** sans rest, 101 r. Egalité ☎ 04 50 03 35 01, *Fax 04 50 25 82 47* – |♦| TV. GB.
☕ 6,90 – **28 ch** 41,80/51.
◆ Légèrement excentré, dans un quartier calme, cet établissement des années 1980 dispose de chambres avant tout pratiques. Aménagements un peu datés, mais tenue sans reproche.

XXX ✿ **Marie-Jean** (Signoud), rte Bonneville : 2 km ☎ 04 50 03 33 30, *Fax 04 50 25 99 98* – P. AE ⓘ GB
*fermé 28 juil. au 27 août, dim. soir, lundi et mardi* – **Repas** 38/49,30 et carte 56 à 77.
◆ Maison bourgeoise de 1890 à l'intérieur résolument contemporain : les murs sont décorés de tableaux colorés de facture naïve. Carte étoffée, goûteuse cuisine inventive.
**Spéc.** Feuillantine de langoustines et Saint-Jacques poêlées. Fondue d'oignons et lardons, truffes aillées et pétales de Saint-Jacques. Assiette de pigeon et pastilla aux amandes torréfiées. **Vins** Chignin-Bergeron, Mondeuse

**à Arenthon** *Nord-Est : 6 km par N 503 et D 19B – 952 h. alt. 439 – ✉ 74800 :*

X **Auberge Savoyarde "La Rôtisserie",** ☎ 04 50 25 57 16, *Fax 04 50 25 58 97,* – GB
*fermé 28 juil. au 14 août, 5 au 22 janv., dim. soir, lundi et mardi* – **Repas** 15 (déj.), 26/45 ♀.
◆ L'attraction est dans la salle : pratiquement toute la cuisine, sur braise et à la broche, est préparée devant le client. Carte traditionnelle et régionale ; accueil aimable.

**La ROCHE-SUR-YON** P *85000 Vendée* 316 H7 *G. Poitou Vendée Charentes – 45 219 h alt. 75.*

*Office du Tourisme, rue Clemenceau ☎ 02 51 36 00 85, Fax 02 51 36 90 27, info@ot.roche.sur.yon.fr.*

*Paris 421 ② – Cholet 67 ② – Nantes 67 ① – Niort 91 ③ – La Rochelle 76 ③.*

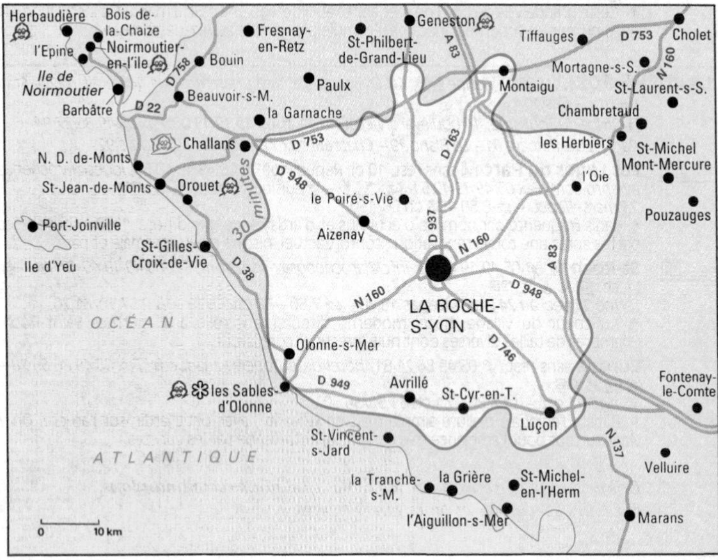

Herbaudière
Bois de-la-Chaize
l'Epine
Noirmoutier-en-l'île
Ile de Noirmoutier
Barbâtre
Bouin
Fresnay-en-Retz
St-Philbert-de-Grand-Lieu
Geneston
Tiffauges
D 753
Cholet
Mortagne-s-S.
N 160
St-Laurent-s-S.
Montaigu
A 83
Paulx
D 758
Beauvoir-s-M.
D 22
la Garnache
Chambretaud
Challans
D 753
D 763
les Herbiers
St-Michel Mont-Mercure
N. D. de-Monts
D 948
l'Oie
St-Jean-de-Monts
Orouet
le Poiré-s-Vie
30 minutes
Pouzauges
Port-Joinville
Aizenay
D 937
N 160
A 83
Ile d'Yeu
St-Gilles-Croix-de-Vie
D 38
D 948
N 160
LA ROCHE-S-YON
OCÉAN
Olonne-s-Mer
D 746
Fontenay-le-Comte
les Sables-d'Olonne
D 949
Avrillé
St-Cyr-en-T.
Luçon
St-Vincent-s-Jard
N 137
ATLANTIQUE
Velluire
la Tranche-s-M.
la Grière
St-Michel-en-l'Herm
l'Aiguillon-s-Mer
Marans
0
10 km


**Mercure** M, 117 bd A. Briand ☎ 02 51 46 28 00, *mercure.lafayette@wanadoo.fr, Fax 02 51 46 28 98*, – 80. AE GB AZ u

**Repas** *(fermé dim. soir) (14,50)* - 17,70/24,10 bc, enf. 8,40 – 9,90 – **67 ch** 72/93.

◆ À mi-chemin entre gare et place Napoléon, hôtel récent abritant des chambres spacieuses, conformes aux standards de la chaîne. Salle des petits-déjeuners sous verrière.

**Napoléon** sans rest, 50 bd A. Briand ☎ 02 51 05 33 56, *Fax 02 51 62 01 69* – – 40. AE GB AY r

7,50 – **29 ch** 48/66.

◆ La proximité d'un boulevard animé ne gêne en rien la tranquillité des chambres, amples et rénovées. Copieux petits-déjeuners servis dans un cadre de style Empire.

**St-Charles,** 38 r. de Gaulle ☎ 02 51 47 71 37, *mail@restaurant-stcharles.com, Fax 02 51 44 96 07* – . GB BY e

*fermé 4 au 22 août et dim.* – **Repas** 15/32, enf. 7,50.

◆ Ambiance jazz et décor évoquant la Nouvelle-Orléans caractérisent cette petite adresse "branchée" du centre-ville. Cuisine sensible au rythme des saisons.

**Pavillon Gourmand,** 86 r. Prés.de Gaulle ☎ 02 51 07 08 09, *Fax 02 51 37 66 90* – GB

*fermé 20 déc. au 6 janv., sam., dim. et fériés* – **Repas** 23/42. BY n

◆ Derrière la discrète façade, deux petites salles à manger, l'une classique, l'autre rustique, et un salon pour les repas commandés. Cuisine traditionnelle.

**à l'Est** *par ③, D 948 et D 80 : 5 km :*

**Logis de la Couperie** sans rest, ☎ 02 51 37 21 19, *Fax 02 51 47 71 08*, – P. AE GB.

8 – **7 ch** 62/74.

◆ Charmante gentilhommière du 18e s. à l'atmosphère "guesthouse", nichée dans un parc avec étang et potager. Un escalier dessert les chambres aux noms de fleurs.

**par** ⑤ *et ancienne rte des Sables-d'Olonne : 4 km – ✉ 85000 La Roche-sur-Yon :*

**Auberge de la Borderie,** ☎ 02 51 08 95 95, *Fax 02 51 62 25 78*, – P. AE GB

*fermé 28 juil. au 20 août, 1er au 10 mars, dim. soir, merc. soir, et lundi* – **Repas** 14/33.

◆ Cuivres, fourneau, billot et collection de balances décorent les deux salles à manger de cette auberge champêtre située en bordure de route. Terrasse ensoleillée.

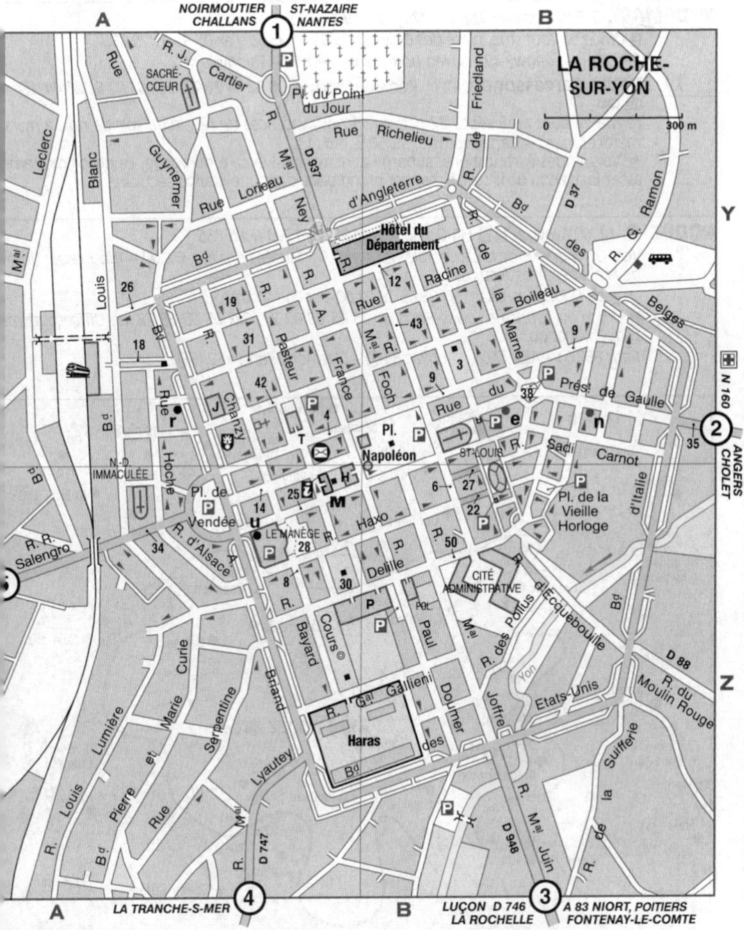
NOIRMOUTIER CHALLANS
ST-NAZAIRE NANTES
A
B
LA ROCHE-SUR-YON
0
300 m
Y
Z
N 160
ANGERS CHOLET
LA TRANCHE-S-MER
LUÇON D 746 LA ROCHELLE
A 83 NIORT, POITIERS FONTENAY-LE-COMTE
SACRÉ-CŒUR
Pl. du Point du Jour
Rue Richelieu
D 937
R. Mal Ney
Rue Lorieau
Guynemer
Blanc
Leclerc
d'Angleterre
Friedland
Hôtel du Département
Rue Racine
Boileau
R. de la Marne
Bd des Belges
R. G. Ramon
D 37
R. Pasteur
R. A. France
R. Mal Foch
Rue du Prést de Gaulle
R. Sadi Carnot
d'Italie
Chanzy
Hoche
N.-D. IMMACULÉE
Pl. de Vendée
Pl. Napoléon
ST-LOUIS
Pl. de la Vieille Horloge
LE MANÈGE
Haxo
Delille
CITÉ ADMINISTRATIVE
R. d'Ecquebouille
R. des Poilus
R. Salengro
R. d'Alsace
Bayard
Cours
R. Paul Doumer
R. Gal Gallieni
Haras
Briand
Lyautey
Curie
Serpentine
Rue Pierre et Marie Curie
Louis Lumière
Joffre
Etats-Unis
R. du Moulin Rouge
D 88
Sulfferie
R. Mal Juin
D 948
D 747
Yon
1
2
3
4

Albert Ier (Pl.) . . . . . . . . . . . . **BY** 3
Allende (R. Salv.) . . . . . . . . . **AY** 4
Baudry (R. Paul) . . . . . . . . . . **BZ** 6
Bérégovoy (R. P.) . . . . . . . . . **AZ** 8
Berthelot (R. M.) . . . . . . . . . **BY** 9
Bossuet (R.) . . . . . . . . . . . . . **BY** 12
Carnot (R. Sadi) . . . . . . . . . . **BY**
Clemenceau (R. G.) . . . . . . . **AZ** 14
Gambetta (Av.) . . . . . . . . . . . **AY** 18
Gén.-de-Castelnau (R.) . . . . . **AY** 19
Halles (R. des) . . . . . . . . . . . **BZ** 22
La Fayette (R.) . . . . . . . . . . . **AZ** 25
Manuel (R.) . . . . . . . . . . . . . . **AY** 26
Mazurelle (Espl. J.) . . . . . . . **AZ** 28
Marché (R. du) . . . . . . . . . . **BYZ** 27
Mitterrand (Pl. F.) . . . . . . . . **AZ** 30
Molière (R.) . . . . . . . . . . . . . . **AY** 31
Poincaré (R. Raymond) . . . . . **AZ** 34
Pompidou (R. G.) . . . . . . . . . **BY** 35
Résistance (Pl. de la) . . . . . . **BY** 38
Verdun (R. de) . . . . . . . . . . . . **AY** 42
Victor-Hugo (R.) . . . . . . . . . . **BY** 43
93e-R.I (R. du) . . . . . . . . . . . . **BZ** 50

---

**ROCHETAILLÉE** *42 Loire* 327 F7 – *rattaché à St-Étienne.*

---

**La ROCHETTE** *73110 Savoie* 333 J5 *G. Alpes du Nord – 3 124 h alt. 360.*

Voir *Vallée des Huiles*★ *NE.*

*Office du Tourisme, Maison des Carmes* ✆ *04 79 25 53 12, Fax 04 79 25 53 12.*

*Paris 590 – Grenoble 48 – Albertville 41 – Allevard 9 – Chambéry 29.*

✗ **Parc** avec ch, ✆ 04 79 25 53 37, *Fax 04 79 25 53 37*, – P. AE GB JCB.
*fermé dim. soir* – **Repas** 15 (déj.), 22/35 – 6 – **11 ch** 26/33 – 1/2 P 40/42.
◆ Au débouché de la vallée des Huiles, accueillante petite affaire familiale où l'on sert aussi bien des repas frugaux qu'une cuisine traditionnelle. Chambres modestes.

**RODEMACK** *57570 Moselle* 307 I2 – *771 h alt. 190.*

*Office du Tourisme, place des Baillis ☏ 03 82 51 25 50, Fax 03 82 51 29 85.*

*Paris 366 – Longwy 49 – Luxembourg 20 – Metz 51 – Thionville 18.*

XX **Petite Carcassonne,** 12 pl. Porte de Sierck ☏ 03 82 51 26 22, *Fax 03 82 51 26 44,* 
AE GB

*fermé 16 août au 5 sept., 27 oct. au 1er nov., vacances de fév., dim. soir de nov. à mars mardi et merc.* – **Repas** 20 (déj.), 35/50 ♀, enf. 13.

◆ Voisine des fortifications, auberge abritant aussi le café du village. Le décor modern assez inattendu de la salle à manger prend place dans une grange séculaire.

**RODEZ** P *12000 Aveyron* 338 H4 *G. Midi-Pyrénées – 24 701 h alt. 635.*

Voir *Clocher*** de la cathédrale N.-Dame** – Musée Fenaille** **BZ M**1 – *Tribunes en bois* de la chapelle des Jésuites.*

*de Rodez-Marcillac : ☏ 05 65 76 02 00, par ③ : 10 km.*

*Office du Tourisme, place Foch ☏ 05 65 68 02 27, Fax 05 65 68 78 15, Officetourism rode@wanadoo.fr.*

*Paris 657 ① – Albi 77 ② – Aurillac 89 ① – Clermont-Ferrand 245 ①.*

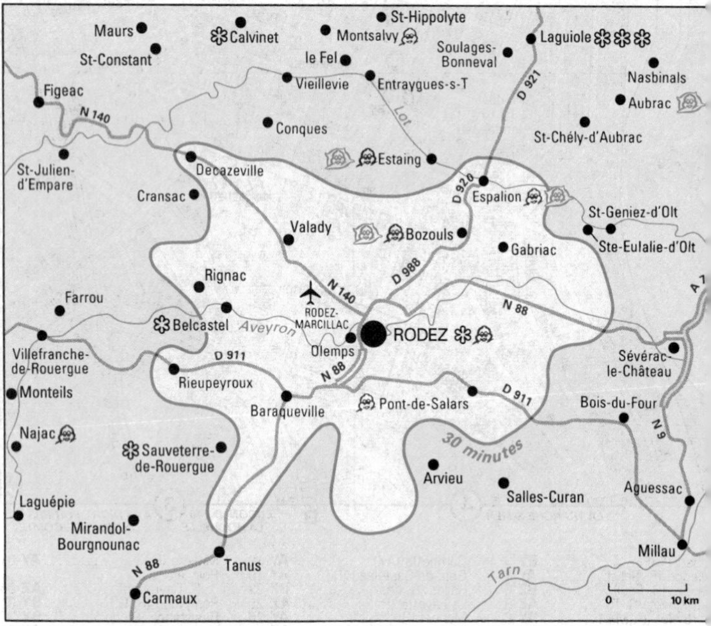

St-Hippolyte
Maurs
Calvinet
Montsalvy
Laguiole
St-Constant
le Fel
Soulages-Bonneval
Nasbinals
Figeac
Vieillevie
Entraygues-s-T
D 921
Aubrac
N 140
Lot
Conques
St-Chély-d'Aubrac
Estaing
St-Julien-d'Empare
Decazeville
D 920
Espalion
Cransac
St-Geniez-d'Olt
Valady
Bozouls
Gabriac
Ste-Eulalie-d'Olt
Rignac
D 988
N 140
A 7
Farrou
N 88
RODEZ-MARCILLAC
Belcastel
Aveyron
RODEZ
Villefranche-de-Rouergue
D 911
Olemps
Sévérac-le-Château
Monteils
Rieupeyroux
N 88
Baraqueville
Pont-de-Salars
D 911
Bois-du-Four
Najac
N 9
Sauveterre-de-Rouergue
30 minutes
Arvieu
Salles-Curan
Aguessac
Laguépie
Mirandol-Bourgnounac
Millau
N 88
Tanus
Tarn
Carmaux
0
10 km


**Biney** sans rest, r. Victoire-Massol ☏ 05 65 68 01 24, *hotel.biney@wanadoo.f*
*Fax 05 65 75 22 98* – TV – 15. AE GB **BY**
13 – **28 ch** 49/135.

◆ Rénovation réussie pour cet hôtel du centre-ville : chambres pimpantes (bois peint, jo tissus actuels), coquet salon bourgeois, salle des petits-déjeuners colorée et gaie.

**Tour Maje** sans rest, bd Gally ☏ 05 65 68 34 68, *delassaux.bernard@wanadoo.*
*Fax 05 65 68 27 56* – TV – 15. AE GB **BZ**
*fermé 22 déc. au 5 janv.* – 7,50 – **42 ch** 53/65, 3 appart.

◆ Bâtiment des années 1980 adossé à une tour du 14e s. dans laquelle sont aménagées l suites. Chambres pourvues d'un mobilier un peu ancien, mais bien entretenues. Billard.

**Libertel** sans rest, 46 r. St-Cyrice ☏ 05 65 76 10 30, *h2748gm@accor-hotels.co*
*Fax 05 65 76 10 33* – TV – 15. AE GB JCB **BX**
8 – **45 ch** 58/63.

◆ Au coeur d'un quartier totalement restauré, hôtel de chaîne récent, aux chambr fonctionnelles et bien insonorisées ; certaines d'entre elles sont dotées d'un balcon.

# RODEZ

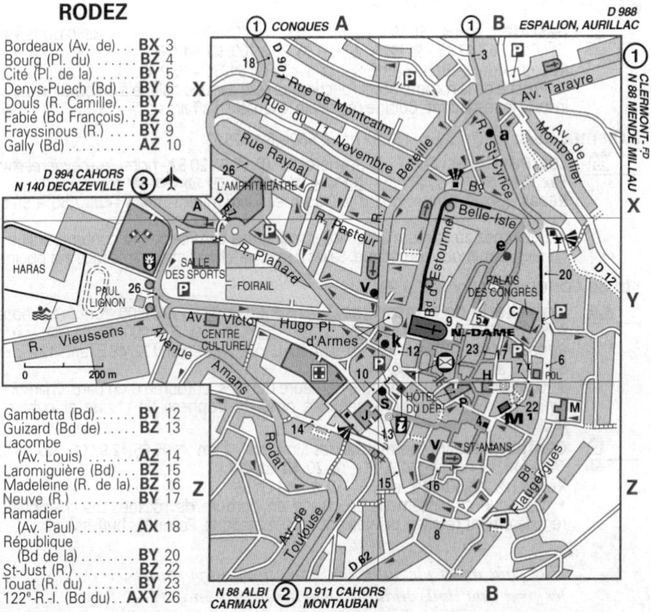

CONQUES A
B ESPALION, AURILLAC
D 988
CLERMONT-FD N 88 MENDE MILLAU
D 994 CAHORS
N 140 DECAZEVILLE
N 88 ALBI CARMAUX
D 911 CAHORS MONTAUBAN
Rue de Montcalm
Rue du 11 Novembre
Rue Raynal
Béteille
R. St-Cyrice
Av. Tarayre
Av. de Montpellier
L'AMPHITHÉATRE
R. Pasteur
R. Planard
Belle-Isle
Bd d'Estourmel
SALLE DES SPORTS
FOIRAIL
HARAS
PAUL LIGNON
R. Vieussens
Av. Victor Hugo
CENTRE CULTUREL
Pl. d'Armes
Avenue Amans
PALAIS DES CONGRÈS
N.-DAME
HÔTEL DU DÉP.
ST-AMANS
Bd Flaugergues
Rodat
Av. de Toulouse
D 62
D 12
POL
200 m




**Kyriad,** face gare (Nord par D 901 **AX**) ✆ 05 65 87 11 00, *hotelkyriadrodez@wanadoo.fr, Fax 05 65 87 11 01* – |‡| TV ✆ – 🅿 20. AE ⓞ GB. ✂ rest
*fermé 20 déc. au 5 janv.* – **Repas** *(fermé sam. et dim.)* 15/17 – ☕ 9,50 – **42 ch** 51/56.
◆ Construction traditionnelle en pierre, commode pour ceux qui voyagent en train. Aménagements contemporains pratiques ; bonne isolation phonique. Salle à manger façon bistrot.

**Midi,** 1 r. Béteille ✆ 05 65 68 02 07, *hotel.du.midi@wanadoo.fr, Fax 05 65 68 66 93* – |‡|, ▤ rest, TV ✆. AE ⓞ GB — ABY v
*fermé 20 déc. au 6 janv.* – **Repas** *(fermé dim.)* 9,50 (déj.), 14/22 ♀ – ☕ 7 – **34 ch** 38/45 – ½ P 42/45.
◆ À deux pas de la cathédrale, adresse bien située pour découvrir la ville à pied. Les chambres, simples et fonctionnelles, sont plus calmes sur l'arrière. Plats traditionnels.

**Les Jardins de l'Acropolis,** r. Athènes à Bourran, par ③ : *1,5 km* ✆ 05 65 68 40 07, *acropolys@wanadoo.fr, Fax 05 65 68 40 67* – ▤. GB
*fermé 3 au 18 août, dim. soir et lundi soir* – **Repas** 15 (déj.), 18,60/47 ♨.
◆ Dans un quartier d'affaires récent, deux élégantes salles contemporaines revêtues de boiseries et séparées par un bar. Tables bien dressées. Cuisine au goût du jour.

**Goûts et Couleurs** (Fau), 38 r. Bonald ✆ 05 65 42 75 10, *Fax 05 65 42 75 10*, ☂ – AE GB — BY e
*fermé 27 avril au 8 mai, 7 au 25 sept., 4 au 29 janv., dim. et lundi* – **Repas** 20 (déj.), 26/62 et carte 42 à 60 ♀, enf. 11.
◆ Restaurant au décor original où l'esprit créatif règne dans les assiettes comme sur les murs ornés de tableaux "maison". Agréable terrasse d'été.
**Spéc.** Foie gras de canard poêlé et carpaccio de betterave crue. Pigeon cuit rosé à la cacahuète torréfiée. Pastilla de fraises à la mousseline de fleurs de sureau (juin à août). **Vins** Marcillac, Gaillac.

**St-Amans,** 12 r. Madeleine ✆ 05 65 68 03 18 – ▤. GB — BZ v
*fermé 10 mars au 8 avril, dim. soir et lundi* – **Repas** 17 (déj.)/25.
◆ Laque noire et grands miroirs sur les murs, chaises en cuir, lumière diffuse et tables espacées composent le cadre "japonisant" de cette petite salle tout en longueur.

**rte d'Espalion** *par ① et D 988 :*

**Causse Comtal** ♨, à 12 km ✆ 05 65 74 90 98, *contact@caussecomtal.com, Fax 05 65 46 92 69*, ☂, 🏋, 🎾, ☂, ✂ – |‡| TV ✆ 🅿 – 🅿 20 à 80. AE ⓞ GB. ✂
**Repas** 21/37 ♀, enf. 9 – ☕ 14 – **120 ch** 99/396 – ½ P 69/138.
◆ Isolée en plein causse, construction moderne agrémentée d'une grosse tour en pierre, intéressante pour ses nombreux équipements de loisirs. Chambres pratiques et colorées.

**Bastide,** rd-pt St-Marc, à 3 km ✆ 05 65 67 08 15, *hotel.bastide@wanadoo.fr, Fax 05 65 67 43 32* – 🛗 📺 📞 ♿ 🅿 – 🏫 20 à 100. AE ⓓ GB
**Repas** 10 (déj.), 15/30 🍷, enf. 8 – ☕ 6 – **39 ch** 51/55 – ½ P 40.
◆ Proche de la rocade, hôtel fonctionnel relié par une galerie à un bowling dans lequel est installé le restaurant. Cuisine régionale. Clientèle d'affaires.

**à Olemps** *Ouest par ② : 3 km – 3 032 h. alt. 580 – ✉ 12510 :*

**Les Peyrières** 🐦, 22 r. Peyrières ✆ 05 65 68 20 52, *hotel-les-peyrieres@wanadoo.fr, Fax 05 65 68 47 88*, 🏖, 🏊 – 📺 📞 ♿ 🅿 – 🏫 20. AE ⓓ GB. ✂ rest
**Repas** *(fermé dim. soir sauf juil.-août et lundi midi)* 16/46 🍷 – ☕ 7,50 – **50 ch** 46/64 – ½ P 46/52.
◆ Séjournez au calme d'un quartier résidentiel dans cette villa contemporaine. Chambres garnies d'un mobilier rustique. Salles à manger claires et terrasse face à la piscine.

**rte de Conques** *au Nord* **AX** *D 901 :*

**Hostellerie de Fontanges** 🐦, à 3,5 km ✆ 05 65 77 76 00, *fontanges-hotel@wanadoo.fr, Fax 05 65 42 82 29*, 🏖, 🏊, 🎾, 🌳 – 📺 📞 🅿 – 🏫 20 à 100. AE ⓓ GB JCB
**Repas** *(fermé sam. midi et dim. soir du 15 oct. au 31 mars)* 22/48 🍷, enf. 12 – ☕ 10 – **43 ch** 69/75, 5 appart – ½ P 66/71.
◆ Dans un cadre authentique, demeure du 16e s. entourée d'un parc. Chambres progressivement rénovées, salon-cheminée orné de trophées de chasse et cuisine à l'accent régional.

**Campanile,** Parc commercial des Moutiers : 2 km ✆ 05 65 42 97 08, *Fax 05 65 42 66 69*, 🏖 – 🚭, ▤ rest, 📺 📞 ♿ 🅿 – 🏫 20. AE ⓓ GB
**Repas** (12) - 13,50/17 🍷, enf. 6 – ☕ 6 – **46 ch** 56.
◆ Classique établissement de chaîne en bordure de rocade. Les chambres, sobres et régulièrement refaites, privilégient le côté pratique. Formules buffets.

*Si le coût de la vie subit des variations importantes,*
*les prix que nous indiquons peuvent être majorés.*
*Lors de votre réservation à l'hôtel, faites-vous préciser le prix définitif.*

---

**ROGNES** *13840 B.-du-R.* 340 H4 *G. Provence – 3 450 h alt. 311.*
Voir *Retables★ dans l'église.*
ℹ *Office du Tourisme, 5 cours Saint-Etienne ✆ 04 42 50 13 36, Fax 04 42 50 13 36, office.tourisme.rognes@wanadoo.fr.*
*Paris 738 – Marseille 48 – Aix-en-Provence 18 – Cavaillon 40 – Manosque 54.*

XX **Les Olivarelles,** Nord-Ouest : 6 km par D 66 et rte secondaire ✆ 04 42 50 24 27, *Fax 04 42 50 17 99*, 🏖, 🌳 – 🅿. GB
*fermé 1er au 9 sept., 5 au 11 nov., 1er au 6 janv., mardi, merc. et jeudi d'oct. à avril, dim. soir et lundi* – **Repas** (prévenir) 30/60 🍷, enf. 14.
◆ En pleine garrigue, bâtisse de style mas prolongée d'une agréable terrasse sous la tonnelle. En été, on y déguste une cuisine classique, bercé par le chant des cigales.

---

**ROHAN** *56580 Morbihan* 308 O6 *G. Bretagne – 1 604 h alt. 55.*
*Paris 451 – Vannes 53 – Lorient 78 – Pontivy 17 – Quimperlé 88.*

X **L'Eau d'Oust,** rte Loudéac ✆ 02 97 38 91 86, *didier.mamaekers2@libertysurf.fr, Fax 02 97 38 91 86*, 🏖 – GB
*fermé mardi de juin à sept., dim. soir et lundi* – **Repas** (en hiver, dîner sur réservation) 13/40.
◆ Dans une ancienne grange, sobre salle à manger égayée de tons vert et blanc, de tableaux contemporains et d'une cheminée d'ambiance. Cuisine traditionnelle soignée.

---

**ROISEY** *42520 Loire* 327 H7 *– 626 h alt. 510.*
*Paris 517 – St-Étienne 46 – Annonay 26 – Tournon-sur-Rhône 57 – Vienne 28.*

XX **Chanterelle,** Sagnemorte ✆ 04 74 87 47 27, *granet.daniel@wanadoo.fr, Fax 04 74 48 37 44*, ≤ chaîne montagneuse, 🏖, 🌳 – 🅿. GB JCB
*fermé janv., fév., lundi et mardi* – **Repas** (nombre de couverts limité, prévenir) 24/45 🍷, enf. 10,50.
◆ Dans un parc boisé bien aménagé, cet accueillant chalet offre un superbe panorama sur la vallée du Rhône. Cadre actuel ; cuisine traditionnelle évoluant au fil des saisons.

---

**ROISSY-EN-FRANCE** *95 Val-d'Oise* 305 G6 101 ⑧ *– voir à Paris, Environs.*

**ROLLEBOISE** *78270 Yvelines* 311 *F1 – 461 h alt. 20.*

*Paris 65 – Rouen 72 – Dreux 45 – Mantes-la-Jolie 9 – Vernon 15 – Versailles 56.*

**Château de la Corniche** ⅋, ✆ 01 30 93 20 00, *corniche@wanadoo.fr, Fax 01 30 42 27 44,* ≤ vallée de la Seine, ⛱, ⛱, ✕ – ⎈ ⅋ TV ✆ P – 🔺 30. AE ⓓ GB JCB
*fermé 21 déc. au 6 janv., lundi sauf le soir d'avril à oct. et dim. soir de sept. à juin* – **Repas** 25 (déj.), 36/55 ♀, enf. 14 – ☕ 9,50 – **35 ch** 115/168 – ½ P 78,50/125.
◆ Dominant les méandres de la Seine, une "folie" de Léopold II de Belgique pour son dernier amour. Optez sans hésitation pour les chambres rénovées. Restaurant panoramique.

**ROMAINVILLE** *93 Seine-St-Denis* 305 *F7* 101 ⑰ *– voir à Paris, Environs.*

**ROMANÈCHE-THORINS** *71570 S.-et-L.* 320 *I12 G. Vallée du Rhône – 1 710 h alt. 187.*

Voir *"Le Hameau du vin"* ★ – *Parc zoologique et d'attractions Touroparc*★.

*Paris 407 – Mâcon 17 – Chauffailles 46 – Lyon 58 – Villefranche-sur-Saône 23.*

**Les Maritonnes,** près gare ✆ 03 85 35 51 70, *mariton@wanadoo.fr, Fax 03 85 35 58 14,* ⛱, ⛱, ✕, ⚘ – ▤ ch, TV P – 🔺 30. AE ⓓ GB JCB
*fermé mi-déc. à fin janv.* – **Repas** 23/70 ♀, enf. 20 – ☕ 10 – **20 ch** 75/110 – ½ P 100/107.
◆ Belle demeure tapissée de vigne vierge et nichée dans un joli parc fleuri. Chambres fraîches et spacieuses. Plats traditionnels arrosés du fameux cru local, le moulin-à-vent.

**ROMANS-SUR-ISÈRE** *26100 Drôme* 332 *D3 G. Vallée du Rhône – 32 734 h alt. 162.*

Voir *Tentures*★★ *de la collégiale St-Barnard – Collection de chaussures*★ *du musée international de la chaussure – Musée diocésain d'Art sacré*★ *à Mours-St-Eusèbe, 4 km par* ①.

*Office du Tourisme, place Jean Jaurès ✆ 04 75 02 28 72, Fax 04 75 05 91 62.*

*Paris 563 ⑤ – Valence 20 ④ – Die 77 ④ – Grenoble 80 ② – St-Étienne 121 ⑤ – Vienne 73 ⑤.*

Plans page suivante

**Comfort Inn Primevère,** Clos des Tanneurs, av. Adolf Figuet ✆ 04 75 05 10 20, *roman s@comfort-drome.com, Fax 04 75 05 67 67,* ⛱, ⛱ – ▤ TV ✆ ♿ P – 🔺 30. AE ⓓ GB JCB
**Repas** *(11,50)* - 15/26 ♀, enf. 8 – ☕ 6,10 – **32 ch** 53. **AZ n**
◆ Légèrement excentré, hôtel de chaîne aux chambres fonctionnelles, revues périodiquement. Hall-salon-bar tout neuf. Bonne insonorisation. Restauration sous forme de buffets.

**Chevet de St-Barnard,** 1 pl. aux Herbes ✆ 04 75 05 04 78, *Fax 04 75 05 04 78,* ⛱ – GB **BY a**
*fermé 15 juil. au 6 août, dim. soir, mardi soir et merc.* – **Repas** 14/37 ♀.
◆ Au chevet de la collégiale, cette maison du 14e s. en pierre servit jadis de palais épiscopal. On y déguste une cuisine du terroir dans un décor rustique simple.

**à l'Est :** *par ② et N 92 : 4 km – ✉ 26750 St-Paul-lès-Romans :*

**Karene Hôtel,** ✆ 04 75 05 12 50, *hotel.karene@libertysurf.fr, Fax 04 75 05 25 17,* ⛱, ⛱ – TV ✆ P – 🔺 15 à 30. AE ⓓ GB JCB
*hôtel : fermé 20 déc. au 6 janv. et sam. de nov. à Pâques ; rest. : fermé 20 déc. au 6 janv., sam. et dim.* – **Repas** (dîner seul.) 15,50/25 ♀, enf. 7,50 – ☕ 8,50 – **23 ch** 49,50/60 – ½ P 56,50/75,50.
◆ Situé en retrait de la route, cet ancien siège d'entreprise reconverti en hôtel dispose d'un bel aménagement fonctionnel. Accueil aimable.

**à Granges-lès-Beaumont** *par ⑤ : 6 km – 791 h. alt. 155 – ✉ 26600 :*

**Les Cèdres** (Bertrand), ✆ 04 75 71 50 67, *Fax 04 75 71 64 39,* ⛱, ⛱ – ▤ P. GB
*fermé 20 août au 5 sept., 24 déc. au 4 janv., 23 avril au 2 mai, lundi et mardi* – **Repas** (nombre de couverts limité, prévenir) 29 (déj.), 45/70 ♀.
◆ Plaisirs de la table, belle carte de côtes-du-rhône, décor contemporain épuré et service attentif sont réunis dans cette plaisante "auberge de village". Accès par le jardin.
**Spéc.** Râble de lapin fourré de tomates confites et anchois de Collioure. Trilogie de cèpes (automne). Sabayon au chocolat noir guanaja, caramel mou et crème glacée vanille (automne-hiver). **Vins** Crozes-Hermitage rouge, Hermitage blanc.

**à St-Paul-lès-Romans** *par ② : 8 km – 1 401 h. alt. 171 – ✉ 26750 :*

**Malle Poste,** ✆ 04 75 45 35 43, *Fax 04 75 71 40 48* – ▤ P. AE ⓓ GB
*fermé 15 au 31 août, 1er au 15 janv., dim. soir et lundi* – **Repas** *(11,50)* - 29,30/55,70 et carte 38 à 48.
◆ Ici, on fait régulièrement le marché-gare à Lyon. Résultat : une cuisine au goût du jour originale, à arroser d'un vin choisi parmi plus de 350 références.

## ROMANS-SUR-ISÈRE BOURG-DE-PÉAGE

Clerc (R. des) .... CY 4
Cordeliers (Côtes des) .... CY
Ecosserie (R. de l') ....... BY 8
Faure (Pl. M.) .... BY
Fontaine-des-Cordeliers (R.) .. CY 10
Gailly (Pl. E.) ...... BY
Guillaume (R.) .... AZ 12
Herbes (Pl. aux) .. BY 14
Jacquemart (Côte) ......... BY 15
Jacquemart (R.) .. AZ 16
Massenet (Pl.) .... CY 17
Mathieu-de-la-Drôme (R.) ... CY 18
Merlin (R.) ....... CY 20
Mouton (R. du) .... BY 22
Palestro (R.) ..... AZ 24
Perrot-de-Verdun (Pl.) .... BY 26
Sabaton (R.) ..... CY 28
Ste-Marie (R.) .... CY 29
Semard (R. P.) .... AZ 30
Trois-Carreaux (R.) ........... CY 32
Victor-Hugo ....... AZ 34

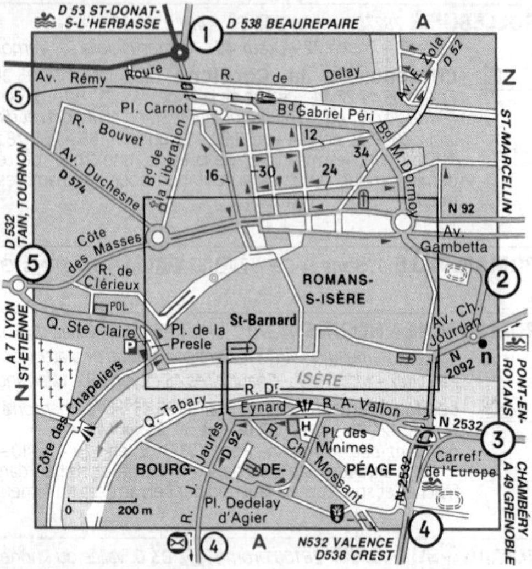

D 53 ST-DONAT-S-L'HERBASSE
D 538 BEAUREPAIRE
A
Z
Av. Rémy Roure
R. de Delay
Av. E. Zola
D 52
Pl. Carnot
Bd Gabriel Péri
R. Bouvet
Av. Duchesne
D 574
Bd de la Libération
Bd M. Dormoy
ST-MARCELLIN
N 92
Av. Gambetta
D 532 TAIN, TOURNON
Côte des Masses
R. de Clérieux
ROMANS-S-ISÈRE
St-Barnard
POL.
Q. Ste Claire
Pl. de la Presle
Av. Ch. Jourdan
N 2092
A 7 LYON ST-ETIENNE
Côte des Chapeliers
ISÈRE
R. Dr Eynard
R. A. Vallon
Q. Tabary
N 2532
Pl. des Minimes
PONT-EN-ROYANS
R. J. Jaurès
D 92
R. Ch. Mossant
BOURG-DE-PÉAGE
Carref! de l'Europe
Pl. Dedelay d'Agier
0 200 m
CHAMBÉRY A 49 GRENOBLE
N532 VALENCE D538 CREST


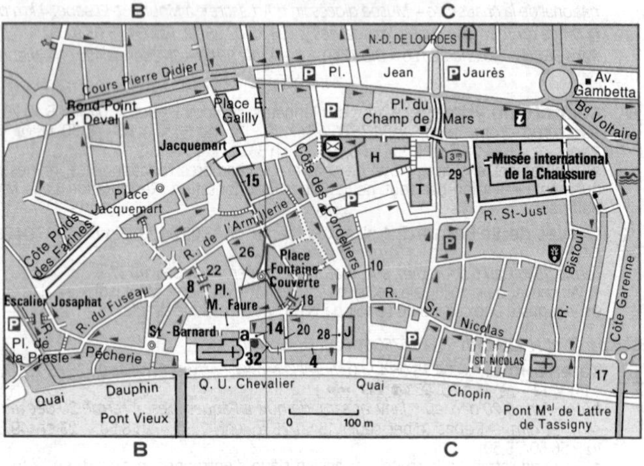

B
C
N.-D. DE LOURDES
Cours Pierre Didier
Pl. Jean Jaurès
Av. Gambetta
Rond-Point P. Deval
Place E. Gailly
Pl. du Champ de Mars
Bd Voltaire
Jacquemart
Côte des Cordeliers
Musée international de la Chaussure
Place Jacquemart
R. de l'Armillerie
R. St-Just
Y
Côte Poids des Farines
Place Fontaine Couverte
R. Bistour
Escalier Josaphat
Pl. M. Faure
R. St Nicolas
R. du Fuseau
St-Barnard
Côte Garenne
Pl. de la Presle
Pêcherie
ST NICOLAS
Quai Dauphin
Q. U. Chevalier
Quai Chopin
Pont Vieux
0 100 m
Pont Mal de Lattre de Tassigny


*Si vous êtes retardé sur la route, dès 18 h, confirmez votre réservation par téléphone, c'est plus sûr... et c'est l'usage.*

---

**ROMANSWILLER** *67 B.-Rhin* 315 I5 – *rattaché à Wasselonne.*

---

**ROMILLY-SUR-SEINE** *10100 Aube* 313 C2 – *15 557 h alt. 76.*

*Office du Tourisme, 41 rue Gornet Boivin.*

*Paris 130 – Troyes 40 – Châlons-en-Champagne 77 – Nogent-sur-Seine 18 – Sens 61.*

**Auberge de Nicey** M, 24 r. Carnot ☎ 03 25 24 10 07, *denicey@club-internet.f*
*Fax 03 25 24 47 01,* – – 30. AE GB
**Repas** *(fermé dim. soir hors saison, dim. midi, lundi midi en août et sam. midi)* 19/43
9,50 – **24 ch** 61/79 – ½ P 67/76.
◆ À deux pas de la gare, établissement de bon confort abritant des chambres fonctionnelles et bien insonorisées ; celles de l'annexe sont plus grandes.

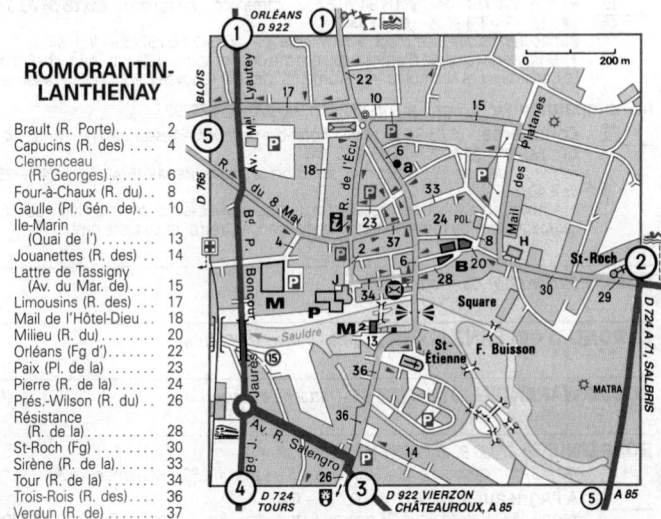

**ROMORANTIN-LANTHENAY** 41200 L.-et-Ch. 318 H7 *G. Châteaux de la Loire – 17 865 h alt. 93.*

**Voir** *Maisons anciennes*★ **B** – *Vues des ponts*★ – *Musée de Sologne*★ **M²**.

*Office du Tourisme, place de la Paix ☎ 02 54 76 43 89, Fax 02 54 76 96 24, romorantin-lanthenay@fnotsi.net.*

*Paris 202 ① – Bourges 74 ③ – Blois 42 ⑤ – Orléans 67 ① – Tours 93 ④ – Vierzon 37 ③.*

**ROMORANTIN-LANTHENAY**

Brault (R. Porte) . . . . . . . 2
Capucins (R. des) . . . . 4
Clemenceau (R. Georges) . . . . . . . 6
Four-à-Chaux (R. du) . . 8
Gaulle (Pl. Gén. de) . . . 10
Ile-Marin (Quai de l') . . . . . . . . 13
Jouanettes (R. des) . . 14
Lattre de Tassigny (Av. du Mar. de) . . . . 15
Limousins (R. des) . . . 17
Mail de l'Hôtel-Dieu . . 18
Milieu (R. du) . . . . . . . . 20
Orléans (Fg d') . . . . . . . 22
Paix (Pl. de la) . . . . . . . 23
Pierre (R. de la) . . . . . . 24
Prés.-Wilson (R. du) . . 26
Résistance (R. de la) . . . . . . . . . . 28
St-Roch (Fg) . . . . . . . . . 30
Sirène (R. de la) . . . . . . 33
Tour (R. de la) . . . . . . . 34
Trois-Rois (R. des) . . . . 36
Verdun (R. de) . . . . . . . 37

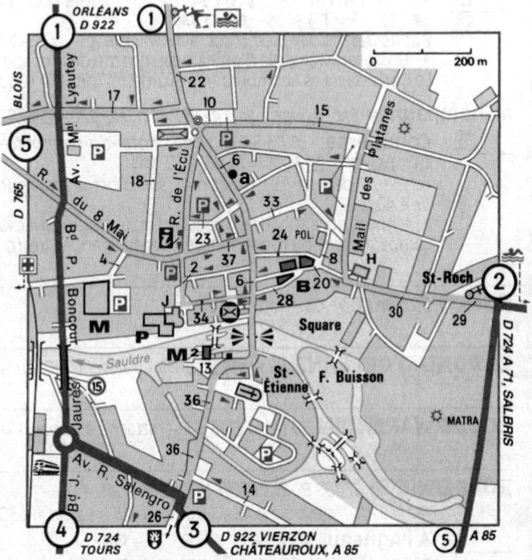
ORLÉANS
D 922
BLOIS
D 765
Av. Mal Lyautey
R. du 8 Mai
Bd P. Boncour
Bd J. Jaurès
Av. R. Salengro
R. de l'Écu
Mail des Platanes
Sauldre
St-Roch
Square
F. Buisson
St-Étienne
MATRA
D 724 TOURS
D 922 VIERZON
CHÂTEAUROUX, A 85
D 724 A 71, SALBRIS
A 85
200 m

**Grand Hôtel du Lion d'Or** (Clément) M, 69 r. Clemenceau (a) ☎ 02 54 94 15 15, *liondor@relaischateaux.com, Fax 02 54 88 24 87,* – – 40. AE GB JCB
*fermé mi-fév. à fin mars et 16 au 28 nov.* – **Repas** *(fermé mardi midi)* (nombre de couverts limité, prévenir) 76/106 et carte 90 à 120 ♀, enf. 45 – ☐ 19 – **13 ch** 122/335, 3 appart.
◆ Décor soigné (mêlant moderne et ancien), patio fleuri et cuisine subtile sont les trésors de cet hôtel particulier d'époque Renaissance, bâti par un ami de François Ier.
**Spéc.** "Bar bazar", céleri et citron confit. Cuisse de lièvre en civet au cacao (oct. à déc.). Crumble de rhubarbe, sirop de fleur de sureau. **Vins** Pouilly Fumé, Bourgueil.

**Lanthenay** (Valin) avec ch, par ① *et D 922 : 2,5 km* ☎ 02 54 76 09 19, *Fax 02 54 76 72 91,* – . AE GB
*fermé 15 au 31 juil., 22 déc. au 5 janv., dim. et lundi* – **Repas** (nombre de couverts limté, prévenir) 20,60/50 et carte 40 à 55 ♀, enf. 11 – ☐ 7,30 – **10 ch** 42/50 – ½ P 46/50.
◆ Dans un hameau pittoresque, étape sympathique où les plaisirs de la table s'associent à l'agréable quiétude des lieux. La salle à manger est plus intime que la véranda.
**Spéc.** Gâteau de foies de volaille aux écrevisses. Filet de merval au vin de Cheverny. Gibier (saison). **Vins** Quincy, Cheverny

**Cabrière,** 30 av. Villefranche par ③ ☎ 02 54 76 38 94, *Fax 02 54 76 38 94* – . GB
*fermé 25 août au 8 sept., 21 au 29 déc., dim. soir et lundi* – **Repas** 15/32.
◆ Choisissez votre cadre pour manger : la véranda, lumineuse, au décor sobre, ou la salle rustique avec ses poutres et sa cheminée, un peu sombre mais ayant plus de cachet.

**RONCE-LES-BAINS** *17 Char.-Mar.* 324 D5 *G. Poitou Vendée Charentes* – ✉ *17390 La Tremblade.*

*Office du tourisme, place Brochard ☎ 05 46 36 06 02, Fax 05 46 36 38 17, ot@ronce-les-bains.com.*

*Paris 507 – Royan 27 – Marennes 9 – Rochefort 31 – La Rochelle 65.*

**Grand Chalet,** 2 av. La Cèpe ☎ 05 46 36 06 41, *frederic.moinardeau@wanadoo.fr, Fax 05 46 36 38 87,* ≤ île d'Oléron, – AE GB
*fermé 11 nov. au 8 fév.* – **Repas** *(fermé dim. soir en fév.- mars, lundi midi hors saison et mardi)* (12) - 15 (déj.), 20/40 ♀ – ☐ 8 – **26 ch** 47/62 – ½ P 47,50/55.
◆ Hôtel de 1850 entouré d'un jardin surplombant l'océan. Chambres meublées simplement, la plupart avec vue panoramique. Au restaurant préférez les tables près des baies.

**RONCHAMP** *70250 H.-Saône* 314 H6 *G. Jura – 3 088 h alt. 380.*

Voir *Chapelle Notre-Dame-du-Haut★★.*

*Office du Tourisme, 14 place du 14 Juillet ✆ 03 84 63 50 82, Fax 03 84 63 50 82.*

*Paris 401 – Besançon 89 – Belfort 22 – Lure 12 – Luxeuil-les-Bains 31 – Vesoul 43.*

**au Rhien** *Nord : 3 km – ✉ 70250 Ronchamp :*

**Rhien Carrer**, ✆ 03 84 20 62 32, *carrer@ronchamp.com, Fax 03 84 63 57 08*, – 30. GB

Repas *(fermé dim. soir d'oct. à avril)* 10/38 – 6 – **21 ch** 32/38 – ½ P 34.

◆ Hostellerie familiale d'un hameau proche de la chapelle N.-D.-du-Haut, chef-d'oeuvre de Le Corbusier. Les chambres "non-fumeurs" ont été rénovées. Pour budgets serrés.

**à Champagney** *Est : 4,5 km par D 4 – 3 283 h. alt. 370 – ✉ 70290 :*

**Commerce**, ✆ 03 84 23 13 24, *hotel-du-commerce@essor.info.fr, Fax 03 84 23 24 33*, – 15 à 30. GB

*fermé 22 déc. au 12 janv. et dim. soir d'oct. à mars* – **Repas** 16/46 – 10 – **25 ch** 45 – ½ P 40.

◆ L'hôtel, qui a subi une réfection totale, voisine avec la maison de la Négritude. Chambres campagnardes ou fonctionnelles. Salle à manger "rétro" et terrasse ombragée.

**RONCQ** *59 Nord* 302 G3 *– rattaché à Lille.*

**Le ROND-D'ORLÉANS** *02 Aisne* 306 B5 *– rattaché à Chauny.*

**ROOST-WARENDIN** *59 Nord* 302 G5 *– rattaché à Douai.*

**ROPPENHEIM** *67480 B.-Rhin* 315 M3 *– 808 h alt. 117.*

*Paris 521 – Strasbourg 43 – Haguenau 25 – Karlsruhe 39 – Wissembourg 35.*

**A l'Agneau**, ✆ 03 88 86 40 08, – GB

*fermé 13 juil. au 11 août, 23 déc. au 8 janv., dim., lundi* – **Repas** (dîner seul.) 23,40/49,55.

◆ Maison alsacienne typique où l'on vient pour la table généreuse (cuisine traditionnelle et grillades) et aussi pour l'ambiance très joviale. Clientèle franco-allemande.

**ROQUEBRUNE-CAP-MARTIN** *06190 Alpes-Mar.* 341 F5 *G. Côte d'Azur – 12 376 h alt. 70.*

Voir *Village perché★★ : rue Moncollet★, ★★ du donjon★ – Cap Martin ≤★★ X – ≤★★ du belvédère du Vistaëro SO : 4 km.*

Env. *Site★ de Gorbio N : 8 km par D 50.*

*Office du Tourisme, 218 avenue Aristide Briand ✆ 04 93 35 62 87, Fax 04 93 28 57 00, roquebrune-cap-martin@officedutourisme.com.*

*Paris 959 – Monaco 9 – Menton 2 – Monte-Carlo 7 – Nice 27.*

Plans : voir à Menton.

**Vista Palace** M, Grande Corniche par ③ *rte La Turbie D 2564 : 4 km* ✆ 04 92 10 40 00, *info@vistapalace.com, Fax 04 93 35 18 94*, ≤ Monaco et la côte, – 80. AE GB JCB

*fermé 26 janv. au 6 mars* – ***Vistaero*** ✆ 04 92 10 40 20 *(dîner seul. du 15 mai au 30 sept.)* Repas 53/91, enf. 25 – ***Corniche*** ✆ 04 92 10 40 20 *(15 mai-30 sept. et fermé le soir du 15 mai au 15 juin et en sept.)* **Repas** carte 56 à 81, enf.25 – 25 – **65 ch** 275/389, 3 appart – ½ P 235/259,50.

◆ La vue est à couper le souffle depuis ce luxueux hôtel ultra-moderne, perché à 333 m au-dessus de la mer ! Centre de beauté, piscine panoramique, parc botanique en terrasses. Cuisine régionale au Vistaero, restauration estivale à la Corniche et le Rocher pour toile de fond.

**Diodato** sans rest, pointe de Cabbé, par ③ *: 2,5 km* ✆ 04 92 10 52 52, *contact_hoteldiodato@hoteldiodato.com, Fax 04 92 10 52 53*, ≤, – 15. AE GB. AX n

10 – **32 ch** 98/195.

◆ Cette villa de 1900 avec piscine et jardin luxuriant dominant la baie de Roquebrune, fut la villégiature d'un aristocrate russe. Mobilier contemporain dans les chambres.

**Victoria** sans rest, 7 prom. Cap-Martin ✆ 04 93 35 65 90, *Fax 04 93 28 27 02*, ≤ – AE GB AX k

*fermé 8 janv. au 8 fév.* – 8 – **32 ch** 82/98.

◆ Hôtel intégré à un immeuble résidentiel. Chambres souvent meublées en rotin et bambou, avec balcon côté mer. Salon-bar décoré dans le style colonial. Accueil charmant.

**Alexandra** sans rest, 93 av. W. Churchill ✆ 04 93 35 65 45, *accueil@hotel-alexandra.net, Fax 04 93 57 96 51*, ← – |‡| ▤ TV P. AE GB JCB AX a
*fermé 5 nov. au 5 déc.* – ☕ 10 – **40 ch** 86/168.
◆ Dans cette construction balnéaire à balcons, typique des années 1960-70, demandez les chambres avec vue sur la mer (derniers étages) ; certaines ont été récemment rafraîchies.

**Westminster** sans rest, 14 av. L. Laurens par ③ *et N 98, rte de Monaco par basse corniche* ✆ 04 92 41 41 40, *hotel@westminster06.com, Fax 04 93 28 88 50*, ←, – ▤ TV P. AE ⓓ GB JCB.
*8 fév.-16 nov.* – ☕ 7 – **32 ch** 78/84.
◆ Pension de famille à flanc de rocher et ses spectaculaires jardins suspendus au-dessus des flots. Chambres pratiques, à choisir côté Méditerranée. Bonne insonorisation.

**Roquebrune,** 100 av. J. Jaurès par ③ *et N 98, rte de Monaco par basse corniche* ✆ 04 93 35 00 16, *leroquebrune@wanadoo.fr, Fax 04 93 28 98 36*, ← Cap Martin et la mer, – ▤. AE ⓓ GB JCB
*fermé 4 nov. au 5 déc., le midi de juin à août sauf week-ends, lundi et mardi d'oct. à mai* – **Repas** (prévenir) 38 (déj.)/60 et carte 85 à 120 ♀.
◆ Demeure bourgeoise du début du 20$^{e}$ s. accrochée entre ciel et mer : vue imprenable sur la "grande bleue" et cuisine classique élaborée avec les produits du terroir.
**Spéc.** Salade tiède de homard. Bouillabaisse. Poussin au citron. **Vins** Bellet, Côtes de Provence

**Les Deux Frères** avec ch, pl. Deux Frères, au village par ③ : *3,5 km* ✆ 04 93 28 99 00, *info@lesdeuxfreres.com, Fax 04 93 28 99 10*, ←, – TV. AE ⓓ GB
**Repas** *(fermé 10 au 17 mars et 11 nov. au 11 déc.)* 20 bc (déj.)/45 ♀ – ☕ 9 – **10 ch** 65/101 – ½ P 91.
◆ Restaurant aménagé dans l'ex-école communale, sur une placette-belvédère dominant la mer ; plats au goût du jour. Jolies chambres thématiques ("Afrique", "mariage", etc.).

**Hippocampe,** 44 av. W. Churchill ✆ 04 93 35 81 91, *Fax 04 93 35 81 91*, ← baie et littoral, – AE ⓓ GB AX h
*fermé 5 au 15 mai, 27 oct. au 20 janv., jeudi soir, dim. soir de juil. à sept. et lundi* – **Repas** (prévenir) 30/38.
◆ Cet établissement familial "les pieds dans l'eau" réserve, à midi, l'une de ses terrasses aux baigneurs. Spécialités de bouillabaisse et coq au vin sur commande.

**Au Grand Inquisiteur,** 18 r. Château (accès piétonnier) au vieux village par ③ : *3,5 km* ✆ 04 93 35 05 37, *Fax 04 93 35 05 37* – ▤. GB.
*fermé 30 juin au 7 juil., 3 nov. au 12 déc., mardi sauf juil.-août et lundi* – **Repas** (nombre de couverts limité, prévenir) 24,50/36 ♀.
◆ Coquette salle voûtée dans une maison du 14$^{e}$ s., cuisine traditionnelle à l'accent régional, bon choix de bordeaux : voilà qui mérite une visite inquisitoriale approfondie !

**Les Tables du Berger,** 4 r. V. Hugo, quartier Carnolès ✆ 04 93 57 40 60, *Fax 04 93 57 40 60* – ▤. GB AX v
*fermé 15 juil. au 30 août, dim. soir et lundi* – **Repas** 17,50 (déj.), 26/38 ♀.
◆ Sympathique restaurant familial aménagé dans une ancienne fromagerie proche du marché. Décor rustique soigné et carte traditionnelle. Repas rapides dans l'espace bistrot.

---

## La ROQUEBRUSSANNE *83136 Var* 340 *K5 – 1 235 h alt. 365.*

*Paris 815 – Toulon 37 – Aix-en-Provence 61 – Aubagne 49 – Brignoles 15.*

**Auberge de la Loube,** ✆ 04 94 86 81 36, *Fax 04 94 86 86 79*, – TV. AE GB
**Repas** *(fermé déc.)* 21,50/29 – ☕ 6 – **8 ch** 69.
◆ Devant l'église, bâtisse ancienne aux couleurs ensoleillées, aménagée dans le style provençal. Fraîche salle de repas avec cheminée. Chambres nettes et gentiment décorées.

---

## La ROQUE-D'ANTHÉRON *13640 B.-du-R.* 340 *G3 G. Provence – 3 923 h alt. 183.*

Voir *Abbaye de Silvacane*★★ *E : 2 km.*

ℹ *Office du Tourisme, 3 cours Foch* ✆ *04 42 50 70 74, Fax 04 42 50 70 76, omt@ville-la-roque-d-antheron.fr.*

*Paris 730 – Aix-en-Provence 28 – Cavaillon 33 – Manosque 60 – Marseille 58.*

**Mas de Jossyl** M, ✆ 04 42 50 71 00, *jossyl.mas@wanadoo.fr, Fax 04 42 50 75 94*, – TV ♿ P – 25. ⓓ GB
**Repas** *(fermé 2 au 21 janv., dim. soir, lundi et mardi de sept. à juin)* 18/30 ♀, enf. 10 – ☕ 6 – **22 ch** 85 – ½ P 63.
◆ Face au parc du château de Florans (17$^{e}$ s.), construction récente de style régional abritant des chambres spacieuses, fonctionnelles et insonorisées. Accueil familial.

---

## ROQUEFORT-LES-PINS *06330 Alpes-Mar.* 341 *D6 – 4 714 h alt. 184.*

ℹ *Syndicat d'Initiative, place Mougins Roquefort* ✆ *04 93 09 67 54, Fax 04 93 09 67 54, contact@ville-roquefort-les-pins.fr.*

*Paris 918 – Nice 26 – Cannes 18 – Grasse 14.*

XXX **Auberge du Colombier** avec ch, au Colombier, rte de Nice, sur D 2085 ☎ 04 92 60 33 00, *info@auberge-du-colombier.com, Fax 04 93 77 07 03,* – P – 25. AE GB JCB
*fermé 5 au 30 janv.* – **Repas** (fermé mardi d'oct. à mars) (27) - 39/60 et carte 56 à 74 ♀, enf. 14 – ☕ 8 – **20 ch** 64/104 – ½ P 81/94.
◆ Maison nichée dans un parc arboré dominant la vallée. Cuisine classique proposée dans une salle rustique ou sur l'agréable terrasse. Quelques chambres ont été rafraîchies.

## La ROQUE-GAGEAC *24250 Dordogne 329 I7 G. Périgord Quercy – 447 h alt. 85.*

Voir *Site*★★.
*Syndicat d'Initiative, Le Bourg ☎ 05 53 29 17 01, Fax 05 53 31 24 48.*
*Paris 539 – Brive-la-Gaillarde 71 – Sarlat-la-Canéda 13 – Cahors 52 – Périgueux 71.*

**Belle Étoile,** ☎ 05 53 29 51 44, *hotel.belle-etoile@wanadoo.fr, Fax 05 53 29 45 63,* ←, – rest, . AE GB. ch
*début avril-fin oct.* – **Repas** (fermé merc. midi et lundi) 21/33 ♀ – ☕ 7 – **16 ch** 52/72 – ½ P 57/70.
◆ Vieille maison familiale face à la rivière. Chambres de style ou plus sobres. Cuisine périgourdine servie dans deux sympathiques salles à manger ou, en été, sous la treille.

**Gardette,** ☎ 05 53 29 51 58, *egardette@aol.com, Fax 05 53 31 19 32,* – P. GB
*13 avril-2 nov.* – **Repas** 19/39 – ☕ 6 – **15 ch** 29/48 – ½ P 92/98.
◆ À l'entrée du pittoresque bourg, adossé au rocher, hôtel simple aux chambres bien tenues. Quelques tables ont vue sur la Dordogne. Belle terrasse ombragée. Plats régionaux.

XX **Auberge La Plume d'Oie** avec ch, ☎ 05 53 29 57 05, *walker.marc@wanadoo.fr, Fax 05 53 31 04 81,* ← – . GB
*fermé lundi et mardi midi hors saison* – **Repas** (nombre de couverts limité, prévenir) 34/54 ♀ – ☕ 11 – **4 ch** 69/76.
◆ Cette demeure ancienne joliment restaurée abrite un coquet restaurant (non-fumeur) avec pierres, poutres apparentes et vue sur le trafic des gabares. Cuisine au goût du jour.

**rte de Vitrac** *Sud-Est par D 703 – ✉ 24250 La Roque Gageac:*

**Périgord,** à 3 km ☎ 05 53 28 36 55, *hotelleperigord@wanadoo.fr, Fax 05 53 28 38 73,* , , , – rest, P. AE GB
*1er mars-30 nov. et fermé dim. soir et lundi en nov. et mars* – **Repas** 17/38 – ☕ 7 – **40 ch** 44/58 – ½ P 47/55.
◆ Au pied de "l'acropole du Périgord" (Domme), bâtisse entourée d'un grand jardin. Chambres bien tenues. Salles à manger sobres, dont une en véranda, et agréable terrasse.

XX **Les Prés Gaillardou,** à 4 km ☎ 05 53 59 67 89, *Fax 05 53 31 07 37,* , – P. GB
*fermé 5 janv. au 1er mars et lundi sauf le soir en saison* – **Repas** (13,50) - 18,50/33,80.
◆ Ferme convertie en restaurant : murs en pierres et poutres dans les trois petites salles, jardin clos à l'arrière (idéal pour les enfants) et cuisine du terroir.

## ROQUEMAURE *30150 Gard 339 N4 G. Provence – 4 647 h alt. 19.*

*Office du Tourisme, place de la Mairie ☎ 04 66 90 21 01, Fax 04 66 90 21 01.*
*Paris 670 – Avignon 18 – Alès 76 – Nîmes 48 – Orange 12 – Pont-St-Esprit 32.*

**Clément V,** rte Nîmes ☎ 04 66 82 67 58, *hotel.clementv@wanadoo.fr, Fax 04 66 82 84 66,* , – P. GB
*15 mars-25 oct. et fermé les week-ends hors saison* – **Repas** (dîner seul.) (résidents seul.) 16/20 ♀ – ☕ 6,50 – **19 ch** 56/61 – ½ P 49/53.
◆ Légèrement excentrée, construction des années 1970 colorée. À l'arrière, les chambres sont spacieuses mais sans balcon. Location de vélos sur place.

## ROSAY *78 Yvelines 311 G2 – rattaché à Mantes-la-Jolie.*

## ROSBRUCK *57 Moselle 307 M4 – rattaché à Forbach.*

## ROSCOFF *29680 Finistère 308 H2 G. Bretagne – 3 711 h alt. 7 – Casino.*

Voir *Église N.-D.-de-Croaz-Batz*★ – *Aquarium Ch. Pérez*★ – *Jardin exotique*★.
*Office du Tourisme, 46 rue Gambetta ☎ 02 98 61 12 13, Fax 02 98 69 75 75.*
*Paris 565 ① – Brest 66 ① – Landivisiau 27 ① – Morlaix 29 ① – Quimper 100 ①.*

**Brittany** , bd Ste Barbe ☎ 02 98 69 70 78, *hotel.brittany@wanadoo.fr, Fax 02 98 61 13 29,* ←, , – P – 30. AE GB JCB. rest Z a
*25 mars-21 oct.* – **Repas** (dîner seul.) 27/49 ♀, enf. 15 – ☕ 12 – **25 ch** 110/140 – ½ P 108/125.
◆ Cet ancien manoir, élégamment aménagé, profite de belles échappées sur l'île de Batz. Chambres personnalisées et salle à manger raffinée, dotée d'une monumentale cheminée.

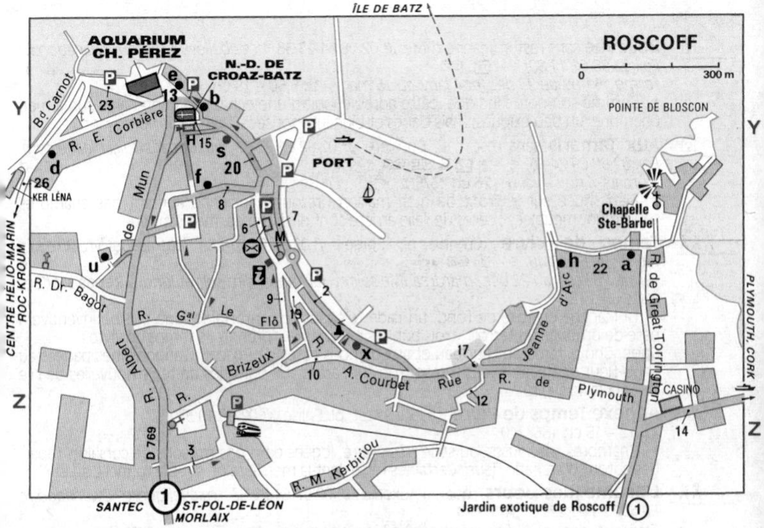
ÎLE DE BATZ
ROSCOFF
0
300 m
AQUARIUM CH. PÉREZ
N.-D. DE CROAZ-BATZ
POINTE DE BLOSCON
Bd Carnot
R. E. Corbière
PORT
KER LÉNA
CENTRE HÉLIO-MARIN ROC-KROUM
Chapelle Ste-Barbe
PLYMOUTH, CORK
R. Dr. Bagot
R. Gal Le Flô
R. de Mun
R. Albert
Brizeux
A. Courbet
Rue
R. de Plymouth
Jeanne d'Arc
R. de Great Torrington
CASINO
R. M. Kerbiriou
D 769
SANTEC
ST-POL-DE-LÉON MORLAIX
Jardin exotique de Roscoff
Y
Z

| | | |
|---|---|---|
| Auxerre (Quai d') .......... Z 2 | Keranveyer (R. de) .......... Z 10 | République (Pl. de la) ....... Z 19 |
| Capucins (R. des) .......... Z 3 | Kléber (R.) .......... Z 12 | Reveillère (R. Amiral) .......... Y 20 |
| Gambetta (R.) .......... Y 6 | Lacaze-Duthiers (Pl.) .......... Y 13 | Ste-Barbe (Bd) .......... Z 22 |
| Gaulle (Q. Ch. de) .......... Y 7 | Lannurien (R. G. de) .......... Z 14 | Tessier (Pl. G.) .......... Y 23 |
| Johnies (R. des) .......... Y 8 | Pasteur (R. L.) .......... Y 15 | Victor-Hugo (R.) .......... Y 26 |
| Jules-Ferry (R.) .......... Z 9 | Pen al Leur (Pl. de) .......... Z 17 | |

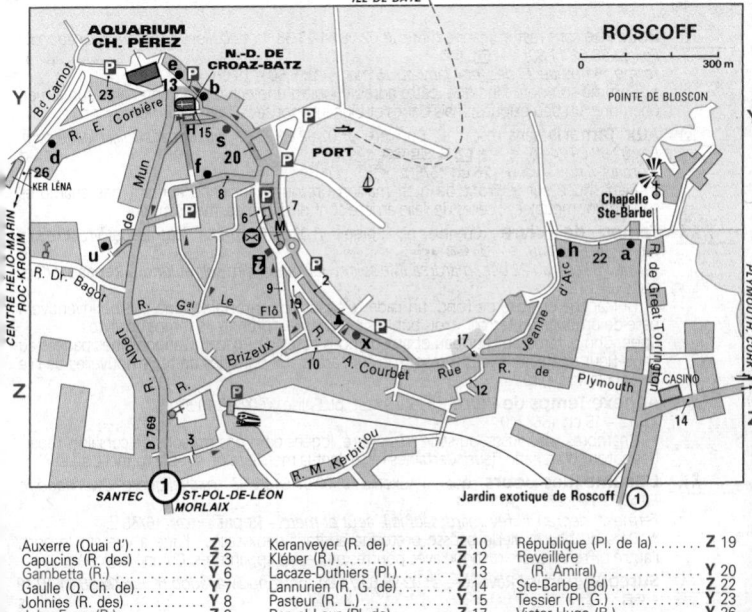

**Gulf Stream** , r. Marquise de Kergariou par r. E. Corbière, Ouest : 1 km ✆ 02 98 69 73 19, *creach.jacques@wanadoo.fr, Fax 02 98 61 11 89*, ←, – – 40. AE GB. rest
*20 mars-15 oct.* – **Repas** *(fermé dim. soir et lundi midi)* 21/62 – 8,50 – **34 ch** 110/120 – ½ P 75/90.
◆ Grand pavillon blanc récemment rénové : chambres claires, bien équipées, et élégante salle à manger panoramique. Le jardin (piscine) s'étend jusqu'à la baie du Laber.

**Talabardon,** pl. Église ✆ 02 98 61 24 95, *talabardon@wanadoo.fr, Fax 02 98 61 10 54*, ← – – 40. AE GB. rest Y b
*1er mars-26 oct.* – **Repas** *(fermé jeudi sauf le soir en juil.-août et dim. soir)* (16) - 21/44, enf. 10 – 10 – **39 ch** 69/109 – ½ P 66,50/88.
◆ Depuis 1890, c'est la même famille qui tient cet hôtel situé entre la jolie église N.-D. de Croaz-Batz et la mer. Chambres fraîches et confortables. Salle à manger panoramique.

**Thalasstonic** M, r. V. Hugo (Y) ✆ 02 98 29 20 20, *sat@thalasso.com, Fax 02 98 29 20 19*, ←, , – . AE GB. rest
*fermé 1er au 24 déc.* – **Repas** 21 – 8,50 – **54 ch** 78/103 – ½ P 76,50/83.
◆ Relié au centre de thalassothérapie, établissement moderne intégrant de nombreux services. Les chambres avec bain bénéficient de la vue sur le large. Menus diététiques.

**Armen Le Triton** sans rest, r. Dr Bagot ✆ 02 98 61 24 44, *resa@hotel-letriton.com, Fax 02 98 69 77 97*, , – . AE GB Z u
*15 fév.-15 nov.* – 6 – **45 ch** 43/57.
◆ Cette bâtisse bretonne promet un séjour au calme. Les chambres donnant sur le court de tennis sont plus spacieuses. Salle des petits-déjeuners ouverte sur le jardin.

**Résidence** sans rest, r. des Johnies ✆ 02 98 69 74 85, *Fax 02 98 69 78 63*, – . GB Y f
*7 fév.-2 nov.* – 6 – **31 ch** 48/65.
◆ Entre le port et l'église, longue construction de style régional progressivement rénovée. Les chambres exposées au Sud sont pourvues de balcons. Grand salon avec cheminée.

**Ibis** sans rest, pl. Église ✆ 02 98 61 22 61, *ibis.roscoff@wanadoo.fr, Fax 02 98 61 11 94* – . AE GB Y e
6 – **40 ch** 65/72.
◆ Logées dans une maison traditionnelle, les chambres ont été relookées aux normes de la chaîne ; certaines donnent sur la Manche. Accès direct au Temps de vivre.

**Bellevue** sans rest, r. Jeanne d'Arc ✆ 02 98 61 23 38, *hotelbellevue.roscoff@wanadoo.fr, Fax 02 98 61 11 80,* ≤ – TV. GB Z h
*fermé 15 nov. au 23 déc. et 4 janv. au 15 mars* – ☕ 6,50 – **18 ch** 53/67.
◆ Comme son nom l'indique, cette adresse jouit d'une échappée imprenable sur la mer. Chambres un peu exiguës, mais claires et bien insonorisées. Petit patio verdoyant.

**Aux Tamaris** sans rest, r. É. Corbière ✆ 02 98 61 22 99, *auxtamaris@dial.oleane.com, Fax 02 98 69 74 36,* ≤ – |♦| TV ✆. AE GB Y d
*31 mars-3 nov.* – ☕ 6 – **26 ch** 43/60.
◆ Bien située sur le front de mer, maison bretonne ancienne abritant des chambres sobrement meublées ; celles de l'aile arrière sont plus calmes, mais sans vue.

**Temps de Vivre** (Crenn), pl. Église ✆ 02 98 61 27 28, *letempsdevivre@free.fr, Fax 02 98 61 19 46,* ≤ – AE GB JCB Y e
*fermé 28 sept. au 22 oct., mardi sauf le soir en juil.-août, dim.soir et lundi* – **Repas** 32/72 et carte 56 à 78.
◆ La Manche en toile de fond, un cadre élégant et confortable, une cuisine inventive à base de produits du terroir : trois bonnes raisons pour prendre le temps de vivre !
**Spéc.** Choux farcis au tourteau et aux oignons rosés de Roscoff. Langoustines panées au chou-fleur et aux amandes. Turbot rôti sur l'arête aux pommes de terre nouvelles de l'île de Batz (avril à juin)

**Annexe Temps de Vivre** sans rest, pl. Église ✆ 02 98 19 33 19.
☕ 12 – **15 ch** 136/240.
◆ Chambres spacieuses, au style très épuré, logées dans des maisons de corsaires réparties autour d'un patio fleuri. Certaines regardent la mer, le salon sous la tonnelle aussi.

**L'Écume des Jours,** quai d'Auxerre ✆ 02 98 61 22 83, *michel.quere2@wanadoo.fr, Fax 02 98 61 22 83,* – GB Z x
*fermé 1er déc. au 1er fév.,mardi sauf juil.-août et merc.* – **Repas** *(10,50)* - 16/38 ♀.
◆ Près du phare, vieille bâtisse bretonne abritant deux salles : l'une a vue sur le port, l'autre offre un cadre rustique avec poutres et pierres apparentes. Cuisine régionale.

**Surcouf,** r. Amiral Réveillère ✆ 02 98 69 71 89, *bottonp@wanadoo.fr, Fax 02 98 61 10 19* – GB Y s
*fermé 24 nov. au 8 déc., 5 janv. au 6 fév., mardi et merc. d'oct. à juin* – **Repas** 14,35/21,50 ♀, enf. 6,40.
◆ Près de l'église, restaurant de type brasserie agrémenté d'un vivier à homards. Cuisine régionale simple ; bon choix de menus axé sur les produits de la mer.

## ROSENAU *68128 H.-Rhin* 315 *J11 – 1 501 h alt. 230.*

*Paris 494 – Mulhouse 24 – Altkirch 25 – Basel 16 – Belfort 69 – Colmar 57.*

**Lion d'Or,** ✆ 03 89 68 21 97, *baumlin@auliondor-rosenau.com, Fax 03 89 70 68 05,* – P. AE GB
*fermé 8 au 31 juil., 17 au 25 fév., lundi et mardi sauf fériés* – **Repas** 9,50 (déj.), 20,70/39 ♀, enf. 11.
◆ Pimpante façade ornée d'une jolie enseigne en fer forgé, chaleureux intérieur et agréable terrasse : cette sympathique auberge est tenue par la même famille depuis 1928.

## ROSHEIM *67560 B.-Rhin* 315 *I6 G. Alsace Lorraine – 4 016 h alt. 190.*

**Voir** *Église St-Pierre et St-Paul★.*

*Office du Tourisme, 94 rue du Général de Gaulle ✆ 03 88 50 75 38, Fax 03 88 50 45 49, accueil@rosheim.com.*

*Paris 492 – Strasbourg 31 – Erstein 20 – Molsheim 9 – Obernai 7 – Sélestat 33.*

**Hostellerie du Rosenmeer,** Nord-Est : 2 km sur D 35 ✆ 03 88 50 43 29, *hubert.maetz@wanadoo.fr, Fax 03 88 49 20 57,* , – |♦|, rest, TV ✆ P – 15 à 25. AE GB
*fermé 21 juil. au 2 août et 19 fév. au 8 mars* – **Repas** *(fermé dim. soir, merc. soir et lundi)* 32 (déj.), 44/105 bc ♀ - ***Winstub d'Rosemer*** *(fermé dim. et lundi)* **Repas** carte 26 à 41 ♀ – ☕ 9 – **20 ch** 50/90 – ½ P 70/75.
◆ Au bord du ruisseau qui lui a donné son nom, hôtel récent d'inspiration alsacienne. Décor chaleureux où lambris et boiseries sont omniprésents. Plats au goût du jour.

**Auberge du Cerf,** 120 r. Gén. de Gaulle ✆ 03 88 50 40 14, *Fax 03 88 50 40 14* – GB
*fermé 16 au 26 juin, 5 au 12 janv., dim. soir et lundi* – **Repas** 10 (déj.), 13/32 ♀.
◆ Au centre de la cité vigneronne, cette auberge fleurie abrite deux petites salles à manger assez plaisantes. Cuisine classique et régionale.

**Petite Auberge** M avec ch, 41 r. Gén. de Gaulle ✆ 03 88 50 40 60, *Fax 03 88 50 40 60,* – cuisinette, rest, TV ✆ P. GB
*fermé 26 juin au 10 juil. et 5 au 26 fév.* – **Repas** *(fermé jeudi sauf le soir de mai au 15 nov. et merc.)* 20/46 ♀, enf. 9,50 – ☕ 6 – **9 ch** 43/84 – ½ P 43.
◆ Dans la rue principale, maisonnette alsacienne typique abritant un restaurant de style rustique. À 50 m, l'hôtel (les Lys) propose des chambres bien équipées (lave-vaisselle).

**La ROSIÈRE** *14 Calvados* 303 I4 – *rattaché à Arromanches-les-Bains.*

**La ROSIÈRE 1850** *73 Savoie* 333 O4 *G. Alpes du Nord – Sports d'hiver : 1 100/2 600 m* 20 –
*✉ 73700 Bourg-St-Maurice.*

Altiport ✆ 04 79 06 83 40.

*Office de tourisme, ✆ 04 79 06 80 51, Fax 04 79 06 83 20, la.rosiere@wanadoo.fr.*

*Paris 688 – Albertville 77 – Bourg-St-Maurice 22 – Chambéry 126.*

**Relais du Petit St-Bernard**, ✆ 04 79 06 80 48, *info@petit-saint-bernard.com, Fax 04 79 06 83 40,* ≤ montagnes, – TV. GB

*23 juin-8 sept. et 20 déc.-20 avril* – **Repas** 13,40/36 – 6,30 – **20 ch** 39/58 – 1/2 P 54/61.

◆ Au ras des pistes, ce gros chalet est à la fois bar local, magasin de souvenirs, snack et pension de famille. Chambres décorées dans un style montagnard tout simple.

**Les ROSIERS-SUR-LOIRE** *49350 M.-et-L.* 317 H4 *G. Châteaux de la Loire – 2 204 h alt. 22.*

*Office du Tourisme, place du Mail ✆ 02 41 51 90 22, Fax 02 41 51 90 22.*

*Paris 305 – Angers 32 – Baugé 27 – Bressuire 66 – Cholet 80 – La Flèche 45 – Saumur 18.*

XXX **Jeanne de Laval** avec ch, rte Nationale ✆ 02 41 51 80 17, *Fax 02 41 38 04 18,* – rest, TV P. AE GB

*fermé 15 nov. au 28 déc. et lundi sauf le soir en saison* – **Repas** 30/70 et carte 43 à 78 – 10 – **4 ch** 75/99 – 1/2 P 100/110.

◆ Au centre du village, tapissée de lierre, belle demeure bourgeoise au cadre soigné. Les tables de la véranda offrent une vue plongeante sur le grand jardin fleuri.

**Annexe Ducs d'Anjou** sans rest., – TV. AE GB

*fermé 15 nov. au 28 déc. et lundi hors saison* – 10 – **7 ch** 69/100.

◆ L'Annexe Ducs d'Anjou, ancienne maison de maître située à 500 m du restaurant, abrite des chambres assez spacieuses et équipées d'un mobilier de style.

XXX **Toque Blanche,** rte Angers ✆ 02 41 51 80 75, *Fax 02 41 38 06 38* – P. GB

*fermé 13 au 26 nov., mardi soir et merc.* – **Repas** 19 bc/41.

◆ Sur la levée de la Loire, restaurant aux larges fenêtres en ogive, sobrement décoré et meublé en style Régence. Salle complémentaire au rez-de-chaussée.

XX **Val de Loire** avec ch, pl. Église ✆ 02 41 51 80 30, *Fax 02 41 51 95 00* – TV. GB

*fermé 15 fév. au 15 mars, dim. soir et lundi hors saison* – **Repas** 12,50/32,90 – 6,10 – **9 ch** 38/44 – 1/2 P 56,60/62,60.

◆ Face à l'église, hostellerie familiale au cadre et au confort actuels. Salle à manger principale rénovée. Chambres insonorisées ; préférez celles du premier étage.

**ROSNY-SOUS-BOIS** *93 Seine-St-Denis* 305 F7 101 ⑰ – *voir à Paris, Environs.*

**ROSOY** *89 Yonne* 319 C3 – *rattaché à Sens.*

**ROSPORDEN** *29140 Finistère* 308 I7 *G. Bretagne – 6 485 h alt. 125.*

*Syndicat d'Initiative, rue Lebas ✆ 02 98 59 27 26, Fax 02 98 59 92 00.*

*Paris 545 – Quimper 24 – Carhaix-Plouguer 51 – Concarneau 14 – Pontivy 101.*

**Jet'otel,** pl. Gare ✆ 02 98 66 99 99, *jet-otel@club-internet.fr, Fax 02 98 66 94 98* – TV – 40. GB

*fermé 20 déc. au 12 janv., 28 avril au 4 mai, 29 sept. au 5 oct.* – **Repas** *(fermé sam. midi et dim. soir)* 12,50 (déj.), 16/39,50, enf. 9 – 7,50 – **27 ch** 54 – 1/2 P 43/66.

◆ Non loin du Jet, la rivière qui lui a donné son nom, hôtel bien situé face à la gare. Chambres simples, récemment ravivées. Bel espace salon.

**La ROTHIÈRE** *10500 Aube* 313 H3 – *121 h alt. 137.*

*Paris 211 – Chaumont 59 – Bar-sur-Aube 18 – Troyes 40.*

**Auberge de la Plaine,** D 396 ✆ 03 25 92 21 79, *aubergedelaplaine@wanadoo.fr, Fax 03 25 92 26 16,* – TV P. AE GB

*fermé 19 au 29 déc., vend. soir et sam. midi du 23 sept. à fin juin* – **Repas** 12/31 – 5,70 – **15 ch** 30,50/42 – 1/2 P 32,90/35,50.

◆ Chaleureuse petite auberge de bord de route, à l'orée du Parc régional de la Forêt d'Orient. Chambres d'esprit campagnard. Salle à manger décorée d'objets paysans.

*Donnez-nous votre avis sur les tables que nous recommandons, sur leurs spécialités et leurs vins de pays.*

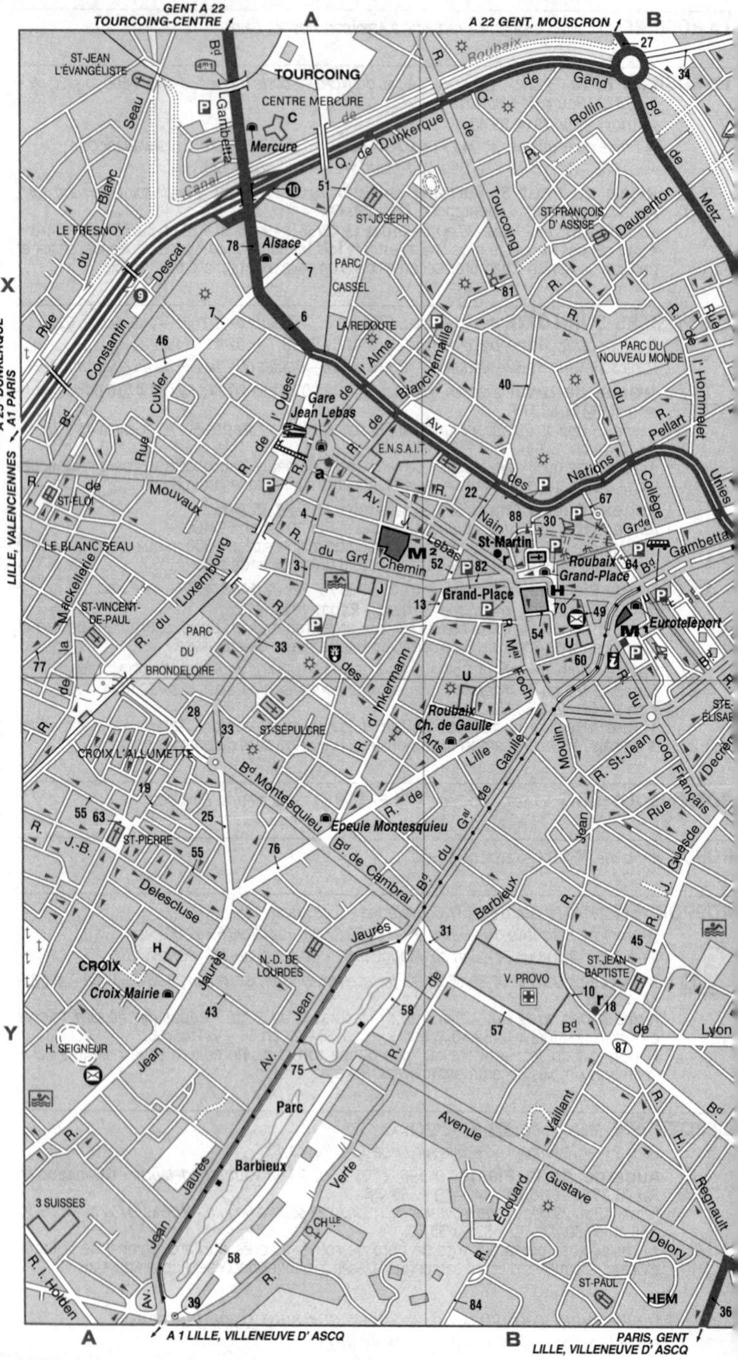
GENT A 22
TOURCOING-CENTRE
A
A 22 GENT, MOUSCRON
B
27
34
ST-JEAN L'ÉVANGÉLISTE
TOURCOING
CENTRE MERCURE
C
Mercure
Bd Gambetta
Seau
Canal
Roubaix
Q. de Dunkerque
R. de Tourcoing
de Gand
Rollin
Bd de Metz
10
51
ST-JOSEPH
ST-FRANÇOIS D'ASSISE
Daubenton
LE FRESNOY
Blanc
du
Rue
78
Alsace
7
PARC CASSEL
81
X
Descat
9
Constantin
7
46
6
LA REDOUTE
Blanchemaille
PARC DU NOUVEAU MONDE
R. de l'Hommelet
Rue
A 25 DUNKERQUE
A1 PARIS
LILLE, VALENCIENNES
Bd
Cuvier
Rue
R. de l'Ouest
Gare Jean Lebas
R. de l'Alma
Av.
40
R. Pellart
Collège
Unies
E.N.S.A.I.T.
a
R. de Mouvaux
ST-ÉLOI
4
Av. J. Lebas
22
des Nations
67
88
30
Nain
St-Martin
r
Grde
Gambetta
Bd
LE BLANC SEAU
R. du Grd Chemin
M2
52
82
Roubaix Grand-Place
64
R. du Luxembourg
3
J
Grand-Place
H
70
49
Mackellerie
la
de
R.
ST-VINCENT-DE-PAUL
PARC DU BRONDELOIRE
33
R. des
13
54
M1
Euroteleport
U
60
77
R. d'Inkermann
R. Mal Foch
U
R. du
STE-ÉLISAB
28
33
ST-SÉPULCRE
Roubaix Ch. de Gaulle
Arts
R. de Lille
CROIX L'ALLUMETTE
Bd Montesquieu
Moulin
R. St-Jean
Coq Français
Decrême
19
55
63
25
R. J.-B.
ST-PIERRE
55
Epeule Montesquieu
Bd de Cambrai
Bd du Gal de Gaulle
Jean
Rue
R. J. Guesde
76
Delescluse
Barbieux
R.
31
R.
45
H
Jaurès
CROIX
Croix Mairie
Jaurès
N.-D. DE LOURDES
Av. Jean
de
ST-JEAN BAPTISTE
V. PROVO
10
r
18
43
58
57
Bd de Lyon
Y
87
H. SEIGNEUR
Jean
75
R.
R.
Bd
Parc
Avenue
Vaillant
R.
H.
Barbieux
Verte
Edouard
Gustave
Regnault
Jaurès
3 SUISSES
Jean
CHLLE
Delory
R.
R. I. Holden
58
R.
ST-PAUL
HEM
Av.
39
84
36
A
A 1 LILLE, VILLENEUVE D'ASCQ
B
PARIS, GENT
LILLE, VILLENEUVE D'ASCQ

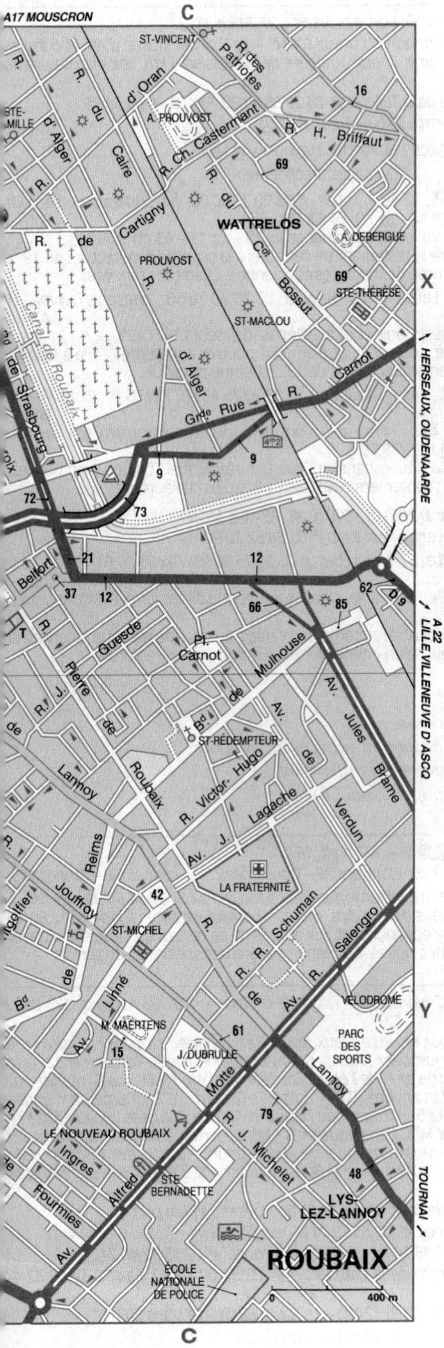
A17 MOUSCRON
C
ST-VINCENT
R. des Patriotes
16
R. d' Oran
A. PROUVOST
R. Ch. Castermant
R. H. Briffaut
69
R. du Caire
R. d' Alger
R. de Cartigny
WATTRELOS
A. DEBERGUE
PROUVOST
R. Cdt Bossut
69
STE-THÉRÈSE
ST-MACLOU
X
Canal de Roubaix
de Strasbourg
R. d' Alger
R. Carnot
Grde Rue
9
9
72
73
21
Belfort
37
12
12
66
85
62
D 9
HERSEAUX, OUDENAARDE
A 22
LILLE, VILLENEUVE D' ASCQ
R. Guesde
Pl. Carnot
R. J. Pierre de Roubaix
de Mulhouse
Bd de Lannoy
ST-RÉDEMPTEUR
Av. de Verdun
Av. Jules Brame
R. Victor-Hugo
Av. J. Lagache
R. de Reims
Jouffroy
LA FRATERNITÉ
42
ST-MICHEL
R. Schuman
R. Salengro
Bd de Linné
VÉLODROME
Y
M. MAERTENS
Av. Linné
15
J. DUBRULLE
61
PARC DES SPORTS
R. de Lannoy
Motte
79
R. J. Michelet
LE NOUVEAU ROUBAIX
Ingres
Fourmies
Av. Alfred
STE BERNADETTE
48
LYS-LEZ-LANNOY
TOURNAI
ROUBAIX
ÉCOLE NATIONALE DE POLICE
0
400 m
C

## CROIX

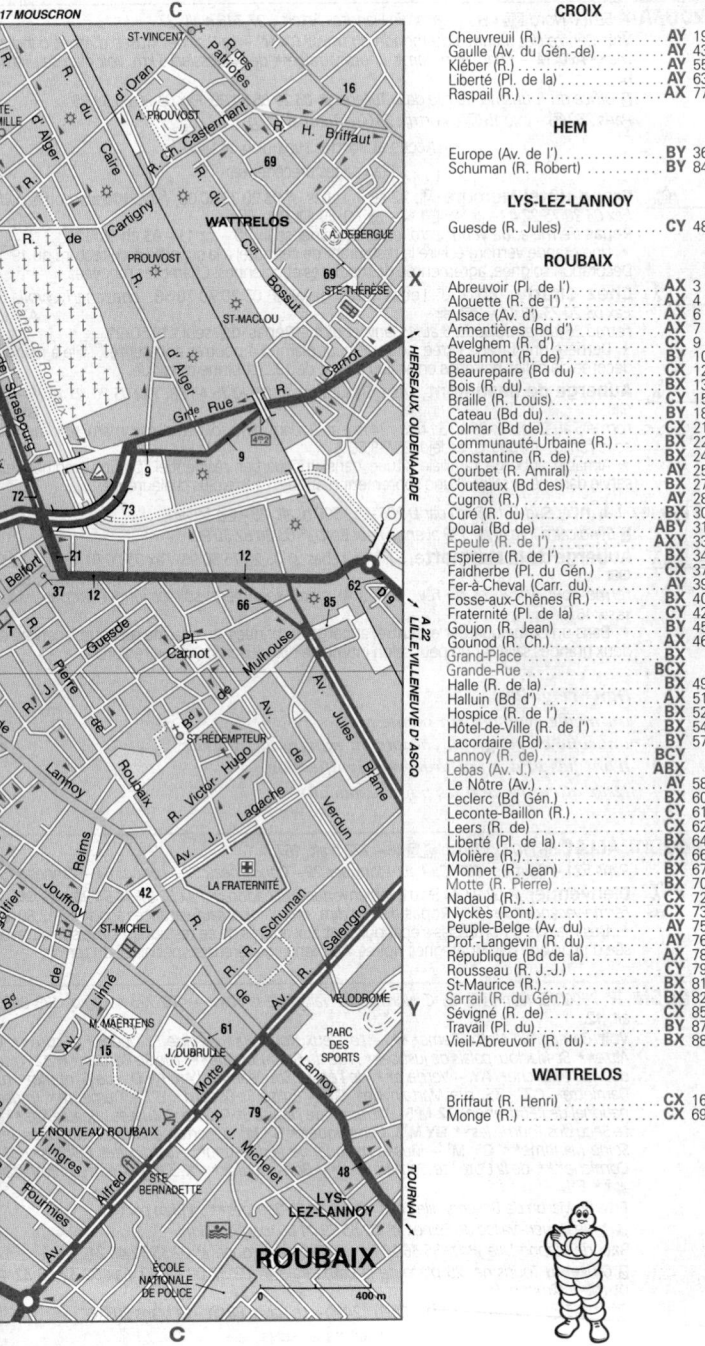

| | | |
|---|---|---|
| Cheuvreuil (R.) | AY | 19 |
| Gaulle (Av. du Gén.-de) | AY | 43 |
| Kléber (R.) | AY | 55 |
| Liberté (Pl. de la) | AY | 63 |
| Raspail (R.) | AX | 77 |

## HEM

| | | |
|---|---|---|
| Europe (Av. de l') | BY | 36 |
| Schuman (R. Robert) | BY | 84 |

## LYS-LEZ-LANNOY

| | | |
|---|---|---|
| Guesde (R. Jules) | CY | 48 |

## ROUBAIX

| | | |
|---|---|---|
| Abreuvoir (Pl. de l') | AX | 3 |
| Alouette (R. de l') | AX | 4 |
| Alsace (Av. d') | AX | 6 |
| Armentières (Bd d') | AX | 7 |
| Avelghem (R. d') | CX | 9 |
| Beaumont (R. de) | BY | 10 |
| Beaurepaire (Bd du) | CX | 12 |
| Bois (R. du) | BX | 13 |
| Braille (R. Louis) | CY | 15 |
| Cateau (Bd du) | BY | 18 |
| Colmar (Bd de) | CX | 21 |
| Communauté-Urbaine (R.) | BX | 22 |
| Constantine (R. de) | BX | 24 |
| Courbet (R. Amiral) | AY | 25 |
| Couteaux (Bd des) | BX | 27 |
| Cugnot (R.) | AY | 28 |
| Curé (R. du) | BX | 30 |
| Douai (Bd de) | ABY | 31 |
| Epeule (R. de l') | AXY | 33 |
| Espierre (R. de l') | BX | 34 |
| Faidherbe (Pl. du Gén.) | CX | 37 |
| Fer-à-Cheval (Carr. du) | AY | 39 |
| Fosse-aux-Chênes (R.) | BX | 40 |
| Fraternité (Pl. de la) | CY | 42 |
| Goujon (R. Jean) | BY | 45 |
| Gounod (R. Ch.) | AX | 46 |
| Grand-Place | BX | |
| Grande-Rue | BCX | |
| Halle (R. de la) | BX | 49 |
| Halluin (Bd d') | AX | 51 |
| Hospice (R. de l') | BX | 52 |
| Hôtel-de-Ville (R. de l') | BX | 54 |
| Lacordaire (Bd) | BY | 57 |
| Lannoy (R. de) | BCY | |
| Lebas (Av. J.) | ABX | |
| Le Nôtre (Av.) | AY | 58 |
| Leclerc (Bd Gén.) | BX | 60 |
| Leconte-Baillon (R.) | CY | 61 |
| Leers (R. de) | CX | 62 |
| Liberté (Pl. de la) | BX | 64 |
| Molière (R.) | CX | 66 |
| Monnet (R. Jean) | BX | 67 |
| Motte (R. Pierre) | BX | 70 |
| Nadaud (R.) | CX | 72 |
| Nyckès (Pont) | CX | 73 |
| Peuple-Belge (Av. du) | AY | 75 |
| Prof.-Langevin (R. du) | AY | 76 |
| République (Bd de la) | AX | 78 |
| Rousseau (R. J.-J.) | CY | 79 |
| St-Maurice (R.) | BX | 81 |
| Sarrail (R. du Gén.) | BX | 82 |
| Sévigné (R. de) | CX | 85 |
| Travail (Pl. du) | BY | 87 |
| Vieil-Abreuvoir (R. du) | BX | 88 |

## WATTRELOS

| | | |
|---|---|---|
| Briffaut (R. Henri) | CX | 16 |
| Monge (R.) | CX | 69 |

**ROUBAIX** *59100 Nord* 302 H3 *G. Picardie Flandres Artois – 97 746 h alt. 27.*

Voir *Centre des archives du monde du travail* **BX M¹** – *La Piscine, Musée d'Art et d'Industrie*** **ABX M²** – *Chapelle d'Hem* (murs-vitraux** de Manessier) 5 km, voir plan de Lille* **JS B.**

*Office du Tourisme, 10 rue de la Tuilerie ✆ 03 20 65 31 90, Fax 03 20 65 31 83.*

*Paris 232 ⑩ – Lille 15 ⑩ – Kortrijk 23 ④ – Tournai 24 ⑦.*

Accès et sorties : voir plan de Lille.

Plan pages précédentes

**Grand Hôtel Mercure** Ⓜ, 22 av. J. Lebas ✆ 03 20 73 40 00, *h1250@accorhotels.com, Fax 03 20 73 22 42* – 60. AE GB JCB **BX** r
**Repas** *(fermé août, vend., sam. et fériés)* (dîner seul.) 20 – 11 – **93 ch** 90/100.
◆ Une grande verrière éclaire le restaurant de cet hôtel à la superbe architecture du 19ᵉ s. Décoration soignée, agrémentée de moulures et colonnes. Chambres rénovées.

**Chez Charly,** 127 r. J. Lebas (près gare) ✆ 03 20 70 78 58, *chezcharly@voila.fr, Fax 03 20 73 49 11* – GB. **AX** a
*fermé 26 juil. au 19 août, 3 au 11 janv. et dim.* – **Repas** (déj. seul.) 18,50/29.
◆ Derrière une façade vitrée, sous un haut plafond à poutres apparentes, salle à manger décorée de belles boiseries en acajou datant de 1922. Cuisine classique.

**Auberge de Beaumont,** 143 r. Beaumont ✆ 03 20 75 43 28, *Fax 03 20 75 43 28* – GB **BY** r
*fermé 5 au 27 août, 26 au 31 déc., 24 fév. au 2 mars, dim. soir, lundi soir, mardi soir, merc. et soirs fériés* – **Repas** 15,50 (déj.), 23/38,50.
◆ Aimable auberge familiale située dans un quartier résidentiel. Cuisine traditionnelle servie dans deux salles : l'une sobrement rustique, l'autre plus chaleureuse.

**à Lys-lez-Lannoy** *Sud-Est : 5 km par D 206 – 12 300 h. alt. 28 – ✉ 59390 :*

*Syndicat d'Initiative, 199 avenue Paul Bert ✆ 03 20 82 30 90.*

**Auberge de la Marmotte,** 5 r. J.-B. Lebas ✆ 03 20 75 30 95, *Fax 03 20 81 16 34* – P. AE GB plan de Lille **JS** f
*fermé août, vacances de fév., dim. soir, mardi soir, merc. soir et lundi* – **Repas** *(12,50)* - 16,50/46.
◆ Dans un calme quartier excentré, auberge en briques, au charme rustique, agencée en deux grandes salles et un petit salon intime de dix couverts. Cuisine régionale.

*Dans ce guide*
*un même symbole, un même mot,*
*imprimé en **rouge** ou en **noir**, en maigre ou en **gras**,*
*n'ont pas tout à fait la même signification.*
*Lisez attentivement les pages explicatives.*

**ROUDOUALLEC** *56110 Morbihan* 308 I6 *– 772 h alt. 167.*

*Paris 521 – Quimper 36 – Carhaix-Plouguer 29 – Concarneau 37 – Lorient 64 – Vannes 113.*

**Bienvenue,** ✆ 02 97 34 50 01, *lebienvenue@wanadoo.fr, Fax 02 97 34 54 90* – P. GB
*fermé vacances de fév.* – **Repas** *(fermé dim. soir et lundi sauf vacances scolaires)* 12,80/65.
◆ Des massifs d'hortensias s'épanouissent aux abords de ce restaurant situé sur la traversée d'un village des Montagnes Noires. Au menu : généreuses spécialités du terroir.

**ROUEN** Ⓟ *76000 S.-Mar.* 304 G5 *G. Normandie Vallée de la Seine – 102 723 h Agglo. 389 862 h alt. 12.*

Voir *Cathédrale Notre-Dame*** – Le Vieux Rouen*** : Église St-Ouen**, Église** et Aître** St-Maclou, palais de justice**, rue du Gros-Horloge**, rue St-Romain*** **BZ**, *place du Vieux-Marché** **AY**, *– Verrière** de l'église Ste-Jeanne-d'Arc* **AY D**, *rue Ganterie*, rue Damiette** **CZ** - *35, rue Martainville** **CZ** – *Église St-Godard** **BY** - *Demeure* (musée national de l'Éducation)* **CZ M¹5** - *Vitraux* de l'église St-Patrice – Musées : Beaux-Arts***, Le Secq des Tournelles*** **BY M¹3**, *Céramique*** **BY M³**, *départemental des Antiquités de la Seine-Maritime*** **CY M¹** – *Musée national de l'Éducation* – Jardin des Plantes** **EX** – *Corniche*** de la Côte Ste-Catherine*** – Bonsecours*** **FX**, *3 km – Centre Universitaire* ** **EV.**

Env. *St-Martin de Boscherville : anc. abbatiale St-Georges**, 11 km par ⑦.*

*de Rouen-Vallée de Seine : ✆ 02 35 79 41 00, par ③ : 9 km.*

**Bac:** *de Dieppedalle ✆ 02 35 36 20 81 ; du Petit-Couronne ✆ 02 35 32 40 21.*

*Office du Tourisme, 25 place de la Cathedrale ✆ 02 32 08 32 40, Fax 02 32 08 32 44 ot-rouen@mcom.fr.*

*Paris 133 ⑥ – Amiens 121 ① – Caen 124 ⑥ – Le Havre 88 ⑧ – Le Mans 203 ⑥.*

Plans pages suivantes

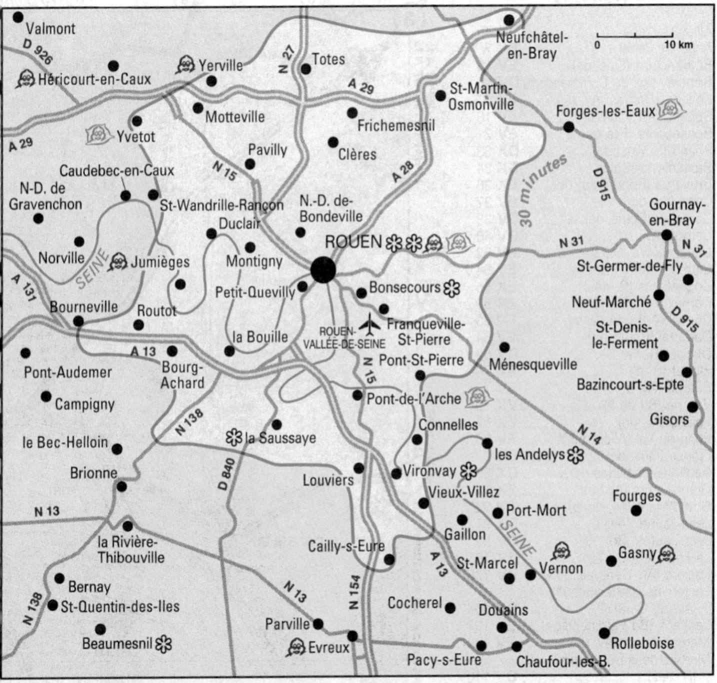

Valmont
D 926
Yerville
Héricourt-en-Caux
N 27
Totes
Neufchâtel-en-Bray
0
10 km
A 29
St-Martin-Osmonville
Motteville
Frichemesnil
Forges-les-Eaux
A 29
Yvetot
Pavilly
Clères
N 15
A 28
30 minutes
D 915
Caudebec-en-Caux
N.-D. de Gravenchon
St-Wandrille-Rançon
N.-D. de-Bondeville
Gournay-en-Bray
Duclair
ROUEN
N 31
N 31
Norville
Jumièges
Montigny
SEINE
St-Germer-de-Fly
A 131
Petit-Quevilly
Bonsecours
Neuf-Marché
Bourneville
Routot
Franqueville-St-Pierre
ROUEN-VALLÉE-DE-SEINE
D 915
St-Denis-le-Ferment
la Bouille
A 13
Bourg-Achard
Pont-St-Pierre
N 15
Ménesqueville
Pont-Audemer
Bazincourt-s-Epte
Campigny
Pont-de-l'Arche
Gisors
N 138
Connelles
N 14
le Bec-Helloin
la Saussaye
les Andelys
D 840
Vironvay
Brionne
Louviers
Vieux-Villez
Fourges
N 13
Port-Mort
Gaillon
SEINE
la Rivière-Thibouville
Cailly-s-Eure
Gasny
A 13
St-Marcel
Vernon
Bernay
N 13
N 154
Cocherel
St-Quentin-des-Iles
Douains
N 138
Parville
Beaumesnil
Evreux
Rolleboise
Pacy-s-Eure
Chaufour-les-B.


**Mercure Champ de Mars** M, 12 av. A. Briand ✆ 02 35 52 42 32, *h1273@accor-hotels.com, Fax 02 35 08 15 06* – |‡|, rest, TV ✆ ♿ 🚗 P – 🏟 100. AE ⓓ GB JCB — CZ j
**Repas** *(fermé dim. midi, sam. midi et le midi du 14 juil. au 25 aout)* (16) - 23/29, enf. 7 – ☕ 10 – **139 ch** 95/115.
◆ Sur un axe fréquenté longeant la Seine, hôtel d'affaires aux chambres rénovées et insonorisées ; certaines, à l'instar du restaurant, offrent une vue sur le Champ-de-Mars.

**Mercure Centre** M sans rest, 7 r. Croix de Fer ✆ 02 35 52 69 52, *h1301@accor-hotels.com, Fax 02 35 89 41 46* – |‡| TV 🚗. AE ⓓ GB JCB — BZ f
☕ 10,50 – **125 ch** 114/207.
◆ Atout majeur de l'hôtel : sa situation au coeur du vieux Rouen. Les chambres doivent être prochainement refaites ; certaines jouissent d'une échappée sur la cathédrale.

**Vieux Marché** M sans rest, 15 r. Pie ✆ 02 35 71 00 88, *hotelduvieuxmarche@wanadoo.fr, Fax 02 35 70 75 94* – |‡| TV ✆ ♿ 🚗 P. AE ⓓ GB — AY h
*fermé 24 au 31 déc.* – ☕ 10 – **48 ch** 89/130.
◆ Joliment restauré en 2001, cet ensemble de maisons propose des équipements très complets et des chambres - aucune ne donne sur la rue - au décor d'esprit "british".

**Dandy** sans rest, 93 bis r. Cauchoise ✆ 02 35 07 32 00, *contact@hotels-rouen.net, Fax 02 35 15 48 82* – |‡| TV ✆ 🚗. AE GB — AY p
*fermé 26 déc. au 2 janv.* – ☕ 8 – **18 ch** 82/95.
◆ Dans une rue piétonne, chambres "cosy" meublées en style Louis XV ; elles sont plus calmes sur l'arrière. Salon de thé ouvert à tous mais piano-bar réservé aux résidents.

**Dieppe,** pl. B. Tissot (face gare SNCF) ✆ 02 35 71 96 00, *hotel.dieppe@wanadoo.fr, Fax 02 35 89 65 21* – |‡|, rest, TV ✆. AE ⓓ GB JCB. rest — BY z
***Quatre Saisons*** *(fermé sam. midi)* **Repas** 19/35 ♀ – ☕ 9 – **41 ch** 76/100 – 1/2 P 62.
◆ Depuis 1880, c'est la même famille qui accueille le voyageur et lui propose ses chambres soignées au décor personnalisé. La spécialité du Quatre Saisons est le canard rouennais.

**Vieux Carré** sans rest, 34 r. Ganterie ✆ 02 35 71 67 70, *Fax 02 35 71 19 17* – TV ✆ ♿. AE ⓓ GB — BY t
☕ 6 – **13 ch** 51/55.
◆ Délicieuse atmosphère de maison d'hôte dans cette demeure à colombages (1715) située au coeur de la vieille ville. Hall "cosy", petit salon de thé et chambres coquettes.

# ROUEN

Alliés (Av. des) . . . . . . . . . . . . . **DX** 4
Ango (R. Jean) . . . . . . . . . . . . **EV** 7
Béthencourt (Quai de). . . . . . . **EV** 14
Bicheray (Av. du Commandant) **DV** 15
Bois-des-Dames (Av. du). . . . . **EV** 17
Boisguilbert (Quai de) . . . . . . . **EV** 18
Bonsecours (Rte de) . . . . . . . . **EV** 21
Briand (R. Aristide). . . . . . . . . . **DX** 33
Brossolette (Bd) . . . . . . . . . . . . **DX** 34
Bruyères (Rond-Point des) . . . **EX** 36
Caen (Av. de). . . . . . . . . . . . . . . **EV** 37
Canteleu (Route de). . . . . . . . . **DV** 39
Carnot (Av.) . . . . . . . . . . . . . . . . **DV** 40
Chasselièvre (R.). . . . . . . . . . . . **EV** 52
Clères (Chemin de) . . . . . . . . . **EV** 54
Coquelicots (R. des). . . . . . . . . **EX** 55
Corneille (R. Pierre) . . . . . . . . . **EX** 58
Corniche (Route de la). . . . . . . **FV** 60
Darnétal (Route de) . . . . . . . . . **FV** 64
Duclair (R. de). . . . . . . . . . . . . . **DV** 69
Elbeuf (R. d') . . . . . . . . . . . . . . . **EX** 75
Europe (Av. de l') . . . . . . . . . . . **EV** 78
Europe (Bd de l') . . . . . . . . . . . **EVX** 79
Felling (Av. de). . . . . . . . . . . . . . **EX** 82
Fond du Val (Allée du) . . . . . . . **EV** 85
France (Quai de). . . . . . . . . . . . **DV** 87
Gaulle (Bd Charles-de). . . . . . . **DX** 88
Grand-Cours (Av. du) . . . . . . . . **EX** 91
Grand'Mare (Av. de la). . . . . . . **FV** 92
Jean-Jaurès (Av.) . . . . . . . . . . . **DX** 97
Jean-Jaurès (Bd). . . . . . . . . . . . **DV** 99
La Fayette (R.). . . . . . . . . . . . . . **EV** 103
Leclerc (Av. Général) . . . . . . . . **DV** 105
Leclerc-de-Hauteclocque
(Av. du Gén.) . . . . . . . . . . . . . . **DX** 106
Lesseps (Bd Ferdinand-de). . . **EV** 107
Maréchal-Juin (Av. du) . . . . . . . **FV** 109
Martyrs-de-la-Résistance
(R. des). . . . . . . . . . . . . . . . . . **DV** 110
Mont-Riboudet (Av. du) . . . . . . **EV** 112
Nansen (R.) . . . . . . . . . . . . . . . . **DV** 114
Pène (R. Annie de). . . . . . . . . . **FV** 118
Quatre-Mares (Grande R. de). **EX** 122
Renard (R. du). . . . . . . . . . . . . . **EV** 125
République (R. de la) . . . . . . . . **FV** 126
Rondeaux (Av. Jean) . . . . . . . . **EV** 131
Roosevelt (Bd Franklin). . . . . . **DX** 132
Ste-Lucie (Rond-Point). . . . . . . **DX** 135
Siegfried (Bd André). . . . . . . . . **EV** 142
Sotteville (R. de) . . . . . . . . . . . . **EX** 145
Verdun (Bd de) . . . . . . . . . . . . . **EV** 150
11-Novembre (Bd du) . . . . . . . **EX** 157

AMFREVILLE. . . . . . . . . . . . . . .
Paris (Route de) . . . . . . . . . . . . **FX** 158

BONSECOURS . . . . . . . . . . . . .
République (R. de la) . . . . . . . . **EX** 160

GRAND-QUEVILLY . . . . . . . . . .
Verdun (Bd de) . . . . . . . . . . . . . **DX** 165

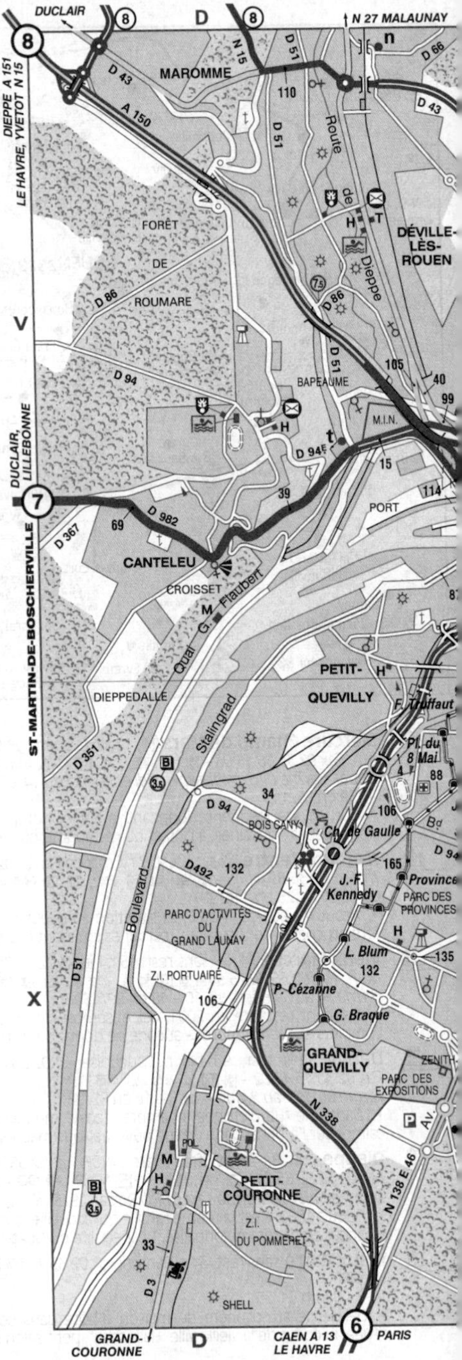

DUCLAIR
D
N 27 MALAUNAY
DIEPPE A 151
LE HAVRE, YVETOT N 15
MAROMME
DÉVILLE-LÈS-ROUEN
FORÊT DE ROUMARE
BAPEAUME
M.I.N.
PORT
V
DUCLAIR, LILLEBONNE
ST-MARTIN-DE-BOSCHERVILLE
CANTELEU
CROISSET
Quai G. Flaubert
DIEPPEDALLE
PETIT-QUEVILLY
F. Truffaut
Pl. du 8 Mai
Stalingrad
BOIS CANY
Ch. de Gaulle
J.-F. Kennedy
Province
PARC DES PROVINCES
PARC D'ACTIVITÉS DU GRAND LAUNAY
Boulevard
Z.I. PORTUAIRE
L. Blum
P. Cézanne
G. Braque
GRAND-QUEVILLY
ZENITH
PARC DES EXPOSITIONS
X
N 338
N 138 E 46
PETIT-COURONNE
Z.I. DU POMMERET
SHELL
GRAND-COURONNE
CAEN A 13
LE HAVRE
PARIS

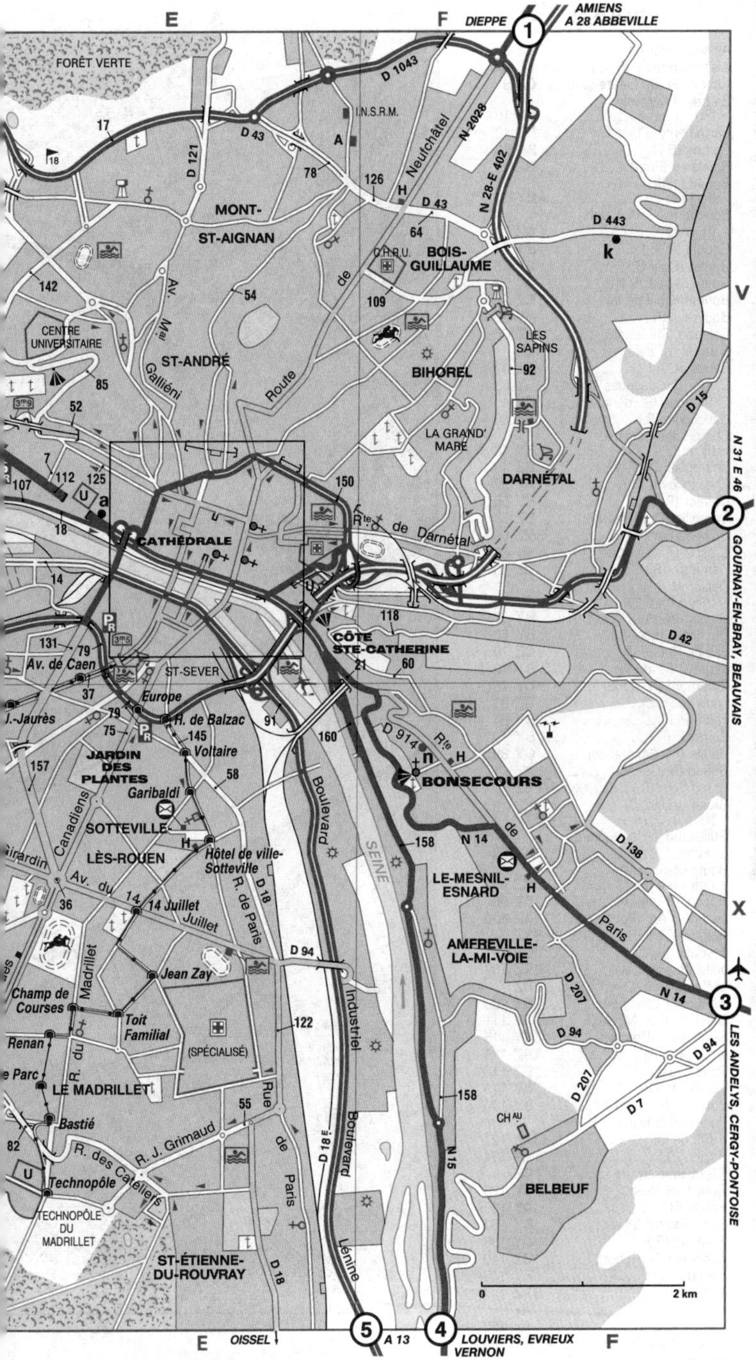

E
F
DIEPPE
AMIENS
A 28 ABBEVILLE
FORÊT VERTE
D 1043
I.N.S.R.M.
N 2028
Neufchâtel
D 43
D 121
MONT-
ST-AIGNAN
D 43
N 28-E 402
D 443
BOIS-
GUILLAUME
C.H.R.U.
CENTRE
UNIVERSITAIRE
ST-ANDRÉ
Av. Mal Galliéni
Route de
LES SAPINS
BIHOREL
LA GRAND' MARE
DARNÉTAL
D 15
N 31 E 46
GOURNAY-EN-BRAY, BEAUVAIS
CATHÉDRALE
Rte de Darnétal
CÔTE
STE-CATHERINE
D 42
ST-SEVER
Europe
H. de Balzac
Voltaire
Av. de Caen
J.-Jaurès
JARDIN
DES
PLANTES
Garibaldi
SOTTEVILLE-
LÈS-ROUEN
Hôtel de ville-
Sotteville
D 914
Rte de Paris
BONSECOURS
N 14
D 138
LE-MESNIL-
ESNARD
Canadiens
Girardin
Av. du 14 Juillet
14 Juillet
R. de Paris
D 18
Boulevard
SEINE
AMFREVILLE-
LA-MI-VOIE
D 94
Jean Zay
Champ de
Courses
Toit
Familial
Madrillet
(SPÉCIALISÉ)
Renan
Parc
LE MADRILLET
R. du
Industriel
D 207
D 94
D 207
D 7
CHAU
N 15
Bastié
R. J. Grimaud
R. des Cateliers
Rue de Paris
D 18E
Boulevard Lénine
Technopôle
TECHNOPÔLE
DU
MADRILLET
BELBEUF
ST-ÉTIENNE-
DU-ROUVRAY
0
2 km
OISSEL
A 13
LOUVIERS, EVREUX
VERNON
LES ANDELYS, CERGY-PONTOISE
V
X

# ROUEN



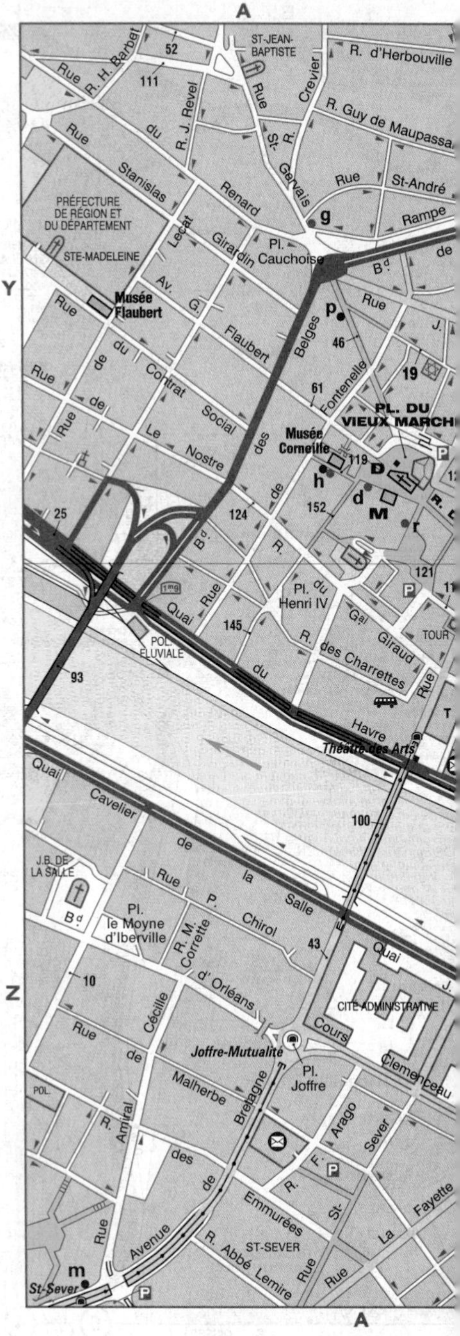

A
Y
Z
ST-JEAN-BAPTISTE
R. d'Herbouville
R. Guy de Maupassant
PRÉFECTURE DE RÉGION ET DU DÉPARTEMENT
STE-MADELEINE
Musée Flaubert
Pl. Cauchoise
PL. DU VIEUX MARCHÉ
Musée Corneille
Pl. Henri IV
POL. FLUVIALE
Théâtre des Arts
Quai Cavelier de la Salle
J.B. DE LA SALLE
Pl. le Moyne d'Iberville
CITÉ ADMINISTRATIVE
Joffre-Mutualité
Pl. Joffre
ST-SEVER
St-Sever

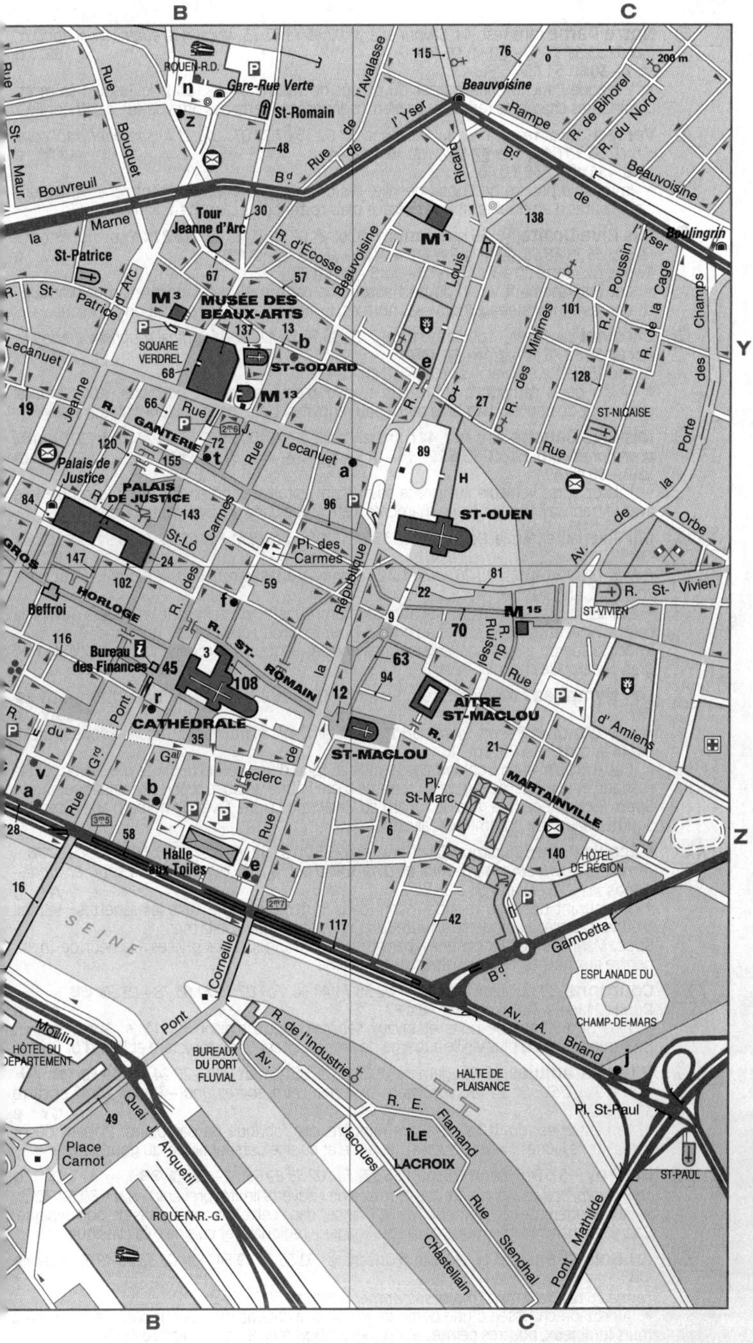
B
C
Y
Z
0
200 m
ROUEN-R.D.
Gare-Rue Verte
St-Romain
Beauvoisine
Boulingrin
Rue Bouquet
Rue St-Maur
Bouvreuil
Bd de la Marne
Tour Jeanne d'Arc
St-Patrice
R. St-Patrice
Rue Jeanne d'Arc
MUSÉE DES BEAUX-ARTS
SQUARE VERDREL
ST-GODARD
Rue de l'Avalasse
Rue de l'Yser
R. d'Écosse
Rue Beauvoisine
Rue Louis Ricard
Rampe Beauvoisine
R. de Bihorel
R. du Nord
Bd de l'Yser
R. Poussin
R. de la Cage
R. des Minimes
Rue des Champs
Rue de la Porte
ST-NICAISE
Lecanuet
R. Ganterie
Rue J. Lecanuet
Palais de Justice
PALAIS DE JUSTICE
R. St-Lô
R. des Carmes
Pl. des Carmes
Rue de la République
ST-OUEN
Av. de la Porte des Champs
Orbe
R. St-Vivien
ST-VIVIEN
R. du Ruissel
Rue d'Amiens
GROS HORLOGE
Beffroi
Bureau des Finances
CATHÉDRALE
R. St-Romain
AÎTRE ST-MACLOU
ST-MACLOU
R. Martainville
Rue du Gal Leclerc
Rue Grd Pont
Pl. St-Marc
HÔTEL DE RÉGION
Halle aux Toiles
SEINE
Pont Corneille
Bd Gambetta
ESPLANADE DU CHAMP-DE-MARS
Av. A. Briand
Pl. St-Paul
ST-PAUL
Moulin
HÔTEL DU DÉPARTEMENT
BUREAUX DU PORT FLUVIAL
R. de l'Industrie
HALTE DE PLAISANCE
R. E. Flamand
ÎLE LACROIX
Av. Jacques Chastellain
Rue Stendhal
Pont Mathilde
Quai J. Anquetil
Place Carnot
ROUEN-R.-G.
M¹
M³
M¹³
M¹⁵
H
2m6
3m5
2m7

**Notre Dame** sans rest, 4 r. Savonnerie ✆ 02 35 71 87 73, *hotel-notredame@wanadoo.fr, Fax 02 35 89 31 52* – TV. AE GB BZ b
☕ 7 – **30** ch 51,40/63,80.
◆ L'évêque Cauchon, instigateur du procès de Jeanne d'Arc, résida ici jusqu'à sa mort. Lumineuses chambres rénovées et bien insonorisées ; certaines ont vue sur la cathédrale.

**Versan** sans rest, 3 r. J. Lecanuet ✆ 02 35 07 77 07, *hotel.versanrouen@aol.com, Fax 02 35 70 04 67* – TV. AE GB JCB BCY a
☕ 8 – **34 ch** 47,30/60,40.
◆ Immeuble proche de l'hôtel de ville. Les chambres, progressivement refaites, bénéficient toutes d'un double vitrage efficace mais restent plus calmes sur l'arrière.

**Ibis Rive Droite** M, 56 quai Gaston Boulet ✆ 02 35 70 48 18, *h0821@accor-hotels.com, Fax 02 35 71 68 95,* – TV P – 25. AE GB EV a
**Repas** *(12)* - carte 20 à 35, enf. 6 – ☕ 5 – **88 ch** 62.
◆ Cet établissement voisin du port autonome constitue une étape avant tout pratique : chambres conformes aux nouvelles normes de la chaîne et bonne isolation phonique.

**Cardinal** sans rest, 1 pl. Cathédrale ✆ 02 35 70 24 42, *hotelcardinal.rouen@wanadoo.fr, Fax 02 35 89 75 14* – TV. GB BZ r
*fermé 15 déc. au 4 janv.* – ☕ 6,80 – **18 ch** 43/68.
◆ Voisin de la cathédrale Notre-Dame, chef d'oeuvre de l'art gothique, hôtel familial proposant de petites chambres peu à peu rénovées. L'été, petit-déjeuner en terrasse.

**Ibis Rive Gauche** sans rest, 44 r. Amiral Cécille ✉ 76100 ✆ 02 35 63 27 27, *h1107-gm@accor-hotels.com, Fax 02 35 63 27 11* – TV. AE GB AZ m
☕ 6 – **80 ch** 49.
◆ Laissez votre véhicule au garage souterrain gratuit de l'hôtel et gagnez le centre-ville avec le tramway. La moitié des chambres a été revue dans un style contemporain.

XXXX ✿✿ **Gill** (Tournadre), 9 quai Bourse ✆ 02 35 71 16 14, *gill@gill.fr, Fax 02 35 71 96 91* – . AE GB BZ a
*fermé 13 au 28 avril, 3 au 26 août et 2 au 6 janv.* – **Repas** *(fermé dim. et lundi)* 40/80 et carte 70 à 85 ♀, enf. 19.
◆ Sur les quais de la Seine, élégante salle en rouge et or s'effaçant volontiers devant la cuisine : inventive, celle-ci met au goût du jour les produits du terroir normand.
**Spéc.** Salade de queues de langoustines poêlées. Pigeon à la rouennaise et ravioli de foie gras. Millefeuille chocolat (hiver).

XXX ✿ **Les Nymphéas** (Kukurudz), 9 r. Pie ✆ 02 35 89 26 69, *Fax 02 35 70 98 81,* – AE GB AY h
*fermé 19 août au 8 sept., 24 fév. au 1er mars, dim. soir, mardi midi et lundi* – **Repas** 27 (déj.), 34/44 et carte 51 à 78, enf. 18.
◆ Cette belle maison à colombages située au fond d'une courette pavée mêle avec soin le rustique et le moderne. Agréable terrasse d'été fleurie. À table, répertoire classique.
**Spéc.** Escalope de foie gras de canard au vinaigre de cidre. Civet de homard au sauternes. Soufflé chaud aux pommes et calvados.

XXX ✿ **L'Écaille** (Tellier), 26 rampe Cauchoise ✆ 02 35 70 95 52, *Fax 02 35 70 83 49* – . AE GB
*fermé 12 au 18 août, sam. midi et dim. soir d'oct. à mai, dim. de juin à sept. et lundi* – **Repas** 28,50/85 et carte 50 à 85 ♀. AY g
◆ Restaurant dédié au monde marin, dans le décor comme dans les assiettes ; teintes bleu-vert, tableaux modernes, fauteuils cannés et produits de la mer.
**Spéc.** Marinade de langoustines, bar et saumon. Langoustines grillées à la fleur de thym, beurre aux herbes. "Bouillabaisse" de la Manche.

XXX **Couronne,** 31 pl. Vieux Marché ✆ 02 35 71 40 90, *Fax 02 35 71 05 78* – AE GB
**Repas** 21 (déj.), 35/39 et carte 48 à 67. AY d
◆ Plus de 650 ans de bons et loyaux services ! Cette maison du 14e s., superbement préservée, serait la plus vieille auberge de France. Intérieur de caractère et livre d'or fourni.

XXX **P'tits Parapluies,** pl. Rougemare ✆ 02 35 88 55 26, *Fax 02 35 70 24 31* – AE GB JCB
*fermé 9 au 25 août, 21 fév. au 7 mars, sam. midi, dim. soir et lundi* – **Repas** 24/42 et carte 35 à 58 ♀. CY e
◆ La bâtisse est du 16e s. et abrita naguère une fabrique de parapluies. Plaisant décor actuel (tons jaunes), jolies poutres d'époque et cuisine personnalisée, au goût du jour.

XX **Beffroy,** 15 r. Beffroy ✆ 02 35 71 55 27, *Fax 02 35 89 66 12* – AE GB BY b
*fermé dim. soir et mardi* – **Repas** (nombre de couverts limité, prévenir) *(15,50)* - 30,50/42 ♀.
◆ Atmosphère délicieusement "vieille France" dans cette maison à pans de bois typique. Cadre normand soigné (poutres cirées, imagerie régionale) et cuisine très classique.

XX **Au Bois Chenu,** 23 pl. Pucelle d'Orléans ✆ 02 35 71 19 54, *Fax 02 35 89 49 83* – AE GB AY r
*fermé 26 fév. au 4 mars, mardi soir et mer.* – **Repas** 17/25,50 ♀.
◆ Au rez-de-chaussée d'une demeure du 17e s. à colombages. Décor contemporain avec murs lumineux, poutres peintes et escalier en bois menant à un salon rustique.

XXX **Reverbère,** 5 pl. République ✆ 02 35 07 03 14, *Fax 02 35 89 77 93* – AE GB BZ e
*fermé 4 au 24 août et dim.* – **Repas** 29,50 bc/45,50.
◆ Discrète façade vitrée donnant sur une placette, à deux pas des quais. Salle à manger actuelle, prolongée par un petit salon feutré avec accès indépendant.

X **37,** 37 r. St-Étienne-des-Tonneliers ✆ 02 35 70 56 65, *Fax 02 35 71 96 91* – GB BZ v
*fermé 27 juil. au 25 août, 1er au 8 janv., dim. et lundi* – **Repas** (16) - carte 29 à 35 ♀.
◆ Tout nouveau décor design d'esprit "zen", ambiance décontractée et, au piano, une jeune chef canadienne qui n'hésite pas à bousculer la tradition : le 37 ? Un numéro gagnant !

X **Bistrot du Chef en Gare,** Buffet-Gare (1er étage) ✆ 02 35 71 41 15, *media.restauration@wanadoo.fr, Fax 02 35 15 14 43* – AE GB BY n
*fermé août, lundi soir, sam. midi et dim.* – **Repas** (14) - carte 24 à 30 ♀.
◆ Cuisine au goût du jour dans un cadre "rétro" égayé de vieux objets retraçant l'épopée ferroviaire normande : ce genre de "buffet de gare" dépoussiéré, on en redemande !

**à Bonsecours** *Sud-Est : 4 km – 6 898 h. alt. 144 – ✉ 76240 :*

XXX **Butte** (Hervé), 69 rte Paris ✆ 02 35 80 43 11, *Fax 02 35 80 69 74* – AE ⓓ GB FX n
✿ *fermé 1er au 26 août, dim. et lundi* – **Repas** 44/60 et carte 57 à 75.
◆ Coquette auberge normande du 17e s. alliant le charme d'un décor de bois et de briques à de jolies toiles d'artistes locaux et aux plaisirs d'une goûteuse cuisine classique.
**Spéc.** Filet de Saint-Pierre aux senteurs des îles. Poêlée de foie gras de canard aux poires caramélisées. Soufflé au Grand Marnier.

**à Franqueville-St-Pierre** *Sud-Est par N 14 : 9 km – 4 230 h. alt. 140 – ✉ 76520 :*

**Vert Bocage,** rte Paris par ③ ✆ 02 35 80 14 74, *Fax 02 35 80 55 73* – rest, TV P. AE GB
*fermé 10 au 24 août, 2 au 15 janv., dim. soir et lundi* – **Repas** 17,50/35 ♀ – ☕ 4,60 – **19 ch** 39/45 – ½ P 42/45.
◆ En bordure de route, étape aux chambres amples, fonctionnelles et insonorisées. Deux formules de restauration : grill ou classique ; spécialités de poissons.

**au Parc des Expositions** *Sud par N 138 : 6 km – ✉ 76800 St-Étienne-du-Rouvray :*

**Novotel** Ⓜ, ✆ 02 32 91 76 76, *h0432@accor-hotels.com, Fax 02 32 91 76 86,* – TV P – 150. AE ⓓ GB JCB DX y
**Repas** (17,60) - 21,90 ♀, enf. 8 – ☕ 10 – **134 ch** 95/140.
◆ Novotel agréablement posté dans un parc, en lisière de forêt. Chambres peu à peu réactualisées ; double vitrage efficace. Agréable terrasse dressée autour de la piscine.

**au Petit Quevilly** *Sud-Ouest : 3 km – 22 600 h. alt. 5 – ✉ 76140 :*

XXX **Les Capucines,** 16 r. J. Macé ✆ 02 35 72 62 34, *capucines@lerapporteur.fr, Fax 02 35 03 23 84,* – AE GB DX s
*fermé 4 au 17 août, sam. midi, dim. soir et lundi* – **Repas** 26/49 et carte 32 à 50.
◆ Façade pimpante dissimulant une salle spacieuse et colorée, agrémentée de tableaux. Quatre petits salons réservés aux repas d'affaires. Bon choix de vins et de cigares.

**à Montigny** *par ⑦, D 94E et D 86 : 10 km – 1 051 h. alt. 110 – ✉ 76380 :*

**Relais de Montigny,** r. Lieutenant Aubert ✆ 02 35 36 05 97, *info@le-relais-de-montigny.com, Fax 02 35 36 19 60,* – TV P – 25. AE ⓓ GB JCB
*fermé 22 déc. au 4 janv.* – **Repas** *(fermé sam. midi)* 22/34 ♀, enf. 13 – ☕ 9 – **22 ch** 50/75 – ½ P 68.
◆ Sur les hauteurs, bâtiment des années 1960 dont les chambres donnant sur le jardin arboré et fleuri sont à réserver en priorité (grandes, calmes et dotées de balcon).

**à Notre-Dame-de-Bondeville** *Nord-Ouest : 8 km – 7 584 h. alt. 25 – ✉ 76960 :*

X **Les Elfes** avec ch, ✆ 02 35 74 36 21, *Fax 02 35 75 27 09* – TV P. GB DV n
*fermé 1er au 24 août, dim. soir et merc.* – **Repas** (13,60) - 17,60 (déj.), 19,90/23,60, enf. 7,70 – ☕ 7,70 – **6 ch** 38,50 – ½ P 39,30.
◆ Des carreaux de couleur égayent le cadre néo-campagnard de cette auberge régionale située en contrebas d'une ligne de chemin de fer. Chambres simples.

---

## ROUFFACH 68250 H.-Rhin 315 H9 *G. Alsace Lorraine – 4 303 h alt. 204.*

*Office du Tourisme, place de la République ✆ 03 89 78 53 15, Fax 03 89 49 75 30.*
*Paris 481 – Colmar 15 – Basel 61 – Belfort 56 – Guebwiller 10 – Mulhouse 28 – Thann 26.*

**Château d'Isenbourg** , ✆ 03 89 78 58 50, *isenbourg@grandesetapes.fr, Fax 03 89 78 53 70,* ←, – rest, TV P – 25. AE ⓓ GB JCB
*fermé 19 janv. au 5 mars* – **Repas** *(fermé merc. midi et sam. midi)* 47/85 – ☕ 23 – **41 ch** 135/242 – ½ P 171/221.
◆ Château du 18e s. au milieu des vignes. Chambres cossues. Deux salles de restaurant : panoramique avec vue sur la plaine d'Alsace ou moyenâgeuse sous des voûtes du 14e s.

**A la Ville de Lyon** sans rest, r. Poincaré ✆ 03 89 49 65 51, *villedelyon@infonie.fr, Fax 03 89 49 76 67,* – – 30. AE GB
*fermé 10 au 24 mars* – 8 – **44 ch** 50/100.
◆ Jolie façade refaite dans l'esprit de la Renaissance. Chambres de styles Louis XV, Louis XVI ou contemporain. Celles rénovées sont très coquettes. Piscine et jacuzzi.

**Philippe Bohrer,** r. Poincaré ✆ 03 89 49 62 49, *Fax 03 89 49 76 67* – AE GB
*fermé 10 au 24 mars, merc. midi, dim. soir et lundi* – **Repas** 25/72 et carte 52 à 66 ♀, enf. 16
**- *Brasserie Chez Julien*** ✆ 03 89 49 69 80 *(fermé 23 au 26 déc.)* **Repas** 6,80/24 ♀.
◆ Dans un beau décor de bois blond, trois salles chaleureuses et cossues, joliment meublées. Cuisine au goût du jour, original plateau à fromages, cave à vins fournie. La brasserie Chez Julien est aménagée dans un ancien cinéma. Chaleureux cadre lambrissé.
**Spéc.** Navarin de queues d'écrevisses au chou-fleur et raifort doux. Filet de daurade royale, poêlée de fenouil. Pièce de magret de canard, grosse raviole, jus de noisette. **Vins** Riesling, Pinot noir.

**à Bollenberg** *Sud-Ouest : 6 km par N 83 et rte secondaire* – ✉ *68250 Rouffach :*

**Auberge au Vieux Pressoir,** ✆ 03 89 49 60 04, *info@bollenberg.com, Fax 03 89 49 76 16,* – AE GB
*fermé 5 au 19 janv. et lundi* – **Repas** 22 (déj.), 30/67 ♀.
◆ Belles armoires et collection d'armes anciennes président au décor alsacien de cette maison de vignerons. Cuisine du terroir soignée et dégustations de vins de la propriété.

---

**ROUFFIAC-TOLOSAN** *31 H.-Gar.* 343 H3 – *rattaché à Toulouse.*

---

**Le ROUGET** *15290 Cantal* 330 B5 – *910 h alt. 614.*
*Paris 549 – Aurillac 26 – Figeac 41 – Laroquebrou 15 – St-Céré 37 – Tulle 74.*

**Voyageurs,** ✆ 04 71 46 10 14, *hotel-des-voyageurs2@wanadoo.fr, Fax 04 71 46 93 89,* , – GB
*fermé 21 fév. au 17 mars et dim. soir du 1er oct. au 15 avril* – **Repas** 11/26 – 5,50 – **24 ch** 35/52 – ½ P 40.
◆ Bâtisse en pierre dont la présence anime un petit village cantalien. La vue depuis les chambres, spacieuses et sagement meublées, comblera les amoureux de la nature.

---

**ROUGIVILLE** *88 Vosges* 314 J3 – *rattaché à St-Dié-des-Vosges.*

---

**ROULLET** *16 Charente* 324 K6 – *rattaché à Angoulême.*

---

**Le ROURET** *07 Ardèche* 331 H7 – *rattaché à Ruoms.*

---

**Le ROURET** *06650 Alpes-Mar.* 341 D5 – *2 927 h alt. 350.*
*Paris 919 – Cannes 19 – Grasse 9 – Nice 28 – Toulon, 137.*

**Clos St-Pierre,** pl.Église ✆ 04 93 77 39 18, *ettlingercath@aol.com, Fax 04 93 77 39 90,* – AE GB
*fermé 22 au 30 déc., 12 janv. au 19 fév., mardi et merc.* – **Repas** 26 (déj.), 38/45 ♀.
◆ Restaurant situé au coeur de ce village où l'on cultive des plantes à parfum pour les distilleries de Grasse. Plaisant décor provençal ; cuisine méditerranéenne.

---

**Les ROUSSES** *39220 Jura* 321 G8 *G. Jura – 2 840 h alt. 1110 – Sports d'hiver : 1 100/1 680 m* 40 .
Voir *Gorges de la Bienne★ O : 3 km.*
*Office du Tourisme, rue Pasteur ✆ 03 84 60 02 55, Fax 03 84 60 52 03, ot.les.rousses-@wanadoo.fr.*
*Paris 463 – Genève 45 – Gex 29 – Lons-le-Saunier 65 – Nyon 25 – St-Claude 31.*

**Lodge,** 309 r. Pasteur ✆ 03 84 60 50 64, *lelodge@wanadoo.fr, Fax 03 84 60 04 58* – . AE GB. ch
*fermé 1er au 17 juin et 26 oct. au 18 nov.* – **Repas** *(fermé dim. soir, lundi et mardi hors saison)* carte 20 à 25 ♀ – 9,50 – **12 ch** 72/125.
◆ De l'extérieur, rien ne laisse présager un cadre aussi douillet : hall, pub et salon montagnards avec bois brut et pierre ; coquettes chambres décorées façon "chalet".

**France,** ✆ 03 84 60 01 45, *Fax 03 84 60 04 63,* – – 25. AE GB
*fermé 21 avril au 8 mai, 12 nov. au 12 déc. lundi midi et mardi midi hors saison sauf fériés* – **Repas** *(15,50)* - 22,50/72 ♀ – 10 – **30 ch** 96/110 – ½ P 63/87.
◆ En plein centre, vaste bâtisse de conception régionale aux intérieurs lambrissés. Chambres anciennes ou récentes ; certaines possèdent une miniterrasse. Beau choix de vins.

**Redoute,** ✆ 03 84 60 00 40, *hotel.de.la.redoute@wanadoo.fr, Fax 03 84 60 04 59* – TV P. GB
*fermé 5 nov. au 15 déc.* – **Repas** 14/28, enf. 7 – ☕ 6,50 – **25 ch** 62 – 1/2 P 60.
◆ Situation intéressante, malgré la proximité de la route, pour cet établissement aux chambres sans fioriture, mais rénovées et insonorisées. Grande salle de restaurant rustique.

**Village** sans rest, ✆ 03 84 34 12 75, *Fax 03 84 34 12 76* – TV. GB
*fermé 1er au 15 déc. et dim. de sept à nov.* – ☕ 6 – **10 ch** 39/53.
◆ Au centre de la station, sympathique petit hôtel entièrement relooké. Chambres colorées, décorées avec goût. La salle des petits-déjeuners fait aussi office de salon.

**à la Cure** *Sud-Est : 2,5 km par N 5, rte de Genève – alt. 1155 – ✉ 39220 Les Rousses :*

**Arbez Franco-Suisse** M avec ch, ✆ 03 84 60 02 20, *hotelarbez@wanadoo.fr, Fax 03 84 60 08 59*, – TV P. GB. rest
*fermé nov., lundi et mardi hors saison* – **Repas** 22/30 ♀ ***Brasserie :*** **Repas** (13)-carte environ 18 ♀, enf. 13,50 – ☕ 7 – **10 ch** 48/54 – 1/2 P 50.
◆ Dans certaines chambres de cette auberge frontalière, on dort la tête en Suisse et les pieds en France ! Agréable salle à manger au cadre chaud et confortable.

**à Bois-d'Amont** *Nord : 8 km par D 29E et D 415 – 1 350 h. alt. 1050 – ✉ 39220 :*

**L'Atelier,** ✆ 03 84 60 94 15, *restolatelier@wanadoo.fr, Fax 03 84 60 97 29* – P. GB
*fermé vacances de printemps, lundi, mardi et merc. sauf vacances scolaires et dim. soir* – **Repas** 13 (déj.), 23/40 ♀.
◆ Aménagé dans une ancienne menuiserie, ce restaurant de type chalet propose une cuisine classique ; le jeudi, soirée pizzas. Salle à manger de style rustique. Accueil aimable.

*Les pages explicatives de l'introduction vous aideront à mieux profiter de votre* ***Guide Rouge Michelin***.

## ROUSSILLON *84220 Vaucluse* 332 E10 *G. Provence – 1 165 h alt. 360.*

**Voir** *Site*★★.

*Office du Tourisme, place de la poste ✆ 04 90 05 60 25, Fax 04 90 05 63 31, ot-roussillon@axit.fr.*

*Paris 725 – Apt 11 – Avignon 46 – Bonnieux 12 – Carpentras 41 – Cavaillon 25 – Sault 31.*

**Les Sables d'Ocre** M sans rest, rte d'Apt ✆ 04 90 05 55 55, *sabled'ocre@free.fr, Fax 04 90 05 55 50*, – TV P. GB
*fermé 1er nov. au 10 mars* – ☕ 10 – **22 ch** 62/75.
◆ Au coeur du pays de l'ocre, ce mas récent à l'aspect engageant allie confort moderne et décoration provençale. Le mobilier en métal peint apporte une note gaie à l'ensemble.

**Piquebaure,** quartier les Estrayas, rte Gordes ✉ 84220 ✆ 04 90 05 79 65, – P
*fermé 15 nov. au 27 déc., merc. midi, sam. midi du 15 juin au 30 sept., lundi et mardi* – **Repas** 28/34.
◆ Ce restaurant empreinte son nom à l'un des rochers qui jalonnent le circuit de l'Ocre. Poutres peintes en bleu, murs chaulés et agrémentés de tableaux. Cuisine du marché.

**David,** pl. Poste ✆ 04 90 05 60 13, *Fax 04 90 05 75 80*, ≤ falaises et vallée, – . AE GB
*21 mars-11 nov. et fermé dim. soir et lundi sauf fériés* – **Repas** (week-ends et fêtes prévenir) 22 bc/32, enf. 11.
◆ Dans le village perché, au-dessus de la Chaussée des géants. Enivré des senteurs de glycine, vous goûterez des plats traditionnels dans une sympathique ambiance familiale.

## ROUSSILLON *38150 Isère* 333 B5 – *7 365 h alt. 200.*

*Office du Tourisme, place de l'Edit ✆ 04 74 86 72 07, Fax 04 74 29 74 76, ot.p.i.roussil-@wanadoo.fr.*

*Paris 510 – Annonay 25 – Grenoble 90 – St-Étienne 57 – Tournon-sur-Rhône 44 – Vienne 19.*

**Médicis** M sans rest, r. Fernand Léger ✆ 04 74 86 22 47, *info@hotelmedicis.fr, Fax 04 74 86 48 05* – TV P – 20. AE GB
☕ 7 – **15 ch** 45/65.
◆ Dans un quartier pavillonnaire paisible, hôtel récent aux chambres fraîches et spacieuses ; sol carrelé mais bonne isolation phonique. Salon équipé d'une TV grand écran.

**Europa,** rte Valence ✆ 04 74 11 10 80, *Fax 04 74 86 15 11* – , rest, TV P. AE GB
***L'Émeraude*** ✆ 04 74 86 46 69 *(fermé 15 au 30 août, dim. soir et sam.)* **Repas** 16/38 ♀, enf. 9 – ☕ 6 – **26 ch** 32/45 – 1/2 P 38.
◆ La partie hôtel de cet établissement des années 1970 est progressivement rénovée. Préférez les chambres en façade, insonorisées et climatisées. Cuisine du marché à L'Émeraude.

**ROUTOT** *27350 Eure* 304 E5 *G. Normandie Vallée de la Seine* – *1 043 h alt. 140.*

**Voir** *La Haye-de-Routot : ifs millénaires★ N : 4 km.*

*Paris 148* – *Le Havre 59* – *Rouen 36* – *Bernay 45* – *Évreux 69* – *Pont-Audemer 19.*

XX **L'Écurie,** ☎ 02 32 57 30 30, *Fax 02 32 57 30 30* – GB

*fermé 4 au 10 août, 21 fév. au 7 mars, dim. soir, merc. soir et lundi* – **Repas** (17,50) - 27/40 ♀.

◆ Cet ancien relais de poste situé face aux halles abrite un salon réchauffé par une belle cheminée en pierre et une salle à manger rustique. Plats originaux à base d'orties.

---

**ROUVRES-EN-XAINTOIS** *88500 Vosges* 314 E3 – *337 h alt. 330.*

*Paris 358* – *Épinal 42* – *Lunéville 59* – *Mirecourt 9* – *Nancy 51* – *Neufchâteau 34* – *Vittel 19.*

XX **Burnel** avec ch (Annexe 🏨 M 🐕 17 ch), au village ☎ 03 29 65 64 10, *hotelburnel@burnel.fr, Fax 03 29 65 68 88,* ... – TV ☎ ♿ P. AE GB

*fermé vacances de Toussaint, 14 au 31 déc., dim. soir, sam. midi et lundi midi hors saison* – **Repas** 13,50/46 ♀, enf. 8 – ☕ 9 – **22 ch** 32/66 – ½ P 34/43.

◆ Coquette salle à manger et cuisine classique variant selon le marché ; quelques tables sont tournées sur un jardinet fleuri. Chambres spacieuses et rénovées à l'annexe.

---

**ROUVRES-LA-CHÉTIVE** *88 Vosges* 314 C3 – *rattaché à Neufchâteau.*

---

**ROUVROIS-SUR-OTHAIN** *55 Meuse* 307 E2 – *rattaché à Longuyon (M.-et-M.).*

---

**ROYAN** *17200 Char.-Mar.* 324 D6 *G. Poitou Vendée Charentes* – *16 837 h alt. 20* – *Casino Royan Pontaillac* **A**.

**Voir** *Front de mer★* – *Église Notre-Dame★* **E** – *Corniche★ et Conche★ de Pontaillac.*

**Bac:** *pour le Verdon-s-Mer* ☎ *05 46 38 35 15.*

🅘 *Office du Tourisme, Palais des Congrès* ☎ *05 46 23 00 00, Fax 05 46 38 52 01, info@ot-royan.fr.*

*Paris 503* ① – *Bordeaux 122* ② – *Périgueux 182* ② – *Rochefort 40* ⑤ – *Saintes 37* ①.

## ROYAN

Alsace-Lorraine (R.) ...... **B** 3
Briand (Bd A.) ........... **B** 5
Conche-du-Chay (Av. de la)............ **A** 6
Desplats (R. du Colonel) ........ **B** 7
Dr. Audouin (Bd du)...... **B** 8
Dr. Gantier (Pl. du)........ **C** 9
Dugua (R. P.).............. **B** 10
Europe (Cours de l')...... **C**
Façade de Foncillon...... **B** 12
Foch (Pl. Mar.) .......... **C** 15
Foncillon (R. de).......... **B** 16
Font-de-Cherves (R.) ..... **B** 17
Gambetta (R.)............ **B**
Gaulle (Pl. Ch.-de) ....... **B** 19
Germaine-de-la-Falaise (Bd )..... **AB** 20
Grandière (Bd de la)...... **C** 21
Leclerc (Av. Mar.)......... **C** 26
Libération (Av. de la) ..... **C** 28
Loti (R. Pierre)............ **B**
Notre-Dame (R.) .......... **B** 32
Parc (Av. du) ............ **C** 35
République (Bd de la) .... **B** 40
Rochefort (Av. de) ........ **B** 42
Schuman (Pl. R.).......... **B** 45
Semis (Av. des)........... **C** 46
Thibeaudeau (Rd-Pt. du Cdt.)......... **B** 48
5-Janvier-1945 (Bd du) ... **B** 52

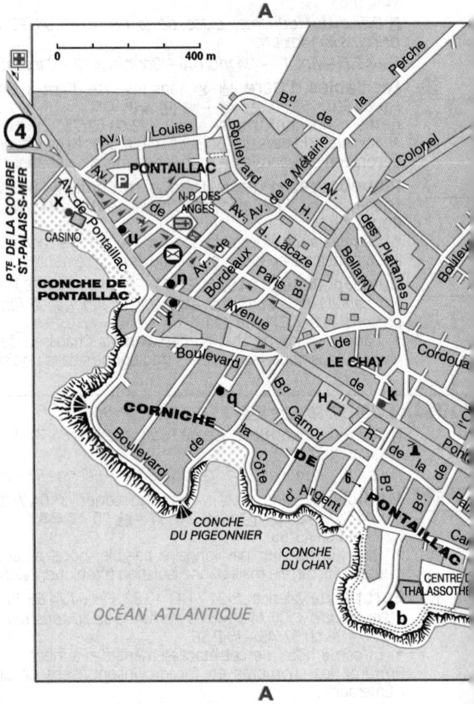

A
0
400 m
4
Pte DE LA COUBRE
ST-PALAIS-S-MER
PONTAILLAC
N-D DES ANGES
CASINO
CONCHE DE PONTAILLAC
Av. de Pontaillac
Av. Louise
Bd de la Perche
Boulevard de la Métairie
Colonel
Av. des Platanes
Bellamy
Av. de Bordeaux
Av. de Paris
Lacaze
Avenue
LE CHAY
Cordoua
Boulevard
CORNICHE DE PONTAILLAC
Boulevard de la Côte d'Argent
Bd Carnot
CONCHE DU PIGEONNIER
CONCHE DU CHAY
OCÉAN ATLANTIQUE
CENTRE D THALASSOTHE

**Novotel** 🙰, bd Carnot - Conche du Chay ☎ 05 46 39 46 39, *H1173@accor-hotels.com, Fax 05 46 39 46 46*, ≤ mer, , – |‡| ✈ ▤ TV ✆ ♿ 🚗 P – 🏂 15 à 130. AE ⊙ GB JCB A b

**Repas** *(15,70)* - 19,40/24,50 ♀, enf. 10,50 – ☕ 12,50 – **83 ch** 144 – ½ P 110.

◆ Cet hôtel fonctionnel, attenant à un centre de thalassothérapie, jouit d'une belle situation en surplomb de la plage. Confortable salon coloré. Chambres avec balcon.

**Family Golf Hôtel** sans rest, 28 bd Garnier ☎ 05 46 05 14 66, *Fax 05 46 06 52 56*, ≤ – |‡| TV P. AE ⊙ GB C m

*15 mars-30 nov.* – ☕ 8,50 – **33 ch** 77/100.

◆ Bâtiment des années 1960 longeant la plage de la Grande Conche. La moitié des chambres, assez amples, est tournée vers l'océan. En été, petits-déjeuners servis en terrasse.

**France** sans rest, ☎ 05 46 05 02 29, *Fax 05 46 38 84 82* – TV. GB B t

☕ 7 – **36 ch** 45/75.

◆ L'hôtel est situé dans le coeur battant de la station balnéaire. Optez pour les chambres orientées sur le port, plus grandes et lumineuses. Sobre cadre actuel.

**Beau Rivage** sans rest, 9 façade Foncillon ☎ 05 46 39 43 10, *hotel.beaurivage@freesurf.fr, Fax 05 46 38 22 50*, ≤ – |‡| ✈ TV ✆. AE ⊙ GB B z

☕ 6,10 – **22 ch** 57/76.

◆ Près du palais des congrès, sur un axe passant, construction balnéaire des années 1960 aux chambres étroites mais bien insonorisées ; la plupart ont vue sur la mer.

**Corinna** 🙰 sans rest, 5 r. Amazones ☎ 05 46 39 82 53 – P. GB. ✈ A d

*Pâques-fin sept.* – ☕ 5,20 – **14 ch** 43/49.

◆ À 200 m de la plage, dans un quartier résidentiel calme, maison traditionnelle à l'ambiance familiale. Chambres modestement aménagées, mais bien entretenues.

**Pasteur** sans rest, 40 r. Pasteur ☎ 05 46 05 14 34, *hotel-le-pasteur.sarl@wanadoo.fr, Fax 05 46 05 90 60* – TV. GB B s

☕ 4,30 – **15 ch** 29/47.

◆ Cet établissement, bien que central et proche du marché, convient à ceux qui appréhendent l'animation touristique. Les chambres de l'annexe sont plus spacieuses.

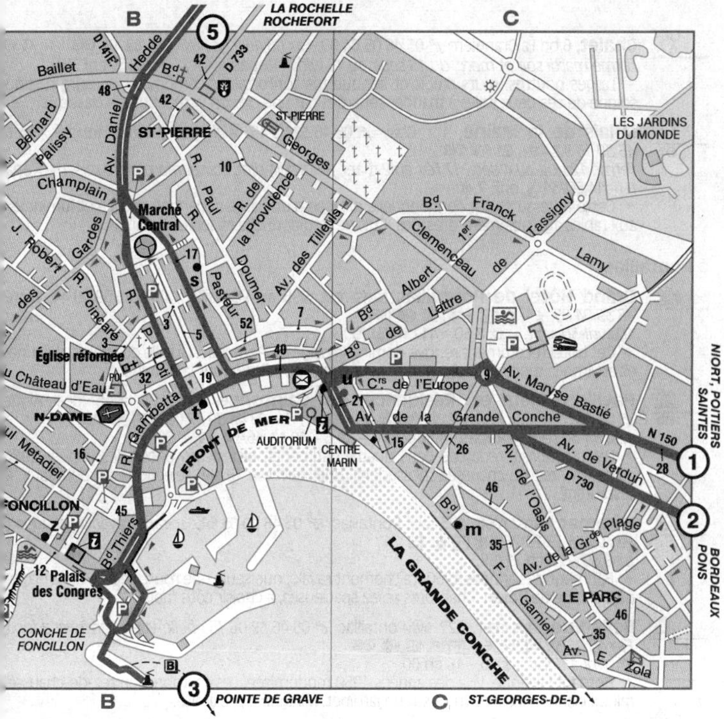
B
C
LA ROCHELLE
ROCHEFORT
D 733
D 141E
Hedde
Baillet
Bernard Palissy
Av. Daniel
ST-PIERRE
Georges
Champlain
Marché Central
R. Paul Doumer
R. de la Providence
Av. des Tilleuls
Pasteur
R. Poincaré
R. P. Loti
J. Robert
Gardes
Église réformée
Château d'Eau
N-DAME
R. Gambetta
Metadier
FONCILLON
Bd Thiers
Palais des Congrès
CONCHE DE FONCILLON
FRONT DE MER
AUDITORIUM
CENTRE MARIN
Bd Franck
Clemenceau
Tassigny
1er
Lamy
Bd Albert
de Lattre
de
Bd de
LES JARDINS DU MONDE
Crs de l'Europe
Av. Maryse Bastié
Av. de la Grande Conche
Av. de Verdun
N 150
D 730
Av. de l'Oasis
Av. de la Grde Plage
Bd F. Garnier
LA GRANDE CONCHE
LE PARC
Av. E. Zola
NIORT, POITIERS SAINTES
BORDEAUX PONS
POINTE DE GRAVE
ST-GEORGES-DE-D.

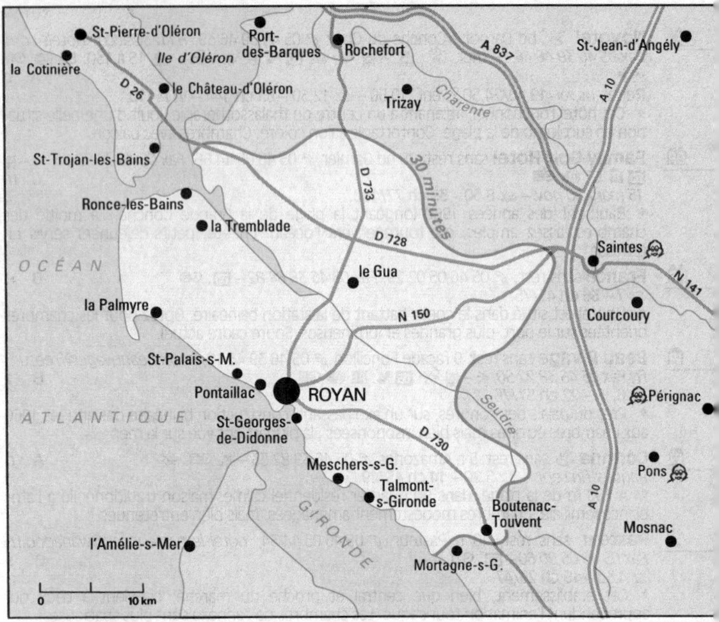
St-Pierre-d'Oléron
la Cotinière
Port-des-Barques
Rochefort
St-Jean-d'Angély
Ile d'Oléron
A 837
D 26
le Château-d'Oléron
Trizay
Charente
A 10
St-Trojan-les-Bains
30 minutes
D 733
Ronce-les-Bains
la Tremblade
D 728
Saintes
N 141
OCÉAN
le Gua
la Palmyre
N 150
Courcoury
St-Palais-s-M.
Pontaillac
ROYAN
Pérignac
ATLANTIQUE
St-Georges-de-Didonne
Seudre
D 730
Meschers-s-G.
Pons
Talmont-s-Gironde
GIRONDE
Boutenac-Touvent
Mosnac
l'Amélie-s-Mer
Mortagne-s-G.
0
10 km

**Chalet,** 6 bd La Grandière ✆ 05 46 05 04 90, *Fax 05 46 22 31 84* – ▤. AE ⓓ GB C
*fermé mardi soir et merc. du 15 sept. au 15 juin.* – **Repas** 16 (déj.), 20/56 ♀, enf. 10.
◆ Larges poutres, murs crépis et banquettes confortables composent le cadre rustiqu soigné de ces deux salles à manger séparées par une cloison vitrée. Cuisine classique.

**Relais de la Mairie,** 1 r. Chay ✆ 05 46 39 03 15, *Alain.gedoux@wanadoo.fr, Fax C 46 39 13 32* – ▤. AE ⓓ GB A
*fermé 12 nov. au 4 déc., 17 fév. au 2 mars, jeudi soir, dim. soir et mardi hors saison* – **Repa** *(11)* - 14,50/31 ♁, enf. 7,40.
◆ Cette adresse plutôt confidentielle dispose d'une salle à manger colorée et lumineus aux tables agréablement dressées. Cuisine traditionnelle et service familial.

## à Pontaillac

**Grand Hôtel de Pontaillac** sans rest, 195 av. Pontaillac ✆ 05 46 39 00 44, *Fax C 46 39 04 05*, ⩤ – |‡| TV 🚗. AE ⓓ GB A
*10 avril-30 sept.* – ☕ 8,50 – **41 ch** 73/100.
◆ Cet hôtel récemment rénové domine la plage de Pontaillac. La salle des petits-déjeune et environ la moitié des chambres ménagent une jolie vue sur la Gironde.

**Pavillon Bleu et Résidence de Saintonge** ⛨, 12 allée des Algue ✆ 05 46 39 00 00, *le.pavillon.bleu@wanadoo.fr, Fax 05 46 39 07 00* – TV P. GB A
*12 avril-30 sept.* – **Repas** 14,50/27,50 – ☕ 6 – **40 ch** 36/54 – ½ P 55.
◆ Les chambres, réparties dans quatre bâtiments, offrent un décor des années 198C celles du rez-de-chaussée possèdent une terrasse. Belle sélection de bordeaux a restaurant.

**Miramar** sans rest, 173 av. Pontaillac ✆ 05 46 39 03 64, *miramaroyan@wanadoo.f Fax 05 46 39 23 75* – |‡| TV ♿. AE GB A
☕ 8,50 – **27 ch** 72/99.
◆ Bâtiment des années 1950 fraîchement ravalé, que seule une route sépare de la plage plus en vue de Royan. Chambres assez spacieuses, à choisir côté mer.

**Belle-Vue** sans rest, 122 av. Pontaillac ✆ 05 46 39 06 75, *belle-vueroyan@wanadoo.f Fax 05 46 39 44 92*, ⩤ – TV P. AE ⓓ GB A
*1er avril-1er nov.* – ☕ 6 – **18 ch** 60.
◆ Bordant l'avenue, villa des années 1950 modernisée. Les chambres en rez-de-chaussé mieux insonorisées, ouvrent sur un jardinet. Minigolf à proximité.

XXX **Jabotière,** esplanade de Pontaillac ☎ 05 46 39 91 29, *Fax 05 46 38 39 93,* ≤ Conche de Pontaillac – AE GB A x
*fermé vacances de Noël, 2 janv. au 2 fév., dim. soir et lundi* – **Repas** 24/42 et carte 55 à 65 ♀.
◆ À même la plage, restaurant confortable et cossu où seules les tables près des fenêtres bénéficient de la vue. Possibilité de pêche au carrelet sur place.

**te de St-Palais** *par ④ : 3,5 km – ✉ 17640 Vaux-sur-Mer :*

**Résidence de Rohan** sans rest, Conche de Nauzan ☎ 05 46 39 00 75, *info@residence-rohan.com, Fax 05 46 38 29 99,* ≤, – TV P. AE GB
*25 mars-10 nov.* – ☕ 10 – **43 ch** 93/121.
◆ Jadis salon littéraire de la duchesse de Rohan, vaste demeure du 19e s. complétée de villas dans un parc dominant la plage. Assez grandes chambres personnalisées.

*Ecrivez-nous...*
*Vos louanges comme vos critiques seront examinées avec le plus grand soin.*
*Nous reverrons sur place les informations que vous nous signalez.*
*Par avance merci !*

---

**ROYAT** *63130 P.-de-D.* **326** F8 *G. Auvergne – 3 950 h alt. 450 – Stat. therm. (fin mars-fin oct.) – Casino* **B.**
**Voir** *Église St-Léger★*
**Circuit automobile de montagne d'Auvergne.**
*Office du Tourisme, avenue Auguste Rouaud ☎ 04 73 29 74 70, Fax 04 73 35 81 07, ot–royat@micro-assist.fr.*
*Paris 425 – Clermont-Ferrand 5 – Aubusson 89 – La Bourboule 47 – Le Mont-Dore 40.*

Accès et sorties : voir plan de Clermont-F.

**ROYAT**



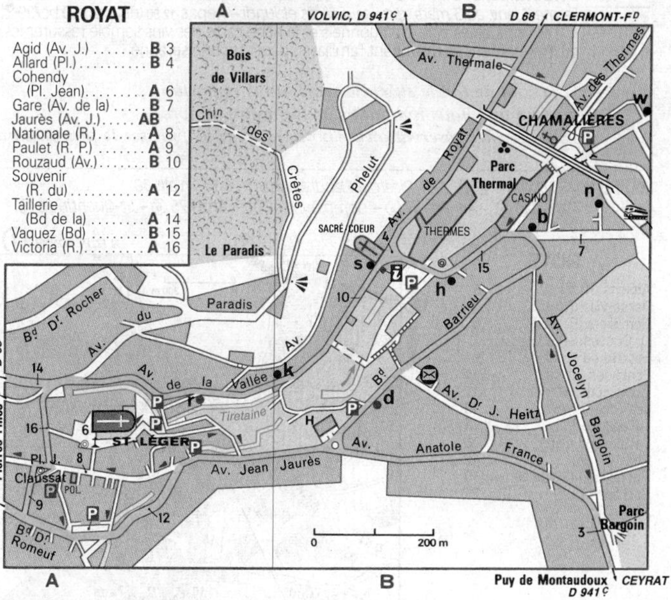

A
B
VOLVIC, D 941C
D 68
CLERMONT-FD
Bois de Villars
Av. Thermale
Av. des Thermes
CHAMALIÈRES
Chin des Crêtes
Phelut
Av. de Royat
Parc Thermal
CASINO
THERMES
SACRÉ-COEUR
Le Paradis
Paradis
Bd Dr Rocher
du
Av. de la Vallée
Barrieu
Av. Jocelyn Bargoin
Av. Dr J. Heitz
Bd
Tiretaine
ST-LÉGER
Av. Jean Jaurès
Av. Anatole France
Pl. J. Claussat
POL
Bd Dr Romeuf
PUY-DE-DÔME D 68
Taillerie de Pierres Fines
Parc Bargoin
0
200 m
Puy de Montaudoux
D 941C
CEYRAT

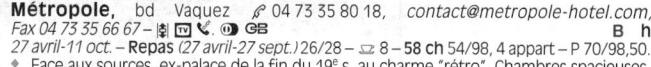

**Métropole,** bd Vaquez ☎ 04 73 35 80 18, *contact@metropole-hotel.com, Fax 04 73 35 66 67* – TV GB B h
*27 avril-11 oct.* – **Repas** *(27 avril-27 sept.)* 26/28 – ☕ 8 – **58 ch** 54/98, 4 appart – P 70/98,50.
◆ Face aux sources, ex-palace de la fin du 19e s. au charme "rétro". Chambres spacieuses, hautes sous plafond, dotées d'un mobilier de style. Superbe salon sous coupole.

**Royal St-Mart,** av. Gare ✆ 04 73 35 80 01, *contact@hotel-auvergne.com, Fax 04 73 35 75 92,* – 25. B
*28 avril-4 oct.* – **Repas** 22/29 – 7,30 – **50 ch** 31/82 – P 45/84,50.
◆ Depuis 1853, c'est la même famille qui vous accueille dans cette demeure ombragée de cèdres. Chambres diversement aménagées ; préférez celles côté jardin. Salon bourgeois.

**Castel Hôtel,** pl. Dr Landouzy ✆ 04 73 35 80 14, *castel.hotel@wanadoo.fr, Fax 04 73 35 80 49,* ch B
*1er mars-15 nov.* – **Repas** 15/20, enf. 7 – 8 – **34 ch** 35/70 – ½ P 43/48.
◆ Élégant bâtiment de 1880 à allure de castel dominant le parc thermal. Nombreuses chambres avec vue étendue ; celles sises dans les tourelles sont les plus agréables.

**Chatel,** av. Vallée ✆ 04 73 29 53 00, *info@hotel-le-chalet.com, Fax 04 73 29 53 29,* B
*hôtel : fermé les week-ends de nov. à mars ; rest. : ouvert d'avril à oct.* – **Repas** 15/33 – 7 – **24 ch** 47/54 – P 51/52.
◆ Cette bâtisse ancienne à la façade avenante est située à 250 m des thermes. Les chambres, bien rénovées, sont plus amples sur l'avant. Plaisante salle à manger colorée.

**Belle Meunière** avec ch, av. Vallée ✆ 04 73 35 80 17, *la-belle-meuniere@wanadoo.fr, Fax 04 73 29 95 18,* A
*fermé 26 oct. au 25 nov., 15 fév. au 3 mars, dim. soir, sam. midi, mercredi soir et lundi* – **Repas** 22/55 – 7 – **7 ch** 42/46 – ½ P 42.
◆ Le portrait de la Belle Meunière orne la salle à manger d'inspiration Second Empire de cette maison surplombant la Tiretaine. Grandes chambres garnies de meubles anciens.

**Pépinière** avec ch, 11 av. Pasteur (rte Puy-de-Dôme) ✆ 04 73 35 81 19, *info@hotel-la-pepiniere.com, Fax 04 73 35 94 23,* rest,
*fermé 15 oct. au 1er nov., 2 au 8 janv., dim. soir et lundi* – **Repas** 22/50, enf. 9,50 – 5,50 – **4 ch** 37.
◆ Sur les hauteurs de la station thermale. Salle à manger rustique égayée de tableaux contemporains ; cuisine au goût du jour et menu du terroir. Chambres refaites.

**L'Hostalet,** bd Barrieu ✆ 04 73 35 82 67 – B
*fermé 3 janv. au 5 mars, dim. sauf fêtes et lundi* – **Repas** 12,80 (déj.), 20,50 bc/29.
◆ Les immuables plats traditionnels et la riche carte des vins semble rassurer les habitués qui fréquentent ce restaurant familial au décor un brin suranné.

*Si le coût de la vie subit des variations importantes,*
*les prix que nous indiquons peuvent être majorés.*
*Lors de votre réservation à l'hôtel, faites-vous préciser le prix définitif.*

---

**ROYE** *80700 Somme* 301 J9 *G. Picardie Flandres Artois* – 6 333 h alt. 88.
*Paris 113 ⑤ – Amiens 47 ⑤ – Compiègne 42 ⑤ – Arras 75 ⑤ – St-Quentin 61 ②.*

## ROYE



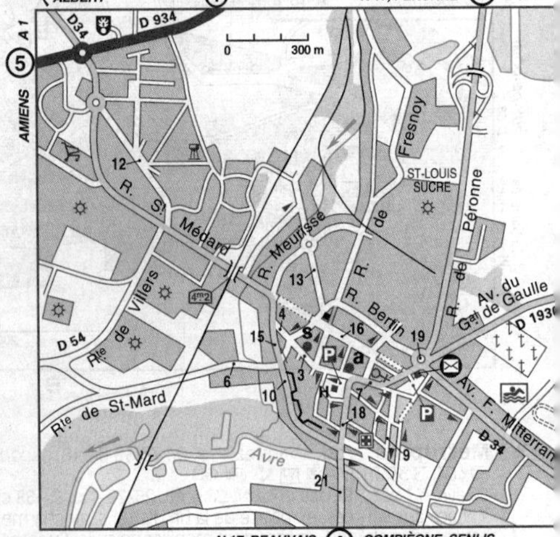

ALBERT
N 17, PÉRONNE
D 934
AMIENS
A 1
D 934
0
300 m
Fresnoy
ST-LOUIS SUCRE
R. St Médard
R. Meurisse
R. de Péronne
R. Berlin
Av. du Gal de Gaulle
D 1930
Rte de Villers
D 54
Rte de St-Mard
Avre
Av. F. Mitterrand
D 34
N 17, BEAUVAIS
COMPIÈGNE, SENLIS

**Flamiche** (Mme Klopp), pl. H. de Ville **(a)** ✆ 03 22 87 00 56, *restaurant.flamiche@worldonline.fr, Fax 03 22 78 46 77* – ▤. AE ⓓ GB JCB
*fermé 23 déc. au 7 janv., dim. soir, mardi midi et lundi* – **Repas** 23/144 bc et carte 62 à 94 ♀.
◆ Pimpante auberge face à l'hôtel de ville. Une belle collection de canards orne les salles à manger meublées dans le style picard. Cuisine au goût du jour à l'accent régional.
**Spéc.** Flamiche aux poireaux (fin sept. à fin mai). Sushis d'anguilles de Somme en feuilles de poireau. Colvert aux graines de tournesol grillées et endives du pays (sept. à janv.).

**Florentin et Hôtel Central** avec ch, 36 r. Amiens **(s)** ✆ 03 22 87 11 05, *Fax 03 22 87 42 74* – ▤ rest, TV ✆. AE GB
*fermé 11 au 26 août, dim. soir et lundi* – **Repas** 14/34 – ☕ 5,50 – **8 ch** 37/52.
◆ La façade en briques rouges dissimule un restaurant au décor d'inspiration italienne : colonnes, moulures, marbres et fresques. Cuisine traditionnelle. Chambres simples.

---

**ROYE** *70 H.-Saône* **314** H6 – *rattaché à Lure.*

---

**Le ROZIER** *48150 Lozère* **330** H9 *G. Languedoc Roussillon – 157 h alt. 400.*
**Voir** *Terrasses du Truel* ≤★ *E : 3,5 km – Gorges du Tarn★★★.*
**Env.** *Chaos de Montpellier-le-Vieux★★★ S : 11,5 km – Corniche du Causse Noir* ≤★★ *SE : 13 km puis 15 mn.*
*Paris 634 – Mende 64 – Florac 57 – Millau 23 – Sévérac-le-Château 23 – Le Vigan 72.*

**Grand Hôtel de la Muse et du Rozier** M 🐎, à La Muse (D 907) rive droite du Tarn ✉ 12720 Peyreleau (Aveyron) ✆ 05 65 62 60 01, *info@hotel-delamuse.com, Fax 05 65 62 63 88,* ≤, 🏖, 🏊, 🌳 – 🛗 TV P. AE ⓓ GB JCB
*28 mars-3 nov.* – **Repas** *(fermé merc. midi)* 18 (déj.), 27/45 ♀ – ☕ 13,50 – **38 ch** 99/110 – ½ P 85,50/91.
◆ Pêche, canoë et farniente seront vos activités dans cet hôtel paressant au bord du Tarn. Chambres actuelles donnant sur la rivière. Agréable salon sous verrière.

**Doussière** sans rest, ✆ 05 65 62 60 25, *Fax 05 65 62 65 48,* 🌳 – P. GB
*Pâques-11 nov.* – ☕ 5,60 – **20 ch** 39/50.
◆ Dans le village, deux bâtiments situés de part et d'autre de la Jonte. Les chambres rénovées sont mieux insonorisées. La salle des petits-déjeuners offre une plaisante vue.

---

**RUE** *80120 Somme* **301** D6 *G. Picardie Flandres Artois – 2 942 h alt. 9.*
**Voir** *Chapelle du St-Esprit★ : intérieur★★.*
ℹ *Office du Tourisme, 54 rue Porte de Bécray ✆ 03 22 25 69 94, Fax 03 22 25 76 26.*
*Paris 213 – Amiens 77 – Abbeville 29 – Berck-Plage 23 – Le Crotoy 8.*

**Lion d'Or,** r. Barrière ✆ 03 22 25 74 18, *leliondorrue@wanadoo.fr, Fax 03 22 25 66 63* – TV. GB JCB. ⊁ ch
*fermé 22 déc. au 15 janv.* – **Repas** *(fermé dim. soir et lundi d'oct. à mars)* 14/30 ♀ – ☕ 6,50 – **16 ch** 39/76,50 – ½ P 40/52,50.
◆ Maison à pans de bois au centre de la petite capitale du Marquenterre. Chambres pratiques ; préférez celles sur l'arrière, plus calmes. Restaurant frais et confortable.

**à St-Firmin** *Ouest : 3 km par D 4 – ✉ 80550 Le Crotoy :*

**Auberge de la Dune** 🐎, ✆ 03 22 25 01 88, *Fax 03 22 25 66 74,* 🏖 – TV ♿ P. GB. ⊁ ch
*fermé 3 au 15 mars, 8 au 25 déc., mardi soir et merc. du 1er oct. au 31 mars* – **Repas** 14,50/27 ♀, enf. 8,50 – ☕ 8 – **11 ch** 55 – ½ P 48.
◆ Auberge au confort actuel isolée au milieu des champs. Chambres fonctionnelles, sobres et nettes. Cuisine traditionnelle et quelques spécialités picardes.

---

**RUEIL-MALMAISON** *92 Hauts-de-Seine* **311** J2 **101** ⑭ – *voir à Paris, Environs.*

---

**RULLY** *71150 S.-et-L.* **320** I8 – *1 635 h alt. 220.*
*Paris 332 – Beaune 19 – Chalon-sur-Saône 16 – Autun 42 – Le Creusot 32.*

**Vendangerot** avec ch, ✆ 03 85 87 20 09, *Fax 03 85 91 27 18,* 🏖 – TV ✆ P. GB
*fermé 2 au 15 janv., 15 fév. au 10 mars, merc. sauf le soir en juil.-août et mardi* – **Repas** 15/42 ♀, enf. 9 – ☕ 7 – **13 ch** 45/48.
◆ Face à un jardin public ombragé, auberge de village à la façade fleurie. Salle à manger décorée de vieilles photos sur la viticulture. Spécialités régionales.

*Ecrivez-nous...*
*Vos louanges comme vos critiques seront examinées avec le plus grand soin. Nous reverrons sur place les informations que vous nous signalez.*
*Par avance merci !*

**RUMILLY** 74150 H.-Savoie 328 I5 *G. Alpes du Nord – 9 991 h alt. 334.*

*Office du Tourisme, 4 place de l'hôtel de ville ✆ 04 50 64 58 32, Fax 04 50 01 03 53, albanais@ot-albanais74.fr.*

*Paris 530 – Annecy 19 – Aix-les-Bains 21 – Bellegarde-sur-Valserine 37 – Genève 64.*

**Boîte à Sel,** 27 r. Pont-Neuf ✆ 04 50 01 02 52, *Fax 04 50 01 42 11* – GB
*fermé août, dim. soir et lundi* – **Repas** 10,50 (déj.), 15/24, enf. 7,50.
◆ Ce restaurant de la petite capitale de l'Albanais propose un décor volontairement épuré et une cuisine au goût du jour. Mobilier confortable, mise en place soignée.

**RUNGIS** *94 Val-de-Marne* 312 D3 101 ㉖ *– voir à Paris, Environs.*

**RUOMS** *07120 Ardèche* 331 I7 *G. Vallée du Rhône – 1 858 h alt. 121.*

Voir *Labeaume★ O : 4 km – Défilé de Ruoms★.*

*Office du Tourisme, ✆ 04 75 93 91 90, Fax 04 75 39 78 71.*

*Paris 654 – Alès 54 – Aubenas 25 – Pont-St-Esprit 55.*

**rte des Vans** *Sud-Ouest : 3,5 km par D 111 – ✉ 07120 Ruoms :*

**Chapoulière,** ✆ 04 75 39 65 43, *Fax 04 75 39 75 82*, – P. GB
*8 mars-20 oct. et fermé dim. soir et lundi sauf de mai au 15 sept.* – **Repas** 15/39, enf. 8,50 – 6,50 – **12 ch** 40/53 – ½ P 46/54.
◆ Sur un axe passant, longue bâtisse et son parc fleuri équipé de jeux pour les enfants. Évitez les chambres de la façade principale. À table, produits de la mer.

**domaine du Rouret** *près Grospierres, Sud-Ouest : 11 km par D 111 – ✉ 07120 Grospierres :*

**Maéva Le Rouret**, ✆ 04 75 35 77 00, *sud.ardeche@maeva.fr, Fax 04 75 93 97 46*, ←, P – 600. AE GB. rest
*5 avril-18 oct.* – **Repas** (13) - 18, enf. 9 – 7 – **113 ch** 92/134 – ½ P 85/110.
◆ Vaste complexe hôtelier et de loisirs au milieu d'un parc ombragé. Chambres d'ampleur satisfaisante, avec balcon et vue sur la garrigue. Forte clientèle de séminaires.

**RUPT-SUR-MOSELLE** *88360 Vosges* 314 H5 *– 3 470 h alt. 424.*

*Syndicat d'Initiative, 6 rue d'Alsace ✆ 03 29 24 32 78.*

*Paris 424 – Épinal 39 – Belfort 59 – Colmar 82 – Mulhouse 69 – St-Dié 65 – Vesoul 60.*

**Relais Benelux-Bâle,** 69 r. Lorraine ✆ 03 29 24 35 40, *benelux-bale@wanadoo.fr, Fax 03 29 24 40 47*, – P. AE GB
*fermé 28 avril au 5 mai, 19 déc. au 5 janv. et dim. soir de sept. à juin* – **Repas** (9) - 12/33, enf. 8 – 6,50 – **10 ch** 40/46 – ½ P 37/45.
◆ En bordure de route, chalet assez avenant, entièrement rénové et insonorisé. Chambres sobres, actuelles, bien équipées. Cuisine traditionnelle et régionale.

**Centre,** r. Église ✆ 03 29 24 34 73, *hotelcentreperry@wanadoo.fr, Fax 03 29 24 45 26* – P – 20. AE GB JCB
*fermé 14 au 23 juin, 4 au 13 oct., 12 au 26 janv., dim. soir, sam. midi et lundi sauf juil.-août et fériés* – **Repas** 11,90/57, enf. 9,90 – 8 – **9 ch** 27/52,50 – ½ P 37/48.
◆ À côté de l'église, maison mosellane très sobrement aménagée. Chambres simples et nettes. Salle à manger agrémentée d'une rôtissoire devenue uniquement décorative.

**RUYNES-EN-MARGERIDE** *15320 Cantal* 330 H4 *– 605 h alt. 920.*

*Syndicat d'Initiative, Le Bourg ✆ 04 71 23 43 32, Fax 04 71 23 45 80, margeride truyere@wanadoo.fr.*

*Paris 524 – Aurillac 89 – Le Puy-en-Velay 82 – St-Chély-d'Apcher 28 – St-Flour 16.*

**Moderne,** ✆ 04 71 23 41 17, *hotel-moderne15@wanadoo.fr, Fax 04 71 23 49 82*, – P. AE GB
*7 mars-mi-oct.* – **Repas** 11,50/29, enf. 7,50 – 6 – **20 ch** 31/40 – ½ P 38/42.
◆ Hostellerie traditionnelle tenue par la même famille depuis 1912. Les chambres, spacieuses et fonctionnelles, ont été rafraîchies. La table interprète le répertoire local.

**Les SABLES-D'OLONNE** SP *85100 Vendée* 316 F8 *G. Poitou Vendée Charentes – 15 830 h alt. 4 – Casinos des Pins* **CY**, *Casino de la Plage* **AZ.**

Voir *Le Remblai★.*

*Office du Tourisme, 1 Promenade Joffre ✆ 02 51 96 85 85, Fax 02 51 96 85 71, info@ot-lessablesdolonne.fr.*

*Paris 461 ② – La Roche-sur-Yon 37 ② – Cholet 106 ② – Nantes 104 ② – Niort 115 ④.*

# LES SABLES-D'OLONNE

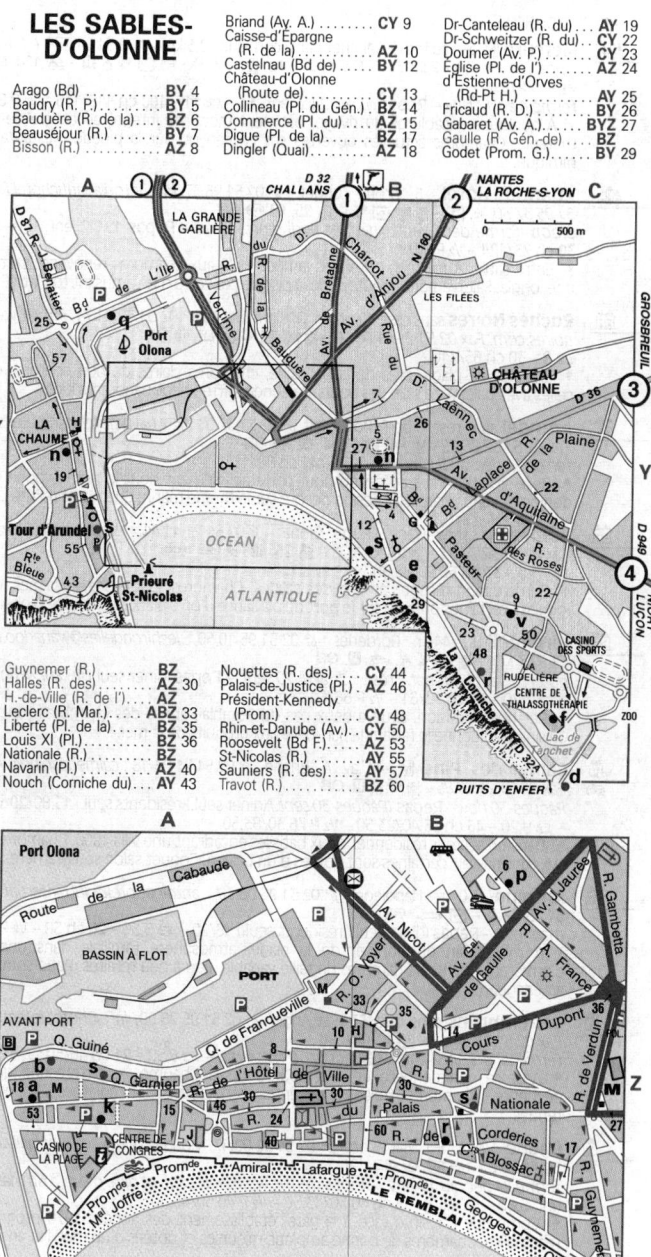

Arago (Bd) ........... BY 4
Baudry (R. P.) ........ BY 5
Baudère (R. de la)..... BZ 6
Beauséjour (R.) ....... BY 7
Bisson (R.) ........... AZ 8
Briand (Av. A.) ........ CY 9
Caisse-d'Épargne (R. de la) ........ AZ 10
Castelnau (Bd de) ..... BY 12
Château-d'Olonne (Route de) ........ CY 13
Collineau (Pl. du Gén.) . BZ 14
Commerce (Pl. du) ..... AZ 15
Digue (Pl. de la) ....... BZ 17
Dingler (Quai) ......... AZ 18
Dr-Canteleau (R. du) ... AY 19
Dr-Schweitzer (R. du) .. CY 22
Doumer (Av. P.) ....... CY 23
Église (Pl. de l') ....... AZ 24
d'Estienne-d'Orves (Rd-Pt H.) ........ AY 25
Fricaud (R. D.) ......... BY 26
Gabaret (Av. A.) ...... BYZ 27
Gaulle (R. Gén.-de) .... BZ
Godet (Prom. G.) ....... BY 29

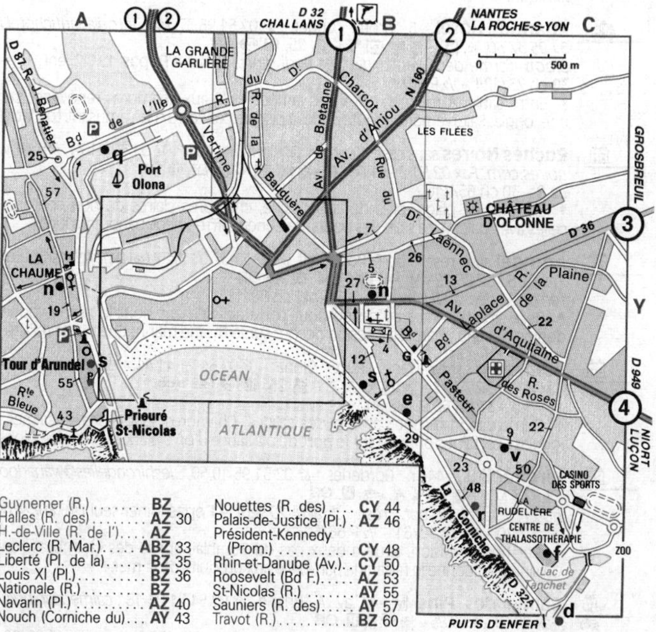
A
B
C
Y
D 32
CHALLANS
NANTES
LA ROCHE-S-YON
0
500 m
D 87
R. J. Benatier
LA GRANDE GARLIÈRE
Bd de L'Ile
Vertime
R. de la Baudère
Av. de Bretagne
Av. d'Anjou
Charcot
N 160
Rue du Dr Laënnec
LES FILÉES
GROSBREUIL
CHÂTEAU D'OLONNE
D 36
Port Olona
LA CHAUME
Tour d'Arundel
Rte Bleue
Prieuré St-Nicolas
OCEAN
ATLANTIQUE
Av. Laplace
R. de la Plaine
d'Aquitaine
R. des Roses
Bd Pasteur
D 949
NIORT
LUÇON
CASINO DES SPORTS
LA RUDELIÈRE
CENTRE DE THALASSOTHÉRAPIE
Lac de Tanchet
ZOO
La Corniche
D 324
PUITS D'ENFER

Guynemer (R.) ......... BZ
Halles (R. des) ......... AZ 30
H.-de-Ville (R. de l') .... AZ
Leclerc (R. Mar.) ..... ABZ 33
Liberté (Pl. de la) ...... BZ 35
Louis XI (Pl.) .......... BZ 36
Nationale (R.) .......... BZ
Navarin (Pl.) ........... AZ 40
Nouch (Corniche du) .... AY 43
Nouettes (R. des) ...... CY 44
Palais-de-Justice (Pl.) . AZ 46
Président-Kennedy (Prom.) .............. CY 48
Rhin-et-Danube (Av.) .. CY 50
Roosevelt (Bd F.) ...... AZ 53
St-Nicolas (R.) ......... AY 55
Sauniers (R. des) ...... AY 57
Travot (R.) ............. BZ 60

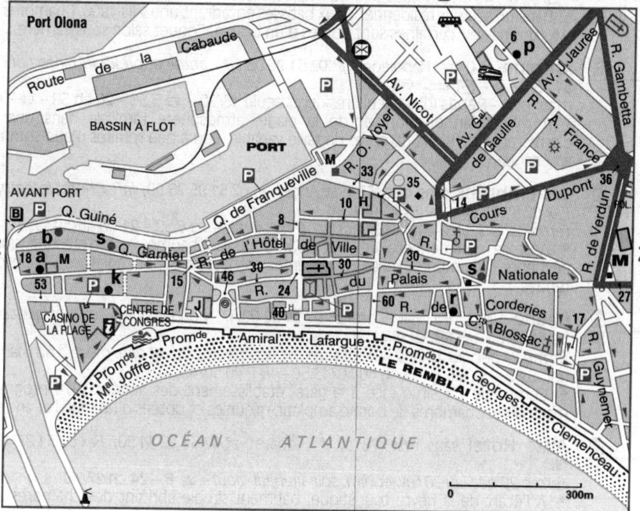
A
B
Z
Port Olona
Route de la Cabaude
BASSIN À FLOT
PORT
AVANT PORT
Q. Guiné
Q. Garnier
Q. de Franqueville
R. O. Voyer
Av. Nicot
Av. Gal de Gaulle
Av. J. Jaurès
R. A. France
R. Gambetta
Cours Dupont
R. de Verdun
R. de l'Hôtel de Ville
R. du Palais
Nationale
R. de Corderies
Cts Blossac
R. Guynemer
CASINO DE LA PLAGE
CENTRE DE CONGRÈS
Promde Mal Joffre
Promde Amiral Lafargue
Promde Georges Clemenceau
LE REMBLAI
OCÉAN
ATLANTIQUE
0
300m

**Mercure** Ⓜ, au Lac de Tanchet par la corniche : 2,5 km ☎ 02 51 21 77 77, *H1078@accor-hotels.com, Fax 02 51 21 77 80*, ←, – 120. AE GB JCB. rest CY f
*fermé 4 au 17 janv.* – **Repas** *(15,50)* - 24 ♀, enf. 11 – ☕ 11 – **100 ch** 118/136 – ½ P 89/99.
◆ À quelques encablures du rivage, bâtiment moderne intégré au centre de thalassothérapie. Chambres actuelles ouvertes sur l'océan ou sur la pinède. Restaurant panoramique.

**Atlantic Hôtel,** 5 prom. Godet ☎ 02 51 95 37 71, *info@atlantichotel.fr, Fax 02 51 95 37 30*, ←, – 25. AE GB BY e
***Sloop*** *(fermé déc., vend., dim. et midi d'oct. à mars)* **Repas** 19/42, enf. 10 – ☕ 9,50 – **30 ch** 73/124 – ½ P 80/95.
◆ Entre sable et rochers, hôtel des années 1970 aux chambres rénovées ; certaines ont une loggia. Salon aménagé autour de la piscine couverte d'un amusant toit vitré.

**Roches Noires** sans rest, 12 prom. G. Clemenceau ☎ 02 51 32 01 71, *info@bw-lesrochesnoires.com, Fax 02 51 21 61 00*, ← – AE GB BY s
☕ 8 – **30 ch** 65/110.
◆ En bout de plage, près de la Corniche, chambres claires de bon confort ; choisissez celles avec balcon. La salle des petits-déjeuners offre un joli panorama iodé.

**Arundel** sans rest, 8 bd F. Roosevelt ☎ 02 51 32 03 77, *qualityhotelarundel@wanadoo.fr, Fax 02 51 32 86 28* – AE GB AZ k
*fermé 22 déc. au 5 janv.* – ☕ 7,50 – **42 ch** 80/115.
◆ Belle situation face au casino pour cet établissement dont le nom évoque celui d'un donjon devenu phare. Hall design décoré sur le thème marin. Chambres refaites.

**Admiral's** sans rest, Port Olona ☎ 02 51 21 41 41, *hotel.admiral@wanadoo.fr, Fax 02 51 32 71 23* – – 25. AE GB JCB AY q
☕ 7,20 – **33 ch** 60,20/83,90.
◆ Construction récente proche des salines. Chambres spacieuses et calmes, dotées de loggias ; certaines ont vue sur le port de plaisance d'où s'élance le Vendée Globe.

**Hirondelles,** 44 r. Corderies ☎ 02 51 95 10 50, *leshirondelles@wanadoo.fr, Fax 02 51 32 31 01* – GB BZ r
*hôtel : 1er avril-30 sept. ; rest. : 1er avril-20 sept.* – **Repas** (dîner seul.) 16,80/24,40 ♀, enf. 10 – ☕ 7,70 – **31 ch** 58/61 – ½ P 56/60.
◆ Cet hôtel-pension, situé à deux pas du Remblai, abrite des chambres fonctionnelles. Cuisine traditionnelle faisant la part belle aux produits de la mer.

**Calme des Pins** Ⓜ, 43 av. A. Briand ☎ 02 51 21 03 18, *calmedespins@wanadoo.fr, Fax 02 51 21 59 85* – GB CY v
*Pâques-30 nov.* – **Repas** *(Pâques-30 sept.)* (dîner seul.)(résidents seul.) 13,80/29 ♀, enf. 9,20 – ☕ 9,20 – **46 ch** 53,40/83,50 – ½ P 76,30/83,50.
◆ Dans un secteur résidentiel, deux bâtisses encadrant une villa 1900. Chambres pratiques aux tons pastel ; certaines sont dotées d'un balcon. Coquet salon sous verrière.

**Antoine,** 60 r. Napoléon ☎ 02 51 95 08 36, *antoinehotel@club-internet.fr, Fax 02 51 23 92 78* – . GB. AZ a
*mars-oct.* – **Repas** (dîner seul.)(résidents seul.) 16/20 – ☕ 5,50 – **20 ch** 58 – ½ P 48.
◆ À mi-chemin du port et de la plage, atmosphère familiale dans une demeure d'armateur du 18e s. Chambres de taille variable, peu à peu refaites. Patio sommairement aménagé.

**Les Embruns** sans rest, 33 r. Lt Anger ☎ 02 51 95 25 99, *info@hotel-lesembruns.com, Fax 02 51 95 84 48* – . GB. AY n
*fermé 22 oct. au 24 nov., fév. et dim. d'oct. à mai* – ☕ 6,50 – **21 ch** 46/50.
◆ Adresse confidentielle et tout sourire de la Chaume, le pittoresque quartier des pêcheurs. Chambres fraîches (récentes rénovations) et colorées, impeccablement tenues.

**Chêne Vert,** 5 r. Bauduère ☎ 02 51 32 09 47, *hotellechenevert@hotmail.com, Fax 02 51 21 29 65* – . AE GB. BZ p
*fermé 24 déc. au 15 janv.* – **Repas** *(fermé vend. soir, sam. et dim. d'oct. à fin mai)* 9,50/18 ♀, enf. 5,80 – ☕ 6,50 – **33 ch** 40,50/43,50 – ½ P 40,50/45,50.
◆ Commode car situé face à la gare, établissement des années 1970 progressivement réactualisé. Chambres de bonne ampleur, rajeunies et dotées d'un mobilier ancien.

**Alizé Hôtel** sans rest, 78 av. A. Gabaret ☎ 02 51 32 44 90, *Fax 02 51 21 49 59* – . GB BY n
*fermé 20 déc. au 20 fév. et dim. soir sauf juil.-août* – ☕ 6 – **24 ch** 27/40.
◆ À l'écart de la fièvre touristique, bâtiment simple abritant des chambres au confort modeste et au décor un brin mûrissant. Bien pour petits budgets.

XXX **Beau Rivage** (Drapeau), 1 bd de Lattre de Tassigny, près Lac de Tanchet (par la corniche) ✆ 02 51 32 03 01, *b.rivage@wanadoo.fr, Fax 02 51 32 46 48*, ← Océan et les Sables – P. AE GB JCB CY d
*fermé 6 au 20 oct., 7 au 27 janv., lundi sauf le soir en juil.-août et dim. soir de sept. à juin sauf fériés* – **Repas** 40/81 et carte 68 à 88 ♀, enf. 20 - ***Bistrot "la Mytiliade"*** ✆ 02 51 95 47 47 (rez-de-chaussée) **Repas** 21/26 ♀.
◆ Restaurant panoramique au "look" design rehaussé de tons bleus et jaunes, couru des gourmets qui viennent y savourer une cuisine à base de poissons et crustacés.
**Spéc.** Poêlée de homard aux grenailles de Noirmoutier. Tournedos de turbot. Canard de Challans au sang. **Vins** Fiefs vendéens blanc et rouge.

XX **Villa Dilecta,** 15 bd Kennedy ✆ 02 51 23 85 68, *Fax 02 51 23 89 53* – AE GB CY r
*fermé 25 nov au 8 déc., 24 mars au 6 avril, dim. soir et lundi sauf juil.-août* – **Repas** 23/78 ♀.
◆ Cette élégante villa de 1920 bâtie sur le front de mer fut la villégiature d'un préfet. Belle cheminée d'époque et meubles Art déco agrémentent la salle à manger.

XX **Sablier,** 56 r. Nationale ✆ 02 51 21 09 54, *Fax 02 51 23 41 40* – GB BZ s
*fermé 6 au 13 oct., 5 au 26 janv., merc. en hiver et lundi* – **Repas** 18 (déj.), 23/32 ♀.
◆ Teintes pastel et plantes vertes personnalisent cette salle fraîche et coquette installée dans une ruelle commerçante sablaise. Cuisine traditionnelle.

XX **Pêcherie,** 4 quai Boucaniers, la Chaume ✆ 02 51 95 18 27, *Fax 02 51 95 18 27* – GB AY s
*fermé 16 au 20 juin, 13 au 24 oct., 5 janv. au 6 fév., lundi en juil.-août, mardi et merc. de sept. à juin* – **Repas** 23/39 ♀.
◆ Dans un décor actuel et gai, tout en dégustant les spécialités iodées, vous pourrez admirer le spectacle des bateaux qui franchissent le chenal menant à Port Olona.

XX **Loulou,** rte Bleue, la Chaume : 4 km ✆ 02 51 21 32 32, *Fax 02 51 21 32 32*, ← – GB
*fermé 13 au 20 mars, 29 sept. au 20 oct., dim. soir et jeudi de sept. à juin, et lundi* – **Repas** 20/27 ♀.
◆ Belle situation pour ce sobre restaurant moderne bordant la route de la côte sauvage : toutes les tables offrent une vue imprenable sur l'océan. Poissons et fruits de mer.

XX **Clipper,** 19 bis quai Guiné ✆ 02 51 32 03 61, *Fax 02 51 95 21 28* – . AE GB AZ b
*fermé 2 au 17 déc., 11 au 18 mars, merc. hors saison et mardi* – **Repas** 17/35 ♀.
◆ Parmi les nombreux restaurants du port, cette adresse se distingue par sa goûteuse cuisine (produits de la mer) et par son décor (parquet couleur acajou et chaises Louis XVI).

XX **Fleur des Mers,** 5 quai Guiné ✆ 02 51 95 18 10, *fleur.mers@wanadoo.fr, Fax 02 51 96 96 10*, – GB AZ s
*fermé mardi hors saison et lundi* – **Repas** 12 (déj.), 19/32.
◆ Sur le port, deux salles de restaurant (dont une en mezzanine) à l'ambiance océane et une sympathique véranda permettant de suivre le va-et-vient des bateaux.

**La Pironnière** *Sud-Est : 4 km par la corniche* – ✉ *85100 Château-d'Olonne :*

XX **Auberge Robinson,** 51 r. du Puits d'Enfer ✆ 02 51 23 92 65, *Fax 02 51 21 28 60* – AE GB
*fermé 1er au 14 mars, 25 oct. au 5 nov., 9 au 25 fév., dim. soir, mardi soir et merc. de sept. à juin et mardi en juillet-août* – **Repas** 18 (déj.), 27/40 ♀.
◆ Façade tapissée de verdure, intérieur rustique cossu et bibelots sur les tables font l'agrément de cette auberge ; cuisine classique. En été, barbecue sur la terrasse.

**à l'anse de Cayola** *Sud-Est : 7 km par la Corniche* – ✉ *85180 Château-d'Olonne :*

XXX **Cayola,** 76 promenade de Cayola ✆ 02 51 22 01 01, *Fax 02 51 22 08 28*, ← mer, – P. AE GB
*fermé 10 au 24 nov., 1er au 18 janv., dim. soir et lundi* – **Repas** 25/75 ♀, enf. 12.
◆ De larges baies vitrées éclairent cette villa moderne en tête à tête avec l'océan. Préférez les tables de la véranda, face à la piscine à débordement. Cuisine actuelle.

---

## SABLES-D'OR-LES-PINS 22 C.-d'Armor 309 H3 *G. Bretagne* – ✉ *22240 Fréhel.*

*Office du Tourisme, Le bourg ✆ 02 96 41 53 81, Fax 02 96 41 59 46,.*
*Paris 457 – St-Brieuc 39 – St-Malo 43 – Dinan 42 – Dol-de-Bretagne 59 – Lamballe 26.*

**Manoir St-Michel** sans rest, à la Carquois, Est : 1,5 km par D 34 ✆ 02 96 41 48 87, *manoir-st-michel@fournel.de, Fax 02 96 41 41 55*, – TV P. GB
*30 mars-4 nov.* – 7 – **17 ch** 43/104, 3 duplex.
◆ Dominant la plage, beau manoir du 16e s. entouré d'un vaste parc avec plan d'eau (pêche autorisée). Les chambres, spacieuses et douillettes, gardent leur charme d'antan.

**Voile d'Or - La Lagune** (Hellio), ✆ 02 96 41 42 49, *lavoiledor@wanadoo.fr, Fax 02 96 41 55 45*, ≤, – TV ✆ ♿ P. AE GB JCB
*fermé 15 nov. au 12 déc. et 1er janv. au 15 fév.* – **Repas** *(fermé lundi sauf le soir de mai à mi-sept., mardi midi et merc. midi)* 30 (déj.), 40/88 et carte 58 à 80 ♀ – ☕ 16,50 – **22 ch** 114/209 – ½ P 97/155.
◆ Aux portes de la station, chambres sobrement décorées ou rénovées dans un style contemporain ; certaines regardent l'aber. Restaurant design et goûteuse cuisine régionale.
**Spéc.** Huîtres chaudes au pommeau. Homard breton rôti au beurre salé. Soufflé aux fruits de saison.

**Manoir de la Salle** M sans rest, r. Lac - Sud-Ouest : 1 km par D 34 ✉ 22240 Plurien ✆ 02 96 72 38 29, *aude.labruyere@manoir-de-la-salle.com, Fax 02 96 72 00 57*, – TV ✆ P. GB
*1er avril-30 sept.* – ☕ 6,80 – **14 ch** 55/113.
◆ Loin de la route, noble demeure du 16e s. entièrement restaurée et ses trois petites dépendances. Chambres modernes et claires. Salle des petits-déjeuners de caractère.

**Diane**, ✆ 02 96 41 42 07, *hoteldiane@wanadoo.fr, Fax 02 96 41 42 67*, , – TV ♿. AE GB
*1er avril-15 oct.* – **Repas** *(fermé le midi en avril sauf dim. et fêtes)* 16/38, enf. 8,50 – ☕ 8,50 – **28 ch** 66/72 – ½ P 60/63.
◆ Sur l'axe principal, grande bâtisse dans le style du pays, abritant des chambres fonctionnelles bien tenues. Deux salles à manger, dont une réservée aux résidents.

**Morgane** sans rest, ✆ 02 96 41 46 90, *Fax 02 96 41 57 85*, – TV P. GB
*1er avril-30 sept.* – ☕ 8,50 – **19 ch** 45/74.
◆ Cet hôtel familial possède un agréable jardin ombragé de pins. Chambres déjà anciennes, mais de bon confort. Salon aménagé dans la véranda.

**Bon Accueil** sans rest, ✆ 02 96 41 42 19, *Fax 02 96 41 57 59*, – P. GB
*14-30 avril et 25 mai-15 sept.* – ☕ 8 – **38 ch** 40/66.
◆ En bordure de route et non loin de la plage, chambres d'ampleur satisfaisante, peu à peu rénovées. Préférez celles donnant sur le parc équipé de jeux pour les enfants.

**Pins**, ✆ 02 96 41 42 20, *Fax 02 96 41 59 02*, – AE GB.
*5 avril-30 sept.* – **Repas** 13,50/29,50 – ☕ 7 – **22 ch** 38/52 – ½ P 44/52.
◆ Proximité de la plage, accueil sympathique, grand jardin avec balançoire et spécialités de produits de la mer caractérisent cette pension à l'ambiance très familiale.

**à Pléhérel-plage** *Est : 3,5 km par D 34 – ✉ 22240 Fréhel :*

**Plage et Fréhel** , ✆ 02 96 41 40 04, *Fax 02 96 41 57 96*, ≤, – P. GB. rest
*1er avril-30 sept. et 26 oct.-11 nov.* – **Repas** 14/36 ♀, enf. 8,50 – ☕ 6,80 – **27 ch** 25/48 – ½ P 41/54.
◆ Maison ancienne en pierre appréciée pour sa jolie vue sur la mer et le cap Fréhel, depuis le restaurant panoramique et environ la moitié des chambres, simples et nettes.

---

## SABLÉ-SUR-SARTHE *72300 Sarthe 310 G7 G. Châteaux de la Loire – 12 178 h alt. 29.*

*Office de tourisme, rue Raphaël-Élizé ✆ 02 43 95 00 60, Fax 02 43 92 60 77.*
*Paris 252 – Le Mans 61 – Angers 64 – La Flèche 27 – Laval 44 – Mayenne 59.*

**Hostellerie St-Martin,** 3 r. Haute St-Martin ✆ 02 43 95 00 03, *st-martin4@wanadoo.fr*, – AE GB JCB.
*fermé 15 au 23 juil., dim. soir, merc. soir et lundi* – **Repas** 15/30, enf. 9.
◆ Cadre "vieille France" dans les murs d'un prieuré sabolien du 18e s. qui serait, dit-on, relié au château par un souterrain... Terrasse ombragée. Cuisine traditionnelle.

**à Solesmes** *Nord-Est : 3 km par D 22 – 1 277 h. alt. 28 – ✉ 72300.*
**Voir** *Statues des "Saints de Solesmes"★★ dans l'église abbatiale★ (chant grégorien) – Pont ≤★.*

**Grand Hôtel,** ✆ 02 43 95 45 10, *Fax 02 43 95 22 26*, – TV P – 50. AE GB
**Repas** *(fermé dim. soir de nov. à mars)* 40/68 ♀ – ☕ 11 – **32 ch** 75/100.
◆ Les célèbres chants des moines bénédictins de l'abbaye St-Pierre sont à une portée... d'oreille de cet hôtel aux chambres spacieuses et colorées, parfois dotées d'un balcon.

**au Golf** *Sud-Ouest : 5 km par rte de Pincé (D 159) et rte secondaire – ✉ 72300 Sablé-sur-Sarthe :*

**Martin Pêcheur,** ✆ 02 43 95 97 55, *Fax 02 43 92 37 10*, ≤, – P. GB
*fermé vacances de fév., dim. soir, mardi soir et lundi* – **Repas** (13,50) - 19/43 ♀, enf. 9,20.
◆ Entre forêt et rivière, grande bâtisse moderne bordant le parcours d'un golf 27 trous. Plusieurs espaces de restauration : traditionnelle, club-house et salons-bar.

*Nos guides hôteliers, nos guides touristiques et nos cartes routières sont complémentaires. Utilisez-les ensemble.*

**SABRES** *40630 Landes* 335 G10 *G. Aquitaine – 1 096 h alt. 78.*

**Voir** *Ecomusée★ de la grande Lande NO : 4 km.*

*Paris 679 – Mont-de-Marsan 36 – Arcachon 93 – Bayonne 110 – Bordeaux 95 – Mimizan 41.*

**Auberge des Pins** M, ✆ 05 58 08 30 00, *aubergedespins@wanadoo.fr, Fax 05 58 07 56 74,* – 25. AE GB. ch
*fermé 6 au 20 janv., lundi sauf le soir en juil.-août et dim. soir* – **Repas** 20/63, enf. 12 – 12 – **25 ch** 71/120 – ½ P 58/87.
◆ Grande maison landaise à colombages dans un parc arboré. Quelques chambres flambant neuf et belle salle à manger rustique. Cuisine classique et régionale.

**SACHÉ** *37 I.-et-L.* 317 M5 – *rattaché à Azay-le-Rideau.*

**SAIGNES** *15240 Cantal* 330 C2 *G. Auvergne – 1 009 h alt. 480.*

*Office de tourisme, ✆ 04 71 40 62 41, Fax 04 71 40 62 80.*

*Paris 485 – Aurillac 77 – Clermont-Ferrand 93 – Mauriac 26 – Le Mont-Dore 57 – Ussel 39.*

**Relais Arverne,** ✆ 04 71 40 62 64, *info@hotel-relais-arverne.com, Fax 04 71 40 61 14* – TV P. GB
*fermé 27 sept. au 12 oct., 7 au 22 fév., vend. soir et dim.* – **Repas** 11,50/33,60, enf. 7 – 4,50 – **10 ch** 37,50/42 – ½ P 35/39.
◆ Imposante demeure régionale dont l'agréable terrasse, équipée de belles tables en pierre, bénéficie de la quiétude de la campagne cantalienne. Chambres d'esprit agreste.

**SAIGNON** *84 Vaucluse* 332 F10 – *rattaché à Apt.*

**SAILLAGOUSE** *66800 Pyr.-Or.* 344 D8 *G. Languedoc Roussillon – 825 h alt. 1309.*

**Voir** *Gorges du Sègre★ E : 2 km.*

*Office du Tourisme, ✆ 04 68 04 72 89, Fax 04 68 04 72 89.*

*Paris 866 – Font-Romeu-Odeillo-Via 12 – Bourg-Madame 9 – Mont-Louis 12 – Perpignan 93.*

**Planes** *(La Vieille Maison Cerdane),* ✆ 04 68 04 72 08, *hotelplanes@wanadoo.fr, Fax 04 68 04 75 93* – TV. AE GB
*fermé 15 oct. au 20 déc.* – **Repas** (16) - 22/42, enf. 8 - ***Brasserie* :** Repas 13 – 8 – **19 ch** 40/50 – ½ P 52,50/54,50.
◆ Cet ancien relais de diligences situé au coeur du village est une véritable institution. Chambres et salle à manger de style catalan. Cuisine généreuse à l'accent régional.

**Annexe Planotel** ,, <, , , – TV P. AE GB
*juin-sept. et vacances de Noël et fév.* – **Repas** voir ***H. Planes*** – 9 – **20 ch** 48/56 – ½ P 56.
◆ Bâtisse des années 1970, idéale pour se détendre au calme. Les chambres, dotées de balcons, sont déjà anciennes, mais d'une tenue irréprochable. Piscine avec toit coulissant.

**à Llo** *Est : 3 km par D 33 – 131 h. alt. 1424 – ✉ 66800.*

**Voir** *Site★.*

**L'Atalaya** , ✆ 04 68 04 70 04, *atalaya@franlimel.com, Fax 04 68 04 01 29,* <, , – TV P. GB. rest
*8 avril-3 nov. et 15 déc.-15 janv.* – **Repas** *(fermé lundi midi, mardi midi, merc. midi et jeudi hors saison)* 26/50 – 10,70 – **13 ch** 85/135 – ½ P 85/104.
◆ Accrochée à la montagne cerdane, jolie auberge rustique au cadre personnalisé et à l'esprit "maison d'hôte", où s'épanouissent les roses trémières. Piscine panoramique.

**SAILLÉ** *44 Loire-Atl.* 316 B4 – *rattaché à Guérande.*

**ST-AFFRIQUE** *12400 Aveyron* 338 J7 *G. Languedoc Roussillon – 7 798 h alt. 325.*

**Env.** *Roquefort-sur-Soulzon : caves de Roquefort★, rocher St-Pierre <★.*

*Office du Tourisme, boulevard de Verdun ✆ 05 65 98 12 40, Fax 05 65 98 12 41, info@roquefort.com.*

*Paris 666 – Albi 82 – Castres 92 – Lodève 67 – Millau 26 – Rodez 79.*

**Moderne,** 54 av. A. Pezet ✆ 05 65 49 20 44, *hotel-restaurant-le-moderne@wanadoo.fr, Fax 05 65 49 36 55,* – TV. GB
*fermé 20 déc. au 18 janv.* – **Repas** 15,50/47, enf. 8,70 – 6,70 – **28 ch** 32/62,50 – ½ P 40/50.
◆ Chambres simples, exposition de peintures et carte régionale avec beau plateau de roqueforts (10 choix) caractérisent cet hôtel familial voisin de l'ancienne gare.

**-AFFRIQUE-LES-MONTAGNES** *81290 Tarn* 338 *F9 – 438 h alt. 244.*

*Paris 752 – Toulouse 74 – Albi 54 – Carcassonne 52 – Castres 12.*

**Domaine de Rasigous** ⑤, Sud : 2 km par D 85 ☎ 05 63 73 30 50, *info@domainederasigous.com, Fax 05 63 73 30 51*, ⛱, 🏊, 🚭 – TV ♿ P. AE GB. ✂
*15 mars-15 nov.* – **Repas** *(fermé merc.)* (dîner seul.)(résidents seul.) – ☕ 10 – **8 ch** 75/120 – ½ P 72,50/95.
◆ Le cadre isolé verdoyant et le nombre restreint des chambres font de cette demeure du 19e s. un havre de sérénité. Intérieur décoré avec recherche, ambiance "guesthouse".

**ST-AGNAN** *58230 Nièvre* 319 *H8 – 186 h alt. 525.*

*Paris 242 – Autun 52 – Avallon 33 – Clamecy 63 – Nevers 97 – Saulieu 15.*

**Vieille Auberge,** ☎ 03 86 78 71 36, *lavieiileaubergehotelre@minitel.net, Fax 03 86 78 71 57* – TV 📞 P. GB
*fermé 25 nov. au 26 déc., 13 janv. au 6 fév., lundi sauf le soir de Pâques à oct. et mardi* – **Repas** 15/35 ♀ – ☕ 7,50 – **8 ch** 42/46 – ½ P 42.
◆ Près d'un lac, ancien café-épicerie converti en auberge familiale. Pimpantes chambres récemment rénovées et salle à manger rustique agrémentée d'une cheminée en pierre.

**ST-AGRÈVE** *07320 Ardèche* 331 *I3 G. Vallée du Rhône – 2 762 h alt. 1050.*

Voir *Mont Chiniac* ≤★★.

*Office du Tourisme, Hôtel de ville ☎ 04 75 30 15 06, Fax 04 75 30 60 93, ot-stagr@inforoutes-ardeche.fr.*

*Paris 588 – Le Puy-en-Velay 51 – Aubenas 69 – Lamastre 21 – Privas 66 – St-Étienne 71.*

**Domaine de Rilhac** (Sinz) ⑤ avec ch, Sud-Est : 2 km par D 120, D 21 et rte secondaire ☎ 04 75 30 20 20, *Fax 04 75 30 20 00*, ≤, ⛱ – TV 📞 P. AE ⓓ GB
*fermé janv., fév., mardi soir, jeudi midi et merc.* – **Repas** 23 (déj.), 36/68 et carte 45 à 60 ♀, enf. 15 – ☕ 14 – **7 ch** 94/109 – ½ P 111/117.
◆ Repos assuré dans cette ancienne ferme ardéchoise perdue dans la campagne. Coquettes chambres provençales. Cuisine au goût du jour à savourer face au Gerbier-de-Jonc.
**Spéc.** Salade folle de truite fario marinée aux herbes. Velouté de châtaignes grillées à la truffe (oct. à déc.). Nougat glacé aux marrons confits. **Vins** Viognier de l'Ardèche, Saint-Joseph

**Cévennes** M avec ch, 10 pl. République ☎ 04 75 30 10 22, *Fax 07 75 30 10 22* – TV 📞. GB. ✂ rest
*fermé 1er au 15 mars, 22 au 30 sept. et 3 au 20 nov.* – **Repas** *(fermé lundi soir et mardi)* 13 (déj.), 16/33 ♀ – ☕ 7 – **6 ch** 44/53 – ½ P 42.
◆ Maison familiale modeste mais bien tenue située au centre du village. Plats du terroir dans la salle "tout bois" ou repas rapides au café. Chambres flambant neuves.

**ST-AIGNAN** *41110 L.-et-Ch.* 318 *F8 G. Châteaux de la Loire – 3 672 h alt. 115.*

Voir *Crypte★★ de l'église★ – Zoo Parc de Beauval★ S : 4 km.*

*Office de tourisme, place Wilson ☎ 02 54 75 22 85, Fax 02 54 75 50 26.*

*Paris 222 – Tours 62 – Blois 41 – Châteauroux 65 – Romorantin-Lanthenay 35 – Vierzon 56.*

**Hostellerie Le Clos du Cher,** Nord : 1 km par D 675 ✉ 41140 Noyers-sur-Cher ☎ 02 54 75 00 03, *accueil@closducher.com, Fax 02 54 75 03 79*, ⛱, 🚭 – TV 📞 P. AE GB
**Repas** *(fermé jeudi midi)* 16 (déj.), 25/34 ♀, enf. 10 – ☕ 9,20 – **10 ch** 60/89 – ½ P 61/74.
◆ Maison de maître du 19e s. entourée d'un parc arboré. Chambres un peu anciennes portant des noms de châteaux. Les communs abritent le restaurant, récemment redécoré.

**Grand Hôtel,** ☎ 02 54 75 18 04, *grand.hotel.st.aignan@wanadoo.fr, Fax 02 54 75 12 59* ≤ – 🚗 P – 🏛 25. AE ⓓ GB
*fermé 15 fév. au 11 mars, 16 nov. au 2 déc., dim. soir, mardi midi et lundi de nov. à mars* – **Repas** (12,10) - 15/34 ♀ – ☕ 7 – **20 ch** 23/58 – ½ P 34/51.
◆ En bordure du Cher, mais aussi de la route, grande demeure à la façade tapissée de vigne vierge. Chambres simples, souvent avec vue sur la rivière. Agréable salle à manger.

**ST-ALBAN-LES-EAUX** *42370 Loire* 327 *C3 – 843 h alt. 410.*

*Paris 393 – Roanne 12 – Lapalisse 45 – Montbrison 58 – St-Étienne 88 – Thiers 56 – Vichy 6*

**Petit Prince,** ☎ 04 77 65 87 13, *Fax 04 77 65 96 88*, ⛱ – AE GB
*fermé 25 au 31 août,29 sept. au 21 oct.,16 fév. au 2 mars,mardi de nov. à mars,dim. soir de nov. à juin et lundi* – **Repas** 19/38 ♀.
◆ L'histoire de cette maison de vignerons bâtie en 1534 vous est contée sur la carte du restaurant. Cuisine au goût du jour, arrosée d'un cru de la Côte Roannaise.

## ST-ALBAN-SUR-LIMAGNOLE *48120 Lozère 330 I6 – 1 928 h alt. 950.*

*Office du Tourisme, le château route de l'horloge ✆ 04 66 31 57 01, Fax 04 66 31 58 70.*
*Paris 556 – Mende 40 – Le Puy-en-Velay 75 – Espalion 72 – St-Chély-d'Apcher 13.*

**Relais St-Roch**, Château de la Chastre ✆ 04 66 31 55 48, *rsr@relais-saint-roch.fr, Fax 04 66 31 53 26*, – AE GB JCB
*15 avril-30 sept* voir rest. ***Petite Maison*** ci-après – 12 – **9 ch** 110/160 – ½ P 108/138.
◆ Cette gentilhommière du 19ᵉ s. en granit rose vous accueille dans de ravissantes chambres personnalisées offrant la vue sur les collines. Confortable salon.

**Petite Maison,** av. Mende ✆ 04 66 31 56 00, *rsr@relais-saint-roch.fr, Fax 04 66 31 53 26* – . AE GB JCB
*15 avril-30 sept. et fermé merc. midi en été, lundi sauf le soir en juil.-août et mardi midi* – **Repas** *(20)* - 28/65, enf. 25.
◆ Cuisine régionale et spécialités de viande de bison servies dans le cadre chaleureux et fleuri d'une "Petite Maison" villageoise. Belle cave à whiskies.

## ST-AMANDIN *15190 Cantal 330 E2 – 284 h alt. 840.*

*Paris 497 – Aurillac 86 – Clermont-Ferrand 80 – Ussel 54.*

**L'Amandine,** ✆ 04 71 78 02 83, *Fax 04 71 78 02 83*, – . GB
*fermé 11 au 30 nov., 20 janv. au 5 fév. et lundi* – **Repas** 9,90/29 ♀.
◆ Dans l'enceinte d'un camping, mais nullement gêné par la proximité des tentes, restaurant clair et coloré, sous charpente. Cuisine du terroir mettant à l'honneur la gentiane.

## ST-AMAND-MONTROND *18200 Cher 323 L6 G. Berry Limousin – 11 937 h alt. 160.*

Voir *Abbaye de Noirlac*★★ *4 km par* ⑥.
Env. *Château de Meillant*★★ *8 km par* ①.
*Office du Tourisme, place de la République ✆ 02 48 96 16 86, Fax 02 48 96 46 64.*
*Paris 285 ⑤ – Bourges 44 ⑤ – Châteauroux 66 ⑤ – Montluçon 55 ④ – Nevers 70 ③.*

Plan page suivante

**Noirlac** M, rte Bourges par ⑥ : *2 km* ✆ 02 48 82 22 00, *lenoirlac@worldonline.fr, Fax 02 48 82 22 01*, , , , – – 30. AE GB
*fermé 20 déc. au 4 janv.* – **Repas** *(fermé vend. soir, sam. midi et dim. soir de mi-nov. à Pâques) (12)* - 15/25 ♀ – 6 – **43 ch** 53/59 – ½ P 50.
◆ Hôtel d'affaires récent, aménagé pour les séminaires et décoré d'oeuvres d'art moderne. Chambres fonctionnelles. L'été, salades et grillades servies au bord de la piscine.

**Mercure L'Amandois** M, 7 r. H. Barbusse ✆ 02 48 63 72 00, *H1890@accor-hotels.com, Fax 02 48 96 77 11* – , rest, – 30. AE GB — B r
**Repas** *(10)* - 14 (déj.), 16/20 ♀, enf. 8 – 7 – **43 ch** 61/69.
◆ Petit relais de chaîne à l'esprit familial, idéalement situé, surtout fréquenté par une clientèle d'affaires. Chambres actuelles et bien équipées.

**St-Jean,** 1 r. Hôtel-Dieu ✆ 02 48 96 39 82, *lesaintjean@wanadoo.fr, Fax 02 48 60 52 70* – GB — B f
*fermé 22 sept. au 5 oct., 23 au 29 fév., dim. soir, lundi, mardi, merc. et jeudi* – **Repas** 16/25 ♀, enf. 10.
◆ Engageante maison régionale, accueil attentif, coquette salle avec poutres et tissus tendus, cuisine inventive soignée : autant de bonnes raisons de s'y attabler !

**Poste Le Relais** avec ch, 9 r. Dr Vallet ✆ 02 48 96 27 14, *Fax 02 48 96 97 74* – . AE GB — B d
*fermé 1ᵉʳ au 15 janv., dim. soir et lundi de mi-sept. à fin juin, , lundi midi et vend. midi de juin à mi-sept.* – **Repas** 22/38 ♀, enf. 10 – 7,50 – **18 ch** 45/55 – ½ P 58.
◆ Cet ancien relais de poste daterait de 1584. La salle à manger, égayée d'une fresque évoquant la campagne berrichonne, a conservé ses jolis colombages. Cuisine traditionnelle.

**Croix d'Or** avec ch, 28 r. 14-Juillet ✆ 02 48 96 09 41, *Fax 02 48 96 72 89* – . GB — A e
*fermé vend. soir et sam. midi de nov. à mars sauf fériés* – **Repas** 19/52 – 6,50 – **11 ch** 30/54.
◆ Cuisine traditionnelle proposée dans une sobre salle à manger ou dans des salons particuliers (sur demande). Chambres simples, correctement équipées.

**Noirlac** *par ⑥ et D 35 : 4 km – ✉ 18200 St-Amand-Montrond :*

**Auberge de l'Abbaye de Noirlac,** ✆ 02 48 96 22 58, *auberge.abbaye.de.noirlac@wanadoo.fr, Fax 02 48 96 86 63*, – GB
*19 fév.-15 nov. et fermé mardi soir et merc. sauf juil.-août* – **Repas** 16/27 ♀.
◆ Petite auberge sise dans une chapelle des voyageurs du 12ᵉ s. Salle à manger avec poutres et tomettes ; terrasse tournée vers l'abbaye cistercienne. Cuisine du terroir.

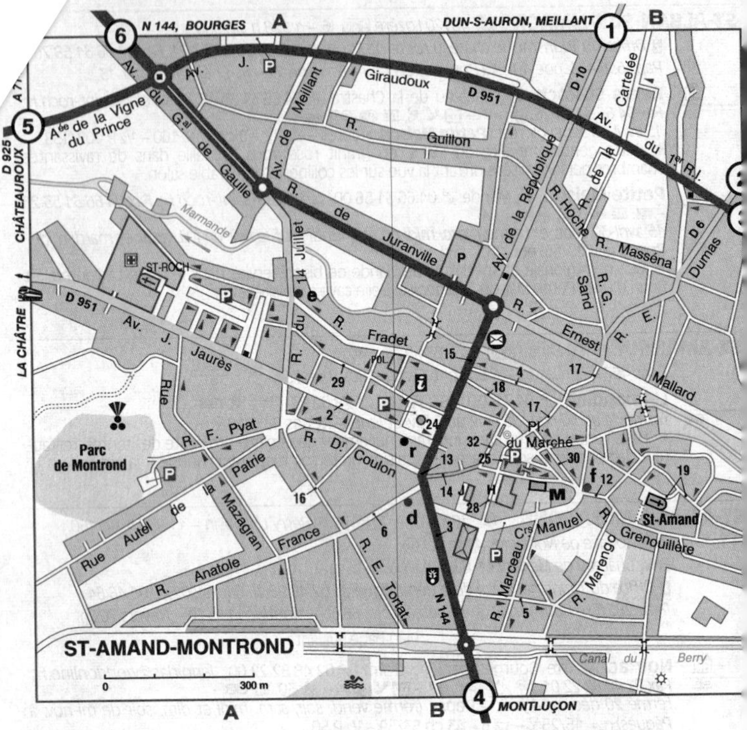

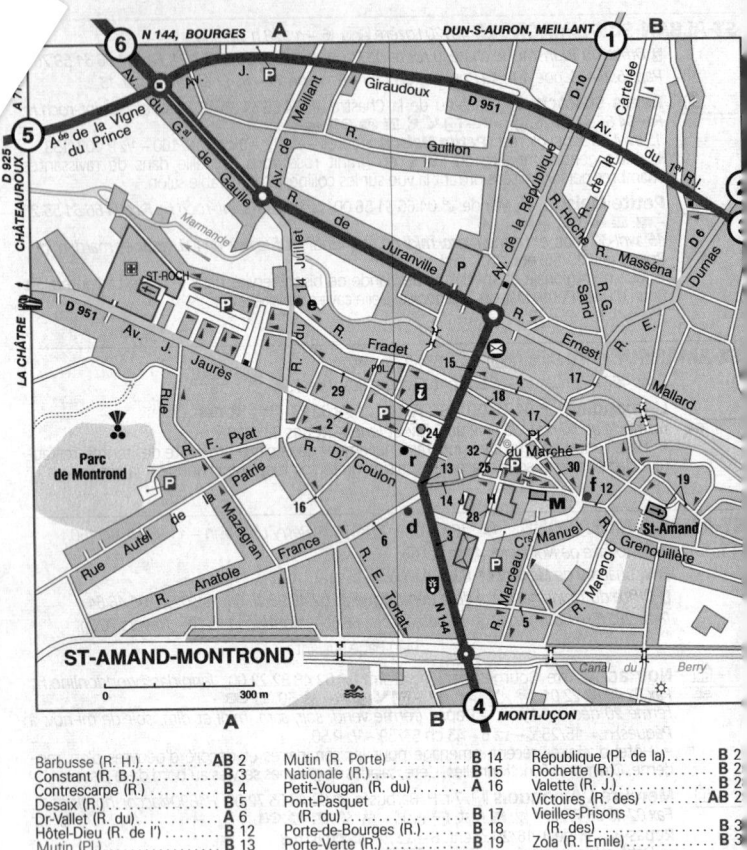

N 144, BOURGES
DUN-S-AURON, MEILLANT
D 925 CHÂTEAUROUX
LA CHÂTRE
A
B
Aée de la Vigne du Prince
Av. du Gal de Gaulle
Av. J. Giraudoux
Av. de Meillant
R. Guillon
D 951
D 10
Av. de la République
Av. du 1er R.I.
R. Cartelée
R. Hoche
R. de la
R. Masséna
Dumas
D 6
Marmande
ST-ROCH
R. de Juranville
Av. 14 Juillet
R. du
R. Fradet
Av. J. Jaurès
Rue
R. F. Pyat
Parc de Montrond
R. Dr Coulon
Patrie
Rue Autel de la
Mazagran
R. Anatole France
R. E. Tortat
N 144
Pl. du Marché
R. Ernest Mallard
Sand
R. G.
R. E.
Crs Manuel
R. Marceau
R. Marengo
R. Grenouillère
St-Amand
POL.
ST-AMAND-MONTROND
0
300 m
Canal du Berry
MONTLUÇON


Barbusse (R. H.) .......... AB 2
Constant (R. B.) .......... B 3
Contrescarpe (R.) .......... B 4
Desaix (R.) .......... B 5
Dr-Vallet (R. du) .......... A 6
Hôtel-Dieu (R. de l') .......... B 12
Mutin (Pl.) .......... B 13
Mutin (R. Porte) .......... B 14
Nationale (R.) .......... B 15
Petit-Vougan (R. du) .......... A 16
Pont-Pasquet (R. du) .......... B 17
Porte-de-Bourges (R.) .......... B 18
Porte-Verte (R.) .......... B 19
République (Pl. de la) .......... B 2
Rochette (R.) .......... B 2
Valette (R. J.) .......... B 2
Victoires (R. des) .......... AB 2
Vieilles-Prisons (R. des) .......... B 3
Zola (R. Émile) .......... B 3

**à Bruère-Allichamps** *par ⑥ : 8,5 km – 609 h. alt. 170 – ⊠ 18200 :*

**Les Tilleuls,** rte Noirlac ℘ 02 48 61 02 75, *Fax 02 48 61 08 41,* – ch
*fermé 23/06 au 1/07, 13 au 21/10, 21 au 31/12, 19/01 au 6/03, vend. soir et dim. soir hor sais. et lundi* – **Repas** 20/32 ♀, enf. 10 – 5,50 – **10 ch** 43/46 – ½ P 44,50/46,50.
◆ Sur la route touristique longeant le Cher, bâtisse au calme, face à la cam pagne. Chambres bien entretenues. Cuisine traditionnelle soignée servie dans une sall rénovée.

**ST-AMARIN** *68550 H.-Rhin 315 G9 – 2 400 h alt. 410.*

*Office du Tourisme, 81 rue Charles de Gaulle ℘ 03 89 82 13 90, Fax 03 89 82 76 4 info@ot-saint.amarin.com.*

*Paris 462 – Mulhouse 30 – Belfort 51 – Colmar 52 – Épinal 77 – Gérardmer 40.*

**Auberge du Mehrbächel** , à l'Est, 4 km par rte du Mehrbächel ℘ 03 89 82 60 68, *rlkornacker@wanadoo.fr, Fax 03 89 82 66 05,* ≤ le massif du Rossberg – rest, – 2 GB.
*fermé 25 oct. au 2 nov., lundi soir, jeudi soir et vend.* – **Repas** 15,50/34, enf. 8,50 – 8 **23 ch** 35/52 – ½ P 46.
◆ Cette ancienne ferme tenue par la même famille depuis 1886 bénéficie d'une situatio privilégiée sur le passage d'un GR. Intérieur rustique ; confort actuel.

## ST-AMBROIX 30500 Gard 339 K3 – 3 517 h alt. 142.

*Office du Tourisme, place de l'Ancien Temple ☎ 04 66 24 33 36, Fax 04 66 24 05 83.*
*Paris 691 – Alès 20 – Aubenas 55 – Mende 114.*

**à St-Brès** *Nord : 1,5 km par D 904 – 612 h. alt. 156 – ✉ 30500 :*

X **Auberge St-Brès** avec ch, ☎ 04 66 24 10 79, *Fax 04 66 24 38 30*, – GB
*fermé 29 août au 3 sept., 3 au 17 nov., lundi sauf le soir en juil.-août et dim. soir* – **Repas** 14,50/43 ♀, enf. 8 – ☕ 7 – **5 ch** 42/48 – ½ P 48/53.
◆ Bâtisse en pierres du pays abritant une salle de restaurant familiale, d'esprit rustique, et des chambres assez spacieuses ; évitez toutefois celles donnant sur la rue.

**à St-Victor-de-Malcap** *Sud-Est par D 51 : 2 km – 506 h. alt. 140 – ✉ 30500 :*

XX **Bastide des Senteurs** avec ch, ☎ 04 66 60 24 45, *subileau@bastide-senteurs.com, Fax 04 66 60 26 10*, – AE GB
*fév.-oct. et fermé le midi en juil.-août sauf dim. et feriés, dim. soir et lundi d'oct. à avril* – **Repas** 25/65 ♀, enf. 13 – ☕ 8 – **9 ch** 69 – ½ P 67,50.
◆ Dans un village du bout du monde, ancienne magnanerie joliment restaurée : cadre méridional, terrasse panoramique et goûteuse cuisine inventive. Chambres ensoleillées.

## ST-AMOUR 39160 Jura 321 C8 – 2 200 h alt. 248.

*Office du Tourisme, 2 rue Sainte-Marie ☎ 03 84 48 76 69.*
*Paris 404 – Mâcon 67 – Bourg-en-Bresse 30 – Chalon-sur-Saône 67 – Lons-le-Saunier 34.*

X **Commerce,** pl. Chevalerie ☎ 03 84 48 73 05, *hotel-commerce-raffin@wanadoo.fr, Fax 03 84 48 86 94* – GB
*fermé 15 déc. au 20 janv., lundi sauf le soir en juil.-août et dim.soir* – **Repas** 16/48, enf. 10.
◆ Au centre du village, maison familiale au cadre "vieille France". Salle à manger haute sous plafond, assez accueillante et dotée de meubles anciens. Cuisine traditionnelle.

## ST-AMOUR-BELLEVUE 71570 S.-et-L. 320 I12 – 492 h alt. 306.

*Paris 403 – Mâcon 13 – Bourg-en-Bresse 49 – Lyon 66 – Villefranche-sur-Saône 31.*

XX **Chez Jean Pierre,** ☎ 03 85 37 41 26, *Fax 03 85 37 18 40*, – AE GB
*fermé 15 déc. au 5 janv., dim. soir, merc. soir et jeudi* – **Repas** 16,10/37,40 ♀, enf. 10.
◆ On accède à cette sympathique auberge par un petit bar campagnard où, en saison, se font les dégustations de vins. Salle indépendante pour les repas commandés.

X **Auberge du Paradis,** ☎ 03 85 37 10 26, *Fax 03 85 37 47 92*, – AE GB
*fermé 5 janv. au 1er fév., lundi et mardi* – **Repas** 17 (déj.), 24,50/27,50 ♀.
◆ Des objets des années 1950 décorent joliment ce restaurant installé sur la place centrale d'un petit village viticole. Carte inventive, régulièrement renouvelée.

## ST-ANDIOL 13670 B.-du-R. 340 E3 – 2 253 h alt. 55.

*Syndicat d'Initiative, 18 rue Maréchal Leclerc ☎ 04 90 95 48 95, Fax 04 90 95 48 88.*
*Paris 696 – Avignon 19 – Aix-en-Provence 63 – Arles 37 – Marseille 81.*

**Berger des Abeilles** , Nord : 2 km par N 7 et D 74E (rte Cabanes) ☎ 04 90 95 01 91, *abeilles13@aol.com, Fax 04 90 95 48 26*, – AE GB
*15 mars-15 nov.* – **Repas** *(fermé lundi midi et mardi midi)* 24/42 – ☕ 12 – **8 ch** 77/90 – ½ P 67/80.
◆ Isolé en pleine campagne, petit mas provençal abritant des chambres bien tenues ; trois d'entre elles sont de plain-pied avec le jardin. Terrasse sous un majestueux platane.

## ST-ANDRÉ-DE-CUBZAC 33240 Gironde 335 I5 – 6 341 h alt. 35.

*Office du Tourisme, 9 allée du Champ de Foire ☎ 05 57 43 64 80, Fax 05 57 43 69 63, office.de.tourisme.du.cubzaguais@wanadoo.fr.*
*Paris 558 – Bordeaux 26 – Angoulême 96 – Blaye 25 – Jonzac 63 – Libourne 21 – Saintes 95.*

**St-Gervais** *Nord-Ouest : 3,5 km par N 137 et D 151E – 1 204 h. alt. 39 – ✉ 33240 :*

XX **Au Sarment,** ☎ 05 57 43 44 73, *Fax 05 57 43 90 28*, – GB
*fermé 16 fév. au 1er mars, 11 au 25 août, dim. soir et lundi* – **Repas** 23/34.
◆ Restaurant installé dans l'ancienne école d'un bourg viticole. Les deux petites salles rustiques ont beaucoup de cachet ; véranda ouverte sur le jardin. Cuisine traditionnelle.

## ST-ANDRÉ-DE-SANGONIS 34725 Hérault 339 G7 – 3 472 h alt. 65.

*Paris 720 – Montpellier 35 – Clermont-L'Hérault 8 – Lodève 21 – Pézenas 28.*

X **Diligence,** 2 av. Lodève ☎ 04 67 57 21 77, *Fax 04 67 57 21 77* – GB
*fermé 15 au 30 nov., jeudi soir et dim. soir* – **Repas** 15/30, enf. 8.
◆ La façade assez discrète dissimule une sobre salle à manger rustique décorée sur le thème de la diligence (roues, harnais, photographies). Cuisine traditionnelle à prix doux.

**-ANDRÉ-DES-EAUX** *44 Loire-Atl.* 316 *C4 – rattaché à La Baule.*

**ST-ANDRÉ-DE-VALBORGNE** *30940 Gard* 339 *H4 – 437 h alt. 450.*

*Office du Tourisme, Les Quais ✆ 04 66 60 32 11, Fax 04 66 60 33 26.*

*Paris 659 – Mende 70 – Alès 53 – Millau 81.*

X **Bourgade** avec ch, ✆ 04 66 60 30 72, *picoboo@compuserve.com, Fax 04 66 60 35 56,* – TV. GB

*6 avril-1er janv. et fermé du lundi au jeudi soir sauf juil.-août* – **Repas** 16 (déj.), 29/37 – 7 – **10 ch** 39/50 – 1/2 P 53.

◆ Poussez l'originale porte en bois de ce relais de diligences du 17e s. : intérieur contemporain des plus soignés ; dans l'assiette, plaisante cuisine au goût du jour.

**ST-ANDRÉ-LES-VERGERS** *10 Aube* 313 *E4 – rattaché à Troyes.*

**ST-ANTHÊME** *63660 P.-de-D.* 326 *K9 – 880 h alt. 950.*

*Office du Tourisme, place de l'Aubépin ✆ 04 73 95 47 06, Fax 04 73 95 41 06.*

*Paris 465 – St-Étienne 57 – Ambert 23 – Clermont-Ferrand 101 – Feurs 47 – Montbrison 24*

**à Raffiny** *Sud : 5 km par D 261 – ✉ 63660 St-Anthème :*

**Pont de Raffiny,** *✆ 04 73 95 49 10, Fax 04 73 95 80 21,* ≤ – P. GB

*fermé mars sauf week-ends, 1er janv. au 20 fév., dim. et lundi sauf juil.-août* – **Repas** (10,50) 15/30, enf. 8 – 6 – **11 ch** 35/40 – 1/2 P 37.

◆ Poutres, cheminée et fontaine égayent le cadre du restaurant de cette auberge campagnarde en pierre. Chambres actuelles, en partie lambrissées, et deux chalets privatifs.

**ST-ANTOINE-L'ABBAYE** *38160 Isère* 333 *E6 G. Vallée du Rhône – 873 h alt. 339.*

*Voir Abbatiale★.*

*Syndicat d'Initiative, place Ferdinand Gilibert ✆ 04 76 36 44 46, Fax 04 76 36 40 49.*

*Paris 556 – Valence 49 – Grenoble 65 – Romans-sur-Isère 26 – St-Marcellin 12.*

XX **Auberge de l'Abbaye,** Mail de l'Abbaye ✆ 04 76 36 42 83, *Fax 04 76 36 46 13,* – GB

*fermé 4 au 30 janv. et mardi d'oct. à mai* – **Repas** 18/50.

◆ Jolie maison (14e s.) au coeur du village médiéval. Chaleureux intérieur de style Louis X et terrasse donnant sur l'abbatiale pour déguster une cuisine classique.

**ST-ARCONS-D'ALLIER** *43300 H.-Loire* 331 *D3 – 187 h alt. 560.*

*Paris 518 – Le Puy-en-Velay 34 – Brioude 37 – Mende 87 – St-Flour 59.*

**Les Deux Abbesses** , ✆ 04 71 74 03 08, *direction@les-deux-abbesses.f Fax 04 71 74 05 30,* ≤, – AE GB JCB. rest

*11 avril-12 nov.* – **Repas** *(fermé dim.)* (dîner seul.)(résidents seul.) 45 – 25 – **8 ch** 140/30 – 1/2 P 120/195.

◆ Séduisant "hôtel éclaté" dont les ravissantes chambres sont éparpillées parmi les maisons de ce magnifique village perché, naguère voué à l'abandon. Insolite et charmant !

**ST-AUBAN** *04 Alpes-de-H.-P.* 334 *D8 – rattaché à Château-Arnoux.*

**ST-AUBIN-DE-MÉDOC** *33160 Gironde* 335 *G5 – 4 332 h alt. 29.*

*Paris 592 – Bordeaux 19 – Angoulême 129 – Bayonne 195 – Toulouse 262.*

**Pavillon de St-Aubin** M, ✆ 05 56 95 98 68, *Fax 05 56 05 96 65,* – TV P. AE JCB

*fermé 2 au 8 janv., dim. soir, sam. midi et lundi* – **Repas** (15) - 23/55 – 8 – **16 ch** 70/75 1/2 P 60.

◆ Cet hôtel moderne d'inspiration coloniale constitue une sympathique étape avant périple en haut Médoc. Chambres fonctionnelles, plaisant restaurant et cuisine classique.

**ST-AUBIN-SUR-MER** *14750 Calvados* 303 *J4 G. Normandie Cotentin – 1 526 h – Casino.*

*Office du Tourisme, rue Pasteur et Digue Favreau ✆ 02 31 97 30 41, Fax 02 31 96 18 9 tourisme-st-aubin-smer-14@wanadoo.fr.*

*Paris 251 – Caen 20 – Arromanches-les-Bains 19 – Bayeux 29 – Cabourg 33.*

**Clos Normand** , ✆ 02 31 97 30 47, *closnormand@compuserve.co Fax 02 31 96 46 23,* ≤, – TV P. AE GB

*1er mars-15 nov.* – **Repas** *(fermé mardi midi, merc. midi et jeudi midi d'oct. à mars)* 20/55 enf. 10 – 8 – **29 ch** 90/130 – 1/2 P 60/65.

◆ Grande bâtisse idéalement située face à la Manche. Les chambres, majoritaireme orientées côté mer, offrent un décor d'inspiration marine. Terrasse abritée, à même la pla

**St-Aubin,** ✆ 02 31 97 30 39, *hotelsaintaubin@wanadoo.fr, Fax 02 31 97 41 56,* ≤, – TV P – 25. AE GB
*fermé 24 au 30 nov. et 2 janv. au 7 fév.* – **Repas** 14 (déj.), 20,40/47,20 ♀ – 8,50 – **24 ch** 46/58 – ½ P 55/62.
◆ Belle situation pour cet hôtel séparé de la plage par une route. La plupart des chambres, refaites, ont vue sur la Manche. Plaisant et lumineux restaurant au cadre actuel.

---

**ST-AULAIRE** *19 Corrèze* 329 *J4 – rattaché à Objat.*

---

**ST-AUVENT** *87310 H.-Vienne* 325 *C6 – 817 h alt. 300.*
*Paris 421 – Limoges 32 – Chalûs 19 – Rochechouart 11 – St-Junien 13.*

**Auberge de la Vallée de la Gorre,** ✆ 05 55 00 01 27, *Fax 05 55 00 01 27* – GB
*fermé dim. soir et lundi soir* – **Repas** 12/34 ♀.
◆ Mignonne auberge en pierre située devant l'église. Gentille salle à manger rustique à l'étage. Petit salon en complément pour les repas commandés.

---

**ST-AVÉ** *56 Morbihan* 308 *O8 – rattaché à Vannes.*

---

**ST-AVOLD** *57500 Moselle* 307 *L4 G. Alsace Lorraine – 16 533 h alt. 260.*
**Voir** *Groupe sculpté★ dans l'église St-Nabor.*
**Env.** *Mine-image★ de Freyming-Merlebach NE : 10 km.*
*Office du Tourisme, 28 rue des Américains ✆ 03 87 91 30 19, Fax 03 87 92 98 02, otsi.sta@wanadoo.fr.*
*Paris 380 – Metz 47 – Saarbrücken 32 – Sarreguemines 32 – Strasbourg 127.*

**Europe,** 7 r. Altmayer ✆ 03 87 92 00 33, *sodextel@wanadoo.fr, Fax 03 87 92 01 23* – rest, TV P – 25. AE GB
**Repas** *(fermé 1er au 15 août, sam. midi et dim. soir)* (12) - 27/60 ♀ – 12 – **34 ch** 65/70 – ½ P 48.
◆ Près du centre-ville, hostellerie familiale proposant des chambres bien aménagées, en majorité spacieuses, et un confortable restaurant. Belle carte des vins.

**Neptune,** à la piscine ✆ 03 87 92 27 90, *courrier@pauly-gastronomie.fr, Fax 03 87 92 38 10* – AE GB.
*fermé juil., août, lundi et le soir sauf sam.* – **Repas** (20) - 31/59.
◆ Emplacement peu commun pour cet établissement situé au 2e étage de la piscine municipale. Les tables près des baies vitrées ont vue sur les évolutions des nageurs.

**au Nord** *2,5 km sur N 33 (près échangeur A 4) – ✉ 57500 St-Avold :*

**Novotel** M, ✆ 03 87 92 25 93, *h0433@accor-hotels.com, Fax 03 87 92 02 47,* – TV P – 25 à 150. AE GB JCB
**Repas** (14) - 18/30 ♀, enf. 8 – 11 – **61 ch** 92/100.
◆ À l'orée de la forêt, Novotel disposant de grandes chambres régulièrement rafraîchies ; les meilleures - et les plus calmes - donnent sur la piscine. Parcours de santé.

**au Nord-Ouest** *par D 72 et D 25D : 5 km – ✉ 57740 Longeville-lès-St-Avold :*

**Moulin d'Ambach,** ✆ 03 87 92 18 40, *Fax 03 87 29 08 68,* – P. AE GB
*fermé 1er au 9 mars, 14 au 27 juil., 27 oct. au 2 nov., 9 au 22 fév., dim. soir, merc. soir et lundi* – **Repas** 23/56 ♀, enf. 13.
◆ Dans un cadre verdoyant, auberge appréciée des randonneurs (sentiers à proximité). Salle à manger sous charpente. En hiver, le poêle en faïence réchauffera les frileux.

---

**ST-AYGULF** *83370 Var* 340 *P5 G. Côte d'Azur.*
*Office du Tourisme, place de la Poste ✆ 04 94 81 22 09, Fax 04 94 81 23 04.*
*Paris 878 – Fréjus 6 – Brignoles 70 – Draguignan 33 – St-Raphaël 9 – Ste-Maxime 15.*

**Catalogne** sans rest, ✆ 04 94 81 01 44, *hotel.catalogne@wanadoo.fr, Fax 04 94 81 32 42,* – TV P. AE GB JCB.
*1er avril-20 oct.* – 9 – **32 ch** 65/110.
◆ Cet hôtel construit en 1969 à 100 m de la calanque des Corailleurs dispose de chambres assez spacieuses et confortables ; certaines ont une terrasse côté jardin.

**Glycine,** 400 bd H. de Balzac ✆ 04 94 81 30 23, *Fax 04 94 81 30 23,* – . GB
*fermé nov., 1er au 20 janv., vend. midi en saison et mardi sauf le soir en été* – **Repas** 16 (déj.)/35 ♀.
◆ Au coeur de St-Aygulf, petit restaurant et sa terrasse ombragée par une belle et vénérable glycine. Intérieur simple, d'esprit provençal, et recettes traditionnelles.

**BEAUZEIL** *82150 T.-et-G.* 337 B5 – *120 h alt. 181.*

*Paris 632 – Agen 32 – Cahors 56 – Montauban 64 – Villeneuve-sur-Lot 23.*

**Château de l'Hoste**, rte Agen (D 656) ☎ 05 63 95 25 61, *chateaudelhoste@wanadoo.fr, Fax 05 63 95 25 50,* – P – 50. GB.

**Repas** *(fermé dim. soir et lundi d'oct. à avril)* 25/35 – **32 ch** ☐ 60/119 – ½ P 65/96,50.

◆ Jolie gentilhommière du 18e s. perdue dans la campagne quercynoise. Les chambres du 2e étage, à l'arrière, sont les plus plaisantes. Petit parc boisé.

**ST- BEAUZIRE** *43100 H.-Loire* 331 B2 – *236 h alt. 700.*

*Paris 484 – Aurillac 97 – Brioude 12 – Clermont-Ferrand 72 – Le Puy-en-Velay 73 – St-Flour 41.*

**Baudière,** D 588, rte Brioude ☎ 04 71 76 81 70, *Fax 04 71 76 80 66,* – P – 15. GB

*fermé 26 déc. au 25 janv.* – **Vieux Four** *(fermé dim. soir du 1er sept. au 1er juil. et lundi)* **Repas** 17/40 – ☐ 6 – **20 ch** 41/50 – ½ P 40.

◆ Ouvert sur la nature, hôtel contemporain pratique pour l'étape, car non loin d'un échangeur d'autoroute. Chambres bien équipées et égayées de rideaux fleuris.

**ST-BÉNIGNE** *01 Ain* 328 C2 – *rattaché à Pont-de-Vaux.*

**ST-BENOIT** *86 Vienne* 322 I5 – *rattaché à Poitiers.*

**ST-BENOIT-SUR-LOIRE** *45730 Loiret* 318 K5 *G. Châteaux de la Loire* – *1 880 h alt. 126.*

Voir *Basilique★★ – Commune de la "Méridienne verte".*

Env. *Germigny-des-Prés : mosaïque★★ de l'église★ NO : 6 km.*

*Office du Tourisme, 44 rue Orléanaise ☎ 02 38 35 79 00, Fax 02 38 35 79 00.*

*Paris 166 – Orléans 41 – Bourges 93 – Châteauneuf-sur-Loire 10 – Gien 32 – Montargis 44.*

**Labrador** sans rest, ☎ 02 38 35 74 38, *hoteldulabrador@wanadoo.fr, Fax 02 38 35 72 99,* – P – 30 à 50. AE GB

*fermé 1er au 23 janv.* – ☐ 6,90 – **40 ch** 57,80/60.

◆ Face à la belle basilique romane, hôtel composé de plusieurs bâtiments de style régional. Les chambres situées à l'annexe bénéficient de la tranquillité du jardin.

**Grand St-Benoit,** 7 pl. St-André ☎ 02 38 35 11 92, *hoteldulabrador@wanadoo.fr, Fax 02 38 35 13 79,* – GB

*fermé 25 août au 9 sept., 22 déc. au 13 janv., sam. midi, dim. soir et lundi* – **Repas** (16) - 22,20/43.

◆ Poutres apparentes et meubles contemporains en salle et terrasse dressée sur une place piétonne du village où repose le poète Max Jacob. Cuisine au goût du jour soignée.

**ST-BERTRAND-DE-COMMINGES** *31510 H.-Gar.* 343 B6 *G. Midi-Pyrénées* – *217 h alt. 581.*

Voir *Site★★ – Cathédrale Ste-Marie-de-Comminges★ : cloître★★, boiseries★★ et trésor★ – Basilique Saint-Just★ de Valcabrère (chevet★) NE : 2 km.*

*Syndicat d'initiative - Mairie, ☎ 05 61 88 37 07, Fax 05 61 95 56 16.*

*Paris 795 – Bagnères-de-Luchon 33 – Lannemezan 24 – St-Gaudens 17 – Tarbes 68.*

**Comminges** sans rest, face Cathédrale ☎ 05 61 88 31 43, *Fax 05 61 94 98 22* – GB.

*1er avril-31 oct.* – ☐ 6,50 – **14 ch** 27,50/64.

◆ Sur le parvis de la magnifique cathédrale, maison de caractère aménagée en partie dans un ex-couvent. Grandes chambres meublées d'ancien et ravissante terrasse sous tonnelle.

**à Valcabrère** *Est : 2 km par D 26 – 130 h. alt. 460 – ✉ 31510 :*

**Lugdunum,** Sud sur N 125 : 1 km ☎ 05 61 94 52 05, *Fax 05 61 94 52 06,* – P. GB.

*en période scolaire fermé lundi au jeudi et dim. soir; pendant vacances scolaires fermé lundi soir et mardi soir* – **Repas** (prévenir) 28.

◆ Recettes et vins de la Rome antique retrouvés pour un insolite voyage culinaire dans le temps. Vue panoramique sur la "Lyon - Lugdunum - des Convènes" (saint Bertrand).

*Les prix*

*Pour toutes précisions sur les prix indiqués dans ce guide, reportez-vous aux pages explicatives.*

**ST-BOIL** *71390 S.-et-L.* 320 I10 – *377 h alt. 240.*

*Paris 358 – Chalon-sur-Saône 23 – Cluny 27 – Montceau-les-Mines 36 – Mâcon 50.*

XX **Auberge du Cheval Blanc** M avec ch, ✆ 03 85 44 03 16, *Fax 03 85 44 07 25*, – TV P. GB.

*fermé 15 fév. au 15 mars* – **Repas** (diner seul.) 30 – 12 – **11 ch** 63/82 – 1/2 P 74.

◆ Deux bâtiments séparés par la route : d'un côté, maison bourgeoise (1870) aux chambres fraîches et de l'autre, auberge familiale servant une cuisine classique et régionale.

**ST-BONNET-EN-CHAMPSAUR** *05500 H.-Alpes* 334 E4 *G. Alpes du Sud* – *1 371 h alt. 1025.*

*Office du Tourisme, place Grenette ✆ 04 92 50 02 57.*

*Paris 657 – Gap 16 – Grenoble 93 – La Mure 51.*

**Crémaillère**, ✆ 04 92 50 00 60, *lacremaille@worldonline.fr*, *Fax 04 92 50 01 57*, ←, – TV P. GB. rest

*fermé 1er au 31 mars et 1er nov. au 31 janv.* – **Repas** 19,50/31 ♀, enf. 8,40 – 7 – **21 ch** 48/55 – 1/2 P 49/52,50.

◆ À l'orée du Parc national des Écrins, hôtel-pension à allure de chalet. Chambres simples, souvent orientées au Sud. La salle à manger offre une jolie vue sur les montagnes.

*Michelin n'accroche pas de panonceau aux hôtels et restaurants qu'il signale.*

**ST-BONNET-LE-CHÂTEAU** *42380 Loire* 327 D7 *G. Vallée du Rhône* – *1 687 h alt. 870.*

Voir *Chevet de la collégiale* ←★ – *Chemin des Murailles*★.

*Syndicat d'Initiative, 7 place de la République ✆ 04 77 50 52 48, Fax 04 77 50 13 46.*

*Paris 488 – St-Étienne 34 – Ambert 47 – Montbrison 31 – Le Puy-en-Velay 66.*

**Béfranc**, 7 rte d'Augel ✆ 04 77 50 54 54, *Fax 04 77 50 73 17* – TV P. GB

*fermé 6 au 21 janv., dim. soir et lundi d'oct. à mai* – **Repas** 12 bc (déj.), 15,50/31 ♀, enf. 6,10 – 4,60 – **17 ch** 33/38 – 1/2 P 36,50.

◆ Aux portes du village, dans les anciens locaux de la gendarmerie, établissement aux chambres sobres et nettes. Claire salle à manger mêlant meubles anciens et modernes.

X **Calèche,** 2 pl. Cdt Marey ✆ 04 77 50 15 58, *Fax 04 77 50 15 58* – GB

*fermé vacances de Toussaint, de fév., 2 au 6 janv., dim. soir, mardi soir et merc.* – **Repas** 16/40.

◆ Maison du 17e s. au coeur de la "perle du Forez", joli village réputé pour sa fabrique de boules. Un bel escalier dessert les salles à manger. Cuisine actuelle personnalisée.

**ST-BONNET-LE-FROID** *43290 H.-Loire* 331 I3 – *180 h alt. 1126.*

*Syndicat d'Initiative, Le Bourg ✆ 04 71 65 64 41, Fax 04 71 65 64 41.*

*Paris 561 – Le Puy-en-Velay 58 – Valence 68 – Annonay 27 – St-Étienne 51 – Yssingeaux 31.*

**Fort du Pré**, ✆ 04 71 59 91 83, *info@le-fort-du-pre.fr*, *Fax 04 71 59 91 84*, – cuisinette TV P – 60. AE GB. rest

*fermé 31 août au 4 sept., 1er déc. au 31 janv., dim. soir et lundi sauf juil.-août* – **Repas** 16/48 ♀, enf. 10,50 – 7 – **34 ch** 52/72 – 1/2 P 52/56.

◆ Isolée en pleine nature, jolie ferme restaurée abritant des chambres colorées. Sympathique véranda ouverte sur une terrasse verdoyante. Nombreuses activités de loisirs.

XXX **Auberge et Clos des Cimes** (Marcon) M avec ch, ✆ 04 71 59 93 72, *contact@regismarcon.fr*, *Fax 04 71 59 93 40*, ←, –, rest, TV P. AE GB

✿✿ *fermé 1er janv. au 21 mars, lundi soir sauf de juin à oct., mardi et merc.* – **Repas** 55 (déj.), 78/125 et carte 80 à 100 – 16 – **12 ch** 150/211.

◆ Ravissant restaurant et cuisine subtile faisant parler la terre auvergnate : cette auberge est devenue une étape indispensable de la France gourmande. Délicieuses chambres.

**Spéc.** Menu "champignons" (printemps et automne). Omble chevalier à l'huile de champignons grillés. Ragoût de lentilles vertes du Puy et oeuf de poulette fumé. **Vins** Saint-Joseph, Madargues.

XX **André Chatelard,** ✆ 04 71 59 96 09, *restaurant-chatelard@wanadoo.fr*, *Fax 04 71 59 98 75*, – GB

*fermé 12 janv. au 9 mars, mardi soir, merc. soir, jeudi soir d'oct. à mai, dim. soir et lundi* – **Repas** 17/67 ♀, enf. 10.

◆ Dans un coquet village entre Velay et Vivarais. Chaleureuse salle à manger agrémentée d'une belle charpente ; cuisine régionale. Plaisant salon (meubles en bois et osier).

**ST-BRÈS** *30 Gard* 339 K3 – *rattaché à St-Ambroix.*

**ST-BRIAC-SUR-MER** *35800 I.-et-V* 309 *J3 – 1 825 h alt. 30.*

*Office du Tourisme, 49 Grande Rue ℘ 02 99 88 32 47.*

*Paris 410 – St-Malo 16 – Dinan 24 – Dol-de-Bretagne 33 – Lamballe 41 – St-Brieuc 61.*

**à Lancieux** *Sud-Ouest : 2 km par D 786 – 1 245 h. alt. 24 – ✉ 22770 :*

*Office du Tourisme, square Jean Conan ℘ 02 96 86 25 37, Fax 02 96 86 29 81, lancieux .tourisme@wanadoo.fr.*

**Bains** sans rest, 20 r. Poncel ℘ 02 96 86 31 33, *bertrand.mehouas@wanadoo.fr, Fax 02 96 86 22 85,* – cuisinette TV & P. AE GB
*fermé dim. de nov. à fév.* – 7 – **12 ch** 62/85.
◆ À 200 m de la mer, hôtel familial fondé en 1894. Grandes chambres fonctionnelles ; certaines sont dotées de cuisinettes pour un séjour prolongé sur la Côte d'Émeraude.

**ST-BRICE-EN-COGLÈS** *35460 I.-et-V.* 309 *N4 – 2 484 h alt. 105.*

*Paris 344 – St-Malo 61 – Avranches 34 – Fougères 17 – Rennes 52.*

**Lion d'Or,** r. Chateaubriant ℘ 02 99 98 61 44, *Fax 02 99 97 85 66,* , – , rest, TV & P – 40. AE GB
**Repas** *(fermé dim. soir sauf juil.-août)* 10,50 (déj.), 14/40 ♀, enf. 9,50 – 6,50 – **30 ch** 43,50/52,50 – 1/2 P 43.
◆ Sympathique maison régionale agrandie d'une bâtisse et de bungalows abritant des chambres pratiques. Deux salles à manger bien aménagées et une brasserie pour le déjeuner.

**ST-BRIEUC** P *22000 C.-d'Armor* 309 *F3 G. Bretagne – 44 752 h Agglo. 121 237 h alt. 78.*

Voir *Cathédrale St-Étienne* ★ – *Tertre Aubé* ≤★ **BV.**

*de St-Brieuc-Armor : ℘ 02 96 94 95 00, 10 km par ①.*

*Office du Tourisme, 7 rue Saint-Gouéno ℘ 02 96 33 32 50, Fax 02 96 61 42 16, tourisme @cybercom.fr.*

*Paris 451 ② – Brest 144 ① – Quimper 129 ③ – Rennes 100 ② – St-Malo 73 ②.*

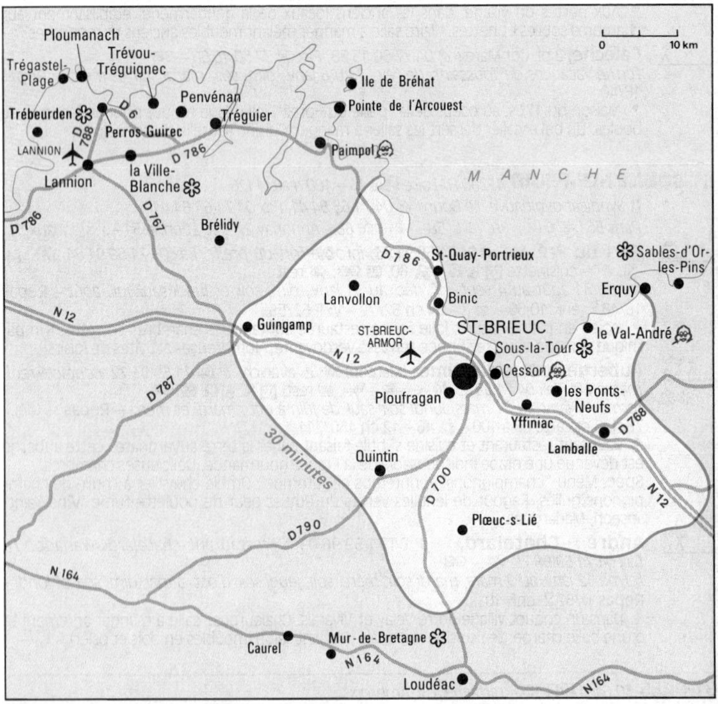

0
10 km
Ploumanach
Trégastel-Plage
Trévou-Tréguignec
Ile de Bréhat
Penvénan
Pointe de l'Arcouest
Trébeurden
D 6
Tréguier
D 788
Perros-Guirec
LANNION
D 786
Paimpol
Lannion
la Ville-Blanche
MANCHE
D 786
D 767
Brélidy
D 786
St-Quay-Portrieux
Sables-d'Or-les-Pins
Erquy
Lanvollon
Binic
N 12
Guingamp
ST-BRIEUC-ARMOR
ST-BRIEUC
le Val-André
Sous-la-Tour
N 12
Cesson
D 787
Ploufragan
les Ponts-Neufs
Yffiniac
D 768
30 minutes
Lamballe
Quintin
D 700
N 12
Plœuc-s-Lié
D 790
N 164
Mur-de-Bretagne
Caurel
N 164
Loudéac
N 164

# ST-BRIEUC

| | | |
|---|---|---|
| Abbé-Garnier (R.) .... AX 2 | Gambetta (Bd) ........ AV 17 | Quinquaine (R.) ....... AY 38 |
| Armor (Av. d') ....... BZ 3 | Gaulle (Pl. Gén.-de) .... AY 18 | Résistance (Pl. de la) .. AY 39 |
| Chapitre (R. du) ...... AZ 4 | Glais-Bizoin (R.) ..... ABY 20 | Rohan (R. de) .......... AYZ 40 |
| Charbonnerie (R.) .... AY 5 | Hérault (Bd) .......... AV 23 | St-Gilles (R.) .......... AY 43 |
| Corderie (R. de la) ... AX 13 | Jouallan (R.) .......... AY 26 | St-Gouéno (R.) ........ AY 44 |
| Ferry (R. Jules) ...... AX 16 | Le Gorrec (R.P.) ........ AZ 28 | St-Guillaume (R.) ...... BZ 46 |
| | Libération (Av. de la) ... BZ 29 | Victor-Hugo (R.) ....... BX 50 |
| | Lycéens-Martyrs (R.) .. AZ 32 | 3-Frères-Le Goff (R.) ... AY 52 |
| | Martray (Pl. du) ....... AY 33 | 3-Frères-Merlin (R.) .... AY 53 |

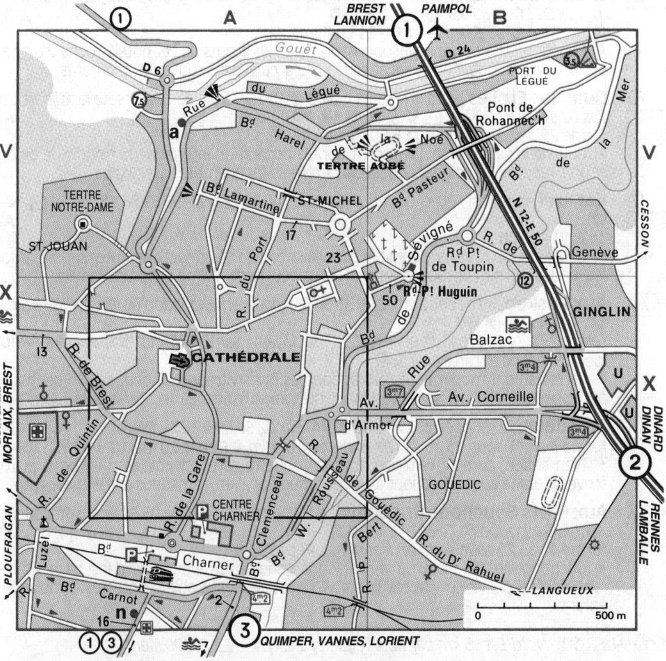

BREST
LANNION
PAIMPOL
A
B
Gouët
D 6
D 24
PORT DU LÉGUÉ
Rue du Légué
Bd Harel de la Noé
TERTRE AUBÉ
Pont de Rohannec'h
Bd de la Mer
TERTRE NOTRE-DAME
ST-JOUAN
Bd Lamartine
ST-MICHEL
Bd Pasteur
N 12-E 50
R. du Port
Bd Sévigné
R. de Genève
Rd Pt de Toupin
Rd Pt Huguin
CESSON
GINGLIN
CATHÉDRALE
Balzac
R. de Brest
R. de Quintin
Rue
Av. Corneille
Av. d'Armor
DINARD
DINAN
GUINGAMP
MORLAIX, BREST
R. de la Gare
CENTRE CHARNER
R. Clemenceau
Bd W. Rousseau
R. de Gouédic
GOUEDIC
RENNES
LAMBALLE
PLOUFRAGAN
Luzel
Bd Charner
Bd Carnot
R. P. Bert
R. du Dr Rahuel
LANGUEUX
0
500 m
QUIMPER, VANNES, LORIENT
V
X


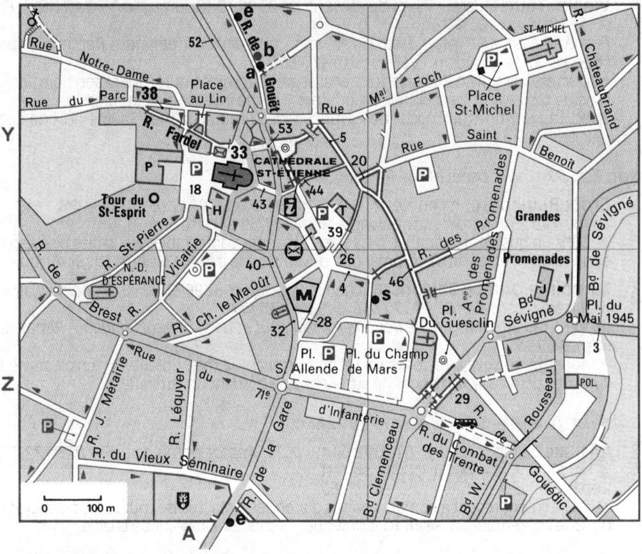

Rue Notre-Dame
Rue du Parc
Place au Lin
R. Fardel
R. de Gouët
CATHÉDRALE ST-ÉTIENNE
Tour du St-Esprit
Rue Mal Foch
ST-MICHEL
Place St-Michel
R. Chateaubriand
Rue Saint Benoît
R. des Promenades
Grandes Promenades
R. de Brest
R. St-Pierre
N.-D. D'ESPÉRANCE
Vicairie
Ch. le Maoût
Av. des Promenades
Pl. Du Guesclin
Bd Sévigné
Pl. du 8 Mai 1945
Bd de Sévigné
Rue du 71e
Pl. S. Allende
Pl. du Champ de Mars
R. J. Métairie
R. Léquyer
R. du Vieux Séminaire
R. de la Gare
d'Infanterie
Bd Clemenceau
R. du Combat des Trente
Bd W. Rousseau
R. de Gouédic
POL
Y
Z
A
0
100 m

**Clisson** sans rest, 36 r. Gouët ✆ 02 96 62 19 29, *amice.nicolas@wanadoo.fr*, *Fax 02 96 61 06 95* – AE GB. AY e
12 – **24 ch** 52/85.
◆ À l'écart du centre animé, bâtisse blanche possédant un joli jardin (bassin et cascade). Chambres diversement meublées ; celles avec baignoire "balnéo" sont plus spacieuses.

**Champ de Mars** sans rest, 13 r. Gén. Leclerc ✆ 02 96 33 60 99, *champdemars@wanadoo.fr*, *Fax 02 96 33 60 05* – GB BZ s
*fermé 20 déc. au 5 janv.* – 6 – **21 ch** 39/48.
◆ Fonctionnalité et bonne insonorisation sont les atouts de cet hôtel proche d'un parking public très pratique. Chocolats et cadeaux d'accueil dans toutes les chambres.

**Quai des Etoiles** M sans rest, 51 r. Gare ✆ 02 96 78 69 96, *quaidesetoiles@libertysurf.fr*, *Fax 02 96 78 69 90* – AE GB AZ e
*fermé 20 déc. au 5 janv.* – 6,50 – **41 ch** 42/53.
◆ Près de la gare, immeuble récent dont la décoration intérieure, harmonie de bleu, ocre et gris, rappelle les couleurs du littoral. Préférez les chambres avec bains.

**Ker Izel** sans rest, 20 r. Gouët ✆ 02 96 33 46 29, *Fax 02 96 61 86 12*, – GB AY a
6,10 – **22 ch** 37/51.
◆ Cette maison bretonne serait le plus vieil hôtel de St-Brieuc. Chambres simples (mobilier "seventies" un peu désuet), rajeunies peu à peu, jardin calme et accueil familial.

XXX **Aux Pesked,** 59 r. Légué ✆ 02 96 33 34 65, *lepesked@wanadoo.fr*, *Fax 02 96 33 65 38*, – AE GB JCB AV a
*fermé 29 avril au 6 mai, 1er au 9 sept., 1er au 13 janv., sam. midi, dim. soir et lundi* – **Repas** 19 (déj.), 30/85 bc et carte 44 à 56.
◆ Ce restaurant moderne et coloré, dont les baies vitrées s'ouvrent sur un petit vallon, a pour spécialités les poissons (pesked en breton) et fruits de mer. Riche cave.

XX **Amadeus,** 22 r. Gouët ✆ 02 96 33 92 44, *Fax 02 96 61 42 05* – GB AY b
*fermé 3 au 17 août, 15 au 29 fév., sam. midi et dim.* – **Repas** 20 (déj.), 29/40.
◆ Bien située, adresse familiale dont la coquette salle est coiffée d'un beau plafond à solives. Cuisine au goût du jour à l'accent méridional et... Amadeus en fond musical !

X **Aux P'tits Bouchons Briochins,** 10 r. J. Ferry ✆ 02 96 94 05 34, *auxp'titsbouchons-briochin@wanadoo.fr*, *Fax 02 96 75 23 69* – GB AX r
*fermé 1er au 20 août, sam. midi et dim.* – **Repas** 23.
◆ Cochonnailles et plats du terroir sont généreusement servis dans ce petit restaurant décoré de vieilles cartes postales régionales et d'objets agrestes. Ambiance bon enfant.

## à Sous-la-Tour *Nord-Est : 3 km par Port Légué et D 24* **BV** – ✉ *22190 Plérin :*

XX **Vieille Tour** (Adam), 75 r. de la Tour ✆ 02 96 33 10 30, *ugho777@aol.com*, *Fax 02 96 33 38 76* – AE GB
✿ *fermé 18 août au 1er sept., 9 au 23 fév., sam. midi, dim. soir et lundi* – **Repas** (nombre de couverts limité, prévenir) 20/65 et carte 47 à 60.
◆ Discrète maison postée face au chenal et à la tour ruinée qui a inspiré son nom. Intérieur orné de tableaux et de sculptures modernes. Cuisine inventive, axée sur la mer.
**Spéc.** Langoustines aux cocos de Paimpol. Pot-au-feu de la mer. Soufflé noix de coco et manjari.

## à Cesson *Est : 3 km par r. Genève* **BV** – ✉ *22000 :*

XXX **Croix Blanche,** 61 r. Genève ✆ 02 96 33 16 97, *Fax 02 96 62 03 50*, – GB
*fermé 4 au 25 août, dim. soir et lundi* – **Repas** 17/69 et carte 39 à 50.
◆ Dans un quartier résidentiel, trois salles à manger confortables aux tables bien espacées et un salon pour les repas commandés, ouvrant sur le jardin. Cuisine au goût du jour.

XX **Manoir le Quatre Saisons,** 61 chemin Courses ✆ 02 96 33 20 38, *manoirlequatresaisons@hotmail.com*, *Fax 02 96 33 77 38*, – AE GB
*fermé 10 au 26 mars, 3 au 19 nov., mardi sauf août et déc., dim.soir et lundi* – **Repas** (17) - 24 (déj.), 34/75.
◆ Auberge de pays tapie dans un vallon rejoignant la mer. Cuisine du terroir servie dans l'une des deux salles à manger ou sur la terrasse bordant un jardin fleuri.

## à Yffiniac *par ② : 8 km – 3 510 h. alt. 10* – ✉ *22120 :*

**Ibis,** aire de repos N 12 ✆ 02 96 72 64 10, *h1755@accor-hotels.com*, *Fax 02 96 72 71 55* – 50. AE GB. rest
**Repas** (12) - 15, enf. 6 – 6 – **42 ch** 60.
◆ Ce bâtiment récent aux murs revêtus d'ardoises a réactualisé toutes ses chambres dans un style contemporain, avant tout pratique. Classique restaurant de chaîne.

**à Ploufragan** *Sud-Ouest : 5 km par rte de Quintin et zoopôle Beaucemaine – 10 583 h. alt. 139 – ✉ 22440 :*

**Beaucemaine** ⛰, ✆ 02 96 78 05 60, *Fax 02 96 78 08 33* – TV P. GB. ⛔ rest
*fermé 20 déc. au 10 janv. et dim. soir (sauf hôtel)* – **Repas** (dîner seul.) 10 – ☕ 4 – **25 ch** 22/43 – ½ P 27/35.
◆ À l'écart du village, ancienne ferme autour d'une cour carrée où les petits budgets trouveront des chambres simples et nettes, dont cinq dotées de terrasses privatives.

---

**ST-CALAIS** *72120 Sarthe* 310 N7 *G. Châteaux de la Loire – 4 063 h alt. 155.*
**Voir** *Façade★ de l'église Notre-Dame.*
*Office du Tourisme, place de l'Hôtel de Ville ✆ 02 43 35 82 95, Fax 02 43 35 15 13.*
*Paris 188 – Le Mans 46 – La Ferté-Bernard 33 – Tours 72 – Vendôme 32.*

**St-Antoine,** pl. St-Antoine ✆ 02 43 35 01 56, *Fax 02 43 35 00 01* – GB
*fermé 24 fév. au 3 mars, dim.soir, merc. soir et lundi* – **Repas** 11 (déj.), 15/38 🍷, enf. 7.
◆ Installée dans l'ancien café du village, tout près de l'église, petite salle à manger rénovée simplement et meublée dans le style bistrot. Goûteuse cuisine traditionnelle.

---

**ST-CANNAT** *13760 B.-du-R.* 340 G4 *G. Provence – 3 918 h alt. 216.*
*Syndicat d'Initiative, Espace Suffren ✆ 04 42 57 34 65, Fax 04 42 50 82 01.*
*Paris 736 – Marseille 46 – Aix-en-Provence 16 – Cavaillon 38 – Manosque 65.*

**au Sud** *par rte d'Éguilles et rte secondaire : 2 km – ✉ 13760 St-Cannat :*

**Mas de Fauchon** ⛰ avec ch, chemin de Berre ✆ 04 42 50 61 77, *mas-de-fauchon@wanadoo.fr, Fax 04 42 57 22 56,* , , – ch, TV ♿ P. AE GB
**Repas** 27 (déj.), 38/52 – ☕ 12 – **9 ch** 108/145 – ½ P 108/120.
◆ En pleine campagne, bergerie du 17e s. restaurée avec goût. Cadre rustique très affirmé dans la jolie petite salle à manger. Chambres provençales avec terrasse privative.

*Ecrivez-nous...*
*Vos louanges comme vos critiques seront examinées avec le plus grand soin. Nous reverrons sur place les informations que vous nous signalez. Par avance merci !*

---

**ST-CAPRAISE-DE-LALINDE** *24 Dordogne* 329 E6 *– rattaché à Lalinde.*

---

**ST-CAST-LE-GUILDO** *22380 C.-d'Armor* 309 I3 *G. Bretagne – 3 093 h alt. 52.*
**Voir** *Pointe de St-Cast ≤★★ – Pointe de la Garde ≤★★ – Pointe de Bay ≤★ S : 5 km.*
*Office du Tourisme, place Charles de Gaulle ✆ 02 96 41 81 52, Fax 02 96 41 76 19, saint.cast.le.guildo@wanadoo.fr.*
*Paris 427 – St-Malo 34 – Avranches 92 – Dinan 33 – St-Brieuc 49.*

**Les Arcades,** 15 r. Duc d'Aiguillon (rue piétonne) ✆ 02 96 41 80 50, *hotel.arcades@wanadoo.fr, Fax 02 96 41 77 34,* – TV. AE GB. ⛔
*17 mars-11 nov.* – **Repas** 13/35, enf. 7 – ☕ 9 – **32 ch** 56/86 – ½ P 49/64.
◆ Dans une rue parallèle à la plage, façade moderne un peu tape-à-l'œil. Chambres bien équipées, meublées en rotin coloré. Restauration classique, snack et crêperie.

**Dunes,** r. Primauguet ✆ 02 96 41 80 31, *Fax 02 96 41 85 34,* , – TV P. GB. ⛔ rest
*2 avril-30 sept.* – **Repas** 19/64 🍷, enf. 11,80 – ☕ 7,60 – **27 ch** 49/65 – ½ P 62/66.
◆ Ce grand bâtiment en pierre abrite des chambres de bon confort ; préférez celles sur l'arrière, plus récentes et possédant parfois un balcon. Grande salle à manger.

**Biniou,** rte Dinard : 1,5 km ✆ 02 96 41 94 53, *Fax 02 96 41 65 09,* ≤ – P. GB
*14 fév.-11 nov. et fermé lundi soir et mardi sauf vacances scolaires* – **Repas** 20/35 🍷.
◆ Face à la plage de Pen-Guen, pavillon à double usage : d'un côté, le bar-crêperie-glacier, de l'autre, le restaurant dont une partie des tables a vue sur la Manche.

---

**ST-CÉRÉ** *46400 Lot* 337 H2 *G. Périgord Quercy – 3 760 h alt. 152.*
**Voir** *Site★ – Tapisseries de Jean Lurçat★ au casino – Atelier-musée Jean Lurçat★ – Château de Montal★★ O : 3 km.*
**Env.** *Cirque d'Autoire★ : ≤★★ par Autoire (site★) O : 8 km.*
*Office du Tourisme, place de la République ✆ 05 65 38 11 85, Fax 05 65 38 38 71, saint-cere@wanadoo.fr.*
*Paris 531 – Brive-la-Gaillarde 53 – Aurillac 62 – Cahors 80 – Figeac 43 – Tulle 57.*

**Trois Soleils de Montal** (Bizat) M, rte de Gramat, 2 km par D 673 ✆ 05 65 10 16 16, *lestroissoleils@wanadoo.fr, Fax 05 65 38 30 66*, ≤, ..., rest, ... – 50. GB. rest
*1er fév.-9 nov.* – **Repas** *(fermé lundi midi (août), le midi des lundi, mardi et vend. (avril-sept.), dim. soir, mardi midi, lundi hors sais)* 27 (déj.), 34,50/60 et carte 50 à 65 - ***Les Prés de Montal*** - grill *(15 mars-30 sept. et fermé sam. midi et le soir sauf juil.-août)* **Repas** 18,50(déj.)/23 – 14 – **22 ch** 99,50, 4 appart – ½ P 99.
◆ Des tapisseries de Lurçat et des toiles du 19e s. habillent les murs de ce complexe hôtelier proche du château de Montal. Chambres feutrées. Élégant restaurant.
**Spéc.** Rouelle de homard, jus aux herbes (avril à sept.). Carré de boeuf à la moelle, jus vigneron. Streusel aux fruits perdus . **Vins** Cahors, Bergerac.

**France,** rte d'Aurillac ✆ 05 65 38 02 16, *lefrance-hotel@wanadoo.fr, Fax 05 65 38 02 98*, ... – ... GB
*fermé janv. à mi-fév.* – **Repas** *(fermé midi sauf dim. midi et fériés)* 21 – 6,10 – **18 ch** 41,20/51,90 – ½ P 49,60/51,90.
◆ Proche de la galerie du "Casino" (oeuvres de J. Lurçat). Sobres chambres d'esprit rustique ; préférer celles donnant sur le jardin. Terrasse ombragée par des marronniers.

**Coq Arlequin** sans rest, av. Dr Roux ✆ 05 65 38 02 13, *Fax 05 65 38 37 27* – ... GB
*fermé 1 au 28 oct. et 8 au 25 mars* – 8 – **16 ch** 43/84.
◆ Meubles anciens, tableaux de Lurçat et une originale collection de coqs cohabitent dans la salle des petits-déjeuners. Chambres un brin désuètes, avec balcon.

**Touring** sans rest, pl. République ✆ 05 65 38 30 08, *Fax 05 65 38 18 67* – ... GB
7,50 – **28 ch** 39/45.
◆ Bien situé, cet imposant hôtel familial au sage décor eut pour hôte Pierre Benoit qui y écrivit quelques romans dans les années 1920-1930. Réception au premier étage.

**Villa Ric** avec ch, rte Leyme par D 48 : 2,5 km ✆ 05 65 38 04 08, *hotel.jpric@libertysurf.fr, Fax 05 65 38 00 14*, ≤ plateau du Quercy, ... – ... GB.
*12 avril-15 nov.* – **Repas** *(fermé le midi)* (nombre de couverts limité, prévenir) 34/52 – 8 – **5 ch** 89 – ½ P 89.
◆ À flanc de colline, dans un cadre naturel reposant, une villa aux couleurs pastel où tous les meubles sont en rotin blanc. Chambres coquettes. Cuisine au goût du jour.

*Ecrivez-nous...*
*Vos louanges comme vos critiques seront examinées avec le plus grand soin. Nous reverrons sur place les informations que vous nous signalez.*
*Par avance merci !*

## ST-CERGUES *74140 H.-Savoie* 328 K3 – *2 337 h alt. 615.*

*Paris 546 – Thonon-les-Bains 21 – Annecy 54 – Annemasse 9 – Bonneville 25 – Genève 19.*

**France** avec ch, ✆ 04 50 43 50 32, *hoteldefrance74@wanadoo.fr, Fax 04 50 94 66 45*, ... – 25. AE GB
*fermé 22 avril au 9 mai, 22 août au 8 sept., dim. soir et lundi sauf juil.-août* – **Repas** 15/40, enf. 10 – 7,50 – **18 ch** 39/51 – ½ P 45/50.
◆ Cette maison tenue par la même famille depuis quatre générations soigne son décor, son accueil et sa cuisine. Façade rénovée, élégante salle à manger et joli jardin-terrasse.

## ST-CÉZAIRE-SUR-SIAGNE *06780 Alpes-Mar.* 341 B6 *G. Côte d'Azur* – *2 182 h alt. 475.*

Voir *Site★ – Point de vue★ – Grottes de St-Cézaire★ NE : 4 km.*
*Office du Tourisme, 3 rue de la République ✆ 04 93 60 84 30, Fax 04 93 60 84 40.*
*Paris 907 – Cannes 28 – Castellane 64 – Draguignan 51 – Grasse 16 – Nice 52.*

**Auberge du Puits d'Amon,** ✆ 04 93 60 28 50 – . GB
*fermé 25 oct. au 31 oct, 16 fév. au 7 mars, dim. soir sauf de juin à sept. et merc.* – **Repas** 17/33, enf. 10.
◆ Riche de curiosités naturelles (gorges de la Siagne et grottes), le village abrite aussi cette auberge au cadre rustique, décorée d'objets anciens. Cuisine traditionnelle.

## ST-CHAMAS *13250 B.-du-R.* 340 F4 *G. Provence* – *5 396 h alt. 15.*

*Office du Tourisme, Montée des Penitents ✆ 04 90 50 90 54, Fax 04 90 50 90 10.*
*Paris 742 – Marseille 49 – Arles 43 – Martigues 25 – Salon-de-Provence 15.*

**Rabelais,** 10 r. A. Fabre (centre ville) ✆ 04 90 50 84 40, *Fax 04 90 50 78 49*, ... – . AE GB.
*fermé 15 août au 1er sept., vacances de fév., sam. midi, dim. soir et lundi* – **Repas** 28/49.
◆ Près de l'ancienne fabrique de poudre, restaurant installé dans la jolie salle voûtée du 17e s. d'un vieux moulin à blé. Agréable terrasse fleurie. Cuisine traditionnelle.

**ST-CHAMASSY** *24 Dordogne* 329 G6 – *433 h alt. 185* – ✉ *24260 Le Bugue.*

*Paris 529 – Périgueux 50 – Sarlat-la-Canéda 33 – Bergerac 42 – Brive-la-Gaillarde 77.*

XX **Auberge La Vieille Cure,** ☎ 05 53 07 24 24, *Fax 05 53 54 39 44,* – GB
*mars-nov. et fermé dim. soir sauf du 1ᵉʳ juil. au 15 sept. et lundi* – **Repas** 20/42.
◆ Ancien presbytère d'un paisible village périgourdin. Cadre plaisant : vieilles pierres, horloge et cheminée. Côté cuisine : plats régionaux et grillades aux sarments.

**ST-CHAMOND** *42400 Loire* 327 G7 *G. Vallée du Rhône* – *38 878 h alt. 388.*

*Office du Tourisme, 23 avenue de la Libération ☎ 04 77 31 04 41, Fax 04 77 22 04 34, tourisme@ville-st-chamond.fr.*

*Paris 509 ① – St-Étienne 11 ③ – Feurs 56 ③ – Lyon 50 ① – Montbrison 46 ③ – Vienne 39 ①.*

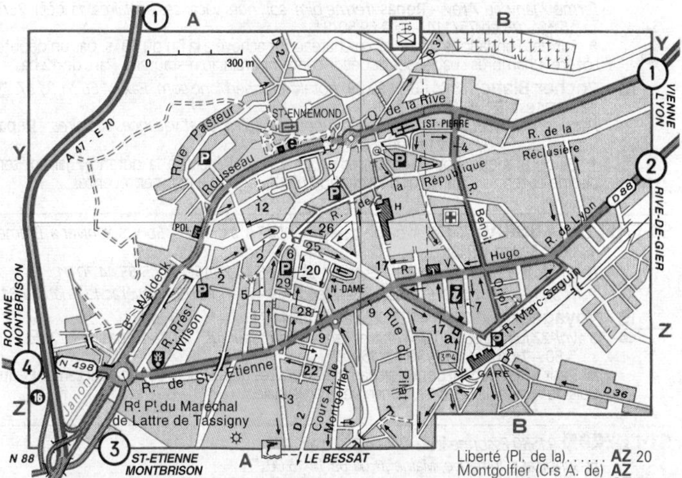

A
B
Y
Z
0
300 m
A 47 - E 70
Rue Pasteur
Rousseau
ST-ENNEMOND
Q. de la Rive
ST-PIERRE
R. de la Réclusière
République
R. Benoit
Hugo
R. de Lyon
D 88
D 37
D 2
VIENNE LYON
RIVE-DE-GIER
ROANNE MONTBRISON
N 498
N 88
Janon
Bᵈ Waldeck
R. Prest Wilson
POL.
N-DAME
R. de St-Étienne
Rue du Pilat
Cours A. de Montgolfier
R. Marc-Seguin
Oriol
GARE
D 36
Rᵈ Pᵗ du Maréchal de Lattre de Tassigny
ST-ETIENNE MONTBRISON
LE BESSAT


## ST-CHAMOND

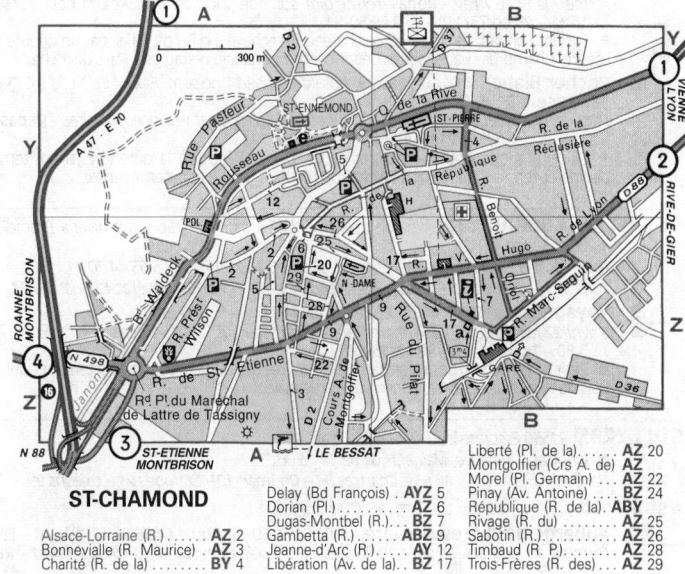

| | | |
|---|---|---|
| Alsace-Lorraine (R.) . . . . . **AZ** 2 | Delay (Bd François) . **AYZ** 5 | Liberté (Pl. de la) . . . . . . **AZ** 20 |
| Bonnevialle (R. Maurice) . **AZ** 3 | Dorian (Pl.) . . . . . . . . . . **AZ** 6 | Montgolfier (Crs A. de) **AZ** |
| Charité (R. de la) . . . . . . . . **BY** 4 | Dugas-Montbel (R.) . . . **BZ** 7 | Morel (Pl. Germain) . . . **AZ** 22 |
| | Gambetta (R.) . . . . . . . **ABZ** 9 | Pinay (Av. Antoine) . . . . **BZ** 24 |
| | Jeanne-d'Arc (R.) . . . . . **AY** 12 | République (R. de la) . **ABY** |
| | Libération (Av. de la) . . **BZ** 17 | Rivage (R. du) . . . . . . . . **AZ** 25 |
| | | Sabotin (R.) . . . . . . . . . . **AZ** 26 |
| | | Timbaud (R. P.) . . . . . . . . **AZ** 28 |
| | | Trois-Frères (R. des) . . . **AZ** 29 |

**Ambassadeurs,** 28 av. Libération ☎ 04 77 22 85 80, *Fax 04 77 31 96 95* – TV. AE GB — BZ a
*fermé 16 août au 14 sept* – **Repas** *(fermé vend. soir, dim. soir et sam.)* 15,50/49 – 8 – **16 ch** 44/56 – ½ P 39/45.
◆ A. Pinay et A. Prost figurent parmi les plus illustres "ambassadeurs" de la ville. L'hôtel occupe les premiers étages d'un immeuble des années 1970. Chambres un brin désuètes.

XXX **Maison des Chanoines,** 52 bd Waldeck Rousseau ☎ 04 77 29 33 25, *Fax 04 77 29 33 29,* – AE GB — YA e
*fermé dim. soir et lundi* – **Repas** *(13)* - 19/86 et carte 50 à 70 ♀.
◆ Élégante maison du 16ᵉ s. agrémentée de toits en tuile et de colonnades. À l'intérieur, décor contemporain, couleurs vives et oeuvres d'art. Cuisine au goût du jour.

**à l'Horme** *par ② : 3 km – 4 689 h. alt. 320 –* ✉ *42152 :*

**Vulcain** sans rest, ☎ 04 77 22 17 11, *Fax 04 77 29 07 95,* – TV P – 20. AE GB
6,50 – **30 ch** 38/56.
◆ L'enseigne rend hommage aux forges et aciéries de St-Chamond. Chambres fonctionnelles bien tenues et 7 000 m² d'espaces verts compensent la proximité de la voie ferrée.

**ST-CHARTIER** *36 Indre* 323 H7 – *rattaché à La Châtre.*

*Michelin n'accroche pas de panonceau aux hôtels et restaurants qu'il signale.*

## ST-CHÉLY-D'APCHER *48200 Lozère 330 H6 – 4 570 h alt. 1000.*

*Office du Tourisme, maison du tourisme ✆ 04 66 31 03 67, Fax 04 66 31 30 30.*

*Paris 543 – Aurillac 107 – Mende 45 – Le Puy-en-Velay 86 – Rodez 114 – St-Flour 35.*

**Les Portes d'Apcher** M, Nord : 1,5 km sur N 9 ✆ 04 66 31 00 46, *Fax 04 66 31 28 85*, ←, 🎪, 🚗 – TV ♿ 🚗 P – 🏛 100. GB. ✂

*fermé janv.* – **Repas** *(fermé vend. soir d'oct. au 15 avril)* 13,50/27 ♀, enf. 7,30 – ☕ 5,70 – **16 ch** 44 – ½ P 41.

◆ Proximité de l'autoroute, vue étendue sur l'Aubrac et la Margeride et plats du terroir : trois bonnes raisons pour faire étape dans cet hôtel simple et actuel.

**à La Garde** *Nord : 9 km par N 9 – ✉ 48200 Albaret-Ste-Marie :*

**Château d'Orfeuillette** 🐎, à l'échangeur A 75, sur N 9 ✆ 04 66 42 65 65, *orfeuillette48@aol.com, Fax 04 66 42 65 66*, 🏊, 🌳 – |$| TV P – 🏛 30. AE ⓓ GB JCB

*fermé 7 janv. au 7 fév.* – **Repas** *(fermé dim. soir hors vacances scolaires)* 20 (déj.), 25/38 ♀ – ☕ 15,30 – **23 ch** 75/114 – ½ P 69,50/91.

◆ Sur des fondations du 16e s., ce château fut achevé à la fin du 19e s. par un député de la Lozère. Chambres spacieuses et décor contemporain au restaurant. Parc de 12 ha.

**Rocher Blanc,** ✆ 04 66 31 90 09, *hotel@lerocherblanc.com, Fax 04 66 31 93 67*, 🏊, 🚗, 🎾 – ▤ rest, TV P. GB

*Pâques-1er nov. et fermé dim. soir et lundi sauf juil.-août et vacances scolaires* – **Repas** *(12)* - 16,50/36 ♀ – ☕ 7,30 – **21 ch** 48/50 – ½ P 48/52.

◆ Étape pratique pour s'échapper de l'A 75. Tout incite à la détente : jardin, terrasse, piscine et tennis. Chambres d'inspiration rustique. Salle à manger récente.

## ST-CHÉLY-D'AUBRAC *12470 Aveyron 338 J3 – 547 h alt. 700 – Sports d'hiver à Brameloup : 1 200/1 390 m ⛷9 ⛷.*

*Syndicat d'Initiative, route d'Espalion ✆ 05 65 44 21 15, Fax 05 65 44 20 01.*

*Paris 593 – Rodez 50 – Espalion 20 – Mende 69 – St-Flour 72 – Sévérac-le-Château 61.*

**Voyageurs,** ✆ 05 65 44 27 05, *Fax 05 65 44 21 67* – 📞. GB. ✂ ch

*5 avril-22 juin et 28 juin-30 sept. et fermé merc. sauf juil.-août* – **Repas** 14,50/24 ♀, enf. 10 – ☕ 5,80 – **7 ch** 41/46 – ½ P 42/45.

◆ Petit hôtel familial dont les chambres, refaites depuis peu, sont correctement équipées. Cuisine régionale soignée. Conserverie artisanale.

## ST-CHÉRON *91530 Essonne 312 B4 – 4 082 h alt. 100.*

*Syndicat d'Initiative, Mairie ✆ 01 69 14 13 00.*

*Paris 43 – Fontainebleau 63 – Chartres 54 – Dourdan 10 – Étampes 21 – Orléans 90.*

**à St-Évroult** *Sud : 1,5 km par V 6 – ✉ 91530 St-Chéron :*

XX **Auberge de la Cressonnière,** ✆ 01 64 56 60 55, *Fax 01 64 56 56 37*, 🎪, 🚗 – AE GB

*fermé 4 au 18 mars, 26 août au 16 sept., jeudi soir, dim. soir et lundi sauf fériés* – **Repas** 18/33,50 ♀.

◆ Au bord de l'Orge, auberge au cadre rustique recherché, mitonnant des petits plats inspirés du Sud-Ouest. Un superbe tracteur à vapeur trône dans le jardin fleuri.

## ST-CIERS-DE-CANESSE *33710 Gironde 335 H4 – 713 h alt. 40.*

**Env.** *Citadelle de Blaye★ NO : 8 km,* **G. Pyrénées Aquitaine.**

*Paris 549 – Bordeaux 46 – Blaye 10 – Jonzac 54 – Libourne 41.*

**Closerie des Vignes** M 🐎, Village Arnauds, Nord : 2 km par D 250 et D 135 ✆ 05 57 64 81 90, *la-closerie-des-vignes@wanadoo.fr, Fax 05 57 64 94 44*, ←, 🏊, 🚗 – TV 📞 ♿ P. GB

*avril-oct.* – **Repas** (dîner seul.) 22/30 ♀, enf. 13 – ☕ 8,25 – **9 ch** 76 – ½ P 70.

◆ Pavillon récent cerné par les vignes de Blaye. Chambres de bonne ampleur, dotées d'un mobilier moderne aux lignes épurées. Salle à manger lambrissée de lattes claires.

## ST-CIRQ-LAPOPIE *46330 Lot 337 G5 G. Périgord Quercy – 187 h alt. 320.*

**Voir** *Site★★ – Vestiges de l'ancien château ←★★ – Le Bancourel ←★ – Bouziès : chemin de halage du Lot★ NO : 6,5 km.*

*Office du Tourisme, place du Sombral ✆ 05 65 31 29 06, Fax 05 65 31 29 06, saint-cirq.lapopie@wanadoo.fr.*

*Paris 576 – Cahors 26 – Figeac 44 – Villefranche-de-Rouergue 37.*

**Auberge du Sombral "Aux Bonnes Choses"** 🐎 sans rest, ✆ 05 65 31 26 08, *Fax 05 65 30 26 37* – GB

*1er avril-11 nov. et merc. de sept. à juin* – ☕ 7,50 – **8 ch** 70/72.

◆ Cette maison ancienne joliment restaurée borde une placette animée de ce ravissant village médiéval qui surplombe le Lot. Les chambres, plutôt petites, sont plaisantes.

**à Tour-de-Faure** *Est : 2 km par D 8 – 296 h. alt. 137 – ✉ 46330 :*

**Les Gabarres** sans rest, ☎ 05 65 30 24 57, *Fax 05 65 30 25 85*, – GB
*20 avril-28 oct.* – ☕ 7,30 – **28 ch** 48.
◆ Au pied du village perché, sur les bords du Lot, construction pavillonnaire récente dont l'enseigne évoque l'activité batelière d'autrefois. Chambres un peu impersonnelles.

---

**ST-CLAIR** *83 Var* 340 N7 – *rattaché au Lavandou.*

---

**ST-CLAUDE** SP *39200 Jura* 321 F8 *G. Jura – 12 704 h alt. 450.*

**Voir** *Site★★ – Cathédrale St-Pierre★ : stalles★★* **Z** – *Exposition de pipes, de diamants et de pierres fines* **Z E**.

**Env.** *Georges du Flumen★ par ② – Route de Morez ≤★★ 7 km par ①.*

*Office du Tourisme, 19 rue du Marché ☎ 03 84 45 34 24, Fax 03 84 41 02 72, ot-st-claude-jura@en-france.com – Automobile Club St-Blaise r. St-Blaise ☎ 03 84 45 67 57.*

*Paris 465 ③ – Annecy 89 ② – Genève 59 ② – Lons-le-Saunier 59 ③.*

## ST-CLAUDE

- Abbaye (Pl. de l') ...... **Z** 2
- Belfort (Av. de)........ **Y** 3
- Christin (Pl.) .......... **Y** 5
- Gambetta (R.)......... **Z** 6
- Janvier (R. A.)......... **Z** 7
- Lacuzon (R.) .......... **Y** 8
- Lamartine (R.)......... **Y** 9
- Louis-XI (Pl.) .......... **Z** 12
- Marché (R. du) ........ **Z** 20
- Pré (R. du) .......... **YZ**
- République (Bd de la).. **Y** 23
- Rosset (R.) ........... **Z** 24
- Victor-Hugo (R.) ....... **Y** 25
- Voltaire (Pl.)........... **Y** 26
- 9-Avril-1944 (Pl. du).... **Y** 27

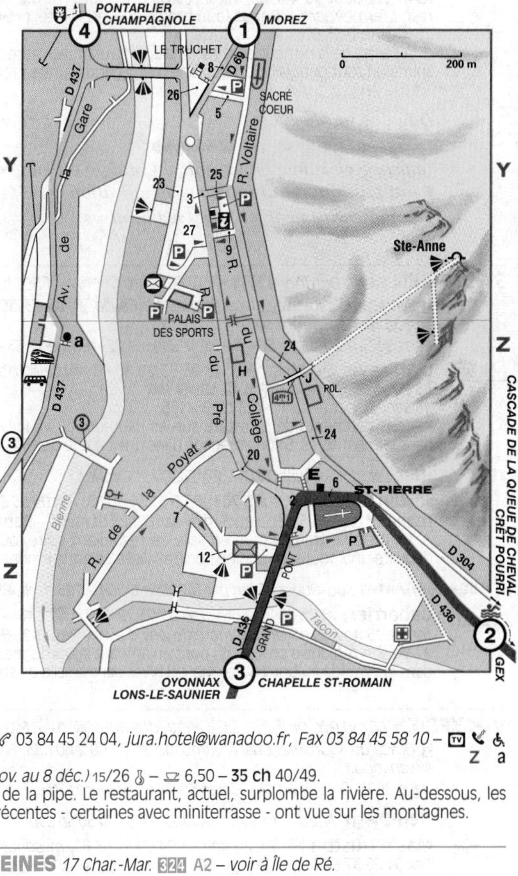
PONTARLIER
CHAMPAGNOLE
MOREZ
LE TRUCHET
0
200 m
SACRÉ COEUR
R. Voltaire
Av. de la Gare
D 437
D 69
Y
Ste-Anne
PALAIS DES SPORTS
R. du Pré
Collège
ROL.
Z
CASCADE DE LA QUEUE DE CHEVAL
CRÊT POURRI
R. de la Poyat
Bienne
ST-PIERRE
D 304
D 436
PONT
GRAND
Tacon
GEX
OYONNAX
LONS-LE-SAUNIER
CHAPELLE ST-ROMAIN

**Jura,** 40 av. Gare ☎ 03 84 45 24 04, *jura.hotel@wanadoo.fr, Fax 03 84 45 58 10* – GB — **Z a**
**Repas** *(fermé 23 nov. au 8 déc.)* 15/26 – ☕ 6,50 – **35 ch** 40/49.
◆ Dans la capitale de la pipe. Le restaurant, actuel, surplombe la rivière. Au-dessous, les chambres les plus récentes - certaines avec miniterrasse - ont vue sur les montagnes.

---

**ST-CLÉMENT-DES-BALEINES** *17 Char.-Mar.* 324 A2 – *voir à Île de Ré.*

*Si vous êtes retardé sur la route, dès 18 h, confirmez votre réservation par téléphone, c'est plus sûr... et c'est l'usage.*

**ST-CLÉMENT-SUR-VALSONNE** *69170 Rhône* 327 F4 – *467 h alt. 370.*

*Paris 460 – Roanne 43 – Lyon 44 – Montbrison 65 – Tarare 5 – Villefranche-sur-Saône 30.*

X **St-Clément** avec ch, ☎ 04 74 05 17 80, *hotel@le-saint-clement.com, Fax 04 74 05 17 80,* – TV. GB

*fermé 20 janv. au 12 fév., lundi soir et mardi sauf juil.-août* – **Repas** 10 (déj.), 15,50/34 ♀, enf. 7 – ☕ 8 – **9 ch** 31/37 – ½ P 30.

◆ Sur la route du lac des Sapins, ancienne cure aménagée en hostellerie familiale. Cuisine traditionnelle servie dans une salle d'inspiration rustique. Chambres simples.

**ST-CLOUD** *92 Hauts-de-Seine* 311 J2 101 ⑭ – *voir à Paris, Environs.*

**ST-CONSTANT** *15600 Cantal* 330 B6 – *659 h alt. 260.*

Voir *Église de Maurs : statues★ et buste-reliquaire★ NO : 4,5 km,* G. Auvergne.

*Paris 572 – Aurillac 48 – Rodez 55 – Decazeville 17 – Figeac 23 – Tulle 98.*

X **Auberge des Feuillardiers** avec ch, ☎ 04 71 49 10 06, *Fax 04 71 49 11 43,* – GB

*fermé 22 août au 4 sept., vacances de fév. ; hôtel: fermé mardi et merc. sauf juil.-août ; rest. : fermé merc.* – **Repas** (nombre de couverts limté, prévenir) 11/33 – ☕ 6,50 – **12 ch** 32/40 – ½ P 33,50.

◆ À l'écart de la rumeur de la nationale, restaurant au cadre campagnard dont la présence anime un tout petit village. La cuisine met à l'honneur les produits du terroir.

*Dans ce guide*
*un même symbole, un même mot,*
*imprimé en* ***rouge*** *ou en* ***noir****, en maigre ou en* ***gras****,*
*n'ont pas tout à fait la même signification.*
*Lisez attentivement les pages explicatives.*

**ST-CYPRIEN** *24220 Dordogne* 329 H6 *G. Périgord Quercy* – *1 593 h alt. 80.*

*Syndicat d'Initiative, place Charles de Gaulle ☎ 05 53 30 36 09, Fax 05 53 28 55 05, si.stcyprien@perigord.com.*

*Paris 542 – Périgueux 56 – Sarlat-la-Canéda 22 – Bergerac 53 – Cahors 66 – Fumel 53.*

**L'Abbaye** sans rest, ☎ 05 53 29 20 48, *hotel@abbaye-dordogne.com, Fax 05 53 29 15 85,* – TV P. AE GB

*15 avril-20 oct.* – ☕ 11 – **23 ch** 85/135.

◆ Trois bâtiments de caractère sur les hauteurs du village. Meubles massifs ou de style dans les chambres. Salon aménagé dans une cuisine de 1545. Jardins fleuris en terrasses.

**rte de Sarlat** *Est : 2,5 km par D 703 – ✉ 24200 St-Cyprien :*

XX **Jardin d'Épicure,** sur D 703 ☎ 05 53 30 40 95, *Fax 05 53 30 40 96,* – P. GB.

*fermé 17 nov. au 5 déc., jeudi midi, sam. midi et merc.* – **Repas** 28/60 ♀, enf. 12.

◆ Ex-métairie transformée en salle de restaurant claire, ouverte sur la terrasse, où l'on déguste une goûteuse cuisine personnalisée : c'est le rendez-vous des épicuriens !

**à Allas-les-Mines** *Sud-Ouest : 5 km par D 703 et C 204 – 203 h. alt. 85 – ✉ 24220 :*

X **Gabarrier,** ☎ 05 53 29 22 51, *Fax 05 53 29 47 12,* – P. GB

*fermé 15 nov. au 15 janv. et merc. de janv. à avril* – **Repas** 23/33 ♀, enf. 11.

◆ Maison régionale proche du pont enjambant la Dordogne. Cuisine du terroir servie l'été dans la véranda au bord de la rivière, l'hiver dans la salle de style rustique.

**ST-CYPRIEN** *66750 Pyr.-Or.* 344 J7 *G. Languedoc Roussillon* – *6 892 h alt. 5 – Casino.*

*Office du Tourisme, quai A. Rimbaud ☎ 04 68 21 01 33, Fax 04 68 21 98 33, ot.stcyprien @wanadoo.fr.*

*Paris 869 – Perpignan 17 – Céret 31 – Port-Vendres 20.*

**à St-Cyprien-Plage** *Nord-Est : 3 km par D 22 – ✉ 66750 St-Cyprien :*

**Mas d'Huston** M, au golf ☎ 04 68 37 63 63, *masdhustonhotel@opengolfclub.com, Fax 04 68 37 64 64,* – TV P – 15 à 100. AE GB. rest

*fermé 6 janv. au 7 fév.* – ***Le Mas :*** **Repas** 18(déj.) 37bc – ***Les Parasols*** (buffets)(déj. seul.) **Repas** carte environ 27, – ☕ 10 – **50 ch** 86/126 – ½ P 83.

◆ Entre mer et étangs, dans le parc du golf, bâtiment récent de style méditerranéen attenant à un complexe résidentiel et de loisirs. Chambres personnalisées. Clientèle golfique.

**à St-Cyprien-Sud** : *3 km – ✉ 66750 St-Cyprien* :

**L'Ile de la Lagune** Ⓜ, ☎ 04 68 21 01 02, *contact@hotel-ile-lagune.com, Fax 04 68 21 06 28*, ←, ☂, ⛱, – 🛗 ▤ 📺 ♿ 🚗 🅿 – 🏛 30. AE ⓓ GB
*fermé 2 au 24 fév.* – ***L'Almandin*** *(fermé lundi et mardi d'oct. à avril)* **Repas** 25(déj.)39/70 et carte 55 à 75, enf. 13 – ☕ 13 – **18 ch** 136/185, 4 appart – ½ P 130/140.
◆ Architecture récente de style hispano-mauresque sur un îlot-marina. Chambres modernes avec balcons. Plats régionaux au goût du jour à L'Almandin. Vedette gratuite pour la plage.
**Spéc.** Escalope de foie gras de canard aux cerises (15 juin au 25 août). Suquet de baudroie, gambas et pistes, pommes au safran, jus de bouillabaisse. Carré d'agneau rôti aux oignons blancs. **Vins** Côtes du Roussillon, Côtes du Roussillon-Villages.

**Lagune**, ☎ 04 68 21 24 24, *contact@hotel-lalagune.com, Fax 04 68 37 00 00*, ←, ☂, ⛱, 🎾 – cuisinette 📺 ☎ ♿ 🅿. GB
*26 avril-30 sept.* – **Repas** *(15)* - 24/28 🍷, enf. 10,50 – ☕ 8 – **36 ch** 65/89, 14 studios – ½ P 68/74.
◆ Directement sur la plage, hôtel inséré dans un complexe résidentiel conçu pour une clientèle "club". Des chambres, vue sur la piscine ou la lagune. Salon avec billard.

---

**ST-CYR-EN-TALMONDAIS** *85540 Vendée* 316 H9 – *274 h alt. 31.*
ℹ *Syndicat d'Initiative,* ☎ *02 51 30 82 82, Fax 02 51 30 88 29.*
*Paris 449 – La Rochelle 57 – La Roche-sur-Yon 30 – Luçon 14 – Les Sables-d'Olonne 37.*

**Auberge de la Court d'Aron**, ☎ 02 51 30 81 80, *dominique.orizet@wanadoo.fr, Fax 02 51 98 99 55*, ☂ – GB. ✗
*fermé 5 au 11 nov., 1er au 9 déc., vacances de fév., dim. soir et merc. de sept. à juin* – **Repas** 18/39 🍷.
◆ Auberge installée dans les anciennes écuries du château de la Court d'Aron. Intérieur rustique avec poutres et pierres apparentes. Terrasse couverte.

---

**ST-CYR-SUR-MER** *83270 Var* 340 J6 *G. Côte d'Azur – 7 033 h alt. 10.*
ℹ *Office du Tourisme, place de l'Appel du 18 Juin* ☎ *04 94 26 73 73, Fax 04 94 26 73 74, tourisme.st.cyr@wanadoo.fr.*
*Paris 814 – Marseille 40 – Toulon 24 – Bandol 8 – Le Beausset 10 – Brignoles 53.*

**Les Lecques** – ✉ *83270 St-Cyr-sur-Mer* :

**Grand Hôtel des Lecques**, ☎ 04 94 26 23 01, *info@lecques-hotel.com, Fax 04 94 26 10 22*, ←, ☂, ⛱, 🎾, – 🛗 📺 ☎ 🅿. AE ⓓ GB JCB. ✗ rest
*23 mars-15 nov.* – **Repas** *(25)* - 29 🍷, enf. 12 – ☕ 13,50 – **57 ch** 124/156,50 – ½ P 99/120.
◆ Dans un luxuriant parc fleuri, élégante demeure "Belle Époque" gaiement rénovée. Préférez les chambres aux tons ensoleillés des derniers étages, côté façade.

**Chanteplage**, ☎ 04 94 26 16 55, *Fax 04 94 26 25 71*, ← – 📺 🅿. GB. ✗
*1er avril-30 sept.* – **Repas** 17.50/28 🍷, enf. 8,50 – ☕ 7 – **16 ch** 65/105.
◆ Au bord de mer, hôtel aux chambres fonctionnelles et fraîches, avec balcon. Celles du 3e étage, prévues pour les familles, possèdent une grande terrasse.

**Petit Nice**, ☎ 04 94 32 00 64, *petitnice@lcm.fr, Fax 04 94 32 00 99*, ⛱, – 📺 🅿. AE GB. ✗ rest
*hôtel : 15 mars-15 oct. ; rest. : 15 avril-25 sept.* – **Repas** (dîner seul.) – ☕ 8 – **31 ch** 47/59 – ½ P 48/59.
◆ Le calme du jardin arboré fait l'attrait de cette pension composée de deux avenants bâtiments. Les chambres de l'annexe sont souvent plus spacieuses.

**rte de Bandol** *par D 559 : 4 km – ✉ 83270 St-Cyr-sur-Mer* :

**Dolce Frégate** Ⓜ, ☎ 04 94 29 39 39, *hotel-fregate@wanadoo.fr, Fax 04 94 29 39 40*, ← littoral, ☂, ⛳, ⛱, 🎾, – 🛗 ✈ ▤ 📺 ☎ ♿ 🚗 🅿 – 🏛 20 à 180. AE ⓓ GB
**- *Mas des Vignes*** (dîner seul.) **Repas** 36/45, enf. 11 – ***Restanque*** (déj. seul.) **Repas** 16,50/25,50 🍷 – ☕ 18 – **100 ch** 235/555, 33 appart – ½ P 169.
◆ Au milieu des vignes, propriété avec hôtel, complexe de loisirs et centre de conférences où tout est luxe, calme et raffinement. Décoration provençale partout.

---

**ST-DALMAS-DE-TENDE** *06 Alpes-Mar.* 341 G3 – *rattaché à Tende.*

---

**ST-DALMAS-VALDEBLORE** *06 Alpes-Mar.* 341 E3 – *voir à Valdeblore.*

---

**ST-DENIS** *93 Seine-St-Denis* 305 F7 101 ⑯ – *voir à Paris, Environs.*

## ST-DENIS-D'ORQUES *72350 Sarthe 310 H6 – 693 h alt. 120.*

*Syndicat d'Initiative, ☎ 02 43 88 43 14.*

*Paris 239 – Le Mans 45 – Alençon 86 – Laval 39 – Mayenne 47 – Sablé-sur-Sarthe 25.*

XX **Auberge de la Grande Charnie,** av. Libération ☎ 02 43 88 43 12, *Fax 02 43 88 61 08* – GB. 
*fermé vacances de fév., lundi et le soir sauf vend. et sam.* – **Repas** 15/36 ♀, enf. 8.
◆ Poutres, tentures murales, assiettes et mobilier anciens décorent cette auberge rustique dont la présence anime un tout petit village. Cuisine classique.

## ST-DENIS-LE-FERMENT *27 Eure 304 K6 – rattaché à Gisors.*

## ST-DENIS-SUR-SARTHON *61420 Orne 310 I4 – 971 h alt. 193.*

*Paris 201 – Alençon 12 – Argentan 40 – Domfront 50 – Falaise 62 – Flers 60 – Mayenne 49.*

**Faïencerie** sans rest, rte d'Alençon (N 12) ☎ 02 33 27 30 16, *la-faiencerie@wanadoo.fr, Fax 02 33 27 17 56,* – P. GB
*15 mai-15 oct.* – 7 – **15 ch** 60/65.
◆ Un vaste parc entoure cette belle demeure bourgeoise qui abritait jadis une faïencerie. Chambres rajeunies. Petits-déjeuners servis dans une grande salle rustique.

## ST-DIDIER *35 I.-et-V. 309 N6 – rattaché à Chateaubourg.*

*Donnez-nous votre avis sur les tables que nous recommandons, sur leurs spécialités et leurs vins de pays.*

## ST-DIDIER *84 Vaucluse 332 D9 – rattaché à Carpentras.*

## ST-DIDIER-DE-LA-TOUR *38 Isère 333 F4 – rattaché à La Tour-du-Pin.*

## ST-DIDIER-EN-VELAY *43140 H.-Loire 331 H2 – 2 723 h alt. 830.*

*Office du Tourisme, 5 rue de la république ☎ 04 71 66 25 72, Fax 04 71 61 25 83.*

*Paris 542 – Le Puy-en-Velay 58 – St-Étienne 25 – St-Agrève 45.*

XX **Auberge du Velay,** Grand'place ☎ 04 71 61 01 54, *Fax 04 71 61 15 80* – GB
*fermé 16 au 31 août, vacances de fév., dim. soir, lundi et mardi* – **Repas** 16 (déj.), 22/42, enf. 10.
◆ Auberge de pays où l'on sert depuis trois siècles une cuisine du terroir. Dans l'un des salons, exposition de registres, menus et livres de comptes datant du 17e s.

## ST-DIÉ-DES-VOSGES *88100 Vosges 314 J3 G. Alsace Lorraine – 22 635 h alt. 350.*

Voir *Cathédrale St-Dié★ – Cloître gothique★.*

*Office du Tourisme, 8 quai du Maréchal de Lattre de Tassigny ☎ 03 29 42 22 22, Fax 03 29 42 22 23, tourisme@ville-saintdie.fr.*

*Paris 396 ③ – Colmar 53 ① – Épinal 49 ② – Mulhouse 108 ① – Strasbourg 93 ①.*

Plan page ci-contre

**Ibis,** 5 quai Jeanne d'Arc ☎ 03 29 42 24 22, *h1102@accor-hotels.com, Fax 03 29 55 49 15* – – 30. AE GB — B a
**Repas** (dîner seul.) *(13)* - 16, enf. 6 – 6 – **58 ch** 53/69.
◆ Sur les berges de la Meurthe, classique hôtel de chaîne dont les chambres, d'ampleur limitée, sont peu à peu rénovées ; préférez celles avec vue sur la rivière.

**Moderne,** 64 r. Alsace ☎ 03 29 56 11 71, *Fax 03 29 56 45 06,* – TV P. GB. ch — B v
*fermé 17 août au 2 sept., 20 déc. au 11 janv., vend. soir et sam.* – **Repas** 17/22 – 6,50 – **10 ch** 42,50/61,50 – ½ P 41/42,50.
◆ L'avenue commerçante ne dérange nullement la tranquillité des chambres, un peu petites mais actuelles. Côté table, la salle réservée aux fumeurs est plus coquette.

**Vosges** sans rest, 57 r. Thiers ☎ 03 29 56 16 21, *Fax 03 29 55 48 71* – TV . AE GB
5,40 – **17 ch** 28/46. — A r
◆ La façade de cet hôtel date de la reconstruction de la ville détruite en 1944. Chambres modestes mais propres pour une étape au coeur de la "marraine de l'Amérique".

XX **Voyageurs,** 22 r. Hellieule ☎ 03 29 56 21 56, *Fax 03 29 56 60 80* – AE GB — A u
*fermé 21 juil. au 4 août, vacances de printemps, de Noël, dim. soir et lundi* – **Repas** 14,50/19,50 ♀.
◆ Proche de l'étonnante tour de la Liberté, trois salles à manger fraîchement décorées (tons pastel) et lumineuses. Cuisine traditionnelle et bon choix de vins au verre.

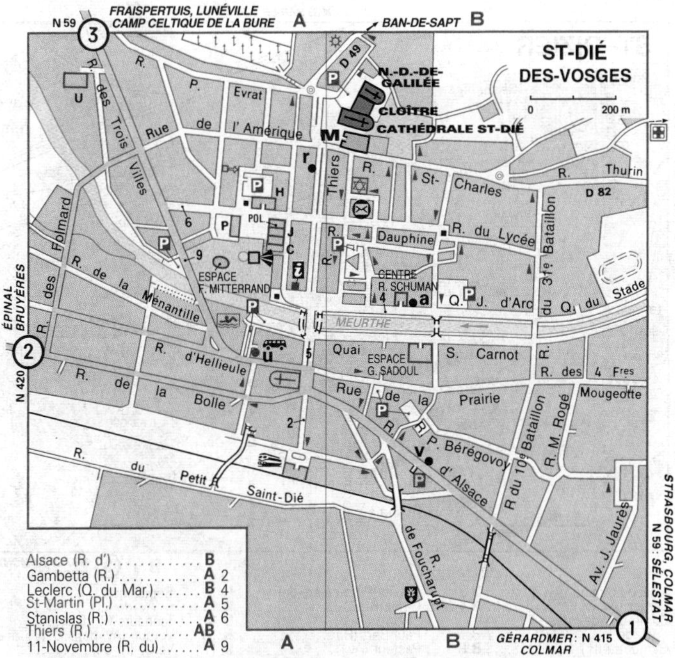
ST-DIÉ DES-VOSGES
0 200 m
N 59 FRAISPERTUIS, LUNÉVILLE CAMP CELTIQUE DE LA BURE
BAN-DE-SAPT
ÉPINAL BRUYÈRES N 420
STRASBOURG, COLMAR N 59: SÉLESTAT
GÉRARDMER: N 415 COLMAR
N.-D.-DE-GALILÉE
CLOÎTRE
CATHÉDRALE ST-DIÉ
ESPACE F. MITTERRAND
CENTRE R. SCHUMAN
ESPACE G. SADOUL
MEURTHE
Alsace (R. d') . . . . . . . . . . . . B
Gambetta (R.) . . . . . . . . . . . A 2
Leclerc (Q. du Mar.) . . . . . . . B 4
St-Martin (Pl.) . . . . . . . . . . . A 5
Stanislas (R.) . . . . . . . . . . . A 6
Thiers (R.) . . . . . . . . . . . . AB
11-Novembre (R. du) . . . . . . A 9

**à Rougiville** *Ouest : 6 km par ② – ✉ 88100 St-Dié :*

**Haut Fer**, ☎ *03 29 55 03 48, le.haut.fer@wanadoo.fr, Fax 03 29 55 23 40,* ←, – TV P. AE GB
*fermé 1^er au 8 janv., dim. sauf juil.-août et fériés* – **Repas** *(fermé dim. soir et lundi sauf juil.-août et fériés)* 10/31 – ☕ 8 – **16 ch** 48/61 – ½ P 45.
◆ Cet établissement installé dans une ancienne scierie tient son nom de la lame qui débitait les troncs d'arbres. Chambres côté Sud avec balcon et vue sur la campagne.



---

**ST-DISDIER** *05250 H.-Alpes* 334 *D4 G. Alpes du Nord – 157 h alt. 1024.*
**Voir** *Défilé de la Souloise★ N.*
*Paris 640 – Gap 45 – Grenoble 76 – La Mure 34.*

**Auberge La Neyrette**, ☎ 04 92 58 81 17, *info@la-neyrette.com, Fax 04 92 58 89 95,* ←, – TV P – 15. AE GB
*fermé 20 oct. au 13 déc. et 14 au 26 avril* – **Repas** 18,50/37, enf. 10 – ☕ 7,20 – **12 ch** 47/66 – ½ P 52/56.
◆ Sympathique petite auberge dans un jardin avec plan d'eau où l'on peut ferrer sa truite pour le dîner ! Chambres décorées sur le thème des fleurs de montagne. Plats régionaux.

---

**ST-DIZIER** SP *52100 H.-Marne* 313 *J2 G. Champagne Ardenne – 33 552 h alt. 147.*
*Office du Tourisme, 4 avenue de Belle-Forêt-sur-Marne* ☎ *03 25 05 31 84, Fax 03 25 06 95 51.*
*Paris 211 ⑤ – Bar-le-Duc 25 ① – Chaumont 74 ③ – Nancy 100 ② – Troyes 86 ④.*
Plan page suivante

**Gentilhommière,** 29 r. J. Jaurès ☎ 03 25 56 32 97, *Fax 03 25 06 32 66* – GB A u
*fermé 1^er au 22 août, 23 fév. au 2 mars, sam. midi, dim. soir et lundi* – **Repas** 19/28 ♀.
◆ L'originale façade de la maison met en scène deux mannequins costumés dans un petit balcon-vitrine. Salle à manger prolongée par une minivéranda très lumineuse.

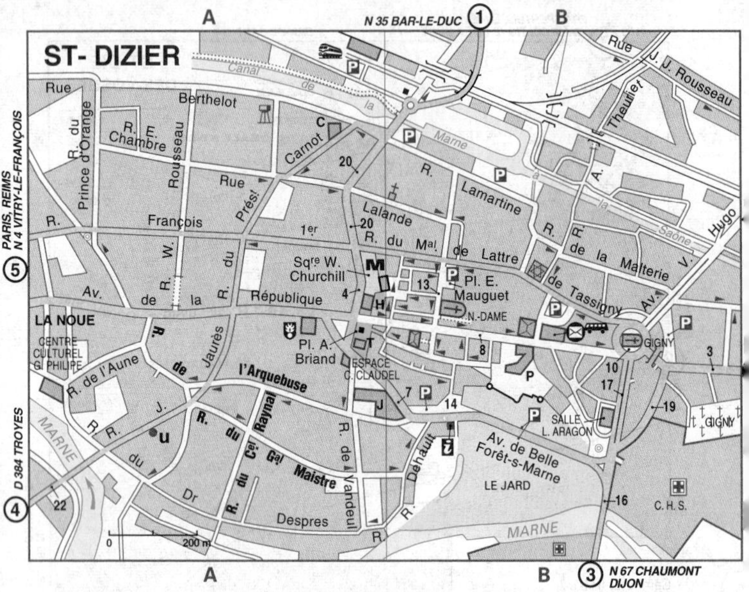
ST- DIZIER
A
B
N 35 BAR-LE-DUC
1
PARIS, REIMS N 4 VITRY-LE-FRANÇOIS
5
D 384 TROYES
4
N 67 CHAUMONT DIJON
3
Canal de la Marne à la Saône
Rue Berthelot
R. E. Chambre
R. du Prince d'Orange
Rousseau
Rue Carnot
Rue Prés!
R. François
R. W.
R. du
Av. de la République
LA NOUE
CENTRE CULTUREL G. PHILIPE
R. de l'Aune
R. de Jaurès
J.
l'Arquebuse
R. du Raynal
R. du Cel Gal Maistre
R. de Vandeul
R. du Dr Despres
R. Lalande
R. du Mal. de Lattre de Tassigny
R. Lamartine
Sqre W. Churchill
Pl. E. Mauguet
N.-DAME
Pl. A. Briand
ESPACE C. CLAUDEL
R. de la Malterie
Av. V. Hugo
Rue J. J. Rousseau
Theuriet
A.
GIGNY
SALLE L. ARAGON
Av. de Belle Forêt-s-Marne
LE JARD
Dehault
MARNE
C. H. S.
0
200 m
C
M
H
T
J
P
u
1er
20
4
13
8
7
14
10
17
3
19
16
22

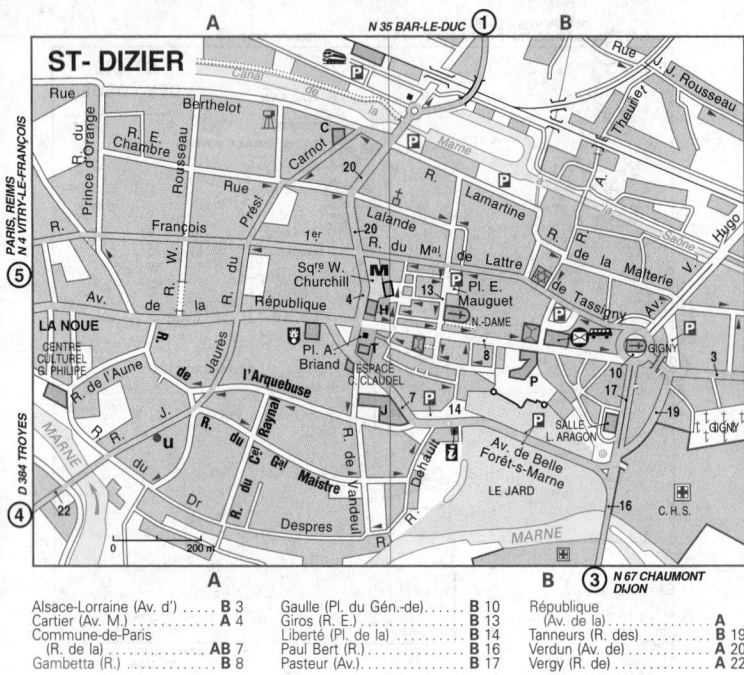

| | | |
|---|---|---|
| Alsace-Lorraine (Av. d') ..... **B** 3 | Gaulle (Pl. du Gén.-de)...... **B** 10 | République |
| Cartier (Av. M.) ............ **A** 4 | Giros (R. E.) ............... **B** 13 | (Av. de la).............. **A** |
| Commune-de-Paris | Liberté (Pl. de la) .......... **B** 14 | Tanneurs (R. des) .......... **B** 19 |
| (R. de la) ................. **AB** 7 | Paul Bert (R.) .............. **B** 16 | Verdun (Av. de) ............ **A** 20 |
| Gambetta (R.) ............. **B** 8 | Pasteur (Av.)................ **B** 17 | Vergy (R. de) .............. **A** 22 |

*Les principales voies commerçantes figurent en* **rouge** *dans la liste des rues des plans de villes.*

---

**ST-DONAT-SUR-L'HERBASSE** *26260 Drôme* 332 C3 *G. Vallée du Rhône* – *2 658 h alt. 202.*

*Office du Tourisme, 32 avenue Georges Bert ☎ 04 75 45 15 32, Fax 04 75 45 20 42.*

*Paris 550 – Valence 26 – Grenoble 92 – Hauterives 20 – Romans-sur-Isère 13.*

XXX **Chartron** M avec ch, av. Gambetta ☎ 04 75 45 11 82, *restaurantchartron@wanadoo.fr, Fax 04 75 45 01 36,* – . GB

*fermé 29 avril au 10 mai, 1er au 19 sept., 2 au 10 janv., mardi et merc. sauf juil.-août* – **Repas** 26/38 et carte 38 à 58 ♀, enf. 13 – ☕ 8 – **7 ch** 55/70 – ½ P 65.

◆ Grande maison en pierre agrandie d'une rotonde vitrée. Vaste salle à manger contemporaine, parquetée et climatisée ; cuisine au goût du jour. Chambres au décor moderne.

X **Mousse de Brochet,** ☎ 04 75 45 10 47, *Fax 04 75 45 10 47* – . GB

*fermé 20 juin au 12 juil., 23 janv. au 14 fév., les soirs de semaine en hiver, dim. soir et lundi* – **Repas** 14,20/46,60 ♀.

◆ Après avoir admiré les orgues de la collégiale, faites halte dans cet ancien café pour y déguster la mousse de brochet, spécialité de la maison. Salle à manger climatisée.

---

**ST-DOULCHARD** *18 Cher* 323 K4 – *rattaché à Bourges.*

---

**ST-DYÉ-SUR-LOIRE** *41500 L.-et-Ch.* 318 F6 *G. Châteaux de la Loire* – *895 h alt. 96.*

*Office du Tourisme, 73 rue Nationale ☎ 02 54 81 65 45, Fax 02 54 81 68 07.*

*Paris 173 – Orléans 52 – Beaugency 21 – Blois 17 – Romorantin-Lanthenay 44.*

**Manoir Bel Air** , ☎ 02 54 81 60 10, *manoirbelair@free.fr, Fax 02 54 81 65 34,* ←, – TV & P – 15 à 80. GB JCB. rest

*fermé fév.* – **Repas** 22/41 ♀ – ☕ 6,50 – **42 ch** 69/89 – ½ P 70/75.

◆ Cette demeure bourgeoise du 17e s. fut la propriété d'un courtier en vins, puis d'un gouverneur de la Guadeloupe. Chambres, restaurant et jardin dominent la Loire.

---

**SAINTE** voir après la nomenclature des Saints.

## ST-EMILION 33330 Gironde 335 K5 *G. Aquitaine – 2 799 h alt. 30.*

Voir *Site★★ – Église monolithe★ – Cloître des Cordeliers★ – ≤★ de la tour du château du Roi.*

*Office du Tourisme, place des Créneaux ✆ 05 57 55 28 28, Fax 05 57 55 28 29, st-emilion.tourisme@wanadoo.fr.*

*Paris 585 – Bordeaux 42 – Bergerac 58 – Langon 49 – Libourne 8 – Marmande 60.*

**Hostellerie de Plaisance,** pl. Clocher ✆ 05 57 55 07 55, *hostellerie.plaisance@wanadoo.fr, Fax 05 57 74 41 11,* ≤, – rest, AE GB JCB
*fermé 1er janv. au 9 fév.* – **Repas** *(fermé dim. soir du 19 oct. au 31 déc. et du 12 fév. au 20 avril)* 38 (déj.), 49/80 et carte 75 à 95 ♀, enf. 17 – ☕ 15 – **18 ch** 150/330 – ½ P 124/278.
◆ Belle demeure en pierre au coeur de la cité médiévale. Chambres et restaurant raffinés ; quelques tables offrent une séduisante échappée sur les toits de tuiles vieux-rose.
**Spéc.** Tarte à la tomate et marjolaine, langoustines croustillantes (juin à sept.). Carré de cochon "cul noir", sauce à la lie de Château Pavie. Feuille à feuille au praliné (juin à sept.).
**Vins** Saint-Emilion.

**Logis des Remparts** sans rest, r. Guadet ✆ 05 57 24 70 43, *logis-des-remparts@wanadoo.fr, Fax 05 57 74 47 44,* – GB.
*fermé 15 déc. au 31 janv.* – ☕ 10 – **17 ch** 80/125.
◆ Maison du 17e s. appréciable pour sa terrasse à l'abri des regards et son jardin donnant sur le vignoble. Chambres bien aménagées. Véranda pour les petits-déjeuners.

**Palais Cardinal** M, pl. 11-novembre-1918 ✆ 05 57 24 72 39, *hotel@palais-cardinal.com, Fax 05 57 74 47 54,* – rest, – 30. GB. ch
*avril-nov.* – **Repas** *(fermé jeudi midi et merc.)* 22/36 ♀ – **26 ch** (½ pens. seul.) – ½ P 63,70/103,60.
◆ L'hôtel occupe une partie de la résidence d'un cardinal du 14e s. Les chambres de l'aile récente sont grandes et raffinées. Joli jardinet et agréable espace piscine-solarium.

**Auberge de la Commanderie** sans rest, r. Cordeliers ✆ 05 57 24 70 19, *contact@aubergedelacommande.com, Fax 05 57 74 44 53* – GB.
*fermé janv.* – ☕ 9 – **17 ch** 60/110.
◆ Hôtel aménagé dans les murs d'une ancienne commanderie du 17e s. Préférez les chambres de l'annexe, plus grandes, personnalisées et actuelles. Salon avec cheminée.

**Clos du Roy,** 12 r. Petite Fontaine ✆ 05 57 74 41 55, *Fax 05 57 74 41 55* – . GB
*fermé 26 août au 4 sept., 28 oct. au 7 nov., vacances de fév., mardi et merc.* – **Repas** 18 (déj.), 27/43 ♀, enf. 11.
◆ Maison en pierre blonde située à l'écart du circuit touristique. Salles à manger où se marient le rustique et le contemporain. Cuisine au goût du jour soignée.

**Tertre,** r. Tertre de la Tente ✆ 05 57 74 46 33, *Fax 05 57 74 49 87* – . AE GB JCB
*fermé 12 nov. au 18 déc., 5 janv. au 11 fév., lundi d'oct. à avril et mardi* – **Repas** 16,50 (déj.), 22,50/70 ♀.
◆ Accolé à l'église monolithe, restaurant rustique agrémenté d'un vivier à crustacés et, au fond, d'un petit caveau creusé dans la roche. Cuisine classique soignée.

**au Nord-Ouest** : *4 km par D 243 – ✉ 33330 St-Émilion :*

**Château Grand Barrail** , ✆ 05 57 55 37 00, *reception@grand-barrail.com, Fax 05 57 55 37 49,* ≤, – – 20. AE GB JCB. rest
*fermé vacances de fév. et 24 nov. au 16 déc.* – **Repas** *(fermé dim. soir, mardi midi et lundi de nov. à mars)* 28/58 ♀, enf. 22 – ☕ 19 – **28 ch** 230/450 – ½ P 150/302.
◆ Belle situation au milieu des vignes et d'un parc bordé d'un étang pour ce château du 19e s. restauré avec goût. Splendides salles à manger dont une à décor mauresque.

## ST-ÉTIENNE P 42000 Loire 327 F7 *G. Vallée du Rhône – 199 396 h Agglo. 287 981 h alt. 520.*

Voir *Le Vieux St-Etienne★ – Musée d'Art moderne★★* **T M2** *– Puits Couriot, musée de la mine★* **AY** *– Musée d'Art et d'Industrie★ – Site de la Manufacture des Armes et Cycles de St-Étienne : planétarium★.*

✈ *de St-Étienne-Bouthéon : ✆ 04 77 55 71 71, Fax 04 77 55 71 79, par ⑤ : 15 km.*

*Office du Tourisme, 16 avenue de la Libération ✆ 04 77 49 39 00, Fax 04 77 49 39 03, information@tourisme-st-etienne.com.*

*Paris 521 ① – Clermont-Ferrand 146 ④ – Grenoble 154 ① – Lyon 62 ① – Valence 122 ②.*

Plans pages suivantes

**Mercure Parc de l'Europe** M, r. Wuppertal, Sud-Est du plan, par cours Fauriel ✉ 42100 ✆ 04 77 42 81 81, *h1252@accor-hotels.com, Fax 04 77 42 81 89* – – 25 à 120. AE GB JCB **V a**
***Ribandière*** *(fermé 4 au 24 août, 22 déc. au 2 janv., sam., dim. et fériés)* **Repas** *(21)* - 27/35, ♀, enf.11 – ☕ 11,50 – **120 ch** 82/118.
◆ Hall tout bois refait, bar feutré, chambres rénovées et personnalisées, produits du Forez et vins des côtes du Rhône à la Ribandière : explorez la nouvelle planète Mercure.

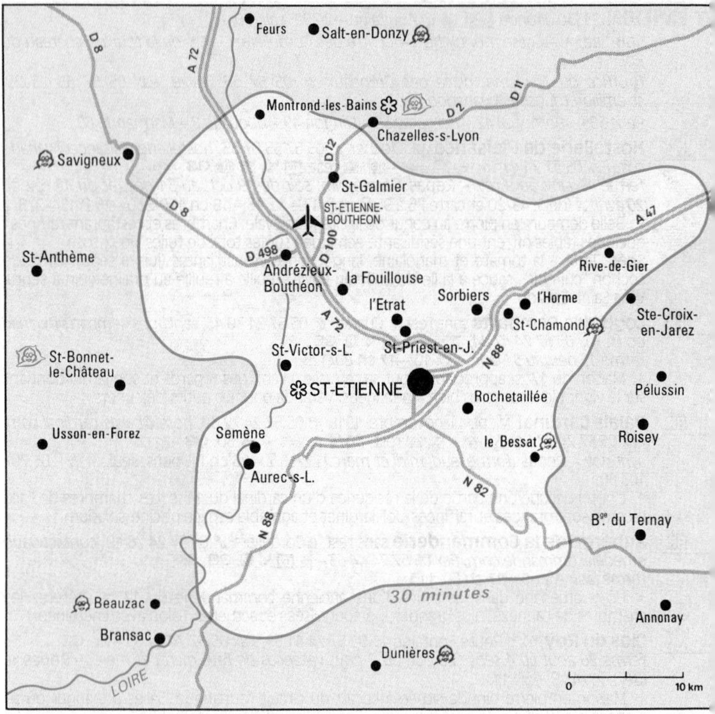
Feurs
Salt-en-Donzy
D 8
A 72
Montrond-les-Bains
D 11
D 2
Chazelles-s-Lyon
Savigneux
D 12
St-Galmier
D 8
ST-ETIENNE-
BOUTHEON
A 47
St-Anthème
D 498
Andrézieux-
Bouthéon
D 100
la Fouillouse
Rive-de-Gier
Sorbiers
l'Horme
l'Etrat
Ste-Croix-
en-Jarez
St-Chamond
A 72
St-Bonnet-
le-Château
St-Victor-s-L.
St-Priest-en-J.
N 88
ST-ETIENNE
Pélussin
Rochetaillée
Usson-en-Forez
Semène
le Bessat
Roisey
Aurec-s-L.
N 82
N 88
Bge du Ternay
30 minutes
Beauzac
Annonay
Bransac
Dunières
LOIRE
0
10 km

**Midi** sans rest, 19 bd Pasteur ✉ 42100 ☎ 04 77 57 32 55, *contact@hotelmidi.f*
*Fax 04 77 57 28 00* – AE GB V
*fermé août et 29 déc. au 4 janv.* – ☕ 7,70 – **33 ch** 52/71.
◆ Dans le quartier de Bellevue, à deux pas de l'hôpital. Petites chambres fonctionnelles bien insonorisées et en partie revues. Plaisant salon.

**Albatros** M, face au golf par r. Revollier T ☎ 04 77 41 41 00, *Fax 04 77 38 28 16*, ≤,
– P – 20 à 60. AE GB
*fermé 11 au 24 août, 21 déc. au 4 janv. et week-ends de nov. à fév.* – **Repas** *(15)* - 18/25
enf. 10 – ☕ 10 – **44 ch** 69/77, 3 appart – ½ P 56,50.
◆ Hôtel récent, bien situé sur une colline face au golf municipal et à la plaine du Forez. Meubles en rotin et rideaux fleuris dans les chambres. Rotonde vitrée pour le repas.

**Terminus du Forez,** 31 av. Denfert-Rochereau ☎ 04 77 32 48 47, *hotel.forez@wanad o.fr, Fax 04 77 34 03 30* – rest, P – 30. AE GB JCB CY
*fermé 27 juil. au 25 août et 21 au 28 déc.* – **Repas** *(fermé sam. midi, lundi midi et dim.)* 1
(déj.), 20/30 – ☕ 8 – **66 ch** 58/65.
◆ Cet hôtel aime le mélange des styles : chambres égyptiennes ou néoclassiques, restaurant "rétro", salons à thème et fumoir. Escalier-promenade pour découvrir le Forez.

**Ténor** M sans rest, 12 r. Blanqui ☎ 04 77 33 79 88, *hoteltenor@mageos.com, Fax 0 77 41 69 81* – GB BY
☕ 6 – **64 ch** 48/56.
◆ En plein centre-ville, au-dessus de la galerie commerciale Dorian, immeuble modern aux petites chambres fonctionnelles et claires. Accueil au 3e étage.

**Carnot** sans rest, 11 bd J. Janin ☎ 04 77 74 27 16, *Fax 04 77 74 25 79* –
GB BX
*fermé 2 au 24 août* – ☕ 6,90 – **24 ch** 28,20/41,20.
◆ Accueil chaleureux, prix raisonnables et copieux petit-déjeuner sous forme d buffet font oublier le décor un brin suranné des chambres de cet hôtel situé près de gare.

## ST-ÉTIENNE

Aciéries (R. des) . . . . . . . . . T 2
Barrouin (R.) . . . . . . . . . . . . T 13
Crozet-Boussingault (R.) . . V 22
Daguerre (Bd) . . . . . . . . . UV 24
Déchaud (R. H.) . . . . . . . . . V 25
Dr-Duval (Bd du) . . . . . . . . V 29
Dr-F. Merlin (R. du) . . . . . . T 30
Drs-Charcot (R. des) . . . . . V 31
Drs-H. et B. Muller (R. des) T 32
Dunkerque (R. de) . . . . . . . . V 36
Fraissinette (Bd A.-de) . . . . . V 45
Franchet-d'Esperey (Bd Mar.) . . . . . . . . . . . . . . U 46
Gauthier-Dumont (R.) . . . . . . U 48
Grignard (R. V.) . . . . . . . . . . . T 55
Marx (Bd Karl) . . . . . . . . . . UV 67
Oddé (R. C.) . . . . . . . . . . . . . T 78
Ogier (R. J. B.) . . . . . . . . . . . U 79
Passementiers (R. des) . . . . . V 82
Pasteur (Bd) . . . . . . . . . . . . . V 83
Péri (R. G.) . . . . . . . . . . . . . . V 84
Pompidou (Bd G.) . . . . . . . . . . T 88
Revollier (R. J.-F.) . . . . . . . . . T 92
Robespierre (R.) . . . . . . . . . . . V 95
Rochetaillée (Av. de) . . . . . . . V 98
Scheurer-Kestner (R.) . . . . . . . T 104
Terrenoire (R. de) . . . . . . . . . U 110
Valbenoite (Bd) . . . . . . . . . . . UV 119
Verdun (Av. de) . . . . . . . . . . . . T 120
Vivaraize (R. de la) . . . . . . . . V 125
8-Mai-1945 (Bd du) . . . . . . . . . T 127
11-Novembre (R. du) . . . . . . . T 128
38e-R.-I. (Bd du) . . . . . . . . . . U 130

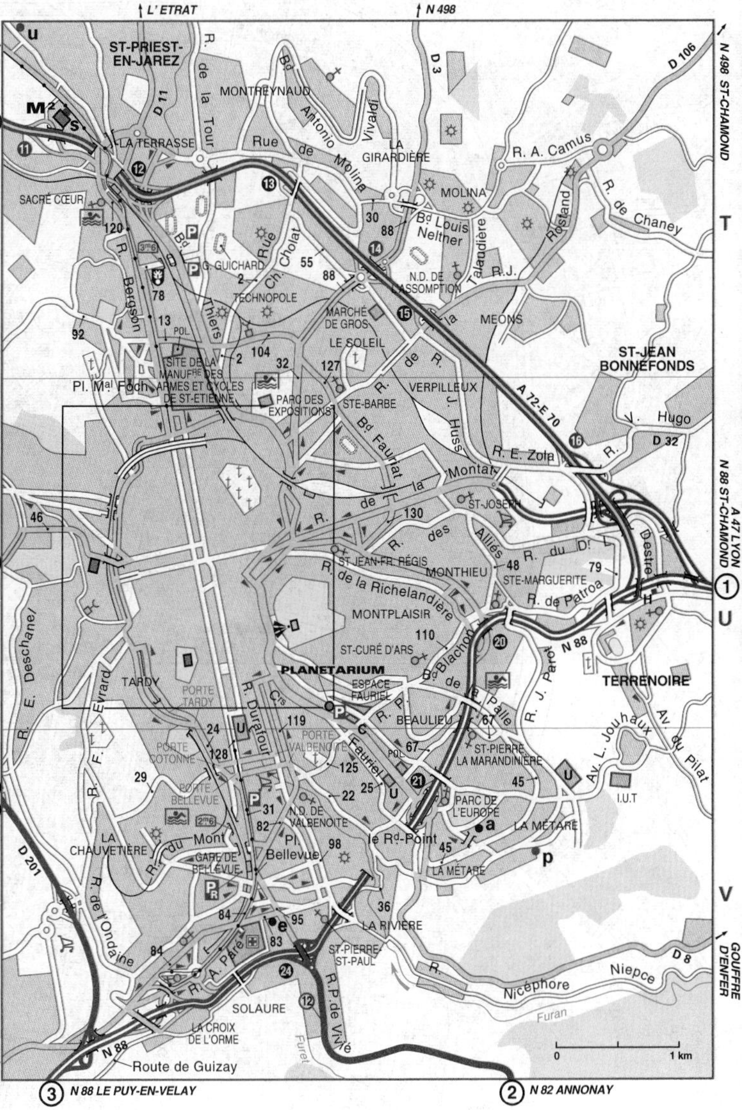

L'ETRAT
N 498
N 498 ST-CHAMOND
ST-PRIEST-EN-JAREZ
MONTREYNAUD
LA TERRASSE
LA GIRARDIÈRE
MOLINA
R. A. Camus
R. de Chaney
SACRÉ CŒUR
G. GUICHARD
TECHNOPOLE
N.D. DE L'ASSOMPTION
MARCHÉ DE GROS
MEONS
LE SOLEIL
ST-JEAN BONNEFONDS
VERPILLEUX
Pl. Mal Foch
SITE DE LA MANUFRE DES ARMES ET CYCLES DE ST-ETIENNE
PARC DES EXPOSITIONS
STE-BARBE
A 72-E 70
R. E. Zola
D 32
ST-JOSEPH
A 47 LYON
N 88 ST-CHAMOND
ST JEAN-FR. RÉGIS
MONTHIEU
STE-MARGUERITE
R. de la Richelandière
MONTPLAISIR
R. de Patroa
ST-CURÉ D'ARS
PLANETARIUM
ESPACE FAURIEL
TERRENOIRE
TARDY
PORTE TARDY
BEAULIEU
PORTE COTONNE
PORTE VALBENOITE
ST-PIERRE LA MARANDINIÈRE
PORTE BELLEVUE
N.D. DE VALBENOITE
PARC DE L'EUROPE
LA MÉTARE
I.U.T
LA CHAUVETIÈRE
GARE DE BELLEVUE
Pl. Bellevue
le Rd-Point
LA RIVIÈRE
ST-PIERRE-ST-PAUL
SOLAURE
LA CROIX DE L'ORME
Route de Guizay
Nicéphore Niepce
Furan
GOUFFRE D'ENFER
N 88 LE PUY-EN-VELAY
N 82 ANNONAY
0
1 km
T
U
V

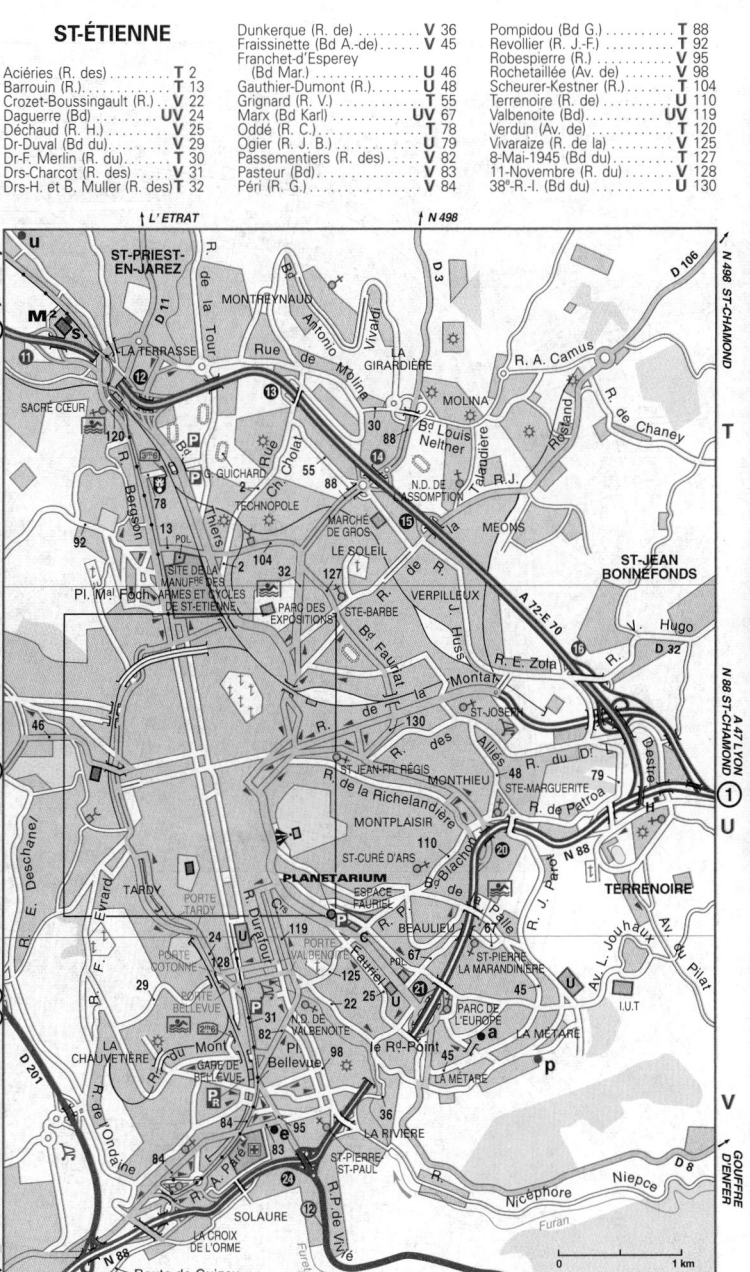

*Pour visiter une ville ou une région : utilisez les* ***Guides Verts Michelin.***

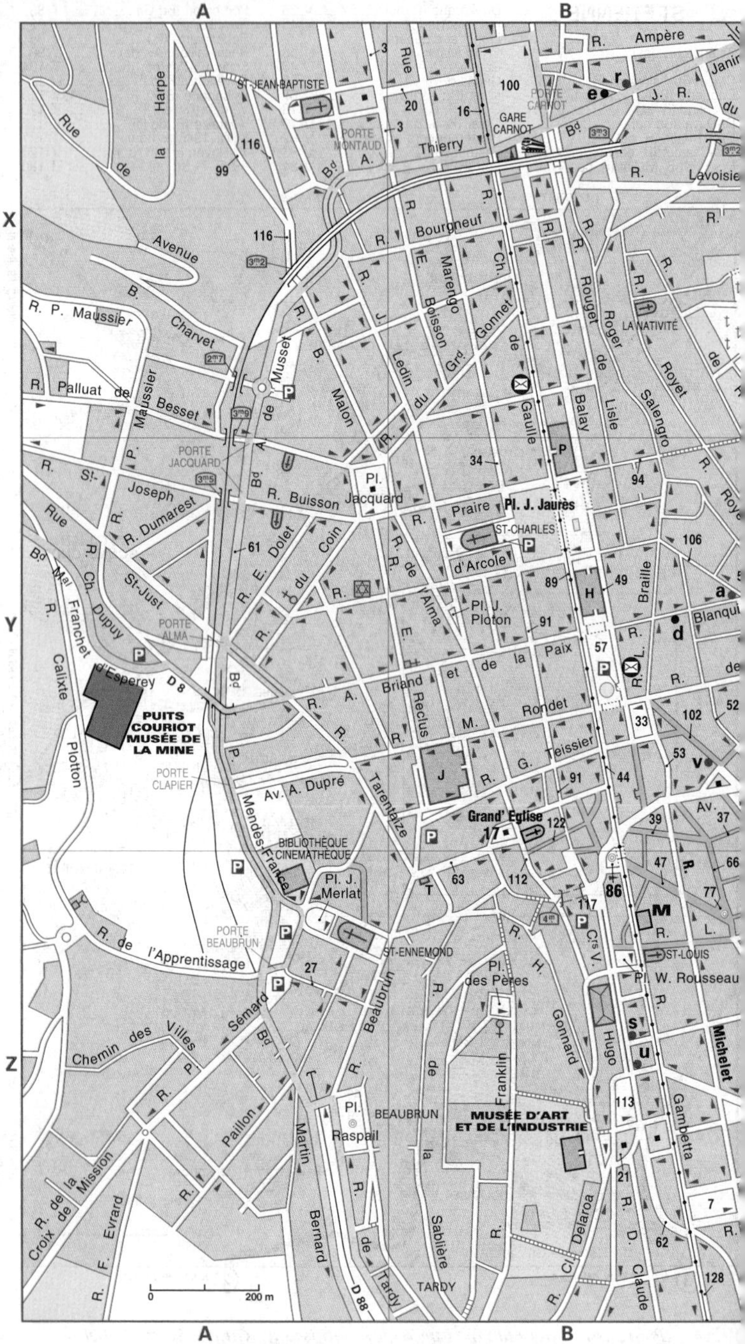
A
B
X
Y
Z
R. Ampère
Rue de la Harpe
ST-JEAN-BAPTISTE
PORTE MONTAUD
Bd A. Thierry
100
PORTE CARNOT
GARE CARNOT
R. Lavoisier
Avenue B. Charvet
R. P. Maussier
R. Palluat de Besset
P. Maussier
R. Bourgneuf
R. E. Boisson
Marengo
R. J. Ledin
R. B. Malon
Grd. Gonnet
R. Ch. de Gaulle
R. Rouget de Lisle
R. Balay
R. Roger Salengro
R. Royet
LA NATIVITÉ
PORTE JACQUARD
Bd A. de Musset
R. St-Joseph
R. Dumarest
R. Buisson
Pl. Jacquard
Pl. J. Jaurès
R. Prairé
ST-CHARLES
R. d'Arcole
R. E. Dolet
R. du Coin
R. de l'Alma
Pl. J. Ploton
R. Braille
R. Blanqui
Rue St-Just
Bd Mal Franchet d'Esperey
R. Ch. Dupuy
PORTE ALMA
R. Calixte Plotton
D 8
PUITS COURIOT MUSÉE DE LA MINE
R. A. Briand
E. Reclus
R. de la Paix
R. M. Rondet
R. G. Teissier
PORTE CLAPIER
Av. A. Dupré
Bd P. Mendès-France
R. Tarentaize
Grand' Eglise
BIBLIOTHÈQUE CINÉMATHÈQUE
Pl. J. Merlat
ST-ENNEMOND
PORTE BEAUBRUN
R. de l'Apprentissage
R. H. Gonnard
Pl. des Pères
Crs V. Hugo
ST-LOUIS
Pl. W. Rousseau
R. Michelet
Chemin des Villes
Bd Sémard
R. Paillon
R. Beaubrun
Martin Bernard
Pl. Raspail
BEAUBRUN
R. de la Sablière
Franklin
MUSÉE D'ART ET DE L'INDUSTRIE
R. Cl. Delaroa
R. D. Claude
Gambetta
R. de la Croix de la Mission
R. F. Evrard
D 88
R. de Tardy
TARDY
0
200 m

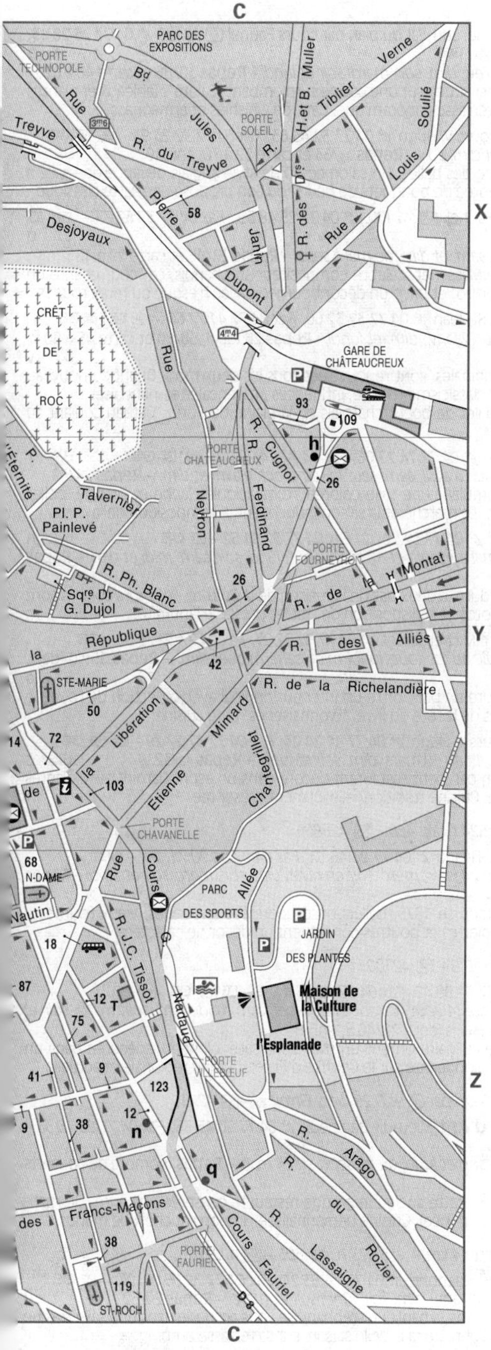
C
PARC DES EXPOSITIONS
PORTE TECHNOPOLE
Rue
Bd
Jules
Treyve
R. du Treyve
PORTE SOLEIL
H. et B. Muller
Tiblier
Verne
Louis
Soulié
Pierre
58
Desjoyaux
R. des Drs
Rue
Janin
Dupont
X
CRÊT DE ROC
Rue
GARE DE CHÂTEAUCREUX
93
109
h
26
PORTE CHATEAUCREUX
R. Cugnot
R. Ferdinand
Neyron
P. l'Éternité
Tavernier
Pl. P. Painlevé
R. Ph. Blanc
Sqre Dr G. Dujol
PORTE FOURNEYRON
R. de la Montat
26
République
42
R. des Alliés
Y
la
STE-MARIE
50
R. de la Richelandière
Libération
Mimard
Chantegrillet
14
72
la
103
de
Etienne
PORTE CHAVANELLE
68
N-DAME
Rue
Cours
Allée
PARC DES SPORTS
Nautin
JARDIN DES PLANTES
18
R. J.C. Tissot
Nadaud
Maison de la Culture
87
12
l'Esplanade
75
PORTE VILLEBŒUF
Z
9
41
123
12
n
9
38
R. Arago
q
R. du Rozier
des
Francs-Maçons
Cours
R. Lassaigne
38
PORTE FAURIEL
Fauriel
119
ST-ROCH
D 8
C

# ST-ÉTIENNE

| | | |
|---|---|---|
| Albert-Ier (Bd) | ABX | 3 |
| Anatole-France (Pl.) | BZ | 7 |
| Badouillère (R. de la) | CZ | 9 |
| Barbusse (R. H.) | CZ | 12 |
| Bérard (R. P.) | BCY | 14 |
| Bergson (R.) | BX | 16 |
| Boivin (Pl.) | BY | 17 |
| Chavanelle (Pl.) | CZ | 18 |
| Clovis-Hugues (R.) | BX | 20 |
| Comte (Pl. Louis) | BZ | 21 |
| Denfert-Rochereau (Av.) | CY | 26 |
| Descours (R.) | AZ | 27 |
| Dorian (Pl.) | BY | 33 |
| Dormoy (R. M.) | BXY | 34 |
| Dupré (R. G.) | BY | 37 |
| Durafour (R. A.) | CZ | 38 |
| Escoffier (R. D.) | BY | 39 |
| Fougerolle (R.) | CZ | 41 |
| Fourneyron (Pl.) | CY | 42 |
| Foy (R. Gén.) | BY | 44 |
| Frappa (R. J.) | BZ | 47 |
| Gambetta (R.) | BZ | |
| Gaulle (R. Ch.-de) | BXY | |
| Gérentet (R.) | BY | 49 |
| Gervais (R. E.) | CY | 50 |
| Gillet (R. F.) | BY | 52 |
| Grand-Moulin (R. du) | BY | 53 |
| Guesde (Pl. J.) | BY | 56 |
| Hôtel-de-Ville (Pl. de l') | BY | 57 |
| Jacob (R.) | CX | 58 |
| Krumnow (Bd F.) | AY | 61 |
| Leclerc (R. du Gén.) | BZ | 62 |
| Libération (Av. de la) | BCY | |
| Loubet (Av. du Président E.) | BZ | 63 |
| Martyrs-de-Vingré (R. des) | BYZ | 66 |
| Michelet (R.) | BYZ | |
| Moine (Pl. Antonin) | CYZ | 68 |
| Moulin (Pl. J.) | CY | 72 |
| Mulatière (R. de la) | CZ | 75 |
| Neuve (Pl.) | BZ | 77 |
| Peuple (Pl. du) | BZ | 86 |
| Pointe-Cadet (R.) | BCZ | 87 |
| Président-Wilson (R.) | BY | 89 |
| République (R. de la) | BCY | |
| Résistance (R. de la) | BY | 91 |
| Rivière (R. du Sergent) | CX | 93 |
| Robert (R.) | BY | 94 |
| Ruel (R. A.) | AX | 99 |
| Sadi-Carnot (Pl.) | BX | 100 |
| St-Jean (R.) | BY | 102 |
| Sauzéa (Cours H.) | CY | 103 |
| Servet (R. M.) | BY | 106 |
| Stalingrad (Square de) | CX | 109 |
| Théâtre (R. du) | BYZ | 112 |
| Thomas (Pl. A.) | BZ | 113 |
| Tilleuls (R. des) | AX | 116 |
| Ursules (Pl. des) | BZ | 117 |
| Valbenoite (Bd) | CZ | 119 |
| Ville (R. de la) | BY | 122 |
| Villebœuf (Pl.) | CZ | 123 |
| 11-Novembre (R. du) | BZ | 128 |

XXX **Clos des Lilas,** 28 r. Virgile, Sud-Est du plan par cours Fauriel ✉ 42100 ✆ 04 77 25 28 13, *Fax 04 77 41 58 91,* 🏠 – ▤. GB V p
*fermé août, vacances de fév., dim. soir, mardi soir et lundi* – **Repas** 30/66 et carte 48 à 62 ♀.
◆ Cette grande maison est située sur une colline surplombant "Sainté". Tableaux et plantes vertes décorent la salle ; terrasse panoramique. Cave de whishies et armagnacs.

XXX **André Barcet,** 19 bis cours V. Hugo ✆ 04 77 32 43 63, *Fax 04 77 32 23 93* – ▤. AE GB
*fermé 13 juil. au 3 août et dim. soir* – **Repas** 24/63 et carte 52 à 70, enf. 10. BZ u
◆ Élégante façade proche des halles. Un salon cossu de style anglais devance une salle à manger soignée, agrémentée de bouquets de fleurs, où l'on propose une carte classique.

XXX **Chantecler,** 5 cours Fauriel ✉ 42100 ✆ 04 77 25 48 55, *Fax 04 77 37 62 75* – ▤. AE GB CZ q
*fermé 1er juil. au 18 août, sam. et dim. de mai à sept.* – **Repas** 22/46 et carte 29 à 42 ♀.
◆ Face au conservatoire Massenet, célèbre compositeur stéphanois, ce "coq" chante un répertoire classique au "piano" et offre un décor bourgeois avec fresque ou murs rouges.

XX ✿ **Nouvelle** (Laurier), 30 r. St-Jean ✆ 04 77 32 32 60, *Fax 04 77 41 77 00* – ▤. AE ⓓ GB
*fermé 10 au 25 août, 2 au 12 janv., dim. et lundi* – **Repas** 25 (déj.), 38/60 et carte 45 à 60 ♀, enf. 18. BY v
◆ Les recettes, plutôt originales, sont renouvelées tous les deux mois. Quant au nouveau décor, il devrait panacher classicisme revisité, influences provençales et irlandaises !
**Spéc.** Huîtres cuisinées. Filet de boeuf charolais de la plaine du Forez. Gâteau coulant au chocolat.

XX **Régency,** 17 bd J. Janin ✆ 04 77 74 27 06, *Fax 04 77 74 98 24* – ▤. AE GB BX r
*fermé août, lundi soir d'oct. à avril, sam. sauf le soir d'oct. à avril et dim.* – **Repas** 24/39.
◆ Pimpante façade dissimulant une salle colorée : tons acidulés jaune et orangé, belles voûtes en briques rouges. Le marché et la saison influencent la composition de la carte.

XX **Evohé,** 10 pl. Villeboeuf ✆ 04 77 32 70 22, *Fax 04 77 32 91 52* – AE GB CZ n
*fermé 1er au 7 mars, 27 mai au 2 juin et 1er au 26 août, lundi soir, sam. midi et dim.* – **Repas** 25/35 ♀.
◆ Face à un carré de verdure, à deux pas de la maison de la Culture. Les murs colorés sont agrémentés de belles photos et la disposition des tables préserve l'intimité.

X **Corne d'Aurochs,** 18 r. Michel Servet ✆ 04 77 32 27 27, *Fax 04 77 32 72 56* – GB
*fermé 1er au 4 mai, 27 juil. au 25 août, lundi midi, sam. midi et dim.* – **Repas** 15,40 (déj.), 18/32 ♀. BY a
◆ Ce bistrot à la devanture en bois, offre un intérieur original avec collection de fouets à pâtisserie et lithographies de la fête du livre. "Lyonnaiseries" côté cuisine.

X ☺ **L'Escargot d'Or,** 5 cours V. Hugo ✆ 04 77 41 24 04, *Fax 04 77 37 27 79* – AE ⓓ GB
*fermé 29 juil. au 26 août, 1er au 10 mars, dim. soir et lundi* – **Repas** 13/32. BZ s
◆ Au premier étage d'un bar, petit restaurant décoré dans un esprit "jardin" avec plantes vertes et chaises en rotin. Cuisine traditionnelle joliment présentée.

**à l'Étrat** *Nord : 5 km par D 11 – 2 524 h. alt. 460 – ✉ 42580 :*

XX **Yves Pouchain,** rte St-Héand ✆ 04 77 93 46 31, *Fax 04 77 93 90 71,* 🏠 – GB
*fermé 16 au 30 août, 9 au 24 janv., merc. soir en hiver, dim. soir, merc. soir et lundi* – **Repas** 15,50/68 ♀.
◆ Dans cette ferme datant de 1879, collection de poupées anciennes, vieux fourneau, fresque, lustres en bois, pierres et poutres constituent un décor de caractère.

**à Rochetaillée** *Sud-Est : 8 km par D 8 – ✉ 42100 :*

XX **Yves Genaille,** ✆ 04 77 32 88 48, *Fax 04 77 46 06 41,* ≤ – AE ⓓ GB JCB
*fermé 26 au 31 mai, 1er au 24 août, vacances de Noël, sam. midi, dim. soir, mardi soir et lundi* – **Repas** (prévenir) *(16)* - 18 (déj.), 22/40 ♀, enf. 8.
◆ Des citations à thème culinaire ornent un mur de la salle joliment redécorée dans un style contemporain. Vue plongeante sur le Gouffre d'Enfer. Cuisine régionale et actuelle.

**à St-Victor-sur-Loire** *Ouest : 10 km par ④ et D 25 (vers Firminy) – ✉ 42230 :*

XX **Auberge La Grange d'Ant',** lieu-dit Bécizieux ✆ 04 77 90 45 36, *Fax 04 77 90 45 36* – P. GB. ✂
*fermé 6 au 27 janv., dim. soir et lundi du 29 sept. au 26 mars* – **Repas** (nombre de couverts limté, prévenir) 17/75 ♀.
◆ À 15 mn du centre-ville, cette ancienne grange restaurée conserve une agréable rusticité (pierres, poutres et cheminée). Cuisine personnalisée ; important choix de menus.

**à St-Priest-en-Jarez** *Nord-Ouest : 4 km -T – 5 673 h. alt. 605 – ✉ 42270 :*

XX **Clos Fleuri,** 76 av. Albert Raimond ✆ 04 77 74 63 24, *Fax 04 77 79 06 70,* 🏠 – AE GB
*fermé 4 au 20 août, 2 au 15 janv., dim. soir, lundi soir et merc.* – **Repas** 20/52. T u
◆ Cette grande villa fleurie de la banlieue stéphanoise vous accueille dans une salle fraîche et élégante, meublée en rotin, ou, à la belle saison, sur sa terrasse ombragée.

**du Musée,** Musée d'Art Moderne-la Terrasse ✆ 04 77 79 24 52, *Fax 04 77 79 92 07*, – P. AE ⓓ GB T s
*fermé 10 au 25 août, 1er au 12 janv., dim. soir, merc. soir et lundi* – **Repas** 9 (déj.)/15 ♀.
◆ Nourritures de l'esprit puis gastronomiques... ou vice-versa selon l'appétit : le bistrot du musée d'Art moderne sert son menu du marché dans un décor résolument contemporain.

à La Fouillouse *Nord-Ouest : 8,5 km par N 82 – 4 035 h. alt. 438 – ✉ 42480 :*

**Route Bleue,** Le Vernay ✆ 04 77 30 12 09, *Fax 04 77 30 27 16*, – P. AE GB
*fermé 15 juil. au 15 août, vacances de fév. et sam.* – **Repas** (déj. seul. sauf vend.) 14 (déj.), 20/29 ♀.
◆ La façade couverte de vigne vierge abrite un restaurant familial, surtout fréquenté par une clientèle d'habitués. Cuisine traditionnelle servie dans un cadre sans chichi.

---

## ST-ÉTIENNE-DE-BAÏGORRY *64430 Pyr.-Atl. 342 D5 G. Aquitaine – 1 565 h alt. 163.*

Voir *Église St-Etienne★.*
*Office du Tourisme, place de l'Eglise ✆ 05 59 37 47 28, Fax 05 59 37 49 58.*
*Paris 817 – Biarritz 51 – Cambo-les-Bains 31 – Pau 117 – St-Jean-Pied-de-Port 12.*

**Arcé** ⬩, rte col d'Ispéguy ✆ 05 59 37 40 14, *hotel-arce@wanadoo.fr*, *Fax 05 59 37 40 27*, ←, , , , – TV P. ⓓ GB
*mi-mars-mi-nov.* – **Repas** *(fermé merc. midi et lundi du 15 sept. au 15 juil. sauf fériés)* (dim. prévenir) 22/33 ♀, enf. 11 – ☕ 8,50 – **21 ch** 130, 3 appart – ½ P 95/104.
◆ Coquette auberge basque de la vallée des Aldudes. Chambres rajeunies et joliment meublées. Terrasse au bord de la rivière. Une passerelle conduit à la piscine, sur l'autre rive.

---

## ST-ÉTIENNE-DE-FURSAC *23 Creuse 325 G4 – rattaché à La Souterraine.*

---

## ST-ÉTIENNE-LÈS-REMIREMONT *88 Vosges 314 H4 – rattaché à Remiremont.*

---

## ST-FARGEAU *89170 Yonne 319 B6 G. Bourgogne – 1 884 h alt. 175.*

Voir *Château★★.*
*Office du Tourisme, 3 place de la République ✆ 03 86 74 10 07, Fax 03 86 74 10 07, office.de.tourisme.saint-fargeau@wanadoo.fr.*
*Paris 182 – Auxerre 45 – Clamecy 48 – Gien 41.*

**Demoiselle,** 1 pl. République ✆ 03 86 74 10 58, *f-dupuy@wanadoo.fr*, *Fax 03 86 74 10 58*, – GB
*fermé 23 déc. au 31 janv., merc. soir et lundi sauf du 14 juil. au 31 août et dim. soir* – **Repas** 18 (déj.), 22/32 ♀, enf. 10.
◆ Face au château, cette bâtisse du 19e s. récemment rénovée conserve de belles poutres et une cheminée en briques. Éclairage tamisé, cuisine au goût du jour.

---

## ST-FARGEAU-PONTHIERRY *77310 S.-et-M. 312 E4 – 10 560 h alt. 51.*

*Paris 45 – Fontainebleau 23 – Créteil 43 – Étampes 36 – Melun 16 – Versailles 51.*

**Apollonia,** N 7, rte de Fontainebleau ✆ 01 60 65 65 35, *infos@bw-apollonia.com*, *Fax 01 64 38 10 41*, – TV P – 100. AE ⓓ GB JCB
**Repas** *(fermé 1er au 24 août et dim. soir)* 15,90/30,70 ♀ – ☕ 9 – **48 ch** 73/84.
◆ En bordure de nationale mais bien insonorisé, hôtel au cadre et au confort actuels, abritant des chambres fonctionnelles meublées en rotin. Sympathique piano-bar.

---

## ST-FÉLIX-LAURAGAIS *31540 H.-Gar. 343 J4 G. Midi-Pyrénées – 1 177 h alt. 332.*

Voir *Site★.*
*Syndicat d'Initiative, place Guillaume de Nogaret ✆ 05 62 18 96 99, Fax 05 61 83 09 20.*
*Paris 729 – Toulouse 43 – Auterive 50 – Carcassonne 59 – Castres 39 – Gaillac 71.*

**Auberge du Poids Public** (Taffarello), ✆ 05 62 18 85 00, *Fax 05 62 18 85 05*, ←, – TV – 25. AE GB
*fermé 27 oct. au 3 nov., janv., dim. soir et lundi midi* – **Repas** 24/58 et carte 52 à 74 ♀ – ☕ 10 – **10 ch** 50/66 – ½ P 51,50/56,50.
◆ Plaisirs des yeux et du palais rivalisent dans cette maison de pays dont la salle rustique abrite une authentique collection de Guides Michelin ! Vue sur la plaine du Lauragais.
**Spéc.** Foie gras de canard en trois préparations. Raviole de gésiers confits. Beignets au chocolat fondant. **Vins** Corbières, Minervois.

---

## ST-FERRÉOL *31 H.-Gar. 343 K4 – rattaché à Revel.*

**ST-FIRMIN** *05800 H.-Alpes* 334 *E4 G. Alpes du Nord – 408 h alt. 901.*
*Paris 641 – Gap 32 – Corps 10 – Grenoble 77 – La Mure 35 – St-Bonnet-en-Champsaur 18.*

**au Séchier** *Est : 4 km – ✉ 05800 St-Firmin :*

**Coin Tranquille Hôtel Loubet** ⚘, ☎ 04 92 55 21 12, *hotel.loubet@wanadoo.fr, Fax 04 92 55 32 72,* ≤, ⛱, 🌳 – **P**. GB
*20 juin-20 sept.* – **Repas** *(11,60)* - 17/29 ⚘, enf. 6,70 – ☕ 5 – **23 ch** 43,50/47 – ½ P 35,30/50.
◆ Entre bois et prairies, au pied des hauts sommets, petite adresse de montagne sympathique où l'on propose de nombreux menus avec spécialités régionales.

**ST-FIRMIN** *80 Somme* 301 *C6 – rattaché à Rue.*

**ST-FLORENT** *2B H.-Corse* 345 *E3 – voir à Corse.*

*Si le coût de la vie subit des variations importantes,*
*les prix que nous indiquons peuvent être majorés.*
*Lors de votre réservation à l'hôtel, faites-vous préciser le prix définitif.*

**ST-FLORENTIN** *89600 Yonne* 319 *F3 G. Bourgogne – 6 433 h alt. 120.*
**Voir** *Vitraux★ de l'église* **E**.
**ℹ** *Office du Tourisme, 10 rue de la Terrasse ☎ 03 86 35 11 86, Fax 03 86 35 11 86.*
*Paris 169 ③ – Auxerre 33 ② – Troyes 51 ① – Chaumont 145 ② – Dijon 165 ② – Sens 45 ③.*

## ST-FLORENTIN

Capucins (R. des) ..... 4
Decourtive (R.) ........ 6
Dilo (Pl.) .............. 7
Faubourg d'Aval (R. du) ............ 8
Faubourg Dilo (R. du) .. 9
Faubourg du Pont (R. du) ............ 10
Faubourg St-Martin (R. du) ............ 12
Grande-Rue
Guimbarde (R. de la) ... 13
Halle (Pl. de la) ........ 14
Leclerc (Av. Gén.) ..... 16
Rempart (R. Basse-du) . 24
St-Martin (R.) .......... 25

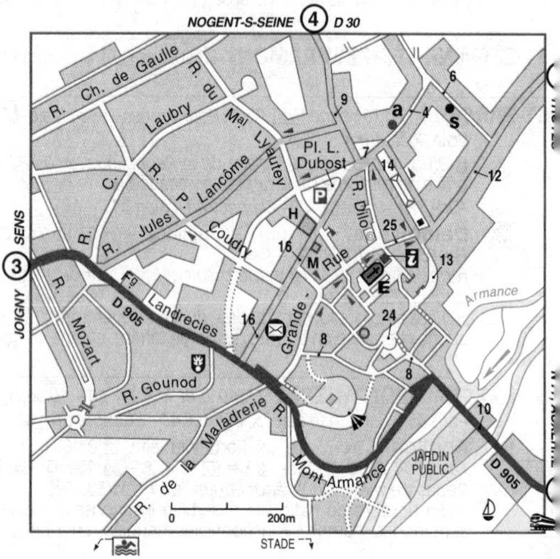

NOGENT-S-SEINE
D 30
R. Ch. de Gaulle
R. du Mal Lyautey
Laubry
Pl. L. Dubost
R. Dilo
R. P. Lancôme
R. C. Jules
Coudry
R. Mozart
Fg Landrecies
D 905
R. Gounod
R. de la Maladrerie
Grande-Rue
Mont Armance
Armance
JARDIN PUBLIC
JOIGNY
SENS
200m
STADE


**Tilleuls** ⚘, 3 r. Decourtive **(s)** ☎ 03 86 35 09 09, *alliances.tilleuls@wanadoo.fr, Fax 03 86 35 36 90,* ⛱, 🌳 – TV **P**. GB
*fermé 17 nov. au 1er déc., 26 déc. au 5 janv., 8 au 22 mars, et dim. soir de sept. à mai* – **Repas** *(fermé dim. soir et lundi de sept. à mai)* 17/40 🍷 – ☕ 7 – **9 ch** 39/52.
◆ Dans les murs d'un couvent des Capucins datant de 1635. Préférez les chambres donnant sur le jardin ombragé de tilleuls. Agréable salle à manger avec poutres et cheminée.

**Grande Chaumière** (Bonvalot) ⚘ avec ch, 3 r. Capucins **(a)** ☎ 03 86 35 15 12, *lagrandechaumière@wanadoo.fr, Fax 03 86 35 33 14,* ⛱, 🌳 – TV ☎ **P**. AE ⓪ GB JCB. ✂ ch
*fermé 20 déc. au 18 janv., 1er au 7 sept., jeudi midi et merc. de sept. à mai* – **Repas** 26 (déj.), 37/88 et carte 59 à 78 – ☕ 11 – **10 ch** 55/130 – ½ P 89.
◆ Élégante demeure de pays dont la décoration mêle avec goût le moderne et les matériaux anciens. Chambres confortables. Belle terrasse face au jardin. Cuisine classique.
**Spéc.** Saumon fumé tiède à la crème de ciboulette. Soufflé de brochet au chablis. Ris d'agneau au soumaintrain. **Vins** Chablis, Irancy.

**aux Pommerats** *par ④, rte de Venizy et D 129 : 4 km – ✉ 89210 Venizy :*

**Moulin des Pommerats** *, ✆ 03 86 35 08 04, les.pommerats@wanadoo.fr, Fax 03 86 43 47 88, , , – TV ✆ P – 30. GB*
*fermé dim. soir du 15 sept. au 14 mars, mardi midi du 15 juin au 15 sept. et lundi –* **Repas** 16/41, enf. 12 – ☕ 9 – **19 ch** 46/70 – ½ P 44/56.
◆ Isolées dans la campagne, au bord d'un ruisseau, trois maisons régionales nichées dans un jardin verdoyant et fleuri. Amples chambres rénovées. Promenades à cheval.

## ST-FLORENT-LE-VIEIL *49410 M.-et-L.* 317 *C4 G. Châteaux de la Loire – 2 511 h alt. 45.*

**Voir** *Tombeau★ dans l'église – Esplanade ≤★.*
*Office du Tourisme, rue de Réneville ✆ 02 41 72 62 32, Fax 02 41 72 62 95, office-de-tourisme-st-florent-49@wanadoo.fr.*
*Paris 337 – Angers 43 – Ancenis 16 – Châteaubriant 69 – Château-Gontier 63 – Cholet 39.*

**Hostellerie de la Gabelle,** *✆ 02 41 72 50 19, Fax 02 41 72 54 38, ≤, – TV ✆. AE GB*
*fermé 23 déc. au 1er janv., vend. soir, dim. soir et lundi midi du 1er sept. au 15 juin –* **Repas** 12,50/40 ♀, enf. 7 – ☕ 6,10 – **18 ch** 32.
◆ Grande bâtisse régionale sur les bords de la Loire. Quelques chambres rajeunies. Deux salles à manger : l'une au plaisant cadre rustique, l'autre avec vue sur le fleuve.

*Ecrivez-nous...*
*Vos louanges comme vos critiques seront examinées avec le plus grand soin. Nous reverrons sur place les informations que vous nous signalez.*
*Par avance merci !*

## ST-FLOUR *15100 Cantal* 330 *G4 G. Auvergne – 7 417 h alt. 783.*

**Voir** *Site★★ – Cathédrale★ – Brassard★ dans le musée de la Haute Auvergne* **H**.
*Office du Tourisme, 17bis place d'Armes ✆ 04 71 60 22 50, Fax 04 71 60 05 14, info@saint-flour.com.*
*Paris 516 ① – Aurillac 72 ④ – Issoire 66 ① – Le Puy-en-Velay 114 ① – Rodez 112 ③.*

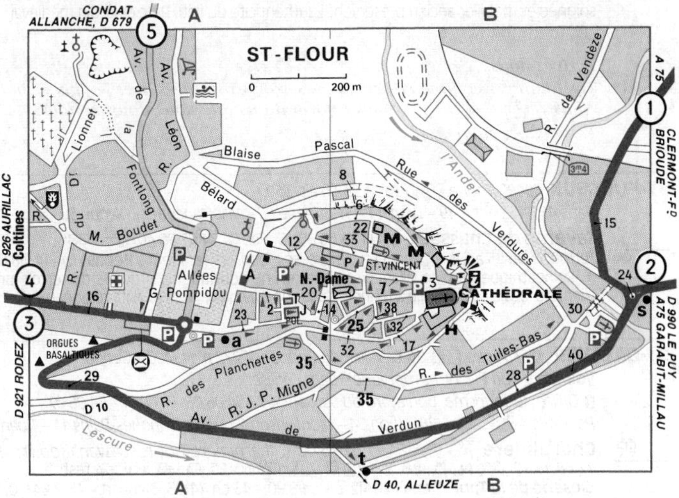
ST-FLOUR
0
200 m
CONDAT
ALLANCHE, D 679
A
B
A 75
CLERMONT-FD
BRIOUDE
D 990 LE PUY
A 75 GARABIT-MILLAU
D 926 AURILLAC
Coltines
D 921 RODEZ
D 40, ALLEUZE
Av. de Léon
R. Fontlong
R. Lionnet
R. Blaise Pascal
R. Bélard
R. du Dr M. Boudet
Allées G. Pompidou
N.-Dame
ST-VINCENT
CATHÉDRALE
Rue des Verdures
l'Ander
R. de Vendèze
R. des Tuiles-Bas
R. des Planchettes
Av. R. J. P. Migne
Av. de Verdun
ORGUES BASALTIQUES
Lescure
D 10

**Ville basse :**

**Grand Hôtel de l'Étape,** 18 av. République par ② ✆ 04 71 60 13 03, *info@hotel-etape.com, Fax 04 71 60 48 05* – 15 à 150. AE GB JCB
*fermé dim. soir de sept. à juin* – **Repas** *(fermé janv. et lundi sauf juil.-août)* (12,80) - 16,80/38, enf. 8,50 – 8 – **23 ch** 40/75 – ½ P 46/56.
◆ Immeuble des années 1970 au fonctionnement familial. Chambres pratiques et assez spacieuses ; préférez celles avec vue sur la montagne. Cuisine copieuse ; potager "maison".

**St-Jacques,** 8 pl. Liberté ✆ 04 71 60 09 20, *info@hotelsaintjacques.com, Fax 04 71 60 33 81,* AE GB B s
*fermé 15 nov. au 5 janv., vend. soir et sam. de nov. à Pâques et sam. midi sauf juil.-août* – **Repas** 14/35 - ***Grill*** *(fermé vend. soir et sam. midi de janv. à Pâques)* **Repas** carte 15 à 20 – 6,50 – **28 ch** 42,70/65 – ½ P 42/47.
◆ Bordant une placette, ancien relais sur la route de Compostelle. Chambres anciennes dotées de salles de bains flambant neuf. La piscine offre une jolie vue sur la ville haute.

**Auberge de La Providence,** 1 r. Château d'Alleuze par D 40 (sud du plan) ✆ 04 71 60 12 05, *auberge-providence@free.fr, Fax 04 71 60 33 94* – GB B t
*fermé 15 oct. au 15 nov., vend., sam., et dim. du 15 oct. au 15 avril* – **Repas** *(fermé le midi sauf dim., fériés et lundi en saison)* 18/28 – 7 – **10 ch** 45/55 – ½ P 43/50.
◆ Légèrement excentrée, avenante auberge familiale abritant des chambres actuelles, bien tenues et insonorisées. Spécialités régionales servies dans un cadre campagnard.

**Ville haute :**

**Europe,** 12 cours Spy des Ternes ✆ 04 71 60 03 64, *hotelEUROPE.STFLOUR@wanadoo.fr, Fax 04 71 60 03 45,* ≤ vallée – AE GB JCB A a
**Repas** 14/51, enf. 9,50 – 8 – **44 ch** 36/62 – ½ P 35/51.
◆ L'atout de cet établissement un brin mûrissant est sa vue panoramique depuis la moitié des chambres (six avec grande terrasse) et la salle à manger. Plats du terroir.

**à St-Georges** *par ②, N 9 et rte secondaire : 5 km – 1 039 h. alt. 860 – ✉ 15100 :*

**Château de Varillettes** , ✆ 04 71 60 45 05, *varillettes@leshotelsparticuliers.com, Fax 04 71 60 34 27,* ≤, – P. AE GB JCB
*1er avril-3 nov.* – **Repas** *(fermé dim. soir et lundi sauf vacances scolaires)* 15 (déj.), 21/42 – 12 – **11 ch** 75/121 – ½ P 143/159.
◆ Ce petit château du 15e s. fut une résidence d'été des évêques de St-Flour. Décoration soignée et mobilier ancien préservent l'authenticité du lieu. Parc et jardin médiéval.

*Ecrivez-nous...*
*Vos louanges comme vos critiques seront examinées avec le plus grand soin. Nous reverrons sur place les informations que vous nous signalez.*
*Par avance merci !*

## ST-FORGEUX *69490 Rhône 327 F4 – 1 232 h alt. 350.*

*Paris 461 – Roanne 49 – Lyon 44 – St-Étienne 80 – Villefranche-sur-Saône 30.*

**Taverne du Chasseur,** ✆ 04 74 05 60 15, *Fax 04 74 05 90 40,* – GB
*fermé 1er au 15 août, 1er au 15 fév., merc. soir, dim. soir et lundi* – **Repas** (12) - 14/38,50.
◆ Sympathique taverne villageoise abritant une boutique de produits du terroir, un bar à clientèle locale et une salle à manger rustique où l'on régale de plats régionaux.

## ST-GALMIER *42330 Loire 327 E6 G. Vallée du Rhône – 4 272 h alt. 400 – Casino.*

Voir *Vierge du Pilier★ et triptyque★ dans l'église.*

*Office du Tourisme, boulevard du Sud ✆ 04 77 54 06 08, Fax 04 77 54 06 07.*

*Paris 461 – St-Étienne 26 – Lyon 84 – Montbrison 25 – Montrond-les-Bains 11 – Roanne 59.*

**Charpinière** , ✆ 04 77 52 75 00, *charpiniere.hot.rest@wanadoo.fr, Fax 04 77 54 18 79,* – 15 à 50. AE GB JCB. rest
***Closerie de la Tour :*** **Repas** 20/42 – 8,90 – **46 ch** 74/93, 3 appart – ½ P 64/70.
◆ Un agréable parc entoure cette gentilhommière tapissée de vigne vierge. Chambres fonctionnelles. Restaurant façon "jardin d'hiver". Bons équipements de loisirs.

**Forez,** 6 r. Didier Guetton ✆ 04 77 54 00 23, *relations.@leforez.fr, Fax 04 77 54 07 49,* – – 30. AE GB
*fermé 28 juil. au 3 août, 25 au 31 août , dim. soir et lundi midi* – **Repas** 19/36,50, enf. 9 – 8,50 – **17 ch** 34,20/59 – ½ P 36,50/42,50.
◆ Affaire familiale située face à la mairie. Chambres simples, mais rénovées et bien tenues. Salle à manger ouverte sur la vallée de la Coise. Caveau de dégustation.

XXX **Bougainvillier,** Pré Château ✆ 04 77 54 03 31, *Fax 04 77 94 95 93,* – . AE GB
*fermé 28 juil. au 24 août., 24 fév. au 9 mars, merc. soir, dim. soir et lundi* – **Repas** (prévenir) 20/48 et carte 46,50 à 61,50 ♀.
◆ Cette ancienne maison bourgeoise abrite trois salles parquetées, modernes et soignées, dont une en rotonde donnant sur la terrasse et le jardin. Cuisine au goût du jour.

XX **Paillote,** au casino le Lion Blanc ✆ 04 77 54 01 99, *lion.blanc@wanadoo.fr, Fax 04 77 54 18 57,* – GB
*fermé 7 au 18 sept., mardi et merc.* – **Repas** 17/40, enf. 7.
◆ Les joueurs apprécieront aussi ce restaurant situé dans l'enceinte même du casino. Salle lumineuse, égayée de tissus colorés. Carte à la fois classique et actuelle.

## ST-GATIEN-DES-BOIS *14130 Calvados* 303 N3 – *1 182 h alt. 149.*

*Paris 194 – Caen 58 – Le Havre 65 – Deauville 10 – Honfleur 13 – Lisieux 27.*

**Clos Deauville St-Gatien,** ✆ 02 31 65 16 08, *hotel@clos-st-gatien.fr, Fax 02 31 65 10 27,* – 50. AE GB
**Repas** 18 (déj.), 26/65 ♀, enf. 11 – ☕ 12 – **60 ch** 63/150 – ½ P 65,50/109.
◆ Ancienne ferme et ses dépendances au coeur d'un jardin arboré. Les nombreux équipements de loisirs et de séminaires permettent de joindre l'utile à l'agréable.

## ST-GAUDENS 31800 *H.-Gar.* 343 C6 *G. Midi-Pyrénées* – *11 266 h alt. 405.*

**Voir** *Boulevards des Pyrénées* ≤★ – *Belvédères*★.

*Office du Tourisme, 2 rue Thiers ✆ 05 61 94 77 61, Fax 05 61 94 77 50, tourisme@stgaudens.com.*

*Paris 778 ② – Bagnères-de-Luchon 46 ③ – Tarbes 68 ④ – Toulouse 94 ②.*

**ST-GAUDENS**

Boulogne (Av. de) .......... Y 2
Compagnons-du-Tour de-France (R. des) ..... Y 3
Foch (Av. Mar.) .......... Z 4
Isle (Av. de l') .......... Y 5
Jaurès (Pl. Jean) ....... YZ 6
Joffre (Av. Mar.) .......... Z 7
Leclerc (Av. Gén.) ........ Y 8
Mathe (R.) .......... Y 9
Mitterrand (Av. F.) ........ Y 12
Palais (Pl. du) .......... Y 13
Pasteur (Bd) .......... Y 14
Pyrénées (Bd des) ........ Z 16
République (R. de la) ..... Y 17
Thiers (R.) .......... Y 18
Victor-Hugo (R.) .......... Z

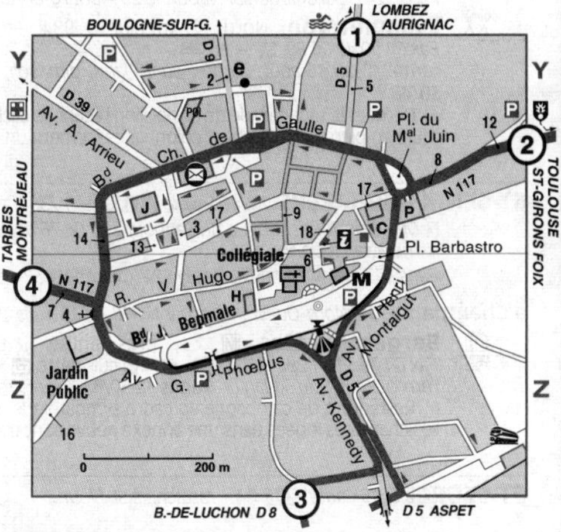

BOULOGNE-SUR-G.
LOMBEZ
AURIGNAC
TOULOUSE
ST-GIRONS FOIX
TARBES
MONTRÉJEAU
B.-DE-LUCHON D 8
D 5 ASPET
Ch. de Gaulle
Av. A. Arrieu
Pl. du Mal Juin
N 117
Pl. Barbastro
Collégiale
R. V. Hugo
Bd J. Bepmale
Av. G. Phoebus
Av. Henri Montaigut
Av. Kennedy
Jardin Public
200 m


**Commerce,** av. Boulogne ✆ 05 62 00 97 00, *hotel.commerce@wanadoo.fr, Fax 05 62 00 97 01* – AE GB. ch Y e
*fermé 19 déc. au 5 janv.* – **Repas** (14,50) - 16/31 ♀, enf. 9 – ☕ 7,50 – **48 ch** 46/60 – ½ P 39/46.
◆ Étape idéale pour le voyageur de... commerce. Chambres de tailles variées, modernes ou plus classiques et toutes climatisées. Salle à manger au décor actuel.

**Beaurivage,** par av. Mar. Foch : 2 km ✆ 05 61 94 76 70, *lebeaurivage@yahoo.fr, Fax 05 61 94 76 79,* – 50. AE GB JCB.
**Repas** 23 carte le dim. 28 à 44 – ☕ 9 – **10 ch** 70/130 – ½ P 75/85.
◆ Les chambres, assez grandes et bien insonorisées, font oublier le rond-point tout proche. Salle à manger avec poutres et cheminée. Un seul menu, verbal, au déjeuner.

**à Valentine** *par av. Mar. Foch : 4 km – 907 h. alt. 370 – ✉ 31800 St-Gaudens :*

XX **Connivence,** rte d'Encausse-les-Thermes (D 39) ✆ 05 61 95 29 31, *Fax 05 61 88 36 42,* – P. AE GB
*fermé sam. midi et lundi* – **Repas** (13,50) - 19 (déj.), 21,50/33,50 ♀.
◆ Le piano occupe une place de choix dans la jolie salle rustique de cette auberge campagnarde. Cuisine traditionnelle. Animations musicales en fin de semaine.

**à Villeneuve-de-Rivière** *par ④ : 5 km – 1 341 h. alt. 386 – ✉ 31800 :*

**Hostellerie des Cèdres** ⑤, ☎ 05 61 89 36 00, *information@hotel-descedres.com, Fax 05 61 88 31 04,* 🍴, 🏊, – 📺 🅿 – 🔔 20. AE GB
**Repas** *(fermé dim. soir hors saison, mardi midi en juil.-août et lundi midi)* 21/51 ♀ – ☕ 9 – **20 ch** 61/138 – ½ P 83,80/107.
◆ Ce manoir du 17ᵉ s. conserve le souvenir des Montespan. Chambres peu à peu rénovées (préférer celles de l'annexe) et élégante salle de restaurant. Cuisine au goût du jour.

---

## ST-GENIEZ-D'OLT *12130 Aveyron 338 J4 G. Midi-Pyrénées – 1 988 h alt. 410.*

ℹ *Office du Tourisme, 4 rue du Cours ☎ 05 65 70 43 42, Fax 05 65 70 47 05, office.tourisme-.saintgenie@wanadoo.*
*Paris 615 – Rodez 46 – Espalion 28 – Florac 80 – Mende 68 – Sévérac-le-Château 25.*

**Poste** ⑤, ☎ 05 65 47 43 30, *hotel@hoteldelaposte12.com, Fax 05 65 47 42 75,* 🍴, 🏊, 🎾, – 🛗 📺 🅿. GB
*27 mars-3 nov.* – **Repas** – ☕ 7 – **50 ch** 30/48 – ½ P 43/48.
◆ D'importants travaux ont donné une seconde jeunesse à cet hôtel central. Chambres bien refaites à l'annexe, rafraîchies mais un peu plus désuètes dans le bâtiment principal.

**France,** ☎ 05 65 70 42 20, *hoteldefrance@free.fr, Fax 05 65 47 41 38* – 🛗 ✈ 📺. GB
*31 mars-30 oct.* – **Repas** (10 bc) - 14,50/29 🍷 – ☕ 5,50 – **48 ch** 44/50 – ½ P 41,20/44,20.
◆ Cet hôtel progressivement relooké s'avère commode pour rayonner dans le Nord de l'Aveyron. Chambres petites mais actuelles ; celles sur l'arrière sont plus calmes.

---

## ST-GENIS-POUILLY *01630 Ain 328 J3 – 5 696 h alt. 445.*

*Paris 524 – Bellegarde-sur-Valserine 29 – Bourg-en-Bresse 100 – Genève 12 – Gex 10.*

XX **L'Amphitryon,** Nord : 2 km sur D 984ᶜ et rte de Crozet ☎ 04 50 20 64 64, *Fax 04 50 42 06 98,* 🍴 – 🅿. GB
*fermé 1ᵉʳ au 15 août, 26 déc. au 10 janv., dim. soir, mardi soir et lundi* – **Repas** 15 (déj.), 30/48 ♀.
◆ Derrière la sage façade de ce pavillon récent se cache une surprenante salle à manger où murs en pierres, fresques et colonnades forment un chatoyant décor. Cave fournie.

---

## ST-GÉNIX-SUR-GUIERS *73240 Savoie 333 G4 – 1 735 h alt. 235.*

ℹ *Office du Tourisme, rue du Faubourg ☎ 04 76 31 63 16, Fax 04 76 31 71 30, valguiers.tourisme@wanadoo.fr.*
*Paris 513 – Grenoble 58 – Belley 22 – Chambéry 32 – Lyon 73.*

**à Champagneux** *Nord-Ouest : 4 km par N 516 – 327 h. alt. 214 – ✉ 73240 :*

**Bergeronnettes** M ⑤, près église ☎ 04 76 31 50 30, *gourjux@aol.com, Fax 04 76 31 61 29,* ←, 🍴, 🏊, – 🛗 cuisinette 📺 📞 ♿ 🅿. GB
*fermé 26 déc. au 31 janv.* – **Repas** 12,50/32 🍷, enf. 7 – ☕ 9 – **18 ch** 48/70 – ½ P 45.
◆ Restaurant de campagne au cadre sympathique, servant une cuisine régionale simple. Les chambres logées dans une annexe neuve sont très spacieuses.

---

## ST-GEORGES *15 Cantal 330 G4 – rattaché à St-Flour.*

---

## ST-GEORGES-DE-DIDONNE *17110 Char.-Mar. 324 D6 G. Poitou Vendée Charentes – 4 705 h alt. 7.*

Voir *Pointe de Vallières★ – Pointe de Suzac★ S : 3 km.*
ℹ *Office du Tourisme, ☎ 05 46 05 09 73, Fax 05 46 06 36 99, omt@saintgeorgesdedidonne.com.*
*Paris 505 – Royan 4 – Blaye 81 – Bordeaux 119 – Jonzac 57 – La Rochelle 78.*

**Colinette et Costabela,** 16 av. Gde Plage ☎ 05 46 05 15 75, *infos@colinette.net, Fax 05 46 06 54 17,* 🍴 – 📺. GB
**Repas** *(fermé 15 déc. au 1ᵉʳ fév.)* (dîner pour résidents seul.) 16/22 🍷 – ☕ 6 – **21 ch** 55/64 – ½ P 45/50.
◆ Entre pins et plage, villa des années 1930 proposant des chambres récemment refaites, lumineuses et confortables ; l'annexe dispose d'équipements plus anciens.

**Printemps** ⑤, 7 av. Pelletan ☎ 05 46 05 14 65, *Fax 05 46 02 09 89* – 🅿. GB. ✱ rest
*fermé vacances de Noël* – **Repas** *(Pâques-fin sept.)* (dîner seul.)(½ pens. seul.) 🍷 – ☕ 5 – **12 ch** 34/38 – ½ P 40.
◆ Une impasse tranquille conduit à ce vaste pavillon situé tout près de l'océan. Salle à manger décorée dans le style des années 1970. Chambres simples mais bien tenues.

## ST-GEORGES-DE-RENEINS *69830 Rhône* 327 H3 – *3 509 h alt. 209.*

*Paris 421 – Mâcon 35 – Bourg-en-Bresse 48 – Lyon 44 – Villefranche-sur-Saône 9.*

**Sables,** r. Saône ✆ 04 74 67 64 08, *Fax 04 74 67 68 23* – TV P. AE GB
*fermé déc. et janv.* – **Repas** (dîner seul.)(résidents seul.) 13/20 ♀ – ☕ 6 – **18 ch** 26/30 – 1/2 P 42/84.
◆ Sobre bâtiment cubique établi dans un quartier résidentiel relativement calme. Petites chambres modestes, minisalon en rotin, prix raisonnables et accueil familial.

XX **Hostellerie St-Georges,** N 6 ✆ 04 74 67 62 78, *Fax 04 74 67 62 78* – GB
*fermé 1er au 24 août, 1er au 18 janv., le soir sauf sam. et merc.* – **Repas** 13 (déj.), 18,50/41,50 ♀.
◆ En bordure de nationale, salle à manger rustique à la décoration fraîche, complétée d'un petit salon privé pour les repas commandés. Cuisine traditionnelle.

## ST-GEORGES-D'ESPÉRANCHE *38790 Isère* 333 D4 – *2 221 h alt. 400.*

*Paris 498 – Lyon 41 – Bourgoin-Jallieu 25 – Grenoble 92 – Vienne 22.*

XX **Castel d'Espéranche,** ✆ 04 74 59 18 45, *info@castel-esperanche.com, Fax 04 74 59 04 40,* 斧, ⛱, 🚗 – P. AE GB
*fermé en nov., en mars, lundi, mardi et merc.* – **Repas** (16) - 23/51.
◆ Restaurant installé en partie dans une tour de garde du 13e s. dont quelques vestiges agrémentent les salles à manger. Le menu "du Moyen-Âge" est servi en costume d'époque.

## ST-GEORGES-D'OLÉRON *17 Char.-Mar.* 324 C4 – *voir à Île d'Oléron.*

*Un automobiliste averti utilise le* **Guide Rouge Michelin** *de l'année.*

## ST-GEORGES-SUR-LOIRE *49170 M.-et-L.* 317 E4 *G. Châteaux de la Loire* – *3 101 h alt. 50.*

Voir *Château de Serrant★★★ NE : 2 km.*

*Paris 312 – Angers 19 – Ancenis 35 – Châteaubriant 65 – Château-Gontier 58 – Cholet 48.*

XX **Relais d'Anjou,** r. Nationale ✆ 02 41 39 13 38, *relais-anjou@wanadoo.fr, Fax 02 41 39 13 69,* 斧 – GB
*fermé 1er au 15 juil., 1er au 15 janv., mardi soir, dim. soir et lundi* – **Repas** 36 bc/55 ♀, enf. 13.
◆ Un petit salon dessert la salle principale située à l'arrière. Murs crépis à demi lambrissés, nombreuses bouteilles et diplômes du patron exposés à titre de décor.

X **Tête Noire,** r. Nationale ✆ 02 41 39 13 12 – GB. ⚘
*fermé 3 au 24 août, 1 au 14 fév., dim. soir et sam.* – **Repas** 11,50 (déj.), 19/66 ♀.
◆ Dans une dépendance de l'abbaye, petit restaurant familial au gentil décor rustique. Les fresques illustrent le thème de la chasse à courre. Grande tradition dans l'assiette.

## ST-GEORGES-SUR-MOULON *18110 Cher* 323 K3 – *645 h alt. 181.*

*Paris 215 – Bourges 15 – Cosne-sur-Loire 51 – Gien 64 – Vierzon 32 – Orléans 106.*

X **St-Georges,** rte Bourges (D 940) ✆ 02 48 64 50 14, *st-georges@pme-fr.com, Fax 02 48 64 13 67* – P. AE ⓓ GB
*fermé mi-fév. à mi-mars et dim. soir hors saison* – **Repas** 12,20/30,50 ♀.
◆ Sur la route Jacques-Coeur, maison traditionnelle à la façade fraîchement toilettée. Un bar, où l'on vous réserve un accueil familial, précède la salle à manger colorée.

## ST-GERMAIN-DE-JOUX *01130 Ain* 328 H3 – *465 h alt. 507.*

*Paris 485 – Bellegarde-sur-Valserine 13 – Belley 69 – Bourg-en-Bresse 61 – Nantua 14.*

XX **Reygrobellet** avec ch, N 84 ✆ 04 50 59 81 13, *Fax 04 50 59 83 74* – TV 🚗 P. ⓓ GB. ⚘
*fermé 4 au 14 mars, 30 juin au 19 juil., 21 oct. au 8 nov., merc. soir, dim. soir et lundi* – **Repas** 17/47,50 – ☕ 6 – **10 ch** 38/46 – 1/2 P 42/46.
◆ Cette maison familiale proche d'un axe assez passant propose une restauration traditionnelle dans une salle à manger rustique. Chambres simples, mais bien tenues.

## ST-GERMAIN-DE-LA-RIVIÈRE *33240 Gironde* 335 I5 – *314 h alt. 62.*

🅱 *Syndicat d'Initiative, Maison du Pays Fronsadais* ✆ *05 57 84 86 86, Fax 05 57 84 86 86.*

*Paris 566 – Bordeaux 31 – Libourne 9 – St-André-de-Cubzac 10.*

XX **Méhul Gourmand,** ✆ 05 57 84 44 50, *Fax 05 57 84 44 50* – P. AE GB JCB
*fermé dim. soir, lundi et mardi* – **Repas** 27/32 ♀ - ***Table du Pays :*** **Repas** 15,50/19♀.
◆ Restaurant installé dans les murs de la Maison du Pays Fronsadais. Intérieur contemporain, vue sur un étang et cuisine traditionnelle. Plats du terroir à la Table du Pays.

**ST-GERMAIN-DES-VAUX** *50440 Manche* 303 A1 – *489 h alt. 59.*

Voir *Baie d'Ecalgrain★★ S : 3 km – Port de Goury★ NO : 2 km.*

Env. *Nez de Jobourg★★ S : 7,5 km puis 30 mn – ≤★★ sur anse de Vauville SE : 9,5 km pa Herqueville,* G. Normandie Cotentin.

*Paris 383 – Cherbourg 28 – Barneville-Carteret 48 – Nez de Jobourg 7 – St-Lô 104.*

XX **Moulin à Vent,** Est : 1,5 km sur D 45 ✆ 02 33 52 75 20, *Fax 02 33 52 22 57,* ≤, ⛱, ⛟ – P. AE GB

*fermé 17 au 30 nov., 5 au 18 janv., dim. soir de Pâques au 15 oct., sam. et le soir du 16 oct. avril –* **Repas** 25 ♀.

◆ Auberge de granit pimpante et fleurie isolée au bout de la presqu'île du Cotentin. Les tables près des fenêtres jouissent de la vue. Cuisine au gré du marché et de la pêche.

**ST-GERMAIN-DE-TALLEVENDE** *14 Calvados* 303 G7 – *rattaché à Vire.*

**ST-GERMAIN-DU-BOIS** *71330 S.-et-L.* 320 L9 *G. Bourgogne – 1 856 h alt. 210.*

*Paris 367 – Chalon-sur-Saône 33 – Dole 58 – Lons-le-Saunier 29 – Mâcon 77 – Tournus 41.*

X **Hostellerie Bressane** avec ch, ✆ 03 85 72 04 69, *Fax 03 85 72 07 75* – ✆ P. GB

*fermé 8 au 26 sept., 22 déc. au 13 janv., dim. soir et lundi –* **Repas** 9,50/27,60 ♁, enf. 6,50 – ☕ 5,50 – **8 ch** 16/38,50 – ½ P 38/41.

◆ Intérieur régional pittoresque d'un hôtel particulier du 18e s. De belles fresques 1900 égaient l'une des salles. Grande cheminée en pierre dans le hall, avec coin salon.

**ST-GERMAIN-EN-LAYE** *78 Yvelines* 311 I2 101 ⑬ – *voir à Paris, Environs.*

**ST-GERMAIN-LES-ARLAY** *39210 Jura* 321 D6 – *465 h alt. 255.*

*Paris 399 – Chalon-sur-Saône 58 – Besançon 74 – Dole 46 – Lons-le-Saunier 11.*

XX **Hostellerie St-Germain** avec ch, ✆ 03 84 44 60 91, *Fax 03 84 44 63 64,* ⛱ – TV P. GB

*fermé 15 au 30 nov. –* **Repas** 18/32 ♀, enf. 10 – ☕ 5,50 – **8 ch** 50/70 – ½ P 47.

◆ Trois salles voûtées, au cadre à la fois rustique et bourgeois, aménagées dans un relais de poste du 17e s. Terrasse sous les platanes. Chambres bien tenues et calmes.

**ST-GERMAIN-L'HERM** *63630 P.-de-D.* 326 I10 – *533 h alt. 1050.*

ℹ *Office du Tourisme, route de la Chaise-Dieu ✆ 04 73 72 05 95, Fax 04 73 72 05 95 officedetourisme@minitel.net.*

*Paris 480 – Clermont-Ferrand 68 – Ambert 28 – Brioude 33 – St-Étienne 101.*

**France,** ✆ 04 73 72 00 27, *Fax 04 73 72 02 33,* ⛟ – ✆ 🚗. GB

*fermé nov., janv. et merc. sauf vacances scolaires –* **Repas** 11,50/24,50 ♀ – ☕ 6 – **20 ch** 27,50/51,50 – ½ P 34,50/40,50.

◆ Belle maison en pierre, ex-relais de diligences. L'une des salles à manger offre une vue sur le village et son église fortifiée. Chambres plus actuelles au second étage.

**ST-GERMER-DE-FLY** *60850 Oise* 305 B4 *G. Picardie Flandres Artois – 1 585 h alt. 105.*

Voir *Église★ – ≤★ de la D 129 SE : 4 km.*

ℹ *Office du Tourisme, place de Verdun ✆ 03 44 82 62 74.*

*Paris 93 – Rouen 58 – Les Andelys 40 – Beauvais 26 – Gisors 21 – Gournay-en-Bray 8.*

X **Auberge de l'Abbaye,** ✆ 03 44 82 50 73, *Rolandtaysse@worldonline.fr, Fax 03 44 82 64 54* – GB

*fermé dim. soir, mardi soir et merc. –* **Repas** 11 (déj.), 17/28 ♁, enf. 9.

◆ Face à l'abbaye, façade tapissée de vigne vierge. Grande salle à manger avec poutres apparentes. Cuisine traditionnelle et régionale. Salon de thé.

**ST-GERVAIS** *33 Gironde* 335 I4 – *rattaché à St-André-de-Cubzac.*

**ST-GERVAIS-D'AUVERGNE** *63390 P.-de-D.* 326 D6 *G. Auvergne – 1 419 h alt. 725.*

ℹ *Office du Tourisme, rue E. Maison ✆ 04 73 85 80 94, accueil@ot-stgervais-auvergne.fr.*

*Paris 374 – Clermont-Ferrand 54 – Aubusson 72 – Gannat 41 – Montluçon 47 – Riom 39.*

**Castel Hôtel 1904** ⚘, ✆ 04 73 85 70 42, *Fax 04 73 85 84 39,* ⛟ – TV P. GB.

*15 mars-11 nov. –* **Repas** *(13 avril-11 nov. et fermé lundi, mardi et merc.)* 32/49 ♀, enf. 12

***Comptoir à Moustaches*** *(fermé déc. à mars lundi, mardi et merc.)* **Repas** 14/30 ♀ – ☕ 7,50 – **17 ch** 54/61 – ½ P 48.

◆ Manoir (17e s.), couvent puis hostellerie tenue par la même famille depuis 1904. Chambres avec meubles de style. Décor bourgeois au restaurant ; plats régionaux au bistrot.

**Relais d'Auvergne,** rte Châteauneuf ☎ 04 73 85 70 10, *relais.auvergne.hotel@wanadoo.fr, Fax 04 73 85 85 66* – TV ☏ P. AE GB
*fermé 25 déc. au 1er mars, dim.soir et lundi du 1er oct. au 25 déc.* – **Repas** 12 (déj.), 16/28 ♀ – ☕ 5,50 – **10 ch** 37/40 – ½ P 39.
◆ Adresse idéale pour découvrir la vallée de la Sioule. Chambres étroites, mais actuelles et gaiement colorées. La salle à manger, rénovée, garde son cachet rustique.

---

**ST-GERVAIS-EN-VALLIÈRE** *71350 S.-et-L.* 320 *J8 – 269 h alt. 203.*
*Paris 325 – Beaune 16 – Chalon-sur-Saône 24 – Dijon 57 – Mâcon 84 – Nevers 165.*

**à Chaublanc** *Nord-Est : 3 km par D 94 et D 183 – ✉ 71350 Verdun-sur-le-Doubs :*

**Moulin d'Hauterive** ⟡, ☎ 03 85 91 55 56, *info@lemoulinhauterive.com, Fax 03 85 91 89 65,* … – TV ☏ P – 20. AE ⓓ GB JCB. ✂ rest
*fermé 1er déc. au 15 fév., le midi (sauf juil.-août et dim.), dim. soir hors saison et lundi* – **Repas** 25 (déj.), 37/62 – ☕ 11 – **10 ch** 100/125, 6 appart, 5 duplex – ½ P 100/110.
◆ Isolé en pleine nature, ce vieux moulin à farine bordant la Dheune fut bâti au 12e s. par les moines de l'abbaye de Cîteaux. Chambres personnalisées ; beaux meubles anciens.

---

**ST-GERVAIS-LES-BAINS** *74170 H.-Savoie* 328 *N5 G. Alpes du Nord – 5 124 h alt. 820 – Stat. therm. – Sports d'hiver : 1 400/2 000 m* 2 25.

**Env.** *Route du Bettex*★★★ *8 km par ③ puis D 43.*

☎ *08 36 35 35 35.*

*Office du Tourisme, 115 avenue du Mt Paccard ☎ 04 50 47 76 08, Fax 04 50 47 75 69, welcome@st-gervais.net.*

*Paris 597 ⑤ – Chamonix-Mont-Blanc 24 ① – Annecy 83 ⑤ – Bonneville 41 ⑤ – Megève 12 ③.*

**ST-GERVAIS-LES-BAINS LE FAYET**

| | |
|---|---|
| Comtesse (R.) | 2 |
| Gontard (Av.) | 4 |
| Miage (Av. de) | 5 |
| Mont-Blanc (R. et jardin du) | 6 |
| Mont-Lachat (R. du) | 7 |

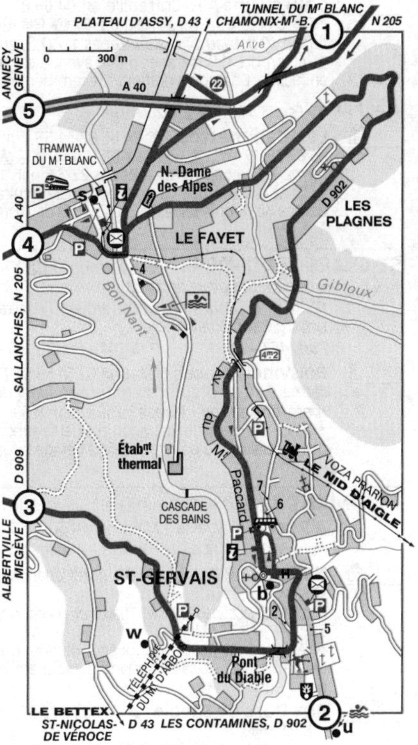

TUNNEL DU Mt BLANC
PLATEAU D'ASSY, D 43
CHAMONIX-MT-B.
N 205
Arve
0
300 m
A 40
ANNECY GENÈVE
TRAMWAY DU Mt BLANC
N.-Dame des Alpes
D 902
LES PLAGNES
LE FAYET
A 40
SALLANCHES, N 205
Bon Nant
Gibloux
Av. du Mt Paccard
Étabnt thermal
VOZA PRARION LE NID D'AIGLE
D 909
CASCADE DES BAINS
ALBERTVILLE MEGÈVE
ST-GERVAIS
Pont du Diable
TÉLÉPHÉRIQUE DU MT D'ARBOIS
LE BETTEX
ST-NICOLAS-DE VÉROCE
D 43
LES CONTAMINES, D 902


**Carlina** ⟡, r. Rosay **(w)** ☎ 04 50 93 41 10, *hotel.carlina@wanadoo.fr, Fax 04 50 93 56 26,* ←, … – TV P. AE ⓓ GB JCB. ✂
*15 juin-30 sept. et 19 déc.-15 avril* – **Repas** (dîner seul.) 21/28, enf. 11,45 – ☕ 8,30 – **34 ch** 67/98 – ½ P 93/102,75.
◆ Chalet des années 1970 proche du téléphérique montant au Bettex. Quelques chambres lambrissées ; salle de restaurant avec cheminée. Salon avec billard et petit fitness.

**Val d'Este,** pl. Église **(b)** ☎ 04 50 93 65 91, *hotelvaldeste@voila.fr, Fax 04 50 47 76 29,* ← – TV. AE ⓓ GB
*fermé 28 avril au 7 mai et 3 nov. au 15 déc.* – **Repas** *(fermé dim. et merc. hors saison)* (dîner seul.)(résidents seul.) 15/28 – ☕ 6,50 – **15 ch** 40/65 – ½ P 41/55.
◆ Au coeur de la station et bordant une ravine, cet hôtel à la façade pimpante abrite des chambres bien insonorisées et rénovées. Restaurant panoramique ; cuisine régionale.

**L'Escapade** ⟡, chemin du Vorassay par ② **(u)** ☎ 04 50 93 44 48, *hotescapade@free.fr, Fax 04 50 47 75 05,* ←, … – P. GB. ✂
**Repas** (dîner seul.)(½ pens. seul.) – ☕ 6 – **14 ch** 50 – ½ P 46/52.
◆ Chambres meublées simplement mais bien tenues. Petit-déjeuner servi dans la véranda en bois juchée sur pilotis, avec la chaîne des Aravis pour toile de fond.

**au Bettex** *Sud-Ouest : 8 km par D 43 ou par télécabine, station intermédiaire –* ✉ *74170 St-Gervais-les-Bains :*

**Arbois-Bettex** M, ☎ 04 50 93 12 22, *arboisbettex@wanadoo.fr, Fax 04 50 93 14 42,* ← Massif Mont-Blanc, , , – . GB. rest
*1er juil.-31 août et 20 déc.-15 avril* – **Repas** 28/38 ♀ – ☕ 10 – **33 ch** 70/130, (en hiver : 1/2 pens. seul.) – 1/2 P 106/132.
◆ Chalet à l'esprit "vacances" au bord des pistes, à côté des télécabines. Salon décoré à l'autrichienne, chambres fonctionnelles et brasserie avec vaste terrasse ensoleillée.

**voir aussi ressources** *aux Houches (au Prarion) et à Megève (sommet du Mont d'Arbois)*

**Le Fayet** *74190.*

**Deux Gares,** près Gare (s) ☎ 04 50 78 24 75, *Fax 04 50 78 15 47,* – cuisinette . AE GB.
*fermé 28 oct. au 18 déc.* – **Repas** (dîner seul.)(résidents seul.) 12,50/13 ♀ – ☕ 5,50 – **28 ch** 37/45 – 1/2 P 39/40.
◆ Face à la gare de départ du fameux tramway du Mont-Blanc conduisant au Nid d'Aigle. À l'annexe, chambres joliment décorées de boiseries sculptées. Belle piscine couverte.

---

**ST-GILLES** *30800 Gard* 339 L6 *G. Provence – 11 304 h alt. 10.*

**Voir** *Façade★★ et crypte★ de l'église – Vis de St-Gilles★.*

*Office du Tourisme, 1 place Frédéric Mistral ☎ 04 66 87 33 75, Fax 04 66 87 16 28, o.t.st.gilles@wanadoo.fr.*

*Paris 728 – Montpellier 64 – Arles 18 – Beaucaire 27 – Lunel 31 – Nîmes 20.*

**Cours,** 10 av. F. Griffeuille ☎ 04 66 87 31 93, *hotel-le-cour@wanadoo.fr, Fax 04 66 87 31 83,* – , rest, . AE GB JCB
*fermé 10 déc. au 1er mars* – **Repas** 11/27 ♀, enf. 7,50 – ☕ 6,30 – **33 ch** 60/68 – 1/2 P 47/52.
◆ À l'ombre des platanes d'une avenue calme, hôtel familial avec salle à manger-véranda en façade. Chambres pratiques récemment rénovées. Cuisine de type pension.

**rte d'Arles** *Est : 3,5 km –* ✉ *13200 Arles :*

**Les Cabanettes,** ☎ 04 66 87 31 53, *bw.hotel.lescabanettes@wanadoo.fr, Fax 04 66 87 35 39,* , , – – 25. AE GB
*fermé 25 janv. au 28 fév.* – **Repas** 22/33, enf. 12 – ☕ 9,50 – **29 ch** 78 – 1/2 P 63.
◆ Dans la Camargue gardoise, originale architecture en arc de cercle. Chambres spacieuses dotées de petites terrasses. Les sièges du restaurant sont en peau de taureau.

---

**ST-GILLES-CROIX-DE-VIE** *85800 Vendée* 316 E7 *G. Poitou Vendée Charentes – 6 296 h alt. 12 – Casino "Le Royal Concorde".*

*Office du Tourisme, boulevard de l'Egalité ☎ 02 51 55 03 66, Fax 02 51 55 69 60, ot@stgillescroixdevie.com.*

*Paris 457 – La Roche-sur-Yon 44 – Cholet 110 – Nantes 79 – Les Sables-d'Olonne 29.*

**Boisvinet,** 2 r. Louis Cristau ☎ 02 51 55 51 77, *Fax 02 51 55 51 77* – . GB
*fermé 9 au 27 oct., vacances de fév., lundi du 10 juil. au 31 août, dim. soir, mardi soir et merc. hors saison* – **Repas** 13/36 ♀, enf. 8,50.
◆ Face à la plage de Boisvinet, coquette auberge rustique proposant une carte classique et des spécialités de poissons. Salle à l'étage pour les repas commandés.

---

**ST-GINGOLPH** *74500 H.-Savoie* 328 N2 *G. Alpes du Nord – 677 h alt. 385.*

*Syndicat d'initiative - Mairie, ☎ 04 50 76 72 28, Fax 04 50 76 74 17.*

*Paris 594 – Thonon-les-Bains 28 – Annecy 102 – Évian-les-Bains 18 – Montreux 21.*

**National,** ☎ 04 50 76 72 97, *hotel.lenational@wanadoo.fr, Fax 04 50 76 71 93,* ← – . GB.
*fermé 20 oct. au 21 nov., mardi et merc. hors saison* – **Repas** 14,50/38 ♀ – ☕ 6 – **13 ch** 39/55 – 1/2 P 39/47.
◆ À 50 m du poste de douane, dans une rue animée, amples chambres rénovées au dernier étage et salle à manger panoramique ouvrant sur les rives du Léman. Tenue rigoureuse.

**Aux Ducs de Savoie,** ☎ 04 50 76 73 09, *abare@wanadoo.fr, Fax 04 50 76 74 31,* ←, – . AE GB
*fermé vacances de Toussaint, de fév., lundi et mardi* – **Repas** 27/58 et carte 36,40 à 57,50, enf. 16.
◆ En aplomb du village, pimpant chalet entouré de platanes. Salle très spacieuse et bourgeoise, terrasse avec vue sur le lac, cuisine traditionnelle et spécialités régionales.

## ST-GIRONS

09200 Ariège 343 E7 *G. Midi-Pyrénées* – 6 596 h alt. 398.

*Office du Tourisme, place Alphonse Sentein ✆ 05 61 96 26 60, Fax 05 61 96 26 69, otcouserans@wanadoo.fr.*

*Paris 786 ① – Foix 44 ② – Auch 124 ① – St-Gaudens 43 ① – Toulouse 102 ①.*

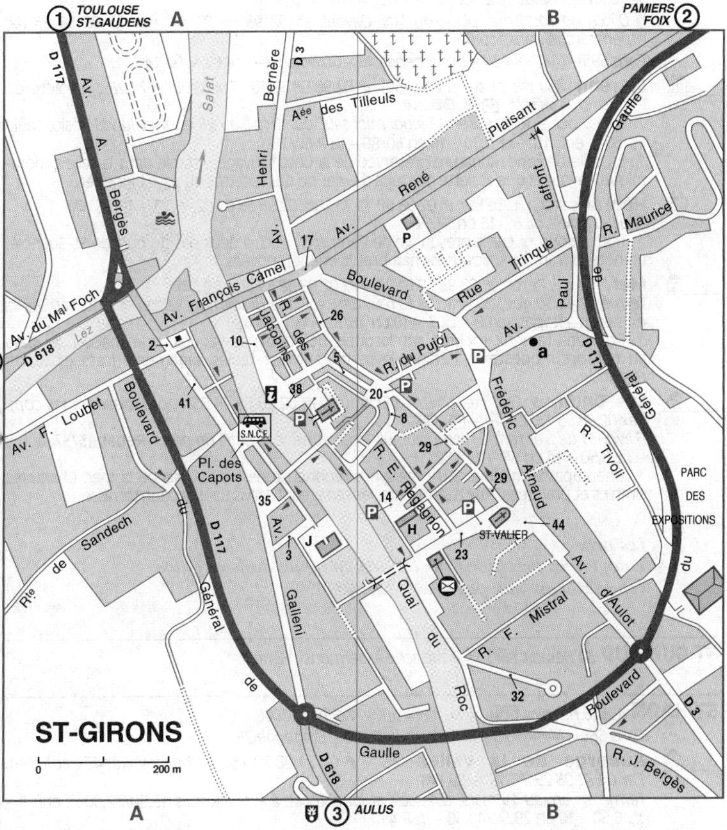

TOULOUSE ST-GAUDENS
PAMIERS FOIX
A
B
D 117
Av. A. Bergès
Salat
Bernère
D 3
Aée des Tilleuls
Plaisant
Henri
René
Av.
Lafont
R. Maurice
Gaulle
Trinque
Rue
Boulevard
Av. François Camel
Av. du Mal Foch
Lez
D 618
R. des Jacobins
R. du Pujol
Paul
Av.
a
Frédéric
Arnaud
Général
de
R. Tivoli
PARC DES EXPOSITIONS
du
Av. F. Loubet
Boulevard
S.N.C.F.
Pl. des Capots
R. E. Régagnon
H
J
ST-VALIER
Av.
Galieni
Quai du Roc
Rte de Sandech
D 117
Général
de
Gaulle
R. F. Mistral
Av. d'Aulot
Boulevard
D 3
R. J. Bergès
D 618
ST-GIRONS
0
200 m
AULUS
2
3
5
8
10
14
17
20
23
26
29
32
35
38
41
44


| | | |
|---|---|---|
| Camel (Pl. François) ........ **A** 2 | Ibanes (Pl. Jean) ........ **B** 14 | St-Valier (R.) ........ **B** 29 |
| Dejean (R. René) ........ **A** 3 | Jean-Jaurès (Pl.) ........ **A** 17 | Vaillant-Couturier (Pl.) ........ **A** 35 |
| Dr Mazaud (R. du) ........ **AB** 5 | Pasteur (Pl.) ........ **B** 20 | Verdun (Pl.) ........ **A** 38 |
| Gambetta (R.) ........ **B** 8 | Peyrevidal (Bd Noël) ........ **B** 23 | Villefranche (Gde-R. de) ........ **A** 41 |
| Gravier-Gardelle (Quai du) ........ **A** 10 | République (R. de la) ........ **A** 26 | 8-Mai-1945 (Pl.) ........ **B** 44 |
| | Source d'Aunac (Allée de la) **B** 32 | |

**Eychenne,** 8 av. P. Laffont ✆ 05 61 04 04 50, *eychen@club-internet.fr, Fax 05 61 96 07 20,* ⛱, 🏊, 🌳 – ▤ rest, 📺 P. AE GB **B a**

*fermé déc., janv., dim. soir et lundi de nov. à fin mars* – **Repas** 23/51 et carte 30 à 45 ♀ – ☕ 8,50 – **36 ch** 63/150 – ½ P 58,80/102.

◆ Ex-relais de poste où règne une plaisante atmosphère bourgeoise. Décor soigné et meubles anciens dans les chambres ; certaines ont vue sur les Pyrénées. Accueil personnalisé.

**Clairière,** par ③ : *1 km* ✆ 05 61 66 66 66, *hotel.laclairiere@wanadoo.fr, Fax 05 34 14 30 30,* ⛱, 🏊, 🌳 – 📺 ♿ P. AE ⓓ GB

*fermé 15 au 30 nov.* – **Repas** *(fermé dim. soir et lundi d'oct. à avril)* 14 (déj.), 19/64 bc ♀ – ☕ 7 – **19 ch** 50 – ½ P 50.

◆ Dominant la ville, insolite maison moderne abritant des chambres fonctionnelles et un étonnant restaurant au décor "évolutif" : marin hier, africain aujourd'hui... et demain ?

**ST-GROUX** *16 Charente* 324 L4 – *rattaché à Mansle.*

**ST-GUÉNOLÉ** *29 Finistère* 308 E8 *G. Bretagne* – ✉ *29760 Penmarch.*

Voir *Musée préhistorique★ – ≤★★ du phare d'Eckmühl★ S : 2,5 km – Église★ de Penmarch SE : 3 km – Pointe de la Torche ≤★ NE : 4 km.*

ℹ *Office de tourisme, place du Mar.-Davout ☎ 02 98 58 81 44, Fax 02 98 58 86 62, otpenmarch@wanadoo.fr.*

*Paris 595 – Quimper 34 – Douarnenez 48 – Guilvinec 8 – Pont-l'Abbé 14.*

**Sterenn** , rte phare d'Eckmühl ☎ 02 98 58 60 36, *Fax 02 98 58 71 28,* ≤ pointe de Penmarch – rest, TV P. GB.
*22 mai-5 oct.* – **Repas** *(fermé jeudi midi sauf du 10 juil. au 28 août et lundi)* (résid. seul.) 15/50 ♀, enf. 10 – ☕ 6,50 – **16 ch** 60/80 – ½ P 60/76.
◆ En toile de fond, la nature préservée de la Côte sauvage. Attablé dans la salle panoramique, savourez une assiette de fruits de mer ou des recettes du pays bigouden.

**Héol** sans rest, r. L. Le Lay ☎ 02 98 58 71 71, *Fax 02 98 58 64 02,* ≤, – TV P. GB
*5 juil.-5 nov.* – ☕ 6 – **15 ch** 57/76.
◆ Pour séjourner sur la presqu' île de Penmarch voici, à deux pas du port de St-Guénolé, un hôtel offrant de spacieuses chambres joliment rénovées.

**Mer,** 184 r. F. Péron ☎ 02 98 58 62 22, *Fax 02 98 58 53 86* – TV. GB
*fermé 12 au 30 nov., 20 janv. au 10 fév., dim. soir, mardi soir hors saison et lundi sauf hôtel en saison* – **Repas** 16/68 – ☕ 7 – **10 ch** 46/52 – ½ P 62/65.
◆ Près des fameux rochers sur lesquels déferlent les vagues, une maison de pays au confort modeste. À l'étage, le restaurant aux tables sagement dressées. Carte régionale.

**Les Ondines** , rte phare d'Eckmühl ☎ 02 98 58 74 95, *hotel@lesondines.com, Fax 02 98 58 73 99,* – TV. GB
*6 avril-31 déc. et fermé mardi sauf juil.-août et merc. d'oct à fin déc.* – **Repas** 13/37, enf. 9 – ☕ 6,50 – **14 ch** 53 – ½ P 50.
◆ Une impasse mène à cette maison bretonne située à deux pas de la mer. Chambres simples et pratiques. Aux beaux jours, les repas sont servis dans la cour-terrasse.

***Les prix***
*Pour toutes précisions sur les prix indiqués dans ce guide, reportez-vous aux pages explicatives.*

**ST-GUIRAUD** *34 Hérault* 339 F6 – *rattaché à Clermont-l'Hérault.*

**ST-HAON** *43340 H.-Loire* 331 E4 *G. Auvergne* – *428 h alt. 1000.*

*Paris 564 – Mende 70 – Le Puy-en-Velay 29 – Langogne 25.*

**Auberge de la Vallée** , ☎ 04 71 08 20 73, *aubergevallée43@aol.com, Fax 04 71 08 29 21,* – AE GB
*fermé 1er janv.au 15 mars, dim. soir et lundi d'oct. à avril* – **Repas** 13,50/32,50 ♀, enf. 9 – ☕ 6,50 – **10 ch** 29,50/40,50 – ½ P 41.
◆ Non loin des gorges de l'Allier, petite auberge en pierre prisée des randonneurs et amoureux de la nature. Chambres très bien tenues. Salle à manger simple et actuelle.

**ST-HILAIRE-DE-BRETHMAS** *30 Gard* 339 J4 – *rattaché à Alès.*

**ST-HILAIRE-DE-RIEZ** *85270 Vendée* 316 E7 *G. Poitou Vendée Charentes* – *7 416 h alt. 8.*

ℹ *Office du Tourisme, 21 place Gaston Pateau ☎ 02 51 54 31 97, Fax 02 51 55 27 13, otsthilairederie@voila.fr.*

**à Sion-sur-l'Océan** – ✉ *85270 :*

**Frédéric** sans rest, 25 r. Estivants ☎ 02 51 54 30 20, *info@hotel-frederic.com, Fax 02 51 54 11 68,* ≤ – TV P. AE GB
☕ 9,50 – **13 ch** 64/101.
◆ Jolie villa des années 1930 d'une station balnéaire du Marais breton-vendéen. Rénovation récente, mais charme préservé : choisissez une chambre "rétro" avec vue sur l'océan.

**ST-HILAIRE-D'OZILHAN** *30 Gard* 339 M5 – *rattaché à Remoulins.*

## ST-HILAIRE-DU-HARCOUËT *50600 Manche 303 F8 G. Normandie Cotentin – 4 489 h alt. 70.*

**Voir** *Centre d'Art Sacré*★.

*Office du Tourisme, place du Bassin ✆ 02 33 79 38 88, Fax 02 33 79 38 89.*

*Paris 288 – Alençon 99 – Avranches 27 – Caen 101 – Fougères 29 – Laval 67 – St-Lô 70.*

**Cygne et Résidence,** rte Fougères ✆ 02 33 49 11 84, *hotel-le-cygne@wanadoo.fr, Fax 02 33 49 53 70,* ..., ..., ... – ... AE ⓓ GB

*fermé 23 au 17 janv., dim. soir et vend. d'oct. à Pâques* – **Repas** 13,50/62 bc ♀, enf. 8 – ☕ 7 – **30 ch** 39/62 – ½ P 52/60.

◆ Coup de jeune pour cette adresse familiale : hall, chambres (plus calmes sur l'arrière) et salle à manger viennent d'être rénovés. Terrasse côté jardin. Cuisine normande.

## ST-HILAIRE-DU-ROSIER *38840 Isère 333 E7 – 1 731 h alt. 240.*

*Paris 581 – Valence 39 – Grenoble 62 – Romans-sur-Isère 17 – St-Marcellin 10.*

**Bouvarel** avec ch, à St-Hilaire-gare, Sud : 4 km ✆ 04 76 64 50 87, *bouvarel.hotel@worldonline.fr, Fax 04 76 64 58 47,* ..., ..., ... – ... AE ⓓ GB

*fermé 28 avril au 7 mai, 29 sept. au 8 oct., 5 au 28 janv., dim. soir, mardi midi et lundi sauf fériés* – **Repas** 38/98 et carte 60 à 84 ♀, enf. 17 – ☕ 12 – **11 ch** 55/137 – ½ P 90/130.

◆ À la belle saison, les gourmets s'attableront dans le jardin fleuri de cet ancien relais de poste cossu qui, depuis 1886, propose une cuisine de tradition.

**Spéc.** Ravioles crémées aux truffes. Poulet sauté aux écrevisses (juin à sept.). lièvre à la broche sauce poivrade (oct. à déc.) **Vins** Saint-Joseph, Crozes-Hermitage.

## ST-HILAIRE-LE-CHÂTEAU *23250 Creuse 325 I5 – 296 h alt. 453.*

*Paris 379 – Limoges 62 – Aubusson 26 – Bourganeuf 15 – Guéret 28 – Montluçon 80.*

**Thaurion** avec ch, ✆ 05 55 64 50 12, *Fax 05 55 64 90 92,* ..., ... – ... AE ⓓ GB

*fermé fin janv. au 10 fév., dim. soir et merc.* – **Repas** (15) - 23/70 et carte 32 à 59 ♀ – ☕ 7 – **7 ch** 50/54.

◆ Chaleureuse salle à manger et cuisine classique dans cette maison de village aux chambres agréablement personnalisées. Grande mare aux canards dans le jardin.

## ST-HILAIRE-PETITVILLE *50 Manche 303 E4 – rattaché à Carentan.*

## ST-HILAIRE-ST-FLORENT *49 M.-et-L. 317 I5 – rattaché à Saumur.*

## ST-HILAIRE-ST-MESMIN *45 Loiret 318 H4 – rattaché à Orléans.*

## ST-HIPPOLYTE *25190 Doubs 321 K3 G. Jura – 1 128 h alt. 380.*

**Voir** *Site*★ *– Vallée du Dessoubre*★ *S.*

*Syndicat d'Initiative, place de l'Hôtel de Ville ✆ 03 81 96 58 00, Fax 03 81 96 59 37, tourisme@ville-saint-hippolyte.fr.*

*Paris 490 – Besançon 89 – Basel 93 – Belfort 47 – Montbéliard 32 – Pontarlier 72.*

**Bellevue,** rte Maîche ✆ 03 81 96 51 53, *hotel.bellevue@free.fr, Fax 03 81 96 52 40,* ... – ... – ... 20. GB

*fermé 25 au 31 août, 2 au 8 janv., lundi (sauf hôtel), dim. soir et vend. soir* – **Repas** 14 (déj.), 22/36 ♀, enf. 8,50 – ☕ 7,50 – **16 ch** 42,50/50 – ½ P 45/53.

◆ Hostellerie ancienne au bord du Dessoubre. La plupart des chambres, rénovées, offrent un coup d'oeil sur la montagne et la forêt. Plaisant restaurant. Plats régionaux.

## ST-HIPPOLYTE *68590 H.-Rhin 315 I7 G. Alsace Lorraine – 1 078 h alt. 234.*

**Env.** *Château du Haut-Koenigsbourg*★★ *: ※*★★ *NO : 8 km.*

*Paris 438 – Colmar 21 – Ribeauvillé 7 – St-Dié 42 – Sélestat 10 – Villé 18.*

**Parc** M ..., ✆ 03 89 73 00 06, *hotel-le-parc@wanadoo.fr, Fax 03 89 73 04 30,* ..., ..., ... – ... – ... 80. AE ⓓ GB

*fermé 30 juin au 8 juil.et 13 janv. au 4 fév.* – **Repas** *(fermé lundi sauf le soir du 15 mars au 15 nov. et mardi midi)* 30/55 ♀ - ***Winstub Rabseppi-Stebel :*** Repas 20♀ – ☕ 12 – **25 ch** 65/125, 6 duplex – ½ P 72,50/105.

◆ Profusion de couleurs, à l'intérieur comme à l'extérieur, dans cet hôtel riche en équipements de loisirs. Jolies chambres personnalisées, restaurant gastronomique ou winstub.

**Hostellerie Munsch Aux Ducs de Lorraine,** ✆ 03 89 73 00 09, *hotel.munsch@wanadoo.fr, Fax 03 89 73 05 46,* ..., ... – ... – ... 30. GB. ... ch

*fermé 21 au 31 juil., 12 au 28 nov. et 6 janv. au 13 fév.* – **Repas** *(fermé dim. soir de nov. à mi-mai, vend. midi, lundi et mardi)* 15 (déj.), 21,50/54 ♀ – ☕ 11,50 – **40 ch** 68/119 – ½ P 80/100.

◆ Imposante auberge alsacienne cernée par les vignes. Certaines chambres offrent une échappée sur le château du Haut-Koenigsbourg. Boiseries sculptées au restaurant.

**A la Vignette,** ✆ 03 89 73 00 17, *restaurant.la-vignette@wanadoo.fr, Fax 03 89 73 05 69* – ⇅ TV ♿ – 40. GB. ⚹ rest
*fermé 30 juin au 10 juil., 15 déc. au 19 janv., 29 fév. au 8 mars, merc. et jeudi de nov. à avril* – **Repas** 15,50/31 ♀, enf. 6,50 – ☕ 6,50 – **25 ch** 49/61 – ½ P 42/54.
◆ Aux portes du pittoresque village viticole, belle maison à colombages dont les chambres ont été entièrement rénovées ; elles sont plus calmes côté cour. Cuisine du terroir.

## ST-HIPPOLYTE *12140 Aveyron 338 H2 – 541 h alt. 695.*

*Paris 585 – Aurillac 37 – Rodez 55 – Entraygues-sur-Truyère 14 – Espalion 40 – Figeac 70.*

**St-Hippolyte** M, ✆ 05 65 66 60 00, *hotel-st-hippolyte@wanadoo.fr, Fax 05 65 66 60 01*, ←, ☂, ⛶, – ⇅ TV ✆ ♿ P – 25. GB
*1er mai-15 oct.* – **Repas** 12,20/16,50 – ☕ 8,15 – **17 ch** 44,20/73,15 – ½ P 39,65/51,05.
◆ Ancienne école convertie en hôtel au décor très moderne, "minimaliste". Les chambres, confortables, profitent de la vue sur la vallée de la Truyère et l'Aubrac.

## ST-HIPPOLYTE-DU-FORT *30170 Gard 339 I5 G. Gorges du Tarn – 3 515 h alt. 165.*

*Office du Tourisme, Les Casernes ✆ 04 66 77 91 65, Fax 04 66 77 25 36.*
*Paris 759 – Alès 35 – Montpellier 50 – Florac 72 – Nîmes 48.*

**par rte de Lasalle** *(D 39), Nord : 7 km – ✉ 30170 Monoblet :*

**Auberge de Valestalière,** ✆ 04 66 85 45 79, *Fax 04 66 85 45 79*, ←, ☂ – P. GB
*fermé 20 déc. au 9 fév., dim. soir, lundi et mardi* – **Repas** 17,60/25,20 ♀.
◆ Dans un village perpétuant la tradition séricicole, ancienne école transformée en restaurant chaleureux et coquet. Terrasse panoramique. Appétissante cuisine régionale.

*Les pages explicatives de l'introduction*
*vous aideront à mieux profiter de votre* **Guide Rouge Michelin**

## ST-HONORÉ-LES-BAINS *58360 Nièvre 319 G10 G. Bourgogne – 754 h alt. 300 – Stat. therm. (2 avril-13 oct.) – Casino.*

*Office du Tourisme, 13 rue Henri Renaud ✆ 03 86 30 71 70, Fax 03 86 30 71 70, tourisme.sthonore@wanadoo.fr.*
*Paris 304 – Château-Chinon 28 – Luzy 22 – Moulins 69 – Nevers 67 – St-Pierre-le-Moutier 68.*

**Lanoiselée,** ✆ 03 86 30 75 44, *hotellanoiselee@aol.com, Fax 03 86 30 75 66*, ☂ – TV P. GB
*13 avril-30 sept.* – **Repas** 15/30, enf. 7,50 – ☕ 6,10 – **18 ch** 48,50/65 – ½ P 45/50.
◆ Le Souffle au coeur (L. Malle) fut tourné dans cette station thermale en 1971. Pimpante bâtisse blanche aux chambres fonctionnelles. Terrasse ombragée.

**Auberge du Pré Fleuri** avec ch, ✆ 03 86 30 74 96, *Fax 03 86 30 64 61*, ☂, ⛶ – TV ✆ P. AE GB
*fermé janv., fév., dim. soir et lundi d'oct. à mars* – **Repas** 15/31,50, enf. 9,15 – ☕ 6,90 – **9 ch** 44,35/52.
◆ Ce restaurant du quartier thermal est aménagé dans une verrière en rotonde tournée sur le jardin ; cuisine traditionnelle. Chambres au décor déjà ancien, mais confortables.

## ST-JACQUES-DES-BLATS *15800 Cantal 330 E4 – 352 h alt. 990.*

*Paris 539 – Aurillac 34 – Brioude 76 – Issoire 89 – St-Flour 39.*

**Griou,** ✆ 04 71 47 06 25, *hotel.griou@wanadoo.fr, Fax 04 71 47 00 16*, ←, ☂, ⛶ – ✆ ♿ P. GB
*fermé 3 nov. au 22 déc.* – **Repas** 12/28 ♀, enf. 7,50 – ☕ 6 – **18 ch** 37/45 – ½ P 36/41.
◆ Coquette pension dont le jardin, surplombant la rivière, se fond dans la nature environnante. Certaines chambres bénéficient d'une belle échappée sur les monts du Cantal.

**Brunet**, ✆ 04 71 47 05 86, *hotel.brunet@wanadoo.fr, Fax 04 71 47 04 27*, ←, ☂, ⛶ – ✆ ♿ P. GB. ⚹ rest
*1er mai-10 oct. et 20 déc.-30 avril* – **Repas** 12,20, enf. 6,90 – ☕ 5,50 – **15 ch** 39/46 – ½ P 38/41,50.
◆ En contrebas du village, dominant le torrent de la Cère, bâtiments récents construits dans le style du pays. Chambres bien agencées, tournées vers la vallée.

**L'Escoundillou**, ✆ 04 71 47 06 42, *hotel.escoundillou@cantal.com, Fax 04 71 47 00 97*, ←, ⛶ – TV ✆ ♿ P. GB
*fermé 6 au 23 janv., 18 nov. au 25 déc., vend. soir et sam. midi d'oct. à déc.* – **Repas** 11,50/19 ♀, enf. 7,50 – ☕ 5,80 – **12 ch** 41/44 – ½ P 41.
◆ Au bord d'une pittoresque route de campagne, petite cachette ("escoundillou" en patois) idéale pour ceux qui aiment la verdure. Chambres fraîches, décorées avec goût.

**ST-JAMES** *50240 Manche* 303 E8 *G. Normandie Cotentin – 2 976 h alt. 100.*
Voir *Cimetière américain.*
*Office du Tourisme, 21 rue de la Libération ☎ 02 33 89 62 12, Fax 02 33 89 62 11.*
*Paris 356 – St-Malo 60 – Avranches 21 – Fougères 30 – Rennes 64 – St-Lô 79.*

**Normandie,** pl. Bagot ☎ 02 33 48 31 45, *Fax 02 33 48 31 37* – TV. GB
*fermé 25 déc. au 16 janv.* – **Repas** *(fermé dim. soir du 15 nov. au 15 mars)* 12/36 ♀, enf. 8,50 – ☕ 6 – **14 ch** 28/48 – 1/2 P 50.
◆ Auberge de village aux confins de la Bretagne et de la Normandie. Chambres plus grandes au 1er étage. Salle à manger rustique et bar servant à midi le plat du jour.

**ST-JEAN** *06 Alpes-Mar.* 341 C6 – *rattaché à Pégomas.*

**ST-JEAN-AUX-AMOGNES** *58270 Nièvre* 319 D9 – *452 h alt. 230.*
*Paris 253 – Bourges 80 – Château-Chinon 51 – Clamecy 61 – Nevers 16.*

**Relais de Bourgogne,** ☎ 03 86 58 61 44, ☂, ☂ – GB
*fermé 15 au 30 nov., dim. soir et merc.* – **Repas** 16,50/35.
◆ La façade austère de cette maison d'un village des Amognes contraste avec le chaleureux intérieur rustique. Sympathique jardin-terrasse. Plats traditionnels.

**ST-JEAN-AUX-BOIS** *60 Oise* 305 I4 – *rattaché à Pierrefonds.*

**ST-JEAN-CAP-FERRAT** *06230 Alpes-Mar.* 341 E5 *G. Côte d'Azur – 2 248 h alt. 12.*
Voir *Site de la Villa ephrussi-de-Rothschild★★* **M** *: musée Île de France★★, jardins★★ – Phare ✻★★ – Pointe de St-Hospice : ≤★ de la chapelle, sentier★ – Promenade Maurice-Rouvier★.*
*Office du Tourisme, 59 avenue Denis Semeria ☎ 04 93 76 08 90, Fax 04 93 76 16 67.*
*Paris 941 ④ – Nice 10 ④ – Menton 26 ③.*

**ST-JEAN-CAP-FERRAT**

Les flèches noires indiquent les sens uniques supplémentaires l'été

| | |
|---|---|
| Albert-Ier (Av.) | 2 |
| Centrale (Av.) | 3 |
| États-Unis (Av. des) | 5 |
| Gaulle (Bd Gén. de) | 6 |
| Grasseuil (Av.) | 7 |
| Libération (Bd) | 9 |
| Mermoz (Av. J.) | 12 |
| Passable (Ch. de) | 13 |
| Phare (Av. du) | 14 |
| Puncia (Av. de la) | 15 |
| St-Jean (Pont) | 16 |
| Sauvan (Bd H.) | 17 |
| Semeria (Av. D.) | 18 |
| Verdun (Av. de) | 20 |
| Vignon (Av. C.) | 21 |

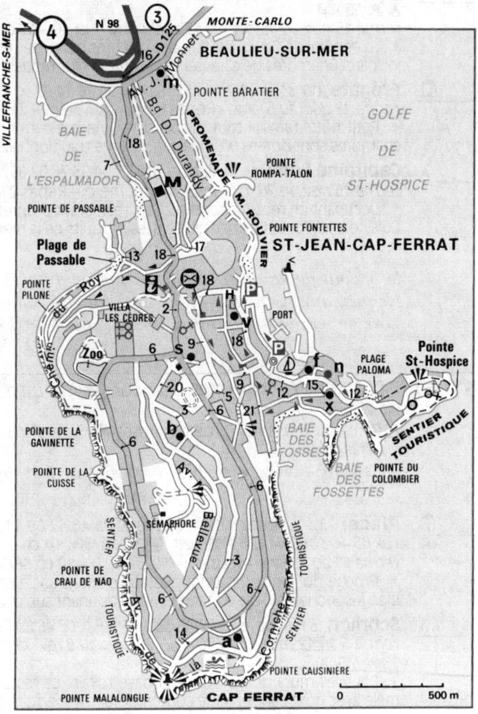

MONTE-CARLO
N 98
D 125
BEAULIEU-SUR-MER
VILLEFRANCHE-S-MER
POINTE BARATIER
GOLFE
DE
ST-HOSPICE
BAIE
DE
L'ESPALMADOR
PROMENADE
M. ROUVIER
POINTE ROMPA-TALON
POINTE DE PASSABLE
POINTE FONTETTES
ST-JEAN-CAP-FERRAT
Plage de Passable
POINTE PILONE
VILLA LES CÈDRES
PORT
Zoo
PLAGE PALOMA
Pointe St-Hospice
SENTIER TOURISTIQUE
POINTE DE LA GAVINETTE
BAIE DES FOSSES
BAIE DES FOSSETTES
POINTE DU COLOMBIER
POINTE DE LA CUISSE
SÉMAPHORE
POINTE DE CRAU DE NAO
POINTE CAUSINIÈRE
POINTE MALALONGUE
CAP FERRAT
500 m

Promeneurs, campeurs, fumeurs
ATTENTION AU FEU
soyez prudents !
Le feu est le plus terrible ennemi de la forêt

**Grand Hôtel du Cap Ferrat** M, bd Gén. de Gaulle au Cap-Ferrat **(a)** 04 93 76 50 50, *marketin@grand-hotel-cap-ferrat.com, Fax 04 93 76 04 52,* ≤ mer, – 15. AE GB JCB.
*1er mars-1er oct.* – **Repas** 75/90 - ***Club Dauphin*** à la piscine (déj. seul.) *(1er avril-31 oct.)* **Repas** 56 – **44 ch** 505/2250, 9 appart.
◆ Ce palace (1908) occupe un site remarquable dominant la mer. Chambres luxueuses, superbe parc, jardin fleuri, piscine à débordement et funiculaire privé : un vrai bonheur !

**Royal Riviera** M, av. J. Monnet **(m)** 04 93 76 31 00, *resa@royal-riviera.com, Fax 04 93 01 23 07,* ≤ Cap et golfe, – 35 à 100. AE GB JCB
*fermé 1er déc. au 12 janv.* – ***Panorama*** (dîner seul. juil.-août) **Repas** 47 et carte 55 à 84 – ***Pergola*** à la piscine (déj. seul.) *(juil.-août)* **Repas** 30/45 – 25 – **92 ch** 230/655, 3 appart – ½ P 175,50/366,50.
◆ Palace du début du 20e s. et son jardin fleuri en bord de mer. Agréables chambres pastel, tournées pour la plupart sur les flots. Restaurants panoramiques. Plage privée.

**Voile d'Or**, au port **(f)** 04 93 01 13 13, *reservation@lavoiledor.fr, Fax 04 93 76 11 17,* ≤ port et golfe, – 30. AE GB
*4 avril-27 oct.* – **Repas** 61 (déj.), 67/100 – **45 ch** 400/815 – ½ P 252,50/460.
◆ Idéalement situé face au port de plaisance, avec terrasse et piscines en bord de mer et décor soigné : l'hôtel, ancré sur un rocher, est la promesse d'un plaisant séjour.

**Brise Marine** sans rest, av. J. Mermoz **(x)** 04 93 76 04 36, *info@hotel-brisemarine.com, Fax 04 93 76 11 49,* ≤ Cap et golfe, – . AE GB.
*fév.-oct.* – 11 – **16 ch** 125/140.
◆ En surplomb d'une rue calme, villa de 1878 agrémentée de jolis balustres. Chambres élégantes. L'été, la terrasse des petits-déjeuners domine le jardin en espaliers.

**Panoramic** sans rest, av. Albert 1er **(s)** 04 93 76 00 37, *info@hotel-lepanoramic.com, Fax 04 93 76 15 78,* ≤ Cap et golfe, – P. AE GB.
*fermé 15 nov. au 26 déc.* – 11 – **20 ch** 103/140.
◆ Enseigne-vérité pour cet hôtel des années 1950 : vue exceptionnelle sur le golfe, le Cap et la ville. Chambres sobrement aménagées, mais dotées de balcons. Petit jardin.

**Clair Logis** sans rest, av. Centrale **(b)** 04 93 76 51 81, *Fax 04 93 76 51 82,* – P. AE GB
*fermé 15 nov. au 15 déc. et 15 au 28 janv.* – 10 – **18 ch** 65/125.
◆ Le général de Gaulle fut l'un des célèbres hôtes de cette villa provençale nichée dans un joli parc. Chambres de caractère ou confort plus modeste à l'annexe.

**Frégate, (v)** 04 93 76 04 51, *Fax 04 93 76 14 93,* ≤ – rest, . GB
*fermé 15 déc. au 5 janv.* – **Repas** (½ pension seul.) – 6,50 – **10 ch** 42/73 – ½ P 41/55.
◆ Petit hôtel familial tout simple dans une rue commerçante proche du port. Certaines chambres sont dotées d'un balcon. Cuisine traditionnelle et spécialités provençales.

**Capitaine Cook,** av. J. Mermoz **(n)** 04 93 76 02 66, *Fax 04 93 76 02 66,* – GB
*fermé 15 nov. au 26 déc., jeudi midi et merc.* – **Repas** 21/26.
◆ Occupant un recoin discret du Cap, restaurant propret où l'on mange au coude à coude. Cuisine traditionnelle orientée vers les produits de la mer.

*Si le coût de la vie subit des variations importantes,*
*les prix que nous indiquons peuvent être majorés.*
*Lors de votre réservation à l'hôtel, faites-vous préciser le prix définitif.*

## ST-JEAN-D'ANGÉLY

SP *17400 Char.-Mar.* 324 G4 *G. Poitou Vendée Charentes – 8 060 h alt. 25.*
*Office du Tourisme, 8 rue du Grosse Horloge 05 46 32 04 72, Fax 05 46 32 20 80, ville@angely.net.*
*Paris 445 ② – La Rochelle 69 ④ – Royan 67 ③ – Niort 48 ① – Saintes 27 ④.*

Plan page ci-contre

**Place,** pl. Hôtel de Ville 05 46 32 69 11, *infobox@hoteldelaplace.net, Fax 05 46 32 08 44,* – rest, . AE GB. ch **B a**
*fermé 1er au 15 janv.* – **Repas** 13/40 – 6 – **10 ch** 38/50 – ½ P 38/42.
◆ Proche du centre historique, établissement ancien rénové, aux chambres colorées et bien insonorisées. Salle à manger vitrée donnant sur la rue. Cuisine inventive.

**Scorlion,** 5 r. Abbaye 05 46 32 52 61, *Fax 05 46 59 99 90* – . GB **A e**
*fermé 5 au 12 mai, 17 au 30 nov., 26 janv. au 8 fév., dim. soir et lundi* – **Repas** 14,50 (déj.), 25,20/48,80.
◆ Dans les murs de l'ancienne abbaye royale, ce restaurant sympathique et confortable mêle avec goût l'ancien et le contemporain. Répertoire classique.

## ST-JEAN-D'ANGÉLY



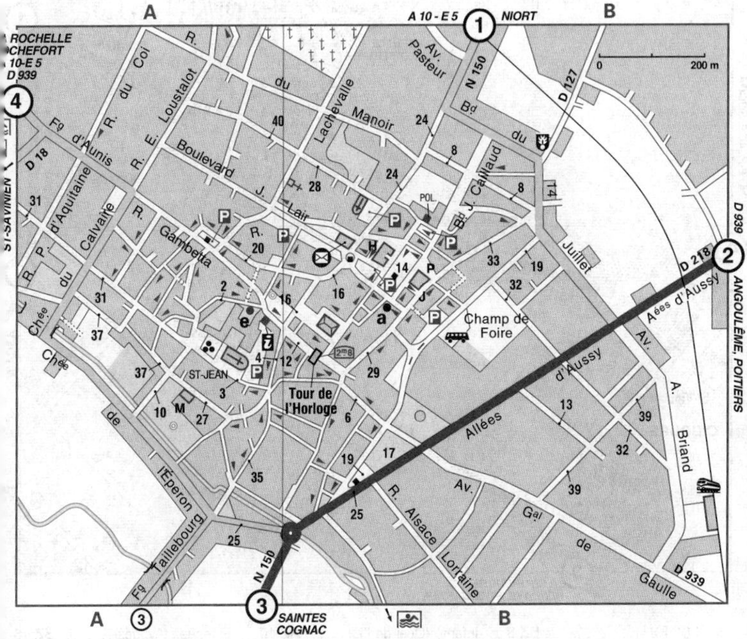

A
B
A 10 - E 5
NIORT
ROCHELLE
CHEFORT
10-E 5
D 939
N 150
D 127
Av. Pasteur
Bd du
R. du Coi
R. E. Loustalot
R. du Manoir
Lachevalle
Fg d'Aunis
Boulevard J. Lair
D 18
R. P. d'Aquitaine
Calvaire
R. Gambetta
Bd J. Caillaud
Juillet
POL.
D 218
D 939
Allées d'Aussy
Aées d'Aussy
Av.
A. Briand
ANGOULÊME, POITIERS
Champ de Foire
Tour de l'Horloge
ST-JEAN
Chée
de l'Éperon
Fg Taillebourg
R. Alsace Lorraine
Av. Gal de Gaulle
200 m
SAINTES
COGNAC


*Lisez attentivement l'introduction : c'est la clé du guide.*

---

**ST-JEAN-DE-BLAIGNAC** *33420 Gironde* 335 *K6 – 405 h alt. 50.*

*Paris 595 – Bordeaux 39 – Bergerac 55 – Libourne 17 – La Réole 30.*

XX **Auberge St-Jean,** ✆ 05 57 74 95 50, *Fax 05 57 84 51 57* – ▤. AE GB

*fermé 15 nov. au 12 déc., mardi soir, et merc.* – **Repas** *(20)* - 23/43 ♀, enf. 15.

◆ Les tables installées dans la véranda de cet ancien relais de poste offrent une jolie vue sur la Dordogne. Intérieur rustique soigné, avec vieilles poutres et grandes tables.

---

**ST-JEAN-DE-BRAYE** *45 Loiret* 318 *I4 – rattaché à Orléans.*

---

**ST-JEAN-DE-LUZ** *64500 Pyr.-Atl.* 342 *C4 G. Aquitaine – 13 031 h alt. 3 – Casino* **ABY.**

Voir *Port★ – Église St-Jean-Baptiste★★ – Maison Louis-XIV★* **N** *– Corniche basque★★ par ④ – Sémaphore de Socoa ≤★★ 5 km par ④.*

*OMT, place du Maréchal Foch ✆ 05 59 26 03 16, Fax 05 59 26 21 47.*

*Paris 789 ① – Biarritz 18 ① – Bayonne 24 ① – Pau 129 ① – San Sebastián 33 ③.*

Plan page suivante

**Grand Hôtel** M, 43 bd Thiers ✆ 05 59 26 35 36, *direction@luzgrandhotel.fr, Fax 05 59 51 99 84,* ≤, ⚐, ☉, ▣ – |♦| ✈ ▤ ▣ ✆ ♿ 🚗 – 🏛 15 à 45. AE ⓓ GB JCB. ✕ rest **BY d**

*1er mars-17 nov.* – **Repas** *(30)* - 38 (déj.), 48/60 ♀ – ☕ 22 – **50 ch** 275/320.

◆ Élégant mobilier, chaleureux tissus et équipements d'aujourd'hui dans des chambres très "cosy" : ce "grand hôtel" balnéaire du début du 20e s. a été entièrement rénové.

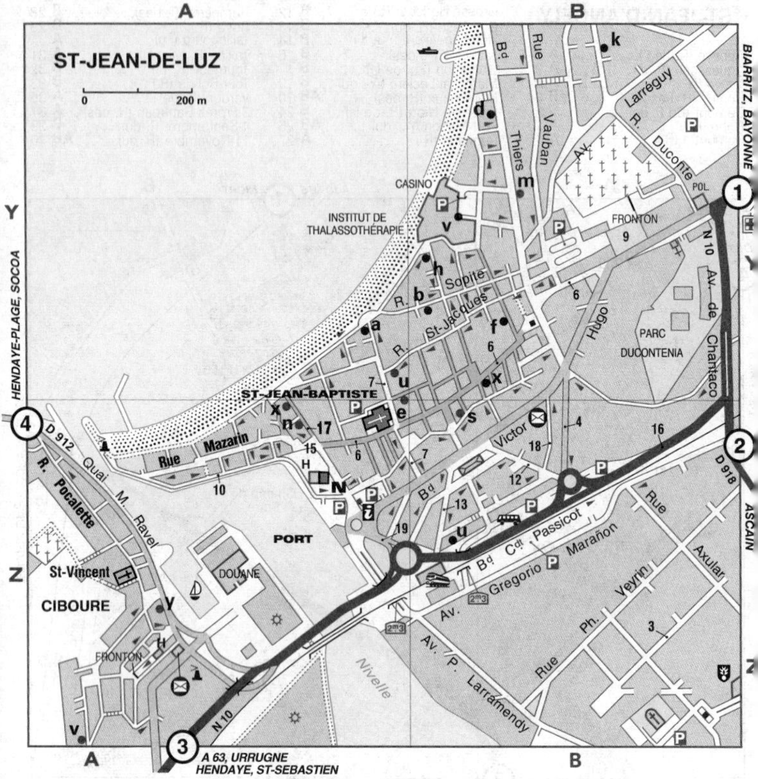

ST-JEAN-DE-LUZ
0
200 m
A
B
Y
Z
BIARRITZ, BAYONNE
HENDAYE-PLAGE, SOCOA
ASCAIN
A 63, URRUGNE
HENDAYE, ST-SEBASTIEN
CASINO
INSTITUT DE THALASSOTHÉRAPIE
FRONTON
PARC DUCONTENIA
POL.
ST-JEAN-BAPTISTE
PORT
DOUANE
CIBOURE
St-Vincent
Nivelle
Rue Mazarin
Quai M. Ravel
R. Pocalette
D 912
D 918
N 10
Av. de Chantaco
Bd Thiers
Rue Vaubon
Av. Larréguy
R. Duconte
R. Sopite
R. St-Jacques
Hugo
Victor
Bd Cdt Passicot
Av. Gregorio Marañon
Rue Axular
Rue Ph. Veyrin
Av. P. Larramendy


| | |
|---|---|
| Bibal (R. F.) | BZ 3 |
| Chauvin-Dragon (R.) | BZ 4 |
| Gambetta (R.) | AZ, BY 6 |
| Garat (R.) | AYZ 7 |
| Grandes Allées | BY 9 |
| Infante (Quai de l') | AZ 10 |
| Jaurréguiberry (Av.) | BZ 12 |
| Labrouche (Av.) | BZ 13 |
| Louis-XIV (Pl.) | AZ 15 |
| Pyrénées (Av. des) | BZ 16 |
| République (R. de la) | AZ 17 |
| Salagoity (R. de) | BZ 18 |
| Verdun (Av. de) | AZ 19 |
| Victor-Hugo (Bd) | BYZ |

**Parc Victoria**, 5 r. Cépé par bd Thiers et rte Quartier du Lac 05 59 26 78 78, *parcvictoria@relaischateaux.com, Fax 05 59 26 78 08*, , , – 
*15 mars-15 nov.* – **- Les Lierres** *(1er avril-31 oct. et fermé mardi hors saison)* **Repas** 35/66 – 14,50 – **9 ch** 175/240, 8 appart – ½ P 129,50/162.
◆ Belle demeure fin 19e s. et ses annexes nichées dans un ravissant parc arboré avec piscine. Mobilier Art déco omniprésent dans la salle de restaurant et les chambres.

**Hélianthal**, pl. M. Ravel 05 59 51 51 51, *helianthal@helianthal.fr, Fax 05 59 51 51 54*, – – 15 à 200. rest BY v
*fermé 23 nov. au 14 déc.* – **Repas** 34/36 – 12,50 – **100 ch** 149/260 – ½ P 112/161.
◆ L'hôtel et son centre de thalassothérapie sont à même la plage. Chambres d'esprit années 1930. Restaurant décoré d'une fresque marine et vaste terrasse panoramique.

**Devinière** sans rest, 5 r. Loquin 05 59 26 05 51, *Fax 05 59 51 26 38*, – . BY f
10 – **10 ch** 110/150.
◆ Dans une rue piétonne, haute bâtisse basque aux chambres personnalisées. Bel aménagement intérieur comprenant une agréable bibliothèque. Coquet salon de thé.

**La Marisa** sans rest, 16 r. Sopite 05 59 26 95 46, *info@la-marisa.com, Fax 05 59 51 17 06* – . . BY b
9 – **15 ch** 90/120.
◆ Cette maison basque voisine de la plage abrite des chambres pimpantes et bien insonorisées. Patio agréable aux beaux jours. Accueil charmant.

**Central** sans rest, 3 bd Cdt Passicot ✆ 05 59 26 31 99, *hotelcentralsaintjeandeluz@wanadoo.fr, Fax 05 59 51 05 61* – ▮, TV. AE GB BZ u
*fermé 17 au 27 déc., mardi et merc. du 17 nov. au 17 déc.* – ☕ 8,50 – **34 ch** 93/95.
◆ D'importants travaux ont donné une seconde jeunesse à cet hôtel proche de la gare. Chambres sobrement décorées mais confortables. Petit-déjeuner servi sous forme de buffet.

**Réserve** ⛵, rd-pt Ste-Barbe, Nord : 2 km par bd Thiers ✆ 05 59 51 32 00, *lareserve@wanadoo.fr, Fax 05 59 51 32 01*, ←, , , , – cuisinette TV ✆ ♿ P – 15 à 50. AE GB
**Repas** *(fermé dim. soir et lundi hors saison et vacances scolaires)* 28/36 ♀, enf. 11 – ☕ 12 – **40 ch** 140/160, 36 studios – ½ P 110/120.
◆ Au sommet des falaises, vaste domaine avec jardin et piscine dominant la mer. Chambres de deux générations ; préférez les plus récentes. Studios équipés de balcons.

**Les Almadies** sans rest, 58 r. Gambetta ✆ 05 59 85 34 48, *hotel.lesalmadies@wanadoo.fr, Fax 05 59 26 12 42* – TV ✆. GB. BY x
☕ 10 – **7 ch** 105.
◆ L'enseigne évoque la pointe des Almadies (Sénégal) et le salon est agrémenté de souvenirs africains : un charmant petit hôtel aux chambres toutes neuves et plutôt soignées.

**Plage(réouverture prévue en mai après travaux)**, promenade J. Thibaud ✆ 05 59 51 03 44, *hoteldelaplage@dial.oleane.com, Fax 05 59 51 03 48*, ← – TV . GB. AY a
*fermé 11 nov. au 20 déc. et 5 janv. à début fév.* – ***Le Brouillarta*** ✆ 05 59 51 29 51 *(fermé 17 nov. au 17 déc., dim. soir et lundi sauf juil.-août)* **Repas** carte 26 à 40, enf. 7 – ☕ 9 – **22 ch** 88/115 – ½ P 73/86.
◆ Belle situation face à la plage pour cette grande bâtisse colorée aux chambres printanières. Produits et vins régionaux servis à la brasserie.

**Villa Bel Air**, Promenade J. Thibaud ✆ 05 59 26 04 86, *belairhotel@wanadoo.fr, Fax 05 59 26 62 34*, ← – ▮, ▤ rest, TV ✆ P. GB. rest BY h
*hôtel : 4 avril-16 nov.; rest.: 4 juin-28 sept. et fermé* – **Repas** 22,40 (déj.), 23/24 – ☕ 6,90 – **21 ch** 82/111 – ½ P 74/83.
◆ Cette grande villa balnéaire basque de 1850 cultive un esprit "pension de famille". Petit salon ancien et sympathique restaurant regardant la baie. Chambres bien tenues.

**Les Goëlands** ⛵, 4 av. Etcheverry ✆ 05 59 26 10 05, *hotel.les.goelands@wanadoo.fr, Fax 05 59 51 04 02*, – TV P. AE GB. rest BY k
**Repas** *(Pâques-fin oct.)* (résidents seul.) 19/23 – ☕ 7 – **35 ch** 41,50/98 – ½ P 75/79.
◆ Dans un quartier résidentiel, hôtel partagé entre deux charmantes villas de style basque. Les chambres, anciennes, sont assez spacieuses. Salle à manger-véranda en façade.

**Maria Christina** sans rest, 13 r. Paul Gélos par bd Thiers et rte quartier du Lac ✆ 05 59 26 81 70, *mariachristina@wanadoo.fr, Fax 05 59 26 36 04* – TV. GB
*début fév.-début nov.* – ☕ 7 – **11 ch** 60/110.
◆ Murs colorés, parquets cirés et boiseries décorent agréablement cette villa luzienne du 19e s. Grand salon ouvrant sur un patio fleuri où pousse un joli citronnier.

**Patio**, 10 r. Abbé Onaindia ✆ 05 59 26 99 11, *restaurant.le.patio@freesbee.fr, Fax 05 59 26 99 11* – AE GB. AYZ e
*fermé 12 nov. au 11 déc., mardi midi, jeudi midi et lundi* – **Repas** 28/70 ♀.
◆ Tons chaleureux et murs décorés d'azulejos : l'influence ibérique est perceptible dans ce restaurant proposant une appétissante cuisine personnalisée, mitonnée sous vos yeux.

**Kaïku**, 17 r. République ✆ 05 59 26 13 20, *Fax 05 59 51 07 47*, – GB AZ x
*fermé merc. midi et mardi* – **Repas** 35 ♀, enf. 10,40.
◆ Installé pour partie en sous-sol dans la plus vieille maison de Saint-Jean-de-Luz (16e s.), ce restaurant est une institution locale. Carte sensible au rythme des saisons.

**Petit Grill Basque "Chez Maya"**, 2 r. St-Jacques ✆ 05 59 26 80 76, *Fax 05 59 26 80 76* – AE GB. AY u
*fermé 27 mai au 3 juin, 20 déc. au 20 janv., jeudi midi et merc.* – **Repas** 19/26 ♀.
◆ Sympathique petite auberge au décor basque authentique et patiné : assiettes, cuivres, fresques et amusant système de ventilation manuelle. Copieuse cuisine du terroir.

**Olatua**, 30 bd Thiers ✆ 05 59 51 05 22, *olatua@wanadoo.fr, Fax 05 59 51 32 99* – AE GB BY m
**Repas** *(10)* - 14 (déj.), 20/40 ♀, enf. 11.
◆ Adresse "tendance" que cette brasserie contemporaine rehaussée de couleurs vives où la proximité des tables favorise la convivialité. Cuisine au goût du jour bien tournée.

**Taverne Basque**, 5 r. République ✆ 05 59 26 01 26, – AE GB AZ n
*fermé 15 janv. au 15 fév., mardi sauf juil.-août et lundi* – **Repas** carte 28 à 35 ♀.
◆ Dans une ruelle très touristique, petite adresse où pierres apparentes et poutres s'intègrent à un cadre typiquement basque. Suggestions régionales à découvrir sur l'ardoise.

**Potina,** r. d'Elassagaray ✆ 05 59 26 02 76, *Fax 05 59 26 02 76,* BZ s
*fermé 11 nov. au 18 déc., 6 janv. au 10 fév., lundi soir, mardi hors saison et lundi midi* – **Repas** 23 ♀.
◆ L'enseigne de ce bistrot évoque une petite embarcation locale destinée à la pêche. Gril au feu de bois et cuisine visibles de tous où l'on prépare des petits plats du terroir.

**à Urrugne** *par ③ : 4 km – 6 098 h. alt. 34 – ✉ 64122 :*
*Office du Tourisme, place René Soubelet ✆ 05 59 54 60 80, Fax 05 59 54 63 49.*

**Château d'Urtubie** sans rest, ✆ 05 59 54 31 15, *chateaudurtubie@wanadoo.fr, Fax 05 59 54 62 51,* – P. AE GB.
*15 mars-15 nov.* – ☕ 10 **10 ch** 90/130.
◆ Sur la route de l'Espagne, château fort du 14e s. remanié au fil du temps. Aujourd'hui musée et hostellerie, il abrite des chambres de caractère garnies de meubles de style.

**Auberge Chez Maïté,** près église ✆ 05 59 54 30 27, *Fax 05 59 54 30 27* – AE GB.
*fermé dim. soir, mardi soir, merc. de sept. à juin et lundi en juil.-août* – **Repas** 18/32, enf. 10.
◆ Sur la place de la mairie, petite salle de restaurant décorée dans le style basque, où l'on mange au coude à coude une cuisine traditionnelle du Sud-Ouest.

**par** ④ *et rte de la Corniche : 4,5 km – ✉ 64122 Urrugne :*

**Auberge de la Corniche,** ✆ 05 59 47 30 23, *Fax 05 59 47 30 23,* ← la côte basque, – P. GB
*fermé janv., mardi hors saison et lundi* – **Repas** 25 ♀, enf. 10.
◆ Belle villa juchée sur une colline dominant le littoral basque. En été, profitez de la véranda et de son beau panorama ; hors saison, attablez-vous dans un cadre régional.

**Ciboure** **AZ du plan** – *5 849 h alt. 3 – ✉ 64500 .*
**Voir** *Chapelle N.-D. de Socorri : site★ 5 km par ③.*
*Office du Tourisme, 4 place du Fronton ✆ 05 59 47 64 56, Fax 05 59 47 64 55.*

**Lehen Tokia** sans rest, chemin Achotarreta, par ④ ✆ 05 59 47 18 16, *info@lehen-tokia.com, Fax 05 59 47 38 04,* ←, – . AE GB
*fermé 12 nov. au 20 déc. et 6 au 17 janv.* – ☕ 9,15 – **7 ch** 92/145.
◆ Belle villa basque entourée d'un jardin dominant la baie luzienne. Meubles et vitraux de style Art déco agrémentent les salons et l'une des chambres. Atmosphère "cosy".

**Chez Dominique,** 15 quai M. Ravel ✆ 05 59 47 29 16, *Fax 05 59 47 29 16,* – . AE GB AZ y
*fermé 15 fév.au 15 mars, dim. soir et lundi sauf 10 juil. au 31 août et fériés* – **Repas** 24 (déj.) ♀.
◆ Le quai abrite la maison natale de Maurice Ravel (n° 27) et cet accueillant restaurant. Cadre marin soigné éclairé de lamparos. Produits de l'océan et vns d'Irouléguy.

**Pantxua,** au port de Soccoa, par ④ *: 4 km* ✆ 05 59 47 13 73,
*fermé 11 nov. au 1er fév., lundi hors saison et mardi* – **Repas** carte 30 à 40 ♀.
◆ De nombreuses toiles de peintres basques ornent les murs de la salle à manger. Quant à la véranda et la terrasse, elles s'ouvrent sur le vivant tableau offert par la baie.

**Chez Mattin,** 63 r. E. Baignol ✆ 05 59 47 19 52, *Fax 05 59 47 05 57* – AE GB AZ v
*fermé 10 janv. au 20 fév., dim. soir hors saison et lundi* – **Repas** carte 30 à 43.
◆ Aménagé dans une vieille maison labourdine à pans de bois, restaurant de quartier à l'ambiance familiale et conviviale. Cuisine du terroir et quelques spécialités de poissons.

---

## ST-JEAN-DE-MAURIENNE

*73300 Savoie* 333 L6 *G. Alpes du Nord – 9 439 h alt. 556.*
**Voir** *Ciborium★ et stalles★★ de la cathédrale St-Jean-Baptiste.*
*Office du Tourisme, place de la Cathédrale ✆ 04 79 83 51 51, Fax 04 79 83 42 10, ot@ville-saint-jean-de-maurienne.fr.*
*Paris 635 ① – Albertville 61 ① – Chambéry 74 ① – Grenoble 104 ① – Torino 134 ②.*

Plan page ci-contre

**Nord,** pl. Champ de Foire ✆ 04 79 64 02 08, *info@hoteldunord.net, Fax 04 79 59 91 31* – P. AE GB. rest AY e
*fermé 20 avril au 4 mai et vacances de Toussaint* – **Repas** *(fermé dim. soir sauf juil.-août, lundi midi et mardi midi)* 14,50/36 ♀, enf. 8 – ☕ 6,50 – **19 ch** 33/46 – ½ P 37.
◆ Ancien relais de poste à deux pas du musée Opinel. Chambres spacieuses et salle à manger installée dans ce qui fut autrefois une écurie voûtée en pierre. Cuisine régionale.

**Dorhotel** M sans rest, r. L. Sibué ✆ 04 79 83 23 83, *info@dorhotel.com, Fax 04 79 83 23 00* – P – 40. AE GB JCB BY n
☕ 7,10 – **39 ch** 36/43,50.
◆ À 500 m de la gare, hôtel pratique aux chambres fonctionnelles. Formule buffet pour le petit-déjeuner, servi dans une salle assez vaste et actuelle.

## ST-JEAN-DE MAURIENNE

Arvan (Pont d') .......... **BZ** 2
Bonrieux (R.) .......... **AZ** 3
Brun-Rollet (R.) .......... **AY** 5
Cathédrale (Pl. de la) ..... **AY** 6
Desogus (R. Joseph) ....... **AZ** 8
Docteur Grange (R. du) ..... **AY** 10
Fodéré (Pl. E.) .......... **AY** 12
Gare (Av. de la) .......... **BY** 13
Girard (R. F.) .......... **AY** 15
Huguet (R. Jean) .......... **AZ** 16
Libération (R. de la) ....... **AY**
Marché (Pl. du) .......... **AY** 19
Orme (R. de l') .......... **AY** 20
République (R. de la) ...... **AYZ**
Saint-Antoine (R.) .......... **AY** 24
Sainte Claire Deville (R. H.) .......... **BY** 25
Sommeiller (Av. G.) ....... **BYZ** 27
Sous-Préfecture (R. de la) .. **AZ** 28
8 Mai 1945 (R.du) .......... **BZ** 29

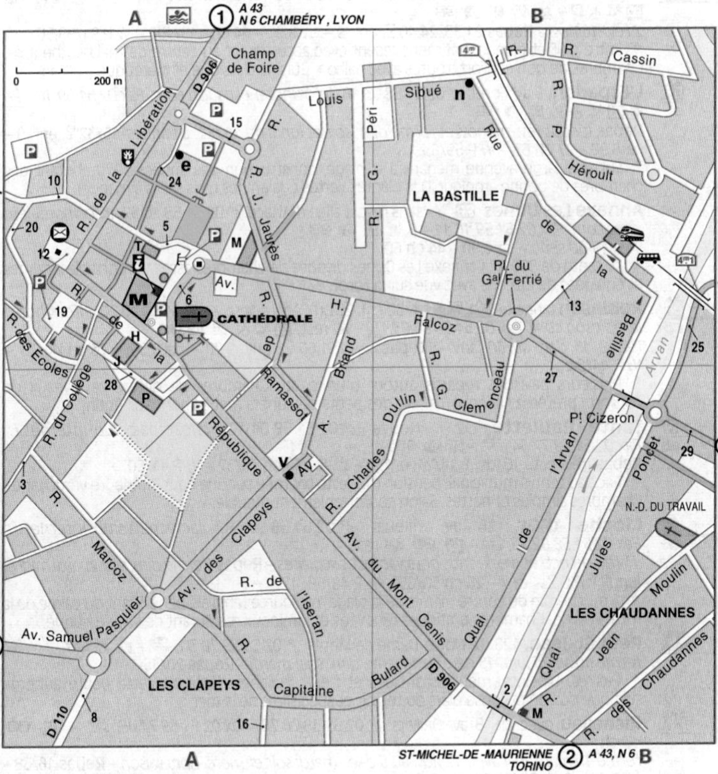

A 43
N 6 CHAMBÉRY, LYON
Champ de Foire
200 m
LA BASTILLE
CATHÉDRALE
Pl. du Gal Ferrié
Pt Cizeron
N.-D. DU TRAVAIL
LES CHAUDANNES
LES CLAPEYS
Av. Samuel Pasquier
D 906
D 110
ST-MICHEL-DE-MAURIENNE TORINO
A 43, N 6


**Europe,** 15 av. Mt-Cenis ☎ 04 79 64 06 33, *heurope@icor.fr, Fax 04 79 64 05 71* –
rest, TV, P, AE, GB — **AZ V**

*fermé 28 déc. au 18 janv. et dim. sauf le soir en saison* – **Repas** 12, enf. 7,70 – 6,10 – **27 ch** 38/60 – ½ P 45.

◆ À 300 m du centre et de sa belle cathédrale, établissement peu à peu rénové, aux chambres simples et spacieuses. Cadre rustique sobre dans la salle à manger.

---

**ST-JEAN-DE-MOIRANS** *38430 Isère* 333 *G5 – 2 399 h alt. 226.*

*Paris 549 – Grenoble 24 – Chambéry 46 – Lyon 86 – Valence 85.*

**Beauséjour** avec ch, Sud-Ouest : 2 km sur N 85, direction Grenoble ☎ 04 76 35 30 38, *restaurant-beausejour@libertysurf.fr, Fax 04 76 35 59 80,* – TV, P, AE, GB

*fermé 28 avril au 7 mai, 28 juil. au 20 août, 5 au 14 janv., dim. soir, lundi et mardi* – **Repas** 23/65 et carte 50 à 62 – 6,50 – **7 ch** 45/65 – ½ P 53,50.

◆ Cette grande maison régionale était autrefois un relais de chevaux. Plats traditionnels servis dans deux confortables salles à manger ou en terrasse, à l'ombre d'un platane.

*Si vous êtes retardé sur la route, dès 18 h, confirmez votre réservation par téléphone, c'est plus sûr... et c'est l'usage.*

## ST-JEAN-DE-MONTS 85160 Vendée 316 D7 *G. Poitou Vendée Charentes – 5 959 h alt. 16 – Casino La Pastourelle.*

*Office du Tourisme, 67 esplanade de la Mer ☎ 02 51 59 60 61, Fax 02 51 59 87 87, Saint-Jean.Activites@wanadoo.fr.*

*Paris 453 – La Roche-sur-Yon 58 – Cholet 121 – Nantes 74 – Les Sables-d'Olonne 46.*

**Mercure** M, 16 av. Pays de Monts ☎ 02 51 59 15 15, *Fax 02 51 59 91 03*, – TV – 35. AE GB
*2 fév.-16 nov.* – **Repas** 21,35/24,40, enf. 9 – 9,90 – **44 ch** 119/136 – ½ P 91/99,50.
◆ Entre golf et pinède, bâtiment récent avec accès direct au centre de thalassothérapie. Chambres de bon confort, toutes avec balcon. Cuisine classique et diététique.

**L'Espadon**, 8 av. Forêt ☎ 02 51 58 03 18, *info@hotel-espadon.com, Fax 02 51 59 16 11* – TV P. AE GB
**Repas** *(début fév.-mi-nov. et fermé dim. soir et lundi du 15 oct. à Pâques)* 15/32, enf. 9 – 6,90 – **27 ch** 65 – ½ P 59/63.
◆ Sur une large avenue menant à la plage, construction des années 1970 abritant des chambres de bonne ampleur. Des plantes vertes égaient les trois salles à manger.

**Annexe Les Dunes** sans rest, 1 allée d'Alsace ☎ 02 51 58 10 32, *info@hotel-lesdunes.com, Fax 02 51 59 16 11* – P. AE GB
*1er avril-30 sept.* – 6,90 – **44 ch** 60.
◆ Distante de 800 m, l'annexe Les Dunes dispose de chambres assez confortables, calmes et équipées de balcons avec vue sur la forêt.

**Robinson** (annexe M, 30 ch), 28 bd Gén. Leclerc ☎ 02 51 59 20 20, *infos@hotel-lerobinson.com, Fax 02 51 58 88 03*, – rest, TV. AE GB
*fermé 1er déc. au 30 janv.* – **Repas** 12,80/31,60, enf. 9,20 – 6,50 – **73 ch** 44/73 – ½ P 44/54.
◆ Plusieurs pavillons répartis autour d'un patio. Chambres de différents niveaux de confort ; préférez l'annexe. La salle des petits-déjeuners met à l'honneur Tintin.

**Tante Paulette**, 32 r. Neuve ☎ 02 51 58 01 12, *cheztapa@club-internet.fr, Fax 02 51 59 77 54*, – AE GB
**Repas** *(fév.-oct.)* 10 (déj.), 14/24, enf. 8 – 6 – **32 ch** 36/52 – ½ P 41/50.
◆ Face au tennis municipal, pension modeste tournée sur une cour intérieure verdoyante. Chambres simples et nettes. Salon confortablement meublé.

**Cloche d'Or**, 26 av. Tilleuls ☎ 02 51 58 00 58, *lacloche@club-internet.fr, Fax 02 51 58 82 85*, – TV. GB. rest
*1er fév.-19 oct. et week-ends hors vacances scolaires* – **Repas** *(fermé dim. soir, mardi midi et lundi)* 12/30 – 7 – **25 ch** 50/65 – ½ P 48/58.
◆ À mi-chemin du centre-ville et de la plage, ressource familiale bénéficiant du calme de la forêt voisine. Chambres pratiques rénovées et lumineux restaurant de style rustique.

**Petit St-Jean**, 128 rte Notre-Dame de Monts ☎ 02 51 59 78 50, – P. GB
*fermé 10 au 25 juin, 15 déc. au 14 janv., dim. soir, mardi* – **Repas** 20/35.
◆ Pierres, bibelots, meubles anciens et fleurs fraîches décorent cette petite auberge rustique où l'on propose plats du terroir et spécialités de la mer.

**Richelieu** avec ch, 8 av. Oeillets ☎ 02 51 58 06 78, *Fax 02 51 59 74 45*, – TV. GB. ch
*fermé 10 mars au 4 avril, 12 nov. au 5 déc., mardi soir et merc. hors saison* – **Repas** 16/58 – 6,10 – **8 ch** 58/68,60 – ½ P 61,90.
◆ Décor bourgeois dans la salle à manger, avec mobilier ancien, vivier central et exposition de tableaux. Le confortable petit salon rose est très agréable pour l'apéritif.

**Quich'Notte**, 200 rte Notre-Dame-de-Monts ☎ 02 51 58 62 64 – P. AE GB
*fin mars-mi-sept. et fermé mardi midi, sam. midi et lundi hors saison* – **Repas** 19/30, enf. 7,50.
◆ Cuisine du terroir servie dans le cadre rustique et chaleureux d'une bourrine vendéenne datant du 19e s. La rotonde vitrée est utilisée les jours d'affluence.

### à Orouet *Sud-Est : 7 km sur D 38 – ✉ 85160 St-Jean-de-Monts :*

**Auberge de la Chaumière**, ☎ 02 51 58 67 44, *chaumière-sarl@wanadoo.fr, Fax 02 51 58 98 12*, – cuisinette, rest, P. AE GB
*1er fév.-1er nov.* – **Repas** *(fermé dim. soir et lundi sauf juil.-août)* 17,50/43, enf. 10 – 6,40 – **33 ch** 47/71 – ½ P 53/61.
◆ Longue bâtisse récente aux auvents couverts de chaume, appréciable pour son grand jardin et son plan d'eau. Nombreuses chambres rénovées. Piscine découvrable.

## ST-JEAN-DE-SIXT 74450 H.-Savoie 328 L5 *G. Alpes du Nord – 852 h alt. 963.*

**Voir** *Défilé des Étroits★ NO : 3 km.*

*Office du Tourisme, Maison des Aravis ☎ 04 50 02 70 14, Fax 04 50 02 78 78, infos@saintjeandesixt.com.*

*Paris 560 – Annecy 30 – Chamonix-Mont-Blanc 76 – Bonneville 22 – La Clusaz 4 – Genève 48.*

**Beau Site**, ✆ 04 50 02 24 04, *hotelbeausite@hotmail.com, Fax 04 50 02 35 82*, – P. GB. rest
*15 juin-15 sept. et Noël-Pâques* – **Repas** 14/22, enf. 9 – 6,50 – **15 ch** 55/60 – ½ P 50/52.
◆ Cet hôtel-pension propose deux styles de chambres : savoyard avec lambris et tissus chaleureux, ou moderne et avant tout fonctionnel. Dans tous les cas, calme assuré.

---

**ST-JEAN-DU-BRUEL** *12230 Aveyron* 338 M6 *G. Languedoc Roussillon – 820 h alt. 520.*
Env. *Gorges de la Dourbie★★ NE : 10 km.*
*Syndicat d'Initiative, 32 Grand' Rue ✆ 05 65 62 23 64, Fax 05 65 62 24 92.*
*Paris 679 – Montpellier 99 – Lodève 44 – Millau 40 – Rodez 106 – Le Vigan 36.*

**Midi-Papillon**, ✆ 05 65 62 26 04, *Fax 05 65 62 12 97*, – P. GB
*12 avril-11 nov.* – **Repas** 12,35/34 – 4,50 – **18 ch** 32/33,50 – ½ P 35,20/37.
◆ Au bord de la Dourbie, maison ancienne romantique et douillette, alliant le charme du bien recevoir et des chambres personnalisées à une savoureuse cuisine du terroir.

---

**ST-JEAN-EN-ROYANS** *26190 Drôme* 332 E3 *G. Alpes du Nord – 2 895 h alt. 250.*
*Office du Tourisme, place de l'Eglise ✆ 04 75 48 61 39, Fax 04 75 47 54 44, ot.royan@wanadoo.fr.*
*Paris 591 – Valence 44 – Die 62 – Romans-sur-Isère 27 – Grenoble 71 – St-Marcellin 20.*

**au col de la Machine** *Sud-Est : 11 km par D 76 – alt. 1011.*
Voir *Combe Laval★★★.*

**Col de la Machine**, ✆ 04 75 48 26 36, *Jfaravello@aol.com, Fax 04 75 48 29 12*, – cuisinette TV P. AE GB. rest
*fermé 11 au 17 mars, 12 nov. au 25 déc., dim soir et lundi hors saison sauf vacances scolaires* – **Repas** (dîner seul. en hiver) 13,80/22, enf. 9 – 7,50 – **14 ch** 45/48, 3 studios – ½ P 48.
◆ Au début de l'héroïque parcours de Combe Laval, grande bâtisse régionale tenue par la même famille depuis 1848. Petites chambres actuelles. Jardin en lisière de forêt.

---

**ST-JEAN-LE-THOMAS** *50530 Manche* 303 C7 *– 398 h alt. 20.*
*Syndicat d'Initiative, 21 place Pierre le Jaudet ✆ 02 33 70 90 71, Fax 02 33 70 90 71.*
*Paris 349 – St-Lô 72 – St-Malo 82 – Avranches 15 – Granville 18 – Villedieu-les-Poêles 38.*

**Bains**, ✆ 02 33 48 84 20, *hdesbains@aol.com, Fax 02 33 48 66 42*, – P. AE GB
*31 mars-2 nov. et fermé merc. en oct., jeudi midi et merc. midi* – **Repas** 15/30, enf. 6,50 – 6 – **30 ch** 49/61 – ½ P 39/54.
◆ Chambres diversement meublées et réparties dans trois maisons villageoises tenues par la même famille depuis 1912. Vaste salle à manger rustique. Cuisine traditionnelle.

---

**ST-JEANNET** *06640 Alpes-Mar.* 341 D5 *G. Côte d'Azur – 3 188 h alt. 400.*
Voir *Site★ – ★★ Baou de St-Jeannet.*
*Syndicat d'Initiative, rue de la Soucare ✆ 04 93 24 73 83, Fax 04 93 59 49 41.*
*Paris 934 – Nice 22 – Grenoble 328 – Torino 234 – Toulon 152.*

**L'Indicible**, ✆ 04 92 11 01 08, *hotellindicible@wanadoo.fr, Fax 04 92 11 02 06*, – TV AE GB
*rest. : juil.-août* – **Repas** 19/24 (déj. à la carte) – 5 – **8 ch** 42/56 – ½ P 49/52.
◆ ... et pourtant il faut bien qu'on le dise que cette avenante maison est située au coeur d'un charmant village dominé par son baou (400 m). Petites chambres fraîches.

---

**ST-JEAN-PIED-DE-PORT** *64220 Pyr.-Atl.* 342 E6 *G. Aquitaine – 1 432 h alt. 159.*
Voir *Trajet des pèlerins★ de St-Jacques.*
*Office du Tourisme, place Charles de Gaulle ✆ 05 59 37 03 57, Fax 05 59 37 34 91.*
*Paris 821 ③ – Biarritz 55 ③ – Bayonne 54 ③ – Pau 106 ① – San Sebastián 97 ③.*

Plan page suivante

**Les Pyrénées** (Arrambide), pl. Ch. de Gaulle **(a)** ✆ 05 59 37 01 01, *pyrenees@relaischateaux.fr, Fax 05 59 37 18 97*, – TV – 20. AE GB JCB.
*fermé 20 nov. au 22 déc., 5 au 28 janv., lundi soir de nov. à mars et mardi du 20 sept. au 30 juin* – **Repas** (dim. et saison - prévenir) 38/84 et carte 65 à 95 – – **18 ch** 92/220, 3 appart – ½ P 120.
◆ Ancien relais de diligences évoqué par David Lodge dans "Thérapie". Préférez les chambres côté cour, claires et personnalisées. Cuisine gourmande d'inspiration basque.
**Spéc.** Saumon de l'Adour grillé béarnaise (mars à juil.). Lasagne au foie gras et aux truffes. Pigeon rôti aux ravioli de cèpes. **Vins** Jurançon, Irouléguy.

## ST-JEAN-PIED-DE-PORT

| | |
|---|---|
| Caro (Rte de) | 2 |
| Citadelle (R. de la) | 4 |
| Église (R. de l') | 6 |
| Espagne (R. d') | |
| France (R.) | 12 |
| Fronton (Av. du) | 15 |
| Gaulle (Pl. Ch.-de) | 16 |
| Liberté (R. de la) | 17 |
| St-Jacques (Ch. de) | 18 |
| St-Michel (Rte de) | 21 |
| Trinquet (Pl. du) | 24 |
| Uhart (R. d') | 27 |
| Zuharpeta (R.) | 30 |

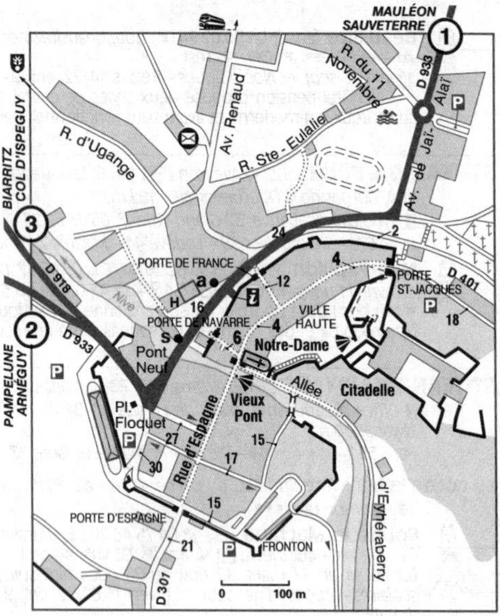

MAULÉON
SAUVETERRE
BIARRITZ
COL D'ISPEGUY
PAMPELUNE
ARNÉGUY
R. du 11 Novembre
D 933
Alaï
Av. de Jaï-
Av. Renaud
R. Ste-Eulalie
R. d'Ugange
PORTE DE FRANCE
PORTE ST-JACQUES
D 401
D 918
Nive
PORTE DE NAVARRE
VILLE HAUTE
Notre-Dame
Pont Neuf
Allée
Citadelle
Vieux Pont
Pl. Floquet
Rue d'Espagne
d'Eyhéraberry
PORTE D'ESPAGNE
FRONTON
D 301
0
100 m


**Central,** pl. Ch. de Gaulle (s) ✆ 05 59 37 00 22, *Fax 05 59 37 27 79,* – . AE GB JCB.
*fermé 15 déc. au 1er mars, lundi soir et mardi de mars à juin* – **Repas** 17/38 – ☕ 8 – **14 ch** 55/77 – ½ P 62/73.
◆ Comme son nom l'indique, un hôtel bien situé, en plein quartier animé. Chambres anciennes mais insonorisées. Salle de restaurant rénovée surplombant la Nive ; carte régionale.

**à Aincille** *par ① et D 18 : 7 km – 110 h. alt. 253 – ✉ 64220 :*

**Pecoïtz** avec ch, ✆ 05 59 37 11 88, *Fax 05 59 37 35 42,* ←, – P. GB
*fermé 1er janv. au 15 mars et vend. d'oct. à avril* – **Repas** 14/29, enf. 8 – ☕ 5 – **16 ch** 30,50/38,50 – ½ P 37/38.
◆ Cuisine familiale soignée, dans la note régionale, servie dans deux salles à manger dont une panoramique, ouverte sur la campagne. Chambres simples mais bien tenues.

**à Estérençuby** *Sud : 8 km par D 301 – 427 h. alt. 229 – ✉ 64220 :*

**Les Sources de la Nive** , à Béherobie, Sud : 4 km par rte secondaire ✆ 05 59 37 10 57, *Fax 05 59 37 39 06,* ←, , – P. GB
*fermé janv. et mardi du 15 nov. au 1er mars* – **Repas** *(10)* - 12/27 ♀, enf. 6 – ☕ 5 – **26 ch** 34 – ½ P 37.
◆ Ce petit établissement familial isolé, situé au bord de la Nive, séduira les amoureux de nature et de calme. Chambres de confort modeste ; préférez celles de l'annexe.

---

**ST-JEAN-SAVERNE** *67 B.-Rhin* 315 I4 – *rattaché à Saverne.*

---

**ST-JEAN-SUR-VEYLE** *01290 Ain* 328 C3 – *926 h alt. 200.*
*Paris 401 – Mâcon 12 – Bourg-en-Bresse 32 – Villefranche-sur-Saône 45.*

**Petite Auberge,** ✆ 03 85 31 53 92, *Fax 03 85 31 69 34* – GB
*fermé 24 juin au 6 juil., 2 au 16 janv., dim. soir d'oct à mars et mardi soir de sept. à juil.* – **Repas** *(7,90)* - 15 bc (déj.), 21/38.
◆ Sur une placette, sympathique maison bressane fleurie où, dans une salle rénovée, vous seront servies des spécialités régionales. Exposition de tableaux d'artistes locaux.

*Si vous cherchez un hôtel tranquille,*
*consultez d'abord les cartes de l'introduction*
*ou repérez dans le texte les établissements indiqués avec le signe .*

**ST-JOACHIM** *44720 Loire-Atl.* 316 C3 *G. Bretagne – 3 994 h alt. 5.*

**Voir** *Tour de l'île de Fédrun★ O : 4,5 km – Promenade en chaland★★.*

*Paris 437 – Nantes 62 – Redon 41 – St-Nazaire 14 – Vannes 62.*

XX **Auberge du Parc** (Guérin) avec ch, Ile de Fedrun ✆ 02 40 88 53 01, *aubergeduparc@aol.com, Fax 02 40 91 67 44,* – AE GB

*fermé mars, lundi sauf le soir en juil.-août et dim. soir.* – **Repas** 40/65 et carte 50 à 60 ♀, enf. 12 – 9 – **5 ch** 65 – 1/2 P 70.

◆ Chaumière typique et son jardin fleuri sur une île au milieu des marais de Brière. Bel intérieur rustique et décor "ornithologique" ; cuisine inventive. Chambres coquettes.

**Spéc.** Croquant de grenouilles aux algues bretonnes. Dos de sandre vapeur, bouillon de roquette aux huîtres. Soufflé au chocolat. **Vins** Muscadet, Anjou.

**ST-JORIOZ** *74410 H.-Savoie* 328 J5 *– 4 178 h alt. 452.*

*Office du Tourisme, 92 route de l'Eglise ✆ 04 50 68 61 82, Fax 04 50 68 96 11, info@ot-saintjorio.fr.*

*Paris 545 – Annecy 9 – Albertville 36 – Megève 51.*

**Manoir Bon Accueil**, à Epagny : 2,5 km par D 10 A ✆ 04 50 68 60 40, *Fax 04 50 68 94 84,* – 25. GB. rest

*fermé 20 déc. au 20 janv.* – **Repas** *(fermé dim. soir et lundi du 20 sept. au 20 avril)* 20/30 – 7 – **28 ch** 55/77 – 1/2 P 65/84.

◆ Établissement récent ouvert sur la nature, dans un hameau paisible dominant le lac d'Annecy. Les chambres du bâtiment principal sont spacieuses et d'un meilleur confort.

**ST-JULIA** *31540 H.-Gar.* 343 J4 *G. Midi-Pyrénées – 305 h alt. 302.*

*Paris 726 – Toulouse 41 – Auterive 54 – Carcassonne 61 – Castres 38 – Gaillac 65.*

X **Auberge des Remparts,** ✆ 05 61 83 04 79, – AE GB

*fermé dim. soir, lundi soir et mardi soir* – **Repas** 10,50 (déj.), 15/23.

◆ Au centre du hameau, une gentille auberge au charme agreste. Plats traditionnels à déguster dans une salle aux tons pastel, ou sur la terrasse ombragée par des tilleuls.

**ST-JULIEN-AUX-BOIS** *19220 Corrèze* 329 N5 *– 584 h alt. 594.*

*Paris 525 – Aurillac 53 – Brive-la-Gaillarde 66 – Mauriac 29 – St-Céré 63 – Tulle 51 – Ussel 62.*

X **Auberge de St-Julien-aux-Bois** avec ch, ✆ 05 55 28 41 94, *contact@auberge-saint-julien.fr, Fax 05 55 28 37 85,* – GB

*fermé vacances de Toussaint et de fév.* – **Repas** *(fermé merc. midi en juil.-août, mardi soir et merc. hors saison)* (11) - 13/39 ♀, enf. 8 – 6 – **7 ch** 26/49 – 1/2 P 31/43.

◆ Cette maison villageoise ancienne se distingue par son style "germano-corrézien". Cuisine traditionnelle, produits biologiques et desserts allemands. Chambres simples.

**ST-JULIEN-BEYCHEVELLE** *33250 Gironde* 335 G4 *– 873 h alt. 16.*

*Paris 624 – Bordeaux 45 – Arcachon 113 – Blaye 12 – Lesparre-Médoc 28.*

XX **St-Julien,** ✆ 05 56 59 63 87, *Fax 05 56 59 63 89,* – GB.

**Repas** 16 (déj.), 28/61 ♀.

◆ L'ancienne boulangerie du village (1850) s'est transformée en un plaisant restaurant au décor de pierres et poutres apparentes. Cuisine traditionnelle revisitée.

**ST-JULIEN-CHAPTEUIL** *43260 H.-Loire* 331 G3 *G. Vallée du Rhône – 1 664 h alt. 815.*

**Voir** *Site★ – Montagne du Meygal★ : Grand Testavoyre ★★ NE : 14 km puis 30 mn.*

*Office du Tourisme, place St Robert ✆ 04 71 08 77 70, Fax 04 71 08 42 20.*

*Paris 562 – Le Puy-en-Velay 20 – Lamastre 52 – Privas 88 – St-Agrève 32 – Yssingeaux 17.*

**Barriol,** ✆ 04 71 08 70 17, *jm.et.gw.barriol@wanadoo.fr, Fax 04 71 08 74 19* – GB.

*1er fév.-30 oct. et fermé dim. soir et lundi sauf juil.-août* – **Repas** 13 (déj.), 18/26 ♀, enf. 10 – 7 – **11 ch** 46 – 1/2 P 42.

◆ Pour une étape dans la patrie de Jules Romains, installez-vous dans cet hôtel tenu par la même famille depuis 150 ans. Chambres simples, au décor déjà ancien.

XXX **Vidal,** ✆ 04 71 08 70 50, *restaurantvidal@aol.com, Fax 04 71 08 40 14* – AE GB

*fermé 11 janv. au 28 fév., dim. soir et mardi sauf juil.-août et lundi soir* – **Repas** 19/55 et carte 43 à 70 ♀, enf. 11.

◆ Fresques représentant la région, sets en dentelle, meubles en bois blond et portes anciennes agrémentent le décor de ce restaurant rustique du terroir vellave.

**ST-JULIEN-DE-CREMPSE** *24 Dordogne* 329 E6 *– rattaché à Bergerac.*

## ST-JULIEN-DE-JONZY *71110 S.-et-L. 320 E12 G. Bourgogne – 282 h alt. 508.*

**Voir** *Portail* de l'église – Église* de Semur-en-Brionnais NO : 6 km.*

*Paris 370 – Moulins 89 – Roanne 30 – Charolles 32 – Lapalisse 46 – Mâcon 73.*

**Pont** avec ch, ☎ 03 85 84 01 95, *Fax 03 85 84 14 61*, – GB
*fermé vacances de fév. –* **Repas** *(fermé dim. soir et lundi soir)* 10 (déj.), 14,60/29, enf. 7,50 – 5,90 – **7 ch** 34/43 – ½ P 36/41.

◆ Au coeur du Brionnais, auberge de campagne abritant une chaleureuse salle à manger habillée de boiseries et quelques plaisantes chambres. Cuisine du terroir.

## ST-JULIEN-D'EMPARE *12 Aveyron 338 E3 – rattaché à Capdenac-Gare.*

## ST-JULIEN-EN-CHAMPSAUR *05500 H.-Alpes 334 E5 – 252 h alt. 1050.*

*Paris 664 – Gap 19 – Grenoble 100 – La Mure 58 – Orcières 20.*

**Les Chenets,** ☎ 04 92 50 03 15, *Fax 04 92 50 73 06*, – GB
*fermé avril, 12 nov. au 27 déc., dim. soir et merc. hors saison –* **Repas** 16/32, enf. 8 – 6 – **18 ch** 27,50/41,50 – ½ P 41,50.

◆ Cette modeste adresse propose une cuisine classique et des petits-déjeuners servis, en hiver, au coin du feu. Choisir les chambres de l'annexe.

## ST-JULIEN-EN-GENEVOIS *74160 H.-Savoie 328 J4 – 7 922 h alt. 460.*

*Syndicat d'initiative, place de la Libération ☎ 04 50 35 13 78, Fax 04 50 49 23 03.*

*Paris 524 – Annecy 35 – Thonon-les-Bains 47 – Bonneville 36 – Genève 11 – Nantua 56.*

**Savoie Hôtel** sans rest, av. L. Armand ☎ 04 50 49 03 55, *mc.levet@wanadoo.fr, Fax 04 50 49 06 23* – P. AE GB
6 – **20 ch** 36/55.

◆ Cet hôtel proche de la gare a entièrement fait peau neuve : les chambres, pratiques, sont désormais actuelles et fraîches. Salle des petits-déjeuners agrandie d'une véranda.

**Soli** sans rest, r. Mgr Paget ☎ 04 50 49 11 31, *Fax 04 50 35 14 64* – P. AE GB.
*fermé 22 déc. au 2 janv.* – 6 – **29 ch** 35/51.

◆ Dans un immeuble des années 1970, au centre-ville. Chambres claires, équipées d'un mobilier fonctionnel (avec balcon côté cour) et salle des petits-déjeuners lambrissée.

### à Bossey *Est : 5 km par N 206 – 486 h. alt. 438 – ✉ 74160 :*

**Ferme de l'Hospital** (Noguier), ☎ 04 50 43 61 43, *Fax 04 50 95 31 53*, – P. AE GB
*fermé 27 juil. au 13 août, 1er au 15 fév., dim. et lundi –* **Repas** 30 (déj.), 36/56 et carte 52 à 70.

◆ Cette ferme du 17e s. fut propriété de l'hôpital de Genève. Décor cossu, véranda à même la verdure et cuisine au goût du jour : on fait très souvent salle comble.

**Spéc.** Ravioli de caille, foie gras et truffe d'été (juin à sept.). Féra du Léman, crème d'artichaut et truffes, beurre léger. Filet de boeuf en croûte de pomodori. **Vins** Chignin-Bergeron, Mondeuse d'Arbin.

**Clos,** chemin des Bornants ☎ 04 50 43 60 76, *Fax 04 50 82 05 01*, – GB
*fermé 1er au 31 janv., lundi et mardi –* **Repas** (nombre de couverts limité, prévenir) 31/44.

◆ Intérieur coquet et ambiance conviviale dans cette maison de village (1921) où l'on régale d'une cuisine au goût du jour. Terrasse panoramique surplombant Genève et le Léman.

### à Viry *Sud-Ouest : 5 km par N 206 – 2 550 h. alt. 504 – ✉ 74580 :*

**Viry** sans rest, ☎ 04 50 04 82 68, *hotel.de.viry@wanadoo.fr, Fax 04 50 04 82 38* – P. AE GB
*fermé 27 déc. au 6 janv.* – 5,50 – **22 ch** 39/54.

◆ Hôtel récent au milieu d'un complexe résidentiel. Chambres spacieuses, aux couleurs actuelles, dotées d'un mobilier fonctionnel ; deux sont agencées en duplex.

### rte d'Annecy *Sud : 9,5 km par N 201 – ✉ 74350 Cruseilles :*

**Rey** sans rest, au Col du Mont Sion ☎ 04 50 44 13 29, *resa@hotelrey.com, Fax 04 50 44 05 48*, – P. AE GB
6,50 – **30 ch** 49,50/140 – ½ P 55,80/64,40.

◆ Cet hôtel situé au col même se compose de deux bâtiments. Demandez une chambre rénovée. Salon avec cheminée. Petit-déjeuner servi dans la véranda donnant sur le jardin.

**Clef des Champs,** ☎ 04 50 44 13 11, – P
*fermé 15 juin au 1er juil., 4 au 27 janv., mardi midi, dim. soir et lundi –* **Repas** 18,50 (déj.)/50, enf. 10.

◆ L'élégant décor de la salle des repas, rehaussé de gravures de peintres animaliers, rend un hommage appuyé à la chasse. Gibier, bien sûr, et belle carte des vins.

**ST-JULIEN-LE-FAUCON** *14140 Calvados* 303 M5 – *520 h alt. 40.*

*Paris 192 – Caen 40 – Falaise 32 – Lisieux 16.*

✕ **Auberge de la Levrette,** ✆ 02 31 63 81 20, *Fax 02 31 63 97 05* – GB
*fermé 12 nov. au 2 déc., lundi et mardi sauf fériés* – **Repas** 18,50/26,70, enf. 10,50.
◆ Jadis important relais de poste, maison à colombages au cadre typiquement normand datant de 1550. Salle à manger égayée d'une cheminée d'époque. Tables bien espacées.

**ST-JULIEN-SUR-CHER** *41320 L.-et-Ch.* 318 H8 – *627 h alt. 110.*

*Paris 228 – Bourges 68 – Blois 51 – Châteauroux 61 – Vierzon 25.*

✕ **Les Deux Pierrots,** ✆ 02 54 96 40 07 – GB
*fermé 6 au 31 août, lundi et mardi* – **Repas** 23/34.
◆ Cette auberge villageoise fait aussi office de bar à clientèle locale. Salle d'hiver de style rustique avec poutrage apparent, et salle d'été ouverte sur le jardin potager.

**ST-JUNIEN** *87200 H.-Vienne* 325 C5 *G. Berry Limousin* – *10 604 h alt. 240.*

**Voir** *Collégiale*★ **B.**

*Office du Tourisme, place du Champ de Foire ✆ 05 55 02 17 93, Fax 05 55 02 94 31, saint-junien@wanadoo.fr.*

*Paris 416 ① – Limoges 31 ① – Angoulême 72 ③ – Bellac 34 ① – Confolens 27 ③.*

## ST-JUNIEN

Anatole-France (Av.) ...... Y
Bastié (Av. Maryse) ...... Z 2
Blanc (Bd Louis) ...... Y 3
Blanqui (Fg Auguste) ...... Z 4
Brossolette (Bd) ...... Y 6
Cachin (Bd Marcel) ...... Y
Carnot (Av. Sadi) ...... Y
Corot (Av.) ...... Y 7
Defaye (R.) ...... Y
Dumas (R. Lucien) ...... Y 8
Estienne-d'Orves (Av. d') ...... Z
Flaubert (Av. G.) ...... YZ
Gaillard (Fg) ...... Z 10
J.-J.-Rousseau (R.) ...... Y 12
Lasvergnas (Pl.) ...... Y
Liebknecht (Fg) ...... Y 13
Michels (Pl. Ch.) ...... Z 15
Mocquet (Pl. Guy) ...... Y 16
Péri (R. Gabriel) ...... Y 17
Pérucaud (R. H.) ...... Y 18
Petit (Pl. J.) ...... Y 19
République (Bd de la) ...... Y 20
Rigaud (R. Junien) ...... Y
Roche (Pl. Auguste) ...... Y 21
Roche (Av. Victor) ...... Z
Vaillant-Couturier (R. Paul) ...... Z 23
Victor-Hugo (Bd) ...... Y
Vignerie (Av. L.) ...... Y
Voltaire (Av.) ...... Y 24

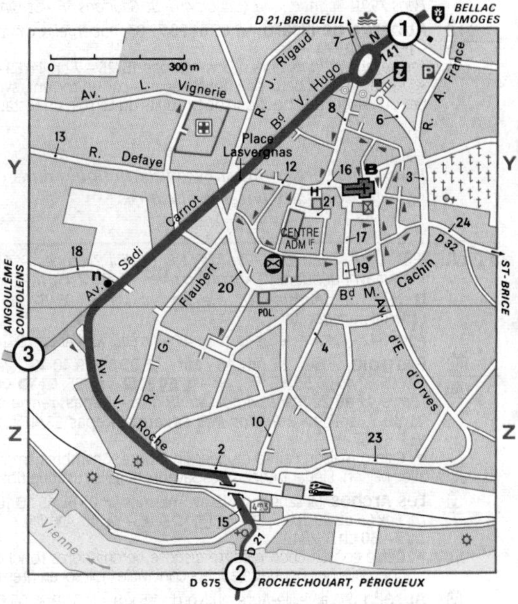
D 21, BRIGUEUIL
BELLAC
LIMOGES
0
300 m
Av. L. Vignerie
R. J. Rigaud
Bd V. Hugo
N 141
R. A. France
R. Defaye
Place Lasvergnas
Av. Sadi Carnot
CENTRE ADM IF
Av. Flaubert
Bd M. Cachin
D 32
ST-BRICE
POL.
Av. d'E. d'Orves
ANGOULÊME
CONFOLENS
Av. V. Roche
R. G.
Vienne
D 21
D 675
ROCHECHOUART, PÉRIGUEUX

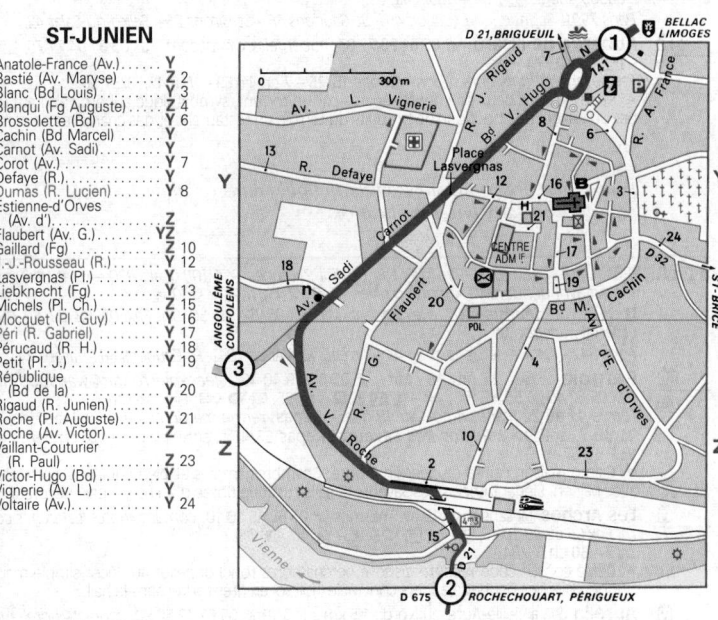

**Relais de Comodoliac,** 22 av. Sadi-Carnot ✆ 05 55 02 27 26, *Fax 05 55 02 68 79,* – TV P – 30. AE GB JCB Y n
**Repas** *(fermé dim. soir de nov. à fév.)* 13,50/33 ♀, enf. 8,50 – 6 – **29 ch** 46/54 – ½ P 46.
◆ Chambres peu à peu refaites dans un esprit fonctionnel et salle à manger-véranda aux tons pastel dont les larges baies ouvrent sur un joli jardin arboré. Plats traditionnels.

**par** ② *rte de Rochechouart, D 675 et rte secondaire : 2 km – ✉ 87200 St-Junien :*

✕✕✕ **Lauryvan,** ✆ 05 55 02 26 04, *lauryvan@nomade.fr, Fax 05 55 02 25 29,* – P. GB
*fermé 22 sept. au 6 oct. et 2 au 28 janv.* – **Repas** 21/46 et carte 33,50 à 46 ♀ ***L'Auberge*** *(fermé dim., lundi et fériés)* **Repas** carte 18 à 28,50 ♀.
◆ Pavillon moderne dans un sous-bois, à proximité d'un étang. Salles contemporaines, dont une réservée aux non-fumeurs ; cuisine classique. Plats du terroir à L'Auberge.

*Pas de publicité payée dans ce guide.*

## ST-JUST-EN-CHEVALET 42430 Loire 327 C4 – 1 422 h alt. 647.

*Syndicat d'Initiative, place du Chêne ☎ 04 77 65 05 33, Fax 04 77 65 05 33.*

*Paris 401 – Roanne 29 – Montbrison 47 – St-Étienne 84 – Thiers 35 – Vichy 50.*

**Londres** avec ch, ☎ 04 77 65 02 42, *Fax 04 77 65 11 71* – TV. GB
*fermé vend. soir et sam. d'oct. à avril* – **Repas** 10,50 (déj.), 14/38 – 5,50 – **7 ch** 33/46 – ½ P 37,50/41.

◆ Petite ressource villageoise hébergeant une salle à manger rustique où l'on propose une cuisine traditionnelle influencée par le terroir. Chambres rénovées et insonorisées.

## ST-JUSTIN 40240 Landes 335 J11 – 917 h alt. 90.

*Office du Tourisme, place des Tilleuls ☎ 05 58 44 86 06, Fax 05 58 44 86 06, saint justin@aol.com.*

*Paris 697 – Mont-de-Marsan 25 – Aire-sur-l'Adour 37 – Casteljaloux 49 – Dax 84 – Pau 91.*

**France** avec ch, pl. Tilleuls ☎ 05 58 44 83 61, *Fax 05 58 44 83 89*, – TV. GB
*fermé 20 oct. au 18 nov., jeudi soir, dim. soir et lundi* – **Repas** 20/40 - ***Bistrot*** *(fermé jeudi soir, dim. soir et lundi)* **Repas** 11 – 6 – **8 ch** 38/46.

◆ Maison de pays s'ouvrant sous les arcades de la place médiévale où l'on dresse la terrasse en saison. Copieuse cuisine traditionnelle. Confitures "maison" au petit-déjeuner.

## ST-LARY 09800 Ariège 343 D7 – 133 h alt. 692.

*Paris 799 – Bagnères-de-Luchon 49 – St-Gaudens 36 – St-Girons 25 – Salies-du-Salat 42.*

**Auberge de l'Isard,** ☎ 05 61 96 72 83, *aubergeisard@aol.com, Fax 05 61 04 71 75*, – TV. AE GB JCB
*fermé janv. et lundi hors saison* – **Repas** 15/25 – **7** ch 41/69 – ½ P 42,50/57,50.

◆ Répartie dans deux bâtiments séparés par un torrent, sympathique auberge abritant le bar du village, une boutique de produits du terroir, un restaurant et des chambres neuves.

***Les prix***

*Pour toutes précisions sur les prix indiqués dans ce guide, reportez-vous aux pages explicatives.*

## ST-LARY-SOULAN 65170 H.-Pyr. 342 N8 *G. Midi-Pyrénées* – 1 108 h alt. 820 – Stat. therm. *(début avril-début nov.)* – Sports d'hiver : 1 680/2 450 m 2 30 .

*Office du Tourisme, 37 rue Vincent Mir ☎ 05 62 39 50 81, Fax 05 62 39 50 06 st-lary@wanadoo.fr.*

*Paris 842 – Bagnères-de-Luchon 43 – Arreau 12 – Auch 104 – St-Gaudens 66 – Tarbes 74.*

**Pergola** , 25 r. V. Mir ☎ 05 62 39 40 46, *jean-pierre.mir@wanadoo.fr Fax 05 62 40 06 55*, , , – TV – 25. AE GB JCB. ch
*fermé 11 au 22 mai et 4 nov. au 18 déc.* – **Repas** *(fermé mardi midi et lundi)* 10,50 (déj.), 21/38 , enf. 9 - ***L'Enclos des Saveurs :*** **Repas** 25/46 , enf.9 – 7 – **20** ch 51/63 – ½ P 53/57.

◆ Calme maison ceinte d'un jardin arboré. Chambres amples et bien équipées, certaines avec balcon. Élégant Enclos des Saveurs et salle rustique dotée d'un four à pain décoratif.

**Les Arches** sans rest, 15 av. Thermes ☎ 05 62 49 10 10, *contact@hotel-les-arches.com, Fax 05 62 49 10 15*, – TV – 15. GB
7 – **30 ch** 53/84.

◆ Cette construction récente dispose de chambres fonctionnelles au décor simple mais soigné. Salle des petits-déjeuners conviviale ; joli sol en grès rouge dans le hall.

**Aurélia** , à Vieille-Aure, au Nord : 1,5 km sur D 19 ☎ 05 62 39 56 90, *contact@hotel-aurelia.com, Fax 05 62 39 43 75*, , , , – TV – 20. GB.
*fermé 25 sept. au 15 déc.* – **Repas** (résidents seul.)(½ pens. seul.) – 6,50 – **20 ch** 36,50/46 – ½ P 46.

◆ À 600 m du centre de remise en forme, hôtel à l'ambiance familiale, intéressant pour ses activités de loisirs. Chambres bien tenues, mansardées au 3e étage ; deux duplex.

**Pons "Le Dahu"** , 4 r. Coudères ☎ 05 62 39 43 66, *contact@hotelpons.com Fax 05 62 40 00 86*, – TV – 30. GB. rest
**Repas** 8/16,50 , enf. 6,10 – 6,50 – **39 ch** 46/55 – ½ P 42/48.

◆ Près du téléphérique et du centre, deux bâtiments séparés par quelques mètres. Les chambres, toutes rénovées, sont plus grandes à l'annexe et parfois équipées de balcons.

**Grange,** ☎ 05 62 40 07 14, – . GB.
*fermé 22 avril au 7 mai, 15 au 22 juin, 12 au 19 oct., 12 nov. au 17 déc., dim. soir, mardi soir et merc. hors sai* – **Repas** *(10,50)* - 17/35 , enf. 9.

◆ Cette ancienne grange s'est transformée en un confortable et coquet restaurant au chaleureux décor de bois. En hiver, belles flambées dans la cheminée. Menus régionaux.

**à Pla d'Adet** *Ouest : 11 km par D 123 – ✉ 65170 :*

**Christiania** Ⓜ, à la gare du téléphérique ✆ 05 62 98 40 62, *isa.sun@wanadoo.fr, Fax 05 62 98 40 63,* ← vallée et montagnes – 🅃🅅. GB
*1er déc.-21 avril et 14 juil.-15 août* – **Repas** *(9,50)* - 15 ♀ – ☐ 7 – **24 ch** 57/63 – ½ P 56.
◆ Atouts majeurs de cet hôtel entièrement relooké : son emplacement au pied des pistes de ski et le superbe panorama à contempler sans modération. Chambres fonctionnelles.

---

## ST-LATTIER *38840 Isère 333 E7 – 1 028 h alt. 170.*

*Paris 576 – Valence 35 – Grenoble 67 – Romans-sur-Isère 13 – St-Marcellin 15.*

**Auberge du Viaduc** avec ch, N 92 (hameau de la rivière) ✆ 04 76 64 51 65, *Fax 04 76 64 30 93,* – 🅃🅅 🅿. GB
**Repas** *(fermé déc., merc. midi, lundi et mardi)* (nombre de couverts limité, prévenir) 25/43 – ☐ 10 – **7 ch** 72/110 – ½ P 71/90.
◆ Demeure familiale ancienne, ouverte sur un agréable jardin. Salles à manger intimes, avec une véranda et un feu de bois en hiver. Joli mobilier régional dans les chambres.

**Brun** avec ch, Les Fauries, N 92 ✆ 04 76 64 54 76, *Fax 04 76 64 31 78,* – 🅃🅅 🅿. AE GB
*fermé 14 au 27 oct., vacances de fév. et dim. soir* – **Repas** 13 (déj.), 15/33, enf. 8 – ☐ 5,50 – **10 ch** 31/37 – ½ P 33.
◆ On accède au restaurant champêtre par le bar-tabac. À l'arrière, belle terrasse sous les tilleuls, au bord de l'Isère. Les chambres sont dans un bâtiment distant de 400 m.

---

## ST-LAURENT-DE-CERDANS *66260 Pyr.-Or. 344 G8 G. Languedoc Roussillon – 1 489 h alt. 675.*

*Syndicat d'initiative, 7 rue Joseph Nivert ✆ 04 68 39 55 75, Fax 04 68 39 59 59.*
*Paris 907 – Perpignan 59 – Céret 28.*

**au Sud-Ouest** *par D 3 et rte secondaire : 6,5 km – ✉ 66260 St-Laurent-de-Cerdans :*

**Domaine de Falgos** Ⓜ, ✆ 04 68 39 51 42, *golfalgos@aol.com, Fax 04 68 39 52 30,* ←, – cuisinette 🅃🅅 🅿 – 60. AE GB
*fermé 1er déc. au 29 fév.* – **Repas** 31 ♀ – ☐ 13 – **25 ch** 114/155, 7 appart, 5 duplex (en été: forfait ½pens) – ½ P 99.
◆ Isolée sur la frontière espagnole, ancienne ferme d'altitude reconvertie en complexe hôtelier comprenant parcours de golf, installations de loisirs et chambres tout confort.

---

## ST-LAURENT-DE-LA-SALANQUE *66250 Pyr.-Or. 344 I6 – 7 186 h alt. 2.*

**Env.** *Fort de Salses★★ NO : 9 km,* **G. Languedoc Roussillon.**
*Syndicat d'Initiative, place Gambetta ✆ 04 68 28 31 03, Fax 04 68 28 31 03, ot.st.laurent@libertysurf.fr.*
*Paris 850 – Perpignan 18 – Elne 25 – Narbonne 62 – Quillan 81 – Rivesaltes 11.*

**Commerce** avec ch, 2 bd Révolution ✆ 04 68 28 02 21, *Fax 04 68 28 39 86* – rest, 🅃🅅 – 25. GB.
*fermé 3 au 24 mars, 3 au 23 nov., dim. soir et lundi sauf juil.-août* – **Repas** 16/35 – ☐ 7 – **12 ch** 37,50/49,50 – ½ P 41/47,50.
◆ Au centre de la localité, façade moderne abritant une salle à manger rustique et des chambres petites et nettes, garnies d'un mobilier catalan. Cuisine du terroir.

---

## ST-LAURENT-DE-MURE *69720 Rhône 327 J5 – 4 513 h alt. 252.*

*Paris 480 – Lyon 19 – Pont-de-Chéruy 15 – La Tour-du-Pin 39 – Vienne 38.*

**Hostellerie St-Laurent,** ✆ 04 78 40 91 44, *Fax 04 78 40 45 41,* – 🅃🅅 🅿 – 15. AE GB.
*fermé 2 au 24 août, 26 au 29 déc., 2 au 5 janv., vend. soir, dim. soir, soirs fériés et sam.* – **Repas** 18/55 ♀, enf. 9 – ☐ 6,50 – **30 ch** 52/110.
◆ Belle demeure bourgeoise (18e s.) entourée d'un parc fleuri. Petites chambres récentes à l'annexe. En été, repas servis sur la terrasse ombragée par un tilleul tricentenaire.

---

## ST-LAURENT-DES-ARBRES *30126 Gard 339 N4 – 1 683 h alt. 60.*

*Office du Tourisme, Tour Ribas ✆ 04 66 50 10 10, Fax 04 66 50 10 10.*
*Paris 677 – Avignon 20 – Alès 70 – Nîmes 47 – Orange 22.*

**Galinette** sans rest, pl. de l'Arbre ✆ 04 66 50 14 14, *infos@lagalinette.com, Fax 04 66 50 46 30,* – 🅃🅅 🅿. AE GB.
*fermé 20 nov. au 11 déc. et 10 janv. au 11 fév.* – ☐ 12 – **13 ch** 87/195.
◆ Une ancienne cave viticole en pierre, joliment restaurée, fait le charme de cet hôtel discret. Le bel aménagement du salon et des chambres invite à la paresse.

## ST-LAURENT-DU-PONT *38380 Isère 333 H5 G. Alpes du Nord – 4 061 h alt. 410.*

**Voir** *Gorges du Guiers Mort★★ SE : 2 km – Site★ de la Chartreuse de Curière SE : 4 km.*

*Syndicat d'Initiative, place de la Mairie ✆ 04 76 06 22 55, Fax 04 76 06 21 21, tourisme.st laurent-du-pont@wanadoo.fr.*

*Paris 562 – Grenoble 34 – Chambéry 29 – La Tour-du-Pin 42 – Voiron 15.*

**Voyageurs,** r. Pasteur ✆ 04 76 55 21 05, *Fax 04 76 55 12 68* – . AE GB JCB
*fermé 1er au 15 oct., dim. soir sauf juil-août* – **Repas** 15/35, enf. 8 – 6,50 – **14 ch** 31/49 – ½ P 35/40.
◆ Dans un village situé au pied du massif de la Chartreuse. Chambres pratiques et bien tenues, sobre restaurant actuel et bar-brasserie-salon de thé. Bonne insonorisation.

**La Blache,** av. Gare ✆ 04 76 55 29 57, – GB
*fermé 18 août au 15 sept., dim. soir et lundi* – **Repas** 19,50/43.
◆ Original mobilier moderne et décor contemporain dans cette ancienne gare située à proximité des gorges du Guiers Mort. La carte est renouvelée au gré des saisons.

## ST-LAURENT-DU-VAR *06700 Alpes-Mar. 341 E5 G. Côte d'Azur – 24 426 h alt. 18.*

**Voir** *Corniche du Var★ N.*

*Office du Tourisme, 1 promenade des Flots Bleus ✆ 04 93 31 31 21, Fax 04 93 14 92 83 st–laurent@franceplus.com.*

*Paris 924 – Nice 10 – Antibes 13 – Cagnes-sur-Mer 7 – Cannes 26 – Grasse 31 – Vence 16.*

Voir plan de NICE Agglomération.

**au Cap 3000 :**

**Novotel** M, 40 av. Verdun ✆ 04 93 19 55 55, *H0414@accor-hotels.com, Fax 04 93 19 55 59,* – 150. AE GB
**Repas** 17,60, enf. 7,60 – 11,50 – **103 ch** 120/195.
◆ Proche de l'aéroport de Nice-Côte-d'Azur, dans une zone commerciale satellite : chambres habilement actualisées et salle à manger ouverte sur une verdoyante terrasse.

**au Port St-Laurent :**

**Holiday Inn Resort** M, prom. Flots Bleus ✆ 04 93 14 80 00, *resort@wanadoo.fr Fax 04 93 07 21 24,* – 150. AE GB JCB
***Calypso*** *(fermé le soir du 15 oct. au 31 mars)* **Repas** 15,50(déj)23/29, enf. 11 – 14,50 – **124 ch** 197/273.
◆ Complexe hôtelier à même la plage. Les chambres, spacieuses et bien équipées, ont vue sur le large ou sur l'arrière-pays. Agréable restaurant tourné vers la mer.

**Aigue Marine,** prom. Flots Bleus ✆ 04 93 07 84 55, *marine.aigue@libertysurf.fr Fax 04 93 07 88 68,* – . AE GB
*fermé dim. soir du 16 sept. au 14 mai et sam. midi du 15 mai au 15 sept.* – **Repas** 21/27,50.
◆ Près de la mer et de l'aéroport de Nice, ce restaurant au décor moderne bénéficie du double spectacle de la navigation aérienne et maritime. Plaisante terrasse.

**Sant'Ana,** ✆ 04 93 07 02 24, *sant-ana@wanadoo.fr, Fax 04 93 14 90 34,* – . AE GB
*fermé 3 au 17 nov., 5 au 19 janv. dim. soir d'oct. à avril et lundi* – **Repas** 26/32.
◆ Produits de la mer et plats provençaux composent la carte de ce restaurant. L'été, la salle à manger se transforme en vaste terrasse ouverte sur la marina.

**Mousson,** prom. Flots Bleus ✆ 04 93 31 13 30, *Fax 04 93 07 27 49,* – . AE GB
*fermé 15 déc. au 31 janv., mardi, merc. de sept. à juin et le midi en juil.-août* – **Repas** 24 (déj.)/39.
◆ Saveurs thaïlandaises et épices exotiques vous transportent au royaume de Siam le temps d'un repas, agréablement installé dans ce restaurant situé sur le front de mer.

## ST-LAURENT-DU-VERDON *04500 Alpes-de-H.-P. 334 E10 – 71 h alt. 468.*

*Paris 810 – Digne-les-Bains 60 – Brignoles 51 – Castellane 70 – Manosque 38.*

**Moulin du Château** ✆ 04 92 74 02 47, *lmdch@club-internet.fr, Fax 04 92 74 02 97* – GB. rest
*1er mars-3 nov.* – **Repas** *(fermé lundi et jeudi)* (dîner seul.)(résidents seul.) 28, enf. 13 – 7,50 – **10 ch** 76/97.
◆ Il faut contourner le château de St-Laurent-du-Verdon pour dénicher ce petit hôtel aménagé dans un ancien moulin. Chambres spacieuses et actuelles. Ambiance familiale.

*Si le coût de la vie subit des variations importantes,*
*les prix que nous indiquons peuvent être majorés.*
*Lors de votre réservation à l'hôtel, faites-vous préciser le prix définitif.*

## ST-LAURENT-EN-GRANDVAUX *39150 Jura 321 F7 G. Jura – 1 781 h alt. 904.*

*Office du Tourisme, 7 place Charles Thevenin ☎ 03 84 60 15 25, Fax 03 84 60 15 25.*

*Paris 443 – Champagnole 22 – Lons-le-Saunier 46 – Morez 11 – Pontarlier 57 – St-Claude 31.*

**Poste,** ☎ 03 84 60 15 39, *Fax 03 84 60 89 03* – . GB
*fermé 1er au 15 mai, 15 nov. au 15 déc. et sam. midi* – **Repas** 13,50/20,50 ♀, enf. 7 – ☕ 5,50 – **10 ch** 41 – ½ P 37.
◆ Derrière l'église, ressource familiale disposant de chambres régulièrement entretenues. Sobre salle à manger lambrissée. Cuisine traditionnelle et un menu régional.

## ST-LAURENT-NOUAN *41220 L.-et-Ch. 318 G5 – 3 399 h alt. 84.*

*Office du Tourisme, 58 route Nationale ☎ 02 54 87 01 31, Fax 02 54 87 01 31.*

*Paris 161 – Orléans 40 – Beaugency 9 – Blois 28 – Romorantin-Lanthenay 43.*

**Les Bordes** , Nord-Est : 6 km par D 925 et rte secondaire ☎ 02 54 87 72 13, *golf.les.bordes@wanadoo.fr, Fax 02 54 87 78 61*, ≤, , – TV P – 30. AE GB.
*fermé mardi et merc. de nov. à mars et lundi* – **Repas** *(fermé le soir de déc. à fév.)* 23 (déj.), 42/60 – ☕ 15 – **40 ch** 215/235 – ½ P 273/313.
◆ Ce domaine estimé des golfeurs jouit d'une situation idyllique au milieu de 600 ha de bois et étangs. Jolies chambres, simples et rustiques, réparties dans neuf cottages.

**Verger** sans rest, rte de Blois ☎ 02 54 87 22 22, *hotel.le.verger@wanadoo.fr, Fax 02 54 87 22 82*, – TV P. AE GB JCB
☕ 6 – **15 ch** 43/52.
◆ Sur la route des châteaux, maison du 19e s. et sa cour intérieure où coule une fontaine. Chambres et studios au calme, assez spacieux et équipés d'une bonne literie.

## ST-LAURENT-SUR SAÔNE *01 Ain 328 C3 – rattaché à Mâcon.*

## ST-LAURENT-SUR-SÈVRE *85290 Vendée 316 K6 G. Poitou Vendée Charentes – 3 247 h alt. 121.*

*Paris 367 – Angers 77 – La Roche-sur-Yon 59 – Bressuire 36 – Cholet 14 – Nantes 69.*

**Chaumière** avec ch, La Trique-N 149 ☎ 02 51 67 88 12, *Fax 02 51 67 82 87*, , , – TV P – 15. AE GB. rest
*fermé 21 sept. au 4 oct. et 21 au 30 déc.* – **Repas** *(fermé dim. soir et lundi midi d'oct. à mars)* 17 (déj.), 24/59 ♀, enf. 11 – ☕ 10 – **20 ch** 60/120 – ½ P 70/105.
◆ Auberge rustique en contrebas de la route. Le décor de la salle à manger est à la gloire de la Vendée militaire. Chambres un brin désuètes, tournées vers le jardin.

## ST-LÉGER-EN-YVELINES *78610 Yvelines 311 G3 – 1 074 h alt. 150.*

*Paris 55 – Chartres 53 – Dreux 37 – Mantes-la-Jolie 39 – Rambouillet 11 – Versailles 37.*

**Chêne Pendragon** sans rest, 17 r. Croix Blanche ☎ 01 34 86 30 11, *Fax 01 34 86 35 08*, – TV P – 20. GB
☕ 8 – **17 ch** 55/91.
◆ Hostellerie du 18e s. où l'on choisira plutôt les chambres du 1er étage. Petit-déjeuner servi dans le jardin l'été, au coin du feu l'hiver. Bar de style anglais.

## ST-LÉONARD-DE-NOBLAT *87400 H.-Vienne 325 F5 G. Berry Limousin – 5 024 h alt. 347.*

Voir *Église★ : clocher★★.*

*Office du Tourisme, place du Champ de Mars ☎ 05 55 56 25 06, Fax 05 55 56 36 97.*

*Paris 407 – Limoges 20 – Aubusson 68 – Brive-la-Gaillarde 99 – Guéret 62.*

**Grand St-Léonard** (Vallet), 23 av. Champs de Mars ☎ 05 55 56 18 18, *grandsaintleonard@wanadoo.fr, Fax 05 55 56 98 32* – TV – 15. AE GB
*fermé 12 au 19 mai, 22 déc. au 26 janv., lundi sauf le soir du 15 juin au 15 sept. et mardi midi* – **Repas** 23/56 et carte 50 à 65 – ☕ 9 – **13 ch** 52/57 – ½ P 74.
◆ Ancien relais de poste au charme délicat : chambres coquettes et restaurant agrémenté de beaux cuivres, meubles de style et porcelaine de Limoges. Cuisine classique.
**Spéc.** Terrine de foie de canard au sauternes. Croustillant de langoustines aux girolles (juin à sept.). Coeur de filet et queue de boeuf au cahors.

**Relais St-Jacques,** 6 bd A. Pressemane ☎ 05 55 56 00 25, *Fax 05 55 56 19 87* – TV. GB
*fermé 6 au 13 oct., 22 déc. au 5 janv., 23 fév. au 8 mars, dim. soir et lundi d'oct. à mai* – **Repas** *(9)* - 11 (déj.), 15/33 ♀, enf. 8 – ☕ 8 – **7 ch** 49 – ½ P 45/49.
◆ Bâtisse située sur le boulevard contournant le centre. Petites chambres modestes, salle des repas simple où l'on sert une cuisine traditionnelle et accueil souriant.

**Gay Lussac,** 18 r. Egalité ✆ 05 55 56 98 45, – GB, 
*fermé dim. soir et lundi sauf juil.-août* – **Repas** 10,50 bc (déj.), 16/30,50 ♀.
◆ L'enseigne du restaurant - ex-boulangerie - rend hommage au célèbre physicien et chimiste, enfant du pays. Les salles sont à l'étage. Petite terrasse-trottoir.

**ST-LEU-LA-FORÊT** *95 Val d'Oise* 305 E6 101 ④ – *voir à Paris, Environs.*

**ST-LÔ** P *50000 Manche* 303 F5 *G. Normandie Cotentin – 21 546 h alt. 20.*
**Voir** *Haras national★ – Tenture des Amours de Gombaut et Macée du musée des Beaux-Arts.*
*Office du Tourisme, place Général de Gaulle ✆ 02 33 77 60 35, Fax 02 33 77 60 36.*
*Paris 305 ② – Caen 72 ② – Cherbourg 80 ⑦ – Laval 156 ⑤ – Rennes 137 ⑤.*

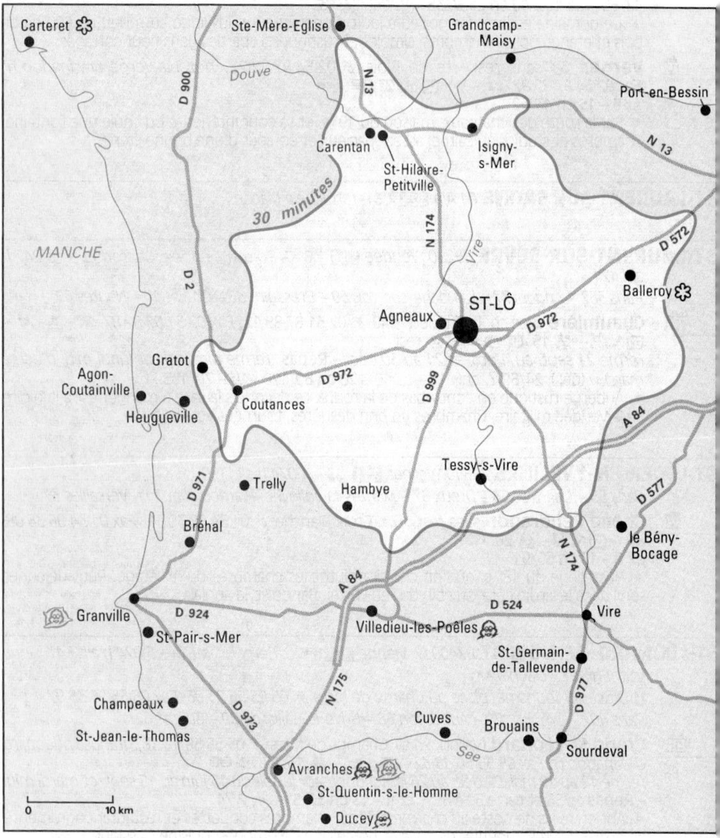
Carteret
Ste-Mère-Eglise
Grandcamp-Maisy
Port-en-Bessin
Douve
N 13
D 900
Carentan
St-Hilaire-Petitville
Isigny-s-Mer
30 minutes
N 174
Vire
MANCHE
D 2
D 572
Balleroy
ST-LÔ
Agneaux
D 972
Gratot
Agon-Coutainville
Heugueville
Coutances
D 999
A 84
Tessy-s-Vire
D 971
Trelly
Hambye
D 577
Bréhal
le Bény-Bocage
Granville
D 924
Villedieu-les-Poêles
D 524
Vire
St-Pair-s-Mer
St-Germain-de-Tallevende
N 175
D 977
Champeaux
D 973
Cuves
Brouains
St-Jean-le-Thomas
See
Sourdeval
Avranches
St-Quentin-s-le-Homme
Ducey
0
10 km

**Voyageurs** M, 5 av. Briovère ✆ 02 33 05 08 63, *Fax 02 33 05 14 34,* – 
50. GB
***Tocqueville*** ✆02 33 05 15 15 *(fermé 15 déc. au 5 janv., sam. midi et dim. soir)* **Repas** 17,50/37 ♀, , enf. 9 – 7
**31 ch** 55/65 – ½ P 55.
◆ Face aux remparts, établissement au confort actuel. Les chambres les plus plaisantes se trouvent dans l'aile rénovée. Salon-bar et restaurant modernes et colorés.

## ST-LÔ

Alsace-Lorraine (R.) . . . . . A 2
Baltimore (R. de) . . . . . . . A 3
Beaucoudray (R. de) . . . . A 5
Belle (R. du) . . . . . . . . . . A 7
Briovère (Av. de) . . . . . . A 8
Champ-de-Mars (Pl.) . . . . B 9
Feuillet (R. Octave) . . . . . A 12
Gaulle (Pl. Gén.-de) . . . . . A 13
Gerhardt (R. Gén.) . . . . . . B 14
Grimouville (R. de) . . . . . . A 16
Havin (R.) . . . . . . . . . . . . . A 17
Houssin-Dumanoir (R.) . . . . . . . . . . . . . . A 18
Lattre-de-T. (R. Mar.-de) . B 19
Leclerc (R. Mar.) . . . . . . . B
Mesnilcroc (R. du) . . . . . . B 22
Neufbourg (R. du) . . . . . . B 23
Notre-Dame (Parvis) . . . . A 24
Noyers (R. des) . . . . . . . . A 27
Poterne (R. de la) . . . . . . A 28
Ste-Croix (Pl.) . . . . . . . . . . B 30
St-Thomas (R.) . . . . . . . . . A
Torteron (R.) . . . . . . . . . . . A
Vieillard de Boismartin (R.) . . . . B 31
80e-et-136e Territorial (R. des) . . . . . . . . . . . . A 33

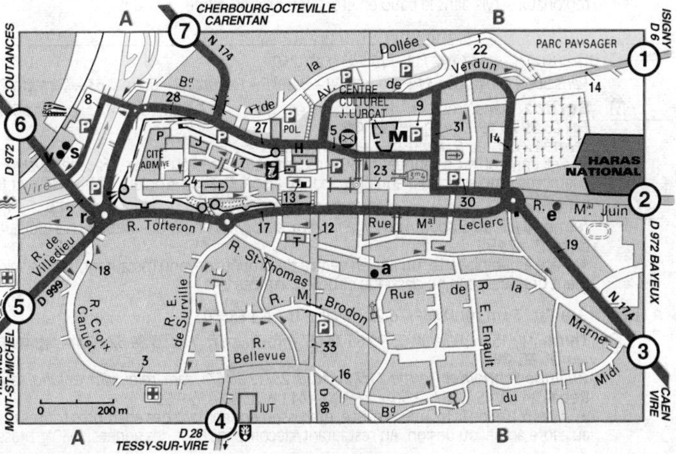

CHERBOURG-OCTEVILLE
CARENTAN
COUTANCES
ISIGNY D 6
PARC PAYSAGER
HARAS NATIONAL
D 972 BAYEUX
N 174
CAEN VIRE
RENNES MONT-ST-MICHEL
D 999
D 972
D 28
TESSY-SUR-VIRE
CENTRE CULTUREL J. LURÇAT
CITÉ ADM.
R. Torteron
R. St-Thomas
R. Brodon
Rue Mal Leclerc
Rue de la Marne
R. Mal Juin
R. de Villedieu
R. Croix Canuet
R. E. de Surville
R. Bellevue
R. E. Enault
Bd du Midi
Av. de la Dollée
Bd de Verdun
IUT
200 m


**Mercure** M sans rest, 1 av. Briovère ✆ 02 33 05 10 84, *h1072@accor-hotels.com*, *Fax 02 33 56 46 92* – ⎮ ⇔ TV ✆ ♿ – 🎓 80. AE ⓓ GB JCB — A v
☐ 7,50 – **35 ch** 56/65.
◆ La décoration du hall-réception de cet hôtel de chaîne récemment rajeuni puise dans le thème marin. Chambres au mobilier contemporain.

**Ibis,** Z.I. La Chevalerie, par ③ : *1,5 km* ✆ 02 33 57 78 38, *h0930@accor-hotels.com*, *Fax 02 33 55 27 67*, 🏡 – ⇔ TV ✆ ♿ P – 🎓 20 à 60. AE ⓓ GB
Repas *(9)* - 15 ꝑ, enf. 5,95 – ☐ 6 – **48 ch** 54/59.
◆ Cure de jouvence réussie pour cet hôtel jouxtant la rocade Sud : chambres bien agencées, insonorisation efficace, bar feutré et restaurant au décor actuel.

**Armoric** sans rest, 15 r. Marne ✆ 02 33 05 61 32, *Fax 02 33 05 12 68* – TV ✆. AE GB — B a
☐ 6 – **20 ch** 40/52.
◆ Derrière une façade anodine, découvrez un hôtel coquet aux chambres personnalisées et bien tenues. Celles de l'étage sont mieux équipées.

XXX **Gonivière,** rd-pt 6 Juin (1er étage) ✆ 02 33 05 15 36, *Fax 02 33 05 01 72* – AE GB — A r
*fermé dim.* – **Repas** 18/45 et carte 30 à 55.
◆ Tons pastel, tableaux contemporains, meubles cérusés et tables espacées composent le cadre de ce restaurant clair et accueillant. Cuisine traditionnelle.

XX **Péché Mignon,** 84 r. Mar. Juin ✆ 02 33 72 23 77, *restaurant-le-peche-mignon@wanadoo.fr*, *Fax 02 33 72 27 58* – AE ⓓ GB — B e
*fermé 25 fév. au 6 mars, 20 juil. au 10 août, sam. midi, dim. soir et lundi* – **Repas** *(11)* - 14/50 ꝑ, enf. 6.
◆ Au rez-de-chaussée d'un immeuble proche du haras national, deux petites salles à manger simples complétées par un salon confortable. Cuisine au goût du jour.

**au Calvaire** *par ② et D 972 : 7 km* – ✉ *50810 St-Pierre-de-Semilly :*

XXX **Les Glycines,** ✆ 02 33 05 02 40, *Fax 02 33 56 29 32*, 🏡 – P. GB
*fermé 21 juil. au 4 août, 6 au 20 janv., sam. midi, dim. soir et lundi* – **Repas** *(15)* - 23/58 et carte 39 à 76, enf. 9.
◆ En bordure d'une route passante, ancienne ferme du Bocage abritant deux salles au cadre frais, dont une en mezzanine, et un petit salon intime avec bar et cheminée.

*Si vous êtes retardé sur la route, dès 18 h, confirmez votre réservation par téléphone, c'est plus sûr... et c'est l'usage.*

**ST-LOUBÈS** *33450 Gironde* 335 *I5 – 6 207 h alt. 28.*

*Paris 570 – Bordeaux 19 – Créon 20 – Libourne 19 – St-André-de-Cubzac 15.*

**Coq Sauvage** avec ch, à Cavernes, Nord-Ouest : 4 km 05 56 20 41 04, *coq.sauvage @wanadoo.fr, Fax 05 56 20 44 76*, – – 20. GB. ch

*fermé 27 juil. au 25 août, 21 déc. au 5 janv., sam. et dim* – **Repas** *(16)* - carte 29 à 35 – 5 – **6 ch** 44.

◆ La Dordogne passe devant cette maison de village aux intérieurs joliment agrestes. Plats régionaux servis dans le patio en été. Chambres au calme.

**ST-LOUIS** *68300 H.-Rhin* 315 *J11 – 19 547 h alt. 250.*

*Paris 500 – Mulhouse 31 – Altkirch 29 – Basel 5 – Belfort 75 – Colmar 63 – Ferrette 24.*

**Berlioz** sans rest, r. Henner (près gare) 03 89 69 74 44, *berlioz@ansm.fr, Fax 03 89 70 19 17* – P. GB

*fermé 22 déc. au 6 janv.* – 7 – **23 ch** 46/65.

◆ Cet immeuble des années 1930 a récemment fait peau neuve : façade ravalée, petites chambres simples et bien équipées, bonne insonorisation. Copieux petit-déjeuner (buffet).

**Trianon,** 46 r. Mulhouse 03 89 67 03 03, *Fax 03 89 69 15 94* – . GB JCB

*fermé 14 juil. au 5 août, 4 au 21 janv., dim. soir, lundi et mardi* – **Repas** 31,25 (déj.), 48/65 et carte 43 à 73.

◆ Face à une placette, un ancien centre des impôts devenu restaurant. Tables soigneusement dressées, cuisine classique et belle carte des vins.

**à Huningue** *Est : 2 km par D 469 – 6 252 h. alt. 245 – ✉ 68330 :*

**Tivoli** M, 15 av. Bâle 03 89 69 73 05, *info@tivoli.fr, Fax 03 89 67 82 44* – P. AE GB

***Philippe Schneider*** *(fermé 23/7 au 16/8, 23/12 au 6/1, sam. midi, dim. et lundi sauf fériés)* **Repas** 24,50/45, enf. 9,50 – 9,90 – **41 ch** 70/90 – ½ P 55.

◆ À deux pas de la frontière suisse, établissement abritant des chambres toutes rénovées, au cadre actuel ou design. Au restaurant, décor "paquebot des années 1930" ; brasserie.

**à Village-Neuf** *Nord-Est : 3 km par N 66 et D 21 – 2 920 h. alt. 240 – ✉ 68128 :*

*Office du Tourisme, 81 rue VAUBAN 03 89 70 04 49, Fax 03 89 69 30 80, ot.saintlouis.huningue@wanadoo.fr.*

**Au Cerf,** 72 r. Gén. de Gaulle 03 89 67 12 89, *Fax 03 89 69 85 57*, – GB

*fermé 14 juil. au 15 août, 24 déc. au 1er janv., jeudi soir, dim. soir de juin à mars et lundi* – **Repas** 9,50 (déj.), 18/38.

◆ Près de la Petite Camargue alsacienne, engageante auberge familiale abritant deux salles à manger rajeunies. Cuisine traditionnelle et spécialités d'asperges.

**Potager,** 94 r. Gén. de Gaulle ✉ 68 03 89 69 88 05, *restaurant@lepotager.fr, Fax 03 89 69 25 67* – P. GB

*fermé 10 au 24 août, vacances de Pâques, de fév, sam. midi et lundi* – **Repas** 8,90 (déj.), 24,50/36.

◆ La façade jaune de cette bâtisse attire l'oeil. Intérieur rustique et cuisine panachant recettes traditionnelles, produits régionaux, herbes et légumes du potager.

**à Hésingue** *Ouest : 4 km par D 419 – 1 713 h. alt. 290 – ✉ 68220 :*

**Au Boeuf Noir,** 03 89 69 76 40, *Fax 03 89 67 77 29* – . AE GB

*fermé 15 août au 5 sept., 1er au 15 janv., sam. midi, dim. et lundi* – **Repas** *(26)* - 47/60 et carte 47 à 62.

◆ À proximité d'un carrefour animé, accueillante salle de restaurant agrémentée de tableaux contemporains réalisés par le patron-artiste. Cuisine au goût du jour soignée.

**Au Cheval Blanc,** 4 r. Gén. de Gaulle 03 89 69 70 73, *Fax 03 89 69 70 73* – GB

*fermé août, dim. soir, mardi soir et merc.* – **Repas** 15 (déj.), 34/64 bc.

◆ Au coeur du village, cette jolie maison à colombages plaisamment restaurée abrite une grande salle à manger à l'ambiance feutrée. Plats régionaux et belle sélection de vins.

**ST-LOUP-DE-VARENNES** *71 S.-et-L.* 320 *J9 – rattaché à Chalon-sur-Saône.*

**ST-LOUP-SUR-SEMOUSE** *70800 H.-Saône* 314 *F5 – 4 677 h alt. 247.*

*Syndicat d'Initiative, place Léon Jacquet 03 84 49 02 92, Fax 03 84 49 02 92.*

*Paris 364 – Épinal 42 – Bourbonne-les-Bains 48 – Gray 83 – Remiremont 35 – Vesoul 36.*

**Trianon,** pl. J.-Jaurès 03 84 49 00 45, *Fax 03 84 94 22 34*, – . AE GB

*fermé vend. soir et sam. midi* – **Repas** 13/37, enf. 7 – 6 – **13 ch** 43 – ½ P 39.

◆ Au bord de la Semouse, bâtisse blanche et fleurie abritant des chambres assez spacieuses et bien tenues. Sobre salle à manger fonctionnelle. Bar avec cheminée.

## ST-LYPHARD *44410 Loire-Atl.* 316 C3 *G. Bretagne – 2 889 h alt. 12.*

**Voir** *Clocher de l'église* ✱★★.

*Office du Tourisme, place de l'Eglise ☎ 02 40 91 41 34, Fax 02 40 91 34 96, otsi-st-lyphard@wanadoo.fr.*

*Paris 449 – Nantes 74 – La Baule 17 – Redon 42 – St-Nazaire 22.*

**Les Chaumières du Lac et Auberge Les Typhas** M, rte Herbignac ☎ 02 40 91 32 32, *jclogodin@leschaumieresdulac.com, Fax 02 40 91 30 33,* , – TV & P – 30. AE GB
*fermé 15 déc. au 1er fév. et hôtel : le dim. en fév.-mars –* **Repas** *(fermé merc. midi et mardi)* 19/40 – ☕ 8,40 – **20 ch** 65/90 – ½ P 65.
◆ Hameau de chaumières récentes dans le Parc naturel régional de Brière. Vastes chambres dotées de ciels de lit. Salle à manger rénovée, en jaune et blanc.

**rte de St-Nazaire** *Sud : 3 km par D 47 – ✉ 44410 St-Lyphard :*

XX **Auberge le Nézil,** ☎ 02 40 91 41 41, *Fax 02 40 91 45 39,* , – P. AE GB
*fermé 24/2 au 9/3, 29/9 au 6/10, 18/11 au 1/12, 22 au 29/12, merc. d'oct. à mai, dim. soir et lundi –* **Repas** 20 (déj.), 25/45, enf. 9.
◆ Pimpante chaumière à la lisière des marais de Grande Brière. Intérieur rustique récemment rénové. Goûteuse cuisine classique servie, l'été, sur l'agréable terrasse-jardin.

**à Bréca** *Sud : 6 km par D 47 et rte secondaire – ✉ 44410 St-Lyphard :*

XX **Auberge de Bréca,** ☎ 02 40 91 41 42, *aubergedebreca@wanadoo.fr, Fax 02 40 91 37 41,* , – AE GB
*fermé 19 déc. au 9 janv., dim. soir, mardi soir et jeudi sauf juil.-août –* **Repas** 22/45 ♀, enf. 10.
◆ Ancien relais de chasse, cette chaumière briéronne (1903) est aujourd'hui un restaurant chaleureux. Aux beaux jours, jardin fleuri et terrasse tournée vers les marais.

**à Kerbourg** *Sud-Ouest : 6 km par D 51 (rte de Guérande) – ✉ 44410 St-Lyphard :*

XX ✿ **Auberge de Kerbourg** (Jeanson), ☎ 02 40 61 95 15, *Fax 02 40 61 98 64,* , – GB
*fermé mi-déc. à mi-fév., mardi midi, vend. midi, sam. midi, dim. soir et lundi –* **Repas** (en saison, prévenir) 30 (déj.), 48/63 et carte 50 à 65.
◆ Belle maison de 1753 coiffée d'un toit de chaume fleuri en saison. Chaleureux accueil, intérieur rustique soigné et originale cuisine au goût du jour incitent à s'attarder.
**Spéc.** Alose de Loire (avril-mai). Grenouilles (juin à oct.). Baliste de nos côtes (août à oct.).
**Vins** Montlouis, Chinon

## ST-MACAIRE *33 Gironde* 335 J7 *– rattaché à Langon.*

## ST-MAIXENT-L'ÉCOLE *79400 Deux-Sèvres* 322 E6 *G. Poitou Vendée Charentes – 6 893 h alt. 85.*

**Voir** *Église abbatiale★ – Musée militaire (série d'uniformes★).*

*Office du Tourisme, Port Châlon ☎ 05 49 05 54 05, Fax 05 49 05 76 25, otsi.hvs@ot-valsevre.fr.*

*Paris 383 – Poitiers 51 – Angoulême 106 – Niort 24 – Parthenay 30.*

**Logis St-Martin** , chemin Pissot ☎ 05 49 05 58 68, *courrier@logis-saint-martin.com, Fax 05 49 76 19 93,* <, , – TV P. AE GB JCB. ch
*fermé janv., mardi midi, sam. midi et lundi –* **Repas** 30 (déj.), 42/85 bc ♀ – ☕ 13 – **11 ch** 90/135 – ½ P 103/123.
◆ Au bord de la Sèvre niortaise, demeure du 17e s. restaurée avec goût. Nombreuses recettes culinaires préparées devant le client et servies dans un cadre raffiné.

**à Soudan** *Est : 7,5 km par N 11 – 306 h. alt. 155 – ✉ 79800 .*

**Voir** *Musée des Tumulus de Bougon★★.*

XX **L'Orangerie** avec ch, ☎ 05 49 06 56 06, *Fax 05 49 06 56 10,* , – TV P. AE GB
*fermé 15 nov. au 6 déc., dim. soir et merc. –* **Repas** (10,50) - 14,50/39 ♀, enf. 7,50 – ☕ 6 – **7 ch** 27/55 – ½ P 39,50.
◆ Cuisine classique servie dans un restaurant ouvert sur le jardin. Un ancien atelier de ferronnerie abrite des chambres modestes. Salle des petits-déjeuner sous verrière.

***Dans ce guide***
*un même symbole, un même mot,*
*imprimé en* ***rouge*** *ou en* ***noir,*** *en maigre ou en* ***gras****,*
*n'ont pas tout à fait la même signification.*
*Lisez attentivement les pages explicatives.*

**ST-MALO** 35400 I.-et-V. 309 J3 *G. Bretagne* – 48 057 h alt. 5 – *Casino* **AXY**.

Voir *Remparts★★★ – Château★★ : musée d'Histoire de la ville et d'Ethnographie du pay malouin★* **M²**, *tour Quic-enroigne★* **DZ E** – *Fort national★ : ≤★★ 15 mn – Vitraux★ de l cathédrale St-Vincent – Mystères de la mer (aquarium) par ③ – Rothéneuf : musée-manoi Jacques-Cartier★, 3 km par ① – St Servan sur Mer : corniche d'Aleth≤★, tour Solidor★ échapées du parc des Corbières★, belvédère du Rosais★.*

*de Dinard-Pleurtuit-St-Malo : ✆ 02 99 46 18 46, par ③ : 14 km.*

*Office du Tourisme, esplanade St-Vincent ✆ 02 99 56 64 48, Fax 02 99 56 67 00 office.de.tourisme.saint-malo@wanadoo.fr.*

*Paris 403 ③ – Avranches 68 ③ – Dinan 32 ③ – Rennes 72 ③ – St-Brieuc 73 ③.*

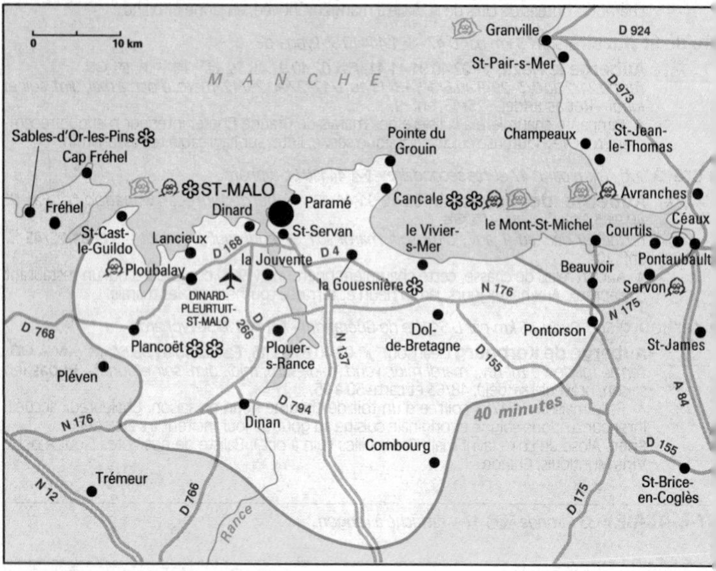

0
10 km
M A N C H E
Granville
D 924
St-Pair-s-Mer
D 973
Sables-d'Or-les-Pins
Cap Fréhel
Pointe du Grouin
Champeaux
St-Jean-le-Thomas
ST-MALO
Paramé
Cancale
Avranches
Fréhel
Dinard
St-Servan
le Vivier-s-Mer
le Mont-St-Michel
Courtils
Céaux
St-Cast-le-Guildo
Lancieux
D 168
la Jouvente
D 4
Pontaubault
Ploubalay
la Gouesnière
Beauvoir
Servon
N 176
DINARD-PLEURTUIT-ST-MALO
N 175
D 768
Plancoët
D 266
Plouer-s-Rance
N 137
Dol-de-Bretagne
Pontorson
St-James
D 155
Pléven
A 84
D 794
40 minutes
N 176
Dinan
Combourg
D 155
Trémeur
N 12
D 766
Rance
D 175
St-Brice-en-Coglès


**Intra muros :**

**Central,** 6 Gde rue ✆ 02 99 40 87 70, *centralbw@wanadoo.fr, Fax 02 99 40 47 57* – 🛗 ⇔ 📺 – 🏛 50. AE ⓞ GB JCB DZ

***Pêcherie :*** **Repas** *(22)*-29 ♀, enf. 12 – ☕ 10 – **50 ch** 105/150 – ½ P 82,50/90.

◆ Au coeur de la cité corsaire, chambres fonctionnelles récemment refaites. À la Pêcherie produits de la mer et plaisant décor actuel avec bimbeloterie maritime.

**Ajoncs d'Or** sans rest, 10 r. Forgeurs ✆ 02 99 40 85 03, *hotel-ajoncs-dor@wanadoo.fr Fax 02 99 40 80 70* – 🛗 📺 ☎. AE ⓞ GB JCB. ✂ DZ

*1er mars -12 nov.* – ☕ 9 – **22 ch** 72/115.

◆ Dans une rue relativement tranquille, chambres bien équipées, entièrement rénovées e plaisamment personnalisées. Salle des petits-déjeuners au décor marin.

**Cité** sans rest, 26 r. Ste-Barbe ✆ 02 99 40 55 40, *hoteldelacite@wanadoo.fr Fax 02 99 40 10 04* – 🛗 ▤ 📺 ☎ 🚗. AE ⓞ GB JCB DZ

☕ 9 – **41 ch** 68,50/105.

◆ Ce bel immeuble jouxtant les remparts abrite des chambres nettes et insonorisées certaines offrent une échappée sur la mer, d'autres, spacieuses, accueillent les familles.

**Quic en Groigne** sans rest, 8 r. d'Estrées ✆ 02 99 20 22 20, *rozenn.roualec@wanad o.fr, Fax 02 99 20 22 30* – 📺 🚗. AE GB JCB. ✂ DZ

☕ 6,50 – **15 ch** 48/62.

◆ Cet hôtel aménagé dans une vieille maison malouine a pris le joli nom de la tour accolé au château. Chambres actuelles et véranda ou jardinet pour les petits-déjeuners.

**Palais** sans rest, 8 r. Toullier ✆ 02 99 40 07 30, *hotel-du-palais@wanadoo.fr Fax 02 99 40 29 53* – 🛗 📺 ☎. AE ⓞ GB JCB. ✂ DZ

*fermé 22 au 27 déc. et 7 au 17 janv.* – ☕ 7 – **18 ch** 45/54.

◆ Dans le prolongement du palais de justice, chambres régulièrement actualisées ; celle du dernier étage, plus amples et mansardées, sont éclairées par de grands Velux.

**Jean Bart** sans rest, 12 r. Chartres ✆ 02 99 40 33 88, *hoteljeanbart@wanadoo.fr, Fax 02 99 56 98 89* – AE GB DZ b
*15 mars-15 nov. et 26 déc-6 janv.* – 6,50 – **18 ch** 45,50/59.
◆ L'enseigne évoque le fameux corsaire dunkerquois. L'agencement intérieur un peu tortueux est typique des habitations intra-muros. Quelques chambres ont vue sur le port.

**Cartier** sans rest, 1 r. Corne de Cerf ✆ 02 99 56 30 00, *Fax 02 99 56 55 54* – . GB. DZ q
*1er avril-15 nov.* – 6 – **22 ch** 47/69.
◆ Tranquillité et chambres modestes mais bien tenues caractérisent cet hôtel. Les fenêtres donnent sur deux rues commerçantes de la ville du "découvreur du Canada" (Cartier).

**Chalut** (Foucat), 8 r. Corne de Cerf ✆ 02 99 56 71 58, *Fax 02 99 56 71 58* – . AE GB DZ d
*fermé mardi sauf le soir en saison et lundi* – **Repas** (nombre de couverts limité, prévenir) 20 (déj.), 31/47 et carte 38 à 62.
◆ Belle façade évoquant la vie des marins, intérieur convivial et cuisine raffinée axée sur les produits de la mer : trois bonnes raisons pour ne pas prendre le large !
**Spéc.** Fraîcheur de saumon mariné à la fenouillette. Saint-Jacques à la coriandre fraîche (oct. à mai). Bar de ligne en gratin léger au champagne.

**A la Duchesse Anne,** 5 pl. Guy La Chambre ✆ 02 99 40 85 33, *Fax 02 99 40 00 28,* – GB. DZ e
*fermé déc., janv., dim. soir hors saison, lundi midi et merc.* – **Repas** carte 35 à 52.
◆ Imbriquée dans le rempart, institution malouine créée en 1922, dont l'original décor "rétro" mérite le coup d'oeil (joli sol en mosaïque). Cuisine dans la grande tradition.

**Delaunay,** 6 r. Ste-Barbe ✆ 02 99 40 92 46, *restaurant.delaunay@club-internet.fr, Fax 02 99 56 88 91* – GB DZ x
*fermé déc., janv., lundi sauf juil.-août et dim sauf fériés.* – **Repas** 26/44.
◆ Au milieu de nombreux restaurants, pimpante devanture en bois abritant une petite salle claire et actuelle, agrémentée de nombreux tableaux. Spécialités régionales.

**Gilles,** 2 r. Pie qui boit ✆ 02 99 40 97 25, *Fax 02 99 40 97 25* – GB DZ t
*fermé 19 nov. au 13 déc., vacances de fév., jeudi du 10 oct. à Pâques et merc.* – **Repas** (nombre de couverts limité, prévenir) *(13)* - 16/30,70, enf. 10.
◆ La superbe promenade sur les remparts vous a ouvert l'appétit ? Ce discret restaurant aux vitres garnies de rideaux brodés vous propose sa cuisine au goût du jour soignée.

**Ancrage,** 7 r. J. Cartier ✆ 02 99 40 15 97, – GB DZ r
*fermé déc. et janv., mardi hors saison et merc.* – **Repas** 13 (déj.), 16/28.
◆ Adossé aux remparts, restaurant de poissons et fruits de mer où vous serez servis "à la bonne franquette" ! Décor marin au rez-de-chaussée ; jolie salle voûtée à l'étage.

## St-Malo Est et Paramé – ✉ *35400 St-Malo :*

**Grand Hôtel des Thermes**, aux Thermes marins, 100 bd Hébert ✆ 02 99 40 75 75, *thalasso@st-malo.com, Fax 02 99 40 76 00,* – rest, – 50. AE GB JCB. rest BX n
*fermé 5 au 25 janv.* – ***Cap Horn*** ✆ 02 99 40 75 40 **Repas** 25/66, enf. 13 – ***Verrière :*** Repas 28, enf. 13 – 14,50 – **171 ch** 174/331, 7 appart – ½ P 118/200.
◆ Sur le front de mer, ancien palace du 19e s. avec accès direct au centre de thalassothérapie. La plupart des chambres, de tailles variées, ont été rénovées. Au Cap Horn, vue sur le large et cuisine classique. Décor Belle Époque et cuisine diététique à La Verrière.

**Océania** sans rest, 2 r. Joseph Loth ✆ 02 99 56 84 84, *oceania-st-malo@hotel-sofibra.com, Fax 02 99 56 45 73,* – . AE GB AY d
11 – **70 ch** 125/150.
◆ Façade récente en verre étirée sur la chaussée du Sillon, à proximité des remparts et du casino. Chambres bien équipées, récemment refaites.

**Villefromoy** sans rest, 7 bd Hébert ✆ 02 99 40 92 20, *villefromoy.hotel@wanadoo.fr, Fax 02 99 56 79 49* – AE GB JCB CX s
*fermé 12 nov. au 26 déc. et 5 janv. au 6 fév.* – 9,80 – **21 ch** 129.
◆ Dans un quartier résidentiel, deux villas du Second Empire reliées par un sas vitré ; préférez celle côté mer. Maquettes de bateaux et soldats de plomb décorent le salon.

**Mercure** M sans rest, 36 chaussée Sillon ✆ 02 23 18 47 47, *h3225@accor-hotels.com, Fax 02 23 18 47 48* – AE GB AY z
11 – **51 ch** 98/165.
◆ Un tout nouveau Mercure posté sur le Sillon, face à la mer. Aménagements fonctionnels et décoration actuelle. Formule buffet au petit-déjeuner. Accueil 24 h sur 24.

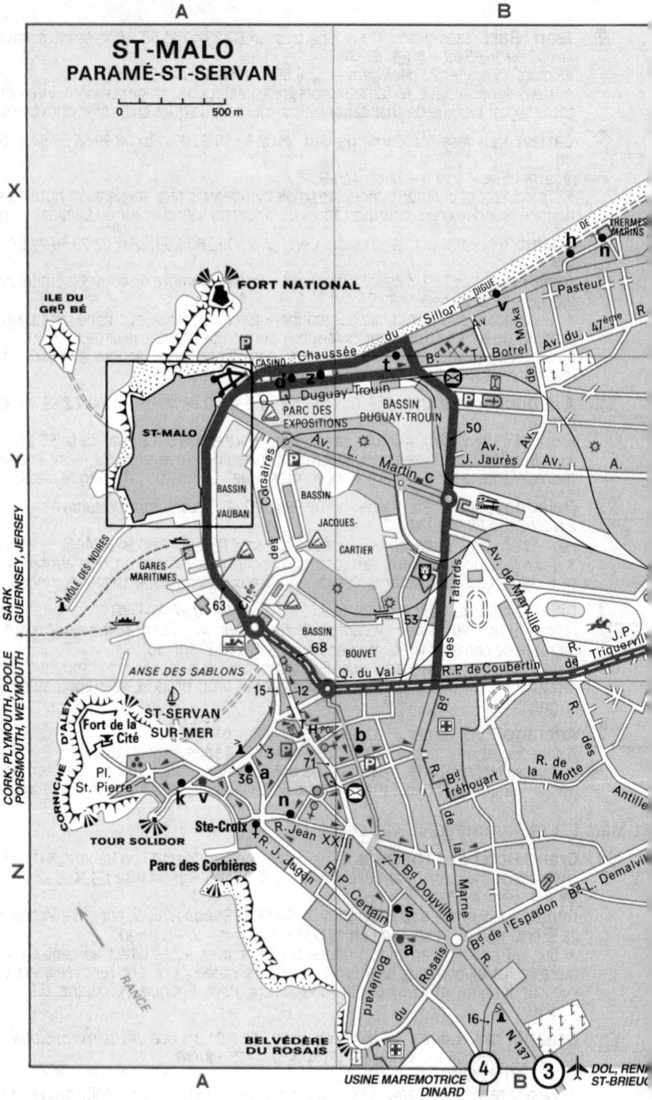
ST-MALO
PARAMÉ-ST-SERVAN
0
500 m
A
B
X
Y
Z
FORT NATIONAL
ILE DU GRD BÉ
ST-MALO
CASINO
Chaussée du Sillon
DIGUE DE
THERMES MARINS
Pasteur
Moka
Av. du 47ème
Bd T. Botrel
Duguay-Trouin
PARC DES EXPOSITIONS
BASSIN DUGUAY-TROUIN
BASSIN VAUBAN
BASSIN JACQUES-CARTIER
Av. L. Martin
Av. J. Jaurès
Q. des Corsaires
GARES MARITIMES
MÔLE DES NOIRES
Av. de Marville
Bd des Talards
BASSIN BOUVET
Q. du Val
R. P. deCoubertin
R. de Triquerville
J.P.
ANSE DES SABLONS
ST-SERVAN SUR-MER
Fort de la Cité
CORNICHE D'ALETH
Pl. St. Pierre
TOUR SOLIDOR
Ste-Croix
R. Jean XXIII
R. J. Jugan
R. P. Certain
Bd Douville
Bd Tréhouart
R. de la Marne
R. de la Motte
R. des Antilles
Bd L. Demalvil
Bd de l'Espadon
Bd de Rosais
Boulevard du
Parc des Corbières
RANCE
BELVÉDÈRE DU ROSAIS
N 137
USINE MAREMOTRICE DINARD
DOL, RENNES
ST-BRIEUC
SARK GUERNSEY, JERSEY
CORK, PLYMOUTH, POOLE PORSMOUTH, WEYMOUTH
50
53
63
68
15
12
3
36
71
16
4
3

**Grand Hôtel Courtoisville** ⛵, 69 bd Hébert ✆ 02 99 40 83 83, *hotel@courtoisville.com, Fax 02 99 40 57 83*, ⛱, 🌳 – |‡|, ✈ TV ✆ 🚗 P. GB. ✂ rest BX a
*mi-fév.-mi-nov. et vacances de Noël* – **Repas** *(mi-fév.-mi-nov.)* 22,70/31 ♀, enf. 11 –
☕ 10,20 – **44 ch** 117,50/149,50 – ½ P 81,50/94,80.

◆ Non loin des thermes marins, pension familiale du début du 20e s. entourée d'un jardin très agréable en été. Chambres spacieuses et tranquilles. Plaisant salon.

**Alexandra** ⛵ (réouverture prévue en juil. après travaux), 138 bd Hébert ✆ 02 99 56 11 12, *hotel.alexandre@gofornet, Fax 02 99 56 30 03*, ≤, 🌳 – |‡|, ▤ rest, TV ✆
♿ P – 🏛 30. AE ⓓ GB BX h
**Repas** 22/50, enf. 10 – ☕ 10 – **40 ch** 120/146 – ½ P 85/105.

◆ Deux bâtiments sur la digue dont les amples chambres devraient être prochainement rénovées ; certaines disposent de balcons. Salle à manger ouverte sur la Manche.

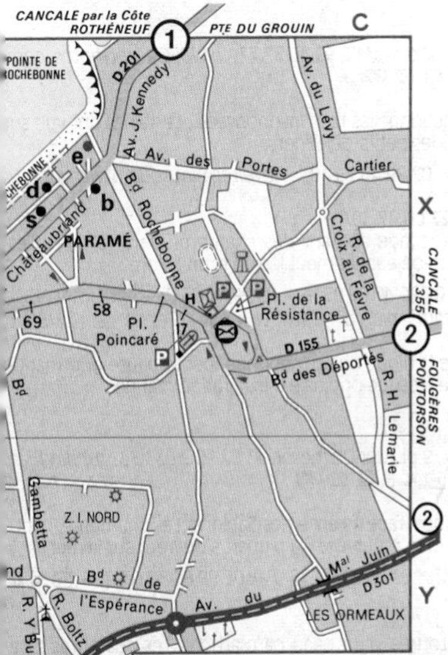
CANCALE par la Côte ROTHÉNEUF
PTE DU GROUIN
POINTE DE ROCHEBONNE
PARAMÉ
Av. J. Kennedy
Av. des Portes
Cartier
Av. du Lévy
R. de la Croix au Fèvre
Pl. de la Résistance
Pl. Poincaré
Bd des Déportés
CANCALE D 355
FOUGÈRES PONTORSON
R. H. Lemarie
Gambetta
Z. I. NORD
Bd de l'Espérance
Av. du Mal Juin
LES ORMEAUX
R. Y Burgot
R. Boltz
de Gaulle
Z. I. SUD
Général
Avenue du
D 2
C
X
Y

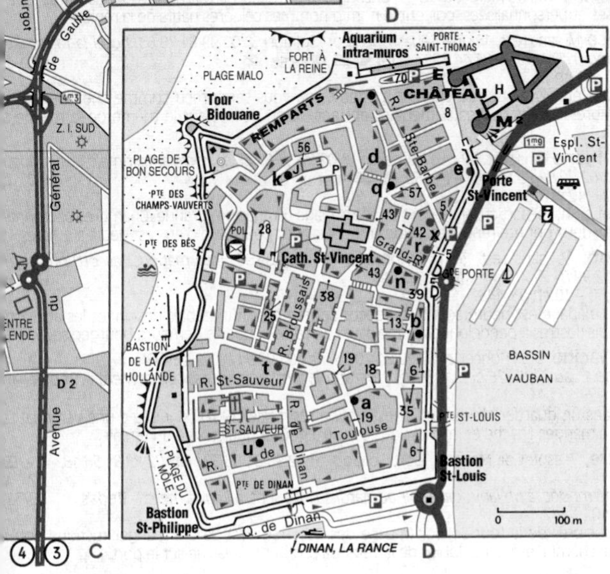
Aquarium intra-muros
PORTE SAINT-THOMAS
FORT À LA REINE
PLAGE MALO
Tour Bidouane
REMPARTS
CHÂTEAU
Espl. St-Vincent
PLAGE DE BON SECOURS
PTE DES CHAMPS-VAUVERTS
PTE DES BÉS
Porte St-Vincent
Cath. St-Vincent
Grand-R.
R. Ste-Barbe
R. Broussais
GDE PORTE
BASTION DE LA HOLLANDE
R. St-Sauveur
BASSIN VAUBAN
R. de Dinan
Toulouse
PTE ST-LOUIS
ST-SAUVEUR
PLAGE DU MÔLE
PTE DE DINAN
Bastion St-Louis
Bastion St-Philippe
Q. de Dinan
DINAN, LA RANCE
D
Z
100 m

En saison :
zone piétonne intra-muros

Bardelière (R. M. de la) ..... **CZ** 2
Bas-Sablons (R. des) ....... **AZ** 3
Broussais (R.) ............. **DZ**
Cartier (R. J.) ............. **DZ** 5
Chartres (R. de) ........... **DZ** 6
Chateaubriand (Pl.) ......... **DZ** 8
Clemenceau
(R. Georges) .............. **AZ** 12
Cordiers (R. des) ........... **DZ** 13
Dauphine (R.) .............. **AZ** 15
Dinan (R. de) .............. **DZ**
Doutreleau (R.) ............ **BZ** 16
Flaubert (R. G.) ............ **CX** 17
Forgeurs (R. du) ........... **DZ** 18
Fosse (R. de la) ............ **DZ** 19
Herbes (Pl. aux) ............ **DZ** 25
Lamennais (Pl. Fr.) ......... **DZ** 28
Mettrie (R. de la) ........... **DZ** 35
Mgr-Duchesne (Pl.) ......... **AZ** 36
Pilori (Pl. du) .............. **DZ** 38
Poids-du-Roi (Pl. du) ....... **DZ** 39
Poissonnerie (Pl. de la) ..... **DZ** 42
Porcon-de-la-Barbinais (R.) .. **DZ** 43
République (Bd de la) ....... **BY** 50
Roosevelt (Av. F.) ........... **BY** 53
St-Benoist (R.) ............. **DZ** 56
St-Vincent (R.) ............. **DZ** 57
Schuman (R. du
(Président-Robert) .......... **CX** 58
Tabarly (Chaussée Éric) ..... **AY** 63
Trichet (Q. de) ............. **AY** 68
Umbricht (R. du R.P.) ....... **CX** 69
Vauban (Pl.) ............... **DZ** 70
Ville-Pépin (R.) ........... **ABZ** 71

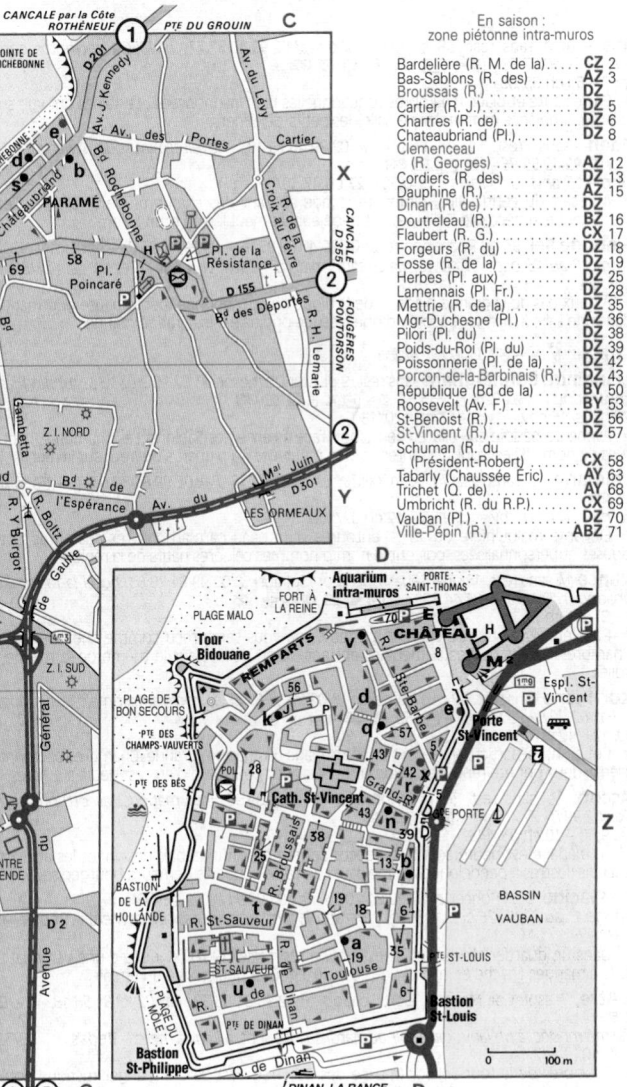

**Brocéliande** sans rest, 43 chaussée Sillon ✆ 02 99 20 62 62, *hotel-broceliande@wanadoo.fr, Fax 02 99 40 42 47* – TV P. AE ① GB. ✱ — BX v
*fermé janv.* – ☕ 10 – **9 ch** 84/160.
◆ Ancienne demeure bourgeoise tenue comme une maison d'hôte. Chaque chambre, décorée de tapisseries Laura Ashley, porte le nom d'un des héros de Brocéliande.

**Les Acacias** sans rest, 8 bd Hébert ✆ 02 99 56 01 19, *hotel.acacias@wanadoo.fr, Fax 02 99 56 17 81*, ⇐ – TV. GB — CX d
*fermé 15 nov. au 20 déc. et 3 au 30 janv.* – ☕ 5,80 – **23 ch** 55/75.
◆ Villa classique de bord de mer appréciée pour sa grande terrasse panoramique. Chambres nettes, dotées d'un mobilier "minimaliste" ; quelques-unes ont été rénovées.

**Ibis Plage** sans rest, 58 chaussée Sillon ☎ 02 99 40 57 77, *h1105@accor-hotels.com, Fax 02 99 40 57 78* – AE GB BXY t
7 – **60 ch** 85/95.
◆ Entre route et plage, chambres fonctionnelles bien insonorisées ; certaines ont vue sur le large. Ambiance marine dans la salle des petits-déjeuners.

**Eden** sans rest, 1 r. Étang ☎ 02 99 40 23 48, *hoyelterminuseden@wanadoo.fr, Fax 02 99 40 55 86* – . AE GB CX b
*fermé 15 janv. au 15 mars* – 6,50 – **27 ch** 47,50/69.
◆ À l'écart du centre-ville, pimpante façade abritant des chambres de diverses tailles d'une tenue impeccable. Salle des petits-déjeuners meublée en rotin coloré.

**Fleur de Sel,** 93 bd Rochebonne ☎ 02 99 40 09 93, *Fax 02 99 40 09 93* – GB CX e
*fermé 6 au 13 oct., 1er au 10 mars, sam. midi, dim. soir et lundi* – **Repas** (20) - 25/30 ♀, enf. 11.
◆ À deux pas de la grande plage et de la digue de Rochebonne, petite pause gourmande dans une salle à manger décorée d'une fresque originale d'inspiration marine.

**à St-Servan-sur-Mer** – ✉ *35400 St-Malo :*

**Manoir du Cunningham** sans rest, 9 pl. Mgr Duchesne ☎ 02 99 21 33 33, *cunningham@wanadoo.fr, Fax 02 99 21 33 34,* ← – . AE GB AZ a
*29 mars-15 nov.* – 9 – **13 ch** 120/180.
◆ Avenante bâtisse aux allures de manoir face à l'anse des Sablons. Les chambres, baptisées de noms d'îles, sont plaisantes et bien meublées ; la plupart s'ouvrent sur la mer.

**Valmarin** sans rest, 7 r. Jean XXIII ☎ 02 99 81 94 76, *Fax 02 99 81 30 03,* – AE GB AZ n
*fermé 15 au 30 janv.* – 9,50 – **12 ch** 92/130.
◆ Élégante malouinière du 18e s. entourée d'un beau parc arboré. Les chambres, spacieuses et personnalisées, portent le nom d'hommes célèbres natifs de la région.

**Rance** sans rest, 15 quai Sébastopol (port Solidor) ☎ 02 99 81 78 63, *hotel-la-rance-@wanadoo.fr, Fax 02 99 81 44 80,* ← – . AE GB JCB. AZ k
8 – **11 ch** 81.
◆ Petit établissement au confort moderne, où vous serez reçu comme chez des amis. Chambres dotées de beaux meubles anciens. Salon décoré sur le thème de la marine à voiles.

**Korrigane** sans rest, 39 r. Le Pomellec ☎ 02 99 81 65 85, *la.korrigane.st.malo@wanadoo.fr, Fax 02 99 82 23 89,* – . AE GB JCB BZ b
12 – **12 ch** 120/160.
◆ Cet ex-hôtel particulier au nom de fée dégage un charme suranné. Chambres personnalisées ; deux ont été rénovées. Salons meublés avec goût ; l'un d'eux est dédié aux livres.

**Ascott** sans rest, 35 r. Chapitre ☎ 02 99 81 89 93, *informations@ascotthotel.com, Fax 02 99 81 77 40,* – . AE GB BZ s
9,50 – **10 ch** 93/143.
◆ Le mariage est heureux entre le décor contemporain (meubles design) et les attributs anciens (lustres à pendeloques et tableaux) de cette coquette demeure bourgeoise.

**St-Placide,** 6 pl. Poncel ☎ 02 99 81 70 73, *Fax 02 99 81 89 49* – AE GB BZ a
*fermé 1er au 7 juil., 26 oct. au 3 nov., mardi soir, lundi soir hors saison et merc.* – **Repas** (14) 22/38 ♀.
◆ Dans un quartier résidentiel, construction régionale (1907) flanquée d'une véranda. La salle à manger, fraîche et intime, vous convie à goûter une cuisine du terroir.

**L'Atre,** 7 espl. Cdt Menguy (port Solidor) ☎ 02 99 81 68 39, *Fax 02 99 81 56 18,* ← – AE GB AZ v
*fermé mi-déc. à fin janv., dim. soir et mardi soir de sept. à juin et merc.* – **Repas** (13) - 18/32 enf. 10.
◆ Tout près de la tour Solidor (musée des Cap-Horniers), salle à manger rustique dotée d'une cheminée-gril. Les tables de la véranda profitent de la vue sur le port.

**rte de Rennes** *par ③ et av. Gén. de Gaulle : 3 km* – ✉ *35400 St-Malo :*

**Brit Hôtel Transat** Ⓜ, ☎ 02 99 19 79 79, *transat@brithotel.fr, Fax 02 99 19 79 50* – – 20 à 80. AE GB
**Repas** 14/18 ♀ – 7 – **39 ch** 64/76 – ½ P 55.
◆ Architecture contemporaine voisine du Grand Aquarium. Décoration intérieure d'inspiration marine. Chambres spacieuses, bien insonorisées. Restaurant de style brasserie.

**La Grassinais** Ⓜ, 12 allée Grassinais ☎ 02 99 81 33 00, *Fax 02 99 81 60 90,* – rest, – 25. AE GB. ch
*fermé 20 déc. au 30 janv., dim. soir, sam. midi et lundi hors saison* – **Repas** 17 (déj.), 24/54 ♀ enf. 10 – 7 – **29 ch** 55/69 – ½ P 64.
◆ Ancienne ferme joliment restaurée abritant des chambres modernes et confortables. Belles boiseries et poutres blondes dans la salle à manger. Plats au goût du jour.

**Ibis,** centre commercial La Madeleine ✆ 02 99 82 10 10, *H0728-gm@accor-hotels.com, Fax 02 99 82 35 74* – ⇄ TV ✆ ♿ P – 🏔 30. AE ⓓ GB
**Repas** 15 ♀, enf. 6 – ☕ 6 – **73 ch** 80.
◆ Aux portes de la cité corsaire, longue et pimpante bâtisse à la façade colorée, dont la plupart des chambres, tranquilles, ont été rénovées. Petit coin salon.

**ST-MANDÉ** *94 Val-de-Marne* 312 D2 101 ㉗ – *voir à Paris, Environs.*

**ST-MARC-A-LOUBAUD** *23460 Creuse* 325 I5 – *91 h alt. 705.*
*Paris 422 – Limoges 78 – Aubusson 27 – Guéret 56 – Tulle 89 – Ussel 57.*

**Les Mille Sources,** ✆ 05 55 66 03 69, *Fax 05 55 66 03 69*, 🌳, 🐢 – P. GB
*fermé 1er déc. au 31 janv., dim. soir et lundi hors saison* – **Repas** (prévenir) 25,15/39.
◆ On se sent un peu comme chez des amis dans cette ancienne ferme habilement réaménagée. Décor rustique très soigné, petits plats "maison" et viandes rôties à la ficelle.

**ST-MARCEL** *36 Indre* 323 F7 – *rattaché à Argenton-sur-Creuse.*

**ST-MARCEL** *71 S.-et-L.* 320 J9 – *rattaché à Chalon-sur-Saône.*

**ST-MARCEL** *27 Eure* 304 I7 – *rattaché à Vernon.*

**ST-MARCEL-EN-DOMBES** *01390 Ain* 328 C5 – *786 h alt. 265.*
*Paris 440 – Lyon 31 – Bourg-en-Bresse 36 – Meximieux 21 – Villefranche-sur-Saône 26.*

**Colonne,** ✆ 04 72 26 11 06, *Fax 04 72 08 59 24*, 🌳 – GB
*fermé 23 déc. au 23 janv., lundi soir et mardi* – **Repas** 14 (déj.), 18/30,50.
◆ La salle à manger de cette maison dombiste ancienne dégage un indéniable charme provincial. Cuisine régionale. Petit jardin-terrasse à l'arrière.

**ST-MARCEL-LÈS-ANNONAY** *07100 Ardèche* 331 J2 – *1 152 h alt. 450.*
*Paris 539 – St-Étienne 35 – Annonay 9 – Vienne 49 – Yssingeaux 56.*

**au Barrage du Ternay** *Nord : 2 km par D 306 G. Vallée du Rhône* – ✉ *07100 :*

**Ternay,** ✆ 04 75 67 12 03, *Fax 04 75 32 02 80*, 🌳 – GB
*Pâques-Noël et fermé dim. soir, mardi soir et merc. sauf juil.-août* – **Repas** 17 (déj.), 21/31.
◆ Cette auberge familiale bénéficie d'un emplacement fort agréable face au plan d'eau et au barrage du Ternay. Plaisantes salles à manger et belle terrasse sous les pins.

**ST-MARCELLIN** *38160 Isère* 333 E7 *G. Vallée du Rhône* – *6 696 h alt. 282.*
ℹ *Office du Tourisme, 2 avenue du Collège* ✆ *04 76 38 53 85, Fax 04 76 38 17 32, tourisme-saint-marcellin@wanadoo.fr.*
*Paris 571 – Grenoble 54 – Valence 46 – Die 75 – Vienne 72 – Voiron 46.*

**Savoyet-Serve** sans rest, 16 bd Gambetta ✆ 04 76 38 24 31, *Fax 04 76 64 02 99* – ⇅ TV P – 🏔 30. AE ⓓ GB
*fermé dim.* – ☕ 5,50 – **36 ch** 28/56.
◆ Architecture et mobilier typiques des années 1970 caractérisent cet immeuble situé en face de la poste. Les chambres sont assez grandes et climatisées au 5e étage.

**Tivollière,** Château du Mollard ✆ 04 76 38 21 17, *Fax 04 76 64 02 99*, ⋞, 🌳 – P. GB
*fermé 1er au 15 janv., merc. soir en juil.-août, vend. soir de sept. à juin, dim. soir et lundi* – **Repas** 15,50/38 🍷.
◆ Restaurant au décor moderne assez inattendu, aménagé dans un château du 15e s. dominant la ville. La terrasse ombragée offre une petite échappée sur le Vercors.

**ST-MARTIN-BELLEVUE** *74370 H.-Savoie* 328 J5 – *1 412 h alt. 732.*
*Paris 537 – Annecy 9 – Aix-les-Bains 43 – La Clusaz 34 – Genève 37 – Rumilly 34.*

**Beau Séjour** 🐦, à la gare : 1 km ✆ 04 50 60 30 32, *hotelbs@aol.com, Fax 04 50 60 38 44*, 🌳, 🐢 – ⇅ TV P. GB
*15 mars-22 déc.* – **Repas** *(fermé dim. soir et lundi sauf août)* 21/29 ♀ – ☕ 7 – **19 ch** 39,50/60 – ½ P 45/56.
◆ À côté de la gare, grand bâtiment agrémenté d'une petite rotonde. Vue sur la vallée et le massif du Parmelan depuis le restaurant et certaines chambres.

**ST-MARTIN-D'ARMAGNAC** *32 Gers* 336 B7 – *rattaché à Nogaro.*

**ST-MARTIN-DE-BELLEVILLE** *73440 Savoie* 333 M5 *G. Alpes du Nord – 2 341 h alt. 1450 – Sports d'hiver : 1 450/2 850 m 9 37.*

*Office du Tourisme, 04 79 00 20 00, Fax 04 79 08 91 71.*

*Paris 655 – Albertville 44 – Chambéry 94 – Moûtiers 19.*

**St-Martin** M, 04 79 00 88 00, *hotelstmartin@wanadoo.fr, Fax 04 79 00 88 39,* ch, – 30. AE GB. ch

*21 déc.-19 avril –* ***Grenier :*** **Repas** 27/36 – 11 – **19 ch** 170/300, 8 duplex – ½ P 110/150.

◆ Ce coquet chalet à toiture de lauzes respire le bon goût. Chaleureux décor de bois et équipements modernes dans les chambres, souvent dotées de balcons. Spécialités savoyardes au Grenier, directement accessible à skis.

**Edelweiss** sans rest, 04 79 08 96 67, *hoteledelweiss@wanadoo.fr, Fax 04 79 08 90 40* – TV. GB

*12 juil.-10 sept. et 20 déc.-fin avril* – 9 – **16 ch** 60/93.

◆ L'esprit montagnard fleurit à l'Edelweiss où la plupart des chambres, très bien tenues, ont été rénovées lors des Jeux olympiques d'hiver de 1992. Sauna apprécié des skieurs.

XX **Bouitte** (Meilleur) avec ch, à St-Marcel, Sud-Est : 2 km 04 79 08 96 77, *info@la-bouitte.com, Fax 04 79 08 96 03,* – P. AE GB JCB

*1er juil.-31 août et 15 déc.-1er mai* – **Repas** 30/92 et carte 66 à 95 – 12 – **5 ch** 115/208.

◆ Joli décor de vieux chalet, cuisine "salée-sucrée" inventive et utilisant les herbes alpestres, chambres douillettes : cette "bouitte" offre un délicieux concentré de Savoie !

**Spéc.** Escalope de foie gras de canard au miel de rhododendron. Pigeon gratiné au bleu de Bonneval. Chariot de desserts.

X **Étoile des Neiges,** 04 79 08 92 80, *hoteledelweiss@wanadoo.fr, Fax 04 79 08 90 40,* – GB

*20 déc.-fin avril* – **Repas** 14 (déj.), 25/48.

◆ L'atout principal de ce restaurant est sa terrasse, très agréable aux beaux jours. Cadre rustique et tables agencées autour de la cheminée centrale. Cuisine traditionnelle.

X **Montagnard,** 04 79 01 08 40, *lemontagnard@wanadoo.fr* – GB

*4 juil.-31 août et 15 déc.-27 avril* – **Repas** (dîner seul. en été sauf week-ends) carte environ 28, enf. 10.

◆ Décor montagnard (bois brut, murs chaulés, meubles massifs, vieux outils), cuisine du terroir et ambiance animée : simplicité et générosité règnent dans cette écurie du 19e s.

**ST-MARTIN-DE-LONDRES** *34380 Hérault* 339 H6 *G. Languedoc Roussillon – 1 623 h alt. 194.*

*Office du Tourisme, place de la Mairie 04 67 55 09 59, Fax 04 67 55 96 27.*

*Paris 749 – Montpellier 25 – Le Vigan 38.*

XXX **Les Muscardins,** 19 rte Cévennes 04 67 55 75 90, *trousset@les-muscardins.fr, Fax 04 67 55 70 28* – P. AE GB JCB

*fermé 18 fév. au 11 mars, lundi et mardi* – **Repas** 29 (déj.), 39,50/64 et carte 48 à 68, enf. 12.

◆ La salle à manger et son petit salon d'attente ont été entièrement redécorés dans des tons chaleureux ; tableaux colorés aux murs. Cuisine au goût du jour. Service traiteur.

XX **Pastourelle,** chemin de la Prairie 04 67 55 72 78, *Fax 04 67 55 72 78,* – P. AE GB

*fermé 15 au 30 sept., vacances de fév., dim. soir, lundi soir, mardi soir en hiver, jeudi midi en saison et merc.* – **Repas** 18/47,50.

◆ Salle à manger égayée d'aquarelles, oeuvres d'un peintre local ; tables soigneusement dressées. Agréable jardin-terrasse. Plats traditionnels et cave fournie.

**au Sud** *: 12 km par D 32, D 127 et D 127E6 – 34380 Argelliers :*

XX **Auberge de Saugras** avec ch, 04 67 55 08 71, *auberge.saugras@wanadoo.fr, Fax 04 67 55 04 65,* – P. AE GB

*fermé 7 au 29 août, 22 déc. au 28 janv., lundi midi en juil.-août, mardi sauf le soir en juil.-août et merc.* – **Repas** (prévenir) 17/50 – 7,50 – **7 ch** 50/85 – ½ P 52,50/75.

◆ Difficile d'accès car isolé dans la nature, ce mas du 12e s. aux murs de pierres brutes offre une généreuse cuisine du terroir. Plaisante terrasse. Chambres rénovées.

**ST-MARTIN-D'ENTRAUNES** *06470 Alpes-Mar.* 341 B3 *– 113 h alt. 1050.*

*Syndicat d'Initiative, Mairie 04 93 05 51 04, Fax 04 93 05 57 55.*

*Paris 785 – Digne-les-Bains 106 – Barcelonnette 51 – Castellane 66 – Nice 109.*

**Vallière,** 04 93 05 59 59, *Fax 04 93 05 59 60,* – P. GB

*1er mai-1er nov. et fermé dim. soir et jeudi sauf juil.-août* – **Repas** 20/23 – 7,10 – **10 ch** 55 – ½ P 49/58.

◆ Longue bâtisse à la façade colorée où vous serez accueilli comme dans une maison d'hôte. Grande salle à manger fraîche et confortable ; chambres actuelles.

**ST-MARTIN-DE-RÉ** *17 Char.-Mar.* 324 B2 – *voir à Île de Ré.*

**ST-MARTIN-DU-FAULT** *87 H.-Vienne* 325 E5 – *rattaché à Limoges.*

**ST-MARTIN-DU-TOUCH** *31 H.-Gar.* 343 G3 – *rattaché à Toulouse.*

**ST-MARTIN-DU-VAR** *06670 Alpes-Mar.* 341 E5 – *1 869 h alt. 110.*

*Paris 943 – Nice 28 – Antibes 35 – Cannes 44 – Puget-Théniers 40 – Vence 23.*

XXXX ✿✿ **Jean-François Issautier,** rte de Nice (N 202) : 3 km ☎ 04 93 08 10 65, *jf.issautier@wanadoo.fr, Fax 04 93 29 19 73* – ▤ P. AE ◑ GB

*fermé 6 au 15 oct., 5 janv. au 5 fév., dim. soir, lundi et mardi* – **Repas** 46 bc/90 et carte 80 à 110.

◆ Ce discret restaurant, bien connu des gourmets, est isolé de la route par une haie de conifères. Beau répertoire classique et régional servi dans un cadre bourgeois.

**Spéc.** Grosses crevettes poêlées en robe de pomme de terre. Pied de cochon croustillant. Agneau rôti rosé à la menthe. **Vins** Bellet, Côtes de Provence.

**ST-MARTIN-EN-BRESSE** *71620 S.-et-L.* 320 K9 – *1 603 h alt. 192.*

*Paris 354 – Beaune 48 – Chalon-sur-Saône 18 – Dijon 86 – Dôle 56 – Lons-le-Saunier 48.*

**Au Puits Enchanté,** ☎ 03 85 47 71 96, *Chateau.Jacky@wanadoo.fr, Fax 03 85 47 74 58* – TV ✆ P. GB

*fermé 23 au 30 sept., 6 au 29 janv., 8 au 16 mars, lundi sauf le soir de mars à oct., dim. soir et mardi* – **Repas** 16,50/39, enf. 9,50 – ☕ 6,80 – **13 ch** 40/51 – ½ P 42/49.

◆ Au coeur d'un bourg de la Bresse bourguignonne, classique hôtel familial aux chambres assez petites mais propres. Petit-déjeuner servi dans la véranda.

*Nos guides hôteliers, nos guides touristiques et nos cartes routières sont complémentaires. Utilisez-les ensemble.*

**ST-MARTIN-LA-GARENNE** *78 Yvelines* 311 G1 – *rattaché à Mantes.*

**ST-MARTIN-LA-MÉANNE** *19320 Corrèze* 329 M4 – *362 h alt. 500.*

Voir *Barrage du Chastang★ SE : 5 km,* **G. Berry Limousin.**

*Paris 518 – Brive-la-Gaillarde 57 – Aurillac 67 – Mauriac 49 – St-Céré 55 – Tulle 33 – Ussel 59.*

X **Voyageurs** avec ch, ☎ 05 55 29 11 53, *Fax 05 55 29 27 70,* ⛱, 🚗 – TV ✆ 🚗 P. GB

*mi-fév.-mi-nov. et fermé dim. soir et lundi hors saison* – **Repas** *(10,60)* - 15/32 ♀, enf. 7,50 – ☕ 5 – **8 ch** 38/49 – ½ P 39/41.

◆ Cette auberge en pierre joliment restaurée sert une cuisine du terroir dans une salle au cadre campagnard authentique. Jardin prolongé d'un étang (carpes, brochets).

**ST-MARTIN-LE-BEAU** *37270 I.-et-L.* 317 O4 *G. Châteaux de la Loire* – *2 427 h alt. 55.*

*Paris 232 – Tours 19 – Amboise 9 – Blois 46 – Loches 34.*

XX **Auberge de la Treille** avec ch, ☎ 02 47 50 67 17, *Fax 02 47 50 20 14* – ▤ rest, TV ✆ 🚗. GB

*fermé 15 nov. au 5 déc., 15 janv. au 8 fév., lundi et mardi hors saison* – **Repas** 11/40 – ☕ 7 – **9 ch** 40/50 – ½ P 37/50.

◆ À deux tours de roue de l'Aquarium de Touraine (38 bassins à ciel ouvert). Trois accueillantes petites pièces séparées par de jolis murs à colombages. Chambres simples.

**ST-MARTIN-LE-GAILLARD** *76260 S.-Mar.* 304 I2 *G. Normandie Vallée de la Seine – 279 h alt. 60.*

*Paris 169 – Amiens 87 – Dieppe 25 – Eu 12 – Neufchâtel-en-Bray 35 – Rouen 88.*

XX **Moulin du Becquerel,** Nord-Ouest : 1,5 km sur D 16 ☎ 02 35 86 74 94, *moulindubecquerel@free.fr, Fax 02 35 86 99 78,* ⛱, 🚗 – P. GB

*fermé 20 janv. au 10 mars, dim. soir au merc. d'oct à mars, dim. soir et lundi d'avril à sept. sauf fériés* – **Repas** 25,90/37,40, enf. 8.

◆ Gentille maison normande bercée par le murmure de la rivière coulant à ses pieds. Repas servis au coin du feu l'hiver, sur la terrasse ensoleillée l'été.

**ST-MARTIN-LE-VINOUX** *38 Isère* 333 H6 – *rattaché à Grenoble.*

**ST-MARTIN-OSMONVILLE** *76680 S.-Mar.* 304 H4 – *775 h alt. 160.*
*Paris 161 – Amiens 89 – Rouen 32 – Dieppe 46 – Neufchâtel-en-Braye 18.*

XX **Auberge de la Varenne,** ✆ 02 35 34 13 80, *Fax 02 35 34 59 82,* – AE GB
*fermé dim. soir, merc. soir et lundi* – **Repas** 16,10/26,70 ♀, enf. 9,20.
◆ Murs colorés et meubles de style rustique caractérisent ces trois petites salles à manger ; l'une d'elles accueille un salon aménagé auprès d'une cheminée en pierre.

**ST-MARTIN-VÉSUBIE** *06450 Alpes-Mar.* 341 E3 *G. Côte d'Azur – 1 041 h alt. 1000.*
Voir *Venanson : ≤★, fresques★ de la chapelle St-Sébastien S : 4,5 km.*
Env. *Le Boréon★★ (cascade★) N : 8 km – Cirque★★ du vallon de la Madone de Fenestre NE : 12 km.*
*Syndicat d'Initiative, place Félix Faure ✆ 04 93 03 21 28, Fax 04 93 03 21 28.*
*Paris 851 – Antibes 74 – Barcelonnette 111 – Cannes 84 – Menton 89 – Nice 67.*

**Châtaigneraie** , ✆ 04 93 03 21 22, *hotel-lachataigneraie@raiberti.com, Fax 04 93 03 33 99,* , , – P. AE GB JCB.
*1er juin-30 sept.* – **Repas** 15 – 5 – **37 ch** 64,50/69 – ½ P 50,50.
◆ Au coeur de la petite capitale de la "Suisse niçoise", chambres spacieuses et de bon confort dans une bâtisse du 19e s. et sa quiète annexe récente. Parc arboré.

**ST-MATHIEU-DE-TRÉVIERS** *34270 Hérault* 339 I6 – *2 623 h alt. 81.*
*Paris 766 – Montpellier 21 – Marseille 177 – Nice 335 – Nîmes 59 – Toulouse 259.*

XX **Cour,** D 17 ✆ 04 67 55 37 97, *lacourtapie@aol.com, Fax 04 67 55 24 51,* – . GB.
*fermé fév., mardi soir et merc. soir de sept. à juin* – **Repas** 23 (déj.), 47/68 ♀, enf. 15.
◆ Auberge au sympathique cadre méridional à deux pas du pic St-Loup. Sur l'arrière, agréable et calme terrasse couverte. Cuisine au goût du jour et vins régionaux.

*Donnez-nous votre avis sur les tables que nous recommandons, sur leurs spécialités et leurs vins de pays.*

**ST-MATHURIN-SUR-LOIRE** *49250 M.-et-L.* 317 H4 – *1 995 h alt. 25.*
*Office du Tourisme, place Charles Sigogne ✆ 02 41 57 01 82, Fax 02 41 57 08 02.*
*Paris 298 – Angers 22 – Baugé 28 – La Flèche 46 – Saumur 29.*

XX **Promenade,** rte Saumur : 1,5 km sur D 952 ✆ 02 41 57 01 50, *Fax 02 41 57 07 11* – P. GB
*fermé 1er au 15 janv., 17 au 31 juil., merc. et le soir sauf vend. et sam.* – **Repas** 15,50/39,50 ♀, enf. 10.
◆ Cette maison angevine joliment fleurie se trouve sur la levée de la Loire, seulement séparée du fleuve par un rideau d'arbres. Goûteuse cuisine du terroir... à prix doux.

**ST-MAUR-DES-FOSSÉS** *94 Val-de-Marne* 312 D3 101 (27) – *voir à Paris, Environs.*

**ST-MAURICE-DE-BEYNOST** *01 Ain* 328 C6 – *rattaché à Lyon.*

**ST-MÉDARD** *46150 Lot* 337 D4 – *136 h alt. 170.*
*Paris 582 – Cahors 17 – Gourdon 34 – Villeneuve-sur-Lot 60.*

XXX **Gindreau** (Pelissou), ✆ 05 65 36 22 27, *le.gindreau@wanadoo.fr, Fax 05 65 36 24 54,* ≤ – . AE GB
*fermé 3 au 18 mars, 20 oct. au 19 nov., lundi et mardi* – **Repas** (dim. et fêtes prévenir) 30/102 et carte 54 à 72 ♀, enf. 13.
◆ Ancienne école de village élégamment recomposée en deux salles aux couleurs chatoyantes. Des marronniers ombragent la terrasse, située face à la vallée du Vert.
**Spéc.** Oeuf en baluchon truffé aux asperges vertes (20 mars à fin mai). Agneau du Quercy rôti, pomme au rocamadour. Escalopes de foie gras de canard (déc. à mars). **Vins** Cahors.

**ST-MÉDARD-EN-JALLES** *33160 Gironde* 335 G5 – *22 064 h alt. 22.*
*Paris 590 – Bordeaux 18 – Blaye 60 – Jonzac 95 – Libourne 47 – Saintes 127.*

X **Tournebride,** à Hastignan, Ouest : 2 km sur D 107 ✆ 05 56 05 09 08, *Fax 05 56 05 09 08* – P. AE GB
*fermé 10 au 31 août, dim. soir et lundi* – **Repas** (11) - 15,50/33 ♀.
◆ Ample salle à manger au cadre sobre ; le décor de l'espace banquet décline une thématique sur la vigne. Spécialités régionales ; plateaux de fruits de mer sur commande.

## ST-MICHEL-EN-L'HERM 85580 Vendée 316 I9 – 1 999 h alt. 9.

*Office du Tourisme, 5 place de l'Abbaye ✆ 02 51 30 21 89, Fax 02 51 30 21 89.*
*Paris 457 – La Rochelle 46 – La Roche-sur-Yon 47 – Luçon 15 – Les Sables-d'Olonne 52.*

**Rose Trémière,** 4 r. Église ✆ 02 51 30 25 69, *Fax 02 51 30 25 69* – GB
*fermé 6 au 22 oct., 9 au 25 fév., dim. soir, mardi soir et merc.* – **Repas** 11 (déj.), 15/38.
◆ Non loin de l'ancienne abbaye bénédictine, restaurant au cadre rustique avec pierres, poutres et grande cheminée centrale. Tables bien espacées.

## ST-MICHEL-MONT-MERCURE 85700 Vendée 316 K7 *G. Poitou Vendée Charentes* – 1 798 h alt. 284.

Voir *✱★★ du clocher de l'église.*
*Paris 383 – La Roche-sur-Yon 53 – Bressuire 36 – Cholet 36 – Nantes 78 – Pouzauges 7.*

**Auberge du Mont Mercure,** près église ✆ 02 51 57 20 26, *Fax 02 51 57 78 67* – P. GB
*fermé 8 au 21 sept., vacances de fév., lundi soir d'oct. à mai, mardi soir et merc.* – **Repas** 12,50/28.
◆ Perchée au sommet de la colline, cette auberge bénéficie d'un large panorama sur le bocage vendéen. Salle de jeux aménagée pour les enfants. Adresse familiale.

## ST-MIHIEL 55300 Meuse 307 E5 *G. Alsace Lorraine* – 5 367 h alt. 228.

Voir *Sépulcre★★ dans l'église St-Étienne – Pâmoison de la Vierge★ dans l'église St-Michel.*
*Office du Tourisme, rue du Palais Abbatial ✆ 03 29 89 06 47, Fax 03 29 89 06 47.*
*Paris 295 – Bar-le-Duc 35 – Metz 62 – Nancy 66 – Toul 51 – Verdun 36.*

### à Heudicourt-sous-les-Côtes *Nord-Est : 15 km par D 901 et D 133 – 169 h. alt. 240 – ✉ 55210.*

Voir *Butte de Montsec : ✱★★, monument★ S : 13 km.*

**Lac de Madine** (annexe ), ✆ 03 29 89 34 80, *hotel-lac-madine@wanadoo.fr, Fax 03 29 89 39 20,* – TV P – 40 à 60. AE GB
*fermé 15 au 29 déc., 2 janv. au 13 fév., dim. soir du 15 oct. au 15 avril et lundi sauf le soir en juil.-août* – **Repas** 21/56 ♀, enf. 9 – ☕ 7,50 – **45 ch** 39/70 – ½ P 60.
◆ Au coeur du Parc régional de Lorraine, deux bâtiments, dont une ancienne ferme, distants de 300 m. Chambres d'esprit rustique. Repas en terrasse l'été, au coin du feu l'hiver.

## ST-NAZAIRE SP 44600 Loire-Atl. 316 C4 *G. Bretagne* – 64 812 h Agglo. 136 886 h alt. 4.

Voir *Base de sous-marins★ – Forme-écluse "Louis-Joubert"★ – Terrasse panoramique★* **B** – *Pont routier de St-Nazaire-St-Brévin★ par ①.*
**Accès Pont de Saint-Nazaire : gratuit.**
*Office du Tourisme, boulevard de la Légion d'Honneur ✆ 08 20 01 40 15, Fax 02 40 22 19 80.*
*Paris 437 ① – Nantes 62 ① – La Baule 19 ② – Vannes 78 ③.*

Plan page suivante

**Berry,** 1 pl. Gare ✆ 02 40 22 42 61, *berry.hotel@wanadoo.fr, Fax 02 40 22 45 34* – TV. AE ① GB JCB — AY r
**Repas** *(13)* - 15/40 ♀ – ☕ 9,50 – **27 ch** 72/135 – ½ P 65/97.
◆ Pratique pour ceux qui voyagent en train. Chambres rénovées : style "cabine de bateau" ou festival de couleurs. Au restaurant, tables rondes agencées autour d'un aquarium.

**Touraine** sans rest, 4 av. République ✆ 02 40 22 47 56, *hoteltourraine@free.fr, Fax 02 40 22 55 05,* – TV. AE ① GB JCB — AZ a
*fermé 22 déc. au 10 janv.* – ☕ 5,60 – **19 ch** 24/38.
◆ En plein centre-ville, chambres nettes et meublées simplement ; vous dormirez plus tranquille dans celles donnant sur la cour. L'été, petits-déjeuners dans le jardin.

**Au Bon Accueil** avec ch, 39 r. Marceau ✆ 02 40 22 07 05, *Fax 02 40 19 01 58* – TV – 30. AE ① GB — AZ n
*fermé 14 au 27 juil.* – **Repas** *(fermé dim. soir)* 19,60/49 ♀ – ☕ 7,60 – **12 ch** 68,60/73,20, 2 studios, 3 duplex – ½ P 69.
◆ Engageante façade réchappée de la Seconde Guerre mondiale pour cette maison bien nommée. Confortable et sobre salle à manger. Chambres simples.

**Table d'Harmonie,** 60 r. Paix ✆ 02 51 76 04 10, *Fax 02 40 19 14 64* – GB — AY s
*fermé 12 au 26 mars, 2 au 16 juil., dim. soir, mardi soir et merc.* – **Repas** 15/34.
◆ Ancré dans la ville chère aux "Tintinophiles" (relisez Les 7 boules de cristal), ce restaurant propose crustacés et poissons dans une salle égayée de marines... ad hoc !

**Moderne,** 46 r. Anjou ✆ 02 40 22 55 88, *Fax 02 40 22 55 88* – GB — AZ m
*fermé 13 juil. au 6 août, merc. soir, dim. soir et lundi* – **Repas** 15/25 ♀.
◆ Tons contrastés jaune et noir et tables séparées par des petits claustras président au cadre de ce restaurant familial situé à deux pas du centre animé.

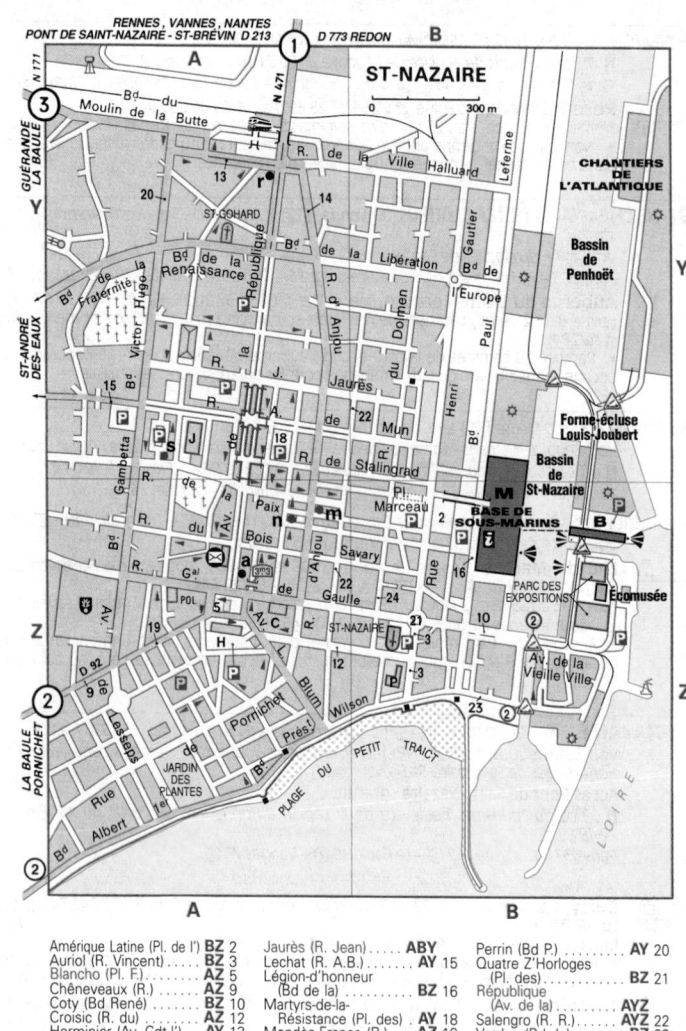

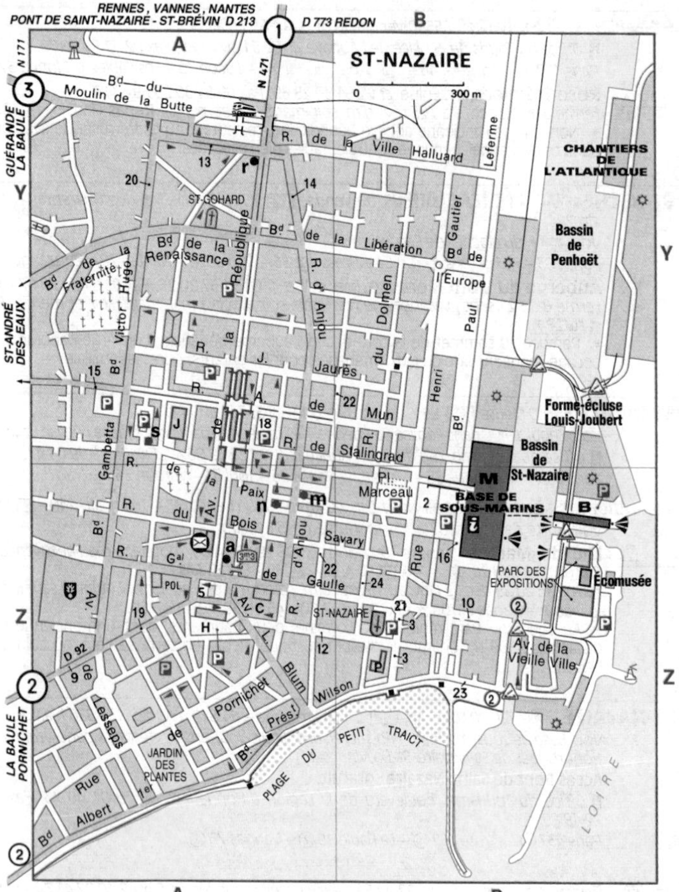
RENNES, VANNES, NANTES
PONT DE SAINT-NAZAIRE - ST-BRÉVIN D 213
D 773 REDON
ST-NAZAIRE
0 300 m
N 171
N 471
GUÉRANDE LA BAULE
ST-ANDRÉ DES-EAUX
LA BAULE PORNICHET
Bd du Moulin de la Butte
R. de la Ville Halluard
Leferme
CHANTIERS DE L'ATLANTIQUE
ST-GOHARD
Bd de la Libération
Bd de la Renaissance
Bd de la Fraternité
Victor Hugo
République
R. d'Anjou
Dolmen
Gautier
Bd de l'Europe
Paul
Bassin de Penhoët
R. J. Jaurès
R. A. de Mun
R. de Stalingrad
Henri
Forme-écluse Louis-Joubert
Bassin de St-Nazaire
Pl. Marceau
R. de la Paix
R. du Bois Savary
BASE DE SOUS-MARINS
Gambetta
Bd R. Vincent
Gal de Gaulle
PARC DES EXPOSITIONS
Écomusée
ST-NAZAIRE
Av. C. L. Blum
Av. de la Vieille Ville
D 92
Bd de Lesseps
Bd Wilson
Pornichet
Bd du Prést de
JARDIN DES PLANTES
Rue Albert 1er
PLAGE DU PETIT TRAICT
LOIRE
A
B
Y
Z

Amérique Latine (Pl. de l') **BZ** 2
Auriol (R. Vincent) . . . . . **BZ** 3
Blancho (Pl. F.) . . . . . . . . **AZ** 5
Chêneveaux (R.) . . . . . . **AZ** 9
Coty (Bd René) . . . . . . . **BZ** 10
Croisic (R. du) . . . . . . . . **AZ** 12
Herminier (Av. Cdt-l') . . **AY** 13
Ile-de-France (R. de l') . **AY** 14
Jaurès (R. Jean) . . . . . **ABY**
Lechat (R. A.B.) . . . . . . . **AY** 15
Légion-d'honneur (Bd de la) . . . . . . . . . . **BZ** 16
Martyrs-de-la-Résistance (Pl. des) . **AY** 18
Mendès-France (R.) . . . **AZ** 19
Paix (R. de la) . . . . . . . **AYZ**
Perrin (Bd P.) . . . . . . . . . **AY** 20
Quatre Z'Horloges (Pl. des) . . . . . . . . . . . . **BZ** 21
République (Av. de la) . . . . . . . . . **AYZ**
Salengro (R. R.) . . . . . . **AYZ** 22
Verdun (Bd de) . . . . . . . . **BZ** 23
28-Février-1943 (R. du) . **BZ** 24

---

**ST-NAZAIRE-EN-ROYANS** *26190 Drôme* 332 E3 *G. Alpes du Nord – 531 h alt. 172.*

*Paris 582 – Valence 35 – Grenoble 68 – Pont-en-Royans 9 – Romans-sur-Isère 18.*

**Rome**, ✆ 04 75 48 40 69, *Fax 04 75 48 31 17*, <, – , rest, – 25. AE GB

*fermé 3 nov. au 1er déc., lundi (sauf hôtel en juil.-aout) et dim. soir* – **Repas** 15/43 – 6,50 – **13 ch** 31/49 – ½ P 42/45.

◆ Pimpante maison abritant des chambres fraîches et insonorisées, certaines avec vue sur l'imposant aqueduc et la retenue d'eau. La raviole compte parmi les spécialités.

**Muraz "du Royans"**, ✆ 04 75 48 40 84, *Fax 04 75 48 47 06* – . GB

*fermé 10 au 18 juin, 28 sept. au 28 oct., lundi soir et mardi* – **Repas** 14/38 ♀.

◆ Récemment rénové, ce petit restaurant familial dispose d'une salle colorée, agrémentée d'expositions de tableaux. Cuisine traditionnelle et régionale.

**ST-NECTAIRE** *63710 P.-de-D.* 326 E9 *G. Auvergne – 664 h alt. 700 – Stat. therm. (mi avril-mi oct.) – Casino.*

Voir *Église★★ : trésor★★ – Puy de Mazeyres ✲★ E : 3 km puis 30 mn.*

*Office du Tourisme, Les Grands Thermes ✆ 04 73 88 50 86, Fax 04 73 88 40 48, ot-saint-nectaire@micro-assist.fr.*

*Paris 456 – Clermont-Ferrand 37 – Issoire 27 – Le Mont-Dore 24.*

**Mercure** Ⓜ, Les Bains Romains ✆ 04 73 88 57 00, *h1814-gm@accor-hotels.com, Fax 04 73 88 57 02,* – 30. AE GB
*fermé mars, 5 nov. au 15 déc. et 5 janv. au 1er fév.* – **Repas** (11,90) - 21 ♀, enf. 8 – 8,39 – **71 ch** 62/82.
◆ Imposant édifice vieux de 200 ans, agréablement rajeuni. Chambres bien équipées. Salle à manger sous haut plafond avec colonnes, moulures et parquet. Bel arboretum.

**Régina,** ✆ 04 73 88 54 55, *regina.st-nectaire@wanadoo.fr, Fax 04 73 88 50 56,* – TV P. GB
*fermé nov. à janv.* – **Repas** 15/20 – 5,20 – **17 ch** 42,70/51,80 – ½ P 41,20/42,70.
◆ Bâtiment de 1904 accosté d'une tourelle lui donnant des airs de petit château. Chambres fraîches et claires ; évitez celles de l'annexe. Belle piscine avec large solarium.

*Un automobiliste averti utilise le **Guide Rouge Michelin** de l'année.*

**ST-NICOLAS-LA-CHAPELLE** *73 Savoie* 333 L3 – *rattaché à Flumet.*

**ST-OMER** SP *62500 P.-de-C.* 301 G3 *G. Picardie Flandres Artois – 14 434 h alt. 23.*

Voir *Quartier de la cathédrale★★ : cathédrale Notre-Dame★★ – Hôtel Sandelin et musée★* **AZ** *– Anc. chapelle des Jésuites★* **AZ B** *– Jardin public★* **AZ** *– Musée Henri-Dupuis : collection de coquillages★* **M.**

Env. *Ascenseur à bateaux des Fontinettes★ SE : 5,5 km – Coupole d'Helfaut-Wizernes★★, S : 5 km.*

*Office du Tourisme, 4 rue du Lion d'Or ✆ 03 21 98 08 51, Fax 03 21 98 08 07.*

*Paris 257 ④ – Calais 47 ④ – Arras 78 ④ – Boulogne-sur-Mer 54 ④ – Ieper 59 ② – Lille 67 ②.*

Plan page suivante

**St-Louis,** 25 r. Arras ✆ 03 21 38 35 21, *contact@hotel-saintlouis.com, Fax 03 21 38 57 26,* – rest, TV P. AE GB. rest **BZ s**
*fermé 22 déc. au 5 janv.* – **Repas** *(fermé sam. midi et dim. midi)* 12,50/26 ♀, enf. 8,50 – 8 – **30 ch** 39/59 – ½ P 50.
◆ Ancien relais de poste audomarois où vous choisirez une chambre refaite ; cadre plus classique à l'annexe. Accueillante salle à manger de style brasserie moderne.

**Ibis,** 2 r. H. Dupuis ✆ 03 21 93 11 11, *Fax 03 21 88 80 20* – TV P – 25. AE GB. rest **AZ v**
**Repas** (12) - 15 ♀, enf. 6 – 6 – **66 ch** 60.
◆ Cet hôtel, installé dans un immeuble ancien, est idéalement situé : cathédrale et musées sont à deux pas. Les chambres, fonctionnelles, bénéficient d'une récente rénovation.

**Cygne,** 8 r. Caventou ✆ 03 21 98 20 52, *Fax 03 21 95 57 12* – . GB **AZ e**
*fermé 18 août au 4 sept., 23 fév. au 8 mars, dim. soir et lundi sauf fériés* – **Repas** 13/42 et carte 33 à 50 ♀.
◆ Lumineuse salle à manger bourgeoise rajeunie, précédée d'un salon d'accueil agrémenté d'une cheminée. Caveau pour les repas commandés. Plats traditionnels.

**Charette,** 32 pl. Foch ✆ 03 21 98 28 29, *Fax 03 21 38 17 91* – AE GB **AZ t**
*fermé fin juil. au 20 août, 22 au 31 déc. et dim.* – **Repas** 10/16 ♀.
◆ Bel hôtel du Bailliage au n° 42 bis de la place. Cadre campagnard, atmosphère bon enfant et cuisine traditionnelle à prix doux sont les atouts de ce sympathique restaurant.

**à Hallines** *par ③ et D 211 : 6 km – 1 396 h. alt. 36 – ✉ 62570 :*

**Hostellerie St-Hubert** avec ch, ✆ 03 21 39 77 77, *Fax 03 21 93 00 86,* – TV P. GB
*fermé dim. soir, mardi midi et lundi* – **Repas** 25/54 et carte 39 à 62 – 10 – **8 ch** 61/122.
◆ Belle demeure du 19e s. nichée dans un parc traversé par une rivière. Un majestueux escalier en marbre dessert salles à manger aux superbes boiseries et vastes chambres.

**à Tilques** *par ④, N 43 et rte secondaire : 6 km – 900 h. alt. 27 – ✉ 62500 :*

**Château Tilques** , ✆ 03 21 88 99 99, *chateau-tilques.hotel@najeti.com, Fax 03 21 38 34 23,* – TV P – 25 à 100. AE GB.
**Repas** 20 (déj.), 35/53 – 12 – **53 ch** 84/170.
◆ Un parc à la française entoure ce château en briques (1891). Mobilier de style dans les chambres ou décor plus actuel à l'annexe. Les ex-écuries accueillent le restaurant.

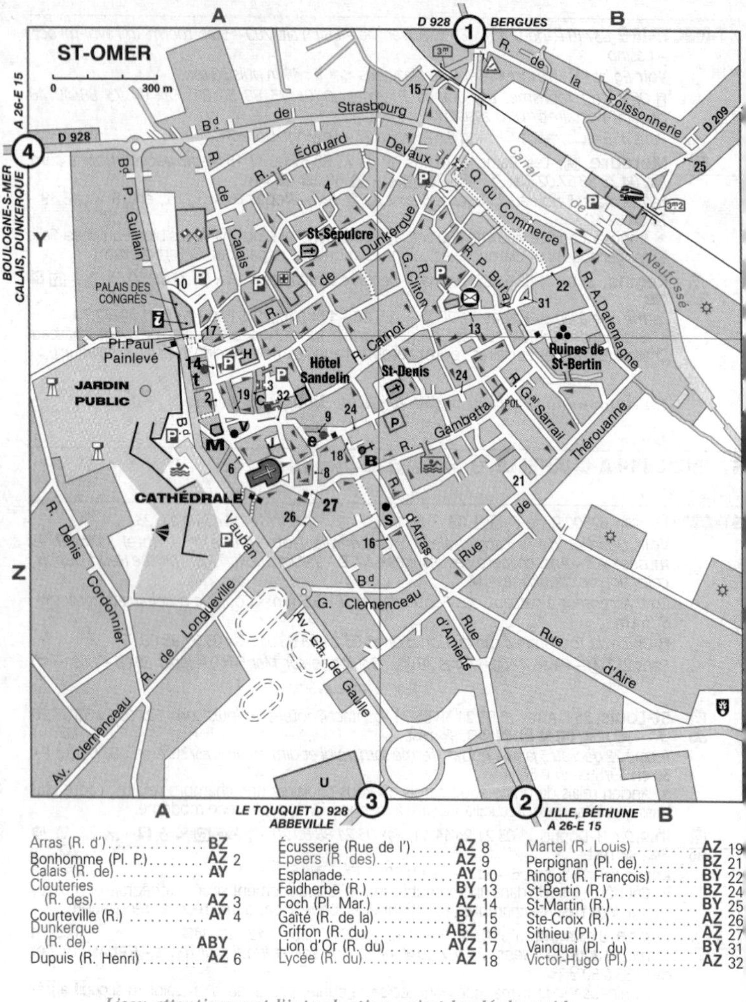

ST-OMER
0
300 m
A
B
Y
Z
D 928
BERGUES
1
2
3
4
BOULOGNE-S-MER
CALAIS, DUNKERQUE
A 26-E 15
D 209
LE TOUQUET D 928
ABBEVILLE
LILLE, BÉTHUNE
A 26-E 15
Bd de Strasbourg
R. de la Poissonnerie
Canal de Neufossé
Q. du Commerce
R. Édouard Devaux
Bd P. Guillain
R. de Calais
R. de Dunkerque
R. G. Cliton
R. P. Butay
R. A. Dalemagne
R. Carnot
R. Gambetta
R. Gal Sarrail
Thérouanne
R. d'Arras
Rue de
Rue d'Amiens
Rue d'Aire
Bd G. Clemenceau
Av. Ch. de Gaulle
R. de Longueville
R. Denis Cordonnier
Av. Clemenceau
Vauban
Bd Vauban
PALAIS DES CONGRÈS
Pl. Paul Painlevé
JARDIN PUBLIC
CATHÉDRALE
St-Sépulcre
Hôtel Sandelin
St-Denis
Ruines de St-Bertin
POL
M
B
C
S
U




*Lisez attentivement l'introduction : c'est la clé du guide.*

---

**ST-OUEN** *93 Seine-St-Denis* 305 F7 101 ⑯ – *voir à Paris, Environs.*

---

**ST-OUEN** *41 L.-et-Ch.* 318 D5 – *rattaché à Vendôme.*

---

**ST-OUEN-LES-VIGNES** *37 I.-et-L.* 317 O4 – *rattaché à Amboise.*

---

**ST-OUTRILLE** *18310 Cher* 323 H4 – *259 h alt. 108.*

*Paris 234 – Bourges 47 – Blois 71 – Châteaudun 39 – Romorantin-Lanthenay 30.*

**Grange aux Dîmes,** ✉ 18310 St-Outrille ☎ 02 48 51 12 13, *Fax 02 48 51 12 13,* – GB

*fermé 1er au 17 juil., vacances de fév., mardi soir et merc.* – **Repas** 11 bc (déj.), 15/31 ♀.

◆ Sur la place de la collégiale, ancienne grange transformée en un plaisant restaurant décoré avec goût et meublé dans le style rustique. Carte traditionnelle.

---

**ST-PAIR-SUR-MER** *50 Manche* 303 C7 – *rattaché à Granville.*

**ST-PALAIS** *64120 Pyr.-Atl.* 342 F5 *G. Aquitaine – 2 055 h alt. 50.*

*Office du Tourisme, place Charles de Gaulle ☎ 05 59 65 71 78, Fax 05 59 65 69 15, office.tourisme.stpalais@wanadoo.fr.*

*Paris 789 – Biarritz 63 – Bayonne 53 – Dax 61 – Pau 73 – St-Jean-Pied-de-Port 31.*

**Paix,** ☎ 05 59 65 73 15, *Fax 05 59 65 63 83,* – TV. AE GB
*fermé janv., vend. soir et sam. midi et dim. soir* – **Repas** 10,30/24 ♀ – **27 ch** 45/47 – ½ P 40.
◆ Loggias en bois et parement de briquettes ornent la façade peu commune de cet hôtel situé sur la place du marché. Chambres au mobilier actuel, plus tranquilles côté jardinet.

**Trinquet** avec ch, ☎ 05 59 65 73 13, *Fax 05 59 65 83 84,* – rest, TV. GB
*fermé 20 sept. au 15 oct., dim. soir et lundi* – **Repas** 15/25 ♀ – 5 – **11 ch** 40/48 – ½ P 40.
◆ Sur la place centrale, maison au charme "rétro" où subsiste un trinquet de 1891. Sympathique salle à manger rustique et appétissante cuisine régionale. Chambres anciennes.

**ST-PALAIS-SUR-MER** *17420 Char.-Mar.* 324 D6 *G. Poitou Vendée Charentes – 2 736 h alt. 5.*

**Voir** *La Grande Côte★★ NO : 3 km – Zoo de la Palmyre★★ NO : 10 km.*

*Office du Tourisme, 1 avenue de la République ☎ 05 46 23 22 58, Fax 05 46 23 36 73, st.palais.tourisme@wanadoo.fr.*

*Paris 511 – Royan 7 – La Rochelle 80.*

**Primavera**, 12 r. Brick, par av. Gde Côte ☎ 05 46 23 20 35, *contact@hotel-primavera.com, Fax 05 46 23 28 78,* ←, – TV P. AE GB. ch
*fermé 15 nov. au 15 déc. et vacances de fév.* – **Repas** *(fermé mardi midi, merc. midi et lundi)* 21/42 – 11 – **45 ch** 95/135.
◆ Dans un paisible parc surplombant la mer, élégante "folie" 1900 dont l'architecture s'inspire du style roman, et ses deux annexes. Restaurant panoramique. Superbe piscine.

**Téthys,** plage de Nauzan (rte de Royan : 1,5 km) ☎ 05 46 23 33 61, *Fax 05 46 23 05 36,* ←, – TV P. GB
*mai-sept.* – **Repas** (½ pens. seul.) – 7 – **23 ch** 45,80/53,40 – ½ P 53,40/56,50.
◆ Bien situé à la fois près du centre-ville et de la plage, hôtel familial à la tenue irréprochable. Les chambres sises dans la villa attenante sont plus agréables.

**Nauzan** sans rest, plage de Nauzan (rte de Royan : 1,5 km) ☎ 05 46 23 33 73 – TV P. GB
*1er mai-21 sept.* – 6,40 – **27 ch** 51/60.
◆ Bâtiment des années 1960 rénové, sur la route qui longe le bord de mer. Chambres petites mais actuelles, certaines avec balcon et vue sur l'Atlantique.

**Auberge des Falaises** avec ch, 133 av. Grande Côte ☎ 05 46 23 20 49, *claude.allias@infonie.fr, Fax 05 46 23 29 95,* ← – TV P. AE GB
*fermé 10 nov. au 20 déc.* – **Repas** *(fermé dim. soir et lundi sauf vacances scolaires)* 17,50/49 bc ♀, enf. 8 – 7,50 – **13 ch** 64/68 – ½ P 57/65.
◆ Aux premières loges pour admirer l'océan, ancienne maison de pêcheurs fraîchement ravalée. Spécialités de fruits de mer. Possibilité de promenades en bateau.

**ST-PARDOUX** *63440 P.-de-D.* 326 F6 *– 363 h alt. 615.*

*Paris 393 – Clermont-Ferrand 42 – Aubusson 92 – Montluçon 51 – Vichy 37.*

**sur autoroute A 71** *aire des Volcans ou accès de St-Pardoux Est par N 144 et D 12 : 8 km – 63440 Champs :*

**des Volcans** M, ☎ 04 73 33 71 50, *volcans@autogrill.net, Fax 04 73 33 03 78,* ←, – TV P – 20. AE GB
**Repas** 13,90/19,90 – 5,90 – **45 ch** 54,50/70,30.
◆ Construction en arc de cercle signée Ricardo Bofill. Chambres bien insonorisées et fonctionnelles ; la moitié offre un joli panorama sur la chaîne des Puys.

**ST-PARDOUX-LA-CROISILLE** *19320 Corrèze* 329 M4 *– 173 h alt. 410.*

*Paris 504 – Brive-la-Gaillarde 50 – Aurillac 79 – Mauriac 47 – St-Céré 67 – Tulle 24 – Ussel 57.*

**Beau Site**, ☎ 05 55 27 79 44, *contact@hotel-lebeausite-correze.com, Fax 05 55 27 69 52,* ←, – TV P – 40. GB. rest
*1er mai-30 sept.* – **Repas** 14 (déj.), 18/41, enf. 9 – 6,80 – **29 ch** 52,50/60 – ½ P 53/60.
◆ Face à la forêt, bâtisse régionale de 1935 bénéficiant de bons équipements de loisirs disséminés dans un parc nanti d'un étang. Chambres classiques.

**ST-PATRICE** *37 I.-et-L.* 317 K5 *– rattaché à Langeais.*

*Les plans de villes sont orientés le Nord en haut.*

**ST-PAUL** *06570 Alpes-Mar.* 341 D5 *G. Côte d'Azur – 2 903 h alt. 125.*

**Voir** *Site★ – Remparts★ – Fondation Maeght★★.*

*Paris 927 – Nice 21 – Antibes 18 – Cagnes-sur-Mer 9 – Cannes 28 – Grasse 22 – Vence 4.*

**Saint-Paul** M, 86 r. Grande, au village ☎ 04 93 32 65 25, *stpaul@relaischateaux.com, Fax 04 93 32 52 94,* ←, – ▤ TV ☎ ♿. AE ① GB.
*fermé 8 déc. au 16 janv. –* **Repas** *(fermé mardi midi, merc. midi et jeudi midi de nov. à mars)* 45 (déj.), 65/82 et carte 70 à 100 ♀ – ☐ 20 – **15 ch** 230/300, 4 appart – ½ P 200/235.
◆ Dans le village perché, belles pierres, fresques, fontaine et meubles colorés composent le décor raffiné de cette demeure provençale du 16e s. Cuisine régionale soignée.
**Spéc.** Asperges sauvages aux morilles et persil plat (printemps). Cannelloni de homard au poivron rouge. Loup en croûte d'argile, fricassée de légumes à l'huile d'olive. **Vins** Bellet, Côtes de Provence

**Colombe d'Or,** ☎ 04 93 32 80 02, *contact@la-colombe-dor.com, Fax 04 93 32 77 78,* – ▤ ch, TV ☎ P. AE ① GB JCB
*fermé 1er nov. au 20 déc. et 6 au 22 janv. –* **Repas** carte 52 à 70 ♀ – ☐ 9,50 – **15 ch** 250, 10 appart – ½ P 159/167.
◆ Prisé des artistes et des célébrités, cet hôtel-musée abrite une superbe collection de peintures et sculptures modernes. Cadre "vieille Provence" et chambres personnalisées.

**Couleur Pourpre,** 7 rempart Ouest ☎ 04 93 32 60 14, *Fax 04 93 32 60 14* – AE GB
*fermé 1er nov. au 27 déc., jeudi midi et merc. de sept. à juin –* **Repas** (dîner seul. en juil.-août) 33.
◆ Bel emplacement dans la vieille ville pour cette maison discrète curieusement agencée sur quatre petits niveaux. Mobilier en rotin dans un cadre blanc et pourpre.

**par rte de La Colle-sur-Loup :**

**Mas d'Artigny**, rte des Hauts de St-Paul : 3 km ☎ 04 93 32 84 54, *mas@grandesetapes.fr, Fax 04 93 32 95 36,* ←, – |‡|, ▤ ch, TV P – 130. AE ① GB JCB
**Repas** 45 (déj.), 58/73 ♀ – ☐ 26 – **55 ch** 225/440, 30 appart – ½ P 214,50/302.
◆ Dans un parc, audacieux complexe hôtelier au style mi-classique, mi-provençal, dont la vue s'étend jusqu'à la baie des Anges. Somptueux appartements avec piscines privées.

**Grande Bastide** M sans rest, 2 km ☎ 04 93 32 50 30, *stpaullgb@voila.fr, Fax 04 93 32 50 59,* ←, – ▤ TV ☎ P. AE ① GB JCB
*fermé 26 nov. au 26 déc. et 19 janv. au 15 fév. –* ☐ 15 – **14 ch** 180/290.
◆ Ce mas du 18e s. a le village des artistes et de la jet-set pour toile de fond. Jolies chambres avec balcon, salon de style méridional et accueil tout sourire.

**Hameau** sans rest, 1 km ☎ 04 93 32 80 24, *lehameau@wanadoo.fr, Fax 04 93 32 55 75,* – ▤ TV ☎ P. GB
*18 fév.-15 nov.* – ☐ 12 – **16 ch** 113/152.
◆ Cadre rustique, jardins en terrasses et chambres personnalisées font le charme de cette ancienne ferme provençale entourée de coquettes maisonnettes blanches.

**Hostellerie des Messugues** sans rest, quartier Gardettes par rte Fondation Maeght : 2 km ☎ 04 93 32 53 32, *Fax 04 93 32 94 15,* – |‡| ☎ P. AE ① GB JCB
*1er avril-30 sept.* – ☐ 8 – **15 ch** 92/107.
◆ Au calme d'une pinède, villa méditerranéenne et son originale piscine. Bel effet dans les couloirs : les portes des chambres proviennent d'une prison du 19e s. !

**au Sud** : *4 km par D 2 et rte secondaire :*

**Les Bastides de St-Paul** M sans rest, 880 chemin Blaquières (D 336 - axe Cagnes-Vence) ☎ 04 92 02 08 07, *bastides@fr.fm, Fax 04 93 20 50 41,* – ▤ TV ☎ ♿ P. AE ① GB JCB
☐ 10 – **20 ch** 84/125.
◆ Située en léger retrait d'une route passante, demeure colorée abritant des chambres spacieuses, fonctionnelles et bien insonorisées. Piscine en forme de trèfle.

---

**ST-PAUL-DES-LANDES** *15250 Cantal* 330 B5 *– 1 105 h alt. 554.*

*Paris 544 – Aurillac 13 – Figeac 59 – St-Céré 49.*

**Voyageurs,** ☎ 04 71 46 38 43, *restvoyageurs@aol.com, Fax 04 71 46 38 08,* – GB
*fermé 24 déc. au 2 janv., 14 au 22 fév., sam. midi de sept. à mai et lundi soir –* **Repas** 9 bc (déj.), 13/25,90 ♀, enf. 7.
◆ Auberge à l'atmosphère conviviale dans la traversée du bourg. Préparations "cent pour cent maison" servies dans une salle à manger rustique.

---

**ST-PAULIEN** *43350 H.-Loire* 331 E3 *G. Vallée du Rhône – 1 872 h alt. 795.*

**Voir** *Intérieur★ de l'église.*

*Office du Tourisme, place St Georges ☎ 04 71 00 50 01, otourisme@es-conseil.com.*

*Paris 533 – Le Puy-en-Velay 14 – La Chaise-Dieu 28 – St-Étienne 91 – Saugues 44.*

**Voyageurs**, 9 av. Rochelambert (près église) ✆ 04 71 00 40 47, *Fax 04 71 00 51 05* – rest, TV. GB
**Repas** *(fermé dim. soir)* (8) - 11/24, enf. 6,50 – 5,50 – **15 ch** 32/40 – ½ P 35/37.
◆ Sur la place du village, hostellerie traditionnelle abritant des chambres actuelles et tranquilles. Des nappes colorées égayent la petite salle à manger bien tenue.

## ST-PAUL-LE-JEUNE *07460 Ardèche 331 G7 – 862 h alt. 255.*

Voir *Banne : ruines de la citadelle* ←* *N : 5 km,* G. **Provence.**

*Paris 678 – Alès 32 – Aubenas 45 – Pont-St-Esprit 54 – Vallon-Pont-d'Arc 29 – Villefort 38.*

**Moderne** avec ch, ✆ 04 75 39 82 75, *Fax 04 75 39 82 75* – GB
*fermé janv., fév., dim. soir et lundi* – **Repas** 14/35 – 5,50 – **9 ch** 33/35 – ½ P 36.
◆ Aux confins du Gard et de la Basse-Ardèche, établissement au confort modeste et à la tenue impeccable. Chambres équipées du double vitrage. Miniterrasse sur le trottoir.

## ST-PAUL-LÈS-DAX *40 Landes 335 E12 – rattaché à Dax.*

## ST-PAUL-LÈS-ROMANS *26 Drôme 332 D3 – rattaché à Romans-sur-Isère.*

## ST-PAUL-TROIS-CHATEAUX *26130 Drôme 332 B7 G. Vallée du Rhône – 6 789 h alt. 90.*

Voir *Cathédrale St-Paul* * – *Barry* ←** *S : 8 km.*

*Office du Tourisme, rue de la République* ✆ *04 75 96 61 29, Fax 04 75 96 74 61, st.paul3chxot@wanadoo.fr.*

*Paris 633 – Montélimar 28 – Nyons 39 – Orange 33 – Vaison-la-Romaine 34 – Valence 73.*

**L'Esplan** M, pl. l'Esplan ✆ 04 75 96 64 64, *saintpaul@esplan-provence.com, Fax 04 75 04 92 36,* – TV – 15. AE GB JCB. rest
*fermé 15 déc. au 15 janv.* – **Repas** *(fermé dim. soir du 30 sept. au 30 avril et sam. midi)* 20/42 ♀, enf. 12 – 9,50 – **36 ch** 60,50/99,50 – ½ P 67/77.
◆ Au coeur du bourg, hôtel particulier du 16e s. et son bel intérieur contemporain. Chambres soignées, aux couleurs ensoleillées. L'été, un brumisateur rafraîchit la terrasse.

**Jardin des Saveurs**, 1,2 km rte La Garde Adhémar ✆ 04 75 96 70 47, *Fax 04 75 96 70 47,* ←, – P. AE GB
*fermé 12 nov. au 6 déc., 7 au 18 fév., merc. midi en juil.-août, mardi sauf le soir en juil.-août et lundi* – **Repas** (nombre de couverts limité, prévenir) (23) - 36/50.
◆ Mas provençal entouré par les chênes truffiers de la campagne du Tricastin. Sobre décor contemporain, plaisante terrasse ombragée et goûteuse cuisine méridionale.

**Chapelle**, impasse L. de Bimard ✆ 04 75 96 60 88, *Fax 04 75 96 60 88,* – AE GB
*fermé 15 au 30/06, 20 sept. au 10 oct., dim. soir et mardi soir de sept. à juin, mardi midi en juil.-août et lundi* – **Repas** 22 (déj.), 28/62.
◆ Agréable terrasse fleurie dressée parmi les ruines de l'ancienne chapelle de l'évêché. Petite salle voûtée. Le délicat "diamant noir" et la raviole se disputent la carte.

## ST-PÉE-SUR-NIVELLE *64310 Pyr.-Atl. 342 C4 – 3 463 h alt. 30.*

*Office du Tourisme, Près de la Poste* ✆ *05 59 54 11 69, Fax 05 59 54 17 81, office.de.tourisme@saint-pee-sur-nivelle.com.*

*Paris 789 – Biarritz 17 – Bayonne 22 – Cambo-les-Bains 17 – Pau 129 – St-Jean-de-Luz 14.*

**à Ibarron** *rte de St-Jean-de-Luz : 1,5 km –* ✉ *64310 St-Pée-sur-Nivelle :*

**Fronton**, ✆ 05 59 54 10 12, *jean-baptiste.Daguerre@wanadoo.fr, Fax 05 59 54 18 09,* – AE GB
*fermé 30 juin au 8 juil., 20 fév. au 15 mars, lundi et mardi d'oct. à avril* – **Repas** 22/40 ♀.
◆ La salle à manger de cette maison basque de tradition est aménagée à la façon d'un jardin d'hiver. Vous y goûterez une copieuse cuisine traditionnelle et régionale.

## ST-PÉRAY *07130 Ardèche 331 L4 – 5 886 h alt. 124.*

Voir *Ruines du château de Crussol : site**** *et* ←** *SE : 2 km.*

Env. *Saint-Romain-de-Lerps* ✻*** *NO : 9,5 km par D 287,* G. **Vallée du Rhône.**

*Office du Tourisme, 45 rue la République* ✆ *04 75 40 46 75, Fax 04 75 40 55 72, ot.st-peray-ardeche@en-france.com.*

*Paris 567 – Valence 4 – Lamastre 35 – Privas 40 – Tournon-sur-Rhône 15.*

**à Soyons** *Sud : 7 km par N 86 – 1 551 h. alt. 106 – ✉ 07130 :*

**Domaine de la Musardière,** N 86 ☎ 04 75 60 83 55, *info@provencehotel.fr, Fax 04 75 60 85 21,* – 30. AE GB
**Repas** *(fermé 2 au 31 janv. et lundi d'oct. à avril sauf fériés)* 30/45, enf. 15 – 16 – **11 ch** 149/199 – ½ P 129/159.
◆ Belle demeure du 19e s. entourée d'un parc verdoyant. Chambres pastel garnies de commodes et coiffeuses Empire. Restaurant cossu et véranda pour le petit-déjeuner.

**La Châtaigneraie** – cuisinette, ch, AE GB
Repas voir ***Domaine de la Musardière*** – 16 – **14 ch** 99/149 – ½ P 112/130.
◆ Dans une dépendance du Domaine, grandes chambres de style rustique, égayées de tissus provençaux ; certaines sont dotées de lits à baldaquin.

---

**ST-PÈRE** *89 Yonne* 319 F7 – *rattaché à Vézelay.*

---

**ST-PÉREUSE** *58110 Nièvre* 319 F9 – *260 h alt. 355.*
*Paris 290 – Autun 55 – Château-Chinon 15 – Clamecy 57 – Nevers 53.*

**Auberge de la Madonette,** ☎ 03 86 84 45 37, *Fax 03 86 84 46 69,* – GB
*fermé 15 déc. au 5 fév., mardi soir et merc. sauf juil.-août* – **Repas** 11/43 ♀.
◆ L'entrée de cette sympathique auberge est décorée de costumes et objets locaux. La salle à manger, joliment rustique, donne sur un beau jardin fleuri. Cuisine du terroir.

---

**ST-PHILBERT-DE-GRAND-LIEU** *44310 Loire-Atl.* 316 G5 *G. Poitou Vendée Charentes – 5 159 h alt. 10.*
*Office du Tourisme, place de l'Abbatiale ☎ 02 40 78 73 88, Fax 02 40 78 83 42, otsi st.philbert@wanadoo.fr.*
*Paris 405 – Nantes 27 – La Roche-sur-Yon 50 – Niort 150 – Rennes 140 – Tours 218.*

**La Bosselle,** ☎ 02 40 78 73 47, *Fax 02 40 78 01 85,* – 20. GB
**Repas** 10,10/24,90 ♀, enf. 7,40 – 5,40 – **14 ch** 44,30 – ½ P 38,20.
◆ Établissement familial au coeur du village. Chambres simples, mais récentes. Au restaurant, produits du terroir et poissons du lac pêchés aux bosselles (nasses).

---

**ST-PIERRE-DE-CHARTREUSE** *38380 Isère* 333 H5 *G. Alpes du Nord – 650 h alt. 885 – Sports d'hiver : 900/1 800 m 1 13*
**Voir** *Terrasse de la Mairie ≤★ – Prairie de Valombré ≤★ 0 : 4 km – Site★ de Perquelin E : 3 km – La Correrie : musée Cartusien★ du couvent de la Grande Chartreuse NO : 3,5 km – Décoration★ de l'église de St-Hugues-de-Chartreuse S : 4 km.*
*Office du Tourisme, place de la Mairie ☎ 04 76 88 62 08, Fax 04 76 88 68 78, OT.st-pierre-de-chartreuse@wanadoo.fr.*
*Paris 572 – Grenoble 27 – Belley 62 – Chambéry 39 – La Tour-du-Pin 52 – Voiron 25.*

**Beau Site,** ☎ 04 76 88 61 34, *hotel.beausite@libertysurf.fr, Fax 04 76 88 64 69,* ≤, – 25. GB
*fermé 14 avril au 5 mai et 13 oct. au 19 déc.* – **Repas** *(fermé dim. soir, lundi et mardi)* 14,50/28 ♀, enf. 9,50 – 9 – **26 ch** 58/65 – ½ P 57/61.
◆ Les chambres de cette grande maison centenaire, sobres mais confortables, sont toutes rénovées. Jolie vue sur la vallée depuis le restaurant panoramique et la piscine.

**Auberge de l'Atre Fleuri** avec ch, Sud : 3 km sur D 512 ☎ 04 76 88 60 21, *bruvedb@aol.com, Fax 04 76 88 64 97,* – GB.
*fermé 10 nov. au 14 déc., dim. soir, lundi et mardi* – **Repas** 14,50/24 – 6,10 – **7 ch** 38 – ½ P 39.
◆ Auberge campagnarde voisine d'un camping et d'un ruisseau. Salle à manger d'esprit rustique et terrasse d'été abondamment fleurie. Chambres simples, sauna et minifitness.

**du Temps de Vivre** avec ch, La Diat, Sud-Ouest : 1 km ☎ 04 76 88 67 75, *dutdevivre@ao.com, Fax 04 76 88 65 07,* – GB. ch
*fermé 15 nov. au 15 déc.* – **Repas** 12 (déj.), 14/30 ♀ – 7 – **10 ch** 36/41 – ½ P 43.
◆ Intérieur champêtre, terrasse aménagée au bord d'un torrent et petites chambres nettes : une sympathique étape au "royaume" de la randonnée (270 km de sentiers balisés).

**au col du Cucheron** *Nord : 3,5 km par D 512 – alt. 1139 – Sports d'hiver au Planolet : 1 050/1 500 m 6 – ✉ 38380 St-Pierre-de-Charteuse :*

**Chalet Hôtel Le Cucheron** ☎ 04 76 88 62 06, *Fax 04 76 88 65 43,* ≤, – GB. rest
*fermé 15 oct. au 25 déc., dim. soir et lundi sauf vacances scolaires* – **Repas** 16/27 ♀, enf. 8 – 5,50 – **7 ch** 28/37 – ½ P 35/38.
◆ Dissimulée dans les sapins, cette bâtisse à allure de chalet abrite des chambres modestes, une salle campagnarde un peu désuète et un vaste salon TV avec bibliothèque.

**ST-PIERRE-D'ENTREMONT** *73670 Savoie* 333 *I5 G. Alpes du Nord – 294 h alt. 640.*

*Voir Cirque de St-Même★★ SE : 4,5 km – Gorges du Guiers Vif★★ et Pas du Frou★★ O : 5 km – Château du Gouvernement★ : ≤★ SO : 3 km.*

*Office du Tourisme, maison communale ✆ 04 79 65 81 90, Fax 04 79 65 88 78, ot-entremont@wanadoo.fr.*

*Paris 566 – Grenoble 48 – Belley 63 – Chambéry 26 – Les Echelles 12 – Lyon 103.*

**Château de Montbel,** ✆ 04 79 65 81 65, *Fax 04 79 65 89 49* – . GB. 
*fermé 31 mars au 12 avril, 24 oct. au 16 déc., dim. soir et lundi sauf vacances* – **Repas** *(fermé merc. soir sauf vacances scolaires et lundi midi)* (12) - 15/30,50 ♀, enf. 9,50 – ☕ 6 – **13 ch** 35/43 – ½ P 41/44.

◆ Dans un petit village de montagne, hôtel traditionnel à l'atmosphère chaleureuse. Chambres simples et bien entretenues. En hiver, belles flambées dans la cheminée.

**ST-PIERRE-DES-CHAMPS** *11220 Aude* 344 *G4 – 134 h alt. 146.*

*Paris 821 – Perpignan 83 – Carcassonne 41 – Narbonne 42.*

**Fargo** , ✆ 04 68 43 12 78, *lafargo@club-internet.fr, Fax 04 68 43 29 20,* , – TV P. GB. ch
*29 mars-1er nov.* – **Repas** *(fermé lundi sauf juil.-août)* (la semaine hors saison dîner seul. pour résidents) 20/28 ♀ – ☕ 6 – **6 ch** 64/71.

◆ Ex-forge isolée dans le vignoble des Corbières. Les chambres, agréables et contemporaines, sont égayées de meubles indonésiens. Terrasse ombragée. Séjour reposant garanti !

**ST-PIERRE-DES-CORPS** *37 I.-et-L.* 317 *N4 – rattaché à Tours.*

**ST-PIERRE-D'OLÉRON** *17 Char.-Mar.* 324 *C4 – voir à Île d'Oléron.*

**ST-PIERRE-DU-PERRAY** *91 Essonne* 312 *D4* 101 *38 – voir à Paris, Environs.*

**ST-PIERRE-LAFEUILLE** *46090 Lot* 337 *E4 – 217 h alt. 350.*

*Paris 566 – Cahors 10 – Figeac 63 – Payrac 40 – Puy-l'Évêque 31 – Rocamadour 51.*

**Bergerie** avec ch, N 20 ✆ 05 65 36 82 82, *hotel.bergerie@wanadoo.fr, Fax 05 65 36 82 40,* , , – TV P. AE GB
*fermé 18 janv. au 15 fév., dim. soir, mardi midi et lundi soir sauf juil.-août et lundi midi* – **Repas** 25/57 bc ♀, enf. 9,50 – ☕ 8,50 – **10 ch** 61/81 – ½ P 55/65.

◆ Poutres, pierres apparentes et cheminée forment le cadre chaleureux de cette ancienne bergerie. Cuisine traditionnelle et belle carte des vins. Spacieuses chambres actuelles.

**ST-PIERRE-LE-MOUTIER** *58240 Nièvre* 319 *B11 G. Bourgogne – 2 091 h alt. 214.*

*Syndicat d'Initiative, 13 place de l'Eglise ✆ 03 86 37 21 15, Fax 03 86 90 80 69, si.payse lanb@wanadoo.fr.*

*Paris 265 – Bourges 71 – Moulins 31 – Château-Chinon 84 – Montluçon 75 – Nevers 26.*

**Vigne** avec ch, rte Decize ✆ 03 86 37 41 66, *hotel-restaurant-la-vigne@wanadoo.fr, Fax 03 86 37 28 90,* , – TV P. GB
*fermé 23 nov. au 8 déc., 15 au 31 janv., lundi (sauf hôtel) et dim soir* – **Repas** (dim. et fêtes prévenir) *(13,50)* - 17/36 ♀ – ☕ 7,50 – **12 ch** 48/57 – ½ P 49/54,50.

◆ Jolie maison nivernaise et son parc agrémenté d'une pièce d'eau. Plats régionaux servis dans la salle campagnarde ou sur la terrasse, à l'ombre des tilleuls. Accueil charmant.

**ST-PIERRE-LÈS-AUBAGNE** *13 B.-du-R.* 340 *I6 – rattaché à Aubagne.*

**ST-PIERREMONT** *88700 Vosges* 314 *H2 – 167 h alt. 251.*

*Paris 366 – Nancy 57 – Lunéville 25 – St-Dié 43.*

**Relais Vosgien,** ✆ 03 29 65 02 46, *relais.vosgien@wanadoo.fr, Fax 03 29 65 02 83,* , – , rest, TV P – 20 à 30. AE GB
**Repas** *(fermé vend. soir hors saison et dim. soir)* 18,80/65 ♀, enf. 10,50 – ☕ 11 – **20 ch** 35/105 – ½ P 73/141.

◆ Cette ancienne ferme restaurée est un plaisant relais familial de la campagne vosgienne : chambres coquettes et pratiques ; salles à manger à la mise en place soignée.

**ST-PIERRE-QUIBERON** *56 Morbihan* 308 *M9 – rattaché à Quiberon.*

**ST-POL-DE-LÉON** *29250 Finistère* 308 *H2 G. Bretagne – 7 261 h alt. 60.*

Voir *Clocher** de la chapelle du Kreisker* : ** de la tour – Ancienne cathédrale* – Rocher Ste-Anne : <* dans la descente.*

*Office du Tourisme, place de l'Evêché 02 98 69 05 69, Fax 02 98 69 01 20.*

*Paris 558 – Brest 62 – Brignogan-Plages 31 – Morlaix 22 – Roscoff 6.*

**France** sans rest, 29 r. Minimes 02 98 29 14 14, *hotel.de.france.finistere@wanadoo.fr, Fax 02 98 29 10 57,* – GB

6 – **22 ch** 46.

♦ Dans une rue assez tranquille, pimpante demeure régionale peu à peu rénovée. Chambres fraîches et fonctionnelles ; optez pour celles donnant sur le jardin.

**Auberge Pomme d'Api,** 49 r. Verderel 02 98 69 04 36, *perochonsjeanmarc@wanadoo.fr, Fax 02 98 29 18 23* – AE GB

*fermé 12 au 26 nov., 23 fév. au 12 mars, mardi soir hors saison, dim. soir, mardi midi et lundi* – **Repas** 20/49 ♀, enf. 10.

♦ Poutres, pierre et une monumentale cheminée en granit composent le cadre rustique de cette maison bretonne du 16e s. Cuisine personnalisée, produits du terroir.

**ST-PONS** *07580 Ardèche* 331 *J6 – 181 h alt. 350.*

*Paris 626 – Valence 66 – Aubenas 25 – Montélimar 20 – Privas 24.*

**Hostellerie Gourmande "Mère Biquette"** , Nord : 4 km par rte secondaire 04 75 36 72 61, *merebiquette@wanadoo.fr, Fax 04 75 36 76 25,* <, , , , – AE GB

*fermé 17 nov. au 12 fév., dim. soir, vend. midi d'oct. à mars, lundi midi et mardi midi du 15 sept. au 4 juin* – **Repas** 16,50/35 ♀ – 8 – **9 ch** 52/74 – 1/2 P 54,50/66.

♦ Les amoureux de nature et de grand calme apprécient cette ferme ardéchoise nichée entre vignes et châtaigniers. Chambres spacieuses et nettes. Terrasse face à la vallée.

*Utilisez le guide de l'année.*

**ST-PONS-DE-THOMIÈRES** *34220 Hérault* 339 *B8 G. Languedoc Roussillon – 2 566 h alt. 301.*

Voir *Grotte de la Devèze* SO : 5 km.*

*Office du Tourisme, place du Foirail 04 67 97 06 65, Fax 04 67 97 39 30, vmarin@free.fr.*

*Paris 754 – Béziers 53 – Carcassonne 64 – Castres 54 – Lodève 73 – Narbonne 53.*

**Les Bergeries de Pondérach** avec ch, rte Narbonne : 1 km 04 67 97 02 57, *bergeries.ponderach@wanadoo.fr, Fax 04 67 97 29 75,* , – AE GB JCB

*10 mars-20 nov.* – **Repas** *(20 bc)* - 26/40 ♀ – 10 – **7 ch** 81/100 – 1/2 P 75/85.

♦ Bergerie du 17e s. - ex-dépendance d'une maison de maître - dont les chambres s'ouvrent sur la campagne. Sympathique restaurant rustique. Terrasse dans la cour intérieure.

**Route du Sel,** 15 Grand'Rue 04 67 97 05 14, *Fax 04 67 97 13 70* – . GB

*fermé 27 mai au 2 juin, 23 au 29 sept., vacances de fév. et le soir sauf vend. et sam.* – **Repas** 11,50 (déj.), 15/23 .

♦ Au coeur de la petite capitale du Parc régional du Haut Languedoc. Salle à manger voûtée, égayée de tableaux. Cuisine du terroir. Petite boutique de produits "maison".

**au Nord** : *10 km sur D 907 – 34220 St-Pons :*

**Auberge du Cabaretou,** 04 67 97 21 73, *Fax 04 67 97 32 74,* < vallée et montagne, , – AE GB JCB

*fermé le midi du 15 juin au 15 sept., dim. soir, mardi soir et merc. du 15 sept. au 15 juin* – **Repas** 29/36.

♦ Veillé par un hêtre tricentenaire, ancien relais de diligences joliment aménagé. Décor montagnard et cuisine au goût du jour. Originales sculptures en bois dans le jardin.

**ST-POURÇAIN-SUR-SIOULE** *03500 Allier* 326 *G5 G. Auvergne – 5 159 h alt. 234.*

Voir *Église Ste-Croix* – Musée de la Vigne et du Vin*.*

*Office du Tourisme, 13 place Maréchal Foch 04 70 45 32 73, Fax 04 70 45 60 27.*

*Paris 326 – Moulins 32 – Montluçon 65 – Riom 62 – Roanne 79 – Vichy 29.*

**Chêne Vert,** bd Ledru-Rollin 04 70 47 77 00, *hotel.chenevert@wanadoo.fr, Fax 04 70 47 77 39,* – – 40. AE GB

*hôtel : fermé 5 au 19 janv. et dim. du 15 sept. au 15 juin* – **Repas** *(fermé 6 janv. au 3 fév., vend. midi et dim. soir du 15 sept. au 15 juin et lundi)* 17/42 ♀, enf. 7,50 – 6,50 – **29 ch** 36/52.

♦ Une petite galerie, dans laquelle sont exposés des produits régionaux, conduit à la pimpante salle à manger colorée. Chambres progressivement rénovées.

## ST-PRIEST-BRAMEFANT *63310 P.-de-D.* 326 *H6 – 637 h alt. 290.*

*Paris 366 – Clermont-Ferrand 48 – Riom 33 – Thiers 26 – Vichy 13.*

**Château de Maulmont**, Sud : 1,5 km sur D 59 ☎ 04 70 59 03 45, *info@chateau-maulmont.com, Fax 04 70 59 11 88*, – 40. AE GB JCB
*fermé 2 janv. au 13 fév.* – **Repas** 18/49 – 12 – **19 ch** 85/170 – ½ P 70/112.
◆ Ce joli château fut remanié au 19e s. par Madame Adélaïde, soeur de Louis-Philippe. Meubles d'époque, boiseries sculptées, jardin à la française, etc. : tout y est !

## ST-PRIEST-EN-JAREZ *42 Loire* 327 *F7 – rattaché à St-Étienne.*

## ST-PRIEST-TAURION *87480 H.-Vienne* 325 *F5 G. Berry Limousin – 2 506 h alt. 255.*

Env. ≤★ *du parc de Montméry N : 9 km par D 44.*

*Paris 387 – Limoges 14 – Bellac 47 – Bourganeuf 33 – La Souterraine 52.*

**Relais du Taurion**, ☎ 05 55 39 70 14, *Fax 05 55 39 67 63*, – P. GB
*fermé 15 déc. au 15 janv., dim. soir et lundi* – **Repas** 17/32 – 7 – **8 ch** 41/48 – ½ P 47/50.
◆ Un agréable jardin entoure cette grande maison bourgeoise au cadre confortable et plaisant. Petite salle de restaurant sous poutres et salon doté de mobilier de style.

*Dans ce guide*
*un même symbole, un même mot,*
*imprimé en **rouge** ou en **noir**, en maigre ou en **gras**,*
*n'ont pas tout à fait la même signification.*
*Lisez attentivement les pages explicatives.*

## ST-QUAY-PORTRIEUX *22410 C.-d'Armor* 309 *F3 G. Bretagne – 3 018 h alt. 25 – Casino.*

*Office du Tourisme, 17 bis rue Jeanne d'Arc ☎ 02 96 70 40 64, Fax 02 96 70 39 99, saintquayportrieux@wanadoo.fr.*

*Paris 470 – St-Brieuc 22 – Étables-sur-Mer 3 – Guingamp 28 – Lannion 53 – Paimpol 26.*

**Ker Moor**, 13 r. Prés. Le Sénécal ☎ 02 96 70 52 22, *ker-moor@wanadoo.fr, Fax 02 96 70 50 49*, ≤ côte et mer, – P – 20. AE GB JCB. rest
*fermé 21 déc. au 7 janv. et dim. du 15 oct. au 31 mars* – **Repas** 21/68 – 11 – **29 ch** 70/101 – ½ P 92/98.
◆ Villa centenaire d'inspiration mauresque. Les chambres avec balcon et le restaurant ouvrent sur le large. Cuisine de la mer et séduisante carte des vins de Loire.

**Gerbot d'Avoine**, bd Littoral ☎ 02 96 70 40 09, *GERBOTDAVOINE@net-up.com, Fax 02 96 70 34 06*, – rest, P. GB
*fermé 12 nov. au 15 déc. et 5 janv. au 15 fév.* – **Repas** *(fermé dim. soir, mardi midi et lundi hors saison)* 15/33, enf. 8 – 6,50 – **20 ch** 48/55 – ½ P 49/55.
◆ Au centre de la station balnéaire, hôtel familial aménagé dans une maison bretonne. Les chambres rénovées donnent pour la plupart sur la Manche. Restaurant panoramique.

## ST-QUENTIN SP *02100 Aisne* 306 *B3 G. Picardie Flandres Artois – 60 644 h Agglo. 103 781 h alt. 74.*

Voir *Basilique★ – Hôtel de ville★ – Collection de portraits de Maurice Quentin de La Tour★★ au musée Antoine-Lécuyer.*

*Office du Tourisme, 27 rue Victor Basch ☎ 03 23 67 05 00, Fax 03 23 67 78 71, saint.quentin.haute.@wanadoo.fr.*

*Paris 165 ⑤ – Amiens 80 ⑥ – Charleroi 162 ③ – Lille 113 ⑥ – Reims 99 ③.*

Plan page suivante

**Grand Hôtel** M sans rest, 6 r. Dachery ☎ 03 23 62 69 77, *Fax 03 23 62 53 52* – P – 45. AE GB JCB BZ n
8 – **24 ch** 69/99.
◆ Cette grande bâtisse construite au pied de la colline propose des chambres spacieuses et fonctionnelles desservies par un ascenseur panoramique.

**Canonniers** sans rest, 15 r. Canonniers ☎ 03 23 62 87 87, *Fax 03 23 62 87 86*, – cuisinette P – 20. AE GB AZ m
*fermé 3 au 17 août et dim. soir* – 10 – **7 ch** 60/75.
◆ Cette demeure bourgeoise de 1754 est située dans une rue bordée d'anciens hôtels particuliers. Grandes chambres personnalisées. Belle série de salons habillés de boiseries.

## ST-QUENTIN

Aumale (R. d') . . . . . . . . . . . . **AZ** 2
Basilique (Pl. de la) . . . . . . **ABY** 3
Branly (Pl. E.) . . . . . . . . . . . . **AY** 4
Campions (Pl. des) . . . . . . . . **AZ** 5
Croix-Belle-Porte (R.) . . . . . . **AY** 6
Dufour-Denelle (Pl.) . . . . . . . **AZ** 7
États-Généraux (R. des) . . . **AY** 8
Foy (R. du Gén.) . . . . . . . . . . **AZ** 10
Gaulle (Av. Gén.-de) . . . . . . . **BZ** 13
Gouvernement (R. du) . . . . **BY** 15
Héros-du-2-Septembre-1945 (Pl. des) . . . . . . . . . . . . . . . **BZ** 16
Herriot (R. Édouard) . . . . . . . **BZ** 17
Hôtel-de-Ville (Pl. de l') . . . . **AZ** 18
Isle (R. d') . . . . . . . . . . . . . . . **BZ**
Leclerc (R. Gén.) . . . . . . . . . **BZ** 21
Le Sérurier (R.) . . . . . . . . . . . **AY** 23
Lyon (R. de) . . . . . . . . . . . . . . **BZ** 24
Marché-Franc (Pl. du) . . . . . **BZ**
Mulhouse (Pl.) . . . . . . . . . . . . **BY** 25
Ovres (R. E.) . . . . . . . . . . . . . . **BY** 26
Paringault (R.) . . . . . . . . . . **ABY** 27
Pompidou (R. G.) . . . . . . . . . . **AY** 28
Prés.-J.-F.-Kennedy (R. du) . **AY** 29
Raspail (R.) . . . . . . . . . . . . . . **AY**
Rémicourt (Av. de) . . . . . . . **BY** 31
St-André (R.) . . . . . . . . . . . . . **AY** 32
Sellerie (R. de la) . . . . . . . . . **BZ** 33
Sous-Préfecture (R. de la) . . . . . . . . . . . . . . . **BZ** 34
Thomas (R. A.) . . . . . . . . . . . . **AY** 36
Toiles (R. des) . . . . . . . . . . . . **BZ** 37
Verdun (Bd) . . . . . . . . . . . . . . **AZ** 38
Zola (R. Émile) . . . . . . . . . . . . **AZ**
8-Octobre (Pl. du) . . . . . . . . **BZ** 41

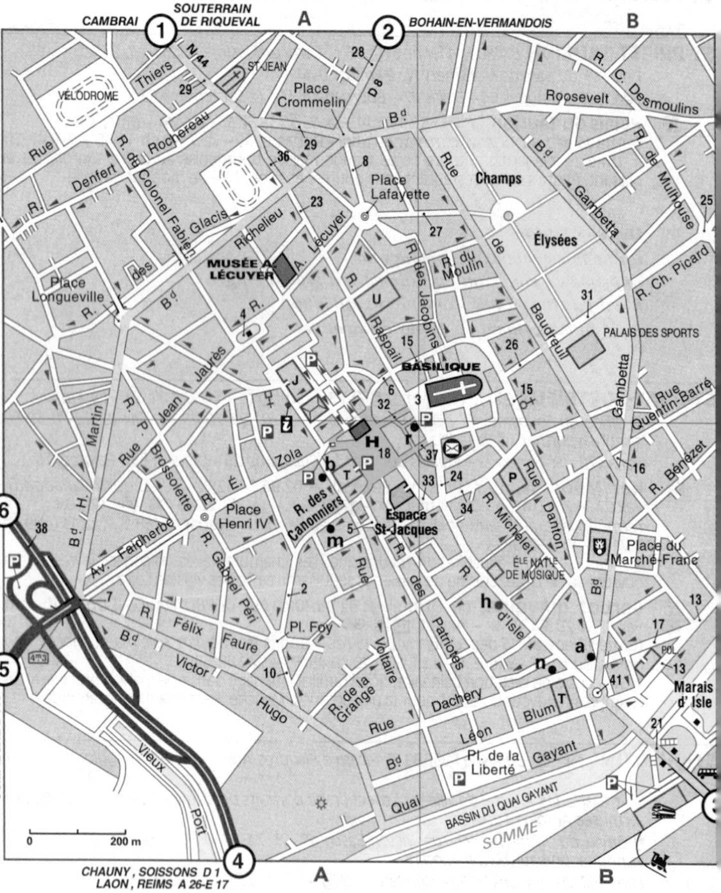

CAMBRAI
SOUTERRAIN DE RIQUEVAL
A
BOHAIN-EN-VERMANDOIS
B
N 44
ST-JEAN
VÉLODROME
Thiers
Place Crommelin
D 8
Roosevelt
R. C. Desmoulins
Rue Denfert Rochereau
R. du Colonel Fabien
Place Lafayette
Champs Élysées
Rue de Baudreuil
Bd Gambetta
R. de Mulhouse
Glacis
Richelieu
A. Lécuyer
MUSÉE A. LÉCUYER
R. du Moulin
R. des Jacobins
R. Ch. Picard
Place Longueville
R. Raspail
PALAIS DES SPORTS
BASILIQUE
Rue Jean Jaurès
Gambetta
Rue Quentin-Barré
R. Bénézet
Martin
Zola
R. des Canonniers
Espace St-Jacques
Rue Danton
R. Michelet
Place du Marché-Franc
Rue P. Brossolette
Place Henri IV
Av. Faidherbe
Bd H.
ÉLE NATLE DE MUSIQUE
R. d'Isle
R. Gabriel Péri
R. Félix Faure
Pl. Foy
Rue Voltaire
R. des Patriotes
Marais d' Isle
Bd Victor Hugo
R. de la Grange
Rue Dachery
Blum
Léon
Pl. de la Liberté
Gayant
Bd Vieux Port
Quai
BASSIN DU QUAI GAYANT
SOMME
0 200 m
FAYET
D 57
Y
Z
A 26-E 17 CAMBRAI
N 29 AMIENS
PARIS
COMPIÈGNE D 930
CHAUNY, SOISSONS D 1
LAON, REIMS A 26-E 17


**Ibis**, 14 pl. Basilique ✆ 03 23 67 40 40, *H1641@accor-hotels.com, Fax 03 23 67 84 90* – |‡|, ⅍, ▤ rest, TV ✆ ♿. AE ⓓ GB ABZ r
**Repas** *(fermé dim. soir et lundi midi)* (12) - 15/26 ♂, enf. 8 – ☕ 6 – **76 ch** 54/59.
◆ Cet hôtel bénéficie d'un emplacement idéal pour visiter la ville. Chambres rénovées. Plaisant restaurant installé dans un ancien piano-bar ; cuisine traditionnelle.

**Paix et Albert 1er**, 3 pl. 8-Octobre ✆ 03 23 62 77 62, *hoteldelapaix@worldonline.fr, Fax 03 23 62 66 03* – |‡|, ▤ rest, TV ✆ P – 🏛 30. AE ⓓ GB BZ a
***Brésilien*** brasserie *(fermé dim.)* **Repas** (12)-15 ⅀ – ***Carnotzet*** *(fermé le midi et dim.)* **Repas** (12) ⅀ – ☕ 6 – **52 ch** 46/50,50.
◆ Chambres simples, parfois refaites, que l'on choisira plutôt au 3e étage. Deux restaurants dépaysants : le Brésilien (brasserie) et le Carnotzet (spécialités des Alpes).

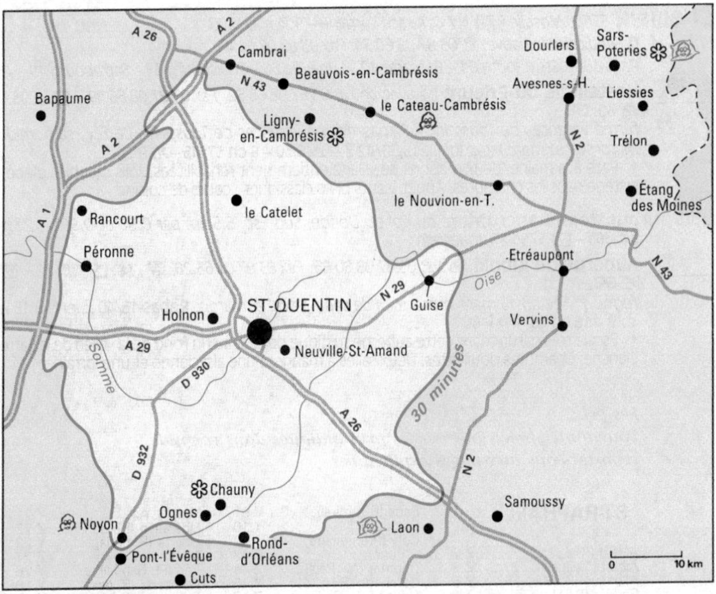
Bapaume
Cambrai
Beauvois-en-Cambrésis
Ligny-en-Cambrésis
le Cateau-Cambrésis
Dourlers
Sars-Poteries
Avesnes-s-H.
Liessies
Trélon
Étang des Moines
le Nouvion-en-T.
le Catelet
Rancourt
Péronne
Etréaupont
Guise
Oise
ST-QUENTIN
Holnon
Vervins
Neuville-St-Amand
Somme
30 minutes
Chauny
Ognes
Noyon
Pont-l'Évêque
Rond-d'Orléans
Cuts
Laon
Samoussy
A 26
A 2
N 43
N 2
A 1
N 29
A 29
D 930
D 932
0
10 km

**Mémorial** sans rest, 8 r. Comédie ☎ 03 23 67 90 09, *memorial.hotel@wanadoo.fr, Fax 03 23 62 34 96* – TV ☎ P. AE ⓓ GB — AZ b
☕ 7,50 – **18 ch** 46/68,20.
◆ Deux bâtiments anciens agencés autour d'une grande cour intérieure. Choisissez une chambre à l'annexe, plus confortable et mieux équipée. Salon au confort bourgeois.

**Vert Gouteille,** 80 r. d'Isle ☎ 03 23 05 13 25, *Fax 03 23 05 13 27*, 🏕 – AE GB — BZ h
*fermé 29 juil. au 25 août, 2 au 9 janv., sam. midi et dim.* – **Repas** carte 32 à 46 🍷.
◆ Tout près du centre-ville, deux salles à manger de style bistrot séparées par les cuisines. Terrasse d'été agrémentée d'un trompe-l'oeil. Plats bourguignons et lyonnais.

**à Neuville-St-Amand** *par ③ et D 12 : 3 km – 916 h. alt. 82 – ✉ 02100 :*

**Château** 🐌, ☎ 03 23 68 41 82, *chateaudeneuville.st.amand@wanadoo.fr, Fax 03 23 68 46 02*, 🏕, 🌳 – TV ☎ P – 🏛 25. AE GB. ✗ ch
*fermé 28 juil. au 19 août, 22 déc. au 06 janv., sam. midi, dim. soir et lundi* – **Repas** 22/56 🍷 – ☕ 8 – **15 ch** 56/66.
◆ Un parc bien entretenu entoure cette maison de maître restaurée. Chambres rénovées ; préférez celles en rez-de-jardin. De larges baies vitrées éclairent le restaurant.

**à Holnon** *par ⑥ et N 29 : 6 km – 1 199 h. alt. 102 – ✉ 02760 :*

**Pot d'Étain,** ☎ 03 23 09 34 35, *info@lepotdetain.fr, Fax 03 23 09 34 39*, 🏕, 🛏 – TV ☎ ♿ P – 🏛 30. AE ⓓ GB
**Repas** 19 bc/39 – ☕ 7,50 – **32 ch** 51/82 – ½ P 47.
◆ À l'entrée du bourg, pavillon aux allures d'hacienda (salles à manger rustiques) complété d'un motel abritant des chambres actuelles et bien insonorisées.

---

**ST-QUENTIN-DES-ISLES** *27 Eure* 304 D7 – *rattaché à Bernay.*

---

**ST-QUENTIN-EN-YVELINES** *78 Yvelines* 311 H3 106 ㉙ 101 ㉑ – *voir à Paris, Environs.*

---

**ST-QUENTIN-LA-POTERIE** *30 Gard* 339 L4 – *rattaché à Uzès.*

---

**ST-QUENTIN-SUR-LE-HOMME** *50 Manche* 303 E8 – *rattaché à Avranches.*

*Les principales voies commerçantes figurent en* **rouge** *dans la liste des rues des plans de villes.*

**ST-QUIRIN** *57560 Moselle* 307 N7 *G. Alsace Lorraine – 904 h alt. 305.*

*Syndicat d'Initiative, ✆ 03 87 08 60 34, Fax 03 87 08 66 44.*

*Paris 396 – Strasbourg 91 – Baccarat 40 – Lunéville 56 – Phalsbourg 35 – Sarrebourg 19.*

**Hostellerie du Prieuré** M avec ch, ✆ 03 87 08 66 52, *Fax 03 87 08 66 49* – TV ♿ P – 30. GB

*fermé vacances de Toussaint* – **Repas** *(fermé vacances de Toussaint, de fév., sam. midi, mardi soir et merc.)* 10,40 (déj.), 19,50/42 ♀ – ☕ 6,50 – **8 ch** 37/45 – ½ P 35.

◆ Face à la mairie, deux maisons de village entièrement réhabilitées. Jolis meubles d'ébénisterie dans les chambres. Appétissants plats classiques ; cours de cuisine.

**vers Turquestein-Blancrupt** *rte du Col du Donon, Sud-Est : 5,5 km par D 96 et D 993 – 22 h. alt. 365 – ✉ 57560 Turquestein :*

**Auberge du Kiboki** , ✆ 03 87 08 60 65, *Fax 03 87 08 65 26*, – TV P. GB. ch

*fermé 1er fév. au 15 mars, merc. midi de sept. à avril et mardi* – **Repas** 16/40 ♀, enf. 9,15 – ☕ 9 – **16 ch** 69 – ½ P 66.

◆ Escale très nature dans cette auberge rustique perdue au fin fond de la vallée de la Sarre Blanche. Chambres douillettes. Deux salles à manger : une alsacienne et une lorraine.

*Les prix*

*Pour toutes précisions sur les prix indiqués dans ce guide, reportez-vous aux pages explicatives.*

## ST-RAPHAËL

| | |
|---|---|
| Aicard (R. J.) | Z 2 |
| Albert-Ier (Quai) | Z 3 |
| Allongue (R. Marius) | Y 5 |
| Barbier (R. J.) | Z 6 |
| Basso (R. Léon) | Y 7 |
| Baux (R. Amiral) | Y 9 |
| Carnot (Pl.) | Y 10 |
| Coty (Promenade René) | Z 13 |
| Doumer (Av. Paul) | Z 14 |
| Gambetta (R.) | Y 15 |
| Gounod (R. Ch.) | Z 17 |
| Guilbaud (Cours Cdt) | Y 18 |
| Karr (R. A.) | Y 21 |
| Libération (Bd de la) | Z 22 |
| Liberté (R. de la) | Y 23 |
| Martin (Bd Félix) | YZ 24 |
| Péri (Pl. Gabriel) | Y 26 |
| Remparts (R. des) | Y 28 |
| Rousseau (R. W.) | Y 30 |
| Vadon (R. H.) | Z 31 |

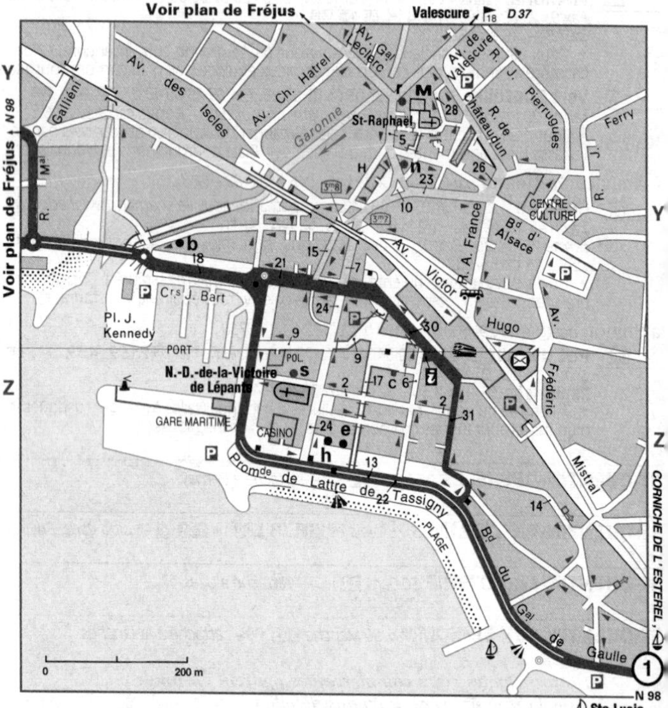

Voir plan de Fréjus
Valescure
D 37
Voir plan de Fréjus
N 98
Av. des Iscles
Av. Ch. Hatrel
Av. Gal Leclerc
Av. de Valescure
R. J. Pierrugues
R. de Châteaudun
Ferry
St-Raphaël
Garonne
CENTRE CULTUREL
Bd d'Alsace
R. A. France
Av. Victor Hugo
Av. Frédéric Mistral
Crs J. Bart
Pl. J. Kennedy
PORT
POL.
N.-D.-de-la-Victoire de Lépante
GARE MARITIME
CASINO
Promde de Lattre de Tassigny
PLAGE
Bd du Gal de Gaulle
CORNICHE DE L'ESTEREL
N 98
Sta-Lucia
200 m

**ST-RAPHAËL** *83700 Var* 340 P5 *G. Côte d'Azur – 26 616 h – Casino* **Z.**

Voir *Collection d'amphores★ dans le musée archéologique* **M.**

*Office du Tourisme, rue Waldeck Rousseau ✆ 04 94 19 52 52, Fax 04 94 83 85 40, saint-raphael.information@wanadoo.fr.*

*Paris 876 ③ – Fréjus 4 ③ – Aix-en-Provence 122 ③ – Cannes 42 ④ – Toulon 94 ③.*

Accès et sorties : voir plan de Fréjus..

Plan page ci-contre

**Continental** M sans rest, 100 prom. René Coty ✆ 04 94 83 87 87, *info@hotel-continental.com, Fax 04 94 19 20 24,* ≤ – 🛗 ⛝ ▤ TV ✆ ♿ 🚗. AE GB — Z e

*fermé 4 nov. au 12 déc.* – ☕ 10 – **44 ch** 94/193.

◆ Face à la plage et au coeur de l'animation, l'hôtel occupe le premier étage d'une vaste résidence blanche. Chambres confortables et claires, à choisir côté "grande bleue".

**Excelsior,** 193 bd F. Martin (prom. R.Coty) ✆ 04 94 95 02 42, *info@excelsior-hotel.com, Fax 04 94 95 33 82,* ≤, 🌳 – 🛗 ▤ TV. AE ⓓ GB — Z h

**Repas** 23 (déj.), 26/47 🍷 – ☕ 9,50 – **36 ch** 70/155 – ½ P 86,50/101,50.

◆ Sur le front de mer, beau bâtiment du début du 20e s. aux chambres bien équipées. Restaurant style brasserie et pub aux murs décorés de plaques de navires de l'US Navy.

**Marina,** port Santa-Lucia par ① ✆ 04 94 95 31 31, *lamarina@lamarina-sr.fr, Fax 04 94 82 21 46,* 🌳, 🏋, 🏊 – 🛗 ▤ TV ✆ ♿ 🚗 – 🎤 15 à 80. AE ⓓ GB

**Repas** 18,30 (déj.), 20/30 🍷, enf. 9 – ☕ 10 – **100 ch** 111/121 – ½ P 85,50/90,50.

◆ Hôtel excentré, aménagé autour d'une piscine, avec vue sur le port de plaisance. Chambres pratiques souvent dotées de balcons. La terrasse du restaurant ouvre sur le quai.

**Provençal** M sans rest, 195 r. Garonne ✆ 04 98 11 80 00, *reception@hotel-provencal.com, Fax 04 98 11 80 13* – 🛗 ▤ TV ✆ ♿ 🚗. AE ⓓ GB. ✂ — Y b

☕ 6,50 – **24 ch** 75.

◆ En retrait du port et de son animation, établissement entièrement rénové abritant des chambres actuelles et fonctionnelles, dotées d'une bonne isolation phonique.

**L'Arbousier,** 6 av. Valescure ✆ 04 94 95 25 00, *Fax 04 94 83 81 04,* 🌳 – ▤. AE ⓓ GB — Y r

*fermé dim. soir hors saison, lundi midi et mardi midi* – **Repas** 26 (déj.), 34/55 et carte 55 à 71.

◆ Salle à manger aux tons ensoleillés, belle terrasse d'été dans une cour ombragée et cuisine d'inspiration régionale font l'attrait de cette maison de la vieille ville.

**Gargoulette,** 29 r. P. Aublé ✆ 04 94 95 48 18, *Fax 04 94 95 48 18* – ▤. AE ⓓ GB — Z s

*fermé juil., dim. soir et lundi* – **Repas** 32/61 🍷.

◆ Dans une petite rue proche du port, maison discrète au cadre sobre et intime, avec cuisines visibles de la salle. Carte azuréenne renouvelée au rythme des saisons.

**Sémillon,** 21 pl. Carnot ✆ 04 94 40 56 77, *Fax 04 94 40 56 77,* 🌳 – ▤. GB — Y n

*fermé 20 déc. au 6 janv., 1er au 4 nov., dim. et lundi* – **Repas** 15 (déj.)/23 🍷.

◆ Minuscule mais sympathique adresse aménagée à la façon d'un bistrot ; on y mange au coude à coude. Plats et suggestions du marché écrits sur ardoise. Terrasse-trottoir.

**à Valescure** *Nord-Est : 5 km – ✉ 83700 :*

**Golf de Valescure** 🏌, au golf ✆ 04 94 52 85 00, *info@valescure.com, Fax 04 94 82 41 88,* 🌳, 🏊, 🎾, 🏌 – 🛗 ▤ TV ✆ ♿ P – 🎤 15 à 25. AE ⓓ GB. ✂ rest

*fermé 11 nov. au 21 déc. et 7 au 31 janv.* – ***Les Pins Parasols*** (dîner seul.) **Repas** 30/34, enf. 10 – ***Club House*** (déj. seul.) *(fermé 11 au 30 nov. et merc. de nov. à janv.)* **Repas** 19/24 🍷 – **40 ch** ☕ 110/164 – ½ P 95/105.

◆ Entourée de pins parasols, construction récente de type mas. Confortables chambres rénovées, dotées de terrasses, avec vue sur la pinède ou sur le golf centenaire. Le Club House occupe le Pavillon de la Norvège de l'Exposition universelle de 1900.

**San Pedro,** ✆ 04 94 19 90 20, *info@hotel-sanpedro.com, Fax 04 94 19 90 21,* 🌳, 🏊, 🌲 – 🛗, ▤ ch, TV ✆ P. AE ⓓ GB JCB

*fermé 10 au 30 nov.* – **Repas** *(fermé merc. midi et sam. midi de nov. à mars)* (19) - 29/50 🍷, enf. 10 – ☕ 12 – **28 ch** 130/160 – ½ P 102.

◆ Bastide provençale en pierres sèches au milieu d'une pinède. Meubles en bois sculpté dans les chambres, salle à manger voûtée et terrasse au bord de la piscine.

**Jardin de Sébastien,** rte du golf ✆ 04 94 44 66 56, *Fax 04 94 44 66 56,* 🌳 – ▤ P. AE GB

*fermé 23 fév. au 08 mars, 16 au 20 juin, 17 au 27 nov.,dim. soir et lundi* – **Repas** 21/39.

◆ Près du golf, maison particulière récente, calme et agréable. Terrasse aménagée dans un joli petit jardin avec fontaine. Cuisine au goût du jour, d'inspiration régionale.

**au Dramont** *par ① : 6 km – ✉ 83530 Agay :*

**Sol e Mar,** rte Corniche d'Or ✆ 04 94 95 25 60, *hotelsolemar@club-internet.fr, Fax 04 94 83 83 61,* ≤ Ile d'Or et cap du Dramont, 🌳, 🏊 – 🛗 TV ♿ P. AE ⓓ GB

**Repas** 28/35 – ☕ 10 – **47 ch** 91/133, 3 appart – ½ P 83,50/104,50.

◆ Cet hôtel "les pieds dans l'eau" a fait peau neuve. Ses chambres regardent les îles d'Or. Originale piscine creusée dans la roche. Restaurant équipé d'un toit ouvrant.

**à Boulouris** *par ① : 4 km – ✉ 83700 :*

**Potinière** ⛰, 169 av. Gare ✆ 04 94 19 81 71, *hotel@la-potiniere.com, Fax 04 94 19 81 72,* 🏞, 🏋, 🏊, 🎾 – 📺 🅿. AE ⓓ GB
**Repas** *(fermé le midi d'oct. à mai sauf dim.)* 24/38 🍷, enf. 9 – ☕ 11 – **30 ch** 114/154 – ½ P 72/107.
◆ Au cœur d'une pinède, établissement disposant de chambres fonctionnelles, toutes pourvues d'un balcon ou d'une terrasse. Snack d'été au bord de la piscine ; boulodrome, VTT.

## ST-RÉMY *71 S.-et L.* 320 J9 – *rattaché à Chalon-sur-Saône.*

ST-RÉMY 71 S.-et L. 320 J9 – rattaché à Chalon-sur-Saône.

## ST-RÉMY-DE-PROVENCE *13210 B.-du-R.* 340 D3 *G. Provence – 9 340 h alt. 59.*

**Voir** *Le plateau des Antiques*★★ *: Mausolée*★★*, Arc municipal*★*, Glanum*★ *1km par* ③ – *Cloître*★ *de l'ancien monastère de St-Paul-de-Mausole par* ③ – *Hôtel de Sade : dépôt lapidaire*★ **L** – *Donation Mario Prassinos*★ **S.**
**Env.** ✲★★ *de la Caume 7 km par* ③.
ℹ *Office du Tourisme, place Jean Jaurès ✆ 04 90 92 05 22, Fax 04 90 92 38 52.*
*Paris 707* ① – *Avignon 20* ① – *Arles 25* ④ – *Marseille 90* ② – *Nîmes 46* ④.

### ST-RÉMY-DE-PROVENCE



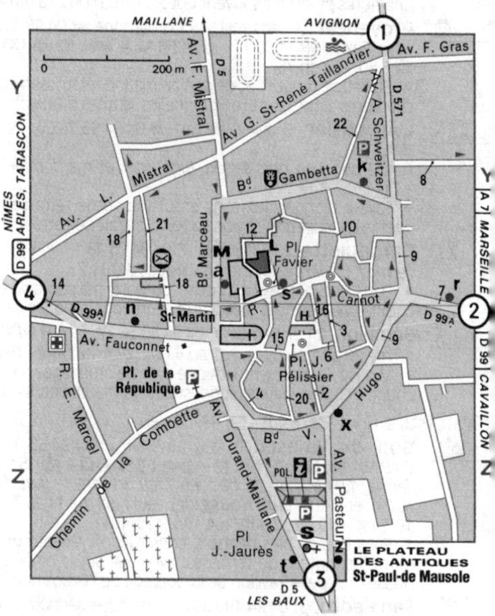

MAILLANE
AVIGNON
200 m
Av. F. Gras
Av. G. St-René Taillandier
Av. F. Mistral
Av. A. Schweitzer
D 571
D 5
NÎMES ARLES, TARASCON
D 99
A 7 MARSEILLE
D 99 CAVAILLON
Av. L. Mistral
Bd Gambetta
Bd Marceau
Pl. Favier
St-Martin
Carnot
D 99A
Av. Fauconnet
Pl. de la République
Pl. J. Pélissier
Hugo
R. E. Marcel
Av. de la Combette
Chemin de la Combette
Av. Durand-Maillane
Bd V.
Av. Pasteur
Pl. J.-Jaurès
POL
LE PLATEAU DES ANTIQUES
St-Paul-de Mausole
D 5
LES BAUX
Y
Z


**Hostellerie du Vallon de Valrugues** Ⓜ ⛰, chemin Canto Cigalo par ② : 1 km ✆ 04 90 92 04 40, *vallon.valrugues@wanadoo.fr, Fax 04 90 92 44 01,* ≤, 🏞, 🏋, 🏊, 🌳, 🎾 – |‡| ▤ 📺 🅿 – 🏛 30. AE ⓓ GB JCB
*fermé 27 janv. au 22 fév.* – **Repas** 50/88, enf. 19 – ☕ 20 – **38 ch** 230/280, 15 appart – ½ P 152/222.
◆ Grande villa azuréenne entourée d'un beau jardin arboré. Chambres provençales colorées, chatoyante salle à manger baroque, terrasse fleurie et équipements de loisirs complets.

**Château des Alpilles** ⛰, Ouest : 2 km par D 31 ✆ 04 90 92 03 33, *chateau.alpilles@wanadoo.fr, Fax 04 90 92 45 17,* 🏞, 🏊, 🎾, 🌳 – |‡|, ▤ ch, 📺 ♿ 🅿 – 🏛 20. AE ⓓ GB JCB ✗ rest
*fermé 1er nov. au 27 déc. et 8 janv. au 15 fév.* – **Repas** *(fermé le midi du 15 sept. au 15 juin et merc.)* (résidents seul.) 35/45 déj. piscine carte environ 25 ♀ – ☕ 16 – **16 ch** 175/220, 4 appart.
◆ Stucs, moulures, miroirs d'époque, meubles anciens et design composent le décor très soigné de cette imposante demeure du 19e s. sise dans un parc aux arbres centenaires.

**Les Ateliers de l'Image** Ⓜ, 36 bd Victor Hugo ☎ 04 90 92 51 50, *info@hotelphoto.com, Fax 04 90 92 43 52*, – ch, ch, TV P. AE GB JCB. Z x
**Repas** (18) - carte 40 à 65 – **32 ch** 140/380.
◆ La photographie est reine dans cet "hôtel-atelier" occupant un ancien music-hall : expositions dans les chambres, galerie, labo photo, boutique... Bel intérieur contemporain.

**Mas des Carassins** sans rest, 1 chemin Gaulois par ③ : *1 km* ☎ 04 90 92 15 48, *carassin@fr.inter.net, Fax 04 90 92 63 47*, – TV P. GB
*fermé 23 nov. au 20 déc. et 4 janv. au 13 mars* – 12 – **14 ch** 105/115.
◆ Au milieu des champs de lavande et d'oliviers, petit mas du 19e s. aménagé avec goût. Jolies chambres provençales, jardin fleuri, agréable piscine, accueil aux petits soins.

**Castelet des Alpilles** sans rest, 6 pl. Mireille ☎ 04 90 92 07 21, *hotel.castel.alpilles@wanadoo.fr, Fax 04 90 92 52 03*, – TV P. AE GB JCB Z t
*1er avril-3 nov.* – 8,30 – **19 ch** 63/85.
◆ Maison bourgeoise du début du 20e s. et son aile récente. Les chambres du 2e étage regardent les Alpilles. Petit-déjeuner servi l'été dans le joli jardin arboré.

**Canto Cigalo** sans rest, chemin Canto Cigalo par ② : *1 km* ☎ 04 90 92 14 28, *hotel.cantocigalo@wanadoo.fr, Fax 04 90 92 24 48*, – P. AE GB
*10 mars-12 nov.* – 6,80 – **20 ch** 51/62.
◆ Les chambres, simples mais spacieuses, ont vue sur le jardin ou le village. En été, petits-déjeuners servis à l'ombre des mûriers. Tenue exemplaire et ambiance chaleureuse.

**L'Amandière** sans rest, av. Plaisance du Touch par ① *puis rte Noves : 1 km* ☎ 04 90 92 41 00, *Fax 04 90 92 48 38*, – TV P. GB.
*mi-mars-fin oct.* – 6,60 – **26 ch** 50/60.
◆ Au calme, bâtisse régionale et son agréable jardin. Chambres rustiques avec balcon ou terrasse. À deux pas : parcours santé et balade le long du canal des Alpilles.

**Van Gogh** sans rest, 1 av. J. Moulin par ② ☎ 04 90 92 14 02, *vangoghhot@aol.com, Fax 04 90 92 09 05*, – TV P. GB.
*1er mars-15 nov.* – 6,50 – **21 ch** 55/65.
◆ Les chambres de cette villa bâtie tout en longueur sont décorées dans la note provençale et donnent toutes sur le petit jardin-terrasse. Celles du 1er étage sont mansardées.

**Villa Glanum** sans rest, rte des Baux par ③ ☎ 04 90 92 03 59, *villa.glanum@wanadoo.fr, Fax 04 90 92 00 08*, – TV P. GB.
*23 mars-30 oct.* – 7 – **28 ch** 60/75.
◆ L'un des atouts de cet hôtel voisin du site des Antiques est son luxuriant jardin méridional. Cadre régional dans les chambres, spacieuses et bien tenues. Accueil attentionné.

**Soleil** sans rest, 35 av. Pasteur ☎ 04 90 92 00 63, *contact@hotelsoleil.com, Fax 04 90 92 61 07*, – TV P. AE GB. Z z
*fin mars-début nov.* – 7 – **21 ch** 52/66.
◆ Ancienne fabrique de chardons (pointes de fer) ordonnée autour d'une vaste cour fermée (terrasse, jardin, piscine). Chambres paisibles, meublées en rotin. Espace Internet.

**Cheval Blanc** sans rest, 6 av. Fauconnet ☎ 04 90 92 09 28, *Fax 04 90 92 69 05* – TV P. GB Z n
*début mars-début nov.* – 7 – **22 ch** 46/57.
◆ Chambres rustiques régulièrement rafraîchies, véranda pour le petit-déjeuner et prix doux font l'attrait de cette maison familiale à la fois calme et proche du vieux St-Rémy.

**Accent du Sud,** rte Maillane : 1 km par av. F. Mistral ☎ 04 90 92 13 43, *Fax 04 90 92 64 01*, – TV P. GB
**Repas** (dîner seul.) 18,50, enf. 10 – 6,10 – **13 ch** 45/63 – ½ P 43.
◆ Des chambres simples et bien tenues (à choisir côté jardin) vous attendent dans cette petite pension prisée des habitués pour son atmosphère familiale. Terrasse d'été ombragée.

**Maison Jaune,** 15 r. Carnot ☎ 04 90 92 56 14, *lamaisonjaune@wanadoo.fr, Fax 04 90 92 56 32*, – GB Y s
*fermé 8 janv. au 8 mars, dim. soir en hiver, mardi midi de juin à sept. et lundi* – **Repas** (nombre de couverts limités, prévenir) 29/53.
◆ Le joyau de cette belle demeure du 16e s. ? La grande terrasse ombragée de l'étage, meublée en teck et dominant la vieille ville. Cuisine provençale au goût du jour.

**Alain Assaud,** 13 bd Marceau ☎ 04 90 92 37 11 – AE GB Y a
*15 mars-15 nov. et fermé jeudi midi, sam. midi et merc.* – **Repas** 23/36.
◆ Plaisante salle de restaurant rustique - avec pierres et poutres apparentes - où l'on sert une cuisine traditionnelle à l'accent du Sud. Il n'est pas rare qu'on s'y bouscule !

**Source,** 13 av. Libération ☎ 04 90 92 44 71, *Fax 04 90 92 44 71*, – AE GB Y r
*avril-nov. et fermé merc.* – **Repas** 15 (déj.), 27/37.
◆ L'atout maître de ce restaurant, élégant et feutré, est sans conteste sa délicieuse terrasse donnant sur un jardin sorti des ruines d'un couvent (bel éclairage le soir).

**Jardin de Frédéric,** 8 bd Gambetta ✆ 04 90 92 27 76, *Fax 04 90 92 27 76* – ▤. AE GB — Y k
*fermé vacances de fév., jeudi midi et dim. sauf fériés* – **Repas** 16,50 (déj.), 25/29, enf. 10,50.
◆ Sur le boulevard de ceinture, sympathique petite salle aux murs ornés de tableaux peints par la patronne-artiste. Cuisine dans la note provençale ; suggestions à l'ardoise.

**au Domaine de Bournissac** *par ②, D 30 et D 29 : 11 km – ✉ 13550 Paluds-de-Noves :*

**La Maison**, ✆ 04 90 90 25 25, *annie@lamaison-a-bournissac.com, Fax 04 90 90 25 26,* ←, – ▤ TV ♿ P. AE GB
*fermé 5 janv. au 29 fév.* – **Repas** *(fermé mardi midi d'oct. à mai et lundi)* 30 (déj.), 44/75 ♀ – ☕ 14 – **10 ch** 138/250, 3 appart – ½ P 119/175.
◆ Les papes trouvaient jadis en ce paisible mas juché sur une colline un lieu de repos idéal. Décoration intérieure raffinée. Joli patio veillé par un figuier ; jardin potager.

**à Verquières** *par ②, D 30 et D 29 : 11 km – 654 h. alt. 48 – ✉ 13670 :*

**Croque Chou** (Ravoux), pl. Église ✆ 04 90 95 18 55, *Fax 04 32 61 15 05* –
*fermé 23 déc. au 1er mars, dim. soir d'oct. à avril, lundi et mardi* – **Repas** (prévenir) 31/36 ♀, enf. 20.
◆ Sur la place du village, bergerie (18e s.) tapissée de lierre, où le charme d'un décor de pierres et de bois rivalise avec les plaisirs de la table. Réservé aux non-fumeurs.
**Spéc.** Galantine de gigot d'agneau. Dorade rôtie au vin rouge. Filet mignon de lapin à l'infusion de sauge. **Vins** Coteaux des Baux, Cairanne.

**par** *④ et rte des Baux D 27 : 4,5 km – ✉ 13210 St-Rémy-de-Provence :*

**Domaine de Valmouriane**, ✆ 04 90 92 44 62, *info@valmouriane.com, Fax 04 90 92 37 32,* ←, – ▤ P. AE GB.
**Repas** *(fermé 18 nov. au 2 déc. et 19 janv. au 2 fév.)* 26,70 (déj.), 36,60/64,10 ♀ – ☕ 15 – **11 ch** 180/335 – ½ P 135/225,80.
◆ Entre pins, vignes et oliviers, bergerie du 18e s. dont les chambres, spacieuses et personnalisées, ont vue sur les Alpilles. Bar à l'anglaise avec piano et cheminée.

**à Maillane** *Nord-Ouest : 7 km par D 5 – 1 664 h. alt. 14 – ✉ 13910 :*

**L'Oustalet Maïanen,** ✆ 04 90 95 74 60, *Fax 04 90 95 76 17,* – ▤. AE GB
*fermé déc., janv. et 24 au 29 juin* – **Repas** *(fermé mardi soir et merc. soir d'oct. à mars, dim. soir sauf juil.-août, mardi midi, merc. midi et lundi)* 20 (déj.), 31/42 ♀.
◆ Une adresse sympathique que ce restaurant situé face à la maison du poète Mistral. Chaleureux et sobre décor rustique, terrasse sous la treille et goûteuse cuisine régionale.

---

## ST-RÉMY-SUR-DUROLLE *63550 P.-de-D.* 326 I7 *G. Auvergne – 2 033 h alt. 620.*

*Paris 398 – Clermont-Ferrand 54 – Chabreloche 13 – Thiers 7.*

**Vieux Logis** avec ch, Nord : 3,5 km sur D 201 ✆ 04 73 94 30 78, *Fax 04 73 94 04 70,* ←, – P. GB
*fermé 1er au 15 oct, janv., fév., dim. soir et lundi* – **Repas** 13/26 ♀ – ☕ 5 – **4 ch** 26.
◆ Sur une petite route de montagne, ancienne ferme et atelier de coutellerie transformés en trois agréables salles à manger. La terrasse fleurie offre une jolie vue.

---

## ST-RIQUIER *80 Somme* 301 E7 – *rattaché à Abbeville.*

---

## ST-ROMAIN-SUR-CHER *41140 L.-et-Ch.* 318 F8 – *1 236 h alt. 130.*

*Paris 215 – Tours 62 – Blois 34 – Montrichard 21 – Romorantin-Lanthenay 38.*

**St-Romain** avec ch, ✆ 02 54 71 71 10, *Fax 02 54 71 72 89* – TV P. GB
*fermé 22 sept. au 14 oct., 2 au 14 janv., dim. soir et lundi sauf fériés* – **Repas** 14,70/36,50 ♀, enf. 8 – ☕ 5,40 – **5 ch** 28,20/42 – ½ P 35,10.
◆ Poutres, cheminée, cuivres accrochés aux murs et meubles rustiques donnent un petit air campagnard à ce restaurant situé au coeur du bourg. Quelques chambres toutes simples.

---

## ST-SALVADOUR *19 Corrèze* 329 L3 – *rattaché à Seilhac.*

---

## ST-SAMSON-DE-LA-ROQUE *27680 Eure* 304 C5 – *271 h alt. 80.*

*Voir Phare de la Roque* ✳★ *N : 2 km,* **G. Normandie Vallée de la Seine.**
*Paris 176 – Le Havre 39 – Beuzeville 13 – Bolbec 24 – Évreux 98 – Honfleur 23.*

**Relais du Phare,** ✆ 02 32 57 61 59, *Fax 02 32 57 61 68,* – GB
*fermé vacances de fév., dim. soir, lundi et mardi* – **Repas** 35/40 et carte 40 à 55.
◆ Proche du marais Vernier et de la pointe de la Roque, confortable auberge normande au cadre champêtre soigné. Salon intime. Spécialités de poissons.

**ST-SATUR** *18300 Cher* 323 *N2 – 1 805 h alt. 155.*

*Office du Tourisme, place de la République ☎ 02 48 54 01 30, Fax 02 48 54 01 30.*

*Paris 195 – Bourges 50 – La Charité-sur-Loire 27 – Cosne-sur-Loire 12 – Donzy 23.*

à St-Thibault – ✉ 18300 :

**de la Loire** sans rest, 2 quai Loire ☎ 02 48 78 22 22, *hotel_de_la_loire@hotmail.com, Fax 02 48 78 22 29,* ← – TV P. GB

9 – **10 ch** 60/90.

◆ Agréables chambres à thème : "provençale", "africaine"... et "Georges Simenon", puisque l'auteur des Maigrets écrivit deux romans dans cet hôtel des bords de Loire.

**ST-SATURNIN-DE-LUCIAN** *34 Hérault* 339 *F6 – rattaché à Clermont-l'Hérault.*

**ST-SAUD-LACOUSSIÈRE** *24470 Dordogne* 329 *F2 – 951 h alt. 370.*

*Paris 443 – Limoges 55 – Brive-la-Gaillarde 105 – Châlus 23 – Nontron 16 – Périgueux 62.*

**Hostellerie St-Jacques** ☎ 05 53 56 97 21, *hostellerie.st.jacques@wanadoo.fr, Fax 05 53 56 91 33,* – TV P. AE GB

*mars-mi-nov.* – **Repas** *(fermé dim. soir et lundi hors saison, lundi midi et merc. midi en été et mardi midi)* 19/55 – 8 – **15 ch** 47/86 – ½ P 54/76.

◆ Chambres douillettes, restaurant aux tons ensoleillés, terrasse ombragée et beau jardin fleuri : cette ancienne halte des pèlerins de Compostelle ne manque pas d'atouts.

**ST-SAUVES-D'AUVERGNE** *63 P.-de-D.* 326 *D9 – rattaché à La Bourboule.*

**ST-SAUVEUR-DE-LANDEMONT** *49270 M.-et-L.* 317 *B5 – 587 h alt. 65.*

*Paris 364 – Nantes 31 – Ancenis 15 – Cholet 50 – Clisson 26.*

**Château de la Colaissière** ☎ 02 40 98 75 04, *info@colaissiere.com, Fax 02 40 98 74 15,* – TV P – 50. AE GB JCB

*fermé 5 au 25 janv.* – **Repas** *(fermé dim. et lundi du 1er oct. au 14 mai)* 28 (déj.), 38/59, enf. 20 – 14 – **16 ch** 220/320 – ½ P 128/208.

◆ Au milieu d'un parc, ce noble château Renaissance entouré de douves allie charme d'antan et confort actuel. Chambres de style et superbe série de salons avec cheminées.

**ST-SAUVEUR-DE-MONTAGUT** *07190 Ardèche* 331 *J5 – 1 396 h alt. 218.*

*Syndicat d'Initiative, Quartier de la tour ☎ 04 75 65 40 64.*

*Paris 602 – Valence 38 – Le Cheylard 24 – Lamastre 29 – Privas 24.*

**Montagut** avec ch, pl. Église ☎ 04 75 65 40 31, *Fax 04 75 65 41 86,* – TV. AE GB

*fermé 3 au 25 sept., 1er au 15 janv., lundi et mardi sauf juil.-août* – **Repas** 14 bc/40, enf. 8 – 5,30 – **4 ch** 33/49 – ½ P 35.

◆ Auberge familiale dans un petit village ardéchois. Cuisine régionale servie dans la salle à manger ou repas plus simples au bar. Vaste terrasse ombragée. Quelques chambres.

**ST-SAVIN** *65 H.-Pyr.* 342 *L7 – rattaché à Argelès-Gazost.*

**ST-SAVIN** *86310 Vienne* 322 *L5 G. Poitou Vendée Charentes – 1 089 h alt. 76.*

Voir *Peintures murales*★★★ *de l'Abbaye*★★.

*Office de tourisme, 20 place de la Libération ☎ 05 49 48 11 00, Fax 05 49 48 11 00, otsi.st-savin@worldonline.fr.*

*Paris 345 – Poitiers 44 – Belac 62 – Châtellerault 48 – Montmorillon 19.*

**France,** pl. République ☎ 05 49 48 19 03, *hotel-saint-savin@wanadoo.fr, Fax 05 49 48 97 07* – TV P. AE GB. rest

*fermé 16 au 23 nov.* – **Repas** *(fermé dim. soir et lundi midi de sept. à juin)* 11 (déj.), 15/25, enf. 8 – 8 – **15 ch** 32/46 – ½ P 43.

◆ L'hôtel, entièrement rénové, occupe une maison ancienne de pays située sur la place du village. Chambres souvent spacieuses, au décor un peu nu.

**Christophe Cadieu,** 46 pl. Libération ☎ 05 49 48 17 69, *Fax 05 49 48 17 69* – GB.

*fermé lundi et jeudi sauf le midi en saison* – **Repas** (nombre de couverts limité, prévenir) *(13)* - 18/23.

◆ Au centre du bourg, à l'ombre de la célèbre abbaye, sympathique restaurant rustique avec pierres et poutres apparentes et cheminée à feu de bois. Cuisine au goût du jour.

**ST-SÉBASTIEN-SUR-LOIRE** *44 Loire-Atl.* 316 *G4 – rattaché à Nantes.*

**ST SEINE L'ABBAYE** *21440 Côte-d'Or* 320 *I5 G. Bourgogne – 326 h alt. 451.*

*Office du Tourisme, Parvis de l'Abbatiale ✆ 03 80 35 07 63, Fax 03 80 35 07 63, InfoTourismeOT.stseine.Abbaye@wanadoo.fr.*

*Paris 290 – Dijon 28 – Autun 77 – Châtillon-sur-Seine 57 – Montbard 48.*

**Poste,** ✆ 03 80 35 00 35, *Fax 03 80 35 07 64,* – P. GB

*fermé 23 déc. au 8 janv., fév., merc. soir du 15 nov. à Pâques, merc. midi du 1er au 15 nov. et mardi* – **Repas** 13,50/46, enf. 8 – 7 – **15 ch** 35/54 – ½ P 54/57.

◆ Louis XIV aurait séjourné dans cet ancien relais de poste apprécié pour le calme de son jardin ombragé. Cuivres, boiseries et grilles en fer forgé décorent le restaurant.

---

**ST-SERNIN-SUR-RANCE** *12380 Aveyron* 338 *H7 G. Languedoc Roussillon – 563 h alt. 300.*

*Syndicat d'Initiative, route d'Albi ✆ 05 65 97 60 19, Fax 05 65 97 60 77.*

*Paris 697 – Albi 51 – Castres 69 – Lacaune 29 – Rodez 83 – St-Affrique 32.*

**Carayon** , ✆ 05 65 98 19 19, *carayon.hotel@wanadoo.fr, Fax 05 65 99 69 26,* – 30. AE GB

*fermé dim. soir, mardi midi et lundi sauf fériés* – **Repas** (9) - 14/88, enf. 9 – 7,50 – **60 ch** 40/88 – ½ P 50/67.

◆ Face à la vallée, hôtel intéressant pour ses activités de loisirs. Les chambres des maisonnettes disséminées dans le parc sont très sympathiques. Plats du terroir.

---

**ST-SERVAN-SUR-MER** *35 I.-et-V.* 309 *K3 – rattaché à St-Malo.*

---

**ST-SEVER** *40500 Landes* 335 *H12 G. Aquitaine – 4 536 h alt. 102.*

Voir *Chapiteaux★ de l'église.*

*Office du Tourisme, place du Tour du Sol ✆ 05 58 76 34 64, Fax 05 58 76 43 55.*

*Paris 729 – Mont-de-Marsan 18 – Aire-sur-l'Adour 32 – Dax 51 – Orthez 39 – Pau 70.*

**Relais du Pavillon** avec ch, au Nord : 2 km carrefour D 933 et D 924 ✆ 05 58 76 20 22, *Fax 05 58 76 25 81,* – P. AE GB

*fermé 2 au 14 janv., dim. soir et lundi* – **Repas** 13,80/45 et carte 36,50 à 50 – 6,50 – **12 ch** 37/46.

◆ Près d'un carrefour fréquenté, cette construction cubique (1960) dispose d'une élégante salle à manger vitrée tournée, à l'instar des chambres, vers la piscine et le jardin.

**à Bas-Mauco** *Nord : 5 km par rte de Mont-de-Marsan – 242 h. alt. 37 – ✉ 40500 :*

**Alios,** ✆ 05 58 76 44 00, *Fax 05 58 76 35 38,* – – 25. GB. ch

**Repas** *(fermé vend. soir et dim.)* 13,50/20,50 – 5 – **10 ch** 36/48 – ½ P 40,50.

◆ Au calme dans un village de création récente, hôtel pratique pour l'étape. Chambres actuelles au mobilier avant tout pratique. Salle à manger contemporaine.

---

**ST-SIMON** *31 H.-Gar.* 343 *G3 – rattaché à Toulouse.*

---

**ST-SORLIN-D'ARVES** *73530 Savoie* 333 *K6 G. Alpes du Nord – 291 h alt. 1550.*

Voir *Site★ de l'église de St-Jean-d'Arves SE : 2,5 km.*

Env. *Col de la Croix de Fer ★★ O : 7,5 km puis 15 mn – Col du Glandon ★ puis Combe d'Olle★★ O : 10 km.*

*Office du Tourisme, Champrond ✆ 04 79 59 71 77, Fax 04 79 59 75 50, otstort@club-internet.fr.*

*Paris 657 – Albertville 83 – Le Bourg-d'Oisans 50 – Chambéry 96 – St-Jean-de-Maurienne 22.*

**Beausoleil** , ✆ 04 79 59 71 42, *beausol@club-internet.fr, Fax 04 79 59 75 25,* – P. AE GB. rest

*1er juil.-30 août et 15 déc.-20 avril* – **Repas** (12,50) - 15/20,50, enf. 7 – 8 – **23 ch** 44/56 – ½ P 64.

◆ Isolé mais non loin du bourg, chalet aux chambres fraîches et fonctionnelles. Cuisine du terroir à déguster dans une salle moderne ou sur la terrasse panoramique.

---

**ST-SULPICE** *81370 Tarn* 338 *C8 – 4 354 h alt. 112.*

*Office du Tourisme, Parc Georges Spenale ✆ 05 63 41 89 50, Fax 05 63 40 23 30.*

*Paris 679 – Toulouse 31 – Albi 46 – Castres 54 – Montauban 44.*

**Auberge de la Pointe,** D 988 ✆ 05 63 41 80 14, *jrchelot@wanadoo.fr, Fax 05 63 41 90 24,* – P. AE GB

*fermé 12 au 29 nov., mardi soir et merc. de sept. à mai* – **Repas** 17/31 bc, enf. 7,50.

◆ Ancien relais de poste à la façade rosée et au bel intérieur rustique agrémenté de sculptures et de tableaux. La terrasse dominant le Tarn vaut qu'on s'y attarde !

## ST-SULPICE-SUR-LÈZE 31410 *H.-Gar.* 343 *F5 – 1 423 h alt. 200.*

*Paris 721 – Toulouse 36 – Auterive 14 – Foix 53 – St-Gaudens 65.*

XX **Commanderie,** ✆ 05 61 97 33 61, *Fax 05 61 97 33 61,* – GB
*fermé 6 au 29 oct., lundi et mardi* – **Repas** 15 (déj.), 24/30 ₸, enf. 8.
◆ Sur la place centrale, ce restaurant occupe en partie une ancienne commanderie du 13e s. Salle plaisante avec cheminée en pierre. Accès par une cour intérieure fleurie.

## ST-SYLVESTRE-SUR-LOT 47140 *L.-et-G.* 336 *G3 – 2 040 h alt. 65.*

*Paris 616 – Agen 36 – Cahors 62 – Villeneuve-sur-Lot 8.*

**Château Lalande** M, ✆ 05 53 36 15 15, *chateau.lalande@wanadoo.fr, Fax 05 53 36 15 16,* – 15 à 30. AE GB
**Repas** 37/61 – 15 – **23 ch** 155/295 – ½ P 111,50/181,50.
◆ Dressé dans un vaste parc, ce château des 13e et 18e s., très bien restauré, propose à sa clientèle un cocktail attrayant : raffinement, intimité et tranquillité.

## ST-SYMPHORIEN-D'OZON 69360 *Rhône* 327 *I6 – 5 167 h alt. 176.*

*Paris 477 – Lyon 17 – Rive-de-Gier 27 – La Tour-du-Pin 50 – Vienne 14.*

X **Louvre,** quai H. Berlioz ✆ 04 78 02 80 80, *jos.tivan@wanadoo.fr, Fax 04 78 02 92 78* – GB
*fermé le soir du dim. au merc.* – **Repas** 16/40 ₸.
◆ L'une des salles à manger de cet ancien relais de diligences est agrémentée d'une amusante collection de vieilles photos de classe. On y sert une cuisine traditionnelle.

*Les principales voies commerçantes figurent en* ***rouge***
*dans la liste des rues des plans de villes.*

## ST-THÉGONNEC 29410 *Finistère* 308 *H3 G. Bretagne – 2 139 h alt. 83.*

**Voir** *Enclos paroissial★★ – Guimiliau : Enclos paroissial★★ , SO : 7,5 km.*

*Paris 550 – Brest 48 – Châteaulin 60 – Morlaix 13 – Quimper 70 – St-Pol-de-Léon 23.*

**Auberge St-Thégonnec** M, ✆ 02 98 79 61 18, *auberge@wanadoo.fr, Fax 02 98 62 71 10,* – AE GB, rest
*fermé 20 déc. au 20 janv.* – **Repas** *(fermé lundi midi, sam. midi et dim.)* 23/43, enf. 11 – 10 – **19 ch** 75/80 – ½ P 75/80.
◆ Maison bretonne postée face à l'église. Les chambres ouvrent pour la plupart sur le jardin. La salle à manger marie meubles régionaux et de style ; cuisine à l'accent bigouden.

## ST-THIBAULT 18 *Cher* 323 *N2 – rattaché à St-Satur.*

## ST-TROJAN-LES-BAINS 17 *Char.-mar.* 324 *C4 – voir à Île d'Oléron.*

## ST-TROPEZ 83990 *Var* 340 *O6 G. Côte d'Azur – 5 754 h alt. 4.*

**Voir** *Port★★ – Musée de l'Annonciade★★ – Môle Jean Réveille ≤★ – Citadelle★ : ≤★ des remparts, ✻★★ du musée naval – Chapelle Ste-Anne ≤★ S : 1 km par av. P. Roussel.*

*Office du Tourisme, quai Jean Jaurès ✆ 04 94 97 45 21, Fax 04 94 97 82 66, tourisme@nova.fr.*

*Paris 874 – Fréjus 34 – Aix-en-Provence 120 – Cannes 73 – Draguignan 47 – Toulon 70.*

Plan page suivante

**Byblos** M, av. P. Signac ✆ 04 94 56 68 00, *saint-tropez@byblos.com, Fax 04 94 56 68 01,* – 80. AE GB JCB Z d
*17 avril-12 oct.* – ***Spoon Byblos*** ✆ 04 94 56 68 20 (dîner seul.) **Repas** carte 55 à 70, ₸ – 30 – **74 ch** 350/700, 11 appart.
◆ Un hameau de maisons colorées coupé de jardins odorants et de patios : cette luxueuse crèche provençale est le rendez-vous tropézien incontournable et mythique de la jet-set. Spoon en arrivant sous le soleil de St-Trop' ne pouvait que choisir le Byblos !

**Résidence de la Pinède** M, à la plage de la Bouillabaisse par ① : *1 km* ✆ 04 94 55 91 00, *residence.pinede@wanadoo.fr, Fax 04 94 97 73 64,* ≤ golfe de St-Tropez, – AE GB
*17 avril-6 oct.* – **Repas** (dîner seul. du 15 juin au 19 sept.) 50 (déj.), 91/125 et carte 100 à 150 – 23 – **35 ch** 650/890, 4 appart.
◆ Cette élégante demeure en bordure de mer allie luxe et bien-être. Chambres cossues et personnalisées. Agréable terrasse dressée sous les pins et plage privée avec ponton.
**Spéc.** Terrine de tomates (juin à sept). Rouget grillé aux gnocchis moelleux à la marjolaine. Soufflé au Grand Marnier. **Vins** Côtes de Provence.

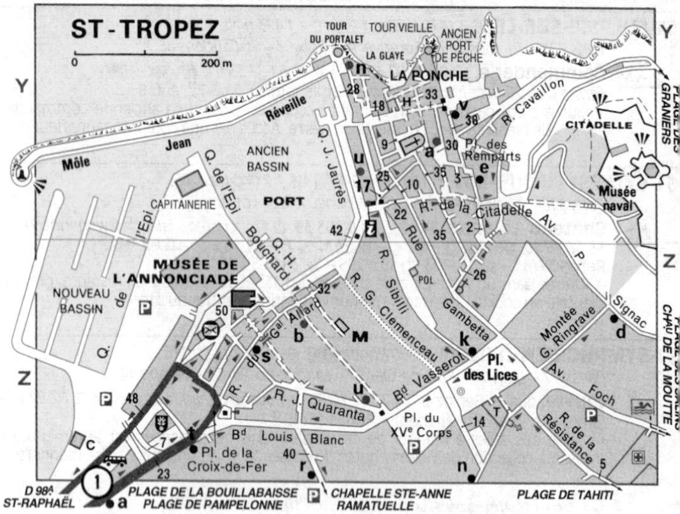
ST-TROPEZ
0
200 m
TOUR DU PORTALET
TOUR VIEILLE
ANCIEN PORT DE PÊCHE
LA GLAYE
LA PONCHE
CITADELLE
Musée naval
Môle
Jean
Réveille
ANCIEN BASSIN
PORT
CAPITAINERIE
MUSÉE DE L'ANNONCIADE
NOUVEAU BASSIN
Q. J. Jaurès
Q. de l'Epi
Q. H. Bouchard
R. Cavaillon
Pl. des Remparts
R. de la Citadelle
Av. P. Signac
Rue Gambetta
R. Sibilli
R. G. Clemenceau
Montée G. Ringrave
Pl. des Lices
Bd Vasserot
Av. Foch
R. de la Résistance
R. J. Quaranta
Bd Louis Blanc
Pl. de la Croix-de-Fer
Pl. du XVe Corps
Gal Allard
POL
D 98A
ST-RAPHAËL
PLAGE DE LA BOUILLABAISSE
PLAGE DE PAMPELONNE
CHAPELLE STE-ANNE
RAMATUELLE
PLAGE DE TAHITI
PLAGE DES GRANIERS
PLAGE DES SALINS
CHAU DE LA MOUTTE

En saison : zone piétonne dans la vieille ville.

Aire-du-Chemin (R.) . . . . . . **Y** 2
Aumale (Bd d') . . . . . . . . . **Y** 3
Belle-Isnarde (Rte de la) . . **Z** 5
Blanqui (Pl. Auguste) . . . . . **Z** 7
Clocher (R. du) . . . . . . . . . **Y** 9
Commerçants (R. des) . . . **Y** 10
Grangeon (Av.) . . . . . . . . . . **Z** 14
Guichard (R. du Cdt) . . . . . **Y** 15
Herbes (Pl. aux) . . . . . . . . **Y** 17
Hôtel-de-Ville (Pl. de l') . . **Y** 18
Laugier (R. V.) . . . . . . . . . . **Y** 22
Leclerc (Av. Général) . . . . **Z** 23
Marché (R. du) . . . . . . . . . **Y** 25
Miséricorde (R.) . . . . . . . . **Z** 26
Mistral (Quai Frédéric) . . . **Y** 28
Ormeau (Pl. de l') . . . . . . . **Y** 30
Péri (Quai Gabriel) . . . . . . **Z** 32
Ponche (R. de la) . . . . . . . **Y** 33
Portail-Neuf (R. du) . . . . **YZ** 35
Remparts (R. des) . . . . . . **Y** 38
Roussel (Av. Paul) . . . . . . **Z** 40
Suffren (Quai) . . . . . . . . . . **Y** 42
8-Mai-1945 (Av. du) . . . . . **Z** 48
11-Novembre (Av. du) . . . **Z** 50

**Bastide de St-Tropez** M, rte Carles : 1 km par av. P. Roussel - Z ✆ 04 94 55 82 55, b st@wanadoo.fr, *Fax 04 94 97 21 71*, – ch, P – 15. AE GB
*fermé 3 janv. au 13 fév.* – **Repas** *(fermé lundi et mardi d'oct. à fin avril et le midi de mai à sept.)* carte 55 à 83 – 20 – **18 ch** 390/470, 8 appart.
◆ Belle décoration intérieure, grandes chambres pourvues de terrasses ou balcons et piscine entourée d'un luxuriant jardin contribuent au charme de ces cinq mas provençaux.

**Domaine de l'Astragale** M, par ①: *1,5 km, chemin de la Gassine* ✆ 04 94 97 48 98, *message@lastragale.com, Fax 04 94 97 16 01*, – P – 25. AE GB
*23 mai-6 oct.* – **Repas** 48 (dîner)et carte 66 à 76 – 17 – **34 ch** 365/405 – ½ P 234,50/264,50.
◆ Villa agrandie de bâtiments colorés agencés autour de la piscine. Chambres spacieuses avec balcon ou terrasse. Salle à manger bourgeoise et pavillon de plein air pour l'été.

**Yaca,** 1 bd Aumale ✆ 04 94 55 81 00, *hotel-le-yaca@wanadoo.fr, Fax 04 94 97 58 50*, – . AE GB Y e
*15 avril-7 oct* – **Repas** *(fermé lundi de mars à juin)* carte 60 à 85 – 20 – **27 ch** 320/520.
◆ Trois belles maisons mitoyennes (18e s.) tapissées de lierre qu'appréciait De Funès, Tropézien de comédie... Luxueuses chambres dotées de meubles anciens. Cuisine italienne.

**Mandarine**, Sud : 0,5 km par av. P. Roussel, rte Tahiti ✆ 04 94 79 06 66, *message@hotellamandarine.com, Fax 04 94 97 33 67*, – ch, P – 50. AE GB
*23 mai-6 oct.* – **Repas** 48 (dîner)et carte 48 à 80 – 17 – **40 ch** 220/360, 4 duplex – ½ P 360/420.
◆ Conception originale pour cet hôtel composé de maisonnettes entourant un vénérable olivier. Demandez une chambre rénovée. Salle à manger-véranda et agréable piano-bar.

**Ponche** M, pl. Révelin ✆ 04 94 97 02 53, *hotel@laponche.com, Fax 04 94 97 78 61*, – . AE GB Y v
*14 fév.-2 nov.* – **Repas** 23/43 – 19 – **18 ch** 245/370.
◆ R. Schneider, F. Sagan, G. Sachs et bien d'autres célébrités ont séjourné dans ce charmant hôtel composé d'anciennes maisons de pêcheurs colorées et joliment aménagées.

**Bliss Hôtel** sans rest, 1 av. Gén. Leclerc ✆ 04 98 12 91 12, *blisshotel@wanadoo.fr, Fax 04 98 12 91 13*, – P. AE GB JCB Z t
19 – **9 ch** 430/520.
◆ Ex-pied-à-terre d'Alexandre de Paris, cette villa (1870) entourée d'un jardin a gardé l'empreinte décorative, d'esprit baroque, du coiffeur des stars. Chambres personnalisées.

**Maison Blanche** sans rest, pl. Lices ✆ 04 94 97 52 66, *hotellamaisonblanche@wanadoo.fr, Fax 04 94 97 89 23* – ▤ TV ✆ ⇔. AE ⓓ GB Z k
27 – **9 ch** 290/374.
◆ Ce bel hôtel particulier fut naguère la propriété d'un médecin tropézien. Décor design immaculé, bar à champagne et exquise terrasse : la maison entame sa seconde vie.

**Lices,** av. Augustin Grangeon ✆ 04 94 97 28 28, *lices@nova.fr, Fax 04 94 97 59 52,* , – ▤ ch, TV ✆ P. AE ⓓ GB JCB Z n
*28 mars-11 nov.* – **Repas** *(fermé merc.)* (dîner seul.) 33/90 ♀ - ***snack de piscine*** (déj. seul.) **Repas** carte 22 à 33 ♀ – 11 – **38 ch** 175/303.
◆ À deux pas de la célèbre place des Lices, établissement des années 1970 entièrement rénové. Hall-salon spacieux et clair. Chambres nettes au mobilier fonctionnel.

**Villa les Chamerops** sans rest, Sud : rte Belle Isnarde, dir. plage de Tahiti ✆ 04 94 97 57 18, *info@villa-chamerops.com, Fax 04 94 97 58 30,* – ▤ TV ✆ ♿ P. AE GB.
*fermé 3 nov. au 18 déc. et 6 janv. au 5 fév.* – 19 – **10 ch** 305/382.
◆ Cet hôtel récent a emprunté son nom à une variété de palmiers nains. Chambres amples, sobrement décorées dans un style actuel ; certaines sont de plain-pied avec la piscine.

**Mouillage** sans rest, Port du Pilon ✆ 04 94 97 53 19, *info@hotelmouillage.fr, Fax 04 94 97 50 31,* – ▤ P. AE ⓓ GB
*fermé janv. et fév.* – 12 – **12 ch** 150/200.
◆ Jetez l'ancre à une encablure du port du Pilon dans cet hôtel aux chatoyantes couleurs provençales. Chambres neuves, garnies d'un mobilier venu d'ailleurs : Maroc, Asie, etc.

**Bastide du Port** sans rest, Port du Pilon ✆ 04 94 97 87 95, *hotel-la-bastide.du.port@wanadoo.fr, Fax 04 94 97 91 00,* ← – TV ✆ ♿ P. AE GB Z a
*1er avril-5 nov.* – 10 – **26 ch** 150/180.
◆ Cet hôtel rénové est situé à l'entrée de St-Trop'. Côté mer ou côté cour, chambres blanches égayées de meubles provençaux. Petit-déjeuner servi sous deux palmiers centenaires.

**Playa** sans rest, 57 r. Allard ✆ 04 98 12 94 44, *playahotel@aol.com, Fax 04 98 12 94 45* – ▤ TV ✆. AE GB. Z s
10 – **16 ch** 121/230.
◆ Au pied de l'établissement, boutiques et restaurants à volonté ! Chambres décorées avec une sobriété de bon aloi. Vous petit-déjeunerez dans le patio coiffé d'une verrière.

**Lou Cagnard** sans rest, av. P. Roussel ✆ 04 94 97 04 24, *Fax 04 94 97 09 44* – TV P. GB. Z r
*fermé 3 nov. au 27 déc.* – 8 – **19 ch** 51/92.
◆ Cette vieille maison tropézienne refait progressivement ses chambres, simplement meublées. En été, les petits-déjeuners se prennent à l'ombre des mûriers.

XXX ✿✿ **Leï Mouscardins** (Tarridec), au port (Tour du Portalet) ✆ 04 94 97 29 00, *info@lei-mouscardins.com, Fax 04 94 97 76 39,* ← golfe de St-Tropez – ▤. AE ⓓ GB JCB Y n
*fermé 12 nov. au 5 fév. et le mardi hors saison* – **Repas** 68/98 et carte 90 à 140, enf. 30.
◆ Superbe situation pour ce restaurant relié par une passerelle à la tour du Portalet. Deux salles contemporaines dont une panoramique. Cuisine méditerranéenne inventive.
**Spéc.** Artichauts en cuisson "barigoule". Saint-Pierre "façon bouillabaisse". Soufflé au Grand-Marnier. **Vins** Coteaux Varois

XX **Girelier,** quai Jean Jaurès ✆ 04 94 97 03 87, *contact@legirelier.com, Fax 04 94 97 43 86,* – AE ⓓ GB JCB Y u
*16 fév.-31 oct. et fermé le midi en juil.-août et lundi de sept. à juin* – **Repas** 34 ♀.
◆ Le va-et-vient des yachts sert de toile de fond à ce restaurant spécialisé dans les produits de la mer. Décoration de style bistrot, personnalisée par des objets marins.

X **Banh Hoï,** 12 r. Petit St-Jean ✆ 04 94 97 36 29, *banh-hoi@wanadoo.fr, Fax 04 98 12 91 47,* – ▤. AE GB Y a
*3 avril-11 oct.* – **Repas** (dîner seul.) carte 47,50 à 52.
◆ Lumière tamisée, murs et plafonds laqués de noir et objets décoratifs asiatiques composent le cadre de cette maison où l'on propose une cuisine vietnamienne et thaïlandaise.

X **Petit Charron,** 6 r. Charrons ✆ 04 94 97 73 78 – AE ⓓ GB JCB Z b
*fermé 15 janv. au 15 fév., 1er au 15 août, 15 nov. au 1er déc., lundi midi, merc midi et dim. sauf saison* – **Repas** (dîner seul. en juil.-août)(nombre de couverts limité, prévenir) 33/38.
◆ La simplicité caractérise ce tout petit restaurant familial : décor "bistrot", fanions et affiches de la Nioulargue, banquettes et tables alignées. Goûteuse cuisine régionale.

X **Emiliano,** 26 r. Charrons ✆ 04 94 97 09 99, *restaurantemiliano@wanadoo.fr, Fax 04 94 97 09 99* – AE ⓓ GB Z u
*Pâques-2 nov. et fermé lundi hors saison et le midi de juin à sept. sauf mardi et sam.* – **Repas** 36.
◆ Un superbe patio arboré d'essences rares, une salle intime au décor design et une jolie verrière servent de cadre à une délicate cuisine enrichie de saveurs exotiques.

**au Sud-Est** : *par av. Foch - Z – ✉ 83990 St-Tropez :*

**Bastide Rouge** sans rest, à 1,5 km ☎ 04 94 97 41 24, *labastiderouge@wanadoo.fr, Fax 04 94 97 73 40,* – ▤ TV ☎ P. AE ⓓ GB
☕ 15 – **22 ch** 280/296.
◆ Murs blancs, tomettes, rideaux en lin, mobilier actuel, salles de bains en faïence de Salernes caractérisent le décor des chambres de ces maisons nichées dans un joli jardin.

**Bastide des Salins** sans rest, à 4 km ☎ 04 94 97 24 57, *bastisal@club-internet.fr, Fax 04 94 54 89 03,* – ▤ TV ☎ P. AE GB.
*1er avril-10 oct.* – ☕ 12 – **14 ch** 240.
◆ Ancienne bastide isolée dans un grand jardin arboré et fleuri, impeccablement tenu. Chambres spacieuses, plaisantes dans leur sobriété. Salon de caractère. Belle piscine.

**Pré de la Mer** sans rest, à 2,5 km ☎ 04 94 97 12 23, *Fax 04 94 97 43 91,* – cuisinette TV P. AE GB
*Pâques-30 sept.* – ☕ 12 – **11 ch** 140/178.
◆ Maison basse et blanche aux volets couleur lavande, noyée sous les lauriers roses et les bougainvillées. Les chambres, en rez-de-jardin, disposent d'une terrasse privative.

**Levant** sans rest, à 2,5 km ☎ 04 94 97 33 33, *info@hotel-le-levant.com, Fax 04 94 97 76 13,* – TV P. AE ⓓ GB
*11 avril-13 oct.* – ☕ 10 – **28 ch** 106/142.
◆ Les chambres, réparties dans plusieurs bungalows, sont toutes de plain-pied avec le luxuriant jardin ou la piscine en mosaïque colorée. Salon cossu.

**au Sud-Est** *par av. Paul Roussel et rte de Tahiti :*

**Château de la Messardière** M, à 2 km ✉ 83990 St-Tropez ☎ 04 94 56 76 00, *hotel@messardiere.com, Fax 04 94 56 76 01,* – ▤ TV ☎ P – 80. AE ⓓ GB. rest
*21 mars-19 oct.* – **Repas** (dîner seul.) 55/85 – ☕ 20 – **94 ch** 420/850, 6 appart – ½ P 280/495.
◆ Dans une pinède dominant la baie, château du 19e s. et luxueuses villas groupés autour d'un patio. Festival de couleurs ocres et de touches orientales. Terrasse panoramique.

**Ferme d'Augustin** sans rest, à 4 km ✉ 83350 Ramatuelle ☎ 04 94 55 97 00, *vallet.ferme.augustin@wanadoo.fr, Fax 04 94 97 40 30,* – ▤ TV ☎ P. AE GB
*20 mars-20 oct.* – ☕ 12 – **46 ch** 140/190.
◆ À 100 m de la plage de Tahiti, bâtiments entourés par la verdure et les fleurs. Préférez les jolies chambres rénovées. Salon décoré de bibelots. Accueil familial attentionné.

**St-Vincent**, à 4 km ✉ 83350 Ramatuelle ☎ 04 94 97 36 90, *hotelsaintvincent@wanadoo.fr, Fax 04 94 54 80 37,* – ▤ ch, TV ☎ P. AE GB
*27 mars-12 oct.* – **Repas** carte 38 à 50 – ☕ 15 – **15 ch** 135/220, 4 duplex.
◆ Dans la quiétude d'un vignoble, quatre maisons provençales égayées de lauriers-roses. Chambres spacieuses, pourvues parfois de terrasses. Beau jardin. Grill de piscine.

**Mas Bellevue**, à 2 km ✉ 83990 St-Tropez ☎ 04 94 97 07 21, *hotel-mas-bellevue@caromail.com, Fax 04 94 97 61 07,* – ▤ ch, TV ☎ P. AE ⓓ GB JCB. rest
*3 avril-15 nov. et 26 déc.-8 janv.* – **Repas** 30 (déj.), 45/55 – ☕ 20 – **42 ch** 110/220 – ½ P 95/150.
◆ Accessible par un chemin, mas provençal escorté de bungalows nichés dans un joli parc Grandes chambres avec terrasse ou balcon. Piscines offrant une belle vue sur la mer.

**Figuière**, à 4 km ✉ 83350 Ramatuelle ☎ 04 94 97 18 21, *Fax 04 94 97 68 48,* – ▤ ch, TV ☎ P. AE GB
*10 avril-6 oct.* – **Repas** carte 30 à 45 – ☕ 10,70 – **37 ch** 90/185, 3 duplex.
◆ Au milieu des vignes, ferme restaurée aux chambres personnalisées sobrement décorées et dotées de meubles anciens ; celles en duplex sont plus récentes. Grill de piscine.

**rte de Ramatuelle** *par ① et D 93le – ✉ 83350 Ramatuelle :*

**Romarine**, sur rte secondaire, à 3 km ☎ 04 94 97 32 26, *hromarine@aol.com, Fax 04 94 97 44 45,* ≤, – cuisinette, ▤ ch, TV ☎ P. AE GB.
***grill de piscine*** *(juil.-août)* **Repas** carte environ 30 – ☕ 12 – **18 ch** 130/321, 9 appart.
◆ Dans un parc conçu pour la détente et les loisirs, hôtel-village composé de vastes chambres et de villas bien équipées. Repas simples servis en terrasse, face à la piscine.

**Les Bouis**, sur rte secondaire, à 6 km ☎ 04 94 79 87 61, *hotellesbouis@aol.com, Fax 04 94 79 85 20,* ≤ mer, – ▤ ch, TV ☎ P. AE GB JCB. rest
*hôtel : 25 mars-25 oct. ; rest. : 1er avril-30 sept.* – **Repas** (déj. seul.) carte 15 à 25 – ☕ 12 – **23 ch** 131/192.
◆ Belle situation sur les hauteurs de l'arrière-pays tropézien pour cet hôtel entouré de pins parasols. Chambres nettes et fraîches. Sympathique patio. Grill de piscine.

**Deï Marres** sans rest, sur rte secondaire, à 3 km ☎ 04 94 97 26 68, *hoteldeimarres@infonie.fr, Fax 04 94 97 62 76*, – ▤ TV ☏ ♿ P. AE GB. ✗
*15 mars-15 oct.* – ▭ 10 – **24 ch** 115/185.
◆ Avis aux amateurs : cet hôtel familial au cadre verdoyant dispose de quatre courts de tennis. Pour plus d'espace et de confort, réservez de préférence une chambre à l'annexe.

**Auberge de l'Oumède,** sur rte secondaire, à 7 km ☎ 04 94 79 81 24, *Fax 04 94 79 93 63*, – P. GB
*Pâques-mi-oct et fermé merc. sauf du 15 juin au 15 sept.* – **Repas** (dîner seul.) carte 56 à 79 ♀.
◆ Au bord d'un chemin entouré de vignes, accueillante salle à manger prolongée par une véranda et une jolie terrasse dressée sous les mûriers. Cuisine au goût du jour.

**par** ① *et rte secondaire* – ✉ *83580 Cassin :*

**Villa Belrose** M, bd Crêtes, à 3 km ☎ 04 94 55 97 97, *info@villa.belrose.com, Fax 04 94 55 97 98*, ≤ golfe de St-Tropez, – |‡| ▤ TV ☏ ♿ P. AE ⓓ GB.
✗ rest
*14 mars-27 oct.* – **Repas** *(fermé le midi en juil.-août)* 50/95 et carte 78 à 98 ♀ – ▭ 28 – **38 ch** 650/660 – ½ P 335/400.
◆ Emplacement exceptionnel pour cet hôtel-villa flambant neuf formant trois terrasses face à la mer. Intérieur cossu et chambres de grand confort. Belle cuisine méditerranéenne.
**Spéc.** Bourride froide. Saint-Pierre confit sur jus de volaille, pastilla de légumes et cèpes. Figue tiède gorgée de muscat, polenta au romarin. **Vins** Viognier des Coteaux varois, Côtes de Provence.

**Les Capucines** sans rest, à 2 km ☎ 04 94 97 70 05, *hotel.les.capucines@wanadoo.fr, Fax 04 94 97 55 85*, – ▤ TV P. AE ⓓ GB JCB
*15 avril-15 oct.* – ▭ 13 – **24 ch** 140/290.
◆ Sur une colline dominant le golfe, ensemble de petites maisons disséminées dans une pinède. Chambres fraîches, assez simples. Jolie vue sur la baie depuis la belle piscine.

*Pour visiter une ville ou une région : utilisez les* ***Guides Verts Michelin.***

## ST-VAAST-LA-HOUGUE *50550 Manche* 303 E2 *G. Normandie Cotentin – 2 134 h alt. 4.*

*Office du Tourisme, 1 place Gal de Gaulle ☎ 02 33 23 19 32, Fax 02 33 54 41 37, office-de-tourisme@saint-vaast-reville.com.*
*Paris 348 – Cherbourg 31 – Carentan 41 – St-Lô 69 – Valognes 19.*

**France et Fuchsias,** ☎ 02 33 54 42 26, *france-fuchsias@wanadoo.fr, Fax 02 33 43 46 79*, – ▤ rest, TV – 25. AE ⓓ GB. ✗ ch
*fermé 3 janv. au 1er mars., lundi, mardi en mars, nov., déc. et mardi midi d'avril à oct. sauf juil.-août* – **Repas** (16) - 24/50 ♀, enf. 11 – ▭ 7,50 – **34 ch** 57/80 – ½ P 42/73.
◆ Le joyau de cet ex-relais de poste est son luxuriant jardin planté de fuchsias, palmiers, mimosas, eucalyptus... Chambres plus grandes dans l'annexe ; cuisine traditionnelle.

**Granitière** sans rest, ☎ 02 33 54 58 99, *granihot@club-internet.fr, Fax 02 33 20 34 91*, – P. AE ⓓ GB
*1er mars-10 déc. et fermé mardi de nov. à mars* – **10 ch** ▭ 85/92.
◆ Station balnéaire et port de pêche, "St-Va" abrite cette belle demeure ancienne en granit gris, où l'on se sent comme chez des amis. Chambres personnalisées et salon "cosy".

**Chasse-Marée,** ☎ 02 33 23 14 08, – GB. ✗
*fermé 15 au 30 nov., 5 au 27 janv., lundi midi en juil.-août, dim. soir et lundi de sept. à juin* – **Repas** 14 (déj.), 17/23.
◆ Photos de bateaux et fanions laissés par les clients navigateurs décorent ce sympathique petit restaurant installé sur le port. À table, produits de la pêche locale.

## ST-VALÉRIEN *89150 Yonne* 319 B2 *– 1 666 h alt. 165.*

*Paris 109 – Fontainebleau 49 – Auxerre 67 – Nemours 33 – Sens 16.*

**Gâtinais,** ☎ 03 86 88 62 78 – GB
*fermé janv. et le soir du dim. au jeudi* – **Repas** 16/48 ♀.
◆ Entre la mairie et l'église, façade avenante abritant une salle parquetée, simple et agréable, dont la décoration mêle le rustique et le moderne. Tables bien espacées.

## ST-VALERY-EN-CAUX *76460 S.-Mar.* 304 E2 *G. Normandie Vallée de la Seine – 4 595 h alt. 5 – Casino.*

**Voir** *Falaise d'Aval* ≤★ *0 : 15 mn.*
*Office du Tourisme, quai d'Aval ☎ 02 35 97 00 63, Fax 02 35 97 32 65, otsi.st.valery.en.caux@wanadoo.fr.*
*Paris 190 – Le Havre 80 – Bolbec 46 – Dieppe 35 – Fécamp 33 – Rouen 60 – Yvetot 31.*

**Mercure**, r. Clemenceau ✆ 02 35 57 88 00, *H1255@accor-hotels.com, Fax 02 35 57 88 88* – 🅃🅅 ✆ ♿ 🅿 – 🏫 100
**Repas** carte environ 30 ☕ 8,80 – **149 ch** 48/82.
♦ Imposant immeuble contemporain posté face au port de plaisance. Chambres avant tout pratiques et bons équipements pour les séminaires. Salle à manger-véranda.

**Port,** quai d'Amont ✆ 02 35 97 08 93, *Fax 02 35 97 28 32*, ≤ – GB
*fermé dim. soir, jeudi soir sauf juil.-août et lundi* – **Repas** 19/33.
♦ Derrière la façade engageante, deux petites salles de restaurant d'où l'on peut admirer le spectacle des bateaux franchissant le goulet du port. Produits de la mer.

**par rte de Fécamp** *vers le Bourg-Ingouville par D 925 et D 68 : 3 km – ✉ 76460 St-Valéry-en-Caux :*

**Les Hêtres** M avec ch, ✆ 02 35 57 09 30, *leshetres.@wanadoo.fr, Fax 02 35 57 09 31*, 🌳, – TV ✆ P. GB
*fermé 23 sept. au 4 oct., 6 janv. au 13 fév., lundi et mardi hors saison* – **Repas** 36 et carte 57 à 80 – ☕ 15 – **5 ch** 105/145.
♦ Belle chaumière du 17e s. entourée d'un agréable jardin paysagé et fleuri. Meubles anciens, poutres apparentes et superbe cheminée en pierre agrémentent la salle à manger.

---

**ST-VALERY-SUR-SOMME** *80230 Somme* 301 C6 *G. Picardie Flandres Artois – 2 769 h alt. 27.*
Voir *Digue-promenade★ – Chapelle des Marins ≤★ – Ecomusée Picarvie★ – La baie de Somme★★.*
*Office du Tourisme, 2 place Guillaume Le Conquérant ✆ 03 22 60 93 50, Fax 03 22 60 80 34, otsi@wanadoo.fr.*
*Paris 208 – Amiens 71 – Abbeville 18 – Blangy-sur-Bresle 44 – Le Tréport 25.*

**Picardia** M sans rest, 41 quai Romerel ✆ 03 22 60 32 30, *contact@picardia.fr, Fax 03 22 60 76 69* – |‡| TV ✆ ♿ – 🏫 15. GB
*fermé 6 au 31 janv.* – ☕ 8 – **18 ch** 68.
♦ Cette maison de pays transformée en hôtel jouxte la petite cité médiévale. Intérieur chaleureux et actuel. Les chambres avec mezzanine accueillent les familles.

**Port et des Bains,** 1 quai Balvet ✆ 03 22 60 80 09, *hotel.hpb@wanadoo.fr, Fax 03 22 60 77 90*, ≤ – ▤ rest, TV ✆. AE ⓓ GB. ✂ ch
*fermé 2 au 15 janv. et merc. d'oct. à avril* – **Repas** 14/31 ♀ – ☕ 8 – **16 ch** 54/69.
♦ Bien situé près du port, cet hôtel offre une jolie perspective sur la baie. Coloris vifs et meubles en rotin : les chambres viennent d'être rénovées. Plats traditionnels.

**Relais Guillaume de Normandy**, quai Romerel ✆ 03 22 60 82 36, *relais-guillaume@wanadoo.fr, Fax 03 22 60 81 82*, ≤, 🌳 – ▤ rest, TV P. AE GB. ✂
*fermé 22 déc. au 15 janv. et mardi* – **Repas** 14/36 ♀, enf. 9 – ☕ 7 – **14 ch** 46/60 – ½ P 50/56.
♦ Guillaume partit du port valéricain conquérir l'Angleterre. Ce joli manoir en briques face à la baie de Somme abrite des chambres pratiques et un restaurant panoramique.

**Le Nicol's,** 15 r. La Ferté ✆ 03 22 26 82 96, *alleduc@wanadoo.fr, Fax 03 22 26 10 07* – ▤. AE ⓓ GB
*fermé 12 au 29 nov., 6 janv. au 6 fév., lundi soir, jeudi soir et merc. d'oct. à mars* – **Repas** 13,50/49 bc ♀.
♦ En centre-ville, dans une rue commerçante, belle façade de pays. Cadre rustique et chaleureux, récemment refait. Cuisine du terroir et spécialités de fruits de mer.

---

**ST-VALLIER** *26240 Drôme* 332 B2 *G. Vallée du Rhône – 4 115 h alt. 135.*
*Office du Tourisme, avenue Désiré Valette ✆ 04 75 23 45 33, Fax 04 75 23 44 19, office.tourisme@saintvallier.com.*
*Paris 531 – Valence 35 – Annonay 21 – St-Étienne 60 – Tournon-sur-Rhône 16 – Vienne 41.*

**Bistrot d'Albert et Hôtel Terminus** M avec ch, 116 av. J. Jaurès, rte Lyon ✆ 04 75 23 01 12, *rest.lecomte@free.fr, Fax 04 75 23 38 82* – ▤ TV 🚗 P. AE ⓓ GB JCB
**Repas** 14/25 ♀ – ☕ 5,50 – **10 ch** 42/58 – ½ P 38.
♦ Belle hauteur sous plafond, lumineuse véranda et goûteuse cuisine du marché suggérée sur ardoise : ambiance conviviale assurée dans ce bistrot voisin de la gare.

**au Nord-Est** *par N 7, D 122 et D 132 : 8 km – ✉ 26140 Albon :*

**Domaine des Buis** sans rest, rte de St-Martin-des-Rosiers ✆ 04 75 03 14 14, *Fax 04 75 03 14 14*, ≤, 🏊, 🎾 – TV 🚗 P. GB. ✂
*1er mars-15 nov.* – ☕ 9,50 – **8 ch** 73/130.
♦ Dans un parc entouré de collines, demeure du 18e s. aux senteurs de cèdre et de magnolia. Chambres spacieuses, garnies de mobilier anglais. Atmosphère "guesthouse".

*Lisez attentivement l'introduction : c'est la clé du guide.*

**ST-VALLIER-DE-THIEY** *06460 Alpes-Mar.* 341 C5 *G. Côte d'Azur – 1 536 h alt. 730.*

Voir *Pas de la Faye* ≤★★ *NO : 5 km – Grotte de Beaume Obscure★ S : 2 km – Col de la Lèque* ≤★ *SO : 5 km.*

*Office du Tourisme, 10 place du Tour* ☎ *04 93 42 78 00, Fax 04 93 42 78 00, tourisme @saintvallierdethiey.com.*

*Paris 912 – Cannes 29 – Castellane 53 – Draguignan 57 – Grasse 12 – Nice 47.*

**Relais Impérial,** ☎ 04 92 60 36 36, *info@relaisimperial.com, Fax 04 92 60 36 39,* – TV – 40. AE GB JCB

**Repas** *(13)* - 15 ♀, enf. 9 - ***Grill du Relais*** (Pizzeria) **Repas** *(12)*-18 ♀, enf. 9 – 9 – **30 ch** 46/71 – ½ P 46,50/56,50.

◆ Sur la route Napoléon (l'Empereur s'est arrêté ici le 2 mars 1815), ce relais séculaire abrite des petites chambres rustiques, un restaurant meublé Louis XIII et une pizzeria.

**Préjoly** avec ch, ☎ 04 93 42 60 86, *laprejoly@wanadoo.fr, Fax 04 93 42 67 80,* – TV. AE GB

*fermé 15 nov. au 1er fév.* – **Repas** *(fermé dim. soir et lundi)* 16/32 – 7,50 – **17 ch** 55/70 – ½ P 56,50/66,50.

◆ Atout majeur de l'établissement : la terrasse ouverte sur un "joli pré". Salle à manger campagnarde et véranda côté rue ; cuisine traditionnelle. Chambres simples.

**ST-VÉRAN** *05350 H.-Alpes* 334 J4 *G. Alpes du Sud – 257 h alt. 2042 la plus haute commune d'Europe – Sports d'hiver : 1 750/3 000 m* 15 .

Voir *Vieux village★★ – Musée du Soum★.*

*Office du Tourisme,* ☎ *04 92 45 82 21, Fax 04 92 45 84 52.*

*Paris 731 – Briançon 50 – Guillestre 32.*

**Astragale** , ☎ 04 92 45 87 00, *astragale@queyras.com, Fax 04 92 45 87 10,* ≤, – TV – 20. GB. rest

*20 juin-31 août et 19 déc.-4 avril* – **Repas** 19 ♀ – 9 – **21 ch** 78/172 – ½ P 72/115.

◆ Intérieur douillet, cadre d'esprit montagnard, grandes chambres confortables (toutes dotées d'un magnétoscope), vue sur les sommets : ce chalet récent ne manque pas de charme.

**Beauregard** , ☎ 04 92 45 86 86, *info@hotelbeauregard.fr, Fax 04 92 45 86 87,* ≤, , , , – GB

*6 juin-21 sept. et 18 déc.-Pâques* – **Repas** *(fermé le lundi)* 14/39 ♀, enf. 9 – 7,70 – **21 ch** (½ pens. seul.) – ½ P 49/60.

◆ Sympathique hôtel familial situé au départ des pistes de ski. Couette et lambris dans les chambres, presque toutes orientées au Sud. Salon-cheminée "cosy".

**ST-VÉRAND** *71570 S.-et-L.* 320 I12 *– 191 h alt. 300.*

*Paris 402 – Mâcon 14 – Bourg-en-Bresse 50 – Lyon 69 – Villefranche-sur-Saône 34.*

**Auberge du St-Véran,** ☎ 03 85 23 90 90, *Fax 03 85 23 90 91,* , – TV . GB

*fermé en janv., lundi et mardi hors saison* – **Repas** 20 (déj.), 26/38 ♀, enf. 9 – 8,50 – **11 ch** 48/64 – ½ P 57/64.

◆ Au bord d'une rivière, ancien moulin au charme très campagnard. Les chambres ont été rénovées. Salle à manger rustique aux murs de pierres et terrasse ombragée.

**ST-VIANCE** *19 Corrèze* 329 J4 *– rattaché à Brive-la-Gaillarde.*

**ST-VICTOR-DE-MALCAP** *30 Gard* 339 K3 *– rattaché à St-Ambroix.*

**ST-VICTOR-SUR-LOIRE** *42 Loire* 327 E7 *– rattaché à St-Étienne.*

**ST-VINCENT** *43800 H.-Loire* 331 F3 *– 806 h alt. 605.*

*Paris 546 – Le Puy-en-Velay 18 – La Chaise-Dieu 36 – St-Étienne 77.*

**Renouée,** à Cheyrac, Nord par D 103 ☎ 04 71 08 55 94, *Fax 04 71 08 15 89* – GB

*fermé vacances de Toussaint, janv., fév., dim. soir et lundi* – **Repas** *(fermé le soir le mardi, merc. et jeudi du 12 nov. au 31 déc.)* 18/30 ♀, enf. 9,70.

◆ Devancée d'un jardinet, maison centenaire aménagée en deux salles fraîchement rénovées ; préférez celle avec cheminée. Vous y dégusterez des petits plats du terroir.

**ST-VINCENT-DE-TYROSSE** *40230 Landes* 335 D13 *– 5 075 h alt. 24.*

*Office du Tourisme, Placette du Midi* ☎ *05 58 77 12 00, Fax 05 58 77 26 86, pays-tyrossais@wanadoo.fr.*

*Paris 743 – Biarritz 35 – Mont-de-Marsan 77 – Bayonne 28 – Dax 24 – Pau 102.*

XXX **Hittau,** ✆ 05 58 77 11 85, *lehittau@wanadoo.fr, Fax 05 58 77 98 09*, 🍽, 🚗 – 🅿. GB
*fermé sam. midi et lundi sauf juil.-août* – **Repas** 29,50/49 et carte 52 à 67 ♀.
◆ Ancienne bergerie dans un jardin fleuri. Belle salle sous charpente, au décor soigné, où l'on sert une cuisine originale mariant influences antillaises, cajuns et landaises.

## ST-VINCENT-SUR-JARD *85520 Vendée* 316 G9 *G. Poitou Vendée Charentes – 658 h alt. 10.*

*Office du Tourisme, place de l'Eglise ✆ 02 51 33 62 06, Fax 02 51 33 01 23, otstvincent@aol.com.*

*Paris 456 – La Rochelle 71 – La Roche-sur-Yon 35 – Luçon 34 – Les Sables-d'Olonne 23.*

**Océan** 🐌, Sud : 1 km (près maison de Clemenceau) ✆ 02 51 33 40 45, *hotel.locean@wanadoo.fr, Fax 02 51 33 98 15*, 🍽, 🏊, 🚗 – ▤ rest, TV ♿ P. GB
*20 fév.-18 nov. et fermé merc. sauf d'avril à sept.* – **Repas** 18,30/39,50 ♀, enf. 9 – ☕ 5,95 – **37 ch** 53,30/70,75 – ½ P 54,35/63,55.
◆ Derrière un écran de pins maritimes, pension tenue par la même famille depuis quatre générations. Chambres assez actuelles, certaines avec balcon. Produits de la mer.

X **Chalet St-Hubert** avec ch, rte de Jard ✆ 02 51 33 40 33, *Fax 02 51 33 41 94*, 🚗 – 🅿. GB
*fermé dim. soir et lundi du 15 sept. au 15 juin* – **Repas** 14/25 – ☕ 5,50 – **10 ch** 36 – ½ P 39,70.
◆ Maison ancienne agrandie d'une salle à manger récente éclairée par de grandes baies vitrées. Les chambres en rez-de-jardin sont plus spacieuses. Ambiance familiale.

## ST-WANDRILLE-RANÇON *76490 S.-Mar.* 304 E4 *G. Normandie Vallée de la Seine – 1 151 h alt. 16.*

Voir *Abbaye★ (chant grégorien).*

*Paris 162 – Le Havre 58 – Rouen 34 – Barentin 16 – Duclair 13 – Lillebonne 22 – Yvetot 14.*

XX **Auberge des Deux Couronnes,** ✆ 02 35 96 11 44, *Fax 02 35 56 56 23* – AE GB
*fermé vacances de fév., 24 juil. au 7 août, dim. soir et lundi* – **Repas** *(15)* - 22/26,50 ♀, enf. 10.
◆ Près de l'abbaye, bâtisse normande du 17e s. dont le nom évoque la munificence de deux rois de France. Cadre rustique avec poutres et grande cheminée centrale en pierre.

## ST-YBARD *19 Corrèze* 329 K3 – *rattaché à Uzerche.*

## ST-YORRE *03 Allier* 326 H6 – *rattaché à Vichy.*

## ST-YRIEIX-LA-PERCHE *87500 H.-Vienne* 325 E7 *G. Berry Limousin – 7 558 h alt. 360.*

Voir *Collégiale du Moûtier★.*

*Office du Tourisme, 58 boulevard de l'Hôtel de Ville ✆ 05 55 08 20 72, Fax 05 55 08 10 05, otsistyrieix@free.fr.*

*Paris 430 – Limoges 40 – Brive-la-Gaillarde 62 – Périgueux 63 – Rochechouart 52 – Tulle 75.*

### à la Roche l'Abeille *Nord-Est : 12 km par D 704 et 17A – 563 h. alt. 400 – ✉ 87800 :*

XXX ✿ **Moulin de la Gorce** (Bertranet) 🐌 avec ch, Sud : 2 km par D 17 ✆ 05 55 00 70 66, *moulingorce@relaischateaux.fr, Fax 05 55 00 76 57*, ←, 🍽, 🌳 – TV 🅿. AE ⓓ GB
*1er avril-2 nov.* – **Repas** *(fermé lundi midi, mardi midi et merc. midi sauf fériés) (39)* - 59, enf. 23 – ☕ 13 – **10 ch** 70/150 – ½ P 107/147.
◆ Joli moulin du 16e s. et ses dépendances en bordure d'étang, dans un agréable parc champêtre. Intérieur de caractère et cuisine du terroir. Chambres personnalisées.
**Spéc.** Duo de foie gras de canard. Pièce de veau de lait au Vin Jaune. Crêpes roulées, beurre vanillé aux écorces d'orange. **Vins** Bergerac.

## ST-ZACHARIE *83640 Var* 340 J5 – *3 224 h alt. 265.*

*Syndicat d'Initiative, square Reda Caire ✆ 04 42 32 63 28, Fax 04 42 32 63 28.*

*Paris 791 – Marseille 35 – Aix-en-Provence 37 – Brignoles 31 – Rians 40 – Toulon 64.*

X **Urbain Dubois,** rte St-Maximin sur N 560 : 1 km ✆ 04 42 72 94 28, *urbain-dubois@wanadoo.fr, Fax 04 42 72 94 28*, 🍽 – P. GB
*fermé dim. soir, mardi midi et lundi sauf fériés* – **Repas** 20 (déj.), 34/65, enf. 12.
◆ Maison provençale du massif de la Sainte-Baume. La salle de restaurant, un peu sombre mais très soignée, renferme des meubles de style rustique. Spécialités régionales.

## SAINTA-MARIA-SICCHÉ *2A Corse-du-Sud* 345 C8 – *voir à Corse.*

**STE-ANNE-D'AURAY** *56400 Morbihan* 308 N8 *G. Bretagne – 1 630 h alt. 42.*

Voir *Trésor★ de la basilique – Pardon (26 juil.).*

*Office du Tourisme, 1 rue de Vannes ✆ 02 97 57 69 16, Fax 02 97 57 79 22.*

*Paris 476 – Vannes 17 – Auray 7 – Hennebont 34 – Locminé 27 – Lorient 49 – Quimperlé 59.*

**Myriam** sans rest, 35 bis r. Parc ✆ 02 97 57 70 44, *Fax 02 97 57 67 94* – GB.

*2 mai-30 sept.* – 6 – **30 ch** 48.

◆ Dans un paisible quartier résidentiel, construction des années 1970. Salon et salle des petits-déjeuners égayés par des bibelots marins ; chambres récemment refaites.

**Moderne,** 8 r. Vannes ✆ 02 97 57 66 55, *hotellemoderne@aol.com, Fax 02 97 57 67 94* – GB

*fermé 20 déc. au 11 janv. et sam. d'oct. à mars* – **Repas** 15/27 ♀, enf. 6 – 6 – **34 ch** 48 – ½ P 44.

◆ Pèlerins et touristes apprécient la situation de cet hôtel qui fait face à la basilique. Chambres simples mais rénovées. Salles à manger pouvant accueillir des groupes.

**L'Auberge** avec ch, ✆ 02 97 57 61 55, *auberge-jl-larvoir@wanadoo.fr, Fax 02 97 57 69 10* – rest, AE GB

*fermé 1er au 13 mars, 12 au 25 nov., 9 au 24 fév., mardi sauf en juil.-août et merc.* – **Repas** 19/63 et carte 41 à 53 ♀, enf. 10 – 6 – **6 ch** 35/46 – ½ P 50/53.

◆ Cette élégante auberge à la façade abondamment fleurie possède de beaux meubles bretons. Cuisine personnalisée et produits du terroir. Chambres actuelles et douillettes.

**STE-ANNE-DU-CASTELLET** *83 Var* 340 J6 – *rattaché au Castellet.*

**STE-ANNE-LA-PALUD (Chapelle de)** *29550 Finistère* 308 F6 *G. Bretagne – alt. 65.*

Voir *Pardon (fin août).*

*Paris 585 – Quimper 24 – Brest 68 – Châteaulin 20 – Crozon 27 – Douarnenez 11.*

**Plage**, à la plage ✆ 02 98 92 50 12, *laplage@relaischateaux.com, Fax 02 98 92 56 54*, – rest, AE GB

*5 avril-3 nov.* – **Repas** *(fermé mardi midi, merc. midi et vend. midi hors saison)* 43/83 et carte 58 à 78 ♀ – 14,50 – **26 ch** 190/264, 4 appart – ½ P 155/192.

◆ Une institution ! Isolée sur la grève, demeure blanche s'ouvrant sur la baie de Douarnenez. Chambres cossues. Au restaurant, toutes les tables bénéficient de la vue.

**Spéc.** Kig Ha Farz de homard aux légumes du Porzay. Tronçon de turbot grillé, beurre blanc. Poire caramélisée à la nougatine, glace au thym.

**STE-CÉCILE** *71134 S.-et-L.* 320 H11 – *209 h alt. 250.*

*Paris 392 – Mâcon 21 – Charolles 34 – Cluny 9 – Roanne 75.*

**L'Embellie,** ✆ 03 85 50 81 81, *Fax 03 85 50 81 81*, – GB

*fermé oct., dim. soir du 1er nov. au 30 avril, lundi soir et mardi* – **Repas** (11) - 13/33 ♀, enf. 8,50.

◆ Vieille étable ayant gardé tout son caractère : pierres apparentes, poutres, cheminée et, aux beaux jours, agréable terrasse ombragée. Cuisine classique.

**STE-CÉCILE-LES-VIGNES** *84290 Vaucluse* 332 C8 – *1 927 h alt. 108.*

*Paris 650 – Avignon 47 – Bollène 13 – Nyons 26 – Orange 17 – Vaison-la-Romaine 20.*

**Farigoule,** ✆ 04 90 30 89 89, *farigoule-boris@wanadoo.fr, Fax 04 90 30 78 00* – GB

*fermé vacances de Toussaint, de fév., dim. soir et lundi sauf juil.-août, jeudi soir de nov. à mars* – **Repas** 17/30 ♀, enf. 9 – 6 – **11 ch** 43/65 – ½ P 42/56.

◆ Maison ancienne rénovée située au centre de cette bourgade entourée par le vignobles des Côtes du Rhône. Chambres pratiques. Sobre salle de restaurant.

**STE-COLOMBE** *84 Vaucluse* 332 E9 – *rattaché à Bédoin.*

**STE-CROIX** *01 Ain* 328 D5 – *rattaché à Montluel.*

**STE-CROIX-DE-VERDON** *04500 Alpes-de-H.P.* 334 E10 *G. Alpes du Sud – 87 h alt. 530.*

*Syndicat d'Initiative, Mairie ✆ 04 92 77 85 29, Fax 04 92 77 76 23.*

*Paris 783 – Digne-les-Bains 53 – Brignoles 61 – Castellane 59 – Manosque 45 – Salernes 35.*

**L'Olivier,** ✆ 04 92 77 87 95, *Fax 04 92 77 87 95*, – GB

*Pâques-1er nov. et fermé merc. sauf juil.-août et le soir en oct.* – **Repas** 18/65, enf. 11.

◆ Dans ce village adossé à la falaise, le restaurant invite les voyageurs à s'attabler sur la terrasse-véranda offrant une splendide vue plongeante sur le lac de Ste-Croix.

**STE-CROIX-EN-JAREZ** *42 Loire* 327 G7 – *rattaché à Rive-de-Gier.*

**STE-CROIX-EN-PLAINE** *68 H.-Rhin* 315 I8 – *rattaché à Colmar.*

**STE-ÉNIMIE** *48210 Lozère* 330 I8 *G. Languedoc Roussillon – 473 h alt. 470.*

Env. ←★★ *sur le canyon du Tarn S : 6,5 km par D 986.*

*Office du Tourisme, ☎ 04 66 48 53 44, Fax 04 66 48 47 70, osi.gorgesdutarn@wanadoo.fr.*

*Paris 614 – Mende 28 – Florac 27 – Meyrueis 30 – Millau 57 – Sévérac-le-Château 47.*

**Auberge du Moulin,** ☎ 04 66 48 53 08, *Fax 04 66 48 58 16,* – TV. GB. ch
*fin mars-mi-nov. et fermé dim. soir et lundi midi sauf juil.-août et fériés* – **Repas** 14/30 – 6,50 – **10 ch** 53,50 – 1/2 P 49.

◆ Village très touristique inscrit dans un site extraordinaire. La moitié des chambres de cette maison de caractère sont tournées vers le Tarn.

**Chante-Perdrix** sans rest, rte Millau : 1 km ☎ 04 66 48 55 00, *Fax 04 66 48 56 31,* ← – TV P. GB.
*1er mai-30 sept.* – 5,50 – **14 ch** 45/48.

◆ En pleines gorges du Tarn, façade récente en pierre dotée d'une agréable terrasse au 1er étage. Chambres modernes, bien aménagées.

**à Caussignac** *par D 987 : 7 km – ✉ 48210 Ste-Énimie :*

**Aires de la Carline**, ☎ 04 66 48 54 79, *lesairesdelacarline@wanadoo.fr, Fax 04 66 48 57 59,* – TV P. AE GB. rest
*avril-nov.* – **Repas** 15/35 ♀, enf. 8 – 7,50 – **12 ch** 50 – 1/2 P 46/50.

◆ Isolée sur le causse Méjean, cette bâtisse en pierres de pays vient à point pour une clientèle en quête d'étape. Dans les chambres, murs crépis et décor "minimaliste".

*Donnez-nous votre avis sur les tables que nous recommandons, sur leurs spécialités et leurs vins de pays.*

**STE-EULALIE** *07510 Ardèche* 331 H5 – *302 h alt. 1233.*

*Syndicat d'Initiative, ☎ 04 75 38 89 78, Fax 04 75 38 87 37.*

*Paris 591 – Le Puy-en-Velay 48 – Aubenas 46 – Langogne 49 – Privas 50 – Thueyts 37.*

**Nord,** ☎ 04 75 38 80 09, *Fax 04 75 38 85 50* – P. GB
*1er mars-11 nov. et fermé mardi soir et merc. sauf juil.-août* – **Repas** 16/34 ♀, enf. 8 – 6 – **15 ch** 42/58 – 1/2 P 44.

◆ Sympathique hostellerie familiale appréciée des pêcheurs qui viennent ferrer le poisson dans la Loire toute proche. Intérieurs confortables, régulièrement rénovés.

**STE-EULALIE-D'OLT** *12130 Aveyron* 338 J4 – *310 h alt. 425.*

*Paris 619 – Rodez 44 – Espalion 25 – Sévérac-le-Château 28.*

**Au Moulin d'Alexandre** avec ch, ☎ 05 65 47 45 85, *Fax 05 65 52 73 78,*
*fermé 5 au 18 mai, 29 sept. au 17 oct. 27 déc. au 4 janv. et dim hors saison* – **Repas** 10 (déj.), 16/24 ♀ – 6,90 – **9 ch** 40/48 – 1/2 P 41.

◆ Moulin du 16e s. joliment restauré, dont la salle de restaurant conserve une agréable rusticité. La visite de l'ancienne machinerie est réservée aux clients de l'établissement.

**STE-EUPHÉMIE** *01600 Ain* 328 B5 – *857 h alt. 247.*

*Paris 436 – Lyon 26 – Bourg-en-Bresse 49 – Dijon 168 – Genève 165.*

**Au Petit Moulin,** ☎ 04 74 00 60 10, *Fax 04 74 00 60 10,* – AE GB
*fermé fév., merc. en hiver, lundi (sauf le midi en hiver), dim. soir et mardi* – **Repas** (11 bc) - 15/26 ♀.

◆ Sur la carte de cette modeste auberge de campagne voisine de la Dombes : grenouilles, poissons d'eau douce et volailles, soigneusement mitonnés et généreusement servis.

**STE-FEYRE** *23 Creuse* 325 I4 – *rattaché à Guéret.*

**STE-FLORINE** *43250 H.-Loire* 331 B1 – *3 021 h alt. 440.*

*Paris 470 – Clermont-Fd 58 – Brioude 16 – Issoire 20 – Murat 59 – Le Puy-en-Velay 77.*

**Florina** avec ch, ☎ 04 73 54 04 45, *Fax 04 73 54 02 62,* – TV. GB
*fermé 22 déc. au 13 janv.* – **Repas** *(fermé dim. soir)* (9) - 13,50/25 ♀ – 6,10 – **14 ch** 38,20/55,50 – 1/2 P 36,60/45,80.

◆ Bâtiment récent abritant des chambres fonctionnelles ou provençales (à réserver en priorité) pour une étape sur la route des gorges de l'Allier. Restaurant clair et actuel.

## STE-FORTUNADE *19490 Corrèze* 329 L4 *G. Berry Limousin – 1 605 h alt. 470.*

Voir *Chef-reliquaire★ dans l'église.*

*Paris 483 – Brive-la-Gaillarde 28 – Aurillac 76 – Mauriac 72 – St-Céré 49 – Tulle 9.*

**à l'Ouest** *par D 1 et D 94 : 5 km –* ✉ *19490 Ste-Fortunade :*

✗ **Moulin de Lachaud,** ℘ 05 55 27 30 95, ≤, 🍽, 🏞 – P. GB

*fermé 1er au 16 sept., 22 déc. au 13 janv., lundi et mardi sauf fériés –* **Repas** 13/44.

◆ À la campagne, au bord d'un étang où l'on peut pratiquer la pêche à la ligne, maison régionale portant le nom du lieu-dit. Cadre agreste. Goûteuse cuisine au goût du jour.

## STE-FOY-LA-GRANDE *33220 Gironde* 335 M5 *G. Aquitaine – 2 745 h alt. 10.*

ℹ *Office du Tourisme, 102 rue de la République* ℘ *05 57 46 03 00, Fax 05 57 46 16 62, ot.sainte-foy-la-grande@wanadoo.fr.*

*Paris 555 ⑤ – Périgueux 67 ① – Bordeaux 72 ⑤ – Langon 59 ④ – Marmande 44 ③.*

STE-FOY-LA-GRANDE
MONTPON
MUSSIDAN
PORT-STE-FOY
ET PONCHAPT
BORDEAUX LIBOURNE
DORDOGNE
CENTRE CULTUREL C. BRIAND RECLUS
BERGERAC
SAUVETERRE LANGON
MIRAMONT MARMANDE
GARE
Trapelle
400 m

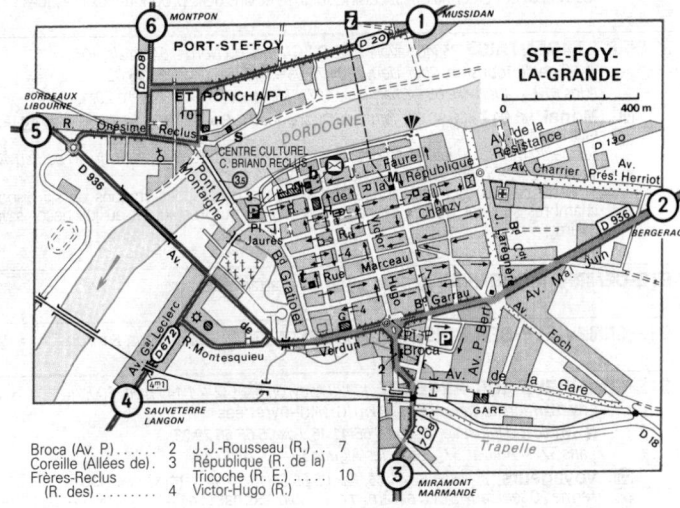

| | | | |
|---|---|---|---|
| Broca (Av. P.) | 2 | J.-J.-Rousseau (R.) | 7 |
| Coreille (Allées de) | 3 | République (R. de la) | |
| Frères-Reclus (R. des) | 4 | Tricoche (R. E.) | 10 |
| | | Victor-Hugo (R.) | |

🏠 **Grand Hôtel,** r. République **(a)** ℘ 05 57 46 00 08, *Fax 05 57 46 50 70,* 🍽 – TV ☎ 🚗. AE ⓓ GB

*fermé 23 oct. au 3 nov. et 12 fév. au 4 mars –* **Repas** *(fermé sam. midi et merc. sauf le soir en juil.-août)* 11 (déj.), 17,70/35 𝕐, enf. 7,60 – ☕ 6,80 – **15 ch** 46/49 – ½ P 43,50.

◆ Dans une rue animée, bâtisse de 1905 agrémentée d'un patio ombragé. Préférez les chambres du 1er étage, côté jardin. Salle à manger d'esprit rustique.

✗ **Côté Bastide,** 8 r. Marceau **(t)** ℘ 05 57 46 14 02, *cotebastide@aol.com, Fax 05 57 46 14 02,* 🍽 – ▤. GB. ✂

*fermé 15 au 28 sept., sam. midi et lundi –* **Repas** (nombre de couverts limité, prévenir) *(15)* - 21/26.

◆ Ancienne remise d'un ébéniste transformée en restaurant. Les cuisines et la rôtisserie sont visibles de la salle, actuelle et intime. Terrasse pavée. Plats "bistrotiers".

✗ **Au Fil de l'Eau,** à Port-Ste-Foy **(s)** ✉ 33220 Port-Ste-Foy ℘ 05 53 24 72 60, *Fax 05 53 24 94 97,* 🍽 – AE GB

*fermé 15 mars au 1er avril, 3 au 20 nov., dim. et lundi –* **Repas** 13,60 (déj.), 18,30/39,70 𝕐, enf. 9,20.

◆ Maison d'allure passe-partout, mais accueillante salle à manger et plaisante terrasse surplombant la Dordogne où l'on sert une cuisine régionale actualisée.

✗ **Vieille Auberge** avec ch, 8 r. L. Pasteur **(b)** ℘ 05 57 41 95 96, *Fax 05 57 41 95 97,* 🍽 – TV

*fermé 1er janv. au 10 fév. –* **Repas** *(fermé lundi soir, mardi soir du 1er nov. au 1er avril, merc. soir et jeudi) (14,50)* - 21/38 𝕐 – ☕ 6,80 – **5 ch** 30/50 – ½ P 44/60.

◆ Cette maison à colombages proche de la Dordogne héberge deux salles à manger campagnardes et des chambres simples, mais rénovées. Dans l'assiette, plats du terroir.

**par** ⑤ *et rte secondaire* – ✉ *33220 Port-Ste-Foy :*

**Escapade**, rte Chaumes ✆ 05 53 24 22 79, *info@escapade-dordogne.com, Fax 05 53 57 45 05*, – **AE GB**.
*fermé 5 nov. au 1ᵉʳ fév., dim. soir et vend. d'oct. à Pâques* – **Repas** (prévenir)(dîner seul.) 15,95/37 – 7 – **12 ch** 39/46 – ½ P 48.
◆ À côté d'un centre équestre, ferme à tabac du 17ᵉ s. dotée d'un équipement de loisirs complet. Les chambres, de style rustique, bénéficient du silence de la campagne.

**au Sud-Est** : *8 km sur D 18* – ✉ *24240 Monestier :*

**Château des Vigiers** Ⓜ, au golf des Vigiers ✆ 05 53 61 50 00, *reserve@vigiers.com, Fax 05 53 61 50 20*, – 25 à 50. **AE GB**.
*fermé 1ᵉʳ au 20 déc. et janv.* – **Repas** *(nov.-avril et fermé le soir de janv. à fév.)* 18 (déj.), 27/34 ***Les Fresques*** ✆ *05 53 61 50 39 (15 avril-31 oct et fermé mardi et le midi sauf jeudi, vend. et dim.)* **Repas** 30/75 – ***Brasserie Le Chai*** ✆ 05 53 61 50 39 *(15 avril-31 oct.)* **Repas** 18(déj.), 27/51bc – 16 – **36 ch** 160/285, 11 duplex.
◆ Château du 16ᵉ s. et ses dépendances dans un parc aménagé en golf. Chambres spacieuses et personnalisées. Cuisine soignée et vins de la propriété aux Fresques.

---

## STE-FOY-TARENTAISE *73640 Savoie* 333 O4 *G. Alpes du Nord – 643 h alt. 1050.*

*Office du Tourisme, Chef-Lieu ✆ 04 79 06 95 19, Fax 04 79 06 95 09.*
*Paris 678 – Albertville 68 – Chambéry 117 – Moûtiers 40 – Val-d'Isère 20.*

**Monal**, ✆ 04 79 06 90 07, *le.monal@wanadoo.fr, Fax 04 79 06 94 72*, – **AE GB**
*fermé 10 mai au 10 juin et 10 oct. au 17 nov.* – **Repas** *(fermé le soir du 10 oct. au 17 nov.)* 13 (déj.), 20/28, enf. 8 – 6 – **24 ch** 26/58 – ½ P 52/57.
◆ Cette construction des années 1960 proche de grandes stations de ski dispose de chambres souvent dotées de petits balcons et d'un restaurant au joli décor savoyard. Billard.

---

## STE-GEMME-MORONVAL *28 E.-et-L.* 311 E3 – *rattaché à Dreux.*

---

## STE-GENEVIÈVE-DES-BOIS *91 Essonne* 312 C4 101 ㉟ – *voir à Paris, Environs.*

---

## STE-GENEVIÈVE-SUR-ARGENCE *12420 Aveyron* 338 I2 – *1 143 h alt. 800.*

Env. *Barrage de Sarrans*★ *N : 8 km*, G. Midi-Pyrénées.
*Syndicat d'Initiative, ✆ 05 65 66 41 46, Fax 05 65 66 29 28.*
*Paris 577 – Aurillac 57 – Chaudes-Aigues 35 – Espalion 40.*

**Voyageurs**, ✆ 05 65 66 41 03, *Fax 05 65 66 10 94*, – **GB**
*fermé 20 sept. au 15 oct. et sam. d'oct. à juin* – **Repas** 9,50/24,50, enf. 7 – 4,60 – **14 ch** 32/38 – ½ P 35/38.
◆ Relais de diligences en 1871, et aujourd'hui auberge abritant des chambres simples et pratiques et une vaste salle à manger de style campagnard.

---

## STE-LUCIE-DE-TALLANO *2A Corse-du-Sud* 345 D9 – *voir à Corse.*

---

## STE-MAGNANCE *89420 Yonne* 319 H7 *G. Bourgogne – 325 h alt. 310.*

Voir *Tombeau*★ *dans l'église.*
*Paris 224 – Auxerre 64 – Avallon 15 – Dijon 68 – Saulieu 24.*

**Auberge des Cordois**, N 6 ✆ 03 86 33 11 79 – **GB**
*fermé 11 au 19 juin, 12 au 20 nov., 6 au 29 janv., mardi et merc.* – **Repas** 17/33.
◆ Près du hameau du même nom, demeure bicentenaire dont les deux petites salles rustiques sentent bon la cire. Plats et vins locaux.

---

## STE-MARIE *44 Loire-Atl.* 316 D5 – *rattaché à Pornic.*

---

## STE-MARIE-AUX-MINES *68160 H.-Rhin* 315 H7 *G. Alsace Lorraine – 5 767 h alt. 350.*

**Tunnel de Ste-Marie-aux-Mines.** *Péage en 2002 aller simple : autos 3,30, camions 6,40 à 14,94 ,moto 1,90 - Renseignements par S.A.P.R.R. ✆ 03 29 53 75 00.*
*Office du Tourisme, 86 rue Wilson ✆ 03 89 58 80 50, Fax 03 89 58 67 92, ot.valargent@calixo.net.*
*Paris 420 – Colmar 42 – St-Dié 24 – Sélestat 23.*

X **Aux Mines d'Argent** avec ch, 8 r. Dr Weisgerber (près H. de Ville) ✆ 03 89 58 55 75, *Fax 03 89 58 65 49*, – TV. GB
**Repas** 10 (déj.), 14/27 ♀, enf. 7 – ☕ 5,40 – **9 ch** 38,20/42,80 – ½ P 42,80.
♦ Lambris, mobilier alsacien, gravures sur bois (scènes de la vie minière) : une authentique winstub aménagée dans une maison du 16e s. Agréable terrasse au bord d'un ruisseau.

---

**STE-MARIE-DE-RÉ** *17 Char.-Mar.* 324 *C3 – voir à Île de Ré.*

---

**STE-MARIE-DE-VARS** *05 H.-Alpes* 334 *I5 – rattaché à Vars.*

---

**STES-MARIES-DE-LA-MER** *– voir après Saintes.*

---

**STE-MARINE** *29 Finistère* 308 *G7 – rattaché à Bénodet.*

---

**STE-MAURE** *10 Aube* 313 *E3 – rattaché à Troyes.*

*Si le coût de la vie subit des variations importantes,*
*les prix que nous indiquons peuvent être majorés.*
*Lors de votre réservation à l'hôtel, faites-vous préciser le prix définitif.*

---

**STE-MAURE-DE-TOURAINE** *37800 I.-et-L.* 317 *M6 G. Châteaux de la Loire – 3 983 h alt. 85.*
*Office du Tourisme, rue du Château ✆ 02 47 65 66 20, Fax 02 47 34 04 28.*
*Paris 274 – Tours 40 – Le Blanc 70 – Châtellerault 39 – Chinon 31 – Loches 31 – Thouars 73.*

**Hostellerie des Hauts de Ste-Maure,** av. Gén. de Gaulle ✆ 02 47 65 50 65, *hauts-de-ste-maure@wanadoo.fr, Fax 02 47 65 60 24*, – rest, TV P – 30. AE ① GB JCB
*fermé janv. –* ***Poste*** *✆ 02 47 65 51 18 (fermé dim. d'oct. à avril et lundi midi)* **Repas** 35/58♀, enf. 7 – ☕ 11 – **28 ch** 74/180 – ½ P 76/175.
♦ Ancien relais de poste et sa cour ombragée de tilleuls. Chambres insonorisées où se côtoient rustique et moderne. Petit musée de voitures, potager. Carte classique à la Poste.

XX **Gueulardière** avec ch, av. Gén. de Gaulle ✆ 02 47 65 40 71, *Fax 02 47 65 69 47* – TV P. AE ① GB
*fermé 16 nov. au 2 déc., 4 janv. au 3 fév., dim. soir et mardi midi sauf de juin à sept. et lundi* – **Repas** 12,20/35 ♀, enf. 8,50 – ☕ 6,40 – **16 ch** 41,20/44,95 – ½ P 44,95.
♦ Discrète façade tourangelle bordant une route animée. Grande salle de restaurant en deux parties séparées par une cheminée centrale. Chambres simples.

**rte de Chinon** *Ouest : 2,5 km par D 760 – ✉ 37800 Noyant-de-Touraine :*

XX **Ciboulette,** face échangeur A 10, sortie n° 25 ✆ 02 47 65 84 64, *Fax 02 47 65 89 29*, – P. GB
**Repas** 15,50/24,40 ♀.
♦ Pratique pour l'étape. En hiver, s'attabler près de la cheminée de la salle à manger claire et sobrement décorée ; en été, choisir la terrasse face à une petite vigne.

**à Noyant-de-Touraine** *Ouest : 5 km – 622 h. alt. 92 – ✉ 37800 :*

**Château de Brou** sans rest, au Nord : 2 km par rte secondaire ✆ 02 47 65 80 80, *info@chateau-de-brou.fr, Fax 02 47 65 82 92*, – TV P – 15. AE ① GB.
*fermé 5 janv. au 13 fév.* – ☕ 15 – **12 ch** 115/160.
♦ Isolé dans un parc, ce château du 15e s. vous accueille avec simplicité dans un décor historique aménagé pour votre confort. Chapelle du 19e s. aux vitraux signés Lobin.

**à Pouzay** *Sud-Ouest : 8 km – 696 h. alt. 51 – ✉ 37800 :*

X **Gardon Frit,** ✆ 02 47 65 21 81, *Fax 02 47 65 21 81*, – GB
*fermé 25 mars au 2 avril, 16 sept. au 1er oct., 13 au 28 janv., mardi et merc.* – **Repas** 12 (déj.), 20/34,50 ♀.
♦ Proche du pont sur la Vienne, cette adresse champêtre fait aussi bar, tabac et journaux. Belle terrasse dans la cour intérieure. Spécialités de produits de la mer.

---

**STE-MAXIME** *83120 Var* 340 *O6 G. Côte d'Azur – 10 015 h alt. 10.*
*Office du Tourisme, Promenade Simon-Loriere, ✆ 04 94 55 75 55, Fax 04 94 55 75 56, office@sainte-maxime.com.*
*Paris 877 ① – Fréjus 20 ② – Cannes 59 ② – Draguignan 34 ① – Toulon 73 ③.*

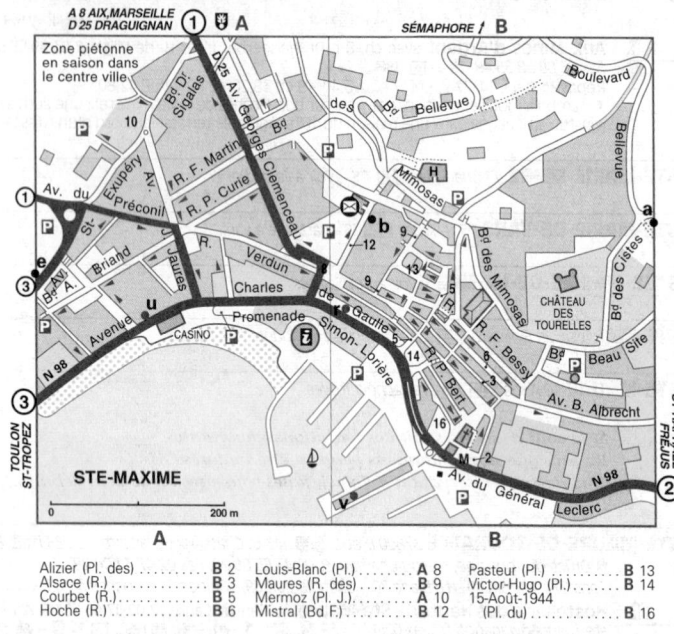

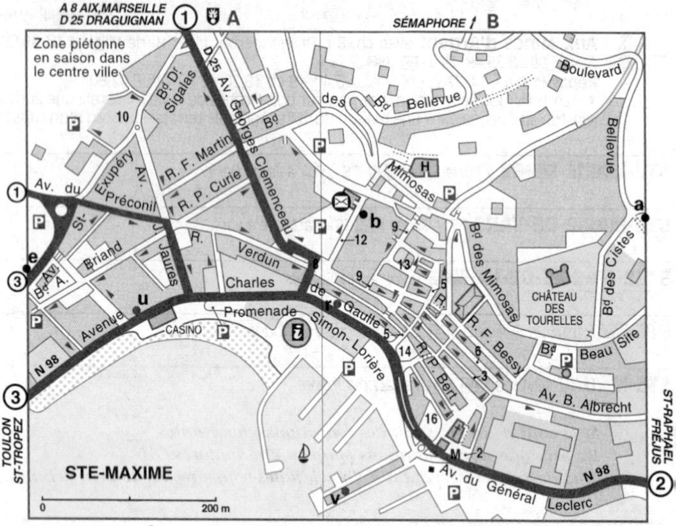
A 8 AIX,MARSEILLE
D 25 DRAGUIGNAN
SÉMAPHORE
Zone piétonne en saison dans le centre ville
Bd Dr. Sigalas
D 25 Av. Georges Clemenceau
Bd des Bellevue
Boulevard Bellevue
R. F. Martin
R. P. Curie
Av. du Préconil
Av. St-Exupéry
Mimosas
Bd des Mimosas
Bd des Cistes
CHÂTEAU DES TOURELLES
Briand
Jaurès
R. Verdun
Charles de Gaulle
Promenade Simon-Lorière
CASINO
Avenue
Bd A.
R. F. Bessy
R. P. Bert
Bd Beau Site
Av. B. Albrecht
N 98
TOULON ST-TROPEZ
ST-RAPHAEL FRÉJUS
STE-MAXIME
Av. du Général Leclerc
200 m

| | | |
|---|---|---|
| Alizier (Pl. des) .......... **B** 2 | Louis-Blanc (Pl.) ........ **A** 8 | Pasteur (Pl.) .......... **B** 13 |
| Alsace (R.) .......... **B** 3 | Maures (R. des) ........ **B** 9 | Victor-Hugo (Pl.) ....... **B** 14 |
| Courbet (R.) .......... **B** 5 | Mermoz (Pl. J.) ........ **A** 10 | 15-Août-1944 (Pl. du) .......... **B** 16 |
| Hoche (R.) .......... **B** 6 | Mistral (Bd F.) ........ **B** 12 | |

**Le Beauvallon** , rte de St-Tropez par ③ : *5 km* ✆ 04 94 55 78 88, *inforeservation@lebeauvallon.com, Fax 04 94 55 78 78,* ←, ... – ... 
*1er avril-30 oct.* – ***Les Colonnades*** (dîner seul.) **Repas** carte 54 à 70 – ***Beauvallon Beach*** *(fermé le soir d'avril à juin, en sept., oct. et lundi soir)* **Repas** carte 35 à 55, enf. 12 – ☐ 22 – **65 ch** 320/2200, 5 appart.
♦ Face à la mer, luxueux hôtel de 1917 paressant au milieu des pins parasols et des palmiers (parc de 4 ha). Chambres élégantes et spacieuses. Style Art déco aux Colonnades.

**Villa Grimaldi** , 44 bd Cistes ✆ 04 98 12 93 79, *info@villa-grimaldi.com, Fax 04 98 12 93 89,* ← baie, ... – ch, ... B a
☐ 20 – **3 ch**, 314/498, 3 appart 549/639.
♦ Dans un jardin dominant la baie, belle villa des années 1920 construite pour la famille Grimaldi. Espace, calme, décor soigné et original, oeuvres d'art moderne et antiquités.

**Hostellerie la Belle Aurore** Ⓜ, 5 bd Jean Moulin par ③ ✆ 04 94 96 02 45, *info@belleaurore.com, Fax 04 94 96 63 87,* ← golfe de St-Tropez, ... rest
*29 mars-12 oct.* – **Repas** *(fermé merc. sauf du 15 mai au 15 sept.)* 35/72 – ☐ 15 – **17 ch** 252/550 – ½ P 142,50/325.
♦ "Les pieds dans l'eau", construction en pierre à allure de bastide provençale. Chambres avec terrasse ou balcon. Restaurant panoramique, en rotonde, au-dessus des flots.

**Les Santolines** sans rest, La Croisette par ③ ✆ 04 94 96 31 34, *hotel.les.santolines@wanadoo.fr, Fax 04 94 49 22 12,* ... 
☐ 10 – **12 ch** 126/135.
♦ Des effluves de santolines parfument ce sympathique hôtel entouré d'un jardinet fleuri, face à la "grande bleue". Ses coquettes chambres provençales sont bien insonorisées.

**Montfleuri,** 3 av. Montfleuri par ② ✆ 04 94 55 75 10, *montfleuri.ste.maxime@wanadoo.fr, Fax 04 94 49 25 07,* ... ch, ... – 25. ...
*fermé 16 nov. au 25 déc. et 6 janv. au 28 fév.* – **Repas** (dîner seul.) 24,50 – ☐ 10 – **30 ch** 85/185 – ½ P 77/154.
♦ L'établissement, situé dans un secteur résidentiel, abrite des chambres fraîches et colorées ; certaines bénéficient d'un balcon avec vue sur mer. Solarium au dernier étage.

**Mas des Oliviers** sans rest, quartier de la Croisette par ③ : *1 km* ✆ 04 94 96 13 31, *hotel.le.mas.oliviers@wanadoo.fr, Fax 04 94 49 01 46,* ←, ... 
☐ 9 – **20 ch** 113/130.
♦ À flanc de colline, dans une voie sans issue, ensemble récent aux couleurs méditerranéennes. Chambres spacieuses, dotées de loggias tournées vers le golfe ou le jardin.

**Petit Prince** sans rest, 11 av. St-Exupéry 04 94 96 44 47, *lepetit.prince@wanadoo.fr, Fax 04 94 49 03 38* – AE GB JCB A e
8 – **29 ch** 70/115.
◆ Chambres actuelles et bien insonorisées, parfois pourvues de balcons, sur une avenue passante proche des plages. Solariums et terrasse pour les petits-déjeuners.

**Croisette** sans rest, 2 bd Romarins par ③ 04 94 96 17 75, *contact@hotel-la-croisette.com, Fax 04 94 96 52 40*, – AE GB
*15 mars-31 oct.* – 10 – **19 ch** 109/165.
◆ Lauriers roses, palmiers et figuiers entourent cette villa située dans un quartier pavillonnaire. Chambres fraîches et soignées ; certaines offrent la vue sur le large.

**Hotellerie de la Poste** sans rest, 11 bd F. Mistral 04 94 96 18 33, *hotellerie-de-la-poste@wanadoo.fr, Fax 04 94 96 41 68*, – 30. AE GB B b
*fermé 5 janv. au 1er fév.* – 10 – **28 ch** 75/160.
◆ Face à la poste, construction de 1932 disposant d'un vaste espace d'accueil avec salon, bar et salle des petits-déjeuners. Chambres simples, mieux insonorisées côté piscine.

**L'Amiral,** galerie marchande du port (1er étage) 04 94 43 99 36, *Fax 04 94 43 99 36*, port et golfe, – AE GB B v
*fermé 15 nov. au 15 déc. dim. soir, jeudi midi et lundi* – **Repas** 29/46.
◆ Bel emplacement sur le môle pour ce restaurant au décor moderne, équipé d'un toit ouvrant et de grandes baies vitrées. Cuisine régionale ; poissons grillés.

**Gruppi,** av. Ch. de Gaulle 04 94 96 03 61, *lagruppi@lagruppi.com, Fax 04 94 49 16 86* – AE GB JCB B r
*fermé déc., merc. sauf le soir en saison, lundi midi en saison et mardi soir hors saison* – **Repas** 23/32.
◆ Attablez-vous sur la terrasse couverte ou dans la pimpante salle à manger de l'étage pour y déguster des spécialités de la mer à la mode provençale.

**Dauphin,** av. Ch. de Gaulle 04 94 96 31 56, *Fax 04 94 96 52 61* – . GB A u
*fermé 20 nov. au 20 janv., mardi midi en juil.-août-sept., mardi soir et merc. d'oct. à juin* – **Repas** 16,50 (déj.), 27,50/36,50.
◆ Face à la plage, derrière le casino, minuscule adresse familiale à l'accueil sympathique. Décor simple et frais, tables bien alignées, cuisine traditionnelle.

**au Nord-Est** *par av. Clemenceau et rte du Débarquement – 83120 Ste-Maxime :*

**Golf Plaza** M, au Golf, 5,5 km 04 94 56 66 66, *reservation@golf-plaza.fr, Fax 04 94 56 66 00*, baie et golf, – 25 à 80. AE GB
*fermé fév.* – ***Relais Provence*** (dîner seul.) **Repas** 37 – ***St-Andrew*** (club house) **Repas** (17)-20,50(déj.)/24,50(dîner), enf.10 – ***Costa Smeralda*** snack de piscine (déj. seul.) *(juil.-août)* **Repas** carte 31/38, enf.10 – 16 – **93 ch** 230/310, 13 appart.
◆ Construction de dix niveaux étagée sur une colline. Chambres modernes et confortables avec vue sur le golfe. Espace balnéo-esthétique, restaurant panoramique (Relais Provence).

**Jas Neuf** M sans rest, 112 av. Débarquement 04 94 55 07 30, *info@hotel-jasneuf.com, Fax 04 94 49 09 71*, – GB
*15 mars-20 oct.* – 9 – **24 ch** 140/172.
◆ Maison de style régional proche de la belle plage de la Nartelle où les troupes alliées débarquèrent en 1944. Chambres coquettes, pour la plupart dotées de terrasses.

**à La Nartelle** *par ② : 4 km – 83120 Ste-Maxime :*

**Hostellerie de la Vierge Noire** sans rest, 04 94 96 33 11, *Fax 04 94 49 28 90*, – GB
8 – **11 ch** 82/113.
◆ Séparée de la plage par la nationale, longue bâtisse où grimpe la vigne vierge. Chambres bien tenues et salle des petits-déjeuners de style campagnard.

**à Val d'Esquières** *Nord-Ouest : 6 km par rte des Issambres – 83120 Ste-Maxime :*

**Villa,** à la Garonnette 04 94 49 40 90, *la.villa@worldonline.fr, Fax 04 94 49 40 85*, – AE GB
*fermé 11 au 26 nov. et 13 janv. au 2 fév.* – ***La Table*** *(fermé lundi, mardi d'oct. à avril et le midi de mai à oct.)* **Repas** 19/60 – 7,70 – **11 ch** 99/128 – ½ P 61,10/83,90.
◆ Près des plages, hôtel rénové abritant de petites chambres sobres, fraîches et bien tenues ; certaines disposent d'une vue sur mer. Cuisine provençale mitonnée avec soin.

## STE-MENEHOULD

SP *51800 Marne* 306 L8 *G. Champagne Ardenne – 5 177 h alt. 137.*
**Voir** ★ *de la butte appelée "Le château" – Château de Braux-Ste-Cohière★ O : 5,5 km.*
*Office du Tourisme, 5 place du Général Leclerc 03 26 60 85 83, Fax 03 26 60 27 22.*
*Paris 228 – Bar-le-Duc 50 – Châlons-en-Champagne 49 – Reims 80 – Verdun 48.*

**Cheval Rouge,** 1 r. Chanzy ✆ 03 26 60 81 04, *rouge.cheval@wanadoo.fr, Fax 03 26 60 93 11* – 30.
*fermé 17 nov. au 7 déc. et lundi du 11 nov. au 1er avril* – **Repas** 15/45 – 7 – **20 ch** 40/47 – ½ P 46/48.
◆ Fuite de Varennes, Valmy... Découvrez l'histoire des "Thermopyles françaises" (trouée de la forêt d'Argonne) à partir de cet hôtel-brasserie aux chambres refaites.

**à Futeau** *Est : 13 km par N 3 et D 2 – 173 h. alt. 190 – ✉ 55120 :*

**L'Orée du Bois** avec ch, Sud : 1 km ✆ 03 29 88 28 41, *oreedubois@free.fr, Fax 03 29 88 24 52,*
*fermé 21 au 29 oct., janv., lundi midi, merc. midi du 15 avril au 30 sept., dim. soir, lundi hors saison et mardi* – **Repas** 20/63 et carte 48 à 73 – 11 – **14 ch** 69/110 – ½ P 80/105.
◆ En lisière de la forêt d'Argonne, engageante auberge abritant deux salles à manger tournées vers la campagne. Chambres amples et confortables (réservez-en une récente).

## STE-MÈRE-ÉGLISE *50480 Manche* 303 E3 *G. Normandie Cotentin – 1 556 h alt. 28.*

*Office du Tourisme, 6 rue Eisenhower ✆ 02 33 21 00 33, Fax 02 33 21 53 91.*
*Paris 321 – Cherbourg 39 – St-Lô 42 – Bayeux 58.*

**Sainte-Mère** M, rte Caen ✆ 02 33 21 00 30, *hotel-le-ste-mere-@wanadoo.fr, Fax 02 33 41 38 40* – 70.
**Repas** *(fermé vend. soir, sam. midi et dim. soir hors saison)* 10,90 (déj.), 14,20/21,90, enf. 7 – 8 – **41 ch** 48 – ½ P 44,50.
◆ Grande bâtisse de conception moderne près de la borne 0 de la voie de la Liberté. Chambres identiques et bien insonorisées. Salon avec TV grand écran et billard. Grill.

## STE-RADEGONDE *33360 Gironde* 335 L6 – *426 h alt. 85.*

*Paris 558 – Bergerac 45 – Bordeaux 58 – Libourne 27 – La Réole 36.*

**Château de Sanse** M, Sud-Est : 4 km par D 15, D 18 et rte secondaire ✆ 05 57 56 41 10, *contact@chateaudesanse.com, Fax 05 57 56 41 29,* – 25. rest
*fermé fév.* – **Repas** *(fermé le midi sauf week-ends, lundi et mardi d'oct. à avril et dim soir)* 26/28 – 15 – **14 ch** 95/185 – ½ P 77/118.
◆ Demeure du 18e s. entièrement rénovée, donnant sur les collines de l'Entre-Deux-Mers. Chambres spacieuses et de caractère. Salle à manger actuelle. Vaste parc.

## SAINTES *17100 Char.-Mar.* 324 G5 *G. Poitou Vendée Charentes – 25 874 h alt. 15.*

**Voir** *Abbaye aux Dames : église abbatiale★ – Vieille ville★ – Arc de Germanicus★* **B** *– Église St-Eutrope : église inférieure★* **E** *– Arènes★ – Musée des Beaux-Arts★ : Présidial* **M5** *– Musée Archéologique : char de parade★.*
*Office du Tourisme, 62 cours National ✆ 05 46 74 23 82, Fax 05 46 92 17 01, saintonge tour@wanadoo.fr.*
*Paris 470 ⑥ – Royan 37 ⑤ – Bordeaux 118 ④ – Poitiers 137 ⑥ – Rochefort 42 ⑦.*

Plans page ci-contre

**Relais du Bois St-Georges** M, r. Royan (D 137) ✆ 05 46 93 50 99, *info@relaisduboi s.com, Fax 05 46 93 34 93,* – 50. Y d
**Repas** 36 bc/104 bc - ***Table du Bois :*** **Repas** *(17,50)*- 23bc – 18 – **27 ch** 76/200, 3 duplex.
◆ Sur les vestiges d'une ferme du 11e s., dans un parc avec étang, chambres confortables au décor personnalisé : le capitaine Némo, Tombouctou, Aphrodite, Monte Cristo...

**Messageries** sans rest, r. Messageries ✆ 05 46 93 64 99, *info@hotel-des-messagerie s.com, Fax 05 46 92 14 34* – AZ r
*fermé 19 déc. au 6 janv.* – 7 – **34 ch** 50/60.
◆ Proche du quartier historique, ancien relais de diligences datant de 1792. Les chambres, tournées sur la cour intérieure, bénéficient du calme. Intérieur rustique.

**Avenue** sans rest, 114 av. Gambetta ✆ 05 46 74 05 91, *contact@hoteldelavenue.com, Fax 05 46 74 32 16* – BZ s
*fermé 24 déc. au 2 janv.* – 6 – **15 ch** 32,50/47,50.
◆ Sur un axe passant, hôtel aménagé dans un immeuble des années 1970. Chambres donnant sur l'arrière. Salle des petits-déjeuners personnalisée.

**Ibis** M, r. Royan ✆ 05 46 74 36 34, *Fax 05 46 93 33 39,* – 50. Y s
**Repas** *(fermé sam. midi et dim. midi d'oct. à mars)* *(12)* - 15, enf. 5,95 – 6,10 – **71 ch** 48,50/55,50.
◆ Mobilier moderne et couleurs chaleureuses agrémentent les nouvelles chambres de cet établissement de chaîne situé dans une zone commerciale, à proximité de l'autoroute.

# SAINTES

Allende (Av. Salvador) . . . . . . . . Y 2
Alsace-Lorraine (R.) . . . . . . . . AZ 3
Arc de Triomphe (R.) . . . . . . . . BZ 4
Bassompierre (Pl.) . . . . . . . . BZ 5
Berthonnière (R.) . . . . . . . . AZ 7
Blair (Pl.) . . . . . . . . AZ 9
Bois d'Amour (R.) . . . . . . . . AZ 10
Bourignon (R.) . . . . . . . . Y 12
Brunaud (R. A.) . . . . . . . . AZ 13
Clemenceau (R.) . . . . . . . . AZ 15
Denfert-Rochereau (R.) . . . . . . . . BZ 16
Dufaure (Av. J.) . . . . . . . . Y 18
Foch (Pl. Mar.) . . . . . . . . AZ 20
Gambetta (Av.) . . . . . . . . BZ
Jacobins (R. des) . . . . . . . . AZ 25
Jean (R. du Doc.) . . . . . . . . Y 27
Kennedy (Av. J.-F.) . . . . . . . . Y 31
Lacurie (R.) . . . . . . . . Y 33
Leclerc (Crs Mar.) . . . . . . . . Y 34
Lemercier (Cours) . . . . . . . . AZ 35
Marne (Av. de la) . . . . . . . . BZ 37
Mestreau (R. F.) . . . . . . . . BZ 38
Monconseil (R.) . . . . . . . . AZ 39
National (Cours) . . . . . . . . AZ
République (Quai) . . . . . . . . AZ 41
St-Eutrope (R.) . . . . . . . . AZ 42
St-François (R.) . . . . . . . . AZ 43
St-Macoult (R.) . . . . . . . . AZ 45
St-Pierre (R.) . . . . . . . . AZ 46
St-Vivien (Pl.) . . . . . . . . AZ 47
Victor-Hugo (R.) . . . . . . . . AZ 49

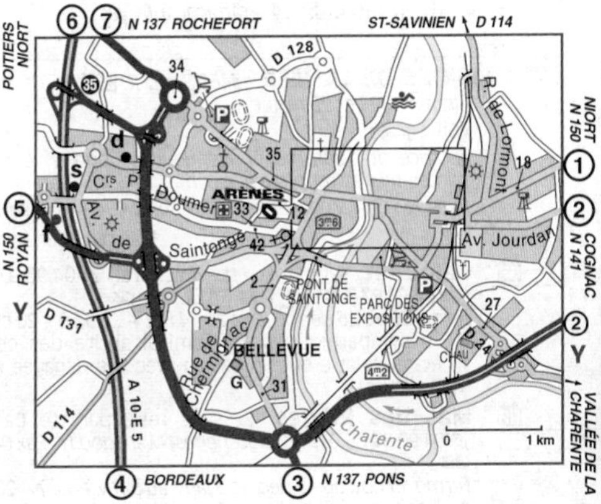
N 137 ROCHEFORT
ST-SAVINIEN D 114
POITIERS NIORT
NIORT N 150
D 128
ARÈNES
Doumer
Av. de Saintonge
PONT DE SAINTONGE
PARC DES EXPOSITIONS
Av. Jourdan
COGNAC N 141
N 150 ROYAN
D 131
BELLEVUE
Rue de Chermignac
D 24
A 10-E 5
D 114
Charente
VALLÉE DE LA CHARENTE
BORDEAUX
N 137, PONS
0
1 km

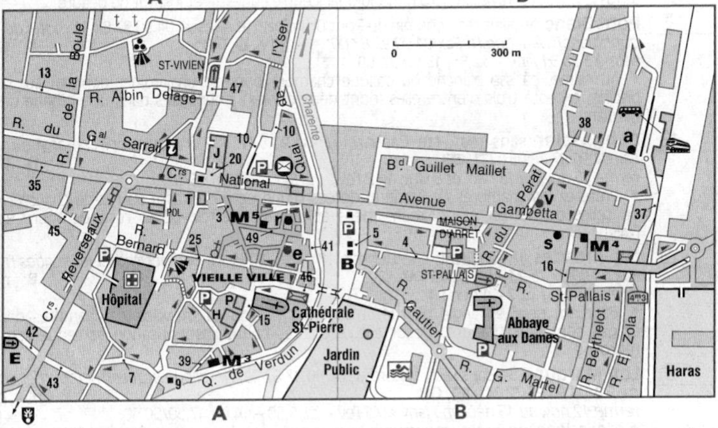
A
B
ST-VIVIEN
R. Albin Delage
R. de la Boule
R. du Gal Sarrail
Crs National
Quai de l'Yser
Charente
0
300 m
Bd Guillet Maillet
Avenue Gambetta
R. Pérat
MAISON D'ARRÊT
R. du
Crs Reverseaux
R. Bernard
Hôpital
VIEILLE VILLE
Cathédrale St-Pierre
Jardin Public
R. Gautier
ST-PALLAIS
R. St-Pallais
Abbaye aux Dames
R. G. Martel
R. Berthelot
R. E. Zola
Haras
Q. de Verdun
Z

**Terminus** sans rest, 2 r. J. Moulin ☎ 05 46 74 35 03, *hotelauterminus@wanadoo.fr, Fax 05 46 97 24 47* – AE GB — BZ a
*fermé 21 déc. au 6 janv.* – 6,40 – **28 ch** 33,55/47,30.
♦ Cet hôtel ouvert en 1924 avec l'essor de la gare conserve un charme désuet. Une belle cage d'escalier en bois sculpté conduit aux chambres de style "rétro".

**Saintonge,** complexe Saintes-Végas, rte Royan ☎ 05 46 97 00 00, *le-saintonge@yahoo.fr, Fax 05 46 97 21 46* – AE GB — Y f
*fermé dim. soir et lundi soir* – **Repas** *(15,90)* - 20,20/39 et carte 45 à 57 ♀.
♦ Dans le complexe de "Saintes-Vegas" (amphithéâtre, salons et discothèques), lumineuse salle de restaurant en rotonde offrant un cadre plutôt élégant. Cuisine classique.

**Ciboulette,** 36 r. Pérat ☎ 05 46 74 07 36, *la.ciboulette@wanadoo.fr, Fax 05 46 94 14 54* – GB — BZ v
*fermé sam. midi et dim.* – **Repas** 18/62 bc ♀, enf. 12.
♦ Restaurant de quartier bien situé à deux pas de l'avenue principale. Intérieur coloré rehaussé de nombreux tableaux. Cuisine du terroir ; vins régionaux.

**Bistrot Galant,** 28 r. St-Michel ☎ 05 46 93 08 51, *Fax 05 46 90 95 58* – GB — AZ e
*fermé 1er au 8 juin, 29 sept. au 13 oct., dim. (sauf le midi en saison et fériés) et lundi* – **Repas** *(12,04)* - 15,10/30,20 ♀.
♦ Dans une rue calme, derrière une devanture vitrée, deux petites salles redécorées dans des tons assez gais ; confortables chaises capitonnées. Cuisine au goût du jour.

**STE-SABINE** *21 Côte-d'Or* 320 H6 – *rattaché à Pouilly-en-Auxois.*

**STE-SAVINE** *10 Aube* 313 E4 – *rattaché à Troyes.*

**STES-MARIES-DE-LA-MER** *13460 B.-du-R.* 340 B5 *G. Provence – 2 232 h alt. 1 Pèlerinage des Gitans★★ (24 et 25 mai).*

Voir *Église*★.

*Office du Tourisme, 5 avenue Van Gogh ✆ 04 90 97 82 55, Fax 04 90 97 71 15, saintes-maries@enprovence.com.*

*Paris 761 ① – Montpellier 68 ① – Arles 40 ① – Marseille 132 ① – Nîmes 55 ①.*

Plan page suivante

**Galoubet** sans rest, rte Cacharel ✆ 04 90 97 82 17, *info@hotelgaloubet.com, Fax 04 90 97 71 20,* – TV P. GB. B s
*fermé 20 au 26 déc., 6 janv. au 14 fév.* – 5,50 – **20 ch** 51/67.
◆ Ce sympathique hôtel familial abrite des chambres rustico-provençales ; au 1er étage, quatre ont un balcon avec vue dégagée sur la Réserve des Impériaux. Tenue méticuleuse.

**Mas des Rièges** sans rest, par rte Cacharel et rte secondaire : 1 km ✆ 04 90 97 85 07, *hoteldesrieges@wanadoo.fr, Fax 04 90 97 72 26,* – TV P. AE GB
*fermé 15 nov. au 15 déc. et 5 janv. au 5 fév.* – 7 – **20 ch** 60/84.
◆ Architecture typiquement camarguaise entourée de marais, chambres (sauf une) avec terrasse privative, ravissant jardin méridional, centre équestre et institut de beauté.

**Pont Blanc** sans rest, chemin du Pont Blanc par rte Arles ✆ 04 90 97 89 11, *hotel.du.pont.blanc@wanadoo.fr, Fax 04 90 97 87 00,* – TV P. GB A z
*fermé 5 au 31 janv.* – 5 – **15 ch** 52/60.
◆ Au calme, bâtisse blanche où chaque chambre possède un jardinet donnant sur la piscine, excepté trois d'entre elles (dont deux duplex) aménagées dans une cabane de gardian.

**Fangassier** sans rest, rte Cacharel ✆ 04 90 97 85 02, *fangassier@camargue.fr, Fax 04 90 97 76 05* – TV. GB B e
*fermé 15 nov. au 15 déc. et 8 janv. au 8 fév.* – 5,50 – **23 ch** 46/52.
◆ Préférez les chambres de l'arrière, dotées d'une petite terrasse au rez-de-chaussée, ou celles du dernier étage, mansardées et plus douillettes. Décor rustique sobre et frais.

**Les Arcades** M sans rest, r. P. Herman ✆ 04 90 97 73 10, *contact@hotel-lesarcades.fr, Fax 04 90 97 75 23* – TV. AE GB. B n
*7 fév.-2 nov.* – 7 – **17 ch** 54.
◆ Bâtiment neuf en angle de rue, à quelques pas du centre-ville. Les chambres des étages sont plus grandes. Décor actuel coloré, bonne insonorisation et tenue sans reproche.

**Lou Marquès** sans rest, r. Vibre ✆ 04 90 97 82 89, *hotelloumarques@netcourrier.com, Fax 04 90 97 72 24* – TV. GB A r
*fermé 12 nov. au 15 déc. et 5 janv. au 5 fév.* – 5,50 – **14 ch** 47,50/50,50.
◆ L'enseigne de cette construction moderne rend hommage au fameux poète camarguais. Chambres identiques meublées sobrement, dont trois avec terrasse au 1er étage.

**Bleu Marine** M sans rest, av. Dr Cambon ✆ 04 90 97 77 00, *hbleumar@aol.com, Fax 04 90 97 76 00,* – TV. GB B t
*10 avril-1er nov.* – 5 – **26 ch** 56/63.
◆ Murs crépis, tomettes et meubles en pin composent le décor des chambres (six avec balcon ou terrasse) de cet hôtel fonctionnel proche d'un camping. Insonorisation efficace.

**Mas des Salicornes,** rte d'Arles ✆ 04 90 97 83 41, *info@hotel-salicornes.com, Fax 04 90 97 85 70,* – rest, TV P. AE GB A y
*29 mars-11 nov.* – **Repas** (dîner seul.) 17/19, enf. 10,50 – 5,50 – **16 ch** 50,50/79 – ½ P 42,75/62.
◆ Constructions de plain-pied, dans le style régional. Chambres simples, bien tenues et dotées de terrasses privatives. Salle à manger au mobilier rustique.

**Mirage,** r. C. Pelletan ✆ 04 90 97 80 43, *lemirage@camargue.fr, Fax 04 90 97 72 22,* – GB. ch B v
*10 avril-15 oct.* – **Repas** *(15 avril-15 sept.)* (dîner seul.) 18/27 – 5 – **27 ch** 51/55 – ½ P 45,50/47,50.
◆ Hôtel familial simple installé dans les murs d'un ancien cinéma des années 1960. Chambres actuelles, moins tranquilles au rez-de-chaussée. Restaurant d'esprit camarguais.

## STES-MARIES DE-LA-MER

Aubanel (R. Théodore) . . . . . . **A** 2
Bizet (R. Georges) . . . . . . . . . **A** 6
Carrière (R. Marcel) . . . . . . . . **B** 8
Châteaubriand (R.) . . . . . . . . . **A** 10
Château-d'Eau (R. du) . . . . . . . . . . . . . . . . . **A** 12
Crin-Blanc (R.) . . . . . . . . . . . . **A** 15
Eglise (Pl. de l') . . . . . . . . . . . **A** 17
Espelly (R.) . . . . . . . . . . . . . . . **A** 18
Etang (R. de l') . . . . . . . . . . . **A** 20
Ferrade (R. de la) . . . . . . . . . . **B** 22
Fouque (R. du Capitaine) . . . . **A** 23
Gambetta (Av. Léon) . . . . . . **AB** 25
Lamartine (Pl.) . . . . . . . . . . . . **A** 27
Marquis-de-Baroncelli (Pl.) . . **A** 28
Médina (R. François) . . . . . . . **B** 29
Pénitents-Blancs (R. des) . . . . . . . . . . . . . . . . **A** 30
Portalet (Pl.) . . . . . . . . . . . . . . **A** 32
Razeteurs (R. des) . . . . . . . . . **A** 34

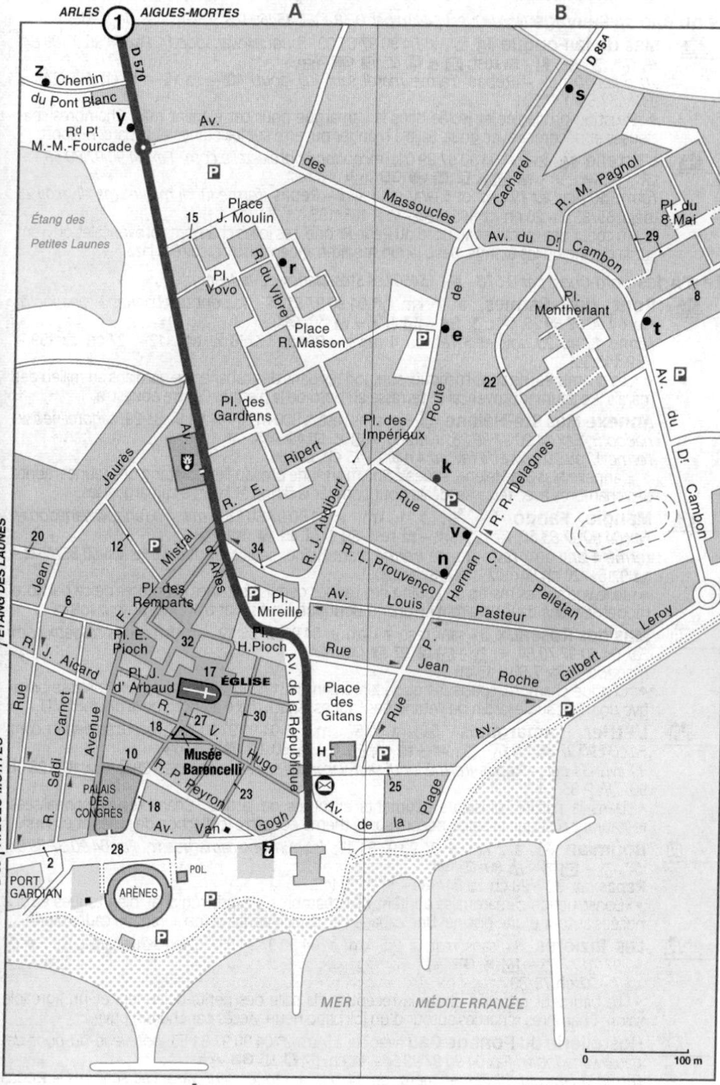

ARLES
AIGUES-MORTES
A
B
D 570
D 85A
Chemin du Pont Blanc
Rd Pt M.-M.-Fourcade
Av. des Massoucles
Étang des Petites Launes
Place J. Moulin
Pl. Vovo
R. du Vibre
Place R. Masson
Pl. des Gardians
Pl. des Impériaux
Ripert
R. E. Mistral
Av. Jaurès
Av. d'Arles
R. J. Audibert
Rue C. Pelletan
R. R. Delagnes
Route de Cacharel
R. M. Pagnol
Pl. du 8 Mai
Av. du Dr Cambon
Pl. Montherlant
R. L. Prouvenço
Av. Louis Pasteur
Rue P. Herman
Leroy
Rue Jean Roche
Gilbert
Pl. des Remparts
Pl. Mireille
Pl. E. Pioch
Pl. H.Pioch
R. J. Aicard
Pl. J. d'Arbaud
ÉGLISE
R. V. Hugo
Musée Baroncelli
Av. de la République
Place des Gitans
Rue de la Plage
Av. Gambetta
R. P. Peyron
Av. Van Gogh
Av. de la Plage
Rue Carnot
Avenue
R. Sadi
Rue Jean
PALAIS DES CONGRÈS
ÉTANG DES LAUNES
AIGUES-MORTES
PORT GARDIAN
ARÈNES
POL.
MER MÉDITERRANÉE
100 m


*Les principales voies commerçantes figurent en* ***rouge*** *dans la liste des rues des plans de villes.*

**L'Hippocampe** avec ch, r. C. Pelletan ✆ 04 90 97 80 91, *Fax 04 90 97 73 05* – GB
B k
*30 mars-1er nov. et fermé mardi sauf du 15 juil. au 16 sept.* – **Repas** 21,30/33,80 – ☕ 5,50 – **4 ch** 54.
◆ Deux salles à manger spacieuses et claires, sobrement décorées, donnant sur un patio. Spécialités de poissons. Chambres d'appoint fraîches et bien aménagées.

**rte du Bac du Sauvage** *Nord-Ouest : 4 km par D 38 – ✉ 13460 Les Stes-Maries-de-la-Mer :*

**Mas de la Fouque** M, ✆ 04 90 97 81 02, *fouque@wanadoo.fr, Fax 04 90 97 96 84,* – rest, TV P. AE GB JCB
*20 mars-10 nov.* – **Repas** *(fermé mardi sauf juil.-août)* 40 – ☕ 15 – **17 ch** 165/245 – ½ P 137,50/177,50.
◆ Situation privilégiée et isolée dans la Camargue pour cet élégant mas. Chambres spacieuses et décorées avec goût. Salle à manger ouverte sur les étangs et le parc. Héliport.

**L'Estelle** M, ✆ 04 90 97 89 01, *reception@hotelestelle.com, Fax 04 90 97 80 36,* – TV P. AE GB JCB. rest
*fermé 30 nov. au 19 déc. et 5 janv. au 4 avril* – **Repas** *(fermé lundi midi et mardi midi)* 25 (déj.), 35/85 ♀ – **20 ch** ☕ 165/320 – ½ P 145/195.
◆ Au coeur des marais et au bord du Petit-Rhône. Les jolies chambres provençales ouvrent sur la piscine ou les étangs. Beau jardin méditerranéen, bistrot, soirées jazz.

**rte d'Arles** *Nord-Ouest par D 570 – ✉ 13460 Les Stes-Maries-de-la-Mer :*

**Pont des Bannes,** à 1 km ✆ 04 90 97 81 09, *le.pont.des.bannes@wanadoo.fr, Fax 04 90 97 89 28,* – TV P – 30. GB
*fermé 12 au 20 nov. et 3 fév. au 4 mars* – **Repas** 23/38 ♀, enf. 12 – **27 ch** ☕ 159 – ½ P 113,50.
◆ Les chambres, de style rustique, sont logées dans des cabanes de gardians au milieu des marais. Restaurant provençal et terrasse au bord de la piscine. Centre équestre.

**Annexe Mas Ste-Hélène** sans rest, à 800 m. ✆ 04 90 97 83 29, *sahoteline@wanadoo.fr, Fax 04 90 97 89 28,* étang – TV P. AE GB.
*fermé 12 au 20 nov. et 3 fév. au 4 mars* – **13 ch** ☕ 150.
◆ L'annexe Mas Ste-Hélène, située à 500 m sur une presqu'île de l'étang des Launes, abrite des chambres avec terrasse idéale pour admirer la faune et la flore camarguaises.

**Mangio Fango** M, à 1 km ✆ 04 90 97 80 56, *mangio.fango@wanadoo.fr, Fax 04 90 97 83 60,* – rest, TV P. AE GB JCB
*fermé 4 janv. au 7 fév.* – **Repas** *(fermé merc.)* (dîner seul. sauf dim. et feriés) 30,85/45 ♀ – ☕ 9,15 – **20 ch** 84/107 – ½ P 82/93,50.
◆ Jolie vue sur les marais ou l'étang des Launes depuis certaines chambres de ce bel hôtel moderne niché dans un jardin luxuriant. Boutique d'artisanat d'art. Nombreux loisirs.

**Mas des Roseaux** sans rest, à 1 km ✆ 04 90 97 86 12, *info@mas-des-roseaux.com Fax 04 90 97 70 84,* – TV P. AE GB.
*mars-oct.* – ☕ 7,50 – **15 ch** 99.
◆ Chaque chambre, spacieuse et décorée dans le style local, possède une terrasse privative donnant sur le jardin ou l'étang des Launes. Snack d'été au bord de la piscine ; VTT.

**L'Étrier Camarguais**, à 1,5 km ✆ 04 90 97 81 14, *brouzet@letrier.com, Fax 04 90 97 88 11,* – ch, TV P – 60. AE GB JCB
*11 avril-31 oct.* – **Repas** *(fermé lundi sauf vacances scolaires et fériés)* 28 ♀ – ☕ 10 – **28 ch** 90 – ½ P 83.
◆ Dans la nature, plusieurs bâtiments entourés de jardins. Chambres personnalisées, restaurant rustique et salon décoré sur le thème équestre (collection de selles et étriers).

**Boumian**, à 2 km ✆ 04 90 97 81 15, *leboumian@camargue.fr, Fax 04 90 97 89 94,* – TV P – 80. AE GB
**Repas** *(20)* - 32 – **28 ch** ☕ 84/180 – ½ P 75/112.
◆ Construction camarguaise abritant des chambres d'esprit régional, bien tenues et disposées autour d'une piscine. Une cabane de gardian abrite le restaurant au cadre taurin.

**Les Rizières** sans rest, à 2,5 km ✆ 04 90 97 91 91, *rizieres@wanadoo.fr, Fax 04 90 97 70 77,* – TV P. GB
☕ 7 – **27 ch** 79/88.
◆ Le bâtiment principal abrite la réception, la salle des petits-déjeuners et un agréable salon. Chambres réparties autour d'un joli patio fleuri. Accès par chemin privé.

**Hostellerie du Pont de Gau** avec ch, à 5 km ✆ 04 90 97 81 53, *hotellerie-du-pont-de-gau@wanadoo.fr, Fax 04 90 97 98 54* – ch, TV P. AE GB JCB
*fermé 6 janv. au 15 fév. et merc. du 11 oct. à Pâques sauf vacances scolaires* – **Repas** 17,55/47,30 – ☕ 6,90 – **9 ch** 48,80 – ½ P 59,50.
◆ À côté du Parc ornithologique, salle de restaurant avec poutres au plafond, cheminée et trompe-l'oeil, et agréable véranda aux tons bleu et blanc. Goûteux plats du terroir.

*Michelin n'accroche pas de panonceau aux hôtels et restaurants qu'il signale.*

## Les SAISIES 73620 Savoie 333 M3 – *Sports d'hiver : 1 600/1 870 m 24.*

*Office de tourisme, avenue des Jeux Olympiques 04 79 38 90 30, Fax 04 79 38 96 29, info@Lessaisies.com.*

*Paris 596 – Albertville 28 – Annecy 61 – Bourg-St-Maurice 53 – Chamonix-Mont-Blanc 55 – Megève 23.*

**Calgary** M, 04 79 38 98 38, *calgary@wanadoo.fr, Fax 04 79 38 98 00,* – TV

*fermé 26 avril au 21 juin et 6 sept. au 13 déc.* – **Repas** 24 – 10 – **36 ch** 90/165, 4 duplex – 1/2 P 110/120.

◆ L'enseigne de ce chalet à la "tyrolienne" rend hommage aux victoires remportées par l'enfant du pays, Franck Piccard, lors des JO de 1988. Chambres spacieuses et confortables.

## SALBRIS 41300 L.-et-Ch. 318 J7 *G. Châteaux de la Loire – 6 083 h alt. 104.*

*Office du Tourisme, rue du Général Girault 02 54 97 22 27, Fax 02 54 97 22 27.*

*Paris 188 – Bourges 64 – Blois 65 – Montargis 102 – Orléans 64 – Vierzon 24.*

**Domaine de Valaudran** M, Sud-Ouest : 1,5 km par rte Romorantin 02 54 97 20 00, *info@valaudran.com, Fax 02 54 97 12 22,* – TV P – 15 à 60. AE GB

*fermé 27 janv.au 23 fév.* – **Repas** *(fermé dim. soir et lundi d'oct.à avril)* 25 (déj.)/30 ♀, enf. 12 – 12 – **28 ch** 69/106 – 1/2 P 74.

◆ Au coeur d'un parc arboré, gentilhommière du 19e s. en brique et tuffeau. Les chambres refaites sont sagement modernes. Cuisine au goût du jour, produits du potager.

**Parc,** 8 av. Orléans 02 54 97 18 53, *hotel@leparcsalbris.fr, Fax 02 54 97 24 34,* – TV P – 15. GB

*fermé 21 déc. au 6 janv.* – **Repas** *(fermé dim. soir, mardi midi et lundi de nov. à mars)* (prévenir) 24/47 ♀, enf. 8,50 – 8,65 – **23 ch** 50,50/79 – 1/2 P 56/63.

◆ Demeure bourgeoise dans un joli parc avec potager. Chambres anciennes ou contemporaines, progressivement rénovées. Salons bien aménagés. Repas au coin du feu en hiver.

**Sauldraie,** 81 av. Orléans 02 54 97 17 76, *Fax 02 54 97 29 67,* – rest, TV P. GB

*hôtel : fermé 10 au 24 mars dim. soir et lundi en hiver* – **Repas** *(fermé 10 au 24 mars, 14 au 25 sept., 26 au 31 déc., lundi sauf le soir en été et dim. soir)* 19/39,50 – 9 – **11 ch** 43/56.

◆ Un parc et un petit bois entourent cette grande maison familiale. Les chambres, de styles variés, sont plus simples dans l'annexe. Deux salles à manger dont une en véranda.

## SALERS 15140 Cantal 330 C4 *G. Auvergne – 439 h alt. 950.*

Voir *Grande-Place★★ – Église★ – Esplanade de Barrouze ★.*

*Office du Tourisme, place Tyssandier d'Escous 04 71 40 70 68, Fax 04 71 40 70 94, salers@wanadoo.fr.*

*Paris 511 – Aurillac 42 – Brive-la-Gaillarde 101 – Mauriac 20 – Murat 43.*

**Bailliage,** r. Notre-Dame 04 71 40 71 95, *info@salers-hotel-bailliage.com, Fax 04 71 40 74 90,* – TV P – 15. AE GB

*fermé 15 nov. au 1er fév.* – **Repas** 13/32 ♀, enf. 7,50 – 7 – **22** ch 52/65 – 1/2 P 54/58.

◆ Cette construction à allure de cottage propose des chambres spacieuses et confortables ; certaines ont vue sur la campagne. Salle à manger redécorée dans un esprit actuel.

**Gerfaut** sans rest, rte Puy Mary, Nord Est : 1 km par D 680 04 71 40 75 75, *info@salers-hotel-gerfaut.com, Fax 04 71 40 73 45,* – cuisinette TV P – 25. AE GB

*Pâques-Toussaint* – 6,10 – **20 ch** 55/65.

◆ Sur les hauteurs du bourg, bâtiment moderne en arc de cercle où vous dormirez paisiblement. Les chambres, dotées de balcons ou de terrasses, sont tournées vers la vallée.

**Les Remparts**, esplanade Barrouze 04 71 40 70 33, *hotel.remparts@wanadoo.fr, Fax 04 71 40 75 32,* Monts du Cantal, – TV. GB

*fermé 10 oct. au 20 déc.* – **Repas** *(8)* - 12/29 ♀, enf. 7,35 – 6,40 – **18 ch** 49,50 – 1/2 P 49,50.

◆ Très bel emplacement pour cette maison sagranière où presque toutes les chambres profitent du panorama. Salles à manger campagnardes ; salon de style auvergnat.

### à Fontanges *Sud : 5 km par D 35 – 292 h. alt. 692 – 15140 Salers :*

**Auberge de l'Aspre**, 04 71 40 75 76, *auberge.aspre@worldonline.fr, Fax 04 71 40 75 27,* – TV P. GB

*fermé 1er déc. au 31 janv., dim. soir, merc. soir et lundi d'oct. à mai* – **Repas** 16/32 ♀ – 8 – **8 ch** 48/79 – 1/2 P 50.

◆ En pleine nature, ancienne ferme dont les chambres, actuelles et colorées, possèdent d'originales salles de bains en mezzanine. Plaisante véranda face au jardin.

**au Theil** *Sud-Ouest : 6 km par D 35 et D 37 – ✉ 15140 St-Martin-Valmeroux :*

**Hostellerie de la Maronne** ⑤, ✆ 04 71 69 20 33, *hotelmaronne@cfi15.fr, Fax 04 71 69 28 22*, ≤, ⛱, 🌳, ✕ – ▤ rest, TV ✆ P. AE ⓓ GB JCB. ✂ rest
*4 avril-4 nov.* – **Repas** (dîner seul.) 29,50/40 ♀ – ☕ 11 – **17 ch** 95/103, 4 appart – ½ P 95/103.
◆ En pleine campagne, maison auvergnate de la fin du 19e s. entourée d'un jardin fleuri. Chambres spacieuses et fraîches, salon-bibliothèque et restaurant ouvert sur la vallée.

---

**SALIES-DE-BÉARN** *64270 Pyr.-Atl.* 342 G4 *G. Aquitaine – 4 974 h alt. 50 – Stat. therm. – Casino.*
Env. *Sauveterre-de-Béarn : site★, ≤★★ du vieux pont, S : 10 km.*
ℹ *Office du Tourisme, rue des Bains ✆ 05 59 38 00 33, Fax 05 59 38 02 95, salies-de-bearn.tourisme@wanadoo.fr.*
*Paris 766 – Pau 64 – Bayonne 60 – Dax 36 – Orthez 17 – Peyrehorade 26.*

**Golf,** rte Orthez : 1 km ✆ 05 59 65 02 10, *hgolf@thermes-de-salies.com, Fax 05 59 38 16 41*, 🏡, ⛱, 🌳, ✕ – |‡| TV ♿ P. GB
**Repas** 14/29 ♀ – ☕ 6 – **32 ch** 45/55 – ½ P 47,50.
◆ Situation plaisante face au golf, en léger retrait de la route. Préférez les grandes chambres fonctionnelles dotées de balcons et tournées vers les greens. Jolie piscine.

**à Castagnède** *Sud-Ouest : 8 km par D 17, D 27 et D 384 – 212 h. alt. 38 – ✉ 64270 :*

**Belle Auberge** ⑤ avec ch, ✆ 05 59 38 15 28, *Fax 05 59 65 03 57*, 🏡, ⛱, 🌳 – TV ✆ P. GB
*fermé mi-déc. à fin janv.* – **Repas** *(fermé dim. soir et lundi soir)* 11/21 ♀, enf. 7,60 – ☕ 5 – **12 ch** 35/40 – ½ P 39.
◆ Ce paisible bourg du Béarn abrite une sympathique auberge au cadre campagnard où l'on sert une cuisine du terroir. Chambres simples. Belle piscine dans un jardin fleuri.

*Une réservation confirmée par écrit ou par fax est toujours plus sûre.*

---

**SALIES-DU-SALAT** *31260 H.-Gar.* 343 D6 *G. Midi-Pyrénées – 2 074 h alt. 300 – Stat. therm. (début avril-fin oct.) – Casino.*
ℹ *Office du Tourisme, boulevard Jean-Jaurès ✆ 05 61 90 53 93, Fax 05 61 90 49 39, oftour@free.net.*
*Paris 764 – Bagnères-de-Luchon 72 – St-Gaudens 27 – Toulouse 79.*

**Parc** Ⓜ sans rest, 6 r. d'Austerlitz ✆ 05 61 90 51 99, *Fax 05 61 90 43 07* – |‡| TV ✆ ♿ P – 🎪 25. GB
☕ 5,30 – **23 ch** 30/45.
◆ Dans le parc du casino, hôtel des années 1920 entièrement rénové. Chambres assez grandes et insonorisées. Formule buffet pour le petit-déjeuner, service en terrasse l'été.

---

**SALIGNAC-EYVIGUES** *24590 Dordogne* 329 I6 *G. Périgord Quercy – 964 h alt. 297.*
ℹ *Syndicat d'Initiative, place du 19 Mars 1962 ✆ 05 53 28 81 93, Fax 05 53 28 81 93, ot.salignac@perigord.tm.fr.*
*Paris 509 – Brive-la-Gaillarde 33 – Sarlat-la-Canéda 19 – Cahors 83 – Périgueux 68.*

**Terrasse** (annexe à 1,5 km ⑤, 3 ch, 3 studios ⛱ 🌳), ✆ 05 53 28 80 38, *jean-paul.bregeg ere@wanadoo.fr, Fax 05 53 28 99 67* – cuisinette ✆. GB
*Pâques-15 oct.* – **Repas** *(fermé le midi sauf merc., sam. et dim.)* 16,80 (déj.)/23,70 ♀, enf. 9,20 – ☕ 7,60 – **14 ch** 45/69, 3 studios – ½ P 52/54.
◆ Construction régionale en pierre, datant du 19e s., sur la place centrale du village. Choisir les chambres de l'annexe, plus vastes et en pleine nature.

**au Nord-Ouest** *: 3 km par D 62B et rte secondaire – ✉ 24590 Salignac-Eyvigues :*

**Meynardie,** ✆ 05 53 28 85 98, *Fax 05 53 28 82 79*, 🏡, 🌳 – P. GB
*fermé fin nov. à mi-fév., mardi et merc.* – **Repas** 19,10/45.
◆ Poutres, pierres, sol en galets et cheminée datée de 1603 composent le cadre rustique d'origine de cette ferme périgourdine isolée dans la campagne. Terrasse sous la treille.

**à Laval** *Nord : 7 km rte de Brive-la-Gaillarde – ✉ 24590 Salignac-Eyvigues :*

**Coulier,** sur D 60 ✆ 05 53 28 86 46, *hotel.coulier@wanadoo.fr, Fax 05 53 28 26 33*, 🏡, ⛱ – TV ✆ ♿ P. AE GB. ✂ ch
*fermé 11 nov. au 23 fév., vend. soir et sam. hors saison* – **Repas** 16/39 ♀ – ☕ 6,70 – **15 ch** 44/53 – ½ P 51.
◆ Maison rurale traditionnelle bien restaurée et gentiment aménagée. Les petites chambres, bien tenues, bénéficient du double vitrage. Cuisine classique et régionale.

**SALINS-LES-BAINS** *39110 Jura* 321 F5 *G. Jura – 3 629 h alt. 340 – Stat. therm. (début mars-fin oct.) – Casino.*

Voir *Site★ – Fort Belin★.*

*Office du Tourisme, place des Salines ✆ 03 84 73 01 34, Fax 03 84 37 92 85.*

*Paris 420 – Besançon 41 – Dole 44 – Lons-le-Saunier 52 – Poligny 24 – Pontarlier 46.*

**Grand Hôtel des Bains** sans rest, pl. Alliés ✆ 03 84 37 90 50, *hotel.bains@wanadoo.fr, Fax 03 84 37 96 80,* – – 25. GB

*fermé 1er au 11 janv.* – 7,30 – **32 ch** 52/70.

◆ Sur un axe fréquenté du centre, établissement de 1860 avec accès direct au fitness et à la piscine d'eau salée des thermes. Chambres fonctionnelles ; évitez celles côté rue.

**Rest. des Bains,** pl. des Alliés ✆ 03 84 73 07 54, *m.marchand@m6.net, Fax 03 84 37 99 43* – AE GB

*fermé 5 au 18 janv., dim. soir et lundi* – **Repas** 16,50/29 ♀, enf. 8,40.

◆ Intégré au complexe de l'Hôtel des Bains, restaurant tout en longueur, au cadre sobrement rustique avec plafond à solives. Espace brasserie séparé.

**rte de Champagnole** *Sud : 5 km par D 467 – ✉ 39110 Salins-les-Bains :*

**Relais de Pont d'Héry,** ✆ 03 84 73 06 54, *Fax 03 84 73 19 00,* – GB

*fermé 27 oct. au 11 nov., 23 fév. au 9 mars, mardi de sept. à mai et lundi* – **Repas** 16/35 ♀, enf. 8.

◆ Petite maison isolée en bordure de route. Derrière la façade récente, deux salles à manger parquetées, claires et actuelles. À l'arrière, agréable jardin fleuri.

**SALLANCHES** *74700 H.-Savoie* 328 M5 *G. Alpes du Nord – 12 767 h alt. 550.*

Voir *✻★★ sur le Mt-Blanc – Chapelle de Médonnet : ✻★★ – Cascade d'Arpenaz★ N : 5 km.*

*Office du Tourisme, quai de l'Hôtel de Ville ✆ 04 50 58 04 25, Fax 04 50 58 38 47, ot.sallanches@wanadoo.fr.*

*Paris 585 – Chamonix-Mont-Blanc 27 – Annecy 70 – Bonneville 29 – Megève 14.*

**Hostellerie des Prés du Rosay,** rte du Rosay ✆ 04 50 58 06 15, *monique.duquesnois@wanadoo.fr, Fax 04 50 58 48 70,* – AE GB JCB

*fermé 4 au 12 mai* – **Repas** *(fermé dim. soir)* 18 (déj.), 23/42 – 9 – **15 ch** 55/69 – ½ P 55.

◆ Dans un quartier résidentiel excentré, chalet contemporain décoré "à la savoyarde" (boiseries sculptées et peintes). Chambres fonctionnelles et restaurant ouvert sur la prairie.

**Auberge de l'Orangerie,** carrefour de la Charlotte, par rte Passy (D 13) : 2,5 km ✆ 04 50 58 49 16, *auberge-orange@wanadoo.fr, Fax 04 50 58 54 63,* ←, – GB

*fermé 2 au 24 juin et 5 au 27 janv.* – **Repas** *(fermé dim. soir, mardi midi, merc. midi, jeudi midi et lundi)* carte 31 à 46 ♀, enf. 9,50 – 7 – **7 ch** 39/54.

◆ Cette maison régionale abrite des chambres refaites, lambrissées et bien insonorisées. Cuisine traditionnelle et spécialités locales proposées dans un cadre rustique.

**Les Sorbiers,** 17 r. Dr Bonnefoy ✆ 04 50 58 01 22, *hsorbier@club-internet.fr, Fax 04 50 58 39 55,* – – 20. AE GB

**Repas** *(fermé 1er avril au 15 juin, 15 sept. au 15 déc. et sam.)* 16/36 – 6,50 – **23 ch** 50/56 – ½ P 48/55.

◆ Chalet rénové à l'écart du centre-ville. Chambres fraîches, avec balcon ; certaines ont vue sur le massif du Mont-Blanc. Restaurant aux murs lambrissés ; plats traditionnels.

**Mont-Blanc** sans rest, 83 r. Chenal ✆ 04 50 58 12 47, *hmontblanc@yahoo.fr, Fax 04 50 47 87 68* – GB

*fermé 12 au 20 oct. et 9 au 15 déc.* – 5 – **23 ch** 35/45.

◆ Façade blanche, pimpante et fleurie, évoquant une auberge tyrolienne. Chambres bien tenues offrant différents niveaux de confort ; elles sont plus au calme sur l'arrière.

**Bernard Villemot,** 57 r. Dr Berthollet ✆ 04 50 93 74 82, *Fax 04 50 58 00 82* – AE GB

*fermé 12 au 26 nov., 6 au 29 janv., dim. soir et lundi* – **Repas** 24,50/45,80 .

◆ Proche de la place Charles-Albert - d'où la vue sur le mont Blanc est extraordinaire - ce restaurant au sage cadre moderne propose une cuisine traditionnelle.

**Chaumière,** 73 ancienne rte Combloux ✆ 04 50 58 00 59, *Fax 04 50 58 00 59* – AE GB

*fermé 23 juin au 17 juil., mardi midi, dim. soir et lundi* – **Repas** 24/37 ♀, enf. 11.

◆ Ferme (1850), relais de poste et enfin auberge bordant la route de Sallanches à Cordon. Intérieur rustique coloré, agrémenté de meubles savoyards. Cuisine au goût du jour.

**St-Julien,** 53 r. Chenal ✆ 04 50 58 02 24 – GB

*fermé 21 juin au 9 juil., 5 au 20 janv., merc. soir, dim. soir et lundi* – **Repas** 12,50/28, enf. 8.

◆ Avenante façade fleurie en été. Décor d'inspiration contemporaine et tons pastel caractérisent cette salle où l'on sert cuisine au goût du jour et spécialités régionales.

## SALLEBOEUF *33370 Gironde 335 I5 – 1 714 h alt. 46.*

*Paris 585 – Bordeaux 17 – Créon 10 – Libourne 19 – St-André-de-Cubzac 31.*

X **Auberge la Forêt,** Sud-Est : 1,5 km par D 13^E2 et rte secondaire ✆ 05 56 21 25 49, *Fax 05 56 21 25 49,* 🍽, 🍽 – P. GB
*fermé 15 au 30 oct., dim. soir et lundi* – **Repas** 17/33.
◆ Au lieu-dit Merveilleux, pavillon récent et son grand jardin où sont installées trois terrasses et une tonnelle. La salle à manger s'agrandit d'une véranda.

## SALLES-CURAN *12410 Aveyron 338 I5 – 1 277 h alt. 887.*

*Office du Tourisme, place de la Vierge ✆ 05 65 46 31 73, Fax 05 65 46 31 73.*
*Paris 647 – Rodez 39 – Albi 78 – Millau 38 – St-Affrique 41.*

XX **Hostellerie du Lévézou** ⛪ avec ch, ✆ 05 65 46 34 16, *info@hostelleriedulevezou.com, Fax 05 65 46 01 19,* ≤, 🍽, 🍽 – TV – 🏛 25. AE ⓓ GB JCB
*Pâques-oct. et fermé mardi midi, dim. soir et lundi sauf juil.-août* – **Repas** (14,50) - 22/40 🍷 – ☕ 7 – **18 ch** 35/53 – ½ P 46/54.
◆ Demeure du 14^e s., jadis résidence d'été des évêques de Rodez. Plaisante et confortable salle voûtée avec cheminée pour les grillades. Les chambres attendent une rénovation.

## Les SALLES-SUR-VERDON *83630 Var 340 M3 G. Alpes du Sud – 154 h alt. 440.*

Voir *Lac de Ste-Croix★★.*
*Office du Tourisme, place Font Freye ✆ 04 94 70 21 84, Fax 04 94 84 22 57, verdon83@club-internet.fr.*
*Paris 791 – Digne-les-Bains 60 – Brignoles 57 – Draguignan 49 – Manosque 63.*

🏠 **Auberge des Salles** ⛪, ✆ 04 94 70 20 04, *auberge.des.salles@wanadoo.fr, Fax 04 94 70 21 78,* ≤, 🍽, 🍽 – 🛗 TV ♿ 🚗 P. GB
*1^er avril-1^er nov. et fermé lundi soir et mardi hors saison* – **Repas** 15/35 🍷, enf. 8 – ☕ 6,50 – **30 ch** 58/68 – ½ P 49/55.
◆ Les amateurs de sports nautiques apprécient cet hôtel situé sur les rives du lac de Ste-Croix. Mobilier rustique dans les chambres. Spacieux restaurant sous véranda.

🏠 **Ste-Anne** sans rest, ✆ 04 94 70 20 02, *Fax 04 94 84 23 00,* ≤ – TV. AE ⓓ GB. ✗
*avril-oct.* – ☕ 8 – **19 ch** 55/95.
◆ Avec le lac et les montagnes en toile de fond, adresse toute simple, idéale pour découvrir le Verdon. Les chambres, meublées sommairement, sont régulièrement ravivées.

## SALON-DE-PROVENCE

Ancienne Halle (Pl.) ........ **BY** 2
Capucins (Bd des) ........ **BZ** 3
Carnot (Cours) ........ **AY** 4
Centuries (Pl. des) ........ **BY** 6
Clemenceau (Bd Georges) ........ **AY** 7
Coren (Bd Léopold) ........ **AY** 8
Craponne (Allées de) ........ **BZ** 10
Crousillat (Pl.) ........ **BY** 12
Farreyroux (Pl.) ........ **BZ** 13
Ferrage (Pl.) ........ **BZ** 14
Fileuses-de-Soie (R. des) ........ **AY** 15
Frères J. et R.-Kennedy (R. des) ........ **AY**
Gambetta (Pl.) ........ **BZ** 18
Gimon (Cours) ........ **BZ**
Horloge (R. de l') ........ **BY** 20
Ledru-Rollin (Bd) ........ **AY** 22
Massenet (R.) ........ **AY** 23
Médicis (Pl. C. de) ........ **BZ** 24
Mistral (Bd Frédéric) ........ **BY** 26
Moulin d'Isnard (R.) ........ **BY** 27
Nostradamus (Bd) ........ **AY** 28
Pasquet (Bd) ........ **BZ** 30
Pelletan (Cours Camille) ........ **AY** 32
République (Bd de la) ........ **AY** 33
Raynaud-d'Ursule (R.) ........ **BZ** 34
St-Laurent (Square) ........ **BY** 35
Victor-Hugo (Cours) ........ **BY** 38

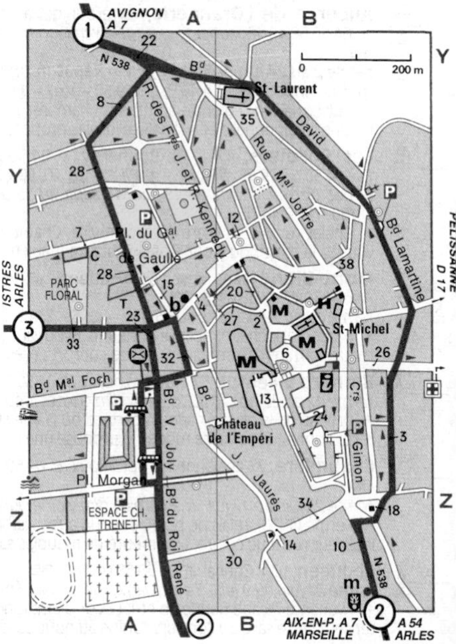
AVIGNON A 7
A
B
Y
Z
N 538
0 200 m
St-Laurent
David
R. des Frs J. et R. Kennedy
Rue Mal Joffre
Pl. du Gal de Gaulle
PARC FLORAL
ISTRES ARLES
PELISSANNE D 17
Bd Lamartine
St-Michel
Bd Mal Foch
Château de l'Empéri
Bd V. Joly
Crs Gimon
J. Jaurès
Pl. Morgan
ESPACE CH. TRENET
Bd du Roi René
AIX-EN-P. A 7 MARSEILLE
A 54 ARLES

**SALON-DE-PROVENCE** *13300 B.-du-R.* 340 F4 *G. Provence – 34 054 h alt. 80.*

Voir *Musée de l'Empéri*★★.

*Office du Tourisme, 56 cours Gimon ✆ 04 90 56 27 60, Fax 04 90 56 77 09, ot.salon@visit-provence.com.*

*Paris 724 ① – Marseille 55 ② – Aix-en-Provence 37 ② – Arles 46 ③ – Avignon 50 ①.*

Plan page ci-contre

**Angleterre** sans rest, 98 cours Carnot ✆ 04 90 56 01 10, *Fax 04 90 56 71 75* – TV. AE GB JCB AY b
*fermé 20 déc. au 6 janv.* – 7 – **25 ch** 38/50.
◆ Cet hôtel voisin des musées était autrefois un couvent. Chambres régulièrement rénovées ; certaines sont climatisées. Salle des petits-déjeuners sous coupole vitrée.

**Midi** sans rest, 518 allées Craponne par ② ✆ 04 90 53 34 67, *hotel-du-midi2@wanadoo.fr, Fax 04 90 53 37 41* – TV P. AE GB
6,50 – **27 ch** 42/50,50.
◆ Bâtiment des années 1970 dont les chambres, de style rustique et égayées de tissus provençaux, sont climatisées côté cour. L'été, petit-déjeuner servi sur la terrasse.

XXX **Mas du Soleil** M avec ch, 38 chemin St-Côme (Est - **BY** - *par D 17*) ✆ 04 90 56 06 53, *le.mas.du.soleil.@wanadoo.fr, Fax 04 90 56 21 52*, – TV P. AE GB JCB
**Repas** *(fermé dim. soir et lundi)* 38/87 et carte 35 à 79 – 12 – **10 ch** 130/226 – ½ P 140/185.
◆ Villa méridionale dans un secteur résidentiel. Cadre lumineux et sobre aménagement intérieur dans les salles à manger qui, comme les chambres, ouvrent sur le jardin.

XX **Craponne,** 146 allées Craponne ✆ 04 90 53 23 92, – GB BZ m
*fermé 11 août au 3 sept., 24 déc. au 5 janv., merc. soir dim. soir et lundi* – **Repas** 18,50/33, enf. 11.
◆ L'enseigne évoque le bienfaiteur de la Crau. Boiseries sombres et mobilier campagnard. À la belle saison, repas dans une sympathique courette fleurie. Accueil familial.

**au Nord-Est** : *5 km par D 17* **BY** *puis D 16* – ✉ *13300 Salon-de-Provence :*

**Abbaye de Sainte-Croix** , ✆ 04 90 56 24 55, *saintecroix@relaischateaux.com, Fax 04 90 56 31 12*, ≤, – ch, TV P – 100. AE GB JCB. rest
*21 mars-2 nov.* – **Repas** *(fermé le midi en semaine hors saison)* 60 (déj.), 76/88 – 29 – **21 ch** 205/285, 4 appart – ½ P 198/238.
◆ Abbaye du 12ᵉ s. au sein d'un parc isolé dans la garrigue. Chambres provençales dans les anciennes cellules. En terrasse, vue exceptionnelle sur Salon. Carte au goût du jour.
**Spéc.** Salade de homard bleu. Filet de Saint-Pierre grillé à la purée de poivrons. Pièce d'agneau au pistou de chèvre frais. **Vins** Coteaux d'Aix en Provence, les Baux-de-Provence.

**à la Barben** *Sud-Est : 8 km par ②, D 572 et D 22E – 500 h. alt. 105 –* ✉ *13330 :*

XX **Touloubre** avec ch, ✆ 04 90 55 16 85, *Fax 04 90 55 17 99*, – TV P – 40. GB
*fermé 20 oct. au 4 nov., 16 fév. au 9 mars, dim. soir, mardi soir et lundi* – **Repas** 15,50/38 ♀ – 5,50 – **7 ch** 42.
◆ Des platanes ombragent la vaste terrasse de cette auberge de village située au bord d'une route tranquille. Grande salle à manger de style campagnard. Chambres actuelles.

**au Sud par** ② *, N 538, N 113 et D 19 (direction Grans) : 5 km –* ✉ *13250 Cornillon :*

**Devem de Mirapier** sans rest, ✆ 04 90 55 99 22, *pecoul@mirapier.com, Fax 04 90 55 86 14*, ≤, – TV P – 15 à 30. AE GB
*fermé 15 déc. au 20 janv. et week-ends d'oct. à avril* – 10 – **13 ch** 80/122.
◆ Un chemin cahoteux conduit à cette hostellerie nichée dans la garrigue, au coeur d'une belle pinède. Chambres fonctionnelles en rez-de-jardin (trois accueillent les familles).

**SALT-EN-DONZY** *42 Loire* 327 E5 – *rattaché à Feurs.*

**SALVAGNY** *74 H.-Savoie* 328 N4 – *rattaché à Samoëns.*

**SAMATAN** *32130 Gers* 336 H9 – *1 716 h alt. 170.*

*Office du Tourisme, 3 rue du chamoine Dieuaide ✆ 05 62 62 55 40, Fax 05 62 62 50 26.*

*Paris 714 – Auch 37 – Gimont 18 – L'Isle-Jourdain 21 – Rieusmes 20.*

X **Au Canard Gourmand,** La Rente, sur D 632 ✆ 05 62 62 49 81, *canard@canard-au-soulan.com* – P
*fermé 10 au 17 juin, 30 sept. au 16 oct., 13 au 23 janv., lundi soir et mardi* – **Repas** 11,50 (déj.), 16/32.
◆ Appétissante enseigne et bibelots à la gloire du canard : ce restaurant original, décoré façon jardin d'hiver, rend un juste hommage au palmipède. Cuisine au goût du jour.

**Le SAMBUC** *13200 B.-du-R.* 340 D4.

*Paris 747 – Arles 25 – Marseille 118 – Stes-Marie-de-la-Mer 50 – Salon-de-Provence 68.*

**Mas de Peint** M, 2,5 km par rte Salins ✆ 04 90 97 20 62, *hotel@masdepeint.net, Fax 04 90 97 22 20,* – GB JCB
*fermé 17 nov. au 20 déc. et 7 janv. au 13 mars* – **Repas** *(fermé jeudi midi et merc.)* (nombre de couverts limité, prévenir) 34 (déj.)/43 – 19 – **11 ch** 197/378 – ½ P 155/245.
◆ Taureaux, chevaux blancs et gardians parcourent le domaine de 500 ha où se niche cette ravissante demeure du 17e s. à l'ambiance "guesthouse" : un concentré de Camargue !

**SAMOËNS** *74340 H.-Savoie* 328 N4 *G. Alpes du Nord – 2 148 h alt. 710 – Sports d'hiver : 720/ 2 480 m* 7 69.

Voir *Place du Gros Tilleul★ – Jardin alpin Jaÿsinia★.*

Env. *La Rosière* ≤★★ *N : 6 km – Cascade du Rouget★★ S : 10 km – Cirque du Fer à Cheval★★ E : 13 km.*

*Office du Tourisme, place de l'autogare ✆ 04 50 34 40 28, Fax 04 50 34 95 82, samoens @wanadoo.fr.*

*Paris 581 – Chamonix-Mont-Blanc 60 – Thonon-les-Bains 57 – Annecy 74 – Genève 54.*

**Neige et Roc,** ✆ 04 50 34 40 72, *resa@neigeetroc.com, Fax 04 50 34 14 48,* ≤, – cuisinette – 40. GB. rest
*1er juin-15 sept. et 21 déc.-15 avril* – **Repas** 22 (déj.), 26/30 – 10 – **32 ch** 120, 18 studios – ½ P 82.
◆ Neige et roc, ski et taille de la pierre : les deux raisons d'être de Samoëns. L'un des bâtiments héberge des studios. Chambres douillettes souvent dotées de balcons.

**Les Glaciers,** ✆ 04 50 34 40 06, *Fax 04 50 34 16 75,* – GB.
*15 juin-15 sept. et 20 déc.-15 avril* – **Repas** 20/25 – 10 – **50 ch** 85/110 – ½ P 75.
◆ Imposante bâtisse au centre de la station. Chambres habillées de boiseries et meublées en pin. Équipements de loisirs complets ; lac privé à 4 km, pour pêche et jetski.

**Edelweiss**, Nord-Ouest : 1,5 km par rte Plampraz ✆ 04 50 34 41 32, *hotel-edelweiss@ wanadoo.fr, Fax 04 50 34 18 75,* ≤ montagnes, – GB JCB
*24 mai-21 sept. et 20 déc.-20 avril* – **Repas** *(fermé le midi en hiver sauf vacances scolaires)* 16/32, enf. 8 – 6 – **20 ch** 55/65 – ½ P 55.
◆ L'edelweiss figure parmi les 5000 espèces du jardin alpin créé par Mme Cognacq-Jay et situé à proximité de ce chalet-hôtel simple et confortable. Salle à manger panoramique.

**Gai Soleil,** ✆ 04 50 34 40 74, *hotel.gai-soleil@wanadoo.fr, Fax 04 50 34 10 78,* ≤, – cuisinette, rest, GB. rest
*14 juin-13 sept. et 20 déc.-15 avril* – **Repas** 15/32 – 8 – **24 ch** 60/64 – ½ P 64.
◆ À l'entrée du village, cette construction à allure de chalet abrite des chambres sobres, dotées d'un grand balcon ; certaines viennent d'être rénovées dans le style savoyard.

**à Morillon** *Ouest : 4,5 km – 428 h. alt. 687 – Sports d'hiver : 700/2 200 m* 5 74 – ✉ *74440.*

*Office du Tourisme, Chef Lieu ✆ 04 50 90 15 76, Fax 04 50 90 11 47, otmorill@ ot-morillon.fr.*

**Morillon,** ✆ 04 50 90 10 32, *infos@hotellemorillon.com, Fax 04 50 90 70 08,* ≤, – GB. rest
*15 juin-15 sept. et 21 déc.-12 avril* – **Repas** *(fermé le midi)* 16/23 – 7,50 – **25 ch** 55/65 – ½ P 62.
◆ Boiseries sculptées, meubles régionaux et fauteuils au coin du feu illustrent l'esprit montagnard de ce plaisant chalet. Préférez les chambres du 1er étage. Plats du terroir.

**à Salvagny** *Sud-Est : 9 km par D 907 et D 29 –* ✉ *74740 Sixt-Fer-à-Cheval :*

**Petit Tetras**, ✆ 04 50 34 42 51, *ptitetra@club-internet.fr, Fax 04 50 34 12 02,* ≤, – GB. rest
*1er juin-15 sept. et 21 déc.-19 avril* – **Repas** (dîner seul. en été) 16/24, enf. 10 – 7 – **30 ch** 46/55 – ½ P 52/55.
◆ Les sportifs apprécieront cette pension située au pied des pistes de ski, point de départ de l'étape GR 5 Sixt-Chamonix. Optez pour les chambres du dernier étage.

**SAMOREAU** *77210 S.-et-M.* 312 F5 *– 1 856 h alt. 55.*

*Paris 66 – Fontainebleau 6 – Melun 17 – Montereau-Faut-Yonne 19 – Nemours 23.*

**Auberge de la Treille,** 5 r. Grande ✆ 01 64 23 71 22, *Fax 01 64 23 71 22,* – GB
*fermé 7 au 22 avril, 18 août au 9 sept., jeudi soir, dim. soir* – **Repas** 24/34.
◆ La façade de cette auberge champêtre est tapissée de vigne vierge. Salle à manger prolongée par un jardin-terrasse et plats traditionnels proposés sous forme de menu-carte.

**SAMOUSSY** *02 Aisne* 306 E5 – *rattaché à Laon.*

**SANARY-SUR-MER** *83110 Var* 340 J7 *G. Côte d'Azur – 14 730 h alt. 1.*

Voir *Chapelle N.-D.-de-Pitié* <★.

*Office de tourisme, Jardins de la Ville ✆ 04 94 74 01 04.*

*Paris 829 ① – Toulon 14 ② – Aix-en-Provence 75 ① – La Ciotat 22 ① – Marseille 55 ①.*

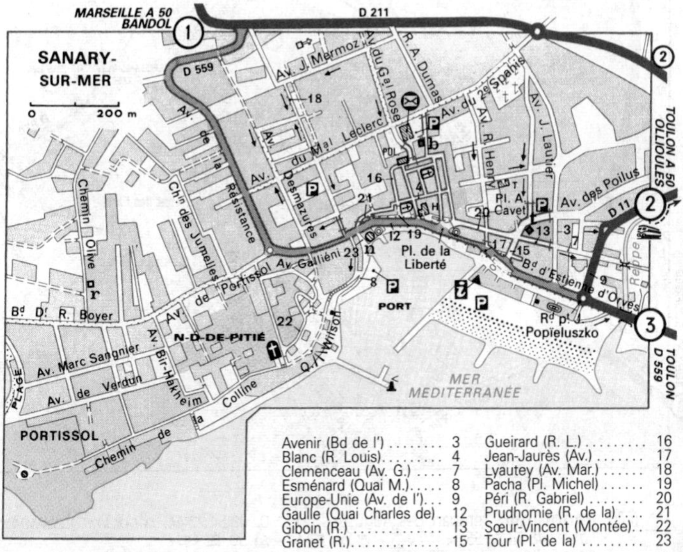

MARSEILLE A 50
BANDOL
D 211
SANARY-SUR-MER
0
200 m
D 559
Av. J. Mermoz
Av. du Gal Rose
R. A. Dumas
Av. du 2e Spahis
Av. du Mal Leclerc
Av. Desmazures
Av. de la Résistance
Chin des Jumelles
Chemin Olive
Av. Gallieni
Pl. de la Liberté
PORT
Av. R. Henry
Av. J. Lautier
Pl. A. Cavet
Av. des Poilus
D 11
Bd d'Estienne d'Orves
Rd pt J. Popieluszko
TOULON A 50
OLLIOULES
TOULON
D 559
MER MEDITERRANÉE
Av. de Portissol
Bd Dr R. Boyer
N.-D.-DE-PITIÉ
Av. Marc Sangnier
Av. Bir-Hakheim
Av. de Verdun
Q. Wilson
Colline
PLAGE
PORTISSOL
Chemin de la
POL


| | | | |
|---|---|---|---|
| Avenir (Bd de l') | 3 | Gueirard (R. L.) | 16 |
| Blanc (R. Louis) | 4 | Jean-Jaurès (Av.) | 17 |
| Clemenceau (Av. G.) | 7 | Lyautey (Av. Mar.) | 18 |
| Esménard (Quai M.) | 8 | Pacha (Pl. Michel) | 19 |
| Europe-Unie (Av. de l') | 9 | Péri (R. Gabriel) | 20 |
| Gaulle (Quai Charles de) | 12 | Prudhomie (R. de la) | 21 |
| Giboin (R.) | 13 | Sœur-Vincent (Montée) | 22 |
| Granet (R.) | 15 | Tour (Pl. de la) | 23 |

**Tour**, quai Gén. de Gaulle **(n)** ✆ 04 94 74 10 10, *La.Tour.Sanary@wanadoo.fr, Fax 04 94 74 69 49*, <, – ch, . AE GB

**Repas** *(fermé 1er déc. au 10 janv., mardi soir sauf juil.-août et merc.* 19/43 – 7 – **24 ch** 54/92 – ½ P 55/72.

◆ Accolée à une tour de guet datant du 11e s., construction ancienne dont la plupart des chambres jouissent de la vue sur le port. Carte axée sur les produits de la mer.

**Synaya**, chemin Olive **(r)** ✆ 04 94 74 10 50, – . GB. rest

*1er avril-1er nov.* – **Repas** (dîner seul.) (résidents seul.) 13 – 5,80 – **11 ch** 34/42 – ½ P 38,50/44,50.

◆ Loin de l'agitation estivale du centre-ville, petit hôtel à l'ambiance familiale, agrémenté d'un jardin où poussent palmiers et citronniers. Chambres meublées simplement.

**Relais de la Poste**, pl. Poste **(b)** ✆ 04 94 74 22 20, *Fax 04 94 74 22 20*, – . AE GB

*fermé dim. soir et lundi du 1er sept. au 30 juin* – **Repas** 28/40, enf. 12.

◆ Cascade, plantes vertes, photos maritimes et harmonie des tons font l'attrait de ces deux salles à manger sises à l'étage. Cuisine au goût du jour.

**San Lazzaro**, 11 pl. Albert Cavet **(t)** ✆ 04 94 88 41 60 – GB.

*fermé janv., mardi midi, dim. soir et lundi hors saison* – **Repas** (dîner seul. d'avril à sept.) 28/48.

◆ Situé sur une charmante place de village, un petit restaurant familial bien sympathique avec ses nappes rouges et jaunes et ses menus fleurant bon l'Italie et la Provence.

**SANCERRE** *18300 Cher* 323 M3 *G. Berry Limousin – 2 059 h alt. 342.*

Voir *Esplanade de la porte César* <★★ – *Carrefour D 923 et D 7* <★★ *O : 4 km par D955.*

*Office du Tourisme, rue de la croix de bois ✆ 02 48 78 03 58, Fax 02 48 78 03 58, ot.sancerre@wanadoo.fr.*

*Paris 199 ① – Bourges 46 ③ – La Charité-sur-Loire 25 ② – Salbris 69 ③ – Vierzon 68 ③.*

## SANCERRE

Abreuvoirs (Rempart des) .......... 2
Fangeuse (R.) ............ 3
Marché-aux-Porcs (R. du)...... 5
Nouvelle Place ............... 6
Paix (R. de la)................ 8
Paneterie (R. de la).......... 9
Pavé-Noir (R. du) ............ 12
Porte-César (R.) ............. 13
Porte-Serrure (R.) ............ 15
Puits-des-Fins (R. du) ......... 16
St-André (R.)................. 18
St-Jean (R.).................. 20
St-Père (R.).................. 22
Trois-Piliers (R. des) .......... 23

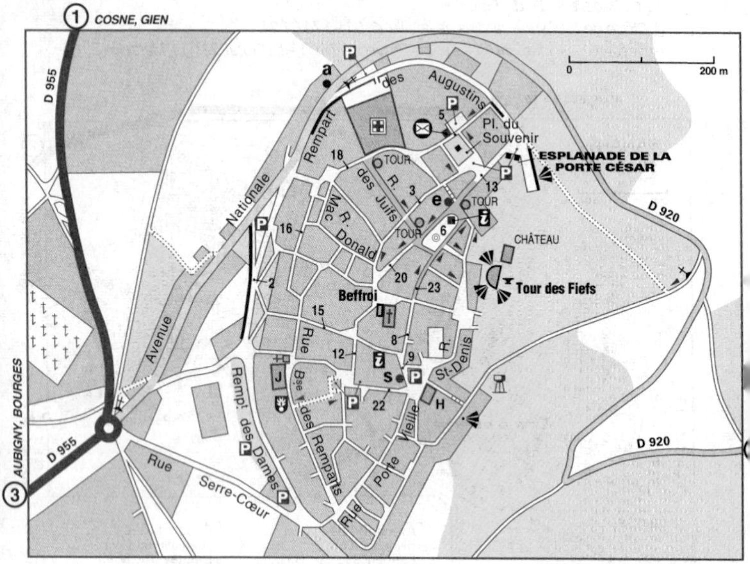

COSNE, GIEN
D 955
AUBIGNY, BOURGES
0
200 m
R. des Augustins
Rempart
Pl. du Souvenir
ESPLANADE DE LA PORTE CÉSAR
TOUR
R. des Juifs
Nationale
Avenue
R. Mac Donald
CHÂTEAU
Tour des Fiefs
D 920
Beffroi
Rue
R. St-Denis
Rempt des Dames
Bse des Remparts
Rue Porte Vieille
Rue Serre-Cœur


**Panoramic,** rempart des Augustins **(a)** ✆ 02 48 54 22 44, *panoramicotel@wanadoo.fr, Fax 02 48 54 39 55,* ≤, – 50. AE GB
***Tasse d'Argent :*** ✆ 02 48 54 01 44 *(fermé 2 au 30 janv. et merc. de nov. à mars)* **Repas** 15,50/47 ♀ – 8 – **57 ch** 63/68 – ½ P 56/65.
◆ À flanc de colline, cet établissement offre un panorama "grand écran" sur le vignoble sancerrois. Chambres spacieuses et bien équipées ; préférez celles avec vue.

**Tour,** Nouvelle Place **(e)** ✆ 02 48 54 00 81, *info@la-tour-sancerre.fr, Fax 02 48 78 01 54* – . AE GB
**Repas** 18,40/43,60 et carte 34,70 à 56 ♀, enf. 14,80.
◆ Surmonté d'une tour du 14ᵉ s., le restaurant dispose de deux salles : élégant cadre rustique ou, à l'étage, décor moderne et vue sur les vignes. Belle carte de sancerres.

**Pomme d'Or,** pl. Mairie **(s)** ✆ 02 48 54 13 30, *Fax 02 48 54 19 22* – GB
*fermé vacances de fév., mardi soir et merc.* – **Repas** (nombre de couverts limité, prévenir) 14,50/40 ♀, enf. 8.
◆ Ce restaurant très prisé est situé à deux pas de la mairie. Une jolie fresque évoquant les collines du Sancerrois égaie la petite salle. Goûteuse cuisine traditionnelle.

**à Chavignol** *par ① et D 183 : 4 km –* ✉ *18300 :*

**Côte des Monts Damnés,** ✆ 02 48 54 01 72, *restaurantcmd@wanadoo.fr, Fax 02 48 54 14 24,* – . GB
*fermé fév., mardi soir, dim. soir et merc.* – **Repas** 23/35 ♀.
◆ Dans l'étroite montée du village vinicole, pimpante auberge campagnarde réputée pour sa cuisine régionale et sa riche cave. Dégustez-y le fameux "crottin" de Chavignol !

---

## SANCY-LÈS-MEAUX *77580 S.-et-M.* 312 *G2 – 267 h alt. 142.*

*Paris 56 – Château-Thierry 54 – Coulommiers 13 – Meaux 13 – Melun 49.*

**Château de Sancy** , 1 pl. Église ✆ 01 60 25 77 77, *Fax 01 60 25 60 55,* – – 20 à 50. AE GB JCB
**Repas** *(fermé lundi et mardi)* 29/45, enf. 14 – 10 – **21 ch** 100/190 – ½ P 80/105.
◆ Les nombreux équipements de loisirs proposés sur le domaine de cette gentilhommière du 18ᵉ s. invitent à la détente. Chambres douillettes, plus fonctionnelles au pavillon.

**SAND** *67230 B.-Rhin 315 J6 – 941 h alt. 159.*

*Paris 460 – Strasbourg 32 – Barr 14 – Erstein 7 – Molsheim 26 – Obernai 15 – Sélestat 22.*

**Hostellerie de la Charrue**, ☎ 03 88 74 42 66, *Fax 03 88 74 12 02* – GB.

*fermé 22 déc. au 13 janv.* – **Repas** *(fermé 24 juin au 8 juil., lundi et le midi sauf dim.)* 19/30 ♀, enf. 8 – ☕ 6 – **24 ch** 53/58 – ½ P 46/55.

◆ Ancien relais de charretiers aux chambres fraîches et bien équipées ; la majorité d'entre elles sont décorées dans le style alsacien. Plaisant salon aménagé sous les combles.

**SANDARVILLE** *28120 E.-et-L. 311 E5 – 282 h alt. 171.*

*Paris 106 – Chartres 16 – Brou 23 – Châteaudun 36 – Le Mans 109 – Nogent-le-Rotrou 48.*

**Auberge de Sandarville**, près Église ☎ 02 37 25 33 18, *Fax 02 37 25 35 18*, – GB

*fermé 16 au 31 août, 21 janv. au 10 fév., mardi soir en hiver, dim. soir et lundi* – **Repas** 23/41 et carte 46 à 65 ♀, enf. 14.

◆ Dans une ferme beauceronne de 1850, trois charmantes salles campagnardes avec poutres, cheminée, tomettes, meubles et bibelots chinés. Jolie terrasse dans le jardin fleuri.

**SANILHAC** *07110 Ardèche 331 H6 – 343 h alt. 420.*

*Paris 664 – Largentière 9 – Alès 64 – Aubenas 24.*

**Auberge de la Tour de Brison**, à la Chapelette ☎ 04 75 39 29 00, *belinc@wanadoo.fr, Fax 04 75 39 19 56*, – ch, GB

*avril-nov.* – **Repas** (menu unique)(prévenir) 25, enf. 9 – ☕ 7 – **12 ch** 50/64 – ½ P 46/59.

◆ Cette accueillante auberge bâtie à flanc de colline jouit d'une jolie vue sur la vallée et sur le plateau du Coiron. Chambres actuelles. Véranda panoramique.

**SAN-MARTINO-DI-LOTA** *2B H.-Corse 345 F3 – voir à Corse (Bastia).*

**SAN-PEIRE-SUR-MER** *83 Var 340 P5 – rattaché aux Issambres.*

**SANTA-COLOMA** 343 G10 – *voir à Andorre (Principauté d').*

**SANTENAY** *41190 L.-et-Ch. 318 D6 – 229 h alt. 115.*

*Paris 202 – Tours 44 – Amboise 26 – Blois 18 – Château-Renault 17 – Vendôme 33.*

**Union** avec ch, ☎ 02 54 46 11 03, *Fax 02 54 46 18 57* – GB. ch

*fermé 15 fév. au 19 mars, merc. soir hors saison, dim. soir et lundi* – **Repas** 13/38 ♀, enf. 10 – ☕ 6 – **5 ch** 39/56 – ½ P 48.

◆ Cette modeste adresse villageoise, qui fait aussi bar-tabac, vous dépannera lors d'une escapade dans le Blésois. Les chambres, de bonne ampleur, sont bien tenues.

**SANTENAY** *21590 Côte-d'Or 320 I8 G. Bourgogne – 1 008 h alt. 225 – Casino.*

*Office du Tourisme, Gare SNCF ☎ 03 80 20 63 15, Fax 03 80 20 65 98.*

*Paris 331 – Beaune 18 – Chalon-sur-Saône 25 – Autun 39 – Le Creusot 29 – Dijon 63.*

**Terroir**, pl. Jet d'Eau ☎ 03 80 20 63 47, *Restaurant.le.Terroir@wanadoo.fr, Fax 03 80 20 66 45* – GB

*fermé 8 déc. au 11 janv., merc. soir de nov. à mars, dim. soir et jeudi sauf du 20 juil. au 20 août* – **Repas** 15 (déj.), 18/37 ♀, enf. 9.

◆ Paisible maison bourguignonne abritant deux salles aux tons ensoleillés ; la plus petite est agrémentée d'une copie d'une tapisserie ancienne d'Aubusson. Plats du terroir.

**SANT-JULIA-DE-LORIA** 343 G10 – *voir à Andorre (Principauté d').*

**Le SAP** *61470 Orne 310 L1 – 901 h alt. 220.*

*Syndicat d'Initiative, 1 place du Marché ☎ 02 33 36 93 31, Fax 02 33 39 46 81.*

*Paris 170 – Alençon 61 – Argentan 42 – Caen 72 – Falaise 49 – Lisieux 41.*

**Les Saveurs du Grand Jardin**, r. Grand Jardin ☎ 02 33 36 56 88, *les-saveurs@wanado o.fr, Fax 02 33 36 50 21*, – GB

*fermé 13 au 31 oct., 1er au 18 janv., mardi de sept. à mai, dim. soir et lundi* – **Repas** 21,50/24,50 ♀, enf. 7.

◆ Ce charmant "hameau" abrite un agréable restaurant au cadre rustique, mais aussi un écomusée dédié à la pomme et au calvados, un verger cidricole et un gîte d'étape.

**Le SAPPEY-EN-CHARTREUSE** *38700 Isère* 333 H6 *G. Alpes du Nord – 762 h alt. 1014 – Sports d'hiver au Sappey et au Col de Porte : 1 000/1 700 m 11.*

Env. *Charmant Som ✻★★★ NO : 9 km puis 1 h.*

*Syndicat d'Initiative, Le Bourg ☎ 04 76 88 84 05, Fax 04 76 88 87 16, si.sappey@wanadoo.fr.*

*Paris 578 – Grenoble 14 – Chambéry 62 – St-Pierre-de-Chartreuse 14 – Voiron 36.*

**Les Skieurs** ☎ 04 76 88 82 76, *hotelskieurs@wanadoo.fr, Fax 04 76 88 85 76,* ←, – 30. AE GB.
*1er mai-30 oct., 31 déc.-30 mars et fermé dim. soir et lundi* – **Repas** 22,50/35 – 8 – **18 ch** 54 – ½ P 65.
◆ Petites chambres dans le style montagnard. Salle à manger habillée de lambris de sapin et belle terrasse tournée vers les pâturages chartroussins. Goûteuse cuisine régionale.

XX **Pudding,** ☎ 04 76 88 80 26, *Fax 04 76 88 84 66,* – AE GB.
*fermé 3 au 28 sept., 2 au 12 janv., dim. soir, mardi midi et lundi* – **Repas** 25/49 ♀, enf. 12.
◆ Copieuse cuisine traditionnelle servie dans une salle à manger campagnarde ou, dès l'arrivée des beaux jours, sur l'agréable terrasse abritée et fleurie.

---

**SARCEY** *69490 Rhône* 327 G4 – *690 h alt. 380.*

*Paris 453 – Roanne 53 – Lyon 35 – Tarare 12 – Villefranche-sur-Saône 23.*

**Chatard** M ☎ 04 74 26 85 85, *le-chatard@wanadoo.fr, Fax 04 74 26 89 99,* – 40. AE GB
*fermé 2 au 18 janv.* – **Repas** *(fermé dim. soir et lundi)* 20/37, enf. 10 – 8 – **35 ch** 30,50/57 – ½ P 44.
◆ Au pied des monts de Tarare, maison tenue par la même famille depuis 1880. D'un côté de la route, chambres récentes, de l'autre, restaurant rustique. Accueil prévenant.

*Ecrivez-nous...*
*Vos louanges comme vos critiques seront examinées avec le plus grand soin. Nous reverrons sur place les informations que vous nous signalez.*
*Par avance merci !*

---

**SARE** *64310 Pyr.-Atl.* 342 C5 *G. Aquitaine – 2 054 h alt. 70.*

*Office du Tourisme, ☎ 05 59 54 20 14, Fax 05 59 54 29 15.*

*Paris 797 – Biarritz 26 – Cambo-les-Bains 19 – Pau 138 – St-Jean-de-Luz 14.*

**Arraya,** ☎ 05 59 54 20 46, *hotel@arraya.com, Fax 05 59 54 27 04,* – AE GB. ch
*29 mars-2 nov.* – **Repas** *(fermé dim. soir et lundi midi sauf du 2 juil. au 15 sept.)* 21/31 ♀ – 8,50 – **20 ch** 69/92 – ½ P 67/77.
◆ Sur la place du village, ancien relais de Compostelle à l'architecture typique du pays. Bel intérieur champêtre et coquettes chambres basques ; boutique de produits régionaux.

**Baratxartea** (annexe M 8 ch), quartier Ihalar, à l'Est : 2 km ☎ 05 59 54 20 48, *contact@hotel-baratxartea.com, Fax 05 59 47 50 84,* ←, – GB. rest
*fermé 1er janv. au 15 mars* – **Repas** *(fermé dim. soir et lundi)* 14,50/20,50 – 6 – **22 ch** 39,70/48,80 – ½ P 40,40/48.
◆ À l'écart du bourg, maison familiale dont le nom basque signifie "entre les jardins". Les chambres de l'annexe, rénovées, sont fraîches et spacieuses. Menus régionaux.

X **Lastiry,** ☎ 05 59 54 20 07, *Fax 05 59 47 50 82,* – GB
*fermé 6 au 13 juil., 15 au 21 sept., 3 au 10 nov., janv., lundi de sept. à juin et mardi* – **Repas** 15/26 ♀.
◆ Les hôtes de cette auberge sont conquis par son cachet (poutres apparentes, meubles anciens, nappes basques, petite terrasse ombragée) et par sa généreuse cuisine du terroir.

---

**SARLAT-LA-CANÉDA** SP *24200 Dordogne* 329 I6 *G. Périgord Quercy – 9 909 h alt. 145.*

Voir *Vieux Sarlat★★★ : place du marché aux trois Oies★* **Y**, *hôtel Plamon★* **Y** , *hôtel de Maleville★* **Y** – *Maison de La Boétie★* **Z** – *Quartier Ouest★.*

Env. *Décor★ et mobilier★ du château de Puymartin NO : 7 km par ④.*

*Office du Tourisme, rue Tourny ☎ 05 53 31 45 45, Fax 05 53 59 19 44, ot24.sarlat@perigord.tm.fr.*

*Paris 527 ① – Brive-la-Gaillarde 52 ① – Bergerac 74 ② – Cahors 59 ② – Périgueux 68 ①.*

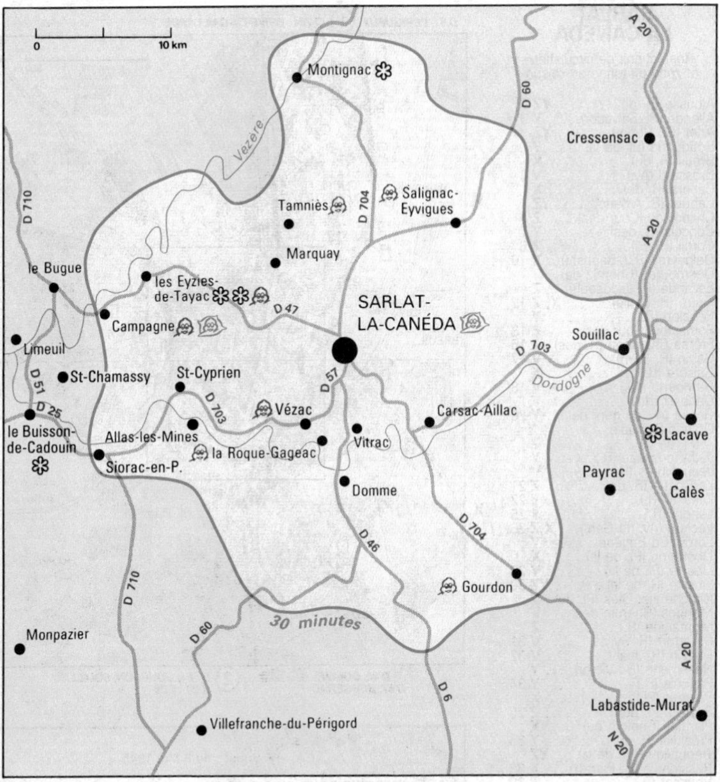

0
10 km
Montignac
D 60
A 20
Cressensac
Vézère
D 710
Tamniès
D 704
Salignac-Eyvigues
Marquay
A 20
le Bugue
les Eyzies-de-Tayac
D 47
SARLAT-LA-CANÉDA
Campagne
Souillac
Limeuil
D 703
Dordogne
St-Chamassy
St-Cyprien
D 57
D 51
D 703
Vézac
Carsac-Aillac
D 25
Lacave
le Buisson-de-Cadouin
Allas-les-Mines
Vitrac
la Roque-Gageac
Siorac-en-P.
Payrac
Calès
Domme
D 704
D 46
D 710
Gourdon
30 minutes
Monpazier
D 60
A 20
D 6
Labastide-Murat
N 20
Villefranche-du-Périgord

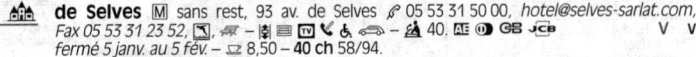

**de Selves** M sans rest, 93 av. de Selves ✆ 05 53 31 50 00, *hotel@selves-sarlat.com, Fax 05 53 31 23 52,* ⛱, – 🛗 ▤ TV ✆ ♿ 🚗 – 🏛 40. AE ① GB JCB — V v
*fermé 5 janv. au 5 fév.* – ☕ 8,50 – **40 ch** 58/94.
◆ Construction moderne aux chambres actuelles et fonctionnelles ; certaines bénéficient de loggias en bow-windows ouvertes sur le jardin. La piscine se découvre l'été. Sauna.

**Madeleine** M, 1 pl. Petite Rigaudie ✆ 05 53 59 10 41, *hotel.madeleine@wanadoo.fr, Fax 05 53 31 03 62,* – 🛗 ▤ TV ✆ ♿ 🚗 – 🏛 15. AE ① GB JCB — Y e
*fermé 2 janv. au 8 fév.* – **Repas** *(ouvert 15 mars-15 nov. et fermé lundi midi, mardi midi sauf juil.-août)* 23,70/40,80 ♀, enf. 11 – ☕ 8,50 – **39 ch** 59/86,40 – ½ P 64,80/75,90.
◆ Aux portes de la vieille ville, cette belle demeure du 19e s., entièrement restaurée, serait l'un des premiers hôtels de Sarlat. Chambres joliment refaites et bien équipées.

**Renoir** sans rest, 2 r. Abbé Surgié ✆ 05 53 59 35 98, *info@hotel-renoir-sarlat.com, Fax 05 53 31 22 32,* ⛱ – TV ✆. AE GB JCB — X u
*fermé dim. et lundi du 16 nov. au 4 janv.* – ☕ 8 – **32 ch** 65/125.
◆ Deux édifices de style Renaissance bâtis de part et d'autre d'une cour (piscine). Les chambres ont toutes été rénovées et arborent un décor soigné. Bonne insonorisation.

**Compostelle** sans rest, 66 av. Selves ✆ 05 53 59 08 53, *hotel.compostelle@wanadoo.fr, Fax 05 53 30 31 65* – 🛗 TV ✆ ♿. GB — V r
*20 mars-15 nov.* – ☕ 7,20 – **22 ch** 52/56.
◆ À 400 m du centre historique, établissement ancien agrandi d'une aile moderne. Deux types de chambres, de style 1970 ou plus actuelles. Accueil familial.

**St-Albert et Montaigne,** pl. Pasteur ✆ 05 53 31 55 55, *Fax 05 53 59 19 99* – 🛗, ▤ rest, TV – 🏛 25. AE GB. ch — X n
*fermé dim. et lundi de nov. à mars* – **Repas** 19/26 ♀, enf. 8 – ☕ 7,20 – **53 ch** 43/56 – ½ P 45/56.
◆ Deux demeures bourgeoises de chaque côté d'une place : accueil et restauration au St-Albert, chambres simples et agréable véranda pour le petit-déjeuner au Montaigne.

# SARLAT-LA-CANÉDA

Restrictions de circulation
et zone piétonne en saison

Albusse (R. d') .......... YZ 2
Allende (Pl. Salvador)..... Y 3
Arlet (Bd Henry)......... YZ
Bouquerie (Pl. de la) ..... Y
Breuil (R. du)............ X
Brossard (Av.) ........... V 4
Cahors (R. de)............ X
Cahuet (R. Alberic)....... YZ
Chanoines (Cour des) ..... Z 6
Conculs (R. des)........... Y 7
Cordil (R. du) ............ Z 8
Delpeyrat (R.J.-Baptiste).. X 10
Desmouret (Chemin de)..... V
Escande (R. J.-Joseph) .... Z
Faure (R. Émile) ...... X, Z 12
Fénelon (R.).............. Y
Fontaines (Cour des) ..... Z 13
Frères Chambon (R. des) . Z 16
Gabin (R. Jean)........... V 17
Gallière (R.).............. X
Gambetta (Av.) ........... V 18
Gaubert (R.).............. V
Gaulle (Av. du gén. de) .... Y 20
Grande-Rigaudie
(Pl. de la) ............... Z
J.-J.-Rousseau (R.) ....... Y
Jean-Jaurès (R.).......... V
La Boétie (R. de) ......... Z 21
Lakanal (R.) ............. Z 22
Landry (R.)............... Y 25
Leclerc (Av. du Gen.).... X,Z 26
Leroy (Bd Eugène)........ Y
Libération (Pl. de la)...... X
Liberté (Pl. de la)......... Y 27
Liberté (R. de la)........ YZ 30
Marché aux Oies (Pl. du) . Y
Monges (Chemin des) .... V
Montaigne (R.) ............ Z
Montfort (R. Sylvia) ...... V 31
Moulin (R. Jean).......... V 32
Nessmann (Bd Victor) .... Y
Papucie (R.).............. Y 34
Pasteur (Pl.).............. X
Peyrou (Pl. du) ........... Z 35
Plantier (Chemin du) ...... X
Présidial (R. du) .......... Y 36
République (R. de la) .... YZ
Rossignole (R. Pierre) ..... X 38
Rousset (R.)............... Z 39
Salamandre (R. de la) .... Y 40
Ségogne (Pass. Henri de). Z 42
Selves (Av. de) ........... V 43
Siège (R. du) ............. Z
Thiers (Av.) .............. X
Tourny (R.) ............... Z 44
Trappe (R. de la).......... X 46
Trois-Conils (R. des) ..... Z 47
Troubadour Cayrels
(R. du)................ V 48
Tunnel (R. du) ........... X 50
Turenne (R. de)........... Z 51
Victor-Hugo (R.) .......... Y 52
Voltaire (Bd)........... X,Z
8 Mai 1945 (Square du) .. Y
11 Novembre (Pl. du) ..... Y
14 Juillet (Pl. du)......... Z
19 Mars 1962 (Pl. du) .... V 54
26 Juin 1944 (R. du) ..... V 55

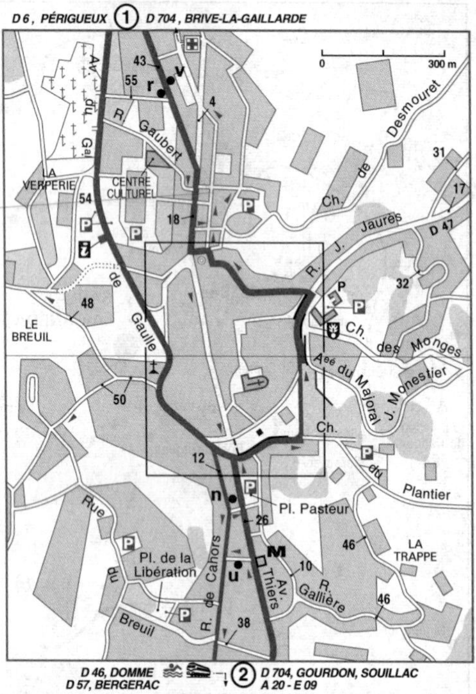
D 6, PÉRIGUEUX
1
D 704, BRIVE-LA-GAILLARDE
0
300 m
V
X
Av. du Gal de Gaulle
R. Gaubert
LA VERPERIE
CENTRE CULTUREL
Ch. de Desmouret
R. J. Jaurès
D 47
LE BREUIL
Ch. des Monges
Aée du Majoral J. Monestier
Ch. du Plantier
Pl. Pasteur
LA TRAPPE
Rue du Breuil
Pl. de la Libération
R. de Cahors
Av. Thiers
R. Gallière
D 46, DOMME
D 57, BERGERAC
2
D 704, GOURDON, SOUILLAC
A 20 - E 09

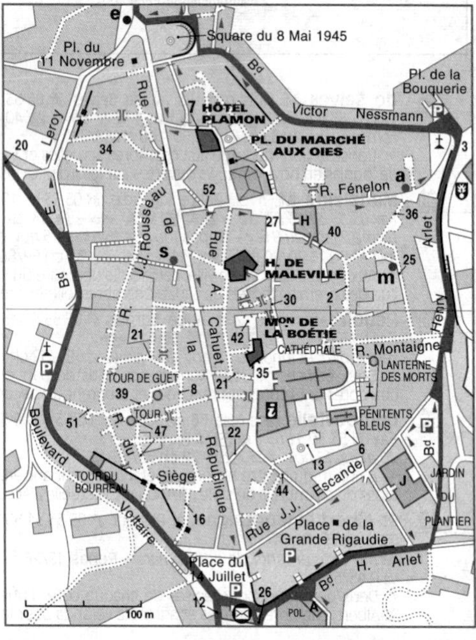
Square du 8 Mai 1945
Pl. du 11 Novembre
Bd Victor Nessmann
Pl. de la Bouquerie
HÔTEL PLAMON
PL. DU MARCHÉ AUX OIES
Y
Z
Bd E. Leroy
Rue J.-J. Rousseau
R. Fénelon
Rue de la République
H. DE MALEVILLE
Rue A. Cahuet
Mon DE LA BOÉTIE
CATHÉDRALE
R. Montaigne
LANTERNE DES MORTS
Bd Henry Arlet
R. de la
TOUR DE GUET
TOUR
PÉNITENTS BLEUS
R. du Siège
Boulevard Voltaire
TOUR DU BOURREAU
Escande
Rue J.J.
JARDIN DU PLANTIER
Place de la Grande Rigaudie
Place du 14 Juillet
Bd H. Arlet
POL
0
100 m

**Mas del Pechs** sans rest, à l'Est, par chemin des Monges -VX- : 1,5 km ✆ 05 53 31 12 11, *hotel.masdelpechs@wanadoo.fr, Fax 05 53 31 16 99,* – TV P. AE GB
*15 mars-30 nov.* – 5,80 – **14 ch** 46/51.
◆ Dans un quartier résidentiel situé sur les hauteurs de Sarlat, bâtiment de style motel : les chambres, fonctionnelles et fraîches, sont toutes de plain-pied avec le jardin.

**Quatre Saisons,** 2 Côte de Toulouse ✆ 05 53 29 48 59, *Fax 05 53 59 53 74,* – AE GB JCB. Y s
*fermé 4 au 17 mars, jeudi midi et merc. hors saison* – **Repas** (16) - 24/28, enf. 11.
◆ Ce sympathique petit restaurant se trouve à deux pas du bel hôtel de Maleville (16e s.). Intérieur contemporain aux tons gris et orangé, terrasses ; cuisine du terroir.

**Présidial,** 6 r. Landry ✆ 05 53 28 92 47, *Fax 05 53 59 43 84,* – GB Y m
*15 mars-15 nov. et fermé lundi midi et dim.* – **Repas** 25/45.
◆ Demeure historique de caractère (jadis présidial de Sarlat), ce restaurant est composé de deux salons au décor bourgeois et d'une terrasse ombragée à l'écart du bruit.

**Rossignol,** 15 r. Fénelon ✆ 05 53 31 02 30, *Fax 05 53 31 02 30* – GB Y a
*fermé jeudi* – **Repas** 14,70/48,50, enf. 9.
◆ Récemment rénovée, la salle à manger conserve cependant un petit air rustique avec son mobilier en bois et ses cuivres accrochés aux murs. Cuisine familiale et régionale.

**par** ②, *rte de Gourdon puis rte de la Canéda et rte secondaire : 5 km* – ✉ *24200 Sarlat-la-Canéda :*

**Hoirie** , ✆ 05 53 59 05 62, *lahoirie@club-internet.fr, Fax 05 53 31 13 90,* – TV P. GB
*15 mars-15 nov.* – **Repas** *(28 mars-2 nov. et fermé mardi)* (dîner seul.) 20/40 – 10,70 – **17 ch** 55/104 – ½ P 61/84.
◆ Authentique pavillon de chasse périgourdin (13e s.) ceint d'un beau parc arboré. Meubles anciens dans les chambres et cheminée monumentale en pierre au restaurant.

**Mas de Castel** sans rest, ✆ 05 53 59 02 59, *Fax 05 53 28 25 62,* – TV P. GB
*4 avril-11 nov.* – 6,20 – **13 ch** 50/65.
◆ À la campagne, ex-corps de ferme aménagé en sympathique hostellerie. Chambres au cadre rustique (six en rez-de-jardin). Le réveil ? Avec le chant du coq ! Le bonheur, quoi...

**par** ②, *rte de Bergerac et rte secondaire : 3 km* – ✉ *24200 Sarlat-la-Canéda :*

**Relais de Moussidière** M sans rest, ✆ 05 53 28 28 74, *Fax 05 53 28 25 11,* – TV P. AE GB
*Pâques-1er nov.* – 10 – **35 ch** 85/140.
◆ Jouxtant une chartreuse, maison de caractère bâtie à flanc de rocher et dotée d'un parc avec étang. Chambres méditerranéennes ou classiques.

**par** ①, *rte des Eyzies et rte secondaire : 3 km :* – ✉ *24200 Sarlat-la-Canéda :*

**Hostellerie Meysset** , ✆ 05 53 59 08 29, *Fax 05 53 28 47 61,* – TV P. AE GB
*18 avril-30 oct. et fermé merc. midi et lundi* – **Repas** 19/43 – 10 – **24 ch** 64/79 – ½ P 61/68.
◆ Sur les hauteurs, construction périgourdine offrant une jolie vue sur la vallée. Chambres au calme, campagnardes et dotées de terrasses privées au rez-de-chaussée.

---

## SARLIAC-SUR-L'ISLE *24420 Dordogne* 329 G4 – *798 h alt. 102.*

*Paris 473 – Périgueux 15 – Brive-la-Gaillarde 64 – Limoges 84.*

**Chabrol,** ✆ 05 53 07 83 39, *Fax 05 53 07 86 53,* – GB.
*fermé dim. soir* – **Repas** 12/39,70 – 4,60 – **10 ch** 23/38,20.
◆ Modeste auberge familiale composée de deux bâtiments anciens. Préférez les chambres rajeunies de l'annexe. Salle à manger rustique et bar à l'ambiance toute locale.

---

## SARPOIL *63 P.-de-D.* 326 H10 – *rattaché à Issoire.*

---

## SARRAS *07370 Ardèche* 331 K2 – *1 837 h alt. 133.*

**Voir** *De la D 506 coup d'oeil★★ sur le défilé de St-Vallier★ S : 5 km,* **G. Vallée du Rhône.**
*Paris 532 – Valence 36 – Annonay 20 – Lyon 72 – St-Étienne 59 – Tournon-sur-Rhône 18.*

**Vivarais** avec ch, ✆ 04 75 23 01 88, *le vivarais@free.fr, Fax 04 75 23 49 73,* – TV P. AE GB
*fermé 4 au 20 août, 25 fév. au 12 mars, dim. soir, lundi soir, mardi et soirs fériés* – **Repas** 16/50 – 6 – **7 ch** 43/58.
◆ Cette hostellerie traditionnelle abrite une salle à manger au confort bourgeois et des chambres récemment refaites, pratiques pour une étape sur la route du soleil.

**Commerce,** ☏ 04 75 23 03 88, *Fax 04 75 23 30 38* – GB
*fermé 11 au 18 août, 22 déc. au 5 janv., dim. soir et lundi midi* – **Repas** 10,60 (déj.), 12,50/27 ♀, enf. 7.
◆ Nappes à carreaux tricolores, plats traditionnels, service sans façons : ce petit restaurant situé au centre du village est tenu par la même famille depuis près de 100 ans.

---

**SARREBOURG** SP 57400 *Moselle* 307 N6 *G. Alsace Lorraine* – *13 311 h alt. 282.*
**Voir** *Vitrail* dans la chapelle des Cordeliers* **B** – ℹ *Office du Tourisme, place des Cordeliers* ☏ *03 87 03 11 82, Fax 03 87 07 13 93, tourismesarrebourg@wanadoo.fr.*
*Paris 434 ④ – Strasbourg 73 ② – Épinal 86 ④ – Lunéville 60 ④ – Metz 94 ④ – St-Dié 73 ④.*

## SARREBOURG

Berrichons et Nivernais (R. des) .... 2
Bossuet (R.) .... 3
Cordeliers (Pl. des) .... 5
Erckmann-Chatrian (R.) .... 7
Fayolle (Av. Gén.) .... 8
Foch (R. Mar.) .... 10
France (Av. de) .... 12
Gare (R. de la) .... 13
Grand'Rue
Jardins (R. des) .... 15
Jean-XXIII (Quai) .... 16
Lebrun (Quai) .... 18
Marché (Pl. du) .... 19
Napoléon (R.) .... 20
Poincaré (Av.) .... 21
Président-Schuman (R.) .... 22
St-Pierre (R.) .... 24

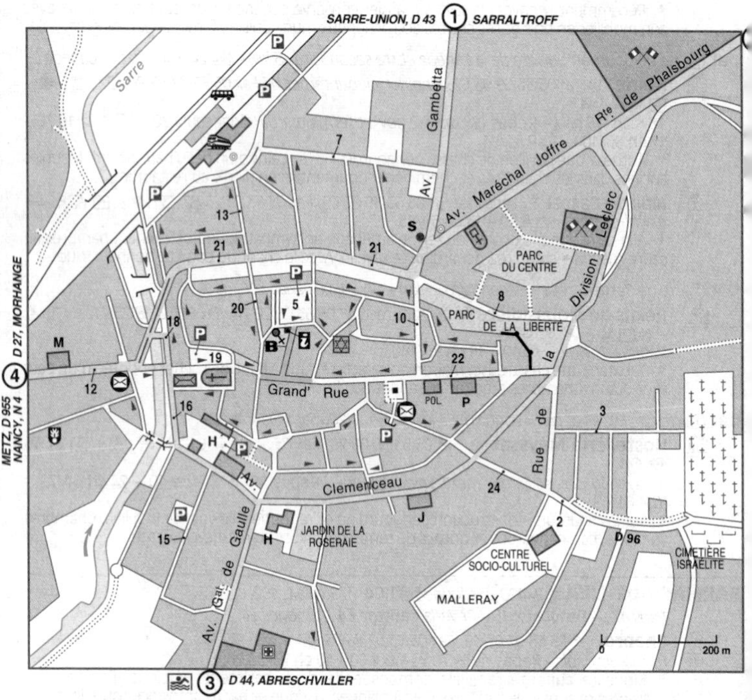
SARRE-UNION, D 43
1
SARRALTROFF
Sarre
Gambetta
Av.
Rte. de Phalsbourg
Av. Maréchal Joffre
Leclerc
Division
PARC DU CENTRE
PARC DE LA LIBERTÉ
la
de
Rue
Grand' Rue
Clemenceau
Av. Gal de Gaulle
JARDIN DE LA ROSERAIE
CENTRE SOCIO-CULTUREL
MALLERAY
CIMETIÈRE ISRAÉLITE
D 96
POL.
4
METZ, D 955 NANCY, N 4
D 27, MORHANGE
3
D 44, ABRESCHVILLER
0
200 m

**Les Cèdres** M, par ③ *et chemin d'Imling : 3 km* ☏ 03 87 03 55 55, *info@hotel-lescedres.fr, Fax 03 87 03 66 33,* – ▯ – 🚭 TV ☎ ♿ P – 🏠 15 à 60. AE GB
*fermé 22 déc. au 4 janv.* – **Repas** *(fermé sam. midi et dim. soir)* 10,70/34,10 ♀ – ☕ 6,60 – **44** ch 53,50/58,50 – ½ P 38,90.
◆ Au coeur d'une zone de loisirs, près d'une forêt et d'un étang, hôtel récent aux chambres claires et fonctionnelles. Salle à manger moderne et spacieuse.

**Mathis,** 7 r. Gambetta **(s)** ☏ 03 87 03 21 67, *Fax 03 87 23 00 64* – ▤. GB. 🚭
*fermé 7 au 17 juil., 2 au 15 janv., dim. soir, mardi soir et lundi* – **Repas** 29,50/62,50 et carte 45 à 65 ♀.
◆ Décor de table soigné, comme il se doit au pays du cristal et de la faïence, accueil chaleureux et plaisirs d'une assiette inventive : un restaurant aux multiples atouts.
**Spéc.** Poêlée de foie de canard. Émincé de homard tiède en macédoine de foie gras et crustacés. Baeckeoffe à l'agneau de lait des Pyrénées aux copeaux de truffe (déc. à fév.).
**Vins** Chasselas, Pinot blanc.

**SARREGUEMINES** ⟨SP⟩ *57200 Moselle* 307 N4 *G. Alsace Lorraine* – *23 117 h alt. 210.*

Voir *Musée : jardin d'hiver★★, collection de céramiques★* **BZ M.**

Env. *Parc archéologique européen de Bliesbruck-Reinheim : thermes★, 9,5 km par ①.*

*Office du Tourisme, 11 rue du Maire Massing ✆ 03 87 98 80 81, Fax 03 87 98 25 77, otsgs@wanadoo.fr.*

*Paris 403 ③ – Strasbourg 106 ② – Metz 70 ② – Nancy 96 ② – Saarbrücken 18 ③.*

## SARREGUEMINES

| Rue | Carreau | N° |
|---|---|---|
| Chamborand (R. Du Marquis de ) | BZ | 2 |
| Chapelle (R. de la) | BZ | 3 |
| Cremer (R. des Généraux) | ABZ | 6 |
| Faïenceries (Bd des) | BZ | 7 |
| France (R. de) | AZ | 8 |
| Gare (Av. de la) | BZ | 12 |
| Louvain (Chée de) | BYZ | 15 |
| Marché (Pl. du) | AZ | 17 |
| Nationale (R.) | ABZ | 20 |
| Or (R. de l') | AZ | 22 |
| Paix (R. de la) | AY | 23 |
| Pasteur (R. L.) | BZ | 24 |
| St-Nicolas (R.) | AZ | 26 |
| Ste-Croix (R.) | BZ | 27 |
| Sibille (Pl. du Gén.) | BZ | 28 |
| Utzschneider (R.) | BZ | 30 |
| Verdun (R. de) | AZ | 33 |

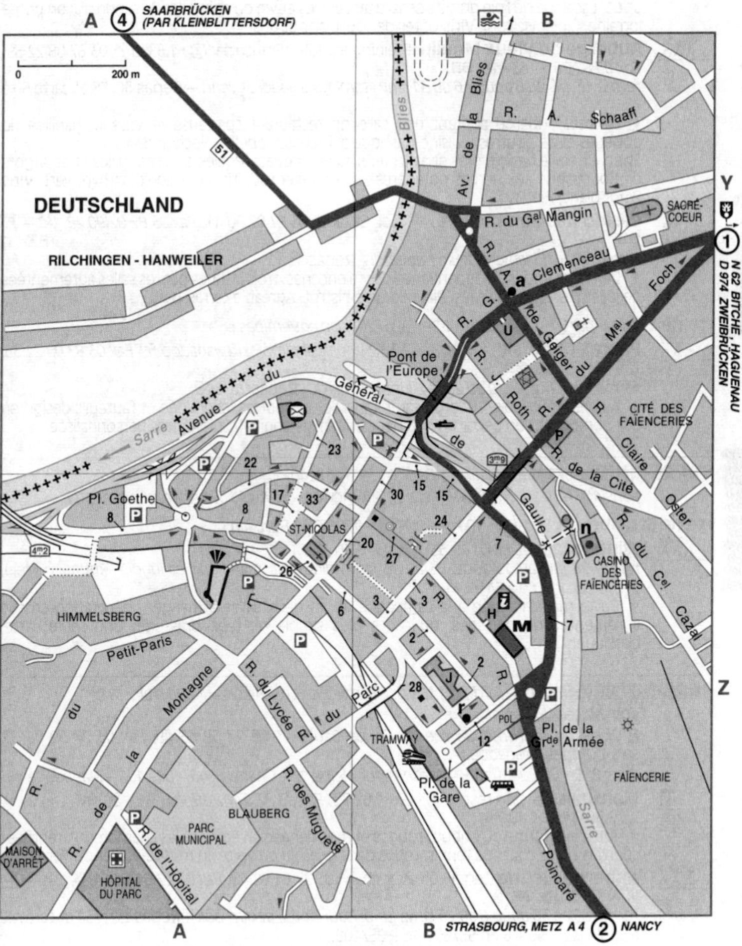

A
4 SAARBRÜCKEN (PAR KLEINBLITTERSDORF)
B
0
200 m
DEUTSCHLAND
RILCHINGEN - HANWEILER
Blies
Av. de la Blies
R. A. Schaaff
Y
SACRÉ-COEUR
R. du Gal Mangin
1
N 62 BITCHE, HAGUENAU D 974 ZWEIBRÜCKEN
R. A. G.
Clemenceau
Foch
R. de Geiger du Mal
Pont de l'Europe
Avenue du Général de Gaulle
Sarre
R. J. Roth
CITÉ DES FAÏENCERIES
R. Claire
R. de la Cité
Oster
R. du Cel Cazal
CASINO DES FAÏENCERIES
Pl. Goethe
ST-NICOLAS
HIMMELSBERG
Petit-Paris
R. de la Montagne
R. du Lycée
R. du Parc
R. des Muguets
TRAMWAY
Pl. de la Gare
Pl. de la Grde Armée
FAÏENCERIE
POL.
Z
BLAUBERG
PARC MUNICIPAL
MAISON D'ARRÊT
HÔPITAL DU PARC
R. de l'Hôpital
Poincaré
A
B STRASBOURG, METZ A 4
2 NANCY


**Amadeus** Ⓜ sans rest, 7 av. Gare ✆ 03 87 98 55 46, *amadeushotel@ad.com,*
*Fax 03 87 98 66 92* – AE GB BZ **r**
*fermé 20 déc. au 4 janv.* – ☕ 6,10 – **39 ch** 45/56,40.

◆ Cure de jouvence réussie pour cet immeuble des années 1930 situé à côté de la gare. Chambres de tailles diverses, repensées dans un esprit contemporain coloré.

**Union,** 28 r. Geiger ✆ 03 87 95 28 42, *hotelunion@free.fr, Fax 03 87 98 25 21* – rest, P. AE GB BY a
**Repas** *(fermé 15 au 31 août, 20 déc. au 1er janv., sam. et dim.)* carte 20 à 35 ♀, enf. 6 – ☕ 6 – **28 ch** 43,50/59 – ½ P 36,50/40,50.
◆ Légèrement excentré, établissement familial aux chambres fonctionnelles ; certaines sont équipées de meubles conçus par un ébéniste alsacien. Cuisine traditionnelle.

XXX ✿ **Auberge St-Walfrid** (Schneider) M avec ch, par ③ *et rte Grosbliederstroff : 2km* ✆ 03 87 98 43 75, *stwalfrid@free.fr, Fax 03 87 95 76 75,* – P – 22. AE GB. ch
**Repas** *(fermé 27 juil. au 12 août, 1er au 20 janv., lundi midi, sam. midi et dim.)* 20/65 et carte 55 à 85 ♀ – ☕ 12 – **11 ch** 92/153 – ½ P 115.
◆ Belle maison en pierre où, depuis cinq générations, la même famille cultive l'art de recevoir. Le décor associe plaisamment rustique et contemporain. Chambres soignées.
**Spéc.** Escalope de foie gras de canard aux épices et vin de noix. Filet de sandre façon potée lorraine. Gibier (saison). **Vins** Côtes de Toul blanc et gris.

XXX ✿ **Auberge du Vieux Moulin** (Breininger), 135 r. France par ③ *: 1,5 km* ✆ 03 87 98 22 59, *Fax 03 87 28 12 63* – P. GB
*fermé 17 juil. au 6 août, 16 au 31 janv., sam. midi, jeudi et vend.* – **Repas** 30/65 et carte 50 à 70.
◆ Discrète auberge abritant une salle de restaurant spacieuse et cossue, habillée de boiseries et de poutres. Cuisine classique actualisée et belle sélection de vins.
**Spéc.** Effeuillé de foie gras et artichauts aux kumquats. Poêlée de grenouilles et escargots de Bourgogne aux herbes potagères. Pigeonneau rôti, jus à l'ail doux et thym vert. **Vins** Pinot blanc, Riesling

X **Casino des Sommeliers,** 4 r. Col. Cazal ✆ 03 87 02 90 41, *Fax 03 87 02 90 28,* – P. GB BZ n
*fermé 1er au 15 janv., dim. soir et lundi* – **Repas** 13 ♀.
◆ Dans une ancienne dépendance des faïenceries, trois intimes petites salles agrémentées de jolies fresques colorées. Plats de type bistrot. Agréable terrasse.

**rte de Bitche** *par ① : 11 km sur N 62 – ✉ 57200 Sarreguemines :*

XX **Pascal Dimofski,** ✆ 03 87 02 38 21, *pascal.dimofski@wanadoo.fr, Fax 03 87 02 21 36,* – P. AE GB
*fermé 4 au 27 août, 9 au 25 fév. lundi et mardi* – **Repas** 20/64 ♀.
◆ À l'orée d'un bois, auberge campagnarde où poutres, cheminée et fauteuils design en cuir composent un décor un peu dépouillé, mais original. Cuisine très personnalisée.

---

## SARRE-UNION *67260 B.-Rhin 315 G3 – 3 159 h alt. 240.*

*Paris 418 – Strasbourg 83 – Metz 84 – Nancy 84 – St-Avold 37 – Sarreguemines 24.*

**rte de Strasbourg** *Sud-Est : 10 km par N 61 – ✉ 67260 Burbach :*

XXX **Windhof,** ✆ 03 88 01 72 35, *Fax 03 88 01 72 71,* – P. GB
*fermé 28 juil. au 19 août, 1er au 15 janv., dim. soir, mardi soir et lundi* – **Repas** 11 (déj.), 27/58 et carte 40 à 64 ♀.
◆ Cette maison située à la campagne abrite deux salles à manger : décoration cossue agrémentée de boiseries, ou cadre plus simple de type brasserie. Une seule carte, classique.

---

## SARS-POTERIES *59216 Nord 302 M6 G. Picardie Flandres Artois – 1 496 h alt. 181.*

Voir *Musée du Verre*★.

*Office du Tourisme, 20 rue du Gal de Gaulle ✆ 03 27 59 35 49, Fax 03 27 59 36 23, sars-poteries@wanadoo.fr.*

*Paris 258 – St-Quentin 78 – Avesnes-sur-Helpe 12 – Charleroi 46 – Lille 108 – Maubeuge 16.*

**Marquais** sans rest, ✆ 03 27 61 62 72, *Fax 03 27 57 47 35,* – P. GB
☕ 6,50 – **11 ch** 40/46.
◆ Ancienne ferme où briques rouges et mobilier ancien égayent les chambres. Parenthèse sportive sur le court de tennis, repos dans le jardin ou visite au musée-atelier du Verre.

XXX ✿ **Auberge Fleurie** (Lequy) avec ch, ✆ 03 27 61 62 48, *Fax 03 27 61 56 66,* – P. AE GB
*fermé 20 au 30 août, 8 au 25 janv., lundi (sauf hôtel) et dim. soir* – **Repas** 23,50/54 et carte 42 à 58 ♀ – ☕ 7,50 – **8 ch** 53/90 – ½ P 85/106.
◆ Les plats traditionnels mitonnés par le chef sont servis dans un coquet restaurant campagnard. Des teintes chatoyantes égaient les chambres, spacieuses et personnalisées.
**Spéc.** Homard décortiqué, beurre blanc aux morilles. Agneau de lait des Pyrénées rôti à la fleur de thym (déc. à avril). Figues rôties au miel.

---

## SARTÈNE *2A Corse-du-Sud 345 C10 – voir à Corse.*

**SARZEAU** *56370 Morbihan* 308 *O9 G. Bretagne – 4 972 h alt. 30.*

**Voir** *Ruines★ du château de Suscinio SE : 3,5 km – Presqu'île de Rhuys★.*

*Office du Tourisme, rue Général de Gaulle ☎ 02 97 41 82 37, Fax 02 97 41 74 95, office.de.tourisme.sarzeau@wanadoo.fr.*

*Paris 479 – Vannes 23 – Nantes 112 – Redon 65.*

**à St-Colombier** *Nord-Est : 4 km par D 780 – ✉ 56370 Sarzeau :*

XX **Tournepierre,** ☎ 02 97 26 42 19, *Fax 02 97 43 91 70* – AE GB

*fermé 6 au 29 nov., mardi midi, dim. soir et lundi sauf juil.-août* – **Repas** 16,50 (déj.), 23/53,40.

◆ Cette maison bretonne en pierres de taille a emprunté son nom à l'un des échassiers qui peuplent la réserve ornithologique voisine. Décor rustique. Produits de la mer.

**à Penvins** *Sud-Est : 7 km par D 198 – ✉ 56370 Sarzeau :*

**Mur du Roy**, ☎ 02 97 67 34 08, *contact@lemurduroy.com, Fax 02 97 67 36 23*, ←, – TV P. GB

**Repas** 28/60 – 8 – **10 ch** 56/75 – ½ P 57/66,50.

◆ Cet hôtel familial de la presqu'île de Rhuys est le point de départ idéal pour une balade sur le sentier côtier. Chambres rénovées, certaines avec vue sur l'océan.

XX **L'Hortensia,** La Grée Penvins ☎ 02 97 67 42 15, *Fax 02 97 67 42 16* – P. GB

*fermé 17 au 28 mars, 24 nov. au 10 déc., lundi et mardi sauf en août* – **Repas** 16 (déj.), 26/62.

◆ Bâtisse en pierre proche de la pointe de Penvins. Salles à manger campagnardes égayées de tons bleus et de tissus imprimés d'hortensias. Tables espacées et fleuries.

**SASSENAY** *71 S.-et-L.* 320 *J9 – rattaché à Chalon-sur-Saône.*

**SASSETOT-LE-MAUCONDUIT** *76540 S.-Mar.* 304 *D3 – 944 h alt. 89.*

*Syndicat d'Initiative, ☎ 02 35 27 41 77, Fax 02 35 27 74 83.*

*Paris 197 – Le Havre 56 – Bolbec 30 – Fécamp 16 – Rouen 70 – Yvetot 30.*

XX **Relais des Dalles** avec ch, près château ☎ 02 35 27 41 83, *le-relais-des-dalles@wanadoo.fr, Fax 02 35 27 13 91*, , – TV. AE GB

*fermé 31 aout au 6 sept.,15 déc. au 10 janv., lundi et mardi du 1er sept. au 8 juil.* – **Repas** (dim. prévenir) 18 (déj.), 25/50, enf. 8 – 9 – **4 ch** 65/120 – ½ P 66/90.

◆ Accueillante auberge proche du château. Coquet intérieur de style normand : poutres, cheminée, tables espacées et confortables fauteuils. Verdoyante terrasse. Chambres "cosy".

**SAUBUSSE** *40180 Landes* 335 *D13 – 618 h alt. 10 – Stat. therm. (début mars-fin nov.).*

*Syndicat d'Initiative, rue Vieille ☎ 05 58 57 76 68, Fax 05 58 57 47 15.*

*Paris 739 – Biarritz 50 – Mont-de-Marsan 72 – Bayonne 43 – Dax 19.*

XX **Villa Stings** (Gabarrus), ☎ 05 58 57 70 18, *Fax 05 58 57 71 86*, ← – TV. GB

*fermé fév., dim. soir sauf 20 juil. au 14 sept., sam. midi et lundi* – **Repas** 30/45.

◆ Grande demeure en pierre du 19e s. au bord de l'Adour. Élégante salle à manger entièrement redécorée (colonnes en marbre, tentures rouge, etc.) et cuisine au goût du jour.

**Spéc.** Ballotine de volaille fermière des Landes. Agneau de lait des Pyrénées laqué au miel de trèfle blanc. Parfait cerises noires.

**SAUGUES** *43170 H.-Loire* 331 *D4 G. Auvergne – 2 089 h alt. 960.*

*Office du Tourisme, cours Dr Gervais ☎ 04 71 77 71 38, Fax 04 71 77 71 38.*

*Paris 532 – Le Puy-en-Velay 43 – Brioude 51 – Mende 72 – St-Flour 55.*

**Terrasse** M, ☎ 04 71 77 83 10, *laterrasse-saugues@wanadoo.fr, Fax 04 71 77 63 79* – rest, TV. GB. ch

*fermé déc., janv., dim. soir et lundi hors saison* – **Repas** 23/46 – 7 – **9 ch** 42/55 – ½ P 50.

◆ Au centre du village dominé par la tour des Anglais, maison de pierre aux chambres fraîches et rénovées : idéal pour un séjour en Gévaudan.

**SAULCE-SUR-RHÔNE** *26270 Drôme* 332 *B5 – 1 443 h alt. 93.*

*Paris 591 – Valence 32 – Crest 24 – Montélimar 19 – Privas 30.*

**Clutier,** 62 av. Provence - Les Reys-de-Saulce ☎ 04 75 63 00 22, *clutier@wanadoo.fr, Fax 04 75 63 12 60*, , , – TV P. GB

*fermé 23 déc. au 14 janv., dim. soir de nov. à mars et lundi* – **Repas** 12,70/16, enf. 9,20 – 5,80 – **20 ch** 30,50/38,50 – ½ P 44,50.

◆ L'hôtel est situé au bord de la N 7, on préférera donc les chambres donnant sur l'arrière. Salle à manger spacieuse, actuelle et lumineuse. Cuisine traditionnelle.

**à Mirmande** *Sud-Est : 3 km par D 204 G. Vallée du Rhône* – *497 h. alt. 204* – ✉ *26270 :*

*Office du Tourisme, place du Champs de Mars ✆ 04 75 63 10 88, Fax 04 75 63 10 88.*

**Capitelle** ⛻, ✆ 04 75 63 02 72, *capitelle@wanadoo.fr, Fax 04 75 63 02 50,* <, – TV. GB

*mars-nov. et fermé lundi de sept. à juin et mardi midi* – **Repas** 26/35 ♀, enf. 13 – ☕ 14,50 – **11 ch** 75/150 – ½ P 75/116.

◆ Cette ancienne magnanerie éclairée de fenêtres à meneaux fut la résidence du cubiste André Lhote. Beaux meubles d'antiquaire dans les chambres. Salle de restaurant voûtée.

---

## SAULCHOY *62870 P.-de-C. 301 E5 – 260 h alt. 13.*

*Paris 221 – Calais 95 – Abbeville 36 – Arras 73 – Berck-sur-Mer 30 – Doullens 45 – Hesdin 16.*

**Val d'Authie,** ✆ 03 21 90 30 20, – GB.

*fermé 1er au 14 sept. et jeudi d'oct. à avril* – **Repas** (dim. prévenir) 13 bc/24.

◆ À la limite du Pas-de-Calais et de la Somme, derrière une façade où grimpe la vigne vierge, deux salles au décor campagnard vous convient à un repas orienté "terroir".

---

## SAULGES *53340 Mayenne 310 G7 G. Normandie Cotentin – 333 h alt. 97.*

*Office du Tourisme, place Jacques Favrot ✆ 02 43 90 49 81, Fax 02 43 90 55 44.*

*Paris 250 – Le Mans 55 – Château-Gontier 37 – La Flèche 48 – Laval 33 – Mayenne 41.*

**Ermitage** ⛻, ✆ 02 43 64 66 00, *ermitage.saulges@dial.oleane.com, Fax 02 43 64 66 20,* – TV P – 15 à 60. AE GB

*fermé vacances de Toussaint, fév., dim. soir et lundi du 30 sept. au 15 avril* – **Repas** 19,50/48 ♀, enf. 11 – ☕ 8,90 – **36 ch** 66/89 – ½ P 61,50/83,50.

◆ Joli jardin fleuri ouvrant sur la campagne, chambres peu à peu rajeunies, restaurant sous verrière avec vue sur l'église mérovingienne et nombreux équipements de loisirs.

*Michelin n'accroche pas de panonceau aux hôtels et restaurants qu'il signale.*

---

## SAULIEU *21210 Côte-d'Or 320 F6 G. Bourgogne – 2 917 h alt. 535.*

**Voir** *Basilique St-Andoche★ : chapiteaux★★ – Le Taureau★ (sculpture) par Pompon.*

*Syndicat d'Initiative, 24 rue d'Argentine ✆ 03 80 64 00 21, Fax 03 80 64 21 96, saulieu .tourisme@wanadoo.fr.*

*Paris 248 ① – Dijon 73 ② – Autun 40 ④ – Avallon 39 ① – Beaune 65 ② – Clamecy 76 ①.*

### SAULIEU

| | |
|---|---|
| Argentine (R. d') | 3 |
| Bertin (R. J.) | 4 |
| Collège (R. du) | 6 |
| Courtépée (R.) | 7 |
| Foire (R. de la) | 8 |
| Fours (R. des) | 9 |
| Gambetta (R.) | 10 |
| Gare (Av. de la) | 12 |
| Gaulle (Pl. Ch.-de) | 14 |
| Grillot (R.) | 15 |
| Marché (R. du) | 17 |
| Parc-des-Sports (R. du) | 18 |
| Sallier (R.) | 19 |
| Tanneries (R. des) | 20 |
| Vauban (R.) | 21 |

Les localités citées **dans le guide Michelin** sont soulignées de rouge sur les **cartes Michelin** à 1/200 000.

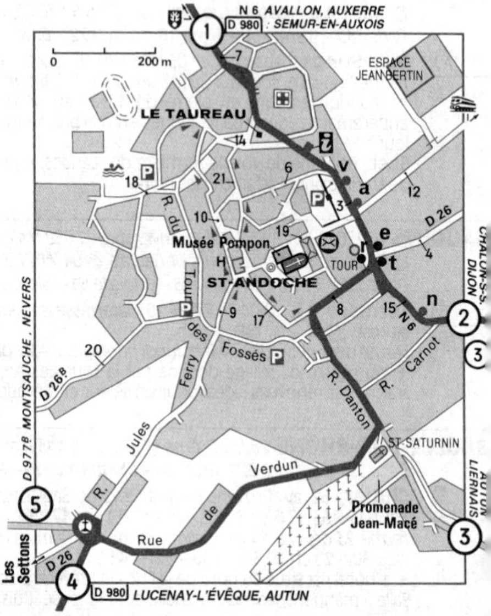
N 6 AVALLON, AUXERRE
D 980 : SEMUR-EN-AUXOIS
200 m
ESPACE JEAN BERTIN
LE TAUREAU
Musée Pompon
ST-ANDOCHE
TOUR
R. du Tour des Fossés
D 26
CHALON-S-S. DIJON
N 6
R. Carnot
R. Danton
ST-SATURNIN
AUTUN LIERNAIS
Promenade Jean-Macé
Rue de Verdun
R. Jules Ferry
D 977B MONTSAUCHE, NEVERS
D 26B
Les Settons
D 26
D 980 LUCENAY-L'ÉVÊQUE, AUTUN

**Côte d'Or** (Loiseau) M ⛳, 2 r. Argentine **(e)** ✆ 03 80 90 53 53, *loiseau@relaischateaux.com, Fax 03 80 64 08 92,* – 30. AE GB JCB
**Repas** 106/182 et carte 145 à 240, enf. 28 – 28 – **23 ch** 245/325, 7 appart, 3 duplex.
◆ Le "Monsieur 100 000 volts" de la cuisine propose sa table gourmande, escortée de l'or de la Côte, dans une hostellerie raffinée du 18e s. : allez donc trouver Loiseau au nid !
**Spéc.** Jambonnettes de grenouilles à la purée d'ail et au jus de persil. Sandre à la peau croustillante et fondue d'échalote, sauce au vin rouge. Blanc de volaille fermière lardé de truffe. **Vins** Saint-Romain, Chassagne Montrachet.

**Hostellerie de la Tour d'Auxois** M, square Alexandre Dumaine **(r)** ✆ 03 80 64 36 19, *jlprevost@tourdauxois.com, Fax 03 80 64 93 10,* – 40. AE GB. rest
**Repas** 21/42, enf. 9 – 8,50 – **29 ch** 69/95, 6 duplex – 1/2 P 75/86.
◆ Bâtie sur les remparts du 14e s., belle demeure restaurée dont le jardin paysager (piscine) et la terrasse s'étendent jusqu'à la tour d'Auxois. Chambres joliment aménagées.

**Poste,** 1 r. Grillot **(t)** ✆ 03 80 64 05 67, *hotelposte@aol.com, Fax 03 80 64 10 82* – rest, P – 30. AE GB
**Repas** 14/65 ♀, enf. 9,90 – 7,60 – **38 ch** 55/105 – 1/2 P 60.
◆ Les quatre bâtiments de cet ancien relais de poste s'ordonnent autour d'une cour carrée. Chambres décorées avec goût. Salle à manger de style Belle Époque.

**Borne Impériale** avec ch, 16 r. Argentine **(v)** ✆ 03 80 64 19 76, *Fax 03 80 64 30 63,* – P. GB
*fermé 15 nov. au 15 déc., mardi soir et merc. sauf juil.-août* – **Repas** 18 (déj.), 21,50/42, enf. 11 – 7,50 – **7 ch** 32/50.
◆ Dans la rue principale, construction régionale disposant d'une agréable salle, campagnarde et soignée, et d'une sympathique terrasse dominant le jardin. Chambres simples.

**Vieille Auberge** avec ch, 15 r. Grillot **(n)** ✆ 03 80 64 13 74, *Fax 03 80 64 13 74,* – P. GB
*fermé 6 au 31 janv., 1er au 15 juil., mardi soir et merc. sauf 14 juil. au 31 août* – **Repas** 12/30 ♀, enf. 8 – 5 – **5 ch** 33/40 – 1/2 P 41.
◆ Aux portes du bourg, modeste auberge au fonctionnement familial abritant une salle fraîche et accueillante. À l'étage, chambres petites, mais nettes et insonorisées.

**Auberge du Relais,** 8 r. Argentine **(a)** ✆ 03 80 64 13 16, *taverna.serge@wanadoo.fr, Fax 03 80 64 08 33* – AE GB
**Repas** *(15)* - 17/32 ♀, enf. 10.
◆ L'un des premiers restaurants que l'on rencontre quand on vient de la gare. Façade ravalée, deux salles à manger rustiques et tables dressées avec soin. Cuisine du terroir.

---

## SAULON-LA-RUE *21910 Côte-d'Or* 320 K6 – *451 h alt. 215.*

*Paris 322 – Dijon 11 – Beaune 41 – Gevrey-Chambertin 8 – Seurre 31.*

**Château de Saulon,** rte de Seurre ✆ 03 80 79 25 25, *info@chateau-saulon.com, Fax 03 80 79 25 26,* – P – 15 à 50. AE GB
*fermé fév.* – **Repas** *(fermé dim. soir et lundi midi)* 20 (déj.), 28/35 ♀, enf. 10 – 10 – **30 ch** 65/105 – 1/2 P 65/81.
◆ Joli petit château du 17e s. entouré d'un parc arboré agrémenté d'une belle piscine. Demandez une chambre rénovée. Une dépendance abrite le restaurant. Étang privé.

---

## SAULT *84390 Vaucluse* 332 F9 *G. Alpes du Sud* – *1 206 h alt. 765.*

Env. *Gorges de la Nesque★★ : belvédère★★ SO : 11 km par D 942 – mont Ventoux ★★★ NO : 26 km.*

*Office du Tourisme, avenue de la Promenade ✆ 04 90 64 01 21, Fax 04 90 64 15 03, ot-sault@axit.fr.*

*Paris 723 – Digne-les-Bains 96 – Aix-en-Provence 85 – Apt 31 – Avignon 68 – Carpentras 42.*

**Hostellerie du Val de Sault** ⛳, rte St-Trinit et rte secondaire : 2 km ✆ 04 90 64 01 41, *valdesault@aol.com, Fax 04 90 64 12 74,* ≤ mont-Ventoux, – P. AE GB JCB
*31 mars-3 nov.* – **Repas** *(fermé le midi en semaine sauf de juin à août)* 32/59 ♀ – 11 – **11 ch** 130, 5 appart – 1/2 P 120.
◆ Au pays de la lavande, hôtel bénéficiant d'un environnement verdoyant. Les chambres, avec salon et petite terrasse, ont vue sur le mont Ventoux. Cuisine provençale.

---

## SAULX-LES-CHARTREUX *91 Essonne* 312 C3 101 (35) – *voir à Paris, Environs (Longjumeau).*

*Les pages explicatives de l'introduction vous aideront à mieux profiter de votre* ***Guide Rouge Michelin***

**SAULXURES** *67420 B.-Rhin* **315** *G6 – 393 h alt. 535.*

*Paris 405 – Épinal 71 – Strasbourg 69 – Lunéville 65 – Saint-Dié 30.*

XX **Belle Vue** avec ch, 36 r. Principale ☎ 03 88 97 60 23, *labellevue@wanadoo.fr, Fax 03 88 47 23 71,* ≤, ☞ – ▣ TV ☎ P – 🏠 20. AE GB

*fermé 17 fév. au 5 mars, 23 juin au 9 juil. et 20 oct. au 5 nov.* – **Repas** *(fermé mardi et merc.)* 18/48 ♀ – ☐ 10 – **6 ch** 76, 5 studios – ½ P 68/82.

◆ Auberge villageoise du 19e s. tenue par la même famille depuis cinq générations. Jolies charpentes et tableaux contemporains dans la salle à manger ; chambres de caractère.

**SAUMUR** ⚙SP *49400 M.-et-L.* **317** *I5 G. Châteaux de la Loire – 30 131 h alt. 30.*

Voir *Château★★ : musée d'Arts décoratifs★★, musée du Cheval★, tour du Guet ✱★ – Église N.-D.-de-Nantilly★ : tapisseries★★ – Vieux quartier★* **BY** *: Hôtel de ville★* **H** *, tapisseries★ de l'église St-Pierre – Musée de l'école de Cavalerie★* **M¹** *– Musée des Blindés★★ au Sud.*

☒ *Office du Tourisme, place de la Bilange ☎ 02 41 40 20 60, Fax 02 41 40 20 69, infos@ot-saumur.fr.*

*Paris 310 ① – Angers 67 ① – Le Mans 124 ① – Poitiers 93 ③ – Tours 66 ①.*

## SAUMUR

| | | |
|---|---|---|
| Anjou (R. d') ........... **BZ** 2 | Dupetit-Thouars (Pl.) ... **BZ** 7 | Portail-Louis (R. du) ... **BY** 13 |
| Beaurepaire (R.) ........ **AY** 3 | Fardeau (R.) .......... **AZ** 9 | République (Pl. de la) .. **BY** 15 |
| Bilange (Pl. de la) ...... **BY** 4 | Gaulle (Av. Général-de) **BX** | Roosevelt (R. Fr.) ..... **BY** 16 |
| Cadets (Ponts des) ..... **BX** 5 | Leclerc (R. du Mar.) ... **AZ** | St-Jean (R.) ........... **BY** 18 |
| Dr-Bouchard (R. du) .... **AZ** 6 | Nantilly (R. de) ........ **BZ** 10 | St-Pierre (Pl.) ......... **BY** 19 |
| | Orléans (R. d') ...... **ABY** | Tonnelle (R. de la) ..... **BY** 20 |
| | Poitiers (R. de) ........ **AZ** 12 | Vieux-Pont (R. du) ..... **BY** 22 |

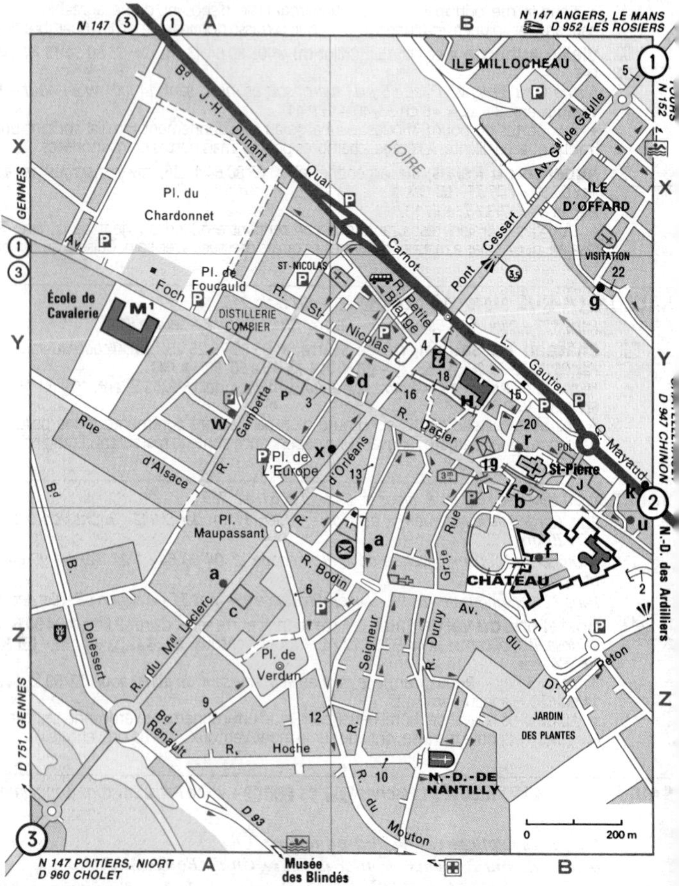

N 147
A
B
N 147 ANGERS, LE MANS
D 952 LES ROSIERS
ILE MILLOCHEAU
TOURS N 152
X
Bd J.-H. Dunant
Quai
LOIRE
Av. Gal de Gaulle
ILE D'OFFARD
GENNES
Pl. du Chardonnet
Carnot
Pont Cessart
VISITATION
22
St-NICOLAS
Pl. de Foucauld
R. Petite Bilange
Foch
École de Cavalerie
M¹
DISTILLERIE COMBIER
R. St-Nicolas
Q. L. Gautier
Y
D 947 CHINON
d
16
18
H
15
Gambetta
R. Dacier
20
r
Rue d'Alsace
Pl. de L'Europe
x
R. d'Orléans
13
19
St-Pierre
J
Q. Mayaud
k
b
u
Pl. Maupassant
a
f
R. Bodin
CHÂTEAU
Grde Rue
c
6
Seigneur
R. Duruy
Av. du Dr Peton
N.-D. des Ardilliers
Z
Delessert
R. du Mal Leclerc
Pl. de Verdun
9
12
Bd L. Renault
R. Hoche
JARDIN DES PLANTES
D 751, GENNES
R. 10
N.-D.-DE NANTILLY
R. du Mouton
D 93
0
200 m
N 147 POITIERS, NIORT
D 960 CHOLET
Musée des Blindés

**Anne d'Anjou** sans rest, 32 quai Mayaud ✆ 02 41 67 30 30, *anneanjou@saumur.net, Fax 02 41 67 51 00*, ← – |‡| TV ✆ P – 🏛 25. AE ⓓ GB JCB BY k
☕ 12 – **45 ch** 74/160.
◆ Bel hôtel particulier du 18e s. dont les chambres - Empire ou actuelles - sont tournées vers le fleuve ou le château. Petit-déjeunez l'été dans la ravissante cour intérieure.

**St-Pierre** sans rest, 8 r. Haute-St-Pierre ✆ 02 41 50 33 00, *stpierre@saumur.net, Fax 02 41 50 38 68* – |‡| ⇔ ▤ TV ✆ ♿. AE ⓓ GB JCB. ✻ BY b
☕ 10 – **14 ch** 60/125.
◆ Établissement construit sur les vestiges de maisons du 17e s. où escalier à vis, poutres massives et hautes cheminées en pierre composent un décor de caractère.

**Loire Hôtel** , r. Vieux Pont ✆ 02 41 67 22 42, *loire-hotel@saumur.net, Fax 02 41 67 88 80*, ← – |‡|, ▤ rest, TV ✆ ♿ 🚗 – 🏛 40. AE ⓓ GB JCB BY g
**Repas** *(fermé vend. soir et sam. du 15 nov. au 31 mars)* 15/34 ♀ – ☕ 8,50 – **44 ch** 60/97 – ½ P 56/63.
◆ Hôtel confortable dans le quartier résidentiel de l'île d'Offard. Agréable vue sur le gracieux château et la Loire depuis le restaurant et une partie des chambres.

**Kyriad** sans rest, 23 r. Daillé ✆ 02 41 51 05 78, *kyriad.saumur@multi-micro.com, Fax 02 41 67 82 35* – ⇔ TV ✆ 🚗. AE ⓓ GB BY d
☕ 6,90 – **27 ch** 45/70.
◆ En plein centre-ville, mais au calme, chambres aux tons pastel personnalisées avec goût. Préférez celles du premier étage, grandes et meublées en style Louis XVI.

**Londres** sans rest, 48 r. Orléans ✆ 02 41 51 23 98, *lelondresaumur@aol.com, Fax 02 41 51 12 63* – TV ✆ P. GB ABY x
☕ 6 – **27 ch** 45/48.
◆ Proche du centre animé, hôtel (19e s.) peu à peu rénové. Chambres au mobilier composite. Au premier étage, salle des petits-déjeuners repeinte dans des coloris pastel.

**Volney** sans rest, 1 r. Volney ✆ 02 41 51 25 41, *contact@le-volney.com, Fax 02 41 38 11 04* – TV ✆. GB BZ a
*fermé 15 déc. au 2 janv.* – ☕ 5,50 – **12 ch** 27/49.
◆ Situation centrale, chambres simples mais coquettes, entretien suivi : une bonne petite adresse pour découvrir sans trop bourse délier la "perle de l'Anjou".

XXX **Les Menestrels**, 11 r. Raspail ✆ 02 41 67 71 10, *menestrel@saumur.net, Fax 02 41 50 89 64*, 🏕 – AE ⓓ GB JCB BZ u
*fermé 1er au 7 déc. et dim.* – **Repas** 19 (déj.), 28,50/48 et carte 56 à 68 ♀, enf. 11.
◆ Bois et tuffeau décorent deux salles à manger dont une aménagée dans une chapelle du 14e s. Agréable terrasse. Cuisine au goût du jour ; belle carte des vins.

XXX **Les Délices du Château**, cour du château ✆ 02 41 67 65 60, *delices.du.chateau@wanadoo.fr, Fax 02 41 67 74 60*, ←, 🏕 – P. AE ⓓ GB BZ f
*fermé 15 déc. au 10 janv., dim. soir, mardi soir et lundi du 1er oct. au 15 avril* – **Repas** 21 (déj.), 30,50/58 bc et carte 25 à 43 ♀, enf. 15,20 ***L'Orangeraie*** ✆ 02 41 67 12 88 **Repas** 14,50/20,40 ♀ enf.10.
◆ Extérieur discret et intérieur confortable caractérisent ce restaurant aménagé dans une ancienne dépendance et doté d'une belle terrasse face au jardin du château.

XX **Gambetta**, 12 r. Gambetta ✆ 02 41 67 66 66, *Fax 02 41 50 83 23*, 🏕 – AE GB AY w
*fermé nov., vacances de fév., le dim. sauf le midi de mai à sept. et lundi* – **Repas** 15/46 ♀.
◆ Deux petites salles à proximité de l'École de cavalerie et des spectaculaires démonstrations de son Cadre noir. Terrasse dans un jardin intérieur. Cuisine de saison.

X **Auberge St-Pierre**, 6 pl. St-Pierre ✆ 02 41 51 26 25, *Fax 02 41 59 89 28*, 🏕 – AE GB BY r
**Repas** 13,50/24 ♀.
◆ Salles à manger de style bistrot, agrémentées de tableaux et de cheminées, dans les murs d'une maison de cordelier du 15e s. Terrasse tournée vers l'église. Plats du terroir.

X **Pyrène**, 42 r. Mar. Leclerc ✆ 02 41 51 31 45, *Fax 02 41 67 26 71* – GB AZ a
*fermé 20 au 28 déc., vacances de fév., dim. soir et lundi* – **Repas** *(11,90)* - 14,50/35,10 ♀.
◆ À deux pas du centre-ville, ancien café converti en chaleureux restaurant rustique. Exposition de tableaux et de céramiques. Cuisine du pays d'Oc et spécialités catalanes.

**Z.I. St-Lambert** *par ① : 3 km – ✉ 49400 St-Lambert-des-Levées :*

**Parc**, av. Fusillés ✆ 02 41 67 17 18, *hotelduparc@saumur.net, Fax 02 41 67 18 85* – TV ✆ ♿ P – 🏛 30. AE ⓓ GB
*fermé 24 déc. au 4 janv.* – **Repas** *(fermé sam., dim. et fériés)* *(10)* - 13,50/28 ♀, enf. 8 – ☕ 7 – **40 ch** 44 – ½ P 38/56.
◆ Établissement fonctionnel rénové dans des couleurs assez vives. Les chambres du dernier étage sont agencées en duplex. Possibilité de déjeuner en terrasse l'été.

**à St-Hilaire-St-Florent** *par av. Foch* **AXY** *et D 751 : 3 km – ✉ 49400 Saumur.*
Voir *École nationale d'Équitation*★.

**Clos des Bénédictins** ⛰, ✆ 02 41 67 28 48, *contact@clos-des-benedictins.fr, Fax 02 41 67 13 71,* ← Saumur, 🏖, 🏊, 🌳 – 📺 📞 ♿ 🅿 – 🎪 35. AE GB JCB. ✗ rest
*fermé 20 au 28 déc.* – **Repas** *(fermé lundi midi, mardi midi, merc. midi et jeudi midi)* 20/70 bc 🍷, enf. 12 – ☕ 10 – **23 ch** 75/98 – ½ P 73/89.
◆ Sur les hauteurs de Saumur, pavillons blancs agrémentés d'un joli jardin. Chambres bien équipées. La salle à manger en rotonde bénéficie de la vue sur la vallée de la Loire.

**à Chênehutte-les-Tuffeaux** *par av. Foch* **AXY** *et D 751 : 8 km – 1 153 h. alt. 29 – ✉ 49350 Gennes :*
ℹ *Syndicat d'initiative, place V. Dailland - Cunault ✆ 02 41 67 92 55, Fax 02 41 67 91 94.*

**Prieuré** ⛰, ✆ 02 41 67 90 14, *prieure@grandesetapes.fr, Fax 02 41 67 92 24,* ← la Loire, 🏖, 🏊, 🎾, 🏌 – 📺 📞 🅿 – 🎪 25. AE ⓓ GB JCB. ✗ rest
*fermé janv. et fév.* – **Repas** 39 (déj.), 40/69 – ☕ 23 – **33 ch** 180/275 – ½ P 129/197.
◆ Belle situation dominant la Loire pour ce prieuré des 12e s. et 16e s. aux chambres coquettement personnalisées ; deux possèdent une cheminée. Restaurant panoramique.

**Les Résidences du Prieuré,** – 📺. AE ⓓ GB JCB
Repas voir ***Prieuré*** – ☕ 15 – **15 ch** 108 – ½ P 122.
◆ Chambres avec terrasse et jardinet privé, réparties dans six bungalows disséminés dans un immense parc boisé.

*Dans ce guide*
*un même symbole, un même mot,*
*imprimé en* **rouge** *ou en* **noir**, *en maigre ou en* **gras**,
*n'ont pas tout à fait la même signification.*
*Lisez attentivement les pages explicatives.*

---

**La SAUSSAYE** *27370 Eure* 304 F6 – *1 840 h alt. 137.*
*Paris 122 – Rouen 25 – Évreux 40 – Louviers 19 – Pont-Audemer 49.*

**Manoir des Saules** ⛰, ✆ 02 35 87 25 65, *Fax 02 35 87 49 39,* 🏖, 🌳 – ⛔ 📺 📞 ♿ 🅿 – 🎪 15. AE ⓓ GB JCB
✿ *fermé 1er au 11 mars, 9 au 24 sept., 17 au 25 nov., 23 au 29 fév., dim. soir de sept au 15 avril, lundi et mardi* – **Repas** (nombre de couverts limité, prévenir) 40 (déj.), 55/95 et carte 58 à 75 – ☕ 15 – **10 ch** 135/229.
◆ Colombages et tourelles ornent la façade de ce charmant manoir normand doté d'un jardin. Beau mobilier de style et décor original dans les chambres. Élégantes salles à manger.
**Spéc.** Langoustines royales rôties et brouillade d'oursins (mai à sept.). Dos de chevreuil aux champignons des bois (nov. à fév.). Soufflé au calvados.

---

**SAUSSET-LES-PINS** *13960 B.-du-R.* 340 F6 *G. Provence – 5 541 h alt. 15.*
ℹ *Office du Tourisme, 16 avenue du Port ✆ 04 42 45 60 65, Fax 04 42 45 60 68, tourismeslp@ville-sausset-les-pins.fr,.*
*Paris 773 – Marseille 35 – Aix-en-Provence 41 – Martigues 12 – Salon-de-Provence 48.*

**Paradou-Méditerranée** Ⓜ, au port ✆ 04 42 44 76 76, *hotel.paradou@wanadoo.fr, Fax 04 42 44 78 48,* ←, 🏖, 🏊 – 🛗 ▤ 📺 📞 ♿ 🅿 – 🎪 20 à 60. AE ⓓ GB
**Repas** 21/28 🍷 – **41 ch** ☕ 92/150 – ½ P 65.
◆ Emplacement de choix face à la mer pour cet hôtel récent disposant d'un petit espace vert. Chambres équipées de loggias. Décor d'inspiration régionale dans la salle à manger.

**Les Girelles,** ✆ 04 42 45 26 16, *Fax 04 42 45 49 65,* ←, 🏖 – ▤. AE ⓓ GB JCB
*fermé 2 janv. au 1er fév., dim. soir hors saison, mardi midi en juil.-août et lundi* – **Repas** 28/46 et carte 53 à 70 🍷, enf. 14.
◆ En bord de plage, élégant restaurant (meubles de style, fer forgé, tissus provençaux) ouvert sur la terrasse et la "grande bleue". Cuisine actuelle, produits de la mer.

---

**SAUTERNES** *33210 Gironde* 335 I7 *G. Aquitaine – 589 h alt. 50.*
ℹ *Office du Tourisme, 11 rue Principale ✆ 05 56 76 69 13, Fax 05 57 31 00 67, sauternes@wanadoo.fr.*
*Paris 627 – Bordeaux 50 – Bazas 24 – Langon 11.*

**Relais du Château d'Arche** Ⓜ sans rest, au Nord, rte Bommes : 0,5 km ✆ 05 56 76 67 67, *Fax 05 56 76 69 76*, ← vignoble, – TV. GB
*fermé 15 nov. au 15 janv.* – ☕ 10 – **9 ch** 110/180.
◆ Belle chartreuse du 17e s. entourée par le domaine viticole du château d'Arches, grand cru de Sauternes. Les chambres, "cosy", profitent du calme et de la vue sur les vignes.

**Saprien,** ✉ 33210 ✆ 05 56 76 60 87, *Fax 05 56 76 68 92*, , – P. AE ⓓ GB
*fermé vacances de Noël, de fév, dim. soir, merc. soir et lundi* – **Repas** 25/35 ♀, enf. 11.
◆ Maison typique de vigneron au coquet intérieur, avec terrasse donnant directement sur les vignes. Agréable salon avec cheminée. Bonne sélection de sauternes au verre.

---

**SAUVE** *30610 Gard* 339 I5 – *1 606 h alt. 103.*
*Office du Tourisme, place René Isouard ✆ 04 66 77 57 51, Fax 04 66 77 05 99, otsauve@net-up.com.*
*Paris 750 – Alès 28 – Montpellier 47 – Nîmes 39 – Le Vigan 39.*

**Magnanerie** avec ch, rte Nîmes ✆ 04 66 77 57 44, *la.magnanerie@wanadoo.fr*, *Fax 04 66 77 02 31*, , , – cuisinette TV P. AE ⓓ GB
**Repas** *(fermé 24 déc. au 7 janv., mardi d'oct. à mars et lundi)* 13 bc (déj.), 23/32 ♀ – ☕ 6 – **9 ch** 45/69, 3 duplex – ½ P 55.
◆ Les vestiges d'un aqueduc agrémentent le jardin de cette ancienne magnanerie. Salle voûtée, véranda ou terrasse selon la saison ; cuisine traditionnelle. Chambres simples.

---

**SAUVETERRE** *30150 Gard* 339 N4 – *1 378 h alt. 23.*
*Paris 674 – Avignon 15 – Alès 77 – Nîmes 49 – Orange 16 – Pont-St-Esprit 36.*

**Hostellerie de Varenne** , ✆ 04 66 82 59 45, *hostellerie.varenne@wanadoo.fr*, *Fax 04 66 82 84 83*, , , – TV P. AE ⓓ GB
*fermé 1er au 15 nov., fév. et merc. hors saison* – **Repas** 19 (déj.), 30/43 ♀ – ☕ 10 – **13 ch** 69/119 – ½ P 77/94,50.
◆ Un parc à la française accentue le charme de cette élégante demeure du 18e s. Chambres actuelles (climatisées) ou de style Louis-Philippe. Bon choix de châteauneuf-du-pape.

---

**SAUVETERRE-DE-COMMINGES** *31510 H.-Gar.* 343 C6 – *730 h alt. 480.*
*Paris 789 – Bagnères-de-Luchon 35 – Lannemezan 30 – Tarbes 71 – Toulouse 104.*

**Hostellerie des 7 Molles** , à Gesset, Sud : 3 km par D 9 ✆ 05 61 88 30 87, *contact@hotel7molles.com*, *Fax 05 61 88 36 42*, ←, , , , – TV P. AE ⓓ GB
*fermé 15 fév. au 15 mars, mardi et merc. hors saison* – **Repas** *(fermé vend. midi d'oct. à fév., mardi midi, merc. midi de mai à sept. et jeudi midi)* 19,50 (déj.), 29,50/47 ♀ – ☕ 12 – **17 ch** 79/142 – ½ P 102,50/114.
◆ La campagne commingeoise sert de cadre à cette bâtisse des années 1960 appréciée, entre autres, pour son joli jardin fleuri. Chambres dotées de meubles de style. Billard.

---

**SAUVETERRE-DE-ROUERGUE** *12800 Aveyron* 338 F5 *G. Midi-Pyrénées* – *888 h alt. 460.*
Voir *Place centrale*★.
*Office du Tourisme, place des Arcades ✆ 05 65 72 02 52, Fax 05 65 72 02 85.*
*Paris 647 – Rodez 30 – Albi 53 – Millau 87 – St-Affrique 78 – Villefranche-de-Rouergue 44.*

**Sénéchal** (Truchon) Ⓜ , ✆ 05 65 71 29 00, *le.senechal@wanadoo.fr*, *Fax 05 65 71 29 09*, , , – TV – 30. AE GB.
*fermé début janv. à mi-mars, dim. soir et lundi sauf juil.-août* – **Repas** *(fermé mardi midi et jeudi midi de sept. à juin et lundi sauf le soir en juil.-août)* (nombre de couverts limité, prévenir) 24/100 et carte 60 à 90 ♀ – ☕ 13 – **8 ch** 100, 3 appart – ½ P 100/125.
◆ Au coeur d'une bastide royale du 13e s., charmante auberge parfaitement reconstruite dans le style du pays. Décor contemporain et, çà et là, quelques meubles anciens.
**Spéc.** Foies gras. Viandes et volailles de pays. Desserts aux fruits et aux plantes de saison.
**Vins** Marcillac, Vins d'Entraygues et du Fel.

---

**SAUVIGNY-LES-BOIS** *58160 Nièvre* 319 C10 – *1 591 h alt. 210.*
*Paris 247 – Autun 99 – Decize 26 – Nevers 10.*

**Moulin de l'Etang,** ✆ 03 86 37 10 17, *Fax 03 86 37 12 06*, – P. GB
*fermé 5 au 31 sept., dim. soir, merc. soir et lundi* – **Repas** 17,50/40.
◆ Aux portes du village et près de l'étang, ancienne laiterie abritant une salle à manger rustique décorée de cuivres rutilants. Cuisine au goût du jour.

---

**SAUX** *65 H.-Pyr.* 342 L4 – *rattaché à Lourdes.*

**SAUXILLANGES** *63490 P.-de-D.* 326 H9 *G. Auvergne – 1 109 h alt. 460.*

Voir Pic d'Usson ☼★ *SO : 4 km.*

*Paris 459 – Clermont-Ferrand 47 – Ambert 47 – Issoire 13 – Thiers 45 – Vic-le-Comte 20.*

XX **Mairie,** pl. St-Martin ✆ 04 73 96 80 32, *Fax 04 73 96 89 92* – ▤. GB

*fermé 16 au 28 juin, 15 sept. au 3 oct., 2 au 17 janv., dim. soir, lundi et mardi* – **Repas** 18,50/39 ♀.

◆ Face à la mairie, maison de village datant de 1811. Deux salles contemporaines plaisamment rénovées ; celle éclairée par des vitraux est réservée aux banquets. Petit salon.

**Le SAUZE** *04 Alpes-de-H.-P.* 334 I6 – *rattaché à Barcelonnette.*

**SAUZON** *56 Morbihan* 308 L10 – *voir à Belle-Ile-en-Mer.*

**SAVERNE** SP *67700 B.-Rhin* 315 I4 *G. Alsace Lorraine – 10 278 h alt. 200.*

Voir *Château★ : façade★★ – Maisons anciennes à colombage★* **N.**

*Office du Tourisme, 37 Grand' Rue ✆ 03 88 91 80 47, Fax 03 88 71 02 90, info@ot-saverne.fr.*

*Paris 453 ① – Strasbourg 39 ③ – Lunéville 88 ④ – St-Avold 81 ① – Sarreguemines 61 ①.*

**SAVERNE**

Bouxwiller (R. de) .......... B 2
Clés (R. des) .......... B 3
Côte (R. de la) .......... A 5
Dettwiller (R. de) .......... B 6
Églises (R. des) .......... B 8
Foch (R. Mar.) .......... A 12
Gare (R. de la) .......... A 13
Gaulle (Pl. Gén.-de) .......... B 14
Grand' Rue .......... AB
Joffre (R. Mar.) .......... B 15
Murs (R. des) .......... AB 16
Pères (R. des) .......... B 17
Poincaré (R.) .......... A 20
Poste (R. de la) .......... B 22
Tribunal (R. du) .......... B 24
19-Novembre (R. du) .......... A 23

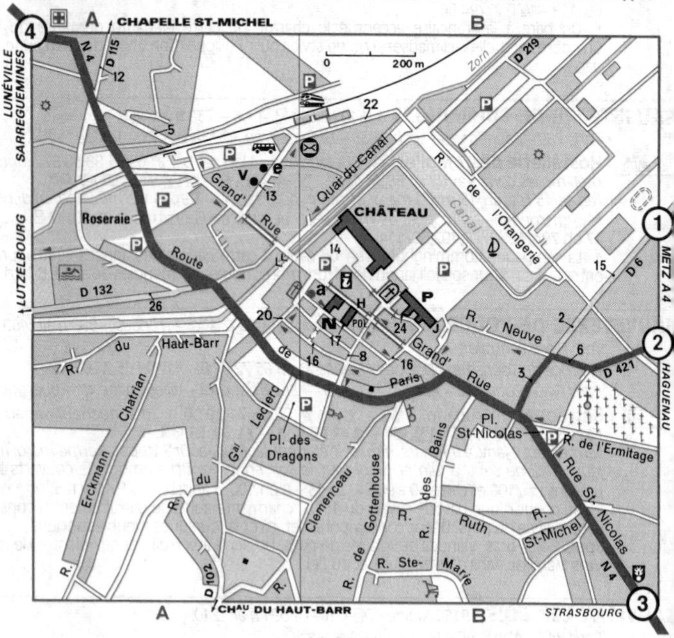

A
B
CHAPELLE ST-MICHEL
LUNÉVILLE SARREGUEMINES
LUTZELBOURG
METZ A 4
HAGUENAU
STRASBOURG
CHAU DU HAUT-BARR
CHÂTEAU
Roseraie
Route de Paris
Quai du Canal
R. de l'Orangerie
Canal
Zorn
R. Neuve
Grand' Rue
Pl. St-Nicolas
R. de l'Ermitage
Rue St-Nicolas
R. St-Michel
R. Ruth
R. des Bains
R. de Gottenhouse
R. Clemenceau
Pl. des Dragons
R. du Gal Leclerc
R. Erckmann Chatrian
R. du Haut-Barr
R. Ste-Marie
D 115
D 219
D 132
D 102
D 421
D 6
N 4
200 m

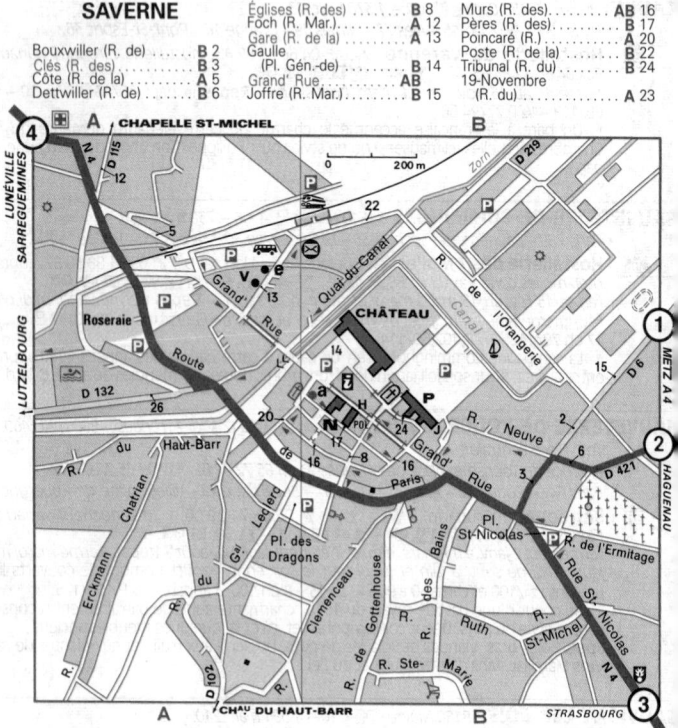

🏨 **Chez Jean,** 3 r. Gare ✆ 03 88 91 10 19, *chez.jean@wanadoo.fr, Fax 03 88 91 27 45* – |♦| TV ✆ – 🏋 30. AE ⓓ GB. ✻ A V

*fermé 20 déc. au 10 janv.* – **Repas** *(fermé lundi sauf le soir de juil. à sept. et dim. soir)* 24/39 ♀ **- *Winstub s'Rosestiebel :*** **Repas** carte environ 32 ♀ – ☕ 8,80 – **25 ch** 56/77 – ½ P 69/72.

◆ En centre-ville, hôtel aménagé avec goût dans un ancien couvent. Touche alsacienne dans les chambres douillettes. Plats du terroir à la winstub ou plus élaborés au restaurant.

**Europe** sans rest, 7 r. Gare ☎ 03 88 71 12 07, *info@hotel-europe-fr.com, Fax 03 88 71 11 43* – ▮ TV ☎ ♿. AE ⓓ GB A e
*fermé 21 déc. au 4 janv.* – ☕ 8,30 – **28 ch** 54/81.
◆ À côté de la gare, hôtel proposant des chambres confortables et fonctionnelles, ainsi qu'un décor inspiré du thème européen. Coquet salon avec boiseries et fresques.

**Clos de la Garenne** avec ch, par rte de Haut Barr : 1,5 km ☎ 03 88 71 20 41, *Fax 03 88 02 08 86*, – ▮ TV ☎ P – 20. AE GB
**Repas** *(fermé mardi soir, sam. midi et merc.)* 13 (déj.), 34/60 ♀ – ☕ 8 – **12 ch** 31/84 – ½ P 41,80/67,30.
◆ Un joli parc arboré entoure cette maison familiale centenaire. Chaleureuse salle à manger avec cheminée en pierre. Prolongez votre séjour dans l'une des coquettes chambres.

**Zum Staeffele,** 1 r. Poincaré ☎ 03 88 91 63 94, *Fax 03 88 91 63 94* – ▤. AE GB. B a
*fermé 8 au 28 juil., 24 déc. au 11 janv., jeudi midi, dim. soir et merc.* – **Repas** 19,50 (déj.), 34/49 ♀.
◆ Face au château des Rohan, maison en pierre datant des 18e et 19e s. Chaleureux restaurant où se mitonne une cuisine au goût du jour qui ne manque pas d'originalité.

**par** ② *: 3 km sur D 421 – ✉ 67700 Monswiller :*

**Kasbür,** ☎ 03 88 02 14 20, *Fax 03 88 02 14 21*, , – P. AE GB
*fermé 1er au 15 août, 15 au 30 janv., dim. soir et lundi* – **Repas** *(13,70)* - 18 (déj.), 28/52 ♀.
◆ La fresque ornant la façade de cette maison de famille née en 1932 évoque le fromage fabriqué par un ancêtre "fromager-paysan" (kasbür). La terrasse donne sur champs et forêt.

**à St-Jean-Saverne** *Nord : 4 km par D 115 – 559 h. alt. 280 – ✉ 67700 :*

**Kleiber,** 37 Grand'Rue ☎ 03 88 91 11 82, *info@kleiber-fr.com, Fax 03 88 71 09 64* – TV ☎ P – 25. GB
*fermé 23 déc. au 15 janv., sam. midi et dim. soir* – **Repas** 15 (déj.), 20/45 ♀, enf. 9 – ☕ 8,50 – **16 ch** 43/61 – ½ P 52/76.
◆ Au coeur du village, auberge du début du 19e s. aux intérieurs typiquement alsaciens. Petites chambres bien tenues. Cuisine régionale escortée par quelques plats végétariens.

*Le Guide change, changez de guide tous les ans.*

---

**SAVIGNEUX** *42 Loire* 327 D6 – *rattaché à Montbrison.*

---

**SAVIGNY-LÈS-BEAUNE** *21 Côte-d'Or* 320 I7 – *rattaché à Beaune.*

---

**SAVIGNY-SUR-ORGE** *91 Essonne* 312 D3 101 ㊱ – *voir à Paris, Environs.*

---

**SCEAUX-SUR-HUISNE** *72160 Sarthe* 310 M6 – *472 h alt. 93.*
*Paris 174 – Le Mans 34 – Châteaudun 74 – La Ferté-Bernard 12 – Mamers 41 – Nogent-le-Rotrou 34.*

**Panier Fleuri,** N 23 ☎ 02 43 93 40 08, *Fax 02 43 93 43 86* – GB
*fermé 18 août au 3 sept., 12 au 28 janv., mardi soir et merc.* – **Repas** *(12,50)* - 15,10/36 ♀, enf. 8.
◆ Au coeur de la localité, maison du 19e s. abritant une salle tout en longueur au cadre campagnard, avec poutres et mobilier rustique. Caveau et petit salon en complément.

---

**SCHERWILLER** *67750 B.-Rhin* 315 I7 – *2 278 h alt. 185.*
*Office du tourisme, rue de la Mairie ☎ 03 88 92 25 62, otchatenoischerwiller@fnac.net.*
*Paris 438 – Colmar 27 – Barr 20 – St-Dié 42 – Sélestat 5.*

**Auberge Ramstein** M, 1 r. Riesling ☎ 03 88 82 17 00, *hotel.ramstein@wanadoo.fr, Fax 03 88 82 17 02*, ≤, – TV ♿ P – 20. GB
*fermé 18 fév. au 2 mars* – **Repas** *(fermé dim. et merc.)* 24/40 ♀ – ☕ 7 – **15 ch** 40/57 – ½ P 50.
◆ Sympathique demeure régionale ouverte de toutes parts sur le vignoble alsacien. Chambres spacieuses et bien équipées. Petits-déjeuners servis dans le salon.

---

**SCHIRMECK** *67130 B.-Rhin* 315 H6 *G. Alsace Lorraine – 2 167 h alt. 315.*
**Voir** *Vallée de la Bruche★ N et S.*
*Syndicat d'Initiative, Hôtel de Ville ☎ 03 88 49 63 80, Fax 03 88 49 63 89, cc.haute-bruche@wanadoo.fr.*
*Paris 411 – Strasbourg 53 – Nancy 102 – St-Dié 42 – Saverne 52 – Sélestat 59.*

**aux Quelles** *Sud-Ouest : 7,5 km par N 420, D 261 et rte forestière – ✉ 67130 Schirmeck :*

**Neuhauser** ⛰, ✆ 03 88 97 06 81, *hotelneuhauser@wanadoo.fr, Fax 03 88 97 14 29*, ←, 🏞, ⛱, – TV ♿ P – 🏋 15. ⓓ GB
**Repas** 19/42 🍷, enf. 10 – ☕ 9 – **12 ch** 60/68, 3 chalets – ½ P 58/65.
◆ Grand calme garanti dans cette auberge campagnarde nichée au coeur de la forêt. Chambres douillettes et spacieux chalets familiaux. Restaurant ouvert sur la vallée de la Bruche.

---

**SCHWEIGHOUSE-SUR-MODER** *67 B.-Rhin* 315 *K4 – rattaché à Haguenau.*

---

**SEBOURG** *59 Nord* 302 *J5 – rattaché à Valenciennes.*

---

**Le SECHIER** *05 H.-Alpes* 334 *E4 – rattaché à St-Firmin.*

---

**SECLIN** *59113 Nord* 302 *G4 G. Picardie Flandres Artois – 12 281 h alt. 30.*
*Voir Cour★ de l'hôpital.*
*Syndicat d'Initiative, 9 boulevard Hentgès ✆ 03 20 90 00 02.*
*Paris 211 – Lille 18 – Lens 26 – Tournai 33 – Valenciennes 48.*

XX **Auberge du Forgeron** avec ch, 17 r. Roger Bouvry ✆ 03 20 90 09 52, *pbelot@nordnet.fr, Fax 03 20 32 70 87* – TV. AE GB
*fermé 26 juil. au 24 août, 24 déc. au 2 janv., sam. midi et dim.* – **Repas** 21/49 🍷 – ☕ 8 – **18 ch** 31/62.
◆ Maison ancienne en briques rouges. Cheminée et rôtissoire créent une chaleureuse atmosphère dans la salle à manger prolongée d'une belle véranda. Chambres personnalisées.

---

**SEDAN** *08200 Ardennes* 306 *L4 G. Champagne Ardenne – 21 667 h alt. 154.*
*Voir Château fort★★.*
*Office du Tourisme, place du Château Fort ✆ 03 24 27 73 73, Fax 03 24 29 03 28, ot.sedan@wanadoo.fr.*
*Paris 255 ② – Charleville-Mézières 25 ② – Liège 171 ① – Metz 152 ① – Reims 103 ②.*

Plan page ci-contre

**Europe,** 2 pl. Gare ✆ 03 24 27 18 71, *Fax 03 24 29 32 00* – TV P. GB — AZ e
**Repas** *(fermé 24 déc. au 4 janv.)* (12) - 15/22 – ☕ 6,30 – **25 ch** 37/46 – ½ P 36.
◆ Pratique pour ceux qui voyagent en train, établissement ancien abritant des chambres bien tenues et insonorisées. Salle à manger aménagée à la façon d'un jardin d'hiver.

XXX **Au Bon Vieux Temps,** 1 pl. Halle ✆ 03 24 29 03 70, *Fax 03 24 29 20 27* – ▤. AE ⓓ GB JCB — BYZ r
*fermé 25 août au 1er sept., 26 au 31 déc., 15 fév. au 13 mars, dim. soir, merc. soir et lundi* – **Repas** 20,60/45,70 et carte 43 à 57 🍷, enf. 8,40 ***Marmiton*** (1er étage)(déj. seul.) *(fermé dim. et lundi)* **Repas** 10/12,50bc.
◆ De jolies fresques d'esprit naïf décorent les murs de cet élégant et confortable restaurant situé à deux pas du château. Esprit bistrot et suggestions du jour au Marmiton.

**à Bazeilles** *par ① : 3 km – 1 599 h. alt. 161 – ✉ 08140 :*

**Château de Bazeilles** ⛰, ✆ 03 24 27 09 68, *bazeilles@chateaubazeilles.com, Fax 03 24 27 64 20*, ⛱, – TV ♿ P – 🏋 20. AE GB JCB
***L'Orangerie*** (dîner seul. en hiver) *(fermé dim. soir)* **Repas** 22/50 🍷 – ☕ 8,50 – **19 ch** 69/80 – ½ P 73.
◆ Hôtel aménagé dans les dépendances et la conciergerie d'un château du 17e s., jadis lieu de rencontre de la bourgeoisie sedanaise. Chambres spacieuses et fraîches.

**Auberge du Port** ⛰, Sud : 1 km par rte Remilly-Aillicourt ✆ 03 24 27 13 89, *auberge-du-port@wanadoo.fr, Fax 03 24 29 35 58*, ⛱, – TV P – 🏋 25. AE ⓓ GB JCB. ch
*fermé 11 août au 1er sept. et 21 déc. au 6 janv.* – **Repas** *(fermé vend., sam. midi et dim. soir)* 15/40 bc 🍷, enf. 8 – ☕ 7 – **20 ch** 47/55 – ½ P 48.
◆ Paisible auberge de campagne nichée au milieu d'un jardin bordé par la Meuse. Chambres bien équipées, égayées de tissus fleuris. Décor contemporain au restaurant.

**à Frénois** *par ② et D 67 : 3,5 km – ✉ 08200 Sedan :*

**Campanile,** ✆ 03 24 29 45 45, *sedan@campanile.fr, Fax 03 24 27 64 52*, ⛱ – TV ♿ P – 🏋 25. AE ⓓ GB
**Repas** (14) - 15,50/17 🍷, enf. 6 – ☕ 6 – **47 ch** 50.
◆ Non loin de l'autoroute de contournement de Sedan, classique hôtel de chaîne dont les chambres, standardisées, sont réparties dans deux bâtiments cernés par la verdure.

## SEDAN

Alsace-Lorraine (Pl. d') . **BZ** 2
Armes (Pl. d') . . . . . . . . . **BY** 3
Bayle (R. de) . . . . . . . . . **BY** 4
Berchet (R.) . . . . . . . . . . **BY** 5
Blanpain (R.) . . . . . . . . . . **BY** 6
Capucins (Rampe) . . . . . **BY** 7
Carnot (R.) . . . . . . . . . . . **BY** 8
Crussy (Pl.) . . . . . . . . . . **BY** 9
Fleuranges (R. de) . . . . . **AY** 10
Francs-Bourgeois (R. des) **BY** 12
Gambetta (R.) . . . . . . . . **BY** 13
Goulden (Pl.) . . . . . . . . . **BY** 14
Halle (Pl. de la) . . . . . . . **BY** 15
Horloge (R. de l') . . . . . . **BY** 17
Jardin (Bd du Gd) . . . . . **BY** 18
La Rochefoucauld
(R. de) . . . . . . . . . . . . . **BY** 20
Lattre-de-Tassigny
(Bd Mar.-de) . . . . . . . . . **AZ** 21
Leclerc (Av. du Mar.) . . **BY** 24
Margueritte
(Av. du G.) . . . . . . . . **ABY** 26
Martyrs-de-la-
Résistance (Av. des) . **AY** 27
Mesnil (R. du) . . . . . . . . **BY**
Nassau (Pl.) . . . . . . . . . . **BZ** 31
Promenoir-des-Prêtres . **BY** 33
Rivage (R. du) . . . . . . . . **BY** 34
Rochette (Bd de la) . . . **BY** 35
Rovigo (R.) . . . . . . . . . . . **BY** 36
Strasbourg (R. de) . . . . . **BZ** 39
Turenne (Pl.) . . . . . . . . . **BY** 41
Vesseron-Lejay (R.) . . . . **AY** 42
Wuidet-Bizot (R.) . . . . . . **BZ** 44

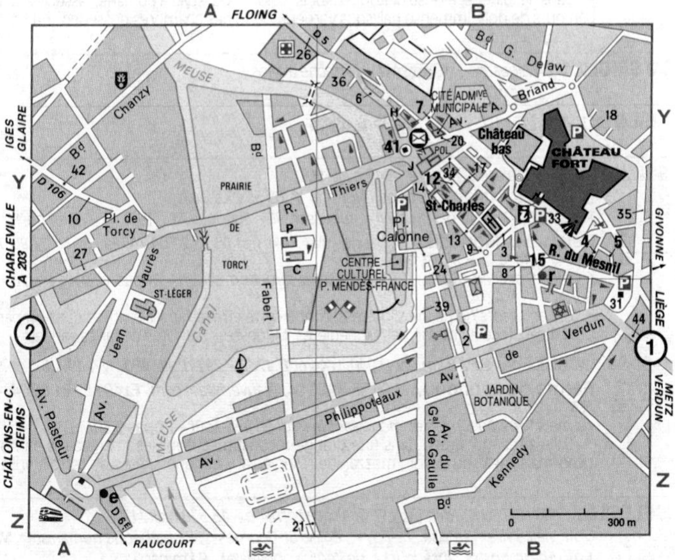
FLOING
D 5
MEUSE
Chanzy
IGES GLAIRE
D 106
Pl. de Torcy
CHARLEVILLE A 203
ST-LÉGER
Jaurès
Jean
PRAIRIE
DE
TORCY
Canal
Fabert
Thiers
Pl. Calonne
CENTRE CULTUREL P. MENDÈS-FRANCE
CITÉ ADMVE MUNICIPALE
Briand
Bd G. Delaw
Château bas
CHÂTEAU FORT
St-Charles
R. du Mesnil
GIVONNE
LIÈGE
METZ VERDUN
Verdun
de
Av.
JARDIN BOTANIQUE
Philippoteaux
Av. du Gal de Gaulle
Kennedy
Bd
CHÂLONS-EN-C. REIMS
Av. Pasteur
D 6E
RAUCOURT
0
300 m

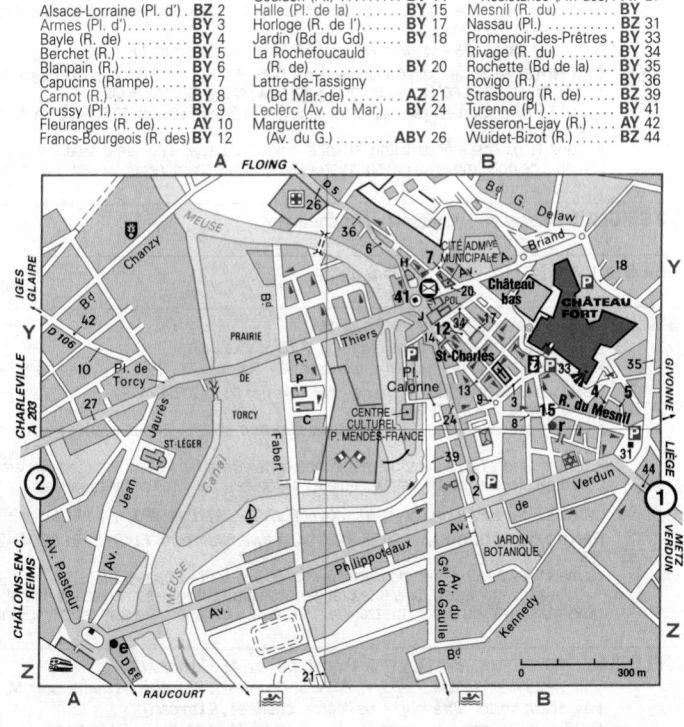

**SÉES** *61500 Orne* 310 K3 *G. Normandie Cotentin – 4 547 h alt. 186.*

Voir *Cathédrale Notre-Dame★ : choeur et transept★★ – Forêt d'Ecouves★★ SO : 5 km.*

*Office du Tourisme, place Général de Gaulle ✆ 02 33 28 74 79, Fax 02 33 28 18 13, office-tourisme-sees@wanadoo.fr.*

*Paris 186 – Alençon 22 – L'Aigle 42 – Argentan 24 – Domfront 66 – Mortagne-au-Perche 33.*

**à Macé** : *5,5 km par rte d'Argentan, D 303 et D 747 – 464 h. alt. 173 – ✉ 61500.*

Voir *Château d'O★ NO : 5 km.*

**Ile de Sées**, ✆ 02 33 27 98 65, *ile-sees@ile-sees.fr, Fax 02 33 28 41 22*, – 30. GB.

*mars-oct. et fermé dim. soir et lundi* – **Repas** 14 (déj.), 21/32, enf. 8,50 – 6,80 – **16 ch** 50/59 – ½ P 52.

◆ En pleine campagne normande, ancienne laiterie entourée d'un parc. Agréables chambres rénovées (mobilier lasuré, tons pastel) et chaleureuse salle à manger. Stages d'artisanat.

**SEGOS** *32 Gers* 336 A8 – *rattaché à Aire-sur-l'Adour.*

**SÉGURET** *84 Vaucluse* 332 D8 – *rattaché à Vaison-la-Romaine.*

**SÉGUR-LES-VILLAS** *15300 Cantal* 330 E3 – *318 h alt. 1045.*

*Paris 510 – Aurillac 64 – Allanche 14 – Condat 19 – Mauriac 55 – Murat 18 – St-Flour 41.*

**Santoire,** à La Carrière du Monteil de Ségur Sud : 4 km sur D 3 ✆ 04 71 20 70 68, *christian.chabrier@worldonline.fr, Fax 04 71 20 73 44*, – GB

*fermé nov., déc. et janv.* – **Repas** 13/30,50 – 5,80 – **28 ch** 39,70 – ½ P 39,60.

◆ Maison régionale abritant des chambres au décor déjà ancien. La salle de restaurant et sa véranda offrent de belles échappées sur la campagne.

**SEIGNOSSE** *40510 Landes* 335 C12 – *1 630 h alt. 15.*

*Office du Tourisme, avenue des Lacs ✆ 05 58 43 32 15, Fax 05 58 43 32 66, office.tourisme@seignosse.com.*

*Paris 750 – Biarritz 36 – Mont-de-Marsan 84 – Dax 31 – Soustons 11.*

**Golf Hôtel** M, au golf, Ouest : 4 km par D 86 ✆ 05 58 41 68 40, *hotelseignosse@wanadoo.fr, Fax 05 58 41 68 41,* ≤, , – |‡| TV ✆ ♿ P – 30. AE ◑ GB

*fermé 5 janv. au 8 mars* – **Repas** (dîner seul.) 23/31 ♀, enf. 10 – ☕ 10,50 – **45 ch** 74/137 – ½ P 84,50/100.

◆ Dans la pinède, construction en bois coloré, de style Louisiane, associée à un joli parcours de golf. Immense hall sous verrière. Certaines chambres possèdent un balcon.

**Le SEIGNUS** *04 Alpes-de-H.P.* 334 H7 – *rattaché à Allos.*

**SEILH** *31 H.-Gar.* 343 G2 – *rattaché à Toulouse.*

**SEILHAC** *19700 Corrèze* 329 L3 – *1 540 h alt. 500.*

*Office du Tourisme, place de l'Horloge ✆ 05 55 27 97 62.*

*Paris 461 – Brive-la-Gaillarde 34 – Aubusson 96 – Limoges 73 – Tulle 15 – Uzerche 16.*

**Relais des Monédières,** rte de Tulle : 1 km ✆ 05 55 27 04 74, *Fax 05 55 27 90 03,* , – TV ✆ P. AE GB

*fermé 15 déc. au 15 janv., 23 au 30 juin et sam. hors saison* – **Repas** 13/30 – ☕ 6 – **14 ch** 50/51 – ½ P 42/45.

◆ Les amateurs de pêche s'intéresseront à cette affaire familiale située dans un parc avec plan d'eau, face au massif des Monédières. Modestes chambres de tailles variées.

**à St-Salvadour** *Nord-Est : 8 km par D 940, D 44 et D 173E – 292 h. alt. 460 – ✉ 19700 :*

**Ferme du Léondou,** ✆ 05 55 21 60 04, *jlfauvert@aol.com, Fax 05 55 21 60 04* – P. AE GB

*fermé 1er fév. au 8 mars et merc. sauf le midi en juil.-août* – **Repas** 9,30/36 .

◆ Salle à manger créée dans une grange reconstituée dont les mangeoires en bois font désormais partie du décor ; mezzanine réservée aux banquets. Plats du terroir, grillades.

**SÉLESTAT** *67600 B.-Rhin* 315 I7 *G. Alsace Lorraine – 15 538 h alt. 170.*

Voir *Vieille ville★ : église Ste-Foy★, église St-Georges★, Bibliothèque humaniste★* **M.**

Env. *Ebermunster : intérieur★★ de l'église abbatiale★, 9 km par ①.*

*Office du Tourisme, boulevard Leclerc ✆ 03 88 58 87 20, Fax 03 88 92 88 63, accueil@selestat-tourisme.com.*

*Paris 440 ① – Colmar 24 ③ – Gérardmer 65 ③ – St-Dié 44 ④ – Strasbourg 51 ①.*

Plan page ci-contre

**Hostellerie de l'Abbaye la Pommeraie** M, 8 av. Mar. Foch ✆ 03 88 92 07 84, *pommeraie@relaischateaux.com, Fax 03 88 92 08 71,* – |‡| ▤ TV ✆ . AE ◑ GB BY a

***Prieuré*** *(fermé dim. soir et lundi midi)* **Repas** 47bc/85♀ et carte 60 à 80 – ***S'Apfelstuebel :*** **Repas** 26/47♀ – ☕ 14,50 – **13 ch** 122/229 – ½ P 95.

◆ Noble demeure du 17e s., jadis dépendance de l'abbaye de Baumgarten. Plaisantes chambres garnies de meubles de style. Élégant restaurant et superbes boiseries à la winstub.

**Spéc.** Fines tripettes, foie gras chaud et vinaigrette tiède. Chausson de poitrine de pigeon à l'émincé de choux. Palet au chocolat, feuillantine praliné, sauce café.

**Vaillant,** 7 r. Ignace Spien ✆ 03 88 92 09 46, *hotel-vaillant@wanadoo.fr, Fax 03 88 82 95 01* – |‡|, ▤ rest, TV ✆ – 45. AE GB JCB. ✻ rest AZ e

**Repas** *(fermé sam. midi et dim. soir)* 15/30 ♀ – ☕ 8 – **47 ch** 44/64 – ½ P 37/42.

◆ De nombreuses oeuvres d'artistes locaux s'exposent dans cet hôtel moderne bordé d'un parc fleuri, proche du centre-ville. Chambres lumineuses, chacune de style différent.

**Jean-Frédéric Edel,** 7 r. Serruriers ✆ 03 88 92 86 55, *jfedel@wanadoo.fr, Fax 03 88 92 87 26,* – AE GB JCB BY e

*fermé 29 juil. au 20 août, 4 au 15 janv., dim. soir sauf fériés, mardi soir et merc.* – **Repas** 36 (déj.), 64/110 bc et carte 70 à 98.

◆ Tableaux, sculptures modernes, assiettes originales et une cuisine classique revisitée qui ne manque pas de saveur : pas de doute, le maître des lieux a la fibre artistique !

**Spéc.** Ragoût de cuisses de grenouilles au riesling. sandre à la choucroute légère, sauce au lard fumé. Vacherin glacé à l'alsacienne. **Vins** Riesling, Tokay-Pinot gris.

**Vieille Tour,** 8 r. Jauge ✆ 03 88 92 15 02, *Fax 03 88 92 19 42* – GB BY s

*fermé dim. soir et lundi* – **Repas** 13,80/26,70 ♀.

◆ Jolie maison alsacienne flanquée de cette "vieille tour" qui abrite un escalier desservant l'une des sept salles à manger. Cadre typiquement régional et plats du terroir.

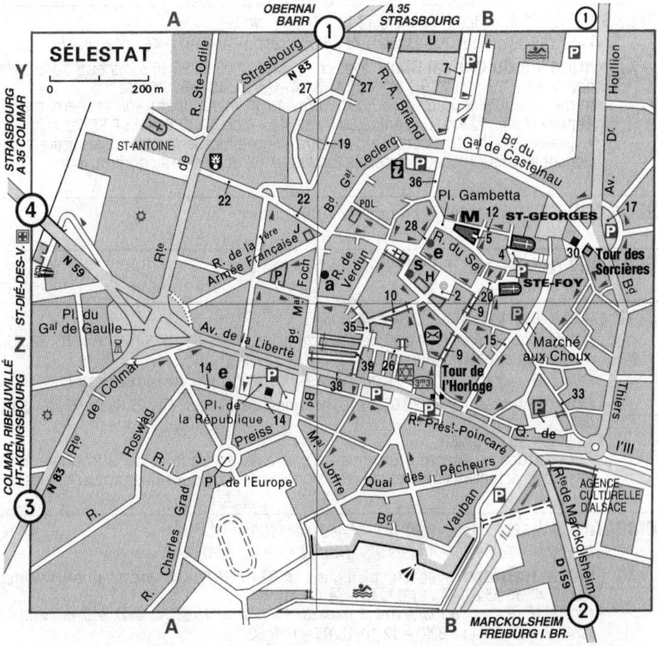
SÉLESTAT
0
200 m
OBERNAI
BARR
A 35
STRASBOURG
MARCKOLSHEIM
FREIBURG I. BR.
STRASBOURG
A 35 COLMAR
ST-DIÉ-DES-V.
COLMAR, RIBEAUVILLÉ
HT-KŒNIGSBOURG
ST-ANTOINE
R. Ste-Odile
Strasbourg
N 83
N 59
R. A. Briand
Bd du Gal de Castelnau
Bd Gal Leclerc
Pl. Gambetta
ST-GEORGES
STE-FOY
Tour des Sorcières
R. de la 1ère Armée Française
R. de Verdun
Foch
R. du Sel
Pl. du Gal de Gaulle
Av. de la Liberté
Bd Mal
Marché aux Choux
Tour de l'Horloge
Pl. de la République
Preiss
Roswag
Rte de Colmar
R. J. Preiss
Pl. de l'Europe
Mal Joffre
Quai des Pêcheurs
Bd Vauban
R. Présl-Poincaré
Q. de l'Ill
Thiers
Av. Dr. Houllion
AGENCE CULTURELLE D'ALSACE
Rte de Marckolsheim
D 159
ILL
R. Charles Grad
POL.


| | | | | | |
|---|---|---|---|---|---|
| Armes (Pl. d') | **BY** 2 | Hôpital (R. de l') | **BZ** 15 | Schweisguth (Av.) | **ABY** 27 |
| Babil (R. du) | **BY** 4 | Lattre-de-Tassigny (Pl. du Mal-de) | **BY** 17 | Serruriers (R. des) | **BY** 28 |
| Bibliothèque (R. de la) | **BY** 5 | Maire-Knol (Allée du) | **BY** 19 | Strasbourg (Pl. Pte-de) | **BY** 30 |
| Charlemagne (Bd) | **BY** 7 | Marché-Vert (Pl. du) | **BY** 20 | Tanneurs (Quai des) | **BZ** 33 |
| Chevaliers (R. des) | **BYZ** 9 | Paix (R. de la) | **AY** 22 | Victoire (Pl. de la) | **BZ** 35 |
| Clefs (R. des) | **BYZ** 10 | Prés.-Poincaré (R. du) | **BZ** | Vieux Marché aux Vins | **BY** 36 |
| Église (R. de l') | **BY** 12 | Sainte-Barbe (R.) | **BZ** 26 | 4e-Zouaves (R. du) | **BZ** 38 |
| Gallieni (R. du Gén.) | **AZ** 14 | | | 17-Novembre (R. du) | **BZ** 39 |

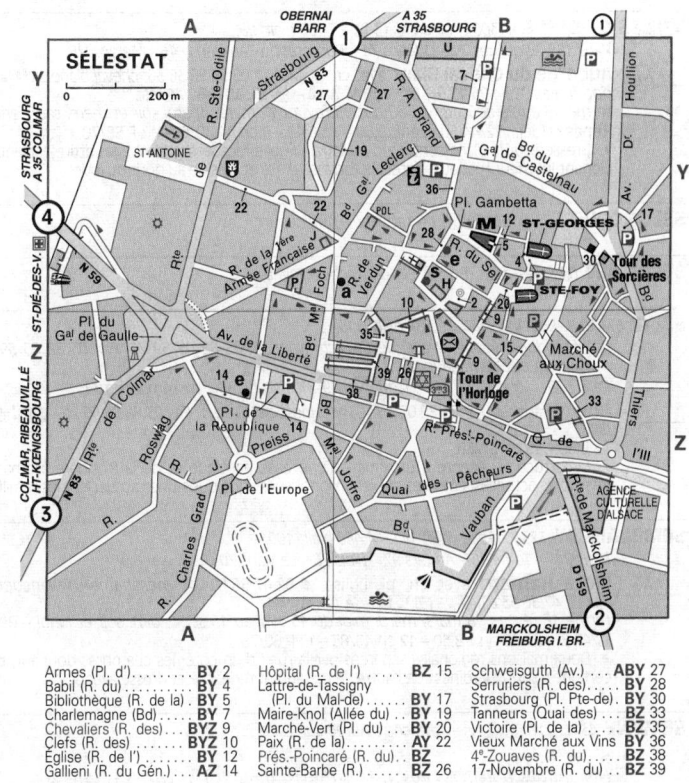

**à Rathsamhausen** *Est : 5 km par D 21 et D 209 – ✉ 67600 Baldenheim :*

**Les Prés d'Ondine** Ⓜ, rte Baldenheim ✆ 03 88 58 04 60, *message@presdondine.com, Fax 03 88 58 04 61*, ≤, ⅙, ⛱ – TV ✆ ♿ P – 🏋 20

**Repas** *(fermé merc. et dim. soir)* (dîner seul.)(résidents seul.) – ☕ 10 – **12 ch** 82/130 – ½ P 85/105.

◆ On se sent comme chez soi dans cette maison forestière du début du 20e s. : salon feutré, bibliothèque, meubles de famille dans les chambres et table d'hôte ouvrant sur l'Ill.

**à Baldenheim** *par ①, D 21 et D 209 : 8,5 km – 875 h. alt. 170 – ✉ 67600 :*

XXX **Couronne,** r. Sélestat ✆ 03 88 85 32 22, *Fax 03 88 85 36 27* – AE GB

✿ *fermé 15 juil. au 30 août, 2 au 15 janv., dim. soir, jeudi soir et lundi* – **Repas** 32/66 et carte 50 à 70 ♀.

◆ Auberge de village se distinguant par son cadre feutré, ses belles boiseries, son accueil prévenant, sa cave fournie et, pour couronner le tout, par sa table soignée.

**Spéc.** Escalopes de foie d'oie chaud au muscat d'Alsace. Strudel aux cuisses de grenouilles et queues d'écrevisses. Croustillant de poires, crème d'amande et glace vanille. **Vins** Riesling, Tokay-Pinot gris.

**Le Schnellenbuhl** *par ②, D 159 et D 424 : 8 km – ✉ 67600 Sélestat :*

X **Auberge de l'Illwald,** ✆ 03 88 85 35 40, *contact@leschnellenbuhl.com, Fax 03 88 85 39 18*, ⛱ – P. GB

*fermé 24 juin au 10 juil., 23 déc. au 7 janv., mardi et merc.* – **Repas** 12,50 (déj.), 26,50/32 ♀.

◆ Une plaisante fresque égaye les murs de cet ancien café situé au bord d'une route de campagne. Tables dressées simplement. Cuisine entre bistrot et terroir.

*Pas de publicité payée dans ce guide.*

**SELLES-ST-DENIS** *41300 L.-et-Ch.* 318 *I7 – 1 199 h alt. 98.*

*Paris 195 – Bourges 71 – Orléans 71 – Romorantin-Lanthenay 16 – Vierzon 26.*

XXX **Auberge du Cheval Blanc** avec ch, pl. Mail ☎ 02 54 96 36 36, *cheval.blanc.ssd.@wanadoo.fr, Fax 02 54 96 13 96,* – TV ♿ P – 25. AE GB. rest

*fermé 18 au 28 août, 23 au 30 déc., 5 fév au 1er mars , mardi soir et merc. sauf fériés* – **Repas** 16 (déj.), 22/44,50 ♀, enf. 9,50 – ☕ 6,40 – **6 ch** 44,50/69 – ½ P 58/70.

◆ Dressée sur la place centrale du village, la belle façade à colombages attire l'attention. Élégant intérieur rustique, agréable terrasse d'été et cuisine au goût du jour.

**SÉLONCOURT** *25 Doubs* 321 *L2 – rattaché à Audincourt.*

**SELONNET** *04 Alpes-de-H.-P.* 334 *F6 – rattaché à Seyne.*

**SELTZ** *67470 B.-Rhin* 315 *M3 – 2 584 h alt. 115.*

*Office du Tourisme, 2 avenue Gal Schneider ☎ 03 88 05 59 79, Fax 03 88 05 59 77, mediathique.selt@wanadoo.fr.*

*Paris 525 – Strasbourg 47 – Haguenau 29 – Karlsruhe 33 – Wissembourg 31.*

**Bois** M sans rest, ☎ 03 88 05 56 10, *hoteldesbois@free.fr, Fax 03 88 05 56 20* – TV ♿ P. GB

☕ 9,50 – **15 ch** 37/58.

◆ Construction récente à proximité d'une base nautique et de la frontière allemande. Chambres actuelles, colorées et bien insonorisées ; quelques-unes accueillent les familles.

**SEMBLANÇAY** *37360 I.-et-L.* 317 *M4 – 1 489 h alt. 100.*

*Paris 249 – Tours 16 – Angers 97 – Blois 76 – Le Mans 70.*

XX **Mère Hamard** avec ch, pl. Eglise ☎ 02 47 56 62 04, *merehamard@wanadoo.fr, Fax 02 47 56 53 61,* – TV P – 15. AE GB

*fermé 18 fév. au 18 mars, mardi midi du 15 avril au 15 sept., dim. soir et lundi* – **Repas** 16/47 ♀, enf. 10 – ☕ 8,50 – **12 ch** 40/85 – ½ P 60/78.

◆ Deux maisons régionales séparées par la rue : d'un côté, les chambres donnant, pour certaines, sur un jardinet ; de l'autre, le restaurant redécoré et dressé avec soin.

**SEMÈNE** *43 H.-Loire* 331 *H1 – rattaché à Aurec-sur-Loire.*

*Nos guides hôteliers, nos guides touristiques et nos cartes routières sont complémentaires. Utilisez-les ensemble.*

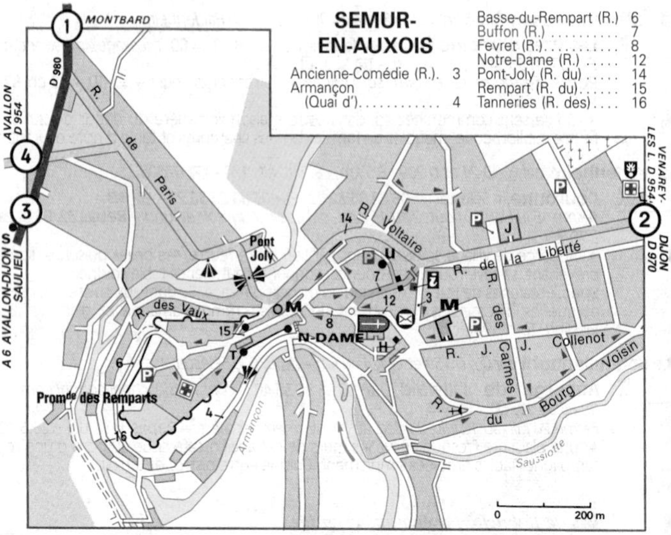

SEMUR-EN-AUXOIS
Ancienne-Comédie (R.) 3
Armançon (Quai d') 4
Basse-du-Rempart (R.) 6
Buffon (R.) 7
Fevret (R.) 8
Notre-Dame (R.) 12
Pont-Joly (R. du) 14
Rempart (R. du) 15
Tanneries (R. des) 16
MONTBARD
D 980
AVALLON D 954
A 6 AVALLON-DIJON SAULIEU
VENAREY-LES L. D 954
DIJON D 970
R. de Paris
Pont Joly
R. Voltaire
R. de la Liberté
R. des Vaux
N-DAME
R. J. J. Collenot
R. des Carmes
R. du Bourg Voisin
Promde des Remparts
Armançon
Saussiotte
0 200 m

**SEMUR-EN-AUXOIS** *21140 Côte-d'Or* 320 G5 *G. Bourgogne – 4 545 h alt. 286.*

Voir *Église N.-Dame★ – Pont Joly ≤★.*

*Office du Tourisme, 2 place Caveau ✆ 03 80 97 05 96, Fax 03 80 97 08 85, Tourisme.pays.Auxois@wanadoo.fr.*

*Paris 247 ③ – Dijon 82 ③ – Auxerre 87 ③ – Avallon 42 ③ – Beaune 78 ③ – Montbard 20 ①.*

Plan page ci-contre

**Hostellerie d'Aussois** M, rte Saulieu **(s)** ✆ 03 80 97 28 28, *info@hostellerie.fr, Fax 03 80 97 34 56,* ≤, – rest, – 25 à 60. AE GB

**Repas** *(fermé 19 janv. au 8 fév. et dim. soir du 7 déc. au 22 fév.)* 14,50/28,20 ♀, enf. 7 – ☕ 7,50 – **43 ch** 75/96 – ½ P 57,50.

◆ Pavillon récent abritant des espaces communs de style contemporain et des chambres fonctionnelles s'ouvrant sur la vieille ville ou la campagne. À table, saveurs du terroir.

**Cymaises** sans rest, 7 r. Renaudot **(u)** ✆ 03 80 97 21 44, *hotel.cymaises@libertysurf.fr, Fax 03 80 97 18 23,* – P. GB

*fermé 3 nov. au 7 déc., 20 janv. au 2 mars et lundi d'oct. à Pâques* – ☕ 6,20 – **18 ch** 47/56.

◆ Au coeur de la cité médiévale, demeure bourgeoise aux chambres fraîches et bien insonorisées. Petits-déjeuners servis dans la véranda. Le jardin fleuri invite au repos.

**au lac de Pont** *Est : 3 km par D 103B – ✉ 21140 Semur-en-Auxois :*

**Lac** , ✆ 03 80 97 11 11, *hoteldulacdepont@wanadoo.fr, Fax 03 80 97 29 25,* – P. AE GB JCB

*fermé 30 nov. au 7 janv., 23 fév. au 3 mars, dim. soir et lundi et mardi midi d'oct. à juin* – **Repas** *(13)* - 15/27 ♀ – ☕ 7 – **20 ch** 42/70 – ½ P 56.

◆ Grande bâtisse entourée de verdure, dont la terrasse ombragée d'une treille est agréable l'été. Préférez les chambres rénovées. Plaisante salle à manger campagnarde.

***Dans ce guide***
***un même symbole, un même mot,***
***imprimé en rouge ou en noir, en maigre ou en gras,***
***n'ont pas tout à fait la même signification.***
***Lisez attentivement les pages explicatives.***

**SENLIS** *60300 Oise* 305 G5 *G. Île de France – 14 439 h alt. 76.*

Voir *Cathédrale N.-Dame★★ – Vieilles rues★* **ABY** *– Place du Parvis★* **BY** *– Chapelle royale St-Frambourg★* **B** *– Jardin du Roy ≤★ – Musée d'Art et d'Archéologie★.*

Env. *Parc Astérix★★ S : 12 km par autoroute A1.*

*Office du Tourisme, place du Parvis Notre Dame ✆ 03 44 53 06 40, Fax 03 44 53 29 80, off.tourisme-senlis@wanadoo.fr.*

*Paris 52 ③ – Compiègne 33 ③ – Amiens 105 ③ – Beauvais 56 ⑥ – Meaux 40 ③.*

Plan page suivante

**Ibis,** par ③ *: 2 km sur N 324* ✆ 03 44 53 70 50, *Fax 03 44 53 51 93,* – P – 30. AE GB

**Repas** *(13)* - 15 ♀, enf. 6 – ☕ 6 – **92 ch** 69.

◆ Choisissez une chambre rénovée dans cet hôtel proche de l'autoroute. Restaurant à l'allure campagnarde, avec poutres apparentes et cheminée où l'on prépare les grillades.

**Scaramouche,** 4 pl. Notre-Dame ✆ 03 44 53 01 26, *info@le-scaramouche.fr, Fax 03 44 53 46 14,* – AE GB BY e

*fermé vacances de fév., mardi et merc.* – **Repas** 26/58 et carte 40 à 60.

◆ Chaleureuse maison à la belle devanture en bois peint. Intérieur feutré agrémenté de tableaux et plaisante terrasse tournée vers la cathédrale Notre-Dame (12e s.).

**Bourgeois Gentilhomme,** 3 pl. Halle ✆ 03 44 53 13 22, *Fax 03 44 53 15 11* – AE GB JCB BY q

*fermé 4 au 26 août, sam. midi, dim. soir et lundi* – **Repas** 26/69,10 ♀, enf. 13.

◆ Molière a inspiré son nom et sa décoration à ce restaurant sis dans une rue très commerçante de la vieille ville. Salle à manger intime. Sympathique cave voûtée du 12e s.

## SENLIS

Apport-au-Pain (R.) ........ **AY** 2
Boutteville (Cours) ........ **BY** 5
Bretonnerie (R. de la) .............. **AZ** 6
Clemenceau (Av. G.) ...... **BY** 7
Cordeliers (R. des) ........ **AZ** 9
Halle (Pl. de la) ........... **BY** 12
Heaume (R. du) ........... **AZ** 13
Leclerc (Av. Gén.) ......... **BY** 15
Montagne St-Aignan (R. de la) ............... **AY** 17
Montauban (Rempart du) .. **AY** 19
Moulin St-Rieul (R. du) .... **BY** 21
Odent (R.) ................ **BY** 24
Parvis (Pl. du) ............ **BY** 26
Puits Tiphaine (R. du) ..... **AY** 27
Poterne (R. de la) .......... **BZ** 29
Poulaillerie (R. de la) ...... **AY** 31
St-Vincent (Rempart) ...... **BZ** 36
St-Yves-à-l'Argent (R.) ..... **BZ** 38
Ste-Geneviève (R.) ......... **BZ** 40
Treille (R. de la) ........... **AY** 42
Vernois (Av. F.) ............ **AY** 47
Vignes (R. des) ............ **BZ** 49
Villevert (R. de) ........... **BY** 52

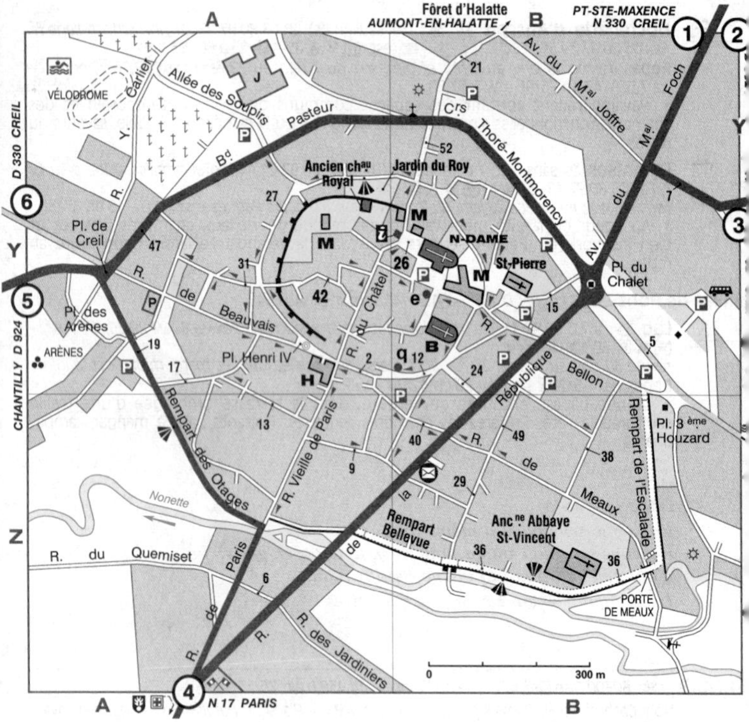

Fôret d'Halatte
AUMONT-EN-HALATTE
PT-STE-MAXENCE
N 330 CREIL
D 330 CREIL
CHANTILLY D 924
N 17 PARIS
VÉLODROME
ARÈNES
Allée des Soupirs
Bd Pasteur
Crs Thoré-Montmorency
Av. du Mal Joffre
Av. du Mal Foch
Ancien chau Royal
Jardin du Roy
N-DAME
St-Pierre
Pl. de Creil
Pl. des Arènes
Pl. Henri IV
Pl. du Chalet
Pl. 3ème Houzard
R. de Beauvais
R. du Châtel
R. Vieille de Paris
R. République
R. Bellon
R. de Meaux
Rempart de l'Escalade
Rempart des Otages
Rempart Bellevue
Anc.ne Abbaye St-Vincent
PORTE DE MEAUX
Nonette
R. du Quemiset
R. de Paris
R. des Jardiniers
0
300 m


*Un automobiliste averti utilise le* ***Guide Rouge Michelin*** *de l'année.*

## SENNECÉ-LÈS-MÂCON *71 S.-et-L.* 320 J11 – *rattaché à Mâcon.*

## SENNECEY-LÈS-DIJON *21 Côte-d'Or* 320 K6 – *rattaché à Dijon.*

## SENONCHES *28250 E.-et-L.* 311 C4 – *3 171 h alt. 223.*

*Syndicat d'Initiative, 34 place de l'Hôtel de Ville ☎ 02 37 37 80 11.*
*Paris 116 – Chartres 37 – Dreux 38 – Mortagne-au-Perche 42 – Nogent-le-Rotrou 36.*

XX **Pomme de Pin** avec ch, r. M. Cauty ☎ 02 37 37 76 62, *lapommedepin@club-internet.fr, Fax 02 37 37 86 61,* – – TV P – 15. GB. ch
*fermé 2 au 26 janv., mardi midi en juil.-août, dim. soir et lundi* – **Repas** (15) - 22/40 ♀, enf. 9 – ☕ 8 – **10 ch** 38/61 – 1/2 P 47/52.
◆ Derrière la belle façade à colombages de cet ancien relais de poste, deux agréables salles à manger et un petit salon avec cheminée. Chambres simples au mobilier varié.

XX **Forêt** avec ch, pl. Champ de Foire ☎ 02 37 37 78 50, *Fax 02 37 37 74 98,* – TV. AE GB
*fermé fév., vend. soir, dim. soir hors saison et merc. de mars à oct.* – **Repas** 11,50/38,10 ♀, enf. 7,70 – ☕ 5,40 – **13 ch** 30/54 – 1/2 P 56.
◆ Imposante maison à pans de bois proche du champ de foire. Les chambres, meublées en chêne, sont rénovées. Spacieuse salle à manger rustique ; cuisine traditionnelle.

**SENONES** *88210 Vosges* 314 *J2 G. Alsace Lorraine – 3 157 h alt. 340.*

Env. *Route de Senones au col du Donon★ NE : 20 km.*

*Office du Tourisme, 6 place Clémenceau ✆ 03 29 57 91 03, Fax 03 29 57 83 95, ot.senones@wanadoo.fr.*

*Paris 391 – Épinal 57 – Strasbourg 82 – Lunéville 50 – St-Dié 22.*

XX **Bon Gîte** avec ch, ✆ 03 29 57 92 46, *Fax 03 29 57 93 92* – AE GB

*fermé 20 juil. au 5 août, 7 fév. au 2 mars* – **Repas** *(fermé dim. soir et lundi)* 16/30 ♀, enf. 7 – ☕ 6 – **7 ch** 39/48 – ½ P 44/48.

◆ Bâtisse pimpante et fleurie au coeur de l'ancienne capitale de la principauté de Salm. Photographies, bibelots et cheminée-grill animent un décor contemporain. Table régionale.

**SENS** *89100 Yonne* 319 *C2 G. Bourgogne – 27 082 h alt. 70.*

Voir *Cathédrale St-Étienne★ – Trésor★★ – Musée et palais synodal★* **M**[1].

*Office du Tourisme, place Jean Jaurès ✆ 03 86 65 19 49, Fax 03 86 64 24 18, otsi.sens-@wanadoo.fr.*

*Paris 118 ⑤ – Fontainebleau 55 ⑤ – Auxerre 59 ③ – Montargis 50 ④ – Troyes 70 ②.*

**SENS**

| | |
|---|---|
| Alsace-Lorraine (R. d') | 2 |
| Beaurepaire (R.) | 3 |
| Chambonas (Cours) | 8 |
| Cornet (Av. Lucien) | 9 |
| Cousin (Square J.) | 10 |
| Déportés-et-de-la-Résistance (R. des) | |
| Foch (Bd Mar.) | 12 |
| Garibaldi (Bd des) | 13 |
| Gateau (R. A.) | 15 |
| Grande-Rue | 16 |
| Leclerc (R. du Gén.) | 19 |
| Maupéou (Bd de) | 21 |
| Moulin (Quai J.) | 23 |
| République (Pl. de la) | 27 |
| République (R. de la) | 28 |

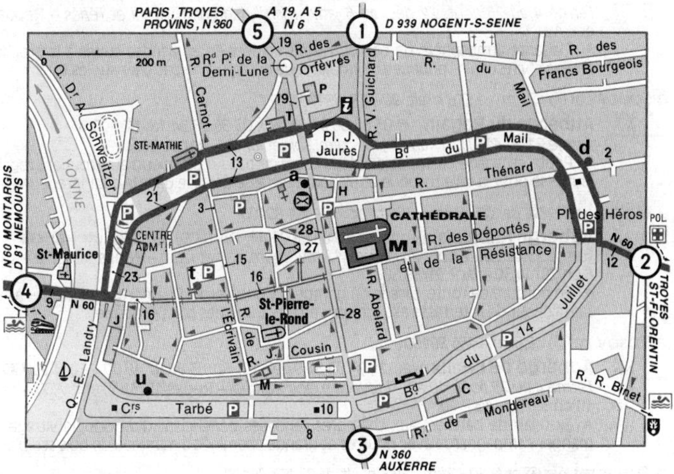

PARIS, TROYES PROVINS, N 360
A 19, A 5 N 6
D 939 NOGENT-S-SEINE
200 m
R^d P^t de la Demi-Lune
R. des Orfèvres
R. V. Guichard
R. du Mail
R. des Francs Bourgeois
Q. D^r A. Schweitzer
R. Carnot
YONNE
STE-MATHIE
Pl. J. Jaurès
B^d du Mail
R. Thénard
CATHÉDRALE
R. des Déportés et de la Résistance
Pl. des Héros
POL
N 60
N 60 MONTARGIS D 81 NEMOURS
St-Maurice
CENTRE ADM^T
St-Pierre-le-Rond
R. de l'Écrivain
R. J. Cousin
R. Abelard
B^d du 14 Juillet
TROYES ST-FLORENTIN
Q. E. Landry
C^rs Tarbé
R. de Mondereau
R. R. Binet
N 360 AUXERRE


**Paris et Poste,** 97 r. République **(a)** ✆ 03 86 65 17 43, *godard@gatewan.net*, *Fax 03 86 64 48 45*, rest, AE GB JCB

**Repas** *(fermé 16 au 31 août, 2 au 16 janv., dim. soir et lundi)* 34/65 ♀ - ***Senon*** *(fermé 16 au 31 août, 2 au 16 janv., et dim. soir)* **Repas** 20/30 ♀ – ☕ 9,30 – **30 ch** 61/120, 4 appart – ½ P 67.

◆ Hostellerie de tradition à l'ambiance provinciale, dont la plupart des chambres, spacieuses et modernes, s'ouvrent sur un patio. Salle à manger bourguignonne avec véranda.

**Virginia,** par ② *rte de Troyes : 3 km* ✆ 03 86 64 66 66, *Fax 03 86 65 75 11*, – 20 à 50. AE GB

**Repas** *(fermé 24 déc. au 2 janv.)* 15,90/21,40 – ☕ 5,30 – **100 ch** 36/43 – ½ P 33,70/35,70.

◆ Cet important motel regroupe dix pavillons de plain-pied dont huit abritant des chambres "confort" ou "standard". Restaurant de type grill.

**Archotel,** 9 cours Tarbé **(u)** ✆ 03 86 64 26 99, *archotel.sens@wanadoo.fr*, *Fax 03 86 64 46 29*, AE GB JCB

*fermé 19 déc. au 4 janv.* – **Repas** 14/22 ♀ – ☕ 6,10 – **43 ch** 46/99.

◆ Construction d'aspect moderne, tranquille grâce à sa situation excentrée. Chambres simples, plus grandes dans l'aile ancienne. Restauration style snack.

XXX **Madeleine** (Gauthier), 1 r. Alsace-Lorraine (1er étage) **(d)** ✆ 03 86 65 09 31, *Fax 03 86 95 37 41* – ▤. AE GB
✿✿
*fermé 4 au 26 août, 22 déc. au 6 janv., mardi midi, dim., lundi et fériés* – **Repas** (nombre de couverts limité, prévenir) 34 (déj.), 42/70 et carte 65 à 80, enf. 20.
◆ Restaurant cossu aux teintes pastel, apprécié des gourmets qui y dégustent une cuisine évoluant au gré des saisons. Fourneau et rayonnages d'épicerie décorent le vestibule.
**Spéc.** Foie gras chaud au cassis et pomme safran. Bar à l'huile de Maussane et aux aromates. Mousseline au chocolat guanaja mi-cuit mi-fondant. **Vins** Chablis, Irancy.

XXX **Potinière,** 51 r. Cécile de Marsangy par ④ ✆ 03 86 65 31 08, *la.potiniere@abs.m.com, Fax 03 86 64 60 19,* ≤, 🏠 – AE GB JCB
*fermé vacances de fév., dim. soir, lundi soir et mardi* – **Repas** (en saison, prévenir) 28/65 et carte 50 à 66 ♀.
◆ Ancienne guinguette dont la belle terrasse ombragée au bord de l'Yonne est très prisée des touristes fluviaux (ponton d'accostage). Salle à manger fraîche et lumineuse.

XX **Clos des Jacobins,** 49 Gde rue **(t)** ✆ 03 86 95 29 70, *lesjacobins@wanadoo.fr, Fax 03 86 64 22 98* – ▤. AE GB
*fermé 16 août au 3 sept., 23 déc. au 7 janv., dim. soir, mardi soir et merc.* – **Repas** 26/49 ♀.
◆ Au fond d'une impasse, salle de restaurant installée dans l'ex-conciergerie de la Banque de France. Nouveau décor : murs ensoleillés associés à des chaises en cuir noir.

XX **Auberge de la Vanne,** 176 av. de Senigallia par ③ ✆ 03 86 65 13 63, *Fax 03 86 65 90 85,* ≤, 🏠 – P. AE ① GB
*fermé 12 au 25 nov., dim. soir, merc. soir et mardi* – **Repas** 16/40.
◆ Maison régionale postée entre la nationale et les rives de la Vanne. Salle à manger panoramique. Terrasse sous les saules, au bord de l'eau.

X **Au Crieur de Vin,** 1 r. Alsace-Lorraine ✆ 03 86 65 92 80, *Fax 03 86 95 37 41*
*fermé 4 au 26 août, 22 déc. au 6 janv., mardi midi, dim., lundi et fériés* – **Repas** 20 ♀, enf. 12.
◆ Plaisante atmosphère de bistrot, plats traditionnels et viandes cuites à la broche, crus choisis : "vin sur vin" pour cette sympathique adresse à ne pas crier sur les toits.

## à Soucy *par ① : 7 km – 1 316 h. alt. 90 – ✉ 89100 :*

XX **Auberge du Regain,** ✆ 03 86 86 64 62, *Fax 03 86 86 54 18,* 🏠 – GB
*fermé 21 au 31 juil., 1er au 11 janv., dim. soir et lundi.* – **Repas** 26 ♀.
◆ Petite escapade champêtre à deux tours de roue d'un noeud autoroutier : regain... de jeunesse pour la salle rustique et plaisante terrasse dressée dans la cour intérieure.

## à Malay-le-Petit *par ② : 8 km – 308 h. alt. 85 – ✉ 89100 :*

X **Auberge Rabelais** avec ch, ✆ 03 86 88 21 44, *Fax 03 86 88 33 79,* 🏠 – P. GB
*fermé 25 oct. au 7 nov., 24 janv. au 12 fév., merc. soir et jeudi* – **Repas** 16/39,50 – ☕ 6,50 – **6 ch** 29/44,50 – ½ P 31/38,50.
◆ En bordure de route, façade où grimpe la vigne vierge. Chambres plus calmes à l'arrière. La fraîcheur de la terrasse est agréable en été. Quelques plats exotiques.

## à Rosoy *par ③ : 5,5 km – ✉ 89100 :*

XX **Auberge de l'Hélix** avec ch, ✆ 03 86 97 92 10, *Fax 03 86 97 19 00* – TV ✆ P. GB
*fermé 4 au 25 août, 10 au 24 fév., dim. soir et lundi* – **Repas** 15/32 ♀, enf. 7,60 – ☕ 4,50 – **10 ch** 39/53 – ½ P 40.
◆ Ex-relais de bateliers aux chambres rénovées bénéficiant d'un double vitrage. Salle à manger campagnarde avec poutres et grande cheminée à manteau de bois sculpté.

## à Subligny *par ④ et N 60 : 7 km – 433 h. alt. 150 – ✉ 89100 :*

X **Haie Fleurie,** La Haie Pélerine, Sud-Ouest : 2 km ✆ 03 86 88 84 44, 🏠 – P. AE GB
*fermé 17 au 31 juil., dim. soir, merc. soir et jeudi* – **Repas** 15/47.
◆ Dans un hameau en pleine campagne, ancien "routier" converti en auberge. Petit salon d'accueil ouvrant sur une sobre salle à manger champêtre. Terrasse fleurie.

## à Villeroy *par ④ et D 81 : 7 km – 242 h. alt. 184 – ✉ 89100 :*

XXX **Relais de Villeroy** avec ch, ✆ 03 86 88 81 77, *Fax 03 86 88 84 04,* 🏠, 🌳 – TV ✆ P. GB
*fermé 1er au 10 juil., 22 déc. au 8 janv., 16 fév. au 5 mars, lundi et mardi (sauf hôtel) et dim. soir* – **Repas** 26,50/55 et carte 42 à 62, enf. 11 ***Bistro Chez Clément*** *(fermé sam., dim. et fériés)* **Repas** *(10)*-13,50 ♀ – ☕ 8 – **8 ch** 54/57.
◆ À l'écart du village, pimpante construction régionale abritant des chambres petites, dotées de beaux meubles rustiques. La salle de restaurant célèbre la Bourgogne.

*Ecrivez-nous...*
*Vos louanges comme vos critiques seront examinées avec le plus grand soin.*
*Nous reverrons sur place les informations que vous nous signalez.*
*Par avance merci !*

**SEPT-SAULX** *51400 Marne* 306 *H8 – 484 h alt. 96.*

*Paris 174 – Reims 26 – Châlons-en-Champagne 32 – Épernay 29 – Rethel 51 – Vouziers 59.*

**Cheval Blanc**, ✆ 03 26 03 90 27, *cheval.blanc-sept-saulx@wanadoo.fr, Fax 03 26 03 97 09,* – TV P – 15. AE GB

*fermé 23 janv. au 22 fév., merc. midi et mardi d'oct. à mars* – **Repas** 24 (déj.), 29/40 – 8,50 – **20 ch** 56/131 – 1/2 P 84/130.

◆ Trois bâtiments dont un ancien relais de poste qui abrite le restaurant cossu, ouvert sur une courette fleurie. Chambres dans un grand jardin calme longé par une rivière.

**SÉREILHAC** *87620 H.-Vienne* 325 *D6 – 1 614 h alt. 322.*

*Paris 406 – Limoges 17 – Confolens 50 – Périgueux 77 – St-Yrieix-la-Perche 37.*

**Relais des Tuileries**, aux Betoulles Nord-Est : 2 km sur N 21 ✆ 05 55 39 10 27, *Fax 05 55 36 09 21,* – TV P. GB

*fermé 16 au 30 nov., 5 janv. au 3 fév., dim. soir et lundi sauf juil.-août* – **Repas** 12/38, enf. 9 – 7 – **10 ch** 42/45.

◆ Dans un hameau, ancienne tuilerie flanquée de deux pavillons. Toutes les chambres aménagées dans ces derniers sont en rez-de-jardin. Restaurant avec poutres et cheminée.

**SEREZIN-DU-RHÔNE** *69360 Rhône* 327 *H6 – 2 257 h alt. 164.*

*Paris 478 – Lyon 18 – Rive-de-Gier 22 – La Tour-du-Pin 63 – Vienne 19.*

**Bourbonnaise**, ✆ 04 78 02 80 58, *labourbonnaise@labourbonnaise.com, Fax 04 78 02 17 39,* – rest, TV P – 35. AE GB

**Repas** *(fermé dim. soir et lundi)* 23/45,50 - ***Grill :*** **Repas** 12,50/16 – 7 – **39 ch** 51/63.

◆ Petites chambres rénovées côté route, mais plus au calme côté cour. Deux restaurants : cuisine traditionnelle servie dans un cadre bourgeois ou espace grill.

**SÉRIGNAN-DU-COMTAT** *84 Vaucluse* 332 *C8 – rattaché à Orange.*

**SERMERSHEIM** *67230 B.-Rhin* 315 *J6 – 677 h alt. 160.*

*Paris 452 – Strasbourg 38 – Lahr/Schwarzwald 41 – Obernai 20 – Sélestat 14.*

**Au Relais de l'Ill** M sans rest, r. Rempart ✆ 03 88 74 31 28, *relais-de-lill@wanadoo.fr, Fax 03 88 74 17 51* – TV P. GB.

*fermé 21 déc. au 4 janv.* – 7 – **23 ch** 50/70.

◆ Hôtel familial récent, nullement gêné par les bruits de la voie rapide située à proximité. Les fenêtres des chambres, spacieuses et bien tenues, donnent sur la campagne.

**SERRE-CHEVALIER** *05240 H.-Alpes* 334 *H3 G. Alpes du Sud – alt. 2483 – Sports d'hiver : 1 200/2 800 m 9 67.*

**Voir** ★★.

*Office du tourisme, ✆ 04 92 24 98 98, Fax 04 92 24 98 84, contact@ot-serrechevalier.fr.*

*Paris 676 – Briançon 11 – Gap 100 – Grenoble 112 – Col du Lautaret 21.*

**à Chantemerle** – *alt. 1350 – ✉ 05330 St-Chaffrey.*

**Voir** *Col de Granon* ★★ *N : 12 km.*

**Plein Sud**, ✆ 04 92 24 17 01, *lynne@hotelpleinsud.com, Fax 04 92 24 10 21,* – TV P. AE GB. ch

*fermé 5 au 18 mai et 2 au 30 nov.* – **Repas** *(fermé merc. hors saison)* 22/40 – **42 ch** 115/170 – 1/2 P 105.

◆ Dans cet hôtel central, optez pour les chambres côté Sud, plus grandes et dotées de loggias avec vue sur les forêts de mélèzes. Restaurant traditionnel et pub (carte snack).

**Boule de Neige**, ✆ 04 92 24 00 16, *reglo@net-up.com, Fax 04 92 24 00 25,* – TV. AE GB

*28 juin-31 août et 20 déc.-18 avril* – **Repas** (dîner seul.) 24,50 – 7,50 – **10 ch** 82/124 – 1/2 P 71/80.

◆ Les chambres de cette maison du 17e s. joliment rénovée sont sobres et soignées. L'appartement, assez cossu, domine les pistes et les salles voûtées ont beaucoup de cachet.

**à Villeneuve-la-Salle** – ✉ *05240 La-Salle-les-Alpes.*

**Voir** *Eglise St-Marcellin★ de La-Salle-les-Alpes.*

**Christiania**, ✆ 04 92 24 76 33, *le.christiana@wanadoo.fr, Fax 04 92 24 83 82,* – TV P. GB. rest

*22 juin-15 sept. et 14 déc.-15 avril* – **Repas** (dîner seul. en hiver) 21/25, enf. 8 – 8 – **26 ch** 92/98 – 1/2 P 72/77.

◆ Accueil familial, chambres douillettes, restaurant rustique décoré de vieux objets et terrasse orientée plein Sud caractérisent cet hôtel sis au bord de la Guisane.

X **Bidule,** au Bez ✆ 04 92 24 77 80, *lauberge.aupetitlard@wanadoo.fr, Fax 04 92 24 85 51,* – GB
*fermé 1er au 13 juin et 10 au 28 novembre* – **Repas** (prévenir) 14 (déj.), 24/35 ♀.
◆ Dans un hameau perché, deux salles à manger à l'atmosphère très montagnarde, aménagées dans une ancienne bergerie. Spécialités de raclettes et fondues.

**au Monêtier-les-Bains** – *987 h. alt. 1480 – ✉ 05220 :*

**Auberge du Choucas** , ✆ 04 92 24 42 73, *auberge.du.choucas@wanadoo.fr, Fax 04 92 24 51 60,* , – TV ✆. GB
*hôtel : fermé 4 au 23/05 et 2/11 au 10/12 ; rest. : fermé 21/4 au 23/05 et 13/10 au 12/12* – **Repas** *(fermé le midi du lundi au jeudi sauf de juin à mi sept.)* 27/37 ♀, enf. 14 – ☕ 13 – **12 ch** 120/140, 4 duplex – ½ P 90/180.
◆ Coquette auberge voisine de l'église du 15e s. : élégant décor régional, sympathiques chambres personnalisées et belle salle de restaurant sous voûtes de pierre.

**Alliey,** ✆ 04 92 24 40 02, *hotel@alliey.com, Fax 04 92 24 40 60,* ←, – GB. rest
*22 juin-2 sept. et 20 déc.-22 avril* – **Repas** (dîner seul.) 25 (déj.)/33 ♀, enf. 16 – ☕ 8 – **22 ch** 66/95, (½ pens. seul. en hiver) – ½ P 59/85.
◆ Deux maisons de pays restaurées, de part et d'autre d'un patio. Chambres douillettes, parfois dotées de balcons. Jolie salle à manger de style "carnotzet". Salle de jeux.

**Europe et des Bains,** ✆ 04 92 24 40 03, *hotel-de-leurope@wanadoo.fr, Fax 04 92 24 52 17,* – TV. AE GB
*7 juin-21 sept. et 13 déc.-25 avril* – **Repas** *(fermé le midi du 13 déc. au 25 avril)* 18/30 ♀ – ☕ 9,20 – **29 ch** 53/61 – ½ P 69.
◆ Tout près de l'église, vénérable hostellerie tenue par la même famille depuis 1850. Chambres simples, au mobilier rustique. Salon aménagé dans une jolie salle voûtée.

**Castel Pélerin** , Le Lauzet, Nord-Ouest : 6 km par rte Lautaret et rte secondaire ✆ 04 92 24 42 09, *info@castel-pelerin.com, Fax 04 92 24 40 34,* ← – P. AE GB
*1er juil.-31 août et 15 janv.-31 mars* – **Repas** 23 ♀ – ☕ 6 – **6 ch** (½ pens. seul.) – ½ P 52,50.
◆ Ceux qui recherchent le calme absolu ont trouvé "l'adresse" : un hameau isolé et des chambres de style montagnard sans TV ! La salle des repas voûtée daterait du 12e s.

X **Chazal,** Les Guibertes, Sud-Est 2,5 km par rte Briançon ✆ 04 92 24 45 54, – AE GB
*fermé 16 au 30 juin, 17 nov. au 15 déc. et lundi hors saison* – **Repas** (dîner seul. sauf week-ends) 21/34.
◆ Au détour d'une ruelle, ancienne bergerie abritant deux petites salles à manger voûtées. Dès l'entrée, la vue sur les fourneaux met en appétit. Cuisine au goût du jour.

---

**SERRIÈRES** *07340 Ardèche* 331 K2 *G. Vallée du Rhône – 1 154 h alt. 140.*
*Syndicat d'Initiative, quai Jules Roche sud ✆ 04 75 34 06 01, Fax 04 75 34 06 01.*
*Paris 520 – Annonay 16 – Privas 95 – St-Étienne 54 – Vienne 30.*

XXX **Schaeffer** avec ch, N 86 ✆ 04 75 34 00 07, *mathe@hotel-schaeffer.com Fax 04 75 34 08 79,* – TV – 40. AE GB
*fermé vacances de Toussaint, janv., sam.midi, dim. soir et lundi de sept. à juin et mardi en juil.-août* – **Repas** 21 (déj.), 30/76 et carte 43 à 63, enf. 13 – ☕ 7 – **11 ch** 42/60.
◆ Au bord du Rhône, cette imposante façade colorée abrite un restaurant cossu aux tons pastel. La fresque décorant la salle du 1er étage mérite le coup d'oeil.

---

**SERRIS** *77 S.-et-M.* 312 F2 – *voir à Paris, Environs (Marne-la-Vallée).*

---

**SERVIERS-ET-LABAUME** *30 Gard* 339 L4 – *rattaché à Uzès.*

---

**SERVON** *50170 Manche* 303 D8 – *202 h alt. 25.*
*Paris 350 – St-Malo 55 – Avranches 15 – Dol-de-Bretagne 31 – St-Lô 73.*

XX **Auberge du Terroir** avec ch, ✆ 02 33 60 17 92, *aubergeduterroir@wanadoo.fr Fax 02 33 60 35 26,* , , – TV ✆ P. AE GB. rest
*fermé 17 nov. au 6 déc., vacances de fév., sam. midi et merc.* – **Repas** 15/38 ♀ – ☕ 6,50 – **6 ch** 46/55 – ½ P 48/55.
◆ Dans les murs de l'ancienne école et du presbytère, salle à manger campagnarde agrémentée de jolis cuivres et d'une belle cheminée. Chambres récentes et bien décorées.

*Si vous cherchez un hôtel tranquille,*
*consultez d'abord les cartes de l'introduction*
*ou repérez dans le texte les établissements indiqués avec le signe .*

**SERVOZ** *74310 H.-Savoie* 328 N5 *G. Alpes du Nord – 619 h alt. 816.*

*Office du Tourisme, Le Bouchet ☎ 04 50 47 21 68, Fax 04 50 47 27 06, ot.servo@wanadoo.fr.*

*Paris 598 – Chamonix-Mont-Blanc 14 – Annecy 84 – Bonneville 43 – Megève 22.*

**Gorges de la Diosaz**, ☎ 04 50 47 20 97, *info@hoteldesgorges.com, Fax 04 50 47 21 08,* ≤, – TV. GB.
*fermé 5 au 17 mai, 25 oct. au 15 nov., dim. soir et merc.* – **Repas** 22/32, enf. 7,10 – 6,90 – **7 ch** 63 – ½ P 53,60.
◆ Chalet fleuri dans un village savoyard typique. Douillettes chambres habillées de bois. Sympathiques salon et restaurant d'esprit rustique. La carte varie au gré des saisons.

**Les Chamois** sans rest, près Église ☎ 04 50 47 20 09, *infos@leschamois.fr, Fax 04 50 47 24 87,* ≤, – TV P. GB.
*fermé 3 nov. au 15 déc.* – 7 – **7 ch** 45/70.
◆ Loin des grands axes routiers, les journées s'égrènent au rythme du carillon dans ce petit chalet où le client est choyé. Chambres lambrissées. Confitures "maison".

**SESSENHEIM** *67770 B.-Rhin* 315 L4 *G. Alsace Lorraine – 1 542 h alt. 120.*

*Paris 511 – Strasbourg 34 – Haguenau 22 – Wissembourg 44.*

**A L'Agneau,** à Dengolsheim, D 468 ☎ 03 88 86 95 55, *Fax 03 88 86 04 43,* , – P. GB
*fermé 10 au 25 fév., mardi soir, merc. soir et lundi* – **Repas** 24/40 ♀.
◆ Sympathique petite auberge de village abritant une salle à manger aux tons bleus, fraîche et confortable. Agréable terrasse tournée vers le jardin. Cuisine au goût du jour.

**Au Boeuf,** 1 r. Église ☎ 03 88 86 97 14, *auberge.boeuf@wanadoo.fr, Fax 03 88 86 04 62,* – GB
*fermé 23 juil. au 14 août, 9 au 26 fév., lundi et mardi* – **Repas** 39,50/53 ♀, enf. 8.
◆ Maison alsacienne et son petit musée Goethe attenant, où la tradition veut que l'on serve à toute heure. D'authentiques bancs d'église du 18e s. agrémentent l'une des salles.

**SÈTE** *34200 Hérault* 339 H8 *G. Languedoc Roussillon – 41 510 h alt. 4 – Casino.*

**Voir** *Mont St-Clair★ : terrasse du presbytère de la chapelle N.-D. de la Salette* ✻★★ **AZ** – *Le Vieux Port★ – Cimetière marin★.*

*Office du Tourisme, 60 Grand' Rue Mario Roustan ☎ 04 67 74 71 71, Fax 04 67 46 17 54, tourisme@ville-sete.fr.*

*Paris 791 ① – Montpellier 35 ① – Béziers 57 ② – Lodève 72 ①.*

Plan page suivante

**Grand Hôtel** sans rest, 17 quai Mar. de Lattre de Tassigny ☎ 04 67 74 71 77, *ghsetect@sete-hotel.com, Fax 04 67 74 29 27* – TV – 25. AE GB **AY t**
*fermé 20 déc. au 4 janv.* – 8 – **43 ch** 60/115.
◆ À deux pas de la maison natale de Georges Brassens, élégant hôtel (1882) bordant le canal. Chambres raffinées. Superbe patio sous verrière. Salle des petits-déjeuners design.

**Port Marine,** Môle St-Louis ☎ 04 67 74 92 34, *contact@hotel-port-marine.com, Fax 04 67 74 92 33,* ≤ – TV P – 40. AE GB **AZ d**
**Repas** *(fermé dim. et lundi du 1er oct. au 30 avril)* 13 (déj.), 21/30, enf. 10 – 9 – **46 ch** 65/90, 6 appart – ½ P 64/77.
◆ Architecture moderne face au môle St-Louis d'où "l'Exodus" prit la mer en 1947. Le décor des chambres évoque sobrement l'intérieur d'une cabine de bateau. Toit-solarium.

**Rotonde,** 17 quai Mar. de Lattre de Tassigny ☎ 04 67 74 86 14, *ghsetect@sete-hotel.com, Fax 04 67 74 86 14* – . AE GB **AY t**
*fermé 3 au 18 août, 2 au 12 janv., sam. midi et dim.* – **Repas** 22 (déj.), 31/51, enf. 11.
◆ Stucs, moulures et haut plafond composent le cadre Belle Époque de ce restaurant qui fut naguère la salle à manger du Grand Hôtel. Goûteuse cuisine d'inspiration méditerranéenne.

**Palangrotte,** rampe P. Valéry - quai Marine ☎ 04 67 74 80 35, *Fax 04 67 74 97 20* – . AE GB **AZ r**
*fermé dim. soir et lundi sauf juil.-août* – **Repas** 20,50/40 ♀, enf. 9,50.
◆ Ce restaurant de la Marine - dont l'enseigne évoque une technique de pêche - propose ses spécialités de poissons dans une salle à manger aux coloris tendres.

**sur la Corniche** *Sud du plan par D 2 : 2 km :*

**Les Tritons** sans rest, bd Joliot-Curie ☎ 04 67 53 03 98, *info@hotellestritons.com, Fax 04 67 53 38 31,* – TV P. AE GB JCB
6 – **40 ch** 52/62.
◆ Les chambres, fonctionnelles et colorées, viennent d'être rénovées ; climatisation et vue sur mer en façade, fraîcheur et calme sur l'arrière. Décor marin dans le hall.

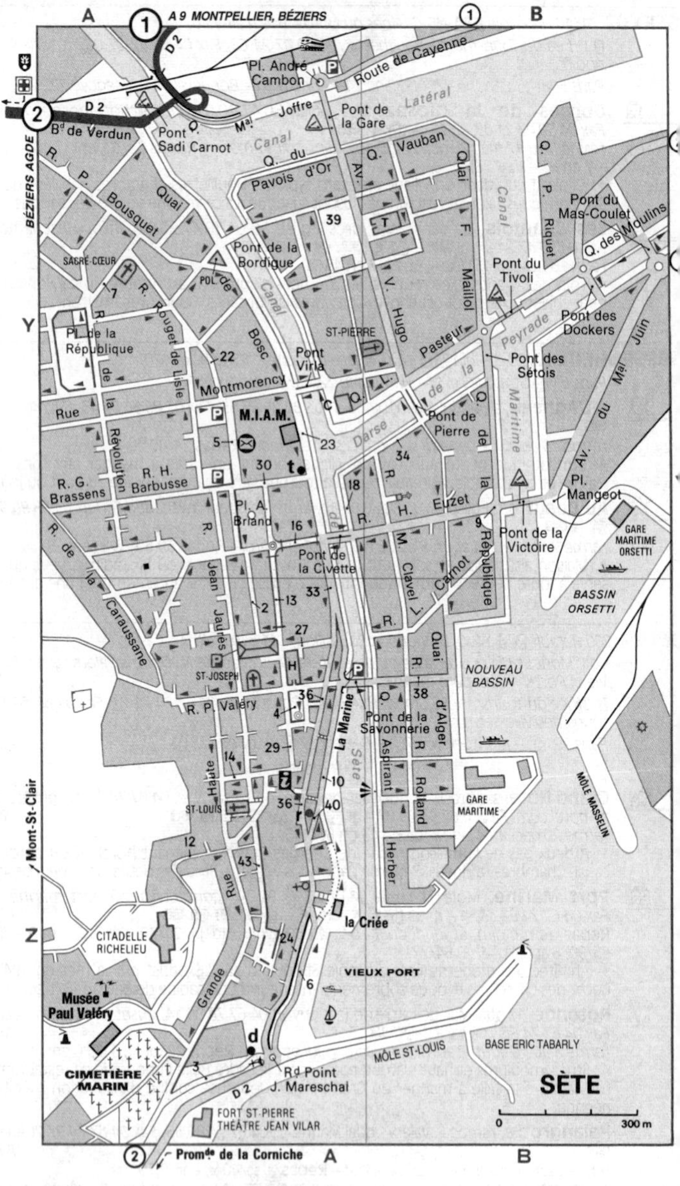
A
B
A 9 MONTPELLIER, BÉZIERS
BÉZIERS AGDE
D 2
Bd de Verdun
Pl. André Cambon
Route de Cayenne
Pont de la Gare
Latéral
Mal Joffre
Pont Sadi Carnot
Canal
Q. du Pavois d'Or
Vauban
Quai F. Maillol
Q. P. Riquet
Pont du Mas-Coulet
Q. des Moulins
R. P. Bousquet
Quai
39
SACRÉ-CŒUR
POL
Pont de la Bordigue
Av. V. Hugo
Pont du Tivoli
Pont des Dockers
Y
Pl. de la République
R. Rouget de Lisle
ST-PIERRE
Pasteur
Peyrade
Pont des Sètois
Av. du Mal Juin
22
Bosc
Pont Virla
Montmorency
Rue de la Révolution
M.I.A.M.
Darse de la
Pont de Pierre
Q. de la République
Maritime
5
23
30
R. G. Brassens
R. H. Barbusse
34
18
R. H. Euzet
Pl. Mangeot
Pl. A. Briand
16
9
Pont de la Victoire
GARE MARITIME ORSETTI
R. de la Caraussane
R. Jean Jaurès
Pont de la Civette
M. Clavel
Carnot
BASSIN ORSETTI
13
33
2
27
Quai
ST-JOSEPH
NOUVEAU BASSIN
R. P. Valéry
36
38
4
Pont de la Savonnerie
Q. Aspirant
R. d'Alger
La Marine
Sète
29
14
Rue Haute
10
R. Rolland
GARE MARITIME
MÔLE MASSELIN
Mont-St-Clair
ST-LOUIS
36
40
12
Herber
43
la Criée
Z
CITADELLE RICHELIEU
24
VIEUX PORT
Grande Rue
6
Musée Paul Valéry
BASE ERIC TABARLY
MÔLE ST-LOUIS
CIMETIÈRE MARIN
3
Rd Point J. Mareschal
D 2
SÈTE
FORT ST-PIERRE THÉATRE JEAN VILAR
0
300 m
Promde de la Corniche
1
2

**Les Terrasses du Lido** avec ch, rd-pt Europe ☎ 04 67 51 39 60, *Fax 04 67 51 28 90*, – 25. AE GB
*fermé 15 fév. au 1er mars* – **Repas** *(fermé dim. soir et lundi sauf juil.-août)* 26/52, enf. 12 – 10 – **9 ch** 58/108 – ½ P 75.
♦ Au pied du mont St-Clair, cette villa fleurie abrite d'agréables chambres avec vue sur le lido. Les Sétois apprécient la fraîcheur des poissons proposés au restaurant.

## SÉVÉRAC-LE-CHÂTEAU *12150 Aveyron* 338 K5 *G. Languedoc Roussillon – 2 486 h alt. 735.*

*Office du Tourisme, 5 rue des Douves ☎ 05 65 47 67 31, Fax 05 65 47 65 94.*
*Paris 608 – Mende 63 – Rodez 52 – Espalion 48 – Florac 74 – Millau 35.*

**Causses,** à Sévérac-gare ☎ 05 65 70 23 00, *les-causses-aveyron@wanadoo.fr, Fax 05 65 70 23 04* – . GB
*fermé 28 sept. au 27 oct., dim. soir et lundi de sept. à juin sauf feriés* – **Repas** 10,30/28,20, enf. 6,40 – 6,90 – **18 ch** 25/46 – ½ P 30/40.
♦ Petit hôtel familial abritant quelques chambres nouvelles, chaleureuses et ouvertes sur une terrasse ; les autres sont plus anciennes. Salle des repas très simple.

*Les principales voies commerçantes figurent en* ***rouge*** *dans la liste des rues des plans de villes.*

## SÉVRIER *74320 H.-Savoie* 328 J5 *G. Alpes du Nord – 2 980 h alt. 456.*

Voir *Musée de la Cloche★.*
*Office du Tourisme, 2000 route d'Albertville ☎ 04 50 52 40 56, Fax 04 50 52 48 66, sevrier@wanadoo.fr.*
*Paris 541 – Annecy 6 – Albertville 40 – Megève 55.*

**Auberge de Létraz,** 921 route d'albertville ☎ 04 50 52 40 36, *contact@aubergedeletraz.com, Fax 04 50 52 63 36*, ←, – . AE GB
**Repas** *(fermé dim. soir et lundi d'oct. à mai)* 34 – 15 – **23 ch** 90/152 – ½ P 92/125.
♦ Le jardin de cette bâtisse occupe une situation privilégiée face au lac. Les chambres, spacieuses, sont relookées par étapes. Restaurant décoré de tableaux.

**Beauregard,** ☎ 04 50 52 40 59, *info@hotel-beauregard.com, Fax 04 50 52 44 71*, ←, – – 20 à 100. GB
*fermé 5 déc. au 19 janv.* – **Repas** *(fermé dim. d'oct. à avril)* 17/38, enf. 9,50 – 7,50 – **45 ch** 56/90 – ½ P 49/65.
♦ Imposante demeure dont l'élégante salle de restaurant en rotonde offre une vue panoramique sur le lac d'Annecy. Spécialités de poissons. Chambres pour la plupart rénovées.

**Auberge de Chuguet,** ☎ 04 50 19 03 69, *achuguet@aol.com, Fax 04 50 52 49 42*, ←, – . AE GB
***L'Arpège*** ☎ 04 50 19 07 35 *(fermé mi-oct. à mi-nov., 29 déc. au 4 janv., dim. soir et lundi midi)* **Repas** 21/39,50 – 6,90 – **23 ch** 42,70/88,40, 4 duplex – ½ P 45/68.
♦ La bâtisse est anodine mais l'intérieur, rajeuni, ne manque pas de cachet : chambres actuelles et restaurant contemporain au cadre marin. Belle terrasse ombragée de platanes.

## SEWEN *68290 H.-Rhin* 315 F10 *– 539 h alt. 500.*

Voir *Lac d'Alfeld★ O : 4 km*, **G. Alsace Lorraine.**
*Paris 463 – Épinal 78 – Mulhouse 40 – Altkirch 41 – Belfort 33 – Colmar 66 – Thann 25.*

**Vosges,** ☎ 03 89 82 00 43, *info@hoteldesvosges.com, Fax 03 89 82 08 33*, – – 15. AE GB
*fermé 23 juin au 9 juil. et 8 au 26 déc.* – **Repas** *(fermé dim. soir et merc. hors saison)* 14 (déj.), 19/40 – 5,50 – **15 ch** 43/48 – ½ P 44/48.
♦ Sur les rives de la Doller, bâtiment du début du 20e s. entouré d'un grand jardin. Préférez les chambres avec balcon. La véranda sous la treille est agréable en été.

**Hostellerie du Relais des Lacs,** ☎ 03 89 82 01 42, *Fax 03 89 82 09 29*, – . AE GB JCB
*fermé 6 janv. au 6 fév., mardi soir et merc. hors saison* – **Repas** 15/31 – 6,20 – **13 ch** 42/53 – ½ P 42/49.
♦ Cette reposante pension familiale dispose de chambres modestes mais nettes, d'un restaurant rustique habillé de boiseries et d'un grand parc bordant la rivière.

## SEYNE *04140 Alpes-de-H.-P.* 334 G6 *G. Alpes du Sud – 1 222 h alt. 1200.*

Voir *Col du Fanget ←★ SO : 5 km.*
*Office de tourisme, place d'Armes ☎ 04 92 35 11 00, Fax 04 92 35 28 88.*
*Paris 725 – Digne-les-Bains 42 – Gap 55 – Barcelonnette 43 – Guillestre 73.*

**à Selonnet** *Nord-Ouest : 4 km par D 900 – 331 h. alt. 1060 – Sports d'hiver : 1 500/2 050 m* 12 – ✉ *04140 Seyne :*

**Relais de la Forge**, ✆ 04 92 35 16 98, *lerelais@libertysurf.fr, Fax 04 92 35 07 37,* – TV P. AE GB
*fermé 17 nov. au 15 déc., dim. soir et lundi hors vacances scolaires* – **Repas** 11,50/27, enf. 6,50 – ☕ 7 – **15 ch** 27/45 – ½ P 33/40.
◆ Édifié à l'emplacement d'une ancienne forge, hôtel familial équipé de chambres modestes mais bien tenues. En hiver, prenez votre repas "au chaud" près de la cheminée.

**au col St-Jean** *Nord : 12 km par D 900 – alt. 1333 – Sports d'hiver 1 300/2 500 m* 16 – ✉ *04140 Seyne :*

**Les Alisiers,** Sud : 1 km par D 207 ✆ 04 92 35 34 80, *Fax 04 92 35 02 72* – P. GB
*fermé 11 au 17 juin, 15 nov. au 25 déc., mardi et merc. hors vacances scolaires* – **Repas** 11,50/28 ♀, enf. 6,50.
◆ Bâtiment de style régional situé à proximité d'une petite station de ski. Recettes traditionnelles et régionales à déguster dans une spacieuse salle à manger rustique.

---

**La SEYNE-SUR-MER** *83500 Var* 340 K7 *G. Côte d'Azur – 59 968 h alt. 3.*

Voir ≤★ *de la terrasse du fort Balaguier E : 3 km.*

*Office du Tourisme, Corniche Georges Pompidou - Les Sablettes ✆ 04 98 00 25 70, Fax 04 98 00 25 71.*

*Paris 834 – Toulon 8 – Aix-en-Provence 80 – La Ciotat 32 – Marseille 60.*

**à Fabrégas** *Sud : 4 km par rte de St-Mandrier et rte secondaire – ✉ 83500 La Seyne-sur-Mer :*

**Chez Daniel "rest. du Rivage",** ✆ 04 94 94 85 13, *Fax 04 94 87 25 25,* ≤, – P. AE GB
*fermé nov., dim. soir et lundi de sept. à juin* – **Repas** 37/60.
◆ Pavillon niché au creux d'une adorable crique. Repas servi dans un cadre pittoresque présentant une collection d'outils anciens. Cuisine axée sur les produits de la mer.

---

**SEYNOD** *74 H.-Savoie* 328 J5 – *rattaché à Annecy.*

---

**SEYSSEL** *74910 H.-Savoie* 328 I5 *G. Jura – 1 630 h alt. 252.*

Env. *Grand Colombier* ✳★★★ *SO : 22 km.*

*Office du Tourisme, 2 chemin de la Fontaine Maison de pays ✆ 04 50 59 26 56, Fax 04 50 56 21 94.*

*Paris 516 – Annecy 40 – Aix-les-Bains 32.*

**dans le Val du Fier** *Sud : 3 km par D 991 et D 14 G. Alpes du Nord – ✉ 74910 Seyssel.*

Voir *Val du Fier*★.

**Rôtisserie du Fier,** ✆ 04 50 59 21 64, *rotdufier@worldonline.fr, Fax 04 50 56 20 54,* – P. GB
*fermé 9 au 23 sept., vacances de Toussaint, de fév., mardi et merc.* – **Repas** 15/45 ♀.
◆ La salle à manger la plus prisée s'ouvre sur la verdure. À la belle saison, la terrasse est dressée dans un jardin ombragé bordant la rivière. Solide cuisine traditionnelle.

---

**SÉZANNE** *51120 Marne* 306 E10 *G. Champagne Ardenne – 5 829 h alt. 137.*

*Office du Tourisme, place de la République ✆ 03 26 80 51 43, Fax 03 26 80 54 13, office.de.tourisme.seanne@wanadoo.fr.*

*Paris 117 – Troyes 61 – Châlons-en-Champagne 60 – Meaux 78 – Melun 93 – Sens 79.*

**de France,** 25 r. L. Jolly ✆ 03 26 42 77 77, *Fax 03 26 42 77 84* – TV . AE GB
***Cézanne*** ✆ *03 26 42 77 78 (fermé 22 au 28 déc., dim. soir d'oct. à avril, lundi midi et merc. midi)* **Repas** 13,50(déj)19/74, enf. 13,50 – ☕ 7 – **25 ch** 39/54 – ½ P 73,50.
◆ Proche de l'église St-Denis, établissement où vous choisirez une chambre sur l'arrière, pour plus de calme. Décor de bon ton. Salle de restaurant claire et confortable.

**Croix d'Or,** 53 r. Notre-Dame ✆ 03 26 80 61 10, *Fax 03 26 80 65 20* – TV P. AE GB
*fermé 15 au 18 oct., 22 janv. au 1er fév., dim. soir et mardi* – **Repas** 15/37 ♀ – ☕ 6 – **13 ch** 45/54 – ½ P 50/54.
◆ Maison de pays à l'atmosphère agréablement provinciale. Les chambres, d'ampleur variée, sont toutes de style différent. Plaisante salle des petits-déjeuners.

**Relais Champenois,** 157 r. Notre-Dame ✆ 03 26 80 58 03, *relaischamp@infonie.fr, Fax 03 26 81 35 32* – rest, TV . AE GB
*fermé 20 déc. au 5 janv. et dim. soir* – **Repas** 18,50/40 ♀, enf. 8 – ☕ 7 – **19 ch** 34/63 – ½ P 47/57.
◆ Façade champenoise joliment fleurie, abritant des chambres fraîches et bien meublées, plus calmes dans l'annexe. Salles à manger campagnardes avec boiseries et poutres.

**SIERCK-LES-BAINS** *57480 Moselle* 307 J2 *G. Alsace Lorraine – 1 825 h alt. 147.*

*Voir ≤★ du château fort.*

*Office du Tourisme, rue du Château ☎ 03 82 83 74 14, Fax 03 82 83 22 10.*

*Paris 363 – Metz 48 – Luxembourg 47 – Thionville 18 – Trier 51.*

**à Montenach** *Sud-Est : 3,5 km sur D 956 – 369 h. alt. 200 – ✉ 57480 :*

XX **Auberge de la Klauss,** ☎ 03 82 83 72 38, *Fax 03 82 83 73 00*, – P. AE GB

*fermé 24 déc. au 7 janv. et lundi* – **Repas** 17/46 ♀.

◆ Canards et cochons sont élevés dans cette ferme fondée en 1869. Côté auberge, plaisant cadre campagnard et produits "maison", dont un délicieux foie gras. Vente à emporter.

**à Manderen** *Est : 7 km par N 153 et D 64 – 376 h. alt. 290 – ✉ 57480 :*

**Relais du Château Mensberg** , ☎ 03 82 83 73 16, *Fax 03 82 83 23 37*, , – TV P – 20. AE GB

*fermé 23 juin au 10 juil. et 30 déc. au 22 janv.* – **Repas** *(fermé mardi)* 28/44 ♀, enf. 9 – 9 – **17 ch** 48/60 – 1/2 P 55.

◆ Au pied d'une imposante forteresse du 15e s., ancienne ferme aménagée en hôtellerie familiale. Chambres fraîches. Trois salles à manger rustiques, dont deux en mezzanine.

**SIERENTZ** *68510 H.-Rhin* 315 I11 *– 2 106 h alt. 270.*

*Syndicat d'initiative, 9 rue du Général de Gaulle ☎ 03 89 68 28 58, Fax 03 89 70 73 54.*

*Paris 491 – Mulhouse 16 – Altkirch 19 – Basel 18 – Belfort 65 – Colmar 53.*

XXX **Auberge St-Laurent** (Arbeit) (chambres prévues), 1 r. Fontaine ☎ 03 89 81 52 81, *Fax 03 89 81 67 08*, – P. GB

*fermé lundi et mardi* – **Repas** (14,50) - 32,50 (déj.), 39/58 et carte 50 à 70 ♀, enf. 16.

◆ Ex-relais de poste au charme campagnard. Harmonie de tons doux, collection de coqs, bibelots et tableaux invitent à s'attarder dans la jolie salle à manger. Cuisine classique.

**Spéc.** Foie gras de canard et confiture de choucroute. Variation d'asperges (printemps). Gibier (saison). **Vins** Pinot blanc, Sylvaner.

**SIGNY-L'ABBAYE** *08460 Ardennes* 306 I4 *G. Champagne Ardenne – 1 422 h alt. 240.*

*Syndicat d'Initiative, Cour Rogelet ☎ 03 24 53 10 10.*

*Paris 217 – Charleville-Mézières 30 – Hirson 41 – Laon 74 – Rethel 23 – Rocroi 30 – Sedan 49.*

XX **Auberge de l'Abbaye** avec ch, ☎ 03 24 52 81 27, *Fax 03 24 53 71 72*, – TV – 15 à 30. GB

*fermé 6 janv. au 28 fév.* – **Repas** *(fermé mardi soir et merc.)* (10) - 12/34 ♀, enf. 8,50 – 5 – **8 ch** 37/55 – 1/2 P 34/43.

◆ Relais de poste depuis le 17e s., cette auberge en pierre est tenue par la même famille depuis 200 ans. Coquettes salles avec cheminées. Petites chambres personnalisées.

**SIGNY-LE-PETIT** *08380 Ardennes* 306 H3 *– 1 280 h alt. 238.*

*Syndicat d'Initiative, place de la Mairie ☎ 03 24 53 55 44, Fax 03 24 53 51 23.*

*Paris 214 – Charleville-Mézières 37 – Hirson 15 – Chimay 22.*

**Au Lion d'Or,** pl. Église ☎ 03 24 53 51 76, *bertrandblandine@wanadoo.fr*, *Fax 03 24 53 36 96* – TV – 15. AE GB

*fermé 23 au 31 mars, 30 juin au 14 juil., 19 déc. au 5 janv., dim. soir, mardi et merc.* – **Repas** 19/55 bc ♀, enf. 10 – 8 – **12 ch** 58 – 1/2 P 52/84.

◆ Façade du 18e s. en briques rouges, abritant des chambres bien équipées, un salon Louis XIII feutré et un restaurant cossu. L'établissement est réservé aux non-fumeurs.

**SILLÉ-LE-GUILLAUME** *72140 Sarthe* 310 I5 *G. Normandie Cotentin – 2 583 h alt. 161.*

*Office du Tourisme, 13 place du Marché aux Bestiaux ☎ 02 43 20 10 32, Fax 02 43 20 01 23.*

*Paris 231 – Le Mans 34 – Alençon 39 – Laval 55 – Mayenne 40.*

XX **Bretagne** avec ch, pl. Croix d'Or ☎ 02 43 20 10 10, *lebretagne@france.com*, *Fax 02 43 20 03 96* – TV P. GB

*fermé 24 juil. au 10 août, sam. midi d'oct. à mars, vend. soir et dim. soir* – **Repas** 14/44 ♀, enf. 10 – 8 – **15 ch** 34/52 – 1/2 P 37,50/45.

◆ Ancien relais de diligences (1850) situé à l'orée du Parc régional Normandie-Maine. Cuisine traditionnelle soignée servie dans une salle feutrée. Chambres simples.

**SILLERY** *51 Marne* 306 G7 – *rattaché à Reims.*

**SION-SUR-L'OCÉAN** *85 Vendée* 316 E7 – *rattaché à St-Hilaire-de-Riez.*

**SIORAC-EN-PÉRIGORD** *24170 Dordogne* 329 G7 *G. Périgord Quercy – 904 h alt. 77.*

*Syndicat d'Initiative, Le bourg ☏ 05 53 31 63 51, Fax 05 53 31 63 51.*

*Paris 551 – Périgueux 58 – Sarlat-la-Canéda 29 – Bergerac 45 – Brive-la-Gaillarde 75.*

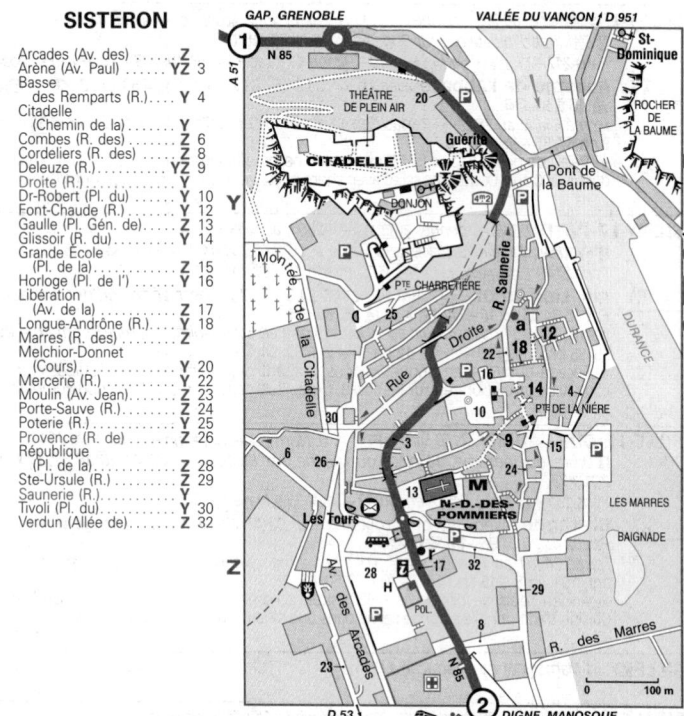

**Relais du Périgord Noir**, ☏ 05 53 31 60 02, *hotel@relais-perigord-noir.fr*, *Fax 05 53 31 61 05*, – TV. GB

*fin avril-début oct.* – **Repas** (dîner seul.) 16/27 ♀, enf. 9 – ☕ 6,50 – **39 ch** 48/58 – ½ P 47/48.

◆ Chaleureuse atmosphère rustique dans les chambres, régulièrement rafraîchies. Le restaurant, agrémenté de fresques d'un artiste local, offre une jolie vue sur le jardin.

**SIRAN** *34210 Hérault* 339 A9 – *544 h alt. 96.*

Voir *Chapelle de Centeilles★ N : 2 km,G* **Languedoc Roussillon.**

*Paris 811 – Carcassonne 35 – Lézignan-Corbières 19 – Narbonne 36 – Perpignan 95.*

**Villa d'Eléis**, ☏ 04 68 91 55 98, *villadeleis@wanadoo.fr, Fax 04 68 91 48 34*, ≤, – TV ♿ P. AE GB

*fermé 15 fév. au 10 mars, mardi et merc. d'oct. à avril* – **Repas** 25,50/63,50 ♀, enf. 12,20 – ☕ 19,80 – **12 ch** 81/127 – ½ P 65/95,50.

◆ Belle bastide ancienne entourée d'un ravissant jardin. Grandes chambres personnalisées aux teintes ensoleillées. Salle à manger voûtée ; cuisine au goût du jour.



**SISTERON** *04200 Alpes-de-H.-P.* 334 D7 *G. Alpes du Sud – 6 594 h alt. 490.*

Voir *Vieux Sisteron★ – Site★★ – Citadelle★ : ≤★ – Cathédrale Notre-Dame-des-Pommiers★.*

*Office du Tourisme, Hôtel de ville ☏ 04 92 61 12 03, Fax 04 92 61 19 57, office.de.tourisme-sisteron@wanadoo.fr.*

*Paris 706 ① – Digne-les-Bains 39 ② – Barcelonnette 101 ① – Gap 52 ①.*

## SISTERON

| | | |
|---|---|---|
| Arcades (Av. des) | Z | |
| Arène (Av. Paul) | YZ | 3 |
| Basse des Remparts (R.) | Y | 4 |
| Citadelle (Chemin de la) | Y | |
| Combes (R. des) | Z | 6 |
| Cordeliers (R. des) | Z | 8 |
| Deleuze (R.) | YZ | 9 |
| Droite (R.) | Y | |
| Dr-Robert (Pl. du) | Y | 10 |
| Font-Chaude (R.) | Y | 12 |
| Gaulle (Pl. Gén. de) | Z | 13 |
| Glissoir (R. du) | Y | 14 |
| Grande École (Pl. de la) | Z | 15 |
| Horloge (Pl. de l') | Y | 16 |
| Libération (Av. de la) | Z | 17 |
| Longue-Andrône (R.) | Y | 18 |
| Marres (R. des) | Z | |
| Melchior-Donnet (Cours) | Y | 20 |
| Mercerie (R.) | Y | 22 |
| Moulin (Av. Jean) | Z | 23 |
| Porte-Sauve (R.) | Z | 24 |
| Poterie (R.) | Y | 25 |
| Provence (R. de) | Z | 26 |
| République (Pl. de la) | Z | 28 |
| Ste-Ursule (R.) | Z | 29 |
| Saunerie (R.) | Y | |
| Tivoli (Pl. du) | Y | 30 |
| Verdun (Allée de) | Z | 32 |

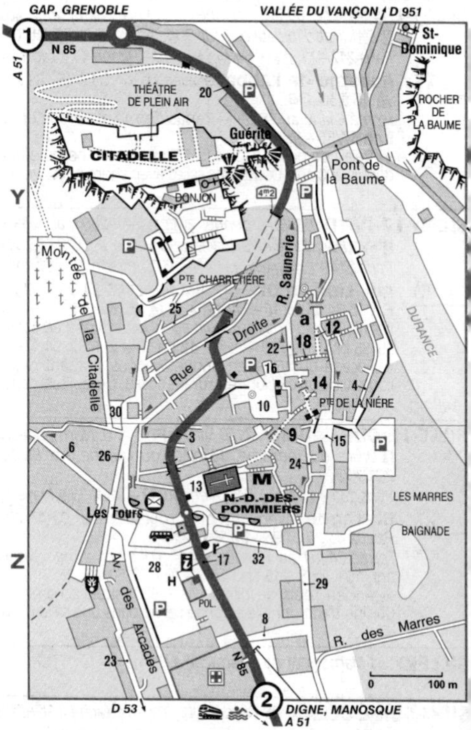
GAP, GRENOBLE
VALLÉE DU VANÇON D 951
N 85
A 51
St-Dominique
ROCHER DE LA BAUME
THÉATRE DE PLEIN AIR
CITADELLE
Guérite
Pont de la Baume
DONJON
Montée de la Citadelle
PTE CHARRETIÈRE
R. Saunerie
Rue Droite
DURANCE
PTE DE LA NIÈRE
N.-D.-DES-POMMIERS
Les Tours
LES MARRES
BAIGNADE
Av. des Arcades
POL.
R. des Marres
D 53
DIGNE, MANOSQUE
A 51
0 100 m

**Grand Hôtel du Cours**, pl. de l'Église ✆ 04 92 61 04 51, *hotelducours@wanadoo.fr*, *Fax 04 92 61 41 73*, – |♿|, ▤ rest, TV ✆ 🚗. AE ⓓ GB Z r
*début mars-début nov.* – **Repas** *(13,50)* - 20/25 ♀, enf. 8 – ☕ 7,50 – **51 ch** 44/73 – ½ P 47/57.
◆ Hôtel situé dans le centre historique, à deux pas des tours d'enceinte du 14e s. Les chambres ouvrant sur l'arrière sont plus spacieuses et plus calmes. Restaurant-véranda.

**Becs Fins**, 16 r. Saunerie ✆ 04 92 61 12 04, *becsfins@aol.com*, *Fax 04 92 61 28 33*, – AE ⓓ GB Y a
*fermé 10 au 20 juin, 26 nov. au 11 déc., dim. soir, mardi soir et merc. sauf du 14 juil. au 15 août* – **Repas** 14,50 (déj.), 20,60/47,40 ♀, enf. 11.
◆ Sympathique petit restaurant du centre-ville et sa terrasse ombragée bordant une rue piétonne. Décor actuel refait, ambiance animée et décontractée, et cuisine traditionnelle.

**au Nord-Ouest** *par ① et N 85 – ✉ 04200 Sisteron :*

**Les Chênes**, à 2 km ✆ 04 92 61 13 67, *Fax 04 92 61 16 92*, , , – TV ✆ P – 20. AE GB
*fermé 24 déc. au 8 fév., sam. soir du 15 oct. au 15 mars et dim sauf juil.-août* – **Repas** *(13,50)* - 16/28, enf. 9 – ☕ 6,50 – **23 ch** 48/62 – ½ P 42/47.
◆ Hébergement sympathique et fonctionnel non loin de la Durance. Recettes classiques à déguster dans la grande salle à manger ou sur la charmante terrasse ombragée.

*Dans ce guide*
*un même symbole, un même mot,*
*imprimé en* ***rouge*** *ou en* ***noir****, en maigre ou en* ***gras****,*
*n'ont pas tout à fait la même signification.*
*Lisez attentivement les pages explicatives.*

## SIX-FOURS-LES-PLAGES *83140 Var* 340 *K7 G. Côte d'Azur – 28 957 h alt. 20.*

Voir *Fort de Six-Fours* ※★ *N : 2 km – Presqu'île de St-Mandrier★ : ※★★ E : 5 km – ※★★ du cimetière de St Mandrier-sur-Mer E : 4 km.*

Env. *Chapelle N.-D.-du-Mai ※★★ S : 6 km.*

*Office du Tourisme, 6 promenade Charles de Gaulle ✆ 04 94 07 02 21, Fax 04 94 25 13 36, tourisme@six-fours-les-plages.com.*

*Paris 834 – Toulon 12 – Aix-en-Provence 81 – La Ciotat 32 – Marseille 61.*

**Clos des Pins**, 101 bis r. République ✆ 04 94 25 43 68, *b.senecha@club-internet.fr.*, *Fax 04 94 07 63 07*, – |♿|, ▤ rest, TV ✆. AE ⓓ GB. ✗ rest
**Repas** *(fermé sam. et dim. de sept. à juin)* (dîner seul.) 13/18, enf. 8 – ☕ 7 – **23 ch** 56/63.
◆ Cet hôtel borde une voie fréquentée mais bénéficie d'une bonne insonorisation. Chambres fonctionnelles, salle à manger aux frais coloris et sa miniterrasse ombragée de pins.

**Auberge St-Vincent**, carrefour Pont-du-Brusc (D 559) ✆ 04 94 25 70 50, *contact@auberge-saint-vincent.com*, *Fax 04 94 07 43 76*, – ▤ P. AE ⓓ GB JCB
*fermé lundi et dim. soir sauf juil.-août* – **Repas** 23/44 et carte 39 à 60 ♀, enf. 10.
◆ Petit "salon-apéritif" prolongé d'une pimpante salle à manger aux couleurs de la Provence. Salle pour banquets à l'étage. Spécialités du pays ou fruits de mer.

**à la Plage de Bonnegrâce** *Nord-Ouest : 3 km par rte de Sanary – ✉ 83140 Six-Fours-les-Plages :*

**Dauphin**, square Bains ✆ 04 94 07 61 58, *contact@restaurant-ledauphin.com*, *Fax 04 94 34 80 44*, – ▤. AE ⓓ GB
*fermé 15 au 28 fév., jeudi soir, dim. soir et lundi* – **Repas** 23 (déj.), 29/45 ♀, enf. 11,50.
◆ Sur le front de mer, villa convertie en un chaleureux restaurant dont les salles à manger sont ornées de tableaux. La mezzanine offre une belle perspective sur la Méditerranée.

**au Brusc** *Sud : 4 km – ✉ 83140 Six-Fours-les-Plages :*

**St-Pierre - Chez Marcel**, ✆ 04 94 34 02 52, *saintpierrebrusc@aol.com*, *Fax 04 94 34 18 01*, – AE ⓓ GB JCB
*fermé janv., 16 au 22 fév., lundi midi en juil.-août, dim. soir et lundi de sept. à juin* – **Repas** 18,30/31.
◆ Près du port, ancienne maison de pêcheur agrandie d'une belle véranda. Intérieur de style marin accordant tons bleus et blancs. Cuisine pénétrée des saveurs de la mer.

**SIZUN** *29450 Finistère* 308 G4 *G. Bretagne – 1 728 h alt. 112.*

Voir *Enclos paroissial★ – Bannières★ dans l'église de Locmélar N : 5 km.*

*Office de tourisme, 3 rue de l'argoat ☎ 02 98 68 88 40, Fax 02 98 68 80 13.*

*Paris 573 – Brest 37 – Châteaulin 35 – Landerneau 16 – Morlaix 36 – Quimper 58.*

**Voyageurs,** ☎ 02 98 68 80 35, *Fax 02 98 24 11 49* – TV ♿ P. GB. ch
*fermé 27 avril au 5 mai, 12 sept. au 5 oct., dim. soir et sam. hors saison* – **Repas** (9,30) - 12,50/30, enf. 8,50 – ☕ 5,70 – **22 ch** 42/44 – ½ P 41.
◆ Pimpante façade voisine de l'enclos paroissial. Deux salles à manger dont une à l'ambiance "cantine". Les meilleures chambres sont dans le bâtiment principal.

**SOCCIA** *2A Corse-du-Sud* 345 C6 – *voir à Corse.*

**SOCHAUX** *25600 Doubs* 321 L1 *G. Jura – 4 419 h alt. 310.*

Voir *Musée de l'Aventure Peugeot★★* **AX.**

*Paris 478 – Besançon 76 – Mulhouse 55 – Audincourt 5 – Belfort 17 – Montbéliard 5.*

Voir plan de Montbéliard agglomération.

**Arianis** M, 11 av. Gén. Leclerc ☎ 03 81 32 17 17, *arianis@wanadoo.fr, Fax 03 81 32 00 90,* – ♦, ✈, ▤ rest, TV ♿ P – 🏛 100. AE ◑ GB **X u**
**Repas** *(fermé dim. soir et sam. midi)* 12/15 ♀, enf. 7 – ☕ 7 – **65 ch** 60/93 – ½ P 55,50.
◆ Différents modèles de Peugeot sont exposés dans le hall d'accueil de cet hôtel récent aux chambres parfaitement équipées. Restaurant moderne assez spacieux.

**Campanile,** r. Collège ☎ 03 81 95 23 23, *Fax 03 81 32 21 49,* – ✈ TV ♿ P – 🏛 25. AE ◑ GB **X d**
**Repas** (12) - 15,50/17 ♀, enf. 6 – ☕ 6 – **62 ch** 55.
◆ En léger retrait de la route, établissement classique de chaîne, aux abords assez verdoyants. Chambres propres et fonctionnelles. Buffets à volonté.

XXX **Luc Piguet,** 9 r. Belfort ☎ 03 81 95 15 14, *Fax 03 81 95 51 21,* , – P. AE ◑ GB **X z**
*fermé 4 au 25 août, 5 au 12 janv., dim. soir, lundi et mardi* – **Repas** (15,25) - 32,30/46 ♀.
◆ Derrière une haute grille, maison de maître de 1900 aux intérieurs cossus. Restaurant dans deux salons confortables donnant sur le jardin.

XX **Au Fil des Saisons,** à Étupes par ③, *r. Libération* ✉ 25460 ☎ 03 81 94 17 12, *grilladi@club-internet.fr, Fax 03 81 32 36 04* – AE GB
*fermé 4 au 24 août, 21 déc. au 5 janv., 1er au 8 mai, lundi soir, sam midi, dim. et fériés* – **Repas** 21,50/27,50, enf. 12.
◆ Enseigne-vérité pour ce restaurant familial : c'est une cuisine évoluant au fil des saisons que vous dégusterez, dans une salle à manger rustique et une ambiance conviviale.

*Dans ce guide*
*un même symbole, un même mot,*
*imprimé en* ***rouge*** *ou en* ***noir****, en maigre ou en* ***gras****,*
*n'ont pas tout à fait la même signification.*
*Lisez attentivement les pages explicatives.*

**SOISSONS** SP *02200 Aisne* 306 B6 *G. Picardie Flandres Artois – 29 829 h alt. 47.*

Voir *Anc. Abbaye de St-Jean-des-Vignes★★ – Cathédrale St-Gervais-et-St-Protais★★.*

*Office du Tourisme, 16 place Fernand Marquigny ☎ 03 23 53 17 37, Fax 03 23 59 67 72, officedetourisme@ville-soissons.fr.*

*Paris 103 ⑥ – Compiègne 39 ⑦ – Laon 38 ② – Reims 58 ③ – St-Quentin 62 ①.*

Plan page ci-contre

**Campanile,** rte Paris par ⑥ : *2 km* ☎ 03 23 73 28 28, *Fax 03 23 73 02 34,* – ✈ TV ♿ P – 🏛 25. AE ◑ GB
**Repas** 15,50 ♀ – ☕ 6 – **48 ch** 55.
◆ Commode pour l'étape, classique hôtel de chaîne dont les chambres, simples et nettes, sont réparties sur deux étages. Le restaurant est dans un bâtiment indépendant.

**Prime,** rte Paris par ⑥ : *2 km* ☎ 03 23 73 33 04, *Fax 03 23 73 31 89* – TV ♿ P – 🏛 25. ◑ GB
**Repas** 14/17,50 – ☕ 8,80 – **40 ch** 55.
◆ Construction récente abritant de petites chambres fonctionnelles, formules buffets au restaurant : prime à la praticité pour cet hôtel de la périphérie soissonnaise.

## SOISSONS

Arquebuse (R. de l') . . . . . . . BZ 2
Château-Thierry (Av.) . . . . . . BZ 4
Collège (R. du) . . . . . . . . . . . AY 5
Commerce (R. du) . . . . . . . . . BY 6
Compiègne (Av.) . . . . . . . . . . AY 8
Desmoulins (Bd C.) . . . . . . ABZ 12
Gambetta (Bd L.) . . . . . . . . . BY 14
Intendance (R. de l') . . . . . . BY 15
Leclerc (Av. Gén.) . . . . . . . . . BZ 22
Marquigny (Pl. F.) . . . . . . . . . BY 23
Paix (R. de la) . . . . . . . . . . . . BY 24
Panleu (R. de) . . . . . . . . . . . . AY 25
Prés.-Kennedy (Av.) . . . . . . . AZ 26
Quinquet (R.) . . . . . . . . . . . ABY 28
Racine (R.) . . . . . . . . . . . . . . BZ 29
République (Pl. de la) . . . . . . . . . . . . BZ 30
St-Antoine (R.) . . . . . . . . . . . . BY 31
St-Christophe (Pl.) . . . . . . . . . AY 32
St-Christophe (R.) . . . . . . . . . . AY 33
St-Jean (R.) . . . . . . . . . . . . . . AZ 34
St-Martin (R.) . . . . . . . . . . . . BY 35
St-Quentin (R.) . . . . . . . . . . . BY 36
St-Rémy (R.) . . . . . . . . . . . . . AY 37
Strasbourg (Bd de) . . . . . . . . . . . . BY 38
Villeneuve (R. de) . . . . . . . . . BZ 39

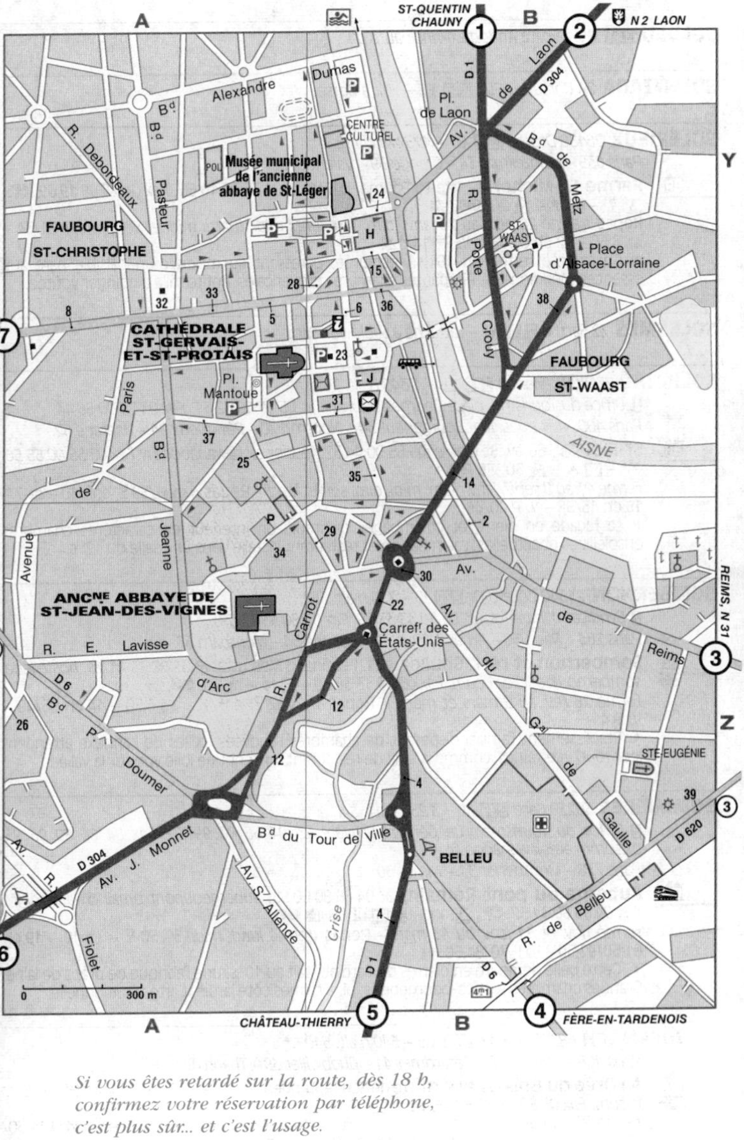

A
B
Y
Z
ST-QUENTIN
CHAUNY
N 2 LAON
REIMS, N 31
CHÂTEAU-THIERRY
FÈRE-EN-TARDENOIS
D 1
D 304
D 6
D 620
Alexandre
Dumas
CENTRE CULTUREL
Musée municipal de l'ancienne abbaye de St-Léger
POL
R. Debordeaux
Bd Pasteur
FAUBOURG ST-CHRISTOPHE
CATHÉDRALE ST-GERVAIS-ET-ST-PROTAIS
Pl. Mantoue
Bd de Paris
Bd Jeanne d'Arc
Avenue
ANCNE ABBAYE DE ST-JEAN-DES-VIGNES
R. E. Lavisse
R. Carnot
Bd P. Doumer
Av. J. Monnet
R. Fiolet
Av. S. Allende
Crise
Bd du Tour de Ville
BELLEU
R. de Belleu
Carrefᵗ des États-Unis
Av. de Reims
Av. du Gal de Gaulle
STE-EUGÉNIE
Pl. de Laon
Av. de Laon
Bd de Metz
R. Porte Crouy
ST-WAAST
Place d'Alsace-Lorraine
FAUBOURG ST-WAAST
AISNE
300 m

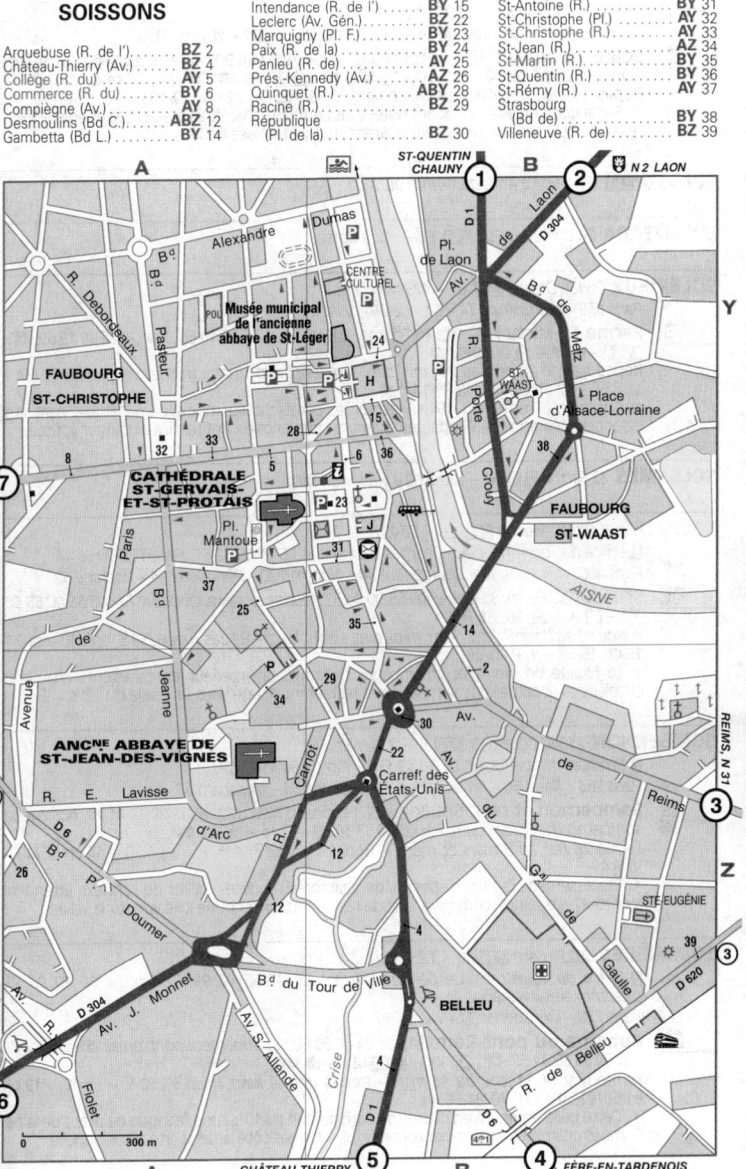

*Si vous êtes retardé sur la route, dès 18 h, confirmez votre réservation par téléphone, c'est plus sûr... et c'est l'usage.*

**SOISY-SUR-SEINE** *91 Essonne* 312 D4 101 37 – *voir à Paris, Environs.*

**SOLAIZE** *69360 Rhône* 327 I6 – *2 008 h alt. 232.*
*Paris 477 – Lyon 17 – Rive-de-Gier 25 – La Tour-du-Pin 51 – Vienne 18.*

**Soleil et Jardin** M, r. République ☎ 04 78 02 44 90, *soleiletjardin@wanadoo.fr, Fax 04 78 02 09 26,* – 30. AE GB JCB. rest
**Repas** *(fermé 2 au 24 août, sam. et dim.)* 23/49 – 9 – **22 ch** 110/183.
◆ Sur la place du village, coquet hôtel tout neuf, aux chambres spacieuses et ensoleillées. Les baies de la salle de restaurant ouvrent sur une terrasse fleurie.

**SOLDEU** 343 H9 – *voir à Andorre (Principauté d').*

**SOLENZARA** *2A Corse-du-Sud* 345 F8 – *voir à Corse.*

**SOLÉRIEUX** *26130 Drôme* 332 B7 – *173 h alt. 112.*
*Paris 639 – Montélimar 34 – Orange 39 – Valence 79.*

**Ferme St-Michel**, rte La Baume, D 341 ☎ 04 75 98 10 66, *Fax 04 75 98 19 09,* – 20. GB.
**Repas** *(fermé 20 déc. au 20 janv., dim. soir, lundi midi, mardi midi et vend. midi)* 21/34 – 6,50 – **12 ch** 60/70 – ½ P 114/124.
◆ Charmante ferme du 16e s. restaurée, paressant au milieu d'un paisible parc aux essences méridionales. Pimpantes chambres provençales. Petite salle à manger voûtée.

**SOLESMES** *72 Sarthe* 310 H7 – *rattaché à Sablé-sur-Sarthe.*

**SOLIGNAC** *87110 H.-Vienne* 325 E6 – *1 345 h alt. 251.*
*Office du Tourisme, place Georges Dubreuil ☎ 05 55 00 42 31, Fax 05 55 00 56 44.*
*Paris 400 – Limoges 10 – Bourganeuf 54 – Nontron 70 – Périgueux 94 – Uzerche 52.*

**St-Éloi**, 66 av. St-Éloi ☎ 05 55 00 44 52, *lesaint.eloi@wanadoo.fr, Fax 05 55 00 55 56,* – 30. GB
*fermé 1er au 8 sept., janv., sam. midi, dim. soir et lundi* – **Repas** (13) - 17/39 , enf. 10 – 7 – **15 ch** 43/58 – ½ P 40/46.
◆ La façade en pierre et colombages dissimule un intérieur de caractère : chambres ensoleillées et actuelles, salon design et restaurant installé dans une salle du 12e s.

**SOMBERNON** *21540 Côte-d'Or* 320 I6 – *773 h alt. 559.*
*Syndicat d'Initiative, ☎ 03 80 33 33 59, Fax 03 80 33 35 58.*
*Paris 283 – Dijon 30 – Arnay-le-Duc 30 – Beaune 54 – Montbard 53.*

**Sombernon et rest. Spuller,** 42 r. Ferdinand Mercusot ☎ 03 80 33 41 23, *hostellerie.sombernon@declic21.com, Fax 03 80 33 36 60* – – 20. GB
*fermé 26 fév. au 5 mars et merc.* – **Repas** 12,50/32 , enf. 8 – 6,50 – **14 ch** 35/49 – ½ P 41.
◆ Établissement familial disposant de chambres rénovées (celles de l'annexe attendent leur tour) ; certaines, comme la salle de restaurant, offrent une jolie vue sur la vallée.

**SOMMIÈRES** *30250 Gard* 339 J6 – *3 250 h alt. 34.*
*Office du Tourisme, rue Général Bruyère ☎ 04 66 80 99 30, Fax 04 66 80 06 95, ot.sommieres@wanadoo.fr.*
*Paris 738 – Montpellier 31 – Nîmes 30.*

**Auberge du pont Romain,** ☎ 04 66 80 00 58, *aubergedupontromain@wanadoo.fr, Fax 04 66 80 31 52,* , , – . AE GB
*fermé nov. et 11 janv. au 13 mars* – **Repas** *(fermé lundi midi)* 30/50 – 10 – **19 ch** 61,50/92,50 – ½ P 70/84,50.
◆ Cette belle demeure en pierres du Gard abritait au 19e s. une fabrique de draps de laine. Grandes chambres rustico-bourgeoises, plus calmes côté jardin. Carte traditionnelle.

**SONDERNACH** *68380 H.-Rhin* 315 G9 – *540 h alt. 540.*
*Paris 466 – Colmar 27 – Gérardmer 41 – Guebwiller 39 – Thann 42.*

**A l'Orée du Bois** avec ch, rte du Schnepfenried ☎ 03 89 77 70 21, *contact@oreduboi s.com, Fax 03 89 77 77 58,* , – . GB
*fermé 23 juin au 1er juil. et 5 janv. au 2 fév.* – **Repas** *(fermé merc. midi et mardi)* 11,50/27,80 , enf. 6,90 – 4 – **6 ch** 42/48 – ½ P 43.
◆ La maison vous offre une chaleureuse hospitalité alsacienne. Plaisante salle à manger rustique (boiseries, poêle en faïence) et cuisine régionale. Chambres façon chalet.

**SONNAZ** *73 Savoie* 333 I4 – *rattaché à Chambéry.*

**SOPHIA-ANTIPOLIS** *06 Alpes-Mar.* 341 D6 – *rattaché à Valbonne.*

**SORBIERS** *42290 Loire* 327 F7 – *7 101 h alt. 560.*

*Office du Tourisme, 2 avenue Charles de Gaulle ☎ 04 77 01 11 42, Fax 04 77 53 07 27, contact@mairie-sorbiers.fr.*

*Paris 518 – St-Étienne 9 – Feurs 49 – Lyon 58 – Montbrison 39 – Vienne 47.*

**Valjoly,** rte St-Symphorien, D 3 ☎ 04 77 53 60 35, *levaljoly@free.fr, Fax 04 77 53 13 60* – P. GB

*fermé 28 juil. au 25 août, 5 au 13 janv., dim. soir et lundi* – **Repas** (12) - 15/42 ♀.

◆ Accueil souriant, jolie décoration florale et touches colorées compensent les nuisances de la route et le cadre simple de cette auberge proposant une cuisine traditionnelle.

**SORÈDE** *66690 Pyr.-Or.* 344 I7 – *2 160 h alt. 20.*

*Office du Tourisme, place de la Mairie ☎ 04 68 89 31 17, Fax 04 68 89 31 17, ot.sorede@wanadoo.fr.*

*Paris 874 – Perpignan 22 – Amélie-les-Bains-Palalda 30 – Argelès-sur-Mer 9 – Le Boulou 16.*

**Salamandre,** 3 rte Laroque ☎ 04 68 89 26 67, *Fax 04 68 89 26 67* – AE GB

*fermé 15 nov. au 1er déc., 15 janv. au 15 mars, lundi et mardi sauf le soir en été et dim. soir* – **Repas** (15,50) - 27 ♀.

◆ Dans la traversée d'un village des Albères, deux petites salles de restaurant au cadre rustique simple, concoctant des recettes traditionnelles à base de produits du terroir.

**SORÈZE** *81540 Tarn* 338 E10 *G. Midi-Pyrénées – 1 954 h alt. 272.*

*Office du Tourisme, ☎ 05 63 74 16 28, Fax 05 63 74 40 39, OTSI-Soreze@wanadoo.fr.*

*Paris 744 – Toulouse 59 – Carcassonne 44 – Castelnaudary 27 – Castres 27 – Gaillac 65.*

**Logis des Pères** M, ☎ 05 63 74 44 80, *contact@hotelfp.soreze.com, Fax 05 63 74 44 89,* – P – 25 à 200. AE GB

*fermé vacances de fév.* – **Repas** *(fermé mardi)* 27/35 ♀, enf. 9 – ☕ 10 – **52 ch** 80/130.

◆ Hôtel installé dans une aile de la célèbre abbaye-école des bénédictins (17e s.) fondée en 754 par Pépin le Bref. Sobres chambres joliment décorées et parc arboré de 6 ha.

**Annexe Pavillon des Hôtes** – TV

Repas voir ***Logis des Pères*** ♀ – ☕ 7 – **18 ch** 45/55.

◆ Cette annexe se trouve dans une autre partie de l'abbaye. Les chambres, simples et de bon goût, sont réparties autour d'une cour intérieure et les prix sont raisonnables.

**SORGES** *24420 Dordogne* 329 G4 *G. Périgord Quercy – 1 074 h alt. 178.*

*Office du Tourisme, Ecomusée ☎ 05 53 46 71 43, Fax 05 53 46 71 43, si.sorges@perigord.tm.fr.*

*Paris 463 – Périgueux 21 – Brantôme 24 – Limoges 75 – Nontron 43 – Thiviers 15.*

**Auberge de la Truffe,** sur N 21 ☎ 05 53 05 02 05, *contact@auberge-de-la-truffe.com, Fax 05 53 05 39 27,* – TV P – 25. AE GB JCB

**Repas** *(fermé dim. soir sauf du 13 mars au 31 oct., lundi midi et vend. midi)* 16/52 ♀, enf. 10 – ☕ 8 – **25 ch** 41/54 – ½ P 51/68.

◆ Accueillante adresse villageoise disposant de chambres assez grandes, bien meublées, parfois en rez-de-jardin. À table, plats régionaux et spécialités à base de truffe.

**SORGUES** *84700 Vaucluse* 332 C9 – *17 236 h alt. 24.*

*Paris 676 – Avignon 11 – Carpentras 20 – Cavaillon 33 – Orange 18.*

**Patrick Davico,** 12 r. 19-Mars-1962 ✉ 84700 ☎ 04 90 39 11 02, *contact@restaurantdavico.com, Fax 04 90 83 48 42,* – GB

*fermé 4 au 26 août, 15 fév. au 3 avril, dim. soir, merc. soir et lundi* – **Repas** 23 (déj.), 32/45 ♀.

◆ Près de l'ancienne mairie, belle bâtisse en pierre et sa terrasse sous les pins parasols. Cuisine provençale servie dans un cadre aux tons ocre égayé de tableaux et sculptures.

**SOSPEL** *06380 Alpes-Mar.* 341 F4 *G. Côte d'Azur – 2 592 h alt. 360.*

**Voir** *Vieux village★ : vieux pont★, vierge immaculée★ dans l'église St-Michel – Fort St-Roch★ S : 1 km par la D 2204.*

*Office du Tourisme, Pont Vieux ☎ 04 93 04 15 80, Fax 04 93 04 19 96.*

*Paris 973 – Menton 19 – Nice 41 – Tende 39 – Ventimiglia 29.*

**des Étrangers,** bd Verdun ☎ 04 93 04 00 09, *sospel@msn.com, Fax 04 93 04 12 31,* – . GB
*4 mars-3 nov.* – **Repas** *(fermé mardi midi et lundi)* 21/31 – 6,50 – **30 ch** 58/80 – 1/2 P 65/85.
◆ Vieil hôtel sur la route du col de Tende. Chambres déjà anciennes. Terrasse au bord de la Bévéra. Goûteuse cuisine régionale élaborée avec les produits du potager et du marché.

---

**SOTTEVILLE-SUR-MER** *76740 S.-Mar.* 304 E2 – *365 h alt. 60.*
*Paris 191 – Dieppe 26 – Fontaine-le-Dun 11 – Rouen 60 – St-Valery-en-Caux 11.*

**Les Embruns,** ☎ 02 35 97 77 99, *Fax 02 35 57 14 27* – GB
*fermé 29 sept. au 16 oct., 19 janv. au 12 fév., mardi en hiver, dim. soir et lundi* – **Repas** 12,50 (déj.), 23/40.
◆ Jolis colombages, cheminée et toiles d'un artiste régional caractérisent la salle à manger, très rustique, de cette auberge de village.

---

**SOUCY** *89 Yonne* 319 C2 – *rattaché à Sens.*

---

**SOUDAN** *79 Deux-Sèvres* 322 F6 – *rattaché à St-Maixent-l'École.*

---

**SOUILLAC** *46200 Lot* 337 E2 *G. Périgord Quercy – 3 459 h alt. 104.*
**Voir** *Anc. église abbatiale : bas-relief "Isaïe"★★, revers du portail★ – Musée national de l'Automate et de la Robotique★.*
*Office du Tourisme, boulevard Louis-Jean Malvy* ☎ *05 65 37 81 56, Fax 05 65 27 11 45, souillac@wanadoo.fr.*
*Paris 516 ① – Brive-la-Gaillarde 39 ① – Sarlat-la-Canéda 29 ③ – Cahors 67 ② – Figeac 72 ②.*

## SOUILLAC

Abbaye (Pl. de l') ..... Z 2
Barebaste (R.) ..... Z 4
Barnicou (Pl.) ..... Z 5
Bénétou (Rue) ..... Y 7
Betz (Pl. Pierre) ..... Z
Bouchier (Pl. J.-B.) ..... Z 8
Doussot (Pl.) ..... Z 9
Figuier (Pl. du) ..... Y 12
Forail-Marsalès (Pl. du) ..... YZ
Frégière (R. de la) ..... Z
Gambetta (Av.) ..... Y 14
Gaulle (Av. du Gén.-de) ..... Y 15
Gourgue (R. de) ..... Z 16
Granges (R. des) ..... Z
Grozel (R. de) ..... Y
Halle (R. de la) ..... Y 17
Juillet (R. de) ..... Y
La Borie (Pl. de) ..... Y 20
La Borie (R. de) ..... Y
Louqsor (Rue) ..... Z 21
Malvarès (Rue) ..... Y 22
Malvy (Bd Louis-Jean) ..... YZ
Malvy (Av. Martin) ..... Y
Morlet (Rue) ..... Z 24
Pons (Pl. de l'Abbé) ..... Y 25
Pont (R. du) ..... Z 26
Puits (Pl. du) ..... Y 28
Rajol (Pl. du) ..... Y 29
Recège (R. de la) ..... Y
St-Martin (Rue) ..... Z 32
Sarlat (Av. de) ..... Z
Verlhac (Av. P.) ..... Y

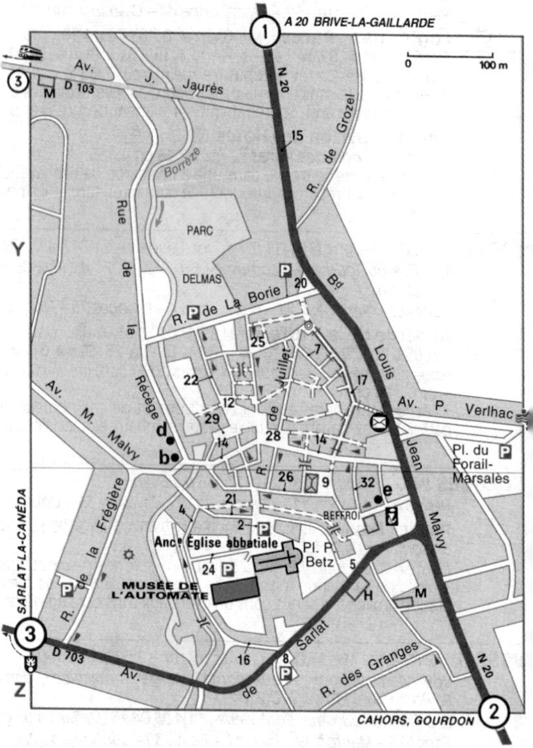
A 20 BRIVE-LA-GAILLARDE
CAHORS, GOURDON
SARLAT-LA-CANÉDA
Av. J. Jaurès
D 103
D 703
N 20
R. de Grozel
Rue de la Recège
PARC DELMAS
R. de La Borie
Bd Louis Jean Malvy
Av. P. Verlhac
Pl. du Forail-Marsalès
Av. M. Malvy
R. de la Frégière
Anc. Église abbatiale
Pl. P. Betz
MUSÉE DE L'AUTOMATE
BEFFROI
Av. de Sarlat
R. des Granges
Borrèze
0 100 m

**Quercy** sans rest, 1 r. Récège ✆ 05 65 37 83 56, *reservation@le-quercy.fr*, *Fax 05 65 37 07 22*, – TV. AE GB Y d
*fermé janv. et fév.* – 8 – **25 ch** 50/55.
◆ Hôtel confortable et bien tenu, en retrait du centre animé. Les chambres sont, pour la plupart, prolongées d'un balcon tourné vers la terrasse fleurie ou la piscine.

**Vieille Auberge,** 1 r. Recège ✆ 05 65 32 79 43, *r.veril@la-vieille-auberge.com*, *Fax 05 65 32 65 19*, – rest, TV P – 30. AE GB JCB Y b
*fermé 3 nov. au 20 déc., dim. soir, lundi et mardi midi de janv à mars* – **Repas** (18) - 22/60 ♀, enf. 10 – 7 – **19 ch** 51/62 – ½ P 66.
◆ Maison située à l'écart des grands axes, près d'une petite rivière. L'annexe dispose d'équipements sportifs et de chambres spacieuses ; celles du 3e étage sont mansardées.

**Granges Vieilles**, rte Sarlat, par ③ : *1,5 km* ✆ 05 65 37 80 92, *Fax 05 65 37 08 18*, – TV P. GB. ch
*15 mars-15 nov.* – **Repas** 14/34 ♀, enf. 8 – 8 – **11 ch** 67/82 – ½ P 62/69.
◆ Demeure bourgeoise des années 1910 dans le calme d'un parc aux portes de cette cité du Périgord noir. Chambres spacieuses. Cuisine régionale ; grill de piscine en été.

**Grand Hôtel,** 1 allée Verninac ✆ 05 65 32 78 30, *grandhotel-souillac@wanadoo.fr*, *Fax 05 65 32 66 34*, – , rest, TV P. AE GB Z e
*1er mars-31 oct. et fermé merc. en avril et oct.* – **Repas** 13/23 ♀ – 6,10 – **44 ch** 39/78 – ½ P 42,10/65.
◆ Bâtiment centenaire abritant plusieurs salles de restaurant et une terrasse avec toit ouvrant. Préférer les chambres de l'annexe, une demeure du 18e s. située à 50 m.

**Belle Vue** sans rest, 68 av. J. Jaurès (à la gare) ✆ 05 65 32 78 23, *hotelbellevue.souillac@wanadoo.fr*, *Fax 05 65 37 03 89*, – TV P. GB
*fermé fév* – 6 – **25 ch** 35/40.
◆ Grande bâtisse des années 1960 proche de la gare. Chambres simples mais propres. Équipements sportifs côté jardin (piscine, tennis) et petite boutique de produits régionaux.

**Redouillé,** 28 av. Toulouse par ② ✆ 05 65 37 87 25, *Fax 05 65 37 09 09*, – GB
*fermé mi-fév. au 31 mars, dim. soir et lundi* – **Repas** 17/32 ♀.
◆ Deux salles de restaurant séparées par un salon ; l'une d'elles, très ensoleillée, est aux couleurs de la Provence. Cuisine classique. Accueil aimable.

## SOULAC-SUR-MER *33780 Gironde* 335 E1 *G. Aquitaine – 2 790 h alt. 7 – Casino de la Plage.*

*Office du Tourisme, 68 rue de la plage ✆ 05 56 09 86 61, Fax 05 56 73 63 76, tourismesoulac@wanadoo.fr.*

*Paris 515 – Royan 12 – Bordeaux 99 – Lesparre-Médoc 31.*

**à l'Amélie-sur-Mer** *Sud-Ouest : 5 km par D 101E – ✉ 33780 Soulac-sur-Mer :*

**des Pins,** ✆ 05 56 73 27 27, *hotel.pin@wanadoo.fr*, *Fax 05 56 73 60 39*, – rest, TV P – 15. AE GB. ch
*20 mars-1er nov. et fermé sam. midi, dim. et lundi d'oct. à mai* – **Repas** 15,50 (déj.), 21/42 ♀ – 7,50 – **31 ch** 58/80 – ½ P 55/66,50.
◆ À 100 m de la plage et en lisière des pins, bâtiment de la fin du 19e s. rénové et ses deux annexes. Chambres diversement meublées. Un grand aquarium agrémente le restaurant.

## SOULAGES-BONNEVAL *12 Aveyron* 338 I2 – *rattaché à Laguiole.*

## SOULAINES-DHUYS *10200 Aube* 313 I3 – *254 h alt. 153.*

*Paris 229 – Chaumont 47 – Bar-sur-Aube 18 – Troyes 58.*

**Venise Verte,** r. Plessis ✆ 03 25 92 76 10, *accueil@logis-aux-maisons.com*, *Fax 03 25 92 73 97*, – rest, TV P. AE GB
*fermé 24 au 31 déc. et dim. soir hors saison* – **Repas** 12/32 ♀ – 8 – **12 ch** 50 – ½ P 55.
◆ Cet ancien routier est devenu un hôtel accueillant et bien insonorisé. Chambres fraîches et pratiques. En été, les repas sont servis dans la petite cour-terrasse.

## SOUMOULOU *64420 Pyr.-Atl.* 342 K5 – *1 022 h alt. 296.*

*Paris 792 – Pau 22 – Lourdes 24 – Nay 15 – Pontacq 12 – Tarbes 25.*

**Béarn** avec ch, N 117 ✆ 05 59 16 08 08, *hotel-dubearn2000@yahoo.fr*, *Fax 05 59 16 08 01*, – TV. AE GB JCB
*fermé dim. soir et lundi du 15 sept. à Pâques* – **Repas** 16,80/39,60 ♀ – 7 – **13 ch** 40/45 – ½ P 45.
◆ Proche d'axes passants, hostellerie de village abritant une grande salle à manger campagnarde, deux salons et des chambres simples, équipées du double vitrage.

## La SOURCE *45 Loiret* 318 I5 – *rattaché à Orléans.*

**SOURDEVAL** *50150 Manche* 303 *G7 – 3 211 h alt. 217.*

Voir *Vallée de la Sée*★ *O, G.* **Normandie Cotentin.**

*Office du Tourisme, Jardin de l'Europe ✆ 02 33 79 35 61, Fax 02 33 79 35 59.*

*Paris 309 – St-Lô 53 – Avranches 37 – Domfront 30 – Flers 31 – Mayenne 63 – Vire 14.*

**Temps de Vivre,** 12 r. St-Martin ✆ 02 33 59 60 41, *le-temps-de-vivre@wanadoo.fr, Fax 02 33 59 88 34* – TV P. GB

*fermé vacances de fév. et lundi sauf en août* – **Repas** 10,40/20,50 – 4,50 – **10 ch** 29/44 – ½ P 29/33.

◆ À côté du cinéma, façade en granit égayée de jardinières fleuries. Chambres petites, mais récentes et bien tenues. Salle de restaurant campagnarde.

**à Brouains** *Ouest : 6 km sur D 911 – 242 h. alt. 142 – ✉ 50150 :*

**Auberge du Moulin,** ✆ 02 33 59 50 60, *du.moulin.auberge@wanadoo.fr, Fax 02 33 59 50 60* – P. GB.

*fermé 30 juin au 10 juil., 26 déc. au 17 janv., dim. soir, lundi et mardi* – **Repas** 12,50/32 ♀.

◆ Auberge de campagne jouxtant l'écomusée de la vallée de la Brouains, où est évoquée la fabrication du papier et des couverts. Cadre rustique et cuisine au goût du jour.

---

**SOURNIA** *66730 Pyr.-Or.* 344 *F6 – 376 h alt. 525.*

*Paris 853 – Perpignan 48 – Font-Romeu-Odeillo-Via 74 – Prades 24 – Quillan 46.*

**Auberge de Sournia,** ✆ 04 68 97 72 82 – GB

*fermé 18 fév. au 5 mars, 1er au 5 sept., 1er au 14 janv. et 9 au 22 fév.* – **Repas** *(fermé dim. soir, mardi soir et merc. de sept. à juin et lundi midi en juil.-août)* 10 (déj.), 15/30,50 ♀.

◆ Dans les murs d'une ancienne étable, salle de restaurant au cadre campagnard très affirmé, où se mitonnent des petits plats à l'accent chantant du Sud-Ouest.

*Si vous cherchez un hôtel tranquille,*
*consultez d'abord les cartes de l'introduction*
*ou repérez dans le texte les établissements indiqués avec le signe .*

---

**SOURZAC** *24 Dordogne* 329 *D5 – rattaché à Mussidan.*

---

**SOUSCEYRAC** *46190 Lot* 337 *I2 – 1 064 h alt. 559.*

*Office du Tourisme, place de l'Eglise ✆ 05 65 33 02 20, Fax 05 65 11 61 74, ot-sousc@club-internet.fr.*

*Paris 543 – Aurillac 47 – Cahors 97 – Figeac 41 – Mauriac 69 – St-Céré 17.*

**Au Déjeuner de Sousceyrac** avec ch, ✆ 05 65 33 00 56, *Fax 05 65 33 04 37* – TV. GB

*fermé vacances de fév., dim. soir et lundi sauf juil.-août* – **Repas** 14,50/39,70, enf. 9,15 – 6,10 – **8 ch** 38,10/45,70 – ½ P 42.

◆ Accueil souriant, cadre rustique coloré (cheminée et mobilier de style bistrot) et cuisine du terroir soignée sont les atouts de cette maison sise sur la place du village.

---

**SOUS-LA-TOUR** *22 C.-d'Armor* 309 *F3 – rattaché à St-Brieuc.*

---

**La SOUTERRAINE** *23300 Creuse* 325 *F3 G. Berry Limousin – 5 459 h alt. 390.*

Voir *Église*★.

*Office du Tourisme, place de la Gare ✆ 05 55 63 10 06, Fax 05 55 63 37 27, ot.souterraine@wanadoo.fr.*

*Paris 345 – Limoges 57 – Bellac 40 – Châteauroux 79 – Guéret 34.*

**à l'Est** *: 7 km par N 145, D 74 et rte secondaire – ✉ 23300 La Souterraine :*

**Château de la Cazine** , ✆ 05 55 89 60 00, *Fax 05 55 63 71 85*, , , , , – TV P – 30. AE GB

*fermé janv.* – **Repas** 17/42, enf. 7 – 10 – **22 ch** 57/90 – ½ P 56/62,50.

◆ Chambres fonctionnelles et vaste parc arboré : suivez bien la signalisation pour dénicher ce charmant petit château du 19e s., promesse d'un séjour au grand calme.

**à St-Étienne-de-Fursac** *Sud : 11 km par D 1 – 843 h. alt. 322 – ✉ 23290 :*

**Nougier,** ✆ 05 55 63 60 56, *Fax 05 55 63 65 47*, – TV P. AE GB

*mi mars-fin nov. et fermé lundi sauf le soir en juil.-août, dim. soir et mardi midi hors saison sauf fériés* – **Repas** 17/29,50 ♀ – 6,50 – **12 ch** 40/58,50 – ½ P 46/54.

◆ Dans un petit village de la vallée de la Gartempe, maison de caractère se distinguant par son bel intérieur campagnard, ses chambres bien équipées et son plaisant jardin.

**SOUVIGNY** *03210 Allier* 326 G3 *G. Auvergne – 2 024 h alt. 242.*

Voir *Prieuré St-Pierre★★ – Calendrier★★ dans l'église-musée St-Marc.*

*Paris 302 – Moulins 13 – Bourbon-l'Archambault 16 – Montluçon 68.*

XX **Auberge des Tilleuls,** ✆ 04 70 43 60 70, *Fax 04 70 44 85 73,* – GB
*fermé 25 août au 3 sept., 29 déc. au 2 janv., vacances de fév., mardi soir, dim. soir et lundi* – **Repas** 11 (déj.), 15/37 ♀.
◆ Cette pimpante auberge vous accueille dans deux salles rustiques soignées, dont une agrémentée de colombages en trompe-l'oeil. Étroite terrasse ombragée à l'arrière.

**SOUVIGNY-EN-SOLOGNE** *41600 L.-et-Ch.* 318 J6 *– 440 h alt. 210.*

*Paris 173 – Orléans 39 – Gien 43 – Lamotte-Beuvron 15 – Montargis 63.*

XX **Perdrix Rouge,** ✆ 02 54 88 41 05, *Fax 02 54 88 05 56,* – AE GB
*fermé 1er au 9 juil., 26 août au 3 sept., 17 fév. au 4 mars, lundi et mardi* – **Repas** (dim. et fêtes prévenir) 14/49.
◆ Maison solognote du village cher à Eugène Labiche. Intérieur rustique avec cheminée ; jardin avec jeux d'enfants et boulodrome. Cuisine traditionnelle et gibier en saison.

XX **Auberge de la Grange aux Oies,** ✆ 02 54 88 40 08, *Fax 02 54 88 91 06,* , – P. GB
*fermé 13 au 19 mars, 4 au 18 sept., 24 déc. au 12 janv., lundi soir, mardi et merc.* – **Repas** 25/40.
◆ Jolies maisons à colombages (17e et 18e s.). Intérieur solognot typique où se décline le thème de l'oie (bibelots, peintures, etc.), hommage à la foire annuelle de Souvigny.

**SOYAUX** *16 Charente* 324 L6 *– rattaché à Angoulême.*

**SOYONS** *07 Ardèche* 331 L4 *– rattaché à St-Péray.*

**STEENVOORDE** *59114 Nord* 302 D3 *– 4 010 h alt. 50.*

*Syndicat d'Initiative, place du Docteur Jean-Marie Ryckewaert ✆ 03 28 42 97 98, Fax 03 28 49 74 84.*

*Paris 258 – Calais 73 – Lille 45 – Dunkerque 32 – Hazebrouck 12 – St-Omer 30.*

X **Auprès de mon Arbre,** ✆ 03 28 49 79 49, *Fax 03 28 49 72 29,* , – P. GB
*fermé 22 déc. au 5 janv., le soir sauf vend. et sam.* – **Repas** 19,50/34 ♀, enf. 8,50.
◆ ... je vivais heureux ! Cette ferme rénovée a conservé son chaleureux caractère rustique, avec une cheminée et un poêle Godin dont les convives ne veulent plus s'éloigner.

**STELLA-PLAGE** *62 P.-de-C.* 301 C5 *– rattaché au Touquet.*

**STENAY** *55700 Meuse* 307 C2 *– 3 202 h alt. 182.*

*Office du Tourisme, 5 place Poincaré ✆ 03 29 80 64 22, Fax 03 29 80 62 59, otsistenay@wanadoo.fr.*

*Paris 257 – Charleville-Mézières 58 – Carignan 20 – Longwy 54 – Sedan 35 – Verdun 46.*

**Commerce,** 16 r. A. Briand ✆ 03 29 80 30 62, *Fax 03 29 80 61 77* – TV. AE GB
*fermé vacances de Toussaint, 1er au 6 janv., vend. soir, sam. midi et dim. soir du 15 sept. au 1er mai* – **Repas** (13) - 16/50 bc ♀ – 7,50 – **17** ch 40/65 – 1/2 P 46.
◆ Hostellerie disposant de chambres bien équipées, parfois vivement colorées. Plats préparés à la bière... Le musée européen dédié à cette mousseuse boisson n'est pas loin !

**STIRING-WENDEL** *57 Moselle* 307 M3 *– rattaché à Forbach.*

***Dans ce guide***
*un même symbole, un même mot,*
*imprimé en* ***rouge*** *ou en* ***noir,*** *en maigre ou en* ***gras,***
*n'ont pas tout à fait la même signification.*
*Lisez attentivement les pages explicatives.*

# STRASBOURG

P 67000 B.-Rhin 315 K5 *G. Alsace Lorraine - 264 115 h. - Agglo. 427 245 h - alt. 143.*
*Paris 491 ① – Basel 141 ③ – Karlsruhe 81 ③ – Stuttgart 148 ③*



## OFFICES DE TOURISME

*17 pl. de la Cathédrale ☎ 03 88 52 28 28, Fax 03 88 52 28 29, otsr@strasbourg.com*
*Pl. de la Gare ☎ 03 88 32 51 49*
*Pont de l'Europe ☎ 03 88 61 39 23*

## RENSEIGNEMENTS PRATIQUES

### TRANSPORTS

*Auto-train ☎ 08 36 35 35 35.*

### AÉROPORT

*Strasbourg-Entzheim-International ☎ 03 88 64 67 67* AT

## DÉCOUVRIR

### QUARTIER DE LA CATHÉDRALE

*Cathédrale Notre-Dame ★★★ : horloge astronomique★ ≤★ de la flèche - Place de la cathédrale ★ : maison Kammerz ★* KZ *- Musée★★ du palais Rohan★ - Musée alsacien★★* KZ M¹ *- Musée de l'Oeuvre Notre-Dame★★* KZ M⁶ *- Musée historique★* KZ M⁵

### LA PETITE FRANCE

*Rue du Bains-aux-Plantes★★* HJZ *- Ponts couverts★* HZ *- Barrage Vauban✻★★* HZ *- Mausolée du maréchal de Saxe★★ dans l'église St-Thomas* JZ *- Musée d'Art moderne et contemporain★★* HZ M³ *- Promenades en vedette sur l'Ill*

### AUTOUR DES PLACES KLÉBER ET BROGLIE

*Place Kléber★, la plus célèbre place de Strasbourg , bordée au Nord par l'Aubette* JY *- Place Broglie : hôtel de ville★* KY H

### L'EUROPE À STRASBOURG

*Palais de l'Europe★* FGU *- Nouveau palais des Droits de l'Homme* GU *- Orangerie★* FGU

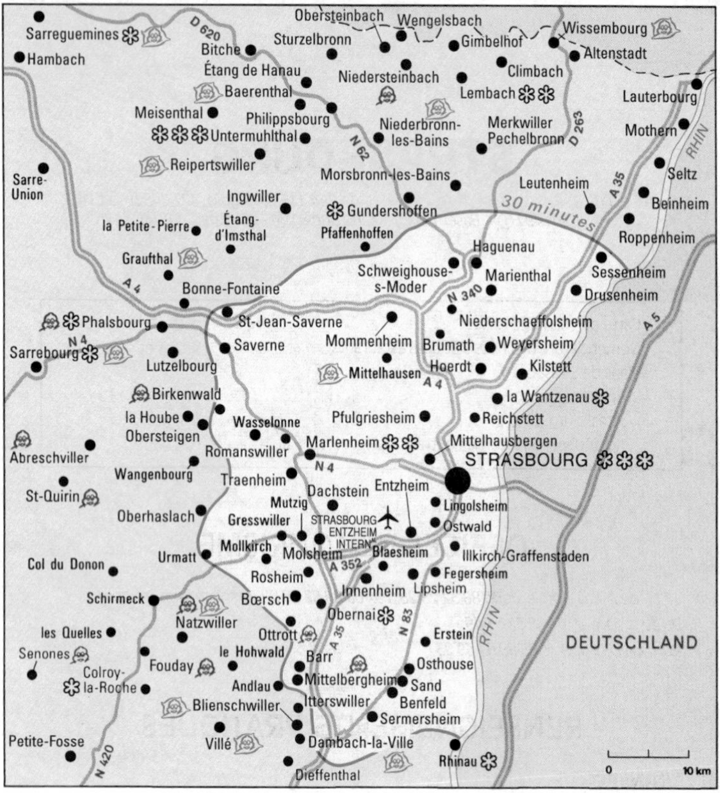
Obersteinbach
Wengelsbach
Wissembourg
Sarreguemines
D 620
Bitche
Sturzelbronn
Gimbelhof
Altenstadt
Hambach
Étang de Hanau
Niedersteinbach
Climbach
Baerenthal
Lembach
Lauterbourg
Meisenthal
Philippsbourg
Niederbronn-les-Bains
Merkwiller Pechelbronn
D 263
Mothern
Untermuhlthal
N 62
RHIN
Reipertswiller
Seltz
Sarre-Union
Morsbronn-les-Bains
Leutenheim
A 35
Ingwiller
Beinheim
Gundershoffen
30 minutes
la Petite-Pierre
Étang-d'Imsthal
Pfaffenhoffen
Roppenheim
Graufthal
Haguenau
Schweighouse-s-Moder
Marienthal
Sessenheim
A 4
Bonne-Fontaine
N 340
Drusenheim
St-Jean-Saverne
Niederschaeffolsheim
Phalsbourg
A 5
N 4
Mommenheim
Brumath
Weyersheim
Sarrebourg
Saverne
Lutzelbourg
Hoerdt
Kilstett
Mittelhausen
A 4
Birkenwald
la Wantzenau
la Hoube
Pfulgriesheim
Reichstett
Wasselonne
Obersteigen
Marlenheim
Mittelhausbergen
Abreschviller
Romanswiller
STRASBOURG
N 4
Wangenbourg
Traenheim
St-Quirin
Dachstein
Entzheim
Mutzig
Lingolsheim
Oberhaslach
Gresswiller
STRASBOURG ENTZHEIM INTERN^L
Ostwald
Mollkirch
Col du Donon
Urmatt
Molsheim
Blaesheim
Illkirch-Graffenstaden
A 352
Rosheim
Fegersheim
Schirmeck
Innenheim
Lipsheim
Bœrsch
Natzwiller
Obernai
RHIN
les Quelles
Ottrott
A 35
N 83
Erstein
DEUTSCHLAND
Senones
le Hohwald
Barr
Fouday
Osthouse
Colroy-la-Roche
Andlau
Mittelbergheim
Sand
Blienschwiller
Itterswiller
Benfeld
Sermersheim
Petite-Fosse
Villé
Dambach-la-Ville
N 420
Rhinau
Dieffenthal
0
10 km

**Sofitel** Ⓜ, pl. St-Pierre-le-Jeune ✆ 03 88 15 49 00, *h0568@accor-hotels.com, Fax 03 88 15 49 99*, – 100. AE ⓓ GB JCB p. 8 **JY** s

***L'Alsace Gourmande*** ✆ 03 88 15 49 10 **Repas** 26 ♀ – 19 – **155 ch** 230/290.

◆ Le premier Sofitel construit en France (1964) est aujourd'hui un établissement au confort moderne intégrant de nombreux services. Hall ouvert sur un patio. Chambres feutrées.

**Régent Petite France** Ⓜ, 5 r. Moulins ✆ 03 88 76 43 43, *rpf@regent-hotels.com, Fax 03 88 76 43 76*, – – 30 à 80. AE ⓓ GB JCB p. 8 **JZ** f

**Repas** *(fermé dim.)* 32/59 – 17 – **64 ch** 215/287, 4 appart, 4 duplex – ½ P 165/267,50.

◆ Métal, verre, mobilier Starck et high-tech composent le décor très contemporain de ce luxueux hôtel aménagé dans les anciennes glacières (musée intégré) des bords de l'Ill.

**Hilton,** av. Herrenschmidt ✆ 03 88 37 10 10, *Fax 03 88 36 83 27*, – – 25 à 350. AE ⓓ GB JCB. p. 6 **EU** e

***Table du Chef*** (déj. seul.) *(fermé 10 juil. à fin aout, sam. et dim.)* **Repas** 38 ♀ – ***Jardin du Tivoli*** ✆ 03 88 35 72 61 **Repas** 23/28 ♀ – 20 – **243 ch** 196/274, 6 appart.

◆ Ce building de verre et d'acier à la silhouette élancée abrite des chambres rénovées et équipées "dernière tendance". Hall avec boutiques, centre multimédia et bars.

**Holiday Inn,** 20 pl. Bordeaux ✆ 03 88 37 80 00, *Histrasbourg@alliance-hospitality.com, Fax 03 88 37 07 04*, – – 300. AE ⓓ GB JCB. rest p. 7 **FU** n

**Repas** *(fermé sam. midi et dim. midi)* (22) - 25 ♀, enf. 9 – 15 – **174 ch** 175/250 – ½ P 135/155.

◆ Proche des instances européennes et du palais des congrès, établissement parfaitement adapté à une clientèle d'affaires et de séminaires. Chambres bien équipées.

**Régent Contades** M sans rest, 8 av. Liberté ✆ 03 88 15 05 05, *rc@regent-hotels.com, Fax 03 88 15 05 15* – |‡| ⇔ ▤ TV ✆. AE ⓓ GB JCB p. 9 **LY** f
☕ 15 – **47 ch** 155/310.
◆ Hôtel particulier du 19e s. au décor raffiné : splendides boiseries dans le salon et toiles omniprésentes. La salle des petits-déjeuners offre une jolie vue sur l'Ill.

**Beaucour** M sans rest, 5 r. Bouchers ✆ 03 88 76 72 00, *beaucour@hotel-beaucour.com, Fax 03 88 76 72 60* – |‡| ▤ TV ✆ ♿ – 🏛 25. AE ⓓ GB JCB p. 9 **KZ** k
☕ 11 – **49 ch** 108/166.
◆ Réunies autour d'un patio fleuri, deux maisons alsaciennes du 18e s. élégamment aménagées. Les chambres mêlent avec goût le rustique et le contemporain.

**Maison Rouge** sans rest, 4 r. Francs-Bourgeois ✆ 03 88 32 08 60, *info@maison-rouge.com, Fax 03 88 22 43 73* – |‡| TV ✆ ♿ – 🏛 15 à 30. AE ⓓ GB p. 8 **JZ** g
☕ 12 – **142 ch** 118/131.
◆ Derrière une façade de pierres rouges, hôtel à l'ambiance raffinée où chaque chambre est personnalisée et chaque palier possède un salon superbement décoré.

**Europe** sans rest, 38 r. Fossé des Tanneurs ✆ 03 88 32 17 88, *info@hotel-europe.com, Fax 03 88 75 65 45* – |‡| ⇔ ▤ TV ✆ 🚗 – 🏛 30. AE ⓓ GB JCB p. 8 **JZ** v
*fermé 22 au 28 déc.* – ☕ 9,80 – **60 ch** 69/160.
◆ Maison à colombages abritant des chambres spacieuses, refaites à neuf. La maquette au 1/50e de la cathédrale, exposée dans le hall, est spectaculaire.

**Monopole-Métropole** sans rest, 16 r. Kuhn ✆ 03 88 14 39 14, *infos@bw-monopole.com, Fax 03 88 32 82 55* – |‡| ⇔ TV ✆ 🚗 – 🏛 15. AE ⓓ GB JCB p. 8 **HY** p
☕ 10 – **90 ch** 75/125.
◆ Proche de la gare, chambres de deux types : traditionnelles au mobilier de style ou contemporaines égayées d'oeuvres d'artistes régionaux. Salons avec "minimusée" alsacien.

**Novotel Centre Halles** M, 4 quai Kléber ✆ 03 88 21 50 50, *h0439@accor-hotels.com, Fax 03 88 21 50 51* – |‡| ⇔ ▤ TV ✆ ♿ – 🏛 15 à 80. AE ⓓ GB JCB p. 8 **JY** k
**Repas** carte environ 31 🍷 – ☕ 12 – **98 ch** 129/139.
◆ Domicilié dans le centre commercial des Halles, un Novotel entièrement relooké. Chambres identiques, avant tout pratiques. Bar décoré sur le thème du 7e art.

**Mercure Centre** M sans rest, 25 r. Thomann ✆ 03 90 22 70 70, *h1106@accor-hotels.com, Fax 03 90 22 70 71* – |‡| ⇔ ▤ TV ✆ ♿ 🚗. AE ⓓ GB JCB p. 8 **JY** q
☕ 12 – **98 ch** 128/138.
◆ Établissement de chaîne largement rénové, intéressant pour sa situation centrale et la vue panoramique qu'offre la salle des petits-déjeuners au septième étage.

**France** sans rest, 20 r. Jeu des Enfants ✆ 03 88 32 37 12, *Hotel.de.France.sa@wanadoo.fr, Fax 03 88 22 48 08* – |‡| ⇔ TV 🚗 – 🏛 30. AE ⓓ GB p. 8 **JY** v
☕ 12 – **66 ch** 97/119.
◆ L'hôtel constitue une base idéale pour parcourir à pied la superbe cité ancienne. Chambres de bonne ampleur, colorées et bien insonorisées ; certaines ont un balcon.

**Grand Hôtel** sans rest, 12 pl. Gare ✆ 03 88 52 84 84, *le.grand.hotel.@wanadoo.fr, Fax 03 88 52 84 00* – |‡| TV ✆ – 🏛 15. AE ⓓ GB JCB p. 8 **HY** m
☕ 11 – **83 ch** 63/145.
◆ La situation du Grand Hôtel est commode pour ceux qui voyagent en train. Chambres sobres desservies par un vertigineux ascenseur de verre et d'acier.

**Mercure** sans rest, 3 r. Maire Kuss ✆ 03 88 32 80 80, *h1813@accor-hotels.com, Fax 03 88 23 05 39* – |‡| ⇔ ▤ TV ✆ – 🏛 25. AE ⓓ GB JCB p. 8 **HY** e
☕ 9,50 – **52 ch** 88/99.
◆ Entre gare et quartier de la Petite France, devanture vitrée abritant des chambres conformes aux standards de la chaîne ; double vitrage efficace.

**Mercure Carlton** sans rest, 14 pl. Gare ✆ 03 88 15 78 15, *H2149@accor-hotels.com, Fax 03 88 15 78 16* – |‡| ⇔ ▤ TV ✆ ♿ – 🏛 30. AE ⓓ GB p. 8 **HY** a
☕ 11,50 – **60 ch** 120/130.
◆ Intérieur contemporain derrière une sage façade donnant sur la gare. Une verrière monumentale éclaire hall et salon-bar. Chambres bien agencées. Bar au décor "ethnique".

**Gutenberg** sans rest, 31 r. Serruriers ✆ 03 88 32 17 15, *Fax 03 88 75 76 67* – |‡| TV. GB. ⇔ p. 9 **KZ** m
*fermé 1er au 11 janv.* – ☕ 7,10 – **42 ch** 54,50/86.
◆ Dans les murs d'une construction datant de 1745, chambres plaisantes et bien équipées, mansardées au dernier étage. Salle des petits-déjeuners sous verrière.

**Diana-Dauphine** sans rest, 30 r. 1e Armée ✆ 03 88 36 26 61, *hotel.dianadauphine@wanadoo.fr, Fax 03 88 35 50 07* – |‡| ▤ TV ✆ 🚗. AE ⓓ GB JCB p. 6 **EX** a
*fermé 24 déc. au 1er janv.* – ☕ 9 – **45 ch** 78/86.
◆ Le tramway passe au pied de l'hôtel et rejoint rapidement la cité ancienne. Chambres au beau mobilier Louis XV et Louis XVI ; salles de bains rénovées.

### BISCHEIM

Marais (R. du) . . . . CS 121
Périgueux (Av. de) . . . . BS 159
Robertsau (R. de la) . . . . BS 179
Triage (R. du) . . . . BS 219

### ECKBOLSHEIM

Gaulle (Av. du Gén.-de) . . . . BS 67
Wasselonne (Route de) . . . . BS 237

### HOENHEIM

Fontaine (R. de la) . . . . BR 55
République (R. de la) . . . . BR 174

### ILLKIRCH-GRAFFENSTADEN

Bürkell (Route) . . . . BT 24
Ceinture (R. de la) . . . . BT 27
Faisanderie (R. de la) . . . . BT 48
Industrie (R. de l') . . . . BT 97
Kastler (R. Alfred) . . . . BT 99
Lixenbühl (R.) . . . . BT 115
Messmer (Av.) . . . . BT 138
Neuhof (Route de) . . . . BT 144
Strasbourg (Rte de) . . . . BT 207
Vignes (R. des) . . . . BT 233

### LINGOLSHEIM

Eckbolsheim (R. d') . . . . BS 44
Ostwald (R. d') . . . . BT 152
Prés (R. des) . . . . BS 168

### OBERHAUSBERGEN

Mittelhausbergen (Rte de) . . . . BS 139
Oberhausbergen (Rte de) . . . . BS 149

### OSTWALD

Foch (R. du Maréchal) . . . . BT 50
Gelspolsheim (R. de) . . . . BT 73
Leclerc (R. du Gén.) . . . . BT 112
Vosges (R. des) . . . . BT 232
23-Novembre (R. du) . . . . BT 246

### SCHILTIGHEIM

Bischwiller (Route de) . . . . BS 18
Gaulle (Rte du Gén.-de) . . . . BS 70
Hausbergen (Route de) . . . . BS 81
Mendès-France (Av. P.) . . . . BS 132
Pompiers (R. des) . . . . BS 164
St-Junien (R. de) . . . . BS 184

### STRASBOURG

Atenheim (Route d') . . . . CT 8
Austerlitz (Pont d') . . . . BS 9
Bauerngrund (R. de) . . . . CT 15
Ganzau (R. de la) . . . . BT 66
Holtzheim (R. de) . . . . AS 88
Ill (R. de l') . . . . CS 96
Neuhof (Route de) . . . . CT 144
Plaine des Bouchers (R. de la) . . . . BS 163
Polygone (Route du) . . . . BS 165
Pont (R. du) . . . . BT 166
Ribeauvillé (R. de) . . . . CS 177
Romains (Route des) . . . . BS 180
Schirmeck (Route de) . . . . BS 198

### WOLFISHEIM

Oberhausbergen (R. d') . . . . AS 148
Seigneurs (R. des) . . . . AS 204

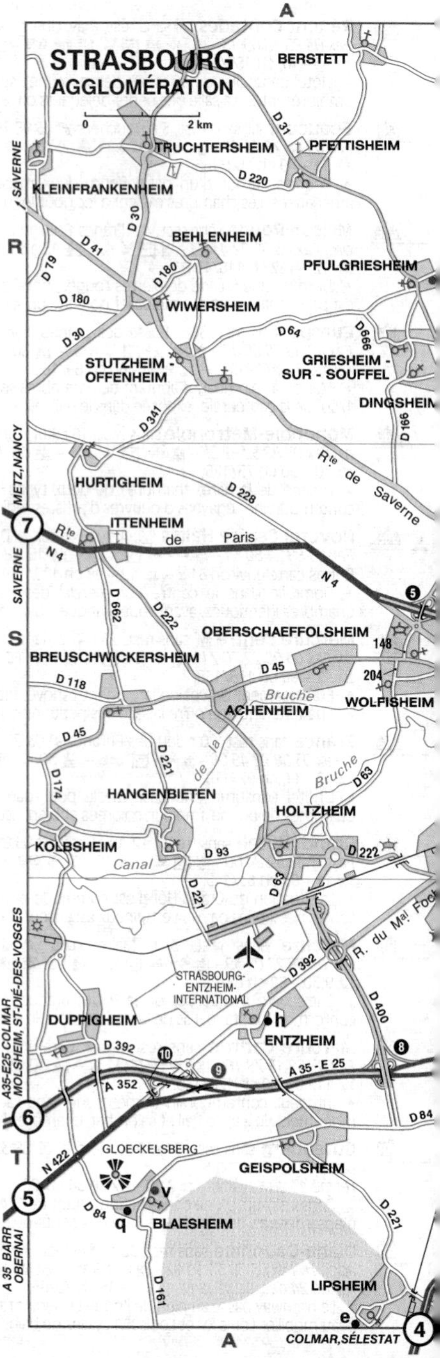
STRASBOURG
AGGLOMÉRATION
0 2 km
A
R
S
T
BERSTETT
TRUCHTERSHEIM
PFETTISHEIM
KLEINFRANKENHEIM
BEHLENHEIM
PFULGRIESHEIM
WIWERSHEIM
STUTZHEIM-OFFENHEIM
GRIESHEIM-SUR-SOUFFEL
DINGSHEIM
HURTIGHEIM
ITTENHEIM
Rte de Paris
Rte de Saverne
OBERSCHAEFFOLSHEIM
BREUSCHWICKERSHEIM
WOLFISHEIM
ACHENHEIM
Bruche
HANGENBIETEN
HOLTZHEIM
KOLBSHEIM
Canal
STRASBOURG-ENTZHEIM-INTERNATIONAL
DUPPIGHEIM
ENTZHEIM
GLOECKELSBERG
GEISPOLSHEIM
BLAESHEIM
LIPSHEIM
R. du Mal Foch
SAVERNE
METZ, NANCY
A35-E25 COLMAR
MOLSHEIM, ST-DIÉ-DES-VOSGES
A 35 BARR
OBERNAI
COLMAR, SÉLESTAT
D 31
D 220
D 30
D 41
D 79
D 180
D 64
D 666
D 166
D 341
D 228
N 4
D 662
D 222
D 45
D 118
D 221
D 174
D 63
D 93
D 392
D 400
A 352
A 35 - E 25
N 422
D 84
D 161
148
204
7
6
5
4
8
9
10
h
v
q
e

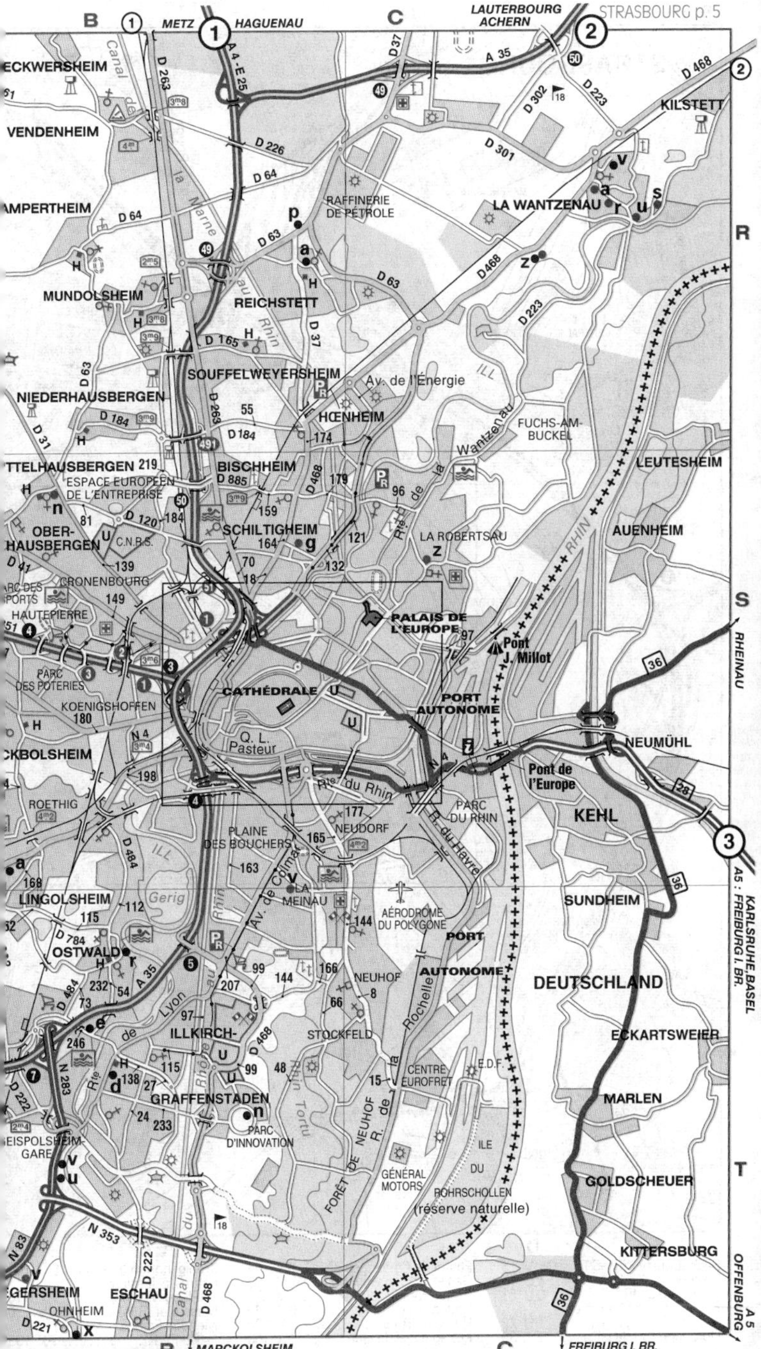

METZ
HAGUENAU
LAUTERBOURG
ACHERN
A 4 - E 25
A 35
D 468
D 263
D 226
D 64
D 63
D 37
D 302
D 223
D 301
D 165
D 184
D 885
D 120
D 31
D 41
D 784
D 484
D 222
D 221
N 4
N 83
N 353
N 283
ECKWERSHEIM
VENDENHEIM
AMPERTHEIM
MUNDOLSHEIM
REICHSTETT
RAFFINERIE DE PÉTROLE
LA WANTZENAU
KILSTETT
SOUFFELWEYERSHEIM
NIEDERHAUSBERGEN
HŒNHEIM
Av. de l'Énergie
FUCHS-AM-BUCKEL
BISCHHEIM
ESPACE EUROPÉEN DE L'ENTREPRISE
SCHILTIGHEIM
OBER-HAUSBERGEN
C.N.R.S.
CRONENBOURG
HAUTEPIERRE
PARC DES SPORTS
LA ROBERTSAU
LEUTESHEIM
AUENHEIM
PALAIS DE L'EUROPE
Pont J. Millot
CATHÉDRALE
PORT AUTONOME
PARC DES POTERIES
KOENIGSHOFFEN
Q. L. Pasteur
Rte du Rhin
Pont de l'Europe
NEUMÜHL
RHEINAU
ECKBOLSHEIM
ROETHIG
PARC DU RHIN
R. du Havre
KEHL
PLAINE DES BOUCHERS
NEUDORF
LA MEINAU
LINGOLSHEIM
Gerig
ILL
RHIN
Av. de Colmar
AÉRODROME DU POLYGONE
SUNDHEIM
OSTWALD
NEUHOF
DEUTSCHLAND
Rte de Lyon
ILLKIRCH-GRAFFENSTADEN
STOCKFELD
ECKARTSWEIER
Rhin Tortu
CENTRE EUROFRET
E.D.F.
R. de la Rochelle
MARLEN
PARC D'INNOVATION
FORÊT DE NEUHOF
GEISPOLSHEIM-GARE
ILE DU ROHRSCHOLLEN (réserve naturelle)
GÉNÉRAL MOTORS
GOLDSCHEUER
KITTERSBURG
ESCHAU
OHNHEIM
Canal du Rhône au Rhin
MARCKOLSHEIM
FREIBURG I. BR.
KARLSRUHE, BASEL
A5 : FREIBURG I. BR.
A 5 OFFENBURG
B
C
R
S
T

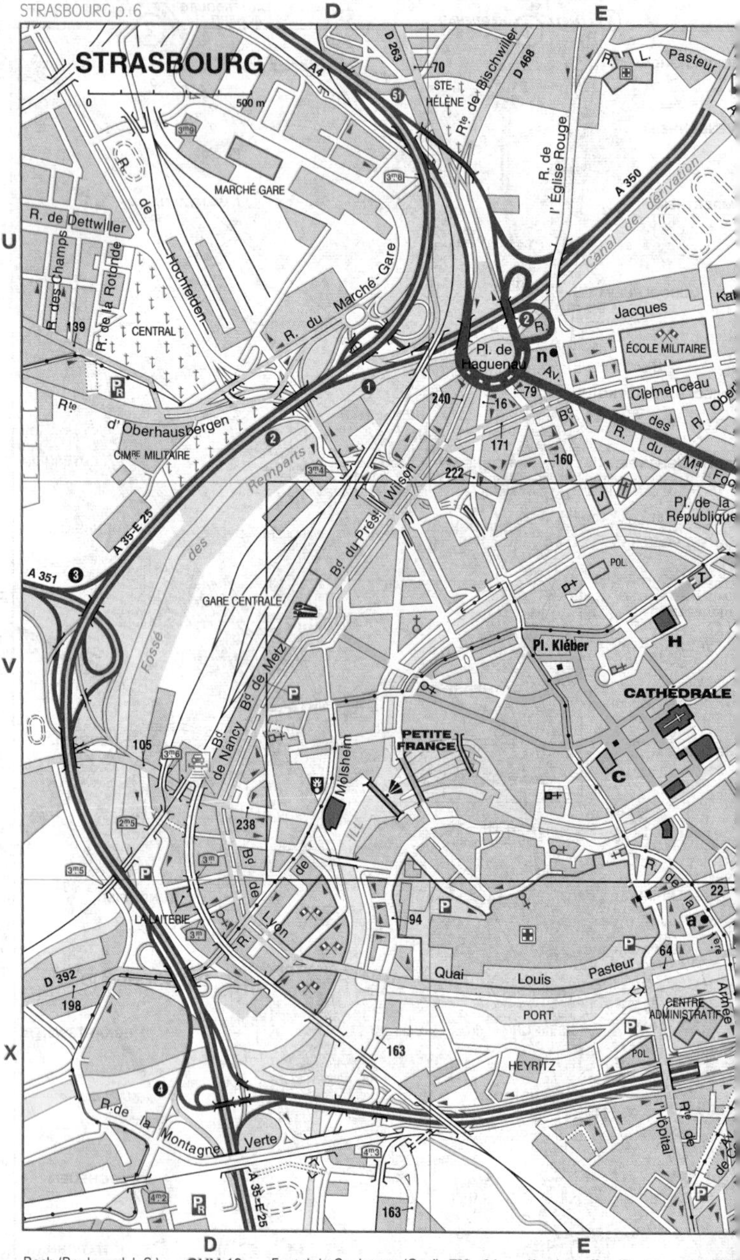
D
E
STRASBOURG
0
500 m
U
V
X
MARCHÉ GARE
R. de Dettwiller
R. des Champs
R. de la Rotonde
R. de Hochfelden
CENTRAL
R. du Marché-Gare
Rte d' Oberhausbergen
CIMRE MILITAIRE
A 35-E 25
A 351
A 4
A 350
D 263
D 468
D 392
STE-HÉLÈNE
Rte de Bischwiller
R. de l' Église Rouge
Canal de dérivation
R. L. Pasteur
Jacques
Kal
ÉCOLE MILITAIRE
Pl. de Haguenau
Av.
Clemenceau
Bd des
R. du Mal Foch
R. Oberlin
Pl. de la République
Fossé des Remparts
Bd du Prést Wilson
GARE CENTRALE
Bd de Nancy
Bd de Metz
Bd de Lyon
POL.
Pl. Kléber
CATHÉDRALE
H
C
J
n
a
PETITE FRANCE
Molsheim
ILL
de
LA LAITERIE
R.
Quai Louis Pasteur
PORT
CENTRE ADMINISTRATIF
HEYRITZ
Rte de l'Hôpital
R. de la 1ère Armée
R. de la Montagne Verte
139
105
238
198
94
163
240
16
79
171
160
222
70
64
22
3m8
3m9
3m4
3m6
2m5
3m5
3m
4m3
4m2

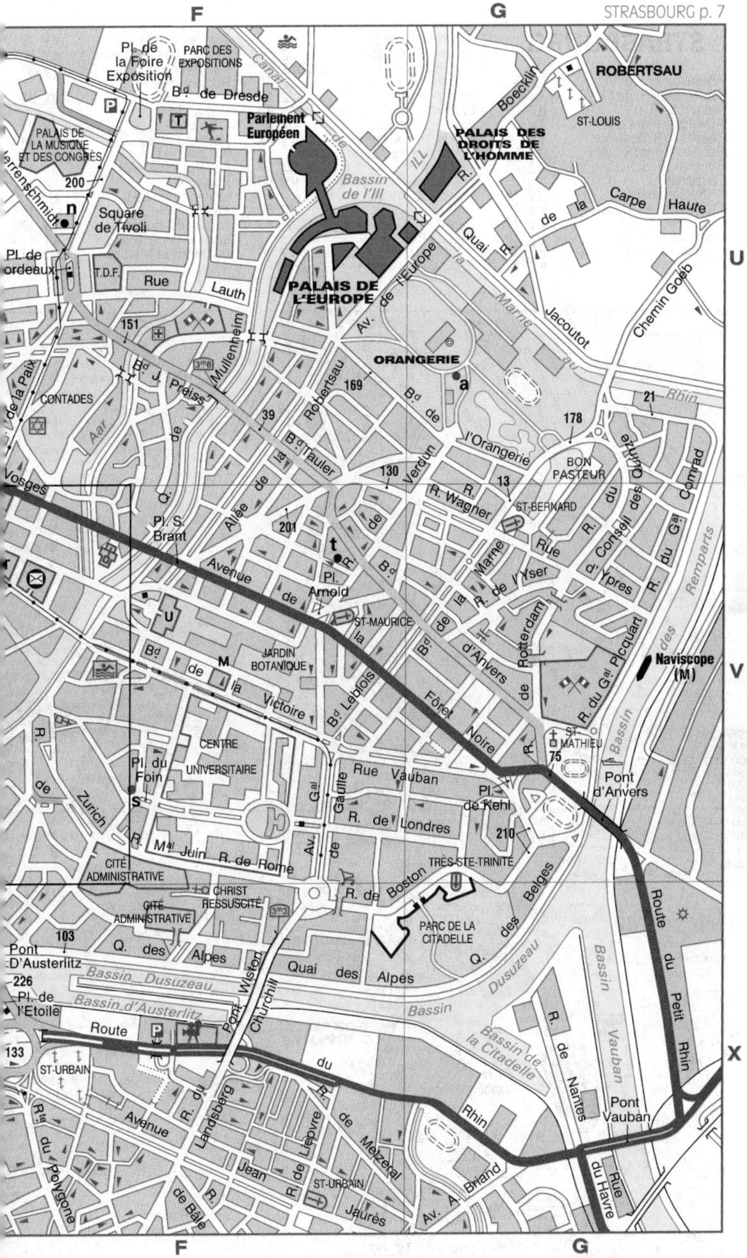
F
G
U
V
X
Pl. de la Foire Exposition
PARC DES EXPOSITIONS
Canal de
Bd de Dresde
Parlement Européen
PALAIS DE LA MUSIQUE ET DES CONGRÈS
200
Square de Tivoli
n
Pl. de Bordeaux
T.D.F.
Rue Lauth
PALAIS DE L'EUROPE
Bassin de l'Ill
ILL
PALAIS DES DROITS DE L'HOMME
ROBERTSAU
ST-LOUIS
Boecklin
R.
Quai R. de la Carpe Haute
Av. de l'Europe
la Marne au Rhin
Jacoutot
Chemin Goeb
ORANGERIE
a
151
Mullenheim
Bd J. Preiss
CONTADES
de la Paix
Aar
Robertsau
169
Bd de l'Orangerie
21
Rhin
178
39
Bd Tauler
130
Verdun
BON PASTEUR
R. du Conseil des Quinze
R. du Gal Conrad
Q.
Allée de la Robertsau
R. Wagner
13
ST-BERNARD
Vosges
Pl. S. Brant
201
t
Pl. Arnold
Rue de la Marne
R. de l'Yser
d'Ypres
Remparts
Avenue de la Forêt Noire
U
ST-MAURICE
Bd d'Anvers
Rotterdam
R. du Gal Picquart
Naviscope (M)
Bd de la Victoire
M
JARDIN BOTANIQUE
Bd Leblois
Bassin des
R. de Zurich
CENTRE UNIVERSITAIRE
Pl. du Foin
S
ST MATHIEU
75
Pont d'Anvers
Rue Vauban
Av. Gal de Gaulle
R. de Londres
Pl. de Kehl
210
R. Mal Juin
R. de Rome
CITÉ ADMINISTRATIVE
TRÈS-STE-TRINITÉ
CHRIST RESSUSCITÉ
R. de Boston
Q. des Belges
Route du Petit Rhin
103
Q. des Alpes
PARC DE LA CITADELLE
Pont D'Austerlitz
Bassin Dusuzeau
226
Pl. de l'Etoile
Bassin d'Austerlitz
Pont Winston Churchill
Quai des Alpes
Dusuzeau
Bassin
Bassin Vauban
Route du Rhin
133
ST-URBAIN
Bassin de la Citadelle
R. de Nantes
R. du Landsberg
Rue de Lièpvre
R. de Metzeral
Pont Vauban
Avenue Jean Jaurès
Rte du Polygone
Av. A. Briand
Rue du Havre
R. de Bâle

Mittelhausbergen (Route de) . . . . . . . . . . . **DU** 139
Ohmacht (Rue) . . . . . . . . . . . **FU** 151
Pierre (R. du Fg de) . . . . . . **EU** 160
Plaine des Bouchers (R. de la) . . . . . . . . . . . . . **DX** 163
Président-Edwards (Bd du) . . . . . . . . . . . . . . . **FU** 169
Président-Poincaré (Bd) . . **EU** 171
Richter (R. Fr.-Xavier) . . . . **GU** 178
Schirmeck (Rte de) . . . . . . **DX** 198
Schutzenberger (Av.) . . . . . **FU** 200
Schweighaeuser (R.) . . . . . **FV** 201
Tarade (Rue) . . . . . . . . . . . **GV** 210
Travail (Rue du) . . . . . . . . **EUV** 222
Vienne (Route de) . . . . . . . . **FX** 226
Wasselonne (R. de) . . . . . . **DV** 238
Wissembourg (R. de) . . . . **EU** 240

# STRASBOURG

Abreuvoir (R. de l') . . . . . . . . LZ 3
Arc-en-Ciel (R. de l') . . . . . . KLY 7
Austerlitz (R. d') . . . . . . . . . . . KZ 10
Auvergne (Pont d') . . . . . . . . LY 12
Bateliers (R. des) . . . . . . . . . LZ 14
Bonnes-Gens (R. des) . . . . . JY 19
Bouclier (R. du) . . . . . . . . . . JZ 20
Castelnau
(R. Gén.-de) . . . . . . . . . . . KY 25
Cathédrale (Pl. de la) . . . . . . KZ 26
Chaudron (R. du) . . . . . . . . . . KY 28
Cheveux (R. des) . . . . . . . . . . JZ 29
Corbeau (Pl. du) . . . . . . . . . . KZ 31
Cordiers (R. des) . . . . . . . . . . KZ 32
Courtine (R. de la) . . . . . . . . . LY 34
Dentelles (R. des) . . . . . . . . . JZ 36
Division-Leclerc (R.) . . . . . JKZ
Écarlate (R. de l') . . . . . . . . . JZ 43
Escarpée (R.) . . . . . . . . . . . . . JZ 45
Étudiants (R. et Pl. des) . . . . KY 46
Faisan (Pont du) . . . . . . . . . . JZ 47
Fonderie (Pont de la) . . . . . . KY 52
Fossé-des-Tanneurs
(Rue du) . . . . . . . . . . . . . . JZ 57
Fossé-des-Treize (R. du) . . . KY 58
Francs-Bourgeois
(R. des) . . . . . . . . . . . . . . JZ 60
Frey (Quai Charles) . . . . . . . . JZ 63
Grande-Boucherie
(Pl. de la) . . . . . . . . . . . . . KZ 76
Gdes-Arcades (R. des) . . . . JKY
Gutenberg (R.) . . . . . . . . . . JKZ 78
Hallebardes (R. des) . . . . . . KZ 80
Haute-Montée (R.) . . . . . . . . JY 82
Homme-de-Fer
(Pl.de l') . . . . . . . . . . . . . . JY 90
Hôpital-Militaire
(R. de l') . . . . . . . . . . . . . . LZ 91
Humann (Rue) . . . . . . . . . . . . HZ 94
Ill (Quai de l') . . . . . . . . . . . . HZ 95
Kellermann (Quai) . . . . . . . . JY 100
Kléber (Place) . . . . . . . . . . . JY
Krutenau (R. de la) . . . . . . . LZ 106
Kuss (Pont) . . . . . . . . . . . . . HY 108
Lamey (R. Auguste) . . . . . . . LY 109
Lezay-Marnésia (Quai) . . . . LY 114
Luther (Rue Martin) . . . . . . . JZ 117
Maire Kuss (R. du) . . . . . . . HY 120

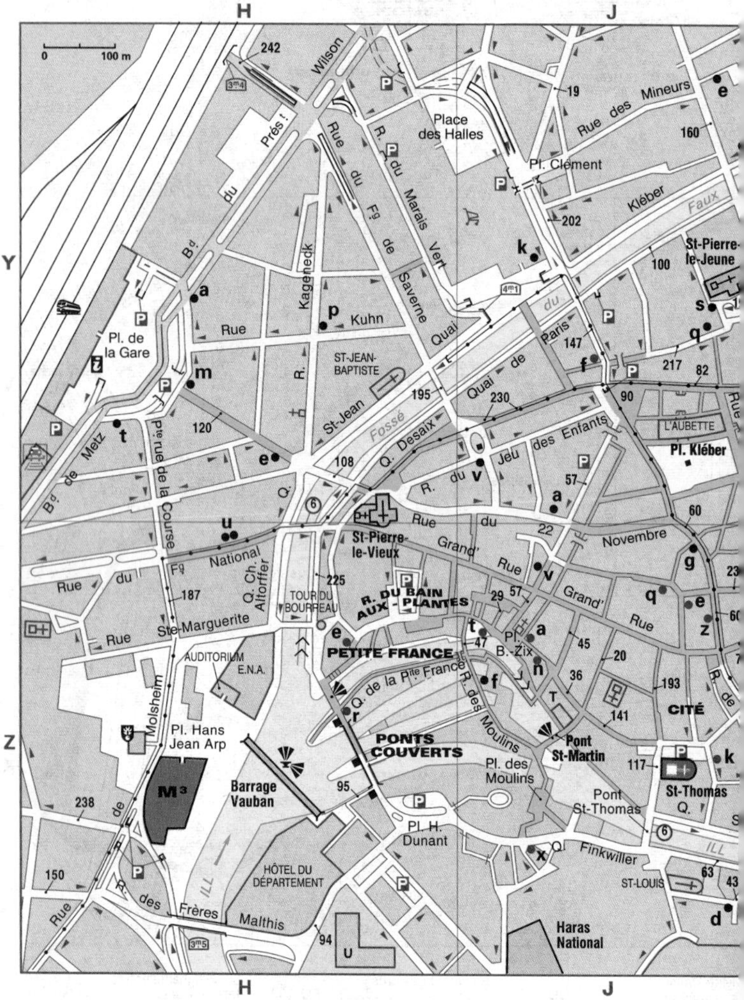
H
J
Y
Z
0
100 m
Wilson
Bd du Président Wilson
Place des Halles
Pl. Clément
Rue des Mineurs
Kléber
Faux
St-Pierre-le-Jeune
Rue du Fg de Saverne
R. du Marais Vert
Kagenedk
Rue Kuhn
Pl. de la Gare
ST-JEAN-BAPTISTE
Quai St-Jean
Fossé
Q. Desaix
Quai de Paris
Jeu des Enfants
L'AUBETTE
Pl. Kléber
Bd de Metz
Pte rue de la Course
Rue du Fg National
Q. Ch. Altorffer
St-Pierre-le-Vieux
Rue du 22 Novembre
Grand' Rue
TOUR DU BOURREAU
R. DU BAIN AUX - PLANTES
Rue Ste-Marguerite
AUDITORIUM
E.N.A.
PETITE FRANCE
Pl. B.-Zix
Q. de la Pte France
R. des Moulins
PONTS COUVERTS
Pont St-Martin
CITÉ
St-Thomas
Pl. Hans Jean Arp
Molsheim
M³
Barrage Vauban
Pl. des Moulins
Pont St-Thomas
Pl. H. Dunant
Q. Finkwiller
ILL
ST-LOUIS
HÔTEL DU DÉPARTEMENT
R. des Frères
Malthis
Haras National
U

*Un automobiliste averti utilise le* ***Guide Rouge Michelin*** *de l'année.*

Marché-aux-Cochons-de-Lait (Pl. du) . . . . . . . . . **KZ** 124
Marché-aux-Poissons (Pl. du) . . . . . . . . . . . . . **KZ** 125
Marché-Gayot (Pl. du) . . . **KYZ** 126
Marché-Neuf (Pl. du) . . . . **KYZ** 127
Maroquin (R. du) . . . . . . . . **KZ** 129
Mercière (R.) . . . . . . . . . . . **KZ** 135
Mésange (R. de la) . . . . . . **JKY** 136
Monnaie (R. de la) . . . . . . . . **JZ** 141
Munch (Rue Ernest) . . . . . . **LZ** 142
Noyer (R. du) . . . . . . . . . . . **JY** 147
Nuée-Bleue (R. de la) . . . . . . . . . . . . . . **KY**
Obernai (R. d') . . . . . . . . . . . **HZ** 150
Outre (R. de l') . . . . . . . . . . **KY** 153
Paix (Av. de la) . . . . . . . . . . **KLY** 154
Parchemin (R. du) . . . . . . . . **KY** 156
Pierre (R. du Fg-de) . . . . . . . **JY** 160
Pontonniers (R. des) . . . . . . **LY** 167
Récollets (R. des) . . . . . . . **KLY** 172
St-Étienne (Quai) . . . . . . . . . **LY** 183
St-Michel (R.) . . . . . . . . . . . **HZ** 187
St-Nicolas (Pont) . . . . . . . . . **KZ** 189
St-Pierre-le-Jeune (Pl.) . . . . . . . . . . . . . . . **JKY** 190
Ste-Madeleine (Pont et R.) . . . . . . . . . . . **KLZ** 192
Salzmann (R.) . . . . . . . . . . . . **JZ** 193
Sanglier (R. du) . . . . . . . . . . **KY** 194
Saverne (Pont de) . . . . . . . . **HY** 195
Schoelcher (Av. Victor) . . . . **LY** 199
Sébastopol (R. de) . . . . . . . **JY** 202
Serruriers (R. des) . . . . . . **JKZ** 205
Temple-Neuf (Pl. du) . . . . . . **KY** 213
Temple-Neuf (R. du) . . . . . . . . . . . . . . . . **KY** 214
Théâtre (Pont du) . . . . . . . . **KY** 216
Thomann (R.) . . . . . . . . . . . . **JY** 217
Tonneliers (R. des) . . . . . . . **KZ** 220
Turckheim (Quai) . . . . . . . . **HZ** 225
Vieil-Hôpital (R. du) . . . . . . . . . . . . . . . . **KZ** 228
Vieux-Marché-aux-Poissons (R. du) . . . . . . . . **KZ** 229
Vieux-Marché-aux-Vins (R. et Pl. du) . . . . . . . . . . **JY** 230
Vieux-Seigle (R. du) . . . . . . . **JZ** 231
Wasselonne (R.) . . . . . . . . . . **HZ** 238
Wodli (R. Georges) . . . . . . . **HY** 242
22-Novembre (R. du) . . . . **HJY**

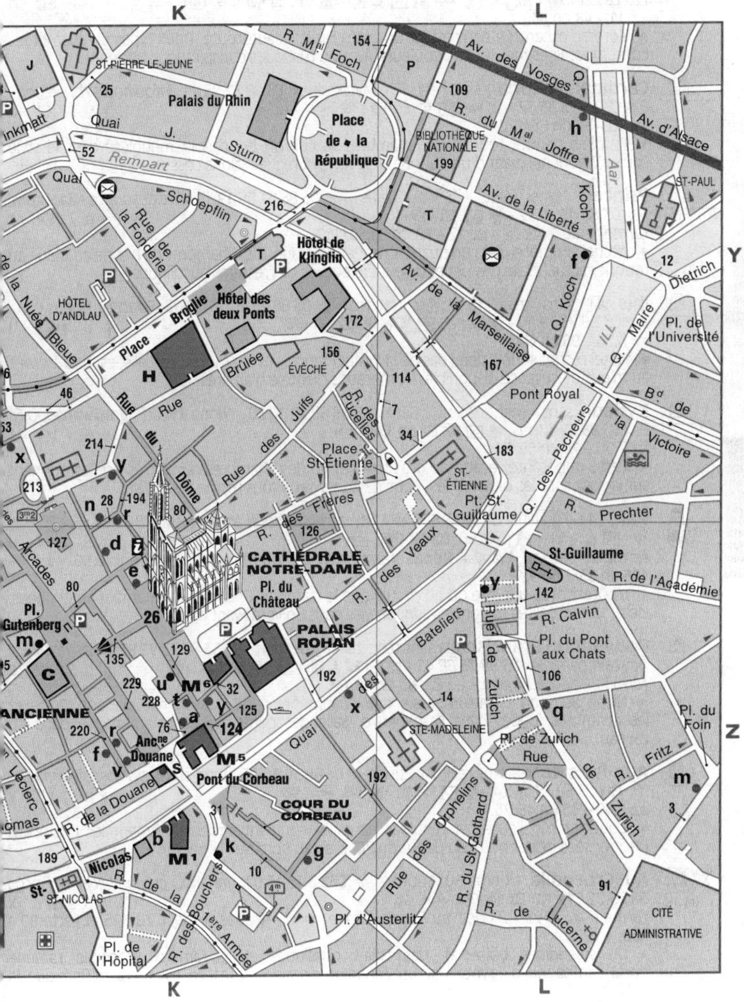
K
L
Y
Z
R. Mal Foch
Av. des Vosges
Av. d'Alsace
ST-PIERRE-LE-JEUNE
Palais du Rhin
Place de la République
BIBLIOTHÈQUE NATIONALE
R. du Mal Joffre
Quai J. Sturm
Rempart
Quai Schoepflin
Rue de la Fonderie
Av. de la Liberté
Q. Koch
Aar
ST-PAUL
Hôtel de Klinglin
Av. de la Marseillaise
R. de la Nuée Bleue
HÔTEL D'ANDLAU
Place Broglie
Hôtel des deux Ponts
ÉVÊCHÉ
Rue Brûlée
Rue du Dôme
Rue des Juifs
R. des Pucelles
Pl. de l'Université
Q. Maire Dietrich
ILL
Pont Royal
Bd de la Victoire
Q. des Pêcheurs
Place St-Étienne
ST-ÉTIENNE
Pt. St-Guillaume
R. Prechter
R. des Frères
R. des Veaux
CATHÉDRALE NOTRE-DAME
Pl. du Château
St-Guillaume
R. de l'Académie
R. Calvin
Pl. du Pont aux Chats
Rue de Zurich
PALAIS ROHAN
Pl. Gutenberg
Arcades
R. des Bateliers
ANCIENNE
Anc ne Douane
Pont du Corbeau
Quai des Bateliers
STE-MADELEINE
Pl. de Zurich
Rue de Zurich
R. Fritz
Pl. du Foin
R. de la Douane
COUR DU CORBEAU
R. du St-Gothard
Rue des Orphelins
Nicolas
St-
ST-NICOLAS
R. de la 1ère Armée
R. des Bouchers
Pl. d'Austerlitz
R. de Lucerne
CITÉ ADMINISTRATIVE
Pl. de l'Hôpital
Leclerc
omas

*Pour visiter une ville ou une région : utilisez les* ***Guides Verts Michelin.***

**Hannong** sans rest, 15 r. 22-Novembre ✆ 03 88 32 16 22, *info@hotel-hannong.com, Fax 03 88 22 63 87* – 20 à 40. AE GB JCB p. 8 **JY** a
*fermé 2 au 11 janv.* – 11 – **72 ch** 105/128.
◆ La fresque de l'élégant salon Horn évoque l'histoire de cet hôtel édifié en 1920 sur le site de la faïencerie Hannong (18e s.). Parquets et tons chaleureux dans les chambres.

**Dragon** M sans rest, 2 r. Écarlate ✆ 03 88 35 79 80, *hotel@dragon.fr, Fax 03 88 25 78 95* – . AE GB. p. 8 **JZ** d
9,90 – **30 ch** 69/112.
◆ Tournée sur une courette tranquille, demeure du 17e s. à l'esprit résolument contemporain. Camaïeu de gris et meubles design déclinent ce style dans des chambres nettes.

**Villa d'Est** M sans rest, 12 r. J. Kablé ✆ 03 88 15 06 06, *res.villa@cieldenuit.com, Fax 03 88 15 06 16,* – – 20. AE GB JCB p. 6 **EU** n
11 – **48 ch** 93.
◆ Adresse excentrée permettant un accès facile à l'autoroute. Deux types de chambres : contemporaines habillées de couleurs vives ou rustiques d'inspiration alsacienne.

**Cardinal de Rohan** sans rest, 17 r. Maroquin ✆ 03 88 32 85 11, *info@hotel-rohan.com, Fax 03 88 75 65 37* – . AE GB JCB p. 9 **KZ** u
10 – **36 ch** 63/122.
◆ En plein secteur touristique, chambres au confort bourgeois, meublées dans le style Louis XV et bénéficiant d'une bonne isolation phonique. Salons cossus.

**Princes** sans rest, 33 r. Geiler ✆ 03 88 61 55 19, *hoteldesprinces@aol.com, Fax 03 88 41 10 92* – . AE GB p. 7 **FV** t
*fermé 1er au 21 août* – 12 – **43 ch** 82,50/110.
◆ Accueillant hôtel dans un quartier résidentiel tranquille. Chambres de bonne ampleur, au mobilier actuel. Salle des petits-déjeuners égayée de fresques bucoliques.

**Ibis** M sans rest, 18 r. Fg National ✆ 03 88 75 10 10, *h0943@accor-hotels.com, Fax 03 88 75 79 60* – P. AE GB p. 8 **HYZ** u
5,50 – **98 ch** 62.
◆ Hôtel récent situé à deux pas de la Petite France. Les chambres, actualisées, tirent profit au mieux de l'espace disponible. Nombreuse clientèle d'affaires.

**Kyriad** sans rest, 2 pl. Gare ✆ 03 88 22 30 30, *hotel-kyriad-gare@wanadoo.fr, Fax 03 88 32 17 11* – . AE GB JCB p. 8 **HY** t
7,50 – **70 ch** 58/74.
◆ Cette imposante façade de grès rose abrite des chambres rafraîchies ; celles donnant sur la cour sont les plus calmes. Petit-déjeuner servi sous forme de buffet.

**Pax,** 24 r. Fg National ✆ 03 88 32 14 54, *info@paxhotel.com, Fax 03 88 32 01 16,* – – 15 à 60. AE GB JCB p. 8 **HYZ** u
*fermé 23 déc. au 4 janv.* – **Repas** *(fermé dim. de nov. à fév.)* 14/25 ♀, enf. 6,50 – 7 – **106 ch** 55/67 – ½ P 54.
◆ L'hôtel borde une rue où ne circule que le tramway. Chambres sobrement aménagées. L'été, les spécialités régionales sont servies dans un verdoyant patio.

**Couvent du Franciscain** sans rest, 18 r. Fg de Pierre ✆ 03 88 32 93 93, *info@hotel-franciscain.com, Fax 03 88 75 68 46* – P – 15. AE GB JCB p. 8 **JY** e
*fermé 24 déc. au 4 janv.* – 8 – **43 ch** 58/62.
◆ Niché au fond d'une impasse, deux bâtiments reliés par un hall plaisant. Préférez les chambres logées dans l'aile neuve. Salle des petits-déjeuners aménagée dans un caveau.

**Aux Trois Roses** sans rest, 7 r. Zürich ✆ 03 88 36 56 95, *hotel-aux-trois-roses@wanadoo.fr, Fax 03 88 35 06 14* – . AE GB JCB. p. 9 **LZ** y
6,50 – **33 ch** 45/75.
◆ Couettes moelleuses et meubles en sapin équipent chaleureusement les chambres insonorisées de cet hôtel du début du 20e s. sis au bord de l'Ill. Sauna.

XXXX ✿✿ **Au Crocodile** (Jung), 10 r. Outre ✆ 03 88 32 13 02, *info@au-crocodile.com, Fax 03 88 75 72 01* – . AE GB JCB. p. 9 **KY** x
*fermé 6 au 28 juil., 24 déc. au 5 janv., dim. et lundi* – **Repas** 55 (déj.), 78/125 et carte 90 à 130, enf. 20.
◆ De splendides boiseries, des toiles classiques et le fameux crocodile ramené de la campagne d'Égypte par un capitaine alsacien : le cadre est aussi raffiné que la cuisine !
**Spéc.** Foie de canard en croûte de sel aux herbes, lentilles vertes et chou frisé. Turbot rôti et polenta crémeuse à la truffe. Symphonie aux trois chocolats et amandes craquantes.
**Vins** Riesling, Tokay-Pinot gris.

XXXX ✿✿✿ **Buerehiesel** (Westermann), dans le parc de l'Orangerie ✆ 03 88 45 56 65, *westermann@buerehiesel.fr, Fax 03 88 61 32 00*, ← – ▤ P. AE ◑ GB p. 7 **GU** a
*fermé 29 juil. au 20 août, 31 déc. au 21 janv., mardi et merc.* – **Repas** 52 (déj.), 100/135 et carte 110 à 140.
◆ L'authentique ferme à colombages reconstituée en 1904 et sa verrière moderne se nichent sous les frondaisons du parc de l'Orangerie. Un paradis de la gastronomie alsacienne !
**Spéc.** Gelée et crème d'écrevisses pattes rouges aux légumes croquants. Schniederspaetle et cuisses de grenouilles poêlées au cerfeuil. Poularde de Bresse cuite entière comme un baeckeoffa. **Vins** Pinot gris, Riesling.

XXX ✿ **Vieille Enseigne** (Langs), 9 r. Tonneliers ✆ 03 88 32 58 50, *info@la-vieille-enseigne.com, Fax 03 88 75 63 80* – ▤. AE ◑ GB JCB p. 9 **KZ** f
*fermé sam. midi et dim.* – **Repas** 32 (déj.), 59,50/76,30 et carte 58 à 83.
◆ Cuisine au goût du jour soignée, riche cave à vins, cadre élégant et feutré caractérisent ce restaurant aménagé dans les murs d'une belle maison alsacienne du 17e s.
**Spéc.** Langoustines rôties en gaufrettes de pomme de terre.Sandre braisé au gewurztraminer, écrevisses en risotto d'orge. Pigeonneau braisé aux épices. **Vins** Sylvaner, Pinot blanc.

XXX **Zimmer,** 8 r. Temple Neuf ✆ 03 88 32 35 01, *sengel.zimmer@wanadoo.fr, Fax 03 88 32 42 28*, 🏠 – ▤. AE ◑ GB p. 9 **KY** y
*fermé 27 juil. au 15 août, 21 déc. au 5 janv., dim. et lundi* – **Repas** 29/57 et carte 35 à 63 ♀.
◆ Jouxtant le quartier des boutiques chic, confortable salle à manger où boiseries, tableaux modernes et plantes vertes composent un plaisant décor. Terrasse à l'étage.

XXX **Estaminet Schloegel,** 19 r. Krütenau ✆ 03 88 36 21 98, *Fax 03 88 36 21 98* – ▤. GB p. 9 **LZ** q
*fermé août, lundi midi, sam. midi et dim.* – **Repas** 25 (déj.), 37/46 et carte 40 à 55 ♀.
◆ À l'écart du centre historique, ex-estaminet joliment coloré, se distinguant par sa décoration contemporaine de bon goût. Un escalier à vis en bois dessert les deux salons.

XXX **Maison des Tanneurs dite "Gerwerstub",** 42 r. Bain aux Plantes ✆ 03 88 32 79 70, *maison.des.tanneurs@wanadoo.fr, Fax 03 88 22 17 26* – AE ◑ GB p. 8 **JZ** t
*fermé 29 déc. au 21 janv., dim. et lundi* – **Repas** carte 34 à 64 ♀, enf. 11.
◆ Idéalement située au bord de l'Ill, cette typique maison alsacienne de la Petite France est l'adresse incontournable pour qui veut se régaler d'une choucroute.

XXX **Maison Kammerzell et Hôtel Baumann** M avec ch, 16 pl. Cathédrale ✆ 03 88 32 42 14, *info@maisonkammerzell.com, Fax 03 88 23 03 92* – 🛗 ▤ TV 📞 – 🏛 80 à 100. AE ◑ GB JCB p. 9 **KZ** e
*hôtel : fermé fév.* – **Repas** 29/45 et carte 36 à 60 ♀, enf. 9 – ☕ 10 – **9 ch** 69/110.
◆ Peintures murales, vitraux, sculptures sur bois et voûtes gothiques donnent à cette institution strasbourgeoise datant du 16e s. des allures de musée. Plats alsaciens.

XX **Violon d'Ingres,** 1 r. Chevalier Robert ✆ 03 88 31 39 50, *Fax 03 88 31 46 74*, 🏠 – GB p. 5 **CS** z
*fermé 22 avril au 2 mai, 16 août au 5 sept., sam. midi, dim. et lundi* – **Repas** 26/58 ♀.
◆ Suivez bien le fléchage pour trouver ce restaurant situé dans le quartier résidentiel de la Robertsau. La table est appréciée par la clientèle d'affaires. Terrasse ombragée.

XX **Penjab,** 12 r. Tonneliers ✆ 03 88 32 36 37, *lepenjab@wanadoo.fr, Fax 03 88 32 18 55*, 🏠 – ▤. GB p. 9 **KZ** r
*fermé 29 déc. au 2 janv., lundi midi, jeudi midi et dim.* – **Repas** 20,50/45 ♀, enf. 9,20.
◆ Cuisine indienne assortie à un décor typique, accueillant et confortable : une adresse pour le moins dépaysante en plein coeur de Strasbourg !

XX **Serge and Co,** 14 r. Pompier ✉ 67300 Schiltigheim ✆ 03 88 18 96 19 **BS** g
*fermé 15 au 30 août, sam. midi, dim. et lundi* – **Repas** 20 (déj.), 42/55 ♀.
◆ "Serge" est revenu au pays après un long périple asiatique et américain. Il propose dans son plaisant restaurant contemporain une appétissante cuisine au goût du jour.

XX ✿ **Julien,** 22 quai Bateliers ✆ 03 88 36 01 54, *Fax 03 88 35 40 14* – ▤. AE ◑ GB JCB
*fermé 6 au 14 avril, 10 août au 1er sept., 29 déc. au 7 janv., dim. et lundi* – **Repas** 34 (déj.)/73 et carte 55 à 68 ♀. p. 9 **KZ** x
◆ Belle maison alsacienne du 18e s. Le cadre (murs laqués et banquettes) s'inspire de celui des bistrots de la Belle Époque. Répertoire culinaire personnalisé.
**Spéc.** Foie gras de canard poêlé à la rhubarbe. Langoustines simplement poêlées. Moelleux de chocolat "guanaja" et sorbet maltaise. **Vins** Riesling, Pinot gris.

XX **Cruche d'Or** avec ch, 6 r. Tonneliers ✆ 03 88 32 11 23, *Fax 03 88 21 94 78*, 🏠 – TV 📞. AE GB. ⚘ ch p. 9 **KZ** v
*fermé 4 au 18 août, 17 fév. au 3 mars et dim.* – **Repas** 23/29 ♀, enf. 8 – ☕ 6,50 – **12 ch** 52/57.
◆ Cette façade colorée sise dans une rue piétonne abrite une salle à manger habillée de chaleureuses boiseries où l'on sert une cuisine du terroir. Chambres fonctionnelles.

XX **L'Arsenal,** 11 r. Abreuvoir ✆ 03 88 35 03 69, *info@restaurant-arsenal.com, Fax 03 88 35 03 69* – ▤. AE GB. ✂ p. 9 **LZ m**
*fermé 30 juil. au 27 août, sam. midi, lundi soir, dim. et fériés* – **Repas** 22,50 (déj.), 25,50/54 ♀.
◆ Dans le quartier de la Krutenau, auberge à colombages de la fin du 18e s. aménagée dans un esprit rustique. Salons pour repas privés à l'étage. Cuisine régionale.

XX **Pont des Vosges,** 15 quai Koch ✆ 03 88 36 47 75, *Fax 03 88 25 16 85*, ☂ – AE GB p. 9 **LY h**
*fermé dim.* – **Repas** carte 30 à 40 ♀.
◆ Au rez-de-chaussée d'un immeuble ancien, salle à manger de style brasserie dessinant un arc de cercle. Décoration dans le goût "rétro". Quelques spécialités régionales.

XX **Panier du Marché,** 15 r. Ste-Barbe ✆ 03 88 32 04 07, *panier-du-marche@wanadoo.fr, Fax 03 88 23 64 52*, ☂ – ▤. GB. ✂ p. 8 **JZ e**
*fermé 1er au 10 mars, 1er au 16 août, sam. et dim.* – **Repas** *(19,50)* - 27 ♀.
◆ Retrouvez sur le menu-carte du jour les produits ramenés dans le... panier du marché ! Couleurs vives et mobilier bistrot composent le décor de ce restaurant très prisé.

XX **L'Alsace à Table,** 8 r. Francs-Bourgeois ✆ 03 88 32 50 62, *info@alsace-a-table.fr, Fax 03 88 22 44 11* – ▤. AE ⓓ GB JCB p. 8 **JZ z**
**Repas** *(21)* - 26 ♀, enf. 10.
◆ Cette brasserie spécialisée dans les produits de la mer (banc d'huîtres à l'entrée) a conservé son cadre Belle Époque : fresques originales, boiseries blondes et vitraux.

XX **Festin de Lucullus,** 18 r. Ste-Hélène ✆ 03 88 22 40 78, *lucullus@restaurateurs-cuisiniers-alsace.asso.fr, Fax 03 88 22 40 78* – GB p. 8 **JZ q**
*fermé 10 août au 1er sept., dim., lundi et fériés* – **Repas** 12 (déj.), 25/40 ♀.
◆ À deux pas de la place Kléber, discrète et sympathique adresse où l'on mitonne des petits plats goûteux composés en fonction des arrivages du marché.

XX **Cambuse,** 1 r. Dentelles ✆ 03 88 22 10 22, *Fax 03 88 23 24 99* – GB. ✂ p. 8 **JZ a**
*fermé 13 au 28 avril, 27 juil. au 18 août, 21 déc. au 5 janv., dim. et lundi* – **Repas** (prévenir) carte 40 à 54.
◆ Toute petite salle entièrement dédiée au monde marin : décor évoquant l'intérieur d'un bateau et carte de produits de la mer mariant saveurs françaises et asiatiques.

XX **S'Staefele,** 2 pl. St-Thomas ✆ 03 88 32 39 03, *Fax 03 88 21 90 80*, ☂ – AE GB p. 8 **JZ k**
*fermé 14 au 28 juil., 22 déc. au 2 janv., dim. et lundi* – **Repas** *(17,50)* - 22 (déj.), 28,50/38,10 ♀.
◆ Spécialités de viandes servies, selon votre désir, dans une salle à manger rustique, ou, plus simplement, côté bistrot. La terrasse donne sur une jolie placette.

X **Patrie,** 1 r. Balayeurs ✆ 03 88 35 16 92, *Fax 03 88 36 81 92* – GB p. 7 **FV s**
*fermé 28 juil. au 25 août, sam. midi, dim. et lundi* – **Repas** carte 22 à 32 ♀.
◆ Bibelots, photos, tableaux, cuisine lusitanienne et de la mer : ce restaurant est entièrement vouée à la "patrie" portugaise. Ambiance animée et accueil chaleureux.

X **L'Écrin des Saveurs,** 5 r. Leiterperger ✉ 67100 ✆ 03 88 39 21 20, *Fax 03 88 39 16 05*, ☂ – ▤. GB p. 5 **CTS u**
*fermé 20 juil. au 11 août, 21 déc. au 5 janv., lundi soir, sam. midi et dim.* – **Repas** *(19,80)* - 25,80.
◆ Le restaurant jouxte le stade de football de La Meinau. Sobre salle à manger, cuisine au goût du jour et accueil tout sourire sont les atouts de cet "écrin des saveurs".

X **Gavroche,** 4 r. Klein ✆ 03 88 36 82 89, *bfuchs002@noos.fr, Fax 03 88 36 82 89* – ▤. AE ⓓ GB p. 9 **KZ g**
*fermé 27 juil. au 17 août, 24 déc. au 4 janv., lundi midi, sam. midi et dim.* – **Repas** *(19)* - 25 ♀, enf. 9.
◆ Rue piétonne, façade rouge, intérieur jaune, mobilier rustique : le décor est planté ! Dans l'assiette, on apprécie des préparations simples, mais goûteuses et parfumées.

X **Vieille Tour,** 1 r. A. Seyboth ✆ 03 88 32 54 30, *lercher.emmanuel@caramail.com, Fax 03 88 32 54 30* – GB p. 8 **HZ e**
*fermé 15 au 30 juil., dim., lundi et jours de fêtes* – **Repas** 18,30 (déj.), 29,80/58.
◆ Cette pimpante petite salle à manger récemment refaite emprunte les couleurs de la Provence. La cuisine, élaborée selon le marché, est présentée sur ardoise.

X **A L'Ancienne Douane,** 6 r. Douane ✆ 03 88 15 78 78, *anciennedouane.rv@elior.com, Fax 03 88 22 45 64*, ☂ – AE ⓓ GB p. 9 **KZ s**
**Repas** *(6,80)* - 15/21,20 ♁, enf. 8,40.
◆ Beau décor régional, service en costume traditionnel, terrasse au bord de l'Ill, plats alsaciens : rien d'autre à déclarer dans la plus grande brasserie strasbourgeoise.

X **Brasserie Kirn,** 6/8 r. de l'Outre ✆ 03 88 52 03 03, *Fax 03 88 52 01 00* – ▤. AE GB P. 9 **KY** f
*fermé dim. soir* – **Repas** (14,50) - 25 (déj.), 30/35 ♀, enf. 8,40.
◆ Cette ancienne boucherie abrite une grande salle à manger décorée façon 1900, éclairée par une belle coupole centrale et agrémentée de vitraux d'art. Plats de brasserie.

X **Au Rocher du Sapin,** 6 r. Noyer ✆ 03 88 32 39 65, *Fax 03 88 75 60 99,* ☂ – AE GB p. 8 **JY** f
*fermé dim. sauf en déc.* – **Repas** 14,50/22,10 ♀.
◆ On se bouscule dans cette vénérable brasserie alsacienne située dans le quartier des grands magasins. Tables séparées par des box. Cuisine régionale simple et copieuse.

LES WINSTUBS : *Dégustation de vins et cuisine du pays, ambiance typiquement alsacienne*

X **Ami Schutz,** 1 r. Ponts Couverts ✆ 03 88 32 76 98, *info@ami-schutz.com, Fax 03 88 32 38 40,* ☂ – AE ⓓ GB p. 8 **HZ** r
*fermé vacances de Noël* – **Repas** (19 bc) - 36,40 bc/42,60 bc.
◆ Entre les bras de l'Ill, bierstub typique prolongée d'une terrasse ombragée de tilleuls. Préférez la salle non-fumeurs et ses superbes boiseries du 18e s.

X **S'Muensterstuewel,** 8 pl. Marché aux Cochons de Lait ✆ 03 88 32 17 63, *munsterstuewel@wanadoo.fr, Fax 03 88 21 96 02,* ☂ – ▤. AE ⓓ GB p. 9 **KZ** y
*fermé 19 août au 20 sept., 1er au 6 mai, 23 déc. au 6 janv. dim. et lundi* – **Repas** 30 (déj.), 40/70.
◆ Ancienne boucherie décorée dans le pur style winstub et agrémentée d'un beau mobilier rustique. En été, attablez-vous en terrasse au bord d'une placette très touristique.

X **Le Clou,** 3 r. Chaudron ✆ 03 88 32 11 67, *Fax 03 88 75 72 83* – ▤. AE GB p. 9 **KY** n
*fermé merc. midi, dim. et fériés* – **Repas** carte 26 à 47 ♀.
◆ Voisinage de la cathédrale, décor traditionnel et ambiance conviviale caractérisent cette winstub courue par les célébrités de passage qui y laissent leur photo.

X **Au Pont du Corbeau,** 21 quai St-Nicolas ✆ 03 88 35 60 68, *corbeau@reperes.com, Fax 03 88 25 72 45* – ▤. GB p. 9 **KZ** b
*fermé août, vacances de fév., dim. midi et sam. sauf en déc.* – **Repas** (11) - carte environ 22,50.
◆ Sur les quais de l'Ill, jouxtant le musée alsacien (art populaire), maison à la décoration originale inspirée du style Renaissance régional. Spécialités du terroir.

X **Zum Strissel,** 5 pl. Gde Boucherie ✆ 03 88 32 14 73, *Fax 03 88 32 70 24* – ▤. AE ⓓ GB p. 9 **KZ** a
*fermé 3 au 31 juil., 30 janv. au 9 fév., dim. sauf fêtes et lundi* – **Repas** 10,30/21 ♀, enf. 7,70.
◆ Authentique winstub tenue par la même famille depuis 1920. Joli cadre rustique (surtout à l'étage) agrémenté de ferronnerie d'art et vitraux présentant l'Alsace viticole.

X **S'Burjerstuewel (Chez Yvonne),** 10 r. Sanglier ✆ 03 88 32 84 15, *chezyvonne@wanadoo.fr, Fax 03 88 23 00 18* – AE GB p. 9 **KYZ** r
*fermé 13 juil. au 15 août, 23 déc. au 2 janv., dim (sauf déc.) et fériés* – **Repas** (prévenir) 20/35 ♀.
◆ J. Chirac et H. Kohl comptent parmi les célébrités qui se sont attablées dans cette institution locale. On y mange au coude à coude. Ambiance plus calme au rez-de-chaussée.

X **Ami Fritz,** 8 r. Dentelles ✆ 03 88 32 80 53 – ▤. GB p. 8 **JZ** l
*fermé 1er au 10 juin, 1er au 12 nov., en fév., lundi midi et dim.* – **Repas** 14,50/19,80 ♀.
◆ Discrète façade bordant une rue piétonne du pittoresque quartier de la Petite France. La cuisine du cru se déguste sur des nappes à carreaux, dans une ambiance sympathique.

X **Fink'Stuebel,** 26 r. Finkwiller ✆ 03 88 25 07 57, *Fax 03 88 36 48 82* – GB p. 8 **JZ** x
*fermé 5 au 20 août, 1er au 10 janv., dim. et lundi* – **Repas** carte 25 à 48 ♀, enf. 5,80.
◆ Colombages, parquet brut, bois peints, mobilier régional et nappes fleuries : cet endroit a tout de la winstub traditionnelle. Cuisine du pays ; foie gras à l'honneur.

X **Au Bon Vivant,** 7 r. Maroquin ✆ 03 88 32 77 81, *Fax 03 88 32 95 12,* ☂ – AE GB p. 9 **KZ** t
*fermé 20 juin au 4 juil., 22 janv. au 14 fév., jeudi soir et vend.* – **Repas** 13,90/26 ♀.
◆ L'enseigne et les alléchants fumets provenant de la cuisine ne laissent aucun doute sur les intentions de la maîtresse de maison : on vient ici pour faire bonne chère !

X **Hailich Graab "Au St-Sépulcre",** 15 r. Orfèvres ✆ 03 88 32 39 97, *Fax 03 88 32 39 97* – ▤. GB p. 9 **KZ** d
*fermé 14 au 31 juil., dim. et lundi* – **Repas** carte 26 à 32.
◆ Archétype du genre, débit à vins et restaurant respectant fidèlement, dans le décor comme dans l'assiette, la tradition alsacienne. Ambiance conviviale garantie.

## Environs

**à Reichstett** : *Nord : 7 km par D 468 et D 37 ou par A 4 et D 63 – 4 640 h. alt. 141 – ✉ 67116 :*

**Paris,** 2c av. Gén. de Gaulle ✆ 03 88 20 00 23, *horest@infonie.fr, Fax 03 88 20 30 60,* – rest, P – 40. GB p. 5 **BR p**
*fermé 28 juil. au 17 août et 22 déc. au 4 janv.* – **Repas** *(fermé vend. soir, dim. soir et sam.)* (8) - 14/52 – 8,40 – **17 ch** 45/52 – ½ P 45.
◆ Sur un axe passant, massive construction abritant des chambres fonctionnelles desservies par un escalier décoré de trophées de chasse. Cuisine régionale ; gibier en saison.

**L'Aigle d'Or** sans rest, (près église) ✆ 03 88 20 07 87, *info@aigledor.com, Fax 03 88 81 83 75* – . AE GB p. 5 **BR a**
9 – **17 ch** 50/93.
◆ Belle façade blanche à colombages au coeur d'un village pittoresque. Chambres meublées en style rustique ; certaines ont été refaites. Vestibule éclairé par des vitraux.

**à La Wantzenau** *Nord-Est : 12 km par D 468 – 4 394 h. alt. 130 – ✉ 67610 :*

**Hôtel Au Moulin**, Sud : 1,5 km par D 468 ✆ 03 88 59 22 22, *moulin-wantzenau@wanadoo.fr, Fax 03 88 59 22 00,* – P. AE GB p. 5 **CR z**
*fermé 24 déc. au 2 janv.* voir rest. ***Au Moulin*** ci-après – 10 – **20 ch** 61/93 – ½ P 65/73.
◆ Au bord de l'Ill, ancien moulin où vous goûterez le calme de la campagne environnante. Plaisant salon. Les chambres, aux tons pastel, sont chaleureusement aménagées.

**Roseraie,** 32 r. Gare ✆ 03 88 96 63 44, *Fax 03 88 96 64 95* – P. GB p. 5 **CR v**
*fermé 26 juil. au 19 août* **Repas** (dîner seul. sauf dim.) 26/34 – 6,50 – **15 ch** 47,50/51.
◆ Petite affaire familiale composée de deux bâtiments. Chambres fraîches et sobrement meublées. Au restaurant, cuisine au goût du jour servie dans un cadre actuel.

**Relais de la Poste** (Daull) avec ch, 21 r. Gén. de Gaulle ✆ 03 88 59 24 80, *info@relais-poste.com, Fax 03 88 59 24 89,* – rest, P – 15. AE GB JCB p. 5 **CR a**
*fermé 21 juil. au 1er aout et 2 au 22 janv.* – **Repas** *(fermé sam. midi, dim. soir et lundi)* 28 (déj.), 40/88 et carte 60 à 85 – 10 – **18 ch** 61/122 – ½ P 122.
◆ Authentique maison alsacienne aux intérieurs très soignés, décorés de boiseries, fresques et plafonds à caissons. Véranda ouverte sur la verdure. Chambres personnalisées.
**Spéc.** Foie d'oie poêlé, pomme cannelle. Paupiette de sandre soufflé au coulis de homard. Schlembe à la fondue de foie gras.

**Zimmer,** 23 r. Héros ✆ 03 88 96 62 08, *Fax 03 88 96 37 40,* – AE GB p. 5 **CR r**
*fermé 17 au 30 nov., 23 fév. au 9 mars, jeudi soir, dim. soir et lundi sauf fériés* – **Repas** *(19,70)* - 26/61 et carte 38,50 à 49,50.
◆ Trois petites salles en enfilade, agrémentées de lambris blanc et de poutres colorées, où l'on sert une cuisine d'inspiration régionale concoctée en fonction du marché.

**Rest. Au Moulin** - Hôtel Au Moulin, Sud : 1,5 km par D 468 ✆ 03 88 96 20 01, *philippe.claus@wanadoo.fr, Fax 03 88 68 07 97,* – P. AE GB p. 5 **CR z**
*fermé 7 au 28 juil., 27 déc. au 8 janv., 23 au 29 fév., dim. soir et soir fériés* – **Repas** *(19)* - 23/60, enf. 14.
◆ Restaurant installé dans les dépendances d'un ancien moulin. Salle à manger alsacienne et agréable terrasse bordant un jardin fleuri et un potager. Préparations classiques.

**Les Semailles,** 10 r. Petit-Magmod ✆ 03 88 96 38 38, *semailles@reperes.com, Fax 03 88 68 09 06,* – GB p. 5 **CR s**
*fermé 13 août au 4 sept., 18 fév. au 5 mars, dim. soir, merc. et jeudi* – **Repas** *(23)* - 24 (déj.), 36/42.
◆ Maison du 19e s. située dans un quartier résidentiel. Petites salles dont une ouverte sur une terrasse ombragée d'une glycine. Cuisine sensible au rythme des saisons.

**Pont de l'Ill,** 2 r. Gén. Leclerc ✆ 03 88 96 29 44, *Fax 03 88 96 21 18,* – . GB
*fermé août et sam. midi* – **Repas** *(8)* - 10 (déj.), 22/38, enf. 10. p. 5 **CR u**
◆ Sobre intérieur de style Art nouveau, terrasse ombragée et carte mariant saveurs de la mer et plats régionaux : cette vaste auberge est prise d'assaut par les Strasbourgeois.

**à Illkirch-Graffenstaden** *par rte de Colmar* **BST** *: 5 km ou par A 35 (sortie nº 7) – 22 307 h. alt. 140 – ✉ 67400 :*

**Holiday Inn Garden Court** M, au Parc d'Innovation ✆ 03 88 40 84 84, *holiday-inn@wanadoo.fr, Fax 03 88 66 22 83,* – P – 15 à 50. AE GB.
rest p. 5 **BT n**
**Repas** *(fermé sam. midi et dim. midi)* *(13,50)* - 25, enf. 12 – 11 – **68 ch** 93/120.
◆ Cet immeuble cubique héberge des chambres spacieuses et pratiques, ainsi que de bons équipements de remise en forme. Salle à manger tournée sur la piscine couverte.

**Alsace,** 187 rte Lyon ✆ 03 90 40 35 00, *contact@hotelalsace.com, Fax 03 90 40 35 01,* – P – 30 à 50. AE GB p. 5 **BT d**
**Repas** *(fermé sam. et dim.)* 11, enf. 7,60 – 7 – **40 ch** 55/60 – ½ P 41.
◆ Hôtel abritant des chambres fonctionnelles, d'ampleur satisfaisante, insonorisées, mais plus calmes sur l'arrière. D'amusantes fresques régionales égayent le restaurant.

**au Sud-Ouest** *par A 35 (sortie nº 7), D 484 et D 884 : 10 km – ✉ 67540 Ostwald :*

**Mercure Strasbourg-Sud** M, r. 23 Novembre ✆ 03 90 40 51 51, *h0369@accor-hotels.com, Fax 03 90 40 51 59,* , – |‡|, ≡ ch, ✆ P – 30. AE GB p. 5 **BT** e
**Repas** *(fermé sam. midi et dim. midi)* 21,40 ♀, enf. 7 – ☐ 11,50 – **97 ch** 91/116.
♦ Hôtel des années 1970 bordant l'autoroute, à mi-chemin entre le centre de Strasbourg et l'aéroport. Les chambres, bien insonorisées, bénéficient d'une rénovation progressive.

**vers** ④ *sur N 83 : 11 km – ✉ 67400 Illkirch-Graffenstaden :*

**Novotel Strasbourg-Sud** M, ✆ 03 88 66 21 56, *h0441@accor-hotels.com, Fax 03 88 67 21 63,* , – ≡ ✆ P – 70. AE GB p. 5 **BT** u
**Repas** *(16)* - 19 ♀, enf. 8 – ☐ 11,50 – **76 ch** 98/113.
♦ À proximité des grandes voies d'accès, classique hôtel de chaîne totalement rénové. Chambres spacieuses toutes identiques, conformes aux nouvelles normes Novotel.

**Ibis Strasbourg-Sud,** ✆ 03 88 67 81 67, *h2193@accor-hotels.com, Fax 03 88 66 95 15,* – |‡|, ≡ ch, ✆ P – 15 à 30. AE GB p. 5 **BT** v
**Repas** (dîner seul.) 12 ♀, enf. 6 – ☐ 5,50 – **75 ch** 51.
♦ Nationales et autoroute à proximité : la situation de cette bâtisse récente permet d'éviter le centre-ville strasbourgeois. Chambres simples. Buffets et grillades.

**à Fegersheim** *vers ④ par A 35 (sortie nº 7), N 283 et N 83 : 14 km – 3 953 h. alt. 145 – ✉ 67640 :*

**Auberge Au Chasseur,** près église d'Ohnheim, Est : 2 km par D 221 ✆ 03 88 64 03 78, *Fax 03 88 64 05 49,* , – ≡ rest, ✆ P. AE GB p. 5 **BT** x
*fermé août, vend. soir, dim. soir et sam.* – **Repas** 11/28 ♀ – ☐ 6,50 – **24 ch** 45/51 – ½ P 42.
♦ Accueillante auberge de village s'ordonnant autour d'une grande cour intérieure. Chambres nettes ; quelques-unes sont rénovées. Salle à manger au décor de style rustique.

**Table Gourmande,** 43 rte Lyon ✆ 03 88 68 53 54, *Fax 03 88 64 94 95,* – ≡. AE GB p. 5 **BT** v
*fermé 10 au 26 juil., vacances de fév., dim. soir et lundi* – **Repas** 21 (déj.), 40/45 ♀.
♦ Grande bâtisse colorée sur une rue passante du bourg. Tissus tendus et murs en moellons de grès côté décor, plats au goût du jour et suggestions du marché côté cuisine.

**Auberge du Bruchrhein,** 24 r. Lyon ✆ 03 88 64 17 77, *Fax 03 88 64 17 77,* – ≡. AE GB p. 4 **AT** x
*fermé 16 au 29 août, 23 fév. au 1er mars, dim. soir et lundi* – **Repas** *(11,90)* - 16,50 (déj.), 21,60/27,40 ♀, enf. 6,10.
♦ Cuisine au goût du jour servie dans un cadre frais très plaisant ou, en été, sur la petite terrasse à l'arrière, nullement gênée par la proximité du carrefour.

**à Lipsheim** *vers ④ par A 35, N 83 et D 221 – 1 772 h. alt. 146 – ✉ 67640 :*

**Alizés** M sans rest, ✆ 03 88 59 02 00, *hotellesalizes@wanadoo.fr, Fax 03 88 64 21 61,* – |‡| ≡ ✆ P – 25. AE GB JCB p. 4 **AT** e
*fermé 24 déc. au 1er janv.* – ☐ 10 – **49 ch** 56/75.
♦ Maison régionale aménagée dans un esprit actuel, appréciée pour son environnement calme et champêtre. Chambres bien équipées. En arrière-plan de la piscine : la forêt.

**à Blaesheim** *par A 35 (sortie nº 9), N 422 et D 84 : 19 km – 1 000 h. alt. 150 – ✉ 67113 :*

**Au Boeuf,** ✆ 03 88 68 68 99, *hotelrestaurant.auboeuf@wanadoo.fr, Fax 03 88 68 60 07* – |‡|, ≡ rest, P – 80. AE GB p. 4 **AT** q
*fermé 28 juil. au 11 août et 26 déc. au 5 janv.* – **Repas** *(fermé dim. soir, sam midi et vend.)* *(14)* - 19/40 ♀, enf. 8,50 – ☐ 8,50 – **22 ch** 54/84 – ½ P 69.
♦ Hostellerie dont les chambres, logées dans une aile moderne, sont grandes et confortables. Boiseries et assiettes en faïence décorent les salles à manger. Cuisine régionale.

**Schadt,** ✆ 03 88 68 86 00, *Fax 03 88 68 89 83* – AE GB p. 4 **AT** v
*fermé dim. soir et jeudi* – **Repas** 27/58 ♀.
♦ Ex-boulangerie reconvertie en deux salles à manger, dont une à l'étage décorée avec un humour coquin (curieux, tirez le rideau !). Cuisine alsacienne énoncée sur ardoise.

**à Entzheim** *par A 35 (sortie nº 8), D 400 et D 392 : 12 km – 1 796 h. alt. 150 – ✉ 67960 :*

**Père Benoit,** 34 rte Strasbourg ✆ 03 88 68 98 00, *hotel.perebenoit@wanadoo.fr, Fax 03 88 68 64 56,* , – |‡|, ≡ rest, ✆ P – 30. AE GB. rest
*fermé 3 au 24 août et 24 déc. au 5 janv.* – **Repas** *(fermé lundi midi, sam. midi et dim.)* 18 ♀, enf. 6,50 – ☐ 6,50 – **60 ch** 48/76. p. 4 **AT** h
♦ Ferme alsacienne du 18e s. et sa grande cour fleurie. Intérieur traditionnel, douillet et chaleureux. Caveau réservé à la dégustation des tartes flambées.

**à Ostwald** *par rte Schirmeck D 392 et D 484 : 7 km ou par A35 (sortie n° 7) et D 484 – 10 197 h. alt. 140 – ✉ 67540 :*

**Château de l'Ile**, 4 quai Heydt ☎ 03 88 66 85 00, *ile@grandesetapes.fr, Fax 03 88 66 85 49*, – 20 à 180. AE GB JCB
**Repas** 36/61 ♀ – 23 – **58 ch** 152/355, 4 appart – ½ P 152/384. p. 5 **BT** r
♦ Manoir du 19e s. entouré de maisons récentes à colombages dans un parc boisé de 4 ha bordant l'Ill. Chambres soignées, garnies de meubles de style. Belle terrasse.

**à Lingolsheim** *par rte de Schirmeck (D 392) : 5 km – 16 480 h. alt. 140 – ✉ 67380 :*

**Kyriad** sans rest, 59 r. Mar. Foch ☎ 03 88 76 11 00, *hotelkyriad@evc.net, Fax 03 88 77 39 31* – 30. AE GB p. 5 **BS** a
6,50 – **37 ch** 57/61.
♦ Hôtel récent intégré à un ensemble résidentiel et commercial. Hall décoré sur le thème de l'Égypte ancienne. Chambres rénovées, plus confortables au dernier étage.

**à Mittelhausbergen** *Nord-Ouest : 5 km par D 31 – 1 425 h. alt. 155 – ✉ 67206 :*

**Tilleul** avec ch, 5 rte de Strasbourg ☎ 03 88 56 18 31, *autilleul@wanadoo.fr, Fax 03 88 56 07 23* – 20. AE GB JCB p. 5 **BS** v
**Repas** *(fermé 28 juil. au 15 août, 21 fév. au 10 mars, mardi et merc.)* 16 (déj.), 23/45 ♀, enf. 8,50 – 11 – **12 ch** 50/55 – ½ P 43/46.
♦ Auberge de village disposant d'un côté de chambres, nettes et actuelles, et de l'autre d'un restaurant composé de deux salles rustiques où l'on sert une cuisine régionale.

**à Pfulgriesheim** *Nord-Ouest : 10 km par D 31 – 1 081 h. alt. 135 – ✉ 67370 :*

**Bürestubel**, 8 r. Lampertheim ☎ 03 88 20 01 92, *rest.burestubel@wanadoo.fr, Fax 03 88 20 48 97*, – GB p. 4 **AR** a
*fermé 20 juil. au 7 août, 23 fév. au 7 mars, lundi et mardi* – **Repas** 13/22 ♀.
♦ Jolie ferme à colombages dessinant un U autour d'une cour-terrasse. Selon les salles, décor rustique ou bourgeois avec plafonds polychromes. Spécialités alsaciennes.

---

## STURZELBRONN *57230 Moselle 307 Q4 – 178 h alt. 250.*

*Paris 456 – Strasbourg 71 – Bitche 13 – Haguenau 39 – Wissembourg 34.*

**Au Relais des Bois**, 13 r. Principale ☎ 03 87 06 20 30, *denis.hoff@wanadoo.fr, Fax 03 87 06 21 22*, – GB
*fermé 1er au 15 nov., vacances de fév., merc. et jeudi* – **Repas** 10,30 (déj.), 15/36,50 ♀.
♦ Modeste adresse familiale au coeur d'un village du Parc naturel régional des Vosges du Nord. La salle à manger rustique est accessible en traversant le bar-tabac.

*Un automobiliste averti utilise le* **Guide Rouge Michelin** *de l'année.*

---

## SUBLIGNY *89 Yonne 319 C2 – rattaché à Sens.*

---

## SUCÉ-SUR-ERDRE *44 Loire-Atl. 316 G3 – rattaché à Nantes.*

---

## SUCY-EN-BRIE *94 Val-de-Marne 312 E3 101 (28) – voir à Paris, Environs.*

---

## SULLY-SUR-LOIRE *45600 Loiret 318 L5 G. Châteaux de la Loire – 5 806 h alt. 115.*

Voir *Château★ : charpente★★.*

*Office du Tourisme, place de Gaulle ☎ 02 38 36 23 70, Fax 02 38 36 32 21.*

*Paris 150 (1) – Orléans 50 (1) – Bourges 85 (4) – Gien 25 (1) – Montargis 41 (1) – Vierzon 84 (4).*

Plan page ci-contre

**Hostellerie du Château**, 4 rte Paris à St-Père-sur-Loire par (1) : *1 km* ☎ 02 38 36 24 44, *resasylvie@wanadoo.fr, Fax 02 38 36 62 40* – rest, – 40. AE GB
**Repas** (20) - 23/40 ♀ – 8 – **42 ch** 40/60 – ½ P 52,50.
♦ Construction récente abritant des chambres fonctionnelles aménagées dans l'esprit des hôtels de chaîne ; la moitié a vue sur le château de Sully. Salle à manger rénovée.

**Ferme des Châtaigniers**, chemin Châtaigniers, Sud-Ouest : 2,5 km par (6) *et D 951* ☎ 02 38 36 51 98, *Fax 02 38 36 51 98*, – AE GB
*fermé 25 août au 10 sept., 22 déc. au 7 janv., dim. soir, mardi soir et merc.* – **Repas** (nombre de couverts limité, prévenir) 19 (déj.), 26/34.
♦ À la campagne, fermette convertie en un sympathique restaurant rustique. Repas servis sur la terrasse face au jardin l'été, au coin du feu l'hiver. Cuisine au goût du jour.

## SULLY-SUR-LOIRE

Abreuvoir (R. de l') .......... 2
Béthune (Av. de) .............. 3
Champ-de-Foire (Bd du) ........ 4
Chemin-de-Fer (Av. du) ........ 5
Grand-Sully (R. du) ........... 6
Jeanne-d'Arc (Bd) ............. 7
Marronniers (R. des) .......... 9
Porte-Berry (R.) .............. 10
Porte-de-Sologne (R.) ......... 12
St-François (R. du Fg) ........ 15
St-Germain (R. du Fg) ......... 16
Venerie (Av. de la) ........... 20

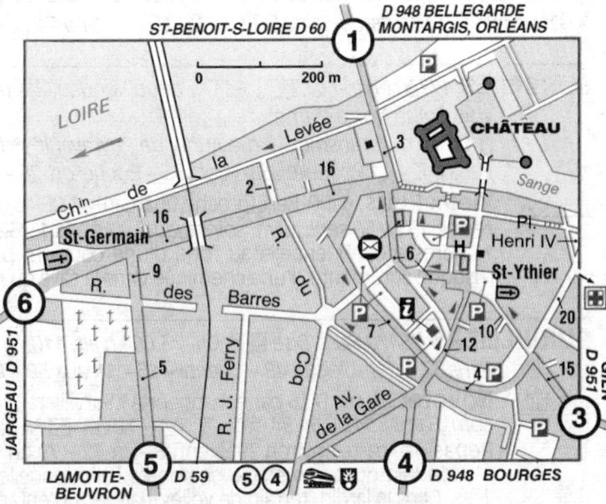

ST-BENOIT-S-LOIRE D 60
D 948 BELLEGARDE MONTARGIS, ORLÉANS
0 200 m
LOIRE
Levée
la
de
Chin
CHÂTEAU
Sange
St-Germain
Pl. Henri IV
St-Ythier
R. des Barres
R. du Coq
R. J. Ferry
Av. de la Gare
JARGEAU D 951
GIEN D 951
LAMOTTE-BEUVRON
D 59
D 948 BOURGES


**aux Bordes** *par ①, D 948 et D 961 : 6 km – 1 389 h. alt. 132 – ✉ 45460 :*

**Bonne Étoile,** D 952 ✆ 02 38 35 52 15, *Fax 02 38 35 52 15* – ▤ 🅿. GB
*fermé 25 août au 10 sept., 16 au 25 fév., mardi soir, dim. soir et lundi* – **Repas** 13,50/32 ♀, enf. 8,40.
◆ Engageante petite auberge champêtre au bord d'une route passagère. Le décor, rustique et coloré, vient d'être refait. Cuisine traditionnelle.

---

**SUPERDÉVOLUY** *05250 H.-Alpes* 334 D4 *G. Alpes du Sud.*
*Paris 651 – Gap 36 – Grenoble 87 – La Mure 45.*

**Les Chardonnelles,** ✆ 04 92 58 86 90, *info@chardonnelles.com, Fax 04 92 58 87 76,* ←, 🏋, 🏊 – 🛗 📺 🅿 – 🏟 30. AE GB
*15 juin-8 sept. et 15 déc.-22 avril* – **Repas** 13 (déj.), 15/30 ♀ – ☕ 8 – **40 ch** 65/94, (1/2 pens. seul. en hiver) – 1/2 P 59/62.
◆ Érigé aux portes de la station, ce gros chalet est le point de départ de nombreuses randonnées. Chambres fonctionnelles, avec balcon et vue sur les montagnes. Sauna.

---

**SUPER-LIORAN** *15 Cantal* 330 E4 *G. Auvergne – Sports d'hiver : 1 160/1 850 m* 🚡 1 ⛷ 22 ⛷ – ✉ *15300 Laveissière.*
**Voir** *Plomb du Cantal* ✳ ★★ *par téléphérique – Gorges de l'Alagnon* ★ *NE : 4 km puis 30 mn – Col de Cère* ← ★ *O : 2 km.*
🅸 *Office de tourisme,* ✆ *04 71 49 50 08, Fax 04 71 49 51 01.*
*Paris 536 – Aurillac 41 – Condat 46 – Murat 14 – St-Jacques-des-Blats 8.*

**Grand Hôtel Anglard et du Cerf** ⛰, ✆ 04 71 49 50 26, *hotelanglardetducerf@yahoo.com, Fax 04 71 49 53 53,* ← Monts du Cantal – 🛗 📺 ✆ 🅿 – 🏟 80. AE ⓓ GB
*30 juin-15 sept. et 20 déc.-15 avril* – **Repas** 15/28 – ☕ 9 – **38 ch** 50/66 – 1/2 P 66.
◆ La superbe situation à flanc de montagne, dominant Super-Lioran, de cet hôtel d'altitude fait oublier le mûrissement de ses infrastructures. Chambres spacieuses et nettes.

**Rocher du Cerf et Crystal Chalet** ⛰, ✆ 04 71 49 50 14, *Fax 04 71 49 54 07* – 📺 🅿. AE GB
*1er juil.-10 sept. et 20 déc.-1er avril* – **Repas** 12/22 🍷, enf. 6 – ☕ 6 – **27 ch** 32/38 – 1/2 P 44.
◆ Sept petits modules de style chalet, dans lesquels sont logées les meilleures chambres, complètent le bâtiment principal. Au restaurant, coup d'oeil offert sur les pistes.

---

**SUPER-SAUZE** *04 Alpes-de-H.-P.* 334 I6 – *rattaché à Barcelonnette.*

---

**Le SUQUET** *06 Alpes-Mar.* 341 E4 – *alt. 400* – ✉ *06450 Lantosque.*
*Paris 882 – Levens 19 – Nice 47 – Puget-Théniers 48 – St-Martin-Vésubie 22.*

**Auberge du Bon Puits,** ✆ 04 93 03 17 65, *Fax 04 93 03 10 48,* 🏋, 🌳 – 🛗 ⚡ ▤ 📺 🚗 🅿
*Pâques-fin nov. et fermé mardi sauf du 15 juil. au 30 août* – **Repas** 19/27 ♀, enf. 13 – ☕ 13 – **8 ch** 58/62 – 1/2 P 58/65.
◆ La Vésubie coule au pied de cette sympathique auberge familiale. Chambres rénovées avec soin, salle à manger au cadre rustique affirmé. Jeux d'enfants, petit parc animalier.

**SURESNES** *92 Hauts-de-Seine* 311 J2 101 ⑭ – *voir à Paris, Environs.*

**SURGÈRES** *17700 Char.-Mar.* 324 F3 *G. Poitou Vendée Charentes – 6 049 h alt. 16.*

Voir *Église Notre-Dame★.*

*Office du Tourisme, 67 rue Audry de Puyravault ✆ 05 46 07 20 02, Fax 05 46 07 20 30.*

*Paris 442 – La Rochelle 35 – Niort 35 – Rochefort 28 – St-Jean-d'Angély 30 – Saintes 54.*

**Vieux Puits,** 6 r. P. Bert (proche Château) ✆ 05 46 07 50 83 – GB
*fermé 15 au 30 sept., dim. soir et jeudi* – **Repas** 15/32 ♀.
◆ Adresse confidentielle au fond d'une courette pavée, dans une ruelle étroite. Décor rustique agrémenté d'une cheminée dans la salle du rez-de-chaussée, plus conviviale.

**SURVILLIERS** *95470 Val-d'Oise* 305 G6 – *3 661 h alt. 110.*

*Paris 37 – Compiègne 48 – Chantilly 15 – Meaux 39 – Pontoise 45 – Senlis 19.*

**Novotel** M, sur D 16 par échangeur A1 Survilliers ✆ 01 34 68 69 80, *H0459@accor-hotels.com, Fax 01 34 68 64 94,* – ▤ TV ✆ ♿ P – 🏛 100. AE ⓓ GB JCB
**Repas** *(16)* - carte environ 29 ♀, enf. 8 – ☕ 12 – **79 ch** 108/116.
◆ Non loin du parc Astérix, chambres fonctionnelles et insonorisées, récemment rénovées. Dans le jardin, terrain de volley-ball, jeux d'enfants et boulodrome.

**au Parc Astérix** – ✉ *60128 Plailly :*

**des Trois Hiboux** M, accès autoroute A 1, sortie Parc Astérix ✆ 03 44 62 68 00, *hoteldestroishiboux@parcasterix.com, Fax 03 44 62 68 01,* – ♿ P – 🏛 45. AE GB. rest
*1er mars-11 oct.* – **Repas** (dîner seul.) *(20)* - carte 25 à 35 ♀ – ☕ 12 – **96 ch** 136, 4 studios.
◆ Vos rêves seront peut-être bercés par le chant nocturne des hiboux du parc de loisirs (50 ha). Chambres douillettes. Bonne nuit, par Toutatis !

*Pour visiter une ville ou une région : utilisez les Guides Verts* ***Michelin.***

**SUZE-LA-ROUSSE** *26790 Drôme* 332 C8 *G. Provence – 1 422 h alt. 92.*

*Office du Tourisme, avenue des Côtes de Rhône ✆ 04 75 04 81 41, Fax 04 75 04 81 41.*

*Paris 645 – Avignon 60 – Bollène 7 – Nyons 28 – Orange 33 – Valence 85.*

**Relais du Château**, ✆ 04 75 04 87 07, *Fax 04 75 98 26 00,* ≤, – ▤ rest, TV ♿ P – 🏛 40. GB
*fermé janv. et fév.* – **Repas** *(fermé merc. midi)* 20 (déj.)/60 ♀ – ☕ 9 – **37 ch** 58/78 – ½ P 63/68.
◆ Les fenêtres des spacieuses chambres équipées d'un mobilier de série s'ouvrent sur les vignes et le château féodal, siège de l'Université du Vin. Restaurant sous charpente.

**Garlaban,** r. Remparts ✆ 04 75 04 04 74, *Fax 04 75 04 01 06,* – GB
*fermé vacances de Toussaint, janv., merc. et jeudi* – **Repas** 22/50, enf. 10.
◆ Accueil sympathique dans ce relais de poste du 19e s. La salle à manger voûtée, tout de pierre et bois, sert de cadre à une appétissante cuisine méridionale.

**TAILLECOURT** *25 Doubs* 321 L2 – *rattaché à Audincourt.*

**TAIN-TOURNON** 77 010 *G. Vallée du Rhône.*

Voir *Route panoramique★★★* **B.**

*voir à Tain-l'Hermitage et à Tournon.*

Plan page ci-contre

**Tain-l'Hermitage** *26 Drôme – 5 003 h alt. 124 – ✉ 26600 .*

Voir *Belvédère de Pierre-Aiguille★ N : 4 km par D 241.*

*Office du Tourisme, 70 avenue Jean Jaurès ✆ 04 75 08 06 81, Fax 04 75 08 34 59.*

*Paris 549 – Valence 17 – Grenoble 99 – Le Puy-en-Velay 105 – St-Étienne 75 – Vienne 60.*

**Pavillon de l'Ermitage,** 1 av. P. Durand ✆ 04 75 08 65 00, *pavillon.26@wanadoo.fr, Fax 04 75 08 66 05,* – ▤ TV ✆ ♿ P – 🏛 20. AE ⓓ GB — C e
**Repas** *(fermé week-ends du 1er nov. au 31 mars)* 19/31 – ☕ 9 – **44 ch** 70/83.
◆ Grosse bâtisse abritant des chambres récemment rénovées ; demandez-en une côté piscine, avec loggia tournée vers le coteau de l'Hermitage et les hauteurs de Tournon.

**Les 2 Coteaux** sans rest, 18 r. J. Péala ✆ 04 75 08 33 01, *Fax 04 75 08 44 20* – TV. GB — B a
☕ 6 – **22 ch** 40/53.
◆ Ce petit hôtel familial bénéficie d'une situation calme face à l'ancien pont enjambant le Rhône. Chambres déjà anciennes, mais bien tenues ; certaines possèdent un balcon.

## TAIN-L'HERMITAGE



## TOURNON-SUR-RHÔNE



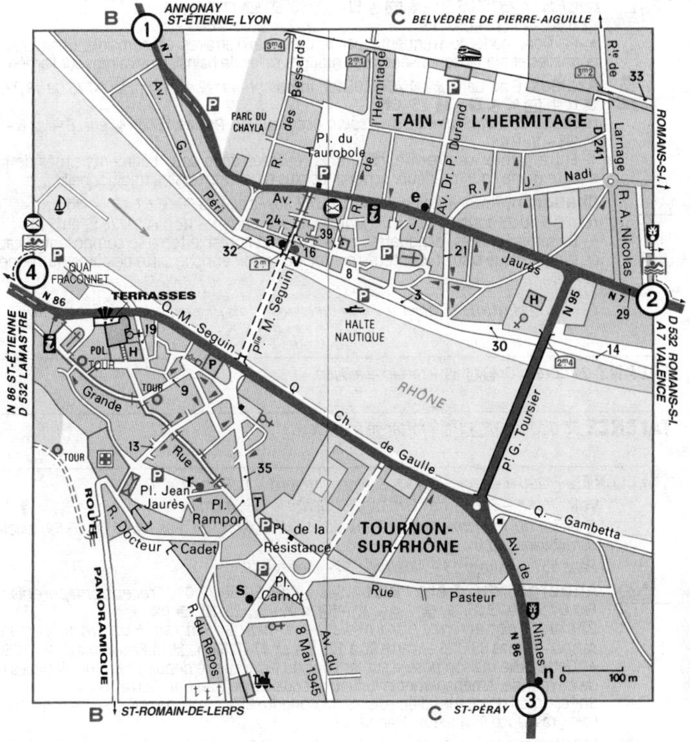

ANNONAY ST-ÉTIENNE, LYON
BELVÉDÈRE DE PIERRE-AIGUILLE
ROMANS-S-I.
D 532 ROMANS-S-I. A 7 VALENCE
N 86 ST-ÉTIENNE D 532 LAMASTRE
ST-ROMAIN-DE-LERPS
ST-PÉRAY
TAIN - L'HERMITAGE
TOURNON-SUR-RHÔNE
PARC DU CHAYLA
Pl. du Taurobole
QUAI FRACONNET
TERRASSES
HALTE NAUTIQUE
RHÔNE
Pl. Jean Jaurès
Pl. Rampon
Pl. de la Résistance
Pl. Carnot
ROUTE PANORAMIQUE
Q. Gambetta
Rue Pasteur
Av. de Nîmes
Pl. G. Toursier
Q. Ch. de Gaulle
Q. M. Seguin
Pile M. Seguin
R. Docteur Cadet
R. du Repos
8 Mai 1945
Grande Rue
Av. Jaurès
R. A. Nicolas
Larnage
Nadi
Av. Dr. P. Durand
R. des Bessards
Av. G. Péri
POL TOUR
TOUR
100 m


**Reynaud** avec ch, 82 av. Prés. Roosevelt, par ③ *rte Valence* ✆ 04 75 07 22 10, *Fax 04 75 08 03 53*, ≤, 🌳, 🏊, 🚗 – ▤ ch, 📺 📞 ♿ 🅿. AE ⓓ GB. ✗ rest
**Repas** *(fermé 1er au 15 janv., 15 au 30 nov., dim. soir, mardi midi et lundi)* 30/70 et carte 41 à 57 – ☕ 12 – **14 ch** 60/100.
◆ Grande villa construite sur la rive gauche du Rhône. Tableaux et sculptures habillent la salle à manger largement ouverte sur le fleuve. Chambres et suites de bon confort.

**Rive Gauche** (Reboul), 17 r. J. Péala ✆ 04 75 07 05 90, *Fax 04 75 07 05 90*, ≤, 🌳 – GB **B V**
*fermé 1er au 21 janv., merc. midi de juil. à sept., merc. soir d'oct. à juin, dim. soir et lundi* – **Repas** 28,50/50 et carte 52 à 67 🍷, enf. 15.
◆ Salle de restaurant décorée dans le style "paquebot", avec vue sur le fleuve et sur Tournon. Cuisine au goût du jour ; belle carte de vins des côtes du Rhône septentrionales.
**Spéc.** Escalope de foie gras poêlé, pomme passion. Pigeon rôti en cocotte. Gaufrette de chocolat noisette, glace à l'amande torréfiée.

**rte de Romans** *par ② : 4 km – ✉ 26600 Tain-l'Hermitage :*

**L'Abricotine,** ✆ 04 75 07 44 60, *Fax 04 75 07 47 97*, 🚗 – 📺 📞 🅿. AE GB
**Repas** (dîner seul.) 13/17,50 🍷, enf. 7,60 – ☕ 6,20 – **11 ch** 51/57,20 – ½ P 46,20.
◆ Les vergers de la Drôme forment le cadre de cette construction contemporaine. Chambres assez spacieuses, parfois dotées d'une terrasse ou d'un balcon. Confortable salon.

**Tournon-sur-Rhône** *07 Ardèche – 9 546 h alt. 125 – ✉ 07300.*

**Voir** *Terrasses★ du château* **B** – *Route panoramique★★★* **B.**

*Office du Tourisme, Hôtel de la tourette ☏ 04 75 08 10 23, Fax 04 75 08 41 28, ot.tournon.ardeche@en-france.com.*

*Paris 550 – Valence 18 – Grenoble 100 – Le Puy-en-Velay 104 – St-Étienne 76 – Vienne 60.*

**Les Amandiers** sans rest, 13 av. de Nîmes ☏ 04 75 07 24 10, *info@hotel-amandiers.com, Fax 04 75 07 06 30* – 30. AE GB **C n**
6,50 – **25** ch 44,50/55.
◆ Pavillon moderne fréquenté par la clientèle d'affaires en semaine. Chambres fonctionnelles et bien insonorisées (avec grandes salles de bains), plus calmes sur l'arrière.

**Azalées,** 6 av. Gare ☏ 04 75 08 05 23, *info@hotel-azalees.com, Fax 04 75 08 18 27,* – rest, – 25. GB **B s**
*fermé 25 déc. au 3 janv. et dim. soir d'oct. à mars* – **Repas** 15/26, enf. 8 – 6 – **35 ch** 41/46 – ½ P 43.
◆ Entre gare et centre-ville, chambres réparties dans deux bâtiments situés de part et d'autre d'une cour intérieure ; choisir les plus récentes. Cuisine traditionnelle.

**Chaudron,** 7 r. St-Antoine ☏ 04 75 08 17 90, *Fax 04 75 08 06 61,* – GB **B r**
*fermé 5 au 25 août, 24 déc. au 3 janv., jeudi soir et dim.* – **Repas** 21/28 ♀, enf. 10.
◆ Boiseries foncées, banquettes en skaï vert et agréable terrasse composent le cadre de ce sympathique bistrot. Goûteuse cuisine du terroir et riche carte de côtes-du-rhône.

*Une réservation confirmée par écrit ou par fax est toujours plus sûre.*

---

**TALANT** *21 Côte-d'Or* 320 J5 – *rattaché à Dijon.*

---

**TALENCE** *33 Gironde* 335 H6 – *rattaché à Bordeaux.*

---

**TALLOIRES** *74290 H.-Savoie* 328 K5 *G. Alpes du Nord – 1 287 h alt. 470.*

**Voir** *Site★★ – Site★★ de l'Ermitage St-Germain★ E : 4 km.*

*Office du Tourisme, rue A. Theuriet ☏ 04 50 60 70 64, Fax 04 50 60 76 59, talloirestourism@wanadoo.fr.*

*Paris 551 – Annecy 13 – Albertville 34 – Megève 49.*

**Auberge du Père Bise** , ☏ 04 50 60 72 01, *reception@perebise.com, Fax 04 50 60 73 05,* – 25. AE GB JCB
*22 mars 20 déc. et fermé mardi midi et vend. midi du 15 mai au 15 oct., mardi et merc. hors saison* – **Repas** 85/125 et carte 90 à 125 ♀ – 17 – **25 ch** 290/380, 5 appart – ½ P 250/400.
◆ Cette belle maison postée sur les rives du lac accueille depuis plus d'un siècle les grands de ce monde. Aménagements luxueux et cuisine de tradition. Terrasse idyllique.
**Spéc.** Gratin de queues d'écrevisses "Marguerite Bise". Tatin de pommes de terre, truffes et foie gras sauce Périgueux. Marjolaine.

**L'Abbaye** , ☏ 04 50 60 77 33, *abbaye@abbaye-talloires.com, Fax 04 50 60 78 81,* – 25. AE GB JCB
*fermé 15 au 27 déc. et 2 au 24 janv.* – **Repas** 45/90 ♀ – 15,30 – **32 ch** 186/337 – ½ P 144/277.
◆ Cézanne séjourna dans cette élégante abbaye bénédictine bâtie au 17e s. sur la rive du lac d'Annecy. La chambre du Prieur mérite le coup d'oeil. Ravissant jardin arboré.

**Cottage** , ☏ 04 50 60 71 10, *cottagebise@wanadoo.fr, Fax 04 50 60 77 51,* – AE GB JCB. rest
*26 avril-4 oct.* – **Repas** (23) - 33/50 ♀, enf. 20 – 14 – **35 ch** 125/210 – ½ P 100/155.
◆ Face à l'embarcadère, trois maisons des années 1930 de style cottage. Les chambres, décorées avec goût, sont orientées vers le lac, le jardin ou la montagne. Terrasse ombragée.

**Les Prés du Lac** sans rest, ☏ 04 50 60 76 11, *les.pres.du.lac@wanadoo.fr, Fax 04 50 60 73 42,* – AE GB JCB
*12 avril-19 oct.* – 16 – **16 ch** 137/246.
◆ Raffinement et élégance imprègnent chaque pièce de cet hôtel composé de trois pavillons disséminés dans un jardin qui s'étend jusqu'au lac. Plage privée avec ponton.

**Beau Site** , ☏ 04 50 60 71 04, *hotelbeausite@free.fr, Fax 04 50 60 79 22,* – AE GB. rest
*18 mai-8 oct.* – **Repas** *(fermé mardi hors saison)* 28,50 ♀, enf. 10,70 – 11 – **29 ch** 116/180 – ½ P 79/111.
◆ Charmante maison de maître (1875) dans un vaste jardin descendant jusqu'au lac. Les chambres avec balcon offrent une jolie perspective sur le château de Duingt.

**Charpenterie** , ✆ 04 50 60 70 47, *lacharpenterie@wanadoo.fr, Fax 04 50 60 79 07,* – ▣ TV. AE ⓓ GB
*fermé 15 déc. au 6 fév.* – **Repas** 21,50/34,50 ♀, enf. 7,60 – ☕ 10,50 – **18 ch** 78/92 – ½ P 58/78.
◆ Construction de type chalet agrémentée de balcons ouvragés. Intérieur chaleureux et confortable où le bois s'impose partout. Nombreuses chambres avec terrasse.

**Villa des Fleurs** avec ch, ✆ 04 50 60 71 14, *lavilladesfleurs@wanadoo.fr, Fax 04 50 60 74 06,* – TV P. AE GB JCB
*fermé 15 nov. au 15 déc., 20 janv. au 4 fév., dim. soir, mardi midi et lundi* – **Repas** 27,50/48 ♀, enf. 18 – ☕ 11,50 – **8 ch** 84/115 – ½ P 89/95.
◆ Dans le bourg, confortable villa savoyarde du début du 20e s. entourée de verdure. Vous y dégusterez une cuisine régionale et surtout les poissons du lac d'Annecy.

**à Angon** *Sud : 2 km par D 909a – ✉ 74290 Veyrier-du-Lac :*

**Les Grillons,** ✆ 04 50 60 70 31, *grillon74@hotmail.com, Fax 04 50 60 72 19,* – TV P. GB. rest
*5 avril-11 nov.* – **Repas** 23/29 ♀ – ☕ 10 – **30 ch** 99/102 – ½ P 58/75.
◆ Établissement de style pension abritant des chambres spacieuses et bien tenues ; la plupart offrent un coup d'oeil sur le lac. La grande piscine est agréable en été.

---

## TALMONT-SUR-GIRONDE *17120 Char.-Mar.* 324 E6 *G. Poitou Vendée Charentes – 83 h alt. 20.*

*Voir Site★ de l'église Ste-Radegonde★.*

*Paris 503 – Royan 18 – Blaye 69 – La Rochelle 88 – Saintes 36.*

**L'Estuaire** avec ch, au Caillaud, 1 av. Estuaire ✆ 05 46 90 43 85, *Fax 05 46 90 43 88,* < estuaire et le village – P. GB. ch
*hôtel : 1er avril-30 sept. et fermé lundi, mardi et merc. hors saison* – **Repas** *(fermé 1er au 15 oct., 15 janv. au 15 fév., lundi soir, mardi soir hors saison et merc.)* 16,80/34,50, enf. 8,40 – ☕ 6 – **7 ch** 41/52 – ½ P 41,50.
◆ Superbe situation face à la Gironde pour cet établissement impeccablement tenu. Chambres calmes et bien aménagées. Salle à manger en rotonde. Produits de la pêche locale.

*Le Guide change, changez de guide tous les ans.*

---

## LA TAMARISSIÈRE *34 Hérault* 339 F9 – *rattaché à Agde.*

---

## TAMNIÈS *24620 Dordogne* 329 H6 – *313 h alt. 200.*

*Paris 504 – Brive-la-Gaillarde 47 – Périgueux 59 – Sarlat-la-Canéda 14.*

**Laborderie** , ✆ 05 53 29 68 59, *hotel.laborderie@worldonline.fr, Fax 05 53 29 65 31,* <, – ▤ rest, TV P. GB
*5 avril-2 nov.* – **Repas** *(fermé merc. midi sauf juil.- août)* 18/41 ♀, enf. 10 – ☕ 7 – **40 ch** 38/75 – ½ P 44/62.
◆ Maison périgourdine, ses trois annexes et son vaste parc tourné vers la vallée. Chambres rustiques ou actuelles. Salle à manger campagnarde et cuisine du terroir soignée.

---

## TANINGES *74440 H.-Savoie* 328 M4 *G. Alpes du Nord – 2 791 h alt. 640.*

*Office du Tourisme, avenue des Théières ✆ 04 50 34 25 05, Fax 04 50 34 83 96, ot@taninges.com.*

*Paris 570 – Chamonix-Mont-Blanc 51 – Thonon-les-Bains 47 – Annecy 65 – Genève 43.*

**Crémaillère,** au lac de Flérier, Sud-Ouest : 1 km ✆ 04 50 34 21 98, *Fax 04 50 34 34 88,* – P. GB
*fermé 23 juin au 4 juil., janv., dim. soir, lundi soir et merc. sauf juil.-août* – **Repas** (nombre de couverts limité, prévenir) 25/38 ♀.
◆ Belle situation au bord d'un lac. Installez-vous près des baies vitrées ou, en saison, sur la terrasse panoramique. Plats du terroir et bon choix de bourgognes.

---

## TANNERON *83440 Var* 340 Q4 – *1 157 h alt. 376.*

*Paris 906 – Cannes 20 – Antibes 31 – Draguignan 64 – Grasse 16 – St-Raphaël 42.*

**Champfagou** avec ch, pl. du Village ✆ 04 93 60 68 30, *Fax 04 93 60 70 60,* <, – P. AE ⓓ GB
*hôtel : fermé nov. ; rest. : déj. seul. du 15 oct. au 15 déc* – **Repas** *(fermé mardi soir sauf juil.-août et merc.)* 20/26,50 ♀ – ☕ 5,50 – **9 ch** 40 – ½ P 50.
◆ Dans un village tranquille, bâtisse colorée et sa plaisante terrasse fleurie d'hortensias. Petites chambres meublées en rotin. Salle à manger de style rustique.

**TANTONVILLE** *54116 M.-et-M.* 307 H8 – *651 h alt. 300.*
*Paris 325 – Nancy 28 – Épinal 49 – Lunéville 34 – Toul 37 – Vittel 44.*

XX **Commanderie,** 1 r. Pasteur ☎ 03 83 52 49 83, *Fax 03 83 52 49 83,* – P. GB
*fermé 25 août au 14 sept., 5 au 11 janv., dim. soir, lundi et mardi* – **Repas** 11 (déj.), 20/42 ♀, enf. 8,50.
◆ Autrefois consacrée à la dégustation des bières de la famille Tourtel, cette maison du début du 20e s. abrite cet élégant restaurant et sa belle terrasse pavée et ombragée.

**TANUS** *81190 Tarn* 338 F6 – *464 h alt. 439.*
*Voir Viaduc du Viaur★ NE : 7 km, G. Midi-Pyrénées.*
*Syndicat d'Initiative, ☎ 05 63 76 36 71.*
*Paris 673 – Rodez 46 – Albi 34 – St-Affrique 62.*

**Voyageurs,** ☎ 05 63 76 30 06, *ddelpous@club-internet.fr, Fax 05 63 76 37 94,* – rest, TV. GB
*fermé dim. soir et lundi sauf juil.-août* – **Repas** 13,50 bc/26,50, enf. 7,50 – 6 – **15 ch** 37/46 – ½ P 33,50/37,50.
◆ Près de l'église, hôtel tout simple bordé d'un petit jardin ombragé d'un saule pleureur. Chambres équipées d'un mobilier campagnard, plus calmes sur l'arrière.

**TARARE** *69170 Rhône* 327 F4 *G. Vallée du Rhône – 10 720 h alt. 383.*
*Office du Tourisme, 6 place de la Madeleine ☎ 04 74 63 06 65, Fax 04 74 63 52 69.*
*Paris 464 – Roanne 42 – Lyon 48 – Montbrison 60 – Villefranche-sur-Saône 33.*

**Burnichon,** Est par N 7 : 1,5 km ☎ 04 74 63 44 01, *Fax 04 74 05 08 52,* – TV P – 40. AE GB
**Repas** *(fermé sam. soir et dim.)* 11,50/20 ♀ – 8 – **34 ch** 34/46 – ½ P 37.
◆ Imposante bâtisse pratique pour l'étape, à proximité du parc Thivel. Chambres fonctionnelles et insonorisées. Salle à manger rustique, véranda et terrasse d'été.

XXX **Jean Brouilly,** 3 ter r. Paris ☎ 04 74 63 24 56, *restaurant.jean-brouilly@wanadoo.fr, Fax 04 74 05 05 48,* – P. AE GB
*fermé 3 au 28 août, vacances de fév., dim. et lundi* – **Repas** 32/62 et carte 43 à 60 ♀, enf. 11.
◆ Au milieu d'un parc, demeure bourgeoise élégamment décorée. Cuisine classique soignée et actualisée. Intéressante exposition de livres de cuisine et d'oenologie.
**Spéc.** Langoustines en escabèche. Bar de ligne poêlé à la fleur de lotier. Tournedos "Milotier". **Vins** Beaujolais, Moulin à Vent.

*Une réservation confirmée par écrit ou par fax est toujours plus sûre.*

## TARASCON

Ancien-Collège (R. de l') ........ Z 2
Aqueduc (R. de l') ... Y 3
Arc de Boqui (R.) ... Y 4
Berrurier (Pl. Colonel) ...... Z 5
Blanqui (R.) ......... Z 6
Briand (Crs Aristide) . Z 7
Château (Bd du) .... Y 8
Château (R. du) ..... Y 10
Clerc-de-Molières (R.) Y 13
Halles (R. des)..... YZ
Hôpital (R. de l') .... Z 15
Jean-Jaurès (R.)...... Y 17
Jeu-de-Paume (R. du).......... YZ 19
Juifs (R. des) ........ Y 21
Ledru-Rollin (R.) ....... Z 23
Marché (Pl. du) ..... Y 25
Millaud (R. Ed.).... YZ 27
Mistral (R. Frédéric) . Z 29
Monge (R.) ......... Y
Moulin (R. J.) ....... Z 30
Pelletan (R. E.) ....... Z 32
Proudhon (R.) ..... YZ 34
Raffin (R.) .......... Y 35
République (Av. de la) ........ Z 37
Révolution (R. de la) YZ 39
Salaire (R.) ........ Z 40
Salengro (Av. R.) .... Y 42
Semard (Av. P.) ..... Z 44
Victor-Hugo (Bd) .... Z

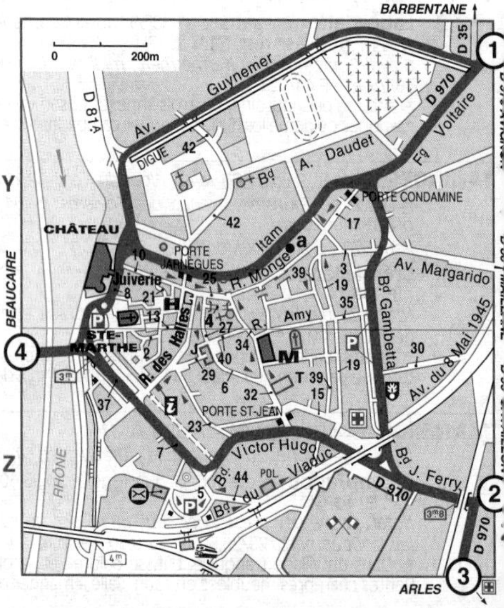

BARBENTANE
0
200m
D 35
D 970
Guynemer
Av.
D 81A
Voltaire
Fg
DIGUE
42
A. Daudet
Bd
PORTE CONDAMINE
CHÂTEAU
42
17
Itam
a
PORTE JARNÈGUES
10
25
R. Monge
39
3
Av. Margarido
Juiverie
8
21
H
19
35
Bd Gambetta
Av. du 8 Mai 1945
BEAUCAIRE
13
4
27
R.
Amy
P
STE-MARTHE
2
R. des Halles
J
34
M
30
19
40
T 39
15
29
6
37
32
PORTE ST-JEAN
23
Victor Hugo
Viaduc
7
Bd J. Ferry
D 970
RHÔNE
44
POL
du
5
P
Bd
Y
Z
ARLES

## TARASCON 13150 B.-du-R. 340 C3 *G. Provence – 10 826 h alt. 8.*

*Voir Château du roi René** : ※** – Église Ste-Marthe* – Musée Charles-Deméry* (Souleïado)* **M.**

*Syndicat d'Initiative, 59 rue des Halles ✆ 04 90 91 03 52, Fax 04 90 91 22 96, tourisme@tarascon.org.*

*Paris 706 ④ – Avignon 23 ① – Arles 18 ③ – Marseille 102 ③ – Nîmes 27 ④.*

Plan page ci-contre

**Échevins,** 26 bd Itam ✆ 04 90 91 01 70, *echevins@aol.com, Fax 04 90 43 50 44* – rest, . GB. rest Y a

*1er avril-30 oct.* – ***Mistral*** ✆ 04 90 91 27 62 *(fermé sam. midi, merc.midi et dim. soir)* **Repas** 15,10/21,30 ♀, enf. 12 – ☐ 7 – **40 ch** 52/60 – ½ P 52.

◆ Les "Tartarins" en route pour l'Afrique feront étape en cette demeure du 17e s. à l'ambiance familiale. Chambres modestes mais bien tenues. Bel escalier à rampe forgée.

## TARASCON-SUR-ARIÈGE 09400 Ariège 343 H7 *G. Midi-Pyrénées – 3 533 h alt. 474.*

*Voir Parc pyrénéen de l'art préhistorique** O : 3 km – Grotte de Niaux** (dessins préhistoriques) SO : 4 km – Grotte de Lombrives* S : 3 km par N 20.*

*Office du Tourisme, Centre Multimédia ✆ 05 61 05 94 94, Fax 05 61 05 57 79, pays.de.tarascon@wanadoo.fr.*

*Paris 788 – Foix 16 – Ax-les-Thermes 27 – Lavelanet 30.*

**Confort** sans rest, quai A. Sylvestre ✆ 05 61 05 61 90, *Fax 05 61 05 55 99* – . GB

*fermé 6 au 23 janv.* – ☐ 7 – **12 ch** 35/46.

◆ Petit hôtel familial au bord de l'Ariège, à proximité du parc pyrénéen de l'Art préhistorique. Chambres simples et propres. Agréable patio pour le petit-déjeuner.

**à Ussat** *Sud-Est : 2 km – 317 h. alt. 520 – ✉ 09400 :*

**Parc** M, ✆ 05 61 02 20 20, *thermes.ussat@wanadoo.fr, Fax 05 61 05 10 60*, , , , – – 100. AE GB. rest

*5 janv.-30 oct.* – **Repas** 11,50 – ☐ 6,20 – **49 ch** 39,60/49 – ½ P 38,10.

◆ Hôtel récent s'élevant face à un beau parc boisé. Sobres chambres fonctionnelles. Thermes au 1er étage, piscine couverte et terrasse-solarium sur le toit.

## TARBES P 65000 H.-Pyr. 342 M5 *G. Midi-Pyrénées – 47 566 h Aggio. 109 892 h alt. 320.*

*de Tarbes-Lourdes-Pyrénées : ✆ 05 62 32 92 22, par ④ : 9 km.*

*✆ 08 36 35 35 35.*

*Office du Tourisme, 3 cours Gambetta ✆ 05 62 51 30 31, Fax 05 62 44 17 63.*

*Paris 796 ① – Pau 44 ⑤ – Bordeaux 219 ① – Lourdes 18 ④ – Toulouse 158 ②.*

Plan page suivante

**Henri IV** sans rest, 7 av. B. Barère ✆ 05 62 34 01 68, *Fax 05 62 93 71 32* – . AE GB. AY k

☐ 7 – **23 ch** 58/68.

◆ Hôtel du 19e s. proche de la maison natale du maréchal Foch, disposant de chambres bien dimensionnées, claires et décorées dans des tons pastel ou dans le style provençal.

**Foch** sans rest, 18 pl. Verdun ✆ 05 62 93 71 58, *Fax 05 62 93 34 59* – . AE GB AYZ e

*fermé 23 déc. au 1er janv.* – ☐ 7 – **30 ch** 49/70.

◆ Cet établissement bordant une place animée est bien insonorisé. Les chambres des deux derniers étages, spacieuses et confortables, s'ouvrent sur d'agréables balcons.

**L'Ambroisie** (Labarrère), 48 r. Abbé Torné ✆ 05 62 93 09 34, *Fax 05 62 93 09 24*, , – . AE GB. AY n

*fermé 27 avril au 12 mai, 1er au 8 sept., 22 au 28 déc., dim., lundi et fériés* – **Repas** 29/50 et carte 57 à 75.

◆ Une "nourriture divine", à déguster dans un ancien presbytère ! La maison, qui date de 1882, abrite une salle à manger bourgeoise dotée d'un beau plancher en sapin de Barèges.

**Spéc.** Homard sous toutes ses formes (nov. à fév.). Filets de pigeon rôtis et pastilla des abats au curry. Biscuit mi-cuit mi-cru au chocolat noir. **Vins** Madiran.

**Petit Gourmand,** 62 av. B. Barère ✆ 05 62 34 26 86, *Fax 05 62 34 26 86*, – AE GB AY b

*fermé 15 août au 7 sept., sam. midi, dim. soir et lundi* – **Repas** 16,80/25,50.

◆ Les petits gourmands ne perdront pas le sourire dans cette salle de style brasserie ornée de vieilles affiches publicitaires, où l'on sert des plats au goût du jour.

**Fil à la Patte,** 30 r. G. Lassalle ✆ 05 62 93 39 23, *Fax 05 62 93 39 23* – . GB AY a

*fermé 11 au 31 août, 6 au 12 janv., sam. midi, dim. et lundi* – **Repas** 15/23 ♀.

◆ Cuisine du terroir et du marché à savourer dans une ambiance franchement conviviale : ce petit restaurant aux couleurs ensoleillées a déjà séduit bon nombre d'habitués.

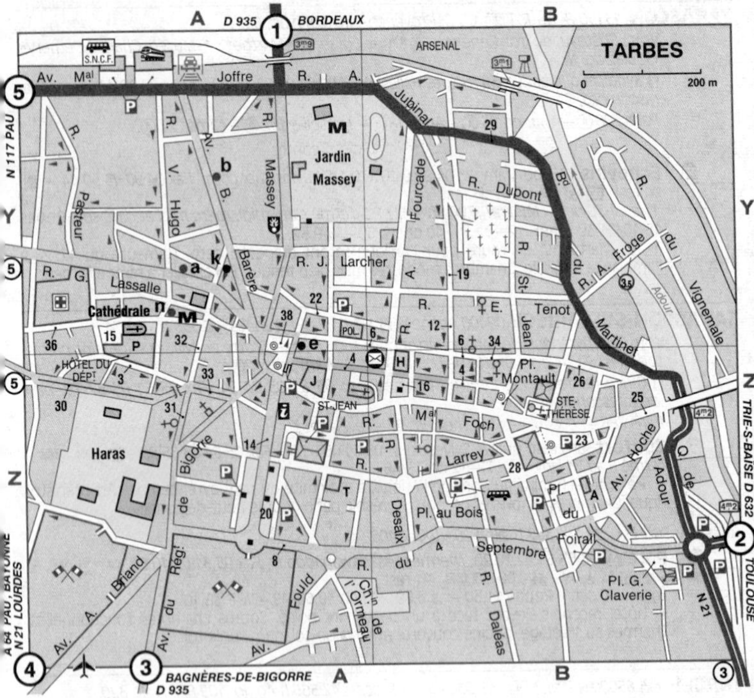
TARBES
A
B
D 935
BORDEAUX
ARSENAL
0
200 m
Av. Mal Joffre
R. A. Jubinal
Jardin Massey
R. Massey
R. Fourcade
R. Dupont
Bd du Martinet
R. A. Froge
R. du Vignemale
Adour
R. Pasteur
R. V. Hugo
Av. B. Barère
R. J. Larcher
R. G. Lassalle
Cathédrale
HÔTEL DU DÉPT
R. St-Jean
Pl. Montaulti
STE-THÉRÈSE
ST-JEAN
R. Mal Foch
R. Larrey
Haras
R. de Bigorre
R. Desaix
Pl. au Bois
Av. Hoche
Q. de l'Adour
Pl. du Foirail
Pl. G. Claverie
R. du 4 Septembre
Av. du Régt
R. Fould
Ch. de l'Ormeau
R. Daléas
Av. A. Briand
N 117 PAU
A 64 PAU, BAYONNE N 21 LOURDES
BAGNÈRES-DE-BIGORRE D 935
AUCH N 21 TRIE-S-BAÏSE D 632
TOULOUSE
N 21
Y
Z

| | | | | | | | | |
|---|---|---|---|---|---|---|---|---|
| Bigorre (R. de la) | AZ | 3 | Jaurès (Pl. Jean) | BZ | 16 | Parmentier (Pl.) | BZ | 28 |
| Brauhauban (R.) | ABZ | 4 | Laporte (R. H.) | BY | 19 | Péreire (R.) | BY | 29 |
| Clemenceau (R. G.) | ABY | 6 | Larcher (R. J.) | ABY | | Pradeau (Prom. du) | AZ | 30 |
| Cronstadt (R. de) | AZ | 8 | Leclerc (Allées Gén.) | AZ | 20 | Pyrénées (R. des) | AZ | 31 |
| Deville (R.) | BY | 12 | Magnoac (R. G.) | AY | 22 | Ramond (R.) | AYZ | 32 |
| Foch (R. Maréchal) | ABZ | | Marcadieu (Pl.) | BZ | 23 | Reffye (Cours) | AZ | 33 |
| Fourcade (R. A.) | BY | | Marne (Av. de la) | BZ | 25 | St-Frai (R. Marie) | BYZ | 34 |
| Gambetta (Cours) | AZ | 14 | Michelet (R.) | BZ | 26 | Sède (R. de la) | AY | 36 |
| Gaulle (Pl. Gén. de) | AY | 15 | | | | Verdun (Pl. de) | AYZ | 38 |

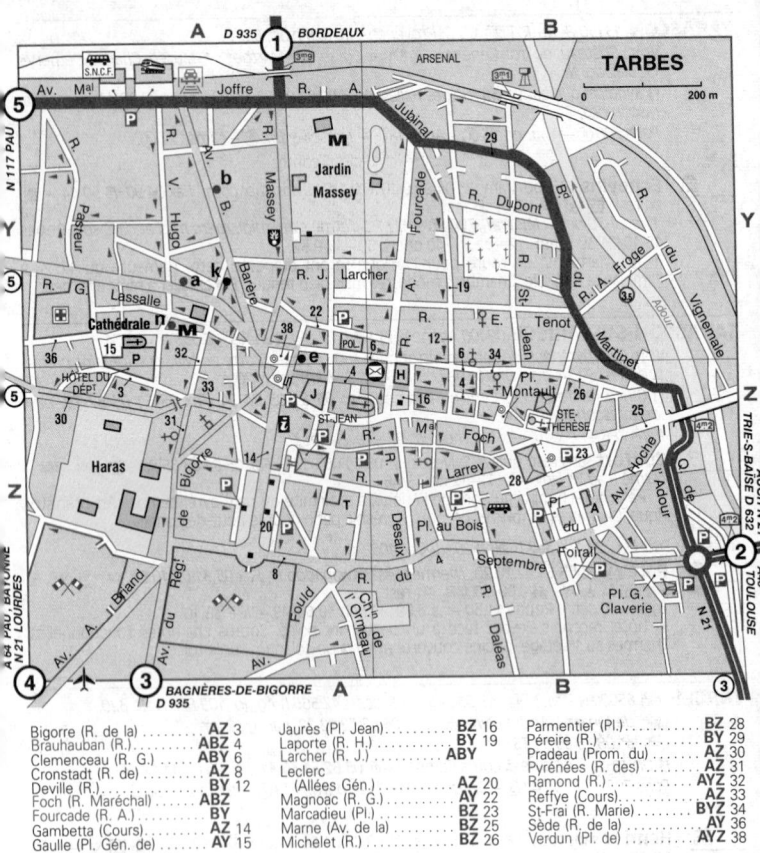

**rte de Lourdes par Juillan** *par ④ : 4 km sur D 921ᴬ – ✉ 65290 Juillan :*

XXX **L'Aragon** avec ch, ✆ 05 62 32 07 07, *hotel-restaurant.aragon@wanadoo.fr, Fax 05 62 32 92 50,* – TV ✆ P – 20. AE ⓓ GB JCB
*fermé 2 au 18 août, 22 déc. au 6 janv., 27 fév. au 10 mars, sam. midi et dim. soir* – **Repas** 31/51 et carte 43 à 60 ♀ - ***Bistrot*** *(fermé sam. midi et dim. soir)* **Repas** (12)bc-15,50bc – ☕ 7 – **12 ch** 43/57 – ½ P 46/52.
◆ Repas traditionnels dans une salle à manger agrémentée de boiseries ou plats régionaux au Bistrot. Petites chambres pratiques. Un programme de rénovation totale est en cours.

**rte de Pau** *par ⑤ : 6 km – ✉ 65420 Ibos :*

**Chaumière du Bois**, N 117 ✆ 05 62 90 03 51, *hotel@chaumieredubois.com, Fax 05 62 90 05 33,* – TV ✆ ♿ P. AE ⓓ GB
**Repas** *(fermé 24 déc. au 7 janv. dim. soir et lundi sauf juil.-août)* (12) - 14/24 – ☕ 6 – **22 ch** 48/64 – ½ P 48/54.
◆ Ambiance champêtre dans cet hébergement de type motel coiffé de toits en chaume. Chambres petites mais fonctionnelles ; toutes (sauf deux) donnent sur l'agréable jardin.

***Dans ce guide***
*un même symbole, un même mot,*
*imprimé en* ***rouge*** *ou en* ***noir,*** *en maigre ou en* ***gras,***
*n'ont pas tout à fait la même signification.*
*Lisez attentivement les pages explicatives.*

**TARDETS-SORHOLUS** *64470 Pyr.-Atl.* 342 *G6 – 704 h alt. 220.*

*Syndicat d'Initiative, place Centrale ☎ 05 59 28 51 28, Fax 05 59 28 52 46.*

*Paris 819 – Pau 62 – Mauléon-Licharre 14 – Oloron-Ste-Marie 28 – St-Jean-Pied-de-Port 47.*

**Pont d'Abense** avec ch, à Abense-de-Haut ☎ 05 59 28 54 60, *uhaltia@wanadoo.fr, Fax 05 59 28 75 91,* – P. GB.
*fermé 1er au 14 déc., janv., dim. soir, merc. soir et lundi hors saison* – **Repas** (nombre de couverts limité, prévenir) 16/30 – 6,50 – **11 ch** 28/51 – ½ P 34/44,50.
◆ Agréable maison basque bicentenaire. Cuisine du terroir et ambiance familiale dans le restaurant au décor soigné. Choisir une chambre rénovée et dotée d'une terrasse.

**TARGASONNE** *66 Pyr.-Or.* 344 *C7 – rattaché à Font-Romeu.*

**TARNAC** *19170 Corrèze* 329 *M1 G. Berry Limousin – 403 h alt. 700.*

*Paris 435 – Limoges 68 – Aubusson 47 – Bourganeuf 44 – Tulle 61 – Ussel 46.*

**Voyageurs**, ☎ 05 55 95 53 12, *voyageurs-tarnac@voila.fr, Fax 05 55 95 40 07* – rest, GB. rest
*fermé 23 au 30/06, 20/12 au 4/01, 22/02 au 12/03, lundi (sauf hôtel en juil.-août) et dim. soir de sept. à juin* – **Repas** 13,50/26, enf. 9 – 6,50 – **15 ch** 40,50/42,50 – ½ P 46,50.
◆ Au bord du plateau de Millevaches, sympathique petit hôtel de village doté de chambres simples et fraîches et d'un restaurant où l'on sert des plats régionaux.

**TASSIN-LA-DEMI-LUNE** *69 Rhône* 327 *H5 – rattaché à Lyon.*

**TAULÉ** *29670 Finistère* 308 *H3 – 2 796 h alt. 90.*

*Paris 545 – Brest 63 – Morlaix 8 – St-Pol-de-Léon 15.*

**Relais des Primeurs,** à la gare, Nord : 1,5 km ☎ 02 98 67 11 03, *Fax 02 98 79 02 70* – P. GB. ch
*fermé sept., vend. soir et sam. midi sauf juil.-août* – **Repas** 12,50/33 – 7 – **16 ch** 25/35 – ½ P 46.
◆ Architecture bretonne aux aménagements intérieurs parfois surprenants. Un bel escalier en marbre dessert des chambres simples et nettes.

**TAUTAVEL** *66720 Pyr.-Or.* 344 *H6 G. Languedoc Roussillon.*

Voir *Centre européen de préhistoire.*

*Paris 864 – Perpignan 32 – Carcassonne 96 – Limoux 85 – Narbonne 74 – Quillan 57.*

**Petit Gris,** rte d'Estagel ☎ 04 68 29 42 42, *Fax 04 68 29 40 49,* – P. GB
*fermé 6 au 26 janv., le soir et lundi d'oct. à fin mars* – **Repas** 12,20/27,44, enf. 6,86.
◆ À l'écart du village, restaurant tout simple dont les larges baies offrent de belles échappées sur les Corbières. Grillades préparées en salle et spécialités catalanes.

**TAVEL** *30126 Gard* 339 *N4 – 1 439 h alt. 100.*

*Office de tourisme, ☎ 04 66 50 04 10.*

*Paris 677 – Avignon 15 – Alès 69 – Nîmes 41 – Orange 22.*

**Pont du Roy,** Sud-Est : 3 km par D 4 et D 976 ☎ 04 66 50 22 03, *contact@hotelpontduroy.fr, Fax 04 66 50 10 14,* – ch, P. GB
*3 avril-12 oct.* – **Repas** (dîner seul.)(résidents seul.) 20,50/43, enf. 10 – 7 – **14 ch** 71/89 – ½ P 58,50/60,50.
◆ Au coeur du célèbre vignoble, construction de type mas venant de bénéficier d'un sérieux "lifting". Dans les chambres, murs pastel travaillés à l'éponge et mobilier rustique.

**TAVERS** *45 Loiret* 318 *G5 – rattaché à Beaugency.*

**Le TEIL** *07400 Ardèche* 331 *K6 G. Vallée du Rhône – 7 779 h alt. 75.*

Voir *Baptistère★ de l'église de Mélas.*

*Office du Tourisme, place Pierre Semard ☎ 04 75 49 10 46, Fax 04 75 49 65 19, ot.le-teil.ardeche@en-france.com.*

*Paris 613 – Valence 53 – Aubenas 35 – Montélimar 7 – Privas 33.*

**Gafferot,** 2 bd Stalingrad ☎ 04 75 49 49 24 – GB
*fermé 1er au 28 juil., 20 au 30 déc., 10 au 25 fév., dim. soir, merc. soir et lundi* – **Repas** 16/32.
◆ Petite adresse au centre du bourg dominé par les ruines d'un château du 13e s. Coquet décor "cosy" et cuisine classique escortée de quelques plats régionaux.

**Le TEILLEUL** *50640 Manche* 303 *G8 – 1 433 h alt. 212.*

*Paris 270 – Avranches 46 – Domfront 20 – Fougères 37 – Mayenne 39 – St-Lô 79.*

**Clé des Champs**, Est : 1 km sur N 176 ☎ 02 33 59 42 27, *Fax 02 33 59 33 71*, – TV P – 20. GB

*fermé 15 fév. au 7 mars, dim. soir et lundi du 1er oct. au 1er avril* – **Repas** 15/36 – 7 – **16 ch** 35/49 – ½ P 53.

◆ Grand pavillon dans un cadre verdoyant et fleuri. La plupart des chambres ont été rénovées. Vaste salle de restaurant rustique réchauffée par une cheminée centrale.

**Le TEMPLE-SUR-LOT** *47110 L.-et-G.* 336 *F3 – 933 h alt. 43.*

*Syndicat d'Initiative, place des Templiers ☎ 05 53 40 64 55, Fax 05 53 01 10 98.*

*Paris 604 – Agen 30 – Nérac 45 – Villeneuve-sur-Lot 16.*

**Les Rives du Plantié**, rte Castelmoron ☎ 05 53 79 86 86, *les-rives-du-plantie@wanadoo.fr, Fax 05 53 79 86 85*, – TV P – 150. AE GB

*fermé 20 oct. au 8 nov. et janv.* – **Repas** *(fermé dim. soir hors saison, sam. midi et lundi)* (13) - 20/77, enf. 11 – 9 – **10 ch** 61/67 – ½ P 65.

◆ À la campagne, ferme du début du 19e s. entourée d'un jardin. Chambres spacieuses et salle à manger aménagée dans les anciennes écuries. Cuisine du terroir.

**TENCE** *43190 H.-Loire* 331 *H3 G. Vallée du Rhône – 2 788 h alt. 840.*

*Office du Tourisme, place du Chatiague ☎ 04 71 59 81 99, Fax 04 71 65 47 13, office.de.tourisme.tence@freesbee.fr.*

*Paris 571 – Le Puy-en-Velay 47 – Lamastre 38 – St-Étienne 54 – Yssingeaux 19.*

**Hostellerie Placide**, av. Gare (rte d'Annonay) ☎ 04 71 59 82 76, *placide@hostellerie-placide.fr, Fax 04 71 65 44 46*, – TV P. GB. rest

*fermé 1er janv. au 31 mars, lundi midi et mardi midi en juil.-août, dim. soir, lundi et mardi hors saison* – **Repas** 15 (déj.), 26/58 – 10 – **13 ch** 69/99 – ½ P 61/81.

◆ Demeure de 1902 tapissée de lierre. Ravissantes chambres pastel. La salle à manger, actuelle et habillée de boiseries, s'ouvre sur un jardin fleuri. Cuisine au goût du jour.

**TENDE** *06430 Alpes-Mar.* 341 *G3 G. Côte d'Azur – 2 089 h alt. 815.*

**Voir** *Site★ - veille ville★ – Fresques★★★ de la chapelle Notre-Dame des fontaines★★ SE : 11 km.*

*Office du Tourisme, avenue du 16 septembre 47 ☎ 04 93 04 73 71, Fax 04 93 04 35 09.*

*Paris 1010 – Cuneo 46 – Menton 57 – Nice 79 – Sospel 39.*

**Auberge Tendasque**, 65 av. 16-Septembre-1947 ☎ 04 93 04 62 26, *Fax 04 93 04 68 34*, – GB

*fermé mardi de juin à oct. et le soir de nov. à mai* – **Repas** 13/20.

◆ Au coeur du village médiéval, haute maison au toit de lauzes flanquée d'une tonnelle. La salle à manger, rustique, possède un joli plafond peint. Terrasse ombragée.

**à Casterino** *Ouest : 16 km par St-Dalmas-de-Tende et D 91 – ✉ 06430 Tende :*

**Les Mélèzes**, ☎ 04 93 04 95 95, *Fax 04 93 04 95 96*, ←, – . GB. ch

*fermé 25 oct. au 27 déc., mardi soir et merc. hors saison* – **Repas** 17/23 – 5,50 – **10 ch** 44,20/49,80 – ½ P 41,40/44,20.

◆ Ce chalet bordant une voie sans issue est une excellente base pour randonner dans la vallée des Merveilles (gravures rupestres). Literie neuve dans toutes les chambres.

**à St-Dalmas-de-Tende** *Sud : 4 km par N 204 – ✉ 06430 :*

**Prieuré** (Centre d'Aide par le Travail), ☎ 04 93 04 75 70, *contact@leprieure.org, Fax 04 93 04 71 58*, – TV P – 50. AE GB

*fermé Noël au Jour de l'An* – **Repas** *(fermé dim. soir et lundi de nov. à mars)* (10) - 15/22 – 6 – **24 ch** 43/60,50 – ½ P 41,50/46,50.

◆ Le hameau abrite une insolite gare monumentale bâtie sur les ordres de Mussolini. Ancien prieuré restauré avec goût : chambres spacieuses, restaurant voûté et patio-terrasse.

**à la Brigue** *Sud-Est : 6,5 km par N 204 et D 43 – 618 h. alt. 810 – ✉ 06430 .*

**Voir** *Collégiale St-Martin★.*

*Syndicat d'Initiative, place Saint Martin ☎ 04 93 04 36 07, Fax 04 93 04 36 07.*

**Mirval**, ☎ 04 93 04 63 71, *Fax 04 93 04 79 81*, ←, – TV P. GB

*1er avril-2 nov.* – **Repas** *(fermé vend. midi)* 15/21 – 7,50 – **18 ch** 40/55 – ½ P 41/49.

◆ Une rivière poissonneuse coule au pied de cette accueillante auberge de montagne de la fin du 19e s. Chambres rénovées. Le restaurant offre une vue sur les sommets.

**TERMES** *48310 Lozère* 330 *H6 – 172 h alt. 1120.*
*Paris 548 – Aurillac 106 – Mende 56 – Chaudes-Aigues 19 – St-Flour 40.*

**Auberge du Verdy,** ✆ 04 66 31 60 97, *Fax 04 66 31 66 13,* – P. GB
*fermé 22 déc. à début mars –* **Repas** 10/20 – 5 – **10 ch** 34/39 – ½ P 35.
◆ Cette maison de pays qui a bénéficié d'une cure de jouvence héberge de petites chambres pratiques et fraîches. Repas servis au coin du feu l'hiver.

**TERRASSON-LAVILLEDIEU** *24120 Dordogne* 329 *I5 G. Périgord Quercy – 6 004 h alt. 90.*
Voir *Les jardins de l'imaginaire★.*
*Office du Tourisme, rue Jean Rouby ✆ 05 53 50 37 56, Fax 05 53 51 01 22.*
*Paris 497 – Brive-la-Gaillarde 22 – Lanouaille 44 – Périgueux 53 – Sarlat-la-Canéda 32.*

**Moulin Rouge,** rte Brive sur N 89 : 2 km ✆ 05 53 50 25 00, *le.moulin.rouge@wanadoo.fr, Fax 05 53 50 12 20,* – ch, P – 30. AE GB JCB
**Repas** *(fermé sam. et dim. sauf juil.-août)* 13/15 ♀, enf. 6 – 7,50 – **38 ch** 47/49, 3 studios – ½ P 44/66.
◆ À l'écart de la ville, établissement récent et fonctionnel, de type motel. Les chambres, toutes en rez-de-chaussée, sont pratiques et sobres. Grill.

**L'Imaginaire,** pl. Foirail (direction église St-Sour) ✆ 05 53 51 37 27, *Fax 05 53 51 60 37,* – P. AE GB
*fermé 12 au 27 nov., 5 au 21 janv., vacances de fév., dim. soir et mardi soir de sept. à juin et lundi –* **Repas** 30 (déj.), 38/79 bc et carte 38 à 46 ♀.
◆ Plaisirs des yeux et du palais rivalisent dans cette belle salle à manger voûtée aménagée dans un hospice du 17^e s. Mise en place élégante et cuisine au goût du jour soignée.

**TERTENOZ** *74 H.-Savoie* 328 *K6 – rattaché à Faverges.*

**TESSY-SUR-VIRE** *50420 Manche* 303 *F6 – 1 415 h alt. 50.*
*Paris 298 – St-Lô 18 – Caen 66 – Coutances 36 – Vire 25.*

**Minoterie** M, rte Pont-Farcy ✆ 02 33 77 21 21, *la-minoterie@wanadoo.fr, Fax 02 33 77 21 22,* – P. GB
*fermé 22 juin au 7 juil., dim. soir et lundi –* **Repas** 20/30 ♀ – 8 – **7 ch** 58/73 – ½ P 53/60.
◆ Avenante maison de maître (1870) au coeur du bocage normand. Les chambres, diversement meublées, sont fraîches et bien tenues. Salle à manger égayée de tons rouges.

**TÉTEGHEM** *59 Nord* 302 *C1 – rattaché à Dunkerque.*

**THANN** *68800 H.-Rhin* 315 *G10 G. Alsace Lorraine – 7 751 h alt. 343.*
Voir *Collégiale St-Thiébaut★★ – Grand Ballon ★★★ N : 19 km.*
*Office du Tourisme, 7 rue de la 1ère Armée ✆ 03 89 37 96 20, Fax 03 89 37 04 58, office-de-tourisme.thann@wanadoo.fr.*
*Paris 472 – Mulhouse 21 – Belfort 41 – Colmar 42 – Épinal 87 – Guebwiller 21.*

**Parc**, 23 r. Kléber ✆ 03 89 37 37 47, *hduparc@hrnet.fr, Fax 03 89 37 56 23,* – P – 30. GB
**Repas** *(fermé janv., lundi et mardi)* (10) - 27/39 ♀, enf. 19 – 15 – **20 ch** 89/177 – ½ P 83/135.
◆ Belle maison bourgeoise nichée dans un plaisant jardin arboré. Le salon et les chambres sont joliment meublés. Salle de restaurant lumineuse ; cuisine au goût du jour.

**Cigogne** M, ✆ 03 89 37 47 33, *Fax 03 89 37 40 18,* – P. GB
*fermé fév. –* **Repas** *(fermé dim. soir et lundi)* 10,70/36 ♀ – 7,80 – **27 ch** 44/54 – ½ P 59,50.
◆ Proche de la gare, établissement ancien récemment refait et agrandi d'une annexe. Les chambres, insonorisées, répondent aux exigences du confort moderne.

**Moschenross,** 42 r. Gén. de Gaulle ✆ 03 89 37 00 86, *info@le-moschenross.com, Fax 03 89 37 52 81,* – P – 20. AE GB
*fermé 1^er au 20 juil. –* **Repas** *(fermé sam. midi et dim. soir sauf été)* (9) - 11 (déj.), 15/21 ♀ – 6,10 – **23 ch** 31/49 – ½ P 35/42.
◆ Dominé par le fameux vignoble de Rangen, cet hôtel central est entièrement rénové : chambres actuelles, spacieuse salle à manger et cuisine traditionnelle.

**Aux Sapins,** 3 r. Jeanne d'Arc ✆ 03 89 37 10 96, *Fax 03 89 37 23 83,* – P. GB
*fermé 2 au 17 août et 24 déc. au 4 janv. –* **Repas** *(fermé sam.)* 9 (déj.), 15/32 ♀, enf. 5,50 – 6,10 – **17 ch** 38/49 – ½ P 45.
◆ La légende des trois sapins est à l'origine du nom de la petite cité. Chambres personnalisées et gaies, jolie salle à manger actuelle et coquet bistrot au cadre alsacien.

**Kléber,** 39 r. Kléber ✆ 03 89 37 13 66, *Fax 03 89 37 39 67*, – . rest
*fermé 19 au 22 fév.* – **Repas** *(fermé sam. et dim.)* 10,70/25 ♀ – ☐ 8,50 – **26 ch** 28,80/56,50 – ½ P 52.
◆ À deux pas de la collégiale St-Thiébaut, deux bâtiments bien équipés, tournés sur une cour intérieure. Préférez les chambres situées sur l'arrière, grandes et calmes.

---

**THANNENKIRCH** *68590 H.-Rhin* 315 H7 *G. Alsace Lorraine – 336 h alt. 520.*
Voir *Route★ de Schaentzel (D 48[1]) N : 3 km.*
*Paris 436 – Colmar 24 – St-Dié 40 – Sélestat 17.*

**Auberge La Meunière**, ✆ 03 89 73 10 47, *info@aubergelameuniere.com, Fax 03 89 73 12 31*, ≤, – – 25. AE GB
*25 mars-22 déc.* – **Repas** *(fermé lundi midi et mardi midi)* 17/36 ♀, enf. 7 – ☐ 7 – **25 ch** 53/90 – ½ P 44/59.
◆ Jolies chambres personnalisées, chaleureux restaurant rustique, vue sur la campagne vosgienne et cuisine du terroir au goût du jour : cette belle auberge a bien des attraits.

**Touring-Hôtel,** ✆ 03 89 73 10 01, *touringhotel@free.fr, Fax 03 89 73 11 79*, ≤, – , rest, – 45. GB
*fermé 3 janv. au 29 mars* – **Repas** *(fermé lundi midi, mardi midi et merc. midi)* 15/30 ♀, enf. 8 – ☐ 10 – **45 ch** 45/86 – ½ P 60/75.
◆ Hôtel familial situé à l'écart du village, à deux tours de roue du château du Haut-Koenigsbourg. Chambres très coquettes, rénovées à l'alsacienne. Accueil aimable.

---

**THARON-PLAGE** *44730 Loire-Atl.* 316 C5.
*Paris 438 – Nantes 57 – Challans 53 – St-Nazaire 112.*

**Belem,** 56 av. Convention ✆ 02 40 64 90 06, *Fax 02 40 39 43 14*, – . GB
*fermé 1er janv. au 6 fév., dim. soir et lundi sauf juil.-août* – **Repas** 17,50/33 ♀, enf. 8.
◆ Petite maison au centre d'une station balnéaire de la Côte de Jade. Salle actuelle, égayée de plantes vertes. Le chef propose, entre autres, les légumes du potager familial.

---

**Le THEIL** *15 Cantal* 330 C4 – *rattaché à Salers.*

---

**THÊMES** *89 Yonne* 319 C4 – ✉ *89410 Cézy.*
*Paris 144 – Auxerre 35 – La Celle-St-Cyr 5 – Joigny 9 – Montargis 51 – Sens 26.*

**P'tit Claridge** avec ch, ✆ 03 86 63 10 92, *Fax 03 86 63 01 34*, , – . AE GB. ch
*fermé 10 au 20 mars, 15 au 30 sept., 5 au 15 janv., lundi sauf hôtel et dim. soir* – **Repas** 18/45 ♀, enf. 10 – ☐ 8 – **7 ch** 42/45.
◆ Dans un petit village isolé, belle maison régionale où grimpe la vigne vierge. La salle à manger, spacieuse et claire, s'ouvre largement sur le jardin fleuri.

---

**THENAY** *36800 Indre* 323 E7 – *809 h alt. 120.*
*Paris 299 – Châteauroux 33 – Limoges 103 – Le Blanc 30 – La Châtre 49.*

**Auberge de Thenay,** ✆ 02 54 47 99 00, *pascal.orain@freesbee.fr*, – GB
*fermé 24 août au 7 sept., 15 au 29 fév., dim. soir et lundi* – **Repas** (nombre de couverts limité, prévenir) 10,50 bc (déj.), 17/26,50 ♀.
◆ Il règne une ambiance joviale en cette auberge-épicerie. Le menu est composé chaque jour autour d'une viande rôtie à la broche. Beau choix de whiskies et de vins du monde.

---

**THÉOULE-SUR-MER** *06590 Alpes-Mar.* 341 C6 *G. Côte d'Azur – 1 216 h.*
Excurs. *Massif de l'Estérel★★★.*
*Office du Tourisme, 1 Corniche d'Or ✆ 04 93 49 28 28, Fax 04 93 49 00 04, ot@theoule-sur-mer.org.*
*Paris 901 – Cannes 11 – Draguignan 58 – Nice 43 – St-Raphaël 30.*

**à Miramar** *5 km par N 98 - rte de St-Raphaël G. Côte d'Azur* – ✉ *06590 Théoule-sur-Mer.*
Voir *Pointe de l'Esquilon ≤★★ NE : 1 km puis 15 mn.*

**Miramar Beach** M, ✆ 04 93 75 05 05, *reservation@mbhotel.com, Fax 04 93 75 44 83*, ≤ mer, , , , , , , – – 30 à 50. AE GB JCB
***L'Étoile des Mers :*** Repas 35(déj.)44/79 ♀ – ☐ 17 – **57 ch** 145/320 – ½ P 183,50/216.
◆ Établissement dont le charme tient à sa superbe situation au creux d'une calanque de roches rouges. Chambres coquettes et spacieuses. Restaurant panoramique.

**THÉRONDELS** *12600 Aveyron 338 I1 – 505 h alt. 965.*
*Paris 563 – Aurillac 44 – Chaudes-Aigues 48 – Murat 50 – Rodez 87 – St-Flour 48.*

**Miquel,** ✆ 05 65 66 02 72, *hotel-miquel@wanadoo.fr, Fax 05 65 66 19 84,* – TV P. GB
*fermé 15 déc. au 10 fév., dim. soir sauf juil.-août et lundi sauf le midi en juil.-août –* **Repas** 9,30/26 – 6 – **20 ch** 47/49 – ½ P 39/42.
♦ Au centre du village, bâtiment rénové datant du début du 20e s. Les amples chambres donnent sur le jardin ou sur la rue parfois animée. Plaisante salle à manger.

**THÉSÉE** *41140 L.-et-Ch. 318 E8 G. Châteaux de la Loire – 1 074 h alt. 80.*
*Office du Tourisme, 5 rue Romaine ✆ 02 54 71 45 45, Fax 02 54 71 45 45.*
*Paris 217 – Tours 52 – Blois 42 – Châteauroux 73 – Montrichard 12 – Vierzon 62.*

**Hostellerie du Moulin de la Renne,** ✆ 02 54 71 41 56, *contact@moulindelarenne.com, Fax 02 54 71 75 09,* – P. GB
*fermé 15 janv. au 15 mars, dim. soir, mardi midi et lundi du 15 sept au 30 avril –* **Repas** 15,20/21, enf. 8,50 – 7,50 – **15 ch** 42/49,50 – ½ P 35,50/45,20.
♦ Ancien moulin entouré d'un jardin ombragé traversé par la Renne. Petites chambres simples, à la tenue irréprochable. Deux salles à manger champêtres. Cuisine du terroir.

**THIÉBLEMONT-FARÉMONT** *51300 Marne 306 K10 – 587 h alt. 120.*
*Paris 193 – Bar-le-Duc 42 – Châlons-en-Champagne 43 – Troyes 93 – Vitry-le-François 13.*

**Champenois** avec ch, N 4 ✆ 03 26 73 81 03, *Fax 03 26 73 80 95 –* TV P. AE GB JCB
*fermé 15 au 31 oct., 15 au 28 fév., dim. soir et lundi –* **Repas** 24/35 ♀, enf. 10 – 7,50 – **9 ch** 34/50 – ½ P 50/53.
♦ Bien pour l'étape, ce restaurant-grill vous accueille dans une belle salle rustique avec colombages et poutres apparentes. Les chambres sur l'arrière sont plus calmes.

*Pas de publicité payée dans ce guide.*

**THIERS** *63300 P.-de-D. 326 I7 G. Auvergne – 14 832 h alt. 420.*
*Voir Site★★ – Le Vieux Thiers★ : Maison du Pirou★ N – Terrasse du Rempart ★ – Rocher de Borbes ★ S : 3,5 km par D 102.*
*Office du Tourisme, Maison du Pirou ✆ 04 73 80 65 65, Fax 04 73 80 01 32.*
*Paris 392 ③ – Clermont-Ferrand 42 ② – Lyon 133 ① – St-Étienne 108 ① – Vichy 37 ③.*

Plan page suivante

**L'Aigle d'Or,** 8 r. Lyon ✆ 04 73 80 00 50, *Fax 04 73 80 17 00 –* TV. GB Y a
**Repas** *(fermé sam. midi, dim.soir et lundi) (11) -* 15/29 ♀ – 6 – **20 ch** 39/45 – ½ P 43.
♦ Cet établissement, fondé en 1836, vient de subir une cure de jouvence. Les chambres refaites sont bien insonorisées. Salle à manger rafraîchie ; cuisine traditionnelle.

**à la Monnerie-le-Montel** *par ① : 6,5 km par N 89 – 2 594 h. alt. 544 – ✉ 63650 :*

**Auberge du Piarrou,** ✆ 04 73 80 02 78 – GB
*fermé 13 au 21 avril, 3 au 24 août, lundi soir, mardi soir, merc. soir, jeudi soir et dim. –* **Repas** 15,50/23,50.
♦ Restaurant familial de bord de route à la façade pimpante. Le vestibule d'entrée dessert un petit salon et une salle à manger campagnarde réchauffée par une cheminée.

**rte de Clermont-Ferrand** *par ② : 5 km sur N 89 – ✉ 63300 Thiers :*

**Parc de Geoffroy** M, ✆ 04 73 80 87 00, *reservation@parc-de-geoffroy.com, Fax 04 73 80 87 01,* – TV P – 15 à 50. AE GB
**Repas** *(11) -* 16/32 ♀ – 8 – **31 ch** 67/75 – ½ P 52,50/56.
♦ Ancienne demeure de coutelier au coeur d'un parc arboré. Une annexe moderne abrite de grandes chambres. Salles à manger bourgeoises égayées de fresques.

**à Pont-de-Dore** *par ② : 6 km par N 89 – ✉ 63920 Peschadoires :*

**Éliotel,** rte Maringues ✆ 04 73 80 10 14, *eliotel@wanadoo.fr, Fax 04 73 80 51 02,* – TV P. GB
*fermé 26 déc. au 20 janv. –* **Repas** *(12,50) -* 15/42, enf. 7,60 – 5,90 – **13 ch** 42/68 – ½ P 44/54.
♦ Proche de la gare, établissement commode pour l'étape. Les chambres, sobres et bien pensées, ont toutes été refaites. Petit cybercafé. Recettes bretonnes et auvergnates.

**Ferme des Trois Canards,** Nord-Ouest : 3 km par rte Maringues et rte secondaire ✆ 04 73 51 06 70, *restaurant3canards@wanadoo.fr, Fax 04 73 51 06 71,* – P. GB
*fermé dim. soir, mardi soir et merc. –* **Repas** 22/64 ♀.
♦ Le cadre champêtre de ce restaurant aménagé dans un ancien corps de ferme vous séduira par son authenticité, affirmée par la présence de poutres et d'une cheminée.

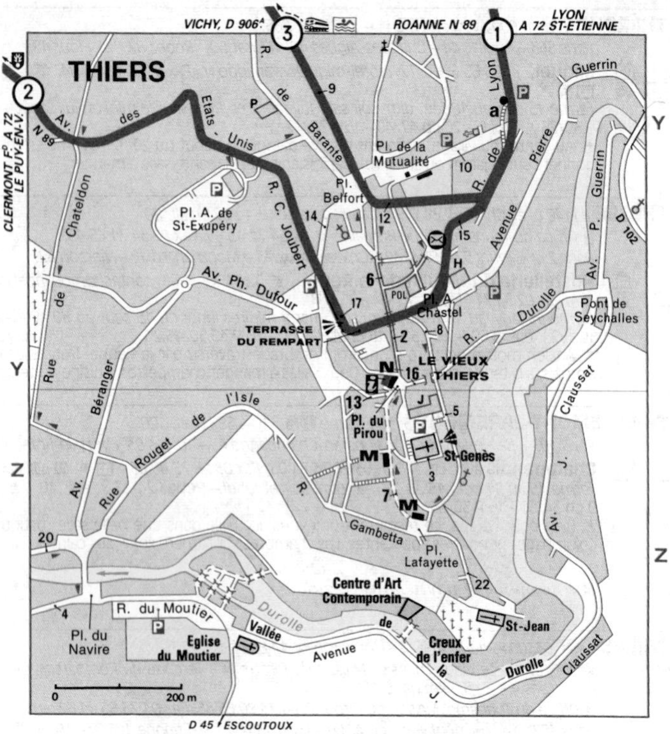
VICHY, D 906A
ROANNE N 89
LYON
A 72 ST-ETIENNE
THIERS
CLERMONT Fd A 72
LE PUY-EN-V.
N 89
Av. des Etats-Unis
R. de Barante
Pl. de la Mutualité
Pl. Belfort
R. C. Joubert
Pl. A. de St-Exupéry
Av. Ph. Dufour
Rue de Chateldon
Guerrin
Av. P. Guerrin
D 102
R. de Lyon
Avenue Pierre
Pl. A. Chastel
POL
R. Durolle
Pont de Seychalles
TERRASSE DU REMPART
LE VIEUX THIERS
Pl. du Pirou
St-Genès
Av. Béranger
Rue Rouget de l'Isle
R. Gambetta
Pl. Lafayette
Av. J. Claussat
Centre d'Art Contemporain
St-Jean
R. du Moutier
Pl. du Navire
Eglise du Moutier
Vallée de Durolle
Creux de l'enfer
Avenue de la Vallée
Durolle
Claussat
0
200 m
D 45 ESCOUTOUX

| | | | | | |
|---|---|---|---|---|---|
| Bourg (R. du) | Y 2 | Dumas (R. Alexandre) | Y 8 | Mitterrand (R. F.) | Y 15 |
| Brugière (Imp. Jean) | Z 3 | Dr. Dumas (R. des) | Y 9 | Pirou (R. du) | Y 16 |
| Clermont (R. de) | Z 4 | Duchasseint (Pl.) | Y 10 | Terrasse (R.) | Y 17 |
| Chabot (R. M.) | Z 5 | Grammonts (R. des) | Y 12 | Voltaire (Av.) | Z 20 |
| Conchette (R.) | Y 6 | Grenette (R.) | Z 13 | 4-Septembre (R. du) | Z 22 |
| Coutellerie (R. de la) | Z 7 | Marilhat (R. Prosper) | Y 14 | | |

**à Courty** *par ③ : 6,5 km par D 906A – ✉ 63300 Thiers :*

XX **Moulin Bleu** avec ch, ☎ 04 73 80 06 22, *Fax 04 73 80 08 16*, – TV P – 15. GB

**Repas** *(fermé vend. midi, sam. midi, dim. soir et lundi)* 20/23 ♀ – 6 – **9 ch** 46/55.

◆ Ce bâtiment récemment rénové jouxte une base de loisirs. Grande salle à manger confortable ; dîner-spectacle le samedi. Côté jardin, les chambres profitent du calme.

---

**THIÉZAC** *15800 Cantal* 330 E4 *G. Auvergne – 693 h alt. 805.*

**Voir** *Pas de Compaing★ NE : 3 km.*

*Office du Tourisme, Le Bourg ☎ 04 71 47 03 50, Fax 04 71 47 03 83, ot.thiezac@auvergne .net.*

*Paris 545 – Aurillac 27 – Murat 23 – Vic-sur-Cère 8.*

**Casteltinet,** ☎ 04 71 47 00 60, *faustmacua@aol.com, Fax 04 71 47 04 08*, ←, – TV P. GB. rest

*1er fév.-1er nov.* – **Repas** *(fermé dim. soir et lundi)* 11/27 – 6,50 – **22 ch** 38/58 – ½ P 38/41.

◆ Maison récente, joliment inspirée de l'architecture locale, dont les chambres avec loggia offrent un panorama imprenable sur les monts du Cantal. Restaurant très fleuri.

**L'Elancèze** (annexe Belle Vallée 10 ch), ☎ 04 71 47 00 22, *info@elanceze.com, Fax 04 71 47 02 08* – P. GB

*fermé 2 nov. au 22 déc.* – **Repas** *(10)* - 15/29 ♀ – 10 – **41 ch** 38/48 – ½ P 39/42.

◆ Quelques vues régionales décorent les murs de la vaste salle de restaurant ; belle perspective sur les toits d'ardoises des maisons cantaliennes. Plats du terroir.

**Le THILLOT** *88160 Vosges* 314 I5 *G. Alsace Lorraine – 4 246 h alt. 495.*

*Office du Tourisme, 11 avenue de Verdun ✆ 03 29 25 28 61, Fax 03 29 25 38 39.*

*Paris 434 – Épinal 49 – Belfort 47 – Colmar 74 – Mulhouse 58 – St-Dié 59 – Vesoul 65.*

**au Ménil** *Nord-Est : 3,5 km par D 486 – 1 119 h. alt. 524 – ✉ 88160 Le Thillot :*

**Les Sapins,** ✆ 03 29 25 02 46, *les.sapins@voila.fr, Fax 03 29 25 80 23,* – TV P. AE GB

*fermé 23 juin au 5 juil. et 24 nov. au 17 déc. –* **Repas** *(fermé dim. soir sauf juil.-août et lundi midi)* 11,50 (déj.), 18/37 ♀ – 6 – **23 ch** 41/43,50 – ½ P 44/45,50.

◆ En bordure de route, construction traditionnelle disposant de petites chambres lambrissées et d'une salle à manger en rotonde ouverte sur une prairie et un étang.

*Ecrivez-nous...*

*Vos louanges comme vos critiques seront examinées avec le plus grand soin. Nous reverrons sur place les informations que vous nous signalez.*

*Par avance merci !*

**THIONVILLE** <SP> *57100 Moselle* 307 I2 *G. Alsace Lorraine – 39 712 h Agglo. 130 480 h alt. 155.*

Voir *Château de la Grange*★.

*Office du Tourisme, 16 rue du vieux collège ✆ 03 82 53 33 18, Fax 03 82 53 15 55, tourisme@thionville.net.*

*Paris 346 ④ – Metz 31 ④ – Luxembourg 32 ⑦ – Nancy 86 ④ – Trier 77 ③ – Verdun 87 ④.*

## THIONVILLE

| | | |
|---|---|---|
| Afrique (Chée d') | AV | 3 |
| Amérique (Chée d') | BV | 4 |
| Asie (Chée d') | AV | 6 |
| Bel Air (Allée) | AV | 7 |
| Comte-de-Bertier (Av.) | BV | 10 |
| Europe (Chée d') | AV | 13 |
| Guentrange (Rte de) | AV | 15 |
| Longwy (R. de) | AV | 18 |
| Océanie (Chée d') | BV | 25 |
| Paul-Albert (R.) | AV | 28 |
| Pyramides (R. des) | BV | 29 |
| Romains (R. des) | AX | 31 |
| Terrasse (Allée de la) | AV | 34 |
| 14 Juillet (Av. du) | AV | 37 |

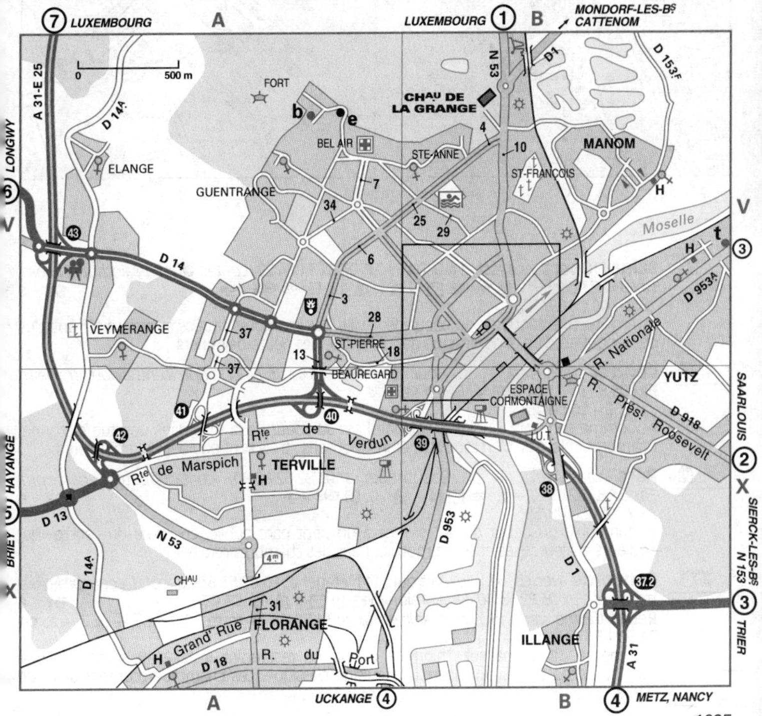

7 LUXEMBOURG
A
LUXEMBOURG 1
B
MONDORF-LES-BS CATTENOM
A 31-E 25
0
500 m
FORT
D 14A
CHAU DE LA GRANGE
N 53
D 1
D 153F
MANOM
BEL AIR
STE-ANNE
ST-FRANÇOIS
ELANGE
GUENTRANGE
Moselle
D 14
VEYMERANGE
ST-PIERRE
BEAUREGARD
R. Nationale
D 953A
YUTZ
ESPACE CORMONTAIGNE
I.U.T.
R. Prés! Roosevelt
D 918
Rte de Verdun
Rte de Marspich
TERVILLE
D 13
N 53
D 953
D 1
CHAU
FLORANGE
Grand' Rue
D 18
R. du Port
ILLANGE
A 31
UCKANGE 4
4 METZ, NANCY
3 TRIER
SIERCK-LES-BS N 153
2 SAARLOUIS
3
LONGWY
HAYANGE
BRIEY
V
X

# THIONVILLE



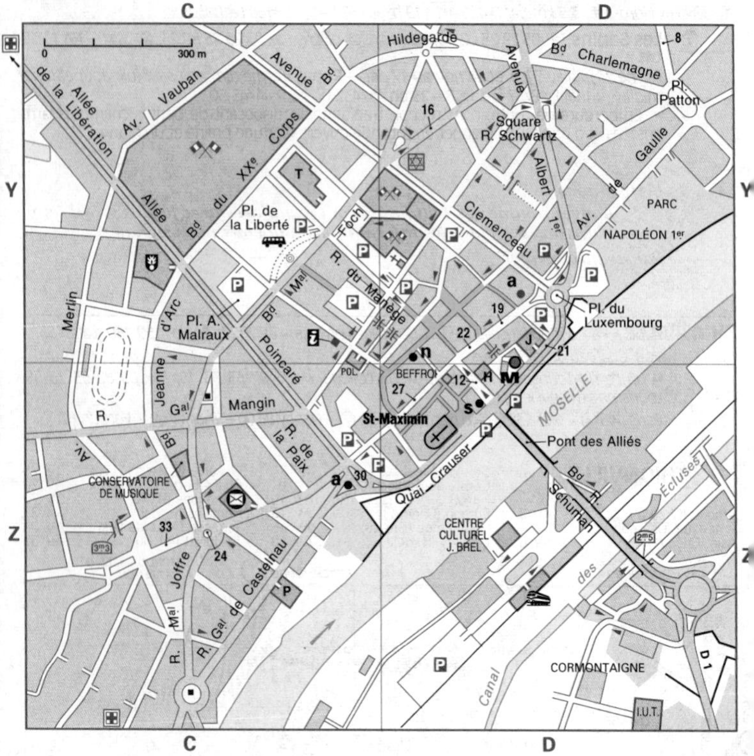

C
D
Y
Z
0
300 m
Hildegarde
Avenue Bd
Bd Charlemagne
Pl. Patton
Allée de la Libération
Av. Vauban
Bd du XXe Corps
Allée
16
Square R. Schwartz
Avenue Albert 1er
Av. de Gaulle
PARC NAPOLÉON 1er
Clemenceau
Pl. de la Liberté
Foch
R. du Manège
Bd Mal
T
Merlin
Pl. A. Malraux
Jeanne d'Arc
Bd Poincaré
Mangin
R. Gal
Pl. du Luxembourg
19
22
21
12
27
BEFFROI
POL
St-Maximin
MOSELLE
Pont des Alliés
R. de la Paix
Quai Crauser
30
Av.
Bd
CONSERVATOIRE DE MUSIQUE
33
24
Joffre
R. Mal
R. Gal de Castelnau
CENTRE CULTUREL J. BREL
Bd R. Schuman
Écluses
des
Canal
CORMONTAIGNE
I.U.T.
D 1


**Saint-Hubert** sans rest, 2 r. G. Ditsch ✆ 03 82 51 84 22, *contact@hotel-sainthubert.com, Fax 03 82 53 99 61* – 15. AE GB JCB DZ s
8 – **44 ch** 69/76.
◆ Architecture moderne au coeur de la ville. Les chambres situées à l'arrière offrent plus de tranquillité. Vue panoramique depuis la salle des petits-déjeuners.

**Central** sans rest, 1 r. Four Banal ✆ 03 82 53 70 27, *hotelcentral@bplorraine.fr, Fax 03 82 53 23 34* – AE GB. DY n
5,50 – **26 ch** 45/50.
◆ Comme son nom l'indique, cet hôtel est au coeur de la ville, dans une rue piétonne. Chambres colorées, bien rénovées et insonorisées ; trois sont équipées d'ordinateurs.

**Parc** sans rest, 10 pl. République ✆ 03 82 82 80 80, *contact@hoteldu-parc.com, Fax 03 82 82 71 82* – 20. AE GB JCB CZ a
7 – **41 ch** 48/59.
◆ Immeuble du début du 20e s. face à un petit parc public, en lisière du centre-ville. Couleurs chaleureuses et sobre mobilier dans des chambres refaites.

**Concorde** avec ch, 6 pl. Luxembourg (14e étage) ✆ 03 82 53 83 18, *hotel.leconcorde@wanadoo.fr, Fax 03 82 53 40 41*, ✻ Thionville – 15. AE GB DY a
**Repas** *(fermé sam. midi, dim. soir et lundi)* 31,50/64 et carte 56 à 72 – 7 – **25 ch** 54,50/65.
◆ Superbe panorama sur Thionville depuis ce restaurant installé au sommet d'une tour haute de 55 m. On y sert une cuisine classique. Les chambres profitent aussi de la vue.

**à Yutz** *par ③ : 3 km – 13 920 h. alt. 155 – ✉ 57970 :*

**Les Alerions,** 102 r. Nationale ☎ 03 82 56 26 63, *Fax 03 82 56 26 65* – AE GB BV t
*fermé 24 juil. au 11 août, 16 fév. au 2 mars, dim. soir et lundi sauf fériés* – **Repas** *(12)* - 15/33,50 bc, enf. 9,50.
◆ L'enseigne évoque les trois alérions (aigles sans bec ni pattes) figurant sur le blason de la Lorraine. Salle haute sous plafond, avec boiseries. Plats traditionnels.

**au Crève-Coeur** – ✉ *57100 Thionville :*

**L'Horizon** ⛬, ☎ 03 82 88 53 65, *hotel@lhorizon.fr, Fax 03 82 34 55 84*, ≤, – TV P – 25. AE GB. rest AV e
*fermé 1er au 15 janv., et dim. soir de nov. à mars* – **Repas** *(fermé lundi midi et sam.)* 30 (déj.), 38/54 – ☕ 15 – **13 ch** 145 – ½ P 110/128.
◆ Demeure ancienne tapissée de vigne vierge et située sur les hauteurs de la ville. Chambres personnalisées ; petits salons raffinés. Au restaurant, belle vue sur "l'horizon".

**Auberge Crève-Coeur,** ☎ 03 82 88 50 52, *aubergeducrevecoeur@wanadoo.fr, Fax 03 82 34 89 06*, ≤, – P. AE GB AV b
*fermé dim. soir et merc. soir* – **Repas** 23/43.
◆ Auberge tenue par la même famille depuis 1899. Décoration à la gloire du vin avec tapisseries, tonneaux et pressoir géant du 18e s. Cuisine du terroir généreuse.

---

## THIVIERS *24800 Dordogne* 329 G3 *G. Périgord Quercy – 3 590 h alt. 273.*

*Office du Tourisme, place du Marechal Foch ☎ 05 53 55 12 50, Fax 05 53 55 12 50.*
*Paris 449 – Périgueux 34 – Brive-la-Gaillarde 81 – Limoges 60 – St-Yrieix-la-Perche 32.*

**France et Russie** sans rest, 51 r. Gén. Lamy ☎ 05 53 55 17 80, *Fax 05 53 52 59 60*, – TV. GB
☕ 5,40 – **9 ch** 43,50/55.
◆ L'enseigne de cette demeure du 18e s. évoque la russophilie de Thiviers dont le fameux foie gras était fort apprécié à la cour du tsar. Chambres sobrement aménagées.

---

## THIZY *69240 Rhône* 327 E3 *– 2 855 h alt. 553.*

*Syndicat d'Initiative, Galerie d'Animation ☎ 04 74 64 35 23, Fax 04 74 64 35 23.*
*Paris 417 – Roanne 23 – Lyon 68 – Montbrison 75.*

**Terrasse** M ⛬ avec ch, Le Bourg Marmand (Nord-Est : 2 km par D 94) ☎ 04 74 64 19 22, *francis-arnette@wanadoo.fr, Fax 04 74 64 25 95*, ≤, – TV P – 80. GB
*fermé vacances de Toussaint et de fév.* – **Repas** *(fermé dim. soir et lundi)* 12/44 – ☕ 6,50 – **10 ch** 37/42 – ½ P 39.
◆ Ancienne usine textile aménagée en restaurant. Une des salles est prolongée par une terrasse tournée vers les monts du Lyonnais. Chambres parfumées d'une plante aromatique.

---

## THOIRY *01710 Ain* 328 I3 *– 3 015 h alt. 500.*

*Paris 523 – Bellegarde-sur-Valserine 28 – Bourg-en-Bresse 99 – Gex 12.*

**Holiday Inn** M, au Nord-Est, angle D 89K et D 984 : 1,5 km ☎ 04 50 99 19 99, *hi.geneve@wanadoo.fr, Fax 04 50 42 27 40*, – TV P – 90. AE GB JCB
**Repas** 17/23 – ☕ 12,50 – **95 ch** 132/200.
◆ Jouxtant la frontière suisse et l'aéroport de Genève, cet hôtel entièrement rénové constitue une étape de choix pour la clientèle d'affaires internationale.

**Les Cépages** (Delesderrier), ☎ 04 50 20 83 85, *Fax 04 50 41 24 58*, – GB
*fermé dim. soir, lundi et mardi* – **Repas** 25 (déj.), 35/68 et carte 65 à 90.
◆ Cuisine classique soignée à déguster dans cette salle aux teintes ensoleillées ou, dès l'arrivée des beaux jours, sur la grande terrasse surplombant un jardin fleuri.
**Spéc.** Nage de homard saisi à la vapeur. Ravioles de foie gras de canard à la crème de cèpes. Désossé de pigeonneau fermier rôti en cocotte. **Vins** Vin du Bugey, Roussette de Seyssel

---

## THOISSEY *01140 Ain* 328 B3 *– 1 306 h alt. 175.*

*Office du Tourisme, 37 Grande Rue ☎ 04 74 04 90 17, Fax 04 74 04 00 67, ot-01140@club-internet.fr.*
*Paris 408 – Mâcon 19 – Bourg-en-Bresse 36 – Lyon 57 – Villefranche-sur-Saône 25.*

**Chapon Fin - Paul Blanc** ⛬, ☎ 04 74 04 04 74, *maringue-blanc@chaponfin.com, Fax 04 74 04 94 51*, – TV P. AE GB
*fermé 24 nov. au 9 déc., mardi midi et lundi* – **Repas** 20 (déj.), 30/80, enf. 15 – ☕ 9 – **16 ch** 74/110 – ½ P 110.
◆ Cette maison traditionnelle réunit de nombreux atouts : vastes chambres souvent rénovées, salle à manger cossue et terrasse sous les platanes. Cuisine bressane.

**THOLLON-LES-MÉMISES** *74500 H.-Savoie* 328 N2 *G. Alpes du Nord – 533 h alt. 920 – Sports d'hiver : 1 000/2 000 m 1 18 .*

Voir *Pic de Mémise* ** *30 mn.*

*Office du tourisme, place de la Télécabine 04 50 70 90 01, Fax 04 50 70 92 80, ot.thollon@wanadoo.fr.*

*Paris 587 – Thonon-les-Bains 21 – Annecy 95 – Évian-les-Bains 14.*

**Bellevue,** 04 50 70 92 79, *Fax 04 50 70 97 63,* ←, , , – | GB
*fermé 15 au 30 avril et 4 nov. au 15 déc.* – **Repas** 13 (déj.), 15/28,50 – 6 – **37 ch** 50/57 – 1/2 P 50.

◆ Imposant chalet situé sur les hauteurs du "balcon du Léman". Chambres fonctionnelles bien tenues et pimpante salle à manger savoyarde aux tons rouge et vert. Sauna et jacuzzi.

**Le THOLY** *88530 Vosges* 314 I4 *– 1 541 h alt. 628.*

Voir *Grande Cascade de Tendon* * *NO : 5 km,* **G. Alsace Lorraine.**

*Syndicat d'Initiative, 3 rue Charles de Gaulle 03 29 61 81 82, Fax 03 29 61 89 83.*

*Paris 415 – Épinal 30 – Gérardmer 11 – Remiremont 19 – St-Amé 12 – St-Dié 39.*

**Gérard,** 03 29 61 81 07, *Fax 03 29 61 82 92,* ←, , – rest, – 15. GB
*fermé oct.* – **Repas** *(fermé dim. soir sauf vacances scolaires)* 11 (déj.), 13,50/24,40 , enf. 7,70 – 6,10 – **20 ch** 38,20/48,80 – 1/2 P 48,80.

◆ Cette hostellerie fondée en 1804 domine la vallée de Cleurie. Chambres modernes, plus petites au second étage. Deux salles à manger dont une panoramique. Cuisine du terroir.

**Grande Cascade,** au Nord-Ouest : 5 km sur D 11 03 29 66 66 66, *hotel-de-la-grande-cascade@wanadoo.fr, Fax 03 29 66 37 17,* ←, – | cuisinette – 15 à 50. AE GB
*fermé 1er au 25 déc.* – **Repas** 11,50/24 , enf. 7,50 – 6,80 – **22 ch** 46/58, 8 studios – 1/2 P 40/49.

◆ Ferme du 19e s. flanquée d'une annexe où les chambres sont plus spacieuses et confortables. Restaurant avec vue sur la cascade de Tendon et un jardin où gambadent des daims.

**THONON-LES-BAINS** *74200 H.-Savoie* 328 L2 *G. Alpes du Nord – 29 677 h alt. 431 – Stat. therm. (fin janv.-mi déc.).*

Voir *Les Belvédères sur le lac Léman* ** **ABY** – *Voûtes* * *de l'église St-Hippolyte – Domaine de Ripaille* * *N : 2 km.*

*Office du Tourisme, place du Marché 04 50 71 55 55, Fax 04 50 26 68 33, thonon@thononlesbains.com.*

*Paris 567 ③ – Annecy 75 ③ – Chamonix-Mont-Blanc 99 ③ – Genève 34 ④.*

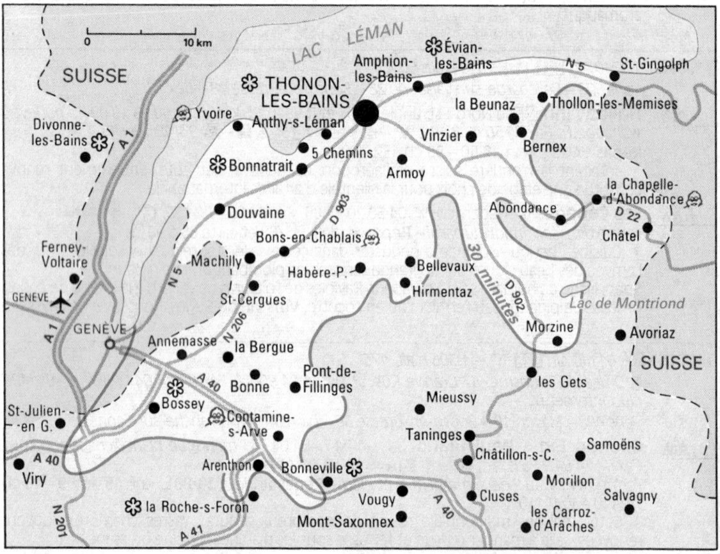
0
10 km
SUISSE
LAC LÉMAN
THONON-LES-BAINS
Amphion-les-Bains
Évian-les-Bains
N 5
St-Gingolph
Divonne-les-Bains
A 1
Yvoire
Anthy-s-Léman
la Beunaz
Thollon-les-Memises
Vinzier
Bernex
5 Chemins
Bonnatrait
Armoy
la Chapelle-d'Abondance
Abondance
D 22
Châtel
Douvaine
D 903
Bons-en-Chablais
Ferney-Voltaire
Machilly
Habère-P.
Bellevaux
30 minutes
D 902
GENEVE
N 5
St-Cergues
Hirmentaz
Lac de Montriond
GENÈVE
N 206
Morzine
Avoriaz
Annemasse
la Bergue
SUISSE
A 40
Bonne
Pont-de-Fillinges
les Gets
Bossey
Mieussy
St-Julien-en G.
Contamine-s-Arve
Taninges
Samoëns
A 40
Châtillon-s-C.
Arenthon
Bonneville
Viry
Morillon
Salvagny
Vougy
A 40
Cluses
N 201
la Roche-s-Foron
les Carroz-d'Arâches
Mont-Saxonnex
A 41

# THONON-LES-BAINS

Allobroges (Av. des) . . . . . . . . . . . . . . **BZ** 2
Arts (R. des) . . . . . . . . . . . . . **BZ** 3
Bordeaux (Pl. Henry) . . . . . . **AY** 4
Grande-Rue . . . . . . . . . . . . . **AYZ**
Granges (R. des) . . . . . . . . . **BY** 5
Léman (Av. du) . . . . . . . . . . . **BY** 6
Michaud (R.) . . . . . . . . . . . . . **AY** 10
Moulin (Pl. Jean) . . . . . . . . . . . . . . **AY** 12
Ratte (Chin de la) . . . . . . . . . . . . . **BZ** 13
Trolliettes (Bd des) . . . . . . . . **AZ** 15
Ursules (R. des) . . . . . . . . . . **BY** 16
Vallées (Av. des) . . . . . . . . . . **BZ** 18

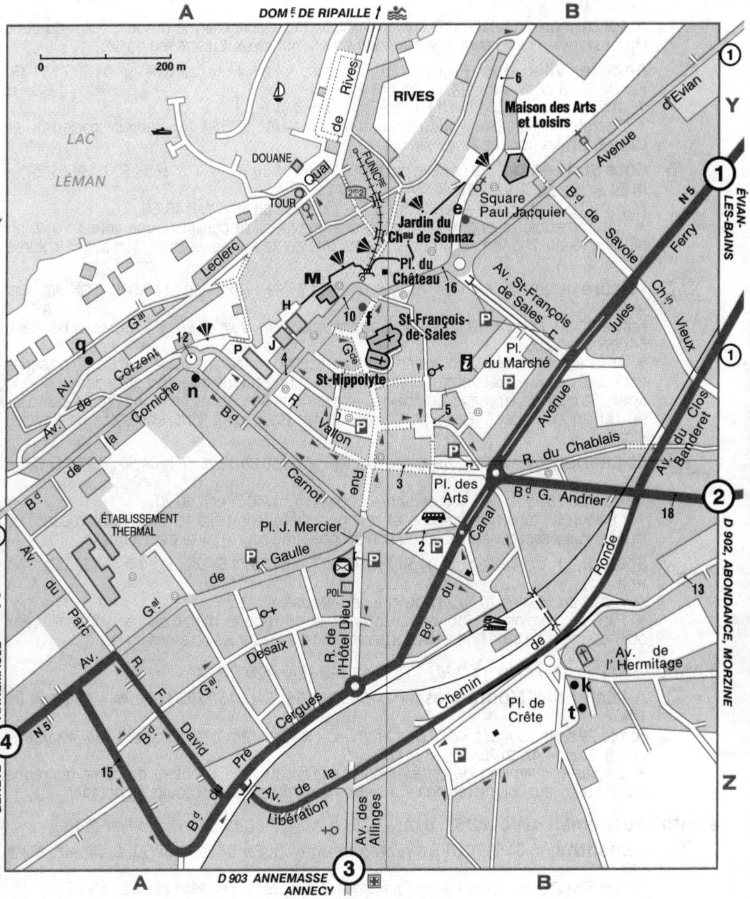

A
DOM.E DE RIPAILLE
B
0
200 m
LAC
LÉMAN
RIVES
Quai de Rives
DOUANE
TOUR
FUNICULAIRE
Leclerc
Maison des Arts et Loisirs
Avenue d'Évian
Square Paul Jacquier
Jardin du Chau de Sonnaz
Pl. du Château
M
H
J
P
q
n
e
f
10
12
4
6
16
5
3
2
13
15
18
Av. G.al Leclerc
Av. de Corzent
Av. de la Corniche
Bd de Savoie
N 5
Ferry
Jules
Ch.in Vieux
Av. St-François de Sales
St-François-de-Sales
St-Hippolyte
Pl. du Marché
R. Vallon
Rue
Carnot
Avenue
R. du Chablais
Av. du Clos Banderet
Pl. des Arts
Bd G. Andrier
ÉVIAN-LES-BAINS
Y
ÉTABLISSEMENT THERMAL
Pl. J. Mercier
Av. du Parc
Av. Gal de Gaulle
Canal
Ronde
D 902, ABONDANCE, MORZINE
POL
R. de l'Hôtel Dieu
Bd du
Desaix
Av. de l'Hermitage
k
t
Chemin de
Pl. de Crête
R. F. David
Bd Gal
Bd du Pré Cergues
Av. de la Libération
Av. des Allinges
Z
N 5
GENÈVE ANNEMASSE
D 903 ANNEMASSE ANNECY


**Arc en Ciel** sans rest, 18 pl. Crête ✆ 04 50 71 90 63, *info@hotel-arcenciel.com, Fax 04 50 26 27 47*, ⊭, ⊥, ⊲ – |≑| cuisinette TV ✆ ⇔ P – ⚲ 40. AE ⓪ GB **BZ k**
*fermé 27 avril au 6 mai* – ☐ 7 – **35 ch** 60/77, 5 duplex.
◆ Proche du centre-ville, hôtel moderne agrémenté d'un jardin. Chambres spacieuses et bien équipées ; la plupart possèdent un balcon ou une terrasse. Sauna.

**Savoie et Léman** *(École hôtelière)*, 40 bd carnot ✆ 04 50 71 13 80, *hotel@ecole-hoteliere-thonon.com, Fax 04 50 71 16 14*, ≤ – |≑| TV P – ⚲ 15 à 40. AE ⓪ GB **AY n**
*fermé vacances scolaires, sam. soir et dim.* – **Repas** 13/25 ♀ – ☐ 5,50 – **33 ch** 38/76.
◆ L'hôtel d'application de l'École hôtelière de Thonon (1935) bénéficie d'une belle situation au-dessus du lac Léman. Amples chambres pour la plupart rénovées.

**Alpazur** sans rest, 8 av. Gén. Leclerc ✆ 04 50 71 37 25, *hotelalpazur.large@wanadoo.fr, Fax 04 50 71 01 24*, ≤, ⊲ – |≑| TV. GB. ⚮ **AY q**
*fermé 15 nov. au 1er fév.* – ☐ 6 – **25 ch** 42/53.
◆ Aux alentours du port où se côtoient quelques maisonnettes de pêcheurs, petit immeuble des années 1970 sobre et bien entretenu. 14 chambres offrent une jolie vue sur le lac.

**A l'Ombre des Marronniers,** 17 pl. Crête ✆ 04 50 71 26 18, *info@hotel-marronniers.com, Fax 04 50 26 27 47,* – 📺 📞 P. AE ⓓ GB JCB. BZ t
*hôtel : fermé 26 avril au 6 mai et 2 au 9 janv.* – **Repas** *(fermé 29 avril au 6 mai, 18 nov. au 2 déc., 2 au 9 janv., dim. soir et lundi du 15 nov. au 1er mai)* 13/30 ♀, enf. 9 – ☕ 6,50 – **17 ch** 48/62 – ½ P 46/50.
◆ Les chambres du bâtiment principal ont un indéniable charme désuet ; celles du petit chalet savoyard niché dans le jardin fleuri sont lambrissées. Cuisine régionale.

**Annexe Villa des Fleurs** sans rest, 4 av. Jardins ✆ 04 50 71 11 38, *Fax 04 50 26 27 47,* – 📺. AE ⓓ GB JCB. BZ d
*1er avril-15 nov.* – ☕ 6 – **11 ch** 50/62.
◆ Discrète villa-annexe agrémentée d'un ravissant jardinet. Chambres spacieuses et calmes, idéales pour de longs séjours.

**Côté Sud Léman,** rte Genève par ④ *: 3 km* ✆ 04 50 70 36 70, *Fax 04 50 70 31 05,* – 📺 P – 30 à 30. AE ⓓ GB
*fermé 22 déc. au 4 janv.* – **Repas** 20/32 ♀ – ☕ 7 – **52 ch** 58 – ½ P 48/50.
◆ Cet immeuble récent voisin d'une zone commerciale constitue une adresse utile en périphérie de Thonon. Chambres fonctionnelles rénovées et salle à manger colorée (buffets).

XXX **Prieuré** (Plumex), 68 Gde rue ✆ 04 50 71 31 89, *Fax 04 50 71 31 09* – AE ⓓ GB JCB AY f
*fermé 1er au 13 avril, 10 au 23 nov., mardi midi, dim. soir et lundi* – **Repas** 31 bc (déj.), 34/58 et carte 55 à 75.
◆ Aménagé à l'entrée d'un ancien hôtel particulier, restaurant voûté, habillé de boiseries et décoré de tableaux contemporains, proposant une cuisine inventive et soignée.
**Spéc.** Strudel de fromage de chèvre, minestrone de pois et cresson. Omble chevalier du Léman (sauf déc.). Filets de perche du lac (sauf juin). **Vins** Roussette de Seyssel, Ripaille.

XX **St-Charles,** 69 av. Gén. de Gaulle par ④ ✆ 04 50 83 09 26, *Fax 04 50 26 57 64,* – GB
*fermé 4 au 25 août, dim. soir et lundi* – **Repas** (17) - 22/40 ♀, enf. 10,70.
◆ Chaleureux tons rouge, jaune et orangé à l'intérieur, belle terrasse surplombant des jardins : deux espaces agréables où l'on propose une courte carte traditionnelle.

X **Scampi,** 1 av. Léman ✆ 04 50 71 10 04, *Fax 04 50 71 31 09,* ←, – AE ⓓ GB JCB BY e
*fermé 1er au 13 avril, 10 au 23 nov. et lundi* – **Repas** 17/23 ♀.
◆ Face aux jardins de Thonon, avec en toile de fond le miroir du Léman, chaleureux établissement de type brasserie. Carte ramassée, axée sur les poissons du lac.

**à Armoy** *Sud-Est : 7 km par ② et D 26 – 775 h. alt. 620 – ✉ 74200 :*

**A l'Écho des Montagnes,** ✆ 04 50 73 94 55, *Fax 04 50 70 54 07,* – 📺 P. GB
*fermé 29 sept. au 4 oct. et 20 déc. au 8 fév.* – **Repas** *(fermé dim. soir et lundi)* 14,50/36 ♀, enf. 8 – ☕ 6 – **47 ch** 26/49 – ½ P 41,50/45.
◆ Les vastes chambres de cette maison de la fin du 19e s. profitent du calme qui règne dans le hameau. Cuisine régionale, assiettes gargantuesques, produits du potager.

**à Anthy-sur-Léman** *par ④ et D 33 : 6 km – 1 383 h. alt. 400 – ✉ 74200 Thonon-les-Bains :*

XX **Lemanthy,** ✆ 04 50 70 61 50, *info@le-lemanthy.fr, Fax 04 50 70 62 50,* ←, – P. AE ⓓ GB
*fermé 5 au 25 janv., lundi soir sauf juil.-août et dim. soir* – **Repas** 21 (déj.), 27,50/48.
◆ L'agréable terrasse, très recherchée l'été, domine le lac. Salle à manger moderne au rez-de-chaussée. Banquets et séminaires à l'étage. Cuisine régionale soignée.

X **Auberge d'Anthy** avec ch, ✆ 04 50 70 35 00, *info@auberge-anthy. com, Fax 04 50 70 40 90,* – – 40. AE ⓓ GB JCB
**Repas** *(fermé 17 mars au 11 avril, 19 au 29 oct., dim. soir et lundi)* 14 (déj.), 26,50/40 ♀, enf. 12,50 – ☕ 6 – **16 ch** 44/59 – ½ P 50/52,50.
◆ Sympathique petite auberge familiale située au coeur du village. Salle à manger rustique aménagée sous une verrière ; cuisine régionale et poissons du lac. Chambres refaites.

**aux Cinq Chemins** *par ④ : 7 km – ✉ 74200 Thonon-les-Bains :*

**Denarié,** ✆ 04 50 72 63 45, *francoise@hotel-denarie.com, Fax 04 50 72 30 69,* , – , ch, 📺 📞 P – 25. GB
*fermé 10 au 22 juin, 15 au 21 sept., 27 déc. à fin janv. et dim. soir sauf juil.-août* – ***Cinq Chemins*** *(fermé dim. soir et lundi sauf juil.-août)* **Repas** 16(déj.),22,50/37 , enf. 12 – ☕ 8 – **28 ch** 79/82 – ½ P 65,50/71,50.
◆ Chaleureux décor savoyard tant dans les chambres, spacieuses et confortables, que dans la salle des Cinq Chemins où l'on sert une cuisine mi-traditionnelle, mi-régionale.

**à Bonnatrait** *par ④ : 9 km G. Alpes – ✉ 74140 Douvaine :*

**Hôtellerie Château de Coudrée** ⛲, ✆ 04 50 72 62 33, *chcoudree@aol.com, Fax 04 50 72 57 28,* ☂, ⛱, 🏞, 🎾, 🎠 – 📺 P – 🏊 15 à 60. AE ⦿ GB JCB
*fermé 3 au 28 nov., –* **Repas** *(fermé mardi et merc. sauf juil.-août)* 52/82,50 et carte 70 à 85 ♀ – ☕ 15 – **19 ch** 160/311 – ½ P 133/225.
◆ Ce château érigé dans un parc au bord du lac est un majestueux témoin du Moyen Âge. Le plafond de la chambre du donjon s'élève à une hauteur de 18 m. Goûteuse cuisine classique.
**Spéc.** Cappuccino d'écrevisses aux crevettes, piments doux et févettes fraîches (printemps). Carré d'agneau rôti aux cocos de Paimpol et girolles au jus (automne). Ganache tendre au chocolat. **Vins** Crépy.

---

## THORÉ-LA-ROCHETTE *41100 L.-et-Ch.* 318 C5 – *863 h alt. 75.*

ℹ *Office de tourisme, Mairie ✆ 02 54 72 80 82, Fax 02 54 72 73 38, thoremairie@wanadoo.fr.*
*Paris 179 – Blois 43 – La Flèche 94 – Le Mans 71 – Vendôme 9.*

**du Pont,** ✆ 02 54 72 80 62, *Fax 02 54 72 70 95,* ☂ – GB
*fermé 25 août au 3 sept., 19 janv. au 10 fév., mardi soir et lundi –* **Repas** 15,50/44, enf. 10.
◆ Vins et cuisine du terroir à déguster dans ce petit restaurant tout simple, situé à proximité de l'arrêt du train touristique de la vallée du Loir.

*Dans ce guide*
*un même symbole, un même mot,*
*imprimé en* ***rouge*** *ou en* ***noir,*** *en maigre ou en* ***gras,***
*n'ont pas tout à fait la même signification.*
*Lisez attentivement les pages explicatives.*

---

## THORENC *06 Alpes-Mar.* 341 B5 – *alt. 1250 – ✉ 06750 Andon.*

Voir *Col de Bleine ⩽★★ N : 4 km,* G. Alpes du Sud.
*Paris 836 – Castellane 35 – Draguignan 64 – Grasse 40 – Nice 58 – Vence 41.*

**Voyageurs** ⛲ sans rest, ✆ 04 93 60 00 18, *Fax 04 93 60 03 51,* 🌳 – 📺 🚗 P. GB
*1er nov.-1er fév. et fermé jeudi sauf vacances scolaires –* ☕ 5,80 – **12 ch** 28/48.
◆ Depuis 1926, c'est la même famille qui accueille les voyageurs dans cet hôtel au coeur d'un petit village cerné par la pinède. Chambres au confort modeste.

**Auberge Les Merisiers** ⛲ avec ch, ✆ 04 93 60 00 23, *Fax 04 93 60 02 17,* ☂, 🌳 – 📺. AE GB
*fermé 3 au 28 mars, lundi soir et mardi sauf vacances scolaires –* **Repas** (14) - 22/28, enf. 10 – ☕ 7 – **12 ch** 35/40 – ½ P 40/44.
◆ Pratique pour l'étape dans la montée du col de Bleine, petit établissement montagnard aux chambres peu à peu rénovées. Cuisine régionale et accueil familial.

---

## THORIGNÉ-SUR-DUÉ *72160 Sarthe* 310 M6 – *1 518 h alt. 82.*

ℹ *Syndicat d'Initiative, ✆ 02 43 89 05 13.*
*Paris 179 – Le Mans 30 – Châteaudun 79 – Mamers 46 – Nogent-le-Rotrou 44 – St-Calais 24.*

**St-Jacques** avec ch, pl. Monument ✆ 02 43 89 95 50, *hotel.st-jacques.thorigne@wanado o.fr, Fax 02 43 76 58 42,* 🌳 – 📺 📞 ♿ P – 🏊 15. AE ⦿ GB JCB
*fermé 16 au 30 juin, 22 déc. au 14 janv., dim. soir et lundi –* **Repas** 20/55 ♀ – ☕ 8 – **15 ch** 54/76 – ½ P 56/80.
◆ Dans un petit village de la campagne mancelle, auberge familiale et son agréable jardin. Salle à manger confortable et chaleureuse ; chambres pratiques et colorées.

---

## Le THORONET *83 Var* 340 M5 – *1 163 h alt. 120 – ✉ 83340 Le Luc.*

Voir *Abbaye du Thoronet★★ O : 4,5 km,* G. Côte d'Azur.
*Paris 846 – Brignoles 24 – Draguignan 22 – St-Raphaël 51 – Toulon 62.*

**Hostellerie de l'Abbaye** ⛲, ✆ 04 94 73 88 81, *hotel-abbaye-thoronet-@wanadoo.fr, Fax 04 94 73 89 24,* ⛱ – ▤ ch, 📺 📞 ♿ P – 🏊 25 à 60. AE GB
*fermé 10 nov. au 5 janv. –* **Repas** *(fermé dim. soir et lundi de déc. à mars)* 20/38, enf. 10 – ☕ 8 – **20 ch** 65/109 – ½ P 60.
◆ Près de la doyenne des abbayes cisterciennes de Provence, construction récente ordonnée autour d'une piscine. Chambres pratiques. Restaurant aux couleurs ensoleillées.

**THOUARCÉ** *49380 M.-et-L.* 317 G5 – *1 546 h alt. 35.*

Env. *Château★★ de Brissac-Quincé, NE : 12 km,* G. Châteaux de la Loire.

*Syndicat d'Initiative, ✆ 02 41 54 14 36, Fax 02 41 54 09 11.*

*Paris 320 – Angers 30 – Cholet 43 – Saumur 37.*

XX **Relais de Bonnezeaux,** rte Angers : 1 km ✆ 02 41 54 08 33, *relais.bonnezeaux@wanadoo.fr, Fax 02 41 54 00 63,* ≤, – P. AE GB
*fermé 2 au 20 janv., mardi soir, dim. soir et lundi* – **Repas** (14) - 17/42 ꝗ, enf. 10.
◆ Sur la route des Vins, restaurant aménagé dans l'ancienne salle des pas perdus d'une petite gare de campagne. Les tables de la véranda profitent de la vue sur les vignes.

**THOUARS** *79100 Deux-Sèvres* 322 E3 *G. Poitou Vendée Charentes – 10 905 h alt. 102.*

Voir *Façade★★ de l'église St-Médard★ – Site★ – Maisons anciennes★.*

*Office du Tourisme, 3 bis boulevard Pierre Curie ✆ 05 49 66 17 65, Fax 05 49 67 87 58.*

*Paris 337 – Angers 72 – Bressuire 30 – Châtellerault 72 – Cholet 57.*

**Hôtellerie St-Jean,** rte Parthenay ✆ 05 49 96 12 60, *hotellerie-st-jean@wanadoo.fr, Fax 05 49 96 34 02,* ≤, – TV P. AE GB
*fermé 23 fév au 7 mars et dim. soir* – **Repas** 13/37 ꝗ – 5 – **18 ch** 36/43 – ½ P 35,50.
◆ Bâtisse des années 1970 offrant une vue sur la vieille ville. Cadre frais et coloré résultant d'une rénovation récente ; préférez les chambres sur l'arrière, plus calmes.

**Relais** sans rest, Nord : 3 km par rte Saumur ✆ 05 49 66 29 45, *Fax 05 49 66 29 33* – TV P. GB
4,80 – **15 ch** 33/35.
◆ Dans la zone industrielle, importante villa aux chambres accueillantes, réparties sur trois niveaux. À l'entresol, agréable véranda où l'on sert les petits-déjeuners.

X **Au Trésor Belge,** pl St-Médard ✆ 05 49 67 85 74 – . GB
*fermé 19 mars au 3 avril, 5 au 27 nov., merc. et jeudi* – **Repas** 13 (déj.)et carte 25 à 30 ꝗ.
◆ Cuisine du plat pays, 130 variétés de bières, publicités ventant la "mousse" et affiches honorant Tintin : ce sympathique bistrot est un vrai concentré de Belgique !

**THOURON** *87140 H.-Vienne* 325 E5 – *431 h alt. 374.*

*Paris 380 – Limoges 27 – Bellac 23 – Guéret 78.*

XX **Pomme de Pin** avec ch, étang de Tricherie, Nord-Est : 2,5 km par D 225 ✆ 05 55 53 43 43, *Fax 05 55 53 35 33,* – TV. GB. ch
*fermé sept., vacances de fév., mardi midi et lundi* – **Repas** (15) - 22,50/34 ꝗ, enf. 8,50 – 12 – **4 ch** 48/55.
◆ À la campagne, deux bâtiments, jadis moulin et filature, convertis en restaurant au cadre rustique authentique. Chambres pimpantes. Grillades au feu de bois.

**THUEYTS** *07330 Ardèche* 331 H5 *G. Vallée du Rhône – 945 h alt. 462.*

Voir *Coulée basaltique★.*

*Office du Tourisme, place du champs de mars ✆ 04 75 36 46 79, Fax 04 75 36 46 79.*

*Paris 607 – Le Puy-en-Velay 73 – Privas 47.*

**Les Platanes,** ✆ 04 75 93 78 66, *Fax 04 75 36 41 67,* – TV P. GB
*24 fév.-2 nov. et fermé merc. hors saison* – **Repas** 13/34 , enf. 8 – 5,50 – **27 ch** 30/40 – ½ P 40/43.
◆ Cette auberge familiale toute simple est située à proximité de la coulée basaltique. Les chambres, refaites, offrent un confort actuel. Plats du terroir au restaurant.

**Marronniers,** ✆ 04 75 36 40 16, *hotel.les marronniers@club-internet.fr, Fax 04 75 36 48 02,* – TV P. GB. rest
*fermé 20 déc. au 5 mars et lundi* – **Repas** 16/32, enf. 9 – 7 – **17 ch** 41/45 – ½ P 45.
◆ Depuis 1929, la même famille accueille le voyageur dans cet hôtel traditionnel agrandi d'un bar moderne faisant aussi snack et glacier. Chambres au décor déjà ancien.

**THURY-HARCOURT** *14220 Calvados* 303 J6 *G. Normandie Cotentin – 1 803 h alt. 45.*

Voir *Parc et jardins du château★ – Boucle du Hom★ NO : 3 km.*

*Office du Tourisme, 2 place Saint Sauveur ✆ 02 31 79 70 45, Fax 02 31 79 15 42, otsi.thury@libertysurf.fr.*

*Paris 256 – Caen 28 – Condé-sur-Noireau 20 – Falaise 28 – Flers 32 – St-Lô 64 – Vire 39.*

XXX **Relais de la Poste** avec ch, rte Caen ✆ 02 31 79 72 12, *lerelais@nol.fr, Fax 02 31 39 53 55,* – TV P. AE GB
*fermé 23 déc. au 30 janv., dim. soir et lundi d'oct. à avril* – **Repas** 17 bc (déj.), 27/69 et carte 47 à 56 ꝗ – 8 – **12 ch** 53/100.
◆ Ancien relais de poste tapissé de lierre et tourné sur une vaste cour. Élégante salle à manger sous charpente, cuisine traditionnelle et belle carte des vins.

**TIERCÉ** *49125 M.-et-L.* 317 G3 – *3 047 h alt. 30.*

*Syndicat d'Initiative, ✆ 02 41 34 14 40.*

*Paris 279 – Angers 21 – Château-Gontier 35 – La Flèche 34.*

**Table d'Anjou,** 16 r. Anjou ✆ 02 41 42 14 42, *latabledanjou@club-internet.fr, Fax 02 41 42 64 80,* – GB

*fermé 2 au 20 janv., dim. soir, merc. soir et lundi* – **Repas** 13 (déj.), 20/52 ♀, enf. 12.

◆ Au centre du village, restaurant flambant neuf composé de deux lumineuses salles au cadre de style rustique et d'une petite terrasse fleurie sur l'arrière. Accueil aimable.

**TIFFAUGES** *85130 Vendée* 316 J5 *G. Poitou Vendée Charentes – 1 208 h alt. 77.*

*Paris 376 – Angers 86 – La Roche-sur-Yon 56 – Nantes 62 – Cholet 21 – Clisson 19.*

**Barbacane** sans rest, pl. Église ✆ 02 51 65 75 59, *hotelbarbacane@aol.com, Fax 02 51 65 71 91,* – TV. AE GB

8 – **16 ch** 50/95.

◆ Demeure bourgeoise du 19e s. voisine du château de Barbe-Bleue. Intérieur campagnard décoré de bibelots. Préférez les chambres des étages.

**TIGNES** *73320 Savoie* 333 O5 *G. Alpes du Nord – 2 005 h alt. 2100 – Sports d'hiver : 1 550/3 450 m* 10 87.

Voir *Site★★ – Barrage★★ NE : 5 km – Panorama de la Grande Motte★★ SO.*

**Altiport ✆ 04 79 06 46 06, E : 3 km.**

*Office du Tourisme, ✆ 04 79 40 04 40, Fax 04 79 40 03 15, information@tignes.net.*

*Paris 697 – Albertville 86 – Bourg-St-Maurice 31 – Chambéry 135 – Val-d'Isère 14.*

**Les Suites du Montana** M, Les Almes ✆ 04 79 40 01 44, *contact@vmontana.com, Fax 04 79 40 04 03,* ← – TV – 120. AE GB. rest

*13 déc.-25 avril* – **Repas** 23 (déj.), 30/40 ♀ – 11 – **10 ch** 236, 18 duplex 356/406.

◆ Un "hameau" de chalets abritant des suites spacieuses et raffinées, décorées selon le thème savoyard, autrichien ou provençal. Rôtisserie "tout bois". Piscine couverte.

**Les Campanules** M, ✆ 04 79 06 34 36, *campanules@wanadoo.fr, Fax 04 79 06 35 78,* ← – TV. AE GB. rest

*5 juil.-31 août et 1er nov.-1er mai* – **Repas** 25 (déj.), 33/45 – 15 – **37 ch** 170/200, 7 duplex – ½ P 115/150.

◆ Joli chalet aux chambres spacieuses et douillettes, en duplex au dernier étage. La fresque du restaurant évoque le vieux village, englouti après la mise en eau du barrage.

**Village Montana** M, les Almes ✆ 04 79 40 01 44, *contact@vmontana.com, Fax 04 79 40 04 03,* ← – TV – 50. AE GB. rest

*28 juin-24 août. et 29 nov.-2 mai* – ***La Chaumière*** - spécialités savoyardes *(fermé en été)* **Repas** (17)-23(déj)/30 ♀, enf. 10 – 11 – **78 ch** 144/246, 4 duplex – ½ P 130/140.

◆ Tournés vers les pistes, ces splendides chalets conjuguent décor traditionnel, confort actuel et calme dans de spacieuses chambres familiales. Bel espace de balnéothérapie.

**Paquis**, ✆ 04 79 06 37 33, *info@hotel-lepaquis.fr, Fax 04 79 06 36 59,* ← – TV – 20. GB. rest

*hôtel : 10 juil.-30 août et 10 nov.-2 mai ; rest. : 30 nov.-20 avril* – **Repas** 15 (déj.), 22/58 ♀, enf. 10 – 9 – **36 ch** 108 – ½ P 76/89.

◆ Sur les hauteurs de Tignes, robuste bâtisse des années 1960 proposant des chambres fonctionnelles ; celles côté Sud bénéficient de terrasses. Cadre alpin au restaurant.

**L'Arbina,** ✆ 04 79 06 34 78, *Fax 04 79 06 32 99,* ← – TV

*26 oct.-8 mai* – **Repas** 23,50/38 ♀ – 8 – **22 ch** (½ pens. seul.) – ½ P 80.

◆ Cet hôtel familial situé au pied des pistes dispose de chambres décorées dans le style montagnard contemporain. Ses terrasses sont tournées vers le glacier de la Grande Motte.

**Refuge** sans rest, ✆ 04 79 06 36 64, *info@refuge-tignes.com, Fax 04 79 06 33 78,* ← – TV. AE GB

*7 juil.-31 août et 25 oct.-début mai* – 8 – **24 ch** 88/183.

◆ À seulement 50 m des remontées mécaniques, hôtel datant d'une quarantaine d'années, rénové et bien tenu. Terrasse face au lac et au glacier de la Grande Motte.

**Gentiana**, ✆ 04 79 06 52 46, *serge.revial@wanadoo.fr, Fax 04 79 06 35 61,* ← – TV. GB. rest

*1er déc.-8 mai et 5 juil.-24 août* – **Repas** (dîner seul. en hiver) 20 (déj.), 23/36 ♀, enf. 10 – 12 – **40 ch** 125/137, (½ pension seul. en hiver) – ½ P 88/100.

◆ Cet hôtel familial, que l'on rejoint à skis, réserve un accueil chaleureux. La plupart des chambres possèdent un balcon ; réservez-en une rénovée. Restaurant panoramique.

**au Val Claret** *Sud-Ouest : 2 km – ✉ 73320 Tignes*

**Ski d'Or** ⛷, ✆ 04 79 06 51 60, *ski.dor@laposte.net, Fax 04 79 06 45 49,* ← – |‡| 📺 – 🏋 15. AE GB

*1er déc.-1er mai* – **Repas** (dîner seul.) 38 ♀ – ☕ 12 – **22 ch** (½ pens. seul.) – ½ P 160.

◆ Immeuble des années 1960 proche du funiculaire. Les confortables chambres et le restaurant ménagent de belles perspectives sur les montagnes chères aux "free riders".

**Vanoise** ⛷, ✆ 04 79 06 31 90, *infos@hotelvanoise.com, Fax 04 79 06 37 06,* ←, ⛱ – |‡| 📺. AE GB. ✂ rest

*hôtel : 28 juin-30 août et 1er oct.-8 mai ; rest. : 30 oct.-30 avril* – **Repas** 15/25 ♀ – ☕ 8 – **21 ch** 70/92 – ½ P 78/87.

◆ À proximité des remontées mécaniques. Les chambres, simples et nettes, sont toutes dotées d'un petit balcon tourné vers les massifs montagneux ou le village.

---

**TIL-CHÂTEL** *21120 Côte-d'Or* 320 *L4 G. Bourgogne – 768 h alt. 275.*

*Paris 319 – Dijon 27 – Châtillon-sur-Seine 74 – Dole 74 – Gray 43 – Langres 49.*

**Poste,** ✆ *03 80 95 03 53, Fax 03 80 95 19 90* – 📺 🚗. GB. ✂ ch

*fermé 4 au 31 oct., 24 déc. au 5 janv., lundi midi et sam. sauf le soir d'avril à oct. et dim. soir* – **Repas** 12/25,60 ♀, enf. 8,50 – ☕ 5,50 – **9 ch** 44/50 – ½ P 36/41.

◆ Maison du 17e s. tenue par la même famille depuis quatre générations. Un bel escalier à vis mène aux chambres. Pierres, poutres et cheminée agrémentent la salle à manger.

---

**Le TILLEUL** *76 S.-Mar.* 304 *B3 – rattaché à Étretat.*

---

**TILQUES** *62 P.-de-C.* 301 *G3 – rattaché à St-Omer.*

---

**TONNEINS** *47400 L.-et-G.* 336 *D3 – 9 334 h alt. 26.*

ℹ *Office du Tourisme, 3 boulevard Charles de Gaulle* ✆ *05 53 79 22 79, Fax 05 53 79 39 94, office-tourisme-tonneins@wanadoo.fr.*

*Paris 601 – Agen 44 – Nérac 38 – Villeneuve-sur-Lot 37.*

**Les Fleurs** sans rest, rte Marmande ✆ 05 53 79 10 47, *hoteldesfleurs@wanadoo.fr, Fax 05 53 79 46 37* – 📺 📞 ♿ P – 🏋 15. GB

☕ 6 – **27 ch** 30/44.

◆ Sur l'axe principal de la ville, établissement abritant des chambres assez petites, mais pratiques, bien aménagées et équipées d'un double vitrage efficace.

*Un automobiliste averti utilise le* ***Guide Rouge Michelin*** *de l'année.*

## TONNERRE

Briand (R. Aristide) .......... 2
Colin (R. Armand) .......... 3
Fontenilles (R. des) .......... 4
Fosse-Dionne (R. de la) ...... 5
Gare (Pl. de la) .......... 6
Garnier (R. Jean) .......... 7
Hôpital (R. de l') .......... 9
Hôtel-de-Ville (R. de l') ....... 10
Marguerite-de-Bourgogne (Pl.) .......... 12
Mitterrand (R. F.) .......... 13
Pompidou (Av. G.) .......... 14
Pont (R. du) .......... 15
République (Pl. de la) .......... 16
Roches (Ch. des) .......... 17
Rougemont (R.) .......... 18
St-Michel (R.) .......... 19
St-Nicolas (R.) .......... 20
St-Pierre (R.) .......... 23
Tanneries (R. des) .......... 25

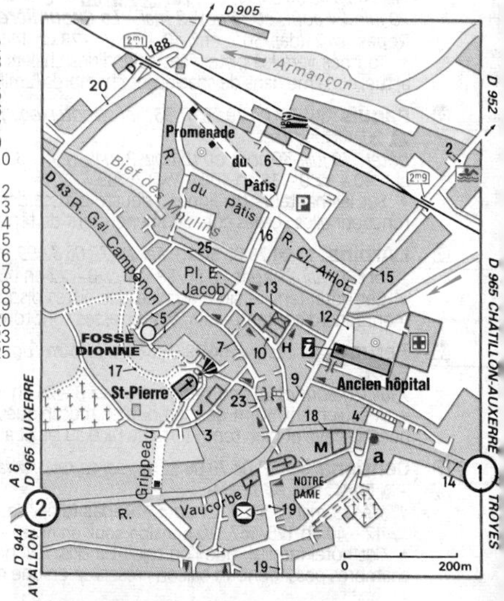

D 905
188
Armançon
D 952
20
Promenade du Pâtis
Bief des Moulins
R. du Pâtis
D 43 R. Gal Campenon
R. Cl. Aillot
Pl. E. Jacob
FOSSE DIONNE
St-Pierre
Ancien hôpital
NOTRE-DAME
Gripeau
R. Vaucorbe
D 965 CHATILLON-AUXERRE
TROYES
A 6 D 965 AUXERRE
D 944 AVALLON
200m

**TONNERRE** *89700 Yonne* 319 *G4 C. Bourgogne – 6 008 h alt. 156.*

*Voir Fosse Dionne★ – Intérieur★ de l'ancien hôpital : mise au tombeau★ – Château de Tanlay★★ 9 km par ①.*

*Office du Tourisme, 12 rue François Mitterrand ☎ 03 86 55 14 48, Fax 03 86 54 41 82, info@tonnerre89.com.*

*Paris 200 ② – Auxerre 38 ② – Châtillon-sur-Seine 49 ② – Montbard 47 ① – Troyes 62 ①.*

Plan page ci-contre

**Auberge de Bourgogne** Ⓜ, par ① *et rte Dijon : 2 km* ☎ 03 86 54 41 41, *auberge.bourgogne@wanadoo.fr, Fax 03 86 54 48 28* – rest, – 40. AE GB
*fermé 15 déc. au 7 janv.* – **Repas** *(fermé dim. soir et lundi)* 15/25 ♀ – 6 – **40 ch** 45/49.
◆ Architecture contemporaine voisine des vignobles d'Épineuil. Jolie vue sur la campagne environnante depuis les chambres de l'arrière et le restaurant.

**Saint Père,** 2 av. G. Pompidou **(a)** ☎ 03 86 55 12 84, *Fax 03 86 55 12 84,* – GB
*fermé 15 au 24 mars, 6 au 30 sept., mardi soir, merc. soir et jeudi soir de nov. à mars, dim. soir et lundi* – **Repas** 12,50/38 ♀, enf. 9.
◆ Une belle collection de moulins à café trône dans la plaisante salle à manger rustique de ce restaurant situé tout près de la maison natale du chevalier d'Éon.

**TORCY** *71 S.-et-L.* 320 *G9 – rattaché au Creusot.*

**TORNAC** *30 Gard* 339 *I4 – rattaché à Anduze.*

**TÔTES** *76890 S.-Mar.* 304 *G3 – 1 059 h alt. 150.*

*Paris 166 – Rouen 35 – Dieppe 33 – Fécamp 58 – Le Havre 80.*

**Auberge du Cygne,** 5 r. G. de Maupassant ☎ 02 35 32 92 03, *Fax 02 35 32 91 35,* – P. GB
*fermé 28 janv. au 12 fév. et lundi soir d'oct. à fin mars* – **Repas** 15/35.
◆ Ce relais de poste, fondé en 1611, abrite une salle à manger typiquement campagnarde : vieilles poutres préservées, belle cheminée et collection de faïences.

**TOUCY** *89130 Yonne* 319 *C5 C. Bourgogne – 2 590 h alt. 200.*

*Office du Tourisme, 1 place de la République ☎ 03 86 44 15 66, Fax 03 86 44 15 66.*

*Paris 158 – Auxerre 24 – Avallon 74 – Clamecy 44 – Joigny 38 – Montargis 73.*

**Lion d'Or,** r. L. Cormier ☎ 03 86 44 00 76 – GB
*fermé 1er au 20 déc., dim. soir et lundi* – **Repas** 13/30.
◆ Dans le village natal du lexicographe Pierre Larousse, plaisante salle à manger avec plafond à solives et cheminée, installée dans l'ancienne écurie d'un relais de poste.

**TOUËT-SUR-VAR** *06710 Alpes-Mar.* 341 *D4 C. Alpes du Sud – 342 h alt. 327.*

*Env. Gorges inférieures du Cians★★ N : 2 km – Villars-sur-Var : Mise au tombeau★★ du retable du maître-autel★ – Gorges supérieures du Cians★★★ N : 13 km.*

*Paris 845 – Nice 56 – Puget-Théniers 11 – St-Étienne-de-Tinée 62 – St-Martin-Vésubie 58.*

**Auberge des Chasseurs,** ☎ 04 93 05 71 11, *Fax 04 93 05 71 11,* – AE GB
*fermé 15 nov. au 5 déc., le soir en hiver du dim. au jeudi et mardi* – **Repas** 18/28,50 ♀.
◆ Cette auberge familiale est bienvenue sur la route touristique de la vallée du Var : belle flambée en hiver dans un cadre chaleureux et sympathique terrasse ombragée.

**TOUL** SP *54200 M.-et-M.* 307 *G6 C. Alsace Lorraine – 17 281 h alt. 209.*

*Voir Cathédrale St-Étienne★★ et cloître★ – Église St-Gengoult : cloître★★ – Façade★ de l'ancien palais épiscopal* **H** *– Musée municipal★ : salle des malades★* **M.**

*Office du Tourisme, Parvis de la Cathédrale ☎ 03 83 64 11 69, Fax 03 83 63 24 37, office.tourisme.toul@wanadoo.fr.*

*Paris 290 ⑤ – Nancy 23 ② – Bar-le-Duc 61 ⑤ – Metz 75 ① – St-Dizier 78 ⑤ – Verdun 80 ①.*

Plan page suivante

**L'Europe** sans rest, 373 av. V. Hugo (près gare) ☎ 03 83 43 00 10, *hoteldeleurope.toul@wanadoo.fr, Fax 03 83 63 27 67* – **AY s**
*fermé 11 au 17 août et vacances de noël* – 6,50 – **21 ch** 39/49.
◆ Adresse commode pour ceux qui voyagent par le train. Le rez-de-chaussée a conservé un petit air "rétro". Chambres progressivement refaites. Tenue sérieuse et accueil familial.

**Villa Lorraine** sans rest, 15 r. Gambetta ☎ 03 83 43 08 95, *Fax 03 83 64 63 64* – P. GB
6,10 – **24 ch** 34/46. **AZ a**
◆ Petit hôtel familial situé au coeur de la cité fortifiée. Chambres meublées dans le style rustique et bien insonorisées. Salle des petits-déjeuners agréablement aménagée.

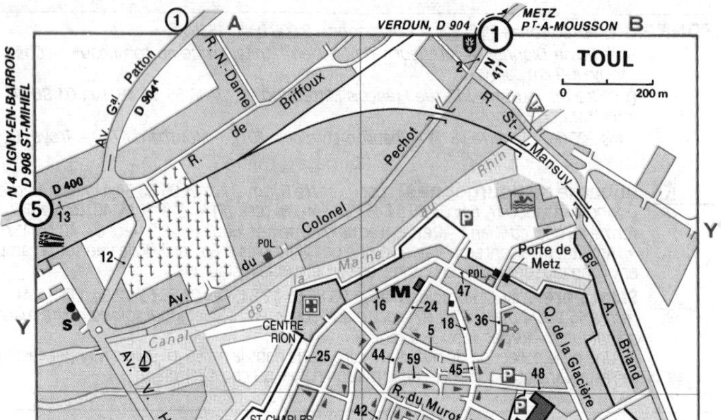
TOUL
0
200 m
METZ
PT-A-MOUSSON
VERDUN, D 904
N 4 LIGNY-EN-BARROIS
D 908 ST-MIHIEL
N 4
VAUCOULEURS
A 31 - E 21
BLÉNOD-LÈS-TOUL
A 31 - E 21
CHAUMONT, DIJON
N 74 NEUFCHÂTEAU
D 904 VÉZELISE
NANCY, METZ
NEUVES-MAISONS
Av. Gal Patton
R. N.-Dame
R. de Briffoux
R. du Colonel Péchot
R. St-Mansuy
Av. V. Hugo
Av. du Cel Grandval
Av. du Mal Foch
Bd A. Briand
Q. de la Glacière
Canal de la Marne au Rhin
Porte de Metz
CENTRE RION
ST-CHARLES
Pl. du Marché
Porte de France
Crs Poincaré
R. du Murot
R. Michâtel
CATHÉDRALE ST-ÉTIENNE
St-Gengoult
Pl. des Clercs
R. Drouas
CENTRE CULTUREL JULES FERRY
Porte J. d'Arc
R. Keller
Porte de la Moselle
CENTRE CULTUREL VAUBAN
MOSELLE
FG ST-ÈVRE
R. de Pinteville
D 960
D 400
D 904A
N 411
A
B
Y
Z



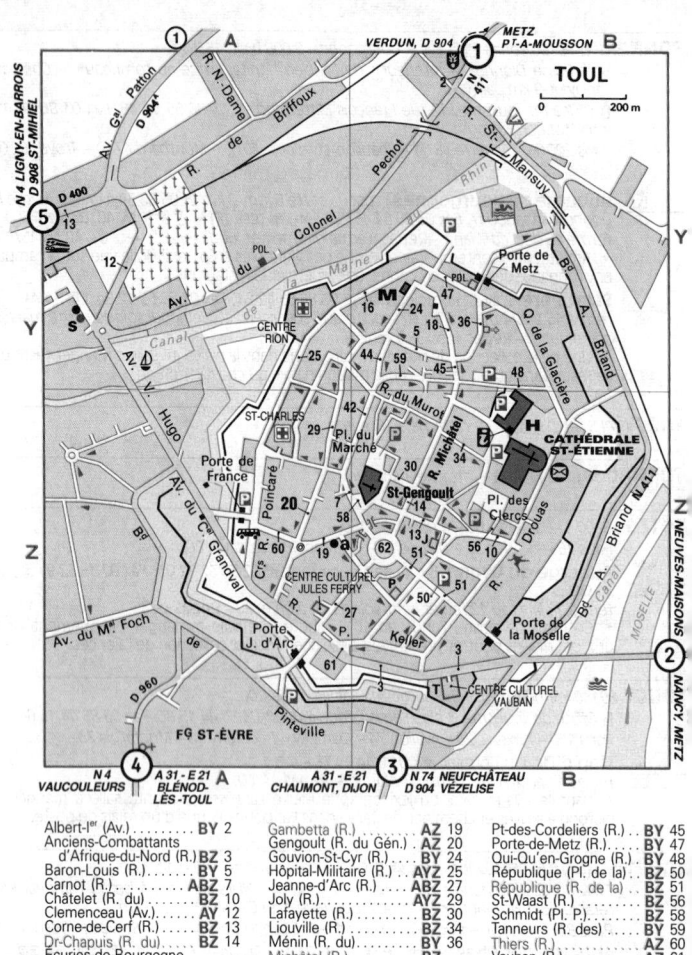

XX **Belle Époque,** 351 av. V. Hugo ✆ 03 83 43 23 71 – ▤ P. GB — AY s
*fermé 30 avril au 11 mai, 15 au 31 août, 21 déc. au 5 janv., sam midi, lundi soir et dim.* – **Repas** 22,50 (déj.)/30,50.
◆ La Belle Époque se perpétue dans ce petit restaurant au décor "rétro" où trône un vieux zinc. Carte classique assez étoffée, privilégiant les produits de la mer.

**à la Z. I. Croix de Metz** *par ① et rte Villey-St-Etienne : 6 km – ✉ 54200 Toul :*

XXX **Dauphin** (Vohmann), ✆ 03 83 43 13 46, *christophe.vohmann@wanadoo.fr, Fax 03 83 43 81 31,* ☂, ☂ – P. GB
✿ *fermé 21 juil. au 12 août, 23 fév. au 2 mars, dim. soir, merc. soir et lundi* – **Repas** 29/70 et carte 50 à 75 ♀.
◆ Maison moderne abritant une salle confortable (boiseries, tableaux, tables espacées). Terrasse ouverte sur un plaisant jardin. Cuisine personnalisée et vins du Toulois.
**Spéc.** Pâté en croûte chaud aux cèpes (sept. à mars). Aiguillette de Saint-Pierre cloutée d'oursins. Côte de veau fermier, jus à l'huile de truffe blanche. **Vins** Côtes de Toul blanc et rouge.

**à Lucey** *par ⑤ et D 908 : 5 km – 558 h. alt. 260 – ✉ 54200 :*

XX **Auberge du Pressoir,** ☎ 03 83 63 81 91, *Fax 03 83 63 81 38,* 🍽, 🚗 – 🅿. GB
*fermé 16 août au 4 sept., vacances de Noël, merc. soir, dim. soir, sam. midi et lundi* – **Repas** 12,70/26 ♀, enf. 9.
◆ L'ancienne gare du village est devenue salle de restaurant à l'atmosphère campagnarde. Quelques objets paysans décorent les murs. Terrasse bien ensoleillée.

**TOULON** 🅿 *83000 Var* **340** *K7 G. Côte d'Azur – 167 619 h Agglo. 519 640 h alt. 10.*

**Voir** *Rade★★ – Port★ – Vieille ville★* **GYZ** *: Atlantes★ de la mairie d'honneur* **F**, *Musée de la marine★ – Porte★ de la Corderie – Navire-Musée "la Dives"★* **BV.**

**Env.** *Corniche du Mont Facon ≤★ du téléphérique – Musée-mémorial du Débarquement en Provence★ et ≤★★★ au Nord.*

✈ *de Toulon-Hyères : ☎ 04 94 00 83 83, par ① : 21 km.*

🚗 *☎ 08 36 35 35 35.*

⛴ *pour la Corse : SNCM-CMT (1er avril-30 sept.) 49 av. Infanterie de Marine ☎ 04 94 16 66 66, Fax 04 94 16 66 68.*

ℹ *Office du Tourisme, place Raimu ☎ 04 94 18 53 00, Fax 04 94 18 53 09, toulon.tourisme @wanadoo.fr.*

*Paris 839 ④ – Aix-en-Provence 85 ④ – Marseille 65 ④.*

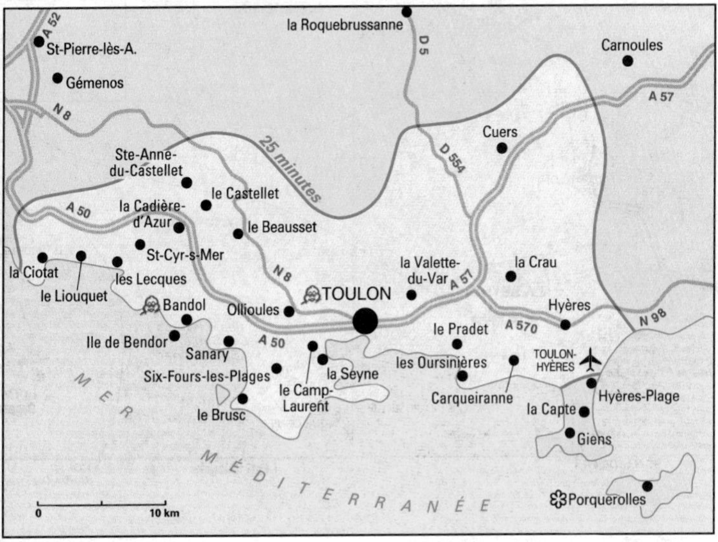
la Roquebrussanne
A 52
St-Pierre-lès-A.
Gémenos
D 5
Carnoules
A 57
N 8
Cuers
25 minutes
D 554
Ste-Anne-du-Castellet
le Castellet
A 50
la Cadière-d'Azur
le Beausset
St-Cyr-s-Mer
la Ciotat
le Liouquet
les Lecques
N 8
la Valette-du-Var
A 57
la Crau
TOULON
Bandol
Ollioules
Hyères
N 98
le Pradet
A 570
Ile de Bendor
A 50
Sanary
les Oursinières
TOULON-HYÈRES
Six-Fours-les-Plages
la Seyne
le Camp-Laurent
Carqueiranne
Hyères-Plage
le Brusc
la Capte
Giens
MER MÉDITERRANÉE
Porquerolles
0
10 km

**Mercure** Ⓜ, pl. Besagne ☎ 04 98 00 81 00, *h2095@accor-hotels.com, Fax 04 94 41 57 51,* 🍽 – 🛗 ✈ ▤ 📺 📞 ♿ 🚗 – 🏛 20 à 80. AE ⓓ GB — GZ r
***Table de l'Amiral :*** Repas 20/22 ♀, enf.8 – ☕ 11 – **139 ch** 74/124.
◆ Voisin du palais des congrès, un Mercure flambant neuf aux couleurs du Sud. Chambres dotées d'un joli mobilier moderne. Verrières et palmiers égayent la Table de l'Amiral.

**Dauphiné** sans rest, 10 r. Berthelot ☎ 04 94 92 20 28, *grandhoteldauphine@wanadoo.fr, Fax 04 94 62 16 69* – 🛗 ▤ 📺 📞. AE ⓓ GB — GY s
☕ 7,50 – **55 ch** 42/52.
◆ Établissement pratique pour partir à la découverte des ruelles enchevêtrées de la vieille ville. Les chambres, bien tenues, sont avant tout fonctionnelles.

**Nouvel Hôtel** sans rest, 224 bd Tessé ☎ 04 94 89 04 22, *nouvelhotel83@wanadoo.fr, Fax 04 94 92 13 06* – 🛗 ▤ 📺. AE GB JCB. ✂ — GY f
☕ 5,50 – **29 ch** 28/55.
◆ Sur le boulevard menant à la gare, chambres simples et nettes, protégées efficacement des bruits de la circulation. Accueil aimable.

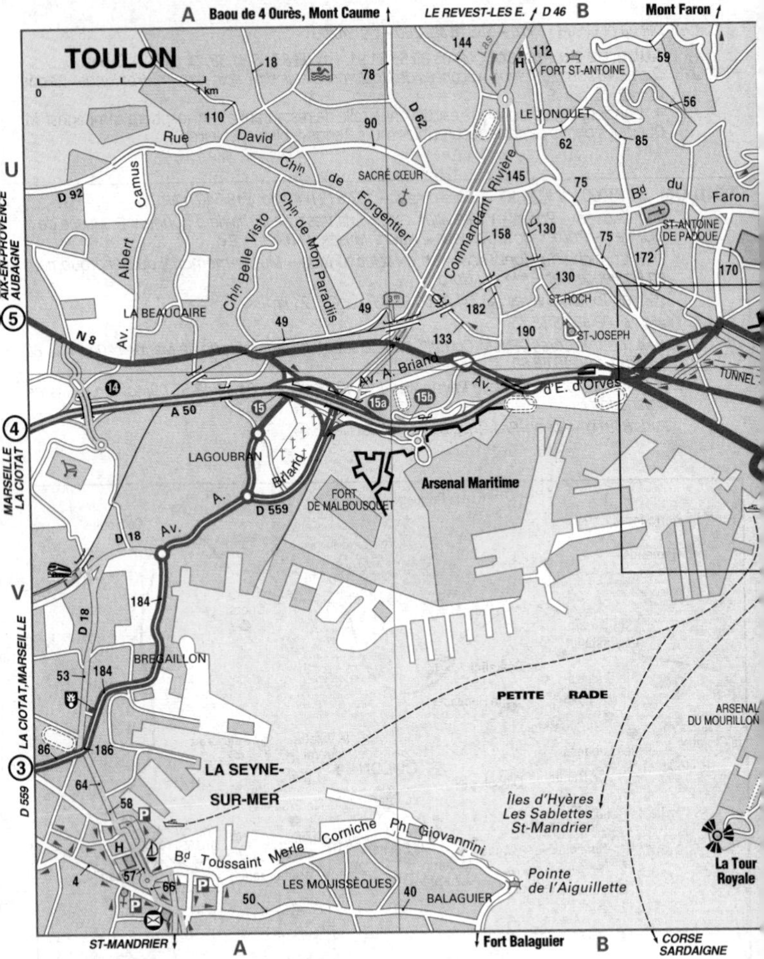
A
Baou de 4 Ourès, Mont Caume
LE REVEST-LES E. D 46
B
Mont Faron
TOULON
0
1 km
U
V
AIX-EN-PROVENCE
AUBAGNE
5
4
MARSEILLE
LA CIOTAT
3
LA CIOTAT,MARSEILLE
D 559
Rue David
Chin de Forgentier
SACRÉ CŒUR
Chin de Mon Paradiis
Chin Belle Visto
Av. Albert Camus
D 92
D 62
Commandant Rivière
FORT ST-ANTOINE
LE JONQUET
Bd du Faron
ST-ANTOINE DE PADOUE
ST-ROCH
ST-JOSEPH
LA BEAUCAIRE
N 8
A 50
Av. A. Briand
Av. d'E. d'Orves
TUNNEL
LAGOUBRAN
Av. A. Briand
D 559
FORT DE MALBOUSQUET
Arsenal Maritime
D 18
Av.
BREGAILLON
PETITE RADE
ARSENAL DU MOURILLON
LA SEYNE-SUR-MER
Îles d'Hyères
Les Sablettes
St-Mandrier
La Tour Royale
Bd Toussaint Merle
Corniche Ph. Giovannini
LES MOUISSÈQUES
BALAGUIER
Pointe de l'Aiguillette
ST-MANDRIER
Fort Balaguier
CORSE SARDAIGNE
18
78
144
112
59
56
110
90
62
85
145
75
158
130
75
172
170
49
182
130
133
190
14
15
15a
15b
184
53
184
86
186
64
58
57
66
4
50
40

XX **Chamade,** 25 r. Comédie ☏ 04 94 92 28 58, *Fax 04 94 92 28 58* – ▤. AE GB FY m
*fermé 29 juil. au 4 sept., dim. et lundi* – **Repas** (nombre de couverts limité, prévenir) 32/41 ♀.

◆ Discret restaurant proche de la place d'Armes où la chamade retentit peut-être fin décembre 1793, lors du siège de Toulon. Petite salle colorée et sage cuisine traditionnelle.

XX **Jardin du Sommelier,** 20 allée Amiral Courbe ☏ 04 94 62 03 27, *scalisi@le-jardin-du-sommelier.com, Fax 04 94 09 01 49* – ▤. AE GB FY r
*fermé sam. midi et dim.* – **Repas** 24/35 ♀.

◆ La Provence de Raimu (né à Toulon) inspire ce restaurant confortable, frais et fleuri. Cuisine ensoleillée à déguster dans la salle sise à l'étage. Vins choisis.

X **Au Sourd,** 10 r. Molière ☏ 04 94 92 28 52, *Fax 04 94 91 59 92,* ☂ – ◑ GB JCB GY W
*fermé dim. et lundi* – **Repas** 24.

◆ L'établissement fut créé par un artilleur de Napoléon III... revenu sourd de la guerre ! Ce restaurant de la vieille ville est apprécié pour ses spécialités de poissons.

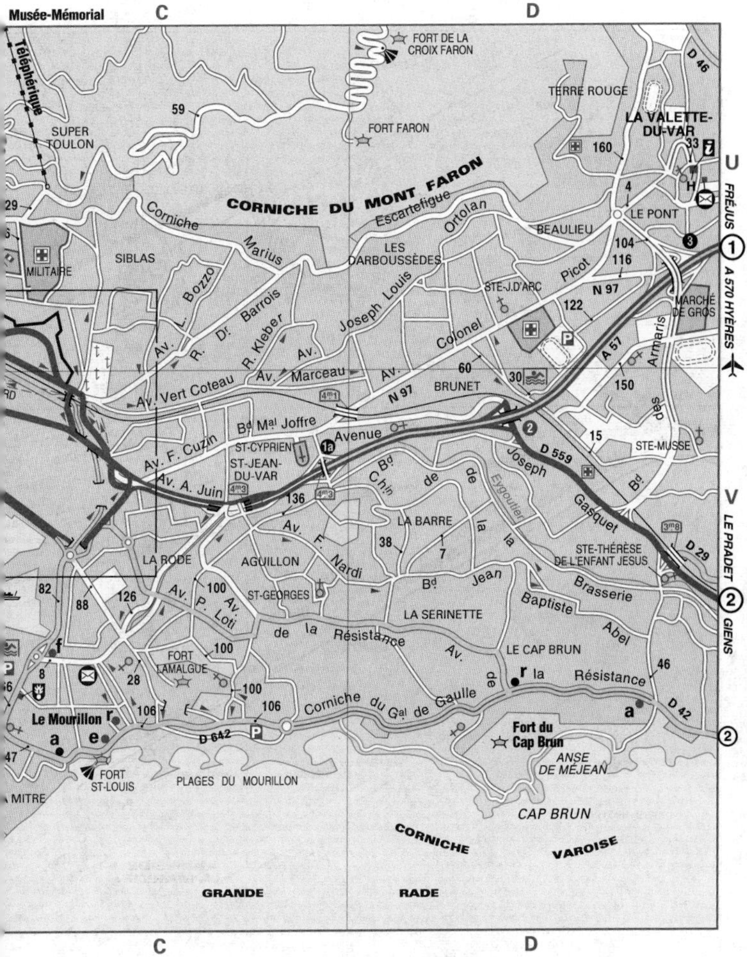

Musée-Mémorial
C
D
Téléphérique
FORT DE LA CROIX FARON
FORT FARON
SUPER TOULON
TERRE ROUGE
LA VALETTE-DU-VAR
CORNICHE DU MONT FARON
Escartefigue
Ortolan
Corniche Marius
SIBLAS
MILITAIRE
LES DARBOUSSÈDES
BEAULIEU
LE PONT
FRÉJUS
A 570 HYÈRES
STE-J.D'ARC
Picot
N 97
MARCHÉ DE GROS
Armaris
A 57
Av. L. Bozzo
R. Dr. Barrois
R. Kleber
Av. Joseph Louis
Colonel
Av. Vert Coteau
Av. Marceau
BRUNET
Bd Mal Joffre
Avenue
Av. F. Cuzin
ST-CYPRIEN
ST-JEAN-DU-VAR
Av. A. Juin
D 559
Joseph Gasquet
STE-MUSSE
Eygoutier
LA BARRE
LE PRADET
STE-THÉRÈSE DE L'ENFANT JESUS
D 29
LA RODE
AGUILLON
Av. F. Nardi
ST-GEORGES
Bd Jean Baptiste Abel
Brasserie
LA SERINETTE
Av. P. Loti
Av. de la Résistance
FORT LAMALGUE
LE CAP BRUN
Av. de la Résistance
D 42
GIENS
Corniche du Gal de Gaulle
D 642
Le Mourillon
FORT ST-LOUIS
PLAGES DU MOURILLON
Fort du Cap Brun
ANSE DE MÉJEAN
CAP BRUN
CORNICHE VAROISE
MITRE
GRANDE RADE
C
D


## au Mourillon – ✉ 83000 Toulon.

Voir *Tour royale* ✳★.

**Corniche,** 17 littoral F. Mistral ✆ 04 94 41 35 12, *info@cornichehotel.com, Fax 04 94 41 24 58,* ≤ – |♦| TV ☎. AE ① GB JCB. ✂ — CV a

**Repas** *(fermé dim. soir, sam. midi et lundi)* 32,20 ♀ – ☕ 10 – **19 ch** 70/115, 4 appart.

◆ Bâtiment des années 1960 dominant la baie de Toulon, à deux pas des belles plages du Mourillon. Chambres ouvertes sur la mer ou sur un jardin odorant. Agréable patio.

**Gros Ventre,** 279 littoral F. Mistral ✆ 04 94 42 15 42, *Fax 04 94 31 40 32,* 🏠 – AE ① GB — CV e

*fermé jeudi midi, mardi, merc. et le midi en juil.-août* – **Repas** 24/49 ♀.

◆ Face au fort St-Louis, au rez-de-chaussée d'un immeuble moderne de la "Corniche varoise". Spécialités de poissons et de boeuf pour régaler gros et petits ventres.

**L'Oustaou,** 9 r. Pré des Pêcheurs ✆ 04 94 41 64 64, *loustaou@aol.com, Fax 04 94 41 64 64* – AE GB JCB — CV r

*fermé 1er au 15 juil., sam. midi et dim.* – **Repas** carte 29 à 35.

◆ Sympathique adresse de type "resto-boutique" où l'on propose les produits de la mer tout frais pêchés, à déguster dans une salle aux tons provençaux.

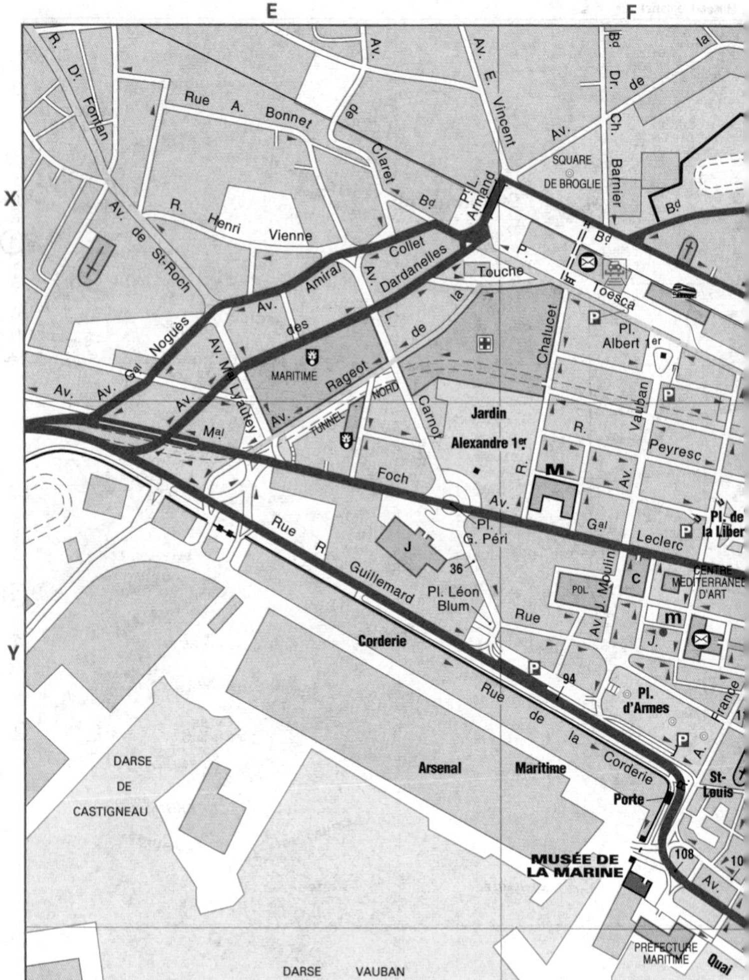
TOULON
E
F
X
Y
Z
R. Dr. Fontan
Rue A. Bonnet
Av. de Claret
Av. E. Vincent
Bd Dr. Ch. Barnier
Bd de la
SQUARE DE BROGLIE
Pl. L. Armand
Bd
R. Henri Vienne
Av. de St-Roch
Av. Amiral Collet
Av. des Dardanelles
Touche
P. Toesca
Bd
Av. Gal Noguès
Av. Mal Lyautey
Av. L. de la Rageot
MARITIME
Pl. Albert 1er
Chalucet
TUNNEL NORD
Carnot
Jardin
Alexandre 1er
Av. Mal Foch
R. Peyresc
Vauban
Av. Gal Leclerc
M
Pl. G. Péri
Pl. de la Liber
CENTRE MEDITERRANEE D'ART
J
36
Rue R. Guillemard
Pl. Léon Blum
POL
Av. J. Moulin
C
m
Rue J.
Corderie
94
Rue de la Corderie
Pl. d'Armes
France
DARSE DE CASTIGNEAU
Arsenal Maritime
Porte
St-Louis
MUSÉE DE LA MARINE
108
Av.
PRÉFECTURE MARITIME
Quai
PORT
DARSE VAUBAN
DARSE VIEILLE
0
200 m

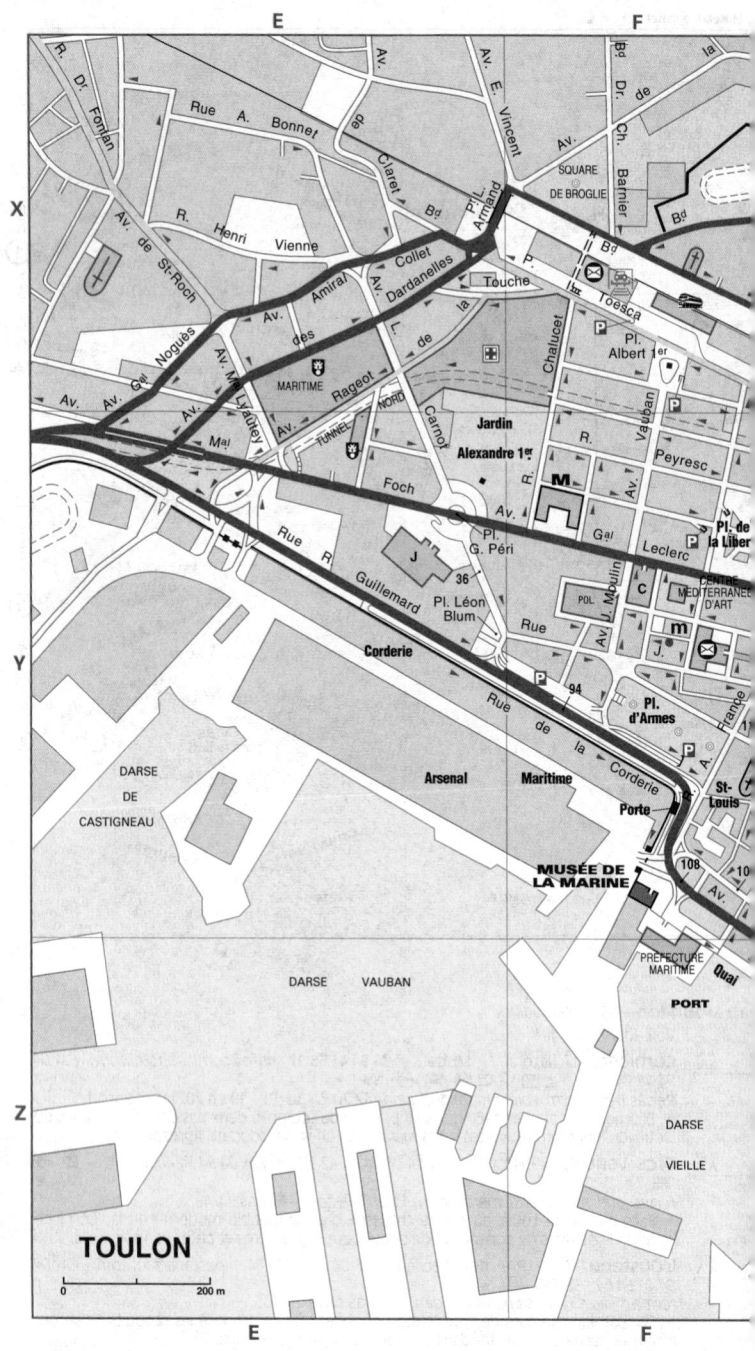

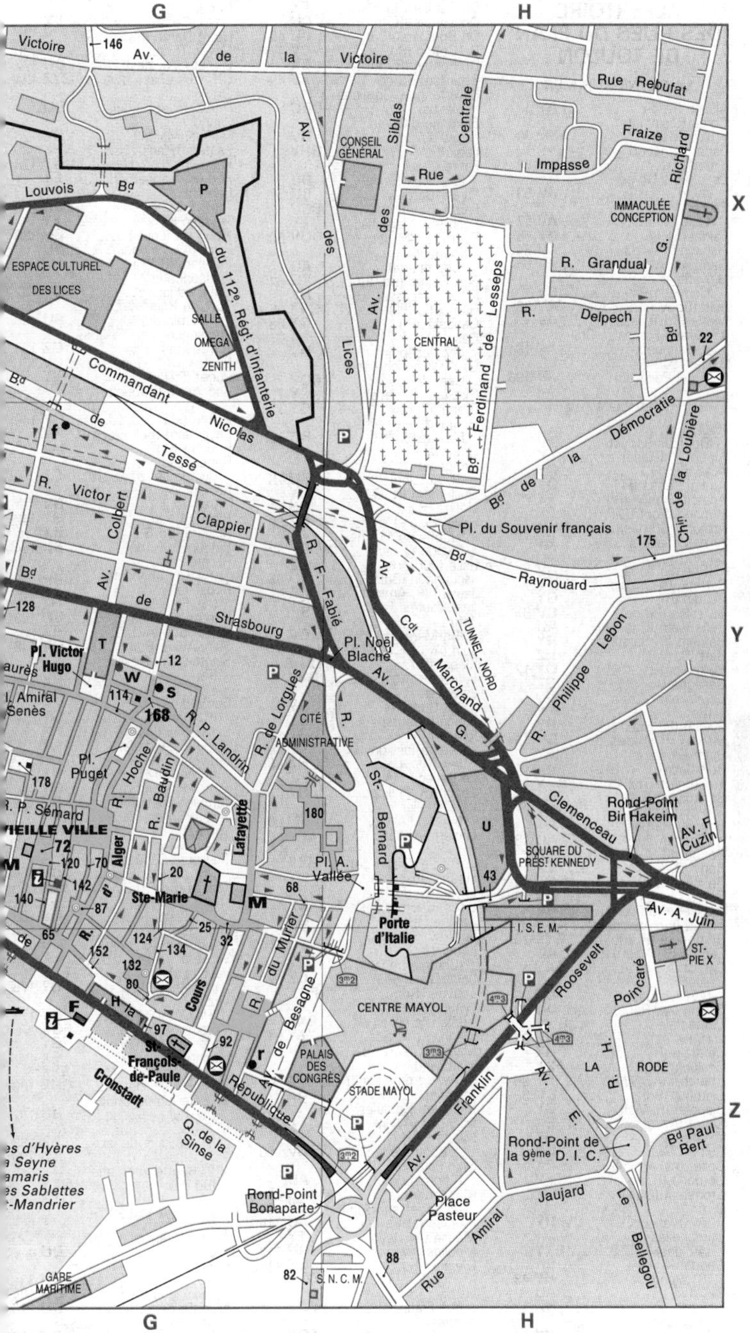
G
H
X
Y
Z
Victoire
146
Av. de la Victoire
Rue Rebufat
Av. des Siblas
CONSEIL GÉNÉRAL
Centrale
Fraize
Impasse
Rue
Richard
Louvois Bd
P
IMMACULÉE CONCEPTION
ESPACE CULTUREL DES LICES
du 112e Régt d'Infanterie
Av. des Lices
R. Grandual
G.
SALLE OMEGA ZENITH
CENTRAL
Bd Ferdinand de Lesseps
R. Delpech
Bd
22
Bd Commandant Nicolas
de Tessé
f
Bd de la Démocratie
Chin de la Loubière
R. Victor Clappier
Colbert
Pl. du Souvenir français
175
Bd Raynouard
Av. Cdt Marchand
R. F. Fabié
TUNNEL - NORD
Bd
128
Av. de Strasbourg
R. Philippe Lebon
T
Pl. Victor Hugo
12
Pl. Noël Blache
Av. G. Clemenceau
Jaurès
W
S
Amiral Senès
114
168
R. P. Landrin
R. de Lorgues
CITÉ ADMINISTRATIVE
R.
St-Bernard
Pl. Puget
R. Hoche
R. Baudin
178
R. P. Sémard
180
Rond-Point Bir Hakeim
VIEILLE VILLE
72
R. d'Alger
Lafayette
U
Av. F. Cuzin
SQUARE DU PRÉST KENNEDY
120
70
20
Pl. A. Vallée
M
142
140
87
Ste-Marie
M
68
43
Av. A. Juin
I. S. E. M.
65
de
R.
25
32
du Murier
Porte d'Italie
124
152
134
ST-PIE X
132
89
Cours
Roosevelt
Poincaré
F
H
la
97
R.
CENTRE MAYOL
Av. de Besagne
St-François-de-Paule
92
r
PALAIS DES CONGRÈS
LA RODE
R. H.
Cronstadt
République
STADE MAYOL
Franklin
Av. E.
Q. de la Sinse
Rond-Point de la 9ème D. I. C.
Bd Paul Bert
es d'Hyères
a Seyne
amaris
es Sablettes
-Mandrier
Av.
Rond-Point Bonaparte
Place Pasteur
Jaujard
Amiral
Le Bellegou
Rue
88
82
S. N. C. M.
GARE MARITIME

# RÉPERTOIRE DES RUES DU PLAN DE TOULON

## LA SEYNE-SUR-MER



## TOULON



## LA VALETTE

**L'Eau à la Bouche,** 54 r. Muiron ✆ 04 94 46 33 09, *Fax 04 94 46 33 09,* – ▤. GB CV f
*fermé 4 au 26 nov., sam. midi, dim. et lundi* – **Repas** (dîner seul. en août) 24/32 ♀.
◆ Coquet cadre marin pour ce restaurant situé au coeur du Mourillon. Les suggestions du jour, présentées sur ardoise, ne manqueront pas de vous mettre l'eau à la bouche.

**au Cap Brun** – ✉ *83100 Toulon :*

**Les Bastidières** sans rest, 2371 av. Résistance ✆ 04 94 36 14 73, *Fax 04 94 42 49 75,* – ▤ TV P. GB DV r
*20 mars-30 sept.* – ☕ 11 – **5 ch** 115.
◆ Cette jolie demeure nichée dans un jardin fleuri est proche de l'anse Méjean (plage). Chambres décorées avec goût, dotées de beaux meubles anciens et d'une petite terrasse.

**Les Pins Penchés,** 3182 av. de la Résistance ✆ 04 94 27 98 98, *infos@restaurant-pins-penches.com, Fax 04 94 27 98 27,* ←, – ▤ P. AE ⓓ GB JCB DV a
*fermé vacances de Toussaint, dim. soir, mardi midi et lundi* – **Repas** *(28)* - 38/48, enf. 13.
◆ Superbe situation pour cette villa du 19e s. dominant la baie. Élégantes salles à manger et terrasses avec vue sur le parc (arbres classés) et au-delà, sur la Méditerranée.

**à la Valette-du-Var** *par ① : 7 km – 20 687 h. alt. 64 –* ✉ *83160 :*

*Syndicat d'Initiative, 72 avenue du Char Verdun ✆ 04 94 61 46 39, Fax 04 94 61 46 39.*

**Val Hôtel,** sortie 5a, la Bigue ✆ 04 94 08 38 08, *val-hotel@wanadoo.fr, Fax 04 94 08 48 60,* – ▤ TV ♿ P – 🏃 20 à 50. AE ⓓ GB
**Repas** *(fermé vend. soir, sam. soir et dim.) (9)* - 15, enf. 8 – ☕ 7 – **43 ch** 56/62.
◆ Dans une zone commerciale, hôtel récent de style provençal. Chambres fraîches et colorées, avec balcon, et terrasse des petits-déjeuners dressée au bord de la piscine.

**Ibis,** sortie Valgora (sortie n° 5b) ✆ 04 94 14 14 14, *info@est.ibistoulon.com, Fax 04 94 14 10 04,* , – ▤ TV ♿ P – 🏃 15 à 50. AE ⓓ GB
**Repas** *(12)* - 15, enf. 6 – ☕ 6 – **80 ch** 70, 4 appart.
◆ Au bord de l'autoroute, classique hôtel de chaîne efficacement insonorisé. Chambres de bonne ampleur. Salle à manger claire et actuelle, sympathique bar.

**au Camp-Laurent** *par ④ autoroute A50 sortie Ollioules : 7,5 km –* ✉ *83140 Six-Fours :*

**Novotel,** ✆ 04 94 63 09 50, *info@novoteltoulon.com, Fax 04 94 63 03 76,* , , – ▤ TV ♿ P – 🏃 20 à 100. AE ⓓ GB
**Repas** *(16)* - 20/22 ♀, enf. 9 – ☕ 10 – **86 ch** 78/93.
◆ Utile pour une halte dans le pays varois, ce Novotel abrite des chambres de taille correcte. En été, restauration au bord de la piscine. Aire de jeux.

***Dans ce guide***
*un même symbole, un même mot,*
*imprimé en **rouge** ou en **noir**, en maigre ou en **gras**,*
*n'ont pas tout à fait la même signification.*
*Lisez attentivement les pages explicatives.*

CAPITOLIUM

# TOULOUSE

🅿 *31000 H.-Gar.* **343** 63 *G. Midi-Pyrénées - 390 350 h. - Agglo. 761 090 h - alt. 146.*
*Paris 696 ① – Barcelona 321 ⑤ – Bordeaux 245 ① – Lyon 536 ⑤ – Marseille 408 ⑤*



## OFFICE DE TOURISME

*Donjon du Capitole ☎ 05 61 11 02 22, Fax 05 61 22 03 63 info@ot-toulouse.fr*

## RENSEIGNEMENTS PRATIQUES

**TRANSPORTS**

*Auto-train ☎ 08 36 35 35 35.*

**AÉROPORT**

*Toulouse-Blagnac ☎ 05 61 42 44 00* **AS**

# DÉCOUVRIR

## TOULOUSE ET L'AÉRONAUTIQUE

*Usine Clément-Ader à Colomiers dans la banlieue Ouest par ⑦*

## QUARTIERS DE LA BASILIQUE ST-SERNIN ET DU CAPITOLE

*Basilique St-Sernin★★★ - Musée St-Raymond★★ - Église les Jacobins★★ (vaisseau de l'église★★) - Capitole★ - Tour d'escalier★ de l'hôtel de Bernuy* **EY**

## DE LA PLACE DE LA DAURADE À LA CATHÉDRALE

*Hôtel d'Assézat et fondation Bemberg★★* **EY** *- Cathédrale St-Étienne★ - Musée des Augustins★★ (sculptures★★★)* **FY**

## AUTRES CURIOSITÉS

*Muséum d'Histoire naturelle★★* **FZ** *- Musée Paul-Dupuy★* **FZ** *- Musée Georges-Labit★* **DV M²**

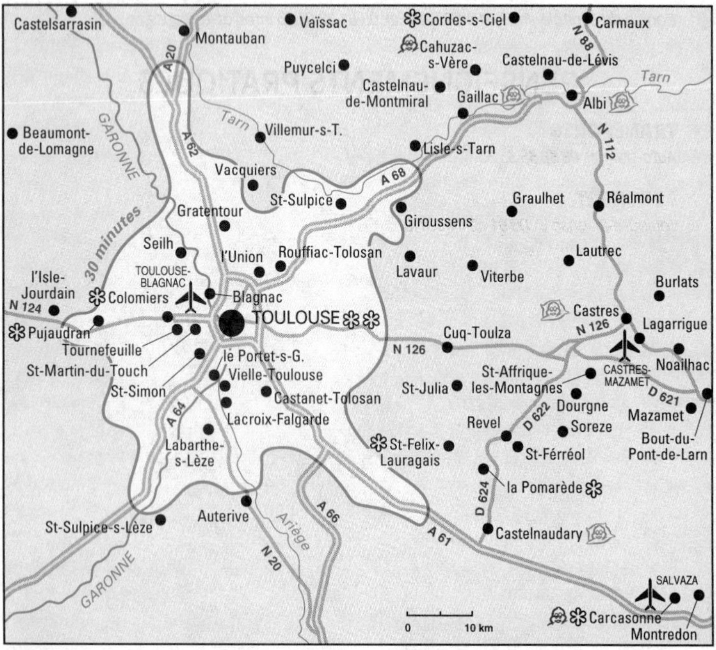
Castelsarrasin
Montauban
Vaïssac
Cordes-s-Ciel
Carmaux
Cahuzac-s-Vère
Castelnau-de-Lévis
Puycelci
Castelnau-de-Montmiral
Gaillac
Albi
Tarn
Beaumont-de-Lomagne
GARONNE
Villemur-s-T.
Lisle-s-Tarn
Vacquiers
St-Sulpice
Graulhet
Réalmont
Gratentour
Giroussens
30 minutes
Seilh
l'Union
Rouffiac-Tolosan
Lavaur
Viterbe
Lautrec
l'Isle-Jourdain
TOULOUSE-BLAGNAC
Colomiers
Blagnac
Burlats
TOULOUSE
Castres
Lagarrigue
Pujaudran
Tournefeuille
Cuq-Toulza
N 126
Noailhac
St-Martin-du-Touch
le Portet-s-G.
Vielle-Toulouse
St-Affrique-les-Montagnes
CASTRES-MAZAMET
St-Simon
St-Julia
Castanet-Tolosan
Dourgne
Mazamet
Lacroix-Falgarde
Revel
Soreze
Bout-du-Pont-de-Larn
Labarthe-s-Lèze
St-Felix-Lauragais
St-Férréol
la Pomarède
Auterive
Ariège
St-Sulpice-s-Lèze
Castelnaudary
GARONNE
SALVAZA
Carcasonne
Montredon
0
10 km
A 20
A 62
A 68
A 64
A 66
A 61
N 88
N 112
N 124
N 20
D 622
D 621
D 624

## RÉPERTOIRE DES RUES DU PLAN DE TOULOUSE



*Ecrivez-nous...*
*Vos louanges comme vos critiques seront examinées avec le plus grand soin.*
*Nous reverrons sur place les informations que vous nous signalez.*
*Par avance merci !*

Agde (Rte d') . . . . . . . . . . . . . . . **CS**
Albi (Rte d') . . . . . . . . . . . . . . . . **CS**
Arènes Romaines (Av.) . . . . . . . **AT** 3
Bayonne (Rte de) . . . . . . . . . . . . **AT**
Biarritz (Av. de) . . . . . . . . . . . . . **AT** 12
Blagnac (Rte de) . . . . . . . . . . . **AST**
Bonnefoy (R. Fg.) . . . . . . . . . . . **CS** 15
Bordebasse (R. de) . . . . . . . . . . **AS**
Brunaud (Av.) . . . . . . . . . . . . . . **CT**
Casselardit (Av. de) . . . . . . . . . . **AT** 28
Castres (Av. de) . . . . . . . . . . . . . **CT**
Château d'Eau (Av. du) . . . . . . . **BT** 32
Chaubet (Av. Jean) . . . . . . . . . . **CT**
Cornebarrieu (Av. de) . . . . . . . . **AS** 33
Crêtes (Bd des) . . . . . . . . . . . . . **CT**
Déodat-de-Sév. (Bd) . . . . . . . . . **BU** 43
Dr-Baylac (Pl. du) . . . . . . . . . . . **AT** 47
Eisenhower (Av. du Gén.) . . . . . . . . . . . . **AU**
Espagne (Rte d') . . . . . . . . . . . . **BU**
Etats-Unis (Av. des) . . . . . . . . . . **BS** 55
Fronton (Av. de) . . . . . . . . . . . . . **BS**
Gde-Bretagne (Av. de) . . . . . . . . **AT** 67
Gloire (Av. de la) . . . . . . . . . . . . **CT**
Gonin (Av. Cl.) . . . . . . . . . . . . . **AS**
Grenade (Rte de) . . . . . . . . . . . . **AS**
Julien (Av. J.) . . . . . . . . . . . . . . **BU** 80
Langer (Av. M.) . . . . . . . . . . . . . **BU** 84
Lardenne (Av. de) . . . . . . . . . . . **AT**
Lombez (Av. de) . . . . . . . . . . . . . **AT** 88
Minimes (Av. des) . . . . . . . . . . . **BS** 104
Mirail (Av. du) . . . . . . . . . . . . . . **AU**
Narbonne (Rte de) . . . . . . . . . **BCU**
Paris (Barrière de) . . . . . . . . . . **BS** 109
Pt-Guilheméry (R.) . . . . . . . . . . **CT** 119
Pujol (Av. C.) . . . . . . . . . . . . . . . **CT** 121
Ramelet-Moundi (Chemin de) . . . . . . . . . . . . . . **AU**
Récollets (Bd des) . . . . . . . . . . **BU** 123
Revel (Rte de) . . . . . . . . . . . . . . **CU** 125
Rieux (Av. J.) . . . . . . . . . . . . . . . **CU**
Saint-Exupéry (Av.) . . . . . . . . . . **CU**
St-Simon (Rte de) . . . . . . . . . . . **AU** 136
Ségoffin (Av. V.) . . . . . . . . . . . . **BU** 140
Suisse (Bd de) . . . . . . . . . . . . . **BST**
Trentin (Bd S.) . . . . . . . . . . . . . **BS** 148
URSS (Av. de l') . . . . . . . . . . . . . **BU** 154
Wagner (Bd Richard) . . . . . . . . . **BT** 160

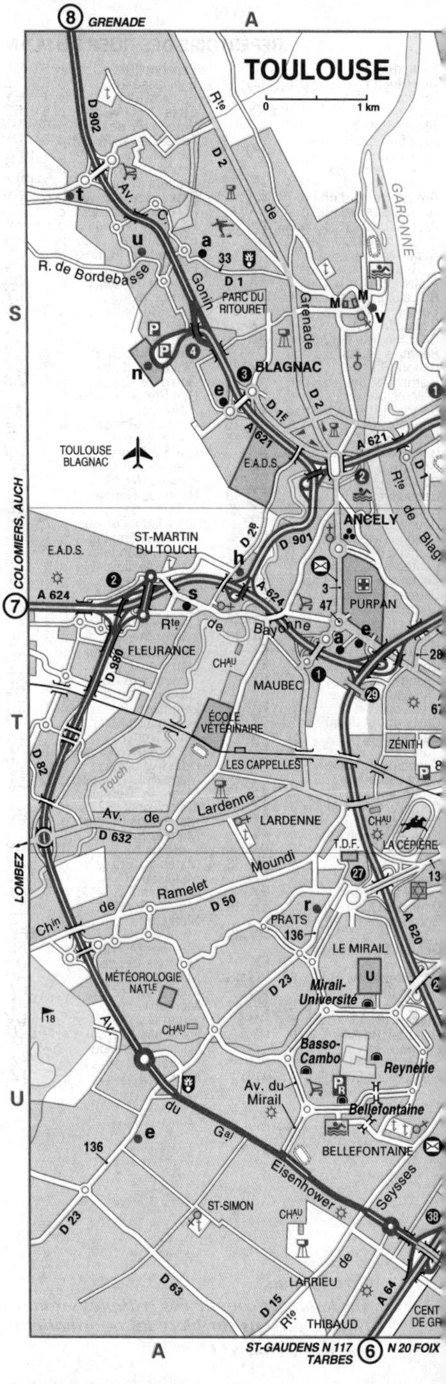
8 GRENADE
A
TOULOUSE
0
1 km
GARONNE
S
T
U
R. de Bordebasse
PARC DU RITOURET
BLAGNAC
TOULOUSE BLAGNAC
E.A.D.S.
ANCELY
ST-MARTIN DU TOUCH
A 624
7
COLOMIERS, AUCH
PURPAN
FLEURANCE
MAUBEC
ÉCOLE VÉTÉRINAIRE
LES CAPPELLES
ZÉNITH
LARDENNE
Av. de Lardenne
D 632
LOMBEZ
T.D.F.
LA CÉPIÈRE
Chin de Ramelet Moundi
PRATS
LE MIRAIL
Mirail-Université
MÉTÉOROLOGIE NATLE
Basso-Cambo
Reynerie
Av. du Mirail
Bellefontaine
BELLEFONTAINE
Av. du Gal Eisenhower
ST-SIMON
LARRIEU
THIBAUD
ST-GAUDENS N 117 TARBES
6
N 20 FOIX

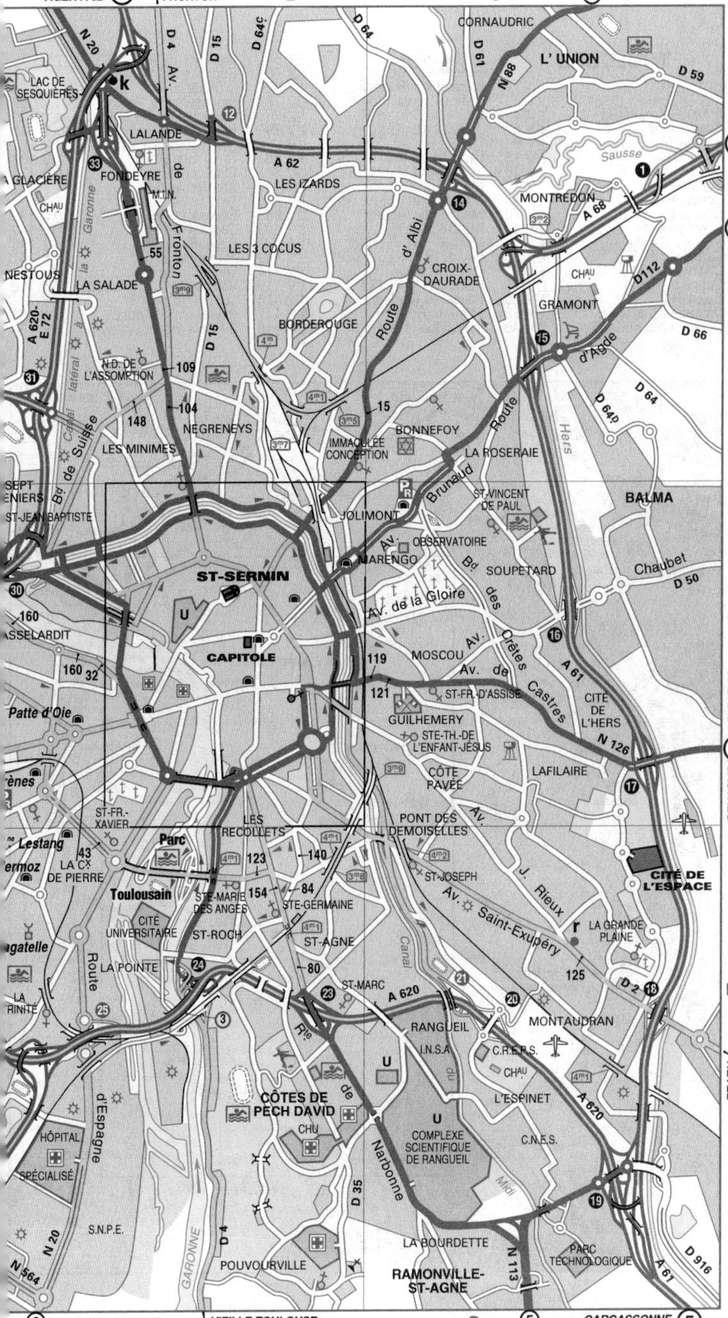
MONTAUBAN AGEN A 62
VILLEMUR-S-T. FRONTON
ALBI GAILLAC
LAVAUR
MAZAMET CASTRES
REVEL
CARCASSONNE MONTPELLIER
VIEILLE-TOULOUSE
L' UNION
CORNAUDRIC
LALANDE
LES IZARDS
MONTREDON
LES 3 COCUS
CROIX-DAURADE
GRAMONT
BORDEROUGE
LA SALADE
FONDEYRE
LAC DE SESQUIÈRES
N.D. DE L'ASSOMPTION
NEGRENEYS
LES MINIMES
BONNEFOY
IMMACULÉE CONCEPTION
LA ROSERAIE
JOLIMONT
MARENGO
OBSERVATOIRE
ST-VINCENT DE PAUL
BALMA
SOUPETARD
ST-SERNIN
CAPITOLE
MOSCOU
GUILHEMERY
ST-FR.-D'ASSISE
STE-TH.-DE L'ENFANT-JÉSUS
CITÉ DE L'HERS
LAFILAIRE
CÔTE PAVÉE
PONT DES DEMOISELLES
ST-JOSEPH
CITÉ DE L'ESPACE
LA GRANDE PLAINE
LES RECOLLETS
ST-FR.-XAVIER
LA Cx DE PIERRE
Toulousain
STE-MARIE DES ANGES
STE-GERMAINE
ST-AGNE
CITÉ UNIVERSITAIRE
ST-ROCH
LA POINTE
ST-MARC
RANGUEIL
I.N.S.A
MONTAUDRAN
C.R.E.P.S.
L'ESPINET
C.N.E.S.
CÔTES DE PECH DAVID
CHU
COMPLEXE SCIENTIFIQUE DE RANGUEIL
HÔPITAL SPÉCIALISÉ
S.N.P.E.
POUVOURVILLE
LA BOURDETTE
RAMONVILLE-ST-AGNE
PARC TECHNOLOGIQUE
Patte d'Oie
Av. de la Gloire
Av. de Castres
Bd des Crêtes
Av. Saint-Exupéry
Route d'Albi
Route d'Agde
Route d'Espagne
Rte de Narbonne
Canal latéral à la Garonne
Bd de Suisse
Av. de Fronton
A 62
A 68
A 61
A 620
N 20
N 88
N 126
N 113
D 112
D 916

## TOULOUSE



D

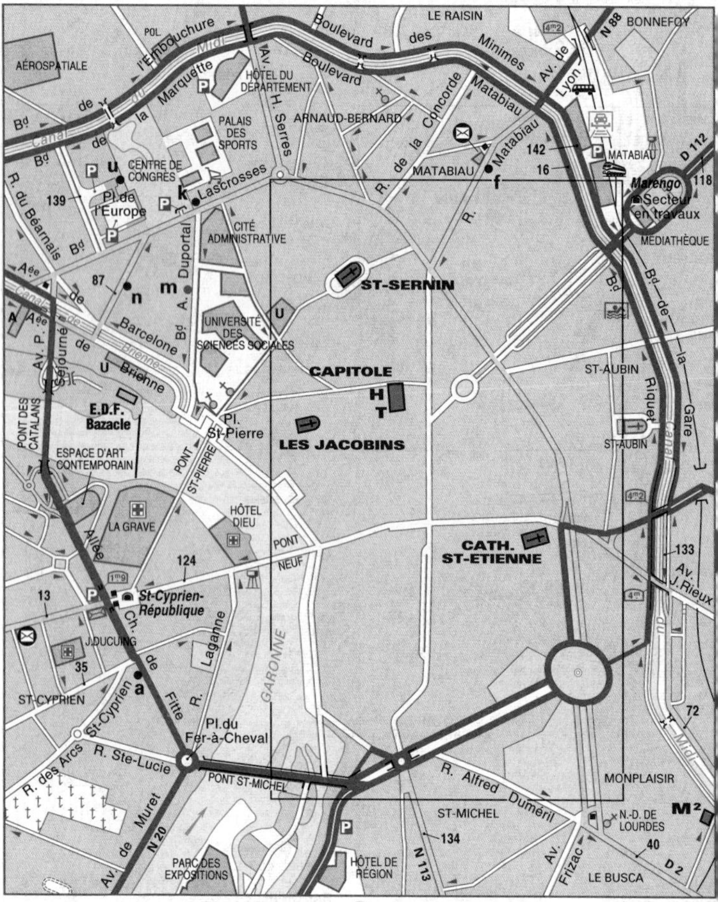

LE RAISIN
BONNEFOY
AÉROSPATIALE
POL.
Boulevard des Minimes
Canal du Midi
Bd de l'Embouchure
Bd de la Marquette
HÔTEL DU DÉPARTEMENT
Av. H. Serres
ARNAUD-BERNARD
R. de la Concorde
Matabiau
Av. de Lyon
N 88
PALAIS DES SPORTS
CENTRE DE CONGRÈS
Pl. de l'Europe
Lascrosses
MATABIAU
Marengo
Secteur en travaux
MÉDIATHÈQUE
CITÉ ADMINISTRATIVE
R. du Béarnais
ST-SERNIN
UNIVERSITÉ DES SCIENCES SOCIALES
Bd A. Duportal
Allée de Barcelone
Allée de Brienne
CAPITOLE
ST-AUBIN
Bd de la Gare
Bd Riquet
E.D.F. Bazacle
Pl. St-Pierre
LES JACOBINS
PONT DES CATALANS
ESPACE D'ART CONTEMPORAIN
PONT ST-PIERRE
LA GRAVE
HÔTEL DIEU
PONT NEUF
CATH. ST-ETIENNE
Av. J. Rieux
St-Cyprien-République
J.DUCUING
R. Laganne
GARONNE
ST-CYPRIEN
Av. de Muret
N 20
Pl. du Fer-à-Cheval
R. Ste-Lucie
R. des Arcs St-Cyprien
PONT ST-MICHEL
R. Alfred Duméril
ST-MICHEL
MONPLAISIR
N.-D. DE LOURDES
PARC DES EXPOSITIONS
HÔTEL DE RÉGION
N 113
Av. Frizac
LE BUSCA
D 2
D 112


D

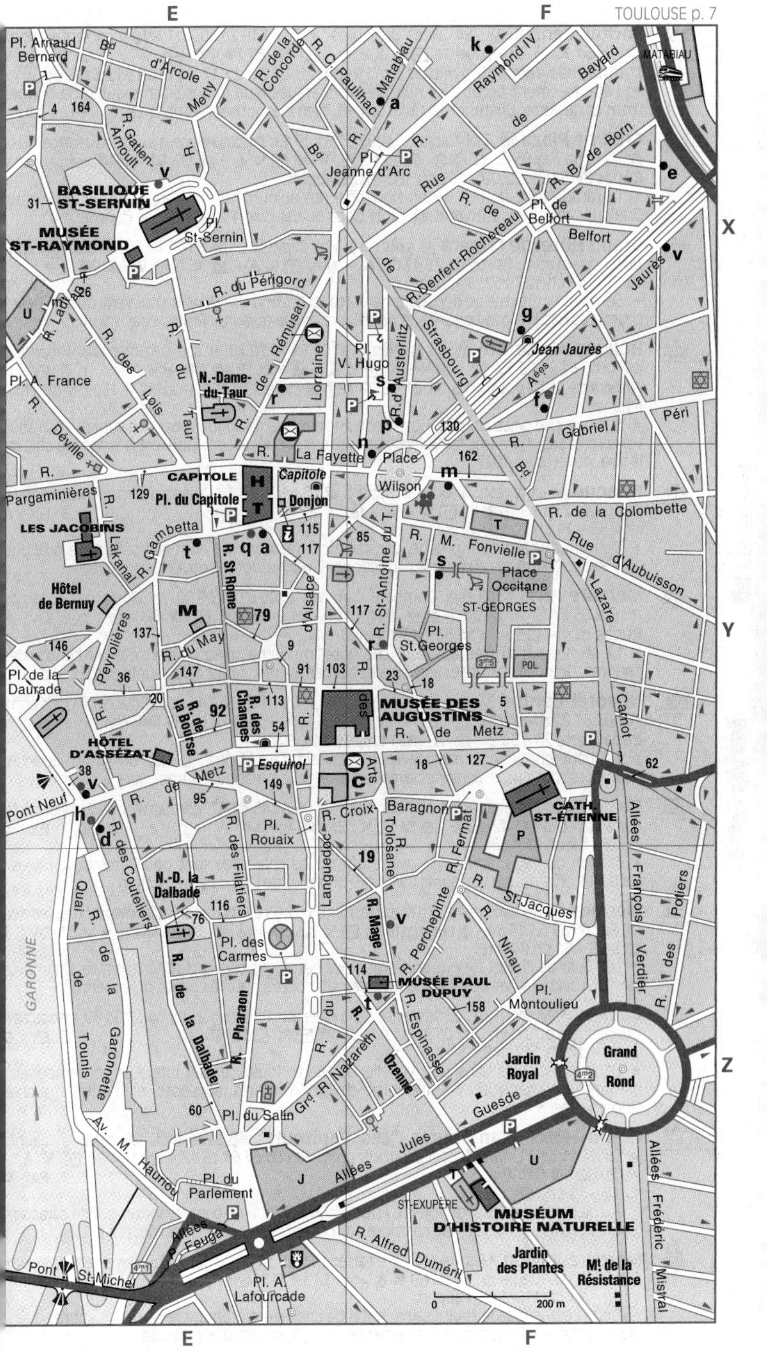
E
F
X
Y
Z
Pl. Arnaud Bernard
Bd d'Arcole
R. de la Concorde
R. C. Pauilhac
Matabiau
MATABIAU
Raymond IV
Bayard
R. de Born
Rue de
Pl. Jeanne d'Arc
R. Gatien-Arnoult
R. Merly
BASILIQUE ST-SERNIN
Pl. St-Sernin
MUSÉE ST-RAYMOND
R. de Belfort
Pl. de Belfort
R. Denfert-Rochereau
R. de Strasbourg
Jaurès
Jean Jaurès
R. du Périgord
R. Ladrat
R. de Rémusat
R. Lorraine
Pl. V. Hugo
R. d'Austerlitz
R. des Lois
R. du Taur
Pl. A. France
R. Déville
N.-Dame-du-Taur
R. La Fayette
Place Wilson
Gabriel
Péri
R. Pargaminières
CAPITOLE
Capitole
Pl. du Capitole
Donjon
LES JACOBINS
R. Lakanal
R. Gambetta
R. St Rome
R. d'Alsace
R. St-Antoine du T.
R. M. Fonvielle
Place Occitane
ST-GEORGES
R. de la Colombette
Rue d'Aubuisson
Lazare
Hôtel de Bernuy
R. Peyrolières
R. du May
Pl. St.Georges
Pl. de la Daurade
R. de la Bourse
R. des Changes
MUSÉE DES AUGUSTINS
R. de Metz
Carnot
HÔTEL D'ASSÉZAT
Esquirol
R. des Arts
Pont Neuf
R. Croix-Baragnon
Pl. Rouaix
R. Languedoc
R. Tolosane
R. Fermat
CATH. ST-ÉTIENNE
Allées François Verdier
R. des Potiers
R. des Couteliers
R. des Filatiers
N.-D. la Dalbade
R. St-Jacques
R. Ninau
R. Mage
R. Perchepinte
Pl. des Carmes
MUSÉE PAUL DUPUY
Pl. Montoulieu
R. Espinasse
GARONNE
Quai de Tounis
R. de la Garonnette
R. de la Dalbade
R. Pharaon
R. Ozenne
Grd-R. Nazareth
Jardin Royal
Grand Rond
Pl. du Salin
Allées Jules Guesde
Av. M. Hauriou
Pl. du Parlement
ST-EXUPÈRE
MUSÉUM D'HISTOIRE NATURELLE
Allées Frédéric Mistral
Allées Feuga
Pont St-Michel
R. Alfred Duméril
Jardin des Plantes
Mt de la Résistance
Pl. A. Lafourcade
0
200 m

**Sofitel Centre** M, 84 allées J. Jaurès 05 61 10 23 10, *h1091@accor-hotels.com, Fax 05 61 10 23 20* – 150. AE GB JCB. p. 7 FX
***L'Armagnac*** *(fermé dim. midi et sam.)* **Repas** (22)-26 – 17 – **119 ch** 215/310.
◆ L'établissement occupe les huit premiers étages d'un imposant immeuble de briques roses et de verre. Chambres au luxe discret, bien insonorisées. Ambiance feutrée au bar.

**Crowne Plaza** M, 7 pl. Capitole 05 61 61 19 19, *hicptoulouse.manager@alliance-hospitality.com, Fax 05 61 23 79 96,* – 60. AE GB JCB
**Repas** 23/54 – 20 – **159 ch** 180/220, 3 appart. p. 7 EY
◆ La façade rose de cet ancien hôpital abrite aujourd'hui un hôtel de grand standing Quelques chambres admirent à loisir la place du Capitole. Patios de style florentin.

**Grand Hôtel de l'Opéra** M sans rest, 1 pl. Capitole 05 61 21 82 66, *contact@grand-hotel-opera.com, Fax 05 61 23 41 04,* – 15 à 40. AE GB JCB
20 – **47 ch** 126/252, 3 appart. p. 7 EY
◆ Sérénité et charme se dégagent de cette institution sise dans un couvent du 17e. Belles chambres habillées de boiseries et de velours rouge et jaune. Plaisant bar-salon.

**Holiday Inn Centre** M, 13 pl. Wilson 05 61 10 70 70, *hi.tlse-commercial@wanadoo.fr, Fax 05 61 21 96 70,* – 100. AE GB JCB p. 7 FY
***Brasserie le Capoul*** 05 61 21 08 27 **Repas** carte 29 à 45 – 12 – **130 ch** 125/150 6 appart.
◆ Sur une jolie place animée, hostellerie ancienne se distinguant par son superbe hall sous verrière et ses chambres meublées dans l'esprit Art déco. Le Capoul est la brasserie chic de la ville, ouverte en 1927.

**Brienne** M sans rest, 20 bd Mar. Leclerc 05 61 23 60 60, *hoteldebrienne@wanadoo.fr Fax 05 61 23 18 94* – 25. AE GB JCB p. 6 DV
8,50 – **71 ch** 70/83.
◆ Du nom du canal tout proche, construction traditionnelle dont la façade mêle la brique et le verre. Chambres au mobilier fonctionnel. Hall verdoyant ouvert sur le patio.

**Mercure Atria** M, 8 espl. Compans Caffarelli 05 61 11 09 09, *h1585@accor-hotels.com, Fax 05 61 23 14 12,* – 200. AE GB JCB p. 6 DV
**Repas** (14,50) - 19 – 11,50 – **136 ch** 103/144.
◆ La clientèle d'affaires apprécie cet hôtel moderne directement relié au centre des congrès. Grandes chambres actuelles et calmes. Le restaurant a vue sur le parc public.

**Novotel Centre** M, pl. A. Jourdain 05 61 21 74 74, *h0906@accor-hotels.com Fax 05 61 22 81 22,* – 100. AE GB JCB p. 6 DV
**Repas** carte 23 à 30 – 11 – **131 ch** 103/140, 6 appart.
◆ Ce bâtiment, conçu dans le style architectural régional, jouxte un jardin japonais Chambres spacieuses, certaines avec terrasse. Salle à manger tournée vers la piscine.

**Beaux Arts** M sans rest, 1 pl. Pont-Neuf 05 34 45 42 42, *contact@hoteldesbeauxarts.com, Fax 05 34 45 42 43,* –. AE GB JCB. p. 7 EY
16 – **19 ch** 84/168.
◆ Maison du 18e s. aménagée avec goût où les chambres sont douillettes et raffinées certaines offrent une vue sur la Garonne. Un reflet de l'art de vivre occitan...

**Mermoz** M sans rest, 50 r. Matabiau 05 61 63 04 04, *reservation@hotel.mermoz.com, Fax 05 61 63 15 64* – cuisinette – 30. AE GB JCB p. 7 DV
9,90 – **51 ch** 94/119.
◆ Le décor de l'hôtel évoque sobrement les héroïques pilotes de l'Aéropostale. Chambre aux tons acidulés. Verrière fleurie ou terrasse arborée pour les petits-déjeuners.

**Capitouls** M sans rest, 22 descente de la Halle aux Poissons 05 34 31 94 80, *contact@hoteldescapitouls.com, Fax 05 34 31 94 81* –. AE GB. p. 7 EY
16 – **14 ch** 130/168.
◆ Bâtisse ancienne dans une venelle du Vieux Toulouse. Bel intérieur contemporain parquet en chêne teinté, meubles design, tentures soyeuses et petites touche japonisantes.

**Grand Hôtel Jean Jaurès "Les Capitouls"** M sans rest, 29 allées J. Jaurès 05 34 41 31 21, *info@hotel-capitouls.com, Fax 05 61 63 15 17* – 20. AE GB JCB p. 7 FX
12 – **51 ch** 108/135.
◆ Au pied d'une station de métro. Ancien hôtel particulier conservant un hall de caractère (voûtes en briques roses). Les chambres disposent d'un accès à Internet par la TV.

**Mercure Wilson** M sans rest, 7 r. Labéda 05 34 45 40 60, *h1260@accor-hotels.com Fax 05 34 45 40 61* –. AE GB JCB p. 7 FY
12 – **91 ch** 115/160, 4 appart.
◆ Derrière une façade toulousaine, hôtel de chaîne entièrement relooké. Chambres d'ampleur variée, confortables et bien équipées. Le garage est très pratique.

**Mercure St-Georges,** r. St-Jérôme (pl. Occitane) ✆ 05 62 27 79 79, *H0370@accor-hotel s.com, Fax 05 62 27 79 00,* – cuisinette, rest, – 60. AE GB JCB
**Repas** *(fermé 21 juil. au 24 août, vend. soir, sam., dim. et fériés)* 22,50 bc – 11 – **122 ch** 121/141, 26 appart. p. 7 **FY s**
◆ Atout majeur de cette adresse : sa situation centrale. Chambres bien isolées ; quelques appartements avec terrasse. Salle à manger agencée autour d'un bar central.

**Président** sans rest, 43 r. Raymond IV ✆ 05 61 63 46 46, *contact@hotel-president.co m, Fax 05 61 62 83 60* – . AE GB JCB p. 7 **FX k**
*fermé 29 déc. au 4 janv.* – 7,50 – **31 ch** 47,50/68.
◆ L'originale répartition des chambres - toutes au rez-de-chaussée - autour de patios verdoyants fait de cet hôtel un havre de paix en pleine ville. Décor actuel.

**Athénée** sans rest, 13 r. Matabiau ✆ 05 61 63 10 63, *hotel-athenee@wanadoo.fr, Fax 05 61 63 87 80* – – 15 à 25. AE GB JCB p. 7 **FX a**
8,80 – **35 ch** 88/94.
◆ Bâtiment d'allure passe-partout à 500 m de la basilique St-Sernin. Chambres fonctionnelles rénovées et bien insonorisées. Pierres et briques habillent les murs du salon.

**Castellane** sans rest, 17 r. Castellane ✆ 05 61 62 18 82, *Fax 05 61 62 58 04* – cuisinette – 15 à 30. AE GB JCB p. 7 **FX f**
6 – **49 ch** 50/76, 4 duplex.
◆ Accueil sympathique dans cet hôtel familial ordonné autour d'un patio. Chambres classiquement agencées, réparties dans trois bâtiments ; certaines ont une terrasse.

**Albert 1er** sans rest, 8 r. Rivals ✆ 05 61 21 17 91, *hotel.albert.1er@wanadoo.fr, Fax 05 61 21 09 64* – – 15. AE GB p. 7 **EX r**
8 – **50 ch** 54/76,50.
◆ Adresse très pratique pour sillonner à pied la "ville rose". Sobre décor dans les chambres ; préférez celles sises à l'arrière. Une jolie fresque décore le hall.

**Park Hôtel** sans rest, 2 r. Porte Sardane ✆ 05 61 21 25 97, *contact@au-park-hotel.com, Fax 05 61 23 96 27,* – . AE GB p. 7 **FX s**
6 – **44 ch** 56/62.
◆ Emplacement privilégié à deux pas des lieux les plus en vue de la ville, chambres fonctionnelles rajeunies, double vitrage efficace, minifitness... Que demander de plus ?

**Ours Blanc-Wilson** sans rest, 2 r. V. Hugo ✆ 05 61 21 62 40, *wilson@hotel-oursblanc.co m, Fax 05 61 23 62 34* – . GB p. 7 **FX p**
6 – **37 ch** 50/62.
◆ Hôtel des années 1930 proche des grandes places animées et des rues commerçantes. Chambres simples et nettes desservies par un petit ascenseur d'époque. Bonne insonorisation.

**Gascogne** sans rest, 25 allées Ch. de Fitte ✉ 31300 ✆ 05 61 59 27 44, *Fax 05 61 42 25 52* – – 15. AE GB p. 6 **DV a**
6,50 – **51 ch** 45/55.
◆ Sur la rive gauche de la Garonne, hôtel pratique pour se rendre au parc des expositions. Chambres conservant un décor des années 1980 ; celles sur l'arrière sont plus calmes.

**Bordeaux** sans rest, 4 bd Bonrepos ✆ 05 61 62 41 09, *Fax 05 61 63 06 65* – . AE GB JCB p. 7 **FX e**
*fermé 25 déc. au 2 janv.* – 6,10 – **31 ch** 38/49.
◆ Établissement au confort modeste, commode pour ceux qui voyagent en train. Vous opterez pour les chambres avec fenêtres donnant sur les quais ombragés du canal du Midi.

**Toulousy-Les Jardins de l'Opéra,** 1 pl. Capitole ✆ 05 61 23 07 76, *toulousy@wanado o.fr, Fax 05 61 23 63 00* – . AE GB p. 7 **EY q**
*fermé 27 juil. au 26 août, 1er au 7 janv., dim. et lundi* – **Repas** 38 (déj.), 64/88 et carte 86 à 110 ♀, enf. 15.
◆ Élégantes et chaleureuses salles à manger aménagées sous une grande verrière et séparées par un bassin dédié à Neptune. La cuisine, au goût du jour, est interprétée avec brio.
**Spéc.** Duo de foies gras de canard. Cabillaud et langues de morues aux chips d'ail, ragoût de fèves. Sablé demi-sel aux fruits rouges. **Vins** Pacherenc du Vic-Bilh.

**Michel Sarran,** 21 bd A. Duportal ✆ 05 61 12 32 32, *michelsarran@wanadoo.fr, Fax 05 61 12 32 33,* – . AE GB p. 6 **DV m**
*fermé 2 août au 2 sept., 1er au 5 janv., merc. midi, sam. et dim.* – **Repas** (prévenir) 40 bc/95 bc et carte 63 à 85.
◆ Cette charmante demeure bourgeoise du 19e s. invite les gourmets à déguster une cuisine aux saveurs du Sud dans un décor volontairement épuré. À midi, service de voiturier.
**Spéc.** Riz au lait à la truffe du Périgord, émulsion à l'huile de truffe blanche d'Alba. Loup cuit et cru au chorizo, crème moutardée au pistou. Allaiton de l'Aveyron aux jeunes légumes et à la sauge. **Vins** Gaillac, Fronton

XXX ✿ **Pastel** (Garrigues), 237 rte St-Simon ✉ 31100 ✆ 05 62 87 84 30, *lepastel@wanadoo.fr, Fax 05 61 44 29 22*, ☂, terrasse – P. AE ⦿ GB. ✗ p. 4 **AU** r
*fermé 11 au 19 août, dim. et lundi* – **Repas** (prévenir) 29 (déj.), 38/74 et carte 65 à 82 🍷.
◆ La Renaissance fut l'âge d'or de l'industrie toulousaine du pastel. Cette belle demeure du 19e s. dissimule un plaisant jardin-terrasse. Goûteuse cuisine personnalisée.
**Spéc.** Saint-Jacques "Jubilatoires" (10 oct. au 10 avril). "Envie" d'agneau de lait aux légumes nouveaux (janv. à juin). Filet de boeuf de Salers aux saveurs du nouveau monde. **Vins** Gaillac, Côtes du Marmandais.

XXX **Cartery's,** 19 r. Castellane ✆ 05 61 62 34 70, *Fax 05 62 47 39 90* – ▤. AE GB. ✗ p. 7 **FX** f
*fermé août, dim. et lundi* – **Repas** 18 (déj.), 28/35 et carte 45 à 55 🍷.
◆ Derrière la discrète façade en briques, salle aveugle plutôt cossue, agrémentée de boiseries, miroirs et tableaux contemporains. L'espacement des tables préserve l'intimité.

XX **Depeyre,** 17 rte Revel ✉ 31400 ✆ 05 61 20 26 56, *depeyre@depeyre.fr, Fax 05 61 34 83 96* – ▤. AE GB p. 5 **CU** r
*fermé 29 juil. au 28 août, 10 au 16 fév., dim. et lundi* – **Repas** *(30)* - 41/51 🍷.
◆ Cette maison de pays à la façade fraîchement ravalée borde un axe fréquenté. Murs agrémentés de briques et de galets de la Garonne. Cuisine soignée et généreuse.

XX **7 Place St-Sernin,** 7 pl. St-Sernin ✆ 05 62 30 05 30, *Fax 05 62 30 04 06* – ▤. AE ⦿ GB p. 7 **EX** v
*fermé 24 déc. au 2 janv., sam. et dim.* – **Repas** *(17)* - 23/49 🍷, enf. 11.
◆ Dans les murs d'une "Toulousaine" typique, restaurant aux flamboyantes couleurs, élégamment aménagé et égayé de toiles contemporaines. Plats au goût du jour.

XX **Brasserie Flo " Les Beaux Arts",** 1 quai Daurade ✆ 05 61 21 12 12, *Fax 05 61 21 14 80*, ☂ – AE ⦿ GB JCB p. 7 **EY** v
**Repas** *(19)* - 29 bc, enf. 9.
◆ Cette brasserie des bords de la Garonne, jadis fréquentée par Ingres, Matisse et Bourdelle, est fort appréciée des noctambules. Joli décor "rétro". Carte très variée.

XX **Le 19,** 19 descente de la Halle aux Poissons ✆ 05 34 31 94 84, *contact@restaurantle19.com, Fax 05 34 31 94 85* – AE GB. ✗ p. 7 **EY** h
*fermé 1er au 13janv., 13 août au 1er sept., sam. midi, lundi midi et dim.* – **Repas** 22 (déj.)/29 ♁.
◆ Chaleureuses salles de restaurant, dont une sous une superbe croisée d'ogives du 16e s., cave à vins ouverte et fumoir adoptent un style résolument moderne. Saveurs du monde.

XX **Chez Laurent Orsi "Bouchon Lyonnais",** 13 r. Industrie ✆ 05 61 62 97 43, *orsi.le-bouchon-lyonnais@wanadoo.fr, Fax 05 61 63 00 71*, ☂ – ▤. AE ⦿ GB JCB p. 7 **FY** f
*fermé sam. midi et dim.* – **Repas** 18,40/30 🍷.
◆ Grand bistrot où banquettes en moleskine, tables à touche-touche et miroirs rappellent l'ambiance des brasseries des années 1930. La carte évolue entre Sud-Ouest et Lyonnais.

XX **Émile,** 13 pl. St-Georges ✆ 05 61 21 05 56, *restaurant-emile@wanadoo.fr, Fax 05 61 21 42 26*, ☂ – ▤. AE ⦿ GB p. 7 **FY** r
*fermé 21 déc. au 5 janv., lundi sauf le soir en été et dim.* – **Repas** 17 (déj.), 35/45 🍷.
◆ Cette table créée dans les années 1940 est prisée en raison de sa belle carte des vins et de sa cuisine proposant plats du terroir et poissons. Plaisante terrasse d'été.

XX **Brasserie de l'Opéra,** 1 pl. Capitole ✆ 05 61 21 37 03, *Fax 05 61 23 41 04*, ☂ – ▤. AE ⦿ GB p. 7 **EY** a
*fermé 3 au 25 août et dim. soir* – **Repas** 24,50 🍷, enf. 8,70.
◆ Brasserie chic au cadre 1930 où l'on croise le "tout Toulouse", et des stars qui signent leur passage d'une photo. Aux beaux jours, la véranda se transforme en terrasse.

X ✿ **Cosi Fan Tutte** (Donnay), 8 r. Mage ✆ 05 61 53 07 24, *Fax 05 61 52 27 92* – GB p. 7 **FZ** v
*fermé 1er au 12 mai, 31 juil. au 5 sept., 20 déc. au 6 janv., dim. et lundi* – **Repas** (dîner seul.)(nombre de couverts limité, prévenir) 29/52 et carte 47 à 67.
◆ Petite salle de restaurant dédiée à l'opéra : enseigne, décor de tentures pourpres et fond musical. Délicieuse cuisine du marché préparée à la mode transalpine.
**Spéc.** Sardines fraîches en confiture de citron (mai à sept.). Risotto de saison. Pigeonneau au vino santo et polenta aux cèpes.

X **Au Gré du Vin,** 10 r. Pléau ✆ 05 61 25 03 51, *Fax 05 61 25 03 51* – GB. ✗ p. 7 **FZ** t
*fermé août, Noël au Jour de l'An, sam., dim. et fériés* – **Repas** (prévenir) *(13)* - 25/31 🍷.
◆ Restaurant sans chichi situé face au musée Paul Dupuy : cadre rustique, ambiance conviviale, choix de vins au verre, assiette simple et goûteuse.

**à Lalande** *Nord : 6 km – ✉ 31200 :*

**Hermès** sans rest, 49 av. J. Zay ✆ 05 61 47 60 47, *reception@hotel-hermes.com, Fax 05 61 47 56 08* – 25. AE GB JCB p. 5 BS k
5,50 – **68 ch** 49/54.
◆ Bâtiment récent en bordure d'un important noeud routier, à 500 m de la zone de loisirs du lac de Sesquières. Chambres fonctionnelles et bien insonorisées.

**à Gratentour** *Nord : 15 km par D 4 et D 14 – 2 518 h. alt. 174 – ✉ 31150 :*

**Barry**, r. Barry ✆ 05 61 82 22 10, *lebarry@wanadoo.fr, Fax 05 61 82 22 38,* – 30. AE GB JCB.
**Repas** *(fermé 13 au 19 août, 24 au 31 déc., vend. soir, dim. et sam.)* 12 (déj.), 13,80/22,50 – 8 – **22 ch** 46/58 – ½ P 55.
◆ À la campagne, ancienne ferme en briques roses flanquée d'une aile neuve abritant de petites chambres actuelles. Dans le jardin, les chaises longues invitent au farniente.

**à l'Union** *Nord-Est : 7 km – 11 751 h. alt. 146 – ✉ 31240 :*

**Bonne Auberge,** 2 bis r. Autan Blanc - N 88 ✆ 05 61 09 32 26, *la-bonne-auberge@wanadoo.fr, Fax 05 61 09 97 53,* – GB
*fermé 12 août au 9 sept., dim. soir, mardi soir et lundi* – **Repas** 19,50/39.
◆ Sur la traversée du village, restaurant aménagé sous les poutres d'une grange entièrement restaurée. Copieuse cuisine traditionnelle à goûter l'hiver au coin du feu.

**à Rouffiac-Tolosan** *par ② : 12 km – 961 h. alt. 210 – ✉ 31180 :*

**Ô Saveurs,** pl. Ormeaux (au village) ✆ 05 34 27 10 11, *Fax 05 62 79 33 84,* – . AE GB
*fermé 1er au 9 mars, 11 au 31 août, sam. midi, dim. soir et lundi* – **Repas** *(16)* - 18,50 (déj.), 26/37.
◆ Petit restaurant au centre d'un pittoresque village. Les saveurs d'une cuisine au goût du jour sont proposées dans deux salles à manger chaleureuses et colorées.

**Clos du Loup** avec ch, N 88 ✆ 05 61 09 28 39, *Fax 05 61 35 13 97* – rest, – 20. GB. ch
*fermé 28 juil. au 26 août* – **Repas** *(fermé mardi midi, dim. soir et lundi)* 15 (déj.), 22/36, enf. 13 – 8 – **20 ch** 40/50 – ½ P 48.
◆ Surtout, pas d'affolement ! Le loup n'est plus... Tons chatoyants et poutres dans la salle à manger prolongée de deux vérandas climatisées. Chambres rajeunies.

**à Castanet-Tolosan** *par ⑤ et N 113 : 8 km – 7 697 h. alt. 164 – ✉ 31320 :*

**Table du Marché,** 3 pl. Richard ✆ 05 62 71 24 25, *Fax 05 34 66 18 56* – GB.
*fermé vacances de Pâques, 1er au 23 août, Noël au jour de l'An, dim., lundi et fériés* – **Repas** 21/34.
◆ L'enseigne le proclame, la cuisine est concoctée au gré du marché. Autre atout de ce petit restaurant familial : les préparations s'effectuent à la vue de tous. Séduisant !

**à Vieille-Toulouse** *Sud : 9 km par D 4 – 867 h. alt. 269 – ✉ 31320 :*

**Flânerie** sans rest, rte Lacroix-Falgarde ✆ 05 61 73 39 12, *Fax 05 61 73 18 56,* ≤ la Garonne, – . AE GB
*fermé 10 au 21 fév.* – 9 – **12 ch** 55/100.
◆ Le vaste parc bossué de l'hôtel domine la Garonne. Les chambres, diversement meublées, sont un brin désuètes. Salle des petits-déjeuners dotée d'une cheminée.

**à Lacroix-Falgarde** *Sud : 13 km par D 4 – 1 478 h. alt. 154 – ✉ 31120 :*

**Bellevue,** 1 av. Pyrénées ✆ 05 61 76 94 97, *Fax 05 61 76 94 97,* ≤, – . AE GB
*fermé 20 oct. au 20 nov., mardi et merc.* – **Repas** 19 (déj.), 24,20/32.
◆ Cette ancienne guinguette entourée de verdure borde l'Ariège. À la belle saison, la grande terrasse a beaucoup de succès. Plats traditionnels et spécialités du Sud-Ouest.

**à Portet-sur-Garonne** *Sud : 10 km par N 20 – 8 030 h. alt. 150 – ✉ 31120 :*

**L'Hotan** M, 80 rte d'Espagne (N 20) ✆ 05 62 87 14 14, *Fax 05 62 20 02 36,* – 50. AE GB
**Repas** *(fermé sam. et dim.)* 19,90/29 – 9,20 – **53 ch** 66/90 – ½ P 57.
◆ Cet hôtel fonctionnel situé au Sud de Toulouse accueille régulièrement des séminaires. Restaurant sous charpente. Minipiscine couverte donnant sur les palmiers du jardin.

**à St-Simon** *Sud-Ouest : 8 km par D 23 – ✉ 31100 Toulouse :*

**Les Ombrages,** 48 bis rte St-Simon ✆ 05 61 07 61 28, *fzago@les-ombrages.fr, Fax 05 61 06 42 26* – . AE GB JCB p. 4 AU e
*fermé 5 au 20 août, dim. soir et lundi* – **Repas** 22 (déj.), 28/40.
◆ Restaurant familial proche du centre de loisirs de la Ramée et de son golf. Salle à manger sous charpente, égayée de plantes vertes. Petit salon réchauffé par une cheminée.

**à Tournefeuille** *Ouest : 10 km par D 632* **AT** *– 16 669 h. alt. 155 – ✉ 31170 :*

XX **L'Art de Vivre,** 279 chemin Ramelet-Moundi ☎ 05 61 07 52 52, *pierre.sepulchre@lartdevivre.fr, Fax 05 61 06 41 94,* – P. AE ⓓ GB
*fermé 18 août au 11 sept., 27 au 30 oct., 10 au 23 mars, dim. soir, lundi soir, mardi soir et merc.* – **Repas** 20 (déj.), 27/44 ♀.
◆ Plaisante adresse située près du golf. Salle colorée, éclairée par de larges baies et charmante terrasse au milieu d'un jardin bordé d'un ruisseau. Cuisine au goût du jour.

**à Purpan** *Ouest : 6 km par N 124 – ✉ 31300 Toulouse :*

**Palladia** M, 271 av. Grande Bretagne ☎ 05 62 12 01 20, *hotel.palladia@wanadoo.fr, Fax 05 62 12 01 21,* – P – 280. AE ⓓ GB p. 4 **AT** e
**Repas** *(fermé dim. et fériés)* 25/35 ♀ – 15 – **91 ch** 140/305.
◆ Imposant immeuble de verre et d'acier à égale distance de l'aéroport et du centre-ville. Aménagements particulièrement soignés. Chambres spacieuses et confortables.

**Novotel Aéroport** M, 23 impasse Maubec ☎ 05 61 15 00 00, *h0445@accor-hotels.com, Fax 05 61 15 88 44,* – P – 100. AE ⓓ GB JCB
**Repas** *(14)* - carte 25 à 30 ♀, enf. 8,20 – 10,50 – **123 ch** 105. p. 4 **AT** a
◆ Ce classique hôtel de chaîne abrite des chambres bien insonorisées et égayées de tons chauds. Espace vert, jeux pour les enfants et navettes gratuites pour l'aéroport.

**à St-Martin-du-Touch** *vers ⑦ – ✉ 31300 Toulouse :*

**Airport Hôtel** sans rest, 176 rte Bayonne ☎ 05 61 49 68 78, *airporthotel@wanadoo.fr, Fax 05 61 49 73 66,* – P – 20. AE ⓓ GB p. 4 **AT** s
8 – **48 ch** 55/90.
◆ Bâtiment des années 1980 en briques rouges voisin de l'aéroport. Les chambres, simples et bien protégées du bruit, ont gardé leur agencement et mobilier d'origine.

XX **Cantou,** 98 r. Velasquez (D 2B) ☎ 05 61 49 20 21, *le.cantou@wanadoo.fr, Fax 05 61 31 01 17,* – P. AE ⓓ GB JCB p. 4 **AT** h
*fermé 11 au 25 août, 21 déc. au 6 janv., sam. et dim.* – **Repas** 28/50 ♀.
◆ Un havre de verdure sépare du monde cette ancienne ferme coquettement aménagée. Terrasse dressée autour d'un joli puits. Remarquable sélection de vins (1100 appellations).

**à Colomiers** *par ⑦ - sortie n° 3 - puis direction Cornebarrieu par D 63 : 10 km – 26 979 h. alt. 182 – ✉ 31770 :*

XXX ✿ **L'Amphitryon,** chemin de Gramont ☎ 05 61 15 55 55, *amphitryon@wanadoo.fr, Fax 05 61 15 42 30,* ←, – P. AE ⓓ GB
**Repas** 29,75 (déj.), 45/73 et carte 65 à 100 ♀.
◆ Grand pavillon moderne dominant le parc de l'Aérospatiale. Chaleureux cadre illuminé par une verrière. La terrasse offre une vue sur la campagne. Cuisine au goût du jour.
**Spéc.** Sardine fraîche à la crème de morue et caviar de hareng. Tronçon de turbot en cocotte. Canette du lauragais en croûte de poivre noir, coriandre et cumin. **Vins** Jurançon, Madiran.

**à Blagnac** *Nord-Ouest : 7 km – 17 209 h. alt. 135 – ✉ 31700 :*

**Sofitel** M, 2 av. Didier Daurat, dir. aéroport (sortie n° 3) ☎ 05 61 71 11 25, *h0565@accor-hotels.com, Fax 05 61 30 02 43,* – P – 90. AE ⓓ GB JCB p. 4 **AS** e
***Caouec :*** **Repas** 27,50/34 bc♀, enf. 15 – 17 – **100 ch** 205/240.
◆ Établissement de standing relié à l'aéroport par une navette gratuite. Chambres rénovées et cossues à dominante jaune. Le restaurant s'ouvre sur un bel espace verdoyant.

**Grand Noble,** 90 av. Cornebarrieu ☎ 05 34 60 47 47, *contact@le-grand-noble.com, Fax 05 34 60 47 48,* – P – 50. AE ⓓ GB p. 4 **AS** a
**Repas** *(fermé 3 au 24 août, vend. soir et sam.)* 19/26, enf. 10,50 – 8 – **44 ch** 65/70 – ½ P 85/92.
◆ Dans une zone commerciale proche de l'aéroport, hôtel-restaurant abritant des chambres sobres, équipées du double vitrage. La salle à manger a un petit air campagnard.

XX **Le Goulu,** r. Bordebasse (zone aéroportuaire nord) ☎ 05 61 15 66 66, *Fax 05 61 30 43 07,* – P. AE GB p. 4 **AS** u
*fermé sam. midi et dim.* – **Repas** 20,50 (déj.), 27,50/42.
◆ La clientèle d'affaires fréquente ce restaurant contemporain décoré avec goût. Les tables, espacées et fleuries, préservent l'intimité. Cuisine traditionnelle généreuse.

XX **Cercle d'Oc,** 6 pl. M. Dassault ☎ 05 62 74 71 71, *cercledoc@wanadoo.fr, Fax 05 62 74 71 72,* – P. AE ⓓ GB p. 4 **AS** t
*fermé 3 au 25 août, 1er au 7 janv., sam. midi et dim.* – **Repas** 30 bc (déj.), 39/43 ♀.
◆ Cette jolie ferme du 18e s. est un îlot de verdure au coeur d'une zone commerciale. Atmosphère de club anglais au salon et dans l'élégante salle à manger. Agréable terrasse.

XX **Pré Carré,** aéroport Toulouse-Blagnac (2e étage) ☎ 05 61 16 70 40, *Fax 05 61 16 70 50,* ← – . AE ⓓ GB JCB, p. 4 **AS** n
*fermé 14 juil. au 15 août, dim. soir et sam.* – **Repas** 27 bc/48.
◆ Face aux pistes, plaisant restaurant d'aérogare installé dans l'enceinte d'une brasserie. Décor design à dominante de bois et de tons rouges. Carte traditionnelle.

**Bistrot Gourmand,** 1 bd Firmin Pons ✆ 05 61 71 96 95, *bistrot-gourmand@bistrot-gourmand.com, Fax 05 61 71 96 95,* – AE GB p. 4 **AS v**
*fermé 29 juil. au 19 août, 30 déc. au 5 janv., sam. midi, dim. et lundi* – **Repas** 10,55/28, enf. 7,35.
◆ Tournées vers le vieux village, deux salles de restaurant agencées sur deux niveaux. Sympathique terrasse à l'étage. Cuisine selon le marché ; prix sages.

**à Seilh** *par ⑧ : 15 km – 816 h. alt. 133 – ✉ 31840 :*

**Maéva Golf de Seilh** M, rte Grenade ✆ 05 62 13 14 15, *toulouse@maeva.fr, Fax 05 61 59 77 97,* – cuisinette – 180. AE GB
**Repas** *(fermé 14 juil. au 19 août, sam. midi, dim. midi et fériés)* 23 – 11 – **116 ch** 91/120, 56 studios.
◆ Ce vaste complexe hôtelier ouvert sur deux parcours de golf accueille de nombreux séminaires et séjours sportifs. Restaurant décoré sur le thème de l'Aéropostale.

---

**TOUQUES** *14 Calvados* 303 M3 – *rattaché à Deauville.*

---

**Le TOUQUET-PARIS-PLAGE** *62520 P.-de-C.* 301 C4 *G. Picardie Flandres Artois – 5 596 h alt. 5 – Casino du Palais* **BZ.**
*Office du Tourisme, place de l'Hermitage ✆ 03 21 06 72 00, Fax 03 21 06 72 01, contact@letouquet.com.*
*Paris 244 ① – Calais 67 ① – Abbeville 58 ① – Arras 99 ① – Boulogne-sur-Mer 32 ①.*

Plan page ci-contre

**Westminster,** av. Verger ✆ 03 21 05 48 48, *hotel.westminster@wanadoo.fr, Fax 03 21 05 45 45,* – rest, – 25 à 150. AE GB **BZ a**
***Pavillon*** (dîner seul.) *(fermé 2 janv. au 31 mars et mardi sauf juil.-août)* **Repas** 42/60 – ***Coffee Shop*** *(fermé merc.sauf juil.-août)* **Repas** 21bc/28bc, enf. 12,50 – 16 – **115 ch** 165/220.
◆ Séduisant palace des années 1930 en briques roses. Hall (superbe ascenseur), salon et chambres de style Art déco, salle à manger "cosy" et bistrot design. Terrasse prisée.

**Park Plaza Grand Hôtel** M, 4 bd Canche ✆ 03 21 06 88 88, *parkplaz@club-internet.fr, Fax 03 21 06 87 87,* – rest, – 150. AE GB. rest
***Les Jardins d'Opale*** (dîner seul.) **Repas** 27,50 – ***Bistrot :*** **Repas** (16,50)- et carte environ 29 – 12 – **129 ch** 143, 5 appart – ½ P 87/104,50. **BY s**
◆ Face à la Canche, établissement de grand standing avec centre de soins marins intégré. Chambres spacieuses dotées de salles de bains en marbre. Élégant salon-bar.

**Manoir Hôtel**, au Golf par ② : *2,5 km* ✆ 03 21 06 28 28, *manoirhotel@opengolfclub.com, Fax 03 21 06 28 29,* – 120. AE GB.
**Repas** 26/35 – 10 – **41 ch** 110/220 – ½ P 106/136.
◆ Beau manoir du début du 20e s. entouré d'un jardin fleuri, à proximité immédiate de la forêt et du golf. Chambres douillettes. Bar de style anglais. Clientèle de golfeurs.

**Holiday Inn Resort** M, av. Mar. Foch ✆ 03 21 06 85 85, *hotel@holidayinnletouquet.com, Fax 03 21 06 85 00,* – rest, – 80. AE GB JCB. rest **BZ n**
***Picardy :*** **Repas** (15)-24/28, enf.10 – 16 – **56 ch** 177/389, 32 duplex – ½ P 120,50/151,50.
◆ En lisière de forêt, bâtiment récent dont les chambres, fonctionnelles, sont desservies par une lumineuse galerie fleurie. Belle salle à manger en rotonde.

**Red Fox** sans rest, r. Metz ✆ 03 21 05 27 58, *reception@hotelredfox.com, Fax 03 21 05 27 56* – AE GB **AY r**
7,50 – **53 ch** 75/95.
◆ Dans une rue animée, chambres pratiques, de taille variable, mansardées au dernier étage. Salle des petits-déjeuners éclairée par une verrière.

**Les Embruns** sans rest, 89 r. Paris ✆ 03 21 05 87 61, *nhe@wanadoo.fr, Fax 03 21 05 85 09,* – AE GB. **AYZ u**
*fermé 15 déc. au 14 janv.* – 5,80 – **19 ch** 43/66.
◆ Près du rivage, avenante façade abritant des chambres en majorité rénovées et bien tenues ; celles ouvrant sur l'arrière sont plus calmes. Petit salon-bibliothèque.

**Artois** sans rest, 123 r. Paris ✆ 03 21 05 17 09, *contact@hotelartois.com, Fax 03 21 05 33 61* – GB **AZ v**
7,60 – **15 ch** 50/69.
◆ Tout près de la plage, petit établissement familial peu à peu rénové. Chambres équipées d'un mobilier simple ; certaines ont vue sur mer. Sauna flambant neuf.

**Forêt** sans rest, 73 r. Moscou ✆ 03 21 05 09 88, *Fax 03 21 05 59 40* – GB.
*fermé 15 déc au 15 janv* – 5,40 – **10 ch** 39/45. **AZ b**
◆ Chambres bien insonorisées et sympathique salle des petits-déjeuners caractérisent cet hôtel très central, avec les somptueuses villas anglo-normandes du Touquet alentour.

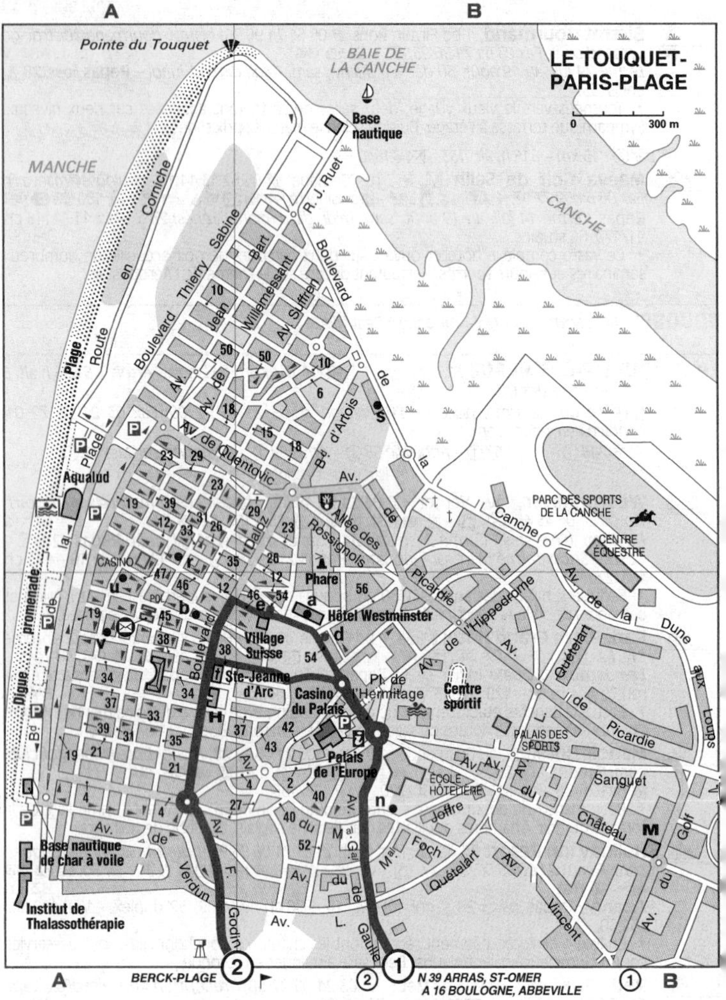
LE TOUQUET-PARIS-PLAGE
0
300 m
A
B
Y
Z
Pointe du Touquet
BAIE DE LA CANCHE
MANCHE
CANCHE
Base nautique
Corniche
Route en Corniche
R. J. Ruet
Boulevard de la Canche
Boulevard Thierry Sabine
Jean Bart
Willemessant
Av. Suffren
Av. de Quentovic
Bd d'Artois
Allée des Rossignols
Dalloz
Phare
Hôtel Westminster
Village Suisse
Ste-Jeanne d'Arc
Casino du Palais
Palais de l'Europe
Pl. de l'Hermitage
Centre sportif
PARC DES SPORTS DE LA CANCHE
CENTRE ÉQUESTRE
Av. de l'Hippodrome
Av. de Picardie
Av. de la Dune aux Loups
Quételart
PALAIS DES SPORTS
ÉCOLE HÔTELIÈRE
Sanguet
Château
Av. du Golf
Av. L. Quételart
Av. Vincent
Joffre
Foch
Mal
Av. du Mal de Gaulle
Av. F. Godin
Av. de Verdun
Av. L.
Aqualud
CASINO
Plage
Digue promenade
Bd de la Plage
Base nautique de char à voile
Institut de Thalassothérapie
BERCK-PLAGE
N 39 ARRAS, ST-OMER
A 16 BOULOGNE, ABBEVILLE

| | | |
|---|---|---|
| Aboudaram (Av. L.) ....... **BZ** 2 | Garet (Av. et R. L.) ....... **ABY** 26 | Pins (Av. des) ........... **BZ** 40 |
| Atlantique (Av. de l') ..... **ABZ** 4 | Genets (Av. des) ........ **ABZ** 27 | Recoussine (Av. F.) ........ **BZ** 42 |
| Bardol (R. E.) ............ **BY** 6 | Hubert (Av. L.) ......... **ABY** 29 | Reine May (Av. de la) .... **ABZ** 43 |
| Bourdonnais (Av. de la) .. **ABY** 10 | Londres (R. de) ......... **AYZ** 31 | St-Amand (R.) ............ **AZ** 45 |
| Bruxelles (R. de) ........ **AYZ** 12 | Metz (R. de) ........... **AYZ** 33 | St-Jean (Av. et R.) ....... **ABZ** 46 |
| Calais (R. de) ............ **BY** 15 | Monnet (R. J.) ........... **AZ** 34 | St-Louis (R.) ............. **AZ** 47 |
| Desvres (R. de) ......... **ABY** 18 | Moscou (R. de) ......... **AYZ** 35 | Tourville (Av. de l'Amiral) . **ABY** 50 |
| Docteur J. Pouget (Bd du) **AYZ** 19 | Oyats (Av. et R. des) .... **ABZ** 37 | Troènes (Av. des) ......... **BZ** 52 |
| Dorothée (R.) ............ **AZ** 21 | Paix (Av. et R. de la) ..... **ABZ** 38 | Verger (Av. du) .......... **BZ** 54 |
| Duboc (Av. et R. J.) ..... **ABY** 23 | Paris (R. de) ........... **AYZ** 39 | Whitley (Av. J.) .......... **BZ** 56 |

***Dans ce guide***
*un même symbole, un même mot,*
*imprimé en* ***rouge*** *ou en* ***noir****, en maigre ou en* ***gras****,*
*n'ont pas tout à fait la même signification.*
*Lisez attentivement les pages explicatives.*

XXX **Flavio,** av. Verger ☎ 03 21 05 10 22, *flavio@flavio.fr, Fax 03 21 05 91 55,* – AE ⓓ GB JCB BZ d
*fermé 5 janv. au 10 fév., lundi sauf juil.-août et fériés* – **Repas** 28 bc (déj.), 39/154 et carte 72 à 113 ♀.
◆ Meubles de style, lustres de cristal et beaux objets décoratifs composent le cadre cossu de cette institution touquettoise qui a fêté ses cinquante ans en l'an 2000.

XX **Village Suisse,** 52 av. St-Jean ☎ 03 21 05 69 93, *Fax 03 21 05 66 97,* – ▤. AE GB BZ a
*fermé 1er au 12 déc., 5 au 16 janv., dim. soir d'oct. à Pâques, mardi midi sauf juil.-août et lundi* – **Repas** 23/45 ♀, enf. 10.
◆ Le créateur du Village suisse parisien a créé cet ensemble éclectique intégrant un plaisant restaurant et sa belle terrasse aménagée sur le toit des boutiques d'antiquités.

**à Trépied** *par ① : 3 km – ✉ 62780 Cucq :*

**Relais de l'Espérance** sans rest, 561 av. Étaples ☎ 03 21 94 62 99, *Fax 03 21 94 53 10* – TV ☎ ♿. GB
*fermé 22 déc. au 28 janv. et dim.* – ☕ 7 – **10 ch** 40/70.
◆ Votre espoir d'un bon accueil ne sera pas déçu : non loin de l'aéroport du Touquet, des chambres actuelles et insonorisées vous attendent dans une atmosphère conviviale.

**à Stella-Plage** *par ② : 7 km – ✉ 62780 Cucq :*

**Pelouses,** bd E. Labrasse ☎ 03 21 94 60 86, *hotel.des.pelouses@wanadoo.fr, Fax 03 21 94 10 11,* – |‡| TV ☎ P. AE ⓓ GB
*fermé 1er déc. au 31 janv., dim. soir, mardi midi et lundi d'oct. à avril sauf vacances scolaires* – **Repas** 14/31 ♀, enf. 7 – ☕ 6,50
**27 ch** 58/65 – ½ P 49/58.
◆ Nombreuses rénovations entreprises dans cette construction cubique située à 1800 m de la plage, à l'écart de l'effervescence touristique. Chambres nettes et spacieuses.

**à Cucq** *par ② : 6 km – 4 299 h. alt. 5 – ✉ 62780 :*

*Office du Tourisme, place Jean Sapin ☎ 03 21 09 04 32, Fax 03 21 84 49 88.*

X **Petite Auberge,** av. Libération ☎ 03 21 94 33 03, *Fax 03 21 94 06 65,* – 🚗. GB
*fermé dim. soir et lundi soir sauf juil.-août*
**Repas** 13,70/49 ♀, enf. 8.
◆ Petite auberge champêtre à la périphérie du "Jardin de la Manche", la station créée par Alphonse Daloz au 19e s. Intérieur rustique, accueil aimable, plats traditionnels.

*Dans ce guide*
*un même symbole, un même mot,*
*imprimé en **rouge** ou en **noir**, en maigre ou en **gras**,*
*n'ont pas tout à fait la même signification.*
*Lisez attentivement les pages explicatives.*

---

**TOURCOING** *59200 Nord* **302** *G3 G. Picardie Flandres Artois – 93 765 h alt. 37.*

*Office du Tourisme, 9 rue de Tournai ☎ 03 20 26 89 03, Fax 03 20 24 79 80.*
*Paris 234 ⑩ – Lille 17 ⑩ – Kortrijk 19 ④ – Gent 62 ② – Oostende 80 ① – Roubaix 5 ⑦.*

**Accès et sorties :** voir plan de Lille.

Plan pages suivantes

**Novotel** M, au Nord près échangeur de Neuville-en-Ferrain (sortie 18) ✉ 59535 Neuville-en-Ferrain ☎ 03 20 28 88 00, *H0451@accor-hotels.com, Fax 03 20 28 88 10,* – |‡| ▤ TV ☎ ♿ P – 200. AE ⓓ GB plan de Lille **HR** e
**Repas** 21,90 ♀, enf. 8 – ☕ 10 – **108 ch** 81/85.
◆ À 300 m de la frontière belge, entouré d'arbres fruitiers, hôtel récent aux chambres fraîches et insonorisées. Grande salle à manger avec cuisine visible de tous.

**Comfort Inn Primevère,** Parc d'activités de Ravennes-les-Francs ✉ 59910 Bondues ☎ 03 20 36 01 96, *confort-lille-tourcoing@wanadoo.fr, Fax 03 20 24 53 52,* – TV ☎ ♿ P – 30. AE ⓓ GB plan de Lille **HR** b
*fermé dim. soir* – **Repas** 14,50/19 ♀, enf. 6 – ☕ 6 – **53 ch** 50/53.
◆ Ce classique hôtel de chaîne privilégie, dans la salle de restaurant comme dans les chambres, le côté pratique. Buffet de la mer les vendredis et samedis.

XX **Baratte,** 395 r. Clinquet ☎ 03 20 94 45 63, *la.baratte@wanadoo.fr, Fax 03 20 03 41 84,* – ▤. AE ⓓ GB plan de Lille **HR** d
*fermé 1er au 8 mars, 21 au 28 avril, 4 au 25 août, sam. midi, dim. soir et lundi* – **Repas** 19/80 bc ♀.
◆ Murs de briques, charpente, cheminées, tableaux colorés : la salle, d'esprit rustique, vient d'être rafraîchie. Les tables proches de la baie vitrée donnent sur le jardin.

## TOURCOING

Allende (Bd Salvador) .......... **BY** 2
Anges (R. des) .............. **BYZ** 3
Austerlitz (R. d') ............ **ABZ** 4
Bienfaisance (R. de la) ......... **BY** 6
Brun-Pain (R. du) .............. **AY**
Buisson (R. Ferdinand) ......... **BZ** 7
Chateaubriand (R.) ............ **CZ** 8
Cherbourg (Quai de) ........... **BZ** 9
Clavell (Place Miss) ........... **BY** 10
Cloche (R. de la) .............. **BY** 12
Condorcet (R.) ................ **BY** 13
Courbet (R. de l'Amiral) ........ **BY** 15
Croix-Blanche (R. de la) ........ **CX** 16
Croix-Rouge (R. de la) ........ **CXY**
Delobel (R.) .................. **BY** 18
Doumer (R. Paul) .............. **BY** 19
Dron (Av. Gustave) ............ **BZ**
Duguay-Trouin (R.) ............ **CY** 21
Faidherbe (R.) ................ **BZ** 22
Famelart (R.) ................. **BZ** 24
Froissart (R. Jean) ............ **AY** 25
Gambetta (Bd) ................ **BZ** 27
Gand (R. de) ................. **BXY**
Grand'Place .................. **BY** 28
Hassebroucq (Pl. V.) ........... **BY** 30
Hénaux (R. Marcel) .......... **BXY** 31
La-Fayette (Av.) .............. **BZ** 33
Leclerc (R. du Gén.) ........... **BY** 36
Lefrançois (Av. Alfred) ......... **CZ** 37
Marne (Av. de la) .............. **BZ** 39
Marseille (Quai de) ............ **BZ** 40
Menin (R. de) ................ **BXY**
Millet (Av. Jean) ............... **AY** 42
Moulin-Fagot (R. du) ........... **BY** 43
Nationale (R.) ................ **ABY**
Péri (R. Gabriel) .............. **BY** 45
Petit-Village (R. du) ........... **AY** 46
Pompidou (Av. G.) ............. **BZ** 48
Pont-de-Neuville (R. du) ........ **CX** 49
République (Pl. de la) .......... **BY** 51
Résistance (Pl. de la) .......... **BY** 52
Ribot (R. Alexandre) ........... **BY** 54
Roosevelt (R. F.) .............. **BY** 55
Roussel (Pl. Ch.-et-A.) ......... **BY** 57
St-Jacques (R.) ............... **BY** 58
Sasselange (R. Ed.) ............ **BZ** 60
Testelin (R. A.) ............... **CX** 61
Thiers (R.) ................... **BZ** 63
Tournai (R. de) ............... **BY** 64
Turenne (R.) ................. **BZ** 66
Ursulines (R. des) ............ **BYZ** 68
Victoire (Pl. de la) ............ **BZ** 69
Wailly (R. de) ................ **BY** 70
Wattine (R. Ch.) .............. **BZ** 72

### WATTRELOS

Vaneslander (R. M.) ........... **CZ** 67

A
X
Y
Z
N.-D. DE LA PAIX
LE PONT ROMPU
ORIONS
BELLENCONTRE
ST-JACQUES
FIN DE LA GUERRE
STE-ANNE
PARC G. CLEMENCEAU
ÉCOLE SUPÉRIEURE DES DOUANES
LE BRUN PAIN
ST-FRANÇOIS D'ASSISE
LES PEUPLIERS
A 22 PARIS, LILLE VALENCIENNE
ARMENTIERES
Rue des Orions
R. Racine
Rue du Pont Rompu
R. Raspail
R. Roncq
R. Papin
R. du Mal Lyautey
R. Cartier
R. J. Denis
Bd d'Halluin
Chaussée
R. du Brun Pain
R. de la Fin de la Guerre
R. A. Dumas
R. des Champs
R. du Moulin
R. du Gal Souham
R. J. Jaurès
R. Watt
R. de Bondues
R. du Bois
Rue de Paris
R. du Clinquet
R. de l'Abbé Lemire
Rue des Francs
Rue des Coulons
Rue de Dragon
R. d'Alsace
R. de la Blanche Porte
R. d'Anvers
Rue de Dunkerque
R. de Bradford
R. de Rotterdam
R. d'Amsterdam
R. de Tourcoing
R. Pierre Prévost
Pl. Mal Foch
25
46


---

**La TOUR D'AIGUES** *84240 Vaucluse* 332 G11 *G. Provence – 3 328 h alt. 250.*

*Office du Tourisme, Le Château ✆ 04 90 07 50 29, Fax 04 90 07 35 91.*

*Paris 756 – Digne-les-Bains 93 – Aix-en-Provence 28 – Apt 35 – Avignon 81.*

**Les Fenouillets,** rte de Pertuis : 1 km ✆ 04 90 07 48 22, *mail@lesfenouillets.com, Fax 04 90 07 34 26,* – TV P. AE GB JCB, rest
*1er avril-31 oct.* – **Repas** (dîner seul.) 21 – 9,50 – **16 ch** 54/58.
◆ Accueillante maison du pays d'Aigues. Chambres provençales impeccablement tenues, restaurant spacieux et lumineux, et terrasse ouverte sur la verdure.

**Auberge de la Tour,** r. A. de Tres ✆ 04 90 07 34 64, *Fax 04 90 07 34 64* – . GB
*fermé 1er au 25 nov., 16 fév. au 3 mars, dim. soir et lundi* – **Repas** 10,70 bc (déj.), 16/23, enf. 9,50.
◆ À proximité de l'église du bourg, restaurant tout simple au décor rustique et à l'ambiance décontractée, où se mitonnent des petits plats fleurant bon la Provence.

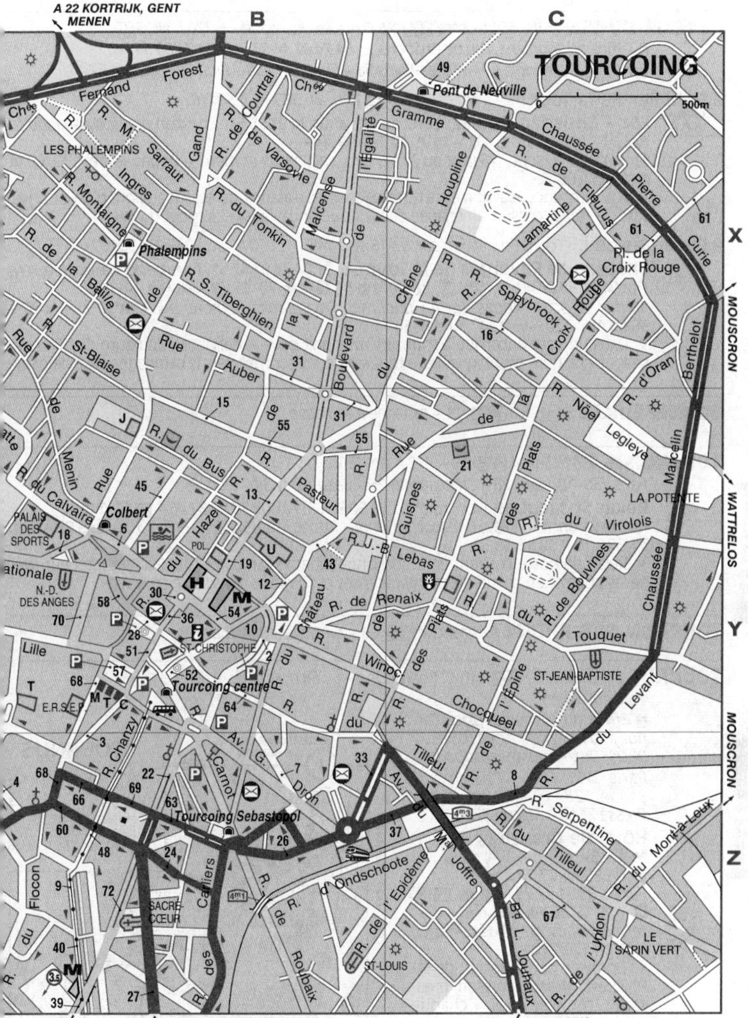
A 22 KORTRIJK, GENT
MENEN
B
C
TOURCOING
0
500m
Pont de Neuville
Phalempins
Colbert
Tourcoing centre
Tourcoing Sebastopol
LES PHALEMPINS
PALAIS DES SPORTS
N.-D. DES ANGES
ST-CHRISTOPHE
SACRÉ-CŒUR
ST-LOUIS
LA POTENTE
ST-JEAN-BAPTISTE
LE SAPIN VERT
E.R.S.E.P.
Pl. de la Croix Rouge
X
Y
Z
MOUSCRON
WATTRELOS
MOUSCRON
LILLE
A 22 PARIS,LILLE
ROUBAIX
A 22 PARIS
ROUBAIX
Chaussée Pierre Curie
Chaussée Marcelin Berthelot
Boulevard de l'Égalité
R. de Gand
R. de Courtrai
R. de Varsovie
R. du Tonkin
R. Malcense
R. de Lille
R. de Menin
R. du Calvaire
R. St-Blaise
R. de la Baille
R. Montaigne
R. Ingres
R. M. Sarraut
Rue Auber
R. S. Tiberghien
R. du Bus
R. de la Haze
R. Pasteur
R. J.-B. Lebas
R. de Renaix
R. du Château
R. de Guisnes
R. des Piats
R. Winoc Chocqueel
R. du Tilleul
R. de l'Épine
R. de Bouvines
R. du Touquet
R. du Virolois
R. Noël Legleye
R. d'Oran
R. de la Croix Rouge
R. Speybrock
R. Lamartine
R. de Fleurus
R. Houpline
R. Gramme
R. Serpentine
R. du Mont-à-Leux
R. de l'Union
Bd L. Jouhaux
Av. M. Joffre
Av. G. Dron
R. Chanzy
R. Carnot
R. des Carliers
R. de Roubaix
R. de l'Épidème
R. d'Ondschoote
R. du Levant
R. Flocon
Chée Fernand Forest


## La TOUR-D'AUVERGNE *63680 P.-de-D.* 326 D9 *G. Auvergne – 778 h alt. 1000.*

*Office du Tourisme, rue de la Pavade ☎ 04 73 21 79 78, Fax 04 73 21 79 70, otsa@sancy.artense.com.*

*Paris 476 – Clermont-Ferrand 58 – La Bourboule 13 – Issoire 60.*

**Terrasse,** ☎ 04 73 21 50 29, *Fax 04 73 21 56 60* – TV ✆. GB
*ouvert vacances de printemps, 1er mai-30 sept., vacances de Noël et de fév.* – **Repas** 9,50/21, enf. 6 – 5 – **28 ch** 27/47 – 1/2 P 37/40.
◆ Au coeur du village, imposante maison du début du 18e s. restaurée. La salle des petits-déjeuners a conservé son cadre d'origine. Le salon TV ressemble à un petit cinéma.

## TOUR-DE-FAURE *46 Lot* 337 G5 – *rattaché à St-Cirq-Lapopie.*

## La TOUR-DE-SALVAGNY *69 Rhône* 327 H5 – *rattaché à Lyon.*

**La TOUR-DU-PIN** 38110 Isère 333 F4 *G. Vallée du Rhône* – 6 770 h alt. 350.
*Office du Tourisme, rue de Châbons ✆ 04 74 97 14 87, Fax 04 74 83 34 74.*
*Paris 518 – Grenoble 67 – Aix-les-Bains 56 – Chambéry 50 – Lyon 55 – Vienne 57.*

**à St-Didier-de-la-Tour** *Est : 3 km par N 6 – 1 310 h. alt. 380 – ✉ 38110 :*

XXX **Lac - Christian Poulet,** bord du lac ✆ 04 74 97 25 53, *christian.poulet@wanadoo.fr, Fax 04 74 97 01 93,* ←, – P. AE GB JCB
*fermé 8 au 20 sept., 26 janv. au 7 fév., dim. soir, mardi et merc.* – **Repas** 16 (déj.), 32/60 et carte 43 à 63.
◆ À la campagne, pavillon et sa terrasse sous les platanes, paressant au bord d'un lac privé. Salle des repas cossue, aménagée dans une véranda. Cuisine au goût du jour.

**à Faverges-de-la-Tour** *Est : 10 km par N 516 et D 145ᶜ – 1 000 h. alt. 394 – ✉ 38110 :*

**Château de Faverges de la Tour** ✆ 04 74 97 42 52, *faverges@relaischateaux.fr, Fax 04 74 88 86 40,* ←, – P – 70. AE GB JCB. rest
*16 mai-15 oct.* – **Repas** *(fermé lundi midi , mardi midi et merc. midi)* 50/90 – 20 – **36 ch** 165/420 – ½ P 147,50/312,50.
◆ Dans un parc bucolique à souhait - avec golf privé -, délicieuse demeure du 19ᵉ s. où chaque chambre est unique. Belle terrasse fleurie tournée vers la campagne dauphinoise.

**TOUNEFEUILLE** *31 H.-Car.* 343 G3 – *rattaché à Toulouse.*

**TOURNOISIS** *45310 Loiret* 318 G3 – *332 h alt. 130.*
*Paris 130 – Orléans 28 – Châteaudun 25 – Beaugency 34 – Blois 66.*

X **Relais St-Jacques** avec ch, ✆ 02 38 80 87 03, *Fax 02 38 80 81 46* – P. GB
*fermé vacances de fév., dim. soir et lundi* – **Repas** 15,30/31,30, enf. 7,70 – 5,20 – **5 ch** 32/38 – ½ P 39,40/55,50.
◆ Relais de poste converti en accueillante auberge campagnarde. Plaisant intérieur avec belles poutres en chêne, pierres apparentes et flambées dans l'âtre en hiver.

**TOURNON-SUR-RHÔNE** *07 Ardèche* 331 L3 – *rattaché à Tain-Tournon.*

**TOURNUS** *71700 S.-et-L.* 320 J10 *G. Bourgogne* – *6 568 h alt. 193.*
Voir *Abbaye*★★.
*Office du Tourisme, place Carnot ✆ 03 85 27 00 20, Fax 03 85 27 00 21, Ot.tournus@wanadoo.fr.*
*Paris 361 ① – Chalon-sur-Saône 28 ① – Bourg-en-Bresse 71 ② – Mâcon 37 ②.*

**Hôtel de Greuze** M sans rest, 5, pl. de l'Abbaye **(e)** ✆ 03 85 51 77 77, *Fax 03 85 51 77 23* – P – 15. AE GB JCB
*fermé 16 nov. au 10 déc.* – 20 – **21 ch** 120/270.
◆ Dominée par le clocher de St-Philibert, grande maison bressane rénovée, où chaque chambre adopte un style différent : Louis XVI, Directoire, Empire... Distingué.

**Rempart,** 2 av. Gambetta **(x)** ✆ 03 85 51 10 56, *lerempart@wanadoo.fr, Fax 03 85 51 77 22* – P – 40. AE GB JCB
**Repas** 28,50/67, enf. 18 - ***Bistrot :*** **Repas** *(13,50)*-15,50/22, enf. 9,50 – 10 – **31 ch** 63/125, 6 appart – ½ P 73/135.
◆ Maison du 15ᵉ s. bâtie sur l'ancien rempart de la ville. Les vastes chambres bénéficient d'une décoration soignée. Le restaurant est agrémenté de colonnes d'un cloître roman.

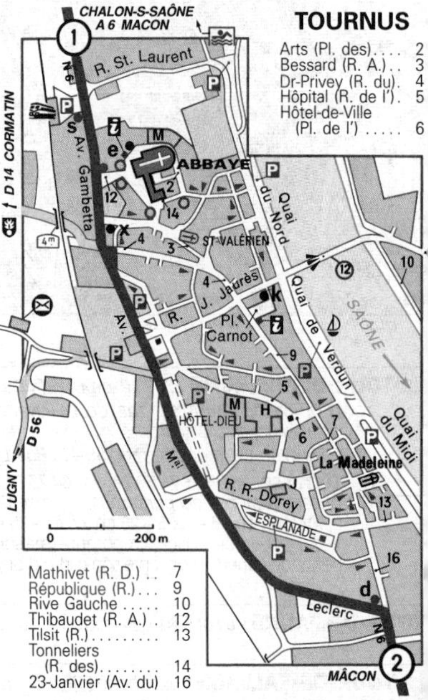

CHALON-S-SAÔNE
A 6 MACON
TOURNUS
R. St. Laurent
D 14 CORMATIN
Av. Gambetta
ABBAYE
Quai du Nord
ST-VALÉRIEN
J. Jaurès
Pl. Carnot
SAÔNE
Quai de Verdun
HÔTEL-DIEU
La Madeleine
Quai du Midi
R. R. Dorey
ESPLANADE
D 56
LUGNY
Leclerc
MÂCON
0
200 m


| | |
|---|---|
| Arts (Pl. des) | 2 |
| Bessard (R. A.) | 3 |
| Dr-Privey (R. du) | 4 |
| Hôpital (R. de l') | 5 |
| Hôtel-de-Ville (Pl. de l') | 6 |
| Mathivet (R. D.) | 7 |
| République (R.) | 9 |
| Rive Gauche | 10 |
| Thibaudet (R. A.) | 12 |
| Tilsit (R.) | 13 |
| Tonneliers (R. des) | 14 |
| 23-Janvier (Av. du) | 16 |

**Paix,** 9 r. J. Jaurès **(k)** 03 85 51 01 85, *info@hotel-de-la-paix.fr, Fax 03 85 51 02 30,* –, rest, . GB
*fermé 21 oct. au 4 nov., 13 janv. au 10 fév., lundi et mardi de sept. à juin* – **Repas** *(fermé lundi midi en juil.-août)* 16/35, enf. 8,50 – 7,60 – **24 ch** 44/54 – ½ P 49/54.
◆ Non loin du musée Greuze, deux maisons distantes d'une centaine de mètres. Les chambres de l'annexe sont plus confortables et calmes. Menus du terroir et fondues.

**Rest. Greuze** (Ducloux), 1 r. A. Thibaudet **(e)** 03 85 51 13 52, *greuze@relaischateaux.com, Fax 03 85 51 75 42* – . AE GB JCB
*fermé 17 nov. au 10 déc.* – **Repas** 45/91 et carte 68 à 115, enf. 30.
◆ Dans son immuable décor de style 17e s., brillant conservatoire de la grande tradition culinaire française, dirigé de main de maître par un chef-patron truculent et jovial.
**Spéc.** Pâté en croûte "Alexandre Dumaine". Quenelle de brochet "Henri Racouchot". Poulet de Bresse sauté "Jean Ducloux". **Vins** Mâcon-Villages, Beaujolais.

**Aux Terrasses** (Carrette) avec ch, 18 av. 23-Janvier **(d)** 03 85 51 01 74, *Fax 03 85 51 09 99* – . GB
*fermé 17 au 23 juin, 10 au 16 nov., 5 janv. au 2 fév., dim. soir (sauf hôtel en juil.-août), mardi midi et lundi* – **Repas** 19 (déj.), 24/52 et carte 36 à 52, enf. 10,50 – 7,50 – **18 ch** 55/60.
◆ Étape au charme provincial sur la N 6. Trois salles à manger d'une sobre élégance, où l'on savoure une cuisine traditionnelle complice du terroir. Chambres insonorisées.
**Spéc.** Raviole de lotte et Saint-Jacques au bouillon de crustacés. Sandre rôti et champigons du moment. Poitrine de pigeon rôti aux gousses d'ail confites. **Vins** Mâcon-Uchizy, Givry.

**Terminus** avec ch, 21 av. Gambetta **(s)** 03 85 51 05 54, *Fax 03 85 51 79 11,* – . GB
*fermé 4 au 27 nov., 6 au 14 janv., mardi soir et merc. sauf juil.-août* – **Repas** 18/46, enf. 10 – 7 – **13 ch** 40/58 – ½ P 48.
◆ Maison du début du 20e s. proche de la gare. Un beau limonaire (1890) rythme les repas servis dans une confortable salle au mobilier de style Louis XVI. Chambres insonorisées.

**à Lacrost** *Est : 2 km par D 37 ou D 975 – 594 h. alt. 170 – 71700 :*

**Petite Auberge,** 03 85 51 18 59, *Fax 03 85 51 18 59* – GB
*fermé 16 juin au 8 juil., 22 déc. au 5 janv., dim. soir et lundi* – **Repas** 11,30 (déj.), 15/33,50, enf. 5,40.
◆ Dans une ruelle, auberge à l'ambiance familiale et au décor résolument rustique avec poutres, chaises paillées et sol carrelé. Cuisine traditionnelle.

**à Brancion** *à l'Ouest par D 14 : 14 km – 71700 Tournus.*
**Voir** *Donjon du château* ≤★.

**Montagne de Brancion** , au col de Brancion 03 85 51 12 40, *lamontagnedebrancion@wanadoo.fr, Fax 03 85 51 18 64,* ≤ monts du Mâconnais, , , – – 15. GB
*mi-mars-début nov.* – **Repas** *(fermé le midi en semaine)* 45/65, enf. 17 – 14 – **19 ch** 124/144 – ½ P 121/144.
◆ Charmante demeure perchée sur la colline face au vignoble. Chambres gaiement décorées. Au restaurant, les tables près des baies vitrées profitent pleinement de la vue.

## TOURRETTES *83440 Var 340 P4 G. Côte d'Azur – 1 375 h alt. 350.*

*Paris 890 – Castellane 56 – Draguignan 31 – Fréjus 35 – Grasse 26.*

**Auberge des Pins,** Domaine Le Chevalier, Sud : 2 km sur D 19 04 94 76 06 36, *auberge.des.pins@wanadoo.fr, Fax 04 94 76 27 50,* , , , – cuisinette, rest, . AE GB.
**Repas** *(fermé dim. soir)* (19) - 26 – 9 – **12 ch** 57/90, 4 studios 74/92 – ½ P 63/76.
◆ Dans un domaine disposant de nombreux équipements de loisirs, chambres actuelles, studios en duplex et restaurant répartis dans trois pavillons.

## TOURRETTES-SUR-LOUP *06140 Alpes-Mar. 341 D5 G. Côte d'Azur – 3 449 h alt. 400.*

**Voir** *Vieux village★ – ≤★ sur le village de la route des Quenières.*
*Office du Tourisme, 5 route de Vence 04 93 24 18 93, Fax 04 93 59 24 40, ot@tourrettessurloup.com.*
*Paris 934 – Nice 29 – Grasse 18 – Vence 6.*

**Résidence des Chevaliers** sans rest, rte Caire 04 93 59 31 97, *Fax 04 93 59 27 97,* ≤ village et côte, , – . GB.
*1er avril-1er oct.* – 12 – **12 ch** 110/180.
◆ Cette maison en pierre joliment fleurie surplombe le village médiéval, "capitale" de la violette. Chambres de style rustique. Petit-déjeuner servi sur une plaisante terrasse.

**Auberge de Tourrettes** avec ch, 11 rte Grasse ✆ 04 93 59 30 05, *info@aubergedetourrettes.fr, Fax 04 93 59 28 66,* ≤, – AE GB
*fermé 6 janv. au 4 fév.* – **Repas** *(fermé mardi et merc. d'oct. à mai)* 16,50 (déj.), 42/54 – 14,50 – **6 ch** 87/105 – ½ P 87/96.
◆ Maison rose aux volets verts dont la belle salle à manger ensoleillée et la terrasse offrent un large panorama sur la vallée. Plats du marché. Jolies chambres provençales.

**Médiéval,** 6 Grande rue ✆ 04 93 59 31 63 – GB
*fermé 15 déc. au 15 janv., merc. soir et jeudi*
**Repas** 16/32 ♀.
◆ Restaurant familial situé dans une ruelle du ravissant vieux village investi par artistes et artisans. Longue salle rustique où l'on sert une généreuse cuisine traditionnelle.

## TOURS

**P** *37000 I.-et-L.* **317** N4 *G. Châteaux de la Loire – 129 509 h Agglo. 297 631 h alt. 60.*

**Voir** *Quartier de la cathédrale★★ : cathédrale St-Gatien★★, musée des Beaux-Arts★★, historial de Touraine★ (château)* **M¹** – *La Psalette (cloître St-Gratien)★, Place Grégoire-de-Tours★ – Vieux Tours★★★ : place Plumereau★ , hôtel Gouin★, rue Briçonnet★ – Quartier de St-Julien★ : musée du Compagnonnage★★, Jardin de Beaune-Semblançay★* **BY K** – *Musée des Équipages militaires et du Train★* **V M⁵** – *Prieuré de St-Cosme★ O : 3 km* **V.**

✈ *de Tours-Val de Loire ✆ 02 47 49 37 00, NE : 7 km* **U.**

*Office du Tourisme, 78-82 rue Bernard Palissy ✆ 02 47 70 37 37, Fax 02 47 61 14 22, info@ligeris.com.*

*Paris 238 ③ – Angers 108 ⑬ – Bordeaux 347 ⑩ – Le Mans 84 ⑭ – Orléans 116 ③.*

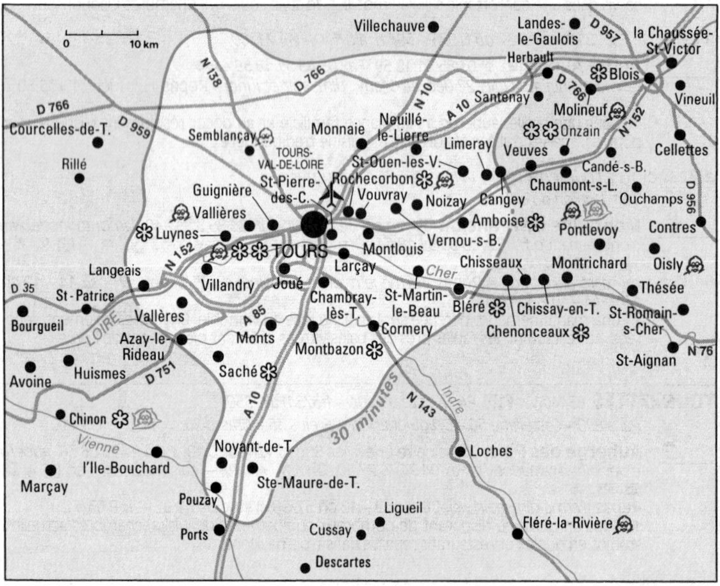
0 10 km
Villechauve
Landes-le-Gaulois
la Chaussée-St-Victor
Herbault
Blois
Vineuil
Santenay
Molineuf
Onzain
Cellettes
Courcelles-de-T.
Rillé
Semblançay
Monnaie
Neuillé-le-Lierre
Limeray
Veuves
Candé-s-B.
TOURS-VAL-DE-LOIRE
St-Ouen-les-V.
Rochecorbon
Chaumont-s-L.
Ouchamps
Guignière
St-Pierre-des-C.
Vouvray
Noizay
Cangey
Vallières
Amboise
Pontlevoy
Contres
Luynes
Vernou-s-B.
TOURS
Montlouis
Langeais
Larçay
Chisseaux
Montrichard
Oisly
Villandry
Joué
Cher
Thésée
St-Patrice
Chambray-lès-T.
St-Martin-le-Beau
Bléré
Chissay-en-T.
St-Romain-s-Cher
Bourgueil
Vallères
Azay-le-Rideau
Monts
Cormery
Chenonceaux
Montbazon
St-Aignan
Avoine
Huismes
Saché
Chinon
Vienne
Indre
30 minutes
Loches
Noyant-de-T.
l'Ile-Bouchard
Marçay
Ste-Maure-de-T.
Pouzay
Ligueil
Fléré-la-Rivière
Ports
Cussay
Descartes
D 766
D 959
N 138
N 10
A 10
D 957
N 152
D 35
A 85
D 751
N 143
D 956
N 76
LOIRE

**Jean Bardet** , 57 r. Groison ✆ 02 47 41 41 11, *sophie@jeanbardet.com, Fax 02 47 51 68 72,* ≤, – – 30. AE GB JCB **U k**
*fermé dim. soir et lundi de nov. à mars* – **Repas** *(fermé dim. soir de nov. à mars, lundi sauf le soir d'avril à oct., sam. midi et mardi midi)* 60/126 et carte 95 à 125 ♀ – 20 – **16 ch** 121/241, 5 appart.
◆ Pavillon Napoléon III et son extension récente édifiée dans le style tourangeau au coeur d'un vaste parc fleuri. Chambres personnalisées ; élégant restaurant. Jardin potager.
**Spéc.** Légumes et plantes aromatiques de notre potager. Consommé de crabe vert à l'encre de seiche. Pigeon mi-fumé à la réglisse. **Vins** Vouvray, Chinon.

# TOURS

Alouette (Av. de l') . . . . . . X 2
Bordiers (R. des) . . . . . . . U 9
Boyer (R. Léon) . . . . . . . . V 10
Chevallier (R. A.) . . . . . . . V 19
Churchill (Bd. W.) . . . . . . . V 20
Compagnons d'Emmaüs
(Av. des) . . . . . . . . . . . . U 23
Eiffel (Av. Gustave) . . . . . U 37
Gaulle
(Av. Gén. de) . . . . . . . . . V 44
Giraudeau (R.) . . . . . . . . . V 46
Grammont (Av. de) . . . . . V 47
Grand-Sud (Av.) . . . . . . . . X 51
Groison (R.) . . . . . . . . . . . U 54
Marmoutier (Q. de) . . . . . U 63
Monnet (Bd J.) . . . . . . . . . V 69
Portillon (Q. de) . . . . . . . . U 81
Proud'hon (Av.) . . . . . . . . . V 82
République
(Av. de la) . . . . . . . . . . . U 87
St-Avertin (Rte de) . . . . . . X 89
St-François (R.) . . . . . . . . V 92
St-Sauveur (Pont) . . . . . . . V 94
Sanitas (Pont du) . . . . . VX 95
Tonnelé (Bd) . . . . . . . . . . . V 97
Tranchée (Av. de la) . . . . . U 98
Vaillant (R. E.) . . . . . . . . . V 99
Wagner (Bd R.) . . . . . . . V 105

### CHAMBRAY-LÈS-T.

République (Av. de la) . . . X 88

### JOUÉ-LÈS-T.

Martyrs (R. des) . . . . . X 64
Verdun (R. de) . . . . . . . X 102

### ST-AVERTIN

Brulon (R. Léon) . . . . . . X 14
Lac (Av. du) . . . . . . . . . . . X 58
Larçay (R. de) . . . . . . . . . X 59

### ST CYR-SUR-L.

St-Cyr (Q. de) . . . . . . . . . V 91

### ST PIERRE-DES-C.

Jaurès
(Boulevard Jean) . . . . V 57
Moulin (R. Jean) . . . . . . V 70

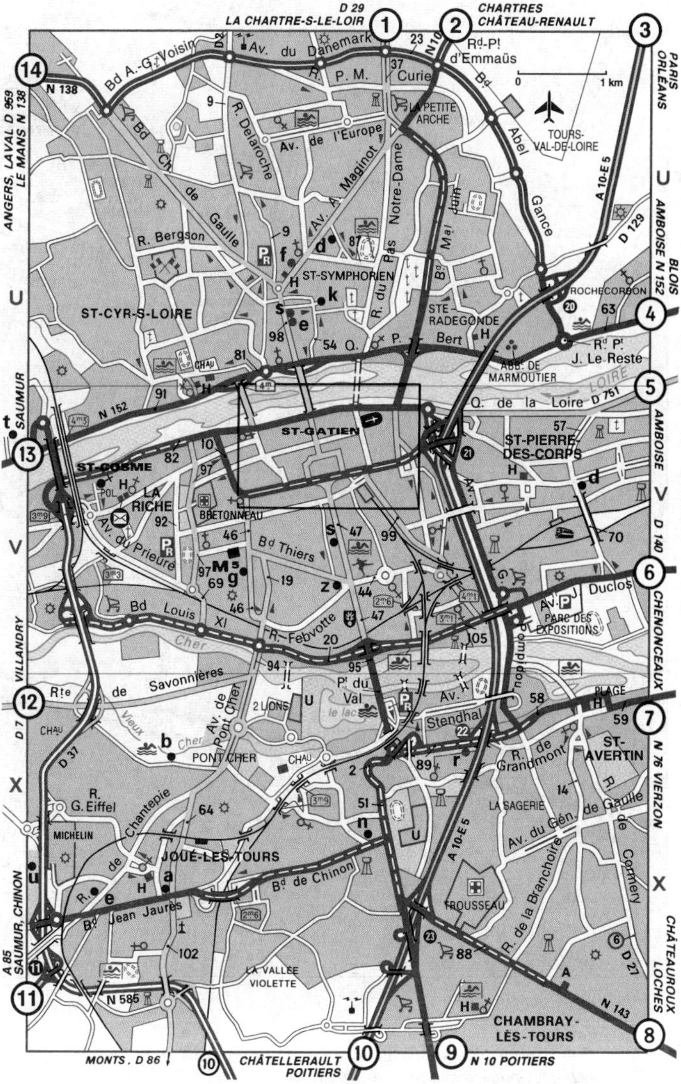

D 29
LA CHARTRE-S-LE-LOIR
CHARTRES
CHÂTEAU-RENAULT
PARIS ORLÉANS
AMBOISE N 152
BLOIS
AMBOISE
D 140
CHENONCEAUX
N 76 VIERZON
CHÂTEAUROUX LOCHES
N 10 POITIERS
CHÂTELLERAULT POITIERS
MONTS, D 86
A 85 SAUMUR, CHINON
VILLANDRY
SAUMUR
ANGERS, LAVAL D 959 LE MANS N 138
TOURS-VAL-DE-LOIRE
ST-CYR-S-LOIRE
ST-SYMPHORIEN
STE-RADEGONDE
ROCHECORBON
ST-GATIEN
ST-PIERRE-DES-CORPS
ST-COSME
LA RICHE
BRETONNEAU
PARC DES EXPOSITIONS
JOUÉ-LES-TOURS
ST-AVERTIN
LA SAGERIE
TROUSSEAU
CHAMBRAY-LÈS-TOURS
LA VALLÉE VIOLETTE
PONT CHER
MICHELIN
Loire
Cher
Bd A.-G. Voisin
Av. du Danemark
Av. de l'Europe
R. Delaroche
Av. A. Maginot
R. du Pas Notre-Dame
Bd Abel Gance
Bd Ch. de Gaulle
R. Bergson
Q. de la Loire
Bd Thiers
Bd Louis XI
R. Febvotte
Av. du Prieuré
Rte de Savonnières
Av. de Pont Cher
Av. Stendhal
R. de Grandmont
Av. du Gén. de Gaulle
R. de la Branchoire
Bd de Chinon
Bd Jean Jaurès
R. de Chantepie
R. G. Eiffel
0 1 km

## TOURS



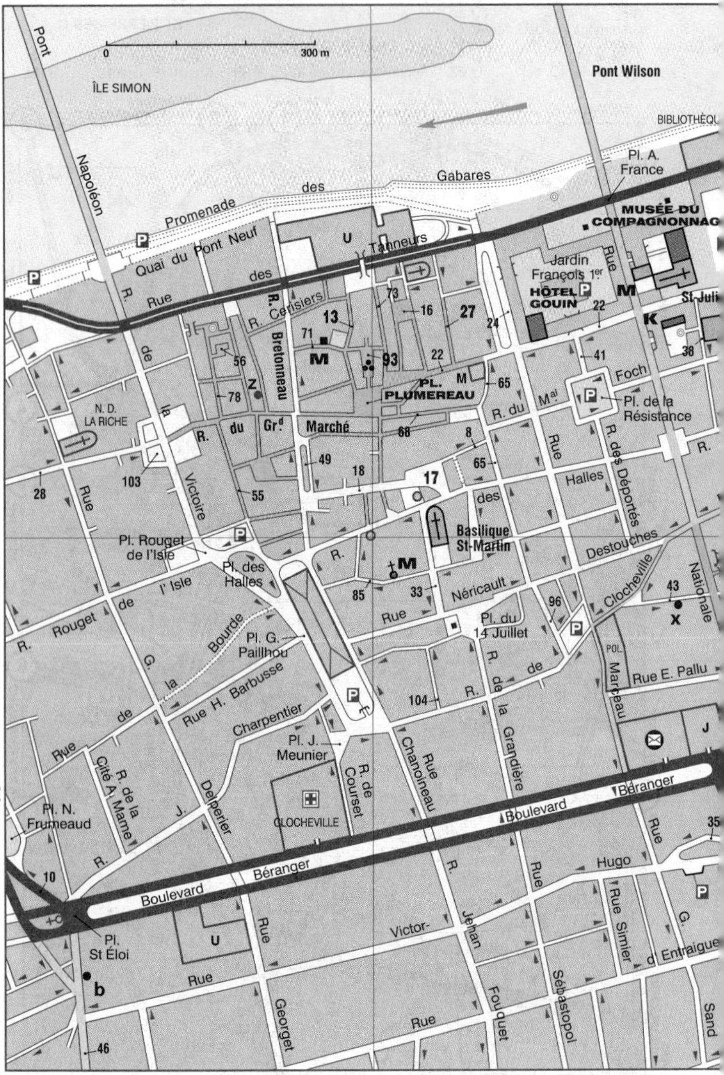

A
B
Y
Z
0
300 m
Pont Napoléon
ÎLE SIMON
Pont Wilson
BIBLIOTHÈQU
Promenade des Gabares
Pl. A. France
MUSÉE DU COMPAGNONNAG
Quai du Pont Neuf
Rue des Tanneurs
U
Jardin François 1er
HÔTEL GOUIN
R. Cerisiers
R. Bretonneau
13
71
M
93
16
27
24
22
41
Foch
K
38
St-Juli
56
Z
78
PL. PLUMEREAU
M
65
R. du Mal
Pl. de la Résistance
N. D. LA RICHE
R. du Grd Marché
68
8
R. des Halles
R. des Déportés
R.
103
28
Rue de la Victoire
49
18
65
17
55
Rue des
Basilique St-Martin
Pl. Rouget de l'Isle
Pl. des Halles
R.
M
Destouches
Clocheville
Nationale
85
33
Néricault
96
43
X
Rue Rouget de l'Isle
R.
Rue
Pl. du 14 Juillet
Bourde
Pl. G. Paillhou
POL.
Rue E. Pallu
Marceau
R. de
R. G. la
Rue H. Barbusse
104
R.
la Grandière
Charpentier
Rue de
Pl. J. Meunier
R. de Courset
Rue Chanoineau
J
R. de la Cité A. Mame
Delperier
J.
Pl. N. Frumeau
CLOCHEVILLE
Boulevard Béranger
Rue
35
R.
10
Boulevard Béranger
Rue
Hugo
R. Jehan
Rue Simier
Pl. St Éloi
U
Rue
Victor-
G. d'Entraigues
b
Rue
Georget
Rue
Fouquet
Sébastopol
Sand
46
A
B


*Les prix*
*Pour toutes précisions sur les prix indiqués dans ce guide, reportez-vous aux pages explicatives.*

Grand-Marché (Pl. du) . . . . . **AY** 49
Grand Passage . . . . . . . . . . **CZ** 50
Grégoire-de-Tours (Pl.) . . . . . **DY** 52
Grosse-Tour (R. de la) . . . . . **AY** 55
Halles (Pl. des) . . . . . . . . . . **AZ**
Halles (R. des) . . . . . . . . . . **BY**
Herbes (Carroi aux) . . . . . . . **AY** 56
Lavoisier (R.) . . . . . . . . . . . **CY** 60
Marceau (R.) . . . . . . . . . . . **BYZ**
Marceau (R.) . . . . . . . . . . . . **DY** 61
Merville (R. du Prés.) . . . . . **BY** 65
Meusnier (R. Gén.) . . . . . . . **DY** 66
Monnaie (R. de la) . . . . . . . . **BY** 68
Mûrier (R. du) . . . . . . . . . . . **AY** 71
Nationale (R.) . . . . . . . . . . . **BYZ**
Paix (R. de la) . . . . . . . . . . . **BY** 73
Petit-Cupidon (R. du) . . . . . . **DY** 77
Petit-St-Martin (R. du) . . . . . **AY** 78
Petites-Boucheries (Pl. des) . . . . . . . . . . . . . . **DY** 80
Racine (R.) . . . . . . . . . . . . . . **DY** 84
Rapin (R.) . . . . . . . . . . . . . . . **AZ** 85
St-Pierre-le-Puellier (Pl.) . **ABY** 93
Scellerie (R. de la) . . . . . **BCY**
Sully (R. de) . . . . . . . . . . . . . **BZ** 96
Victoire (Pl. de la) . . . . . . . . **AY** 103
Vinci (R. Léonard de) . . . . . **BZ** 104

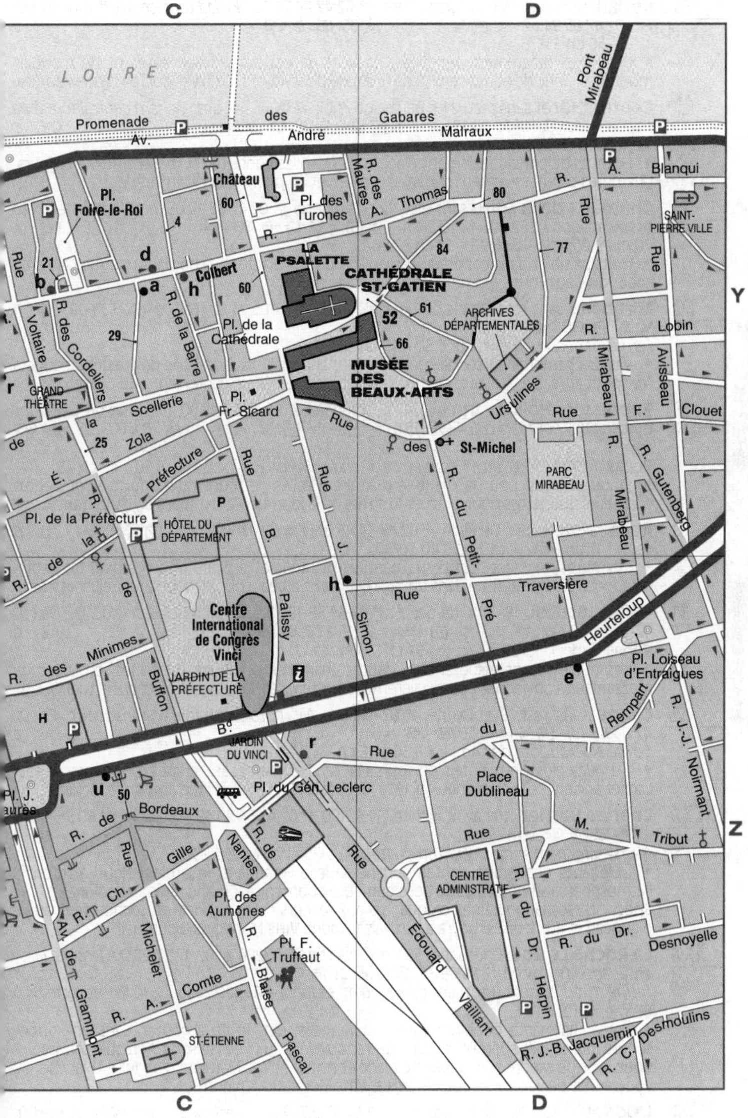

C
D
LOIRE
Promenade
des
Gabares
Av.
André
Malraux
Pont Mirabeau
Château
Pl. Foire-le-Roi
Pl. des Turones
R. des Maures
A. Thomas
R.
Blanqui
SAINT-PIERRE VILLE
LA PSALETTE
CATHÉDRALE ST-GATIEN
Colbert
Pl. de la Cathédrale
R. de la Barre
R. des Cordeliers
Voltaire
ARCHIVES DÉPARTEMENTALES
MUSÉE DES BEAUX-ARTS
R.
Lobin
Avisseau
Clouet
GRAND THÉATRE
Scellerie
Pl. Fr. Sicard
Rue des Ursulines
St-Michel
Rue
F.
Zola
Préfecture
PARC MIRABEAU
R. Mirabeau
R. Gutenberg
Pl. de la Préfecture
HÔTEL DU DÉPARTEMENT
Rue B. Palissy
Rue J. Simon
R. du Petit-Pré
Rue Traversière
Heurteloup
Centre International de Congrès Vinci
R. des Minimes
Buffon
JARDIN DE LA PRÉFECTURE
Pl. Loiseau d'Entraigues
Rempart
R. J.-J. Noirmant
Bd
JARDIN DU VINCI
Rue du
Place Dublineau
Pl. du Gén. Leclerc
Pl. J. Jaurès
Bordeaux
R. de
Rue Gille
R. de Nantes
Rue Édouard Vaillant
Rue M. Tribut
CENTRE ADMINISTRATIF
R. du Dr. Herpin
R. du Dr. Desnoyelle
Pl. des Aumônes
R. Ch.
Av. de Grammont
Michelet
Pl. F. Truffaut
R. Blaise Pascal
R. A. Comte
ST-ÉTIENNE
R. J.-B. Jacquemin
R. C. Desmoulins
Y
Z
C
D

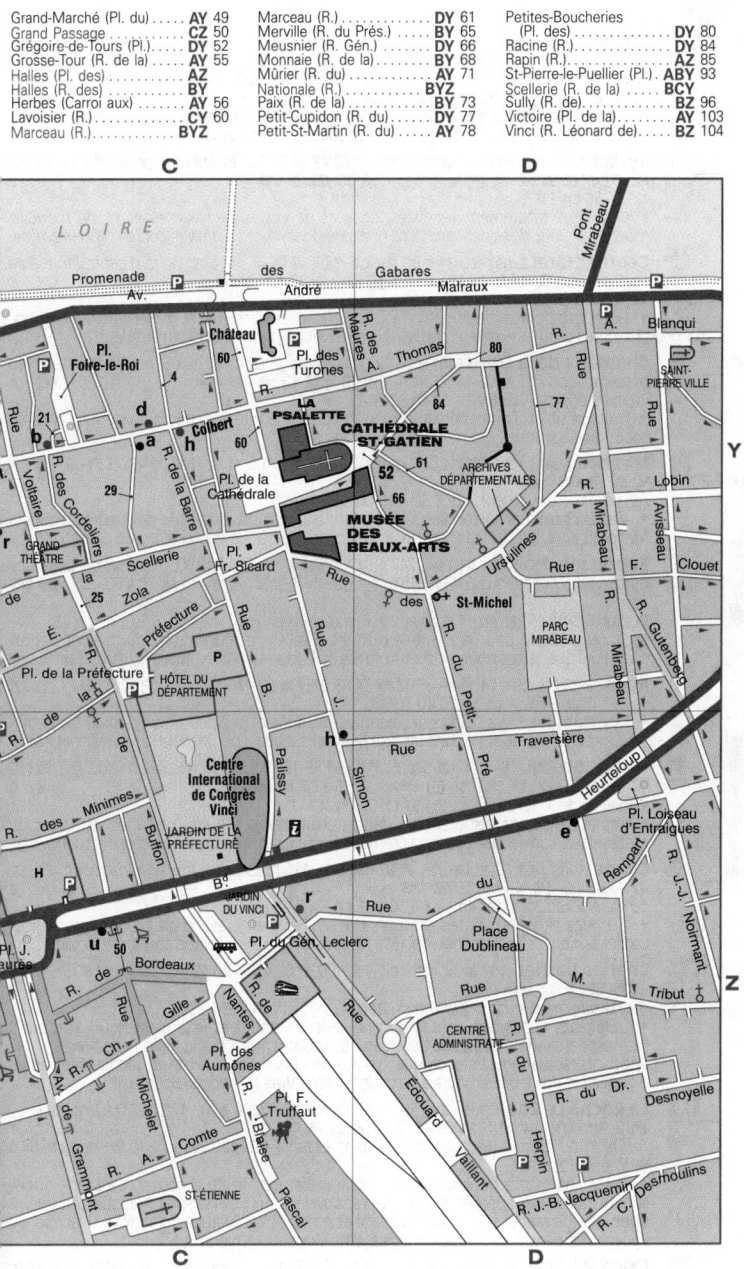

*Si le coût de la vie subit des variations importantes,*
*les prix que nous indiquons peuvent être majorés.*
*Lors de votre réservation à l'hôtel, faites-vous préciser le prix définitif.*

**Univers,** 5 bd Heurteloup ✆ 02 47 05 37 12, *hotel-univers-sa@wanadoo.fr, Fax 02 47 61 51 80* – 20 à 120. AE GB JCB. rest CZ u
*Touraine (fermé dim. de nov. à mars et le midi du 15 juil. au 17 août)* **Repas** (20) *formule* 25/30 – 17 – **77 ch** 185/255, 8 appart.
◆ Fleuron de la grande galerie : les superbes fresques représentant les visiteurs célèbres de l'hôtel depuis 1846. Chambres cossues, suites et appartements luxueux.

**Kyriad** sans rest, 65 av. Grammont ✆ 02 47 64 71 78, *kyriad.tourscentre@wanadoo.fr, Fax 02 47 05 84 62* – 35. AE GB JCB V s
7 – **50 ch** 61/78.
◆ Chambres récemment rénovées, égayées de couleurs chaleureuses et de meubles modernes. Petit-déjeuner servi dans une salle de style jardin d'hiver, coiffée d'une verrière.

**Central Hôtel** sans rest, 21 r. Berthelot ✆ 02 47 05 46 44, *bestwestern.centralhotel@wanadoo.fr, Fax 02 47 66 10 26,* – 40. AE GB JCB CY r
10 – **40 ch** 73/148.
◆ Hôtel traditionnel idéalement placé au centre des curiosités et musées du vieux Tours. Chambres progressivement rajeunies (à réserver en priorité) et jardin intérieur.

**Châteaux de la Loire** sans rest, 12 r. Gambetta ✆ 02 47 05 10 05, *hoteldeschateaux.tours@wanadoo.fr, Fax 02 47 20 20 14* – AE GB JCB BZ x
*10 mars-20 nov.* – 6,20 – **30 ch** 37,50/51.
◆ Nuits paisibles dans cet établissement régulièrement rénové bordant une rue calme au coeur du vieux Tours. Intime et confortable salon-bar.

**Mirabeau** sans rest, 89 bis bd Heurteloup ✆ 02 47 05 24 60, *Fax 02 47 05 31 09* – AE GB JCB DZ e
*fermé 24 déc. au 2 janv.* – 6,50 – **25 ch** 39/50.
◆ Vastes chambres personnalisées (meubles anciens), plaisante salle des petits-déjeuners "rétro" et agréable jardinet : cet hôtel logé dans une bâtisse centenaire a du cachet.

**Express By Holiday Inn** M, 247 r. Giraudeau ✆ 02 47 77 45 00, *hitoursexpress@alliance-hospitality.com, Fax 02 47 77 45 01* – 20 à 60. AE GB JCB V g
**Repas** *(fermé 15 juil. au 15 août et week-end en hiver)* (12) - 14 – 4,60 – **48 ch** 75.
◆ Étape pratique pour la clientèle d'affaires : salles de réunions modulables et petites chambres douillettes pour évacuer le stress de la journée. Cadre sobre au restaurant.

**Italia** sans rest, 19 r. De Vildé ✆ 02 47 54 43 01, *Fax 02 47 54 87 43* – GB U d
*fermé 1er au 8 fév.* – 7 – **20 ch** 30/40.
◆ Chambres rénovées (jolis tissus, parquet), véranda et jardinet ombragé pour les petits-déjeuners : cet hôtel situé dans un quartier calme a beaucoup d'atouts. Accueil charmant.

**Relais St-Éloi,** 8 r. Giraudeau ✆ 02 47 38 18 19, *contact@relais-st-eloi2.fr, Fax 02 47 39 05 38* – rest, – 15 à 30. AE GB AZ b
**Repas** 13 (déj.), 16/27 – 7 – **57 ch** 57/71.
◆ Immeuble récent disposant de petites chambres pratiques ; certaines, équipées de mezzanines, conviennent particulièrement aux familles. Restaurant au cadre actuel.

**Cygne** sans rest, 6 r. Cygne ✆ 02 47 66 66 41, *hotelcygne.tours@wanadoo.fr, Fax 02 47 66 05 13* – AE GB JCB CY a
*fermé Noël au Jour de l'An* – 6,50 – **18 ch** 39/57.
◆ L'un des plus vieux hôtels de Tours (18e s.). Les chambres, refaites, ont conservé leur cachet ancien. Belle cheminée du 16e s. dans le salon. Sympathique ambiance familiale.

**Charles Barrier,** 101 av. Tranchée ✉ 37100 ✆ 02 47 54 20 39, *Fax 02 47 41 80 95,* – AE GB JCB U e
*fermé sam. midi et dim. sauf fêtes* – **Repas** 23/75 et carte 63 à 83.
◆ L'élégante décoration contemporaine, la jolie véranda et le jardinet fleuri ajoutent à l'atmosphère raffinée de cette belle demeure bourgeoise. Cuisine régionale soignée.
**Spéc.** Grosses langoustines croquantes aux saveurs d'épices. Pied de cochon farci au ris d'agneau et aux truffes. Lièvre à la royale (saison). **Vins** Montlouis, Bourgueil.

**La Roche Le Roy** (Couturier), 55 rte St-Avertin ✉ 37200 ✆ 02 47 27 22 00, *laroche.leroy@wanadoo.fr, Fax 02 47 28 08 39,* – AE GB X r
*fermé 1er au 25 août, vacances de fév., dim. et lundi* – **Repas** 29 (déj.), 42/61 et carte 54 à 66, enf. 12.
◆ Cette charmante gentilhommière tourangelle vous invite à goûter, dans une atmosphère intime, des spécialités culinaires renouvelées au fil des saisons. Agréable terrasse.
**Spéc.** Dos de sandre rôti au beurre blanc et pain d'épices.Matelote d'anguille "blanche" au vouvray. Ris de veau braisé aux morilles. **Vins** Montlouis, Chinon.

**L'Odéon,** 10 pl. Gén. Leclerc ✆ 02 47 20 12 65, *restaurant.odeon@libertysurf.fr, Fax 02 47 20 47 58* – AE GB JCB CZ r
*fermé 4 au 26 août, dim. et lundi* – **Repas** 18,50/42.
◆ Sympathique restaurant - ouvert en 1893 - situé à proximité de la gare. Plusieurs fresques aux chatoyantes couleurs égaient la salle à manger de style Art déco.

X **Cap Sud,** 88 r. Colbert ✆ 02 47 05 24 81 – GB CY d
*fermé 24 août au 15 sept., 21 déc. au 5 janv., dim et lundi* – **Repas** 17/33 ♀.
◆ Cap au Sud, direction la Provence ! Poutres et murs aux couleurs vives, tableaux contemporains : le cadre est aussi ensoleillé que la cuisine. Accueil souriant.

X **Petit Patrimoine,** 58 r. Colbert ✆ 02 47 66 05 81 – GB CY b
*fermé dim midi* – **Repas** 11,50/16 ♀.
◆ L'enseigne est un clin d'oeil au livre de cuisine rédigé par la grand-mère du maître des lieux. Vieilles pierres, photos anciennes et plats du terroir font bon ménage.

X **Rif,** 12 av. Maginot ✉ 37100 ✆ 02 47 51 12 44, *Fax 02 47 51 14 50* – GB U f
*fermé 21 juil. au 21 août, dim. et lundi* – **Repas** 20,50 bc/24 bc.
◆ Cuisine nord-africaine assortie d'un décor typique égayé de nombreux bibelots marocains et de "lampes-poteries" diffusant une agréable lumière. Accueil aimable.

X **L'Atelier Gourmand,** 37 r. Étienne Marcel ✆ 02 47 38 59 87, *atelier.gourmand@wanadoo.fr, Fax 02 47 37 66 12,* – AE GB AY z
*fermé 15 déc. au 5 janv. et sam. midi* – **Repas** 8,50 (déj.)/16 ♀.
◆ Cette maison (15e s.) du vieux Tours héberge un charmant petit restaurant. Salle à manger sagement rustique. Plaisante terrasse dressée dans une cour intérieure.

X **Charolais (Chez Jean-Michel),** 123 r. Colbert ✆ 02 47 20 80 20, *Fax 02 47 66 66 25* – GB CY h
*fermé 30 avril au 11 mai, 11 au 31 août, 21 déc. au 5 janv., sam., dim. et fériés* – **Repas** 10 (déj.), 18,50/25 ♀.
◆ Coquet bistrot proposant carte traditionnelle ou menu du marché - à découvrir sur ardoise - et une intéressante sélection de vins proposés en bouteille, en pot ou au verre.

X **Bistrot de la Tranchée,** 103 av. Tranchée ✉ 37100 ✆ 02 47 41 09 08, *Fax 02 47 41 80 95* – AE GB U s
*fermé 4 au 24 août, dim. et lundi* – **Repas** *(8,25)* - 11,50/25 ♀.
◆ Belle façade en bois, décor simple et chaleureux, plats traditionnels et suggestions du jour à l'ardoise : ce sympathique bistrot fait souvent salle comble, notamment à midi.

**par** ② *: 9 km :*

**Mercure** M, r. Aviation (Z.I. Milletière) ✉ 37100 Tours ✆ 02 47 49 55 00, *mercure-tn@webtours.fr, Fax 02 47 49 55 25,* – & P – 20 à 200. AE GB JCB
***Les Vignes :*** **Repas** *(13)*-15/27 ♀, enf.10 – 10 – **93 ch** 80/97.
◆ Ce bâtiment à l'architecture moderne abrite des chambres spacieuses et fonctionnelles. Restaurant éclairé par de grandes baies vitrées.

XX **L'Arche de Meslay,** 14 r. Ailes ✉ 37210 Parçay-Meslay ✆ 02 47 29 00 07, *Fax 02 47 29 04 04* – P. AE GB
*fermé 4 au 26 août, dim. et lundi sauf fériés* – **Repas** 14/36 ♀, enf. 10.
◆ Le murmure d'une ravissante fontaine et la majesté d'une colonnade dressée au centre du restaurant forment un cadre séduisant. Menus régionaux variant au gré des saisons.

**à Rochecorbon** *par* ④ *: 6 km – 2 685 h. alt. 58 –* ✉ *37210 :*

**Les Hautes Roches,** 86 quai Loire ✆ 02 47 52 88 88, *hautes.roches@wanadoo.fr, Fax 02 47 52 81 30,* – P – 15. AE GB.
*fermé 26 janv. au 28 mars* – **Repas** *(fermé mardi midi, merc. midi et lundi)* 38/65 et carte 52 à 75 ♀ – 16 – **15 ch** 125/250 – ½ P 135,50/230.
◆ Insolite et charmant, ce castel du 18e s. propose aussi des chambres troglodytiques. Cuisine au goût du jour raffinée, à savourer en été sur la terrasse surplombant la Loire.
**Spéc.** Foie gras de canard à la façon d'un nougat. Poissons au beurre blanc nantais. Tarte fine aux pommes caramélisées. **Vins** Vouvray sec, Saint-Nicolas de Bourgueil.

XX **L'Oubliette,** rte Parcey-Meslay ✆ 02 47 52 50 49, *Fax 02 47 52 85 65,* – P. GB
*fermé 25 août au 3 sept., 27 oct. au 3 nov., 23 fév. au 15 mars,dim. soir, lundi et merc. hors saison* – **Repas** *23*/52 ♀.
◆ Une jolie cour fleurie précède cette maison de style régional nichée au coeur du village. Cuisine classique servie dans une pittoresque salle à manger creusée dans la roche.

XX **Lanterne,** 48 quai Loire ✆ 02 47 52 50 02, *aubergelalanterne@wanadoo.fr, Fax 02 47 52 54 46,* – P. AE GB JCB.
*fermé 17 au 26 nov., mi-janv. à mi-fév., mardi soir d'oct. à juin, dim. soir et lundi* – **Repas** *(16)* - 21,40/44,50 ♀.
◆ Imposante maison tourangelle adossée à un coteau sur lequel se dressent les vestiges du château de Corbon. Agréable terrasse fleurie. Cuisine classique soignée.

**à St-Pierre-des-Corps** *Est : 3,5 km - V – 17 947 h. alt. 48 –* ✉ *37700 :*

**Skippy Dancotel,** 10 r. J. Moulin ✆ 02 47 44 44 67, *Fax 02 47 63 19 47* – rest, P – 25 à 120. AE GB V d
**Repas** *(fermé dim. soir)* 11/20 ♀ – 7 – **30 ch** 46/51.
◆ Proche de la gare TGV, hôtel aux chambres fonctionnelles. Salon à l'atmosphère "cosy", bar à whisky et vaste salle aménagée pour réceptions et séminaires.

**à Chambray-lès-Tours** *Sud, par rte de Poitiers : 6,5 km* - X – *8 190 h. alt. 90* – ✉ *37170 :*

**Novotel** M, Z.A.C. La Vrillonnerie - N 10 ☎ 02 47 80 18 10, *h0453@accor-hotels.com, Fax 02 47 80 18 18,* – 20 à 80. AE GB JCB
**Repas** *(17,60)* - 21,90 – 10 – **127 ch** 80/98.
◆ Hôtel aux abords verdoyants et aux chambres en majorité rénovées, commode pour une étape aux portes de Tours. De larges baies éclairent le restaurant tourné vers la piscine.

**à Joué-lès-Tours** *Sud-Ouest, par rte de Chinon : 5 km – 36 798 h. alt. 65* – ✉ *37300 :*

*Office du Tourisme, 39 avenue de la République ☎ 02 47 80 05 97, Fax 02 47 80 05 97, officetourismejouelestours@wanadoo.fr.*

**Château de Beaulieu**, 67 r. Beaulieu ☎ 02 47 53 20 26, *chateaudebeaulieu@wanadoo.fr, Fax 02 47 53 84 20,* – 25 à 80. AE GB X b
**Repas** 27 (déj.), 37/69 – 11,50 – **19 ch** 74/132 – ½ P 84/110.
◆ Un parc paysager entoure cette gentilhommière du 18e s. dont la vue s'étend jusqu'à la cité tourangelle. Mobilier de style dans des chambres spacieuses. Élégant restaurant.

**Chéops,** 75 bd J. Jaurès ☎ 02 47 67 72 72, *hotel.cheops@wanadoo.fr, Fax 02 47 67 85 38* – rest, – 25. AE GB X a
**Repas** *(fermé 23 déc; au 5 janv. sam. et dim. d'oct. au 15 avril)* ( dîner seul.) *(11,90)* - carte environ 20 ♀, enf. 6,60 – 6 – **58 ch** 55/65.
◆ Au centre de Joué, hôtel récent intégré à un ensemble résidentiel et commercial. Les chambres, récemment revues, se parent de couleurs vives. Hall décoré à la provençale.

**Parc** sans rest, 17 bd Chinon ☎ 02 47 25 15 38, *toursparc.hotel@wanadoo.fr, Fax 02 47 25 11 43* – 20. AE GB JCB X n
*fermé vacances de fév.* – 6 – **30 ch** 50/52.
◆ Immeuble des années 1970 dont les chambres, bien tenues et égayées de tissus colorés, sont efficacement protégées des bruits de la circulation.

**Ariane** sans rest, 8 av. Lac par ⑪ ☎ 02 47 67 67 60, *hotel.ariane@wanadoo.fr, Fax 02 47 67 33 36,* – 25. GB
*fermé 19 déc. au 5 janv.* – 8 – **32 ch** 58/63.
◆ En lisière de forêt et proches d'un lac, petites chambres fraîches et fonctionnelles, garnies de meubles en rotin. La piscine, récente, est bienvenue en été.

**Chantepie** sans rest, r. Chantepie ☎ 02 47 53 06 09, *chantepi@wanadoo.fr, Fax 02 47 67 89 25* – GB X e
*fermé 26 déc. au 12 janv., vend. et sam. de nov. à mars* – 8 – **26 ch** 47/55.
◆ Petit immeuble situé dans un quartier pavillonnaire assez calme. Chambres sans fioriture mais bien tenues ; certaines donnent sur un jardinet. Accueil tout sourire.

**à La Guignière** *par* ⑬, rte de Langeais : 4 km – ✉ *37230 Fondettes :*

**Manoir** sans rest, N 152 ☎ 02 47 42 04 02, *Fax 02 47 49 79 29,* . GB V t
4,50 – **16 ch** 32/37.
◆ Cet accueillant pavillon bénéficie de la tranquillité d'un quartier résidentiel. Chambres rajeunies par étapes et bien tenues ; certaines offrent une jolie vue sur le fleuve.

**à Vallières** *par* ⑬, rte de Langeais : 8 km – ✉ *37230 Fondettes :*

**Auberge de Porc Vallières,** N 152 ☎ 02 47 42 24 04, *Fax 02 47 49 98 83* – GB
*fermé 11 août au 4 sept., 23 fév. au 8 mars, mardi soir hors saison, dim. soir, lundi soir et merc.* – **Repas** *(13)* - 15,50/19 ♀, enf. 9,50.
◆ Friture et pied de cochon figurent parmi les spécialités de cette sympathique maison transformée en auberge rustique sur la levée de la Loire. Décor d'objets chinés.

---

## TOURS-SUR-MARNE *51150 Marne* 306 *G8 – 1 152 h alt. 79.*

*Paris 157 – Reims 29 – Châlons-en-Champagne 25 – Épernay 14.*

**Touraine Champenoise** avec ch, r. Magasin ☎ 03 26 58 91 93, *Fax 03 26 58 95 47,* – . AE GB
*fermé 1er au 15 janv. et jeudi* – **Repas** 19,20/44,40 – 9,50 – **9 ch** 54,90/57,90.
◆ Au bord du canal, maison de pays tenue par la même famille depuis 1907. Cuisine du terroir servie dans une salle à manger gaiement rustique. Chambres campagnardes simples.

*Ecrivez-nous...*
*Vos louanges comme vos critiques seront examinées avec le plus grand soin. Nous reverrons sur place les informations que vous nous signalez.*
*Par avance merci !*

**TOURTOUR** *83690 Var* 340 M4 *G. Côte d'Azur – 472 h alt. 652.*

Voir *Église* ✱★.

*Office du Tourisme, Château Communal ✆ 04 94 70 59 47, Fax 04 94 70 59 47.*

*Paris 849 – Aups 10 – Draguignan 17 – Salernes 11.*

**Bastide de Tourtour**, rte de Flayosc ✆ 04 98 10 54 20, *bastide@verdon.net, Fax 04 94 70 54 90,* ≤ massif des Maures, – P – 30. AE GB. rest

**Repas** *(fermé le midi du lundi au vend. du 1er sept. au 3 juil.)* 24,50/49 – 23 – **25 ch** 104/241 – ½ P 131/173.

◆ Bastide juchée sur une colline, au milieu des chênes et des pins. Chambres personnalisées, parfois avec loggia, belle salle à manger voûtée (non-fumeur) et terrasse idyllique.

**Petite Auberge**, rte Flayosc par D 77 : 1,5 km ✆ 04 98 10 26 16, *piju2@wanadoo.fr, Fax 04 98 10 26 50,* ≤ massif des Maures, – P. AE GB JCB

*fermé 15 nov. au 26 déc.* – **Repas** *(fermé du lundi au vendredi)* (dîner seul.) 28/54 – 10 – **15 ch** 87/162 – ½ P 75/112.

◆ Construction de type mas entourée d'une luxuriante végétation. Chambres spacieuses ; quatre d'entre elles, récentes et séduisantes, jouxtent la piscine.

**Auberge St-Pierre**, Est : 3 km par D 51 et rte secondaire ✆ 04 94 70 57 17, *auberge stpierre@wanadoo.fr, Fax 04 94 70 59 04,* ≤, – P – 25. GB

*5 avril-15 oct.* – **Repas** *(fermé lundi midi, mardi midi, jeudi midi et merc. sauf fériés) (16,80)* - 23/30,50 – 8,50 – **16 ch** 80/90 – ½ P 66,80/75.

◆ Au sein d'un vaste domaine agricole, auberge du 16e s. aménagée près de l'ancienne bergerie et de la chapelle. Chambres avec loggia face à la nature.

**Mas des Collines**, par rte Villecroze (D 51) et rte secondaire : 2,5 km ✆ 04 94 70 59 30, *Fax 04 94 70 57 62,* ≤ massif des Maures, – P. AE GB

**Repas** *(fermé 3 nov. au 10 avril, lundi midi et mardi midi)* (résidents seul.) 19/25 – 5,50 – **7 ch** 70/82 – ½ P 65.

◆ Nom évocateur pour cet hôtel perdu en pleine campagne. Les chambres fonctionnelles et dotées de balcons et la piscine profitent pleinement du splendide panorama.

**Les Chênes Verts** (Bajade) avec ch, rte Villecroze par D 51 : 2 km ✆ 04 94 70 55 06, *Fax 04 94 70 59 35,* – P. AE GB JCB

*fermé juin, mardi et merc.* – **Repas** (nombre de couverts limité, prévenir) 45/125 et carte 70 à 110 – 13 – **3 ch** 80/100.

◆ Maison provençale un peu isolée dans un joli cadre forestier. La cuisine régionale, à l'instar du jovial patron, ne manque pas de caractère. Spécialités de truffes.

**Spéc.** Truffes noires du pays (nov. à mars). Ecrevisses simplement sautées. Agneau de pays rôti au pèbre d'ail. **Vins** Côtes de Provence, Coteaux Varois.

**L'Amandier,** pl. Ormeaux ✆ 04 94 70 56 64, *Fax 04 94 70 54 81,* – GB

*fermé 15 au 30 nov., 15 au 30 janv., dim. soir hors saison, mardi midi et lundi* – **Repas** *(18)* - 32/39.

◆ Une pittoresque place au coeur d'un charmant village médiéval fleurant bon la Provence : un cadre idéal pour ce restaurant rustique proposant une cuisine au goût du jour.

**La TOUSSUIRE** *73 Savoie* 333 K6 *G. Alpes du Nord – alt. 1690 – Sports d'hiver : 1 800/2 400 m* 19 – ✉ *73300 Fontcouverte-la-Toussuire.*

*Paris 651 – Albertville 77 – Chambéry 89 – St-Jean-de-Maurienne 16.*

**Les Soldanelles,** ✆ 04 79 56 75 29, *infos@hotelsoldanelles.com, Fax 04 79 56 71 56,* ≤, – P. GB. rest

*juil.-août et 15 déc.-25 avril* – **Repas** 25/44, enf. 9 – 8 – **38 ch** 69/110 – ½ P 66/87.

◆ Hôtel familial sur les hauteurs de la station. Chambres spacieuses et bien agencées, à réserver côté Sud pour la vue et l'ensoleillement. Élégant restaurant panoramique.

**Les Airelles,** ✆ 04 79 56 75 88, *les.airelles@laposte.fr, Fax 04 79 83 03 48,* ≤, – P. GB. rest

*hôtel : 1er juil.-30 août et 15 déc.-20 avril ; rest. : 15 déc-20 avril* – **Repas** 18/28, enf. 8,70 – 8 – **31 ch** 50/63 – ½ P 82,50.

◆ Les chambres fraîches et confortables font partie des nombreuses rénovations entreprises dans cette vaste construction montagnarde située au pied des remontées mécaniques.

**TOUZAC** *46 Lot* 337 C5 – *rattaché à Puy-l'Évêque.*

**TRACY-SUR-MER** *14 Calvados* 303 I3 – *rattaché à Arromanches-les-Bains.*

**TRAENHEIM** *67310 B.-Rhin* 315 *I5 – 496 h alt. 200.*

*Paris 479 – Strasbourg 25 – Haguenau 54 – Molsheim 8 – Saverne 22.*

**Zum Loejelgucker,** 17 r. Principale ✆ 03 88 50 38 19, *Fax 03 88 76 02 46,* – GB.

*fermé 3 au 14 nov., 23 fév. au 5 mars, lundi soir et mardi* – **Repas** 14/30 ♀, enf. 6,40.

◆ Ferme alsacienne du 18e s. dans un village situé au pied des Vosges. Boiseries sombres et fresques habillent la salle à manger. Terrasse dressée dans une cour pavée fleurie.

---

**La TRANCHE-SUR-MER** *85360 Vendée* 316 *H9 G. Poitou Vendée Charentes – 2 065 h alt. 4.*

Env. *Parc de Californie★ (parc ornithologique) E : 9 km.*

*Office du Tourisme, place de la Liberté ✆ 02 51 30 33 96, Fax 02 51 27 78 71, ot-latranchesurmer@wanadoo.fr.*

*Paris 462 – La Rochelle 63 – La Roche-sur-Yon 41 – Les Sables-d'Olonne 39.*

**Les Dunes,** ✆ 02 51 30 32 27, *info@hotel-les-dunes.com, Fax 02 51 27 78 30,* – P. GB.

*1er avril-28 sept.* – **Repas** *(11,50)* - 15,50/28,80 ♀, enf. 8,30 – 7,50 – **50 ch** 67/85,50 – ½ P 52/68.

◆ Pension de famille appréciée pour sa situation calme et sa superbe piscine sous verrière tournée vers la mer. Certaines chambres avec balcon profitent de la vue.

**Milouin,** av. M. Samson ✆ 02 51 27 49 49, *lemilouin@aol.com, Fax 02 51 27 49 49,* – AE GB

*15 mars-10-déc. et week-end d'oct. à déc.* – **Repas** 17/33 ♀, enf. 8.

◆ Salle de restaurant rustique avec poutres apparentes et nappes colorées. Aux beaux jours, service sous une sympathique pergola. Carte classique et poissons.

**à la Grière** *Est : 2 km par D 46 – ✉ 85360 La Tranche-sur-Mer :*

**Les Cols Verts,** ✆ 02 51 27 49 30, *info@hotelcolsverts.com, Fax 02 51 30 11 42,* – AE GB

*5 avril-28 sept.* – **Repas** *(fermé mardi midi sauf du 15 juin au 15 sept.) (16)* - 18/40 ♀, enf. 9,50 – 8 – **34 ch** 58/66 – ½ P 62/68.

◆ Sur un axe passant, établissement des années 1970 bien entretenu. Chambres rénovées. Exposition d'oeuvres de peintres locaux dans le salon TV.

---

**TRAVEXIN** *88 Vosges* 314 *I5 – rattaché à Ventron.*

---

**TRÉBEURDEN** *22560 C.-d'Armor* 309 *A2 G. Bretagne – 3 094 h alt. 81.*

Voir *Le Castel ≤★ 30 mn – Pointe de Bihit ≤★ SO : 2 km – Pleumeur-Bodou : Radôme et musée des Télécommunications★, Planétarium du Trégor★, NE : 5,5 km.*

*Office du Tourisme, place de Crec'h Héry ✆ 02 96 23 51 64, Fax 02 96 15 44 87, tourisme.trebeurden@wanadoo.fr.*

*Paris 525 – St-Brieuc 74 – Lannion 10 – Perros-Guirec 14.*

**Manoir de Lan-Kerellec** , ✆ 02 96 15 00 00, *lankerellec@relaischateaux.fr, Fax 02 96 23 66 88,* ≤ la côte, – P. – 25. AE GB JCB

*mi-mars-mi-nov.* – **Repas** *(fermé lundi midi et mardi midi)* 40/60 et carte 60 à 90 ♀, enf. 15 – 18 – **19 ch** 150/390 – ½ P 148/268.

◆ Ce noble manoir breton, en tête-à-tête avec la mer, abrite des chambres personnalisées. Goûteuse cuisine océane et voûte en "carène de bateau" au restaurant.

**Spéc.** Escalope de bar grillée et marinée au balsamique. Homard rôti, mousseline d'artichaut. Kouign Aman et brochette d'ananas rôtie à la vanille.

**Ti al-Lannec** , ✆ 02 96 15 01 01, *resa@tiallannec.com, Fax 02 96 23 62 14,* ≤ la côte, – P. – 30. AE GB. rest

*mi avril -mi nov.* – **Repas** *(20)* - 32/64 ♀ – 13 – **32 ch** 174/220 – ½ P 123/157.

◆ "Maison de la lande" juchée sur une colline et dotée d'un parc dégringolant jusqu'à la plage. Chambres raffinées, minicentre de balnéothérapie et produits de la pêche au menu.

**Toëno** sans rest, rte Trégastel : 1,5 km ✆ 02 96 23 68 78, *toeno@wanadoo.fr, Fax 02 96 15 42 54,* ≤ – P. AE GB JCB

*fermé 5 au 30 janv.* – 12 – **17 ch** 75/85.

◆ Construction récente dont les chambres, lumineuses et fonctionnelles, sont sobrement décorées et équipées de balcons ou terrasses ; certaines ont vue sur la Manche.

---

**TRÉBOUL** *29 Finistère* 308 *E6 – rattaché à Douarnenez.*

**TREFFENDEL** *35380 I.-et-V.* 309 *J6 – 623 h alt. 115.*
*Paris 378 – Rennes 29 – Ploërmel 42 – Redon 52.*

XX **Auberge du Presbytère,** ☏ 02 99 61 00 76, *Fax 02 99 61 00 48,* – P. GB
*fermé mardi d'oct. à juin, dim. soir et lundi* – **Repas** 18 (déj.), 28/65 ♀.
◆ Non loin de la forêt de Brocéliande, authentique presbytère du 17e s. et sa jolie cour-terrasse. La cuisine met à l'honneur volaille (élevage familial) et produits du potager.

**TREFFORT** *38650 Isère* 333 *G8 – 78 h alt. 618.*
*Paris 600 – Grenoble 36 – Monestier-de-Clermont 9 – La Mure 43.*

**au bord du lac** *Sud : 3 km par D 110E – ✉ 38650 Treffort :*

**Château d'Herbelon** ⛄, ☏ 04 76 34 02 03, *chateaudherbelon@wanadoo.fr, Fax 04 76 34 05 44,* ←, – TV P – 15. GB. ch
*fermé vacances de Toussaint, 20 déc. au 7 mars, merc. midi, lundi soir et mardi sauf juil.-août* – **Repas** 18/33 – ☕ 6,50 – **9 ch** 51/72 – ½ P 56,50/67.
◆ Au bord du lac de Monteynard, demeure du 17e s. à la façade recouverte de vigne vierge et de rosiers grimpants. Chambres spacieuses. Salle rustique avec cheminée en pierre.

**TREFFORT** *01370 Ain* 328 *F3 – 1 779 h alt. 280.*
*Paris 436 – Mâcon 51 – Bourg-en-Bresse 18 – Lons-le-Saunier 57 – Oyonnax 41.*

**L'Embellie,** pl. Marché ☏ 04 74 42 35 05, *Fax 04 74 42 35 65,* – TV P. GB
*fermé 29 oct. au 7 nov., vacances de fév., mardi soir et merc.* – **Repas** 11/33 – ☕ 5 – **8 ch** 35/44.
◆ Ancien relais de poste sur la place du village. Chambres fonctionnelles nettes, accueil aimable, spécialités de la Bresse : une "embellie" au cours de votre voyage.

**TRÉGASTEL** *22730 C.-d'Armor* 309 *B2 G. Bretagne – 2 201 h alt. 58.*
**Voir** *Rochers★★ – Ile Renote★★ NE – Table d'Orientation ←★.*
*Office du Tourisme, place Ste Anne ☏ 02 96 15 38 38, Fax 02 96 23 85 97.*
*Paris 526 – St-Brieuc 75 – Lannion 10 – Perros-Guirec 9 – Trébeurden 11 – Tréguier 28.*

**Belle Vue,** ☏ 02 96 23 88 18, *bellevue.tregastel@wanadoo.fr, Fax 02 96 23 89 91,* – TV P. AE GB JCB
*hôtel : 12 avril-30 sept. ; rest. : 2 mai-30 sept.* – **Repas** 16/45 ♀, enf. 9 – ☕ 9 – **31 ch** 82/96 – ½ P 64/90.
◆ Dans la quiétude d'un grand jardin fleuri, demeure des années 1930 appréciée de la clientèle étrangère. Les chambres sont bien tenues ; certaines s'ouvrent sur la mer.

**Beau Séjour,** plage du Coz-Pors ☏ 02 96 23 88 02, *Fax 02 96 23 49 73,* ←, – TV P. AE GB JCB
*fermé 5 janv. au 15 fév.* – **Repas** 15/25, enf. 8 – ☕ 8 – **16 ch** 55/78 – ½ P 58/64.
◆ Situation idéale près du Forum et de la plage, quelques chambres avec vue sur mer, restaurant au décor marin : un "beau séjour" en perspective dans ce petit hôtel familial.

**Mer et Plage** sans rest, plage du Coz-Pors ☏ 02 96 15 60 00, *Fax 02 96 15 31 11* – TV. GB
*début avril-début nov.* – ☕ 7 – **14 ch** 45/75.
◆ Cette maison bretonne est située sur la plage, à côté du Forum. Murs clairs et tissus bleutés donnent le ton marin du décor des chambres, fonctionnelles et bien insonorisées.

XX **Auberge Vieille Eglise,** à Trégastel-Bourg, Sud : 2,5 km (rte Lannion) ☏ 02 96 23 88 31, *vieille.eglise@wanadoo.fr, Fax 02 96 15 33 75* – P. GB
*fermé 9 au 24 mars* – **Repas** *(fermé dim. soir et mardi soir sauf juil.-août et lundi)* (prévenir) 21/36.
◆ Face à la jolie église en granit rose, auberge bretonne abondamment fleurie. Deux salles à manger dont une, aveugle, agrémentée de poutres et pierres apparentes.

**TRÉGUIER** *22220 C.-d'Armor* 309 *C2 G. Bretagne – 2 799 h alt. 40.*
**Voir** *Cathédrale St-Tugdual★★ : cloître★.*
*Office du Tourisme, 1 place du Général Leclerc ☏ 02 96 92 22 33, Fax 02 96 92 22 33.*
*Paris 511 – St-Brieuc 60 – Guingamp 28 – Lannion 18 – Paimpol 30.*

**sur le port :**

**Aigue Marine** M, 5 r. M. Berthelot ☏ 02 96 92 97 00, *aiguemarine@aiguemarine.fr, Fax 02 96 92 44 48,* ←, – rest, TV – 80. AE GB
*fermé 5 janv. au 20 fév.* – **Repas** *(fermé midi sauf dim. de juin à sept.)* 18/37, enf. 9,20 – ☕ 8,50 – **48 ch** 88/118 – ½ P 74/94.
◆ Établissement moderne où tout est conçu pour la détente. Chambres amples et claires, côté port ou jardin ; certaines disposent d'un balcon, d'autres accueillent les familles.

**rte de Lannion** *Sud-Ouest : 2 km par D 786 et rte secondaire – ✉ 22220 Tréguier :*

**Kastell Dinec'h**, ✆ 02 96 92 49 39, *kastell@club-internet.fr, Fax 02 96 92 34 03,* – P. GB. rest
*25 mars-8 oct., 27 oct.-31 déc. et fermé mardi soir et merc. hors saison* – **Repas** (dîner seul.)(résidents seuls) – 11 – **15 ch** 75/96 – ½ P 79/91.
◆ Le calme de la campagne, le jardin fleuri, les chambres coquettes, la salle à manger rustique et la décoration soignée font de cette ancienne fermette une étape agréable.

---

**TRÉGUNC** *29910 Finistère* 308 *H7 – 6 130 h alt. 45.*
*Office du Tourisme, 16 rue de Pont Aven ✆ 02 98 50 22 05, Fax 02 98 97 77 60, tregunc@club-internet.fr.*
*Paris 545 – Quimper 28 – Concarneau 7 – Pont-Aven 9 – Quimperlé 28.*

**Auberge Les Grandes Roches**, Nord-Est : 0,6 km par rte secondaire ✆ 02 98 97 62 97, *hrlesgrandesroches@club-internet.fr, Fax 02 98 50 29 19,* – P. GB.
*fermé 5 janv. au 4 fév.* – **Repas** *(fermé mardi soir et merc.)* 21/51 – 10 – **21 ch** 55/78 – ½ P 68/95.
◆ Ce superbe ensemble de fermes aménagées en hôtel dans un parc où se dressent dolmen et menhir, conserve une agréable rusticité. Chambres douillettes du meilleur goût.

---

**Le TREIN-D'USTOU** *09140 Ariège* 334 *F8 – 351 h alt. 739.*
*Paris 817 – Foix 73 – Aulus-les-Bains 13 – St-Girons 31.*

**Auberge des Ormeaux**, ✆ 05 61 96 53 22, *ormeaux.ustou@libertysurf.fr, Fax 05 61 66 84 19,* – rest
*fermé vacances de Toussaint* – **Repas** *(fermé merc. hors saison)* 12,50/15 – **6 ch** 35/45 – ½ P 34.
◆ Modeste auberge d'un village de la vallée d'Ustou. Chambres et salle des repas de style rustique. La solide cuisine familiale est mitonnée avec les produits du terroir.

---

**TRÉLISSAC** *24 Dordogne* 329 *F4 – rattaché à Périgueux.*

---

**TRELLY** *50660 Manche* 303 *D6 – 478 h alt. 20.*
*Paris 327 – St-Lô 34 – Avranches 46 – Coutances 12 – Villedieu-les-Poêles 24.*

**Verte Campagne** avec ch, Sud Est : 1,5 km par D 539 et rte secondaire ✆ 02 33 47 65 33, *Fax 02 33 47 38 03,* – P. GB
*fermé 4 au 10 déc, 24 janv. au 7 fév., dim. soir et merc. midi de sept. à juin et lundi* – **Repas** 22,50/58 – 6 – **6 ch** 34/58 – ½ P 45,50/58.
◆ Isolée dans la verte campagne, authentique ferme normande du 17e s. dont vous apprécierez le décor, élégamment rustique, et la cuisine, traditionnelle.

---

**TRÉLON** *59132 Nord* 302 *M7 G. Picardie Flandres Artois – 2 923 h alt. 188.*
*Office du Tourisme, 3 rue Clavon Collignon ✆ 03 27 57 08 18, Fax 03 27 57 06 80.*
*Paris 218 – St-Quentin 69 – Avesnes-sur-Helpe 15 – Charleroi 53 – Lille 115 – Vervins 36.*

**Framboisier,** rte Val Joly ✆ 03 27 59 73 34, *Fax 03 27 57 07 47* – P. GB
*fermé 26 août au 17 sept., 18 fév. au 5 mars, dim. soir et lundi sauf fériés* – **Repas** (11) - 15/45.
◆ Ancien corps de ferme bordant un axe fréquenté. Derrière l'accueillante façade, salle à manger intime, meublée dans le style rustique. Cuisine renouvelée au fil des saisons.

---

**La TREMBLADE** *17390 Char.-Mar.* 324 *D5 G. Poitou Vendée Charentes – 4 623 h alt. 4.*
*Office du Tourisme, 1 boulevard Pasteur ✆ 05 46 36 37 71, Fax 05 46 36 37 30, ot@la-tremblade.com.*
*Paris 514 – Royan 21 – Marennes 10 – Rochefort 32 – La Rochelle 66.*

**Phoebus** sans rest, 13 ter r. Foran ✆ 05 46 36 29 85, *Fax 05 46 36 51 03* – . GB
*fermé 13 au 24 oct., 19 au 30 janv.* – 5,20 – **9 ch** 43/51,50.
◆ Dans une rue commerçante, hôtel familial aux chambres fraîches garnies de meubles en rotin. Les petits-déjeuners sont servis dans le salon de thé attenant.

---

**TREMBLAY-EN-FRANCE** *93 Seine-St-Denis* 305 *G7* 101 ⑱ *– voir à Paris, Environs.*

**Le TREMBLAY-SUR-MAULDRE** *78490 Yvelines* 311 H3 – *668 h alt. 132.*

*Paris 42 – Houdan 24 – Mantes-la-Jolie 32 – Rambouillet 18 – Versailles 24.*

XXX ✿ **Gentilhommière** (Brun), ☏ 01 34 87 80 96, *Fax 01 34 87 91 52,* – AE GB JCB
*fermé 27 juil. au 4 sept., 26 janv. au 10 fév., lundi et mardi* – **Repas** 35/60 et carte 58 à 82.
◆ Sur la place de l'église, cette auberge de village vous accueille dans deux salles à manger bourgeoises et une véranda moderne. Cuisine classique.
**Spéc.** Salade de cèpes au foie gras et truffe (sept. à nov.). Carré d'agneau de Lozère, tomate farcie de pieds et épaule d'agneau. Lièvre à la royale (hiver).

**TREMEUR** *22250 C.-d'Armor* 309 I4 – *613 h alt. 62.*

*Paris 407 – Rennes 57 – St-Malo 57 – Dinan 26 – Loudéac 55 – St-Brieuc 45.*

**Les Dineux,** voie express N 12, Z.A. Les Dineux ☏ 02 96 84 65 80, *les-dineux.hotel-village @wanadoo.fr, Fax 02 96 84 76 35,* – rest, – 15. GB.
*fermé 20 fév. au 13 mars.* – **Repas** *(fermé sam. soir et dim. de sept. à juin)* 14,20/29,90 – 9,15 – **12 ch** 49/80 – ½ P 64.
◆ Les chambres de cet établissement de type motel, pour la plupart en duplex, possèdent toutes une petite terrasse avec vue sur la campagne. Restaurant sous charpente.

**TRÉMINIS** *38710 Isère* 333 H9 *G. Alpes du Nord* – *173 h alt. 900.*

Voir *Site★.*

*Paris 631 – Gap 71 – Grenoble 67 – Monestier-de-Clermont 32 – La Mure 29 – Serres 56.*

**Alpes** , à Château-Bas ☏ 04 76 34 72 94, – . GB
*28 fév.-1er nov. et fermé dim. soir et lundi hors saison* – **Repas** 11,50/21,80 ♀, enf. 7,65 – 4,80 – **11 ch** 31/44,50 – ½ P 35/38.
◆ Hostellerie rurale d'un paisible hameau environné de massifs montagneux. Chambres simples et bien tenues. Salle à manger campagnarde ; cuisine familiale. Jardin fleuri.

**TRÉMOLAT** *24510 Dordogne* 329 F6 *G. Périgord Quercy* – *625 h alt. 53.*

Voir *Belvédère de Racamadou★★ N : 2 km.*

*Syndicat d'Initiative, Ilot Saint-Nicolas ☏ 05 53 22 89 33, Fax 05 53 22 89 38.*

*Paris 532 – Périgueux 46 – Bergerac 34 – Brive-la-Gaillarde 88 – Sarlat-la-Canéda 48.*

**Vieux Logis** , ☏ 05 53 22 80 06, *vieuxlogis@relaischateaux.fr, Fax 05 53 22 84 89,* ←, , , – – 40. AE GB JCB
*fermé fév.* – **Repas** *(fermé le midi du 15 sept. au 15 juin sauf week-ends et fériés)* 30/89 ♀, enf. 15 – 17 – **26 ch** 146/245 – ½ P 128/177,50.
◆ Ferme du 17e s. et ses dépendances. Chambres très "cosy". Élégant restaurant aménagé dans un ancien séchoir à tabac et terrasse ombragée jouxtant de superbes jardins.

X **Bistrot d'en Face,** ☏ 05 53 22 80 69, *Fax 05 53 22 84 89,* – GB
**Repas** 11 (déj.), 17,60/24,80 ♀, enf. 8,30.
◆ Au coeur du village où fut tourné le film Le Boucher, vieilles pierres, poutres et goûteuse cuisine du terroir : ce charmant petit bistrot connaît un franc succès. Boutique.

**TRÉMONT-SUR-SAULX** *55 Meuse* 307 B6 – *rattaché à Bar-le-Duc.*

**TRÉPIED** *62 P.-de-C.* 301 C5 – *rattaché à Le Touquet-Paris-Plage.*

**Le TRÉPORT** *76470 S.-Mar.* 304 I1 *G. Normandie Vallée de la Seine* – *6 227 h alt. 12* – *Casino.*

Voir *Calvaire des Terrasses ←★.*

*Office du Tourisme, quai Sadi Carnot ☏ 02 35 86 05 69, Fax 02 35 86 73 96, officetourismeletreport@wanadoo.fr.*

*Paris 181 – Amiens 79 – Abbeville 44 – Blangy-sur-Bresle 26 – Dieppe 31 – Rouen 95.*

**Calais** sans rest, 1 r. Paris ☏ 02 27 28 09 09, *info@hoteldecalais.com, Fax 02 27 28 09 00,* ← – . GB
8 – **26 ch** 54/68.
◆ Atout majeur de cette bâtisse en briques : la vue panoramique sur le port et le littoral. Chambres rénovées, garnies d'un solide mobilier boisé. Accueil familial.

XX **St-Louis,** 43 quai François 1er ☏ 02 35 86 20 70, *Fax 02 35 50 67 10* – . AE GB JCB
*fermé 20 nov. au 20 déc.* – **Repas** 15/52 ♀.
◆ La grande baie vitrée donnant directement sur les quais dévoile une sympathique salle de restaurant à l'ambiance conviviale et au cadre "brasserie". Cuisine de la mer.

**TRESSERVE** *73 Savoie* 74 15 – *rattaché à Aix-les-Bains.*

## TRETS 13530 B.-du-R. 340 J5 – 7 900 h alt. 241.

*Office du Tourisme, boulevard Etienne Boyer ✆ 04 42 61 54 90, Fax 04 42 61 54 90.*
*Paris 779 – Marseille 47 – Aix-en-Provence 26 – Toulon 73.*

XX **Clos Gourmand,** 13 bd République ✆ 04 42 61 33 72, *leclosgourmand@aol.com, Fax 04 42 29 24 41,* – . AE GB
*fermé merc. soir sauf de juil. au 15 sept., dim. sauf le midi de sept. à juin et lundi* – **Repas** 22,80/42 ♀.
◆ Cuisine aux accents provençaux servie dans une agréable salle à manger-véranda contemporaine ou sur la terrasse ombragée. La carte des vins privilégie les crus régionaux.

## TRÉVOU-TRÉGUIGNEC 22660 C.-d'Armor 309 B2 – 1 210 h alt. 56.

*Syndicat d'Initiative, ✆ 02 96 23 71 92.*
*Paris 519 – St-Brieuc 68 – Guingamp 36 – Lannion 14 – Paimpol 38 – Perros-Guirec 11.*

**Ker Bugalic**, ✆ 02 96 23 72 15, *kerbugalic@voila.fr, Fax 02 96 23 74 71,* ←, – TV P. GB. rest
*5 avril-30 sept.* – **Repas** *(fermé merc. midi en août, le midi sauf dim. et fériés d'avril à juin et de sept. à oct.)* (prévenir) 22/51 ♀, enf. 15 – 8 – **18 ch** 50/78 – ½ P 65/80.
◆ Face à la baie de Trestel, maison bretonne entourée d'un jardin fleuri. Chambres spacieuses et calmes. Poissons et fruits de mer figurent au menu du restaurant panoramique.

## TRIEL-SUR-SEINE 78 Yvelines 311 I2 101 ⑩ – *voir à Paris, Environs.*

## TRIGANCE 83840 Var 340 N3 – 120 h alt. 800.

*Office du Tourisme, RD 955 - Ferme de la Sagne ✆ 04 94 85 68 40, Fax 04 94 85 68 40.*
*Paris 821 – Digne-les-Bains 75 – Castellane 20 – Draguignan 43 – Grasse 71.*

**Château de Trigance**, accès par voie privée ✆ 04 94 76 91 18, *trigance@relaischateaux.com, Fax 04 94 85 68 99,* ← vallée et montagne, – TV P. AE GB JCB
*23 mars-31 oct.* – **Repas** *(fermé mardi midi hors saison)* 35/60 ♀ – 13 – **10 ch** 110/160 – ½ P 100/127,50.
◆ Perché sur un piton rocheux, hôtel de caractère occupant les murs d'un château fort. Chambres personnalisées, dotées de lits à baldaquin. Restaurant au cadre médiéval.

**Vieil Amandier**, ✆ 04 94 76 92 92, *levieilamandier@free.fr, Fax 04 94 85 68 65,* , – TV P. AE GB JCB
*30 mars-30 oct.* – **Repas** 24/45 ♀, enf. 11 – 8 – **12 ch** 57/76 – ½ P 58/68.
◆ Au pied du village, construction récente entourée d'un jardin déjà méditerranéen. Préférez les chambres rénovées. Salle à manger aménagée sous une belle charpente.

## La TRINITÉ-SUR-MER 56470 Morbihan 308 M9 *G. Bretagne* – 1 433 h alt. 20.

Voir *Pont de Kerisper* ←★.
*Office du Tourisme, môle Loûc-Caradec ✆ 02 97 55 72 21, Fax 02 97 55 78 07, tourisme@ot-trinite-sur-mer.fr.*
*Paris 490 – Vannes 31 – Auray 13 – Carnac 4 – Lorient 57 – Quiberon 23 – Quimperlé 67.*

**Petit Hôtel des Hortensias,** pl. Mairie ✆ 02 97 30 10 30, *leshortensias@aol.com, Fax 02 97 30 14 54,* ←, – TV . GB
*fermé 1er déc. au 31 janv.* – ***L'Arrosoir*** 02 97 30 13 58 *(fermé jeudi soir, vend. soir, sam. et dim. hors saison)* **Repas** carte 25 à 25 ♀ – 10 – **6 ch** 130/155.
◆ Charmante villa bâtie en 1880. Intérieur nautique chic, ambiance "guesthouse" et une délicieuse terrasse bordée d'hortensias offrant la vue sur voiliers et vieux gréements.

**Ostréa** M, cours des Quais ✆ 02 97 55 73 23, *wsylvie@hotel-ostrea.com, Fax 02 97 55 86 43,* ←, – TV P. GB
*fermé déc. et janv.* – **Repas** *(fermé 2 janv. au 15 fév., lundi hors saison et dim. soir)* (15) - 18/21, enf. 9,50 – 8 – **12 ch** 65/80 – ½ P 70.
◆ Face au port de plaisance, petit hôtel abritant des chambres rénovées. Belle vue sur l'estuaire et les voiliers depuis la salle au décor marin ; spacieux balcon-terrasse.

XX ✿ **L'Azimut** (Le Calvez), r. Men-Dû ✆ 02 97 55 71 88, *azimut@charme-gastronomie.com, Fax 02 97 55 80 15,* ←, – GB
*fermé mardi soir et merc. sauf vacances scolaires* – **Repas** 15 (déj.), 25/50 et carte 38 à 60 ♀.
◆ Décor maritime tous azimuts dans la salle à manger, agréable terrasse offrant une échappée sur le port et spécialités de poissons grillés au feu de bois sous vos yeux.
**Spéc.** Homards et langoustes grillés au feu de bois. Millefeuille de pieds de porc aux cèpes et Saint-Jacques confites (oct. à avril). Cristallines d'ananas au poivre.

**Les Chambres Marines de l'Azimut** M sans rest, r. Men-Dû ✆ 02 97 30 17 00, *azimut@charme-gastronomie.com, Fax 02 97 55 80 15* – TV
10 – **6 ch** 70/120.
◆ Ces plaisantes chambres personnalisées portent des noms de phares bretons ; certaines offrent un intérieur dans l'esprit des cabines de bateau. Salles de bains contemporaines.

**TRIZAY** *17250 Char.-Mar.* 324 E4 – *1 049 h alt. 20.*

*Syndicat d'Initiative, 48 avenue de la République ✆ 05 46 82 34 25, Fax 05 46 82 19 64.*

*Paris 476 – La Rochelle 49 – Royan 35 – Rochefort 13 – Saintes 26.*

**au lac du Bois Fleuri** *Ouest : 2,5 km par D 238, D 123 et rte secondaire :*

**Les Jardins du Lac** M avec ch, base de loisirs ✆ 05 46 82 03 56, *hotel@jardins-du-lac.com, Fax 05 46 82 03 55,* ←, rest, 20. AE GB JCB

*fermé vacances de fév., dim. soir et lundi de nov. à mars* – **Repas** 20 (déj.), 30/44 et carte 39 à 63 ♀ – 10,70 – **8 ch** 80,80 – ½ P 94,60.

◆ Dans un parc au-dessus du lac, deux pavillons récents reliés par une passerelle vitrée enjambant un ruisseau. Vaste salle à manger sous charpente.

**Les TROIS-ÉPIS** *68410 H.-Rhin* 315 H8 *G. Alsace Lorraine – alt. 658.*

*Office du Tourisme, 2 impasse Poincaré ✆ 03 89 49 80 56, Fax 03 89 49 80 68.*

*Paris 445 – Colmar 11 – Gérardmer 51 – Munster 18 – Orbey 12.*

**Turckheim Croix d'Or,** ✆ 03 89 49 83 55, *Fax 03 89 49 87 14,* ←, GB

*fermé fév. et lundi* – **Repas** 13,10/29 ♀ – 7 – **12 ch** 32/48 – ½ P 47,50/50.

◆ Établissement des années 1960 bâti à flanc de montagne, dans un virage en épingle. De nombreuses chambres et le restaurant en rotonde bénéficient de la vue sur la vallée.

**Villa Rosa,** ✆ 03 89 49 81 19, *ar@villarosa.fr, Fax 03 89 78 90 45,* ←, GB. rest

*fermé 12 au 28 nov. et 6 janv. au 22 mars* – **Repas** *(fermé jeudi soir)* (dîner seul.) *(20)* - 24 ♀ – 8 – **9 ch** 46/52 – ½ P 48/52.

◆ Ambiance "guesthouse" dans cette maison 1900 entourée d'un jardin fleuri et réservée aux non-fumeurs. Chambres coquettes. Séjours à thèmes. Plats régionaux et produits "bio".

**TRONÇAIS** *03 Allier* 326 D3 – ✉ *03360 St-Bonnet-Tronçais.*

Voir *Forêt de Tronçais*** – Étang de St-Bonnet* NO : 4 km – Étang de Saloup* S : 5 km,* G. Auvergne.

*Paris 308 – Moulins 56 – Bourges 67 – Montluçon 42 – St-Amand-Montrond 24.*

**Tronçais** , ✆ 04 70 06 11 95, *Fax 04 70 06 16 15,* GB. rest

*15 mars-15 nov. et fermé dim. soir, lundi et mardi midi hors saison* – **Repas** 19/31 ♀, enf. 10 – 7,20 – **12 ch** 39/65 – ½ P 46/54.

◆ Un parc, un étang et la magnifique forêt de Tronçais à proximité : cette demeure séduira les amoureux de la nature. Chambres spacieuses et calmes. Pimpante salle à manger.

**TRONGET** *03 Allier* 326 F4 – *1 058 h alt. 460* – ✉ *03240 Le Montet.*

*Paris 317 – Moulins 30 – Bourbon-l'Archambault 24 – Montluçon 52.*

**Commerce,** ✆ 04 70 47 12 95, *Fax 04 70 47 32 53* – GB

**Repas** 13/30 ♀ – 5,50 – **11 ch** 31/49 – ½ P 34/38.

◆ Deux bâtiments situés sur la traversée de la bourgade : le plus ancien abrite le restaurant ; les chambres, actuelles, occupent le plus récent.

**TROO** *41800 L.-et-Ch.* 318 B5 *G. Châteaux de la Loire – 320 h alt. 60.*

Voir *La "butte" * – St-Jacques des Guérets : peintures murales* de l'église S : 1 km.*

*Syndicat d'Initiative, ✆ 02 54 72 51 04, Fax 02 54 72 61 35.*

*Paris 198 – Le Mans 62 – Château-du-Loir 34 – Tours 54 – Vendôme 27.*

**Cheval Blanc** M avec ch, r. A.-Arnault ✆ 02 54 72 58 22, *Fax 02 54 72 55 44,* GB

*fermé nov.* – **Repas** *(fermé mardi midi, dim. soir et lundi)* 22/46 ♀ – 6,50 – **9 ch** 42/55 – ½ P 52.

◆ Petite auberge sur les bords du Loir, au bas du village "troo"... glodytique. Salles à manger de style rustique ; cuisine traditionnelle. Chambres un brin mûrissantes.

**TROUVILLE-SUR-MER** *14360 Calvados* 303 M3 *G. Normandie Vallée de la Seine – 5 607 h alt. 2 – Casino* **AY.**

Voir *Corniche ←*.*

*de Deauville-St-Gatien : ✆ 02 31 65 65 65, par D 74 : 7 km* **BZ.**

*Office du Tourisme, 32 boulevard Fernand-Moureaux ✆ 02 31 14 60 70, Fax 02 31 14 60 71, o.t.trouville@wanadoo.fr.*

*Paris 200 ③ – Caen 51 ④ – Le Havre 76 ③ – Lisieux 29 ③ – Pont-l'Évêque 13 ③.*

## TROUVILLE-SUR-MER

Bains (R. des) .......... **AY** 3
Carnot (R.) .......... **AY** 5
Chalet-Cordier (R.) .......... **BY** 6
Chapelle (R. de la) .......... **AY** 7
Foch (Pl. Mar.) .......... **AY** 9
Gaulle (R. Gén.-de) .......... **BZ** 10
Lattre-de-Tassigny (Pl. Mar.-de) .......... **AY** 12
Maigret (R. A.-de) .......... **AY** 20
Moureaux (Bd F.) .......... **BZ**
Moureaux (Pl. F.) .......... **BZ** 22
Notre-Dame (R.) .......... **BY** 23
Plage (R. de la) .......... **AY** 26
Verdun (R. de) .......... **BY** 29
Victor-Hugo (R.) .......... **AY** 31

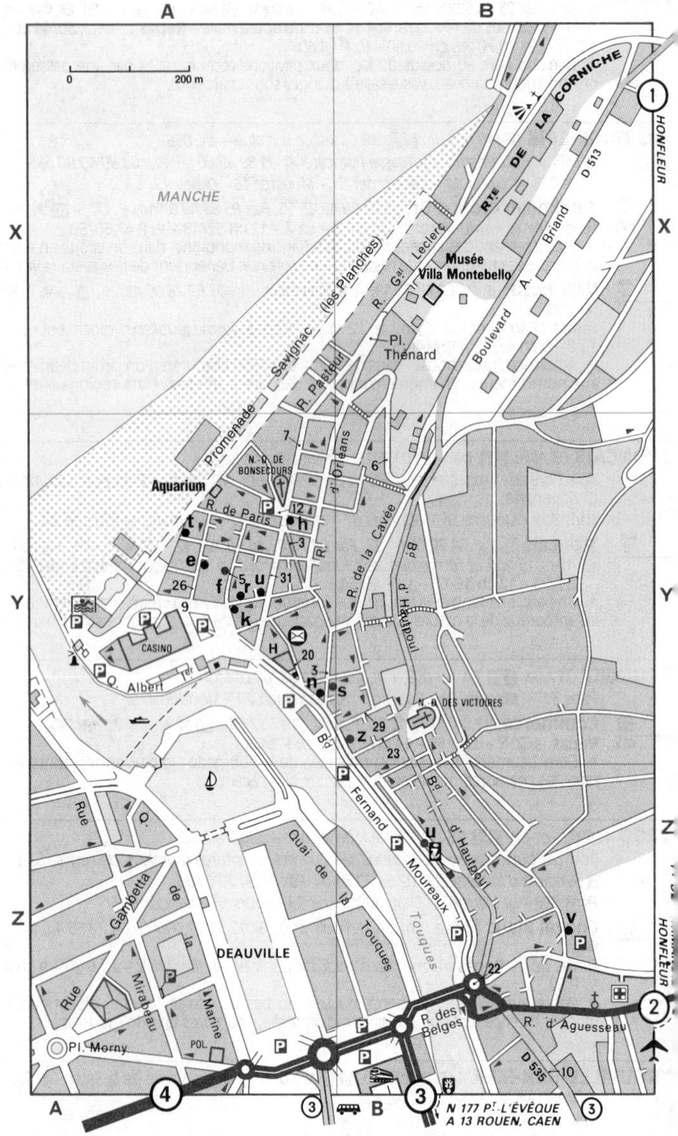

A
B
X
Y
Z
0
200 m
MANCHE
RTE DE LA CORNICHE
D 513
HONFLEUR
Musée
Villa Montebello
R. Gal Leclerc
Boulevard A. Briand
Promenade Savignac (les Planches)
Pl. Thénard
R. Pasteur
N. D. DE BONSECOURS
Aquarium
R. de Paris
R. d'Orléans
R. de la Cavée
Bd d'Hautpoul
CASINO
Q. Albert Ier
N. D. DES VICTOIRES
Bd Fernand Moureaux
Touques
Quai de la Touques
Rue Gambetta
Q. de la Marine
Rue Mirabeau
DEAUVILLE
Pl. Morny
POL.
R. des Belges
R. d'Aguesseau
D 535
N 177 Pt-L'ÉVÊQUE
A 13 ROUEN, CAEN


*Nos guides hôteliers, nos guides touristiques et nos cartes routières sont complémentaires. Utilisez-les ensemble.*

**Hostellerie du Vallon** M sans rest, 12 r. Sylvestre Lasserre ☎ 02 31 98 35 00, *hduvallon@wanadoo.fr, Fax 02 31 98 35 10,* – |‡| ✈ TV ☎ ♿ P – 35. AE ⓓ GB JCB BZ v
13 – **60 ch** 90/150.
◆ Cette hostellerie de style normand offre un joli panorama sur les hauteurs de la ville. Chambres spacieuses dotées de balcons. Plusieurs salons et une salle de billard.

**Mercure** M, pl. Foch ☎ 02 31 87 38 38, *h1048@accor-hotels.com, Fax 02 31 87 35 41,* – |‡| ✈, ch, TV ☎ ♿ – 25 à 80. AE ⓓ GB AY k
**Repas** *(fermé le midi en semaine sauf en saison) (15)* - 20 ♀, enf. 10 – 11 – **80 ch** 120/125.
◆ Face au casino, hôtel entièrement rénové, tourné sur une cour intérieure qui devient terrasse l'été. Couleurs vives et style contemporain dans les chambres.

**St-James** sans rest, 16 r. Plage ☎ 02 31 88 05 23, *Fax 02 31 87 98 45* – TV. GB. AY e
*fermé janv.* – 11 – **9 ch** 80/100.
◆ Proche de la plage, petite adresse familiale aux chambres coquettement personnalisées. En hiver, l'atmosphère feutrée du salon invite à s'attarder au coin du feu.

**Flaubert** sans rest, 2 r. G. Flaubert ☎ 02 31 88 37 23, *hotel@flaubert.fr, Fax 02 31 88 21 56,* < – |‡| TV ☎. AE ⓓ GB AY t
*15 mars-15 nov.* – 8 – **35 ch** 85/110.
◆ Romantisme assuré en choisissant une chambre tournée vers la mer dans cette bâtisse des années 1930 idéalement située au pied des "planches" trouvillaises. Décor "rétro".

**Fer à Cheval** sans rest, 11 r. V. Hugo ☎ 02 31 98 30 20, *le.fer.a.cheval@wanadoo.fr, Fax 02 31 98 04 00* – |‡| TV. AE ⓓ GB AY u
7 – **32 ch** 70/75.
◆ En plein coeur de la station, deux maisons mitoyennes abritant des chambres claires et fonctionnelles. Viennoiseries "maison" au petit-déjeuner et salon de thé l'après-midi.

**Central,** 158 bd F.-Moureaux ☎ 02 31 88 80 84, *central-hotel@wanadoo.fr, Fax 02 31 88 42 22,* – |‡| TV ☎. AE GB AY n
***Brasserie :*** **Repas** 17/25 ♀, enf. 7,60 – 6,50 – **26 ch** 52,50/78.
◆ Sur le port, hôtel proposant des chambres plaisantes et bien insonorisées, réparties entre deux bâtiments. Brasserie très animée et vaste terrasse chauffée en hiver.

**Maison Normande** sans rest, 4 pl. Mar. de Lattre de Tassigny ☎ 02 31 88 12 25, *halle.philippe@wanadoo.fr, Fax 02 31 88 78 79* – TV. AE GB AY h
6 – **16 ch** 49/64.
◆ Cette maison à colombages abrite l'un des plus vieux hôtels de la ville. Une étonnante sculpture de casseroles en cuivre égaie le hall d'accueil. Chambres sobrement décorées.

**Sablettes** sans rest, 15 r. P.-Besson ☎ 02 31 88 10 66, *Fax 02 31 88 59 06* – TV. GB. AY r
*fermé janv.* – 6,10 – **18 ch** 52/60.
◆ L'un des atouts de cette petite adresse est sa situation plutôt tranquille dans une rue du centre-ville. Chambres simples, propres et ravivées par des tons clairs.

**Régence,** 132 bd F. Moureaux ☎ 02 31 88 10 71, *Fax 02 31 88 10 71* – AE GB BY z
*fermé 10 au 20 mars, 1er au 26 déc., jeudi en janv. et fév. et lundi* – **Repas** 25,30/35,80.
◆ Miroirs, belles boiseries peintes du 19e s. et banquettes confortables composent, avec le port en toile de fond, le cadre de cet élégant restaurant. Produits de la mer.

**Petite Auberge,** 7 r. Carnot ☎ 02 31 88 11 07, *Fax 02 31 88 96 39* – GB AY f
*fermé 17 au 26 juin , mardi et merc. sauf en août* – **Repas** (prévenir) 25/40.
◆ Cuivres et assiettes anciennes décorent la salle feutrée de cette auberge située à l'écart de l'effervescence touristique. Cuisine régionale, poissons et fruits de mer.

**Doult** avec ch, 4 r. Bains ☎ 02 31 88 10 27, *Fax 02 31 88 33 79* – GB ABY s
*fermé 16 nov. au 19 déc., dim soir, mardi midi d'oct. à mars et lundi* – **Repas** 16/35 – 5,50 – **5 ch** 46/61 – 1/2 P 46/49.
◆ Dans une rue commerçante, deux maisons mitoyennes dont l'une héberge quelques chambres simples. Salle de restaurant agrandie par des miroirs. Spécialités de poissons.

**Guinguette,** 50 quai F. Moureaux ☎ 02 31 88 42 80, – GB BZ u
*fermé merc. et jeudi hors saison* – **Repas** 20 ♀, enf. 10.
◆ Comptoir en formica, décor des années 1960, nombreuses photos accrochées aux murs et belles collections de casaques de jockeys servent de cadre à une cuisine bistrotière.

*Si le coût de la vie subit des variations importantes,*
*les prix que nous indiquons peuvent être majorés.*
*Lors de votre réservation à l'hôtel, faites-vous préciser le prix définitif.*

**TROYES** 🅿 *10000 Aube* 313 E4 *G. Champagne Ardenne – 59 255 h Agglo. 128 945 h alt. 113.*

Voir *Le Vieux Troyes★★* **BZ** *: Ruelle des Chats★ – Cathédrale St-Pierre-et-St-Paul★★ – Jubé★★ de l'église Ste-Madeleine★ – Basilique St-Urbain★* **BCY B** *– Église St-Pantaléon★ – Apothicairerie★ de l'Hôtel-Dieu* **CY M⁴** *– Musée d'Art Moderne★★* **CY M³** *– Maison de l'Outil et de la Pensée ouvrière★★ dans l'hôtel de Mauroy★★* **BZ M²** *– Musée historique de Troyes et de Champagne★ et musée de la Bonneterie dans l'hôtel de Vauluisant★* **BZ M¹** *– Musée des Beaux-Arts et d'Archéologie★ dans l'abbaye St-Loup.*

*Office du Tourisme, 16 boulevard Carnot ☎ 03 25 82 62 70, Fax 03 25 73 06 81, troyes@club-internet.fr.*

*Paris 170 ⑦ – Dijon 185 ④ – Nancy 186 ④.*

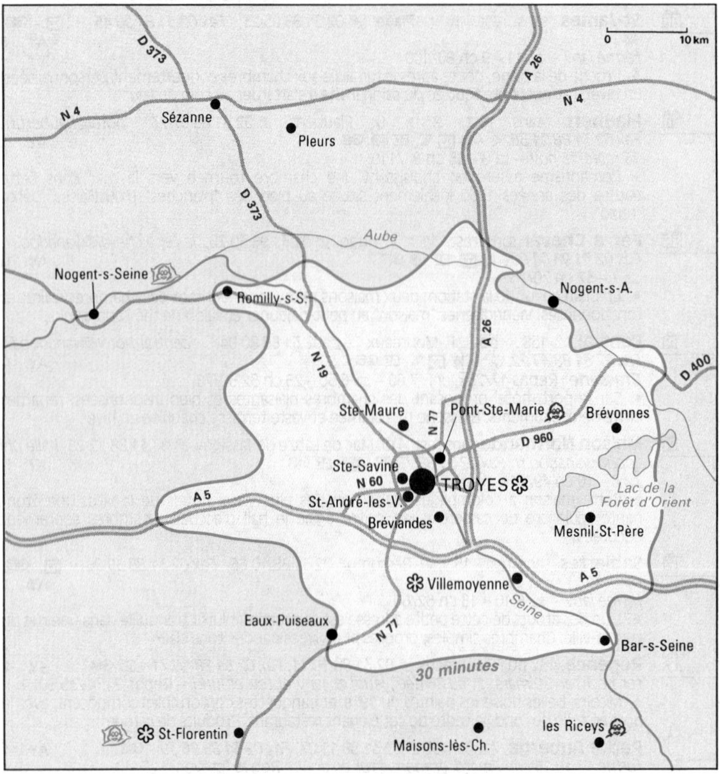
0
10 km
D 373
A 26
N 4
N 4
Sézanne
Pleurs
D 373
Aube
Nogent-s-Seine
Romilly-s-S.
Nogent-s-A.
A 26
N 19
D 400
Ste-Maure
N 77
Pont-Ste-Marie
Brévonnes
D 960
Ste-Savine
N 60
TROYES
A 5
St-André-les-V.
Lac de la Forêt d'Orient
Bréviandes
Mesnil-St-Père
Villemoyenne
A 5
Seine
Eaux-Puiseaux
N 77
Bar-s-Seine
30 minutes
les Riceys
St-Florentin
Maisons-lès-Ch.

**Champ des Oiseaux** Ⓜ sans rest, 20 r. Linard Gonthier ☎ 03 25 80 58 50, *message@champdesoiseaux.com, Fax 03 25 80 98 34,* – TV ♿. AE ⓓ GB. CY e
12 – **12 ch** 90/165.
◆ Jolies chambres douillettes réparties dans trois vénérables maisons en encorbellement datant des 15ᵉ et 16ᵉ s. Charme, tranquillité et service attentionné.

**Mercure** Ⓜ sans rest, 11 r. Bas-Trévois ☎ 03 25 46 28 28, *H3168@accor-hotels.com, Fax 03 25 46 28 27* – TV ♿ – 15 à 90. AE ⓓ GB CZ h
11 – **70 ch** 89/105.
◆ Hôtel flambant neuf bâti sur le site d'une usine de bonneterie ; un métier à tisser du 19ᵉ s. trône au milieu du hall. Chambres spacieuses et personnalisées.

**Relais St-Jean** Ⓜ sans rest, 51 r. Paillot de Montabert ☎ 03 25 73 89 90, *infos@relais-st-jean.com, Fax 03 25 73 88 60* – TV ♿ P. AE ⓓ GB JCB BZ s
*fermé 23 déc. au 1ᵉʳ janv.* – 13 – **25 ch** 76/115.
◆ Charmante maison à colombages bordant une rue piétonne. Chambres contemporaines ; celles du 4ᵉ étage ont conservé leurs belles poutres. Salon-bar équipé d'un billard.

## TROYES

Anatole France (Av.) . . . . **AX** 2
Brossolette (Av. Pierre) . **AX** 6
Buffard (Av. M.) . . . . . . . **AV** 8
Chanteloup (R. de) . . . . . **AX** 9
Clemenceau (R. Georges) . **AV** 12
Croix Blanche (R. de la) . . . . **AX** 13
Croncels (R. du Faubourg) . . . . . . . . **AX** 14
Jean Jaurès (Av.) . . . . . . . . . . **AV** 18
Lattre de Tassigny (Av. du Mar.- de) . . . . . . . . **AV** 21
Leclerc (Av. Gén.) . . . . . . . . . . **AV** 22
Marots (R. des) . . . . . . . . . . . . **AV** 24
Noës (R. des) . . . . . . . . . . . . . . **AX** 26
Notre Dame des Prés (R.) . . **AX** 27
Pasteur (R.) . . . . . . . . . . . . . . . . **AV** 32
Salengro (Av. Roger) . . . . . . . **AV** 36
Salengro (R. Roger) . . . . . . . . **AV** 37
Schuman (Av. Robert) . . . . . . **AV** 38
Vouldy (Chaussée du) . . . . . . **AX** 42
1er Mai (Av. du) . . . . . . . . . . . . **AV** 48

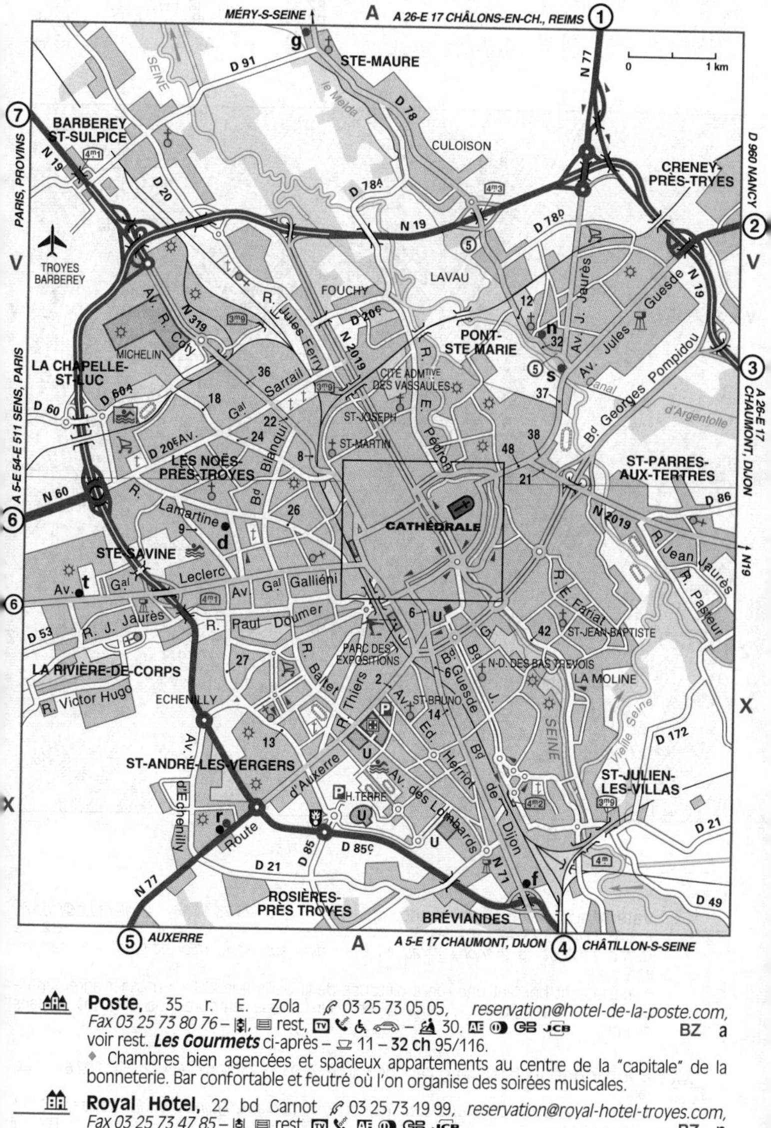

MÉRY-S-SEINE
A
A 26-E 17 CHÂLONS-EN-CH., REIMS
1
0
1 km
STE-MAURE
D 91
D 78
CULOISON
7
BARBEREY ST-SULPICE
PARIS, PROVINS
N 19
D 20
D 78A
N 19
N 77
CRENEY-PRÈS-TRYES
D 960 NANCY
2
D 78D
TROYES BARBEREY
V
LAVAU
FOUCHY
N 319
Av. R. Coty
R. Jules Ferry
N 2019
D 20C
PONT-STE MARIE
Av. J. Jaurès
Av. Jules Guesde
N 19
3
MICHELIN
LA CHAPELLE-ST-LUC
A 5-E 54-E 511 SENS, PARIS
D 60
D 604
Sarrail
CITÉ ADMTIVE DES VASSAULES
ST-JOSEPH
ST-MARTIN
Bd Georges Pompidou
Canal d'Argentolle
A 26-E 17 CHAUMONT, DIJON
D 20E
LES NOËS-PRÈS-TROYES
Bd Blanqui
R. E. Pédron
ST-PARRES-AUX-TERTRES
N 60
6
R. Lamartine
CATHÉDRALE
N 2019
D 86
R. Jean Jaurès
R. Pasteur
N 19
STE-SAVINE
Av. Gal Leclerc
Av. Gal Galliéni
6
R. J. Jaurès
R. Paul Doumer
R. E. Fariat
ST-JEAN-BAPTISTE
D 53
PARC DES EXPOSITIONS
N.-D. DES BAS TREVOIS
LA MOLINE
LA RIVIÈRE-DE-CORPS
R. Victor Hugo
R. Ballet
R. Thiers
Av. Ed. Herriot
Bd Guesde
Bd J.
ST-BRUNO
SEINE
Vieille Seine
X
ECHENILLY
D 172
ST-ANDRÉ-LES-VERGERS
Av. d'Echenilly
Av. d'Auxerre
Av. des Lombards
Bd de Dijon
H.TERRE
ST-JULIEN-LES-VILLAS
Route
D 85
D 85C
D 21
N 71
D 21
N 77
ROSIÈRES-PRÈS TROYES
BRÉVIANDES
D 49
5
AUXERRE
A
A 5-E 17 CHAUMONT, DIJON
4
CHÂTILLON-S-SEINE


**Poste,** 35 r. E. Zola ✆ 03 25 73 05 05, *reservation@hotel-de-la-poste.com, Fax 03 25 73 80 76* – |♦|, ▤ rest, TV ✆ ♿ – 🚗 – 30. AE ⓞ GB JCB BZ a
voir rest. ***Les Gourmets*** ci-après – ☕ 11 – **32 ch** 95/116.
◆ Chambres bien agencées et spacieux appartements au centre de la "capitale" de la bonneterie. Bar confortable et feutré où l'on organise des soirées musicales.

**Royal Hôtel,** 22 bd Carnot ✆ 03 25 73 19 99, *reservation@royal-hotel-troyes.com, Fax 03 25 73 47 85* – |♦|, ▤ rest, TV ✆. AE ⓞ GB JCB BZ n
*fermé 19 déc. au 14 janv.* – **Repas** *(fermé sam. midi, lundi midi et dim.)* 21/27 🍷 – ☕ 9 – **37 ch** 59/90.
◆ Cet immeuble, situé sur un boulevard fréquenté, héberge des chambres insonorisées, diversement meublées et bien tenues. Élégante salle à manger de style Louis-Philippe.

## TROYES

Boucherat (R.) .......... **CY** 4
Champeaux (R.) .......... **BZ** 12
Charbonnet (R.) .......... **BZ** 13
Clemenceau (R. G.) ... **BCY** 15
Comtes de Champagne (Q. des). . **CY** 16
Dampierre (Quai) ..... **BCY** 17
Delestraint (Bd Gén.-Ch.) .......... **BZ** 18
Driant (R. Col.) .......... **BZ** 20
Girardon (R.) .............. **CY** 22
Hennequin (R.) .............. **CY** 23
Huez (R. Claude) .......... **BYZ** 27
Israël (Pl. Alexandre) ........ **BZ** 28
Jaillant-Deschaînets (R.) .... **BZ** 29
Jaurès (Pl. Jean) .......... **BZ** 31
Joffre (Av. Mar.) .......... **BZ** 33
Langevin (Pl. du Prof.) ...... **BZ** 35
Marché aux Noix (R. du) .............. **BZ** 36
Michelet (R.) .............. **CY** 39
Molé (R.) .............. **BZ** 44
Monnaie (R. de la) .......... **BZ** 45
Paillot de Montabert (R.).... **BZ** 47
Palais-de-Justice (R.) ....... **BZ** 48
Préfecture (Pl. de la) ....... **CZ** 49
République (R. de la) ....... **BZ** 51
St-Pierre (Pl.) .............. **CY** 52
St-Rémy (Pl.) .............. **BY** 53
Synagogue (R. de la) ....... **BZ** 54
Tour-Boileau (R. de la) ....... **BZ** 59
Trinité (R. de la) ............ **BZ** 60
Turenne (R. de) ............ **BZ** 61
Voltaire (R.) .............. **BZ** 64
Zola (R. Émile) ............ **BCZ**
1er-R.A.M. (Bd du) ............ **BZ** 69

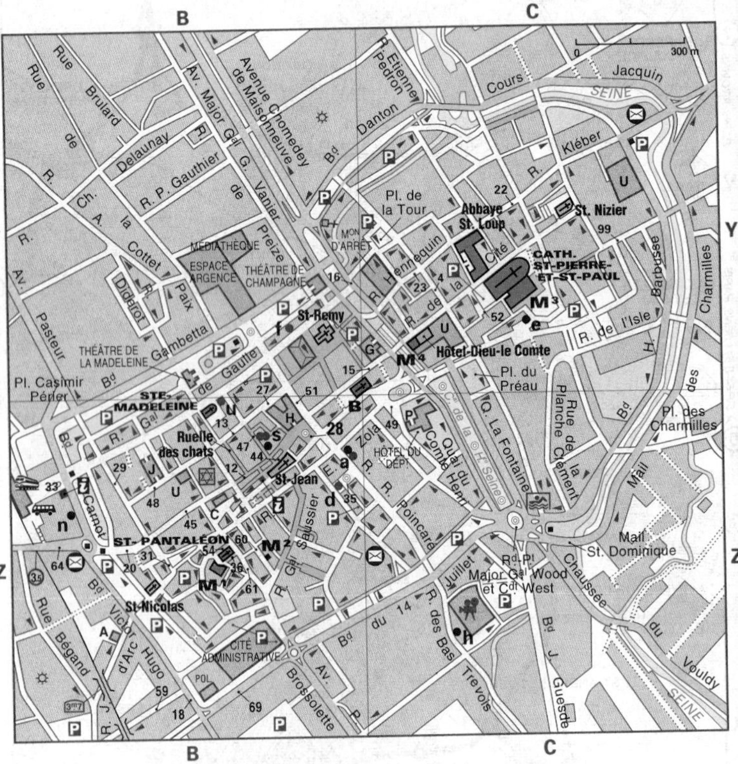
B
C
Y
Z
SEINE
Cours Jacquin
Kléber
St. Nizier
Abbaye St. Loup
CATH. ST-PIERRE-ET-ST-PAUL
Pl. de la Tour
Hennequin
Cité
Hôtel-Dieu-le Comte
Pl. du Préau
Q. La Fontaine
Rue de la Planche Clément
Pl. des Charmilles
Charmilles
Barbusse
R. de l'Isle
Mail St. Dominique
Chaussée du Vouldy
Rd-Pt Major Gal Wood et Cdt West
Bd J. Guesde
R. des Bas Trevois
Bd du 14 Juillet
Poincaré
Quai du Comte Henri
Cs de la Hte Seine
HÔTEL DU DÉPT
Zola
St-Jean
Ruelle des chats
STE-MADELEINE
St-Remy
THÉATRE DE LA MADELEINE
Bd Gambetta
Pl. Casimir Périer
Pasteur
MÉDIATHÈQUE
ESPACE ARGENCE
THÉATRE DE CHAMPAGNE
MON D'ARRÊT
Bd Danton
R. Étienne Pédron
Avenue Chomedey de Maisonneuve
Av. Major Gal G. Vanier
Rue Brulard
R. de la Paix
Preize
Delaunay
R. P. Gauthier
Ch. A. Cottet
Diderot
Av. Pasteur
Carnot
ST-PANTALÉON
St-Nicolas
CITÉ ADMINISTRATIVE
POL
Rue Bégand
Victor Hugo
R. J. d'Arc
Av. Brossolette
R. Gal Saussier
0
300 m

**XX** **Valentino,** 35 rue Paillot de Montabert ✆ 03 25 73 14 14, *levalentino@free.fr,* *Fax 03 25 41 36 75,* – AE GB **BZ s**
*fermé 17 août au 2 sept., 1er au 15 janv., dim. soir, sam. midi et lundi* – **Repas** 17/43 ♀.
◆ Restaurant bordant une ruelle piétonne de la vieille ville. Salle à manger agrémentée de toiles contemporaines, véranda et cour-terrasse entourée de maisons à pans de bois.

**XX** **Bourgogne** (Dubois), 40 r. Gén. de Gaulle ✆ 03 25 73 02 67, *Fax 03 25 73 02 67* – ▤. GB
✿ *fermé 27 juil. au 26 août, dim. sauf le midi du 15 oct. au 20 juin et lundi* – **Repas** 30/33 et carte 37 à 59 ♀. **BY f**
◆ Face aux halles, salle à manger un tantinet bourgeoise réchauffée par une belle cheminée. Bouquets de fleurs sur toutes les tables. Cuisine de grande tradition.
**Spéc.** Mousseline de brochet aux épinards. Rissole de Saint-Jacques aux truffes fraiches (20 déc. au 20 mars). Gibier (saison). **Vins** Rosé des Riceys, Champagne.

XX **Les Gourmets,** 5 r. R. Poincaré ✆ 03 25 73 80 78 – AE ◑ GB JCB BZ a
*fermé sam. midi* – **Repas** 35, enf. 8.
◆ Maquettes de bateaux, ouvertures de style hublot et plafond en coque retournée : les "gourmets" troyens apprécient cette salle à manger qui évoque le large. Cuisine classique.

XX **Café de Paris,** 63 r. Gén. de Gaulle ✆ 03 25 73 08 30, *Fax 03 25 73 58 18* – AE GB BYZ u
*fermé 20 juil. au 10 août, dim. soir et mardi* – **Repas** 20/39 ♀.
◆ Vous prendrez place à l'une des tables dressées dans la pimpante salle à manger du rez-de-chaussée. L'étage est réservé aux banquets et réceptions.

X **Bistroquet,** pl. Langevin ✆ 03 25 73 65 65, *Fax 03 25 73 07 25*, 🏠 – ▤. AE GB BZ d
*fermé dim. sauf le midi de sept. à juin* – **Repas** (16,50) - 26, enf. 7.
◆ Banquettes bordeaux, chaises bistrot et lustres "rétro" : ce vaste restaurant, sis dans les murs d'un ancien cinéma, a des allures de brasserie parisienne de la Belle Époque.

X **Au Jardin Gourmand,** 31 r. Paillot de Montabert ✆ 03 25 73 36 13, *Fax 03 25 73 36 13*, 🏠 – GB BZ s
*fermé 15 au 29 sept., lundi midi et dim.* – **Repas** 15,30 ♀.
◆ L'andouillette, "la" spécialité locale, règne sur la carte de ce restaurant du Vieux Troyes. Cadre rustico-bourgeois agrémenté de boiseries en chêne. Paisible cour-terrasse.

**à Ste-Maure** : *7 km par D 78 – 1 218 h. alt. 111 – ✉ 10150 :*

XXX **Auberge de Ste-Maure,** ✆ 03 25 76 90 41, *Fax 03 25 80 01 55*, 🏠 – P. AE GB AV g
*fermé 17 fév. au 8 mars, dim. soir, mardi midi et lundi* – **Repas** 26/49,50 et carte 45 à 67 ♀, enf. 14.
◆ Élégante salle à manger coiffée d'une belle charpente, plaisante terrasse au bord de la Seine, cuisine au goût du jour et vins de la région : que la fête commence !

**à Pont-Ste-Marie** : *3 km par N 77 – 4 856 h. alt. 110 – ✉ 10150 :*

XX **Hostellerie de Pont Ste-Marie,** 34 r. Pasteur (près église) ✆ 03 25 83 28 61, *Fax 03 25 83 28 61*, 🏠 – GB AV n
*fermé 18 au 31 août, dim. soir, mardi soir et merc.* – **Repas** 21 (déj.), 29/59 ♀.
◆ Le restaurant occupe deux maisons de village situées à proximité de la belle église du 16e s. Salle à manger égayée de poutres apparentes et d'une cheminée.

X **Bistrot DuPont,** 5 pl. Ch. de Gaulle ✆ 03 25 80 90 99, *Fax 03 25 80 90 99* – ▤. AE GB AV s
*fermé dim. soir et lundi* – **Repas** (prévenir) 15,24/24,40 ♀.
◆ Tout à côté d'un bras de la Seine, pimpant restaurant au cadre de style bistrot agrémenté par de jolies compositions florales. Cuisine copieuse et soignée. Patron jovial.

**au golf de la Forêt d'Orient** *Nord-Est : 19 km par D 960, Rouilly puis rte de Géraudot – ✉ 10220 Piney :*

**Holiday Inn** M 🐦, ✆ 03 25 43 80 80, *holi25@holidayinn-troyes.com, Fax 03 25 41 57 58*, ←, 🏠, Fб, 🏊, 🎾 – |‡| ⇔, ▤ ch, TV ✆ ♿ P – 🏛 15 à 120. AE ◑ GB
**Repas** 24/26 ♀ – ☕ 11
**57 ch** 109, 23 appart.
◆ Au sein du Parc naturel de la forêt d'Orient, belle architecture de bois s'élevant au coeur d'un golf. Chambres spacieuses. Une cheminée réchauffe le salon-bar en hiver.

**à Bréviandes** : *5 km – 1 687 h. alt. 117 – ✉ 10450 :*

**Pan de Bois** 🐦, ✆ 03 25 75 02 31, *Fax 03 25 49 67 84*, 🏠 – TV ✆ ♿ P – 🏛 40. GB. ⇔ ch AX f
*fermé dim. de sept. à mi-mai* – ***Grill*** ✆ 03 25 49 22 78 *(fermé 3 au 10 août, 24 déc. au 2 janv., lundi sauf le soir en juil.-août et dim.)* **Repas** 16/29 🍷, enf. 11 – ☕ 7,50 – **31 ch** 39/49 – ½ P 45/55.
◆ Deux coquettes constructions à pans de bois. Les chambres, petites et fonctionnelles, bénéficient d'un environnement calme. Restaurant de type grill et terrasse fleurie.

**à St-André-les-Vergers** : *5 km – 11 329 h. alt. 112 – ✉ 10120 :*

ℹ *Syndicat d'Initiative, 21 avenue Maréchal Leclerc ✆ 03 25 71 91 11, Fax 03 25 49 67 71.*

**Les Épingliers** sans rest, 180 rte d'Auxerre ✆ 03 25 75 05 99, *citotel@club-internet.fr, Fax 03 25 75 32 22* – ⇔ TV ✆ P. AE GB JCB AX v
☕ 8 – **15 ch** 42/51.
◆ Construction récente de style pavillon. Les chambres, simples et néanmoins coquettes, sont logées en rez-de-chaussée. Pimpante salle des petits-déjeuners.

XX **Gentilhommière,** 180 rte Auxerre ✆ 03 25 49 35 64, *gentilhommiere@wanadoo.fr, Fax 03 25 75 13 55,* – P. GB AX r
*fermé 14 au 24 août, dim. soir, mardi soir et merc.*
**Repas** 18/53 ♀.
◆ Cette villa récente abrite un accueillant et confortable restaurant où règne une atmosphère feutrée. Deux petites terrasses prisées en été. Cuisine classique.

**à Ste-Savine** *: 3 km – 9 495 h. alt. 116 – ✉ 10300 :*

**Chantereigne** sans rest, 128 av. Gén. Leclerc ✆ 03 25 74 89 35, *interhotel.troyes@wanadoo.fr, Fax 03 25 74 47 78* – TV ✆. AE GB JCB AX t
*fermé 29 déc. au 11 janv.* – ☕ 7
**30 ch** 52/58.
◆ Bâtiment en U abritant des chambres orientées sur l'arrière. Intérieur relooké : murs aux tons chauds, sobre mobilier, literie neuve et fraîche salle des petits-déjeuners.

**Motel Savinien**, 87 r. Fontaine ✆ 03 25 79 24 90, *motelsavinien@aol.com, Fax 03 25 78 04 61,* – TV ✆ P – 20. GB AX d
**Repas** *(fermé dim. soir et lundi midi)* 14/30,50 – ☕ 7,35
**68 ch** 42/50,40 – 1/2 P 42/44,10.
◆ À l'écart du bruit, grande bâtisse des années 1970 de type motel, bien entretenue. Les chambres, rénovées, privilégient le côté pratique.

*Dans ce guide*
*un même symbole, un même mot,*
*imprimé en **rouge** ou en **noir**, en maigre ou en **gras**,*
*n'ont pas tout à fait la même signification.*
*Lisez attentivement les pages explicatives.*

---

**TULLE** P *19000 Corrèze* 329 L4 *G. Berry Limousin – 17 164 h alt. 210.*
**Voir** *Maison de Loyac*★ **Z B** *– Clocher*★ *de la Cathédrale Notre-Dame.*
*Office du Tourisme, 2 place Emile Zola*
*✆ 05 55 26 59 61, Fax 05 55 20 72 93.*
*Paris 475 ① – Brive-la-Gaillarde 28 ④ – Aurillac 83 ③ – Clermont-Ferrand 142 ②.*

Plans page ci-contre

**Gare,** 25 av. W. Churchill ✆ 05 55 20 04 04, *Fax 05 55 20 15 87* – TV ✆. GB Y k
*fermé 1er au 15 sept.*
**Repas** *(fermé dim. soir en hiver)* 16/18,75 ♀ – ☕ 6,30 – **12 ch** 45,80/54.
◆ Accueillant petit hôtel situé en face de la gare. Les chambres, toutes rénovées dans un style provençal, sont agencées autour d'un agréable patio. Bonne insonorisation.

**Bon Accueil,** 10 r. Canton ✆ 05 55 26 70 57, *Fax 05 55 26 70 57* – TV ✆. GB Z y
*fermé 23 déc. au 7 janv.* – **Repas** *(fermé sam. soir sauf juil.-août et dim.)* 12/22,50 – ☕ 5 – **12 ch** 29/39.
◆ Dans une ruelle côtoyant le centre historique, maison du 16e s. au cachet préservé. Chambres très simples mais bien tenues et salle à manger rustique. Accueil familial.

XXX **Central,** 12 r. Barrière ✆ 05 55 26 24 46, *r-poumier@intenet19.fr, Fax 05 55 26 53 16* – ▤. GB Z a
*fermé 28 juil. au 10 août, dim. soir et sam.*
**Repas** 22/43 et carte 31 à 59 ♀.
◆ Tableaux, boiseries, cuivres et meubles campagnards composent le décor de ce restaurant abrité derrière une façade à colombages. Accueil charmant, recettes traditionnelles.

XX **Toque Blanche** avec ch, pl. M. Brigouleix ✆ 05 55 26 75 41, *Fax 05 55 20 93 95* – ▤ rest, TV. AE GB Z z
*fermé 30 juin au 4 juil., 20 janv. au 3 fév., dim. soir et lundi* – **Repas** 21/47,85 ♀, enf. 10 – ☕ 6 – **8 ch** 40/43 – 1/2 P 55.
◆ Salle à manger rustique chic, avec poutres apparentes, où l'on déguste une cuisine au goût du jour. Quelques chambres rénovées dans le style agreste.

X **Passé Simple,** 6 r. F. Bonnelys ✆ 05 55 26 00 75 – AE GB Z n
*fermé lundi soir et dim.*
**Repas** 16 (déj.), 18/23 ♀.
◆ La cuisine du marché et l'accueil chaleureux font vite oublier le décor contemporain un peu sombre de ce discret établissement installé dans une petite rue tranquille.

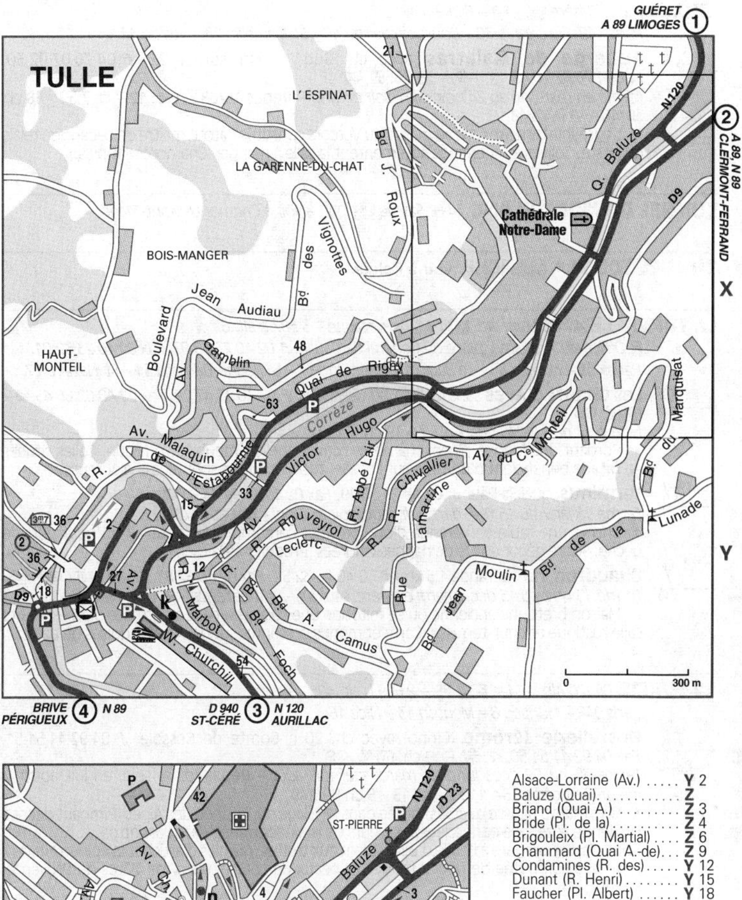
GUÉRET
A 89 LIMOGES
1
TULLE
L' ESPINAT
LA GARENNE-DU-CHAT
BOIS-MANGER
HAUT-MONTEIL
Cathédrale Notre-Dame
Bd J. Roux
Bd des Vignottes
Boulevard Jean Audiau
Av. Gamblin
Quai de Rigny
Q. Baluze
N120
D9
2
A 89, N 89
CLERMONT-FERRAND
X
Corrèze
Av. Victor Hugo
Av. Malaquin
de l'Estabournie
R. Abbé Lair
R. Chivallier
Av. du Cel Monteil
Bd du Marquisat
R. Rouveyrol
R. Leclerc
Rue Lamartine
Bd de la Lunade
Moulin
Bd Jean
Y
Bd A. Camus
Bd Foch
R. Marbot
W. Churchill
Av.
0
300 m
BRIVE
PÉRIGUEUX
4
N 89
D 940
ST-CÉRÉ
3
N 120
AURILLAC

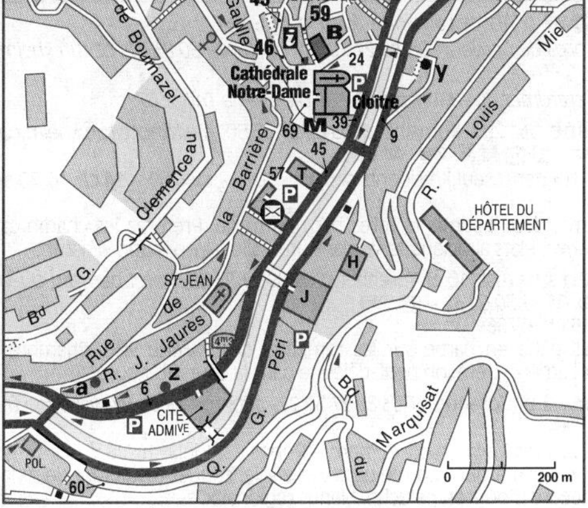
ST-PIERRE
N 120
D 23
Baluze
D 9
Av. Ch. de Gaulle
Av. H. de Bournazel
L'ENCLOS
Cathédrale Notre-Dame
Cloître
Z
Clemenceau
la Barrière
HÔTEL DU DÉPARTEMENT
ST-JEAN
Rue de R. J. Jaurès
G. Péri
Bd du Marquisat
CITÉ ADMIVE
POL.
0
200 m

| | | |
|---|---|---|
| Alsace-Lorraine (Av.) | Y | 2 |
| Baluze (Quai) | Z | |
| Briand (Quai A.) | Z | 3 |
| Bride (Pl. de la) | Z | 4 |
| Brigouleix (Pl. Martial) | Z | 6 |
| Chammard (Quai A.-de) | Z | 9 |
| Condamines (R. des) | Y | 12 |
| Dunant (R. Henri) | Y | 15 |
| Faucher (Pl. Albert) | Y | 18 |
| Faugeras (Bd J.-F.) | X | 21 |
| Gambetta (Place) | Z | 24 |
| Gaulle (Av. Ch.-de) | Z | |
| Jean-Jaurès (R.) | Z | |
| Lovy (R. Sergent) | Y | 27 |
| Mermoz (R.) | Y | 33 |
| Pauphile (R.) | Y | 36 |
| Perrier (Quai Edmond) | Z | 39 |
| Poincaré (Av.) | Z | 42 |
| Portes-Chanac (R. des) | Z | 43 |
| République (Quai de la) | Z | 45 |
| Riche (R.) | Z | 46 |
| Roche-Bailly (Bd de la) | X | 48 |
| Sampeix (R. Lucien) | Y | 54 |
| Tavé (Pl. Jean) | Z | 57 |
| Tour-de-Maïsse (R. de la) | Z | 59 |
| Vialle (R. Anne) | Z | 60 |
| Victor-Hugo (Av.) | XY | |
| Vidalie (Av.) | X | 63 |
| Zola (Pl. Émile) | Z | 69 |

**TULLINS** *38210 Isère* 333 F6 – *6 269 h alt. 223.*
*Paris 548 – Grenoble 30 – Bourgoin-Jallieu 46 – St-Marcellin 23 – Voiron 12.*

XX **Auberge de Malatras** avec ch, Sud : 2 km sur N 92 ✆ 04 76 07 02 30, *Fax 04 76 07 76 48*, – P – 25. AE GB
*fermé en mars, 10 au 24 nov., dim. soir et lundi* – **Repas** 16/68 ♀, enf. 12 – ☕ 7,50 – **18 ch** 30/46 – ½ P 42/48.
♦ L'agréable terrasse face au massif du Vercors constitue l'atout maître de cet ancien relais de poste. Solives et cheminée agrémentent la salle à manger. Chambres simples.

**TUNNEL DU MONT-BLANC** *74 H.-Savoie* 74 080 – *voir à Chamonix-Mont-Blanc.*

**TUNNEL SOUS LA MANCHE** voir à Calais.

**La TURBALLE** *44420 Loire-Atl.* 316 A3 *G. Bretagne* – *3 587 h alt. 6.*
*Office du Tourisme, place du Général de Gaulle ✆ 02 40 23 39 87, Fax 02 40 23 32 01.*
*Paris 459 – Nantes 84 – La Baule 13 – Guérande 7 – La Roche-Bernard 31 – St-Nazaire 27.*

**Les Chants d'Ailes** sans rest, 11 bd Bellanger ✆ 02 40 23 47 28, *Fax 02 40 62 86 43*, ← – TV P. GB
*fermé 17 nov. au 15 déc.* – ☕ 7 – **19 ch** 49/58.
♦ Bordant une longue plage, chambres fonctionnelles, meublées en rotin. Celles situées en façade bénéficient d'une vue sur l'océan, mais les autres sont plus chaleureuses.

XX **Terminus**, quai St-Paul ✆ 02 40 23 30 29, *Fax 02 40 11 84 44* – GB
*fermé 18 janv. au 15 fév., dim. soir, jeudi soir et lundi* – **Repas** 16/31 ♀.
♦ Choisir une table en véranda d'où l'on peut contempler les bateaux du petit port de pêche. Sobre décor égayé de nappes colorées. Produits de la mer.

X **Chaudron**, rte Guérande 1,5 km ✆ 02 40 23 32 52, *Fax 02 40 62 83 38*, – GB JCB
*fermé 15 nov. au 15 déc., mardi et merc. sauf juil.-août et fériés* – **Repas** 14/29 ♀.
♦ Maison bretonne ancienne où se mitonne une cuisine variant au gré des marées. Petite salle rustique et cour-terrasse. Carte et menus présentés sur de vraies ardoises de pays.

**La TURBIE** *06320 Alpes-Mar.* 341 F5 – *2 609 h alt. 495.*
*Paris 948 – Monaco 8 – Menton 13 – Nice 16.*

XX ✿✿ **Hostellerie Jérôme** (Cirino) avec ch, 20 r. Comte de Cessole ✆ 04 92 41 51 51, *Fax 04 92 41 51 50*, ←, – ch, TV. GB
*fermé 1er au 19 déc., lundi et mardi sauf juil.-août* – **Repas** (dîner seul. en juil.-août) 40 (déj.)/60 et carte 75 à 110 ♀ – ☕ 13 – **5 ch** 89/140.
♦ Charmante bâtisse du 13e s. située dans le village du Trophée des Alpes. Pimpant décor à l'italienne côté salle et délicieuses saveurs de la Méditerranée dans l'assiette.
**Spéc.** Tarte potagère à l'huile d'olive. Lapin aux truffes, ravioles d'artichauts épineux (hiver). Loup à la compotée de fleurs, feuilles et peaux de courgettes. **Vins** Côtes de Provence, Bandol

**TURCKHEIM** *68230 H.-Rhin* 315 H8 *G. Alsace Lorraine* – *3 567 h alt. 225.*
*Office du Tourisme, Corps de Garde ✆ 03 89 27 38 44, Fax 03 89 80 83 22, ot.turckheim@wanadoo.fr.*
*Paris 446 – Colmar 6 – Gérardmer 46 – Munster 13 – St-Dié 51 – le Thillot 67.*

**Les Portes de la Vallée** , 29 r. Romaine ✆ 03 89 27 95 50, *mail@hotelturckheim.com, Fax 03 89 27 40 71*, – TV P. GB. rest
**Repas** *(fermé dim. soir)* (½ pens. seul.)(résidents seul.) 15,50 ♀ – ☕ 6,50 – **14 ch** 46/70 – ½ P 46/52.
♦ Dans un quartier calme, deux bâtiments reliés par une treille. Préférez les chambres aménagées dans l'aile neuve. Plats alsaciens servis dans une salle d'inspiration winstub.

**Berceau du Vigneron** sans rest, 10 pl. Turenne ✆ 03 89 27 23 55, *hotel-berceau-du-vigneron@wanadoo.fr, Fax 03 89 30 01 33* – TV. GB
*fermé janv.* – ☕ 7,50 – **16 ch** 37/66.
♦ Maison à colombages bâtie en partie sur les remparts de la vieille ville. Chambres fraîches, plus calmes sur l'arrière. L'été, on petit-déjeune dans la cour intérieure.

X **Auberge du Veilleur**, 12 pl. Turenne ✆ 03 89 27 32 22, *auberge-veilleur@wanadoo.fr, Fax 03 89 27 55 56* – . GB
*fermé 22 déc. au 6 janv., 22 au 30 juin, mardi et merc.* – **Repas** 8,60 (déj.), 18/28 ♀.
♦ Près de la tour du 14e s. qui marque l'entrée de la vieille ville, coquet restaurant de style winstub originalement décoré d'ours en peluche. Menus régionaux.

**TURENNE** *19500 Corrèze* 329 K5 *G. Périgord Quercy – 740 h alt. 350.*

Voir *Site★ du château et ✵★★ de la tour de César.*

Env. *Collonges-la-Rouge : village★★ E : 10 km.*

Syndicat d'initiative, ✆ 05 55 85 94 38.

*Paris 496 – Brive-la-Gaillarde 15 – Cahors 93 – Figeac 76.*

XX **Maison des Chanoines** avec ch, ✆ 05 55 85 93 43, – rest,. GB.
*19 avril-10 oct.* – **Repas** *(fermé le midi sauf dim.)* (nombre de couverts limité, prévenir) 28/34 – 8 – **6 ch** 60/80 – ½ P 62/71.
◆ Maison du 16e s. dans un pittoresque village. Intérieur de caractère : escalier à vis en pierre, salle voûtée et mobilier rustique. Cuisine mariant tradition et créativité.

**TURQUANT** *49730 M.-et-L.* 317 J5 *– 403 h alt. 68.*

*Paris 303 – Angers 76 – Châtellerault 69 – Chinon 21 – Saumur 10 – Tours 60.*

**Demeure de la Vignole,** impasse Marguerite d'Anjou ✆ 02 41 53 67 00, *demeure@demeure-vignole.com, Fax 02 41 53 67 09,* ←, , – GB. rest
*avril-déc.* – **Repas** *(fermé dim. et lundi)* (dîner seul.)(résidents seul.) 25 – 8 – **8 ch** 70,70/80,70 – ½ P 65,20/74,20.
◆ Une ambiance "guesthouse" règne dans cette demeure en tuffeau bâtie à flanc de coteau, proche d'un village troglodytique. Chambres décorées avec goût. Jardin en terrasses.

**TURQUESTEIN-BLANCRUPT** *57 Moselle* 307 N7 *– rattaché à St-Quirin.*

**TY-SANQUER** *29 Finistère* 308 G6 *– rattaché à Quimper.*

**UCHACQ-ET-PARENTIS** *40 Landes* 335 H11 *– rattaché à Mont-de-Marsan.*

**UCHAUX** *84100 Vaucluse* 332 B8 *– 1 322 h alt. 80.*

*Paris 649 – Avignon 40 – Montélimar 45 – Nyons 37 – Orange 11.*

**Château de Massillan** M, au Nord : 3 km par D 11 et rte secondaire ✆ 04 90 40 64 51, *chateau-de-massillan@wanadoo.fr, Fax 04 90 40 63 85,* , , –
*fermé 12 au 28 avril* – **Repas** (dîner seul.) 42/68 – 16 – **12 ch** 180/420.
◆ Beau château du 16e s. au coeur d'un magnifique parc entouré de vignes. Étonnante et séduisante décoration contemporaine associée aux pierres et poutres d'époque.

XX **Côté Sud** (chambres prévues), rte Orange ✆ 04 90 40 66 08, *Fax 04 90 40 64 77,* , – GB
*fermé 25 oct. au 12 nov., 20 déc. au 7 janv., lundi soir, mardi d'oct. à mars et merc. sauf juil.-août* – **Repas** (nombre de couverts limité, prévenir) 20/50.
◆ Garrigue, colline... La dénomination des menus, tout comme la cuisine, célèbre la Provence. Décor pimpant, dans les murs d'une charmante maison en pierre. Joli jardin.

**L'UNION** *31 H.-Gar.* 343 G3 *– rattaché à Toulouse.*

**UNTERMUHLTHAL** *57 Moselle* 307 Q5 *– rattaché à Baerenthal.*

**URÇAY** *03360 Allier* 326 C3 *– 294 h alt. 169.*

*Paris 300 – Moulins 65 – La Châtre 55 – Montluçon 34 – St-Amand-Montrond 15.*

X **L'Étoile d'Urçay** avec ch, ✆ 04 70 06 92 66, *Fax 04 70 06 92 77* – . GB. ch
*fermé 16 fév. au 1er mars, dim. soir et merc. hors saison* – **Repas** 18/25, enf. 7 – 5 – **6 ch** 27/34 – ½ P 37,50/40.
◆ Dans la traversée du bourg, restaurant proposant une copieuse cuisine traditionnelle et régionale. Une ressource simple et conviviale à proximité de la forêt de Tronçais.

**URCUIT** *64990 Pyr.-Atl.* 342 D4 *G. Aquitaine – 1 688 h alt. 32.*

*Paris 764 – Biarritz 21 – Bayonne 14 – Dax 45 – Orthez 63 – Pau 100.*

X **Au Goût des Mets,** Nord-Ouest : 4 km sur D 261 ✆ 05 59 42 95 64, – . GB
*fermé 30 juin au 5 juil. et merc.* – **Repas** (déj. seul. en hiver) 12 (déj.)/20, enf. 7,50.
◆ Au bord de l'Adour, pause authentique dans votre découverte du riche patrimoine archéologique du pays d'Orthe. Salle à manger rustique et plaisante terrasse.

**URDOS** *64490 Pyr.-Atl.* 342 I7 – *162 h alt. 780.*

Env. *Col du Somport*★★ *SE : 14 km*, G. Pyrénées Aquitaine.

*Paris 865* – *Pau 76* – *Jaca 37* – *Oloron-Ste-Marie 41.*

**Voyageurs-Somport**, ✆ 05 59 34 88 05, *hotel.voyageurs.urdos@wanadoo.fr*, *Fax 05 59 34 86 74*, – 50. GB
*fermé 25 oct. au 2 déc., dim. soir et lundi sauf vacances scolaires* – **Repas** 12/26 ♀, enf. 8 – 5 – **40 ch** 27/40 – ½ P 28/36.
◆ Ancien relais de diligences sur le chemin de St-Jacques, dans la vallée d'Aspe. Outre un accueil chaleureux, il propose des chambres rustiques et une cuisine traditionnelle.

**URIAGE-LES-BAINS** *38410 Isère* 333 H7 *G. Alpes du Nord* – *alt. 414* – *Stat. therm. (fin mars-début déc.)* – *Casino "Palais de la Source".*

Voir *Forêt de Prémol*★ *SE : 5 km par D 111.*

*Office du Tourisme, 5 avenue des Thermes* ✆ *04 76 89 10 27, Fax 04 76 89 26 68.*

*Paris 578* – *Grenoble 11* – *Vizille 10.*

**Grand Hôtel** M, ✆ 04 76 89 10 80, *grandhotel.fr@wanadoo.fr*, *Fax 04 76 89 04 62*, <, , – – 15. AE GB
*fermé 15 au 31 août (sauf hôtel) et janv.* – ***Les Terrasses*** *(de sept. à juin : fermé dim., lundi et le midi sauf vend. et sam. ; en juil.-août : jeudi midi et merc.* **Repas** 55/105 et carte 95 à 125 ♀, enf. 20 – 15 – **42 ch** 86/146.
◆ Naguère fréquenté par Coco Chanel ou Guitry, ce bâtiment de 1870 relié au centre thermal abrite de belles chambres spacieuses et un élégant restaurant donnant sur le parc.
**Spéc.** Écrevisses et noix, vinaigre de noix, "corne de cerf" et mouron des oiseaux. Tranche de bar de ligne grillée à la roquette. Les fruits et la vanille (juin à oct.). **Vins** Chignin-Bergeron, Mondeuse.

**Les Mésanges** , rte St-Martin-d'Uriage et rte Bouloud : 1,5 km ✆ 04 76 89 70 69, *prince@hotel-les-mesanges.com*, *Fax 04 76 89 56 97*, <, , , – – 40. AE GB.
*1er fév.-20 oct., vacances de fév. et week-ends de mars* – **Repas** *(fermé dim. soir de fév. à avril, lundi sauf le soir de mai à oct. et mardi)* (14,50) - 19/45 ♀ – 7 – **33 ch** 45/61 – P 58/65.
◆ Sur un plateau dominant la vallée et la station, hôtel abritant des chambres pratiques et bien tenues ; certaines possèdent un balcon. Belle terrasse à l'ombre des platanes.

**Manoir**, 62 rte Prémol ✆ 04 76 89 10 88, *hotelemanoir@magic.fr*, *Fax 04 76 89 20 63*, , – . GB
*10 fév.-10 nov.* – **Repas** 19/45 ♀ – 12 – **15 ch** 26/57 – P 41/60.
◆ Chambres lumineuses et bien équipées, plus grandes au 1er étage. Plats traditionnels à déguster dans la salle à manger ou sous la véranda précédée d'une terrasse ombragée.

**URMATT** *67280 B.-Rhin* 315 H5 – *1 243 h alt. 240.*

Voir *Église*★ *de Niederhaslach NE : 3 km*, G. Alsace Lorraine.

*Paris 421* – *Strasbourg 44* – *Molsheim 15* – *Saverne 37* – *Sélestat 50* – *Wasselonne 22.*

**Clos du Hahnenberg**, ✆ 03 88 97 41 35, *clos.hahnenberg@wanadoo.fr*, *Fax 03 88 47 36 51*, , – – 35. AE GB.
*fermé 15 au 30 janv.* – ***Chez Jacques*** *(fermé vend. soir)* **Repas** (10)-16/30♀, enf. 7,50 – 7,60 – **43 ch** 32/59,50 – ½ P 39/49,50.
◆ Sur la rue principale du village, hôtel accordant un soin particulier à ses chambres, plus spacieuses, claires et insonorisées dans la partie moderne. Restaurant rustique.

**Poste**, ✆ 03 88 97 40 55, *Fax 03 88 47 38 32*, – rest, . AE GB. ch
*fermé 14 au 28 juil., 22 au 29 déc., 24 fév. au 10 mars et lundi* – **Repas** 17/59 – 6 – **14 ch** 42/51 – ½ P 45/51.
◆ Auberge villageoise centenaire située face à la mairie. Chambres confortables et bien tenues. Vitraux et boiseries rehaussent le décor des salles à manger. Cuisine régionale.

**URRUGNE** *64 Pyr.-Atl.* 342 B4 – *rattaché à St-Jean-de-Luz.*

**URT** *64240 Pyr.-Atl.* 342 E4 – *1 583 h alt. 41.*

*Office du Tourisme,* ✆ *05 59 56 20 33.*

*Paris 760* – *Biarritz 24* – *Bayonne 17* – *Cambo-les-Bains 28* – *Pau 97* – *Peyrehorade 19.*

**Auberge de la Galupe**, au port de l'Adour ✆ 05 59 56 21 84, *galupe@wanadoo.fr*, *Fax 05 59 56 28 66* – . AE GB
*fermé 16/02 au 10/03, lundi midi du 14/07 au 31/08, dim. soir, lundi et mardi de sept. à mi-juil.* – **Repas** (week-end prévenir) 38/89 et carte 60 à 100 ♀, enf. 15.
◆ Poutres massives, dallage ancien et mobilier choisi font l'attrait de cet ancien relais de mariniers posté sur les rives de l'Adour. Carte régionale axée sur la pêche locale.

**USCLADES-ET-RIEUTORD** *07510 Ardèche 331 G5 – 123 h alt. 1270.*
*Paris 593 – Le Puy-en-Velay 51 – Aubenas 46 – Langogne 41 – Privas 59 – Thueyts 99.*

**à Rieutord** :

X **Ferme de la Besse,** ☎ 04 75 38 80 64, *Fax 04 75 38 80 64* – P
*avril-nov.* – **Repas** (prévenir) 16/27.
◆ Dans les murs d'une authentique ferme du 15ᵉ s. au beau toit de lauzes. Intérieur rustique superbement préservé, avec pierres, poutres et cheminée. Cuisine du terroir.

**USSAC** *19 Corrèze 329 K4 – rattaché à Brive-La-Gaillarde.*

**USSAT** *09 Ariège 343 H8 – rattaché à Tarascon-sur-Ariège.*

**USSEL** *19200 Corrèze 329 O2 G. Berry Limousin – 11 448 h alt. 631.*
*Office du Tourisme, place Voltaire ☎ 05 55 72 11 50, Fax 05 55 72 54 44, OT-ussel@wanadoo.fr.*
*Paris 446 – Aurillac 100 – Clermont-Ferrand 83 – Guéret 101 – Tulle 64.*

**Grand Hôtel de la Gare,** av. P. Sémard ☎ 05 55 72 25 98, *Fax 05 55 96 25 63* – TV P – 20. GB
*hôtel : fermé 24 déc. au 4 janv. et dim. soir* – **Repas** *(fermé 1ᵉʳ au 10 juil., 1ᵉʳ au 13 oct., 24 déc. au 4 janv., dim. soir et lundi)* 16,50/30,50 ♀ – ☕ 5 – **16 ch** 41/46.
◆ Le trafic ferroviaire, infime, ne trouble en rien la tranquillité de l'hôtel. Chambres bien tenues, meublées simplement dans le style rustique. Accueil charmant.

**USSON-EN-FOREZ** *42550 Loire 327 C7 – 1 265 h alt. 925.*
*Syndicat d'initiative, place de la Vialle ☎ 04 77 50 66 15, Fax 04 77 50 66 15.*
*Paris 476 – St-Étienne 48 – Issoire 85 – Montbrison 41 – Le Puy-en-Velay 52.*

X **Rival** avec ch, ☎ 04 77 50 63 65, *hotelrival@caramail.com, Fax 04 77 50 67 62* – cuisinette TV. GB
*fermé 23 juin au 6 juil., 12 nov. au 1ᵉʳ déc., dim. soir et lundi sauf juil.-août* – **Repas** 11/35 ♀, enf. 8 – ☕ 4,50 – **10 ch** 24/45 – ½ P 26/36.
◆ Cette modeste affaire familiale est située à deux pas de l'écomusée du bourg. Menus régionaux proposés dans une salle des repas rustique. Chambres anciennes mais propres.

**USTARITZ** *64480 Pyr.-Atl. 342 D4 – 4 263 h alt. 14.*
*Office du Tourisme, place du Labourd ☎ 05 59 93 20 81, Fax 05 59 93 26 41.*
*Paris 780 – Biarritz 15 – Bayonne 13 – Cambo-les-Bains 6 – Pau 121 – St-Jean-de-Luz 25.*

XX **Patoula** avec ch, face Église ☎ 05 59 93 00 56, *Fax 05 59 93 16 54*, – TV P. GB
*fermé 20 au 27 oct., 5 janv. au 10 fév.* – **Repas** *(fermé vend. midi, dim. soir et lundi)* 20/35 ♀ – ☕ 11 – **9 ch** 75/90 – ½ P 75/80.
◆ Coquette maison de maître paressant dans un jardin bordé par la Nive. Chambres de différents niveaux de confort. Délicieuse terrasse sous la tonnelle.

**UTELLE** *06450 Alpes-Mar. 341 E4 G. Côte d'Azur – 456 h alt. 800.*
Voir *Retable★ dans l'église St-Véran – Madone d'Utelle ※★★★ SO : 6 km.*
*Paris 887 – Levens 24 – Nice 52 – Puget-Théniers 53 – St-Martin-Vésubie 34.*

X **Bellevue** avec ch, ☎ 04 93 03 17 19, *Fax 04 93 03 19 17*, <, , – P. AE GB.
*hôtel : ouvert juil.-août ; rest. : fermé 7 janv. au 2 fév., merc. hors saison et le soir sauf juil.-août* – **Repas** 12 (déj.), 18/26 – ☕ 7 – **15 ch** 36/50 – ½ P 40/50.
◆ Atmosphère paisible dans cette modeste maison familiale du bout du monde. La salle à manger offre une jolie vue sur les montagnes. Une visite à la Madonne d'Utelle s'impose.

**UZERCHE** *19140 Corrèze 329 K3 G. Berry Limousin – 2 813 h alt. 380.*
Voir *Ste-Eulalie <★ E : 1 km.*
*Office du Tourisme, place de la Libération ☎ 05 55 73 15 71, Fax 05 55 73 88 36, ot.uerche@wanadoo.fr.*
*Paris 444 – Brive-la-Gaillarde 38 – Limoges 56 – Périgueux 90 – Tulle 30.*

**Teyssier,** r. Pont Turgot ☎ 05 55 73 10 05, *hotel-teyssier@ifrance.com, Fax 05 55 98 43 31*, – TV P. AE GB JCB. rest
*fermé 4 au 11 déc., 8 janv. au 5 fév., mardi et merc. de mi-sept. à mi-juil.* – **Repas** 18/35 ♀, enf. 11 – ☕ 8 – **14 ch** 46/65 – ½ P 50/62.
◆ Sur les rives de la Vézère, auberge datant du 18ᵉ s. et tenue par la même famille depuis 1921. Préférez les chambres rénovées. Cuisine classique et régionale.

**Ambroise,** av. Ch. de Gaulle ✆ 05 55 73 28 60, *Fax 05 55 98 45 73,* – 15. GB

*fermé 3 nov. au 3 déc., dim. et lundi hors saison* – **Repas** *(fermé dim. soir, mardi midi sauf en juil.-août et lundi)* 13/30,50 – 6,10 – **15 ch** 25/38,10 – ½ P 34/36.

♦ Hôtel familial face au pont enjambant la Vézère. Chambres simples, toutes orientées côté rivière. La terrasse du restaurant rustique surplombe le jardin au bord de l'eau.

**à St-Ybard** *Nord-Ouest : 6 km par D 920 et D 54 – 591 h. alt. 320 – ✉ 19140 :*

**Auberge St-Roch,** ✆ 05 55 73 09 71, *Fax 05 55 98 41 63,* – . GB

*fermé 21 juin au 9 juil. et 21 déc. au 14 janv.* – **Repas** *(fermé le soir du 15 nov. au 15 mars sauf sam. et dim. soir et lundi)* 12/28 ♀, enf. 8.

♦ Au centre d'un village tranquille, auberge campagnarde comprenant aussi un bar à clientèle locale. Agréable terrasse ombragée avec vue sur l'église. Plats régionaux.

---

## UZÈS

*30700 Gard* 339 L4 *G. Provence – 7 649 h alt. 138.*

**Voir** *Ville ancienne★★ – Duché★ : ※★★ de la Tour Bermonde – Tour Fenestrelle★★ – Place aux Herbes★ – Orgues★ de la Cathédrale St-Théodorit* **V**.

*Office du Tourisme, place Albert 1er ✆ 04 66 22 68 88, Fax 04 66 22 95 19, otues @wanadoo.fr.*

*Paris 686 ② – Alès 34 ④ – Montpellier 83 ② – Arles 52 ② – Avignon 39 ② – Nîmes 25 ②.*

**UZÈS**



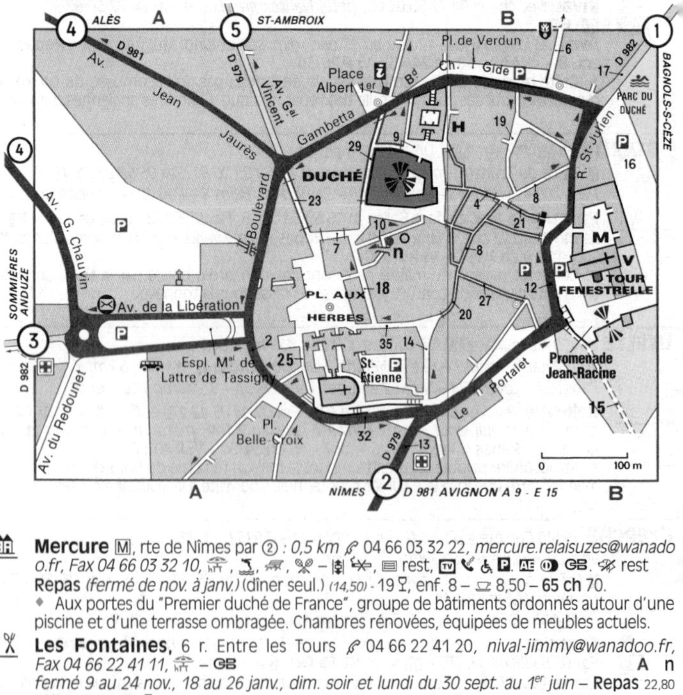

ALÈS
A
ST-AMBROIX
B
D 981
D 979
Av. Gal Vincent
Pl. de Verdun
Bd Ch. Gide
D 982
BAGNOLS-S-CÈZE
PARC DU DUCHÉ
Place Albert 1er
Av. Jean Jaurès
Gambetta
DUCHÉ
Boulevard
R. St-Julien
Av. G. Chauvin
SOMMIÈRES ANDUZE
Av. de la Libération
PL. AUX HERBES
TOUR FENESTRELLE
Espl. Mal de Lattre de Tassigny
St-Étienne
Promenade Jean-Racine
Le Portalet
D 982
Av. du Redounet
Pl. Belle-Croix
0
100 m
NÎMES
D 981 AVIGNON A 9 - E 15


**Mercure** Ⓜ, rte de Nîmes par ② : *0,5 km* ✆ 04 66 03 32 22, *mercure.relaisuzes@wanadoo.fr, Fax 04 66 03 32 10,* – , rest, AE GB. rest

**Repas** *(fermé de nov. à janv.)* (dîner seul.) *(14,50)* - 19 ♀, enf. 8 – 8,50 – **65 ch** 70.

♦ Aux portes du "Premier duché de France", groupe de bâtiments ordonnés autour d'une piscine et d'une terrasse ombragée. Chambres rénovées, équipées de meubles actuels.

**Les Fontaines,** 6 r. Entre les Tours ✆ 04 66 22 41 20, *nival-jimmy@wanadoo.fr, Fax 04 66 22 41 11,* – GB **A n**

*fermé 9 au 24 nov., 18 au 26 janv., dim. soir et lundi du 30 sept. au 1er juin* – **Repas** 22,80 (déj.), 35,80/46 ♀.

♦ Salle à manger voûtée et courette où l'on dresse les tables l'été : cette maison du 16e s. proche de la délicieuse place aux Herbes offre un plaisant décor provençal.

**à St-Quentin-la-Poterie** *par ① et D 5 : 5 km – 2 290 h. alt. 113 – ✉ 30700 :*

✗ **Table de l'Horloge** (Peyroche d'Arnaud), pl. Horloge ✆ 04 66 22 07 01, *thibaut@table-horloge.fr*, – GB. 
*fermé 20 août au 7 sept., 22 oct. au 6 nov., 20 déc. au 4 janv., dim. et merc.* – **Repas** *(dîner seul du 1er juil. au 30 sept.)* (menu unique)(nombre de couverts limité, prévenir) 45.
◆ Bibelots chinés, vaisselle d'un potier du village, terrasse fleurie et menu unique composé selon le marché caractérisent cette charmante ex-école réservée aux non-fumeurs.

**à Arpaillargues-et-Aureillac** *par ③ : 4,5 km – 667 h. alt. 107 – ✉ 30700 :*

**Château d'Arpaillargues** , ✆ 04 66 22 14 48, *savrychateau30@aol.fr, Fax 04 66 22 56 10*, , , , – TV P – 40. AE GB
*22 mars-4 nov.* – **Repas** 26/40 ♀, enf. 11 – 12 – **28 ch** 99/153.
◆ Joli château du 18e s. et ex-magnaneraie abritent des chambres personnalisées avec vue sur le parc ou le village. Salles à manger de caractère et agréable terrasse ombragée.

**à Serviers et Labaume** *par ④ et D 981 : 6 km – 310 h. alt. 114 – ✉ 30700 :*

✗✗ **L'Olivier**, ✆ 04 66 22 56 01, *Fax 04 66 22 56 01*, – GB
*fermé janv., fév. et lundi* – **Repas** (nombre de couverts limité, prévenir) 17 (déj.), 25/46.
◆ L'ancien café du village a été transformé en un coquet restaurant aux couleurs ensoleillées. Élégant mobilier en fer forgé ; patio fleuri. Cuisine au goût du jour soignée.

---

**VAAS** *72500 Sarthe* 310 K8 *G. Châteaux de la Loire – 1 564 h alt. 41.*
*Paris 238 – Le Mans 43 – Angers 78 – Château-du-Loir 8 – Château-la-Vallière 15.*

✗✗ **Vedaquais** avec ch, pl. Liberté ✆ 02 43 46 01 41, *Fax 02 43 46 37 60*, – TV P – 25. GB
*fermé vacances de Toussaint, de Noël, de fév., vend. soir, dim. soir et lundi* – **Repas** *(9,50)* - 13/28 bc ♀ – 5,50 – **12 ch** 40/54 – ½ P 39/45.
◆ Reconversion réussie pour l'ancienne mairie-école du village qui abrite désormais des chambres et un restaurant décorés avec goût, un espace Internet et une boutique.

*Ecrivez-nous...*
*Vos louanges comme vos critiques seront examinées avec le plus grand soin. Nous reverrons sur place les informations que vous nous signalez.*
*Par avance merci !*

---

**La VACHETTE** *05 H.-Alpes* 334 I3 – *rattaché à Briançon.*

---

**VACQUEYRAS** *84190 Vaucluse* 332 C9 – *943 h alt. 117.*
*Syndicat d'Initiative, Hôtel de Ville ✆ 04 90 12 39 02, Fax 04 90 65 83 28, tourisme.vacqueyras@wanadoo.fr.*
*Paris 667 – Avignon 34 – Nyons 34 – Orange 19 – Vaison-la-Romaine 18.*

**Pradet** M sans rest, ✆ 04 90 65 81 00, *Fax 04 90 65 80 27* – TV P – 25 à 50. AE GB
7 – **34 ch** 50/73.
◆ À l'entrée du village, cette construction récente abrite des chambres fonctionnelles et insonorisées. Certaines, au rez-de-chaussée, possèdent une petite terrasse.

**à Montmirail** *Est : 2 km par rte secondaire – ✉ 84190 :*

**Montmirail** , ✆ 04 90 65 84 01, *hotel-montmirail@wanadoo.fr, Fax 04 90 65 81 50*, , , – TV P. GB
*13 mars-15 oct.* – **Repas** *(fermé jeudi midi et sam. midi) (18)* - 29/33 – 8,50 – **39 ch** 53/94 – ½ P 71/82.
◆ Au pied des célèbres Dentelles de Montmirail, demeure de caractère (19e s.) au milieu d'un plaisant jardin arboré. Chambres bien tenues, sobre salle à manger.

---

**VACQUIERS** *31340 H.-Gar.* 343 G2 – *916 h alt. 200.*
*Paris 670 – Toulouse 31 – Albi 70 – Castres 80 – Montauban 35.*

**Villa les Pins** , Ouest : 2 km par D 30 ✆ 05 61 84 96 04, *Fax 05 61 84 28 54*, , – TV P – 60. GB
**Repas** *(fermé dim. soir, mardi midi et lundi sauf fériés)* 13/28 , enf. 7 – 7 – **18 ch** 40/48 – ½ P 34/42.
◆ Villa entourée d'un parc et précédée d'une large terrasse desservie par un escalier de pierre. Mobilier de style dans les chambres ; salle à manger bourgeoise avec cheminée.

**VAIGES** *53480 Mayenne* 310 G6 – *1 019 h alt. 90.*

*Paris 255 – Château-Gontier 35 – Laval 24 – Le Mans 60 – Mayenne 32.*

**Commerce,** ☏ 02 43 90 50 07, *oger-samuel.hotel-du-commerce@wanadoo.fr, Fax 02 43 90 57 40,* – rest, – 30. AE GB.
*fermé 10 janv. au 3 fév., dim. soir et vend. soir d'oct. à avril* – **Repas** 18/45 – 8 – **28 ch** 56/72 – ½ P 55/58.
◆ Hostellerie de village tenue par la même famille depuis 1883. Chambres pimpantes et bien équipées. Restaurant agrandi d'une agréable véranda-jardin d'hiver. Billard ; sauna.

**VAILLY-SUR-AISNE** *02370 Aisne* 306 D6 – *1 980 h alt. 47.*

*Office du Tourisme, 4 place Bouvines ☏ 03 23 74 62 47, Fax 03 23 74 62 47.*

*Paris 121 – Reims 50 – Château-Thierry 58 – Laon 26 – Soissons 18.*

**Belle Porte** (Centre d'Aide par le Travail), 48 r. fg Sommecourt (Est par D 925) ☏ *03 23 54 67 45, Fax 03 23 54 67 45,* AE GB
*fermé 23 au 29 déc., 26 juil. au 26 août, sam. midi, dim. soir et lundi* – **Repas** 14,50 (déj.), 22,20/50,50.
◆ Au milieu d'un jardin fleuri, grande salle de restaurant sous charpente, décorée avec soin et dotée d'une mezzanine. Cuisine traditionnelle.

**VAILLY-SUR-SAULDRE** *18260 Cher* 323 L2 *G. Berry Limousin* – *865 h alt. 205.*

*Office du Tourisme, 6 Grande Rue ☏ 02 48 73 87 57, Fax 02 48 73 88 33.*

*Paris 183 – Bourges 56 – Aubigny-sur-Nère 18 – Cosne-sur-Loire 24 – Gien 37 – Sancerre 23.*

**Lièvre Gourmand,** ☏ 02 48 73 80 23, *le.lievre.gourmand@wanadoo.fr, Fax 02 48 73 86 13* – . GB
*fermé 24 au 27 juin, 2 au 5 sept., 6 au 30 janv., dim. soir, lundi et mardi* – **Repas** 22/60.
◆ Ces vieilles maisons villageoises abritent deux élégantes salles à manger au cachet rustique. Vins australiens et régionaux accompagnent une cuisine personnalisée.

**VAISON-LA-ROMAINE** *84110 Vaucluse* 332 D8 *G. Provence* – *5 663 h alt. 193.*

Voir *Les ruines romaines★★ : théâtre romain★ , musée archéologique Théo-Desplans★* **M** – *Haute Ville★ – Chapelle de St-Quenin★, cloître★* **B.**

*Office du Tourisme, place du ChanoineSautel ☏ 04 90 36 02 11, Fax 04 90 28 76 04, ot-vaison@axit.fr.*

*Paris 668 ④ – Avignon 50 ③ – Carpentras 27 ② – Montélimar 64 ④ – Pont-St-Esprit 41 ④.*

## VAISON-LA-ROMAINE

Aubanel (Pl.) .......... Z 2
Bon-Ange (Chemin du) .......... Y 3
Brusquet (Chemin du) .......... Y 4
Burrus (R.) .......... Y 5
Cathédrale (Pl. de la) .......... Y 6
Chanoine-Sautel (Pl.) .......... Y 7
Coudray (Av.) .......... Y 8
Daudet (Rue A.) .......... Y 9
Église (R. de l') .......... Z 10
Évêché (R. de l') .......... Z 12
Fabre (Cours H.) .......... Y 13
Foch (Quai Maréchal) .......... Z 14
Géoffray (Av. C.) .......... Z 15
Gontard (Quai P.) .......... Z 17
Grande-Rue .......... Y 18
Jaurès (R. Jean) .......... Y 22
Mazen (Av. J.) .......... Y 23
Mistral (R. Frédéric) .......... Y 24
Montée-du-Château .......... Z 25
Montfort (Pl.) .......... Y 26
Noël (R. B.) .......... Y 27
Poids (Pl. du) .......... Z 29
République (R.) .......... Y 32
St-Quenin (Av.) .......... Y 33
Sus-Auze (Pl.) .......... Y 34
Taulignan (Crs) .......... Y 35
Victor-Hugo (Av.) .......... Y 36
Vieux-Marché (Pl. du) .......... Z 38
11-Novembre (Pl. du) .......... Y 40

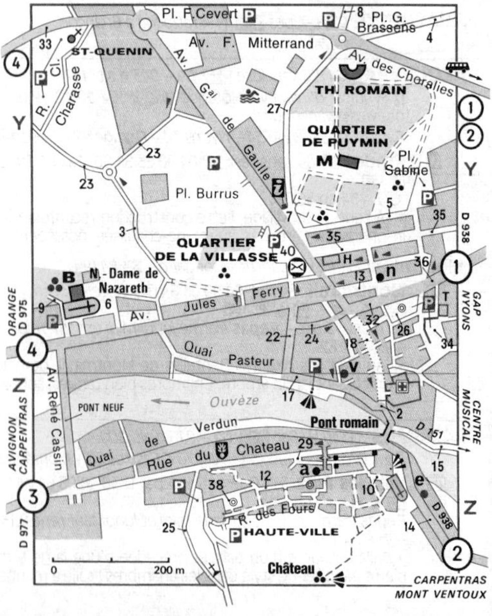

Pl. F. Cevert
Pl. G. Brassens
Av. F. Mitterrand
ST-QUENIN
Av. des Choralies
TH. ROMAIN
R. Cl. Charasse
Av. Gal de Gaulle
QUARTIER DE PUYMIN
Pl. Sabine
Pl. Burrus
QUARTIER DE LA VILLASSE
N.-Dame de Nazareth
Av. Jules Ferry
Quai Pasteur
Ouvèze
PONT NEUF
Pont romain
Av. René Cassin
Quai de Verdun
Rue du Chateau
R. des Fours
HAUTE-VILLE
Château
ORANGE D 975
AVIGNON CARPENTRAS
D 977
D 938
GAP NYONS
CENTRE MUSICAL
D 151
CARPENTRAS MONT VENTOUX
0
200 m

**Hostellerie le Beffroi** ♨, Haute Ville ☎ 04 90 36 04 71, *lebeffroi@wanadoo.fr, Fax 04 90 36 24 78*, ←, ☂, ⛱, ⛟ – TV P. AE ⓓ GB JCB. ✻ rest Z a
*fermé fin-janv. à mi-mars et 22 au 26 déc.* – **Repas** *(ouvert avril-oct. et fermé le midi en semaine et mardi sauf en été)* 26/41 ♀, enf. 10,50 – ☕ 10 – **22 ch** 85/130 – ½ P 75/95.
◆ Dominant la cité, deux demeures des 16ᵉ et 17ᵉ s. au charme préservé. Chambres de caractère. Joli jardin en terrasses. Carte classique, "saladerie" et salon de thé.

**Burrhus et annexe Les Lis** sans rest, 2 pl. Monfort ☎ 04 90 36 00 11, *info@burrhus.com, Fax 04 90 36 39 05* – TV. AE ⓓ GB JCB Y n
*fermé 14 déc. au 20 janv. et dim. en janv.-fév.* – ☕ 6 – **38 ch** 40/69.
◆ Maison aux tons ocre et son annexe, égayées par des expositions de tableaux et sculptures. Six nouvelles chambres "tendance" ; les autres sont contemporaines ou provençales.

**Moulin à Huile** (Bardot), quai Mar. Foch ☎ 04 90 36 20 67, *Fax 04 90 36 20 20*, ←, ☂ – ▤. AE GB. ✻ Z e
*fermé 15 nov. au 15 déc., dim. soir et lundi sauf fériés* – **Repas** (prévenir) 40 (déj.), 60/105 et carte 79 à 92.
◆ Difficile de rester insensible au charme de cet ancien moulin à huile des bords de l'Ouvèze. Belle cuisine au goût du jour, à savourer l'été sur l'une des terrasses ombragées.
**Spéc.** Saint-Jacques aux copeaux de truffe (déc. à mars). Suprême de pigeon rôti à la cannelle et cumin. Millefeuille à la crème vanillée. **Vins** Châteauneuf du Pape blanc, Gigondas.

**Brin d'Olivier** avec ch, 4 r. Ventoux ☎ 04 90 28 74 79, *Fax 04 90 36 13 36*, ☂ – ▤ rest, TV ☎. GB. ✻ rest YZ v
*fermé 10 au 19/3, 11 au 26/6, 1 au 16/10, 1 au 11/12, 5 au 15/1, sam. midi, jeudi midi, mardi soir et merc.* – **Repas** (dîner seul. de juin à sept.) 23/53 ♀ – ☕ 10 – **3 ch** 69/84.
◆ Proche du pont romain, sympathique adresse où vous attendent deux salles à manger rustiques décorées dans le style provençal. Patio planté d'un bel olivier. Cuisine du pays.

**au Crestet** *par ②, D 938 et D 76 : 5 km – 404 h. alt. 310 – ✉ 84110 :*

**Mas de Magali** ♨, ☎ 04 90 36 39 91, *Fax 04 90 28 73 40*, ← Mont-Ventoux, ☂, ⛱, ⛟ – TV P. GB
*5 avril-19 oct.* – **Repas** *(fermé merc.)* (dîner seul.) 23 – **10 ch** (½ pens. seul.) – ½ P 64,80/72,40.
◆ Perdue dans la campagne, bâtisse colorée entourée d'un jardin parfumé des fragrances du Midi. L'intérieur provençal a beaucoup de cachet. Quelques chambres avec terrasse.

**à Entrechaux** *par ②, D 938 et D 54 : 7 km G. Alpes du Sud – 809 h. alt. 280 – ✉ 84340 :*

**St-Hubert,** ☎ 04 90 46 00 05, *Fax 04 90 46 00 06*, ☂, ⛟ – P. GB
*fermé 29 sept. au 11 oct., 26 janv. au 12 mars, mardi et merc.* – **Repas** 12,50/44,50 ♀, enf. 9.
◆ Depuis 1929, la même famille accueille le client dans deux petites salles à manger d'esprit rustique. L'été, repas servis sous la treille où grimpe une glycine.

**à Séguret** *par ③, D 977 et D 88 : 10 km – 798 h. alt. 250 – ✉ 84110 :*

**Domaine de Cabasse** ♨, rte Sablet ☎ 04 90 46 91 12, *info@domaine-de-cabasse.fr, Fax 04 90 46 94 01*, ←, ☂, ⛱, ⛟ – TV P. GB. ✻ ch
*1ᵉʳ avril-1ᵉʳ nov.* – **Repas** *(fermé le midi sauf merc., sam., dim. et juil.-août)* 27 ♀ – ☕ 10,50 – **14 ch** 77/124 – ½ P 91,50/97,50.
◆ Au pied des Dentelles de Montmirail, hôtel intégré à un vaste domaine viticole (visite, dégustations). Les chambres, sobres et nettes, bénéficient du silence du vignoble.

**Table du Comtat** ♨ avec ch, ☎ 04 90 46 91 49, *table.comtat@wanadoo.fr, Fax 04 90 46 94 27*, ← plaine et Dentelles de Montmirail, ☂, ⛱ – ▤ rest, TV P. AE ⓓ GB
*fermé 2 fév. au 8 mars et 20 nov. au 6 déc.* – **Repas** *(fermé mardi sauf le midi du 1ᵉʳ juil. au 15 sept., merc. du 15 sept. au 1ᵉʳ juil. et dim. soir d'oct. à mars)* 30/70 et carte 60 à 66 ♀ – ☕ 14 – **8 ch** 90/105 – ½ P 92/105.
◆ Le superbe panorama sur la plaine et les dentelles de Montmirail est l'atout majeur de cette maison en pierre située sur les hauteurs du village. Belle terrasse ombragée.

**Mesclun,** r. Poternes (accès piétonnier) ☎ 04 90 46 93 43, *mesclunseguret@aol.com, Fax 04 90 46 93 48*, ☂ – AE GB
*fermé janv., dim. soir de sept. à juin et lundi* – **Repas** 25 (déj.), 30/49 ♀, enf. 12.
◆ Sympathique adresse nichée dans un charmant village bâti à flanc de colline. Petites salles aux tons jaunes, plaisante terrasse ombragée et appétissante cuisine méridionale.

**à Rasteau** *par ④, D 975 et D 69 : 9 km – 673 h. alt. 200 – ✉ 84110 :*

**Bellerive** ♨, rte Violès ☎ 04 90 46 10 20, *hotel-bellerive@wanadoo.fr, Fax 04 90 46 14 96*, ← vignobles et Dentelles de Montmirail, ☂, ⛱, ⛟ – TV P. AE ⓓ GB. ✻ ch
*5 avril-26 oct.* – **Repas** *(fermé lundi midi, mardi midi et vend. midi)* 24/45 ♀, enf. 16 – ☕ 12 – **20 ch** 107/139 – ½ P 99,50/115,50.
◆ Grande construction contemporaine cernée par les vignes. Chambres dotées d'agréables loggias ouvrant sur la vallée de l'Ouvèze. La salle à manger respire la Provence.

**à Roaix** *par ④ et D 975 : 5 km – 499 h. alt. 168 – ✉ 84110 :*

XX **Grand Pré,** rte Vaison-la-Romaine ✆ 04 90 46 18 12, *legrandpre@waika9.com, Fax 04 90 46 17 84,* – P. AE GB
*fermé 24 juin au 2 juil., 12 au 26 nov., 12 janv. au 13 fév., merc. midi, sam. midi, et mardi* – **Repas** (prévenir) 29 (déj.), 46/61 ♀.
◆ Cuisine gorgée de soleil et belle carte de côtes-du-rhône proposées dans l'élégant intérieur blanc d'une ancienne ferme. Terrasse tournée sur un jardin aromatique.

---

**VAÏSSAC** *82800 T.-et-G.* 337 *F7 – 636 h alt. 134.*
*Paris 632 – Toulouse 76 – Albi 60 – Montauban 23 – Villefranche-de-Rouergue 66.*

**Terrassier,** ✆ 05 63 30 94 60, *hotel-rest.terrassier@wanadoo.fr, Fax 05 63 30 87 40,* , – TV P – 20. AE GB
*fermé 17 au 24 nov., 2 au 19 janv., vend. soir et dim. soir* – **Repas** 12 bc/36, enf. 10 – 6,50 – **12 ch** 37/43 – ½ P 37.
◆ Loin des grands axes, auberge villageoise pratique pour rayonner dans le Quercy et l'Albigeois. Chambres simples et bien tenues ; certaines ouvrent sur la campagne.

---

**VALADY** *12330 Aveyron* 338 *G4 – 1 014 h alt. 350.*
*Paris 626 – Rodez 20 – Decazeville 20.*

**Combes** , ✆ 05 65 72 70 24, *Fax 05 65 72 68 15,* – TV. GB
*fermé 29 déc. au 20 janv.* – **Repas** *(fermé dim. soir et lundi sauf fériés)* 15/27,50 – 8 – **13 ch** 42/45 – ½ P 43/44.
◆ Deux maisons villageoises face à face : d'un côté, le restaurant au cadre campagnard ; de l'autre, les chambres dont la plupart ouvrent sur un paisible jardin.

---

**Le VAL-ANDRÉ** *22 C.-d'Armor* 309 *G3 – voir à Pléneuf-Val-André.*

---

**VALAURIE** *26230 Drôme* 332 *B7 – 386 h alt. 162.*
*Paris 627 – Montélimar 21 – Nyons 33 – Pierrelatte 14.*

**Domaine Les Mejeonnes** , 2 km rte de Montélimar ✆ 04 75 98 60 60, *Fax 04 75 98 63 44,* , , – TV P – 25. AE GB
**Repas** *(fermé merc.)* 18/25 ♀ – 7,50 – **10 ch** 60/82 – ½ P 100.
◆ Sur un coteau, charmante ferme en pierre bordée d'un jardin aux senteurs de lavande et de romarin. Bel intérieur rustique. Petites chambres égayées de tissus provençaux.

---

**VALBERG** *06 Alpes-Mar.* 341 *C3 G. Alpes du Sud – alt. 1669 – Sports d'hiver : 1 430/2 100 m 26 – ✉ 06470 Péone.*
**Voir** *Intérieur★ de la chapelle N.-D.-des-Neiges.*
*Office du Tourisme, Centre Administratif ✆ 04 93 23 24 25, Fax 04 93 02 52 27, ot@valberg.com.*
*Paris 810 – Barcelonnette 75 – Castellane 68 – Nice 86 – St-Martin-Vésubie 58.*

**Adrech de Lagas,** ✆ 04 93 02 51 64, *adrech-hotel@libertysurf.fr, Fax 04 93 02 52 33,* , – TV P. GB. rest
*1er juil.-20 sept. et 20 déc.-9 avril* – **Repas** (½ pens. seul.) – 10 – **19 ch** 84 – ½ P 74.
◆ L'enseigne de ce chalet récent situé au pied des pistes rappelle l'origine catalane des habitants de la contrée. Chambres exposées plein Sud et dotées de loggias.

**Chalet Suisse** sans rest, ✆ 04 93 03 62 62, *info@chalet-suisse.com, Fax 04 93 03 62 64* – TV . GB
*16 juin-30 sept. et 16 déc.-31 mars* – 9 – **23 ch** 71/100.
◆ Maison de montagne d'allure helvétique blottie au coeur de cette station ensoleillée. Chambres rustiques ou actuelles. Détente au sauna ou au hammam.

**Blanche Neige** M, ✆ 04 93 02 50 04, *Fax 04 93 02 61 90,* – TV P. AE GB.
*fermé 15 oct. au 30 nov., lundi soir et mardi* – **Repas** *(fermé hors saison)* 22 ♀ – 8 – **17 ch** 71/107 – ½ P 63.
◆ Un décor coquet et chaleureux, à l'image de la maison des sept nains aménagée par Blanche-Neige. Petites chambres douillettes aux meubles peints et jolis tissus fleuris.

**Clé des Champs,** ✆ 04 93 02 51 45, *Fax 04 93 02 62 52,* – TV P. GB.
*5 juil.-15 sept. et 20 déc.-10 avril* – **Repas** (résidents seul.) – 7,30 – **18 ch** 55/58 – ½ P 55,70.
◆ Chalet des années 1960 à deux pas du parc des sports. Intérieur un brin désuet, mais tenue sans reproche. Chambres simples, agrémentées d'un balcon équipé de chaises longues.

**VALBONNE** *06560 Alpes-Mar.* 341 D6 *G. Côte d'Azur – 9 514 h alt. 250.*

Office du Tourisme, 1 place de l'Hôtel de Ville ✆ 04 93 12 34 50, Fax 04 93 12 34 57, vsa@alpes-aur.com.

Paris 913 – Cannes 13 – Antibes 14 – Grasse 11 – Mougins 7 – Nice 32 – Vence 21.

**Bastide de Valbonne** sans rest, rte Cannes (D 3) : 1,5 km ✆ 04 93 12 33 40, *bastide-de-valbonne@wanadoo.fr, Fax 04 93 12 33 41,* – AE GB JCB
*fermé 5 janv. au 1er fév.* – 12 – **29 ch** 100/125.
◆ Demeure récente à la pimpante façade jaune égayée de volets bleu. Les chambres situées sur l'arrière bénéficient du calme et de la vue sur la piscine. Plaisant cadre provençal.

**Armoiries** sans rest, pl. Arcades ✆ 04 93 12 90 90, *Fax 04 93 12 90 91* – AE GB
9 – **16 ch** 92/155.
◆ Cette bâtisse du 17e s. dotée d'une belle décoration intérieure est au centre de ce village dessinant un damier parfait. Chambres personnalisées et mobilier chiné.

**Lou Cigalon** (Parodi), 4 bd Carnot ✆ 04 93 12 27 07 – . GB.
*fermé 3 au 19 août, 26 oct. au 4 nov., dim. et lundi* – **Repas** (nombre de couverts limité, prévenir) 50/125.
◆ À l'entrée du village, discrète maison abritant une coquette salle à manger avec pierres et poutres apparentes. Dans l'assiette, généreuse cuisine du marché gorgée de soleil.
**Spéc.** Tempura de langoustines et émietté de tourteau (printemps). Bar rôti aux arômates (été). Chocolat moelleux et millefeuille aux fraises des bois (été). **Vins** Coteaux d'Aix-en-Provence-les Baux, Côtes de Provence.

**Auberge Fleurie,** rte Cannes (D 3) : 1,5 km ✆ 04 93 12 02 80, *Fax 04 93 12 22 27,* – AE GB
*fermé 30 nov. au 7 janv., lundi et mardi* – **Repas** 21/40.
◆ Accueillante maison entourée d'un jardin fleuri. Salle à manger d'inspiration provençale et petite terrasse où l'on sert une copieuse cuisine traditionnelle.

**au golf d'Opio-Valbonne** *Nord-Est : 2 km par rte de Biot (D 4 et D 204) – 06650 Opio :*

**Château de la Bégude** , ✆ 04 93 12 37 00, *begude@worldnet.fr, Fax 04 93 12 37 13,* – ch, – 60. AE GB
*fermé 5 janv. au 3 fév.* – **Repas** *(fermé dim. soir du 13 oct. au 28 avril)* (20) - 27/32 –
12,20 – **34 ch** 75/159 – ½ P 85/157.
◆ Bordée d'un rideau de chênes-lièges, sur l'un des golfs les plus réputés de la région, une charmante bastide du 17e s. et sa bergerie. Restaurant à fleur de green.

**rte d'Antibes** *au Sud par D 3 – 06560 Valbonne :*

**Castel Provence** sans rest, à 2,5 km, 30 chemin Pinchinade ✆ 04 93 12 11 92, *bwcastel@wanadoo.fr, Fax 04 93 12 90 01,* – AE GB JCB
10 – **36 ch** 98/155.
◆ Cette construction récente de style régional surplombe un rond-point. Chambres spacieuses et fraîchement décorées ; certaines offrent une vue sur la piscine et le jardin.

**Bois Doré,** à 3 km sur D 103 ✆ 04 93 12 26 25, *Fax 04 93 12 28 73,* – AE GB
*fermé 29 oct. au 17 nov., vacances de fév., dim. soir de nov. à mars et merc.* – **Repas** 21 (déj.), 30/41,50 et carte 52 à 68.
◆ Cette sympathique villa méditerranéenne vous reçoit dans son oasis de verdure. Intérieur soigné aux couleurs de la région et agréable terrasse. Cuisine classique.

**à Plascassier** *Ouest : 3 km rte de Grasse par D 4 – 06370 Mouans-Sartoux :*

**Relais de Sartoux,** ✆ 04 93 60 10 57, *relais.sartoux@wanadoo.fr, Fax 04 93 60 17 36,* – AE GB
*fermé 12 nov. au 20 déc. et 2 au 28 janv.* – **Repas** *(fermé lundi)* 22/28, enf. 12 – 7 – **12 ch** 59/72 – ½ P 54.
◆ Auberge familiale toute simple, aménagée dans un mas provençal disposant de chambres rénovées dont on a conservé le caractère rustique. Cuisine traditionnelle.

**à Sophia-Antipolis** *Sud-Est : 7 km par D 3 et D 103 – 06560 Valbonne :*

**Sophia Country Club Grand Mercure** , Les Lucioles 2 - 3550 rte Dolines ✆ 04 92 96 68 78, *H1279@accor-hotels.com, Fax 04 92 96 68 96,* – – 300. AE GB JCB
***Le Club :*** Repas (19)-29(déj.)/48, enf.12 – 20 – **157 ch** 200/400.
◆ Complexe hôtelier doté d'un centre sportif très complet : club de tennis, practice de golf, fitness, piscines. Préférez les nouvelles chambres, spacieuses et soignées.

**Mercure** , Les Lucioles 2, r. A. Caquot ✆ 04 92 96 04 04, *h1122@accor-hotels.com, Fax 04 92 96 05 05,* – – 120. AE GB
**Repas** (23,50 bc) - 27,20 – 11 – **104 ch** 105/120.
◆ Construction régionale moderne sur le vaste plateau (2 400 ha) recouvert d'une pinède où s'est ouvert le Parc international d'activités. Chambres fonctionnelles.

**Novotel** M, Les Lucioles 1, 290 r. Dostoievski 04 92 38 72 38, *h0398@accor-hotels.com, Fax 04 93 95 80 12*, – 100.
**Repas** 22,50, enf. 8 – 11 – **97 ch** 112/118.
◆ Établissement des années 1970 bénéficiant d'un environnement verdoyant. Chambres rénovées, bien équipées. L'agréable terrasse est très appréciée dès les premiers beaux jours.

**Ibis** M, Les Lucioles 2, r. A. Caquot 04 93 65 30 60, *H0711@accor-hotels.com, Fax 04 93 95 83 99*,
**Repas** 18, enf. 6 – 6 – **99 ch** 76.
◆ Proche d'un aqueduc, bâtiment tout en longueur agrémenté d'un espace vert où se trouve la piscine. Chambres refaites dans le nouveau style de la chaîne.

---

**VALCABRÈRE** *31 H.-Gar.* 343 B6 – *rattaché à St-Bertrand-de-Comminges.*

---

**VALCEBOLLÈRE** *66340 Pyr.-Or.* 344 D8 – *37 h alt. 1470.*
*Paris 868 – Font-Romeu-Odeillo-Via 26 – Bourg-Madame 9 – Perpignan 107 – Prades 61.*

**Auberge Les Ecureuils**, 04 68 04 52 03, *auberge-ecureuils@wanadoo.fr, Fax 04 68 04 52 34*, – 20.
*fermé 9 au 20 mai et 15 oct. au 18 déc.* – **Repas** (18) - 25/45, enf. 11 – 11 – **15 ch** 56/85 – ½ P 57/70.
◆ Dans le hameau, ancienne bergerie convertie en charmante auberge rustique. Agréables chambres personnalisées. Organisation de randonnées ; skis et raquettes à disposition.

*Si le coût de la vie subit des variations importantes,*
*les prix que nous indiquons peuvent être majorés.*
*Lors de votre réservation à l'hôtel, faites-vous préciser le prix définitif.*

---

**VAL CLARET** *73 Savoie* 333 O5 – *rattaché à Tignes.*

---

**VALDAHON** *25800 Doubs* 321 I4 – *3 534 h alt. 645.*
*Paris 436 – Besançon 33 – Morteau 32 – Pontarlier 30.*

**Relais de Franche Comté**, 03 81 56 23 18, *Fax 03 81 56 44 38*, – 30.
*fermé 28 août au 1er sept., 19 déc. au 11 janv., vend. soir, sam. midi sauf 07/08 et dim. soir de nov. à Pâques* – **Repas** 11,50/41,80, enf. 6,30 – 6 – **20 ch** 36,50/45,50 – ½ P 44,50.
◆ Dans un cadre assez verdoyant, construction cubique aux intérieurs progressivement rénovés. Chambres actuelles et pratiques. Carte traditionnelle.

**à Chevigney-lès-Vercel** *Nord-Est : 3 km par D 50 – 88 h. alt. 630 – 25530 :*

**Promenade**, 03 81 56 24 76, *hotelpromenade@aol.com, Fax 03 81 56 29 64*, – 30.
*fermé 20 oct. au 12 nov., dim. soir et lundi sauf juil.-août* – **Repas** 9,50/30 – 5 – **10 ch** 27/38 – ½ P 30,50.
◆ Située tout près du camp militaire créé en 1907, en lisière de forêt, cette auberge semble figée dans un décor "sixties". Chambres simples. Cuisine régionale.

---

**Le VAL-D'AJOL** *88340 Vosges* 314 G5 *G. Alsace Lorraine – 4 877 h alt. 380.*
*Office du Tourisme, 17 rue de Plombières 03 29 30 56 78, Fax 03 29 30 61 55, otsi-valdajol@wanadoo.fr.*
*Paris 384 – Épinal 41 – Luxeuil-les-Bains 18 – Plombières-les-Bains 10 – Remiremont 18.*

**Résidence**, r. Mousses par rte Hamanxard 03 29 30 68 52, *contact@la-residence.com, Fax 03 29 66 53 00*, – 25 à 80.
*fermé 26 nov. au 26 déc.* – **Repas** *(fermé dim. soir et lundi sauf vacances scolaires et fériés)* 15/42, enf. 7 – 7,50 – **50 ch** 40/76 – ½ P 51,30/64.
◆ Dans un grand parc enclos, belle demeure de 1850 et ses annexes. Chambres actuelles ou garnies de meubles de style. Lumineux restaurant avec cheminée centrale et aquarium.

---

**VALDEBLORE (Commune de)** *06420 Alpes-Mar.* 341 E3 *G. Côte d'Azur – 664 h alt. 1050 – Sports d'hiver à la Colmiane : 1 400/1 800 m 7.*
*Office du Tourisme, La Roche 04 93 23 25 90, Fax 04 93 23 25 91, otcolmiane@wanadoo.fr.*
*Paris 838 – Cannes 88 – Nice 72 – St-Étienne-de-Tinée 45 – St-Martin-Vésubie 12.*